GW00645548

LANGENSCHEIDT'S COMPREHENSIVE ENGLISH-GERMAN DICTIONARY

LANGENSCHEIDT'S COMPREHENSIVE ENGLISH-GERMAN DICTIONARY

BY

HEINZ MESSINGER

HODDER AND STOUGHTON

Published in the British Commonwealth
by Hodder & Stoughton Limited

PREFACE

This new large-sized dictionary aims to take the middle course between Langenscheidt's encyclopedic "New Muret-Sanders" and the "Concise English-German Dictionary", profiting from the merits of both works.

The many innovations and upheavals of the Sixties in all fields have inevitably had an enormous impact on language, too. An immense number of new words and terms has crowded into the vocabulary: some to stay, some to be crowded out in turn by others or — comfortingly — simply to fail to usurp the place of those traditional terms they had pretended to supersede.

On the one hand one has to cope with new journalese, slang and, above all, technical terms which an outsize computer might, perhaps, assemble into sufficient volumes to fill a library. On the other hand there is the less sensational but vast body of words constantly in general use, which continually develop new connotations and shades of meaning, so that the harassed compiler stands before an eternal *embarras du choix:* should he include, for example, "lunar module" at the expense of "groupie", thus resisting the temptation to succumb too much to the lure of "trendy" words to the neglect of the more pedestrian problems of technical, business, legal, medical, or literary terminology? — a bitter choice, in which linguistic conscience must triumph over the seductive desire for cheap popularity.

To attempt to capture and hold the wealth of the English language in a lexicon, be it ever so "comprehensive", might well be compared to Man's ambition to conquer Outer Space: he stands complacently on the moon for one brief hour, contentedly scratching his own back, and in the next is wanly aware of worlds within worlds within worlds stretching limitlessly before him.

In the present work — granted this *a priori* admission of inadequacy — considerable pains have been expended on the exhaustive treatment of key words. A glance at such articles as *conversion*, *cost*, *cover*, *coverage*, *critical* may convince even the more exacting user of the honest industry if not the unqualified success of the endeavour. In the realm of idiom, quite apart from the rich fund of still living traditional usage, an impressive range of new expressions has been included. In this respect, neither slang nor outright vulgar usage has been neglected where the compulsion of common currency or general significance was sufficiently strong. In each case the criterion has been exactitude in the German rendering not only of the sense but also of the level of usage of the expression concerned. With some sense of melancholy, and to the desolation of all purists, the compiler has felt obliged to pay due attention to the gaily indiscriminate progress of the anglicizing of our language, not to forget the quite dynamic influence of "American English".

On the technical side, stern self-discipline has necessarily been the order of the day. To speak of a "complete and universal dictionary" here would be, of course, the ultimate in self-delusion. Where the most highly specialized technical dictionary is hard put to it today to keep pace with even the developments of yesterday, the universal compiler must confine himself, while the eye winks at the hand, to a "careful choice" of what is representative and possibly even generally comprehensible. He knows, in any case, that words and meanings are part of our eternal yesterdays.

For the acknowledgement of the invaluable assistance given by numerous friends and colleagues and, more impersonally, by a variety of works of reference, the author would refer his patient reader to the German foreword.

VORWORT

Das „Großwörterbuch Englisch-Deutsch" ist ein völlig neues Wörterbuch, das im Umfang etwa in der Mitte zwischen dem größten englischen Langenscheidt-Wörterbuch und dem Handwörterbuch Englisch liegt. Diese beiden bewährten Nachschlagewerke — „Langenscheidts Enzyklopädisches Wörterbuch (Der neue Muret-Sanders)" und „Langenscheidts Handwörterbuch Englisch" — bildeten auch die Grundlage, auf der der Verfasser des „Großwörterbuchs" inhaltlich aufbauen konnte. Gleichzeitig stand er aber dem geradezu explosiven Anwachsen des englischen Wortschatzes in allen Lebensbereichen gegenüber, dem es Rechnung zu tragen galt. Dem beträchtlichen Umfang des Werkes entsprechend konnte eine außerordentlich große Anzahl von interessanten und aktuellen Neuwörtern aufgenommen werden, darunter auch eine Vielzahl von Fachwörtern.

Die stete, stille Konkurrenz zu diesem Bemühen um „up-to-dateness" liegt in dem gewaltigen Gros des etablierten Wortguts der Gemeinsprache, das sich seinerseits durch neue Bedeutungen und Nuancen des Stichworts unentwegt ausweitet. Gerade hier sah der Verfasser einen Ansatzpunkt, um den Wortschatz der englischen Sprache neu zu durchleuchten und übersichtlich darzustellen. Große Mühe wurde daher darauf verwendet, jedes Stichwort in seinem ganzen Bedeutungsinhalt erschöpfend zu behandeln und mit vielen Beispielen und Erläuterungen präzise und übersichtlich wiederzugeben. Daß dabei auch dem so dynamischen Anteil des Amerikanischen volle Aufmerksamkeit gewidmet wurde, bedarf kaum der Erwähnung. Auf dem Gebiet der Idiomatik wurden neben den überkommenen Wendungen neue Ausdrücke in großer Zahl aufgenommen, in der Hochsprache ebenso wie in der Umgangssprache, in der Vulgärsprache ebenso wie im Slang. Dabei war der Verfasser in jedem Falle um eine exakte Wiedergabe auf der jeweils entsprechenden Sprachebene in modernem Deutsch bemüht, wobei auch die so munter fortschreitende Anglisierung unserer Sprache häufig beachtet werden mußte.

Grammatische Hinweise und die Erfassung aller wichtigen syntaktischen Bezüge sollen dazu dienen, das Wortmaterial in seinem lebendigen Gebrauch anschaulich zu machen. Wie gründlich und genau dabei vorgegangen wurde, möge ein Blick auf Stichwörter wie *conversion, cost, cover, coverage* oder *critical* zeigen. Wichtig sind auch die „Hinweise für die Benutzung des Großwörterbuchs" (vgl. Seite 11), die dem Benutzer einen nützlichen Überblick über die generelle Einrichtung dieses Wörterbuches geben werden. Die phonetische Umschrift wird nach den Grundsätzen der „International Phonetic Association" mit zwei durch das amerikanische Englisch bedingten Sonderzeichen angegeben. Auch in der Aussprache werden damit das amerikanische Englisch und das britische Englisch als gleichberechtigt behandelt.

In einem Wörterbuch der Gemeinsprache bildet das fachsprachliche Element stets ein besonderes Problem. Angesichts einer anbrandenden Flut von Fachausdrücken auf so modernen Gebieten wie der Elektronik, Computertechnik oder Raumfahrt, aber auch in den herkömmlichen Bereichen der Medizin, Physik, Chemie usw., ist der Kompilator gehalten, strenge Selbstdisziplin zu wahren und eine sorgsame Auslese nach repräsentativen Gesichtspunkten zu treffen. Wer weiß, daß gerade heute auch das hochspezialisierte Fachwörterbuch größte Mühe hat, mit der sprunghaften Entwicklung Schritt zu halten, kann von einem allgemeinen Sprachlexikon keine Wunder erwarten. Doch durch Ausschöpfen aller maßgeblichen Quellen und Heranziehung von bewährten Fachleuten dürfte auch eine ausgewogene Darstellung des Fachwortschatzes gelungen sein, ohne den Rahmen des Werkes zu sprengen. Daß dabei die Geisteswissenschaften, Kunst und Literatur oder das Bildungswesen neben den technologischen, juristischen und wirtschaftlichen Sparten voll berücksichtigt wurden, versteht sich von selbst.

Verfasser und Verlag ist es ein Bedürfnis, allen jenen, die bei dieser großen Arbeit tatkräftig geholfen haben, herzlichen Dank zu sagen, insbesondere Professor Reginald St. Leon, University of Sydney, Professor Dr. Alexander Gode von Aesch, New York, N.Y., Mrs. Dorothy Whitcombe, M.A., Gerrards Cross, England, Dr. Rolf Sigmund, Stuttgart-Echterdingen, und Herrn Karl-Heinz Ditsch, Redakteur, Sparwiesen. Auch Frau Gisela Türck sei an dieser Stelle für viele Anregungen bei der Manuskripterstellung und das gewissenhafte Korrekturlesen gedankt. Sehr verpflichtet ist der Verfasser der englischen Redaktion des Verlags für die gründliche und kritische Arbeit beim Korrekturlesen sowie für das Einfügen von zusätzlichen Neologismen.

Reichhaltigkeit und eine sachlich-moderne Konzeption — wir hoffen, daß diese Grundsätze auch hier wieder erfüllt worden sind und daß das „Großwörterbuch" dem künftigen Benutzer eine gute Arbeitshilfe und eine Quelle von Anregungen sein wird.

INHALTSVERZEICHNIS — CONTENTS

ANLAGE DES WÖRTERBUCHS MIT HINWEISEN FÜR DEN BENUTZER
ARRANGEMENT OF THE DICTIONARY AND GUIDE FOR THE USER

A. ALLGEMEINES

I. SCHRIFTARTEN

Der Unterscheidung des im Wörterbuch gebotenen Stoffes dienen vier Schriftarten:

halbfett	für die englischen Stichwörter,
Auszeichnungsschrift	für die englischen Anwendungsbeispiele und Redewendungen,
Grundschrift	für die deutschen Übersetzungen und
kursiv	für alle erklärenden Zusätze, Definitionen, Ursprungsbezeichnungen, Bezeichnungen der Wortart, des Sachgebietes, der regionalen Verbreitung oder der Sprachgebrauchsebene.

A. GENERAL INDICATIONS

I. STYLES OF TYPE

Four different styles of type are used for the following four categories of information:

boldface	for the entry word,
lightface	for illustrative phrases and idiomatic expressions,
plain	for the German translation, and
italic	for all explanations and definitions, for labels indicating the origin of an entry word, its part of speech, its specialized senses, its geographical distribution, and its level of usage.

II. ANORDNUNG DER STICHWÖRTER

1. Alphabetische Reihenfolge

Die halbfetten Stichwörter sind streng alphabetisch geordnet. Unregelmäßige Formen und orthographische Varianten sind an ihrem alphabetischen Platz verzeichnet mit Verweis auf das Stichwort, unter dem sie behandelt werden. Außerhalb der alphabetischen Reihenfolge stehen die als halbfette Stichwörter aufgeführten Verbindungen von Verben mit Präpositionen bzw. Adverbien. Sie folgen dem betreffenden Verbartikel unmittelbar in besonderen Abschnitten.

II. ARRANGEMENT OF ENTRIES

1. Alphabetical Order

Every boldface entry is given in its alphabetical order. Irregular forms and variant spellings are listed in the proper alphabetical order with cross reference to the entry word where they are treated in full. In the case of verb phrases which are entered in boldface type the alphabetical order has been abandoned. They are dealt with separately, directly after the respective verb entries.

2. Britische und amerikanische Schreibvarianten

Orthographische Varianten des britischen oder amerikanischen Englisch werden nach dem Grundsatz der Gleichwertigkeit behandelt. Die lexikographische Behandlung erfolgt bei derjenigen Schreibvariante, in der das betreffende Wort alphabetisch zuerst erscheint. An dieser Stelle ist zusätzlich die andere Schreibvariante verzeichnet. Bei der alphabetisch später aufgeführten Variante wird auf die alphabetisch frühere Schreibvariante verwiesen.

Wenn orthographische Varianten (vollständig angeführt oder durch eingeklammerte Buchstaben angezeigt) nicht als „britisch" oder „amerikanisch" gekennzeichnet sind, so gelten sie für beide Sprachzweige.

Ist beim zweiten Bestandteil einer Zusammensetzung ein Buchstabe eingeklammert, so ist beim betreffenden Simplex zu ersehen, ob es sich hierbei um eine britische bzw. amerikanische Variante handelt oder ob die Variante für beide Sprachzweige gilt.

2. British and American Orthographic Differences

Where British and American spelling differ, the two forms are regarded as having equal status. Full lexicographical treatment is given with the prior alphabetical form. There the other spelling variant, properly labelled, is also listed. A cross reference from the later alphabetical form to the prior form indicates where the word in question is treated.

When variant spellings (either entered in full or indicated by brackets only) are not marked British or American they are common to both countries.

When in the second element of a compound entry a letter is placed in brackets the user is referred to the respective base word to find out whether the variant spellings constitute orthographic differences between British and American usage or are common to both countries.

3. Zusammensetzungen

Zusammensetzungen sind entweder als halbfette Stichwörter an ihrer alphabetischen Stelle verzeichnet (z. B. **coal bed, coast guard**), oder erscheinen als Anwendungsbeispiele unter einem ihrer Kompositionsglieder (z. B. accident risk unter **risk 2**).

3. Compound Entries

Most compounds are either entered in boldface type in their proper alphabetical position (e.g. **coal bed, coast guard**) or are given as illustrative phrases under one or other of their components (e.g. accident risk under **risk 2**).

4. Ableitungen

Ableitungen stehen als halbfette Stichwörter an ihrer alphabetischen Stelle. Nur wenn sie sehr selten sind oder wenn sich ihre Bedeutung ohne weiteres aus der des Stammworts ergibt, wurden sie nicht eigens aufgeführt.

4. Derivatives

Derivatives are given in their proper alphabetical position as boldface entries. They have been omitted only when they are very rare or when their meaning can easily be gathered from that of their base word.

5. Adverbialformen

Adverbialformen werden immer gekennzeichnet: **bad** ... (*adv* ~ly). Sie erscheinen aber nur dann als selbständiges Stichwort, wenn sie in Bedeutung oder Aussprache eine Besonderheit aufweisen. Ausgeschrieben werden Adverbialformen, bei deren Bildung der Schlußvokal des Adjektivs entfällt oder sich verändert:

capable *adj* (*adv* capably)
gentle *adj* (*adv* gently)
risky *adj* (*adv* riskily)

5. Adverbs

The formation of adverbs is indicated throughout: **bad** ... (*adv* ~ly). However, they are only treated in full if they show any irregularities either in meaning or in pronunciation. Those adverbs which in the course of derivation from an adjective either drop or change the last vowel are written in full:

capable *adj* (*adv* capably)
gentle *adj* (*adv* gently)
risky *adj* (*adv* riskily)

Bei Adjektiven, die auf **-ic** und **-ical** enden können, wird die Adverbialbildung auf folgende Weise gekennzeichnet:

geologic *adj*; **geological** *adj* (*adv* ~**ly**)

d. h. **geologically** ist das Adverb zu beiden Adjektivformen.

There may be but one adverbial form for adjectives ending in both **-ic** and **-ical**. This is indicated in the following way:

geologic *adj*; **geological** *adj* (*adv* ~**ly**)

i.e. **geologically** is the adverb of **geologic** and **geological**.

6. Wortbildungselemente

Um dem Benutzer die Möglichkeit zu geben, eventuell nicht verzeichnete wissenschaftliche und sonstige Spezialausdrücke zu erschließen, wurden englische Wortbildungselemente aufgenommen.

6. Combining Forms

In order to enable the user to gather the meaning of any scientific or other technical terms not listed in the dictionary English combining forms are given.

7. Eigennamen und Abkürzungen

Wichtige Eigennamen aus der Bibel, von Sternen etc. sind im Hauptteil behandelt. Eigennamen biographischer und geographischer Art sowie Abkürzungen sind in besonderen Verzeichnissen am Schluß des Werkes zusammengestellt.

7. Proper Names and Abbreviations

The more important proper names from the Bible, of stars in the stellar system, etc. are dealt with in the main vocabulary. Biographical and geographical names as well as abbreviations are listed in special appendixes at the end of the dictionary.

B. AUFBAU EINES STICHWORT-ARTIKELS

Die Unterteilung eines Stichwort-Artikels geschieht durch

1. römische Ziffern zur Unterscheidung der Wortarten (Substantiv, transitives oder intransitives Verb, Adjektiv etc.),

2. arabische Ziffern (fortlaufend im Artikel und unabhängig von den römischen Ziffern) zur Unterscheidung der einzelnen Bedeutungen,

3. kleine Buchstaben zur weiteren Bedeutungsdifferenzierung innerhalb einer arabischen Ziffer.

Die einzelnen Artikel gliedern sich wie folgt:

B. TREATMENT OF ENTRIES

Subdivisions may be made in the entries by means of

1. Roman numerals to distinguish the various parts of speech (noun, transitive or intransitive verb, adjective, etc.),

2. Arabic numerals (running consecutively through the entire entry, irrespective of the Roman numerals) to distinguish the various senses,

3. small letters as a further means of splitting up into several related meanings a primary sense of a word under an Arabic numeral.

The various elements of a dictionary entry are:

I. ENGLISCHES STICHWORT

Das englische Stichwort erscheint in halbfetter Schrift entweder nach links ausgerückt oder, im Falle von Ableitungen und Zusammensetzungen, innerhalb des fortlaufenden Textes der Spalte.

1. Silbentrennpunkte. Bei mehrsilbigen Stichwörtern ist die Silbentrennung durch auf Mitte stehenden Punkt oder durch Betonungsakzent angezeigt. Bei Wortbildungselementen wird die Silbentren-

I. THE ENGLISH ENTRY WORD

The English entry word is printed in boldface type and appears either at the left-hand side of a column (slightly further over into the left margin than the rest of the text) or is—in the case of derivatives and compounds—run on after the preceding entry.

1. Syllabification. In entry words of more than one syllable syllabification is indicated by centered dots or stress marks. In the case of combining forms syllabification has not been given since it may vary

nungsmöglichkeit nicht angegeben, da sich diese, je nach den weiteren Bestandteilen des zu bildenden Wortes, verändern kann (z. B. **electro-**).

2. Exponenten. Verschiedene Wörter gleicher Schreibung (Homonyme, Homogramme) werden mit Exponenten gekennzeichnet (z. B. **bail**^{1}, **bail**^{2}, **bail**^{3}, **bail**^{4}).

3. Bindestrich. Mußte ein mit Bindestrich geschriebenes englisches Wort an der Stelle des Bindestrichs getrennt werden, so wurde der Bindestrich zu Anfang der folgenden Zeile wiederholt.

4. Tilde. Folgen einem ausgerückten Stichwort eine oder mehrere angehängte Zusammensetzungen mit diesem Stichwort als erstem Bestandteil, so wird es nicht jedesmal wiederholt, sondern durch eine halbfette Tilde (~) ersetzt:

> **cad·mi·um** ['kædmiəm] ... **~ or·ange** = cadmium orange ...

Ist das ausgerückte Stichwort bereits selbst eine Zusammensetzung, die durch die nachfolgende Tilde nicht als Ganzes wieder aufgenommen werden soll, sondern nur mit ihrem ersten Bestandteil, so steht hinter diesem ersten Bestandteil ein senkrechter Strich. In den darauffolgenden angehängten Stichwörtern ersetzt die halbfette Tilde also nur den vor dem senkrechten Strich stehenden Bestandteil des ausgerückten Stichworts:

> **ab·so·lute| pitch** ... **~ tem·per·a·ture** = absolute temperature ...

Um den Wechsel zwischen Groß- und Kleinschreibung bei den mit Tilde angehängten Stichwörtern anzuzeigen, wurde der große bzw. kleine Anfangsbuchstabe unmittelbar vor die Tilde gesetzt:

> **Great| Mo·gul** ... **g~ mo·rel** = great morel ...

5. Unregelmäßige Formen

a) Substantiv

Der regelmäßig gebildete Plural wird nicht angegeben. Dagegen werden die Pluralformen aller Substantive auf **-a, -o, -um, -us** — soweit sie existieren — durch Wiedergabe der letzten Silbe oder der letzten Silben verzeichnet:

> **cac·tus** ['kæktəs] *pl* **-ti** [-tai], **-tuses** ...

Bei allen anderen Substantiven, die unregelmäßige Pluralbildung aufweisen, sind die Pluralformen voll ausgeschrieben:

> **knife** [naif] **I** *s pl* **knives** [naivz] ...

according to the other components of the word to be formed (e.g. **electro-**).

2. Superscription. Different words with the same spelling (homographs) have been given numbers in superscript (e. g. **bail**^{1}, **bail**^{2}, **bail**^{3}, **bail**^{4}).

3. Hyphen. Where hyphen and division mark coincide in the division of a hyphened English entry, the hyphen is repeated at the beginning of the next line.

4. Swung Dash or "Tilde". When a left-margin entry word is followed by one or more compounds (with the entry word as their first element), the entry word has not been repeated every time but has been replaced by a boldface tilde (~):

> **cad·mi·um** ['kædmiəm] ... **~ or·ange** = cadmium orange ...

When the left-margin entry word is itself a compound of which only the first element is to be repeated by the following tilde, then this element is separated off by means of a vertical bar. In the run-on entry words following, the boldface tilde repeats only that element of the left-margin entry word which precedes the vertical bar:

> **ab·so·lute| pitch** ... **~ tem·per·a·ture** = absolute temperature ...

When the initial letter of run-on entry words represented by a tilde changes from small to capital or vice versa the small or capital letter has been placed immediately in front of the tilde:

> **Great| Mo·gul** ... **g~ mo·rel** = great morel ...

5. Irregular Forms

a) Noun

All regular plural forms have not been listed. However, the plural forms of all nouns ending in **-a, -o, -um, -us**—when such nouns require a plural—are indicated by repetition of the last syllable or syllables:

> **cac·tus** ['kæktəs] *pl* **-ti** [-tai], **-tuses** ...

The plural forms of all other irregularly inflected nouns are entered in full:

> **knife** [naif] **I** *s pl* **knives** [naivz] ...

Erscheint ein Substantiv mit unregelmäßigem Plural als letzter Bestandteil einer Zusammensetzung, so weist die Abkürzung *irr* (= **irregular**) auf die Unregelmäßigkeit hin. Die unregelmäßige Pluralform findet man an derjenigen Stelle, an der der letzte Bestandteil der Zusammensetzung als Stichwort verzeichnet ist:

al·der·wom·an ['ɔːldər,wumən] *s irr* ...
wom·an ['wumən] **I** *s pl* **wom·en** ['wimin] ...

b) Verbum

Verben, bei welchen keine weitere Grundform angegeben ist, bilden Präteritum und Partizip Perfekt regelmäßig. Bei unregelmäßigen Verben werden Präteritum (*pret*) und Partizip Perfekt (*pp*) verzeichnet.

freeze [friːz] **I** *v/i pret* **froze** [frouz] *pp* **froz·en** ['frouzn] ...

build [bild] **I** *v/t pret u. pp* **built** ...

Bei abgeleiteten oder zusammengesetzten unregelmäßigen Verben wird die Unregelmäßigkeit nur durch die Abkürzung *irr* angedeutet; Einzelheiten sind beim Simplex nachzuschlagen:

,o·ver'flow ... **I** *v/i irr* ...

c) Adjektiv und Adverb

Adjektive und Adverbien, die unregelmäßig gesteigert werden, sind mit ihren Steigerungsformen gegeben:

bad[1] [bæd] **I** *adj comp* **worse** [wəːrs] *sup* **worst** [wəːrst] ...

II. AUSSPRACHE

Grundsätzlich ist bei jedem einfachen Stichwort die Aussprache ganz oder teilweise angegeben. Die Aussprachebezeichnung erfolgt nach den Grundsätzen der „International Phonetic Association" mit zwei Sonderzeichen (s. S. 23ff.). Die phonetischen Angaben werden nach einem der folgenden Grundsätze gemacht:

1. Bei jedem ausgerückten Stichwort, das nicht eine Zusammensetzung von an anderer Stelle verzeichneten und phonetisch umschriebenen Stichwörtern ist, wird die Aussprache in eckigen Klammern — in der Regel unmittelbar hinter dem Stichwort — gegeben:

ask [*Br.* ɑːsk; *Am.* æ(ː)sk] **I** *v/t* **1.** ...

When a noun with an irregular plural appears as the last element of a compound, the irregularity is indicated only by the abbreviation *irr* (= **irregular**). The irregular plural form is given where the last element of the compound is listed as a separate entry word:

al·der·wom·an ['ɔːldər,wumən] *s irr* ...
wom·an ['wumən] **I** *s pl* **wom·en** ['wimin] ...

b) Verb

When no principal parts are indicated, the past tense and past participle are formed regularly. The past tense (*pret*) and past participle (*pp*) of irregular verbs are given:

freeze [friːz] **I** *v/i pret* **froze** [frouz] *pp* **froz·en** ['frouzn] ...

build [bild] **I** *v/t pret u. pp* **built** ...

The irregularity of the compound and derived irregular verbs is shown by the abbreviation *irr* only. The user should consult the base verbs for the principal parts:

,o·ver'flow ... **I** *v/i irr* ...

c) Adjective and Adverb

All irregularly compared adjectives and adverbs are entered with both comparative and superlative forms:

bad[1] [bæd] **I** *adj comp* **worse** [wəːrs] *sup* **worst** [wəːrst] ...

II. PRONUNCIATION

It is a general rule that either full or partial pronunciation is given for every simple entry word. The symbols used are those laid down by the International Phonetic Association with the addition of two special symbols (s. pp. 23). One or other of the following principles determines the pronunciation:

1. Every left-margin entry word that is not compounded of words listed and phonetically transcribed elsewhere in the dictionary is followed by the pronunciation in square brackets:

ask [*Br.* ɑːsk; *Am.* æ(ː)sk] **I** *v/t* **1.** ...

2. Jedes Stichwort, das ein mit Bindestrich verbundenes oder zusammengeschriebenes Kompositum ist aus an anderer Stelle phonetisch umschriebenen Stichwörtern, trägt nur Betonungsakzente vor den betonten Silben. Das Zeichen ['] stellt den Hauptakzent, das Zeichen [ˌ] den Nebenakzent dar. Die Aussprache ist beim jeweiligen Simplex nachzuschlagen und mit dem bei der Zusammensetzung gegebenen Betonungsschema zu kombinieren:

'blackˌleg ...
(siehe unter **black** und **leg**)

3. Bei Stichwörtern, die getrennt geschriebene Komposita sind, werden keine Betonungsakzente gegeben. Die Aussprache ist beim jeweiligen Simplex nachzuschlagen:

con·ic pro·jec·tion

4. Stichwörter, die als Ableitungen an ein Simplex angehängt sind, erhalten häufig nur Betonungsakzente und Teilumschrift. Die Aussprache des nichtumschriebenen Wortteils ist unter Berücksichtigung eines eventuellen Akzentumsprungs dem vorausgehenden Stichwort zu entnehmen:

flu·or·o·scope ['fluːərəˌskoup] ... **ˌflu·or·o'scop·ic** [-'skɒpik] = [ˌfluːərə'skɒpik] ...

Mehrere besonders häufige Endungen sind jedoch nicht bei jeder Ableitung, sondern nur in einer zusammenfassenden Liste auf S. 24 phonetisch umschrieben:

im·be·cile ['imbəsil] ... **ˌim·be'cil·i·ty** = [ˌimbə'siliti] ...

5. Ändert sich die hinter dem Stichwort verzeichnete Aussprache für eine Wortart, so steht die veränderte Aussprache unmittelbar hinter der entsprechenden Wortartangabe, auf die sie sich bezieht:

ex·cuse I *v/t* [iks'kjuːz] ... **II** *s* [iks'kjuːs] ...

2. All compound entries, whether hyphened or written as one word, with elements listed and phonetically transcribed elsewhere in the dictionary are provided with stress marks in front of the stressed syllables. The notation ['] stands for strong stress, the notation [ˌ] for weak stress. For the pronunciation of the different elements the user must consult the respective entries and combine what he finds there with the stress scheme given within the compound entry:

'blackˌleg ...
(cf. **black** and **leg**)

3. No accents are given in compound entries written as two or more separate words. For the pronunciation the user must consult the respective simple entries:

con·ic pro·jec·tion

4. Derivatives run on after a simple entry often have only accents and part of the pronunciation given. That part of the word which is not transcribed phonetically has, apart from differences in stress, a pronunciation that is identical with that of the corresponding part of the preceding entry:

flu·or·o·scope ['fluːərəˌskoup] ... **ˌflu·or·o'scop·ic** [-'skɒpik] = [ˌfluːərə'skɒpik] ...

A number of the more common suffixes, however, have not been transcribed phonetically after every derivative entry. They are shown, together with their phonetic transcription, in a comprehensive list on p. 24:

im·be·cile ['imbəsil] ... **ˌim·be'cil·i·ty** = [ˌimbə'siliti] ...

5. When the pronunciation given after the entry word changes for a particular part of speech the different pronunciation appears immediately after the part-of-speech label to which it refers:

ex·cuse I *v/t* [iks'kjuːz] ... **II** *s* [iks'kjuːs] ...

III. URSPRUNGSBEZEICHNUNG

Nichtanglisierte Stichwörter aus anderen Sprachen sind mit dem Kennzeichen ihrer Herkunft versehen. Wenn es sich um deutsche, französische, italienische oder spanische Wörter handelt, die noch in der Aussprache als Fremdwort empfunden werden, so sind sie auch in der Herkunftssprache phonetisch umschrieben.

III. INDICATION OF ORIGIN

Non-assimilated foreign entry words are marked with the label of their origin. In addition German, French, Italian, and Spanish words are transcribed phonetically according to the respective language of origin in so far as their pronunciation is still regarded as foreign.

IV. WORTARTBEZEICHNUNG

Die Angabe der Wortart (*s*, *adj*, *v/t*, *v/i*, *v/reflex*, *adv*, *pron*, *prep*, *conj*) folgt meist unmittelbar auf die Aussprache. Gehört ein Stichwort mehreren grammatischen Kategorien an, so steht die Wortartbezeichnung hinter jeder römischen Ziffer.

IV. PART-OF-SPEECH LABEL

As a rule the part-of-speech label immediately follows the pronunciation (*s*, *adj*, *v/t*, *v/i*, *v/reflex*, *adv*, *pron*, *prep*, *conj*). When an entry word has several parts of speech the part-of-speech label is given after every Roman numeral.

V. BEZEICHNUNG DES SACHGEBIETS

Stichwörter, die einem besonderen Sachgebiet angehören, sind mit einer entsprechenden Bezeichnung versehen:

clause [klɔːz] *s* **1.** *ling.* Satz ... **2.** *jur.* Klausel ...

Die Stellung der Sachgebietsbezeichnung innerhalb des Stichwort-Artikels richtet sich danach, ob sie für das ganze Stichwort gilt oder nur für einige Bedeutungen. Unmittelbar hinter der Aussprache eines Stichworts kann sie für alle angehängten Übersetzungen gelten.

V. SUBJECT LABEL

Entries belonging to a particular field of knowledge are labelled accordingly:

clause [klɔːz] *s* **1.** *ling.* Satz ... **2.** *jur.* Klausel ...

The position of the subject label within an entry depends on whether it refers to the whole entry or only to one or more senses within the entry. When the subject label stands immediately after the pronunciation of an entry word it can refer to all translations.

VI. BEZEICHNUNG DER REGIONALEN VERBREITUNG

Die auf einen bestimmten Teil des englischen Sprachgebiets beschränkten Stichwörter sind mit der Angabe ihres regionalen Ursprungs (*Am.*, *Austral.*, *Br.*, *Canad.* etc.) gekennzeichnet. Dies schließt jedoch nicht aus, daß sie in vielen Fällen inzwischen auch in andere Sprachzweige Eingang gefunden haben.

VI. GEOGRAPHICAL LABEL

Entry words used only or chiefly in a particular area of the English-speaking world are marked with a label of geographical origin (*Am.*, *Austral.*, *Br.*, *Canad.*, etc.). This does not rule out the possibility that many of them may also have become current in other English-speaking countries.

VII. BEZEICHNUNG DER SPRACHGEBRAUCHSEBENE

Bei Stichwörtern, die auf irgendeine Weise von der Hochsprache (Standard English) abweichen, ist vermerkt, auf welcher Sprachgebrauchsebene sie stehen (*vulg.*, *sl.*, *colloq.*, *dial.*, *poet.*, *obs.*, *hist.*). Wo immer möglich, wurde als deutsche Übersetzung ein Wort derselben Sprachgebrauchsebene gegeben. Bei den mit *vulg.*, *sl.* oder *colloq.* gekennzeichneten Stichwörtern steht die deutsche Übersetzung, wenn sie derselben Sprachgebrauchsebene angehört, in einfachen Anführungszeichen; ihr folgt (wo notwendig) der hochsprachliche Ausdruck als zusätzliche Übersetzung oder Erläuterung:

broke[2] [brouk] *adj sl.* ‚pleite‘: a) ‚abgebrannt‘, ‚blank‘ (*ohne Geld*) ...

VII. USAGE LABEL

When an entry deviates in any way from Standard English the level of usage is indicated (*vulg.*, *sl.*, *colloq.*, *dial.*, *poet.*, *obs.*, *hist.*). Wherever possible, the German translation has been drawn from the same usage-level. In entries designated as *vulg.*, *sl.*, or *colloq.* the German translation—if drawn from the same level of usage—is placed in inverted commas and is followed, wherever necessary, by the pertinent standard expression in German as an additional translation or explanation:

broke[2] [brouk] *adj sl.* ‚pleite‘: a) ‚abgebrannt‘, ‚blank‘ (*ohne Geld*) ...

VIII. DEUTSCHE ÜBERSETZUNG DES ENGLISCHEN STICHWORTS

1. Rechtschreibung und Genusangabe. Für die Rechtschreibung war im wesentlichen „Duden, Rechtschreibung der deutschen Sprache und der Fremdwörter“ maßgebend. Die Angabe des Geschlechts eines Substantivs durch *m*, *f*, *n* wurde, so weit wie möglich, in Anlehnung an Duden durchgeführt. Die Genusangabe unterblieb

a) in den Fällen, in denen das Geschlecht eines Substantivs aus dem Kontext eindeutig hervorgeht (z. B. niedriger Tisch; Arbeiter, der etwas einbettet),

b) wenn die Übersetzung die weibliche Endung in Klammern bringt: Verkäufer(in),

c) bei kursiven Erklärungen,

d) bei den Übersetzungen von Anwendungsbeispielen, und

e) wenn das deutsche Substantiv im Plural steht. In diesem Fall steht die Bezeichnung *pl* hinter dem deutschen Wort.

f) Die Übersetzungen von substantivischen Anwendungsbeispielen, deren Geschlecht nicht aus einem der Fälle a, b und e und auch nicht aus einer Grundübersetzung innerhalb einer arabischen Unterabteilung hervorgeht, erhalten jedoch die Genusbezeichnung.

2. Akzente. Bei allen deutschen Wörtern, die dem nichtdeutschen Benutzer in der Betonung Schwierigkeiten verursachen könnten, sind Betonungsakzente gesetzt. Der Hauptakzent wird durch das Zeichen [ˈ], der Nebenakzent durch das Zeichen [ˌ] wiedergegeben. Die Akzente stehen vor dem Buchstaben, mit dem die betonte orthographische Silbe beginnt. Sie werden gesetzt bei

a) Fremdwörtern, die nicht auf der ersten Silbe betont werden,

b) deutschen Wörtern, die nicht auf der ersten Silbe betont werden, außer wenn es sich um eine der stets unbetonten Vorsilben be-, emp-, ent-, er-, ge-, ver-, zer- handelt, und

VIII. THE GERMAN TRANSLATION OF THE ENGLISH ENTRY

1. Spelling and Gender. As a rule the spelling given is that recommended by "Duden, Rechtschreibung der deutschen Sprache und der Fremdwörter". The gender of nouns (indicated by the notations *m*, *f*, *n*) is, as far as possible, in accordance with "Duden". Gender is not indicated

a) whenever it can be clearly inferred from the context (e.g. niedriger Tisch; Arbeiter, der etwas einbettet),

b) whenever in the translation the feminine suffix is given in brackets: Verkäufer(in),

c) in all explanations in italics,

d) in the translations of illustrative phrases, and

e) whenever the German noun is in the plural. In this case the designation *pl* follows the German word.

f) In the case, however, of nouns which appear as illustrative phrases the gender is indicated unless it can be inferred either from cases a, b, e, or from one of the basic translations given within a subdivision under an Arabic numeral.

2. Stress Marks. Accentuation is given with those German words which might cause difficulty to the non-German user. The primary stress is indicated by the notation [ˈ], the secondary stress by the notation [ˌ]. The stress marks have been placed immediately before the first letter of the stressed orthographical syllable. The following categories of words have been given stress marks:

a) foreign words which are not stressed on the first syllable,

b) German words which are not stressed on the first syllable except for those beginning with one of the following unstressed prefixes: be-, emp-, ent-, er-, ge-, ver-, zer-, and

c) deutschen Wörtern, die mit einer bald betonten, bald unbetonten Vorsilbe beginnen: **durch-, hinter-, miß-, über-, um-, unter-, wider-, wieder-**;

c) German words beginning with a prefix which is sometimes stressed and sometimes not: **durch-, hinter-, miß-, über-, um-, unter-, wider-, wieder-**,

d) außerdem erhält der deutsche unbestimmte Artikel einen Akzent in Fällen wie: sich in ˈeinem Punkt einigen (statt: e-m).

d) the German indefinite article in cases like: sich in ˈeinem Punkt einigen (instead of: e-m).

Ist bei einer deutschen Übersetzung ein Bestandteil eingeklammert, zum Zeichen dafür, daß er auch wegfallen kann, so erfolgt die Akzentsetzung mit Haupt- und Nebenakzent für das gesamte Wort. Steht bei Wegfall des eingeklammerten Wortbestandteils nur ein Nebenakzent auf dem verbleibenden Wort, so wird dieser zum Hauptakzent, z. B. (KriˈstalI)Deˌtektorempfänger.

When an element of the German translation is given in brackets, as an indication that omission is possible, the accentuation (with primary and secondary stress) applies to the entire word. When such an element is omitted, however, and there is a secondary stress on the remaining component, this then becomes the primary stress, e.g. (KriˈstalI)Deˌtektorempfänger.

Bei kursiven Erklärungen und bei den Übersetzungen von Anwendungsbeispielen werden keine Akzente gegeben.

No accentuation is given in explanations in italics nor in the translations of illustrative phrases.

3. Divis. Der kurze Trennstrich (Divis) wie in Häns-chen weist darauf hin, daß „s“ und „ch“ getrennt gesprochen werden.

3. The Short Hyphen. The short hyphen as in “Häns-chen” indicates that “s” and “ch” must be pronounced separately.

4. Kursive Erklärungen können anstelle der Übersetzung stehen — meist nur, wenn es sich um einen unübersetzbaren Ausdruck handelt — oder in Klammern hinter einer Übersetzung.

4. Explanations in Italics may be given instead of the translation—but generally only when the English word is untranslatable—or in brackets after the translation.

IX. HINWEISE ZUR REKTION

IX. INDICATION OF GRAMMATICAL CONTEXT

Vor der Übersetzung stehen in der Regel (kursiv) Dativ- und Akkusativobjekte von Verben:

> **e·lude** ... *v/t* ... *das Gesetz etc* umˈgehen ...

The direct and indirect objects of verbs are printed in italics. They have been placed before the translation:

> **e·lude** ... *v/t* ... *das Gesetz etc* umˈgehen ...

Hinter der Übersetzung kann (kursiv und in Klammern) ein Subjekt verzeichnet sein:

> **eas·y** ... *adj* ... locker, frei (*Moral etc*) ...
> **die** ... *v/i* ... eingehen (*Pflanze, Tier*) ...

Where necessary the subject of an adjective or verb is indicated in italics and in brackets after the translation:

> **eas·y** ... *adj* ... locker, frei (*Moral etc*) ...
> **die** ... *v/i* ... eingehen (*Pflanze, Tier*) ...

Ist ein englisches transitives Verb nicht transitiv übersetzt, so wird die abweichende Rektion bei der deutschen Übersetzung angegeben:

When an English transitive verb cannot be translated with an appropriate German transitive verb the difference in construction has been indicated:

di·rect ... *v/t* ... *j-m* den Weg zeigen *od.* weisen ...

Bei englischen Stichwörtern (Substantiven, Adjektiven, Verben), die von einer bestimmten Präposition regiert werden, sind diese Präposition (in Auszeichnungsschrift) und ihre deutsche Entsprechung (in Grundschrift) innerhalb der arabischen Unterabteilung angegeben. Folgende Anordnungen sind möglich:

1. Steht die englische Präposition zusammen mit der deutschen Rektionsangabe *am Ende* aller Übersetzungen einer arabischen Untergruppe, dann gilt die deutsche Rektionsangabe für alle Übersetzungen dieser Untergruppe:

de·tach·ment ... *s* **1.** Absonderung *f*, (Ab)Trennung *f*, (Los)Lösung *f* (from von) ...

2. Steht die englische Präposition zusammen mit der deutschen Rektionsangabe vor der ersten Ziffer, so gilt sie für sämtliche arabische Unterabteilungen eines Artikels:

con·ceal ... *v/t* (from vor *dat*) **1.** verbergen ... **2.** ... tarnen ...

3. Steht die englische Präposition *vor* den deutschen Übersetzungen einer arabischen Untergruppe und die deutsche Rektionsangabe jeweils hinter den einzelnen Übersetzungen, dann gilt die deutsche Rektionsangabe nur für die Übersetzung oder die Übersetzungen, die ihr unmittelbar vorausgehen:

con·gru·ent *adj* **1.** (with) über'einstimmend (mit), entsprechend, gemäß (*dat*) ...

d. h., „entsprechend" und „gemäß" werden mit dem Dativ konstruiert.

4. Wird das Stichwort nur in Verbindung mit einer Präposition verwendet, so steht diese in Auszeichnungsschrift, ohne Klammer und mit Tilde vor der Übersetzung:

con·sist ... *v/i* **1.** ~ of bestehen ... aus. **2.** ~ in bestehen in (*dat*): ...

Bei den deutschen Präpositionen, die sowohl den Dativ als auch den Akkusativ regieren können, wird der Kasus angegeben:

com·mem·o·rate ... erinnern an (*acc*) ...

di·rect ... *v/t* ... *j-m* den Weg zeigen *od.* weisen ...

English prepositions governing certain entry words (nouns, adjectives, verbs) are indicated within the subdivisions under Arabic numerals in lightface type, followed by their German equivalents in plain type. The following arrangements are possible:

1. When the English preposition and its German equivalent (either a preposition or indication of the case required) *follow* all the translations of a particular subdivision under an Arabic numeral, the German preposition (or other grammatical indication) then applies to all the translations of this particular subdivision:

de·tach·ment ... *s* **1.** Absonderung *f*, (Ab)Trennung *f*, (Los)Lösung *f* (from von) ...

2. When the English preposition and its German equivalent *precede* the first Arabic numeral, then they apply to all following subdivisions:

con·ceal ... *v/t* (from vor *dat*) **1.** verbergen ... **2.** ... tarnen ...

3. When the English preposition *precedes* the German translations of a subdivision under an Arabic numeral and the German preposition or prepositions (or other grammatical indication) follow each individual translation, the latter applies only to the translation or the translations immediately preceding:

con·gru·ent *adj* **1.** (with) über'einstimmend (mit), entsprechend, gemäß (*dat*) ...

i.e. "entsprechend" and "gemäß" are construed with the dative.

4. When the entry word can be used only in connection with a preposition, the latter is given in lightface type, without brackets and with a tilde, immediately before the translation:

con·sist ... *v/i* **1.** ~ of bestehen ... aus. **2.** ~ in bestehen in (*dat*): ...

For German prepositions which can govern both the dative and the accusative, the required case is indicated:

com·mem·o·rate ... erinnern an (*acc*) ...

X. ANWENDUNGSBEISPIELE

Sie stehen in Auszeichnungsschrift unmittelbar hinter der Übersetzung des Stichworts. Die magere Tilde ersetzt dabei stets das gesamte halbfette Stichwort:

get ... ~ **a·long** ...: ~ with you! ...
(Das Anwendungsbeispiel lautet also
get along with you!).

Die deutsche Übersetzung des Anwendungsbeispiels ist gelegentlich weggelassen, wenn sie sich aus den Bedeutungen der einzelnen Wörter von selbst ergibt.

X. ILLUSTRATIVE PHRASES

Illustrative phrases follow the translation of the entry word. The English phrase is printed in lightface type, the German translation in plain type. The lightface tilde always replaces the entire boldface entry word:

get ... ~ **a·long** ...: ~ with you! ...
(The illustrative phrase in this case is
get along with you!).

When the German translation of an illustrative phrase can easily be gathered from the meanings of the separate words, it has occasionally been omitted.

XI. BESONDERE REDEWENDUNGEN

Bei sehr umfangreichen Stichwörtern sind idiomatische Wendungen und sprichwörtliche Redensarten in einem gesonderten Abschnitt „Besondere Redewendungen“ am Ende des Stichwort-Artikels zusammengefaßt.

XI. IDIOMATIC EXPRESSIONS

In some instances, where the entry is very long, idiomatic expressions and proverbs have been collected in a special paragraph ("Besondere Redewendungen") at the end of the entire entry.

XII. VERWEISE

Verweise werden durch Pfeil gekennzeichnet. Sie dienen zur lexikographischen Straffung und kommen in folgenden Fällen zur Anwendung:

1. Bedeutungsgleichheit zwischen zwei Stichwörtern:

'hart's-ˌclo·ver → melitot.

2. Zwei Wörter unterscheiden sich lediglich in der Schreibung:

hash·eesh → hashish.

3. Eine Redewendung ist bei einem anderen Stichwort zu finden:

clean ... → broom 1.
broom ... **1.** ... a new ~ sweeps clean ...

4. Umfangreiche Übersetzungen treffen auf zwei Wortarten in gleicher Weise zu:

con·cen·trate ... **I** *v/t* **1.** konzen'trieren ...: a) zs.-ziehen, zs.-ballen, vereinigen, sammeln ... **II** *v/i* **4.** sich konzen'trieren (*etc*; → 1) ...

XII. CROSS REFERENCES

Cross references are indicated by arrows. They are intended to make for conciseness and apply in the following cases:

1. Two words have the same meaning:

'hart's-ˌclo·ver → melitot.

2. Two words differ in spelling only:

hash·eesh → hashish.

3. The user is referred to another entry for an illustrative phrase:

clean ... → broom 1.
broom ... **1.** ... a new ~ sweeps clean ...

4. Extensive translations apply to two parts of speech alike:

con·cen·trate ... **I** *v/t* **1.** konzen'trieren ...: a) zs.-ziehen, zs.-ballen, vereinigen, sammeln ... **II** *v/i* **4.** sich konzen'trieren (*etc*; → 1) ...

5. Längere Erläuterungen sind bei einem verwandten Stichwort aufgeführt:

con'tem·nor ... (→ contempt 4).
con·tempt ... **4.** ... 'Mißachtung *f* des Gerichtes (*Nichtbefolgung von Gerichtsbefehlen, vorsätzliches Nichterscheinen od. Ungebühr vor Gericht, ...*).

6. Zwei gleichlautende Wörter haben verschiedene Bedeutungen:

2. ... **dead matter** tote Materie (→ 23) ...
23. ... **dead matter** Ablegesatz *m* (→ 2) ...

5. An extensive explanation is given under a related entry word:

con'tem·nor ... (→ contempt 4).
con·tempt ... **4.** ... 'Mißachtung *f* des Gerichtes (*Nichtbefolgung von Gerichtsbefehlen, vorsätzliches Nichterscheinen od. Ungebühr vor Gericht, ...*).

6. Two words of the same formation differ in meaning:

2. ... **dead matter** tote Materie (→ 23) ...
23. ... **dead matter** Ablegesatz *m* (→ 2) ...

ERLÄUTERUNG DER PHONETISCHEN UMSCHRIFT
GUIDE TO PRONUNCIATION

Die phonetische Umschrift wird in diesem Wörterbuch nach den Grundsätzen der „International Phonetic Association“ (IPA) gegeben. Da die Aussprache des amerikanischen Englisch — nach dem Grundsatz der Gleichberechtigung von britischem und amerikanischem Englisch — bei allen wesentlichen Abweichungen vom britischen Englisch angezeigt wird, mußten auch zwei für das britische Englisch nicht notwendige phonetische Zeichen herangezogen werden. Diese werden in Anlehnung an IPA-Prinzipien verwendet und sind auch an sich leicht verständlich, so daß sie den nur auf die Aussprache des britischen Englisch Wert legenden Benutzer nicht stören.

A. Vokale und Diphthonge

[iː]	see [siː]	[u]	put [put]
[i]	it [it]	[uː]	too [tuː]
[e]	get [get]	[ʌ]	up [ʌp]
[æ]	cat [kæt]	[əː]	bird [bəː*r*d]
[ɑː]	father ['fɑːðə*r*]	[ei]	day [dei]
[ɑ]	vgl. unter [*ɒ*]	[ou]	go [gou]
[ɔ]	vgl. unter [*ɒ*]	[ai]	fly [flai]
[ɔː]	saw [sɔː]	[au]	how [hau]
[o]	molest [mo'lest]	[ɔi]	boy [bɔi]

[æ(ː)] half *Am.* [hæ(ː)f]	Kurzes oder langes [æ] im amerikanischen Englisch, wie es im Westen und Süden der USA — mit Ausnahme von Ostvirginia — gesprochen wird und auch im Osten weiter im Vordringen ist.
[*ɒ*] hot [h*ɒ*t]	= [ɔ] im britischen Englisch [hɔt] = [ɑ] im amerikanischen Englisch [hɑt]
[ə] china ['tʃainə] bacterial [bæk'ti(ə)riəl]	(ə) in runder Klammer zeigt an, daß ein ə im britischen Englisch, jedoch nicht im amerikanischen Englisch, zu sprechen ist.
[ɛ] fair [fɛ*r*]	[ɛ] kommt nur vor r vor, das im amerikanischen Englisch gesprochen, im britischen Englisch durch [ə] ersetzt wird. In letzterem Falle entsteht der Diphthong [ɛə]. Vgl. unter [*r*].

Die *Länge* eines Vokals wird durch das Zeichen [ː] angegeben, die Kürze wird nicht bezeichnet, z. B. see [siː] und it [it].

B. Konsonanten

[r]	bright [brait]	[ʒ]	measure ['meʒə*r*]
[v]	very ['veri]	[θ]	thin [θin]
[s]	soul [soul]	[ð]	then [ðen]
[z]	zone [zoun]	[x]	loch [l*ɒ*x]
[ŋ]	long [l*ɒ*ŋ]	[w]	water ['wɔːtə*r*]
[ʃ]	ship [ʃip]	[j]	yes [jes]

[*r*] farm [fɑː*r*m]	Dieses r in Kursivschrift steht in allen Fällen, in denen im amerikanischen Englisch im Gegensatz zum britischen Englisch ein r gesprochen wird. Die entsprechende Aussprache für das britische Englisch erzielt man durch Weglassen von *r* nach [ɑː], [ɔː], [əː] und [ə] bzw. durch Ersetzen des *r* durch ə nach [i], [u], [ɛ], [ai] und [au]. [*r*] am Ende eines Wortes zeigt auch an, wo im britischen Englisch meist ein r zur Bindung gesprochen wird, wenn das unmittelbar folgende Wort mit einem Vokal beginnt.
[(h)w] wheel [(h)wiːl]	Im amerikanischen Englisch wird in der Aussprache genau zwischen der w- und wh-Schreibung unterschieden. Bei wh-Wörtern wird [hw] gesprochen, d. h. ein Hauchlaut [h], dem sich unmittelbar ein [w] anschließt. [hw] wird in wh-Wörtern auch von manchen Engländern gesprochen.

C. Lautsymbole der nichtanglisierten Stichwörter

In Fremdwörtern, die noch nicht als eingebürgert empfunden werden, wurden gelegentlich einige zusätzliche Lautsymbole der IPA verwandt, um die nichtenglische Lautung zu kennzeichnen. Die nachstehende Liste gibt einen Überblick über diese Symbole und Beispielwörter der betreffenden Sprache.

	Deutsch	Französisch	Italienisch	Spanisch
a	Ratte	femme	partire	cabaña
aː	Qual	noir		
ɑ		pas		
ɑː		âme		
ɑ̃		enfant		
ɑ̃ː		danse		
ɛ	fällen	belle	castello	central
ɛː	gähnen	mère		
ɛ̃		fin		
ɛ̃ː		prince		
ɔ̃		bonbon		
ɔ̃ː		nombre		
ø		feu		
øː	schön	chanteuse		
œ	öfter	jeune		
œː		fleur		
œ̃		lundi		
œ̃ː		humble		
y		vu		
yː	Mühle	mur		
ɲ		Allemagne	signore	cabaña
ɥ		muet		
ʎ			egli	caballero
ç	ich			
x	ach			jefe

D. Betonungsakzente

Die Betonung der englischen Wörter wird durch Akzente vor den zu betonenden Silben angezeigt. [ˈ] bedeutet Hauptakzent, [ˌ] Nebenakzent. Sind zwei Silben eines Wortes mit Hauptakzenten versehen, so sind beide gleichmäßig zu betonen, z. B. „downstairs" [ˈdaunˈstɛ*r*z]. Häufig wird in diesen Fällen, je nach der Stellung des Wortes im Satzverband oder in nachdrucksvoller Sprache, nur eine der beiden Silben betont, z. B. „the downstairs rooms" [ˈdaunstɛ*r*z] oder „on going downstairs" [daunˈstɛ*r*z]. Diese mehr satzphonetisch bedingten Akzente können naturgemäß in einem Wörterbuch nicht angezeigt werden.

E. Endungen ohne Lautschrift

Um Raum zu sparen, werden die häufigsten Endungen der englischen Stichwörter hier im Vorwort einmal mit Lautschrift gegeben, erscheinen dann aber im Wörterverzeichnis ohne Lautumschrift (sofern keine Ausnahmen vorliegen).

-ability [-əbiliti]
-able [-əbl]
-age [-idʒ]
-al [-(ə)l]
-ally [-əli]
-an [-ən]
-ance [-əns]
-ancy [-ənsi]
-ant [-ənt]
-ar [-ə*r*]
-ary [-əri]
-ation [-eiʃən]
-cious [-ʃəs]
-cy [-si]
-dom [-dəm]
-ed [-(i)d]
-en [-(ə)n]
-ence [-(ə)ns]
-ent [-(ə)nt]
-er [-ə*r*]
-ess [-is]
-fication [-fikeiʃən]
-ficence [-fisns]
-ficent [-fisnt]
-hood [-hud]
-ial [-iəl; -jəl]
-ian [-iən; -jən]
-ibility [-əbiliti]
-ible [-əbl; -ibl]
-ic [-ik]
-ical [-ikəl]
-ically [-ikəli]
-ily [-ili]
-ing [-iŋ]
-ish [-iʃ]
-ism [-izəm]
-ist [-ist]
-istic [-istik]
-istical [-istikəl]
-istically [-istikəli]
-ite [-ait]
-ity [-iti]
-ive [-iv]
-ization [-aizeiʃən; *Am. auch* -iz-]
-ize [-aiz]
-izing [-aiziŋ]
-less [-lis]
-ly [-li]
-ment [-mənt]
-most [-moust]
-ness [-nis]
-oid [-ɔid]
-oidic [-ɔidik]
-ory [-əri]
-ous [-əs]
-scence [-sns]
-scent [-snt]
-ship [-ʃip]
-sion [-ʃən]
-ties [-tiz]
-tion [-ʃən]
-tious [-ʃəs]
-trous [-trəs]
-ward [-wə*r*d]
-y [-i]

VERZEICHNIS DER IM WÖRTERBUCH VERWANDTEN ABKÜRZUNGEN
ABBREVIATIONS USED IN THIS DICTIONARY

a.	*also*, auch
abbr.	*abbreviated*, abgekürzt, *abbreviation*, Kurzform
acc	*accusative*, Akkusativ
act	*active*, aktiv
adj	*adjective*, Adjektiv
adv	*adverb*, Adverb
aer.	*aeronautics*, Luftfahrt
agr.	*agriculture*, Landwirtschaft
allg., *allg.*	allgemein, *generally*
Am.	(*originally or chiefly*) *American English*, (ursprünglich oder hauptsächlich) amerikanisches Englisch
amer., *amer.*	amerikanisch, *American*
anat.	*anatomy*, Anatomie
antiq.	*antiquity*, Antike
arch.	*architecture*, Architektur
art	*fine arts*, Kunst
astr.	*astronomy*, Astronomie, *astrology*, Astrologie
Austral.	*Australian*, australisch
bes.	besonders, *especially*
Bes. Redew.	Besondere Redewendungen, *idiomatic expressions*
Bibl.	*Bible*, Bibel, *Biblical*, biblisch
biol.	*biology*, Biologie
bot.	*botany*, Botanik
Br.	*British English*, britisches Englisch
Br.Ind.	*Anglo-Indian*, angloindisch
brit., *brit.*	britisch, *British*
b.s.	*bad sense*, in schlechtem Sinne
Canad.	*Canadian*, kanadisch
chem.	*chemistry*, Chemie
collect.	*collective*, Kollektivum
colloq.	*colloquial*, umgangssprachlich
comp	*comparative*, Komparativ
conj	*conjunction*, Konjunktion
contp.	*contemptuously*, verächtlich
dat	*dative*, Dativ
d. h.	das heißt, *that is*
dial.	*dialectal*, dialektisch
econ.	*economics*, Volkswirtschaft
e-e, *e-e*	eine, *a* (*an*) (*nom*)
electr.	*electricity*, Elektrizität
e-m, *e-m*	einem, *to a* (*an*)
e-n, *e-n*	einen, *a* (*an*) (*acc*)
engS.	in engerem Sinne, *more strictly taken*
e-r, *e-r*	einer, *of a* (*an*), *to a* (*an*)
e-s, *e-s*	eines, *of a* (*an*)
etc	*etcetera*, usw.
euphem.	*euphemistic*, euphemistisch
f	*feminine*, weiblich
fenc.	*fencing*, Fechtkunst
fig.	*figuratively*, figürlich, bildlich
(*Fr.*)	*French*, französisch
Gattg	Gattung, *genus*
gen	*genitive*, Genitiv
geogr.	*geography*, Geographie
geol.	*geology*, Geologie
ger	*gerund*, Gerundium
(*Ger.*)	*German*, deutsch
Ggs.	Gegensatz, *antonym*
her.	*heraldry*, Heraldik
hist.	*historical*, historisch, *history*, Geschichte

humor. *humoristic*, humoristisch
hunt. *hunting*, Jagd
ichth. *ichthyology*, Fischkunde
imp *imperative*, Imperativ
impers *impersonal*, unpersönlich
ind *indicative*, Indikativ
indef *indefinite*, unbestimmt
inf *infinitive*, Infinitiv
intens *intensive*, verstärkend
interj *interjection*, Interjektion
interrog *interrogative*, fragend
Ir. *Irish*, irisch
iro. *ironically*, ironisch
irr *irregular*, unregelmäßig
(*Ital.*) *Italian*, italienisch

j-d, *j-d* jemand, *someone* (*nom*)
Jh., *Jh.* Jahrhundert, *century*
j-m, *j-m* jemandem, *to someone*
j-n, *j-n* jemanden, *someone* (*acc*)
j-s, *j-s* jemandes, *of someone*
jur. *jurisprudence*, *law*, Recht

(*Lat.*) *Latin*, lateinisch
ling. *linguistics*, Sprachwissenschaft

m *masculine*, männlich
mail *mail*, Post
mar. *maritime terminology*, Schiffahrt
math. *mathematics*, Mathematik
m-e, *m-e* meine, *my* (*nom*)
med. *medicine*, Medizin
metall. *metallurgy*, Hüttenwesen
meteor. *meteorology*, Meteorologie
metr. *metrics*, Metrik
mil. *military terminology*, Militär
min. *mineralogy*, Mineralogie
m-m, *m-m* meinem, *to my*
m-n, *m-n* meinen, *my* (*acc*)
mot. *motoring*, Kraftfahrwesen
mount. *mountaineering*, Bergsteigerei
m-r, *m-r* meiner, *of my*, *to my*
m-s, *m-s* meines, *of my*
mus. *music*, Musik
myth. *mythology*, Mythologie

n *neuter*, sächlich
n.Chr. nach Christus, *A.D.*
neg *negative*, verneinend
nom *nominative*, Nominativ
nordamer., *nordamer.* nordamerikanisch, *North American*
npr *nomen proprium* (*proper name*), Eigenname

obj *object*, Objekt
obs. *obsolete*, veraltet
od. oder, *or*
opt. *optics*, Optik
orn. *ornithology*, Vogelkunde
o.s. *oneself*, sich

paint. *painting*, Malerei
parl. *parliamentary term*, parlamentarischer Ausdruck
pass *passive*, passivisch
ped. *pedagogy*, Pädagogik
pharm. *pharmacy*, Pharmazie
philos. *philosophy*, Philosophie
phot. *photography*, Photographie
phys. *physics*, Physik
physiol. *physiology*, Physiologie
pl *plural*, Plural
poet. *poetical*, dichterisch
pol. *politics*, Politik
pp *past participle*, Partizip Perfekt
pred *predicate*, prädikativ
prep *preposition*, Präposition
pres *present*, Präsens
pres p *present participle*, Partizip Präsens
pret *preterite*, Präteritum
print. *printing*, Buchdruck
pron *pronoun*, Pronomen
psych. *psychology*, Psychologie

rail. *railways*, Eisenbahn
R.C. *Roman Catholic*, römisch-katholisch
Redew. Redewendung, *phrase*
reflex *reflexive*, reflexiv
relig. *religion*, Religion
rhet. *rhetoric*, Rhetorik
(*Russ.*) *Russian*, russisch

s *substantive*, *noun*, Substantiv
S. Afr. *South African*, südafrikanisch
scient. *scientific*, wissenschaftlich
Scot. *Scottish*, schottisch
s-e, *s-e* seine, *his*, *one's* (*nom*)
sg *singular*, Singular
sl. *slang*, Slang

s-m, *s-m* — seinem, *to his, to one's*
s-n, *s-n* — seinen, *his, one's (acc)*
s.o. — *someone*, jemand
sociol. — *sociology*, Soziologie
s.o.'s — *someone's*, jemandes
(*Span.*) — *Spanish*, spanisch
sport — *sport*, Sport
s-r, *s-r* — seiner, *of his, of its, to his, to its*
s-s, *s-s* — seines, *of his, of one's*
s.th. — *something*, etwas
subj — *subjunctive*, Konjunktiv
südamer., *südamer.* — südamerikanisch, *South American*
sup — *superlative*, Superlativ
surv. — *surveying*, Landvermessung

tech. — *technology*, Technik
tel. — *telegraphy*, Telegraphie
teleph. — *telephone system*, Fernsprechwesen
thea. — *theatre*, Theater
(*TM*) — *trademark*, Warenzeichen
TV — *television*, Fernsehen

u., *u.* — und, *and*
UdSSR, *UdSSR* — Union der Sozialistischen Sowjetrepubliken, *Union of Soviet Socialist Republics*
univ. — *university*, Hochschulwesen, Studentensprache
USA, *USA* — *United States*, Vereinigte Staaten

v — *verb*, Verb
v/aux — *auxiliary verb*, Hilfszeitwort
v.Chr. — vor Christus, *B.C.*
vet. — *veterinary medicine*, Tiermedizin
v/i — *intransitive verb*, intransitives Verb
v/impers — *impersonal verb*, unpersönliches Verb
v/reflex — *reflexive verb*, reflexives Verb
v/t — *transitive verb*, transitives Verb
vulg. — *vulgar*, vulgär

weitS. — im weiteren Sinne, *more widely taken*

z. B. — zum Beispiel, *for instance*
zo. — *zoology*, Zoologie
zs.-, Zs.- — zusammen, *together*
Zssg(n) — Zusammensetzung(en), *compound word(s)*

ENGLISCH-DEUTSCHES WÖRTERVERZEICHNIS

ENGLISH-GERMAN DICTIONARY

A

A[1], **a**[1] [ei] **I** *pl* **A's, As, Aes, a's, as, aes** [eiz] *s* **1.** A, a *n* (*Buchstabe*): **from A to Z** von A bis Z, durch die Bank. **2.** *mus.* A, a *n* (*Tonbezeichnung*): **A flat** As, as *n*; **A sharp** Ais, ais *n*; **A double flat** Ases, ases *n*; **A double sharp** Aisis, aisis *n*. **3. a** *math.* a (*1. bekannte Größe*). **4. A** *ped. bes. Am.* Eins *f*, Sehr Gut *n* (*Note*). **5.** *Am.* Ia, erste Quali'tät (*Fleisch, Konserven*). **II** *adj* **6.** erst(er, e, es): **Company A. 7. A** A-..., A-förmig: **A tent.**

a[2] [ə; *betont*: ei], (*vor vokalischem Anlaut*) **an** [ən; *betont* æn] *adj od. unbestimmter Artikel* **1.** ein, eine, ein: **a man** ein Mann; **a town** eine Stadt; **an hour** eine Stunde; **a Stuart** ein(e) Stuart; **a Mr. Arnold** ein (gewisser) Herr Arnold; **she is a teacher** sie ist Lehrerin; **he died a rich man** er starb reich *od.* als reicher Mann; **2.** einzig: **at a blow** auf 'einen Schlag. **3.** ein (zweiter), eine (zweite), ein (zweites): **he is a Shakespeare. 4.** ein, eine, ein, der-, die-, das'selbe: **all of a size** alle in *od.* von derselben Größe; **two of a kind** zwei von ein u. derselben Art. **5.** *meist ohne dt. Entsprechung*: **a few** einige, ein paar; **a very few** sehr wenige; **a great** (*od.* **good**) **many** sehr viele. **6.** per, pro, je: **£10 a year** £10 *od.* zehn Pfund im Jahr; **five times a week** fünfmal die *od.* in der Woche.

a-[1] [ə] *Wortelement mit der Bedeutung* in, an, auf, zu, *bes.* a) *Lage, Bewegung* (**abed, ashore**), b) *Zustand* (**afire, alive**), c) *Zeit* (**nowadays**), d) *Art u. Weise* (**aloud**), e) *poet. u. dial. Handlung, Vorgang* (**ahunt**).

a-[2] [ei] *Wortelement zum Ausdruck der Verneinung*: **amoral; asexual.**

A 1 *adj* **1.** *mar.* erstklassig (*Bezeichnung von Schiffen in Lloyds Verzeichnis*): **the ship is A 1. 2.** *sl.* ‚prima', Ia: **I am A 1** es geht mir prima *od.* ‚bestens'; **he is A 1** er ist ein prima Kerl. **3.** *mil.* kriegsverwendungsfähig, k.'v., *weitS.* kerngesund. **4.** *econ. colloq.* erstklassig, mündelsicher.

'Aar·on's|-'beard ['ɛ(ə)rənz] *s bot.* **1.** Großblumiges Jo'hanniskraut. **2.** Wuchernder Steinbrech. **3.** (*ein*) Zimbelkraut *n*. **4.** Weißhaar-Feigenkaktus *m*. **~ rod** *s* **1.** *Bibl.* Aarons Stab *m* (*a. arch.*). **2.** *bot.* a) Königskerze *f*, b) Goldrute *f*.

a·ba·ca [ˌɑːbɑː'kɑː] *s bot.* A'baka *m*, Ma'nilahanf *m*.

a·back [ə'bæk] *adv* **1.** *mar.* back, gegen den Mast. **2.** rückwärts: **taken ~** *fig.* bestürzt, betroffen, verblüfft, sprachlos, überrascht. **3.** nach hinten.

ab·a·cus ['æbəkəs] *pl* **-ci** [-ˌsai], **-cus·es** *s* **1.** *math.* Abakus *m*, Rechengestell *n*, -brett *n*. **2.** *arch.* Abakus *m*, Kapi'telldeckplatte *f*.

a·baft [*Br.* ə'bɑːft; *Am.* ə'bæ(ː)ft] *mar.* **I** *prep* achter, hinter. **II** *adv* achteraus.

a·ban·don [ə'bændən] **I** *v/t* **1.** *etwas* (völlig) aufgeben, verzichten auf (*acc*) (*beide a. jur.*), entsagen (*dat*): **to ~ a project** e-n Plan aufgeben *od.* fallenlassen; **to ~ hope** alle Hoffnung fahrenlassen. **2.** *a. aer. mar.* verlassen, aufgeben. **3.** *etwas* über'lassen (to *dat*). **4.** *jur.* a) *e-e Klage, e-e Berufung* zu'rückziehen: **to ~ an appeal,** b) *e-e Forderung etc.* fallenlassen: **to ~ a claim,** c) vom (*strafbaren*) *Versuch* zu'rücktreten: **to ~ an attempt,** d) *ein Schiff* abandon'nieren, e) *econ. e-e Option* aufgeben. **5.** a) preisgeben, im Stich lassen, b) *jur. ein Kind* aussetzen, c) *jur. den Ehepartner* (böswillig) verlassen. **6. ~ o.s.** sich 'hingeben *od.* ergeben *od.* über'lassen (to *dat*): **to ~ o.s. to despair** sich der Verzweiflung hingeben. **II** *v/i* **7.** *sport* (das Spiel) aufgeben. **III** *s* **8.** Hemmungslosigkeit *f*, Verrücktheit *f*: **with ~** mit Hingabe, leidenschaftlich, wie toll.

a·ban·doned [ə'bændənd] *adj* **1.** verlassen, aufgegeben: **~ property** herrenloses Gut. **2.** verworfen, liederlich, lasterhaft. **3.** hemmungslos, wild.

a·ban·don·ee [əˌbændə'niː] *s jur. Assekurant, dem das beschädigte Schiff überlassen wird.*

a·ban·don·ment [ə'bændənmənt] *s* **1.** Preisgegebensein *n*, Verlassenheit *f*. **2.** Preisgabe *f*, Verlassen *n*. **3.** *jur.* a) (böswilliges) Verlassen (*des Ehepartners*), b) (Kindes)Aussetzung *f*. **4.** Aufgabe *f*, Aufgeben *n*, Verzicht *m*. **5.** *econ. jur.* Verzicht(leistung *f*) *m*, Aban'don *m*, Abtretung *f*, Über'lassung *f*: **~ of an action** Rücknahme *f* e-r Klage. **6.** *Seeversicherungsrecht*: Aban'don *m*. **7.** 'Hingabe *f*, Selbstvergessenheit *f*.

a·base [ə'beis] *v/t* **1.** erniedrigen, demütigen, entwürdigen, degra'dieren. **2.** *obs.* senken. **a'base·ment** *s* Erniedrigung *f*, Demütigung *f*.

a·bash [ə'bæʃ] *v/t* beschämen, demütigen, in Verlegenheit *od.* aus der Fassung bringen. **a'bash·ment** *s* Beschämung *f*, Verlegenheit *f*.

a·bat·a·ble [ə'beitəbl] *adj jur.* aufheb-, einstell-, abziehbar.

a·bate[1] [ə'beit] **I** *v/t* **1.** vermindern, -ringern, *Schmerzen* lindern, *j-s Eifer od. Stolz* mäßigen. **2.** *den Preis etc* her'absetzen, ermäßigen. **3.** *a. jur. e-n Mißstand etc* beseitigen, abstellen. **4.** *jur.* a) *ein Verfahren* einstellen: **to ~ an action,** b) *e-e Verfügung* aufheben: **to ~ a writ,** c) *e-n Anspruch, ein Vermächtnis* (im Verhältnis) kürzen: **to ~ a claim** (**a legacy**). **II** *v/i* **5.** abnehmen, nachlassen, abflauen, sich legen. **6.** fallen (*Preise*). **7.** *jur.* a) ungültig werden, b) sich vermindern.

a·bate[2] [ə'beit] *v/i jur.* sich 'widerrechtlich (*in e-m Haus*) niederlassen.

a·bate·ment [ə'beitmənt] *s* **1.** Abnehmen *n*, Nachlassen *n*, Verminderung *f*, Linderung *f*. **2.** Her'absetzung *f*, Ermäßigung *f*, Abzug *m*, (Preis-, Steuer)Nachlaß *m*, Ra'batt *m* (*bei Barzahlung*). **3.** *a. jur.* Beseitigung *f* (*e-s Mißstandes*), (*Lärm-, Rauch- etc*)-Bekämpfung *f*: **~ of a nuisance; smog ~. 4.** *jur.* a) Einstellung *f*: **plea in ~** prozessuale Einrede, b) Aufhebung *f* (*e-r Verfügung*), c) (verhältnismäßige) Kürzung.

ab·a·tis ['æbətis; ˌæbə'tiː; ə'bæti] *s sg u. pl mil.* Baumverhau *m*.

a·bat-jour [aba'ʒuːr] (*Fr.*) *s arch.* Abat'jour *n*, Oberlicht *n*.

ab·at·toir [ˌæbə'twɑːr] *s* (öffentliches) Schlachthaus, Schlachthof *m*.

abb [æb] *s Weberei*: Einschlag *m*.

ab·ba·cy ['æbəsi] *s* Amt *n od.* Würde *f od.* Gerichtsbarkeit *f* e-s Abtes. **ab·ba·tial** [ə'beiʃəl] *adj* Abtei..., Abts...

ab·bess ['æbis] *s* Äb'tissin *f*.

ab·bey ['æbi] *s* **1.** Kloster *n*. **2.** Ab'tei *f*. **3.** Ab'teikirche *f*: **the A~** *Br.* die Westminsterabtei. **4.** *Br. herrschaftlicher Wohnsitz, der früher e-e Abtei war.* **~ lub·ber** *s obs.* fauler Mönch, j-d, der von der Mildtätigkeit der Klöster lebt.

ab·bot ['æbət] *s* Abt *m*.

ab·bre·vi·ate I *v/t* [ə'briːviˌeit] **1.** (ab)kürzen, zs.-ziehen. **2.** *math. selten Brüche* heben. **II** *adj* [-it; -ˌeit] **3.** verkürzt. **4.** verhältnismäßig kurz. **abˌbre·vi'a·tion** *s* **1.** Abkürzung *f*. **2.** *mus.* Abbrevia'tur *f*, Kürzung *f*. **ab'bre·viˌa·tor** [-tər] *s* **1.** Verfertiger *m* e-s Auszugs, (Ab)Kürzer *m*. **2.** *relig.* Abbrevi'ator *m*.

ABC [ˌeiˌbiː'siː] **I** *pl* **ABC's** *s* **1.** *Am. oft pl* Ab'c *n*, Alpha'bet *n*. **2.** *fig.* Ab'c *n*, Anfangsgründe *pl*, Grundbegriffe *pl*. **3.** alpha'betisches A'krostichon. **4.** *rail.* alpha'betischer Fahrplan. **II** *adj* **5.** ABC-..., die AB'C-Staaten (*Argentinien, Brasilien, Chile*) betreffend: **the ~ powers. 6.** *mil.* ABC-..., ato'mare, bio'logische u. chemische Waffen betreffend: **~ warfare** ABC-Kriegführung *f*.

Ab·de·rite ['æbdəˌrait] *s* **1.** Abde'rit *m* (*Bewohner von Abdera*): **the ~** Demokrit *m*. **2.** *fig.* Schildbürger *m*.

ab·di·cate ['æbdiˌkeit] **I** *v/t ein Amt, Recht etc* aufgeben, verzichten auf (*acc*), *ein Amt* niederlegen: **to ~ the throne** abdanken. **II** *v/i* abdanken.

ab·di·ca·tion [ˌæbdi'keiʃən] *s* Abdankung *f*, Verzicht *m* (of auf *acc*), freiwillige Niederlegung (*e-s Amtes etc*): ~ **of the throne** Thronverzicht.

ab·do·men ['æbdəmən; æb'dou-] *s* **1.** *anat.* Ab'domen *n*, 'Unterleib *m*, Bauch *m*. **2.** *zo.* Leib *m*, 'Hinterleib *m*.

ab·dom·i·nal [æb'dɒminl] **I** *adj* **1.** *anat.* Abdominal..., Unterleibs..., Bauch...: ~ **breathing** Bauchatmung *f*; → **cavity** 3; ~ **suture** *med.* Bauchdeckennaht *f*; ~ **wall** Bauchdecke *f*. **2.** *zo.* Hinterleibs... **II** *s* **3.** *zo.* Bauchflosse *f*.

ab·duct [æb'dʌkt] *v/t* **1.** *jur. j-n* (*gewaltsam*) entführen. **2.** *med.* abdu'zieren, *ein Glied* aus s-r Lage bringen.

ab'duc·tion *s* **1.** Entführung *f*. **2.** *med.*, *a. Logik*: Abdukti'on *f*.

ab'duc·tor [-tər] *s* **1.** Entführer *m*. **2.** *a.* ~ **muscle** *anat.* Ab'duktor *m*, Abziehmuskel *m*.

a·beam [ə'biːm] *adv u. pred adj mar.* querab (*a. aer.*), dwars.

a·be·ce·dar·i·an [ˌeibisi'dɛ(ə)riən] **I** *s* **1.** *bes. Am.* Ab'c-Schütze *m*. **2.** *relig.* Abece'darier *m* (*Wiedertäufer*). **II** *adj* **3.** alpha'betisch (geordnet). **4.** *fig.* elemen'tar, simpel.

a·bed [ə'bed] *adv* zu *od.* im Bett.

a·bele [ə'biːl; 'eibəl] *s bot.* Silberpappel *f*.

ab·er·de·vine [ˌæbərdi'vain] *s orn.* [Zeisig *m*.]

Ab·er·do·ni·an [æbər'dounjən] **I** *adj* von *od.* aus Aber'deen. **II** *s* Einwohner(in) von Aber'deen.

ab·er·rance [æ'berəns], *a.* **ab'er·ran·cy** *s* **1.** *biol.* Abweichung *f*. **2.** Verirrung *f*, Irrtum *m*, Fehltritt *m*.

ab'er·rant *adj* **1.** *biol.* ano'mal. **2.** (ab)irrend, sündig. **ˌab·er'ra·tion** *s* **1.** Abirrung *f*, Abweichung *f*. **2.** a) Irrweg *m*, (geistige) Verirrung, b) geistige Um'nachtung, (Geistes)Gestörtheit *f*. **3.** *phys.* Aberrati'on *f* (*a. astr.*), Abweichung *f*. **4.** *biol.* Abweichung *f* von der Regel.

a·bet [ə'bet] *v/t* **1.** unter'stützen, ermutigen. **2.** *contp. u. jur.* a) *j-n* anstiften, aufhetzen, b) *j-m* Beihilfe leisten, c) *e-r Sache* Vorschub leisten: → **aid** 1. **a'bet·ment** *s* **1.** Beihilfe *f*, Vorschub *m*. **2.** Aufhetzung *f*, Anstiftung *f*. **a'bet·tor** [-tər], *a.* **a'bet·ter** *s* Anstifter *m*, *jur.* Gehilfe *m*.

a·bey·ance [ə'beiəns] *s bes. jur.* Schwebe(zustand *m*) *f*, Unentschiedenheit *f*: **in** ~ a) (noch) unentschieden, in der Schwebe, *jur. a.* schwebend unwirksam, b) *jur.* herrenlos; **to leave s.th. in** ~ etwas unentschieden *od.* in der Schwebe lassen; **to fall into** ~ zeitweilig außer Kraft treten. **a'bey·ant** *adj* unentschieden, in der Schwebe.

ab·hor [əb'hɔːr] *v/t* verabscheuen, e-n Abscheu haben vor (*dat*). **ab·hor·rence** [əb'hɒrəns] *s* **1.** Abscheu *m*, *f* (of vor *dat*): **to have an** ~ **of** → **abhor**. **2.** Gegenstand *m* des Abscheus: **hypocrisy is my** ~ Heuchelei ist mir ein Greuel. **ab'hor·rent** *adj* (*adv* ~**ly**) **1.** verabscheuungswürdig, abstoßend: **that is** ~ **to me** das ist mir (in der Seele) zuwider *od.* verhaßt. **2.** verabscheuend (of *acc*). **3.** (to, from) zu'wider (*dat*), unvereinbar (mit).

a·bid·ance [ə'baidəns] *s* **1.** Aufenthalt *m*. **2.** Verweilen *n*. **3.** Befolgung *f* (by **the rules** der Regeln).

a·bide [ə'baid] *pret u. pp* **a·bode** [ə'boud] *u.* **a'bid·ed**, *pp selten* **a·bidden** [ə'bidn] **I** *v/i* **1.** bleiben, verweilen. **2.** leben, wohnen (with bei; in, at in *dat*). **3.** fortdauern. **4.** (by) a) treu bleiben (*dat*), festhalten (an *dat*), sich halten (an *acc*), b) sich begnügen (mit), c) sich abfinden (mit): **I** ~ **by what I have said** ich bleibe bei m-r Aussage; **to** ~ **by an agreement** sich an e-e Vereinbarung halten, e-n Vertrag einhalten; **to** ~ **by a decision** e-e Entscheidung befolgen; **to** ~ **by the rules** sich an die Regeln halten; **to** ~ **by the law** dem Gesetz Folge leisten. **II** *v/t* **5.** ab-, erwarten. **6.** ertragen, aushalten, (er)dulden. **7.** *colloq.* ausstehen: **I can't** ~ **him.** **a'bid·ing** *adj* (*adv* ~**ly**) dauernd, (be)ständig, bleibend: ~ **place** *poet.* Wohnstätte *f*.

ab·i·gail ['æbiˌgeil] *s* (Kammer)Zofe *f*.

a·bil·i·ty [ə'biliti] *s* **1.** Fähigkeit *f* (*a. biol. jur. tech. etc*), Befähigung *f*, Vermögen *n*, Können *n*: ~ **test** Eignungsprüfung *f*; ~ **to absorb** *phys.* Absorptionsvermögen; ~ **to pay** *econ.* Zahlungsfähigkeit; **to the best of one's** ~ nach besten Kräften. **2.** Geschicklichkeit *f*. **3.** *meist pl* (geistige) Anlagen *pl*, Veranlagung *f*, Ta'lente *pl*. **4.** *tech.* Leistungsfähigkeit *f*.

ab·i·o·gen·e·sis [ˌæbio'dʒenisis] *s biol.* Abio'genesis *f*, Urzeugung *f*.

ab·ject ['æbdʒekt; æb'dʒ-] *adj* (*adv* ~**ly**) **1.** a) niedrig, verworfen, gemein, b) elend, verächtlich, jämmerlich, c) kriecherisch. **2.** hoffnungslos, entmutigend. **3.** niedergeschlagen. **4.** *fig.* tiefst(er, e, es), äußerst(er, e, es): **in** ~ **despair** in tiefster Verzweiflung; **in** ~ **misery** im tiefsten Elend. **ab'jec·tion, 'ab·ject·ness** *s* **1.** Niedergeschlagenheit *f*. **2.** Verworfenheit *f*, Gemeinheit *f*. **3.** Erniedrigung *f*. **4.** Verächtlichkeit *f*.

ab·ju·di·cate [æb'dʒuːdiˌkeit] *v/t jur.* (gerichtlich) aberkennen. **ˌab·ju·di'ca·tion** *s jur.* Aberkennung *f*.

ab·ju·ra·tion [ˌæbdʒu(ə)'reiʃən] *s* Abschwörung *f*, (feierliche) Entsagung.

ab·jure [æb'dʒur] *v/t* a) *e-r Sache* abschwören *od.* (feierlich) entsagen, b) zu'rücknehmen, wider'rufen: **to** ~ **the realm** *jur. Br.* unter Eid versprechen, das Land auf immer zu verlassen.

ab·lac·ta·tion [ˌæblæk'teiʃən] *s* Abstillen *n*.

ab·la·tion [æb'leiʃən] *s* **1.** *med.* (opera'tive) Entfernung, Amputati'on *f*. **2.** *geol.* Ablati'on *f*, Abschmelzen *n*, (Gesteins)Abtragung *f*.

ab·la·ti·val [ˌæblə'taivəl] → **ablative** II. **'ab·la·tive** [-tiv] *ling.* **I** *s* **1.** Ablativ *m*. **2.** (Wort *n* im) Ablativ *m*. **II** *adj* **3.** abla'tivisch, Ablativ...

ab·laut ['æblaut; 'ap-] *s ling.* Ablaut *m*.

a·blaze [ə'bleiz] *adv u. pred adj* **1.** in Flammen, lodernd. **2.** (with) *fig.* a) glänzend, funkelnd (vor *dat*, von), b) entflammt (von): **all** ~ Feuer u. Flamme; **to set** ~ entfachen.

a·ble ['eibl] *adj* (*adv* ably) **1.** fähig, im'stande: **to be** ~ **to do** fähig *od.* imstande *od.* in der Lage sein zu tun; tun können; ~ **to contract** *jur.* vertragsfähig; ~ **to pay** zahlungsfähig, solvent; ~ **to work** arbeitsfähig, -tauglich. **2.** fähig, befähigt, tüchtig, begabt, geschickt: **an** ~ **man**. **3.** (vor)trefflich: **a very** ~ **speech**. **4.** → **able-bodied** 1.

-able [əbl] *Wortelement mit der Bedeutung* ...bar, ...sam.

'a·ble-'bod·ied *adj* **1.** körperlich leistungsfähig, kerngesund, kräftig: ~ **seaman** *bes. Br.* Vollmatrose *m* (*abbr.* A.B.). **2.** *mil.* (dienst)tauglich.

ab·let ['æblit], *a.* **ab·len** ['æblin] *s ichth.* Weiß-, Karpfenfisch *m*.

ab·lings ['æbliŋz], *a.* **ab·lins** ['æblinz] *adv Scot. od. dial.* viel'leicht.

a·bloom [ə'bluːm] *adv u. pred adj* in Blüte, blühend.

a·blush [ə'blʌʃ] *adv u. pred adj* (scham)rot, errötend.

ab·lu·tion [ə'bluːʃən; æ'b-] *s* **1.** (Ab)Waschung *f*. **2.** Wasch-, Spülflüssigkeit *f*. **3.** *relig.* Abluti'on *f*. **4.** *chem.* Auswaschen *n*.

A-B meth·od *s electr.* A-'B-Betrieb *m*.

ab·ne·gate ['æbniˌgeit] *v/t* **1.** (ab)leugnen. **2.** aufgeben, verzichten auf (*acc*), sich (*etwas*) versagen. **ˌab·ne'ga·tion** *s* Ableugnung *f*, (*a.* Selbst)Verleugnung *f*, Verzicht *m* (of auf *acc*).

ab·nor·mal [æb'nɔːrməl] *adj* (*adv* ~**ly**) **1.** ab'norm, ano'mal, regelwidrig, ungewöhnlich, 'mißgestaltet: ~ **psychology** Psychopathologie *f*. **2.** *tech.* normwidrig. **ˌab·nor'mal·i·ty** [-'mæliti], **ab'nor·mi·ty** [-miti] *s* Abnormi'tät *f*.

a·board [ə'bɔːrd] **I** *adv u. pred adj* **1.** *mar.* an Bord: **to go** ~; **all** ~! alle Mann *od.* Reisenden an Bord!, *rail. Am.* alles einsteigen!; **to fall** ~ ansegeln, anfahren. **II** *prep* **2.** *mar.* an Bord (*gen*): **to go** ~ **a ship**. **3.** *Am.* in (*ein od. e-m Verkehrsmittel*): ~ **a bus**; **to go** ~ **a train** in e-n Zug (ein)steigen.

a·bode¹ [ə'boud] *pret. u. pp von* **abide**.

a·bode² [ə'boud] *s* **1.** Aufenthalt *m*. **2.** Aufenthalts-, Wohnort *m*, Wohnsitz *m*, Wohnung *f*: **of no fixed** ~ ohne festen Wohnsitz; **to take one's** ~ s-n Wohnsitz begründen *od.* aufschlagen, sich niederlassen.

a·boil [ə'bɔil] *adv u. pred adj* **1.** siedend, kochend, in Wallung (*alle a. fig.*). **2.** *fig.* in großer Aufregung.

a·bol·ish [ə'bɒliʃ] *v/t* **1.** abschaffen, aufheben. **2.** zerstören, vernichten. **a'bol·ish·a·ble** *adj* abschaffbar. **a'bol·ish·ment** → **abolition** 1.

ab·o·li·tion [ˌæbə'liʃən] *s* **1.** Abschaffung *f* (*Am. bes. der Sklaverei*), Aufhebung *f*, Beseitigung *f*. **2.** *jur.* Niederschlagung *f* (*e-s Strafverfahrens*). **ˌab·o'li·tionˌism** *s* Abolitio'nismus *m*: a) *hist. Am.* (Prin'zip *n od.* Poli'tik *f* der) Sklavenbefreiung *f*, b) *Bekämpfung e-r bestehenden Einrichtung etc.* **ˌab·o'li·tion·ist** *s Am. hist.* Abolitio'nist(in).

ab·o·ma·sum [ˌæbo'meisəm] *pl* **-sa** [-ə], **ˌab·o'ma·sus** [-əs] *pl* **-si** [-ai] *s zo.* Labmagen *m* (*der Wiederkäuer*).

'A-ˌbomb *s* A'tombombe *f*.

a·bom·i·na·ble [ə'bɒminəbl] *adj* (*adv* **abominably**) ab'scheulich, 'widerwärtig, scheußlich. **a'bom·i·na·ble·ness** *s* Ab'scheulichkeit *f*. **a·bom·i·nate I** *v/t* [ə'bɒmiˌneit] verabscheuen. **II** *adj* [-nit; -ˌneit] → **abominable**. **aˌbom·i'na·tion** *s* **1.** Abscheu *m*, *f* (of vor *dat*). **2.** Scheußlichkeit *f*, Gemeinheit *f*. **3.** Greuel *m*, Gegenstand *m* des Abscheus: **to be s.o.'s pet** ~ *colloq.* j-m ein wahrer Greuel sein.

ab·o·rig·i·nal [ˌæbə'ridʒənl] **I** *adj* (*adv* ~**ly**) **1.** eingeboren, ureingesessen, ursprünglich, einheimisch, Ur... **II** *s* **2.** Ureinwohner(in). **3.** einheimisches Tier, einheimische Pflanze.

ab·o·rig·i·nes [ˌæbə'ridʒiˌniːz] *s pl* **1.** Ureinwohner *pl*, Urbevölkerung *f*. **2.** (*die*) ursprüngliche Fauna u. Flora.

a·bort [ə'bɔːrt] **I** *v/t* **1.** *med.* a) e-e Fehlgeburt her'beiführen bei *j-m*, b) zu früh gebären. **2.** *med.* im Anfangsstadium unter'drücken: **to** ~ **a disease**. **3.** *fig. Am.* a) *etwas* vereiteln, zu'nichte machen, b) *sl.* ‚vermasseln'. **II** *v/i* **4.** abor'tieren, e-e Fehlgeburt haben, zu früh gebären. **5.** *biol.* verkümmern (*Teil e-s Organs*). **6.** *Am.* fehlschlagen.

III *s* **7.** Ab'ort(us) *m*, Fehlgeburt *f*.
a'bort·ed → abortive 1 a *u.* 3.
a·bor·ti·cide [ə'bɔːrtiˌsaid] *s med.* **1.** Abtötung *f* der Leibesfrucht, Abtreibung *f*. **2.** Abor'tiv-, Abtreibungsmittel *n*. **a·bor·ti·fa·cient** [əˌbɔːrti'feiʃənt] *med.* **I** *adj* abtreibend. **II** *s* Abtreibungsmittel *n*.
a·bor·tion [ə'bɔːrʃən] *s* **1.** *med.* Ab'ort(us) *m*, Fehl-, Frühgeburt *f*. **2.** a) 'Schwangerschaftsunterˌbrechung *f*, b) *a.* **criminal** (*od.* **illegal**) ~ *jur.* → aborticide 1: **to procure an** ~ e-e Abtreibung vornehmen (lassen) (on s.o. bei j-m). **3.** 'Mißgeburt *f* (*a. fig.*). **4.** *fig.* Fehlschlag *m*. **5.** *biol.* Verkümmerung *f*, Fehlbildung *f*. **a'bor·tion·ist** *s* Abtreiber(in).
a·bor·tive [ə'bɔːrtiv] **I** *adj* (*adv* ~ly) **1.** *med.* a) zu früh geboren, b) → abortifacient I. **2.** *fig.* a) vorzeitig, verfrüht, b) miß'lungen, fruchtlos, verfehlt, erfolglos, ‚totgeboren': **to prove** ~ sich als Fehlschlag erweisen. **3.** *biol.* verkümmert, zu'rückgeblieben (*Organ*). **4.** *bot.* ste'ril, taub, unfruchtbar. **II** *s* **5.** *med.* Abtreibungsmittel *n*.
a·bou·li·a [ə'buːliə] → **abulia**.
a·bound [ə'baund] *v/i* **1.** im 'Überfluß *od.* reichlich vor'handen sein. **2.** 'Überfluß haben, reich sein (in an *dat*). **3.** (**with**) (an)gefüllt sein (mit), voll sein (von), *a. contp.* wimmeln (von), strotzen (vor *dat*). **a'bound·ing** *adj* **1.** reichlich (vor'handen). **2.** reich (in an *dat*), voll (**with** von).
a·bout [ə'baut] **I** *adv* **1.** um'her, (rings-, rund)her'um, in der Runde: **all** ~ überall; **a long way** ~ ein großer Umweg; **the wrong way** ~ falsch herum; **three miles** ~ drei Meilen im Umkreis. **2.** ungefähr, etwa, nahezu: **it's** ~ **right** *colloq.* ‚es kommt so ungefähr hin'; **that's just** ~ **enough!** das reicht (mir gerade)!; (→ 9). **3.** (halb) her'um, in der entgegengesetzten Richtung: *Am.* ~ **face!**, *Br.* ~ **turn!** *mil.* (ganze Abteilung) kehrt!; **to be** ~ *mar.* klar zum Wenden sein. **4.** auf, auf den Beinen, in Bewegung: **to be (up and)** ~ auf den Beinen sein. **5.** *colloq.* in der Nähe, da: **there is no one** ~. **II** *prep* **6.** um, um ... her'um. **7.** (irgendwo) um'her in (*dat*): **to wander** ~ **the streets** in den Straßen umherwandern. **8.** bei, auf (*dat*), an (*dat*), um: **have you any money** ~ **you?** haben Sie Geld bei sich?; **there is nothing** ~ **him** an ihm ist nichts Besonderes. **9.** um, gegen, etwa: ~ **my height** ungefähr m-e Größe; ~ **this time** (etwa *od.* ungefähr) um diese Zeit; ~ **noon** um die Mittagszeit, gegen Mittag. **10.** über (*acc*): **to talk** ~ **business**; **I'll see** ~ **it** ich werde danach sehen *od.* daran denken; **what is it** ~? worum handelt es sich eigentlich? **11.** im Begriff, da'bei: **he was** ~ **to go out** er war im Begriff auszugehen, er wollte gerade ausgehen. **12.** *colloq.* beschäftigt mit: **he knows what he is** ~ er weiß, was er tut *od.* was er will; **what are you** ~? was machst du da?, was hast du vor?; **III** *v/t* **13.** *mar. Schiff* wenden.
a·bout-face I *s* [ə'bautˌfeis] **1.** Kehrtwendung *f*. **2.** *fig.* (völliger) Sinneswandel, völliger 'Umschwung. **II** *v/i* [ə'baut'feis] **3.** kehrtmachen. **a'bout--'ship** *v/t u. v/i mar.* wenden. **a'bout--ˌturn** → about-face I.
a·bove [ə'bʌv] **I** *adv* **1.** (dr)oben, oberhalb. **2.** *relig.* (dr)oben, im Himmel: **from** ~ von oben (her), vom Himmel; **the powers** ~ die himmlischen Mächte. **3.** über, dar'über (hin'aus): **over and** ~ obendrein, überdies. **4.** weiter oben, vor..., oben...: ~**-mentioned**; ~**-named**; **as stated** ~ wie oben angeführt. **5.** nach oben, hin'auf: **a staircase leading** ~. **II** *prep* **6.** über, oberhalb: ~ **the earth** über der Erde, oberirdisch; ~ **sea level** über dem Meeresspiegel; → **average** 1. **7.** *fig.* über, mehr als, stärker als, erhaben über (*acc*): ~ **all** vor allem, vor allen Dingen; **he is** ~ **that** er steht über der Sache, er ist darüber erhaben; **she was** ~ **taking advice** sie war zu stolz, Rat anzunehmen; sie ließ sich nichts sagen; **he is not** ~ **accepting bribes** er scheut sich nicht, Bestechungsgelder anzunehmen; ~ **praise** über alles Lob erhaben; **to be** ~ **s.o.** j-m überlegen sein; **to get** ~ **s.o.** j-n überflügeln; **it is** ~ **me** es ist mir zu hoch, es geht über m-n Horizont *od.* Verstand. **III** *adj* **8.** obig, obenerwähnt: **the** ~ **remarks**. **IV** *s* **9.** (*das*) Obige *od.* Obenerwähnte: **as mentioned in the** ~ wie oben erwähnt.
a'boveˌboard *adv u. pred adj* offen, ehrlich, einwandfrei. **a'boveˌdeck** *adv u. pred adj* **1.** *mar.* auf Deck (befindlich). **2.** *fig.* offen, ehrlich, redlich. **a'boveˌground** *adv u. pred adj* **1.** *tech.* über Tage (*im Bergbau*), oberirdisch. **2.** (noch) am Leben. **a'boveˌstairs** *adv* **1.** oben (im Hause), droben. **2.** *fig.* bei der Herrschaft.
A-B pow·er pack *s electr.* Netzteil *n* für Heiz- u. An'odenleistung.
ab·ra·ca·dab·ra [ˌæbrəkə'dæbrə] *s* **1.** Abraka'dabra *n*: a) Zauberwort *n*, b) 'Buchstabenamuˌlett *n* in Dreiecksgestalt. **2.** *fig.* Kauderwelsch *n*.
ab·ra·dant [ə'breidənt] → **abrasive**.
ab·rade [ə'breid] **I** *v/t* **1.** abschaben, abreiben, *tech. a.* verschleißen. **2.** *tech.* abschleifen. **3.** *die Haut etc* aufscheuern, abschürfen. **4.** *fig.* a) unter'graben, schädigen, b) abnutzen, verschleißen. **II** *v/i* **5.** scheuern, reiben.
A·bra·ham ['eibrəˌhæm] *npr Bibl.* Abraham *m*: **in** ~**'s bosom** (sicher wie) in Abrahams Schoß.
A·bra·ham-man ['eibrəhæmˌmæn] *s irr Br. hist. verrückter od. sich verrückt stellender wandernder Bettler.*
a·bran·chi·al [ei'bræŋkiəl], *a.* **a'bran·chi·ate** [-kiit; -ˌeit] *adj zo.* kiemenlos.
ab·rase [ə'breis] → **abrade**. **ab'ra·sion** [-ʒən] *s* **1.** Abreiben *n*, Abschleifen *n*. **2.** *tech.* a) Abschleifung *f*, b) Abnutzung *f*, Verschleiß *m* (*beide a. fig.*), Abrieb *m*, Abscheuerung *f*: ~ **strength** Abriebfestigkeit *f*. **3.** *med.* (Haut)Abschürfung *f*, Schramme *f*.
ab'ra·sive I *adj* abreibend, abschleifend, schmirgelartig, Schleif...: ~ **action** Scheuerwirkung *f*; ~ **cloth** Schmirgelleinen *n*; ~ **hardness** Ritzhärte *f*; ~ **paper** Sand-, Schleifpapier *n*; ~ **wheel** Schleifscheibe *f*. **II** *s* Schleifmittel *n*, Schmirgel *m*.
ab·raum ['æbraum] *s* Farberde *f*. ~ **salts** *s pl chem.* Abraumsalze *pl*.
ab·re·act [ˌæbri'ækt] *v/t psych.* 'abreaˌgieren. ˌ**ab·re'ac·tion** *s* 'Abreaktiˌon *f*.
a·breast [ə'brest] **I** *adv* **1.** Seite an Seite, nebenein'ander: **four** ~; **to keep** ~ **of** (*od.* **with**) *fig.* Schritt halten mit. **2.** *mar.* a) Bord an Bord, b) in Front, dwars: **the ship was** ~ **of the cape** das Schiff lag auf der Höhe des Kaps. **3.** gegen'über (of von). **II** *prep* **4.** *mar.* dwars ab, gegen'über.
a·bridge [ə'bridʒ] *v/t* **1.** (ab-, ver)kürzen. **2.** zs.-fassen, -ziehen. **3.** *fig.* be-, einschränken, beschneiden, schmälern. **a'bridged** *adj* (ab)gekürzt, Kurz... **a'bridg(e)·ment** *s* **1.** (Ab-, Ver)Kürzung *f*. **2.** Abriß *m*, Auszug *m*. **3.** Beschränkung *f*, Schmälerung *f*.
a·broad [ə'brɔːd] **I** *adv u. pred adj* **1.** auswärts, im *od.* ins Ausland. **2.** aus dem Haus, draußen, im Freien: **to be** ~ **early** schon früh aus dem Hause sein. **3.** weithin, weit um'her, überall'hin: **to spread** (*od.* **scatter**) ~ verbreiten, aussprengen; **the matter has got** ~ die Sache ist ruchbar geworden; **a rumo(u)r is** ~ es geht das Gerücht (um). **4.** weit vom Ziel: **all** ~ a) ganz im Irrtum, b) verwirrt. **II** *s* **5.** Ausland *n*: **from** ~ aus dem Ausland.
ab·ro·gate ['æbrəˌgeit] *v/t* **1.** abschaffen, *Gesetze etc* aufheben. **2.** beseitigen. ˌ**ab·ro'ga·tion** *s* Abschaffung *f*, Aufhebung *f*.
ab·rupt [ə'brʌpt] *adj* (*adv* ~ly) **1.** abgerissen, abgebrochen, zs.-hanglos (*a. fig.*). **2.** jäh, steil, schroff. **3.** kurz (angebunden), schroff. **4.** jäh, plötzlich, ab'rupt. **5.** *bot.* abgestutzt. **ab'rupt·ness** *s* **1.** Abgerissenheit *f*, Zs.-hanglosigkeit *f*. **2.** Steilheit *f*. **3.** Schroffheit *f*. **4.** Plötzlichkeit *f*.
ab·scess ['æbsis; -ses] *s med.* Ab'szeß *m*, Geschwür *n*, Eiterbeule *f*.
ab·scis·sa [æb'sisə] *pl* **-sae** [-iː] *od.* **-sas**, *a.* **ab·sciss(e)** ['æbsis] *s math.* Ab'szisse *f*.
ab·scis·sion [æb'siʒən] *s* **1.** Abschneiden *n* (*e-r Silbe, e-s Gliedes*), Los-, Abtrennung *f*. **2.** plötzliches Abbrechen.
ab·scond [æb'skɒnd] *v/i* **1.** *a.* ~ **from justice** flüchtig werden, sich den Gesetzen *od.* der Festnahme entziehen. **2.** flüchten (**from** vor *dat*): **an** ~**ing debtor** ein flüchtiger Schuldner. **3.** sich heimlich da'vonmachen, 'durchbrennen. **4.** sich verbergen *od.* verstecken. **ab'scond·er** *s* Flüchtling *m*.
ab·sence ['æbsəns] *s* **1.** Abwesenheit *f*: **in the** ~ **of s.o.** in j-s Abwesenheit; ~ **of mind** → **absent-mindedness**. **2.** (**from**) Fernbleiben *n* (von), Nichterscheinen *n* (in *dat*, zu): **on leave of** ~ auf Urlaub; ~ **without leave** *mil.* unerlaubte Entfernung von der Truppe. **3.** (**of**) Fehlen *n* (*gen od.* von), Mangel *m* (an *dat*): **in the** ~ **of** in Ermangelung (*gen od.* von). **4.** *med.* kurze Bewußtseinstrübung.
ab·sent I *adj* ['æbsənt] (*adv* ~ly) **1.** abwesend, nicht zu'gegen: **to be** ~ **without leave** a) *mil.* sich unerlaubt von der Truppe entfernt haben, b) unentschuldigt fehlen; **to give s.o. the** ~ **treatment** *Am. colloq.* j-n wie Luft behandeln. **2.** fehlend, nicht vor'handen. **3.** geistesabwesend, zerstreut, unaufmerksam. **II** *v/t* [æb'sent] **4.** ~ **o.s.** (**from**) fernbleiben (*dat od.* von), sich entfernen (von, aus).
ab·sen·tee [ˌæbsen'tiː] **I** *s* **1.** Abwesende(r *m*) *f*. **2.** *j-d, der sich von s-n Ämtern fernhält.* **3.** im Ausland Lebende(r *m*) *f* (*bes. Grundbesitzer*). **II** *adj* **4.** abwesend, nicht zu Hause lebend, im Ausland lebend: ~ **landlord**; ~ **voter** *pol. Am.* Briefwähler(in). ˌ**ab·sen'tee·ism** *s* **1.** (dauerndes) Wohnen im Ausland. **2.** Arbeitsversäumnis *f*, *n*, (unentschuldigtes) Fernbleiben.
'**ab·sent-'mind·ed** *adj* (*adv* ~ly) geistesabwesend, zerstreut. '**ab·sent--'mind·ed·ness** *s* Geistesabwesenheit *f*, Zerstreutheit *f*.
ab·sinth(e) ['æbsinθ] **1.** *bot.* Wermut *m*. **2.** Ab'sinth *m* (*Branntwein*). **ab-**

sin·thi·in [æb'sinθiin] *s chem.* Ab-sin'thin *n*, Bitterstoff *m* des Wermuts.

ab·so·lute ['æbsəˌluːt; -ˌljuːt] **I** *adj* (*adv* → **absolutely**) **1.** abso'lut: a) unbedingt: ~ **title** *jur.* Volleigentum *n*, b) 'unumˌschränkt, unbeschränkt, uneingeschränkt: ~ **monarchy** absolute Monarchie; ~ **ruler** unumschränkter Herrscher, c) vollkommen, rein, völlig, vollständig, d) *philos.* an u. für sich bestehend, e) *chem.* rein, unvermischt: ~ **alcohol** absoluter (*wasserfreier*) Alkohol, f) *math.* unbenannt: ~ **number,** g) *phys.* unabhängig, nicht rela'tiv: ~ **humidity** absolute Feuchtigkeit. **2.** bestimmt, entschieden. **3.** kate'gorisch, positiv. **4.** wirklich, tatsächlich. **5.** *ling.* abso'lut. **6.** *jur.* rechtskräftig. **II** *s* **7.** the ~ das Abso'lute. ~ **al·ti·tude** *s aer.* abso'lute Höhe, Flughöhe *f* über Grund. ~ **ceil·ing** *s aer.* Gipfelhöhe *f.* ~ **fo·cus** *s tech.* Brennpunkt *m.*

ab·so·lute·ly ['æbsəˌluːtli; ˌæbsə'luːtli; -ljuːtli] *adv* **1.** abso'lut, gänzlich, völlig, vollkommen, durch'aus. **2.** *colloq.* unbedingt, ganz bestimmt.

ab·so·lute| ma·jor·i·ty *s* abso'lute Mehrheit. ~ **mu·sic** *s* abso'lute Mu'sik (*Ggs. Programmusik*).

ab·so·lute·ness ['æbsəˌluːtnis; -ˌljuːt-] *s* **1.** Abso'lutheit *f*, Vollkommenheit *f.* **2.** 'Unumˌschränktheit *f*, Unbedingtheit *f.* **3.** (*das*) Abso'lute.

ab·so·lute| pitch *s mus.* **1.** abso'lute Tonhöhe. **2.** abso'lutes Gehör. ~ **sys·tem of meas·ures** *s math. phys.* abso'lutes 'Maßsyˌstem. ~ **tem·per·a·ture** *s phys.* abso'lute Tempera'tur.

ab·so·lu·tion [ˌæbsə'luːʃən; -'ljuː-] *s* **1.** *jur.* Frei-, Lossprechung *f* (*im Zivilverfahren*) (from, of von). **2.** *relig.* Absoluti'on *f*, Sündenerlaß *m.*

ab·so·lut·ism ['æbsəluːˌtizəm; -ljuː-] *s* **1.** *pol.* Absolu'tismus *m.* **2.** *relig.* Lehre *f* von Gottes abso'luter Gewalt. **ab·so·lut·ist** ['æbsəˌluːtist; -ˌljuː-] *s philos. pol.* Absolu'tist *m.*

ab·sol·u·to·ry [əb'sɒljutəri] *adj* frei-, lossprechend.

ab·solve [æb'sɒlv] *v/t* **1.** frei-, lossprechen (of von *Sünden etc*; from von *e-r Schuld*, *e-r Verpflichtung etc*). **2.** *R.C. j-m* Absoluti'on erteilen.

ab·so·nant ['æbsənənt] *adj* **1.** *mus.* 'mißtönend, 'unharˌmonisch. **2.** *fig.* (to, from) im 'Widerspruch stehend (zu), nicht im Einklang (mit).

ab·sorb [əb'sɔːrb; -'z-; æb-] *v/t* **1.** absor'bieren, auf-, einsaugen, (ver)schlucken, (*a. fig. Wissen etc*) (in sich) aufnehmen. **2.** aufzehren, verschlingen. **3.** *fig.* ganz in Anspruch nehmen *od.* beschäftigen, fesseln. **4.** *phys.* absor'bieren, resor'bieren, in sich aufnehmen, *Schall* schlucken, *Schall, Stoß* dämpfen. **5.** *econ. die Kaufkraft* abschöpfen. **6.** sich einverleiben, ‚schlucken'.

ab·sorbed [əb'sɔːrbd; -'z-; æb-] *adj* **1.** absor'biert. **2.** (in) gefesselt *od.* ganz in Anspruch genommen (von), vertieft *od.* versunken (in *acc*): ~ **in thought. ab'sorb·ed·ly** [-bidli] *adv.*

ab·sor·be·fa·cient [əbˌsɔːrbi'feiʃənt; -ˌz-; æb-] → **absorbent** 1 *u.* 2.

ab·sorb·en·cy [əb'sɔːrbənsi; -'z-; æb-] *s* Absorpti'onsvermögen *n.* **ab'sorb·ent I** *adj* **1.** auf-, einsaugend, absor'bierend: ~ **liquid** *phys.* Absorptionsflüssigkeit *f*; ~ **paper** Saugpapier *n*; ~ **vessel** *biol.* Einsaugader *f.* **II** *s* **2.** aufsaugender Stoff, Absorpti'onsmittel *n.* **3.** *med.* absor'bierendes Mittel: ~ **cotton** Verbandwatte *f.* **4.** *anat.* Ab'sorbens *n*, Sauggefäß *n.*

ab·sorb·ing [əb'sɔːrbiŋ; -'z-; æb-] *adj* (*adv* ~**ly**) **1.** aufsaugend. **2.** *fig.* fesselnd, packend. **3.** *biol.* Absorptions-...: ~ **tissue. 4.** *tech.* absor'bierend, Absorptions..., Aufnahme...: ~ **power** Absorptionsvermögen *n.* **5.** *econ.* Aufnahme...: ~ **capacity** Aufnahmefähigkeit *f* (*des Marktes*).

ab·sorp·tion [əb'sɔːrpʃən; -'z-; æb-] *s* **1.** (in) Versunkenheit *f* (in), Vertieftsein *n* (in), inten'sive Beschäftigung (mit), gänzliche In'anspruchnahme (durch). **2.** Aufnahme *f*, Einverleibung *f.* **3.** *biol. chem. electr. tech. phys.* Absorpti'on *f*: ~ **of shocks (sound)** Stoß-(Schall)dämpfung *f*; ~ **of water** Wasseraufnahme *f*, -verbrauch *m*; ~ **circuit** Absorptions-, Saugkreis *m.* **ab'sorp·tive** *adj* absorp'tiv, absor'bierend, absorpti'ons-, (auf)saug-, aufnahmefähig. **ab'sorp·tive·ness, ab·sorp·tiv·i·ty** [ˌæbsɔːrp'tiviti; -z-] *s* Aufnahmefähigkeit *f.*

ab·stain [əb'stein; æb-] *v/i* **1.** sich enthalten (from *gen*). **2.** enthaltsam leben. **ab'stain·er** *s* j-d, der sich (*bes. geistiger Getränke*) enthält, (*meist* **total** ~) Absti'nenzler *m*, Tempe'renzler *m.*

ab·ste·mi·ous [æb'stiːmiəs] *adj* (*adv* ~**ly**) mäßig (*im Essen u. bes. im Genuß geistiger Getränke*), enthaltsam. **ab'ste·mi·ous·ness** *s* Mäßigkeit *f*, Enthaltsamkeit *f.*

ab·sten·tion [æb'stenʃən] *s* Enthaltung *f* (from von): ~ (**from voting**) Stimmenthaltung.

ab·ster·gent [æb'stəːrdʒənt] **I** *adj* **1.** reinigend. **2.** *med.* abführend. **II** *s* **3.** Reinigungsmittel *n.* **4.** *med.* Abführmittel *n.*

ab·sti·nence ['æbstinəns], *a.* **'ab·sti·nen·cy** *s* Absti'nenz *f*, Enthaltung *f* (from von), Enthaltsamkeit *f*: **total** ~ vollkommene Enthaltsamkeit (*von Alkohol*); **day of** ~ *R.C.* Abstinenztag *m.* **'ab·sti·nent** *adj* (*adv* ~**ly**) enthaltsam, mäßig.

ab·stract I *adj* ['æbstrækt; æb'strækt] (*adv* ~**ly**) **1.** ab'strakt: a) rein begrifflich, theo'retisch: ~ **concept,** ~ **idea** abstrakter Begriff, b) *math.* unbenannt, abso'lut: **the** ~ **number** 10, c) rein, nicht angewandt: ~ **science,** d) *Kunst*: gegenstandslos: ~ **painting,** e) ab'strus, dunkel, schwer verständlich: ~ **theories. 2.** *ling.* ab'strakt (*Ggs. konkret*): ~ **noun** → 4. **II** *s* ['æbstrækt] **3.** (*das*) Ab'strakte: **in the** ~ rein theoretisch (betrachtet), an u. für sich. **4.** *ling.* Ab'straktum *n*, Begriffs-(haupt)wort *n.* **5.** Auszug *m*, Abriß *m*, Inhaltsangabe *f*, 'Übersicht *f*: ~ **of account** Konto-, Rechnungsauszug; ~ **of title** *jur.* Eigentumsnachweis *m*, Besitztitel *m.* **6.** *med. Am.* mit Milchzucker versetzter 'Pflanzenexˌtrakt. **III** *v/t* [æb'strækt] **7.** abziehen, ablenken. **8.** (ab)sondern, trennen. **9.** abstra'hieren (from von), für sich *od.* (ab)gesondert betrachten. **10.** entwenden, stehlen. **11.** *chem.* destil'lieren. **12.** e-n Auszug machen von, *etwas aus e-m Buch* (her)'ausziehen. **ab'stract·ed** *adj* (*adv* ~**ly**) **1.** (ab)gesondert, getrennt, abstra'hiert. **2.** zerstreut, geistesabwesend. **ab'stract·ed·ness** → **abstraction.**

ab·strac·tion [æb'strækʃən] *s* **1.** Abstrakti'on *f*: a) Abstra'hieren *n*, b) *philos.* ab'strakter Begriff, bloß Gedachtes. **2.** Wegnahme *f*, *jur. a.* Entwendung *f*: **fraudulent** ~ (*Patentrecht*) widerrechtliche Entnahme; ~ **of f(o)etus** *med.* Schwangerschaftsunterbrechung *f.* **3.** Versunkenheit *f*, Geistesabwesenheit *f*, Zerstreutheit *f.* **4.** *chem. tech.* Absonderung *f*: ~ **of water** Wasserentziehung *f.* **5.** *Kunst*: ab'strakte Kompositi'on. **ab'strac·tion·ist** *s* **1.** Begriffsmensch *m.* **2.** ab'strakter Künstler. **ab·strac·tive** [æb'stræktiv] *adj* **1.** abstra'hierungsfähig. **2.** *philos.* durch Abstrakti'on erhalten (*Begriff*). **ab·stract·ness** ['æbstræktnis; æb'strækt-] *s* Ab'straktheit *f.*

ab·struse [æb'struːs] *adj* (*adv* ~**ly**) ab'strus, dunkel, schwer verständlich.

ab·surd [əb'səːrd; -'z-; æb-] *adj* (*adv* ~**ly**) ab'surd, sinnlos, 'widersinnig, unsinnig, albern, lächerlich: **theatre** (*Am.* **theater**) **of the** ~ absurdes Theater. **ab'surd·i·ty, ab'surd·ness** *s* Absurdi'tät *f*, Sinnlosigkeit *f*, Unsinn *m*, Albernheit *f*; → **reduce** 9.

a·bu·li·a [ə'bjuːliə] *s psych.* Abu'lie *f*, Willenslähmung *f.*

a·bun·dance [ə'bʌndəns] *s* **1.** (of) 'Überfluß *m* (an *dat*, von), Fülle *f* (von), große Anzahl (von) *od.* Menge (an *dat*, von): **in** ~ in Hülle u. Fülle; **2.** Wohlstand *m*, Reichtum *m*, Fülle *f.* **3.** 'Überschwang *m* (*der Gefühle*).

a·bun·dant [ə'bʌndənt] *adj* **1.** reichlich (vor'handen), reich, sehr viel(e). **2.** (in *od.* with) im 'Überfluß besitzend (*acc*), reich (an *dat*), reichlich versehen (mit). **3.** *math.* abun'dant, 'überschießend: ~ **number** Überzahl *f.* **a'bun·dant·ly** *adv* reichlich, völlig, in reichem Maße.

a·buse I *v/t* [ə'bjuːz] **1.** a) *ein Recht etc* miß'brauchen, b) schlechten Gebrauch machen von, c) 'übermäßig beanspruchen, d) schädigen. **2.** schlecht *od.* grausam behandeln. **3.** *j-n* beleidigen, schmähen, beschimpfen. **4.** *j-n* (geschlechtlich) miß'brauchen, sich vergehen an (*dat*), schänden. **5.** *obs.* täuschen. **II** *s* [ə'bjuːs] **6.** 'Mißbrauch *m*, 'Mißstand *m*, falscher Gebrauch, 'Übergriff *m*: **crying** ~ grober Mißbrauch; ~ **of authority** *jur.* Amts-, Ermessensmißbrauch; ~ **of a patent** mißbräuchliche Patentbenutzung. **7.** Miß'handlung *f.* **8.** Schädigung *f.* **9.** Beschimpfung *f*, Schimpfworte *pl*, Beleidigungen *pl.* **10.** Schändung *f.* **11.** *obs.* Täuschung *f.*

a·bu·sive [ə'bjuːsiv] *adj* (*adv* ~**ly**) **1.** 'Mißbrauch treibend. **2.** 'mißbräuchlich. **3.** beleidigend: ~ **language** Schimpfworte. **4.** verkehrt, falsch.

a·but [ə'bʌt] **I** *v/i* **1.** anstoßen, (an)grenzen, (sich) anlehnen (on, upon, against an *acc*). **II** *v/t* **2.** berühren, grenzen an (*acc*). **3.** *tech.* mit den Enden zs.-fügen. **a'but·ment** *s* **1.** Angrenzen *n* (on, upon, against an *acc*). **2.** *arch.* Strebe-, Stützpfeiler *m*, 'Widerlager *n* (*e-r Brücke etc*), Kämpfer *m*: ~ **arch** Endbogen *m* (*e-r Brücke*); ~ **beam** Stoßbalken *m.* **a'but·tal** [ə'bʌtəl] *s meist pl* (Land)Grenze *f*, Grenzstück *n*, -streifen *m.* **a'but·ter** *s* Anlieger *m*, Anrainer *m.*

a·by(e) [ə'bai] *pret u. pp* **a·bought** [ə'bɔːt] *v/t u. v/i obs.* büßen.

a·bysm [ə'bizəm] *s poet.* → **abyss** 1. **a'bys·mal** [-məl] *adj* (*adv* ~**ly**) abgrundtief, bodenlos, unergründlich (*alle a. fig.*): ~ **depth** unendliche Tiefe; ~ **ignorance** grenzenlose Dummheit.

a·byss [ə'bis] *s* **1.** *a. fig.* Abgrund *m*, Schlund *m*, bodenlose *od.* unendliche Tiefe. **2.** Hölle *f.* **3.** *fig.* Unergründlichkeit *f*, Unendlichkeit *f.* **4.** unterste Wasserschicht (*im Meer*). **a'byss·al** *adj* **1.** (abgrund)tief. **2.** abys'sal (*zur untersten Meereszone gehörig*).

Ab·ys·sin·i·an [ˌæbiˈsiniən; -njən] **I** *adj* abesˈsinisch: ~ **gold** a) Talmigold *n*, b) Aluminium-Bronze *f*. **II** *s* Abesˈsinier(in).

a·ca·cia [əˈkeiʃə] *s* **1.** *bot.* Aˈkazie *f*. **2.** *bot.* Gemeine Roˈbinie. **3.** Aˈkaziengummi *m*.

ac·a·dem·ic [ˌækəˈdemik] **I** *adj* (*adv* **~ally**) **1.** akaˈdemisch: a) **A~** *philos.* zur Schule Platos gehörig, b) mit dem Universiˈtätsstudium zs.-hängend: ~ **costume** *bes. Am.*, ~ **dress** *bes. Br.* akademische Tracht (*Barett u. Talar*), c) *fig.* (rein) theoˈretisch, hypoˈthetisch: **an ~ question** e-e (rein) akademische Frage, d) *fig.* unpraktisch, ohne praktischen Nutzen. **2.** gelehrt, wissenschaftlich. **3.** allgeˈmeinbildend, geisteswissenschaftlich, humaˈnistisch: **an ~ course**. **4.** konventioˈnell, traditioˈnell. **II** *s* **5.** Akaˈdemiker(in). **ˌac·aˈdem·i·cal I** *adj* → **academic I**. **II** *s pl* akaˈdemische Tracht.

a·cad·e·mi·cian [əˌkædəˈmiʃən] *s* Mitglied *n* e-r Akadeˈmie. **ac·a·dem·i·cism** [ˌækəˈdemiˌsizəm] *s* **1.** **A~** akaˈdemische Philosoˈphie. **2.** (*das*) Akaˈdemische, Formaˈlismus *m*.

a·cad·e·my [əˈkædəmi] *s* **1.** **A~** Akadeˈmie *f* (*Platos Philosophenschule*). **2.** a) (höhere) Lehranstalt (*allgemeiner od. spezieller Art*): **military ~** Militärakademie, Kriegsschule *f*; **riding ~** Reitschule *f*, b) *Am. od. Scot.* höhere Schule mit Interˈnat (*hist. außer in Eigennamen*): **Andover ~**; **Edinburgh ~**. **3.** Hochschule *f*, höhere Bildungsanstalt. **4.** Akadeˈmie *f* (*der Wissenschaften etc*), gelehrte Gesellschaft. **5.** ˈKunstakadeˌmie *f*, (jährliche) Kunstausstellung.

A·ca·di·an [əˈkeidiən] **I** *adj* **1.** aˈkadisch, neuˈschottländisch. **II** *s* **2.** Aˈkadier(in), Bewohner(in) (franˈzösischer Abstammung) von Neuˈschottland. **3.** *Am.* Nachkomme *m* der Aˈkadier in Louisiˈana. **Aˈca·dis** [-dis] *s geol.* Aˈkadia *f*, ausgehende Deˈvon-Eˌpoche.

ac·a·jou [ˈækəˌʒuː] *s bot.* **1.** → **cashew**. **2.** → **mahogany** 1-3.

ac·a·leph [ˈækəˌlef] *s zo.* Akaˈlephe *f*, Scheibenqualle *f*. **ˌac·aˈle·phan** [-ˈliːfən] **I** *s* → **acaleph**. **II** *adj* zu den Akaˈlephen gehörig. **ˈac·aˌlephe** [-ˌliːf] → **acaleph**.

a·canth [əˈkænθ] → **acanthus**.

a·can·tha [əˈkænθə] *pl* **-thae** [-iː] *s* **1.** *bot.* Stachel *m*, Dorn *m*. **2.** *zo.* Stachelflosse *f*. **3.** *anat.* Dornfortsatz *m*.

ac·an·tha·ceous [ˌækənˈθeiʃəs] *adj bot.* **1.** stach(e)lig, dornig. **2.** zu den Aˌcanthaˈceen gehörig.

a·can·thite [əˈkænθait] *s min.* Akanˈthit *m*, gediegenes Schwefelsilber.

ac·an·thop·ter·yg·i·an [ˌækænˌθɒptəˈridʒiən] *zo.* **I** *adj* zu den Stachelflossern gehörig. **II** *s* Stachelflosser *m*.

a·can·thus [əˈkænθəs] *s* **1.** *bot.* Aˈkanthus *m*, Bärenklau *f*, *m*. **2.** *arch.* Aˈkanthus *m*, Laubverzierung *f*.

ac·a·rid [ˈækərid] *s zo.* Akaˈride *f*, Milbe *f*.

a·car·pel·(l)ous [eiˈkɑːrpələs] *adj bot.* ohne Fruchtblätter.

a·car·pous [eiˈkɑːrpəs] *adj bot.* ohne Frucht, unfruchtbar.

ac·a·rus [ˈækərəs] *pl* **-ri** [-ˌrai] *s zo.* Krätzmilbe *f*.

a·cat·a·lec·tic [eiˌkætəˈlektik] *metr.* **I** *adj* akataˈlektisch (*ohne Fehlsilbe im letzten Versfuß*). **II** *s* akataˈlektischer Vers.

a·cat·a·lep·si·a [eiˌkætəˈlepsiə] *s* **1.** *med.* Akatalepˈsie *f*, Unsicherheit *f* der Diaˈgnose. **2.** Geistesschwäche *f*. **aˈcat·aˌlep·sy** *s philos.* Akataˈleptik *f*.

a·cau·dal [eiˈkɔːdl], **aˈcau·date** [-deit] *adj* schwanzlos.

a·cau·lous [eiˈkɔːləs] *adj bot.* stengel-[los.]

ac·cede [ækˈsiːd] *v/i* **1.** (to) beipflichten (*dat*), eingehen (auf *acc*), zustimmen (*dat*): **to ~ to a proposal**. **2.** beitreten (to *dat*): **to ~ to a treaty**. **3.** (to) gelangen (zu), erhalten (*acc*): **to ~ to an office** ein Amt antreten; **to ~ to the throne** den Thron besteigen. **4.** *jur.* zuwachsen (to *dat*).

ac·cel·er·an·do [ækˌseləˈrændou] *adv mus.* allˈmählich schneller.

ac·cel·er·ant [ækˈselərənt] **I** *adj* **1.** beschleunigend. **II** *s* **2.** Beschleuniger *m* (*Person od. Gerät*). **3.** *chem.* (positiver) Katalyˈsator.

ac·cel·er·ate [ækˈseləˌreit] **I** *v/t* **1.** *bes. phys. tech.* beschleunigen (*a. fig.*), die Geschwindigkeit (*e-s Fahrzeugs etc*) erhöhen. **2.** *bes. biol. e-e Entwicklung* fördern, die raschere Entwicklung (*e-s Vorgangs etc*) bewirken: **to ~ a pupil** *ped. Am.* e-n Schüler rascher versetzen. **3.** *e-n Zeitpunkt* vorverlegen. **4.** *fig.* ankurbeln. **II** *v/i* **5.** schneller werden, die Geschwindigkeit erhöhen. **acˈcel·erˌat·ed** *adj* **1.** beschleunigt: ~ **course** Schnellkurs *m*; ~ **depreciation** *econ.* beschleunigte Abschreibung. **2.** *psych.* frühreif, ˈüberˌdurchschnittlich begabt. **acˈcel·erˌat·ing** *adj* Beschleunigungs...

ac·cel·er·a·tion [ækˌseləˈreiʃən] *s* **1.** *bes. phys. tech.* Beschleunigung *f*, zunehmende Geschwindigkeit: ~ **test (on pilots)** *aer.* Beschleunigungsprobe *f* (an Piloten); ~ **voltage** *electr.* (Nach)Beschleunigungsspannung *f*. **2.** *fig.* Beschleunigung *f*: ~ **clause** *econ.* Fälligkeitsklausel *f*; ~ **principle** *econ.* Akzelerationsprinzip *n*. **3.** *biol. psych.* Akzeleratiˈon *f*, Entwicklungsbeschleunigung *f*. **4.** Vorverlegung *f* (*e-s Zeitpunkts*). **acˈcel·erˌa·tive** *adj* beschleunigend.

ac·cel·er·a·tor [ækˈseləˌreitər] *s* **1.** *bes. chem. phot. phys. tech.* Beschleuniger *m*. **2.** *mot.* Gashebel *m*, ˈGaspeˌdal *n*: **to step on the ~** Gas geben. **3.** *anat.* Symˈpathikus *m*, Treibmuskel *m*. **4.** Spannstück *n* (*beim Gewehr*). **acˌcel·erˈom·e·ter** [-ˈrɒmitər] *s tech.* Beschleunigungsmesser *m*.

ac·cent I *s* [ˈæksent] **1.** Akˈzent *m*: a) *ling.* Ton *m*, Betonung *f*, b) *ling.* Betonungs-, Tonzeichen *n*, c) Tonfall *m*, (*lokale od. fremdländische*) Aussprache, d) *math.* Unterˈscheidungszeichen *n*, e) *fig.* Nachdruck *m*, f) *Kunst*: marˈkante Stelle, besondere Note. **2.** *mus.* a) Akˈzent *m*, Betonung *f*, b) Akˈzentzeichen *n*, c) Betonungsart *f*. **3.** *meist pl poet.* Rede *f*, Sprache *f*. **II** *v/t* [ækˈsent; ˈæksent] → **accentuate**.

ac·cen·tu·al [*Br.* ækˈsentjuəl; *Am.* -tʃuəl] *adj* **1.** *metr.* akzentuˈierend: ~ **verse**. **2.** *metr. mus.* Akzent...

ac·cen·tu·ate [*Br.* ækˈsentjuˌeit; *Am.* -tʃu-] *v/t* akzentuˈieren, betonen: a) herˈvorheben (*a. fig.*), b) mit e-m Akˈzent(zeichen) versehen. **acˌcen·tuˈa·tion** *s* **1.** *ling. mus. fig.* Betonung *f*. **2.** *electr.* Anhebung *f*, Bevorzugung *f* (*bestimmter Frequenzen*). **acˈcen·tuˌa·tor** [-tər] *s electr.* Schaltungsglied *n* zur Anhebung bestimmter Freˈquenzen.

ac·cept [əkˈsept; æk-] **I** *v/t* **1.** annehmen, entgegennehmen: **to ~ a gift**. **2.** annehmen, akzepˈtieren: **to ~ an invitation (a proposal)**; **to ~ an apology (an opinion)** e-e Entschuldigung (e-e Ansicht) akzeptieren *od.* hinnehmen *od.* gelten lassen *od.* anerkennen; **to ~ life** das Leben bejahen. **3.** ˈhinnehmen, sich abfinden mit, akzepˈtieren: **to ~ bad living conditions**. **4.** auffassen, verstehen: **~ed** allgemein anerkannt, üblich, landläufig; **in the ~ed sense (of the word)** im allgemein verstandenen Sinne. **5.** freundlich aufnehmen. **6.** *etwas* auf sich nehmen: **to ~ a responsibility**. **7.** *econ.* a) *e-n Auftrag* annehmen, b) *e-m Angebot* den Zuschlag erteilen: **to ~ the bid** (*od.* **tender**), c) *e-n Wechsel* annehmen, akzepˈtieren. **II** *v/i* **8.** (das Angebot) annehmen *od.* akzepˈtieren, (damit) einverstanden sein, zusagen. **acˌcept·aˈbil·i·ty** *s* **1.** Annehmbarkeit *f*, Eignung *f*. **2.** Annehmlichkeit *f*, Erwünschtheit *f*. **acˈcept·a·ble** *adj* (*adv* **acceptably**) **1.** annehmbar, akzepˈtabel, tragbar (to für). **2.** angenehm, willˈkommen.

ac·cept·ance [əkˈseptəns; æk-] *s* **1.** Annahme *f* (*a. fig.*), Entgegennahme *f*: ~ **of a gift (of conditions, of a proposal,** *etc*); ~ **of life** *fig.* Lebensbejahung *f*. **2.** (*gute, günstige*) Aufnahme, Empfang *m*, Billigung *f*, Anerkennung *f*, Zusage *f*. **3.** Annehmbarkeit *f*. **4.** *econ.* a) Akˈzept *n*, angenommener Wechsel, b) Annahme *f od.* Anerkennung *f* (*e-s Wechsels etc*), c) Annahmeerklärung *f*, -vermerk *m*, d) Abnahme *f* (*bestellter Ware*): ~ **test** Abnahmeprüfung *f*, e) Zuschlag *m* (*bei Auktionen od. Ausschreibungen*). **5.** *jur.* Zustimmung *f*, Vertragsannahme *f*. **6.** → **acceptation**. **~ flight** *s aer. mil.* Abnahmeflug *m*. **~ house** *s econ. Br.* Akˈzept-, Wechselbank *f*.

ac·cep·ta·tion [ˌæksepˈteiʃən] *s* (üblicher) Sinn, landläufige *od.* gebräuchliche Bedeutung (*e-s Wortes*).

ac·cept·er [əkˈseptər; æk-] *s* **1.** An-, Abnehmer *m*. **2.** *econ.* Wechselnehmer *m*, Akzepˈtant *m*.

ac·cep·tor [əkˈseptər; æk-] *s* **1.** → **accepter**. **2.** *phys.* Akzepˈtant *m*: ~ **circuit** *electr.* Saugkreis *m*.

ac·cess [ˈækses] *s* **1.** Zugang *m* (to zu): ~ **hatch** *aer. mar.* Einsteigluke *f*; ~ **road** Zufahrtsstraße *f*. **2.** *fig.* (to) Zutritt *m* (bei, zu), Zugang *m* (zu), Gehör *n* (bei): **to gain ~ to** Zutritt erhalten zu; ~ **to means of education** Bildungsmöglichkeiten; **to have ~ to the files** Zugang zu den *od.* Einsicht in die Akten haben; **easy of ~** zugänglich (*Person*). **3.** Eintritt *m*. **4.** *fig.* Anfall *m*, Ausbruch *m* (*der Wut, e-r Krankheit etc*). **5.** *arch.* Vorplatz *m*, Zugangsweg *m*. **6.** *jur.* a) (Möglichkeit *f* der) Beiwohnung *f*, b) Verkehr *m* mit den Kindern (*bei Geschiedenen*).

ac·ces·sa·ry → **accessory**.

ac·ces·si·bil·i·ty [ækˌsesiˈbiliti] *s* Zugänglichkeit *f* (*a. fig.*), Erreichbarkeit *f*. **acˈces·si·ble** *adj* (*adv* **accessibly**) **1.** *a. fig.* (leicht) zugänglich *od.* erreichbar (to für). **2.** verfügbar, erhältlich. **3.** ˈum-, zugänglich (*Person*). **4.** zugänglich, empfänglich (to für).

ac·ces·sion [ækˈseʃən] *s* **1.** Annäherung *f*, Hinˈzutritt *m*. **2.** (to) Beitritt *m* (zu *e-m Vertrag etc*), Eintritt *m* (in *acc*), Anschluß *m* (an *acc*): **instrument of ~** Beitrittsurkunde *f*. **3.** Gelangen *n* (*zu e-r Würde etc*), Antritt *m* (*e-s Amtes*): ~ **to power** Machtübernahme *f*, Regierungsantritt *m*; ~ **to the throne** Thronbesteigung *f*. **4.** (to) Zuwachs *m*, Zunahme *f* (an *dat*), Vermehrung *f* (*gen*); **recent ~s** Neuanschaffungen *od.* Neuzugänge (*bes. von Büchern in e-r Bibliothek*); ~ of property *jur.* Vermögensanfall *m.* **5.** *pol.* Anwachsung *f* (*von Staatsgebiet*). **6.** Wertzuwachs *m.* **7.** *med.* (Krankheits)Anfall *m.*

ac·ces·sit [æk'sesit] (*Lat.*) *s ped. Br.* Auszeichnung *f* mit dem zweiten Preis.

ac·ces·so·ri·al [ˌækse'sɔːriəl] *adj* **1.** Beitritts..., Zuwachs... **2.** zusätzlich.

ac·ces·so·ry [æk'sesəri] **I** *adj* **1.** hin'zukommend, zusätzlich, Bei..., Neben..., Begleit..., Hilfs..., Zusatz...: ~ contract *jur.* Zusatzvertrag *m*; ~ lens *phot.* Vorsatzlinse *f*; ~ symptom *med.* Begleiterscheinung *f.* **2.** nebensächlich, 'untergeordnet, Neben... **3.** beitragend, Hilfs...: to be ~ to beitragen zu. **4.** teilnehmend, mitschuldig (to an *dat*). **II** *s* **5.** Zusatz *m*, Anfügung *f*, Anhang *m.* **6.** Begleiterscheinung *f.* **7.** *oft pl* Zubehör *n*, Beiwerk *n*, Hilfsmittel *n.* **8.** *pl aer. mar.* 'Bordaggreˌgat *n.* **9.** *pl tech.* Zubehör(teile *pl*) *n.* **10.** *pl biol.* 'Neben-, 'Hilfsorˌgane *pl.* **11.** *jur.* Teilnehmer(in) (to an *e-m Verbrechen*), Kom'plice *m*, Mitschuldige(r *m*) *f*: ~ after the fact Begünstiger *m*, *z. B.* Hehler *m*; ~ before the fact a) Anstifter *m*, b) Gehilfe *m*; acting as an ~ after the fact Begünstigung *f*; acting as an ~ before the fact Beihilfe *f.*

ac·ci·dence ['æksidəns] *s ling.* Formenlehre *f.*

ac·ci·dent ['æksidənt] *s* **1.** Zufall *m*, zufälliges Ereignis: by ~ zufällig. **2.** zufällige *od.* unwesentliche Eigenschaft, Nebensache *f.* **3.** Unfall *m*, Unglück(sfall *m*) *n*: in a traffic ~ bei e-m Verkehrsunfall; death by ~ *jur.* Tod *m* durch Unfall; ~ annuity Unfallrente *f*; ~ benefit Unfallentschädigung *f*; ~ insurance Unfallversicherung *f*; ~-free driving unfallfreies Fahren. **4.** Verletzung *f* (to an *dat*).

ac·ci·den·tal [ˌæksi'dentl] **I** *adj* (*adv* ~ly) **1.** zufällig (vor'handen, geschehen *od.* hin'zugekommen), Zufalls... **2.** unbeabsichtigt. **3.** unwesentlich, nebensächlich: ~ colo(u)r Nebenfarbe *f*; ~ lights → 10; ~ point (perspektivischer) Einfallspunkt. **4.** Unfall...: ~ death Tod *m* durch Unfall, Unfalltod *m.* **5.** *mus.* alte'riert. **II** *s* **6.** (*etwas*) Zufälliges. **7.** zufällige Eigenschaft. **8.** Nebensache *f.* **9.** *mus.* Vorzeichen *n.* **10.** *meist pl paint.* Nebenlichter *pl.*

ac·claim [ə'kleim] **I** *v/t* **1.** *j-n od. etwas* freudig *od.* mit Beifall begrüßen, *j-m* zujubeln. **2.** sehr loben. **3.** jauchzend ausrufen: to ~ s.o. (as) king j-n zum König ausrufen. **II** *v/i* **4.** Beifall spenden, Hochrufe ausstoßen. **III** *s* → acclamation.

ac·cla·ma·tion [ˌæklə'meiʃən] *s* **1.** lauter *od.* jauchzender Beifall, Hochrufe *pl*, Jubelgeschrei *n.* **2.** *pol.* Abstimmung *f od.* Ernennung *f* durch Zuruf.

ac·clam·a·to·ry [ə'klæmətəri] *adj* Beifalls..., beifällig, zujauchzend.

ac·cli·ma·ta·tion [əˌklaimə'teiʃən] → acclimation. **ac·cli·mate** [ə'klaimit; 'ækliˌmeit] → acclimatize. **ac·cli·ma·tion** [ˌækli'meiʃən], **ac·cli·ma·ti·za·tion** [əˌklaimətai'zeiʃən; -ti-] *s* Akklimati'sierung *f*, Eingewöhnung *f* (*beide a. fig.*), Einbürgerung *f* (*von Tieren u. Pflanzen*). **ac'cli·maˌtize** [-ˌtaiz] *v/t u. v/i* (to) (sich) akklimati'sieren *od.* gewöhnen (an *acc*), (sich) eingewöhnen (in *dat*) (*alle a. fig.*).

ac·cliv·i·ty [ə'kliviti] *s* **1.** Steigung *f*, Anhöhe *f.* **2.** Rampe *f*, Böschung *f.*

ac·co·lade [ˌæko'leid; -'lɑːd] *s* **1.** Akko'lade *f*: a) Ritterschlag *m*, b) feierliche Um'armung (mit Kuß auf beide Wangen). **2.** *fig. Am.* Auszeichnung *f*, Ehrung *f*, Anerkennung *f*, Lob *n.* **3.** *mus.* Klammer *f.*

ac·com·mo·date [ə'kɒməˌdeit] *v/t* **1.** *j-m* e-n Gefallen tun *od.* e-e Gefälligkeit erweisen. **2.** (with) *j-n* versorgen *od.* versehen (mit), *j-m* aushelfen (mit): to ~ s.o. with money. **3.** *j-n* a) 'unterbringen, beherbergen, 'einquarˌtieren, b) versorgen, bewirten. **4.** Platz haben *od.* bieten für, fassen, aufnehmen (können), 'unterbringen: the car ~s five persons. **5.** (to) a) *j-n od. etwas* anpassen (*dat od.* an *acc*): to ~ o.s. to circumstances, b) in Einklang bringen (mit): to ~ facts to theory. **6.** *e-n Streit* beilegen, schlichten.

ac·com·mo·dat·ing [ə'kɒməˌdeitiŋ] *adj* (*adv* ~ly) **1.** gefällig, entgegen-, zu'vorkommend: on ~ terms *econ.* zu angenehmen Bedingungen. **2.** anpassungsfähig. **3.** *tech.* Anpassungs...

ac·com·mo·da·tion [əˌkɒmə'deiʃən] *s* **1.** *a. sociol.* Anpassung *f* (to an *acc*). **2.** Gemäßheit *f*, Über'einstimmung *f.* **3.** Gefälligkeit *f*, Entgegenkommen *n.* **4.** Versorgung *f* (with mit). **5.** Aushilfe *f*, Darlehen *n*, geldliche Hilfe. **6.** Beilegung *f*, Schlichtung *f* (*e-s Streites*), Verständigung *f*, gütliche Einigung. **7.** *meist pl* a) 'Unterbringung *f*, (Platz *m* für) 'Unterkunft *f*, Quar'tier *n*: hotel ~ Unterbringung im Hotel, b) Räumlichkeiten *pl*, Räume *pl*, c) Einrichtung(en *pl*) *f*: sanitary ~s, d) Bequemlichkeit(en *pl*) *f*, Kom'fort *m.* **8.** *opt.* Akkommodati'on *f* (*Anpassung des Auges*). **9.** *a.* ~ train *Am.* Bummelzug *m.* ~ **ac·cept·ance** *s econ.* Ge'fälligkeitsakˌzept *n.* ~ **ad·dress** *s* Ge'fälligkeits-, 'Deckaˌdresse *f.* ~ **bill**, ~ **draft** *s econ.* Gefälligkeitswechsel *m.* ~ **lad·der** *s mar.* Fallreep *n*, Fallreepstreppe *f.* ~ **note**, ~ **pa·per** → accommodation bill. ~ **reg·is·try** *s Br.* Wohnungsnachweis *m.* ~ **u·nit** *s* Wohneinheit *f.*

ac·com·mo·da·tive [ə'kɒməˌdeitiv] *adj* **1.** Bequemlichkeit gewährend. **2.** Aushilfe verschaffend. **3.** *med.* akkommoda'tiv.

ac·com·pa·ni·ment [ə'kʌmpənimənt] *s* **1.** *bes. mus.* Begleitung *f.* **2.** (schmükkendes) Beiwerk. **3.** Begleiterscheinung *f.*

ac·com·pa·nist [ə'kʌmpənist] *s mus.* Begleiter(in).

ac·com·pa·ny [ə'kʌmpəni] **I** *v/t* **1.** begleiten (*a. mus.*), geleiten. **2.** begleiten, e-e Begleiterscheinung sein von (*od. gen*): to be accompanied with (*od.* by) begleitet sein von, verbunden sein mit. **3.** verbinden (with mit): to ~ an advice with a warning. **II** *v/i* **4.** *mus.* begleiten, die Begleitung spielen.

ac'com·pa·ny·ing *adj* begleitend, Begleit...: ~ documents Begleitpapiere.

ac·com·plice [ə'kɒmplis] *s* Kom'plice *m* (in, of bei), Mittäter(in).

ac·com·plish [ə'kɒmpliʃ] *v/t* **1.** *e-e Aufgabe etc* voll'enden, -'bringen, ausführen, *etwas* zu'stande bringen. **2.** *e-n Zweck* erreichen, erfüllen, *etwas Begehrtes* erlangen: to ~ one's object sein Ziel erreichen. **3.** *e-e Zeitspanne etc* voll'enden, durch'leben. **4.** ausbilden, vervollkommnen. **5.** *econ.* leisten, erfüllen. **ac'com·plish·a·ble** *adj* erreichbar, ausführbar.

ac·com·plished [ə'kɒmpliʃt] *adj* **1.** vollkommen, vollständig ausgeführt: an ~ fact e-e vollendete Tatsache. **2.** a) (fein *od.* vielseitig) gebildet, kulti'viert, b) voll'endet, per'fekt (*a. iro.*): an ~ hostess; an ~ liar ein Erzlügner.

ac·com·plish·ment [ə'kɒmpliʃmənt] *s* **1.** Ausführung *f.* **2.** Voll'endung *f*, Erfüllung *f.* **3.** Voll'kommenheit *f*, Ausbildung *f*, Vervollkommnung *f.* **4.** *meist pl* Bildung *f*, Kenntnisse *pl*, Fertigkeiten *pl*, Ta'lente *pl.*

ac·cord [ə'kɔːrd] **I** *v/t* **1.** *j-m etwas* gewähren, zukommen lassen, einräumen. **II** *v/i* **2.** im Einklang stehen, über'einstimmen, harmo'nieren. **III** *s* **3.** Über'einstimmung *f*, Einklang *m*, Einigkeit *f.* **4.** Zustimmung *f.* **5.** a) Über'einkommen *n*, b) *pol.* (*formloses*) Abkommen, c) *jur.* Vergleich *m* (*zwischen dem Masseschuldner u. einzelnen Gläubigern*): with one ~ einstimmig, einmütig; ~ and satisfaction *jur.* vergleichsweise Erfüllung (*als rechtsvernichtende Einwendung*); of one's own ~ aus eigenem Antrieb.

ac·cord·ance [ə'kɔːrdəns] *s* Über'einstimmung *f*: in ~ with in Übereinstimmung mit, laut (*gen*), gemäß (*dat*); to be in ~ übereinstimmen (with mit). **ac'cord·ant** *adj* **1.** (with) über'einstimmend (mit), im Einklang (mit), entsprechend (*dat*). **2.** *biol.* gleichsinnig. **3.** *geol.* gleich...

ac·cord·ing [ə'kɔːrdiŋ] **I** ~ to *prep* gemäß, entsprechend, nach, zu'folge (*dat*), laut (*gen*): ~ to circumstances den Umständen entsprechend, je nach Lage der Dinge; ~ to contract *econ.* vertragsgemäß; ~ to directions vorschriftsmäßig, weisungsgemäß; ~ to taste (je) nach Geschmack; ~ to that demnach. **II** ~ as *conj* so wie, je nach'dem (wie): ~ as you behave. **ac'cord·ing·ly** *adv* danach, demgemäß, demnach, folglich, entsprechend.

ac·cor·di·on [ə'kɔːrdiən] **I** *s* Ak'kordeon *n*, 'Zieh-, 'Handharˌmonika *f.* **II** *adj* faltbar, Falt...: ~ map; ~ door. **ac'cor·di·on·ist** *s* Ak'kordeonspieler(in), Akˌkordeo'nist(in).

ac·cost [ə'kɒst] *v/t* **1.** sich *j-m* nähern, her'antreten an (*acc*). **2.** *j-n* ansprechen *od.* anreden *od.* grüßen. **3.** *j-n* ansprechen (*Prostituierte*).

ac·couche·ment [ə'kuːʃmɑ̃ː; -mənt] (*Fr.*) *s* Entbindung *f*, Niederkunft *f.*

ac·cou·cheur [ˌækuː'ʃəːr] *s* Geburtshelfer *m.* **ˌac·cou'cheuse** [-'ʃəːz] *s* Hebamme *f.*

ac·count [ə'kaunt] **I** *v/t* **1.** ansehen *od.* betrachten als, halten für: to ~ o.s. happy sich glücklich schätzen.

II *v/i* **2.** (for) Rechenschaft *od.* Rechnung ablegen (über *acc*), sich verantworten (für). **3.** die Verantwortung tragen, verantwortlich sein (for für). **4.** erklären, begründen (for *acc*): how do you ~ for that? wie erklären Sie sich das?; that ~s for it das erklärt die Sache; there is no ~ing for taste über den Geschmack läßt sich nicht streiten. **5.** ~ for a) *hunt.* töten, schießen, b) *sport u. fig.* erledigen.

III *s* **6.** *econ.* a) Berechnung *f*, Rechnung *f*, b) *pl* Geschäftsbücher *pl*, c) *pl* (Rechnungs-, Jahres)Abschluß *m*, d) Konto *n*: ~ book Konto-, Geschäftsbuch *n*; transaction for the ~ (*Börse*) Termingeschäft *n*; → *Bes. Redew.* **7.** Rechenschaft *f*, Rechenschaftsbericht *m*: to bring to ~ *fig.* abrechnen mit; to call to ~ zur Rechenschaft ziehen; to give (an) ~ of Rechenschaft ablegen über (*acc*) (→ 8); to give a good ~ of *etwas* gut erledigen, *e-n Gegner* abfertigen; to give a good ~

of o.s. sich hervortun, sich bewähren. **8.** Bericht *m*, Darstellung *f*, Beschreibung *f*, *a.* (*künstlerische*) Interpretati'on: **by all ~s** nach allem, was man hört; **to give an ~ of** Bericht erstatten über (*acc*) (→ 7). **9.** Liste *f*, Verzeichnis *n*. **10.** Erwägung *f*, Berücksichtigung *f*: **to leave out of ~** außer Betracht lassen; **to take ~ of, to take into ~** Rechnung tragen (*dat*), in Betracht ziehen, berücksichtigen; **on ~ of** wegen (*gen od. dat*), auf Grund von (*od. gen*); **on no ~** auf keinen Fall, keineswegs, unter keinen Umständen; **on all ~s** auf jeden Fall, in jeder Hinsicht. **11.** Wert *m*, Wichtigkeit *f*, Bedeutung *f*, Ansehen *n*, Geltung *f*: **of no ~** unbedeutend, ohne Bedeutung, wertlos. **12.** Gewinn *m*, Vorteil *m*: **to find one's ~ in s.th.** bei etwas profitieren *od.* auf s-e Kosten kommen; **to turn s.th. to good ~** etwas gut ausnutzen, Kapital schlagen aus etwas.
Besondere Redewendungen: **~(s) agreed upon** Rechnungsabschluß *m*; **~ carried forward** Vortrag *m* auf neue Rechnung; **~ current, current ~** Kontokorrent *n*, laufende Rechnung; **~s payable** Buchschulden, Verbindlichkeiten, (*Bilanz*) Kreditoren; **~s receivable** Außenstände, Buchforderungen, (*Bilanz*) Debitoren; **to balance an ~** ein Konto ausgleichen; **to buy for the ~** (*Börse*) auf Termin kaufen; **to carry to ~** in Rechnung stellen; **to carry to a new ~** auf neue Rechnung vortragen; **to charge against an ~** ein Konto belasten mit; **to charge to s.o.'s ~** j-m in Rechnung stellen, j-s Konto belasten mit; **closing of ~s** Kassenabschluß *m*, Schließung *f* e-s Kontos; **for ~ only** nur zur Verrechnung; **for ~ and risk** auf Rechnung u. Gefahr; **for the ~ of** a conto von; **on ~** auf Rechnung, a conto, auf Abschlag, als An- *od.* Teilzahlung; **business on ~** Metageschäft *n*; **on one's own ~** auf eigene Rechnung (u. Gefahr), für sich selber; **to open an ~ with s.o.** bei j-m ein Konto eröffnen; **to pass an ~** e-e Rechnung anerkennen; **payment per ~** Saldozahlung *f*; **per ~ rendered** laut ausgestellter Rechnung; → **render** 10, 11; **to place** (*od.* **put**) **to** (**s.o.'s**) **~** (j-m) in Rechnung stellen; **received on ~** in Gegenrechnung empfangen; **to settle** (*od.* **square**) **an ~** ein Konto ausgleichen, e-e Rechnung begleichen; **to settle** (*od.* **square**) **~s with** *fig.* abrechnen mit.

ac·count·a·bil·i·ty [əˌkauntə'biliti] *s* Verantwortlichkeit *f*.

ac·count·a·ble [ə'kauntəbl] *adj* (*adv* **accountably**) **1.** verantwortlich, rechenschaftspflichtig. **2.** erklärlich.

ac·count·an·cy [ə'kauntənsi] *s* **1.** Rechnungswesen *n*, Buchhaltung *f*, -führung *f*. **2.** Buchhalterstellung *f*.

ac·count·ant [ə'kauntənt] *s* **1.** Buchhalter *m*, Rechnungsführer *m*. **2.** 'Bücherreˌvisor *m*, Rechnungs-, Wirtschaftsprüfer *m*: → **certified public accountant, chartered.**

ac·count·ant·ship [ə'kauntəntˌʃip] *s* **1.** Buchhalterstelle *f*. **2.** Amt *n* e-s Rechnungsprüfers.

ac·count| bal·ance *s* Kontostand *m*, Kontensaldo *m*. **~ cus·tom·er** *s* Inhaber(in) e-s Kre'ditkontos (*in e-m Kaufhaus etc*). **~ day** *s Br.* Abrechnungstag *m* (*an der Börse*). **~ ex·ec·u·tive** *s Am.* Sachbearbeiter *m* für Kundenwerbung.

ac·count·ing [ə'kauntiŋ] → **accountancy 1.**

ac·cou·ter, *bes. Br.* **ac·cou·tre** [ə'kuːtər] *v/t bes. mil.* einkleiden, ausrüsten, -statten. **ac'cou·ter·ment,** *bes. Br.* **ac'cou·tre·ment** *s meist pl* **1.** Kleidung *f*, Ausstattung *f*, 'Ausstafˌfierung *f*. **2.** *mil.* Ausrüstung *f*.

ac·cred·it [ə'kredit] *v/t* **1.** *bes. e-n Gesandten* akkredi'tieren, beglaubigen (to bei). **2.** Glauben *od.* Vertrauen schenken (*dat*). **3.** bestätigen, als berechtigt anerkennen. **4.** zuschreiben (s.th. to s.o. *od.* s.o. with s.th. j-m etwas). **5.** *econ.* akkredi'tieren, ein Akkredi'tiv ausstellen (*dat*). **ac'cred·it·ed** *adj* beglaubigt, akkredi'tiert.

ac·crete [ə'kriːt] **I** *v/i* zs.-wachsen, sich vereinigen. **II** *v/t* anwachsen lassen, aufnehmen. **III** *adj* zs.-gewachsen.

ac·cre·tion [ə'kriːʃən] *s* **1.** Zunahme *f*, Zuwachs *m*, Anwachsen *n*, Wachstum *n*. **2.** Hin'zugekommene(s) *n*, Hin'zufügung *f*. **3.** (Wert)Zuwachs *m* (*bei e-r Erbschaft, von Land etc*). **4.** *jur.* Landzuwachs *m* (*durch Anschwemmung*). **5.** *med.* Zs.-wachsen *n*, Verwachsung *f*.

ac·cru·al [ə'kruːəl] *s* Zuwachs *m*, Anfall *m od.* Entstehung *f* (*e-s Rechts etc*), Auflaufen *n* (*von Zinsen*): **~ of a dividend** Anfall e-r Dividende; **~ of an inheritance** Erb(an)fall.

ac·crue [ə'kruː] *v/i* **1.** *jur.* (als Anspruch) erwachsen, zufallen (to *dat*; from, out of aus): **a right ~s** ein Recht entsteht; **a liability ~s** e-e Haftung tritt ein. **2.** erwachsen, entstehen, zukommen, zu-, anwachsen (to *dat*; from, out of aus): **~d interest** aufgelaufene Zinsen; **~d rent** aufgelaufener Mietzins; **~ taxes** Steuerschuld *f*. **3.** zum Nutzen *od.* Schaden gereichen.

ac·cu·mu·late [ə'kjuːmjuˌleit] **I** *v/t* ansammeln, auf-, anhäufen, *a. tech.* (auf)speichern, *a. psych.* (auf)stauen: **~d earnings** (*Bilanz*) Gewinnvortrag *m*; **~d temperature** Wärmesumme *f*; **~d value** Endwert *m*. **II** *v/i* anwachsen, sich anhäufen *od.* ansammeln *od.* (an)stauen, *tech.* sich sum'mieren: **~d demand** *econ.* Nachholbedarf *m*; **~d interest** aufgelaufene Zinsen.

ac·cu·mu·la·tion [əˌkjuːmju'leiʃən] *s* **1.** (An-, Auf)Häufung *f*, Ansammlung *f*, (Auf)Stauung *f*. **2.** *tech.* Akkumulati'on *f*, (Auf)Speicherung *f*, Stauung *f*. **3.** *econ.* (Kapi'tal)Ansammlung *f*: **~ of capital**; **~ of interest** Auflaufen *n* von Zinsen; **~ of property** Vermögensanhäufung *f*. **4.** gleichzeitiges Ablegen (*mehrerer akademischer Prüfungen*).

ac'cu·muˌla·tive [-ˌleitiv] *adj* sich anhäufend *od.* sum'mierend, wachsend, Häufungs..., Zusatz..., Sammel...: **~ sentence** *jur. Am.* zusätzliche Strafzumessung.

ac·cu·mu·la·tor [ə'kjuːmjuˌleitər] *s* **1.** Anhäufer *m*, Ansammler *m*. **2.** *electr.* Akkumu'lator *m*, Akku *m*, (Strom)Sammler *m*: **~ acid** Sammlersäure *f*; **~ battery** Sammlerbatterie *f*; **~ cell** Sammlerzelle *f*; **to charge an ~** e-n Akkumulator aufladen. **3.** *electr.* a) 'Sammelzyˌlinder *m*, Ener'giespeichergerät *n*, b) Sekun'däreleˌment *n*.

ac·cu·ra·cy ['ækjurəsi] *s* **1.** Genauigkeit *f*, Sorgfalt *f*, Präzisi'on *f*, Ex'aktheit *f*. **2.** Richtigkeit *f*, Pünktlichkeit *f*, Genauigkeit *f*: **~ life** *mil.* Lebensdauer *f* (*e-r Waffe*); **~ to ga(u)ge** *tech.* Maßhaltigkeit *f*.

ac·cu·rate ['ækjurit] *adj* (*adv* **~ly**) **1.** genau, sorgfältig, akku'rat, pünktlich (*Person*). **2.** genau, richtig, zutreffend, ex'akt (*Sache*).

ac·curs·ed [ə'kəːrsid; *Am. a.* -st], **a.** **ac'curst** [-st] *adj* **1.** verflucht, -wünscht, ‚verflixt'. **2.** ab'scheulich.

ac·cus·al [ə'kjuːzəl] *s* Anklage *f*.

ac·cu·sa·tion [ˌækju'zeiʃən] *s* (*jur. nicht formelle*) Anklage, Beschuldigung *f*: **to bring an ~ against s.o.** (e-e) Anklage gegen j-n erheben.

ac·cu·sa·ti·val [əˌkjuːzə'taivəl] → **accusative** 1.

ac·cu·sa·tive [ə'kjuːzətiv] **I** *adj* **1.** *ling.* 'akkusaˌtivisch, Akkusativ...: **~ case** → 3. **2.** → **accusatory. II** *s* **3.** *ling.* Akkusativ *m*, 4. Fall *m*.

ac·cu·sa·to·ry [ə'kjuːzətəri] *adj* anklagend, Klage...

ac·cuse [ə'kjuːz] *v/t* (of) anklagen, beschuldigen (*gen od.* wegen *gen*), bezichtigen, zeihen (*gen*). **ac'cused** *adj* angeklagt: **the ~** der *od.* die Angeklagte *od.* Angeschuldigte. **ac'cus·er** *s* Ankläger(in). **ac'cus·ing** *adj* (*adv* **~ly**) anklagend, vorwurfsvoll.

ac·cus·tom [ə'kʌstəm] *v/t* gewöhnen (to an *acc*): **to be ~ed to do s.th.** gewohnt sein *od.* pflegen, etwas zu tun; **to get ~ed to s.th.** sich an etwas gewöhnen; **his ~ed cheerfulness** s-e gewohnte *od.* übliche Fröhlichkeit.

ace [eis] **I** *s* **1.** As *n* (*Spielkarte*): **to have an ~ in the hole** *Am. colloq.* e-n Trumpf in petto haben; **he stands ~ high with me** *Am. colloq.* er ist bei mir gut angeschrieben. **2.** Eins *f* (*auf Würfeln*). **3.** *sport* a) durch 'einen Schlag *od.* Wurf erzielter Punkt, b) *Tennis*: (Aufschlag)As *n*. **4.** Kleinigkeit *f*: **he came within an ~ of losing** er hätte um ein Haar verloren. **5.** (Flieger)As *n*, erfolgreicher Kampfflieger. **6.** *bes. sport* ‚Ka'none' *f*, As *n*. **II** *adj* **7.** her'vorragend, Spitzen..., Star...: **~ reporter.**

A·cel·da·ma [ə'seldəmə] *s Bibl.* **1.** Hakel'dama *m*, Blutacker *m*. **2.** *oft* **a~** *fig.* Schlachtfeld *n*.

a·ceph·a·lous [ei'sefələs] *adj* **1.** *zo.* kopflos, ohne Kopf. **2.** *metr.* mit e-r Kürze anfangend. **3.** aze'phalisch, ohne Anfang (*bes. Buch, Vers*). **4.** *anat.* aze'phal. **5.** *fig.* führerlos.

ac·er·bate ['æsərˌbeit] *v/t* **1.** bitter machen (*a. fig.*). **2.** *fig.* verbittern.

a·cer·bi·ty [ə'səːrbiti] *s* **1.** Herbheit *f*, herber Geschmack. **2.** *fig.* Bitterkeit *f*, Schärfe *f*, Heftigkeit *f*.

ac·e·tab·u·lum [ˌæsi'tæbjuləm] *pl* **-la** [-lə] *s* **1.** *antiq.* Ace'tabulum *n*, Essigbecher *m*. **2.** *anat.* Ace'tabulum *n*, (Hüft)Gelenkpfanne *f*. **3.** *zo.* Gelenkpfanne *f* (*von Insekten*). **4.** *zo.* Saugnapf *m* (*von Polypen*).

ac·e·tal ['æsiˌtæl] *s chem.* Ace'tal *n*.

ac·et·al·de·hyde [ˌæsi'tældihaid] *s chem.* A'cetaldeˌhyd *m*.

ac·e·tate ['æsiˌteit; -tit] *s* **1.** *chem.* Ace'tat *n* (*Salz od. Ester der Essigsäure*). **2.** *a.* **~ rayon** Ace'tatseide *f*.

a·ce·tic [ə'siːtik; ə'setik] *adj chem.* essigsauer: **~ acid** Holzessig *m*, Essigsäure *f*; **~ anhydride** Essigsäureanhydrid *n*; **glacial ~ acid** Eisessig *m*, wasserfreie Essigsäure. **a'cet·iˌfi·er** [-ˌfaiər] *s chem.* Schnellsäurer *m* (*Apparat*). **a'cet·iˌfy** [-ˌfai] **I** *v/t* in Essig verwandeln, säuern. **II** *v/i* sauer werden.

ac·e·tone ['æsiˌtoun] *s chem.* Ace'ton *n*.

ac·e·tose ['æsiˌtous], **'ac·e·tous** [-təs] *adj* essigsauer.

ac·e·tyl ['æsitil; -ˌtiːl] *s chem.* Ace'tyl *n*.

a·cet·y·lene [ə'setiˌliːn; -lin] *s chem.* Acety'len *n*: **~ cutter** (Acetylen)Schneid(e)brenner *m*; **~ welding** Acetylenschweißung *f*.

ache[1] [eik] **I** *v/i* **1.** schmerzen, weh(e)

tun: I am aching all over mir tut alles weh. **2.** *colloq.* sich sehnen (for nach), darauf brennen (to do zu tun). **II** *s* **3.** (*anhaltender*) Schmerz, Weh *n*: ~s and pains Schmerzen.

ache² → aitch.

a·chene [ei'kiːn] *s bot.* A'chäne *f* (*Schließfrucht mit verwachsener Frucht- u. Samenschale*). **a'che·ni·al** [-niəl] *adj* schließfrüchtig.

A·cher·nar ['eikərˌnaːr] *s astr.* Alpha [*n* (*Stern*).]

Ach·er·on ['ækəˌrɒn] **I** *npr* Acheron *m* (*Fluß der Unterwelt*). **II** *s* 'Unterwelt *f*.

A·cheu·le·an, A·cheu·li·an [ə'ʃəːliən] *geol.* **I** *adj* Acheuléen... **II** *s* Acheulé'en *n* (*dritte Periode der Steinzeit*).

a·chiev·a·ble [ə'tʃiːvəbl] *adj* ausführbar, erreichbar.

a·chieve [ə'tʃiːv] *v/t* **1.** voll'bringen, voll'enden, leisten, zu'stande bringen, ausführen, schaffen. **2.** (*mühsam*) erlangen, erringen. **3.** *das Ziel* erreichen, *e-n Erfolg* erzielen, *e-n Zweck* erfüllen *od.* erreichen. **4.** *obs.* zu Ende bringen.

a·chieve·ment [ə'tʃiːvmənt] *s* **1.** Ausführung *f*, Voll'endung *f*, Zu'standebringen *n*, Schaffung *f*, Her'beiführung *f*, Erzielung *f*. **2.** (*mühsame*) Erlangung, Erreichung *f*. **3.** (große) Tat, (große) Leistung, Werk *n*, Errungenschaft *f*. **4.** *her.* durch Ruhmestat erworbenes Wappenbild. ~ **age** *s psych.* Leistungsalter *n* (*Durchschnittsalter bei e-m Leistungstest*). ~ **quo·tient** *s psych.* 'Leistungsquotiˌent *m* (*Leistungsalter geteilt durch tatsächliches Alter*). ~ **test** *s psych.* Leistungstest *m*.

A·chil·les [ə'kiliːz] *npr* A'chill(es) *m*: ~' (*od.* ~) heel, heel of ~ *fig.* Achillesferse *f*; ~' (*od.* ~) tendon, tendon of ~ *anat.* Achillessehne *f*.

ach·ing ['eikiŋ] *adj* schmerzend.

ach·la·myd·e·ous [æklə'midiəs] *adj bot.* nacktblütig.

ach·ro·mat·ic [ˌækro'mætik] *adj* (*adv* ~ally) **1.** *biol. phys.* achro'matisch, farblos: ~ lens; ~ substance *biol.* achromatische (Zellkern)Substanz. **2.** *mus.* dia'tonisch.

a·chro·ma·tin [ei'kroumətin] *s biol.* Achroma'tin *n*. **a'chro·maˌtism** *s* Achroma'tismus *m*, Farblosigkeit *f*. **a'chro·maˌtize** [-ˌtaiz] *v/t phys.* achromati'sieren.

a·cic·u·lar [ə'sikjulər] *adj* **1.** *zo.* stachelborstig. **2.** *biol.* nadelförmig.

ac·id ['æsid] **I** *adj* (*adv* ~ly) **1.** sauer, scharf (*Geschmack*): ~ drops *Br.* saure (Frucht)Bonbons *od.* Drops. **2.** *fig.* beißend, bissig, bitter: an ~ remark. **3.** *chem. tech.* säurehaltig, Säure...: ~ bath Säurebad *n*; ~ yellow Anilingelb *n*. **4.** *tech.* Säure...: ~ steel saurer Stahl. **II** *s* **5.** *chem.* Säure *f*.

a·cid·ic [ə'sidik] *adj* **1.** säurebildend, -reich, -haltig. **2.** *min.* reich an Silika.

aˌcid·i·fi'ca·tion [-fi'keiʃən] *s chem.* (An)Säuerung *f*, Säurebildung *f*. **a'cid·iˌfi·er** [-ˌfaiər] *s chem.* Säurebildner *m*, Säuerungsmittel *n*. **a'cid·iˌfy** [-ˌfai] **I** *v/t* (an)säuern, in Säure verwandeln. **II** *v/i* sauer werden.

ac·i·dim·e·ter [ˌæsi'dimitər] *s chem.* Acidi'meter *n*, Säuremesser *m*.

a·cid·i·ty [ə'siditi] *s* **1.** Säure *f*, Schärfe *f*. **2.** Azidi'tät *f*, Säuregehalt *m*, -grad *m*. **3.** *med.* 'Superazidiˌtät *f*, ('überschüssige) Magensäure. **ac·id·ize** ['æsiˌdaiz] *v/t* **1.** mit Säure behandeln. **2.** → acidify I.

ac·i·do·phil ['æsidoˌfil; ə'sid-], **'ac·i·doˌphile** [-ˌfail; -ˌfil] *biol.* **I** *s* acido'phile Zelle *od.* Sub'stanz. **II** *adj* acido'phil.

ac·i·do·sis [ˌæsi'dousis] *s med.* Azi'dose *f*, Über'säuerung *f* des Blutes.

'ac·id|'proof *adj tech.* säurebeständig, -fest. ~ **re·sist·ance** *s* Säurebeständigkeit *f*. **'~-re'sist·ant** *adj* säurebeständig, -fest. ~ **test** *s* **1.** *chem.* Säure-, Scheideprobe *f*. **2.** *fig.* Prüfung *f* auf Herz u. Nieren, Feuerprobe *f*: to put to the ~ auf Herz u. Nieren prüfen.

a·cid·u·late [*Br.* ə'sidjuˌleit; *Am.* -dʒə-] *v/t* (an)säuern: ~d drops saure (Frucht)Bonbons. **a'cid·u·lous** *adj* **1.** säuerlich: ~ spring, ~ water *geol. med.* Sauerbrunnen *m*. **2.** *fig.* → acid 2.

ac·i·er·age ['æsiəridʒ] *s metall.* Verstählung *f*.

a·cin·i·form [ə'siniˌfɔːrm] *adj med.* azi'nös, trauben-, beerenförmig.

ac·i·nus ['æsinəs] *pl* **-ni** [-ˌnai] *s* **1.** *bot.* a) Einzelbeerchen *n* (*e-r Sammelfrucht*), b) Trauben-, Beerenkern *m*. **2.** *anat.* a) Traubendrüse *f*, b) Drüsenbläs-chen *n*.

ack-ack ['æk'æk] *sl.* (*abbr. für* anti-aircraft) **I** *s* **1.** Flakfeuer *n*. **2.** 'Flugzeugˌabwehrkaˌnone *f*, Flak *f*. **II** *adj* **3.** Flak...

ack em·ma [æk 'emə] *Br. sl.* (*Funkerwort für* a.m.) **I** *adv* vormittags. **II** *s* 'Flugzeugmeˌchaniker *m*.

ac·knowl·edge [ək'nɒlidʒ; æk-] *v/t* **1.** anerkennen. **2.** zugestehen, zugeben, einräumen. **3.** sich bekennen zu. **4.** dankbar anerkennen, erkenntlich sein für. **5.** *den Empfang* bestätigen, quit'tieren, *e-n Gruß* erwidern. **6.** *jur.* *e-e Urkunde* (*nach erfolgter Errichtung*) förmlich anerkennen, beglaubigen. **ac'knowl·edged** *adj* anerkannt, bewährt. **ac'knowl·edg(e)·ment** *s* **1.** Anerkennung *f*: ~ of debt Schuldanerkenntnis *n*; ~ of paternity Vaterschaftsanerkennung. **2.** Ein-, Zugeständnis *n*. **3.** Bekenntnis *n*. **4.** Erkenntlichkeit *f*, lobende Anerkennung, Dank *m* (of für). **5.** (Empfangs-)Bestätigung *f*. **6.** *jur.* förmliches Anerkenntnis (*der Errichtung e-r Urkunde*), Beglaubigung(sklausel) *f*.

a·clin·ic [ei'klinik] *adj phys.* a'klinisch, ohne Inklinati'on: ~ line Akline *f*.

ac·me ['ækmi] *s* **1.** *a. fig.* Gipfel *m*, Spitze *f*. **2.** *fig.* Höhepunkt *m*. **3.** *med.* Ak'me *f*, Krisis *f*. **4.** *biol.* Vollblüte *f*.

ac·mite ['ækmait] *s min.* Ak'mit *m*.

ac·ne ['ækni] *s med.* Akne *f*.

ac·node ['æknoud] *s math.* Rückkehrpunkt *m* (*e-r Kurve*).

ac·o·lyte ['ækoˌlait] *s* **1.** *relig.* Ako'luth *m*: a) Meßgehilfe *m*, Al'tardiener *m*, b) *Inhaber der höchsten der vier niederen Weihen*. **2.** *astr.* Begleitstern *m*. **3.** Gehilfe *m*, Helfer *m*, Anhänger *m*.

ac·o·nite ['ækoˌnait] *s* **1.** *bot.* Eisenhut *m*: yellow ~ gelber Winterling. **2.** *chem.* Aco'nit *n*.

a·corn ['eikɔːrn; *Am. a.* -kərn] *s* **1.** *bot.* Eichel *f*. **2.** *mar.* Flügelspill *n*. **3.** *zo.* Meereichel *f*, Seepocke *f*. ~ **cup** *s bot.* Eichelnapf *m*. ~ **shell** *s* **1.** *bot.* Eichelschale *f*. **2.** → acorn 3. ~ **tube** *s electr.* Eichelröhre *f*.

a·cot·y·le·don [eiˌkɒti'liːdən] *s bot.* Akotyle'done *f*, Krypto'game *f*.

a·cou·me·ter [ə'kuːmitər; -ˌmiː-] *s med. phys.* Hörschärfemesser *m*.

a·cous·tic [ə'kuːstik] *adj*; **a'cous·ti·cal** [-kəl] *adj* (*adv* ~ly) *phys. physiol. tech.* a'kustisch, Gehör..., Schall..., Hör...: ~ clarifier Klangreiniger *m*; ~ duct (*od.* meatus) *anat.* Gehörgang *m*; ~ engineering Tontechnik *f*; ~ feedback akustische Rückkopplung; ~ frequency Hörfrequenz *f*; ~ mine *mil.* Geräuschmine *f*; ~ nerve *anat.* Gehörnerv *m*; ~ properties Akustik *f* (*e-s Raumes*). **ac·ous·ti·cian** [ˌækuːs'tiʃən] *s* A'kustiker *m*.

a·cous·tics [ə'kuːstiks] *s pl* **1.** (*meist als sg konstruiert*) a) *phys.* A'kustik *f*, Lehre *f* vom Schall, b) *psych.* 'Tonpsycholoˌgie *f*. **2.** (*als pl konstruiert*) *arch.* A'kustik *f* (*e-s Raumes*).

ac·quaint [ə'kweint] *v/t* **1.** (o.s. sich) bekannt *od.* vertraut machen (with mit): → acquainted. **2.** (with) bekanntmachen (mit), *j-m* mitteilen (*acc*): she ~ed me with the facts. **ac'quaint·ance** *s* **1.** Bekanntschaft *f*: to keep up an ~ with s.o. Umgang mit j-m haben; to make s.o.'s ~ j-n kennenlernen, mit j-m Bekanntschaft schließen; on closer ~ bei näherer Bekanntschaft. **2.** Kenntnis *f* (with von). **3.** Bekanntschaft *f*: a) Bekannte(r *m*) *f*, b) Bekanntenkreis *m*: an ~ of mine eine(r) m-r Bekannten. **ac'quaint·ed** *adj* bekannt, vertraut: to be ~ with s.o. (s.th.) j-n (etwas) kennen; to become ~ with s.o. (s.th.) j-n (etwas) kennenlernen; we are ~ wir kennen uns, wir sind Bekannte.

ac·qui·esce [ˌækwi'es] *v/i* **1.** (in) sich beruhigen (bei), sich fügen (in *acc*), (stillschweigend) dulden *od.* 'hinnehmen (*acc*). **2.** einwilligen. **ˌac·qui'es·cence** *s* (in) Ergebung *f* (in *acc*), Einwilligung *f* (in *acc*, zu), Duldung *f* (*gen*). **ˌac·qui'es·cent** *adj* ergeben.

ac·quir·a·ble [ə'kwai(ə)rəbl] *adj* erreich-, erwerb-, erlangbar.

ac·quire [ə'kwair] *v/t* **1.** erwerben, erlangen, erreichen, gewinnen, bekommen: to ~ by purchase käuflich erwerben. **2.** (er)lernen, erwerben: to ~ a taste for s.th. Geschmack an etwas finden; ~d characters *biol.* erworbene Eigenschaften; ~d taste anerzogener *od.* angewöhnter Geschmack. **ac'quire·ment** *s* **1.** Erwerbung *f*, Erlangung *f*. **2.** Erworbenes *n*, Erlangtes *n*, (erworbene) Fähigkeit *od.* Fertigkeit, *pl* Kenntnisse *pl*.

ac·qui·si·tion [ˌækwi'ziʃən] *s* **1.** (*käuflicher etc*) Erwerb, (An)Kauf *m*: ~ of property Eigentumserwerb. **2.** Erwerbung *f*, Erlernung *f*, Erfassen *n*: ~ radar *mil.* Erfassungsradar *n*. **3.** erworbenes Gut, Errungenschaft *f*. **4.** (Neu)Anschaffung *f*, (Neu)Erwerbung *f*: ~ value Anschaffungswert *m*.

ac·quis·i·tive [ə'kwizitiv] *adj* **1.** auf Erwerb gerichtet: ~ capital Erwerbskapital *n*. **2.** gewinn-, habsüchtig. **3.** lernbegierig. **ac'quis·i·tive·ness** *s* Gewinnsucht *f*, Erwerbstrieb *m*.

ac·quit [ə'kwit] *pret u. pp* **-'quit·ted** *v/t* **1.** (of) *j-n* entlasten *od.* entbinden (von), *j-n* (*e-r Verpflichtung*) entheben. **2.** *jur.* *j-n* freisprechen (of a charge von e-r Anklage). **3.** *e-e Schuld* abtragen, ab-, bezahlen, *e-e Verbindlichkeit* erfüllen. **4.** ~ o.s. (of) sich (*e-r Aufgabe*) entledigen, (*e-e Pflicht etc*) erfüllen. **5.** ~ o.s. sich benehmen, sich halten: to ~ o.s. well sich gut halten, s-e Sache gut machen. **ac'quit·tal** *s* **1.** *jur.* Freispruch *m*: hono(u)rable ~ Freispruch wegen erwiesener Unschuld. **2.** Erlassung *f* (*e-r Schuld*). **3.** Erfüllung *f* (*e-r Pflicht*). **ac'quit·tance** *s* **1.** Erfüllung *f* (*e-r Verpflichtung*), Tilgung *f*, Abtragung *f*, Begleichung *f* (*e-r Schuld*). **2.** Quittung *f*, Empfangsbestätigung *f*. **3.** Entlastung *f*, Befreiung *f* (*von Verpflichtungen*).

a·cre ['eikər] *s* **1.** Acre *m* (= *4047 qm*), Morgen *m*: 40 ~s of land 40 Morgen Land; ~s and ~s weite Flächen. **2.** *obs.* Acker *m*, Feld *n*: → God's acre.

3. *pl poet. u. Am.* Lände'reien *pl*, Grundstücke *pl*. **'a·cre·age** [-ridʒ] *s* **1.** Flächeninhalt *m*, Fläche *f* (*nach Acres*). **2.** Anbau-, Weidefläche *f*.

ac·rid ['ækrid] *adj* scharf, herb, ätzend, beißend (*a. fig.*).

ac·ri·dine ['ækriˌdiːn; -din], *a.* **'ac·ri·din** [-din] *s chem.* Acri'din *n*.

a·crid·i·ty [ə'kriditi] *s* Schärfe *f*, Herbheit *f*, (*das*) Ätzende.

ac·ri·fla·vine [ˌækri'fleiviːn; -vin], *a.* **ˌac·ri'fla·vin** [-vin] *s chem.* Trypafla'vin *n*.

ac·ri·mo·ni·ous [ˌækri'mouniəs] *adj* (*adv* **~ly**) scharf, herb, bitter, beißend.

ac·ri·mo·ny [*Br.* 'ækriməni; *Am.* -ˌmouni] *s* Schärfe *f*, Herbheit *f*, Bitterkeit *f* (*meist fig.*).

ac·ro·bat ['ækrəˌbæt] *s* **1.** a) Akro'bat *m*, b) Seiltänzer *m*. **2.** *fig.* Ge'sinnungsakroˌbat *m*. **ˌac·ro'bat·ic** *adj*; **ˌac·ro'bat·i·cal** *adj* (*adv* **~ly**) akro'batisch: **acrobatic flying** → **acrobatics** 3. **ˌac·ro'bat·ics** *s pl* **1.** (*meist als sg konstruiert*) Akro'batik *f*. **2.** akro'batische Künste *pl od.* Kunststücke *pl*. **3.** *aer. sport* Kunstflug *m*, -fliegen *n*.

ac·ro·lith ['ækroliθ] *s* Akro'lith *m* (*Holzfigur mit steinernen Gliedern*).

a·crom·e·ter [ə'krɒmitər] *s tech.* Ölmesser *m*.

ac·ro·nar·cot·ic [ˌækronɑːr'kɒtik] *med.* **I** *adj* scharf nar'kotisch. **II** *s* scharfes nar'kotisches Gift.

ac·ro·nym ['ækrənim] *s ling.* Akro'nym *n*, Kurzwort *n* (*aus den Anfangsbuchstaben aufeinanderfolgender Wörter gebildetes Wort, z. B. Flak*). **ˌac·ro'nym·ic** *adj* Akronym... **a·cron·y·mize** [ə'krɒniˌmaiz] *v/t u. v/i* mit Anfangsbuchstaben schreiben.

ac·ro·pho·bi·a [ˌækro'foubiə] *s med.* Akropho'bie *f*, Höhenangst *f*.

a·crop·o·lis [ə'krɒpəlis] *pl* **-lis·es** *od.* **-leis** [-ˌlais] *antiq.* **I** *s* A'kropolis *f*, Stadtburg *f*. **II** *npr* **A~** A'kropolis *f*.

ac·ro·some ['ækroˌsoum] *s biol.* Akro'som *n*.

a·cross [ə'krɒs; ə'krɔːs] **I** *prep* **1.** a) (quer) über (*acc*), von e-r Seite (*e-r Sache*) zur anderen, b) (quer) durch, mitten durch, c) quer zu: **to run ~ the road** über die Straße laufen; **to lay one stick ~ another** e-n Stock quer über den anderen legen; **to swim ~ a river** durch e-n Fluß schwimmen, e-n Fluß durchschwimmen; **~ (the) country** querfeldein; → **put across** 2. **2.** auf der anderen Seite von (*od. gen*), jenseits (*gen*), über (*acc.*): **from ~ the lake** von jenseits des Sees; **he lives ~ the street** er wohnt auf der gegenüberliegenden Seite der Straße. **3.** in Berührung mit, auf (*acc*): → **come across. II** *adv* **4.** a) *bes. Am.* (quer) hin'über *od.* her'über, b) quer durch, c) im 'Durchmesser: **he came ~ in a steamer** er kam mit e-m Dampfer herüber; **to saw directly ~** quer durchsägen; **the lake is three miles ~** der See ist 3 Meilen breit. **5.** a) drüben, auf der anderen Seite, b) hin'über, auf die andere Seite: → **come across, get across, put across** 2. **6.** kreuzweise, über'kreuz: **with arms (legs) ~** mit verschränkten Armen (übereinandergeschlagenen Beinen).

a'cross-the-'board *adj Am.* glo'bal, ('all)umˌfassend: **an ~ tax cut.**

a·crost [ə'krɒst; ə'krɔːst] *Am. dial. od. vulg. für* **across.**

a·cros·tic [ə'krɒstik] *metr.* **I** *s* A'krostichon *n*. **II** *adj* akro'stichisch.

a·crot·ic [ə'krɒtik] *adj med.* **1.** oberflächlich. **2.** a'krot, e-e Pulsstörung betreffend. **ac·ro·tism** ['ækrəˌtizəm] *s* Akro'tismus *m*, Fehlen *n* des Pulses.

ac·ry·late ['ækriˌleit] *s chem.* Salz *n* der A'crylsäure. **a·cryl·ic** [ə'krilik] *adj* a'crylsauer, Acrylsäure...

ac·ryl·yl ['ækrilil] *s chem.* einwertiger A'crylsäurerest.

act [ækt] **I** *s* **1.** a) Tat *f*, Werk *n*, Handlung *f*, Maßnahme *f*, Schritt *m*, Akt *m*, b) Tun *n*, Handeln *n*, Tätigkeit *f*: **~ of folly** Wahnsinn(stat *f*) *m*, Narrheit *f*; **A~ of God** höhere Gewalt (*als Naturereignis*); **~ of administrative authority** Verwaltungsakt, -maßnahme; **~ of State** staatlicher Hoheitsakt; **~ of war** kriegerische Handlung; **official ~** Amtshandlung; **(sexual) ~, ~ of love** (Geschlechts-, Liebes)Akt; **in the ~ of going** (gerade) dabei zu gehen; **to catch s.o. in the ~** j-n auf frischer Tat *od.* in flagranti ertappen; **to get into the ~** *Am. colloq.* (in die Sache) ‚einsteigen'. **2.** *jur.* a) Rechtshandlung *f*, b) Tathandlung *f*, (Straf)Tat *f*, c) *oft* **~ and deed** Willenserklärung *f*, Urkunde *f*, Akte *f*: **~ of sale** Kaufvertrag *m*; **~ of bankruptcy** Konkurshandlung *od.* -grund *m*. **3.** *pol.* Beschluß *m*, Verfügung *f*, -ordnung *f*, Gesetz *n*, Akte *f*: **A~ (of Congress)** *Am.*, **A~ (of Parliament)** *Br.* Gesetz, Parlamentsbeschluß, -akte; **~ of grace** Gnadenakt *m*, Amnestie *f*. **4. A~** *Br. univ.* Verteidigung *f* e-r These. **5.** Festakt *m*. **6.** *thea.* Aufzug *m*, Akt *m*. **7.** Nummer *f*, Darbietung *f*, Akt *m* (*von Artisten*). **8.** *Am. colloq.* ‚The'ater' *n*, ‚Tour' *f*, Pose *f*: **to put on an ~** ‚Theater spielen'; **he did the heavy-husband ~** er spielte *od.* mimte den Haustyrannen. **9. A~s (of the Apostles)** *pl* (*als sg konstruiert*) *Bibl.* (*die*) A'postelgeschichte. **10.** *philos.* Akt *m*.

II *v/t* **11.** *thea.* *j-n* darstellen, *j-n, e-e Rolle, ein Stück etc* spielen, *ein Stück* aufführen: **to ~ Hamlet** den Hamlet spielen *od.* darstellen; **to ~ a part** a) e-e Rolle spielen, b) *fig.* ‚Theater spielen'. **12.** *fig.* spielen, mimen: **to ~ outraged virtue**; **to ~ the fool** sich wie ein Narr benehmen.

III *v/i* **13.** (The'ater) spielen (*a. fig.*), auftreten. **14.** bühnenfähig sein, sich (*gut etc*) aufführen lassen (*Stück*): **his plays ~ well. 15.** a) handeln, Maßnahmen ergreifen, zur Tat schreiten, eingreifen, b) tätig sein, wirken, c) sich benehmen, a'gieren: **to ~ as** auftreten *od.* amtieren *od.* fungieren *od.* dienen als; **to ~ swiftly** rasch handeln; **to ~ by** verfahren nach; **to ~ for s.o.** für j-n handeln, j-n vertreten; **to ~ (up)on** a) sich richten nach, b) *e-e Sache* in Angriff nehmen *od.* bearbeiten *od.* entscheiden. **16. (toward[s])** sich (*j-m* gegen'über) verhalten *od.* benehmen: **to ~ up** *Am. colloq.* a) ‚verrückt spielen', b) ‚angeben', prahlen. **17.** *a. chem. med. tech.* (ein)wirken **(on** auf *acc*). **18.** *bes. tech.* a) gehen, laufen, in Betrieb sein, funktio'nieren, b) in Tätigkeit *od.* in Funkti'on treten.

act·a·ble ['æktəbl] *adj* **1.** bühnengerecht, aufführbar. **2.** 'durchführbar.

act·ing ['æktiŋ] **I** *adj* **1.** handelnd, wirkend, tätig. **2.** stellvertretend, interi'mistisch, am'tierend, geschäftsführend: **~ manager** geschäftsführender Leiter; **~ partner** geschäftsführender (persönlich haftender) Gesellschafter; **A~ President** *pol. Am.* amtierender Präsident; **~ for** in Vertretung von (*od. gen.*). **3.** *thea.* spielend, Bühnen...: **~ version** Bühnenfassung *f*. **II** *s* **4.** *thea.* Spiel *n*, Darstellung *f*, Darstellungs-, Schauspielkunst *f*. **5.** Handeln *n*, Tun *n*. **6.** Verstellung *f*.

ac·tin·i·a [æk'tiniə] *pl* **-i·ae** [-ˌiː] *od.* **-i·as** *s zo.* Ak'tinie *f*, Seerose *f*.

ac·tin·ic [æk'tinik] *adj chem. phys.* ak'tinisch: **~ light; ~ value** Helligkeitswert *m*.

ac·tin·ism ['æktiˌnizəm] *s chem. phys.* Aktini'tät *f*, Lichtstrahlenwirkung *f*.

ac·tin·i·um [æk'tiniəm] *s chem.* Ak'tinium *n*.

ac·ti·no·chem·is·try [ˌæktino'kemistri] *s chem.* Aktinoche'mie *f*, 'Strahlencheˌmie *f*.

ac·ti·no·e·lec·tric [ˌæktinoi'lektrik] *adj* 'licht-, 'photoeˌlektrisch.

ac·tin·o·graph [æk'tinoˌgræ(ː)f; *Br. a.* -ˌgrɑːf] *s chem. phys.* Aktino'graph *m* (*Strahlen-, Belichtungsmesser*).

ac·ti·no·my·ces [ˌæktino'maisiːz] *s biol.* Strahlenpilz *m*.

ac·tion ['ækʃən] *s* **1.** Handeln *n*, Handlung *f*, Maßnahme(n *pl*) *f*, Tat *f*, Akti'on *f*: **man of ~** Mann *m* der Tat; **full of ~** → **active** 1; **ready for ~** bereit, gerüstet, *mil.* einsatzbereit; **to bring into ~** ins Spiel bringen, einsetzen; **to put into ~** in die Tat umsetzen; **to take ~** Maßnahmen treffen, Schritte unternehmen, in Aktion treten, handeln (→ 12); **to take ~ against** vorgehen gegen; **course of ~** Handlungsweise *f*; **for further ~** zur weiterer Veranlassung. **2.** *a. physiol. tech.* Tätigkeit *f*, Funkti'on *f*, Gang *m* (*e-r Maschine*), Funktio'nieren *n* (*e-s Mechanismus*): **~ of the heart** Herztätigkeit, -funktion; **~ (of the bowels)** Stuhlgang *m*; **in ~** *tech.* in Betrieb, im Einsatz; **to put in ~** in Gang *od.* in Betrieb setzen; **to put out of ~** außer Betrieb setzen (→ 13). **3.** *tech.* Mecha'nismus *m*, Werk *n*. **4.** *a. chem. phys. tech.* a) (Ein)Wirkung *f*, Wirksamkeit *f*, Einfluß *m*: **the ~ of this acid on metal** die Einwirkung dieser Säure auf Metall, b) Vorgang *m*, Pro'zeß *m*. **5.** Handlung *f* (*e-s Dramas*). **6.** *Kunst:* a) Bewegung *f*, Akti'on *f*: **~ painting** Aktionsbild *n od.* -malerei *f*; **~ theatre** (*Am.* **theater**) Aktionstheater *n*, b) Stellung *f*, Haltung *f* (*e-r Figur auf e-m Bild*). **7.** Bewegung *f*, Gangart *f* (*e-s Pferdes*). **8.** Vortrag(sweise *f*) *m*, Ausdruck *m* (*e-s Schauspielers*). **9.** *fig.* Benehmen *n*, Führung *f*, Haltung *f*. **10.** *sociol.* 'Umwelteinflüsse *pl*. **11.** *econ.* Preisbewegung *f*, Konjunk'tur(verlauf *m*) *f*. **12.** *jur.* Klage *f*, Pro'zeß *m*, (Rechts-, Gerichts)Verfahren *n*: **~ for damages** Schadensersatzklage; **criminal ~** Strafverfahren; **(right of) ~** Klagebefugnis *f*, Aktivlegitimation *f*; **to bring** (*od.* **file**) **an ~ against s.o., to take ~ against s.o.** j-n verklagen, gegen j-n Klage erheben *od.* ein Gerichtsverfahren einleiten (→ 1). **13.** *mil.* Gefecht *n*, Gefechts-, Kampfhandlung *f*, Unter'nehmen *n*, Einsatz *m*: **killed (missing, wounded) in ~** gefallen (vermißt, verwundet); **to go into ~** eingreifen, ins Gefecht kommen; **to put out of ~** außer Gefecht setzen, kampfunfähig machen, niederkämpfen (→ 2); **he saw ~** er war im Einsatz *od.* an der Front. **14.** *pol. etc Am.* a) Beschluß *m*, Entscheidung *f*, b) Maßnahme(n *pl*) *f*. **15.** *mus. tech.* a) ('Spiel)Meˌchanik *f*, b) Trak'tur *f* (*der Orgel*).

ac·tion·a·ble ['ækʃənəbl] *adj jur.* **1.** belangbar (*Person*). **2.** einklagbar (*Sache*). **3.** strafbar, gerichtlich verfolgbar

(*Handlung*). '**ac·tion·al** *adj* tätig, Tätigkeits...
ac·tion| com·mit·tee *s* Akti'onskomi,tee *n*. ~ **cur·rent** *s biol*. Akti'onsstrom *m*. ~ **cy·cle** *s tech*. 'Arbeitsperi,ode *f*. ~ **noun** *s ling*. **1.** Substantiv, das e-e Handlung ausdrückt; Nomen *n* acti'onis. **2.** Ge'rundium *n*.
ac·ti·vate ['ækti,veit] *v/t* **1.** *bes. chem. tech*. akti'vieren: ~d carbon Absorptions-, Aktivkohle *f*. **2.** *chem*. radioak'tiv machen. **3.** *tech*. in Betrieb setzen. **4.** *mil*. a) *e-e Division etc* aufstellen, b) *e-n Zünder* scharf machen. ,**ac·ti'va·tion** *s* Akti'vierung *f*.
ac·tive ['æktiv] **I** *adj* (*adv* ~ly) **1.** wirkend, ak'tiv: an ~ club member ein aktives Vereinsmitglied; an ~ law ein in Kraft befindliches Gesetz; ~ satellite *Raumforschung*: signalisierender Satellit; ~ vocabulary aktiver Wortschatz; an ~ volcano ein tätiger Vulkan. **2.** *ling*. a) ak'tiv, Tätigkeits..., b) transitiv: ~ voice Aktiv *n*. **3.** emsig, geschäftig, tätig, rührig, tatkräftig, ak'tiv: an ~ man; an ~ mind ein reger Geist. **4.** lebhaft, rege, ak'tiv: the ~ life das tätige Leben; to take an ~ interest reges Interesse zeigen (in an *dat*). **5.** *biol. med*. (schnell) wirkend, wirksam, ak'tiv: an ~ remedy; ~ principle *biol*. Wirkursache *f*. **6.** *chem. phys*. a) ak'tiv, wirksam: ~ coal Aktivkohle *f*; ~ current Wirkstrom *m*; ~ line *TV* Abtastzeile *f*; ~ mass wirksame Masse, b) radioak'tiv: ~ deposit; ~ core Reaktorkern *m*. **7.** *econ*. a) belebt, lebhaft: ~ demand, b) zinstragend (*Aktien, Wertpapiere*): ~ bonds *Br*. festverzinsliche Obligationen, c) Aktiv..., produk'tiv: ~ balance Aktivsaldo *m*; ~ capital Aktiva *pl*; ~ debts Außenstände. **8.** *mil*. ak'tiv: ~ army stehendes Heer; on ~ duty (*od*. list *od*. service) im aktiven Dienst. **II** *s* **9.** *sport etc* Ak'tive(r *m*) *f*. **10.** *ling*. Ak'tiv *n*.
ac·tiv·ism ['ækti,vizəm] *s philos u. fig*. Akti'vismus *m*. '**ac·tiv·ist** *s bes. pol*. Akti'vist(in).
ac·tiv·i·ty [æk'tiviti] *s* **1.** Tätigkeit *f*: political ~ politische Betätigung (→ 6); sphere of ~ Tätigkeitsbereich *m*, Wirkungskreis *m*. **2.** Rührigkeit *f*, Betriebsamkeit *f*, Aktivi'tät *f*: in full ~ in vollem Gang. **3.** Beweglichkeit *f*, Gewandtheit *f*, Lebhaftigkeit *f* (*a. econ*.). **4.** a) *a. biol*. Aktivi'tät *f*, Tätigkeit *f*: ~ of the heart *physiol*. Herztätigkeit, b) *pl* Unter'nehmungen *pl*, c) *pl* Veranstaltungen *pl*: social activities, d) *pl* Leben *n* u. Treiben *n*. **5.** *oft pl bes. Am*. a) Freizeitgestaltung *f*, b) *ped*. nicht zum Schulplan gehörende Betätigung *od*. Veranstaltung(en). **6.** *pl* (*politische etc*) 'Umtriebe *pl*. **7.** a) (Ein)Wirkung *f*, b) Wirksamkeit *f*. **8.** *Am*. (Dienst)Stelle *f*.
ac·ton ['æktən] *s hist*. **1.** Wams *n* unter der Rüstung. **2.** Panzerhemd *n*.
ac·tor ['æktər] *s* **1.** Schauspieler *m*. **2.** Ak'teur *m*, Täter *m* (*a. jur*.). '~-'**man·ag·er** *s* The'aterdi,rektor, der selbst Rollen über'nimmt.
ac·tress ['æktris] *s* Schauspielerin *f*.
ac·tu·al ['æktʃuəl; *Br. a*. -tjuəl] *adj* (*adv* → actually) **1.** wirklich, tatsächlich, eigentlich, *bes. econ. tech*. effek'tiv: an ~ case ein konkreter Fall; ~ cost *econ*. a) Ist-Kosten, b) Selbstkosten; ~ intention eigentliche Absicht; ~ inventory (*od*. stock) Istbestand *m*; ~ possession *jur*. unmittelbarer Besitz; ~ power *tech*. effektive Leistung; ~ price *econ*. Tagespreis *m*; ~ strength *mil*. Iststärke *f*; ~ time *econ*. effektiver Zeitaufwand (*für e-e Arbeit*); ~ value a) *econ. math*. effektiver Wert, Realwert *m*, b) *tech*. Istwert *m*. **2.** gegenwärtig, jetzig. **3.** aktu'ell, zeitgemäß, -nah, zur Zeit bedeutsam *od*. von Inter'esse. **4.** ~ grace *relig*. wirkende Gnade.
ac·tu·al·ism ['æktʃuə,lizəm; *Br. a*. -tju-] *s philos*. Aktua'lismus *m*.
ac·tu·al·i·ty [,æktʃu'æliti; *Br. a*. -tju-] *s* **1.** Tatsächlichkeit *f*, Wirklichkeit *f*. **2.** *pl* Tatsachen *pl*: the actualities of life die Gegebenheiten des Lebens. **3.** Wirklichkeitstreue *f*. **4.** Dokumen'taraufzeichnung *f*: ~ film Dokumentarfilm *m*.
ac·tu·al·i·za·tion [,æktʃuəlai'zeiʃən; -li-; *Br. a*. -tju-] *s* Verwirklichung *f*. '**ac·tu·al,ize** *v/t* **1.** verwirklichen. **2.** aktuali'sieren.
ac·tu·al·ly ['æktʃuəli; *Br. a*. -tju-] *adv* **1.** a) tatsächlich, wirklich, b) eigentlich. **2.** jetzt, augenblicklich, momen'tan. **3.** so'gar, tatsächlich (*obwohl nicht erwartet*). **4.** *colloq*. eigentlich (*unbetont*): what time is it ~? '**ac·tu·al·ness** → actuality 1.
ac·tu·ar·i·al [,æktʃu'ɛ(ə)riəl; *Br. a*. -tju-] *adj* ver'sicherungssta,tistisch, -mathe,matisch: ~ method Tafelmethode *f*; ~ rate Tafelziffer *f*.
ac·tu·ar·y ['æktjuəri; -tʃu-] *s* **1.** *obs*. Regi'strator *m*, Aktu'ar *m*. **2.** Ver'sicherungssta,tistiker *m*, -mathe,matiker *m*.
ac·tu·ate ['æktʃu,eit; *Br. a*. -tju-] *v/t* **1.** in Bewegung *od*. in Gang setzen. **2.** (*zum Handeln*) antreiben. **3.** *tech*. a) betätigen, auslösen, b) steuern, c) schalten. ,**ac·tu'a·tion** *s* **1.** In'gangsetzen *n*. **2.** Antrieb *m*, Anstoß *m*. **3.** *tech*. Betätigung *f*, Auslösung *f*. '**ac·tu,a·tor** [-tər] *s* **1.** *tech*. Be'tätigungsor,gan *n*, Auslöser *m*. **2.** *mil*. Spannvorrichtung *f*. **3.** *aer*. Ver'stellor,gan *n* (*am Flugzeugruder*).
a·cu·i·ty [ə'kju:iti] *s* **1.** Schärfe *f* (*a. fig*.). **2.** → acuteness 3.
a·cu·men [ə'kju:min] *s* Scharfsinn *m*, ('durchdringender) Verstand: business ~ Geschäftstüchtigkeit *f*.
a·cu·mi·nate [ə'kju:minit; -,neit] *adj biol*. spitz, zugespitzt.
ac·u·pres·sure ['ækju,preʃər] *s med*. Akupres'sur *f*, Nadeldruckblutstillung *f*. '**ac·u,punc·ture** [-,pʌŋktʃər] *s med*. Akupunk'tur *f*, 'Nadelpunk,tierung *f*.
a·cush·la [ə'xuʃlə] (*Ir*.) *s* Liebling *m*.
a·cute [ə'kju:t] *adj* (*adv* ~ly) **1.** scharf, spitz(ig). **2.** *math*. spitz(wink[e]lig): ~ angle spitzer Winkel; ~ triangle spitzwink(e)liges Dreieck. **3.** stechend, heftig (*Schmerz*). **4.** heftig, heiß (*Freude etc*). **5.** a'kut, brennend (*Frage*), kritisch, bedenklich: ~ shortage kritischer Mangel, akute Knappheit. **6.** scharf (*Auge*), fein (*Gehör, Gefühl*). **7.** a) scharfsinnig, klug, b) raffi'niert, schlau. **8.** schrill, 'durchdringend: an ~ note. **9.** *ling*. mit A'kut: ~ accent Akut *m*. **10.** *med*. a'kut: an ~ disease. **a'cute·ness** *s* **1.** Schärfe *f*. **2.** Schärfe *f*, Feinheit *f*: ~ of vision Sehschärfe. **3.** *a*. ~ of mind Scharfsinn(igkeit *f*) *m*, wacher Verstand, Schlauheit *f*. **4.** schriller Klang. **5.** a) *a. med*. Heftigkeit *f*, b) a'kutes Stadium (*e-r Krankheit*).
a·cu·ti·fo·li·ate [ə,kju:ti'fouliit; -,eit] *adj bot*. spitzblätt(e)rig.
a·cy·clic [ei'saiklik; -'sik-] *adj biol. phys*. a'zyklisch.
ad [æd] *s colloq*. (Zeitungs)Anzeige *f*, An'nonce *f* (*abbr. für* advertisement): small ~s Kleinanzeigen; ~ writer Texter *m*.
ad- [æd] *Wortelement zum Ausdruck von Richtung, Tendenz, Hinzufügung*: advert; advent.
a·dac·tyl(e) [ei'dæktil] *adj zo*. **1.** zehen- *od*. fingerlos. **2.** klauen- *od*. krallenlos.
ad·age ['ædidʒ] *s* Sprichwort *n*.
a·da·gio [ə'dɑ:dʒou; -dʒiou] *mus*. **I** *pl* **-gios** *s* A'dagio *n*. **II** *adv u. adj* a'dagio, langsam.
Ad·am[1] ['ædəm] *npr Bibl*. Adam *m*: I don't know him from ~ *colloq*. ich habe keine Ahnung, wer er ist; the old ~ *fig*. der alte Adam; ~'s ale (*od*. wine) *humor*. ‚Gänsewein' *m* (*Wasser*); ~'s apple *anat*. Adamsapfel *m*.
Ad·am[2] ['ædəm] *adj* im Stil der Brüder Adam (*zur Bezeichnung e-s englischen Bau- u. Möbelstils im 18. Jh*.).
ad·a·mant ['ædə,mænt] **I** *s* **1.** *hist*. Ada'mant *m*: a) *imaginärer Stein von großer Härte*, b) Dia'mant *m*. **2.** *obs*. Ma'gnet *m*. **II** *adj* **3.** stein-, stahlhart. **4.** *fig*. eisern, unerbittlich, unnachgiebig (to gegen'über). ,**ad·a'man·tine** [-tin; -ti:n; -tain] *adj* **1.** dia'manthart, -artig: ~ spar *min*. Diamantspat *m*. **2.** *fig*. eisern: ~ will. **3.** *physiol*. Zahnschmelz...
a·dapt [ə'dæpt] *v/t* **1.** (o.s. sich) anpassen (for, to an *acc*): to ~ the means to the end die Mittel dem Zweck anpassen. **2.** *a. math*. angleichen (to an *acc*). **3.** 'umstellen (to auf *acc*). **4.** anwenden (to auf *acc*). **5.** zu'rechtmachen. **6.** *thea. etc* bearbeiten (from nach; for für): to ~ a novel for the stage; ~ed from the English nach dem Englischen bearbeitet. **a,dapt·a'bil·i·ty** *s* **1.** Anwendbarkeit *f* (to auf *acc*). **2.** Verwendbarkeit *f* (to, for zu, für). **3.** Anpassungsfähigkeit *f*, -vermögen *n* (to an *acc*). **4.** *econ. tech*. Verwendungsbereich *m*. **a'dapt·a·ble** *adj* **1.** anwendbar (to auf *acc*). **2.** geeignet (for, to für, zu). **3.** anpassungsfähig (to an *acc*).
ad·ap·ta·tion [,ædæp'teiʃən] *s* **1.** *a. biol. sociol*. Anpassung *f* (to an *acc*). **2.** Anwendung *f*. **3.** 'Um-, Bearbeitung *f* (*für Bühne, Film etc*): screen ~ Filmbearbeitung. **4.** über'arbeitetes *od*. angepaßtes Stück. **5.** *math*. Angleichung *f*. **a·dapt·a·tive** [ə'dæptətiv] *adj* anpassungsfähig.
a·dapt·er [ə'dæptər] *s* **1.** Bearbeiter *m* (*e-s Theaterstücks etc*). **2.** *phys*. A'dapter *m*, Anpassungsvorrichtung *f*. **3.** *electr*. A'dapter *m*, Zwischenstück *n*, Vorsatz *m*: ~ (plug) Zwischenstecker *m*; ~ transformer Vorstecktransformator *m*. **4.** *tech*. Zwischen-, Anschluß-, Einsatz-, Paßstück *n*. **a'dap·tion** *s* **1.** *electr*. Anpassung *f*. **2.** *math*. Angleichung *f*. **a'dap·tive** *adj* (*adv* ~ly) anpassungsfähig: ~ character *biol*. Anpassungsmerkmal *n*. **a·dap·tor** → adapter.
add [æd] **I** *v/t* **1.** hin'zufügen, -zählen, -rechnen (to zu): ~ to this that ... hinzu *od*. dazu kommt, daß ...; to ~ in einschließen; to ~ together zs.-fügen (→ 3). **2.** hin'zufügen, obendrein bemerken: he ~ed that ... er fügte hinzu, daß ... **3.** ~ up, ~ together ad'dieren, zs.-zählen, -rechnen: five ~ed to five fünf plus fünf. **4.** *econ. math. tech*. aufschlagen, -rechnen, zusetzen: to ~ 5% to the price 5% auf den Preis aufschlagen; ~ carry *Rechenmaschine*: Additionsübertrag *m*. **5.** *chem. etc* beimengen. **II** *v/i* **6.** hin'zukommen, beitragen (to zu): that ~s to my worries das vermehrt m-e Sorgen.

7. ad'dieren. 8. ~ up *math.* aufgehen, stimmen (*a. fig.*): that ~s up *colloq.* das stimmt; to ~ up to betragen, sich belaufen auf (*acc*), *fig.* bedeuten.
ad·dax ['ædæks] *s zo.* Wüstenkuh *f*.
add·ed ['ædid] *adj* zusätzlich, weiter(er, e, es), vermehrt, erhöht.
ad·dend ['ædend; ə'dend] *s math.* Ad'dend *m*, zweiter Sum'mand.
ad·den·dum [ə'dendəm] *pl* **-da** [-də] *s* **1.** Hin'zufügung *f*. **2.** *oft pl* Zusatz *m*, Anhang *m*, Nachtrag *m*, Ad'denda *pl*. **3.** *tech.* (Zahn)Kopfhöhe *f*.
add·er[1] ['ædər] *s* **1.** *tech.* Ad'diergerät *n*, -werk *n*. **2.** *electr.* Addi'tivkreis *m*. **3.** *TV* Beimischer *m*. **4.** Additi'onsma,schine *f*.
ad·der[2] ['ædər] *s zo.* Natter *f*, Otter *f*, Viper *f*: (common) ~ Gemeine Kreuzotter; flying ~ → dragon fly.
'ad·der's|-,fern *s bot.* Tüpfelfarn *m*. **'~-,tongue** *s bot.* Natterzunge *f*.
'ad·der,wort *s bot.* Wiesenknöterich *m*, Natterwurz *f*.
ad·dict I *s* ['ædikt] **1.** Süchtige(r *m*) *f*: alcohol ~ (Gewohnheits)Trinker(in); drug ~ Rauschgiftsüchtige(r). **2.** *humor.* (*Fußball- etc*)Fa'natiker(in), (*Film- etc*)Narr *m*. **II** *v/t* [ə'dikt] **3.** ~ o.s. sich 'hingeben, sich ergeben (to s.th. e-r Sache). **4.** *j-n* süchtig machen, *j-n* gewöhnen (to an *ein Rauschgift etc*). **ad'dict·ed** *adj* (to) zugetan, ergeben (*dat*), ‚scharf' (auf *acc*): ~ to drink dem Trunk ergeben, trunksüchtig. **ad'dic·tion** *s* **1.** Ergebung *f*, Neigung *f*, Hang *m*, Sucht *f* (to zu). **2.** (to) Sucht *f* (zu), Gewöhnung *f* (an *ein Rauschgift etc*).
add·ing ma·chine ['ædiŋ] *s* Ad'dier-, Additi'onsma,schine *f*.
Ad·di·son's dis·ease ['ædisnz] *s med.* Addisonsche Krankheit, Nebennieren,insuffizi,enz *f*.
ad·di·tion [ə'diʃən] *s* **1.** Hin'zufügung *f*, Zusatz *m*, Ergänzung *f*, Nachtrag *m*: in ~ noch dazu, außerdem; in ~ to außer (*dat*), zuzüglich (*gen*). **2.** *chem. etc* Beimengung *f*. **3.** Vermehrung *f*, (*Familien-, Vermögens- etc*)Zuwachs *m*. **4.** *math.* Additi'on *f*, Ad'dierung *f*, Zs.-zählen *n*: ~ sign Pluszeichen *n*. **5.** *econ.* Aufschlag *m* (*zum Preis*): to pay in ~ zuzahlen. **6.** *tech.* Anbau *m*, Zusatz *m*: ~ of colo(u)r Farbzusatz. **7.** *Am.* a) Anbau *m*, b) *econ.* neu erschlossenes städtisches Baugelände.
ad·di·tion·al [ə'diʃənl] *adj* **1.** zusätzlich, (neu) hin'zukommend, ergänzend, weiter(er, e, es), nachträglich, Zusatz..., Mehr..., Extra...: ~ agreement *jur.* Zusatzabkommen *n*, Nebenabrede *f*; ~ amplifier *electr.* Zusatzverstärker *m*; ~ application Zusatzanmeldung *f* (*zum Patent*); ~ charge *econ.* Auf-, Zuschlag *m*; ~ charges *econ.* a) Neben-, Mehrkosten, b) Nachporto *n*; ~ clause Zusatzklausel *f*; ~ income Nebeneinkommen *n*; ~ order *econ.* Nachbestellung *f*; **2.** erhöht, vermehrt: ~ pressure *tech.* Überdruck *m*. **ad'di·tion·al·ly** [-nəli] *adv* **1.** zusätzlich, noch da'zu, außerdem. **2.** in verstärktem Maße.
ad·di·tive ['æditiv] **I** *adj* **1.** hin'zufügbar. **2.** zusätzlich. **3.** *chem. math. phys.* addi'tiv. **II** *s* **4.** *chem.* Zusatz *m*, Addi'tiv *n*.
ad·dle ['ædl] **I** *adj* **1.** unfruchtbar, faul (*Ei*). **2.** kon'fus, verwirrt. **II** *v/t* **3.** faul *od.* unfruchtbar machen, verderben. **4.** verwirren. **III** *v/i* **5.** faul werden, verderben (*Ei*). **'~,brain** *s* Hohlkopf *m*. **'~,brained, '~,head·ed, '~,pat·ed** *adj* hohlköpfig, kon'fus.
ad·dress I *v/t* [ə'dres] **1.** *Worte, e-e Botschaft* richten (to an *acc*), das Wort richten an (*acc*), *j-n* anreden *od.* ansprechen, *Briefe* adres'sieren *od.* richten *od.* schreiben (to an *acc*). **2.** e-e Ansprache halten an (*acc*): to ~ the meeting das Wort ergreifen. **3.** *Waren* (ab)senden (to an *acc*). **4.** *Golf*: *den Ball* anspielen, ansprechen. **5.** ~ o.s. sich widmen, sich zuwenden (to *dat*). **6.** ~ o.s. to s.th. sich an e-e Sache machen. **7.** ~ o.s. to s.o. sich an j-n wenden. **II** *s* [*Am. a.* 'ædres] **8.** Anrede *f*, Ansprache *f*. **9.** Rede *f*, Vortrag *m*. **10.** A'dresse *f*, Anschrift *f*: in case of change of ~ falls verzogen; ~ code *tech.* Adressenteil *m*. **11.** Eingabe *f*, Denk-, Bitt-, Dankschrift *f*. **12.** Er'gebenheitsa,dresse *f*: the A~ *Br.* die Erwiderung des Parlaments auf die Thronrede. **13.** Benehmen *n*, Lebensart *f*, Ma'nieren *pl*. **14.** *pl* Huldigungen *pl*: he paid his ~es to the lady er machte der Dame den Hof. **15.** Geschick *n*, Gewandtheit *f*. **16.** *Golf*: Ansprechen *n* (*des Balles*). **ad·dress·ee** [,ædrə'si:; *Am. a.* ədre'si:] *s* Adres'sat(in), Empfänger(in).
ad·dress·ing ma·chine [ə'dresiŋ], **ad'dres·so,graph** [-sə,græ(:)f; *Br. a.* -,grɑ:f] *s* Adres'sierma,schine *f*.
ad·duce [ə'dju:s] *v/t Beweise, Gründe* anführen, *Beweise* bei-, erbringen: to ~ evidence. **ad'du·cent** *adj anat.* addu'zierend, (her)'anziehend: ~ muscle → adductor.
ad·duct [ə'dʌkt] *v/t anat. Glieder* addu'zieren, (her)'anziehen. **ad'duc·tion** *s* **1.** Anführung *f* (*von Tatsachen etc*). **2.** *anat.* Addukti'on *f*. **ad'duc·tor** [-tər] *s a.* ~ muscle *anat.* Ad'duktor *m*, Anziehmuskel *m*.
a·demp·tion [ə'dempʃən] *s jur.* Wegnahme *f*, Wegfall *m*.
ad·e·ni·tis [,ædi'naitis] *s med.* Drüsenentzündung *f*, Ade'nitis *f*.
ad·e·noid ['ædi,nɔid] *physiol.* **I** *adj* **1.** Drüsen... **2.** adeno'id, drüsenartig. **II** *s* **3.** *meist pl* a) Po'lypen *pl* (*in der Nase*), b) (Rachenmandel)Wucherungen *pl*. **,ad·e'noi·dal** → adenoid I. **,ad·e·noid'ec·to·my** [-'dektəmi] *s med.* opera'tive Entfernung von Po'lypen (*aus der Nase*). **ad·e·no·ma** [,ædi'noumə] *pl* **-ma·ta** [-mətə] *od.* **-mas** *s med.* Ade'nom *n*, Drüsengeschwulst *f*.
ad·ept I *s* ['ædept] A'dept *m*: a) Eingeweihte(r *m*) *f*, b) Meister(in) *m* (in in *dat*): to be an ~ at s.th. etwas aus dem Effeff verstehen, c) *hist.* Alchi'mist *m*, Goldmacher *m*. **II** *adj* [ə'dept; 'ædept] erfahren, geschickt (in in *dat*).
ad·e·qua·cy ['ædikwəsi] *s* Angemessenheit *f*, Zulänglichkeit *f*.
ad·e·quate ['ædikwit] *adj* (*adv* ~ly) **1.** angemessen (to *dat*), entsprechend, adä'quat. **2.** aus-, 'hinreichend, 'hinlänglich, genügend. **'ad·e·quate·ness** → adequacy.
a·der·min [ei'də:rmin] *s biol.* Ader'min *n*, Vita'min *n* B_6.
a·des·po·ta [ə'despətə] (*Greek*) *s pl* ano'nyme lite'rarische Werke *pl*.
ad·here [əd'hir; æd-] *v/i* **1.** kleben, haften (to an *dat*). **2.** *fig.* (to) festhalten (an *dat*), bleiben (bei *e-r Meinung, e-m Plan, e-r Gewohnheit etc*), (*j-m, e-r Sache*) treu bleiben: he ~s to his plan. **3.** ~ to sich halten an (*acc*), *e-e Regel etc* einhalten, befolgen. **4.** ~ to *e-r Partei etc* angehören, es halten mit. **5.** *biol. physiol.* (to) anhaften (*dat*), zs.-wachsen, verwachsen sein (mit). **6.** *Völkerrecht*: *e-m Abkommen* beitreten. **7.** *jur. Scot. ein Urteil* bestätigen. **ad·her·ence** [əd'hi(ə)rəns; æd-] *s* **1.** Ankleben *n*, Festhaften *n* (to an *dat*). **2.** Anhänglichkeit *f* (to an *acc*). **3.** (to) Festhalten *n* (an *dat*), Beharren *n* (bei). **4.** Einhaltung *f*, Befolgung *f* (to *gen*). **5.** *Völkerrecht*: Beitritt *m* (to zu *e-m Abkommen*).
ad'her·ent I *adj* **1.** (an)klebend, (an)haftend. **2.** *fig.* (to) festhaltend (an *dat*), fest verbunden (mit), anhänglich. **3.** angehörend (to *dat*). **4.** *a. bot. med.* verwachsen (to mit). **5.** *ling.* attribu'tiv (bestimmend). **II** *s* **6.** Anhänger(in) (of *gen*).
ad·he·sion [əd'hi:ʒən; æd-] *s* **1.** (An-, Fest)Haften *n*, (-)Kleben *n*. **2.** *fig.* (to) Anhänglichkeit *f* (an *acc*), Festhalten *n* (an *dat*): ~ to a policy. **3.** (to) a) Beitritt *m* (zu *e-m Vertrag*), b) Einwilligung *f* (in *acc*). **4.** *phys. tech.* a) Adhäsi'on *f*, Haften *n*, Haftvermögen *n*, b) Griffigkeit *f* (*von Autoreifen etc*). **5.** *med.* a) Adhäsi'on *f*, Zs.-wachsen *n* (*a. biol.*), b) Adhä'renz *f*, Verwachsung *f*.
ad·he·sive [əd'hi:siv; æd-] **I** *adj* (*adv* ~ly) **1.** (an)haftend, klebend, Kleb(e)-...: ~ film *tech.* Klebfolie *f*; ~ label Klebzettel *m*; ~ plaster Heftpflaster *n*; ~ tape a) Heftpflaster *n*, b) Klebstreifen *m*, Klebeband *n*; ~ rubber Klebgummi *m*. **2.** *phys. tech.* haftend, Adhäsions..., Haft...: ~ capacity, ~ power Haftvermögen *n*, Adhäsions-, Klebkraft *f*; ~ grease *tech.* Adhäsionsfett *n*; ~ stress Haftspannung *f*. **3.** *biol.* Haft..., Saug...: ~ bowl Saugnapf *m*; ~ disk Haftscheibe *f*. **4.** *fig.* gar zu anhänglich, aufdringlich. **II** *s* **5.** *tech.* Haft-, Bindemittel *n*, Klebstoff *m*, Kleber *m*. **6.** gum'mierte Briefmarke. **7.** *Am.* Heftpflaster *n*. **ad'he·sive·ness** *s* **1.** Anhaften *n*. **2.** Klebrigkeit *f*. **3.** → adhesion 4a.
ad hoc [æd hɒk] (*Lat.*) *adj u. adv* ad hoc, nur für diesen Fall (bestimmt).
ad·i·a·bat·ic [,ædiə'bætik; ,eidaiə-] *phys.* **I** *adj* adia'batisch (*ohne Wärmeaustausch mit der Umgebung*). **II** *s a.* ~ curve adia'batische Kurve.
ad·i·ac·tin·ic [,ædiæk'tinik] *adj chem. phys.* nicht diak'tinisch.
ad·i·an·tum [,ædi'æntəm] *s bot.* Frauenhaarfarn *m*.
ad·i·a·ther·mal [,ædiə'θə:rməl] *adj phys.* 'wärme,undurchlässig.
a·dic·i·ty [ə'disiti] *s chem.* Wertigkeit *f*.
a·dieu [ə'dju:] **I** *interj* lebe wohl!, a'dieu! **II** *pl* **a·dieus** [-u:z] *od.* **a·dieux** [-u:] *s* Lebe'wohl *n*, A'dieu *n*: to bid (s.o.) ~ (j-m) Lebewohl sagen.
ad in·fi·ni·tum [æd ,infi'naitəm] (*Lat.*) *adv* ad infi'nitum, endlos.
ad in·te·rim [æd 'intərim] (*Lat.*) *adj u. adv* Interims..., vorläufig.
ad·i·on ['æd,aiən] *s. chem. phys.* an e-r Oberfläche adsor'biertes I'on.
a·dip·ic [ə'dipik] *adj chem.* Fettstoffe enthaltend: ~ acid Adipinsäure *f*.
ad·i·po·cere ['ædipo,sir] *s* Adipo'cire *f*, Fett-, Leichenwachs *n*.
ad·i·pose ['ædi,pous] **I** *adj* adi'pös, fettig, fetthaltig, Fett..., Talg...: ~ tissue Fettgewebe *n*. **II** *s* Fett *n* (*im Fettgewebe*). **,ad·i'po·sis** [-sis] *s med.* **1.** Fettsucht *f*. **2.** Verfettung *f*. **,ad·i'pos·i·ty** [-'pɒsiti] *s* Fettsucht *f*.
ad·it ['ædit] *s* **1.** Zutritt *m*. **2.** *tech.* waag(e)rechter Eingang (*in ein Bergwerk*), Stollen *m*: ~ end Abbaustoß *m*.
ad·ja·cen·cy [ə'dʒeisənsi] *s* **1.** Angrenzen *n*. **2.** *meist pl* (*das*) Angrenzende, Um'gebung *f*. **ad'ja·cent** *adj*

(*adv* ~ly) **1.** angrenzend, -stoßend (to an *acc*). **2.** *bes. math. tech.* benachbart, Neben...: ~ angle Nebenwinkel *m*; ~ cell *biol.* Nachbarzelle *f*; ~ channel selectivity (*Radio etc*) Trennschärfe *f* gegen Nachbarkanal; ~ owner Anlieger *m*, Nachbareigentümer *m*; ~ vision (*od.* picture) carrier *TV* Nachbarbildträger *m*.

ad·jec·ti·val [ˌædʒek'taivəl] *adj* (*adv* ~ly) **1.** adjektivisch. **2.** mit Adjektiven über'laden (*Stil*).

ad·jec·tive ['ædʒiktiv] **I** *s* **1.** Adjektiv *n*, Eigenschaftswort *n*. **2.** 'Nebenˌumstand *m*, (*etwas*) Abhängiges. **3.** *Logik*: Akzidens *n*, (*etwas*) Einschränkendes. **II** *adj* (*adv* ~ly) **4.** adjektivisch. **5.** abhängig. **6.** *Logik*: a) akziden'tell, abgeleitet, b) modifi'zierend. **7.** *Färberei*: adjektiv (*nur mit e-r Vorbeize*): ~ dye Beizfarbe *f*. **8.** *jur.* for'mell: ~ law formelles Recht.

ad·join [ə'dʒɔin] **I** *v/t* **1.** (an)stoßen *od.* (an)grenzen an (*acc*). **2.** *math.* adjun'gieren. **3.** (to) beifügen (*dat*), hin'zufügen (zu). **II** *v/i* **4.** an-, anein'andergrenzen. **ad'join·ing** *adj* anliegend, angrenzend, anstoßend, benachbart, Nachbar..., Neben...

ad·journ [ə'dʒəːrn] **I** *v/t* **1.** a) aufschieben, vertagen: to ~ sine die *jur.* auf unbestimmte Zeit vertagen, b) *den Sitzungsort* verlegen (to nach). **2.** *Am. e-e Sitzung etc* schließen, aufheben. **II** *v/i* **3.** a) sich vertagen, b) den Sitzungsort verlegen (to nach). **ad'journ·ment** *s* **1.** Vertagung *f*, -schiebung *f*. **2.** Verlegung *f* des Sitzungsortes (to nach).

ad·judge [ə'dʒʌdʒ] **I** *v/t* **1.** *jur.* a) *e-e Sache* (gerichtlich) entscheiden, b) *j-n* für (*schuldig etc*) erklären, c) *ein Urteil* fällen. **2.** *jur. u. sport* zusprechen, zuerkennen. **3.** *jur.* verurteilen (to zu). **4.** erachten für, beurteilen als. **II** *v/i* → adjudicate 2.

ad·ju·di·cate [ə'dʒuːdiˌkeit] **I** *v/t* **1.** → adjudge 1-3. **II** *v/i* **2.** urteilen, (zu Recht) erkennen, (*a. als Schiedsrichter*) entscheiden (upon über *acc*). **3.** als Schieds- *od.* Preisrichter fun'gieren (at bei). **adˌju·di'ca·tion** *s* **1.** Zuerkennung *f*, Zusprechung *f*. **2.** *jur. pol.* Adjudikati'on *f* (*e-s Gebietes durch Schiedsspruch*). **3.** richterliche Entscheidung, Rechtsspruch *m*, Urteil *n*. **4.** *a.* ~ in bankruptcy *jur.* Kon'kursverhängung *f*, -eröffnung *f*: ~ order Konkurseröffnungsbeschluß *m*. **ad'ju·diˌca·tor** [-tər] *s* Schieds-, Preisrichter *m*.

ad·junct ['ædʒʌŋkt] **I** *s* **1.** Zusatz *m*, Beigabe *f*, Zubehör *n*. **2.** Amtsgenosse *m*, Kol'lege *m*, Mitarbeiter *m*. **3.** Ad'junkt *m*, (Amts)Gehilfe *m*. **4.** *bes. philos.* zufällige Eigenschaft, 'Nebenˌumstand *m*. **5.** *ling.* Attri'but *n*, Beifügung *f*. **6.** *a.* ~ professor *univ. Am.* außerordentlicher Pro'fessor (*jetzt selten*). **II** *adj* **7.** (to) verbunden, -knüpft (mit), beigeordnet (*dat*). **ad·junc·tive** [ə'dʒʌŋktiv] *adj* (*adv* ~ly) (to) beigeordnet (*dat*), verbunden (mit), Beifügungs...

ad·ju·ra·tion [ˌædʒu(ə)'reiʃən] *s* **1.** Beschwörung *f*, inständige Bitte. **2.** Auferlegung *f* des Eides.

ad·jure [ə'dʒur] *v/t* **1.** beschwören, anrufen, inständig bitten. **2.** *obs. j-m* den Eid auferlegen.

ad·just [ə'dʒʌst] **I** *v/t* **1.** (to) anpassen, angleichen (*dat od.* an *acc*), abstimmen (auf *acc*): to ~ wages die Löhne anpassen; to ~ o.s. to sich anpassen (*dat*), sich einfügen in (*acc*), sich einstellen auf (*acc*). **2.** zu'rechtrücken: to ~ one's hat. **3.** in Ordnung bringen, ordnen, regeln. **4.** berichtigen, ändern. **5.** *Streitigkeiten* beilegen, regeln, schlichten, ausgleichen, *Widersprüche, Unterschiede* ausgleichen, beseitigen, bereinigen: to ~ differences; to ~ accounts Konten abstimmen; → average 2. **6.** *Versicherungswesen*: a) *Ansprüche* regu'lieren, b) *Schaden etc* berechnen: to ~ damages den Schadensersatzanspruch festsetzen. **7.** *tech.* (ein-, ver-, nach)stellen, (ein)regeln, richten, regu'lieren, *e-e Schußwaffe, e-e Waage etc* ju'stieren, *Maße* eichen, *electr.* abgleichen. **8.** *mil. ein Geschütz* einschießen. **II** *v/i* **9.** sich anpassen (to *dat od.* an *acc*). **10.** *tech.* sich einstellen lassen.

ad·just·a·ble [ə'dʒʌstəbl] *adj bes. tech.* regu'lierbar, (ein-, ver-, nach)stellbar, ju'stierbar, Lenk..., Dreh..., (Ein)Stell...: ~ axle Lenkachse *f*; ~ cam verstellbarer Nocken; ~ speed regelbare Drehzahl; ~ speed motor Motor *m* mit Drehzahlregelung; ~ wedge Stellkeil *m*.

ad·just·er [ə'dʒʌstər] *s* **1.** j-d, der etwas ausgleicht, ordnet, regelt. **2.** *tech.* Einsteller *m*, -richter *m*. **3.** *Versicherungswesen*: Feststellungsbeamte(r) *m*, Schadenssachverständige(r) *m*. **4.** *tech.* Einstellvorrichtung *f*.

ad·just·ing [ə'dʒʌstiŋ] *adj bes. tech.* (Ein)Stell..., Richt..., Justier...: ~ balance Justierwaage *f*; ~ device Ein-, Nachstellvorrichtung *f*; ~ lever (Ein)Stellhebel *m*; ~ nut (Nach)Stellmutter *f*; ~ point *mil.* Einschießpunkt *m*; ~ screw Justierschraube *f*.

ad·just·ment [ə'dʒʌstmənt] *s* **1.** Anpassung *f*, Angleichung *f* (to an *acc*): ~ of wages Anpassung der Löhne. **2.** (An)Ordnung *f*, Regelung *f*. **3.** Berichtigung *f*, Änderung *f*. **4.** Beilegung *f* (*e-s Streits*), Ausgleich *m* (*von Widersprüchen etc*). **5.** *tech.* a) Einstellung *f*, Regu'lierung *f*, b) Ju'stierung *f*, Eichung *f*, c) Einstellvorrichtung *f*. **6.** *psych. sociol.* Anpassung *f* (*des Individuums an die Umgebung*). **7.** *Versicherungswesen*: a) Schadensfestsetzung *f*, b) Regelung *f* des Anspruches. **8.** *econ.* a) Kontenabstimmung *f*, -glattstellung *f*, -ausgleichung *f*, b) Anteilberechnung *f*: financial ~ Finanzausgleich *m*.

ad·jus·tor [ə'dʒʌstər] *s zo.* Koordinati'onszentrum *n*.

ad·ju·tan·cy ['ædʒətənsi] *s* Adju'tantenstelle *f*.

ad·ju·tant ['ædʒətənt] **I** *s* **1.** *mil.* Adju'tant *m*. **2.** *a.* ~ bird, ~ stork *orn.* Adju'tant *m*, Argalakropfstorch *m*. **II** *adj* **3.** helfend, Hilfs... ~ **gen·er·al** *pl* ~**s gen·er·al** *s mil.* Gene'raladjuˌtant *m*.

ad·ju·vant ['ædʒuvənt] **I** *adj* **1.** helfend, behilflich, förderlich, Hilfs... **II** *s* **2.** Hilfe *f*: a) Gehilfe *m*, b) Hilfsmittel *n*. **3.** *pharm.* Ad'juvans *n*.

ad lib [æd'lib] *colloq.* **I** *s* Improvisati'on *f*. **II** *adv* → ad libitum.

ad-lib [æd'lib] *colloq.* **I** *v/t u. v/i* improvi'sieren, aus dem Stegreif sagen *etc*. **II** *adj* frei hin'zugefügt: an ~ remark.

ad lib·i·tum [æd 'libitəm] (*Lat.*) *adv* ad 'libitum: a) beliebig, nach Belieben, b) aus dem Stegreif.

ad·man ['ædmən] *s irr Am. colloq.* **1.** Werbefachmann *m*. **2.** Setzer *m* für den Werbeteil (*e-r Zeitung etc*).

ad·meas·ure [æd'meʒər] *v/t* **1.** ab-, ausmessen. **2.** *jur.* zuteilen, zumessen. **ad'meas·ure·ment** *s* **1.** Ab-, Ausmessung *f*. **2.** Zumessung *f* (*von Anteilen*). **3.** Maß *n*.

ad·min·is·ter [əd'ministər; *Am. a.* æd-] **I** *v/t* **1.** verwalten, *Geschäfte etc* wahrnehmen, führen, *e-e Sache* handhaben, *ein Amt etc* ausüben, *Gesetze* ausführen: to ~ the government die Regierungsgeschäfte wahrnehmen; ~ing state (*od.* authority) *pol.* Verwaltungsmacht *f*, Treuhandstaat *m*. **2.** zu'teil werden lassen, *Hilfe* leisten, *das Sakrament* spenden, *e-e Arznei, e-n Schlag* verabreichen, *e-n Tadel* erteilen (*alle* to *dat*): to ~ justice Recht sprechen; to ~ punishment e-e Strafe *od.* Strafen verhängen; to ~ a shock to s.o. j-m e-n Schrecken einjagen; to ~ an oath to s.o. j-m e-n Eid abnehmen, j-n vereidigen. **II** *v/i* **3.** (to) beitragen (zu), dienen (*dat*). **4.** abhelfen (to *dat*). **5.** als Verwalter fun'gieren. **ad'min·isˌtrate** [-ˌstreit] → administer I.

ad·min·is·tra·tion [ədˌmini'streiʃən] *s* **1.** (Betriebs-, Geschäfts-, Vermögens-, Staats- *etc*)Verwaltung *f*. **2.** *jur.* (Nachlaß)Verwaltung *f*: → letter[1] 3. **3.** Handhabung *f*, Ausführung *f*: ~ of justice Rechtsprechung *f*, Rechtspflege *f*; ~ of an oath Eidesabnahme *f*, Vereidigung *f*. **4.** a) Verwaltungsbehörde *f*, Mini'sterium *n*, b) *econ.* Verwaltung(srat *m*) *f*. **5.** Er-, Austeilung *f*, *relig.* Spendung *f* (*des Sakraments*). **6.** Verabreichung *f* (*e-r Arznei*). **7.** *pol.* a) Re'gierung *f*, Staatsverwaltung *f*, b) *Am.* 'Amtsperiˌode *f*, Re'gierungszeit *f* (*e-s Präsidenten etc*): the Truman ~ die Truman-Regierung; during the Hoover ~ während der Amtszeit Präsident Hoovers. **ad'minisˌtra·tive** *adj* (*adv* ~ly) **1.** administra'tiv, verwaltend, verwaltungsmäßig, -technisch, Verwaltungs..., Regierungs...: ~ agency (*od.* body) Behörde *f*, Verwaltungskörper *m*, -organ *n*; ~ fee Verwaltungsgebühr *f*; ~ law Verwaltungsrecht *n*; ~ tribunal Verwaltungsgericht *n*. **2.** erteilend, spendend. **3.** behilflich, förderlich.

ad·min·is·tra·tor [əd'miniˌstreitər] *s* **1.** Verwalter *m*. **2.** Ver'waltungsbeˌamte(r) *m*. **3.** *jur.* Nachlaßverwalter *m*. **4.** Spender *m* (*der Sakramente etc*). **ad'min·isˌtra·torˌship** *s* Verwalteramt *n*. **ad'min·isˌtra·trix** [-triks] *pl* **-tri·ces** [-triˌsiːz] *s jur.* Nachlaßverwalterin *f*.

ad·mi·ra·ble ['ædmərəbl] *adj* (*adv* admirably) bewundernswert, -würdig, großartig. **'ad·mi·ra·ble·ness** *s* Trefflichkeit *f*, Bewunderungswürdigkeit *f*.

ad·mi·ral ['ædmərəl] *s* **1.** Admi'ral *m*: Lord High A~ *Br.* Großadmiral, Oberbefehlshaber *m* zur See; → fleet 1. **2.** *obs.* Flaggschiff *n*. **3.** *zo.* Admi'ral *m*, (*ein*) Fleckenfalter *m*. **'ad·mi·ral·ty** [-ti] **I** *s* **1.** Admi'ralsamt *n*, -würde *f*. **2.** Admirali'tät *f*: The Lords Commissioners of A~, the Board of A~ *Br.* das Marineministerium; First Lord of the A~ *Br.* Erster Lord der Admiralität (*Marineminister*); A~ Division *jur. Br.* Abteilung *f* des High Court für Seerecht; ~ law *jur.* Seerecht *n*. **3.** A~ *Br.* Admirali'tätsgebäude *n* (*in London*). **II** *adj* **4.** Admiralitäts...

ad·mi·ra·tion [ˌædmə'reiʃən] *s* **1.** Bewunderung *f* (of, for für): she was the ~ of everyone sie war der Gegenstand allgemeiner Bewunderung. **2.** *obs.* Erstaunen *n*.

ad·mire [əd'mair] I *v/t* **1.** bewundern (for wegen). **2.** hochschätzen, verehren. **II** *v/i* **3.** *obs.* sich wundern (at über *acc*). **4.** *Am. dial. etwas* liebend gerne (*tun*) mögen. **ad'mir·er** *s* Bewunderer *m*, Verehrer *m*. **ad'mir·ing** *adj* (*adv* ~ly) bewundernd.

ad·mis·si·bil·i·ty [əd,misə'biliti] *s* Zulässigkeit *f*. **ad'mis·si·ble** *adj* **1.** zulässig (*a. jur.*), erlaubt, statthaft. **2.** zulassungsfähig.

ad·mis·sion [əd'miʃən] *s* **1.** a) Einlaß *m*, b) Ein-, Zutritt *m*, c) Aufnahme *f* (*als Mitglied etc*; *Am. a. e-s Staates in die Union*): ~ free Eintritt frei; A~ Day *Am.* Jahrestag *m* der Aufnahme in die Union; ~ fee Aufnahmegebühr *f*, Eintrittspreis *m*; ~ ticket Eintrittskarte *f*. **2.** Eintritt(spreis) *m*. **3.** Zulassung *f* (*zu e-m Amt, Beruf etc*): ~ to the bar *jur.* Zulassung als Rechtsanwalt. **4.** Eingeständnis *n*: his ~ of the theft. **5.** Zugeständnis *n*, Einräumung *f*. **6.** *tech.* a) Einlaß *m*, (*Luft-, Kraftstoff- etc*)Zufuhr *f*, b) Beaufschlagung *f* (*von Turbinen*): ~ pipe Einlaßrohr *n*; ~ stroke Einlaßhub *m*.

ad·mit [əd'mit] *pret u. pp* **ad'mit·ted** **I** *v/t* **1.** *j-n* ein-, vorlassen, *j-m* Einlaß gewähren. **2.** (to) *j-n* aufnehmen (in *e-e Gesellschaft*, in *e-m Krankenhaus*), zulassen (zu *e-r Institution, e-m Amt etc*): to ~ s.o. to the bar j-n als Anwalt zulassen; to ~ a student to college e-n Studenten zum College zulassen; to ~ s.o. into one's confidence j-n ins Vertrauen ziehen. **3.** zulassen, gestatten, erlauben: this law ~s no exception. **4.** anerkennen, gelten lassen: to ~ the justification of a criticism die Berechtigung e-r Kritik anerkennen. **5.** *s-e Schuld etc* zugeben, (ein)gestehen, bekennen. **6.** zugeben, einräumen (that daß): ~ted! zugegeben!, das gebe ich zu! **7.** Platz haben *od.* bieten für, fassen, aufnehmen: the hall ~s 200 persons. **8.** *tech.* einlassen, zuführen: to ~ air. **II** *v/i* **9.** Einlaß gewähren, zum Eintritt berechtigen: a gate that ~s to the garden ein Tor, das zum Garten führt. **10.** ~ of gestatten, erlauben, zulassen: to ~ of doubt Zweifel zulassen; it ~s of no excuse es läßt sich nicht entschuldigen; a sentence that ~s of two interpretations ein Satz, der zwei Interpretationen zuläßt.

ad·mit·tance [əd'mitəns] *s* **1.** Zulassung *f*, Einlaß *m*, Ein-, Zutritt *m*: no ~ (except on business) Zutritt (für Unbefugte) verboten; to gain ~ Einlaß finden. **2.** Aufnahme *f*: ~ into the church. **3.** *electr.* Scheinleitwert *m*, Admit'tanz *f*.

ad·mit·ted [əd'mitid] *adj* anerkannt: an ~ fact; an ~ liar anerkanntermaßen ein Lügner. **ad'mit·ted·ly** *adv* anerkanntermaßen, zugegeben(ermaßen).

ad·mix [æd'miks] *v/t* beimischen, -mengen. **ad'mix·ture** [-tʃər] *s* **1.** Beimischen *n*. **2.** Beimischung *f*, -mengung *f*, Zusatz(stoff) *m*.

ad·mon·ish [əd'mɒniʃ; æd-] *v/t* **1.** mahnen, erinnern (of an *acc*). **2.** warnen (of, against, for vor *dat*; not to do davor zu tun). **3.** mahnen zu: to ~ silence. **4.** verwarnen, *j-m* Vorhaltungen machen.

ad·mo·ni·tion [,ædmə'niʃən] *s* **1.** Ermahnung *f*. **2.** Warnung *f*, Verweis *m*. **3.** *jur.* Verwarnung *f*. **,Ad·mo'ni·tion·er** *s relig. Puritaner, der die Errichtung e-r presbyterianischen Kirche in England im 16. Jh. befürwortete.*

ad·mon·i·to·ry [əd'mɒnitəri] *adj* ermahnend, warnend.

ad·nate ['ædneit] *adj bot. zo.* angewachsen, verwachsen.

ad nau·se·am [æd 'nɔːsi,æm; -ʃi,æm] (*Lat.*) *adv* (bis) zum Erbrechen, zum 'Überdruß.

ad·nom·i·nal [æd'nɒminl] *adj ling.* attribu'tiv, adnomi'nal.

ad·noun ['æd,naun] *s ling.* Attri'but *n*, Beiwort *n*, attribu'tives Adjektiv.

a·do [ə'duː] *pl* **a'dos** *s* Getue *n*, Lärm *m*, Aufheben(s) *n*, ‚Wirbel' *m*: much ~ about nothing viel Lärm um nichts; without more ~ ohne weitere Umstände.

a·do·be [ə'doubi] **I** *s* **1.** A'dobe *m*, luftgetrockneter (Lehm)Ziegel. **2.** Haus *n* aus A'dobeziegeln. **II** *adj* **3.** aus A'dobeziegeln (gebaut). **4.** *Am. dial.* (*südwestliche USA*) mexi'kanisch.

ad·o·les·cence [,ædo'lesns] *s* jugendliches Alter, Zeit *f* des Her'anwachsens, Adoles'zenz *f*. **,ad·o'les·cent I** *s* **1.** Jugendliche(r *m*) *f*, Her'anwachsende(r *m*) *f*, Jüngling *m*, junges Mädchen. **II** *adj* **2.** her'anwachsend, -reifend, jugendlich. **3.** Jünglings..., Jungmädchen..., Jugend...

A·do·nis [ə'dounis; ə'dɒnis] **I** *npr* **1.** *antiq.* A'donis *m*. **II** *s* **2.** *fig.* A'donis *m*, schöner junger Mann. **3.** Geck *m*, Stutzer *m*. **4.** *bot. pharm.* A'donisröschen *n*. **5.** *zo.* A'donisfalter *m*.

a·dopt [ə'dɒpt] *v/t* **1.** adop'tieren, (an Kindes Statt) annehmen: to ~ a child; to ~ a town die ‚Patenschaft' für e-e Stadt übernehmen. **2.** *fig.* annehmen, über'nehmen, sich *e-e Methode etc* zu eigen machen, *ein System etc* einführen, *e-e Politik* einschlagen, *e-e Handlungsweise* wählen, *e-e Haltung* einnehmen. **3.** *pol. e-r Gesetzesvorlage* zustimmen, *e-n Beschluß* annehmen, *Maßregeln* ergreifen. **4.** *pol. Br. e-n Kandidaten* annehmen (*für die nächste Wahl*). **5.** *colloq.* ‚sti'bitzen', ‚mitgehen lassen'. **a'dopt·ed** *adj* adop'tiert, (an Kindes Statt) angenommen, Adoptiv...: ~ child; his ~ country s-e Wahlheimat. **ad·op·tee** [,ædɒp'tiː] *s bes. Am.* Adop'tivkind *n*. **a'dopt·er** *s* Adop'tierende(r *m*) *f*.

a·dop·tion [ə'dɒpʃən] *s* **1.** Adopti'on *f*, Annahme *f* (an Kindes Statt). **2.** Aufnahme *f* (by in *e-e Gemeinschaft etc*). **3.** *fig.* An-, 'Übernahme *f*, Wahl *f*. **a'dop·tion,ism** *s relig.* A,doptia'nismus *m*. **a'dop·tive** *adj* (*adv* ~ly) **1.** Adoptiv...: a) angenommen: ~ child, b) adop'tierend: ~ parents Adoptiveltern. **2.** über'nommen.

a·dor·a·ble [ə'dɔːrəbl] *adj* (*adv* adorably) **1.** anbetungswürdig. **2.** *fig.* allerliebst, entzückend.

ad·o·ra·tion [,ædə'reiʃən] *s* **1.** Anbetung *f* (*a. fig.*), (*kniefällige*) Verehrung. **2.** *fig.* (innige) Liebe, (tiefe) Bewunderung.

a·dore [ə'dɔːr] *v/t* **1.** anbeten (*a. fig.*), verehren. **2.** *fig.* (innig) lieben, (heiß) verehren, (tief) bewundern. **3.** *colloq.* schwärmen für. **a'dor·er** *s* **1.** Anbeter(in). **2.** Verehrer(in), Bewunderer *m*, Liebhaber(in). **a'dor·ing** *adj* (*adv* ~ly) anbetend, bewundernd, liebend.

a·dorn [ə'dɔːrn] *v/t* **1.** schmücken, (ver)zieren (*beide a. fig.*). **2.** *fig.* Glanz verleihen (*dat*), verschöne(r)n. **a'dorn·ment** *s* Schmuck *m*, Schmükkung *f*, Zierde *f*, Verzierung *f*.

a·down [ə'daun] *adv u. prep poet.* (her)'nieder, hin'ab, her'ab.

ad·re·nal [ə'driːnl] *anat.* **I** *adj* adre'nal, Nebennieren...: ~ gland → II. **II** *s* Nebennierendrüse *f*.

ad·ren·al·in [ə'drenəlin] *s chem. physiol.* Adrena'lin *n*. **ad·ren·er·gic** [,ædre'nəːrdʒik] *adj physiol.* adre'nergisch, Adrena'lin absondernd.

A·dri·at·ic [,eidri'ætik] *geogr.* **I** *adj* adri'atisch: the ~ Sea → II. **II** *s* the ~ das Adri'atische Meer, die Adria.

a·drift [ə'drift] *adv u. pred adj* **1.** (um'her)treibend, Wind u. Wellen preisgegeben: to cut ~ treiben lassen; to be cut ~ den Wellen überlassen werden. **2.** *fig.* hilflos, dem Schicksal preisgegeben, halt-, wurzellos: to be all ~ weder aus noch ein wissen; to cut o.s. ~ sich losreißen.

a·droit [ə'drɔit] *adj* (*adv* ~ly) geschickt, gewandt. **a'droit·ness** *s* Geschicklichkeit *f*, Gewandtheit *f*.

ad·smith ['æd,smiθ] *s Am. humor.* Werbetexter *m*.

ad·sorb [æd'sɔːrb] *v/t chem.* adsor'bieren. **ad'sorb·ate** [-beit] *s chem.* Adsor'bat *n*. **ad'sorb·ent** *chem.* **I** *adj* adsor'bierend. **II** *s* Adsor'bent *m*, adsor'bierende Sub'stanz.

ad·sorp·tion [æd'sɔːrpʃən] *s chem.* Adsorpti'on *f*.

ad·sum ['ædsʌm] (*Lat.*) *interj* hier!

ad·u·late [*Br.* 'ædju,leit; *Am.* -dʒə-] *v/t j-m* lobhudeln, *j-m* (aufdringlich) schmeicheln. **,ad·u'la·tion** *s* (*niedere*) Schmeiche'lei, ,Lobhude'lei *f*, ,Speichellecke'rei *f*. **'ad·u,la·tor** [-tər] *s* Schmeichler *m*, Lobhudler *m*, Speichellecker *m*. **'ad·u·la·to·ry** [-lətəri] *adj* schmeichlerisch, lobhudelnd.

a·dult [ə'dʌlt; 'ædʌlt] **I** *adj* **1.** erwachsen: ~ person *jur.* → 5. **2.** *zo.* ausgewachsen: an ~ lion. **3.** *fig.* reif, gereift, über'legen. **4.** (nur) für Erwachsene: an ~ film. **II** *s* **5.** Erwachsene(r *m*) *f*. **~ ed·u·ca·tion** *s* Erwachsenenbildung *f*, *engS.* Volksbildung *f od.* -hochschule *f*.

a·dul·ter·ant [ə'dʌltərənt] **I** *adj* verfälschend. **II** *s* Verfälschungsmittel *n*.

a·dul·ter·ate I *v/t* [ə'dʌltə,reit] **1.** verfälschen: to ~ food. **2.** a) *Milch* verdünnen, b) *Wein* verschneiden, panschen. **3.** *Am. Artikel* unter falschem Warennamen verkaufen. **4.** *fig.* verderben, -wässern. **II** *adj* [-rit; -,reit] **5.** verfälscht. **6.** *obs.* ehebrecherisch. **a,dul·ter'a·tion** *s* **1.** Verfälschung *f*. **2.** verfälschtes Pro'dukt, Fälschung *f*. **a'dul·ter,a·tor** [-tər] *s* **1.** (Ver)Fälscher *m*. **2.** *jur.* Falschmünzer *m*.

a·dul·ter·er [ə'dʌltərər] *s* Ehebrecher *m*. **a'dul·ter·ess** [-ris] *s* Ehebrecherin *f*. **a'dul·ter·ine** [-rin; -,rain] *adj* **1.** im Ehebruch erzeugt: ~ children. **2.** unecht, verfälscht. **3.** ungesetzlich, illegi'tim. **a'dul·ter·ous** *adj* (*adv* ~ly) ehebrecherisch. **a'dul·ter·y** *s* **1.** Ehebruch *m*: to commit ~ die Ehe brechen, Ehebruch begehen (with mit). **2.** *Bibl.* Unkeuschheit *f*. **3.** *Bibl.* Götzendienst *m*, Abtrünnigkeit *f*. **4.** *relig.* von der Kirche nicht anerkannte Ehe.

a·dult·hood [ə'dʌlthud] *s* Erwachsensein *n*, Erwachsenenalter *n*.

ad·um·bral [æ'dʌmbrəl] *adj* schattig, Schatten...

ad·um·brate [æ'dʌmbreit; 'ædəm-] *v/t* **1.** flüchtig entwerfen, um'reißen, skiz'zieren, andeuten. **2.** vor'aussehen lassen, 'hindeuten auf (*acc*). **3.** über'schatten (*a. fig.*). **,ad·um'bra·tion** *s* **1.** Andeutung *f*: a) flüchtiger Entwurf, Skizze *f*, b) Vorahnung *f*, Omen *n*. **2.** a) Schatten *m*, b) Verdunkelung *f*.

ad va·lo·rem [æd və'lɔːrem] (*Lat.*) *adj u. adv* dem Wert entsprechend: ~ duty Wertzoll *m*.

ad·vance [*Br.* əd'vɑːns; *Am.* əd'væ(ː)ns] **I** *v/t* **1.** *etwas, e-e Schachfi-*

gur, den Uhrzeiger etc vorrücken, -schieben, *den Fuß* vorsetzen, *die Hand* ausstrecken, *e-n Tunnel* vortreiben, *mil. Truppen* vorschieben, nach vorn verlegen, vorverlegen, vorrücken lassen. **2.** *tech.* vorrücken, weiterstellen, fortschalten: to ~ the (ignition) timing *mot.* Frühzündung einstellen. **3.** *e-n Zeitpunkt* vorverlegen. **4.** *ein Argument, e-e Ansicht, e-n Anspruch etc* vorbringen, geltend machen. **5.** *ein Projekt etc* fördern, vor'anbringen, -treiben: to ~ one's cause (interest) s-e Sache (s-e Interessen) fördern. **6.** befördern (to the rank of general zum General), verbessern: to ~ one's position; to ~ s.o. socially j-n gesellschaftlich heben. **7.** *den Preis* erhöhen. **8.** *das Wachstum etc* beschleunigen. **9.** a) im voraus liefern, b) *Geld* vor'auszahlen, vorschießen, -strecken. **10.** *jur. j-m* den Vor'ausempfang (*e-s Erbteils*) geben: to ~ a child. **11.** *obs. die Lider* heben.
II *v/i* **12.** vor-, vorwärtsgehen, vorrücken, -dringen, 'vormar͵schieren. **13.** vorrücken (*Zeit*): as time ~s mit vorrückender Zeit. **14.** zunehmen (in an *dat*), steigen: to ~ in age älter werden. **15.** *fig.* vor'an-, vorwärtskommen, Fortschritte machen: to ~ in knowledge; she is ~d for her years sie ist weit *od.* reif für ihr Alter. **16.** *im Range* aufrücken, avan'cieren, befördert werden (to colonel zum Oberst). **17.** (an)steigen, anziehen (*Preise*).
III *s* **18.** Vorwärtsgehen *n*, Vorrücken *n*, Vorstoß *m* (*a. fig.*). **19.** (*beruflicher, sozialer*) Aufstieg, Aufrücken *n* (*im Amt*), Beförderung *f* (to zu). **20.** Fortschritt *m*, Verbesserung *f*: economic ~; ~ in the art (*Patentrecht*) gewerblicher Fortschritt. **21.** Vorsprung *m*: to be in ~ Vorsprung haben (of vor *dat*); in ~ a) vorn, b) (im) voraus, vorher; paid in ~ vorausbezahlt; to book (*od.* order) in ~ vor(aus)bestellen; in ~ of vor (*dat*); in ~ of his time s-r Zeit voraus; in ~ of the other guests vor den andern Gästen (*ankommen*). **22.** *meist pl* a) Annäherungsversuch *m*, *pl a.* A'vancen *pl*, b) Entgegenkommen *n*, Anerbieten *n*: to make ~s to s.o. a) j-m gegenüber den ersten Schritt tun, j-m entgegenkommen, b) sich an j-n heranmachen. **23.** Vorschuß *m*, Vor'auszahlung *f*, Vorleistung *f*, Kre'dit *m*, Darlehen *n*: ~ on (*od.* of) salary Gehaltsvorschuß; ~ against merchandise Vorschüsse auf Waren, Warenlombard *m, n.* **24.** Mehrgebot *n* (*bei Versteigerungen*). **25.** (Preis)Erhöhung *f*, Auf-, Zuschlag *m.* **26.** *mil.* Vorgehen *n*, -marsch *m*, -rücken *n*: ~ by bounds sprungweises *od.* abschnittweises Vorgehen. **27.** *mil. Am.* Vorhut *f*, Spitze *f*: → advance guard. **28.** *tech.* Vorschub *m.* **29.** *electr.* Voreilung *f.*
IV *adj* **30.** Vorher..., Voraus..., Vor...: ~ censorship Vorzensur *f*; ~ copy *print.* Vorausexemplar *n*; ~ ignition (*od.* sparking) *mot.* Vor-, Frühzündung *f*; ~ notice Ankündigung *f*, Voranzeige *f*; ~ payment Voraus(be)zahlung *f*; ~ sale Vorverkauf *m*; ~ sheets *print.* Aushängebogen. **31.** *mil.* Vorhut..., Spitzen..., vorgeschoben: ~ command post vorgeschobener Gefechtsstand; ~ party Vorausabteilung *f.*

ad·vanced [*Br.* əd'vɑːnst; *Am.* əd'væ(ː)nst] *adj* **1.** *mil.* → advance 31. **2.** fortgeschritten: ~ chemistry Chemie *f* für Fortgeschrittene; ~ student Fortgeschrittene(r *m*) *f*; ~ studies wissenschaftliche Forschung. **3.** a) fortschrittlich, mo'dern: ~ views; ~ thinkers, b) gar zu fortschrittlich, ex'trem. **4.** vorgerückt, fortgeschritten: ~ age; at an ~ hour zu vorgerückter Stunde; ~ in pregnancy hochschwanger; ~ state fortgeschrittenes Stadium. ~ **cred·it** → advanced standing. ~ **freight** *s econ.* vor'ausbezahlte Fracht. ~ **stall** *s aer.* vorgerückter *od.* über'zogener Flug. ~ **stand·ing** *s ped. Am. Anerkennung der an e-r anderen gleichwertigen Lehranstalt erworbenen Zeugnisse.*

ad·vance guard *s mil.* Vorhut *f.* ~ **point** *s* Spitze *f* (*der Vorhut*).

ad·vance·ment [*Br.* əd'vɑːnsmənt; *Am.* -'væ(ː)ns-] *s* **1.** Förderung *f.* **2.** Beförderung *f* (to captain zum Hauptmann). **3.** Fortschritt *m* (*in Kenntnissen etc*), Weiterkommen *n*, Aufstieg *m.* **4.** Wachstum *n.* **5.** Vorschuß *m.* **6.** *jur.* Vor'ausempfang *m* (*e-s Erbteils*).

ad·van·tage [*Br.* əd'vɑːntidʒ; *Am.* -'væ(ː)n-] **I** *s* **1.** Vorteil *m*: a) Über'legenheit *f*, Vorsprung *m*, b) Vorzug *m*: the ~s of this novel machine die Vorteile *od.* Vorzüge dieser neuen Maschine; to have the ~ of s.o. j-m gegenüber im Vorteil sein; you have the ~ of me *iro.* ich habe nicht die Ehre, Sie zu kennen. **2.** Nutzen *m*, Gewinn *m*, Vorteil *m*: to ~ vorteilhaft, günstig; to take ~ of s.o. j-n übervorteilen *od.* ausnutzen; to take ~ of s.th. etwas ausnutzen *od.* sich zunutze machen; to derive ~ from s.th. aus etwas Nutzen *od.* e-n Vorteil ziehen. **3.** günstige Gelegenheit. **4.** *Tennis*: Vorteil *m* (*nach Gleichstand*): ~ game ‚Spiel vor'; ~ set Satz *m* mit Spielvorteil. **II** *v/t* **5.** fördern, begünstigen.

ad·van·ta·geous [͵ædvən'teidʒəs] *adj* (*adv* ~ly) vorteilhaft, günstig.

ad·vec·tion [æd'vekʃən] *s meteor.* Advekti'on *f.*

Ad·vent [*Br.* 'ædvənt; *Am.* -vent] *s* **1.** *relig.* Ad'vent *m*, Ad'ventszeit *f*: ~ Sunday der 1. Advent(ssonntag). **2.** *relig.* Ankunft *f* Christi. **3.** a~ (Auf-)Kommen *n*, Erscheinen *n*: a~ to power *fig.* Machtergreifung *f.* **'Ad·vent͵ism** *s relig.* Adven'tismus *m.* **'Ad·vent·ist** *s* Adven'tist(in).

ad·ven·ti·tious [*Br.* ͵ædvən'tiʃəs; *Am.* -ven-] *adj* (*adv* ~ly) **1.** hin'zukommend, (zufällig) hin'zugekommen. **2.** zufällig, nebensächlich, fremd, Neben... **3.** *med.* zufällig erworben.

ad·ven·tive [æd'ventiv] **I** *adj bot. zo.* nicht einheimisch: ~ plant → II. **II** *s bot.* Adven'tivpflanze *f.*

ad·ven·ture [əd'ventʃər] **I** *s* **1.** Abenteuer *n*: a) gewagtes Unter'nehmen, Wagnis *n*, b) (unerwartetes *od.* aufregendes) Erlebnis. **2.** *econ.* Spekulati'onsgeschäft *n*: joint ~ → joint venture; bill of ~ Bodmereibrief *m.* **3.** *obs.* a) Zufall *m*, b) Gefahr *f.* **II** *v/t* **4.** wagen, ris'kieren. **5.** gefährden. **6.** ~ o.s. sich wagen (into in *acc*). **III** *v/i* **7.** sich wagen (on, upon in, auf *acc*). **ad'ven·tur·er** *s* **1.** Abenteurer *m*: a) Wagehals *m*, b) Glücksritter *m*, Hochstapler *m.* **2.** Speku'lant *m.* **ad'ven·ture·some** [-səm] *adj* abenteuerlich, abenteuerlustig, verwegen. **ad'ven·tur·ess** [-ris] *s* Abenteu(r)erin *f.* **ad'ven·tur͵ism** *s* Abenteurertum *n.* **ad'ven·tur·ous** *adj* (*adv* ~ly) **1.** abenteuerlich: a) verwegen, waghalsig, b) gewagt, kühn (*Sache*), c) aufregend, ‚toll' (*Sache*). **2.** abenteuerlustig.

ad·verb ['ædvəːrb] *s ling.* Ad'verb *n*, 'Umstandswort *n.* **ad·ver·bi·al** [əd'vəːrbiəl] *adj* (*adv* ~ly) adverbi'al: ~ phrase adverbiale Bestimmung.

ad·ver·sa·ry ['ædvərsəri] **I** *s* **1.** Gegner(in), 'Widersacher(in), Feind(in). **2.** the A~ *relig.* der 'Widersacher (*Teufel*). **3.** *jur.* (Pro'zeß)Gegner(in). **II** *adj* **4.** *jur.* gegnerisch, bestritten.

ad·ver·sa·tive [əd'vəːrsətiv] *adj ling.* adversa'tiv, gegensätzlich: ~ word.

ad·verse ['ædvəːrs; əd'vəːrs] *adj* (*adv* ~ly) **1.** entgegenwirkend, widrig, zu'wider (to *dat*). **2.** gegnerisch, feindlich: ~ party Gegenpartei *f.* **3.** ungünstig, nachteilig (to für): ~ decision; ~ balance *econ.* Unterbilanz *f*; ~ balance of trade passive Handelsbilanz; ~ budget Haushaltsdefizit *n*; to have an ~ effect (up)on, to affect ~ly sich nachteilig auswirken auf (*acc*). **4.** *bot.* gegenläufig. **5.** *jur.* entgegenstehend: ~ claim; ~ possession Ersitzung *f.*

ad·ver·si·ty [əd'vəːrsiti] *s* 'Mißgeschick *n*, Not *f*, Unglück *n.*

ad·vert **I** *v/i* [əd'vəːrt; æd-] 'hinweisen, sich beziehen (to auf *acc*). **II** *s* ['ædvəːrt] *Br. colloq. für* advertisement.

ad·ver·tise ['ædvər͵taiz; ͵ædvər'taiz] **I** *v/t* **1.** ankündigen, anzeigen, (*durch die Zeitung etc*) bekanntmachen: to ~ a post e-e Stelle (öffentlich) ausschreiben. **2.** *econ.* Re'klame machen für, werben für, anpreisen: ~d performance (werkseitig) angegebene Leistung. **3.** (of) in Kenntnis setzen, unter'richten (von), wissen lassen (*acc*). **4.** *contp. etwas* 'auspo͵saunen, an die große Glocke hängen. **5.** *obs.* ermahnen, warnen. **II** *v/i* **6.** inse'rieren, annon'cieren: to ~ for durch Inserat suchen. **7.** werben, Re'klame machen, Werbung treiben.

ad·ver·tise·ment [əd'vəːrtismənt; -tiz-; *Am. a.* ͵ædvər'taiz-] *s* **1.** (*öffentliche*) Anzeige, Ankündigung *f* (*in e-r Zeitung*), Inse'rat *n*, An'nonce *f*: ~ columns Inseraten-, Anzeigenteil *m*; notice by ~ *jur.* öffentliche Zustellung; to put an ~ in a newspaper ein Inserat in e-e Zeitung setzen. **2.** → advertising 2. **ad·ver·tis·er** ['ædvər͵taizər] *s* **1.** Inse'rent(in). **2.** Anzeiger *m*, Anzeigenblatt *n.* **3.** Werbefachmann *m.* **'ad·ver͵tis·ing** [-ziŋ] **I** *s* **1.** Inse'rieren *n*, Ankündigung *f.* **2.** Re'klame *f*, Werbung *f.* **II** *adj* **3.** Anzeigen..., Reklame..., Werbe...: ~ agency a) Anzeigenannahme *f*, Inseratenbüro *n*, b) Werbeagentur *f*; ~ agent a) Anzeigenvermittler *m*, b) Werbeagent *m*; ~ campaign Werbefeldzug *m*; ~ expert Werbefachmann *m*; ~ gift Werbegeschenk *n*; ~ medium Werbeträger *m*, -medium *n.*

ad·ver·tize *etc* → advertise *etc.*

ad·vice [əd'vais] *s* (*nur sg*) **1.** Rat *m*, Ratschlag *m od.* Ratschläge *pl*: a piece of ~ ein Ratschlag, e-e Empfehlung; legal ~ Rechtsberatung *f*; on (*od.* at) s.o.'s ~ auf j-s Anraten, auf j-s Rat hin; to seek (*od.* take) ~ Rat suchen, sich Rat holen (from bei); to take medical ~ ärztlichen Rat einholen, e-n Arzt zu Rate ziehen; take my ~ folge m-m Rat. **2.** a) Nachricht *f*, Anzeige *f*, (schriftliche) Mitteilung, b) *econ.* A'vis *m od. n*, Avi'sierung *f*, Bericht *m*: ~ of credit Gutschriftsanzeige; ~ of draft Trattenavis; letter of ~ Avisbrief *m*, Benachrichtigungsschreiben *n*; ~ and consent *Am.* Zustimmung *f*; as per ~ laut Aufgabe.

ad·vis·a·bil·i·ty [əd͵vaizə'biliti] *s* Ratsamkeit *f.* **ad'vis·a·ble** *adj* ratsam,

tunlich. **ad'vis·a·bly** *adv* ratsamer-, zweckmäßigerweise.
ad·vise [əd'vaiz] **I** *v/t* **1.** *j-m* (an)raten, den *od.* e-n Rat erteilen, (an)empfehlen, *j-n* beraten: **they were ~d to go** man riet ihnen zu gehen. **2.** *etwas* anraten, (an)empfehlen: **to ~ a change of air.** **3.** **(against)** *j-n* warnen (vor *dat*), *j-m* abraten (von): **to ~ s.o. against doing s.th.** j-m davon abraten, etwas zu tun. **4.** *bes. econ.* benachrichtigen, in Kenntnis setzen, avi'sieren, *j-m* Mitteilung machen (of von). **II** *v/i* **5.** sich beraten (**with** mit).
ad·vised [əd'vaizd] *adj* **1.** a) beraten, b) besonnen, über'legt: → **ill-advised, well-advised.** **2.** infor'miert, benachrichtigt: **to keep s.o. ~** j-n auf dem laufenden halten. **ad'vis·ed·ly** [-idli] *adv* **1.** mit Bedacht *od.* Über'legung. **2.** absichtlich, vorsätzlich. **ad'vis·ed·ness** *s* Wohlbedachtheit *f*, Vorbedacht *m.* **ad'vise·ment** *s* Über'legung *f*: **to take under ~** sich durch den Kopf gehen lassen. **ad'vis·er, ad'vi·sor** [-zər] *s* **1.** Berater *m*, Ratgeber *m*: **legal ~** Rechtsberater. **2.** *ped. Am.* Studienberater *m.* **ad'vi·so·ry** [-zəri] *adj* beratend: **~ board, ~ committee** Beratungsausschuß *m*, Beirat *m*, Gutachterkommission *f*; **~ body, ~ council** Beirat *m*; **~ opinion** Gutachten *n*; **~ procedure** *jur. pol.* Gutachterverfahren *n*; **in an ~ capacity** in beratender Funktion.
ad·vo·ca·cy ['ædvəkəsi] *s* **1.** Advoka'tur *f.* **2.** **(of)** Verteidigung *f*, Befürwortung *f*, Empfehlung *f* (*gen*), Eintreten *n* (für).
ad·vo·cate I *s* ['ædvəkit; -ˌkeit] **1.** Verfechter *m*, Befürworter *m*: **an ~ of peace.** **2.** *bes. relig.* Verteidiger *m*, Fürsprecher *m.* **3.** *jur. Scot. od. hist.* Advo'kat *m*, (*plädierender*) Rechtsanwalt: → **Lord Advocate.** **II** *v/t* [-ˌkeit] **4.** verteidigen, befürworten, eintreten für.
ad·vow·son [əd'vauzən] *s* kirchliches Patro'nat, Pfründenbesetzungsrecht *n.*
adz(e) [ædz] *s* Breitbeil *n.*
Ae·ge·an [i'dʒiːən; iː-] *geogr.* **I** *adj* ä'gäisch: **the ~ Sea** → II. **II** *s* **the ~** das Ägäische Meer, die Ä'gäis.
ae·ger ['iːdʒər] (*Lat.*) *s univ. Br.* 'Krankheitsatˌtest *n.*
ae·gis ['iːdʒis] *s* **1.** *antiq.* Ägis *f* (*Schild des Zeus u. der Athene*). **2.** *fig.* Ä'gide *f*, Schutz(herrschaft *f*) *m*, (An)Leitung *f*: **under the ~ of.**
ae·gro·tat [iː'groutæt] (*Lat.*) *s univ. Br.* **1.** 'Krankheitsatˌtest *n* (*für Examenskandidaten*). **2.** *a.* **~ degree** wegen Krankheit in Abwesenheit *od.* ohne Prüfung verliehener aka'demischer Grad.
Ae·o·li·an [iː'ouliən] *adj* **1.** *myth.* Äols...: **~ harp** Äolsharfe *f.* **2.** *geogr.* ä'olisch. **~ mode** *s mus.* Ä'olische (Kirchen)Tonart.
ae·on ['iːən] *s* a) Ä'one *f*, Zeit-, Weltalter *n*, b) Ewigkeit *f.*
a·er·ate, *Am. a.* **a·ër·ate** ['ɛ(ə)reit; 'eiəˌreit] *v/t* **1.** der Luft aussetzen, (durch)'lüften. **2.** mit Kohlensäure sättigen. **3.** zum Sprudeln bringen. **4.** *med.* (*dem Blut*) durch Einatmen von Luft Sauerstoff zuführen. **'a·erˌat·ed,** *Am. a.* **'a·ërˌat·ed** *adj* mit Luft *od.* Kohlensäure durch'setzt, lufthaltig: **~ water** kohlensaures Wasser. **ˌa·er'a·tion,** *Am. a.* **ˌa·ër'a·tion** *s* Durch'dringen *n* mit Luft *od.* Kohlensäure, (Durch-, Be)'Lüftung *f.*
a·e·ri·al, *Am. a.* **a·ë·ri·al** ['ɛ(ə)riəl; ei'i(ə)r-] **I** *adj* **1.** luftig, zur Luft gehörend, in der Luft lebend *od.* befindlich, hoch, Luft...: **~ advertising** Luftwerbung *f*, Himmelsschrift *f*; **~ cableway** Seilschwebebahn *f*; **~ railway** Hänge-, Schwebebahn *f*; **~ root** *bot.* Luftwurzel *f.* **2.** aus Luft bestehend, leicht, flüchtig, ä'therisch. **3.** *fig.* ä'therisch: a) schemenhaft, wesenlos, b) zart. **4.** *aer.* zu e-m Flugzeug *od.* zum Fliegen gehörig, fliegerisch: **~ attack** Luft-, Fliegerangriff *m*; **~ barrage** a) Luftsperr-, Flakfeuer *n*, b) Ballonsperre *f*; **~ camera** Luftkamera *f*; **~ combat** Luftkampf *m*; **~ defence** (*Am.* **defense**) Luftabwehr *f*, -verteidigung *f*; **~ inspection** Luftinspektion *f*; **~ map** Luftbildkarte *f*; **~ navigation** Luftschiffahrt *f*; **~ view** Flugzeugaufnahme *f*, Luftbild *n.* **5.** *tech.* oberirdisch, Ober..., Frei..., Luft...: **~ cable** Luftkabel *n*; **~ line, ~ wire** *electr.* Ober-, Freileitung *f.* **6.** *Radio etc*: *bes. Br.* Antennen...: **~ array** Richtantennennetz *n*; **~ booster** Antennenverstärker *m*; **~ gain** Antennengewinn *m*; **~ noise** Antennenrauschen *n*; **~ power** Antennenleistung *f.* **II** *s* **7.** *Br.* An'tenne *f.*
a·e·ri·al·ist, *Am. a.* **a·ë·ri·al·ist** ['ɛ(ə)riəlist] *s* 'Luftakroˌbat *m*, Tra'pezkünstler(in).
a·er·ie, a·ër·ie ['ɛ(ə)ri; 'eiəri; 'i(ə)ri] *s* **1.** Horst *m* (*Raubvogelnest*). **2.** *fig.* Adlerhorst *m* (*z.B. Burg*). **3.** *obs.* Brut *f*, Kinderschar *f.*
a·er·o, a·ër·o ['ɛ(ə)rou] **I** *pl* **-os** *s colloq.* Flugzeug *n*, Luftschiff *n.* **II** *adj* Flug(zeug)..., Luft(schiffahrt)...
a·er·o·bal·lis·tics [ˌɛ(ə)robə'listiks] *s pl* (*als sg konstruiert*) 'Aerobalˌlistik *f.*
a·er·o·bat·ic [ˌɛ(ə)ro'bætik] *adj* 'luftakroˌbatisch. **ˌa·er·o'bat·ics** *s pl* (*als sg konstruiert*) Luftsport *m*, Kunstfliegen *n*, -flug *m.*
a·er·obe ['ɛ(ə)roub] *s biol.* Ae'robe *f.*
a·er·o·bi·ol·o·gy [ˌɛ(ə)robai'ɒlədʒi] *s biol.* 'Aerobioloˌgie *f.*
a·er·o·bus ['ɛ(ə)roˌbʌs] *s colloq.* Airbus *m* (*für Kurzstreckenflüge*).
a·er·o·cab ['ɛ(ə)roˌkæb] *s* Lufttaxi *n.*
a·er·o·cam·er·a ['ɛ(ə)roˌkæmərə] *s* Luftkamera *f*, -bildgerät *n.*
a·er·o·drome ['ɛ(ə)rəˌdroum] *s bes. Br.* Flugplatz *m*, -hafen *m.*
a·er·o·dy·nam·ic [ˌɛ(ə)rodai'næmik; -di-] *adj* (*adv* **~ally**) aerody'namisch: **~ center** (*Br.* **centre**) Druck-, Neutralpunkt *m*; **~ design** *tech.* aerodynamische Linienführung, Windschnittigkeit *f*, Stromlinienform *f*; **~ volume displacement** Luftverdrängung *f.* **ˌa·er·o·dy'nam·i·cal** → aerodynamic. **ˌa·er·ody'nam·i·cist** [-isist] *s* Aerody'namiker *m.* **ˌa·er·o·dy'nam·ics** *s pl* (*als sg konstruiert*) *phys.* Aerody'namik *f.*
a·er·o·dyne ['ɛ(ə)rəˌdain] *s* Luftfahrzeug *n* schwerer als Luft.
a·er·o·em·bo·lism [ˌɛ(ə)ro'embəˌlizəm] *s med.* 'Luftemboˌlie *f*, Höhenkrankheit *f.*
a·er·o·en·gine [ˌɛ(ə)ro'endʒin] *s* Flug(zeug)motor *m.*
a·er·o·foil ['ɛ(ə)rəˌfɔil] *s Br.* Tragfläche *f*, *a.* Höhen-, Kiel- *od.* Seitenflosse *f.*
a·er·o·gram ['ɛ(ə)rəˌgræm] *s* **1.** Funkspruch *m.* **2.** Luftpostleichtbrief *m.*
a·er·og·ra·pher [ˌɛ(ə)'rɒgrəfər] *s mil. Am.* Wetterbeobachter *m.*
a·er·o·lite ['ɛ(ə)rəˌlait], *a.* **'a·er·o·lith** [-liθ] *s* Aero'lith *m*, Mete'orstein *m.*
a·er·ol·o·gy [ˌɛ(ə)'rɒlədʒi] *s phys.* **1.** Aerolo'gie *f*, Erforschung *f* der Atmo'sphäre. **2.** aero'nautische Wetterkunde.
a·er·o·me·chan·ic [ˌɛ(ə)romi'kænik] **I** *s* 'Flugzeugmeˌchaniker *m.* **II** *adj* 'flugzeugmeˌchanisch. **ˌa·er·o·me'chan·ics** *s pl* (*als sg konstruiert*) 'Aero-, 'Strömungsmeˌchanik *f.*
a·er·o·med·i·cine [ˌɛ(ə)ro'medisin; *Br. a.* -'medsin] *s* 'Luftfahrtmediˌzin *f.*
a·er·om·e·ter [ɛ(ə)'rɒmitər] *s phys.* Aero'meter *n*, (Luft)Dichtemesser *m.*
a·er·o·naut ['ɛ(ə)rəˌnɔːt] *s* Luftfahrer *m*, -schiffer *m.* **ˌa·er·o'nau·tic** *adj* → aeronautical. **ˌa·er·o'nau·ti·cal** *adj* (*adv* **~ly**) aero'nautisch, Luftfahrt...: **~ station** Bodenfunkstelle *f*; **~ telecommunication service** Flugfernmeldedienst *m.* **ˌa·er·o'nau·tics** *s pl* (*als sg konstruiert*) Aero'nautik *f*, Luftfahrt *f*, Flugwesen *n.*
a·er·o·nom·y [ɛ(ə)'rɒnəmi] *s phys.* Aerono'mie *f* (*Atmosphärenforschung*).
a·er·o·pause ['ɛ(ə)roˌpɔːz] *s* Aero'pause *f* (*Bereich in großer Höhe, etwa 20—200 km über der Erde*).
a·er·o·phone ['ɛ(ə)rəˌfoun] *s* Aero'phon *n*: a) 'Stimmverˌstärkungsinstruˌment *n*, b) *mus.* 'Blasinstruˌment *n.*
a·er·o·phyte ['ɛ(ə)roˌfait] *s bot.* Aero'phyt *m*, Luftpflanze *f.*
a·er·o·plane ['ɛ(ə)rəˌplein] *s bes. Br.* Flugzeug *n*: **~ flutter** *TV* Flugzeugflattern *n.*
a·er·o·sol ['ɛ(ə)rəˌsɒl; -ˌsoul] *s chem. phys.* Aero'sol *n*: **~ bomb** Aerosolbombe *f* (*Insektenpulver verstäubender Metallbehälter*).
a·er·o·sphere ['ɛ(ə)roˌsfir] *s* Aero'sphäre *f* (*Bereich, in dem sich der normale Flugverkehr abspielt*).
a·er·o·stat ['ɛ(ə)rəˌstæt] *s* Aero'stat *m*, Luftfahrzeug *n* leichter als Luft.
a·er·o·stat·ics [ˌɛ(ə)rə'stætiks] *s pl* (*als sg konstruiert*) Aero'statik *f* (*Lehre vom Gleichgewicht der Gase*).
a·er·o·ther·a·peu·tics [ˌɛ(ə)roθerə'pjuːtiks] *s pl* (*als sg konstruiert*) *med.* 'Aerotheraˌpie *f*, Luftbehandlung *f.*
ae·ru·gi·nous [i'ruːdʒinəs] *adj* grünspanartig, pati'niert.
Aes·cu·la·pi·an [*Br.* ˌiːskju'leipiən; *Am.* ˌeskjə-] **I** *adj* **1.** äsku'lapisch, Äskulap... **2.** ärztlich. **II** *s* **3.** Arzt *m.*
aes·thete ['esθiːt; *Br. a.* 'iːs-] *s* **1.** *philos.* Äs'thetiker *m.* **2.** Äs'thet *m*, Schöngeist *m.* **aes'thet·ic** [-'θetik] *adj*; **aes'thet·i·cal** *adj* (*adv* **~ly**) äs'thetisch.
aes·the·ti·cian [ˌesθi'tiʃən; *Br. a.* ˌiːs-] *s* Ästhetiker *m*, Kunstkenner *m.*
aes·thet·i·cism [es'θetiˌsizəm; *Br. a.* ˌiːs-] *s* **1.** Ästheti'zismus *m*, Schönheitskult *m.* **2.** Schönheitssinn *m.*
aes'thet·iˌcize *v/t* ästheti'sieren, äs'thetisch machen, verschönern.
aes·thet·ics [es'θetiks; *Br. a.* iːs-] *s pl* (*als sg konstruiert*) Äs'thetik *f.*
aes·ti·val *etc* → **estival** *etc.*
ae·ther, ae·the·re·al → **ether, ethereal.**
ae·ti·ol·o·gy *bes. Br. für* **etiology.**
a·far [ə'fɑːr] *adv* fern, weit (weg), entfernt: **~ off** in der Ferne; **from ~** von weit her, aus weiter Ferne.
a·fear(e)d [ə'fird] *adj obs.* furchtsam.
af·fa·bil·i·ty [ˌæfə'biliti] *s* Leutseligkeit *f*, Freundlichkeit *f.* **'af·fa·ble** *adj* (*adv* **affably**) leutselig, freundlich, 'umgänglich.
af·fair [ə'fɛr] *s* **1.** Angelegenheit *f*, Sache *f*, Geschäft *n*: **that is his ~** das ist s-e Sache; **to make an ~ of s.th.** aus etwas e-e Affäre machen; **~ of hono(u)r** Ehrenhandel *m* (*Duell*); **an ~ of the imagination** e-e Sache der Phantasie. **2.** *pl* Angelegenheiten *pl*, Verhältnisse *pl*: **public ~s** öffentliche Angelegenheiten; **~s of**

state Staatsangelegenheiten, -geschäfte *pl*; the state of ~s a) die Lage der Dinge, die Sachlage, b) *jur.* der Tatbestand, der Sachverhalt; statement of ~s *jur.* Vermögensaufstellung *f* (*des Konkursschuldners*); → foreign affairs. **3.** *colloq.* Ding *n*, Sache *f*, ‚Appa'rat' *m*: the car was a shiny ~. **4.** Af'färe *f*: a) Ereignis *n*, Geschichte *f*, Sache *f*, b) Skan'dal *m*, (berüchtigter) Fall, c) 'Liebesaf,färe *f*, Verhältnis *n*: a disgraceful ~ e-e schändliche Geschichte *od.* Sache. **5.** *Am. colloq.* ‚Sache' *f*, Veranstaltung *f*: a big social ~. **6.** *mil.* Gefecht *n*.

af·faire [a'fɛːr] (*Fr.*) → affair 4.

af·fect[1] [ə'fekt] *v/t* **1.** lieben, e-e Vorliebe haben für, neigen zu, vorziehen: to ~ loud neckties auffallende Krawatten bevorzugen; much ~ed by sehr beliebt bei. **2.** zur Schau tragen, erkünsteln, vortäuschen, nachahmen: to ~ a limp so tun, als hinke man; he ~s an Oxford accent er redet mit e-m gekünstelten Oxforder Akzent. **3.** sich gern aufhalten in (*dat*) (*Tiere*), vorkommen in (*dat*).

af·fect[2] [ə'fekt] **I** *v/t* **1.** betreffen, berühren, (ein)wirken *od.* sich auswirken auf (*acc*), beeinflussen, beeinträchtigen, in Mitleidenschaft ziehen. **2.** *med.* angreifen, befallen, affi'zieren. **3.** bewegen, rühren, ergreifen. **4.** *meist pass Br.* zuteilen. **II** *s* **5.** ['æfekt] *psych.* Af'fekt *m*, Erregung *f*.

af·fec·ta·tion [,æfek'teiʃən; -ik-] *s* **1.** Affek'tiertheit *f*, Geziertheit *f*. **2.** Heuche'lei *f*, Verstellung *f*. **3.** Vorgeben *n*: his ~ of pity das von ihm zur Schau getragene Mitleid. **4.** (über'triebene) Vorliebe (of für).

af·fect·ed[1] [ə'fektid] *adj* (*adv* ~ly) **1.** affek'tiert, gekünstelt, geziert. **2.** angenommen, zur Schau getragen, vorgetäuscht. **3.** geneigt, gesinnt.

af·fect·ed[2] [ə'fektid] *adj* **1.** *med.* befallen (with von), angegriffen. **2.** betroffen, berührt. **3.** gerührt, bewegt, ergriffen.

af·fect·ing [ə'fektiŋ] *adj* ergreifend.

af·fec·tion [ə'fekʃən] *s* **1.** *oft pl* Liebe *f*, (Zu)Neigung *f* (for, toward[s] zu). **2.** Af'fekt *m*, Gemütsbewegung *f*, Stimmung *f*. **3.** *med.* Affekti'on *f*, Erkrankung *f*, Leiden *n*. **4.** Einfluß *m*, -wirkung *f*. **5.** Hang *m*, Neigung *f*, Vorliebe *f*. **6.** *obs.* Eigenschaft *f*.

af·fec·tion·ate [ə'fekʃənit] *adj* (*adv* ~ly) gütig, liebevoll, zärtlich, herzlich: ~ly yours Dein Dich liebender..., Herzlich Dein... (*Briefschluß*); ~ly known as Pat unter dem Kosenamen Pat bekannt. **af'fec·tion·ate·ness** *s* liebevolle Art, Zärtlichkeit *f*.

af·fec·tive [ə'fektiv] *adj* (*adv* ~ly) **1.** Gemüts..., Gefühls... **2.** *psych.* emotio'nal, affek'tiv, Affekt...

af·fi·ance [ə'faiəns] **I** *s* **1.** Vertrauen *n*. **2.** Verlobung *f*, Eheversprechen *n*. **II** *v/t* **3.** verloben. **af'fi·anced** *adj* verlobt (to mit).

af·fi·ant [ə'faiənt] *s jur. Am.* Aussteller *m* e-s affidavit.

af·fi·da·vit [,æfi'deivit] *s jur.* (*schriftliche*) eidliche Erklärung: to swear an ~ e-e (schriftliche) beeidigte Erklärung abgeben; to swear an ~ of means den Offenbarungseid leisten; ~ of support *Am.* Bürgschaftserklärung *f* (*für Einwanderer*).

af·fil·i·ate [ə'fili,eit] **I** *v/t* **1.** (*als Mitglied*) aufnehmen. **2.** (on, upon) *etwas* zu'rückführen (auf *acc*), zuschreiben (*dat*): to ~ a child to (*od.* on) s.o. *jur.* j-m die Vaterschaft e-s Kindes zuschreiben. **3.** (to) a) (eng) verbinden, -knüpfen (mit), b) angliedern, anschließen (*dat*, an *acc*). **II** *v/i* **4.** (with) sich anschließen (*dat*, an *acc*), (*e-r Organisation*) beitreten. **5.** *Am.* (with) verkehren (mit), sich anschließen (*dat*, an *acc*). **III** *adj* [-liit; -li,eit] **6.** → affiliated. **IV** *s* [-liit; -li,eit] **7.** *Am.* Mitglied *n*. **8.** *Am.* a) 'Zweigorganisati,on *f*, b) *econ.* Tochtergesellschaft *f*.

af'fil·i,at·ed *adj* angeschlossen, Zweig..., Tochter...: ~ company Tochtergesellschaft *f*; ~ society Zweiggesellschaft *f*.

af·fil·i·a·tion [ə,fili'eiʃən] *s* **1.** Aufnahme *f* (*als Mitglied etc*). **2.** *jur.* Zuschreibung *f od.* Feststellung *f* der Vaterschaft. **3.** Zu'rückführung *f* (*auf den Ursprung*). **4.** Verbindung *f*, Angliederung *f*. **5.** *bes. pol. relig.* Mitgliedschaft *f*, Zugehörigkeit *f*.

af·fined [ə'faind] *adj* verwandt, -bunden (to *dat*, mit).

af·fin·i·ty [ə'finiti] *s* **1.** Verwandtschaft *f* (*durch Heirat*), Verschwägerung *f*. **2.** (*geistige*) Verwandtschaft, Über'einstimmung *f*. **3.** Wahlverwandtschaft *f*, gegenseitige Anziehung. **4.** Wahlverwandte(r *m*) *f*. **5.** Wesensverwandtschaft *f*, Ähnlichkeit *f*, (*das*) Gemeinsame *od.* Verbindende. **6.** *chem.* Affini'tät *f*.

af·firm [ə'fəːrm] **I** *v/t* **1.** behaupten, versichern, beteuern, bejahen. **2.** bekräftigen, *jur. das Urteil* bestätigen. **3.** *jur. e-e Aussage* (*an Eides Statt*) beteuern. **II** *v/i* **4.** bejahen, bestätigen. **5.** *jur.* beteuern. **af·fir·ma·tion** [,æfəːr'meiʃən] *s* **1.** Behauptung *f*, Versicherung *f*, Beteuerung *f*. **2.** Bekräftigung *f*, Bestätigung *f*, Bejahung *f*. **3.** *jur.* Beteuerung *f* (*bei Ablehnung der Eidesleistung wegen religiöser Bedenken*). **af'firm·a·tive I** *adj* (*adv* ~ly) **1.** bestätigend. **2.** bejahend, zustimmend, positiv: an ~ reply; ~ vote *pol.* Ja-Stimme *f*. **3.** bestimmt, positiv. **II** *s* **4.** Bejahung *f*: to answer in the ~ bejahen. **5.** *jur. Am.* beweispflichtige Par'tei.

af·fix I *v/t* [ə'fiks] **1.** (to) befestigen, anbringen (an *dat*), anheften, ankleben (an *acc*). **2.** hin'zu-, beifügen, beilegen. **3.** *das Siegel, s-e Unterschrift* anbringen, *e-n Stempel* aufdrücken (*a. fig.*). **II** *s* ['æfiks] **4.** *ling.* Af'fix *n*. **5.** Hin'zu-, Beifügung *f*, Anhang *m*.

af·fla·tus [ə'fleitəs] *s* Inspirati'on *f*.

af·flict [ə'flikt] *v/t* betrüben, bedrücken, plagen, quälen, heimsuchen. **af'flict·ed** *adj* **1.** niedergeschlagen, bedrückt, betrübt. **2.** (with) a) befallen, geplagt, heimgesucht (von), behaftet (mit), b) leidend, krank (an *dat*). **af'flic·tion** *s* **1.** Betrübnis *f*, Niedergeschlagenheit *f*, Kummer *m*. **2.** Schmerz *m*, Leid(en) *n*, Übel *n*. **3.** Elend *n*, Not *f*, Heimsuchung *f*.

af·flu·ence ['æfluəns] *s* **1.** Zustrom *m*. **2.** Fülle *f*, 'Überfluß *m*. **3.** Reichtum *m*, Wohlstand *m*. **'af·flu·ent I** *adj* (*adv* ~ly) **1.** reich(lich). **2.** wohlhabend, reich (in an *dat*): ~ society *sociol.* Wohlstandsgesellschaft *f*. **II** *s* **3.** Nebenfluß *m*.

af·flux ['æflʌks] *s* **1.** Zufluß *m*, Zustrom *m* (*a. fig.*). **2.** *physiol.* Zustrom *m*, (Blut)Andrang *m*.

af·ford [ə'fɔːrd] *v/t* **1.** sich leisten, sich erlauben, die Mittel haben für: we can't ~ it wir können es uns nicht leisten (*a. fig.*), es ist für uns unerschwinglich. **2.** aufbringen, *Zeit* erübrigen. **3.** gewähren, bieten: to ~ protection (satisfaction); to ~ s.o. pleasure j-m Freude machen. **4.** (*als Produkt*) liefern: olives ~ oil.

af·for·est [ə'fɒrist] *v/t* aufforsten. **af,for·est'a·tion** *s* Aufforstung *f*.

af·fran·chise [ə'fræntʃaiz] *v/t* befreien.

af·fray [ə'frei] **I** *v/t* **1.** *obs.* erschrecken. **II** *s* **2.** Schläge'rei *f*, Aufruhr *m*, Kra'wall *m*. **3.** *jur.* Raufhandel *m*.

af·freight [ə'freit] *v/t mar. ein Frachtschiff* chartern, befrachten. **af'freight·ment** *s* Voll-, Raumcharter *m*, (See)Frachtvertrag *m*.

af·fri·cate ['æfrikit; -,keit] *s ling.* Affri'kata *f* (*Verschlußlaut mit folgendem Reibelaut*). **af·fric·a·tive** [ə'frikətiv] **I** *adj* affri'ziert, angerieben. **II** *s* → affricate.

af·fright [ə'frait] *obs.* **I** *v/t* erschrecken. **II** *s* Schreck *m*.

af·front [ə'frʌnt] **I** *v/t* **1.** beleidigen, beschimpfen. **2.** trotzen (*dat*). **II** *s* **3.** Beleidigung *f*, Af'front *m*.

Af·ghan ['æfgæn] **I** *s* **1.** Af'ghane *m*, Af'ghanin *f*. **2.** a~ Wolldecke *f*. **3.** *ling.* Af'ghanisch *n*, das Afghanische. **II** *adj* **4.** af'ghanisch.

a·field [ə'fiːld] *adv* **1.** im *od.* auf dem Feld. **2.** ins *od.* aufs Feld. **3.** in der Ferne, draußen. **4.** in die Ferne, hin'aus. **5.** *bes. fig.* in die Irre: to lead s.o. ~; to be quite ~ a) sehr im Irrtum *od.* auf dem Holzwege sein (*Person*), b) ganz falsch *od.* weit gefehlt sein (*Sache*), c) weit über den Rahmen hinausgehen (*Sache*); to go ~ a) in die Ferne schweifen, b) sich (voll u. ganz) einsetzen, c) in die Irre gehen, d) ‚danebengehen' (*Ansicht, Schuß etc*).

a·fire [ə'fair] *adv u. pred adj* in Brand, brennend, in Flammen (*a. fig.*): to be all ~ Feuer u. Flamme sein.

a·flame [ə'fleim] → afire.

a·float [ə'flout] *adv u. pred adj* **1.** flott, schwimmend: to keep ~ (sich) über Wasser halten (*a. fig.*); to set ~ *mar.* flottmachen (→ 3 *u.* 4). **2.** an Bord, auf See: goods ~ *econ.* schwimmende Güter. **3.** in 'Umlauf: to set ~ in Umlauf bringen. **4.** *fig.* im Gange: to set ~ in Gang setzen. **5.** über'schwemmt.

a·flut·ter [ə'flʌtər] *adv u. pred adj* **1.** flatternd. **2.** unruhig, aufgeregt.

a·foot [ə'fut] *adv u. pred adj* **1.** zu Fuß, auf den Beinen. **2.** *fig.* im Gang(e): to set ~ in Gang setzen; something is ~ es ist etwas im Gange.

a·fore [ə'fɔːr] *obs.* **I** *adv* zu'vor. **II** *prep* vor. **a'fore,men·tioned, a'fore,said** *adj* obenerwähnt *od.* -genannt, vorerwähnt, obig(er, e, es). **a'fore,thought** *adj* vorbedacht, vorsätzlich: → malice 5. **a'fore,time I** *adv* vormals, früher. **II** *adj* früher, ehemalig.

a·foul [ə'faul] *adv u. pred adj* in Kollisi'on: to run ~ of zs.-stoßen *od.* aneinandergeraten mit; to run ~ of the law mit dem Gesetz in Konflikt kommen.

a·fraid [ə'freid] *adj* bange (of vor *dat*), ängstlich, furchtsam: to be ~ of Angst haben vor (*dat*); to be ~ to do sich fürchten *od.* scheuen zu tun; ~ of hard work *colloq.* faul, arbeitsscheu; I'm ~ he won't come ich fürchte, er wird nicht kommen; I'm ~ you are wrong ich glaube fast *od.* fürchte, Sie irren sich; I'm ~ I must go *colloq.* leider muß ich jetzt gehen.

af·reet ['æfriːt] *s* böser Dämon.

a·fresh [ə'freʃ] *adv* von neuem, abermals, wieder, von vorn: to begin ~.

Af·ric ['æfrik] → African II.

Af·ri·can ['æfrikən] **I** *s* **1.** Afri'kaner(in). **2.** *Am.* Neger(in) (*in Amerika lebend*). **3.** *Br.* Neger(in) (*als Höflichkeitsausdruck*). **II** *adj* **4.** afri'kanisch. **5.** *bes. Am.* (*ursprünglich*) afri'kanischer Abstammung, Neger...

Af·ri·kaans [ˌæfri'kɑːns; -z] *s ling.* Afri'kaans *n*, Kapholländisch *n*. ˌ**Af·ri'kan·der** [-'kændər] *s* Afri'kander *m*, Weiße(r *m*) *f* aus Süd'afrika. ˌ**Af·ri'kan·derˌism** *s ling.* Spracheigenheit *f* des Afri'kaans.

'**Af·ro|-A'mer·i·can** ['æfro-] *Am.* **I** *s* 'Afro-AmeriˌKaner(in), Neger(in) (*in Amerika lebend*). **II** *adj* 'afro-ameriˌkanisch. '**~-'A·sian** *adj* 'afro-asiˌatisch.

aft [*Br.* ɑːft; *Am.* æ(ː)ft] *adv mar.* achtern, hinten (*im Schiff*): fore and ~ von vorn nach achtern (zu).

aft·er [*Br.* 'ɑːftər; *Am.* 'æ(ː)f-] **I** *adv* **1.** nachher, nach, hinter'her, da'nach, dar'auf, später, hinten'nach: for months ~ noch monatelang; during the weeks ~ in den (nach)folgenden Wochen; that comes ~ das kommt nachher; shortly ~ kurz danach. **II** *prep* **2.** hinter ... her, nach, hinter: he came ~ me a) er kam hinter mir her, b) er kam nach mir; to be ~ s.o. (*od.* s.th.) *fig.* hinter j-m (*od.* e-r Sache) her sein; → go after, look after. **3.** (*zeitlich*) nach: ~ a week; day ~ day Tag für Tag; blow ~ blow Schlag auf Schlag; wave ~ wave Welle um Welle; net income ~ taxes Nettoeinkommen *n* nach Abzug der Steuern; the month ~ next der übernächste Monat; one ~ another einer (eine, eines) nach dem andern, nacheinander, hintereinander; ~ all a) schließlich, im Grunde, eigentlich, alles in allem, b) immerhin, dennoch, c) (also) doch; ~ all my trouble trotz all m-r Mühe; ~ you, sir! (bitte,) nach Ihnen!; → hour 5. **4.** (*im Range*) nach: the greatest poet ~ Shakespeare. **5.** nach, gemäß: named ~ his father nach s-m Vater genannt; ~ his nature s-m Wesen gemäß; a picture ~ Rubens ein Gemälde nach *od.* im Stil von Rubens; ~ what you have told me nach dem, was Sie mir erzählt haben; → heart *Bes. Redew.* **III** *adj* **6.** später, künftig: in ~ years. **7.** nachträglich, Nach... **8.** hinter(er, e, es), *mar.* Achter... **IV** *conj* **9.** nach'dem: ~ he (had) sat down. '**~ˌbirth** *s med.* Nachgeburt *f*. '**~ˌbod·y** *s mar.* Achterschiff *n*. '**~ˌborn** *adj* **1.** später geboren, jünger. **2.** nachgeboren. '**~ˌbrain** *s anat.* 'Hinterhirn *n*. '**~ˌburn·er** *s aer. tech.* Nachbrenner *m*. '**~ˌburn·ing** *s aer.* Nachbrennen *n*. '**~ˌcare** *s* **1.** *med.* Nachbehandlung *f*. **2.** Entlassenenfürsorge *f* (*für Sträflinge*). '**~ˌclap** *s* nachträgliche (*bes.* unangenehme) Über'raschung, Nachspiel *n*. '**~ˌdamp** *s tech.* Nachschwaden *m* (*im Bergwerk*). '**~ˌdeck** *s mar.* Achterdeck *n*. '**~ˌdin·ner** *adj* nach Tisch: ~ speech Tischrede *f*. '**~·efˌfect** *s* Nachwirkung *f*, Folge *f*. '**~ˌglow** *s* **1.** Nachglühen *n* (*a. tech.*). **2.** *TV* Nachleuchten *n*. **3.** a) Abendrot *n*, b) Alpenglühen *n*. '**~ˌgrass** → aftermath 1. '**~ˌhold** *s mar.* Achterraum *m*. '**~ˌim·age** *s opt. psych.* Nachbild *n*. '**~ˌlife** *s* **1.** Leben *n* nach dem Tode. **2.** (zu)künftiges Leben. '**~ˌmath** *s* **1.** *agr.* Nachmahd *f*, Grummet *n*, zweite Grasernte. **2.** Nachwirkungen *pl*: the ~ of war. '**~ˌmost** [-ˌmoust] *adj* hinterst(er, e, es).

aft·er·noon [*Br.* ˌɑːftər'nuːn; *Am.* ˌæ(ː)f-] **I** *s* Nachmittag *m*: (late) in the ~ am (späten) Nachmittag; good ~! guten Tag!; the ~ of life der Herbst des Lebens. **II** *adj* Nachmittags...

'**aft·er|ˌpains** *s pl med.* Nachwehen *pl*. '**~ˌpiece** *s thea.* Nachspiel *n*. '**~ˌrip·en·ing** *s bot.* Nachreifen *n*. '**~-'sales serv·ice** *s econ.* Kundendienst *m*. '**~ˌtaste** *s* Nachgeschmack *m* (*a. fig.*). '**~ˌthought** *s* nachträglicher Einfall, spätere Über'legung: to add s.th. as an ~ etwas nachträglich hinzufügen. '**~ˌtime** *s* Zukunft *f*. '**~ˌtreat·ment** *s med. tech.* Nachbehandlung *f*.

aft·er·wards [*Br.* 'ɑːftərwərdz; *Am.* 'æ(ː)f-], *Am. a.* '**aft·erˌward** *adv* später, her'nach, nachher, hinter'her.

'**aft·er|ˌwis·dom** → hindsight 2. '**~ˌworld** *s* Nachwelt *f*. '**~ˌyears** *s pl* folgende Jahre *pl*, Folgezeit *f*.

ag·a·ba·nee [ˌægəˈbɑːniː] *s* Baumwollstoff *m* mit ˌSeidenstickeˈrei.

a·gain [ə'gen; ə'gein] *adv* **1.** 'wieder(um), von neuem, abermals, nochmals: → now *Bes. Redew.*; time and ~, ~ and ~ immer wieder; what's his name ~? wie heißt er doch noch (schnell)? **2.** schon wieder: that fool ~! **3.** außerdem, ferner, ebenso, noch da'zu. **4.** noch einmal: as much ~ noch einmal so viel. **5.** *a.* then ~ and(e)rerseits, hin'gegen, (hin)'wiederum.

a·gainst [ə'genst; ə'geinst] *prep* **1.** gegen, wider (*acc*), entgegen (*dat*): ~ all expectations wider Erwarten; ~ the enemy gegen den Feind; ~ the law gegen das Gesetz, dem Gesetz zuwider; ~ the wind gegen den Wind; he was ~ it er war dagegen. **2.** gegen'über (*dat*): (over) ~ the town hall dem Rathaus gegenüber; my rights ~ the landlord m-e Rechte gegenüber dem Vermieter. **3.** auf ... (*acc*) zu, nach ... (hin), gegen. **4.** an (*dat od. acc*), vor (*dat od. acc*), gegen: ~ the wall. **5.** gegen (*e-n Hintergrund*): dark trees ~ a clear sky. **6.** (*im Austausch*) gegen, für: payment ~ documents *econ.* Zahlung *f* gegen Dokumente. **7.** gegen, im 'Hinblick auf (*acc*): purchases made ~ tomorrow's earnings. **8.** (in Vorsorge) für, in Erwartung von (*od. gen*): money saved ~ a day of need. **9.** *a.* as ~ gegen'über (*dat*), verglichen mit, im Vergleich zu.

a·gam·ic [ə'gæmik] *adj biol.* **1.** a'gam, geschlechtslos. **2.** krypto'gam.

ag·a·mo·gen·e·sis [ˌægəmo'dʒenisis] *s biol.* ungeschlechtliche Fortpflanzung.

ag·a·mous ['ægəməs] → agamic.

a·gape [ə'geip] *adv u. pred adj* gaffend, mit offenem Mund.

a·gar ['eigɑːr] *s biol.* **1.** Nährboden *m*. **2.** → agar-agar. '**~-'a·gar** *s biol. med.* Agar-Agar *m* (*aus Meeralgen gewonnene Pflanzengelatine*).

a·gar·ic [ə'gærik; 'ægərik] *s bot.* **1.** Blätterpilz *m*, -schwamm *m*. **2.** Unechter Feuerschwamm.

ag·ate ['ægət] *s* **1.** *min.* A'chat *m*. **2.** *tech.* Wolfszahn *m* (*Polierstein der Golddrahtzieher*). **3.** *Am.* bunte Glasmurmel. **4.** *print. Am.* Pa'riser Schrift *f*.

a·ga·ve [ə'geivi] *s bot.* A'gave *f*.

age [eidʒ] **I** *s* **1.** (Lebens)Alter *n*, Altersstufe *f*: at his ~ in s-m Alter; he is my ~ er ist so alt wie ich; ten years of ~ zehn Jahre alt; he does not look his ~ man sieht ihm sein Alter nicht an; what is his ~?, what ~ is he? wie alt ist er?; be your ~! *colloq.* sei kein Kindskopf! **2.** Reife *f*: full ~ Volljährigkeit *f*, Mündigkeit *f*; (to come) of ~ mündig *od.* volljährig (werden); under ~ minderjährig, unmündig. **3.** vorgeschriebenes Alter (*für ein Amt etc*): over ~ über der Altersgrenze. **4.** Zeit(alter *n*) *f*: the ~ of Queen Victoria; the ~ of reason die Aufklärung; down the ~s durch die Jahrhunderte; in our ~ in unserer Zeit. **5.** *a.* old ~ (hohes) Alter, Greisenalter *n*. **6.** Menschenalter *n*, Generati'on *f*. **7.** *oft pl colloq.* unendlich lange Zeit, Ewigkeit *f*: I haven't seen him for ~s ich habe ihn e-e Ewigkeit nicht gesehen. **8.** *geol.* Peri'ode *f*, (*Eis- etc*)-Zeit *f*. **9.** *Pokerspiel*: Vorhand *f*. **II** *v/t* **10.** altern, alt machen. **11.** *tech.* altern, vergüten. **III** *v/i* **12.** alt werden, altern. **~ class** → age group.

aged [eidʒd] *adj* **1.** im Alter von ..., ...jährig, ... Jahre alt: ~ twenty. **2.** a) siebenjährig (*Pferd*), b) vierjährig (*Rind*), c) zweijährig (*Schwein*), d) einjährig (*Schaf*). **3.** ['eidʒid] alt, bejahrt: the ~ die alten Leute.

'**age|-ˌfel·low** → age-mate. **~ group** *s* Altersklasse *f*, Jahrgang *m*. **~ hard·en·ing** *s tech.* Aushärtung *f*.

age·ing → aging.

age·less ['eidʒlis] *adj* nicht alternd, zeitlos.

age| lim·it *s* Altersgrenze *f*. '**~ˌlong** *adj* **1.** lebenslänglich. **2.** unendlich lang, ewig. '**~-ˌmate** *s* Altersgenosse *m*, -genossin *f*.

a·gen·cy ['eidʒənsi] *s* **1.** Tätigkeit *f*, Wirksamkeit *f*, Wirkung *f*. **2.** a) (be)wirkende Kraft *od.* Ursache, b) (ausführendes) Or'gan, c) Werkzeug *n*, Mittel *n*: by (*od.* through) the ~ of mit Hilfe von (*od. gen*), vermittels(t) (*gen*). **3.** Vermittlung *f*. **4.** *jur.* a) (Stell)Vertretung *f*, b) (Handlungs)Vollmacht *f*, Vertretungsbefugnis *f*, Geschäftsbesorgungsauftrag *m*. **5.** Vermittlung(sstelle) *f*. **6.** *econ.* a) (Handels)Vertretung *f* (*a. als Büro*), b) ('Handels-, *a.* 'Nachrichten- *etc*)AgenˌTur *f*, Ver'kaufsbüˌro *n*, c) Vertretungsbezirk *m*, d) Vertretung(sauftrag *m*, -svollmacht *f*) *f*. **7.** *Am.* a) Geschäfts-, Dienststelle *f*, b) Amt *n*, Behörde *f*. **~ busi·ness** *s econ.* Kommissi'onsgeschäft *n*.

a·gen·da [ə'dʒendə] *s* **1.** Tagesordnung *f*: to be on the ♀ auf der Tagesordnung stehen. **2.** *selten* No'tizbuch *n*.

a·gent ['eidʒənt] *s* **1.** Handelnde(r *m*) *f*, Ausführende(r *m*) *f*, Urheber(in). **2.** → agency 2. **3.** *biol. chem. med. phys.* Agens *n*, Wirkstoff *m*, Mittel *n*: protective ~ Schutzmittel. **4.** *mil.* Kampfstoff *m*. **5.** *jur.* (Handlungs)Bevollmächtigte(r *m*) *f*, Beauftragte(r *m*) *f*, (Stell)Vertreter(in). **6.** *econ.* a) *allg.* A'gent *m*, Vertreter *m*, b) Kommissio'när *m*, c) (*Grundstücks- etc*)Makler *m*, d) Vermittler *m*, e) (Handlungs)-Reisende(r) *m*. **7.** (*politischer od. Geheim*)A'gent, V-Mann *m*. '**~-'gen·er·al** *pl* '**a·gents-'gen·er·al** *s* **1.** Gene'ralvertreter *m*. **2.** A~-G~ *Br.* Gene'ralvertreter *m* (*der in London e-n Mitgliedsstaat des brit. Commonwealth vertritt*).

a·gent pro·vo·ca·teur [aʒɑ̃ prɔvɔka'tœːr] *pl* **a·gents pro·vo·ca·teurs** (*Fr.*) *s* Lockspitzel *m*, A'gent *m*.

ag·glom·er·ate **I** *v/t u. v/i* [ə'glɒməˌreit] **1.** (sich) zs.-ballen, (sich) an- *od.* aufhäufen. **II** *s* [-rit; -ˌreit] **2.** Anhäufung *f*, (Zs.-)Ballung *f*, angehäufte Masse. **3.** *geol. phys. tech.* Agglome'rat *n*. **4.** *tech.* Sinterstoff *m*. **III** *adj* [-rit; -ˌreit] **5.** zs.-geballt, gehäuft (*a. bot.*), geknäuelt. **ag'glom·erˌat·ed** → agglomerate III. **agˌglom·er'a·tion** *s* Zs.-Ballung *f*, Anhäufung *f*.

ag·glu·ti·nant [ə'gluːtinənt] **I** *adj* klebend. **II** *s* Klebe-, Bindemittel *n*.

ag·glu·ti·nate **I** *adj* [ə'gluːtinit; -ˌneit] **1.** zs.-geklebt, verbunden. **2.** *bot.* angewachsen. **3.** *ling.* aggluti'niert. **II** *v/t* [-ˌneit] **4.** zs.-kleben, verbinden.

5. *biol. ling.* aggluti'nieren. 6. *med.* an-, zs.-heilen. III *v/i* 7. sich zu Leim verbinden.

ag·glu·ti·na·tion [əˌgluːti'neiʃən] *s* 1. Zs.-kleben *n.* 2. anein'anderklebende Masse, Klumpen *m.* 3. *biol. ling.* Agglutinati'on *f.* 4. *med.* Zs.-heilung *f.* **ag'glu·tiˌna·tive** *adj bes. ling.* aggluti'nierend.

ag·gran·dize ['ægrənˌdaiz; ə'græn-] *v/t* 1. *Reichtum etc* vergrößern, -mehren, *s-e Macht* ausdehnen, erweitern. 2. die Macht *od.* den Reichtum *od.* den Ruhm vergrößern von (*od. gen*). 3. verherrlichen. 4. *j-n* erheben, erhöhen. **ag·gran·dize·ment** [ə'grændizmənt] *s* 1. Vergrößerung *f*, -mehrung *f.* 2. Erhöhung *f*, Aufstieg *m.*

ag·gra·vate ['ægrəˌveit] *v/t* 1. erschweren, verschärfen, -schlimmern: **~d larceny** *jur.* schwerer Diebstahl; **~d risk** erhöhtes (*Versicherungs*)Risiko. 2. *colloq. j-n* erbittern, aufbringen. **'ag·graˌvat·ing** *adj* (*adv* **~ly**) 1. erschwerend, verschärfend, -schlimmernd, gra'vierend. 2. *colloq.* a) ärgerlich, unangenehm, b) aufreizend. **ˌag·gra'va·tion** *s* 1. Erschwerung *f*, Verschärfung *f*, -schlimmerung *f.* 2. *colloq.* Ärger *m.* 3. *jur.* erschwerender 'Umstand.

ag·gre·gate I *adj* ['ægrigit; -ˌgeit] 1. (an)gehäuft, vereinigt, gesamt, Gesamt...: **~ income** Gesamteinkommen *n*; **~ amount** → 9. 2. *biol.* aggre'giert, zs.-gesetzt, gemengt. 3. *a. ling.* Sammel..., kollek'tiv: **~ fruit** *bot.* Sammelfrucht *f.* II *v/t* [-ˌgeit] 4. anhäufen, ansammeln, vereinigen, -binden (to mit). 5. aufnehmen (to in *acc*). 6. sich (insgesamt) belaufen auf (*acc*). III *v/i* 7. sich (an)häufen *od.* ansammeln. IV *s* [-git; -ˌgeit] 8. Anhäufung *f*, Ansammlung *f*, Masse *f.* 9. Gesamtbetrag *m*, -summe *f*: **in the ~** insgesamt, im ganzen. 10. *biol. electr. tech.* Aggre'gat *n.* 11. *geol.* Gehäufe *n.*

ag·gre·ga·tion [ˌægri'geiʃən] *s* 1. (An-)Häufung *f*, Ansammlung *f*, Vereinigung *f.* 2. *phys.* Aggre'gat *n*: **state of ~** Aggregatzustand *m.* 3. *biol.* Aggregati'on *f.* 4. *math.* Einklammerung *f.*

ag·gress [ə'gres] *v/i* (*meist* **on**) angreifen (*acc*), (e-n) Streit anfangen (mit).

ag·gres·sion [ə'greʃən] *s* Angriff *m*, 'Überfall *m*, *a. psych.* Aggressi'on *f.* **ag'gres·sive** [-siv] *adj* (*adv* **~ly**) 1. aggres'siv, angreifend, angriffslustig, Angriffs... 2. *fig.* e'nergisch, draufgängerisch, ‚aggres'siv', ‚wuchtig'. **ag'gres·sive·ness** *s* Aggressivi'tät *f*, Angriffslust *f.* **ag'gres·sor** [-sər] *s* Angreifer *m*, Ag'gressor *m.*

ag·grieve [ə'griːv] *v/t* betrüben, kränken, bedrücken. **ag'grieved** *adj* 1. betrübt, bedrückt. 2. *jur.* beschwert, benachteiligt, geschädigt.

a·ghast [*Br.* ə'gɑːst; *Am.* ə'gæ(ː)st] *pred adj* entgeistert, bestürzt, entsetzt (at über *acc*).

ag·ile [*Br.* 'ædʒail; *Am.* -dʒil] *adj* (*adv* **~ly**) beweglich, flink, behend(e) (*a. fig. Verstand etc*). **a·gil·i·ty** [ə'dʒiliti] *s* Beweglichkeit *f*, Behendigkeit *f.*

ag·ing ['eidʒiŋ] I *s* 1. Altern *n.* 2. a) *tech.* Altern *n*, Alterung *f*, Ablagerung *f*, b) *metall.* Aushärtung *f*, Vergütung *f*: **~ inhibitor** Alterungsschutzstoff *m*; **~ test** Alterungsprüfung *f.* II *adj* 3. alternd, altmachend.

ag·i·o ['ædʒou; -dʒiˌou] *pl* **'ag·i·os** *s econ.* Agio *n*, Aufgeld *n.* **ag·i·o·tage** ['ædʒətidʒ] *s* Agio'tage *f.*

a·gist [ə'dʒist] *v/t jur. Vieh* gegen Entschädigung in Weide nehmen. **a'gist·ment** *s jur.* 1. Weidenlassen *n.* 2. Weiderecht *n.* 3. Weidegeld *n.*

ag·i·tate ['ædʒiˌteit] I *v/t* 1. hin u. her bewegen, in heftige Bewegung versetzen, schütteln, ('um)rühren. 2. *fig.* beunruhigen: a) stören, b) auf-, erregen, aufwühlen. 3. aufwiegeln, -hetzen. 4. a) erwägen, b) lebhaft erörtern. II *v/i* 5. a) agi'tieren, wühlen, hetzen, b) Propa'ganda machen (for für). **'ag·iˌtat·ed** *adj* (*adv* **~ly**) aufgeregt, erregt.

ag·i·ta·tion [ˌædʒi'teiʃən] *s* 1. Erschütterung *f*, heftige Bewegung. 2. Aufregung *f*, Unruhe *f.* 3. *pol.* Agitati'on *f.*

ag·i·ta·tor ['ædʒiˌteitər] *s* 1. Agi'tator *m*, Aufwiegler *m*, Wühler *m*, Hetzer *m.* 2. A~ *hist.* Sol'datenvertreter *m* (*in Cromwells Armee*). 3. *tech.* 'Rührappaˌrat *m*, -arm *m*, -werk *n.*

ag·it·prop ['ædʒitˌprɒp] *s pol.* 1. Agit'prop *m* (*kommunistische Agitation u. Propaganda*). 2. Agit'propredner *m.* 3. Agit'prop-Stelle *f.*

a·gleam [ə'gliːm] *adv u. pred adj* glänzend.

ag·let ['æglit] *s* 1. Senkel-, Me'tallstift *m* (*e-s Schnürbandes*), Zierat *m*, Me'tallplättchen *n* (*als Besatz*). 2. *bot.* (Blüten)Kätzchen *n*, hängender Staubbeutel. 3. Achselschnur *f* (*an Uniformen*).

a·gley [ə'glai; ə'gliː] *adv bes. Scot. od.* *dial.* schief, krumm.

a·glow [ə'glou] *adv u. pred adj* glühend: a) gerötet, b) erregt (with von, vor *dat*).

ag·nail ['ægneil] *s* Nied-, Neidnagel *m.*

ag·nate ['ægneit] I *s* 1. A'gnat *m* (*Verwandter väterlicherseits*). II *adj* 2. a'gnatisch, väterlicherseits verwandt. 3. stamm-, wesensverwandt. **ag·nat·ic** [æg'nætik] *adj*; **ag'nat·i·cal** *adj* (*adv* **~ly**) → agnate 2. **ag'na·tion** [-'neiʃən] *s* 1. Agnati'on *f* (*Verwandtschaft väterlicherseits*). 2. Stamm-, Wesensverwandtschaft *f.*

ag·no·men [æg'noumen] *pl* **-nom·i·na** [-'nɒminə] *s antiq.* Beiname *m.*

ag·nos·tic [æg'nɒstik] I *s* A'gnostiker *m.* II *adj* a'gnostisch. **ag'nos·ti·cal** *adj* a'gnostisch. **ag'nos·tiˌcism** [-ˌsizəm] *s* Agnosti'zismus *m.*

a·go [ə'gou] *adv u. adj* (*nur nachgestellt*) vor: **ten years ~** vor zehn Jahren; **long ~** vor langer Zeit; **long, long ~** lang, lang ist's her; **not long ~** vor nicht allzu langer Zeit, (erst) vor kurzem.

a·gog [ə'gɒg] *adv u. pred adj* gespannt, erpicht (for, about auf *acc*): **all ~** ganz aus dem Häus-chen, ‚gespannt wie ein Regenschirm'; **to have s.o. ~** j-n in Atem halten.

a·gog·ic [ə'gɒdʒik] *mus.* I *adj* a'gogisch. II *s pl* (*meist als sg konstruiert*) A'gogik *f.*

a·gon·ic [ei'gɒnik] *adj math.* a'gonisch, keinen Winkel bildend.

ag·o·nize ['ægəˌnaiz] I *v/t* 1. quälen, martern. II *v/i* 2. mit dem Tode ringen. 3. Höllenqualen leiden. 4. sich (ab)quälen, verzweifelt ringen.

ag·o·ny ['ægəni] *s* 1. heftiger Schmerz, unerträgliche Schmerzen *pl*, (*a. seelische*) Höllenqual(en *pl*), Marter *f*, Pein *f*, Seelenangst *f*: **~ column** *bes. Br. colloq.* Seufzerspalte *f* (*in der Zeitung*). 2. A~ Ringen *n* Christi mit dem Tode. 3. Ago'nie *f*, Todeskampf *m.* 4. Kampf *m*, Ringen *n.* 5. Ek'stase *f*, Anfall *m*, Ausbruch *m.*

ag·o·ra·pho·bi·a [ˌægərə'foubiə] *s med.* Agorapho'bie *f*, Platzangst *f.*

a·graffe [ə'græf] *s* A'graffe *f*, Spange *f.*

a·grar·i·an [ə'grɛ(ə)riən] I *adj* a'grarisch, landwirtschaftlich, Agrar...: **~ reform** Agrar-, Bodenreform *f*; **~ state** Agrarstaat *m.* II *s* Befürworter *m* der gleichmäßigen Verteilung des Grundbesitzes. **a'grar·i·anˌism** *s* 1. Lehre *f* von der gleichmäßigen Verteilung des Grundbesitzes. 2. Bewegung *f* zur Förderung der Landwirtschaft.

a·gree [ə'griː] I *v/t* 1. zugeben, einräumen. 2. *econ. Konten* abstimmen: **to ~ accounts.** II *v/i* 3. (to) zustimmen (*dat*), einwilligen (in *acc*), beipflichten (*dat*), sich einverstanden erklären (mit), einverstanden sein (mit), gutheißen, genehmigen (*acc*): **I ~ to come with you** ich bin bereit *od.* einverstanden mitzukommen; **you will ~ that** du mußt zugeben, daß. 4. (on, upon, about) einig werden, sich einigen *od.* verständigen (über *acc*), vereinbaren, verabreden (*acc*): **as ~d upon** wie vereinbart; **to ~ (up)on a price** e-n Preis vereinbaren; **to ~ (to do** *od.* **that)** übereinkommen, vereinbaren (zu tun *od.* daß); **it is ~d** es ist (*od.* wird) vereinbart; **~d!** einverstanden!, abgemacht!; **to ~ to differ** sich auf verschiedene Standpunkte einigen; **let us ~ to differ** jeder hat eben s-e Meinung. 5. (sich) einig sein, gleicher Meinung sein (with wie): **they were ~d** sie waren sich einig. 6. zs.-passen, auskommen, sich vertragen (with mit). 7. (with) über'einstimmen (mit) (*a. ling.*), entsprechen (*dat*). 8. zuträglich sein, bekommen, zusagen (with *dat*): **wine does not ~ with me.**

a·gree·a·ble [ə'griːəbl] *adj* (*adv* **agreeably**) 1. angenehm (to *dat od.* für): **an ~ person; an ~ smell; agreeably surprised** angenehm überrascht. 2. liebenswürdig, sym'pathisch, nett. 3. einverstanden (to mit). 4. (to) über'einstimmend (mit), entsprechend (*dat*), gemäß (*dat*). 5. *colloq.* bereit, willig. **a'gree·a·ble·ness** *s* 1. (*das*) Angenehme. 2. angenehmes Wesen, Liebenswürdigkeit *f.* 3. Bereitschaft *f.*

a·gree·ment [ə'griːmənt] *s* 1. a) Vereinbarung *f*, Abmachung *f*, Absprache *f*, Verständigung *f*, Über'einkunft *f*, b) Vertrag *m*, *bes. pol.* Abkommen *n*, c) Vergleich *m*, (gütliche) Einigung: **to come to an ~** zu e-r Verständigung gelangen, sich einig werden *od.* verständigen; **by ~** laut *od.* gemäß Übereinkunft; **by mutual ~** in gegenseitigem Einvernehmen; **~ country (currency)** Verrechnungsland *n* (-währung *f*). 2. Einigkeit *f*, Eintracht *f.* 3. Über'einstimmung *f* (*a. ling.*), Einklang *m*: **there is general ~** es besteht allgemeine Übereinstimmung (that daß); **in ~ with** in Übereinstimmung mit, im Einvernehmen mit. 4. *jur.* Genehmigung *f*, Zustimmung *f.*

ag·ri·busi·ness ['ægriˌbiznis] *s Am.* Erzeugung *f*, Verarbeitung *f* u. Absatz *m* von landwirtschaftlichen Pro'dukten.

ag·ri·cul·tur·al [ˌægri'kʌltʃərəl; -tʃurəl] *adj* (*adv* **~ly**) landwirtschaftlich, Landwirtschaft(s)..., Land..., Ackerbau..., Agrar...: **~ country** Agrarland *n*; **~ credit** Agrarkredit *m*; **~ show** Landwirtschaftsausstellung *f.* **ˌag·ri'cul·tur·al·ist** → agriculturist. **'ag·riˌcul·ture** *s* Landwirtschaft *f*, Ackerbau *m* (u. Viehzucht *f*). **ˌag·ri'cul·tur·ist** *s* 1. Landwirt *m.* 2. a) Di'plomlandwirt *m*, b) Landwirtschaftssachverständige(r) *m.*

ag·ri·mo·ny ['ægriməni] *s bot.* Oder- *od.* Ackermennig *m.*

ag·ri·mo·tor ['ægri,moutər] *s* landwirtschaftlicher Traktor.
ag·ro·bi·ol·o·gy [,ægrobai'ɒlədʒi] *s* 'Agrobiolo,gie *f*.
a·grol·o·gy [ə'grɒlədʒi] *s* landwirtschaftliche Bodenkunde.
ag·ro·nom·ic [,ægrə'nɒmik], **,ag·ro·'nom·i·cal** [-kəl] *adj* agro'nomisch, ackerbaulich: ~ **value** Anbauwert *m*. **,ag·ro'nom·ics** *s pl* (*meist als sg konstruiert*) Ackerbaukunde *f*, Agrono'mie *f*. **a·gron·o·mist** [ə'grɒnəmist] *s* Agro'nom *m*, Di'plomlandwirt *m*. **a'gron·o·my** → agronomics.
ag·ros·tol·o·gy [,ægrəs'tɒlədʒi] *s bot.* Agrostolo'gie *f*, Gräserkunde *f*.
ag·ro·tech·ny ['ægro,tekni] *s Zweig der Landwirtschaftslehre, der sich mit der Verwandlung landwirtschaftlicher Produkte in Fertiggüter befaßt.*
a·ground [ə'graund] *adv u. pred adj* gestrandet: **to run** ~ a) auflaufen, stranden, b) *ein Schiff* auf den Grund setzen; **to be** ~ a) aufgelaufen sein, b) *fig.* auf dem trocknen sitzen.
a·gue ['eigju:] *s* **1.** Fieber *n*, Schüttelfrost *m* (*a. fig.*). **2.** *med.* Wechselfieber *n*. ~ **cake** *s med.* Milzanschwellung *f*.
a·gu·ish ['eigju:iʃ] *adj* (*adv* ~**ly**) **1.** fieberhaft, fieb(e)rig. **2.** fiebererzeugend (*Klima*). **3.** zitternd, bebend.
ah [ɑ:] *interj* ah!, ach!, oh!, ha!, ei!
a·ha [ɑ:'hɑ:] *interj* a'ha!, ha'ha!
a·head [ə'hed] *adv u. pred adj* **1.** vorn, nach vorn zu. **2.** weiter vor, vor'an, vor'aus, vorwärts, e-n Vorsprung habend, an der Spitze: ~ **of** vor (*dat*), voraus (*dat*); **the years** ~ **(of us)** die kommenden *od.* bevorstehenden Jahre, die vor uns liegenden Jahre; **what is** ~ **of us** was vor uns liegt, was uns bevorsteht, was auf uns zukommt; ~ **of the times** der *od.* s-r Zeit voraus; **to be** ~ **of s.o.** j-m voraus sein (*a. fig.*); **to date** ~ vordatieren; → **forge**²; **to get** ~ *Am. colloq.* vorankommen, vorwärtskommen, Fortschritte *od.* Karriere machen; **to get** ~ **of s.o.** j-n überholen *od.* überflügeln; → **go ahead**; → **look ahead**; **full speed** ~ *mar.* volle Kraft *od.* mit Volldampf voraus.
a·heap [ə'hi:p] *adv* auf e-n *od.* e-m Haufen, in e-m Haufen.
a·hem [ə'hem; (h)m] *interj* hm!
a·hoy [ə'hɔi] *interj* ho!, a'hoi!
a·hull [ə'hʌl] *adv u. adj mar.* vor Topp u. Takel, beigedreht.
aid [eid] **I** *v/t* **1.** unter'stützen, *j-m* helfen, beistehen, Beistand leisten, behilflich sein (**in** bei; **to do** zu tun): **to** ~ **and abet** *jur.* a) Beihilfe leisten (*dat*), b) begünstigen (→ 3); **to** ~ **and comfort** dem Feinde Vorschub leisten; ~**ed eye** bewaffnetes Auge; ~**ed tracking** a) (*Radar*) Nachlaufsteuerung *f*, b) *mil.* Richten *n* mit Steuermotor. **2.** fördern: **to** ~ **the digestion.** **II** *v/i* **3.** helfen: ~**ing and abetting** *jur.* a) Beihilfe *f*, b) Begünstigung *f* (*nach der Tat*). **III** *s* **4.** Hilfe *f* (**to** für), Hilfeleistung *f* (**in** bei), Unter'stützung *f*, Beistand *m*: **foreign** ~ *pol.* Auslandshilfe; **state** ~ staatliche Unterstützung; **he came to her** ~ er kam ihr zu Hilfe; **they lent** (*od.* **gave**) **their** ~ sie leisteten Hilfe; **by** *od.* **with (the)** ~ **of** mit Hilfe von (*od. gen*), mittels (*gen*); **in** ~ **of** a) zum Besten (*gen*), zugunsten von (*od. gen*), b) zur Erreichung von (*od. gen*); **an** ~ **to memory** e-e Gedächtnisstütze; → **legal** 3. **5.** Helfer(in), Gehilfe *m*, Gehilfin *f*, Beistand *m*, Assi'stent(in). **6.** Hilfsmittel *n*, -gerät *n*.

aid-de-camp ['eiddə'kæmp] *pl* **'aids-de-'camp** → aide-de-camp.
aide [eid] *s* **1.** *mar. mil.* Adju'tant *m*. **2.** → aid 5.
aide-de-camp ['eiddə'kɑ̃; *Am. a.* -'kæmp] *pl* **'aides-de-'camp** ['eidz-] *s* 'Flügeladju,tant *m*.
aide-mé·moire [ɛdmem'wa:r] (*Fr.*) *s sg u. pl* **1.** Gedächtnisstütze *f*, No'tiz *f*. **2.** *pol.* Denkschrift *f*, Aide-mé'moire *n*.
aid·er ['eidər] *s* **1.** → aid 5. **2.** Hilfe *f*: ~ **by verdict** *jur.* Heilung *f* e-s Verfahrensmangels durch Urteil.
aid| man *s irr mil.* Sani'täter *m*. ~ **sta·tion** *s mil.* Truppenverbandplatz *m*.
ai·glet ['eiglit] → **aglet**.
ai·grette ['eigret; ei'gret] *s* **1.** *orn.* kleiner weißer Reiher. **2.** Kopfschmuck *m* (*aus Federn, Blumen, Edelsteinen etc*). **3.** *phys.* Funkenbüschel *n*.
ai·guille ['eigwi:l; ei'gwi:l] *s* Felsnadel *f*.
ai·guil·lette [,eigwi'let] *s* Achsel-, Fangschnur *f* (*an Uniformen*).
ail [eil] **I** *v/t* schmerzen, weh(e) tun (*dat*): **what** ~**s you?** a) was fehlt dir?, b) was ist (denn) los mit dir? **II** *v/i* krank *od.* unpäßlich sein, kränkeln.
ai·lan·thus [ei'lænθəs] *s bot.* Ai'lanthus *m*, Götterbaum *m*.
ai·ler·on ['eilə,rɒn] *s aer.* Querruder *n* (*an den Tragflächenenden*).
ai·lette [ei'let] *s* Schulterplatte *f*.
ail·ing ['eiliŋ] *adj* kränklich, leidend, unpäßlich. **ail·ment** ['eilmənt] *s* Unpäßlichkeit *f*, Krankheit *f*, Leiden *n*.
aim [eim] **I** *v/i* **1.** zielen (**at** auf *acc*, nach). **2.** *fig.* (**at**) beabsichtigen, im Sinn(e) haben (*acc*), ('hin-, ab)zielen (auf *acc*), (**at, for**) bezwecken (*acc*): **to be** ~**ing to do s.th.** *Am.* vorhaben, etwas zu tun; ~**ing to please** zu gefallen suchend. **3.** streben, trachten (**at** nach). **4.** abzielen, anspielen (**at** auf *acc*): **this was not** ~**ed at you** das war nicht auf dich gemünzt. **II** *v/t* **5.** (**at**) *e-e Schußwaffe* richten *od.* anlegen (auf *acc*), mit (*e-m Gewehr etc*) zielen (auf *acc*, nach). **6.** *e-e Bemerkung, e-n Schlag etc* richten (**at** gegen). **7.** Bestrebungen richten (**at** auf *acc*). **III** *s* **8.** Ziel *n*: **to take** ~ **at** zielen auf (*acc*) *od.* nach, anvisieren. **9.** *fig.* a) Ziel *n*, Zweck *m*, b) Absicht *f*.
aim·ing| cir·cle ['eimiŋ] *s mil.* Richtkreis *m*. ~ **po·si·tion** *s* Anschlag *m* (*mit dem Gewehr*). ~ **sil·hou·ette** *s* Kopfscheibe *f*, ,'Pappkame,rad' *m*.
aim·less ['eimlis] *adj* (*adv* ~**ly**) ziel-, plan-, zwecklos. **'aim·less·ness** *s* Ziel-, Planlosigkeit *f*.
ain't [eint] *vulg. abbr. für* **am not, is not, are not, has not, have not.**
air¹ [ɛr] **I** *s* **1.** Luft *f*: **by** ~ auf dem Luftwege, mit dem Flugzeug; **in the open** ~ im Freien, unter freiem Himmel; **to beat the** ~ a) (Löcher) in die Luft hauen, b) *fig.* vergebliche Versuche machen; **change of** ~ Luftveränderung *f*; **to take the** ~ a) frische Luft schöpfen, b) *aer.* aufsteigen, starten, c) sich in die Lüfte schwingen (*Vogel*); **to vanish into thin** ~ sich in Luft auflösen, spurlos verschwinden; **to tread** (*od.* **walk**) **on** ~ sich wie im (siebenten) Himmel fühlen, selig sein; **to give s.o. the** ~ *Am. sl.* j-n an die (frische) Luft setzen; **to be in the** ~ *fig.* in der Luft liegen; **(quite up) in the** ~ (völlig) ungewiß, (völlig) in der Luft hängend. **2.** Brise *f*, Wind *m*, Luftzug *m*, Lüftchen *n*. **3.** *Bergbau*: Wetter *n*: **foul** ~ schlagende Wetter *pl*. **4.** *Radio, TV*: Äther *m*: **on the** ~ durch *od.* im Rundfunk, im Fernsehen; **to be on the** ~ a) senden (*Rundfunksender*), b) gesendet werden (*Programm*), c) im Radio zu hören sein, über den Rundfunk sprechen (*Person*); **to go on the** ~ a) die Sendung beginnen, b) (über den Rundfunk) sprechen (*Person*); **to go off the** ~ die Sendung beend(ig)en; **to put on the** ~ senden, übertragen. **5.** Art *f*, Stil *m*. **6.** Miene *f*, Aussehen *n*: **an** ~ **of importance** e-e gewichtige Miene. **7.** Auftreten *n*, Gebaren *n*. **8.** Anschein *m*. **9.** Al'lüre *f*, Getue *n*, ‚Gehabe' *n*, Pose *f*: ~**s and graces** affektiertes Getue; **to put on** ~**s, to give o.s.** ~**s** vornehm tun. **10.** Gangart *f* (*e-s Pferdes*).
II *v/t* **11.** der Luft aussetzen, lüften: **to** ~ **o.s.** frische Luft schöpfen. **12.** belüften, frische Luft einlassen in (*acc*). **13.** *Getränke* abkühlen. **14.** *Wäsche* trocknen, zum Trocknen aufhängen. **15.** *etwas* an die Öffentlichkeit *od.* zur Sprache bringen, erörtern: **to** ~ **one's views** s-e Ansichten kundtun *od.* äußern. **16.** *Am. colloq.* über'tragen.
III *adj* **17.** pneu'matisch, Luft...
air² [ɛr] *s mus.* **1.** Lied *n*, Melo'die *f*, Weise *f*. **2.** Melo'diestimme *f*. **3.** Arie *f*.
air| a·lert *s* **1.** 'Flieger-, 'Lufta,larm *m*. **2.** *mil.* A'larmbereitschaft *f*: ~ **mission** Bereitschaftseinsatz *m*. ~ **arm** *s aer. Br.* Luftstreitkräfte *pl*, Luftwaffe *f*. ~ **at·tack** *s* Luft-, Fliegerangriff *m*. ~ **bar·rage** *s aer.* Luftsperre *f*. ~ **base** *s aer.* Flug-, Luftstützpunkt *m*, *bes. Am.* Fliegerhorst *m*. ~ **bath** *s* Luftbad *n*. ~ **bea·con** *s aer.* Leuchtfeuer *n*. ~ **bed** *s bes. Br.* 'Luftma,tratze *f*. ~ **blad·der** *s* **1.** *ichth.* Schwimmblase *f*. **2.** Luftblase *f*. ~ **blast** *s tech.* Gebläse *n*. ~ **bleed** *s tech.* **1.** Belüftung *f*. **2.** Entlüftung *f*. **'~-,bleed** *adj tech.* Be- *od.* Entlüfter...: ~ **screw** Entlüfterschraube *f*. **'~-,borne** *adj* **1.** a) *mil.* Luftlande...: ~ **troops**, b) im Flugzeug befördert *od.* eingebaut, Bord...: ~ **transmitter** Bordsender *m*. **2.** in der Luft befindlich, aufgestiegen: **the squadron is** ~. **3.** in der Luft vor'handen: ~ **radioactivity.** ~ **bot·tle** *s tech.* (Preß)Luftflasche *f*. ~ **brake** *s* **1.** *tech.* Luft(druck)bremse *f*. **2.** *aer.* Lande-, Bremsklappe *f*: ~ **parachute** Landefallschirm *m*. **'~-,break** *adj*: ~ **switch** *electr.* Luftschalter *m*. ~ **brick** *s tech.* Loch-, Luftziegel *m*. ~ **bridge** *s aer.* Luftbrücke *f* (*durch Lufttransport*). **'~,brush** *s tech.* Luftbürste *f*, 'Spritzpi,stole *f*. ~ **bub·ble** *s* Luftblase *f*. ~ **bump** *s aer.* Bö *f*, aufsteigender Luftstrom. ~ **burst** *s mil.* 'Luftdetonati,on *f*. ~ **car·go** *s* Luftfracht *f*. ~ **car·riage** *s aer.* Luftbeförderung *f*. ~ **cas·ing** *s tech.* Luftmantel *m* (*um e-e Röhre*). ~ **cell** *s* **1.** *aer. orn.* Luftsack *m*. **2.** *tech.* Luftspeicher *m*. ~ **cham·ber** *s* **1.** *biol.* Luftkammer *f*. **2.** *tech.* Luftkammer *f*, Windkessel *m*. ~ **chief mar·shal** *s Br.* Gene'ral *m* der Luftwaffe. ~ **chuck** *s tech.* **1.** Preßluftfutter *n*. **2.** Luftschlauchkupplung *f*. ~ **clean·er** *s tech.* Luftreiniger *m*, -filter *m*. ~ **coach** *s* Passa'gierflugzeug *n* der Tou'ristenklasse. ~ **com·pres·sor** *s tech.* Luftverdichter *m*. ~ **con·dens·er** *s tech.* 'Luftverdichter *m*, -konden,sator *m*. **'~-con'di·tion** *v/t tech.* mit e-r Klimaanlage versehen, klimati'sieren. ~ **con·di·tion·ing** *s tech.* Klimati'sierung *f*: ~ **plant** Klimaanlage *f*. **'~-,cool** *v/t* durch Luft kühlen. **'~-,cooled** *adj*

luftgekühlt: ~ steel windgefrischter Stahl. '~-ˌ**cool·ing** *s* Luftkühlung *f.* ~ **core** *s tech.* Luftkern *m*: ~ coil *electr.* Luftspule *f.* ~ **corps** *s mil.* **1.** Fliegerkorps *n.* **2.** A~ C~ *hist. Am.* Luftstreitkräfte *pl* des Heeres. ~ **cor·ri·dor** *s aer.* Luftkorridor *m*, Einflugschneise *f.* ~ **cov·er** *s aer.* Luftsicherung *f.*

'airˌcraft *s aer.* **1.** Flugzeug *n.* **2.** *allg.* Luftfahrzeug *n* (*Luftschiff, Ballon etc*). **3.** *collect.* a) Flugzeuge *pl*, b) Luftfahrzeuge *pl.* ~ **car·ri·er** *s* Flugzeugträger *m.* ~ **en·gine** *s* Flugmotor *m.* '~**·man** [-mən] *s irr Br.* Flieger *m* (*niedrigster Dienstgrad beim brit. Luftwaffen-Bodenpersonal*): ~ first class (Flieger)Gefreite(r) *m.* ~ **ra·di·o** *s aer.* Bordfunkgerät *n.*

'air|ˌcrew *s aer.* Flugzeugbesatzung *f.* '~-ˌ**cure** *v/t tech. Tabak etc* e-r Luftbehandlung aussetzen. '~-ˌ**cur·rent** *s* Luftstrom *m*, -strömung *f.* ~ **cush·ion** *s* **1.** Luftkissen *n*, -polster *n.* **2.** *tech.* Luftkammer *f.* ~ **cyl·in·der** *s tech.* **1.** Luftpuffer *m* (*zur Abschwächung des Rückstoßes*). **2.** Luftbehälter *m.* ~ **de·fence,** *Am.* ~ **de·fense** *s mil.* Luft-, Fliegerabwehr *f*, Luftverteidigung *f*, Luftschutz *m.* ~ **dis·play** *s aer.* Flugschau *f*, -vorführung *f.* '~-ˌ**drawn** *adj* **1.** in die Luft gezeichnet. **2.** *fig.* imagi'när. ~ **drill** *s tech.* Preßluftbohrer *m.* '~ˌ**drome** *s aer. Am.* Flughafen *m*, -platz *m.* '~ˌ**drop I** *s* Abwurf *m* (*mit Fallschirm*) vom Flugzeug. **II** *v/t* (mit Fallschirm) abwerfen. '~-ˌ**dry I** *adj* lufttrocken. **II** *v/t* lufttrocknen: air-dried luftgetrocknet.

Aire·dale ['ɛrˌdeil] *s zo.* Airedale(terrier) *m.*

air| ~ **ex·press** *s mail Am.* Lufteilgut *n.* '~ˌ**field** *s aer.* Flugplatz *m*, -hafen *m*: ~ lighting Platzbefeuerung *f.* ~ **fil·ter** *s tech.* Luftfilter *n*, -reiniger *m.* ~ **flap** *s tech.* Luftklappe *f.* '~ˌ**flow** *s aer.* Luftstrom *m.* '~ˌ**foil** *s aer.* Tragfläche *f*, -flügel *m*: ~ section Tragflächenprofil *n.* ~ **force** *s aer.* **1.** Luftwaffe *f*, Luftstreitkräfte *pl*, Luftflotte *f* (*als Verband*). **2.** A~ F~ a) (*die brit.*) Luftwaffe (*abbr. für* Royal Air Force), b) (*die amer.*) Luftwaffe (*abbr. für* United States Air Force). ~ **frame** *s aer.* Flugwerk *n*, (Flugzeug)Zelle *f.* '~ˌ**freight** *s* Luftfracht *f.* '~ˌ**freight·er** *s* Frachtflugzeug *n.* ~ **gap** *s tech.* Luftspalt *m*: ~ reactance coil Funkdrosselspule *f.* '~ˌ**graph** *s* Photoluftpostbrief *m.* '~-ˌ**ground** *adj aer.* Bord-Boden-...: ~ communication Bord-Boden-Verbindung *f.* ~ **gun** *s* **1.** Luftgewehr *n.* **2.** → a) air hammer, b) air brush. ~ **ham·mer** *s tech.* Preßlufthammer *m.* '~ˌ**head** *s* **1.** *mil.* Luftlandekopf *m.* **2.** *tech.* Wetterstrecke *f.* ~ **hole** *s* **1.** Luftloch *n.* **2.** *tech.* Gußblase *f.* **3.** *aer.* Fallbö *f*, Luftloch *n.* ~ **host·ess** *s* ('Luft)Stewarˌdeß *f.*

air·i·ly ['ɛ(ə)rili] *adv* leichthin, sorglos, unbekümmert, leichtfertig. **'air·i·ness** *s* **1.** Luftigkeit *f*, luftige Lage. **2.** Leichtigkeit *f*, Zartheit *f.* **3.** Lebhaftigkeit *f*, Munterkeit *f.* **4.** Leichtfertigkeit *f.* **'air·ing** *s* **1.** (Be)Lüftung *f*, Trocknen *n.* **2.** Spa'ziergang *m*, -ritt *m*, -fahrt *f*: to take an ~ frische Luft schöpfen. **3.** a) Kundtun *n*, Äußerung *f*, b) Erörterung *f.*

air| **in·jec·tion** *s tech.* Drucklufteinspritzung *f.* ~ **in·let** *s tech.* Lufteinlaß *m*, Zuluftstutzen *m.* ~ **in·take** *s tech.* **1.** Lufteintritt *m*: ~ jet Lufteinlaßdüse *f.* **2.** a) Luftansaugrohr *n*, b) Schnorchel *m.* ~ **jack·et** *s* **1.** Schwimmweste *f.* **2.** *tech.* Luft(kühl)mantel *m.* ~ **jet** *s tech.* Luftstrahl *m od.* -düse *f.* ~ **lane** *s aer.* (festgelegte) Luftroute, Flugschneise *f.* '~-ˌ**launch** *v/t e-e Rakete* vom Flugzeug aus abschießen.

air·less ['ɛrlis] *adj* **1.** luftlos. **2.** stickig.

air| **let·ter** *s* **1.** Luftpostbrief *m* (*auf amtlichem Formular*). **2.** *Am.* Luftpostleichtbrief *m.* ~ **lev·el** *s tech.* Li'belle *f*, Setzwaage *f.* '~ˌ**lift** *aer.* **I** *s* Luftbrücke *f*, Beförderung *f od.* Versorgung *f* auf dem Luftwege. **II** *v/t* auf dem Luftwege transpor'tieren. ~ **lift** → airlift I. '~ˌ**line** → air line 2. ~ **line** *s* **1.** *bes. Am.* Luftlinie *f.* **2.** Luftverkehrslinie *f*, -gesellschaft *f.* **3.** *tech.* Druckluftheber *m.* '~ˌ**lin·er** *s aer.* Verkehrsflugzeug *n.* ~ **lock** *s tech.* **1.** Gasschleuse *f*, 'Luftvenˌtil *n.* **2.** Druckstauung *f.* ~ **mail** *s* Luftpost *f*: by ~ mit *od.* per Luftpost. '~**·man** [-mən] *s irr* Flieger *m* (*bes. in der Luftwaffe der USA*). '~ˌ**mark** *v/t aer. e-e Stadt* mit 'Bodenmarˌkierung versehen. ~ **mar·shal** *s aer. Br.* Gene'ralleutnant *m* der Luftwaffe. ~ **me·chan·ic** *s* 'Bordmonˌteur *m.* '~-ˌ**mind·ed** *adj* flugbegeistert, am Flug(zeug)wesen interes'siert. '~-ˌ**mind·ed·ness** *s* Flugbegeisterung *f.* A~ **Min·is·try** *s Br.* 'Luftfahrtminiˌsterium *n.* '~-ˌ**op·er·at·ed** *adj tech.* preßluftbetätigt. ~ **par·cel** *s Br.* 'Luftpostpaˌket *n.* '~ˌ**park** *s Am.* Kleinflughafen *m.* ~ **pas·sage** *s* **1.** *biol. physiol.* Luft-, Atemweg *m.* **2.** *tech.* Luftschlitz *m.* ~ **pas·sen·ger** *s* Fluggast *m.* ~ **pho·to·graph** *s* Luftbild *n.* ~ **pis·tol** *s* 'Luftpiˌstole *f.* '~ˌ**plane** *s bes. Am.* Flugzeug *n.* ~ **plant** *s bot.* Luftpflanze *f.* ~ **plot** *s aer.* **1.** Aufzeichnung *f* von Kurs u. Entfernung. **2.** *Am.* Flug-Kon'trollraum *m* (*auf e-m Flugzeugträger*). ~ **pock·et** *s* **1.** *aer.* Fallbö *f*, Luftloch *n*, -sack *m.* **2.** *tech.* Luftblase *f*, -einschluß *m.* '~ˌ**port** *s aer.* Flughafen *m*, -platz *m*: ~ of departure Abflughafen *m*; ~ of entry Zollflughafen *m.* '~-ˌ**post·er tow·ing** *s* Re'klameschlepp *m.* ~ **po·ta·to** *s bot.* Yamsbohne *f.* ~ **pow·er** *s mil. pol.* Luftmacht *f.* ~ **pres·sure** *s tech.* Luftdruck *m*: ~ brake Luftdruckbremse *f*; ~ ga(u)ge Luftdruckmesser *m*; ~ line Druckluftleitung *f.* '~ˌ**proof I** *adj* **1.** luftdicht. **2.** luftbeständig. **II** *v/t* **3.** luftdicht machen. ~ **pump** *s tech.* Luftpumpe *f.* ~ **raft** *s* Schlauchboot *n.* ~ **raid** *s* Luftangriff *m.*

'air-ˌraid| **pre·cau·tions** *s pl* Luftschutz *m.* ~ **shel·ter** *s* Luftschutzraum *m*, -keller *m*, (Luftschutz)Bunker *m.* ~ **ward·en** *s* Luftschutzwart *m.* ~ **warn·ing** *s* Luftwarnung *f*, 'Fliegeraˌlarm *m.*

air| **ri·fle** *s* Luft(druck)gewehr *n.* ~ **route** *s* Flug-, Luftstrecke *f.* ~ **scout** *s* Luftspäher *m.* '~ˌ**screw** *s Br.* Luftschraube *f*, 'Flugzeugproˌpeller *m.* '~-ˌ**seal** *v/t tech.* luftdicht *od.* her'metisch verschließen. ~ **serv·ice** *s* **1.** Luftverkehrsdienst *m.* **2.** Fluglinien-, Luftverkehr *m.* ~ **shaft** *s tech.* Luftschacht *m.* '~ˌ**ship** *s* Luftschiff *n.* '~ˌ**sick** *adj* luftkrank. ~ **sleeve,** ~ **sock** *s aer.* Luftsack *m.* '~ˌ**space** *s* Luftraum *m*: territorial ~ Lufthoheitsgebiet *n.* ~ **speed** *s aer.* (Flug)Eigengeschwindigkeit *f*: ~ indicator Fahrtmesser *m.* '~ˌ**stream** *s tech.* Luftstrom *m.* '~ˌ**strip** *s aer.* **1.** Behelfsflugplatz *m.* **2.** Rollbahn *f*, Start- u. Landestreifen *m.* ~ **sup·ply** *s tech.* Luftzufuhr *f.* ~ **switch** *s electr.* Luftschalter *m.* ~ **tee** *s aer.* Landekreuz *n.* ~ **ter·mi·nal** *s aer.* **1.** *Am.* (Groß-)Flughafen *m.* **2.** Flughafenabfertigungsgebäude *n.* **3.** *Br.* 'Endstatiˌon *f* der Zubringerlinie zum u. vom Flugplatz. ~ **tick·et** *s* Flugkarte *f*, -schein *m.* '~'**tight** *adj* **1.** luftdicht, her'metisch (verschlossen). **2.** *fig.* todsicher, eindeutig, unangreifbar. ~ **time** *s Radio*: Sendezeit *f.* '~**-to-'air** *adj aer. mil.* Bord-(zu-)Bord...: ~ communication Bord-Bord-(Funk)Verkehr *m*; ~ gunnery Luftzielbeschuß *m*; ~ homing Zielflug *m* auf fliegendes Funkfeuer; ~ missile Luftkampf-Flugkörper *m.* '~**-to-'ground** *adj* Bord-Boden-...: ~ attack Bord-Boden-Angriff *m*; ~ communication (Einweg-)Bord-Boden-Verkehr *m*; ~ firing Erdzielbeschuß *m.* '~**-to-'sur·face** *adj aer. mil.* zur Bekämpfung von See- u. Erdzielen (vom Flugzeug aus): ~ guided missile. ~ **traf·fic** *s* Flug-, Luftverkehr *m*, Flugbetrieb *m*: ~ control Flugsicherung *f.* ~ **train** *s aer.* Luftschleppzug *m.* ~ **trav·el** *s* Flug(reise *f*) *m.* ~ **tube** *s* **1.** *tech.* Luftschlauch *m.* **2.** *anat.* Luftröhre *f.* ~ **um·brel·la** *s aer. mil.* Luftschirm *m.* ~ **valve** *s tech.* 'Luftvenˌtil *n*, -klappe *f.* ~ **vent** *s tech.* Ent- *od.* Belüftungsrohr *n*, 'Auslaßvenˌtil *n.* '~-ˌ**void** *adj phys. tech.* luftleer: ~ interstellar space luftleerer Weltenraum. ~ **warfare** *s* Luftkrieg(sführung *f*) *m.* '~ˌ**way** *s* **1.** *Bergbau*: Wetterstrecke *f.* **2.** *aer.* Luftstraße *f*, Flugstrecke *f.* **3.** *electr.* a) Luftstrecke *f*, b) Ka'nal *m*, (Fre'quenz)Band *n.* '~ˌ**wom·an** *s irr* Fliegerin *f.* '~ˌ**wor·thy** *adj aer.* lufttüchtig.

air·y ['ɛ(ə)ri] *adj* (*adv* → airily) **1.** aus Luft bestehend, die Luft betreffend, Luft... **2.** luftig: a) windig, zugig, b) hoch. **3.** luftig, leicht, zart, dünn, 'durchsichtig, ä'therisch. **4.** lebhaft, munter. **5.** leichtfertig, unbekümmert, sorglos. **6.** eitel, nichtig, hohl. **7.** *sl.* hochtrabend, affek'tiert.

aisle [ail] *s* **1.** *arch.* Seitenschiff *n*, -chor *m* (*e-r Kirche*). **2.** Schiff *n*, Ab'teilung *f* (*e-r Kirche od. e-s Gebäudes*). **3.** ('Durch)Gang *m* (*zwischen Sitzbänken, Ladentischen etc*), Korridor *m.* **4.** *fig.* Schneise *f.* '~ˌ**way** *s Am.* Pas'sage *f*, 'Durchgang *m.*

ait [eit] *s Br.* Werder *m*, kleine Insel.

aitch [eitʃ] *s* H, h *n* (*Buchstabe*): to drop one's ~es das H nicht aussprechen (*Zeichen der Unbildung*).

'aitchˌbone *s* **1.** Lendenknochen *m.* **2.** Lendenstück *n* (*vom Rind*).

a·jar[1] [ə'dʒɑːr] *adv u. pred adj* halb offen, angelehnt (*Tür etc*).

a·jar[2] [ə'dʒɑːr] *adv u. pred adj fig.* im Zwiespalt, in Zwietracht (with mit).

a·ke·ley [ə'kiːli] *s bot.* Ake'lei *f.*

a·kim·bo [ə'kimbou] *adv u. pred adj*: with arms ~ die Arme in die Seite gestemmt.

a·kin [ə'kin] *pred adj* **1.** (bluts)verwandt (to mit). **2.** *fig.* verwandt, (völlig) entsprechend, sehr ähnlich (to *dat*).

a·la ['eilə] *pl* **'a·lae** [-liː] *s biol. bot.* Flügel *m.*

al·a·bas·ter ['æləˌbæ(ː)stər; -ˌbɑː-] **I** *s* **1.** *min.* Ala'baster *m.* **2.** Ala'basterfarbe *f.* **II** *adj* **3.** ala'bastern, ala'basterweiß, Alabaster...

à la carte [ɑː lɑː 'kɑːrt] *adv* à la carte, nach der (Speise[n])Karte.

a·lack [ə'læk], **a·lack·a·day** [ə'lækəˌdei] *interj obs.* ach!, o weh!

a·lac·ri·ty [ə'lækriti] *s* **1.** Heiterkeit *f*, Munterkeit *f.* **2.** Bereitwilligkeit *f*, Eifer *m.* **3.** Schnelligkeit *f.*

A·lad·din's lamp [ə'lædinz] *s* **1.** Aladins Wunderlampe *f*. **2.** *fig.* wunderwirkender Talisman.
a·la·mode [ˌælə'moud], *a.* **à la mode** [ɑː lɑː 'moud] **I** *adj* **1.** à la mode: a) modisch, b) gespickt, geschmort u. mit Gemüse zubereitet: ~ **beef. 3.** *Am.* mit e-r Porti'on Speiseeis dar'auf: **cake** ~. **II** *s* **4.** *a.* ~ **silk** dünner, glänzender Seidenstoff.
a·lar ['eilər] *adj* **1.** geflügelt, flügelartig, Flügel...: ~ **cartilage** *anat.* Flügelknorpel *m*. **2.** *zo.* Schulter...
a·larm [ə'lɑːrm] **I** *s* **1.** A'larm *m*: **to sound the** ~ Alarm schlagen *od.* blasen; → **false alarm. 2.** Warnung *f*, Warnruf *m*: **to give the** ~ Lärm *od.* Alarm schlagen. **3.** Wecker *m*, Läutwerk *n* (*e-r Uhr*). **4.** A'larmvorrichtung *f*, -anlage *f*. **5.** Aufruhr *m*, Lärm *m*: **no** ~**s**! alles (ist) ruhig! **6.** Angst *f*, Bestürzung *f*, Unruhe *f*, Besorgnis *f*. **II** *v/t* **7.** alar'mieren, warnen. **8.** beunruhigen, erschrecken, ängstigen, alar'mieren (at über *acc*). ~ **bell** *s* A'larm-, Sturmglocke *f*. ~ **clock** *s* Wecker *m*, Weckuhr *f*.
a·larm·ing [ə'lɑːrmiŋ] *adj* (*adv* ~**ly**) beunruhigend, beängstigend, besorgniserregend, alar'mierend. **a'larm·ism** *s* Bangemachen *n*, ˌSchwarzsehe'rei *f*. **a'larm·ist I** *s* Panik-, Bangemacher *m*, Schwarzseher *m*, ‚Unke' *f*. **II** *adj* unkenhaft, schwarzseherisch.
a·lar·um [ə'lærəm; -'lɑː-] → **alarm.** ~ **clock** → **alarm clock.**
a·la·ry ['eiləri; 'æl-] → **alar** 1.
a·las [ə'læs; ə'lɑːs] *interj* ach!, o weh!, leider!: ~ **the day!** unseliger Tag!
a·las·trim [ə'læstrim] *s med.* A'lastrim *f*, (milde Form der) Pocken *pl*.
a·late ['eileit] *adj bes. bot.* geflügelt.
alb [ælb] *s relig.* Albe *f*, Chor-, Meßhemd *n*.
Al·ba·ni·an [æl'beiniən] **I** *adj* **1.** al'banisch, alba'nesisch. **II** *s* **2.** Al'baner(in). **3.** *ling.* Al'banisch *n*, das Albanische.
al·ba·ta [æl'beitə] *s* Neusilber *n*.
al·ba·tross ['ælbəˌtrɒs] *s* **1.** *orn.* Albatros *m*, Sturmvogel *m*. **2.** *a.* ~ **cloth** *dünnes, nicht geköpertes Wollgewebe.*
al·be·do [æl'biːdou] *s phys.* Al'bedo *f* (*Verhältnis der zurückgeworfenen zur Gesamtlichtmenge bei nicht spiegelnden Oberflächen, bes. bei Planeten*).
al·be·it [ɔːl'biːit] *conj* ob'gleich, ob'zwar, wenn auch.
al·bert ['ælbərt], *a.* **A**~ **chain** *s* kurze [Uhrkette.]
al·bes·cent [æl'besnt] *adj* weiß(lich) (werdend).
al·bi·ness [æl'biːnis; -'bai-] *s* Al'bina *f* [(*weiblicher Albino*).]
al·bi·nism ['ælbiˌnizəm] *s med.* Albi'nismus *m* (*a. bot.*).
al·bi·no [æl'biːnou; -'bai-] *pl* **-nos** *s* Al'bino *m*, Kakerlak *m*. **al'bi·noˌism** → **albinism.**
Al·bion ['ælbiən; -bjən] *npr poet.* [Albion *n*.]
al·bite ['ælbait] *s min.* Al'bit *m*, Natronfeldspat *m*.
al·bu·gin·e·ous [ˌælbju'dʒiniəs] *adj* **1.** weiß (*in bezug auf das Weiße im Auge u. Ei*). **2.** eiweißhaltig.
al·bu·go [æl'bjuːgou] *pl* **-gi·nes** [-dʒiˌniːz] *s med.* weißlicher Hornhautfleck, Leu'kom *n*.
al·bum ['ælbəm] *s* **1.** Album *n*, Stammbuch *n*: **photograph** ~; **stamp** ~. **2.** ('Schallplatten)Kasˌsette *f*, -album *n*. **3.** *Am.* Gästebuch *n*. **4.** (*gedruckte*) Sammlung von Gedichten, Bildern *od.* Mu'sikstücken.
al·bu·men [æl'bjuːmin; -en; *Br. a.* 'ælbju-] *s* **1.** *zo.* Eiweiß *n* (*a. bot.*), Al'bumen *n*. **2.** *chem.* Albu'min *n*, Eiweißstoff *m*. **al'bu·menˌize** *v/t phot.* mit e-r Albu'minlösung behandeln.
al·bu·min [æl'bjuːmin; *Br. a.* 'ælbju-] → **albumen** 2. **al'bu·miˌnate** [-ˌneit] *s chem.* Albumi'nat *n*.
al·bu·mi·noid [æl'bjuːmiˌnɔid] *s biol.* Albumino'id *n*, Eiweißkörper *m*, Prote'id *n*. **alˌbu·mi'no·sis** [-'nousis] *s med.* Albumi'nose *f* (*erhöhter Bluteiweißspiegel*). **al'bu·mi·nous** *adj* albu'min-, eiweißhaltig *od.* -artig.
al·bur·num [æl'bəːrnəm] *s bot.* Splint(holz *n*) *m*.
al·ca·hest → **alkahest.**
Al·ca·ic [æl'keiik] *metr.* **I** *adj* al'käisch. **II** *s* al'käischer Vers.
al·chem·ic [æl'kemik] *adj*; **al'chem·i·cal** [-kəl] *adj* (*adv* ~**ly**) alchi'mistisch.
al·che·mist ['ælkimist] *s* Alchi'mist *m*, Goldmacher *m*. **'al·cheˌmize** *v/t* durch Alchi'mie verwandeln. **'al·che·my** [-kimi] *s* Alchi'mie *f*.
al·co·hol ['ælkəˌhɒl] *s* Alkohol *m*: a) Sprit *m*, Spiritus *m*, Weingeist *m*: (**ethyl**) ~ Äthylalkohol; ~**-blended fuel** *tech.* Alkoholkraftstoff *m*, b) Al'kyloˌxyd *n*, c) geistige *od.* alko'holische Getränke *pl*. **'al·co·holˌate** [-ˌleit] *s chem.* Alkoho'lat *n*.
al·co·hol·ic [ˌælkə'hɒlik] **I** *adj* **1.** alkoholartig *od.* -haltig, alko'holisch, Alkohol...: ~ **beverage**; ~ **delirium** Säuferwahnsinn *m*; ~ **strength** Alkoholgehalt *m*. **II** *s* **2.** (Gewohnheits)-Trinker(in), Alko'holiker(in). **3.** *pl* alko'holische Getränke *pl*, Alko'holika *pl*. **'al·co·holˌism** *s* Alkoho'lismus *m*: a) *med.* Alkoholvergiftung *f*, b) Trunksucht *f*. **'al·co·holˌize** *v/t* **1.** *tech.* *Spiritus* rektifi'zieren. **2.** *chem.* mit Alkohol versetzen *od.* sättigen. **3** *chem.* in Alkohol verwandeln.
al·co·hol·om·e·ter [ˌælkəhɒ'lɒmitər] *s* Alkoholo'meter *n*.
Al·cor [æl'kɔːr] *s astr.* Alkor *m*, Reiterchen *n* (*Stern im Großen Bären*).
Al·co·ran [ˌælko'rɑːn; -'ræn] *s relig.* Koran *m*. **ˌAl·co'ran·ic** [-'rænik] *adj* Koran...
al·cove ['ælkouv] *s* **1.** *arch.* Al'koven *m*, Nische *f*. **2.** *meist poet.* (Garten)Laube *f*, Grotte *f*.
Al·deb·a·ran [æl'debərən] *s astr.* Aldeba'ran *m* (*Hauptstern im Stier*).
al·de·hyd·ase ['ældiˌhaideis] *s chem.* Aldehy'dase *f* (*Enzym*).
al·de·hyde ['ældiˌhaid] *s chem.* Alde- ['hyd *m*.]
al·der ['ɔːldər] *s bot.* Erle *f*. ~ **buck·thorn** *s bot.* Faulbaum *m*. **'**~**-ˌleaved buck·thorn** *s bot.* Nordamer. Kreuzdorn *m*. **'**~**-ˌleaved dog·wood** *s bot.* Nordamer. Hartriegelstrauch *m*.
al·der·man ['ɔːldərmən] *s irr* Ratsherr *m*, Stadtrat *m*. **ˌal·der'man·ic** [-'mænik] *adj* **1.** e-n Ratsherrn betreffend, ratsherrlich. **2.** *fig.* würdevoll, gravi'tätisch. **'al·der·man·ry** *s* **1.** Stadtbezirk *m* (den ein Ratsherr vertritt). **2.** Amt *n* e-s Ratsherrn. **'al·der·manˌship** → **aldermanry.**
al·dern ['ɔːldərn] *adj* erlen, von *od.* aus Erlenholz.
al·der·wom·an ['ɔːldərˌwumən] *s irr* [Stadträtin *f*.]
Al·dis lamp ['ɔːldis] *s aer. mar.* Aldislampe *f* (*zum Signalisieren*). ~ **lens** *s phot.* Aldislinse *f*. ~ **u·nit sight** *s aer. mil.* (Bomben)Zielgerät *n*.
al·dose ['ældous] *s chem.* Al'dose *f*.
ale [eil] *s* **1.** Ale *n*, (*englisches*) Bier. **2.** *Br.* (*ländliches*) Fest.
a·le·a·to·ry ['eiliətəri] *adj* **1.** *jur.* alea'torisch, Eventual...: ~ **contract. 2.** vom Zufall abhängig, Glücks...
a·leck ['ælik] → **smart aleck.**
'ale-ˌcon·ner *s Br.* Bierprüfer *m*.
a·lee [ə'liː] *adv u. pred adj mar.* leewärts.
'ale-ˌhouse *s* Bierschenke *f*.
a·lem·bic [ə'lembik] *s* **1.** Destil'lierkolben *m*, -appaˌrat *m*. **2.** *fig.* Re'torte *f*.
a·lert [ə'ləːrt] **I** *adj* (*adv* ~**ly**) **1.** wachsam, auf der Hut, auf dem Posten. **2.** rege, munter, flink. **3.** aufgeweckt, (hell)wach, frisch, forsch, a'lert: **an** ~ **young man**; ~ **to** achtsam auf (*acc*), klar erkennend (*acc*) *od.* bewußt (*gen*). **II** *s* **4.** *mil.* (A'larm)Bereitschaft *f*, A'larmzustand *m*: ~ **phase** Alarmstufe *f*; **to be on the** ~ auf der Hut *od.* in Alarmbereitschaft sein. **5.** *bes. aer.* A'larm(siˌgnal *n*) *m*, Warnung *f*. **III** *v/t* **6.** alar'mieren, warnen, *mil. a.* in A'larmzustand versetzen, *weitS.* mobili'sieren. **7.** *fig.* aufrütteln: **to** ~ **s.o. to s.th.** j-m etwas (deutlich) zum Bewußtsein bringen. **a'lert·ness** *s* **1.** Wachsamkeit *f*. **2.** Munterkeit *f*, Flinkheit *f*. **3.** Aufgewecktheit *f*.
al·e·vin ['ælivin] *s ichth.* junge Fischbrut, Setzling *m*, *z. B.* Lachs *m*.
ale·wife ['eilˌwaif] *s irr* **1.** Schankwirtin *f*. **2.** *ichth. Am.* a) Großaugenhering *m*, b) Maifisch *m*.
al·ex·an·ders [ˌælig'zændərz; *Br. a.* -'zɑːn-] *s bot.* Gelbdolde *f*.
Al·ex·an·dri·an [ˌælig'zændriən; *Br. a.* -'zɑːn-] *adj* alexan'drinisch: a) Alex'andria (*in Ägypten*) betreffend, b) helle'nistisch, c) *metr.* Alexandriner...
Al·ex·an·drine [ˌælig'zændrin; -ˌdriːn; *Br. a.* -'zɑːn-] *metr.* **I** *s* Alexan'driner *m* (*12- od. 13füßiger Vers*). **II** *adj* → **Alexandrian** c.
a·lex·i·phar·mic [əˌleksi'fɑːrmik] **I** *s* Gegengift *n*, -mittel *n*. **II** *adj* als Gegengift dienend.
al·fa ['ælfə], *a.* ~ **grass** *s bot.* Halfa- [gras *n*.]
al·fal·fa [æl'fælfə] *s bot.* Lu'zerne *f*.
al·fres·co [æl'freskou] *adj u. adv* im Freien: ~ **lunch.**
al·ga ['ælgə] *pl* **-gae** [-dʒiː] *s bot.* [Alge *f*.]
al·ge·bra ['ældʒibrə] *s math.* Algebra *f*, Buchstabenrechnung *f*. **ˌal·ge'bra·ic** [-'breiik] *adj*; **ˌal·ge'bra·i·cal** *adj* (*adv* ~**ly**) alge'braisch: **algebraic calculus** Algebra *f*.
Al·ge·ri·an [æl'dʒi(ə)riən], **Al·ge·rine** [ˌældʒə'riːn; 'ældʒəˌriːn] **I** *adj* al'gerisch. **II** *s* Al'gerier(in).
-algia [ældʒə] *Wortelement mit der Bedeutung* Schmerz.
al·gid ['ældʒid] *adj med.* kühl, kalt.
al·go·rithm ['ælgəˌriðəm] *s math.* **1.** Algo'rithmus *m*, me'thodisches Rechenverfahren. **2.** Algo'rismus *m*.
a·li·as ['eiliəs] **I** *adv jur.* alias, anders, sonst (... genannt). **II** *pl* **'a·li·as·es** *s* angenommener Name, Deckname *m*.
al·i·bi ['æliˌbai] **I** *adv* **1.** anderswo (*als am Tatort*). **II** *s* **2.** *jur.* Alibi *n* (*a. fig.*): **to establish one's** ~ sein Alibi erbringen *od.* beibringen. **3.** *bes. Am. colloq.* Ausrede *f*, Entschuldigung *f*. **III** *v/i* **4.** *Am. colloq.* sich her'ausreden, Ausflüchte machen. **IV** *v/t* **5.** *Am. colloq.* j-m ein Alibi verschaffen (*a. fig.*).
Al·i·cant ['ælikənt] *s* Ali'cantewein *m*.
al·i·cy·clic [ˌæli'saiklik; -'sik-] *adj chem.* ali'zyklisch.
al·i·dade ['æliˌdeid], *a.* **'al·iˌdad** [-ˌdæd] *s astr. math.* Alhi'dade *f*.
al·ien ['eiljən; -liən] **I** *adj* **1.** fremd. **2.** ausländisch: ~ **subjects** *Br.* ausländische Staatsangehörige; ~ **property** *pol.* Feindvermögen *n*. **3.** fremd(artig), ex'otisch. **4.** *fig.* andersartig (from als), fernliegend (to *dat*): ~ **to the topic** nicht zum Thema gehörend.

5. *fig.* (to) entgegengesetzt (*dat*), (*j-m od. e-r Sache*) zu'wider(laufend), fremd (*dat*), 'unsym,pathisch (*dat*). **II** *s* **6.** Fremde(r *m*) *f*, Ausländer(in): **enemy (friendly, undesirable)** ~ feindlicher (befreundeter, unerwünschter) Ausländer. **7.** nicht naturali'sierter Einwohner des Landes **8.** *fig.* Fremdling *m*. **'al·ien·a·ble** *adj jur.* veräußerlich, über'tragbar.

al·ien·age ['eiljənidʒ; -liən-] *s* **1.** Ausländertum *n*, Fremdheit *f*. **2.** ausländische Staatsangehörigkeit.

al·ien·ate ['eiljə,neit; -liə-] *v/t* **1.** *jur.* veräußern, über'tragen. **2.** entfremden, abspenstig machen (**from** *dat od.* von). **,al·ien'a·tion** *s* **1.** *jur.* Veräußerung *f*, Über'tragung *f*. **2.** Entfremdung *f* (**from** von), Abwendung *f*, Abneigung *f*: ~ **of affection** *jur.* Entfremdung (*bes. e-s Ehegatten*). **3.** *a.* **mental** ~ Geistesgestörtheit *f*. **4.** *literarische* Verfremdung: ~ **effect** Verfremdungseffekt *m*.

al·ien·ee [,eiljə'niː; -liə-] *s jur.* Erwerber(in), neuer Eigentümer.

al·ien·ism ['eiljə,nizəm; -liə-] *s* **1.** → **alienage. 2.** Studium *n od.* Behandlung *f* von Geisteskrankheiten. **'al·ien·ist** *s* Nervenarzt *m*, Psychi'ater *m*.

al·ien·or ['eiljənər; -liə-; -,nɔːr] *s jur.* Veräußerer *m*.

a·light[1] [ə'lait] *pret u. pp* **a'light·ed** *v/i* **1.** ab-, aussteigen, (*vom Pferd*) absitzen. **2.** (sanft) fallen (*Schnee*), sich niederlassen, sich setzen (*Vogel*). **3.** *aer.* niedergehen, landen: ~**ing on earth** Bodenlandung *f*; ~**ing on water** Wassern *n*, Wasserlandung *f*. **4.** *allg.* landen: **to** ~ **on one's feet** auf die Füße fallen. **5.** (**on, upon**) (zufällig) stoßen (auf *acc*), finden (*acc*).

a·light[2] [ə'lait] *pred adj* brennend, in Flammen (*a. fig.*), erleuchtet, erhellt (**with** von).

a·lign [ə'lain] **I** *v/t* **1.** in e-e (gerade) Linie bringen. **2.** in (gerader) Linie *od.* in Reih u. Glied aufstellen, ausrichten (**with** nach). **3.** *fig.* zu e-r Gruppe (*Gleichgesinnter*) zs.-schließen: **to** ~ **o.s. with** sich anschließen (*dat od.* an *acc*), sich zs.-schließen mit. **4.** *tech.* a) (aus)fluchten, ausrichten (**with** nach), b) ju'stieren, einstellen, c) *electr.* abgleichen. **II** *v/i* **5.** (**with**) e-e (gerade) Linie bilden (mit), sich ausrichten (nach).

a·lign·ment [ə'lainmənt] *s* **1.** Anordnung *f* in e-r (geraden) Linie, Ausrichten *n* (*von Soldaten etc*). **2.** Ausrichtung *f*: **in** ~ **with** in 'einer Linie *od.* Richtung mit, *fig. a.* in Übereinstimmung mit; **out of** ~ schlecht ausgerichtet, *tech.* aus der Flucht, verschoben, -lagert. **3.** *surv. tech.* Flucht-, Absteckungslinie *f*, Trasse *f*, Zeilenführung *f*. **4.** *tech.* a) (Aus)Richten *n*, Ausfluchten *n*, b) Einstellung *f*, Ju'stierung *f*, c) Flucht *f*, Gleichlauf *m*: ~ **chart** Rechen-, Leitertafel *f*, Nomogramm *n*. **5.** *electr.* Abgleich(en *n*) *m*. **6.** *fig.* Ausrichtung *f*, Grup'pierung *f*.

a·like [ə'laik] **I** *adj* gleich, ähnlich (**to** *dat*). **II** *adv* gleich, ebenso, in gleicher Weise, gleichermaßen.

al·i·ment ['ælimənt] *s* **1.** Nahrung(smittel *n*) *f*. **2.** a) 'Unterhalt *m*, b) (unentbehrliches) 'Unterhaltsmittel. **,al·i'men·tal** [-'mentl] → **alimentary** 1.

al·i·men·ta·ry [,æli'mentəri] *adj* **1.** nährend, nahrhaft. **2.** zur Nahrung *od.* zum 'Unterhalt dienend, Nahrungs...: ~ **disequilibrium** gestörtes Nahrungsgleichgewicht. **3.** Ernährungs..., Speise...: ~ **canal** Verdauungskanal *m*.

al·i·men·ta·tion [,ælimen'teiʃən] *s* **1.** Ernährung *f*. **2.** 'Unterhalt *m*. **,al·i'men·ta·tive** [-tətiv] *adj* nährend, Nahrungs..., nahrhaft.

al·i·mo·ny ['æliməni] *s jur.* 'Unterhalt(sbeitrag) *m*.

a·line *etc* → **align** *etc*.

al·i·ped ['æliped] *zo.* **I** *adj* mit Flatterfüßen (versehen). **II** *s* Flatterfüßler *m*.

al·i·phat·ic [,æli'fætik] *adj chem.* ali'phatisch, fetthaltig: ~ **compound** Fettverbindung *f*.

al·i·quant ['ælikwənt] *adj math.* ali'quant, nicht (*ohne Rest*) aufgehend.

al·i·quot ['ælikwət] *math.* **I** *adj* ali'quot, (*ohne Rest*) aufgehend. **II** *s* ali'quoter Teil, Ali'quote *f*.

a·live [ə'laiv] *adj* **1.** lebend, le'bendig, (noch) am Leben: **the proudest man** ~ der stolzeste Mann der Welt; **no man** ~ kein Sterblicher; **man** ~! *colloq.* Menschenskind!; **to keep** ~ a) (sich) am Leben erhalten, b) *fig.* (aufrecht)erhalten, bewahren. **2.** *fig.* le'bendig, tätig, in voller Kraft *od.* Wirksamkeit. **3.** le'bendig, lebhaft, munter, rege, belebt: ~ **and kicking** *colloq.* gesund u. munter; **look** ~! *colloq.* a) mach fix!, b) paß auf! **4.** (**to**) a) empfänglich (für), b) aufmerksam, achtsam (auf *acc*), bewußt (*gen*): **to be (become)** ~ **to s.th.** sich e-r Sache bewußt sein (werden). **5.** gedrängt voll, belebt (**with** von): **to be** ~ **with** wimmeln von. **6.** *fig.* voll, erfüllt (**with** von): ~ **with controversy**. **7.** *electr.* spannung-, stromführend, unter Strom stehend, geladen. **8.** *tech.* (noch) in Betrieb, funktio'nierend.

a·liz·a·rin [ə'lizərin] *s chem.* Aliza'rin *n*, Färber-, Krapprot *n*.

al·ka·hest ['ælkə,hest] *s* Alka'hest *n*, Univer'sallösungsmittel *n* (*der Alchimisten*).

al·kal·am·ide [,ælkæl'æmid; -maid] *s chem.* Alkala'mid *n*, basisches A'mid.

al·ka·li ['ælkə,lai] **I** *pl* **-lies** *od.* **-lis** *s* **1.** *chem.* Al'kali *n*, Laugensalz *n*. **2.** *chem.* al'kalischer Stoff: **mineral** ~ kohlensaures Natron; ~ **metal** Alkalimetall *n*. **3.** *agr. geol.* kalzi'nierte Soda. **4.** *bot.* Salzkraut *n*. **II** *adj* **5.** *chem.* al'kalisch.

al·ka·li·fy ['ælkəli,fai; æl'kæl-] *v/t u. v/i* (sich) in ein Al'kali verwandeln.

al·ka·lim·e·ter [,ælkə'limitər] *s chem.* Al'kalimesser *m*.

al·ka·line ['ælkə,lain; -lin] *adj chem.* al'kalisch, al'kalihaltig, basisch: ~ **earths** Erdalkalien; ~ **earth metal** Erdalkalimetall *n*; ~ **water** alkalischer Säuerling. **,al·ka'lin·i·ty** [-'liniti] *s* Alkalini'tät *f*, al'kalische Eigenschaft. **'al·ka·lin,ize** *v/t chem.* alkali'sieren.

al·ka·loid ['ælkə,lɔid] *chem.* **I** *s* Alkalo'id *n*. **II** *adj* al'kaliartig, laugenhaft.

al·kyl group ['ælkil] *s chem.* Al'kylrest *m*.

all [ɔːl] **I** *adj* **1.** all, sämtlich, gesamt, vollständig, ganz: ~ **one's courage** s-n ganzen Mut; ~ **mistakes** alle *od.* sämtliche Fehler; ~ **my friends** alle m-e Freunde; ~ **night** die ganze Nacht; ~ **the time** die ganze Zeit; ~ **the town** die ganze Stadt, jedermann. **2.** jeder, jede, jedes, alle *pl*: **at** ~ **hours** zu jeder Stunde; **beyond** ~ **question** ganz außer Frage; **in** ~ **respects** in jeder Hinsicht; **to deny** ~ **responsibility** jede Verantwortung ablehnen. **3.** vollkommen, völlig, to'tal, ganz, rein: ~ **mad** total verrückt; ~ **nonsense** reiner Unsinn; ~ **wool** *Am.* reine Wolle; **she was** ~ **legs** sie bestand fast nur aus Beinen; ~**-automatic** *tech.* vollautomatisch; ~**-electric** vollelektrisch; → **all-American**.

II *adv* **4.** ganz (u. gar), gänzlich, völlig: ~ **alone** ganz allein; ~ **the** um so ...; ~ **the better** um so besser; **he was** ~ **ears** er war ganz Ohr; **she was** ~ **gratitude** sie war voll(er) Dankbarkeit; **she is** ~ **kindness** sie ist die Güte selber; ~ **one** einerlei, gleichgültig; **he is** ~ **for it** er ist unbedingt dafür; ~ **wrong** ganz falsch. **5.** für jede Seite, beide: **the score was two** ~ das Ergebnis war 2:2 (zwei zu zwei) *od.* 2 beide. **6.** *poet.* gerade, eben.

III *pron* **7.** alles, das Ganze: ~ **of it** alles, das Ganze; ~ **of us** wir alle; **that's** ~ das ist (*od.* wäre) alles; **that's** ~ **there is to it** das ist die ganze Geschichte; **it** ~ **began** die ganze Sache begann; ~ **of a tremble** am ganzen Leibe zitternd; **and** ~ **that** und dergleichen; **what is it** ~ **about?** worum handelt es sich?; **when** ~ **is said and done** *colloq.* letzten Endes, im Grunde (genommen).

IV *s* **8.** Alles *n*: **his** ~ a) sein Hab u. Gut, b) sein ein u. alles. **9.** *philos.* (Welt)All *n*.

Besondere Redewendungen:

~ **along** a) der ganzen Länge nach, b) *colloq.* die ganze Zeit (über), schon immer; ~ **in** *sl.* ‚fertig', ‚total erledigt'; ~ **in** ~ alles in allem; ~ **out** a) *sl.* ‚völlig erledigt' *od.* ‚kaputt', b) *colloq.* ‚auf dem Holzweg' (*im Irrtum*), c) *sl.* mit aller Macht (**for s.th.** auf etwas aus), mit restlosem Einsatz, d) *Am. colloq.* vollständig (→ **all-out**); **to go** ~ **out** alles einsetzen, aufs Ganze gehen; ~ **over** a) *colloq.* ganz u. gar, b) überall, c) überallhin, in ganz *England etc* herum, im ganzen *Haus etc* herum, d) am ganzen Körper, überall; **that is Max** ~ **over** das ist ganz *od.* typisch Max, das sieht Max ähnlich; **news from** ~ **over** Nachrichten von überall her; ~ **right** a) ganz recht *od.* richtig, b) schon gut, c) in Ordnung, d) *colloq.* na, schön!; ~ **round** a) rund(her)um, ringsumher, b) überall, c) ‚durch die Bank', durchweg; ~ **there** *sl.* gewitzt, gescheit, ‚auf Draht'; **he is not** ~ **there** *sl.* er ist nicht ganz bei Trost; ~ **up** *sl.* ‚ganz erledigt', ‚total fertig', völlig erschöpft; **it's** ~ **up with him** mit ihm ist's aus; **for** ~ **his smartness** trotz all s-r Schlauheit; **for** ~ **that** trotz alledem; **for** ~ **I care**, *Am. a.* **for** ~ **of me** *sl.* meinetwegen, von mir aus; **for** ~ **I know** soviel ich weiß, soweit ich (davon) weiß; **in** ~ insgesamt; (*siehe weitere Verbindungen unter den entsprechenden Stichwörtern*).

Al·lah ['ælə; 'ælɑː] *s relig.* Allah *m*.

,all-A'mer·i·can I *adj* **1.** rein ameri'kanisch. **2.** die ganzen Vereinigten Staaten vertretend. **3.** *sport* (*bes. amer. Fußball*) National...: ~ **player** → 5; **the** ~ **team** *die von der Presse theoretisch aufgestellte bestmögliche Mannschaft.* **4.** den ganzen ameri'kanischen Konti'nent betreffend. **II** *s* **5.** *sport Am.* Natio'nal-, Spitzenspieler *m*.

'all-a'round *Am. für* **all-round**.

al·lay [ə'lei] *v/t* beruhigen, beschwichtigen, *Streit* schlichten, *Hitze, Schmerzen etc* mildern, lindern, *Hunger, Durst* stillen, *Furcht* nehmen, *Freude* dämpfen.

all| clear *s* Ent'warnung(ssi,gnal *n*) *f* (*bes. nach e-m Luftangriff*). **'~-,du·ty** *adj* Allzweck...: ~ **tractor**.

al·le·ga·tion [,æli'geiʃən] *s a. jur.* (*un-*

erwiesene) Behauptung, *(zu beweisende)* Aussage, *(jur.* Par'tei)Vorbringen *n*, (Tatsachen)Darstellung *f*.

al·lege [ə'ledʒ] *v/t Unerwiesenes* behaupten, vorbringen, erklären, geltend machen. **al'leged** *adj*, **al'leg·ed·ly** [-idli] *adv* an-, vorgeblich.

al·le·giance [ə'li:dʒəns] *s* **1.** 'Untertanenpflicht *f*, -treue *f*, -gehorsam *m*: **oath of ~** Treu-, Untertaneneid *m*, *mil.* Fahneneid *m*; **to change one's ~** s-e Staatsangehörigkeit *od.* Partei wechseln. **2.** (to) Anhänglichkeit *f*, Bindung *f* (an *acc*), Ergebenheit *f* (gegen'über). **3.** Treue *f*, Ergebenheit *f*. **al'le·giant** *adj* treu, loy'al.

al·le·gor·ic [ˌæli'gɒrik] *adj*; **ˌal·le·'gor·i·cal** [-kəl] *adj (adv* **~ly**) alle'gorisch, (sinn)bildlich.

al·le·go·rist ['æligərist] *s* Allego'rist *m*.

al·le·gor·i·za·tion [ˌæliˌgɒrai'zeiʃən; -ri-] *s* alle'gorische Behandlung *od.* Darstellung *od.* Erklärung. **al·le·go·rize** ['æligəˌraiz] **I** *v/t* allegori'sieren, alle'gorisch *od.* sinnbildlich darstellen. **II** *v/i* in Gleichnissen reden.

al·le·go·ry ['æligəri] *s* Allego'rie *f*, sinnbildliche Darstellung, Gleichnis *n*.

al·le·gret·to [ˌæli'gretou; -le-] *(Ital.) mus.* **I** *adj u. adv* alle'gretto, mäßig lebhaft. **II** *s* Alle'gretto *n*.

al·le·gro [ə'leigrou] *(Ital.) mus.* **I** *adj u. adv* al'legro, lebhaft. **II** *s* Al'legro *n*.

al·lele [ə'li:l], *a.* **al·lel** [ə'lel] → allelomorph. [Al'lel *n*, Erbfaktor *m*.]

al·le·lo·morph [ə'li:loˌmɔ:rf] *s biol.*

al·le·lu·ia(h), al·le·lu·ja [ˌæli'lu:jə] **I** *s* Halle'luja *n*, Loblied *n*. **II** *interj* halle'luja! [glo'bal.]

'all-em'brac·ing *adj* ('all)umˌfassend,

al·len| screw ['ælən] *s tech.* Allen-, Inbusschraube *f*. **~ wrench** *s tech.* Inbusschlüssel *m*.

al·ler·gen ['ælərˌdʒen] *s med.* Aller'gen *n*, Aller'giestoff *m*.

al·ler·gic [ə'lə:rdʒik] *adj* al'lergisch, 'überempfindlich (to gegen): **to be ~ to** *colloq. etwas od. j-n* nicht ausstehen können, ‚allergisch' sein gegen.

al·ler·gy ['ælərdʒi] *s* **1.** *med. physiol.* a) Aller'gie *f*, b) 'Überempfindlichkeit *f* (to gegen'über). **2.** *colloq.* Abneigung *f*, 'Widerwille *m* (to gegen).

al·le·vi·ate [ə'li:viˌeit] *v/t* erleichtern, mildern, lindern, (ver)mindern. **alˌle·vi'a·tion** *s* Erleichterung *f*, Linderung *f*, Milderung *f*.

al·ley ['æli] *s* **1.** Al'lee *f*. **2.** (schmale) Gasse, 'Durchgang *m*: **~ cat** *Am.* a) streunende Katze, b) *sl.* Gassenbengel *m*, (verwahrloste) Göre. **3.** *arch.* Verbindungsgang *m*, Korridor *m*. **4.** Spielbahn *f*: **that's down** (*od.* **up**) **my ~** *colloq.* das ist etwas für mich, das ist mein Fall. **'~ˌway** *s Am.* → alley 2.

'All-ˌfa·ther *s relig.* Allvater *m*.

'all|-ˌfired *adj u. adv bes. Am. sl.* verteufelt, höllisch, ‚toll'. **A~ Fools' Day** *s* der erste A'pril. **~ fours** *s* **1.** alle vier *(Kartenspiel)*. **2.** → four 5. **ˌ~-'Ger·man** *adj* gesamtdeutsch. **~ hail** *interj obs.* heil!, sei(d) gegrüßt! **A~ hallows** [-'hælouz] *s relig.* Aller'heiligen *n*.

al·li·ance [ə'laiəns] *s* **1.** Verbindung *f*. **2.** Bund *m*, Bündnis *n*, Alli'anz *f*: **offensive and defensive ~** Schutz- u. Trutzbündnis; **triple ~** Dreibund; **to enter into** (*od.* **form**) **an ~** ein Bündnis schließen, sich alliieren (**with** mit). **3.** Heirat *f*, Verwandtschaft *f* durch Heirat, Verschwägerung *f*. **4.** *weitS.* Verwandtschaft *f*. **5.** *fig.* Band *n*, (Inter'essen)Gemeinschaft *f*. **6.** Über'einkunft *f*. **7.** *bot. zo. obs.* 'Unterordnung *f*.

al·lied [ə'laid; 'ælaid] *adj* **1.** a) verbündet, alli'iert, b) *hist.* **A~** alli'iert, die Alliierten betreffend *(im 1. u. 2. Weltkrieg)*: **A~ Forces** alliierte Streitkräfte; **A~ and Associated Powers** Alliierte u. Assoziierte Mächte; **A~ High Commission** Alliierte Hohe Kommission; **A~ Nations** Vereinte Nationen. **2.** *fig.* verwandt (to mit).

Al·lies ['ælaiz; ə'laiz] *s pl (die)* Alli'ierten *pl (im 1. u. 2. Weltkrieg)*.

al·li·ga·tion [ˌæli'geiʃən] *s math.* Alligati'onsregel *f*: **rule of ~** Misch(ungs)rechnung *f*.

al·li·ga·tor ['æliˌgeitər] *s* **1.** *zo.* Alli'gator *m*, Kaiman *m*. **2.** *Am. sl.* Swingbegeisterte(r *m*) *f*. **3.** *mil.* am'phibischer Panzerwagen. **~ ap·ple** → **pond apple**. **~ crack·ing** *s tech.* netzartige Rißbildung. **~ pear** → **avocado**. **~ shears** *s pl tech.* Hebelschere *f*. **~ skin** *s* Kroko'dilleder *n*. **~ snap·per, ~ ter·ra·pin, ~ tor·toise, ~ tur·tle** *s zo.* Alli'gatorschildkröte *f*. **~ wrench** *s tech.* Rohrschlüssel *m*.

'all-im'por·tant *adj* äußerst wichtig, entscheidend.

'all-'in *adj bes. Br.* alles inbegriffen, Gesamt..., Pauschal...: **~ insurance** Gesamt-, Generalversicherung *f*; **~ wrestling** Freistilringen *n*.

al·lit·er·ate [ə'litəˌreit] *v/i* **1.** allite'rieren. **2.** im Stabreim dichten. **alˌlit·er'a·tion** *s* Alliterati'on *f*, Stabreim *m*. **al'lit·erˌa·tive** *adj (adv* **~ly**) allite'rierend, stab(reim)end.

'all|-'mains *adj electr.* Allstrom..., Netzanschluß...: **~ receiver**. **'~-ˌmet·al** *adj tech.* Ganzmetall...: **~ construction** Ganzmetallbau(weise *f*) *m*.

al·lo·cate ['æləˌkeit; -lo-] *v/t* **1.** zuteilen, an-, zuweisen (to *dat*): **to ~ duties** Pflichten zuweisen; **to ~ shares** Aktien zuteilen. **2.** a) *(nach e-m Schlüssel)* auf-, verteilen: **to ~ expenses** Unkosten verteilen, Gemeinkosten umlegen, b) *Güter* bewirtschaften, ratio'nieren. **3.** *Geld etc* bestimmen, zu'rücklegen (**for** für *e-n Zweck*). **4.** den Platz bestimmen für. **ˌal·lo'ca·tion** *s* **1.** Zuteilung *f*, An-, Zuweisung *f*, Zuwendung *f*, Kontin'gent *n*. **2.** Aufschlüsselung *f*, Verteilung *f*: **~ of expenses** Unkostenverteilung, Umlage *f* von Gemeinkosten; **~ of frequencies** *electr.* Wellen-, Frequenzverteilung. **3.** Bewirtschaftung *f*, Ratio'nierung *f*. **4.** Anordnung *f*. **5.** *econ.* Bewilligung *f*, Bestätigung *f*.

al·lo·chro·mat·ic [ˌælokro'mætik] *adj phys.* allochro'matisch.

al·lo·cu·tion [ˌælə'kju:ʃən] *s* **1.** ermahnende *od.* feierliche Ansprache. **2.** *R.C.* Allokuti'on *f*. [alodium.]

al·lo·di·al, al·lo·di·um → alodial,

al·log·a·mous [ə'lɒgəməs] *adj* allo'gam. **al'log·a·my** *s bot.* Alloga'mie *f*, Kreuzbefruchtung *f*.

al·longe [ə'lʌndʒ] *s* **1.** Ansatzstück *n*. **2.** *econ.* Al'longe *f*, Verlängerungsabschnitt *m (an e-m Wechsel)*.

al·lo·path ['æləpæθ; -lo-] *s med.* Allo'path *m*. **ˌal·lo'path·ic** *adj* allo'pathisch. **al·lop·a·thist** [ə'lɒpəθist] *s med.* Allo'path *m*.

al·lo·phone ['æləˌfoun; -lo-] *s ling.* Allo'phon *n (Variation e-s Phonems)*.

al·lo·plasm ['æləˌplæzəm; -lo-] *s biol.* Fremdplasma *n (bei Kreuzungen)*.

'all|-or-'none *adj* entweder in vollem Ausmaße *od.* über'haupt nicht eintretend, Entweder-oder-...: **an ~ reaction**. **'~-or-'noth·ing** *adj* **1.** → all-or-none. **2.** alles-oder-nichts-..., kompro'mißlos.

al·lo·some ['æləˌsoum; -lo-] *s biol.* Ge'schlechts-chromoˌsom *n*.

al·lot [ə'lɒt] *v/t* **1.** durch Los verteilen, auslosen. **2.** aus-, zu-, verteilen, vergeben, bewilligen: **to ~ shares** *econ.* Aktien zuteilen *od.* auslosen; **the ~ted time** die zugeteilte *od.* gewährte Zeit *od.* Frist. **3.** bestimmen (**to, for** für *j-n od. e-n Zweck*). **4.** *fig.* zuschreiben (to *dat*).

al·lot·ment [ə'lɒtmənt] *s* **1.** Ver-, Auslosung *f*, Verteilung *f*. **2.** Zuteilung *f*: a) Bewilligung *f*, b) Anteil *m*, Kontin'gent *n*: **~ of shares** *econ.* Aktienzuteilung, zugeteilte Aktien; **letter** (*Am.* **certificate**) **of ~** Zuteilungsschein *m*. **3.** Par'zelle *f*: **~ (garden)** Schrebergarten *m*. **4.** *mar. mil. etc* Über'weisung *f* e-s festgesetzten Teils der Löhnung an e-n Angehörigen *etc*.

al·lo·trope ['ælətroup; -lo-] *s chem.* Allo'trop *m*. **ˌal·lo'trop·ic** [-'trɒpik] *adj* allo'tropisch. **al·lot·ro·pism** [ə'lɒtrəˌpizəm], **al'lot·ro·py** [-pi] *s chem.* Allotro'pie *f*, Vielgestaltigkeit *f*.

al·lot·tee [əˌlɒ'ti:] *s* (Zuteilungs)Empfänger(in), Bezugsberechtigte(r *m*) *f*.

al·lot·ter [ə'lɒtər] *s* **1.** Zuteiler *m*. **2.** *teleph.* Wählersucher *m*.

all|-'out *adj* **1.** to'tal, um'fassend, Groß...: **~ offensive** Großoffensive *f*; **~ war** totaler Krieg. **2.** kompro'mißlos, radi'kal: **an ~ reformer**; → **all** *Bes. Redew.* **'~-'out·er** *s Am. colloq.* Radi'kale(r *m*) *f*, Extre'mist(in). **'~ˌo·ver I** *s* **1.** Stoff *m*, dessen Muster die ganze Oberfläche bedeckt. **2.** Muster, das sich über die ganze Oberfläche erstreckt *od.* das sich stets wieder'holt. **II** *adj* **3.** die ganze Oberfläche bedeckend *(Muster etc)*. **4.** Gesamt...

al·low [ə'lau] **I** *v/t* **1.** a) erlauben, gestatten, b) zuerkennen, bewilligen, *a. mildernde Umstände, e-e Frist, Zeit* zubilligen, gewähren (*alle*: **s.o. s.th.** j-m etwas), c) zulassen: **to be ~ed to do s.th.** etwas tun dürfen; **smoking ~ed** Rauchen gestattet; **to ~ o.s.** sich erlauben *od.* gestatten *od.* gönnen; **to ~ an appeal** *jur.* e-r Berufung stattgeben; **we are ~ed five ounces a day** uns stehen täglich 5 Unzen zu. **2.** *e-e Summe* aus-, ansetzen, zuwenden, geben. **3.** a) zugeben, einräumen, b) anerkennen, gelten lassen: **to ~ a claim**. **4.** dulden, ermöglichen, lassen: **she ~ed the food to get cold** sie ließ das Essen kalt werden. **5.** in Abzug bringen, ab-, anrechnen, abziehen, absetzen, nachlassen, vergüten: **to ~ 10% for inferior quality**; **to ~ in full** voll vergüten. **6.** *Am. dial.* behaupten, versichern. **II** *v/i* **7.** erlauben, gestatten, zulassen, ermöglichen (**of** *acc*): **it ~s of no excuse** es läßt sich nicht entschuldigen. **8.** **~ for** in Betracht ziehen, berücksichtigen (*acc.*).

al·low·a·ble [ə'lauəbl] *adj (adv* **allowably**) **1.** erlaubt, zulässig: **~ tolerance** *tech.* zulässige Abweichung. **2.** rechtmäßig. **3.** abzugsfähig: **~ expenses**.

al·low·ance [ə'lauəns] **I** *s* **1.** Erlaubnis *f*, Be-, Einwilligung *f*, Anerkennung *f*. **2.** ausgesetzte Summe, (geldliche) Zuwendung, (bestimmter) gewährter Betrag, Zuschuß *m*, Beihilfe *f*, Taschengeld *n*, Zuteilung *f*: **~ for rent, rental ~** Miets-, Wohnungsgeldzuschuß; **daily ~** Tagegeld *n*; **dress ~** Kleidergeld *n*; **monthly ~** Monatszuschuß, -wechsel *m (bes. für Studenten)*; → **family allowance**. **3.** Entschädigung *f*, Vergütung *f*: **(expense) ~** Aufwandsentschädigung. **4.** *econ.* a) Nachlaß *m*,

Ra'batt *m*, Ermäßigung *f*: ~ for cash Skonto *n*, b) Abschreibung *f*: (tax) ~ *Br.* (Steuer)Freibetrag *m*; initial ~s *Br.* Sonderabschreibungen bei Neuanschaffungen. **5.** *fig.* Nachsicht *f*: to make ~ for in Betracht ziehen, berücksichtigen, bedenken, zugute halten. **6.** *math. tech.* Tole'ranz *f*, zulässige Abweichung, Spiel(raum *m*) *n*. **7.** *sport* Vorgabe *f*. **II** *v/t* **8.** a) *j-n* auf Rati'onen setzen, b) *Güter* ratio'nieren. **9.** *j-m Geld* regelmäßig anweisen.

al·low·ed·ly [ə'lauidli] *adv* erlaubterweise, anerkanntermaßen.

al·loy I *s* ['ælɔi; ə'lɔi] **1.** *tech.* a) Me'talle,gierung *f*, b) Le'gierung *f*, Mischung *f*, Gemisch *n* (*a. fig.*): ~ steel legierter Stahl. **2.** *fig.* (Bei)Mischung *f*, Zusatz *m*: pleasure without ~ ungemischte *od.* ungetrübte Freude. **II** *v/t* [ə'lɔi] **3.** *Metalle* le'gieren, (ver)mischen, versetzen: ~ing component Legierungsbestandteil *m*. **4.** *fig.* verschlechtern, trüben, stören. **III** *v/i* **5.** sich (ver)mischen (*Metalle*).

,all|-'par·ty *adj* Allparteien... **'~-'pur·pose** *adj* für jeden Zweck verwendbar, Allzweck..., Universal...: ~ tool. **'~-'round** *adj* **1.** all-, vielseitig: an ~ athlete ein Allroundsportler; an ~ education e-e vielseitige *od.* umfassende Bildung; ~ man → all-rounder 1; ~ tool Universalwerkzeug *n*; ~ defence (*Am.* defense) *mil.* Rundumverteidigung *f*. **2.** Gesamt..., glo'bal, pau'schal: ~ cost. **,~-'round·er** *s colloq.* **1.** Alleskönner *m*, Aller'weltskerl *m*. **2.** *bes. Br.* Allroundsportler *m*, -spieler *m*. **A~ Saints' Day** *s relig.* Aller'heiligen *n* (*1. November*). **A~ Souls' Day** *s relig.* Aller'seelen *n* (*2. November*). **'~,spice** *s bot.* Nelken-, Ja'maikapfeffer *m*. **'~-,star** *adj sport thea. Am.* Star..., aus Spitzenkräften bestehend: an ~ team; an ~ cast e-e Starbesetzung. **'~-,steel** *adj tech.* Ganzstahl... **'~-,time** *adj* **1.** ganzzeitlich beschäftigt. **2.** die gesamte Zeit erfordernd *od.* betreffend. **3.** *fig.* beispiellos, bisher unerreicht: an ~ record; ~ high Höchstleistung *f od.* -stand *m*, Rekordhöhe *f*; ~ low tiefster Punkt, Tiefstand *m*.

al·lude [ə'lu:d; ə'lju:d] *v/i* (to) anspielen, 'hinweisen (auf *acc*), andeuten, erwähnen (*acc*).

'all-'up weight *s aer.* Gesamt(flug)gewicht *n*.

al·lure [ə'luə; ə'ljuə] *v/t u. v/i* **1.** an-, verlocken. **2.** a) gewinnen, ködern (to für), b) abbringen (from von). **3.** anziehen, bezaubern, reizen. **al'lure·ment** *s* **1.** (Ver)Lockung *f*. **2.** Lockmittel *n*, Köder *m*. **3.** Anziehungskraft *f*, Zauber *m*, Reiz *m*, Charme *m*. **al'lur·ing** *adj* (*adv* ~ly) (ver)lockend, verführerisch, reizend.

al·lu·sion [ə'lu:ʒən; ə'lju:-] *s* **1.** (to) Anspielung *f*, 'Hinweis *m* (auf *acc*), Andeutung *f*, Erwähnung *f* (*gen*). **2.** Anspielung *f*, 'indi,rekte Bezugnahme (*bes. e-s Schriftstellers*). **al'lu·sive** [-siv] *adj* (*adv* ~ly) anspielend (to auf *acc*), verblümt, vielsagend.

al·lu·vi·al [ə'lu:viəl; ə'lju:-] *geol.* **I** *adj* angeschwemmt, alluvi'al: ~ cone Schwemmkegel *m*; ~ gold Alluvial-, Seifengold *n*; ~ ore deposit Erzseife *f*; ~ soil Schwemmlandboden *m*. **II** *s* Schwemmland *n*.

al·lu·vi·on [ə'lu:viən; ə'lju:-] *s* **1.** Anspülung *f*. **2.** angeschwemmtes Land. **3.** *jur.* Alluvi'on *f* (*Landvergrößerung durch Anschwemmung*).

al·lu·vi·um [ə'lu:viəm; ə'lju:-] *pl* **-vi·ums** *od.* **-vi·a** [-ə] (*Lat.*) *s geol.* Al'luvium *n*, Schwemmland *n*.

'all|-,wave *adj electr.* Allwellen...: ~ receiving set. **'~-,weath·er** *adj* Allwetter...: ~ fighter *aer. mil.* Allwetterjäger *m*. **'~-,wheel** *adj tech.* Allrad...: ~ brake; ~ drive; ~ steering Allradlenkung *f*. **'~-,wing** *adj*: ~ type aircraft Nurflügelflugzeug *n*.

al·ly [ə'lai] **I** *v/t* **1.** (*durch Heirat, Bündnis od. Freundschaft, Verwandtschaft, Ähnlichkeit*) verbinden, -einigen (to, with mit): to ~ o.s. → 2; → allied. **II** *v/i* **2.** sich vereinigen, sich verbinden, sich verbünden (to, with mit). **III** *s* ['ælai; ə'lai] **3.** Alli'ierte(r *m*) *f*, Verbündete(r *m*) *f*, Bundesgenosse *m*, Bundesgenossin *f* (*a. fig.*). **4.** *bot. zo.* verwandte Sippe.

al·lyl ['ælil] *s chem.* Al'lyl *n*.

Al·ma Ma·ter ['ælmə 'meitə; 'ɑ:lmə 'mɑ:tə] (*Lat.*) *s* Alma mater *f*.

al·ma·nac ['ɔ:lmə,næk] *s* Almanach *m*, Ka'lender *m*, Jahrbuch *n*.

al·man·dine ['ælmən,di:n; -din] *s min.* Alman'din *m*, roter Gra'nat.

al·might·i·ness [ɔ:l'maitinis] *s* Allmacht *f*. **al'might·y** *adj* **1.** all'mächtig: the A~ der Allmächtige, Gott; the ~ dollar die Allmacht des Geldes. **2.** *colloq.* a) riesig, ‚mächtig', b) scheußlich, ganz verflixt.

al·mond ['ɑ:mənd] *s* **1.** *bot.* Mandel(baum *m*) *f*. **2.** Mandelfarbe *f*. **3.** mandelförmiger Gegenstand. **4.** *anat.* Mandel *f*. **'~-,eyed** *adj* mit mandelförmigen Augen, mandeläugig. ~ **milk** *s pharm.* Mandelmilch *f*.

al·mon·er ['ælmənə; 'ɑ:m-] *s* **1.** Almosenpfleger *m*. **2.** Sozi'albetreuer(in) im Krankenhaus (*zuständig für Sozialfürsorge u. Gebührenverwaltung*).

'al·mon·ry *s* **1.** Wohnung *f* des Almosenpflegers. **2.** Kloster *n etc*, wo Almosen verteilt werden.

al·most ['ɔ:lmoust] *adv* fast, beinah(e), nahezu.

alms [ɑ:mz] *s* (*als sg od. pl konstruiert*) **1.** Almosen *n*. **2.** *obs.* Armenhilfe *f*. ~ **box** *s relig. Br.* Opferbüchse *f*, -stock *m*. ~ **dish** *s relig.* Opferteller *m*. ~ **fee** *s* Peterspfennig *m*. **'~,folk** *s* Almosenempfänger *pl*. **'~,house** *s* **1.** *Br.* Altersheim *n*. **2.** *Am.* Armenhaus *n*. **'~man** [-mən] *s irr* Almosenempfänger *m*.

a·lo·di·al [ə'loudiəl] **I** *adj* allodi'al, (lehens)zinsfrei u. erb-eigen. **II** *s* Allodi'albesitz *m*. **a'lo·di·um** [-əm] *pl* **-di·a** [-ə] *s* Al'lodium *n*, Freigut *n*.

al·oe ['ælou] *pl* **-oes** *s* **1.** *bot.* Aloe *f*. **2.** *pharm.* Aloe *f* (*Abführmittel*).

al·oes·wood ['ælouz,wud] *s* Adler-, Para'dies-, Aloeholz *n*.

al·o·et·ic [,ælo'etik] *chem. pharm.* **I** *adj* alo'etisch: ~ acid Aloesäure *f*. **II** *s* 'Aloepräpa,rat *n*.

a·loft [ə'lɒft] *adv* **1.** *poet.* hoch (oben *od.* hin'auf), in der *od.* die Höhe, em'por, droben, im Himmel. **2.** *mar.* oben, in der Takelung.

a·log·i·cal [ei'lɒdʒikəl] *adj* alogisch.

a·lone [ə'loun] **I** *adj* **1.** al'lein: → leave alone, let alone, let[1] *Bes. Redew.*, stand 15. **2.** *selten* einzig(artig), ohne'gleichen. **II** *adv* **3.** al'lein, bloß, nur.

a·long [ə'lɒŋ] **I** *prep* **1.** entlang (*dat od. acc*), längs (*gen od. dat*), an (*dat*) ... vor'bei, an (*dat*) ... hin: ~ the river am *od.* den Fluß entlang. **2.** während (*gen*), im Laufe von (*od. gen*): ~ about July 25 *Am. colloq.* um den 25. Juli (herum); → all *Bes. Redew.* **II** *adv* **3.** ~ by → 1. **4.** (weiter) fort, vorwärts, weiter: → get along. **5.** da'hin: as he rode ~. **6.** ~ with (zu'sammen) mit: to take ~ (with o.s.) mitnehmen; → come along, go along. **7.** *colloq.* da, her, hin: I'll be ~ in a few minutes ich werde in ein paar Minuten da sein. **8.** right ~ *Am. colloq.* ständig, fortwährend. **9.** ~ of *Am. dial.* wegen (*gen od. dat*).

a·long·shore [ə'lɒŋ,ʃɔ:ə] *adv* längs der Küste. **a'long,shore·man** [-mən] *s irr* **1.** Werftarbeiter *m*. **2.** Küstenfahrer *m*. **3.** Seemann *m* auf Vergnügungsbooten in Seebädern.

a'long'side I *adv* **1.** *mar.* längsseits. **2.** Seite an Seite, neben('her). **3.** *colloq.* (of, with) verglichen (mit), im Vergleich (zu), neben (*dat*). **II** *prep* **4.** neben (*dat od. acc*), längsseits (*gen*). **5.** im gleichen Ausmaß wie.

a·loof [ə'lu:f] **I** *adv* fern, entfernt, abseits, von fern: to keep (*od.* stand) ~ (sich) fernhalten (from von), für sich bleiben, Distanz wahren. **II** *pred adj* a) fern, abseits, b) reser'viert, zu'rückhaltend. **a'loof·ness** *s* Zu'rückhaltung *f*, Reser'viertheit *f*.

al·o·pe·ci·a [,ælo'pi:ʃiə] *s med.* Haarausfall *m*, Kahlheit *f*.

a·loud [ə'laud] *adv* laut, mit lauter Stimme.

a·low [ə'lou] *adv mar.* (nach) unten.

alp [ælp] *s* **1.** Bergspitze *f*: the A~s die Alpen. **2.** Alp(e) *f*, Alm *f*.

al·pac·a [æl'pækə] *s* **1.** *zo.* Pako *m*, Al'paka *n*, Peru'anisches Ka'mel. **2.** Al'pakahaar *n*, -wolle *f*, -stoff *m*.

'al·pen|,glow ['ælpən-] *s* Alpenglühen *n*. **'~,horn** *s* Alphorn *n*. **'~,stock** *s* Bergstock *m*.

al·pes·tri·an [æl'pestriən] *s* Alpi'nist(in).

al·pes·trine [æl'pestrin] *adj* **1.** Alpen... **2.** *bot.* subal'pinisch.

al·pha ['ælfə] *s* **1.** Alpha *n* (*erster Buchstabe des griechischen Alphabets*): ~ particle *phys.* Alphateilchen *n*; ~ rays Alphastrahlen. **2.** *fig.* Alpha *n*, der (die, das) erste *od.* beste, Anfang *m*: ~ and omega der Anfang u. das Ende, das A u. O. **3.** *univ. Br.* Eins *f* (*beste Note*): ~ plus hervorragend, erstklassig; ~ test *psych. Am.* Alpha-Test *m* (*Intelligenzprüfung*).

al·pha·bet ['ælfə,bet] **I** *s* **1.** Alpha'bet *n*, Ab'c *n*, Abe'ce *n*: ~ noodles Buchstabennudeln. **2.** *fig.* 'Grundele,mente *pl*, Anfangsgründe *pl*, Ab'c *n*. **II** *v/t Am.* → alphabetize.

al·pha·bet·ar·i·an [,ælfəbe'tɛ(ə)riən] *s* **1.** j-d, der das Alpha'bet lernt *od.* Alpha'bete stu'diert. **2.** Ab'c-Schütze *m*. **3.** *fig.* Anfänger(in).

al·pha·bet·ic [,ælfə'betik] *adj* (*adv* ~ally) alpha'betisch: ~ order alphabetische Anordnung; ~ interpreter *tech.* Alpha-Lochschriftübersetzer *m*; ~ printing punch Alpha-Schreiblocher *m*. **,al·pha'bet·i·cal** [-kəl] *adj* (*adv* ~ly) alpha'betisch: ~ accounting machine alphabetschreibende Tabelliermaschine; ~ agency Institution *f* mit abgekürzter Bezeichnung.

al·pha·bet·ize ['ælfəbe,taiz] *v/t* alphabeti'sieren, alpha'betisch ordnen.

al·pha·nu·mer·ic [,ælfənju:'merik] *adj tech.* alphanu'merisch.

'alp,horn → alpenhorn.

Al·pine ['ælpain; -pin] *adj* **1.** Alpen... **2.** a~ al'pin, Hochgebirgs...: ~ combined (*Skisport*) Alpine Kombination (*Abfahrtslauf, Slalom* [*u. Riesenslalom*]); a~ race (*Anthropologie*) alpine Rasse; a~ sun *med.* Höhensonne *f*; a~ troops *mil.* (Hoch)Gebirgstruppen, Gebirgsjäger.

Al·pin·ism ['ælpi,nizəm] *s* Alpi'nismus *m*. **'Al·pin·ist** *s* Alpi'nist(in).

al·read·y [ɔːlˈredi] *adv* schon, bereits. **al·right** [ˌɔːlˈrait] *inkorrekte Schreibung von* all right.
Al·sa·tian [ælˈseiʃiən; -ʃən] **I** *adj* **1.** elsässisch, Elsässer: ~ dog (*od.* wolf-hound) → 3. **II** *s* **2.** Elsässer(in). **3.** Wolfshund *m*, Schäferhund.
al·so [ˈɔːlsou] **I** *adv* auch, ferner, außerdem, gleich-, ebenfalls: ~ ran (*Rennsport*) ferner liefen. **II** *conj colloq.* und.
ˈal·so-ˌran *s* **1.** *Rennsport*: siegloses Pferd. **2.** *colloq.* a) *j-d, der od. etwas, was nicht besonders gut abschneidet*, b) Versager *m*, ‚Niete' *f*, c) ‚Null' *f* (*unbedeutende Person*): he is an ~ er kommt unter ‚ferner liefen'.
alt [ælt] *s mus.* Alt(stimme *f*) *m*: in ~ a) in der Oktave über dem Violinsystem, b) *fig.* in gehobener Stimmung, hingerissen.
al·tar [ˈɔːltər] *s* **1.** Alˈtar *m*: to lead to the ~ *j-n* zum Altar führen, heiraten. **2.** *mar. sl.* Stufenweg *m* (*am Trockendock*). ~ **cloth** *s* Alˈtardecke *f*. ˈ~-ˌ**piece** *s* Alˈtarbild *n*, -blatt *n*, -gemälde *n*. ~ **rail** *s* Alˈtargitter *n*. ~ **screen** *s* Alˈtarrückwand *f*, Reˈtabel *n*.
alt·az·i·muth [ælˈtæziməθ] *s astr.* Altaziˈmut *n* (*Meßinstrument*).
al·ter [ˈɔːltər] **I** *v/t* **1.** (ver)ändern, ab-, ˈumändern: ~ing with intent to defraud *jur.* Verfälschen *n* (*e-r echten Urkunde*); this does not ~ the fact that ... das ändert nichts an der Tatsache, daß ... **2.** *Am. dial. Tiere* kaˈstrieren. **3.** *mus.* alteˈrieren. **II** *v/i* **4.** sich (ver)ändern. ˈ**al·ter·a·ble** *adj* veränderlich, wandelbar: it is (not) ~ es läßt sich (nicht) (ab)ändern.
al·ter·a·tion [ˌɔːltəˈreiʃən] *s* **1.** Änderung *f* (to an *dat*), Ver-, Ab-, ˈUmänderung *f* (*Vorgang u. Ergebnis*). **2.** ˈUmbau *m*. **3.** *mus.* Alteratiˈon *f*, Alteˈrierung *f*. ˈ**al·terˌa·tive I** *adj* verändernd. **II** *s med.* Alteraˈtiv *n*, Blutreinigungsmittel *n*.
al·ter·cate [ˈɔːltərˌkeit] *v/i* streiten, zanken. ˌ**al·terˈca·tion** *s* Wortwechsel *m*, Zank *m*, Streit *m*.
al·ter e·go [ˈæltər ˈiːgou; ˈegou] (*Lat.*) *s* Alter ego *n*: a) (*das*) andere Ich, b) Busenfreund(in).
al·ter·nant [ˈɔːltərnənt] **I** *adj* abwechselnd. **II** *s math.* alterˈnierende Größe.
al·ter·nate [*Br.* ɔːlˈtəːnit; *Am.* ˈɔːltər-] **I** *adj* **1.** (miteinˈander) abwechselnd, alterˈnierend, wechselseitig: ~ angles *math.* Wechselwinkel *m*; ~ position *mil.* Ausweich-, Wechselstellung *f*; ~ routing *tech.* Umwegsteuerung *f*; on ~ days (abwechselnd) jeden zweiten Tag. **2.** *bot.* wechselständig. **II** *s* **3.** *bes. pol. Am.* Stellvertreter *m*. **III** *v/t* [ˈɔːltərˌneit] **4.** wechselweise tun. **5.** abwechseln lassen. **6.** (*miteinander*) vertauschen, versetzen, *a. tech.* versetzt anordnen. **7.** *tech.* ˈhin- u. ˈherbewegen. **8.** *electr.* durch Wechselstrom in Schwingungen versetzen. **9.** *electr. tech.* (periˈodisch) verändern. **IV** *v/i* **10.** wechselweise (*aufeinander*) folgen, alterˈnieren, (*miteinander*) abwechseln. **11.** *electr.* wechseln (*Strom*).
al·ter·nate·ly [*Br.* ɔːlˈtəːnitli; *Am.* ˈɔːltər-] *adv* abwechselnd, wechselweise. **al·ter·nat·ing** [ˈɔːltərˌneitiŋ] *adj* abwechselnd, Wechsel...: ~ current *electr.* Wechselstrom *m*; ~ perforation *tech.* Zickzacklochung *f*; ~ three-phase current *electr.* Drehstrom *m*.
al·ter·na·tion [ˌɔːltərˈneiʃən] *s* **1.** Abwechslung *f*, Wechsel *m*, Alterˈnieren *n*, wechselseitige Folge: ~ of generations *biol.* Generationswechsel. **2.** *math.* a) Permutatiˈon *f*, b) alterˈnierende Proportiˈon. **3.** *relig.* Responˈsorium *n* (*Wechselgesang*). **4.** *electr.* (Strom)Wechsel *m*, ˈHalbperiˌode *f*.
al·ter·na·tive [ɔːlˈtəːrnətiv] **I** *adj* **1.** alternaˈtiv, wahlweise, einˈander ausschließend, Ersatz...: ~ airfield Ausweichflugplatz *m*; ~ frequency Ausweichfrequenz *f*; ~ proposal Gegenvorschlag *m*. **2.** ander(er, e, es) (*von zweien*). **II** *s* **3.** Alternaˈtive *f*, Wahl *f*, Ausweg *m* (to für): to have no (other) ~ keine andere Möglichkeit *od.* Wahl haben. **alˈter·na·tive·ly** *adv* im anderen Falle, ersatz-, hilfs-, wahlweise.
al·ter·na·tor [ˈɔːltərˌneitər] *s electr.* ˈWechselstromgeneˌrator *m*.
al·th(a)e·a [ælˈθiːə] *s bot.* Alˈthee *f*, Eibisch *m*.
Al·thing [ˈɑːlθiŋ; ˈɔːl-] *s* Althing *n* (*Parlament von Island*).
al·tho [ɔːlˈðou] *Am. Nebenform für* although.
alt·horn [ˈæltˌhɔːrn] *s mus.* Althorn *n*.
al·though [ɔːlˈðou] *conj* obˈwohl, obˈgleich, wenn auch.
al·ti·graph [ˈæltigræ(ː)f; *Br. a.* -ˌgrɑːf] *s phys.* Höhenschreiber *m*.
al·tim·e·ter [ælˈtimitər; ˈæltiˌmiːtər] *s phys.* Höhenmesser *m*.
al·ti·tude [ˈæltiˌtjuːd] *s* **1.** *aer. astr. math.* Höhe *f*, (absoˈlute) Höhe (*über dem Meeresspiegel*), Flughöhe *f*: ~ cabin Unterdruckkammer *f*; ~ control Höhensteuerung *f*; ~ sickness Höhenkrankheit *f*; ~ of the sun Sonnenstand *m*; to lose ~ *aer.* an Höhe verlieren. **2.** *meist pl* Höhe *f*, Gipfel *m*, hochgelegene Gegend: mountain ~s Berghöhen. **3.** *fig.* Erhabenheit *f*. ˌ**al·tiˈtu·di·nal** [-dinl] *adj* Höhen...
al·to [ˈæltou] *pl* ˈ**al·tos** *od.* ˈ**al·ti** [-iː] *s mus.* Alt *m*: a) Altstimme *f* (*e-s Sängers od. e-r Komposition*), b) Alˈtist(in), Altsänger(in), c) ˈAltinstruˌment *n*, *bes.* Viˈola *f*, Bratsche *f*, d) (Chor)-Alt *m* (*Stimmgruppe*). ~ **clef** *s mus.* Altschlüssel *m*. ˌ~-ˈ**cu·mu·lus** *s meteor.* Altoˈkumulus *m*.
al·to·geth·er [ˌɔːltəˈgeðər] **I** *adv* **1.** insgesamt. **2.** ganz (u. gar), gänzlich, völlig. **3.** im ganzen genommen. **II** *s* **4.** in the ~ im Adams- *od.* Evaskostüm.
al·to|-re·lie·vo [ˈæltou riˈliːvou] (*Ital.*) *s* ˈHochreliˌef *n*, erhabene Arbeit. ˌ~-ˈ**stra·tus** *s meteor.* Altoˈstratus *m*, hohe Schichtwolke.
al·tru·ism [ˈæltruˌizəm] *s* Altruˈismus *m*, Nächstenliebe *f*, Selbstlosigkeit *f*. ˈ**al·tru·ist** *s* Altruˈist(in). ˌ**al·truˈis·tic** *adj* (*adv* ~ally) altruˈistisch.
al·u·del [ˈæljuˌdel] *s chem.* Aluˈdel *m*.
al·um [ˈæləm] *s chem.* Aˈlaun *m*.
a·lu·mi·na [əˈljuːminə] *s chem.* Tonerde *f*, Aluˈminiumoˌxyd *n*. **aˈlu·mi·ˌnate** [-ˌneit] **I** *s* Alumiˈnat *n*. **II** *v/t* → aluminize. **al·u·min·ic** [ˌæljuˈminik] *adj* aluˈminiumhaltig, Aluminium...
a·lu·mi·nide [əˈljuːminaid] *s* aluˈminiumhaltige Leˈgierung. **aˌlu·mi·ˈnif·er·ous** [-ˈnifərəs] *adj* aluˈminiumhaltig. **aˈlu·miˌnite** [-ˌnait] *s min.* Alumiˈnit *m*.
al·u·min·i·um [ˌæljuˈminiəm], *Am.* **a·lu·mi·num** [əˈluːminəm] *chem.* **I** *s* Aluˈminium *n*. **II** *adj* Aluminium...: ~ oxide → alumina; ~ sulfate Aluminiumsulfat *n*. **a·lu·mi·nize** [əˈljuːmiˌnaiz] *v/t chem.* **1.** mit Aˈlaun *od.* Tonerde behandeln *od.* versetzen. **2.** mit Aluˈminium überˈziehen.
a·lu·mi·nous [əˈljuːminəs] *adj chem.* Aˈlaun *od.* Aluˈminium enthaltend *od.* betreffend. **aˈlu·mi·num** [-nəm] *Am. für* aluminium.
a·lum·na [əˈlʌmnə] *pl* **-nae** [-iː] *s Am.* ehemalige Stuˈdentin *od.* Schülerin. **aˈlum·nor** [-nɔːr] *s Am.* ‚Ehemaligen-Betreuer' *m*. **aˈlum·nus** [-nəs] *pl* **-ni** [-ai] *s Am.* **1.** ehemaliger Stuˈdent *od.* Schüler. **2.** *colloq.* ehemaliges Mitglied (*e-r Organisation etc*).
al·um| rock → alunite. ~ **root** *s bot.* Aˈlaunwurzel *f*. ~ **schist**, ~ **shale**, ~ **slate** *s min.* Aˈlaunschiefer *m*. ~ **stone** → alunite.
al·u·nite [ˈæljuˌnait] *s min.* Aˈlaun[stein *m*.]
al·ve·ar·y [ˈælviəri] *s* **1.** Bienenstock *m*. **2.** *anat.* Alveˈarium *n* (*äußerer Gehörgang*).
al·ve·o·lar [ˈælviələr; ælˈviː-] **I** *adj* **1.** alveoˈlär: a) fächerig, zellen-, wabenförmig, b) *anat.* Zahnfächer *od.* den Zahndamm betreffend. **2.** *physiol.* die Lungenbläs-chen betreffend. **3.** *ling.* alveoˈlar, am Zahndamm artikuˈliert. **II** *s* **4.** *a.* ~ arch *anat.* Zahnhöhlenbogen *m*. **5.** *ling.* Alveoˈlar *m*.
al·ve·o·late [ælˈviːəˌlit; -ˌleit] → alveolar 1 a. **al·ve·ole** [ˈælviˌoul], **alˈve·o·lus** [-ləs] *pl* **-li** [-ˌlai] *s anat.* Alveˈole *f*: a) Zahnfach *n* (*im Kiefer*), b) Lungenbläs-chen *n*.
al·vine [ˈælvin; -vain] *adj med.* den Darm *od.* Bauch betreffend.
al·ways [ˈɔːlweiz; -wiz] *adv* **1.** immer, jederzeit, stets, ständig. **2.** auf jeden Fall, immerˈhin.
a·lys·sum [əˈlisəm; ˈælisəm] *s bot.* [Steinkraut *n*.]
am [æm] *1. sg pres von* to be.
am·a·dou [ˈæməˌduː] *s* Feuerschwamm *m*.
a·mah [ˈɑːmə; ˈæmə] *s Br. Ind.* Amme [*f*, Kinderfrau *f*.]
a·main [əˈmein] *adv* **1.** mit (aller) Macht. **2.** außerordentlich.
Am·a·lek·ite [əˈmæləˌkait; ˈæməˌlek-] *s Bibl.* Amaleˈkiter *m*.
a·mal·gam [əˈmælgəm] **I** *s* **1.** *chem. tech.* a) Amalˈgam *n*, b) innige (Stoff)Verbindung, Mischung *f*. **2.** *fig.* Mischung *f*, Verschmelzung *f*. **II** *v/t* → amalgamate 1.
a·mal·gam·ate [əˈmælgəˌmeit] *v/t u. v/i* **1.** *chem. tech.* a) (sich) amalgaˈmieren, b) *a. fig.* (sich) vereinigen, verschmelzen. **2.** *fig.* (sich) zs.-schließen, *econ. a.* (*nur v/t*) fusioˈnieren.
a·mal·gam·a·tion [əˌmælgəˈmeiʃən] *s* **1.** Amalgaˈmieren *n*. **2.** Vereinigung *f*, -schmelzung *f*, Zs.-schluß *m*, Zs.-legung *f*, *econ. a.* Fusiˈon *f*.
a·man·u·en·sis [əˌmænjuˈensis] *pl* **-ses** [-siːz] *s* Amanuˈensis *m*, (Schreib)-Gehilfe *m*, Sekreˈtär(in).
am·a·ranth [ˈæməˌrænθ] *s* **1.** *bot.* Amaˈrant *m*, Fuchsschwanz *m*. **2.** *poet.* unverwelkliche Blume. **3.** Amaˈrantfarbe *f*, Purpurrot *n*.
am·a·relle [ˌæməˈrel] *s bot.* Amaˈrelle *f*, Glaskirsche *f*.
am·a·ryl·lis [ˌæməˈrilis] *s bot.* **1.** Amaˈryllis *f*. **2.** Ritterstern *m*.
a·mass [əˈmæs] *v/t* an-, aufhäufen, ansammeln. **aˈmass·ment** *s* Anhäufung *f*, Ansammlung *f*.
am·a·teur [ˈæməˌtəːr; -ˌtʃur; -ˌtjur] *s* Amaˈteur *m*: a) (Kunst- *etc*)Liebhaber(in): ~ painter Sonntagsmaler(in); ~ value Liebhaberwert *m*, b) Amaˈteursportler(in): ~ boxer Amateurboxer *m*; ~ flying Sportfliegerei *f*, c) Nichtfachmann *m*, *contp.* Diletˈtant(in), Stümper(in), d) Bastler(in): radio ~ Amateurfunker *m*; ~ (frequency) band (*Funk*) Amateurband *n*. ˌ**am·aˈteur·ish** *adj* diletˈtantisch. ˈ**am·aˌteur·ism** *s* **1.** Amaˈteurtum *n*, -sport *m*. **2.** Diletˈtantentum *n*.

am·a·tive ['æmətiv] *adj* Liebes... '**am·a·tive·ness** *s* Sinnlichkeit *f*, Liebesdrang *m*.
am·a·to·ry ['æmətəri] *adj* verliebt, amou'rös, sinnlich, e'rotisch, Liebes...
a·maze [ə'meiz] *v/t* in (Er)Staunen setzen, über'raschen, verblüffen. **a'mazed** *adj* erstaunt, verblüfft, über'rascht (at über *acc*). **a'maz·ed·ly** [-zidli] *adv* → **amazed**. **a'maz·ed·ness** *s* Erstaunen *n*.
a·maze·ment [ə'meizmənt] *s* (Er)-Staunen *n*, Über'raschung *f*, Verwunderung *f*, -blüffung *f*.
a·maz·ing [ə'meiziŋ] **I** *adj* (*adv* ~ly) **1.** erstaunlich, verblüffend. **2.** unglaublich, ‚furchtbar', ‚toll'. **II** *adv Am. colloq.* → 2.
Am·a·zon ['æməzən; -ˌzɒn] *s* **1.** *antiq.* Ama'zone *f*. **2.** *a.* a~ *fig.* Ama'zone *f*, Mannweib *n*. **3.** *a.* ~ ant Ama'zonenameise *f*.
Am·a·zo·ni·an [ˌæmə'zouniən] *adj* **1.** ama'zonenhaft, Amazonen... **2.** *geogr.* Amazonas...
am·bag·es ['æmbidʒiz] *s pl* **1.** 'Umschweife *pl*. **2.** Winkelzüge *pl*.
am·bas·sa·dor [æm'bæsədər] *s* **1.** *pol.* a) *a.* ~ **extraordinary** Gesandte(r) *m* (*in e-m bestimmten Auftrag*), Bevollmächtigte(r) *m*, b) Botschafter *m*, (*ständiger*) Gesandter (*ersten Ranges*): ~**-at-large** Sonderbotschafter. **2.** Abgesandte(r) *m*, Bote *m* (*a. fig.*).
amˌ**bas·sa'do·ri·al** [-'dɔːriəl] *adj* Botschafts... **am'bas·sa·dor**ˌ**ship** *s* Stellung *f* e-s Gesandten *etc*.
am·bas·sa·dress [æm'bæsədris] *s* **1.** Botschafterin *f*. **2.** Gattin *f* e-s Botschafters.
am·ber ['æmbər] **I** *s* **1.** *min.* Bernstein *m*. **2.** Bernsteinfarbe *f*. **3.** Gelb(licht) *n*, gelbes Licht (*Verkehrsampel*). **4.** → **ambergris**. **II** *adj* **5.** Bernstein... **6.** bernsteinfarben, gelbbraun. **7.** gelb: ~ **light** → 3.
am·ber·gris ['æmbərˌgriːs; -gris] *s* (graue) Ambra.
am·bi·ance [ɑ̃'bjɑ̃ːs] (*Fr.*) *s* Um'gebung *f*, 'Umwelt *f*, Atmo'sphäre *f*, (*Kunst*) Ambi'ente *n*.
am·bi·dex·ter [ˌæmbi'dekstər] **I** *adj* **1.** mit beiden Händen gleich geschickt, beidhändig. **2.** ungewöhnlich geschickt. **3.** *fig.* doppelzüngig, falsch, achselträgerisch. **II** *s* **4.** Beidhänder(in). ˌ**am·bi·dex'ter·i·ty** [-deks'teriti] *s* Beidhändigkeit *f*. ˌ**am·bi'dex·trous** → **ambidexter** I.
am·bi·ence ['æmbiəns] → **ambiance**. '**am·bi·ent I** *adj* um'gebend: ~ **light** *TV* Umgebungs-, Raumbeleuchtung *f*; ~ **light filter** *TV* Grau(glas)scheibe *f*; ~ **temperature** *tech.* Umgebungs-, Raumtemperatur *f*. **II** *s* Um'gebung *f*, Atmo'sphäre *f*.
am·bi·gu·i·ty [ˌæmbi'gjuːiti] *s* Zwei-, Mehr-, Vieldeutigkeit *f*, Doppelsinn *m*, Ambigui'tät *f*.
am·big·u·ous [æm'bigjuəs] *adj* (*adv* ~ly) **1.** zwei-, mehr-, vieldeutig, doppelsinnig, dunkel (*Ausdruck*), unklar, verschwommen: ~ **policy** undurchsichtige Politik. **2.** proble'matisch, ungewiß. **3.** *bot. zo.* von zweifelhaftem syste'matischem Cha'rakter. **am'big·u·ous·ness** → **ambiguity**.
am·bit ['æmbit] *s* **1.** 'Umfang *m*, 'Umkreis *m*. **2.** Gebiet *n*, Bereich *m*, Grenzen *pl*. **3.** *TV* Kon'tur *f*.
am·bi·tend·en·cy [ˌæmbi'tendənsi] *s psych.* Ambiten'denz *f*.
am·bi·tion [æm'biʃən] *s* **1.** Ehrgeiz *m*, Ambiti'on *f* (*beide a. Gegenstand des Ehrgeizes*). **2.** (ehrgeiziges) Streben, Wunsch *m*, Begierde *f* (of nach; to do zu tun). **3.** Ziel *n*.
am·bi·tious [æm'biʃəs] *adj* (*adv* ~ly) **1.** ehrgeizig. **2.** ehrgeizig strebend, begierig (of nach). **3.** *fig.* a) ehrgeizig, ambiti'ös: ~ **plans**, b) anspruchsvoll, prätenti'ös: ~ **style**. **am'bi·tious·ness** → **ambition** 1.
am·biv·a·lence [æm'bivələns; *Br. a.* 'æmbi'veiləns] *s bes. psych.* Ambiva'lenz *f*, Doppelwertigkeit *f*. **am'biv·a·lent** *adj bes. psych.* ambiva'lent.
am·bi·ver·sion [ˌæmbi'vəːrʒən] *s psych.* Zwischenzustand *m* zwischen Introversi'on u. Extroversi'on. '**am·bi**ˌ**vert** *s psych.* Extro-Introver'tierte(r *m*) *f*.
am·ble ['æmbl] **I** *v/i* **1.** im Paßgang gehen *od.* reiten. **2.** *fig.* schlendern, gemächlich gehen. **II** *s* **3.** Paß(gang) *m* (*e-s Pferdes*). **4.** gemächlicher Gang, Schlendern *n* (*von Personen*). '**am·bling** *adj* **1.** schlendernd, gemächlich gehend. **2.** *a. fig.* gemächlich, geruhsam: ~ **walk**; ~ **style**.
am·bo·cep·tor ['æmboˌseptər] *s med.* Ambo'zeptor *m*, Im'munkörper *m*.
am·bro·si·a [æm'brouziə; -ʒə] *s antiq.* Am'brosia *f*, Götterspeise *f* (*a. fig.*). ~ **bee·tle** *s zo.* Am'brosiakäfer *m*.
am·bro·si·al [æm'brouziəl; -ʒəl] *adj* (*adv* ~ly) **1.** am'brosisch. **2.** *fig.* a) köstlich, b) duftend.
am·bry ['æmbri] *s* **1.** Speisekammer *f*, Schrank *m*. **2.** Ar'chivschrank *m*.
ambs·ace ['eimzˌeis; 'æmz-] *s* **1.** Pascheins *f* (*beim Würfelspiel*). **2.** *fig.* a) ‚Pech' *n*, Unglück *n*, b) (*etwas*) Wertloses, Wertlosigkeit *f*.
am·bu·lance ['æmbjuləns] *s* **1.** Ambu'lanz *f*, Kranken-, Unfall-, Sani'tätswagen *m*. **2.** *mil.* 'Feldlazaˌrett *n*. ~ **bat·tal·ion** *s mil.* 'Krankentransˌportbataiˌlon *n*. ~ **box** *s* Verbandskasten *m*. ~ **chas·er** *s Am. sl.* Anwalt, der an Unfallorten Kli'enten kapern will. ~ **dog** *s mil.* Sani'tätshund *m*. ~ **sta·tion** *s* 'Unfallstatiˌon *f*.
am·bu·lant ['æmbjulənt] **I** *adj* → **ambulatory** 1 *u.* 2. **II** *s med.* gehfähiger *od.* ambu'lant behandelter Pati'ent. '**am·bu·la·to·ry** [-lətəri] **I** *adj* **1.** ambu'lant, ambula'torisch (*beide a. med.*), wandernd, Wander...: ~ **trade**; ~ **patient** → **ambulant** II; ~ **treatment** *med.* ambulante Behandlung. **2.** beweglich, (orts)veränderlich. **3.** Geh...: ~ **exercise**. **4.** *jur.* abänderlich, wider'ruflich: ~ **will**. **II** *s* **5.** *arch.* Ar'kade *f*, Wandelgang *m*.
am·bus·cade [ˌæmbəs'keid] → **ambush**.
am·bush ['æmbuʃ] **I** *s* **1.** 'Hinterhalt *m* (*a. fig.*), Versteck *n*. **2.** 'Überfall *m* aus dem 'Hinterhalt. **3.** *mil.* im 'Hinterhalt liegende Truppen *pl*. **II** *v/t* **4.** *Truppen* in e-n 'Hinterhalt legen. **5.** aus e-m *od.* dem 'Hinterhalt über'fallen, auflauern (*dat*). **III** *v/i* **6.** im 'Hinterhalt liegen.
a·me·ba, a·me·bic → **amoeba, amoebic**.
a·meer → **emir**.
a·mel·io·rant [ə'miːljərənt; -liə-] *s* (*agr.* Boden)Verbesserer *m*. **a'mel·io**ˌ**rate** [-ˌreit] **I** *v/t* verbessern. **II** *v/i* besser werden, sich bessern.
a·mel·io·ra·tion [əˌmiːljə'reiʃən; -liə-] *s* **1.** Verbesserung *f*. **2.** *agr.* Bodenverbesserung *f*, Meliorati'on *f* (des Bodens). **a'mel·io·ra·tive** [-ˌreitiv; -rətiv] *adj* (ver)bessernd.
a·men ['ei'men; 'ɑː-] **I** *interj* amen! **II** *s* Amen *n*.
a·me·na·bil·i·ty [əˌmiːnə'biliti] *s* **1.** Zugänglichkeit *f* (to für). **2.** Verantwortlichkeit *f* (to gegen'über). **a'me·na·ble** *adj* (*adv* **amenably**) (to) **1.** zugänglich (*dat*): ~ **to flattery**. **2.** a) gefügig, willfährig (*dat*), b) geeignet (für). **3.** a) verantwortlich (gegen'über), b) unter'worfen (*dat*): ~ **to the laws**; ~ **to a penalty**.
a·mend [ə'mend] **I** *v/t* **1.** (ver)bessern, berichtigen. **2.** *parl. e-n Gesetzentwurf* abändern *od.* ergänzen, *die Verfassung* ändern: **as** ~**ed on March 1st** *das Gesetz* in der Fassung vom 1. März. **II** *v/i* **3.** sich bessern. **a'mend·a·ble** *adj* verbesserungsfähig. **a'mend·a·to·ry** *adj* Verbesserungs...
a·mende ho·no·ra·ble [a'mɑ̃ːd ɔnɔ'rabl] (*Fr.*) *s* öffentliche Abbitte, Ehrenerklärung *f*.
a·mend·ment [ə'mendmənt] *s* **1.** (*bes. sittliche*) Besserung. **2.** Verbesserung *f*, Berichtigung *f* (*a. jur.*). **3.** *parl.* a) (Ab)Änderungs-, Zusatz-, Verbesserungsantrag *m* (*zu e-m Gesetz*), b) *Am.* 'Zusatzarˌtikel *m* zur Verfassung, Nachtragsgesetz *n*: **the Fifth A**~, c) Ergänzung *f*, Nachtrag *m*.
a·mends [ə'mendz] *s pl* (*als sg konstruiert*) (Schaden)Ersatz *m*, Vergütung *f*, Wieder'gutmachung *f*, Genugtuung *f*: **to make** ~ Schadenersatz leisten, es wieder'gutmachen.
a·men·i·ty [ə'miːniti; -'men-] *s* **1.** *oft pl* Liebenswürdigkeit *f*, Artigkeit *f*, Höflichkeit *f*, *pl a.* Konventi'onen *pl*, Eti'kette *f*: **amenities of diplomacy**; **his** ~ **of temper** sein angenehmes Wesen. **2.** a) *oft pl* Annehmlichkeit(en *pl*) *f*, b) *pl* (na'türliche) Vorzüge *pl od.* Reize *pl* (*e-r Person od. e-s Ortes etc*), c) angenehme *od.* schöne Lage (*e-s Hauses etc*), d) Erholungsgebiet *n*.
a·men·or·rh(o)e·a [eiˌmenə'riːə] *s med.* Amenor'rhöe *f*, Ausbleiben *n* der Regel.
am·ent[1] ['æmənt; 'ei-] *s bot.* Kätzchen *n*.
a·ment[2] ['eimənt] *s* Geistesgestörte(r *m*) *f*.
a·men·ti·a [ei'menʃiə] *s* Verrücktheit *f*, Geistesgestörtheit *f*.
a·merce [ə'məːrs] *v/t* **1.** mit e-r Geldstrafe belegen. **2.** (be)strafen. **a'merce·ment** *s* Geldstrafe *f*.
A·mer·i·can [ə'merikən] **I** *adj* **1.** ameri'kanisch: a) *Nord- u./od. Südamerika betreffend*, b) *die USA betreffend*. **II** *s* **2.** Ameri'kaner(in): a) *Bewohner(in) von Nord- od. Südamerika*, b) *Bewohner(in) od. Bürger(in) der USA*. **3.** *ling.* Ameri'kanisch *n*, das amerikanische Englisch. **A**ˌ**mer·i'ca·na** [-'kɑːnə; -'keinə] *s pl* Ameri'kana *pl* (*Schriften etc über Amerika*).
A·mer·i·can·ism [ə'merikəˌnizəm] *s* Amerika'nismus *m*: a) *amer. Nationalgefühl*, b) *amer. Brauch*, c) (typisch) amer. Eigenart *f od.* Lebensauffassung *f*, d) *ling. amer. Spracheigentümlichkeit*.
A·mer·i·can·ist [ə'merikənist] *s* **1.** Amerika'nist(in) (*Kenner[in] der Geschichte, Sprache u. Kultur des alten Amerika*). **2.** Anhänger(in) ameri'kanischer Ide'ale u. Poli'tik.
A·mer·i·can·i·za·tion [əˌmerikənai'zeiʃən; -ni-] *s* **1.** ˌAmerikani'sierung *f*. **2.** Belehrung *f* von Einwanderern in amer. Geschichte, Staatsbürgerkunde *etc*. **A'mer·i·can**ˌ**ize** *v/t u. v/i* (sich) ˌamerikani'sieren, amer. Eigenheiten annehmen, Ameri'kaner(in) werden.
A·mer·i·can| lau·rel *s bot.* Breitblättrige Lorbeerrose. ~ **Le·gion** *s* Frontkämpferbund *m* (*der Teilnehmer am 1. u. 2. Weltkrieg*). ~ **lin·den** *s bot.* Schwarzlinde *f*. ~ **or·gan** *s mus.* amer. Orgel *f* (*Art Harmonium*). ~ **plan** *s*

Am. **1.** Ho'telzimmer-Vermietung *f* nur mit voller Verpflegung, 'Vollpensi,on *f.* **2.** *econ.* Beziehungen *pl* u. Verhandlungen *pl* zwischen den Sozi'alpartnern unter Ausschluß der Gewerkschaften *od.* über e-e Betriebsgewerkschaft. ~ **Rev·o·lu·tion** *s* Amer. Freiheitskrieg *m* (*1775—83*).
Am·er·ind ['æmə,rind] *s* amer. Indi'aner *m od.* Eskimo *m.* ,**Am·er'in·di·an I** *s* → Amerind. **II** *adj* ameri,kanisch-indi'anisch.
ames·ace → ambsace.
a·me·tab·o·lism [,eimi'tæbə,lizəm] *s zo.* Entwicklung *f* (*von Insekten*) ohne Metamor'phose.
am·e·thyst ['æmiθist] *s* **1.** *min.* Ame'thyst *m.* **2.** purpurnes Vio'lett. ,**am·e'thys·tine** [-tin; -tain] *adj* ame'thystartig *od.* -farben, Amethyst...
a·mi·a·bil·i·ty [,eimiə'biliti] *s* Liebenswürdigkeit *f.*
a·mi·a·ble ['eimiəbl] *adj* (*adv* amiably) **1.** liebenswürdig, freundlich, gewinnend. **2.** angenehm, reizend.
am·i·an·thus [,æmi'ænθəs] *s min.* Ami'ant *m*, Amphi'bolas,best *m.*
am·i·ca·bil·i·ty [,æmikə'biliti] *s* Freund(schaft)lichkeit *f.* '**am·i·ca·ble** *adj* (*adv* → amicably) freund(schaft)lich, friedlich, *a. jur.* gütlich: ~ agreement (*od.* settlement) gütliche Einigung *od.* Beilegung; ~ composition *jur. pol.* gütliches Schiedsverfahren; ~ numbers *math.* Freundschaftszahlen. '**am·i·ca·ble·ness** → amicability. '**am·i·ca·bly** *adv* freundschaftlich, in Güte, gütlich.
am·ice ['æmis] *s* **1.** *relig.* Hume'rale *n*, (*weißes*) Schultertuch (*des Meßpriesters*). **2.** 'Pelzka,puze *f.*
a·mi·cus cu·ri·ae [ə'mi:kəs 'kju(ə)ri,i:] (*Lat.*) *s jur.* sachverständiger Beistand im Pro'zeß.
a·mid [ə'mid] *prep* in'mitten (*gen*), (mitten) in *od.* unter (*dat od. acc*) (*a. zeitlich u. fig.*): ~ tears unter Tränen.
am·ide ['æmid; 'æmaid] *s chem.* A'mid *n.*
amido- [əmi:do; æmidou] *chem. Wortelement mit der Bedeutung* die Gruppe NH_2 enthaltend, Amido...
a·mid·ship(s) [ə'midʃip(s)] *mar.* **I** *adv* mittschiffs. **II** *pred adj* in der Mitte des Schiffes (befindlich).
a·midst [ə'midst] → amid.
a·mine [ə'mi:n; 'æmin] *s chem.* A'min *n.*
a·mi·no·ben·zo·ic ac·id [ə'mi:nobenˈzouik; 'æmino-] *s chem.* A'minoben,zoesäure *f.*
a·mi·no·pu·rine [ə,mi:no'pju(ə)ri:n; -rin; 'æmino-] *s chem.* Ade'nin *n.*
a·miss [ə'mis] *pred adj u. adv* verkehrt, falsch, verfehlt, unangebracht, schlecht, übel: there is s.th. ~ (with it *od.* with him) etwas stimmt nicht (damit *od.* mit ihm); it would not be ~ es wäre ganz in Ordnung, es würde nichts schaden; to come ~ ungelegen kommen; to take ~ übelnehmen.
am·i·to·sis [,æmi'tousis] *s biol.* Ami'tose *f*, di'rekte Zell- *od.* Kernteilung.
am·i·ty ['æmiti] *s* Freundschaft *f*, gutes Einvernehmen: treaty of ~ and commerce Freundschafts- u. Handelsvertrag *m.*
am·me·ter [*Br.* 'æmitə; *Am.* 'æm,mi:tər] *s electr.* Am'pere,meter *n*, Strom(stärke)messer *m.*
am·mo ['æmou] *s mil. sl.* ,Muni' *f*, Muniti'on *f.*
am·mo·ni·a [ə'mounjə; -niə] *s chem.* Ammoni'ak *n*: ~ solution, liquid ~ Salmiakgeist *m.* **am'mo·ni,ac** [-,æk] **I** *adj* → ammoniacal. **II** *s* Ammoni'akgummi *m.* **am·mo·ni·a·cal** [,æmo'naiəkəl] *adj chem.* ammonia'kalisch, Ammoniak...
am·mo·ni·a·cum [,æmo'naiəkəm] (*Lat.*) → ammoniac II.
am·mo·ni·ate [ə'mouni,eit] *chem.* **I** *s* **1.** Am'min *n* (*ammoniakhaltiges Komplexsalz*). **2.** or'ganischer stickstoffhaltiger Stoff (*Düngemittel*). **II** *v/t* **3.** mit Ammoni'ak verbinden.
am·mon·i·fy [ə'mɒni,fai] **I** *v/i* Ammoni'ak 'herstellen. **II** *v/t* mit Ammoni'ak versetzen.
am·mo·nite[1] ['æmə,nait] *s geol.* Ammonshorn *n*, Ammo'nit *m.*
Am·mon·ite[2] ['æmə,nait] *s Bibl.* Ammo'niter *m.*
am·mo·ni·um [ə'mouniəm; -njəm] *s chem.* Am'monium *n.* ~ **car·bon·ate** *s* Hirschhornsalz *n.* ~ **chlo·ride** *s* Am'moniumchlo,rid *n*, Salmi'ak *m*, *n.* ~ **ni·trate** *s* Am'moniumni,trat *n*, Ammoni'aksal,peter *m.*
am·mu·ni·tion [,æmju'niʃən] **I** *s* Muniti'on *f* (*a. fig.*): ~ belt Patronengurt *m*; ~ carrier Munitionswagen *m*; ~ clip Ladestreifen *m*; ~ dump Munitionslager *n.* **II** *v/t* mit Muniti'on versehen *od.* versorgen.
am·ne·si·a [æm'ni:ziə; -ʒiə; -ʒə] *s med.* Amne'sie *f*, Gedächtnisschwund *m.*
am·nes·ty ['æmnesti] **I** *s* Amne'stie *f*, allgemeiner Straferlaß. **II** *v/t* amne'stieren, begnadigen.
am·ni·on ['æmniən] *pl* **-ni·ons** *od.* **-ni·a** [-ə] *s med.* Amnion *n*, Frucht-, Embryo'nalhülle *f*, Schafhäutchen *n.* ,**am·ni'on·ic** [-'ɒnik], ,**am·ni'ot·ic** [-'ɒtik] *adj* Schafhäutchen...: ~ fluid Fruchtwasser *n.*
a·moe·ba [ə'mi:bə] *s biol.* A'möbe *f.* **a'moe·bic** *adj biol.* a'möbisch: ~ dysentery Amöbenruhr *f.*
a·mok [ə'mɒk] → amuck.
a·mo·mum [ə'moumәm] *s bot.* Ingwergewürz *n*, Para'dieskörner *pl.*
a·mong(st) [ə'mʌŋ(st)] *prep* **1.** (mitten) unter (*dat od. acc*), zwischen (*dat od. acc*), in'mitten (*gen*), bei (*dat*): ~ the crowd a) unter *od.* in(mitten) der Menge (*sitzen etc*), b) unter *od.* in die Menge (*gehen etc*); ~ experts unter Fachleuten; a custom ~ the savages e-e Sitte bei den Wilden; they fought ~ themselves sie stritten unter sich; ~ other things unter anderem; to be ~ the best zu den Besten zählen *od.* gehören; from ~ aus (der Zahl derer), aus ... heraus. **2.** gemeinsam *od.* zu'sammen (mit): they had two pounds ~ them sie hatten zusammen 2 Pfund.
a·mon·til·la·do [ə,mɒnti'lɑ:dou; -'ljɑ:-] *s* Amontil'lado *m* (*Sherry*).
a·mor·al [ei'mɒrəl] *adj* 'amo,ralisch. **a'mor·al,ism** *s* Amora'lismus *m.* **a·mo·ral·i·ty** [,eimə'ræliti] *s* Amorali'tät *f.*
am·o·ret·to [,æmə'retou] *pl* **-ti** [-i] *s* Amo'rette *f.*
am·o·rist ['æmərist] *s* **1.** Liebhaber *m.* **2.** ,Casa'nova' *m*, Schürzenjäger *m.* **3.** Verfasser(in) von 'Liebesro,manen.
Am·o·rite ['æmə,rait] *s Bibl.* Amo'riter *m.*
am·o·rous ['æmərəs] *adj* (*adv* ~ly) amou'rös: a) e'rotisch, sinnlich, Liebes..., b) verliebt (of in *acc*): ~ glances verliebte Blicke; ~ novel Liebesroman *m.* '**am·o·rous·ness** *s* Verliebtheit *f.*
a·mor·phism [ə'mɔ:rfizəm] *s* Amor'phismus *m*, Formlosigkeit *f.* **a'mor·phous** [-fəs] *adj* **1.** a'morph: a) form-, gestaltlos, b) 'mißgestaltet, c) *min. phys.* 'unkristal,linisch. **2.** *fig.* cha'otisch.
a·mor·tiz·a·ble [ə'mɔ:rtizəbl; *Am. a.* 'æmər,taiz-] *adj* amorti'sierbar, tilgbar.
a·mor·ti·za·tion [ə,mɔ:rti'zeiʃən; *Am. a.* ,æmərtə-] *s* **1.** Amortisati'on *f*: a) (*allmähliche*) Tilgung (*von Schulden*), b) Abschreibung *f* (*von Anlagewerten*): ~ fund Amortisations-, Tilgungsfonds *m.* **2.** *jur.* Veräußerung *f* (*von Grundstücken*) an die tote Hand. **a·mor·tize** [ə'mɔ:rtaiz; *Am. a.* 'æmər-] *v/t* **1.** amorti'sieren: a) *e-e Schuld* (*ratenweise*) tilgen, abzahlen, b) *Anlagewerte* abschreiben. **2.** *jur.* an die tote Hand veräußern. **a·mor·tize·ment** [ə'mɔ:rtizmənt] *s* **1.** → amortization. **2.** *arch.* a) abgeschrägte oberste Fläche e-s Pfeilers, b) oberster Teil e-s Gebäudes.
A·mos ['eiməs] *npr u. s Bibl.* (das Buch) Amos *m.*
a·mount [ə'maunt] **I** *v/i* **1.** (to) sich belaufen *od.* beziffern (auf *acc*), betragen, ausmachen (*acc*): his debts ~ to £ 120; ~ing to in Höhe *od.* im Betrage von. **2.** ~ to *fig.* hin'auslaufen auf (*acc*), gleichbedeutend sein mit, bedeuten (*acc*): it ~ed to treason; it ~s to the same thing es läuft *od.* kommt auf dasselbe hinaus; it doesn't ~ to much es bedeutet nicht viel, es ist unbedeutend (*a. contp.*); he'll never ~ to much *colloq.* aus ihm wird nie etwas werden, mit ihm ist nicht viel los. **II** *s* **3.** a) Betrag *m*, Summe *f*, Höhe *f* (*e-r Summe*), b) Bestand *m*, Menge *f*, Ausmaß *n*: gross ~ Bruttobetrag; to the ~ of (bis) zum Betrage von; ~ carried forward Saldoübertrag *m*; ~ of heat Wärmemenge *f*; ~ of resistance Widerstandswert *m.* **4.** *fig.* Inhalt *m*, Bedeutung *f*, Kern *m.*
a·mour [ə'mur; æ'mur] *s* A'mour *f*, Liebe'lei *f*, Liebschaft *f*, ,Verhältnis' *n.*
a·mour-pro·pre [amur'prɔpr] (*Fr.*) *s* Eigenliebe *f*, Selbstachtung *f*, -gefühl *n*, Eitelkeit *f.*
am·per·age [æm'pi(ə)ridʒ; æm'pɛ(ə)ridʒ] *s electr.* Stromstärke *f*, Am'perezahl *f.*
am·pere [*Br.* 'æmpɛə; *Am.* 'æmpir, *a.* æm'pir], **am·père** [ɑ̃'pɛ:r] (*Fr.*) *s electr.* Am'pere *n.* '~**-foot** *s irr electr.* Am'perefuß *m.* '~**-hour** *s electr.* Am'perestunde *f*: ~ efficiency Amperestunden-Wirkungsgrad *m.* '~,**me·ter** → ammeter.
am·per·sand ['æmpər,sænd] *s print.* Et-Zeichen *n* (*das Zeichen &*).
am·phet·a·mine [æm'fetə,mi:n; -min] *s chem.* Benze'drin *n.*
amphi- [æmfi] *Wortelement mit der Bedeutung* doppelt, zwei..., zwei-, beiderseitig, umher...
Am·phib·i·a [æm'fibiə] *s pl zo.* Am'phibien *pl*, Lurche *pl.* **am'phib·i·an I** *adj* **1.** → amphibious 1. **II** *s* **2.** *zo.* Am'phibie *f*, Lurch *m.* **3.** *aer.* Am'phibien-, Wasserlandflugzeug *n.* **4.** a) Am'phibien-, Schwimmfahrzeug *n*, b) *a.* ~ tank *mil.* Amphibien-, Schwimmkampfwagen *m.*
am·phib·i·ol·o·gy [æm,fibi'ɒlədʒi] *s zo.* Lurch-, Am'phibienkunde *f.*
am·phi·bi·ot·ic [,æmfibai'ɒtik] *adj zo.* in 'einer Lebensstufe auf dem Lande, in e-r anderen im Wasser lebend.
am·phib·i·ous [æm'fibiəs] *adj* **1.** *zo.*, *a. mil. tech.* am'phibisch, Amphibien-...: ~ airplane → amphibian 3; ~ operation *mil.* amphibische Operation, Landungsunternehmen *n*; ~ tank → amphibian 4 b; ~ vehicle → amphibian 4 a. **2.** von gemischter Na'tur, zweierlei Wesen habend.
am·phi·bole ['æmfi,boul] *s min.* Amphi'bol *m*, Hornblende *f.*

am·phi·bol·ic [ˌæmfiˈbɒlik] *adj* zweideutig.
am·phib·o·lite [æmˈfibəˌlait] *s min.* Hornblendegestein *n.*
am·phib·o·log·i·cal [æmˌfibəˈlɒdʒikəl] *adj* zweideutig. **am·phi·bol·o·gy** [ˌæmfiˈbɒlədʒi] *s* Zweideutigkeit *f*, Doppelsinn *m.* **am·phib·o·lous** [æmˈfibələs] *adj philos.* doppeldeutig.
am·phi·brach [ˈæmfiˌbræk] *s metr.* Amphiˈbrach *m* (*Versfuß*).
am·phi·car·pic [ˌæmfiˈkɑːrpik] *adj bot.* doppelfrüchtig, amphiˈkarp.
am·phi·chro·ic [ˌæmfiˈkrouik], ˌ**am·phi·chroˈmat·ic** [-kroˈmætik] *adj chem.* amphiˈchroisch.
am·phi·dip·loid [ˌæmfiˈdiplɔid] *s biol.* amphidiploˈid (*mit doppeltem Chromosomensatz, der von zwei verschiedenen Eltern herrührt*).
am·phi·g(a)e·an [ˌæmfiˈdʒiːən] *adj bot. zo.* **1.** über alle Zonen verbreitet. **2.** in beiden gemäßigten Zonen vorkommend.
am·phi·mix·is [ˌæmfiˈmiksis] *s biol.* Amphiˈmixis *f*, Keimzellenvereinigung *f* (*bei der Fortpflanzung*).
am·phi·the·a·ter, *bes. Br.* **am·phi·the·a·tre** [ˈæmfiˌθiːətər] *s* Amˈphitheˌater *n.* ˌ**am·phiˈthe·a·tral** *adj*; ˌ**am·phi·theˈat·ri·cal** [-θiˈætrikəl] *adj* (*adv* ~**ly**) amphitheaˈtralisch.
am·pho·ra [ˈæmfərə] *pl* **-rae** [ˌ-riː] *od.* **-ras** (*Lat.*) *s antiq.* Amphora *f*, Amˈphore *f.*
am·ple [ˈæmpl] *adj* (*adv* **amply**) **1.** weit, groß, geräumig, ausgedehnt. **2.** weitläufig, -gehend, ausführlich, umˈfassend. **3.** reich(lich), (vollauf) genügend, beträchtlich: ~ **supplies.** **4.** stattlich (*Figur etc*): an ~ **bust** e-e üppige Büste. ˈ**am·ple·ness** *s* **1.** Weite *f*, Geräumigkeit *f.* **2.** Ausführlichkeit *f.* **3.** Reichlichkeit *f*, Fülle *f.*
am·pli·a·tion [ˌæmpliˈeiʃən] *s jur.* Vertagung *f*, Aufschub *m.*
am·pli·dyne [ˈæmpliˌdain] *s electr.* Ampliˈdyne *f* (*Verstärkermaschine*).
am·pli·fi·ca·tion [ˌæmplifiˈkeiʃən] *s* **1.** Erweiterung *f*, Vergrößerung *f*, *a. ling.* Ausdehnung *f.* **2.** a) weitere Ausführung, nähere Erläuterung, b) Weitschweifigkeit *f*, Ausschmückung *f.* **3.** *electr. phys.* Vergrößerung *f*, -stärkung *f.*
am·pli·fi·er [ˈæmpliˌfaiər] *s electr. phys.* Verstärker *m*: ~ **noise** Verstärkerrauschen *n*; ~ **stage** Verstärkerstufe *f*; ~ **tube,** ~ **valve** Verstärkerröhre *f.*
am·pli·fy [ˈæmpliˌfai] **I** *v/t* **1.** erweitern, vergrößern, ausdehnen: ~**ing lens** Vergrößerungslinse *f.* **2.** a) näher ausführen *od.* erläutern, näher eingehen auf (*acc*), b) ausmalen, -schmükken. **3.** *electr. phys.* verstärken: ~**ing circuit** Verstärkerschaltung *f.* **II** *v/i* **4.** sich weitläufig auslassen, sich verbreiten (on, upon über *acc*).
am·pli·stat [ˈæmplistæt] *s electr.* spannungssteuernder Transˈduktor.
am·pli·tude [ˈæmpliˌtjuːd] *s* **1.** Größe *f*, Weite *f*, ˈUmfang *m* (*a. fig.*). **2.** *astr.* Ampliˈtude *f*, Poˈlarwinkel *m.* **3.** *fig.* Fülle *f*, Reichtum *m* (*der Mittel*). **4.** *electr. phys.* Ampliˈtude *f*, Schwingungs-, Ausschlagsweite *f* (*z.B. e-s Pendels*): ~ **characteristic** Frequenzgang *m*; ~ **distortion** Amplitudenverzerrung *f*; ~ **filter** (*od.* **separator**) *TV* Amplitudensieb *n*; ~ **modulation** Amplitudenmodulation *f.*
am·poule [ˈæmpuːl], *a.* ˈ**am·pul** [-pul], ˈ**am·pule** [-puːl] *s med.* Amˈpulle *f.*

am·pul·la [æmˈpulə] *pl* **-lae** [-iː] *s* **1.** *antiq.* Phiˈole *f*, Salbengefäß *n.* **2.** *hist.* Blei- *od.* Glasflasche *f* (*der Pilger*). **3.** Amˈpulle *f*: a) *med. Injektionsbehälter*, b) *anat.* erweitertes Ende e-s Gefäßes *od.* Kaˈnals. **4.** *relig.* Amˈpulle *f*: a) Krug *m* für Wein u. Wasser (*bei der Messe*), b) Gefäß *n* für das heilige Öl (*zur Salbung*).
am·pu·tate [ˈæmpjuˌteit] *v/t* **1.** stutzen. **2.** *med.* ampuˈtieren, *ein Glied* abnehmen. **3.** *fig.* a) gewaltsam entfernen, b) verstümmeln. ˌ**am·puˈta·tion** *s med.* Amputatiˈon *f*, Abnahme *f.* ˌ**am·puˈtee** [-ˈtiː] *s* Ampuˈtierte(r *m*) *f.*
am·track [ˈæmtræk] *s mil.* amˈphibische ˈZugmaˌschine.
a·muck [əˈmʌk] **I** *adv*: to run ~ a) Amok laufen, b) (at, on, against) in blinder Wut anfallen (*acc*), blind losgehen (auf *acc*). **II** *s meist* **amok** Amoklauf(en *n*) *m.*
am·u·let [ˈæmjulit] *s* Amuˈlett *n.*
a·muse [əˈmjuːz] *v/t* (o.s. sich) amüˈsieren, unterˈhalten, belustigen, ergötzen: **to be** ~**d at** (*od.* **by, in, with**) sich freuen über (*acc*); **it** ~**s them** es macht ihnen Spaß. **aˈmused** *adj*, **aˈmus·ed·ly** [-zidli] *adv* amüˈsiert, belustigt. **aˈmuse·ment** *s* Unterˈhaltung *f*, Belustigung *f*, Vergnügen *n*, Spaß *m*, Amüseˈment *n*, Zeitvertreib *m*: **for** ~ zum Vergnügen; ~ **park** Vergnügungspark *m*, Rummelplatz *m*; ~ **park operator** Schausteller *m*; ~ **tax** Vergnügungs-, Lustbarkeitssteuer *f.* **aˈmus·ing** *adj* (*adv* ~**ly**) amüˈsant, unterˈhaltend, ergötzlich.
am·y·e·lia [ˌæmiˈiːliə] *s med.* Amyeˈlie *f*, Fehlen *n* des Rückenmarks.
a·myg·da·la [əˈmigdələ] *pl* **-lae** [-ˌliː] *s anat. bot.* Mandel *f.*
am·yg·dal·ic ac·id [ˌæmigˈdælik] *s chem.* **1.** Amygdaˈlinsäure *f.* **2.** Mandelsäure *f.*
a·myg·da·loid [əˈmigdəˌlɔid] **I** *s geol.* Amygdaloˈid *n*, Mandelstein *m.* **II** *adj* mandelförmig.
am·yl [ˈæmil] *s chem.* Aˈmyl *n*: ~ **alcohol** Amylalkohol *m*; ~ **nitrite** Amylnitrit *n.* ˌ**am·yˈla·ceous** [-ˈleiʃəs] *adj* stärkemehlartig, stärkehaltig.
am·yl·ase [ˈæmiˌleis] *s chem.* Amyˈlase *f* (*stärkespaltendes Enzym*).
am·yl·ate [ˈæmiˌleit] *s chem.* Stärkeverbindung *f.*
am·yl·ene [ˈæmiˌliːn] *s chem.* Amyˈlen *n.*
a·myl·ic [əˈmilik] *adj chem.* Amyl...
am·y·lo·dex·trin [ˌæmiloˈdekstrin] *s chem.* Stärkegummi *m.*
am·y·loid [ˈæmiˌlɔid] **I** *s* **1.** stärkehaltige Nahrung. **2.** *chem.* Amyloˈid *n.* **II** *adj* **3.** stärkeartig, -haltig. ˌ**am·yˈloi·dal** → amyloid II.
am·y·lol·y·sis [ˌæmiˈlɒlisis] *s chem.* Amyloˈlyse *f*, Verwandlung *f* von Stärke in Dexˈtrin u. Zucker.
am·y·lum [ˈæmiləm] *s chem.* Stärke *f.*
a·my·o·tro·phi·a [əˌmaioˈtroufiə] *s med.* Amyotroˈphie *f*, ˈMuskelatroˌphie *f*, -schwund *m.*
an[1] [ən; *betont*: æn] *vor vokalisch anlautenden Wörtern für* **a**[2].
an[2], **an'** [æn] *conj* **1.** *dial. für* **and.** **2.** *obs.* wenn, falls.
an- [æn] *Vorsilbe mit der Bedeutung* [nicht, ohne.
ana- [ænə] *Vorsilbe mit den Bedeutungen*: a) auf, aufwärts, b) zurück, rückwärts, c) wieder, aufs neue, d) sehr, außerordentlich.
-ana [ɑːnə; einə] *Wortelement mit der Bedeutung* Anekdoten, Mitteilungen (über), Aussprüche (von): Americana, Johnsoniana.
An·a·bap·tism [ˌænəˈbæptizəm] *s* **1.** Anabapˈtismus *m*, Lehre *f* der ˈWiedertäufer. **2.** **a**~ zweite Taufe. ˌ**An·aˈbap·tist** *s* ˈWiedertäufer *m.*

an·a·bat·ic [ˌænəˈbætik] *adj phys.* anaˈbatisch, aufsteigend: ~ **wind** Hang-, Aufwind *m.*
a·nab·o·lism [əˈnæbəˌlizəm] *s bot. zo.* Anaboˈlismus *m*, aufbauende Lebensvorgänge *pl*, Aufbau *m.* **aˈnab·oˌlite** [-ˌlait] *s biol.* Proˈdukt *n* e-s Assimilatiˈonsproˌzesses. **aˈnab·oˌlize** *v/i biol.* sich assimiˈlieren.
an·a·branch [*Br.* ˈænəˌbrɑːntʃ; *Am.* -ˌbræ(ː)ntʃ] *s Austral.* Arm e-s Flusses, der in den Hauptstrom zuˈrückkehrt.
a·nach·ro·nism [əˈnækrəˌnizəm] *s* Anachroˈnismus *m* (*Zeitwidrigkeit*; *a. Sache od. Person*). **aˌnach·roˈnis·tic** *adj* (*adv* ~**ally**) *adj* anachroˈnistisch. **aˈnach·ro·nous** → anachronistic.
an·a·cid·i·ty [ˌænəˈsiditi] *s med.* Anaziˈdiˈtät *f*, Säuremangel *m.*
an·a·clas·tic [ˌænəˈklæstik] *adj* anaˈklastisch: a) *phys.* Brechungs..., b) eˈlastisch. ˌ**an·aˈclas·tics** *s pl* (*als sg konstruiert*) *phys.* Anaˈklastik *f.*
an·a·co·lu·thi·a [ˌænəkoˈluːθiə; -ˈljuː-] *s ling.* Anakoluˈthie *f* (*fehlender Zs.-hang, fehlerhafte Satzkonstruktion*).
an·a·co·lu·thon [ˌænəkoˈluːθɒn; -ˈljuː-] *pl* **-tha** [-ə] *s ling.* Anakoˈluth(on) *n* (*Abspringen von der angefangenen grammatischen Konstruktion*).
an·a·con·da [ˌænəˈkɒndə] *s zo.* Anaˈkonda *f*, Riesenschlange *f.*
A·nac·re·on·tic [əˌnækriˈɒntik] **I** *adj* **1.** anakreˈontisch. **2.** *fig.* leicht, lustig, gesellig. **II** *s* **3.** anakreˈontisches Liebesgedicht, Liebeslied *n.*
an·a·cru·sis [ˌænəˈkruːsis] *s metr. mus.* Auftakt *m*, Vorschlag(silbe *f*) *m.*
an·a·cul·ture [ˈænəˌkʌltʃər] *s scient.* ˈMischkulˌtur *f* (*von Bakterien*).
a·nae·mi·a, a·nae·mic → **anemia, anemic.**
an·a·er·obe [æˈnɛ(ə)roub; -ˈneiər-] *s zo.* Anaëˈrobier *m* (*Bakterie, die ohne freien Sauerstoff besteht*). **anˌa·erˈo·bic** *adj* anaëˈrob(isch).
an·aes·the·si·a *etc* → **anesthesia** *etc.*
an·a·glyph [ˈænəglif] *s* Anaˈglyphe *f*: a) (flach)erhabenes Bildwerk, ˈBasreliˌef *n*, b) *e-s von 2 zs.-gehörenden Teilbildern e-s Raumbildverfahrens.*
an·ag·nor·i·sis [ˌænægˈnɒrisis] *s* Lösung *f* des Knotens (*im Drama*).
an·a·go·ge [ˌænəˈgoudʒi] *s relig.* Anagoˈge *f*, sinnbildliche *od.* mystische Auslegung (*bes. der Bibel*). ˌ**an·aˈgog·ic** [-ˈgɒdʒik] *adj*; ˌ**an·aˈgog·i·cal** *adj* (*adv* ~**ly**) anaˈgogisch. ˈ**an·aˌgo·gy** [-ˌgoudʒi] → anagoge.
an·a·gram [ˈænəˌgræm] *s* Anaˈgramm *n* (*Wortbildung durch Buchstabenversetzung, Buchstabenversetzrätsel*). ˌ**an·aˈgram·maˌtize** **I** *v/t* anagramˈmatisch versetzen. **II** *v/i* Anaˈgramme machen.
a·nal [ˈeinl] *adj anat.* aˈnal, Anal..., After..., *zo. a.* Steiß..., Schwanz...
an·a·lec·ta [ˌænəˈlektə], ˈ**an·aˌlects** *s pl* Anaˈlekten *pl*, Lesefrüchte *pl.*
an·a·lep·tic [ˌænəˈleptik] *pharm.* **I** *adj* anaˈleptisch, stärkend. **II** *s* Anaˈleptikum *n*, Kräftigungsmittel *n.*
an·al·ge·si·a [ˌænælˈdʒiːziə] *s med.* Analgeˈsie *f*, Unempfindlichkeit *f* gegen Schmerz, Schmerzlosigkeit *f.* ˌ**an·alˈge·sic** [-sik], ˌ**an·alˈget·ic** [-ˈdʒetik] **I** *adj* schmerzlindernd. **II** *s* Analˈgetikum *n.*
an·a·log → **analogue.**
an·a·log·ic [ˌænəˈlɒdʒik] *adj*; ˌ**an·a-**

'**log·i·cal** *adj* (*adv* ~**ly**) ana'log, ähnlich, entsprechend.
a·nal·o·gist [ə'nælədʒist] *s* Ana'logiker *m*. **a'nal·o,gize I** *v/i* **1.** (with) ana'log sein (*dat*), im Einklang stehen (mit). **2.** nach Analo'gie verfahren. **II** *v/t* **3.** ana'logisch erklären.
a·nal·o·gous [ə'næləgəs] *adj* (*adv* ~**ly**) ana'log, entsprechend (to *dat*).
an·a·logue ['ænə,lɒg] *s* An'alogon *n*, Entsprechung *f*: ~ **computer** *tech*. Analogrechner *m*; ~ **process computer** analog arbeitender Prozeßrechner; ~**-to-digital converter** Analog-Digitalumsetzer *m*.
a·nal·o·gy [ə'nælədʒi] *s* **1.** Analo'gie *f* (*a. ling.*), Ähnlichkeit *f*, Über'einstimmung *f*, Verwandtschaft *f*: **on the ~ of** (*od.* **by ~ with**) analog, gemäß, entsprechend (*dat*). **2.** *math.* Proporti'on *f*, Ähnlichkeit *f*.
an·a·lyse, an·a·lys·er → **analyze, analyzer.**
a·nal·y·sis [ə'nælisis] *pl* **-ses** [-,si:z] *s* **1.** Ana'lyse *f*: a) *chem. etc* Zerlegung *f* (in die Grundbestandteile): **to make an ~** e-e Analyse vornehmen; **in the last ~** letzten Endes, im Grunde, b) (kritische) Zergliederung, (gründliche) Unter'suchung, Darlegung *f*, Deutung *f*, Auswertung *f*: ~ **sheet** *econ.* Bilanzzergliederung *f*, -analyse, c) *ling.* Zergliederung *f* (*e-s Satzes etc*), d) *math.* Auflösung *f*: ~ **situs** (analytische) Geometrie der Lage. **2.** *psych.* (Psycho)Ana'lyse *f*. **an·a·lyst** ['ænəlist] *s* **1.** *chem. math.* Ana'lytiker(in): **public ~** (behördlicher) Lebensmittelchemiker. **2.** Psychoana'lytiker(in).
an·a·lyt·ic [,ænə'litik] *adj* (*adv* ~**ally**) ana'lytisch: ~ **geometry.** ,**an·a'lyt·i·cal** *adj* (*adv* ~**ly**) ana'lytisch: ~ **languages**; ~ **chemist** Chemiker(in). ,**an·a'lyt·ics** *s pl* (*als sg konstruiert*) Ana'lytik *f*.
an·a·ly·za·tion [,ænəlai'zeiʃən] *s* Analy'sieren *n*, Ana'lyse *f*.
an·a·lyze ['ænə,laiz] *v/t* analy'sieren: a) *chem. math. etc* zergliedern, -legen, auflösen, auswerten, b) *fig.* genau unter'suchen. '**an·a,lyz·er** *s* **1.** Analy'sierende(r *m*) *f*. **2.** Auflösungsmittel *n*. **3.** *phys.* Analy'sator *m*.
an·am·ne·sis [,ænæm'ni:sis] *s* Anam'nese *f*: a) 'Wiedererinnerung *f* (*a. philos.*), b) *med.* Vorgeschichte *f*.
an·a·mor·pho·sis [,ænə'mɔ:rfəsis; -mɔ:r'fousis] *pl* **-ses** [-si:z] *s* **1.** (perspek'tivisches) Zerrbild. **2.** a) *bot.* Rückbildung *f*, b) *zo.* Höherentwicklung *f* (*in e-n höheren Typus*). ,**an·a'mor·phous** *adj phys.* ana'morph(isch), verzerrt.
an·a·mor·phote lens [,ænə'mɔ:rfout] *s phys.* Anamor'photobjek,tiv *n*, Zerrlinse *f*.
a·na·na(s) [ə'nɑ:nə(s)] *s bot.* Ananas *f*.
an·an·drous [æ'nændrəs] *adj bot.* an'andrisch, staubblattlos.
an·a·paest ['ænə,pest; -,pi:st] *s metr.* Ana'päst *m* (*Versfuß*).
a·naph·o·ra [ə'næfərə] *s* A'naphora *f*, A'napher *f* (*Wiederholung desselben Wortes zu Anfang mehrerer Satzglieder*).
an·aph·ro·dis·i·ac [æ,næfrə'dizi,æk] *med.* **I** *adj* den Geschlechtstrieb hemmend. **II** *s* Anaphrodi'siakum *n*.
a·na·rak ['ɑ:nə,rɑ:k] → **anorak.**
an·arch ['ænɑ:rk] *s* Anar'chist(in), Re'bell(in). **an·ar·chic** [æ'nɑ:rkik] *adj*; **an'ar·chi·cal** *adj* (*adv* ~**ly**) an'archisch, anar'chistisch, gesetzlos, zügellos. **an·arch·ism** ['ænər,kizəm] *s* **1.** Anar'chie *f*, Re'gierungs-, Gesetzlosigkeit *f*. **2.** Anar'chismus *m*. '**an·arch·ist I** *s* Anar'chist(in), 'Umstürzler(in). **II** *adj* anar'chistisch, 'umstürzlerisch. ,**an·ar'chis·tic** → **anarchist II.** '**an·arch,ize** *v/t* in Anar'chie verwandeln.
an·arch·y ['ænərki] *s* **1.** → **anarchism 1. 2.** *fig.* Chaos *n*.
an·a·stat·ic [,ænə'stætik] *adj print.* ana'statisch: ~ **printing.**
an·as·tig·mat [æ'næstig,mæt] *s phot.* Anastig'mat *m*. **an·as·tig·mat·ic** [,ænæstig'mætik; ə'næs-] *adj phys.* anastig'matisch (*Linse*).
a·nas·tro·phe [ə'næstrəfi] *s ling.* A'nastrophe *f*, Wortversetzung *f*.
a·nath·e·ma [ə'næθəmə; -θi-] *pl* **-mas** *s* **1.** *relig.* A'nathema *n*, Bannfluch *m*, Kirchenbann *m*. **2.** *fig.* Fluch *m*, Verwünschung *f*. **3.** *relig.* Exkommuni'zierte(r *m*) *f*, Verfluchte(r *m*) *f*. **4.** *fig.* (*etwas*) Verhaßtes, Greuel *m*. **a'nath·e·ma,tize I** *v/t* in den Bann tun, mit dem Kirchenbann belegen, verfluchen. **II** *v/i* fluchen.
an·a·tom·ic [,ænə'tɒmik] *adj*; ,**an·a'tom·i·cal** *adj* (*adv* ~**ly**) ana'tomisch.
a·nat·o·mist [ə'nætəmist] *s* **1.** *med.* Ana'tom *m*. **2.** Zergliederer *m* (*a. fig.*).
a'nat·o,mize *v/t* **1.** *med.* zerlegen, se'zieren (*a. fig.*). **2.** *fig.* zergliedern.
a·nat·o·my [ə'nætəmi] *s* **1.** *med.* Anato'mie *f*: a) ana'tomische Zerlegung, b) ana'tomischer Aufbau, c) Wissenschaft *f* vom Bau e-s or'ganischen Körpers. **2.** (Abhandlung *f* über) Anato'mie *f*. **3.** Mo'dell *n* e-s ana'tomisch zerlegten Körpers. **4.** *fig.* Zergliederung *f*, Ana'lyse *f*. **5.** *obs.* a) se'zierte *od.* mumifi'zierte Leiche, b) Ske'lett *n*. **6.** *humor.* a) ‚wandelndes Gerippe', b) ‚Wanst' *m*, Körper *m*.
a·nat·ro·pus [ə'nætrəpəs] *adj biol. bot.* ana'trop, 'umgewendet.
an·bu·ry ['ænbəri] *s* **1.** *vet.* schwammige Blutblase. **2.** *bot.* Kohlkropf *m*.
an·ces·tor ['ænsestər; *Br. a.* 'ænsis-] *s* **1.** Vorfahr *m*, Ahn(herr) *m*, Stammvater *m* (*a. fig.*): ~ **cult**, ~ **worship** Ahnenkult *m*. **2.** *jur.* Vorbesitzer *m*. **3.** Vorläufer *m*.
an·ces·tral [æn'sestrəl] *adj* Ahnen..., der Vorfahren *od.* Ahnen, angestammt, Ur..., Erb..., ererbt: ~ **estate** ererbter Grundbesitz, Erbhof *m*.
'**an·ces·tress** [-tris; *Br. a.* -sistris] *s* Ahnfrau *f*, Ahne *f*, Stammutter *f*.
'**an·ces·try** *s* **1.** Abstammung *f*, (*hohe*) Geburt. **2.** Vorfahren *pl*, Ahnen(reihe *f*) *pl*: ~ **research** Ahnenforschung *f*. **3.** *fig.* Vorgänger *pl*.
an·chor ['æŋkər] **I** *s* **1.** *mar.* Anker *m*: **to cast** (*od.* **come to, drop**) ~ ankern, vor Anker gehen; **to lie** (*od.* **ride**) **at ~** → 7. **2.** *fig.* Rettungsanker *m*, Zuflucht *f*. **3.** *tech.* a) Anker *m*, Querbolzen *m*, b) Schließe *f*, Schlüsselanker *m*, Klammer *f*: ~ **bolt** Ankerbolzen *m*. **4.** *tech.* Anker *m* (*der Uhr*): ~ **escapement** Ankerhemmung *f*. **II** *v/t* **5.** verankern, vor Anker legen. **6.** *tech. u. fig.* verankern, befestigen: **to be ~ed in s.th.** *fig.* in etwas verankert sein. **III** *v/i* **7.** ankern, vor Anker liegen, Anker werfen.
an·chor·age[1] ['æŋkəridʒ] *s* **1.** Ankerplatz *m*. **2.** *a.* ~ **dues** Anker-, Liegegebühr *f*. **3.** fester Halt, Befestigung *f*, Verankerung *f*. **4.** *fig.* sicherer Hafen, verläßliche Stütze.
an·chor·age[2] ['æŋkəridʒ] *s* Einsiedlerklause *f*.
an·chor| ball *s mar.* **1.** Ball *m* (*schwarze Signalkugel e-s ankernden Schiffes*). **2.** *obs.* Enterhaken *m* mit Brandkugel. **3.** *obs.* Geschoß *n* mit Haken (*das in ein Wrack gefeuert wird*). ~ **buoy** *s mar.* Ankerboje *f*.
an·cho·ress ['æŋkəris] *s* Einsiedlerin *f*.
'**an·cho,ret** [-,ret] *s* Einsiedler *m*, Klausner *m*. ,**an·cho'ret·ic** *adj* einsiedlerisch, Einsiedler...
an·chor| hold *s* **1.** *mar.* Festhalten *n* des Ankers. **2.** *fig.* fester Halt, Sicherheit *f*. ~ **ice** *s* Grund-, Bodeneis *n*.
an·cho·rite ['æŋkə,rait] → **anchoret.**
an·cho·vy [æn'tʃouvi; 'æn-] *s zo.* An'schovis *f*, Sar'delle *f*: ~ **paste** Sardellenpaste *f*. ~ **pear** *s bot.* An'schovisbirne *f*.
an·chu·sa [æŋ'kju:sə] *s bot.* Ochsenzunge *f*.
an·cient[1] ['einʃənt] **I** *adj* (*adv* → **anciently**) **1.** alt, aus alter Zeit. **2.** a) uralt, altberühmt, (alt)ehrwürdig (*Sache*), b) *obs.* alt, hochbetagt, ehrwürdig (*Person*). **3.** altertümlich, altmodisch. **4.** *jur.* durch Verjährung zu Recht bestehend. **II** *s* **5.** Alte(r *m*) *f*, Greis(in): **the A~ of Days** *Bibl.* der Alte (*Name Gottes*). **6. the ~s** *pl* a) die Alten *pl* (*Griechen u. Römer*), b) die (griechischen u. römischen) Klassiker.
an·cient[2] ['einʃənt] *s obs.* Banner *n*.
an·cient·ly ['einʃəntli] *adv* vor'zeiten.
an·cil·lar·y [*Br.* æn'siləri; *Am.* 'ænsə,leri] *adj* (to) 'untergeordnet (*dat*), ergänzend (*acc*): ~ **costs** Nebenkosten; ~ **administrator** *jur.* Nachlaßverwalter *m* für das im Ausland befindliche Vermögen des Erb-lassers; ~ **equipment** Zusatz-, Hilfsgeräte; ~ **industries** Zulieferbetriebe.
an·cle *Br. obs. für* **ankle.**
an·con ['æŋkɒn] *pl* **-co·nes** [-'kouni:z] (*Lat.*) *s* **1.** *anat.* Ell(en)bogen *m*. **2.** *arch.* Krag-, Tragstein *m*.
and [ænd; ən; nd] *conj* **1.** und: → **forth** 5; **better ~ better** besser und besser, immer besser; **he ran ~ ran** er lief und lief, er lief immer weiter; **there are books ~ books** es gibt gute und schlechte Bücher, es gibt solche Bücher und solche; **for miles ~ miles** viele Meilen weit; ~ **all** *sl.* und so weiter, und dazu; **skin ~ all** mitsamt der Haut; ~**-(or-)circuit** Und-(Oder)-Schaltung *f* (*e-r datenverarbeitenden Maschine*). **2.** mit: **a coach ~ four** ein Vierspänner; **soap ~ water** Seifenwasser *n*; **toast ~ butter** butterbestrichener Toast; **nice ~ warm** *colloq.* schön warm. **3.** *e-e bedingende Konjunktion ersetzend*: **move, ~ I shoot** e-e Bewegung, und ich schieße; **a little more ~ ...** es fehlte nicht viel, so ... **4.** *in infinitiversetzenden Fügungen*: **try ~ come** versuchen Sie zu kommen; **mind ~ bring it** bringen Sie es aber bestimmt. **5.** und das, und zwar: **he was found, ~ by chance.**
An·da·lu·sian [ændə'lu:ziən; -'lu:ʒən] **I** *s* **1.** Anda'lusier(in). **2.** *a.* ~ **fowl** *zo.* Anda'lusier *m* (*Haushuhnrasse*). **II** *adj* **3.** anda'lusisch.
an·dan·te [æn'dænti] *mus.* **I** *adj u. adv* an'dante, mäßig langsam. **II** *s* An'dante *n*.
an·dan·ti·no [,ændæn'ti:nou] *mus.* **I** *adj u. adv* andan'tino (*lebhafter als andante*). **II** *s* Andan'tino *n*.
and·i·ron ['ænd,aiərn] *s* Feuer-, Brat-, Ka'minbock *m*.
An·drew ['ændru:] *npr Bibl.* An'dreas *m* (*Schutzheiliger Schottlands*).
andro- [ændro] *Wortelement mit der Bedeutung* a) Mann, männlich, b) Staubfaden.
an·dro·gen ['ændrədʒən] *s chem.* Andro'gen *n* (*männliches Geschlechtshormon*).
an·drog·y·nism [æn'drɒdʒi,nizəm] *s*

1. Androgy'nie *f*, Hermaphrodi'tismus *m*. **2.** *bot.* Zwitterblütigkeit *f*.

an'drog·y·nous *adj* **1.** andro'gyn(isch), zwitterartig. **2.** *bot.* zwitt(e)rig, zwitterblütig. **an'drog·y·ny** → androgynism 1.

An·drom·e·da [æn'drɒmidə] **I** *npr antiq.* **1.** An'dromeda *f*. **II** *s* **2.** *gen* **-dae** [-diː] *astr.* An'dromeda *f* (*Sternbild*). **3.** a~ *bot.* Rosma'rinheide *f*.

an·droph·a·gous [æn'drɒfəgəs] *adj* menschenfressend.

an·dro·pho·bi·a [ˌændro'foubiə] *s* Andropho'bie *f*, Männerscheu *f*.

an·ec·do·ta [ˌænik'doutə; -nek-] *s pl* Anek'dota *pl* (*unveröffentlichte historische Details*). **ˌan·ec'dot·age** *s* **1.** Anek'dotensammlung *f*. **2.** schwatzhaftes Greisenalter.

an·ec·do·tal [ˌænik'doutl; -nek-] *adj* anek'dotenhaft, anek'dotisch.

an·ec·dote ['ænikˌdout; -nek-] *s* Anek'dote *f*. **ˌan·ec'dot·ic** [-'dɒtik], **ˌan·ec'dot·i·cal** *adj* anek'dotisch, anek'dotenhaft, Anekdoten... **'an·ecˌdot·ist** [-ˌdoutist] *s* Anek'dotenerzähler(in). [schalltot (*Raum*).]

an·e·cho·ic [ˌæne'kouik] *adj* echofrei,

an·e·lec·tric [ˌæni'lektrik] *adj phys.* 'nichteˌlektrisch.

a·ne·mi·a [ə'niːmiə] *s med.* Anä'mie *f*, Blutarmut *f*, Bleichsucht *f*. **a'ne·mic** *adj* an'ämisch, blutarm.

a·nem·o·gram [ə'nemoˌgræm] *s phys.* Anemo'gramm *n*, Windmeßkurve *f*.

a·nem·o·graph [ə'nemoˌgræ(ː)f; *Br. a.* -ˌgrɑːf] *s phys.* Anemo'graph *m*, 'Windregiˌstriergeˌrät *n*.

an·e·mom·e·ter [ˌæni'mɒmitər] *s phys.* Anemo'meter *n*, Wind(stärke)messer *m*. **ˌan·e'mom·e·try** [-tri] *s phys.* Windmessung *f*.

a·nem·o·ne [ə'neməni] *s* **1.** *bot.* Ane'mone *f*. **2.** *zo.* → sea anemone.

an·e·moph·i·lous [ˌæni'mɒfələs] *adj bot.* anemo'phil. **ˌan·e'moph·i·ly** *s bot.* Anemophi'lie *f*, Windbestäubung *f*.

a·nent [ə'nent] *prep obs. od. Scot.* **1.** neben (*dat*), in gleicher Linie mit. **2.** gegen (*acc*), gegen'über (*dat*). **3.** bezüglich (*gen*).

an·er·gy ['ænərdʒi] *s med.* Aner'gie *f*: a) Unempfindlichkeit *f* (*gegen Reize*), b) Ener'gielosigkeit *f*, -mangel *m*.

an·er·oid ['ænəˌrɔid] *phys.* **I** *adj* Aneroid... **II** *s a.* ~ barometer Anero'id(baroˌmeter) *n*.

an·es·the·si·a [ˌænis'θiːziə; -ʒə], **ˌan·es'the·sis** [-'θiːzis] *s med.* **1.** Anästhe'sie *f*, Nar'kose *f*, Betäubung *f*. **2.** Unempfindlichkeit *f*. **ˌan·es'thet·ic** [-'θetik] **I** *adj* (*adv* ~ally) **1.** *med.* a) anä'sthetisch, nar'kotisch, betäubend, Narkose..., b) unempfindlich. **2.** *fig.* verständnislos (to gegen'über). **II** *s* **3.** Betäubungsmittel *n*, Nar'kotikum *n*. **an·es·the·tist** [*Br.* æ'niːsθətist; *Am.* ə'nes-] *s med.* Narkoti'seur *m*, Nar'kosearzt *m*. **an'es·theˌtize** *v/t med.* anästhe'sieren, betäuben, narkoti'sieren.

an·eu·rin ['ænju(ə)rin; ə'nju(ə)rin] *s chem.* Aneu'rin *n*, Vita'min B_1 *n*.

an·eu·rism, *a.* **an·eu·rysm** ['ænju(ə)ˌrizəm] *s med.* Aneu'rysma *n*, krankhafte Ar'terienerweiterung.

a·new [ə'njuː] *adv* **1.** von neuem, aufs neue, 'wieder(um), noch einmal. **2.** neu, auf neue Art u. Weise.

an·frac·tu·os·i·ty [ænˌfræktju'ɒsiti; -tʃu-] *s* **1.** Gewundenheit *f*, Windung *f*. **2.** *anat.* Gehirnfurche *f*.

an·ga·ry ['æŋgəri] *s jur.* Anga'rie *f* (*Recht e-r kriegführenden Macht, neutrale Schiffe, die sich in ihren Hoheitsgewässern befinden, zu beschlagnahmen u. zu benutzen*).

an·gel ['eindʒəl] *s* **1.** Engel *m*: ~ of death Todesengel; visits like those of ~s kurze u. seltene Besuche; to join the ~s in den Himmel kommen; to rush in where ~s fear to tread sich törichter- *od.* anmaßenderweise in Dinge einmischen, an die sich sonst niemand heranwagt; → entertain 2. **2.** *fig.* Engel *m* (*Person*): be an ~ and ... sei doch so lieb und ...; she is my good ~ sie ist mein guter Engel. **3.** *relig.* Gottesbote *m* (*Priester etc*). **4.** *sl.* fi'nanzkräftiger 'Hintermann, Geldgeber *m*. **5.** *a.* ~-noble Engelstaler *m* (*alte englische Goldmünze*). **6.** *Christian Science*: Botschaft *f* höherer guter Mächte. **7.** → angelfish. ~ **cake** *s* (leichter) Kuchen. **'~ˌfish** *s ichth.* **1.** Engelhai *m*. **2.** Engelbarsch *m*. ~ **food (cake)** *Am. oft für* angel cake.

an·gel·ic [æn'dʒelik] *adj* (*adv* ~ally) engelhaft, -gleich, Engels...: A~ Doctor Doktor *m* angelicus (*Beiname des Thomas von Aquin*); A~ Salutation Englischer Gruß.

an·gel·i·ca [æn'dʒelikə] *s* **1.** *bot.* An'gelika *f*, Brustwurz *f*, *bes.* (Erz)Engelwurz *f*. **2.** kan'dierte An'gelikawurzel. **3.** An'gelikaliˌkör *m*.

an·gel·i·cal [æn'dʒelikəl] *adj* (*adv* ~ly) → angelic.

an·gels on horse·back *s pl Br.* in Speckschnitten gewickelte Austern *pl*.

An·ge·lus ['ændʒələs] *s relig.* **1.** Angelus(gebet *n*, -läuten *n*) *m*. **2.** *a.* ~ bell Angelusglocke *f*.

an·ger ['æŋgər] **I** *s* Ärger *m*, Unwille *m*, Zorn *m*, Wut *f* (at über *acc*): (fit of) ~ Wutanfall *m*, Zornausbruch *m*. **II** *v/t* erzürnen, ärgern, aufbringen.

An·ge·vin ['ændʒivin], **'An·ge·vine** [-vin; -ˌvain] **I** *adj* **1.** aus An'jou (*in Frankreich*). **2.** ange'vinisch, die Plan'tagenets (*englisches Königshaus*) betreffend. **II** *s* **3.** Mitglied *n* des Hauses Plan'tagenet.

an·gi·na [æn'dʒainə] *s med.* An'gina *f*, Rachen-, Halsentzündung *f*. ~ **pec·to·ris** ['pektəris] *s med.* An'gina *f* pectoris, Herzbräune *f*.

an·gi·o·car·pous [ˌændʒio'kɑːrpəs] *adj bot.* angio'karp, deckfrüchtig.

an·gi·og·ra·phy [ˌændʒi'ɒgrəfi] *s med.* (röntgeno'logische) Vasogra'phie.

an·gi·ol·o·gy [ˌændʒi'ɒlədʒi] *s med.* Angiolo'gie *f*, Gefäßlehre *f*.

an·gi·o·ma [ˌændʒi'oumə] *pl* **-o·ma·ta** [-mətə] *od.* **-o·mas** *s med.* Angi'om *n*, Blutschwamm *m*.

an·gi·o·sperm ['ændʒioˌspəːrm] *s bot.* Angio'sperme *f*.

an·gle[1] ['æŋgl] **I** *s* **1.** *bes. math.* Winkel *m*: ~ of advance *electr. phys.* Voreilungswinkel; ~ of attack *aer.* Anstellwinkel; ~ of climb a) *tech.* Anstiegswinkel, b) *aer.* Steigwinkel; ~ of departure (*Ballistik*) Abgangswinkel; ~ of divergence Streu(ungs)winkel; ~ of elevation Höhen-, Steigungswinkel; ~ of incidence a) Einfallswinkel, b) *aer.* Anstellwinkel; ~ of inclination Neigungswinkel; ~ of lag *electr. phys.* Nacheilungswinkel; ~ of pitch *aer.* Anstellwinkel (*der Luftschraube*); ~ of taper Konizität *f* (*des Kegels*); ~ of traverse (*Artillerie*) Seitenrichtbereich *m*, Schwenkwinkel; at right ~s to im rechten Winkel zu; at an ~ with in e-m Winkel stehend mit. **2.** *tech.* a) Knie(stück) *n*, b) *pl* Winkeleisen *pl*. **3.** Ecke *f* (*e-s Gebäudes etc*). **4.** scharfe, spitze Kante. **5.** *astr.* Haus *n*. **6.** *fig.* Standpunkt *m*, Gesichtswinkel *m*, Seite *f*. **7.** *fig.* Seite *f*, A'spekt *m*: to consider all ~s of a question. **8.** *Am.* Me'thode *f* (*etwas anzupacken od. zu erreichen*). **II** *v/t* **9.** 'umbiegen. **10.** *tech.* bördeln. **11.** *Am.* entstellen, verdrehen, tendenzi'ös darstellen.

an·gle[2] ['æŋgl] **I** *v/i* angeln (for nach): to ~ for s.th. *fig.* nach etwas fischen *od.* angeln, etwas zu bekommen versuchen. **II** *v/t* angeln.

an·gle bar *s tech.* Winkeleisen *n*.

an·gled ['æŋgld] *adj* winklig, winkelförmig, Winkel...

An·gle|·doz·er ['æŋglˌdouzər] (*TM*) *s tech.* **1.** Pla'nierraupe *f* mit Schwenkschild. **2.** Schwenkschild *n*. **a~ drive** *s tech.* Winkeltrieb *m*. **a~ i·ron** *s tech.* Winkeleisen *n*.

an·gler ['æŋglər] *s* **1.** Angler(in). **2.** *ichth.* See-, Meerteufel *m*. [*pl.*]

An·gles ['æŋglz] *s pl hist.* (*die*) Angeln

An·gli·an ['æŋgliən] **I** *adj* **1.** anglisch. **II** *s* **2.** Angehörige(r *m*) *f* des Volksstammes der Angeln. **3.** *ling.* Anglisch *n*, das Anglische.

An·gli·can ['æŋglikən] **I** *adj* **1.** *relig.* a) angli'kanisch, b) hochkirchlich: the ~ Church die Anglikanische Kirche, die englische Staatskirche; ~ Communion Anglikanischer Kirchenbund. **2.** *Am.* a) britisch, b) englisch. **II** *s* **3.** *relig.* a) Angli'kaner(in), b) Hochkirchler(in). **'An·gli·canˌism** Anglika'nismus *m*.

An·gli·cism ['æŋgliˌsizəm] *s* **1.** *ling.* Angli'zismus *m* (*englische Spracheigenheit*). **2.** englische Eigenart, (*etwas*) typisch Englisches.

An·gli·cist ['æŋglisist] *s* An'glist(in).

An·gli·cize, *a.* **an·gli·cize** ['æŋgliˌsaiz] *v/t u. v/i* (sich) angli'sieren, englisch machen (werden).

An·gli·fy ['æŋgliˌfai] *v/t* angli'sieren (*a. ling.*). [**2.** Angelsport *m*.]

an·gling ['æŋgliŋ] *s* **1.** Angeln *n*.

An·glist ['æŋglist] *s* An'glist(in). **An·glis·tics** [æŋ'glistiks] *s pl* (*als sg konstruiert*) An'glistik *f*.

Anglo- [æŋglou] *Wortelement mit der Bedeutung* englisch, englisch und ...

ˌAn·glo|-A'mer·i·can **I** *adj* ˌangloameri'kanisch. **II** *s* ˌAngloameri'kaner(in) (*Amerikaner[in] englischer Abstammung*). **ˌ~-'Cath·o·lic** *relig.* **I** *s* **1.** Anglokatho'lik(in). **2.** Hochkirchler(in). **II** *adj* **3.** angloka'tholisch. **4.** der Hochkirche angehörend. **ˌ~-'French** **I** *adj* anglofran'zösisch (*a. ling.*): the ~ Wars die Kriege zwischen England u. Frankreich. **II** *s ling.* Anglonor'mannisch *n*, Anglofran'zösisch *n*.

An·glo·gae·a [ˌæŋglo'dʒiːə] *s biol. geogr.* ne'arktische Regi'on.

ˌAn·glo-'In·di·an **I** *adj* **1.** anglo'indisch. **II** *s* **2.** in Indien lebender Engländer. **3.** Anglo-'Inder(in).

'An·glo·man [-mən] *s irr* in A'merika lebender Englandfreund.

An·glo·ma·ni·a [ˌæŋglo'meiniə] *s* Angloma'nie *f* (*übertriebene Bewunderung alles Englischen*). **ˌAn·glo'ma·niˌac** [-ˌæk] *s* Anglo'mane *m*.

ˌAn·glo-'Nor·man **I** *s* **1.** Anglonor'manne *m*. **2.** *ling.* Anglonor'mannisch *n*. **II** *adj* **3.** anglonor'mannisch.

An·glo·phile ['æŋgloˌfail; -fil], *a.* **'An·glo·phil** [-fil] **I** *s* Anglo'phile *m*, Englandfreund *m*. **II** *adj* anglo'phil, englandfreundlich.

An·glo·phobe ['æŋgloˌfoub] **I** *s* Anglo'phobe *m*, Englandfeind *m*. **II** *adj*

anglo'phob, englandfeindlich. ˌ**An·glo'pho·bi·a** [-biə] *s* Anglopho'bie *f*.
An·glo-Sax·on [ˌæŋglo'sæksən] **I** *s* **1.** Angelsachse *m*. **2.** *ling*. Altenglisch *n*, Angelsächsisch *n*. **3.** (*urwüchsiges u. einfaches*) Englisch. **II** *adj* **4.** angelsächsisch.
An·go·la [æŋ'goulə] → Angora.
An·go·ra [æŋ'gɔːrə] *s* **1.** Gewebe *n od.* Kleidungsstück *n* aus An'gorawolle. **2.** *zo.* a) *a.* ~ **cat** An'gorakatze *f*, b) *a.* ~ **goat** An'goraziege *f*, c) *a.* ~ **rabbit** An'gora-, 'Seidenkaˌninchen *n*. ~ **wool** *s* **1.** An'gorawolle *f*. **2.** Mo'hair *n*.
an·gos·tu·ra [ˌæŋgəs'tju(ə)rə] *s a.* ~ **bark** *bot.* Ango'sturarinde *f*. ~ **bit·ters** *s* Ango'sturabitter *m*.
an·gry ['æŋgri] *adj* (*adv* **angrily**) **1.** (at, about) ärgerlich (auf, über *acc*), verärgert (über *j-n od. etwas*), aufgebracht (gegen *j-n*; über *etwas*), böse (auf *j-n*, über *etwas*; **with** mit *j-m*). **2.** *med.* entzündet, schlimm. **3.** *fig.* a) drohend, stürmisch, b) finster. ~ **young man** *s irr* zorniger junger Mann (*der Literatur*).
ang·strom, *a.* **Ang·strom** ['æŋstrəm], **Ång·ström** ['ouŋˌstrɔːm; 'ɔːŋ-] *s a.* ~ **unit** *phys.* Angström(einheit *f*) *n* (*Einheit für sehr kurze Wellenlängen*).
an·guine ['æŋgwin] *adj zo.* **1.** schlangenähnlich. **2.** Schlangen...
an·guish ['æŋgwiʃ] *s* Qual *f*, Pein *f*, Schmerz *m*, Angst *f*: ~ **of mind, mental** ~ Seelenqual(en).
an·gu·lar ['æŋgjulər] *adj* (*adv* ~**ly**) **1.** winklig, winkelförmig, eckig, Winkel...: ~ **acceleration** *phys.* Winkelbeschleunigung *f*; ~ **capital** *arch.* Eckkapitell *n*; ~ **cutter** *tech.* Winkelfräser *m*; ~ **distance** *math.* Winkelabstand *m*; ~ **point** *math.* Scheitelpunkt *m*; ~ **position encoder** Winkelstellungsgeber *m* mit digitalem Ausgang; ~ **velocity** a) *phys.* Winkelgeschwindigkeit *f*, b) *electr.* Kreisfrequenz *f*. **2.** *fig.* eckig: a) knochig, b) steif, linkisch, c) steif, for'mell.
an·gu·lar·i·ty [ˌæŋgju'læriti] *s* **1.** Winkligkeit *f*, kantige Beschaffenheit. **2.** *fig.* Eckigkeit *f*, Steifheit *f*.
an·gus·ti·fo·li·ate [æŋˌgʌsti'fouliˌeit; -iit] *adj bot.* schmalblättrig.
an·har·mon·ic [ˌænhɑːr'mɒnik] *adj math. phys.* 'unharˌmonisch.
an·hy·dride [æn'haidraid; -drid] *s chem.* Anhy'drid *n*.
an·hy·drite [æn'haidrait] *s min.* Anhy'drit *m.*
an·hy·drous [æn'haidrəs] *adj biol. chem.* an'hydrisch, wasserfrei.
a·nigh [ə'nai] *adv u. prep obs.* nahe.
an·il[1] ['ænil] *s* **1.** *bot.* Indigopflanze *f*. **2.** Indigo(farbstoff) *m*.
an·il[2] ['ænil] *s chem.* A'nil *n* (*e-n Anilrest enthaltende Verbindung*).
an·i·line ['æniˌlain; -ˌliːn; -lin] *s chem.* Ani'lin *n*: ~ **dye** a) Anilinfarbstoff *m*, b) *weitS.* chemisch hergestellte Farbe; ~ **resin** Anilinharz *n* (*Kunststoff*).
an·i·mad·ver·sion [ˌænimæd'vəːrʃən] *s* Tadel *m*, Rüge *f*, Kri'tik *f* (on an *dat*). ˌ**an·i·mad'vert** [-'vəːrt] *v/i* (on, upon) kritische Bemerkungen machen (über *acc*), tadeln, kriti'sieren (*acc*).
an·i·mal ['æniməl] **I** *s* **1.** Tier *n*: **the** ~ **within us** *fig.* das Tier in uns; **there ain't such** ~! *humor.* so etwas gibt es doch nicht! **2.** a) tierisches Lebewesen (*Ggs. Pflanze*), b) Säugetier *n*. **3.** *fig.* Tier *n*, viehischer Mensch, Vieh *n*, Bestie *f*. **II** *adj* (*adv* ~**ly**) **4.** ani'malisch, tierisch (*beide a. fig.*): ~ **instincts**; ~ **psychology** Tierpsychologie *f*. ~ **black** *s tech.* Knochenschwarz *n*. ~ **char·coal** *s biol.* Tierkohle *f*. ~ **crack·er** *s meist pl Am.* Gebäck *n* in Tiergestalt.
an·i·mal·cule [ˌæni'mælkjuːl] *s zo.* mikro'skopisch kleines Tierchen.
an·i·mal| flow·er *s zo.* Blumentier *n*. ~ **food** *s* Fleischnahrung *f*. ~ **glue** *s tech.* Tierleim *m*. ~ **hus·band·ry** *s* Viehzucht *f*.
an·i·mal·ier [ˌænəmə'lir] → ani[malist 2.]
an·i·mal·ism ['æniməˌlizəm] *s* **1.** Animali'tät *f*, Sinnlichkeit *f*, ani'malisches Wesen. **2.** Lebenskraft *f*, Vitali'tät *f*. **3.** Anima'lismus *m* (*Lehre, daß die Menschen nur Tiere sind*). '**an·i·mal·ist** *s* **1.** Anhänger(in) des Anima'lismus. **2.** Tiermaler(in), Tierbildhauer(in).
an·i·mal·i·ty [ˌæni'mæliti] *s* **1.** tierische Na'tur. **2.** a) 'Tiernaˌtur *f*, (*das*) Tierische, b) → **animalism** 1 *u.* 2. **3.** Tierreich *n*.
an·i·mal·ize ['æniməˌlaiz] *v/t* **1.** *biol.* durch Assimilati'on in tierischen Stoff verwandeln. **2.** *Zellulosefasern etc* animali'sieren, wollähnlich machen. **3.** *fig.* zum Tier machen, verrohen. **4.** in Tierform darstellen.
an·i·mal| king·dom *s* Tierreich *n*. ~ **life** *s* Tierleben *n*. ~ **mag·net·ism** *s* tierischer Magne'tismus. ~ **size** *s tech.* Tierleim *m*. ~ **spir·its** *s pl* Vitali'tät *f*, Lebenskraft *f*, -geister *pl*.
an·i·mate I *v/t* ['æniˌmeit] **1.** beseelen, beleben, mit Leben erfüllen (*alle a. fig.*). **2.** beleben, anregen, aufmuntern, in Schwung bringen. **3.** beleben, le'bendig gestalten: **to** ~ **a cartoon** e-n Trickfilm herstellen. **4.** antreiben. **II** *adj* [-mit; -ˌmeit] → **animated** 1 *u.* 3.
'**an·iˌmat·ed** *adj* **1.** le'bendig, beseelt (**with, by** von), lebend. **2.** ‚lebend', sich bewegend: ~ **puppets**; ~ **cartoon** Zeichentrickfilm *m*. **3.** lebhaft, angeregt, munter. **4.** ermuntert. ˌ**an·i'ma·tion** *s* **1.** Er-, Aufmunterung *f*, Belebung *f*. **2.** Leben *n*, Feuer *n*, Lebhaftigkeit *f*, Munterkeit *f*. **3.** a) 'Herstellung *f* von (Zeichen)Trickfilmen, b) (Zeichen)Trickfilm *m*, c) (me'chanische) Trickvorrichtung.
an·i·ma·tism ['æniməˌtizəm] *s philos.* Anima'tismus *m*.
a·ni·ma·to [ani'mato] (*Ital.*) *adj u. adv mus.* **1.** beseelt. **2.** lebhaft(er).
an·i·ma·tor ['æniˌmeitər] *s* Trick(film)zeichner *m*.
an·i·mism ['æniˌmizəm] *s philos.* Ani['mismus *m.*]
an·i·mos·i·ty [ˌæni'mɒsiti] *s* Animosi'tät *f*, Groll *m*, Feindseligkeit *f*.
an·i·mus ['æniməs] *s* **1.** (belebender *od.* innewohnender) Geist. **2.** *a. jur.* Absicht *f*. **3.** → **animosity**.
an·i·on ['ænˌaiən] *s chem. phys.* 'Aniˌon *n*, negatives I'on. ˌ**an·i'on·ic** [-'ɒnik] *adj* Anion...
an·i·sate ['æniˌseit] *s chem.* a'nis[saures Salz.]
an·ise ['ænis] *s* **1.** *bot.* A'nis *m*. **2.** A'nis(samen) *m*.
an·i·seed ['æniˌsiːd; 'ænisˌsiːd] *s* A'nissamen *m*.
an·i·sette [ˌæni'zet; -'set] *s* Ani'sett *m* [(*Anislikör*).]
an·i·so·mer·ic [æˌnaiso'merik] *adj chem.* nicht iso'mer. ˌ**an·i'som·er·ous** [-'sɒmərəs] *adj bot.* ungleichzählig.
an·i·so·trop·ic [æˌnaiso'trɒpik] *adj biol. phys.* aniso'trop. ˌ**an·i'sot·ro·py** [-'sɒtrəpi] *s biol. phys.* Anisotro'pie *f*.
an·ker·ite ['æŋkəˌrait] *s min.* Anke'rit *m*, Braunspat *m*.
ankh [æŋk] *s* Henkelkreuz *n* (*altägyptisches Lebenssymbol*).
an·kle ['æŋkl] **I** *s anat.* **1.** (Fuß)Knöchel *m*: **to sprain one's** ~ sich den Fuß verstauchen. **2.** a) Knöchelgegend *f* (*des Beins*), b) Fessel *f*. **II** *v/i* **3.** *Am. sl.* ‚latschen', mar'schieren. '~ˌ**bone** *s anat.* Sprungbein *n*. ~ **boot** *s* **1.** Halbstiefel *m*. **2.** Knöchelbinde *f* (*für Pferde*). '~-ˌ**deep** *adj* knöcheltief, bis zu den Knöcheln. ~ **jerk** *s med.* 'Knöchelreˌflex *m*. ~ **joint** *s anat.* Fuß-, Knöchel-, Sprunggelenk *n*. ~ **sock** *s* Söckchen *n*. ~ **strap** *s* Fesselriemen *m*, Schuhspange *f*.
an·klet ['æŋklit] *s* **1.** Fußring *m*, -spange *f* (*als Schmuck*). **2.** a) → **ankle strap**, b) *Am.* San'dale *f* (mit Fesselriemen). **3.** *Am.* Söckchen *n*. **4.** Fußfessel *f*, -eisen *n*.
an·ky·lose ['æŋkiˌlous] *med.* **I** *v/t* **1.** *Knochen* fest vereinigen. **2.** *Gelenk* steif machen. **II** *v/i* **3.** fest verwachsen (*Knochen*). **4.** steif werden (*Gelenk*). ˌ**an·ky'lo·sis** [-sis] *s* **1.** *med.* Anky'lose *f*, Gelenkversteifung *f*. **2.** *physiol.* Knochenverwachsung *f*.
an·ky·los·to·mi·a·sis [ˌæŋkiˌlɒsto'maiəsis] *s med.* Hakenwurmkrankheit *f*.
an·na ['ænə] *s* An'na *m* (*indische* [*Münze*].)
an·nal·ist ['ænəlist] *s* Chro'nist *m*.
an·nals ['ænlz] *s pl* **1.** An'nalen *pl*, Jahrbücher *pl*. **2.** hi'storischer Bericht. **3.** (peri'odisch erscheinende) fachwissenschaftliche Berichte *pl*. **4.** (*a. als sg konstruiert*) (Jahres)Bericht *m*.
an·neal [ə'niːl] *v/t* **1.** *metall.* ausglühen, anlassen, vergüten, tempern: ~**ing furnace** Glühofen *m*. **2.** *Kunststoffe* tempern. **3.** *Glas* kühlen. **4.** *Keramik*: einbrennen: ~**ing varnish** Einbrennlack *m*. **5.** *fig.* härten, stählen.
an·ne·lid ['ænəlid] *s zo.* Ringelwurm *m*.
an·nex I *v/t* [ə'neks] **1.** (to) beifügen (*dat*), anfügen, anhängen (an *acc*): **as** ~**ed** *econ.* laut Anlage. **2.** *fig.* verbinden, -knüpfen (to mit). **3.** *ein Gebiet* annek'tieren, (sich) einverleiben. **4.** *sl.* (sich) ‚organi'sieren', sich aneignen. **II** *s* ['æneks] **5.** Anhang *m*, Zusatz *m*, Nachtrag *m*. **6.** Anlage *f* (*in e-m Brief*). **7.** Anbau *m*, Nebengebäude *n*.
an·nex·a·tion [ˌænek'seiʃən] *s* **1.** Hin'zu-, Anfügung *f* (to zu). **2.** Verbindung *f* (to mit). **3.** Annexi'on *f*, Annek'tierung *f*, Einverleibung *f* (to in *acc*). **4.** annek'tiertes Gebiet, Gebietswerbung *f*. ˌ**an·nex'a·tion·ist** *s* Annexio'nist *m* (*Anhänger e-r Annexionspolitik*).
an·nexe [ə'neks] → **annex** 7.
An·nie Oak·ley ['æni 'oukli] *s Am. sl.* Freikarte *f*.
an·ni·hi·late [ə'naiəˌleit] *v/t* **1.** vernichten (*a. fig.*). **2.** *mil.* aufreiben. **3.** *fig.* zu'nichte machen, aufheben. **4.** *sport colloq.* vernichtend schlagen. **an**ˌ**ni·hi'la·tion** *s* Vernichtung *f*, Zerstörung *f*, Aufhebung *f*: ~ **photon** *phys.* Zerstrahlungsphoton *n*; ~ **radiation** *phys.* Vernichtungsstrahlung *f*. **an'ni·hiˌla·tor** [-tər] *s* Vernichter *m*.
an·ni·ver·sa·ry [ˌæni'vəːrsəri] *s* **1.** Jahrestag *m*, -feier *f*, *a.* (*zehnjährige etc*) 'Wiederkehr (of *e-s Gedenktages*): **wedding** ~ Hochzeitstag *m*; **the 50th** ~ **of his death** sein fünfzigster Todestag. **2.** Jubi'läum *n*.
an·no Dom·i·ni ['ænou 'dɒmiˌnai] (*Lat.*) *adv* Anno Domini, im Jahre des Herrn.
an·no·tate ['ænoˌteit] **I** *v/t e-e Schrift* mit Anmerkungen versehen, kommen'tieren. **II** *v/i* (on) Anmerkungen machen (zu), e-n Kommen'tar schreiben (über *acc*, zu). ˌ**an·no'ta·tion** *s* **1.** Kommen'tieren *n*. **2.** Anmerkung *f*, Glosse *f*, Erläuterung *f*. '**an·noˌta·tor** [-tər] *s* Kommen'tator *m*.

an·nounce [ə'nauns] *v/t* **1.** ankünd(ig)en. **2.** (an)melden, anzeigen. **3.** verkünd(ig)en, bekanntmachen, ansagen (*a. im Radio etc*). **4.** zeigen, verraten, enthüllen. **an'nounce·ment** *s* **1.** Verkündigung *f*, Ansage *f*, Bekanntmachung *f*. **2.** Veröffentlichung *f*, (*a.* Heirats-, Todes- *etc*)Anzeige *f*: ~ **of sale** *econ.* Verkaufsanzeige; ~ **procedure** *jur.* Aufgebotsverfahren *n*. **an'nounc·er** *s* **1.** Ankündiger(in). **2.** *Radio*: Ansager(in), Sprecher(in).

an·noy [ə'nɔi] *v/t* **1.** ärgern: **to be** ~**ed** sich ärgern (**at s.th.** über etwas; **with s.o.** über j-n). **2.** beunruhigen, behelligen, belästigen, *a. mil.* stören. **an'noy·ance** *s* **1.** Ärgernis *n*, Störung *f*, Belästigung *f*. **2.** Ärger *m*, Verdruß *m*. **3.** Plage(geist *m*) *f*. **an'noy·ing** *adj* (*adv* ~**ly**) lästig, ärgerlich, störend, unangenehm.

an·nu·al ['ænjuəl] **I** *adj* (*adv* ~**ly**) **1.** jährlich, Jahres...: ~ **accounts** *econ.* Jahresabschluß *m*; ~ **balance sheet** *econ.* Jahres-, Schlußbilanz *f*; ~ **(general) meeting** *econ.* Hauptversammlung *f*; ~ **report** *econ.* Geschäfts-, Jahresbericht *m*; ~ **ring** *bot.* Jahresring *m*. **2.** *a. bot.* einjährig. **II** *s* **3.** jährlich erscheinende Veröffentlichung, Jahrbuch *n*. **4.** *bot.* einjährige Pflanze.

an·nu·i·tant [ə'njuitənt] *s* Renten-[empfänger(in).]

an·nu·i·ty [ə'njuiti] *s* **1.** (Jahres-, Leib-)Rente *f*: ~ **bank** *econ.* Rentenbank *f*; ~ **insurance** Rentenversicherung *f*. **2.** Jahresgeld *n*, -gehalt *n*. **3.** Jahresrate *f*, -zahlung *f*. **4.** jährlich zu zahlende Zinsen *pl*. **5.** *a.* ~ **bond** Rentenbrief *m*, *pl* 'Rentenpa,piere *pl*.

an·nul [ə'nʌl] *v/t* **1.** vernichten, austilgen. **2.** annul'lieren, *Gesetze, e-e Ehe etc* aufheben, für ungültig *od.* nichtig erklären, *Vorschriften etc* abschaffen. **3.** neutrali'sieren.

an·nu·lar ['ænjulər] **I** *adj* (*adv* ~**ly**) ringförmig, geringelt, Ring...: ~ **auger** *tech.* Ring-, Kreisbohrer *m*; ~ **eclipse** *astr.* ringförmige Sonnenfinsternis; ~ **gear** *tech.* Zahnrad *n od.* Getriebe *n* mit Innenverzahnung; ~ **saw** *tech.* Band-, Ringsäge *f*. **II** *s* Ringfinger *m*.

an·nu·late ['ænju,leit; -lit], **'an·nu·,lat·ed** [-id] *adj* **1.** geringelt, aus Ringen bestehend. **2.** *a. bot.* ringförmig, Ring...: ~ **column** *arch.* Ringsäule *f*.

an·nu·let ['ænjulit] *s* **1.** kleiner Ring. **2.** *arch.* a) schmale ringförmige Verzierung, b) *bes. pl* Anuli *pl*, Riemchen *pl* (*am dorischen Kapitell*).

an·nul·ment [ə'nʌlmənt] *s* **1.** Annul'lierung *f*, Ungültigkeitserklärung *f*, Aufhebung *f*: ~ **of marriage** Nichtigkeitserklärung *f* der Ehe; **action for** ~ Nichtigkeitsklage *f*. **2.** Annul'lierung *f*, Tilgung *f*, Vernichtung *f*.

an·nu·lus ['ænjuləs] *pl* **-li** [-,lai] *od.* **-lus·es** *s* **1.** *a. biol. bot. physiol.* Ring *m*. **2.** *math.* Kreisring *m*. **3.** *astr.* Lichtkreis *m* um den Mondrand (*bei Sonnenfinsternis*). **4.** → annulet 2.

an·nun·ci·ate [ə'nʌnʃi,eit] *v/t* ankündigen, verkünden. **an,nun·ci'a·tion** *s* **1.** An-, Verkündigung *f*. **2.** A~, *a.* A~ Day Ma'riä Verkündigung *f* (*25. März*). **an'nun·ci,a·tive** *adj* an-, verkünd(ig)end. **an'nun·ci,a·tor** [-tər] *s* **1.** Verkünd(ig)er *m*. **2.** a) *electr.* Si'gnalanlage *f*, -tafel *f*, b) *teleph.* Fallklappenanlage *f*.

an·o·dal [æ'noudl] → anodic.

an·ode ['ænoud] *electr.* **I** *s* An'ode *f*, positiver Pol: DC ~ Anodenruhestrom *m*. **II** *adj* Anoden...: ~ **battery (circuit, current, rays,** *etc*); ~ **detection** Anodengleichrichtung *f*; ~ **follower** Kathodenbasisverstärker *m*; ~ **power** zugeführte Anodenleistung.

an·od·ic [æ'nɒdik] *adj* **1.** aufsteigend. **2.** *electr., a. bot.* an'odisch: ~ **current density** Anodenstromdichte *f*; ~ **treatment** *tech.* Eloxalverfahren *n*.

an·od·ize ['æno,daiz] *v/t tech.* elo'xieren: **anodizing process** Eloxalverfahren *n*.

an·o·dyne ['æno,dain] *med.* **I** *adj* **1.** schmerzstillend. **2.** *fig.* lindernd, beruhigend. **3.** *fig.* a) verwässert, b) kraftlos: ~ **translation. II** *s* **4.** schmerzstillendes Mittel. **5.** *fig.* Beruhigungsmittel *n*.

a·noint [ə'nɔint] *v/t* **1.** einölen. **2.** einreiben, -schmieren. **3.** *bes. relig.* salben: **the Lord's Anointed** der Gesalbte des Herrn. **4.** *humor.* versohlen. **a'noint·ment** *s* Salbung *f*.

an·o·lyte ['æno,lait] *s electr.* Ano'lyt *m*, An'odenflüssigkeit *f*.

a·nom·a·lis·tic [ə,nɒmə'listik], *a.* **a,nom·a'lis·ti·cal** [-kəl] *adj* **1.** *astr. ling. philos.* anoma'listisch: ~ **moon**; ~ **year. 2.** → anomalous 1.

a·nom·a·lous [ə'nɒmələs] *adj* (*adv* ~**ly**) **1.** ano'mal, ab'norm, regel-, normwidrig. **2.** ungewöhnlich.

a·nom·a·ly [ə'nɒməli] *s* **1.** Anoma'lie *f* (*a. astr. ling.*), Abweichung *f* (von der Norm), Unregelmäßigkeit *f*, Ungewöhnlichkeit *f*. **2.** *biol.* 'Mißbildung *f*.

a·nom·ic [ə'nɒmik] *adj sociol.* a'nomisch. **an·o·mie** [,ænou'mi:] *s* Ano'mie *f* (*Zustand der Lockerung od. des Fehlens sozialmoralischer Leitideen*).

a·non [ə'nɒn] **I** *adv* **1.** a) bald, b) so'gleich. **2.** ein anderes Mal: **ever and** ~ hin u. wieder. **II** *interj* **3.** (ich komme) so'fort!

an·o·nym ['ænənim] *s* **1.** An'onymus *m* (*ein Ungenannter*). **2.** Pseudo'nym *n*. **,an·o'nym·i·ty** *s* Anonymi'tät *f*. **a·non·y·mous** [ə'nɒniməs] *adj* (*adv* ~**ly**) ano'nym, namenlos, ungenannt, unbekannten Ursprungs.

a·noph·e·les [ə'nɒfi,li:z] *s zo.* Fiebermücke *f*.

an·oph·thal·mi·a [,ænɒf'θælmiə] *s med.* Anophthal'mie *f*.

an·op·tic [æ'nɒptik] *adj* an'optisch.

a·no·rak ['ɑ:no,rɑ:k] *s* Anorak *m*.

an·o·rex·i·a [,æno'reksiə], **'an·o,rex·y** *s med.* Appe'titlosigkeit *f*.

an·or·thic [æ'nɔ:rθik] *adj math.* **1.** ohne rechte Winkel. **2.** tri'klinisch.

an·oth·er [ə'nʌðər] *adj u. pron* **1.** ein anderer, e-e andere, ein anderes (**than** als), ein verschiedener, e-e verschiedene, ein verschiedenes: **that is** ~ **pair of shoes** *colloq.* das ist e-e ganz andere Sache; ~ **thing** etwas anderes; **he is** ~ **man now** er ist jetzt ein (ganz) anderer Mensch; **in** ~ **place** a) anderswo, b) *parl. Br.* im anderen Hause dieses Parlaments (*im Oberhaus bzw. im Unterhaus*); **one** ~ a) einander, b) uns (euch, sich) gegenseitig; **one after** ~ einer nach dem andern. **2.** noch ein(er, e, es), ein zweiter, e-e zweite, ein zweites, ein weiterer, e-e weitere, ein weiteres: ~ **day or two** noch einige Tage; ~ **five weeks** noch *od.* weitere fünf Wochen; **not** ~ **word!** kein Wort mehr!; ~ **Shakespeare** ein zweiter Shakespeare; **tell us** ~ *sl.* das kannst du uns nicht erzählen; **A.N. Other** *sport* ein (ungenannter) (Ersatz)Spieler.

an·ox·(a)e·mi·a [,ænɒk'si:miə] *s med.* Anoxä'mie *f* (*Sauerstoffmangel im Blut*).

an·ox·i·a [æ'nɒksiə] *s med.* Sauerstoff-[mangel *m*.]

an·sate ['ænseit] *adj* **1.** mit Henkel(n). **2.** henkelförmig. ~ **cross** → ankh.

an·schluss ['ɑ:nʃlus] (*Ger.*) *s* **1.** *pol.* Anschluß *m*. **2.** Vereinigung *f*.

an·ser·ine ['ænsə,rain; -rin] *adj* **1.** gänseartig, Gänse... **2.** *fig.* dumm.

an·swer [*Br.* 'ɑ:nsər; *Am.* 'æ(:)n-] **I** *s* **1.** Antwort *f*, Erwiderung *f*, Entgegnung *f* (**to** auf *acc*): **in** ~ **to s.th.** a) in Beantwortung e-r Sache, b) auf etwas hin; **he knows all the** ~**s** *colloq.* er weiß alles. **2.** *fig.* Antwort *f*: a) Reakti'on *f*: **his** ~ **was a new attack**, b) Gegenmaßnahme *f*. **3.** *jur.* a) Klagebeantwortung *f*, Gegenschrift *f*, b) *weitS.* Verteidigung *f*, Rechtfertigung *f*. **4.** *bes. math.* (Auf)Lösung *f* (*e-r Aufgabe*). **5.** *fig.* (**to**) a) Lösung *f* (*e-s Problems*), b) Abhilfe *f*, (*das*) Richtige (für). **6.** *mus.* Antwort *f*.
II *v/i* **7.** antworten, e-e Antwort geben (**to** auf *acc*): **to** ~ **back** *colloq.* freche Antworten geben, widersprechen. **8.** ~ **to** *fig.* → 17 *u.* 18. **9.** sich verantworten, Rechenschaft ablegen, Rede (u. Antwort) stehen (**for** für). **10.** verantwortlich sein, die Verantwortung tragen, haften, (sich ver)bürgen (**for** für). **11.** die Folgen tragen, büßen (**for** für): **he has much to** ~ **for** er hat allerhand auf dem Kerbholz. **12.** (**for**) (*e-m Zweck*) dienen, entsprechen (*dat*), sich eignen, taugen (für), s-n Zweck erfüllen. **13.** glücken, gelingen (*Plan*). **14.** hören (**to** auf *e-n Namen*).
III *v/t* **15.** *j-m* antworten, erwidern, entgegnen. **16.** *etwas* antworten auf (*acc*), (*a. mus. ein Thema*) beantworten: **to** ~ **s.o. a question** j-m e-e Frage beantworten; ~**ing equipment** *teleph.* Abfrageeinrichtung *f*; ~**ing signal** Antwortzeichen *n*. **17.** *fig.* rea'gieren auf (*acc*): a) eingehen auf (*acc*): **to** ~ **the bell** (*od.* **door**) (*auf das Läuten od. Klopfen*) die Tür öffnen; **to** ~ **the telephone** ans Telephon gehen, e-n Anruf entgegennehmen, b) *tech. dem Steuer etc* gehorchen, c) *e-m Befehl, e-m Ruf etc* Folge leisten, folgen, gehorchen, entsprechen, d) *e-n Wunsch etc* erfüllen, *a. e-m Bedürfnis* entsprechen, abhelfen, *ein Gebet* erhören: **to** ~ **a need (a prayer, a wish). 18.** *e-r Beschreibung* entsprechen, über'einstimmen mit: **he** ~**s the description** die Beschreibung paßt auf ihn. **19.** sich gegen *e-e Anklage* verteidigen. **20.** (**for**) *j-m* Rede stehen *od.* Rechenschaft geben (für, über *acc*), sich vor *j-m* verantworten *od.* rechtfertigen (wegen, für). **21.** *j-m* genügen, *j-n* zu'friedenstellen. **22.** *e-m Zweck* dienen, entsprechen. **23.** *e-e Aufgabe* lösen. **24.** *e-n Auftrag* ausführen.

an·swer·a·ble [*Br.* 'ɑ:nsərəbl; *Am.* 'æ(:)n-] *adj* **1.** verantwortlich, haftbar (**for** für): **to be** ~ **to s.o. for s.th.** j-m für etwas haften *od.* bürgen, sich vor j-m *od.* sich j-m gegenüber für etwas verantworten müssen. **2.** *obs.* entsprechend, angemessen, gemäß (**to** *dat*). **3.** zu beantworten(d). **'an·swer·less** *adj* **1.** ohne Antwort, unbeantwortet. **2.** unbeantwortbar.

ant [ænt] *s zo.* Ameise *f*: **he has** ~**s in the pants** a) er kann keine Sekunde stillsitzen, b) ihn sticht der Hafer.

an·ta[1] ['æntə] *pl* **-tae** [-ti:] *s arch.* Ante *f*, Pi'laster *m*, Eckpfeiler *m*.

an·ta[2] ['ɑ:ntə] *s zo.* Anta *n*, Gemeiner Amer. Tapir.

ant·ac·id [æn'tæsid] **I** *s pharm.* Anti'acidum *n*, gegen Magensäure wirkendes Mittel. **II** *adj* Säuren neutrali'sierend.

an·tag·o·nism [æn'tægəˌnizəm] *s* Antago'nismus *m*: a) 'Widerstreit *m*, Feindschaft *f* (between zwischen *dat*), b) 'Widerstand *m*, Wider'streben *n* (against, to gegen), c) *physiol.* Wechsel-, Gegenwirkung *f*. **an'tag·o·nist** *s* **1.** Antago'nist(in), Gegner(in), 'Widersacher(in), Feind(in). **2.** *physiol.* Antago'nist *m*, Gegenwirker *m*: ~ (muscle) Gegenmuskel *m*. **3.** *biol. chem.* antago'nistisch wirkender Stoff. **anˌtag·o·'nis·tic** *adj*; **anˌtag·o'nis·ti·cal** *adj* (*adv* ~ly) antago'nistisch, gegnerisch, feindlich (to gegen), wider'streitend, entgegenwirkend (to *dat*). **an'tag·o·ˌnize** *v/t* **1.** entgegenwirken (*dat*), bekämpfen. **2.** sich *j-n* zum Feind machen, *j-n* gegen sich aufbringen.

ant·arc·tic [æn'tɑːrktik] **I** *adj* ant'arktisch, Südpol...: A~ Circle südlicher Polarkreis; A~ Ocean Südliches Eismeer; A~ pole Südpol *m*; A~ Zone → II. **II** *s* A~ Ant'arktis *f*.

Ant'arc·ti·ca [-kə] *s* Ant'arktik *f*.

ant| bear *s zo.* Ameisenbär *m*. ~ **bird,** ~ **catch·er** *s orn.* Ameisenvogel *m*.

an·te ['ænti] (*Lat.*) **I** *adv u. prep* **1.** vor, vorher. **II** *s* **2.** *Pokerspiel*: Einsatz *m*. **III** *v/t u. v/i* **3.** *meist* ~ up (*Pokerspiel*) (ein)setzen. **4.** *meist* ~ up *Am. colloq.* a) (be)zahlen, ‚blechen', ‚rausrücken' (mit s-m Geld), b) (dazu) beisteuern.

ante- [ænti] *Wortelement mit der Bedeutung* vor, vorher, vorangehend.

'antˌeat·er *s zo.* **1.** → ant bear. **2.** → ant bird.

an·te·bel·lum ['ænti'beləm] (*Lat.*) *adj* vor dem Kriege, Vorkriegs...: a) *bes. Br.* vor dem ersten Weltkriege, b) *bes. Am.* vor dem Bürgerkrieg.

an·te·ced·ence [ˌænti'siːdəns] *s* **1.** Vortritt *m*, Vorrang *m*. **2.** *astr.* Rückläufigkeit *f*. **ˌan·te'ced·ent I** *adj* **1.** (to) vor'her-, vor'angehend (*dat*), früher (als): ~ **phrase** *mus.* Vordersatz *m*. **II** *s* **2.** *pl* Vorgeschichte *f*, vor'hergegangene Ereignisse *pl*, frühere 'Umstände *pl*: his ~s sein Vorleben. **3.** *ling.* Beziehungswort *n*. **4.** *philos.* Ante'zedens *n*, Prä'misse *f*. **5.** *math.* Vorderglied *n* (e-s Verhältnisses). **6.** *mus.* a) Vordersatz *m*, b) (Kanon- *od.* Fugen)Thema *n*. **7.** *fig.* Vorläufer *m*.

'an·teˌcham·ber *s* **1.** Vorzimmer *n*. **2.** *mot.* Vorkammer *f*.

'an·teˌchap·el *s* Vorhalle *f* e-r Kapelle.

ˌan·te·com'mun·ion *s anglikanische Kirche*: 'Vorkommuniˌon *f*.

'an·teˌdate I *s* **1.** 'Vor- *od.* Zu'rückdaˌtierung *f*. **II** *v/t* **2.** 'vor- *od.* zu'rückdaˌtieren. **3.** beschleunigen. **4.** vor'wegnehmen. **5.** (*zeitlich*) vor'angehen (*dat*).

an·te·di·lu·vi·an [ˌæntidi'luːviən] **I** *adj* **1.** ˌantediluvi'anisch, vorsintflutlich (*a. fig.*). **II** *s* **2.** vorsintflutliches Wesen. **3.** *fig.* a) rückständige Per'son, b) ‚Fos'sil' *n* (*sehr alte Person*), c) ‚vorsintflutliche' Sache.

an·te·lope ['æntiˌloup] *pl* **-lope** *od.* **-lopes** *s* **1.** *zo.* Anti'lope *f*. **2.** Anti'lopenleder *n*.

ˌan·te·me'rid·i·an *adj* Vormittags...

an·te me·rid·i·em ['ænti mi'ridiem] (*Lat.*) *adv* vormittags (*abbr.* a.m.).

ˌan·te'na·tal *adj* präna'tal, vor der Geburt: ~ care Schwangerenfürsorge *f*; ~ clinic Schwangerenberatungsstelle *f*.

an·ten·na [æn'tenə] *s* **1.** *pl* **-nae** [-iː] *zo.* Fühler *m* (*a. fig.*), Fühlhorn *n*. **2.** *pl* **-nas** *electr. bes. Am.* An'tenne *f* (*siehe* aerial *u. Komposita*).

an·ten·nif·er·ous [ˌæntə'nifərəs] *adj zo.* Fühler besitzend. **an·ten·ni·form** [æn'teniˌfɔːrm] *adj zo.* fühlhornartig.

an'ten·nule [-juːl] *s zo.* An'tennula *f*, Vorderfühler *m*.

ˌan·te'nup·tial *adj* vorhochzeitlich, *a. jur.* vorehelich: ~ contract Ehevertrag *m*.

an·te·pe·nult [ˌænti'piːnʌlt] *s* drittletzte Silbe. **ˌan·te·pe'nul·ti·mate** [-pi'nʌltimit; -ˌmeit] **I** *s* **1.** drittletzte Silbe. **2.** *Whistspiel*: drittniedrigste Karte e-r Farbe. **II** *adj* **3.** drittletzt(er, e, es).

ˌan·te·po'si·tion *s ling.* Vor'anstellung *f*.

an·te·ri·or [æn'ti(ə)riər] *adj* **1.** vorder, Vor..., Vorder... **2.** vor'hergehend, (*zeitlich*) früher (to als): ~ to vor (*dat*).

antero- [æntəro] *Wortelement mit der Bedeutung* vorn, von vorn: anteroexternal mit der Vorderseite nach außen.

'an·teˌroom *s* **1.** Vorraum *m*. **2.** Vor-, Wartezimmer *n*.

ant·he·li·on [ænt'hiːliən; æn'θiː-] *pl* **-li·a** [-ə] *od.* **-li·ons** *s astr.* Ant'helion *n*, Gegensonne *f*.

an·thel·min·tic [ˌænθel'mintik] *pharm.* **I** *adj* wurmvertreibend. **II** *s* Wurmmittel *n*.

an·them ['ænθəm] *s mus.* **1.** *relig.* (*anglikanisches*) Anthem: a) (Chor)-Hymne *f*, Cho'ral *m*, b) Mo'tette *f*, c) *obs.* Wechselgesang *m*. **2.** *allg.* Hymne *f*: national ~ Nationalhymne.

an·ther ['ænθər] *s bot.* Staubbeutel *m*.

an·the·sis [æn'θiːsis] *s bot.* Blüte(zeit) *f*.

'antˌhill *s zo.* Ameisenhaufen *m*.

an·tho·carp ['ænθoˌkɑːrp] *s bot.* Frucht *f* mit bleibender Blütenhülle.

an·thoid ['ænθɔid] *adj* blumen- *od.* blütenartig.

an·thol·o·gist [æn'θɒlədʒist] *s* Her'ausgeber(in) e-r Antholo'gie. **an'thol·oˌgize I** *v/i* Antholo'gien zs.-stellen. **II** *v/t* in e-r Antholo'gie zs.-fassen *od.* bringen. **an'thol·o·gy** *s* Antholo'gie *f*, (*bes.* Gedicht)Sammlung *f*.

an·thoph·i·lous [æn'θɒfiləs] *adj zo.* blütenliebend.

an·tho·zo·an [ˌænθo'zouən] *s zo.* Blumen-, Ko'rallentier *n*.

an·thrac·ic [æn'θræsik] *adj med.* den Anthrax *od.* Milzbrand betreffend.

an·thra·cite ['ænθrəˌsait] *s min.* Anthra'zit *m*, Glanzkohle *f*.

an·thra·co·sis [ˌænθrə'kousis] *s med.* Anthra'kose *f*, Kohlenstaublunge *f*.

an·thrax ['ænθræks] *s med.* Anthrax *m*, Milzbrand *m*.

an·thro·po·gen·e·sis [ˌænθrəpo'dʒenisis] *s* Anthropoge'nie *f*, (Studium *n* der) Entwicklungsgeschichte *f* des Menschen.

an·thro·po·ge·og·ra·phy [ˌænθrəpodʒi'ɒgrəfi] *s* ˌAnthropogeogra'phie *f*.

an·thro·pog·ra·phy [ˌænθrə'pɒgrəfi] *s* Anthropogra'phie *f*, Unter'suchung *f* u. Beschreibung *f* des Menschen.

an·thro·poid ['ænθrəˌpɔid] *zo.* **I** *adj* anthropo'id, menschenähnlich: ~ ape → II. **II** *s* Anthropo'id *m*, Menschenaffe *m*.

an·thro·po·lith [æn'θroupəliθ], **an'thro·poˌlite** [-ˌlait] *s* Anthropo'lith *m* (*fossiler Menschenrest*).

an·thro·po·log·i·cal [ˌænθrəpo'lɒdʒikəl], *a.* **ˌan·thro·po'log·ic** *adj* anthropo'logisch. **ˌan·thro'pol·o·gist** [-'pɒlədʒist] *s* Anthropo'loge *m*. **ˌan·thro'pol·o·gy** *s* Anthropolo'gie *f*, Lehre *f* vom Menschen.

an·thro·pom·e·try [ˌænθrə'pɒmitri] *s* Anthropome'trie *f*, Messung *f* des menschlichen Körpers.

an·thro·po·mor·phism [ˌænθrəpo'mɔːrfizəm] *s* Anthropomor'phismus *m*, Vermenschlichung *f*. **ˌan·thro·po'mor·phize** *v/t* ˌanthropomorphi'sieren, *e-m Gott, Tier od. leblosen Ding* menschliche Gestalt zuschreiben. **ˌan·thro·po'mor·pho·sis** [-'mɔːrfəsis; -mɔːr'fousis] *s* Anthropomor'phose *f*, 'Umwandlung *f* in menschliche Gestalt. **ˌan·thro·po'mor·phous** *adj* anthropo'morph(isch), von menschlicher *od.* menschenähnlicher Gestalt.

an·thro·poph·a·gi [ˌænθrə'pɒfəˌdʒai] *s pl* Anthropo'phagen *pl*, Menschenfresser *pl*, Kanni'balen *pl*. **ˌan·thro'poph·a·gous** [-gəs] *adj* menschenfressend, kanni'balisch. **ˌan·thro'poph·a·gy** [-dʒi] *s* Anthropopha'gie *f*, Kanniba'lismus *m*.

an·thro·po·soph·i·cal [ˌænθrəpo'sɒfikəl] *adj* anthropo'sophisch. **ˌan·thro'pos·o·phist** [-'pɒsəfist] *s* Anthropo'soph(in). **ˌan·thro'pos·o·phy** *s* **1.** Anthroposo'phie *f* (*Lehre Rudolf Steiners*). **2.** *philos.* Wissen *n* von der Na'tur des Menschen.

an·thro·pot·o·my [ˌænθrə'pɒtəmi] *s* Anato'mie *f* des menschlichen Körpers.

an·ti ['ænti; -tai] *pl* **'an·tis** *s colloq.* (grundsätzlicher) Gegner, Quertreiber *m*, ‚Anti' *m*.

anti-[1] [ænti] *Wortelement mit der Bedeutung* a) gegen ... eingestellt *od.* wirkend, Gegen..., anti..., Anti..., feindlich, b) nicht..., un..., c) vor ... schützend.

anti-[2] [ænti] *bes. med. Wortelement mit der Bedeutung* vor, vorn, vorder (*fälschlich für* ante-).

ˌan·ti'airˌcraft, ˌan·ti-'airˌcraft *adj mil.* Fliegerabwehr..., Flak...: ~ artillery Flakartillerie *f*; ~ gun Flakgeschütz *n*.

an·ti·bac·ter·i·al [ˌæntibæk'ti(ə)riəl] *adj* ˌantibakteri'ell.

an·ti·bi·o·sis [ˌæntibai'ousis] *s biol. med.* Antibi'ose *f*. **ˌan·ti·bi'ot·ic** [-'ɒtik] *med.* **I** *s* Antibi'otikum *n*. **II** *adj* antibi'otisch.

'an·tiˌbod·y *s biol. chem.* Antikörper *m*, Abwehrstoff *m*.

an·tic ['æntik] **I** *s* **1.** *meist pl* a) ‚Gekasper' *n*, Possen *pl* (*a. fig.*), b) *fig.* ‚Mätzchen' *pl*, (tolle) Sprünge *pl od.* Streiche *pl*. **2.** *arch.* gro'teskes Orna'ment. **3.** *obs.* Hans'wurst *m*, Possenreißer *m*. **II** *adj* **4.** *obs.* gro'tesk.

ˌan·ti'car·di·um *s anat.* Magengrube *f*.

ˌan·ti-'carˌtel *adj econ.* kar'tellfeindlich, Antikartell...

ˌan·ti'cath·ode *s electr.* Antika'thode *f*.

an·ti·chlor ['æntiˌklɔːr] *s chem.* Antichlor *n*.

an·ti·chre·sis [ˌænti'kriːsis] *pl* **-ses** [-ˌsiːz] *s jur.* Nutzungspfandrecht *n*.

'an·tiˌchrist *s relig.* Antichrist *m*.

ˌan·ti-'Chris·tian I *adj* christenfeindlich. **II** *s* Christenfeind(in).

an·tic·i·pant [æn'tisipənt] → anticipative.

an·tic·i·pate [æn'tisiˌpeit] **I** *v/t* **1.** vor'ausempfinden, -sehen, -ahnen. **2.** erwarten, erhoffen: ~d profit *econ.* voraussichtlicher *od.* erwarteter Gewinn. **3.** im voraus tun *od.* erwähnen. **4.** vor'wegnehmen (*a. Patentrecht*): ~d interest *econ.* vorweggenommene Zinsen. **5.** *j-m, e-m Wunsch etc* zu'vorkommen. **6.** beschleunigen: to ~ one's arrival. **7.** *econ.* a) vor Fälligkeit *od.* vorzeitig bezahlen *od.* einlösen, b)

Gelder etc im voraus *od.* vorzeitig verbrauchen: **~d payment** Vorauszahlung *f.* **8.** *fig.* vorbauen (*dat*), verhindern (*acc*). **II** *v/i* **9.** vorgreifen (*in e-r Erzählung*).

an·tic·i·pa·tion [ænˌtisi'peiʃən] *s* **1.** Vorgefühl *n*, (Vor)Ahnung *f*, Vor'aussicht *f*, Vorgeschmack *m.* **2.** Ahnungsvermögen *n*, Vor'aussicht *f* (*z. B. des Kraftfahrers*). **3.** a) Vorfreude *f*, b) Erwartung *f*, Hoffnung *f*: **in ~ of s.th.** in Erwartung e-r Sache; **with pleasant ~** in angenehmer Erwartung. **4.** Vor'wegnahme *f* (*a. jur. e-r Erfindung*): **in ~** im voraus *dankend etc.* **5.** Zu'vorkommen *n.* **6.** Vorgreifen *n.* **7.** Verfrühtheit *f.* **8.** *a.* **~ of payment** *econ.* Zahlung *f* vor Fälligkeit: **(payment by) ~** Vorauszahlung *f.* **9.** *jur.* Auszahlung *f od.* Entnahme *f* treuhänderisch verwalteten Geldes vor dem erlaubten Ter'min. **10.** *med.* zu früher Eintritt (*z. B. der Menstruation*). **11.** *mus.* Antizipati'on *f*, Vor'wegnahme *f* (*e-s Akkordtons etc*). **an'tic·iˌpa·tive** *adj* (*adv* **~ly**) **1.** ahnungsvoll, vor'ausempfindend. **2.** erwartungsvoll, erwartend. **3.** → anticipatory 1. **4.** zu'vorkommend. **5.** vor-, frühzeitig. **an'tic·iˌpa·tor** [-tər] *s* j-d, der vor'ausempfindet, -sieht, vor'wegnimmt, zu'vorkommt *od.* vorzeitig handelt. **an'tic·iˌpa·to·ry** *adj* (*adv* **anticipatorily**) **1.** vor'wegnehmend, vorgreifend, erwartend: **~ account** Vorbericht *m*; **~ breach of contract** *jur.* antizipierter (*vorzeitig angekündigter od. erkennbarer*) Vertragsbruch; **~ control** *tech.* Vorsteuerung *f.* **2.** *jur.* neuheitsschädlich: **~ reference** (Patent)Vorwegnahme *f.* **3.** *ling.* (*das logische Subjekt od. Objekt*) vor'wegnehmend, vor'ausdeutend.

ˌan·ti'cler·i·cal I *adj* antikleri'kal, kirchenfeindlich. **II** *s* Antikleri'kale(r *m*) *f.* **ˌan·ti'cler·i·calˌism** *s* ˌAntiklerika'lismus *m.*

ˌan·ti'cli·max *s* **1.** Anti'klimax *f*, Gegensteigerung *f.* **2.** *fig.* enttäuschendes Abfallen, Abstieg *m*: **sense of ~** (plötzliches) Gefühl der Leere *od.* Enttäuschung.

an·ti·cli·nal [ˌænti'klainl] **I** *adj* antikli'nal: **~ axis** Sattellinie *f.* **II** *s geol.* Sattel-, Neigungslinie *f.* **'an·tiˌcline** *s geol.* Antikli'nale *f*, Sattel *m.*

ˌan·ti'clockˌwise *adj tech.* entgegen dem Uhrzeigersinn, links her'um: **~ direction** Gegenzeigersinn *m*; **~ motion** Linksdrehung *f.*

ˌan·ti·cor'ro·sive *adj tech.* a) korrosi'onsverhütend, rostverhindernd, b) rostfest, Rostschutz...

'an·ti'cy·clone *s meteor.* Antizy'klone *f*, Hochdruckgebiet *n*, Hoch *n.*

ˌan·ti-'daz·zle *adj* Blendschutz...: **~ lamp** Blendschutzlampe *f*; **~ screen** Blendschutzscheibe *f*; **~ switch** Abblendschalter *m.*

an·ti·det·o·nant [ˌænti'detonənt] → antiknock.

ˌan·ti-'dim, ˌan·ti-'dim·ming *adj tech.* Klarsicht..., Klar...

ˌan·ti·dis'tor·tion *s electr.* Entzerrung *f*: **~ device** Entzerrer *m.*

an·ti·dot·al ['æntiˌdoutl; ˌænti'doutl] *adj* als Gegengift dienend (*a. fig.*), Gegengift... **'an·tiˌdote I** *s* **1.** Gegengift *n*, -mittel *n* (**against, for, to** gegen) (*a. fig.*). **II** *v/t* **2.** ein Gegenmittel verabreichen *od.* anwenden gegen *od.* bei (*a. fig.*). **3.** *ein Gift* neutrali'sieren.

ˌan·ti'en·zyme *s med.* Antifer'ment *n.*

ˌan·ti'fad·ing *electr.* **I** *s* Schwundausgleich *m.* **II** *adj* schwundmindernd: **~ aerial.**

'an·ti-'Fas·cist *pol.* **I** *s* Antifa'schist(in). **II** *adj* antifa'schistisch.

an·ti·fe·brin [ˌænti'fiːbrin] *s pharm.* Antife'brin *n*, Acetani'lid *n.*

ˌan·ti'fed·er·al *adj* antiföde'ral, bundesfeindlich. **ˌan·ti'fed·er·al·ist** *s Am. hist.* Antiföderа'list(in).

ˌan·ti-'freeze *chem. tech.* **I** *s* Gefrier-, Frostschutzmittel *n.* **II** *adj* Gefrier-, Frostschutz...: **~ agent, ~ compound, ~ fluid** → I. **ˌan·ti-'freez·ing** → anti-freeze II.

ˌan·ti'fric·tion *s phys.* Mittel *n* gegen Reibung, Schmiermittel *n*: **~ bearing** Gleit-, Wälzlager *n*; **~ metal** *tech.* Lagermetall *n.*

ˌan·ti-'gas *adj mil.* Gasschutz...

an·ti·gen ['æntidʒen] *s med.* Anti'gen *n*, Im'munkörper *m*, Abwehrstoff *m.*

ˌan·ti-'glare → anti-dazzle.

ˌan·ti'ha·lo *adj phot.* lichthoffrei.

ˌan·tiˌhy·per'bol·ic *adj math.* in'vershyperˌbolisch: **~ function** inverse Hyperbelfunktion.

ˌan·ti-'ic·er *s tech.* Enteiser *m*, Vereisungsschutzgerät *n.*

ˌan·ti-ˌin·ter'fer·ence *adj electr.* **1.** Störschutz..., Entstörungs...: **~ condenser.** **2.** störungs-, geräuscharm: **~ aerial.**

ˌan·ti'jam *v/t u. v/i electr.* entstören.

ˌan·ti'knock *chem. mot.* **I** *adj* Antiklopf..., klopffest: **~ quality, ~ rating, ~ value** Klopffestigkeit(sgrad *m*) *f*, Oktanzahl *f.* **II** *s* Anti'klopfmittel *n.*

ˌan·ti'log·aˌrithm *s math.* Antiloga'rithmus *m*, Numerus *m.*

an·til·o·gy [æn'tilədʒi] *s* Unlogik *f.*

an·ti·ma·cas·sar [ˌæntimə'kæsər] *s* Antima'kassar *m*, Sofaschoner *m.*

ˌan·ti·ma'lar·i·al *med.* **I** *adj* gegen Ma'laria wirksam. **II** *s* Ma'lariamittel *n.*

'an·tiˌmask, 'an·tiˌmasque *s thea.* lustiges Zwischenspiel.

'an·tiˌmat·ter *s phys.* 'Antimaˌterie *f.*

an·ti·mere ['æntiˌmir] *s zo.* sym'metrisch entgegengesetzte Körperhälfte.

an·ti·me·tab·o·le [ˌæntimi'tæboliː] *s* Antimeta'bole *f* (*Wiederholung von Worten in veränderter Folge*).

ˌan·ti·me'tath·e·sis *s* Antime'tathesis *f* (*Umstellung e-r Antithese*).

ˌan·ti-'mis·sile mis·sile *s mil.* Antira'keten-Raˌkete *f.*

ˌan·ti·mo'nar·chi·cal *adj* antimon'archisch. **ˌan·ti'mon·arch·ist** *s* Gegner(in) der Monar'chie.

an·ti·mo·nate ['æntiməˌneit] *s chem.* anti'monsaures Salz. **ˌan·ti'mo·ni·al** [-'mouniəl] *chem.* **I** *adj* Antimon... **II** *s* anti'monhaltiges Präpa'rat. **ˌan·ti'mo·nic** [-'mounik; -'mɒnik] *adj chem.* Antimon...: **~ acid** Antimonsäure *f.* **'an·ti·moˌnide** [-məˌnaid; -nid] *s chem.* Antimo'nid *n.* **ˌan·ti'mo·ni·ous** [-'mouniəs] *adj chem.* anti'monig: **~ acid.** **'an·ti·moˌnite** [-məˌnait] *s* **1.** *chem.* anti'monigsaures Salz. **2.** *min.* Grauspießglanzerz *n.*

an·ti·mo·ny ['æntiməni; *Am. a.* -ˌmouni] *s chem. min.* Anti'mon *n*, Spießglanz *m*: **black ~** Antimonsulfid *n*; **yellow ~** Antimon-, Neapelgelb *n.* **~ blende** *s min.* Rotspießglanzerz *n.* **~ glance** → antinomite 2. **'an·tiˌnode** *s phys.* Gegenknoten *m*, Schwingungs-, Strombauch *m.*

an·tin·o·my [æn'tinəmi] *s jur. philos.* Antino'mie *f*, 'Widerspruch *m* (*zweier Sätze, jur. a. zwischen zwei Gesetzen*).

ˌan·ti'ox·i·dant *s* **1.** *chem.* Anti'oxydans *n.* **2.** *tech.* a) Alterungsschutzmittel *n*, b) Oxydati'onsbremse *f.*

ˌan·ti·pa'thet·ic *adj*; **ˌan·ti·pa'thet·i·cal** *adj* (*adv* **~ly**) (**to** *dat*) **1.** abgeneigt. **2.** zu'wider. **ˌan·ti'path·ic** [-'pæθik] *adj* anti'pathisch. **an·tip·a·thy** [æn'tipəθi] *s* **1.** Antipa'thie *f*, na'türliche Abneigung (**against, to** gegen). **2.** Gegenstand *m* der Abneigung, Greuel *m.*

ˌan·tiˌper·son'nel *adj mil.* gegen Per'sonen gerichtet: **~ bomb** Splitterbombe *f*; **~ mine** Tretmine *f.*

an·ti·phlo·gis·tic [ˌæntiflo'dʒistik] *pharm.* **I** *adj* entzündungshemmend. **II** *s* Antiphlo'gistikum *n.*

an·ti·phon ['æntiˌfɒn] *s mus. relig.* Anti'phon *f*, Wechselgesang(stück *n*) *m.* **an·tiph·o·ny** [æn'tifəni] *s* **1.** Antipho'nie *f*, Wechselgesang *m.* **2.** → antiphon.

an·tiph·ra·sis [æn'tifrəsis] *s* Anti'phrase *f* (*ironische Verkehrung ins Gegenteil*).

an·tip·o·dal [æn'tipədl] *adj* **1.** anti'podisch. **2.** genau entgegengesetzt. **anˌtip·o'de·an** [-'diːən] **I** *adj* anti'podisch. **II** *s* Anti'pode *m*, Gegenfüßler *m.* **an'tip·oˌdes** [-ˌdiːz] *s pl* **1.** die diame'tral gegen'überliegenden Teile *pl* der Erde. **2.** Anti'poden *pl*, Gegenfüßler *pl.* **3.** *sg u. pl* a) (*das*) (genaue) Gegenteil, b) Gegenseite *f.*

'an·tiˌpole *s* **1.** Gegenpol *m.* **2.** *fig.* di'rektes Gegenteil.

'an·tiˌpope *s* Gegenpapst *m.*

ˌan·ti'pro·ton *s phys.* Anti'proton *n.*

an·ti·py·ret·ic [ˌæntipai'retik] *pharm.* **I** *adj* antipy'retisch, fieberverhütend. **II** *s* Antipy'retikum *n*, Fiebermittel *n.*

an·ti·quar·i·an [ˌænti'kwɛ(ə)riən] **I** *adj* **1.** altertümlich. **II** *s* **2.** → antiquary 1. **3.** *tech.* 'Zeichenpaˌpier *n* (*großen Formats*). **ˌan·ti'quar·i·anˌism** *s* Liebhabe'rei *f* für Altertümer, Altertüme'lei *f.* **'an·ti·quar·y** [-kwəri] *s* **1.** Altertumskenner(in), -forscher(in). **2.** Antiqui'tätensammler(in), -händler(in).

an·ti·quate ['æntiˌkweit] *v/t* veralten lassen, als veraltet abschaffen. **'an·tiˌquat·ed** *adj* anti'quiert, veraltet, altmodisch, über'holt, über'lebt.

an·tique [æn'tiːk] **I** *adj* **1.** an'tik, alt, von ehrwürdigem Alter. **2.** → antiquated. **II** *s* **3.** An'tike *f*, an'tikes Möbelstück, alter Kunstgegenstand: **~ shop** Antiquitätenladen *m.* **4.** *print.* Egypti'enne *f.* **III** *v/t* **5.** in an'tikem Stil 'herstellen, antiki'sieren. **6.** *Buchbinderei*: blindprägen.

an·tiq·ui·ty [æn'tikwiti] *s* **1.** Altertum *n*, Vorzeit *f.* **2.** a) die Alten *pl* (*bes. Griechen u. Römer*), b) (*die*) An'tike. **3.** *pl* Antiqui'täten *pl*, Altertümer *pl.* **4.** (ehrwürdiges) Alter.

ˌan·ti'res·o·nant| band *s electr.* Sperrkreisbereich *m.* **~ cir·cuit** *s* Sperrkreis *m.*

ˌan·ti·rheu'mat·ic *pharm.* **I** *adj* antirheu'matisch. **II** *s* Antirheu'matikum *n.*

an·tir·rhi·num [ˌænti'rainəm] *s bot.* [Löwenmaul *n.*]

'an·tiˌroll *adj mar. tech.* Stabilisierungs...: **~ device** Schlingertank *m.*

ˌan·ti'rust *adj tech.* gegen Rost schützend, Rostschutz...: **~ paint.**

ˌan·ti·sa'loon *adj Am. hist.* antialko'holisch: **The Anti-Saloon League** (*Art*) ‚Blaues Kreuz'.

ˌan·ti-'Sem·ite *s* Antise'mit(in). **ˌan·ti·Se'mit·ic** *adj* antise'mitisch. **ˌan·ti-'Sem·iˌtism** *s* Antisemi'tismus *m.*

ˌan·ti'sep·tic I *adj* (*adv* **~ally**) anti'septisch. **II** *s* anti'septisches Mittel, Anti'septikum *n.* **ˌan·ti'sep·tiˌcize** *v/t* anti'septisch behandeln *od.* machen.

ˌan·ti'se·rum *s med.* Anti'serum *n*, Heilserum *n*.
ˌan·ti'skid *adj tech.* rutsch-, gleit-, schleudersicher, Gleitschutz...: ~ **pattern** Gleitschutzprofil *n*.
ˌan·ti'so·cial *adj* **1.** 'asoziˌal, gesellschaftsfeindlich. **2.** ungesellig.
ˌan·ti·spas'mod·ic *pharm.* **I** *adj* krampflösend. **II** *s* Antispas'modikum *n*.
an·ti·spast ['æntiˌspæst] *s metr.* Anti-['spast *m* (*Versfuß*).
ˌan·ti'spas·tic *adj* **1.** *med.* krampflösend, anti'spastisch. **2.** *metr.* anti'spastisch (*Vers*).
'an·tiˌsub·ma·rine *adj mil.* U-Boot-[Abwehr...
ˌan·ti'tank *adj mil.* Panzerabwehr..., Pak...: ~ **battalion** Panzerjägerbataillon *n*; ~ **gun**, ~ **rifle** Panzerbüchse *f*; ~ **obstacle** Panzersperre *f*.
an·tith·e·sis [æn'tiθisis] *pl* **-ses** [-ˌsiːz] *s* Anti'these *f*: a) *philos.* Gegensatz *m*, b) 'Widerspruch *m* (**of, between, to** zu). **ˌan·ti'thet·ic** [-'θetik] *adj*; **ˌan·ti'thet·i·cal** *adj* (*adv* ~**ly**) anti'thetisch, gegensätzlich, in 'Widerspruch stehend. **an'tith·eˌsize** [-ˌsaiz] *v/t* in Gegensätzen ausdrücken, in 'Widerspruch bringen.
'an·tiˌtorque mo·ment → **antitwisting moment.**
ˌan·ti'tox·in(e) *s med.* Antito'xin *n*, [Gegengift *n*.
'an·tiˌtrades *s pl meteor.* 'Gegenpasˌsat(winde *pl*) *m*.
ˌan·tiˌtrig·o·no'met·ric *adj math.* in'verstrigonoˌmetrisch, zyklo'metrisch.
an·ti·trope ['æntiˌtroup] *s zo.* Körperteil, der mit e-m anderen sym'metrisch ist.
ˌan·ti'trust *adj econ.* kar'tell- u. mono'polfeindlich: ~ **laws** Antitrustgesetze.
ˌan·ti'twist·ing mo·ment *s phys.* 'Gegenˌdrehmoˌment *n*.
ˌan·tiˌtype *s bes. relig.* Gegenbild *n*, Anti'typ(us) *m*.
ˌan·ti'un·ion *adj Am.* gewerkschaftsfeindlich.
ˌan·ti'ven·ene *s med.* Schlangenserum [*n*.
ant·ler ['æntlər] *s hunt. zo.* **1.** Geweihsprosse *f*. **2.** *pl* Geweih *n*. **'ant·lered** *adj* Geweih tragend.
ant li·on *s zo.* Ameisenlöwe *m*.
an·to·nym ['æntəˌnim] *s* Anto'nym *n*, Wort *n* entgegengesetzter Bedeutung.
an·tri·tis [æn'traitis] *s med.* Kieferhöhlenentzündung *f*.
an·trum ['æntrəm] *pl* **-tra** [-ə] (*Lat.*) *s* **1.** Höhle *f*. **2.** *anat.* Höhlung *f*.
a·nu·cle·ar [ei'njuːkliər], **a'nu·cle·ate** [-it; -ˌeit] *adj biol. phys.* kernlos.
A num·ber 1 *Am. oft für* A 1.
an·u·re·sis [ˌænju'riːsis], **an·u·ri·a** [ə'nju(ə)riə] *s med.* Anu'rie *f*, U'rinverhaltung *f*.
a·nus ['einəs] *s anat.* Anus *m*, After *m*.
an·vil ['ænvil] *s* **1.** Amboß *m* (*a. fig.*): **to be on the** ~ *fig.* a) in Arbeit *od.* in Vorbereitung sein, b) zur Debatte stehen; **between hammer and** ~ *fig.* zwischen Hammer u. Amboß. **2.** *anat.* Amboß *m* (*Knochen im Ohr*). **3.** *tech.* Meßfläche *f*: ~ **of a ga(u)ge.** ~ **block** *s tech.* Amboßstock *m*. ~ **chis·el** *s tech.* (Ab)Schrotmeißel *m*. ~ **e·lec·trode** *s electr.* 'Amboßelekˌtrode *f*.
anx·i·e·ty [æŋ'zaiəti; æŋg-] *s* **1.** Angst *f*, Ängstlichkeit *f*, Unruhe *f*, Besorgnis *f*, Sorge *f* (**about, for** wegen *gen*, um). **2.** *med. psych.* Beängstigung *f*, Beklemmung *f*: ~ **neurosis (state)** Angstneurose *f* (-zustand *m*). **3.** Exi'stenzangst *f*. **4.** starkes Verlangen, eifriges (Be)Streben (**for** nach).
anx·ious ['æŋkʃəs; -ŋʃ-] *adj* (*adv* ~**ly**) **1.** ängstlich, bange, besorgt, unruhig: **to be** ~ **for** (*od.* **about**) **s.th.** wegen *od.* um etwas besorgt sein. **2.** *fig.* (**for, to** *inf*) begierig (auf *acc*, zu *inf*), (ängstlich) bedacht (auf *acc*, darauf zu *inf*), bestrebt (zu *inf*): ~ **for his report** auf s-n Bericht gespannt *od.* begierig; **I am** ~ **to know** ich bin begierig zu wissen, ich möchte gern wissen; **I am very** ~ **to see him** mir liegt viel daran, ihn zu sehen; **he is** ~ **to please** er gibt sich alle Mühe, es recht zu machen. ~ **bench,** ~ **seat** *s relig.* Sünderbank *f* (*in e-r Erweckungsversammlung*): **to be on the** ~ *fig.* wie auf Kohlen sitzen, Blut schwitzen.
an·y ['eni] **I** *adj* **1.** (*in Frage- u. Verneinungssätzen*) (irgend)ein(e), einige *pl*, (irgend)welche *pl*, etwaige *pl*, etwas: **not** ~ (gar) keine; **is there** ~ **hope?** besteht noch irgendwelche Hoffnung?; **have you** ~ **money on you?** haben Sie Geld bei sich?; **I cannot eat** ~ **more** ich kann nichts mehr essen; **there wasn't** ~ **milk in the house** es war keine Milch *od.* kein Tropfen Milch im Hause. **2.** (*in bejahenden Sätzen*) jeder, jede, jedes (beliebige), jeglich(er, e, es): ~ **of these books will do** jedes dieser Bücher genügt (für den Zweck); ~ **cat will scratch** jede Katze kratzt; ~ **number of** jede *od.* e-e Menge von (*od. gen*); ~ **amount** jede (beliebige) Menge, ein ganzer Haufen; ~ **person who ...** jeder, der ...; *bes. jur.* wer ...; **at** ~ **time** jederzeit; **under** ~ **circumstances** unter allen Umständen. **II** *pron sg u. pl* **3.** irgendein(er, e, es), irgendwelche *pl*: **if there be** ~ ... sollten irgendwelche ... sein; **no money and no prospect of** ~ kein Geld u. keine Aussicht auf welches. **III** *adv* **4.** irgend(wie), ein wenig, etwas, (nur) noch, (noch) etwas: **is he** ~ **happier now?** ist er denn jetzt glücklicher?; ~ **more?** noch (etwas) mehr?; **not** ~ **more than** ebensowenig wie; **have you** ~ **more to say?** haben Sie noch (irgend) etwas zu sagen?; → **if** 1. **5.** *Am.* (*in negativen Sätzen*) gar (*nicht*), über'haupt (*nicht*): **this didn't help matters** ~ damit wurde der Sache keineswegs geholfen; **he didn't mind that** ~ das hat ihm gar nichts ausgemacht.
'an·yˌbod·y *pron u. s* **1.** irgend jemand, irgendeine(r), ein beliebiger, e-e beliebige: **is he** ~ **at all?** *fig.* ist er überhaupt jemand (von Bedeutung)?; **ask** ~ **you meet** frage den ersten besten, den du triffst. **2.** jeder(mann): ~ **who** jeder der, wer; **hardly** ~ kaum jemand, fast niemand; **not** ~ niemand, keiner; ~ **but you** jeder andere eher als du.
'an·yˌhow *adv* **1.** irgendwie, auf irgendeine Art u. Weise, so gut wie's geht, schlecht u. recht. **2.** trotzdem, jedenfalls, sowie'so, immer'hin: **I'm going there** ~ ich gehe ohnehin *od.* sowieso hin. **3.** wie dem auch sei, auf alle Fälle, jedenfalls.
'an·yˌone → **anybody.**
'an·yˌthing I *pron u. s* **1.** (irgend) etwas, etwas Beliebiges: **not for** ~ um keinen Preis; **not** ~ (gar *od.* überhaupt) nichts; **he is as drunk as** ~ *colloq.* er ist, blau' wie sonst (et)was; **for** ~ **I know** soviel ich weiß. **2.** alles (was es auch sei): ~ **but** alles andere als. **II** *adv* **3.** irgend(wie), etwas, über'haupt, in gewissem Maße: **if** ~ a) wenn überhaupt, höchstens, b) womöglich; **he is a little better if** ~ es geht ihm etwas besser, wenn man von Besserung überhaupt reden kann.
'an·yˌway → **anyhow.**
'an·yˌways *obs. od. colloq.* → **anyhow.**
'an·yˌwhere *adv* **1.** irgendwo, -woher, -wohin: **not** ~ nirgendwo(hin); **hardly** ~ fast nirgends; ~ **from 10 to 30 minutes** *Am.* etwa zwischen 10 u. 30 Minuten; → **get** 24. **2.** 'überall: **from** ~ von überall her.
'an·yˌwise *adv* **1.** → **anyhow** 1. **2.** über'haupt.
An·zac ['ænzæk] *s colloq.* Angehörige(r) *m* der au'stralischen u. neu'seeländischen Truppen (*bes. im ersten Weltkrieg; aus* **Australian and New Zealand Army Corps**).
A one → **A 1.**
a·o·rist ['eiərist; 'ɛər-] *ling.* **I** *adj* ao'ristisch: ~ **tense** → II. **II** *s* Ao'rist *m*.
a·or·ta [ei'ɔːrtə] *pl* **-tas** *s anat.* A'orta *f*, Hauptschlagader *f*.
a·pace [ə'peis] *adv* schnell, rasch.
A·pach·e [ə'pætʃi] *s* **1.** *pl* **-es** *od.* **-e** A'pache *m*, A'patsche *m* (*Indianer*). **2.** *ling.* A'pache *n* (*athapaskische Sprache*). **3. a**~ [ə'pɑːʃ; ə'pæʃ] A'pache *m*, 'Unterweltler *m* (*bes. in Paris*): **a**~ **dance** Apachentanz *m*.
ap·a·nage → **appanage.**
a·part [ə'pɑːrt] *adv* **1.** einzeln, für sich, besonders, (ab)gesondert (**from** von), getrennt, ausein'ander: **to keep** ~ getrennt halten, auseinanderhalten; **to live** ~ getrennt leben; **to lie far** ~ weit auseinander liegen; **to take** ~ auseinandernehmen, zerlegen; ~ **from** abgesehen von. **2.** abseits, bei'seite: **joking** ~ Scherz beiseite; **to set s.th.** ~ etwas beiseite legen *od.* aufbewahren *od.* reservieren (**for s.o.** für j-n).
a·part·heid [ə'pɑːrtheit; -hait] *s* A'partheid *f*, (Poli'tik *f* der) Rassentrennung *f* (*in Südafrika*).
a·part·ment [ə'pɑːrtmənt] *s* **1.** *Br.* (Einzel)Zimmer *n*. **2.** *obs. od. Am.* Zimmerflucht *f*, (E'tagen)Wohnung *f*. **3.** *pl Br.* (*bes.* mö'blierte) (Miet)Wohnung, A'partment *n*: **to live in furnished** ~**s** möbliert wohnen. **4.** → **apartment house.** ~ **build·ing** → **apartment house.** ~ **ho·tel** *s Am.* 'Wohnhoˌtel *n* (*mit u. ohne Bedienung u. Verpflegung*). ~ **house** *s Am.* 'Mehrfaˌmilienhaus *n* (mit Kom'fort), A'partment-Haus *n*.
ap·a·thet·ic [ˌæpə'θetik] *adj* (*adv* ~**ally**) a'pathisch, teilnahmslos.
ap·a·thy ['æpəθi] *s* Apa'thie *f*, Teilnahmslosigkeit *f* (**to** gegen).
ape [eip] **I** *s* **1.** *zo.* (*bes.* Menschen)Affe *m*: ~**-man** Affenmensch *m*. **2.** *fig.* Affe *m*: a) Nachäffer *m*, b) Geck *m*, c) Hans'wurst *m*, d) ,Go'rilla' *m*. **II** *v/t* **3.** nachäffen.
a·pep·sia [ei'pepsiə; -ʃə], **a'pep·sy** [-si] *s med.* Apep'sie *f*, mangelhafte Verdauung, Verdauungsstörung *f*.
a·pe·ri·ent [ə'pi(ə)riənt] *pharm.* **I** *adj* abführend. **II** *s* Abführmittel *n*.
a·pe·ri·od·ic [ˌeipi(ə)ri'ɒdik] *adj* **1.** *a. electr.* 'aperiˌodisch: ~ **circuit. 2.** *tech.* schwingungsfrei. **3.** *electr. phys.* (eigen)gedämpft: ~ **instrument.**
a·pé·ri·tif [aperi'tif] (*Fr.*) *s* Aperi'tif *m*.
a·per·i·tive [ə'peritiv] → **aperient.**
ap·er·ture ['æpərtʃər] *s* **1.** Öffnung *f*, Schlitz *m*, Loch *n*. **2.** *phot. phys. tech.* Blende *f*: ~ **angle** (*Radar*) Bündelbreite *f*. **3.** *TV* Linsenöffnung *f*: ~ **lens** Lochscheibenlinse *f*. **4.** ('Film)Projektiˌonsfenster *n*. **5.** *anat.* Aper'tur *f*, Ostium *n*. **6.** *zo.* Mündung *f*.
ap·er·y ['eipəri] *s* **1.** ˌNachäffe'rei *f*. **2.** alberner Streich, ,Blödsinn' *m*.
a·pet·al·ous [ei'petələs] *adj bot.* ohne Blütenblätter, blumenblattlos.
a·pex ['eipeks] *pl* **'a·pex·es** *od.* **a·pi·ces**

['eipi,si:z; 'æp-] *s* **1.** (*Kegel- etc, a. anat. Herz-, Lungen- etc*)Spitze *f*, Gipfel *m*, Scheitel(punkt) *m*: to go base over ~ *sl.* sich überschlagen. **2.** *fig.* Gipfel *m*, Höhepunkt *m*.
a·phaer·e·sis [ə'ferisis; -'fi(ə)r-] *s ling.* Aphä'rese *f* (*Abfall e-s Buchstabens od. e-r unbetonten Silbe am Wortanfang*).
a·pha·si·a [ə'feiʒiə; -ziə; -ʒə] *s med.* Apha'sie *f* (*zentral bedingter Verlust der Sprechfähigkeit*).
a·phe·li·on [ə'fi:liən] *pl* **-li·a** [-liə] *s* **1.** *astr.* A'phel(ium) *n*. **2.** *fig.* entferntester Punkt.
aph·e·sis ['æfisis] *s ling.* all'mählicher Verlust e-s unbetonten 'Anfangsvo,kals. **'aph·e,tize** *v/t ein Wort* um den 'Anfangsvo,kal kürzen.
a·phid ['eifid; 'æfid], *a.* **'a·phis** [-fis] *pl* **aph·i·des** ['æfi,di:z] *s zo.* Blattlaus *f*.
a·phon·ic [ei'fɒnik] *adj* **1.** stumm. **2.** *ling.* stimmlos.
aph·o·rism ['æfə,rizəm] *s* Apho'rismus *m*, Gedankensplitter *m*. **,aph·o'ris·tic** *adj* (*adv* ~**ally**) apho'ristisch.
a·pho·tic [ei'foutik] *adj* lichtlos, a'photisch.
aph·ro·dis·i·ac [,æfro'dizi,æk] **I** *adj* **1.** *med.* den Geschlechtstrieb steigernd. **2.** e'rotisch, erregend. **II** *s* **3.** *med.* Aphrodi'siakum *n*.
aph·tha ['æfθə] *pl* **-thae** [-θi:] *s med.* Aphthe *f*, Mundschwamm *m*.
a·phyl·lous [ei'filəs] *adj bot.* blattlos.
a·pi·ar·i·an [,eipi'ɛ(ə)riən] *adj* die Bienen(zucht) betreffend, Bienen... **a·pi·a·rist** ['eipiərist] *s* Bienenzüchter *m*, Imker *m*. **a·pi·ar·y** ['eipiəri] *s* Bienenhaus *n*, -stand *m*.
ap·i·cal ['æpikəl] *adj* (*adv* ~**ly**) **1.** *anat. biol. med.* die Spitze betreffend, Apikal..., Spitzen...: ~ **pneumonia** *med.* Lungenspitzenkatarrh *m*. **2.** *math.* an der Spitze (befindlich): ~ **angle**.
ap·i·ces ['eipi,si:z; 'æp-] *pl von* **apex**.
a·pi·cul·ture ['eipi,kʌltʃər] *s* Bienenzucht *f*.
a·piece [ə'pi:s] *adv* **1.** für jedes *od.* pro Stück, je: **20 cents** ~. **2.** für jeden, pro Kopf, pro Per'son: **he gave us £ 5** ~ er gab jedem von uns 5 Pfund.
ap·ish ['eipiʃ] *adj* (*adv* ~**ly**) **1.** affenartig. **2.** *fig.* a) nachäffend, äffisch, b) affig, läppisch.
ap·la·nat ['æplə,næt] *s phot. phys.* Apla'nat *m*. **,ap·la'nat·ic** [-'nætik] *adj phot. phys.* apla'natisch.
a·pla·si·a [ə'pleiʒiə; -ziə] *s biol. med.* Apla'sie *f* (*angeborenes Fehlen e-s Gliedes od. Organs*).
a·plen·ty [ə'plenti] *Am. colloq.* **I** *adj* (*nachgestellt*) viel(e), jede Menge, haufenweise: **food** ~. **II** *adv* e-e Menge, viel: **he works** ~.
a·plomb [ə'plɒm] *s* **1.** senkrechte *od.* lotrechte Richtung *od.* Lage. **2.** *fig.* A'plomb *m*, (selbst)sicheres *od.* selbstbewußtes Auftreten.
A·poc·a·lypse [ə'pɒkəlips] *s* **1.** *Bibl.* Apoka'lypse *f*, Offen'barung *f* Jo'hannis. **2.** a~ *fig.* Enthüllung *f*, Offen'barung *f*.
a·poc·a·lyp·tic [ə,pɒkə'liptik] *adj*; **a,poc·a'lyp·ti·cal** [-kəl] *adj* (*adv* ~**ly**) **1.** apoka'lyptisch, nach Art der Offen'barung Jo'hannis. **2.** *fig.* dunkel, rätselhaft, geheimnisvoll.
ap·o·car·pous [,æpo'kɑ:rpəs] *adj bot.* apo'karp, mit getrennten Fruchtblättern.
a·poc·o·pate [ə'pɒkə,peit] *v/t ein Wort* apoko'pieren (*am Ende verkürzen*). **a·poc·o·pe** [ə'pɒkəpi] *s ling.* A'pokope *f*, Endverkürzung *f*.
A·poc·ry·pha [ə'pɒkrifə] *s pl* (*oft als sg mit pl* **-phas** *behandelt*) **1.** *Bibl.* Apo'kryphen *pl*. **2.** a~ apo'kryph(isch)e Schriften *pl*.
a·poc·ry·phal [ə'pɒkrifəl] *adj* apo'kryph(isch), von zweifelhafter Verfasserschaft, unecht.
ap·od ['æpɒd] *zo.* **I** *adj* **1.** fußlos. **2.** ohne Bauchflossen. **II** *s* **3.** fußloses Tier. **4.** Kahlbauch *m*. **ap·o·dal** ['æpodl] → **apod** I.
ap·o·deic·tic [,æpo'daiktik], **,ap·o'dic·tic** [-'diktik] *adj* (*adv* ~**ally**) apo'diktisch, 'unwider,legbar.
ap·o·gee ['æpə,dʒi:; -po-] *s* **1.** *astr.* Apo'gäum *n* (*größte Erdferne des Mondes*). **2.** *fig.* Gipfel *m*, Höhepunkt *m*.
a·pol·o·get·ic [ə,pɒlə'dʒetik] **I** *adj* (*adv* ~**ally**) **1.** rechtfertigend, Verteidigungs..., entschuldigend, Entschuldigungs... **2.** reumütig, kleinlaut. **3.** schüchtern. **II** *s* **4.** Verteidigung *f*, Entschuldigung *f*. **5.** *relig.* Apolo'getik *f*. **a,pol·o'get·i·cal** [-kəl] *adj* (*adv* ~**ly**) → **apologetic** I. **a,pol·o'get·ics** *s pl* (*als sg konstruiert*) *relig.* Apolo'getik *f*.
ap·o·lo·gi·a [,æpə'loudʒiə] *s* Apolo'gie *f*, Verteidigung(srecht *n*, -sschrift *f*) *f*, (Selbst)Rechtfertigung *f*.
a·pol·o·gist [ə'pɒlədʒist] *s* **1.** Verteidiger *m*. **2.** *relig.* Apolo'get *m*.
a·pol·o·gize [ə'pɒlə,dʒaiz] *v/i* sich entschuldigen (for wegen), um Entschuldigung bitten (to *acc*, bei), Abbitte tun (to *dat*): **I have to** ~ ich muß um Entschuldigung bitten; **you ought to** ~ **to your father for him** Sie sollten ihn bei Ihrem Vater entschuldigen.
ap·o·logue ['æpə,lɒg] *s* **1.** Apo'log *m*, mo'ralische Fabel. **2.** Gleichnis *n*.
a·pol·o·gy [ə'pɒlədʒi] *s* **1.** Entschuldigung *f*, Rechtfertigung *f*: **in** ~ **for** zur *od.* als Entschuldigung für; **to make an** ~ **to s.o. for** sich bei j-m entschuldigen für; **letter of** ~ Entschuldigungsschreiben *n*. **2.** Abbitte *f*. **3.** → **apologia**. **4.** *colloq.* minderwertiger Ersatz (for für): **an** ~ **for a meal** ein armseliges Essen.
a·poop, *a.* **a-poop** [ə'pu:p] *adv u. pred adj mar.* achtern, hinten.
ap·o·phleg·mat·ic [,æpofleg'mætik] *med.* **I** *adj* schleimabsondernd. **II** *s* Ex'pektorans *n*.
ap·o·phthegm → **apothegm**.
a·poph·y·sis [ə'pɒfisis] *s* **1.** *anat.* Apo'physe *f*, Knochenfortsatz *m*. **2.** *biol.* a) Anhang *m*, b) Ansatz *m*. **3.** *geol.* a) Ausläufer *m* e-s Ganges *od.* Stocks, b) Ausstülpung *f*, c) Trum *m*.
ap·o·plec·tic [,æpə'plektik] *med.* **I** *adj* (*adv* ~**ally**) apo'plektisch: a) Schlagfluß...: ~ **stroke** → **apoplexy**, b) zum Schlagfluß neigend. **II** *s* Apo'plektiker(in).
ap·o·plex·y ['æpə,pleksi] *s med.* Apople'xie *f*, Schlag(anfall, -fluß) *m*: **to be struck with** ~ vom Schlage gerührt werden.
ap·o·si·ti·a [,æpə'siʃiə; -tiə] *s med.* Eßunlust *f*.
a·pos·ta·sy [ə'pɒstəsi] *s* Aposta'sie *f*, Abfall *m*, Abtrünnigkeit *f* (*vom Glauben, von e-r Partei etc*). **a·pos·tate** [ə'pɒsteit; -tit] **I** *s* Apo'stat *m*, Abtrünnige(r *m*) *f*, Rene'gat *m*. **II** *adj* abtrünnig. **a'pos·ta,tize** [-tə,taiz] *v/i* **1.** abfallen (from von). **2.** abtrünnig *od.* untreu werden (from *dat*). **3.** 'übergehen (from ... to von ... zu).
a pos·te·ri·o·ri [ei pɒs,ti(ə)ri'ɔ:rai] *adj u. adv philos.* **1.** a posteri'ori, von der Wirkung auf die Ursache schließend, induk'tiv. **2.** aposteri'orisch, em'pirisch.
a·pos·tle [ə'pɒsl] *s* **1.** *relig.* A'postel *m*: ~**s' Creed** Apostolisches Glaubensbekenntnis. **2.** *fig.* A'postel *m*, Vorkämpfer(in), Verfechter(in).
a·pos·tle·ship [ə'pɒsl,ʃip], **a·pos·to·late** [ə'pɒstəlit; -,leit] *s* Aposto'lat *n*, A'postelamt *n*, -würde *f*.
ap·os·tol·ic [,æpə'stɒlik] *adj* (*adv* ~**ally**) *relig.* **1.** apo'stolisch: ~ **succession** apostolische Nachfolge; **A**~ **Fathers** Apostolische Väter. **2.** päpstlich: → **see**², **vicar** 3. **,ap·os'tol·i·cal** *adj* (*adv* ~**ly**) → **apostolic**.
a·pos·tro·phe [ə'pɒstrəfi] *s* **1.** A'postrophe *f*, (lebhafte *od.* plötzliche) Anrede. **2.** *bot.* Apo'strophe *f* (*Ansammlung von Chlorophyllkörnern*). **3.** *ling.* Apo'stroph *m*. **a'pos·tro,phize** [-,faiz] *v/t* apostro'phieren: a) *j-n* plötzlich *od.* lebhaft anreden, sich wenden an (*acc*), b) mit e-m Apo'stroph versehen.
a·poth·e·car·y [ə'pɒθikəri] *s obs.* **1.** Apo'theker *m*: **apothecaries' weight** Apothekergewicht *n*. **2.** Drogist *m*.
ap·o·thegm ['æpə,θem] *s* Apo'phthegma *n* (*Sinnspruch*).
a·poth·e·o·sis [ə,pɒθi'ousis] *pl* **-ses** [-,si:z] *s* **1.** Apothe'ose *f*: a) Vergöttlichung *f*, b) *fig.* Verherrlichung *f*, -götterung *f*. **2.** *fig.* Krone *f*, Ide'al *n*: **the** ~ **of womanhood**. **3.** *fig.* Auferstehung *f*, Verherrlichung *f* im Himmel.
a·poth·e·o·size [ə'pɒθiə,saiz; ,æpə'θiə-] *v/t* **1.** vergöttlichen. **2.** *fig.* verherrlichen.
ap·pal → **appall**.
Ap·pa·lach·i·an [,æpə'lætʃiən; -'lei-] *adj* appa'lachisch: **the** ~ **Mountains** die Appalachen.
ap·pall [ə'pɔ:l] *v/t* erschrecken, entsetzen: **to be** ~**ed at** entsetzt sein über (*acc*). **ap'pall·ing** *adj* (*adv* ~**ly**) erschreckend, entsetzlich, beängstigend.
ap·pa·nage ['æpənidʒ] *s* **1.** Apa'nage *f*, Leibgedinge *n* (*e-s Prinzen*). **2.** *fig.* (Erb)Teil *m*. **3.** Einnahmequelle *f*. **4.** abhängiges Gebiet. **5.** *fig.* Merkmal *n*, Zubehör *n*.
ap·pa·ra·tus [,æpə'reitəs; -'rætəs] *pl* **-tus, -tus·es** *s* **1.** a) Appa'rat *m*, Gerät *n*, Vorrichtung *f*, b) *collect.* Appa'rate *pl*. **2.** Appara'tur *f*, Maschine'rie *f* (*beide a. fig.*), Hilfsmittel *n*. **3.** *biol.* Sy'stem *n*, Appa'rat *m*: **respiratory** ~ Atmungsapparat, Atemwerkzeuge *pl*. **4.** *sport* Turn-, Übungsgerät *n*: ~ **work** Geräteturnen *n*. ~ **cri·ti·cus** [,æpə'reitəs 'kritikəs] (*Lat.*) *s* **1.** Appa'rat *m* (*zs.-gestellte einschlägige Literatur*). **2.** kritischer Appa'rat, Vari'anten *pl*, Lesarten *pl* (*in e-r wissenschaftlichen Textausgabe*).
ap·par·el [ə'pærəl] **I** *v/t* **1.** *obs. poet.* a) (be)kleiden, b) *fig.* ausstatten, schmücken. **II** *s* **2.** Kleidung *f*, Gewand *n*, Tracht *f*. **3.** *fig.* Schmuck *m*, Gewand *n*, Kleid *n*: **gay** ~ **of spring**. **4.** Sticke'rei *f*.
ap·par·ent [ə'pærənt] *adj* (*adv* ~**ly**) **1.** sichtbar: ~ **defects**. **2.** offenbar, -sichtlich, einleuchtend, ersichtlich, klar (to s.o. j-m), augenscheinlich. **3.** a) anscheinend, b) *a. electr. phys.* scheinbar, Schein... (*-frequenz, -leistung, -strom etc*): ~ **motion** (*Radar*) relative Bewegung; → **horizon** 1.
ap·pa·ri·tion [,æpə'riʃən] *s* **1.** Erscheinen *n* u. Sichtbarwerden *n* (*a. astr.*). **2.** Erscheinung *f*, Gespenst *n*, Geist *m*. **3.** Gestalt *f*, (plötzliche *od.*

unerwartete) Erscheinung. ˌ**ap·pa'ri·tion·al** *adj* **1.** sichtbar, zu sehen(d). **2.** geister-, schemenhaft, wesenlos.

ap·par·i·tor [əˈpæritər] *s* **1.** *obs.* a) Gerichts-, Ratsdiener *m*, b) Herold *m*. **2.** *univ. Br.* Peˈdell *m*.

ap·pas·sio·na·to [ɑːpɑːsjouˈnɑːtou; əˌpæsiəˈnɑːtə] *adj mus.* appassioˈnato, leidenschaftlich.

ap·peal [əˈpiːl] **I** *v/t* **1.** *jur. obs. od. Am.* a) vor e-n höheren Gerichtshof bringen, *e-n Fall* verweisen (to an *acc*), b) anklagen. **II** *v/i* **2.** *jur.* Berufung *od.* Revisiˈon *od.* Beschwerde einlegen, ein Rechtsmittel ergreifen, *a. allg.* Einspruch erheben (**against**, *jur. meist* **from** gegen): **the decision ~ed from** die angefochtene Entscheidung. **3.** (to) appelˈlieren *od.* sich wenden (an *acc*), (*j-n od. etwas*) anrufen, sich berufen (auf *acc*): **to ~ to the country** *pol. Br.* (das Parlament auflösen u.) Neuwahlen ausschreiben, das Volk aufrufen; **to ~ to history** die Geschichte als Zeugen anrufen. **4.** (to) Gefallen *od.* Anklang finden (bei), gefallen, zusagen (*dat*), wirken (auf *acc*), anziehen, reizen (*acc*). **5. ~ to** *j-n* dringend bitten (for um). **III** *s* **6.** *jur.* Rechtsmittel *n* (**from, against** gegen): a) Berufung *f od.* Revisiˈon *f*, b) (Rechts)Beschwerde *f*, c) Einspruch *m*: **court of ~** Rechtsmittel-, Berufungs-, Revisionsgericht *n od.* -instanz *f*; **criminal ~** Berufung in Strafsachen; **judg(e)ment on ~** Berufungsurteil *n*; **stages of ~** Instanzenweg *m*; **to allow an ~** e-r Berufung *etc* stattgeben; **to bring** (*od.* **file, lodge**) **an ~, to give notice of ~** Berufung *etc* einlegen (to bei; from gegen); (**no**) **~ lies** (**from**) die Berufung findet (nicht) statt (gegen); **the decision under ~** die angefochtene Entscheidung. **7.** Berufung *f* (to auf *acc*). **8.** Verweisung *f* (to an *acc*). **9.** *fig.* (to) Apˈpell *m* (an *acc*), Aufruf *m* (*gen od.* an *acc*): **~ to the country** *pol. Br.* Aufruf an das Volk, Ausschreibung *f* von Neuwahlen; **~ to reason** Appell an die Vernunft; **to make an ~ to** appellieren an (*acc*); **~ for mercy** Gnadengesuch *n*. **10.** *fig.* (flehentliche *od.* dringende) Bitte (to an *acc*; for um). **11.** *fig.* Anziehung(skraft) *f*, Zugkraft *f*, Wirkung *f* (to auf *acc*), Anklang *m* (to bei): **~ to customers** *econ.* Anziehungskraft auf Kunden; → **eye appeal**. **apˈpeal·a·ble** *adj jur.* berufungs-, revisiˈons-, beschwerdefähig: **the decision is ~** gegen die Entscheidung kann Berufung eingelegt werden. **apˈpeal·ing** *adj* (*adv* **~ly**) **1.** bittend, flehend. **2.** ansprechend, reizvoll, gefällig.

ap·pear [əˈpir] *v/i* **1.** erscheinen (*a. fig. auf e-m Konto etc*), sichtbar werden, sich zeigen, (*a.* öffentlich) auftreten: **a cloud ~ed on the horizon. 2.** (*vor Gericht*) erscheinen, sich einlassen (**in an action** auf e-e Klage): **to ~ against s.o.** gegen j-n (vor Gericht) auftreten; **to ~ by counsel** sich durch e-n Anwalt vertreten lassen; **to ~ for s.o.** j-n (als Anwalt) vor Gericht vertreten. **3.** scheinen, den Anschein haben, aussehen, wirken, *j-m* vorkommen: **it ~s to me you are right** mir scheint, Sie haben recht. **4.** sich ergeben *od.* herˈausstellen, herˈvorgehen: **it ~s from this** hieraus ergibt sich *od.* geht hervor; **it does not ~ that** es liegt kein Anhaltspunkt dafür vor, daß. **5.** erscheinen, herˈauskommen (*Bücher etc*).

ap·pear·ance [əˈpi(ə)rəns] *s* **1.** Erscheinen *n*: **public ~** Auftreten *n* in der Öffentlichkeit. **2.** Auftreten *n*, Vorkommen *n*. **3.** *jur.* Erscheinen *n* (vor Gericht), Einlassung *f*: **to enter an ~** sich auf die Klage einlassen. **4.** (äußere) Erscheinung, Aussehen *n*, (*das*) Äußere. **5.** (Naˈtur)Erscheinung *f*, Phänoˈmen *n*: **an ~ in the sky. 6.** *meist pl* äußerer Schein, (An)Schein *m*: **~s are against him** der (Augen)Schein spricht gegen ihn. **7.** *philos.* Erscheinung *f*. **8.** → **apparition 2. 9.** Veröffentlichung *f*, Erscheinen *n*.

Besondere Redewendungen:

in ~ anscheinend, dem Anschein nach; **to all ~(s)** allem Anschein nach; **at first ~** beim ersten Anblick; **to make** (*od.* **put in**) **one's ~** sich zeigen, erscheinen, sich einstellen, auftreten; **to put in an ~** (persönlich) erscheinen; **there is every ~ that** es hat ganz den Anschein, daß; **to keep up** (*od.* **save**) **~s** den Schein wahren.

ap·pease [əˈpiːz] *v/t* **1.** *j-n od. j-s Zorn etc* besänftigen, beschwichtigen. **2.** *e-n Streit* schlichten, beilegen. **3.** *Leiden* mildern. **4.** *den Durst etc* stillen, *s-e Neugier* befriedigen. **5.** *pol.* (durch Zugeständnisse *od.* Nachgiebigkeit) beschwichtigen. **apˈpease·ment** *s* **1.** Besänftigung *f*, Beschwichtigung *f*, Stillung *f*, Befriedigung *f*. **2.** *pol.* Beschwichtigung *f*: (**policy of**) **~** Beschwichtigungs-, Befriedungspolitik *f*. **apˈpeas·er** *s* **1.** Besänftiger *m*. **2.** *pol.* Beˈschwichtigungspoˌlitiker *m*.

ap·pel·lant [əˈpelənt] **I** *adj* **1.** appelˈlierend, bittend. **2.** *jur.* in zweiter Inˈstanz klagend, beschwerdeführend. **II** *s* **3.** *jur.* a) Berufungskläger(in), b) Beschwerdeführer(in). **4.** *fig.* Bittsteller(in).

ap·pel·late [əˈpelit; -leit] *adj jur.* Rechtsmittel..., Berufungs..., Revisions..., Beschwerde..., (*nachgestellt*) zweiter Inˈstanz: **~ court**; **~ judge** Berufungsrichter *m*; **~ jurisdiction** Zuständigkeit *f* in der Rechtsmittelinstanz.

ap·pel·la·tion [ˌæpəˈleiʃən] *s* Benennung *f*, Name *m*, Bezeichnung *f*.

ap·pel·la·tive [əˈpelətiv] *bes. ling.* **I** *adj* appellaˈtiv, benennend, Gattungs...: **~ name** → **II**. **II** *s* Appellaˈtiv(um) *n*, Gattungsname *m*.

ap·pel·lee [ˌæpəˈliː] *s jur.* Berufungs- *od.* Revisiˈonsbeklagte(r *m*) *f*, Beschwerdegegner(in).

ap·pend [əˈpend] *v/t* (to) **1.** befestigen, anbringen (an *dat*), anhängen, anheften (an *acc*). **2.** bei-, hinˈzufügen (*dat*, zu), anfügen (*dat*, an *acc*): **to ~ a price-list**; **to ~ one's signature to** s-e Unterschrift setzen unter (*acc*).

ap·pend·age [əˈpendidʒ] *s* **1.** Anhang *m*, Anhängsel *n*, Zubehör *n*. **2.** *fig.* Beigabe *f*, -werk *n*, Begleiterscheinung *f*. **3.** *fig.* Anhängsel *n*, (ständiger) Begleiter. **4.** *biol.* Fortsatz *m*.

ap·pend·ant [əˈpendənt] *adj* (to, on) **1.** daˈzugehörig, gehörend (zu), verbunden (mit), beigefügt (*dat*): **the salary ~ to a position** das mit e-r Stellung verbundene Gehalt. **2.** *jur.* als Recht gehörend (zu), zustehend (*dat*).

ap·pen·dec·to·my [ˌæpənˈdektəmi] *s med.* ˈBlinddarmoperatiˌon *f*.

ap·pen·di·ces [əˈpendiˌsiːz] *pl von* **appendix**.

ap·pen·di·ci·tis [əˌpendiˈsaitis] *s med.* Blinddarmentzündung *f*.

ap·pen·dix [əˈpendiks] *pl* **-dix·es, -diˌces** [-diˌsiːz] *s* **1.** Anhang *m* (*e-s Buches*). **2.** Anhängsel *n*, Zubehör *n*. **3.** *aer. tech.* (Füll)Ansatz *m*. **4.** *anat.* Anhang *m*, Fortsatz *m*: (**vermiform**) **~** Wurmfortsatz *m*, Blinddarm *m*.

ap·per·ceive [ˌæpərˈsiːv] *v/t psych.* apperziˈpieren (*aktiv ins Bewußtsein aufnehmen*).

ap·per·cep·tion [ˌæpərˈsepʃən] *s psych.* Apperzeptiˈon *f*, bewußte Wahrnehmung.

ap·per·tain [ˌæpərˈtein] *v/i* (to) **1.** gehören (zu), (zu)gehören (*dat*). **2.** zustehen, gebühren (*dat*).

ap·pe·tence [ˈæpitəns], ˈ**ap·pe·ten·cy** *s* **1.** Verlangen *n*, Begierde *f* (of, for, after nach). **2.** instinkˈtive Neigung, (Naˈtur)Trieb *m*.

ap·pe·tite [ˈæpiˌtait] *s* **1.** Verlangen *n*, Begierde *f*, Gelüst *n* (for nach). **2.** (for) Hunger *m* (nach), Neigung *f*, Trieb *m*, Lust *f* (zu): **~ for life** Lebenshunger. **3.** Appeˈtit *m* (for auf *acc*), Eßlust *f*: **~ comes with eating** der Appetit kommt beim Essen; **a good ~ is the best sauce** Hunger ist der beste Koch; **to give s.o. an ~** j-m Appetit machen; **to have an ~** Appetit haben; **to take away** (*od.* **spoil**) **s.o.'s ~** j-m den Appetit nehmen *od.* verderben. **ap·pe·ti·tive** [əˈpetitiv] *adj* Begehrungs...: **~ faculty** Begehrungsvermögen *n*. **ap·pe·tiz·er** [ˈæpiˌtaizər] *s* appeˈtitanregendes Mittel *od.* Gericht *od.* Getränk, piˈkante Vorspeise, Aperiˈtif *m*. ˈ**ap·peˌtiz·ing** *adj* (*adv* **~ly**) **1.** a) appeˈtitanregend, b) appeˈtitlich, lecker (*beide a. fig.*). **2.** *fig.* reizvoll, ‚zum Anbeißen'.

ap·plaud [əˈplɔːd] **I** *v/i* **1.** applauˈdieren, Beifall spenden. **II** *v/t* **2.** beklatschen, *j-m* Beifall spenden. **3.** *fig.* loben, (*beifällig*) begrüßen, billigen, *j-m* zustimmen. **apˈplaud·er** *s* Aplauˈdierende(r *m*) *f*, Beifallsspender(in).

ap·plause [əˈplɔːz] *s* **1.** Apˈplaus *m*, Beifall(klatschen *n*) *m*: **to break into ~** in Beifall ausbrechen. **2.** *fig.* Beifall *m*, Zustimmung *f*, Anerkennung *f*. **apˈplau·sive** [-siv] *adj* **1.** applauˈdierend, Beifall klatschend *od.* spendend, Beifalls... **2.** lobend, Lob...

ap·ple [ˈæpl] *s* **1.** Apfel *m*: **~ of one's eye** *bes. fig.* Augapfel (*Liebling*); → **discord** 3. **2.** apfelartige Frucht. **~ blight** *s* **1.** *bot.* Apfel-Mehltau *m*. **2.** *zo.* (*e-e*) Blutlaus. **~ but·ter** *s Am.* ˈApfelkonfiˌtüre *f*. **~ cart** *s* Apfelkarren *m*: **to upset the** (*od.* **s.o.'s**) **~** *fig.* alle (*od.* j-s) Pläne über den Haufen werfen. **~ char·lotte** *s* ˈApfelcharˌlotte *f* (*e-e Apfelspeise*). **~ cheese** *s* (gepreßte) Apfeltrester *pl*. **~ dump·ling** *s* ‚Apfel *m* im Schlafrock'. **~ frit·ters** *s pl* (in Teig gebackene) Apfelschnitten *pl*. ˈ**~jack** *s Am.* Apfelschnaps *m*. **~ moth** *s zo.* Apfelwickler *m*. **~ pie** *s* (*warmer*) gedeckter Apfelkuchen. ˈ**~-ˌpie or·der** *s colloq.* schönste Ordnung: **everything is in ~** ‚alles ist in Butter' *od.* in bester Ordnung. **~ pol·ish·er** *s sl.* ‚Speichellecker' *m*. ˈ**~ˌsauce** *s* **1.** Apfelmus *n*. **2.** *Am. sl.* a) ‚Schmus' *m* (*Schmeichelei*), b) ‚Quatsch' *m*.

Ap·ple·ton lay·er [ˈæpltən] *s phys.* Appletonschicht *f* (*Teil der oberen Atmosphäre*).

ap·ple tree *s bot.* Apfelbaum *m*.

ap·pli·ance [əˈplaiəns] *s* **1.** Gerät *n*, Vorrichtung *f*, (Hilfs)Mittel *n*. **2.** *engS.* (eˈlektrisches) Haushaltsgerät. **3.** Anwendung *f*.

ap·pli·ca·bil·i·ty [ˌæplikəˈbiliti] *s* (to)

Anwendbarkeit *f* (auf *acc*), Eignung *f* (für). ˈ**ap·pli·ca·ble** *adj* (*adv* **applicably**) (to) anwendbar (auf *acc*) (*a. jur.*), passend, geeignet (für): to be ~ (to) → apply 7; not ~ (*in Formularen*) nicht zutreffend, entfällt.

ap·pli·cant [ˈæplikənt] *s* Bewerber(in) (for um), Antragsteller(in): ~ (for a patent Patent)Anmelder *m*; prior ~ früherer Anmelder, Voranmelder *m*.

ap·pli·ca·tion [ˌæpliˈkeiʃən] *s* **1.** (to) Anwendung *f* (auf *acc*), Verwendung *f*, Gebrauch *m* (für): ~ of plastic materials; the ~ of drastic measures; many ~s viele Verwendungszwecke; point of ~ *phys.* Angriffspunkt *m*. **2.** (Nutz)Anwendung *f*: the ~ of a theory. **3.** Anwendung *f*, An-, Verwendbarkeit *f*: words of varied ~; area (*od.* scope) of ~ Anwendungs-, Geltungsbereich *m* (*e-s Gesetzes etc*). **4.** (to) Anwendung *f* (auf *acc*), Beziehung *f* (zu), Bedeutung *f* (für): to have no ~ (to) keine Anwendung finden, nicht zutreffen (auf *acc*), in keinem Zs.-hang stehen (mit). **5.** *med.* a) Applikatiˈon *f*, Anwendung *f*, Anlegung *f*: the ~ of a poultice, b) Mittel *n*, Verband *m*, ˈUmschlag *m*. **6.** (for) Bitte *f*, Gesuch *n*, Ersuchen *n* (um), Antrag *m* (auf *acc*): on the ~ of auf Antrag (*gen*); on ~ auf Ersuchen *od.* Verlangen *od.* Wunsch; payable on ~ zahlbar bei Bestellung; ~ blank, ~ form Antrags-, Bewerbungs-, Anmeldungsformular *n*. **7.** Bewerbung *f* (for um): (letter of) ~ Bewerbungsschreiben *n*. **8.** (Paˈtent)Anmeldung *f*. **9.** *econ. Br.* Zeichnung *f* (for shares von Aktien). **10.** Fleiß *m*, ˈHingabe *f*, Eifer *m* (in, to bei). **11.** *astr.* Annäherung *f* (*e-s Planeten an e-n Aspekt*).

ap·pli·ca·tor [ˈæpliˌkeitər] *s med. tech.* **1.** Appliˈkator *m*, Anwendungsgerät *n*, -vorrichtung *f*: ~ (nozzle) Auftrags-, Sprühdüse *f*; ~ roll Auftragswalze *f*. **2.** Strahlungsgerät *n* (*Röntgen*). **3.** Salbenspatel *m*. ˈ**ap·pli·ca·to·ry** [-kətəri] *adj* praktisch, anwendbar.

ap·plied [əˈplaid] *adj* praktisch, angewandt: ~ art Kunstgewerbe *n*; ~ energy *phys.* aufgewendete Energie; ~ music *Am.* praktische Musik; ~ science angewandte Wissenschaft.

ap·pli·qué [*Br.* æˈpliːkei; *Am.* ˌæpliˈkei] **I** *adj* **1.** aufgelegt, -genäht: ~ work Applikation(sstickerei) *f*. **2.** *tech.* aufgelegt (*Metallarbeit*). **II** *s* **3.** Applikatiˈon(en *pl*) *f*. **4.** Applikatiˈonsstück *n*. **III** *v/t* **5.** mit Applikatiˈonen versehen: ~d pockets aufgesetzte Taschen.

ap·ply [əˈplai] **I** *v/t* **1.** (to) auflegen, -tragen, legen (auf *acc*), anbringen (an, auf *dat*): to ~ a plaster (to a wound) ein Pflaster kleben (auf e-e Wunde); to ~ a varnish coating e-n Lacküberzug aufbringen *od.* -tragen. **2.** *die Bremsen etc* betätigen: to ~ the brakes bremsen. **3.** (to) a) verwenden (auf *dat*, für), b) anwenden (auf *acc*): to ~ all one's energy s-e ganze Energie einsetzen *od.* aufbieten; to ~ a lever e-n Hebel ansetzen; to ~ drastic measures drastische Maßnahmen anwenden *od.* ergreifen; to ~ money Geld verwenden; to ~ a voltage *electr.* e-e Spannung anlegen; applied to modern conditions auf moderne Verhältnisse angewandt; the force is applied to the longer lever arm *phys.* die Kraft greift am längeren Hebelarm an. **4.** anwenden *od.* beziehen (to auf *acc*). **5.** (to) *den Sinn* richten (auf *acc*), beschäftigen (mit). **6.** ~ o.s. sich widmen (to *dat*): to ~ o.s. to a task. **II** *v/i* **7.** (to) Anwendung finden (bei), sich anwenden lassen *od.* zutreffen (auf *acc*), passen (auf *acc*, zu), anwendbar sein, sich beziehen (auf *acc*), gelten (für): the law does not ~ das Gesetz findet keine Anwendung *od.* ist nicht anwendbar; this applies to all cases dies gilt für alle Fälle, dies läßt sich auf alle Fälle anwenden. **8.** sich wenden (to an *acc*; for wegen): to ~ to the manager. **9.** (for) beantragen (*acc*), e-n Antrag stellen (auf *acc*), einkommen *od.* nachsuchen (um), (*a. zum Patent*) anmelden (*acc*): to ~ for shares *econ. Br.* Aktien zeichnen. **10.** sich bewerben (for um): to ~ for a job. **11.** bitten, ersuchen (to *acc*; for um).

ap·pog·gia·tu·ra [əˌpɒdʒəˈtu(ə)rə] *s mus.* Appogiaˈtur *f*, Vorhalt *m*.

ap·point [əˈpɔint] **I** *v/t* **1.** ernennen, machen zu, berufen, an-, bestellen, *j-n od. e-n Ausschuß* einsetzen: to ~ s.o. governor j-n zum Gouverneur bestellen *od.* ernennen, j-n als Gouverneur berufen *od.* einsetzen; to ~ s.o. guardian j-n zum Vormund bestellen; to ~ an heir e-n Erben einsetzen; to ~ s.o. to a professorship j-m e-e Professur übertragen. **2.** anordnen, vorschreiben. **3.** festsetzen, bestimmen, verabreden: the ~ed day der festgesetzte Tag *od.* Termin, der Stichtag; to ~ a day for trial e-n Termin (zur Verhandlung) anberaumen. **4.** ausstatten, einrichten (with mit): a well-~ed house. **II** *v/i* **5.** *obs.* bestimmen, beschließen (to do zu tun).

ap·point·ee [əˌpɔinˈtiː] *s Am.* Ernannte(r *m*) *f*, (*zu e-m Amt*) Berufene(r *m*) *f*, Angestellte(r *m*) *f*, Beamte(r) *m*.

apˈ**poin·tive** *adj* **1.** Ernennungs..., Anstellungs... **2.** durch Ernennung zu besetzen(d): an ~ office.

ap·point·ment [əˈpɔintmənt] *s* **1.** Ernennung *f*, An-, Bestellung *f*, Berufung *f*: ~ of trustees; by special ~ to the King Königlicher Hoflieferant. **2.** *jur.* Einsetzung *f* (*e-s Erben etc, a. e-s Ausschusses*), Bestellung *f* (*e-s Vormunds*), Ernennung *f* (*des Nutznießers*). **3.** Amt *n*, Stellung *f*: to hold an ~ e-e Stelle innehaben. **4.** Festsetzung *f*, Bestimmung *f*, Anberaumung *f* (*bes. e-s Termins*). **5.** Verabredung *f*, Zs.-kunft *f*, *Br. a.* Stelldichein *n*: by ~ nach Vereinbarung; to make an ~ e-e Verabredung treffen; to keep (break) an ~ e-e Verabredung (nicht) einhalten; ~ book (*od.* pad) Terminkalender *m*. **6.** Anordnung *f*, Bestimmung *f*. **7.** *meist pl* Ausstattung *f*, Einrichtung *f*: ~s for a hotel.

ap·por·tion [əˈpɔːrʃən] *v/t* **1.** *e-n Anteil, a. e-e Aufgabe* zuteilen, *Lob* erteilen, zollen, *Schuld* beimessen (to *dat*), *Zeit* zumessen. **2.** (gleichmäßig *od.* gerecht) zu- *od.* auf- *od.* verteilen: to ~ the costs die Kosten umlegen.

apˈ**por·tion·ment** *s* **1.** (proportioˈnale *od.* gerechte) Ver- *od.* Zuteilung, Zumessung *f*: ~ of costs Kostenumlage *f*, -verteilung *f*. **2.** *jur. Am. Verteilung der zu wählenden Abgeordneten od. der direkten Steuern auf die einzelnen Staaten od. Wahlbezirke.*

ap·po·site [ˈæpəzit; -po-] *adj* (*adv* ~ly) passend, angemessen (to für), angebracht, treffend: an ~ answer. ˈ**ap·po·site·ness** *s* Angemessenheit *f*.

ap·po·si·tion [ˌæpəˈziʃən; -po-] *s* **1.** Bei-, Hinˈzufügung *f*, Bei-, Zusatz *m*. **2.** *ling.* Appositiˈon *f*, Beifügung *f*. **3.** *biol. med.* Appositiˈon *f*, Auflagerung *f*. ˌ**ap·po**ˈ**si·tion·al** → appositive I.

ap·pos·i·tive [əˈpɒzitiv] *ling.* **I** *adj* appositioˈnell, beigefügt. **II** *s* Appositiˈon *f*.

ap·prais·al [əˈpreizəl] *s* **1.** (Ab)Schätzung *f*, Taˈxierung *f* (*a. fig.*). **2.** *bes. ped.* Bewertung *f*. **3.** *fig.* Beurteilung *f*, Würdigung *f*.

ap·praise [əˈpreiz] *v/t* **1.** (ab)schätzen, taˈxieren (*a. fig.*), bewerten: ~d value Schätzwert *m*. **2.** einschätzen, beurteilen, bewerten, würdigen. **ap**ˈ**praise·ment** → appraisal. **ap**ˈ**prais·er** *s* (Ab)Schätzer *m*.

ap·pre·ci·a·ble [əˈpriːʃəbl; -ʃiəbl] *adj* (*adv* **appreciably**) nennenswert, merklich, spürbar.

ap·pre·ci·ate [əˈpriːʃiˌeit] **I** *v/t* **1.** (hoch)schätzen, richtig einschätzen, würdigen, zu schätzen *od.* zu würdigen wissen: to ~ s.o.'s ability. **2.** schätzen, aufgeschlossen sein für, Gefallen finden an (*dat*), Sinn haben für: to ~ music. **3.** (dankbar) anerkennen, dankbar sein für, zu schätzen wissen: to ~ a gift. **4.** (richtig) beurteilen *od.* einschätzen, (voll u. ganz) erkennen *od.* einsehen, sich bewußt sein (*gen*): to ~ a difficulty. **5.** *bes. econ. Am.* a) den Wert *od.* Preis (*e-r Sache*) erhöhen, b) aufwerten. **II** *v/i* **6.** im Wert *od.* Preis steigen.

ap·pre·ci·a·tion [əˌpriːʃiˈeiʃən; -si-] *s* **1.** (Ab-, Ein)Schätzung *f*, Würdigung *f*. **2.** (Wert)Schätzung *f*, Anerkennung *f*. **3.** Verständnis *n*, Aufgeschlossenheit *f*, Sinn *m* (of, for für): ~ of music Musikverständnis. **4.** (klares) Einsehen, (richtige) Beurteilung, Erkennen *n*. **5.** kritische Würdigung, (*bes. günstige*) Kriˈtik. **6.** (dankbare) Anerkennung, Dankbarkeit *f* (of für). **7.** *econ.* a) Wertsteigerung *f*, -zuwachs *m*, Preiserhöhung *f*, b) Aufwertung *f*. **ap·pre·ci·a·tive** [əˈpriːʃiətiv] *adj* (*adv* ~ly), **ap**ˈ**pre·ci·a·to·ry** *adj* **1.** anerkennend, würdigend (of *acc*), achtungsvoll. **2.** verständnisvoll, empfänglich (of für): to be ~ of zu schätzen wissen (*acc*).

ap·pre·hend [ˌæpriˈhend] *v/t* **1.** ergreifen, fassen, festnehmen, verhaften: to ~ a thief. **2.** *fig. etwas* wahrnehmen. **3.** *fig.* begreifen, erfassen. **4.** *fig.* vorˈaussehen, (be)fürchten.

ap·pre·hen·si·ble [ˌæpriˈhensəbl] *adj* **1.** faßlich, begreiflich. **2.** wahrnehmbar.

ap·pre·hen·sion [ˌæpriˈhenʃən] *s* **1.** Festnahme *f*, Ergreifung *f*, Verhaftung *f*: warrant of ~ Haftbefehl *m*, Steckbrief *m*. **2.** *fig.* Begreifen *n*, Erfassen *n*: stimulus of ~ *biol.* Erfassungsreiz *m*. **3.** Auffassungsvermögen *n*, Verstand *m*, Fassungskraft *f*. **4.** Begriff *m*, Ansicht *f*, Vorstellung *f*: according to popular ~. **5.** Besorgnis *f*, Befürchtung *f*, (Vor)Ahnung *f*: in ~ of s.th. etwas befürchtend. **6.** *psych.* Apprehensiˈon *f*.

ap·pre·hen·sive [ˌæpriˈhensiv] *adj* (*adv* ~ly) **1.** leicht begreifend, schnell auffassend. **2.** empfindlich, empfindsam. **3.** besorgt (for um; that daß), ängstlich: to be ~ for one's life um sein Leben besorgt sein; to be ~ of dangers sich vor Gefahren fürchten. ˌ**ap·pre**ˈ**hen·sive·ness** *s* **1.** leichtes Auffassungsvermögen. **2.** Furcht *f*, Besorgnis *f*.

ap·pren·tice [əˈprentis] **I** *s* **1.** a) Auszubildende(r *m*) *f*, Lehrling *m* (*a. fig.*): bricklayer's ~, b) Praktiˈkant(in), Volonˈtär(in), Eˈleve *m*: actor's ~ Schauspielschüler(in); ~ **teacher** Junglehrer(in), Lehramtskandidat(in). **2.** *fig.* Anfänger(in), Neuling *m.* **3.** *meist* ~ **seaman** 'Seeka,dett *m.* **II** *v/t* **4.** in die Lehre geben: **to be** ~**d to** in die Lehre kommen zu, in der Lehre sein bei. **ap'pren·tice,ship** *s a. fig.* Lehrjahre *pl*, -zeit *f*, Lehre *f*: **articles** (*od.* **contract**) **of** ~ Ausbildungsvertrag *m*, Lehrvertrag *m*; **to serve one's** ~ in der Lehre sein, e-e Lehre durchmachen (**with** bei).

ap·prise[1] [ə'praiz] *v/t* benachrichtigen, in Kenntnis setzen (**of** von).

ap·prise[2] → **apprize**[1].

ap·prize[1] [ə'praiz] *v/t Br. obs. od. Am.* (ab)schätzen, ta'xieren.

ap·prize[2] → **apprise**[1].

ap·pro ['æprou] *s econ. Br.* (*abbr. für* **approval**): **on** ~ zur Probe, zur Ansicht.

approach [ə'proutʃ] **I** *v/i* **1.** sich nähern, näherkommen, her'annahen, -rücken, nahen. **2.** *fig.* (**to**) nahekommen, ähnlich *od.* fast gleich sein (*dat*), grenzen (an *acc*). **3.** *aer.* anfliegen. **4.** *Golf*: e-n Annäherungsschlag machen. **II** *v/t* **5.** sich nähern (*dat*): **to** ~ **the city; to** ~ **the end; to** ~ **a limit** *math.* sich e-m Grenzwert nähern. **6.** *fig.* nahekommen (*dat*), (fast) erreichen: **to** ~ **a certain standard. 7.** her'angehen an (*acc*), *e-e Aufgabe etc* anpacken: **to** ~ **a task. 8.** a) an *j-n* her'antreten, sich an *j-n* wenden, b) *bes. contp.* sich an *j-n* her'anmachen: **to** ~ **a customer; to** ~ **a girl; to** ~ **s.o. for a loan** j-n um ein Darlehen bitten *od.* angehen. **9.** zu sprechen kommen auf (*acc*), *ein Thema etc* anschneiden. **10.** näherbringen, (an)nähern. **III** *s* **11.** (Her'an)Nahen *n* (*a. e-s Zeitpunkts*), (Her)'Anrücken *n*, Annäherung *f*, Anmarsch *m* (*a. mil.*), *aer.* Anflug *m*: ~ **beacon** *aer.* Gleitweg-, Landungsbake *f*; ~ **flight** Zielanflug *m*; ~ **path** Anflugweg *m*, -ebene *f*; ~ **navigation** Annäherungsnavigation *f*. **12.** a) Zugang *m*, Ein-, Zu-, Auffahrt *f*, b) *a.* ~ **road** Zufahrtsstraße *f*. **13.** *Skisport*: Anlaufbahn *f*. **14.** *fig.* Annäherung *f* (**to** an *acc*), Nahekommen *n*: **a fair** ~ **to accuracy** ziemliche Genauigkeit; **an** ~ **to truth** annähernd die Wahrheit. **15.** Ähnlichkeit *f* (**to** mit): **an** ~ **to a smile** der Versuch e-s Lächelns. **16.** *mar.* a) Ansteuerung *f*, b) Re'vier *n* (*Seegebiet in Hafennähe*). **17.** *pl mil.* a) Laufgräben *pl*, Ap'prochen *pl*, b) Vormarschstraße *f*. **18.** *fig.* erster Schritt, (erster) Versuch (**to** zu). **19.** *oft pl fig.* Annäherung *f*, Her'antreten *n* (**to s.o.** an j-n): ~**es** Annäherungsversuch(e *pl*) *m*. **20.** *a.* **method** (*od.* **line**) **of** ~ (**to**) a) Art *f* u. Weise *f* (*etwas*) anzupacken, Me'thode *f*, Verfahren *n*, b) Auffassung *f* (*gen*), Betrachtungsweise *f* (*gen*), Einstellung *f* (zu), Verhalten *n* (gegen'über), c) Behandlung *f* (*e-s Themas etc*). **21.** *fig.* (**to**) Einführung *f* (in *acc*), Weg *m*, Zugang *m* (zu).

ap·proach·a·ble [ə'proutʃəbl] *adj* zugänglich (*a. fig.*).

ap·pro·bate ['æprə,beit; -ro-] *v/t Br. obs.* (amtlich) billigen, genehmigen.

ap·pro·ba·tion [,æprə'beiʃən; -ro-] *s* **1.** Billigung *f*, Genehmigung *f*. **2.** Zustimmung *f*, Beifall *m*: **on** ~ zur Ansicht. **3.** *obs.* Bewährung *f*. **'ap·pro·,ba·to·ry** *adj* billigend, beifällig.

ap·pro·pri·ate I *adj* [ə'proupriit] (*adv* ~**ly**) **1.** (**to, for**) passend, geeignet, zweckmäßig (für, zu), angemessen, dienlich (*dat*): **at the** ~ **time** zur gegebenen Zeit; **if** ~ sofern es zweckdienlich erscheint, gegebenenfalls. **2.** eigen, *j-m* zukommend. **II** *v/t* [-,eit] **3.** a) verwenden, bestimmen, b) *bes. parl. Geld* bewilligen, bereitstellen (**to** zu; **for** für). **4.** sich aneignen.

ap·pro·pri·a·tion [ə,proupri'eiʃən] *s* **1.** Bestimmung *f*, Verwendung *f* (*bes. von zweckgebundenen Geldern*). **2.** *a. parl.* (Geld)Bewilligung *f*, (*zweckgebundene*) Bereitstellung: ~**s** (bereitgestellte) Mittel; ~ **bill** *parl.* a) *Br.* Ausgabebudget *n*, b) *Am.* Gesetzesvorlage *f* zur Bewilligung von Geldern; ~ **committee** Bewilligungs-, Haushaltsausschuß *m*. **3.** Aneignung *f*, Besitznahme *f*, -ergreifung *f*. **ap'pro·pri·a·tive** [-ətiv] *adj* aneignend, geneigt, sich (*etwas*) anzueignen. **ap'pro·pri,a·tor** [-,eitər] *s j-d, der sich etwas aneignet.*

ap·prov·a·ble [ə'pru:vəbl] *adj* zu billigen(d), anerkennenswert, löblich.

ap·prov·al [ə'pru:vəl] *s* **1.** a) Billigung *f*, Genehmigung *f*, b) *bes. tech.* Zulassung *f*: **with the** ~ **of** mit Genehmigung (*gen*); **to give** ~ **to** billigen; **on** ~ zur Ansicht, zur Probe. **2.** Anerkennung *f*, Beifall *m*: **to meet with** ~ Beifall finden.

ap·prove [ə'pru:v] **I** *v/t* **1.** billigen, gutheißen, anerkennen, *e-e Dissertation* annehmen. **2.** (*formell*) bestätigen, genehmigen. **3.** ~ **o.s.** sich erweisen (**as** als), sich bewähren. **II** *v/i* **4.** (**of**) billigen, anerkennen, gutheißen, genehmigen (*acc*), zustimmen (*dat*): **to** ~ **of s.o.** j-n akzeptieren; **to be** ~**d of** Anklang finden; **he** ~**d** er billigte es, er war einverstanden. **ap'proved** *adj* **1.** erprobt, bewährt: **an** ~ **friend. 2.** anerkannt: ~ **bill** anerkannter Wechsel; ~ **school** *Br.* (staatlich anerkannte) Erziehungs- *od.* Besserungsanstalt. **ap'prov·er** *s* **1.** Billiger *m*, Beipflichtende(r *m*) *f*. **2.** *jur. Br.* Kronzeuge *m*. **ap'prov·ing** *adj* (*adv* ~**ly**) zustimmend, beifällig.

ap·prox·i·mate I *adj* [ə'prɒksəmit; -si-] **1.** annähernd, ungefähr, *bes. math.* approxima'tiv, annähernd richtig, Näherungs...: ~ **calculation** Näherungsrechnung *f*; ~ **formula** Näherungs-, Faustformel *f*; ~ **value** → 4. **2.** *biol.* dicht zs.-stehend, eng anein'anderwachsend. **3.** *fig.* sehr ähnlich, annähernd gleich. **II** *s* [-mit] **4.** *math.* Näherungswert *m*. **III** *v/t* [-,meit] **5.** *math. u. fig.* sich (*e-m Wert etc*) nähern, nahekommen (*dat*), fast erreichen, annähernd gleich sein (*dat*). **6.** *fig.* (an)nähern, angleichen. **IV** *v/i* **7.** sich nähern, nahe *od.* näher kommen (**to** *dat*) (*a. fig.*). **ap'prox·i·mate·ly** *adv* annähernd, ungefähr, etwa.

ap·prox·i·ma·tion [ə,prɒksi'meiʃən] *s* **1.** *a. fig.* Annäherung *f* (**to** an *acc*): **an** ~ **to the truth** annähernd die Wahrheit. **2.** *bes. math.* (An)Näherung *f* (**to** an *acc*): ~ **method** Näherungsverfahren *n*. **3.** *math.* Näherungswert *m*. **4.** *fig.* annähernde Gleichheit. **ap'prox·i·ma·tive** [-mətiv] *adj* approxima'tiv, annähernd.

ap·pui [a'pɥi] (*Fr.*) *s* **1.** Stütze *f*. **2.** *Reiten*: Druck *m* des Zügels auf die Hand.

ap·pur·te·nance [ə'pə:rtinəns] *s* **1.** Zubehör *n*. **2.** *meist pl jur.* zugehöriges Recht, Re'alrecht *n* (*aus Eigentum an Liegenschaften*). **3.** *meist pl* Zubehör *n*, Ausrüstung *f*, Appara'tur(en *pl*) *f*. **ap'pur·te·nant** *adj* **1.** (**to**) zugehörig (*dat*), gehörig (zu). **2.** *jur.* anhaftend, zustehend: ~ **rights.**

a·pri·cot ['eipri,kɒt] *s* **1.** *bot.* a) Apri'kose *f*, b) Apri'kosenbaum *m*. **2.** Apri'kosenfarbe *f*, Rotgelb *n*.

A·pril ['eiprəl; -ril] *s* A'pril *m*: ~ **fool** Aprilnarr *m*; **to make an** ~ **fool of s.o.** j-n in den April schicken; ~**-fool-day** *Br.*, ~ **Fools' Day** *Am.* der erste April.

a pri·o·ri [,ei prai'ɔ:rai] *adj u. adv* **1.** *philos.* a pri'ori: a) deduk'tiv, von Ursache auf Wirkung schließend, b) unabhängig von aller Erfahrung, c) von vornherein. **2.** *colloq.* mutmaßlich, ohne (Über)'Prüfung. **,a·pri'o·rism** *s philos.* Aprio'rismus *m*. **,a·pri'o·rist** *s philos.* Apri'oriker *m*, Aprio'rist *m*.

a·pron ['eiprən] **I** *s* **1.** Schürze *f*. **2.** Schurz(fell *n*) *m*. **3.** Schurz *m* (*von englischen Bischöfen od. Freimaurern*). **4.** *tech.* a) Schutzblech *n*, -haube *f* (*an Maschinen*), b) *mot.* Wind-, Blechschutz *m*, c) Schutzleder *n*, Kniedecke *f*, -leder *n* (*an Fahrzeugen*). **5.** *mar.* a) Schutzleiste *f*, -brett *n* (*e-s Bootes*), b) Binnenvorsteven *m* (*e-s Schiffes*). **6.** *tech.* Trans'portband *n*. **7.** *aer.* (Hallen)Vorfeld *n* (*vor der Flughalle*). **8.** *thea.* Vorbühne *f*. **9.** *mil. hist.* Zündlochkappe *f*. **10.** *zo.* a) deckelförmiger 'Hinterleib (*der Krabben*), b) Bauchhaut *f* (*der Gans od. Ente*). **II** *v/t* **11.** *j-m* e-e Schürze 'umbinden, mit e-m Schurz versehen. ~ **con·vey·or** → apron 6. ~ **lin·ing** *s arch.* Beschalung *f* der Treppenbalken. ~ **stage** *s* Vorbühne *f* (*des Elisabethanischen Theaters*). ~ **strings** *s pl* Schürzenbänder *pl*, *fig.* Gängelband *n*: **to be tied to one's mother's** ~ an Mutters Schürzenzipfel hängen; **to be tied to s.o.'s** ~ unter j-s Fuchtel stehen.

ap·ro·pos [,æprə'pou] **I** *adv* **1.** angemessen, zur rechten Zeit: **he arrived very** ~ er kam gerade zur rechten Zeit *od.* wie gerufen. **2.** 'hinsichtlich (**of** *gen*): ~ **of our talk. 3.** apro'pos, was ich (noch) sagen wollte, nebenbei bemerkt. **II** *adj* **4.** passend, (zu)treffend.

apse [æps] *s* **1.** *arch.* Apsis *f* (*halbkreisförmige Altarnische*): ~ **aisle** Apsisschiff *n*. **2.** → **apsis** 1 *u.* 2.

ap·si·dal ['æpsidl] *adj* **1.** *astr.* Apsiden... **2.** *arch.* Apsis...

ap·sis ['æpsis] *pl* **ap·si·des** ['æpsi,di:z; -'sai-] *s* **1.** *astr.* Ap'side *f*, Kehr-, Wendepunkt *m* (*e-s Planeten*). **2.** *math.* Ex'trempunkt *m* e-r Kurve (*in Polarkoordinaten*). **3.** → **apse** 1.

apt [æpt] *adj* (*adv* ~**ly**) **1.** passend, geeignet. **2.** treffend: **an** ~ **remark; as he so** ~**ly said. 3.** neigend, geneigt (**to do** zu tun): **he is** ~ **to believe it** er wird es wahrscheinlich glauben; ~ **to be overlooked** leicht zu übersehen; ~ **to rust** leicht rostend. **4.** (**at**) geschickt (in *dat*), begabt (für), aufgeweckt: **an** ~ **pupil. 5.** *Am.* wahr'scheinlich, wohl, sicher.

ap·ter·al ['æptərəl] *adj* **1.** → **apterous. 2.** *arch.* an den Seiten säulenlos.

ap·ter·ous ['æptərəs] *adj* **1.** *orn.* flügellos. **2.** *bot.* ungeflügelt.

ap·ti·tude ['æpti,tju:d] *s* **1.** (**for**) a) Begabung *f*, Befähigung *f* (für), Ta'lent *n* (zu), Geschick *n* (in *dat*), b) *ped. psych.* Sonderbegabung *f*: ~ **test** Eignungsprüfung *f*, *ped.* Test *m* für e-e Sonderbegabung. **2.** Neigung *f*, Hang *m* (**for** zu). **3.** Auffassungsgabe *f*, Intelli'genz *f*. **4.** → **aptness** 1.

apt·ness ['æptnis] *s* **1.** Angemessenheit *f*, Eignung *f*, Tauglichkeit *f* (**for** für, zu). **2.** Neigung *f*, Hang *m* (**for, to** zu). **3.** (**for, to**) Begabung *f*, Eignung *f* (für, zu), Geschick *n* (in *dat*). **4.** Eigenschaft *f*, Ten'denz *f*.

ap·tote ['æptout] *s ling.* Ap'toton *n* (*undeklinierbares Nomen*). **ap'tot·ic** [-'tɒtik] *adj ling.* flexi'onslos.

aq·ua ['ækwə; 'ei-] *pl* **'aq·uae** [-wiː] *od.* **'aq·uas** *s bes. pharm.* **1.** Wasser *n.* **2.** *obs.* Flüssigkeit *f.* **3.** Lösung *f* (*bes. in Wasser*). **4.** Blaugrün *n.*

aq·ua·belle ['ækwəˌbel] *s* Badeschönheit *f.*

aq·ua·cade ['ækwəˌkeid] *s* 'Wasserbalˌlett *n.*

aq·ua for·tis ['ækwə 'fɔːrtis; 'ei-] *s* **1.** *chem.* Scheidewasser *n*, Sal'petersäure *f.* **2.** Ätzen *n* mit Sal'petersäure.

aq·ua·lung ['ækwəˌlʌŋ; 'ɑː-] *s* Taucherlunge *f*, ('Unterwasser)Atmungsgerät *n.*

aq·ua·ma·rine [ˌækwəmə'riːn] *s* **1.** *min.* Aquama'rin *m.* **2.** Aquama'rinblau *n.*

aq·ua·plane ['ækwəˌplein] *sport* **I** *s* Gleitbrett *n* (*zum Wellenreiten*). **II** *v/i* wellenreiten.

aq·ua re·gi·a ['ækwə 'riːdʒiə] *s chem.* Königs-, Scheidewasser *n.*

aq·ua·relle [ˌækwə'rel] *s* **1.** Aqua'rell *n* (*Bild*). **2.** Aquaˌrellmale'rei *f.* **ˌaq·ua·'rel·list** *s* Aqua'rellmaler(in), Aquarel'list(in).

a·quar·i·um [ə'kwɛ(ə)riəm] *pl* **-i·ums** *od.* **-i·a** [-ə] *s* A'quarium *n.*

A·quar·i·us [ə'kwɛ(ə)riəs] *s astr.* Wassermann *m* (*Sternbild u. Tierkreiszeichen*).

aq·ua·stat ['ækwəˌstæt; 'ei-] *s* 'Wassertemperaˌturregler *m.*

a·quat·ic [ə'kwætik] **I** *adj* **1.** auf dem *od.* im Wasser lebend *od.* betrieben, Wasser...: ~ **plants** Wasserpflanzen; ~ **fowls** Wasservögel; ~ **sports** → 3. **II** *s* **2.** *biol.* Wassertier *n od.* -pflanze *f.* **3.** *pl* Wassersport *m.*

aq·ua·tint ['ækwəˌtint] **I** *s* **1.** Aqua'tinta(maˌnier) *f*, 'Tuschmaˌnier *f.* **2.** Aqua'tintastich *m*, -abdruck *m*: ~ **engraving** Kupferstich *m* in Tuschmanier. **II** *v/t* **3.** in Aqua'tinta- *od.* 'Tuschmaˌnier ausführen.

aq·ua vi·tae ['ækwə 'vaitiː] *s* **1.** *chem. hist.* Alkohol *m.* **2.** Branntwein *m.*

aq·ue·duct ['ækwiˌdʌkt] *s* **1.** Aquä'dukt *m*, offene Wasserleitung. **2.** *anat.* Ka'nal *m.*

a·que·ous ['eikwiəs; 'æk-] *adj* wässerig, wäßrig, wasserartig, -haltig: ~ **ammonia** Ammoniakwasser *n*; ~ **solution** wäßrige Lösung; ~ **humo(u)r** *med.* Humor aqueus *m* des Auges, Kammerwasser *n.*

aq·ui·cul·ture ['ækwiˌkʌltʃər] *s* Aufzucht *f* von Wassertieren.

Aq·ui·la ['ækwilə] *s astr.* Adler *m* (*Sternbild*).

aq·ui·le·gi·a [ˌækwi'liːdʒiə] *s bot.* Ake'lei *f.*

aq·ui·line ['ækwiˌlain; -lin] *adj* **1.** Adler..., adlerartig. **2.** gebogen, Adler..., Habichts..., Haken...: ~ **nose.**

Ar·ab ['ærəb] **I** *s* **1.** Araber *m*, A'raberin *f.* **2.** Araber *m*, a'rabisches Pferd. **3.** → **street Arab.** **II** *adj* **4.** a'rabisch.

ar·a·besque [ˌærə'besk] **I** *s Kunst, a. mus. u. Ballett*: Ara'beske *f.* **II** *adj* ara'besk.

A·ra·bi·an [ə'reibiən] **I** *adj* a'rabisch: The ~ **Nights** Tausendundeine Nacht. **II** *s* → **Arab** 1. *u.* 2. ~ **bird** *s* Phönix *m.* ~ **cam·el** *s zo.* Drome'dar *n.*

Ar·a·bic ['ærəbik] **I** *adj* a'rabisch: ~ **figures** (*od.* **numerals**) arabische Zahlen *od.* Ziffern; ~ **gum** Gummiarabikum *n.* **II** *s ling.* A'rabisch *n*, das Arabische: in ~ auf arabisch.

a·rab·i·nose [ə'ræbiˌnous; 'ærə-] *s chem.* Arabi'nose *f*, Gummizucker *m.*

Ar·ab·ist ['ærəbist] *s* Ara'bist *m* (*Kenner des Arabischen*).

ar·a·ble ['ærəbl] **I** *adj* pflügbar, urbar, anbaufähig: ~ **land** → II. **II** *s* Ackerland *n.*

Ar·a·by ['ærəbi] *s poet.* A'rabien *n.*

a·rach·nid [ə'ræknid], **a'rach·ni·dan** [-dən] *zo.* **I** *s* spinnenartiges Tier. **II** *adj* spinnenartig.

a·rach·noid [ə'ræknɔid] **I** *adj* **1.** spinnweb(en)artig. **2.** *zo.* spinnenartig. **3.** *anat.* Spinnwebenhaut... **II** *s* **4.** *zo.* spinnenartiges Tier. **5.** *anat.* Spinnwebenhaut *f* (*des Gehirns*).

ar·ach·nol·o·gist [ˌæræk'nɒlədʒist] *s* Spinnenforscher(in).

a·ra·li·a [ə'reiliə] *s* **1.** *bot.* A'ralie *f.* **2.** *pharm.* A'ralienwurzel *f.*

Ar·a·m(a)e·an [ˌærə'miːən] **I** *s* **1.** Ara'mäer(in). **2.** *ling.* Ara'mäisch *n*, das Aramäische. **II** *adj* **3.** ara'mäisch.

a·ra·ne·id [ə'reiniid] *s zo.* (Webe)-Spinne *f.* **ar·a·ne·i·dan** [ˌærə'niːidən] *zo.* **I** *s* (Webe)Spinne *f.* **II** *adj* zu den (Webe)Spinnen gehörig.

A·rau·can [ə'rɔːkən] *s ling.* Arau'kanisch *n*, das Araukanische. **Ar·au·ca·ni·an** [ˌærɔː'keiniən] **I** *s* Arau'kaner-(in). **II** *adj* arau'kanisch.

ar·au·ca·ri·a [ˌærɔː'kɛ(ə)riə] *s bot.* Zimmertanne *f*, Arau'karie *f.*

ar·ba·lest ['ɑːrbəlist] *s* Armbrust *f.* **'ar·baˌlest·er** *s* Armbrustschütze *m.*

ar·ba·list *etc* → **arbalest** *etc.*

ar·bi·ter ['ɑːrbitər] *s* **1.** Schiedsrichter *m*, Schiedsmann *m*, 'Unparˌteiische(r) *m.* **2.** Herr *m*, Gebieter *m* (of über *acc*): ~ **of our fate.** **3.** *fig.* Richter *m.* ~ **e·le·gan·ti·ae** [-ˌeli'gænʃiˌiː], ~ **ˌe·leˌgan·ti'a·rum** [-'eirəm] (*Lat.*) *s* Arbiter *m* eleganti'arum.

ar·bi·tra·ble ['ɑːrbitrəbl] *adj* schiedsrichterlich zu entscheiden(d), schiedsgerichtsfähig: ~ **case** Schiedssache *f.*

ar·bi·trage ['ɑːrbitridʒ] *s econ.* Arbi'trage *f* (*Nutzung der Kursunterschiede*): ~ **dealer** → **arbitrager**; ~ **dealings** Arbitragegeschäfte; ~ **in securities** (*od.* **stocks**) Effektenarbitrage; **currency** ~ Devisenarbitrage. **'ar·bi·trag·er, 'ar·bi·trag·ist** *s* Arbitra'geur *m*, Arbi'tragehändler *m.* **'ar·bi·tral** *adj* schiedsrichterlich: ~ **award** Schiedsspruch *m*; ~ **case** Schiedssache *f*; ~ **jurisdiction** Schiedsgerichtsbarkeit *f*; ~ **body** (*od.* **court** *od.* **tribunal**) Schiedsgericht *n*, -instanz *f.* **ar·bit·ra·ment** [ɑːr'bitrəmənt] *s* **1.** *obs.* schiedsrichterliche Gewalt, Entscheidungsgewalt *f.* **2.** Schiedsspruch *m.* **3.** *obs.* freier Wille.

ar·bi·trar·i·ness ['ɑːrbitrərinis] *s* **1.** Willkür *f*, Eigenmächtigkeit *f.* **2.** *math.* Beliebigkeit *f.*

ar·bi·trar·y ['ɑːrbitrəri] *adj* (*adv* **arbitrarily**) **1.** willkürlich: a) beliebig (*a. math.*): ~ **constant** willkürliche Konstante, b) eigenmächtig: ~ **action** eigenmächtige Handlung, Willkürakt *m*, c) des'potisch, ty'rannisch: ~ **ruler.** **2.** launenhaft, unvernünftig.

ar·bi·trate ['ɑːrbiˌtreit] **I** *v/t* **1.** a) (als Schiedsrichter *od.* durch Schiedsspruch *od.* schiedsrichterlich) entscheiden, schlichten, beilegen, b) über *e-e Sache* schiedsrichterlich verhandeln. **2.** e-m Schiedsspruch unter'werfen. **II** *v/i* **3.** als Schiedsrichter fun'gieren, vermitteln. **4.** *econ.* Arbi'tragegeschäfte machen.

ar·bi·tra·tion [ˌɑːrbi'treiʃən] *s* **1.** Schieds(gerichts)verfahren *n.* **2.** a) (schiedsrichterliche) Entscheidung, Schiedsspruch *m*, b) Schlichtung *f*: ~ **agreement** (*od.* **treaty**) Schiedsvertrag *m*; ~ **board** *Am.* Schlichtungs-, Schiedsstelle *f*; ~ **clause** Schieds(gerichts)klausel *f*; ~ **committee** Schlichtungsausschuß *m*; **court of** ~ Schiedsgericht *n*, Schieds(gerichts)hof *m*; **to submit to** ~ e-m Schiedsgericht unterwerfen. **3.** ~ **of exchange** *econ.* 'Wechselarbiˌtrage *f.* **'ar·biˌtra·tor** [-tər] *s bes. econ. jur.* a) Schiedsrichter *m*, -mann *m*, b) Schlichter *m.*

ar·bor[1], *bes. Br.* **ar·bour** ['ɑːrbər] *s* **1.** Laube *f*, Laubengang *m.* **2.** *obs.* a) Rasen *m*, b) (Obst)Garten *m.*

ar·bor[2] ['ɑːrbər; -bɔːr] *s* **1.** *pl* **'ar·bo·ˌres** [-ˌriːz] *bot.* Baum *m.* **2.** *pl* **'ar·bors** *tech.* a) Balken *m*, Holm *m*, b) Achse *f*, Welle *f*, c) Spindel *f*, (Aufsteck)Dorn *m.*

ar·bo·ra·ceous [ˌɑːrbə'reiʃəs] → **arboreal.**

Ar·bor Day *s bes. Am.* Tag *m* des Baumes, Baumpflanz(ungs)tag *m.*

ar·bo·re·al [ɑːr'bɔːriəl] *adj* **1.** baumartig, Baum... **2.** auf Bäumen lebend.

ar·bo·re·an [ɑːr'bɔːriən] → **arboreal.**

ar·bored, *bes. Br.* **ar·boured** ['ɑːrbərd] *adj* **1.** mit e-r Laube *od.* Lauben (versehen), laubenartig. **2.** mit Bäumen besetzt *od.* um'säumt.

ar·bo·re·ous [ɑːr'bɔːriəs] *adj* **1.** baumreich, waldig, bewaldet. **2.** → **arboreal.** **3.** → **arborescent.**

ar·bo·res·cent [ˌɑːrbə'resnt] *adj* **1.** baumartig wachsend *od.* verzweigt *od.* sich ausbreitend. **2.** *bes. min.* mit baumartiger Zeichnung.

ar·bo·re·tum [ˌɑːrbə'riːtəm] *pl* **-tums, -ta** [-ə] *s* Arbo'retum *n* (*Sammelpflanzung lebender Gehölze*).

ar·bo·ri·cul·tur·al [ˌɑːrbəri'kʌltʃərəl] *adj* Baumzucht... **'ar·bo·riˌcul·ture** *s* Baumzucht *f.* **ˌar·bo·ri'cul·tur·ist** *s* Baumzüchter(in), -gärtner(in).

ar·bor·i·za·tion [ˌɑːrbərai'zeiʃən] *s* **1.** baumförmige Bildung. **2.** Den'drit *m*: a) *min.* den'dritenartige Bildung, b) *anat.* baumartige Verzweigung.

ar·bor·ous ['ɑːrbərəs] *adj* Baum..., aus Bäumen bestehend.

ar·bor vi·tae ['vaitiː] *s anat. bot.* Lebensbaum *m.*

ar·bour ['ɑːrbər], **'ar·boured** [-bərd] *bes. Br. für* **arbor**[1], **arbored.**

ar·bu·tus [ɑːr'bjuːtəs] *s bot.* **1.** Erdbeerbaum *m.* **2.** *a.* **trailing** ~ *Am.* Kriechende Heide.

arc [ɑːrk] **I** *s* **1.** Bogen *m* (*a. tech.*). **2.** *math.* Bogen *m* (*e-s Kreises etc*), Arkus *m*: ~-**hyperbolic function** inverse Hyperbelfunktion; ~ **secant** Arkussekans *m*; ~ **sine** Arkussinus *m*; ~ **trigonometric** inverstrigonometrisch. **3.** *astr.* a) Bogen *m*, (Tag-Nacht)Kreis *m*, b) Winkelgeschwindigkeitsmaß *n.* **4.** *electr.* (Licht)Bogen *m*: ~ **ignition** Lichtbogenzündung *f*; ~ **spectrum** Bogenspektrum *n*; ~ **welding** Lichtbogenschweißung *f.* **II** *v/i* **5.** *a.* ~ **over** *electr.* e-n (Licht)-Bogen bilden, ‚funken': **to** ~ **back** rückzünden (*Gleichrichter*), ‚feuern' (*elektrische Maschine*).

ar·cade [ɑːr'keid] *s* **1.** *arch.* Ar'kade *f*: a) Säulen-, Bogen-, Laubengang *m*, b) Bogen(reihe *f*) *m.* **2.** 'Durchgang *m*, Pas'sage *f.* **ar'cad·ed** *adj* mit Ar'kaden (versehen), Arkaden...

Ar·ca·di·a [ɑːr'keidiə] *npr u. s* Ar'kadien *n* (*a. fig.*).

Ar·ca·di·an[1] [ɑːr'keidiən] **I** *s* Ar'kadier(in). **II** *adj* ar'kadisch: a) aus Ar'kadien, b) *fig.* i'dyllisch.

ar·ca·di·an[2] [ɑːr'keidiən] *adj arch.* mit e-r Ar'kade (versehen), Arkaden...

Ar·ca·dy ['ɑːrkədi] *s poet.* Ar'kadien *n.*

ar·cane [ɑːr'kein] *adj* geheim, geheimnisvoll, verborgen.

ar·ca·num [ɑːr'keinəm] *pl* **-na** [-ə] *s*

1. *meist pl* Geheimnis *n*, My'sterium *n*. 2. *pharm. hist.* Ar'kanum *n*, Eli'xier *n*.

ar·ca·ture ['ɑːrkətʃər] *s arch.* 1. kleine Ar'kade (*als Balustrade etc*). 2. 'Blendarˌkade *f*.

arc| back *s electr.* Bogenrückschlag *m*. ~ **flame** *s electr.* Flammenbogen *m*, (Licht)Bogenflamme *f*. ~ **gen·er·a·tor** *s* 'Lichtbogengeneˌrator *m*.

arch[1] [ɑːrtʃ] **I** *s* 1. *arch.* (Brücken-, Fenster-, Gewölbe-, Schwib)Bogen *m*. 2. *arch.* über'wölbter (Ein-, 'Durch)Gang, Gewölbe *n*. 3. Bogen *m*, Wölbung *f*: the ~ of her eyebrow; ~ of the instep Rist *m* des Fußes, Spann *m*; ~ support Senkfußeinlage *f*; fallen ~es Senkfüße; ~ of the cranium *anat.* Hirnschädelgewölbe *n*. 4. *fig. poet.* Himmelsbogen *m*: a) Regenbogen *m*, b) Himmelsgewölbe *n*. 5. *metall.* a) Vorofen *m*, b) Feuer-, Schmelzofen *m*. 6. *Phonetik*: Gaumenbogen *m*. **II** *v/t* 7. mit Bogen versehen *od.* über'spannen: to ~ over überwölben. 8. wölben, krümmen: to ~ one's back e-n Buckel machen (*bes. Katze*). **III** *v/i* 9. sich wölben.

arch[2] [ɑːrtʃ] *adj* erst(er, e, es), oberst(er, e, es), größt(er, e, es), Haupt..., Ur..., Erz..., Riesen...: ~ rogue Erzschurke *m*.

arch[3] [ɑːrtʃ] *adj* (*adv* ~ly) 1. schelmisch, schalkhaft, spitzbübisch. 2. schlau.

-arch[1] [ɑːrk] *Wortelement mit der Bedeutung* Herrscher: oligarch.

-arch[2] [ɑːrk] *bot. Wortelement mit der Bedeutung* von e-m gewissen Typ *od.* Ursprung: pentarch.

arch- [ɑːrtʃ] *Wortelement bei Titeln etc mit der Bedeutung* erst, oberst, Haupt..., Erz...

Ar·chae·an [ɑːr'kiːən] *geol.* **I** *adj* a'zoisch, ar'chäisch. **II** *s* A'zoikum *n*.

ar·chae·o·log·ic [ˌɑːrkiə'lɒdʒik] *adj*; **ˌar·chae·o'log·i·cal** [-kəl] *adj* (*adv* ~ly) archäo'logisch, Altertums... **ˌar·chae'ol·o·gist** [-'ɒlədʒist] *s* Archäo'loge *m*, Altertumsforscher *m*. **ˌar·chae'ol·o·gy** *s* 1. Archäolo'gie *f*, Altertumskunde *f*, -wissenschaft *f*. 2. Altertümer *pl*, Kul'turreste *pl*.

ar·cha·ic [ɑːr'keiik] *adj* (*adv* ~ally) ar'chaisch: a) frühzeitlich, altertümlich (*Kunst etc*), b) *ling.* veraltet, altmodisch, c) *psych.* regres'siv.

ar·cha·i·cism [ɑːr'keiiˌsizəm] → archaism 1 b.

ar·cha·ism ['ɑːrkeiˌizəm; -ki-] *s* 1. Archa'ismus *m*: a) veraltete Ausdrucksweise, b) veralteter Ausdruck. 2. (*etwas*) Altertümliches *od.* Veraltetes, alte Sitte. **'ar·chaˌize I** *v/t* archai'sieren. **II** *v/i* alte Formen *od.* Gebräuche nachahmen.

arch·an·gel ['ɑːrkˌeindʒəl] *s* 1. Erzengel *m*. 2. *bot.* An'gelika *f*, Engelwurz *f*.

'arch'bish·op *s* Erzbischof *m*. **ˌarch'bish·op·ric** *s* 1. Erzbistum *n*. 2. Erzbischofsamt *n*, -würde *f*.

arch| brace *s arch.* Bogenstrebe *f*. ~ **bridge** *s tech.* Bogen-, Jochbrücke *f*.

'arch'dea·con *s* 'Archidiaˌkon *m*. **ˌarch'dea·con·ry** [-ri], **ˌarch'dea·conˌship** *s* 'Archi-, 'Erzdiakoˌnat *n*.

'arch'di·o·cese *s* 'Erzdiöˌzese *f*.

ˌarch'du·cal *adj* erzherzoglich. **'arch'duch·ess** *s* Erzherzogin *f*. **'arch'duch·y** *s* Erzherzogtum *n*. **'arch'duke** *s* Erzherzog *m*. **ˌarch'duke·dom** *s* Erzherzogtum *n*.

Ar·che·an [ɑːr'kiːən] *bes. Am. für* Archaean.

ar·che·bi·o·sis [ˌɑːrkibai'ousis] *s* Urzeugung *f*.

arched [ɑːrtʃt] *adj* gewölbt, über'wölbt: ~ charge *mil.* gewölbte Ladung; ~ roof Tonnendach *n*.

arch en·e·my ['ɑːrtʃ'enimi] → arch-fiend.

ar·chen·ter·on [ɑːr'kentəˌrɒn] *s biol.* Ar'chenteron *n*, Urdarm *m*.

ar·che·o·log·ic *etc Am. Nebenform für* archaeologic *etc*.

arch·er ['ɑːrtʃər] *s* 1. Bogenschütze *m*. 2. A~ *astr.* Schütze *m* (*Sternbild u. Tierkreiszeichen*). **'arch·er·y** *s* 1. Bogenschießen *n*. 2. Ausrüstung *f* e-s Bogenschützen. 3. *collect.* Bogenschützen *pl*, Schützengilde *f*.

ar·che·typ·al ['ɑːrkiˌtaipəl] *adj* 1. *bes. philos. psych.* arche'typisch: a) urbildlich, b) mustergültig. 2. Muster...

ar·che·type ['ɑːrkiˌtaip] *s* 1. Arche'typ(us) *m*: a) *philos. etc* Urbild *n*, Urform *f*, Vorbild *n*, Origi'nal *n*, Muster *n*, b) *bot. zo.* Urform *f*, c) Urhandschrift *f*, erster Druck. 2. *psych.* Arche'typus *m* (*bei C. G. Jung*).

arch·fiend ['ɑːrtʃ'fiːnd] *s* Erzfeind *m*: a) Todfeind *m*, b) (*der*) Satan.

archi- [ɑːrki] *Wortelement mit der Bedeutung* a) Haupt..., Ober..., oberst, erst, b) *biol.* ursprünglich, primitiv.

ar·chi·bald ['ɑːrtʃiˌbɔːld] → archie.

ar·chi·blast ['ɑːrkiˌblæst] *s biol.* 1. Eiplasma *n*. 2. äußeres Keimblatt (*des Embryos*).

ar·chi·di·ac·o·nal [ˌɑːrkidai'ækənl] *adj* archidia'konisch.

ar·chie ['ɑːrtʃi] *s mil. Br. sl.* Flak-(geschütz *n*) *f*.

ar·chi·e·pis·co·pa·cy [ˌɑːrkii'piskəpəsi] *s* 'Kirchenreˌgierung *f* durch Erzbischöfe. **ˌar·chi·e'pis·co·pal** *adj* erzbischöflich. **ˌar·chi·e'pis·co·pate** [-pit; -ˌpeit] *s* 1. Amt *n od.* Würde *f* e-s Erzbischofs. 2. Erzbistum *n*.

ar·chil ['ɑːrkil] *s* Or'seille *f*: a) *bot.* Färberflechte *f*, b) *tech. ein Farbstoff*.

Ar·chi·me·de·an [ˌɑːrki'miːdiən] *adj* archi'medisch: ~ screw *tech.* archimedische Schraube, Wasser-, Förderschnecke *f*.

ar·chi·pel·a·go [ˌɑːrki'peləˌgou] **I** *s* Archi'pel *m*, Inselmeer *n*, -gruppe *f*. **II** *npr* A~ Ä'gäisches Meer.

ar·chi·plasm ['ɑːrkiˌplæzəm] *s biol.* Urplasma *n*.

ar·chi·tect ['ɑːrkiˌtekt] *s* 1. Archi'tekt *m*, Baumeister *m*: ~'s scale Reißbrettlineal *n*. 2. *fig.* Schöpfer *m*, Urheber *m*, Gründer *m*: the ~ of one's fortune des eigenen Glückes Schmied.

ar·chi·tec·ton·ic [ˌɑːrkitek'tɒnik] **I** *adj* (*adv* ~ally) 1. architek'tonisch, baukünstlerisch, baulich. 2. Bau... 3. konstruk'tiv, schöpferisch. 4. planvoll, struktu'rell, syste'matisch. 5. *mus. philos.* systemati'sierend, klar u. logisch aufgebaut. 6. *Kunst*: tek'tonisch. **II** *s* 7. *a. pl* (*als sg konstruiert*) Architek'tonik *f*, Architek'tur *f* (*als Wissenschaft*), (Lehre *f* von der) Baukunst *f*. 8. *a. pl* Struk'tur *f*, Aufbau *m*, Anlage *f*.

ar·chi·tec·tur·al [ˌɑːrki'tektʃərəl] *adj* Architektur..., Bau..., architek'tonisch, baulich: ~ acoustics Raumakustik *f*; ~ design Raumgestaltung *f*; ~ engineering Hochbau *m*.

ar·chi·tec·ture ['ɑːrkiˌtektʃər] *s* 1. Architek'tur *f*: a) Baukunst *f*: school of ~ Bauschule *f*, Bauakademie *f*, b) Bauart *f*, Baustil *m*. 2. *a. fig.* (Auf)Bau *m*, Struk'tur *f*, Anlage *f*, Konstrukti'on *f*. 3. a) Bau(werk *n*) *m*, Gebäude *n*, b) *collect.* Gebäude *pl*, Bauten *pl*. 4. *poet.* Schöpferkunst *f*.

ar·chi·trave ['ɑːrkiˌtreiv] *s arch.* 1. Archi'trav *m*, Säulen-, Tragbalken *m*. 2. archi'travähnliche (Tür- *etc*) Einfassung.

ar·chi·val [ɑːr'kaivəl] *adj* Archiv...

ar·chive ['ɑːrkaiv] *s meist pl* Ar'chiv *n*, Urkundensammlung *f*. **'ar·chi·vist** [-ki-] *s* Archi'var(in).

ar·chi·volt ['ɑːrkiˌvoult] *s arch.* Archi'volte *f*, Bogeneinfassung *f*.

arch·ness ['ɑːrtʃnis] *s* Schalkhaftigkeit *f*, Schelme'rei *f*, Durch'triebenheit *f*.

'arch'priest *s relig. hist.* Erzpriester *m*.

'arch|ˌway *s arch.* 1. Bogengang *m*, über'wölbter Torweg. 2. Bogen *m* (*über e-m Tor etc*). ~**·wise** ['ɑːrtʃˌwaiz] *adv* bogenartig.

-archy [ɑːrki; ərki] *Wortelement mit der Bedeutung* Herrschaft: monarchy.

arc·ing ['ɑːrkiŋ] *s electr.* Lichtbogenbildung *f*: ~ over Überschlagen *n* von Funken; ~ contact Abreißkontakt *m*; ~ voltage Überschlagsspannung *f*.

arc| lamp *s electr.* Bogen(licht)lampe *f*: enclosed ~ Dauerbrandbogenlampe, geschlossene Bogenlampe. ~ **light** *s electr.* 1. Bogenlichtlampe *f*. 2. Bogenlicht *n*.

Arc·ta·li·a [ɑːrk'teiliə] *s Tiergeographie*: arktischer Seebereich.

arc·ti·an ['ɑːrkʃiən; -tiən] → arctiid.

arc·tic ['ɑːrktik] **I** *adj* 1. arktisch, nördlich, Nord..., Polar...: A~ Ocean Nördliches Eismeer; A~ Circle nördlicher Polarkreis; ~ fox Polarfuchs *m*; ~ front *meteor.* Arktikfront *f*; ~ seal Seal-Imitation *f* aus Kaninchenfell. 2. *fig.* (eis)kalt, eisig. **II** *s* 3. *meist pl Am.* gefütterte wasserdichte 'Überschuhe *pl*.

arc·ti·id [ɑːrk'taiid] *zo.* **I** *s* Bärenspinner *m*. **II** *adj* zu den Bärenspinnern gehörig.

Arc·to·g(a)e·a [ˌɑːrkto'dʒiːə] *s Tiergeographie*: nördliche Halbkugel.

Arc·tu·rus [ɑːrk'tju(ə)rəs] *s astr.* Ark'tur(us) *m*, Bärenhüter *m* (*Stern*).

ar·cu·ate ['ɑːrkjuit; -ˌeit], **'ar·cuˌat·ed** [-ˌeitid] *adj* bogenförmig, gebogen.

'arc|-ˌweld *v/t electr.* mit dem Lichtbogen *od.* e'lektrisch schweißen. ~ **weld·ing** *s electr.* Lichtbogenschweißung *f*.

ar·den·cy ['ɑːrdənsi] → ardor.

ar·dent ['ɑːrdənt] *adj* (*adv* ~ly) 1. heiß, brennend, feurig, glühend (*alle a. fig.*): ~ eyes; ~ love; ~ fever hitziges Fieber; ~ spirits hochprozentige Spirituosen. 2. *fig.* inbrünstig, leidenschaftlich, innig, heftig: ~ wish; ~ admirer glühender Verehrer; ~ loathing heftiger Abscheu. 3. *fig.* eifrig, begeistert.

ar·dor, *bes. Br.* **ar·dour** ['ɑːrdər] *s* 1. Hitze *f*, Glut *f*. 2. *fig.* Leidenschaft(lichkeit) *f*, Heftigkeit *f*, Inbrunst *f*, Glut *f*, Feuer *n*. 3. *fig.* Eifer *m*, Begeisterung *f* (for für).

ar·du·ous [*Br.* 'ɑːrdjuəs; *Am.* -dʒuəs] *adj* (*adv* ~ly) 1. schwierig, schwer, anstrengend, mühsam: an ~ task. 2. emsig, ausdauernd, zäh, e'nergisch: ~ efforts große Anstrengungen; an ~ worker. 3. steil, jäh: an ~ mountain. 4. streng, hart: an ~ winter. **'ar·du·ous·ness** *s fig.* Schwierigkeit *f*, Mühsal *f*, Härte *f*.

are[1] [ɑːr] *pl u. 2. sg pres von* be.

are[2] [ɛr; ɑːr] *s* Ar *n* (*Flächenmaß = 100 qm = 119,6 square yards*).

a·re·a ['ɛ(ə)riə] *s* 1. (begrenzte) Fläche, Flächenraum *m*, Boden-, Grundfläche *f*. 2. Gebiet *n*, Zone *f*, Gegend *f* (*alle a. anat.*), Raum *m*: (culture) ~ Kulturgebiet, -bereich *m*; danger ~ Gefahrenzone; prohibited (*od.* restricted) ~ Sperrzone; residential ~ Wohngegend, -bezirk *m*; shopping ~ Einkaufszentrum *n*; in the Chicago ~

im Raum (von) Chicago; ~ of low pressure *meteor.* Tiefdruckgebiet. **3.** (freier) Platz: parking ~. **4.** Grundstück *n.* **5.** *fig.* Bereich *m,* Gebiet *n:* the ~ of foreign policy; within the ~ of possibility im Bereich des Möglichen. **6.** *math.* Flächeninhalt *m,* -raum *m,* (Grund)Fläche *f,* Inhalt *m:* ~ of a circle Kreisfläche. **7.** *math. phys. tech.* (Ober)Fläche *f:* ~ of contact Begrenzungs-, Berührungsfläche. **8.** *anat.* (*Gehör-, Seh-, Sprach- etc*)-Zentrum *n* (*in der Gehirnrinde etc*). **9.** *arch.* lichter Raum. **10.** *mil.* Abschnitt *m,* Operati'onsgebiet *n:* back ~ Etappe *f;* forward ~ Kampfgebiet *n;* ~ command *Am.* Militärbereich *m;* ~ bombing Bombenflächenwurf *m.* **11.** → areaway.

a·re·al ['ɛ(ə)riəl] *adj* Flächen(inhalts)... ~ **lin·guis·tics** *s pl* (*als sg konstruiert*) Are'al-, 'Neolingu,istik *f.*

a·rear [ə'rɪr] *adv* im Rücken, nach hinten.

a·re·a| vec·tor *s math.* 'Vektorpro,dukt *n.* '~,**way** *s* Kellervorhof *m,* Lichthof *m,* -schacht *m.*

ar·e·ca (palm) ['ærikə; ə'ri:kə] *s bot.* Betelnußpalme *f.*

a·re·na [ə'ri:nə] *s* A'rena *f:* a) *antiq.* Kampfplatz *m,* b) *sport* Kampfbahn *f,* Stadion *n,* c) *Am.* Sporthalle *f,* d) ('Zirkus)Ma,nege *f,* e) *fig.* Schauplatz *m,* Stätte *f,* Szene *f,* Bühne *f:* the political ~; to descend into the ~ *fig.* sich in die Arena *od.* Schlacht begeben; ~ theatre (*Am.* theater) Rundum-Theater *n* (*mit Zentralbühne*).

ar·e·na·ceous [,æri'neiʃəs] *adj* **1.** sandig, sandartig, -haltig. **2.** *bot.* in sandigem Boden wachsend.

aren't [ɑ:rnt] *colloq. für* are not.

a·re·o·la [ə'ri:ələ] *pl* **-lae** [-i:], **-las** *s* **1.** *biol.* Are'ole *f,* Feldchen *n,* Spiegelzelle *f.* **2.** *anat.* a) Are'ole *f,* Hof *m,* b) Brustwarzenhof *m,* -ring *m,* c) entzündeter Hautring, d) *Teil der Iris, der an die Pupille grenzt.* **a're·o·lar** *adj anat.* areo'lar, zellig, netzförmig: ~ tissue Zellengewebe *n.*

ar·e·om·e·ter [,æri'ɒmitər] *s phys.* Aräo'meter *n,* Tauch-, Senkwaage *f.* ,**ar·e'om·e·try** [-tri] *s* Aräome'trie *f.*

a·rête [ə'reit; *bes. Br.* æ'reit] *s* (Berg)-Kamm *m,* (Fels)Grat *m.*

ar·gent ['ɑ:rdʒənt] **I** *s bes. her.* Silber(farbe *f*) *n.* **II** *adj* silbern, silberfarbig. **ar'gen·tal** [-'dʒentl] *adj* silbern, silberhaltig: ~ mercury Silberamalgam *n.*

ar·gen·tic [ɑ:r'dʒentik] *adj chem.* silberhaltig: ~ chloride Silberchlorid *n.*

ar·gen·tif·er·ous [,ɑ:rdʒən'tifərəs] *adj min.* silberführend, -haltig.

ar·gen·tine[1] ['ɑ:rdʒən,tain; -tin] **I** *adj* **1.** silberartig, -farben, silbern. **2.** *fig.* silberrein, -hell. **II** *s* **3.** Neusilber *n.* **4.** *tech.* Silberfarbstoff *m.*

Ar·gen·tine[2] ['ɑ:rdʒən,tain; -,ti:n] **I** *adj* argen'tinisch. **II** *s* Argen'tinier(in).

Ar·gen·tin·e·an [,ɑ:rdʒən'tiniən] *s* Argen'tinier(in).

ar·gen·tite ['ɑ:rdʒən,tait] *s min.* Silberglanz *m.*

ar·gil ['ɑ:rdʒil] *s* Ton *m,* Töpfererde *f.* ,**ar·gil'la·ceous** [-'leiʃəs] *adj geol.* tonartig, -haltig, Ton...

ar·gol ['ɑ:rgəl] *s chem.* roher Weinstein.

ar·gon ['ɑ:rgɒn] *s chem.* Argon *n.*

Ar·go·naut ['ɑ:rgə,nɔ:t] *s* **1.** *myth.* Argo'naut *m.* **2.** *Am.* Goldsucher *m* in Kali'fornien (*1848-49*). **3.** a~ *zo.* → paper nautilus. ,**Ar·go'nau·tic** *adj* argo'nautisch.

ar·got ['ɑ:rgou] *s* Ar'got *n,* Jar'gon *m,* Slang *m, bes.* Gaunersprache *f.*

ar·gu·a·ble ['ɑ:rgjuəbl] *adj* (*adv* arguably) **1.** disku'tierbar, disku'tabel: it is ~ man könnte mit Recht behaupten. **2.** strittig, bestreitbar.

ar·gue ['ɑ:rgju:] **I** *v/i* **1.** argumen'tieren, Gründe (für u. wider) anführen: to ~ for s.th. a) für etwas eintreten (*Person*), b) für etwas sprechen (*Sache*); to ~ against s.th. a) gegen etwas Einwände machen, b) gegen etwas sprechen (*Sache*). **2.** streiten, rechten (with mit): don't ~! keine Widerrede! **3.** sprechen, dispu'tieren (about über *acc;* for für; against gegen; with mit). **4.** geltend machen, vorbringen, behaupten (that daß). **5.** folgen (from aus). **II** *v/t* **6.** be-, erweisen, zeigen. **7.** (das Für u. Wider) erörtern (von), disku'tieren: to ~ s.th. away etwas (hin)wegdiskutieren. **8.** *j-n* über'reden, bewegen: to ~ s.o. into s.th. j-n zu etwas überreden; to ~ s.o. out of s.th. j-n von etwas abbringen. **9.** schließen, folgern (from aus). **10.** beweisen, verraten, anzeigen, zeugen von.

ar·gu·fy ['ɑ:rgju,fai] *colloq.* **I** *v/i* **1.** hartnäckig argumen'tieren, streiten. **II** *v/t* **2.** *j-n* (*mit Argumenten*) bearbeiten. **3.** bestreiten.

ar·gu·ment ['ɑ:rgjumənt] *s* **1.** Argu'ment *n,* (Beweis)Grund *m,* Behauptung *f,* Einwand *m:* beyond ~ einwandfrei. **2.** Beweisführung *f,* Schlußfolgerung *f,* Erhärtung *f:* ~ from design *philos.* Beweis *m* aus der Zweckmäßigkeit, teleologischer Gottesbeweis. **3.** Erörterung *f,* De'batte *f:* to hold an ~ diskutieren. **4.** Streitfrage *f.* **5.** *jur.* Vorbringen *n, meist pl* (Beweis-, Rechts)Ausführung(en *pl*) *f:* closing ~s Schlußanträge. **6.** *colloq.* (Wort)Streit *m,* Ausein'andersetzung *f.* **7.** Thema *n,* Gegenstand *m.* **8.** (Haupt)-Inhalt *m.* **9.** *math.* a) Argu'ment *n,* unabhängige Vari'able, b) Leerstelle *f,* c) Anoma'lie *f* (*komplexe Zahlen etc*). **10.** *philos.* mittlerer Teil e-s Syllo'gismus.

ar·gu·men·ta·tion [,ɑ:rgjumen'teiʃən] *s* **1.** Argumentati'on *f,* Beweisführung *f,* Schlußfolgerung *f.* **2.** Erörterung *f.*

ar·gu·men·ta·tive [,ɑ:rgju'mentətiv] *adj* (*adv* ~ly) **1.** streitlustig. **2.** strittig, um'stritten. **3.** 'hinweisend (of auf *acc*): it is ~ of his guilt es deutet auf s-e Schuld hin. **4.** folgerichtig. ,**argu'men·ta·tive·ness** *s* **1.** Streit-, Debat'tierlust *f.* **2.** Beweiskraft *f.* **'ar·gu·men,ta·tor** [-,teitər] *s* **1.** Po'lemiker *m.* **2.** Beweisführer *m.*

Ar·gus ['ɑ:rgəs] **I** *npr* **1.** *myth.* Argus *m.* **II** *s* **2.** *fig.* Argus *m,* wachsamer Hüter. **3.** *orn.* → argus pheasant. '~-,**eyed** *adj* argusäugig, mit Argusaugen, wachsam. **a~ pheas·ant** *s orn.* 'Pfaufa,san *m,* Arguspfau *m.* **a~ shell** *s zo.* Argus-, Porzel'lanschnecke *f.*

ar·gute [ɑ:r'gju:t] *adj* (*adv* ~ly) **1.** scharf, schrill. **2.** scharfsinnig. **3.** verschmitzt.

ar·gyr·i·a [ɑ:r'dʒi(ə)riə] *s med.* Argy'rie *f,* Silbervergiftung *f.*

a·ri·a ['ɑ:riə; 'ɛ(ə)riə] *s mus.* Arie *f.*

Ar·i·an ['ɛ(ə)riən] *relig.* **I** *adj* ari'anisch. **II** *s* Ari'aner(in). **'Ar·i·an,ism** *s* Aria'nismus *m.*

ar·id ['ærid] *adj* (*adv* ~ly) **1.** dürr, trocken, unfruchtbar (*a. fig.*). **2.** *fig.* trocken, reizlos, nüchtern. **a·rid·i·ty** [ə'riditi] *s* **1.** Dürre *f,* Trockenheit *f,* Unfruchtbarkeit *f* (*a. fig.*). **2.** *fig.* Reizlosigkeit *f,* Trockenheit *f.*

Ar·i·el[1] ['ɛ(ə)riəl] *s astr.* Ariel *m* (*Uranusmond*).

ar·i·el[2] ['ɛ(ə)riəl] *s zo.* (*e-e*) a'rabische Ga'zelle.

A·ri·es ['ɛ(ə)ri,i:z; -ri:z] *s astr.* Widder *m,* Aries *m* (*Sternbild u. Tierkreiszeichen*).

a·right [ə'rait] *adv* **1.** recht, richtig, zu Recht: to set ~ richtigstellen. **2.** *obs.* gerade(swegs), di'rekt.

ar·il ['æril] *s bot.* A'rillus *m,* Samenmantel *m.*

a·rise [ə'raiz] *pret* **a·rose** [ə'rouz] *pp* **a·ris·en** [ə'rizn] *v/i* **1.** (from, out of) entstehen, -springen, her'vorgehen (aus), 'herrühren, kommen, stammen, die Folge sein (von). **2.** entstehen, sich erheben, auftauchen, -treten, -kommen: new problems ~; the question ~s die Frage erhebt *od.* stellt sich. **3.** aufstehen, sich erheben (*aus dem Bett etc, a. fig. Volk*), auferstehen (*von den Toten*), aufkommen, sich erheben (*Wind etc*), aufgehen (*Sonne etc*), aufsteigen (*Nebel etc*), sich erheben (*Lärm etc*).

a·ris·ta [ə'ristə] *pl* **-tae** [-i:] *s bot.* Granne *f.* **a'ris·tate** [-teit] *adj bot.* Grannen tragend.

Ar·is·tarch ['æris,tɑ:rk] *s* Ari'starch *m,* strenger Kritiker.

ar·is·toc·ra·cy [,æris'tɒkrəsi] *s* **1.** Aristokra'tie *f:* a) Adelsherrschaft *f,* b) *collect.* Adel *m,* (*die*) Adligen *pl,* c) *fig.* Adel *m,* E'lite *f.* **2.** Herrschaft *f* der E'lite.

a·ris·to·crat [ə'ristə,kræt; 'æris-] *s* Aristo'krat(in): a) Adlige(r *m*) *f,* b) *fig.* Herr *m,* Dame *f,* vornehmer Mensch.

a·ris·to·crat·ic [ə,ristə'krætik; ,æris-] *adj;* **a,ris·to'crat·i·cal** [-kəl] *adj* (*adv* ~ly) aristo'kratisch, adlig.

a·ris·to·crat·ism [ə'ristəkræ,tizəm] *s* Aristo'kratentum *n.*

ar·is·tol·o·gy [,æris'tɒlədʒi] *s* Kunst *f,* Tafelfreuden zu genießen.

Ar·is·to·phan·ic [,æristo'fænik] *adj* aristo'phanisch, geistreich-spöttisch.

Ar·is·to·te·le·an, Ar·is·to·te·li·an [,æristo'ti:liən] **I** *adj* aristo'telisch: ~ logic. **II** *s* Aristo'teliker *m.* ,**Ar·is·to'te·li·an,ism,** ,**Ar·is'tot·e,lism** [-'tɒtə,lizəm] *s* Aristote'lismus *m,* aristo'telische Philoso'phie.

a·rith·me·tic[1] [ə'riθmətik] *s* **1.** Arith'metik *f.* **2.** Rechnen *n,* Rechenkunst *f:* business ~, commercial ~ kaufmännisches Rechnen; → mental[2] 1. **3.** Arith'metik-, Rechenbuch *n.*

ar·ith·met·ic[2] [,æriθ'metik], ,**ar·ith'met·i·cal** [-kəl] *adj* arith'metisch, Rechen...: arithmetic element (*od.* unit) Rechenwerk *n* (*in e-r Rechenmaschine*); arithmetical progression (series) arithmetische Progression (Reihe); ~ operation Rechenoperation *f.* **a,rith·me'ti·cian** [-'tiʃən] *s* Arith'metiker *m,* Rechner *m.*

ark [ɑ:rk] *s* **1.** Arche *f:* Noah's ~ Arche Noah(s). **2.** *a.* ~ of refuge *fig.* Zufluchtsort *m.* **3.** Schrein *m:* ~ of the covenant *Bibl.* Bundeslade *f.* **4.** *obs. od. dial.* Truhe *f,* Kiste *f,* Korb *m.* **5.** *hist. Am.* Flachboot *n.*

ar·kose [ɑ:r'kous] *s geol.* Ar'kose *f,* feldspatreicher Sandstein.

ark shell *s zo.* Arche(nmuschel) *f.*

arm[1] [ɑ:rm] **I** *v/t* **1.** am Arm führen. **2.** *obs.* um'armen. **II** *v/i* **3.** *bot.* Seitentriebe bilden. **III** *s* **4.** *anat. zo.* Arm *m:* → *Bes. Redew.* **5.** *bot.* Ast *m,* großer Zweig. **6.** Fluß-, Meeresarm *m.* **7.** *physiol.* Abzweigung *f* (*von Adern etc*). **8.** Arm-, Seitenlehne *f* (*e-s Stuhles etc*). **9.** Ärmel *m.* **10.** *tech.* a) Arm *m* (*e-s Hebels, e-r Maschine etc, a. mar.*

e-s Ankers etc), Ausleger *m*, b) Zeiger *m*, Stab *m*: ~ of a balance Waagebalken *m*. **11.** *mar.* (Rah)Nock *f*. **12.** *electr.* a) Zweig *m* (*e-r Meßbrücke*), b) Schenkel *m* (*e-s Magneten*), c) Tonarm *m* (*am Grammophon*). **13.** *fig.* Arm *m*, Macht *f*: the ~ of the law der Arm des Gesetzes.

Besondere Redewendungen:

at ~'s length a) auf Armeslänge (entfernt), b) *fig.* in angemessener Entfernung; to keep s.o. at ~'s length *fig.* sich j-n vom Leibe halten; within ~'s reach in Reichweite; with open ~s *fig.* mit offenen Armen; to fly into s.o.'s ~s j-m in die Arme fliegen; to hold out one's ~s to s.o. j-m die Arme entgegenstrecken; to lend s.o. one's ~ j-m den Arm reichen; to make a long ~ *colloq.* a) den Arm ausstrecken, b) *fig.* sich anstrengen; to take s.o. in one's ~s j-n in die Arme nehmen *od.* schließen; child (*od.* infant *od.* babe) in ~s kleines Kind, Wickelkind *n*, Säugling *m*.

arm[2] [ɑːrm] **I** *v/t* **1.** (o.s. sich) (be)waffnen. **2.** *mil. tech.* ar'mieren, bewehren, (ver)stärken, (*mit Metall etc*) beschlagen, schützen. **3.** *mil. Munition etc* scharf machen. **4.** zu'rechtmachen, vorbereiten: to ~ a hook in angling. **5.** (o.s. sich) rüsten, wappnen, vorbereiten, bereit machen, versehen. **II** *v/i* **6.** sich (be)waffnen, sich wappnen, sich rüsten. **III** *s* **7.** *meist pl mil. u. fig.* Waffe(n *pl*) *f*: ~s control Rüstungskontrolle *f*; ~s race Wettrüsten *n*. **8.** *mil.* a) Waffen-, Truppengattung *f*, b) Wehrmachtsteil *m*: the naval ~ die Kriegsmarine. **9.** *pl* a) Mili'tärdienst *m*, b) Kriegswissenschaft *f*. **10.** *pl her.* Wappen(schild) *n*.

Besondere Redewendungen:

in ~s in Waffen, bewaffnet, gerüstet; to rise in ~s zu den Waffen greifen, sich erheben; up in ~s a) kampfbereit, b) in (vollem) Aufruhr, c) *fig.* in Harnisch, in hellem Zorn; under ~s unter Waffen, kampfbereit; by force of ~s mit Waffengewalt; to bear ~s a) Waffen tragen, b) als Soldat dienen, c) ein Wappen führen; → lay down 2; to take up ~s die Waffen ergreifen (*a. fig.*); passage of (*od.* at) ~s Waffengang *m* (*a. fig.*), *fig.* Wortgefecht *n*; ~s of courtesy stumpfe Waffen; → ground[1] 19; pile ~s! setzt die Gewehre zusammen!; present ~s! präsentiert das Gewehr!; port ~s! fällt das Gewehr!; shoulder ~s! Gewehr an Schulter!; slope ~s! das Gewehr über!; to ~s! zu den Waffen!, ans Gewehr!

ar·ma·da [ɑːr'mɑːdə] *s* **1.** Kriegsflotte *f*. **2.** A~ *hist.* Ar'mada *f*. **3.** Luftflotte *f*, Geschwader *n*.

ar·ma·dil·lo [ˌɑːrmə'dilou] *s zo.* **1.** Arma'dill *n*, Gürteltier *n*. **2.** Apo'thekerˌassel *f*.

Ar·ma·ged·don [ˌɑːrmə'gedn] *s* **1.** *Bibl.* a) 'Harmaˌgeddon, b) letzter Kampf zwischen Gut u. Böse. **2.** *fig.* Entscheidungskampf *m*, Weltkrieg *m*.

ar·ma·ment ['ɑːrməmənt] *s mil.* **1.** Kriegsstärke *f*, Mili'tärmacht *f* (*e-s Landes*). **2.** Streitmacht *f*: naval ~ Seestreitkräfte *pl*. **3.** Bewaffnung *f*, Bestückung *f*, Feuerstärke *f* (*e-s Kriegsschiffes, e-r Befestigung etc*): ~ officer Waffenoffizier *m* (*der Luftwaffe*). **4.** a) (Kriegs)Ausrüstung *f*, b) (Kriegs)Rüstung *f*, Aufrüstung *f*: ~ order Rüstungsauftrag *m*; ~ race Wettrüsten *n*.

ar·ma·ture ['ɑːrmətʃər] *s* **1.** Rüstung *f*, Panzer *m*, Bewaffnung *f*, Waffen *pl*. **2.** *mar. tech.* Panzer *m*, Panzerung *f*, Ar'mierung *f*, (*a.* Kabel)Bewehrung *f*, (Me'tall)Beschlag *m*. **3.** *fig.* Waffe *f*, Schutz *m*. **4.** *arch.* Arma'tur *f*, Verstärkung *f*. **5.** Gerüst *n* (*e-r Skulptur*). **6.** *electr.* a) Anker *m* (*a. e-s Magneten*), Läufer *m*, Rotor *m*, Re'lais *n*, b) *Radio*: pri'mär schwingender Teil e-s Lautsprechers: ~ coil Ankerwicklung *f*, -spule *f*; ~ current Läufer-, Ankerstrom *m*; ~ shaft Ankerwelle *f*.

arm|band *s* Armbinde *f*. '~ˌ**chair I** *s* **1.** Arm-, Lehnstuhl *m*, (Lehn)Sessel *m*: to put o.s. into s.o.'s ~ *fig.* sich in j-n hineinversetzen. **II** *adj* **2.** theo'retisch, vom grünen Tisch. **3.** Salon..., Stammtisch...: ~ politician.

armed[1] [ɑːrmd] *adj* mit ... Armen, ...armig: one-~ einarmig; bare-~ mit bloßen Armen.

armed[2] [ɑːrmd] *adj* **1.** *bes. mil.* bewaffnet: ~ conflict kriegerischer Konflikt, bewaffnete Auseinandersetzung; ~ eye bewaffnetes Auge; ~ forces, ~ services (Gesamt)Streitkräfte, Wehrmacht *f*; ~ neutrality bewaffnete Neutralität; ~ robbery *jur.* schwerer Raub; ~ service Dienst *m* mit der Waffe. **2.** *mil. tech.* gepanzert, bewehrt (*a. zo.*), ar'miert. **3.** *mil.* scharf, zündfertig (*Munition etc*). **4.** *phys.* mit Arma'tur (versehen): ~ magnet. **5.** *her.* mit (andersfarbigen) Füßen *od.* Hörnern *od.* Spitzen (versehen).

Ar·me·ni·an [ɑːr'miːniən] **I** *adj* **1.** ar'menisch. **II** *s* **2.** Ar'menier(in). **3.** *ling.* Ar'menisch *n*, das Armenische.

ar·met ['ɑːrmet] *s mil.* Sturmhaube *f*.

arm·ful ['ɑːrmful] *s* Armvoll *m*: an ~ of books ein Armvoll Bücher.

'**armˌhole** *s* **1.** → armpit. **2.** Ärmel-, Armloch *n*.

ar·mi·ger ['ɑːrmidʒər] *s* Wappenträger *m*.

arm·ing ['ɑːrmiŋ] *s* **1.** Bewaffnung *f*, (Aus)Rüstung *f*. **2.** Ar'mierung *f*. **3.** *her.* Wappen *n*. **4.** *phys.* Arma'tur *f* (*e-s Magneten*). **5.** *mar.* Talgbeschickung *f* beim Handlot.

ar·mi·stice ['ɑːrmistis] *s* Waffenstillstand *m* (*a. fig.*). **A~ Day** *s* Jahrestag *m* des Wafenstillstandes vom 11. No'vember 1918.

arm·less[1] ['ɑːrmlis] *adj* armlos.

arm·less[2] ['ɑːrmlis] *adj* unbewaffnet.

arm·let ['ɑːrmlit] *s* **1.** kleiner (Meeres- *od.* Fluß)Arm. **2.** *bes. mil.* Armbinde *f*.

'**arm|-ˌlev·er** *s Ringen*: Armhebel *m*. '~ˌ**lock** *s* **1.** *Ringen*: Armschlüssel *m*. **2.** *Jiu-Jitsu*: Armfessel *f*.

ar·mor, *bes. Br.* **ar·mour** ['ɑːrmər] **I** *s* **1.** Rüstung *f*, Panzer *m*. **2.** *fig.* Schutz *m*, Panzer *m*: the ~ of virtue. **3.** *mil. tech.* Panzer(ung *f*) *m*, Ar'mierung *f*, (*a. Kabel*)Bewehrung *f*: ~proof glass Panzerglas *n*, kugelsicheres Glas. **4.** Taucheranzug *m*. **5.** *bot. zo.* Panzer *m*, Schutz(decke *f*, -mittel *n*) *m*. **6.** *collect. mil.* a) Panzer(fahrzeuge) *pl*, b) Panzertruppen *pl*. **II** *v/t* **7.** a) (be)waffnen, (aus)rüsten, b) mit Panzerfahrzeugen ausrüsten. **8.** panzern. '~-ˌ**bear·er** *s* Waffenträger *m*, Schildknappe *m*. '~-ˌ**clad I** *adj* gepanzert, Panzer... **II** *s* Panzerschiff *n*.

ar·mored, *bes. Br.* **ar·moured** ['ɑːrmərd] *adj mil. tech.* gepanzert, Panzer..., bewehrt, ar'miert: ~ attack Panzerangriff *m*; ~ cable bewehrtes *od.* armiertes Kabel, Panzerkabel *n*; ~ (combat) car Panzerkampfwagen *m*; ~ concrete armierter Beton, Eisenbeton *m*; ~ cruiser Panzerkreuzer *m*; ~ infantry Panzergrenadiere *pl*; ~ train Panzerzug *m*.

ar·mor·er, *bes. Br.* **ar·mour·er** ['ɑːrmərər] *s* **1.** *mar. mil.* Waffenmeister *m*. **2.** *hist.* Waffenschmied *m*.

ar·mo·ri·al [ɑːr'mɔːriəl] **I** *adj* Wappen..., he'raldisch: ~ bearings Wappen(schild) *n*. **II** *s* Wappenbuch *n*.

Ar·mor·ic [ɑːr'mɒrik] *adj* ar'morisch, bre'tonisch. **Ar'mor·i·can I** *s* **1.** Armori'kaner(in). **2.** *ling.* Bre'tonisch *n*, das Bretonische. **II** *adj* → Armoric.

ar·mor·ied ['ɑːrmərid] *adj* mit Wappen bedeckt. '**ar·mor·ist** *s* He'raldiker *m*.

'**ar·mor|-ˌpierc·ing,** *bes. Br.* '**ar·mour-ˌpierc·ing** *adj mil.* panzerbrechend, Panzer(spreng)...: ~ ammunition a) Panzer(spreng)munition *f*, b) *Gewehr*: Stahlkernmunition *f*. '~-ˌ**plat·ed,** *bes. Br.* '**ar·mour-ˌplat·ed** → armor-clad I.

ar·mor·y[1] ['ɑːrməri] *s* He'raldik *f*, Wappenkunde *f*.

ar·mor·y[2], *bes. Br.* **ar·mour·y** ['ɑːrməri] *s* **1.** Rüst-, Waffenkammer *f*, Waffenmeiste'rei *f*, Zeughaus *n*, Arse'nal *n* (*a. fig.*). **2.** *Am.* 'Waffenfaˌbrik *f*. **3.** *Am.* Exer'zierhalle *f*.

ar·mour *etc bes. Br. für* armor *etc*.

ar·mour·y *bes. Br. für* armory[2].

'**arm|ˌpit** *s anat.* Achselhöhle *f*. '~ˌ**rest** *s* Armlehne *f*, -stütze *f*. '~ˌ**scye** *s* Ärmelausschnitt *m*.

ar·mure ['ɑːrmjur] *s* (*ein*) Woll- *od.* Seidenstoff *m* mit eingewebten Reli'efmustern.

ar·my ['ɑːrmi] *s* **1.** Ar'mee *f*, Heer *n*, Landstreitkräfte *pl*: ~ contractor Heereslieferant *m*; ~ group Heeresgruppe *f*; ~ kitchen Feldküche *f*; A~ List, *Am.* A~ Register Rangordnung *f* (*des Heeres*); ~ manual, ~ regulation Heeresdienstvorschrift *f*; ~ post office Feldpostamt *n*; ~ service area rückwärtiges Armeegebiet; to join the ~ in das Heer eintreten, Soldat werden. **2.** Ar'mee *f* (*als militärische Einheit*). **3.** Mili'tär *n*: the ~ *Br.* der Militärdienst. **4.** *fig.* Heer *n*, Menge *f*, große (An)Zahl. ~ **ant** → driver ant. ~ **chap·lain** *s mil.* Mili'tärseelsorger *m*, Heerespfarrer *m*. ~ **com·mis·sar·y** *s mil.* Heeresverpflegungsamt *n*. ~ **corps** *s mil.* Ar'meekorps *n*. ~ **host·ess** *s mil. Am.* Sol'datenbetreuerin *f*. **A~ War Col·lege** *s mil. Am.* 'Kriegsakadeˌmie *f*. [büffel *m*.]

ar·na ['ɑːrnɑː] *s zo.* Arni *m*, Riesen-}

ar·ni·ca ['ɑːrnikə] *s bot. pharm.* Arnika *f*. [are not.]

arn't, ar'n't [ɑːrnt] *colloq. abbr. für*}

ar·oid ['ærɔid; 'ɛ(ə)r-] *bot.* **I** *adj* zu den Aronstabgewächsen gehörig. **II** *s* Aronstab *m*.

a·roint thee [ə'rɔint] *interj poet.* fort!

a·rol·la [ə'rɒlə] *s bot.* Arve *f*, Zirbelkiefer *f*.

a·ro·ma [ə'roumə] *s* **1.** A'roma *n*, Duft *m*, Würze *f*, Blume *f* (*des Weines*). **2.** *fig.* Würze *f*, Reiz *m*.

ar·o·mat·ic [ˌæro'mætik] **I** *adj* aro'matisch (*a. chem.*), würzig, duftig: ~ bath *med.* Kräuterbad *n*. **II** *s* aro'matische Sub'stanz *od.* Pflanze.

a·ro·ma·tize [ə'rouməˌtaiz] *v/t* aromati'sieren, A'roma *od. fig.* Reiz verleihen (*dat*).

a·rose [ə'rouz] *pret von* arise.

a·round [ə'raund] **I** *adv* **1.** (rings)her'um: a) (rund)her'um, im Kreise, b) ringsum'her, überall('hin), nach *od.* auf allen Seiten. **2.** *Am. colloq.* um'her, (in der Gegend) her'um: to travel ~; to look ~ a) sich umsehen,

b) zurückschauen. **3.** *Am. colloq.* a) in der Nähe, da'bei: **the man was standing ~,** b) da, zur Hand: **she was always ~; stick ~!** bleib da *od.* in der Nähe! **II** *prep* **4.** um, um ... her('um), rund um, rings'um. **5.** nach allen Seiten, um ... her. **6.** *Am. colloq.* (rings)her'um, in (*dat*) ... her'um: **to travel ~ the country. 7.** *Am. colloq.* ungefähr, etwa, um ... her'um: **~ two thousand tons. 8.** *Am. colloq.* (nahe) bei, her'um, in (*dat*): **to stay ~ the house** sich im *od.* beim Hause aufhalten, zu Hause bleiben.

a'round-the-'clock *adj* den ganzen Tag dauernd, 24-stündig, 'durchgehend, Dauer...

a·rouse [ə'rauz] *v/t* **1.** *j-n* (auf)wecken, aus dem Schlaf reißen, wachrütteln. **2.** *fig.* auf-, wachrütteln, *Gefühle etc* wachrufen, erregen.

ar·peg·gio [ɑːr'pedʒiˌou] *s mus.* Ar'peggio *n.*

ar·que·bus ['ɑːrkwibəs] → harquebus.

ar·rack ['ærək] *s* Arrak *m.*

ar·rah ['ærə] *interj Ir.* aber!

ar·raign [ə'rein] *v/t* **1.** *jur.* a) vor Gericht stellen, b) zur Anklage vernehmen. **2.** *a. weitS.* anklagen, beschuldigen. **3.** *fig.* a) rügen, b) anfechten. **ar'raign·ment** *s* **1.** *jur.* for'melle Anklageverlesung, förmliche Vernehmung (*des Beschuldigten*). **2.** *a. weitS.* Anklage *f*, Beschuldigung *f.*

ar·range [ə'reindʒ] **I** *v/t* **1.** arran'gieren, (an)ordnen, aufstellen, in Ordnung bringen, (ein)richten: **to ~ one's affairs** s-e Angelegenheiten ordnen *od.* regeln; **to ~ in layers** *tech.* schichten; **~d in tandem** *tech.* hintereinander angeordnet. **2.** *a. math.* gliedern, grup'pieren, einteilen: **to be ~d** sich gliedern. **3.** festsetzen, -legen, vorbereiten, planen. **4.** Vorkehrungen treffen für, in die Wege leiten, arran'gieren: **to ~ a meeting. 5.** verabreden, vereinbaren, ausmachen: **as ~d** wie vereinbart. **6.** *etwas* erledigen, 'durchführen. **7.** *e-n Streit* schlichten, beilegen. **8. ~ o.s.** sich einrichten *od.* vorbereiten (**for** auf *acc*). **9.** *bes. mus. thea.* arran'gieren, einrichten, bearbeiten. **II** *v/i* **10.** sich verständigen *od.* einigen, ins reine kommen, e-n Vergleich schließen (**with s.o. about s.th.** mit j-m über etwas): **to ~ with a creditor about one's debts. 11.** Vorkehrungen treffen (**for, about** für, zu; **to** *inf* zu *inf*), es einrichten, dafür sorgen (**that** daß): **I will ~ for the car to be there.**

ar·range·ment [ə'reindʒmənt] *s* **1.** (An)Ordnung *f*, Aufbau *m*, Auf-, Zs.-stellung *f*, Dispositi'on *f*, Ein-, Verteilung *f*, Grup'pierung *f*, Einrichtung *f*, Gliederung *f*: **~ of chromosomes** *biol.* Chromosomenanordnung. **2.** *math.* a) Ansatz *m* (*e-r Gleichung*), Einteilung *f*, Anordnung *f*, Gliederung *f*, b) Komplexi'on *f*. **3.** Festsetzung *f*. **4.** Vereinbarung *f*, Verabredung *f*, Über'einkunft *f*, Abkommen *n*, Absprache *f*, Arrange'ment *n*: **to make an ~** (*od.* **to enter into an ~**) **with s.o.** mit j-m e-e Vereinbarung *etc* treffen; **salary by ~** Gehalt nach Absprache *od.* Übereinkunft. **5.** a) Beilegung *f*, Schlichtung *f*, b) Vergleich *m* (*mit Gläubigern*): **to come to an ~** e-n Vergleich schließen, sich vergleichen. **6.** Erledigung *f*, 'Durchführung *f*. **7.** *pl* Vorkehrungen *pl*, Vorbereitungen *pl*: **to make ~s** Vorkehrungen *od.* Vorbereitungen treffen. **8.** *pl* Veranstaltungen *pl*. **9.** *mus.* Arrange'ment *n*, *a. thea. etc* Einrichtung *f*, Bearbeitung *f*. **10.** Arrange'ment *n*, Zs.-stellung *f*: **an ~ in gray and white. ar'rang·er** *s* **1.** Arran'geur *m*, (An)Ordner(in). **2.** *bes. mus.* Arran'geur *m*, Bearbeiter(in).

ar·rant ['ærənt] *adj* (*adv* **~ly**) **1.** völlig, ausgesprochen, ‚kom'plett': **an ~ fool; ~ nonsense. 2.** abgefeimt, Erz...: **~ rogue** Erzgauner *m.*

ar·ras ['ærəs] *s* **1.** gewirkter Teppich, gewirkte Ta'pete. **2.** Wandbehang *m.*

ar·ray [ə'rei] **I** *v/t* **1.** *Truppen etc* aufstellen. **2.** (o.s. sich) kleiden, (her'aus)putzen, schmücken, 'ausstafˌfieren. **3.** *fig.* aufbieten, ins Feld führen (**against** gegen). **4.** *jur.* a) *die Geschworenenliste* aufstellen: **to ~ the panel,** b) *die Geschworenen* aufrufen. **II** *s* **5.** *mil.* Schlachtordnung *f*. **6.** *fig.* Phalanx *f*, (stattliche) Reihe, Menge *f*, Schar *f*, Aufgebot *n* (**of** von). **7.** Kleidung *f*, Tracht *f*, Aufmachung *f*, Staat *m*. **8.** *a. math.* Anordnung *f*. **9.** *jur.* a) (Aufstellung *f* der) Geschworenenliste *f*, b) (*die*) Geschworenen *pl*, c) Aufruf *m* der Geschworenen.

ar·rear [ə'rir] *s meist pl* Rückstand *m*, Rückstände *pl*: a) ausstehende Forderungen *pl*, Schulden *pl*, b) (*etwas*) Unerledigtes: **~s in** (*od.* **of**) **rent** rückständige Miete; **~s of interest** rückständige Zinsen; **~s on interest** Verzugszinsen; **~s of work** Arbeitsrückstände; **to be in ~(s) for** (*od.* **in**) **s.th.** mit etwas im Rückstand *od.* Verzug sein.

ar·rest [ə'rest] **I** *s* **1.** An-, Aufhalten *n*, Hemmung *f*, Stockung *f*: **~ of development** *biol.* Entwicklungshemmung; **~ of growth** *biol.* Wachstumsstillstand *m*; **~ of judg(e)ment** *jur.* Urteilssistierung *f*, Vertagung *f* des Urteils. **2.** *jur.* a) Verhaftung *f*, Festnahme *f*: **you are under ~!** Sie sind verhaftet!, b) Haft *f*, Ar'rest *m*: **under ~** in Haft, c) Beschlagnahme *f*. **II** *v/t* **3.** an-, aufhalten, hemmen, hindern, zum Stillstand bringen: **~ed growth** *biol.* Wachstumsstillstand *m*; **~ed tuberculosis** *med.* inaktive Tuberkulose. **4.** *fig. j-n, j-s Aufmerksamkeit etc* fesseln, bannen. **5.** *jur.* a) festnehmen, verhaften, b) beschlagnahmen, c) **to ~ judg(e)ment** das Urteil (*wegen Verfahrensmängel etc*) vertagen, den Urteilsvollzug aussetzen. **6.** *tech.* arre'tieren, sperren, feststellen, bloc'kieren: **~ing cam** Auflaufnocken *m*; **~ing gear** Sperrgetriebe *n*, Arretierung *f.*

ar·rest·er [ə'restər] *s* **1.** j-d, der verhaftet *od.* beschlagnahmt. **2.** *electr.* a) Blitzableiter *m*, b) Funkenlöscher *m*. **3.** *tech.* Filtervorrichtung *f* (*in Fabrikschornsteinen etc*). **~ ca·ble, ~ gear** *s aer. mil.* Fangkabel *n*. **~ hook** *s aer. mil.* Fanghaken *m.*

ar·rest·ing [ə'restiŋ] *adj* (*adv* **~ly**) a) fesselnd, eindrucksvoll, interes'sant, b) verblüffend, bi'zarr.

ar·res·tive [ə'restiv] *adj* fesselnd.

ar·rest·ment [ə'restmənt] *s* **1.** → arrest 1. **2.** *jur.* a) Beschlagnahme *f*, b) *Scot.* Verhaftung *f*. **ar'res·tor** [-tər] → **arrester.**

ar·rêt [a'rɛ; ə'rei] (*Fr.*) *s* **1.** *jur.* Urteil(sspruch *m*) *n*. **2.** *hist.* Erlaß *m.*

ar·ride [ə'raid] *v/t obs. j-m* gefallen.

ar·rière|-ban [arjɛr'bɑ̃; 'æriɛr'bæn] (*Fr.*) *s hist.* a) Aufruf *m od.* Proklamati'on *f* zum Waffendienst, b) Heerbann *m*. **~-pen·sée** [arjɛrpɑ̃'se] (*Fr.*) *s* 'Hintergedanke *m.*

ar·ris ['æris] *s tech. bes. arch.* (scharfe) Kante, Grat(linie *f*) *m*. **~ fil·let** *s arch.* Gratleiste *f*. **~ gut·ter** *s arch.* spitzwink(e)lige Dachrinne.

ar·riv·al [ə'raivəl] *s* **1.** Ankunft *f* (*a. aer. rail. etc*), Eintreffen *n*: **the day of ~; on his ~** bei *od.* gleich nach s-r Ankunft. **2.** Erscheinen *n*, Auftauchen *n*. **3.** a) Ankömmling *m*, b) (*etwas*) Angekommenes: **new ~** Neuankömmling (*a. fig. colloq. Kind*), *colloq.* Familienzuwachs *m*. **4.** *pl* ankommende Züge *pl od.* Schiffe *pl od.* Per'sonen *pl*. **5.** *fig.* Gelangen *n* (**at** zu): **~ at a conclusion. 6.** *oft pl econ.* Eingänge *pl*, Zufuhr *f*: **~ of goods** Wareneingang *m*; **on ~ of goods** bei Eingang *od.* Eintreffen der Ware. **7.** *colloq.* Neuankömmling *m*, neugeborenes Kind: **he (she) is a recent ~.**

ar·rive [ə'raiv] **I** *v/i* **1.** (an)kommen, eintreffen, anlangen (**at, in** an *od.* in *dat*). **2.** erscheinen, auftauchen. **3.** *fig.* (**at**) erreichen (*acc*), kommen *od.* gelangen (zu): **to ~ at a decision (understanding,** *etc*). **4.** kommen: **the time has ~d. 5.** Erfolg haben, ‚es schaffen', es (in der Welt) zu etwas bringen, arri'vieren. **6.** *obs.* geschehen (**to s.o.** j-m). **II** *v/t* **7.** *poet.* erreichen.

ar·ri·vé [ari've] (*Fr.*) *s* Arri'vierte(r *m*) *f*, Em'porkömmling *m*, Parve'nü *m.*

ar·ri·viste [ari'vist] (*Fr.*) *s* **1.** Karri'eremacher(in), Erfolgsmensch *m*. **2.** → **arrivé.**

ar·ro·gance ['ærəgəns] *s* Arro'ganz *f*, Dünkel *m*, Anmaßung *f*, Über'heblichkeit *f*. **'ar·ro·gant** *adj* (*adv* **~ly**) arro'gant, anmaßend, hochmütig, über'heblich, unverschämt.

ar·ro·gate ['æroˌgeit] *v/t* **1.** (*etwas für sich unrechtmäßig od. hochmütig*) in Anspruch nehmen, fordern, sich aneignen *od.* anmaßen (*meist* **to o.s.**): **to ~ a right to o.s. 2.** zuschreiben, zuschieben, zusprechen (**s.th. to s.o.** j-m etwas). **ˌar·ro'ga·tion** *s* Anmaßung *f* (**of** *gen*).

ar·row ['ærou] *s* **1.** Pfeil *m* (*a. fig.*): **broad ~** ‚Pfeilspitze' *f* (*brit. Regierungsgut kennzeichnend*). **2.** Pfeil(zeichen *n*) *m* (*als Richtungsweiser*). **3.** *surv.* Zähl-, Mar'kierstab *m*. **4.** *bot.* Spitze *f* des Hauptstengels vom Zuckerrohr. **~ grass** *s bot.* Dreizack *m*. **'~ˌhead** *s* **1.** Pfeilspitze *f*. **2.** Pfeil *m* (*in e-r technischen Zeichnung etc*). **3.** *bot.* Pfeilkraut *n*. **'~ˌhead·ed** *adj* in Form e-r Pfeilspitze. **'~ˌroot** *s bot.* **1.** Pfeilwurz *f*. **2.** Arrowroot *m*, Pfeilwurzstärke *f*. **'~-ˌtype** *adj tech.* pfeilförmig, Pfeil...: **~ wing.**

ar·row·y ['æroui] *adj* **1.** pfeilförmig, Pfeil... **2.** *fig.* pfeilschnell.

ar·roy·o [ə'rɔiou] *s Am.* **1.** Wasserlauf *m*. **2.** Trockental *n.*

arse [ɑːrs] *s Am. obs. u. Br. vulg.* ‚Arsch' *m.*

ar·se·nal ['ɑːrsənl] *s* **1.** Arse'nal *n* (*a. fig.*), Zeughaus *n*, Waffenlager *n*. **2.** 'Waffen-, Muniti'onsfaˌbrik *f.*

ar·se·nate ['ɑːrsəˌneit; -nit] *s chem.* ar'sensaures Salz.

ar·se·nic I *s* ['ɑːrsnik; -sənik] *chem.* **1.** Ar'sen *n*. **2.** weißes Ar'senik. **II** *adj* [ɑːr'senik] **3.** ar'senhaltig, Arsen(ik)...: **~ acid** Arsensäure *f*; **~ poisoning** Arsenvergiftung *f*. **ar'sen·i·cal** [-'senikəl] → **arsenic** 3. **ar'sen·iˌcate** [-ˌkeit] *v/t chem.* mit Ar'sen verbinden *od.* behandeln.

ar·se·nide ['ɑːrsəˌnaid; -nid] *s chem.* Ar'senmeˌtall *n*, -verbindung *f.*

ar·se·ni·ous [ɑːr'siːniəs] *adj chem.* **1.** ar'senig, Arsen..., dreiwertiges

Ar'sen enthaltend. **2.** Arsenik...: ~ acid Arsensäure *f.*
ar·se·nite ['ɑːrsi̩nait] *s chem.* ar'senigsaures Salz.
ar·sine [ɑːr'siːn; 'ɑːrsiːn; -sin] *s chem.* Ar'senwasserstoff *m.*
ar·sis ['ɑːrsis] *pl* **-ses** [-siːz] *s* **1.** *metr.* a) *hist.* unbetonter Teil e-s Versfußes, b) Hebung *f,* Arsis *f.* **2.** *mus.* Arsis *f,* unbetonter Taktteil.
ar·son ['ɑːrsn] *s jur.* Brandstiftung *f.*
'ar·son·ist, 'ar·son̩ite *s bes. Am.* Brandstifter(in).
art[1] [ɑːrt] **I** *s* **1.** (*bes.* bildende) Kunst: the ~ of painting (die Kunst der) Malerei *f;* work of ~ Kunstwerk *n;* brought to a fine ~ *fig.* zu e-r wahren Kunst entwickelt; → fine arts. **2.** *collect.* Kunstwerke *pl,* Kunst *f.* **3.** Kunst(fertigkeit) *f,* Geschicklichkeit *f:* the ~ of the painter. **4.** Kunst *f* (*als praktische Anwendung von Wissen u. Geschick*): the ~ of building; the ~ of navigation; ~ and part Entwurf u. Ausführung; to be ~ and part in s.th. planend u. ausführend an etwas beteiligt sein; applied (*od.* industrial) ~, ~s and crafts Kunstgewerbe *n.* **5.** a) Wissenszweig *m,* b) *Patentrecht:* Fachgebiet *n, a.* Technik *f:* person skilled in the ~ Fachmann *m;* term of ~ Fachausdruck *m;* → prior[1] 1, state 6. **6.** *pl* a) Geisteswissenschaften *pl,* b) *hist.* (*die*) freien Künste *pl* (*des Mittelalters*): Faculty of A~s, *Am.* A~s Department philosophische Fakultät; → bachelor 2, master 12, liberal arts. **7.** *meist pl* Kunstgriff *m,* Kniff *m,* Trick *m.* **8.** List *f,* Verschlagenheit *f,* Tücke *f.* **9.** Künstlichkeit *f,* 'Unna̩türlichkeit *f,* Affek'tiertheit *f.* **II** *adj* **10.** Kunst...: ~ ballad Kunstballade *f;* ~ director a) *thea. etc* Bühnenmeister *m,* b) *econ.* Atelierleiter *m,* graphischer Ideengestalter (*Werbung*); ~ gallery Kunst-, Bildergalerie *f;* ~ paper Kunstdruckpapier *n;* ~ song Kunstlied *n;* ~ theater *Am.* Filmkunsttheater *n;* → artwork. **11.** künstlerisch, dekora'tiv: ~ pottery.
art[2] [ɑːrt] *obs. 2. sg pres von* be.
ar·te·fact → artifact.
ar·te·ri·a [ɑːr'ti(ə)riə] *pl* **-ri·ae** [-̩iː] (*Lat.*) *s anat.* Ar'terie *f,* Schlagader *f.*
ar'te·ri·al *adj* **1.** *anat.* arteri'ell, Arterien..., Puls-, Schlagader... **2.** *fig.* e-e (Haupt)Verkehrsader betreffend: ~ road, *Am. a.* ~ highway Hauptverkehrs-, Durchgangs-, Ausfallstraße *f, a.* Fernverkehrsstraße *f;* ~ railway Hauptstrecke *f.*
ar·te·ri·ole [ɑːr'ti(ə)ri̩oul] *s anat.* Arteri'ole *f,* kleine Ar'terie.
ar·te·ri·o·scle·ro·sis [ɑːr̩ti(ə)riouskli(ə)'rousis] *s med.* Ar̩terioskle'rose *f,* Ar'terienverkalkung *f.*
ar·te·ri·ot·o·my [ɑːr̩ti(ə)ri'ɒtəmi] *s med.* Pulsadereröffnung *f.*
ar·te·ri·tis [̩ɑːrtə'raitis] *s med.* Arteri'itis *f,* Ar'terienentzündung *f.*
ar·ter·y ['ɑːrtəri] *s* **1.** *anat.* Ar'terie *f,* Puls-, Schlagader *f.* **2.** *fig.* (Haupt)-Verkehrsader *f, bes.* a) Hauptstraße *f,* b) Hauptwasserstraße *f:* ~ of trade Haupthandelsweg *m.* **3.** *fig.* Weg *m.*
ar·te·sian well [ɑːr'tiːʒən; -ziən] *s* **1.** ar'tesischer Brunnen. **2.** *Am.* tiefer Brunnen.
art·ful ['ɑːrtfəl; -ful] *adj* (*adv* ~ly) **1.** schlau, listig, verschlagen, raffi'niert. **2.** gewandt, geschickt. **3.** *selten* kunstvoll. **4.** künstlich. **'art·ful·ness** *s* **1.** List *f,* Schläue *f,* Verschlagenheit *f.* **2.** Gewandtheit *f.*
ar·thrit·ic [ɑːr'θritik] *med.* **I** *adj* ar'thritisch, gichtisch. **II** *s* Ar'thritiker(in), Gichtkranke(r *m*) *f.* **ar'thrit·i·cal** → arthritic I. **ar'thri·tis** [-'θraitis] *s med.* Ar'thritis *f,* Gelenkentzündung *f, bes.* Gicht *f.*
ar·thro·pod ['ɑːrθro̩pɒd] *s zo.* Gliederfüßer *m.*
ar·thro·sis [ɑːr'θrousis] *pl* **-ses** [-siːz] [*s med.* Ar'throse *f.*]
ar·thro·spore ['ɑːrθro̩spɔːr] *s bot.* Arthro'spore *f,* Gliederspore *f.*
Ar·thu·ri·an [ɑːr'θju(ə)riən] *adj* (König) Arthur *od.* Artus betreffend, Arthur..., Artus...
ar·ti·choke ['ɑːrti̩tʃouk] *s bot.* Arti'schocke *f:* Jerusalem ~ Erdartischocke.
ar·ti·cle ['ɑːrtikl] **I** *s* **1.** (*Zeitungs- etc*)-Ar'tikel *m,* Aufsatz *m* (*in e-r Zeitung etc*). **2.** Ar'tikel *m,* Gegenstand *m,* Sache *f:* the real ~ *sl.* das Richtige. **3.** *bes. econ.* (Ge'brauchs-, 'Handels)-Ar̩tikel *m,* Ware *f,* Warenposten *m,* Fabri'kat *n:* ~ of consumption Bedarfsartikel, Gebrauchsgegenstand *m.* **4.** *ling.* Ar'tikel *m,* Geschlechtswort *n.* **5.** Ar'tikel *m,* Para'graph *m,* Abschnitt *m,* Absatz *m,* Satz *m* (*e-s Gesetzes, Schriftstückes etc*): the Thirty-Nine A~s die 39 Glaubensartikel (der Anglikanischen Kirche). **6.** a) Ar'tikel *m,* Punkt *m,* Klausel *f* (*e-s Vertrages etc*), b) Vertrag *m:* ~s of apprenticeship Lehrvertrag; to serve one's ~s s-e Lehrzeit machen; ship's ~s Heuervertrag; ~s of association Statuten e-r Handelsgesellschaft, Gesellschaftsvertrag (*e-r Aktiengesellschaft*); ~s of incorporation (and bylaws) *Am.* Gründungsurkunde *f* (u. Satzung *f*) (*e-r AG*); according (contrary) to the ~s satzungsgemäß (-widrig). **7.** *Am. sl.* Kerl *m,* ‚Knülch' *m.* **8.** Augenblick *m:* in the ~ of death. **II** *v/t* **9.** ar'tikelweise abfassen, Punkt für Punkt darlegen. **10.** (als Lehrling) vertraglich binden, in die Lehre geben (to bei). **11.** anklagen (for wegen).
ar·ti·cled ['ɑːrtikld] *adj* **1.** vertraglich gebunden. **2.** in der Lehre (to bei): ~ clerk *jur. Br.* Rechtspraktikant *m.*
ar·tic·u·lar [ɑːr'tikjulər] *adj anat. biol.* Glied(er)..., Gelenk...
ar·tic·u·late I *adj* [ɑːr'tikjulit] **1.** klar (erkennbar *od.* her'vortretend), deutlich, scharf gegliedert. **2.** artiku'liert, klar *od.* deutlich ausgesprochen, verständlich (*Wörter etc*). **3.** a) fähig (deutlich) zu sprechen, b) *weitS.* fähig sich klar auszudrücken. **4.** a) deutlich, vernehmlich, b) sich Gehör verschaffend: to make ~ → 7. **5.** *bot. zo.* gegliedert, Glieder..., Gelenk...: ~ animal Gliedertier *n.* **II** *v/t* [-̩leit] **6.** artiku'lieren: a) (deutlich) aussprechen: to ~ a word, b) *Phonetik:* e-n Laut bilden. **7.** a) äußern, Ausdruck verleihen (*dat*), b) *etwas* zur Sprache bringen, Gehör verschaffen (*dat*). **8.** verbinden, zs.-fügen, durch Glieder *od.* Gelenke verbinden, *tech.* anlenken. **9.** (with) abstimmen (auf *acc*), koordi'nieren (mit). **III** *v/i* **10.** deutlich sprechen, (*Phonetik*) artiku'lieren. **11.** (with) sich eingliedern (in *acc*), sich verbinden (mit).
ar·tic·u·lat·ed [ɑːr'tikju̩leitid] *adj* **1.** gegliedert. **2.** *Phonetik:* artiku'liert. **3.** *tech.* angelenkt, gelenkig, Gelenk...: ~ coupling Gelenkkupplung *f;* ~ tractor Sattelschlepper *m;* ~ train *rail.* Gliederzug *m;* ~ vehicle Gelenkfahrzeug *n.*
ar·tic·u·late·ness [ɑːr'tikjulitnis] *s* Artiku'liertheit *f,* Deutlichkeit *f.*
ar·tic·u·la·tion [ɑːr̩tikju'leiʃən] *s* **1.** *bes. ling.* Artikulati'on *f* (*a. mus.*), (deutliche) Aussprache, Lautbildung *f.* **2.** *ling.* artiku'lierter Laut, *bes.* Konso'nant *m.* **3.** Deutlichkeit *f,* Verständlichkeit *f* (*a. teleph.*). **4.** Zs.-, Anein'anderfügung *f,* Verbindung *f.* **5.** Koordinati'on *f.* **6.** *anat. tech.* a) Gelenk(verbindung *f*) *n:* ~ piece Gelenkstück *n,* b) Gliederung *f.* **7.** *bot.* Knoten *m,* Stengelglied *n.*
ar·ti·fact ['ɑːrti̩fækt] *s* **1.** Arte'fakt *n:* a) Gebrauchsgegenstand *m,* Werkzeug *n od.* Gerät *n* (*bes. primitiver od. prähistorischer Kulturen*), b) *med.* 'Kunstpro̩dukt *n.* **2.** *biol.* durch den Tod *od.* ein Re'agens her'vorgerufene Struk'tur in Geweben *od.* Zellen.
ar·ti·fice ['ɑːrtifis] *s* **1.** *obs.* Kunst(fertigkeit) *f,* Geschick(lichkeit *f*) *n.* **2.** List *f,* Verschlagenheit *f.* **3.** Kunstgriff *m,* Kniff *m,* Trick *m.* **ar'tif·i·cer** [-'tifisər] *s* **1.** → artisan. **2.** *mil.* a) Feuerwerker *m,* b) Kompa'niehandwerker *m.* **3.** *fig.* Urheber(in).
ar·ti·fi·cial [̩ɑːrti'fiʃəl] **I** *adj* (*adv* ~ly) **1.** a) künstlich: ~ flower; ~ insemination; ~ kidney; ~ lake; ~ pearl; ~ respiration, b) Kunst...: ~ fertilizer; ~ gem synthetischer Edelstein; ~ horizon *aer. astr.* künstlicher Horizont; ~ language Kunstsprache *f,* Welthilfssprache *f;* ~ limb *med.* künstliches Glied, Kunstglied *n,* Prothese *f;* ~ person juristische Person; ~ selection *biol.* künstliche Zuchtwahl; → tooth 1. **2.** gekünstelt, unecht, gemacht, falsch. **3.** 'unna̩türlich, affek'tiert. **4.** *biol.* 'unor̩ganisch. **5.** *bot.* gezüchtet. **II** *s* **6.** *Am.* a) 'Kunstpro̩dukt *n,* b) *bes. pl* Kunstdünger *m.*
ar·ti·fi·ci·al·i·ty [̩ɑːrti̩fiʃi'æliti] *s* **1.** Künstlichkeit *f.* **2.** (*etwas*) Künstliches *od.* Gekünsteltes.
ar·til·ler·ist [ɑːr'tilərist] *s* **1.** Artille'rist *m.* **2.** Kano'nier *m.*
ar·til·ler·y [ɑːr'tiləri] *s* **1.** Artille'rie *f:* a) Geschütze *pl,* Ka'nonen *pl,* b) Artille'riekorps *n.* **2.** Artille'riefeuer *n.* **3.** *Am. sl.* ‚Ka'nonen' *pl,* Schießeisen *pl.* **4.** *hist.* 'Kriegsma̩schinen *pl,* Wurfgeschütze *pl.* **ar'til·ler·y·man** [-mən] *s irr* → artillerist.
ar·ti·o·dac·tyl [̩ɑːrtio'dæktil] *zo.* **I** *adj* paarzehig, spalthufig. **II** *s* Paarzeher *m,* -hufer *m.*
ar·ti·san [*Br.* ̩ɑːti'zæn; *Am.* 'ɑːrtəzən] *s* (Kunst)Handwerker *m.*
art·ist ['ɑːrtist] *s* **1.** (bildender) Künstler, (bildende) Künstlerin. **2.** Künstler(in) (*ausübend*), *bes.* a) Musiker(in), b) Sänger(in), c) Tänzer(in), d) Schauspieler(in), e) Ar'tist(in). **3.** *weitS.* Künstler(in), Könner(in). **4.** *obs.* a) Gelehrte(r) *m,* b) → artisan.
ar·tiste [ɑːr'tiːst] → artist 1—3.
ar·tis·tic [ɑːr'tistik] *adj;* **ar'tis·ti·cal** [-kəl] *adj* (*adv* ~ly) **1.** Kunst..., Künstler..., künstlerisch: artistic works Kunstwerke. **2.** künstlerisch: a) kunst-, geschmackvoll, b) kunstverständig, c) Bohemien...
art·ist·ry ['ɑːrtistri] *s* **1.** Künstlertum *n.* **2.** künstlerische Leistung *od.* Wirkung *od.* Voll'endung. **3.** Kunstfertigkeit *f.*
art·less ['ɑːrtlis] *adj* (*adv* ~ly) **1.** *fig.* aufrichtig, arglos, offen, ohne Falsch. **2.** ungekünstelt, na'türlich, schlicht, einfach, na'iv. **3.** unkünstlerisch, stümperhaft. **4.** ungebildet. **'art·less·ness** *s* **1.** Arglosigkeit *f,* Offenheit *f.*

2. Na'türlichkeit *f*, Einfachheit *f*. **3.** Kunstlosigkeit *f*. **4.** Ungebildetheit *f*.

'art,work *s* **1.** a) Kunstgewerbe *n*, b) kunstgewerbliche Ar'tikel *pl*. **2.** künstlerische Ausgestaltung. **3.** *econ.* gebrauchsgraphische *od.* illustra'tive Kompositi'onsele,mente *pl* (*e-s Werbemittels*), Graphik *f*.

art·y ['ɑːrti] *adj colloq.* **1.** a) gewollt bohemi'enhaft (*Person*): he is the ~ type ‚er macht auf Künstler', b) dilet'tantisch, ‚kunstbeflissen', ‚mit künstlerischen Ambiti'onen': ~ women. **2.** künstlerisch aufgemacht: ~ furniture. **'~(-and)-'craft·y** *adj* **1.** *iro.* künstlerisch, aber unpraktisch; ‚mo'dern-verrückt'. **2.** → arty 1 b.

ar·um ['ɛ(ə)rəm] *s bot.* **1.** Aronstab *m*. **2.** Feuerkolben *m*. **3.** Drachenwurz *f*. **~ lil·y** *s bot.* Weiße Gartenlilie.

Ar·y·an ['ɛ(ə)riən] **I** *s* **1.** Arier *m*, Indoger'mane *m*. **2.** *ling.* a) arische Sprachengruppe, b) indoger'manische Sprachen *pl*. **3.** Arier *m*, Nichtjude *m* (*in der Nazi-Ideologie*). **II** *adj* **4.** arisch. **5.** *ling.* a) arisch, indoi'ranisch, b) indoger'manisch. **6.** arisch, nichtjüdisch.

'Ar·y·an,ize *v/t* ari'sieren.

ar·yl ['æril] *s chem.* A'ryl *n*.

ar·y·te·noid [,æri'tiːnɔid; ə'riti-] *anat.* **I** *adj* gießbeckenförmig. **II** *s* Gießbeckenknorpel *m od.* -muskel *m*.

as [æz] **I** *adv* **1.** so, ebenso, gerade so: ~ good ~ gold so gut wie Gold; I ran ~ fast ~ I could ich lief so schnell ich konnte; just ~ good ebenso gut; twice ~ large zweimal so groß. **2.** wie (zum Beispiel): statesmen, ~ Churchill.

II *conj* **3.** (gerade) wie, so wie: ~ often ~ they wish so oft (wie) sie wünschen; ~ you wish wie Sie wünschen; ~ is the case wie es der Fall ist; ~ it is (so) wie die Dinge liegen; (~) soft ~ butter butterweich; ~ requested wunschgemäß; ~ I said before wie ich vorher *od.* schon sagte; ~ was their habit wie es ihre Gewohnheit war. **4.** ebenso wie, genau so wie: you will reap ~ you sow wie man sät, so erntet man. **5.** als, während, in'dem: ~ he entered als er eintrat, bei s-m Eintritt. **6.** ob'wohl, ob'gleich, wenn auch, wie *od.* so sehr, wie: late ~ he was, he attended the session trotz s-r Verspätung nahm er doch an der Sitzung teil; old ~ I am so alt wie ich bin; try ~ he would so viel er auch versuchte. **7.** da, weil: ~ you are sorry I'll forgive you. **8.** (als *od.* so) daß: so clearly guilty ~ to leave no doubt so offensichtlich schuldig, daß kein Zweifel bleibt.

III *pron* **9.** der, die, das, welch(er, e, es) (*nach* such *od.* same): such ~ need our help diejenigen, welche unsere Hilfe brauchen; the same man ~ was here yesterday derselbe Mann, der gestern hier war. **10.** was, welche Tatsache, wie: his health is not good, ~ he himself admits s-e Gesundheit läßt zu wünschen übrig, was er selbst zugibt.

IV *prep* **11.** als: to appear ~ Hamlet; he is ~ a father to me.

Besondere Redewendungen:

as ... as (eben)so ... wie; ~ sweet ~ can be so süß wie nur möglich; ~ cheap ~ five pence the bottle für nur fünf Pence die Flasche; ~ recently ~ last week erst letzte Woche; ~ high ~ the Eiffel Tower (eben)so hoch wie der Eiffelturm; ~ far ~ can be ascertained soweit es sich feststellen läßt; → far *Bes. Redew.*; ~ at an *od. econ.* zu (*e-m Zeitpunkt*); balance ~ at December 31st; ~ follow(s) wie folgt, folgendermaßen; their names are ~ follows ihre Namen lauten wie folgt; ~ for was ... anbetrifft; ~ from von *e-m Zeitpunkt* an, ab (*1. April etc*); → good 32, if 1; ~ is *econ.* im gegenwärtigen Zustand; the car was sold ~ is der Wagen wurde, so wie er war, verkauft; ~ it were sozusagen, gewissermaßen, gleichsam; → long[1] 20; ~ much gerade das, eben das, (eben)so; ~ much again doppelt so viel; I thought ~ much das dachte ich mir; ~ much ~ a) (eben)soviel wie, b) so sehr, so viel; did he pay ~ much ~ that? hat er so viel (dafür) bezahlt?; without ~ much ~ looking at him ohne ihn überhaupt *od.* auch nur anzusehen; ~ much ~ to say so viel wie, mit anderen Worten; this is ~ much ~ to say he is a fool das heißt, er ist ein Narr; ~ per *econ.* a) laut, gemäß (*dat*), b) nach dem Stande vom (*1. Januar etc*); ~ to a) was ... (an)betrifft, im Hinblick auf (*acc*), b) nach, gemäß (*dat*); ~ to this question was diese Frage betrifft; he is taxed ~ to his earnings er wird nach s-m Verdienst besteuert; be so kind ~ to come sei so gut und komm; ~ usual wie gewöhnlich; ~ well noch dazu, außerdem, auch, ebenfalls, ebenso; (just) ~ well ebenso(gut), genauso(gut); ~ well ... ~ sowohl ... als auch; nicht nur ..., sondern auch; ~ well ~ ebensogut wie; shall I bring the paper ~ well? soll ich auch die Zeitung bringen?; I might ~ well stay at home da kann *od.* könnte ich ebensogut (auch) zu Hause bleiben; that is just ~ well das ist schon gut so; ~ yet bis jetzt, bisher, bislang; I haven't seen him ~ yet bis jetzt habe ich ihn (noch) nicht gesehen; ~ you were! *mil.* Kommando zurück.

as·a·f(o)et·i·da [,æsə'fetidə] *s pharm.* Asa'fötida *f*, Teufelsdreck *m*.

as·a·ra·bac·ca [,æsərə'bækə] *s bot.* Haselwurz *f*.

as·bes·ti·form [æz'besti,fɔːrm; æs-] *adj min.* as'bestförmig, -artig. **as'bestine** [-tin] *adj* **1.** as'bestartig, Asbest... **2.** unverbrennbar.

as·bes·tos [æz'bestəs; æs-] *s min. tech.* As'best *m*: ~ board Asbestpappe *f*.

as·ca·rid ['æskərid] *s zo.* Aska'ride *f*, Spulwurm *m*.

as·cend [ə'send] **I** *v/i* **1.** (auf-, em'por-, hin'auf)steigen. **2.** ansteigen, (schräg) in die Höhe gehen. **3.** *fig.* sich erheben, aufsteigen. **4.** *fig.* (*zeitlich*) (hin'auf)reichen, zu'rückgehen (to, into bis in *acc*, bis auf *acc*). **5.** *mus.* an-, aufsteigen. **6.** *math.* steigen, zunehmen: ~ing powers steigende Potenzen. **II** *v/t* **7.** be-, ersteigen: to ~ a hill; to ~ the throne den Thron besteigen. **8.** *e-n Fluß* hin'auffahren.

as'cend·a·ble *adj* be-, ersteigbar.

as·cend·ance [ə'sendəns], **as'cend·an·cy** [-si] *s* 'Übergewicht *n*, Über'legenheit *f*, (bestimmender) Einfluß (over über *acc*): to rise to ~ zur Macht kommen; to gain ~ over a country Überlegenheit über *od.* bestimmenden Einfluß auf ein Land gewinnen.

as·cend·ant [ə'sendənt] **I** *s* **1.** *astr.* a) Aszen'dent *m*, Aufgangspunkt *m* (*e-r Gestirnbahn*): in the ~ *fig.* im Aufsteigen (begriffen), im Kommen, b) Horo'skop *n*. **2.** *fig.* → ascendance. **3.** Aszen'dent *m*, Vorfahr *m od.* Verwandte(r) *m* in aufsteigender Linie. **4.** *arch.* Tür-, Fensterpfosten *m*. **II** *adj* **5.** *astr.* aufgehend, -steigend. **6.** (auf)steigend. **7.** *fig.* über'legen (over *dat*), (vor)herrschend. **8.** *bot.* aufwärts wachsend.

as·cend·en·cy *etc* → ascendancy *etc*.

as·cen·der [ə'sendər] *s print.* **1.** (Klein)Buchstabe *m* mit Oberlänge. **2.** Oberlänge *f* (*e-s Buchstabens*).

as·cend·i·ble [ə'sendibl] → ascendable.

as·cend·ing [ə'sendiŋ] *adj* **1.** (auf)steigend (*a. fig.*). **2.** (an)steigend. **3.** *fig.* nach oben strebend. **4.** aufsteigend (*Stammbaum*). **5.** *bot.* a) schräg *od.* krumm aufwärts wachsend, b) raze'mos. **~ air cur·rent** *s phys.* Aufwind *m*. **~ cloud** *s phys.* Aufgleitwolke *f*. **~ con·vec·tion cur·rent** *s phys.* thermischer Aufwind. **~ gust** *s phys.* Steigbö *f*. **~ let·ter** → ascender 1. **~ se·ries** *s math.* steigende Reihe.

as·cen·sion [ə'senʃən] *s* **1.** Aufsteigen *n* (*a. astr.*), Aufstieg *m*, Besteigung *f*, Auffahrt *f*. **2.** the A~ die Himmelfahrt Christi, Christi Himmelfahrt *f*: A~ Day Christi Himmelfahrt, Himmelfahrtstag *m*.

as·cent [ə'sent] *s* **1.** Aufstieg *m*, -fahrt *f*. **2.** *tech.* Aufwärtshub *m*. **3.** *fig.* Aufstieg *m*, Em'porkommen *n*, Anstieg *m*. **4.** Be-, Ersteigung *f*: the ~ of Mount Everest; the ~ to the top der Aufstieg auf den Gipfel. **5.** *bes. math. tech.* Steigung *f*, Gefälle *n*. **6.** Anstieg *m*, Hang *m*, Höhe *f*. **7.** Auffahrt *f*, Rampe *f*, (Treppen)Aufgang *m*. **8.** *mus.* Ansteigen *n*, Anstieg *m*.

as·cer·tain [,æsər'tein] *v/t* **1.** feststellen, ermitteln, in Erfahrung bringen. **2.** *obs.* a) festsetzen, bestimmen, b) ~ o.s. sich vergewissern (of *gen*), c) sichern. **,as·cer'tain·a·ble** *adj* feststellbar, ermittelbar, zu ermitteln(d). **,as·cer'tain·ment** *s* Feststellung *f*, Ermittlung *f*.

as·cet·ic [ə'setik] **I** *adj* (*adv* ~ally) as'ketisch, Asketen... **II** *s* As'ket *m*. **as'cet·i,cism** [-,sizəm] *s* As'kese *f*.

as·cid·i·an [ə'sidiən] *s zo.* **1.** As'zidie *f*, Seescheide *f*. **2.** Manteltier *n*.

as·ci·tes [ə'saitiːz] *s med.* Bauchwassersucht *f*.

As·cle·pi·ad [æs'kliːpi,æd] *s* **1.** *antiq.* Asklepi'ade *m*, Arzt *m*. **2.** *metr.* asklepi'adischer Vers. **3.** a~ *bot.* Seidenpflanze(ngewächs *n*) *f*.

as·cle·pi·as [æs'kliːpiəs] *s bot.* Seidenpflanze *f*.

a·scor·bic ac·id [ei'skɔːrbik] *s chem.* Ascor'binsäure *f*, Vita'min C *n*.

As·cot ['æskət] **I** *npr* Ascot (*Pferderennbahn bei Windsor*). **II** *adj* Ascot...: ~ week. **III** *s* a~ *Am.* breite Kra'watte, Pla'stron *n*.

as·crib·a·ble [ə'skraibəbl] *adj* zuzuschreiben(d), beizumessen(d) (to *dat*).

as·cribe [ə'skraib] *v/t* **1.** (to) zu'rückführen (auf *acc*), zuschreiben (*dat*): his death was ~d to an accident. **2.** zuschreiben, beimessen, beilegen (*dat*): omnipotence is ~d to God.

as·crip·tion [ə'skripʃən] *s* (to) Zu'rückführen *n* (auf *acc*), Zuschreiben *n* (*dat*).

as·cus ['æskəs] *pl* **as·ci** ['æsai] *s bot.* Sporenschlauch *m*, Askus *m*.

as·dic ['æzdik] (*abbr. für* Allied Submarine Detection Investigation Committee) → sonar.

ase [eis; eiz] *s biol. chem.* En'zym *n*.

a·se·i·ty [ə'siːiti] *s philos.* Asei'tät *f*: a) *Existenz durch Selbsterschaffung*, b) *die absolute Selbständigkeit Gottes*.

a·sep·sis [ei'sepsis; æ's-] *s med.*

A'sepsis *f*: a) Keimfreiheit *f*, b) → asepticism. **a'sep·tic** [-tik] **I** *adj* (*adv* ~**ally**) a'septisch, keimfrei, ste'ril. **II** *s* a'septische Sub'stanz.

a·sep·ti·cism [ei'septi,sizəm; æ's-] *s med.* A'septik *f*, keimfreie Wundbehandlung. **a'sep·ti,cize** [-,saiz] *v/t* **1.** keimfrei *od.* a'septisch machen, sterili'sieren. **2.** a'septisch behandeln.

a·sex·u·al [ei'sekʃuəl; -sjuəl; æ's-] *adj* (*adv* ~**ly**) **1.** *biol.* asexu'al (*a. weitS.*), ungeschlechtig, geschlechtslos. **2.** ungeschlechtlich: ~ **generation** Ammengeneration *f*, ungeschlechtliche Generation; ~ **organism** Amme *f*.

ash[1] [æʃ] **I** *s* **1.** *bot.* Esche *f*: ~ **key** geflügelter Samen der Esche; ~ **tree** Eschenbaum *m*. **2.** Eschenholz *n*. **II** *adj* → **ashen**[1].

ash[2] [æʃ] *s* **1.** *a. chem.* Asche *f*: → **ashes**. **2.** Aschgrau *n*.

a·shamed [ə'ʃeimd] *adj* beschämt, sich schämend: **to be** (*od.* **feel**) ~ **of** sich *e-r Sache od. j-s* schämen; **be** ~ **of yourself!** schäme dich! **a'sham·ed·ly** [-idli] *adv* beschämt.

ash| bin *s bes. Br.* Ascheneimer *m*, Mülleimer *m*, -kasten *m*, -tonne *f*. ~ **cake** *s Am.* Aschenkuchen *m*, in Asche gebackener (Mais)Kuchen. ~ **can** *s Am.* → **ash bin**. ~ **con·crete** *s tech.* 'Löschbe,ton *m*.

ash·en[1] ['æʃn] *adj* eschen, aus Eschenholz, Eschen(holz)...

ash·en[2] ['æʃn] *adj* **1.** Aschen... **2.** aschfarben. **3.** *fig.* aschfahl, -grau.

ash·er·y ['æʃəri] *s* 'Pottaschenfa,brik *f*.

ash·es ['æʃiz] *s pl* **1.** Asche *f*: **to burn to** (*od.* **lay in**) ~ einäschern, niederbrennen, in e-n Aschenhaufen verwandeln; **to do penance** (*od.* **to mourn**) **in sackcloth and** ~ in Sack u. Asche Buße tun. **2.** *fig.* a) Asche *f*, (sterbliche) 'Überreste *pl*, b) Trümmer *pl*, c) Staub *m*. **3.** *fig.* Totenblässe *f*: **a face of** ~. **4.** *geol.* Vul'kanasche *f*. **5. to win** (*od.* **bring**) **back the** ~ (**from Australia**) (*Kricket*) die Niederlage (gegen Australien) wieder wettmachen.

ash·et ['æʃit] *s Scot.* (Fleisch)Platte *f*.

ash| fur·nace *s tech.* Glasschmelz-, Frittofen *m*. '~-'**gray** *adj* aschgrau, -farben, -blond.

a·shine [ə'ʃain] *pred adj* leuchtend.

Ash·ke·naz·im [,æʃki'næzim] *s pl* As(ch)ke'nasim *pl* (*Ostjuden*).

ash·lar ['æʃlər] *s arch.* **1.** Quaderstein *m*. **2.** Haustein-, Quadermauer *f*. '**ash·lar·ing** *s* **1.** → ashlar 2. **2.** (innere) Dachverschalung.

a·shore [ə'ʃɔːr] *adv u. pred adj mar.* ans *od.* am Ufer *od.* Land: **to go** ~ an Land gehen; **to run** ~ a) auflaufen, stranden, b) auf Strand setzen.

'**ash|,pan** *s* Aschenkasten *m*. '~,**pit** *s* Aschengrube *f*. ~ **re·mov·al** *s tech.* Entaschung *f*. ~ **tray** *s* Aschenbecher *m*, -schale *f*, Ascher *m*. **A~ Wednes·day** *s* Ascher'mittwoch *m*.

ash·y ['æʃi] *adj* **1.** aus Asche (bestehend), Aschen... **2.** mit Asche bedeckt. **3.** → **ashen**[2] 2 *u.* 3.

A·sian ['eiʃən; -ʒən] → **Asiatic**. ,**A·si'an·ic** [-ʃi'ænik; -ʒi-] *adj ling.* asi'anisch, die 'kleinasi,atische Sprachengruppe betreffend.

A·si·at·ic [,eiʃi'ætik; -ʒi-] **I** *adj* asi'atisch. **II** *s* Asi'at(in). ,**A·si'at·i,cism** [-i,sizəm] *s* asi'atische Eigentümlichkeit (*Sitte, Stil etc*).

a·side [ə'said] **I** *adv* **1.** bei'seite, auf die Seite, seitwärts, abseits: **to step** ~ zur Seite treten. **2.** bei'seite, weg: **to lay** ~. **3.** *thea.* für sich, leise, bei'seite (*gesprochene Worte*): **to speak** ~. **4.** ~ **from** *Am.* abgesehen von. **II** *s* **5.** *thea.* A'parte *n*, bei'seite gesprochene Worte *pl*. **6.** Nebenbemerkung *f*. **7.** *Br.* Nebenwirkung *f*.

as·i·nine ['æsi,nain] *adj* **1.** eselartig, Esels... **2.** *fig.* eselhaft, dumm. ,**as·i'nin·i·ty** [-'niniti] *s* Dummheit *f*.

ask [*Br.* ɑːsk; *Am.* æ(ː)sk] **I** *v/t* **1.** *j-n* fragen, *j-m* e-e Frage stellen. **2.** *j-n* fragen nach, sich bei *j-m* nach *etwas* erkundigen: **to** ~ **s.o. the way**; **to** ~ **s.o.** (**for**) **his name** j-n nach s-m Namen fragen; **may I** ~ **you a question?** darf ich Sie (nach) etwas fragen? **3.** *etwas* erfragen: **to** ~ **the time** fragen, wie spät es ist; **to** ~ **a question of s.o.** e-e Frage an j-n stellen. **4.** a) bitten um, *etwas* erbitten: **to** ~ **advice**, b) *j-n* bitten *od.* fragen *od.* ersuchen um: → **favor** 9; **to** ~ **s.o. in** j-n hereinbitten; ~ **him for advice** fragen Sie ihn um Rat; **we were** ~**ed to believe** man wollte uns glauben machen; → **asking**. **5.** verlangen, fordern: **to** ~ **a high price for s.th.**; **that's** ~**ing too much** das ist zuviel verlangt. **6.** *fig.* erfordern. **7.** einladen, bitten, auffordern: **to** ~ **s.o. to dinner**; **to be** ~**ed out** eingeladen sein. **8.** *Brautleute* aufbieten: **to be** ~**ed in church** *colloq.* aufgeboten werden. **II** *v/i* **9.** fragen, sich erkundigen (**for, about, after** nach). **10.** bitten (**for** um): **to** ~ **for help**; **he** ~**ed for it** (*od.* **for trouble**) *colloq.* er wollte es ja so haben, er hat es herausgefordert *od.* selbst heraufbeschworen. **11.** *fig.* verlangen, erfordern (**for** *acc*): **the matter** ~**s for great care**. **12.** ~ **for s.o.** j-n *od.* nach j-m verlangen, nach j-m fragen, j-n zu sprechen wünschen.

a·skance [ə'skæns], *selten* **a·skant** [ə'skænt] *adv* **1.** von der Seite, seitwärts, schief, schräg. **2.** *fig.* schief, scheel, 'mißtrauisch: **to look** ~ **at**.

a·skew [ə'skjuː] → **askance**.

ask·ing [*Br.* 'ɑːskiŋ; *Am.* 'æ(ː)s-] *s* **1.** Fragen *n*, Bitten *n*, Bitte *f*: **to be had for the** ~ umsonst *od.* leicht *od.* mühelos zu haben sein. **2.** Verlangen *n*, Forderung *f*. **3.** (Ehe)Aufgebot *n*. '**ask·ing·ly** *adv* **1.** fragend. **2.** flehentlich.

a·slant [*Br.* ə'slɑːnt; *Am.* ə'slæ(ː)nt] **I** *adv u. pred adj* schräg, schief, quer. **II** *prep* quer über *od.* durch.

a·sleep [ə'sliːp] *adv u. pred adj* **1.** schlafend, im *od.* in den Schlaf: **to be** ~ schlafen (*a. fig.*); **to be fast** ~ fest schlafen; **to fall** ~ einschlafen (*a. fig.*); **to put** ~ einschläfern. **2.** *fig.* entschlafen (*tot*). **3.** *fig.* untätig, unaufmerksam, träge, teilnahmslos. **4.** *fig.* eingeschlafen (*Glied*). [schüssig.]

a·slope [ə'sloup] *adv u. pred adj* ab-

a·so·cial [ei'souʃəl] *adj* **1.** *psych. sociol.* ungesellig, eigenbrötlerisch, kon'taktfeindlich. **2.** ego'istisch. **3.** → **antisocial**. [*f*, Giftschlange *f*.]

asp[1] [æsp] *s zo. u. poet.* Natter *f*, Viper

asp[2] [æsp] *poet. für* aspen I.

as·par·a·gus [əs'pærəgəs] *s bot.* Spargel *m*: ~ **tips** Spargelspitzen. ~ **stone** *s min.* Spargelstein *m*.

as·pect ['æspekt] *s* **1.** Aussehen *n*, Erscheinung *f*, Anblick *m*, Form *f*, Gestalt *f*. **2.** Miene *f*, Gesicht(sausdruck *m*) *n*: **serious in** ~ mit ernster Miene. **3.** *fig.* A'spekt *m* (*a. astr.*), Seite *f*, Gesichts-, Blickpunkt *m*: **both** ~**s of a question**; **from a different** ~; **in its true** ~ im richtigen Licht. **4.** Beziehung *f*, 'Hinsicht *f*, Bezug *m*. **5.** Aussicht *f*, Lage *f*: **the house has a southern** ~ das Haus liegt nach Süden. **6.** Seite *f*, Fläche *f*, Teil *m*: **the dorsal** ~ **of a fish**. **7.** *Radar*: Gesichtswinkel *m*. **8.** *ling.* Akti'onsart *f* (*des Verbs*), A'spekt *m*. **9.** *tech.* Ansicht *f* von der Seite *od.* von oben. **10.** *bot.* A'spekt *m* (*Aussehen von Pflanzen in e-r bestimmten Jahreszeit*). ~ **ra·tio** *s* **1.** *tech.* a) Flächen-, Streckenverhältnis *n*, b) Schlankheitsgrad *m*. **2.** *aer. tech.* Längen-, Streckungsverhältnis *n*. **3.** *TV* (Bild)Seitenverhältnis *n*.

as·pec·tu·al [æs'pektjuəl; -tʃuəl] *adj ling.* auf die Akti'onsart *od.* den A'spekt bezüglich.

as·pen ['æspən] *bot.* **I** *s* Espe *f*, Zitterpappel *f*. **II** *adj* espen, aus Espenholz, Espen...: **to tremble like an** ~ **leaf** *fig.* wie Espenlaub zittern.

as·per ['æspər] *s ling.* Spiritus *m* asper.

as·per·gill ['æspərdʒil], ,**as·per'gil·lum** [-'dʒiləm] *pl* **-lums, -la** [-lə] *s relig.* Weihwedel *m*.

as·per·i·ty [æs'periti] *s* **1.** a) Rauheit *f*, Unebenheit *f*, b) *pl* Unebenheiten *pl*. **2.** *fig.* Rauheit *f*, Strenge *f* (*des Charakters etc, a. des Klimas*), Schärfe *f*, Schroffheit *f* (*des Benehmens etc*). **3.** Härte *f*, 'Widerwärtigkeit *f*, Schwierigkeit *f*. **4.** Herbheit *f*, Strenge *f* (*des Stils etc*).

as·perse [ə'spəːrs] *v/t* verleumden, mit Schmutz bewerfen, verunglimpfen, mit Schmähungen über'häufen.

as·per·sion [ə'spəːrʃən; -ʒən] *s* **1.** Verleumdung *f*, Verunglimpfung *f*, Schmähung *f*, *pl a.* Anwürfe *pl*: **to cast** ~**s on** → **asperse**. **2.** *relig.* Besprengung *f*.

as·per·so·ri·um [,æspər'sɔːriəm] *s relig.* Weihwasserkessel *m*.

as·phalt ['æsfælt; *Am. a.* -fɔːlt] **I** *s min. tech.* As'phalt *m*. **II** *adj* Asphalt... **III** *v/t* asphal'tieren. **as'phal·tene** [-tiːn] *s* Asphal'ten *n*. **as'phal·tic** *adj* Asphalt...: ~ **roofing board** Dachpappe *f*.

as·pho·del ['æsfə,del] *s bot.* **1.** Affo'dill *m*. **2.** *poet.* Nar'zisse *f*.

as·phyx·i·a [æs'fiksiə] *s med.* Asphy'xie *f*, Erstickung(stod *m*) *f*, Scheintod *m*. **as'phyx·i·ant** **I** *adj* **1.** erstickend. **II** *s* **2.** Erstickung her'vorrufendes Gift. **3.** *mil.* erstickender Kampfstoff.

as·phyx·i·ate [æs'fiksi,eit] **I** *v/t med.* ersticken: **to be** ~**d** ersticken. **II** *v/i Am.* ersticken. **as,phyx·i'a·tion** *s* **1.** *med.* a) Erstickungszustand *m*, b) Erstickung *f*. **2.** *bot.* (*durch Luftmangel verursachte*) (Pflanzen)Verbildung. [La'vendel, Spike *f*.]

as·pic[1] ['æspik] *s bot.* (Breitblättriger)

as·pic[2] ['æspik] *s* A'spik *m*, Ge'lee *n*.

as·pic[3] ['æspik] → **asp**[1].

as·pir·ant [ə'spai(ə)rənt; 'æspirənt] **I** *adj* → **aspiring**. **II** *s* (**to, after, for**) Aspi'rant(in), Kandi'dat(in) (für), Bewerber(in) (um), Strebende(r *m*) *f* (nach): ~ **officer** Offiziersanwärter *m*.

as·pi·rate ['æspərit] **I** *s ling.* **1.** Aspi'rata *f*, Hauchlaut *m*. **2.** Spiritus *m* asper. **II** *adj ling.* **3.** aspi'riert. **III** *v/t* [-,reit] **4.** *ling.* aspi'rieren. **5.** *tech.* ab-, an-, aufsaugen.

as·pi·ra·tion [,æspə'reiʃən] *s* **1.** (Ein)Atmen *n*, Atemzug *m*. **2.** *fig.* Streben *n*, Bestrebung *f*, Trachten *n*, Sehnen *n*, *a. pl* Ambiti'onen *pl* (**for, after, toward[s]** nach). **3.** *ling.* a) Aspirati'on *f*, Behauchung *f*, b) Hauchlaut *m*. **4.** *med.* Aspirati'on *f*, Auf-, Ansaugen *n* (*a. tech.*).

as·pi·ra·tor ['æspə,reitər] *s* **1.** *tech.*

'Saugappa,rat *m.* **2.** *med.* Aspi'rator *m,* 'Saugappa,rat *m.*
as·pire [ə'spaiər] *v/i* **1.** streben, trachten, verlangen (to, after nach; to *inf* zu *inf*): to ~ to (*od.* after) s.th. *a.* etwas erstreben. **2.** sich erheben, aufsteigen.
as·pi·rin ['æspərin] *s pharm.* Aspi'rin *n*: two ~s zwei Aspirin(tabletten).
as·pir·ing [ə'spai(ə)riŋ] *adj* (*adv* ~ly) **1.** strebend, trachtend *od.* verlangend (to, after nach). **2.** ehrgeizig, strebsam. **3.** auf-, em'porstrebend.
as·por·ta·tion [,æspɔːr'teiʃən] *s jur.* ('widerrechtliche) Wegnahme.
a·sprawl [ə'sprɔːl] *adv u. pred adj* lang ausgestreckt.
asp tree → aspen I.
a·squat [ə'skwɒt] *pred adj* hockend.
a·squint [ə'skwint] *adv u. pred adj* schielend: to look ~ a) schielen, b) *fig.* scheel blicken.
ass [æs] *s* **1.** *zo.* Esel *m.* **2.** *fig.* Esel *m,* Dummkopf *m*: to make an ~ of s.o. j-n zum Narren halten; to make an ~ of o.s. sich blamieren *od.* lächerlich machen. **3.** *Am. colloq.* ‚Arsch' *m,* ‚Hintern' *m*: on one's ~ in der Patsche; (piece of) ~ *vulg.* a) ‚Nummer' *f* (*Koitus*), b) ‚(Weibs)Stück' *n.*
as·sa·f(o)et·i·da → asaf(o)etida.
as·sai[1] [ə'sɑːi] *s* **1.** *bot.* As'saipalme *f.* **2.** Getränk *n od.* Würze *f* aus den Früchten der As'saipalme.
as·sai[2] [as'sai] (*Ital.*) *adv mus.* as'sai, sehr: allegro ~ sehr lebhaft.
as·sail [ə'seil] *v/t* **1.** angreifen: a) 'herfallen über (*acc*) (*a. fig.*), anfallen, b) *mil.* bestürmen: to ~ a town. **2.** *fig.* *j-n* bestürmen: to ~ s.o. with questions; he was ~ed by dark thoughts; ~ed by fear von Furcht gepackt; to ~ s.o.'s ears an j-s Ohr schlagen. **3.** *e-e Aufgabe etc* in Angriff nehmen, anpacken. **as'sail·a·ble** *adj* angreifbar (*a. fig.*). **as'sail·ant** *s* **1.** *a. fig.* Angreifer *m,* Gegner *m.* **2.** *fig.* Kritiker *m.*
as·sart [ə'sɑːrt] *s jur. hist.* **I** *s* **1.** Ausroden *n* (*von Bäumen*), Urbarmachen *n.* **2.** Rodung *f,* Lichtung *f.* **II** *v/t* **3.** *Bäume* ausroden, *e-n Wald* lichten.
as·sas·sin [ə'sæsin] *s* **1.** Meuchelmörder *m, bes.* po'litischer Mörder, Attentäter *m.* **2.** A~ *hist.* Assas'sine *m* (*Mitglied des mohammedanischen Assassinenbundes*).
as·sas·si·nate [ə'sæsi,neit] **I** *v/t* **1.** meuchlings (er)morden. **2.** *fig. j-s Ruf* morden, *j-m die Ehre* abschneiden. **3.** *fig.* vernichten. **II** *s* **4.** *obs.* Mörder *m.* **as,sas·si'na·tion** *s* **1.** Meuchelmord *m,* Ermordung *f,* po'litischer Mord, Atten'tat *n.* **2.** *fig.* Rufmord *m.* **as'sas·si,na·tor** [-tər] → assassin 1.
as·sault [ə'sɔːlt] **I** *s* **1.** *a. fig.* Angriff *m,* At'tacke *f,* 'Überfall *m* (upon, on auf *acc*). **2.** *mil.* Sturm *m*: to carry (*od.* take) by ~ erstürmen, im Sturm nehmen; ~ boat, ~ craft Landungsboot *n,* Sturmlandefahrzeug *n*; ~ echelon Sturmwelle *f*; ~ gap Sturmgasse *f*; ~ gun Sturmgeschütz *n*; ~ ship großes Landungsfahrzeug; ~ troops Angriffs-, Stoßtruppen. **3.** *jur.* a) (unmittelbare) Bedrohung, b) tätlicher Angriff, Gewaltanwendung *f,* c) *a.* ~ and battery tätliche Beleidigung; criminal (*od.* indecent) ~ unzüchtige Handlung (*unter Androhung od. Anwendung von Gewalt*). **4.** Fechtübung *f*: ~ of (*od.* at) arms Kontrafechten *n*; ~ play Ausfallstellung *f.* **5.** *euphem.* Vergewaltigung *f.* **II** *v/t* **6.** *a. fig.* angreifen, über'fallen, 'herfallen über (*acc*). **7.** *mil.* stürmen. **8.** *jur.* tätlich *od.* schwer beleidigen. **9.** *euphem.* vergewaltigen. **III** *v/i* **10.** angreifen.
as·say I *s* [ə'sei; 'æsei] **1.** *chem. tech.* Probe *f,* Prüfung *f,* Ana'lyse *f,* Unter'suchung *f* (*von Metallen, Drogen etc nach Gewicht, Qualität etc*): ~ balance Probier-, Goldwaage *f*; ~ crucible Probiertiegel *m*; ~ office Prüfungsamt *n*; ~ ton Probiertonne *f* (= *29,166 Gramm*). **2.** *chem. tech.* (*bes.* Me'tall- *od.* Münz)Probe *f* (*Prüfstück*): ~ sample Probe(stück *n*) *f.* **3.** *chem. tech.* a) Prüfungsergebnis *n,* b) Gehalt *m* (*an Edelmetall etc*). **II** *v/t* [ə'sei] **4.** *bes. Metall etc* prüfen, unter'suchen, eichen. **5.** *fig.* (über)'prüfen. **6.** *fig. etwas* versuchen, pro'bieren. **III** *v/i* **7.** *chem. tech. Am.* (in) (*Edelmetall*) enthalten. **8.** *poet.* versuchen, sich bemühen. **as'say·er** *s chem. tech.* Prober *m,* Prüfer *m.* **as'say·ing** *s* Prüfen *n,* Unter'suchen *n.*
as·sem·blage [ə'semblidʒ] *s* **1.** Versammeln *n,* Zs.-bringen *n.* **2.** *Am.* Zs.-legung *f* (*von Grundstücken*). **3.** Ansammlung *f,* Schar *f,* Menge *f,* Gruppe *f* (*von Personen u. Sachen*). **4.** Versammlung *f*: a political ~. **5.** *tech.* → assembly 4 a.
as·sem·ble [ə'sembl] **I** *v/t* **1.** versammeln: a) zs.-berufen, -bringen, b) *mil.* bereitstellen, zs.-ziehen. **2.** *e-e Mannschaft etc, a. Tatsachen etc* zs.-stellen: to ~ a crew; to ~ data. **3.** *tech.* mon'tieren, zs.-setzen, -bauen. **II** *v/i* **4.** sich versammeln, zs.-kommen, *parl. etc* zs.-treten. **as'sem·bler** *s* **1.** *j-d, der zs.-bringt od. -stellt od. (ver)sammelt.* **2.** *tech.* Mon'teur *m.*
as·sem·bly [ə'sembli] *s* **1.** Versammlung *f,* Zs.-kunft *f,* Gesellschaft *f*: an unlawful ~ *jur.* Zs.-rottung *f,* Auflauf *m*; place of ~ Versammlungsort *m,* Treffpunkt *m*; right of ~ *jur.* Versammlungsrecht *n*; ~ room a) Gesellschafts-, Kur-, Ballsaal *m,* b) Versammlungssaal *m,* Aula *f.* **2.** *relig.* (*Art*) Sy'node *f* (*der reformierten Kirchen*). **3.** *oft* A~ *pol.* a) beratende *od.* gesetzgebende Körperschaft, b) *bes. Am.* 'Unterhaus *n* (*in einigen Staaten*): → General Assembly; ~man Abgeordnete(r) *m.* **4.** *tech.* a) Mon'tage *f,* Zs.-bau *m,* -setzen *n,* b) (Mon'tage-, Bau)Gruppe *f*: assemblies zs.-gesetzte Bauteile; ~ drawing Montagezeichnung *f*; ~ line Fließband *n,* laufendes Band (*beide a. fig.*), Montageband *n,* Fertigungsstraße *f*; ~-line production Fließbandfertigung *f*; ~ shop Montagehalle *f,* -werkstatt *f.* **5.** *mil.* Bereitstellung *f*: ~ area Bereitstellungs-, Versammlungsraum *m.* **6.** *mil.* Si'gnal *n* zum Sammeln.
as·sent [ə'sent] **I** *v/i* (to) **1.** zustimmen, beipflichten (*dat*). **2.** einwilligen (in *acc*), billigen, genehmigen (*acc*). **II** *s* **3.** Zustimmung *f,* Beipflichtung *f.* **4.** Einwilligung *f,* Billigung *f,* Genehmigung *f,* Einverständnis *n*: Royal ~ *pol. Br.* königliche Genehmigung. **as'sent·er** *s* Beipflichtende(r *m*) *f.* **as'sen·tient** [-'senʃənt] **I** *adj* **1.** zustimmend, beipflichtend. **2.** genehmigend. **II** *s* **3.** Beipflichtende(r *m*) *f.* **as'sen·tor** [-tər] *s pol. Br.* Unter'stützer *m* e-s Wahlvorschlages.
as·sert [ə'sɜːrt] *v/t* **1.** behaupten, erklären. **2.** behaupten, geltend machen, bestehen auf (*dat*), verteidigen, einstehen für: to ~ a claim e-n Anspruch geltend machen. **3.** ~ o.s. a) sich behaupten, sich geltend machen *od.* 'durchsetzen, b) sich zu viel anmaßen, sich vordrängen. **as·sert·er** → assertor. **as'ser·tion** *s* **1.** Behauptung *f,* Erklärung *f*: to make an ~ e-e Behauptung aufstellen. **2.** Behauptung *f,* Geltendmachung *f*: ~ of a right. **as'ser·tive** *adj* (*adv* ~ly) **1.** positiv, bestimmt, ausdrücklich. **2.** dog'matisch. **3.** *math. philos.* asser'torisch. **4.** aggres'siv, anmaßend. **as'ser·tive·ness** *s* selbstbewußtes *od.* anmaßendes Wesen *od.* Vorgehen, Anmaßung *f.* **as'ser·tor** [-tər] *s* **1.** j-d, der etwas behauptet. **2.** Verfechter(in). **as'ser·to·ry** *adj* behauptend.
as·sess [ə'ses] *v/t* **1.** *e-e Entschädigungssumme, e-e Geldstrafe, Kosten* festsetzen: to ~ damages. **2.** (at) *Einkommen etc* (zur Steuer) veranlagen (mit), (ab-, ein)schätzen, ta'xieren, bewerten (auf *acc*): ~ed value Einheits-, Steuerwert *m.* **3.** (upon) besteuern (*acc*), *Steuern, Geldstrafe etc* auferlegen (*dat*). **4.** *fig.* ab-, einschätzen, (be)werten, beurteilen, würdigen: to ~ the facts. **5.** *Am.* e-n Beitrag fordern von (*Vereinsmitgliedern etc*). **as'sess·a·ble** *adj* (*adv* assessably) **1.** (ab)schätzbar. **2.** steuer-, abgabepflichtig: ~ to income tax einkommensteuerpflichtig.
as·sess·ee [,æse'siː] *s Am.* Zahlungspflichtige(r *m*) *f.*
as·sess·ment [ə'sesmənt] *s* **1.** Festsetzung *f* (*e-r Entschädigung etc*): ~ of damages. **2.** (Steuer)Veranlagung *f,* Ta'xierung *f,* (Ab-, Ein)Schätzung *f,* Bewertung *f*: ~ of (*od.* on) property Veranlagung zur Vermögenssteuer; ~ of income tax Einkommensteuerveranlagung *f*; ~ of value *math.* Wertermittlung *f.* **3.** a) Steuer(betrag *m*) *f,* Abgabe *f,* b) Besteuerung *f,* c) 'Steuerta,rif *m.* **4.** *fig.* Einschätzung *f,* (Be)-Wertung *f,* Beurteilung *f.* **5.** *Am.* (*einmaliger*) Beitrag, 'Umlage *f.* **6.** ~ of corporate stock *econ. Am.* a) Aufforderung *f* zu Nachschußzahlungen auf Aktien, b) Zahlungsaufforderung *f* an Aktienzeichner.
as·ses·sor [ə'sesər] *s* **1.** Steuereinschätzer *m.* **2.** *jur.* (sachverständiger) Beisitzer, Sachverständige(r) *m.* **3.** *Br.* Schadenssachverständige(r) *m* (*e-r Versicherung*). **4.** *obs.* a) Ratgeber *m,* b) Amtsbruder *m.*
as·set ['æset] *s* **1.** *econ.* a) Ak'tivposten *m*: to enter on the ~ side aktivieren, b) Vermögenswert *m,* -gegenstand *m,* c) *pl* Ak'tivseite *f* (*der Bilanz*), d) *pl* Ak'tiva *pl,* (Ak'tiv-, Betriebs-, Gesellschafts)Vermögen *n,* Vermögenswerte *pl,* Guthaben *n od. pl,* Kapi'talanlagen *pl*: ~ account Anlagenkonto *n*; ~s and liabilities Aktiva u. Passiva; → fixed 6, foreign 2, frozen 6. **2.** *pl jur.* a) Vermögen(smasse *f*) *n* (*bes. zur Deckung von Schulden*), b) Nachlaß *m,* c) Kon'kursmasse *f.* **3.** *fig.* a) Vorzug *m,* Wert *m,* wichtiger Faktor, Plus *n,* Gewinn *m,* Ak'tivposten *m,* b) Gewinn *m* (to für), wertvolle Kraft, guter Mitarbeiter *etc.*
as·sev·er·ate [ə'sevə,reit] *v/t* beteuern, versichern, feierlich erklären. **as,sev·er'a·tion** *s* Beteuerung *f.*
as·sib·i·late [ə'sibi,leit] *v/t ling.* assibi'lieren, mit e-m Zischlaut aussprechen. **as,sib·i'la·tion** *s ling.* Assibi'lierung *f.*
as·si·du·i·ty [,æsi'djuːiti] *s* **1.** Emsigkeit *f,* (unermüdlicher) Fleiß, Beharrlichkeit *f.* **2.** Aufmerksamkeit *f,* Gewissenhaftigkeit *f.* **3.** *meist pl* beharrliche Aufmerksamkeit, Gefälligkeit(en *pl*) *f.* **as·sid·u·ous** [*Br.* ə'sidjuəs; *Am.*

-dʒuəs] *adj* (*adv* ~ly) **1.** emsig, fleißig, eifrig. **2.** beharrlich, unverdrossen. **3.** aufmerksam, dienstbeflissen. **as'sid·u·ous·ness** → assiduity.

as·sign [ə'sain] **I** *v/t* **1.** *e-n Anteil, e-e Aufgabe etc* zu-, anweisen, zuteilen (to *dat*). **2.** *ein Amt, e-e Aufgabe etc* über'tragen, anvertrauen (to s.o. j-m). **3.** (to) *j-n* bestimmen, einsetzen, -teilen (zu, für *e-e Aufgabe etc*), *j-n* betrauen *od.* beauftragen (mit). **4.** *e-e Aufgabe, e-n Zeitpunkt etc* festsetzen, bestimmen: to ~ a day for trial. **5.** *e-n Grund etc* anführen: to ~ a reason. **6.** *etwas e-r Person, Zeit etc* zuweisen, zuschreiben: to ~ to an epoch (author). **7.** *math.* a) zuordnen: to ~ a coordinate to each point, b) beilegen: to ~ a meaning to a constant. **8.** *jur.* abtreten, über'tragen, -'eignen, ze'dieren. **II** *s meist pl* **9.** *jur.* Zessio'nar *m*, Rechtsnachfolger(in) (*durch Abtretung*). **as'sign·a·ble** *adj* **1.** bestimmbar, zuweisbar, zuzuschreiben(d) (*Zahl, Zeit etc*). **2.** anführbar (*Grund*). **3.** *jur.* über'tragbar.

as·sig·na·tion [ˌæsig'neiʃən] *s* **1.** → assignment 1, 2, 4, 6. **2.** (*etwas*) Zugewiesenes, (Geld)Zuwendung *f*. **3.** 'Stelldichˌein *n*: ~ house *Am.* elegantes Bordell.

as·sign·ee [ˌæsi'niː; -sai-] *s jur.* **1.** → assign 9. **2.** Bevollmächtigte(r) *m*, Treuhänder *m*: ~ in bankruptcy Konkursverwalter *m*.

as·sign·ment [ə'sainmənt] *s* **1.** An-, Zuweisung *f* (to an *acc*). **2.** Bestimmung *f*, Festsetzung *f*. **3.** *bes. Am.* Aufgabe *f*, Arbeit *f* (*beide a. ped.*), Auftrag *m*. **4.** Zuschreibung *f*. **5.** Angabe *f*, Anführen *n*: an ~ of reasons. **6.** *econ. jur.* Über'tragung *f*, -'eignung *f*, Abtretung *f*, Zessi'on *f*. **7.** *jur.* Abtretungsurkunde *f*.

as·sign·or [ˌæsi'nɔːr] *s jur.* Abtretende(r) *m*, Ze'dent *m*.

as·sim·i·la·ble [ə'similəbl] *adj* **1.** assimi'lierbar. **2.** vergleichbar (to mit).

as·sim·i·late [ə'simiˌleit] **I** *v/t* **1.** assimi'lieren: a) angleichen (*a. ling.*), anpassen (to, with *dat*, an *acc*), b) *biol. Nahrung* einverleiben, 'umsetzen, c) *bes. sociol.* aufnehmen, absor'bieren, *a.* gleichsetzen (to, with mit). **2.** vergleichen (to, with mit). **II** *v/i* **3.** gleich *od.* ähnlich werden, sich anpassen *od.* angleichen (to, with *dat*). **4.** *biol. sociol.* sich assimi'lieren.

as·sim·i·la·tion [əˌsimi'leiʃən] *s* (to) Assimilati'on *f* (an *acc*): a) *a. psych. sociol.* Angleichung *f*, Anpassung *f* (an *acc*), Gleichsetzung *f* (mit), b) *biol. sociol.* Einverleibung *f*, Aufnahme *f* (in *acc*), c) *bot.* Photosyn'these *f*, d) *ling.* Assimi'lierung *f*. **as'sim·iˌla·tive, as'sim·iˌla·to·ry** *adj* **1.** (sich leicht) assimi'lierend, Assimilierungs... **2.** Assimilations... **3.** assimi'lierbar.

as·sist [ə'sist] **I** *v/t* **1.** helfen (*dat*), *j-m* beistehen, *j-n* unter'stützen: ~ed person *jur. Br.* Partei *f*, der das Armenrecht *od.* kostenlose Rechtsberatung zugebilligt ist. **2.** fördern, (*a. finanziell*) unter'stützen: ~ed immigration Einwanderung *f* mit (staatlicher) Beihilfe; ~ed take-off *aer.* Abflug *m* mit Starthilfe; to ~ the voltage die Spannung erhöhen. **II** *v/i* **3.** (aus)helfen, Hilfe leisten, mitarbeiten, -helfen (in bei): to ~ in doing a job bei e-r Arbeit (mit)helfen. **4.** (at) beiwohnen (*dat*), zu'gegen sein (bei), teilnehmen (an *dat*): to ~ at a meeting. **III** *s Am.* **5.** → assistance. **6.** *sport* Vorlage *f*.

as·sist·ance [ə'sistəns] *s* Hilfe(leistung) *f*, Beistand *m*, (*a. finanzielle*) Unter'stützung *od.* Beihilfe, Mitwirkung *f*: to afford (*od.* lend, render) ~ Hilfe leisten *od.* gewähren; economic ~ Wirtschaftshilfe, wirtschaftliche Unterstützung; judicial ~ *jur.* Rechtshilfe; public ~ *bes. Am.* Sozialfürsorge *f*; in need of ~ hilfsbedürftig.

as·sist·ant [ə'sistənt] **I** *adj* **1.** behilflich (to *dat*). **2.** assi'stierend, stellvertretend, Hilfs..., Unter...: ~ adjutant *mil.* zweiter Adjutant; ~ driver Beifahrer *m*; ~ editor Hilfsredakteur *m*; ~ engineer *mar.* Hilfsingenieur *m*, -maschinist *m*; ~ judge *jur.* Beisitzer *m*, (Gerichts)Assessor *m*; ~ manager stellvertretender Leiter, zweiter Geschäftsführer; ~ professor a) *Br. Professor e-s Teilgebiets, dem nicht die ganze Abteilung untersteht*, b) *Am. Professor im Rang zwischen* instructor *u.* associate professor; A~ Secretary *Am.* Ministerialdirektor *m*. **II** *s* **3.** Assi'stent(in), Gehilfe *m*, Gehilfin *f*, Hilfskraft *f*, Mitarbeiter(in). **4.** Angestellte(r *m*) *f*: (shop) ~ Ladengehilfe *m*, -gehilfin *f*, Verkäufer(in). **5.** *univ. Am.* Assi'stent(in) (*Hilfslehrkraft*). **6.** *fig.* Hilfe *f*, Hilfsmittel *n*.

as·size [ə'saiz] **I** *s* **1.** *hist.* Verfügung *f*, E'dikt *n*. **2.** *hist.* Gesetz *n* zur Festsetzung der Preise, Maße u. Gewichte. **3.** *jur.* a) *bes. Scot.* Schwurgericht *n*, b) *Scot.* die Geschworenen *pl*, c) (Richter)Spruch *m*, Urteil *n*. **4.** *meist pl jur. Br.* a) *a.* court of ~ As'sisengericht *n*, peri'odisches Geschworenengericht, b) (Schwur)Gerichtssitzung *f* des High Court of Justice in den einzelnen Grafschaften, c) Zeit *f od.* Ort *m* zur Abhaltung der Assisen. **5.** *fig.* Gericht *n*: → great assize. **II** *v/t hist.* **6.** *Preise, Maße etc* festsetzen. **as'siz·er** *s hist.* Marktmeister *m*, Eichbeamte(r) *m*.

as·so·ci·a·ble [ə'souʃiəbl] *adj* **1.** (gedanklich) vereinbar (with mit), assozi'ierbar. **2.** *physiol.* sym'pathisch.

as·so·ci·ate I *v/t* [ə'souʃiˌeit] **1.** (with) (o.s. sich) vereinigen, -binden, zs.-schließen, assozi'ieren (mit), zugesellen, angliedern, anschließen, hin'zufügen (*dat*): to ~ o.s. with a party sich e-r Partei anschließen; to ~ o.s. with s.o.'s views sich j-s Ansichten anschließen; ~d company *econ. Br.* angegliederte Gesellschaft, Konzerngesellschaft *f*; ~d state *pol.* assoziierter Staat. **2.** *bes. psych.* assozi'ieren, (gedanklich) verbinden, in Verbindung *od.* Zs.-hang bringen, verknüpfen (with mit). **3.** *chem.* (lose) verbinden, assozi'ieren. **4.** *math.* zuordnen.

II *v/i* **5.** (with) sich anschließen (an *j-n*), verkehren, 'Umgang pflegen (mit). **6.** (with) sich verbinden *od.* zs.-tun (mit), sich anschließen (*dat*).

III *adj* [-ʃiit; -ˌeit] **7.** a) eng verbunden, b) verwandt (with mit), zugehörig. **8.** beigeordnet, Mit...: ~ counsel Mitanwalt *m*; ~ editor Mitherausgeber *m*; ~ judge beigeordneter Richter, Beisitzer *m*; A~ Justice *Am.* (beisitzender) Richter am Obersten Gerichtshof. **9.** außerordentlich: ~ member; ~ professor *Am.* außerordentlicher Professor. **10.** *math.* assozi'iert.

IV *s* [-ʃiit; -ˌeit] **11.** *econ.* Teilhaber *m*, Gesellschafter *m*. **12.** Gefährte *m*, Genosse *m*, Freund *m*, *iro. contp.* Spießgeselle *m*, Kom'plice *m*. **13.** Kol'lege *m*, Mitarbeiter *m*. **14.** *fig.* Begleiterscheinung *f*. **15.** außerordentliches Mitglied, Beigeordnete(r) *m* (*e-r Akademie etc*). **16.** *univ. Am.* Lehrbeauftragte(r) *m*. **17.** *psych.* Assoziati'onswort *n od.* -iˌdee *f*.

as·so·ci·a·tion [əˌsousi'eiʃən; -ouʃi-] *s* **1.** Vereinigung *f*, -bindung *f*, Zs.-, Anschluß *m*. **2.** Bund *m*. **3.** Verein(igung *f*) *m*, Gesellschaft *f* (*des bürgerlichen Rechts*). **4.** *econ.* Genossenschaft *f*, (Handels)Gesellschaft *f*, Verband *m*: industrial ~ Industrieverband. **5.** Freundschaft *f*, Kame'radschaft *f*. **6.** 'Umgang *m*, Verkehr *m*. **7.** *psych.* (I'deen-, Ge'danken)Assoziatiˌon *f*, Gedankenverbindung *f*: ~ of ideas. **8.** Beziehung *f*, Verknüpfung *f*, Zs.-hang *m*. **9.** *biol.* Vergesellschaftung *f*: ~ type Gesellschaftseinheit *f*. **10.** *bot.* Assoziati'on *f* (*Pflanzengesellschaft*). **11.** *chem.* Zs.-treten *n* gleichartiger Mole'küle zu e-m losen Verband. **12.** *Statistik*: Abhängigkeit *f*. ~ **foot·ball** *s sport Br.* (Verbands)-Fußball(spiel *n*) *m* (*Ggs. Rugby*).

as·so·ci·a·tion·ism [əˌsousi'eiʃəˌnizəm; -ouʃi-] *s psych.* Assoziati'onstheoˌrie *f*.

as·so·ci·a·tive [ə'souʃiˌeitiv] *adj* **1.** (sich) vereinigend *od.* verbindend. **2.** *math. psych.* assozia'tiv.

as·soil [ə'sɔil] *v/t obs. j-n* los-, freisprechen (of, from von).

as·so·nance ['æsənəns] *s* **1.** Asso'nanz *f*: a) vo'kalischer Gleichklang, b) Halbreim *m*. **2.** *fig.* ungefähre Entsprechung, Ähnlichkeit *f*. **'as·so·nant I** *adj* asso'nierend, anklingend. **II** *s* asso'nierendes Wort. **ˌas·so'nan·tal** [-'næntl] → assonant I. **'as·soˌnate** [-ˌneit] *v/i* asso'nieren.

as·sort [ə'sɔːrt] **I** *v/t* **1.** sor'tieren, ordnen, grup'pieren, aussuchen, (passend) zs.-stellen: to ~ samples. **2.** ein-, zuordnen, klassifi'zieren. **3.** *econ.* assor'tieren, mit e-m Sorti'ment ausstatten, *ein Lager* ergänzen, auffüllen: to ~ a cargo e-e Ladung (aus verschiedenen Sorten) zs.-stellen. **II** *v/i* **4.** (with) passen (zu), über'einstimmen (mit). **5.** verkehren, 'Umgang haben (with mit). **as'sort·a·tive** [-ətiv] *adj* **1.** ordnend. **2.** zs.-passend. **3.** auswählend: ~ mating *biol.* Gattenwahl *f*. **as'sort·ed** *adj* **1.** sor'tiert, geordnet. **2.** assor'tiert, zs.-gestellt, gemischt, verschiedenartig, allerlei: a curiously ~ pair ein seltsames *od.* ungleiches Paar. **as'sort·ment** *s* **1.** Sor'tieren *n*, Ordnen *n*. **2.** Assor'tieren *n*, Zs.-stellen *n*. **3.** Zs.-stellung *f*, Sammlung *f*. **4.** *bes. econ.* Sorti'ment *n*, Auswahl *f*, Kollekti'on *f*, Satz *m* von Waren.

as·suage [ə'sweidʒ] *v/t* **1.** erleichtern, lindern, mildern: to ~ grief. **2.** stillen: to ~ thirst. **3.** besänftigen, beruhigen. **as'suage·ment** *s* **1.** Linderung *f*, Stillung *f*, Besänftigung *f*. **2.** Linderungs-, Beruhigungsmittel *n*.

as·sum·a·ble [ə'sjuːməbl; -'suːm-] *adj* (*adv* assumably) anzunehmen(d).

as·sume [ə'sjuːm; ə'suːm] *v/t* **1.** (*als wahr od. erwiesen*) annehmen, vor'aussetzen, unter'stellen: assuming that vorausgesetzt *od.* angenommen, daß; this ~s that dies setzt voraus, daß. **2.** *ein Amt, Schulden, e-e Verantwortung etc* über'nehmen, *a. e-e Gefahr* auf sich nehmen, *e-e Verbindlichkeit* eingehen: to ~ an office. **3.** *e-e Eigenschaft, e-e Gestalt etc* annehmen, bekommen: to ~ a different look. **4.** annehmen, sich angewöhnen: to ~ new habits. **5.** an-, einnehmen, sich geben: to ~ a pose. **6.** vorgeben, -täuschen. **7.** sich aneignen *od.* anmaßen: to ~ a right (to o.s.). **8.** *Kleider* anlegen, anziehen, *Hut, Brille etc* aufsetzen. **as'sumed** *adj* **1.** (nur) angenommen, vor'ausgesetzt. **2.** angemaßt. **3.** vorgetäuscht. **4.** angenommen, unecht, Schein..., Deck...: ~ **name** Deckname *m.* **as'sum·ed·ly** [-idli] *adv* vermutlich, mutmaßlich. **as'sum·ing** *adj* (*adv* ~**ly**) anmaßend.

as·sump·sit [ə'sʌmpsit; ə'sʌmsit] *s jur.* **1.** formloses (Leistungs)Versprechen. **2.** (action of) ~ Schadensersatzklage *f* wegen Nichterfüllung (*bei formlosen Verträgen*).

as·sump·tion [ə'sʌmpʃən] *s* **1.** Annahme *f*, Vor'aussetzung *f*, Vermutung *f*: **on the** ~ **that** in der Annahme *od.* unter der Voraussetzung, daß; → **proceed** 7. **2.** 'Übernahme *f*, Annahme *f*: (**unlawful**) ~ **of authority** Amtsanmaßung *f*; ~ **of power** Machtübernahme. **3.** ('widerrechtliche) Aneignung. **4.** Anmaßung *f*, Arro'ganz *f*. **5.** A~ (**Day**) *R.C.* Ma'riä Himmelfahrt *f* (*15. August*). **as·sump·tive** [ə'sʌmptiv] *adj* **1.** → **assumed** 1. **2.** kri'tiklos. **3.** anmaßend. **4.** ~ **arms** *her.* (rechtmäßig) angenommenes Wappen.

as·sur·ance [ə'ʃu(ə)rəns] *s* **1.** Zu-, Versicherung *f*, Beteuerung *f*, Versprechen *n.* **2.** Bürgschaft *f*, Sicherheit *f*, Garan'tie *f*. **3.** *Br.* (Lebens)Versicherung *f*, Asseku'ranz *f*: **industrial** ~ Kleinlebensversicherung. **4.** Sicherheit *f*, Gewißheit *f*. **5.** Zuversicht(lichkeit) *f*. **6.** Selbstsicherheit *f*, -vertrauen *n*, sicheres Auftreten. **7.** Dreistigkeit *f*, Anmaßung *f*. **8.** *relig.* Gewißheit *f* göttlicher Gnade.

as·sure [ə'ʃur] *v/t* **1.** *j-m* versichern (**that** daß): **to** ~ **s.o. of s.th.** j-n e-r Sache versichern. **2.** (o.s. sich) über'zeugen (**of** von). **3.** sichern (**from, against** gegen), sicherstellen, bürgen für, garan'tieren: **this** ~**s the success of our work.** **4.** *j-m* Sicherheit verleihen, *j-m* Zuversicht einflößen, *j-n* beruhigen. **5.** *Br. j-s Leben* versichern, asseku'rieren. **6.** *j-m etwas* zusichern: **to** ~ **s.o. of a definite salary.**

as·sured [ə'ʃurd] **I** *adj* **1.** (**of**) versichert (*gen*), über'zeugt (von), gewiß (*gen*): **to be** ~ **of s.th.**; **be** (*od.* **rest**) ~ **that** Sie können sicher sein *od.* sich darauf verlassen, daß. **2.** beruhigt, ermutigt. **3.** sicher, gewiß, unzweifelhaft. **4.** gesichert, sicher. **5.** zuversichtlich. **6.** selbstsicher, -bewußt. **7.** anmaßend, dreist. **II** *s* **8.** Versicherungsnehmer(in), Versicherte(r *m*) *f*. **as·sur·ed·ly** [ə'ʃu(ə)ridli] *adv* sicherlich, ganz gewiß. **as'sur·ed·ness** → **assurance** 4—6. **as'sur·er** *s Br.* **1.** Asseku'rant *m*, Versicherer *m.* **2.** → **assured** 8.

as·sur·or [ə'ʃu(ə)rɔːr] → **assured** 8.

As·syr·i·an [ə'siriən] **I** *adj* **1.** as'syrisch. **II** *s* **2.** As'syrer(in). **3.** *ling.* As'syrisch *n*, das Assyrische.

a·stare [ə'stɛr] *pred adj* starrend, große Augen machend.

a·start [ə'stɑːrt] *adv* plötzlich, mit 'einem Ruck.

a·stat·ic [ei'stætik] *adj* **1.** veränderlich, 'unsta,bil. **2.** *phys.* a'statisch. **a'stat·i,cism** [-,sizəm] *s phys.* a'statischer Zustand.

as·te·ism ['æsti,izəm] *s Rhetorik*: Aste'ismus *m*, feine Iro'nie.

as·ter ['æstər] *s* Aster *f*: a) *bot.* Sternblume *f*, b) *biol.* Teilungsstern *m* im Beginn der Mi'tose.

as·te·ri·at·ed [æs'ti(ə)ri,eitid] *adj min.* sternförmig, strahlig, Stern...

as·ter·isk ['æstərisk] **I** *s print.* Sternchen *n.* **II** *v/t* mit (e-m) Sternchen kennzeichnen.

as·ter·ism ['æstə,rizəm] *s* **1.** *astr.* Sterngruppe *f*. **2.** *min.* Aste'rismus *m* (*sternförmige Lichtbrechung*). **3.** *print.* (Gruppe *f* von) drei Sternchen *pl.*

a·stern [ə'stəːrn] *adv mar.* **1.** achtern, hinten: ~ **of the ship** hinter dem Schiff. **2.** nach achtern *od.* hinten, achteraus, rückwärts, zu'rück.

as·ter·oid ['æstə,rɔid] **I** *adj* **1.** sternartig, -förmig. **2.** *bot.* asterblütig. **3.** *zo.* seesternartig. **II** *s* **4.** *astr.* Astero'id *m*, Planeto'id *m.* **5.** *zo.* seesternartiges Tier.

as·the·ni·a [æs'θiːniə; ,æsθi'naiə] *s med.* Asthe'nie *f*, allgemeine Körperschwäche. **as·then·ic** [æs'θenik] **I** *adj* a'sthenisch: a) *med.* kraftlos, b) *physiol.* von zartem Körperbau, lepto'som. **II** *s* A'stheniker(in).

asth·ma ['æsmə; 'æzmə; 'æsθmə] *s med.* Asthma *n*, Atemnot *f*, Kurzatmigkeit *f*. **asth'mat·ic** [-'mætik] **I** *adj* (*adv* ~**ally**) asth'matisch: a) *med.* Asthma..., kurzatmig, b) *fig.* keuchend: **an** ~ **engine.** **II** *s med.* Asth'matiker(in).

as·tig·mat·ic [,æstig'mætik] *adj*; **,as·tig'mat·i·cal** [-kəl] *adj* (*adv* ~**ly**) astig'matisch: a) *phys.* brennpunktlos (*Lichtstrahlen*), b) *med.* stab-, zerrsichtig. **a·stig·ma·tism** [ə'stigmə,tizəm] *s phys.* Astigma'tismus *m.*

a·stir [ə'stəːr] *pred adj* **1.** auf den Beinen: a) in Bewegung, rege, b) auf(gestanden), aus dem Bett, munter: **to be** ~ *fig.* wirken, lebendig sein. **2.** belebt: **to be** ~ **with** wimmeln von. **3.** in Aufregung (**with** über *acc*, wegen).

a·stom·a·tous [ei'stɒmətəs; -'stou-], **as·to·mous** ['æstoməs] *adj zo.* mundlos.

as·ton·ied [əs'tɒnid] *adj obs.* betäubt, bestürzt.

as·ton·ish [əs'tɒniʃ] *v/t* **1.** in Erstaunen *od.* Verwunderung setzen: **to be** ~**ed** erstaunt *od.* überrascht sein (at über *acc*; **to** *inf* zu *inf*), sich wundern (at über *acc*). **2.** verblüffen, über'raschen, befremden. **3.** *obs.* erschrecken. **as'ton·ish·ing** *adj* (*adv* ~**ly**) erstaunlich, über'raschend. **as'ton·ish·ment** *s* **1.** Verwunderung *f*, (Er)Staunen *n*, Über'raschung *f*, Befremden *n* (at über *acc*): **to cause** ~ Staunen erregen; **to fill** (*od.* **strike**) **with** ~ → **astonish** 1. **2.** Über'raschung *f*, Ursache *f od.* Gegenstand *m* des (Er)Staunens.

as·tound [əs'taund] **I** *v/t* verblüffen, in Staunen *od.* Schrecken versetzen, äußerst über'raschen. **II** *adj obs.* verblüfft. **as'tound·ing** *adj* (*adv* ~**ly**) verblüffend, höchst erstaunlich.

as·tra·chan → **astrakhan.**

a·strad·dle [ə'strædl] → **astride.**

as·tra·gal ['æstrəgəl] *s* **1.** Astra'gal *m*: a) *anat.* Sprungbein *n*, b) *arch.* Rundstab *m*, Ring *m* (*an e-r Säule*). **2.** *mil.* Ring *m* (*am Geschützrohr*).

as·tra·khan [*Br.* ,æstrə'kæn; *Am.* 'æstrəkən] *s* Astrachan *m* (*Pelzart od. Plüschgewebe*).

as·tral ['æstrəl] *adj* **1.** Stern(en)..., Astral...: ~ **lamp** Astrallampe *f*; ~ **spirits** Astralgeister. **2.** sternförmig. **3.** gestirnt, sternig. **4.** *biol.* a'stral (*den Teilungsstern bei der Mitose betreffend*). **5.** *Theosophie*: a'stral, Astral...: ~ **body** Astralleib *m.*

a·stray [ə'strei] **I** *adv* **1.** *a. fig.* vom rechten Wege ab, auf dem Irrwege: **to go** ~ a) irregehen, sich verirren *od.* verlaufen, b) *fig.* abschweifen, c) *fig.* irre-, fehlgehen; **to lead** ~ irreführen, verleiten. **II** *pred adj* **2.** *a. fig.* irregehend, irrend, abweichend, abschweifend. **3.** *fig.* irrig, falsch.

as·trict [əs'trikt] *v/t* **1.** → **astringe** 1. **2.** *med.* a) abbinden, b) verstopfen. **3.** *fig.* beschränken (**to** auf *acc*). **as'tric·tion** *s* **1.** Zs.-ziehen *n*, Einengen *n.* **2.** *med.* a) Abbinden *n*, b) Verstopfung *f*. **3.** *fig.* Ein-, Beschränkung *f*. **as'tric·tive** → **astringent** 1 *u.* 3.

a·stride [ə'straid] *adv u. prep u. pred adj* **1.** rittlings, mit gespreizten Beinen: ~ **of** reitend auf (*dat*); **to ride** ~ im Herrensattel reiten; ~ (**of**) **a horse** zu Pferde. **2.** quer über (*acc*), über (*acc*).

as·tringe [əs'trindʒ] *v/t* **1.** zs.-ziehen, -pressen, festbinden. **2.** *med.* adstrin'gieren, zs.-ziehen. **as'trin·gen·cy** [-dʒənsi] *s* **1.** zs.-ziehende Eigenschaft *od.* Kraft. **2.** *fig.* Härte *f*, Strenge *f*, Ernst *m.* **as'trin·gent** **I** *adj* (*adv* ~**ly**) **1.** *med.* adstrin'gierend, zs.-ziehend, stopfend. **2.** *fig.* streng, hart, ernst. **II** *s* **3.** *med.* Ad'stringens *n.*

as·tro·com·pass ['æstro,kʌmpəs] *s aer. astr.* Astrokompaß *m.*

as·tro·cyte ['æstro,sait] *s anat. biol.* Astro'zyte *f*, Sternzelle *f*.

as·tro·dome ['æstro,doum] *s aer.* Astrokuppel *f*.

as·tro·graph ['æstro,græ(ː)f; *Br. a.* -,grɑːf] *s astr.* Astro'graph *m* (*Photo-Teleskop*). **as·trog·ra·phy** [æs'trɒgrəfi] *s* Astrogra'phie *f*, Sternbeschreibung *f*.

as·tro·labe ['æstrə,leib] *s astr.* **1.** Astro'labium *n*, Sternhöhenmesser *m.* **2.** Plani'sphäre *f*.

as·trol·o·ger [əs'trɒlədʒər] *s* Astro'loge *m*, Sterndeuter *m.* **as·tro·log·ic** [,æstrə'lɒdʒik] *adj*; **,as·tro'log·i·cal** *adj* (*adv* ~**ly**) astro'logisch. **as'trol·o·gy** [-dʒi] *s* Astrolo'gie *f*.

as·trom·e·try [æs'trɒmitri] *s* Astrome'trie *f* (*Sternmessung*).

as·tro·naut ['æstro,nɔːt] *s* (Welt)-Raumfahrer *m*, Astro'naut *m.*

as·tro·nau·tics [,æstro'nɔːtiks] *s pl* (*als sg konstruiert*) Astro'nautik *f*, (Wissenschaft *f* von der) Raumfahrt *f*.

as·tron·o·mer [əs'trɒnəmər] *s* Astro'nom *m*, Sternforscher *m.* **as·tro·nom·ic** [,æstrə'nɒmik] → **astronomical.** **,as·tro'nom·i·cal** *adj* astro'nomisch: a) Stern..., Himmels...: ~ **chart** Himmels-, Sternkarte *f*; ~ **clock** astronomische Uhr; ~ **year** Sternjahr *n*, b) *fig.* riesig, ungeheuer: ~ **figures.** **as'tron·o·my** *s* Astrono'mie *f*, Sternkunde *f*.

as·tro·pho·tog·ra·phy [,æstrofə'tɒgrəfi] *s* ,Astrophotogra'phie *f*.

as·tro·phys·i·cal [,æstro'fizikəl] *adj* astrophysi'kalisch. **,as·tro'phys·i·cist** [-sist] *s* Astro'physiker *m.* **,as·tro'phys·ics** [-iks] *s pl* (*als sg konstruiert*) Astrophy'sik *f*.

as·tute [əs'tjuːt] *adj* (*adv* ~**ly**) **1.** scharfsinnig, klug. **2.** schlau, gerissen, raffi'niert. **as'tute·ness** *s* **1.** Scharfsinn(igkeit *f*) *m*, Klugheit *f*. **2.** Schlauheit *f*.

a·sun·der [ə'sʌndər] **I** *adv* ausein'ander, ent'zwei, in Stücke: **to cut s.th.** ~. **II** *pred adj* (vonein'ander) getrennt, ausein'ander(liegend), *fig. a.* verschieden.

a·swarm [ə'swɔːrm] *adv u. pred adj* schwärmend, wimmelnd (**with** von).

a·sy·lum [ə'sailəm] *s* **1.** A'syl *n*, Heim *n*, (Pflege)Anstalt *f*: ~ **for the blind** Blindenanstalt; (**insane** *od.* **lunatic**) ~ Irrenanstalt, Heil- u. Pflegeanstalt (*für Geisteskranke*); **orphan** ~ Waisenhaus *n.* **2.** A'syl *n*: a) Freistätte *f*, Zufluchtsort *m*, b) *fig.* Zuflucht *f*, Schutz *m.* **3.** (po'litisches) A'syl: (**right of**) ~ Asylrecht *n*; **to ask for** ~ um (politisches) Asyl bitten.

a·sym·met·ric [,æsi'metrik, ,ei-] *adj*; **,a·sym'met·ri·cal** *adj* (*adv* ~**ly**) asymmetrisch, 'unsym,metrisch (*beide a. electr.*), ungleichmäßig. **a·sym·me·try** [æ'simitri; ei-] *s* Asymme'trie *f*.

as·ymp·tote ['æsim,tout; -simp-] *s math.* Asym'ptote *f*. **,as·ymp'tot·ic** [-'tɒtik] *adj*; **,as·ymp'tot·i·cal** *adj* (*adv* **~ly**) asym'ptotisch.

a·syn·chro·nous [æ'siŋkrənəs] *adj* asyn'chron, Asynchron...: ~ **generator**.

as·yn·det·ic [,æsin'detik] *adj ling.* asyn'detisch, verbindungslos. **a·syn·de·ton** [ə'sinditən] *s* A'syndeton *n* (*Auslassung der Konjunktionen*).

as·y·ner·gi·a [,æsi'nəːrdʒiə], **a·syn·er·gy** [ə'sinərdʒi] *s med.* Asyner'gie *f*, Koordinati'onsstörung *f*.

a·sys·to·le [ei'sistə,liː], **a'sys·to·lism** [-,lizəm] *s med.* Asysto'lie *f* (*Kontraktionsstörung des Herzens*).

at[1] [æt] *prep* **1.** (*Ort, Stelle*) in (*dat*), an (*dat*), bei, zu, auf (*dat*) (*in Verbindung mit Städtenamen steht* **at** *im allgemeinen bei kleineren Städten, bei großen Städten nur dann, wenn sie bloß als Durchgangsstationen, bes. auf Reisen, betrachtet werden; bei London u. der Stadt, in der der Sprecher wohnt, ebenso nach* **here**, *steht stets* **in**, *nie* **at**): ~ **a ball** auf *od.* bei e-m Ball; ~ **the baker's** beim Bäcker; ~ **the battle of N.** in der Schlacht bei N.; ~ **a conference** auf *od.* bei e-r Konferenz; ~ **the corner** an der Ecke; ~ **court** bei Hofe; ~ **a distance** in einiger Entfernung; ~ **the door** an der Tür; ~ **school** in der Schule; ~ **sea** zur *od.* auf der See; **he lives** ~ **48, Main Street** er wohnt Main Street Nr. 48; **educated** ~ **Christ's College** in Christ's College ausgebildet. **2.** (*Richtung, Ziel etc*) auf (*acc*), gegen, nach, bei, durch: **to aim** ~ **s.th.** auf etwas zielen; **he threw a stone** ~ **the door** er warf e-n Stein gegen die Tür; **he snatched** ~ **the bag** er griff nach der Tasche. **3.** (*Beschäftigung, Handlung etc*) bei, beschäftigt mit, in (*dat*): ~ **work** bei der Arbeit; **to be good** ~ **s.th.** etwas gut können; **good** ~ **Latin** gut in Latein; **he is still** ~ **it** er ist noch dabei *od.* d(a)ran *od.* damit beschäftigt. **4.** (*Art u. Weise, Zustand, Lage*) in (*dat*), bei, zu, unter (*dat*), nach, vor: ~ **a gallop** im Galopp; ~ **all** überhaupt; **not** ~ **all** überhaupt *od.* durchaus *od.* gar nicht, keineswegs; **not** ~ **all!** *colloq.* nichts zu danken!, gern geschehen!; **nothing** ~ **all** gar nichts, überhaupt nichts; **no doubts** ~ **all** überhaupt *od.* gar keine Zweifel, keinerlei Zweifel; **is he** ~ **all suitable?** ist er überhaupt geeignet?; ~ **one blow** mit 'einem Schlag; ~ **my expense** auf m-e Kosten; ~ **war** im Kriegszustand; ~ **retail (wholesale)** *econ. Am.* im Kleinhandel (Großhandel). **5.** (*Ursprung, Grund, Anlaß*) über (*acc*), bei, von, aus, auf (*acc*), anläßlich: **alarmed** ~ beunruhigt über (*acc*); **to laugh** ~ **s.th.** über etwas lachen; **to receive s.th.** ~ **s.o.'s hands** etwas von j-m erhalten. **6.** (*Preis, Wert, Verhältnis, Ausmaß, Grad etc*) für, um, zu, auf, mit, bei: ~ **best** höchstens, im besten Falle, bestenfalls; **he is** ~ **his best** er ist am besten *od.* ganz in s-m Element; **he is** ~ **his most convincing** er ist am überzeugendsten (**when** wenn); **charged** ~ berechnet mit; ~ **6 dollars** um *od.* für *od.* zu 6 Dollar; **to estimate** ~ **50** auf 50 schätzen; ~ **full speed** mit *od.* bei voller Geschwindigkeit; ~ **half the price** zum halben Preis, um *od.* für den halben Preis; ~ **that** *colloq.* a) dabei, damit, b) noch dazu, obendrein, c) dafür, zu diesem Preis; **we'll let it go** ~ **that** wir wollen es dabei bewenden lassen; **it is disagreeable** ~ **that** es ist obendrein *od.* dabei noch unangenehm. **7.** (*Zeit, Alter*) um, bei, zu, im Alter von, auf (*dat*), an (*dat*): ~ **(the age of) 21** mit 21 (Jahren), im Alter von 21 Jahren; ~ **3 o'clock** um 3 Uhr; ~ **Christmas** zu *od.* an Weihnachten; ~ **his death** bei s-m Tod; ~ **this moment** in diesem Augenblick; **three** ~ **a time** drei auf einmal, drei gleichzeitig. (*siehe weitere Verbindungen bei den entsprechenden Stichwörtern*).

At[2] [æt] *s Br. colloq.* Wehrmachtshelferin *f* (→ **Ats**).

a·tac·tic [ə'tæktik] → **ataxic.**

at·a·man ['ætəmən] *pl* **-mans** → **hetman.**

at·a·rax·i·a [,ætə'ræksiə], **at·a·rax·y** ['ætə,ræksi] *s* Atara'xie *f*, Unerschütterlichkeit *f*, Seelenruhe *f*.

a·taunt [ə'tɔːnt; ə'tɑːnt] *pred adj* **1.** *mar.* vollständig aufgetakelt, aufgeriggt. **2.** *fig.* in Ordnung. **a'taun·to** [-tou] *bes. Br. für* **ataunt** 1.

at·a·vism ['ætə,vizəm] *s biol.* Ata'vismus *m*, Entwicklungsrückschlag *m*. **,at·a'vis·tic** *adj* (*adv* **~ally**) ata'vistisch.

a·tax·i·a [ə'tæksiə] *s med.* Ata'xie *f*, Koordinati'onsstörung *f*. **a'tax·ic** *adj med.* a'taktisch.

a·tax·y [ə'tæksi] → **ataxia.**

ate[1] [*Br.* et; eit; *Am.* eit] *pret von* **eat.**

A·te[2] ['eiti] **I** *npr* Ate *f* (*griechische Göttin der Verblendung*). **II** *s* **a~** *fig.* Verblendung *f*.

at·el·ier ['ætəl,jei] *s* Ateli'er *n*.

Ath·a·na·sian [,æθə'neiʃən; -ʒən] *relig.* **I** *adj* athanasi'anisch. **II** *s* Athanasi'aner *m*. **~ Creed** *s relig.* Athanasi'anisches Glaubensbekenntnis.

a·the·ism ['eiθi,izəm] *s* **1.** Athe'ismus *m*, Gottesleugnung *f*. **2.** Gottlosigkeit *f*. **'a·the·ist** *s* **1.** Athe'ist(in), Gottesleugner(in). **2.** gottloser Mensch. **,a·the'is·tic** *adj*; **,a·the'is·ti·cal** *adj* (*adv* **~ly**) **1.** athe'istisch. **2.** gottlos.

ath·el·ing ['æθəliŋ] *s hist.* Edeling *m*, Fürst *m* (der Angelsachsen), *bes.* Thronerbe *m*.

ath·e·n(a)e·um [,æθə'niːəm] *s* Athe'näum *n*: a) *Institut zur Förderung von Literatur u. Wissenschaft*, b) *Lesesaal, Bibliothek*, c) *literarischer od. wissenschaftlicher Klub*, d) *antiq. Hadrianische Schule* (*in Rom*), e) **A~** *antiq. Heiligtum der Athene.*

A·the·ni·an [ə'θiːniən] **I** *adj* a'thenisch. **II** *s* A'thener(in).

a·ther·ma·nous [ə'θəːrmənəs; ei-] *adj phys.* 'wärme,undurchlässig.

ath·er·o·ma [,æθə'roumə] *pl* **-mas, -ma·ta** [-tə] *s med.* **1.** Athe'rom *n*, Grützbeutel *m*. **2.** atheroma'töse Veränderung der Gefäßwände.

a·thirst [ə'θəːrst] *pred adj* **1.** durstig. **2.** begierig (for nach).

ath·lete ['æθliːt] *s* **1.** Ath'let *m*: a) Wettkämpfer *m*, Sportler *m*, b) Hüne *m*, Kraftmensch *m*. **2.** *Br.* 'Leichtath,let *m*.

ath·lete's| foot *s med.* Dermatophy'tose *f* der Füße. **~ heart** *s med.* Sportherz *n*.

ath·let·ic [æθ'letik] *adj* (*adv* **~ally**) **1.** ath'letisch: a) Sport...: ~ **field** Sportplatz *m*; ~ **foot** → **athlete's foot**; ~ **heart** → **athlete's heart**, b) von ath'letischem Körperbau, musku'lös, c) sportlich (gewandt). **2.** *fig.* spannkräftig, a'gil: **an** ~ **mind**.

ath·let·i·cism [æθ'leti,sizəm] *s* Sportlichkeit *f*: a) sportliche Betätigung, b) sportliche Gewandtheit, c) Sportbegeisterung *f*.

ath·let·ics [æθ'letiks] *s pl* **1.** (*als pl konstruiert*) a) *Am.* Sport *m*, b) *Br.* 'Leichtath,letik *f*. **2.** (*als sg konstruiert*) → **athleticism.**

ath·o·dyd ['æθədid] *s aer. tech.* Strahldüse *f*, Lorin-Triebwerk *n*.

at-'home *s* (*zwangloser*) Besuchs-, Empfangstag, At-'home *n*.

a·thwart [ə'θwɔːrt] **I** *adv* **1.** quer, schräg (hin'durch), kreuzweise. **2.** *mar.* dwars('über). **3.** *fig.* verkehrt, falsch. **4.** *fig.* ungelegen. **II** *prep* **5.** (quer) über (*acc*), (quer) durch. **6.** *mar.* dwars (über *acc*). **7.** *fig.* (ent)gegen. **a'thwart,hawse** *adj u. adv mar.* quer vor dem Bug (*e-s anderen vor Anker liegenden Schiffes*): ~ **sea** Dwarssee *f*. **a'thwart·ship** *adj u. adv mar.* quer- *od.* dwarsschiffs.

a·tilt [ə'tilt] *adv u. pred adj* **1.** vorgebeugt, vorn'übergeneigt, -kippend. **2.** mit eingelegter Lanze: **to run** (*od.* **ride**) ~ **at s.o.** a) mit eingelegter Lanze auf j-n losgehen, b) *fig.* gegen j-n e-e Attacke reiten.

At·lan·te·an [,ætlæn'tiːən] *adj* **1.** at'lantisch, den Halbgott Atlas betreffend. **2.** *fig.* gi'gantisch, mächtig. **3.** at'lantisch, (die sagenhafte Insel) At'lantis betreffend.

at·lan·tes [æt'læntiːz] *s pl arch.* At'lanten *pl*, Simsträger *pl*.

At·lan·tic [ət'læntik] **I** *adj* **1.** at'lantisch, Atlantik...: ~ **cable** Kabel *n* für transozeanischen Verkehr. **2.** das Atlasgebirge betreffend, Atlas... **II** *s* **3.** At'lantik *m*, At'lantischer Ozean. **~ Char·ter** *s pol.* At'lantik-Charta *f* (*vom 14. 8. 1941*). **~ (stand·ard) time** *s* At'lantische (Standard)Zeit (*im Osten Kanadas*). **~ States** *s pl Am.* Bundesstaaten *pl* der USA an der At'lantischen Küste.

at·las[1] ['ætləs] *s* **1.** *geogr.* Atlas *m* (*Kartenwerk*). **2.** (Fach)Atlas *m* (*der Anatomie etc*), (Bild)Tafelwerk *n*. **3.** *anat.* Atlas *m* (*oberster Halswirbel*). **4. A~** *myth.* Atlas *m* (*a. fig.*). **5.** *arch.* Atlas *m*, Stützsäule *f* (*sg von* **atlantes**). **6.** *a.* ~ **folio** *print.* 'Atlasfor,mat *n*. **7.** *großes Papierformat* (*0,84 × 0,66 m*).

at·las[2] ['ætləs] *s* Atlas(seide *f*) *m*.

at·mol·y·sis [æt'mɒlisis] *s phys.* Atmo'lyse *f*. **at·mo·lyze** ['ætmə,laiz] *v/t Gase* durch Atmo'lyse trennen.

at·mom·e·ter [æt'mɒmitər] *s phys.* Atmo'meter *n*, Verdunstungsmesser *m*.

at·mos·phere ['ætməs,fir] *s* **1.** *astr.* Atmo'sphäre *f*, Lufthülle *f*. **2.** *chem.* Gashülle *f* (*allgemein*). **3.** Luft *f*: **a moist** ~. **4.** *tech.* Atmo'sphäre *f* (*Druckeinheit*: *1 kp/cm²*). **5.** *fig.* Atmo'sphäre *f*: a) Um'gebung *f*, b) Stimmung *f*.

at·mos·pher·ic [,ætməs'ferik] *adj* (*adv* **~ally**) **1.** atmo'sphärisch, Luft...: ~ **conditions** Wetterlage *f*. **2.** Witterungs..., Wetter...: ~ **disturbance**; ~ **layer**; ~ **pressure**. **3.** *tech.* mit (Luft)Druck betrieben, (Luft)Druck... **4.** *fig.* stimmungsvoll. **,at·mos'pher·i·cal** *adj* (*adv* **~ly**) → **atmospheric.** **,at·mos'pher·ics** *s pl tech.* atmo'sphärische Störungen *pl*.

at·oll ['ætɒl; ə'tɒl] *s* A'toll *n*.

at·om ['ætəm] *s* **1.** *phys.* A'tom *n*: ~ **bomb**. **2.** *fig.* A'tom *n*, winziges Teilchen, Spur *f*, Fünkchen *n*.

at·o·me·chan·ics [,ætomi'kæniks] *s pl* (*als sg konstruiert*) *phys.* Lehre *f* von der Bewegung der A'tome.

a·tom·ic [əˈtɒmik] *adj* (*adv* ~ally) **1.** *chem. phys.* atoˈmar, aˈtomisch, Atom…: ~ age Atomzeitalter *n.* **2.** *fig.* aˈtomisch, winzig. **aˈtom·i·cal** [-kəl] *adj* (*adv* ~ly) → atomic.

a·tom·ic| base *s mil.* Abschußbasis *f* für Aˈtomra͵keten. ~ **bomb** *s mil.* Aˈtombombe *f.* ~ **clock** *s* Aˈtomuhr *f.* ~ **de·cay,** ~ **dis·in·te·gra·tion** *s phys.* Aˈtomzerfall *m.* ~ **dis·place·ment** *s chem.* Aˈtomverschiebung *f.* ~ **en·er·gy** *s phys.* Aˈtomener͵gie *f.* ~ **hy·dro·gen weld·ing** *s tech.* Arcaˈtomschweißen *n,* Wasserstoff-Lichtbogenschweißung *f.* ~ **in·dex** → atomic number.

at·o·mic·i·ty [͵ætəˈmisiti] *s* **1.** *chem.* a) Vaˈlenz *f,* Wertigkeit *f,* b) Aˈtomzahl *f* e-s Moleˈküls. **2.** *chem. phys.* Bestehen *n* aus Aˈtomen.

a·tom·ic| link·age *s chem.* Aˈtomverkettung *f.* ~ **mass** *s chem. phys.* Aˈtommasse *f.* ~ **nu·cle·us** *s phys.* Aˈtomkern *m.* ~ **num·ber** *s chem. phys.* Aˈtom-, Ordnungszahl *f.* ~ **pile** *s phys.* Aˈtombatte͵rie *f,* -säule *f,* -meiler *m.*

aˈtom·ic|-͵pow·ered *adj* mit Aˈtomkraft betrieben: ~ submarine Atomunterseeboot *n.* ~ **pow·er plant** *s tech.* Aˈtomkraftwerk *n.*

a·tom·ics [əˈtɒmiks] *s pl* (*meist als sg konstruiert*) *phys.* Aˈtomphy͵sik *f.*

a·tom·ic| the·o·ry *s chem. phys.* Aˈtomtheo͵rie *f.* ~ **war·fare** *s mil.* Aˈtomkrieg(führung *f*) *m.* ~ **war·head** *s mil.* Aˈtomgefechtskopf *m.* ~ **weight** *s chem. phys.* Aˈtomgewicht *n.* ~ **yield** *s phys.* Detonatiˈonswert *m* (*e-r Atombombe*).

at·om·ism [ˈætə͵mizəm] *s philos.* Atoˈmismus *m.* **ˈat·om·ist I** *s* Atoˈmist *m,* Anhänger *m* des Atoˈmismus. **II** *adj* atoˈmistisch. **at·om·is·tic** [͵ætəˈmistik] *adj* atoˈmistisch.

at·om·i·za·tion [͵ætəmaiˈzeiʃən; -mi-] *s tech.* Atomiˈsierung *f,* Zerstäubung *f.*

at·om·ize [ˈætə͵maiz] *v/t* **1.** zerstäuben: to ~ a liquid. **2.** atomiˈsieren: a) in Aˈtome auflösen, b) *weitS. u. fig.* in s-e Bestandteile auflösen, zerstückeln: ~d society pluralistische Gesellschaft. **3.** a) mit Aˈtombomben belegen, b) durch Aˈtombomben *od.* -waffen vernichten. **ˈat·om͵iz·er** *s tech.* Zerstäuber *m.*

at·om| smash·er *s phys. sl.* Teilchenbeschleuniger *m, bes.* Zykloˈtron *n.* ~ **smash·ing** *s phys.* Aˈtomzertrümmerung *f.* ~ **split·ting** *s phys.* Aˈtom(kern)spaltung *f.*

at·o·my[1] [ˈætəmi] *s* **1.** Aˈtom *n.* **2.** *fig.* Knirps *m.*

at·o·my[2] [ˈætəmi] *s humor.* Gerippe *n.*

a·ton·al [eiˈtounl; æ-] *adj mus.* atoˈnal. **aˈton·al͵ism** [-nə͵l-] *s* Atonaˈlismus *m,* Atonaliˈtät *f* (*als Prinzip*). **͵a·toˈnal·i·ty** [-ˈnæliti] *s* Atonaliˈtät *f.*

a·tone [əˈtoun] *v/i* (for) büßen (für *Verbrechen etc*), sühnen, wiederˈgutmachen (*acc*), Ersatz leisten (für). **aˈtone·ment** *s* **1.** Buße *f,* Sühne *f,* Genugtuung *f,* Ersatz *m* (for für): to make ~ (for) → atone; Day of A~ *relig.* Versöhnungstag *m* (*jüdischer Feiertag*). **2.** *relig.* Sühneopfer *n* (Christi). **3.** *Christian Science*: ͵Exemplifikatiˈon *f* der Einheit des Menschen mit Gott. **4.** *obs.* Versöhnung *f.*

a·ton·ic [əˈtɒnik] **I** *adj* **1.** *med.* a) aˈtonisch, abgespannt, schlaff, kraftlos, b) schwächend. **2.** *ling.* a) unbetont, b) stimmlos. **II** *s ling.* **3.** unbetonte Silbe, unbetontes Wort. **4.** stimmloser Konsoˈnant.

at·o·ny [ˈætəni] *s* **1.** *med.* Atoˈnie *f,* Schwäche *f.* **2.** *ling.* Unbetontheit *f.*

a·top [əˈtɒp] **I** *adv u. pred adj* oben(ˈauf), zuˈoberst. **II** *prep a.* ~ of (oben) auf (*dat*).

a·tox·ic [eiˈtɒksik] *adj med.* aˈtoxisch, ungiftig.

at·ra·bil·ious [͵ætrəˈbiljəs] *adj* **1.** schwarzgallig. **2.** melanˈcholisch, hypoˈchondrisch, schwermütig. **3.** *fig.* scharf, bitter.

a·trem·ble [əˈtrembl] *adv u. pred adj* zitternd.

a·trip [əˈtrip] *adv u. pred adj mar.* **1.** gelichtet (*Anker*). **2.** steifgeheißt u. klar zum Trimmen (*Segel*).

a·tri·um [ˈeitriəm] *pl* **ˈa·tri·a** [-ə] *s* Atrium *n*: a) *antiq.* Vorhalle *f,* b) *anat.* (*bes.* Herz)Vorhof *m,* Vorkammer *f.*

a·tro·cious [əˈtrouʃəs] *adj* (*adv* ~ly) **1.** abˈscheulich, scheußlich, gräßlich, grauenhaft, entsetzlich, fürchterlich (*alle a. colloq.*). **2.** grausam. **3.** mörderisch. **aˈtro·cious·ness** → atrocity 1.

a·troc·i·ty [əˈtrɒsiti] *s* **1.** Abˈscheulichkeit *f,* Scheußlichkeit *f,* Gräßlichkeit *f.* **2.** Greueltat *f,* Greuel *m.* **3.** *colloq.* a) Ungeheuerlichkeit *f* (*grober Verstoß*), b) ‚Greuel' *m,* (*etwas*) Scheußliches.

at·ro·phied [ˈætrəfid] *adj* **1.** ausgemergelt, abgezehrt. **2.** *med.* atroˈphiert, geschrumpft, verkümmert (*a. fig.*).

at·ro·phy [ˈætrəfi] **I** *s med.* Atroˈphie *f,* Schwund *m,* Rückbildung *f,* Verkümmerung *f* (*a. fig.*). **II** *v/t* aus-, abzehren, absterben *od.* schwinden *od.* verkümmern lassen. **III** *v/i* schwinden, verkümmern (*a. fig.*), absterben.

at·ro·pine [ˈætrə͵piːn; -pin; -ro-] *s chem.* Atroˈpin *n.*

Ats [æts] *s pl Br. colloq. statt* A.T.S. [ˈeiˈtiːˈes] *abbr. für* (Women's) Auxiliary Territorial Service (*Organisation der*) Wehrmachtshelferinnen *pl.*

at·ta·boy [ˈætə͵bɔi] *interj Am. colloq.* so ist's recht!, bravo!

at·tach [əˈtætʃ] **I** *v/t* **1.** (to) befestigen, anbringen (an *dat*), anheften, anbinden, ankleben (an *acc*), beifügen (*dat*), verbinden (mit): ~ed hereto bei-, anliegend (*im Brief etc*). **2.** *fig. j-n* gewinnen, fesseln, für sich einnehmen: to ~ o.s. to sich anschließen (*dat od.* an *acc*); to be ~ed to s.o. j-m zugetan sein, an j-m hängen. **3.** (to) zuteilen, angliedern, zur Verfügung stellen (*dat*), *mil. a.* (ˈab)komman͵dieren (zu), unterˈstellen (*dat*). **4.** *fig. Bedeutung, Schuld etc* beimessen (to *dat*): → importance 1. **5.** *e-n Namen etc* beilegen (to *dat*). **6.** *fig. e-n Sinn etc* verknüpfen *od.* verbinden (to mit): to ~ conditions to Bedingungen knüpfen an (*acc*); a curse is ~ed to this treasure ein Fluch liegt auf diesem Schatz. **7.** *jur.* a) *j-n* verhaften (*für Zwecke des Zivilprozesses*), b) (gerichtlich) beschlagnahmen, *e-e Forderung, ein Konto, Schulden etc* pfänden: to ~ a claim. **II** *v/i* **8.** (to) anhaften (*dat*), verknüpft *od.* verbunden sein (mit): no condition ~es (to it) keine Bedingung ist damit verknüpft; no blame ~es to him ihn trifft keine Schuld. **9.** *jur.* (als Rechtsfolge) eintreten: liability ~es; the risk ~es das Risiko beginnt.

at·tach·a·ble [əˈtætʃəbl] *adj* **1.** *jur.* a) zu verhaften(d), b) beschlagnahmefähig, pfändbar. **2.** *fig.* (to) a) verknüpfbar (mit), b) zuzuschreiben(d) (*dat*). **3.** anfügbar, an-, aufsteckbar, monˈtierbar.

at·ta·ché [*Br.* əˈtæʃei; *Am.* ͵ætəˈʃei] *s* Attaˈché *m.* ~ **case** *s* Aktentasche *f od.* -koffer *m.*

at·tached [əˈtætʃt] *adj* **1.** befestigt, fest (angebracht). **2.** *zo.* unbeweglich, fest. **3.** *biol.* festgewachsen, festsitzend. **4.** anhänglich, zugetan.

at·tach·ment [əˈtætʃmənt] *s* **1.** Befestigung *f,* Anbringung *f.* **2.** (*etwas*) An- *od.* Beigefügtes, Anhängsel *n,* Beiwerk *n.* **3.** *tech.* Zusatzgerät *n*: ~s Zubehörteile, Ausrüstung *f*; ~ plug *electr.* Zwischenstecker *m.* **4.** Band *n,* Verbindung *f*: the ~s of a muscle *anat.* Muskelbänder. **5.** *fig.* (to, for) a) Treue *f* (zu, gegen), Anhänglichkeit *f* (an *acc*), b) Bindung *f* (an *acc*), (Zu)Neigung *f,* Liebe *f* (zu). **6.** (to) a) Angliederung *f* (an *acc*), b) Zugehörigkeit *f* (zu). **7.** *jur.* a) Verhaftung *f* (*e-s Schuldners etc*), b) Beschlagnahme *f,* Pfändung *f,* dinglicher Arˈrest: ~ of a debt Forderungspfändung; order of ~ Beschlagnahmeverfügung *f,* Pfändungsbeschluß *m,* c) Eintritt *m* (*e-r Rechtsfolge*).

at·tack [əˈtæk] **I** *v/t* **1.** angreifen (*a. mil. sport Schach etc*), anfallen, überˈfallen. **2.** *fig.* angreifen, ˈherfallen über (*acc*), attacˈkieren, scharf kritiˈsieren. **3.** *fig. e-e Arbeit etc* in Angriff nehmen, anpacken, über *e-e Mahlzeit etc* ˈherfallen. **4.** *fig.* a) befallen (*Krankheit*), b) *chem.* angreifen, anfressen: acid ~s metal. **5.** *mus. den Ton* (*sicher od. genau*) ansetzen, einsetzen mit. **II** *v/i* **6.** angreifen (*a. sport etc*). **7.** *mus.* ein-, ansetzen. **III** *s* **8.** Angriff *m* (*a. fenc. mil. sport Schach etc*), ˈÜberfall *m* (on auf *acc*): ~ in waves *mil.* rollender Angriff; ~ transport *mil.* Landungsschiff *n*; ~ing zone (*Eishockey*) Angriffsdrittel *n.* **9.** *fig.* Angriff *m,* Atˈtacke *f,* (scharfe) Kriˈtik: under ~ ‚unter Beschuß'. **10.** *med.* Atˈtacke *f,* Anfall *m.* **11.** *fig.* Inˈangriffnahme *f* (*e-r Arbeit etc*). **12.** *chem.* Angriff *m,* Einwirkung *f* (on auf *acc*): the ~ of acids. **13.** *mus.* (sicherer *od.* genauer) Ein- *od.* Ansatz, (*Jazz*) Atˈtacke *f.* **atˈtack·er** *s* Angreifer(in).

at·tain [əˈtein] **I** *v/t ein Ziel etc* erreichen, erlangen, gelangen *od.* kommen zu *od.* an (*acc*): to ~ the opposite shore; to ~ an age ein Alter erreichen; after ~ing the age of 21 (years) nach Vollendung des 21. Lebensjahres. **II** *v/i* ~ to → I: to ~ to knowledge Wissen erlangen. **atˈtain·a·ble** *adj* erreichbar, zu erlangen(d).

at·tain·der [əˈteindər] *s jur. obs.* Verlust *m* der bürgerlichen Ehrenrechte u. Einziehung *f* des Vermögens (*als Folge e-r Verurteilung wegen Kapitalverbrechen od. Hochverrat*): bill of ~ parlamentarischer Strafbeschluß (*der ohne vorhergehende Gerichtsverhandlung zum* attainder *führte*).

at·tain·ment [əˈteinmənt] *s* **1.** Erreichung *f,* Erlangung *f,* Aneignung *f.* **2.** (*das*) Erreichte, Errungenschaft *f.* **3.** *meist pl* Kenntnisse *pl,* Fertigkeiten *pl,* (geistige) Errungenschaften *pl.*

at·taint [əˈteint] **I** *v/t* **1.** *jur. obs.* zum Tode u. zur Ehrlosigkeit verurteilen, dem attainder aussetzen. **2.** befallen (*Krankheit*). **3.** *fig.* anstecken, vergiften. **4.** *fig.* beflecken, entehren. **II** *s* **5.** *jur.* → attainder. **6.** *fig.* Schandfleck *m,* Makel *m.* **7.** *obs.* Stoß *m.*

at·tar [ˈætər] *s* ˈBlumenes͵senz *f, bes.* Rosenöl *n*: ~ of roses.

at·tem·per [əˈtempər] *v/t* **1.** (*durch Mischung*) schwächen, mildern. **2.** *Luft etc* tempeˈrieren. **3.** *fig.* dämpfen, mildern. **4.** (to) anpassen (*dat,* an *acc*), in Einklang bringen (mit).

at·tempt [əˈtempt; əˈtemt] **I** *v/t* **1.** versuchen, proˈbieren (to do, doing zu tun). **2.** es versuchen mit, sich machen *od.* wagen an (*acc*), in Angriff nehmen: to ~ a problem. **3.** zu über'wältigen suchen, angreifen: to ~ s.o.'s life e-n Mordanschlag auf j-n verüben. **II** *s* **4.** Versuch *m* (*a. jur.*): ~ at explanation Versuch e-r Erklärung, Erklärungsversuch; an ~ at a novel ein Versuch zu e-m Roman. **5.** Unter'nehmung *f*, Bemühung *f*. **6.** Angriff *m* (*a. mil. obs.*), Anschlag *m*: an ~ on s.o.'s life Mordanschlag *od.* Attentat *n* auf j-n.

at·tend [ə'tend] **I** *v/t* **1.** bedienen, pflegen, warten, über'wachen: to ~ machinery. **2.** *Kranke* a) pflegen, b) (ärztlich) behandeln. **3.** a) (als Diener *od.* dienstlich) begleiten, b) *j-m* aufwarten. **4.** *fig.* begleiten: to be ~ed by (*od.* with) nach sich ziehen, zur Folge haben; to be ~ed with great difficulties mit großen Schwierigkeiten verbunden sein. **5.** beiwohnen (*dat*), anwesend sein bei, teilnehmen an (*dat*), *die Kirche, Schule, e-e Versammlung etc* besuchen, *e-e Vorlesung* hören. **6.** *obs.* → 7. **II** *v/i* **7.** (to) beachten (*acc*), achten, merken (auf *acc*): ~ to these directions! **8.** (to) a) sich kümmern (um), sich befassen (mit), sich widmen (*dat*), b) erledigen, besorgen (*acc*): to ~ to a matter. **9.** *econ.* bedienen, abfertigen (to a customer e-n Kunden). **10.** zu'gegen *od.* anwesend sein (at bei, in *dat*), sich einfinden, erscheinen (in court vor Gericht). **11.** (on, upon) begleiten (*acc*), folgen (*dat*). **12.** (on, upon) (*j-n*) bedienen, pflegen, (*j-m*) aufwarten, zur Verfügung stehen.

at·tend·ance [ə'tendəns] *s* **1.** Dienst *m*, Bereitschaft *f*, Aufsicht *f*: physician in ~ diensthabender Arzt; hours of ~ Dienststunden (→ 3); A~ Centre *jur. Br.* Heim *n* für Freizeitarrest (*straffälliger Jugendlicher*); → dance 4. **2.** Bedienung *f*, (Auf)Wartung *f*, Pflege *f* (upon *gen*), Dienstleistung *f*: medical ~ ärztliche Behandlung *od.* Pflege. **3.** Anwesenheit *f*, Erscheinen *n*, Besuch *m*: to be in ~ at anwesend sein bei; ~ list Anwesenheitsliste *f*; hours of ~ Besuchszeit *f* (→ 1). **4.** a) Besucher *pl*, Teilnehmer *pl*, b) Besucherzahl *f*, Besuch *m*, Beteiligung *f*, Erscheinen *n* (at bei). **5.** Begleitung *f*, Gefolge *n*, Dienerschaft *f*.

at·tend·ant [ə'tendənt] **I** *adj* **1.** (on, upon) a) begleitend (*acc*), b) im Dienst stehend (bei). **2.** *jur.* abhängig (to von). **3.** *fig.* (on, upon) verbunden (mit), folgend (auf *acc*): ~ circumstances Begleitumstände; ~ expenses Nebenkosten. **4.** anwesend. **5.** *mus.* nächstverwandt (*Tonarten*). **II** *s* **6.** Begleiter(in), Gefährte *m*, Gefährtin *f*, Gesellschafter(in). **7.** Diener(in), Bediente(r *m*) *f*. **8.** *pl* Dienerschaft *f*, Gefolge *n*. **9.** Wärter(in), Aufseher(in). **10.** *tech.* Bedienungsmann *m*, Wart *m*. **11.** *fig.* Begleiterscheinung *f*, Folge *f* (on, upon *gen*). ~ **phe·nom·e·non** *s phys.* Nebenerscheinung *f*.

at·ten·tion [ə'tenʃən] *s* **1.** Aufmerksamkeit *f*: to bring to the ~ of s.o. j-m zur Kenntnis bringen, j-n (von *e-r Sache*) unterrichten; to call (*od.* draw) ~ to die Aufmerksamkeit lenken auf (*acc*), aufmerksam machen auf (*acc*); → catch 15; to come to the ~ of s.o. j-m zur Kenntnis gelangen; to pay ~ to *j-m od. e-r Sache* Beachtung schenken, s-e Aufmerksamkeit zuwenden (*dat*), achtgeben auf (*acc*); to pay close ~, to be all ~ ganz Ohr sein, ganz bei der Sache sein; to attract ~ Aufmerksamkeit erregen; (for the) ~ of zu Händen von (*od. gen*). **2.** Beachtung *f*, Erledigung *f*: for immediate ~! zur sofortigen Veranlassung!; to give a matter prompt ~ e-e Sache rasch erledigen. **3.** a) Aufmerksamkeit *f*, Gefälligkeit *f*, Freundlichkeit *f*, b) *pl* Aufmerksamkeiten *pl*: to pay one's ~s to s.o. j-m den Hof machen. **4.** *mil.* a) Grundstellung *f*, b) Stillgestanden!, Achtung! (*als Kommando*). **5.** *tech.* Wartung *f*, Bedienung *f*.

at·ten·tive [ə'tentiv] *adj* (*adv* ~ly) **1.** aufmerksam, achtsam (to auf *acc*). **2.** *fig.* (to) aufmerksam (gegen), höflich (zu). **at'ten·tive·ness** *s* Aufmerksamkeit *f* (*a. weitS. Gefälligkeit*).

at·ten·u·ate [ə'tenjuˌeit] **I** *v/t* **1.** dünn *od.* schlank machen. **2.** *bes. chem.* verdünnen. **3.** *fig.* vermindern, (ab)schwächen. **4.** *med.* die Viru'lenz (*gen*) vermindern. **5.** *electr.* dämpfen, her'unterregeln, -teilen: to ~ the voltage die Spannung herabsetzen. **II** *v/i* **6.** dünner *od.* schwächer werden, sich vermindern. **III** *adj* [-it; -ˌeit] **7.** verdünnt, vermindert, abgeschwächt. **8.** abgemagert. **9.** *bot.* zugespitzt. **10.** *biol.* verjüngt.

at·ten·u·a·tion [əˌtenju'eiʃən] **I** *s* **1.** Verminderung *f*. **2.** Verdünnung *f*. **3.** *med.* Schwächung *f*, Abmagerung *f*. **4.** *phys.* Verkleinerung *f*. **5.** *electr. phys.* Dämpfung *f*, Abschwächung *f*, Spannungsteilung *f*. **6.** *fig.* Verringerung *f*, Abschwächung *f*. **II** *adj* **7.** *electr.* Dämpfungs...

at·ten·u·a·tor [ə'tenjuˌeitər] *s electr.* (regelbarer) Abschwächer, Dämpfungsglied *n*, Spannungsteiler *m*.

at·test [ə'test] **I** *v/t* **1.** bezeugen, beglaubigen, bescheinigen, atte'stieren, amtlich bestätigen *od.* beglaubigen *od.* beurkunden: ~ed copy beglaubigte Abschrift; ~ed will von Zeugen unterzeichnetes Testament. **2.** zeugen von, bestätigen, erweisen, zeigen. **3.** vereidigen (*Br. a. mil.*). **4.** *mil. Rekruten* einstellen. **II** *v/i* **5.** zeugen (to für). **6.** *mil.* sich (zum Wehrdienst) melden.

at·tes·ta·tion [ˌætes'teiʃən] *s* **1.** Bestätigung *f*: a) Bezeugung *f* (*der Errichtung e-r Urkunde etc*), b) Beglaubigung *f* (*durch Unterschrift*), c) Bescheinigung *f*, At'test *n*: ~ clause Beglaubigungsvermerk *m*. **2.** Zeugnis *n*, Beweis *m*. **3.** Eidesleistung *f*, Vereidigung *f* (*Br. a. mil.*). **at'tes·tor** [-tər] *s* Beglaubiger *m*, Zeuge *m*.

at·tic[1] ['ætik] *s* **1.** *arch.* Attika *f*. **2.** *arch.* a) *a. pl* Dachgeschoß *n*, b) Dachstube *f*, Man'sarde *f*. **3.** *fig. humor.* Oberstübchen *n*, Kopf *m*.

At·tic[2] ['ætik] *adj* attisch: a) a'thenisch, b) *fig.* (rein) klassisch: ~ base *arch.* attischer Säulenfuß; ~ order *arch.* attische Säulenordnung; ~ salt (*od.* wit) *fig.* attisches Salz, feiner (beißender) Witz.

At·ti·cism, a~ ['ætiˌsizəm] *s* **1.** Vorliebe *f* für A'then. **2.** Atti'zismus *m*, attischer Stil *od.* Ausdruck. **3.** *fig.* Ele'ganz *f od.* Reinheit *f* der Sprache.

at·tire [ə'tair] **I** *v/t* **1.** (be)kleiden, anziehen: ~d in angetan in (*dat*) *od.* mit. **2.** schmücken, putzen. **II** *s* **3.** Kleidung *f*, Gewand *n*: official ~ Amtstracht *f*. **4.** Putz *m*, Schmuck *m*.

at·ti·tude ['ætiˌtjuːd] *s* **1.** (Körper)-Haltung *f*, Stellung *f*, Posi'tur *f*: a threatening ~ e-e drohende Haltung; to strike an ~ → attitudinize 1 a. **2.** Haltung *f*: a) Verhalten *n*: ~ of mind Geisteshaltung, b) Standpunkt *m*, Stellung(nahme) *f*, Einstellung *f* (to, towards zu, gegen'über). **3.** *a.* ~ of flight *aer.* Fluglage *f*.

at·ti·tu·di·nize [ˌæti'tjuːdiˌnaiz] *v/i* **1.** a) e-e thea'tralische Haltung *od.* e-e Pose annehmen, b) *a. fig.* sich in Posi'tur setzen, po'sieren. **2.** sich affek'tiert benehmen, affektiert reden *od.* schreiben. **ˌat·ti'tu·diˌniz·er** *s* Po'seur *m*.

at·torn [ə'təːrn] **I** *v/i* **1.** *hist.* a) e-n neuen Lehnsherrn anerkennen, b) huldigen u. dienen (to *dat*). **2.** *jur. j-n* als (den neuen) Eigentümer *od.* Vermieter anerkennen. **II** *v/t* **3.** *hist. die Lehnspflicht etc* auf e-n anderen Lehnsherrn über'tragen.

at·tor·ney [ə'təːrni] *s* **1.** *jur. bes. Am.* a) *a.* ~ at law (Rechts)Anwalt *m*: ~ for the defense *Am.* Anwalt der beklagten Partei, (*im Strafprozeß*) Verteidiger *m*; → district attorney, b) *a.* ~ in fact Bevollmächtigte(r) *m*, gesetzlicher Vertreter. **2.** *jur.* Bevollmächtigung *f*, Vollmacht *f*: letter (*od.* warrant) of ~ schriftliche Vollmacht; power of ~ a) Vollmacht *f*, b) Vollmachtsurkunde *f*; by ~ in Vertretung, in Vollmacht, im Auftrag. ~ **gen·er·al** *pl* ~s **gen·er·al** *od.* ~ **gen·er·als** *s jur.* **1.** *Br.* erster Kronanwalt, oberster Vertreter der Anklagebehörde. **2.** *Am.* Ju'stizmiˌnister *m*.

at·tract [ə'trækt] **I** *v/t* **1.** anziehen. **2.** *fig. Kunden, Touristen etc* anziehen, anlocken, *j-n* fesseln, reizen, gewinnen, für sich einnehmen, *j-s Interesse, Blicke etc* auf sich ziehen: to ~ new members neue Mitglieder gewinnen; to be ~ed to sich hingezogen fühlen zu; → attention 1. **II** *v/i* **3.** Anziehung(skraft) ausüben (*a. fig.*). **4.** *fig.* anziehend wirken *od.* sein.

at·trac·tion [ə'trækʃən] *s* **1.** *fig.* a) Anziehungskraft *f*, Reiz *m*, b) Attrakti'on *f*, (*etwas*) Anziehendes, *thea. etc* Zugnummer *f*, -stück *n*. **2.** *phys.* Attrakti'on *f*, Anziehung(skraft) *f*: ~ of gravity Gravitationskraft *f*. **3.** *ling.* Attrakti'on *f*.

at·trac·tive [ə'træktiv] *adj* (*adv* ~ly) **1.** anziehend: ~ force (*od.* power) Anziehungskraft *f*. **2.** a) anziehend, reizvoll, b) attrak'tiv, einnehmend, gefällig: an ~ appearance, c) ansprechend, gefällig, zugkräftig: ~ package design. **at'trac·tive·ness** *s* **1.** anziehendes Wesen. **2.** (*das*) Anziehende *od.* Reizende. **3.** → attraction 1 a.

at·trib·ut·a·ble [ə'tribjutəbl] *adj* zuzuschreiben(d) (to *dat*).

at·trib·ute I *v/t* [ə'tribjuːt] **1.** zuschreiben, beilegen, -messen, *contp.* 'unterschieben, unter'stellen (to *dat*). **2.** zu'rückführen (to auf *acc*). **II** *s* ['ætriˌbjuːt] **3.** Attri'but *n*, Eigenschaft *f*, (wesentliches) Merkmal: mercy is an ~ of God; statistical ~ *math.* festes Merkmal. **4.** Attri'but *n*, (Kenn)-Zeichen *n*, Sinnbild *n*. **5.** *ling.* Attri'but *n*. **ˌat·tri'bu·tion** [ˌæt-] *s* **1.** Zuschreibung *f*, Beilegung *f* (to *dat*). **2.** beigelegte Eigenschaft. **3.** zuerkanntes Recht, (erteilte) Befugnis.

at·trib·u·tive [ə'tribjutiv] **I** *adj* (*adv* ~ly) **1.** zuerkennend. **2.** zugeschrieben, beigelegt. **3.** *ling.* attribu'tiv. **II** *s* **4.** *ling.* Attri'but *n*.

at·trit·ed [ə'traitid] *adj* abgenutzt.

at·tri·tion [ə'triʃən] *s* **1.** a) Ab-, Zerreibung *f*, b) *a. fig.* Aufreibung *f*, Abnutzung *f*, Verschleiß *m*. **2.** *fig.* Zermürbung *f*: war of ~ *mil.* Abnut-

zungs-, Zermürbungskrieg *m.* **3.** *relig.* unvollkommene Reue.
at·tune [ə'tjuːn] *v/t* **1.** *mus.* (ein-, ab)stimmen (to auf *acc*). **2.** *fig.* (to) ein-, abstimmen, einstellen (auf *acc*), anpassen (*dat*), in Einklang bringen (mit).
a·typ·i·cal [ei'tipikəl] *adj* a'typisch.
au·baine [o'bɛn] (*Fr.*) *s a.* right of ~ *jur. hist.* Heimfallsrecht *n.*
au·ber·gine [obɛr'ʒin; *Br.* 'oubəʒiːn] (*Fr.*) *s bot.* Auber'gine *f*, Eierfrucht *f.*
au·burn ['ɔːbərn] **I** *adj* **1.** ka'stanienbraun (*Haar*). **2.** *obs.* hellgelb, -braun. **II** *s* **3.** Ka'stanienbraun *n* (*Farbe*).
auc·tion ['ɔːkʃən] **I** *s* Aukti'on *f*, (öffentliche) Versteigerung: to sell by (*Am.* at) ~, to put up for *od.* to (*Am.* at) ~ versteigern, zur Versteigerung bringen; sale by ~, ~ sale Versteigerung; ~ bridge Auktionsbridge *n*; ~ law *jur.* Gantrecht *n*; ~ mart (*od.* room) Auktionslokal *n*; → Dutch auction. **II** *v/t meist* ~ off versteigern.
auc·tion·eer [ˌɔːkʃə'nir] **I** *s* Auktio'nator *m*, Versteigerer *m*: ~'s fees Auktionsgebühren. **II** *v/t* versteigern.
au·da·cious [ɔː'deiʃəs] *adj* (*adv* ~ly) **1.** kühn, verwegen. **2.** keck, dreist, unverfroren. **au'da·cious·ness** → audacity.
au·dac·i·ty [ɔː'dæsiti] *s* **1.** Kühnheit *f*, Verwegenheit *f*, Waghalsigkeit *f.* **2.** Frechheit *f*, Keckheit *f.*
au·di·bil·i·ty [ˌɔːdi'biliti] *s* Hörbarkeit *f*, Vernehmbarkeit *f.* **'au·di·ble** *adj* (*adv* audibly) hör-, vernehmbar, vernehmlich (to für), *tech. a.* a'kustisch.
au·di·ence ['ɔːdiəns; 'ɔːdjəns] *s* **1.** *a. jur.* Anhörung *f*, Gehör *n*: to give ~ to s.o. j-m Gehör schenken, j-n anhören; right of ~ *jur.* rechtliches Gehör. **2.** Audi'enz *f* (of, with bei): to have an ~ of the Queen; to be received in ~ in Audienz empfangen werden; ~ chamber Audienzzimmer *n*; A~ Court *jur. relig.* Audienzgericht *n.* **3.** Publikum *n*: a) Zuhörer(schaft *f*) *pl*, b) Zuschauer *pl*, c) Besucher *pl*, Schaulustige *pl*, d) Leser(kreis *m*) *pl.* **4.** Anhänger(schaft *f*) *pl.*
audio- [ɔːdiou; ɔːdiə] *Wortelement mit der Bedeutung* a) Hör..., Ton..., a'kustisch, b) *electr.* audio..., Hör-, Ton-, Niederfrequenz..., c) *Am.* Rundfunk-, Fernseh- u. Schallplatten..., *bes.* High Fidelity..., Hi-Fi...: ~ fair.
au·di·o| am·pli·fi·er ['ɔːdiou] *s electr. phys.* 'Tonfreˌquenz-, 'Niederfreˌquenzverˌstärker *m.* ~ **con·trol en·gi·neer** *s* 'Toningeniˌeur *m*, -meister *m.* ~ **de·tec·tor** *s* NF-Gleichrichter *m.* ~ **fre·quen·cy** *s* 'Audio-, 'Nieder-, 'Ton-, 'Hörfreˌquenz *f.*
au·di·om·e·ter [ˌɔːdi'ɒmitər] *s electr. med.* Audio'meter *n*, Gehörmesser *m.* **ˌau·di'om·e·try** [-tri] *s* **1.** *med.* Audiome'trie *f*, Gehörmessung *f*: puretone-~ Tonaudiometrie; speech-~ Sprechaudiometrie. **2.** *electr.* 'Tonfreˌquenzmessung *f.*
au·di·o·mix·er ['ɔːdiouˌmiksər] *s TV* (Ton)Mischtafel *f.*
au·di·on ['ɔːdiˌɒn] *s Radio*: Audion *n*: ~ valve (*Am.* tube) Audionröhre *f.*
au·di·o|·phile ['ɔːdioufail; -fil] *s* 'Hi-Fi-Faˌnatiker *m.* ~ **range** *s electr.* 'Hör-, 'Tonfreˌquenzbereich *m.* ~ **sig·nal** *s* **1.** *tech.* a'kustisches Si'gnal. **2.** *electr.* 'Ton(freˌquenz)siˌgnal *n.* ~ **stage** *s* 'Niederfreˌquenzstufe *f*, NF-Stufe *f.* **'~-'vis·u·al** *adj* 'audio-visuˌell: ~ instruction Unterricht *m* mit Lehrfilmen.
au·di·phone ['ɔːdiˌfoun] *s med.* Audi'phon *n*, 'Höräppaˌrat *m.*
au·dit ['ɔːdit] **I** *s* **1.** *econ.* a) (Buch-, Rechnungs-, Wirtschafts)Prüfung *f*, ('Bücher-, 'Rechnungs)Revisiˌon *f*, b) Schlußrechnung *f*, Bi'lanz *f*: personal ~ *psych. Am.* Persönlichkeitstest *m*, -analyse *f* (*für Angestellte*); ~ office Rechnungsprüfungsamt *n*; ~ year Prüfungs-, Revisionsjahr *n.* **2.** *fig.* Rechenschaft(slegung) *f.* **3.** *obs.* Zeugenverhör *n.* **II** *v/t* **4.** *econ.* (amtlich) prüfen, revi'dieren: to ~ the books. **5.** *univ. Am.* e-n *Kurs etc* als Gasthörer(in) besuchen. ~ **ale** *s Br. univ. besonders starkes Bier.*
au·dit·ing ['ɔːditiŋ] *s econ.* → audit 1 a: ~ of accounts Rechnungsprüfung *f*; external ~ Buchprüfung *f*, Revision *f* (durch betriebsfremde Prüfer); internal ~ Innenrevision *f*, betriebsinterne Revision. ~ **com·pa·ny** *s econ.* Revisi'onsgesellschaft *f*, 'Treuhandbüˌro *n.* ~ **de·part·ment** *s econ.* Revisi'onsabˌteilung *f.*
au·di·tion [ɔː'diʃən] **I** *s* **1.** *physiol.* Hörvermögen *n*, Gehör *n.* **2.** Hören *n.* **3.** Zu-, Anhören *n.* **4.** *thea. etc* Hörprobe *f.* **II** *v/t u. v/i* **5.** (sich) e-r Hörprobe unter'ziehen, probesingen *od.* -spielen *od.* vorsprechen (lassen).
au·di·tive ['ɔːditiv] *adj* audi'tiv, Gehör..., Hör...
au·di·tor ['ɔːditər] *s* **1.** (Zu)Hörer(in). **2.** *univ. Am.* Gasthörer(in). **3.** *econ.* Wirtschafts-, Rechnungs-, Kassen-, Buchprüfer *m*, ('Bücher)Reˌvisor *m*: official ~ Revisionsbeamte(r) *m*; A~ General Präsident *m* der Oberrechnungskammer.
au·di·to·ri·um [ˌɔːdi'tɔːriəm] *pl* **-ums, -ri·a** [-ə] *s* **1.** Audi'torium *n*, Zuhörer- *od.* Zuschauerraum *m.* **2.** *Am.* Vortragssaal *m*, Vorführungsraum *m*, *a.* Kon'zerthalle *f*, (*a.* 'Film)Theˌater *n.*
au·di·tor·ship ['ɔːditərˌʃip] *s econ.* Rechnungsprüfer-, Re'visoramt *n.*
au·di·to·ry ['ɔːditəri] **I** *s* **1.** Zuhörer(schaft *f*) *pl.* **2.** → auditorium. **II** *adj* **3.** *anat.* Gehör..., Hör...: ~ nerve Gehörnerv *m.*
au fait [o fɛ] (*Fr.*) *pred adj* auf dem laufenden: to put s.o. ~ with s.th. j-n mit etwas vertraut machen.
Au·ge·an [ɔː'dʒiːən] *adj* **1.** *myth. u. fig.* Augias...: to cleanse the ~ stables den Augiasstall reinigen. **2.** *fig.* a) 'überaus schmutzig, b) äußerst schwierig: an ~ task.
au·gend ['ɔːdʒend; ɔː'dʒend] *s math.* Au'gend *m*, erster Sum'mand.
au·ger ['ɔːgər] *s tech.* **1.** großer Bohrer, Vor-, Schneckenbohrer *m.* **2.** Erdbohrer *m.* **3.** Löffelbohrer *m.* **4.** Förderschnecke *f*: ~ conveyor Schnekkenförderer *m.* ~ **bit** *s tech.* **1.** Bohreisen *n.* **2.** Löffel-, Hohlbohrer *m.*
aught [ɔːt] **I** *pron* (irgend) etwas: for ~ I care meinetwegen; for ~ I know soviel ich weiß. **II** *adv* irgendwie.
aug·ment [ɔːg'ment] **I** *v/t* **1.** vermehren, -größern, steigern. **2.** *mus. ein Thema* vergrößern. **II** *v/i* **3.** sich vermehren, zunehmen, (an)wachsen. **III** *s* ['ɔːgmənt] **4.** *ling.* Aug'ment *n.*
aug·men·ta·tion [ˌɔːgmen'teiʃən] *s* **1.** Vergrößerung *f*, -mehrung *f*, Wachstum *n*, Zunahme *f*, Erhöhung *f*: ~ factor *phys.* Wachstumsfaktor *m.* **2.** Zusatz *m*, Zuwachs *m.* **3.** *her.* besonderes hin'zugefügtes Ehrenzeichen. **4.** *mus.* Augmentati'on *f*, Vergrößerung *f* (*e-s Themas*).
aug·ment·a·tive [ɔːg'mentətiv] **I** *adj* vermehrend, -stärkend, Verstärkungs... **II** *s ling.* Verstärkungsform *f.*
au gra·tin [o gra'tɛ̃; *Am. a.* ˌou'grætn] (*Fr.*) *adj Kochkunst*: au gra'tin, über'backen.
au·gur ['ɔːgər] **I** *s* **1.** *antiq.* Augur *m.* **2.** Wahrsager *m*, Pro'phet *m.* **II** *v/i u. v/t* **3.** vor'aus-, weissagen, mutmaßen, ahnen (lassen), verheißen, prophe'zeien: to ~ ill (well) a) ein schlechtes (gutes) Zeichen *od.* Omen sein (for für), b) Böses (Gutes) erwarten (of von; for für). **'au·gu·ral** [-gjə-; -gju-] *adj* **1.** Auguren... **2.** vorbedeutend.
au·gu·ry ['ɔːgjuri] *s* **1.** Wahrsagen *n.* **2.** Weissagung *f*, Prophe'zeiung *f.* **3.** Vorbedeutung *f*, Vor-, Anzeichen *n*, Omen *n.* **4.** Vorahnung *f* (of von).
au·gust[1] [ɔː'gʌst] *adj* (*adv* ~ly) erhaben, hehr, herrlich, erlaucht, hoheitsvoll.
Au·gust[2] ['ɔːgəst] *s* Au'gust *m*: in ~ im August.
Au·gus·tan [ɔː'gʌstən] **I** *adj* **1.** den Kaiser Au'gustus betreffend, augu'steisch. **2.** *relig.* Augu'stanisch, Augsburgisch (*Konfession*). **3.** klassisch. **II** *s* **4.** Schriftsteller *m* des Augu'steischen Zeitalters. ~ **age** *s* **1.** Augu'steisches Zeitalter. **2.** klassisches Zeitalter, Blütezeit *f* (*e-r nationalen Literatur*: *in England Zeitalter der Königin Anna*).
Au·gus·tine [ɔː'gʌstin] **I** *npr* Augu'stin(us) *m.* **II** *s a.* ~ friar (*od.* monk) Augu'stiner(mönch) *m.* **III** *adj* augu'stinisch.
Au·gus·tin·i·an [ˌɔːgəs'tiniən] *relig.* **I** *s* **1.** Anhänger *m* des Augusti'nismus. **2.** Augu'stiner(mönch) *m.* **II** *adj* **3.** augu'stinisch.
au·gust·ness [ɔː'gʌstnis] *s* Erhabenheit *f*, Hoheit *f.*
auk [ɔːk] *s orn.* Alk *m.*
au·lar·i·an [ɔː'lɛ(ə)riən] *s univ.* Mitglied *n* e-s Studienhauses (hall *im Ggs. zu* college *in Oxford u. Cambridge*).
auld [ɔːld] *adj Scot. od. dial.* alt. ~ **lang syne** [læŋ 'sain] *Scot.* **1.** (*wörtlich*) vor langer Zeit. **2.** *fig.* die gute alte Zeit (*Liedtitel*).
au·lic ['ɔːlik] *adj* höfisch, Hof...
aunt [*Br.* ɑːnt; *Am.* æ(ː)nt] *s* Tante *f* (*a. fig.*): my ~! *colloq.* a) du liebe Zeit!, b) ,von wegen'! **'aunt·ie, aunt·y** [-ti] *s* Tantchen *n.*
au·ra ['ɔːrə] *pl* **-rae** [-riː] *s* **1.** Hauch *m*, Duft *m.* **2.** A'roma *n.* **3.** *med.* Aura *f*, Vorgefühl *n* vor (epi'leptischen *etc*) Anfällen. **4.** *fig.* Aura *f*: a) Fluidum *n*, Ausstrahlung *f*, b) Atmo'sphäre *f*, c) Nimbus *m.*
au·ral ['ɔːrəl] *adj* **1.** Ohr..., Ohren..., Gehör...: ~ surgeon *med.* Ohrenarzt *m.* **2.** *phys. tech.* a'kustisch, Hör..., Ton...: ~ carrier *TV* Tonträger *m.*
au·rate ['ɔːreit] *s chem.* 'GoldoˌxydsaIz *n*: ~ of ammonia Knallgold *n.*
au·re·ate ['ɔːriit; -ˌeit] *adj* golden.
au·re·li·a [ɔː'riːliə; -ljə] *s zo.* **1.** *obs.* Puppe *f bes.* e-s Schmetterlings. **2.** Ohrenqualle *f.*
au·re·o·la [ɔː'riːələ] → aureole.
au·re·ole ['ɔːriˌoul] *s* Aure'ole *f*: a) Strahlenkrone *f*, Heiligen-, Glorienschein *m*, b) *fig.* Nimbus *m*, Ruhmeskranz *m*, Glorienschein *m*, c) *astr.* Hof *m* (*um Sonne od. Mond*).
au·re·o·my·cin [ˌɔːriou'maisin] *s pharm.* Aureomy'cin *n* (*Antibiotikum*).
au·ric ['ɔːrik] *adj* **1.** Gold... **2.** *chem.* aus Gold gewonnen.
au·ri·cle ['ɔːrikl] *s* **1.** *anat.* äußeres Ohr, Ohrmuschel *f.* **2.** *a.* ~ of the heart *anat.* Herzvorhof *m*, Herzohr *n.* **3.** *bot.* Öhrchen *n* (*am Blattgrund*).
au·ric·u·la [ɔː'rikjulə] *pl* **-lae** [-ˌliː] *s* **1.** *bot.* Au'rikel *f.* **2.** → auricle 1.
au·ric·u·lar [ɔː'rikjulər] *adj* **1.** das Ohr betreffend, Ohren..., Hör...: ~ canal

anat. Ohrkanal *m*; ~ **nerves** *anat.* Ohrennerven; ~ **tube** *anat.* äußerer Gehörgang. **2.** ins Ohr geflüstert, Ohren...: ~ **confession** Ohrenbeichte *f*; ~ **tradition** mündliche Überlieferung; ~ **witness** Ohrenzeuge *m*. **3.** *anat.* a) zu den Herzohren gehörig, b) auriku'lär, ohrförmig.

au·ric·u·late [ɔː'rikjulit; -ˌleit], **au'ric·uˌlat·ed** [-ˌleitid] *adj zo.* **1.** geohrt. **2.** ohrförmig.

au·rif·er·ous [ɔː'rifərəs] *adj* goldhaltig.

au·ri·form ['ɔːriˌfɔːrm] *adj* ohrförmig.

Au·ri·ga [ɔː'raigə] *gen* **-gae** [-dʒiː] *s astr.* Au'riga *m*, Fuhrmann *m*.

au·ri·scalp ['ɔːriˌskælp] *s* **1.** Ohrlöffel *m*. **2.** *med.* Ohrsonde *f*.

au·ri·scope ['ɔːriˌskoup] *s med.* Auri'skop *n*, Ohrenspiegel *m*.

au·rist ['ɔːrist] *s med.* Ohrenarzt *m*.

au·rochs ['ɔːrɒks] *s sg u. pl zo.* Auerochs *m*, Ur *m*.

au·ro·ra [ɔː'rɔːrə] *pl* **-ras,** *selten* **-rae** [-iː] *s* **1.** *poet.* Au'rora *f*, Morgen(röte *f*) *m*. **2.** A~ Au'rora *f* (*Göttin der Morgenröte*). **3.** → **aurora borealis.** ~ **aus·tra·lis** [ɔː'streilis] *s phys.* Po'lar-, Südlicht *n*. ~ **bo·re·a·lis** [ˌbɔːri'eilis; *Am. a.* -'ælis] *s phys.* Nordlicht *n*.

au·ro·ral [ɔː'rɔːrəl] *adj* **1.** a) die Morgenröte betreffend, b) rosig (glänzend). **2.** Nordlicht...

au·rous ['ɔːrəs] *adj* **1.** goldhaltig. **2.** *chem.* Gold..., Goldoxydul...

au·rum ['ɔːrəm] *s chem.* Gold *n*.

aus·cul·tate ['ɔːskəlˌteit] *v/t u. v/i med.* auskul'tieren, abhorchen. ˌ**aus·cul'ta·tion** *s med.* Auskultati'on *f*, Abhorchen *n*. '**aus·culˌta·tive** *adj med.* auskulta'tiv, Hör... '**aus·culˌta·tor** [-tər] *s med.* **1.** auskul'tierender Arzt. **2.** Stetho'skop *n*.

aus·pi·cate ['ɔːspiˌkeit] *v/t* unter günstigen Vorbedingungen beginnen *od.* einführen, inaugu'rieren.

aus·pice ['ɔːspis] *s* **1.** *antiq.* Au'spizium *n*. **2.** *pl fig.* (günstiges) An- *od.* Vorzeichen, Au'spizien *pl*. **3.** *pl fig.* Au'spizien *pl*, Schirmherrschaft *f*, Schutz *m*, Leitung *f*: **under the** ~**s of s.o.** unter j-s Auspizien *etc.*

aus·pi·cious [ɔːs'piʃəs] *adj* (*adv* ~**ly**) günstig, unter günstigen Au'spizien, glücklich, Gutes *od.* Glück verheißend: **an** ~ **beginning. aus'pi·cious·ness** *s* günstige Aussicht *od.* Vorbedeutung, Glück *n*.

Aus·sie ['ɔːsi; 'ɒsi] *s sl.* Au'stralier *m*.

Aus·ter ['ɔːstər] *s poet.* Südwind *m*.

aus·tere [ɔːs'tir] *adj* (*adv* ~**ly**) **1.** streng, ernst: **an** ~ **person. 2.** a) as'ketisch, enthaltsam, b) dürftig, karg. **3.** herb, rauh, hart, streng. **4.** ernst, streng, nüchtern, schmucklos: **an** ~ **room; an** ~ **style. aus·ter·i·ty** [ɔːs'teriti] *s* **1.** Ernst *m*, Strenge *f*. **2.** Strenge *f*, (strenge) Einfachheit, Schmucklosigkeit *f*, Nüchternheit *f*. **3.** Strenge *f*, herbe Art, rauhes Wesen, Härte *f*. **4.** Enthaltsamkeit *f*, Genügsamkeit *f*. **5.** wirtschaftliche Einschränkung, Sparmaßnahmen *pl* in Notzeiten, eingeschränkte Lebensweise (*bes. als Kriegsfolge*): ~ **program(me)** Einschränkungs-, Not-, Sparprogramm *n*.

Aus·tin ['ɔːstin] → **Augustine.**

aus·tral ['ɔːstrəl] *adj astr.* südlich.

Aus·tral·a·sian [ˌɔːstrə'leiʒən; -ʒiən; -ʃən] **I** *adj* au'stralˌasisch. **II** *s* Au'stralˌasier(in).

Aus·tral·ian [ɔːs'treiljən] **I** *adj* au'stralisch. **II** *s* Au'stralier(in). ~ **bal·lot** *s pol. Am. nach australischem Muster eingeführter Stimmzettel, auf dem alle Kandidaten verzeichnet stehen u. der völlig geheime Wahl sichert.*

Aus·tri·an ['ɔːstriən] **I** *adj* österreichisch. **II** *s* Österreicher(in).

Austro- [ɔːstro] *Wortelement mit der Bedeutung* österreichisch, Austro...: ~**-Hungarian Monarchy** Österreichisch-Ungarische Monarchie.

Aus·tro·ne·sian [ˌɔːstro'niːʒən; -ʃən] *adj ling.* austro'nesisch.

au·ta·coid ['ɔːtəˌkɔid] *s physiol.* Autako'id *n*, In'kret *n*, *bes.* Hor'mon *n*.

au·tar·chic [ɔː'tɑːrkik], **au'tar·chi·cal** [-kəl] *adj* **1.** 'selbstreˌgierend, souve'rän, Selbstregierungs... **2.** → **autarkic.** '**au·tarch·y** *s* **1.** 'Selbstreˌgierung *f*, volle Souveräni'tät. **2.** → **autarky.**

au·tar·kic [ɔː'tɑːrkik], **au'tar·ki·cal** [-kəl] *adj econ.* au'tark, wirtschaftlich unabhängig. '**au·tar·kist** *s econ.* Anhänger(in) der Autar'kie. '**au·tar·ky** *s econ.* Autar'kie *f*, wirtschaftliche Unabhängigkeit, au'tarkes 'WirtschaftssyˌStem.

au·then·tic [ɔː'θentik] *adj*; **au'then·ti·cal** [-kəl] *adj* (*adv* ~**ly**) **1.** au'thentisch: a) echt, unverfälscht, verbürgt, b) glaubwürdig, zuverlässig, c) origi'nal, urschriftlich: ~ **text** maßgebender Text, authentische Fassung. **2.** *jur.* gültig, rechtskräftig, urkundlich beglaubigt *od.* belegt. **3.** wirklich. **4.** *mus.* au'thentisch.

au·then·ti·cate [ɔː'θentiˌkeit] *v/t* **1.** beglaubigen, rechtskräftig *od.* -gültig machen, legali'sieren. **2.** als echt erweisen, verbürgen. **auˌthen·ti'ca·tion** *s* Beglaubigung *f*, Legali'sierung *f*, Bescheinigung *f* der Echtheit.

au·then·tic·i·ty [ˌɔːθen'tisiti] *s* **1.** Authentizi'tät *f*, Echtheit *f*. **2.** Rechtsgültigkeit *f*. **3.** Glaubwürdigkeit *f*.

au·thor ['ɔːθər] **I** *s* **1.** Urheber(in) (*a. contp.*), Schöpfer(in), Begründer(in). **2.** Ursache *f*. **3.** Autor *m*, Au'torin *f*, Verfasser(in), *a. allg.* Schriftsteller(in): ~**'s correction** Autor(en)korrektur *f*; ~**'s edition** im Selbstverlag herausgegebenes Buch; ~**'s rights** Verfasser-, Urheberrechte. **4.** *pl* (*als sg konstruiert*) *Am. ein Kartenspiel.* **II** *v/t* **5.** schreiben, verfassen. **6.** schaffen, kre'ieren. '**au·thor·ess** [-ris] *s* Au'torin *f*, Schriftstellerin *f*, Verfasserin *f*.

au·thor·i·tar·i·an [ɔːˌθɒri'tɛ(ə)riən] *adj pol.* autori'tär. **auˌthor·i'tar·i·anˌism** *s pol.* autori'täres Re'gierungssyˌstem.

au·thor·i·ta·tive [ɔː'θɒriˌteitiv] *adj* (*adv* ~**ly**) **1.** gebieterisch, herrisch. **2.** autorita'tiv, maßgebend, -geblich. **3.** amtlich.

au·thor·i·ty [ɔː'θɒriti] *s* **1.** Autori'tät *f*, (Amts)Gewalt *f*: **on one's own** ~ aus eigener Machtbefugnis; **to be in** ~ die Gewalt in Händen haben; **misuse of** ~ Mißbrauch *m* der Amtsgewalt. **2.** Autori'tät *f*, Ansehen *n* (**with** bei), Einfluß *m* (**over** auf *acc*). **3.** Nachdruck *m*, Gewicht *n*: **to add** ~ **to the story. 4.** Vollmacht *f*, Ermächtigung *f*, Befugnis *f*: **by** ~ mit amtlicher Genehmigung; **on the** ~ **of** im Auftrage *od.* mit Genehmigung (*gen*) (→ 6); **to have full** ~ **to act** volle Handlungsvollmacht besitzen; ~ **to sign** Unterschriftsvollmacht, Zeichnungsberechtigung *f*. **5.** *meist pl* a) Re'gierung *f*, Obrigkeit *f*, b) (Verwaltungs)Behörde *f*: **the local authorities** die Ortsbehörden; **competent** ~ zuständige Behörde *od.* Dienststelle. **6.** Autori'tät *f*, Zeugnis *n* (*e-r Persönlichkeit, e-s Schriftstellers etc*), Gewährsmann *m*, Quelle *f*, Beleg *m*, Grundlage *f* (**for** für): **on good (the best)** ~ aus glaubwürdiger (bester) Quelle; **on the** ~ **of** a) nach Maßgabe *od.* auf Grund (*gen*), b) mit ... als Gewährsmann (→ 4). **7.** Autori'tät *f*, Kapazi'tät *f*, Sachverständige(r) *m*, (Fach)Größe *f*: **to be an** ~ **on a subject** e-e Autorität in e-r Sache *od.* auf e-m Gebiet sein. **8.** *jur.* a) Vorgang *m*, Präze'denzfall *m*, b) bindende Kraft (*e-r gerichtlichen Vorentscheidung*). **9.** Glaubwürdigkeit *f*: **of unquestioned** ~ unbedingt glaubwürdig.

au·thor·iz·a·ble ['ɔːθəˌraizəbl] *adj* autori'sierbar, gutzuheißen(d).

au·thor·i·za·tion [ˌɔːθərai'zeiʃən; -ri-] *s* Autorisati'on *f*, Ermächtigung *f*, Bevollmächtigung *f*, Genehmigung *f*, Befugnis *f*: **subject to** ~ genehmigungspflichtig. '**au·thorˌize** *v/t* **1.** autori'sieren, ermächtigen, bevollmächtigen, berechtigen, beauftragen. **2.** gutheißen, billigen, genehmigen, rechtfertigen. '**au·thorˌized** *adj* **1.** autori'siert, bevollmächtigt, befugt, verfügungsberechtigt, beauftragt: ~ **agent** *econ.* (Handlungs)Bevollmächtigte(r) *m*, (bevollmächtigter) Vertreter; ~ **capital** *econ.* autorisiertes (*zur Ausgabe genehmigtes*) Kapital; **A**~ **Version** *englische* Bibelversion von 1611. **2.** *jur.* rechtsverbindlich.

au·thor·less ['ɔːθərlis] *adj* ohne Verfasser, ano'nym.

au·thor·ship ['ɔːθərˌʃip] *s* **1.** Urheberschaft *f*. **2.** Autor-, Verfasserschaft *f*. **3.** Schriftstellerberuf *m*.

au·tism ['ɔːtizəm] *s psych.* Au'tismus *m*.

au·to ['ɔːto] *pl* **-tos** *s Am. colloq.* Auto *n*.

au·to·bahn ['autoˌbɑːn] *pl* **-ˌbah·nen** [-nən] (*Ger.*) *s* Autobahn *f*.

au·to·bi·og·ra·pher [ˌɔːtobai'ɒgrəfər; -bi-] *s* 'Auto-, 'SelbstbioˌGraph(in). ˌ**au·toˌbi·o'graph·ic** [-ə'græfik] *adj*; ˌ**au·toˌbi·o'graph·i·cal** *adj* (*adv* ~**ly**) autobio'graphisch. ˌ**au·to·bi'og·ra·phy** *s* 'Auto-, 'SelbstbiograˌPhie *f*.

au·to·bus ['ɔːtoˌbʌs] *s bes. Am.* Autobus *m*.

au·to·cade ['ɔːtoˌkeid] → **motorcade.**

'**au·to-ˌchang·er** *s* Plattenwechsler *m*.

au·to·chrome ['ɔːtoˌkroum] *s phot.* Auto'chromplatte *f*.

au·toch·thon [ɔː'tɒkθən] *pl* **-thons, -tho·nes** [-ˌniːz] *s* Auto'chthone *m*, Ureinwohner *m*. **au'toch·tho·nous** *adj* auto'chthon: a) alteingesessen, bodenständig, b) *geol.* bodeneigen. **au'toch·tho·ny** *s* **1.** Autochtho'nie *f*, Bodenständigkeit *f*. **2.** ursprüngliche Beschäftigung.

au·to·clas·tic [ˌɔːto'klæstik] *adj geol.* auto'klastisch.

au·to·clave ['ɔːtəˌkleiv] *s* Auto'klav *m*, Schnellkoch-, Dampfkochtopf *m*.

au·to court → **motel.**

au·toc·ra·cy [ɔː'tɒkrəsi] *s* Autokra'tie *f*, Selbstherrschaft *f*. **au·to·crat** ['ɔːtəˌkræt] *s* Auto'krat *m*, Selbstherrscher *m*. ˌ**au·to'crat·ic** *adj*; ˌ**au·to'crat·i·cal** *adj* (*adv* ~**ly**) auto'kratisch, selbstherrlich, 'unumˌschränkt, al'leinherrschend.

au·to-da-fé [ˌɔːtodɑː'fei] *pl* ˌ**au·tos-da-'fé** [-toz-] *s hist.* Autoda'fé *n*, Ketzergericht *n od.* -verbrennung *f*.

au·to·di·dact ['ɔːtodiˌdækt; -dai-] *s* Autodi'dakt(in). ˌ**au·to·di'dac·tic** *adj* autodi'daktisch.

au·to·dyne ['ɔːtoˌdain] *s Radio*: Auto'dyn *n*, 'Selbstüberˌlagerer *m*: ~ **receiver** Überlagerungsempfänger *m*; ~ **reception** Autodynempfang *m*.

au·to·e·rot·ic [ˌɔːtoi'rɒtik] *adj psych.* autoe'rotisch. ˌ**au·to'er·oˌtism,** *Br.* ˌ**au·to-'er·oˌtism** [-'erəˌtizəm] *s psych.* Autoero'tismus *m*.

au·tog·a·mous [ɔː'tɒgəməs] *adj bot.* auto'gam, selbstbefruchtend. **au'tog·a·my** *s bot.* Autoga'mie *f*, Selbstbefruchtung *f*.

au·to·gen·e·sis [ˌɔːto'dʒenisis] *s* Selbstentstehung *f*. **au·tog·e·nous** [ɔː'tɒdʒənəs] *adj* **1.** (von) selbst entstanden. **2.** *med.* auto'gen, im Orga'nismus selbst erzeugt: ~ **vaccine** Autovakzin *n*. **3.** *tech.* auto'gen: ~ **welding** autogene Schweißung.

au·to·gi·ro [ˌɔːto'dʒai(ə)rou] *pl* **-ros** *s aer.* Auto'giro *n*, Tragschrauber *m*.

au·to·graph ['ɔːtəˌgræ(ː)f; *Br. a.* -ˌgrɑːf] **I** *s* **1.** Auto'gramm *n*, eigenhändige 'Unterschrift. **2.** eigene Handschrift. **3.** Auto'graph *n*, Urschrift *f*. **4.** *print.* auto'graphischer Abdruck. **II** *adj* **5.** auto'graphisch, eigenhändig geschrieben *od.* unter'schrieben: ~ **letter** Handschreiben *n*. **III** *v/t* **6.** eigenhändig (unter)'schreiben. **7.** mit s-m Auto'gramm versehen, eigenhändig zeichnen. **8.** *print.* autogra'phieren, 'umdrucken. ˌ**au·to'graph·ic** [-'græfik] *adj*; ˌ**au·to'graph·i·cal** *adj* (*adv* ~ly) **1.** → **autograph** 5. **2.** *electr. tech.* a) 'selbstregiˌstrierend, b) von e-m Regi'strierinstruˌment aufgezeichnet.

au·tog·ra·phy [ɔː'tɒgrəfi] *s* **1.** Handschriftenkunde *f*. **2.** → **autograph** 2 *u.* 3. **3.** *print.* Autogra'phie *f*, 'Umdruck *m*.

au·to·gy·ro → **autogiro**.

au·to·harp ['ɔːtoˌhɑːrp] *s mus.* Klavia'turzither *f*.

au·to·hyp·no·sis [ˌɔːtohip'nousis] *s med.* 'Selbsthypˌnose *f*.

au·to·ig·ni·tion [ˌɔːtoig'niʃən] *s tech.* Selbstzündung *f*.

au·to·in·fec·tion [ˌɔːtoin'fekʃən] *s med.* 'Auto-, 'Selbstinfektiˌon *f*.

au·to·in·tox·i·ca·tion [ˌɔːtoinˌtɒksi'keiʃən] *s med.* Selbstvergiftung *f*.

au·to·ist ['ɔːtoist] *s bes. Am. colloq.* Autofahrer(in).

au·to·load·ing ['ɔːtoˌloudiŋ] *adj mil.* selbstladend, Selbstlade...

au·tol·y·sis [ɔː'tɒlisis] *s biol.* Auto'lyse *f* (*Selbstverdauungsprozeß*).

au·to·mat ['ɔːtəˌmæt] *s Am.* **1.** Auto'matenrestauˌrant *n*. **2.** (Ver'kaufs)-Autoˌmat *m*. **3.** *tech.* → **automatic** 2.

au·tom·a·ta [ɔː'tɒmətə] *pl von* **automaton**.

au·to·mate ['ɔːtəˌmeit] *v/t* automati'sieren: ~d vollautomatisiert.

au·to·mat·ic [ˌɔːtə'mætik] **I** *adj* (*adv* ~ally) **1.** *allg.* auto'matisch: a) *a. tech.* selbsttätig, Selbst..., b) zwangsläufig: ~ **change**, c) *mil.* Repetier..., Selbstlade...: ~ **pistol** → 3a, d) unwillkürlich, me'chanisch: **an** ~ **gesture**. **II** *s* **2.** *tech.* Auto'mat *m*, selbsttätig arbeitende Ma'schine. **3.** a) 'Selbstladepiˌstole *f*, b) Selbstladegewehr *n*. ˌ**au·to'mat·i·cal** *adj* (*adv* ~ly) → **automatic I**.

au·to·mat·ic| cir·cuit break·er *s electr.* Selbstausschalter *m*. ~ **ex·change** *s electr.* Selbstanschlußamt *n*, Selbstwählamt *n*. ~ **gun** *s mil.* auto'matisches Geschütz, Schnellfeuergeschütz *n*. ~ **lathe** *s tech.* 'Drehautoˌmat *m*. ~ **ma·chine** *s tech.* Auto'mat *m*. ~ **pen·cil** *s* Druck(blei)stift *m*. ~ **pi·lot** *s aer.* auto'matische (Kurs)-Steuerung. ~ **ri·fle** *s mil.* Selbstladegewehr *n*. ~ **start·er** *s tech.* Selbstanlasser *m*. ~ **tel·e·phone** *s electr.* 'Selbstˌwähltele,phon *n*. ~ **trans·mis·sion** *s tech.* auto'matisches Getriebe. ~ **vol·ume con·trol** *s electr.* (selbsttätiger) Schwundausgleich.

au·to·ma·tion [ˌɔːtə'meiʃən] *s* Automati'on *f*, Automati'sierung *f*.

au·tom·a·tism [ɔː'tɒməˌtizəm] *s* **1.** Unwillkürlichkeit *f*, Auto'matik *f*. **2.** auto'matische *od.* unwillkürliche Tätigkeit *od.* Handlung *od.* Reakti'on. **3.** *med. psych.* Automa'tismus *m*. **4.** *philos. Lehre von der rein mechanisch-körperlichen Bestimmtheit der Handlungen von Menschen u. Tieren.*

au·tom·a·tize [ɔː'tɒməˌtaiz] *v/t* **1.** automati'sieren. **2.** zum Auto'maten machen.

au·tom·a·ton [ɔː'tɒmətən; -tɒn] *pl* **-ta** [-tə], **-tons** *s* **1.** Auto'mat *m*, Roboter *m*. **2.** Ver'kaufsautoˌmat *m*.

au·to| me·chan·ic *s* 'Automeˌchaniker *m*. ~ **me·chan·ics** *s pl* (*a. als sg konstruiert*) 'Automeˌchanik *f*.

au·to·mo·bile ['ɔːtəməˌbiːl; ˌɔːtəmə'biːl] *s bes. Am.* Auto *n*, Automo'bil *n*, Kraftwagen *m*, Kraftfahrzeug *n*: **A~ Association** *Br.* Kraftfahrerverband *m*; ~ **insurance** Kraftfahrzeugversicherung *f*.

au·to·mo·bil·ism [ˌɔːtəmə'biːlizəm; -'moubil-] *s* Kraftfahrwesen *n*. ˌ**au·to·mo'bil·ist** *s* Kraftfahrer(in).

au·to·mo·tive [ˌɔːto'moutiv] *adj* **1.** selbstfahrend, -getrieben, mit Eigenantrieb. **2.** *Am.* kraftfahrtechnisch, Kraftfahrzeug..., Auto...: ~ **engineering** Kraftfahrzeugtechnik *f*; ~ **industry** Automobilindustrie *f*.

au·to·nom·ic [ˌɔːtə'nɒmik], *a.* ˌ**au·to'nom·i·cal** [-kəl] *adj* auto'nom: a) selbständig, unabhängig, sich selbst re'gierend, nach eigenen Gesetzen lebend, b) *physiol.* selbständig funktio'nierend, c) *biol.* durch innere Vorgänge verursacht. **au·ton·o·mist** [ɔː'tɒnəmist] *s* Autono'mist *m*, Verfechter *m* der Autono'mie. **au'ton·o·mous** *adj* auto'nom, sich selbst re'gierend. **au'ton·o·my** *s* Autono'mie *f*: a) Eigengesetzlichkeit *f*, Selbständigkeit *f*, b) *philos. sittliche Selbstbestimmung.*

au·to·nym ['ɔːtənim] *s* Auto'nym *n* (*Buch, das unter dem wirklichen Verfassernamen erscheint*).

au·to·phyte ['ɔːtəˌfait] *s bot.* auto'trophe Pflanze.

au·to·pi·lot [ˌɔːto'pailət] *s aer.* 'Autopiˌlot *m*, auto'matische Steueranlage.

au·to·plast ['ɔːtoˌplæst] *s biol.* durch Selbstbildung entstandene (Embryo)-Zelle. '**au·toˌplas·ty** *s biol. med.* Auto'plastik *f*.

au·top·sy [ɔː'tɒpsi] *s* **1.** Autop'sie *f*, per'sönliche In'augenscheinnahme. **2.** *fig.* kritische Zergliederung. **3.** *med.* Autop'sie *f*, Obdukti'on *f*, Leichenöffnung *f*.

au·to·ra·di·o·gram [ˌɔːto'reidiəˌgræm] *s* 'Radioappaˌrat *m* mit Plattenwechsler.

au·to·si·lo ['ɔːtoˌsailou] *s* (*Art*) 'Hochhausgaˌrage *f*, Autosilo *m*. [*m*.]

au·to·sled ['ɔːtoˌsled] *s* Motorschlitten

au·to·some ['ɔːtəˌsoum] *s biol.* Auto'som *n*, Euchromo'som *n*.

au·to·sug·ges·tion [ˌɔːtosə'dʒestʃən] *s* Autosuggesti'on *f*. ˌ**au·to·sug'ges·tive** *adj* autosugge'stiv.

au·to·troph ['ɔːtoˌtrɒf] *s bot.* auto'trophe Pflanze. ˌ**au·to'troph·ic** *adj bot.* auto'troph. **au·tot·ro·phy** [ɔː'tɒtrəfi] *s bot.* Autotro'phie *f*, Selbsternährung *f*.

au·to·type ['ɔːtəˌtaip] *phot. print.* **I** *s* **1.** Autoty'pie *f*: a) Rasterätzung *f*, b) Rasterbild *n*. **2.** Fak'simileabdruck *m*. **II** *v/t* **3.** mittels Autoty'pie vervielfältigen. ˌ**au·to'typ·ic** [-'tipik] *adj* auto'typisch, Autotyp... ˌ**au·to·ty'pog·ra·phy** [-tai'pɒgrəfi; -ti'p-] *s print* ˌAutotypogra'phie *f*, auto'graphischer Buchdruck. '**au·toˌtyp·y** [-ˌtaipi] → **autotype** 1.

au·to·vac ['ɔːtoˌvæk] *s tech.* 'Unterdruckförderer *m*.

au·to·vac·cine [ˌɔːto'væksiːn; -sin] *s med.* 'Autovakˌzine *f*, Eigenimpfstoff *m*.

au·tumn ['ɔːtəm] **I** *s* Herbst *m* (*a. fig.*): **the** ~ **of life**. **II** *adj* Herbst...

au·tum·nal [ɔː'tʌmnəl] *adj* herbstlich, Herbst... (*a. fig.*): → **equinox** 1.

aux·e·sis [ɔːk'siːsis] *s* **1.** Hy'perbel *f*, Über'treibung *f*. **2.** *biol.* 'Überentwicklung *f* (*von Zellen*).

aux·il·ia·ry [ɔːg'ziljəri; -ləri] **I** *adj* **1.** helfend, mitwirkend, Hilfs...: ~ **cruiser** *mar.* Hilfskreuzer *m*; ~ **equation** *math.* Hilfsgleichung *f*; ~ **variable** *math.* Nebenveränderliche *f*; ~ **troops** → 4; ~ **verb** → 5. **2.** *tech.* Hilfs..., Zusatz..., Behelfs..., Ersatz..., *mil. a.* Ausweich...: ~ **drive** Nebenantrieb *m*; ~ **engine** Hilfsmotor *m*; ~ **jet** Hilfs-, Zusatzdüse *f*; ~ **tank** Reservetank *m*. **II** *s* **3.** Helfer(in), Hilfskraft *f*, *pl a.* 'Hilfspersoˌnal *n*. **4.** *pl mil.* Hilfstruppen *pl*. **5.** *ling.* Hilfsverb *n*. **6.** *math.* Hilfsgröße *f*. **7.** *mar.* Hilfsschiff *n*.

a·vail [ə'veil] **I** *v/t* **1.** nützen (*dat*), helfen (*dat*), fördern. **2.** ~ **o.s. of s.th.** sich e-r Sache bedienen, sich etwas zu'nutze machen, etwas benutzen, Gebrauch machen von e-r Sache. **II** *v/i* **3.** nützen, helfen: **what** ~s **it?** was nützt es? **III** *s* **4.** Nutzen *m*, Vorteil *m*, Gewinn *m*: **of no** ~ nutzlos, erfolglos; **of what** ~ **is it?** was nützt es?; **of little** ~ von geringem Nutzen. **5.** *pl econ. Am.* Ertrag *m*, Erlös *m*.

a·vail·a·bil·i·ty [əˌveilə'biliti] *s* **1.** Nutzbarkeit *f*, Verwendbarkeit *f*. **2.** Verfügbarkeit *f*. **3.** *Am.* verfügbare Per'son *od.* Sache. **4.** *jur.* Gültigkeit *f*: **period of** ~ Gültigkeitsdauer *f*. **5.** *pol. Am.* Erfolgschance *f* (*e-s Kandidaten*).

a·vail·a·ble [ə'veiləbl] *adj* (*adv* **available**) **1.** verfügbar, vor'handen, zur Verfügung *od.* zu Gebote stehend: **to make** ~ zur Verfügung stellen, bereitstellen; ~ **power** *tech.* verfügbare Leistung; ~ **time** (*Rechenmaschine*) Rechnerwirkzeit *f*. **2.** verfügbar, anwesend, erreichbar, abkömmlich: **he was** ~. **3.** *econ.* lieferbar, vorrätig, erhältlich. **4.** zugänglich, benutzbar (**for** für). **5.** *jur.* a) zulässig, statthaft, b) gültig. **6.** *pol. Am.* a) bereit zu kandi'dieren: ~ **for nomination**, b) aussichtsreich (*Kandidat*).

a·val [a'val] (*Fr.*) *s jur.* A'val *m*, Wechselbürgschaft *f*.

av·a·lanche [*Br.* 'ævəˌlɑːnʃ; *Am.* -ˌlæ(ː)ntʃ] **I** *s* **1.** La'wine *f* (*a. electr. phys. u. fig.*): **dry** ~ Staublawine; **wet** ~ Grundlawine; ~ (**of electrons**) Elektronenlawine. **2.** *fig.* Unmenge *f*. **II** *v/i* **3.** wie e-e La'wine her'abstürzen. **III** *v/t* **4.** *fig.* über'schütten (**with** mit).

av·ant-garde ['ævɑ̃'gɑːrd] **I** *s fig.* A'vantgarde *f*. **II** *adj* avantgar'distisch. '~-'**gard·ist(e)** [-'gɑːrdist] *s fig.* Aˌvantgar'dist(in).

av·a·rice ['ævəris] *s* Geiz *m*, Habsucht *f*. ˌ**av·a'ri·cious** [-'riʃəs] *adj* (*adv* ~ly) geizig (**of** mit), habgierig.

a·vast [*Br.* ə'vɑːst; *Am.* ə'væ(ː)st] *interj mar.* fest!

av·a·tar [ˌævə'tɑːr] *s* **1.** *Hinduismus*: Ava'tara *m* (*Verkörperung göttlicher Wesen beim Herabsteigen auf die Erde*). **2.** Offen'barung *f*.

a·vaunt [ə'vɔːnt] *interj obs.* fort!

a·ve ['eivi; 'ɑːvi] **I** *interj* **1.** sei gegrüßt! **2.** leb wohl! **II** *s* **3.** Ave *n*: **A~** *relig.* → Ave Maria. **A~ Ma·ri·a** ['ɑːvi mə'riə] *s relig.* **1.** Ave Ma'ria *n*, Englischer Gruß. **2.** Zeit *f* des Avebetens.

a·venge [ə'vendʒ] *v/t* **1.** *j-n* rächen: to ~ o.s., to be ~d sich rächen. **2.** *etwas* rächen (on, upon an *dat*), ahnden: avenging angel Racheengel *m.* **a'veng·er** *s* Rächer(in).

av·ens ['ævinz] *s bot.* Nelkenwurz *f.*

a·ven·tu·rin(e) [ə'ventʃərin] **I** *s* **1.** *min.* Aventu'rin *n*, Glimmerquarz *m.* **2.** *tech.* Aventu'ringlas *n.* **3.** Aventu'rin-, Gold(siegel)lack *m.* **II** *adj* **4.** aventu'rinartig: ~ glass → 2.

av·e·nue ['æviˌnjuː] *s* **1.** *meist fig.* Zugang *m*, Weg *m* (to, of zu): an ~ to fame ein Weg zum Ruhm. **2.** Al'lee *f.* **3.** *bes. Am.* a) Ave'nue *f*, Haupt-, Prachtstraße *f*, b) Straße *f* (*in bestimmter Richtung verlaufend, Ggs.* Street): 5th A~ of New York.

a·ver [ə'vəːr] *pret u. pp* **a'verred** *v/t* **1.** behaupten, als Tatsache 'hinstellen (that daß). **2.** beweisen.

av·er·age ['ævəridʒ; 'ævridʒ] **I** *s* **1.** 'Durchschnitt *m*, Mittelwert *m*: above (the) ~ über dem Durchschnitt; on an ~ im Durchschnitt, durchschnittlich; rough ~ annähernder Durchschnitt; ~ of ~s Oberdurchschnitt; calculation of ~s Durchschnittsrechnung *f*; to strike an ~ → 5. **2.** *jur. mar.* Hava'rie *f*, Seeschaden *m*: ~ adjuster Dispacheur *m*; ~ bond Havarieschein *m*; ~ statement Dispache *f*, (Aufmachung *f* der) Schadensberechnung *f*; to make ~ havarieren; to adjust (*od.* make up *od.* settle) the ~ die Dispache aufmachen; free from ~ frei von Havarie, nicht gegen Havarie versichert; ship under ~ havariertes Schiff; → general (particular, petty) average. **3.** *Börse*: *Am.* Aktienindex *m.*
II *adj* **4.** 'durchschnittlich, Durchschnitts...: ~ earnings; ~ price; ~ speed; the ~ Englishman der Durchschnittsengländer.
III *v/t* **5.** den 'Durchschnitt schätzen (at auf *acc*) *od.* ermitteln *od.* nehmen von (*od. gen*). **6.** *econ.* anteil(s)mäßig aufgliedern. **7.** 'durchschnittlich betragen *od.* ausmachen *od.* haben *od.* leisten *od.* erreichen *etc*: to ~ sixty miles an hour e-e Durchschnittsgeschwindigkeit von 100 km pro Stunde fahren *od.* erreichen; to ~ more than im Durchschnitt über (*dat*) liegen.
IV *v/i* **8.** e-n 'Durchschnitt erzielen.

a·ver·ment [ə'vəːrmənt] *s* **1.** Behauptung *f.* **2.** Bekräftigung *f.* **3.** *jur.* Beweisangebot *n*, Tatsachenbehauptung *f.*

a·verse [ə'vəːrs] *adj* (*adv* ~ly) **1.** (to) abgeneigt (*dat*), abhold (*dat*), e-e Abneigung habend (gegen): to be ~ to abgeneigt sein (*dat*), verabscheuen (*acc*); to be ~ to do (*od.* to doing) s.th. abgeneigt sein, etwas zu tun. **2.** zu'wider (to *dat*). **3.** *bot.* von der Mittelachse abgewendet.

a·ver·sion [ə'vəːrʃən; -ʒən] *s* **1.** (to, for, from) 'Widerwille *m*, Abneigung *f*, Aversi'on *f* (gegen), Abscheu *m, f* (vor *dat*): to take an ~ to e-e Abneigung fassen gegen. **2.** Unlust *f*, Abgeneigtheit *f* (to do zu tun). **3.** Gegenstand *m* des Abscheus, Greuel *m*: beer is my pet ~ gegen Bier habe ich e-e besondere Abneigung, Bier ist mir ein Greuel.

a·vert [ə'vəːrt] *v/t* **1.** abwenden, wegkehren (from von): to ~ one's face. **2.** *fig.* abwenden, verhüten.

av·gas ['ævˌgæz] *s aer. Am.* 'Flugbenˌzin *n.*

a·vi·an ['eiviən] *adj orn.* Vogel...

a·vi·ar·ist ['eiviərist] *s* Vogelzüchter *m.*

a·vi·ar·y ['eiviəri] *s* Vogelhaus *n*, Voli'ere *f.*

a·vi·ate ['eiviˌeit; 'æv-] *v/i aer.* fliegen.

a·vi·a·tion [ˌeivi'eiʃən; ˌæv-] *s aer.* **1.** Luftfahrt *f*, Flugwesen *n*, Luftschiffahrt *f*, Fliegen *n*, Flugsport *m*, Fliege'rei *f*: civil ~ zivile Luftfahrt; ~ cadet *mil. Am.* Fliegeroffiziersanwärter *m*; ~ industry Flugzeugindustrie *f*; ~ medicine Luftfahrtmedizin *f.* **2.** *Am.* Flugzeug(e *pl*) *n.* **3.** *Am.* Flugzeugbau *m*, -technik *f.*

a·vi·a·tor ['eiviˌeitər] *s* Flieger *m*, Pi'lot *m.*

a·vi·cul·ture ['eiviˌkʌltʃər] *s* Vogelzucht *f.* **ˌa·vi'cul·tur·ist** *s* Vogelzüchter *m.*

av·id ['ævid] *adj* (*adv* ~ly) **1.** (be)gierig (of nach; for auf *acc*). **2.** begeistert, leidenschaftlich: an ~ gardener.

a·vid·i·ty [ə'viditi] *s* **1.** Gier *f*, Begierde *f* (of, for nach). **2.** *chem.* betonte Affini'tät.

a·vi·fau·na [ˌeivi'fɔːnə] *s orn.* Vogelwelt *f* (*e-s Bezirks*).

av·i·ga·tion [ˌævi'geiʃən] *s aer. Am.* 'Flugnavigatiˌon *f.* **'av·iˌga·tor** [-tər] *s* Pi'lot *m*, Flugzeugführer *m.*

a·vir·u·lent [ei'virulənt; -rju-] *adj med.* aviru'lent, nicht viru'lent.

a·vi·so [ə'vaizou] *pl* **-sos** *s* **1.** A'viso *n*, Benachrichtigung *f.* **2.** *mar.* A'viso *m*, Meldeboot *n.*

a·vi·ta·min·o·sis [eiˌvaitəmi'nousis] *s med.* Avitami'nose *f*, Vita'minmangelkrankheit *f.*

av·o·ca·do [ˌævə'kɑːdou; ˌɑːv-] *pl* **-dos** *s bot.* Avo'catobirne *f.*

av·o·ca·tion [ˌævo'keiʃən] *s* **1.** (Neben)-Beschäftigung *f.* **2.** (Haupt)Beruf *m.* **3.** *obs.* Zerstreuung *f.*

a·void [ə'vɔid] *v/t* **1.** (ver)meiden, *j-m od. e-r Sache* ausweichen *od.* aus dem Wege gehen, *e-e Pflicht od. Schwierigkeit* um'gehen, *e-r Gefahr* entgehen, -rinnen: to ~ s.o. j-n meiden; to ~ doing s.th. es vermeiden, etwas zu tun. **2.** *jur.* a) aufheben, ungültig machen, b) anfechten. **a'void·a·ble** *adj* **1.** vermeidbar, vermeidlich. **2.** *jur.* a) annul'lierbar, b) anfechtbar. **a'void·ance** *s* **1.** Vermeidung *f*, Um'gehung *f* (of s.th. e-r Sache), Meidung *f* (of s.o. e-r Person): in ~ of um zu vermeiden. **2.** *jur.* a) Aufhebung *f*, Annul'lierung *f*, Nichtigkeitserklärung *f*, b) Anfechtung *f.* **3.** Freiwerden *n*, Va'kanz *f* (*e-s Amtes etc*).

av·oir·du·pois [ˌævərdə'pɔiz] *s* **1.** *econ.* a. ~ weight gesetzliches Handelsgewicht (*1 Pfund = 16 Unzen, 1 Unze = 16 Drams; für alle Waren außer Edelsteinen, Edelmetallen u. Arzneien*): ~ pound Handelspfund *n.* **2.** *colloq.* ‚Lebendgewicht' *n* (*e-r Person*).

a·vouch [ə'vautʃ] **I** *v/t* **1.** behaupten, versichern. **2.** verbürgen. **3.** anerkennen, eingestehen. **II** *v/i* **4.** einstehen, garan'tieren (for für).

a·vow [ə'vau] *v/t* **1.** (offen) bekennen, (ein)gestehen: to ~ o.s. the author sich als Autor bekennen. **2.** anerkennen. **a'vow·al** *s* (offenes) Bekenntnis *od.* Geständnis, Erklärung *f.* **a'vowed** *adj* erklärt, offen ausgesprochen *od.* anerkannt: his ~ principle; he is an ~ Jew er bekennt sich offen zum Judentum. **a'vow·ed·ly** [-idli] *adv* eingestandenermaßen, offen. **a·vow·ry** [ə'vauri] *s* Eingeständnis *n* (*a. jur*).

a·vun·cu·lar [ə'vʌŋkjulər] *adj* **1.** Onkel... **2.** onkelhaft.

a·wait [ə'weit] *v/t* **1.** erwarten (*acc*), warten auf (*acc*), entgegensehen (*dat*): ~ing your answer in Erwartung Ihrer Antwort; to ~ instructions Anweisungen abwarten. **2.** *j-n* erwarten (*Dinge*): a lavish dinner ~ed them.

a·wake [ə'weik] *pret* **a·woke** [ə'wouk], **a'waked,** *pp* **a'waked, a'woke,** *obs.* **a'wok·en, a'wak·en** **I** *v/t* **1.** (*aus dem Schlaf*) (auf)wecken. **2.** *fig.* (*zur Tätigkeit etc*) erwecken, wach-, aufrütteln (from aus): to ~ s.o. to s.th. j-m etwas zum Bewußtsein bringen. **II** *v/i* **3.** auf-, erwachen. **4.** *fig.* (*zu neuer Tätigkeit etc*) erwachen: to ~ to s.th. sich e-r Sache (voll) bewußt werden. **III** *adj* **5.** wach: wide ~ a) hellwach (*a. fig.*), b) *fig.* aufgeweckt; to be ~ to s.th. sich e-r Sache bewußt sein, etwas wohl wissen. **6.** *fig.* aufmerksam, auf der Hut, wachsam.

a·wak·en [ə'weikən] → awake 1—4. **a'wak·en·ing** *s* **1.** Erwachen *n*: a rude ~ *fig.* ein unsanftes Erwachen. **2.** (Er-, Auf)Wecken *n.* **3.** *fig.* (*bes.* religi'öse) Erweckung.

a·ward [ə'wɔːrd] **I** *v/t* **1.** (durch Urteils- *od.* Schiedsspruch) zuerkennen *od.* zusprechen: he was ~ed the prize der Preis wurde ihm zuerkannt; to ~ damages against s.o. *jur.* j-n zur Leistung von Schadenersatz verurteilen; to be ~ed damages Schadenersatz zugesprochen bekommen. **2.** *allg.* gewähren, erteilen, verleihen, zukommen lassen (s.o. s.th., s.th. to s.o. j-m etwas). **II** *s* **3.** Urteil *n*, *bes.* Schiedsspruch *m.* **4.** Zuerkennung *f*, *econ.* Zuschlag *m* (*auf ein Angebot*), Vergabe *f* (*von Aufträgen*). **5.** (zuerkannte) Belohnung *od.* Auszeichnung, (*a. Film- etc*)Preis *m*, (*Ordens- etc*)-Verleihung *f.* **6.** *econ.* Prämie *f.*

a·ware [ə'wɛr] *adj* (of) gewahr (*gen*), unter'richtet (von): to be ~ of s.th. von etwas wissen *od.* Kenntnis haben, etwas kennen, sich e-r Sache bewußt sein; I am well ~ that ich weiß wohl, daß; ich bin mir darüber im klaren, daß; to become ~ of s.th. etwas gewahr werden *od.* merken; not that I am ~ of nicht daß ich wüßte. **a'ware·ness** *s* Bewußtsein *n*, Kenntnis *f.*

a·wash [ə'wɒʃ] *adv u. pred adj mar.* **1.** mit der Wasseroberfläche abschneidend (*Sandbänke etc*), in gleicher Höhe (with mit). **2.** über'flutet, unter Wasser. **3.** über'füllt (with von).

a·way [ə'wei] *adv u. pred adj* **1.** weg, hin'weg, fort (from von): to go ~ weg-, fortgehen; ~ with you! fort mit dir!; ~ from the question nicht zur Frage *od.* Sache gehörend. **2.** (weit) entfernt, (weit) weg (*örtlich u. zeitlich*): six miles ~ sechs Meilen entfernt. **3.** fort, abwesend, außer Hause, verreist: he is ~; ~ on leave auf Urlaub. **4.** weg, zur Seite, in andere(r) Richtung: to turn ~ sich ab- *od.* wegwenden. **5.** weithin. **6.** fort, weg (*aus s-m Besitz, Gebrauch etc*): to give all one's money ~ sein ganzes Geld weggeben. **7.** d(a)rauf'los, immer weiter, immerzu: to work ~ drauflosarbeiten, immerzu arbeiten; (*siehe die Verbindungen mit anderen Verben*). **8.** *Am.* weit, bei weitem: ~ below the average. **9.** *poet. abbr. für* go ~ *od.* hasten ~: I must ~ ich muß fort. **10.** *sport* auswärts: ~ game Auswärtsspiel *n.*

awe[1] [ɔː] **I** *s* **1.** (Ehr)Furcht *f*, (heilige) Scheu: to hold s.o. in ~, to inspire (*od.* strike) s.o. with ~ j-m (Ehr)-Furcht *od.* (ehrfürchtige) Scheu *od.*

großen Respekt einflößen (of vor *dat*); to stand in ~ of a) e-e (heilige) Scheu haben *od.* sich fürchten vor (*dat*), b) e-n gewaltigen Respekt haben vor (*dat*); to be struck with ~ von Scheu ergriffen werden. **2.** *obs.* ehrfurchtgebietende Größe *od.* Macht, Maje'stät *f.* **II** *v/t* **3.** (Ehr)Furcht einflößen (*dat*). **4.** einschüchtern: to be ~d into obedience so eingeschüchtert werden, daß man gehorcht.

awe[2] [ɔː] *s tech.* Schaufel *f* e-s 'unterschlächtigen Wasserrads.

a·wea·ried [ə'wi(ə)rid] *adj poet.* müde. **a'wea·ry** *adj* müde, 'überdrüssig (of *gen*).

a·weath·er [ə'weðər] *adv u. pred adj mar.* luvwärts.

a·week, *Br.* **a-week** [ə'wiːk] *adv* wöchentlich, in der Woche.

a·weigh [ə'wei] *adv u. pred adj mar.* los, aus dem Grund (*Anker*): to be ~ Anker auf sein.

'awe-in,spir·ing *adj* ehrfurchtgebietend, erhaben, hehr, eindrucksvoll.

awe·less *bes. Br. für* awless.

awe·some ['ɔːsəm] *adj* (*adv* ~ly) **1.** furchteinflößend, schrecklich. **2.** → awe-inspiring. **3.** ehrfürchtig.

'awe-,strick·en, 'awe-,struck *adj* von Ehrfurcht *od.* Scheu ergriffen.

aw·ful ['ɔːfəl; -ful] **I** *adj* **1.** furchtbar, schrecklich. **2.** *colloq.* furchtbar, schrecklich: a) riesig, kolos'sal: an ~ lot e-e riesige Menge, b) scheußlich, entsetzlich, gräßlich: an ~ noise. **3.** → awe-inspiring. **4.** ehrfurchtsvoll. **II** *adv* **5.** *colloq. od. dial.* → awfully.

'aw·ful·ly *adv colloq.* furchtbar, schrecklich: a) ungemein, riesig: ~ cold; ~ nice; thanks ~! tausend Dank!, b) scheußlich, entsetzlich, gräßlich: ~ bad furchtbar schlecht.

'aw·ful·ness *s* **1.** Schrecklichkeit *f.* **2.** Ehrwürdigkeit *f*, Erhabenheit *f.*

a·while [ə'*h*wail] *adv* e-e Weile.

awk·ward ['ɔːkwərd] *adj* (*adv* ~ly) **1.** ungeschickt, unbeholfen, linkisch. **2.** tölpelhaft: → squad 1. **3.** verlegen. **4.** peinlich, mißlich, unangenehm: an ~ situation; an ~ pause e-e peinliche Stille. **5.** unhandlich, schwer zu handhaben(d), sperrig. **6.** unangenehm: a) schwer zu behandeln(d): an ~ customer, b) schwierig, c) lästig, d) gefährlich. **7.** unpassend, ‚ungeschickt', ‚dumm' (*Zeitpunkt etc*).

'awk·ward·ness *s* **1.** Ungeschicklichkeit *f*, Unbeholfenheit *f*, linkisches Wesen. **2.** Verlegenheit *f.* **3.** Peinlichkeit *f*, Unannehmlichkeit *f*, Schwierigkeit *f.* **4.** Unhandlichkeit *f.* **5.** Lästigkeit *f.*

awl [ɔːl] *s* **1.** *tech.* Ahle *f*, Pfriem(e *f*) *m.* **2.** *mar.* Marlspieker *m.*

aw·less, *bes. Br.* **awe·less** ['ɔːlis] *adj* **1.** unehrerbietig. **2.** furchtlos. **3.** *obs.* keine Ehrfurcht einflößend.

awn [ɔːn] *s bot.* Granne *f.* **awned** *adj* mit Grannen (versehen), grannig.

awn·ing ['ɔːniŋ] *s* **1.** Zeltbahn *f*, (*a.* Wagen)Plane *f.* **2.** Mar'kise *f*, Baldachin *m.* **3.** *mar.* Sonnenzelt *n*, -segel *n*: ~ deck Sturmdeck *n.*

awn·y ['ɔːni] *adj bot.* grannig.

a·woke [ə'wouk] *pret u. pp von* awake. **a'wok·en** *obs. pp von* awake.

a·wry [ə'rai] *adv u. pred adj* **1.** schief, krumm: his hat was all ~ sein Hut saß ganz schief. **2.** schielend: to look ~ a) schielen, b) *fig.* schief *od.* scheel blicken. **3.** *fig.* verkehrt, schief: to go ~ fehlgehen, (sich) irren (*Person*), schiefgehen (*Sache*). **4.** *fig.* schief, entstellt, unwahr.

ax, axe [æks] **I** *s* **1.** Axt *f*, Beil *n*, Haue *f*, Hacke *f*: to have an ~ to grind *fig.* eigennützige Zwecke verfolgen, es auf etwas abgesehen haben; to lay the ~ to *a. fig.* die Axt legen an (*acc*); to put the ~ in the helve *colloq.* die Sache klären. **2.** Henkersbeil *n.* **3.** *fig.* a) rücksichtslose Sparmaßnahme *od.* Streichung(en *pl*) (*von Staatsausgaben etc*), b) Abbau *m* (*von Dienststellen, Beamten etc*), c) *bes. Am.* Entlassung *f*: he got the ~ er ist ‚rausgeflogen'. **II** *v/t* **4.** mit der Axt *etc* bearbeiten *od.* niederschlagen. **5.** *fig.* a) rücksichtslos kürzen *od.* (zs.-)streichen *od.* abschaffen, b) *Beamte, Dienststellen* abbauen, *Leute* entlassen, ‚feuern'.

ax·el ['æksl] *s Eiskunstlauf*: Axel *m.*

ax·es[1] ['æksiz] *pl von* ax(e).

ax·es[2] ['æksiːz] *pl von* axis[1].

ax·i·al ['æksiəl] *adj* (*adv* ~ly) *math. tech.* axi'al, Achsen...: ~-flow turbine Axialturbine *f*; ~ force *phys.* Längsdruck *m*; ~ symmetry *math.* Achsensymmetrie *f*; ~ thrust *tech.* Axialschub *m.*

ax·il ['æksil] *s bot.* (Blatt)Achsel *f.*

ax·ile[1] ['æksail; -sil] *adj bot.* achselständig.

ax·ile[2] ['æksail; -sil] → axial.

ax·il·lar·y [æk'siləri; 'æksil-] **I** *adj* **1.** *anat.* Achsel...: ~ gland Achsellymphdrüse *f.* **2.** *bot.* blattachselständig. **II** *s* **3.** *anat.* Achselhöhle *f.*

ax·i·om ['æksiəm] *s* **1.** Axi'om *n*, Grundsatz *m* (*der keines Beweises bedarf*): ~ of continuity *math.* Stetigkeitsaxiom; ~ of law Rechtsgrundsatz. **2.** allgemein anerkannter Grundsatz.

,ax·i·o'mat·ic [-'mætik] *adj*; **,ax·i·o'mat·i·cal** *adj* (*adv* ~ly) **1.** axio'matisch, einleuchtend, 'unum,stößlich, von vornherein sicher, selbstverständlich. **2.** apho'ristisch: ~ wisdom.

ax·is[1] ['æksis] *pl* **'ax·es** [-siːz] *s* **1.** *bot. math. min. phys. tech.* Achse *f*, Mittellinie *f*: ~ of a balance; ~ of the earth Erdachse; ~ of incidence Einfallslot *n.* **2.** *anat. zo.* a) Dreher *m*, zweiter Halswirbel, b) Achse *f*: cardiac ~ Herzachse; vertical ~ Körperlängsachse. **3.** *aer.* Leitlinie *f.* **4.** *Malerei etc*: Bild-, Zeichnungsachse *f.* **5.** *pol.* Achse *f* (*Bündnis zwischen Großmächten*): the A~ die Achse (Berlin-Rom-Tokio) (*vor dem u. im 2. Weltkrieg*); the A~ powers die Achsenmächte.

ax·is[2] ['æksis] *s a.* ~ deer *zo.* Axis(hirsch) *m*, Gangesreh *n.*

ax·is| of ab·scis·sas *s math.* Ab'szissenachse *f*, x-Achse *f.* **~ of cur·va·ture** *s* Po'lare *f*, Krümmungsachse *f.* **~ of or·di·nates** *s* Ordi'natenachse *f*, y-Achse *f.* **~ of os·cil·la·tion** *s* Mittellinie *f* e-r Schwingung. **~ of sup·ply** *s mil.* Nachschub-, Versorgungsachse *f.* **~ of the bore** *s mil.* Seelenachse *f.*

ax·le ['æksl] *s* **1.** (Rad)Achse *f*, Welle *f.* **2.** Angel(zapfen *m*) *f.* **~ arm** *s tech.* Achszapfen *m.* **~ bed** *s* Achsfutter *n.* **~ box** *s* **1.** Achs-, Schmierbüchse *f.* **2.** Achsgehäuse *n.* **~ end** *s* Wellenzapfen *m.* **~ jour·nal** *s* Achsschenkel *m.* **~ swiv·el** *s* Achsschenkel *m.* **'~,tree** → axle 1.

ax·o·nom·e·try [,æksə'nɒmitri] *s math.* Axonome'trie *f*, Achsenmessung *f.*

ay[1] [ei] *interj obs. od. dial.* ach!, oh!

ay[2] [ei] *adv poet. od. dial.* immer, ewig: for ever and ~ für immer u. ewig.

ay[3] → aye[1].

a·yah ['aiə; 'ɑːjə] *s Br. Ind.* Aja *f*, indisches Kindermädchen.

aye[1] [ai] **I** *interj* **1.** *mar. od. dial.* ja: ~, ~, Sir! *mar.* jawohl!, zu Befehl! **2.** *parl.* ja (*bei Abstimmungen*). **II** *s* **3.** Ja *n*, bejahende Antwort. **4.** *parl.* Jastimme *f*: the ~s have it die Mehrheit ist dafür, der Antrag ist angenommen.

aye[2] → ay[2].

aye-aye ['ai,ai] *s zo.* Fingertier *n.*

Ayr·shire ['ɛrʃir] *s zo.* Ayrshire-Rind *n.*

a·za·le·a [ə'zeiliə; -ljə] *s bot.* Aza'lee *f.*

a·ze·o·trope [ə'ziːə,troup] *s chem.* azeo'tropes Gemisch.

az·i·muth ['æziməθ] *s astr.* Azi'mut *m*, Scheitelkreis *m*: ~ angle (*Artillerie*) Seitenwinkel *m*; ~ circle a) *astr.* Azimutkreis *m*, b) *mil.* Seitenrichtskala *f*; ~ reading *mil.* Nadelzahl *f*; ~ value (*Radar*) Azimutwert *m.* **,az·i'muth·al** [-'mʌθəl] *adj* azimu'tal, Azimutal..., scheitelwinklig.

az·o·ben·zene [,æzo'benziːn; -ben'ziːn; ,eiz-], **,az·o'ben·zol** [-zɒl; -zoul] *s chem.* 'Azoben,zol *n.*

az·o dye ['æzo; 'eizo] *s chem.* Azofarbstoff *m.*

a·zo·ic [ə'zouik] *adj geol.* a'zoisch, ohne Lebewesen: ~ age Azoikum *n.*

az·ole ['æzoul; ə'zoul] *s chem.* A'zol *n.*

az·on ['æzɒn] *s a.* ~ bomb *aer. mil.* ferngesteuerte Bombe.

az·ote ['æzout; ə'zout] *s chem. obs.* Stickstoff *m.*

az·oth ['æzɒθ] *s Alchimie: hist.* A'zoth *n*: a) *Quecksilber*, b) *Universalmittel.*

az·o·tize ['æzə,taiz] *v/t chem.* azo'tieren, mit Stickstoff verbinden.

a·zo·to·bac·ter [ə'zouto,bæktər] *s biol.* Azotobak'terium *n.*

Az·tec ['æztek] **I** *adj* **1.** az'tekisch. **II** *s* **2.** Az'teke *m*, Az'tekin *f.* **3.** *ling.* Nahuatl *n.*

az·ure ['æʒər; 'ei-] **I** *adj* **1.** a'zur-, himmelblau: ~ copper ore Kupferlasur *f*; ~ spar Lazulith *m*, Blauspat *m*; ~ stone → azurite. **2.** a'zurn (*Himmel*). **II** *s* **3.** (A'zur-, Himmel-)Blau *n.* **4.** blauer Farbstoff, *bes.* Kobaltblau *n.* **5.** *poet.* A'zur *m*, Blau *n* des Himmels. **6.** *her.* blaues Feld. **III** *v/t* **7.** himmelblau färben.

az·u·rite ['æʒu,rait] *s min.* Azu'rit *m*, La'surstein *m.*

az·y·gos ['æzi,gɒs], **'az·y·gous** [-gəs] *adj anat.* a'zygisch, unpaar(ig).

az·ym ['æzim], **az·yme** ['æzaim; -zim] *s relig.* Azymon *n*, ungesäuertes Brot.

B

B, b [biː] **I** *pl* **B's, Bs, b's, bs** [biːz] *s* **1.** B, b *n* (*Buchstabe*). **2.** *mus.* H, h *n* (*Tonbezeichnung*): **B flat** B, b *n*; **B sharp** His, his *n*; **B double flat** Heses, heses *n*; **B double sharp** Hisis, hisis *n*. **3.** b *math.* b (*2. bekannte Größe*). **4.** B *ped. bes. Am.* Zwei *f*, Gut *n* (*Note*). **5.** zweite Quali'tät, Güteklasse *f* B (*Konserven etc*). **6.** b, *a.* b flat *Br. colloq.* Wanze *f*. **7.** B *n*, B-förmiger Gegenstand. **8.** B *electr.* An'odenstromversorgung *f*: B + Pluspol *m* der Anodenstromversorgung. **II** *adj* **9.** zweit(er, e, es): **company B. 10.** B B-..., B-förmig. **11.** B *electr.* Anoden...: **B-battery.**

ba [bɑː] *s relig.* die unsterbliche Seele (*im Glauben der alten Ägypter*).

baa [bɑː] **I** *s* Blöken *n*. **II** *v/i* blöken. **III** *interj* bäh!

Ba·al ['beiəl] *pl a.* **'Ba·a·lim** [-lim] **I** *npr Bibl.* Baal *m*. **II** *s allg.* Baal *m*, Götze *m*. **'Ba·al,ism** *s* Baals-, Götzendienst *m*.

baas [bɑːs] *s S.Afr.* Baas *m*, Herr *m*.

bab·bitt[1] ['bæbit] *tech.* **I** *s* **1.** *a.* **B~ metal** 'Babbit-, 'Weiß-, 'Lagerme,tall *n*. **2.** Lager(futter) *n* aus 'Babbitme,tall. **II** *v/t* **3.** mit 'Weißme,tall ausgießen.

Bab·bitt[2] ['bæbit] *s Am.* selbstzufriedener Spießer (*nach dem Roman von Sinclair Lewis*).

Bab·bitt·ry ['bæbitri] *s Am.* Spießertum *n*.

bab·ble ['bæbl] **I** *v/i* **1.** stammeln, lallen. **2.** plappern, schwatzen. **3.** plätschern, murmeln. **II** *v/t* **4.** *etwas* stammeln. **5.** plappern, schwatzen. **6.** ausplaudern: **to ~ (out) a secret. III** *s* **7.** Geplapper *n*, Geschwätz *n*, ‚Gebabbel' *n*. **8.** Geplätscher *n*, Gemurmel *n*. **'bab·ble·ment** → **babble** III. **'bab·bler** *s* **1.** Schwätzer(in). **2.** *orn.* (*ein*) Schwätzer *m*.

babe [beib] *s* **1.** kleines Kind, Baby *n* (*beide a. fig. naiver Mensch*): → **arm**[1] *Bes. Redew.*; **~ in the woods** *fig.* großes Kind, ‚Dummerchen' *n*, Gimpel *m*. **2.** *Am. sl.* ‚Puppe' *f*, Mädel *n*.

Ba·bel ['beibəl] **I** *npr Bibl.* **1.** Babel *n*, Babylon *n*. **II** *s oft* **b~ 2.** Babel *n*, Wirrwarr *m*, Stimmengewirr *n*. **3.** grandi'oser Plan, großer Traum.

Bab·ism ['bɑːbizəm] *s relig.* Ba'bismus *m* (*moderne pantheistische Religionslehre in Persien*).

ba·boo ['bɑːbuː] *pl* **-boos** *s Br. Ind.* **1.** Herr *m* (*bei den Hindus*). **2.** Inder *m* mit oberflächlicher englischer Bildung.

ba·boon [bæ'buːn] *s* **1.** *zo.* (*ein*) Pavian *m*. **2.** *fig. sl.* ‚Affe' *m*, ‚Go'rilla' *m*. **ba'boon·er·y** [-nəri] *s* **1.** *zo. collect.* Paviane *pl*. **2.** *fig.* affiges Getue.

ba·bul [bɑː'buːl; 'bɑːbuːl] *s bot.* **1.** (*e-e*) A'kazie, *bes.* Babul *m*. **2.** Babulrinde *f od.* -schoten *pl*.

ba·bush·ka [bə'buʃkə; bə'buːʃkə] *s Am.* (dreieckiges) Kopftuch.

ba·by ['beibi] **I** *s* **1.** Baby *n*, Säugling *m*, kleines Kind: **to hold the ~** *sl.* die Sache am Hals haben. **2.** (*der, die, das*) Jüngste, ‚Benjamin' *m* (*a. fig.*): **the ~ of the family. 3.** *contp.* a) ‚Kindskopf' *m*, kindische Per'son, b) ‚Heulsuse' *f*, ‚Jammerlappen' *m*. **4.** *sl.* ‚Sache' *f* (*Verantwortung*): **it's your ~! 5.** *sl.* a) ‚Puppe' *f*, Mädel *n*, b) Schatz *m*, ‚Süße' *f*. **II** *adj* **6.** (Klein)Kinder..., Baby..., Säuglings... **7.** kindlich, Kinder...: **a ~ face. 8.** kindisch. **9.** *colloq.* klein, Klein... **III** *v/t* **10.** wie ein Baby behandeln, (ver)hätscheln. **11.** *colloq. etwas* sorgsam *od.* liebevoll behandeln. **~ beef** *s Am.* **1.** Rindkalb *n*. **2.** (Rind)Kalbfleisch *n*. **~ bond** *s econ. Am.* Baby-Bond *m* (*klein gestückelte Schuldverschreibung; bis zu $ 100*). **~ bot·tle** *s* (Saug)Flasche *f*. **~ bug·gy** *s Am.* Kinderwagen *m*. **~ car** *s* Kleinwagen *m*. **~ car·riage** *s* Kinderwagen *m*. **~ con·vert·er** *s tech.* kleine Thomasbirne, Kleinbirne *f*. **~ farm** *s* Säuglingsheim *n*. **~ farm·er** *s* **1.** Frau, die gewerbsmäßig Kinder in Pflege nimmt. **2.** *contp.* Engelmacherin *f*. **~ fight·er** *s aer.* von e-m Bomber getragener Begleitjäger. **~ grand** *s mus.* Stutzflügel *m*.

ba·by·hood ['beibi,hud] *s* erste Kindheit, Säuglingsalter *n*.

ba·by·ish ['beibiiʃ] *adj* **1.** kindisch. **2.** kindlich.

Bab·y·lon ['bæbilən] **I** *npr* Babylon *n*. **II** *s fig.* (Sünden)Babel *n*.

Bab·y·lo·ni·an [,bæbi'louniən] **I** *adj* **1.** baby'lonisch: **~ captivity** Babylonische Gefangenschaft. **2.** *fig.* a) üppig, luxuri'ös, b) verderbt. **II** *s* **3.** Baby'lonier(in). **4.** *ling.* Baby'lonisch *n*, das Babylonische.

'ba·by|-,sit *v/i irr* Kinder hüten. **'~-,sit·ter** *s* Babysitter *m*, Kinderhüter(in). **~ spot** *s* (Stufenlinsen)Kleinscheinwerfer *m*. **~ talk** *s* kindlich(tuend)es Gebabbel.

bac [bæk] *s Brauerei etc*: Kühlschiff *n*.

bac·ca·lau·re·ate [,bækə'lɔːriit] *s univ.* **1.** → **bachelor** 2. **2.** *bes. Am.* a) Promoti'onsgottesdienst *m*, b) *a.* **~ sermon** Abschiedspredigt *f* an die promo'vierten Stu'denten.

bac·ca·rat, *a.* **bac·ca·ra** ['bækə,rɑː; ,bækə'rɑː] *s* Bakkarat *n* (*Glücksspiel*).

bac·cate ['bækeit] *adj bot.* **1.** beerenartig. **2.** beerentragend.

bac·cha·nal ['bækənl; -,næl] **I** *s* **1.** Bac'chant(in). **2.** ausgelassener *od.* trunkener Zecher. **3.** *oft pl* Baccha'nal *n*, Orgie *f*, wüstes Gelage. **II** *adj* **4.** bacchisch. **5.** bac'chantisch.

Bac·cha·na·li·a [,bækə'neiliə; -ljə] *s pl* **1.** *antiq.* Baccha'nal *n*, Bacchusfest *n*. **2.** **b~** → **bacchanal** 3. **,bac·cha'na·li·an I** *adj* → **bacchanal** II. **II** *s* → **bacchanal** 2.

bac·chant ['bækənt] **I** *pl* **-chants, -chan·tes** [bə'kæntiːz] *s* **1.** *antiq.* Bac'chant *m*. **2.** *fig.* wüster Trinker *od.* Schwelger. **II** *adj* **3.** bac'chantisch.

bac·chante [bə'kænti; bə'kænt] *s* Bac'chantin *f*. **bac'chan·tic** *adj* bac'chantisch.

Bac·chic ['bækik] *adj* bac'chantisch: a) bacchisch, b) *meist* **b~** *fig.* ausschweifend, ausgelassen.

bac·cif·er·ous [bæk'sifərəs] *adj bot.* beerentragend.

bac·cy ['bæki] *colloq. für* **tobacco.**

bach [bætʃ] *v/i oft* **~ it** *Am. sl.* ein Junggesellenleben führen.

bach·e·lor ['bætʃələr] *s* **1.** a) Junggeselle *m*, b) *a.* **~ girl** Junggesellin *f*: **Mr. Brown, ~** Herr Brown, ledig *od.* unverheiratet. **2.** *univ.* Bakka'laureus *m* (*niedrigster akademischer Grad od. Inhaber desselben*): **~ of arts** (*abbr.* B.A.) Bakkalaureus der philosophischen Fakultät; **~ of science** (*abbr.* B.Sc.) Bakkalaureus der Naturwissenschaften. **3.** *hist.* Knappe *m* niedrigsten Ranges. **4.** *zo.* Tier *n* (*bes.* junger Seehund) ohne Weibchen während der Brunstzeit. **'bach·e·lor,hood** *s* **1.** Junggesellenstand *m*. **2.** *univ.* Bakkalaure'at *n*.

'bach·e·lor's|-'but·ton *s* **1.** *bot.* a) Kornblume *f*, b) 'Kugel-Ama,rant *m*, c) Scharfer Hahnenfuß. **2.** Pa'tentknopf *m*. **~ de·gree** *s univ.* Bakkalaure'at *n*.

bach·e·lor·ship ['bætʃələr,ʃip] → **bachelorhood.**

bac·il·lar·y [*Br.* bə'siləri; *Am.* 'bæsi,leri] *adj* **1.** stäbchenförmig. **2.** *med.* bazil'lär, Bazillen...

ba·cil·lo·pho·bi·a [bə,silo'foubiə] *s med.* Ba'zillenangst *f*.

ba·cil·lus [bə'siləs] *pl* **-li** [-ai] *s med.* **1.** Ba'zillus *m*, 'Stäbchenbak,terie *f*. **2.** Bak'terie *f*.

back[1] [bæk] **I** *s* **1.** *anat. zo.* a) Rücken *m*, b) Rückgrat *n*, Kreuz *n*: **at the ~ of** hinter (*dat*), hinten in (*dat*); **to have s.th. at the ~ of one's mind** a) sich dunkel an etwas erinnern, b) insgeheim an etwas denken; (**in**) **~ of** *Am.* hinter (*dat*); **behind s.o.'s ~** *fig.* hinter j-s Rücken; **on one's ~** a) auf dem Leib (*Kleidungsstück*), b) bettlägerig, krank, c) hilflos, ‚aufgeschmissen'; **to have s.o. on one's ~** j-n auf dem Hals haben; **to have one's ~ to the wall** in die Enge getrieben sein, sich verzweifelt wehren; **to spend every penny on one's ~** sein ganzes Geld für Kleidung ausgeben; **to break s.o.'s ~** a) j-m das Kreuz brechen (*a. fig.*), b) *fig.* j-n ‚fertigmachen' *od.* zugrunde richten; **to break the ~ of s.th.** das Schwierigste überwinden; **we have broken the ~ of it** wir sind über den Berg; **to put** (*od.* **get**) **s.o.'s ~ up** j-n ‚auf die Palme bringen'; **to put one's ~ into s.th.** sich bei e-r Sache ins Zeug legen, sich in e-e Sache ‚hineinknien'; **to turn one's ~ on s.o.** j-m den Rücken kehren, j-n fallenlassen; **to make a ~** e-n Buckel machen, sich bücken; **~ to ~** Rücken an Rücken; **he has a strong ~** er hat e-n breiten Rücken *od.* Buckel (*a. fig.*); → **scratch**[1] 12. **2.** 'Hinter-, Rückseite *f* (*des Kopfes, Hauses, Briefes, e-r Tür etc*), untere Seite (*e-s Blattes*), (*Buch-, Berg-, Hand-, Messer- etc*)Rücken *m*, Kehrseite *f* (*e-r Münze*), (Rück)Lehne *f* (*e-s Stuhls*), linke Seite (*des Tuches*), Boden *m*, Platte *f* (*e-s Saiteninstruments*). **3.** hinterer *od.* rückwärtiger *od.* entferntgelegener Teil, 'Hintergrund *m*: **~ of the head** Hinterkopf *m*; **~ of the house** rückwärtiger *od.* hinterer Teil des Hauses; **at the ~ of beyond** *fig.* am Ende *od.* ‚Arsch' der Welt; **the B~s** die Parkanlagen hinter den Colleges in Cambridge; **at the ~ of the stage** im Hintergrund der Bühne; **in the ~ of the car** auf dem Rücksitz des Autos. **4.** Rückenteil *m* (*e-s Kleidungsstückes*). **5.** 'Hinterstück *n*: **~ of a roe** Rehziemer *m*. **6.** *arch.* Hauptdachbalken *m*. **7.** → **backyard. 8.** *Fußball etc*: a) Verteidiger *m*, b) Läufer *m*.

II *adj* **9.** rückwärtig, letzt(er, e, es), hinter(er, e, es), Hinter..., Rück..., Nach... **10.** fern, abgelegen: ~ **country** Hinterland *n*; ~ **province** finster(st)e Provinz. **11.** *ling.* hinten im Mund geformt: **a** ~ **vowel** ein dunkler Vokal. **12.** rückläufig: **a** ~ **current. 13.** rückständig: ~ **rent**; ~ **wages. 14.** alt, zu'rückliegend (*Zeitung etc*): ~ **issue** alte Ausgabe *od.* Nummer.
III *adv* **15.** zu'rück, rückwärts: **to move** ~ zurückgehen; **two miles** ~ zwei Meilen zurück *od.* weiter hinten; (*siehe die Verbindungen mit den entsprechenden Verben*). **16.** (wieder) zu'rück: **he is** ~ **(again)** er ist wieder da; ~ **home** a) wieder zu Hause, b) *Am.* daheim, bei uns (zulande). **17.** zu'rück, vorher: **20 years** ~ vor 20 Jahren; ~ **in 1900** (damals *od.* noch *od.* schon) im Jahre 1900. **18.** *colloq.* zu'rück, im Rückstand: **to be** ~ **in one's rent** mit der Miete im Rückstand sein.
IV *v/t* **19.** *a.* ~ **up** *j-n od. etwas* unter'stützen, eintreten für, *j-m* den Rücken stärken, *j-n* decken, *etwas* bekräftigen, unter'mauern, *econ. die Währung etc* stützen, *Noten* decken. **20.** *a.* ~ **up** zu'rückbewegen, *e-n Wagen, e-e Maschine, ein Pferd etc* rückwärts fahren *od.* laufen lassen: **to** ~ **one's car up** mit dem Auto rückwärts fahren *od.* zurückstoßen; **to** ~ **water** a) *mar.* ein Schiff rückwärtsrudern, rückwärts fahren, b) *Am. colloq.* e-n Rückzieher machen. **21.** wetten *od.* setzen auf (*acc*), Vertrauen haben zu: → **horse** 1. **22.** a) *ein Pferd etc* besteigen, b) *ein Pferd* zureiten. **23.** *a.* ~ **up** *ein Buch etc* mit e-m Rücken versehen, an der Rückseite verstärken, *e-n Stuhl* mit e-r Lehne *od.* Rückenverstärkung versehen. **24.** *tech.* beschichten, mit e-m 'Überzug versehen. **25.** *tech., a. ein Tuch etc* füttern. **26.** *econ. e-n Scheck* indos'sieren, gegenzeichnen, *e-n Wechsel* als Bürge unter'schreiben, ava'lieren. **27.** auf der Rückseite beschreiben *od.* bedrucken. **28.** den 'Hintergrund (*gen*) bilden, hinten grenzen an (*acc*). **29.** *colloq.* auf dem Rücken tragen, auf den Rücken nehmen. **30.** *hunt.* hinter und mit (*dem Leithund*) (vor)stehen (*Meute*).
V *v/i* **31.** *oft* ~ **up** sich zu'rückbewegen, sich rückwärts bewegen, zu'rückgehen *od.* -treten *od.* -fahren, *mot. a.* zu'rückstoßen. **32.** links 'umspringen, rückdrehen (*Wind*). **33.** ~ **and fill** a) *mar.* back und voll brassen, la'vieren, b) *Am. colloq.* unschlüssig sein.
Verbindungen mit Adverbien:
back| down *od.* **off (from),** ~ **out (of)** *v/i* zu'rücktreten *od.* sich zu'rückziehen *od.* abspringen (von), ‚aussteigen' (aus), ausweichen (*dat*), ‚sich drücken' (um), ‚kneifen' (vor *dat*). ~ **up** → back[1] 19, 20, 23, 31.
back[2] → bac.
'back|ˌache *s med.* Rückenschmerzen *pl.* ~ **al·ley** *s Am.* finsteres Seitengäßchen. '~ˌ**band** *s* Kreuzriemen *m*, Rückengurt *m* (*e-s Pferdes*). ~ **bas·ket** *s* Kiepe *f*, Rückentragkorb *m.* ~ **bench** *s* hintere Sitzreihe (*bes. im brit. Unterhaus*). '~'**bench·er** *s parl. Br.* 'Hinterbänkler *m* (*Abgeordneter, der nicht Kabinettsmitglied ist*). ~ **bend** *s sport* Brücke *f* (aus dem Stand). '~ˌ**bite** *v/t u. v/i irr* verleumden (to bei *j-m*). '~ˌ**bit·er** *s* Verleumder(in). '~ˌ**bit·ing I** *adj* verleumderisch. **II** *s* Verleumdung *f.* '~ˌ**board** *s* **1.** Rücken-, Lehnbrett *n* (*hinten im Boot, Wagen etc*). **2.** *med.* Geradehalter *m.* **3.** *Basketball*: Rückbrett *n* (*des Korbs*). **4.** *tech.* Gegenschlagbug *m.* '~-'**bone** *s* **1.** Rückgrat *n*: **to the** ~ bis auf die Knochen, durch und durch. **2.** Rücken *m*, Hauptgebirgszug *m.* **3.** (Buch)Rücken *m.* **4.** *fig.* Rückgrat *n*: a) Cha'rakter(stärke *f*) *m*, Mut *m*, b) Hauptstütze *f.* '~ˌ**break·ing** *adj* erschöpfend, zermürbend, ‚mörderisch': **a** ~ **job.** '~ˌ**chat** *s sl.* **1.** freche Antwort(en *pl*). **2.** *Br.* schlagfertiges Hin u. Her. ~ **cloth** → backdrop. '~-ˌ**cou·pled** *adj electr.* rückgekoppelt. ~ **course** *s* **1.** Gegenkurs *m.* **2.** *aer.* rückwärtiger Leitstrahl. ~ **court** *s Tennis*: 'Hinterfeld *n.* '~ˌ**cross** *biol.* **I** *v/t* rückkreuzen. **II** *s* Rückkreuzung *f.* '~ˌ**date** *v/t* (zu)'rückdaˌtieren. ~ **door** *s* 'Hintertür *f* (*a. fig. Ausweg*). '~ˌ**door** *adj* geheim, heimlich. '~ˌ**down** *s Am.* ‚Rückzieher' *m* (on von). '~ˌ**drop** *s thea.* 'Hintergrund *m* (*gemalter Vorhang*) (*a. fig.*).
backed [bækt] *adj* **1.** mit Rücken, Lehne *etc* versehen, ...rückig, ...lehnig. **2.** gefüttert: **a curtain** ~ **with satin. 3.** *in Zssgn* mit (e-m) ... Rücken: **straight-**~.
back| e·lec·tro·mo·tive force *s electr.* 'gegeneˌlektromoˌtorische Kraft, Gegen-EMK *f.* ~ **end** *s* **1.** letzter Teil. **2.** *Br.* Spätherbst *m.*
back·er ['bækər] *s* **1.** Unter'stützer(in), Förderer *m*, Helfer(in). **2.** *econ.* 'Hintermann *m*, Geldgeber *m.* **3.** *econ.* Wechselbürge *m*, Ava'list *m.* **4.** Wettende(r *m*) *f*: **his** ~**s** diejenigen, die auf ihn gesetzt haben *od.* hatten.
'back|ˌfall *s* **1.** *Ringen*: Fall *m* auf den Rücken. **2.** *tech.* Sattel *m*, Kropf *m* (*e-s Papierholländers*). '~ˌ**field** *s amer. Fußball*: **1.** hinteres Feld. **2.** *collect.* 'Hinterfeld(spieler *pl*) *n.* '~ˌ**fire I** *v/i* **1.** *tech.* früh-, fehlzünden. **2.** *electr. tech.* zu'rückschlagen. **3.** *fig.* fehlschlagen, ‚ins Auge gehen': **the plan** ~**d** der Schuß ging nach hinten los. **II** *s* **4.** *tech.* a) Früh-, Fehlzündung *f*, b) (Auspuff)Knall *m.* **5.** *electr. tech.* (Flammen)Rückschlag *m.* **6.** *fig. Am.* scharfe Reakti'on. '~ˌ**flash I** *s* **1.** → flashback. **II** *v/i* **2.** → backfire 2. **3.** zu'rückblenden (*in e-m Film, Roman etc*) (to auf *acc*). ~ **for·ma·tion** *s ling.* Rückbildung *f.* ~ **freight** *s econ.* Rückfracht *f.* '~ˌ**gam·mon** *s* Puffspiel *n* (*Art Halma*). ~ **gear** *s tech.* Vorgelegerad *n*: ~**s** Vorgelege *n*; ~ **shaft** Vorgelegewelle *f.* '~ˌ**ground** *s* **1.** 'Hintergrund *m*: **to form a** ~ **to s.th.** e-n Hintergrund für etwas bilden; **to keep** (*od.* **stay**) **in the** ~ im Hintergrund bleiben; ~ **projection** (*Film*) Hintergrundprojektion *f.* **2.** *fig.* a) 'Hintergrund *m*, 'Umstände *pl*, b) 'Umwelt *f*, Mili'eu *n*, c) Werdegang *m*, Vorgeschichte *f*, d) Erfahrung *f*, Wissen *n*: **educational** ~ Vorbildung *f*, Bildungsgang *m*, e) Tatsachen *pl*, Anhaltspunkte *pl*, Grundlage *f.* **3.** Mu'sik-, Ge'räuschkuˌlisse *f*: ~ **(music)** musikalischer Hintergrund, musikalische Untermalung, Hintergrundsmusik *f.* **4.** *a.* ~ **noise** (*Radio etc*) Hintergrundgeräusch *n.* **5.** *a.* ~ **brightness** *TV* Grundhelligkeit *f*: ~ **control** Steuerung *f* der mittleren Helligkeit. '~ˌ**hand I** *s* **1.** nach links geneigte Handschrift. **2.** *sport* Rückhand(schlag *m*) *f.* **II** *adj* → backhanded. '~'**hand·ed** *adj* **1.** *sport* Rückhand... **2.** mit dem Handrücken (*Schlag*). **3.** nach links geneigt (*Schrift*). **4.** 'indiˌrekt: ~ **compliment**; ~ **censorship. 5.** ‚krumm', unredlich: ~ **methods. 6.** scheu. '~'**hand·er** *s* Rückhandschlag *m.* '~ˌ**house** *s* **1.** 'Hinterhaus *n.* **2.** *Am. colloq.* ‚Häus-chen' *n*, Abort *m.*
back·ing ['bækiŋ] *s* **1.** Unter'stützung *f*, Hilfe *f.* **2.** *collect.* 'Hintermänner *pl*, Förderer *pl.* **3.** *tech.* versteifende Ausfütterung, Verstärkung *f.* **4.** (*Rocketc*)Futter *n.* **5.** *tech.* Belag *m*, 'Überzug *m.* **6.** *phot.* Lichthof-Schutzschicht *f.* **7.** *econ.* a) Wechselbürgschaft *f*, Gegenzeichnung *f*, A'val *n*, b) Deckung *f* (*der Banknoten*), c) Stützungskäufe *pl.* ~ **met·al** *s tech.* Hinter'gießmeˌtall *n.* '~-'**off lathe** *s tech.* 'Hinterdrehbank *f.*
'back|ˌkick *s* **1.** *tech.* Rückschlag *m.* **2.** *electr.* Rückentladung *f.* ~ **land** *s* 'Hinterland *n.* '~ˌ**lash** *s* **1.** *tech.* toter Gang, (Flanken)Spiel *n.* **2.** verwickelte Angelschnur am Haspel. **3.** Rückprall *m.* '~ˌ**light·ing** *s* 'Hintergrundbeleuchtung *f.* '~ˌ**log** *s* **1.** *bes. Am.* großes Scheit im Ka'min (*um das Feuer zu unterhalten*). **2.** (*Arbeits-, Auftragsetc*)Rückstand *m*, 'Überhang *m* (of an *dat*), Re'serve *f* (of an *dat*, von): ~ **of orders** Auftragsüberhang *m od.* -polster *n*; ~ **demand** Nachholbedarf *m.* ~ **lot** *s Film*: Ateli'er *n* für Außenaufnahmen. ~ **num·ber** *s* **1.** alte Nummer (*e-r Zeitschrift etc*). **2.** *colloq.* (*etwas*) Über'holtes, rückständige *od.* altmodische Per'son *od.* Sache. ~ **pay** *s econ.* rückständiger Lohn, Lohn-, Gehaltsnachzahlung *f.* '~-ˌ**ped·al** *v/i* **1.** rückwärtstreten (*Radfahrer*). **2.** *fig.* e-n Rückzieher machen. '~ˌ**ped·al·(l)ing brake** *s tech. Br.* Rücktrittbremse *f.* ~ **pres·sure** *s tech.* Gegendruck *m*: ~ **valve** Rückschlagventil *n.* '~ˌ**rest** *s* Rückenstütze *f*, -lehne *f.* ~ **room** *s* 'Hinterzimmer *n.* '~-ˌ**room boy** *s colloq.* Wissenschaftler, der an Ge'heimproˌjekten arbeitet. '~ˌ**saw** *s tech.* Fuchsschwanz *m* mit Rückenschiene. '~ˌ**scat·ter** *s electr. phys.* Rückstreuung *f.* ~ **scratch·ing** *s Am. colloq.* gegenseitige Unter'stützung. ~ **seat** *s* **1.** Rücksitz *m.* **2.** *colloq.* 'untergeordnete Stellung: **to take a** ~ in den Hintergrund treten. '~-ˌ**seat driv·er** *s colloq.* **1.** *mot.* besserwisserischer Mitfahrer. **2.** *fig.* Besserwisser *m.* '~ˌ**set** *s* **1.** Rückschlag *m.* **2.** *mar.* Gegenströmung *f.*
back·sheesh, back·shish → bakhsheesh.
'back|'side *s* **1.** *meist* **back side** Kehr-, Rückseite *f*, hintere *od.* linke Seite. **2.** *oft pl* 'Hinterteil *n*, Hintern *m.* '~ˌ**sight** *s* **1.** a) *tech.* Vi'sier *n*, b) *surv.* 'Standviˌsier *n.* **2.** *mil.* Kimme *f*, 'Klappviˌsier *n.* ~ **slang** *s* 'Umkehrung *f* der Wörter (*beim Sprechen*). ~ **slap·per** *s Am. sl.* **1.** jovi'aler *od.* leutseliger Mensch. **2.** plump vertraulicher Mensch. '~'**slide** *v/i irr* auf die schiefe Bahn geraten, (*bes. vom Glauben*) abfallen, abtrünnig werden, zu'rückfallen (into in *acc*). '~'**slid·er** *s* **1.** Abtrünnige(r *m*) *f.* **2.** Rückfällige(r *m*) *f.* '~ˌ**space con·trol** *s* Rückholtaste *f* (*am Tonbandgerät*). '~ˌ**spac·er** *s* Rücktaste *f* (*der Schreibmaschine*). '~ˌ**spin** *s sport* 'Rückefˌfet *n.* '~'**stage** *thea.* **I** *s* **1.** Garde'robenräume *pl* u. Bühne *f* (hinter dem Vorhang). **II** *adv* **2.** (hinten) auf der Bühne. **3.** hinter dem Vorhang *od.* den Ku'lissen (*a. fig.*), in den Garde'roben. **III** *adj* **4.** *a. fig.* hinter dem Vorhang *od.* den Ku'lissen (gelegen *od.* geschehend). ~ **stairs I** *s* **1.** 'Hintertreppe *f.* **2.** *fig.* 'Hintertreppe *f*, ‚krumme Tour'. **II** *adj* **3.** *fig.* heimlich, dunkel,

‚krumm'. **'~ˌstitch** *s* Steppstich *m.* **'~ˌstop** *s* **1.** *Kricket*: Feldspieler *m*, Fänger *m.* **2.** a) *Baseball etc*: Netz *n* hinter dem Fänger, b) *Tennis*: Zaun *m* hinter der Grundlinie. **3.** *Am.* Kugelfang *m* (*im Schießstand*). **4.** *tech.* rückwärtiger Anschlag. **'~ˌstretch** *s sport* Gegengerade *f.* **'~ˌstroke** *s* **1.** *sport* a) Rückschlag *m* (*des Balls*), b) *Schwimmen*: Rücken(gleich)schlag *m*, *allg.* Rückenschwimmen *n.* **2.** *tech.* Rückschlag *m*, -lauf *m*, -hub *m.* **'~ˌswept** *adj* nach hinten zu'rückgenommen *od.* verjüngt: ~ hair zurückgekämmtes Haar; ~ wing *aer.* pfeilförmige Tragfläche. **~ talk** *s sl.* unverschämte Antworten *pl.* **'~-to-'back** *adj* aufein'anderfolgend: ~ method *electr.* Rückarbeitsverfahren *n*; ~ rectifier Gegentaktgleichrichter *m.* **'~ˌtrack** *v/i* **1.** den'selben Weg zu'rückgehen *od.* -verfolgen. **2.** *fig.* a) e-n Rückzieher machen, sich von der Sache zu'rückziehen, b) e-e Kehrtwendung machen, die 'umgekehrte Richtung einschlagen. **'~ˌup** *s Am.* **1.** → backing 1 *u.* 3. **2.** Stau(ung *f*) *m*: a ~ of water (cars, *etc*). **3.** *fig.* Rückzieher *m* (on hinsichtlich *gen*). **'~ˌup light** *s mot. Am.* Rückfahrscheinwerfer *m.*

back·ward ['bækwərd] **I** *adj* **1.** rückwärts gerichtet, Rück(wärts)...: a ~ glance ein Blick zurück *od.* nach hinten; ~ pass *sport* Rückpaß *m.* **2.** hinten gelegen, Hinter... **3.** 'umgekehrt. **4.** langsam, träge, *fig.* schwer(fällig) (*von Begriff*): to be ~ in one's duty s-e Pflicht vernachlässigen. **5.** (*in der Entwicklung etc*) zu'rück(geblieben) (*Kind etc*), 'unterentwickelt (*a. Land etc*), spät reifend (*Früchte*), spät eintretend (*Jahreszeit*). **6.** rückständig: a ~ country; a ~ person. **7.** zögernd, 'widerwillig. **8.** zu'rückhaltend, schüchtern, scheu. **II** *adv* **9.** rückwärts, zu'rück, nach hinten: ~ and forward hin u. her, vor u. zurück. **10.** rücklings, verkehrt. **11.** zu'rück, in die Vergangenheit: to look ~ *fig.* zurückblicken. **12.** zu'rück, zum Schlechten: to go ~ *fig.* zurückgehen, sich verschlechtern.

back·ward·a·tion [ˌbækwər'deiʃən] *s Börse*: De'port *m*, Kursabschlag *m.*

back·ward·ness ['bækwərdnis] *s* **1.** Langsamkeit *f*, Trägheit *f.* **2.** Wider'streben *n.* **3.** Rückständigkeit *f.* **4.** verzögerte Entwicklung, Zu'rückbleiben *n.*

back·wards ['bækwərdz] → back-ward II.

'back|ˌwash *s* **1.** Rückströmung *f*, *mar. a.* Bugwellen *pl od.* Kielwasser *n.* **2.** *fig.* Aus-, Nachwirkung *f.* **'~ˌwa·ter** *s* **1.** → backwash 1. **2.** Stauwasser *n.* **3.** totes Wasser. **4.** *fig.* Ort *m od.* Zustand *m* der Rückständigkeit u. Stagnati'on, Pro'vinz *f*, (kultu'relles) Notstandsgebiet. **'~'woods I** *s pl* **1.** 'Hinterwälder *pl*, abgelegene Wälder *pl.* **2.** *bes. contp.* Pro'vinz *f.* **II** *adj* **3.** 'hinterwäldlerisch, Provinz... (*beide a. fig.*). **4.** *fig.* rückständig. **'~'woods·man** *s irr* **1.** 'Hinterwäldler *m* (*a. fig.*). **2.** Mitglied *n* des brit. Oberhauses, das selten erscheint. **~ yard** *s* 'Hinterhof *m* (*a. fig.*), *Am. a.* Garten *m* hinter dem Haus.

ba·con ['beikən] *s* Speck *m*: he brought home the ~ *colloq.* er hat es geschafft; to save one's ~ mit heiler Haut davonkommen.

Ba·co·ni·an [bei'kouniən] **I** *adj* ba'conisch, Sir Francis Bacon betreffend. **II** *s* Anhänger(in) der Philoso'phie von Francis Bacon. **~ the·o·ry** *s* 'Bacon-Theoˌrie *f* (*daß Bacon Shakespeares Dramen verfaßt habe*).

bac·te·ri·a [bæk'ti(ə)riə] *s pl biol.* Bak'terien *pl.*

bac·te·ri·al [bæk'ti(ə)riəl] *adj* bakte-ri'ell.

bac·te·ri·cid·al [bækˌti(ə)ri'saidl] *adj med.* bakteri'zid, bak'terientötend.

bac'te·riˌcide [-ˌsaid] *s* Bakteri'zid *n.*

bac·te·rin ['bæktərin] *s med.* Bak'terienvakˌzin *n.*

bac·te·ri·o·log·i·cal [bækˌti(ə)riə'lɒdʒikəl] *adj* bakterio'logisch, Bakterien...: ~ warfare. **bacˌte·ri'ol·o·gist** [-'ɒlədʒist] *s* Bakterio'loge *m.* **bacˌte·ri'ol·o·gy** *s* Bakteriolo'gie *f*, Bak'terienkunde *f*, -forschung *f.*

bac·te·ri·o·phage [bæk'ti(ə)rioˌfeidʒ] *s med.* Bakterio'phage *m.*

bac·te·ri·os·co·py [bækˌti(ə)ri'ɒskəpi] *s* Bakteriosko'pie *f.*

bac·te·ri·um [bæk'ti(ə)riəm] *sg von* bacteria.

bac·ter·oid ['bæktəˌrɔid] **I** *adj* bak'terienähnlich. **II** *s bot.* Baktero'id *n.*

Bac·tri·an cam·el ['bæktriən] *s zo.* Zweihöckeriges Ka'mel, Trampeltier *n.*

bad[1] [bæd] **I** *adj comp* **worse** [wəːrs] *sup* **worst** [wəːrst] (*adv* → badly) **1.** *allg.* schlecht. **2.** böse, schlimm, arg, schwer: a ~ crime; a ~ mistake. **3.** böse, ungezogen: a ~ boy. **4.** verdorben, lasterhaft, schlecht: a ~ woman. **5.** unanständig, unflätig, wüst, häßlich: a ~ word; ~ language a) Zoten, b) Fluchworte. **6.** falsch, fehlerhaft, schlecht: his ~ English sein schlechtes Englisch; ~ grammar grammatisch falsch *od.* schlecht. **7.** unbefriedigend, schlecht: a ~ plan (harvest, year, *etc*); not ~ nicht schlecht *od.* übel; not ~ fun ganz amüsant. **8.** ungünstig, schlecht: ~ news. **9.** schädlich, ungesund, schlecht (for für): ~ for the eyes; ~ for you. **10.** unangenehm, ärgerlich: that's too ~ das ist (zu) schade, das ist (doch) zu dumm. **11.** schlecht (*Qualität, Zustand*): ~ teeth; a ~ repair job; in a ~ condition. **12.** ungültig (*Anspruch, Münze etc*), ungedeckt (*Scheck*): ~ debts *econ.* zweifelhafte Forderungen; ~ title *jur.* mangelhafter Rechtstitel; ~ shot *sport* ungültiger Schuß *od.* Schlag. **13.** schlecht, verdorben: ~ meat; to go ~ schlecht werden. **14.** schlecht, angegriffen: ~ health. **15.** a) unwohl, krank: she is (*od.* feels) very ~ today es geht ihr heute sehr schlecht; he is in a ~ way (*a. weitS.*) es geht ihm schlecht, er ist übel daran, b) niedergeschlagen: he felt ~ at (*od.* about) it er war (sehr) deprimiert darüber. **16.** schlimm, böse, arg, heftig: a ~ cold; a ~ shock; a ~ finger ein böser *od.* schlimmer Finger. **17.** widerlich, schlecht: a ~ smell. **18.** schlecht, schwach (at in *Mathematik etc*). **II** *s* **19.** (*das*) Schlechte, (*das*) Böse, Unglück *n*: from ~ to worse immer schlimmer; to take the ~ with the good (auch) die Nachteile in Kauf nehmen; to go to the ~ *colloq.* auf die schiefe Bahn geraten. **20.** *econ.* Defizit *n*: to be $ 25 to the ~ ein Defizit *od.* e-n Verlust von 25 Dollar haben. **III** *adv* → badly.

bad[2] [bæd] *obs. pret von* bid 8 *u.* III.

bad·der·locks ['bædərˌlɒks] *s bot.* (*eßbarer*) arktischer Seetang.

bad·dish ['bædiʃ] *adj* ziemlich schlecht.

bade [bæd; *Br. a.* beid] *pret von* bid 8 *u.* III.

badge [bædʒ] *s* **1.** Abzeichen *n.* **2.** *mil.* a) Dienstgrad-, Rangabzeichen *n*, b) (Ehren)Spange *f*, Auszeichnung *f.* **3.** *fig.* Ab-, Kennzeichen *n*, Merkmal *n*, Stempel *m.*

badg·er ['bædʒər] **I** *s* **1.** *zo.* Dachs *m.* **2.** B~ *Am.* (*Spitzname für e-n*) Bewohner von Wis'consin: B~ State Wisconsin *n.* **II** *v/t* **3.** hetzen. **4.** *fig.* peinigen, belästigen, ‚piesacken'. **~ bait·ing** *s* Dachshetze *f.* **~ dog** *s* Dachshund *m.* **~ draw·ing** *s* Dachshetze *f.* **~ game** *s Am. sl.* Erpressung *f* e-s Mannes durch e-e Dirne u. deren Kom'plicen.

ba·di·geon [bə'didʒən] *s tech.* Gips-, Stuckmörtel *m.*

bad·i·nage [ˌbædi'nɑːʒ; 'bædinidʒ] *s* Schäke'rei *f*, Necke'rei *f.*

'badˌlands *s pl Am.* Badlands *pl* (*wüstenähnliche Landschaft*).

bad·ly ['bædli] *adv* **1.** schlecht, schlimm: he is ~ (*Am. a.* bad) off es geht ihm sehr schlecht. **2.** schlecht, mangelhaft, mise'rabel: to do ~ schlecht fahren (in bei, mit). **3.** *colloq.* dringend, sehr, arg, heftig: ~ needed dringend nötig; ~ wounded schwer verwundet.

bad·min·ton ['bædmintən] *s* **1.** *sport* Badminton *n*, Federballspiel *n.* **2.** Erfrischungsgetränk *n* (*aus Rotwein, Sodawasser u. Zucker*).

bad·ness ['bædnis] *s* **1.** schlechter Zustand, schlechte Beschaffenheit. **2.** Schlechtigkeit *f*, Bösartigkeit *f*, Verderbtheit *f.* **3.** Schädlichkeit *f.*

'bad-'tem·pered *adj* schlecht gelaunt, übellaunig.

Bae·de·ker ['beidikər] *s* **1.** Baedeker *m*, Reiseführer *m.* **2.** *allg.* Handbuch *n.*

baf·fle ['bæfl] **I** *v/t* **1.** verwirren, -blüffen, narren, täuschen, *j-m* ein Rätsel sein: the police are ~d die Polizei steht vor e-m Rätsel; it ~s description es spottet jeder Beschreibung. **2.** *e-n Plan etc* durch'kreuzen, vereiteln, unmöglich machen. **3.** *tech.* a) ablenken, b) dämpfen, bremsen. **II** *s* **4.** → bafflement. **5.** *tech.* Ablenkplatte *f*, Schutzschirm *m*, *bes.* Schallwand *f*, -schirm *m.* **'baf·fle·ment** *s* **1.** Verwirrung *f.* **2.** Vereitelung *f.*

baf·fle plate *s tech.* Prall-, Ablenkplatte *f*, *mot.* Schlingerwand *f.*

baf·fling ['bæfliŋ] *adj* (*adv* ~ly) **1.** verwirrend, -blüffend. **2.** vereitelnd, hinderlich. **3.** unstet (*Wind*).

baff·y ['bæfi] *s* kurzer hölzerner Golfschläger (*zum Hochschlagen*).

bag [bæg] **I** *s* **1.** (*a.* Post-, Schlaf- *etc*)Sack *m*, Beutel *m*, (Schul-, Reise-, Hand- *etc*)Tasche *f*: ~ and baggage (mit) Sack u. Pack, mit allem Drum u. Dran; mixed ~ Sammelsurium *n*, merkwürdige Kollektion (*a. von Leuten*); ~s below the eyes Säcke unter den Augen; to give s.o. the ~ *colloq.* j-m den Laufpaß geben (*entlassen*); to hold the ~ *Am. colloq.* die Sache ausbaden (müssen), der Dumme sein; it's in the ~ *sl.* das haben wir in der Tasche *od.* sicher; the whole ~ of tricks der ganze Krempel; → bone[1] 1, cat *Bes. Redew.* **2.** *tech.* (*Zellophan- etc*)Beutel *m* (*zur Verpackung*): inner ~ Innenbeutel. **3.** Tüte *f.* **4.** Sack *m* (*als Maß*). **5.** Geldbeutel *m.* **6.** *hunt.* a) Jagdtasche *f*, b) Jagdbeute *f*, Strecke *f.* **7.** *zo.* a) Euter *n*, b) Honigmagen *m* (*e-r Biene*). **8.** *Boxen*: (Sand)Sack *m.* **9.** *Baseball*: *Am.* a) Mal *n*, b) Sandsack *m* (*um das Mal zu bezeichnen*). **10.** *sl.* a) ‚Nutte' *f* (*Prostituierte*), b) *a.* old ~ alte Schlampe. **11.** *colloq.* a) ‚Sack' *m*, weites Kleidungsstück, b) *pl* Hose *f.*

II *v/t* **12.** in e-n Sack *od.* e-e Tasche stecken, einsacken, in e-n Beutel tun *od.* füllen. **13.** *hunt.* zur Strecke bringen, fangen (*a. fig.*). **14.** *sl.* a) (sich) *etwas* schnappen, einsacken, b) ‚klauen', stehlen, c) *j-n* ‚in die Tasche stecken', schlagen, besiegen. **15.** aufbauschen, ausdehnen: ~**ged** → **baggy.**

III *v/i* **16.** sich sackartig ausbauchen, sich bauschen.

bag·a·telle [ˌbægəˈtel] *s* **1.** Bagaˈtelle *f*, Kleinigkeit *f.* **2.** *mus.* Bagaˈtelle *f* (*kurzes Musikstück*). **3.** Tivolispiel *n.*

bag·ful [ˈbægˌful] *pl* **-ˌfuls** *s* (*ein*) Sack(voll) *m* (*a. fig. Menge*).

bag·gage [ˈbægidʒ] *s* **1.** *Am.* (Reise-)Gepäck *n.* **2.** *mil. Br.* Baˈgage *f*, Gepäck *n*, Troß *m.* **3.** *fig.* Balˈlast *m.* **4.** *vulg.* ‚Luder' *n*, ‚Flittchen' *n* (*Dirne*). **5.** *colloq. humor.* ‚Fratz' *m*, (kleiner) Racker (*Mädchen*). ~ **car** *s rail. Am.* Gepäckwagen *m.* ~ **check** *s Am.* Gepäckschein *m.* ~ **train** *s mil.* Troß *m.*

bag·ging [ˈbægiŋ] **I** *s* **1.** Sack-, Packleinwand *f.* **2.** a) Einsacken *n*, b) Verpackung *f od.* Abfüllung *f* in (*Zellophan- etc*)Beutel. **3.** Aufbauschung *f.* **II** *adj* → **baggy.**

bag·gy [ˈbægi] *adj* **1.** sackartig. **2.** bauschig. **3.** sackartig herˈabhängend: ~ **clothes**; ~ **cheeks** Hängebacken. **4.** ausgebeult: ~ **trousers.**

bagn·io [ˈbænjou; ˈbɑːn-] *pl* **-ios** *s* **1.** Borˈdell *n.* **2.** Bad *n*, Badehaus *n.* **3.** Bagno *n*, Gefängnis *n* (*im Orient*).

ˈbag|ˌpipe *s a. pl mus.* Sackpfeife *f*, Dudelsack *m.* **ˈ~ˌpip·er** *s* Dudelsackpfeifer *m.* **ˈ~ˌreef** *s mar.* ˈUnterreff *n.* **ˈ~-ˌsnatch·er** *s* Handtaschenräuber *m.*

ˈbag|ˌwig *s hist.* Peˈrücke *f* mit Haarbeutel. **ˈ~ˌworm** *s zo.* Raupe *f* des Sackträgers: ~ **moth** Sackträger *m.*

bah [bɑ; bɑː] *interj contp.* bah!

Ba·ha·i [bəˈhɑːiː] *relig.* **I** *s* Anhänger *m* des Bahaˈismus. **II** *adj* Bahaismus...

Baˈha·ism *s* Bahaˈismus *m.*

bail[1] [beil] *jur.* **I** *s* **1.** a) *nur sg* Bürge(n *pl*) *m*: **to find** ~ sich (e-n) Bürgen verschaffen, b) Bürgschaft *f*, Sicherheitsleistung *f*, (ˈHaft)Kautiˌon *f*: **to go** (*od.* **stand**) ~ (**for s.o.**) Sicherheit leisten *od.* Kaution stellen (für j-n); **I'll go** ~ **that** *fig.* ich gehe jede Wette ein, daß; **to allow** ~, **to admit to** ~ gegen Kaution freilassen, Sicherheitsleistung zulassen; **to be out (up)on** ~ gegen Kaution auf freiem Fuß sein; **to forfeit one's** ~ nicht (*vor Gericht*) erscheinen, die Kaution verfallen lassen; **to give** ~ Sicherheit leisten, Kaution stellen; **to jump** ~ *Am. colloq.* die Kaution ‚sausen lassen', flüchtig werden; **release on** ~ → 4; **to save** (*od.* **surrender to**) **one's** ~ vor Gericht erscheinen. **2.** Freilassung *f od.* Haftentlassung *f* gegen Sicherheitsleistung. **II** *v/t* **3.** *meist* ~ **out** *j-s* Freilassung gegen Sicherheitsleistung erwirken. **4.** gegen Sicherheitsleistung freilassen. **5.** *Güter* (*zur treuhänderischen Verwahrung*) überˈgeben (to *dat*). **6.** *meist* ~ **out** *fig. j-n* retten, *j-m* (herˈaus)helfen (out of aus *dat.*).

bail[2] [beil] **I** *v/t* **1.** *meist* ~ **out** a) *Wasser etc* ausschöpfen, b) *ein Boot* ausschöpfen. **II** *v/i* **2.** Wasser ausschöpfen. **3.** ~ **out** *aer.* ‚aussteigen', (mit dem Fallschirm) abspringen. **4.** ~ **out** *fig. sl.* ‚aussteigen' (of aus *dat.*).

bail[3] [beil] *s* **1.** Bügel *m*, Henkel *m*, (Hand)Griff *m.* **2.** Reif *m*, Halbreifen *m* (*z. B. e-s Planwagendaches*).

bail[4] [beil] *s* **1.** Schranke *f* (*im Stall*). **2.** *Kricket*: Querholz *n* (*über den* **stumps**). **3.** *obs.* äußere Burgmauer.

bail·a·ble [ˈbeiləbl] *adj jur.* kautiˈonsfähig.

bail bond *s jur.* (Verpflichtungserklärung *f* zur Stellung e-r) Kautiˈon *f.*

bail·ee [ˌbeiˈliː] *s jur.* Deposiˈtar *m* (*e-r beweglichen Sache*), (*treuhänderischer*) Verwahrer *m*, *z. B.* Frachtführer *m*, Spediˈteur *m.*

bai·ley [ˈbeili] *s* **1.** *hist.* Außenmauer *f* (*e-r Burg od. Stadt*). **2.** Burghof *m*: → **Old Bailey.**

bail·ie [ˈbeili] *s Scot.* Stadtverordne-[te(r) *m.*]

bail·iff [ˈbeilif] *s* **1.** *jur.* a) *Br.* Gerichtsvollzieher *m*, -diener *m*, Büttel *m*, Hilfsbeamte(r) *m* e-s **sheriff**, b) *Am.* Ordnungsbeamte(r) *m* (*am Gericht*), Juˈstizwachtmeister *m.* **2.** *Br.* (Guts)Verwalter *m.* **3.** *hist.* königlicher Beamter (*z. B.* **sheriff**).

bail·i·wick [ˈbeiliwik] *s bes. Am.* **1.** *jur.* Amtsbezirk *m* e-s **bailiff.** **2.** *fig.* Speziˈalgebiet *n.*

bail·ment [ˈbeilmənt] *s jur.* **1.** a) (vertragliche) Hinterˈlegung (*e-r beweglichen Sache*), Verwahrung(svertrag *m*) *f*, *a.* Beförderungsvertrag *m*, b) hinterˈlegte Sachen *pl*, anvertrautes Gut. **2.** → **bail**[1] 2.

bail·or [ˌbeiˈlɔːr; ˈbeilər] *s jur.* Hinterˈleger *m*, Depoˈnent *m.*

bails·man [ˈbeilzmən] *s irr jur.* Bürge [*m.*]

bairn [bɛrn] *s Scot. od. dial.* Kind *n.*

bait [beit] **I** *s* **1.** Köder *m* (*a. fig.*): **live** ~ lebender Köder; **to take the** ~ *fig.* sich ködern lassen, in die Falle *od.* auf den Leim gehen. **2.** Erfrischung(spause) *f*, Rast *f* (*auf der Reise*). **3.** Füttern *n* u. Tränken *n* (*der Pferde etc*). **II** *v/t* **4.** mit e-m Köder versehen. **5.** *fig.* ködern, (an)locken. **6.** *hunt.* (mit Hunden) hetzen. **7.** *fig.* reizen, quälen, peinigen, ‚piesacken'. **8.** *Pferde etc* (*bes. auf der Reise*) füttern u. tränken. **III** *v/i* **9.** *bes. Br.* einkehren, Rast machen. **10.** fressen.

bait·er [ˈbaitər] *s* Hetzer *m*, Quäler *m.*

bait·ing [ˈbeitiŋ] *s* **1.** *bes. fig.* Hetze *f*, Quäleˈrei *f.* **2.** Rast *f.* **3.** Füttern *n.*

baize [beiz] *s* **1.** Boi *m* (*Art Flanell od. Fries, meist grün*). **2.** ˈTischˌüberzug *m etc* aus Boi.

bake [beik] **I** *v/t* **1.** backen, im (Back-)Ofen braten. **2.** a) dörren, härten, austrocknen, b) *Ziegel* brennen, c) *tech. Lack* einbrennen: **to** ~ **on** aufbrennen. **II** *v/i* **3.** backen, braten, gebacken werden (*Brot etc*). **4.** dörren, hart werden. **5.** zs.- *od.* festbacken. **III** *s* **6.** *Scot.* Keks *m*, *n.* **7.** *Am.* gesellige Zs.-kunft. **ˈ~ˌhouse** *s* Backhaus *n*, -stube *f.*

Ba·ke·lite, b~ [ˈbeikəˌlait] (*TM*) *s* [*tech.* Bakeˈlit *n.*]

bak·er [ˈbeikər] *s* **1.** Bäcker *m*: → **dozen**[1] 2. **2.** *Am.* tragbarer Backofen.

bak·er·y [ˈbeikəri] *s* Bäckeˈrei *f.*

ˈbakeˌstone *s* Backstein *m*, -platte *f.*

bakh·shish → **baksheesh.**

bak·ing [ˈbeikiŋ] *s* **1.** Backen *n.* **2.** Gebäck *n*, Schub *m* (*Brote etc*). **3.** *tech.* Brennen *n* (*von Ziegeln*). **4.** *tech.* Sinterung *f.* ~ **pow·der** *s* Backpulver *n.* ~ **so·da** *s* ˈNatriumˈbikarboˌnat *n.*

bak·sheesh, bak·shish [ˈbækʃiːʃ] *s* (*ohne art*) Bakschisch *n.*

Ba·laam [ˈbeiləm; -læm] **I** *npr Bibl.* Bileam *m.* **II** *s fig.* falscher Proˈphet.

Ba·la·cla·va hel·met [ˌbæləˈklɑːvə] *s mil. Br.* (wollener) Kopfschützer.

bal·a·lai·ka [ˌbæləˈlaikə] *s mus.* Balaˈlaika *f.*

bal·ance [ˈbæləns] **I** *s* **1.** Waage *f* (*a. fig.*). **2.** Gleichgewicht *n*: a) Baˈlance *f*, b) *a.* ~ **of mind** Fassung *f*, Gemütsruhe *f*: **in the** ~ *fig.* in der Schwebe; **to hang** (*od.* **tremble**) **in the** ~ *fig.* auf Messers Schneide stehen; **to hold the** ~ *fig.* das Zünglein an der Waage bilden; **to lose one's** ~ das Gleichgewicht *od.* (*fig.*) die Fassung verlieren; **to throw s.o. off** ~ *fig.* j-n aus der Fassung bringen; ~ **of power** (politisches) Gleichgewicht, Gleichgewicht der Kräfte. **3.** *bes. fig.* Gegengewicht *n*, Ausgleich *m.* **4.** *bes. fig.* ˈÜbergewicht *n*: **the** ~ **of the evidence.** **5.** *fig.* Abwägen *n*: **on** ~ wenn man alles berücksichtigt, alles in allem genommen. **6.** *Kunst*: harˈmonisches Verhältnis, Ausgewogenheit *f.* **7.** *econ.* a) Biˈlanz *f*, b) Rechnungsabschluß *m*, c) (Konten-, Rechnungs)Saldo *m*, Kontostand *m*, Bestand *m*, Guthaben *n*, d) Restbetrag *m*: ~ **at** (*od.* **in**) **the bank** Banksaldo, -guthaben; ~ **of accounts** Kontenabschluß *m*; ~ **of payments** Zahlungsbilanz; **(un)favo(u)rable** ~ **of trade** aktive (passive) Handelsbilanz; ~ **of the books** Abschluß *m* der Bücher; **adverse** ~ Unterbilanz; ~ **brought** (*od.* **carried**) **forward (to new account)** Vortrag *m* auf neue Rechnung, Saldovortrag; ~ **due** Debetsaldo, geschuldeter Restbetrag; ~ **in your favo(u)r** Saldo zu Ihren Gunsten; ~ **in** (*od.* **on**) **hand** Bar-, Kassenbestand; **to strike a** ~ den Saldo *od.* (*a. fig.*) die Bilanz ziehen; **on** ~ per Saldo. **8.** *Am. colloq.* Rest *m.* **9.** Baˈlance *f* (*Tanzschritt*). **10.** *tech.* Unruhe *f* (*der Uhr*). **11.** *electr.* (Null-)Abgleich *m* (*e-r Meßbrücke*). **12.** *phys.* Ausgleich *m*, Kompensatiˈon *f.* **13.** *physiol.* (*Stickstoff- etc*)Gleichgewicht *n*: **thyroid** ~ Schilddrüsengleichgewicht, normales Funktionieren der Schilddrüse. **14.** **B~** *astr.* Waage *f.*

II *v/t* **15.** wiegen. **16.** *fig.* (ab-, er)wägen: **to** ~ **one thing against another** e-e Sache gegen e-e andere abwägen. **17.** (o.s. sich) im Gleichgewicht halten, balanˈcieren. **18.** ins Gleichgewicht bringen, ausgleichen, ˈausbalanˌcieren. **19.** *electr.* a) abgleichen, b) entkoppeln, neutraliˈsieren, c) symmeˈtrieren. **20.** *tech. Räder etc* auswuchten. **21.** *econ. Konten od. Rechnungen* aus-, begleichen, salˈdieren, abschließen: **to** ~ **one item against another** e-n Posten gegen e-n anderen aufrechnen; **to** ~ **our account** zum Ausgleich unserer Rechnung; **to** ~ **the ledger** das Hauptbuch (ab)schließen; **to** ~ **the cash** Kasse(nsturz) machen. **22.** *econ.* gleichstehen mit: **the expenses** ~ **the receipts.** **23.** *Kunst*: harˈmonisch gestalten.

III *v/i* **24.** sich im Gleichgewicht halten (*a. fig.*), balanˈcieren: **to** ~ **with** ein Gegengewicht bilden zu, *etwas* ausgleichen. **25.** sich (hin u. her) wiegen, wippen. **26.** *a.* ~ **out** *tech.* (sich) einspielen (*Zeiger etc*). **27.** *econ.* sich ausgleichen (*Rechnungen*).

bal·ance| ac·count *s econ.* Ausgleichskonto *n.* ~ **beam** *s* **1.** Waagearm *m*, -balken *m.* **2.** *sport* Schwebebalken *m.* ~ **card** *s econ.* Bestandskarte *f.*

bal·anced [ˈbælənst] *adj* **1.** im Gleichgewicht befindlich, ˈausbalanˌciert. **2.** *fig.* ausgewogen, ausgeglichen: ~ **budget** ausgeglichener (Staats)Haushalt; ~ **diet** ausgeglichene Kost. **3.** *fig.* wohlerwogen: ~ **judg(e)ment.** **4.** *electr.* ausgeglichen, symˈmetrisch: ~ **aerial** Ausgleichsantenne *f*; ~ **circuit** symmetrische Schaltung; ~ **voltage** (erd)symmetrische Spannung. **5.** *tech.* ausgewuchtet: ~ **wheels.**

bal·ance| sheet *s econ.* **1.** (*aufgestellte*)

Bi'lanz, Rechnungsabschluß *m*: first (*od.* opening) ~ Eröffnungsbilanz; ~ item Bilanzposten *m.* **2.** *fig.* Bi'lanz *f.* ~ **spring** *s tech.* Unruhefeder *f* (*der Uhr*). ~ **wheel** *s* **1.** *tech.* Hemmungsrad *n*, Unruhe *f.* **2.** *fig.* ausgleichendes Mo'ment.

bal·anc·ing ['bælənsiŋ] *adj electr.* Ausgleichs...: ~ battery; ~ condenser; ~ loop Symmetrierschleife *f*; ~ method Nullabgleichmethode *f.* ~ **force** *s phys.* Gleichgewichts-, Kompensati'onskraft *f.* ~ **wheel** *s* Schwungrad *n.*

bal·as ['bæləs; 'bei-], *meist* **bal·as ru·by** *s min.* 'Balasruˌbin *m.*

bal·co·ny ['bælkəni] *s* Bal'kon *m* (*a. thea.*).

bald [bɔːld] **I** *adj* **1.** kahl(köpfig), glatzköpfig. **2.** kahl (*ohne Haar, Federn, Laub, Pflanzenwuchs*): ~ eagle Weißköpfiger Seeadler (*Wappentier der USA*). **3.** *fig.* kahl, schmucklos, armselig, dürftig. **4.** *fig.* nackt, unverhüllt, unverblümt: ~ egotism; a ~ statement. **5.** weißköpfig (*Vögel*), weißfleckig (*Pferde, bes. am Kopf*). **II** *v/i* **6.** *Am.* kahl werden.

bal·da·chin, *a.* **bal·da·quin** ['bɔːldəkin; *Am. a.* 'bæl-] *s* Baldachin *m* (*a. arch.*), Thron-, Traghimmel *m.*

bal·der·dash ['bɔːldərˌdæʃ] *s* ,Quatsch' *m*, Unsinn *m.*

bald| face *s Am.* **1.** *orn.* Wildente *f.* **2.** Blesse *f* (*Pferd*). **3.** *sl.* ,Fusel' *m* (*schlechter Whisky*). '~ˌ**head** *s* **1.** Kahlkopf *m.* **2.** *orn.* (*e-e*) Haustaube. '~-'**head·ed** *adj* kahlköpfig: to go ~ into blindlings hineinrennen in (*acc*).

bald·ing ['bɔːldiŋ] *adj* kahl werdend.

bald·ness ['bɔːldnis] *s* **1.** Kahlheit *f.* **2.** *fig.* Schmucklosigkeit *f*, Dürftigkeit *f*, Nacktheit *f.*

'**bald|ˌpate** *s* **1.** Kahl-, Glatzkopf *m.* **2.** *orn.* Amer. Pfeifente *f.* '~-ˌ**pat·ed** *adj* kahl-, glatzköpfig.

bal·dric ['bɔːldrik] *s* (Horn-, Degen-, Wehr)Gehenk *n.*

bald·y ['bɔːldi] *s Am. colloq.* Glatzkopf *m.*

bale[1] [beil] **I** *s econ.* Ballen *m*: ~ goods Ballenware *f*; in ~s ballenweise. **II** *v/t* in Ballen verpacken.

bale[2] [beil] *s poet. od. obs.* **1.** Unheil *n.* **2.** Leid *n*, Weh *n.*

bale[3] → bail[2].

ba·leen [bə'liːn] *s* Fischbein *n.*

'**baleˌfire** *s* **1.** großes offenes Feuer, Si'gnal-, Freudenfeuer *n.* **2.** *obs.* Scheiterhaufen *m.*

bale·ful ['beilfəl] *adj* (*adv* ~ly) **1.** unheilvoll, verderblich. **2.** böse.

bal·er ['beilər] *s* **1.** Verpacker *m.* **2.** Ballen-, Packpresse *f.*

Ba·li·nese [ˌbɑːli'niːz; -'niːs] **I** *s* **1.** Bali'nese *m*, Bali'nesin *f.* **2.** *ling.* Bali'nesisch *n*, das Balinesische. **II** *adj* **3.** bali'nesisch.

balk [bɔːk] **I** *s* **1.** Hindernis *n.* **2.** Enttäuschung *f.* **3.** *Br. dial. od. Am.* Auslassung *f*, Fehler *m*, Schnitzer *m.* **4.** *agr.* (Furchen)Rain *m.* **5.** *arch.* Haupt-, Zug-, Spannbalken *m.* **6.** *Billard*: Quar'tier *n*, Kessel *m*: ~ line Feldlinie *f*; ~-line game Karreespiel *n*; miss-in-~ absichtlicher Fehlstoß. **7.** *Baseball*: vorgetäuschter Wurf (des Werfers) (*Regelverstoß*). **8.** *sport* miß'glückter Versuch. **9.** Haupttau *n* e-s Fischernetzes. **II** *v/i* **10.** stocken, stutzen, nicht weiter wollen. **11.** scheuen (at vor *dat*) (*Pferd*), *Reitsport*: verweigern. **12.** (at) sich sträuben (gegen), (*etwas*) zu'rückweisen, Schwierigkeiten machen (bei). **III** *v/t* **13.** (ver)hindern, durch'kreuzen, vereiteln. **14.** verfehlen, sich entgehen lassen: ~ed landing *aer.* Fehllandung *f.* **15.** *fig.* um'gehen: to ~ a duty.

Bal·kan ['bɔːlkən] **I** *adj* Balkan... **II** *s* the ~s *pl* die Balkanstaaten *pl*, der Balkan. '**Bal·kanˌize** *v/t Gebiet* balkani'sieren.

balk·y ['bɔːki] *adj* störrisch (*Pferd etc*).

ball[1] [bɔːl] **I** *s* **1.** Ball *m*, Kugel *f*, kugelförmiger Körper, Knäuel *m*, *n* (*Garn etc*), Ballen *m*, Klumpen *m*, (*Fleisch-etc*)Kloß *m.* **2.** Kugel *f* (*zum Schießen*), *a. collect.* Kugeln *pl*, Blei *n*: to load with ~ scharf laden. **3.** *anat.* Ballen *m*: ~ of the eye Augapfel *m*; ~ of the foot Ballen des Fußes; ~ of the thumb Handballen. **4.** → ballot 1 a. **5.** (Spiel)Kugel *f.* **6.** *sport* a) (Spiel)Ball *m*: tennis ~, b) Ballspiel *n*, *bes.* Baseballspiel *n*, c) Ball *m*, Wurf *m*: a fast ~ ein scharfer Ball; no ~! der Wurf gilt nicht, d) *Baseball*: ungültiger Wurf *od.* Ball (→ *Bes. Redew.*). **7.** *astr.* Himmelskörper *m.* **8.** *Tischlerei*: Po'lierwachs *n.* **9.** *metall.* Luppe *f.* **10.** *vet.* große Pille (*für Pferde*). **11.** → balls.

Besondere Redewendungen:

to be on the ~ *sl.* ,auf Draht' sein; to have the ~ at one's feet *Br.* das Spiel in der Hand haben, nur zuzugreifen brauchen; to have s.th. on the ~ *Am. sl.* ,etwas auf dem Kasten haben'; to keep the ~ rolling das Gespräch *od.* die Sache in Gang halten; the ~ is with you du bist an der Reihe; to play ~ *colloq.* mitmachen, ,spuren'; to set the ~ rolling den Stein ins Rollen bringen; to take the ~ away from s.o. *Am. colloq.* j-m die Sache (*e-e Aufgabe etc*) aus der Hand nehmen.

II *v/t* **12.** zs.-ballen, zu Kugeln *od.* Ballen formen. **13.** ~ up *sl.* hoffnungslos durchein'anderbringen: to get ~ed up → 16.

III *v/i* **14.** sich (zs.-)ballen. **15.** ~ up *metall.* Luppen bilden. **16.** *Am. sl.* (ganz) durchein'anderkommen.

ball[2] [bɔːl] *s* Ball *m*, Tanzgesellschaft *f*, -vergnügen *n*: to open the ~ a) den Ball eröffnen, b) *fig.* den Reigen eröffnen; to have a ~ *Am. sl.* sich köstlich amüsieren.

bal·lad ['bæləd] *s* **1.** Bal'lade *f.* **2.** Bänkellied *n.*

bal·lade [bæ'lɑːd] *s* **1.** Bal'lade *f* (*Gedichtform aus meist drei Strophen mit je 7, 8 od. 10 Versen u. Refrain*) **2.** *mus.* Bal'lade *f.* ~ **roy·al** *s Ballade mit Strophen von 7 od. 8 zehnsilbigen Zeilen.*

'**bal·lad|ˌmon·ger** *s* Bänkelsänger *m.* ~ **op·er·a** *s* Singspiel *n.*

bal·lad·ry ['bælədri] *s* Bal'ladendichtung *f.*

ball|am·mu·ni·tion *s mil.* 'Vollmuniti,on *f.* ~ **and chain** *s Am.* **1.** Kugel u. Kettenfessel *f.* **2.** *fig.* Hindernis *n*, Kreuz *n.* **3.** *sl.* ,Klotz *m* am Bein', Hauskreuz *n* (*Ehefrau*). '~-**and**-'**sock·et joint** *s anat. tech.* Kugelgelenk *n.*

bal·last ['bæləst] **I** *s* **1.** *bes. aer. mar.* Ballast *m*: in ~ in Ballast, nur mit Ballast geladen. **2.** *fig.* (sittlicher) Halt, Grundsätze *pl.* **3.** *tech.* Steinschotter *m*, 'Bettungsmateriˌal *n.* **II** *v/t* **4.** mit Ballast beladen. **5.** *fig. j-m* Halt geben. **6.** *bes. rail.* beschottern.

bal·last| con·crete *s tech.* 'Schotterbeˌton *m.* ~ **en·gine** *s tech.* 'Baggermaˌschine *f.* ~ **port** *s mar.* Ballastpforte *f* (*an der Schiffsseite*). ~ **re·sis·tor** *s electr.* 'Ballastˌwiderstand *m.*

ball| bear·ing *s tech.* Kugellager *n.* ~ **boy** *s Tennis*: Balljunge *m.* ~ **car·tridge** *s mil.* 'Voll-, 'Kugelpaˌtrone *f.* ~ **check valve** *s tech.* 'Kugelˌrückschlagvenˌtil *n.* ~ **cock** *s tech.* 'Schwimmerhahn *m*, -venˌtil *n.* ~ **con·trol** *s sport* Ballbeherrschung *f.*

bal·le·ri·na [ˌbælə'riːnə] *pl* **-nas** *od.* **-ne** [-nei] *s* **1.** (Prima)Balle'rina *f.* **2.** Bal'lettänzerin *f.*

bal·let ['bælei; -li; bæ'lei] *s* Bal'lett *n*: a) Bal'lettkunst *f*, -stil *m*, b) Bal'lettkorps *n*, c) Bal'lettkompositiˌon *f.* ~ **danc·er** *s* Bal'lettänzer(in). ~ **mas·ter** *s* Bal'lettmeister *m.*

bal·let·o·mane [bæ'letoˌmein] *s* Bal'lettfaˌnatiker(in).

'**ball|-ˌflow·er** *s arch.* Ballenblume *f* (*gotische Verzierung*). ~ **game** *s sport Am.* Baseballspiel *n.*

bal·lis·tic [bə'listik] *adj* (*adv* ~ally) *mil. phys.* bal'listisch: ~ curve; ~ cap *mil.* Geschoßhaube *f*; ~ parabola *phys.* Wurfparabel *f*; → missile 2.

bal·lis·ti·cian [ˌbælis'tiʃən] *s* Bal'listiker *m.*

bal·lis·tics [bə'listiks] *s pl* (*meist als sg konstruiert*) *mil. phys.* Bal'listik *f.*

ball| joint *s anat. tech.* Kugelgelenk *n.* ~ **light·ning** *s* Kugelblitz *m.*

bal·lo·net [ˌbælə'net] *s aer.* Luftsack *m* (*im Gasraum des Luftschiffs*).

bal·loon [bə'luːn] **I** *s* **1.** *aer.* ('Luft-)Balˌlon *m*: the ~ goes up *sl.* ,die Sache steigt', es geht los; to shoot ~s *Am. colloq.* wilde Theorien aufstellen. **2.** 'Luftbalˌlon *m* (*als Kinderspielzeug*). **3.** *arch.* (Pfeiler)Kugel *f.* **4.** *chem.* Bal'lon *m*, Rezipi'ent *m.* **5.** (*in Witzblättern etc*) ,(Sprech- *od.* Denk)Blase' *f.* **6.** *Weberei*: Trockenhaspel *f.* **7.** *sport sl.* ,Kerze' *f* (*Schuß hoch in die Luft*). **II** *v/i* **8.** *aer.* (*bei der Landung*) springen (*Flugzeug*). **9.** im Bal'lon aufsteigen *od.* fliegen. **10.** sich blähen. **11.** *econ. Am.* in die Höhe schnellen (*Kosten, Preise*). **III** *v/t* **12.** aufblähen, ausdehnen (*a. med.*). **13.** *econ. Preise etc* in die Höhe treiben. **IV** *adj* **14.** bal'lonförmig, aufgebläht, aufgebauscht: ~ sleeve Puffärmel *m.* ~ **bar·rage** *s mil.* Bal'lonsperre *f.*

bal·loon·ist [bə'luːnist] *s* Bal'lonflieger(in).

bal·loon| jib *s mar.* Jacker *m* (*dreieckiges Jachtsegel*), Bal'lonsegel *n.* ~ **tire,** ~ **tyre** *s tech.* Bal'lonreifen *m.* ~ **vine** *s bot.* Bal'lonrebe *f.*

bal·lot ['bælət] **I** *s* **1.** a) *hist.* Wahlkugel *f*, b) Wahl-, Stimmzettel *m.* **2.** Gesamtzahl *f* der abgegebenen Stimmen. **3.** Geheimwahl *f*: voting is by ~ die Abstimmung erfolgt in geheimer Wahl. **4.** (geheime) Wahl *od.* Abstimmung. **5.** Wahlgang *m*: second ~ zweiter Wahlgang, Stichwahl *f.* **II** *v/i* **6.** (for) stimmen (für), in geheimer Wahl wählen (*acc*). **7.** losen (for um). **III** *v/t* **8.** abstimmen über (*acc*). ~ **box** *s pol.* Wahlurne *f.* ~ **pa·per** → ballot 1 b.

ball| park *s sport Am.* Baseballplatz *m.* '~ˌ**play·er** *s sport* **1.** Baseballspieler *m.* **2.** Ballspieler *m.* '~-ˌ**point pen** *s* Kugelschreiber *m.* '~ˌ**proof** *adj* kugelfest, -sicher. ~ **race** *s tech.* Kugellager-, Laufring *m.* ~ **re·cep·tion** *s TV* Ballempfang *m*, Re'lais-Fernsehen *n.* '~ˌ**room** *s* Ball-, Tanzsaal *m*: ~ dancing Gesellschaftstanz *m*, -tänze.

balls [bɔːlz] *s pl vulg.* **1.** ,Eier' *pl*, Hoden *pl.* **2.** ,Quatsch' *m.*

ball| tap → ball cock. ~ **thrust bear·ing** *s tech.* Kugeldrucklager *n*, Druckkugellager *n.* ~ **valve** *s tech.* 'Kugelvenˌtil *n.*

bal·ly ['bæli] *adj u. adv Br. sl.* verflixt, verdammt.

bal·ly·hoo [ˌbæliˌhuː] *colloq.* **I** *s* ,Tam'tam' *n*, ,(Re'klame)Rummel' *m*, marktschreierische Re'klame. **II** *v/t*

e-n ‚Rummel' machen um, marktschreierisch anpreisen.
bal·ly·rag ['bæli͵ræg] → **bullyrag**.
balm [bɑːm] *s* **1.** Balsam *m*: a) aro'matisches Harz, b) wohlriechende Salbe, c) *fig.* Trost *m.* **2.** *fig.* bal'samischer Duft. **3.** *bot.* Me'lisse *f.* **4.** ~ **of Gilead** *bot.* a) Balsamstrauch *m*, b) *dessen aromatisches Harz.*
bal·mor·al [bæl'mɒrəl] *s* **1.** Schnürstiefel *m.* **2.** (*Art*) Schottenmütze *f.* **3.** B~ wollener 'Unterrock.
balm·y ['bɑːmi] *adj* **1.** bal'samisch, duftend. **2.** lind, mild (*Wetter*). **3.** heilend. **4.** *Br. sl.* (leicht) ‚bekloppt'.
bal·ne·al ['bælniəl] *adj* Bade...
bal·ne·ol·o·gy [͵bælni'ɒlədʒi] *s med.* Balneolo'gie *f*, Bäderkunde *f.*
ba·lo·ney → **boloney**.
bal·sa ['bɔːlsə; 'bɑːlsə] *s* **1.** *bot.* Balsabaum *m*: ~ **wood** Balsaholz *n.* **2.** *Am.* leichtes Brandungsfloß. **3.** *Am.* Talsperre *f.*
bal·sam ['bɔːlsəm] **I** *s* **1.** → **balm** 1. **2.** *bot.* Springkraut *n.* **3.** *bot.* a) *a.* ~ **fir** Balsamtanne *f*, b) *a.* ~ **poplar** *Am.* Balsampappel *f.*
bal·sam·ic [bɔːl'sæmik] *adj* **1.** bal'samisch, Balsam... **2.** bal'samisch (duftend). **3.** *fig.* mild, sanft. **4.** *fig.* lindernd, heilend.
Balt [bɔːlt] *s* **1.** Balte *m*, Baltin *f.* **2.** *Austral. neueingetroffener Einwanderer aus Mitteleuropa.* '**Bal·tic I** *adj* **1.** baltisch. **2.** Ostsee... **II** *s* **3.** *a.* ~ **Sea** Ostsee *f.* **4.** *ling.* Baltisch *n*, das Baltische.
Bal·to-Slav·ic ['bɔːlto'slævik], '**Bal·to-Sla'von·ic** [-slə'vɒnik] **I** *adj* balto'slawisch. **II** *s ling.* Balto'slawisch *n.*
bal·un ['bælən] *s TV* Symme'triertopf *m.*
bal·us·ter ['bæləstər] *s arch.* Geländersäule *f* (*e-r Treppe*): ~**s** Balustrade *f*, Treppengeländer *n.*
bal·us·trade [͵bæləs'treid] *s arch.* Balu'strade *f*, Treppen-, Brückengeländer *n*, Brüstung *f.*
bam·boo [bæm'buː] *pl* **-boos** *s* **1.** *bot.* Bambus(rohr *n*) *m*: B~ **Curtain** *pol.* Bambusvorhang *m* (*von Rotchina*). **2.** Bambusstock *m.*
bam·boo·zle [bæm'buːzl] *v/t colloq.* **1.** prellen, betrügen (**out of** um), ‚übers Ohr hauen'; **to** ~ **s.o. into doing s.th.** j-n so ‚einwickeln', daß er etwas tut. **2.** foppen, verwirren.
ban [bæn] **I** *v/t pret u. pp* **banned** **1.** verbieten: **to** ~ **a play**; **to** ~ **a political party**; **to** ~ **s.o. from speaking** j-m verbieten zu sprechen. **2.** *sport* sperren, *j-m* Startverbot auferlegen. **3.** *obs.* verfluchen. **II** *s* **4.** (on) (amtliches) Verbot (*gen*), Sperre *f* (für): **import** ~ Einfuhrverbot, -sperre; **to lift a** ~ ein Verbot aufheben; **to place a** ~ **on** → 1. **5.** (gesellschaftliche) Ächtung, Ablehnung *f* durch die öffentliche Meinung: **under (a)** ~ geächtet, allgemein mißbilligt. **6.** a) *jur.* Bann *m*, Acht *f*, b) *relig.* (Kirchen)Bann *m*: **under the** ~ in Acht u. Bann, *relig.* exkommuniziert. **7.** *obs.* Fluch *m.* **8.** *obs.* öffentliche Aufforderung *od.* Bekanntmachung. **9.** *pl* → **banns**.
ba·nal [bə'næl; bə'nɑːl; 'beinl] *adj* ba'nal, abgedroschen, seicht.
ba·nal·i·ty [bə'næliti] *s* Banali'tät *f*: a) Abgedroschenheit *f*, b) Gemeinplatz *m.*
ba·nan·a [*Br.* bə'nɑːnə; *Am.* bə'næ(ː)nə] *s bot.* Ba'nane *f* (*Pflanze u. Frucht*). ~ **oil** *s* **1.** *chem.* A'mylace͵tat *n.* **2.** *Am. sl.* a) ‚Quatsch' *m*, b) verlogenes Zeug. ~ **plug** *s electr.* Ba'nanenstecker *m.*

banc [bæŋk] *s jur.* Richterbank *f*: **sitting in** ~ (*a.* **in banco**) a) Plenarsitzung *f*, b) (*attr*) in voller Besetzung.
ban·co¹ ['bæŋkou] *pl* **-cos** *s econ.* Pa'pier-, Rechnungsgeld *n.*
ban·co² ['bæŋkou] → **banc**.
band¹ [bænd] **I** *s* **1.** Schar *f*, Gruppe *f.* **2.** *mus.* a) (Mu'sik-, *bes.* 'Blas)Ka͵pelle *f*, ('Tanz-, Unter'haltungs)Or͵chester *n*, (Jazz)Band *f*, b) *mil.* Mu'sikkorps *n*, c) (Instru'menten)Gruppe *f* (*im Orchester*): **big** ~ großes Jazzorchester; → **beat**¹ 22. **3.** bewaffnete Schar, (*bes. Räuber*)Bande *f.* **4.** *zo. Am.* a) Herde *f*, b) (*Insekten-, Vogel*)Schwarm *m.* **5.** *fig. Am.* Reihe *f*, Anzahl *f.* **II** *v/t* **6.** *meist* ~ **together** zu e-r Gruppe, Bande *etc* vereinigen. **III** *v/i* **7.** *meist* ~ **together** sich zs.-tun *od.* zs.-rotten.
band² [bænd] **I** *s* **1.** (flaches) Band, (Heft)Schnur *f*: **rubber** ~ Gummiband *n.* **2.** Band *n* (*an Kleidern*), Gurt *m*, Binde *f*, (*Hosen- etc*)Bund *m.* **3.** (*andersfarbiger od. andersartiger*) Streif(en). **4.** *zo.* Querstreifen *m* (*z.B. beim Zebra*). **5.** *anat.* (Gelenk)Band *n*: ~ **of connective tissue** Bindegewebsbrücke *f.* **6.** *med.* → **bandage**. **7.** *Radio*: (Fre'quenz)Band *n*: ~ **filter** Bandfilter *m.* **8.** Reifen *m*, Ring *m*: **wedding** ~ Ehering. **9.** *tech.* Treibriemen *m*; → **endless** 4. **10.** *pl* Beffchen *n* (*der Richter, Geistlichen etc*). **11.** *arch.* Band *n*, Borte *f*, Leiste *f.* **12.** Band *n*, Ring *m* (*zur Verbindung od. Befestigung*). **13.** *tech.* (Rad)Schiene *f.* **14.** *Bergbau*: Zwischenschicht *f.* **15.** *meist pl fig.* Band *n*, Bande *pl*, Bindung *f.* **16.** *obs. od. fig.* Fessel *f.* **II** *v/t* **17.** mit e-m Band zs.-binden *od.* (*Vogel etc*) kennzeichnen, *Bäume* mit e-r (Leim)Binde versehen. **18.** mit (e-m) Streifen versehen, streifen.
band·age ['bændidʒ] **I** *s* **1.** *med.* Ban'dage *f* (*a. des Boxers etc*), Verband *m*, Binde *f.* **2.** Binde *f*, Band *n.* **II** *v/t* **3.** banda'gieren, verbinden.
ban·da·la [bɑːn'dɑːlɑː] *s* Ma'nilahanf *m.*
ban·dan·(n)a [bæn'dænə] *s* großes, buntes Taschen- *od.* Halstuch.
ban·dar ['bʌndər] *s zo.* Rhesusaffe *m*: B~-**log** seichter Schwätzer.
'**band**|͵**box** *s* Hutschachtel *f*: **she looked as if she had come out of the** ~ sie sah aus wie aus dem Ei gepellt. ~ **brake** *s tech.* Band- *od.* Riemenbremse *f.* ~ **con·vey·or** *s tech.* Förderband *n.*
ban·deau [bæn'dou; 'bændou] *pl* **-deaux** [-douz] *s* Haar-, Stirnband *n.*
ban·de·ril·la [͵bande'riʎa] (*Span.*) *s* Bande'rilla *f* (*mit Bändern geschmückter Spieß mit Widerhaken*). **ban·de·ril·le·ro** [͵banderi'ʎero] (*Span.*) *s* Banderil'lero *m* (*Stierkämpfer, der mit den Banderillas den Stier reizt*).
ban·de·rol(e) ['bændə͵roul] *s* **1.** (langer) Wimpel, Fähnlein *n.* **2.** Bande'role *f*, Inschriftenband *n.* **3.** Trauerfahne *f.*
ban·dit ['bændit] *pl* **-dits, -dit·ti** [-'diti] *s* **1.** Ban'dit *m*, (Straßen)Räuber *m*: **a banditti** *collect.* e-e Räuberbande. **2.** *aer. sl.* Feindflugzeug *n.*
'**ban·dit·ry** [-ri] *s* Ban'ditenunwesen *n.*
'**band**͵**mas·ter** *s mus.* **1.** Ka'pellmeister *m.* **2.** *mil.* Mu'sikmeister *m.*
ban·dog ['bæn͵dɒg] *s* Kettenhund *m.*
ban·do·leer, *a.* **ban·do·lier** [͵bændə'lir] *s mil.* (*um die Brust geschlungener*) Pa'tronengurt, Bandeli'er *n.*
ban·dore [bæn'dɔːr; 'bændɔːr] *s mus.* Ban'dora *f* (*alte Lautenart*).

'**band**|**-**͵**pass fil·ter** *s Radio*: Band-, Paßfilter *m, n.* ~ **pul·ley** *s tech.* Riemenscheibe *f*, Schnurrad *n.* ~ **saw** *s tech.* (laufende) Bandsäge. ~ **shell** *s* (muschelförmiger) Or'chesterpavillon.
bands·man ['bændzmən] *s irr mus.* Musiker *m*, Mitglied *n* e-r (Mu'sik)-Ka͵pelle.
band| **spec·trum** *s phys.* Band-, Streifenspektrum *n.* ~ **spread** *s Radio*: Bandspreizung *f.* '~͵**stand** *s* **1.** Mu'sikpavillon *m.* **2.** Podium *n.* '~͵**string** *s* **1.** *Buchbinderei*: Heftschnur *f.* **2.** Halskrausenband *n* (*im 16. Jh.*). ~ **switch** *s Radio*: Wellenschalter *m*, Fre'quenz-(band)͵umschalter *m.* ~ **wag·(g)on** *s* **1.** Wagen *m* mit e-r Mu'sikka͵pelle (*bes. beim Straßenumzug*). **2.** *colloq.* a) erfolgreiche Seite *od.* Par'tei: **to climb** (*od.* **get**) **on** (*od.* **aboard**) **the** ~ zur erfolgreichen Partei umschwenken; **to get on s.o.'s** ~ sich j-m anschließen, b) gewaltiger (po'litischer) Appa'rat, c) (laut)starke (po'litische *etc*) Bewegung, d) ‚Welle' *f*, Mode *f.* ~ **wheel** *s tech.* **1.** Riemenscheibe *f.* **2.** Bandsägenscheibe *f.* ~ **width** *s Radio*: Bandbreite *f.*
ban·dy¹ ['bændi] **I** *v/t a.* ~ **about** **1.** *e-n Ball etc* 'hin- u. 'herschlagen *od.* -werfen *od.* -schleudern (*a. fig.*). **2.** *fig. Worte, Blicke, Schläge etc* wechseln, (aus)tauschen. **3.** *Gerüchte etc* her'umtragen, verbreiten. **II** *s selten* **4.** *sport* a) (*Art*) Hockeyspiel *n*, b) *Schläger für dieses Spiel.*
ban·dy² ['bændi] *adj* **1.** gekrümmt, (nach außen) gebogen. **2.** → **bandy-legged**.
ban·dy³ ['bændi] *s* (Ochsen)Wagen *m* [(*in Indien*).]
'**ban·dy-**͵**leg·ged** [-͵legd; *Am. a.* -͵legid] *adj* säbel-, O-beinig.
bane [bein] **I** *s* **1.** Vernichtung *f*, Tod *m*, *bes.* (tödliches) Gift (*obs. außer in Zssgn*): **rats**~. **2.** *fig. poet.* Verderben *n*, Ru'in *m*, Plage *f*: **the** ~ **of his life** der Fluch s-s Lebens, ein Nagel zu s-m Sarg. **II** *v/t* **3.** *obs.* töten, vergiften. '**bane·ful** [-ful] *adj* (*adj* ~**ly**) giftig, tödlich, verderblich (*a. fig.*). '**bane·ful·ness** *s* Giftigkeit *f etc.*
'**bane**͵**wort** *s bot.* Tollkirsche *f.*
bang¹ [bæŋ] **I** *s* **1.** schallender Schlag. **2.** Bums *m*, Krach *m*, Knall *m*: **the big** ~ *colloq.* der große ‚Bums' *od.* Knall (*Atomkrieg, Weltentstehung etc*); ~-**bang** *colloq.* a) Knallerei *f*, b) Wildwestfilm *m.* **3.** *Am. colloq.* a) ‚Paukenschlag' *m*, Sensati'on *f*: **it started with a** ~; **to go off with a** ~ großartig klappen, ‚hinhauen', b) Schwung *m*, E'lan *m*, c) (Nerven)-Kitzel *m*, Spaß *m*: **to get a** ~ **out of s.th.** an e-r Sache mächtig Spaß haben. **4.** *Am. sl.* ‚Spritze' *f* (*e-s Rauschgiftsüchtigen*). **II** *v/t* **5.** dröhnend schlagen, knallen mit, krachen lassen, *e-e Tür etc* zuknallen: **to** ~ **one's fist on the table** mit der Faust auf den Tisch schlagen; **to** ~ **off** losknallen mit *e-m Gewehr etc, ein Musikstück auf dem Klavier* herunterhämmern; **to** ~ **sense into s.o.** *fig.* j-m Vernunft einhämmern *od.* einbleuen; **to** ~ **up** zertrümmern, ruinieren, *bes. Auto* zuschanden fahren. **6.** *oft* ~ **about** *fig.* *j-n* her'umstoßen. **7.** *colloq.* ‚vermöbeln', schlagen, besiegen. **8.** *Am. sl.* koi'tieren mit. **III** *v/i* **9.** knallen: a) knallend schlagen, heftig stoßen, b) ‚ballern', schießen: **to** ~ **away** drauflosknallen (→ 10). **10.** ~ **away** *Am. sl.* schuften, ‚ochsen'. **11.** ~ **around** *Am. sl.* sich her'umtreiben. **IV** *adv* **12.** ‚bums', mit plötzlichem *od.* hefti-

gem Knall *od.* Krach: to go ~ explodieren. **13.** ‚bums', auf 'einmal: ~ went the money bums war das Geld weg!; ~ in the eye ‚päng' ins Auge. **14.** (ganz) genau: ~ on time; ~ on top of the house. **V** *interj* **15.** päng!, bum(s)!

bang[2] [bæŋ] **I** *s* **1.** *meist pl* Ponies *pl*, 'Ponyfri,sur *f*. **II** *v/t* **2.** *das Haar* an der Stirn kurz abschneiden. **3.** *den Schwanz* stutzen.

bang[3] → bhang.

ban·ga·lore (tor·pe·do) ['bæŋgə,lɔːr] *s mil.* gestreckte Ladung.

bang·er ['bæŋər] *s* etwas was knallt, *z. B.* Knallkörper *m*.

ban·gle ['bæŋgl] *s* Armring *m*, -reif *m*, -band *n*, (*a.* Fuß)Spange *f*, -ring *m*. '**ban·gled** *adj* mit Armreifen *etc* geschmückt.

'**bang-,up** *adj u. adv sl.* ‚tipp'topp'.

ban·ian ['bænjən; -niən] *s* **1.** Bani'an(e) *m* (*Händler od. Kaufmann, der zur Vaischyakaste der Hindus gehört*). **2.** loses (Baumwoll)Hemd, lose Jacke (*in Indien getragen*).

ban·ish ['bæniʃ] *v/t* **1.** verbannen, ausweisen (from aus), des Landes verweisen. **2.** *fig.* (ver)bannen, verscheuchen, -treiben: to ~ care. '**ban·ish·ment** *s* **1.** Verbannung *f* (*a. fig.*), Ausweisung *f*. **2.** *fig.* Vertreiben *n*.

ban·is·ter ['bænistər] *s* **1.** Geländersäule *f*. **2.** *pl* Treppengeländer *n*.

ban·jo ['bændʒou] *pl* **-jos, -joes** *s* Banjo *n* (*Tamburin-Gitarre*). '**ban·jo·ist** *s* Banjospieler *m*.

bank[1] [bæŋk] **I** *s* **1.** *econ.* Bank(haus *n*) *f*: ~ of deposit Depositenbank; ~ of issue (*od.* circulation) Noten-, Emissionsbank; the B~ *Br.* die Bank von England; at the ~ auf der Bank; to deposit money in (*od.* at) a ~ Geld in e-r Bank deponieren. **2.** (*bes.* Kinder)Sparbüchse *f*. **3.** Bank *f* (*bei Hasardspielen*): to break the ~ die Bank sprengen; to go (the) ~ Bank setzen; to keep the ~ Bank halten. **4.** *med.* (*bes. in Zssgn*) (Blut- *etc*)Bank *f*, Sammelstelle *f od.* Vorrat *m*. **5.** Vorrat *m*, Re'serve *f*. **II** *v/i* **6.** *econ.* Bankgeschäfte machen. **7.** *econ.* ein Bankkonto haben (with bei), Geld auf der Bank haben: where do you ~? was ist Ihre Bankverbindung?, wo haben Sie Ihr Bankkonto? **8.** Geld auf die Bank bringen. **9.** Bank halten (*im Hasardspiel*). **10.** ~ (up)on *colloq.* bauen *od.* sich verlassen *od.* s-e Hoffnung setzen auf (*acc*). **III** *v/t* **11.** *econ. Geld* bei e-r Bank einzahlen *od.* depo'nieren. **12.** *med. Blut etc* konser'vieren u. aufbewahren.

bank[2] [bæŋk] **I** *s* **1.** Erdwall *m*, Damm *m*, Wall *m*. **2.** (*Straßen- etc*)Böschung *f*. **3.** Über'höhung *f* (*e-r Straße etc in Kurven*). **4.** Abhang *m*. **5.** *oft pl* Ufer *n* (*e-s Flusses etc*). **6.** (Fels-, Sand)Bank *f*, Untiefe *f*. **7.** Bank *f*, Wand *f*, Wall *m*, Zs.-ballung *f*: ~ of clouds Wolkenbank; ~ of snow Schneewall, -wächte *f*. **8.** *geol.* Bank *f*, Steinlage *f* (*in Steinbrüchen*). **9.** *Bergbau*: a) bearbeitetes Kohlenlager, b) Tagesfläche *f* des Grubenfeldes. **10.** *aer.* Querneigung *f*, Schräglage *f* (*in der Kurve*): angle of ~ Querneigungswinkel *m*. **11.** *Billard*: Bande *f*. **II** *v/t* **12.** eindämmen, mit e-m Wall um'geben. **13.** *e-e Straße etc* (*in der Kurve*) über'höhen: ~ed curve überhöhte Kurve. **14.** ~ up aufhäufen, zs.-ballen. **15.** *aer.* in die Kurve legen, in Schräglage bringen. **16.** *ein Feuer* mit Asche belegen (*um den Zug zu vermindern*). **III** *v/i* **17.** *a.* ~ up sich aufhäufen, sich zs.-ballen. **18.** über'höht sein (*Straße, Kurve*). **19.** e-e Bank bilden (*Wolken etc*). **20.** *aer.* in die Kurve gehen.

bank[3] [bæŋk] **I** *s* **1.** *tech.* a) Gruppe *f*, Reihe *f* (*z. B. Tastatur der Schreibmaschine*): ~ of capacitors *electr.* Kondensator(en)batterie *f*; ~ lights Lampenaggregat *n*; ~ transformers Gruppentransformatoren, b) Reihenanordnung *f*. **2.** a) Ruderbank *f* (*in e-r Galeere*), b) Reihe *f* von Ruderern. **II** *v/t* **3.** in (e-r) Reihe anordnen.

bank·a·ble ['bæŋkəbl] *adj econ.* bankfähig, diskon'tierbar.

bank| ac·cept·ance *s econ.* 'Bankak,zept *n*. ~ **ac·count** *s* Bankkonto *n*, -guthaben *n*. ~ **an·nu·i·ties** → consols. ~ **bill** *s* Bankwechsel *m* (*von e-r Bank auf e-e andere gezogen*). '~,**book** *s* Kontobuch *n*, *a.* Sparbuch *n*. ~ **check,** *bes. Br.* ~ **cheque** *s* Bankscheck *m*. ~ **clerk** *s Br.* Bankangestellte(r *m*) *f*, -beamte(r) *m*, -beamtin *f*. ~ **dis·count** *s* 'Bankdis,kont *m*. ~ **draft** *s* Bankwechsel *m*, -tratte *f*.

bank·er[1] ['bæŋkər] *s* **1.** *econ.* Banki'er *m*: his ~s s-e Bank; ~'s acceptance (*etc*) → bank acceptance (*etc*); ~'s discretion Bankgeheimnis *n*; ~'s order *Br.* Zahlungs-, Dauerauftrag *m* (*e-s Kunden*). **2.** *Kartenspiel*: Banki'er *m*, Bankhalter *m*. **3.** *a.* ~ and broker (*ein*) Ha'sardspiel *n*.

bank·er[2] ['bæŋkər] *s* Maßbrett *n* (*der Maurer*), Model'lierbank *f* (*der Bildhauer*).

ban·ket [bæŋ'ket] *s geol.* goldhaltiges Konglome'rat (*Südafrika*).

bank| group *s* 'Bankenkon,sortium *n*. ~ **hol·i·day** *s Br.* Bankfeiertag *m* (*in England*: *Oster- u. Pfingstmontag, der 1. Montag im August u. der 2. Weihnachtstag*).

bank·ing[1] ['bæŋkiŋ] *econ.* **I** *s* Bankwesen *n*, -geschäft(e *pl*) *n*. **II** *adj* Bank...

bank·ing[2] ['bæŋkiŋ] *s aer.* Schräglage *f*.

bank·ing| ac·count *s econ.* Bankkonto *n*. ~ **doc·trine** *s econ. Br. Doktrin, daß nur $^1/_3$ Deckung durch Edelmetall für umlaufende Banknoten vorhanden sein muß*. ~ **house** *s* Bank(haus *n*) *f*.

bank| mon·ey *s econ. Am.* Gi'ral-, Buchgeld *n*. ~ **night** *s* Kinovorstellung *f* mit Lotte'rie u. Preisverteilung. ~ **note** *s* Banknote *f*, Kassenschein *m*.

ban·ko ware ['bæŋkou] *s* ja'panisches 'ungla,siertes Steingut.

bank| pa·per *s econ.* **1.** *collect.* 'Bankwechsel *pl*, -pa,piere *pl*. **2.** bankfähiges 'Handelspa,pier. ~ **pass book** *s* Bank-, Sparbuch *n*. ~ **post bill** *s econ. Br.* Solawechsel *m* der Bank von England. ~ **rate** *s econ.* Dis'kontsatz *m*, 'Bankdis,kont *m*. ~ **roll** *s Am.* Bündel *n* Geldscheine: he has a big ~ er hat (viel) Geld.

bank·rupt ['bæŋkrʌpt] **I** *s* **1.** *jur.* Zahlungsunfähige(r *m*) *f*, Kon'kurs-, Gemeinschuldner *m*: (un)discharged ~ (noch nicht) entlasteter Gemeinschuldner; ~'s creditor Konkursgläubiger *m*; ~'s estate Konkursmasse *f*; to adjudicate a debtor a ~ das Konkursverfahren über das Vermögen des Schuldners eröffnen. **2.** (*betrügerischer*) Bankrot'teur. **3.** *fig.* bank'rotter *od.* unfähiger *od.* her'untergekommener Mensch. **II** *adj* **4.** *jur.* a) bank'rott, zahlungsunfähig: to become (*od.* go) ~ in Konkurs kommen, Bankrott machen; to declare o.s. ~ den Konkurs anmelden, b) Konkurs... **5.** *fig.* arm (in, of an *dat*), erschöpft, pleite, rui'niert: morally ~ moralisch bankrott, sittlich verkommen; a ~ career e-e zerstörte Karriere; a ~ politician ein bankrotter *od.* erledigter Politiker. **III** *v/t* **6.** *jur.* bank'rott machen. **7.** *fig.* zu'grunde richten, rui'nieren: to ~ of (gänzlich) berauben (*gen*).

bank·rupt·cy ['bæŋkrəptsi; -rəpsi] *s* **1.** *jur.* Bank'rott *m*, Kon'kurs *m*: act of ~ Konkurshandlung *f*, -grund *m*; B~ Act Konkursordnung *f*; court of ~ Konkursgericht *n*; notice of ~ Zahlungsaufforderung *f* mit Konkursandrohung; petition in ~, ~ petition Konkursantrag *m*; ~ proceedings Konkursverfahren *n*; referee in ~ Konkursrichter *m*; trustee in ~ (*von Gläubigern ernannter*) Konkursverwalter; to go into ~ Konkurs anmelden. **2.** *fig.* Bank'rott *m*, Schiffbruch *m*, Ru'in *m*.

ban·ner ['bænər] **I** *s* **1.** a) Stan'darte *f*, b) Banner *n*, Heeres-, Reichsfahne *f*. **2.** Vereins-, Kirchenfahne *f*. **3.** *fig.* Banner *n*, Fahne *f*: the ~ of freedom. **4.** Banner *n* (mit Inschrift), Spruchband *n*, Transpa'rent *n* (*bei politischen Umzügen*). **5.** *bot.* Fahne *f* (*oberstes Blatt der Schmetterlingsblüten*). **6.** *a.* ~ head(line), ~ line Balken(überschrift *f*) *m*, breite Schlagzeile. **7.** *obs.* Banner *n* (*Soldatenabteilung*). **II** *adj Am.* **8.** *fig.* erstklassig, her'vorragend. '**ban·nered** *adj* mit Bannern versehen, ein Banner führend.

ban·ner·et[1] ['bænə,ret] *s hist.* Bannerherr *m*.

ban·ner·et[2], **ban·ner·ette** [,bænə'ret] *s* kleines Banner, Fähnlein *n*.

ban·nock ['bænək] *s Scot. od. dial.* Hafer- *od.* Gerstenmehlkuchen *m*.

banns [bænz] *s pl relig.* Aufgebot *n* (*des Brautpaares vor der Ehe*): to ask (*od.* publish, put up) the ~ of *ein Brautpaar* kirchlich aufbieten; to forbid the ~ Einspruch gegen die Eheschließung erheben.

ban·quet ['bæŋkwit] **I** *s* **1.** Ban'kett *n*, Festessen *n*: ~ hall, ~ room Bankettsaal *m*; at the ~ auf dem Bankett. **2.** *obs.* Nachtisch *m*. **II** *v/t* **3.** festlich bewirten. **III** *v/i* **4.** tafeln, schmausen.

,**ban·quet'eer** [-'tir], '**ban·quet·er** *s* Teilnehmer(in) an e-m Ban'kett.

ban·quette [bæŋ'ket] *s* **1.** *mil.* Ban'kett *n*, Wallbank *f*, Schützenauftritt *m*. **2.** *Am.* a) erhöhter Fußweg, b) Bürgersteig *m*. **3.** *tech.* Ban'kett *n*, steile Böschung. **4.** gepolsterter Sitz.

ban·shee ['bænʃi; bæn'ʃi] *s Ir. u. Scot.* Todesfee *f*.

ban·stick·le ['bæn,stikl] *s ichth. dial.* Stichling *m*.

bant [bænt] *v/i humor.* e-e Entfettungskur machen.

ban·tam ['bæntəm] **I** *s* **1.** *meist* B~ *orn.* Bantam-, Zwerghuhn *n*, -hahn *m*. **2.** *fig.* kleiner Kampfhahn, (draufgängerischer) Knirps. **3.** *sport* → bantamweight. **4.** *mil. mot.* Jeep *m*. **II** *adj* **5.** Zwerg...: ~ rooster. **6.** *fig.* winzig, klein, *tech.* Klein(st)..., Miniatur... **7.** aggres'siv, streitlustig. '~,**weight** *s sport* Bantamgewicht(ler *m*) *n*.

ban·ter ['bæntər] **I** *v/t* **1.** necken, hänseln. **2.** *Am.* her'ausfordern (for zu). **3.** *obs.* prellen. **II** *v/i* **4.** necken, scherzen. **III** *s* **5.** Necke'rei *f*, neckisches Geschäker. '**ban·ter·ing** *adj* (*adv* ~ly) scherzend, neckend.

bant·ing ['bæntiŋ], '**ban·ting,ism** *s* Banting-Kur *f* (*e-e Entfettungskur*).

bant·ling ['bæntliŋ] *s contp.* Balg *m*, *n*, Bankert *m* (*Kind*).

Ban·tu ['bæn,tuː] **I** *pl* **-tu** *od.* **-tus** *s*

1. a) Bantu(neger) *m*, b) *pl* Bantu *pl.* 2. *ling.* Bantu *n.* **II** *adj* **3.** Bantu...
ban·zai ['bɑːn'zɑːi; -'zai] *interj* Banzai! (*japanischer Hoch- od. Schlachtruf*): ~ attack *mil.* selbstmörderischer (Massen)Angriff. [Affenbrotbaum *m.*]
ba·o·bab ['beioˌbæb] *s bot.* Baobab *m*,
bap·tism ['bæptizəm] *s* **1.** *relig.* Taufe *f*: certificate of ~ Taufschein *m*; ~ of blood Blutzeugenschaft *f*, Märtyrertod *m*; ~ of fire *relig. u. mil.* Feuertaufe. **2.** *Christian Science*: Reinigung *f* durch den Geist. **bap'tis·mal** *adj relig.* Tauf...: ~ font Taufstein *m.*
Bap·tist ['bæptist] *relig.* **I** *s* **1.** Bap'tist(in). **2.** b~ Täufer *m*: John the B~ Johannes der Täufer. **II** *adj* **3.** bap'tistisch, Baptisten... **'bap·tis·ter·y** [-təri; -tri] *s* **1.** Bapti'sterium *n*, 'Taufkaˌpelle *f.* **2.** a) Taufbecken *n*, -stein *m*, b) 'Taufbasˌsin *n* (*der Baptisten*). **bap'tis·tic** *adj relig.* **1.** Tauf... **2.** B~ → Baptist 3. **'bap·tist·ry** [-tri] → baptistery.
bap·tize [bæp'taiz; 'bæp-] *v/t* **1.** *relig. u. fig.* taufen. **2.** *fig.* reinigen, läutern.
bar [bɑːr] **I** *s* **1.** Stange *f*, Stab *m*: ~s Gitter; behind ~s *fig.* hinter Gittern, hinter Schloß u. Riegel, hinter schwedischen Gardinen. **2.** Riegel *m*, Querbalken *m*, -holz *n*, -stange *f.* **3.** Schranke *f*, Barri'ere *f*, Sperre *f*: the ~ (of the House) *parl.* Schranke (*bes. im brit. Unterhaus, bis zu der geladene Zeugen vortreten dürfen*). **4.** *fig.* (to) Hindernis *n* (für), Schranke *f* (gegen): a ~ to progress ein Hemmnis für den Fortschritt; to let down the ~s alle (*bes. moralischen*) Beschränkungen fallen lassen, *Am.* die polizeiliche Überwachung (*bes. des Nachtlebens*) auflockern. **5.** Riegel *m*, Stange *f*: a ~ of soap ein Riegel *od.* Stück Seife; a ~ of chocolate, a chocolate ~ ein Riegel (*weitS.* e-e Tafel) Schokolade; ~ copper Stangenkupfer *n*; ~ soap Stangenseife *f.* **6.** Brechstange *f.* **7.** *econ. tech.* (*Gold- etc*)Barren *m.* **8.** *tech.* a) *allg.* Schiene *f*, b) Zugwaage *f* (*am Wagen*), c) *Maschinenbau*: Leitschiene *f od.* -stange *f*, d) Schieber *m*, Schubriegel *m*, e) La'melle *f.* **9.** Barren *m*, Stange *f* (*als Maßeinheit*). **10.** Band *n*, Streifen *m*, Strahl *m* (*von Farbe, Licht etc*). **11.** *mar.* Barre *f*, Sandbank *f* (*am Hafeneingang*). **12.** a) (dicker) Strich: a vertical ~, b) *her.* (horizon'taler) Balken, c) *TV* Balken *m* (*auf dem Bildschirm*). **13.** *mus.* a) Taktstrich *m*, b) (*ein*) Takt *m*: ~ rest (Ganz)Taktpause *f.* **14.** Bar *f*: a) Schanktisch *m*, Bü'fett *n*, b) Schankraum *m*, c) Lo'kal *n*, Imbißstube *f.* **15.** *jur.* a) Hindernis *n* (to für), Ausschließungsgrund *m*, b) Einrede *f*: defence (*Am.* defense) in ~ peremptorische Einrede; ~ to marriage Ehehindernis; as a ~ to, in ~ of ausschließend (*acc*), zwecks Ausschlusses (*gen*). **16.** *jur.* (Gerichts)Schranke *f*: at the ~ of the court in offenem Gerichtshof; case at ~ zur Verhandlung stehender Fall; prisoner at the ~ Angeklagte(r *m*) *f*; trial at ~ Verhandlung *f* vor dem vollen Strafsenat des High Court of Justice; to be called within the ~ *Br.* zum King's (Queen's) Counsel ernannt werden. **17.** *jur.* (*das tagende*) Gericht. **18.** *fig.* Gericht *n*, Tribu'nal *n*, Schranke *f*: at the ~ of public opinion vor den Schranken der öffentlichen Meinung. **19.** *jur.* a) Schranke *f* in den Inns of Court, b) Anwaltsberuf *m*, c) *collect.* (*die gesamte*) Anwaltschaft, *Br.* (*der*) Stand der barristers: to be called (*Am.* admitted) to the ~ als Barrister *od.* plädierender Anwalt zugelassen werden; to practise at the ~ den Anwaltsberuf ausüben, Barrister sein; to go to the ~ Barrister werden; to read for the ~ Jura studieren; B~ Association *Am.* (*halbamtliche*) Anwaltskammer, -vereinigung; B~ Council *Br.* Standesrat *m* der Barristers. **20.** *phys.* Bar *n* (*Maßeinheit des Drucks*). **21.** a) Schaumstange *f* (*e-s Stangengebisses*), b) Träger *pl* (*Teile des Pferdegaumens*), c) *pl* Sattelbäume *pl*, Stege *pl.* **22.** (Quer)Band *n* an e-r Me'daille, (Ordens)Spange *f.* **23.** *sport* a) (Reck)Stange *f*, b) (Barren)Holm *m.* **II** *v/t* **24.** zu-, verriegeln: → barred. **25.** *a.* ~ up vergittern, mit Schranken um'geben. **26.** *a.* ~ in einsperren: to ~ out aussperren. **27.** versperren: it ~red the way. **28.** *jur. e-e Klage, den Rechtsweg etc* ausschließen. **29.** a) (ver)hindern, hemmen, b) hindern (from an *dat*), c) *j-n od. etwas* ausschließen (from aus): → barring. **30.** verbieten, unter'sagen. **31.** abhalten, trennen, ausschließen (from von). **32.** streifen, mit Streifen versehen. **33.** *mus.* mit Taktstrichen versehen, in Takte einteilen. **34.** *Br. sl.* nicht leiden *od.* ausstehen können.
III *prep* **35.** außer, ausgenommen, abgesehen von: ~ one außer einem; ~ none (alle) ohne Ausnahme.
barb[1] [bɑːrb] **I** *s* **1.** 'Widerhaken *m*, Stachel *m.* **2.** *fig.* Stachel *m.* **3.** *bot. zo.* Bart *m.* **4.** *orn.* Fahne *f* (*e-r Feder*). **5.** *ichth.* Bartfaden *m* (*e-s Fisches*). **6.** *pl vet.* Frosch *m* (*wildes Fleisch unter der Zunge von Pferden etc*). **7.** gefältelte Hals- u. Brustbedeckung aus weißem Leinen (*bes. der Nonnen*). **8.** *her.* Kelchblatt *n.* **II** *v/t* **9.** mit 'Widerhaken *etc* versehen.
barb[2] [bɑːrb] *s zo.* Berberpferd *n.*
barb[3] [bɑːrb] → barbarian 2.
bar·bar·i·an [bɑːr'bɛ(ə)riən] **I** *s* **1.** Bar'bar(in): a) Angehörige(r *m*) *f* e-s 'unziviliˌsierten Volkes, b) ungebildeter *od.* ungesitteter Mensch, c) Unmensch *m.* **2.** *ped. Am. sl. Student(in), der (od. die) keiner* fraternity *od.* sorority *angehört.* **II** *adj* **3.** bar'barisch: a) 'unziviliˌsiert, b) ungebildet, ungesittet, c) roh, grausam. **4.** fremd(ländisch).
bar·bar·ic [bɑːr'bærik] *adj* **1.** → barbarian 3 *u.* 4. **2.** *Kunst*: bar'barisch, ungeschlacht, wild, primi'tiv.
bar·ba·rism ['bɑːrbəˌrizəm] *s* **1.** Barba'rismus *m*, Sprachwidrigkeit *f.* **2.** Barba'rei *f*, 'Unkulˌtur *f*, Roheit *f.*
bar·bar·i·ty [bɑːr'bæriti] *s* **1.** Barba'rei *f*, Roheit *f*, Grausamkeit *f*, Unmenschlichkeit *f.* **2.** Barba'rismus *m.*
bar·ba·rize ['bɑːrbəˌraiz] **I** *v/t* **1.** in den Zustand der Barba'rei versetzen, verrohen *od.* verwildern lassen. **2.** *Sprache, Kunst etc*: barbari'sieren, durch Stilwidrigkeiten *etc* verderben. **II** *v/i* **3.** in Barba'rei versinken, verrohen. **'bar·ba·rous** *adj* (*adv* ~ly) **1.** → barbarian 3 *u.* 4. **2.** bar'barisch: a) sprachwidrig, unklassisch, b) rauh(klingend), wild (*Sprache, Musik*). **'bar·ba·rous·ness** → barbarity.
Bar·ba·ry| ape ['bɑːrbəri] *s zo.* Magot *m* (*Affe*). ~ **horse** *s* Berberpferd *n.*
bar·be·cue ['bɑːrbiˌkjuː] **I** *v/t* **1.** (auf dem Rost *od.* am Spieß über offenem Feuer) im ganzen *od.* in großen Stükken braten. **2.** *kleine Fleisch- od. Fischstücke* in stark gewürzter (Essig-)Soße zubereiten. **3.** auf dem Rost braten, grillen. **4.** *Am.* auf e-m Lattengerüst dörren *od.* räuchern. **II** *s* **5.** am Spieß *od.* auf dem Rost gebratenes Tier (*bes. Ochse, Schwein*). **6.** (großer) Bratrost, (Garten)Grill *m* (*für ganze Tiere*). **7.** *Am.* (Fest)Essen *n* im Freien (*wobei ganze Ochsen etc gebraten werden*). **8.** *Am.* Boden *m* zum Dörren (*von Kaffeebohnen etc*).
barbed [bɑːrbd] *adj* **1.** mit 'Widerhaken *od.* Stacheln (versehen), Stachel... **2.** stachelartig. **3.** *fig.* scharf, verletzend. ~ **wire** *s* Stacheldraht *m.*
bar·bel ['bɑːrbl] *s* **1.** *ichth.* (Fluß-)Barbe *f.* **2.** *zo.* barb[1] 5 *u.* 6.
bar bell *s sport* Hantel *f* (*mit langer Stange*), Kugelstange *f.*
bar·bel·late ['bɑːrbəˌleit; bɑːr'belit; -ˌleit] *adj bot.* (fein) gebärtet.
bar·ber ['bɑːrbər] **I** *s* ('Herren)Friˌseur *m*, Bar'bier *m.* **II** *v/t* a) ra'sieren, b) fri'sieren. [Berbe'ritze *f.*]
bar·ber·ry ['bɑːrbəri; -ˌberi] *s bot.*
'bar·berˌshop *s Am.* **1.** Fri'seurladen *m.* **2.** *a.* ~ singing *colloq.* (zwangloses) Singen im Chor.
bar·ber's| itch *s med.* Bartflechte *f.* ~ **pole** *s spiralig bemalte Stange als Geschäftszeichen der Friseure.* ~ **shop** *Br. für* barbershop 1.
'bar·ber-ˌsur·geon *s hist.* Bader *m.*
bar·bet ['bɑːrbit] *s zo.* **1.** kleiner, langhaariger Pudel. **2.** (*ein*) Bartvogel *m.*
bar·bi·can[1] ['bɑːrbikən] *s mil.* Außen-, Vorwerk *n.* [Bartvogel *m.*]
bar·bi·can[2] ['bɑːrbikən] *s orn.* (*ein*)
bar·bi·tal ['bɑːrbiˌtæl; -ˌtɔːl] *s chem. pharm. Am.* Barbi'tal *n.* ~ **so·di·um** *s chem.* Natriumsalz *n* von Barbi'tal.
bar·bi·tone ['bɑːrbiˌtoun] *s chem. pharm. Br.* Barbi'tal *n.*
bar·bi·tu·rate [bɑːr'bitju(ə)ˌreit; -tʃə-; ˌbɑːrbi'tju(ə)reit] *s chem. pharm.* Barbi'tursäurepräpaˌrat *n.*
bar·bi·tu·ric ac·id [ˌbɑːrbi'tju(ə)rik] *s chem.* Barbi'tursäure *f.*
bar·bo·la (work) [bɑːr'boulə] *s* Verzierung *f* (*kleiner Gegenstände*) durch Aufkleben bunter Plastikblumen *etc.*
'barbˌwire → barbed wire.
bar·ca·rol(le) ['bɑːrkəˌroul] *s mus.* Barka'role *f*, Barke'role *f* (*Gondellied*).
bard[1] [bɑːrd] *s* **1.** Barde *m* (*keltischer Sänger*). **2.** *fig.* Barde *m*, Sänger *m* (*Dichter*): the B~ of Avon Shakespeare.
bard[2] [bɑːrd] *s mil. hist.* **1.** Panzer *m* e-s Rosses. **2.** *pl* Plattenpanzer *m.*
bard·ic ['bɑːrdik], **'bard·ish** [-diʃ] *adj* bardisch, Barden...
Bard·ol·a·try [bɑːr'dɒlətri] *s* Shakespearevergötterung *f.*
bare[1] [bɛr] **I** *adj* (*adv* → barely) **1.** nackt, unbekleidet, bloß, entblößt: ~ feet bloße Füße; on one's ~ feet barfüßig; with ~ hands mit bloßer Hand (*unbewaffnet*). **2.** barhäuptig, unbedeckt. **3.** kahl, leer, nackt, bloß: ~ walls kahle Wände; the ~ boards der nackte Fußboden; ~ pile (Atom)-Reaktor *m* ohne Reflektor; ~ sword bloßes *od.* blankes Schwert; ~ wire *tech.* blanker Draht. **4.** *bot. zo.* kahl. **5.** klar, unverhüllt: ~ nonsense barer *od.* blanker Unsinn; to lay ~ → 11 *u.* 12. **6.** *fig.* nackt, bloß, ungeschminkt: the ~ facts die nackten Tatsachen. **7.** abgetragen, fadenscheinig, schäbig. **8.** (of) dürftig, arm (an *dat*), leer, entblößt (von), ohne. **9.** bloß, kaum 'hinreichend, knapp: a ~ living; ~ majority knappe Mehrheit; ~ majority of votes *pol.* einfache Stimmenmehrheit; the ~ necessities of life die allernotwendigsten Lebensbedürfnisse. **10.** bloß, al'lein: the ~ thought

der bloße (*od.* allein der) Gedanke; ~ **words** bloße Worte. **II** *v/t* **11.** entblößen, -hüllen, *weitS. Zähne* zeigen, blecken. **12.** *fig.* enthüllen, bloßlegen, offen'baren.

bare[2] [bɛr] *obs. pret von* **bear**[1].

'bare|ˌback *adj u. adv* ungesattelt, ohne Sattel: to ride ~. **'~-ˌbacked** → bareback. **'~ˌfaced** *adj* **1.** bartlos. **2.** mit unverhülltem Gesicht, ohne Maske. **3.** *fig.* unverhüllt, unverschämt, schamlos, frech: ~ lie. **ˌ~'fac·ed·ly** [-'feisidli] *adv.* **ˌ~'fac·ed·ness** [-'feisidnis] *s fig.* Frechheit *f*, Unverschämtheit *f*. **'~ˌfoot** *adj u. adv* barfuß. **'~ˌfoot·ed** *adj* barfuß, barfüßig. **'~ˌhand·ed** *adj u. adv* mit bloßer Hand (*a. fig.*). **'~'head·ed** *adj u. adv* barhäuptig, ohne Kopfbedeckung. **'~ˌleg·ged** [-ˌlegd; -ˌlegid] *adj* nacktbeinig, mit nackten Beinen.

bare·ly ['bɛrli] *adv* **1.** kaum, knapp, gerade (noch), bloß: ~ **enough food** kaum genug zu essen; **he** ~ **escaped** er kam gerade noch *od.* mit knapper Not davon. **2.** ärmlich, spärlich.

bare·ness ['bɛrnis] *s* **1.** Nacktheit *f*, Entblößtheit *f*, Blöße *f*. **2.** Kahlheit *f*. **3.** Dürftigkeit *f*, Knappheit *f*.

bare·sark ['bɛrsɑːrk] *hist.* **I** *s* Ber'serker *m*. **II** *adv* ohne Rüstung.

'barˌfly *s Am. sl.* Kneipenhocker *m*.

bar·gain ['bɑːrgin] **I** *s* **1.** Vertrag *m*, Abmachung *f*. **2.** Kauf(vertrag) *m*, Handel *m*, Geschäft *n* (*a. fig.*): **a good (bad)** ~ ein gutes (schlechtes) Geschäft. **3.** vorteilhafter Kauf *od.* Verkauf, vorteilhaftes Geschäft. **4.** Gelegenheit(skauf *m*) *f*, Sonderangebot *n*, preisgünstige Ware, günstiges 'Kaufobˌjekt. **5.** *Br. Börse*: (*einzelner*) Abschluß: ~ **for account, time** ~ Termingeschäft *n*.

Besondere Redewendungen:

it's a ~! abgemacht!; **into the** ~ obendrein, noch dazu; **to strike a** ~ e-n Handel abschließen, e-e Vereinbarung treffen, handelseinig werden; **Dutch** (*od.* **wet**) ~ *colloq.* mit e-m Trunk ‚begossene' Abmachung; **to make the best of a bad** ~ sich so gut wie möglich aus der Affäre ziehen; **to drive a hard** ~ → **drive** 26.

II *v/i* **6.** handeln, feilschen (**for** um). **7.** verhandeln (**for** über *acc*): **to** ~ **on** übereinkommen über (*acc*), vereinbaren (*acc*); **as** ~**ed for** wie verabredet; ~**ing point** Verhandlungspunkt *m*; ~**ing power** Verhandlungsposition *f*; → **collective bargaining.** **8.** (**for**) rechnen (mit), gefaßt sein (auf *acc*), erwarten (*acc*) (*meist neg*): **we did not** ~ **for that!** darauf waren wir nicht gefaßt!; **it was more than we** ~**ed for!** damit hatten wir nicht gerechnet!

III *v/t* **9.** (ein)tauschen: **to** ~ **one horse for another.** **10.** verkaufen: **to** ~ **away** a) verschachern, b) (mit Verlust) verkaufen, billig abgeben. **11.** ~ **down** her'unterhandeln, -feilschen. **12.** durch Verhandlungen erreichen.

bar·gain| and sale *s jur.* Kaufvertrag *m* (*bes. bei Grundstücksverkäufen*). ~ **base·ment** *s* 'Untergeschoß *n e-s Kaufhauses* für Sonderangebote. ~ **count·er** *s Am.* Verkaufstisch *m* für Sonderangebote.

bar·gain·ee [ˌbɑːrgi'niː] *s jur.* Käufer(in).

bar·gain·er ['bɑːrginər] *s* **1.** (*guter etc*) Verhandlungspartner, Feilscher(in). **2.** → **bargainor.**

bar·gain hunt·er *s* j-d, der ständig auf Gelegenheitskäufe erpicht ist.

bar·gain·or [ˌbɑːrgi'nɔːr; 'bɑːrginər] *s jur.* Verkäufer(in).

bar·gain sale *s* Ramschverkauf *m*.

barge [bɑːrdʒ] **I** *s* **1.** *mar.* flaches Fluß- *od.* Ka'nalboot, Last-, Schleppkahn *m*, Leichter *m*, Prahm *f*. **2.** *mar.* Scha'luppe *f*. **3.** *mar.* (Offi'ziers)Barˌkasse *f*. **4.** (geschmücktes) Gala(ruder)boot. **5.** Hausboot *n*. **6.** *Am.* a) (*Art*) Rennboot *n*, b) Autofähre *f*. **7.** *Am.* (*Art*) Pferde-Omnibus *m*. **II** *v/i* **8.** sich schwerfällig (da'her)bewegen, trotten. **9.** *colloq.* torkeln, prallen, stürzen (**into** in *acc*; **against** gegen): **to** ~ **into the room** ins Zimmer (herein)platzen. **10.** ~ **in** *colloq.* her'einplatzen, sich einmischen *od.* eindrängen. **III** *v/t* **11.** *Am.* mit Schleppkähnen *etc* befördern, schiffen. **'~ˌboard** *s arch.* Giebelschutzbrett *n*. ~ **course** *s arch.* **1.** Firstpfette *f*. **2.** Ortschicht *f*.

bar·gee [ˌbɑːr'dʒiː] *s mar. Br. contp.* Kahnführer *m*: **to swear like a** ~ fluchen wie ein Droschkenkutscher.

'barge|·man [-mən] *s irr mar.* Kahn-, Leichterführer *m*. **'~-ˌpole** *s* Bootsstange *f*: **I wouldn't touch him with a** ~ *Br. colloq.* a) ich würde ihn nicht (mal) mit e-r Feuerzange anfassen, b) *fig.* ich möchte nicht das geringste mit ihm zu tun haben. ~ **stone** *s arch.* Giebelstein *m*.

bar·ghest, *a.* **bar guest** ['bɑːrgest] *s* [böser Kobold.]

bar·ic[1] ['bærik] *adj chem.* Barium...

bar·ic[2] ['bærik] *adj phys.* baro'metrisch, Gewichts...

ba·ril·la [bə'rilə] *s* **1.** *bot.* Ba'rillakraut *n*. **2.** *econ.* Ba'rilla *f*, rohe Soda.

bar i·ron *s tech.* Stabeisen *n*.

bar·ite ['bɛ(ə)rait; 'bær-] *s min.* Ba'ryt *m*, Schwerspat *m*.

bar·i·tone ['bæriˌtoun] *s mus.* **1.** Bariton *m*: a) Baritonstimme *f* (*e-s Sängers od. e-r Komposition*), b) Baritonlage *f*, c) Baritonsänger *m*. **2.** Baryton *n*: a) B- *od.* C-Saxhorn *n*, b) *obs.* Vi'ola *f* di bor'done.

bar·i·um ['bɛ(ə)riəm; 'bær-] *s chem.* Barium *n*. ~ **chlo·ride** *s* 'Bariumchloˌrid *n*.

bark[1] [bɑːrk] **I** *s* **1.** *bot.* (Baum)Rinde *f*, Borke *f*. **2.** → **Peruvian bark.** **3.** (Gerber)Lohe *f*. **4.** *colloq.* Haut *f*, ‚Fell' *n*. **II** *v/t* **5.** *Bäume* a) abrinden, b) ringeln. **6.** mit Rinde bedecken. **7.** *tech.* lohgerben. **8.** abschürfen: **to** ~ **one's knees.**

bark[2] [bɑːrk] **I** *v/i* **1.** bellen, kläffen (*beide a. fig.*): **to** ~ **at** anbellen, *fig. j-n* anschnauzen; ~**ing dogs never bite** bellende Hunde beißen nicht; **to** ~ **up the wrong tree** *colloq.* auf falscher Fährte sein. **2.** *Am. sl.* marktschreierisch Kunden werben. **3.** *colloq.* ‚bellen' (*husten*). **4.** krachen (*Schußwaffe*). **II** *v/t* **5.** *Worte* ‚bellen', barsch her'vorstoßen. **III** *s* **6.** Bellen *n*, Kläffen *n*, Gebell *n*, *fig. a.* Gebelfer *n*: **his** ~**ing is worse than his bite** *fig.* er bellt nur (‚aber beißt nicht). **7.** *colloq.* ‚Bellen' *n*, Husten *m*, *n*. **8.** *fig.* Krachen *n* (*von Kanonen etc*).

bark[3] [bɑːrk] *s mar.* **1.** Barke *f*. **2.** *poet.* Schiff *n*. **3.** Bark(schiff *n*) *f* (*ein dreimastiges Segelschiff*).

'bar|ˌkeep *Am. colloq. für* **barkeeper.** **'~ˌkeep·er** *s* **1.** Barbesitzer *m*. **2.** Barkellner *m*.

bark·en·tine ['bɑːrkənˌtiːn] *s mar.* [Schonerbark *f*.]

bark·er ['bɑːrkər] *s* **1.** Beller *m*, Kläffer *m*. **2.** marktschreierischer Kundenwerber, Anpreiser *m*. **3.** *sl.* ‚Schießeisen' *n* (*Pistole*).

bark| house *s Gerberei*: Lohhaus *n*. ~ **mill** *s tech.* **1.** *Gerberei*: Lohmühle *f*. **2.** Ent'rindungsmaˌschine *f*. ~ **pit** *s Gerberei*: Lohgrube *f*. ~ **tree** *s bot.* Chinarindenbaum *m*.

bark·y ['bɑːrki] *adj* borkig, rindig.

bar lathe *s tech.* Prismendrehbank *f*.

bar·ley ['bɑːrli] *s bot.* Gerste *f*. **'~-ˌbree** [-ˌbriː], **'~-ˌbroo** [-ˌbruː], ~ **broth** *s* **1.** Starkbier *n*. **2.** Whisky *m*. **'~ˌcorn** *s* **1.** Gerstenkorn *n*: (Sir) John B~ *scherzhafte Personifikation der Gerste als Grundstoff von Bier od. Whisky*. **2.** *altes Längenmaß* (= *8,5 mm*). ~ **sug·ar** *s* Gerstenzucker *m*. ~ **wa·ter** *s med.* Gerstenschleim *m*.

bar·low ['bɑːrlou] *s Am.* großes einschneidiges Taschenmesser.

barm [bɑːrm] *s* Bärme *f*, (Bier)Hefe *f*.

bar| mag·net *s phys.* 'Stabmaˌgnet *m*. **'~ˌmaid** *s* (Bar)Kellnerin *f*, Bardame *f*. **'~·man** [-mən] *s irr Br.* Bar-, Schankkellner *m*.

barm·brack ['bɑːrmˌbræk] *s Ir.* (*ein*) Ro'sinenkuchen *m*.

barm·y ['bɑːrmi] *adj* **1.** hefig, gärend, schaumig. **2.** *a.* ~ **on the crumpet** *Br. sl.* ‚bekloppt', verrückt: **to go** ~ überschnappen.

barn[1] [bɑːrn] *s* **1.** Scheune *f*, Schuppen *m* (*beide a. contp. fig. Gebäude*). **2.** *Am.* (Vieh)Stall *m*.

barn[2] [bɑːrn] *s phys.* Barn *n* (*Einheit des Wirkungsquerschnitts*).

Bar·na·by ['bɑːrnəbi] *npr* Barnabas *m*: ~ **Day**, ~ **bright** Barnabastag *m* (*11. Juni*).

bar·na·cle[1] ['bɑːrnəkl] *s* **1.** *zo.* (*ein*) Rankenfußkrebs *m*, *bes.* Entenmuschel *f*. **2.** *fig.* a) ‚Klette' *f* (*lästiger Mensch*), b) (*lästige*) Fessel, *bes.* ‚alter Zopf'. **3.** *a.* ~ **goose** *orn.* Ber'nikel-, Ringelgans *f*.

bar·na·cle[2] ['bɑːrnəkl] *s* **1.** *meist pl* Nasenknebel *m* (*für unruhige Pferde*). **2.** *pl Br. colloq.* Brille *f od.* Kneifer *m*.

barn| dance *s Am.* (*Art*) ländlicher Tanz. ~ **door** *s* **1.** Scheunentor *n*: **as big as a** ~ *colloq.* groß wie ein Scheunentor, nicht zu verfehlen. **2.** *TV, Film*: *sl.* Lichtschirm *m*. **'~-ˌdoor fowl** *s orn.* Haushuhn *n*.

bar·ney[1] ['bɑːrni] *s Br. sl.* **1.** ‚Krach' *m*, Streit *m*. **2.** (Box)Kampf *m*. **3.** Schwindel *m*.

bar·ney[2] ['bɑːrni] *s Bergbau*: kleiner [Karren.]

barn| owl *s orn.* Schleiereule *f*. **'~ˌstorm I** *v/i colloq.* ‚auf die Dörfer gehen': a) her'umreisen u. auf dem Lande The'atervorführungen veranstalten, auf (e-e Kon'zert- *od.* 'Vortrags)Tourˌnee (durch die Pro'vinz) gehen, b) *pol.* von Ort zu Ort reisen u. Wahlreden halten. **II** *v/t e-e Gegend* bereisen *od. e-n Ort* besuchen u. dort The'ater spielen *etc* (→ I). **'~ˌstorm·er** *s* **1.** Wander-, Schmierenschauspieler(in). **2.** Wahlredner(in) *od.* Kandi'dat(in) auf Rundreise. ~ **swal·low** *s orn.* Rauchschwalbe *f*. **'~ˌyard** *s* Scheunenhof *m*: ~ **fowl** Haushuhn *n*.

bar·o·gram ['bæroˌgræm] *s meteor.* Baro'gramm *n*.

bar·o·graph ['bæroˌgræ(ː)f; *Br. a.* -ˌgrɑːf] *s meteor.* Baro'graph *m*.

ba·rom·e·ter [bə'rɒmitər] *s* Baro'meter *n*: a) *phys.* Luftdruckmesser *m*, Wetterglas *n*, b) *fig.* Grad-, Stimmungsmesser *m*. ~ **ga(u)ge** *s* **1.** 'Niederdruckmanoˌmeter *n*. **2.** *aer.* (baro'metrisches) Höhenmeßgerät.

bar·o·met·ric [ˌbæro'metrik] *adj* (*adv* ~**ally**) *phys.* baro'metrisch, Barometer...: ~ **cell** Druckdose *f*; ~ **column** Quecksilbersäule *f*; ~ **level(l)ing** barometrische Höhenmessung; ~ **maximum** *meteor.* Hoch(druckgebiet) *n*; ~ pressure Luft-, Atmosphärendruck *m*. ˌ**bar·o'met·ri·cal** *adj* (*adv* ~ly) → barometric.

ba·rom·e·try [bə'rɒmitri] *s phys.* Barome'trie *f*, Luftdruckmessung *f*.

bar·on ['bærən] *s* **1.** *Br.* a) *hist.* Pair *m*, Ba'ron *m*, b) (*heute*) Ba'ron *m* (*niedrigster Titel des höheren brit. Adels*). **2.** (*nicht-brit.*) Ba'ron *m*, Freiherr *m*. **3.** *Am. colloq.* (Indu'strie- *etc*)Baˌron *m*, Ma'gnat *m*: beer ~ Bierkönig *m*. **4.** *her. jur.* Ehemann *m*. **5.** ungeteilte Lendenstücke *pl*: ~ of beef. '**bar·on·age** [-idʒ] *s* **1.** *collect.* (Gesamtheit *f* der) Ba'rone *pl*. **2.** Verzeichnis *n* der Ba'rone. **3.** Rang *m* e-s Ba'rons. '**bar·on·ess** *s* **1.** Ba'ronin *f*. **2.** (*nicht-brit.*) Ba'ronin *f*, Freifrau *f*.

bar·on·et ['bærənit; -ˌnet] **I** *s* Baronet *m* (*Angehöriger des niederen englischen Adels zwischen* knight *u.* baron; *abbr.* Bart.). **II** *v/t* zum Baronet ernennen. '**bar·on·et·age** [-idʒ] *s* **1.** *collect.* (Gesamtheit *f* der) Baronets *pl*. **2.** Verzeichnis *n* der Baronets. **3.** Rang *m* e-s Baronets. '**bar·on·et·cy** *s* Titel *m od.* Rang *m* e-s Baronets.

ba·ro·ni·al [bə'rouniəl] *adj* **1.** Barons..., freiherrlich. **2.** prunkvoll, großartig. **bar·o·ny** ['bærəni] *s* Baro'nie *f*: a) Herrschaftsgebiet *n* e-s Ba'rons, b) Ba'ronenwürde *f*.

ba·roque [bə'rouk; *Br. a.* -'rɒk] **I** *adj* **1.** *Kunst etc*: ba'rock, Barock... **2.** *fig.* ba'rock: a) über'laden, prunkvoll, b) über'steigert, c) verschnörkelt, d) bi'zarr, seltsam. **3.** ba'rock, schiefrund (*Perlen*). **II** *s* **4.** Ba'rock *n*, *m*: a) Ba'rockstil *m*, b) Ba'rockzeitalter *n*. **5.** ba'rockes Kunstwerk. **6.** Ba'rockperle *f*.

bar·o·scope ['bæroˌskoup] *s phys.* Baro'skop *n*, Schweremesser *m*.

ba·rouche [bə'ruːʃ] *s* Landauer *m*, (viersitzige) Ka'lesche.

bar par·lo(u)r *s Br.* Schank-, Gaststube *f*.

barque → bark[3].

bar·quen·tine → barkentine.

bar·rack[1] ['bærək] **I** *s* **1.** Ba'racke *f*, Hütte *f*. **2.** *meist pl* (*aber meist als sg konstruiert*) *mil.* Ka'serne *f*: ~(s) bag Kleidersack *m*; ~(s) square (*od.* yard) Kasernenhof *m*; ~s stores *Br.* Unterkunftsgerät *n*. **3.** *meist pl* (*aber meist als sg konstruiert*) *fig.* 'Mietskaˌserne *f*. **II** *v/t* **4.** in Ba'racken *od.* Ka'sernen 'unterbringen, kaser'nieren. **5.** *bes. Austral. sl.* j-n auspfeifen. **III** *v/i* **6.** *bes. Austral. sl.* johlen u. pfeifen.

bar·ra·coo·ta, bar·ra·cou·ta [ˌbærə'kuːtə] *pl* **-ta** [-tə], **-tas, bar·ra·cu·da** [ˌbærə'kuːdə] *pl* **-da** [-də], **-das** *s ichth.* Barra'cuda *m*, Pfeilhecht *m*.

bar·rage[1] [*Br.* 'bærɑːʒ; *Am.* bə'rɑːʒ] **I** *s* **1.** *mil.* a) Sperrfeuer *n*, b) (Bal'lon-, Minen- *etc*)Sperre *f*: ~ balloon Sperrballon *m*; ~ jamming (*Radar*) Teppich-, Sperrstörung *f*; ~ reception (*Radio*) Richtempfang *m*; → creeping barrage *etc.* **2.** (Pfeil-, Stein- *etc*)-Hagel *m*. **3.** *fig.* Hagel *m*, (Wort-, Rede)Schwall *m*, über'wältigende Menge: a ~ of questions ein Schwall *od.* Kreuzfeuer von Fragen. **II** *v/t* **4.** *mil.* mit Sperrfeuer belegen. **III** *v/i* **5.** *mil.* Sperrfeuer schießen.

bar·rage[2] ['bɑːridʒ] *s tech.* Damm *m*, *bes.* Talsperre *f*, Staudamm *m*.

bar·ran·ca [bə'ræŋkə] *s geol. Am.* Wasserriß *m*, tiefe Schlucht.

bar·ra·tor, *a.* **bar·ra·ter** ['bærətər] *s* **1.** *mar.* j-d, der e-e Baratte'rie (→ barratry 1) begeht. **2.** *jur.* (schika'nöser) Pro'zeßstifter, Queru'lant *m*. **3.** j-d, der öffentliche Ämter kauft *od.* verkauft.

bar·ra·try ['bærətri] *s jur.* **1.** *mar.* Baratte'rie *f* (*Veruntreuung durch Schiffsführer od. Besatzung gegenüber dem Reeder od. Charterer*). **2.** a) schika'nöses Prozes'sieren, b) Anstiftung *f* zu mutwilliger Klageführung. **3.** Ämterkauf *m*, *bes. relig.* Simo'nie *f*.

barred [bɑːrd] *adj* **1.** (ab)gesperrt, verriegelt. **2.** vergittert, Gitter...: ~ windows. **3.** gestreift. **4.** *mus.* durch Taktstriche abgeteilt.

bar·rel ['bærəl] **I** *s* **1.** Faß *n*, Tonne *f* (*a. als Maß*): ~ cargo Faßladung *f*; by the ~ faßweise. **2.** *colloq.* ‚Haufen' *m*, große Menge: a ~ of money. **3.** *tech.* a) Walze *f*, Rolle *f*, Trommel *f*, b) Lauf-, Zy'linderbüchse *f*, c) (Gewehr)Lauf *m*, (Geschütz)Rohr *n*, d) Federgehäuse *n* (*der Uhr*), e) Stiefel *m*, Kolbenrohr *n* (*e-r Pumpe*), f) Rumpf *m* (*e-s Dampfkessels*), g) Tintenbehälter *m* (*e-r Füllfeder*), h) Glokkenkörper *m*, i) Walze *f* (*der Drehorgel*), j) (rundes) Gehäuse. **4.** *med.* Zy'linder *m* (*der Spritze*). **5.** *orn.* Kiel *m* (*e-r Feder*). **6.** Rumpf *m* (*e-s Pferdes od. Ochsen*). **II** *v/t* **7.** in Fässer packen *od.* füllen. **8.** *Am. colloq.* schnell befördern. **III** *v/i* **9.** *mot. etc* rasen, sausen. '~-ˌ**bel·lied** *adj* dickbäuchig. ~ **burst** *s mil.* 'Rohrkreˌpierer *m*. ~ **chair** *s* Wannensessel *m*. ~ **com·pass** *s tech.* Trommelkompaß *m*.

bar·reled, *bes. Br.* **bar·relled** ['bærəld] *adj* **1.** faßförmig. **2.** in Fässer gefüllt. **3.** *in Zssgn* ...läufig (*Gewehr etc*): double-~. **4.** gewölbt: ~ road.

bar·relˌhouse *s Am. sl.* **1.** Spe'lunke *f*, Kneipe *f*. **2.** *mus.* ‚heißer' Jazz.

bar·relled ['bærəld] *bes. Br. für* barreled.

'**bar·rel|ˌmak·er** *s* Faßbinder *m*. ~ **or·gan** *s mus.* **1.** Orgelwalze *f* (*mechanische Orgel*). **2.** Drehorgel *f*. ~ **roll** *s aer.* Rolle *f* (*im Kunstflug*). ~ **roof** *s arch.* Tonnendach *n*. ~ **saw** *s tech.* zy'linderförmige Rundsäge. ~ **shut·ter** *s phot.* Trommelverschluß *m*. ~ **switch** *s electr.* Walzenschalter *m*. ~ **vault** *s arch.* Tonnengewölbe *n*.

bar·ren ['bærən] **I** *adj* (*adv* ~ly) **1.** unfruchtbar: a) ste'ril (*Mensch, Tier, Pflanze*), b) öde, dürr, kahl, 'unprodukˌtiv (*Land*). **2.** *fig.* a) öde, trocken, 'uninteresˌsant, b) seicht, c) dürftig, armselig. **3.** *fig.* (*geistig*) 'unproduk-ˌtiv. **4.** *fig.* leer, arm (of an *dat*). **5.** nutzlos: a ~ conquest; ~ capital *econ.* totes Kapital; a ~ title ein leerer Titel. **6.** gelt, milchlos (*Kuh*). **7.** *geol.* taub (*Gestein*). **II** *s* **8.** *meist pl Am.* Ödland *n*. '**bar·ren·ness** *s* **1.** Unfruchtbarkeit *f* (*a. fig.*). **2.** *fig.* Trokkenheit *f*, 'Uninteresˌsantheit *f*. **3.** geistige Leere. **4.** Armut *f* (of an *dat*).

bar·ri·cade [ˌbæri'keid; *Am. a.* 'bærəˌkeid] **I** *s* **1.** *mil.* Barri'kade *f* (*a. fig.*). **2.** *fig.* Hindernis *n*. **II** *v/t* **3.** (ver)barrika'dieren, verrammeln, (ver)sperren. **4.** mit e-r Barri'kade verteidigen.

bar·ri·er ['bæriər] *s* **1.** Schranke *f* (*a. fig.*), Barri'ere *f*, Sperre *f*: trade ~s Handelsschranken; → language 1. **2.** Schlag-, Grenzbaum *m*, Schutzgatter *n*. **3.** *phys.* Schwelle *f*, (Schall)-Mauer *f*. **4.** *a.* ~ bar, ~ beach *geol.* der Küste vorgelagerte Barri'ere, freier Strandwall. **5.** *oft* B~ *geogr.* 'Eisbarriˌere *f* der Ant'arktis. **6.** *Pferderennen*: (Start)Schranke *f*. **7.** *Verpackungstechnik*: Iso'lierung *f* (*gegen Hitze etc*). **8.** *fig.* Hindernis *n* (to für). **9.** Grenze *f*. **10.** *pl hist.* (*Art*) Tur'nier *n* (*über e-e Schranke*). ~ **cream** *s Kosmetik*: 'Make-up-ˌUnterlage *f*. ~ **gear** *s mil.* Fangvorrichtung *f* (*auf e-m Flugzeugträger*). '~-ˌ**grid stor·age tube** *s electr.* Sperrgitterröhre *f*.

bar·ring ['bɑːriŋ] *prep* abgesehen von, ausgenommen: ~ bad weather falls nicht schlechtes Wetter eintritt; ~ errors Irrtümer vorbehalten.

bar·ris·ter ['bæristər] *s jur.* **1.** *Br.* Barrister *m*, (*vor den höheren Gerichten plädierender*) Rechtsanwalt (*voller Titel*: ~-at-law; *Ggs.* solicitor). **2.** *Am. allg.* Rechtsanwalt *m*.

'**barˌroom** → bar parlo(u)r.

bar·row[1] ['bærou] *s* (Schub)Karren *m*, Handkarre *f*, -wagen *m*.

bar·row[2] ['bærou] *s* **1.** *Archäologie*: Tumulus *m*, Hügelgrab *n*. **2.** Hügel *m*.

bar·row[3] ['bærou] *s agr. dial. od. Am.* verschnittener Eber, Borg *m*.

bar·row[4] ['bærou] *s Br. hist.* langes, ärmelloses Kinderkleid.

'**bar·row-ˌboy** *s*, '~**man** [-mən] *s irr Br.* Höker *m*, Straßenhändler *m*.

bar| shoe *s tech.* Ringeisen *n* (*hinten geschlossenes Hufeisen*). ~ **shot** *s mil. hist.* Stangenkugel *f*. ~ **sight** *s mil.* 'Stangenviˌsier *n*. ~ **sin·is·ter** *s* **1.** *her.* Schräglinksbalken *m* (*als Zeichen unehelicher Geburt*). **2.** *fig.* Stigma *n*, Schandfleck *m*. ~ **spring** *s tech.* Stabfeder *f*. ~ **steel** *s tech.* Stangenstahl *m*. '~ˌ**stool** *s* Barhocker *m*. '~ˌ**tend·er** *s* Barmixer *m*.

bar·ter ['bɑːrtər] **I** *v/i* **1.** Tauschhandel treiben. **2.** *fig.* verhandeln: to ~ for peace. **II** *v/t* **3.** (*im Handel*) (ein-, 'um)tauschen, austauschen (for, against gegen): to ~ away a) im Tausch weggeben, b) verschleudern, -schachern (*a. fig.*). **III** *s* **4.** Tausch(handel *m*, -geschäft *n*) *m* (*a. fig.*): ~ shop Tauschladen *m*; ~ transaction *econ.* Tausch-, Kompensationsgeschäft *n*. **5.** 'Tauschobˌjekt *n*. '**bar·ter·er** *s* Tauschhändler *m*.

Bar·thol·o·mew [bɑːr'θɒləˌmjuː] *npr Bibl.* Bartholo'mäus *m*: (St.) ~'s Day, ~tide Bartholomäustag *m* (*24. August*).

bar·ti·zan ['bɑːrtiˌzæn; ˌbɑːrti'zæn] *s arch.* Erkertürmchen *n*.

bar·ton ['bɑːrtn] *s agr. Br.* Wirtschaftshof *m*.

bar trac·er·y *s arch.* Maßwerk *n* in Querstrichen.

Bart's [bɑːrts] *s* das Bartholo'mäuskrankenhaus (in London).

bar| wind·ing *s electr.* Stabwicklung *f*. '~ˌ**wise** *adv her.* horizon'tal. '~-ˌ**wound ar·ma·ture** *s electr.* Stabanker *m*, Anker *m* mit Stabwicklung.

bar·y·sphere ['bæriˌsfir] *s geol.* Barysphäre *f* (*innerster Teil der Erde*).

ba·ry·ta [bə'raitə] *s chem.* Ba'ryt(erde *f*) *m*.

ba·ry·tes [bə'raitiːz] *s chem.* Schwerspat *m*.

ba·ryt·ic [bə'ritik] *adj min.* Baryt...

bar·y·tone → baritone.

bas·al ['beisl] *adj* (*adv* ~ly) **1.** an der Basis *od.* Grundfläche befindlich, ba'sal, Grund... **2.** *fig.* grundlegend, fundamen'tal, Grund... **3.** *biol.* ba'sal, basisständig, Basal... ~ **bod·y** *s biol.* Ba'salkörperchen *n*. ~ **cell** *s biol.* Grund-, Ba'salzelle *f*. ~ **leaf** *s irr bot.* grundständiges Blatt. ~ **met·a·bol·ic rate** *s med.* 'Grundˌumsatz *m*. ~ **me·tab·o·lism** *s med.* Grundstoffwechsel *m*.

ba·salt ['bæsɔːlt; bə'sɔːlt] *s* **1.** *geol.* Ba'salt *m*. **2.** Ba'saltgut *n* (*schwarzes Steingut*). **ba·sal·tic** *adj geol.* ba'saltisch, Basalt...

bas·an ['bæzən] *s* Schafleder *n*.

bas·a·nite ['bæzəˌnait] *s min.* Basa'nit *m*, Pro'bierstein *m*.

bas·cule ['bæskjuːl] *s tech.* Hebebaum *m*: ~ **bridge** Hub-, Klappbrücke *f*.

base[1] [beis] **I** *s* **1.** *a. fig.* Basis *f*, Grundlage *f*, Funda'ment *n* (*a. arch.*). **2.** *fig.* Ausgangspunkt *m*. **3.** Grund-, Hauptbestandteil *m* (*e-r Arznei etc*), Grundstoff *m*. **4.** *chem.* Base *f*. **5.** *arch.* Basis *f*, Sockel *m*, Posta'ment *n* (*e-r Säule etc*). **6.** *math.* a) Basis *f*, Grundlinie *f od.* -fläche *f*, b) Träger *m* (*e-r Punktreihe*), c) Basis *f*, Grundzahl *f* (*e-s Logarithmen- od. Zahlensystems od. e-r Potenz*), d) Bezugsgröße *f*. **7.** *surv.* Standlinie *f*. **8.** *biol.* a) Befestigungspunkt *m* (*e-s Organs*), b) Basis *f*, 'Unterteil *m*: ~ **of the brain** *anat.* Gehirnbasis. **9.** *mil.* a) Standort *m*, b) (Operati'ons- *od.* Versorgungs)Basis *f*, Stützpunkt *m*, c) *aer.* Flugbasis *f*, *Am.* (Flieger)Horst *m*, d) E'tappe *f*: **naval** ~ Flottenstützpunkt. **10.** *sport* a) *Baseball*: Mal *n*, b) Startlinie *f*, c) *bes. Hockey*: Tor *n*, d) **prisoner's** ~ Barlaufspiel *n*: **to be off** ~ *Am. colloq.* sich auf dem Holzweg befinden; **to catch s.o. off** ~ *Am. colloq.* j-n überrumpeln. **11.** *ling.* Stamm *m*. **12.** *tech.* a) Mon'tage-, Grundplatte *f*, Sockel *m*, Gestell *n*, b) (Ge'häuse-, Ma'schinen)ˌUnterteil *n*, c) Funda'ment *n*, 'Unterlage *f*, Bettung *f*, d) Sohle *f* (*e-r Mauer*), e) Trägerstoff *m* (*z. B. für Magnetschicht*), f) *mil.* (Geschoß)Boden *m*. **13.** *electr.* (Lampen-, Röhren)Sockel *m*, (-)Fassung *f*. **14.** *Färberei*: Beize *f*. **15.** *geol.* (*das*) Liegende.
II *v/t* **16.** stützen, gründen (**on, upon** auf *acc*): **to be** ~**d on** beruhen *od.* basieren auf (*dat*); **to** ~ **o.s. on** sich verlassen auf (*acc*); → **based** 1. **17.** *bes. mil.* statio'nieren: → **based** 2. **18.** e-e Basis bilden für.
III *adj* **19.** als Basis dienend, Grund..., Ausgangs...: **a** ~ **line.**

base[2] [beis] *adj* (*adv* ~**ly**) **1.** gemein, niedrig, niederträchtig. **2.** minderwertig. **3.** unedel: ~ **metals.** **4.** falsch, unecht: ~ **coin** a) *Br.* Falschgeld *n*, b) *Am.* Scheidemünze *f*. **5.** *ling.* unrein, unklassisch. **6.** *jur. Br. hist.* dienend: ~ **estate** durch gemeine Dienstleistungen erworbenes Lehen. **7.** *mus. obs.* Baß...: ~ **tones** Baßtöne. **8.** *obs.* niedrigen Standes.

base| an·gle *s* **1.** *mil.* Grundrichtungswinkel *m*. **2.** *math.* Basiswinkel *m*. '~ˌ**ball** *s sport* Baseball(spiel *n*) *m*. '~'**born** *adj* **1.** von niedriger Geburt. **2.** unehelich. ~ **charge** *s* Hauptladung *f* (*Munition*). ~ **cir·cle** *s tech.* Grundkreis *m* (*von Zahnrädern*).

based [beist] *adj* **1.** (**on**) gegründet *od.* gestützt (auf *acc*), beruhend (auf *dat*). **2.** *bes. mil.* (**on**) mit ... (*dat*) als Stützpunkt, statio'niert (in, an, auf *dat*).

base| de·pot *s mil.* 'Hauptdeˌpot *n*. ~ **ex·change** *s chem.* Basenaustausch *m*. ~ **hos·pi·tal** *s mil.* 'Kriegslazaˌrett *n*.

base·less ['beislis] *adj* grundlos, unbegründet.

base| line *s* **1.** Grundlinie *f*. **2.** *surv.* Standlinie *f*. **3.** *mil.* a) *bes. Radar*: Basislinie *f*, b) Grundrichtungslinie *f*. **4.** *sport* a) *Baseball*: Lauflinie *f* (*welche die Male verbindet*), b) *Tennis*: Grundlinie *f*. ~ **load** *s electr.* Grundlast *f*, -belastung *f*. '~·**man** [-mən] *s irr Baseball*: Malhüter *m*.

base·ment ['beismənt] *s arch.* **1.** Kellergeschoß *n*: **English** ~ *Am.* Parterre(geschoß) *n*. **2.** Grundmauer(n *pl*) *f*.

base| met·al *s tech.* **1.** unedles Me'tall. **2.** Hauptbestandteil *m* (*e-r Legierung*). '~-ˌ**mind·ed** → **base**[2] 1.

base·ness ['beisnis] *s* **1.** Gemeinheit *f*, Niedrigkeit *f*, Niederträchtigkeit *f*. **2.** Minderwertigkeit *f*. **3.** Unechtheit *f*. **4.** Niedrigkeit *f* (*der Geburt*).

base|(pay) rate *s econ.* Grundlohnsatz *m*. ~ **pin** *s electr.* Sockelstift *m*. ~ **plate** → **base**[1] 12. ~ **price** *s econ.* Grundpreis *m*.

ba·ses ['beisiːz] *pl von* **basis.**

base| serv·ic·es *s pl mil.* (Luftwaffen)-Bodendienste *pl*. ~ **time** *s econ.* (für e-n Arbeitsvorgang benötigte) Grundzeit (*ohne Erholungszuschläge etc*). ~ **wal·lah** *s mil. Br. sl.* ‚E'tappenschwein' *n*.

bash [bæʃ] *colloq.* **I** *v/t* heftig schlagen, ‚knallen': **to** ~ **in s.o.'s head** j-m den Schädel einschlagen; **to** ~ **in a window** ein Fenster einschlagen *od.* zertrümmern. **II** *s* heftiger Schlag: **to have a** ~ **at s.th.** *sl.* es mit etwas probieren.

ba·shaw [bə'ʃɔː] *s obs. u. fig.* Pascha *m*.

bash·ful ['bæʃfəl; -ful] *adj* (*adv* ~**ly**) schüchtern, verschämt, scheu. '**bash·ful·ness** *s* Schüchternheit *f*, Scheu *f*.

bas·ic ['beisik] **I** *adj* **1.** die Basis bildend, grundlegend, Grund...: ~ **driving** *bes. mil.* elementare Fahrschulung; ~ **fact** grundlegende Tatsache; ~ **fee** Grundgebühr *f*; ~ **flying training** *aer.* fliegerische Grundausbildung; ~ **material** *tech.* Ausgangsmaterial *n*, Grundstoff(e *pl*) *m*. **2.** *biol. chem. geol. min.* basisch. **3.** *metall.* im Thomasverfahren 'hergestellt, Thomas... **4.** *electr.* ständig (*Belastung*). **II** *s* **5.** **B**~ → **Basic English.** **6.** *pl Am.* Grundlagen *pl*. **7.** *Am.* → **basic training.** '**bas·i·cal·ly** *adv* im Grunde, grundsätzlich, im wesentlichen.

bas·ic| Bes·se·mer con·vert·er steel *s tech.* Thomas(fluß)stahl *m*. ~ **Bes·se·mer proc·ess** → **basic process.** **B**~ **Eng·lish** *s* Basic English *n* (*auf 850 Grundwörter beschränktes u. in der Grammatik vereinfachtes Englisch; von C. K. Ogden*). ~ **food·stuffs** *s pl* Grundnahrungsmittel *pl*. ~ **for·mu·la** *s math.* Grundformel *f*. ~ **in·dus·try** *s* 'Grund(stoff)-, 'Schlüsselinduˌstrie *f*.

ba·sic·i·ty [bei'sisiti] *s chem.* **1.** Basei'tät *f*, Basizi'tät *f* (*e-r Säure*). **2.** basischer Zustand.

bas·ic| load *s electr.* ständige Grundlast. ~ **op·er·a·tion** *s math.* 'Grundrechnung *f*, -operatiˌon *f*. ~ **proc·ess** *s metall.* basisches Verfahren, Thomasverfahren *n*. ~ **pro·te·in** *s biol.* Al'kalieiweiß *n*. ~ **re·search** *s* Grundlagenforschung *f*. ~ **size** *s tech.* Sollmaß *n*. ~ **steel** *s tech.* Thomasstahl *m*. ~ **train·ing** *s* Grundausbildung *f*. ~ **wage** *s econ.* Grundlohn *m*.

ba·si·fy ['beisiˌfai] *v/t chem.* basisch machen.

bas·il ['bæzl; -zil] *s bot.* a) **sweet** ~ Ba'silienkraut *n*, b) *a.* **bush** ~, **lesser** ~ Kleine 'Nelkenbaˌsilie.

bas·i·lar ['bæsilər] *adj* **1.** *bot.* grundständig, Grund... **2.** *med.* basi'lar, die Schädelbasis betreffend. **3.** grundlegend, Grund...: ~ **instinct** Grundtrieb *m*. ~ **ar·ter·y** *s anat.* Basi'lararˌterie *f*.

ba·sil·i·ca [bə'silikə; -'zil-] *s arch.* Ba'silika *f*.

bas·i·lisk ['bæzilisk; -sil-] **I** *s* **1.** Basi'lisk *m* (*Fabeltier*). **2.** *zo.* Basi'lisk *m*, Kroneidechse *f*. **II** *adj* **3.** Basilisken...: ~ **eye.**

ba·sin ['beisn] *s* **1.** (Wasser-, Wasch-, Ra'sier- *etc*)Becken *n*, Schale *f*, Schüssel *f*. **2.** Becken(voll) *n*. **3.** (*einzelne*) Waagschale. **4.** Wasserbecken *n*: a) Bas'sin *n*, Wasserbehälter *m*, b) Teich *m*, c) Bai *f*, kleine Bucht, d) Hafenbecken *n*, Innenhafen *m*, e) *mar. tech.* Dock(raum *m*) *n*, f) Schwimmbecken *n*, Bas'sin *n*. **5.** *opt.* Schleifschale *f*. **6.** Einsenkung *f*, Vertiefung *f*. **7.** *geol.* a) Bas'sin *n*, Becken *n*, b) (Senkungs)Mulde *f*, Kessel *m*, c) (*Fluß-, See*)Becken *n*, Stromgebiet *n*. **8.** *anat.* a) dritte Gehirnhöhlung, b) (*Rumpf- etc*)Becken *n*.

bas·i·net ['bæsiˌnet] *s mil. hist.* Kessel-[haube *f*.]

ba·sis ['beisis] *pl* **-ses** [-siːz] *s* **1.** *bes. arch.* Basis *f*, Grund *m*, Funda'ment *n*. **2.** → **base**[1] 3 *u.* 8 b. **3.** *mil.* (Operati'ons)Basis *f*, Stützpunkt *m*. **4.** *fig.* Basis *f*, Grundlage *f*: ~ **of discussion** Diskussionsgrundlage; ~ **of comparison** Vergleichsbasis; **to form** (*od.* **lay**) **the** ~ **of s.th.** den Grund zu etwas legen; **to take as a** ~ *etwas* zugrunde legen. **5.** *math.* a) Grund-, Basisfläche *f*, b) Grundlinie *f*, Basis *f*.

bask [*Br.* bɑːsk; *Am.* bæ(ː)sk] *v/i* **1.** sich (wohlig) wärmen, sich aalen *od.* sonnen (*a. fig.*): **to** ~ **in the sun** ein Sonnenbad nehmen; **to** ~ **in s.o.'s admiration** *fig.* sich in j-s Bewunderung sonnen. **2.** *fig.* (**in**) schwelgen (in *dat*), genießen (*acc*).

bas·ket [*Br.* 'bɑːskit; *Am.* 'bæ(ː)s-] **I** *s* **1.** Korb *m* (*a. als Maß*): **the pick of the** ~ das Beste *od.* Feinste; **what's left in the** ~ was übrigbleibt, der schäbige Rest; → **egg**[1] 1. **2.** Korb(voll) *m*: **a** ~ **of potatoes.** **3.** *Basketball*: a) Korb *m*, b) Treffer *m*, Korb *m*. **4.** *mil.* Säbelkorb *m*. **5.** *aer.* (Passa'gier)Korb *m*, Gondel *f*. **6.** *bes. Bergbau*: Fördergefäß *n*. **7.** (Typen)Korb *m* (*der Schreibmaschine*). **II** *v/t* **8.** in e-n Korb *od.* in Körbe legen, ein-, verpacken. '~ˌ**ball** *s sport* Basketball *m* (*ein Korbballspiel; a. der dabei verwendete Ball*). ~ **cart** *s* Korb *m* mit Fahrgestell (*in Selbstbedienungsläden etc*). ~ **case** *s* 'Arm- u. 'BeinampuˌtierteΓ(r *m*) *f*. ~ **chair** *s* Korbsessel *m*. ~ **din·ner** *s Am.* Picknick *n*.

bas·ket·ful [*Br.* 'bɑːskitfəl; -ful; *Am.* 'bæ(ː)s-] *s* Korb(voll) *m*.

bas·ket| han·dle *s* **1.** Korbhenkel *m*. **2.** *a.* ~ **arch** *arch.* Korbhenkel-, Stichbogen *m*. ~ **hilt** *s* Säbelkorb *m*. ~ **lunch** *s Am.* Picknick *n*. ~ **mak·er** *s* **1.** Korbmacher *m*. **2.** **B**~ **M**~ Korbflechter *m* (*prähistorischer Bewohner der südwestl. USA u. angrenzender Gebiete Mexikos*). ~ **o·sier** *s bot.* Korbweide *f*.

bas·ket·ry [*Br.* 'bɑːskitri; *Am.* 'bæ(ː)s-] *s* Korbwaren *pl*.

bask·ing shark [*Br.* 'bɑːskiŋ; *Am.* 'bæ(ː)s-] *s ichth.* Riesenhai *m*.

bas·oid ['beisɔid] *agr.* **I** *adj* al'kalisch. **II** *s* al'kalischer Boden.

Basque [bæsk] **I** *s* **1.** Baske *m*, Baskin *f*. **2.** *ling.* Baskisch *n*, das Baskische. **3.** **b**~ kurzes Verlängerungsstück des Mieders. **4.** **b**~ (*Art*) Schoßjacke *f*. **II** *adj* **5.** baskisch.

bas-re·lief [ˌbɑːri'liːf; 'bæs-] *s Kunst*: 'Bas-, 'Flachreliˌef *n*.

bass[1] [beis] *mus.* **I** *s* Baß *m*: a) Baßstimme *f* (*e-s Sängers od. e-r Komposition*), b) Baßlage *f*, c) Baßsänger *m*, -spieler *m*, Bas'sist *m*, d) 'Baßinstruˌment *n*, *bes.* Streich-, Kontrabaß *m*, e) (Chor)Baß *m* (*Stimmgruppe*). **II** *adj* tief, Baß...

bass[2] [bæs] *pl* '**bass·es**, *bes. collect.* **bass** *s ichth.* (Fluß- *od.* See)Barsch *m*.

bass[3] [bæs] *s* **1.** (Linden)Bast *m*. **2.** → **basswood.** **3.** Bastmatte *f*.

'**bass|-ˌbar** [beis] *s mus.* (Baß)Balken

m. ~ **clef** *s mus.* Baßschlüssel *m.* ~ **con·trol** *s Radio*: Baßregler *m.* ~ **drum** *s mus.* große Trommel.
bas·set[1] ['bæsit] *s zo.* Dachshund *m.*
bas·set[2] ['bæsit] *Bergbau*: **I** *s* Ausgehendes *n* e-s Flözes. **II** *adj* (zu Tage) ausgehend.
bas·set[3] ['bæsit] *s* Bas'setspiel *n* (*im 18. Jh. beliebtes Kartenspiel*).
bas·set| horn *s mus.* Bas'setthorn *n.* ~ **hound** → basset[1].
bass horn [beis] *s mus.* **1.** Baßtuba *f.* **2.** (Englisch)Baßhorn *n.*
bas·si·net [ˌbæsi'net; 'bæsiˌnet] *s* a) Korbwiege *f*, b) Korbkinderwagen *m* (*mit Verdeck*), c) *Am.* Korbkindertrage *f.* [*bes. c.*]
bas·so ['bæsou; 'bɑːsou] → bass[1] I,
bas·soon [bə'suːn; bə'zuːn; 'bæ-] *s mus.* Fa'gott *n.* **bas'soon·ist** *s* Fagot'tist *m.*
bas·so| pro·fun·do ['bæsou pro'fʌndou] *s mus.* tiefer Baß (*Stimme od. Sänger*). ˌ**~-re'lie·vo** [-ri'liːvou] *pl* **-vos** → bas-relief.
bass| trom·bone [beis] *s mus.* 'Baßpoˌsaune *f.* ~ **vi·ol** *s mus.* **1.** Gambe *f.* **2.** (*fälschlich*) Kontrabaß *m.*
'bassˌwood ['bæs-] *s bot.* **1.** (*bes.* Schwarz)Linde *f.* **2.** Linde(nholz *n*) *f.*
bast [bæst] *s* **1.** *bot.* Bast *m.* **2.** Bastmatte *f.*
bas·tard ['bæstərd] **I** *s* **1.** Bastard *m*: a) Bankert *m*, uneheliches Kind, b) *biol.* Mischling *m.* **2.** *fig.* a) (*etwas*) Unechtes, Fälschung *f*, b) ‚Monstrum' *n*, ‚'Wahnsinnsproˌdukt' *n.* **3.** *vulg.* a) *contp.* ‚Schwein' *n*, ‚Scheißkerl' *m*, b) *iro.* ‚alter Knochen *od.* Gauner', c) Kerl *m*, Bursche *m*: a fine ~; the poor ~. **4.** unreiner, grober Braunzucker. **II** *adj* **5.** unehelich, na'türlich. **6.** *biol.* Bastard..., Mischlings..., falsch. **7.** *fig.* falsch, unecht, verfälscht, Bastard..., Zwitter..., Pseudo... **8.** *fig.* ab'norm, von der Norm abweichend: ~ size *tech.* Abmaß *n*, Maßabweichung *f.*
bas·tard| a·ca·cia *s bot.* Ro'binie *f*, Falsche A'kazie. ~ **file** *s tech.* Bastard-, Vorfeile *f.*
bas·tard·ize ['bæstərˌdaiz] **I** *v/t* **1.** *jur.* für unehelich erklären. **2.** verfälschen, -derben. **3.** entarten lassen. **II** *v/i* **4.** entarten. **'bas·tardˌized** *adj* entartet, Mischlings..., Bastard...
bas·tard| ribs *s pl anat.* kurze, falsche Rippen *pl.* ~ **rock·et** *s bot.* Ackersenf *m.* ~ **slip** → bastard 1 a. ~ **ti·tle** *s print.* Schmutztitel *m.* ~ **type** *s print.* Schrift *f* auf anderem Kegel.
bas·tar·dy ['bæstərdi] *s* uneheliche Geburt: ~ procedure Verfahren *n* zur Feststellung der (unehelichen) Vaterschaft u. Unterhaltspflicht.
baste[1] [beist] *v/t* **1.** (ver-, 'durch)prügeln, (ver)hauen. **2.** *fig.* schelten, beschimpfen, 'herfallen über (*j-n*).
baste[2] [beist] *v/t* **1.** *e-n Braten etc* mit Fett begießen. **2.** *den Docht der Kerze* mit geschmolzenem Wachs begießen.
baste[3] [beist] *v/t* (an)heften.
bas·ti·na·do [ˌbæsti'neidou] *pl* **-does I** *s* Basto'nade *f* (*Stockschläge auf die Fußsohlen*). **II** *v/t j-m* die Basto'nade geben. [Prügel *pl.*]
bast·ing ['beistiŋ] *s sl.* (Tracht *f*)
bas·tion ['bæstiən; -tʃən] *s mil.* Basti'on *f*, Ba'stei *f*, Bollwerk *n* (*a. fig.*).
bat[1] [bæt] **I** *s* **1.** *bes. Baseball u. Krikket*: Schlagholz *n*, Schläger *m*: to carry one's ~ (*Kricket*) noch im Spiel sein; off one's own ~ *fig.* selbständig, ohne fremde Hilfe, auf eigene Faust; right off the ~ *colloq.* auf Anhieb, prompt. **2.** *Tennis, Tischtennis*: Schläger *m.* **3.** Schläger *m* (*Spieler*). **4.** Schlagen *n*: to be at (the) ~ → 11 b; to go to ~ for s.o. a) (*Baseball*) für j-n einspringen, b) *fig.* → 12. **5.** Knüttel *m*, Keule *f*, Stock *m.* **6.** *colloq.* Stockhieb *m.* **7.** *tech.* Schlegel *m.* **8.** *Br. colloq.* Tempo *n*: at a rare ~ mit e-m ‚Affenzahn'. **9.** *Am. sl.* Saufe'rei *f*, ‚Bierreise' *f*: to go on a ~ auf den Bummel gehen, ‚auf die Pauke hauen'. **II** *v/t* **10.** *bes. den Ball* schlagen: to ~ s.th. around *Am. colloq.* etwas ‚bequatschen' *od.* diskutieren; to ~ s.th. out *Am. colloq.* etwas ‚hinhauen' (*schnell schreiben etc*); → batting 2. **III** *v/i* **11.** *sport* a) mit dem Schlagholz (den Ball) schlagen, b) am Schlagen *od.* dran sein. **12.** (to go to) ~ for *fig.* für *j-n* eintreten *od.* e-e Lanze brechen. **13.** ~ around *Am. colloq.* sich her'umtreiben.
bat[2] [bæt] *s* **1.** *zo.* Fledermaus *f*: to be as blind as a ~ stockblind sein; to have ~s in the belfry ‚e-n Vogel haben', verrückt sein. **2.** B~ *aer. mil.* radargelenkte Gleitbombe. **3.** ‚Nutte' *f*, ‚Schnepfe' *f* (*Prostituierte*).
bat[3] [bæt] *pret u. pp* **'bat·ted** *v/t* mit (*den Augen*) blinzeln *od.* zwinkern: to ~ the eyes; without ~ting an eyelid ohne mit der Wimper zu zucken; I never ~ted an eyelid ich habe (*bei Nacht*) kein Auge zugetan.
bat[4] [bɑːt; bæt] *s Br. Ind. colloq.* Jar'gon *m* der Eingeborenen (*ursprünglich Indiens*): to sling the ~ *mil. Br. sl.* die (Umgangs)Sprache der Einheimischen sprechen.
ba·ta·ta [bɑː'tɑːtə] *s bot.* Ba'tate *f*, 'Süßkarˌtoffel *f.*
Ba·ta·vi·an [bə'teiviən] **I** *adj* **1.** ba'tavisch. **2.** holländisch. **II** *s* **3.** Ba'tavier(in). **4.** Holländer(in).
batch [bætʃ] **I** *s* **1.** Schub *m* (*auf einmal gebackene Menge Brot*): a ~ of bread ein Schub Brot. **2.** Schub *m*, Schwung *m*: a) Gruppe *f* (*von Personen*): a ~ of prisoners ein Trupp Gefangener, b) Schicht *f*, Satz *m* (*Muster etc*), Stapel *m*, Stoß *m* (*Briefe etc*), Par'tie *f*, Posten *m* (*gleicher Dinge*): in ~es, ~wise schubweise. **3.** *tech.* a) in 'einem Arbeitsgang erzeugte Menge, Schub *m*, b) für 'einen Arbeitsvorgang erforderliches Materi'al, Satz *m*, Charge *f*, Füllung *f*, *z. B. Gießerei*: (Beschickungs)Schicht *f*, *Glasfabrikation*: (Glas)Satz *m.* **II** *v/t* **4.** schub- *od.* stoßweise verarbeiten *od.* zumessen, in Schübe *od.* Gruppen einteilen.
bate[1] [beit] **I** *v/t* **1.** *fig.* schwächen, vermindern, *j-s Neugier etc* mäßigen, *e-e Forderung, Hoffnung etc* her'absetzen, *den Atem* anhalten: with ~d breath mit verhaltenem Atem, gespannt. **2.** *obs.* a) *etwas* ausnehmen: → bating, b) berauben. **II** *v/i* **3.** sich vermindern, abnehmen.
bate[2] [beit] *Gerberei*: **I** *s* Beizbrühe *f*, Ätzlauge *f.* **II** *v/t* in die Beizbrühe legen. [(*Falke od. fig. Person*).]
bate[3] [beit] *v/i* (*unruhig*) um'herflattern
bate[4] [beit] *s Br. sl.* Wut *f.*
ba·teau [bæ'tou] *pl* **-teaux** [-'touz] *s Canad. Am.* leichtes langes Flußboot. ~ **bridge** *s* Pontonbrücke *f.*
bate·ment ['beitmənt] *s arch.* Maßwerk *n*: ~ light Maßwerklichte *f.*
Bath[1] [*Br.* bɑːθ; *Am.* bæ(ː)θ] *npr* Bath *n* (*Stadt u. Badeort in England*): go to ~! *Br. sl.* ‚hau ab'!, geh los!
bath[2] [*Br.* bɑːθ; *Am.* bæ(ː)θ] **I** *pl* **baths** [-ðz] *s* **1.** (Wannen)Bad *n*: to have (*od.* take) a ~ → 9. **2.** Badewasser *n.* **3.** (Bade)Wanne *f.* **4.** Bad *n*, Badezimmer *n.* **5.** *meist pl* Bad *n*: a) Badeanstalt *f*, b) Heil-, Kurbad *n*, Badeort *m.* **6.** *chem. phot.* a) Bad *n* (*Behandlungsflüssigkeit*), b) Behälter *m dafür*: fixing ~ Fixierbad. **7.** the (Order of the) B~ *Br.* der Bathorden: Knight of the B~ Ritter *m* des Bathordens; Knight Commander of the B~ Komtur *m* des Bathordens. **II** *v/t* **8.** *ein Kind etc* baden. **III** *v/i* **9.** baden, ein Bad nehmen.
Bath| brick *s* Putzstein *m.* ~ **bun** *s ein überzuckertes Hefegebäck.* ~ **chair** *s* Rollstuhl *m* (*für Kranke*). ~ **chap** *s* (*eingepökelte*) Schweinebacke.
bathe [beið] **I** *v/t* **1.** *a. das Auge, e-e Wunde etc* baden, in Wasser tauchen: to ~ o.s. → 6. **2.** waschen. **3.** befeuchten, benetzen. **4.** *fig.* baden, (ein)tauchen (in in *acc*): ~d in sunlight (in sweat) in Sonne (in Schweiß) gebadet; ~d in tears in Tränen aufgelöst. **5.** *poet.* bespülen. **II** *v/i* **6.** (sich) baden, ein Bad nehmen. **7.** baden, schwimmen. **8.** (Heil)Bäder nehmen. **9.** *fig.* sich baden, eingetaucht *od.* versunken sein, *a.* schwelgen (in in *dat*). **III** *s* **10.** *bes. Br.* Bad *n* (*im Freien*): to have a ~ → 7.
ba·thet·ic [bə'θetik] *adj* **1.** trivi'al, platt. **2.** kitschig. **3.** voll von falschem Pathos.
'bathˌhouse *s* **1.** *Am.* Bad *n*, Badeanstalt *f.* **2.** 'Umkleidekaˌbinen *pl.*
bath·ing ['beiðiŋ] *s* Baden *n.* ~ **beau·ty,** ~ **belle** *s colloq.* Badeschönheit *f.* ~ **cos·tume,** ~ **dress** *s* 'Badekoˌstüm *n*, -anzug *m.* ~ **gown** *s* Bademantel *m.* ~ **ma·chine** *s* Badekarren *m* (*fahrbare Umkleidekabine*). ~ **suit** *s* Badeanzug *m.* ~ **wrap** *s* Badetuch *n*, -mantel *m.*
Bath met·al *s metall.* Tombak *m.*
Bath Ol·i·ver [*Br.* bɑːθ 'ɒlivər; *Am.* bæ(ː)θ] *s Br.* (*ein*) Keks *m*, *n.*
ba·thom·e·ter [bə'θɒmitər] *s* Batho'meter *n*, (Meeres)Tiefenmesser *m* (*Gerät*), Tiefseelot *n.*
Bath·o·ni·an [*Br.* bɑː'θouniən; *Am.* bæ(ː)-] **I** *s* Bewohner(in) von Bath (*England*). **II** *adj* aus *od.* von Bath.
'batˌhorse *s mil.* Packpferd *n.*
ba·thos ['beiθɒs] *s* **1.** 'Übergang *m* vom Erhabenen zum Lächerlichen *od.* Trivi'alen. **2.** Gemeinplatz *m*, Plattheit *f.* **3.** falsches Pathos. **4.** Schnulzenhaftigkeit *f.* **5.** Null-, Tiefpunkt *m.* **6.** Enttäuschung *f.* [paˌpier.]
Bath| pa·per, ~ **post** *s* feines 'Brief-
'bath|ˌrobe *s Am.* Bademantel *m.* **'~ˌroom** *s* **1.** Badezimmer *n.* **2.** Toi'lette *f.* ~ **salts** *s pl* Badesalz *n.* **B~ stone** *s geol.* Muschelkalkstein *m.* ~ **tub** *s* Badewanne *f.* [see...]
bath·y·al ['bæθiəl] *adj* bathy'al, Tief-
ba·thym·e·try [bə'θimitri] *s* **1.** Tiefenmessung *f.* **2.** Tiefseemessung *f.*
bath·y·scaphe ['bæθiˌskeif] *s* Bathy'skaph *m*, *n* (*Tiefseetauchgerät*).
bath·y·sphere ['bæθiˌsfir] *s tech.* Tiefsee-Taucherkugel *f.*
ba·tik ['bætik; bə'tiːk] *s* **1.** Batik(druck) *m.* **2.** gebatikter Stoff.
bat·ing ['beitiŋ] *prep* abgerechnet, abgesehen von, ausgenommen.
ba·tiste [bæ'tiːst] *s* Ba'tist *m.*
bat·man ['bætmən] *s irr mil. Br.* Offi'ziersbursche *m*, Putzer *m.*
ba·ton ['bætən; bæ'tɒn; bɑ'tõ] *s* **1.** (Amts-, Kom'mando)Stab *m*: Field Marshal's ~ Marschall(s)stab. **2.** *mus.* Taktstock *m*, (Diri'genten)Stab *m.* **3.** *sport* (Staffel)Stab *m*: ~ changing Stabwechsel *m.* **4.** *Br.* kurzer Stock,

(Poli'zei)Knüppel *m.* **5.** *her.* (schmaler) Schrägbalken. **6.** *Am.* a) langes Brot, b) Käsestange *f.* '**ba·toned** *adj* **1.** mit e-m Knüppel ausgerüstet (*Polizist*). **2.** *her.* mit e-m Schrägbalken (versehen).

ba·tra·chi·an [bə'treikiən] *zo.* **I** *adj* frosch-, krötenartig. **II** *s* Ba'trachier *m*, Froschlurch *m.*

bats [bæts] → batty.

bats·man ['bætsmən] *s irr* **1.** *Kricket, Baseball etc*: Schläger *m*, Schlagmann *m.* **2.** *aer. Am. sl.* Einwinker *m.*

bats·wing burn·er ['bætswiŋ] *s tech.* Fledermausbrenner *m.* [*n* (*a. fig.*).]

bat·tal·ion [bə'tæljən] *s mil.* Batail'lon

bat·tel·er ['bætlər] *s* **1.** Teilnehmer *m* an den Collegemahlzeiten. **2.** *hist. Student, der sein Essen vom Koch bezog, ohne am gemeinsamen Mahl teilzunehmen.* '**bat·tels** [-lz] *s pl univ. Br.* Collegerechnung *f* für Lebensmittel u. sonstige Einkäufe (*Oxford*).

bat·ten[1] ['bætn] **I** *v/i* **1.** (on) fett werden (von), gedeihen (durch) (*a. fig.*). **2.** *a. fig.* (on) sich mästen (mit), sich gütlich tun (an *dat*): to ~ on others sich auf Kosten anderer bereichern. **3.** *fig.* sich weiden (on an *dat*), schwelgen (in in *dat*). **II** *v/t* **4.** mästen (on mit).

bat·ten[2] ['bætn] **I** *s* **1.** Latte *f*, Leiste *f.* **2.** *mar.* a) achteres Schalstück (*der Rahen*), b) Per'senningsleiste *f*: ~ of the hatch Schalkleiste *f.* **3.** Diele *f*, (Fußboden)Brett *n.* **4.** *Weberei*: Lade *f.* **II** *v/t* **5.** *a.* ~ down, ~ up (mit Latten) verkleiden *od.* befestigen. **6.** *mar.* verschalken: to ~ down the hatches die Luken schalken, *fig.* dicht machen.

bat·ter[1] ['bætər] **I** *v/t* **1.** heftig *od.* wieder'holt schlagen *od.* stoßen (gegen). **2.** *a.* ~ down zerschlagen, -schmettern (*a. fig.*): to ~ in einschlagen, -beulen. **3.** *mil.* bombar'dieren (*a. fig.*), beschießen: to ~ down zs.-schießen. **4.** a) abnutzen, beschädigen, zerbeulen, b) *a. fig.* arg mitnehmen, böse zurichten: → battered. **II** *v/i* **5.** heftig *od.* wieder'holt schlagen *od.* stoßen (upon gegen, auf *acc*; at an *acc*): to ~ at the door gegen die Tür hämmern. **III** *s* **6.** geschlagener, dünner Eierteig, Rührteig *m.* **7.** *print.* beschädigte Type, de'fekter Schriftsatz.

bat·ter[2] ['bætər] *arch.* **I** *v/i* sich nach oben verjüngen (*Mauer*). **II** *v/t* einziehen, verjüngen. **III** *s* Böschung *f*, Verjüngung *f*, Abdachung *f.*

bat·ter[3] ['bætər] → batsman.

'**bat·ter,cake** *s Am.* (*Art*) Eierkuchen *m.*

bat·tered ['bætərd] *adj* **1.** zerschmettert, -schlagen. **2.** a) abgenutzt, zerbeult, b) *a. fig.* arg mitgenommen, übel zugerichtet.

bat·ter·ing ['bætəriŋ] *adj mil. hist.* a) Sturm..., Angriffs..., b) Belagerungs... '~-,**ram** *s mil. hist.* (Belagerungs)Widder *m*, Sturmbock *m.*

bat·ter rule *s tech.* Bleilot *n.*

bat·ter·y ['bætəri] *s* **1.** *mil. hist.* Angriff *m* (*mit dem Sturmbock etc*). **2.** *jur.* tätlicher Angriff, tätliche Beleidigung, *a.* Körperverletzung *f.* **3.** *mil.* a) *Am.* Batte'rie *f*, b) *Br.* Artille'rieab,teilung *f*, -batail,lon *n*, c) *mar.* Geschützgruppe *f.* **4.** *mil. Am.* Schußbereitschaft *f* (*e-s Gewehrs*): in ~ schußfertig. **5.** *electr.* Batte'rie *f.* **6.** Batte'rie *f* (*von Flaschen, Scheinwerfern, Maschinen etc*), *a. opt.* Reihe *f*, Satz *m*, *opt.* 'Linsen- u. 'Prismensy,stem *n.* **7.** *fig.* Batte'rie *f*, Phalanx *f*, Reihe *f.* **8.** *Baseball*: *collect.* Werfer *m* u. Fänger *m* (*zusammen*). **9.** *mus. colloq.* Schlagzeug *n.* **10.** *psych.* Test(reihe *f*) *m.* ~ **ac·id** *s electr.* Akkumula'toren-, Sammlersäure *f.* ~ **cell** *s* Sammlerzelle *f*, Batte'rieele,ment *n.* ~ **charg·er** *s* (Batte'rie)Ladesatz *m*, -gerät *n.* '~-,**charg·ing sta·tion** *s* Batte'rieladestelle *f.* ~ **e·lim·i·na·tor** *s* 'Netzan,ode *f.* '~-,**fed** → battery-operated. ~ **ig·ni·tion** *s mot.* Batte'riezündung *f.* '~-'**op·er,at·ed** *adj* batte'riegespeist, -betrieben, Batterie...

bat·tik → batik.

bat·ting ['bætiŋ] *s* **1.** Schlagen *n* (*bes. von Rohbaumwolle zu Watte*). **2.** *Kricket, Baseball etc*: Schlagen *n*, Schlägerspiel *n*: ~ average *sport u. fig.* Durchschnitt(sleistung *f*) *m.* **3.** (Baumwoll)Watte *f.*

bat·tle ['bætl] **I** *v/i* **1.** *bes. fig.* kämpfen, streiten, fechten (with mit; for um; against gegen): to ~ it (out) es auskämpfen. **II** *v/t* **2.** *Am.* kämpfen gegen, bekämpfen (*a. fig.*). **III** *s* **3.** Schlacht *f* (of *meist* bei), *a.* Gefecht *n*: ~ of Britain (Luft)Schlacht um England (*2. Weltkrieg*); line of ~ Schlacht-, Gefechtslinie *f*; ~ of words Wortgefecht. **4.** *fig.* Kampf *m*, Ringen *n*, Schlacht *f* (for um). **5.** Zweikampf *m*: trial by ~ *hist.* Gottesurteil *n* durch Zweikampf; ~ of wits *fig.* geistiges Duell. **6.** *mil. hist.* a) Heer *n*, Schlachtreihe *f* (*a. fig.*), b) *a.* main ~ Haupttreffen *n.*

Besondere Redewendungen:

to do ~ kämpfen, sich schlagen; to fight s.o.'s ~ j-s Sache verfechten; to give (*od.* join) ~ sich zum Kampf stellen, e-e Schlacht liefern; to have the ~ den Sieg davontragen; the ~ is to the strong der Sieg gehört den Starken; that is half the ~ das ist schon ein großer Vorteil, damit ist es schon halb gewonnen; a good start is half the ~ frisch gewagt, ist halb gewonnen.

bat·tle| ar·ray → battle order 1. '~-,**ax(e)** *s* **1.** *mil. hist.* a) Streitaxt *f*, b) Helle'barde *f.* **2.** *colloq.* alter ,Drachen' (*bösartige Frau*). ~ **clasp** *s mil.* Erinnerungsspange *f* (*für Schlachtteilnehmer*). ~ **cruis·er** *s mar.* Schlachtkreuzer *m.* ~ **cry** *s* Schlachtruf *m* (*a. fig.*).

bat·tle·dore ['bætl,dɔːr] *s* **1.** Waschschlegel *m.* **2.** *sport* a) Federballschläger *m*, b) *a.* ~ and shuttlecock Federballspiel *n.* **3.** Bäckerschaufel *f.* **4.** *obs.* (Kinder)Fibel *f.*

bat·tle| dress *s mil. Br.* Dienst-, Feldanzug *m* (*Uniform*). ~ **fa·tigue** *s mil. psych.* 'Kriegsneu,rose *f.* '~,**field,** '~,**ground** *s* Schlachtfeld *n* (*a. fig.*).

bat·tle·ment ['bætlmənt] *s mil.* (Brustwehr *f* mit) Zinnen *pl.* '**bat·tle,ment·ed** [-,mentid] *adj* mit Zinnen (versehen).

bat·tle| or·der *s mil.* **1.** Schlachtordnung *f*, Gefechtsgliederung *f.* **2.** Gefechtsbefehl *m.* ~ **piece** *s* Schlachtenszene *f* (*in Malerei, Literatur etc*). '~,**plane** *s aer. mil.* Frontflugzeug *n.* ~ **roy·al** *s* **1.** Handgemenge *n*, ,Massenschläge'rei *f*, *a.* Kampf *m* aller gegen alle. **2.** *a. fig.* erbitterter Kampf, Schlacht *f.* '~,**ship** *s mar.* Schlacht-, Linienschiff *n.* ~ **sight** *s mil.* 'Standvi,sier *n.* ~ **star** *s mil. Am.* Erinnerungsabzeichen *n* (*für Schlachtteilnehmer*). '~,**wag·(g)on** *s mil. sl.* **1.** *mar.* ,großer Pott', Schlachtschiff *n.* **2.** *aer.* schwerer Bomber. [Wieder'holung.]

bat·tol·o·gy [bə'tɒlədʒi] *s* unnötige

bat·tue [bæ'tuː; bæ'tjuː] *s* **1.** Treibjagd *f* (*a. fig.*). **2.** (*auf e-r Treibjagd erlegte*) Strecke. **3.** *fig.* Metze'lei *f.*

bat·ty ['bæti] *adj sl.* ,bekloppt'.

'**bat,wing I** *s* **1.** Fledermausflügel *m.* **2.** *a.* ~ burner *tech.* Fledermaus-, Fächerbrenner *m.* **II** *adj* **3.** Fledermausflügel..., Fächer...

bau·ble ['bɔːbl] *s* **1.** Nippsache *f*, (kleines) Spielzeug, Tand *m.* **2.** *fig.* Spiele'rei *f.* **3.** *obs.* a) Narrenzepter *n*, b) Kindskopf *m*, Narr *m.*

baud [bɔːd] *s electr.* Baud *n* (*Einheit der Telegraphiergeschwindigkeit*).

baulk → balk. [Bau'xit *n.*]

baux·ite ['bɔːksait; 'bouzait] *s min.*

Ba·var·i·an [bə'vɛ(ə)riən] **I** *adj* bay(e)risch. **II** *s* Bayer(in). [Kerl.]

baw·cock ['bɔː,kɒk] *s colloq.* feiner

bawd [bɔːd] *s* Kuppler(in), Bor'dellwirt(in). '**bawd·ry** [-ri] *s obs.* **1.** Kuppe'lei *f.* **2.** Unzucht *f*, Hure'rei *f.* **3.** Unflätigkeit *f*, Zote *f*, Obszöni'tät *f.*

bawd·y ['bɔːdi] **I** *adj* unzüchtig, unflätig, ob'szön. **II** *s* Zoten *pl*: to talk ~ Zoten reißen. '~,**house** *s* Bor'dell *n.*

bawl [bɔːl] **I** *v/t* **1.** *oft* ~ out (her'aus)schreien, (-)brüllen. **2.** ~ out *Am. sl.* *j-n* anbrüllen, ,anschnauzen'. **II** *v/i* **3.** schreien, brüllen: to ~ at s.o. j-n anbrüllen. **4.** *Am.* laut ,flennen' *od.* ,heulen' (*weinen*). **III** *s* **5.** Schrei *m.*

bawn [bɔːn] *s* **1.** befestigter Schloßhof. **2.** (Vieh)Gehege *n* (*in Irland*).

bay[1] [bei] *s* **1.** *a.* ~ tree, ~ laurel *bot.* Lorbeer(baum) *m.* **2.** *meist pl* a) Lorbeerkranz *m*, b) *fig.* Lorbeeren *pl.*

bay[2] [bei] *s* **1.** Bai *f*, Bucht *f.* **2.** Talmulde *f.* **3.** *Am.* Prä'riearm *m* (*zwischen Wäldern*).

bay[3] [bei] *s arch.* **1.** Lücke *f*, (*Mauer-, Tür*)Öffnung *f.* **2.** Joch *n*, Fach *n*, Ab'teilung *f* (*zwischen Pfeilern od. Balken*): ~ of a bridge Brückenjoch. **3.** Feld *n*, Kas'sette *f* (*e-r Balkendecke*). **4.** a) Fensternische *f*, b) Erker(fenster *n*) *m.* **5.** Banse(nfach *n*) *f* (*e-r Scheune*). **6.** *aer.* a) Ab'teilung *f* zwischen den Streben u. Schotten, b) (Rumpf)Zelle *f*: → bomb bay. **7.** *mar.* 'Schiffslaza,rett *n.* **8.** *rail.* 'Endstati,on *f* e-r Nebenlinie, Seitenbahnsteig *m.* **9.** *tech.* Gestell *n.*

bay[4] [bei] **I** *v/i* **1.** (dumpf) bellen, Laut geben (*Hund*): to ~ at anbellen (*acc*), *fig.* anschreien (*acc*). **II** *v/t* **2.** anbellen: to ~ the moon. **3.** (*von Jagdhunden*) a) *Wild* stellen, b) jagen, hetzen. **4.** *fig. etwas* ,bellen' *od.* schreien. **5.** *fig.* in Schach halten. **III** *s* **6.** (dumpfes) Gebell (*der Meute*): to be (*od.* stand) at ~ a) gestellt sein (*Wild*), b) *fig.* zum Äußersten *od.* in die Enge getrieben sein, sich verzweifelt zur Wehr setzen; to bring to ~, to hold at ~ a) *Wild* stellen, b) *fig.* in Schach halten, *ein Feuer, e-e Seuche etc* unter Kontrolle halten; to turn to ~ sich stellen (*a. fig.*).

bay[5] [bei] **I** *adj* rötlich-, ka'stanienbraun (*Pferd etc*): ~ horse → II. **II** *s* Braune(r) *m* (*Pferd*). [weih).]

bay[6] [bei] *s zo.* Eissprosse *f* (*am Ge-*

bay·ber·ry ['bei,beri] *s bot.* **1.** Frucht *f* des Lorbeerbaumes. **2.** *Am.* Frucht *f* der Wachsmyrte. **3.** Pi'mentbaum *m.*

'**bay|,gall** *s Am. dial.* mit sumpfigem Boden u. verfilzten Pflanzenfasern bedeckte Landstrecke. ~ **ice** *s mar.* junges Eis (*in Buchten der Arktis*). ~ **leaf** *s irr* Lorbeerblatt *n.*

bay·o·net ['beiənit] *mil.* **I** *s* **1.** Bajo'nett *n*, Seitengewehr *n*: to take (*od.* carry) at the point of the ~ mit dem Bajonett *od.* im Sturm nehmen; the ~ at the charge mit gefälltem Bajonett;

to fix the ~ das Bajonett aufpflanzen. **2.** the ~(s) *fig.* die Sol'daten *pl*: 5000 ~s 5000 Mann Infanterie. **II** *v/t* **3.** mit dem Bajo'nett angreifen *od.* erstechen. ~ **catch** → bayonet joint. ~ **fenc·ing** *s* Bajo'nettfechten *n.* ~ **joint** *s tech.* Bajo'nettverschluß *m.* ~ **sock·et** *s tech.* Bajo'nettfassung *f.*

bay·ou ['baiuː; -ou] *s Am.* **1.** Altwasser *n*, Ausfluß *m* aus e-m See. **2.** sumpfiger Flußarm.

bay| rum *s* Bayrum *m*, Pi'mentrum *m.* ~ **salt** *s* Seesalz *n.* **B~ State** *s Am.* (*Beiname für den Staat*) Massa'chusetts *n.* ~ **win·dow** *s* **1.** Erkerfenster *n.* **2.** *Am. humor.* ‚Vorbau' *m*, Bauch *m.* '~ˌ**wood** *s* Kam'pescheholz *n.* '~ˌ**work** *s arch.* Fachwerk *n.*

ba·zaar, *a.* **ba·zar** [bəˈzɑːr] *s* **1.** Ba'sar *m*, Markt *m* (*im Orient*). **2.** *econ.* Kaufhaus *n.* **3.** ('Wohltätigkeits)Baˌsar *m.*

ba·zoo·ka [bəˈzuːkə] *s* **1.** *mil.* a) (Ra'keten)Panzerbüchse *f*, Panzerschreck *m*, b) *aer.* Ra'ketenabschußvorrichtung *f* (*unter den Tragflächen*). **2.** *Radio*: *sl.* Symme'trierkopf *m.*

B bat·ter·y *s electr.* An'odenbatteˌrie *f.*

BB gun *s Am. colloq.* Luftgewehr *n.*

bdel·li·um ['deliəm] *s* **1.** *a.* ~ **shrub** *bot.* (*ein*) Balsamstrauch *m.* **2.** *chem.* Bdellium *n* (*Gummiharz von* 1). **3.** *Bibl.* Be'dellion *n.*

be [biː] *1. sg pres* **am** [æm], *2. sg pres* **are** [ɑːr], *obs.* **art** [ɑːrt], *3. sg pres* **is** [iz], *pl pres* **are** [ɑːr], *1. u. 3. sg pret* **was** [wɒz], *2. sg pret* **were** [wəːr], *pl pret* **were** [wəːr], *pp* **been** [biːn; bin], *pres p* **be·ing** ['biːiŋ] **I** *v/aux* **1.** sein (*mit dem pp zur Bildung der zs.-gesetzten Zeiten von intransitiven Verben zur Bezeichnung e-s dauernden Zustandes*): **he has gone** er ist gegangen; **he is gone** er ist weg; **I have come** ich bin gekommen; **I am come** ich bin da. **2.** werden (*mit dem pp zur Bildung des pass*): **the register was signed** das Protokoll wurde unterzeichnet; **I was told** man hat mir *od.* mir wurde gesagt; **I am forbidden to drink** es ist mir verboten zu trinken; **we were appealed to** man wandte sich an uns; **you will be sent for** man wird Sie holen lassen. **3.** (*mit* to *u. inf*) sollen, müssen, dürfen, können: **he is to be pitied** er ist zu bedauern; **he is to die** er muß *od.* soll sterben; **it is to be hoped** es ist zu hoffen, man kann *od.* darf *od.* muß hoffen; **it is not to be seen** es ist nicht zu sehen; **he was to become a great writer** er sollte ein großer Schriftsteller werden; **it was not to be** es sollte nicht sein *od.* sich nicht erfüllen; **if I were to die** wenn ich sterben sollte. **4.** (*mit dem pres p e-s anderen Verbums zur Bildung der umschriebenen Formen* [*continuous od. progressive form*]): **he is reading** er liest (eben *od.* gerade), er ist beim Lesen; **he was working when the teacher entered** er arbeitete (gerade), als der Lehrer hereinkam; **the house is building** *od.* **is being built** das Haus wird gerade gebaut *od.* ist im Bau. **5.** (*zum Ausdruck der nahen Zukunft*): **I am going to Paris tomorrow (next month)** ich gehe *od.* reise morgen (im nächsten Monat) nach Paris. **6.** (*als Kopula*) sein: **he is my father.**

II *v/i* **7.** (*in e-m Zustande od. in e-r Beschaffenheit*) sein, sich befinden, der Fall sein: **be it so, so be it, let it be so** gut so, so sei es; **be it that** gesetzt den Fall (daß); **how is it that ...?** wie kommt es, daß ...?; **it is I** ich bin es; **it is he** er ist es; **to be well** sich wohl befinden, gesund sein; **to be right (wrong)** recht (unrecht) haben. **8.** (vor'handen) sein, bestehen, exi'stieren: **I think, therefore I am** ich denke, also bin ich; **he is no more** er ist (*lebt*) nicht mehr; **there is, there are** es gibt; **there are people who** es gibt Leute, die; **to be or not to be: that is the question** Sein oder Nichtsein, das ist die Frage. **9.** geschehen, stattfinden, vor sich gehen, sein: **when will the meeting be?** wann findet die Versammlung statt? **10.** (*beruflich*) werden: **I'll be an engineer** ich werde Ingenieur (*wenn ich erwachsen bin*). **11.** (*e-e bestimmte Zeit*) her sein: **it is ten years since he died** es ist zehn Jahre her, daß er starb; er starb vor zehn Jahren. **12.** (aus)gegangen sein (*mit Formen der Vergangenheit u. Angabe des Zieles der Bewegung*): **he had been to town** er war in die Stadt gegangen; **he had been bathing** er war baden (gegangen); **I won't be long** ich werde nicht lange wegbleiben. **13.** (*mit dem Possessiv*) gehören: **this book is my sister's.** **14.** stammen: **he is from Liverpool** er ist *od.* stammt aus Liverpool. **15.** kosten, zu stehen kommen: **how much are the gloves?** was kosten diese Handschuhe? **16.** bedeuten: **what is that to me?** was kümmert mich das? **17.** *zur Bekräftigung der bejahenden od. verneinenden Antwort*: **are these your horses? yes, they are** gehören diese Pferde Ihnen? Ja.

Besondere Redewendungen:

I am very hot mir ist sehr heiß; **it is they that have seen him** 'sie haben ihn gesehen; **to be an hour in going to ...** e-e Stunde brauchen, um nach ... zu gehen; **has any one been?** *colloq.* ist jemand dagewesen?, hat j-d vorgesprochen?; **how is it that ...?** wie kommt es, daß ...?; **the government that is (was)** die gegenwärtige (vergangene) Regierung; **my wife that is to be** m-e zukünftige Frau; **he is dead, is he not** (*od.* **isn't he**)? er ist tot, nicht wahr?; **he is not dead, is he?** er ist doch nicht (etwa) tot?; **have you been to Rome?** sind Sie (je *od.* schon) in Rom gewesen?; **we have been into the matter** wir haben uns damit befaßt.

beach [biːtʃ] **I** *s* (flacher) (Meeres)-Strand, flaches Ufer: **on the ~** am Strand; **to be on the ~** *sl.* gestrandet *od.* heruntergekommen sein; **to run on the ~** → II a. **II** *v/t mar. ein Schiff* a) auf den Strand laufen lassen, auf den Strand setzen *od.* ziehen, b) stranden lassen. **III** *v/i mar.* (*absichtlich*) auf den Strand laufen, stranden. '~ˌ**comb·er** *s* **1.** a) Strandläufer *m*, Strandguträuber *m*, b) Her'umtreiber *m od.* Gelegenheitsarbeiter *m* (*bes. Weißer auf e-r pazifischen Insel*). **2.** *Am. fig.* Feriengast *m* an der See. **3.** *fig.* Nichtstuer *m.* **4.** breite Strandwelle. '~ˌ**head** *s* **1.** *mil.* Lande-, Brükkenkopf *m.* **2.** *fig.* (Ausgangs)Basis *f.* '~ˌ**mas·ter** *s* **1.** *mar.* 'Strandkommanˌdant *m*, 'Landungsoffiˌzier *m.* **2.** *zo.* männlicher Seehund. ~ **wag·on** *s Am.* Kombiwagen *m.* ~ **wear** *s* Strandkleidung *f.*

beach·y ['biːtʃi] *adj* kieselig.

bea·con ['biːkən] **I** *s* **1.** Leucht-, Si'gnalfeuer *n.* **2.** Leuchtturm *m*, -feuer *n*, (Feuer)Bake *f*, (landfestes) Seezeichen. **3.** *aer.* Funkfeuer *n*, -bake *f*, Leitstrahlsender *m*: ~ **course** (*Radar*) Bakenkurs *m.* **4.** *Br.* (Ausblick)Hügel. **5.** *fig.* a) Fa'nal *n*, b) Leitstern *m* (to, for für). **6.** Verkehrsampel *f od.* -zeichen *n.* **II** *v/t* **7.** *mar.* mit Baken markieren. **8.** *bes. fig.* erleuchten. **9.** *fig.* j-m leuchten. **III** *v/i* **10.** wie ein Leuchtfeuer scheinen.

bead [biːd] **I** *s* **1.** (Glas-, Holz-, Stick)-Perle *f.* **2.** *relig.* a) Rosenkranzperle *f*, b) *pl* Rosenkranz *m*: **to tell one's ~s** den Rosenkranz beten. **3.** (Schaum)-Bläs-chen *n*, (*Tau-, Schweiß- etc*)-Perle *f*, Tröpfchen *n.* **4.** (*Blei- etc*)Kügelchen *n.* **5.** *arch.* a) perlartige Verzierung, Perle *f*, b) *pl* → **beading** 2. **6.** *tech.* Wulst *m*, Randversteifung *f*, *bes.* a) (e'lastischer) Wulst (*Gummireifen*), b) Schweißnaht *f*, c) Bördelrand *m*, d) (Borax)Perle *f* (*vor dem Lötrohr*): ~ **of rim** Felgenrand *m.* **7.** *meist* ~ **sight** *mil. Am.* (Perl)Korn *n* (*am Gewehr*): **to draw** (*od.* **take**) **a ~ on** zielen auf (*acc*). **II** *v/t* **8.** mit Perlen *od.* perlartiger Verzierung *etc* versehen. **9.** (*wie Perlen*) aufziehen, -reihen. **10.** *tech.* bördeln, falzen. **III** *v/i* **11.** perlen, Perlen bilden.

bead·ed ['biːdid] *adj* **1.** mit Perlen (versehen *od.* verziert). **2.** perlschnurförmig. **3.** *tech.* mit Wulst. ~ **screen** *s tech. Film*: Perlwand *f*, Kri'stall-Projektiˌonsleinwand *f.* ~ **tire,** ~ **tyre** *s tech.* Wulstreifen *m.*

'**beadˌhouse** *s* **1.** *obs.* Gebetshaus *n.* **2.** *hist.* Armenhaus *n* (*dessen Insassen für die Stifter beten mußten*).

bead·ing ['biːdiŋ] *s* **1.** ˌPerlsticke'rei *f.* **2.** *bes. arch.* Perl-, Rundstab(verzierung *f*) *m.* **3.** *tech.* a) Wulst *m*, b) Bördelrand *m.* ~ **ma·chine** *s tech.* 'Sickenmaˌschine *f.* ~ **plane** *s tech.* Rundhobel *m.*

bea·dle ['biːdl] *s* **1.** *bes. Br.* Kirchendiener *m.* **2.** → bedel(l). **3.** *obs.* Gerichtsdiener *m*, Büttel *m.* '**bea·dle·dom,** '**bea·dleˌhood** *s* büttelhaftes Wesen, Pedante'rie *f.*

bead| mo(u)ld·ing *s arch.* Perl-, Rundstab *m.* '~ˌ**roll** *s* **1.** *relig. hist.* Liste *f* der Per'sonen, die ins Fürbittgebet mit'eingeschlossen werden sollen. **2.** *fig.* (*Namens- etc*)Verzeichnis *n.* **3.** *relig.* Rosenkranz *m.* **4.** *Buchbinderei*: Punk'tierlinie *f.*

beads|·man ['biːdzmən] *s irr* **1.** *relig. hist.* Fürbitter *m.* **2.** Armenhäusler *m.* '~ˌ**wom·an** *s irr* **1.** Fürbitterin *f.* **2.** Armenhäuslerin *f.*

bead| weld *s tech.* Schweißraupe *f.* '~ˌ**work** *s* **1.** ˌPerlensticke'rei *f*, Perlarbeit *f.* **2.** → **beading** 2.

bead·y ['biːdi] *adj* **1.** perlartig, klein, rund u. glänzend (*Augen*). **2.** perlend.

bea·gle ['biːgl] *s* **1.** Stöber *m*, kleiner Spürhund. **2.** *fig.* Spi'on *m.*

beak[1] [biːk] *s* **1.** *zo.* a) Schnabel *m* (*der Vögel*), b) schnabelartiges Mundwerkzeug (*einiger Tiere*), c) (Stech)-Rüssel *m* (*der Insekten*). **2.** *bot. zo.* Fortsatz *m.* **3.** *fig.* Schnabel *m*, schnabelförmiges Ende. **4.** (scharfe) Nase, ‚Zinken' *m.* **5.** *tech.* a) Tülle *f*, Ausguß *m* (*an e-m Gefäß*), b) Schnauze *f*, Nase *f*, Röhre *f.* **6.** *mar. hist.* Schiffsschnabel *m*, (Ramm)Sporn *m.*

beak[2] [biːk] *s Br. sl.* **1.** (Friedens)Richter *m.* **2.** ‚Pauker' *m* (*Lehrer*).

beaked [biːkt] *adj* **1.** mit (e-m) Schnabel, geschnäbelt, schnabelförmig, Schnabel... **2.** vorspringend, spitz.

beak·er ['biːkər] *s* **1.** Becher *m*, Humpen *m.* **2.** *chem.* Becherglas *n.*

'**beakˌhead** *s* **1.** *mar.* a) Vordeck *n*,

b) *hist.* Schiffsschnabel *m*, Gali'on(s-fi,gur *f*) *n*. **2.** *arch.* Schnabelkopf *m* (*Verzierung an e-m Fries*).

'be-,all *s* (*das*) Ganze: the ~ and (the) end-all das A und O, der Hauptzweck *od.* Inbegriff.

beam [biːm] **I** *s* **1.** *arch.* a) Balken *m*, b) Tragbalken *m*, c) *pl* Gebälk *n*, 'Unterzug *m*: the ~ in one's own eye *Bibl. u. fig.* der Balken im eigenen Auge. **2.** *tech.* a) Brückenbalken *m*, b) Hebebalken *m* (*e-r Zugbrücke*), c) *Weberei*: (Weber)Baum *m*, d) *agr.* Pflugbaum *m*, e) Waagebalken *m*, f) Spindel *f* (*e-r Drehbank*), g) Deichsel *f* (*am Wagen*), h) Holm *m* (*a. aer.*), Querstange *f*, i) Triebstange *f*, Balan'cier *m*: ~ and scales Balkenwaage *f*. **3.** *mar.* a) Deckbalken *m*, b) Ladebaum *m*, c) strong ~, cross ~ (Luken-)Scherstock *m*, d) Ankerrute *f*, e) größte Schiffsbreite: before the ~ im Vorschiff; in the ~ breit, in der Breite (*bei Längenmaßen*); on the starboard ~ querab an Steuerbord. **4.** *zo.* Stange *f* (*am Hirschgeweih*). **5.** *poet.* Baum *m*. **6.** (Licht)Strahl *m* (*a. fig.*), *electr. phys.* Strahl *m*, Bündel *n*: ~ of rays *phys.* Strahlenbündel. **7.** *electr.* a) Peilstrahl *m*, b) (Funk)Leit-, Richtstrahl *m*: to come in on the ~ auf dem Peil- *od.* Leitstrahl ein- *od.* anfliegen (*aer.*) *od.* einkommen (*mar.*); to ride the ~ *aer.* genau auf dem Leitstrahl steuern; off the ~ *sl.* ‚auf dem Holzweg', ‚danebengegangen' (*abwegig*); on the ~ a) auf dem richtigen Kurs, b) *sl.* in Ordnung, ‚auf Draht'.
II *v/t* **8.** mit Balken versehen. **9.** *Weberei*: *die Kette* aufbäumen. **10.** *a. phys.* (aus)strahlen. **11.** *electr.* mit Richtstrahler senden.
III *v/i* **12.** strahlen, glänzen (*a. fig.*): to ~ upon s.o. j-n (*vor Freude*) anstrahlen; → beaming.

beam| a·e·ri·al *s electr.* 'Richt(,strahl)an,tenne *f*, Richtstrahler *m*. ~ **a·lign·ment** *s TV* ('Bündel)Zen,trierung *f*. ~ **an·ten·na** → beam aerial. ~ **ant·lers** *s pl zo.* drittes u. viertes Ende des Hirschgeweihes. ~ **com·pass** *s tech.* Stangenzirkel *m*.

beamed [biːmd] *adj* **1.** (*meist in Zssgn*) mit (e-m) Balken versehen. **2.** *zo.* mit e-m Geweih *od.* Gehörn. **3.** *Radio*: mittels Richtstrahler gesendet.

'beam-'ends *s pl* **1.** Waagebalkenenden *pl*. **2.** *mar.* Balkenköpfe *pl*: the vessel is (laid *od.* thrown) on her ~ das Schiff hat starke Schlagseite *od.* liegt zum Kentern; to be (thrown) on one's ~ *fig.* ‚pleite' sein.

beam·ing ['biːmiŋ] *adj* (*adv* ~ly) *a. fig.* strahlend (with joy vor Freude).

beam| pow·er valve *s electr.* Bremsfeldröhre *f*, 'Strahlte,trode *f*. **'~-,rid·er guid·ance** *s aer.* Leitstrahlsteuerung *f*. ~ **scale** *s tech.* Hebelwaage *f*. ~ **trans·mis·sion** *s Radio*: Richtsendung *f*. ~ **trans·mit·ter** *s Radio*: Richt(strahl)sender *m*. ~ **volt·age** *s electr.* Spannung *f* zwischen An'ode u. Ka'thode (*bei Laufzeitröhren*).

beam·y ['biːmi] *adj* **1.** wuchtig, schwer. **2.** *zo.* mit vollem Geweih (*Hirsch*). **3.** *mar.* breit (*Schiff*). **4.** → beaming.

bean [biːn] *s* **1.** *bot.* Bohne *f*: not to know ~s about it keine Ahnung *od.* keinen ‚Dunst' davon haben; full of ~s *sl.* lebensprühend; to spill the ~s *Am. sl.* alles ausplaudern; I don't care a ~ (*od.* ~s) for that *Am. colloq.* ‚das kann mir gestohlen bleiben'; to give s.o. ~s *sl.* j-m ‚Saures' geben (*schlagen, schelten, strafen etc*). **2.** bohnenartige Pflanze. **3.** bohnenförmiger Samen, (Kaffee- *etc*)Bohne *f*. **4.** *Am. sl.* ‚Birne' *f* (*Kopf*). **5.** *sl.* Geldstück *n*, Pfennig *m*, *Am. a.* Dollar *m*: not to have a ~ ‚keinen roten Heller haben'; ~s ‚Zaster' *m*, ‚Moneten' *pl* (*Geld*). **6.** *Br. sl.* Bursche *m*, Kerl *m*. ~ **curd** *s* 'Bohnengal,lerte *f* (*als Nahrungsmittel in Ostasien*).

bean·er·y ['biːnəri] *s Am. sl.* ‚Stampe' *f* (*billiges Restaurant*).

'bean,feast *s Br.* **1.** Festessen (*das den Arbeitern vom Fabrikherrn gegeben wird*). **2.** *sl.* (feucht)fröhliches Fest.

bean·ie ['biːni] *s* Kappe *f*, Mütze *f*.

bean·o ['biːnou] *pl* **-os** *sl. für* beanfeast.

bean| pod *s bot.* Bohnenhülse *f*. ~ **pole** *s* Bohnenstange *f* (*a. colloq. fig. Person*). **'~,shoot·er** *s Am.* (Kinder-)Blasrohr *n*.

bean·y ['biːni] *adj sl.* **1.** wohlgenährt, leistungsfähig, munter (*Pferd etc*). **2.** *Am.* verrückt, ‚bekloppt'.

bear[1] [bɛr] *pret* **bore** [bɔːr] *obs.* **bare** [bɛr], *pp* **borne** [bɔːrn], *bei* 4 **born** [bɔːrn] **I** *v/t* **1.** *Lasten etc* tragen, befördern. **2.** *fig. Kosten, e-n Verlust, die Verantwortung, die Folgen etc* tragen: to ~ a loss; to ~ the consequences. **3.** *Blumen, Früchte, a. Zinsen etc* tragen: → fruit 1, interest 11 (*u. andere Verbindungen mit Substantiven*). **4.** (*pp* borne *od.* born; *letzteres nur in der passiven Bedeutung*: *geboren* [*werden*], *sofern nicht* by ... von ... *folgt*) zur Welt bringen, gebären: to ~ a child a) ein Kind gebären, b) ein Kind (unter dem Herzen) tragen; the children borne to him by this woman die ihm von dieser Frau geborenen Kinder; he was born into a rich family er kam als Kind reicher Eltern zur Welt. **5.** *e-n Namen, e-n Titel, a. Waffen etc* tragen, führen: to ~ arms against Krieg führen gegen; → arm[2] *Bes. Redew.* **6.** *ein Amt etc* innehaben, ausüben. **7.** *ein Datum, e-n Stempel, ein Zeichen etc* tragen, aufweisen: to ~ a resemblance to ähneln (*dat*), e-e Ähnlichkeit aufweisen mit; to ~ a proportion to in e-m Verhältnis stehen zu. **8.** *e-e Bedeutung etc* haben, in sich schließen: to ~ a sense. **9.** *ein Gefühl* hegen: → grudge 5. **10.** *e-e Rolle* spielen (in bei): to ~ a part. **11.** *Schmerzen etc* (er)tragen, (er)dulden, (er)leiden. **12.** aushalten, *e-r Prüfung etc* standhalten: his words won't ~ repeating s-e Worte lassen sich unmöglich wiederholen; → comparison 1. **13.** (*meist neg*) ausstehen, leiden: I cannot ~ him (it) ich kann ihn (es) nicht ausstehen *od.* (v)ertragen. **14.** *e-e Nachricht etc* über'bringen. **15.** *Gehorsam etc* leisten, *Lob* zollen (to *dat*): to ~ s.o. a hand j-m helfen *od.* zur Hand gehen; to ~ s.o. company j-m Gesellschaft leisten. **16.** *Zeugnis* ablegen: to ~ witness (*od.* evidence) zeugen (to für). **17.** ~ o.s. sich betragen, sich benehmen.
II *v/i* **18.** tragen, (*sicher*) halten (*Balken, Eis etc*). **19.** (on, upon) schwer lasten *od.* liegen (auf *dat*), drücken, e-n Druck ausüben (auf *acc*). **20.** (against) drücken, sich lehnen (gegen), anliegen (an *dat*). **21.** (on, upon) a) einwirken, e-n Einfluß haben (auf *acc*), b) sich beziehen, Bezug haben (auf *acc*), im Zs.-hang stehen (mit), betreffen (*acc*): to bring to ~ (up)on a) einwirken lassen auf (*acc*), b) richten *od.* anwenden auf (*acc*); to ~ hard on sehr zusetzen (*dat*). **22.** e-e Richtung einschlagen, sich halten, orien'tiert sein: to ~ (to the) left sich links halten; to ~ to a star *aer. mar.* ein Gestirn anpeilen; the beacon ~s 240 degrees die Bake liegt bei *od.* auf 240°. **23.** *mar.* a) abfahren, absegeln (to nach), b) abfallen. **24.** sich erstrecken. **25.** dulden: to ~ with Nachsicht üben mit, (geduldig) ertragen (*acc*). **26.** *bot.* Früchte tragen. **27.** tragen, trächtig sein (*Tier*). **28.** *mil.* tragen (*Geschütz*): to ~ on beschießen (*acc*).
Verbindungen mit Adverbien:
bear| a·way I *v/t* **1.** forttragen, fort-, mitreißen (*a. fig.*). **2.** *fig. den Sieg etc* da'vontragen. **II** *v/i* → bear 23 a. ~ **down I** *v/t* **1.** zu Boden drücken. **2.** über'winden, -'wältigen. **II** *v/i* **3.** *mar.* (zu)fahren, (zu)steuern: to ~ (up)on a) sich (schnell) nähern (*dat*), zusteuern (*dat od.* auf *acc*), b) sich wenden gegen, sich stürzen auf (*acc*), c) *fig.* lasten auf (*dat*), bedrücken (*acc*), d) *e-r Sache* zu Leibe gehen. **4.** *Am.* sich anstrengen. ~ **in I** *v/t meist pass j-m etwas* klarmachen: it was borne in upon him es drängte sich ihm auf, es wurde ihm klar (that daß). **II** *v/i mar.* zusegeln, zuhalten (with auf *acc*): to ~ with the land. ~ **off I** *v/t* **1.** wegtragen, -schaffen, *den Preis etc* da'vontragen. **2.** abhalten (*a. mar.*), entfernt halten. **3.** pa'rieren, abwehren. **II** *v/i* **4.** *mar.* (*vom Lande*) abhalten. ~ **out** *v/t* **1.** eintreten für, unter'stützen. **2.** bestätigen, erhärten, bekräftigen: to bear s.o. out j-m recht geben. ~ **up I** *v/t* **1.** tragen, stützen. **2.** *fig.* aufrechterhalten, ermutigen. **II** *v/i* **3.** (against) (tapfer) standhalten (*dat*), die Stirn bieten (*dat*), sich behaupten (gegen), (tapfer) ertragen (*acc*): to ~ with a) geduldig ausharren bei, b) Schritt halten mit.

bear[2] [bɛr] **I** *s* **1.** *zo.* Bär *m*. **2.** *fig.* a) Bär *m*, Tolpatsch *m*, b) ‚Brummbär' *m*, ‚Ekel' *n*, c) *Am.* ‚Ka'none' *f* (at in *dat*). **3.** *econ. colloq.* Baissi'er *m*, 'Baissespeku,lant *m*: to sell a ~ → 6. **4.** *astr.* a) the Greater (*od.* Great) B~ der Große Bär, b) the Lesser (*od.* Little) B~ der Kleine Bär. **5.** *metall.* Eisenklumpen *m*, Bodensau *f*. **II** *v/i* **6.** *econ. colloq.* auf Baisse speku'lieren. **III** *v/t* **7.** *econ. colloq.* drücken: to ~ stocks (*od.* the market) die Kurse drücken. **IV** *adj* **8.** *econ.* a) flau (*Markt*), fallend (*Preise*), b) Baisse...: ~ campaign Angriff *m* der Baissepartei; ~ sale Leerverkauf *m*.

bear[3] [bɛr] *s Scot. od. dial.* Gerste *f*.

bear·a·ble ['bɛ(ə)rəbl] *adj* (*adv* bearably) erträglich, tragbar.

bear| an·i·mal·cule *s zo.* Bärtierchen *n*. **'~,bait·ing** *s hist.* Bärenhetze *f*. **'~,ber·ry** *s bot.* Bärentraube *f*. ~ **cat** *s* **1.** *zo.* → binturong. **2.** *Am. sl.* a) ‚Ka'none' *f* (*Könner*) (at in *dat*), b) ‚Wucht' *f*, ‚prima Sache'.

beard [bird] **I** *s* **1.** Bart *m* (*a. von Tieren*). **2.** *bot.* Grannen *pl*, Fasern *pl*. **3.** *zo.* a) *ichth.* Bartfäden *pl*, Barteln *pl*, b) Barten *pl* (*des Wals*), c) Bart *m* (*der Auster etc*). **4.** *tech.* a) 'Widerhaken *m* (*an Pfeilen, Angeln etc*), b) *print.* Grat *m* (*e-r Type*), c) *Schlosserei*: Bart *m*, Angriff *m*, d) Gußnaht *f*. **II** *v/t* **5.** beim Bart fassen. **6.** *fig.* Trotz bieten, (mutig) entgegentreten (*dat*): to ~ the lion (*od.* s.o.) in his den sich in die Höhle des Löwen wagen. **7.** reizen. **'beard·ed** *adj* **1.** bärtig. **2.** *bot. zo.* mit Grannen *etc* (versehen): ~ wheat Grannenweizen *m*. **3.** mit

(e-m) 'Widerhaken (*Angelhaken, Pfeil etc*). **4.** *poet.* geschweift (*Komet*).
'beard·less *adj* **1.** bartlos. **2.** *fig.* jugendlich, unreif. **3.** *bot. zo.* ohne Grannen.
bear·er ['bɛ(ə)rər] *s* **1.** Träger(in). **2.** (Amts)Träger *m.* **3.** Über'bringer-(in): ~ **of this letter.** **4.** *econ.* Inhaber-(in), Vorzeiger(in) (*e-s Wechsels, Schecks etc*): **check** (*Br.* **cheque**) **to** ~ Inhaberscheck *m*; **payable to** ~ zahlbar an Überbringer, auf den Inhaber lautend (*Scheck*). **5.** *tech.* a) ('Unter)-Zug *m*, Stütze *f*, Träger *m*, b) Auflageknagge *f*, c) *print.* Schmitz-, Druckleiste *f.* **6.** *bot.* fruchttragender Baum: **a good** ~ ein Baum, der gut trägt. **7.** *her.* Schildhalter *m.* ~ **bond** *s econ.* 'Inhaberobligati,on *f*, auf den Inhaber lautende Schuldverschreibung. ~ **check,** *bes. Br.* ~ **cheque** *s econ.* Inhaberscheck *m.* ~ **clause** *s econ.* Über'bringerklausel *f.* ~ **se·cu·ri·ties** *s pl econ.* 'Inhaberpa,piere *pl.* ~ **share** *s econ.* Inhaberaktie *f.*
bear| gar·den *s* **1.** Bärenzwinger *m.* **2.** *fig.* ‚Tollhaus' *n.* ~ **hug** *s colloq.* heftige Um'armung.
bear·ing ['bɛ(ə)riŋ] **I** *adj* **1.** tragend: ~ **4 per cent** *econ.* vierprozentig. **2.** *chem. min.* ...haltig.
II *s* **3.** Tragen *n*, Stützen *n.* **4.** *bot. zo.* Tragen *n*: **past** ~ a) *bot.* keine Früchte mehr tragend, b) *zo.* nicht mehr gebärend. **5.** *fig.* Ertragen *n*, Erdulden *n*: **beyond** ~ unerträglich. **6.** Betragen *n*, Verhalten *n*: **his kindly** ~. **7.** (Körper)Haltung *f*: **of noble** ~. **8.** *fig.* (on) a) Einfluß *m* (auf *acc*), b) Zs.-hang *m* (mit), c) Verhältnis *n*, Beziehung *f* (zu), Bezug *m* (auf *acc*), d) Tragweite *f*, Bedeutung *f*: **to have no** ~ **on** keinen Einfluß auf (*acc*) haben, in keinem Zs.-hang stehen mit, nichts zu tun haben mit. **9.** *aer. mar.* Lage *f*, Positi'on *f*, Richtung *f*, (*a.* Funk)Peilung *f*, *a. fig.* Orien'tierung *f*: **to take one's** ~**s** *aer. mar.* e-e Peilung vornehmen, die Richtung *od.* Lage feststellen, *a. fig.* sich orientieren; **to take a** ~ **of s.th.** *aer. mar.* etwas anpeilen; **to lose one's** ~**(s)** die Orientierung verlieren, sich verirren, *fig.* in Verlegenheit geraten; **to find** (*od.* **get**) **one's** ~**s** sich zurechtfinden; **to bring s.o. to his** ~**s** *fig.* j-m den Kopf zurechtsetzen; **true** ~**(s)** *mar.* rechtweisende Peilung, *fig.* wahrer Sachverhalt. **10.** Vi'sierlinie *f*: ~ **of the compass** Kompaßstrich *m.* **11.** *mar.* (Tief)Ladelinie *f.* **12.** *astr. geogr.* Abweichung *f* (**from** von). **13.** *arch.* Tragweite *f*, freitragende Länge. **14.** *tech.* a) (Achsen-, Wellen-, Zapfen)Lager *n*, Auflager *n*, Lagerung *f*, b) Lager(schale *f*) *n.* **15.** *meist pl her.* Wappenbild *n.*
bear·ing| an·gle *s mar.* Peilwinkel *m.* ~ **brack·et** *s* Lagerbock *m.* ~ **brass** Tragknospe *f.* ~ **com·pass** *s mar.* Peilkompaß *m.* ~ **fric·tion loss** *s tech.* (Lager)Reibungsverluste *pl.* ~ **met·al** *s tech.* 'Lagerme,tall *n.* ~ **note** *s mus.* Ausgangston *m.* ~ **plate** *s tech.* **1.** *aer. mar.* Peilscheibe *f.* **2.** Grundplatte *f.* ~ **pres·sure,** ~ **re·ac·tion** *s tech.* Auflager-, Stauchdruck *m.*
bear·ish ['bɛ(ə)riʃ] *adj* **1.** bärenhaft. **2.** *fig.* a) plump, tolpatschig, b) brummig, unfreundlich. **3.** *econ.* a) 'baissetendenzi,ös, flau, b) Baisse...
bear lead·er *s* Bärenführer *m* (*a. fig.*).
'bear's|-,breech → acanthus 1. '~-**,ear** *s bot.* Au'rikel *f.* '~-**,foot** *s irr bot.* Stinkende Nieswurz.
'bear|,skin *s* **1.** Bärenfell *n.* **2.** Kal'muck *m* (*langhaariger Wollstoff*). **3.** *mil.* Bärenfellmütze *f.* ~ **trap** *s Am.* Bärenfalle *f* (*bes. fig.*). '~**,wood** *s bot.* Kreuz-, Wegdorn *m.*
beast [biːst] *s* **1.** (*bes. vierfüßiges*) Tier: ~ **of burden** Lasttier; ~ **of chase** Jagdwild *n*; ~**s of the forest** Waldtiere. **2.** (wildes) Tier, Bestie *f*: ~ **of prey** Raubtier; **the** ~ **(with)in us** das Tier(ische) in uns. **3.** *agr.* Vieh *n*, *bes.* Mastvieh *n.* **4.** *fig.* a) bru'taler Mensch, Rohling *m*, Bestie *f*, Vieh *n*, b) *colloq.* ‚Biest' *n*, ‚Ekel' *n.* **5.** *colloq.* (*etwas*) Scheußliches: **a** ~ **of a day** ein scheußlicher Tag. **6. the B**~ *relig.* das Tier, der Antichrist.
beast·li·ness ['biːstlinis] *s* **1.** Bestiali'tät *f*, Roheit *f.* **2.** *colloq.* ‚Ekelhaftigkeit' *f*, Gemeinheit *f.* **3.** *colloq.* Scheußlichkeit *f.* **'beastly I** *adj* **1.** *fig.* viehisch, tierisch, besti'alisch, roh. **2.** *colloq.* ‚ekelhaft', ‚eklig', ‚garstig', gemein. **3.** *colloq.* ab'scheulich, scheußlich: ~ **weather.** **4.** tierähnlich, Tier... **II** *adv* **5.** *colloq.* scheußlich, ‚verflucht', ‚verdammt': **it was** ~ **hot.**
beat[1] [biːt] **I** *s* **1.** (*bes. regelmäßig wiederholter*) Schlag, *z. B.* Herz-, Puls-, Trommelschlag *m*, Pochen *n*, Klopfen *n* (*des Herzens etc*), Ticken *n* (*der Uhr*), (An)Schlagen *n* (*der Wellen*). **2.** *sport* (Ruder)Schlag *m*, Schlagzahl *f* (*pro Minute*). **3.** *fenc.* Eisenschlag *m* (*zur Einleitung e-s Angriffs*). **4.** *mus.* a) Takt(schlag) *m*, b) Schlag(zeit *f*) *m*, Taktteil *m*, c) *Jazz*: Beat *m*, rhythmischer Schwerpunkt, d) *a.* ~ **music** 'Beat(mu,sik *f*) *m*: **in** ~ im Takt; **out of** ~, **off (the)** ~ aus dem Takt (→ 8). **5.** *metr.* Hebung *f*, Ton *m.* **6.** *electr. phys. Radio*: Schwebung *f.* **7.** *Am. colloq.* a) *wer od. was alles übertrifft*: **I never heard the** ~ **of that** das schlägt *od.* übersteigt ja alles, was ich je gehört habe, b) (sensatio'nelle) Al'lein- *od.* Erstmeldung (*e-r Zeitung*), c) → **dead beat** 1, d) → **beatnik.** **8.** Runde *f*, Re'vier *n* (*e-s Schutzmanns etc*): **to be on one's** ~ s-e *od.* die Runde machen; **to be off** (*od.* **out of**) **one's** ~ *fig.* nicht in s-m Element sein; **that is out of my** ~ das schlägt nicht in mein Fach *od.* ist mir ungewohnt. **9.** *Am.* Bezirk *m.*
II *adj* **10.** *colloq.* ‚wie erschlagen', ‚fix u. fertig': a) völlig erschöpft, b) *Am.* verblüfft. **11.** *Am. sl.* her'untergekommen, ‚mies'. **12.** *mus.* Beat...: ~ **club**; ~ **fan**; ~ **music.** **13.** *Am. sl.* ,antikonfor'mistisch, illusi'onslos, Beatnik...: **the B**~ **Generation**; **B**~ **poet.** **14.** *phys. Radio*: Schwebungs...
III *v/t pret* **beat** *pp* **'beat·en,** *obs. od. dial.* **beat** **15.** schlagen, (ver)prügeln, verhauen: → **black and blue**; **to** ~ **s.th. into s.o.** (*od.* **into s.o.'s head**) j-m etwas einbleuen. **16.** (regelmäßig *od.* häufig) schlagen, *z. B.* a) *e-n Teppich etc* klopfen, *Kleider etc* (aus)klopfen, b) *Metall* hämmern *od.* schmieden, c) *Steine* klopfen, d) *Eier, Sahne etc* (zu Schaum *od.* Schnee) schlagen. **17.** *den Takt, die Trommel* schlagen: **to** ~ **the alarm** Alarm schlagen; **to** ~ **the charge** *mil.* das Signal zum Angriff geben; → **retreat** 1. **18.** peitschen, schlagen gegen (*Wind, Wellen, Regen etc*): ~**en by storms** von Stürmen gepeitscht. **19.** schlagen mit *den Flügeln etc*: **to** ~ **the wings**; **to** ~ **one's hands** in die Hände schlagen, klatschen; → **air**[1] 1. **20.** *e-n Weg* stampfen, treten, (sich) bahnen (*a. fig.*): **to** ~ **one's way** *Am. colloq.* ‚per Anhalter' reisen, trampen; **to** ~ **it** *Am. sl.* ‚abhauen', ‚verduften'; ~ **it!** *Am. sl.* hau ab! **21.** *hunt. u. weitS. ein Revier* durch'stöbern, -'streifen, abklopfen, e-n Rundgang machen um. **22.** *e-n Gegner* schlagen, besiegen, über'wältigen: **to** ~ **s.o. at swimming** j-n im Schwimmen schlagen; → **hollow** 10; **I'll not be** ~**en** *fig.* ich lasse mich nicht unterkriegen; **to** ~ **s.o. to it** (*od.* **to the punch**) *Am. colloq.* j-m zuvorkommen; **to** ~ **the band** a) alles übertreffen, b) (*als Wendung*) mit (aller) Macht, wie toll; **to** ~ **a record** e-n Rekord schlagen *od.* brechen *od.* drücken; **to** ~ **a deadline** *Am. colloq.* noch rechtzeitig fertig werden, e-e Frist einhalten; **to** ~ **the gun** *sport* zu früh starten; **to** ~ **a charge** *Am. sl.* e-r Strafe entgehen. **23.** *fig.* schlagen, über'treffen, -'bieten: **that** ~**s all** das übertrifft alles; **can you** ~ **it?** *sl.* das ist die Höhe! **24.** *fig.* verblüffen: **that** ~**s me** das ist mir zu hoch, da komme ich nicht mehr mit. **25.** *colloq.* erschöpfen, ‚fertigmachen': **the journey quite** ~ **him.** **26.** *print.* abklopfen: **to** ~ **a proof** e-n Bürstenabzug machen.
IV *v/i* **27.** (heftig) schlagen, pochen, klopfen (*Herz etc*), ticken (*Uhr*): **to** ~ **at** (*od.* **on**) **the door** (fest) an die Tür klopfen *od.* pochen. **28.** schlagen, peitschen (**against, upon** gegen): **the rain** ~**s against the house**; **the hot sun was** ~**ing down on us** die heiße Sonne prallte auf uns nieder. **29.** schlagen, (er)tönen (*Trommel etc*). **30.** *mar.* la'vieren, kreuzen: **to** ~ **against the wind, to** ~ **to windward** (luvwärts) aufkreuzen; **to** ~ **to leeward** leewärts kreuzen, abfallen. **31.** *hunt.* e-e Treibjagd veranstalten: → **bush**[1] 1.
Verbindungen mit Adverbien:
beat| back *v/t e-n Gegner* zu'rückschlagen, -treiben, abwehren. ~ **down I** *v/t* **1.** *fig.* niederschlagen, unter'drücken. **2.** *econ.* a) *den Preis* drükken, her'unterhandeln, b) **to beat s.o. down in price** j-n im Preis drücken. **II** *v/i* **3.** her'unterbrennen (**on** auf *acc*) (*Sonne etc*): → **beat**[1] 28. ~ **off** *v/t e-n Angriff, e-n Gegner* zu'rück-, abschlagen, abwehren. ~ **out** *v/t* **1.** *Metall etc* aushämmern *od.* ausschmieden: **to** ~ **s.o.'s brain** j-m den Schädel einschlagen. **2.** *den Sinn etc* her'ausarbeiten, ‚ausknobeln'. **3.** *colloq. j-n* ausstechen, *j-m* das Nachsehen geben. **4.** *Feuer* (durch Schlagen) löschen. ~ **up I** *v/t* **1.** aufrütteln (*a. fig.*). **2.** *Eier etc* (zu Schnee *od.* Schaum) schlagen, quirlen. **3.** *mil.* a) *Rekruten* werben, b) über'fallen (*a. fig.*). **4.** absuchen (**for** nach). **5.** *etwas* auftreiben. **6.** *sl.* verprügeln, zs.-hauen. **II** *v/i* **7.** *mar.* aufkreuzen.
beat[2] [biːt; beit] *s Br.* Flachs- *od.* Hanfbündel *n.*
beat board *s Turnen*: Sprungbrett *n.*
beat·en ['biːtn] **I** *pp von* **beat**[1]. **II** *adj* **1.** geschlagen, besiegt. **2.** *tech.* gehämmert: ~ **gold** Blattgold *n.* **3.** ‚erledigt', ‚fertig', erschöpft. **4.** abgenutzt, ‚mitgenommen': **a** ~**(-up) old car.** **5.** a) vielbegangen, gebahnt (*Weg*), b) *fig.* gewohnt, abgedroschen: **the** ~ **track** *fig.* das ausgefahrene Geleise; **off the** ~ **track** abgelegen, *fig.* ungewohnt, ungewöhnlich. ~ **bis·cuit** *s Am.* (*Art*) Blätterteiggebäck *n.* ~ **zone** *s mil.* bestrichener Raum.
beat·er ['biːtər] *s* **1.** Schläger(in). **2.** *hunt.* Treiber *m.* **3.** *tech. Schlaggerät*: a) Stampfe *f*, b) Rammeisen *n*, c) Stößel *m*, d) Schlegel *m*, e) Klopfer *m.* **4.** *Kochkunst*: Schneeschläger *m.*

be·a·tif·ic [ˌbiːəˈtifik] *adj*; ˌ**be·aˈtif·i·cal** [-kəl] *adj* (*adv* ~**ly**) **1.** (glück)selig. **2.** beseligend, seligmachend: **beatific vision** *relig.* beseligende Gottesschau. **3.** glückstrahlend. **beat·i·fi·ca·tion** [biˌætifiˈkeiʃən] *s* **1.** (Glück)Seligkeit *f.* **2.** *R.C.* Seligsprechung *f.*

be·at·i·fy [biˈætiˌfai] *v/t* **1.** beseligen, glücklich machen. **2.** *R.C.* seligsprechen.

beat·ing [ˈbiːtiŋ] *s* **1.** Schlagen *n.* **2.** Prügel *pl*, *fig.* Niederlage *f*: **to give s.o. a sound** ~ a) j-m e-e tüchtige Tracht Prügel verabreichen, b) j-m e-e böse Schlappe bereiten; **to take a** ~ Prügel beziehen, e-e Schlappe erleiden. **3.** (rhythmisches) Schlagen *od.* Klopfen *od.* Pochen: ~ **of the heart** Herzschlag *m.*

be·at·i·tude [biˈætiˌtjuːd] *s* **1.** (Glück)-Seligkeit *f.* **2.** *relig.* a) **the** ~**s** *pl* die Seligpreisungen *pl* (*Christi in der Bergpredigt*), b) **B**~ (Eure) Seligkeit (*Anrede e-s Patriarchen etc*).

beat·nik [ˈbiːtnik] *s* junger Antikonforˈmist u. Boheˈmien, Beatnik *m*, *weitS.* Gammler *m.*

beat| note *s electr. phys.* Schwebungs-, Interfeˈrenzton *m.* ~ **re·ceiv·er** *s electr.* Superhet *m*, Überˈlagerungsempˌfänger *m.* ˈ~-ˈ**up** *adj sl.* kaˈputt: a) ‚hin', ‚abgetakelt', b) ‚fertig', erschöpft.

beau [bou] *pl* **beaus, beaux** [bouz] (*Fr.*) *s* **1.** Beau *m*, Stutzer *m.* **2.** ‚Kavaˈlier' *m*, Liebhaber *m.*

Beau·fort scale [ˈboufərt] *s* Beaufortskala *f* (*Windskala*).

beau i·de·al *s* **1.** ˈSchönheitsideˌal *n.* **2.** Ideˈal *n*, Vorbild *n*, Muster *n.*

beaut [bjuːt] *s sl.* → **beauty** 3.

beau·te·ous [ˈbjuːtiəs] *adj* (*adv* ~**ly**) *meist poet.* (*äußerlich*) schön.

beau·ti·cian [bjuˈtiʃən] *s bes. Am.* Kosˈmetiker(in), Schönheitspfleger-(in).

beau·ti·ful [ˈbjuːtəfəl; -ful; -ti-] **I** *adj* **1.** schön. **2.** wunderbar. **II** *s* **3. the** ~ das Schöne. ˈ**beau·ti·ful·ly** *adv colloq.* (wunder)schön, wunderbar, prächtig.

beau·ti·fy [ˈbjuːtiˌfai] **I** *v/t* **1.** schön(er) machen, verschöne(r)n. **2.** ausschmükken, verzieren. **II** *v/i* **3.** sich verschöne(r)n.

beau·ty [ˈbjuːti] *s* **1.** Schönheit *f.* **2.** *colloq.* (*das*) Schön(st)e: **that is the** ~ **of it all** das ist das Schönste an der ganzen Sache. **3.** a) ‚Gedicht' *n*, Prachtstück *n* (**of** von), b) *colloq. iro.* ˈPrachtexemˌplar *n* (*a. Person*), ‚tolles Ding': **a** ~ **of a vase.** **4.** Schönheit *f*, schöner Mensch (*meist von Frauen*). **5.** schönes Tier. ~ **aid** *s* Schönheits(pflege)mittel *n.* ~ **con·test** *s* Schönheitswettbewerb *m.* ~ **par·lo(u)r,** ~ **sa·lon,** ~ **shop** *s* ˈSchönheitssaˌlon *m.* ~ **sleep** *s colloq.* Schlaf *m* vor Mitternacht. ~ **spot** *s* **1.** Schönheitspflästerchen *n.* **2.** Schönheits-, Leberfleck *m.* **3.** *colloq.* Schönheitsfehler *m.* **4.** schönes Fleckchen Erde, lohnendes Ausflugsziel.

beaux [bouz] *pl von* **beau.**

bea·ver[1] [ˈbiːvər] *s* **1.** *zo.* Biber *m*: **to work like a** ~ arbeiten wie ein Pferd. **2.** Biberpelz *m.* **3.** *a.* ~ **hat** a) Biber-, Kastorhut *m*, b) Filz-, Seidenhut *m*, Zyˈlinder *m.* **4.** Biberfell-, Tuchhandschuh *m.* **5.** Biber *m*, *n* (*filziger Wollstoff*). **6.** *sl.* ‚Biber' *m* (*Bart, bärtiger Mann*).

bea·ver[2] [ˈbiːvər] *s mil. hist.* **1.** Kinnschutz *m* (*am Helm*). **2.** Viˈsier *n.*

ˈ**bea·verˌboard** *s* Hartfaserplatte *f.*

bea·ver| rat *s zo.* **1.** Auˈstralische Schwimmratte. **2.** Bisam-, Zibetratte *f.* ~ **tree,** ˈ~ˌ**wood** *s bot.* Virˈginische Maˈgnolie, Biberbaum *m.*

be·call [biˈkɔːl] *v/t obs.* beschimpfen.

be·calm [biˈkɑːm] *v/t* **1.** beruhigen, besänftigen. **2.** *mar.* bekalmen: **to be** ~**ed** in e-e Flaute geraten, blind liegen.

be·came [biˈkeim] *pret von* **become.**

be·cause [biˈkɔːz; biˈkɒz] **I** *conj* **1.** weil, da (*obs.* ~ **that**). **2.** *obs.* daˈmit. **II** *prep* **3.** ~ **of** wegen (*gen*), inˈfolge von (*od. gen*).

be·chance [*Br.* biˈtʃɑːns; *Am.* -ˈtʃæ(ː)ns] → **befall.**

be·charm [biˈtʃɑːrm] *v/t* be-, verzaubern.

bêche|-de-mer [bɛʃdəˈmɛːr] (*Fr.*) *s* **1.** *zo.* Eßbare Holoˈthurie, Trepang *m.* **2.** Bêche-de-mer *n*, Beach-la-mar *n* (*dem Pidgin-Englisch ähnliche Verkehrssprache in West-Ozeanien*). ~**-le-mar** [ˌbeiʃləˈmɑːr] → **bêche-de-mer** 2.

beck[1] [bek] *s* Wink *m*, Zeichen *n*: **to be at s.o.'s** ~ **and call** j-m auf den leisesten Wink gehorchen.

beck[2] [bek] *s Br.* (Wild)Bach *m.*

beck·on [ˈbekən] **I** *v/t* **1.** *j-m* (zu)winken, zunicken, ein Zeichen geben. **2.** *j-n* herˈanwinken. **II** *v/i* **3.** winken. **4.** *fig.* locken, rufen.

be·cloud [biˈklaud] *v/t* **1.** umˈwölken, verdunkeln (*a. fig.*). **2.** *fig.* vernebeln: **to** ~ **the issue.**

be·come [biˈkʌm] *pret* **beˈcame** [-ˈkeim] *pp* **beˈcome I** *v/i* **1.** werden: **what has** ~ **of him?** a) was ist aus ihm geworden?, b) *colloq.* wo steckt er nur?; **to** ~ **better** besser werden. **II** *v/t* **2.** anstehen (*dat*), sich (ge)ziemen *od.* schicken für: → **ill** 7. **3.** *j-m* stehen, passen zu, *j-n* kleiden.

be·com·ing [biˈkʌmiŋ] **I** *adj* (*adv* ~**ly**) **1.** passend, kleidsam: **a most** ~ **coat** ein äußerst kleidsamer Mantel; **this dress is very** ~ **to you** dieses Kleid steht Ihnen sehr gut. **2.** schicklich, geziemend, anständig, passend: **as is** ~ wie es sich gebührt; **with** ~ **respect** mit geziemender Hochachtung. **II** *s* **3.** (*das*) Passende *od.* Schickliche. *f.* **beˈcom·ing·ness** *s* **1.** Kleidsamkeit *f.* **2.** Schicklichkeit *f.* **3.** Angemessenheit *f.*

bed [bed] **I** *s* **1.** Bett *n*: a) Bettstelle *f*, b) (Feder- *etc*)Bett *n*: ~ **and bedding** Bett u. Zubehör (*Bettzeug etc*). **2.** Lager(statt *f*) *n* (*a. e-s Tieres*): ~ **of straw** Strohlager; ~ **of oysters** Bett junger Austern; ~ **of snakes** Nest *n* (*junger*) Schlangen. **3.** letzte Ruhestätte, Grab *n.* **4.** ˈUnterkunft *f*: ~ **and breakfast** (*in Gasthöfen*) Zimmer *n* mit Frühstück. **5.** (Ehe)Bett *n*: **separation from** ~ **and board** Trennung *f* von Tisch u. Bett. **6.** (Garten)Beet *n.* **7.** (*Fluß-, Strom*)Bett *n.* **8.** *geol. u. Bergbau*: Lage(r *n*) *f*, Bett *n*, Schicht *f*, (*Kohlen*)-Flöz *n*: ~ **of ore** Erztrum *n*, Bank *f*; ~ **of sand** Sandschicht. **9.** *tech.* ˈUnterlage *f*, Bett(ung *f*) *n*, Fundaˈment *n*, Schicht *f*, *z. B.* a) Bett *n* (*e-r Werkzeugmaschine*), b) *rail.* ˈUnterbau *m*, Kies-, Schotterbett *n*, c) (*Pflaster- etc*)Bettung *f*, d) *print.* Zurichtung *f* (*Druckform*), e) *Schriftguß*: Sattel *m*, f) untere Backe, Maˈtrize *f* (*e-r Stanz- od. Lochmaschine*), g) innere, schräge Fläche (*des Hobels*), h) *mar.* Schiffsschlitten *m* (*auf der Werft*), i) *mil.* Bettungs-, Bodenplatte *f* (*e-s Geschützes*). *Besondere Redewendungen*:
~ **of state** Paradebett; ~ **of thorns** *fig.* Schmerzenslager; **as you make your** ~ **so you must lie on it** wie man sich bettet, so liegt man; **his life is no** ~ **of roses** er ist (auch) nicht auf Rosen gebettet; **to die in one's** ~ e-s natürlichen Todes sterben; **to get out of** ~ **on the wrong side** mit dem verkehrten *od.* linken Fuß (zuerst) aufstehen; **to lie in the** ~ **one has made** die Suppe auslöffeln müssen, die man sich eingebrockt hat; **to be brought to** ~ entbunden werden (**of** von); **to keep one's** ~ das Bett hüten; **to make the** ~ das Bett machen; **to put to** ~ *j-n* zu Bett bringen; **to take to one's** ~ sich (krank) ins Bett legen.
II *v/t* **10.** betten (*meist fig.*). **11.** *a.* ~ **down** *ein Pferd etc* mit Streu versorgen. **12.** in ein Beet *od.* in Beete pflanzen: **to** ~ **out** auspflanzen. **13.** *a.* ~ **in** (ein)betten, (ein-, auf)lagern.
III *v/i* **14.** zu *od.* ins Bett gehen. **15.** sein Lager *od.* Nest machen, (sich ein)nisten (*Tier*; *a. fig.*). **16.** zuˈsammen schlafen (**with** mit).

be·dab·ble [biˈdæbl] *v/t* benetzen, bespritzen.

be·dad [biˈdæd] *interj Ir.* bei Gott!

be·daub [biˈdɔːb] *v/t* beschmieren.

be·daz·zle [biˈdæzl] *v/t* blenden.

ˈ**bed|ˌbug** *s zo.* (Bett)Wanze *f.* ˈ~ˌ**cham·ber** *s* Schlafzimmer *n*, (*a.* königliches) Schlafgemach: **Gentleman of the B**~ königlicher Kammerjunker; → **Lady (Lord) of the Bedchamber.** ˈ~ˌ**clothes** *s pl* Bettwäsche *f.* ˈ~ˌ**cov·er** *s* Bettdecke *f.*

bed·der [ˈbedər] *s* **1.** *univ. Br.* a) Aufwärter(in) (*der Collegestudenten*), b) *sl.* Schlafzimmer *n* (*in Colleges*). **2.** *bot.* Freilandsetzling *m.*

bed·ding [ˈbediŋ] **I** *s* **1.** Bettzeug *n.* **2.** (Lager)Streu *f* (*für Tiere*). **3.** *tech.* a) Betten *n*, b) Bettung *f*, Lager *n*, c) Auflagefläche *f.* **4.** *arch.* Fundaˈment *n*, ˈUnterlage *f.* **5.** *geol. tech.* Schichtung *f.* **II** *adj* **6.** Beet..., Freiland...: ~ **plants.**

be·deck [biˈdek] *v/t* **1.** bedecken. **2.** zieren, schmücken.

be·del(l) [beˈdel] *s univ. Br.* Herold *m.*

be·dev·il [biˈdevl] *v/t* **1.** *bes. fig.* be-, verhexen. **2.** *fig.* a) durcheinˈanderbringen, verwirren, b) verderben, -pfuschen. **3.** a) plagen, peinigen, b) bedrücken, belasten. **beˈdev·il·ment** *s* **1.** Besessenheit *f.* **2.** Verhexung *f.* **3.** heillose Verwirrung.

be·dew [biˈdjuː] *v/t* betauen, benetzen.

ˈ**bed|ˌfast** *adj* bettlägerig. ˈ~ˌ**fel·low** *s* **1.** Bettgenosse *m*, ˈSchlafkameˌrad *m.* **2.** *fig.* Kameˈrad *m*, Genosse *m.* ˈ~ˌ**gown** *s* (Frauen)Nachtgewand *n.*

be·dight [biˈdait] *pret u. pp* **beˈdight** *v/t obs. od. poet.* **1.** ausrüsten. **2.** schmücken.

be·dim [biˈdim] *v/t* verdunkeln, trüben.

be·diz·en [biˈdizn; -ˈdai-] *v/t* (*geschmacklos*) herˈausputzen.

bed·lam [ˈbedləm] *s* **1. B**~ *Londoner Irrenanstalt, frühere Priorei St. Mary of Bethlehem.* **2.** Irren-, Tollhaus *n* (*a. fig.*). **3.** *obs.* Tollhäusler(in). ˈ**bed·lamˌism** *s* Verrücktheit *f.* ˈ**bed·lamˌite** *s* Tollhäusler(in).

bed| lift *s* Stellkissen *n* (*für Kranke*). ~ **lin·en** *s* Bettwäsche *f.* ˈ~ˌ**mak·er** *Br. für* **bedder** 1 a. ˈ~ˌ**mate** → **bedfellow.**

Bed·ou·in [ˈbeduin] **I** *s* Beduˈine *m.* **II** *adj* beduˈinisch, Beduinen...

ˈ**bed|ˌpan** *s* **1.** Wärmflasche *f.* **2.** *med.* Stechbecken *n*, Bettschüssel *f.* ˈ~ˌ**plate** *s tech.* **1.** Boden-, Grund-, ˈUnterlagsplatte *f* (*e-r Maschine etc*). **2.** Maˈschinengestell *n.* ˈ~ˌ**post** *s* Bettpfosten *m*: → **between** 2.

be·drab·ble [biˈdræbl], **be·drag·gle** [biˈdrægl] *v/t* (*meist pass*) *bes. Kleider* beschmutzen, durch'nässen: ~d a) naß u. schmutzig, b) *fig.* heruntergekommen.

'bed|,rail *s* Seitenteil *m, n* des Bettes. **'~,rid·den** *adj* **1.** bettlägerig. **2.** *fig.* abgenutzt. **'~,rock I** *s* **1.** *geol.* Grund-, Muttergestein *n*, gewachsener Fels. **2.** *fig.* a) Grundlage *f*, Funda'ment *n*: to get down to ~ der Sache auf den Grund gehen, b) (sachlicher) Kern (*e-s Problems etc*), c) Tiefpunkt *m*: at ~ auf dem Tiefpunkt. **II** *adj* **3.** *colloq.* a) grundlegend, b) (felsen)-fest, c) sachlich, kon'kret, d) *econ.* äußerst, niedrigst: ~ price. **'~,roll** *s* zs.-gerolltes Bettzeug. **'~,room** *s* Schlafzimmer *n*: ~ eyes *humor.* ‚Schlafzimmeraugen'; ~ town *Am.* ‚Schlafstadt' *f* (*deren Einwohner auswärts arbeiten*). **~ sheet** *s* Bettlaken *n*. **'~,side** *s* Seite *f* des Bettes: at the ~ am (*a.* Kranken)Bette; good ~ manner gute Art, mit Kranken umzugehen; ~ lamp Nachttischlampe *f*; ~ rug Bettvorleger *m*; ~ table Nachttisch *m*. **'~-,sit·ter, '~-'sit·ting-,room** *s Br.* Wohn-Schlafzimmer *n*. **'~,sore** *s med.* wundgelegene Stelle. **'~,spread** *s* Tagesdecke *f*, (Zier)Bettdecke *f*. **'~-,stead** *s* Bettstelle *f*, -gestell *n*. **'~-,straw** *s bot.* **1.** Labkraut *n*. **2.** Wandelklee *m*. **'~,tick** *s* Inlett *n*. **'~,time** *s* Schlafenszeit *f*: ~ story Gutenachtgeschichte *f*; it's past ~ es ist höchste Zeit zum Schlafengehen. **~ wet·ting** *s med.* Bettnässen *n*.

bee[1] [biː] *s* **1.** *zo.* Biene *f*: as busy as a ~ bienenfleißig, emsig wie e-e Biene; to have a ~ in one's bonnet e-n ‚Vogel' haben, übergeschnappt sein. **2.** *fig.* Biene *f* (*fleißiger Mensch*). **3.** *Am. colloq.* Grille *f*, Ma'rotte *f*. **4.** *bes. Am.* a) Treffen *n* (*von Freunden*) zur Gemeinschaftshilfe *od.* Unter'haltung: sewing ~ Nähkränzchen *n*, b) Wettbewerb *m*.

bee[2] [biː] *s mar.* Backe *f*, Klampe *f*.

bee[3] [biː] *s* (Buchstabe *m*) B *n*.

beech [biːtʃ] *s* **1.** *bot.* (Rot)Buche *f*. **2.** Buchenholz *n*. **'beech·en** *adj* buchen, aus Buchenholz, Buchen...

beech| fern *s bot.* Buchenfarn *m*. **~ mar·ten** *s zo.* Stein-, Hausmarder *m*. **~ mast** *s* Buchmast *f*, -eckern *pl*. **'~,nut** *s* Buchecker *f*, Buchel *f*.

bee eat·er *s orn.* Bienenfresser *m*.

beef [biːf] **I** *pl* **beeves** [-vz], *Am. a.* **beefs** *s* **1.** *obs.* Rind *n*. **2.** Rindfleisch *n*. **3.** *colloq.* a) Fleisch *n* (*am Menschen*), b) (Muskel)Kraft *f*. **4.** *Am. sl.* a) ‚Mecke'rei' *f*, Nörge'lei *f*, Beschwerde *f*, b) Streit *m*, c) Anklage *f*. **II** *v/i* **5.** *Am. sl.* ‚meckern', sich beschweren. **III** *v/t* **6.** ~ up *colloq.* verstärken, ‚aufmöbeln'. **'~,cake** *s sl.* Bild *n* e-s Muskelprotzen. **'~,eat·er** *s Br.* **1.** *hist.* königlicher 'Leibgar,dist. **2.** Tower-Wächter *m* (*in London*).

'beef|,steak *s* Beefsteak *n*, Rindfleisch-, Lendenschnitte *f*. **~ tea** *s* (Rind)-Fleisch-, Kraftbrühe *f*, Bouil'lon *f*. **'~-'wit·ted** *adj* dumm, schwer von Begriff.

beef·y ['biːfi] *adj* **1.** fleischig. **2.** bullig, kräftig, vierschrötig. **3.** stur.

bee| glue *s* Bienenharz *n*. **~ hawk** *s orn.* Wespenbussard *m*. **'~,hive** *s* **1.** Bienenstock *m*, -korb *m*. **2.** *fig.* a) Bienenhaus *n*, ‚Taubenschlag' *m*, b) emsiges Gewühl. **3.** *etwas Bienenkorbförmiges*: ~ lamp Bienenkorblampe *f*. **4.** *mil.* Hohl(raum)ladung *f*. **'~,house** *s* Bienenhaus *n*. **'~,keep·er** *s* Bienenzüchter *m*, Imker *m*. **'~,keep·ing** *s* Bienenzucht *f*. **~ kill·er** *s zo.* Bienentöter *m*. **'~'line** *s fig.* kürzester Weg: to make a ~ for s.th. schnurgerade auf etwas losgehen.

Be·el·ze·bub [bi'elzibʌb] **I** *npr Bibl.* Be'elzebub *m*. **II** *s* Teufel *m* (*a. fig.*).

bee| mar·tin *s orn.* Königsvogel *m*. **'~,mas·ter** → beekeeper.

been [biːn; bin] *pp von* be.

bee| net·tle *s bot.* **1.** Hanfnessel *f*. **2.** Bienensaug *m*. **~ or·chis** *s bot.* Bienenragwurz *f*.

beep [biːp] *s* **1.** *a.* ~ signal a) *mot. etc* Tuten *n*, b) *electr.* kurzes Summerzeichen, Piepton *m*. **2.** *mil. sl.* kleiner Jeep. **'beep·er** *s sl.* **1.** Si'gnalgeber *m*, -gerät *n* (*für ferngesteuerte Flugkörper*). **2.** Fernsteuerungsgerät *n*.

beer[1] [bir] *s* **1.** Bier *n*: two ~s zwei (Glas) Bier; life is not all ~ and skittles *Br. colloq.* das Leben besteht nicht nur aus Vergnügen; → small beer. **2.** bierähnliches Getränk (*aus Pflanzen*): → ginger beer.

beer[2] [bir] *s Weberei*: Kettfadenbündel *n*.

beer| en·gine *s* Bierpumpe *f*, 'Bierdruckappa,rat *m*. **~ gar·den** *s* Biergarten *m*. **'~,house** *s Br.* Bierstube *f*, -schenke *f*. **~ mat** *s* Bierfilz *m*, -deckel *m*. **~ pump** *s* Bierpumpe *f*. **~ stone** *s* Bierstein *m* (*Ablagerung*).

beer·y ['bi(ə)ri] *adj* **1.** bierartig, Bier... **2.** bierselig. **3.** nach Bier riechend: ~ breath ‚Bierfahne' *f*.

bee skep *s* Bienenkorb *m*, -stock *m*.

beest·ings ['biːstiŋz] *s pl* (*oft als sg konstruiert*) Biestmilch *f* (*erste Milch nach dem Kalben*).

'bees|,wax I *s* Bienenwachs *n*. **II** *v/t* mit Bienenwachs einreiben. **'~,wing** *s* feines Häutchen (*auf altem Wein*).

beet [biːt] *s* **1.** *bot.* Bete *f*, *bes.* Runkelrübe *f*, Mangold *m*, *Am. a.* Rote Bete *od.* Rübe. **2.** *a.* ~ greens Mangoldgemüse *n*.

bee·tle[1] ['biːtl] *s zo.* Käfer *m*: as blind as a ~ stockblind.

bee·tle[2] ['biːtl] **I** *s* **1.** Holzhammer *m*, Schlegel *m*. **2.** *tech.* a) Erdstampfe *f*, b) 'Stampfka,lander *m* (*für Textilien*). **II** *v/t* **3.** mit e-m Schlegel *etc* bearbeiten, (ein)stampfen. **4.** *tech. Textilien* ka'landern.

bee·tle[3] ['biːtl] **I** *adj* 'überhängend. **II** *v/i* vorstehen, 'überhängen.

'bee·tle|-,browed *adj* **1.** mit buschigen (Augen)Brauen. **2.** finster blickend. **'~-,crush·er** *s sl.* **1.** ‚Qua'dratlatschen' *m* (*großer Fuß*). **2.** ‚Elbkahn' *m* (*riesiger Schuh*). **3.** *mil.* ‚Landser' *m* (*Infanterist*). **4.** ‚Bulle' *m* (*Polizist*).

'beet|,root *s bot.* **1.** *Br.* Wurzel *f* der (Roten) Bete. **2.** *Am. für* beet 1. **~ sug·ar** *s* Rübenzucker *m*.

beeves [biːvz] *pl von* beef.

beez·er ['biːzər] *s sl.* ‚Gurke' *f* (*Nase*).

be·fall [bi'fɔːl] *pret* **be'fell** [-'fel], *pp* **be'fall·en I** *v/i* sich ereignen, sich zutragen. **II** *v/t j-m* zustoßen, wider'fahren, begegnen.

be·fit [bi'fit] *pret u. pp* **-'fit·ted** *v/t* sich ziemen *od.* schicken für: it ill ~s you es steht Ihnen schlecht an. **be'fit·ting** *adj* (*adv* ~ly) passend, angemessen, schicklich.

be·fog [bi'fɒg] *pret u. pp* **-'fogged** *v/t* **1.** in Nebel hüllen. **2.** *fig.* um'nebeln.

be·fool [bi'fuːl] *v/t* **1.** zum Narren haben *od.* halten, täuschen. **2.** als Narren behandeln, betören.

be·fore [bi'fɔːr] **I** *adv* **1.** (*räumlich*) vorn, vor'an: to go ~ vorangehen. **2.** (*zeitlich*) vorher, zu'vor, vormals, früher (schon), bereits, schon: an hour ~ e-e Stunde vorher *od.* früher; long ~ lange vorher *od.* zuvor; the year ~ das vorhergehende *od.* das vorige Jahr; he had been in Paris ~ er war schon (früher) einmal in Paris; never ~ noch niemals. **II** *prep* **3.** (*räumlich*) vor: ~ my eyes; he sat ~ me; the question ~ us die (uns) vorliegende Frage; he has the world ~ him ihm steht die Welt offen. **4.** vor, in Gegenwart von (*od. gen*): ~ witnesses vor Zeugen. **5.** (*zeitlich*) vor: the day ~ yesterday vorgestern; the week ~ last vorletzte Woche; ~ long in Kürze, bald; ~ now schon früher; an hour ~ time e-e Stunde früher *od.* zu früh; ~ one's time a) verfrüht, b) s-r Zeit voraus; what is ~ us was (*in der Zukunft*) vor uns liegt. **6.** (*Reihenfolge, Rang*) vor'aus, vor: to be ~ the others den andern (*in der Schule etc*) voraus sein. **III** *conj* **7.** bevor, ehe: not ~ nicht früher *od.* eher als bis, erst als, erst wenn. **8.** lieber *od.* eher ..., als daß: I would die ~ I lied (*od.* ~ lying) eher *od.* lieber will ich sterben als lügen.

be'fore,hand I *adv* **1.** zu'vor, (im) voraus: to know s.th. ~ etwas im voraus wissen. **2.** zu'vor, früher. **3.** zu früh, verfrüht. **II** *adj* **4.** *a.* ~ with the world gut versorgt: to have nothing ~ nichts in Reserve haben. **5.** to be ~ with a) *j-m od. e-r Sache* zu'vorkommen, b) *etwas* vor'wegnehmen. **be'fore-,men·tioned** *adj* oben-, vorerwähnt.

be·for·tune [bi'fɔːrtʃən] *poet. für* befall.

be·foul [bi'faul] *v/t* besudeln, beschmutzen (*a. fig.*): to ~ one's own nest sein eigenes Nest beschmutzen.

be·friend [bi'frend] *v/t j-m* Freundschaft erweisen, *j-m* behilflich sein, sich *j-s* annehmen.

be·fud·dle [bi'fʌdl] *v/t* **1.** ‚benebeln', berauschen. **2.** verwirren.

beg [beg] **I** *v/t* **1.** *etwas* erbitten (of s.o. von j-m), bitten um: to ~ leave um Erlaubnis bitten; → pardon 4. **2.** erbetteln, betteln *od.* bitten um: to ~ a meal. **3.** *j-n* bitten (to do s.th. etwas zu tun). **4.** (*ohne Beweis*) als gegeben annehmen: → question 1. **II** *v/i* **5.** betteln: to go ~ging a) betteln gehen (*a. fig.*), b) *fig.* keinen Interessenten finden; this post is going ~ging *fig.* niemand will den Posten übernehmen. **6.** (dringend) bitten, flehen (for um): to ~ off sich entschuldigen (lassen), absagen. **7.** sich erlauben *od.* gestatten (to do s.th. etwas zu tun): I ~ to differ ich erlaube mir, anderer Meinung zu sein; I ~ to inform you *econ. obs.* ich erlaube mir, Ihnen mitzuteilen. **8.** ‚schönmachen', Männchen machen (*Hund*).

be·gad [bi'gæd] *interj colloq.* bei Gott!

be·gan [bi'gæn] *pret von* begin.

be·gat [bi'gæt] *obs. pret von* beget.

be·get [bi'get] *pret* **be·got** [bi'gɒt], *obs.* **be'gat** [-'gæt], *pp* **be'got·ten,** *obs.* **be'got** *v/t* **1.** *Kinder* zeugen. **2.** *fig.* erzeugen, her'vorbringen. **be'get·ter** *s* **1.** Erzeuger *m*, Vater *m*. **2.** *fig.* Urheber *m*.

beg·gar ['begər] **I** *s* **1.** Bettler(in). **2.** *fig.* Arme(r *m*) *f*, Bedürftige(r *m*) *f*: ~s must not be choosers arme Leute dürfen nicht wählerisch sein, e-m geschenkten Gaul sieht man nicht ins Maul. **3.** *humor. od. contp.* Kerl *m*, Bursche *m*: lucky ~ Glückspilz *m*; a naughty little ~ ein kleiner Frechdachs. **II** *v/t* **4.** an den Bettelstab bringen, arm machen. **5.** *fig.* erschöpfen, auspowern. **6.** *fig.* über'steigen: it ~s description es spottet jeder Beschreibung.

beg·gar·li·ness ['begərlinis] *s* **1.** Bet-

telarmut *f.* **2.** *fig.* Armseligkeit *f.*
'beg·gar·ly *adj* **1.** bettelarm. **2.** *fig.* armselig, lumpig, erbärmlich.
'beg·gar-my-'neigh·bo(u)r *s* Bettelmann *m* (*Kartenspiel*).
beg·gar·y ['begəri] *s* Bettelarmut *f*: to reduce to ~ an den Bettelstab bringen.
beg·ging ['begiŋ] **I** *adj* **1.** bettelnd: ~ letter Bettelbrief *m.* **II** *s* **2.** Bette'lei *f.* **3.** Bitten *n.*
be·gin [bi'gin] *pret* **be'gan** [-'gæn] *pp* **be'gun** [-'gʌn] **I** *v/t* **1.** beginnen, anfangen: to ~ the world ins Leben treten. **2.** (be)gründen: to ~ a dynasty. **II** *v/i* **3.** beginnen, anfangen: to ~ with s.th. *od.* s.o. anfangen mit etwas *od.* bei j-m; to ~ with (*adverbiell*) a) zunächst, b) erstens (einmal), um es gleich zu sagen; to ~ on s.th. etwas in Angriff nehmen; not to ~ to do *colloq.* nicht entfernt daran denken zu tun; he does not even ~ to try er versucht es nicht einmal; it began to be put into practice es wurde langsam aber sicher in die Praxis umgesetzt; well begun is half done gut begonnen ist halb gewonnen. **4.** entstehen, werden. **be'gin·ner** *s* Anfänger(in), Neuling *m.* **be'gin·ning** *s* **1.** Anfang *m*, Beginn *m*: at (*od.* in) the ~ am *od.* im *od.* zu Anfang, anfangs; from the (very) ~ (ganz) von Anfang an; from ~ to end von Anfang bis Ende; the ~ of the end der Anfang vom Ende. **2.** Ursprung *m.* **3.** *pl* a) (erste) Anfangsgründe *pl*, b) (erste) Anfänge *pl*, Anfangsstadium *n.*
be·gird [bi'gəːrd] *pret u. pp* **be'girt** [-'gəːrt] *od.* **be'gird·ed** [-did] *v/t* **1.** um'gürten. **2.** um'geben.
beg·ohm ['begˌoum] *s electr.* 1000 Megohm *pl.*
be·gone [bi'gɒn] *interj* fort!, (scher dich) weg!
be·go·ni·a [bi'gounjə; -niə] *s bot.* Be'gonie *f.*
be·gor·ra [bi'gɒrə] *interj Ir. colloq.* bei Gott!
be·got [bi'gɒt] *pret u. pp von* beget.
be·got·ten [bi'gɒtn] **I** *pp von* beget. **II** *adj* gezeugt: the first ~ der Erstgeborene; God's only ~ son Gottes eingeborener Sohn.
be·grime [bi'graim] *v/t* beschmutzen, ver-, beschmieren.
be·grudge [bi'grʌdʒ] *v/t* **1.** *j-n* beneiden: to ~ s.o. s.th. j-m etwas mißgönnen, j-n um etwas beneiden. **2.** nur ungern geben (s.o. s.th. j-m etwas).
be·guile [bi'gail] *v/t* **1.** betrügen (of, out of um), täuschen, hinter'gehen. **2.** verleiten, -locken (into doing zu tun). **3.** *die Zeit* (angenehm) vertreiben, verkürzen. **4.** *fig.* betören, berücken. **be'guile·ment** *s* Hinter'gehung *f*, Betrug *m*, Täuschung *f.*
be·gun [bi'gʌn] *pp von* begin.
be·half [*Br.* bi'hɑːf; *Am.* -'hæ(ː)f] *s* Behuf *m*, Nutzen *m*, Vorteil *m*: in (*od.* on) ~ of a) zugunsten von (*od. gen*), für *j-n*, b) im Namen *od.* im Auftrag von (*od. gen*), für *j-n*; on one's own ~ in eigenem Namen, in eigener Sache; on ~ of s.th. mit Rücksicht auf e-e Sache.
be·have [bi'heiv] **I** *v/i* **1.** sich (gut) benehmen, sich zu benehmen wissen: please ~! bitte, benimm dich!; he can't ~ er kann sich nicht (anständig) benehmen. **2.** sich verhalten *od.* benehmen (to, towards gegen *j-n*, gegen'über *j-m*). **3.** sich verhalten (*Sache*), arbeiten, funktio'nieren (*Maschine etc*). **II** *v/t* **4.** ~ o.s. sich (gut) benehmen: ~ yourself! benimm dich!
he'haved *adj* (*meist in Zssgn*) von gutem *etc* Benehmen.
be·hav·ior, *bes. Br.* **be·hav·iour** [bi'heivjər] *s* **1.** Benehmen *n*, Betragen *n*, Verhalten *n*: during good ~ *Am.* auf Lebenszeit (*ernannt od. gewählt*); to be in office on (one's) good ~ ein Amt auf Bewährung innehaben; to be on one's best ~ sich sehr zs.-nehmen; to put s.o. on his good ~ j-m einschärfen, sich gut zu benehmen; investigation of ~ (*Tierpsychologie*) Verhaltensforschung *f*; → pattern 11. **2.** *chem. math. phys. tech.* Verhalten *n.* **be'hav·ior·al** *adj Am. psych.* Verhaltens...: ~ disturbance; ~ science. **be'hav·io(u)rˌism** *s psych. sociol.* Behavio'rismus *m.* **be'hav·io(u)r·ist I** *s* **1.** Behavio'rist *m*, Anhänger *m* des Behavio'rismus. **2.** Ver'haltensforscher *m*, -psychoˌloge *m.* **II** *adj* **3.** behavio'ristisch. **beˌhav·io(u)r'is·tic** → behavio(u)rist II.
be·head [bi'hed] *v/t* enthaupten, köpfen. **be'head·al, be'head·ing** *s* Enthauptung *f.*
be·held [bi'held] *pret u. pp von* behold.
be·he·moth [bi'hiːməθ] *s* **1.** *Bibl.* Behemoth *m.* **2.** *fig.* Riesentier *n.* **3.** *Am. sl.* a) Ko'loß *m*, Riese *m* (*Mensch*), b) Ungeheuer *n*, Monstrum *n* (*Sache*).
be·hen·ic ac·id [bi'henik; -'hiː-] *adj chem.* Bensäure *f.*
be·hen·ol·ic ac·id [ˌbiːhə'nɒlik] *s chem.* Behensäure *f.*
be·hest [bi'hest] *s* **1.** *poet.* Geheiß *n*, Befehl *m*: at the ~ of auf Befehl von (*od. gen*); land of ~ Land *n* der Verheißung. **2.** Forderung *f.* **3.** Veranlassung *f.* **4.** dringende Bitte.
be·hind [bi'haind] **I** *prep* **1.** hinter: ~ the tree hinter dem *od.* den Baum; he looked ~ him er blickte hinter sich; he has the majority ~ him er hat die Mehrheit hinter sich; what is ~ all this? was steckt dahinter? **2.** hinter (*dat*), hinter ... (*dat*) zu'rück: to be ~ s.o. j-m nachstehen, hinter j-m zurück sein (in in *dat*). **II** *adv* **3.** hinten, da'hinter, hinter'her, -'drein, hinten'nach: to walk ~ hinten gehen, hinterhergehen. **4.** nach hinten, zu'rück: to look ~ zurückblicken. **III** *pred adj* **5.** zu'rück, im Rückstand: to be ~ with one's work mit s-r Arbeit im Rückstand sein; to remain ~ zurückbleiben. **6.** *fig.* da'hinter, verborgen: there is more ~ da steckt (noch) mehr dahinter. **IV** *s* **7.** *vulg.* 'Hinterteil *n*, ‚Hintern' *m.* **be'hindˌhand** *adv u. pred adj* **1.** im Rückstand (befindlich), zu'rück (with mit). **2.** verschuldet, in schlechten Verhältnissen. **3.** verspätet. **4.** *fig.* rückständig.
be·hold [bi'hould] **I** *v/t pret u. pp* **be'held** [-'held], *obs. pp* **be'hold·en** sehen, erblicken, anschauen. **II** *interj* siehe da! **be'hold·en** *adj* verpflichtet, dankbar (to *dat*). **be'hold·er** *s* Betrachter(in), Zuschauer(in).
be·hoof [bi'huːf] *s* Behuf *m*, Nutzen *m.*
be·hoove [bi'huːv], *bes. Br.* **be'hove** [-'houv] *v/t impers* erforderlich sein für, sich schicken für: it ~s you a) es obliegt dir *od.* ist d-e Pflicht (to do zu tun), b) es gehört sich für dich.
beige [beiʒ] **I** *adj* **1.** beige, sandfarben. **II** *s* **2.** Beige *f* (*Wollstoff*). **3.** Beige *n* (*Farbton*).
be·ing ['biːiŋ] *s* **1.** (Da)Sein *n*, Exi'stenz *f*: in ~ existierend, wirklich (vorhanden); to call into ~ ins Leben rufen; to come into ~ entstehen. **2.** *j-s* Wesen *n*, Na'tur *f.* **3.** (Lebe)Wesen *n*, Geschöpf *n.*
be·jan(t) ['biːdʒən(t)] *s Br.* **1.** *univ.* junger Stu'dent, Fuchs *m* (*Aberdeen u. St. Andrews*). **2.** Anfänger *m.*
be·jew·el [bi'dʒuːəl] *v/t* mit Edelsteinen *od.* Ju'welen schmücken.
bel [bel] *s electr.* Bel *n* (*logarithmische Verhältniseinheit bei Spannungen u. Leistungen*).
be·la·bor, *bes. Br.* **be·la·bour** [bi'leibər] *v/t* **1.** (mit den Fäusten *etc*) bearbeiten. **2.** *fig.* (*mit Reden*) ‚bearbeiten', *j-m* zusetzen.
be·lat·ed [bi'leitid] *adj* **1.** verspätet. **2.** von der Nacht über'rascht.
be·laud [bi'lɔːd] *v/t* preisen, rühmen.
be·lay [bi'lei] **I** *v/t* **1.** *mar.* festmachen, *ein Tau* belegen: ~ there! Schluß!, genug (jetzt)! **2.** *Bergsteigen*: *j-n* sichern. **II** *s* **3.** *Bergsteigen*: Sichern *n.*
belch [beltʃ] **I** *v/i* **1.** aufstoßen, rülpsen. **2.** *fig.* (*mit Getöse*) her'vorbrechen. **II** *v/t* **3.** *Feuer, Rauch etc* speien. **III** *s* **4.** Aufstoßen *n*, Rülpsen *n.* **5.** *fig.* Auswurf *m*, (*Vulkan- etc*)Ausbruch *m.*
bel·cher ['beltʃər] *s* (buntes) Halstuch.
bel·dam(e) ['beldəm] *s* **1.** a) alte Frau, b) *obs.* Großmutter *f od.* Ahnfrau *f.* **2.** (böse) Hexe, alte Vettel.
be·lea·guer [bi'liːgər] *v/t* **1.** *mil. u. fig.* belagern. **2.** bloc'kieren. **3.** *fig.* um'geben. **4.** heimsuchen.
'B-e'lec·trode valve *s electr.* Dreielek'trodenröhre *f*, Tri'ode *f.*
bel·em·nite ['beləmˌnait] *s geol.* Belem'nit *m*, Donnerkeil *m.*
bel es·prit [bɛl ɛs'pri; bel 'espriː] *pl* **beaux es·prits** (*Fr.*) *s* Schöngeist *m.*
bel·fry ['belfri] *s* **1.** a) Glockenturm *m*, b) Glockenstuhl *m*, -gehäuse *n*: → bat² 1. **2.** *mil. antiq.* (*beweglicher*) Belagerungsturm.
bel·ga ['belgə] *s* Belga *m* (*belgische Währungseinheit*).
Bel·gi·an ['beldʒən; -dʒiən] **I** *s* Belgier(in). **II** *adj* belgisch.
Bel·gra·vi·a [bel'greiviə; -vjə] **I** *npr vornehmer Stadtteil Londons.* **II** *s* die aristo'kratische *od.* vornehme Welt.
Be·li·al ['biːliəl] *npr Bibl.* Belial *m*, Teufel *m*: man of ~ Verworfene(r) *m.*
be·lie [bi'lai] *v/t* **1.** Lügen erzählen über (*acc*), falsch darstellen. **2.** *j-n od. etwas* Lügen strafen. **3.** wider'sprechen (*dat*). **4.** *e-e Hoffnung etc* enttäuschen, *e-r Sache* nicht entsprechen.
be·lief [bi'liːf] *s* **1.** *relig.* Glaube *m*, Religi'on *f.* **2.** (in) a) Glaube *m* (an *acc*): beyond ~ unglaublich, b) Vertrauen *n* (auf *e-e Sache od.* zu *j-m*). **3.** Meinung *f*, Anschauung *f*, Über'zeugung *f*: to the best of my ~ nach bestem Wissen u. Gewissen. **4.** B~ *relig.* das Apo'stolische Glaubensbekenntnis.
be·liev·a·ble [bi'liːvəbl] *adj* glaublich, glaubhaft.
be·lieve [bi'liːv] **I** *v/i* **1.** glauben (in an *acc*). **2.** (in) vertrauen (auf *acc*), Vertrauen haben (zu). **3.** viel halten (in von): I do not ~ in sports ich halte nicht viel vom Sport. **II** *v/t* **4.** glauben, meinen, denken: do not ~ it glaube es nicht; ~ it or not! ob Sie es glauben oder nicht!; would you ~ it! ist so etwas möglich!; he made me ~ it er machte es mich glauben. **5.** Glauben schenken (*dat*), glauben (*dat*): ~ me glaube mir. **be'liev·er** *s* Glaubende(r *m*) *f*: to be a great ~ in fest glauben an (*acc*), viel halten von; a true ~ ein Rechtgläubiger. **be'liev·ing** *adj* (*adv* ~ly) gläubig.
be·like [bi'laik] *adv obs.* wahr'scheinlich, viel'leicht.
B e·lim·i·na·tor *s electr.* 'Umformer *m*, Netzgerät *n.*
Be·lish·a bea·con [bə'liːʃə] *s Br.* (gelbes) Blinklicht (*für Fußgänger*).

be·lit·tle [bi'litl] *v/t* **1.** verkleinern, klein erscheinen lassen. **2.** her'absetzen, schmälern, bagatelli'sieren.

bell[1] [bel] **I** *s* **1.** Glocke *f*, Klingel *f*, Schelle *f*: to bear (*od.* carry away) the ~ den Preis *od.* Sieg davontragen; as clear as a ~ glockenhell, -rein; as sound as a ~ a) ohne Sprung, ganz (*Geschirr*), b) kerngesund, gesund wie ein Fisch im Wasser; that rings a (*od.* the) ~ *colloq.* das kommt mir bekannt vor, das erinnert mich an etwas. **2.** Glocke(nzeichen *n*) *f*, Läuten *n*, Klingeln *n*. **3.** *teleph.* Wecker *m*. **4.** *mar.* a) Schiffsglocke *f*, b) Glasen *pl* (*halbstündiges Schlagen*): eight ~s acht Glasen. **5.** *mus.* a) Glockenspiel *n*, b) Schalltrichter *m*, Stürze *f* (*e-s Blasinstruments*). **6.** *bot.* glockenförmige Blumenkrone, Kelch *m*. **7.** *arch.* Glocke *f*, Kelch *m* (*am Kapitell*). **8.** Taucherglocke *f*. **9.** *tech.* a) *metall.* Gichtglocke *f*, b) *Tiefbau*: Fangglocke *f*, c) konischer Teil (*der Ziehdüse*), d) Muffe *f* (*an Röhren*), e) 'Schweißmanˌschette *f*. **II** *v/t* **10.** mit e-r Glocke *etc* versehen: to ~ the cat *fig.* der Katze die Schelle umhängen.

bell[2] [bel] **I** *v/i* rö(h)ren (*Hirsch*). **II** *s* Rö(h)ren *n*.

bel·la·don·na [ˌbelə'dɒnə] *s* **1.** *bot.* Tollkirsche *f*. **2.** *pharm.* Bella'donna *f*.

'**bell**|ˌ**bind·er** *s bot.* Zaunwinde *f*. '~-ˌ**bot·tomed** *adj* unten weit ausladend: ~ trousers. '~ˌ**boy** *s Am.* Ho'telpage *m*. ~ **buoy** *s mar.* Glockenboje *f*. ~ **but·ton** *s electr.* Klingelknopf *m*. ~ **cage** *s arch.* Glockenstuhl *m*. ~ **cap·tain** *s Am.* Porti'er *m* (*im Hotel*). ~ **clap·per** *s tech.* Glockenklöppel *m*. ~ **cord** *s* Glocken-, Klingelzug *m*. ~ **cot** *s arch.* Giebeltürmchen *n* (*für ein od. zwei Glocken*).

belle [bel] *s* Schöne *f*, Schönheit *f*: ~ of the ball Ballkönigin *f*.

belles-let·tres ['bel'letr] *s pl* Belle'tristik *f*, schöne Litera'tur.

bel·let·(t)rist [bel'letrist] *s* Belle'trist *m*, Schöngeist *m*, Lite'rat *m*. ˌ**bel·le'tris·tic** *adj* belle'tristisch.

'**bell**|ˌ**flow·er** *s bot.* Glockenblume *f*. ~ **found·er** *s* Glockengießer *m*. ~ **found·ry** *s* ˌGlockengieße'rei *f*. ~ **glass** *s* Glasglocke *f*. ~ **heath·er** *s bot.* Glockenheide *f*. '~ˌ**hop** *s Am. sl.* Ho'telpage *m*.

bel·li·cose ['belikous] *adj* (*adv* ~ly) **1.** kriegslustig, kriegerisch. **2.** → belligerent 3. ˌ**bel·li'cos·i·ty** [-'kɒsiti] *s* Kriegs-, Kampf(es)lust *f*.

bel·lied ['belid] *adj* **1.** bauchig. **2.** (*in Zssgn*) ...bauchig, ...bäuchig.

bel·lig·er·ence [bə'lidʒərəns; bi-] *s* **1.** Kriegführung *f*. **2.** Streitsucht *f*, Angriffslust *f*. **bel'lig·er·en·cy** [-si] *s* **1.** Kriegszustand *m*. **2.** → belligerence. **bel'lig·er·ent** **I** *adj* (*adv* ~ly) **1.** → bellicose 1. **2.** kriegführend: the ~ powers; ~ occupation kriegerische Besetzung; ~ rights Rechte e-s kriegführenden Staates. **3.** *fig.* streit-, kampflustig, aggres'siv. **II** *s* **4.** kriegführender Staat.

bell| **jar** *s phys. tech.* Glas-, Vakuumglocke *f*. '~-ˌ**ly·ra** *s mus.* Schellenbaum *m*. '~**man** [-mən] *s irr hist.* öffentlicher Ausrufer. ~ **mare** *s* Stute *f* mit Glocke (*als Leittier*). ~ **met·al** *s tech.* 'Glockenmeˌtall *n*, -speise *f*.

Bel·lo·na [bə'lounə; be-] **I** *npr* Bel'lona *f* (*Kriegsgöttin*). **II** *s fig.* ,Walküre' *f*, gebieterische Frau.

bel·low ['belou] **I** *v/i u. v/t* brüllen. **II** *s* Gebrüll *n*.

bel·lows ['belouz] *s pl* (*selten als sg konstruiert*) **1.** *tech.* a) Gebläse *n*, b) *a.* pair of ~ Blasebalg *m*. **2.** Lunge *f*. **3.** *phot.* Balg *m*.

'**bell**|ˌ**pull** *s* Klingelzug *m*. ~ **push** *s electr.* Klingeltaste *f*, -knopf *m*. ~ **ring·er** *s* **1.** Glöckner *m*. **2.** Glockenspieler *m*. **3.** *Am. colloq.* ,Schlager' *m*, ,Knüller' *m*. ~ **rope** *s* **1.** Glockenstrang *m*. **2.** Klingelzug *m*. '~-ˌ**shaped** *adj* glockenförmig: ~ curve *math.* Glockenkurve *f*; ~ insulator *electr.* Glockenisolator *m*. ~ **tent** *s* glockenförmiges (Gruppen)Zelt. ~ **tow·er** *s* Glockenturm *m*. '~ˌ**weth·er** *s* Leithammel *m* (*a. fig.*, *meist contp.*). ~ **wire** *s electr.* Klingeldraht *m*, -litze *f*.

bel·ly ['beli] **I** *s* **1.** Bauch *m*. **2.** Magen *m*. **3.** *fig.* Bauch *m*: a) Appe'tit *m*, b) Schlemme'rei *f*. **4.** Bauch *m*, (*das*) Innere: the ~ of a ship. **5.** Bauch *m*, Ausbauchung *f* (*e-r Flasche etc*). **6.** *mus.* a) Decke *f* (*des Geigenkörpers*), b) Reso'nanzboden *m* (*des Klaviers etc*). **7.** *fig.* 'Unterseite *f*. **II** *v/i* **8.** sich (aus)bauchen, (an)schwellen. **9.** robben, auf dem Bauch kriechen. **III** *v/t* **10.** (an)schwellen lassen, (auf)bauschen. '~ˌ**ache** **I** *s vulg.* Bauchweh *n*. **II** *v/i sl.* ,meckern', nörgeln, quengeln. '~ˌ**band** *s* Bauchriemen *m*, Sattelgurt *m*. ~ **bust·er** → belly flop. ~ **but·ton** *s colloq.* Bauchnabel *m*. ~ **clear·ance** *s mot. tech.* Bodenfreiheit *f*. ~ **dance** *s* Bauchtanz *m*. ~ **danc·er** *s* Bauchtänzerin *f*. ~ **flop(·per)** *s Schwimmen*: *sl.* ,Bauchklatscher' *m*.

bel·ly·ful ['beliful] *s*: to have had a ~ of ,die Nase voll haben' von.

'**bel·ly**|-ˌ**god** *s vulg.* Schlemmer *m*. '~ˌ**land** *v/i u. v/t aer.* e-e Bauchlandung machen (mit). '~ˌ**land·ing** *s aer.* Bauchlandung *f*. '~ˌ**pinched** *adj* ausgehungert. ~ **tank** *s aer.* Rumpfabwurfbehälter *m*.

be·long [bi'lɒŋ] *v/i* **1.** gehören (to *dat*): this ~s to me. **2.** gehören (to zu): this lid ~s to another pot; where does this book ~? wohin gehört dieses Buch? a; dictionary ~s in every office ein Lexikon gehört in jedes Büro. **3.** an-, zugehören (to *dat*): to ~ to a club. **4.** da'zugehören, am richtigen Platz sein: he does not ~ er gehört nicht hierher, er ist fehl am Platze. **5.** (to, for) sich gehören (für), ziemen (*dat*). **6.** *Am.* a) gehören (to zu), verbunden sein (with mit), b) das Wohnrecht haben (in in *dat*). **be'long·ing** *s* **1.** Zugehörigkeit *f*. **2.** *pl* a) Habseligkeiten *pl*, Habe *f*, b) Zubehör *n*, c) *colloq.* Angehörige *pl*.

be·lov·ed [bi'lʌvid; -'lʌvd] **I** *adj* (innig) geliebt (of, by von). **II** *s* Geliebte(r *m*) *f*.

be·low [bi'lou] **I** *adv* **1.** unten: as stated ~ wie unten erwähnt; a few houses ~ ein paar Häuser weiter unten; he is ~ er ist unten (*im Haus*). **2.** hin'unter, hin'ab, nach unten. **3.** *meist* here ~ *poet.* hie'nieden, auf Erden. **4.** in der Hölle. **5.** (dar)'unter, niedriger, tiefer: the court ~ *jur.* die Vorinstanz; the judge ~ der Richter der Vorinstanz; the rank ~ der nächstniedere Rang. **II** *prep* **6.** unter (*dat od. acc*), 'unterhalb (*gen*): ~ average unter dem Durchschnitt; ~ cost unter dem Kostenpreis; ~ zero unter Null; ~ s.o. unter j-s Rang, Würde, Fähigkeit *etc*; it is ~ me es ist unter m-r Würde. **be'lowˌstairs** *adv* **1.** unten, par'terre. **2.** *fig.* bei den Dienstboten.

belt [belt] **I** *s* **1.** Gürtel *m*: to hit below the ~ a) (*Boxen*) tief schlagen, *j-m* e-n Tiefschlag versetzen (*a. fig.*), b) *fig.* sich (*j-m* gegenüber) unfair verhalten; under one's ~ *colloq.* a) im Magen, b) *Am. fig.* ,in der Tasche'. **2.** *mil.* Koppel *n*, Gehenk *n*. **3.** (Anschnall-, Sicherheits)Gurt *m*. **4.** *Boxen*: (Meisterschafts)Gürtel *m*. **5.** *mil.* (Ma'schinengewehr-, Pa'tronen)Gurt *m*. **6.** *mar.* Panzergürtel *m* (*e-s Kriegsschiffes*). **7.** Gürtel *m*, Gebiet *n*, Zone *f*: green ~ Grüngürtel (*um e-e Stadt*); → black belt. **8.** *geogr.* Meerenge *f*, Belt *m*: the Great (Little) B~ der Große (Kleine) Belt. **9.** *tech.* a) (Treib)Riemen *m*, b) Gürtel *m*, Gurt *m*, c) Förderband *n*. **10.** *arch.* Gurt(gesims *n*) *m*. **11.** *Am.* a) Schlag *m*, b) *sl.* → bang[1] 3 c. **II** *v/t* **12.** um'gürten, mit Riemen *od.* Gurten befestigen: to ~ on an-, umschnallen. **13.** zs.-halten. **14.** a) *bes. Am.* (wuchtig) schlagen, ,knallen', b) *j-n* 'durchprügeln. **15.** *a.* ~ out *Am. colloq. ein Lied etc* schmettern. **III** *v/i* **16.** *a.* ~ along *Am. colloq.* (da'hin)rasen. **17.** *Am.* schlagen, ,knallen' (against gegen).

Bel·tane ['beltein] *s* (*altes keltisches*) Maifest.

belt| **con·vey·er** *s tech.* Bandförderer *m*, Förderband *n*. ~ **cou·pling** *s tech.* Riemenkupplung *f*. ~ **course** *s arch.* **1.** Eckbindesteine *pl*. **2.** Gurt *m*. ~ **drive** *s tech.* Riemenantrieb *m*. '~-ˌ**driv·en** *adj tech.* mit Riemenantrieb (versehen).

belt·ed ['beltid] *adj* **1.** mit e-m Gürtel (versehen). **2.** gestreift.

belt| **gear·ing** *s* Riemenvorgelege *n*. ~ **line** *s Am.* Verkehrsgürtel *m* (*um e-e Stadt*). ~ **pul·ley** *s* Riemenscheibe *f*. '~-ˌ**sand·ing ma·chine** *s* 'Bandschleifmaˌschine *f*. ~ **saw** *s* Bandsäge *f*. ~ **tight·en·er** *s* Riemenspanner *m*.

be·lu·ga [bə'luːgə] *s ichth.* **1.** Weißwal *m*. **2.** Weißstör *m*.

be·lute [bi'ljuːt; -'luːt] *v/t* **1.** beschmutzen, besudeln. **2.** verkleben.

bel·ve·dere [ˌbelvi'diə] *s* **1.** Belve'dere *n* (*Gebäude mit schönem Ausblick*). **2.** Pavillon *m*.

be·mazed [bi'meizd] *adj* verwirrt.

be·mean [bi'miːn] *v/t* erniedrigen.

be·mire [bi'maiə] *v/t* beschmutzen.

be·moan [bi'moun] *v/t* **1.** beklagen, beweinen, betrauern. **2.** *j-n* bedauern.

be·mock [bi'mɒk] *v/t* verhöhnen.

be·mud·dle [bi'mʌdl] *v/t* verwirren.

be·muse [bi'mjuːz] *v/t* **1.** verwirren, benebeln. **2.** betäuben. **3.** nachdenklich stimmen. **be'mused** *adj* **1.** verwirrt, betäubt. **2.** gedankenverloren.

ben[1] [ben] *Scot. od. dial.* **I** *adv* **1.** (dr)innen. **2.** her'ein, hin'ein: come ~ komm herein (*ins Wohnzimmer*). **II** *prep* **3.** in den *od.* im Innen- *od.* Wohnraum von (*od. gen*). **III** *adj* **4.** inner(er, e, es). **IV** *s* **5.** Innen-, Wohnraum *m*.

ben[2] [ben] *s Scot.* Berggipfel *m*.

be·name [bi'neim] *obs. pp* **be'nempt** [-'nempt] *v/t* (be)nennen.

bench [bentʃ] **I** *s* **1.** (Sitz)Bank *f*: to play to empty ~es *thea.* vor leeren Bänken spielen. **2.** *sport Am.* (Teilnehmer-, *a.* Straf)Bank *f*: on the ~ a) auf der Wartebank, b) ausgeschieden, auf der Strafbank. **3.** *meist* B~ *jur.* a) Richtersitz *m*, -bank *f*, b) Gericht *n*, c) *fig.* Richteramt *n*, d) *collect.* Richter(schaft *f*) *pl*: B~ and Bar Richter u. Anwälte; to be on the ~ Richter sein, den Vorsitz *od.* die Verhandlung führen; to be raised to the ~ zum Richter ernannt werden; → King's Bench (Division). **4.** Sitz *m* (*im Parlament etc*), (Abgeordneten-, Zeugen-*etc*)Bank *f*. **5.** Werk-, Arbeitsbank *f*, -tisch *m*: carpenter's ~ Hobelbank. **6.** *Am.* a) Plattform *f* (*auf der Tiere*, *bes. Hunde, ausgestellt werden*), b) Hundeausstellung *f.* **7.** *Bergbau:* horizon'tale Schicht, Bank *f.* **8.** *tech.* Bank *f*, Reihe *f* (*von Geräten, Retorten etc*). **9.** *geogr. Am.* ter'rassenförmiges Flußufer. **10.** *mar.* Ruderbank *f.* **II** *v/t* **11.** mit Bänken versehen. **12.** *Am. bes. Hunde* ausstellen. **13.** abstufen, terras'sieren. **14.** *sport Am.* vom Spielfeld verweisen. ~ **coal** *s* Bank-, Flözkohle *f.*

bench·er ['bentʃər] *s* **1.** *Br.* Vorstandsmitglied *n* e-r Anwaltsinnung: ~ of an Inn of Court. **2.** *parl. Br.* (*in Zssgn*) Parla'mentsmitglied *n*: → backbencher, frontbencher. **3.** Ruderer *m.*

bench| lathe *s tech.* Me'chaniker-, Tischdrehbank *f.* ~ **mark** *s tech.* **1.** *surv.* Abrißpunkt *m.* **2.** *allg.* trigono'metrischer Punkt. ~ **plane** *s tech.* Bankhobel *m.* ~ **warm·er** *s sport Am. sl.* Ersatzmann *m* (*der nicht zum Einsatz kommt*). ~ **war·rant** *s jur.* (*vom Verhandlungsrichter erlassener*) Haftbefehl.

bend [bend] **I** *s* **1.** Biegung *f*, Krümmung *f*, Kurve *f*: round the ~ *Br. sl.* ‚bekloppt', übergeschnappt; to drive s.o. round the ~ *Br. sl.* j-n wahnsinnig machen. **2.** Knoten *m*, Schlinge *f.* **3.** *tech.* Krümmer *m*, Knie(stück, -rohr) *n.* **4.** *her.* Schrägbalken *m.* **5.** the ~s *pl med.* Luftdruck-, Cais'sonkrankheit *f.* **6.** *sl.* → bender.

II *v/t pret u. pp* **bent** [bent], *obs.* **bend·ed** ['bendid] **7.** ('um-, 'durch-, auf)biegen, krümmen: to ~ at (right) angles *tech.* abkanten; to ~ on edge *tech.* hochkantbiegen; to ~ out of line *tech.* verkanten; to ~ out of shape verbiegen. **8.** beugen, neigen: to ~ one's head den Kopf neigen; to ~ one's knee a) das Knie beugen, b) *fig.* sich unterwerfen, c) beten; on ~ed knees kniefällig. **9.** *e-n Bogen, e-e Feder etc* spannen. **10.** *mar.* festmachen. **11.** *fig.* beugen, unter'werfen: to ~ s.o. to one's will sich j-n gefügig machen. **12.** *s-e Blicke, Gedanken etc* richten, *a. s-e Schritte* lenken, *s-e Anstrengungen etc* konzen'trieren (on, to, upon auf *acc*): to ~ one's energies on s.th. s-e ganze Kraft auf etwas verwenden; to ~ o.s. (one's mind) to a task sich (s-e Aufmerksamkeit) e-r Aufgabe widmen; → bent[1] 2.

III *v/i* **13.** sich krümmen, sich ('um-, 'durch-, auf)biegen: to ~ down sich niederbeugen, sich bücken; to ~ over sich beugen *od.* neigen über (*acc*); to ~ over backwards *fig.* sich fast umbringen (*vor Eifer*). **14.** sich neigen, sich (ver)beugen, sich bücken (to, before vor *dat*). **15.** *fig.* sich beugen. **16.** neigen, ten'dieren (towards zu).

bend·ed ['bendid] *obs. pret u. pp von* bend.

bend·er ['bendər] *s* **1.** *tech.* 'Biegema,schine *f od.* -zange *f.* **2.** *Baseball:* Ef'fetball *m.* **3.** *Br. sl.* Sixpence-Münze *f.* **4.** *sl.* ‚Saufe'rei' *f*, ‚Bierreise' *f*, Bummel *m*: to go on a ~ ‚auf die Pauke hauen', ‚ein Faß aufmachen'.

bend·ing| fa·tigue strength *s phys.* Biegeschwingungsfestigkeit *f.* ~ **pressure** *s phys.* Biegedruck *m*, -beanspruchung *f*, -spannung *f.* ~ **re·sist·ance** *s phys.* Biegesteifigkeit *f.* ~ **strain** → bending pressure. ~ **strength** → bending resistance. ~ **stress** → bending pressure. ~ **test** *s tech.* Biegeprobe *f.*

bend sin·is·ter *s her.* Schräglinksbalken *m.*

be·neath [bi'ni:θ] **I** *adv* **1.** unten: on the earth ~ hienieden. **2.** dar'unter, unten drunter, (weiter) unten. **II** *prep* **3.** unter, 'unterhalb (*gen*): ~ the same roof unter demselben Dach; ~ him (*od.* his dignity) *fig.* unter s-r Würde; ~ contempt unter aller Kritik, verachtenswert; he is ~ notice er ist nicht der Beachtung wert.

ben·e·dic·i·te [ˌbeni'daisiti; -'dis-] (*Lat.*) *s* **1.** B~ *R.C.* Bene'dicite *n* (*Danklied*). **2.** Segnung *f.*

ben·e·dick ['benidik], *a.* **'ben·eˌdict** [-ˌdikt] *s* frischgebackener Ehemann (*bes. e-r, der lange Junggeselle war*).

Ben·e·dic·tine [ˌbeni'diktain; -ti:n; -tin] **I** *s* **1.** *relig.* Benedik'tiner(in). **2.** [-ti:n] Benedik'tiner *m* (*Likör*). **II** *adj* **3.** *relig.* Benediktiner...

ben·e·dic·tion [ˌbeni'dikʃən] *s relig.* **1.** Benedikti'on *f*, Segnung *f*, Weihe *f.* **2.** Segen(swunsch) *m* (*a. fig.*). **3.** Danksagungsgottesdienst *m*, Dankgebet *n.* **ˌben·e'dic·tion·al I** *s relig.* Segensformelbuch *n.* **II** *adj* Segens...

ben·e·fac·tion [ˌbeni'fækʃən] *s* **1.** Wohltat *f.* **2.** Wohltätigkeit *f*, Spende *f*, wohltätige Gabe *od.* Stiftung. **'ben·eˌfac·tor** [-tər] *s* Wohltäter *m.* **'ben·eˌfac·tress** *s* Wohltäterin *f.*

ben·e·fice ['benifis] *s* **1.** *relig.* Pfründe *f.* **2.** *hist.* Lehen *n.* **'ben·e·ficed** *adj* im Besitz e-r Pfründe *etc.*

be·nef·i·cence [bi'nefisəns] *s* **1.** Wohltätigkeit *f.* **2.** Wohltat *f.* **3.** Schenkung *f*, Stiftung *f.* **be'nef·i·cent** *adj* (*adv* ~ly) **1.** wohltätig. **2.** → beneficial 1.

ben·e·fi·cial [ˌbeni'fiʃəl] *adj* (*adv* ~ly) **1.** (to) nützlich, förderlich, zuträglich (*dat*), vorteilhaft, günstig, gut, wohltuend, heilsam (für). **2.** *jur.* nutznießend: ~ owner materieller Eigentümer, unmittelbarer Besitzer, Nießbraucher *m.* **ˌben·e'fi·cial·ness** *s* Nützlichkeit *f*, Zuträglichkeit *f.*

ben·e·fi·ci·ar·y [ˌbeni'fiʃəri] **I** *adj* **1.** Pfründen... **2.** *hist.* Leh(e)ns... **II** *s* **3.** Pfründner *m.* **4.** *hist.* Leh(e)nsmann *m.* **5.** *jur. allg.* (Bezugs)Berechtigte(r *m*) *f*, Begünstigte(r *m*) *f*, Empfänger(in), *z. B.* a) Nutznießer(in), Nießbraucher(in), b) Versicherungsnehmer(in): ~ of an insurance policy Begünstigte(r) aus e-m Versicherungsvertrag, c) Vermächtnisnehmer(in): ~ under a will im Testament Bedachte(r) *od.* als Erbe eingesetzte Person, d) Kre'ditnehmer(in), e) Unter'stützungsempfänger(in).

ben·e·fi·ci·ate [ˌbeni'fiʃiˌeit] *v/t metall. Erz* erz redu'zieren.

ben·e·fit ['benifit] **I** *s* **1.** Vorteil *m*, Nutzen *m*, Gewinn *m*: for the ~ of zugunsten *od.* zum Besten *od.* im Interesse (*gen*); to derive ~ (from) → 10; to give s.o. the ~ of s.th. j-n in den Genuß e-r Sache kommen lassen, j-m etwas gewähren. **2.** Vergünstigung *f.* **3.** *econ.* Zuwendung *f*, Beihilfe *f*: a) (*Sozial-, Versicherungs- etc*)Leistung *f*: social ~; insurance ~; cash ~ Barleistung, b) (*Alters-, Invaliden-, Unfall- etc*)Rente *f*: old-age ~, c) (*Arbeitslosen- etc*)Unter'stützung *f*: unemployment ~, d) (*Kranken-, Sterbe- etc*)Geld *n*: sickness ~; maternity ~ Wochenhilfe *f.* **4.** *jur.* a) Vorrecht *n*: ~ of clergy *hist.* Vorrecht des Klerus (*sich nur vor geistlichen Gerichten verantworten zu müssen*), b) Rechtswohltat *f*: ~ of counsel Rechtswohltat der Vertretung durch e-n Anwalt; ~ of the doubt Rechtswohltat des Grundsatzes „im Zweifel für den Angeklagten"; to give s.o. the ~ of the doubt im Zweifelsfalle zu j-s Gunsten entscheiden. **5.** Bene'fiz(vorstellung *f*, *sport* -spiel *n*) *n*, Wohltätigkeitsveranstaltung *f.* **6.** *obs.* Wohltat *f*, Gefallen *m.* **7.** *obs.* a) Pfründe *f*, b) *Lotterie:* Treffer *m.* **II** *v/t* **8.** nützen, zu'gute kommen (*dat*), fördern (*acc*), im Inter'esse (*gen*) sein *od.* liegen. **9.** begünstigen. **III** *v/i* **10.** (by, from) Vorteil haben (von, durch), Nutzen ziehen (aus). ~ **clause** *s* Begünstigungsklausel *f* (*in e-r Lebensversicherung*). ~ **fund** *s econ.* Versicherungsfonds *m.* ~ **match** *s sport* Bene'fizspiel *n.* ~ **so·ci·e·ty** *s* **1.** Wohltätigkeits-, Unter'stützungsverein *m.* **2.** *econ.* Versicherungsverein *m* auf Gegenseitigkeit.

be·nempt [bi'nempt] *obs. pp von* bename.

be·nev·o·lence [bi'nevələns] *s* **1.** Wohl-, Mildtätigkeit *f.* **2.** Wohlwollen *n.* **3.** Wohltat *f.* **4.** *Br. hist.* (*königliche*) Zwangsanleihe.

be·nev·o·lent [bi'nevələnt] *adj* (*adv* ~ly) **1.** wohl-, mildtätig, gütig. **2.** wohlwollend. ~ **fund** *s* Unter'stützungsfonds *m*, -kasse *f.* ~ **so·ci·e·ty** *s* Hilfs-, Unter'stützungsverein *m* (auf Gegenseitigkeit).

Ben·gal [beŋ'gɔ:l; ben-] *adj* ben'galisch: ~ light (*od.* fire) bengalisches Feuer; ~ tiger → tiger 1.

Ben·gal·ee, Ben·ga·li [beŋ'gɔ:li; ben-] **I** *s* **1.** Ben'gale *m*, Ben'galin *f.* **2.** *ling.* Ben'gali *n*, das Ben'galische. **II** *adj* **3.** ben'galisch.

be·night·ed [bi'naitid] *adj* **1.** von der Nacht *od.* Dunkelheit über'rascht. **2.** *fig.* geistesarm, ‚verblödet'.

be·nign [bi'nain] *adj* (*adv* ~ly) **1.** gütig, mild, freundlich. **2.** *fig.* günstig, wohltuend. **3.** mild, zuträglich. **4.** *med.* gutartig: ~ tumo(u)r. **be'nig·nan·cy** [-'nignənsi] *s* **1.** Güte *f*, Milde *f.* **2.** *med.* Gutartigkeit *f.* **be'nig·nant** *adj* (*adv* ~ly) → benign. **be'nig·ni·ty** [-'nigniti] *s* **1.** Wohlwollen *n.* **2.** → benignancy.

ben·i·son ['benizn] *s poet.* Segen *m.*

Ben·ja·min[1] ['bendʒəmin] *npr* Benjamin *m* (*a. fig. jüngstes Kind*).

ben·ja·min[2] ['bendʒəmin] → benzoin.

ben·ja·min tree *s bot.* Ben'zoebaum *m.*

ben·net ['benit] *s bot.* **1.** Bene'diktenkraut *n.* **2.** Gänseblümchen *n.* **3.** 'Bockspeterˌsilie *f.*

bent[1] [bent] **I** *pret u. pp von* bend. **II** *adj* **1.** gebeugt, gebogen, gekrümmt: ~ (at right angles) *tech.* gekröpft; ~ lever Winkelheber *m*; ~ thermometer Winkelthermometer *n.* **2.** a) entschlossen (on doing *od.* to do zu tun), b) erpicht (on auf *acc*), darauf aus *od.* versessen *od.* ‚scharf' (on doing *od.* to do zu tun). **III** *s* **3.** *fig.* Neigung *f*, Hang *m*, Trieb *m* (for zu): to the top of one's ~ nach Herzenslust.

bent[2] [bent] *s* **1.** *bot.* a) *a.* ~ grass (*ein*) Straußgras *n*, b) Heidekraut *n*, c) Teichbinse *f*, d) Sandsegge *f.* **2.** Heide *f*, grasige Ebene.

Ben·tham·ism ['benθəˌmizəm; -təˌm-] *s philos.* Bentha'mismus *m*, Utilita'rismus *m* Jeremy Benthams (*mit dem Prinzip des größten Glücks der größten Zahl als sittlichem Maßstab*). **'Ben·thamˌite** [-ˌmait] *s* Anhänger(in) (der Lehre) Benthams.

ben·thos ['benθɒs] *s biol.* **1.** Benthal *n* (*die Region des Meeresbodens*). **2.** Benthos *n* (*die Fauna u. Flora des Meeresbodens*).

'bentˌwood *s* gebogenes *od.* geschweiftes Holz: ~ chair Wiener Stuhl *m.*

be·numb [bi'nʌm] *v/t* betäuben: a) gefühllos machen, erstarren lassen, b)

fig. lähmen. **be'numbed** *adj* betäubt, gelähmt (*a. fig.*), erstarrt, gefühllos.
benz·al·de·hyde [ben'zældiˌhaid] *s chem.* Benzalde'hyd *m.*
Ben·ze·drine ['benziˌdriːn; -drin] (*TM*) *s pharm.* Benze'drin *n.*
ben·zene ['benziːn; ben'ziːn] *s chem.* Ben'zol *n.*
ben·zi·dine ['benziˌdiːn; -din] *s chem.* [Benzi'din *n.*]
ben·zine ['benziːn; ben'ziːn] *s chem.* **1.** Ben'zin *n.* **2.** 'Waschbenˌzin *n.*
ben·zo·ate ['benzouˌeit] *s chem.* Benzo'at *n*, ben'zoesaures Salz.
ben·zo·ic [ben'zouik] *adj chem.* Benzoe...: ~ acid Benzoesäure *f.*
ben·zo·in ['benzouin; ben'zouin] *s* **1.** *chem.* Benzo'in *n.* **2.** *tech.* Ben'zoegummi *m*, -harz *n*, Benzoe *f.*
ben·zol(e) ['benzɒl; -zoul] → **benzene.**
ben·zo·line ['benzəliːn; -lin] → **benzine.**
ben·zo·yl ['benzoil; -ˌiːl] *s chem.* [Benzo'yl *n.*]
ben·zyl ['benzil; -ziːl] *s chem.* Ben'zyl *n*: ~ alcohol Benzylalkohol *m.*
ben·zyne ['benzain] *s chem.* A'rin *n.*
be·queath [bi'kwiːð; -iːθ] *v/t* **1.** *jur.* hinter'lassen, (testamen'tarisch) vermachen (s.th. to s.o. j-m etwas). **2.** *fig.* über'liefern, vererben.
be·quest [bi'kwest] *s* **1.** *jur.* Vermächtnis *n*, Le'gat *n.* **2.** *a. fig.* Hinter'lassenschaft *f*, Erbe *n.*
be·rate [bi'reit] *v/t bes. Am.* heftig ausschelten, auszanken.
Ber·ber ['bəːrbər] **I** *s* **1.** Berber(in). **2.** *ling.* Berbersprache(n *pl*) *f.* **II** *adj* **3.** Berber...
ber·ber·ine ['bəːrbəˌriːn; -rin] *s chem.* Berbe'rin *n.*
Ber·ber·is ['bəːrbəris], **ber·ber·ry** ['bəːrbəri] → **barberry.**
be·reave [bi'riːv] *pret u. pp* **be'reaved** *od.* **be'reft** [-'reft] *v/t* **1.** berauben (s.o. of s.th. j-n e-r Sache): ~d durch den Tod beraubt, hinterblieben; the ~d die Hinterbliebenen. **2.** *j-n* hilflos u. verwaist zu'rücklassen. **be'reavement** *s* **1.** Beraubung *f*, schmerzlicher Verlust (*durch Tod*). **2.** Trauerfall *m.* **3.** Verlassenheit *f* (*e-r Witwe*).
be·reft [bi'reft] **I** *pret u. pp von* bereave. **II** *adj meist fig.* beraubt (of *gen*): ~ of all hope; ~ of one's senses von Sinnen.
be·ret ['berei; bə'rei; 'berit] *s* **1.** Baskenmütze *f.* **2.** *mil. Br.* 'Felduniˌformmütze *f.*
berg [bəːrg] *s* **1.** *mar. abbr. für* iceberg. **2.** Berg *m*, Hügel *m.*
ber·ga·mot ['bəːrgəˌmɒt] *s* **1.** *bot.* Berga'mottenbaum *m.* **2.** *a.* essence of ~, ~ oil *chem.* Berga'mottöl *n.* **3.** Berga'motte *f* (*Birnensorte*). **4.** *bot.* a) Zi'tronenminze *f*, b) Pfefferminze *f.*
berg|·mehl ['bəːrgˌmeil] *s geol.* Bergmehl *n.* '~ˌ**schrund** [-ˌʃrʌnd] *s geol.* Randspalte *f* (*vom Gletscher*).
be·rib·boned [bi'ribənd] *adj* mit (Ordens)Bändern geschmückt.
ber·i·ber·i ['beri'beri] *s med.* 'Beri'beri *f*, Reisesserkrankheit *f.*
Berke·le·ian [bɑːrk'liːən; *Am.* bəːrk-] *philos.* **I** *adj* die Lehre Berkeleys betreffend. **II** *s* Anhänger(in) (des subjek'tiven Idea'lismus) Berkeleys.
ber·lin [bəːr'lin; 'bəːrlin] *s* **1.** Ber'line *f* (*viersitziger Reisewagen im 17. u. 18. Jh.*). **2.** *mot.* Limou'sine *f* mit Glasscheiben zwischen Fahrersitz u. Wagenfond. **B~ black** *s tech.* schwarzer Eisenlack. **B~ blue** *s* Ber'liner Blau *n.*
ber·line [bəːr'lin] → **berlin.**
Ber·lin| gloves *s pl* Strickhandschuhe *pl.* **~ wool** *s* feine St(r)ickwolle.
berm(e) [bəːrm] *s* Berme *f*: a) *mil.* Böschungsstütze *f*, Wall *m*, b) *Am.* (*Straßen*)Ban'kett *n.*
Ber·mu·di·an [bər'mjuːdiən] **I** *s* Bewohner(in) der Ber'muda-Inseln. **II** *adj* zu den Ber'muda-Inseln gehörig.
Ber·nard·ine ['bəːrnərdin; -ˌdiːn] *relig.* **I** *adj* Bernhardiner..., Zisterzienser... **II** *s* Bernhar'diner(in).
Ber·nese [ˌbəːr'niːz] **I** *adj* aus Bern, Berner: ~ Alps Berner Alpen. **II** *s* a) Berner(in), b) *pl* Berner(innen) *pl.*
ber·ried ['berid] *adj* **1.** beerenförmig. **2.** *bot.* beerentragend. **3.** *zo.* a) eiertragend (*Hummer*), b) rogentragend (*Fisch*).
ber·ry ['beri] **I** *s* **1.** *bot.* a) Beere *f*, b) Korn *n*, Kern *m* (*beim Getreide*). **2.** *jede kleine Frucht, bes.* Hagebutte *f.* **3.** Kaffeebohne *f.* **4.** *zo.* Ei *n* (*vom Hummer od. Fisch*). **II** *v/i* **5.** *bot.* Beeren tragen *od.* ansetzen. **6.** Beeren sammeln *od.* suchen.
ber·serk ['bəːrsəːrk] **I** *adj u. adv* wütend, rasend: ~ rage Berserkerwut *f*; to go ~ wild werden, Amok laufen. **II** *adv* in blinder Wut. **III** *s* → **berserker.** '**ber·serk·er** *s* Ber'serker *m.*
berth [bəːrθ] **I** *s* **1.** *mar.* Seeraum *m*: to give a wide ~ to a) weit abhalten von (*der Küste etc*), b) *fig.* e-n Bogen machen um, *j-m* aus dem Weg gehen. **2.** *mar.* Liege-, Ankerplatz *m.* **3.** *mar.* (Schlaf)Koje *f*, Ka'jütenbett *n*, *allg.* Schiffsplatz *m.* **4.** (Schlafwagen)Bett *n od.* (-)Platz *m.* **5.** *Br. colloq.* Stellung *f*, ‚Pöstchen' *n*: he has a good ~. **II** *v/t* **6.** *mar.* am Kai festmachen, vor Anker legen. **7.** *Br. j-m* e-n (Schlaf)Platz anweisen, *j-n* 'unterbringen (*a. fig.*). **III** *v/i* **8.** *mar.* festmachen, anlegen: to ~ in the dock docken.
ber·tha ['bəːrθə] *s* Bert(h)e *f* (*Spitzeneinfassung am Ausschnitt e-s Kleides*).
berth·age ['bəːrθidʒ] *s mar.* **1.** Kaigebühr *f.* **2.** → berth 2.
Berth·on boat ['bəːrθɒn] *s mar. Br.* [Faltboot *n.*]
ber·yl ['beril] *s* **1.** *min.* Be'ryll *m.* **2.** Be'ryllfarbe *f*, helles Meergrün.
be·ryl·li·um [be'riliəm] *s chem.* Be'ryllium *n.*
be·seech [bi'siːtʃ] *pret u. pp* **be·sought** [bi'sɔːt] *u.* **be'seeched** *v/t* inständig *od.* flehentlich bitten, ersuchen, anflehen (for um; to do zu tun). **be'seech·ing** *adj* flehend, bittend. **be'seech·ing·ly** *adv* flehentlich.
be·seem [bi'siːm] **I** *v/t* sich ziemen *od.* schicken für. **II** *v/i* sich ziemen, sich schicken. **be'seem·ing·ly** *adv* auf schickliche Art, geziemend.
be·set [bi'set] *pret u. pp* **be'set** *v/t* **1.** a) einschließen, belagern, b) anfallen, attac'kieren. **2.** a) *j-n* (von allen Seiten) bedrängen, heimsuchen, peinigen, b) *etwas* (*mit Problemen etc*) über'häufen *od.* behaften: a task ~ with difficulties e-e mit vielen Schwierigkeiten verbundene Aufgabe. **3.** *e-e Straße etc* bloc'kieren, versperren. **4.** besetzen: to ~ with pearls. **be'setting** *adj* **1.** hartnäckig, eingefleischt, unausrottbar, ständig: ~ sin Gewohnheitslaster *n.* **2.** ständig drohend: ~ danger.
be·shrew [bi'ʃruː] *v/t* verfluchen (*obs. außer in*): ~ it! hol's der Teufel!
be·side [bi'said] *prep* **1.** neben, dicht bei: sit ~ me setzen Sie sich neben mich. **2.** außerhalb (*gen*), nicht gehörend zu. **3.** außer: to be ~ o.s. außer sich sein (with vor *Freude etc*).
be·sides [bi'saidz] **I** *adv* **1.** außerdem, ferner, über'dies, noch da'zu. **2.** *neg* sonst. **II** *prep* **3.** außer, neben (*dat*). **4.** über ... (*acc*) hin'aus.
be·siege [bi'siːdʒ] *v/t* **1.** belagern (*a. fig.*). **2.** *fig.* bestürmen, bedrängen.
be·slav·er [bi'slævər] *v/t* **1.** mit Speichel bedecken, begeifern. **2.** *fig. j-m* lobhudeln.
be·slob·ber [bi'slɒbər] *v/t* **1.** → beslaver. **2.** *contp.* ‚abschlecken'.
be·smear [bi'smir] *v/t* beschmieren.
be·smirch [bi'sməːrtʃ] *v/t bes. fig.* besudeln.
be·som ['biːzəm] *s* (Reisig)Besen *m.*
be·sot·ted [bi'sɒtid] *adj* **1.** töricht, dumm. **2.** (about, on, with) betört (von), vernarrt (in *acc*). **3.** betrunken, berauscht (with von).
be·sought [bi'sɔːt] *pret u. pp von* beseech.
be·spake [bi'speik] *obs. pret von* be- [speak.]
be·spangle [bi'spæŋgl] *v/t* mit Flitter schmücken.
be·spat·ter [bi'spætər] *v/t* **1.** (mit Kot *etc*) bespritzen, beschmutzen. **2.** *fig.* (mit Vorwürfen *etc*) über'schütten.
be·speak [bi'spiːk] *pret* **be·spoke** [bi'spouk] *obs.* **be·spake** [bi'speik] *pp* **be'spo·ken** *v/t* **1.** im voraus bitten um, (vor'aus)bestellen: to ~ the reader's patience; to ~ a seat e-n Platz bestellen. **2.** mit Beschlag belegen. **3.** zeugen von: this ~s a kindly heart. **4.** ankündigen. **5.** *poet.* anreden.
be·spec·ta·cled [bi'spektəkld] *adj* bebrillt, brillentragend.
be·spoke [bi'spouk] **I** *pret u. pp von* bespeak. **II** *adj Br.* nach Maß *od.* auf Bestellung angefertigt, Maß...: ~ suit Maßanzug *m*; ~ tailor Maßschneider *m.* **be'spo·ken** *pp von* bespeak.
be·sprin·kle [bi'spriŋkl] *v/t* besprengen, bespritzen, bestreuen.
Bes·se·mer, b~ ['besimər] *abbr. für* Bessemer converter *u.* Bessemer steel. **~ con·vert·er** *s tech.* 'Bessemerbirne *f*, -konˌverter *m.*
Bes·se·mer·ize, b~ ['besiməˌraiz] *v/t tech.* bessemern.
Bes·se·mer| proc·ess *s tech.* 'Bessemerproˌzeß *m*, -verfahren *n.* **~ steel** *s tech.* Bessemerstahl *m.*
best [best] **I** (*sup von* good) *adj* **1.** best(er, e, es): to be ~ at hervorragen in (*dat*); ~ evidence *jur.* primärer Beweis; the ~ of wives die beste aller Frauen; the ~ families die besten *od.* feinsten Familien; → bet 2, foot 1, girl 3. **2.** best(er, e, es), geeignetst(er, e, es), passendst(er, e, es): the ~ thing to do das Beste (was man tun kann). **3.** größt(er, e, es), meist(er, e, es), höchst(er, e, es): the ~ part of the week der größte Teil der Woche. **II** (*sup von* well) *adv* **4.** am besten, am meisten, am vorteilhaftesten, am passendsten: the ~ hated man of the year *colloq.* der meistgehaßte Mann des Jahres; as ~ they could so gut sie konnten, nach besten Kräften; you had ~ go es wäre das beste, wenn Sie gingen. **III** *v/t* **5.** über'treffen. **6.** *colloq.* über'vorteilen, übers Ohr hauen. **IV** *s* **7.** (*der, die, das*) Beste. **8.** *colloq.* ‚bestes Stück' (*bester Anzug etc.*).
Besondere Redewendungen:
at ~ bestenfalls, höchstens; for the ~ zum besten; with the ~ (mindestens) so gut wie jeder andere; the ~ of it is ... das Beste daran *od.* der Witz dabei ist ...; to do one's (level) ~ sein möglichstes tun; to be at one's ~ in bester Verfassung *od.* Form sein; to have (*od.* get) the ~ of it am besten dabei wegkommen, im Vorteil sein; to look one's ~ am vorteilhaftesten *od.* blendend aussehen; to make the ~

of a) sich zufriedengeben mit, b) sich abfinden mit (*etwas Unabänderlichem*), c) etwas bestens ausnutzen, d) *e-r Sache* die beste Seite abgewinnen; → job¹ 1, belief 3.
be·stead [bi'sted] **I** *v/t pret u. pp* **be'stead·ed** *u.* **be'ste(a)d 1.** *j-m* a) helfen, beistehen, b) nutzen. **II** *adj* **2.** um'geben. **3.** bedrängt: ill ~, hard ~ schwer bedrängt.
be·sted → bestead.
bes·tial ['bestiəl; -tjəl; -tʃəl] *adj* (*adv* ~ly) **1.** tierisch (*a. fig.*). **2.** *fig.* besti'alisch, entmenscht, viehisch. **3.** gemein, verderbt. ˌ**bes·ti'al·i·ty** [-'æliti] *s* **1.** Bestiali'tät *f*: a) tierisches Wesen, b) *fig.* besti'alische Grausamkeit. **2.** Sodo'mie *f.* '**bes·tialˌize** *v/t j-n* zum Tier machen, entmenschlichen.
bes·ti·ar·y ['bestiəri] *s hist.* Besti'arium *n* (*Tierbuch*).
be·stir [bi'stəːr] *v/t* anspornen: to ~ o.s. sich rühren, sich tummeln.
best man *s irr* Brautführer *m.*
be·stow [bi'stou] *v/t* **1.** *a. s-e Aufmerksamkeit* schenken, geben, spenden, *a. ein Talent* verleihen, *a. e-e Gunst, ein Lob* gewähren, *a. Zeit* widmen (s.th. [up]on s.o. j-m etwas). **2.** *obs.* 'unterbringen (*a. beherbergen*), aufspeichern, verstauen. **3.** *obs.* zur Ehe geben. **be'stow·al** *s* **1.** Gabe *f*, Schenkung *f*, Verleihung *f.* **2.** 'Unterbringung *f.*
be·strad·dle [bi'strædl] → bestride.
be·strew [bi'struː] *pret* **be'strewed** *pp* **be'strewed** *u.* **be'strewn** *v/t* **1.** bestreuen. **2.** um'herstreuen. **3.** verstreut liegen auf (*dat*).
be·strid [bi'strid], **be'strid·den** *pp* [*von* bestride.]
be·stride [bi'straid] *pret* **be·strode** [bi'stroud] *pp* **be·strid·den** [bi'stridn], *selten* **be·strid** [bi'strid] *od.* **be'strode** *v/t* **1.** rittlings sitzen auf (*dat*). **2.** mit gespreizten Beinen stehen auf *od.* über (*dat*). **3.** *fig.* sich wölben *od.* spannen über (*acc od. dat*), über'spannen (*acc*). **4.** sich mit gespreizten Beinen stellen auf *od.* über (*acc*). **5.** (hin'weg)schreiten über (*acc*). **6.** beschirmen.
be·strode [bi'stroud] *pret u. selten pp von* **bestride.**
best│sell·er *s* **1.** Bestseller *m*, Verkaufsschlager *m* (*Buch, Schallplatte etc*), großer (Buch- *etc*)Erfolg. **2.** Verfasser(in) e-s Bestsellers. '**~-ˌsell·ing** *adj* meistverkauft, Erfolgs...
bet [bet] **I** *s* **1.** Wette *f*: to make (*od.* lay) a ~ on s.th. auf etwas wetten. **2.** Gegenstand *m* der Wette: he is a safe ~ er ist ein sicherer Tip; best ~ *colloq.* sicherste Methode; das Beste, was man tun kann. **3.** Wetteinsatz *m*, gewetteter Betrag *od.* Gegenstand. **II** *v/t u. v/i pret u. pp* **bet** *od.* '**bet·ted 4.** wetten, (ein)setzen: I ~ you ten pounds ich wette mit Ihnen (um) zehn Pfund; you ~! *sl.* und ob!, aber sicher!; to ~ one's bottom dollar *Am. sl.* den letzten Heller wetten, *fig. a.* s-r Sache ganz sicher sein.
be·ta ['biːtə; *Am. a.* 'beitə] *s* Beta *n*: a) *griechischer Buchstabe*, b) *astr. math. phys. Symbol für 2. Größe*, c) der (die, das) Zweite, d) *ped. Br.* Zwei *f.*
be·take [bi'teik] *pret* **be·took** [bi'tuk] *pp* **be'tak·en** *v/t*: to ~ o.s. (to) a) sich begeben (nach), b) s-e Zuflucht nehmen (zu); to ~ o.s. to flight die Flucht ergreifen.
be·ta│ par·ti·cle *s phys.* Beta-Teilchen *n.* **~ rays** *s pl phys.* Betastrahlen *pl.*
be·ta·tron ['biːtəˌtrɒn; *Am. a.* 'bei-] *s* Betatron *n* (*Elektronenschleuder*).
be·tel ['biːtəl] *s* **1.** *a.* ~ pepper *bot.* Betelpfeffer *m.* **2.** Betel *m* (*Kaumittel*).
Be·tel·geuse, Be·tel·geuze ['betəlˌdʒuːz; 'biː-] *s astr.* Betei'geuze *m.*
be·tel│ nut *s bot.* 'Betel-AˌrekanuB *f.* **~ palm** *s bot.* A'rekapalme *f.*
bête noire ['beit 'nwaːr] *s fig.* (*das*) rote Tuch, Schreckgespenst *n.*
Beth·el ['beθəl] **I** *npr Bibl.* **1.** Bethel *n.* **II** *s* b~ **2.** geweihte Stelle. **3.** *Br.* Dis'senterkaˌpelle *f.* **4.** Kirche *f* für Ma'trosen.
be·think [bi'θiŋk] *pret u. pp* **be·thought** [bi'θɔːt] **I** *v/t* **1.** *obs.* sich ins Gedächtnis zu'rückrufen. **2.** ~ o.s. a) über'legen, sich besinnen, b) sich erinnern (of an *acc*; how, that daß), c) sich vornehmen, beschließen (to do zu tun). **II** *v/i obs.* **3.** über'legen.
be·thought [bi'θɔːt] *pret u. pp von* bethink.
be·tide [bi'taid] *v/t u. v/i* (*nur in 3. sg pres subj*) *j-m* geschehen, *j-m* wider'fahren: woe ~ you! wehe dir!
be·times [bi'taimz] *adv* **1.** bei'zeiten, rechtzeitig. **2.** früh(zeitig). **3.** bald. **4.** *Am. dial.* gelegentlich.
be·to·ken [bi'toukən] *v/t* **1.** bezeichnen, bedeuten. **2.** anzeigen, verkünden.
bet·o·ny ['betəni] *s bot.* Rote Be'tonie.
be·took [bi'tuk] *pret von* betake.
be·tray [bi'trei] *v/t* **1.** verraten, Verrat begehen an (*dat*): to ~ s.o. to j-n verraten (*dat*) *od.* an (*acc*). **2.** verraten, im Stich lassen, (*j-m*) die Treue brechen. **3.** *j-n* hinter'gehen: to ~ s.o.'s trust j-s Vertrauen mißbrauchen. **4.** *fig.* verraten, offen'baren, zeigen: to ~ o.s. sich verraten. **5.** verleiten, -führen (into, to zu). **be'tray·al** *s* Verrat *m*, Treubruch *m.*
be·troth [bi'trouð; *Am. a.* -'trɔːθ] *v/t j-n* (*od.* o.s. sich) verloben (to mit). **be'troth·al** *s* Verlobung *f.* **be'trothed I** *adj* verlobt. **II** *s* Verlobte(r *m*) *f.*
bet·ter¹ ['betər] **I** (*comp von* good) *adj* **1.** besser: I am ~ es geht mir (*gesundheitlich*) besser; I am none the ~ for it das hilft mir auch nicht; it is no ~ than it should be man konnte nicht mehr erwarten; to be ~ than one's word mehr tun, als man versprach; to get ~ a) besser werden, sich bessern, b) sich erholen; to go one ~ than s.o. j-n (noch) übertreffen; my ~ half *humor.* m-e bessere Hälfte. **2.** größer: upon ~ acquaintance bei näherer Bekanntschaft. **II** *s* **3.** (*das*) Bessere, (*das*) Vor'züglichere: for ~ for worse a) in Freud' u. Leid (*Trauformel*), b) was auch geschieht; for the ~ zur Verbesserung; I expected ~ ich habe (etwas) Besseres erwartet. **4.** Vorteil *m*: to get the ~ of a) die Oberhand gewinnen über (*j-n*), *j-n* besiegen *od.* ausstechen, b) *etwas* überwinden. **5.** *meist pl* (*die*) Vorgesetzten *pl*, (*im Rang*) Höherstehende *pl*, (*finanziell*) Bessergestellte *pl*: his ~s die ihm (*geistig etc*) Überlegenen. **III** (*comp von* well) *adv* **6.** besser: ~ off a) besser daran, b) (*finanziell*) bessergestellt; to think ~ of it sich e-s Besseren besinnen; so much the ~ desto besser; you had ~ (*od. Am. colloq. meist* you ~) go es wäre besser du gingest; you had ~ (*od. Am. colloq. meist* you ~) not! laß das lieber sein!; → know 7. **7.** mehr: ~ loved; to like ~ lieber haben, (es) vorziehen; ~ than 10 miles über *od.* mehr als 10 Meilen. **IV** *v/t* **8.** *Beziehungen, Lebensbedingungen, e-n Rekord etc* verbessern. **9.** über'treffen. **10.** *den Spieleinsatz* erhöhen. **11.** ~ o.s. sich (*finanziell*) verbessern, vorwärtskommen. **V** *v/i* **12.** besser werden, sich (ver)bessern.
bet·ter² ['betər] *s* Wettende(r *m*) *f*, Wetter(in).
bet·ter·ment ['betərmənt] *s* **1.** a) Verbesserung *f*, b) *econ.* Wertsteigerung *f*, Meliorati'on *f* (*an Grundstücken*): ~ tax Wertzuwachssteuer *f.* **2.** Besserung *f.*
bet·ter·most ['betərˌmoust] *colloq.* **I** *adj* best(er, e, es). **II** *adv* am besten.
bet·ting ['betiŋ] *s* Wetten *n.* **~ man** *s irr sport* (berufsmäßiger) Wetter. **~ of·fice** *s sport* 'Wettbüˌro *n.*
bet·tor → better².
bet·ty ['beti] *s sl. contp.* ‚gute Dienstmagd' (*Ehemann*).
be·tween [bi'twiːn] **I** *prep* **1.** (*räumlich u. zeitlich*) zwischen: ~ the books a) zwischen den Büchern, b) zwischen die Bücher; ~ meals zwischen den Mahlzeiten; the relations ~ them die Beziehungen zwischen ihnen, ihre Beziehungen zueinander; → devil 1, stool 1. **2.** unter: ~ ourselves unter uns (gesagt); ~ you and me (and the bedpost *od.* gatepost *od.* lamppost) *colloq.* unter uns *od.* im Vertrauen (gesagt); they bought it ~ them sie kauften es gemeinschaftlich; we have only one shilling ~ us wir haben zusammen nur e-n Schilling; they shared the money ~ them sie teilten das Geld unter sich. **II** *adv* **3.** da'zwischen: few and far ~ (sehr) vereinzelt; the space ~ der Zwischenraum; in ~ dazwischen.
be·tween deck → 'tween-deck. **be·tween decks** → 'tween decks.
be·tween·i·ty [bi'twiːniti] *s humor.* (*das*) Da'zwischenliegende, Zwischenzustand *m.*
be'tweenˌmaid *Br. für* tweeny.
be'tweenˌwhiles *adv* bis'weilen.
be·twixt [bi'twikst] **I** *adv* da'zwischen: ~ and between zwischen beiden, halb u. halb, weder das e-e noch das andere. **II** *prep obs.* zwischen, unter.
bev·a·tron ['bevəˌtrɒn] *s phys. tech.* Bevatron *n* (*Großgerät zur Beschleunigung von Protonen etc*).
bev·el ['bevəl] **I** *s tech.* **1.** Schräge *f*, (Ab)Schrägung *f*: on a ~ schräg; ~ edge abgeschrägte Kante, Facette *f.* **2.** schräger Ausschnitt, Fase *f.* **3.** Winkelpasser *m*, Schmiege *f*, Schrägmaß *n.* **4.** Kegel *m*, Konus *m.* **5.** Böschung *f.* **II** *v/t* **6.** abkanten, abschrägen, gehren, facet'tieren: ~(l)ed cutter Kegelfräser *m*; ~(l)ed gear → bevel gear; ~(l)ed glass facettiertes Glas; ~(l)ing plane Schräghobel *m.* **III** *v/i* **7.** schräg verlaufen. **IV** *adj* **8.** schräg, abgeschrägt: ~ cut Schräg-, Gehrungsschnitt *m.* **9.** konisch, kegelig.
bev·el│ gear *s tech.* **1.** Kegel(zahn)rad *n*: ~ drive Kegelradantrieb *m.* **2.** *pl* a) Kegelrad-, Winkelgetriebe *n*, konisches Getriebe, b) Schrägverzahnung *f.* **~ gear·ing** → bevel gear 2. **~ pin·ion** *s tech.* konisches Getrieberad, (kegelförmiges) Ritzel. **~ sec·tion** *s math.* Schrägschnitt *m.* **~ square** → bevel 3. **~ wheel** *s tech.* Kegelrad *n.*
bev·er·age ['bevəridʒ] *s* Getränk *n.*
bev·y ['bevi] *s* **1.** *orn.* Flug *m*, Schar *f.* **2.** Schar *f*, Flor *m* (*von Damen*).
be·wail [bi'weil] **I** *v/t* beklagen, beweinen. **II** *v/i* wehklagen.
be·ware [bi'wɛr] *v/i* sich in acht nehmen, sich hüten *od.* vorsehen (of vor *dat*; lest daß nicht): ~! Vorsicht!, Achtung!; ~ of pickpockets! vor Taschendieben wird gewarnt!
be·wil·der [bi'wildər] *v/t* **1.** irreführen. **2.** verblüffen, verwirren, irremachen. **3.** bestürzen. **be'wil·dered** *adj* verwirrt, kon'fus, bestürzt, verblüfft, ver-

dutzt. **be'wil·der·ing** *adj* (*adv* ~**ly**) **1.** irreführend. **2.** verblüffend, verwirrend. **be'wil·der·ment** *s* Verwirrung *f*: in ~ → **bewildered.**

be·witch [bi'witʃ] *v/t* behexen, bezaubern, bestricken, berücken, *j-m* den Kopf verdrehen. **be'witch·ing** *adj* (*adv* ~**ly**) bezaubernd, berückend, bestrickend, entzückend. **be'witch·ment** *s* Bezauberung *f*.

be·wray [bi'rei] *v/t obs.* verraten.

bey [bei] *s* Bei *m* (*Titel e-s höheren türkischen Beamten*).

be·yond [bi'jɒnd] **I** *adv* **1.** dar'über hin'aus, jenseits. **2.** weiter weg. **II** *prep* **3.** jenseits: ~ **the seas** in Übersee, in überseeischen Ländern. **4.** außer. **5.** über ... (*acc*) hin'aus: ~ **belief** unglaublich; ~ **all blame,** ~ **reproach** über jeden Tadel erhaben, untadelig; ~ **all bounds** über alle Maßen; ~ **hope** hoffnungslos; ~ **praise** über alles Lob erhaben; ~ **repair** nicht mehr zu reparieren; **it is** ~ **my power** es übersteigt m-e Kraft; **it is** ~ **me** *colloq.* das geht über m-n Horizont *od.* Verstand; → **dispute** 7, **endurance** 3, **measure** 2. **III** *s* **6.** *a.* (Great) B~ (*das*) Jenseits: → **back**[1] 3.

bez·ant ['bezənt; bi'zænt] *s* **1.** *hist.* Byzan'tiner *m* (*Goldmünze*). **2.** *her.* runde Scheibe.

bez·el ['bezl] *s* **1.** *tech.* zugeschärfte Kante, Schneide *f* (*e-s Meißels*). **2.** Schräg-, *bes.* Rautenfläche *f* (*e-s Edelsteins*). **3.** Ringkasten *m* (*zur Einfassung e-s Edelsteins*).

be·zique [be'ziːk] *s* Bé'zigue *n*: a) *Kartenspiel*, b) *Bézigue von Pikdame u. Karobube in diesem Spiel.*

be·zoar ['biːzɔːr] *s zo.* Bezo'ar *m*, Magenstein *m*.

be·zo·ni·an [bi'zouniən] *s obs.* elender Bettler.

Bha·ga·vad-Gi·ta ['bʌgəvəd'giːtɑː] *s* Bhagawad'gita *f* (*indisches religionsphilosophisches Gedicht*).

bhang [bæŋ] *s Br. Ind.* **1.** *bot.* Hanfpflanze *f*. **2.** Bhang *n*, Haschisch *n*.

bi- [bai] *Vorsilbe mit der Bedeutung* zwei(fach, -mal), doppel(t).

bi·an·nu·al [bai'ænjuəl] **I** *adj* halbjährlich, zweimal jährlich (vorkommend *od.* erscheinend). **II** *s* Halbjahresschrift *f*.

bi·as ['baiəs] **I** *s* **1.** schiefe Seite, schräge Fläche *od.* Richtung. **2.** schräger Schnitt: **cut on the** ~ diagonal geschnitten. **3.** *fig.* (**towards**) a) Neigung *f*, Hang *m* (zu), b) Vorliebe *f* (für). **4.** *fig.* Ten'denz *f*, Vorurteil *n*, *jur.* Befangenheit *f*: **free from** ~ unvoreingenommen, vorurteilsfrei; **to challenge for** ~ *e-n Richter etc* wegen Befangenheit ablehnen. **5.** *Bowling*: a) 'Überhang *m* (*der einseitig beschwerten Kugel*), b) Neigung *f* (*der Kugel*), schräg zu laufen, c) *Kurve, die diese Kugel beschreibt.* **6.** *electr.* a) (Gitter)Vorspannung *f* (*e-r Elektronenröhre*), b) 'Gitter(ableit)ˌwiderstand *m*. **7.** *Schneiderei*: Schrägstreifen *m*. **II** *adj u. adv* **8.** schräg, schief, diago'nal. **III** *v/t* **9.** auf 'eine Seite lenken. **10.** *fig.* 'hinlenken, richten (**towards** auf *acc*, nach). **11.** *fig.* (*meist ungünstig*) beeinflussen, *j-n* einnehmen (**against** gegen).

bi·as(s)ed ['baiəst] *adj* **1.** voreingenommen, *jur.* befangen. **2.** tendenzi'ös: ~ **question** Suggestivfrage *f*.

bi·ax·i·al [bai'æksiəl] *adj* zweiachsig.

bib [bib] **I** *s* **1.** Lätzchen *n*. **2.** Schürzenlatz *m*: **best** ~ **and tucker** *colloq.* Sonntagsstaat *m*. **3.** *ichth.* (*ein*) Schellfisch *m*. **II** *v/t u. v/i* **4.** (unmäßig) trinken, ‚bechern'.

bi·ba·cious [bi'beiʃəs; bai-] *adj* dem Trunk ergeben.

bi·bas·ic [bai'beisik] *adj chem.* zwei- [basisch, -basig.]

bib·ber ['bibər] *s* (Gewohnheits)Trinker(in), Säufer(in).

bib·cock ['bibˌkɒk] *s tech.* Zapfhahn *m*.

bi·be·lot [bib'lo; 'biblou] (*Fr.*) *s* Nippsache *f*.

bi·bi ['biːbiː] *s Br. Ind.* Dame *f*.

bi·bi·va·lent [ˌbaibai'veilənt; bai'bivəl-] *adj chem. phys.* in zwei 'bivaˌlente I'onen zerfallend (*Elektrolyt*).

Bi·ble ['baibl] *s* **1.** *relig.* Bibel *f*: → **Great Bible.** **2.** b~ *fig.* Bibel *f* (*maßgebendes Buch*). ~ **clerk** *s* (*in Oxford*) *Student, der in der College-Kapelle die Bibeltexte verliest.* ~ **oath** *s* Eid *m* auf die Bibel.

Bib·li·cal, b~ ['biblikəl] **I** *adj* (*adv* ~**ly**) biblisch (*a. fig.*), Bibel... **II** *s* Bibelfilm *m*. ~ **crit·i·cism** *s* 'Bibelkriˌtik *f*. ~ **Lat·in** *s ling.* 'Bibellaˌtein *n*.

Bib·li·cism ['bibliˌsizəm] *s* **1.** Bibli'zismus *m*, Fundamenta'lismus *m*. **2.** Bibelkunde *f*. **'Bib·li·cist** *s* **1.** Bibli'zist *m*, Fundamenta'list *m*. **2.** Bib'list *m*, Bibelkundige(r) *m*.

bib·li·o·clasm ['biblioˌklæzəm] *s* **1.** Bibelzerstörung *f*. **2.** Bücherzerstörung *f*.

bib·li·o·film ['biblioˌfilm] *s tech.* Mikrofilm *m*, Mikroko'pie *f* (*von Buchseiten*), *a.* Mi'krat *n* (*bei sehr starker Verkleinerung*).

bib·li·og·ra·pher [ˌbibli'ɒgrəfər] *s* Biblio'graph *m*, Verfasser *m* e-r Bibliogra'phie. ˌ**bib·li·o'graph·ic** [-o'græfik], ˌ**bib·li·o'graph·i·cal** *adj* biblio'graphisch, ˌ**bib·li'og·ra·phy** *s* Bibliogra'phie *f*: a) Bücher-, Litera'turverzeichnis *n*, b) Bücherkunde *f*.

bib·li·ol·a·ter [ˌbibli'ɒlətər], *a.* ˌ**bib·li'ol·a·trist** [-trist] *s* **1.** Bücherverehrer *m*. **2.** Bibelverehrer *m*. ˌ**bib·li'ol·a·try** [-tri] *s* Bibliola'trie *f*, Bücher- *od.* Bibelverehrung *f*.

bib·li·o·log·i·cal [ˌbiblio'lɒdʒikəl] *adj* biblio'logisch. ˌ**bib·li'ol·o·gy** [-'ɒlədʒi] *s* Bibliolo'gie *f*, Bücherkunde *f*.

bib·li·o·man·cy ['biblioˌmænsi] *s* Wahrsagen *n* aus der Bibel.

bib·li·o·ma·ni·a [ˌbiblio'meiniə] *s* Biblioma'nie *f*, (krankhafte) Bücherleidenschaft. ˌ**bib·li·o'ma·niˌac** [-ˌæk] **I** *s* Biblio'mane *m*, Büchernarr *m*. **II** *adj* biblio'manisch, büchernärrisch, -wütig. ˌ**bib·li·o·ma'ni·a·cal** [-mə-'naiəkəl] → **bibliomaniac** II.

bib·li·o·phile ['bibliəˌfail; -fil], *a.* '**bib·li·o·phil** [-fil] *s* Biblio'phile *m*, Bücherfreund *m*. ˌ**bib·li·o'phil·ic** [-'filik] *adj* biblio'phil. ˌ**bib·li'oph·i·ˌlism** [-'ɒfiˌlizəm] *s* Bibliophi'lie *f*, ˌBücherliebhabe'rei *f*.

bib·li·o·pole ['bibliəˌpoul] *s* Buchhändler *m* (*bes. mit wertvollen Büchern*).

bib·li·oth·e·car·y [ˌbibli'ɒθikəri] *s* Bibliothe'kar(in).

bib·li·ot·ics [ˌbibli'ɒtiks] *s pl* (*meist als sg konstruiert*) Wissenschaft *f* von der 'Handschriftenanaˌlyse (*u. Prüfung der Echtheit von Manuskripten*).

Bib·list ['biblist] *s* **1.** Bibelgläubige(r *m*) *f*. **2.** → **Biblicist.**

bib·u·lous ['bibjuləs] *adj* (*adv* ~**ly**) **1.** aufsaugend. **2.** schwammig. **3.** a) trunksüchtig, dem Trunk ergeben, b) weinselig, feucht-fröhlich.

bi·cam·er·al [bai'kæmərəl] *adj pol.* Zweikammer...

bi·car·bon·ate [bai'kaːrbənit; -ˌneit] *s chem.* 'Bicarboˌnat *n*: ~ **of soda** doppel(t)kohlensaures Natrium.

bi·car·bu·ret·(t)ed [bai'kɑːrbjuˌretid] *adj chem.* zwei A'tome Kohlenstoff enthaltend.

bice [bais] *s* Hellblau *n*: **green** ~ Lasurgrün *n*.

bi·cen·te·nar·y [*Br.* ˌbaisen'tiːnəri; -'ten-; *Am. a.* -'sentəˌneri] **I** *adj* zweihundertjährig. **II** *s* Zweihundert'jahrfeier *f*. ˌ**bi·cen'ten·ni·al** [-'tenjəl; -iəl] **I** *adj* **1.** zweihundertjährig. **2.** alle 200 Jahre eintretend. **II** *s* → **bicentenary** II.

bi·ce·phal·ic [ˌbaisi'fælik], **bi'ceph·a·lous** [-'sefələs] *adj* zweiköpfig.

bi·ceps ['baiseps] *s* **1.** *anat.* Bizeps *m*, zweiköpfiger (Arm)Muskel. **2.** *fig.* (Muskel)Kraft *f*.

bi·chlo·rid [bai'klɔːrid], **bi'chlo·ride** [-raid] *s chem.* 'BichloˌridI *n*.

bi·chro·mate [bai'kroumit; -meit] **I** *s chem.* 'Bichroˌmat *n*, 'Dichroˌmat *n*: ~ **of potash** Kaliumbichromat. **II** *v/t* [-meit] *phot.* mit 'Bichroˌmat behandeln.

bick·er ['bikər] **I** *v/i* **1.** (sich) zanken, streiten. **2.** *poet.* a) plätschern (*Wasser*), prasseln (*Regen*), b) flackern (*Flamme*). **II** *s* **3.** Streit *m*, Zank *m*. **'bick·er·ing** *s* (kleinliches) Gezänk.

bi·col·o(u)r(ed) ['baiˌkʌlər(d)] *adj* zweifarbig, Zweifarben...

bi·con·cave [bai'kɒnkeiv; ˌbaikɒn-'keiv] *adj phys.* bikon'kav.

bi·con·vex [bai'kɒnveks; ˌbaikɒn'veks] *adj phys.* bikon'vex.

bi·cron ['baikrɒn; 'bik-] *s phys.* 10^{-9} m.

bi·cy·cle ['baisikl] **I** *s* Fahrrad *n*. **II** *v/i* radfahren, radeln. **'bi·cy·cler** *s Am.*, **'bi·cy·clist** [-ist] *s Br.* Radfahrer(in).

bid [bid] **I** *s* **1.** *econ.* a) Gebot *n* (*bei Versteigerungen*), b) Angebot *n* (*bei öffentlichen Ausschreibungen*), c) *Am.* (Lieferungs)Angebot *n*, Kostenvoranschlag *m*, d) *fig.* Bewerbung *f* (**for** um), Versuch *m* (**to do** zu tun): **first** ~ Erstgebot; **highest** ~ Meistgebot; ~ **price** (*Börse*) (*gebotener*) Geldkurs; **call for** ~**s** Ausschreibung *f*; **to make a (strong)** ~ **for s.th.** *fig.* sich (sehr) um etwas bemühen, etwas (unbedingt) erringen wollen. **2.** *Kartenspiel*: Reizen *n*, Melden *n*. **3.** *Am. colloq.* Einladung *f* (**to** zu). **II** *v/t pret* **bid,** *pp* **bid** *od.* '**bid·den 4.** *econ.* bieten (*bei Versteigerungen*): **to** ~ **up** den Preis (*e-r Sache*) in die Höhe treiben. **5.** *Kartenspiel*: reizen, melden. **6.** *pret* **bade** [bæd], *obs.* **bad** [bæd], *pp* **bid** *od.* **'bid·den** *e-n Gruß* entbieten, *j-m e-n guten Morgen etc* wünschen: **to** ~ **s.o. good morning; to** ~ **farewell** Lebewohl sagen. **7.** *j-m etwas* gebieten, befehlen, *j-n* heißen (**to do** zu tun): **to** ~ **s.o. (to) go** j-n gehen heißen. **8.** *obs.* einladen (**to** zu). **III** *v/i pret* **bid** *od.* **bade,** *obs.* **bad,** *pp* **bid** *od.* **'bid·den 9.** *econ.* a) (*bei Auktionen*) bieten, b) ein (Preis-, Lieferungs)Angebot machen, c) an e-r Ausschreibung teilnehmen. **10.** *Kartenspiel*: melden, reizen. **11.** sich bewerben *od.* bemühen (**for** um). **12.** sich *gut etc* anlassen: → **fair**[1] 18.

bid·den ['bidn] *pp von* **bid.**

bid·der ['bidər] *s* **1.** Bieter *m* (*bei Versteigerungen*): **highest** (*od.* **best**) ~ Meistbietende(r *m*) *f*. **2.** Bewerber *m* (*bei Ausschreibungen*). **3.** *Am.* Einladende(r *m*) *f*.

bid·ding ['bidiŋ] *s* **1.** → **bid** 1 a *u.* 2. **2.** Geheiß *n*, Befehl *m*: **to do s.o.'s** ~ tun, was j-d will. ~ **price** *s econ.* Erstangebot *n*.

bid·dy[1] ['bidi] *s dial.* Küken *n*.

Bid·dy[2] ['bidi] **I** *npr* (*Koseform von*)

Bri'gitte *f.* **II** *s* **b~** *Am. colloq.* (irisches) Dienstmädchen.

bide [baid] **I** *v/t* **1.** er-, abwarten: to ~ one's time den rechten Augenblick abwarten. **2.** *e-r Sache* begegnen, trotzen. **3.** *obs. od. dial.* ertragen. **II** *v/i* **4.** *poet.* bleiben (by s.th. bei etwas).

bi·dent ['baidənt] *s* **1.** *tech.* zweizinkiges Instru'ment, gegabeltes Werkzeug. **2.** *agr.* zweijähriges Schaf.

bi·en·ni·al [bai'eniəl] **I** *adj* **1.** alle zwei Jahre eintretend. **2.** *bot.* zweijährig. **II** *s* **3.** *bot.* zweijährige Pflanze. **bi'en·ni·al·ly** *adv* alle zwei Jahre.

bier [bir] *s* (Toten)Bahre *f.*

biest·ings → beestings.

bi·far·i·ous [bai'fɛ(ə)riəs] *adj bot.* zweizeilig.

biff [bif] *sl.* **I** *v/t* ,hauen', schlagen. **II** *s* Schlag *m*, Hieb *m.*

bif·fin ['bifin] *s Br.* **1.** roter Kochapfel. **2.** Apfelfladen *m.*

bi·fi·lar [bai'failər] *electr. tech.* **I** *adj* bifi'lar, zweifädig. **II** *s a.* ~ **micrometer** Bifi'larmikro,meter *n.*

bi·fo·cal [bai'foukəl] **I** *adj* **1.** Bifokal..., Zweistärken..., mit zwei Brennpunkten (*Linse*). **II** *s* **2.** Bifo'kal-, Zwei'stärkenglas *n od.* -linse *f.* **3.** *pl* Zwei'stärkenbrille *f.*

bi·fo·li·ate [bai'fouli,eit; -it] *adj bot.* zweiblättrig.

bi·fur·cate ['baifər,keit; bai'fəːrkeit] **I** *v/t* gabeln, gabelförmig teilen. **II** *v/i* sich gabeln. **III** *adj* [*a.* -kit] gegabelt, gabelförmig, zweiästig. **'bi·fur,cat·ed** → bifurcate III. **,bi·fur'ca·tion** *s* Gabelung *f.*

big [big] **I** *adj* **1.** groß, dick, stark: a ~ **fellow**; ~ **business** *colloq.* a) großes Unternehmen, b) die großen Unternehmen, die Großindustrie, c) die Finanz- u. Geschäftswelt. **2.** groß, breit, weit: **this coat is too** ~ **for me** dieser Mantel ist mir zu weit; **to get too** ~ **for one's boots** (*od.* **breeches** *od.* **pants**) *sl.* ,üppig' *od.* größenwahnsinnig werden. **3.** groß, hoch: ~ **trees. 4.** groß, erwachsen: → **big brother. 5.** (**with**) voll, schwer, strotzend (von), beladen (mit), reich (an *dat*): ~ **with fate** schicksalsschwer, -schwanger; ~ **with rage** wutentbrannt. **6.** trächtig (*Tier*), (hoch)schwanger (*Frau*): ~ **with child** (hoch)schwanger. **7.** aufgeblasen, eingebildet: ~ **talk** hochtrabende Reden. **8.** voll, laut: a ~ **voice. 9.** *sl.* groß, hoch(stehend), wichtig, bedeutend: a ~ **man**; ~ **bug** ,hohes Tier' (*Person*); ~ **money** *Am.* ein Haufen *od.* e-e Masse Geld. **10.** *sl.* großmütig, ,nobel': a ~ **heart. 11.** groß, ,Mords...': a ~ **lie**; a ~ **rascal. II** *adv* **12.** *sl.* ,mächtig', ,mordsmäßig'. **13.** *sl.* teuer: **to pay** ~. **14.** *sl.* großspurig: **to talk** ~ ,große Töne spucken', angeben. **15.** *Am. sl.* tapfer.

big·a·mist ['bigəmist] *s* Biga'mist(in). **'big·a·mous** *adj* (*adv* ~**ly**) **1.** bi'gamisch. **2.** in Biga'mie lebend. **'big·a·my** *s* Biga'mie *f*, Doppelehe *f.*

big·ar·reau ['bigə,rou; ,bigə'rou], *Br. a.* **,big·a'roo(n)** [-'ruː(n)] *s bot.* Weiße Herzkirsche.

Big| Ben *s* Big Ben *m* (*Glocke im Uhrturm des brit. Parlamentsgebäudes*). ~ **Ber·tha** *s mil. colloq.* Dicke Bertha (*deutscher 42-cm-Mörser im 1. Weltkrieg*). **'b~-,boned** *adj* starkknochig, grobschlächtig. **'b~-,bore** *adj* 'großka,librig: ~ **gun. b~ broth·er** *s* **1.** großer Bruder (*a. fig. Freund*). **2.** B~ B~ *pol.* ,der große Bruder' (*Diktator*; *,Nineteen Eighty-Four' von George Orwell*). **b~ cheese, b~ chief** → bigwig. ~ **Dip·per** → bear² 4 a. **b~ end** *s tech.* Kurbelwellenende *n.*

bi·ge·ner ['baidʒiːnər] *s biol.* Gattungsbastard *m.* **,bi·ge'ner·ic** [-dʒi'nerik] *adj biol.* bige'nerisch.

big game *s* **1.** *hunt.* Großwild *n*: ~ **hunting** Großwildjagd *f.* **2.** *fig.* hochgestecktes Ziel; ris'kante, aber lohnende Sache.

big·ger ['bigər] *comp von* big.

big·gest ['bigist] *sup von* big.

big gun *s Am. sl.* **1.** → bigwig. **2.** ,schweres Geschütz'.

big·gish ['bigiʃ] *adj* ziemlich groß.

big| head *s colloq.* ,Angabe' *f*, Über'heblichkeit *f*, Einbildung *f.* **'~,heart·ed** *adj* großherzig. **'~,horn** *s zo. Am.* Dickhornschaf *n.* ~ **house** *s Am. sl.* **1.** ,Kittchen' *n* (*Zuchthaus*). **2.** Herrschaftshaus *n*, Haus *n e-r* Lo'kalgröße.

bight [bait] *s* **1.** Bucht *f.* **2.** Einbuchtung *f.* **3.** *geol.* Krümmung *f.* **4.** *mar.* Bucht *f* (*im Tau*).

big| lau·rel *s bot.* **1.** Großblütige Ma'gnolie. **2.** Große Alpenrose. **'~-,mouthed** *adj* großmäulig, prahlerisch. ~**-name I** *s* ['-'neim] **1.** ,Berühmtheit' *f* (*Person*). **II** *adj* ['-,neim] **2.** berühmt. **3.** mit berühmten Leuten (besetzt): ~ **committee.**

big·ness ['bignis] *s* Größe *f*, Dicke *f*, 'Umfang *m.*

big noise *Am.* → bigwig.

big·no·ni·a [big'nouniə] *s bot.* Bi'gnonie *f*, Trom'petenbaum *m.*

big·ot ['bigət] *s* **1.** blinder Anhänger, Fa'natiker(in). **2.** Frömmler(in), Betbruder *m*, -schwester *f*, bi'gotte Per'son. **'big·ot·ed** *adj* **1.** fa'natisch, blind ergeben. **2.** bi'gott, frömmlerisch. **'big·ot·ry** [-ri] *s* **1.** blinder Eifer, Fana'tismus *m.* **2.** Bigotte'rie *f*, Frömme'lei *f.*

big| shot *Am.* → bigwig. ~ **stick** *s pol.* ,großer Knüppel', (mili'tärische) Macht *od.* Gewalt: ~ **policy** Politik *f* des Säbelrasselns. ~ **time** *s Am. sl.* **1.** erstklassiges Varie'té. **2.** Spitzenklasse *f*, Klasse *f* der großen Geldverdiener. **'~-,time** *adj Am. sl.* groß, erstklassig. ~ **top** *s* **1.** großes Zirkuszelt. **2.** Zirkus *m.* **'~,wig** *s humor.* ,großes *od.* hohes Tier', Bonze *m.*

bi·hour·ly [bai'aurli] *adj* zweistündlich, alle zwei Stunden.

bike [baik] *colloq. für* bicycle.

bi·ki·ni [bi'kiːniː] *s* Bi'kini *m* (*knapper zweiteiliger Badeanzug*).

bi·la·bi·al [bai'leibiəl] **I** *adj* **1.** *ling.* bilabi'al, mit beiden Lippen gebildet. **2.** → bilabiate. **II** *s* **3.** Bilabi'al(laut) *m.* **bi'la·bi,ate** [-,eit; -it] *adj bot.* zweilippig.

bi·lat·er·al [bai'lætərəl] *adj* (*adv* ~**ly**) **1.** bilate'ral, zweiseitig: a) *jur.* beiderseitig verbindlich, gegenseitig: ~ **agreement**, b) *biol.* beide Seiten betreffend, c) *bot.* bisym'metrisch. **2.** so'wohl auf väterliche wie mütterliche Vorfahren zu'rückgehend. **3.** *tech.* doppelseitig: ~ **drive**; ~ **symmetry** *math.* bilaterale Symmetrie.

bil·ber·ry ['bilbəri; -,beri] *s bot.* Heidel-, Blaubeere *f.*

bil·bo ['bilbou] *pl* **-boes** [-bouz] *s* **1.** *hist.* Schwert *n.* **2.** *pl* Fußfesseln *pl.*

bile [bail] *s* **1.** *physiol.* Galle(nflüssigkeit) *f.* **2.** *fig.* Galle *f*, Ärger *m*, schlechte Laune. ~ **cal·cu·lus** *s physiol.* Gallenstein *m.* ~ **cyst** *s anat.* Gallenblase *f.* ~ **duct** *s anat.* Gallengang *m.* **'~,stone** *s physiol.* Gallenstein *m.*

bilge [bildʒ] *s* **1.** Bauch *m* (*vom Faß*). **2.** *mar.* a) Kielraum *m* (*unterster Teil des Schiffsrumpfes*), Bilge *f*, Kimm *f*, b) Flach *n* (*Boden in der Mitte des Schiffes*). **3.** → **bilge water** 1. **4.** *sl.* ,Quatsch' *m*, ,Mist' *m*, ,Käse' *m*, dumme Redensarten *pl.* ~ **keel** *s* Schlingerkiel *m.* ~ **line** *s* Lenzleitung *f.* ~ **pipe** *s* Bilgenrohr *n.* ~ **pump** *s* Bilgen-, Lenzpumpe *f.* ~ **wa·ter** *s* **1.** Bilgen-, Schlagwasser *n.* **2.** → bilge 4. ~ **ways** *s pl* Schlittenbalken *pl.*

bil·i·ar·y ['biljəri] *adj* bili'ar, Gallen...

bi·lin·e·ar [bai'liniər] *adj* **1.** doppellinig. **2.** *math.* biline'ar.

bi·lin·gual [bai'liŋgwəl] *adj* zweisprachig (*Person od. Text*). **bi'lin·gual,ism** *s* Zweisprachigkeit *f.* **bi'lin·guist** *s* Zweisprachige(r *m*) *f*, j-d, der zwei Sprachen spricht.

bil·ious ['biljəs] *adj* (*adv* ~**ly**) **1.** *med.* bili'ös: a) gallig, gallenartig, b) Gallen...: ~ **complaint** Gallenleiden *n.* **2.** *fig.* gallig, ärgerlich, gereizt. **'bil·ious·ness** *s* **1.** gallige Beschaffenheit. **2.** Gallenbeschwerden *pl*, -krankheit *f.* **3.** *fig.* Gereiztheit *f.*

bilk [bilk] **I** *v/t* betrügen, prellen. **II** *s* Betrüger(in). **'bilk·er** → bilk II.

bill¹ [bil] **I** *s* **1.** *zo.* a) Schnabel *m*, b) schnabelähnliche Schnauze. **2.** Schnabel *m*, Spitze *f* (*am Anker, Zirkel etc*). **3.** *agr.* Hippe *f.* **4.** *geogr.* spitz zulaufende Halbinsel, Spitze *f*: **Portland B~. 5.** *hist.* a) Helle'barde *f*, Pike *f*, b) Hellebar'dier *m.* **II** *v/i* **6.** *a.* ~ **and coo** wie die Turteltauben mitein'ander schnäbeln, sich (lieb)kosen.

bill² [bil] **I** *s* **1.** *pol.* (Gesetzes)Vorlage *f*, (-)Antrag *m*, Gesetzentwurf *m*: **government** ~ Regierungsvorlage; **B~ of Rights** a) *Br.* Freiheitsurkunde *f* (*von 1689*), b) *Am.* die verfassungsmäßig garantierten Grundrechte (*bes. die ersten 10 Amendments*); **to bring in a** ~ ein Gesetz *od.* e-n Gesetzentwurf einbringen; **the** ~ **was carried** (*od.* **passed**) der Entwurf wurde angenommen; **to pass a** ~ ein Gesetz verabschieden. **2.** *jur.* (An)Klageschrift *f*, Schriftsatz *m*: ~ **of particulars** a) den Tatbestand spezifizierender Schriftsatz, b) Klageantrag *m*; **to find a true** ~ die Anklage für begründet erklären; → **attainder, indictment** 2 b. **3.** *a.* ~ **of exchange** *econ.* Wechsel *m*, Tratte *f*: ~**s payable** Wechselschulden; ~**s receivable** Wechselforderungen; **long(-dated** *od.* **-timed)** ~ langfristiger Wechsel; ~ **after date** Datowechsel; ~ **after sight** Nachsichtwechsel; ~ **at sight** Sichtwechsel; ~ **of credit** Kreditbrief *m.* **4.** *econ. etc* Rechnung *f*: ~ **of costs** *jur.* a) *Br.* Anwalts(gebühren)rechnung, b) *Am.* (Prozeß)-Kostenaufstellung *f*; **to fill the** ~ *fig.* den Ansprüchen genügen, den Zweck erfüllen. **5.** Liste *f*, Aufstellung *f*: ~ **of fare** Speisekarte *f*; ~ **of materials** Stückliste, Materialaufstellung. **6.** Bescheinigung *f*: ~ **of health** a) Gesundheitsattest *n*, -paß *m*, b) *fig.* Unbedenklichkeitsbescheinigung; **to give s.o. a clean** ~ **of health** j-m Unbedenklichkeit bescheinigen; ~ **of lading** *econ.* Konnossement *n*, (See)Frachtbrief *m*, *Am. a. allg.* Frachtbrief *m*; **on board** ~ **of lading** Bordkonnossement *n*; **straight** ~ **of lading** *Am.* Namenskonnossement *n*; ~ **of parcels** *econ.* Faktura *f*, spezifizierte Warenrechnung; ~ **of sale** Verkaufs-, Übertragungsurkunde *f*; ~ **of sale by way of security** Sicherungsübereignung *f* durch schriftliche Erklärung; ~ **of sight** *econ.* schriftliche Warenbeschreibung (*des Importeurs*), vorläufige Zollangabe; ~ **of stores** *econ. Br.* (zollfreie) Wiedereinfuhrgenehmigung; ~ **of sufferance** *econ. Br.* Zollpassierschein *m.* **7.** Pla'kat *n,* Anschlag(zettel) *m*: **stick no ~s!** Zettel ankleben verboten! **8.** *thea. etc* a) Pro'gramm(zettel *m*) *n,* b) *weitS.* Pro'gramm *n,* Darbietung(en *pl*) *f.* **9.** *Am.* Banknote *f,* (Geld)Schein *m.* **II** *v/t* **10.** *econ.* a) *j-m etwas* berechnen, in Rechnung stellen, e-e Rechnung ausschreiben für *etwas,* b) *j-m* e-e Rechnung schicken. **11.** eintragen, buchen. **12.** (durch Pla'kat *etc*) ankündigen *od.* bekanntgeben. **13.** *thea. etc Am. Darsteller, Programm etc* bringen.

bil·la·bong ['bilə,bɒŋ] *s Austral.* **1.** Seitenarm *m* (*e-s Flusses*). **2.** stehendes Wasser.

'bill|,back *s econ. Am.* Rückforderung *f.* **'~,board** *s* **1.** *mar.* Ankerfütterung *f.* **2.** *bes. Am.* a) Anschlagbrett *n,* Re'klamefläche *f,* b) *TV etc* Vorspann *m*: **~ commercial** Fernsehwerbung *f* in Plakatform. **~ book** *s econ.* Wechselbuch *n.*

bil·let[1] ['bilit] **I** *s* **1.** *mil.* a) Quar'tierzettel *m,* b) (Pri'vat)Quar,tier *n*: **in ~s** privat einquartiert, in Ortsunterkunft; **every bullet has its ~** jede Kugel hat ihre Bestimmung. **2.** 'Unterkunft *f.* **3.** *fig.* Stellung *f,* Posten *m.* **4.** *obs.* Bil'let *n,* Briefchen *n.* **II** *v/t* **5.** 'unterbringen, 'einquar,tieren (**with,** on bei).

bil·let[2] ['bilit] *s* **1.** Holzscheit *n,* -klotz *m.* **2.** *her.* Schindel *f.* **3.** *arch.* Spannkeil *m.* **4.** *metall.* Knüppel *m.* **5.** *Kunststoffherstellung*: Puppe *f.*

bil·let-doux ['bilei'du:; -li-] *pl* **bil·lets-doux** ['bilei-; -li-] *s humor.* Liebesbrief *m.*

'bill|,fold *s Am.* Geldschein-, Brieftasche *f.* **'~,head** *s* **1.** gedrucktes ('Rechnungs)Formu,lar. **2.** gedruckter Firmenkopf (e-r Rechnung). **'~,hold·er** *s econ.* Wechselinhaber *m.* **'~,hook** *s agr. electr.* Hippe *f.*

bil·liard ['biljərd] **I** *s Am. colloq.* Karambo'lage *f.* **II** *adj* Billard... **~ ball** *s* Billardkugel *f.* **~ cue** *s* Queue *n,* Billardstock *m.*

bil·liards ['biljərdz] *s* (*oft als pl konstruiert*) Billard(spiel) *n.*

bil·liard ta·ble *s* Billardtisch *m.*

bill·ing ['biliŋ] *s* **1.** *econ.* Faktu'rierung *f,* Rechnungsschreibung *f*: **~ machine** Fakturiermaschine *f.* **2.** Buchung *f*: a) Eintragung *f,* b) (Vor'aus)-Bestellung *f.* **3.** *Am.* Ge'samtbud,get *n od.* -,umsatz *m* (*bes. e-r Werbeagentur*). **4.** *bes. thea. etc Am.* a) Ankündigung *f,* b) Re'klame *f,* c) Bewertung *f* (*e-s Darstellers etc*): **to get top ~** an erster Stelle genannt werden.

Bil·lings·gate ['biliŋzgit; -,geit] **I** *npr Fischmarkt in London.* **II** *s* **b~** wüstes Geschimpfe, Unflat *m.*

bil·lion ['biljən] *s* **1.** *Br.* Billi'on *f* (10^{12}). **2.** *Am.* Milli'arde *f* (10^{9}).

bil·lon ['bilən] *s* **1.** Bil'lon *m, n* (*geringwertige Gold- od. Silberlegierung*). **2.** Scheidemünze *f* aus Bil'lon.

bil·low ['bilou] **I** *s* Welle *f,* Woge *f* (*a. fig.*). **II** *v/i* wogen, schwellen, sich türmen. **'bil·low·y** *adj* wellig, wogend.

'bill|,post·er *s* **1.** Pla'katkleber *m,* Zettelankleber *m.* **2.** (Re'klame)Pla,kat *n.* **'~,stick·er** → **billposter** 1.

bil·ly ['bili] *s* **1.** (Poli'zei)Knüppel *m.* **2.** *bes. Austral.* Feldkessel *m.* **3.** → **billy goat. 4.** *tech. Bezeichnung verschiedener Maschinen u. Geräte, bes.* 'Vorspinnma,schine *f.* **'~,boy** *s mar. Br. colloq.* (*Art*) Fluß- u. Küstenbarke *f.* **'~,can** → **billy** 2. **'~,cock (hat)** *s Br. colloq.* ,Me'lone' *f* (*steifer runder Filzhut*). **~ gate** *s tech.* Spindelwagen *m* (*der Vorspinnmaschine*). **~ goat** *s colloq.* Ziegenbock *m.*

bil·ly-(h)o ['bili,(h)ou] *s sl.* (*nur in*): **like ~** ,wie verrückt', ,mordsmäßig'.

bil·tong ['bil,tɒŋ], **'bil,tongue** [-,tʌŋ] *s S.Afr.* Biltongue *n,* buka'niertes Fleisch.

bim·bo ['bimbou] *s Am. sl.* **1.** ,Knülch' *m,* Kerl *m.* **2.** ,Flittchen' *n* (*leichtes Mädchen*).

bi·me·tal·lic [,baimə'tælik] *adj* 'bime,tallisch (*a. econ.*). **bi'met·al,lism** [-'metə,lizəm] *s* Bimetal'lismus *m,* Doppelwährung *f.*

bi·mod·al [bai'moudl] *adj math.* zweigipfelig (*Häufigkeitskurven*).

bi·mo·lec·u·lar [,baimo'lekjulər] *adj chem.* 'bimoleku,lar.

bi·month·ly [bai'mʌnθli] **I** *adj u. adv* **1.** zweimonatlich, alle zwei Monate ('wiederkehrend *od.* erscheinend). **2.** halbmonatlich, zweimal im Monat (erscheinend). **II** *s* **3.** zweimonatlich erscheinende Veröffentlichung. **4.** Halbmonatsschrift *f.*

bi·mo·tored [bai'moutərd] *adj aer.* 'zweimo,torig.

bin [bin] *s* **1.** (großer) Behälter, Kasten *m,* Kiste *f*: **~ card** *econ.* Bestandskarte *f.* **2.** Verschlag *m.*

bi·na·ry ['bainəri] **I** *adj chem. math. phys. tech.* bi'när, aus zwei Einheiten bestehend. **II** *s astr.* Doppelstern *m* (*zwei Sterne, die sich um ein Zentrum bewegen*). **~ ad·der** *s tech.* Bi'näradd,dierer *m.* **~ cell** *s tech.* Bi'närele,ment *n.* **~ code** *s tech.* Bi'närkode *m,* Du'alschlüssel *m.* **~ col·o(u)r** *s phys.* bi'näre Farbe. **~ com·pound** *s chem.* bi'näre Verbindung, Zweifachverbindung *f.* **~ fis·sion** *s biol.* Zweiteilung *f.* **~ scale** *s math. tech.* Du'alsy,stem *n.* **~ star,** **~ sys·tem** → **binary** II. **'~-to-'dec·i·mal con·ver·sion** *s math. tech.* Bi'när-Dezi'mal-,Umsetzung *f.*

bin·au·ral [bi'nɔ:rəl] *adj* **1.** beide Ohren betreffend. **2.** für beide Ohren (*Stethoskop, Kopfhörer*). **3.** [*meist* bai'nɔ:rəl] *Radio*: stereo'phonisch.

bind [baind] **I** *s* **1.** Band *n,* Bindemittel *n.* **2.** *mus.* a) Haltebogen *m,* b) Bindebogen *m,* c) Klammer *f,* d) Querbalken *m.* **3.** *min.* eisenhaltige Tonerde. **4.** *fenc.* Bindung *f,* Engage'ment *n.* **II** *v/t pret u. pp* **bound** [baund], *obs. pp* **'bound·en 5.** (an-, 'um-, fest)binden, knoten, knüpfen: **to ~ to a tree** an e-n Baum binden. **6.** (ein)binden, verbinden, um'wickeln. **7.** *e-n Saum etc* einfassen. **8.** *ein Rad etc* beschlagen. **9.** fesseln, binden (*a. fig.* **to** an *acc*). **10.** *fenc. die Klinge des Gegners* binden. **11.** *chem. etc* (mit e-m Bindemittel) binden. **12.** *fig.* behindern. **13.** zs.-fügen, hart machen. **14.** *med.* verstopfen. **15.** *fig.* (*a. vertraglich*) binden, verpflichten: **to ~ a bargain** e-n Handel (durch Anzahlung) verbindlich machen; **to ~ s.o. (as an) apprentice** j-n in die Lehre geben (**to** bei); → **bound**[1] 2 *u.* 4. **16.** *ein Buch* (ein)binden. **III** *v/i* **17.** *chem. tech.* binden, fest *od.* hart werden. **18.** binden(d sein), verpflichten.

Verbindungen mit Adverbien:

bind| off *v/t tech.* kette(l)n. **~ out** *v/t* in die Lehre geben (**to** bei). **~ o·ver** *v/t jur.* durch Bürgschaft verpflichten: **to be bound over** (*vom Gericht*) e-e Bewährungsfrist erhalten; **he was bound over to the next higher court** er wurde (zur Verhandlung) an die nächsthöhere Instanz überwiesen. **~ to·geth·er** *v/t* zs.-binden (*a. fig.*). **~ up** *v/t* **1.** anein'ander-, zs.-binden. **2.** *e-e Wunde* verbinden. **3.** *meist pass* **to be bound up** a) (**with**) eng verknüpft sein (mit), b) (**with, in**) ganz aufgehen (in *dat*), ganz in Anspruch genommen werden (von).

bind·er ['baindər] *s* **1.** (*Buch-, Garben- etc*)Binder(in). **2.** Garbenbinder *m* (*Maschine*). **3.** Binde *f,* Band *n,* Schnur *f.* **4.** Einband *m,* (Akten- *etc*) Deckel *m,* Hefter *m,* 'Umschlag *m.* **5.** *med.* a) Leibbinde *f* (*für Wöchnerinnen*), b) Nabelbinde *f* (*für Säuglinge*). **6.** *chem. pharm. tech.* Bindemittel *n.* **7.** *tech.* 'Trägerme,tall *n.* **8.** *arch.* Binder *m*: a) Bindestein *m,* b) Bindebalken *m.* **9.** *jur. Am.* a) Vorvertrag *m,* b) (Quittung *f* für e-e) Anzahlung *f.* **10.** *econ. Am.* Deckungszusage *f* (*vor Aushändigung der Police*).

bind·ing ['baindiŋ] **I** *adj* (*adv* **~ly**) **1.** bindend, verbindlich ([**up**]**on** für): **~ force** *jur.* bindende Kraft; **~ law** zwingendes Recht; **not ~ offer** unverbindliches *od.* freibleibendes Angebot. **II** *s* **2.** (Buch)Einband *m.* **3.** Einfassung *f,* Borte *f.* **4.** (Me'tall)Beschlag *m*: **~ of a wheel. 5.** *sport* (Ski)Bindung *f.* **6.** Bindemittel *n.* **~ a·gent** → **binder** 6. **~ course** *s arch.* Binderschicht *f.* **~ en·er·gy** *s chem. phys.* 'Bindungsener,gie *f.* **'~-,head screw** *s tech.* Setzschraube *f.* **~ joist** *s* Binderbalken *m.* **~ nut** *s tech.* Kontermutter *f.* **~ post** *s electr.* Klemmschraube *f,* (Pol-, Anschluß)Klemme *f.*

bin·dle ['bindl] *s Am. sl.* Bündel *n,* Päckchen *n* (*bes. Rauschgift*). **~ stiff** *s Am. sl.* ,Tippelbruder' *m.*

'bind,weed *s bot.* (*e-e*) Winde.

bine [bain] *s bot.* (*bes.* Hopfen)Ranke *f.*

binge [bindʒ] *s sl.* **1.** feucht-fröhlicher Bummel *od.* Abend, ,Saufe'rei' *f,* Party *f*: **to go on a ~** ,einen draufmachen'. **2.** *fig.* (*Kauf- etc*)Orgie *f.*

bin·go[1] ['biŋgou] *s sl.* Schnaps *m.*

bin·go[2] ['biŋgou] **I** *s Am.* (*Art*) Lottospiel *n.* **II** *interj colloq.* zack!

bin·na·cle ['binəkl] *s mar.* Kompaßhaus *n.*

bin·oc·u·lar [bi'nɒkjulər; bai-] **I** *adj phys.* binoku'lar, beidäugig: **~ telescope** Doppelfernrohr *n*; **~ vision** Sehen *n* mit beiden Augen. **II** *s a.* **~ glass** *meist pl* Binoku'lar *n,* Feldstecher *m,* Opern-, Fernglas *n.*

bi·node ['bai,noud] *s electr.* Bi'node *f,* Verbundröhre *f.*

bi·no·mi·al [bai'noumiəl] **I** *adj* **1.** *math.* bi'nomisch, zweigliedrig. **2.** *biol.* → **binominal. II** *s* **3.** *math.* Bi'nom *n,* zweigliedrige Größe. **4.** *biol.* Doppelname *m.* **~ char·ac·ter** *s math.* Zweigliedrigkeit *f.* **~ the·o·rem** *s* Binomi'alsatz *m.*

bi·nom·i·nal [bai'nɒminl] *adj biol.* binomi'nal, zweinamig: **~ system** System *n* der Doppelbenennung (*nach Gattung u. Art*).

bin·tu·rong ['bintju,rɒŋ; -tʃə-] *s zo.* Binturong *m* (*Schleichkatze*).

bi·nu·cle·ar [bai'nju:kliər], *a.* **bi'nu·cle,ate** [-,eit] *adj biol. phys.* zweikernig.

bio- [baio] *Wortelement mit der Bedeutung* Leben.

bi·o·as·say ['baioə,sei] *s med.* Drogenerprobung *f* am lebenden Tier.

bi·o·blast ['baio,blæst] → **biophore.**

bi·o·cat·a·lyst [,baio'kætəlist] *s chem.* bio'chemischer Kataly'sator.

bi·o·chem·i·cal *adj* (*adv* **~ly**) bio'chemisch. **,bi·o'chem·ist** *s* Bio'chemiker(in). **,bi·o'chem·is·try** *s* Bioche'mie *f.*

bi·o·dy·nam·ic [,baiodai'næmik; -di-], **,bi·o·dy'nam·i·cal** *adj* biody'namisch. **,bi·o·dy'nam·ics** *s pl* (*als sg* *konstruiert*) Biody'namik *f*, Lehre *f* von den Lebenskräften.

bi·o·e·col·o·gy [ˌbaioi'kɒlədʒi] *s biol.* Bioökolo'gie *f*.

bi·o·gen·e·sis [ˌbaio'dʒenisis] *s biol.* **1.** Bioge'nese *f*, Entwicklungsgeschichte *f*. **2.** ˌRekapitulati'onstheoˌrie *f*. ˌ**bi·o·ge'net·ic** [-dʒi'netik], *a.* ˌ**bi·o·ge'net·i·cal** *adj* bioge'netisch: biogenetic law → biogenesis 2. **bi'og·e·nous** [-'ɒdʒinəs] *adj* bio'gen. **bi'og·e·ny** → biogenesis.

bi·o·ge·og·ra·phy [ˌbaiodʒi'ɒgrəfi] *s* ˌBiogeogra'phie *f*.

bi·og·ra·pher [bai'ɒgrəfər] *s* Bio'graph *m*. **bi·o·graph·ic** [ˌbaio'græfik] *adj*; ˌ**bi·o'graph·i·cal** *adj* (*adv* ~ly) bio'graphisch. **bi'og·ra·phy** *s* Biogra'phie *f*, Lebensbeschreibung *f*.

bi·o·log·ic [ˌbaiə'lɒdʒik] *adj* (*adv* ~ally) → biological I. ˌ**bi·o'log·i·cal I** *adj* (*adv* ~ly) bio'logisch: ~ shield *phys. tech.* biologischer Schild; ~ species ökologische Art; ~ warfare biologische Kriegführung, Bakterienkrieg *m*. **II** *s pharm.* bio'logisches Präpa'rat (*z. B. Serum*). **bi'ol·o·gist** [-'ɒlədʒist] *s* Bio'loge *m*, Bio'login *f*. **bi'ol·o·gy** *s* Biolo'gie *f*.

bi·ol·y·sis [bai'ɒlisis] *s biol.* **1.** Auflösung *f* e-s Lebewesens. **2.** Zersetzung *f od.* bio'logische Selbstreinigung von Abwässern durch 'Mikroorgaˌnismen.

bi·o·met·rics [ˌbaio'metriks] *s pl* (*als sg konstruiert*) → biometry b. **bi'om·e·try** [-'ɒmitri] *s* Biome'trie *f*: a) *Sterblichkeitsberechnung*, b) *Lehre von der statistischen Auswertung biologischer Beobachtungen.*

bi·o·nom·ic [ˌbaio'nɒmik] *adj* öko'logisch. ˌ**bi·o'nom·ics** *s pl* (*als sg konstruiert*) *biol.* Ökolo'gie *f*.

bi·o·phor(e) ['baioˌfɔːr] *s biol.* Bio'phor *m* (*kleinste Lebenseinheit*).

bi·o·phys·ics [ˌbaio'fiziks] *s pl* (*als sg konstruiert*) Biophy'sik *f*.

bi·o·phys·i·og·ra·phy [ˌbaioˌfizi'ɒgrəfi] *s biol.* beschreibende Biolo'gie.

bi·o·plasm ['baioˌplæzəm], '**bi·oˌplast** [-ˌplæst] *s* Bio'plasma *n*.

bi·o·sphere ['baioˌsfir] *s biol.* Bio'sphäre *f* (*Zone des Erdballs, die Lebewesen beherbergt*).

bi·o·stat·ics [ˌbaio'stætiks] *s pl* (*als sg konstruiert*) *biol.* Bio'statik *f*, Stoffwechsellehre *f*.

bi·o·ta [bai'outə] *s* Fauna *f* u. Flora *f* (*e-s Gebiets od. e-r Periode*).

bi·o·tax·y ['baioˌtæksi] → taxonomy.

bi·ot·ic [bai'ɒtik] *adj* bi'otisch, Lebens... **bi'ot·ics** *s pl* (*als sg konstruiert*) *biol.* Wissenschaft *f* von den Lebenstätigkeiten u. -äußerungen.

bi·o·tin ['baiətin] *s chem.* Bio'tin *n*, Vitaˌmin 'H *n*.

bi·ot·o·my [bai'ɒtəmi] *s med.* Bioto'mie *f*, Vivisekti'on *f*.

bi·o·type ['baioˌtaip] *s biol.* Bio'typus *m*, Erbstamm *m*.

bi·pack ['baiˌpæk] *s phot.* Bipack-, Zweischichtfilm *m*.

bi·par·ti·san [*Br.* baiˌpɑːrti'zæn; *Am.* -təzən] *adj* **1.** zwei Par'teien vertretend. **2.** aus Mitgliedern zweier Par'teien bestehend, Zweiparteien... **bi'par·ti·sanˌship** *s* Zugehörigkeit *f* zu zwei Par'teien.

bi·par·tite [bai'pɑːrtait] *adj* **1.** zweiteilig, Zweier..., Zwei... **2.** *jur. pol.* a) zweiseitig: ~ contract, b) in doppelter Ausfertigung: ~ document. ˌ**bi·par'ti·tion** [-'tiʃən] *s* Zweiteilung *f*.

bi·ped ['baiped] *s zo.* zweifüßiges Wesen, Zweifüß(l)er *m*.

bi·phen·yl [bai'fenil; -'fiː-] *s chem.* Diphe'nyl *n*.

bi·plane ['baiˌplein] *s aer.* Doppel-, Zweidecker *m*.

bi·pod ['baipɒd] *s tech.* Zweibein *n*.

bi·po·lar [bai'poulər] *adj* zweipolig (*a. electr.*), bipo'lar (*a. anat. math.*).

bi·quad·rat·ic [ˌbaikwɒ'drætik] *adj* biqua'dratisch: ~ equation.

birch [bɜːrtʃ] **I** *s bot.* a) Birke *f*, b) Birkenholz *n*, c) Birkenreis *n*, -rute *f*. **II** *adj* birken. **III** *v/t* (mit der Rute) züchtigen, peitschen. '**birch·en** *adj bot.* birken, Birken... '**birch·ing** *s* (Tracht *f*) Prügel *pl*, Schläge *pl*.

birch| oil *s* Birkenöl *n*. '~-ˌ**rod** *s* Birkenrute *f*.

bird [bɜːrd] *s* **1.** Vogel *m*. **2.** *sport* a) Jagdvogel *m*, *bes.* Rebhuhn *n*, Vogelwild *n*, b) Tontaube *f*. **3.** *colloq.* a) ‚Knülch' *m*, Bursche *m*, b) ‚Tante' *f*, Mädchen *n*: gay ~ lustiger Vogel; queer ~ komischer Kauz; old ~ alter Knabe. **4.** *Br. sl.* ‚Nutte' *f* (*Prostituierte*). **5.** *mil. Am. sl.* ‚Vogel' *m*: a) *Adlerabzeichen e-s* colonel *etc*, b) *Fernlenkkörper*. **6.** *Am. sl.* a) ‚toller' Kerl, b) ‚tolles' Ding. **7.** *sport* Federball *m*.
Besondere Redewendungen:
early ~ Frühaufsteher(in); the early ~ catches the worm Morgenstund hat Gold im Mund; a ~ in the hand is worth two in the bush ein Sperling in der Hand ist besser als e-e Taube auf dem Dach; a little ~ told me mein kleiner Finger hat es mir gesagt; the ~ is (*od.* has) flown *fig.* der Vogel ist ausgeflogen; to give s.o. the ~ *sl.* a) j-n auspfeifen *od.* auszischen, b) j-n ‚abfahren' lassen, c) j-m den Laufpaß geben.

'**bird|-ˌcage** *s* Vogelbauer *n*, -käfig *m*. '~ˌ**call** *s* **1.** Vogelruf *m*. **2.** Lockpfeife *f*. '~ˌ**catch·er** *s* Vogelfänger *m*, -steller *m*. ~ **dog** *s* **1.** *zo.* Hühnerhund *m*. **2.** *fig.* ‚Spürnase' *f* (*Person*). '~ˌ**dung** *s* Vogelmist *m*, Gu'ano *m*. ~ **fan·ci·er** *s* Vogelliebhaber(in), -züchter(in).

bird·ie ['bɜːrdi] *s* **1.** Vögelchen *n*. **2.** ‚Täubchen' *n* (*Kosename*). **3.** *Golf*: *bes. Am.* Zahl der Schläge, die um eins unter der erwarteten Ziffer bleibt.

bird·ing ['bɜːrdiŋ] *s* Vogeljagd *f*, -beobachtung *f*.

bird| life *s* Vogelleben *n*, -welt *f*. '~ˌ**like** *adj* vogelartig. '~ˌ**lime** *s* Vogelleim *m*. '~-**man** [-mən] *s irr* **1.** a) Vogelfänger *m*, b) Vogelkenner *m*, c) 'Vogelpräpaˌrator *m*. **2.** *aer. colloq.* Flieger *m*. '~-ˌ**nest** → bird's-nest. ~ **of free·dom** *s Am.* weißköpfiger Seeadler (*im Wappen u. auf Münzen der USA*). ~ **of Jove** *s* Adler *m*. ~ **of Ju·no** *s* Pfau *m*. ~ **of par·a·dise** *s orn.* Para'diesvogel *m*. ~ **of pas·sage** *s orn.* Zugvogel *m* (*a. fig.*). ~ **of peace** *s* Friedenstaube *f*. ~ **of prey** *s* Raubvogel *m*. ~ **pep·per** *s bot.* Ca'yenne-Pfeffer *m*. '~ˌ**seed** *s* Vogelfutter *n*.

'**bird's-ˌeye I** *s* **1.** *bot.* a) A'donisrös-chen *n*, b) Ga'mander-Ehrenpreis *m*, c) Mehlprimel *f*. **2.** (*Art*) Feinschnittabak *m*. **II** *adj* **3.** aus der 'Vogelperspekˌtive (gesehen): ~ view (Blick *m* aus der) Vogelschau *f*, allgemeiner Überblick; ~ perspective Vogelperspektive *f*. **4.** gepunktet.

bird shot *s* Vogeldunst *m* (*Schrot*).

'**bird's-ˌnest I** *s* **1.** (*a. eßbares*) Vogelnest. **2.** *bot.* a) Nestwurz *f*, b) Fichtenspargel *m*, c) Mohrrübe *f*. **II** *v/i* **3.** Vogelnester suchen *od.* ausnehmen.

bird| watch·er *s* Vogelbeobachter *m*. '~-ˌ**wom·an** *s irr aer. colloq.* Fliegerin *f*.

bi·rec·tan·gu·lar [ˌbairek'tæŋgjulər] *adj math.* mit zwei rechten Winkeln.

bi·reme ['bairiːm] *s antiq.* Zweiruderer *m* (*Schiff*).

bi·ret·ta [bi'retə] *s* Bi'rett *n* (*Kopfbedeckung röm.-kath. Geistlicher*).

birth [bɜːrθ] *s* **1.** Geburt *f*: by ~ von Geburt; a musician by ~ ein geborener Musiker; on (*od.* at) his ~ bei s-r Geburt; to give ~ to gebären, zur Welt bringen (→ 5). **2.** *zo.* Wurf *m* (*Hunde etc*). **3.** Abstammung *f*, Ab-, 'Herkunft *f*. **4.** *fig.* Frucht *f*, Pro'dukt *n*. **5.** Ursprung *m*, Entstehung *f*: to give ~ to hervorbringen, -rufen, gebären (→ 1). ~ **cer·tif·i·cate** *s* Geburtsurkunde *f*. ~ **con·trol** *s* Geburtenregelung *f*, -beschränkung *f*. '~ˌ**day I** *s* Geburtstag *m*. **II** *adj* Geburtstags...: ~ present; ~ honours *Br.* Titelverleihungen anläßlich des Geburtstags des Königs *od.* der Königin; in one's ~ suit *colloq.* im Adamskostüm. '~ˌ**mark** *s* Muttermal *n*. '~ˌ**place** *s* Geburtsort *m*. ~ **rate** *s* Geburtenziffer *f*: falling ~, decline of the ~ Geburtenrückgang *m*. '~ˌ**right** *s* (Erst)Geburtsrecht *n*.

bis [bis] (*Lat.*) *adv* **1.** zweimal. **2.** *bes. mus.* noch einmal.

bis·cuit ['biskit] **I** *s* **1.** *Br.* Keks *m*, *n*, (Schiffs)Zwieback *m*. **2.** *Am.* weiches Brötchen. **3.** → biscuit ware. **4.** *Br.* 'ein Teil *n* e-r (mehrteiligen) Ma'tratze. **II** *adj* **5.** hellbraun. ~ **ware** *s tech.* Bis'kuit *n* (*zweimal gebranntes Porzellan*).

bi·sect [ˌbai'sekt] **I** *v/t* **1.** in zwei Teile (zer)schneiden *od.* teilen. **2.** *math.* hal'bieren: ~ing line → bisector. **II** *v/i* **3.** sich teilen *od.* gabeln. **bi'sec·tion** *s math.* Hal'bierung *f*. **bi'sec·tor** [-tər] *s math.* Hal'bierungslinie *f*, Hal'bierende *f*. **bi'sec·trix** [-triks] *pl* **-tri·ces** [ˌbaisek'traisiːz] *s math. min.* 'Winkelhalˌbierende *f*, Mittellinie *f*.

bi·sex·u·al [bai'sekʃuəl; *Br. a.* -sjuəl] *adj* zweigeschlechtig, bisexu'ell.

bish·op ['biʃəp] *s* **1.** Bischof *m*. **2.** *Schach*: Läufer *m*. **3.** Bischof *m* (*Getränk aus Portwein, Orangen, Zukker*). '**bish·op·ric** [-rik] *s* Bistum *n*, Diö'zese *f*.

bis·muth ['bizməθ] *s chem. min.* Wismut *n*. '**bis·muthˌate** [-ˌθeit] *s* wismutsaures Salz.

bi·son ['baisn] *s zo.* **1.** Bison *m*, Amer. Büffel *m*. **2.** Euro'päischer Wisent.

bisque[1] [bisk] *s sport* Vorgabe *f*, Vorteil *m*: to give ~ vorgeben.

bisque[2] [bisk] *s* **1.** Suppe *f* von Krebsen *od.* Fischen *od.* Geflügel. **2.** To'matenkremsuppe *f*. **3.** Nuß-Eiscreme *f*.

bisque[3] [bisk] → biscuit ware.

bis·sex·tile [bi'sekstil] **I** *s* Schaltjahr *n*. **II** *adj* Schalt...: ~ day Schalttag *m*.

bi·sta·ble ['baiˌsteibl] *adj electr. tech.* 'bistaˌbil.

bis·ter, *bes. Br.* **bis·tre** ['bistər] *s* Bister *m*, *n*, Nußbraun *n*.

bis·tort ['bistɔːrt] *s bot.* Natterwurz *f*.

bis·tou·ry ['bistəri; -uri] *s med.* Bi'stouri *n*, Klappmesser *n*.

bis·tre *bes. Br. für* bister.

bi·sul·fate [bai'sʌlfeit] *s chem.* Bisul'fat *n*, saures Sul'fat. ~ **of pot·ash** *s chem.* 'Kaliumˌbisulˌfat *n*.

bi·sul·fite [bai'sʌlfait] *s chem.* Bisul'fit *n*, doppeltschwefligsaures Salz.

bit[1] [bit] **I** *s* **1.** Gebiß *n* (*am Pferdezaum*): to take the ~ between (*od.* in) one's teeth a) auf die Stange beißen, durchgehen (*Pferd*), b) störrisch werden (*a. fig.*), c) *fig.* ‚'rangehen', sich mächtig anstrengen; to draw ~ a) die Zügel anziehen, b) *fig.* langsamer tun; → champ[1] 3. **2.** *fig.* Zaum *m*, Zügel *m u. pl*, Kan'dare *f*: to bite on the ~ a) s-n Ärger verbeißen, b) sich etwas verkneifen. **3.** *tech. schneidender od. packender Werkzeugteil*: a) Bohrer (-spitze *f*) *m*, Stich *m*, Meißel *m*, Schneide *f*, b) Hobeleisen *n*, c) Backe *f*, Maul *n* (*der Zange etc*), d) (Schlüssel)Bart *m*. **4.** Biß *m*, Mundstück *n* (*am Pfeifenstiel etc*). **II** *v/t pret u. pp* **'bit·ted 5.** *ein Pferd* aufzäumen, zügeln (*a. fig.*).

bit[2] [bit] *s* **1.** Bissen *m*, Happen *m*, Stück(chen) *n*. **2.** *a. fig.* Stück(chen) *n*: a ~ ein bißchen, ein wenig, etwas; a ~ better; a ~ dull. **3.** *colloq.* Augenblick *m*, Mo'ment *m*: wait a ~; after a ~ nach e-m Weilchen. **4.** *colloq.* kleine Münze: threepenny ~; two ~s *Am.* 25 Cent. **5.** *thea. Am. colloq.* kleine Rolle. **6.** *Am. sl.* (Freiheits)Strafe *f*, ‚Knast' *m*. **7.** *Am. sl.* ‚Puppe' *f*, Mädel *n*.

Besondere Redewendungen:

a ~ of all right *Br. colloq.* ‚schwer in Ordnung', ‚prima' Kerl *od.* Sache; he is a ~ of a comedian er hat etwas von e-m Komödianten (an sich); a ~ of a fool etwas närrisch; a ~ of a mystery e-e ziemlich rätselhafte Geschichte; not a ~ keine Spur, ganz u. gar nicht, nicht im geringsten; a good ~ ein tüchtiges Stück; ~ by ~ (*od.* ~s) Stück für Stück, nach u. nach, allmählich; to do one's ~ s-e Pflicht (u. Schuldigkeit) tun; to give s.o. a ~ of one's mind j-m gehörig die Meinung sagen; every ~ as good ganz genauso gut.

bit[3] [bit] *s* (*abbr. von* binary digit) Bit *n*, Bi'närziffer *f*.

bit[4] [bit] *pret u. obs. od. colloq. pp von* bite I *u.* II.

bi·tan·gent [bai'tændʒənt] *s math.* ['Doppeltan,gente *f*.]

bitch [bitʃ] **I** *s* **1.** *zo.* Hündin *f*. **2.** *zo.* Weibchen *n*: ~ (fox) Füchsin *f*; ~ (wolf) Wölfin *f*. **3.** *vulg.* a) Hure *f*, ‚Luder' *n*, b) ‚Ka'naille' *f*, ‚ekelhaftes Weibsbild'. **4.** *Am. sl.* ‚Mistding' *n*, (*etwas*) Scheußliches. **5.** *Am. sl.* Mekke'rei *f*. **II** *v/t* **6.** *a.* ~ up ‚versauen', ‚verpatzen'. **III** *v/i* **7.** *sl.* ‚meckern'. **'bitch·y** *adj fig.* gemein.

bite [bait] **I** *v/t pret* **bit** [bit] *pp* **bit·ten** ['bitn], *obs. od. colloq.* **bit 1.** beißen: → lip 1; to ~ one's nails an den Nägeln kauen; to ~ the dust (*od.* ground) *fig.* ins Gras beißen; what's biting you? *Am. sl.* was ist mit dir los?; to ~ off abbeißen; to ~ off more than one can chew *colloq.* sich zuviel zumuten; to ~ off one's nose *fig.* sich ins eigene Fleisch schneiden; → bitten II. **2.** beißen, stechen (*Insekt*). **3.** *tech.* fassen, packen, eingreifen, -schneiden, -dringen. **4.** *chem.* beizen, ätzen, zerfressen, angreifen. **5.** *fig.* (*nur pass*) angreifen, in Mitleidenschaft ziehen: badly bitten schwer mitgenommen. **6.** *colloq.* (*nur pass*) betrügen: to be bitten hereingefallen sein; the biter bit der betrogene Betrüger; the biter will be bitten wer andern e-e Grube gräbt, fällt selbst hinein.

II *v/i* **7.** (zu)beißen. **8.** anbeißen (*a. fig.*), schnappen (at nach) (*Fisch*). **9.** *fig.* beißen, schneiden, brennen, stechen, scharf sein (*Kälte, Wind, Gewürz, Schmerz*). **10.** *fig.* beißend *od.* verletzend sein. **11.** *tech.* fassen, (ein)greifen, packen, eindringen.

III *s* **12.** Beißen *n*, Biß *m*: to put the ~ on s.o. *Am. sl.* j-n unter Druck setzen. **13.** (*Insekten*)Stich *m*. **14.** Biß (-wunde *f*) *m*. **15.** Bissen *m*, Happen *m* (*a. weitS. Imbiß od. Nahrung*): not a ~ to eat. **16.** (An)Beißen *n* (*der Fische*). **17.** *tech.* Fassen *n*, Einschneiden *n*, -dringen *n*. **18.** *chem.* Beizen *n*, Ätzen *n*. **19.** Schärfe *f*: the ~ of the whisky. **20.** *fig.* a) Bissigkeit *f*, Schärfe *f*, b) Würze *f*, Geist *m*.

bit·er ['baitər] *s* Beißende(r *m*) *f*: → [bite 6.]

bit·ing ['baitiŋ] *adj* (*adv* ~ly) beißend, scharf, schneidend (*alle a. fig.*).

bitt [bit] **I** *s meist pl mar.* Poller *m*. **II** *v/t Taue* um die Betinghölzer winden.

bit·ten ['bitn] **I** *pp von* bite. **II** *adj* gebissen: once ~ twice shy gebranntes Kind scheut (das) Feuer; to be ~ with s.th. *sl.* von etwas angesteckt *od.* gepackt sein.

bit·ter ['bitər] **I** *adj* (*adv* ~ly) **1.** bitter (*Geschmack*). **2.** *fig.* bitter (*Schicksal, Wahrheit, Tränen, Worte etc*), schmerzlich, hart: to the ~ end bis zum bitteren Ende. **3.** *fig.* a) bitterböse, verbittert (*Person*), b) streng, rauh, unfreundlich (*a. Wetter*) (to, against zu, gegen). **II** *adv* **4.** bitter (*nur in Verbindungen wie*): ~ cold bitterkalt. **III** *s* **5.** (*das*) Bittere, Bitterkeit *f*: the ~s of life die Widerwärtigkeiten des Lebens. **6.** *meist pl* bitteres (alko'holisches) Getränk, (Magen)Bitter *m*. **7.** *a.* ~ beer Bitterbier *n*. **IV** *v/t u. v/i* **8.** bitter machen (werden). **~ al·mond** *s* bittere Mandel. **'~-'al·mond oil** *s* Bittermandelöl *n*. **~ earth** *s chem.* Bittererde *f*, Ma'gnesiumox,yd *n*.

bit·ter·ling ['bitərliŋ] *s ichth.* Euro'päischer Bitterling: ~ test *med. ein Schwangerschaftstest.*

bit·tern[1] ['bitərn] *s orn.* Rohrdom-[mel *f*.]

bit·tern[2] ['bitərn] *s* **1.** Mutterlauge *f*. **2.** Bitterstoff *m* (*für Bier*).

bit·ter·ness ['bitərnis] *s* **1.** (*das*) Bittere, Bitterkeit *f*, bitterer Geschmack. **2.** *fig.* Bitterkeit *f*, Schmerzlichkeit *f*, Härte *f*. **3.** *fig.* a) Verbitterung *f*, b) Härte *f*, Strenge *f*, Schroffheit *f*.

'bit·ter|,nut *s bot.* (*e-e*) amer. Hickorynuß. **~ salt** *s chem.* Bittersalz *n*, Ma'gnesiumsul,fat *n*. **~ spar** *s min.* Bitterspat *m*, Magne'sit *m*. **'~,sweet I** *adj* bittersüß. **II** *s bot.* Bittersüß *n*. **'~-,wood** *s* Bitter-, Quassiaholz *n*. **'~-,wort** *s bot.* Goldenzian *m*.

bi·tu·men ['bitjumin; -tʃu-; bi'tju:-; bai-] *s* **1.** *min.* Bi'tumen *n*, Erdpech *n*, A'sphalt *m*. **2.** *geol.* Bergteer *m*. **~ lig·nite** *s* ölreiche Braunkohle. **~ road** *s* A'sphaltstraße *f*. **~ slate** *s* Brandschiefer *m*. **~ tar** *s* Braunkohlenteer *m*.

bi·tu·mi·nize [bi'tju:mi,naiz; bai-] *v/t* **1.** mit Erdpech imprä'gnieren. **2.** asphal'tieren: ~d road.

bi·tu·mi·nous [bi'tju:minəs] *adj min. tech.* bitumi'nös, a'sphalt-, pechhaltig. **~ coal** *s* Stein-, Fettkohle *f*.

bi·va·lent [bai'veilənt] **I** *s* **1.** *biol.* Geminus *m*, Chromo'somen-Paar *n*. **II** *adj* **2.** *chem.* zweiwertig. **3.** *biol.* 'doppelchromo,somig.

bi·valve ['bai,vælv] *zo.* **I** *s* zweischalige Muschel. **II** *adj* zweischalig.

biv·ou·ac ['bivu,æk] **I** *s* **1.** *mil.* Biwak *n*, Feldlager *n*. **2.** Nachtlager *n* im Freien. **II** *v/i* **3.** biwa'kieren.

bi·week·ly [bai'wi:kli] **I** *adj u. adv* **1.** zweiwöchentlich, vierzehntägig, halbmonatlich, Halbmonats... **2.** zweimal in der Woche (erscheinend). **II** *s* **3.** Halbmonatsschrift *f*. **4.** zweimal in der Woche erscheinende Veröffentlichung.

biz [biz] *sl. für* business.

bi·zarre [bi'za:r] **I** *adj* bi'zarr, seltsam, ab'sonderlich, phan'tastisch. **II** *s bot.* buntgestreifte Nelken- *od.* Tulpenart.

bi·zon·al [bai'zounl] *adj* bizo'nal.

blab [blæb] **I** *v/t* **1.** (aus)schwatzen, ausplaudern, verraten. **II** *v/i* **2.** plappern, schwatzen. **3.** ‚plaudern', die Sache verraten. **III** *s* **4.** Geschwätz *n*. **5.** Schwätzer(in), Klatschbase *f*. **'blab·ber** → blab 5.

black [blæk] **I** *adj* **1.** schwarz (*a. Kaffee, Tee*): ~ as coal (*od.* pitch *od.* the devil *od.* ink *od.* night) schwarz wie die Nacht, kohlraben-, pechschwarz; ~ after white *TV* Schwarz hinter Weiß; ~er-than-~ region *TV* Ultraschwarzpegel *m*. **2.** schwärzlich, dunkel(farben): ~ in the face dunkelrot im Gesicht (*vor Aufregung etc*); → black eye. **3.** schwarz, dunkel(häutig): ~ man Schwarze(r) *m*, Neger *m*. **4.** schwarz, schmutzig: ~ hands. **5.** *fig.* finster, düster, schwarz: a ~ outlook; to look ~ düster blicken; things are looking ~ es sieht schlimm aus; ~ despair völlige Verzweiflung. **6.** böse, schwarz: a ~ heart; a ~ deed e-e schlimme Tat; ~ humo(u)r schwarzer (*makabrer*) Humor; a ~ look ein böser Blick; not so ~ as he is painted besser als sein Ruf. **7.** *Am. hist.* negerfreundlich. **8.** *pol.* a) ‚schwarz', kleri'kal, b) fa'schistisch. **9.** ungesetzlich: ~ rent. **10.** *Br.* streikbrecherisch.

II *s* **11.** Schwarz *n*, schwarze Farbe. **12.** (*etwas*) Schwarzes: in the ~ of night in tiefster Nacht. **13.** Schwarze(r *m*) *f*, Neger(in). **14.** *pol.* a) ‚Schwarze(r)' *m*, Kleri'kale(r) *m*, b) → Black-shirt. **15.** Schwärze *f*, *Am.* schwarze Schuhkrem. **16.** Schwarz *n* (*im Karten- od. Brettspiel*). **17.** Schwarz *n*, schwarze Kleidung, Trauerkleidung *f*: to be in (*od.* wear) ~ Trauer(kleidung) tragen. **18.** *meist pl print.* Spieß *m*. **19.** in the ~ *econ.* aus den Schulden her'aus, ohne Schulden, ren'tabel.

III *v/t* **20.** schwarz machen, schwärzen. **21.** (schwarz) wichsen.

IV *v/i* **22.** schwarz werden.

Verbindungen mit Adverbien:

black| out I *v/t* **1.** (völlig) abdunkeln, *a. mil.* verdunkeln: to ~ windows. **2.** *fig.* (*durch die Zensur*) unter'drükken, streichen. **3.** *e-e Funkstation* (durch Störgeräusche) ausschalten, *Sendungen* über'decken. **4.** a) *j-n* bewußtlos machen, b) *tech. u. fig. etwas* außer Betrieb setzen, ausschalten, ka'puttmachen. **II** *v/i* **5.** sich verdunkeln. **6.** a) das Bewußtsein verlieren, b) ‚Mattscheibe' haben, e-e kurze Bewußtseins- *od.* Gedächtnisstörung haben. **7.** *tech. etc* ausfallen. **~ up** *v/i* sich als Neger schminken.

black·a·moor ['blækə,muər] *s* Schwarze(r *m*) *f*, Neger(in), Mohr(in).

'black|-and-'blue *adj* dunkelblau: to beat s.o. ~ j-n grün u. blau schlagen. **'~-and-'tan I** *adj* **1.** schwarz mit hellbraunen Flecken. **2.** *Am.* a) Weiße u. Schwarze zu'sammen betreffend, b) von Weißen u. Schwarzen besucht: ~ bar. **II** *s* **3.** *zo.* glatthaariger Terrier, englischer Pinscher. **B~ and Tans** *s pl mil. hist. brit. Truppen, die 1920—21 gegen Irland eingesetzt wurden.* **~ and white** *s* **1.** (*etwas*) Gedrucktes *od.* Geschriebenes: in ~ schwarz auf weiß, schriftlich. **2.** Schwarz'weißbild *n*, -zeichnung *f*. **'~-and-'white** *adj* **1.** schriftlich, gedruckt. **2.** *Film, Kunst etc*: Schwarz-Weiß...: ~ television. **3.** *fig.* in Schwarz u. Weiß (aufgeteilt):

a ~ characterization. ~ **art** *s* Schwarze Kunst. '~,**ball I** *s* **1.** a) schwarze Wahlkugel, b) *fig.* Gegenstimme *f.* **II** *v/t* **2.** stimmen gegen (*j-s Aufnahme*), *j-n* ausschließen. **3.** *j-n* ächten *od.* auf die schwarze Liste setzen. ~ **bear** *s zo.* Schwarzbär *m.* ~ **bee·tle** *s zo.* Küchenschabe *f.* ~ **belt** *s Am.* **1.** Negerviertel *n*, Zone *f* mit vorwiegend schwarzer Bevölkerung **2.** Zone *f* mit schwarzerdigem, fruchtbarem Boden (*in Alabama u. Mississippi, USA*). '~,**ber·ry** *s bot.* Brombeere *f*: as plentiful as blackberries *fig.* (zahlreich) wie Sand am Meer. '~,**bird** *s* **1.** *orn.* Amsel *f*, Schwarzdrossel *f.* **2.** *hist. sl.* gefangener Neger (*an Bord e-s Sklavenschiffs*). '~,**bird·ing** *s hist. sl.* Sklavenhandel *m.* ~ **blende** *s min.* U'ran-Pechblende *f.* '~,**board** *s* (Schul-, Wand)Tafel *f.* ~ **bod·y** *s phys.* schwarzer Körper: ~ constant Schwarzkörperkonstante *f.* ~ **book** *s* schwarze Liste: to be in s.o.'s ~s *colloq.* bei j-m schlecht angeschrieben sein.

'**black,cap** *s* **1.** schwarze Kappe (*der Richter bei Todesurteilen*). **2.** *orn.* a) Schwarzköpfige Grasmücke, b) Kohlmeise *f*, c) Schwarzköpfige Lachmöwe. ~ **pud·ding** *s* Pudding *m* mit Ro'sinenkappe.

black| cat *s zo.* Ka'nadischer Marder. ~ **cat·tle** *s ursprünglich schwarze Rinderrasse aus Schottland u. Wales.* ~ **cin·der** *s tech.* Rohschlacke *f.* ~ **coal** *s* Stein-, Schwarzkohle *f.* '~,**coat** *s colloq.* ‚Schwarzrock' *m*, Geistliche(r) *m.* '~-,**coat,** *Br.* '~-,**coat·ed** *adj colloq.* im Bü'ro angestellt: ~ proletariat ‚Stehkragenproletariat' *n*; ~ worker (Büro)Angestellte(r *m*) *f.* '~,**cock** *s orn.* Birkhahn *m.* **B~ Code** *s Am. hist. die Neger (bes. die Negersklaven vor der Befreiung) betreffende Gesetzessammlung.* **B~ Coun·try** *s* (*das kohlen- u. eisenreiche*) Indu'striegebiet von Stafford u. Warwickshire (*in England*). ~ **cur·rant** *s bot.* Schwarze Jo'hannisbeere. ~ **death** *s* (*der*) Schwarze Tod, (*die*) Pest. ~ **di·a·mond** *s* **1.** schwarzer Dia'mant. **2.** *colloq.* (Stein)Kohle *f.* ~ **dog** *s colloq.* ‚miese' Stimmung, Katzenjammer *m.* ~ **ea·gle** *s orn.* Steinadler *m.*

black·en ['blækən] **I** *v/t* **1.** schwarz machen, schwärzen. **2.** → black 21. **3.** *fig.* anschwärzen, verleumden, besudeln: ~ing the memory of the deceased *jur.* Verunglimpfung *f* Verstorbener. **II** *v/i* **4.** schwarz *od.* dunkel werden.

black·et·eer [,blæki'tiər] *s econ. Am. sl.* [Schwarzhändler(in).]

black| eye *s* ‚blaues Auge' (*meist von Schlägen*): to get away with a ~ *fig.* mit e-m blauen Auge davonkommen. '~,**face** *s* **1.** Per'son *f od.* Tier *n* (*bes. Schaf*) mit schwarzem Gesicht. **2.** Negerschauspieler *m od.* als Neger geschminkter Schauspieler. **3.** *print.* (halb)fette Schrift. '~,**fel·low** *s* Au'stralneger *m.* ~ **flag** *s* schwarze (Pi'raten)Flagge. ~ **flux** *s tech.* schwarzer Fluß (*Schmelz- od. Flußmittel aus Kohle u. Pottasche*). ~ **fly** *s zo.* **1.** (*e-e*) Kriebelmücke. **2.** Schwarze Blattlaus. '**B~,foot** *s irr* 'Schwarzfuß(indi,aner) *m.* **B~ Fri·ar** *s relig.* Domini'kaner *m.* ~ **frost** *s* strenge, aber trockene Kälte. ~ **game** *s orn.* Schwarzes Rebhuhn. ~ **grouse** *s orn.* Birkhuhn *n.*

black·guard ['blægərd; -ɑːrd] **I** *s* **1.** Lumpenpack *n*, Gesindel *n.* **2.** gemeiner Kerl, Lump *m*, Schuft *m*, Schurke *m.* **3.** *obs.* 'Küchenperso,nal *n.* **II** *adj* **4.** gemein, schuftig. **III** *v/t* **5.** *j-n* e-n Schurken heißen. '**blackguard,ism** *s* pöbelhafte Rede- *od.* Handlungsweise, Schurke'rei *f.* '**blackguard·ly** *adj u. adv* gemein, schuftig.

'**black|,head** *s med.* Mitesser *m.* '~-,**heart·ed** *adj* boshaft, gemein. ~ **hole** *s mil.* ‚Bau' *m*, ‚Loch' *n.*

black·ing ['blækiŋ] *s* **1.** schwarze (Schuh)Wichse: shining ~ Glanzwichse. **2.** (Ofen)Schwärze *f.* ~ **brush** *s* Wichsbürste *f.*

black i·ron *s tech.* streckbares Eisen: ~ plate Schwarzblech *n.*

black·ish ['blækiʃ] *adj* schwärzlich: ~-blue bläulich-schwarz.

'**black|,jack I** *s* **1.** *a.* ~ oak *bot. Am.* Schwarzeiche *f.* **2.** → black flag. **3.** *Am.* 'Zuckercou,leur *f*, Kara'mel *m.* **4.** *Am.* (*Art*) Totschläger *m*, Keule *f.* **5.** *Am.* Vingt-et-'un *n* (*Kartenspiel*). **II** *v/t* **6.** *Am.* (mit e-m Totschläger) (zs.-)hauen, niederknüppeln. **7.** *Am. fig.* zwingen. ~ **ja·pan** *s* schwarzer Lack. ~ **lead** [led] *s min.* Reißblei *n*, Gra'phit *m*: ~ powder Ofenschwärze *f.*

'**black,leg I** *s* **1.** *colloq.* (Falsch)Spieler *m*, Gauner *m.* **2.** *Br.* Streikbrecher *m.* **II** *v/i* **3.** *Br.* als Streikbrecher auftreten. '**black,leg·ger·y** *s Br.* gewerkschaftsfeindliches Verhalten, Streikbrechertum *n.*

black| let·ter *s print.* Frak'tur *f*, gotische Schrift: black-letter day *fig.* schwarzer Tag, Unglückstag *m.* ~ **lev·el** *s TV* Austastpegel *m.* ~ **list** *s* schwarze Liste. '~-,**list** *v/t j-n* auf die schwarze Liste setzen. ~ **mag·ic** *s* Schwarze Kunst, Hexe'rei *f.* '~,**mail I** *s* **1.** *jur.* Erpressung *f.* **2.** Erpressungsgeld *n.* **II** *v/t* **3.** *j-n* erpressen, Geld erpressen von (*j-m*): to ~ s.o. into doing s.th. j-n durch Erpressung dazu zwingen, etwas zu tun. '~,**mail·er** *s* Erpresser(in). **B~ Ma·ri·a** *s sl.* **1.** (schwarzer) Gefangenenwagen, ‚grüne Minna'. **2.** *mil.* ‚Koffer' *m*, große Gra'nate. ~ **mar·ket** *s* schwarzer Markt, Schwarzmarkt *m*, -handel *m.* ~ **mar·ket·eer** *s* Schwarzhändler(in), Schieber(in). ,~-**mar·ket'eer** *v/i* Schwarzhandel treiben, ‚schieben'. ~ **mea·sles** *s pl med.* hämor'rhagische Masern *pl.* **B~ Mon·day** *s* **1.** Unglückstag *m.* **2.** erster Schultag (nach den Ferien). **B~ Monk** *s* Benedik'tiner(mönch) *m.*

black·ness ['blæknis] *s* **1.** Schwärze *f*, Dunkelheit *f.* **2.** *fig.* Verderbtheit *f*, Ab'scheulichkeit *f.*

'**black|,out** *s* **1.** Verdunkelung *f* (*bes. Luftschutz*). **2.** *TV Am.* Austasten *n*: ~ signal Austastsignal *n.* **3.** a) kurze Ohnmacht, b) ‚Mattscheibe' *f*, kurzer Gedächtnisschwund, c) Schwindelanfall *m*, d) *aer.* 'Fliegeramau,rose *f*: ~ of consciousness Bewußtseinslücke *f*; he had a ~ ihm wurde schwarz vor den Augen. **4.** *fig.* (*Nachrichten- etc*)Sperre *f*: news ~; intellectual ~ geistige Blockade. **5.** *tech. u. fig. Am.* Ausfall(en *n*) *m.* **B~ Pope** *s R.C.* Schwarzer Papst (*der Jesuitengeneral*). ~ **pop·lar** *s bot.* Schwarzpappel *f.* **B~ Prince** *s* (*der*) Schwarze Prinz (*Eduard, Prinz von Wales*). ~ **pud·ding** *s* Blutwurst *f.* **B~ Rod** *s* **1.** oberste(r) Dienstbeamte(r) des englischen Oberhauses. **2.** erster Zere'monienmeister bei Ka'piteln des Hosenbandordens (*voller Titel*: Gentleman Usher of the ~). ~ **rot,** ~ **rust** *s bot.* Schwarz(trocken)fäule *f.* **B~ Sea** *s geogr.* (*das*) Schwarze Meer. ~ **sheep** *s* **1.** *bes. fig.* ‚schwarzes Schaf': the ~ of the family. **2.** Streikbrecher *m.* ~ **sheet** *s tech.* Schwarzblech *n.* '**B~-,shirt** *s pol.* **1.** Schwarzhemd *n* (*italienischer Faschist*). **2.** *allg.* Fa'schist *m.* ~ **sil·ver** *s min.* Stepha'nit *m.* '~,**smith** *s* (Grob-, Huf)Schmied *m*: ~('s) shop Schmiede *f.* ~ **snake,** '~,**snake** *s* **1.** *zo.* Kletternatter *f.* **2.** *Am.* lange geflochtene Lederpeitsche. ~ **spot** *s bot.* Schwarzfleckigkeit *f* (*bei Rosen*). '~,**strap** *s* **1.** *colloq.* Portwein *m.* **2.** *Am. sl.* dunkler Li'kör (*Rum etc mit Sirup*). **3.** *tech.* schwarzes Öl. '~,**thorn** *s bot.* Schwarz-, Schlehdorn *m.* '~,**top** *s Straßenbau*: Schwarzdecke *f.* ~ **var·nish** *s* A'sphaltlack *m*, Teerfirnis *m.* ~ **vom·it** *s med.* **1.** Gelbfiebersputum *n.* **2.** gelbes Fieber. **B~ Watch** *s mil. Br.* (*das*) 42. 'Hochländerregi,ment. '~,**wa·ter fe·ver** *s med.* Schwarzwasserfieber *n.* '~-,**white con·trol** *s electr.* Helldunkelsteuerung *f.* ~ **wid·ow** *s zo.* Schwarze Witwe (*giftige Spinne*). '~,**wood** *s* **1.** Schwarzholz *n.* **2.** *bot.* a) Schierlingstanne *f*, b) Schwarze Man'grove.

black·y ['blæki] *s sl.* **1.** Schwarze(r *m*) *f*, Neger(in). **2.** ‚Schwarzrock' *m.*

blad·der ['blædər] *s* **1.** *anat. zo.* Blase *f*, *engS. anat.* Harnblase *f*, *zo.* Schwimmblase *f.* **2.** Blase *f*: football ~. **3.** *med.* Bläs-chen *n* (*auf der Haut*). **4.** *fig.* a) Hohlkopf *m*, b) Schaumschläger *m*, aufgeblasener Mensch. ~ **cam·pi·on** *s bot.* Gemeines Leimkraut. ~ **cher·ry** *s bot.* Judenkirsche *f.* ~ **fern** *s bot.* Blasenfarn *m.* ~ **wrack** *s bot.* Blasentang *m.*

blade [bleid] **I** *s* **1.** *bot.* Blatt *n*, Spreite *f* (*e-s Blattes*), Halm *m*: ~ of grass Grashalm; in the ~ auf dem Halm. **2.** *tech.* Blatt *n* (*der Säge, Axt, Schaufel, des Ruders*). **3.** *tech.* a) Flügel *m* (*des Propellers*), b) Schaufel *f* (*des Schiffsrades od. der Turbine*). **4.** *tech.* Klinge *f* (*des Degens, Messers etc*). **5.** *phot.* Blendenflügel *m.* **6.** *electr.* 'Messer(kon,takt *m*) *n*: ~ switch Messerschalter *m.* **7.** a) *agr.* Pflugschar *f*, b) *tech.* Pla'nierschild *m* (*e-r Planierraupe etc*). **8.** *arch.* Hauptdachbalken *m.* **9.** *math.* Schiene *f.* **10.** *poet.* Degen *m*, Klinge *f.* **11.** *fig.* Fechter *m*, Streiter *m.* **12.** (forscher) Kerl, Bursche *m*, Geselle *m.* **13.** *ling.* Rücken *m* (*der Zunge*).
II *v/t* **14.** mit e-m Blatt *od.* e-r Klinge *etc* versehen. **15.** *tech. Schutt etc* mit e-r Pla'nierraupe (weg)räumen. '**blad·ed** *adj* **1.** *bot.* behalmt, beblättert. **2.** (*in Zssgn*) a) mit e-m Blatt *etc* (versehen), b) ...klingig: two-~ zwei-, doppelklingig.

blae·ber·ry ['bleibəri; -beri] *Scot. od.* [*dial. für* bilberry.]

blah [blɑː], *a.* '**blah-,blah** *Am. sl.* **I** *s* **1.** ‚Quatsch' *m.* **2.** (dummes) ‚Gequatsche'. **II** *adj* **3.** fad, ‚doof'. **III** *v/t u. v/i* **4.** ‚quatschen'.

blain [blein] *s med.* **1.** (Blut)Geschwür *n.* **2.** (Eiter)Beule *f*, Pustel *f.*

blam·a·ble ['bleiməbl] *adj* (*adv* blamably) tadelnswert, zu tadeln(d), schuldig.

blame [bleim] **I** *v/t* **1.** tadeln, rügen (for wegen). **2.** (for) verantwortlich machen (für), *j-m od. e-r Sache* die Schuld geben *od.* zuschreiben (an *dat*): to ~ s.o. for s.th.; he is to ~ for it er ist daran schuld; he ~d it on his brother er gab s-m Bruder die Schuld daran; he has only himself to ~ er hat es sich selbst zuzuschreiben; I can't ~ him ich kann es ihm nicht verübeln. **3.** *sl. euphem.* verfluchen: I'm ~d if ich laß mich hän-

gen, wenn; ~ it! verflucht noch mal! **II** *s* **4.** Tadel *m*, Vorwurf *m*, Rüge *f*. **5.** Schuld *f*, Verantwortung *f*: to lay (*od.* put, cast) the ~ on s.o. j-m die Schuld geben *od.* zuschieben; to bear (*od.* take) the ~ die Schuld auf sich nehmen. **6.** Fehler *m*, Vergehen *n*.
'**blame·ful** [-ful] *adj* (*adv* ~ly) → blamable. '**blame·less** *adj* (*adv* ~ly) untadelig, schuldlos (of an *dat*). '**blame,wor·thy** → blamable.
blanch [*Br.* blɑːntʃ; *Am.* blæ(ː)ntʃ] **I** *v/t* **1.** bleichen, weiß machen. **2.** *agr.* (*Pflanzen durch Ausschluß von Licht*) bleichen: to ~ celery. **3.** *Kochkunst*: blan'chieren, brühen: to ~ almonds. **4.** *tech.* weiß sieden. **5.** *tech.* verzinnen. **6.** *oft* ~ over *fig.* beschönigen. **7.** *fig.* erbleichen lassen. **II** *v/i* **8.** erblassen, erbleichen, bleich werden. '**blanch·er** *s* **1.** Bleicher(in). **2.** *tech.* Weißsieder *m*. **3.** Gerber *m* des Schmalleders. **4.** *chem.* Bleichmittel *n*.
blanc·mange [blə'mɑːnʒ; -'mɒnʒ] *s Kochkunst*: Blancman'ger *n*, Mandelsüßspeise *f*.
bland [blænd] *adj* (*adv* ~ly) **1.** a) mild, sanft, b) verbindlich, höflich, c) (ein)schmeichelnd. **2.** gleichgültig, kühl. **3.** i'ronisch. **4.** *med.* mild. **5.** fad.
blan·dish ['blændiʃ] *v/t j-m* schmeicheln, schön tun, (gut) zureden. '**blan·dish·ment** *s* Schmeiche'lei *f*, (Ver)Lockung *f*: ~s schmeichlerische *od.* lockende Worte.
blank [blæŋk] **I** *adj* (*adv* ~ly) **1.** *obs.* weiß, blank. **2.** leer, unbeschrieben, unbedruckt: a ~ sheet (of paper); ~ leaf leere Seite, Leerblatt *n*; ~ space leerer Raum; to leave ~ frei lassen. **3.** *econ. jur.* unausgefüllt, unausgefertigt, Blanko...: in ~ blanko; → blank acceptance *etc.* **4.** *arch.* 'undurch,brochen, eben (*Mauer*), blind (*Fenster, Tür*): ~ wall *fig.* unüberwindliche Barriere. **5.** *fig.* leer, öde: a) inter'esse-, inhaltslos: ~ hours, b) ausdruckslos: ~ face. **6.** verdutzt, verblüfft, verständnislos: a ~ look. **7.** bewußt (*bei ungenauen Angaben*): the ~ regiment. **8.** *mil.* blind geladen: ~ cartridge Platzpatrone *f*; ~ fire, ~ practice blindes Schießen (*a. fig.*). **9.** völlig, bar, rein: ~ astonishment sprachloses Erstaunen; ~ despair helle Verzweiflung; ~ idiot *sl.* Vollidiot *m*; ~ terror nackte Angst. **10.** *metr.* reimlos: → blank verse.
II *s* **11.** freier *od.* leerer Raum, Lücke *f*: to leave a ~ (*beim Schreiben etc*) Platz *od.* e-n freien Raum lassen. **12.** a) unbeschriebenes Blatt (*a. fig.*), Leerblatt *n*, b) *Am.* (unausgefülltes) Formu'lar *od.* Formblatt, Vordruck *m*. **13.** Leerstelle *f*, ungelochte Stelle (*e-r Lochkarte etc*). **14.** Gedankenstrich *m* (*an Stelle e-s verpönten Wortes etc*), ‚Pünktchen' *pl*. **15.** Leere *f*, Lücke *f* (*a. fig.*): his mind was a ~ a) in s-m Kopf herrschte völlige Leere, b) er hatte alles vergessen. **16.** *Lotterie*: Niete *f*: to draw a ~ a) e-e Niete ziehen (*a. fig.*), b) *fig.* kein Glück haben. **17.** *bes. sport* Null *f*. **18.** *arch.* blindes Fenster, blinde Tür. **19.** *fig.* Öde *f*, Nichts *n*. **20.** (*das*) Schwarze (*e-r Zielscheibe*). **21.** *tech.* a) ungeprägte Münzplatte, b) rohes Formstück, Rohling *m*, c) ausgestanztes Stück, Stanzteil *n*.
III *v/t* **22.** *meist* ~ out a) verhüllen, auslöschen (*a. fig.*), b) *fig.* erledigen, abtun. **23.** ~ out *print.* gesperrt drukken. **24.** *ein verpöntes Wort etc* durch e-n Gedankenstrich ersetzen. **25.** *sl.* verfluchen: ~ him! *od.* - him! zum Henker mit ihm!; ~ed! verflucht! **26.** (aus)stanzen. **27.** *TV Br.* austasten: ~ing signal Austastsignal *n*.
blank| ac·cept·ance *s econ.* 'Blankoak,zept *n*. ~ **bill** *s econ.* Blankowechsel *m*. '~,**book** *s Am.* No'tizbuch *n*. ~ **check,** *bes. Br.* ~ **cheque** *s* **1.** *econ.* Blankoscheck *m*, 'Scheckformu,lar *n*. **2.** *colloq.* Blankovollmacht *f*, (völlig) freie Hand: to give s.o. a ~. ~ **cred·it** *s econ.* 'Blankokre,dit *m*. ~ **en·dorse·ment** *s econ.* 'Blankoindossa,ment *n*.
blan·ket ['blæŋkit] **I** *s* **1.** (wollene) Decke, Bettdecke *f*, (Pferde-, Esels)-Decke *f*: to get between the ~s *colloq.* ‚in die Federn kriechen'; to toss in a ~ prellen (*auf e-r Decke hochschleudern*); on the wrong side of the ~ *colloq.* außer-, unehelich; → wet blanket. **2.** *a.* ~ cloth *Am.* Frot'tee *n*, *m* (*Stoff*). **3.** *fig.* Decke *f*, Hülle *f*: ~ of snow (clouds) Schnee-(Wolken)-decke; security ~ umfassende Sicherheitsmaßnahmen. **4.** *tech.* 'Filz,unterlage *f*.
II *v/t* **5.** zudecken. **6.** prellen. **7.** *mar. e-m Segelschiff* den Wind abfangen. **8.** *Feuer, Gefühle* ersticken. **9.** *fig.* verdecken, unter'drücken, vertuschen. **10.** *Radio*: stören, über'lagern. **11.** *electr.* abschirmen. **12.** *Am.* zs.-fassen, um'fassen, ganz erfassen. **13.** *mil.* (*durch künstlichen Nebel*) abschirmen.
III *adj* **14.** gemeinsam, allgemein, gene'rell, um'fassend, General..., Gesamt..., Pauschal...
blan·ket| coat·ing *s tech.* Gummituch-Streichverfahren *n*. ~ **In·di·an** *s Am.* Indi'aner, der den alten Bräuchen treu bleibt.
blan·ket·ing ['blæŋkitiŋ] *s* **1.** a) Stoff *m* zu (Woll)Decken, b) Decken(vorrat *m*) *pl*. **2.** *electr.* Über'lagerung *f* von Emp'fangssi,gnalen.
blan·ket| in·sur·ance *s econ.* Kollek'tivversicherung *f*. ~ **mort·gage** *s econ.* Ge'samthypo,thek *f*. ~ **or·der** *s econ.* Blankoauftrag *m*. ~ **pol·i·cy** *s* Pau'schalpo,lice *f*. ~ **price** *s econ.* Einheitspreis *m*. ~ **roll** *s Am.* Tor'nisterrolle *f*, Nachtpack *m*. ~ **sheet** *s* Zeitung *f* in Großfolio.
'**blan·ket·y(-,blank)** ['blæŋkiti-] *adj u. adv sl. euphem.* verflixt.
blank·ing| pulse ['blæŋkiŋ] *s TV* 'Austastim,puls *m*. ~ **tool** *s tech.* Stanzwerkzeug *n*.
blank| line *s print.* blinde Zeile. ~ **ma·te·ri·al** *s print.* 'Blindmateri,al *n*, Ausschluß *m*. ~ **verse** *s metr.* **1.** Blankvers *m* (*reimloser fünffüßiger Jambus*). **2.** *allg.* reimloser Vers.
blare [blɛr] **I** *v/i* **1.** *dial.* heulen, plärren, brüllen. **2.** a) schmettern (*Trompete*), b) laut hupen, c) brüllen, grölen (*Radio etc*). **3.** grell leuchten. **II** *v/t* **4.** Lärm machen mit. **5.** *fig.* 'ausposaunen. **III** *s* **6.** Geschmetter *n*, Lärm *m*, Getöse *n*. **7.** *fig.* grelles Leuchten (*von Farben etc*). **8.** (*Reklame- etc*)Rummel *m*.
blar·ney ['blɑːrni] **I** *s* (plumpe) Schmeiche'lei, ‚Schmus' *m*. **II** *v/t u. v/i* ‚(be)schmusen'.
bla·sé ['blɑːzei; blɑː'zei] *adj* bla'siert.
blas·pheme [blæs'fiːm] **I** *v/t* **1.** *Gott od. etwas Heiliges* lästern. **2.** *allg.* lästern, schmähen. **II** *v/i* **3.** lästern, fluchen (against gegen, über *acc*). **blas'phem·er** *s* (Gottes)Lästerer *m*. **blas·phe·mous** ['blæsfəməs; -fiməs] *adj* (*adv* ~ly) blas'phemisch, (gottes)lästerlich.
blas·phe·my ['blæsfəmi; -fimi] *s* **1.** Blasphe'mie *f*, (Gottes)Lästerung *f*. **2.** Fluchen *n*.
blast [*Br.* blɑːst; *Am.* blæ(ː)st] **I** *s* **1.** (starker) Windstoß, Sturm *m*. **2.** Blasen *n*, Schmettern *n*, Schall *m* (*e-s Blasinstruments*), Si'gnal *n*, (Heul-, Pfeif)Ton *m*, 'Hupsi,gnal *n*, Tuten *n*: a ~ of the trumpet ein Trompetenstoß. **3.** plötzliche Erkrankung (*a. bot. zo.*), Seuche *f*, Pesthauch *m*. **4.** *fig.* Fluch *m*, verderblicher Einfluß. **5.** *bot.* Brand *m*, Mehltau *m*, Verdorren *n*. **6.** *poet.* Atem *m*, Hauch *m*: winter's chilly ~. **7.** *tech.* Gebläse(luft *f*) *n*: at (full) ~ *tech. u. fig.* auf (Hoch)Touren (*laufend od. arbeitend*); at half ~ mit halber Kraft; out of ~ außer Betrieb. **8.** a) Schuß *m*, Explosi'on *f*, Detonati'on *f*, Luftdruck *m*, Druckwelle *f*, b) Luftdruckwirkung *f* (*e-r Explosion*). **9.** a) (Spreng)Schuß *m*, b) Sprengladung *f*.
II *v/t* **10.** versengen, -brennen, -nichten. **11.** *mit Pulver* sprengen. **12.** be-, zs.-schießen, niederknallen. **13.** zerschmettern, vernichten. **14.** *colloq. j-n* heftig attac'kieren. **15.** *sport Am. colloq.* vernichtend schlagen. **16.** *fig.* zu'nichte machen, vernichten, vereiteln. **17.** *sl.* verfluchen: ~ed verdammt, verflucht; ~ it! verdammt (nochmal)!; ~ him! der Teufel soll ihn holen! **18.** *tech.* abstrahlen.
III *v/i* **19.** sprengen, schießen. **20.** schimpfen: to ~ away at donnern gegen. **21.** *Am. sl.* Marihu'ana rauchen. **22.** ~ off *sl.* a) (donnernd) starten (*Rakete*), b) ‚abhauen'.
blas·te·ma [blæs'tiːmə] *s biol.* Keimstoff *m*, 'Keimmateri,al *n*, Bla'stem *n*.
blast| fur·nace *s tech.* Gebläse-, Hochofen *m*. '~-,**fur·nace** *adj tech.* Hochofen... '~,**hole** *s tech.* Sprengloch *n*.
blast·ing [*Br.* 'blɑːstiŋ; *Am.* 'blæ(ː)stiŋ] *s tech.* **1.** Sprengung *f*, Sprengen *n*, Schießen *n*. **2.** Versengen *n*. **3.** *electr.* 'Durchbrennen *n*. **4.** Über'steuerung *f* (*des Mikrophons etc*). **5.** Vernichtung *f*. ~ **cap** *s tech.* Sprengkapsel *f*. ~ **car·tridge** *s* 'Sprengpa,trone *f*. ~ **charge** *s mil.* Sprengladung *f*. ~ **gel·a·tin(e)** *s tech.* 'Sprenggela,tine *f*. ~ **nee·dle** *s tech.* **1.** *Bergbau*: Schieß-, Räumnadel *f*. **2.** Bohreisen *n*, -nadel *f*. ~ **oil** *s tech.* Sprengöl *n*, Nitroglyze'rin *n*.
blast lamp *s tech.* Stich-, Lötlampe *f*.
blas·to·cyst ['blæsto,sist] *s* Keimbläs-chen *n*. '**blas·to,derm** [-,dɜrm] *s* Keimhaut *f*.
'**blast-,off** *s* (Ra'keten)Start *m*. **blas·to·gen·e·sis** [,blæsto'dʒenisis] *s* Blastoge'nese *f*, Entstehung *f* durch Knospung. '**blas·to,mere** [-,mir] *s biol.* Blasto'mere *f*, Furchungszelle *f*. '**blas·to,pore** [-,pɔːr] *s* Blasto'porus *m*, Urmund *m*. '**blas·to,sphere** [-,sfir] → blastula.
blast| pipe *s tech.* **1.** Düse(nrohr *n*) *f*. **2.** *Bergbau*: Windleitung *f*. **3.** Ablasrohr *n*. ~ **pres·sure** *s tech.* Gebläse- *od.* Explosi'onsdruck *m*. ~ **tube** *s aer.* Strahlrohr *n* (*e-r Rakete*).
blas·tu·la ['blæstjulə; -tʃu-] *pl* **-lae** [-,liː] *s biol.* Blastula *f*, Keimblase *f*.
bla·tan·cy ['bleitənsi] *s* lärmendes Wesen, Angebe'rei *f*.
bla·tant ['bleitənt] *adj* (*adv* ~ly) **1.** lärmend, laut, plärrend. **2.** a) marktschreierisch, lärmend, b) aufdringlich, c) offenkundig, ekla'tant: a ~ lie.
blath·er ['blæðər] **I** *v/i* Unsinn reden, ‚blöd da'herreden *od.* quatschen'. **II** *s* dummes Geschwätz, ‚Gequatsche' *n*,

,Quatsch' *m.* **'blath·er,skite** [-,skait] *s Am. colloq.* **1.** ,Quatschkopf' *m*, Schwätzer(in). **2.** ,Quatsch' *m.*

blaze [bleiz] **I** *s* **1.** (lodernde) Flamme, loderndes Feuer, Lohe *f*: to be in a ~ in hellen Flammen stehen. **2.** *pl* Hölle *f*: go to ~s! *sl.* scher dich zum Teufel!; like ~s *colloq.* wie verrückt, wie toll; what the ~s is the matter? *colloq.* was zum Teufel ist denn los? **3.** blendender (Licht)Schein, Leuchten *n*, Strahlen *n*, Glanz *m* (*a. fig.*): in the ~ of day am hellen Tag; ~ of fame Ruhmesglanz; ~ of colo(u)rs Farbenpracht *f*, -meer *n*; the ~ of publicity das grelle Licht der Öffentlichkeit. **4.** *fig.* plötzlicher Ausbruch, Auflodern *n*: ~ of love; in a ~ of fury in loderndem Zorn. **5.** Blesse *f* (*weißer Stirnfleck bei Pferden od. Rindern*). **6.** Anschalmung *f*, Mar'kierung *f* (*an Bäumen*). **II** *v/i* **7.** *a.* ~ up *a. fig.* (auf)flammen, (-)flackern, (-)lodern, (ent)brennen: the fight ~d up again; in a blazing temper *fig.* in heller Wut. **8.** *a. fig.* leuchten, glühen, strahlen. **9.** brennen, glühen (*Sonne*). **10.** *fig.* strahlen: to ~ into prominence e-n kometenhaften Aufstieg erleben. **III** *v/t* **11.** verbrennen, -sengen. **12.** *Bäume* anschalmen, *e-n Weg* mar'kieren: → trail 21. **13.** strahlen *od.* leuchten vor (*dat*). **14.** → blaze abroad.

Verbindungen mit Adverbien:

blaze| a·broad *v/t* verkünden, 'auspo,saunen. ~ **a·way** *v/i* **1.** (wild) drauf'losschießen (at auf *acc*). **2.** *colloq.* a) loslegen (at mit), b) 'herziehen (about über *acc*). ~ **forth** *v/i* **1.** aufflammen, erstrahlen. **2.** ~ at *fig. j-n* anfahren. **3.** → blaze abroad. ~ **out** *v/i* **1.** aufflammen, -flackern. **2.** *fig.* (wütend) auffahren. ~ **up** → blaze 7.

blaz·er ['bleizər] *s* **1.** *sl.* (*etwas*) Glühendheißes. **2.** Blazer *m*, Klub-, Sportjacke *f*.

blaz·ing ['bleiziŋ] *adj* **1.** flammend, (hell) glühend. **2.** auffallend, schreiend, offenkundig, ekla'tant, unerhört: ~ colo(u)rs grelle Farben; a ~ lie e-e freche Lüge; ~ scent *hunt.* warme Fährte. **3.** *colloq.* verteufelt. ~ **star** *s fig.* Gegenstand *m* allgemeiner Bewunderung (*Person od. Sache*).

bla·zon ['bleizn] **I** *s* **1.** a) Wappen(schild *m*, *n*) *n*, b) Wappenkunde *f*, He'raldik *f*. **2.** *fig.* Darstellung *f*. **3.** a) lautes Lob, b) 'Auspo,saunen *n*. **II** *v/t* **4.** *Wappen* a) he'raldisch erklären, b) ausmalen. **5.** *fig.* schmücken, zieren. **6.** *fig.* her'ausstreichen, rühmen. **7.** *meist* ~ abroad, ~ forth, ~ out 'auspo,saunen. **'bla·zon·er** *s* Wappenkundige(r *m*) *f od.* -maler(in). **'bla·zon·ry** [-ri] *s* **1.** → blazon 1. **2.** *fig.* a) künstlerische *od.* prächtige Gestaltung, b) Pomp *m*.

bleach [bli:tʃ] **I** *v/t* **1.** *a. fig.* bleichen, weiß machen: hair ~ed with age vom Alter gebleichtes Haar. **2.** *fig.* reinigen, läutern. **II** *v/i* **3.** bleichen, weiß werden. **III** *s* **4.** Bleichmittel *n*: ~ liquor Bleichlauge *f*. **'bleach·er** *s* **1.** Bleicher(in). **2.** *meist pl sport Am.* 'unüber,dachte Tri'büne *od.* Zuschauerbank. **'bleach·er,ite** [-,rait] *s sport Am.* Zuschauer(in) auf e-m 'unüber,dachten Tri'bünenplatz. **'bleach·ing** *s* Bleichen *n*: chemical ~ Schnellbleiche *f*; ~ powder *chem.* Bleichpulver *n*, Chlorkalk *m*.

bleak[1] [bli:k] *s ichth.* Uke'lei *m*.

bleak[2] [bli:k] *adj* (*adv* ~ly) **1.** kahl, öde. **2.** ungeschützt, windig, zugig. **3.** rauh, kalt: ~ weather; a ~ wind. **4.** *fig.* trost-, freudlos, trübe, düster. **'bleak·ness** *s* **1.** Kahlheit *f*, Öde *f*. **2.** Rauheit *f*, Kälte *f*. **3.** *fig.* Trostlosigkeit *f*, Trübseligkeit *f*.

blear [bliər] **I** *adj* **1.** trübe, verschwommen. **2.** triefend, trübe (*Augen*). **3.** *fig.* dunkel, nebelhaft. **II** *v/t* **4.** *den Blick* trüben. **5.** *fig.* hinters Licht führen. **'~-,eyed** *adj* **1.** triefäugig, schwachsichtig. **2.** *fig.* einfältig. **'blear·y** *adj* (leicht) trübe, verschwommen.

bleat [bli:t] **I** *v/i* **1.** blöken (*Schaf, Kalb*), meckern (*Ziege*). **2.** in weinerlichem Ton reden. **II** *v/t* **3.** *oft* ~ out *etwas* plärren, meckern. **III** *s* **4.** Blöken *n*, Gemecker *n* (*a. fig.*).

bleb [bleb] *s* **1.** Bläs-chen *n*, Luftblase *f*. **2.** *med.* (Haut)Bläs-chen *n*, Pustel *f*.

bled [bled] *pret u. pp von* bleed.

bleed [bli:d] **I** *v/i pret u. pp* **bled** [bled] **1.** bluten (*a. Pflanze*): to ~ to death verbluten. **2.** sein Blut vergießen, sterben (for für). **3.** *fig.* (for) bluten (um) (*Herz*), (tiefes) Mitleid empfinden (mit): my heart bled for him. **4.** *colloq.* ,bluten', ,blechen' (*zahlen*): to ~ for s.th. für etwas schwer bluten müssen. **5.** ver-, auslaufen, bluten (*Farbe*). **6.** *tech.* zerlaufen (*Asphalt etc*). **7.** *tech.* leck sein, lecken. **8.** *print.* a) angeschnitten *od.* bis eng an den Druck beschnitten sein (*Buch, Bild*), b) über den Rand gedruckt sein (*Illustration*). **II** *v/t* **9.** *med.* zur Ader lassen. **10.** a) *Saft etc* auslaufen lassen, b) *Gas, e-e Flüssigkeit* ablassen aus: to ~ a brake *mot.* e-e Bremsleitung entlüften; to ~ a tree e-m Baum Saft abzapfen. **11.** *colloq.* ,bluten lassen', ,schröpfen': to ~ s.o. white j-n bis zum Weißbluten auspressen. **12.** *Färberei*: den Farbstoff wegziehen (*dat*). **13.** a) den Rand (*e-r Illustration etc*) abschneiden, b) über den Rand drucken. **III** *s* **14.** *print.* angeschnittene Seite.

bleed·er ['bli:dər] *s* **1.** *med.* Bluter *m*. **2.** *sl.* a) Erpresser *m*, b) Schma'rotzer *m*. **3.** *iro.* (alter) Gauner. **4.** *tech.* 'Ablaßven,til *n*. **5.** *electr.* 'Vorbelastungs-,widerstand *m*: ~ current Vorbelastungsstrom *m*; ~ (resistor) *TV* Nebenschlußwiderstand.

bleed·ing ['bli:diŋ] **I** *s* **1.** *med.* a) Blutung *f*, b) Aderlaß *m* (*a. fig.*): ~ of the nose Nasenbluten *n*. **2.** *tech.* Auslaufen *n* (*von Farbe, Teer*). **3.** *tech.* Entlüften *n* (der *Bremsen*). **II** *adj* **4.** *sl.* verflixt. ~ **heart** *s bot.* Flammendes Herz.

blem·ish ['blemiʃ] **I** *v/t* **1.** entstellen, verunstalten. **2.** *fig.* beflecken, schänden, (*dat*) schaden. **II** *s* **3.** Fehler *m*, Mangel *m*, Verunstaltung *f*, Schönheitsfehler *m* (*a. fig.*). **4.** *fig.* Makel *m*. **5.** *tech.* Fehlstelle *f*.

blench[1] [blentʃ] **I** *v/i* stutzen, zu'rückschrecken, -fahren, (*ängstlich*) (aus)weichen. **II** *v/t* (ver)meiden.

blench[2] [blentʃ] → blanch 8.

blend [blend] **I** *v/t pret u. pp* **'blend·ed** *od.* **blent** [blent] **1.** (ver)mengen, (ver)mischen, verschmelzen. **2.** mischen, e-e (*Tee-, Tabak-, Whisky- etc*)-Mischung zs.-stellen aus, *Wein* verschneiden. **3.** *Farben* inein'ander 'übergehen lassen. **4.** *Pelze* dunkel färben. **5.** ~ in *electr. tech.* über'blenden. **II** *v/i* **6.** (with) sich vermischen, sich (har'monisch) verbinden (mit), gut passen (zu). **7.** verschmelzen, inein'ander 'übergehen (*Farben, Klänge, Kulturen etc*): to ~ into sich vereinigen zu (*e-m Ganzen etc*). **8.** *biol.* sich mischen (*Vererbungsmerkmale*). **III** *s* **9.** Mischung *f*, (har'monische) Zs.-stellung (*Getränke, Farben etc*), Verschnitt *m* (*Spirituosen*). **10.** Verschmelzung *f* (*von Klängen etc*). **11.** *biol.* Vermischung *f*.

blende [blend] *s min.* (*engS.* Zink)-Blende *f*.

'blend-,word *s ling.* (*oft* scherzhaftes) Mischwort (*z. B.* ,smog' *aus* smoke *u.* fog).

Blen·heim or·ange ['blenim] *s Br. e-e* Apfelsorte.

blen·noid ['blenɔid] *adj med.* schleimähnlich. **,blen·nor'rh(o)e·a** [-ə'ri:ə] *s med.* Blennor'rhoe *f*, (Schleim)Fluß *m*.

'blen·ny *s ichth.* (*ein*) Schleimfisch *m*.

blent [blent] *pret u. pp von* blend.

bles·bok ['bles,bɒk] *s zo.* Bläßbock *m*.

bless [bles] *pret u. pp* **blessed** *od. poet.* **blest** [blest] *v/t* **1.** segnen, heiligen, weihen. **2.** glücklich machen, beseligen: a child ~ed the union dem Ehepaar wurde ein Kind beschert; to be ~ed with gesegnet sein mit (*Talenten, Reichtum etc*). **3.** segnen, preisen: to ~ o.s., to ~ one's stars *colloq.* sich glücklich preisen *od.* schätzen, *a.* von Glück sagen (können); I ~ the day when ich segne *od.* preise den Tag, an dem. **4.** a) *obs.* behüten (from vor *dat*), b) bekreuzigen: to ~ o.s. sich bekreuzigen. **5.** *euphem.* verwünschen: ~ him! hol ihn der Teufel!

Besondere Redewendungen:

(God) ~ you! Gott sei mit dir!, Gott befohlen!, leb wohl!; well, I'm ~ed *sl.* na, so was!; ~ me!, ~ my heart!, ~ my soul! *colloq.* du m-e Güte!; not at all, ~ you! *iro.* o nein, mein Verehrtester!; Mr Brown, ~ him *iro.* Herr Brown, der Gute; I am ~ed if I know ich weiß wahrhaftig nicht...; ~ that boy, what is he doing there? *colloq.* was zum Kuckuck stellt der Junge dort an?; he hasn't a penny to ~ himself with er hat keinen roten Heller.

bless·ed ['blesid] *adj* **1.** gesegnet, selig, glücklich: ~ event *humor.* freudiges Ereignis (*Geburt e-s Kindes*); of ~ memory seligen Angedenkens; the whole ~ day den lieben langen Tag; → bless 2. **2.** gepriesen. **3.** selig, heilig: the B~ Virgin die heilige Jungfrau (Maria); to declare ~ seligsprechen; the ~ die Seligen. **4.** *euphem.* verwünscht, verflixt: not a ~ day of rain nicht ein einziger verdammter Regentag; not a ~ soul keine Menschenseele. **'bless·ed·ly** *adv* **1.** selig. **2.** glücklicherweise. **'bless·ed·ness** *s* **1.** (Glück)Seligkeit *f*, Glück *n*. **2.** Seligkeit *f*, Heiligkeit *f*: single ~ *humor.* Junggesellendasein *n*; to live in single ~ Junggeselle sein.

bless·ing ['blesiŋ] *s* Segen *m*: a) Segensspruch *m*, Segnung *f*, b) Wohltat *f*, Gnade *f* (to für): to ask a ~ das Tischgebet sprechen; what a ~ that I was there welch ein Segen, daß ich da war!; a ~ in disguise ein Glück im Unglück; to count one's ~s dankbar sein für alles, was e-m beschert wurde; to give one's ~ to s-n Segen (*a. fig.* s-e Zustimmung) geben zu.

blest [blest] **I** *poet. pret u. pp von* bless. **II** *s*: the Isles of the B~ die Inseln der Seligen.

blet [blet] **I** *v/i* teigig werden (*Obst*). **II** *s* (Innen)Fäule *f*.

bleth·er ['bleðər] → blather. **'bleth·er,skite** [-,skait] → blatherskite.

blew [blu:] *pret von* blow[1] *od.* blow[3].

blight [blait] **I** *s* **1.** *bot.* a) Pflanzenkrankheit *f*, *bes.* (Trocken)Fäule *f*, Brand *m*, Mehltau *m*, b) Schädling(sbefall) *m*. **2.** *bes. Br.* Blutlaus *f*. **3.** *fig.* a) Gift-, Pesthauch *m*, schädlicher *od.* verderblicher Einfluß, b) Vernichtung *f*, Vereitelung *f*, c) Fluch *m*: the ~ of poverty. **4.** *med. Austral.* schmerzhafte Entzündung der Augenlider. **5.** *econ. Am.* (starke) Wertminderung von Grund u. Boden. **II** *v/t* **6.** (durch Brand *etc*) vernichten, verderben, rui'nieren (*a. fig.*): ~ed area *Am.* heruntergekommenes (Wohn)Viertel. **7.** *fig.* im Keim ersticken, zu'nichte machen, zerstören, vereiteln. '**blight·er** *s Br. sl.* a) ‚Ekel' *n* (*Person*), ‚Affe' *m*, b) *allg.* Kerl *m*, ‚Knülch' *m*.

Blight·y ['blaiti] *s mil. Br. sl.* **1.** die Heimat, England *n*: back to ~. **2.** *a.* ~ one ‚Heimatschuß' *m*.

bli·mey ['blaimi] *interj Br. vulg.* verflucht!

blimp[1] [blimp] *s tech.* **1.** *colloq.* unstarres Kleinluftschiff. **2.** *Am.* a) (schalldichte) Kamerahülle, b) *Film etc*: schalltote Ka'bine *od.* Zelle.

Blimp[2] [blimp] *s Br.* Blimp *m* (*Personifikation des reaktionären Engländers*).

blind [blaind] **I** *adj* (*adv* ~ly) **1.** blind, Blinden...: ~ of (*od.* in) one eye auf 'einem Auge blind; to strike ~ blenden; to be struck ~ mit Blindheit geschlagen sein *od.* werden; the ~ die Blinden. **2.** *fig.* blind (to gegen['über]), verständnislos: ~ to one's own defects den eigenen Fehlern gegenüber blind; ~ with fury blind vor Wut; ~ rage blinde Wut; ~ side ungeschützte *od. fig.* schwache Seite; to turn a ~ eye to s.th. *fig.* bei etwas ein Auge zudrücken, etwas absichtlich übersehen. **3.** *fig.* blind, unbesonnen, wahllos: ~ bargain unüberlegter Handel; ~ chance blinder Zufall; ~ faith blinder Glaube. **4.** blind (*ohne nähere Kenntnisse*): ~ interpretation, ~ rating (*Statistik etc*) blinde Auswertung. **5.** zwecklos, ziellos, leer; ~ excuse faule Ausrede; ~ pretence Vorwand *m*. **6.** verdeckt, verborgen, geheim, *a. econ. tech.* ka'schiert: ~ staircase Geheimtreppe *f*; ~ vein (*Bergbau*) blinde Erzader. **7.** schwer erkennbar *od.* verständlich: ~ copy *print.* unleserliches Manuskript; ~ corner unübersichtliche Kurve *od.* Ecke; ~ letter unzustellbarer Brief. **8.** *arch.* blind, nicht durch'brochen: ~ arch Bogenblende *f*; ~ door blinde (*zugemauerte*) Tür. **9.** *bot.* blütenlos, taub. **10.** *phot.* nur gegen blaues, vio'lettes u. 'ultravio,lettes Licht empfindlich: ~ film. **11.** matt, nicht po'liert. **12.** *sl.* ‚blau'. **II** *v/t* **13.** blenden, blind machen. **14.** *j-m* die Augen verbinden. **15.** *fig.* mit Blindheit schlagen, verblenden, blind machen (to gegen): to ~ o.s. to facts sich den Tatsachen verschließen. **16.** *fig.* verdunkeln, in den Schatten stellen. **17.** verbergen, -hehlen, -tuschen: to ~ a trail e-e Spur verwischen. **18.** *mil.* verblenden, mit e-r Blende versehen. **19.** *Straßenbau*: mit Kies *od.* Erde ausfüllen. **20.** *tech.* mat'tieren. **III** *v/i* **21.** *Br. sl.* ‚blind drauf'lossausen'. **IV** *s* **22.** (Fenster)Vorhang *m*, (-)Laden *m*, Jalou'sie *f*, Rou'leau *n*, Mar'kise *f*: → Venetian 1. **23.** *pl* Scheuklappen *pl*. **24.** *fig.* a) Vorwand *m*, b) (Vor)Täuschung *f*, c) Tarnung *f*. **25.** *sl.* Strohmann *m*. **26.** *mil.* Blende *f* (*Sicherung vor Sprenggeschossen*). **27.** (Poker)Einsatz *m* (*vor dem Kartengeben*). **28.** → blind tooling. **V** *adv* **29.** blindlings, sinnlos: to go it ~ *sl.* blind(lings) drauflosgehen; ~ drunk ‚sternhagelvoll'.

blind·age ['blaindidʒ] → blind 26.

blind| al·ley *s* Sackgasse *f* (*a. fig.*). '~-'al·ley *adj* zu nichts führend: ~ occupation Stellung *f* ohne Aufstiegsmöglichkeiten. ~ **ap·proach** *s aer.* Blindanflug *m*: ~ beacon Blindlandefeuer *n*; ~ beam system impulsgesteuerte Navigationsbake (*zum Ansteuern der Landebahn*). ~ **block·ing** → blind tooling. ~ **coal** *s* Taubkohle *f*, Anthra'zit *m*. ~ **date** *s Am. colloq.* **1.** Rendez'vous *n* mit e-r *od.* e-m Unbekannten. **2.** unbekannter Partner bei e-m solchen Rendez'vous.

blind·ed ['blaindid] *adj* **1.** geblendet, blind. **2.** *fig.* verblendet.

blind·er ['blaindər] *s bes. Am.* Scheuklappe *f* (*a. fig.*).

blind| flight *s aer.* Blindflug *m*. ~ **fly·ing** *s aer.* Blind-, Instru'mentenfliegen *n*. '~,**fold I** *adj u. adv* **1.** mit verbundenen Augen: ~ chess Blindspiel(en) *n* (beim Schach). **2.** blind(lings) (*a. fig.*). **II** *v/t* **3.** *j-m* die Augen verbinden. **4.** *fig.* (ver)blenden. ~ **gut** *s anat.* Blinddarm *m*.

blind·man's| buff [-mænz] *s* Blindekuh(spiel *n*) *f*. ~ **hol·i·day** *s humor.* Zwielicht *n*, Abenddämmerung *f*.

blind·ness ['blaindnis] *s* **1.** Blindheit *f* (*a. fig.*). **2.** *fig.* Verblendung *f*.

blind| net·tle *s bot.* Weiße Taubnessel. ~ **ra·di·o** *s Am. contp.* Hörfunk *m*. ~ **shell** *s mil.* **1.** Gra'nate *f* ohne Sprengladung. **2.** Blindgänger *m*. ~ **spot** *s* **1.** *med.* blinder Fleck (*auf der Netzhaut*). **2.** *fig.* schwacher *od.* wunder Punkt. **3.** *tech.* tote Zone, Totpunkt *m*. **4.** *Radio*: Ort *m* mit schlechtem Empfang, Empfangsloch *n*, tote Zone. '~,**stamp** *v/t bes. Bucheinband* blindprägen. ~ **stitch** *s* blinder (*unsichtbarer*) Stich. ~ **tool·ing** *s Buchbinderei*: Blindpressung *f*, Blind(rahmen)prägung *f*. '~,**worm** *s zo.* Blindschleiche *f*.

blink [bliŋk] **I** *v/i* **1.** blinken, blinzeln, zwinkern, die Augen halb zukneifen: to ~ at a) *j-m* zublinzeln, b) → 2 *u.* 5. **2.** erstaunt *od.* verständnislos dreinblicken: to ~ at *fig.* sich maßlos wundern über (*acc*). **3.** a) schimmern, flimmern, b) blinken. **II** *v/t* **4.** ~ one's eyes (mit den Augen) zwinkern. **5.** *fig.* igno'rieren: to ~ the fact sich der Tatsache verschließen. **6.** blinken, durch 'Lichtsi,gnale mitteilen. **7.** *Am.* erkennen: to ~ the truth. **III** *s* **8.** flüchtiger Blick, Blinzeln *n*. **9.** (Licht)-Schimmer *m*, Blinken *n*. **10.** *bes. Scot.* Augenblick *m*. **11.** Blink *m* (*Widerschein von Eisfeldern etc*). **12.** on the ~ *Am. sl.* nicht in Ordnung.

blink·er ['bliŋkər] **I** *s* **1.** *meist pl* Scheuklappe(n *pl*) *f* (*a. fig.*). **2.** *pl* Schutzbrille *f*. **3.** *meist pl sl.* ‚Gucker' *m od. pl*, Auge(n *pl*) *n*. **4.** Blinklicht *n* (*an Straßenkreuzungen etc*). **5.** a) 'Lichtsi,gnal *n*, Blinkspruch *m*, b) Blinkgerät *n*, Si'gnallampe *f*: ~ beacon Blinkfeuer *n*. **II** *v/t* **6.** mit Scheuklappen versehen. **7.** *fig.* täuschen, hinters Licht führen. **8.** → blink 6.

blink·ing ['bliŋkiŋ] *adj Br. sl.* ‚verflixt', ‚verflucht' (*euphem. für* bloody).

blip [blip] *s Radar*: Echozeichen *n*.

bliss [blis] *s* Seligkeit *f* (*a. relig.*), Glück('seligkeit *f*) *n*, Wonne *f*. '**bliss·ful** [-fəl; -ful] *adj* (*adv* ~ly) (glück)selig: ~ ignorance *iro.* selige Unwissenheit. '**bliss·ful·ness** → bliss.

blis·ter ['blistər] **I** *s* **1.** *med.* a) (Brand-, Wund)Blase *f*, b) (Haut)Bläs-chen *n*, Pustel *f*. **2.** *med.* Zugpflaster *n*. **3.** *tech.* a) Gußblase *f*, b) Glasblase *f*, c) Blase *f* (*auf Holz etc*). **4.** *bot.* Kräuselkrankheit *f*. **5.** *aer. colloq.* a) Bordwaffen- *od.* Beobachterstand *m* (*Kuppel*), b) Radarkuppel *f*. **6.** *mar.* Tor'pedowulst *m*. **7.** *rail. Am.* Aussichtskuppel *f*. **II** *v/t* **8.** *med.* Blasen her'vorrufen auf (*dat*). **9.** *fig. j-n* hart anfassen, ‚fertigmachen'. **III** *v/i* **10.** Blasen ziehen. '**blis·tered** *adj med.* mit Blasen bedeckt, blasig (*a. metall.*).

blis·ter gas *s mil.* ätzender Kampfstoff.

blis·ter·ing ['blistəriŋ] *adj* **1.** *med.* blasenziehend. **2.** brennend (*a. fig.*): ~ sun; a ~ issue. **3.** *fig.* a) heftig: a ~ attack; ~ pace mörderisches Tempo, b) scharf, ätzend: a ~ letter. **4.** *sl.* verdammt.

blithe [blaið] *adj* (*adv* ~ly) fröhlich, munter, vergnügt.

blith·er·ing ['bliðəriŋ] *adj Br. colloq.* verdammt.

blitz [blits] **I** *s* **1.** heftiger (Luft)Angriff: the B~ die deutschen Luftangriffe auf London (*1940/41*). **2.** → blitzkrieg I. **II** *v/t* **3.** a) e-n Blitzkrieg führen gegen, b) Großangriffe fliegen *od.* machen auf (*acc*), schwer bombar'dieren (*a. fig.*): ~ed area zerbombtes Gebiet. **4.** *fig.* über'rumpeln, (blitzartig *od.* mas'siv) attac'kieren. '~,**krieg** [-,kri:g] **I** *s* **1.** Blitzkrieg *m*. **2.** *fig.* Über'rumpelung *f*. **II** *v/t* → blitz 3 a.

bliz·zard ['blizərd] *s* heftiger Schneesturm.

bloat[1] [blout] **I** *v/t* **1.** *meist* ~ up aufblasen, -blähen (*a. fig.*). **II** *v/i* **2.** *a.* ~ out auf-, anschwellen. **III** *s* **3.** *sl.* aufgeblasene Per'son. **4.** *sl.* Säufer *m*. **5.** *vet. Am.* Blähsucht *f*.

bloat[2] [blout] *v/t bes. Heringe* räuchern: ~ed herring → bloater.

bloat·ed ['bloutid] *adj* aufgeblasen (*a. fig. Person*), (an)geschwollen, (auf)gebläht (*a. fig. Budget etc*), (auf)gedunsen (*Gesicht etc*).

bloat·er ['bloutər] *s* Räucherhering *m*, Bückling *m*.

blob [blɒb] **I** *s* **1.** Tropfen *m*, Klümpchen *n*, Klecks *m*. **2.** *colloq.* a) unförmige Sache, b) ‚Kloß' *m* (*Person*), c) ‚Schinken' *m* (*schlechtes Gemälde*). **3.** *Kricket*: null Punkte *pl*. **II** *v/i pret u. pp* **blobbed** **4.** klecksen. **5.** *dial.* brodeln, sprudeln, glucksen, plätschern.

bloc [blɒk] *s econ. pol.* Block *m*.

block [blɒk] **I** *s* **1.** a) Block *m*, Klotz *m* (*aus Stein, Holz, Metall etc*), b) *arch.* (hohler) Baustein, c) Block *m*, (Bau)-Klötzchen *n* (*für Kinder*). **2.** Hackklotz *m*. **3.** the ~ der Richtblock. **4.** (Schreib-, No'tiz- *etc*)Block *m*. **5.** *Buchbinderei*: Prägestempel *m*. **6.** Pe'rückenstock *m*. **7.** *sl.* ‚Birne' *f* (*Kopf*). **8.** Hutstock *m*. **9.** *Schuhmacherei*: a) Lochholz *n*, b) Leisten *m*. **10.** *print.* a) Kli'schee *n*, Druckstock *m*, b) Ju'stierblock *m* (*für Stereotypie-Platten*), c) Farbstein *m* (*für Klischees*). **11.** *tech.* Block *m*, Kloben *m*, Rolle *f*: ~ and pulley, ~ and fall, ~ and tackle Flaschenzug *m*. **12.** *tech.* (Auflage)-Block *m*, Sockel *m*, Gestell *n*. **13.** *mot.* (*Motor-, Zylinder*)Block *m*. **14.** *tech.* Block *m* (*dicke Platte von Kunststoffhalbzeug*). **15.** *rail.* Blockstrecke *f*. **16.** a) *Br. a.* ~ of flats Wohnblock *m*; office ~ großes Bürohaus, b) (Zeile *f*) Reihenhäuser *pl*, c) *Am.* 'Häuserreihe *f*, -kom,plex *m*: three ~s from here drei Straßen weiter. **17.** *bes. Am.* Land(streifen *m*) *n*, Grundstück *n*. **18.** *Austral.* a) Siedlungsgrundstück *n*, b) 'Stadtprome,nade *f*. **19.** (Ausstellungs)Sockel *m* (*für Maschinen etc*): on the ~ zum Verkauf *od.* zur Versteigerung ausstehend. **20.** *fig.* Block *m*, Gruppe *f*, Masse *f*, *z. B.* a) *a.* ~ of shares *econ.* 'Aktienpa,ket *n*, b) *a.* ~

of seats Zuschauerblock *m*, Sitzreihe(n *pl*) *f*, c) *tech.* Datenblock *m* (*bei Datenverarbeitung*): ~ of information, d) *Statistik*: Testgruppe *f*. **21.** *med.* Bloc'kierung *f*, Block *m*: mental ~ *fig.* geistige Blockierung, ‚Riegel *m* im Kopf'. **22.** *fig.* a) Hindernis *n*, b) Absperrung *f*, c) Verstopfung *f*, (*Verkehrs*)Stockung *f*, (-)Stauung *f*: traffic ~. **23.** *fig.* Klotz *m* (*sture Person*). **24.** *sport* a) *Fußball etc*: Sperren *n*, b) *Boxen*: Abwehr *f*.

II *v/t* **25.** (auf e-m Block) formen: to ~ a hat. **26.** *Buchbinderei*: (mit Prägestempeln) pressen. **27.** *tech.* a) sperren, b) aufbocken. **28.** a) hemmen, hindern (*a. fig.*), b) *fig.* verhindern, durch'kreuzen: to ~ a bill *parl. Br.* die Annahme e-s Gesetzentwurfes (*durch Hinausziehen der Beratung*) verhindern. **29.** (ab-, ver)sperren, bloc'kieren, verstopfen: road ~ed Straße gesperrt. **30.** *econ. Konten* sperren, *Geld* einfrieren, bloc'kieren: ~ed account Sperrkonto *n*; ~ed credit eingefrorener Kredit. **31.** *chem.* blok'kieren, *Säuren* neutrali'sieren, *Katalysator* inakti'vieren. **32.** *sport* a) *den Gegner* sperren, b) *den Ball* stoppen, c) *e-n Boxschlag* auffangen.

III *v/i* **33.** *sport* a) sperren, b) den Ball stoppen, c) abwehren. **34.** *tech.* (zs.-)backen, (*unerwünscht*) haften.

Verbindungen mit Adverbien:

block| in *v/t* entwerfen, skiz'zieren, roh ausführen. ~ **out** *v/t* **1.** in Blöcke formen. **2.** *arch. Holz* zurichten. **3.** aussperren, verdecken. ~ **up** → block 29.

block·ade [blɒ'keid] **I** *s* **1.** Bloc'kade *f*, Einschließung *f*, (Hafen)Sperre *f*: economic ~ Wirtschaftsblockade; to break (*od.* run) a ~ e-e Blockade brechen. **2.** a) Hindernis *n*, b) Sperre *f*, Barri'kade *f*. **II** *v/t* **3.** bloc'kieren, ab-, versperren. **block'ad·er** *s* Bloc'kadeschiff *n*.

block'ade-ˌrun·ner *s* Bloc'kadebrecher *m*.

block·age ['blɒkidʒ] *s* Bloc'kierung *f*.

block| brake *s tech.* Backenbremse *f*. '~ˌ**bust·er** *s mil. colloq.* Minenbombe *f*. ~ **chain** *s tech.* **1.** Kette *f* ohne Ende. **2.** Flaschenzugkette *f*. ~ **di·a·gram** *s tech.* 'Blockdiaˌgramm *n*, *electr. meist* Blockschaltbild *n*. '~ˌ**head** *s fig.* Dummkopf *m*. '~ˌ**head·ed** *adj* dumm, einfältig. '~ˌ**house** *s* Blockhaus *n*. ~ **let·ter** *s print.* **1.** Holztype *f*. **2.** *pl* Blockschrift *f*. ~ **plan** *s* Entwurf *m od.* Plan *m* (in 'Umrissen). ~ **plane** *s tech.* Stirnhobel *m*. ~ **print** *s* **1.** Holz-, Li'nolschnitt *m*. **2.** Kat'tun-, Tafel-, Handdruck *m*. ~ **print·ing** *s* **1.** Handdruck *m* (*Verfahren*). **2.** Drucken *n od.* Schreiben *n* in Blockschrift. ~ **sig·nal** *s rail.* 'Blocksiˌgnal *n*. ~ **sys·tem** *s* **1.** *rail.* 'Blocksyˌstem *n*. **2.** *electr.* Blockschaltung *f*. ~ **tin** *s tech.* Blockzinn *n*. ~ **vote** *s* Sammelstimme *f* (*wobei ein Abstimmender e-e ganze Gruppe vertritt*).

bloke [blouk] *s colloq.* Kerl *m*, Bursche *m*, ‚Knülch' *m*.

blond [blɒnd] **I** *s* **1.** Blonde(r) *m*. **II** *adj* **2.** blond (*Haar*), hell (*Haut, Augen*). **3.** blond(haarig). **blonde** [blɒnd] **I** *s* **1.** Blon'dine *f*. **2.** Blonde *f* (*Spitze aus Rohseide*). **II** *adj* → blond II.

blood [blʌd] **I** *s* **1.** Blut *n*: to give one's ~ (for) sein Blut *od.* sein Leben lassen (für); to spill ~ Blut vergießen; to taste ~ *fig.* Blut lecken; fresh ~ *fig.* frisches Blut; his ~ froze (*od.* ran cold) das Blut erstarrte ihm in den Adern; ~ and thunder *fig.* ‚Mord u. Totschlag' *m* (*in der Literatur etc*; → 10). **2.** *fig.* Blut *n*, Tempera'ment *n*: it made his ~ boil er kochte vor Wut; his ~ was up sein Blut war in Wallung; in cold ~ kalten Blutes, kaltblütig; to breed (*od.* make) bad ~ böses Blut machen; one cannot get ~ out of a stone man kann von herzlosen Menschen kein Mitgefühl erwarten. **3.** (edles) Blut, Geblüt *n*, Abstammung *f*: prince of the ~ royal Prinz *m* von königlichem Geblüt; a gentleman of ~ ein Herr aus adligem Haus; → blue blood. **4.** Blutsverwandtschaft *f*, Fa'milie *f*, Geschlecht *n*: allied (*od.* related) by ~ blutsverwandt; of the half ~ halbblütig, -bürtig; ~ will out Blut bricht sich Bahn; ~ is thicker than water Blut ist dicker als Wasser; it runs in the ~ es liegt im Blut *od.* in der Familie. **5.** *zo.* Vollblut *n* (*bes. Pferd*). **6.** *fig.* (*bes.* roter) Saft: ~ of grapes Traubensaft. **7.** Blutvergießen *n*, Mord *m*: his ~ be on us *Bibl.* sein Blut komme über uns. **8.** *fig.* Leben *n*, Lebenskraft *f*: in ~ kraftvoll, gesund (*Tier*). **9.** *obs.* Lebemann *m*, Dandy *m*. **10.** *a.* ~-and-thunder story *Br. sl.* Schauergeschichte *f*, 'Schundroˌman *m*. **II** *v/t* **11.** *hunt. e-n Hund* an Blut gewöhnen. **12.** *j-n* s-e Feuertaufe (*im Krieg u. fig.*) erleben lassen, *fig. j-n od. etwas* ‚taufen' *od.* einweihen.

blood| al·co·hol *s med.* Blutalkohol *m*: ~ concentration Blutalkoholgehalt *m*, ‚Promille' *pl*. ~ **bank** *s med.* Blutbank *f*. '~ˌ**bath** *s* Blutbad *n*. ~ **bond** *s* Blutsbande *pl*. ~ **broth·er** *s* **1.** leiblicher Bruder. **2.** Blutsbruder *m*. ~ **broth·er·hood** *s* Blutsbrüderschaft *f*. ~ **cell** *s physiol.* (rotes) Blutkörperchen. ~ **clot** *s med.* Blutgerinnsel *n*, Thrombus *m*. ~ **count** *s med.* Blutkörperchenzählung *f*, Blutbild *n*. ~ **cri·sis** *s med.* Blutkrise *f*. '~ˌ**cur·dler** → blood 10. '~ˌ**cur·dling** *adj* blutrünstig, grauenhaft. ~ **do·nor** *s med.* Blutspender(in).

blood·ed ['blʌdid] *adj* **1.** reinrassig, Vollblut... (*Tier*). **2.** (*in Zssgn*) ...blütig: pure-~ reinblütig.

blood| feud *s* Blut-, Todfehde *f*. ~ **gland** *s physiol.* Blut-, Hor'mondrüse *f*. ~ **group** *s med.* Blutgruppe *f*. ~ **group·ing** *s* Blutgruppenbestimmung *f*. '~ˌ**guilt,** '~ˌ**guilt·i·ness** *s* Blutschuld *f*. '~ˌ**guilt·y** *adj* mit Blutschuld beladen. ~ **heat** *s physiol.* Blutwärme *f*, 'Körpertemperaˌtur *f*. ~ **horse** *s* Vollblutpferd *n*. '~ˌ**hound** *s* **1.** Schweiß-, Bluthund *m*. **2.** *fig.* Bluthund *m*, Häscher *m*. ~ **is·lands** *s pl med.* Blutinseln *pl* (*des Embryos*).

blood·less ['blʌdlis] *adj* **1.** blutlos, -leer (*a. fig. leblos*). **2.** bleich. **3.** *fig.* gefühllos, kalt. **4.** unblutig, ohne Blutvergießen: ~ revolution; ~ victory.

'blood|ˌlet·ter *s med.* Aderlasser *m*. '~ˌ**let·ting** *s med.* Aderlaß *m*. '~ˌ**line** *s biol. zo.* Blutlinie *f* (*Abstammungsverlauf*). ~ **meal** *s agr.* Blutmehl *n*. '~-**moˌbile** [-məˌbiːl] *s med.* fahrbare Blutspenderstelle. ~ **mon·ey** *s* Blutgeld *n*. ~ **or·ange** *s* 'Blutoˌrange *f*. ~ **pic·ture** *s med.* Blutbild *n*. ~ **plas·ma** *s physiol.* Blutflüssigkeit *f*, -plasma *n*. ~ **poi·son·ing** *s med.* Blutvergiftung *f*. ~ **pres·sure** *s med.* Blutdruck *m*. ~ **pud·ding** *s* Blutwurst *f*. '~-'**red** *adj* blutrot, von Blut gerötet. ~ **re·la·tion** *s* Blutsverwandte(r *m*) *f*. ~ **re·la·tion·ship** *s* Blutsverwandtschaft *f*. ~ **se·rum** *s physiol.* Blutserum *n*, -wasser *n*. '~ˌ**shed,** '~ˌ**shed·ding** *s* Blutvergießen *n*. '~ˌ**shot** *adj* 'blutunterˌlaufen. ~ **spav·in** *s vet.* Blutspat *m* (*Pferd*). ~ **sport** *s hunt.* Hetz-, *bes.* Fuchsjagd *f*. '~ˌ**stain** *s* Blutfleck *m*. '~ˌ**stained** *adj* blutbefleckt. '~ˌ**stock** *s* Vollblutpferde *pl*. '~ˌ**stone** *s min.* **1.** Blutstein *m*, Häma'tit *m*. **2.** Helio'trop *m* (*e-e Quarz-Abart*). ~ **stream** *s* **1.** *physiol.* Blutstrom *m*, -kreislauf *m*. **2.** *fig.* Lebensstrom *m*. '~ˌ**suck·er** *s zo.* Blutsauger *m* (*a. fig. Schmarotzer od. Erpresser*). ~ **sug·ar** *s physiol.* Blutzucker *m*, Glu'kose *f*. ~ **test** *s med.* Blutprobe *f*. '~ˌ**thirst,** '~ˌ**thirst·i·ness** *s* Blutdurst *m*. '~ˌ**thirst·y** *adj* blutdürstig. ~ **type** → blood group. ~ **typ·ing** → blood grouping. '~-'**vas·cu·lar** *adj anat.* Blutgefäß...: ~ system; ~ gland Blut-, Hormondrüse *f*. ~ **ves·sel** *s anat.* Blutgefäß *n*. '~ˌ**wort** *s bot.* **1.** Blutampfer *m*. **2.** Attich *m*, 'Zwerghoˌlunder *m*. **3.** (*e-e*) 'Blutnarˌzisse. **4.** (*ein*) Tausend'güldenkraut *n*. **5.** Schafgarbe *f*. **6.** Ruprechtskraut *n*.

blood·y ['blʌdi] **I** *adj* **1.** blutig, blutbefleckt. **2.** Blut...: ~ flux *med.* rote Ruhr. **3.** blutdürstig, -rünstig, mörderisch, grausam: a ~ battle e-e blutige Schlacht. **4.** *Br. vulg.* verdammt, verflucht, saumäßig (*oft nur verstärkend*): ~ fool verdammter Idiot; not a ~ soul ‚kein Schwanz'. **II** *adv* **5.** *Br. vulg.* (*sehr anstößig*) mordsmäßig, schauderhaft, verdammt: ~ awful saumäßig, ganz fürchterlich. **III** *v/t* **6.** blutig machen, mit Blut beflecken. ~ **shirt** *s Am. fig.*: to wave the ~ hetzen, Haßgesänge anstimmen.

bloo·ey ['bluːi] *adj u. adv Am. sl.* schief, verkehrt: everything went ~ alles ging schief *od.* daneben.

bloom[1] [bluːm] **I** *s* **1.** Flaum *m*, Hauch *m* (*auf Früchten u. Blättern*), Schmelz *m* (*a. fig.*). **2.** *poet.* Blume *f*, Blüte *f*, Flor *m*: in full ~ in voller Blüte. **3.** *fig.* Blüte(zeit) *f*, Jugend(frische) *f*, Glanz *m*: the ~ of youth die Jugendblüte; the ~ of her cheeks die rosige Frische ihrer Wangen. **4.** *Brauerei*: Gärungsschaum *m*. **5.** Wolkigkeit *f* (*des Firnisses*). **6.** Fluores'zenz *f* (*von Petroleum*). **7.** *TV* Über'strahlung *f*. **8.** *min.* Blüte *f*. **II** *v/i* **9.** blühen, in Blüte stehen (*a. fig.*). **10.** (er)blühen, (*in Jugendfrische, Schönheit etc*) (er)strahlen.

bloom[2] [bluːm] *s metall.* **1.** Vor-, Walzblock *m*. **2.** Puddelluppe *f*: ~steel Luppenstahl *m*.

bloom·er ['bluːmər] *s sl.* grober Fehler, Schnitzer *m*, (Stil)Blüte *f*.

bloom·ers ['bluːmərz] *s pl* **1.** (*altmodische*) (Damen)Pumphosen *pl*. **2.** *Am.* a) Re'formschlupfhose *f*, b) Schlüpfer *m* mit langem Bein, ‚Liebestöter' *pl*.

bloom·ing[1] ['bluːmiŋ] *adj* **1.** blühend (*a. fig.*). **2.** *sl. euphem.* → bloody 4.

bloom·ing[2] ['bluːmiŋ] *s metall.* Luppenwalzen *n*.

bloop [bluːp] *sl.* **I** *s Film etc*: Klebstellengeräusch *n*. **II** *v/i Radio*: heulen. **III** *v/t Radio*: *Heultöne* ausschalten.

blos·som ['blɒsəm] **I** *s* **1.** a) (*bes. fruchtbildende*) Blüte, b) Blütenstand *m*, -fülle *f*: in full ~ in voller Blüte. **2.** *fig.* a) Blüte(zeit) *f*, b) ‚Perle' *f*, her'vorragende Sache *od.* Per'son. **3.** Pfirsichfarbe *f*. **II** *v/i* **4.** blühen: a) Blüten treiben (*a. fig.*), b) *fig.* gedeihen: to ~ (out) erblühen, gedeihen (into zu).

blot [blɒt] **I** *s* **1.** (Tinten)Klecks *m*, Fleck *m*. **2.** *fig.* (Schand)Fleck *m*, Makel *m*: → escutcheon 1; to cast a ~ upon s.o. j-n verunglimpfen. **3.** Verunstaltung *f*, Schönheitsfehler *m*. **II** *v/t* **4.** (*mit Tinte*) beklecksen. **5.** *fig.* a) beflecken, b) verunglimpfen. **6.** *oft* ~ out *Schrift* aus-, 'durchstreichen. **7.** *oft* ~ out *fig.* verwischen, auslöschen, austilgen, vernichten. **8.** verdunkeln, -hüllen. **9.** (*mit Löschpapier*) (ab)löschen. **10.** *print.* unsauber abziehen. **III** *v/i* **11.** klecksen, schmieren.

blotch [blɒtʃ] **I** *s* **1.** Fleck *m*, Klecks *m*. **2.** *fig.* Makel *m*, (Schand)Fleck *m*. **3.** *med.* Pustel *f*, Ausschlag *m*. **4.** *bot. allg.* Fleckenkrankheit *f*. **II** *v/t u. v/i* **5.** (be)klecksen, (be)flecken. **blotched,** **'blotch·y** *adj* **1.** fleckig, bekleckst. **2.** mit Pusteln bedeckt.

blot·ter ['blɒtər] *s* **1.** (Tinten)Löscher *m*. **2.** *Am.* Eintragungsbuch *n*, Kladde *f*, Berichtsliste *f* (*bes. der Polizei*).

blot·tesque [blɒ'tesk] *adj paint.* mit schweren (Pinsel)Strichen ausgeführt.

blot·ting| book ['blɒtiŋ] *s* 'Löschpa,pierblock *m*. **~ pad** *s* 'Schreib,unterlage *f od.* Block *m* aus 'Löschpa,pier. **~ pa·per** *s* 'Löschpa,pier *n*.

blot·to ['blɒtou] *adj sl.* ‚(stink)besoffen', ‚sternhagelvoll'.

blouse [blauz] *s* **1.** Bluse *f*. **2.** *mil. Am.* Uni'formjacke *f*.

blow[1] [blou] **I** *s* **1.** Blasen *n*, Wehen *n*. **2.** a) *mar.* steife Brise, b) Luftzug *m*, frischer Wind: to go for a ~ an die frische Luft gehen. **3.** Blasen *n*, Stoß *m* (*in ein Instrument*): a ~ on a whistle ein Pfiff. **4.** a) Schnauben *n*, b) (Nase)Schneuzen *n*. **5.** *Am. sl.* a) Prahle'rei *f*, b) Angeber *m*. **6.** Eierlegen *n*, Schmeiß *m* (*der Fliegen*). **7.** *tech.* a) undichte Stelle, Leck *n*, b) Damm-, Deichbruch *m*. **8.** *metall.* Chargengang *m* (*Hochofen*), Schmelze *f* (*Konverterbetrieb*). **9.** *colloq.* Verschnauf-, Atempause *f*. **10.** *Am. sl.* ‚Party' *f*, ‚Orgie' *f*. **II** *v/i pret* **blew** [bluː] *pp* **blown** [bloun] **11.** blasen, wehen, pusten: it is ~ing hard es weht ein starker Wind; to ~ hot and cold *fig.* unbeständig *od.* wetterwendisch sein. **12.** *mus.* a) blasen, spielen (on auf *dat*), b) *Am. sl.* Jazz spielen. **13.** ertönen, (er)schallen (*Trompete etc*). **14.** keuchen, schnaufen, pusten. **15.** zischen (*Schlange*). **16.** spritzen, blasen (*Wal, Delphin*). **17.** Eier legen (*Schmeißfliege*). **18.** *Am. colloq.* ‚angeben', prahlen. **19.** *sl.* ‚verduften', ‚abhauen'. **20.** *tech.* a) quellen (*Zement*), b) Blasen bilden (*Papier etc*). **21.** (*aus e-r Quelle*) (aus)strömen (*Öl, Gas etc*). **22.** a) explo'dieren, in die Luft fliegen, b) platzen (*Reifen*), c) *electr.* 'durchbrennen (*Sicherung*). **III** *v/t* **23.** blasen, wehen, (auf)wirbeln, treiben (*Wind*). **24.** *Rauch etc* blasen, pusten. **25.** *Suppe etc* blasen, *Feuer* anfachen, *den Blasebalg* treten *od.* ziehen. **26.** *die Trompete etc* blasen, ertönen lassen: to ~ the horn a) das Horn blasen, ins Horn stoßen, b) *mot.* hupen; → kiss 1, trumpet 1. **27.** *bes. ein Pferd* a) außer Atem bringen, b) verschnaufen lassen. **28.** aufblasen, -blähen: to ~ bubbles Seifenblasen machen; to ~ glass Glas blasen. **29.** a) → blow up 1, b) *electr. e-e Sicherung* 'durchbrennen lassen: to ~ a fuse (*od.* gasket), to ~ one's lid (*od.* stack *od.* top) *colloq.* ‚an die Decke gehen' (*vor Wut*), e-n ‚Tobsuchtsanfall bekommen'. **30.** *sl.* a) ‚verpfeifen', verraten, b) enthüllen, aufdecken: → gaff[3], lid 1. **31.** aus-, 'durchblasen: to ~ one's nose sich die Nase putzen, sich schneuzen; to ~ an egg ein Ei ausblasen; to ~ an oil well *tech.* e-e Ölquelle durch Sprengung löschen. **32.** *sl. Geld* ‚verpulvern', vertun: to ~ s.o. to s.th. *Am.* j-m etwas spendieren. **33.** *bes. sport Am. sl. Chance etc* vergeben, ‚verpatzen'. **34.** *Am. sl.* ‚verduften' von *od.* aus (*e-r Stadt etc*). **35.** (*pp* blowed) *colloq.* verfluchen: ~ it! verdammt!; I'll be ~ed (if ...)! zum Teufel (wenn ...)!; ~ the expense!, expense be ~ed! ganz egal, was es kostet!

Verbindungen mit Adverbien:

blow| a·way *v/t* **1.** fort-, wegblasen, -fegen (*a. fig.*). **2.** *fig.* verjagen. **~ down** *v/t* 'um-, her'unterwehen. **~ in I** *v/t* **1.** *Scheiben* eindrücken (*Wind*). **2.** *tech. den Hochofen* anblasen. **II** *v/i* **3.** *colloq.* auftauchen, her'einschneien (*Besucher*). **~ off I** *v/t* **1.** → blow away 1 *u.* 2. **2.** *tech. Dampf od. Gas* ablassen: → steam 1. **II** *v/i* **3.** abtreiben (*Schiff*). **4.** ausströmen (*Dampf etc*). **5.** *Am. colloq.* ‚meckern', schimpfen. **~ out I** *v/t* **1.** *Licht* ausblasen, *a. Feuer* (aus)löschen. **2.** *tech. den Hochofen* ausblasen. **3.** *electr. Funken etc* löschen. **4.** a) *Rohr etc* 'durch-, ausblasen, b) *etwas* her'ausblasen. **5.** her'aussprengen, -treiben: to ~ one's brains sich e-e Kugel durch den Kopf jagen. **6.** *e-n Reifen etc* platzen lassen: he blew out a tyre (*od.* tire) ihm (*od.* an s-m Wagen) platzte ein Reifen. **7.** → blow[1] 29 b. **II** *v/i* **8.** ausgeblasen werden, verlöschen. **9.** her'ausgesprengt *od.* her'ausgetrieben werden. **10.** → blow[1] 22 b *u.* c. **11.** verpuffen (*Sprengladung*). **12.** sich austoben (*Sturm*). **~ o·ver I** *v/t* 'umwehen. **II** *v/i fig.* vergehen, vor'übergehen, ‚sich wieder machen'. **~ up I** *v/t* **1.** a) (in die Luft) sprengen, b) vernichten, zerstören, c) zur Explosi'on bringen. **2.** *sl.* zu'nichte machen, ‚platzen lassen', vereiteln. **3.** aufblasen, -blähen (*a. fig.*). **4.** *sl.* ‚anschnauzen' (*ausschimpfen*). **5.** *Feuer* entfachen, schüren (*a. fig.*). **6.** *Regen etc* her'beiwehen. **7.** *ein Photo* vergrößern. **II** *v/i* **8.** in die Luft fliegen, zerspringen. **9.** *sl.* auffliegen, zu'nichte werden, ‚platzen'. **10.** aufkommen, sich erheben (*Wind*). **11.** *Am. fig.* auf-, eintreten. **12.** *Am. colloq.* e-n Wutanfall bekommen.

blow[2] [blou] *s* **1.** Schlag *m*, Streich *m*, Hieb *m*, Stoß *m*: at a (*od.* one) ~ mit 'einem Schlag (*a. zeitlich*); without (striking) a ~ ohne Schwertstreich, mühelos; to come to ~s handgemein werden; to strike a ~ at e-n Schlag führen gegen (*a. fig.*); to strike a ~ for *fig.* sich einsetzen für, e-e Lanze brechen für. **2.** *fig.* (Schicksals)Schlag *m*: it was a ~ to his pride es traf ihn schwer in s-m Stolz.

blow[3] [blou] **I** *v/i pret* **blew** [bluː] *pp* **blown** [bloun] (auf-, er)blühen, sich entfalten (*a. fig.*). **II** *s* Blüte(zeit) *f* (*a. fig.*): in full ~ in voller Blüte.

'blow|,back *s mil. tech.* Rückstoß *m*: ~(-operated gun) Gasdrucklader *m*. **'~,ball** *s bot.* Pusteblume *f*. **'~-by-'blow** *adj* genau, minuti'ös.

blowed [bloud] *pp von* blow[1] 35.

blow·er ['blouər] **I** *s* **1.** Bläser *m*: ~ of a horn Hornist *m*; glass ~ Glasbläser *m*. **2.** *tech.* Gebläse *n*. **3.** *mot.* Vorverdichter *m*, Auflader *m*. **4.** *Am. sl.* ‚Angeber' *m*. **5.** *Am. sl.* ‚Draht' *m* (*Nachrichtenverbindung*). **II** *adj* **6.** *tech.* Gebläse..., Vorverdichtungs...: ~ cooling Gebläsekühlung *f*; ~(-type) supercharger *mot.* Aufladegebläse *n*.

'blow|,fly *s zo.* Schmeißfliege *f*, *bes.* Blauer Brummer. **~ form·ing** *s tech.* Blasverformung *f* (*von Folien*). **'~,gun** *s* **1.** Blasrohr *n* (*der Wilden*). **2.** *tech.* 'Spritzpi,stole *f*. **'~,hard** *s Am. sl.* Prahlhans *m*. **'~,hole** *s* **1.** Luft-, Zugloch *n*. **2.** Nasenloch *n* (*Wal*). **3.** Loch *n* im Eis (*zum Atmen für Wale etc*). **4.** *metall.* (Luft)Blase *f* (*im Guß*), Lunker *m*. **~ job** *s aer. sl.* Düsenflugzeug *n*. **'~,lamp** *s tech.* Lötlampe *f*. **'~·mo,bile** *s Am.* Motorschlitten *m*.

blown[1] [bloun] **I** *pp von* blow[1]. **II** *adj* **1.** *oft* ~ up aufgeblasen, -gebläht (*a. fig.*): ~ film *tech.* Blasfolie *f*. **2.** außer Atem.

blown[2] [bloun] *pp von* blow[3].

'blow|,off *s* **1.** *tech.* Ablassen *n* (*von Dampf etc*). **2.** *tech.* Ablaßvorrichtung *f*: ~ cock Ablaßhahn *m*; ~ pipe Ablaß-, Ausblaserohr *n*. **3.** *Am. sl.* a) ‚'Knallef,fekt' *m*, Höhepunkt *m*, b) ‚Kladdera'datsch' *m* (*Krise*), c) ‚Schlager' *m*, Zugnummer *f*, d) ‚Orgie' *f*, ‚Besäufnis' *n*. **'~,out** *s* **1.** a) Zerplatzen *n* (*e-s Behälters*), b) Sprengloch *n*, c) Reifenpanne *f*. **2.** *colloq.* Koller *m*, (Gefühls-, Wut)Ausbruch *m*. **3.** *electr.* a) 'Durchbrennen *n* der Sicherung, b) *a.* magnetic ~ ma'gnetische Bogenbeeinflussung: ~ coil (Funken)Löschspule *f*; ~ fuse Durchschlagssicherung *f*. **4.** *sl.* a) ‚große Party', b) (Freß- *od.* Sauf)Gelage *n*, ‚Orgie' *f*. **'~,pipe** *s* **1.** *tech.* Lötrohr *n*, Schweißbrenner *m*: ~ analysis, ~ proof Lötrohranalyse *f*, -probe *f*. **2.** → blowtube 2. **3.** Blas-, Pusterohr *n*. **'~,torch** *s* **1.** *tech.* Lötlampe *f*. **2.** *aer. sl.* a) Düsentriebwerk *n*, b) → blow job. **'~,tube** *s* **1.** → blowgun 1. **2.** Glasbläserpfeife *f*. **'~,up** *s* **1.** Explosi'on *f*. **2.** *fig.* a) (Gefühls)Ausbruch *m*, Koller *m*, b) *Am.* ‚Krach' *m*, ‚Kladdera'datsch' *m*. **3.** *phot. TV* (Riesen)Vergrößerung *f*.

blow·y ['bloui] *adj* windig, luftig.

blowzed [blauzd], **'blowz·y** *adj* **1.** rotgesichtig. **2.** schlampig, zerzaust.

blub·ber ['blʌbər] **I** *s* **1.** Tran *m*, Speck *m* (*von Seesäugetieren*), *bes.* Walspeck *m*. **2.** Speck *m*, Fett *n* (*an Menschen u. Tieren*). **3.** Flennen *n*, Geplärr *n*. **II** *v/i* **4.** flennen, plärren, schluchzen. **III** *v/t* **5.** *oft* ~ out schluchzen(d sagen). **IV** *adj* **6.** geschwollen, wulstig: ~ lips.

blu·cher ['bluːtʃər; 'bluːkər] *s* starker Halbstiefel zum Schnüren.

bludg·eon ['blʌdʒən] **I** *s* **1.** Knüppel *m*, Keule *f*, Totschläger *m*. **2.** *fig.* a) Knute *f*, b) ‚Vorschlaghammer' *m* (*gewalttätige Methode*). **II** *v/t* **3.** mit e-m Knüppel *etc* schlagen, niederknüppeln. **4.** *fig.* a) gewalttätig vorgehen gegen, b) *j-n* zwingen (into zu).

blue [bluː] **I** *adj* **1.** blau: you can wait till you are ~ in the face du kannst warten, bis du schwarz wirst; → moon 1. **2.** bläulich, fahl (*Licht, Haut etc*). **3.** (grau)blau, dunstig: ~ distance blaue Ferne. **4.** *colloq.* melan'cholisch, traurig, bedrückt, depri'miert: to look ~ traurig *od.* trübe aussehen (*Person, Umstände*); ~ lookout trübe Aussichten *pl.* **5.** *pol.* blau (*als Parteifarbe*), konserva'tiv (*a. fig.*). **6.** blau (gekleidet) (*Diener, Arbeiter, Polizist etc*). **7.** *Am.* (*moralisch*) streng, puri'tanisch: → blue laws. **8.** *colloq.* intellektu'ell, Blaustrumpf... (*Frau*). **9.** *Br. colloq.* unanständig, gewagt, nicht sa'lonfähig, schlüpfrig: ~ jokes. **10.** wüst, ordi'när (*Rede*): to turn the air ~ lästerlich fluchen. **11.** *colloq.* schrecklich (*oft nur verstärkend*): ~ despair helle Verzweiflung; ~ fear Heidenangst *f*; → murder 1.

II *s* **12.** Blau *n*, blaue Farbe: chemical ~ Chemischblau *n*, Indigoschwefelsäure *f*; constant ~ Indigokarmin *n*. **13.** blauer Farbstoff, Waschblau *n*. **14.** *oft pl* blaue (Dienst- *od.* Sport)-

Kleidung, blaue Uni'form. **15.** *meist* B~ Blaue(r) *m* (*in blaue Dienst-, Sporttracht od. Uniform Gekleideter*): Oxford B~s zweites Garde-Kavallerieregiment; the Dark B~s die Dunkelblauen (*Studenten von Oxford, die bei Wettkämpfen ihre Universität vertreten*); the Light B~s die Hellblauen (*Studenten von Cambridge*); to win one's ~ in die Universitätsmannschaft (*von Oxford od. Cambridge*) aufgenommen werden. **16.** *pol. Br.* Konserva'tive(r) *m.* **17.** the ~ *poet.* a) der (blaue) Himmel, b) die (weite) Ferne, c) das (blaue) Meer: out of the ~ aus heiterem Himmel, völlig unerwartet. **18.** *colloq.* Blaustrumpf *m.* **19.** *pl colloq.* Schwermut *f*, Trübsinn *m*, Melancho'lie *f*: to have the ~s, to be in the ~s Trübsal blasen, melancholisch *od.* deprimiert sein. **20.** *pl mus.* → blues 2.

III *v/t* **21.** blau färben *od.* streichen, *Wäsche* bläuen. **22.** *metall.* blau anlaufen lassen. **23.** *colloq. Geld* ,verpulvern', ,verjuxen', verprassen.

blue| ash·es *s pl tech.* Kupferblau *n.* ~ **ba·by** *s med.* Blue baby *n*, blaues Baby (*mit ausgeprägter Blausucht bei angeborenen Herzfehlern*). '**B~,beard** *s* (Ritter) Blaubart *m* (*Frauenmörder*). '**~,bell** *s bot.* **1.** (*bes.* Rundblättrige) Glockenblume. **2.** Nickende 'Sternhya,zinthe. **3.** 'Traubenhya,zinthe *f.* **4.** Gemeine Ake'lei. '**~,ber·ry** *s bot.* Blau-, Heidelbeere *f.* '**~,bird** *s* **1.** *orn. e-e dem Rotkehlchen verwandte Drossel.* **2.** *a.* B~ *Am. acht- bis zehnjähriges Mitglied der* Camp Fire Girls. '**~-,black** *adj* blauschwarz. ~ **blood** *s* **1.** blaues Blut, alter Adel. **2.** Aristo'krat(in), Adlige(r *m*) *f.* '**~-'blood·ed** *adj* blaublütig, adlig. ~ **book** *s* Blaubuch *n*: a) *oft* B~ B~ *Br. amtliche politische Veröffentlichung*, b) *oft* B~ B~ *parlamentarischer od. ministerieller Bericht in blauem Einband*, c) *oft* B~ B~ *Am. Verzeichnis prominenter Persönlichkeiten*, d) *univ. Am.* Prüfungsheft *n od.* Prüfung *f.* '**~,bot·tle** *s* **1.** *zo.* Schmeißfliege *f*, Blauer Brummer. **2.** *bot.* a) Kornblume *f*, b) (*e-e*) 'Traubenhya,zinthe. **3.** *Br. sl.* ,Blaue(r)' *m*, Poli'zist *m.* '**~,breast** → **bluethroat.** ~ **chip** *s Am.* **1.** *Poker*: blaue Spielmarke (*von hohem Wert*). **2.** *econ.* sicheres ('Wert)Pa,pier, Standardwert *m.* '**~,coat** *s* **1.** *Am. colloq.* ,Blaurock' *m*, Poli'zist *m.* **2.** *Am. hist.* Sol'dat *m* der Nordstaaten im Bürgerkrieg. **3.** Zögling *m* von Christ's Hospital, London (*od. e-r anderen englischen Waisenschule*). '**~,coat school** *s Name bestimmter englischer Waisenschulen, deren Zöglinge blau gekleidet sind.* ~ **col·lar work·er** *s* (Fa'brik)Arbeiter *m.* ~ **dev·il** *s* **1.** *pl* Säuferwahnsinn *m.* **2.** *pl* → blue 19. **3.** *bot.* (*e-e*) Aster. ~ **en·sign** *s Br.* Flagge *f* der brit. Re'serveflotte. '**~-,eyed** *adj* **1.** blauäugig. **2.** *fig.* bevorzugt: ~ boy Liebling *m.* ~ **fox** *s Pelzhandel*: Blaufuchs *m.* '**~,grass** *s bot.* **1.** *Am.* (*ein*) Rispen-, Viehgras *n.* **2.** the B~ *Am.* das Viehgrasgebiet (*in Kentucky*). '**B~,grass State** *s Am.* (*Spitzname für den Staat*) Ken'tucky *n.* ~ **i·ron earth** *s min.* Eisenblau *n.* ~ **i·ron ore** *s min.* Blaueisenstein *m.* '**~,jack·et** *s fig.* Blaujacke *f*, Ma'trose *m.* ~ **laws** *s pl Am.* strenge, puri'tanische Gesetze *pl*, *bes.* Sonntagsgesetze *pl* (*gegen Entheiligung der Sonn- u. Feiertage*). **B~ Man·tle** *s Name e-s der 4 Wappenherolde von England.* ~ **met·al** *s min.* blauer Konzentrati'onsstein (*60%* *Kupfer enthaltend*).

blue·ness ['blu:nis] *s* **1.** Bläue *f*, blaue Farbe. **2.** konserva'tive Einstellung.

'**blue|,nose** *s* **1.** *Am.* Puri'taner(in), sittenstrenge Per'son. **2.** B~ Einwohner(in) von Neu'schottland. ~ **note** *s Jazz*: erniedrigte *od.* zu tief into'nierte Tonstufe. ~ **pen·cil** *s* **1.** Blaustift *m.* **2.** *fig.* Rotstift *m*, Zen'sur *f.* '**~-'pen·cil** *v/t* **1.** *Manuskript etc* (mit Blaustift) korri'gieren *od.* (aus-, zs.-)streichen. **2.** *fig.* zen'sieren. ~ **pe·ter** *s mar.* 'Abfahrts-Si,gnalflagge *f.* '**~-,print I** *s* **1.** *phot.* Blaupause *f.* **2.** *fig.* Plan *m*, Entwurf *m.* **II** *v/t* **3.** e-e Blaupause machen von (*etwas*). **4.** e-n (genauen) Plan ausarbeiten für, planen, entwerfen. '**~,print·er** *s* Blaudrucker *m* (*Arbeiter u. Maschine*).

blue rib·bon *s* **1.** blaues Band: a) *des Hosenbandordens*, b) *als Abzeichen von Mäßigkeitsvereinen*, c) *bes. sport Auszeichnung für Höchstleistungen*: the B~ R~ *mar.* das Blaue Band (des Ozeans). **2.** *fig.* erster Preis, Lorbeer *m.* '**blue-'rib·bon** *adj Am.* erstklassig. '**blue-'rib·bon ju·ry** *s jur.* Sonderjury *f.*

blues [blu:z] *s* **1.** → blue 19. **2.** *mus.* [Blues *m.*]

blue|shark *s ichth.* Blau-, Menschenhai *m.* '**~-'sky law** *s Am. colloq.* Gesetz *n* zur Verhütung unlauterer Manipulati'onen im 'Wertpa,pierhandel. ~ **spar** *s min.* Blauspat *m*, Lazu'lith *m.* '**~,stock·ing** *s colloq.* Blaustrumpf *m.*

blu·et ['blu:it] *s bot.* **1.** Kornblume *f.* **2.** *oft pl Am.* (*ein*) Engelsauge *n.* **3.** (*e-e*) Heidelbeere.

'**blue|,throat** *s orn.* Blaukehlchen *n.* ~ **tit·mouse** *s irr orn.* Blaumeise *f.* ~ **vit·ri·ol** *s chem.* 'Kupfersul,fat *n.*

bluff[1] [blʌf] **I** *v/t* **1.** bluffen: a) *Poker*: *durch Gebärden od. hohes Setzen auf schlechte Karten täuschen*, b) *j-n* (ver)blüffen, (durch dreistes Auftreten) täuschen, bei *j-m* (durch Prahle'rei) Eindruck schinden. **2.** *j-n* (durch Keckheit) abschrecken, ins Bockshorn jagen, irremachen. **3.** *etwas* vortäuschen. **II** *v/i* **4.** *Poker*: bluffen. **5.** bluffen: a) (nur) so tun, als ob; täuschen, b) dreist auftreten, Eindruck schinden (wollen). **III** *s* **6.** *Poker*: Bluff *m.* **7.** *fig.* Bluff *m*: a) Täuschung *f*, Irreführung *f*, b) dreistes Auftreten, Großtue'rei *f*: to call s.o.'s ~ j-n zwingen, Farbe zu bekennen; j-n beim Wort nehmen. **8.** → **bluffer. 9.** Scheuklappe *f.*

bluff[2] [blʌf] **I** *adj* **1.** *mar.* breit (*Bug*). **2.** schroff, steil (*Felsen, Küste*). **3.** *fig.* ehrlich-grob, gutmütig-derb, rauhbeinig, polternd. **II** *s* **4.** Steil-, Felsufer *n*, Klippe *f.* **5.** *Am.* Baumgruppe *f.*

bluff·er ['blʌfər] *s* Bluffer *m.*

bluff·ness ['blʌfnis] *s* **1.** Steilheit *f.* **2.** rauhe Gutmütigkeit.

blu·ing ['blu:iŋ] *s* **1.** *metall.* Bläuen *n*, Anlaufenlassen *n.* **2.** (Wasch)Blau *n.* **3.** bläuliches (Haar)Tönungsmittel.

blu·ish ['blu:iʃ] *adj* bläulich.

blun·der ['blʌndər] **I** *s* **1.** (grober) Fehler, Schnitzer *m*: to make a ~ → 2. **II** *v/i* **2.** e-n (groben) Fehler *od.* Schnitzer machen, ,e-n Bock schießen'. **3.** Fehler *od.* Schnitzer machen, pfuschen, stümpern. **4.** unbesonnen handeln. **5.** stolpern, tappen: to ~ against stolpern *od.* stoßen gegen; to ~ on a) blind darauflostappen, b) *fig.* weiterwursteln; to ~ upon s.th. zufällig auf etwas stoßen. **III** *v/t* **6.** verpfuschen, -derben, ,verpatzen'. **7.** *meist* ~ out her'ausplatzen mit.

blun·der·buss ['blʌndər,bʌs] *s* **1.** *mil. hist.* Donnerbüchse *f.* **2.** *colloq. für* blunderer.

blun·der·er ['blʌndərər] *s* **1.** Stümper *m*, Pfuscher *m.* **2.** Tölpel *m.*

'**blun·der|,head** *s* Tölpel *m.* '**~'head·ed** *adj* tölpelhaft.

blun·der·ing ['blʌndəriŋ] *adj* (*adv* ~**ly**) **1.** stümperhaft, ungeschickt. **2.** tölpelhaft.

blunt [blʌnt] **I** *adj* **1.** stumpf: ~ edge; ~ instrument *jur.* stumpfer Gegenstand (*unidentifizierte Mordwaffe*). **2.** *fig.* abgestumpft, unempfindlich (to gegen). **3.** *fig.* ungeschliffen, ungehobelt: ~ manners. **4.** barsch, grob, rauh(beinig). **5.** offen, grob, schonungslos. **6.** dumm, beschränkt. **7.** schlicht. **II** *v/t* **8.** stumpf machen, abstumpfen (*a. fig.*). **9.** *fig.* die Schärfe *od.* die Spitze nehmen (*dat*), (ab)schwächen. **III** *v/i* **10.** stumpf werden, sich abstumpfen. **IV** *s* **11.** stumpfe Seite (*e-r Klinge etc*). **12.** *sl. obs.* ,Mo'neten' *pl* (*Geld*). '**blunt·ly** *adv fig.* frei her'aus, mit schonungsloser Offenheit, grob: to put it ~ um es ganz offen zu sagen; to refuse ~ glatt ablehnen. '**blunt·ness** *s* **1.** Stumpfheit *f* (*a. fig.*). **2.** *fig.* Derbheit *f*, Grobheit *f.*

blur [blə:r] **I** *v/t* **1.** verwischen: a) *Schrift etc* verschmieren, b) *a. opt. u. fig.* undeutlich *od.* verschwommen machen. **2.** *phot. TV* verwackeln. **3.** verdunkeln, -wischen, *Sinne etc* trüben. **4.** *fig.* besudeln, entstellen. **II** *v/i* **5.** klecksen. **6.** *opt. etc* verschwimmen (*a. Töne*; *a. fig. Eindruck etc*). **III** *s* **7.** Fleck *m*, verwischte Stelle. **8.** *fig.* Makel *m*, Schandfleck *m.* **9.** undeutlicher *od.* nebelhafter Eindruck, verschwommene Vorstellung: a ~ in one's memory e-e nebelhafte Erinnerung. **10.** wirrer Nebel, Schleier *m od. pl* (*vor den Augen*). **11.** verworrenes Geräusch.

blurb [blə:rb] *colloq.* **I** *s* **1.** a) ,Waschzettel' *m*, Klappentext *m*, b) ,Bauchbinde' *f*, Re'klamestreifen *m* (*um ein Buch*). **2.** *allg.* (über'triebene) Anpreisung. **II** *v/t* **3.** *ein Buch* mit Waschzettel *etc* versehen, *weitS.* Re'klame machen für (*ein Buch etc*), anpreisen.

blurred [blə:rd], **blur·ry** ['blə:ri] *adj* **1.** unscharf, verschwommen, verwischt (*alle a. phot. TV*). **2.** *fig.* verworren, nebelhaft.

blurt [blə:rt] *v/t oft* ~ out a) (voreilig *od.* unbesonnen) her'ausplatzen mit, ausschwatzen, b) *Worte* ausstoßen.

blush [blʌʃ] **I** *v/i* **1.** erröten, (scham)rot werden, in Verwirrung geraten (at, for über *acc*). **2.** *fig.* sich schämen, *meist poet.* sich röten, in rötlichem Glanze erstrahlen. **3.** *tech.* wolkig *od.* trübe werden (*Lack etc*). **II** *s* **4.** Erröten *n*, (Scham)Röte *f*: to put s.o. to (the) ~ j-n zum Erröten bringen; → spare 1. **5.** Röte *f*, rötlicher Glanz, rosiger Hauch. **6.** Blick *m* (*nur noch in*): at (*od.* on) the first ~ auf den ersten Blick. '**blush·ing I** *s* **1.** → blush 4. **II** *adj* (*adv.* ~**ly**) **2.** errötend. **3.** schamhaft, züchtig.

blus·ter ['blʌstər] **I** *v/i* **1.** brausen, toben, stürmen (*Wind, Wetter*). **2.** *fig.* a) poltern, toben, ,donnern', b) Drohungen ausstoßen, c) (laut) prahlen, bramarba'sieren, sich aufblasen: ~ing fellow Großmaul *n*, Bramarbas *m.* **II** *v/t* **3.** lärmen(d äußern), donnern, ,tönen'. **4.** *j-n* (durch Drohungen) zwingen (into zu) *od.* abbringen (out of von). **III** *s* **5.** Brausen *n*, Toben *n.* **6.** Lärm *m*, Getöse *n* (*a. fig.*). **7.** a)

Poltern *n*, Schimpfen *n*, b) ,große Töne' *pl*, Bramarba'sieren *n*, Prahlen *n*, c) Drohung(en *pl*) *f*. '**blus·ter·ing** *adj* (*adv* ~ly) **1.** polternd, lärmend. **2.** großmäulig.

bo[1] [bou] *interj* huh! (*um andere zu erschrecken*): he can't say ~ to a goose er ist ein Hasenfuß.

bo[2] [bou] *s Am. sl.* ,Mensch' *m*, alter Knabe (*als Anrede*).

bo[3] [bou] *pl* **boes** *s Am. sl.* ,Stromer' *m*.

bo·a ['bouə] *s* **1.** *zo.* Boa *f*, Riesenschlange *f*. **2.** Boa *f* (*Halspelz*).

boar [bɔːr] *s zo.* Eber *m*, Keiler *m*: wild ~ Wildschwein *n*; young wild ~ *hunt.* Frischling *m*.

board[1] [bɔːrd] **I** *s* **1.** Brett *n*, Diele *f*, Planke *f*. **2.** Tisch *m*, Tafel *f* (*nur noch in festen Ausdrücken*): → above-board, bed 5, groan 2. **3.** *fig.* Kost *f*, Beköstigung *f*, Verpflegung *f*, 'Unterhalt *m*: ~ and lodging Kost u. Logis, Wohnung u. Verpflegung, volle Pension; to put out to ~ in Kost geben. **4.** (Beratungs-, Gerichts)Tisch *m*. **5.** *oft* B~ *fig.* a) Ausschuß *m*, Kommissi'on *f*, b) Amt *n*, Behörde *f*, c) Mini'sterium *n*: B~ of Admiralty Admiralität *f*; B~ of Arbitration and Conciliation Schlichtungsstelle *f* für Arbeitgeber u. -nehmer; B~ of Examiners Prüfungskommission; B~ of Health Gesundheitsbehörde, -amt; B~ of Directors, (*the*) B~ *econ.* Direktion *f*, Verwaltungsrat *m* (*Vorstand u. Aufsichtsrat in einem*); B~ of Governors a) (Schul- *etc*)Behörde, b) Verwaltungs-, Aufsichtsrat; B~ of Inland Revenue *Br.*, B~ of Assessment *Am.* Finanzkammer *f*; B~ of Trade *Br.* Handelsministerium, *Am.* Handelskammer *f*; B~ of Trustees Treuhänderausschuß *m*; to be on the ~ im Verwaltungsrat *etc* sitzen. **6.** (Anschlag)Brett *n*. **7.** *ped.* (Wand-)Tafel *f*. **8.** (Schach-, Plätt)Brett *n*: to sweep the ~ a) alles gewinnen, b) überlegen siegen. **9.** *pl thea.* Bretter *pl*, Bühne *f*: to tread (*od.* walk) the ~s ,auf den Brettern' stehen, Schauspieler(in) sein. **10.** *pl sport* ,Bretter' *pl*, Skier *pl*. **11.** a) Kar'ton *m*, Pappe *f*, Pappdeckel *m*, b) Buchdeckel *m*: (bound) in ~s kartoniert, c) *tech.* Preßspan *m*. **12.** *econ. Am.* Börse *f*.

II *v/t* **13.** dielen, täfeln, mit Brettern belegen *od.* absperren, verschalen: ~ed ceiling getäfelte Decke; ~ed floor Bretter(fuß)boden *m*. **14.** beköstigen, in Kost nehmen *od.* geben, *Tier* in Pflege nehmen *od.* geben (with bei).

III *v/i* **15.** sich in Kost *od.* Pensi'on befinden, wohnen, lo'gieren (with bei). *Verbindungen mit Adverbien:*

board| a·round *v/i Am.* abwechselnd bei j-m anderen speisen. ~ **out I** *v/t* außerhalb in Kost *od.* Pflege geben. **II** *v/i* auswärts essen. ~ **up** *v/t* mit Brettern vernageln.

board[2] [bɔːrd] **I** *s* **1.** Seite *f*, Rand *m* (*nur noch in Zssgn*): sea~ Küste *f*. **2.** *mar.* Bord *m*, Bordwand *f* (*nur in festen Ausdrücken*): on ~ an Bord (*e-s Schiffes, Am. a. e-s Zuges, Flugzeugs etc*); on ~ (a) ship an Bord (e-s Schiffes); to go on ~ an Bord gehen; to go by the ~ a) über Bord gehen *od.* fallen (*a. fig.*), b) *fig.* zugrunde gehen *od.* verlorengehen, scheitern, c) ausrangiert werden; free on ~ (*abbr.* f.o.b.) *econ.* frei an Bord, fob (*des Schiffes, Flugzeugs, Am. a. des Zuges*). **3.** *mar.* Gang *m*, Schlag *m* (*beim Kreuzen*): good ~ Schlagbug *m*; long (short) ~s lange (kurze) Gänge; to make ~s lavieren, kreuzen. **II** *v/t* **4.** *ein Schiff* besteigen, an Bord (*e-s Schiffes*) gehen, *mar. mil.* entern: to ~ a train (plane) *Am.* in e-n Zug (ein Flugzeug) einsteigen. **III** *v/i* **5.** *mar.* la'vieren.

board·er ['bɔːrdər] *s* **1.** Kostgänger(in). **2.** *ped.* Inter'natsschüler(in). **3.** *mar.* Enterer *m*: ~s Entermannschaft *f*.

board·ing ['bɔːrdiŋ] *s* **1.** Verschalen *n*, Dielen *n*, Täfeln *n*. **2.** Bretterverkleidung *f*, Verschalung *f*, Dielenbelag *m*, Täfelung *f*. **3.** *pl* Schalbretter *pl*. **4.** Kost *f*, Verpflegung *f*. '~ˌ**house** *s* Pensi'on *f*, Fremdenheim *n*. ~ **joist** *s tech.* Dielenbalken *m*. ~ **of·fi·cer** *s mar.* 'Prisenoffiˌzier *m*. ~ **school** *s* Inter'nat *n*, Pensio'nat *n*.

board| lot *s Börse: Am.* handlungsfähige Nomi'nalgröße (*z.B. in New York: 100 Stück*). '~**·man** [-mən] *s irr econ. Am.* Börsenvertreter *m*, -makler *m* (*e-r Firma*). ~ **meas·ure** *s econ.* Ku'bikmaß *n* (*Raummaß im Holzhandel*). ~ **meet·ing** *s econ.* Verwaltungsrats-, Vorstandssitzung *f*. ~ **room** *s* **1.** Sitzungssaal *m* (*Behörde*). **2.** *econ.* Zimmer *n* in e-m 'Maklerbüˌro, in dem die 'Börsennoˌtierungen angeschlagen sind. ~ **school** *s Br. hist.* Volksschule *f*. ~ **wag·es** *s pl* Kostgeld *n* (*des Personals*). '~**walk** *s* **1.** *Am.* Plankenweg *m*, (hölzerne) 'Strandpromeˌnade. **2.** *bes. mil.* Knüppeldamm *m*.

boar·ish ['bɔːriʃ] *adj fig.* a) schweinisch, b) grausam, c) geil.

boast[1] [boust] **I** *s* **1.** Prahle'rei *f*: a) Großtue'rei *f*, b) prahlerische *od.* stolze Behauptung: to make a ~ of s.th. sich e-r Sache rühmen. **2.** Stolz *m* (*Gegenstand des Stolzes*): he was the ~ of his age er war der Stolz s-r Zeit. **II** *v/i* **3.** (of, about) sich rühmen (*gen*), prahlen, großtun (mit), stolz sein (auf *acc*): it is not much to ~ of damit ist es nicht weit her; he ~s of being strong er ist stolz darauf, stark zu sein. **III** *v/t* **4.** sich des Besitzes (*e-r Sache*) rühmen (können), aufzuweisen haben, besitzen: the town ~s the largest stadium of the country.

boast[2] [boust] *v/t* **1.** *Steine* roh behauen. **2.** *Bildhauerei*: aus dem Groben arbeiten.

boast·er ['boustər] *s* Prahler *m*.

boast·ful ['boustfəl; -ful] *adj* (*adv* ~ly) prahlerisch.

boat [bout] **I** *s* **1.** Boot *n*, Kahn *m*, Nachen *m*: to be in the same ~ *fig.* im selben Boot sitzen, in der gleichen (mißlichen) Lage sein; to burn one's ~s *fig.* alle Brücken hinter sich abbrechen; → rock[2] 2, oar *Bes. Redew.* **2.** Schiff *n* (*jeder Art*), (*Br. a.* Ka'nal-)Dampfer *m*. **3.** (bootförmiges) Gefäß, (*bes.* Soßen)Schüssel *f*. **II** *v/i* **4.** (in e-m) Boot fahren, rudern, segeln: to go ~ing e-e Bootsfahrt machen.

boat·age ['boutidʒ] *s* **1.** Fahrt *f od.* Trans'port *m* mit e-m Boot. **2.** Fahrgeld *n*, (Boot)Frachtgebühr *f*.

boat·er ['boutər] *s* **1.** Bootfahrer *m*, Ruderer *m*. **2.** *Br.* steifer Strohhut, ,Kreissäge' *f*.

boat·ing ['boutiŋ] *s* **1.** Bootfahren *n*, Ruder-, Segelsport *m*. **2.** Boots-, Kahn-, Wasserfahrt *f*.

'**boat|ˌload** *s mar.* **1.** Bootsladung *f*. **2.** *fig. colloq.* Masse *f*, Haufen *m*. '~**·man** [-mən] *s irr* Bootsführer *m od.* -verleiher *m*. ~ **race**, ~ **rac·ing** *s* Bootrennen *n*, 'Ruderreˌgatta *f*.

boat·swain ['bousn; 'boutˌswein] *s mar.* Bootsmann *m*: ~ 1st class Oberbootsmann; ~ 2nd class Bootsmann; ~ 3rd class Unterbootsmann; ~'s mate Bootsmannsmaat *m*.

bob[1] [bɒb] **I** *s* **1.** *allg.* baumelnder rundlicher Körper, *bes.* a) (Haar)Knoten *m*, (-)Büschel *n*, b) Quaste *f*, c) Anhänger *m*, (Ohr)Gehänge *n*, d) (Pendel)Gewicht *n*, e) Senkblei *n* (*der Lotleine*), f) Laufgewicht *n* (*der Schnellwaage*). **2.** kurz gestutzter Pferdeschwanz. **3.** kurzer Haarschnitt, 'Bubikopf(friˌsur *f*) *m*. **4.** *a.* ~ wheel *tech.* Schwabbelscheibe *f*. **5.** *sg u. pl Br. sl.* Schilling *m*: five ~; a ~ a nob e-n Schilling pro Kopf. **6.** *a. pl Am. für* bobsled. **7.** kurze, ruckartige Bewegung, Ruck *m*: a ~ of the head ein Hochwerfen des Kopfes. **8.** a) *Scot. ein Tanz*, b) Knicks *m*. **9.** (*Art*) har'monisches Wechselgeläute. **10.** (*bes. kurzer*) Kehrreim, Re'frain *m*. **11.** dry (wet) ~ *Br. colloq.* Schüler, der Landsport (Wassersport) treibt.

II *v/t* **12.** ruckweise (hin u. her *od.* auf u. ab) bewegen: to ~ one's head into the room den Kopf kurz ins Zimmer stecken; to ~ a curts(e)y e-n Knicks machen. **13.** *Haare, Pferdeschwanz etc* kurz schneiden, stutzen. **14.** leicht anstoßen *od.* schlagen: to ~ one's head against s.th. **15.** *tech.* mit e-r Schwabbelscheibe po'lieren.

III *v/i* **16.** sich auf u. ab *od.* hin u. her bewegen, hüpfen, springen, tanzen, schnellen. **17.** a) knicksen, b) (kurz) nicken. **18.** haschen, schnappen (for nach). **19.** ~ up (plötzlich) auftauchen (*a. fig.*): to ~ up like a cork sich nicht unterkriegen lassen, (wie ein Stehaufmännchen) immer wieder hochkommen. **20.** Bob fahren.

Bob[2] [bɒb] *npr* (*abbr. für* Robert): ~'s your uncle *colloq.* a) ,fertig ist die Laube', b) das geht in Ordnung.

bobbed [bɒbd] *adj* kurz geschnitten, gestutzt: ~ hair Bubikopf *m*.

bob·bin ['bɒbin] *s* **1.** *tech.* Spule *f*, Garnrolle *f*. **2.** Klöppel(holz *n*) *m*. **3.** dünne Schnur. **4.** *electr.* Indukti'onsrolle *f*, Spule *f*.

bob·bi·net [ˌbɒbi'net] *s* Bobinet *m*, (Baumwoll)Tüll *m*.

bob·bin lace *s* Klöppelspitze *f*.

bob·bish ['bɒbiʃ] *adj sl.* ,quietschvergnügt'.

bob·by ['bɒbi] *s* **1.** *Br. colloq.* ,Bobby' *m*, ,Schupo' *m*, Poli'zist *m*. **2.** *a.* ~ calf *Austral.* zwei Monate altes Kalb. ~ **pin** *s* Haarklemme *f* (*aus Metall*). ~ **socks**, ~ **sox** [sɒks] *s pl Am. colloq.* Söckchen *pl* (*bes. von halbwüchsigen Mädchen*). '~**-ˌsox·er** [-ˌsɒksər] *s Am. colloq.* Backfisch *m*, junges Mädchen.

'**bob|ˌcat** *s zo.* Rotluchs *m*. '~ˌ**sled**, '~ˌ**sleigh** *s* **1.** Doppelschlitten *m* (*zum Langholztransport*). **2.** *sport* Bob(sleigh) *m*, Rennschlitten *m*. '~ˌ**stay** *s mar.* Wasserstag *n*. '~ˌ**tail I** *s* **1.** Stutzschwanz *m*. **2.** Pferd *n od.* Hund *m etc* mit Stutzschwanz. **3.** *fig.* Gauner *m* (*nur noch in*): rag, tag, and ~ Krethi u. Plethi. **4.** *Am. sl.* a) *mot.* ('Anhänger)Zugmaˌschine *f*, b) *rail.* Ran'gierlokomoˌtive *f*. **5.** *mil. Am. sl.* unehrenhafte Entlassung. **II** *adj* **6.** mit gestutztem Schwanz (*Tier*). **III** *v/t* **7.** *e-m Tier* den Schwanz stutzen. **8.** kürzen, beschneiden.

bock (beer) [bɒk] *s* Bockbier *n*.

bode[1] [boud] *pret von* bide.

bode[2] [boud] **I** *v/t* **1.** ahnen. **2.** prophe'zeien, ahnen lassen: this ~s him no good das bedeutet nichts Gutes für ihn. **II** *v/i* **3.** e-e Vorbedeutung sein: to ~ ill Unheil verkünden; to ~ well

Gutes versprechen. '**bode·ful** [-fəl; -ful] *adj* unheilvoll.
bod·ice ['bɒdis] *s* **1.** Leibchen *n*, Mieder *n*. **2.** Taille *f* (*am Kleid*).
bod·ied ['bɒdid] *adj* **1.** (*in Zssgn*) ... gebaut, von ... Gestalt *od.* Körperbau: **small-~** klein von Gestalt. **2.** *tech.* verdickt: **~ paint.**
bod·i·less ['bɒdilis] *adj* **1.** körperlos. **2.** unkörperlich, wesenlos.
bod·i·ly ['bɒdili] **I** *adj* **1.** körperlich, leiblich, physisch: **~ fear** Furcht *f* vor Körperverletzungen, körperliche Angst; **~ injury** Körperverletzung *f*; → **grievous** 2. **II** *adv* **2.** leib'haftig, per'sönlich. **3.** ganz u. gar, gänzlich.
bod·kin ['bɒdkin] *s* **1.** *tech.* Ahle *f*: a) Pfriem *m*, b) *print.* Punk'turspitze *f*, c) 'Durchzieh-, Schnürnadel *f*. **2.** lange Haarnadel: **to sit** (*od.* **ride**) **~** (*zwischen zwei Personen*) eingezwängt sitzen. **3.** *obs.* Dolch *m*.
Bod·le·ian (Li·brar·y) [bɒd'liːən; 'bɒdliən] *s* Bodley'anische Biblio'thek (*in Oxford*).
bod·y ['bɒdi] **I** *s* **1.** Körper *m*, Leib *m* (*a. relig.*): **to keep ~ and soul together** *fig.* Leib u. Seele zs.-halten; → **heir. 2.** *oft* **dead ~** Leiche *f*, Leichnam *m*: **over my dead ~** *colloq.* nur über m-e Leiche. **3.** *engS.* Rumpf *m*, Leib *m*. **4.** Rumpf *m*, Haupt(bestand)teil *m*, Mittel-, Hauptstück *n*, Zentrum *n*, *z. B.* a) (Schiffs-, Flugzeug)Rumpf *m*, b) *mil.* (Geschoß)Hülle *f*, c) Bauch *m* (*e-r Flasche etc*), d) *mus.* (Schall)Körper *m*, Reso'nanzkasten *m*, e) ('Auto-, 'Wagen)Karosse,rie *f*, f) Hauptgebäude *n*, g) (Kirchen)Schiff *n*, h) *mil.* Hauptfestung *f*. **5.** *mil.* Truppenkörper *m*: **~ of horse** Kavallerieeinheit *f*; **~ of men** Trupp *m*, Abteilung *f*; **the main ~** das Gros. **6.** (*die*) große Masse, (*das*) Gros. **7.** (gegliedertes) Ganzes, Gesamtheit *f*, Sy'stem *n*: **in a ~** zusammen, wie 'ein Mann; **~ corporate** a) juristische Person, Körperschaft *f*, b) Gemeinwesen *n*, Gemeinde *f*; **~ of facts** Tatsachenmaterial *n*; **~ of history** Geschichtswerk *n*; **~ of laws** Kodex *m*, Gesetz(es)sammlung *f*; **~ politic** a) juristische Person, b) organisierte Gesellschaft, c) Staat(skörper) *m*. **8.** Körper(schaft *f*) *m*, Gesellschaft *f*, Gruppe *f*, Or'gan *n*, Gremium *n*: **diplomatic ~** diplomatisches Korps; **governing** (*od.* **administrative**) **~** Verwaltungskörper *od.* -organ; **student ~** Studentenschaft *f*. **9.** *fig.* Kern *m*, eigentlicher Inhalt, Sub'stanz *f*, (*das*) Wesentliche: **~ of a speech. 10.** Haupt-, Textteil *m*: **~ of an advertisement; ~ of a letter. 11.** *phys.* ('dreidimensio,naler) Körper, Masse *f* (*im Sinn von Menge*): **heavenly ~** *astr.* Himmelskörper; **solid** (**liquid, gaseous**) **~** fester (flüssiger, gasförmiger) Körper. **12.** *chem.* Sub'stanz *f*, Stoff *m*. **13.** *med.* Körper *m*, Stamm *m*: **~ of the uterus** Gebärmutterkörper. **14.** *geogr.* Masse *f*: **~ of water** Wasserfläche *f*, stehendes Gewässer; **~ of cold air** kalte Luftmasse. **15.** *fig.* Körper *m*, Gehalt *m* (*von Wein*), Stärke *f* (*von Papier etc*), Deckfähigkeit *f* (*von Farbe*), Dichtigkeit *f*, Güte *f* (*von Gewebe etc*), (*Klang*)Fülle *f*. **16.** *colloq.* Per'son *f*, Mensch *m*: **a curious** (**old**) **~** ein komischer (alter) Kauz; **not a** (**single**) **~** keine Menschenseele. **17.** *Töpferei*: Tonmasse *f*. **18.** *electr.* Iso'lier-, Halteteil *m*.
II *v/t* **19.** *meist* **~ forth** verkörpern: a) versinnbildlichen, b) darstellen.
bod·y| blow *s* **1.** *Boxen*: Körperschlag *m*. **2.** *fig.* harter Schlag. **~ build** *s biol.* Körperbau *m*. **~ cav·i·ty** *s zo.* Leibeshöhle *f*. '**~-,check(·ing)** *s sport* (*erlaubtes*) Sperren *od.* Rempeln, Körperspiel *n*. **~ coat** *s tech.* Grun'dierung *f*. **~ col·o(u)r** *s* Deckfarbe *f*. **~ contact** *s electr.* Körperschluß *m*. **~ flu·id** *s physiol.* Körperflüssigkeit *f*. '**~-,guard** *s* **1.** Leibwächter *m*. **2.** Leibgarde *f*, -wache *f*. **~ louse** *s irr zo.* Kleiderlaus *f*. '**~,mak·er** *s tech.* Karosse'riebauer *m*. **~ o·do(u)r** *s* (*bes.* unangenehmer) Körpergeruch. **~ plasm** *s bot. zo.* Körper-, Somatoplasma *n*. **~ seg·ment** *s biol.* 'Körper-, 'Rumpfseg,ment *n*. **~ serv·ant** *s* Leib-, Kammerdiener *m*. **~ snatch·er** *s jur.* Leichenräuber *m*. **~ snatch·ing** *s jur.* Leichenraub *m*. **~ type** *s print.* Werk-, Grundschrift *f* (*Hauptschrift, in der ein Buch gesetzt ist*). '**~,work** *s tech.* Karosse'rie *f*.
Boer [buə; bouə] **I** *s* Bur(e) *m*, Boer *m* (*Südafrika*). **II** *adj* burisch: **~ War** Burenkrieg *m*.
bof·fin ['bɒfin] *s Br. sl.* (Geheim)-Wissenschaftler *m*, Ex'perte *m*.
bog [bɒg] **I** *s* **1.** Sumpf *m*, Mo'rast *m* (*a. fig.*), (Torf)Moor *n*. **2.** *vulg.* ‚Lokus' *m* (*Abort*). **II** *v/t* **3.** im Schlamm *od.* Sumpf versenken: **to be ~ged** → 4a; **to ~ down** *fig.* zum Stocken bringen, versanden lassen. **III** *v/i* **4.** *oft* **~ down** a) im Schlamm *od.* Sumpf versinken, b) *a. fig.* sich festfahren, steckenbleiben. '**~,ber·ry** *s bot.* **1.** Moosbeere *f*. **2.** *Am.* (*e-e*) Himbeere. **~ but·ter** *s min.* Sumpfbutter *f*. **~ earth** *s min.* Moorerde *f*.
bo·gey ['bougi] *s* **1.** *Golf*: festgesetzte (*für gute Spieler übliche*) Anzahl von Schlägen. **2.** → **bogy.**
bog·gle ['bɒgl] *v/i* **1.** a) erschrecken, zs.-fahren, b) zu'rückschrecken, c) scheuen (*Pferd*) (**at** vor *dat*). **2.** stutzen, zögern, schwanken. **3.** Schwierigkeiten machen (*Person*). **4.** über'wältigt *od.* fassungslos sein, ‚Bauklötze' staunen: **imagination ~s at the thought** es wird e-m schwindlig bei dem (bloßen) Gedanken. **5.** pfuschen, stümpern. '**bog·gler** *s* **1.** *fig.* Angsthase *m*. **2.** Pfuscher(in).
bog·gy ['bɒgi] *adj* sumpfig, mo'rastig.
bo·gie ['bougi] *s* **1.** *tech. Br.* a) Blockwagen *m* (*mit beweglichem Radgestell*), b) *rail.* Dreh-, Rädergestell *n*. **2.** *Bergbau*: Förderkarren *m* (*zum Befahren von Kurven*). **3.** *mot. Am.* Drehschemel *m* (*am Großlaster*). **4.** → **bogie wheel. 5.** → **bogy. ~ en·gine** *s tech.* (*ein Typ*) Ge'lenklokomo,tive *f*. **~ wheel** *s* (Ketten)Laufrad *n* (*am Panzerwagen*).
bog| i·ron (ore) *s min.* Raseneisenerz *n*. '**~,land** *s* **1.** Marsch-, Sumpf-, Moorland *n*. **2.** *humor.* Irland *n*. **~ ore** → **bog iron (ore). ~ spav·in** *s vet. zo.* Spat *m* (*beim Pferd*). '**~,trot·ter** *s* **1.** Moorbewohner *m*, -wanderer *m*. **2.** *contp.* Ire *m*, Irländer *m*.
bogue [boug] *v/i mar.* vom Winde abfallen: **to ~ in** *Am. dial.* mit Hand anlegen.
bo·gus ['bougəs] **I** *adj* **1.** nachgemacht, falsch, unecht. **2.** Schein..., Schwindel...: **~ bill** *econ.* Kellerwechsel *m*; **~ company** Schwindelgesellschaft *f*. **II** *s* **3.** *Am.* Getränk *n* aus Rum u. Sirup. **4.** *Am. sl.* 'Füllar,tikel *m* (*in Zeitungen*).
bo·gy ['bougi] *s* **1.** (*der*) Teufel. **2.** a) Kobold *m*, Popanz *m*, b) (Schreck)-Gespenst *n* (*a. fig.*). '**~,man** [-,mæn] *s irr* **1.** Butzemann *m*, (*der*) schwarze Mann (*Kindersprache*). **2.** *humor. fig.* ‚Buhmann' *m*.
Bo·he·mi·a [bou'hiːmiə] *s* Bo'heme *f* (*Künstlerleben od. -welt*). **Bo'he·mi·an I** *s* **1.** Böhme *m*, Böhmin *f*. **2.** Zi'geuner(in). **3.** *fig.* Bohemi'en *m*. **II** *adj* **4.** böhmisch. **5.** *fig.* 'unkonventio,nell (lebend), leichtlebig, bo'hemehaft. **Bo'he·mi·an,ism** *s* Bo'heme *f*, ‚Künstlerleben' *n*.
bo·hunk ['bou,hʌŋk] *s Am. sl.* **1.** *contp.* (*bes. aus Süd- od. Osteuropa eingewanderter*) Arbeiter. **2.** (blöder) Kerl.
boil[1] [bɔil] *s med.* Geschwür *n*, Fu'runkel *m*, Eiterbeule *f*.
boil[2] [bɔil] **I** *s* **1.** Kochen *n*, Sieden *n*: **on the ~** am Kochen, *fig.* in Wallung; **to bring to the ~** zum Kochen bringen. **2.** Wallen *n*, Wogen *n*, Brausen *n* (*der See*). **3.** *fig.* heftige Erregung, Wut *f*, Wallung *f*. **II** *v/i* **4.** kochen, sieden: **the kettle** (**the water**) **is ~ing** der Kessel (das Wasser) kocht. **5.** wallen, heftig wogen, brausen, schäumen (*Meer etc*). **6.** *fig.* kochen, schäumen (**with rage** vor Wut). **7.** *fig.* → **boil over. III** *v/t* **8.** kochen (lassen), zum Kochen bringen, ab-, aus-, einkochen: **to ~ eggs** Eier kochen; **to ~ clothes** Wäsche (aus)kochen.
Verbindungen mit Adverbien:
boil| a·way *v/t u. v/i* verdampfen, einkochen (lassen). **~ down I** *v/t* **1.** verdampfen, einkochen (lassen). **2.** *fig.* kurz zs.-fassen, zs.-drängen, kürzen. **II** *v/i* **3.** → **boil away. 4.** *fig.* sich (*gut*) zs.-fassen *od.* kürzen lassen. **5. ~ to** (letzten Endes) hin'auslaufen auf (*acc*). **~ off** *v/t* **1.** aus-, abkochen. **2.** *tech.* (*Seide*) degummieren. **~ out** → **boil off. ~ o·ver** *v/i* 'überkochen, -laufen, -schäumen (*a. fig.*).
'**boil,down** *s Am.* Kurzfassung *f*.
boiled [bɔild] *adj* **1.** gekocht. **2.** *Am. sl.* ‚stinkbesoffen', ‚blau'. **~ din·ner** *s Am.* Eintopf(gericht *n*) *m*. **~ shirt** *s colloq.* steifes (Frack)Hemd. **~ sweet** *s* Bon'bon *n, m*.
boil·er ['bɔilər] *s* **1.** (*meist in Zssgn*) Sieder *m*: **soap ~. 2.** (Heiz-, Koch-, Siede)Kessel *m*, Kochtopf *m*. **3.** *tech.* Dampfkessel *m*. **4.** *bes. Br.* Boiler *m*, Heißwasserspeicher *m*. **5.** *Zuckerfabrikation*: Siedepfanne *f*. **6.** zum Kochen bes. gut geeignetes Fleisch *od.* Gemüse *etc*: **this chicken is a good ~** dies ist ein gutes Kochhuhn. **~ mak·er** *s* Kesselschmied *m*. **~ plate** *s tech.* **1.** (Dampf)Kesselblech *n*. **2.** *Zeitungswesen*: *Am.* Platte *f* e-s Materndienstes. **~ suit** *s* Overall *m*.
boil·er·y ['bɔiləri] *s tech.* Siede'rei *f*.
boil·ing ['bɔiliŋ] **I** *adj* **1.** siedend, kochend: **~ heat** Siedehitze *f*; **~ spring** heiße Quelle. **2.** *fig.* kochend (**with rage** vor Wut), heiß, aufwallend (*Gefühl*). **II** *adv* **3.** kochend: **~ hot. 4.** *Am. colloq.* ‚mordsmäßig': **~ drunk. III** *s* **5.** Sieden *n*, (Auf)Kochen *n*, Wallen *n* (*a. fig.*). **6.** (*das*) Gekochte: **the whole ~** *sl.* die ganze Sippschaft *od.* ‚Blase'. **~ point** *s* Siedepunkt *m*.
bois·ter·ous ['bɔistərəs] *adj* (*adv* **~ly**) **1.** rauh, stürmisch, ungestüm. **2.** lärmend, tobend, geräuschvoll, laut. **3.** ausgelassen, turbu'lent. '**bois·ter·ous·ness** *s* Ungestüm *n*.
bo·ko ['boukou] *s Br. sl.* ‚Zinken' *m*, ‚Gurke' *f* (*Nase*).
bo·la ['boulə] *s* Bola *f*, Wurfschlinge *f*.
bold [bould] *adj* (*adv* **~ly**) **1.** kühn: a) mutig, beherzt, verwegen, unerschrocken, b) keck, dreist, frech, unverschämt, anmaßend: **to make ~ to** sich erdreisten *od.* sich die Freiheit

nehmen *od.* es wagen zu; to make ~ (with) sich Freiheiten herausnehmen (gegen); as ~ as brass *colloq.* frech wie Oskar, unverschämt. **2.** kühn: a) gewagt, mutig: a ~ plan; a ~ speech, b) fortschrittlich: a ~ design. **3.** scharf her'vortretend, ins Auge fallend, deutlich, ausgeprägt: in ~ outline in deutlichen Umrissen; with a few ~ strokes of the brush mit ein paar kühnen Pinselstrichen. **4.** steil, abschüssig. '~-ˌ**faced** *adj* **1.** → bold 1 b. **2.** *print.* (halb)fett.

bold·ness ['bouldnis] *s* **1.** Kühnheit *f.* **2.** Keckheit *f*, Dreistigkeit *f.* **3.** deutliches Her'vortreten. **4.** Steilheit *f.*

bole[1] [boul] *s* **1.** Baumstamm *m.* **2.** Rolle *f*, Walze *f.* **3.** *mar.* kleines Boot (*für hohen Seegang*).

bole[2] [boul] *s min.* Bolus *m*, Siegelerde *f.*

bo·le·ro [bo'lɛ(ə)rou] *s* Bo'lero *m*: a) *spanischer Tanz*, b) *kurzes Jäckchen.*

bo·le·tus [bo'liːtəs] *s bot.* Bo'letus *m*, [Röhrenpilz *m.*]

boll [boul] *s bot.* Samenkapsel *f* (*Baumwolle, Flachs*).

bol·lard ['bɒlərd] *s mar.* Poller *m* (*am* [*Kai*).]

boll| wee·vil *s zo.* Baumwollkapselkäfer *m.* '~ˌ**worm** *s zo. Larve e-s Eulenfalters* (*Baumwollschädling*).

Bo·lo·gna| flask, ~ phi·al [bə'lounjə] *s phys.* Bolo'gneser Fläschchen *n*, Springkolben *m.* ~ **saus·age** *s* Bolo'gneser Wurst *f*, Mettwurst *f.*

bo·lo·graph ['bouləˌgræ(ː)f; *Br. a.* -ˌgrɑːf] *s phys.* bolo'metrische Aufzeichnung.

bo·lom·e·ter [bo'lɒmitər] *s phys.* Bolo'meter *n* (*Apparat zur Messung sehr schwacher Wärmestrahlen etc*).

bo·lo·ney [bə'louni] *s* **1.** *sl.* ‚Quatsch' *m*, Geschwafel *n.* **2.** *Am. colloq.* Mettwurst *f.*

Bol·she·vik, b~ ['bɒlʃəvik] **I** *s* Bolsche'wik *m.* **II** *adj* bolsche'wistisch. '**Bol·sheˌvism, b~** *s* Bolsche'wismus *m.* '**Bol·she·vist, b~ I** *s* Bolsche'wist *m.* **II** *adj* bolsche'wistisch. ˌ**Bol·she'vis·tic, b~** → Bolshevist II. ˌ**Bol·she·vi'za·tion, b~** *s* Bolschewi'sierung *f.* '**Bol·sheˌvize, b~** *v/t* bolschewi'sieren.

Bol·shie, b~, *a.* **Bol·shy, b~** ['bɒlʃi] *s* [*colloq.* Bolsche'wik *m.*]

bol·ster ['boulstər] **I** *s* **1.** Kopfpolster *n* (*unter dem Kopfkissen*). **2.** Polster *n*, Kissen *n*, 'Unterlage *f* (*a. tech.*). **3.** *tech.* a) *allg.* Lager(ung *f*) *n*, b) Achsschemel *m* (*am Wagen*), c) Scheibe *f* zwischen Angel u. Klinge (*des Messers*), d) Endplatte *f* (*am Heft e-s Taschenmessers*). **4.** *arch.* a) ~ of cent(e)ring Schalbrett *n* e-s Lehrgerüstes, b) Polster *n* (*zwischen den Voluten e-s ionischen Kapitells*), c) Sattel-, Trummholz *n.* **II** *v/t* **5.** *j-m* Kissen 'unterlegen. **6.** (aus)polstern. **7.** *meist* ~ up (unter)'stützen, (künstlich) aufrechterhalten, stärken.

bolt[1] [boult] **I** *s* **1.** Bolzen *m*, Pfeil *m* (*a. fig.*): to shoot one's ~ e-n (letzten) Versuch machen; he has shot his ~ er hat sein Pulver verschossen; a fool's ~ is soon shot Narrenwitz ist bald zu Ende; ~ upright bolzen-, kerzengerade. **2.** Blitz(strahl) *m*, Donnerkeil *m*: a ~ from the blue *fig.* ein Blitz aus heiterem Himmel. **3.** (Wasser-*etc*)Strahl *m.* **4.** *tech.* (Tür-, Schloß)-Riegel *m.* **5.** *tech.* (Schrauben)-Bolzen *m*, Schraube *f* (mit Mutter): ~ nut Schraubenmutter *f.* **6.** *tech.* Dorn *m*, Stift *m.* **7.** *mil. tech.* Bolzen *m*, (*Gewehr- etc*)Schloß *n.* **8.** *Buchbinderei*: noch unaufgeschnittener Druckbogen. **9.** *econ.* Ballen *m* (*von Br. 38,4 m, Am. 36,6 m Stoff*), Rolle *f* (*von Am. 14,6 m Tapetenstreifen*). **10.** *bot.* a) Butterblume *f*, b) (*bes.* Knolliger) Hahnenfuß. **11.** plötzlicher Satz *od.* Sprung, (blitzartiger) Fluchtversuch, 'Durchbrennen *n*: he made a ~ for the door er machte e-n Satz zur Tür; to make a ~ for it → 14. **12.** *pol. Am.* Weigerung *f*, die Poli'tik *od.* e-n Kandi'daten der eigenen Par'tei zu unter'stützen.

II *v/i* **13.** rasen, stürmen, stürzen (from, out of aus). **14.** 'durchbrennen, da'vonlaufen, ausreißen, sich aus dem Staub machen. **15.** scheuen, 'durchgehen (*Pferd*). **16.** *a.* ~ up (erschreckt *od.* hastig) hochfahren. **17.** *pol. Am.* den Beschlüssen der eigenen Par'tei zu'widerhandeln *od.* die Zustimmung verweigern. **18.** *agr.* vorzeitig in Samen schießen.

III *v/t* **19.** *Worte* her'vorstoßen, her'ausplatzen mit. **20.** *hunt. Hasen etc* aufstöbern, aus dem Bau treiben. **21.** *oft* ~ down *Essen* hin'unterschlingen, *ein Getränk* hin'unterstürzen. **22.** *e-e Tür etc* ver-, zuriegeln. **23.** *tech.* mit Bolzen befestigen, verbolzen, ver-, festschrauben: ~ed connection, ~ed joint Schraubverbindung *f*, Verschraubung *f.* **24.** *Stoff* in Ballen *od. Tapeten* in Rollen wickeln. **25.** *obs. fig.* fesseln. **26.** *pol. Am. die eigene Partei od. ihre Kandidaten* nicht unter'stützen, sich von *s-r Partei* lossagen.

bolt[2] [boult] *v/t* **1.** *Mehl* sieben, beuteln. **2.** *fig.* unter'suchen, sichten.

bol·tel ['boultəl] *s arch.* starker Rundstab, Wulst *m.*

bolt·er[1] ['boultər] *s* **1.** Ausreißer *m*, 'Durchgänger *m* (*bes. Pferd*). **2.** *pol. Am.* j-d, der (den Beschlüssen) s-r Par'tei zu'widerhandelt, Abtrünnige(r *m*) *f.*

bolt·er[2] ['boultər] *s* Beutelwerk *n*, [(Mehl)Beutel *m.*]

'**bolt|ˌhan·dle** *s tech.* **1.** Handgriff *m* des Schubriegels (*an Türen etc*). **2.** *mil.* Kammerstengel *m* (*am Gewehr*). '~ˌ**head** *s* **1.** *tech.* Schrauben-, Bolzenkopf *m.* **2.** *chem. hist.* (Destil'lier)-Kolben *m.* '~ˌ**hole** *s* **1.** *tech.* Bolzenloch *n.* **2.** *Bergbau*: Wetterloch *n*: to cut ~s e-n Gang verschrämen. **3.** *Br.* Schlupfwinkel *m.* ~ **po·si·tion** *s mil.* Riegelstellung *f.* '~ˌ**rope** *s mar.* Liek *n* (*a. am Ballon*), Saum *m* (*am Segel*): ~ line Liekleine *f.* ~ **screw** *s tech.* Bolzenschraube *f.*

bo·lus ['bouləs] *pl* **-lus·es** *s* **1.** *pharm.* Bolus *m*, große Pille. **2.** runder Klumpen, Kloß *m.*

bomb [bɒm] **I** *s* **1.** *mil.* a) *aer.* (Spreng-, Flieger)Bombe *f*: the ~ die (Atom)-Bombe, b) 'Handgraˌnate *f*, c) Sprenggeschoß *n.* **2.** *allg.* Bombe *f* (*a. fig.*), Sprengkörper *m.* **3.** *tech.* a) Gasbombe *f*, Stahlflasche *f*, b) Zerstäuberflasche *f* (*für Schädlingsbekämpfung etc*). **II** *v/t* **4.** mit Bomben belegen, bombar'dieren, zerbomben: ~ed out ausgebombt; ~ed site Ruinengrundstück *n.* **5.** ~ up *Bomber* mit Bomben beladen.

bom·bard I *s* ['bɒmbɑːrd] **1.** *mil. hist.* Bom'barde *f* (*altes Steingeschütz*). **2.** *mus.* a) *hist.* Bom'bard(e *f*) *m*, (Baß)Pommer *m* (*a. Orgelregister*), b) Kontrabaßtuba *f.* **II** *v/t* [bɒm'bɑːrd] **3.** bombar'dieren, beschießen (*beide a. phys.*), Bomben werfen auf (*acc*). **4.** *fig.* bombar'dieren, bestürmen (with mit).

bom·bard·ier [ˌbɒmbər'dir] *s mil.* **1.** *Br.* Artille'rieˌunteroffiˌzier *m.* **2.** *aer.* Bombenschütze *m.* **3.** *obs.* Kano'nier *m.*

bom·bard·ment [bɒm'bɑːrdmənt] *s* Bombarde'ment *n*, Bombar'dierung *f*, Beschießung *f* (*alle a. phys.*).

bom·bar·don ['bɒmbərdn; bɒm'bɑːrdn] *s mus.* Bombar'don *n*, 'Helikon *n.*

bom·bast ['bɒmbæst] *s* **1.** *fig.* Bom'bast *m*, (leerer) Wortschwall, Schwulst *m.* **2.** *obs.* a) rohe Baumwolle, b) Wat'tierung *f.* **bom'bas·tic** *adj* (*adv* ~ally) bom'bastisch, hochtrabend, schwülstig.

Bom·bay duck ['bɒmbei] *s* **1.** *ichth.* indischer Seewels. **2.** *Delikatesse aus getrockneten ostindischen Seefischen.*

bomb| bay *s aer.* Bombenschacht *m.* ~ **cal·o·rim·e·ter** *s phys.* 'Bomben-, 'Kolbenkaloriˌmeter *n.* ~ **car·pet** *s mil.* Bombenteppich *m.* ~ **dis·pos·al** *s* Bombenräumung *f*: ~ squad Bombenräumungs-, Sprengkommando *n.* ~ **door** *s aer.* Bombenklappe *f.*

bombe [bɔ̃ːb] (*Fr.*) *s* (Eis)Bombe *f.*

bomb·er ['bɒmər] *s* Bomber *m*, Bombenflugzeug *n.*

bomb| ketch *s mar. hist.* Bombar'dierfahrzeug *n*, -schiff *n.* ~ **lance** *s mar.* Har'pune *f* mit Sprenggeschoß. '~ˌ**proof** *mil.* **I** *adj* bombensicher. **II** *s* Bunker *m.* ~ **rack** *s aer.* Bombenaufhängevorrichtung *f.* ~ **re·lease tel·e·scope** *s aer.* (Bomben)Abwurffernrohr *n.* '~ˌ**shell** *s* Bombe *f* (*bes. fig.*): the news came like a ~ die Nachricht schlug ein wie e-e Bombe. '~ˌ**sight** *s aer.* Bombenzielgerät *n.* ~ **throw·er** *s* **1.** *mil.* Gra'natwerfer *m.* **2.** a) j-d, der Bomben wirft, Attentäter *m*, b) *fig.* Anar'chist *m.*

bom·by·cid ['bɒmbisid] *s zo.* Spinner *m* (*Nachtschmetterling*).

bo·na| fi·de ['bounə 'faidi] *adj u. adv* **1.** ehrlich, redlich, echt. **2.** gutgläubig, in gutem Glauben, auf Treu u. Glauben: ~ possessor *jur.* gutgläubiger Besitzer. **3.** *econ.* so'lid: a ~ offer. ~ **fi·des** ['bounə 'faidiːz] (*Lat.*) *s* **1.** *jur.* guter Glaube. **2.** Ehrlichkeit *f*, Aufrichtigkeit *f*, ehrliche Absicht.

bo·nan·za [bo'nænzə] **I** *s Am.* **1.** *geol. min.* reiche Erzader (*bes. Edelmetalle*). **2.** *colloq.* Goldgrube *f*, Glücksquelle *f*, *a.* Fundgrube *f.* **3.** Fülle *f*, Reichtum *m*, große Menge. **II** *adj* **4.** sehr einträglich *od.* lukra'tiv: a ~ enterprise e-e Goldgrube.

bo·na·sus [bo'neisəs], **bo'nas·sus** [-'næsəs] *s zo.* **1.** Wisent *m.* **2.** Bison *m.*

bon·bon ['bɒnˌbɒn] *s* Bon'bon *m, n.*

bonce [bɒns] *s Br.* **1.** Murmel *f.* **2.** Murmelspiel *n.*

bond[1] [bɒnd] **I** *s* **1.** *pl obs. od. poet.* Fesseln *pl*, Ketten *pl*, Bande *pl*: in ~s in Fesseln, gefangen, versklavt; to burst one's ~s s-e Ketten sprengen. **2.** *pl fig.* Bande *pl*: the ~s of love. **3.** Bund *m*, Verbindung *f.* **4.** *econ.* Zollverschluß *m*: in ~ unter Zollverschluß, unverzollt; to place under (*od.* into) ~ in Zollverschluß legen; to release from ~ aus dem Zollverschluß nehmen, verzollen. **5.** *econ.* a) *allg.* (gesiegelte) Schuldurkunde, Schuld-, Verpflichtungsschein *m*, (urkundliche) Verpflichtung, b) festverzinsliches 'Wertpaˌpier, (*öffentliche*) Schuldverschreibung, Obligati'on *f*, (Schuld-, Staats)Anleihe *f*, c) *meist* mortgage ~ (Hypo'theken)Pfandbrief *m*: industrial (municipal) ~ Industrie-(Kommunal)anleihe *f*; ~ creditor Obligations-, Pfandbriefgläubiger *m*; ~ debtor Obligationsschuldner *m*; to enter a ~ e-e Verpflichtung eingehen. **6.** a) Bürge *m*, b) Bürgschaft *f*, Sicherheit *f*, (*a.* 'Haft)Kauti,on *f*: **to furnish a** ~ Kaution stellen, Sicherheit leisten; **his word is as good as his** ~ er ist ein Mann von Wort. **7.** *chem.* a) Bindung *f*, b) Wertigkeit *f*. **8.** *tech.* Bindemittel *n*: ~ **strength** Haftfestigkeit *f*. **9.** *electr.* Strombrücke *f* (*an Schienenstößen*). **10.** *arch.* (Holz-, Mauer-, Stein)Verband *m*. **11.** → **bond paper. II** *v/t* **12.** *econ.* a) verpfänden, b) durch Schuldverschreibung sichern, c) mit Obligati'onen belasten. **13.** *econ.* unter Zollverschluß legen. **14.** *chem. tech.* binden. **15.** *Steine etc* in Verband legen, einbinden. **III** *v/i* **16.** *tech.* binden.

bond² [bɒnd] *adj* in Knechtschaft, leibeigen.

bond·age ['bɒndidʒ] *s* **1.** Knechtschaft *f*, Sklave'rei *f* (*a. fig.*), Leibeigenschaft *f*: **to be in the** ~ **of vice** dem Laster verfallen sein. **2.** Gefangenschaft *f*. **3.** Zwang *m*.

bond·ed ['bɒndid] *adj econ.* **1.** verpfändet. **2.** durch Schuldverschreibung gesichert: ~ **claim** Forderung *f* aus Schuldverschreibungen; ~ **debt** fundierte Schuld, Anleiheschuld *f*. **3.** unter Zollverschluß (befindlich): ~ **goods**; ~ **warehouse** Zollspeicher *m* (für unverzollte Güter); ~ **value** unverzollter Wert; ~ **to destination** Verzollung *f* am Bestimmungsort.

bond·er·ize ['bɒndə,raiz] *v/t u. v/i Stahl* bondern (*mittels Phosphatlösung korrosionsfest machen*).

'**bond,hold·er** *s econ.* Obligati'onsinhaber(in).

bond·ing ['bɒndiŋ] *s chem. tech.* Bindung *f*: ~ **agent** Bindemittel *n*.

bond| is·sue *s econ.* Obligati'onsausgabe *f*, 'Anleiheemissi,on *f*. '~**,land** *s* Pachtland *n* mit Frondienst. '~**·man** [-mən] *s irr hist.* **1.** Leibeigene(r) *m*, Sklave *m*. **2.** Fronpflichtige(r) *m*. ~ **mar·ket** *s econ.* Rentenmarkt *m*. ~ **pa·per** *s* Bankpost *f*, 'Post-, 'Banknotenpa,pier *n*. ~ **serv·ant** → bondman 1.

bonds·man ['bɒndzmən] *s irr* **1.** *jur.* a) Bürge *m*, b) j-d, der gewerblich Kauti'on(en) stellt. **2.** → **bondman.**

bone¹ [boun] **I** *s* **1.** Knochen *m*, Bein *n*: **to make no** ~**s about** (*od.* **of**) a) nicht viel Federlesens machen mit, nicht lange fackeln mit, b) keine Skrupel haben hinsichtlich (*gen*), c) kein Hehl machen aus; **to feel s.th. in one's** ~**s** etwas in den Knochen *od.* instinktiv spüren; **to have a** ~ **to pick with s.o.** mit j-m ein Hühnchen zu rupfen haben; **to the** ~ *fig.* bis auf die Knochen, durch u. durch; **cut to the** ~ aufs äußerste reduziert (*Preis etc*); **bred in the** ~ angeboren; **bag of** ~**s** ,Gerippe' *n*, dürre Per'son; → **contention** 1. **2.** *pl* Gebein(e *pl*) *n*. **3.** Ske'lett *n*, Gerippe *n* (*a. fig.*). **4.** *pl fig.* ,Knochen' *pl*, Körper *m*: **my old** ~**s. 5.** (Fisch)Gräte *f*. **6.** *pl* Würfel *pl*: **to rattle the** ~**s** würfeln. **7.** *pl* Dominosteine *pl*. **8.** *pl* Kasta'gnetten *pl*. **9.** (Fischbein)Stäbchen *n*, Kor'settstangen *pl*. **10.** *Am. sl.* Dollar *m*. **II** *v/t* **11.** a) die Knochen her'ausnehmen aus, ausbeinen, b) *e-n Fisch* entgräten. **12.** (Fischbein)Stäbchen einarbeiten in (*ein Korsett*). **13.** *agr.* mit Knochenmehl düngen. **14.** *sl.* ,klauen' (*stehlen*). **15.** *oft* ~ **up** *Am. sl.* ,büffeln', ,ochsen' (**on s.th.** etwas). **III** *adj* **16.** beinern, knöchern.

bone² [boun] *v/t tech.* nivel'lieren.

bone| ash *s* Knochenasche *f*. ~ **bed** *s geol.* (*diluviales*) Knochenlager. ~ **black** *s* **1.** *chem.* Knochenkohle *f*. **2.** *paint.* Beinschwarz *n* (*Farbe*). ~ **brec·ci·a** *s geol.* 'Knochen,brekzie *f* (*durch Kalk verkittete diluviale Knochenablagerung*). ~ **car·ti·lage** *s zo.* Knochenknorpel *m*. ~ **chi·na** *s* (*ein*) feines Porzel'lan. ~ **crush·er** *s tech.* Knochenmühle *f*.

boned [bound] *adj* **1.** (*in Zssgn*) ...knochig: **strong-**~ starkknochig. **2.** *Kochkunst*: a) ohne Knochen, ausgebeint, b) entgrätet: ~ **fish. 3.** mit (Fischbein)Stäbchen versehen (*Korsett etc*).

'**bone|-'dry** *adj* **1.** staubtrocken. **2.** *Am. sl.* streng 'antialko,holisch, völlig ,trocken'. ~ **dust** → **bone meal.** ~ **earth** → **bone ash.** ~ **glue** *s* Knochenleim *m*. '~**,head** *s sl.* ,Holzkopf' *m* (*Dummkopf*). '~**-'i·dle** → bone-lazy. ~ **lace** *s* Klöppelspitze *f*. '~**-'la·zy** *adj* ,stinkfaul'.

bone·less ['bounlis] *adj* **1.** ohne Knochen *od.* Gräten. **2.** *fig.* rückgratlos.

bone| meal *s* Knochenmehl *n*. ~ **oil** *s chem.* Knochenöl *n*.

bon·er ['bounər] *s bes. Am. sl.* böser Schnitzer (*Fehler*).

'**bone|,set·ter** *s* Knocheneinrichter *m*. '~**,shak·er** *s humor.* ,alte Klappermühle' (*Fahrrad, bes. ohne Gummireifen*). ~ **spav·in** *s vet.* Hufspat *m* (*des Pferdes*). ~ **tar** *s chem.* Knochenteer *m*. ~ **yard** *s Am.* **1.** Schindanger *m*. **2.** *vulg.* Friedhof *m*. **3.** *colloq.* ,(*Auto- etc*)Friedhof' *m*, Schrottplatz *m*. **4.** *Dominospiel*: Re'servesteine *pl*.

bon·fire ['bɒn,fair] *s* **1.** Freudenfeuer *n*. **2.** a) Feuer *n* im Garten (*bes. zum Unkrautverbrennen*), Kar'toffelfeuer *n*, b) *allg.* Feuer *n*, ,Scheiterhaufen' *m*: **to make a** ~ **of s.th.** etwas vernichten.

bon·ho(m)·mie [,bɒnə'mi:; 'bɒnə,mi:] *s* Gutmütigkeit *f*, Joviali'tät *f*.

bo·nia·ta [bo'nja:tə] *s bot.* Yam-, Mehlwurzel *f*.

Bon·i·face ['bɒni,feis] *s colloq.* (durch'triebener, lustiger) Gastwirt.

bon·i·fi·ca·tion [,bɒnifi'keiʃən] *s econ.* **1.** a) (Boden)Verbesserung *f*, Meliorati'on *f*, b) Sa'nierung *f* (*e-s Bezirks*). **2.** Ausschüttung *f* e-r 'Extradivi,dende. **3.** Zollrückvergütung *f*.

bon·ing ['bouniŋ] **I** *s* Nivel'lieren *n*. **II** *adj* Nivellier...

bon mot [bɔ̃ 'mou] *pl* **bons mots** [bɔ̃ 'mouz] *s* Bon'mot *n*.

bonne [bɒn] (*Fr.*) *s* Hausangestellte *f*, *bes.* Kindermädchen *n*.

bon·net ['bɒnit] **I** *s* **1.** (*bes.* Schotten-)Mütze *f*, Kappe *f*: → **bee** 1. **2.** (Damen)Hut *m*, (Damen- *od.* Kinder-)Haube *f* (*meist randlos u. mit Bändern unter dem Kinn befestigt*). **3.** Kopfschmuck *m* (*der Indianer*). **4.** *tech. allg.* (Schutz)Kappe *f*, Haube *f*, *z. B.* a) *e-s offenen Kamins*, b) *rail.* Funkenfänger *m*, c) *rail.* (Plattform)Dach *n*, d) *Bergbau*: Schutzplatte *f* (*im Schacht*), e) *mot. Br.* Motorhaube *f*, f) Schutzkappe *f* (*für Ventile, Zylinder, Hydranten etc*). **5.** *zo.* zweiter Magen, Haube *f* (*der Wiederkäuer*). **6.** *sl.* a) Lockvogel *m*, Helfershelfer *m* (*e-s Falschspielers*), b) Scheinbieter *m* (*bei Auktionen*). **II** *v/t* **7.** *j-m* e-e Mütze *od.* Haube aufsetzen. **8.** mit e-r Schutzkappe *etc* versehen. **9.** *j-m* den Hut über die Augen drücken. ~ **mon·key** *s zo.* Hutaffe *m*. ~ **piece** *s Scot. hist. schottische Goldmünze.*

bon·ny ['bɒni] *adj bes. Scot.* **1.** hübsch, schön, nett (*alle a. iro.*), niedlich, ,süß': **a** ~ **girl; my** ~ **lad!** *iro.* (mein) Freundchen! **2.** prächtig, ,prima'. **3.** drall, rosig. **4.** gesund. **5.** *obs.* lustig.

bo·nus ['bounəs] *econ.* **I** *pl* **-nus·es** *s* **1.** Bonus *m*, Prämie *f*, Sondervergütung *f*, (Sonder)Zulage *f*: **hazard** ~ Gefahrenzulage; ~ **share,** ~ **issue** Gratisaktie *f*; ~ **system** (*od.* **plan**) Prämiensystem *n* (*für geleistetes Übersoll*). **2.** Gratifikati'on *f*: **Christmas** ~. **3.** *bes. Br.* 'Extradivi,dende *f*, Sonderausschüttung *f*. **4.** *Br.* Gewinnanteil *m* (*Erhöhung der Lebensversicherungssumme durch Ausschüttung*). **5.** *Am.* Subventi'on *f*, staatlicher Zuschuß. **6.** *econ. Am.* Dreingabe *f*: **two steak knives as a** ~. **7.** *allg.* Vergünstigung *f*. **8.** *euphem.* Bestechungsgeschenk *n*, Schmiergeld *n*. **II** *v/t* **9.** *Am.* a) Prämien *etc* gewähren (*dat*), b) subventio'nieren.

bon·y ['bouni] *adj* **1.** knöchern, Knochen...: ~ **process** Knochenfortsatz *m*. **2.** (stark-, grob)knochig. **3.** a) voll(er) Knochen, b) voll(er) Gräten (*Fisch*). **4.** knochendürr.

bonze [bɒnz] *s* Bonze *m* (*buddhistischer Mönch od. Priester*).

bonz·er·y ['bɒnzəri] *s* bud'dhistisches Kloster.

boo [bu:] **I** *interj* **1.** huh! (*um j-n zu erschrecken*). **2.** huh!, pfui! (*Ausruf der Verachtung*). **II** *s* **3.** ,Huh'- *od.* ,Pfui'-Ruf *m*, Pfui *n*: **greeted by** ~**s. III** *v/i* **4.** huh! *od.* pfui! schreien, ein ,'Pfeifkon,zert' veranstalten. **IV** *v/t* **5.** durch ,Pfui'-Rufe verhöhnen, niederbrüllen, auspfeifen.

boob [bu:b] *Am. sl.* **I** ,Dussel' *m*, ,Idi'ot' *m*, Tolpatsch *m*. **II** *v/t j-n* ,verschaukeln'. **III** *v/i* ,Mist bauen'.

boo-boo ['bu:,bu:] → **boner.**

boo·by ['bu:bi] *s* **1.** Tölpel *m*, Trottel *m*, Dummkopf *m*. **2.** *sport etc* Letzte(r *m*) *f*, Schlechteste(r *m*) *f*. **3.** *orn.* (*ein*) Tölpel *m* (*Seevogel*). ~ **hatch** *s* **1.** *mar.* Schiebeluke *f*. **2.** *Am. sl.* ,Klapsmühle' *f* (*Irrenhaus*). ~ **prize** *s* Trostpreis *m*. ~ **trap** *s* **1.** *mil.* Minenfalle *f*, Schreckladung *f*. **2.** *fig.* grober Scherz, ,Falle' *f* (*bes. über e-r halbgeöffneten Tür angebrachter Wassereimer*). **3.** *allg.* Falle *f*.

boo·dle ['bu:dl] *Am. sl.* **I** *s* **1.** → **caboodle. 2.** *bes. pol.* Schmier-, Korrupti'onsgeld(er *pl*) *n*, ergaunertes Geld. **3.** ,Blüten' *pl*, Falschgeld *n*. **4.** a) ,Zaster' *m* (*Geld*), b) (*ein*) Haufen *m* Geld. **5.** *allg.* Beute *f*. **II** *v/t* **6.** prellen, betrügen. **7.** ,schmieren', bestechen. **III** *v/i* **8.** Schmiergelder (an)nehmen, sich (kor'rupt) bereichern.

boog·ie woog·ie ['bugi 'wugi] *s mus.* Boogie-Woogie *m* (*Jazzstil u. Tanz*).

boo·hoo [,bu:'hu:] **I** *s* Geplärr *n*, Gebrüll *n*. **II** *v/i* brüllen, plärren.

book [buk] **I** *s* **1.** Buch *n*: ~ **of reference** Nachschlagewerk *n*; **the** ~ **of life** *fig.* das Buch des Lebens; **a closed** ~ *fig.* ein Buch mit sieben Siegeln (**to** für); **to be at one's** ~**s** über s-n Büchern sitzen; **in my** ~ *colloq.* m-r Meinung nach; **without** ~ a) aus dem Gedächtnis, b) ohne Autorität; **one for the** ~**(s)** *colloq.* ein ,Knüller' *od.* Schlager, e-e großartige Leistung; **he talks like a** ~ er redet wie ein Buch; **to suit s.o.'s** ~ j-m passen *od.* recht sein; → **blue book, leaf** 4. **2.** Buch *n* (*als Teil e-s literarischen Gesamtwerkes od. der Bibel*): **the** ~**s of the Old Testament. 3. the B**~, *a.* **the** ~ **of** ~**s, divine** ~, ~ **of God** die Bibel: **to kiss the B**~ die Bibel küssen; **to swear on the** ~ bei der Bibel schwören. **4.** *fig.* Vorschrift *f*, Kodex *m*: **according to the** ~ ganz vorschriftsmäßig; **by the** ~

a) ganz genau *od.* korrekt, b) ‚nach allen Regeln der (Kriegs)Kunst'; every trick in the ~ jeder nur denkbare Trick. **5.** *Am. colloq.* (*das*) ganze 'Strafenre͵gister: to throw the ~ at s.o. j-n zu sämtlichen einschlägigen Strafen verdonnern. **6.** *hist. obs.* (*bes.* 'Grundbesitzüber͵tragungs)Urkunde *f.* **7.** Liste *f*, Verzeichnis *n*: visitors' ~ Gästebuch *n*; to be on the ~s auf der (Mitglieder- *etc*)Liste stehen, eingetragenes Mitglied sein. **8.** *pl univ.* Liste *f* der Immatriku'lierten. **9.** *econ.* Geschäfts-, Handelsbuch *n*: ~s of accounts Rechnungs-, Geschäftsbücher; ~ account Buchkonto *n*; ~ of charges Ausgabe(n)-, Unkostenbuch; ~ of rates Zolltarif *m*; ~ of sales Warenverkaufsbuch; to close (*od.* balance) the ~s die Bücher abschließen; to shut the ~s das Geschäft(unternehmen) aufgeben; to keep the ~s die Bücher führen; to get (*od.* run) into s.o.'s ~s bei j-m Schulden machen; to be deep in s.o.'s ~s bei j-m tief in der Kreide stehen; to call (*od.* bring) s.o. to ~ *fig.* j-n zur Rechenschaft ziehen. **10.** a) No'tizbuch *n*, -block *m*, b) (Schreib-, Schul)Heft *n*: to be in s.o.'s good (bad) ~s *fig.* bei j-m gut (schlecht) angeschrieben sein. **11.** Wettbuch *n*: to make ~ Wetten annehmen. **12.** Opern-, Textbuch *n*, Li'bretto *n.* **13.** Heft *n*, Block *m*: stamp ~ Briefmarkenheft. **14.** *Whist u. Bridge*: Buch *n* (*die ersten 6 Stiche*).

II *v/t* **15.** *econ.* a) (ver)buchen, eintragen, b) *e-n Auftrag* no'tieren. **16.** aufschreiben, no'tieren: to ~ s.o. for reckless driving j-n wegen rücksichtslosen Fahrens aufschreiben (*Polizei*). **17.** *j-n* verpflichten, enga'gieren: to ~ a jazz band. **18.** *j-n als* (*Fahr*)*Gast, Teilnehmer etc* einschreiben, vormerken. **19.** *e-n Platz, ein Zimmer etc* (vor)bestellen, *ein Telephongespräch* anmelden, *e-e Eintritts- od. Fahrkarte* lösen: to ~ a seat (*od.* ticket) to London e-e Fahr-(Schiffs-, Flug)karte nach London lösen; to ~ in advance im voraus bestellen, *thea. a.* im Vorverkauf besorgen; (all) ~ed up ausverkauft, voll (besetzt). **20.** *e-n Termin* ansetzen. **21.** *Gepäck* aufgeben (to nach).

III *v/i* **22.** e-e (Fahr-, Schiffs-, Flug)-Karte lösen (to, for nach): to ~ through durchlösen (to bis, nach). **23.** sich (*für e-e Fahrt etc*) vormerken lassen, e-n Platz *etc* bestellen. **24.** ~ in *Br.* sich (im Ho'tel) anmelden.

book·a·ble ['bukəbl] *adj* im Vorverkauf erhältlich.

book·a·te·ri·a [͵bukə'ti(ə)riə] *s* Buchhandlung *f* mit Selbstbedienung.

'book|͵bind·er *s* Buchbinder *m.* '**~͵bind·ing** *s* **1.** Buchbinden *n.* **2.** Buchbinderhandwerk *n*, ͵Buchbinde'rei *f.* '**~͵burn·er** *s contp.* Bücherverbrenner *m.* '**~͵case** *s* **1.** 'Bücherschrank *m*, -re͵gal *n.* **2.** Buchdeckel *m.* **~ claim** *s econ.* buchmäßige Forderung. **~ clamp** *s* Bücherpreßlade *f.* **~ cloth** *s* Buchbinderleinwand *f.* **~ club** *s* **1.** Lesezirkel *m.* **2.** Büchergilde *f*, Buchgemeinschaft *f.* **~ debt** *s* Buchschuld *f*, buchmäßige Schuld. **~ debt·or** *s* Buchschuldner *m.*

booked [bukt] *adj* **1.** gebucht, eingetragen. **2.** vorgemerkt, bestimmt (for für). **3.** vorbestellt, reser'viert. **4.** *sl.* erwischt, ‚dran'.

book end *s* Bücherstütze *f.*

book·e·te·ri·a [͵bukə'ti(ə)riə] *s Am.* Buchhandlung *f* mit Selbstbedienung.

book·ie ['buki] *sl. für* bookmaker 2.

book·ing ['bukiŋ] *s* **1.** Buchen *n*, (Vor)Bestellung *f*: onward (return) ~ *aer.* Reservierung *f* für den Weiterflug (Rückflug). **2.** (Karten)Ausgabe *f.* **3.** *econ.* Buchung *f.* **4.** Eintragung *f* (*in Bücher, Listen etc*). **~ clerk** *s* Schalterbeamte(r) *m*, Fahrkartenverkäufer *m.* **~ hall** *s* Schalterhalle *f.* **~ of·fice** *s* **1.** (Fahrkarten)Schalter *m.* **2.** *Am.* Gepäckschalter *m*, -annahme *f.* **3.** (The'ater- *etc*)Kasse *f*, Vorverkaufsstelle *f.* **~ or·der** *s econ.* Bestellzettel *m.*

book·ish ['bukiʃ] *adj* (*adv* ~ly) **1.** Buch-..., Bücher...: ~ knowledge Bücherweisheit *f*; ~ person a) Büchermensch *m*, -narr *m*, b) Stubengelehrte(r) *m.* **2.** voll Bücherweisheit: ~ style papierener Stil. **3.** belesen, gelehrt. '**book·ish·ness** *s* trockene Gelehrsamkeit.

book| jack·et *s* 'Schutz͵umschlag *m*, Buchhülle *f* (*aus Papier*). '**~͵keep·er** *s* Buchhalter(in). '**~͵keep·ing** *s* Buchhaltung *f*, -führung *f*: ~ by single (double) entry einfache (doppelte) Buchführung; ~ department Buchhaltung(sabteilung) *f.* **~ knowl·edge** *s* Buchwissen *n*, -gelehrsamkeit *f*, Bücherweisheit *f.* '**~-͵learn·ed** → bookish 3. **~ learn·ing** → book knowledge.

book·let ['buklit] *s* Büchlein *n*, Bro'schüre *f.*

'book|͵lore → book knowledge. **~ louse** *s irr zo.* Bücherlaus *f.* '**~͵lov·er** *s* Bücherliebhaber(in), -freund(in). '**~-͵mak·er** *s* **1.** Bücherschreiber *m*, *bes.* Kompi'lator *m.* **2.** Buchmacher *m* (*Wettvermittler*). '**~͵mak·ing** *s* **1.** Bücherschreiben *n*, Kompilati'on *f* e-s Buches. **2.** *sport etc* Buchmache'rei *f.* '**~·man** [-mən] *s irr* **1.** Büchermensch *m*, (Stuben)Gelehrte(r) *m.* **2.** Buchhändler *m.* '**~͵mark(·er)** *s* Lesezeichen *n.* '**~͵mate** *s* Studiengenosse *m*, 'Schulkame͵rad *m.* **~·mo·bile** ['bukmə͵bi:l] *s Am.* ͵Wanderbüche'rei *f.* **~ mus·lin** *s Buchbinderei*: Or'gandy *m.* **B~ of Com·mon Prayer** *s* Gebetbuch *n* der Angli'kanischen Kirche. '**~͵plate** *s* Ex'libris *n.* **~ post** *s Br.* Drucksachen(post *f*) *pl*: (by) ~ unter Kreuzband. '**~͵rack** *s* **1.** 'Büchergestell *n*, -re͵gal *n.* **2.** 'Buch͵unterlage *f*, Lesepult *n.* '**~͵rest** *s* Lesepult *n.* **~ re·view** *s* Buchbesprechung *f.* **~ re·view·er** *s* Buchkritiker *m.* '**~͵sell·er** *s* Buchhändler(in). '**~-͵sell·ing** *s* Buchhandel *m.* '**~͵shelf** *s irr* 'Bücherre͵gal *n.* '**~͵shop** → bookstore. '**~͵stack** *s* 'Bücherre͵gal *n.* '**~͵stall** *s* Bücher(verkaufs)stand *m*, 'Zeitungsstand *m*, -ki͵osk *m.* '**~͵stand** *s* **1.** → bookrack. **2.** → bookstall. '**~͵store** *s Am.* Buchhandlung *f.* **~ to·ken** *s Br.* Büchergutschein *m.* **~ trade** *s* Buchhandel *m.* **~ truck** → bookmobile. **~ val·ue** *s econ.* Buchwert *m.* '**~-͵wise** → bookish 3. '**~͵work** *s* **1.** *print.* Werk-, Buchdruck *m.* **2.** Bücherstudium *n.* '**~͵worm** *s zo. u. fig.* Bücherwurm *m.*

book·sy ['buksi] *adj Am. colloq. iro.* ‚hochgestochen', ‚auf intellektu'ell machend'.

boom[1] [bu:m] **I** *s* **1.** Brummen *n*, Summen *n.* **2.** Dröhnen *n*, (*Geschütz- etc*)-Donner *m*, Brausen *n* (*der Wellen etc*). **3.** Schrei *m* (*der Rohrdommel etc*). **II** *v/i* **4.** brummen, summen. **5.** (dumpf) dröhnen, donnern, brüllen (*Brandung, Flugzeug, Geschütze etc*), brausen (*Wellen etc*). **6.** schreien (*Rohrdommel*). **III** *v/t* **7.** *meist* ~ out dröhnen(d äußern).

boom[2] [bu:m] *s* **1.** *mar.* Baum *m*, Ausleger *m* (*als Hafen- od. Flußsperrgerät*). **2.** *mar.* Baum *m*, Spiere *f*: fore ~ Schonerbaum *m.* **3.** *pl mar.* Barring *f.* **4.** *Am.* Schwimmbaum *m* (*zum Auffangen des Floßholzes*). **5.** *tech.* Ausleger *m* (*e-s Krans*), Ladebaum *m.* **6.** *Film, TV*: Mikro'phon- *od.* Kamera-Galgen *m.*

boom[3] [bu:m] **I** *s* **1.** *econ.* Boom *m*: a) 'Hochkonjunk͵tur *f*, b) *Börse*: Hausse *f*, c) (plötzlicher) (wirtschaftlicher *od.* geschäftlicher) Aufschwung: ~ market Haussemarkt *m*; to curb (*od.* check) the ~ die Konjunktur bremsen. **2.** plötzliches Entstehen u. ra'pide Entwicklung (*e-r Stadt etc*). **3.** *Am.* a) Re'klamerummel *m*, (aufdringliche) Propa'ganda, Stimmungsmache *f* (*bes. für e-n Wahlkandidaten*), b) anwachsende Stimmung für e-n Kandi'daten. **4.** a) ko'metenhafter Aufstieg, b) Blüte(zeit) *f*, große Zeit, *a.* (Zeit *f* der) Populari'tät *f.* **II** *v/i* **5.** e-n ra'piden Aufschwung nehmen, flo'rieren, blühen: ~ing florierend, im Aufschwung (begriffen). **6.** in die Höhe schnellen, ra'pide (an)steigen (*Kurse, Preise*). **7.** *Am.* sehr rasch an Populari'tät zunehmen (*Person*). **III** *v/t* **8.** hochpeitschen, zu e-r ra'piden (Aufwärts)Entwicklung zwingen, *Preise* (künstlich) in die Höhe treiben. **9.** die Werbetrommel rühren für.

'boom|-and-'bust *s Am. colloq.* Zeit *f* außergewöhnlichen Aufstiegs, der e-e ernste Krise folgt. '**~͵boat** *s mar.* Deckboot *n.*

boom·er ['bu:mər] *s* **1.** *Am. colloq.* Haussi'er *m*, Speku'lant *m.* **2.** *Am. sl.* wandernder Arbeiter. **3.** *zo.* a) *Austral.* männliches Riesenkänguruh, b) Ka'nadischer Biber.

boom·er·ang ['bu:mə͵ræŋ] **I** *s* **1.** Bumerang *m* (*a. fig.*). **2.** *thea. Am.* Hebebühne *f* (*für Bühnenmaler*). **II** *v/i* **3.** zum eigenen Schaden gereichen.

boon[1] [bu:n] *s* **1.** Gabe *f.* **2.** Gefälligkeit *f.* **3.** *fig.* Segen *m* (to für).

boon[2] [bu:n] *adj* **1.** *poet.* gütig. **2.** munter, fröhlich.

boon| com·pan·ion *s* lustiger Kum'pan *od.* (Zech)Bruder. '**~͵dog·gle** *Am.* **I** *s* **1.** einfacher, handgemachter Gebrauchsgegenstand. **2.** Schlips *m od.* Hutband *n* (*der* Boy Scouts). **3.** *colloq.* sinnloses Pro'jekt, reine Zeitverschwendung. **II** *v/i* **4.** *colloq.* s-e Zeit verplempern.

boor [bur] *s* **1.** Bauer *m* (*a. fig. contp.*). **2.** *contp.* Flegel *m*, Grobian *m*, Lümmel *m*, ungebildeter Kerl. **3.** B~ → Boer I. '**boor·ish** *adj* (*adv* ~ly) **1.** bäurisch. **2.** *fig.* flegelhaft, grob, ungeschliffen. '**boor·ish·ness** *s* flegelhafte Art, Grobheit *f*, Ungeschliffenheit *f.*

boost [bu:st] **I** *v/t* **1.** *e-n Kletternden* von unten hochschieben, *j-m od. e-r Sache* nachhelfen (*a. fig.*). **2.** *econ. colloq. die Preise* in die Höhe treiben. **3.** *colloq.* fördern, Auftrieb geben (*dat*), *die Produktion etc* ankurbeln, steigern: to ~ business *econ.* die Wirtschaft ankurbeln; to ~ morale die (*Arbeits- etc*)Moral heben. **4.** *colloq.* Re'klame machen *od.* die Werbetrommel rühren für. **5.** *tech.* a) *Flüssigkeiten etc* unter erhöhten Druck setzen, b) *den Druck* erhöhen, c) durch erhöhten Druck regu'lieren. **6.** *electr.* a) *die Spannung* verstärken, anheben, b) *e-e Batterie* verstärken. **7.** *aer. mot.* aufladen. **8.** *Am. sl.* ‚klauen' (*stehlen*). **II** *v/i* **9.** *colloq.* Förderung *f*, ‚Spritze' *f*, Schützenhilfe *f.* **10.** Auftrieb *m*, Belebung *f.* **11.** (*Lohn-, Preis-, Produktions- etc*)Erhöhung *f*, Steigerung *f*: ~ **in pay** *Am.* Gehaltserhöhung. **12.** *electr. tech.* Verstärkung *f* (*a. fig.*). **13.** *aer. mot.* Aufladung *f*, Ladedruck *m.* **14.** *colloq.* Re'klame *f.*

boost·er ['buːstər] *s* **1.** *colloq.* Förderer *m*, Re'klamemacher *m.* **2.** *colloq.* Preistreiber *m.* **3.** *tech.* Verstärker *m*, Verstärkung *f*, 'Zusatz(aggre,gat *n*) *m.* **4.** *electr.* a) *a.* ~ **dynamo** 'Zusatzdy,namo *m*, b) Servomotor *m*, c) *a.* ~ **amplifier** Zusatzverstärker *m.* **5.** *a.* ~ **charge** *mil. tech.* Über'tragungsladung *f.* **6.** *tech.* Kom'pressor *m.* **7.** *a.* ~ **pump** *tech.* Förderpumpe *f.* **8.** *Raketentechnik*: a) 'Antriebsaggre,gat *n*, b) erste Stufe, Zündstufe *f.* **9.** → **booster shot.** ~ **coil** *s electr.* Anlaßspule *f.* ~ **re·lay** *s electr.* 'Hilfsre,lais *n.* ~ **rock·et** *s aer.* 'Startra,kete *f.* ~ **shot** *s med.* Wieder'holungsimpfung *f.*

boot[1] [buːt] **I** *s* **1.** (*Am.* Schaft-, *Br.* Halb)Stiefel *m*: **the ~ is on the other leg** a) der Fall liegt umgekehrt, b) die Verantwortung liegt (jetzt) bei der anderen Seite; **he had his heart in his ~s** ihm fiel (vor Angst) das Herz in die Hose; **to die in one's ~s** a) in den Sielen sterben, b) e-s plötzlichen *od.* gewaltsamen Todes sterben; **you can bet your ~s on that** *sl.* darauf können Sie Gift nehmen (*sich verlassen*); **too big for one's ~s** ‚üppig', größenwahnsinnig, frech; **the ~ of Italy** *geogr. humor.* der italienische ‚Stiefel'. **2.** *hist.* spanischer Stiefel (*Folterinstrument*). **3.** *hist.* Beinharnisch *m.* **4.** Hufstiefel *m* (*für Pferde*). **5.** *orn.* Beinfedern *pl* (*von Geflügel*). **6.** *Br.* a) Kutschkasten *m* (*für Gepäck*), b) *mot.* Kofferraum *m.* **7.** *tech.* a) Schutzkappe *f*, b) ('Autoreifen)Unter,legung *f.* **8.** *obs.* Trinkschlauch *m.* **9.** Strumpfbein *n.* **10.** a) Fußtritt *m*, b) *sl.* Laufpaß *m*, Entlassung *f*: **to get the ~** ‚fliegen' (*entlassen werden*); **to give s.o. the ~** → 16. **11.** *Am. sl.* a) *mil.* Re'krut *m* (*bes. der Marine*[*infanterie*]), b) Anfänger *m.* **12.** *Aeronautik*: (pneu'matische) Enteisungsvorrichtung. **13.** *Am. sl.* ‚Patzer' *m* (*im Baseball*). **II** *v/t* **14.** *j-m* (die) Stiefel anziehen. **15.** e-n Tritt versetzen (*dat*), *a. den Ball* treten. **16.** *sl. j-n* a) 'rausschmeißen (*entlassen*), b) ausbooten.

boot[2] [buːt] *obs.* **I** *s* **1.** Vorteil *m*, Gewinn *m*, Nutzen *m.* **2.** Zugabe *f* (*nur noch in*): **to ~** obendrein, noch dazu. **II** *v/i u. v/t* **3.** (*j-m*) nützen.

boot[3] [buːt] *s obs.* Beute *f.*

'boot,black *s bes. Am.* Schuhputzer *m.*

boot·ed ['buːtid] *adj* gestiefelt: ~ **and spurred** gestiefelt u. gespornt.

boot·ee [,buː'tiː] *s* **1.** Damen-Halbstiefel *m.* **2.** gestrickter Babyschuh.

Bo·ö·tes [bo'outiːz] *s astr.* Bärenhüter *m* (*Sternbild*).

booth [buːð; *Am. a.* buːθ] *s* **1.** (Bretter)Hütte *f*, (Markt)Bude *f*, (Messe)Stand *m.* **2.** (Fernsprech-, Wahl)Zelle *f.* **3.** *Film, Radio*: schalldichte Zelle. **4.** *Film*: feuersicherer Vorführraum. **5.** Ab'teil *n od.* Nische *f* (*in e-m Restaurant etc*).

'boot|,jack *s* Stiefelknecht *m.* **'~,lace** *s* Schnürsenkel *m*, Schuhriemen *m.*

'boot,leg *Am. colloq.* **I** *s* 'ille,gal 'hergestellte, schwarz verkaufte *od.* geschmuggelte Spiritu'osen *pl.* **II** *v/t bes. Spirituosen* 'ille,gal 'herstellen, schwarz verkaufen, schmuggeln; *weitS.* schieben mit. **III** *v/i* Spiritu'osen 'ille,gal 'herstellen, (*bes.* Alkohol)Schmuggel *od.* (-)Schwarzhandel treiben, schieben. **IV** *adj* 'ille,gal 'hergestellt, schwarz verkauft, geschmuggelt, Schmuggel..., Schmuggler...: ~ **whisky**; ~ **radio station** Schwarzsender *m.*

'boot,leg·ger *s Am. colloq.* **1.** (Alkohol)Schmuggler *m.* **2.** Schieber *m.*

'boot,leg·ging *s Am. colloq.* **1.** (Alkohol)Schmuggel *m.* **2.** Schiebung *f.*

boot·less ['buːtlis] *adj* nutzlos, erfolglos. **'boot·less·ly** *adv* vergeblich.

'boot,lick *sl.* **I** *v/t u. v/i* ‚kriechen' (vor *j-m*). **II** *s* ‚Kriecher' *m.*

boots [buːts] *s pl* (*als sg konstruiert*) *bes. Br.* Hausdiener *m* (*im Hotel*): **like old ~** *sl.* wie der Teufel.

'boot|,strap *s* **1.** Stiefelstrippe *f*, -schlaufe *f*: ~ **circuit** *electr.* Anodenbasisschaltung *f.* **2.** 'Ladepro,gramm *n* (*im Digitalrechner*). ~ **top** *s* Stiefelstulpe *f.* ~ **tree** *s* Stiefelleisten *m.*

boot·y ['buːti] *s* **1.** (Kriegs)Beute *f*, Beutegut *n*, Raub *m*: **to play ~** a) sich mit e-m anderen Spieler zur Ausplünderung e-s Dritten zs.-tun u. absichtlich verlieren, b) *fig.* sich listig verstellen. **2.** *fig.* (Aus)Beute *f*, Fang *m.*

booze [buːz] *colloq.* **I** *v/i* ‚saufen', (gewohnheits- *od.* 'übermäßig) trinken: **~d** ‚blau' (*betrunken*). **II** *s* a) ‚Zeug' *n* (*alkoholisches Getränk*), b) ‚Saufe'rei' *f*: **to go on** (*od.* **hit**) **the ~** ‚saufen'. **'~,hound** *s Am. sl.* Säufer *m.*

booz·er ['buːzər] *s* **1.** *colloq.* Säufer *m.* **2.** *Br. sl.* Kneipe *f.* **'booz·y** *adj colloq.* ‚benebelt', angetrunken.

bo·peep [bou'piːp] *s* Guck-guck-Spiel [*n.*]

bo·rac·ic [bo'ræsik] *adj chem.* boraxhaltig, Bor...: ~ **acid** Borsäure *f.*

bor·age ['bɒridʒ; *Am. a.* 'bɔːr-] *s bot.* Borretsch *m*, Gurkenkraut *n.*

bo·rate ['bɔːreit; -rit] *s chem.* borsaures Salz: ~ **of lead** Bleiborat *n.*

bo·rax ['bɔːræks] *s chem.* Borax *m.*

bor·dar ['bɔːrdər] *s Br. hist.* Kätner *m.*

Bor·deaux [bɔːr'dou] *s* Bor'deaux(wein) *m.* ~ **mix·ture** *s agr. chem.* Kupferkalkbrühe *f.*

bor·del ['bɔːrdl] *s obs.* Bor'dell *n.*

bor·der ['bɔːrdər] **I** *s* **1.** Rand *m.* **2.** Einfassung *f*, Saum *m*, Um'randung *f*, Borte *f*, Randverzierung *f*, *a. print.* Rand-, Zierleiste *f.* **3.** Gebiets- *od.* Landesgrenze *f*: **on the ~** an der Grenze; ~ **crossing point** Grenzübergang(sstelle *f*) *m*; ~ **incident** Grenzzwischenfall *m.* **4.** *a.* ~ **area** Grenzgebiet *n*: **the B~** Grenze *f od.* Grenzgebiet *n* zwischen England u. Schottland; **north of the B~** in Schottland. **5.** *agr.* Rain *m.* **6.** *Gartenbau*: Ra'batte *f*, Randbeet *n.* **7.** *pl* → **border lights. II** *v/t* **8.** einfassen. **9.** (um)'säumen: **a lawn ~ed by trees.** **10.** begrenzen, (an)grenzen *od.* stoßen an (*acc*). **11.** *tech.* rändern, (um)'bördeln. **III** *v/i* **12.** (an)grenzen, (an)stoßen (**on, upon** an *acc*): **it ~s on insolence** es grenzt an Unverschämtheit.

bor·der·er ['bɔːrdərər] *s* **1.** Grenzbewohner *m*, -nachbar *m.* **2. B~s** *pl mil.* 'Grenzregi,ment *n.*

bor·der·ing ['bɔːrdəriŋ] *s* **1.** Einfassung *f*, Besatz *m.* **2.** Materi'al *n* (*Stoff etc*) zum Einfassen *od.* Besetzen. **3.** *tech.* Bördeln *n*, Rändelung *f.*

'bor·der|,land *s* **1.** Grenzland *n*, -gebiet *n.* **2.** *fig.* a) Grenzland *n*, b) Randgebiet *n*, c) Niemandsland *n.* ~ **lights** *s pl thea.* Sof'fittenlichter *pl.* ~ **line** *s* Grenzlinie *f.* **'~,line** *adj* auf *od.* an der Grenze (*a. fig.*): ~ **case** *psych. etc* Grenzfall *m*; ~ **disease** latente Krankheit; ~ **joke** nicht mehr ganz salonfähiger Witz; ~ **state** Zwischenstadium *n.* ~ **stone** *s* **1.** Bord-, Randstein *m.* **2.** Grenzstein *m.*

bor·dure ['bɔːrdʒər] *s her.* 'Schild-, 'Wappenum,randung *f.*

bore[1] [bɔːr] **I** *s* **1.** *tech.* Bohrung *f*: a) Bohrloch *n*, b) 'Innen,durchmesser *m.* **2.** *Bergbau*: Bohr-, Schieß-, Sprengloch *n.* **3.** *mil. tech.* Bohrung *f*, Seele *f*, Ka'liber *n*: ~ **of a gun.** **4.** *geol.* Ausflußöffnung *f* (*e-s Geysirs*). **II** *v/t* **5.** (*bes.* aus)bohren, durch'bohren. **6.** durch'dringen, sich 'durchbohren durch: **to ~ one's way (into, through)** sich (mühsam) e-n Weg bahnen (in *dat od. acc*, durch). **7.** *sport sl. bes. ein anderes Rennpferd* (vom Kurs) abdrängen. **III** *v/i* **8.** bohren, Bohrungen machen, *Bergbau*: schürfen (**for** nach). **9.** *tech.* a) (*bei Holz*) (ins Volle) bohren, b) (*bei Metall*) (aus-, auf)bohren. **10.** *fig.* 'durch- *od.* vordringen, sich e-n Weg bahnen (**to** bis, zu, nach), sich (hin)'einbohren (**into** in *acc*).

bore[2] [bɔːr] **I** *s* **1.** a) (*etwas*) Langweiliges, langweilige *od.* stumpfsinnige *od.* fade Sache, b) unangenehme *od.* lästige Sache: **what a ~!** wie langweilig!, wie dumm!, so ein Mist! **2.** a) langweiliger Mensch, fader Kerl, b) (altes) Ekel. **II** *v/t* **3.** langweilen. **4.** *j-m* lästig sein *od.* auf die Nerven gehen.

bore[3] [bɔːr] *s* Springflut *f*, Flutwelle *f.*

bore[4] [bɔːr] *pret u. obs. pp von* **bear**[1].

bo·re·al ['bɔːriəl] *adj* **1.** nördlich (*a. biol.*). **2.** Nordwind...

Bo·re·as ['bɔːri,æs] **I** *npr* Boreas *m* (*Gott des Nordwindes*). **II** *s poet.* Nordwind *m.*

bore·dom ['bɔːrdəm] *s* **1.** Langeweile *f*, Gelangweiltsein *n.* **2.** Langweiligkeit *f*, Stumpfsinn *m.*

bo·reen [bo'riːn] *s Ir.* (*mit Bäumen od. Hecken eingefaßter*) Seiten- *od.* Reitweg.

bor·er ['bɔːrər] *s* **1.** *tech.* Bohrer *m.* **2.** Bohrarbeiter *m.* **3.** *zo.* (*ein*) Bohrer *m* (*Insekt*).

bo·ric ['bɔːrik] *adj chem.* Bor...: ~ **acid** [Borsäure *f.*]

bor·ing ['bɔːriŋ] **I** *s* **1.** Bohren *n*, Bohrung *f.* **2.** Bohrloch *n.* **3.** *pl* Bohrspäne *pl.* **II** *adj* **4.** bohrend, Bohr... **5.** langweilig. ~ **bar** *s tech.* Bohrstange *f.* ~ **head** *s tech.* Bohrkopf *m.* ~ **machine** *s* 'Bohrma,schine *f*, -bank *f.* ~ **tool** *s* Bohrstahl *m.*

born [bɔːrn] **I** *pp von* **bear**[1]. **II** *adj* **1.** geboren: ~ **of** geboren von, Kind des *od.* der; ~ **again** wiedergeboren; **an Englishman ~ and bred** ein (wasch)echter Engländer; **a ~ fool** ein völliger Narr; **never in all my ~ days** mein Lebtag (noch) nie. **2.** geboren, bestimmt (**to** zu): ~ **a poet, a ~ poet** zum Dichter geboren, ein geborener Dichter. **3.** angeboren: ~ **dignity.**

borne [bɔːrn] **I** *pp von* **bear**[1]. **II** *adj* **1.** (*in Zssgn*) getragen von, befördert mit *od.* auf (*dat*) *od.* in (*dat*): **lorry-~** mit (e-m) Lastwagen befördert; → **airborne** *etc.* **2.** geboren (by von).

bor·né [bɔːr'ne] (*Fr.*) *adj* bor'niert.

born·ite ['bɔːrnait] *s chem.* Bor'nit *n.*

bo·ron ['bɔːrɒn] *s chem.* Bor *n.*

bo·ro·si·lic·ic ac·id [,borosi'lisik] *s chem.* Borkieselsäure *f.*

bor·ough [*Br.* 'bʌrə; *Am.* 'bɔːrou] *s* **1.** *hist.* Burg(flecken *m*) *f.* **2.** *Br.* a) Stadt *f od.* städtischer Wahlbezirk mit eigener Vertretung im Parla'ment, b) Stadtgemeinde *f*: **parliamentary ~** wahlberechtigter Ort (*seit 1832*); **the four royal ~s in Scotland** die 4 königlichen Burgflecken in Schottland (*Edinburgh, Stirling, Linlithgow, Lanark*). **3.** the B~ (*Bezeichnung für*) Southwark *n* (*Stadtteil von London*). **4.** *Am.* a) (*in einigen Staaten*) Stadt- *od.* Dorfgemeinde *f*, b) e-r der 5 Verwaltungsbezirke von Groß-New-York. **B~ Coun·cil** *s Br.* Stadtrat *m.* **'~-'Eng·lish** *s jur. Br. obs.* Vererbung *f* auf den jüngsten Sohn *od.* Bruder. **'~,mon·ger** *s Br. hist.* (Ver)Käufer *m* des Parla'mentssitzes e-s Wahlbezirks. **~ ses·sions** *s pl* (*meist vierteljährlich*) vom Justice of the Peace abgehaltene Gerichtssitzungen *pl* (*für Strafsachen*).

bor·row ['bɒrou] **I** *v/t* **1.** borgen (*a. math.*), (ent)leihen (from, of von): **~ed funds** *econ.* Fremdmittel; **he lives on ~ed time** s-e Tage sind gezählt. **2.** *fig.* entlehnen, -nehmen, *iro.* ‚borgen': **to ~ a phrase from Shaw; to ~ trouble** sich unnötigen Ärger einhandeln; **~ed word** *ling.* Lehnwort *n.* **3.** *euphem.* ‚mitgehen lassen' (*stehlen*). **II** *v/i* **4.** borgen, *econ. a.* Geld *od.* Darlehen *od.* Kre'dit aufnehmen: **to ~ on securities** Effekten lombardieren. **'bor·row·er** *s* **1.** Entleiher(in), Borger(in). **2.** *econ.* Geld-, Darlehens-, Kre'ditnehmer(in). **3.** *fig.* Entlehner(in) (from von). **'bor·row·ing** *s* **1.** (Aus)Borgen *n*, Entleihen *n.* **2.** *econ.* Kre'ditaufnahme *f*: **~ power** Kreditfähigkeit *f.*

Bor·stal ['bɔːrstl] *s a.* **~ Institution** *Br.* Besserungsanstalt *f* für jugendliche Verbrecher, Jugendgefängnis *n*: **~ Association** Verein *m* zur Überwachung u. Betreuung jugendlicher Verbrecher; **~ system, ~ training** Jugendgefängnis *n* (*Strafvollzug für Heranwachsende*).

bort [bɔːrt] *s* **1.** Dia'mantabfall *m*, -splitter *pl.* **2.** *min.* unreiner, farbiger, *bes.* schwarzer Dia'mant.

bor·zoi ['bɔːrzɔi] *s* Bar'soi *m* (*russischer Windhund*).

bos·cage → **boskage.**

bosh[1] [bɒʃ] *s metall.* **1.** Kohlensack *m*, Rast *f* (*am Hochofen*). **2.** Kühltrog *m.*

bosh[2] [bɒʃ] *sl.* **I** *s a. interj* ‚Quatsch' *m*, Blödsinn *m.* **II** *v/t Br.* ‚verkohlen'.

bosk [bɒsk] *s poet.* Gehölz *n.*

bos·kage ['bɒskidʒ] *s* **1.** Gebüsch *n*, Buschwerk *n*, Dickicht *n.* **2.** 'Unterholz *n.* **'bosk·y** *adj* **1.** waldig, buschig. **2.** *Br. colloq.* ‚beschwipst'.

bos·om ['buzəm; *Am. a.* 'buːzəm] **I** *s* **1.** Busen *m*, Brust *f.* **2.** *fig.* Busen *m*, Herz *n* (*als Sitz der Gefühle etc*): **to keep** (*od.* **lock**) **s.th. in one's ~** etwas in s-m Busen verschließen; **to take s.o. to one's ~** j-n ans Herz drücken; **~-friend** Busenfreund(in). **3.** *fig.* Schoß *m*: **in the ~ of one's family** (**the Church**) im Schoße der Familie (der Kirche); → **Abraham. 4.** Tiefe *f*, (*das*) Innere: **the ~ of the earth** das Erdinnere. **5.** Brustteil *m* (*e-s Kleides etc*), *bes. Am.* (Hemd)Brust *f.* **'bos·omed** *adj* **1.** (*in Zssgn*) ...busig. **2.** *fig.* (in) um'geben (von), eingebettet (in *acc*).

bos·quet ['bɒskit] → **bosk.**

boss[1] [bɒs] **I** *s* **1.** (An)Schwellung *f*, Beule *f*, Höcker *m.* **2.** runde erhabene Verzierung, (*a.* Schild)Buckel *m*, Knauf *m*, Knopf *m.* **3.** *arch.* Bossen *m.* **4.** *tech.* a) (Rad-, Pro'peller-, Kolben- *etc*)Nabe *f*, b) Hals *m*, Verstärkung *f* (*e-r Welle*), c) Nocken *m.* **5.** *tech.* (Streich)Ballen *m*, (Auftrags)Kissen *n* (*für Farbe*). **6.** *geol.* Lakko'lith *m*, säulenförmiger Gesteinsblock. **II** *v/t* **7.** mit Buckeln *etc* verzieren *od.* besetzen. **8.** *tech.* bossen, treiben.

boss[2] [bɒs] *colloq.* **I** *s* **1.** Chef *m*, Boß *m*, Vorgesetzte(r) *m*, Meister *m.* **2.** *fig.* ‚Macher' *m*, Tonangebende(r) *m*, ‚Obermimer' *m.* **3.** *pol.* (Par'tei-, Gewerkschafts)Bonze *m*, (-)Boß *m.* **II** *adj Am.* **4.** erstklassig, ‚Super...': **a ~ player. 5.** Haupt... **III** *v/t* **6.** Herr sein über (*acc*), komman'dieren, leiten: **to ~ the show** der Chef vom Ganzen sein, ‚den Laden schmeißen'; **to ~ about** (*od.* **around**) herumkommandieren, ‚schurigeln'. **IV** *v/i* **7.** den Chef *od.* Herrn spielen, komman'dieren.

boss[3] [bɒs] *Br. sl.* **I** *s* Fehlschuß *m*, ‚Patzer' *m.* **II** *v/t* ‚verpatzen'.

'boss-'eyed *adj Br. sl.* **1.** auf e-m Auge blind. **2.** schielend. **3.** *fig.* schief.

boss·ism ['bɒsizəm] *s pol. Am.* po'litisches Bonzentum *od.* Cliquenwesen.

boss·y[1] ['bɒsi] *adj* mit Buckeln *etc* verziert (→ **boss**[1]).

boss·y[2] ['bɒsi] *adj colloq.* **1.** herrisch, herrschsüchtig, dikta'torisch. **2.** rechthaberisch.

Bos·ton ['bɒstən] *s* **1.** Boston *n* (*Kartenspiel*). **2.** Boston *m* (*langsamer Walzer*). **~ bag** *s* (*Art*) Bücher-, Aktentasche *f.* **~ baked beans** *s pl Am.* mit Speck u. Me'lasse gebratene Bohnen(kerne) *pl.* **~ rock·er** *s Am.* (*Art*) Schaukelstuhl *m.* **~ ter·ri·er** *s ein kleiner, glatthaariger Hund* (*Kreuzung zwischen Bulldogge u. Bullterrier*).

bo·sun ['bousn] → **boatswain.**

bo·tan·ic [bə'tænik; bo-] *adj* (*adv* **~ally**) → **botanical** I. **bo'tan·i·cal** [-kəl] **I** *adj* bo'tanisch, Pflanzen... **II** *s med.* Pflanzenheilmittel *n.* **bot·a·nist** ['bɒtənist] *s* Bo'taniker(in), Pflanzenkenner(in). **'bot·a,nize I** *v/i* botani'sieren. **II** *v/t* bo'tanisch erforschen.

bot·a·ny ['bɒtəni] *s* Bo'tanik *f*, Pflanzenkunde *f.* **B~ Bay** *s* 'Strafkolo,nie *f.*

botch [bɒtʃ] **I** *s* **1.** Flicken *m*, Flickwerk *n* (*a. fig.*). **2.** Pfusch(arbeit *f*) *m*: **to make a ~ of s.th.** etwas verpfuschen. **II** *v/t* **3.** zs.-flicken, -stoppeln, -schustern. **4.** verpfuschen. **III** *v/i* **5.** pfuschen.

botch·er[1] ['bɒtʃər] *s* **1.** Flickschneider *m*, Flickschuster *m* (*a. fig.*). **2.** Pfuscher *m*, Stümper *m.*

botch·er[2] ['bɒtʃər] *s* junger Lachs.

botch·y ['bɒtʃi] *adj* **1.** geflickt, voller Flicken. **2.** *fig.* zs.-geschustert.

bot·fly ['bɒt,flai] *s zo.* Pferdebremse *f.*

both [bouθ] **I** *adj u. pron* beide, beides: **~ my brothers** m-e beiden Brüder; **~ daughters** beide Töchter; **~ of them** sie *od.* alle beide; **they have ~ gone** sie sind beide gegangen; **look at it ~ ways** betrachte es von beiden Seiten; **you can't have it ~ ways** du kannst nicht beides haben, du kannst nur e-s von beiden haben; **I met them ~** ich traf sie beide. **II** *adv od. conj* **~ ... and** so'wohl ... als (auch); nicht nur ..., sondern auch.

both·er ['bɒðər] **I** *s* **1.** Belästigung *f*, Störung *f*, Plage *f*, Mühe *f*, Schere'rei *f*, Ärger *m*, Verdruß *m*, Kummer *m*: **this boy is a great ~** der Junge ist e-e große Plage. **2.** Lärm *m*, Aufregung *f*, Getue *n*, ‚Wirbel' *m.* **II** *v/t* **3.** belästigen, quälen, stören, beunruhigen, ärgern, plagen: **don't ~ me!** laß mich in Ruhe!; **to be ~ed about s.th.** über etwas beunruhigt sein; **I can't be ~ed with it now** ich kann mich jetzt nicht damit abgeben; **to ~ one's head about s.th.** sich über etwas den Kopf zerbrechen. **III** *v/i* **4.** (about) a) sich befassen, sich abgeben (mit), sich kümmern (um), b) sich aufregen (über *acc*): **I shan't ~ about it** ich werde mich nicht damit abgeben *od.* mir keine Sorgen darüber machen; **don't ~!** bemühen Sie sich nicht! **IV** *interj colloq.* **5.** verflixt!, wie dumm!: **~ it!** zum Kuckuck damit! **,both·er'a·tion** *colloq.* **I** *s* → **bother** 1. **II** *interj* zum Henker!

both·er·some ['bɒðərsəm] *adj* lästig, unangenehm.

both·y ['bɒθi] *s Scot.* Hütte *f.*

bo tree [bou] *s* **1.** *bot.* Heiliger Feigenbaum. **2. B~ T~** *relig.* (*der*) heilige (Feigen)Baum (*Buddhas*).

bot·ry·oid ['bɒtri,ɔid], **,bot·ry'oi·dal** *adj biol.* traubenförmig.

bot·ry·ose ['bɒtri,ous] *adj bot.* traubig.

bot·tle[1] ['bɒtl] **I** *s* **1.** Flasche *f* (*a. Inhalt*): **to bring up on the ~** *e-n Säugling* mit der Flasche aufziehen; **over a ~** bei e-r Flasche (*Wein etc*); **to crack a ~** (**together**) e-r Flasche den Hals brechen; **he is fond of the ~** er trinkt gern (*Wein, Bier*). **2.** *tech.* (Gas-)Flasche *f.* **II** *v/t* **3.** in Flaschen abfüllen, auf Flaschen ziehen. **4.** *bes. Br. Früchte etc* in Gläser einmachen, einwecken. **5. ~ up** *fig. Gefühle etc* unter'drücken: **~d-up emotions** aufgestaute Emotionen. **6. ~ up** *fig.* einschließen: **to ~ up the enemy troops.**

bot·tle[2] ['bɒtl] *s obs. od. dial.* (Heu-, Stroh)Bündel *n*, Bund *n.*

bot·tle| ba·by *s* Flaschenkind *n.* **~ brush** *s* **1.** Flaschenbürste *f.* **2.** *bot.* a) Acker-Schachtelhalm *m*, b) Tannenwedel *m*, c) (*e-e*) Banksie, (*ein*) Eisenholzbaum *m.* **'~-,chart** *s mar.* Karte *f* der Meeresströmungen (*nach ausgeworfenen u. wiedergefundenen Flaschen entworfen*). **~ coast·er** *s* Flaschenständer *m.*

bot·tled ['bɒtld] *adj* **1.** flaschenförmig. **2.** in Flaschen *od.* (Einmach)Gläser (ab)gefüllt: **~ beer** Flaschenbier *n.* **3.** *fig.* aufgestaut.

'bot·tle|-,fed child *s* Flaschenkind *n.* **'~-,gas** *s* Flaschengas *n.* **~ gourd** *s bot.* Flaschenkürbis *m.* **'~-'green I** *s* Flaschen-, Dunkelgrün *n.* **II** *adj* flaschen-, dunkelgrün. **'~,head** *s zo.* (*ein*) Schnabelwal *m.* **'~,hold·er** *s* **1.** *Boxen*: Sekun'dant *m.* **2.** *colloq.* Helfershelfer *m*, 'Hintermann *m.* **~ imp** *s* Flaschenteufelchen *n.* **'~,neck I** *s* **1.** verengte Fahrbahn. **2.** *fig.* Engpaß *m.* **3.** *fig.* ausweglose Situati'on. **II** *v/t u. v/i* **4.** *fig.* hemmen, lähmen. **'~,nose** *s zo.* **1.** *verschiedene Wale*: a) Großer Tümmler, Flaschennase *f*, b) → **bottlehead**, c) (*ein*) Grindwal *m.* **2.** *Am.* (*ein*) 'nordameri,kanischer Karpfenfisch. **~ nose** *s* Säufernase *f.* **~ o·pen·er** *s* Flaschenöffner *m.* **'~-,par·ty** *s* **1.** *Gesellschaft, zu der jeder Gast e-e Flasche Wein etc mitbringt.* **2.** *Zs.-kunft, bei der die gesetzliche Ausschankbeschränkung umgangen wird.* **'~-,post** *s* Flaschenpost *f.*

bot·tler ['bɒtlər] *s* Abfüller(firma *f*) *m.*

bot·tle| tree *s bot.* Au'stralischer Flaschenbaum. **~ wash·er** *s* **1.** 'Flaschenreiniger *m*, -spülma,schine *f.* **2.** *humor.* Fak'totum *n*, Mädchen *n* für alles.

bot·tling ['bɒtliŋ] *s tech.* Flaschenfüllung *f*, Abziehen *n* auf Flaschen: **~ machine** Abfüllmaschine *f.*

bot·tom ['bɒtəm] **I** *s* **1.** unterster Teil, Boden *m* (*Gefäß, Faß, Glas etc*), Fuß *m* (*Berg, Druckseite, Treppe etc*), Sohle *f* (*Brunnen, Schacht, Graben, Tal etc*), 'Unterseite *f*: **~!** (*Aufschrift auf Behältern*) Unten!; **at the ~ of the page** am Fuße der Seite; **at the ~ of the table** am Fuße *od.* untersten Ende der Tafel, *sport* am Tabellenende; **from the ~ up** *fig.* von Grund auf; **from the ~ of my heart** *fig.* aus Herzensgrund; ~s up *sl.* ex!, auf 'einen Zug austrinken! **2.** Boden *m*, Grund *m* (*von Gewässern*): the ~ of the sea der Meeresboden, -grund; to go to the ~ versinken; to send to the ~ auf den Grund schicken, versenken; to touch ~ auf Grund geraten, *fig.* den Tiefpunkt erreichen (*Preis etc*). **3.** Grund(lage *f*) *m*: to stand on one's own ~ *fig.* auf eigenen Füßen stehen; to be at the ~ of der (wahre) Grund sein für, hinter *e-r Sache* stecken; to get to the ~ of s.th. e-r Sache auf den Grund gehen *od.* kommen; to knock the ~ out of s.th. e-r Sache den Boden entziehen, etwas gründlich widerlegen; the ~ has fallen out of the market der Markt ist zs.-gebrochen *od.* hat e-n Tiefstand erreicht; at ~ im Grunde. **4.** *meist pl geol.* Schwemmland *n* (*Fluß*), Tiefland *n*. **5.** *mar.* a) Schiffsboden *m*, b) *weitS.* Schiff *n*: in British ~s; ~ up(wards) kieloben. **6.** (Stuhl)Sitz *m*. **7.** 'Unterteil *n* (*e-s Kleidungsstücks*), *bes.* Py'jamahosen *pl*. **8.** unterste (Spiel)Karte. **9.** *tech.* Bodensatz *m*. **10.** *colloq.* ‚Hintern' *m*, ‚Po'po' *m*. **11.** *fig.* a) Ausdauer *f*, b) (finanzi'elle) Re'serven *pl*.

II *adj* **12.** unterst(er, e, es), niedrigst(er, e, es), Tiefst...: ~ drawer Hamsterkiste *f*; ~ gear *mot.* erster *od.* niedrigster Gang; ~ line letzte *od.* unterste Zeile; ~ price niedrigster *od.* äußerster Preis; ~ view Ansicht *f* von unten. **13.** *fig.* zu'grundeliegend, grundlegend, Grund...: the ~ idea. **14.** letzt(er, e, es): to bet one's ~ dollar alles riskieren, absolut sicher sein.

III *v/t* **15.** mit e-m Boden *od.* (Stuhl)Sitz versehen: double-~ed mit doppeltem Boden. **16.** ergründen. **17.** als 'Unterlage dienen (*dat*). **18.** *tech.* grun'dieren. **19.** *fig.* etwas gründen (upon, on auf *acc*): ~ed on beruhend auf (*dat*).

IV *v/i* **20.** *tech.* den Boden erreichen. **21.** *fig.* fußen (upon, on auf *dat*).

bot·tom land → bottom 4.

bot·tom·less ['bɒtəmlis] *adj* (*adv* ~ly) **1.** bodenlos (*a. fig.*). **2.** *fig.* a) unergründlich, b) unerschöpflich, unbegrenzt, c) jeder Grundlage entbehrend.

bot·tom·ry ['bɒtəmri] *s mar.* Bodme'rei(geld *n*) *f*, Schiffsverpfändung(svertrag *m*) *f*: ~ bond *econ.* Bodmereibrief *m*.

bot·u·lism ['bɒtʃuˌlizəm; -tju-] *s med.* Wurst-, Fleischvergiftung *f*.

bou·cher·ize ['buːʃəˌraiz] *v/t tech.* boucheri'sieren.

bou·clé [bu'kle] (*Fr.*) *s* Bouclé(garn *n*, -stoff *m*) *n*.

bou·doir ['buːdwɑːr] *s* Bou'doir *n*, Damenzimmer *n*.

bouf·fant [bu'fɑ̃] (*Fr.*) *adj* **1.** gebauscht, Puff... (*Ärmel etc*). **2.** tou'piert (*Haare*).

bou·gain·vil·l(a)e·a [ˌbuːgən'viliə] *s bot.* Bougain'villea *f*.

bough [bau] *s* Ast *m*, Zweig *m*.

bought [bɔːt] *pret u. pp von* buy.

bou·gie [ˌbuː'ʒiː; 'buːˌʒiː] *s* **1.** Wachslicht *n*. **2.** *med.* Bou'gie *f*, Dehnsonde *f*.

bouil·lon [ˌbuː'jɔ̃; 'buljɒn] *s* Bouil'lon *f*, Fleischbrühe *f*.

boul·der ['bouldər] *s* **1.** Fluß-, Kopfstein *m*: ~ing Kopfsteinpflaster *n*. **2.** *geol.* er'ratischer Block, Findling *m*. **3.** *min.* (Erz)Klumpen *m* (*Ggs. Erzader*). ~ **clay** *s geol.* Geschiebelehm *m*. '~-ˌ**drift** *s geol.* er'ratisches Geschiebe. ~ **field** *s geol.* Felsen-, Blockmeer *n*. '~-**forˌma·tion** → boulder-drift. **B~ pe·ri·od** *s geol.* Eiszeit *f*.

boule [buːl] *s tech.* **1.** Einlegeholz *n*. **2.** Boule-Arbeit *f*, Einlegeholzarbeit *f*.

bou·le·vard ['buːlvɑːr; 'buːləˌvɑːrd] *s* **1.** Boule'vard *m*, Ring-, Prachtstraße *f*, *Am. a.* Hauptverkehrsstraße *f*. **2.** *Am.* Rasenstreifen *m* in der Mitte *od.* am Rande e-s Boule'vards. ~ **stop** *s Am.* Straßenkreuzung *f* mit 'Haltesiˌgnalen.

boult → bolt².

boul·ter ['boultər] *s* (*lange*) Angelschnur (*mit mehreren Haken*).

bounce [bauns] **I** *s* **1.** (plötzlicher, heftiger) Schlag *od.* Krach. **2.** Aufprall(en *n*) *m* (*e-s Balles etc*). **3.** Sprung *m*, Satz *m*, Schwung *m*. **4.** *Am. colloq.* ‚Schwung' *m*, ‚Schmiß' *m* (*Lebenskraft, -freude*). **5.** *Am. sl.* ‚Rausschmiß' *m* (*Entlassung*): to get the ~ ‚(raus)fliegen'. **6.** *fig.* a) Prahle'rei *f*, Über'treibung *f*, b) freche Lüge, c) Unverfrorenheit *f*. **II** *v/t* **7.** *e-n Ball etc* aufprallen lassen. **8.** (her'um)schmeißen, (-)schleudern. **9.** *Br. colloq.* a) *j-n* bluffen, b) *j-n* einschüchtern, drängen (into zu), c) *j-n* ‚anschnauzen'. **10.** *Am. sl. j-n* ‚rausschmeißen', an die Luft setzen. **III** *v/i* **11.** (auf-, an)prallen (on, at auf, an *dat od. acc*). **12.** springen, e-n Satz machen, (hoch)schnellen, hüpfen: to ~ over a fence; to ~ about herumhüpfen; to ~ off abprallen; to ~ into the room ins Zimmer platzen *od.* stürzen; he ~d out of his chair er schnellte von s-m Stuhl in die Höhe. **13.** *sl.* ‚platzen' (*ungedeckter Scheck*). **14.** ~ back *Am. colloq.* a) rasch wieder ‚da' *od.* auf den Beinen sein, b) sich wie ein Bumerang auswirken (on gegen). **15.** *Br.* ‚angeben', aufschneiden. **16.** *electr. tech.* prallen.

bounc·er ['baunsər] *s sl.* **1.** 'Prachtexemˌplar *n*: a) ‚Mordssache' *f*, b) ‚Mordskerl' *m*, c) ‚Prachtweib' *n*. **2.** *Br.* a) Angeber *m*, b) Lügner *m*. **3.** *Am.* ‚Rausschmeißer' *m* (*in Nachtklubs etc*). **4.** ungedeckter Scheck.

bounc·ing ['baunsiŋ] **I** *adj* **1.** ‚stramm' (*kräftig*): a ~ baby boy; a ~ girl. **2.** munter, lebhaft. **3.** ‚Mords...': a ~ lie. **II** *s* **4.** Hüpfen *n*. **5.** *TV Am.* 'Tanzefˌfekt *m*. **6.** *electr.* Prellen *n*.

bound¹ [baund] **I** *pret u. pp von* bind. **II** *adj* **1.** *a. chem. electr. ling.* gebunden, gefesselt. **2.** *fig.* verpflichtet (in zu): I'll be ~ ich bürge dafür, auf mein Wort; he is ~ to tell me er muß es mir sagen. **3.** *econ.* haftpflichtig. **4.** (vor'her)bestimmt, verurteilt (to do zu tun): to be ~ to do s.th. (zwangsläufig) etwas tun müssen; he is ~ to come er kommt bestimmt; he is ~ to be late er muß ja zu spät kommen; the plan was ~ to fail der Plan mußte ja fehlschlagen; it is ~ to happen one day es muß e-s Tages passieren. **5.** *oft* ~ and determined *Am. colloq.* (fest) entschlossen (to do zu tun). **6.** → bind up 3. **7.** *in Zssgn* festgehalten durch: → snow-bound *etc.*

bound² [baund] *adj* bestimmt, unter'wegs (for nach) (*bes. Schiff*): ~ for London; homeward (outward) ~ *mar.* auf der Heimreise (Ausreise) (befindlich); where are you ~ for? wohin reisen *od.* gehen Sie?

bound³ [baund] **I** *s* **1.** Grenze *f*, Schranke *f*: least upper ~ of a sequence *math.* obere Grenze e-r Folge; to keep s.th. within ~s etwas in vernünftigen Grenzen halten; to set ~s to s.th. e-r Sache e-e Grenze setzen, etwas in Schranken halten; beyond all ~s maßlos, grenzenlos. **2.** *pl* Bereich *m*: within the ~s of possibility im Bereich des Möglichen; out of ~s *Br.* Zutritt (für Militärpersonen) verboten. **3.** *pl* eingegrenztes Land. **II** *v/t* **4.** be-, abgrenzen. **5.** *fig.* beschränken, in Schranken halten. **6.** die Grenze bilden von.

bound⁴ [baund] **I** *s* **1.** Sprung *m*, Satz *m*, Schwung *m*: at a (single) ~ mit 'einem Satz; → leap 9. **2.** An-, Auf-, Rückprall *m*: on (*od.* at) the ~ in der Luft, beim Aufspringen (*den Ball schlagen*); to take before the ~ *fig.* zuvorkommen (*dat*). **3.** *mil.* Sprung *m* (*beim sprungweisen Vorgehen*). **II** *v/i* **4.** hüpfen, springen. **5.** (an-, auf-, ab)prallen.

bound·a·ry ['baundəri; -dri] *s* **1.** Grenze *f*, Grenzlinie *f*, Rand *m*. **2.** *Kricket*: Schlag *m* bis zur Spielfeldgrenze. **3.** *math. phys.* a) Be-, Abgrenzung *f*, b) Rand *m*, c) 'Umfang *m*. **4.** *tech.* Um'randung *f*. **5.** *mil.* Nahtstelle *f*. ~ **con·di·tion** *s math.* Grenzbedingung *f*. ~ **light** *s aer.* Grenzlichtbake *f*, (Platz)Randfeuer *n*. ~ **light·ing** *s aer.* (Platz)Randbefeuerung *f*. ~ **line** *s math.* Grenz-, Begrenzungslinie *f*. ~ **val·ue** *s math.* Randwert *m*.

bound·ed ['baundid] *adj math.* beschränkt, begrenzt, um'randet.

bound·en ['baundən] **I** *adj* **1.** *obs. fig.* a) gebunden, b) verpflichtet (to *dat*). **2.** verpflichtend: my ~ duty m-e Pflicht u. Schuldigkeit. **II** *obs. pp von* bind.

bound·er ['baundər] *s sl. contp.* Kerl *m*, ‚Stromer' *m*.

bound·less ['baundlis] *adj* (*adv* ~ly) **1.** *a. fig.* grenzenlos, unbegrenzt. **2.** un-, 'übermäßig.

boun·te·ous ['bauntiəs] *adj* (*adv* ~ly) → bountiful.

boun·ti·ful ['bauntiful] *adj* (*adv* ~ly) **1.** freigebig (of mit; to gegen), mild(tätig): → Lady Bountiful. **2.** reichlich, ('über)reich.

boun·ty ['baunti] *s* **1.** Mildtätigkeit *f*, Freigebigkeit *f*. **2.** (milde) Gabe, Spende *f* (*bes. von Herrschern*). **3.** Belohnung *f*, Prämie *f*. **4.** *mil.* Handgeld *n*. **5.** *econ.* Prämie *f* (*zur Förderung e-r Industrie etc*), Zuschuß *m* (on auf *acc*, für): ~ on exports Ausfuhrprämie. '~-ˌ**fed** *adj econ.* subventio'niert.

bou·quet [buː'kei; *Br. a.* 'bukei; *Am. a.* bou'kei] *s* **1.** Bu'kett *n*, (Blumen)Strauß *m*. **2.** A'roma *n*, *bes.* Blume *f* (*von Wein*). **3.** *Am.* Kompli'ment *n*.

Bour·bon ['burbən] *s* **1.** *pol.* Reaktio'när *m*, 'Stockkonservaˌtive(r) *m*. **2.** *bot.* Bour'bon-Rose *f*. **3.** b~ ['bəːrbən] *Am.* Maiswhisky *m*.

bour·don¹ ['burdn] *s mus.* Bor'dun *m*: a) Brummbaß *m*, -ton *m*, b) *gedacktes Orgelregister*, c) Brummer *m* (*des Dudelsacks*), d) Schnarrsaite *f*.

bour·don² ['burdn] *s obs.* (*bes.* Pilger)Stab *m*.

Bour·don| ga(u)ge [bur'dɔ̃] *s tech.* 'Röhrenmanoˌmeter *n*. ~ **spring** *s tech.* Bour'donfeder *f*.

bourg [burg] *s* **1.** (Burg)Flecken *m*. **2.** Stadt *f* (*auf dem Kontinent*).

bour·geois¹ ['burʒwɑː; bur'ʒwɑː] (*Fr.*) **I** *s* Bour'geois *m*, (Spieß)Bürger *m*. **II** *adj* bour'geois, (spieß)bürgerlich.

bour·geois² [bəːr'dʒɔis] **I** *s print.* Borgis *f* (*Schriftgrad*). **II** *adj* in Borgislettern gedruckt.

bourn(e)¹ [bɔːrn] *s* (Gieß)Bach *m*.

bourn(e)² [burn; bɔːrn] *s* **1.** *poet.* Ziel *n*. **2.** Bereich *m*, Gebiet *n*. **3.** *obs.* Grenze *f*.

bourse [burs] *s econ.* **1.** Börse *f*. **2.** B~ Pa'riser Börse *f*.

bouse¹ [baus; bauz] *v/t mar.* anholen.

bouse[2] [buːz; bauz] → booze.
bous·y ['buːzi; 'bauzi] *adj* betrunken.
bout [baut] *s* **1.** (Arbeits)Gang *m.* **2.** (Wett)Kampf *m, bes.* Ring- *od.* Boxkampf *m, fenc.* Gang *m.* **3.** (Tanz)Tour *f.* **4.** ‚Schlacht' *f, z. B.* (Wort)Streit *m,* lebhafte De'batte *od.* Sitzung. **5.** *fig.* Kraftprobe *f,* Kampf *m.* **6.** (Krankheits)Anfall *m,* At'tacke *f:* a ~ of rheumatism. **7.** (Trink)Gelage *n,* Zeche'rei *f:* drinking-~. **8.** Versuch *m,* kurze Beschäftigung (at mit): to have a ~ at s.th. es mal kurz mit etwas probieren; this ~ diesmal. **9.** Reihe(nfolge) *f:* this is my ~ now jetzt bin ich dran *od.* an der Reihe. **10.** *mus.* Einbuchtung *f,* Bügel *m.*
bo·vine ['bouvain] *adj* **1.** *zo.* Rinder... **2.** *fig.* (*a. geistig*) träge, schwerfällig.
bow[1] [bau] **I** *s* **1.** Verbeugung *f,* Verneigung *f:* to make one's ~ a) sich vorstellen, b) → bow out II; to take a ~ sich verbeugen, sich für den Beifall bedanken. **II** *v/t* **2.** beugen, neigen: to ~ one's head den Kopf neigen; to ~ one's knee das Knie beugen (to vor *dat*); to ~ the neck den Nacken beugen; to ~ one's thanks sich dankend verneigen; ~ed with grief gramgebeugt. **3.** biegen. **III** *v/i* **4.** (to) sich (ver)beugen *od.* (ver)neigen (vor *dat*), grüßen (*acc*): to ~ back to s.o. j-s Gruß erwidern; a ~ing acquaintance e-e bloße Grußbekanntschaft; on ~ing terms auf dem Grußfuße, flüchtig bekannt (with mit); to ~ and scrape Kratzfüße machen, *fig.* katzbuckeln. **5.** *fig.* sich beugen *od.* unter'werfen (to *dat*): to ~ to the inevitable sich in das Unvermeidliche fügen.
Verbindungen mit Adverbien:
bow| down *v/i* **1.** verehren, anbeten (to *acc*). **2.** → bow[1] 5. ~ **in** *v/t j-n* unter Verbeugungen hin'eingeleiten *od.* -komplimen,tieren. ~ **out I** *v/t j-n* hin'auskomplimen,tieren. **II** *v/i* sich verabschieden *od.* (unter Verbeugungen) zu'rückziehen.
bow[2] [bou] **I** *s* **1.** (Schieß)Bogen *m:* to draw (*od.* bend) the ~ den Bogen spannen; to have more than one string to one's ~ *fig.* mehrere Eisen im Feuer haben; to draw the long ~ *fig.* aufschneiden, übertreiben. **2.** *mus.* a) (Vio'lin- *etc*)Bogen *m,* b) (Bogen-)Strich *m.* **3.** *math.* Bogen *m,* Kurve *f.* **4.** *tech.* a) Gradbogen *m,* b) 'Bogenline,al *n,* c) *pl* Bogenzirkel *m.* **5.** *tech.* Bügel *m.* **6.** *electr.* Bügel *m,* Wippe *f* (*zur Stromabnahme*). **7.** *bes. Am.* Bügel *m* (*der Brille*). **8.** *arch.* Erker *m.* **9.** Knoten *m,* Schleife *f* (*a. vom Halstuch*). **II** *v/t* **10.** *mus.* (mit dem Bogen) streichen *od.* spielen *od.* geigen. **III** *v/i* **11.** *mus.* den Bogen führen.
bow[3] [bau] *s mar.* **1.** *a. pl* (Schiffs)Bug *m:* at the ~ am Bug; on the starboard (port) ~ an Steuerbord (Backbord) voraus. **2.** Bugmann *m od.* -riemen *m.*
'bow|,back ['bou-] *s ichth.* Seehering *m,* Weißfisch *m* (*Nordamerika*). **B~ bells** [bou] *s pl* Glocken *pl* der Kirche St. Mary le Bow (*in der City von London*): within the sound of ~ in der Londoner City. ~ **chas·er** [bau] *s mar. mil.* Heckgeschütz *n.* ~ **col·lec·tor** [bou] *s tech.* Bügel(strom)abnehmer *m.* ~ **com·pass(·es)** [bou] *s sg od. pl math. tech.* Bogenzirkel *m.*
Bow·den ca·ble ['boudn; 'baudn] *s tech.* Bowdenzug *m.*
bowd·ler·ism ['baudlə,rizəm] *s* Sucht *f,* Bücher von anstößig erscheinenden Stellen zu reinigen. **,bowd·ler·i'za·tion** *s* Reinigung *f* von anstößig erscheinenden Stellen. **'bowd·ler,ize** *v/t* **1.** *Bücher* von anstößig erscheinenden Stellen säubern. **2.** *fig.* verwässern.
bow drill [bou] *s tech.* Bogenbohrer *m.*
bowed[1] [baud] *adj* gebeugt, gebückt, geneigt.
bowed[2] [boud] *adj* **1.** bogenförmig. **2.** mit e-m Bügel *etc* versehen.
bow·el ['bauəl] **I** *s* **1.** *anat.* a) *meist pl* Darm *m,* b) *pl* Eingeweide *pl,* Gedärm *n:* open ~s offener Leib; to open the ~s abführen; to have open ~s regelmäßig Stuhlgang haben. **2.** *pl* (*das*) Innere, Mitte *f:* the ~s of the earth das Erdinnere. **3.** *pl obs. fig.* Herz *n,* (Mit)Gefühl *n.* **II** *v/t* → disembowel.
bow·er[1] ['bauər] **I** *s* **1.** (Garten)Laube *f,* schattiges Plätzchen. **2.** *poet.* Wohnung *f.* **3.** *obs.* Frauengemach *n,* Bou'doir *n.* **II** *v/t* **4.** einschließen.
bow·er[2] ['bauər] *s mar.* Buganker *m.*
bow·er[3] ['bauər] *s Euchre-Spiel:* Bube *m:* right ~ Trumpfbube.
'bow·er,bird ['bauər-] *s orn.* Laubenvogel *m.*
bow·er·y[1] ['bauəri] *adj* **1.** laubenähnlich. **2.** voller Lauben, schattig.
bow·er·y[2] ['bauəri] *s Am. hist.* **1.** Farm *f,* Pflanzung *f* (*e-s holländischen Siedlers im Staat New York*). **2.** the B~ die Bowery (*Straße u. Gegend in New York mit billigem Amüsierbetrieb*).
'bow|,grace ['bau-] *s mar.* Eisschutz *m* (*am Schiffsbug*). ~ **hand** [bou] *s* **1.** den Bogen haltende (linke) Hand (*des Bogenschützen*): wide on the ~ weit vom Ziel (*a. fig.*). **2.** *mus.* bogenhaltende *od.* -führende (rechte) Hand. **'~,head** ['bou-] *s zo.* Grönlandwal *m.*
bow·ie| knife ['boui; 'buːi] *s irr Am.* Bowiemesser *n* (*langes Jagdmesser*). **B~ State** *s Am.* (*Spitzname für den Staat*) Ar'kansas *n.*
bowl[1] [boul] *s* **1.** Napf *m,* Schüssel *f,* Becken *n,* Schale *f.* **2.** (Trink)Schale *f,* Humpen *m* (*a. fig.*), *fig.* Zeche'rei *f.* **3.** Bowle *f* (*Gefäß*). **4.** Abortschüssel *f.* **5.** *ausgehöhlter od. schalenförmiger Teil, bes.* a) (Pfeifen)Kopf *m,* b) (*Waag-, Leuchter- etc*)Schale *f,* c) Höhlung *f* (*vom Löffel etc*). **6.** *Am.* a) Stadion *n,* b) Freundschaftsspiel *n.*
bowl[2] [boul] **I** *s* **1.** a) (*hölzerne*) Kugel (*zum Bowls-Spiel*), Kegelkugel *f,* b) → bowls. **2.** *Scot.* Murmel *f.* **3.** Wurf *m,* Schieben *n* (der Kugel). **4.** *obs.* Kugel *f.* **5.** *tech.* Walze *f* (*der Tuchpresse*). **II** *v/t* **6.** *allg.* rollen (lassen), *die Kegelkugel* rollen, schieben, *den Ball* werfen. **7.** (*beim Kegeln*) *ein Ergebnis* erzielen, schieben. **8.** → bowl out 1. **III** *v/i* **9.** a) Bowls spielen, b) kegeln. **10.** *Kricket:* den Ball (*mit gestrecktem Arm*) werfen. **11.** → bowl along.
Verbindungen mit Adverbien:
bowl| a·long *v/i* (da'hin)rollen, (-)gondeln (*Wagen*). ~ **down** *v/t* **1.** *Kegel* 'umwerfen. **2.** → bowl out 2. ~ **out** *v/t* **1.** *Kricket:* a) werfen auf (*den Dreistab*), b) *den Schlagmann* (durch Treffen des Dreistabs) ‚ausmachen'. **2.** *fig. j-n* ‚erledigen', aus dem Rennen werfen, schlagen. ~ **o·ver** *v/t* 'umwerfen (*a. fig.*).
bow·leg·ged ['bou'legid; *Br. a.* -'legd] *adj* krumm-, säbel-, O-beinig. **'bow-,legs** *s pl* Säbelbeine *pl,* O-Beine *pl.*
bowl·er ['boulər] *s* **1.** a) *Br.* Bowls-Spieler *m,* b) *Am.* Kegler *m.* **2.** *Kricket:* Ballmann *m,* Werfer *m.* **3.** *a.* ~ hat *Br. colloq.* ‚Me'lone' *f.*
bow·line ['boulin; -,lain] *s mar.* Bu'lin *f:* on a ~ dicht beim Wind gebraßt. ~ **knot** *s* einfacher Pa(h)lstek.
bowl·ing ['bouliŋ] *s* **1.** Bowlingspiel *n.* **2.** *Am.* Kegeln *n,* Kegelschieben *n.* ~ **al·ley** *s Am.* Kegelbahn *f, a.* (großer) 'Kegelpa,last (*mit vielen Bahnen*). ~ **green,** *a.* ~ **ground** *s* Rasenplatz *m* zum Bowls-Spiel.
bowls [boulz] *s pl* (*als sg konstruiert*) **1.** Bowls-Spiel *n.* **2.** → bowling 2. **3.** *Scot.* Murmelspiel *n.*
bow·man ['boumən] *s irr* Bogenschütze *m.*
bow saw [bou] *s tech.* Schweif-, Bügelsäge *f.*
bowse [buːz; bauz] → booze.
'bow|,shot ['bou-] *s* Bogenschußweite *f.* **'~-sprit** ['bou-; 'bau-] *s mar.* Bugspriet *n.*
Bow Street [bou] *npr Straße in London mit dem Polizeigericht.*
bow·string ['bou,striŋ] **I** *s* **1.** Bogensehne *f.* **2.** (*Türkei*) Schnur *f* zum Erdrosseln. **II** *v/t irr* **3.** erdrosseln. ~ **bridge** *s arch. tech.* Bogensehnenbrücke *f.*
bow| tie [bou] *s* (Frack)Schleife *f,* Querbinder *m,* Fliege *f.* ~ **win·dow** [bou] *s* **1.** *arch.* Erker(fenster *n*) *m.* **2.** *sl.* ‚Vorbau' *m,* Spitzbauch *m.*
bow·wow ['bau,wau] **I** *interj* **1.** wau'wau! **II** *s* **2.** Wauwau *n* (*Hundegebell*). **3.** *Kindersprache:* Wauwau *m* (*Hund*): to go to the ~s *sl.* vor die Hunde gehen. **III** *v/i* **4.** bellen. ~ **the·o·ry** *s* ,onomatopo'etische 'Sprachtheo,rie.
box[1] [bɒks] **I** *s* **1.** Kasten *m,* Kiste *f:* in a (tight) ~ *colloq.* in der Klemme; in the same ~ in der gleichen (üblen) Lage; in the wrong ~ *colloq.* a) fehl am Platz, b) ‚in der Klemme'. **2.** Schachtel *f.* **3.** Büchse *f,* Dose *f,* Kästchen *n,* Etu'i *n.* **4.** Behälter *m,* (*a. Buch-, Film- etc*)Kas'sette *f.* **5.** *tech.* Gehäuse *n,* Kapsel *f,* Muffe *f,* Hülse *f.* **6.** *Br.* (großer) Koffer. **7.** Fach *n* (*für Briefe etc*). **8.** a) Briefkasten *m,* b) Postfach *n.* **9.** (Wahl)Urne *f.* **10.** *Br.* (Tele'phon)Zelle *f.* **11.** *Br.* (in e-e Schachtel verpacktes) Geschenk: Christmas ~. **12.** *Br. fig.* Kasse *f,* Geld *n.* **13.** Hütte *f,* Häus-chen *n.* **14.** a) Kutschkasten *m,* b) Wagenkasten *m.* **15.** a) *rail.* Si'gnalhäus-chen *n,* b) *mil.* Schilderhäus-chen *n.* **16.** Ab'teil *n,* Ab'teilung *f* (*in e-m Restaurant etc*). **17.** Loge *f* (*im Theater etc*). **18.** *jur.* Zeugen- *od.* Geschworenenbank *f.* **19.** *agr.* Box *f,* Stand *m* (*für größere Tiere*). **20.** *mar.* Bootsführerplatz *m.* **21.** *print.* a) Fach *n* (*im Schriftkasten*), b) Kasten *m* (*vom Hauptteil abgesetzt eingerahmter Text*), c) Kästchen *n* (*auf Formularen, zum Ankreuzen*), d) Bild(einheit *f*) *n* (*in Comic Strips*), e) → box number, f) *allg.* Ru'brik *f,* Feld *n.* **22.** *Gießerei:* Form-, Gießkasten *m.* **23.** *tech.* Bohrspindel *f* (*e-s Vollbohrers*). **24.** *tech.* (Pumpen)Stiefel *m,* Röhre *f.* **25.** *tech.* Weberschiffchenkasten *m.* **26.** *mar.* Kompaßgehäuse *n.* **27.** *Baseball:* Standplatz *m* (*des Schlägers*). **28.** Aushöhlung *f* (e-s Baumes) (*zum Saftsammeln*).
II *v/t* **29.** *oft* ~ in, ~ up in Schachteln *od.* Kästen *etc* packen *od.* legen, ver-, einpacken. **30.** *oft* ~ up einschließen: to ~ o.s. up *fig.* sich (*in ein Zimmer etc*) einschließen. **31.** *oft* ~ in (*od.* out, up) einpferchen, -keilen. **32.** *Farben etc* von Dose zu Dose mischen. **33.** *meist* ~ out, ~ up *arch.* (*mit Holz*) verschalen. **34.** *Blumen etc* in Kästen *od.* Kübel pflanzen. **35.** *Bäume* anzapfen. **36.** *tech.* ausbuchsen, mit e-r Achsbüchse versehen. **37.** to ~ the compass a) *mar.* die Kompaßpunkte

der Reihe nach aufzählen, b) *fig.* sich im Kreise bewegen, alle Gesichtspunkte vorbringen u. schließlich zum Ausgangspunkt zurückkehren, c) *fig.* e-e völlige Kehrtwendung machen. **38.** → boxhaul. **39.** *jur. Br. e-e Klage* einreichen.

box[2] [bɒks] **I** *s* **1.** Schlag *m* (mit der Hand): ~ on the ear Ohrfeige *f*, Backpfeife *f*. **II** *v/t* **2.** schlagen, boxen: to ~ s.o.'s ears j-n ohrfeigen. **3.** *sport* boxen mit *j-m od.* gegen *j-n*. **III** *v/i* **4.** (sich) boxen.

box[3] [bɒks] *s* **1.** *bot.* Buchs(baum) *m*. **2.** Buchsbaumholz *n*.

box| bar·rage *s mil.* Abriegelungsfeuer *n*. ~ **beam** *s tech.* **1.** Doppel-T-Träger *m*. **2.** Kastenbalken *m*. ~ **bed** *s* **1.** Bettschrank *m*. **2.** (*Art*) Klappbett *n*. '~ˌ**board** *s* Schachtelpappe *f*, Kar'ton *m*. ~ **bod·y** *s mot.* Kastenaufbau *m*. ~ **calf** *s* Boxkalf *n* (*Leder*). ~ **cam·er·a** *s phot.* Box(kamera) *f*. '~ˌ**car** *s Am.* geschlossener Güterwagen.

boxed [bɒkst] *adj* ge-, verpackt.

box·er[1] ['bɒksər] *s* **1.** *sport* Boxer *m*, Faustkämpfer *m*. **2.** *zo.* Boxer *m* (*Hunderasse*).

Box·er[2] ['bɒksər] *s hist.* Boxer *m* (*Anhänger e-s chinesischen Geheimbundes um 1900*).

'**box|ˌhaul** *v/t mar. das Schiff* backhalsen. '~ˌ**head** *s* **1.** *print.* a) 'Überschrift *f* e-s um'randeten Ar'tikels, b) um'randete 'Überschrift, c) Ta'bellenkopf *m*. **2.** *electr.* Dosen'endverschluß *m*. ~ **head·ing** → boxhead 1. [sport *m*.]

box·ing[1] ['bɒksiŋ] *s* Boxen *n*, Box-

box·ing[2] ['bɒksiŋ] *s* **1.** Ver-, Einpacken *n*. **2.** *collect.* Kisten *pl*, Schachteln *pl*, Ver'packungsmateriˌal *n*. **3.** *arch.* (Ver)'Schalung(smateriˌal *n*) *f*. **4.** *mar.* Laschung *f*. **5.** *Schuhmacherei*: Kappenversteifung *f*.

box·ing| bout → boxing match. **B~ Day** *s* (*in England*) der 2. Weihnachtsfeiertag (*an dem die Hausangestellten etc kleine Geschenke erhalten*). ~ **gloves** *s pl* Boxhandschuhe *pl*. ~ **match** *s* Boxkampf *m*. **B~ Night** *s* (*in England*) der Abend des 26. De'zember.

box| i·ron *s* Bolzen(bügel)eisen *n*. '~ˌ**keep·er** *s thea.* Logenschließer(in). ~ **key** → box wrench. ~ **kite** *s* Kastendrachen *m*. ~ **lev·el** *s tech.* 'Dosenliˌbelle *f*. ~ **num·ber** *s* Chiffre(nummer) *f* (*in Zeitungsannoncen*). ~ **nut** *s tech.* 'Überwurfmutter *f*. ~ **of·fice** *s* **1.** (The'ater- *etc*)Kasse *f*. **2.** *oft* good ~ *Am. fig.* a) Kassenerfolg *m*, -schlager *m*, b) Zugkraft *f*: ~ life Laufzeit *f* (*e-s Theaterstücks etc*). ~ **plait,** ~ **pleat** *s* Kellerfalte *f* (*an Kleidern*). ~ **room** *s* Rumpelkammer *f*. ~ **score** *s Baseball*: tabel'larischer Ergebnisbericht e-s kom'pletten Spiels. ~ **span·ner** → box wrench. ~ **stall** *s* Box *f*, (Pferde- *etc*)-Stand *m* (*im Stall*). ~ **switch** *s electr.* Dosen-, Drehschalter *m*. ~ **tail** *s aer.* kantiger Rumpf. '~ˌ**thorn** *s bot.* Bocksdorn *m*. ~ **wag·(g)on** *s* **1.** *rail. Br.* (geschlossener) Güterwagen. **2.** *Am.* Blockwagen *m*, Lore *f*. '~ˌ**wal·lah** *s Br. Ind.* **1.** (eingeborener) Hau'sierer. **2.** *contp.* Handlungsreisende(r) *m*. '~ˌ**wood** → box[3] 2. ~ **wrench** *s tech.* (Auf)Steck-, Ringschlüssel *m*.

boy [bɔi] **I** *s* **1.** Knabe *m*, Junge *m*, Bursche *m* (*a. als vertrauliche Anrede*): the (*od.* our) ~s unsere Jungs (*z. B. Soldaten*); ~! ‚Mann'!; oh ~! ‚au weia'!; ach, du Schreck!; → old boy. **2.** Sohn *m*: my ~ mein Junge. **3.** Freund *m* (*e-s Mädchens*). **4.** Diener *m*, Boy *m*, (*bes.* eingeborener *od.* farbiger) Angestellter. **5.** Laufbursche *m*. **6.** *bes. Am. colloq.* Bursche *m*, ‚Knülch' *m*, ‚Heini' *m*: the ~s *collect.* die ‚Bande', der ‚Verein'; the science ~s *humor.* die Wissenschaftler. **II** *adj* **7.** jungen-, knabenhaft, kindlich. **8.** Knaben...: ~ child Knabe *m*, Junge *m*, Kind *n* männlichen Geschlechts; ~ friend Freund *m* (*e-s Mädchens*); ~ singer Sängerknabe *m*; ~ wonder Wunderkind *n*, -knabe *m* (*a. iro.*).

boy·cott ['bɔikɒt] **I** *v/t* boykot'tieren. **II** *s* Boy'kott *m*.

boy·hood ['bɔihud] *s* Knabenalter *n*, Kindheit *f*.

boy·ish ['bɔiiʃ] *adj* (*adv* ~ly) knabenhaft: a) jungenhaft, Knaben..., b) *fig.* kindisch, läppisch. '**boy·ish·ness** *s* Jungenhaftigkeit *f*.

boy scout *s* Pfadfinder *m*: B~ S~s Pfadfinder(bewegung *f*) *pl*.

'**boy's-ˌlove** *s bot.* Eberraute *f*.

bo·zo ['bouzou] *s Am. sl.* Kerl *m*.

B pow·er sup·ply *s electr.* Ener'gieversorgung *f* des An'odenkreises.

bra [brɑː] *colloq. für* brassière.

brab·ble ['bræbl] **I** *s* **1.** Zänke'rei *f*, (lärmender) Streit. **2.** (lautes) Geschwätz, Geplapper *n*. **II** *v/i* **3.** laut streiten, zanken. **4.** a) schreien, b) schwatzen.

brac·cate ['brækeit] *adj zo.* an den Füßen gefiedert (*Vogel*).

brace [breis] **I** *s* **1.** *tech.* Band *n*, Bügel *m*, Halter *m*, Strebe *f*, Stütze *f*. **2.** *arch. tech.* a) Winkel-, Tragband *n*, Gurt *m*, b) Strebe *f*, Verstrebung *f*, c) Anker *m*, Klammer *f*, d) Stützbalken *m*, Versteifung *f*. **3.** Spannschnur *f* (*e-r Trommel*). **4.** *tech.* Griff *m* der Bohrleier: ~ and bit Bohrleier *f*, -kurbel *f*. **5.** (a pair of) ~s *pl Br.* Hosenträger *pl*. **6.** *math.* geschweifte Klammer. **7.** *mus. print.* Klammer *f*. **8.** *med.* a) (Zahn)-Klammer *f*, b) Stützband *n*, *engS.* Bruchband *n*. **9.** *mar.* a) Brasse *f* (*Tau an beiden Rahen-Enden*), b) Ruderöse *f*. **10.** (*pl* brace) Paar *n* (*zwei Tiere, bes. Hunde u. Kleinwild, od. Dinge gleicher Art*; *iro. contp. a. von Personen*): a ~ of pistols ein Paar Pistolen. **11.** *obs.* Armschiene *f* (*der Rüstung*). **12.** *Am.* (aufrechte) Haltung.

II *v/t* **13.** *tech.* verstreben, -steifen, -ankern, stützen, klammern. **14.** *mus. e-e Trommel etc* spannen. **15.** *fig.* erfrischen, kräftigen, stärken. **16.** *Am. oft* ~ up *fig. s-e Kräfte etc* anspannen, zs.-nehmen: to ~ o.s. (up) a) sich zs.-nehmen *od.* -reißen, s-e Kräfte *od.* s-n Mut zs.-nehmen (for für), b) sich aufraffen *od.* -schwingen (to zu). **17.** zs.-heften. **18.** *mus. print. Notenzeilen* mit Klammern verbinden, zs.-klammern. **19.** *mar.* brassen: to ~ back (*a. v/i*) backbrassen, -holen; to ~ about (*a. v/i*) rundbrassen; to ~ by (*a. v/i*) anbrassen; to ~ in (*od.* to) (*a. v/i*) auf-, zurückbrassen. **20.** *Am. colloq.* a) *j-m* auflauern, b) *j-n* piesacken.

III *v/i* **21.** *oft* ~ up → 16 b.

brace·let ['breislit] *s* **1.** Armband *n* (*a. für Uhren etc*), Armreif *m*, -spange *f*: ~ watch kleine (*bes.* Damen)Armbanduhr. **2.** *pl humor.* Handschellen *pl*. **3.** → brace 11.

brac·er ['breisər] *s Am. colloq. etwas, das die Lebensgeister weckt*: a) erfrischendes Getränk, *bes.* ‚Schnäps-chen' *n*, b) *fig.* Ermunterung *f*.

bra·chi·al ['breikiəl; 'bræk-] *adj anat.* brachi'al, Arm...

bra·chi·ate ['breikiit; -ˌeit; 'bræk-] *adj bot.* paarweise gegenständig.

bra·chi·o·pod ['breikiəˌpɒd; 'bræk-] *pl* ˌ**bra·chi'op·o·da** [-'ɒpədə] *s zo.* Armfüßer *m*.

brach·y·ce·phal·ic [ˌbrækisi'fælik] *adj* brachyce'phal, kurzköpfig. ˌ**brach·y'ceph·aˌlism** [-'sefəˌlizəm] *s* Brachycepha'lie *f*, Kurzköpfigkeit *f*. ˌ**brach·y'ceph·a·lous** → brachycephalic.

bra·chyl·o·gy [brə'kilədʒi] *s ling.* Brachylo'gie *f*, gedrängte Ausdrucksweise. [*zo.* kurzflügelig.]

bra·chyp·ter·ous [brə'kiptərəs] *adj*

brach·y·u·ral [ˌbræki'ju(ə)rəl], ˌ**brach·y'u·rous** *adj zo.* kurzschwänzig.

brac·ing ['breisiŋ] **I** *adj* **1.** stärkend, kräftigend. **2.** erfrischend. **II** *s* **3.** *arch. tech.* a) Verankerung *f*, b) Verstrebung *f*, -spannung *f*, -steifung *f*: ~ cable Spannkabel *n*.

brack·en ['brækən] *s bot. bes. Br.* **1.** Adlerfarn *m*, Farnkraut *n*. **2.** farnbewachsene Gegend.

brack·et ['brækit] **I** *s* **1.** *tech.* a) Träger *m*, Halter *m*, Stützarm *m*, Stütze *f*, Kon'sole *f*, b) Gabel *f*, Gestell *n*, c) (Wand)Arm *m* (*e-r Leuchte etc*), d) *electr.* Iso'lator-, Winkelstütze *f*. **2.** *arch. tech.* a) Kon'sole *f*, Krag-, Tragstein *m*, b) Stützbalken *m* (*im Dachstuhl*), c) Schwingbaum *m* (*e-r Brücke*). **3.** kurzes Wandbrett. **4.** *mil.* Gabel *f* (*beim Einschießen*): long ~ große *od.* weite Gabel; short ~ kleine *od.* enge Gabel. **5.** *math. print.* (*meist* eckige) Klammer: in ~s; (angle *od.* broken *od.* pointed) ~ spitzige Klammer; round ~s runde Klammern, Parenthese *f*; square ~s eckige Klammern. **6.** Ru'brik *f* (*durch Klammer verbundener Teil e-r Liste etc*). **7.** (*soziologische*) Schicht, (*statistische*) Katego'rie, (*bes. Alters-, Steuer*)Klasse *f*, (*Einkommens- etc*)Gruppe *f*, (-)Stufe *f*. **II** *v/t* **8.** einklammern, in Klammern setzen *od.* schreiben. **9.** *a.* ~ together a) in die'selbe Katego'rie einordnen, in 'eine Gruppe zs.-fassen, b) auf 'eine *od.* die gleiche Stufe stellen (with mit). **10.** *oft* ~ off *fig.* ausklammern. **11.** *mil. das Ziel* eingabeln.

brack·ish ['brækiʃ] *adj* **1.** brackig, leicht salzig. **2.** schlecht, ungenießbar.

bract [brækt] *s bot.* **1.** Hochblatt *n*. **2.** Trag-, Deckblatt *n* (*e-r Blüte*).

'**brac·te·ate** [-it; -ˌeit] **I** *adj* **1.** *bot.* mit Hochblättern. **2.** aus dünnem Me'tall geprägt (*Münze*). **II** *s* **3.** *hist.* Brakte'at *m* (*nur auf e-r Seite geprägte Münze*).

brad [bræd] *tech. s* **1.** Nagel *m* ohne Kopf, (Draht)Stift *m*. **2.** Boden-, Lattennagel *m*. '~ˌ**awl** *s tech.* Vorstech-, Bindeahle *f*, Spitzbohrer *m*.

Brad·bur·y ['brædbəri] *s Br. hist. sl.* Banknote *f*, *bes.* Pfundnote *f*.

Brad·shaw ['brædʃɔː] *s Br.* (Eisenbahn)Kursbuch *n* (*1839-1961*).

brae [brei] *s Scot.* Abhang *m*.

brag [bræg] **I** *s* **1.** Prahle'rei *f*. **2.** → boast[1] 2. **3.** → braggart I. **4.** *hist. pokerähnliches Kartenspiel.* **II** *v/i* **5.** (about, of) prahlen, aufschneiden (mit), sich rühmen (*gen*).

brag·ga·do·ci·o [ˌbrægə'douʃiˌou] *s* **1.** → braggart I. **2.** Prahle'rei *f*.

brag·gart ['brægərt] **I** *s* Prahler *m*, Prahlhans *m*, Aufschneider *m*, Angeber *m*. **II** *adj* prahlerisch.

brah·ma ['brɑːmə] → brahmapootra.

Brah·man ['brɑːmən] *s* **1.** Brah'mane *m* (*Angehöriger der Priesterkaste der Inder*). **2.** *zo. Am.* Zebu *n*.

Brah·ma·nee, Brah·ma·ni ['brɑːməˌniː] *s* Brah'manin *f*. **Brah'man·ic**

[-'mænik], **Brah'man·i·cal** *adj* brah'manisch. '**Brah·man,ism** *s* Brahma'nismus *m*, Lehre *f* der Brah'manen.
brah·ma·poo·tra [,bra:mə'pu:trə] *s zo.* Brahma'putra-Huhn *n.*
Brah·min ['bra:min] **I** *s* **1.** → Brahman. **2.** gebildete, kulti'vierte Per'son. **3.** *Am. iro.* (eingebildeter) Intellektu'eller. **4.** *Am.* kulti'viertes, konserva'tives Mitglied e-r alteingesessenen Fa'milie in Boston *od.* New England. **II** *adj* **5.** brah'manisch: ~ **bull** heiliges Zebu. '**Brah·mi,nee** [-,ni:] → Brahmanee. **Brah'min·ic, Brah'min·i·cal** → Brahmanic. '**Brah·min,ism** → Brahmanism.
braid [breid] **I** *v/t* **1.** *bes. Haar, Bänder* flechten. **2.** mit Litze *od.* Borte besetzen *od.* schmücken. **3.** *tech. Draht etc* um'spinnen, -'klöppeln. **II** *s* **4.** (Haar)Flechte *f.* **5.** Borte *f*, Litze *f*, *bes. mil.* Tresse *f*: **gold** ~ goldene Tresse(n *pl*). **6.** Um'klöppelung *f.*
'**braid·ed** *adj* **1.** mit Litze *etc* besetzt. **2.** *tech.* um'flochten, -'klöppelt, -'sponnen, Litzen...: ~ **wire.**
brail [breil] **I** *s* **1.** *mar.* Geitau *n* (*beim Gaffelsegel*). **2.** Riemen *m* (*zum Festbinden der Fittiche e-s Falken*). **II** *v/t* **3.** *die Fittiche des Falken* binden. **4.** ~ **up** *mar.* aufgeien.
Braille [breil] *s* Braille-, Blindenschrift *f.*
brain [brein] **I** *s* **1.** *anat.* Gehirn *n*, Großhirn *n.* **2.** *oft pl fig.* Gehirn *n*, Hirn *n*, Verstand *m*, Intelli'genz *f*, Kopf *m*, ‚Köpfchen' *n*, ‚Grips' *m*: **to have** ~**s** gescheit sein, ‚Köpfchen' haben; **to beat** (*od.* **cudgel** *od.* **rack**) **one's** ~**s** sich das Hirn zermartern, sich den Kopf zerbrechen; **to have s.th. on the** ~ etwas dauernd im Kopf haben; **to pick s.o.'s** ~ a) geistigen Diebstahl an j-m begehen, b) j-n ‚ausholen', j-m ‚die Würmer aus der Nase ziehen'; **to turn s.o.'s** ~ j-m den Kopf verdrehen; → **blow out** 5. **3.** a) (kluger) Kopf, Ge'nie *n* (*Person*), b) Kopf *m*, leitender Geist, *contp.* ‚Drahtzieher' *m.* **II** *v/t* **4.** *j-m* den Schädel einschlagen. '~,**case** *s anat.* Hirnschale *f.* ~ **child** *s irr colloq.* 'Geistespro,dukt *n.*
brained [breind] *adj* (*in Zssgn*) ...köpfig, mit e-m ... Gehirn: **feeble**~ schwachköpfig.
'**brain**|,**fag** *s* geistige Erschöpfung. ~ **fe·ver** *s med.* Gehirnentzündung *f.*
brain·less ['breinlis] *adj fig.* a) hirn-, geistlos, dumm, blöd(e), b) töricht, gedankenlos.
'**brain**|,**pan** *s anat.* Gehirnschale *f*, Schädeldecke *f.* '~,**sick** *adj* geisteskrank, verrückt. ~ **stem** *s anat.* Hirnstamm *m.* ~ **storm** *s* **1.** Anfall *m* von Geistesstörung. **2.** verrückter Einfall, hirnverbrannte I'dee. **3.** *Am. colloq.* → **brain wave** 2. '~,**storm** *v/i* (am Konfe'renztisch) spon'tane I'deen u. Vorschläge zur Lösung e-s Pro'blems sammeln u. auswerten.
brains trust [breinz] *s Br.* **1.** Forum *n* von Ex'perten (*die im brit. Rundfunk Hörerfragen beantworten*). **2.** → **brain trust.**
'**brain**|,**teas·er** → **brain twister.** ~ **trust** *s Am. iro.* ‚Gehirntrust' *m*, Brain Trust *m* (*bes. politische u. wirtschaftliche Beratergruppe*). ~ **trust·er** *s Am.* Mitglied *n* e-s Brain Trust. ~ **twist·er** *s Am. colloq.* ‚harte Nuß', schwierige Sache. '~,**wash** *v/t pol. j-n* e-r Gehirnwäsche unter'ziehen. '~,**wash·ing** *s pol.* Gehirnwäsche *f.* ~ **wave** *s* **1.** *med.* Hirnwelle *f.* **2.** *colloq.* Geistesblitz *m*, guter Einfall, ‚tolle I'dee'. '~,**work** *s* Geistesarbeit *f.* '~,**work·er** *s* Geistes-, Kopfarbeiter *m.*
brain·y ['breini] *adj* gescheit, intelli'gent.
braise [breiz] *v/t* schmoren: ~**d beef** Schmorbraten *m.*
brake[1] [breik] *obs. pret von* **break**[1].
brake[2] [breik] *s* **1.** Dickicht *n*, (Dorn-) Gestrüpp *n.* **2.** *bot.* Farnkraut *n.*
brake[3] [breik] **I** *s* Flachs-, Hanfbreche *f.* **II** *v/t Flachs etc* brechen.
brake[4] [breik] **I** *s* **1.** *tech.* Bremse *f*: **to put on** (*od.* **apply**) **the** ~**s** die Bremse ziehen (*a. fig.*), *mot.* auf die Bremse treten, bremsen (*a. fig.*); **to put a** ~ **on s.th.**, **to apply the** ~**s on s.th.** e-e Sache bremsen, e-r Sache Einhalt gebieten. **2.** *tech.* a) Bremsvorrichtung *f*, -anlage *f*, b) Hemm-, Radschuh *m.* **3.** *tech.* Pumpenschwengel *m.* **4.** *sport* Bremser *m* (*beim Bobfahren*). **5.** *hist.* (*Art*) Folterbank *f.* **II** *v/t* **6.** (ab)bremsen, hemmen. **III** *v/i* **7.** bremsen. **8.** *Bergbau*: die 'Fördermaschine bedienen. **IV** *adj* **9.** *tech.* Brems...: ~ **coupling**; ~ **disc**; ~ **fluid**; ~ **lever**; ~ **light**; ~ **pedal**; ~ **test.**
brake| **cyl·in·der** *s* 'Bremszy,linder *m.* ~ **drum** *s* Bremstrommel *f.* ~ **horse-pow·er** *s* (*abbr.* B.H.P.) Bremsleistung *f* (in PS). ~ **lin·ing** *s* Bremsbelag *m.* '~,**load** *s* **1.** Bremslast *f*, -gewicht *n.* **2.** Belastung *f* der Bremse(n). '~·**man** [-mən] *Am.* → **brakesman.** ~ **shoe** *s tech.* Bremsbacke *f*, -klotz *m.*
brakes·man ['breiksmən] *s Br.* **1.** *rail etc* Bremser *m.* **2.** *Bergbau*: 'Fördermaschi,nist *m.*
brake| **valve** *s tech.* 'Bremsven,til *n.* ~ **van** *s rail. Br.* 'Bremswagen *m.*
brak·ing ['breikiŋ] *s tech.* Bremsen *n*, Bremsung *f.* ~ **dis·tance** *s mot.* Bremsweg *m.* ~ **pow·er** *s tech.* Bremsleistung *f.*
bram·ble ['bræmbl] *s* **1.** *bot.* Brombeer-, Himbeerstrauch *m.* **2.** Dornenstrauch *m.* **3.** *Scot.* Brombeere *f.* '~-,**ber·ry** *s bot.* Brombeere *f.* ~ **finch** → **brambling.** ~ **rose** *s bot.* Hundsrose *f.*
bram·bling ['bræmbliŋ] *s orn.* Bergfink *m.*
bran [bræn] *s* Kleie *f.*
branch [*Br.* bra:ntʃ; *Am.* bræ(:)ntʃ] **I** *s* **1.** Ast *m*, Zweig *m.* **2.** Zweig *m*, Linie *f* (*e-r Familie*). **3.** *fig.* ('Unter-) Ab,teilung *f*, Teil *m*, Zweig *m*, *bes.* a) Fach *n*, Sparte *f*, Branche *f*, Zweig(gebiet *n*) *m* (*e-r Wissenschaft etc*), Berufszweig *m*, b) *a.* ~ **of service** *mil.* Waffen-, Truppengattung *f*, c) *zo.* 'Hauptab,teilung *f* (*des Tierreichs*). **4.** *a.* ~ **establishment**, ~ **house** *econ.* Außen-, Zweig-, Nebenstelle *f*, Fili'ale *f*, (Zweig)Niederlassung *f*, Zweiggeschäft *n*: ~ **of trade** Wirtschaftszweig; **main** ~ Hauptfiliale; **network of** ~**es** Filialnetz *n*; **special** ~ Sonderabteilung; **Special B**~ *Br.* Staatssicherheitspolizei *f*; ~ **manager** Filialleiter *m.* **5.** *rail.* Zweigbahn *f*, Nebenlinie *f.* **6.** *geogr.* a) Arm *m* (*e-s Gewässers*), b) Ausläufer *m* (*e-s Gebirges*), c) *Am.* Nebenfluß *m od.* Flüßchen *n.* **7.** *math.* Zweig *m od.* Ast *m* (*e-r Kurve*). **8.** *electr.* Abzweigleitung *f.* **9.** *tech.* Zweigrohr *n*, (Rohr)Abzweigung *f.* **10.** *Digitalrechner*: (Pro'gramm)Verzweigung *f*: ~ **program(me)** Zweigprogramm *n.* **11.** *arch.* (*gotische*) Zweigrippe. **12.** Arm *m* (*e-s Leuchters etc*). **13.** Sprosse *f*, Stange *f* (*am Hirschgeweih*).
II *adj* **14.** Zweig..., Tochter..., Filial..., Neben...
III *v/i* **15.** Zweige *od.* Äste treiben. **16.** *oft* ~ **off**, ~ **out** a) sich verzweigen *od.* verästeln, b) abzweigen *od.* sich gabeln (*Straße etc*). **17.** ('her)stammen (from von). **18.** 'übergehen, auslaufen (into in *acc*).
IV *v/t* **19.** in Zweige *od.* 'Unterab,teilungen *etc* teilen.
Verbindungen mit Adverbien:
branch| **off** *v/i* **1.** → **branch** 16. **2.** → **branch out** 4. ~ **out** *v/i* **1.** → **branch** 16. **2.** sich ausbreiten (*a. fig.*). **3.** sich entwickeln (into zu). **4.** (vom Thema) abschweifen, sich verlieren (into in *acc*).
branch| **bank** *s econ.* 'Bankfili,ale *f*, Fili'albank *f.* ~ **circuit** *s electr.* Zweigstromkreis *m*, Stromzweig *m.*
bran·chi·a ['bræŋkiə] *pl* **-chi·ae** [-,i:] *s zo.* Kieme *f.* '**bran·chi·al** *adj zo.* Kiemen...: ~ **cleft** Kiemenöffnung *f.* '**bran·chi·ate** [-kiit; -,eit] *adj zo.* kiementragend.
branch·ing [*Br.* 'bra:ntʃiŋ; *Am.* 'bræ(:)ntʃiŋ] **I** *adj* Zweige tragend *od.* habend, sich verzweigend *od.* verästelnd (*a. fig.*). **II** *s* Ver-, Abzweigung *f*, Verästelung *f.*
bran·chi·o·pod ['bræŋkiə,pɒd] *zo.* **I** *pl* ,**bran·chi'op·o·da** [-'ɒpədə] *s* Blatt-, Kiemenfüßer *m.* **II** *adj* kiemenfüßig.
branch·let [*Br.* 'bra:ntʃlit; *Am.* 'bræ(:)ntʃ-] *s* Ästchen *n.*
branch| **line** *s* **1.** *rail.* Neben-, Zweiglinie *f.* **2.** Seitenlinie *f* (*e-r Familie*). **3.** *electr.* Anschlußleitung *f.* ~ **of·fice** → **branch** 4. ~ **point** *s* **1.** *math.* Verzweigungspunkt *m.* **2.** *electr. phys.* Abzweigpunkt *m.* ~ **road** *s Am.* Nebenstraße *f.*
branch·y [*Br.* 'bra:ntʃi; *Am.* 'bræ(:)ntʃi] *adj* **1.** zweige-, ästetragend. **2.** verästelt, verzweigt.
brand [brænd] **I** *s* **1.** *econ.* a) (Handels-, Schutz)Marke *f*, Warenzeichen *n*, b) *a.* ~ **name** Markenbezeichnung *f*, -name *m*, c) 'Markenar,tikel *m*, d) Sorte *f*, Klasse *f* (*e-r Ware*). **2.** *fig.* ‚Sorte' *f*, Art *f*: **his** ~ **of humo(u)r.** **3.** Brandmal *n*, eingebranntes Zeichen (*auf Fässern, Vieh etc*). **4.** → **branding iron.** **5.** *fig.* Schandfleck *m*, -mal *n*: **the** ~ **of Cain** Kainszeichen *n.* **6.** *bot.* Brand *m* (*Pflanzen-, bes. Getreidekrankheit*). **7.** (Feuer)Brand *m* (*angebranntes, brennendes od. schon ausgelöschtes Stück Holz*). **8.** *poet.* a) Fackel *f*, b) (sengender Sonnen-, Blitz-) Strahl, c) Schwert *n.* **II** *v/t* **9.** *ein Zeichen, Mal* einbrennen (into, on *dat od.* in *acc*). **10.** *fig.* unauslöschlich einprägen (on s.o.'s mind j-m, j-s Gedächtnis). **11.** mit e-m Brandmal *od.* Warenzeichen *etc* versehen: ~**ed goods** Markenartikel. **12.** *fig.* brandmarken.
bran·died ['brændid] *adj* **1.** mit Weinbrand versetzt. **2.** in Weinbrand konser'viert (*Obst*).
brand·ing i·ron ['brændiŋ] *s* Brand-, Brenneisen *n.*
bran·dish ['brændiʃ] **I** *v/t* (*bes.* drohend) schwingen. **II** *s* (drohendes) Schwingen.
brand·ling ['brændliŋ] *s zo.* **1.** *Br.* Lachs *m* im ersten Jahr. **2.** (*ein*) Regenwurm *m.*
brand-new ['bræn(d)'nju:] *adj* (funkel)nagelneu.
bran·dreth ['brændriθ] *s* **1.** Einfassung *f* (*e-s Brunnens*). **2.** Gestell *n*, Stütze *f.*
bran·dy ['brændi] *s* Branntwein *m*, Weinbrand *m*, Kognak *m*, Brandy *m.* '~,**ball** *s Br.* Weinbrandkugel *f* (*Süßigkeit*). ~ **mint** *s bot.* Pfefferminze *f.* ~ **paw·nee** [-'pɔ:ni] *s Br. Ind.* Kognak *m* mit Wasser. ~ **snap** *s* dünner (mit Kognak getränkter) Pfefferkuchen. ~ **sour** *s Am.* Branntwein *m* mit Zi'tronen- *od.* Li'monensaft.

bran-new ['bræn'njuː] → **brandnew.**
brant [brænt] *pl* **brants** *od. collect.*
brant *s, a.* **'brant-ˌgoose** *s irr orn.* (*e-e*) Wildgans.
brash [bræʃ] **I** *s* **1.** *geol.* Trümmergestein *n.* **2.** *mar.* Eistrümmer *pl.* **3.** Abfallhaufen *m, bes.* Heckenschnitzel *pl.* **4.** *Br.* saures Aufstoßen, Sodbrennen *n.* **5.** *Br. dial.* Regenguß *m.* **II** *adj* (*adv* **~ly**) **6.** *Am.* bröckelig, morsch. **7.** *Am. colloq.* a) ungestüm, b) draufgängerisch, c) 'unüberˌlegt, d) taktlos, ungezogen, e) frech, unverfroren.
brash·y ['bræʃi] *adj* bröckelig.
bra·sier → **brazier**[2].
brass [*Br.* brɑːs; *Am.* bræ(ː)s] **I** *s* **1.** Messing *n.* **2.** *hist.* 'Kupferleˌgierung *f*, Bronze *f*, Erz *n*: **the age of ~** *fig.* das eherne Zeitalter. **3.** a) Messinggegenstand *m od.* -verzierung *f*, b) *pl* Messinggerät *n*, -ware *f.* **4.** *Br.* Grabplatte *f*, Gedenktafel *f* (*aus Bronze od. Messing*). **5. the ~** *mus.* das Blech (*im Orchester*), die Blechbläser *pl.* **6.** *tech.* Lagerschale *f.* **7.** *Am. sl. collect.* ‚hohe Tiere' *pl* (*bes. hohe Offiziere*): **top ~** a) *mil.* die höchsten Offiziere, b) die ‚höchsten Tiere' (*e-s Konzerns etc*). **8.** *Br. sl.* ‚Zaster' *m*, ‚Kies' *m* (*Geld*). **9.** *colloq.* Frechheit *f*, Unverschämtheit *f*: → **bold** 1. **II** *adj* **10.** Messing... **III** *v/t* **11.** a) mit Messing über'ziehen, b) bron'zieren.
bras·sard ['bræsɑːrd], *a.* **'bras·sart** [-sərt] *s* **1.** *hist.* Armrüstung *f*, -schiene *f.* **2.** Armbinde *f* (*als Abzeichen*).
brass| band *s mus.* 'Blaskaˌpelle *f*, -orˌchester *n.* **'~ˌbound** *adj* **1.** messingbeschlagen. **2.** *sl. fig.* eisern, stur.
brass| far·thing *s colloq.* ‚roter Heller': **I don't care a ~** ‚das kümmert mich e-n Dreck'. **~ hat** *s mil. sl.* ‚hohes Tier', hoher Offi'zier.
Bras·si·ca ['bræsikə] *s bot.* Kohl *m.*
brass·ie [*Br.* 'brɑːsi; *Am.* 'bræ(ː)si] *s sport* Golfholzschläger *m* Nr. 2.
bras·sière [*Br.* 'bræsiˌɛə; *Am.* brə'zir] *s* Büstenhalter *m.*
brass| knuck·les *s pl Am.* Schlagring *m.* **~ tacks** *s pl sl.* Hauptsache *f*: **to get down to ~** zur Sache *od.* auf den Kern der Sache kommen.
brass·y [*Br.* 'brɑːsi; *Am.* 'bræ(ː)si] **I** *adj* (*adv* **brassily**) **1.** messingartig, -farbig. **2.** *fig.* unverschämt, frech, rücksichtslos. **3.** blechern (*Klang*). **4.** *fig.* laut, ‚knallig': **~ advertising. II** *s* → **brassie.**
brat [bræt] *s* **1.** *contp.* Balg *m, n*, Gör *n* (*Kind*). **2.** *Br. dial.* a) Mantel *m*, b) Schürze *f*, c) Kinderlätzchen *n.*
brat·tice ['brætis] *s* **1.** *hist.* a) hölzerne Brustwehr, b) Wehrgang *m* (*e-r Festung*). **2.** Bretter(scheide)wand *f.*
Braun tube [braun] *s phys.* Braunsche Röhre, Ka'thodenstrahlröhre *f.*
bra·va·do [brə'vɑːdou] *pl* **-does** *od.* **-dos** *s* **1.** a) gespielte Tapferkeit, prahlerisches *od.* her'ausforderndes Benehmen, b) prahlerische Drohung. **2.** *obs.* Prahler *m*, Maulheld *m.*
brave [breiv] **I** *adj* (*adv* **~ly**) **1.** tapfer, mutig, unerschrocken. **2.** *obs.* prächtig: a) stattlich, ansehnlich, b) glänzend, prunkhaft. **II** *s* **3.** *poet.* Tapfere(r) *m.* **4.** *Am.* (indi'anischer) Krieger. **III** *v/t* **5.** mutig begegnen, die Stirn bieten, trotzen (*dat*): **to ~ death; to ~ it out** sich trotzig benehmen.
brav·er·y ['breivəri] *s* **1.** Tapferkeit *f*, Mut *m.* **2.** Pracht *f.* **3.** Gepränge *n*, Putz *m*, Staat *m.* **4.** *obs. für* **bravado** 1.
bra·vo[1] ['brɑːvou; 'brɑː'vou] **I** *interj* bravo! **II** *pl* **-vos** *s* Bravo(ruf *m*) *n.*
bra·vo[2] ['brɑːvou; 'brei-] *pl* **-voes** *od.* **-vos** *s* Bravo *m*, Ban'dit *m*, (gedungener Meuchel)Mörder.
bra·vu·ra [brə'vju(ə)rə; -'vu(ə)rə] **I** *s mus. u. fig.* **1.** Bra'vour *f*, Meisterschaft *f.* **2.** Bra'vourstück *n.* **II** *adj* **3.** bravou'rös, Bravour...
brawl [brɔːl] **I** *s* **1.** Streite'rei *f*, Kra'keel *m*, Lärm *m.* **2.** Raufe'rei *f*, Kra'wall *m*, Auflauf *m, jur.* Raufhandel *m.* **3.** Tosen *n*, Rauschen *n* (*e-s Flusses etc*). **II** *v/i* **4.** kra'keelen, (sich) streiten, lärmen. **5.** (sich) raufen, sich prügeln. **6.** tosen, rauschen (*Fluß etc*). **'brawl·er** *s* Kra'keeler *m*, Streithammel *m*, Raufbold *m.* **'brawl·ing I** *s* **1.** → **brawl** 1 *u.* 2. **2.** *jur. Br.* Ruhestörung *f* (*in Kirchen etc*). **II** *adj* **3.** streitsüchtig, rauflustig. **4.** laut, lärmend.
brawn [brɔːn] *s* **1.** Muskeln *pl*, musku'löser Teil (*des Armes, Beines etc*). **2.** *fig.* Muskelkraft *f*, Stärke *f.* **3.** *dial.* Eber *m.* **4.** (Schweine)Sülze *f*, Preßkopf *m.* **'brawn·y** *adj* **1.** musku'lös, fleischig. **2.** stark, stämmig, kräftig.
bray[1] [brei] **I** *s* **1.** (*bes.* Esels)Schrei *m.* **2.** Schmettern *n* (*e-r Trompete*), 'durchdringender *od.* gellender Ton, Kreischen *n.* **II** *v/i* **3.** schreien (*bes. Esel*). **4.** gellen, kreischen, schmettern. **III** *v/t* **5.** *oft* **~ out** (hin'aus)schreien.
bray[2] [brei] *v/t* (*bes. im Mörser*) (zer)stoßen, (-)reiben, (-)stampfen.
bray·er ['breiər] *s* **1.** Mörserkeule *f*, Stößel *m.* **2.** *print.* a) (Farb)Läufer *m*, b) Reibwalze *f.*
braze[1] [breiz] *v/t* bron'zieren.
braze[2] [breiz] *tech.* **I** *v/t* (hart)löten. **II** *s* Hartlötstelle *f.*
bra·zen ['breizn] **I** *adj* (*adv* **~ly**) **1.** ehern, bronzen, Messing...: **~ age** *fig.* ehernes Zeitalter. **2.** *fig.* ehern (klingend), me'tallisch (*Ton*). **3.** *fig.* unverschämt, unverfroren, schamlos, frech. **II** *v/t* **4. to ~ it out** die Sache ‚frech wie Oskar' durchstehen, sich mit großer Unverfrorenheit behaupten. **'~ˌfaced** → **brazen** 3.
bra·zen·ness ['breiznnis] *s fig.* Unverschämtheit *f.*
bra·zier[1] ['breiziər; -ʒər] *s* **1.** Messingarbeiter *m*, Kupferschmied *m.* **2.** *tech.* Gelb-, Rotgießer *m.*
bra·zier[2] ['breiziər; -ʒər] *s* **1.** (*große*) flache Kohlenpfanne, (*korbförmiger*) Rost. **2.** *mil.* Bunkerofen *m.*
bra·zil [brə'zil] → **brazilwood.**
Bra·zil·ian [brə'ziljən] **I** *s* Brasili'aner(in). **II** *adj* brasili'anisch.
Bra·zil nut [brə'zil] *s bot.* Paranuß *f.*
bra'zilˌwood *s* **1.** Indisches Rotholz. **2.** Bra'silien-, Pernam'bucoholz *n.* **3.** Ba'hama-, Brasi'lettholz *n.*
braz·ing ['breiziŋ] *s tech.* Hartlöten *n*: **~ solder** Hartlot *n.*
breach [briːtʃ] **I** *s* **1.** *fig.* Bruch *m*, Über'tretung *f*, Verletzung *f.* **2.** Bruch *m*, Riß *m*, Sprung *m.* **3.** *fig.* Bruch *m*, Zwiespalt *m*, Zwist *m.* **4.** *mil.* Bresche *f* (*a. fig.*), Einbruch(stelle *f*) *m*: **to stand in** (*od.* **step into**) **the ~** *fig.* in die Bresche springen. **5.** *mar.* Brechen *n*, Einbruch *m* (*der Wellen*). **6.** *tech.* 'Durchbruch *m.* **7.** *fig.* a) Kluft *f* (**between** zwischen), b) Unter'brechung *f*, Lücke *f.* **II** *v/t* **8.** *mil.* e-e Bresche legen *od.* schlagen in (*acc*), durch'brechen (*a. fig.*). **9.** *e-n Vertrag etc* brechen, verletzen.
Besondere Redewendungen:
~ of arrest *jur. mil.* Haftvergehen *n*; **~ of arrestment** *jur.* Arrestbruch *m*, ungesetzliche Veräußerung gepfändeten Eigentums; **~ of close** *jur.* unbefugtes Betreten fremden Besitztums; **~ of confidence** (*od.* **faith**) Vertrauensbruch *m*; **~ of contract, ~ of covenant** *jur.* Vertragsbruch *m*; **~ of etiquette** Verstoß *m* gegen den guten Ton; **~ of (the) peace** *jur.* (Land)-Friedensbruch *m*, öffentliche Ruhestörung, grober Unfug; **~ of the prison, prison ~** Ausbruch *m* aus dem Gefängnis; **~ of the rules** Verstoß *m* gegen die Regeln; **~ of trust** *jur.* Vertrauensbruch *m*, Untreue *f*, Veruntreuung *f*; → **duty** 1, *etc.*
bread [bred] **I** *s* **1.** Brot *n.* **2.** *a.* **daily ~** *fig.* (tägliches) Brot, 'Lebensˌunterhalt *m*: **~ riot** Hungerrevolte *f*; **to earn** (*od.* **make**) **one's ~** sein Brot verdienen; **out of ~, without ~** brotlos. **3.** Kuchen *m*, Brot *n*: **Easter ~.** **4.** *relig.* Hostie *f*: **~ and wine** das (heilige) Abendmahl. **II** *v/t* **5.** *Kochkunst*: *Am.* pa'nieren.
Besondere Redewendungen:
~ and butter a) Butterbrot *n*, b) *colloq.* Lebensunterhalt *m*, ‚Brötchen' *pl*; **to have one's ~ buttered on both sides** ungewöhnliches Glück haben, wie Gott in Frankreich leben; **to quarrel with one's ~ and butter** a) mit s-m Los hadern, b) sich ins eigene Fleisch schneiden; **to know which side one's ~ is buttered** s-n Vorteil (er)kennen; **to take the ~ out of s.o.'s mouth** j-n brotlos machen; **~ and cheese** bescheidenes Mahl; **to cast one's ~ upon the waters** *fig.* etwas ohne Aussicht auf Erfolg *od.* Gegenleistung tun; **to be put on ~ and water** auf Wasser u. Brot gesetzt werden.
'bread|-and-'but·ter *adj* **1.** *colloq.* kindisch, unreif, ‚grün'. **2.** a) *a.* **~-minded** materia'listisch, pro'saisch (gesinnt), nur aufs Geldverdienen bedacht, b) nüchtern, praktisch, c) gewinnbringend, einträglich: **a ~ education** e-e nur auf den Broterwerb hinzielende Erziehung, Brotstudium *n.* **3. ~ letter** Dankesbrief *m* für erwiesene Gastfreundschaft. **'~ˌbas·ket** *s* **1.** Brotkorb *m.* **2.** *fig.* Kornkammer *f* (*e-s Landes*). **3.** *sl.* Magen *m.* **'~ˌboard** *s* **1.** *Am.* Brett *n* zum Kneten von (Brot)Teig. **2.** *Br.* Brotschneidebrett *n*: **~ construction** (*od.* **circuit, setup**) *electr.* Brettschaltung *f*, Versuchsaufbau *m.* **'~-ˌcrumb I** *s* **1.** Brotkrume *f.* **2.** Krume *f* (*das weiche Innere des Brotes*). **II** *v/t* **3.** *Kochkunst*: pa'nieren. **'~ˌfruit** *s bot.* **1.** Brotfrucht *f.* **2.** Brotfruchtbaum *m.* **'~ˌgrain** *s* (Brot)Getreide *n.* **'~ˌline** *s* Schlange *f* von Bedürftigen (*an die Nahrungsmittel verteilt werden*). **~ sauce** *s* Brottunke *f* (*aus Brotkrumen, Milch, Zwiebeln u. Gewürzen*). **'~ˌstuff** *s* **1.** Brotmehl *n.* **2.** *pl* Brotgetreide *n.*
breadth [bredθ; bretθ] *s* **1.** Breite *f*, Weite *f* (*beide a. fig.*). **2.** *fig.* Ausdehnung *f*, Größe *f*, Spannweite *f*, 'Umfang *m.* **3.** *fig.* Großzügigkeit *f.* **4.** *Kunst*: großzügige Wirkung, Breite *f* u. Geschlossenheit *f.* **5.** *tech.* Bahn *f*, Breite *f*: **a ~ of silk.**
bread| tree → **breadfruit** 2. **'~ˌwin·ner** *s* **1.** Ernährer *m*, (Geld)Verdiener *m* (*e-r Familie*). **2.** Beruf *m*, Verdienstquelle *f.* **'~ˌwin·ning** *s* Broterwerb *m*, Verdienst *m.*
break[1] [breik] **I** *s* **1.** (Ab-, Zer-, 'Durch-, Entzwei)Brechen *n*, Bruch *m.* **2.** Bruch(stelle *f*) *m*, 'Durchbruch *m*, Riß *m*, Spalt *m*, Bresche *f*, Öffnung *f*, Zwischenraum *m*, Lücke *f* (*a. fig.*). **3.** *fig.* Bruch *m* (**with** mit; **between** zwischen), Abbruch *m* (*von Beziehungen etc*): **a ~ with tradition; a clean ~ with his partner.** **4.** (Wald)Lichtung *f.*

5. *fig.* Pause *f*, Unter'brechung *f* (*a. electr.*): without a ~; lunch ~ Mittagspause. 6. *fig.*, *a. metr.* Zä'sur *f*, Einschnitt *m.* 7. Ausbrechen *n* (*e-s Gefangenen*), Fluchtversuch *m*: to make a ~ for it (*od.* for freedom) das Weite suchen, (sich) flüchten; to make a ~ for the woods zum Wald hin flüchten. 8. Einbruch *m.* 9. (plötzlicher) Wechsel, 'Umschwung *m*: ~ in the weather Wetterumschlag *m.* 10. *econ.* (Preis-, Kurs)Sturz *m*, Kurseinbruch *m.* 11. *mus.* a) Re'gisterwechsel *m*, b) *Jazz*: Break *n* (*kurzes Zwischensolo*). 12. *mus.* a) Versagen *n* (*im Ton*), b) Versager *m* (*Ton*). 13. Richtungswechsel *m.* 14. *Billard*: a) Serie *f*, b) Abweichen *n* (*des Balles*) (*a. Krikket*). 15. *Boxen*: Brechen *n* (*aus dem Clinch*). 16. *Am.* Start *m* (*zu e-m Pferderennen*). 17. *bes. Am. sl.* (günstige) Gelegenheit, Glücksfall *m*, Chance *f*: bad ~ ‚Pech' *n*; lucky ~ ‚Dusel' *m*; to get (all) the ~s e-n ‚Mordsdusel' haben, ein Glückspilz sein; to give s.o. a ~ j-m e-e Chance geben. 18. *bes. Am. sl.* Schnitzer *m*, Faux'pas *m*.

II *v/t pret* **broke** [brouk] *obs.* **brake** [breik], *pp* **bro·ken** ['broukən] *obs.* **broke** 19. ab-, auf-, 'durchbrechen, (er-, zer)brechen: to ~ one's arm (sich) den Arm brechen; to ~ s.o.'s heart j-m das Herz brechen; to ~ s.o's head j-m den Schädel einschlagen; to ~ a glass ein Glas zerbrechen; to ~ jail aus dem Gefängnis ausbrechen; to ~ a record *fig.* e-n Rekord brechen; to ~ a seal ein Siegel erbrechen. 20. zerreißen, -schlagen, -trümmern, ka'puttmachen. 21. *phys. Licht, Strahlen, weitS. Wellen, Wind* brechen, *e-n Stoß od. Fall* abfangen, dämpfen, *a. fig.* abschwächen. 22. ab-, unter'brechen, trennen, aufheben, sprengen: to ~ company a) auseinandergehen, b) sich wegstehlen; to ~ a journey e-e Reise unterbrechen; to ~ the silence das Schweigen brechen; to ~ a set e-n Satz (*z. B. Gläser durch Zerbrechen e-s einzelnen Teiles*) unvollständig machen; to ~ a siege e-e Belagerung aufheben; → camp 1, fast[3] 2, ice 1. 23. *electr.* a) *e-n Stromkreis od. Kontakt* unter'brechen, *e-n Kontakt* öffnen, b) ab-, ausschalten. 24. aufgeben, ablegen: to ~ a custom mit e-r Tradition *od.* Gewohnheit brechen, sich etwas abgewöhnen; → habit 1; to ~ s.o. of s.th. j-m etwas abgewöhnen. 25. *Speise, Ware* anbrechen: to ~ the cake; to ~ a 10-dollar bill e-e Zehndollarnote wechseln. 26. *fig. j-s Macht, Willen etc* brechen, *j-n* zerbrechen, *j-m* das Kreuz brechen: to ~ s.o.'s resistance j-s Widerstand brechen. 27. *Tiere* zähmen, abrichten, *ein Pferd* zureiten, einfahren, *a. j-n* gewöhnen (to an *acc*): to ~ a horse to harness (to rein) ein Pferd einfahren (zureiten); → break in 4b *u.* c. 28. *das Gesetz, e-n Vertrag, sein Versprechen etc* brechen, *e-e Regel* verletzen, *e-e Vorschrift* über'treten, verstoßen gegen: to ~ a contract (the law, a rule, one's promise); to ~ bounds die erlaubten Grenzen überschreiten. 29. *fig.* brechen, vernichten, (*a. finanziell*) rui'nieren *od.* zu'grunde richten, *e-e Ehe etc* zerrütten: to ~ the bank die Bank sprengen; to ~ a will *jur.* ein Testament (*durch gerichtliches Verfahren*) aufheben. 30. *mil.* a) entlassen, kas'sieren, b) degra'dieren (to zu). 31. eröffnen, kundtun: to ~ the bad news gently to s.o. j-m die schlechte Nachricht schonend beibringen. 32. *Am. colloq. e-e Unternehmung* starten: to ~ a sales campaign. 33. foltern, auf der *od.* die Folter strecken. 34. a) *e-n Kode etc* ‚knacken', entschlüsseln, b) *e-n Fall* lösen. 35. ~ (the) ground *agr.* ein Brachfeld 'umbrechen, -pflügen; → ground[1] 1. 36. *mus.* a) *e-n Akkord* brechen, b) *Notenwerte* zerlegen.

III *v/i* 37. brechen: to ~ into a) in *ein Haus etc* einbrechen, b) *allg. u. fig.* eindringen *od.* einbrechen in (*acc*); to ~ into the best social circles, c) *etwas* unterbrechen, hineinplatzen in (*acc*), d) → 53; to ~ with mit *j-m*, *e-r Tradition etc* brechen. 38. (zer)brechen, zerspringen, -reißen, platzen, ka'putt-, entzweigehen: the rope broke das Seil riß. 39. unter'brochen werden. 40. (plötzlich) auftauchen (*Fisch, U-Boot*). 41. sich (zer)teilen (*Wolken*). 42. zersprengt werden, in Unordnung geraten, weichen (*Truppen*), sich auflösen (*Heer*). 43. *med.* aufgehen, -platzen, -springen, -reißen (*Wunde, Geschwür*). 44. *fig.* brechen (*Herz, Kraft, Mut*). 45. nachlassen, abnehmen, gebrochen *od.* zerrüttet werden, verfallen (*Geist od. Gesundheit*), (*a. seelisch*) zs.-brechen. 46. 'umschlagen, mu'tieren (*Stimme*): his voice broke a) er befand sich im Stimmbruch, er mutierte, b) ihm brach die Stimme (*vor Rührung etc*). 47. *sport* a) die Gangart wechseln (*Pferd*), b) *bes. Baseball u. Kricket*: die Flugrichtung ändern (*Ball*). 48. sich brechen, branden (*Wellen*). 49. brechen (*Eis*). 50. 'umschlagen (*Wetter*). 51. anbrechen (*Tag*). 52. los-, ausbrechen (over über *dat*): the storm broke der Sturm brach los. 53. *fig. in Gelächter, Flüche etc* ausbrechen: to ~ into laughter. 54. eröffnet werden, bekanntgegeben werden (*Nachricht*). 55. *econ.* plötzlich im Preis *od.* Kurs fallen (*Ware, Wertpapier*). 56. *econ.* rui'niert werden, bank'rott machen *od.* gehen, fal'lieren. 57. *Boxen*: brechen, sich trennen (*aus dem Clinch gehen*): ~! brechen! 58. rennen, hasten: to ~ for cover hastig in Deckung gehen. 59. *sport Am.* starten. 60. e-e Pause machen. 61. sich zersetzen.

Verbindungen mit Adverbien:

break| a·way I *v/t* 1. ab-, losbrechen, wegreißen. II *v/i* 2. los-, abbrechen, absplittern (*a. fig.*). 3. a) *a. fig.* sich losmachen *od.* -reißen, b) *fig.* sich lossagen *od.* trennen (from von). 4. sich da'vonmachen, fortstürzen. ~ **down** I *v/t* 1. ein-, niederreißen (*a. fig.*), *ein Haus* abbrechen, abreißen. 2. *fig. j-n, j-s Widerstand etc* brechen, zermürben, über'winden. 3. *tech. e-e Maschine* (in ihre Bestandteile) zerlegen. 4. *fig.* aufgliedern, analy'sieren. 5. *chem.* aufspalten, -lösen. II *v/i* 6. zs.-brechen (*a. fig.*). 7. versagen (*Maschine, Stimme, Schüler beim Examen*), ka'puttgehen, steckenbleiben, *mot. a.* e-e Panne haben. 8. zerbrechen, in die Brüche gehen (*a. fig.*). 9. *fig.* scheitern, zu'grunde gehen. 10. *fig.* zerfallen (*in einzelne Gruppen, Teile etc*). ~ **e·ven** *v/i econ.* ohne Gewinn *od.* Verlust abschließen, die Rentabili'tätsgrenze erreichen. ~ **forth** *v/i* 1. her'vorbrechen. 2. sich plötzlich erheben (*Geschrei etc*). ~ **in** I *v/i* 1. einbrechen, -dringen: to ~ upon s.o. hereinplatzen bei j-m. 2. ~ on hereinplatzen bei, *e-e Unterhaltung etc* unter'brechen. II *v/t* 3. einschlagen, *e-e Tür* aufbrechen. 4. a) → break[1] 27, b) *Auto etc* einfahren, *neue Schuhe* austreten, c) *j-n* einarbeiten, anlernen. ~ **loose** I *v/t* 1. los-, abbrechen. II *v/i* 2. losgehen, abbrechen, sich befreien, sich losreißen. 3. (*aus der Haft*) ausbrechen, -reißen. 4. *mar.* abtreiben. ~ **off** I *v/t* 1. *ein Stück* abbrechen. 2. *e-e Rede, e-e Freundschaft etc* abbrechen, *Schweigen etc* (unter)'brechen, Schluß machen mit: to ~ an engagement e-e Verlobung (auf)lösen; to ~ negotiations Verhandlungen abbrechen. II *v/i* 3. abbrechen. 4. *fig. in der Rede etc* (plötzlich) abbrechen. ~ **o·pen** I *v/t e-e Tür, e-n Brief etc* auf-, erbrechen. II *v/i* aufgehen, -springen, -platzen. ~ **out** I *v/t* 1. (her)'aus-, losbrechen. 2. *Waffen etc* zur Hand nehmen, bereit machen. 3. *Waren etc* auspacken, bereitstellen. 4. *e-e Flagge* hissen. II *v/i* 5. ausbrechen (*Feuer, Krankheit, Krieg, Gefangener etc*). 6. her'vorbrechen, sich zeigen, plötzlich auftreten. 7. *a.* ~ in a rash (*od.* in spots) Ausschlag bekommen: to ~ with measles die Masern bekommen; to ~ in a sweat in Schweiß ausbrechen. ~ **through** I *v/t* durch'brechen, *e-e Schwierigkeit etc* über'winden. II *v/i* 'durchbrechen, her'vorkommen. ~ **up** I *v/t* 1. abbrechen, *e-e Sitzung etc* aufheben, beendigen, schließen, *e-e Versammlung* auflösen, sprengen. 2. *e-n Haushalt etc* auflösen. 3. *e-e Ehe, die Gesundheit etc* zerrütten. 4. *Wild* aufbrechen, zerlegen. 5. zer-, aufbrechen, zerstören. 6. → break[1] 35. II *v/i* 7. auf-, zerbrechen (*Eis etc*). 8. ausein'andergehen, sich auflösen, sich trennen. 9. aufhören, aufgehoben werden (*Sitzung*), schließen, in die Ferien gehen. 10. sich zerteilen *od.* auflösen (*Nebel*), sich aufklären (*Wetter*), nachlassen (*Frost*). 11. (*gesundheitlich*) zs.-brechen, verfallen. 12. sich auflösen (*a. chem.*).

break[2] [breik] *s* 1. Break *m, n* (*Art Kremser mit zwei Längssitzen*). 2. Wagen *m* zum Einfahren von Pferden.

break·a·ble ['breikəbl] *adj* zerbrechlich. '**break·age** *s* 1. (Zer)Brechen *n*, Bruch *m*. 2. a) Bruch(stelle *f*) *m*, b) Bruch(schaden) *m*. 3. *econ.* Re'faktie *f*, Entschädigung *f* für Bruchschaden.

'**break·a,way** I *s* 1. (from) Absplitterung *f*, Lossagung *f*, Trennung *f* (von), Bruch *m* (mit). 2. *sport Am.* a) Fehlstart *m*, b) Start *m*, c) 'Durchbruch *m* (*e-s Stürmers*). II *adj* 3. *Br.* Splitter...: ~ group. 4. *thea. etc* zerbrechlich, Trick...: ~ scenery Trickdekor *n*.

break·down ['breik,daun] *s* 1. *allg., a. med. pol. tech.* Zs.-bruch *m*, Versagen *n*: nervous ~ Nervenzusammenbruch. 2. *tech.* a) Panne *f*, Fahrzeug-, Ma'schinenschaden *m*, (Betriebs)Störung *f*, b) *electr.* Zs.-bruch *m* (*der Spannung*), 'Durchschlag *m*: ~ strength Durchschlagsfestigkeit *f*. 3. Scheitern *n*: ~ of negotiations. 4. (*bes. statistische*) Aufgliederung *od.* Aufschlüsselung, Ana'lyse *f*. 5. *chem.* Aufspaltung *f*, Ana'lyse *f*. 6. *Am.* geräuschvoller Volkstanz. ~ **gang** *s* 'Unfallko,lonne *f*. ~ **lor·ry** *s* Abschleppwagen *m*. ~ **volt·age** *s electr.* 'Durchschlagspannung *f*.

break·er ['breikər] *s* 1. (*bes. in Zssgn*) Brecher *m* (*Person od. Gerät*): coal-~. 2. *Br.* 'Abbruchunter,nehmer *m*, Verschrotter *m*. 3. Abrichter *m*, Dres'seur *m*, Zureiter *m*. 4. *mar.* Sturzwelle *f*, Brecher *m*. 5. *electr.* Unter-

'brecher *m.* **6.** *tech. Name für verschiedene Geräte, bes.* a) *Kürschnerei:* Schabmesser *n*, b) *Papierherstellung:* Halbzeugholländer *m.* ~ **arm** *s electr.* Im'pulskon,takt *m.*

'break-'e·ven point *s econ.* Rentabili'tätsgrenze *f*, Gewinnschwelle *f.*

break·fast ['brekfəst] **I** *s* Frühstück *n.* **II** *v/i* frühstücken: to ~ on s.th. etwas zum Frühstück einnehmen *od.* essen. **III** *v/t j-m* das Frühstück ser'vieren *od.* bereiten. ~ **food** *s* Frühstücksnahrung *f* (*z. B. aus Maisflocken*).

'break-,in *bes. Am.* → breaking-in.

break·ing ['breikiŋ] *s* **1.** Brechen *n*, Bruch *m* (*etc*; → break[1]): ~ of the voice Stimmbruch *m*; ~ and entering *jur.* Einbruch *m.* **2.** *ling.* Brechung *f* (*Diphthongierung*). ~ **cur·rent** *s electr.* 'Öffnungs(indukti,ons)strom *m.* ~ **de·lay** *s* Abfallverzögerung *f*: a) *aer. vom Fallschirm*, b) *electr. e-s Relais.* ~ **fac·tor** *s phys. tech.* Bruchfaktor *m.* **'~-'in** *s* **1.** *jur. etc* Einbruch *m.* **2.** Abrichten *n* (*von Tieren*), Zureiten *n* (*von Pferden*). **3.** Einfahren *n* (*von Autos*), Einlaufen *n* (*von Maschinen*). **4.** Einarbeitung *f*, Anlernen *n*, Eingewöhnung *f* (*von Personen*). ~ **load** *s phys.* Bruchlast *f.* ~ **point** *s phys. tech.* Bruch-, Zerreißgrenze *f*: to ~ *fig.* bis zum Ende s-r Kräfte, bis zum Äußersten. ~ **strain** → breaking stress. ~ **strength** *s phys. tech.* Bruchfestigkeit *f.* ~ **stress,** ~ **ten·sion** *s tech.* Bruchbeanspruchung *f*, Zerreißspannung *f.* ~ **test** *s tech.* Bruchprobe *f.*

break| key *s electr.* Unter'brechertaste *f.* **'~,neck** *adj* halsbrecherisch: ~ speed; ~ stairs. ~ **spark** *s electr.* Abreißfunke *m.* **'~,through** *s bes. mil. u. fig.* 'Durchbruch *m.* **'~,up,** *Br.* **'~-,up** *s* **1.** Zerbrechen *n*, -kleinern *n.* **2.** Zerlegung *f.* **3.** Auflösung *f* (*a. fig.*). **4.** (Schul- *etc*)Schluß *m.* **5.** *fig.* 'Untergang *m*, Ru'in *m*, Ver-, Zerfall *m.* **6.** *fig.* Scheitern *n.* **'~,wa·ter** *s* Wellenbrecher *m.*

bream[1] [bri:m] *s ichth.* Brassen *m.*

bream[2] [bri:m] *v/t mar. den Schiffsboden etc* durch Ausbrennen u. Auskratzen reinigen.

breast [brest] **I** *s* **1.** a) Brust *f* (*von Mensch u. Tier*), b) (weibliche) Brust, Busen *m*: to give the ~ to a baby e-m Kinde die Brust geben; to beat one's ~ sich (zerknirscht) an die Brust schlagen. **2.** *fig.* Brust *f*, Herz *n*, Busen *m*, Gemüt *n*: to make a clean ~ of s.th. sich etwas vom Herzen reden, etwas offen eingestehen. **3.** Wölbung *f*: the ~ of a hill. **4.** *agr.* Streichbrett *n* (*des Pfluges*). **5.** *arch.* a) Brüstung *f*, b) Brandmauer *f*, c) unterer Teil (*e-s Geländers*). **6.** Brust(stück *n*) *f*: the ~ of a jacket. **II** *v/t* **7.** mutig auf *etwas* losgehen, *e-n Berg* angehen. **8.** sich gegen *etwas* stemmen, trotzen (*dat*), die Stirn bieten (*dat*), gegen *etwas* ankämpfen: to ~ the waves gegen die Wellen ankämpfen. **9.** *sport das Zielband* durch'reißen. **'~-,beat·ing** *s* Zerknirschung *f*, (laute) Selbstbezichtigung(en *pl*) *od.* Reue. **'~'bone** *s anat.* Brustbein *n.* **'~-'deep** *adj* brusthoch, -tief, bis an die Brust reichend. ~ **drill** *s tech.* Brustbohrer *m.*

breast·ed ['brestid] *adj* (*in Zssgn*) ...brüstig: narrow-~ engbrüstig.

'breast|-,fed *adj* mit Muttermilch genährt: ~ child Brustkind *n.* ~ **feed·ing** *s* Ernährung *f* mit Muttermilch, Stillen *n.* **'~-'high** → breast-deep. ~ **milk** *s* Muttermilch *f.* **'~,pin** *s* Busen-, Kra'wattennadel *f.* **'~,plate** *s* **1.** Brustharnisch *m.* **2.** *zo.* Bauchplatte *f*, -schild *m* (*der Schildkröte*). **3.** Brustgurt *m* (*am Pferdegeschirr*). **4.** *tech.* Brustplatte *f* (*der Handbohrmaschine*). **'~,plough,** *Am.* **'~,plow** *s agr.* Abstech-, Rasenpflug *m.* ~ **pock·et** *s* Brusttasche *f.* ~ **stroke** *s sport* Bruststil *m*, -schwimmen *n.* **~·sum·mer** ['brest,sʌmər; 'bresəmər] → bressumer. ~ **wall** *s arch.* **1.** Stützmauer *f* (*am Fuße e-s Abhanges*). **2.** Brustwehr *f*, Geländer *n.* **'~,work** *s arch. u. mil.* Brustwehr *f.*

breath [breθ] *s* **1.** Atem(zug) *m*: to draw ~ Atem holen; to draw one's first ~ das Licht der Welt erblicken; to draw one's last ~ den letzten Atemzug tun (*sterben*); to gasp for ~ nach Luft schnappen; to catch (*od.* hold) one's ~ den Atem anhalten; save your ~! spare dir d-e Worte!; to take ~ Atem schöpfen, verschnaufen (*a. fig.*); to take s.o.'s ~ away j-m den Atem verschlagen; to waste one's ~ *fig.* in den Wind reden; you are wasting your ~ du kannst dir die Worte sparen; out of ~ außer Atem; short of ~ kurzatmig; under (*od.* below) one's ~ im Flüsterton; with his last ~ mit s-m letzten Atemzug; in the same ~ im gleichen Atemzug. **2.** *fig.* Hauch *m*, Spur *f*, Anflug *m.* **3.** Hauch *m*, Lüftchen *n*, leichte Brise: a ~ of air. **4.** Duft *m*: a ~ of roses. **5.** *ling.* stimmloser Hauch.

breath·a·lyz·er ['breθə,laizər] *s* (Plastik)Tüte *f* für Atemtests (*bei Autofahrern*; → breath test).

breathe [bri:ð] **I** *v/i* **1.** (ein- u. aus)atmen, *fig.* leben. **2.** Atem holen *od.* schöpfen: to ~ again (*od.* freely) (erleichtert) aufatmen. **3.** (sich) verschnaufen, sich erholen. **4.** hauchen: to ~ upon a) anhauchen, b) *fig.* besudeln. **5.** duften, riechen (of nach). **6.** *tech.* atmen (*Leder etc*). **II** *v/t* **7.** *etwas* (ein- u. aus)atmen: to ~ in the fresh air; to ~ vengeance Rache schnauben; → last[1] *Bes. Redew.* **8.** *fig.* atmen, ausströmen. **9.** flüstern, hauchen: to ~ a wish; to ~ a sigh leise (auf)seufzen. **10.** verlauten lassen: not to ~ a word (of it) kein Sterbenswörtchen (davon) sagen. **11.** verschnaufen lassen: to ~ a horse. **12.** *ling.* stimmlos aussprechen: ~d stimmlos. **13.** *tech.* entlüften.

breath·er ['bri:ðər] *s* **1.** Atem-, Verschnaufpause *f*: to take a ~ sich verschnaufen. **2.** *sport Am. colloq.* ,Spa'ziergang' *m* (*leichter Sieg*). **3.** *colloq.* Stra'paze *f.* **4.** *tech.* Entlüfter *m*: ~ valve Druckausgleichsventil *n.*

breath·ing ['bri:ðiŋ] **I** *s* **1.** Atmen *n*, Atmung *f.* **2.** Atemübung *f*: deep ~ Tiefatmen *n*, Atemgymnastik *f.* **3.** Lufthauch *m*, Lüftchen *n.* **4.** *ling.* Hauchlaut *m.* **5.** *tech.* Entlüftung *f.* **II** *adj* **6.** lebenswahr (*Bild etc*). ~ **ap·pa·ra·tus** *s tech.* Atem-, Sauerstoffgerät *n.* ~ **mark** *s mus.* Atemzeichen *n.* ~ **space,** *Am. a.* ~ **spell,** ~ **time** → breather 1.

breath·less ['breθlis] *adj* (*adv* ~ly) **1.** atemlos (*a. fig.*), außer Atem: with ~ attention mit atemloser Spannung. **2.** atemberaubend: a ~ ride. **3.** windstill: a ~ day.

'breath|,tak·ing *adj* (*adv* ~ly) atemberaubend. ~ **test** *s* Atemtest *m* (*zur Feststellung des Trunkenheitsgrades*).

brec·ci·a ['bretʃiə; 'breʃiə] *s geol.* Breccie *f*, Trümmergestein *n.*

bred [bred] *pret u. pp von* breed.

breech [bri:tʃ] *s* **1.** 'Hinterteil *n*, Gesäß *n.* **2.** hinterer Teil, Boden *m*, *bes.* a) Hosenboden *m*, b) Verschluß *m* (*e-s Hinterladers od. Geschützes*). **3.** *tech.* unterster Teil e-s Flaschenzuges. **4.** *pl* → breeches. **'~,block** *s* **1.** *mil.* Verschlußstück *n* (*an Hinterladern*), (Geschütz)Verschlußblock *m.* **2.** *tech.* Verschluß *m.*

breeched [bri:tʃt; britʃt] *adj* behost.

breech·es ['britʃiz] *s pl* Breeches *pl*, Knie-, Reithose(n *pl*) *f*: → wear[1] 1. ~ **buoy** *s mar.* Hosenboje *f.*

'breech|'load·er *s* 'Hinterlader *m.* **'~-'load·ing** *s* 'Hinterladung *f.* ~ **pres·en·ta·tion** *s med.* Steißlage *f.*

breed [bri:d] **I** *v/t pret u. pp* **bred** [bred] **1.** erzeugen, her'vorbringen, gebären. **2.** a) *Tiere* züchten: to ~ cattle; to ~ in (out) *e-e Eigenschaft* hinein-(weg)züchten, b) *e-e Kuh etc* decken lassen. **3.** *Pflanzen* züchten, ziehen: to ~ roses. **4.** *fig.* her'vorrufen, verursachen, führen zu: → blood 2. **5.** auf-, erziehen, ausbilden: to ~ s.o. a scholar j-n zum Gelehrten heranziehen. **II** *v/i* **6.** (Nachkommenschaft) zeugen, sich fortpflanzen, sich vermehren: → in-and-in. **7.** brüten. **8.** *fig.* ausgebrütet werden, entstehen, sich bilden. **III** *s* **9.** Rasse *f*, Zucht *f*, Brut *f*: ~ of horses Zucht Pferde, Gestüt *n.* **10.** Art *f*, (*Menschen*)Schlag *m.*

breed·er ['bri:dər] *s* **1.** Züchter *m.* **2.** a) Zuchttier *n*, b) Zuchtpflanze *f.* **3.** → breeder pile. ~ **pile,** ~ **re·ac·tor** *s phys.* 'Brutre,aktor *m.*

breed·ing ['bri:diŋ] *s* **1.** Zeugen *n*, Fortpflanzung *f*, Gebären *n.* **2.** Ausbildung *f*, Erziehung *f.* **3.** Bildung *f*, Benehmen *n*, (gute *etc*) Lebensart *od.* ,Kinderstube' *od.* Ma'nieren *pl.* **4.** Züchten *n*, (Auf)Zucht *f*, Züchtung *f* (*von Tieren u. Pflanzen*): → in-and-in. **5.** *Atomphysik:* (Aus)Brüten *n.* ~ **mare** *s* Zuchtstute *f.* ~ **place** *s* Brutstätte *f* (*a. fig.*). ~ **sea·son** *s biol.* 'Fortpflanzungsperi,ode *f.*

breeze[1] [bri:z] **I** *s* **1.** Brise *f*, leichter Wind. **2.** *colloq.* Krach *m*: a) Lärm *m*, b) Streit *m.* **3.** Gerücht *n.* **4.** *Am. sl.* ,Kinderspiel' *n* (*leichte Sache*). **II** *v/i* **5.** *sl.* sausen, flitzen: he ~d in er kam hereingefegt. **6.** *sl.* ,abhauen'.

breeze[2] [bri:z] *s zo.* (*e-e*) Viehfliege.

breeze[3] [bri:z] *s tech.* Lösche *f*, Kohlenklein *n.*

breez·i·ness ['bri:zinis] *s* **1.** Windigkeit *f.* **2.** *colloq.* Forschheit *f.*

breez·y ['bri:zi] *adj* (*adv* breezily) **1.** luftig, windig. **2.** *colloq.* forsch, flott.

breg·ma ['bregmə] *pl* **-ma·ta** [-tə] *s anat.* Scheitel(höhe *f*) *m*, Bregma *n.*

Bre·hon ['bri:hən; 'bre-] *s hist.* irischer Richter: ~ law *jur.* altirisches (Gewohnheits)Recht (*vor 1650*).

Bren (gun) [bren] *s mil.* (*ein*) leichtes Ma'schinengewehr.

brent goose [brent] *irr* → brant.

bres·sum·mer ['bresəmər] *s tech.* Ober-, Trägerschwelle *f.*

breth·ren ['breðrin] *pl von* brother 2.

Bret·on ['bretən] **I** *adj* **1.** bre'tonisch. **II** *s* **2.** Bre'tone *m*, Bre'tonin *f.* **3.** Bre'tonisch *n*, das Bretonische.

Bret·wal·da [bret'wɔ:ldə] *s Br. hist.* Herrscher *m* über alle Briten.

breve [bri:v] *s print.* Kürzezeichen *n.*

bre·vet ['brevit; *Am. a.* brə'vet] *mil.* **I** *s* Bre'vet *n* (*Offizierspatent, das nur e-n höheren Rang, aber keine höhere Besoldung etc mit sich bringt*): ~-major Hauptmann *m* im Rang e-s Majors. **II** *adj* Brevet...: ~ rank Titularrang *m.* **III** *v/t pret u. pp* **'bre·vet·ed** *od.*

'**bre·vet·ted** durch Bre'vet befördern *od.* ernennen.
bre·vi·ar·y ['briːviəri; 'brev-] *s relig.* Bre'vier *n.*
bre·vier [brə'vir] *s print.* Pe'titschrift *f.*
brev·i·fo·li·ate [ˌbrevi'fouliit; -ˌeit] *adj bot.* kurzblättrig. ˌ**brev·i'lin·gual** [-'liŋgwəl] *adj zo.* kurzzüngig. ˌ**brev·i'ros·trate** [-'rɒstreit] *adj zo.* kurzschnäblig, -schnäuzig.
brev·i·ty ['breviti] *s* Kürze *f.*
brew [bruː] **I** *v/t* **1.** *Bier* brauen. **2.** *ein Getränk, a. Tee* brauen, (zu)bereiten. **3.** *fig.* anzetteln, ausbrüten. **II** *v/i* **4.** brauen, Brauer sein. **5.** *fig.* sich zs.-brauen, im Anzug sein, in der Luft liegen (*Gewitter, Unheil*). **III** *s* **6.** Gebräu *n* (*a. fig.*), Bräu *n.* '**brew·er** *s* (Bier)Brauer *m.*
brew·er·y ['bruːəri] *s* Braue'rei *f.*
bri·ar → brier.
brib·a·ble ['braibəbl] *adj* bestechlich, käuflich.
bribe [braib] **I** *v/t* bestechen (*a. fig.*). **II** *v/i* Bestechung üben. **III** *s* Bestechung *f*, Bestechungsgeld *n*, -summe *f*, -geschenk *n*: **taking (of) ~s** *jur.* Bestechlichkeit *f*, passive Bestechung. '**brib·er** *s* Bestecher *m.* '**brib·er·y** *s* **1.** Bestechung *f.* **2.** Bestechlichkeit *f.*
bric·a·brac ['brikəˌbræk] *s* **1.** Antiqui'täten *pl.* **2.** Nippsachen *pl.*
brick [brik] **I** *s* **1.** Ziegel(stein) *m*, Backstein *m*: **to drop a ~** *Br. colloq.* ins Fettnäpfchen treten; **to swim like a ~** *humor.* schwimmen wie e-e bleierne Ente. **2.** (Bau)Klotz *m* (*Spielzeug*): **box of ~s** (Kinder)Baukasten *m.* **3.** *sl.* ‚Pfundskerl' *m*, feiner Kerl. **II** *adj* **4.** Ziegel..., Backstein..., gemauert. **5.** ziegelförmig. **III** *v/t* **6.** mit Ziegeln *etc* belegen *od.* pflastern *od.* einfassen: **to ~ up** (*od.* **in**) zumauern. **7.** ziegelartig über'malen. '**~ˌbat** *s* **1.** Ziegelbrocken *m* (*bes. als Wurfgeschoß*). **2.** *fig.* ‚mo'ralische Ohrfeige' *f*, ‚schwerer Brocken' (*abfällige Bemerkung etc*). '**~-ˌbuilt** → brick 4. **~ cheese** *s Am.* (*Art*) Backsteinkäse *m.* **~ clay** *s* Ziegelton *m.* **~ earth** *s* Ziegelerde *f.* '**~ˌfield** *s* Ziege'lei *f.* '**~ˌkiln** *s* Ziegelofen *m*, Ziege'lei *f.* '**~ˌlay·er** *s* Maurer *m.* **~ lin·ing** *s* (Ziegel)Ausmauerung *f*, Mauerausbau *m.* '**~ˌmak·er,** '**~ˌma·son** *s* Ziegelbrenner *m.* **~ red** *s* Ziegelrot *n* (*Farbton*). **~ tea** *s* (*chinesischer*) Ziegeltee. '**~ˌwall** *s* Backsteinmauer *f*: **to see through a ~** *fig.* das Gras wachsen hören. '**~ˌwork** *s* **1.** Mauerwerk *n.* **2.** *pl* (*als sg konstruiert*) Ziege'lei *f.*
bri·cole [bri'koul; 'brikəl] *s* **1.** *Billard*: 'indiˌrekter Stoß. **2.** *Racketspiel*: 'indiˌrekter Schlag.
brid·al ['braidl] **I** *adj* bräutlich, Braut..., Hochzeits...: **~ suite** Appartement *n* für Hochzeitsreisende. **II** *s poet.* Hochzeit *f.*
bride [braid] *s* Braut *f* (*am u. kurz vor dem Hochzeitstag*), neuvermählte Frau: **to give away the ~** Brautvater sein. '**brideˌgroom** *s* Bräutigam *m*, ‚frischgebackener' Ehemann. '**bridesˌmaid** *s* Brautjungfer *f.* '**brides·man** [-mən] *s irr* Brautführer *m.*
bride·well ['braidwəl; -wel] *s* Gefängnis *n*, Besserungsanstalt *f.*
bridge [bridʒ] **I** *s* **1.** Brücke *f*, (Brükken)Steg *m*: **golden ~** *fig.* goldene Brücke; **~ of boats** Pontonbrücke. **2.** *mar.* a) (Kom'mando)Brücke *f*, b) Landungsbrücke *f.* **3.** *fig.* Brücke *f*, Über'brückung *f*, 'Überleitung *f* (*a. mus.*). **4.** ('Straßen)Überˌführung *f.* **5.** *anat.* Nasenrücken *m*: **~ of the nose.** **6.** Steg *m* (*e-r Brille*). **7.** *med.* (Zahn)Brücke *f.* **8.** *chem.* Brücke *f.* **9.** *electr.* a) (Meß)Brücke *f*, b) Brükke(nschaltung) *f.* **10.** *mus.* a) Steg *m* (*e-s Streichinstruments*), b) Saitenhalter *m* (*bei Zupfinstrumenten u. beim Klavier*). **11.** *sport* Brücke *f* (*beim Ringen u. Turnen*). **12.** Bridge *n* (*Kartenspiel*). **II** *v/t* **13.** e-e Brücke schlagen *od.* bauen über (*acc*): **to ~ a river.** **14.** *electr. u. fig.* über'brücken: **to ~ over a difficulty.** **~ bond** *s chem.* Brückenbindung *f.* **~ cir·cuit** → bridge 9 b. **~ crane** *s tech.* Brükkenkran *m.* '**~ˌhead** *s mil. u. fig.* Brükkenkopf *m.* **~ rec·ti·fi·er** *s electr.* Graetz-, Brückengleichrichter *m.* **~ toll** *s* Brückengeld *n*, -zoll *m.* '**~ˌway** *s Am.* **1.** Brückengang *m od.* -fahrbahn *f.* **2.** 'Stockwerkspasˌsage *f* (*zwischen zwei Gebäuden*). '**~ˌwork** *s* **1.** Brückenbau *m.* **2.** → bridge 7.
bri·dle ['braidl] **I** *s* **1.** a) Zaum *m*, Zaumzeug *n*, b) Zügel *m* (*a. fig.*): **driving ~** Fahrleine *f*; **to give a horse the ~** e-m Pferd die Zügel schießen lassen; **to put a ~ on** → 4 a *u.* b. **2.** *anat.* Sehnenband *n.* **II** *v/t* **3.** *ein Pferd* (auf)zäumen. **4.** a) *ein Pferd* zügeln, im Zaum halten (*a. fig.*), b) *fig.* bändigen, (be)zähmen, einschränken. **III** *v/i* **5.** *oft* **~ up** a) (*verächtlich od. stolz*) den Kopf zu'rückwerfen, b) (**at, against**) Anstoß nehmen (an *dat*), rebel'lieren (gegen). **~ hand** *s* Zügelhand *f*, linke Hand (*des Reiters*). **~ path** *s* schmaler Saumpfad, Reitweg *m.* **~ port** *s mar. obs.* Bugpforte *f.* **~ rein** *s* Zügel *m.*
bri·doon [bri'duːn] *s* Trense *f.*
brief [briːf] **I** *adj* (*adv* **~ly**) **1.** kurz: **a ~ interruption; be ~!** fasse dich kurz! **2.** kurz(gefaßt), gedrängt, knapp: **a ~ speech; in ~** kurz (gesagt), mit kurzen Worten. **3.** kurz angebunden: **to be ~ with s.o.; to make ~ of s.th.** etwas rasch erledigen. **II** *s* **4.** Memo'randum *n*, kurze Zs.-fassung. **5.** *R.C.* (päpstliches) Breve. **6.** *jur.* a) (*kurzer*) Schriftsatz, b) *Br.* schriftliche Beauftragung u. Informati'on (*des* **barrister** *durch den* **solicitor**) zur Vertretung des Falles vor Gericht, *weitS.* Man'dat *n*, c) *a.* **trial ~** Verhandlungsschriftsatz *m* (*des Anwalts*), d) *Am.* Informati'on *f* des Gerichts (*durch den Anwalt*): **to hold a ~ for** *j-n od. j-s Sache* vor Gericht vertreten, *a. fig.* als Anwalt auftreten für, *fig.* sich einsetzen *od.* e-e Lanze brechen für. **7.** *mil.* → **briefing** 2. **8.** *pl* → **briefs.** **III** *v/t* **9.** kurz zs.-fassen, in gedrängter Form darstellen. **10.** *a. mil. j-n* instru'ieren *od.* einweisen, *j-m* genaue Anweisungen geben. **11.** *jur. Br.* a) *e-n* **barrister** mit der Vertretung des Falles betrauen, b) *den Anwalt* über den Sachverhalt infor'mieren. **~ bag, ~ case** *s* Aktentasche *f.*
brief·ing ['briːfiŋ] *s* **1.** (genaue) Anweisung(en *pl*), Instrukti'on *f* (*a. mil.*). **2.** *mil.* Lage-, Einsatzbesprechung *f.* **3.** *jur.* Beauftragung *f* (*e-s Anwalts*).
brief·less ['briːflis] *adj Br.* unbeschäftigt, ohne Kli'enten (*Anwalt*).
brief·ness ['briːfnis] *s* Kürze *f.*
briefs [briːfs] *s pl* Slip *m*: a) kurze 'Herrenˌunterhose, b) kurzer Damenschlüpfer.
bri·er ['braiər] *s* **1.** *bot.* Dornstrauch *m.* **2.** *collect.* Dorngebüsch *n*, -gestrüpp *n.* **3.** *bot.* Wilde Rose: **sweet ~** Weinrose *f.* **4.** a) Bruy'ère *f* (*Wurzel der Baumheide*), b) *a.* **~ pipe** Bruy'èrepfeife *f.* '**bri·er·y** *adj* voller Dornen(sträucher), dornig, stachelig.
brig[1] [brig] *s mar.* Brigg *f*, zweimastiges Segelschiff.
brig[2] [brig] *s Am.* **1.** *mar.* Schiffsgefängnis *n.* **2.** *humor.* ‚Bau' *m*, ‚Knast' *m* (*Arrestlokal*).
bri·gade [bri'geid] **I** *s* **1.** *mil.* Bri'gade *f.* **2.** (*zu e-m bestimmten Zweck gebildete*) Organisati'on, unifor'mierte Vereinigung, Korps *n*: → **fire brigade.** **II** *v/t* **3.** *mil.* e-e Bri'gade for'mieren aus. **4.** zu e-r Gruppe vereinigen.
brig·a·dier [ˌbrigə'dir] *s mil.* a) *Br.* Bri'gadekommanˌdeur *m*, b) *Am. a.* **~ general** Bri'gadegeneˌral *m.*
brig·and ['brigənd] *s* Bri'gant *m*, Ban'dit *m*, (Straßen)Räuber *m.* **brig·and·age** ['brigəndidʒ] *s* Räuberunwesen *n.*
brig·an·dine[1] ['brigənˌdiːn; -ˌdain] *s* Panzerhemd *n*, Schuppenpanzer *m.*
brig·an·dine[2] ['brigənˌdiːn; -ˌdain], **brig·an·tine** ['brigənˌtiːn; -ˌtain] *s mar.* Brigan'tine *f*, Brigg *f.*
Briggs's log·a·rithms ['brigziz] *s pl math.* (Briggssche) Dezi'malogaˌrithmen *pl.*
bright [brait] **I** *adj* (*adv* **~ly**) **1.** hell, glänzend, leuchtend, strahlend (**with** von, vor): **a ~ day** ein strahlender Tag; **~ eyes** glänzende *od.* strahlende Augen; **a ~ face** ein strahlendes Gesicht; **~ red** leuchtend rot. **2.** hell, me'tallisch: **a ~ sound.** **3.** *tech.* blank: **~ wire; ~ steel** Blankstahl *m.* **4.** *electr.* a) lichtstark, hell-leuchtend, b) hochbeheizt: **~ valve** (*od.* **tube**). **5.** heiter: **~ weather.** **6.** lebhaft, munter. **7.** klar: **~ beer.** **8.** *oft iro.* gescheit, intelli'gent, klug, ‚hell': **a ~ boy.** **9.** berühmt, glorreich, glänzend. **10.** günstig, vielversprechend: **~ prospects.** **II** *adv* **11.** glänzend *etc*: **~ and early** in aller Frühe.
bright·en ['braitn] **I** *v/t* **1.** hell(er) machen, auf-, erhellen (*a. fig.*). **2.** *oft* **~ up** *fig.* a) heiter(er) machen, beleben: **to ~ a party (a room, etc)**, b) *j-n* fröhlich stimmen, aufheitern, c) noch mehr Glanz verleihen (*dat*): **to ~ an already famous name.** **3.** po'lieren, blank putzen, glänzend machen. **II** *v/i* **4.** *meist* **~ up** hell(er) werden, sich aufhellen (*Gesicht, Wetter etc*), aufleuchten (*Gesicht*): **his face ~ed** sein Gesicht leuchtete auf. **5.** *fig.* sich beleben, lebhafter werden. **6.** besser *od.* erfreulicher werden: **prospects ~ed.**
'**bright|-ˌeyed** *adj* **1.** helläugig. **2.** mit strahlenden (Kinder)Augen. **~ lev·el** *s TV* Hellspannung(swert *m*) *f.* '**~-ˌline spec·trum** *s phys.* Hellinienspektrum *n.*
bright·ness ['braitnis] *s* **1.** Glanz *m*, Helle *f*, Klarheit *f*, Pracht *f*, Heiterkeit *f.* **2.** a) Aufgewecktheit *f*, Gescheitheit *f*, b) Lebhaftigkeit *f*, Munterkeit *f.* **3.** *phys. tech.* Leuchtdichte *f.* **4.** *TV* (Grund)Helligkeit *f*: **~ contrast** Helligkeitskontrast *m*; **~ control** Regelung *f* der mittleren Bildhelligkeit.
Bright's dis·ease [braits] *s med.* Nierenschrumpfung *f*, Brightsche Krankheit.
brill [bril] *s ichth.* Glattbutt *m.*
bril·liance ['briljəns], '**bril·lian·cy** *s* **1.** Leuchten *n*, Glanz *m*, Helligkeit *f.* **2.** *fig.* a) funkelnder Geist, 'durchdringender Verstand, b) (*das*) Glänzende *od.* Her'vorragende, Bril'lanz *f.* **3.** *electr.* Helligkeit(sgrad *m*) *f*: **~ control** *TV* Hell-Dunkelsteuerung *f.*
'**bril·liant I** *adj* (*adv* **~ly**) **1.** leuchtend, glänzend, hell, glitzernd. **2.** *fig.* glänzend, her'vorragend, bril'lant: **a ~ speaker; a ~ scientist; a ~ victory.**

II *s* **3.** Bril'lant *m*: a) *Edelstein*, b) *print. Schriftgrad.*
bril·lian·tine ['briljənˌtiːn; ˌbriljən'tiːn] *s* **1.** Brillan'tine *f*, 'Haarpoˌmade *f*. **2.** *Am.* al'pakaˌartiger Webstoff.
brim [brim] **I** *s* **1.** Rand *m* (*bes. e-s Gefäßes*): full to the ~ bis zum Rande voll. **2.** (Hut)Krempe *f*. **II** *v/i* **3.** voll sein: to ~ **over** übervoll sein, überfließen, -sprudeln (with von) (*a. fig.*).
brim·ful ['brim'ful] *adj* voll bis zum Rande, 'übervoll (*a. fig.*). '**brim·less** [-lis] *adj* ohne Rand *od.* Krempe. **brimmed** [brimd] *adj* **1.** mit Rand *od.* Krempe. **2.** bis zum Rande voll. '**brim·mer** *s* volles Glas. '**brim·ming** → **brimful.**
brim·stone [*Br.* 'brimstən; *Am.* -ˌstoun] *s* **1.** Schwefel *m*. **2.** *colloq.* ‚Drachen' *m* (*böses Weib*). **3.** *relig. colloq.* Hölle *f* u. Verdammnis *f*. **4.** *a.* ~ **butterfly** *zo.* (*ein*) Zi'tronenfalter *m*.
brin·dle ['brindl] **I** *s* gestreifte *od.* scheckige Farbe. **II** *adj* → **brindled.** '**brin·dled** *adj* gestreift, scheckig.
brine [brain] **I** *s* **1.** Sole *f*, (Salz)Lake *f*. **2.** Salzwasser *n*. **3.** *meist poet.* Meer *n*. **II** *v/t* **4.** (ein)salzen, einpökeln, laugen. ~ **bath** *s* Solbad *n*.
Bri·nell| ma·chine [bri'nel] *s metall.* Bri'nellappaˌrat *m*, Härteprüfgerät *n*. ~ **num·ber** *s tech.* Bri'nellzahl *f*.
brine| pan *s* Salzpfanne *f*. ~ **pit** *s* Salzgrube *f*, Solquelle *f*.
bring [briŋ] *pret u. pp* **brought** [brɔːt] *v/t* **1.** bringen, 'mit-, 'herbringen, her'beischaffen, über'bringen: ~ **him** (it) **with you** bringe ihn (es) mit; to ~ **s.th. upon o.s.** sich (selbst) etwas einbrocken, etwas auf sich laden; **I can't ~ myself to do it** ich kann mich nicht dazu bringen *od.* ich bringe es (einfach) nicht fertig, es zu tun; to ~ **together** a) zs.-bringen, b) *fig.* versöhnen; → **account** 7, **bear**[1] 21, **book** 9, **light**[1] 9, **low**[1] 1 (*etc*). **2.** her'vorbringen, *e-e Ehre, e-n Gewinn etc* (ein)bringen: to ~ **a profit.** **3.** (mit sich) bringen, nach sich ziehen, bewirken: to ~ **a change**; to ~ **relief from pain.** **4.** *e-e Fähigkeit etc zu e-r Aufgabe etc* mitbringen: to ~ **to one's task a rich experience.** **5.** *Publikum* anziehen, (an)locken (to zu). **6.** *j-n* dazu bringen *od.* bewegen, ver'anlassen, über'reden (to do zu tun). **7.** *Beweise, Gründe, Beschuldigungen etc* vorbringen: → **action** 12.
Verbindungen mit Adverbien:
bring| a·bout *v/t* **1.** bewerkstelligen, zu'stande bringen. **2.** bewirken, verursachen. ~ **a·round** → **bring round.** ~ **a·way** *v/t* weg- *od.* fortbringen, -führen, -schaffen. ~ **back** *v/t* **1.** zu'rückbringen. **2.** *fig.* die Erinnerung wachrufen an (*acc*). ~ **down** *v/t* **1.** her'ab-, her'unter-, hin'unterbringen. **2.** *hunt. Wild* erlegen, schießen. **3.** *aer. mil. ein Flugzeug* abschießen, her'unterholen. **4.** *j-n* zu Fall bringen. **5.** *fig. j-n* her'unterbringen, rui'nieren, schwächen, stürzen. **6.** *den Preis etc* her'absetzen. **7.** *e-e Strafe etc* her'aufbeschwören, auf sich laden. **8.** to ~ **the house** *colloq.* a) stürmischen Beifall auslösen, b) Lachstürme entfesseln. ~ **forth** *v/t* **1.** a) *allg.* her'vorbringen, b) *Kinder* gebären, c) *zo. Junge* werfen, d) *Früchte* tragen. **2.** verursachen, bewirken, zeitigen. **3.** *fig.* ans Tageslicht bringen. ~ **for·ward** *v/t* **1.** vor'anbringen, fördern. **2.** *e-n Antrag, e-e Entschuldigung etc* vorbringen. **3.** *econ. e-n Betrag* über'tragen: (**amount**) **brought forward** Übertrag *m*. ~ **home** *v/t* **1.** nach Hause bringen: → **bacon.** **2.** *etwas* klarmachen (to *j-m*): → **home** 16. ~ **in** *v/t* **1.** her'ein-, hin'einbringen: to ~ **capital** *econ.* Kapital einbringen; **brought-in capital** eingebrachtes Kapital, Geschäftseinlage *f*. **2.** *e-n Gewinn etc* ein-, erbringen, erzielen. **3.** *parl. e-n Gesetzentwurf* einbringen: to ~ **a bill.** **4.** *jur. das Verdikt* aussprechen (*Geschworene*): to **bring s.o. in guilty** j-n schuldig sprechen. ~ **off** *v/t* **1.** → **bring away.** **2.** *etwas* zu'stande bringen, fertigbringen, ‚schaffen'. ~ **on** *v/t* **1.** her'an-, her'beibringen. **2.** her'beiführen, verursachen. **3.** a) → **bring forward** 1, b) in Gang bringen. ~ **out** *v/t* **1.** her'aus-, hin'ausbringen. **2.** *econ. ein Buch, Theaterstück, Auto etc* her'ausbringen. **3.** *fig.* ans Licht bringen. **4.** vorbringen, aussprechen. **5.** zu'tage treten lassen, her'vorheben, ‚her'ausholen'. **6.** zum Ausdruck bringen, erkennen lassen. **7.** *e-e junge Dame* in die Gesellschaft einführen. ~ **o·ver** *v/t* **1.** her'über-, hin'überbringen. **2.** → **bring round** 2. ~ **round** *v/t* **1.** a) *e-n Ohnmächtigen* wieder zu sich bringen, b) *e-n Kranken* wieder auf die Beine bringen. **2.** *j-n* 'umstimmen, über'reden, bekehren, ‚her'umkriegen'. ~ **through** *v/t e-n Kranken* 'durchbringen. ~ **to** *v/t* **1.** → **bring round** 1 a. **2.** *mar.* beidrehen. ~ **up** *v/t* **1.** *ein Kind* auf- *od.* erziehen. **2.** zur Sprache bringen. **3.** *mil. Truppen* her'anführen. **4.** *e-e Zahl etc* hin'aufsetzen, erhöhen, *e-n Betrag* bringen (to auf *acc*). **5.** *etwas* (er)brechen: to ~ **one's lunch.** **6.** zum Stillstand *od.* zum Halten bringen: to ~ **one's car**; to **bring s.o. up short** (*od.* **sharply**) *fig.* j-n (plötzlich) stutzig machen, j-n aufschrecken.
bring·er ['briŋər] *s* (Über)'Bringer(in).
bring·ing-up ['briŋiŋ'ʌp] *s* Erziehung *f*, ‚Kinderstube' *f*.
brink [briŋk] *s* **1.** Rand *m* (*a. fig.*): **on the ~ of** a) am Rande (*des Grabes, Krieges etc*), b) am Vorabend (*gen*), kurz vor (*dat*); **to shiver on the ~** *fig.* zagen, zittern u. beben. **2.** Ufer *n*.
brink·man·ship ['briŋkmənˌʃip] *s pol.* Poli'tik *f* des äußersten Risikos.
brin·y ['braini] **I** *adj* salzig, solehaltig. **II** *s* **the ~** *Br. colloq.* die See.
bri·o ['bri(ː)ou] (*It.*) *s* Schwung *m*, Schneid *m*, Feuer *n* (*a. mus.*).
bri·oche ['briːouʃ; -ɒʃ] *s* Bri'oche *f*, süßes (Hefe)Brötchen.
bri·o·lette [ˌbriːə'let] *s* Brio'lette *f* (*Diamant mit Dreieckschliff*).
bri·quet, *bes. Br.* **bri·quette** [bri'ket] *s* Bri'kett *n*, Preßkohle *f*.
brisk [brisk] **I** *adj* (*adv* ~**ly**) **1.** rasch, flott: a ~ **walk.** **2.** lebhaft, flott: a) munter, frisch, b) e'nergisch. **3.** frisch, erfrischend, kräftig: a ~ **wind.** **4.** a) frisch (*im Geschmack*): ~ **tea,** b) prickelnd, schäumend: ~ **wine.** **5.** *fig.* lustig (*Feuer*). **6.** *econ.* lebhaft, flott: a ~ **demand**; a ~ **trade.** **II** *v/t* **7.** *meist* ~ **up** anfeuern, anregen, beleben. **III** *v/i meist* ~ **up** **8.** sich beleben, (wieder) aufleben. **9.** her'beistürzen: to ~ **about** herumflitzen. '**brisk·en** → **brisk** 7 *u.* 8.
bris·ket ['briskit] *s Kochkunst*: Brust(stück *n*) *f*.
brisk·ness ['brisknis] *s* Lebhaftigkeit *f*, Munterkeit *f*, Flottheit *f*, Frische *f*.
bris·ling ['brisliŋ] *s ichth.* Brisling *m*, Sprotte *f*.
bris·tle ['brisl] **I** *s* **1.** Borste *f* (*a. bot.*). **II** *v/i* **2.** sich sträuben (*Borsten, Haare, Stacheln*). **3.** e-e drohende Haltung annehmen, zornig *od.* böse werden. **4.** starren, strotzen, voll sein (with von): to ~ **with chimneys** (**guns, mistakes,** *etc*). **III** *v/t* **5.** *a.* ~ **up** *Borsten, Haare etc* sträuben, aufrichten. **6.** mit Borsten versehen. '**bristled** *adj* borstig, stach(e)lig.
bris·tle fern *s bot.* Hautfarn *m*.
bris·tling → **brisling.**
bris·tly ['brisli] *adj* **1.** stach(e)lig, borstig, rauh (*a. fig.*). **2.** *fig.* kratzbürstig.
Bris·tol| board ['bristl] *s* 'Bristolkarˌton *m*, feiner ('Zeichen)Karˌton. ~ **milk** *s* (*Art*) Sherry *m*. ~ **pa·per** *s* 'Bristol-, 'Zeichenpaˌpier *n*.
Bri·tan·ni·a| met·al [bri'tænjə] *s tech.* Bri'tanniameˌtall *n*. ~ **ware** *s* Eßbestecke *pl* aus Bri'tanniameˌtall.
bri·tan·nic [bri'tænik] *adj* bri'tannisch (*meist nur in*): **His** (*od.* **Her**) ~ **Majesty.**
Brit·i·cism ['britiˌsizəm] *s ling.* Angli'zismus *m*.
Brit·ish ['britiʃ] **I** *adj* **1.** britisch. **II** *s* **2. the** ~ die Briten *pl*. **3.** *ling.* Britisch *n*, das Britische. '**Brit·ish·er** *s Am.* Brite *m*, Engländer(in).
Brit·on ['britən] *s* **1.** Brite *m*, Britin *f*. **2.** *hist.* Bri'tannier(in).
brit·tle ['britl] **I** *adj* **1.** spröde, zerbrechlich (*a. fig.*). **2.** brüchig (*Metall etc*) (*a. fig.*). **3.** *fig.* scharf, hart: ~ **sounds.** **4.** a) hart, kalt, b) schwierig, reizbar: a ~ **personality.** **II** *s* **5.** *Am.* ('Nuß)Kroˌkant *m*. ~ **i·ron** *s* sprödes Eisen. ~ **lac·quer** *s tech.* Reißlack *m*.
brit·tle·ness ['britlnis] *s* Sprödigkeit *f*, Zerbrechlichkeit *f*, Brüchigkeit *f*.
broach [broutʃ] **I** *s* **1.** Stecheisen *n*, Ahle *f*, Pfriem *m*. **2.** *tech.* Räumahle *f*. **3.** Bratspieß *m*. **4.** (*achteckige*) Turmspitze. **II** *v/t* **5.** *ein Faß* anstechen. **6.** abzapfen. **7.** *tech.* ausräumen. **8.** *ein Thema* anschneiden, als erster zur Sprache bringen: to ~ **a subject.** **9.** *Am.* ankündigen.
broad [brɔːd] **I** *adj* (*adv* → **broadly**) **1.** breit: **it is as ~ as it is long** *fig.* es ist gehupft wie gesprungen. **2.** weit, ausgedehnt: ~ **plains.** **3.** hell: → **daylight** 1. **4.** weitreichend, -gehend: ~ **sympathies**; **in the ~est sense** im weitesten Sinne. **5.** breit, stark, unverfälscht: a ~ **accent**; ~ **Scots.** **6.** weitherzig, großzügig, tole'rant, libe'ral: **to have ~ views on s.th.** **7.** a) derb, b) anstößig, schlüpfrig: a ~ **joke.** **8.** klar, deutlich: → **hint** 1. **9.** allgemein (*Ggs. detailliert*): a ~ **agreement**; a ~ **rule**; **the ~ facts** die allgemeinen Tatsachen, die wesentlichen Punkte; **in ~ outline** in großen Zügen, in groben Umrissen. **10.** ~ **tuning** *Radio* unscharfe *od.* breite Einstellung. **II** *s* **11.** breiter Teil (*e-r Sache*). **12.** *Br. System n von Seen u. Flüssen* (*im Südosten Englands*): **the Norfolk ~s.** **13.** *Film, TV*: 'Lampenaggreˌgat *n*, Beleuchtungsbühne *f*. **14.** *Am. vulg.* ‚Frau' *f*, ‚Weibsbild' *n*. '~ˌ**ax(e)** *s* Breitbeil *n*, Zimmeraxt *f*. '~ˌ**band am·pli·fi·er** *s electr.* Breitbandverstärker *m*. ~ **beam** *s electr.* Breitstrahler *m*. ~ **bean** *s bot.* Saubohne *f*. '~ˌ**brim** *s* **1.** breitrandiger (*bes.* Quäker)Hut. **2.** *humor.* Quäker *m*. '~ˌ**brimmed** *adj* breitrandig, -krempig.
broad·cast [*Br.* 'brɔːdˌkɑːst; *Am.* -ˌkæ(ː)st] **I** *v/t irr* **1.** breitwürfig säen. **2.** *fig. e-e Nachricht* verbreiten, *iro.* 'ausposaunen. **3.** *pret* ~**ed**, *pp Am.* ~**ed**, *Br.* ~ durch den Rundfunk verbreiten, im Rundfunk *od.* Fernsehen bringen, senden, über'tragen. **II** *v/i* **4.** *pret* ~**ed**, *pp Am.* ~**ed**, *Br.* ~ im Rundfunk *od.* Fernsehen sprechen *od.*

auftreten. **III** *s* **5.** *agr.* Breitsaat *f.* **6.** a) Rundfunk(sendung *f*) *m*, b) 'Rundfunk- *od.* 'Fernsehpro,gramm *n.* **IV** *adj* **7.** im Rundfunk *od.* Fernsehen gesendet *od.* über'tragen, Rundfunk...: ~ **advertising** Rundfunkwerbung *f*, Werbefunk *m*; ~ **listener** Rundfunkteilnehmer(in). **8.** (weit)verstreut, (*nachgestellt*) nach allen Richtungen. **'broad,cast·er** *s* **1.** Rundfunksprecher(in). **2.** 'Rundfunkstati,on *f*, (-)Sender *m.* **3.** *agr.* 'Samen,streuma,schine *f.*

broad·cast·ing [*Br.* 'brɔːdˌkɑːstiŋ; *Am.* -ˌkæ(ː)s-] *s electr.* 'Rundfunk(über,tragung *f*) *m.* ~ **re·ceiv·er** *s electr.* Rundfunkempfänger *m.* ~ **sta·tion** → **broadcaster** 2. ~ **stu·di·o** *s* Senderaum *m*, Studio *n.* ~ **trans·mit·ter** *s electr.* Rundfunksender *m.*

Broad| Church *s* libe'rale Richtung in der angli'kanischen Kirche. **'b~,cloth** *s* feiner Wollstoff.

broad·en ['brɔːdn] **I** *v/t* **1.** breiter machen, verbreitern, erweitern (*a. fig.*). **2.** *fig.* ausdehnen. **3.** *fig.* bilden: **to ~ one's mind** sich bilden, s-n Horizont erweitern. **II** *v/i* **4.** breiter werden, sich erweitern *od.* ausdehnen.

broad| ga(u)ge *s rail.* Breitspur *f.* **'~-,ga(u)ge** *adj* Breitspur... ~ **jump** *s sport Am.* Weitsprung *m.* ~ **jump·er** *s sport Am.* Weitspringer(in). **'~,loom car·pet** *s* nahtloser, auf breitem Webstuhl gewebter Teppich.

broad·ly ['brɔːdli] *adv* **1.** weitgehend (*etc*; → **broad** I). **2.** allgemein (gesprochen), in großen Zügen.

'broad|-'mind·ed *adj* großzügig, libe'ral (gesinnt), weitherzig. **,~'mind·ed·ness** *s* Weitherzigkeit *f*, Großzügigkeit *f.*

Broad·moor pa·tient ['brɔːdˌmur] *s Br.* geisteskranker Krimi'neller.

broad·ness ['brɔːdnis] *s* **1.** Weite *f*, Breite *f.* **2.** Derbheit *f.*

broad|,piece *s hist.* brit. Zwanzig-Schilling-Münze *f* (*aus Gold*; *17. Jh.*). ~ **seal** *s* Staatssiegel *n.* **'~,sheet** *s* **1.** *print.* (*einseitig u. mit durchgehenden Zeilen*) bedrucktes Blatt. **2.** Pla'kat *n*, Flugschrift *f*, -blatt *n.* **'~,side I** *s* **1.** *mar.* Breitseite *f*: a) *alle Geschütze auf e-r Schiffsseite*, b) *Abfeuern e-r Breitseite*: ~ **on** breitseitig. **2.** *fig.* Breitseite *f*, mas'sive At'tacke. **3.** → **broadsheet** 1. **II** *adv* **4.** *mar.* breitseitig. **5.** in 'einer Salve. **6.** *fig.* a) alle zu'sammen, b) wahllos. **'~,sword** *s* breites Schwert, Pallasch *m.* **'~,tail** *s zo.* Breitschwanzschaf *n.* **'B~,way** *npr* Broadway *m* (*Hauptstraße u. Theaterviertel in New York*): **on ~** auf dem Broadway.

bro·cade [bro'keid] **I** *s* **1.** Bro'kat *m.* **2.** → **brocatel(le).** **II** *v/t* **3.** mit Bro'katmuster verzieren. **bro'cad·ed** *adj* **1.** bro'katen. **2.** mit Bro'kat geschmückt. **3.** wie Bro'kat gemustert. **4.** in Bro'kat gekleidet.

broc·ard *s* **1.** ['brɒkərd; 'brou-] elemen'tarer Grundsatz. **2.** [brə'kaːr] sar'kastischer Angriff, Stich *m.*

broc·a·tel(le) [ˌbrɒkə'tel] *s* Broka'telle *n*, (Dekorati'ons)Stoff *m* mit reichen erhabenen Verzierungen.

broch [brɒx] *s* Broch *m*, ('prähi,storischer) runder Steinturm.

bro·chure [brə'ʃjur] *s* Bro'schüre *f.*

brock·et ['brɒkit] *s hunt.* Spießer *m*, zweijähriger Hirsch.

bro·die ['broudi] *s Am. sl.* **1.** (*bes.* selbstmörderischer) Sturz, Todessprung *m.* **2.** a) Schnitzer *m*, Fehler *m*, b) ,Pleite' *f*, ,Reinfall' *m.*

bro·gan ['brougən] *Am. für* **brogue**[1].

brogue[1] [broug] *s* derber Schuh, Haferlschuh *m.*

brogue[2] [broug] *s ling.* **1.** irischer Ak'zent (des Englischen). **2.** *allg.* (stark) dia'lektisch gefärbte Aussprache.

broil[1] [brɔil] **I** *v/t* **1.** (auf dem Rost) braten, grillen. **2.** *fig.* schmoren lassen. **II** *v/i* **3.** schmoren, braten (*a. fig.*). **III** *s* **4.** Gebratenes *n*, Gegrilltes *n.*

broil[2] [brɔil] *s* Kra'wall *m*, Tu'mult *m*, Krach *m*, Streit *m.*

broil·er[1] ['brɔilər] *s* **1.** (Brat)Pfanne *f*, Bratrost *m.* **2.** *Am.* Bratofen *m* mit Grillvorrichtung. **3.** *a.* ~ **chicken** Brathühnchen *n* (*bratfertig*). **4.** *colloq.* glühendheißer Tag.

broil·er[2] ['brɔilər] *s* Krachmacher *m*, ,Streithammel' *m.*

broil·ing ['brɔiliŋ] *adj a.* ~ **hot** glühend heiß.

bro·kage ['broukidʒ] → **brokerage.**

broke[1] [brouk] *pret u. obs. pp von* **break**[1] II *u.* III.

broke[2] [brouk] *adj sl.* ,pleite': a) ,abgebrannt', ,blank' (*ohne Geld*), b) bank'rott, rui'niert.

broke[3] [brouk] *s tech.* (Pa'pier)Ausschuß *m*, Kollerstoff *m.*

bro·ken ['broukən] **I** *pp von* **break**[1]. **II** *adj* (*adv* → **brokenly**) **1.** zerbrochen, entzwei, ka'putt. **2.** gebrochen: **a ~ leg**; **a ~ promise.** **3.** zerrissen, verletzt. **4.** unter'brochen: ~ **sleep.** **5.** (*seelisch od. körperlich*) gebrochen: **a ~ man.** **6.** zerrüttet: ~ **marriage**; ~ **health.** **7.** rui'niert, bank'rott. **8.** gezähmt, *bes.* zugeritten: ~ **horse.** **9.** *mil. Am.* degra'diert, kas'siert. **10.** *meteor.* a) unbeständig: ~ **weather**, b) fast bedeckt. **11.** a) uneben, holp(e)rig: ~ **ground**, b) zerklüftet: ~ **country**, c) bewegt: ~ **sea.** **12.** unvollständig. **13.** *ling.* a) gebrochen: ~ **English**, b) gebrochen, diphthon'giert. **14.** gebrochen, trüb: ~ **colo(u)r.** ~ **coal** *s* Bruchkohle *f* (*Anthrazit*). **'~-'down** *adj* **1.** zerrüttet, verbraucht, erschöpft. **2.** her'untergekommen, rui'niert, ka'putt. **3.** *phys.* zs.-gebrochen (*a. fig.*). **'~-'heart·ed** *adj* (*adv* **~ly**) (seelisch) gebrochen, niedergeschlagen, verzweifelt, untröstlich. ~ **line** *s* unter'brochene Linie (*a. im Straßenverkehr*), gestrichelte *od.* punk'tierte Linie.

bro·ken·ly ['broukənli] *adv* **1.** stoßweise, krampfhaft. **2.** mit Unter'brechungen. **3.** (*seelisch*) gebrochen, *bes.* mit gebrochener Stimme.

bro·ken| mon·ey *s* Kleingeld *n.* ~ **num·ber** *s math.* gebrochene Zahl, Bruch *m.* **'~-'spir·it·ed** *adj* entmutigt, gebrochen. ~ **stone** *s* Schotter *m*, Splitt *m.* ~ **time** *s* **1.** *econ.* Verdienstausfall *m.* **2.** unvollständige Zeitspanne (*z. B. nicht ganz e-e Stunde*), verkürzte (Arbeits)Zeit. ~ **wind** *s vet.* Dämpfigkeit *f* (*von Pferden*). **'~-'wind·ed** *adj* dämpfig, kurzatmig.

bro·ker ['broukər] *s* **1.** *Br.* Altwarenhändler *m*, Trödler *m.* **2.** *econ.* (*a.* Börsen-, Kurs-, Wechsel)Makler *m*, (*a.* Heirats)Vermittler *m*, Mittelsmann *m*: **~'s note** Schlußschein *m.* **'bro·ker·age** *s* **1.** Maklerberuf *m*, -geschäft *n.* **2.** Maklergebühr *f*, Cour'tage *f*: **buying ~** Einkaufsprovision *f.*

brokes [brouks] *s pl* (*kurze*) Wolle.

brol·ly ['brɒli] *s Br. sl.* **1.** Schirm *m.* **2.** *aer.* Fallschirm *m.*

bro·mate ['broumeit] *chem.* **I** *s* Bro'mat *n*, bromsaures Salz. **II** *v/t* mit bromsaurem Salz versetzen.

brome (grass) [broum] *s bot.* Trespe *f.*

bro·mic ['broumik] *adj chem.* bromhaltig: ~ **acid** Bromsäure *f.*

bro·mide ['broumaid; -mid] *s* **1.** *chem.* Bro'mid *n*: ~ **paper** *phot.* Bromsilberpapier *n.* **2.** *fig.* a) Beruhigungspille *f*, b) ,Fadian' *m*, langweiliger Mensch, c) abgedroschenes Zeug, Plattheit *f.*

bro·mid·ic [brou'midik] *adj* **1.** langweilig. **2.** abgedroschen, platt.

bro·mine ['broumiːn; -min] *s* Brom *n.* **'bro·min,ism** [-miˌnizəm], **'bro·mism** *s med.* Bromvergiftung *f.*

bron·chi ['brɒŋki], **'bron·chi·a** [-ə] *s pl anat.* Bronchien *pl.* **'bron·chi·al** *adj* bronchi'al: ~ **asthma** Bronchialasthma *n*; ~ **tube** Bronchie *f.*

bron·chi·tis [brɒŋ'kaitis; brɒn-] *s* Bron'chitis *f*, Bronchi'alka,tarrh *m.*

bron·cho → **bronco.**

bron·cho·cele ['brɒŋkosiːl] *s med.* Broncho'zöle *f*, Luftgeschwulst *f* (*am Halse*). **bron'chot·o·my** [-'kɒtəmi] *s* Bronchoto'mie *f*, Luftröhrenschnitt *m.* **'bron·chus** [-kəs] *pl* **-chi** [-ai] *s anat.* Bronchus *m*, Luftröhrenast *m.*

bron·co ['brɒŋkou] *s* **1.** kleines, halbwildes Pferd (*des nordamer. Westens*). **2.** *allg.* wildes Pferd, Mustang *m.* **'~,bust·er** *s Am. colloq.* Zureiter *m* (von wilden Pferden).

Bronx [brɒŋks] **I** *npr Stadtteil von New York City.* **II** *s* Bronx *m* (*Cocktail*). ~ **cheer** *s Am. sl.* (*verächtliches*) Zischen *od.* Pfeifen, 'Pfeifkon,zert *n.*

bronze [brɒnz] **I** *s* **1.** Bronze *f.* **2.** 'Bronzele,gierung *f.* **3.** (Statue *f*, Me'daille *f etc* aus) Bronze *f.* **4.** Bronzefarbe *f.* **II** *v/t* **5.** bron'zieren. **III** *v/i* **6.** sich bräunen, sich wie Bronze färben. **IV** *adj* **7.** a) bronzen, bronzefarben, b) Bronze...: ~ **age** Bronzezeit *f*; **B~ Star Medal** *mil. Am.* bronzene Tapferkeitsmedaille. **'bronzed** *adj* bron'ziert, (*bes.* sonnen)gebräunt.

brooch [broutʃ; *Am. a.* bruːtʃ] *s* Brosche *f*, Spange *f.*

brood [bruːd] **I** *s* **1.** *zo.* Brut *f*, Hecke *f.* **2.** Nachkommenschaft *f*, Art *f*, Sippe *f.* **3.** *contp.* Brut *f*, Horde *f.* **II** *v/t* **4.** *Eier* ausbrüten. **5.** *fig. Böses* (aus)brüten. **III** *v/i* **6.** brüten (*Henne*). **7.** *fig.* a) (on, over) brüten (über *dat*), grübeln (über *acc*), b) (dumpf) vor sich 'hinbrüten. **8.** *fig.* schweben. **9.** a) brüten, lasten (*Hitze*), b) her'aufziehen (*Unwetter*). **IV** *adj* **10.** brütend. **11.** Brut...: ~ **pouch** *biol.* Bruttasche *f.* **12.** Zucht...: ~ **mare** Zuchtstute *f.* ~ **bud** *s biol.* Brutknospe *f.*

brood·er ['bruːdər] *s* **1.** 'Brutappa,rat *m*, -kasten *m.* **2.** *fig.* Brüter *m.*

brood·y ['bruːdi] *adj* brütend (*a. fig.*).

brook[1] [bruk] *s* Bach *m.*

brook[2] [bruk] *v/t* ertragen, erdulden (*meist neg*): **it ~s no delay** es duldet keinen Aufschub.

brook·let ['bruklit] *s* Bächlein *n.*

broom [bruːm; brum] **I** *s* **1.** Besen *m*: **a new ~ sweeps clean** neue Besen kehren gut. **2.** *bot.* a) Besenginster *m*, b) Geißklee *m*, c) (*ein*) Ginster *m.* **II** *v/t* **3.** kehren, fegen. **'~,corn** *s bot.* **1.** Besenhirse *f*, Sorghum *n.* **2.** Kaffern-, Zuckerhirse *f.* **'~,rape** *s bot.* (*ein*) Sommerwurzgewächs *n.* **'~,stick** *s* Besenstiel *m*: **to marry over the ~** *humor.* e-e wilde Ehe eingehen.

broth [brɒθ; brɔːθ] *s* Suppe *f*, (Kraft-, Fleisch)Brühe *f*: **clear ~** klare Brühe; **a ~ of a boy** *Ir. colloq.* ein Prachtkerl.

broth·el ['brɒθl] *s* Bor'dell *n.*

broth·er ['brʌðər] **I** *s* **1.** Bruder *m*: **~s and sisters** Geschwister; **Smith B~s** *econ.* Gebrüder Smith. **2.** *relig.* *pl* **brethren** Bruder *m*: a) Nächste(r) *m*,

b) Glaubensgenosse *m*, Mitglied *n* e-r religi'ösen Gemeinschaft, c) *R.C.* (Laien)Bruder *m*. **3.** Amtsbruder *m*, Kol'lege *m*, Genosse *m*, Gefährte *m*, Kame'rad *m*: ~ **in affliction** Leidensgefährte; ~**-in-arms** Waffenbruder *m*, Kampfgenosse. **II** *adj* **4.** Bruder...: ~ **officer** Regimentskamerad *m*; ~ **scientist** wissenschaftlicher Kollege; ~ **student** Mitstudent *m*, Studienkollege *m*. **III** *interj* **5.** *colloq.* Freund(chen)!, ‚Kumpel'! **6.** *colloq.* Mann!, Mensch!: ~ **was I sick!**

broth·er·hood ['brʌðər,hud] *s* **1.** Bruderschaft *f*. **2.** Brüderlichkeit *f*.

'broth·er|-in-,law *s* Schwager *m*. **B~ Jon·a·than** *s Am. hist. humor.* Bruder *m* Jonathan (*Amerikaner*).

broth·er·li·ness ['brʌðərlinis] *s* Brüderlichkeit *f*. **'broth·er·ly** *adj* brüderlich: ~ **love** Bruderliebe *f*.

brougham ['bru:əm; bru:m] *s* **1.** Brougham *m* (*geschlossener vierrädriger, zweisitziger Wagen*). **2.** Limou'sine *f* mit offenem Fahrersitz.

brought [brɔ:t] *pret u. pp von* **bring**.

brow [brau] *s* **1.** (Augen)Braue *f*. **2.** Stirn *f*, Miene *f*: **to knit** (*od.* **gather**) **one's** ~ die Stirn runzeln. **3.** Vorsprung *m*, Rand *m* (*e-s Abhangs*). **4.** *fig.* (An)Schein *m*. ~ **ant·ler** *s zo.* Augsprosse *f* (*beim Hirschgeweih*). **'~,beat** *v/t irr* **1.** einschüchtern. **2.** tyranni'sieren.

brown [braun] **I** *adj* **1.** braun: **to do** ~, *Am.* **to do up** ~ *sl.* a) *etwas* sehr gründlich tun, b) *j-n* ‚reinlegen', ‚anschmieren' (*betrügen*). **2.** brü'nett, bräunlich (*Gesichtsfarbe etc*): ~ **as a berry** braun wie e-e Kastanie. **II** *s* **3.** Braun *n*, braune Farbe. **4.** *hunt.* Schar *f* Vögel: **to fire into the** ~ a) in die Schar schießen, b) *fig.* blindlings in die Menge feuern. **III** *v/t* **5.** (an)bräunen. **6.** *tech.* brü'nieren. **7.** *Br. sl. j-n* ‚fertigmachen': ~**ed off** ‚restlos bedient', ‚sauer'. **IV** *v/i* **8.** braun werden, sich bräunen.

brown| al·gae *s pl bot.* Braunalgen *pl*. ~ **bear** *s zo.* brauner Bär. ~ **Bess** [bes] *s mil. hist.* Kuhfuß *m* (*altes Steinschloßgewehr*). ~ **Bet·ty** ['beti] *s Am.* Auflauf *m* aus geschichteten Äpfeln u. Brotkrumen. ~ **bread** *s* Schwarz-, Schrotbrot *n*. ~ **coal** *s* Braunkohle *f*.

brown·ie ['brauni] *s* **1.** Heinzelmännchen *n*. **2.** *Am.* kleiner Schoko'ladenkuchen mit Nüssen. **3.** B~ (*TM*) Brownie *f* (*e-e Kamera*). **4.** ‚Wichtel' *m*, junge Pfadfinderin (*im Alter von 8 bis 11 Jahren*).

Brown·ing ['brauniŋ] *s* Browning *m* [(*Pistole*).]

'brown|,out *s* **1.** *Austral.* teilweise Verdunkelung. **2.** *Am.* Stromeinschränkung *f* (*bes. für Straßenbeleuchtung, Leuchtreklame etc*). ~ **owl** *s orn.* Waldkauz *m*. ~ **pa·per** *s* 'Packpa,pier *n*. ~ **rat** *s zo.* Hausratte *f*. ~ **shirt** *s hist.* Braunhemd *n*: a) *Mitglied von Hitlers SA*, b) Natio'nalsozia,list *m*. ~ **spar** *s min.* Braunspat *m*. **'~,stone** *Am.* **I** *s* brauner Sandstein. **II** *adj fig.* wohlhabend, vornehm. ~ **sug·ar** *s* brauner Zucker.

browse [brauz] **I** *s* **1.** junge Schößlinge *pl* (*als Rinderfutter*). **2.** Grasen *n*. **II** *v/t* **3.** abfressen, *Weide etc* abgrasen. **III** *v/i* **4.** grasen, weiden. **5.** *fig. in Büchern* schmökern *od.* blättern.

bru·in ['bru:in] *s poet.* Braun *m*, Bär *m*.

bruise [bru:z] **I** *v/t* **1.** *e-n Körperteil* quetschen, *j-m* Prellungen zufügen, *j-n* grün u. blau schlagen. **2.** *etwas* übel zurichten, *Früchte* anstoßen. **3.** (zer)quetschen, zerstampfen, *Malz etc* schroten. **4.** *a. j-s Gefühle* verletzen. **II** *v/i* **5.** e-e Quetschung *od.* e-n blauen Fleck bekommen. **6.** *fig.* leicht *etc* verletzt *od.* gekränkt sein. **7.** *meist* ~ **along** *hunt. Br. sl.* rücksichtslos reiten. **III** *s* **8.** *med.* Quetschung *f*, Prellung *f*, Beule *f*, blauer Fleck, Bluterguß *m*. **'bruis·er** *s* **1.** *colloq.* (Berufs)-Boxer *m*. **2.** *Am. sl.* a) ‚Schläger' *m* (*Raufbold*), b) ‚Schrank' *m* (*großer Kerl*).

bruit [bru:t] **I** *v/t* **1.** *Gerüchte* aussprengen, verbreiten: **to** ~ **abroad**. **II** *s* **2.** Lärm *m*. **3.** Gerücht *n*. **4.** *med.* Geräusch *n*.

bru·mal ['bru:məl] *adj* winterlich.

brume [bru:m] *s poet.* Nebel *m*.

Brum·ma·gem ['brʌmədʒəm] **I** *npr* **1.** *dial od. sl.* Birmingham *n* (*Stadt in England*). **II** *s* **2.** b~ *sl.* (*bes. in Birmingham hergestellte*) billige, kitschige Ware, Schund *m*, Talmi *n*. **III** *adj* b~ *sl.* **3.** billig, kitschig, wertlos. **4.** unecht.

bru·mous ['bru:məs] *adj* neblig.

brunch [brʌntʃ] *s colloq.* ‚Brunch' *m*, Frühstück *n* u. Mittagessen *n* kombi'niert (*aus* **breakfast** *u.* **lunch**). ~ **coat** *s* Damenhausmantel *m*.

bru·nette [bru:'net] **I** *adj* brü'nett, dunkel(braun). **II** *s* Brü'nette *f* (*Frau*).

brunt [brʌnt] *s* **1.** Anprall *m*. **2.** Hauptstoß *m*, volle Wucht (*e-s Angriffs*) (*a. fig.*): **to bear the** ~ die Hauptlast tragen.

brush[1] [brʌʃ] **I** *s* **1.** Bürste *f*. **2.** Pinsel *m*: → **shaving** 1. **3.** *paint.* a) Pinsel *m*, b) Pinselstrich *m*, c) Stil *m*, d) Maler *m*, e) **the** ~ die Malerei. **4.** Bürsten *n* (*Tätigkeit*): **to give a** ~ (**to**) *etwas* ab- *od.* ausbürsten. **5.** buschiger Schwanz, Rute *f*, Lunte *f*: **the** ~ **of a fox**. **6.** *electr.* a) (Kon'takt)-Bürste *f*, b) → **brush discharge**. **7.** *electr. tech.* (Abtast)Bürste *f* (*für Lochkarten*). **8.** *electr. phys.* Strahlen-, Lichtbündel *n*. **9.** (Vor'bei)Streifen *n*. **10.** *mil. u. fig.* Schar'mützel *n*, kurzer Zs.-stoß: **to have a** ~ **with s.o.** mit j-m aneinandergeraten. **11.** → **brush-off**. **II** *v/t* **12.** a) bürsten, b) fegen, kehren: **to** ~ **away** (*od.* **off**) wegbürsten, abwischen, abstreifen (*a. mit der Hand*) (→ 16). **13.** *tech. Farbe etc* auftragen, -bürsten. **14.** a) streifen, leicht berühren, b) *fig. j-n* (innerlich) berühren. **15.** ~ **aside** a) wegstoßen, b) *fig.* (mit e-r Handbewegung) abtun, wegwischen. **16.** ~ **off** *Am. sl.* a) *j-n* ‚rausschmeißen' (*entlassen*), b) *j-n* ‚abwimmeln', loswerden, c) *j-m* e-n Korb geben *od.* e-e Abfuhr erteilen. **17.** ~ **up** *fig.* ‚'aufpo,lieren': a) *Kenntnisse etc* auffrischen, b) *etwas* ver'vollkommnen. **III** *v/i* **18.** (da'hin)-fegen, (-)rasen. **19.** ~ **against** (im Vor'beigehen) streifen (*acc*). **20.** ~ **up on** → 17.

brush[2] [brʌʃ] *s* **1.** Gebüsch *n*, Strauchwerk *n*, Gestrüpp *n*, Dickicht *n*, 'Unterholz *n*, Niederwald *m*. **2.** Busch(land *n*) *m*, 'Hinterwald *m* (*in USA u. Australien*). **3.** Astwerk *n*, Reisig *n*.

brush| coat·ing *s tech.* Bürstenauftrag *m*. ~ **dis·charge** *s electr.* Büschelentladung *f*. **'~-,fire war** *s mil.* begrenzter Kon'flikt.

brush·ings ['brʌʃiŋz] *s pl* Kehricht *m*.

'brush,land → **brush**[2] 2.

brush·less ['brʌʃlis] *adj* **1.** ohne Bürste. **2.** ohne Schwanz.

'brush|,off *s Am. sl.* a) ‚Rausschmiß' *m* (*Entlassung*), b) Abfuhr *f*, Abweisung *f*, ‚Korb' *m*: **to give s.o. the** ~ → **brush**[1] 16. **'~,up** *s Am. colloq.* ‚'Aufpo,lierung' *f*: a) Auffrischung *f* (*von Kenntnissen etc*), b) Ver'vollkommnung *f*, c) Reno'vierung *f*. **'~,wood** → **brush**[2]. **'~,work** *s paint.* Pinselführung *f*, Stil *m*, Technik *f*.

brusque [brʌsk; brusk] *adj* (*adv* ~**ly**) brüsk, barsch, schroff, kurz (angebunden). **'brusque·ness** *s* Schroffheit *f*, brüske Art.

Brus·sels ['brʌslz] **I** *npr* Brüssel *n*. **II** *s pl a.* ~ **lace** Brüsseler Spitzen *pl*. ~ **car·pet** *s* Brüsseler Teppich *m*. ~ **sprouts** *s pl* Rosenkohl *m*.

bru·tal ['bru:tl] *adj* (*adv* ~**ly**) **1.** tierisch, viehisch. **2.** bru'tal, roh, viehisch, unmenschlich. **3.** scheußlich, ‚grausam': ~ **heat**; **the** ~ **truth** die bittere Wahrheit. **bru'tal·i·ty** [-'tæliti] *s* Brutali'tät *f*, Roheit *f*. **,bru·tal·i'za·tion** *s* Verrohung *f*. **'bru·tal,ize I** *v/t* **1.** zum Tier machen, verrohen lassen. **2.** bru'tal behandeln. **II** *v/i* **3.** vertieren, zum Tier werden.

brute [bru:t] **I** *s* **1.** (*unvernünftiges*) Tier, Vieh *n*. **2.** *fig.* Untier *n*, Vieh *n*, Scheusal *n*, Rohling *m*. **3.** (*die*) tierischen In'stinkte *pl* (*im Menschen*). **II** *adj* **4.** tierisch: a) unvernünftig, ohne Verstand, b) triebhaft, c) → **brutal** 2: **by** ~ **force** mit roher Gewalt. **5.** seelenlos. **6.** hirnlos, dumm. **7.** ungeschlacht, roh, primi'tiv. **8.** hart, ungeschminkt: **the** ~ **facts**.

brut·ish ['bru:tiʃ] *adj* (*adv* ~**ly**) → **brute** II.

bry·ol·o·gy [brai'ɒlədʒi] *s bot.* Bryolo'gie *f*, Mooskunde *f*.

bry·o·ny ['braiəni] *s bot.* Zaunrübe *f*.

bry·o·phyte ['braiə,fait] *s bot.* Bryo'phyt *m*, Moospflanze *f*.

bry·o·zo·an [,braiə'zouən] *s zo.* Moostierchen *n*.

Bryth·on ['briθən] *s* cymbrischer Angehöriger der brit. Kelten. **Bry·thon·ic** [bri'θɒnik] **I** *s ling.* Bry'thonisch *n*, Ursprache *f* der Kelten in Wales, Cornwall u. der Bre'tagne. **II** *adj* bry'thonisch.

bub·ble ['bʌbl] **I** *s* **1.** (Luft-, Gas-, Seifen)Blase *f*. **2.** *fig.* Seifenblase *f*, leerer Schein. **3.** *sl.* Schwindel(geschäft *n*) *m*: **to prick the** ~ den Schwindel auffliegen lassen; ~ **company** Schwindelfirma *f*. **4.** Sprudeln *n*, Brodeln *n*, Wallen *n*, Gurgeln *n*, Schwall *m*. **II** *v/i* **5.** sprudeln, (auf)-wallen, brodeln, gurgeln: **to** ~ **up** sieden; **to** ~ **over** übersprudeln (**with** vor) (*a. fig.*). ~ **and squeak** *s* mit Gemüse zu'sammen aufgebratenes Rindfleisch. ~ **bath** *s* Schaumbad *n*. ~ **can·o·py** *s aer.* stromlinienförmiger Baldachin. ~ **cap** *s phys. tech.* Fraktio'nier,bodenglocke *f*. ~ **car** *s* Kleinstwagen *m*, Ka'binenroller *m*. ~ **dance** *s* Nackttanz *m* hinter 'Luftbal,lons. ~ **gum** *s* Bal'lon-, Knallkaugummi *m*. ~ **lev·el** *s tech.* Li'belle *f*, Wasserwaage *f*.

bub·bler ['bʌblər] *s Am.* Trinkwasser-[brunnen *m*.]

bub·bly ['bʌbli] **I** *adj* **1.** sprudelnd. **2.** blasenförmig. **II** *s* **3.** *a.* ~ **water** ‚Schampus' *m* (*Sekt*). **'~-,jock** *s bes. Scot. colloq.* Truthahn *m*.

bu·bo ['bju:bou] *pl* **-oes** *s med.* Bubo *m*, Lymphdrüsenschwellung *f*, Beule *f*.

bu·bon·ic plague [bju:'bɒnik] *s med.* Beulenpest *f*.

buc·cal ['bʌkəl] *adj anat.* buk'kal, Wangen..., Mund...: ~ **cavity** Mundhöhle *f*; ~ **gland** Wangendrüse *f*.

buc·can ['bʌkən; bə'kæn] **I** *s* **1.** (*hölzerner*) Bratrost. **2.** buka'niertes Fleisch. **II** *v/t* **3.** *Fleisch* buka'nieren.

buc·ca·neer [,bʌkə'nir] **I** *s* Pi'rat *m*,

Seeräuber *m*, Freibeuter *m*. **II** *v/i* ˌSeeräube'rei betreiben.

Buch·man·ism ['bukməˌnizəm] *s relig.* Oxford-Bewegung *f*, Mo'ralische Aufrüstung.

buck[1] [bʌk] **I** *s* **1.** *zo.* (*Hirsch-, Ziegen- etc*)Bock *m*, *engS.* Rehbock *m*, *allg.* Männchen *n*, *bes.* a) Rammler *m* (*Hase, Kaninchen*), b) Widder *m*. **2.** *zo.* Anti'lope *f*. **3.** Stutzer *m*, Geck *m*, Lebemann *m*. **4.** Draufgänger *m*, (toller) Kerl. **5.** *Am. colloq.* a) Indi'aner *m*, b) Neger *m*. **6.** Bocken *n* (*vom Pferd*). **7.** *Am.* (Säge- *etc*)Bock *m*. **8.** *sport* Pferd *n* (*Turnen*). **9.** *Pokerspiel: Gegenstand, der e-n Spieler daran erinnern soll, daß er am Geben ist:* **to pass the ~** *Am. sl.* sich von der Verantwortung drücken, die Verantwortung zuschieben (to *j-m*). **II** *v/i* **10.** bocken (*Pferd etc*). **11.** *Am. colloq.* a) bocken, ‚meutern', sich auflehnen *od.* sträuben (at bei, gegen), b) bocken, sich ruckweise fortbewegen (*Auto*), c) (wütend) angreifen *od.* angehen (*a. fig.*): **to ~ for s.th.** sich (rücksichtslos) um etwas bemühen. **12.** *electr.* entgegenwirken. **13.** **~ up** *colloq.* ‚sich aufrappeln', sich zs.-reißen: **~ up!** Kopf hoch! **III** *v/t* **14.** *den Reiter durch Bocken abzuwerfen trachten:* **to ~ (off)** *j-n* abwerfen. **15.** *Am. colloq.* sich sträuben *od.* stemmen gegen, angehen gegen, *etwas* wütend angreifen. **16.** **~ up** *colloq.* *j-n* ‚aufmöbeln', aufmuntern: **greatly ~ed** hocherfreut. **17.** *Am. colloq.* weiterreichen. **18.** *tech.* gegenhalten. **19.** *amer. Fußball:* (mit dem Ball) anstürmen gegen. **20.** *Am. sl.* setzen *od.* wetten gegen. **21.** *electr.* kompen'sieren. **IV** *adj* **22.** männlich. **23.** *mil. Am. sl.* einfach: **~ private** einfacher Soldat.

buck[2] [bʌk] *s Am. sl.* Dollar *m*.

buck·a·roo ['bʌkəˌruː; ˌbʌkə'ruː] *s Am. dial.* Cowboy *m*.

'buckˌboard *s Am.* leichter, vierrädriger Wagen.

buck·et ['bʌkit] **I** *s* **1.** Eimer *m*, Kübel *m*: **champagne ~** Sektkühler *m*; **to kick the ~** *sl.* ‚draufgehen', ‚abkratzen' (*sterben*). **2.** *tech.* a) Schaufel *f* (*e-s Schaufelrades*), b) Förderkübel *m*, Eimer *m* (*e-s Baggers*), c) Flügelrad *n*. **3.** *tech.* (Pumpen)Kolben *m*. **4.** (Leder)Behälter *m* (*für Peitsche, Karabiner etc*). **5.** → **bucketful**. **6.** *Am. sl.* a) ‚Eimer' *m* (*Schiff*), b) ‚Karre' *f* (*Auto*). **7.** *Am. sl.* ‚Kittchen' *n* (*Gefängnis*). **II** *v/t* **8.** (aus)schöpfen. **9.** *sein Pferd* (ab)hetzen *od.* zu'schanden reiten. **III** *v/i* **10.** *colloq.* (da'hin)rasen. **11.** *Am. colloq.* (in der ‚Weltgeschichte') her'umgondeln: **to ~ around**. **~ bag** *s* (Damenhand)Tasche *f* in Beutelform. **~ con·vey·or** *s tech.* Becherkettenförderer *m*, Becherwerk *n*. **~ dredg·er** *s tech.* Löffel-, Eimerbagger *m*. **~ el·e·va·tor** → **bucket conveyor**.

buck·et·er ['bʌkitər] *s econ. Am.* 'unreˌeller Börsenmakler.

buck·et·ful ['bʌkitfəl; -ful] *s* (*ein*) Eimer(voll) *m*: **in ~s** eimerweise.

buck·et| seat *s aer. mot.* a) Kübelsitz *m*, b) Klapp-, Notsitz *m*. **~ shop** *s* Winkelbörse *f*, 'unreˌelle Maklerfirma. **~ wheel** *s tech.* Schöpfrad *n*.

'buck|ˌeye *s Am.* **1.** *bot.* (*e-e*) 'Roßkaˌstanie. **2.** **B~** *colloq.* Bewohner(in) O'hios. **3.** *zo.* Nordamer. Pfauenauge *n* (*Schmetterling*). **~ fe·ver** *s hunt. Am. colloq.* Jagdfieber *n*. **'~ˌhorn** *s* Hirschhorn *n*. **'~ˌhound** *s* Jagdhund *m*.

buck·ish ['bʌkiʃ] *adj* stutzerhaft.

'buckˌjump·er *s* störrisches Pferd.

buck·le ['bʌkl] **I** *s* **1.** Schnalle *f*, Spange *f*. **2.** *mil.* Koppelschloß *n*. **II** *v/t* **3.** *a.* **~ up** (zu-, fest)schnallen: **to ~ on** anschnallen. **4.** (ver)biegen, krümmen, knicken. **5.** **~ o.s.** (to) sich vorbereiten (auf *e-e Aufgabe*). **III** *v/i* **6.** sich verbiegen *od.* verziehen, sich krümmen *od.* wölben. **7.** *oft* **~ up** (ein)knicken, zs.-sacken, nachgeben (*unter e-r Last; a. Knie*). **8.** *a.* **~ under** *fig.* zs.-brechen. **9.** *fig.* mit Eifer her'angehen (to an *e-e Arbeit*): **to ~ down to a task**. **'buck·led** *adj* mit e-r Schnalle versehen *od.* befestigt, Schnallen...

buck·ler ['bʌklər] *s* **1.** kleiner runder Schild. **2.** *zo.* Schild *m*. **3.** *fig.* a) Schutz *m*, b) Beschützer(in).

buck·ling ['bʌkliŋ] *s* **1.** *tech.* Knickung *f*, Stauchung *f*: **~ load** Knicklast *f*; **~ resistance, ~ strength** Knickfestigkeit *f*. **2.** *tech.* Krümmen *n*, Verziehen *n*.

buck·o ['bʌkou] *pl* **-oes** *s* **1.** *Am. für* **bully**[2] 1. **2.** *mar. Br. sl.* ‚Angeber' *m*.

'buck-ˌpass·ing *s Am. sl.* Drückeberge'rei *f*.

buck·ram ['bʌkrəm] **I** *s* **1.** Steifleinen *n*. **2.** *fig.* Steifheit *f*. **II** *v/t* **3.** mit Steifleinen füttern, versteifen. **III** *adj* **4.** *fig.* steif, for'mell.

'buckˌsaw *s Am.* Bocksäge *f*.

buck·shee ['bʌkʃiː; ˌbʌk'ʃiː] *adj mil. Br. sl.* gratis, um'sonst.

'buck|ˌshot *s hunt.* grober Schrot, Rehposten *m*. **'~ˌskin** *s* **1.** Wildleder *n*. **2.** *pl* Lederhose *f*. **3.** Buckskin *m* (*geköperter Wollstoff*). **4.** *meist* **B~** *Am. hist.* 'Hinterwäldler *m*. **5.** *Am.* Falbe *m*, graugelbes Pferd. **~ slip** *s Am.* innerbetriebliche Mitteilung, 'AktenoˌtiZ *f*. **'~ˌthorn** *s bot.* Weg-, Kreuzdorn *m*. **'~ˌtooth** *s irr* vorstehender Zahn. **'~ˌwheat** *s bot.* (*ein*) Buchweizen *m*.

bu·col·ic [bjuː'kɒlik] **I** *adj* **1.** bu'kolisch: a) Hirten..., b) ländlich, i'dyllisch. **II** *s* **2.** *humor.* Landmann *m*, Bauer *m*. **3.** I'dylle *f*, Hirtengedicht *n*. **bu'col·i·cal** → **bucolic I**.

bud[1] [bʌd] **I** *s* **1.** *bot.* Knospe *f*, Auge *n*: **to be in ~** knospen. **2.** Keim *m*. **3.** *fig.* Keim *m*: a) Anfangsstadium *n*, b) erste Ansätze *pl*, (zaghafter) Beginn: **to nip in the ~** im Keime ersticken. **4.** *zo.* Knospe *f*, Keim *m*. **5.** *biol.* in der Entwicklung befindliches Or'gan. **6.** ‚junges Blut' (*Knabe, Mädchen*). **7.** *Am. sl. für* **debutante**. **8.** (noch) ‚in den Kinderschuhen stekkende' Sache. **II** *v/i* **9.** knospen, keimen, sprossen. **10.** *a.* **~ out, ~ up** sich entwickeln *od.* entfalten, her'anreifen: **a ~ding lawyer** ein angehender Jurist; **to ~ off (from)** erwachsen (aus *dat*). **III** *v/t* **11.** *agr.* oku'lieren.

bud[2] [bʌd] *s Am. colloq.* **1.** Bruder *m*. **2.** → **buddy**.

Bud·dhism ['budizəm] *s* Bud'dhismus *m*. **'Bud·dhist** *s* Bud'dhist *m*. **Bud'dhis·tic** *adj* bud'dhistisch.

bud·dy ['bʌdi] *s Am. colloq.* ‚Kumpel' *m*, Kame'rad *m*, ‚Spezi' *m*, Freund *m*.

budge[1] [bʌdʒ] *meist neg* **I** *v/i* sich regen, sich (von der Stelle) rühren, sich (im geringsten) bewegen: **he didn't ~**. **II** *v/t* (vom Fleck) bewegen.

budge[2] [bʌdʒ] *s* (gegerbtes) Lammfell.

budg·er·i·gar [ˌbʌdʒəri'gɑːr] *s orn.* Wellensittich *m*.

budg·et ['bʌdʒit] **I** *s* **1.** *bes. pol.* Bud'get *n*, Haushaltsplan *m*, (Staats)Haushalt *m*, E'tat *m*: **~ bill** *Am.* Haushaltsvorlage *f*; **~ cut** Etatkürzung *f*; **~ grant** bewilligte Haushaltsmittel; **according to ~** etatmäßig; **to make a ~** e-n Haushaltsplan aufstellen; **to open the ~** das Budget vorlegen. **2.** *colloq.* Bud'get *n*, E'tat *m*, Fi'nanzen *pl*: **family ~**; **for the low ~** für den schmalen Geldbeutel; **~-priced** preisgünstig; **~ dress** preisgünstiges Kleid. **3.** Bündel *n* (*a. fig.*). **4.** Vorrat *m*, Menge *f*: **a ~ of news** ein Sackvoll Neuigkeiten. **II** *v/t* **5.** a) *Mittel* bewilligen *od.* vorsehen, b) *e-e Ausgabe* einplanen. **6.** haushalten mit, gut einteilen. **III** *v/i* **7.** planen, ein Bud'get machen: **to ~ for** die Kosten für *etwas* veranschlagen, e-e Ausgabe von ... vorsehen.

budg·ie ['bʌdʒi] *abbr. für* **budgerigar**.

buff[1] [bʌf] **I** *s* **1.** starkes Ochsen- (*ursprünglich* Büffel)Leder. **2.** Braungelb *n*, Lederfarbe *f*. **3.** *colloq.* bloße Haut: **in ~** nackt, im Adamskostüm. **4.** **the B~s** *pl mil. Br. Beiname des* **East Kent Regiment**. **5.** *tech.* Schwabbelscheibe *f*. **II** *adj* **6.** aus starkem Leder. **7.** lederfarben. **III** *v/t* **8.** *tech.* schwabbeln, po'lieren.

buff[2] [bʌf] *s obs.* Puff *m*, Schlag *m*.

buf·fa·lo ['bʌfəˌlou] **I** *pl* **-loes, -los** *s* **1.** *zo.* (*ein*) Büffel *m*, *bes.* a) Indischer Arni-Büffel, Kerabau *m*, b) Büffel *m*, Nordamer. Bison *m*. **2.** Büffelfell *n* (*als Reisedecke*). **3.** *mil.* am'phibischer Panzerwagen. **II** *v/t* **4.** *Am. sl.* a) *j-n* ‚reinlegen', täuschen, b) *j-n* ins Bockshorn jagen, einschüchtern. **~ chips** *s pl* getrockneter Büffelmist (*als Brennstoff*). **~ grass** *s bot.* Büffelgras *n*. **~ robe** → **buffalo** 2.

buff·er ['bʌfər] **I** *s* **1.** *tech.* a) Stoßdämpfer *m*, b) Puffer *m* (*a. fig.*), c) Prellbock *m* (*a. fig.*), d) *mil.* (Rohr)Rücklaufbremse *f*. **2.** *electr.* a) Puffer *m*, Entkoppler *m*, b) Trennkreis *m*, -stufe *f*. **3.** *Datenverarbeitung:* Pufferspeicher *m*. **4.** *chem.* Puffer *m*. **II** *v/t* **5.** *Stöße* (ab)dämpfen, als Puffer wirken gegen.

buff·er| bar *s tech.* **1.** *rail.* Kopfschwelle *f*. **2.** Stoßstange *f*. **~ so·lu·tion** *s chem.* Pufferlösung *f*. **~ stage** *s electr.* Trennstufe *f*. **~ state** *s pol.* Pufferstaat *m*. **~ stock** *s econ.* Ausgleichs-, Stützungsvorrat *m*.

buf·fet[1] ['bʌfit] **I** *s* **1.** Puff *m*, Stoß *m*, Schlag *m*. **2.** *fig.* (Schicksals)Schlag *m*. **II** *v/t* **3.** schlagen, (her'um)stoßen, puffen. **4.** ankämpfen gegen (*acc*). **III** *v/i* **5.** *fig.* (sich 'durch)kämpfen. **6.** geschüttelt werden (*Flugzeug*).

buf·fet[2] [*Br.* 'bʌfit; *Am.* bu'fei] *s* **1.** Bü'fett *n*, Anrichte *f*. **2.** [*Br.* 'bufei] Bü'fett *n*: a) Theke *f*, b) *Tisch mit Speisen u. Getränken:* **~ dinner, ~ luncheon** kaltes Büfett (*bei Gesellschaften*), c) Imbißstube *f*, (Erfrischungs)Bar *f*. **~ car** *s* Bü'fettwagen *m*.

buf·fet·ing ['bʌfitiŋ] *s* **1.** Stöße *pl*, Schläge *pl*. **2.** Schütteln *n*, Rütteln *n*.

buf·fo ['buffo] (*Ital.*) *mus.* **I** *pl* **-fi** [-fi] *s* Buffo *m*, Sänger *m* komischer Rollen. **II** *adj* Buffo..., komisch.

buf·foon [bʌ'fuːn] *s* **1.** Possenreißer *m*, Hans'wurst *m* (*a. fig. contp.*). **2.** *contp.* derber Witzbold. **buf'foon·er·y** [-əri] *s* Possen(reißen *n*) *pl*.

bug[1] [bʌg] **I** *s* **1.** *zo.* a) *bes. Br.* (Bett)Wanze *f*, b) *Am. colloq. allg.* In'sekt *n* (*Käfer, Fliege, Spinne etc*). **2.** *Am. colloq.* a) Ba'zillus *m* (*a. fig.*), b) *fig.* Leidenschaft *f*, Spleen *m*, ‚Fieber' *n*: **bitten by the golf ~** von der Golfleidenschaft gepackt. **3.** *Am. sl.* a) Fa'natiker(in), (*Photo-, Ski- etc*)Fex *m*, (-)Narr *m*: **camera ~; ski ~**, b) Verrückte(r *m*) *f*, c) *a.* **big ~** → **bigwig**. **4.** *Am. sl.* ‚Mucken' *pl*, (*technischer*) De'fekt. **5.** *Am. sl.* a) A'larmanlage *f*,

b) Abhörvorrichtung *f*, verstecktes Mikro'phon, ,'Minispi,on' *m.* **II** *v/t* **6.** *Am. sl.* verrückt machen. **7.** *Am. sl.* a) mit Abhörvorrichtungen versehen: to ~ a room, b) (heimlich) abhören. **III** *v/i* **8.** ~ out *mil. sl.* ,abhauen' (*flüchten od. desertieren*). **9.** *Am. colloq.* her'vortreten, -quellen (*Augen*).

bug² [bʌg] *s obs.* → bugaboo.

bug·a·boo ['bʌgə,buː] *s* ,Buhmann' *m*, Schreckgespenst *n* (*a. fig.*).

'bug|,bear *s* Schreckgespenst *n*, Popanz *m.* **'~,bite** *s* Wanzen-, In'sektenstich *m.*

bug·ger ['bʌgər] **I** *s* **1.** *jur. od. vulg.* a) Päde'rast *m*, b) Sodo'mit *m.* **2.** *vulg.* a) ,Scheißkerl' *m*, b) *allg.* Bursche *m.* **II** *v/t* **3.** *vulg.* Unzucht treiben mit. **4.** *sl. j-n* ,fertigmachen': I'll be ~ed verdammt noch mal! **III** *v/i* **5.** ~ off *Br. sl.* ,verduften'. **'bug·ger·y** [-əri] *s* 'widerna,türliche Unzucht: a) Pädera'stie *f*, b) Sodo'mie *f.*

bug·gy¹ ['bʌgi] *adj* **1.** verwanzt, von In'sekten *od.* Käfern befallen. **2.** *Am. sl.* verrückt.

bug·gy² ['bʌgi] *s* **1.** leichter Wagen (*vierrädrig in den USA, zweirädrig in England*). **2.** *Am.* Kinderwagen *m.*

'bug,house *Am. vulg.* **I** *s* ,Klapsmühle' *f* (*Irrenanstalt*). **II** *adj* verrückt.

bu·gle¹ ['bjuːgl] **I** *s* **1.** (Wald-, Jagd-) Horn *n.* **2.** *mil.* Si'gnalhorn *n*: to sound the ~ ein Hornsignal blasen; ~ call Hornsignal *n.* **II** *v/t u. v/i* **3.** auf dem Horn blasen.

bu·gle² ['bjuːgl] *s* Glas-, Schmelzperle *f.*

bu·gle³ ['bjuːgl] *s bot.* Günsel *m.*

bu·gler ['bjuːglər] *s* Hor'nist *m.*

buhl [buːl], **'buhl,work** → boule.

build [bild] **I** *v/t pret u. pp* **built** **1.** (er)bauen, errichten, erstellen: to ~ a house; to ~ a railroad e-e Bahnlinie bauen; to ~ a fire (ein) Feuer machen. **2.** bauen: a) konstru'ieren, machen, b) 'herstellen, fertigen: to ~ cars; to ~ in(to) einbauen (in *acc*) (*a. fig.*); → built-in. **3.** ~ up a) zu-, vermauern, zubauen, b) *Gelände* bebauen: to ~ up an area; → built-up area. **4.** ~ up aufbauen, schaffen, gründen: to ~ up an empire; to ~ up a business; to ~ up an existence (sich) e-e Existenz aufbauen; to ~ up a reputation sich e-n Namen machen; to ~ up one's health s-e Gesundheit festigen. **5.** gestalten, bilden. **6.** zs.-stellen, -tragen, (an)sammeln: to ~ up a case (Beweis-) Material zs.-tragen. **7.** ~ up vergrößern, entwickeln. **8.** ~ up *fig. j-n* (*in der Presse etc*) ,aufbauen', lan'cieren, groß her'ausstellen, Re'klame machen für. **9.** ~ up *electr. phys.* einschwingen, aufschaukeln. **II** *v/i* **10.** bauen, Baumeister sein. **11.** *fig.* bauen, sich verlassen (on, upon auf *acc*). **12.** to be ~ing im Bau (begriffen) sein. **13.** *Am.* (an)wachsen, zunehmen, sich entwickeln. **III** *s* **14.** Bauart *f*, Form *f*, Gestalt *f.* **15.** Körperbau *m*, Fi'gur *f*, Sta'tur *f.* **16.** Schnitt *m* (*Kleid*). **17.** *Am. fig.* Schlagkraft *f*, ,Schmiß' *m.* **'build·er** *s* **1.** Erbauer *m.* **2.** Baumeister *m.* **3.** 'Bauunter,nehmer *m.* **4.** Bauhandwerker *m.*

build·ing ['bildiŋ] *s* **1.** (Er)Bauen *n*, Errichten *n.* **2.** a) Bauwesen *n*, b) *a.* ~ construction Hochbau *m.* **3.** Gebäude *n*, Bau(werk *n*) *m.* ~ **and loan as·so·ci·a·tion** *s Am.* → building society. ~ **block** *s* **1.** (Ze'ment- *etc*)-Block *m* für Bauzwecke. **2.** *tech. u. fig.* Baustein *m*: ~ system *tech.* Bausteinsystem *n.* **3.** Bauklotz *m* (*für Kinder*). ~ **con·trac·tor** → builder 3. ~ **lease** *s jur. Br.* langfristige Grundstückspacht (*mit Bau- u. Nutzungsrecht des Pächters*), (*Art*) Erbbaurecht *n.* ~ **line** *s tech.* Bauflucht(linie) *f*, Fluchtlinie *f.* ~ **own·er** *s* Bauherr *m.* ~ **plot,** *Am. a.* ~ **lot** *s* 'Baupar,zelle *f*, -grundstück *n.* ~ **site** *s* **1.** → building plot. **2.** Baustelle *f.* ~ **so·ci·e·ty** *s Br.* Baugenossenschaft *f*, Bausparkasse *f.* **'~-'up proc·ess** *s electr. phys.* Aufschaukelvorgang *m.*

'build,up *s* **1.** Aufbau *m.* **2.** *fig.* (starker) Zuwachs, Zunahme *f.* **3.** Re'klame *f*, Propa'ganda *f*, Publizi'tät *f*: to give *s.o.* a ~ → build 8.

built [bilt] **I** *pret u. pp von* build. **II** *adj* gebaut, konstru'iert, geschaffen, geformt: well ~ gut gebaut; ~ for geschaffen für; he is ~ that way *colloq.* so ist er eben. **'~-,in** *adj arch. tech.* eingebaut (*a. fig.*), Einbau...: ~ furniture Einbaumöbel *pl.* **'~-,on site** *s* bebautes Grundstück. **'~,up a·re·a** *s* bebautes Gelände *od.* Gebiet, *Verkehr*: geschlossene Ortschaft.

bulb [bʌlb] **I** *s* **1.** *bot.* a) Knolle *f*, Zwiebel *f* (*e-r Pflanze*), b) Zwiebelgewächs *n.* **2.** zwiebelförmiger Gegenstand, ('Glas- *etc*)Bal,lon *m*, Birne *f*, *bes.* a) (*Thermometer*)Kugel *f*, b) *electr.* Glühbirne *f*, -lampe *f*, c) *electr.* (Röhren)Kolben *m*, d) *phot.* Bal'lonauslöser *m.* **3.** *anat.* zwiebelförmiger ana'tomischer Teil (*Zahnwurzel etc*). **4.** *med.* Schwellung *f* e-s Or'gans (*Harnröhre etc*). **II** *v/i* **5.** *a.* ~ out rundlich her'vorragen, anschwellen. **6.** *bot.* Knollen *od.* Zwiebeln bilden.

bulbed [bʌlbd] *adj* **1.** knollenförmig, knollig, wulstig. **2.** *bot.* knollig, zwiebelartig. **'bulb·i,form** [-bi,fɔːrm] → bulbed 1.

bulb·ous ['bʌlbəs] *adj* → bulbed: ~ nose Knollennase *f.* ~ **root** *s bot.* Knollenwurzel *f.*

Bul·gar ['bʌlgɑːr] *s* Bul'gare *m*, Bul'garin *f.* **Bul'gar·i·an** [-'gɛ(ə)riən] **I** *s* **1.** → Bulgar. **2.** *ling.* Bul'garisch *n*, das Bulgarische. **II** *adj* **3.** bul'garisch.

bulge [bʌldʒ] **I** *s* **1.** (Aus)Bauchung *f*, (*a. mil.* Front)Ausbuchtung *f*, Vorsprung *m*, Wulst *m*, Anschwellung *f*, Beule *f*, Buckel *m*: Battle of the B~ Ardennenschlacht *f* 1944; ~ electrode Bauchelektrode *f.* **2.** Rundung *f*, Bauch *m* (*vom Faß etc*). **3.** *mar.* a) → bilge 2, b) *mil.* Tor'pedowulst *m.* **4.** *sl.* Vorteil *m*: to have the ~ on s.o. j-m gegenüber im Vorteil sein. **5.** *fig.* Anschwellen *n*, Anwachsen *n*, Zunahme *f.* **6.** *econ.* (plötzlicher) Preisanstieg. **7.** *a.* ~ age-group geburtenstarker Jahrgang. **II** *v/i* **8.** *a.* ~ out sich (aus)bauchen, bauchig her'vortreten, her'vorquellen (*a. Augen*), sich blähen *od.* bauschen: his eyes will ~ *colloq.* er wird ,Stielaugen' machen. **9.** sich (plötzlich *od.* schwerfällig) schieben (into in *acc*): to ~ into vision. **10.** ~ with strotzen von, (fast) platzen vor (*dat*), (zum Bersten) voll sein von. **'bulg·y** *adj* bauchig (her'vortretend), geschwollen.

bulk [bʌlk] **I** *s* **1.** 'Umfang *m*, Vo'lumen *n*, Größe *f*, Masse *f*, Menge *f.* **2.** große *od.* massige Gestalt, (hochragende *od.* dunkle *od.* schwere) Masse. **3.** 'Körper,umfang *m*, -fülle *f.* **4.** (*der*) größere Teil, Großteil *m*, Hauptteil *m*, -masse *f*, (*die*) Mehrheit: the ~ of our property; the ~ of the citizens. **5.** lose *od.* unverpackte (Schiffs)Ladung: in ~ *econ.* a) lose, unverpackt, b) in großen Mengen, en gros; to sell in (*od.* by the) ~ im ganzen *od.* in Bausch u. Bogen verkaufen; to break ~ *mar.* zu löschen anfangen; ~ manufacture Massenfertigung *f.* **II** *v/i* **6.** 'umfangreich *od.* massig *od.* sperrig *od.* (*fig.*) wichtig sein: to ~ large *fig.* e-e große Rolle spielen. **7.** *oft* ~ up a) (an-, auf)schwellen, b) hochragen. **III** *v/t* **8.** *Am.* a) *bes. Tabak* aufstapeln, b) *Teesorten* mischen. ~ **car·go** *s econ.* Schüttgut *n*, Massengüter *pl.* ~ **e·ras·er** *s tech.* Löschspule *f.* ~ **goods** *s pl* → bulk cargo. **'~,head** *s* **1.** *mar.* Schott *n.* **2.** *tech.* a) Schutzwand *f*, b) Spant *m.*

bulk·i·ness ['bʌlkinis] *s* **1.** Größe *f*, 'Umfang *m.* **2.** (*das*) Massige.

bulk| mail *s Am.* (Standard)Massensendungen *pl.* ~ **mem·o·ry** *s Datenverarbeitung*: Großraumspeicher *m.* ~ **mort·gage** *s Am.* 'Fahrnishypo,thek *f.* ~ **sale** *s econ.* Massenverkauf *m.*

bulk·y ['bʌlki] *adj* **1.** sehr 'umfangreich, massig. **2.** unhandlich, sperrig: ~ goods sperrige Güter, Sperrgut *n.*

bull¹ [bul] **I** *s* **1.** *zo.* Bulle *m*, (Zucht)-Stier *m*: to take the ~ by the horns den Stier bei den Hörnern packen; like a ~ in a china shop wie ein Elefant im Porzellanladen. **2.** (Ele'fanten-, Elch-, Wal- *etc*)Bulle *m*, Männchen *n* (*großer Säugetiere*). **3.** *colloq.* Bulle *m*, bulliger *od.* ungeschlachter Kerl. **4.** *econ.* Haussi'er *m*, 'Haussespeku,lant *m*: ~ campaign Kurstreiberei *f*; ~ market Hausse(markt *m*) *f*; to go a ~ → 11. **5.** *Am. sl.* ,Po'lyp' *m*, ,Bulle' *m* (*Polizist*). **6.** *astr.* Stier *m* (*Sternbild*). **7.** → bull's-eye 3a. **II** *v/t* **8.** *econ.* a) die Preise für (*etwas*) in die Höhe treiben, b) *die Kurse* in die Höhe treiben. **9.** *die Kuh* decken (*Stier*). **III** *v/i* **10.** den Stier annehmen (*Kuh*). **11.** *econ.* auf Hausse speku'lieren. **12.** im Preise steigen. **IV** *adj* **13.** männlich (*Tier*). **14.** *econ.* steigend (*Preise*), Hausse...

bull² [bul] *s* (päpstliche) Bulle.

bull³ [bul] *s sl.* **1.** ,Quatsch' *m.* **2.** Schnitzer *m*, Faux'pas *m.*

bul·lace ['bulis] *s bot.* Pflaumenschlehe *f.*

'bull|,bait·ing *s* Stierhetze *f.* ~ **calf** *s irr zo.* Stier-, Bullenkalb *n.* **'~,dog** **I** *s* **1.** Bulldogge *f*, Bullenbeißer *m.* **2.** *fig.* harter *od.* aggres'siver Bursche. **3.** *univ. Br.* Begleiter *m* des Proctors. **4.** Pi'stole *f* mit kurzem Lauf. **II** *adj* **5.** mutig, zäh, hartnäckig, grimmig, verbissen. **III** *v/t* **6.** *Am. e-n Stier* bei den Hörnern packen u. werfen. **'~,dog e·di·tion** *s* Frühausgabe *f* (*e-r Zeitung*). **'~,doze** *v/t* **1.** *colloq.* a) einschüchtern, terrori'sieren, b) *j-n* ,über'fahren', zwingen (into zu). **2.** *tech.* (*mit e-r Planierraupe*) pla'nieren, räumen. **'~,doz·er** *s* **1.** *tech.* Großräumpflug *m*, Pla'nierraupe *f*, Bulldozer *m.* **2.** → bully² 1.

bul·let ['bulit] *s* (Gewehr-, Pi'stolen)-Kugel *f*, Geschoß *n.* **'~,head** *s* **1.** Rundkopf *m.* **2.** *Am. colloq.* Dickkopf *m.* **'~-,head·ed** *adj* **1.** rundschädelig. **2.** *Am.* dickköpfig.

bul·le·tin ['bulətin; -li-] *s* **1.** Bulle'tin *n*: a) (amtlicher) Tagesbericht, offizi'elle Verlautbarung, b) Krankenbericht *m.* **2.** Mitteilungsblatt *n.* **3.** *Am.* a) (*bes.* 'Studien)Pro,gramm *n*, b) Kurznachricht *f* (*im Radio etc*). ~ **board** *s Am.* schwarzes Brett, Anschlagtafel *f.*

'bul·let|-'proof *adj* kugelsicher. ~ **trap** *s* Kugelfang *m.*

'bull|,fight *s* Stierkampf *m.* **'~,fight·er** *s* Stierkämpfer *m.* **'~,finch** *s* **1.** *orn.* (*ein*) Dompfaff *m*, (*bes.* Gemeiner) Gimpel. **2.** hohe (Grenz)Hecke. **'~-,frog** *s zo.* Ochsenfrosch *m.* **'~,head**

s **1.** *fig.* Dumm-, Dickkopf *m.* **2.** *ichth.* a) (*ein*) Kaulkopf *m,* b) (*ein*) Katzenwels *m.* **'~'head·ed** *adj* dickschädelig.

bul·lion ['buljən] *s* **1.** ungemünztes Gold *od.* Silber. **2.** Gold-, Silberbarren *m:* ~ **point** *econ.* Goldpunkt *m;* **gold ~ standard** *econ.* Goldkernwährung *f.* **3.** Gold-, Silbertroddel *f,* -schnur *f,* -litze *f.* **'bul·lion,ism** *s econ.* Metal'lismus *m.* **'bul·lion·ist** *s* Anhänger *m* der reinen Me'tallwährung.

bull·ish ['buliʃ] *adj* **1.** bullenartig, bullig. **2.** dickköpfig. **3.** *econ.* steigend (*Kurse, Tendenz*), Hausse...: ~ **tendency,** ~ **tone** Haussetendenz *f.*

bull| moose *s zo.* Amer. Elchbulle *m.* **'~-,necked** *adj* stiernackig.

bull·ock ['bulək] *s zo.* Ochse *m.*

bull| pen *s Am. sl.* **1.** Ba'racke *f* für Holzfäller. **2.** große Zelle (*für Untersuchungshäftlinge*). **3.** *Baseball:* Übungsplatz *m* für Re'servewerfer. **4.** großes, nicht abgeteiltes Bü'ro. ~ **ring** *s* 'Stierkampfa,rena *f.* **'~-,roar·er** *s* (*Art*) (Kinder)Rassel *f.* ~ **ses·sion** *s Am. sl.* angeregtes Männergespräch, Männergesellschaft *f.*

'bull's-,eye ['bulz-] *s* **1.** *arch. mar.* Bullauge *n,* rundes Fensterchen. **2.** *a.* ~ **pane** Ochsenauge *n,* Butzenscheibe *f.* **3.** a) Zentrum *n,* (*das*) Schwarze (*der Zielscheibe*), b) *a. fig.* Schuß *m* ins Schwarze, Volltreffer *m:* **to hit the** ~ ins Schwarze treffen (*a. fig.*). **4.** a) Kon'vexlinse *f,* b) ('Blend)La,terne *f* (mit Kon'vexlinse). **5.** kugelförmiger Bon'bon.

'bull|,shit *s Am. vulg.* ‚Scheißdreck' *m,* ‚Mist' *m,* ‚Quatsch' *m.* ~ **ter·ri·er** *s* Bullterrier *m.*

bul·ly[1] ['buli] *s* Rinderpökelfleisch *n.*

bul·ly[2] ['buli] **I** *s* **1.** a) bru'taler Kerl, ‚Schläger' *m,* b) Ty'rann *m,* (Kame'raden)Schinder *m,* c) Maulheld *m.* **2.** Zuhälter *m.* **II** *v/t* **3.** tyranni'sieren, drangsa'lieren, schika'nieren, ‚piesacken', einschüchtern. **III** *adj u. interj* **4.** ‚prima'.

bul·ly[3] ['buli] *Hockey:* **I** *s* Bully *n,* Abschlag *m.* **II** *v/t den Ball* abschlagen. **III** *v/i a.* ~ **off** abschlagen.

bul·ly| beef → **bully**[1]. **'~,rag** *v/t colloq.* mit *j-m* Schindluder treiben.

bul·rush ['bulrʌʃ] *s bot.* (*große*) Binse.

bul·wark ['bulwərk] *s* **1.** *a. fig.* Bollwerk *n,* Wall *m.* **2.** Eindämmung *f,* Mole *f.* **3.** *mar.* Schanzkleid *n.*

bum [bʌm] **I** *s* **1.** *vulg.* ‚Hintern' *m.* **2.** *Am. sl.* ‚Stromer' *m:* a) Landstreicher *m,* b) ‚Schnorrer' *m,* Schma'rotzer *m,* c) Her'umtreiber *m,* Taugenichts *m,* d) Säufer *m:* **on the** ~ auf der Walze, *fig.* kaputt, ‚im Eimer'; **to go on the** ~ trampen, auf die Walze gehen, *fig.* kaputtgehen; **to give s.o. the ~'s rush** j-n ‚rausschmeißen', *weitS.* j-n ‚überfahren' *od.* überrumpeln. **3.** *Br.* → **bumbailiff. II** *v/i Am. sl.* **4.** her'umlungern, faulenzen. **5.** ‚schnorren'. **III** *v/t* **6.** *Am.* ‚schnorren'. **IV** *adj* **7.** *Am. sl.* ‚mies', schlecht. **,~'bail·iff** *s Br.* (*abfällig*) Büttel *m.*

bum·ble ['bʌmbl] *s Br. colloq.* kleiner (wichtigtuerischer) Beamter.

bum·ble·bee ['bʌmbl,bi:] *s zo.* Hummel *f.*

Bum·ble·dom ['bʌmbldəm] *s* ,Wichtigtue'rei *f* der kleinen Beamten.

'bum·ble,pup·py *s* **1.** Spiel, das ohne Beachtung von Regeln gespielt wird (*bes. Whist u. Tennis*). **2.** *Art Tennisspiel, bei dem ein angebundener Ball um e-n Pfosten geschlagen wird.*

bum·bo ['bʌmbou] *s* kalter (Rum-, Gin)Punsch.

'bum,boat *s mar.* Bumboot *n* (*Proviantboot*).

bumf [bʌmf] *s Br. sl.* **1.** *contp.* a) ‚Wisch' *m,* b) *collect.* ‚Pa'pierkram' *m* (*Akten etc*). **2.** ‚'Klopa,pier' *n.*

bum·kin ['bʌmkin] → **bumpkin**[2].

bum·mer ['bʌmər] → **bum** 2.

bump[1] [bʌmp] **I** *v/t* **1.** (heftig) stoßen. **2.** rennen mit (*etwas*) (**against** gegen), zs.-stoßen mit, *etwas* rammen, auf *ein Auto* auffahren: **to ~ a car; to ~ one's head against the door** mit dem Kopf gegen die Tür rennen *od.* ‚knallen'. **3.** *Rudern: ein Boot* über'holen u. anstoßen: **~ing race** *univ. Br. Ruderrennen mit gestaffeltem Start, bei dem jedes Boot das nächstvordere einzuholen u. anzustoßen versucht, um beim nächsten Rennen dessen Platz einzunehmen.* **4.** *tech. Am. Kotflügel etc* ausbeulen. **5.** ~ **off** *sl.* ‚'umlegen', ‚kaltmachen', 'umbringen. **6.** *Am. sl.* a) ‚rausschmeißen' (*entlassen*), b) *mil.* degra'dieren (**to** zu). **7.** *Am. sl.* hochtreiben: **to ~ up prices. II** *v/i* **8.** (**against, into**) stoßen, prallen, ‚bumsen' (gegen, an *acc*), zs.-stoßen (mit): **to ~ into** *fig.* (zufällig) stoßen auf (*acc*). **9.** rumpeln, holpern (*Fahrzeug*). **10.** *Am. sl.* mit den Hüften wackeln (*Striptease-Tänzerin*). **III** *s* **11.** heftiger Ruck *od.* Stoß, Puff *m,* Bums *m.* **12.** Beule *f.* **13.** Unebenheit *f.* **14.** a) *Phrenologie:* Höcker *m* am Schädel, b) Fähigkeit *f,* Sinn *m,* Or'gan *n* (of für): → **locality** 1. **15.** *Am. colloq.* ‚Rundung' *f* (*Busen*). **16.** *Am. colloq. fig.* Hindernis *n.* **17.** *mil. Am. sl.* Degra'dierung *f.* **18.** *aer.* (Steig)Bö *f.*

bump[2] [bʌmp] **I** *s* Schrei *m* (*der Rohrdommel*). **II** *v/i* schreien.

bump·er ['bʌmpər] **I** *s* **1.** Humpen *m,* volles Glas (*Wein etc*). **2.** *colloq.* (*etwas*) Riesiges. **3.** a) *mot.* Stoßstange *f,* b) *rail. Am.* Puffer *m.* **II** *adj* **4.** *colloq.* Rekord...: ~ **sales;** ~ **crop** Rekordernte *f;* ~ **house** *thea.* volles Haus.

bump·kin[1] ['bʌmpkin] *s* Bauer(ntölpel) *m.*

bump·kin[2] ['bʌmpkin] *s mar.* Butenluv *m.*

bum steer *s Am. sl.* falsche *od.* irreführende Informati'on: **to give s.o. a** ~ j-n ‚anschmieren' *od.* irreführen.

bump·tious ['bʌmpʃəs] *adj* (*adv* **~ly**) *colloq.* aufgeblasen, anmaßend.

bump·y ['bʌmpi] *adj* **1.** holperig, uneben. **2.** *aer.* ‚bockig', böig.

bun[1] [bʌn] *s* **1.** (Kuchen-, Ko'rinthen)Brötchen *n:* **to take the** ~ *Br. sl.* den Vogel abschießen. **2.** (Haar)Knoten *m.*

bun[2] [bʌn] *s Br.* Ka'ninchen *n.*

bu·na ['bju:nə; 'bu:nə] *s* Buna *m.*

bunch [bʌntʃ] **I** *s* **1.** Bündel *n,* Bund *n, m,* Büschel *n,* Traube *f:* ~ **of flowers** Blumenstrauß *m;* **a ~ of grapes** e-e Weintraube; **a ~ of keys** ein Schlüsselbund. **2.** *electr. phys.* (*Leitungs-, Strahlen*)Bündel *n.* **3.** Anzahl *f,* Pack *m,* Haufen *m:* **a ~ of orders; a ~ of partridges** e-e Kette Rebhühner; **the best of the** ~ der Beste von allen. **4.** *colloq.* ‚Verein' *m,* ‚Haufen' *m,* Gruppe *f.* **II** *v/t* **5.** bündeln (*a. electr.*), zs.-fassen, binden: **~ed circuit** *electr.* Leitungsbündel *n.* **III** *v/i* **6.** ~ **out** *selten* her'vorstehen. **7.** *oft* ~ **up** sich zs.-schließen.

bunch·ing ['bʌntʃiŋ] *s electr.* Bündelung *f,* Im'pulsbildung *f.*

bunch·y ['bʌntʃi] *adj* **1.** büschelig, buschig, traubenförmig. **2.** bauschig. **3.** her'vorstehend, höckrig.

bun·co ['bʌŋkou] *Am. sl.* **I** *s* **1.** betrügerisches Ha'sardspiel: ~ **steerer** Schwindler *m.* **2.** Schwindel *m,* Betrug *m.* **II** *v/t* **3.** *j-n* ‚reinlegen'.

bun·combe ['bʌŋkəm] → **bunkum.**

bun·dle ['bʌndl] **I** *s* **1.** Bündel *n,* Bund *n,* Pa'ket *n,* Ballen *m:* **by ~s** bündelweise; ~ **of rays** *phys.* Strahlenbündel; ~ **pillar** *arch.* Bündelpfeiler *m.* **2.** *fig.* a) (*Kraft-, Nerven- etc*)Bündel *n:* **a ~ of energy,** b) *sl.* Menge *f,* Haufen *m.* **3.** (*Papier- etc*)Rolle *f.* **4.** *anat.* Fas'ciculus *m:* **~ sheath** Gefäßbündelscheide *f.* **II** *v/t* **5.** in (ein) Bündel binden, bündeln, zs.-binden, -packen. **6.** *meist* ~ **off** *j-n od. etwas* eilig *od.* ohne viel Federlesens fortschaffen, *j-n* abschieben: **they were ~d into lorries** sie wurden ohne viel Umstände auf Lastwagen geladen. **III** *v/i* **7.** ~ **off** sich packen *od.* eilig da'vonmachen. **8.** *hist.* angekleidet im gleichen Bett liegen (*alte Sitte bei Verlobten in Wales u. Neuengland*).

bung [bʌŋ] **I** *s* **1.** Spund(zapfen) *m,* Stöpsel *m.* **2.** *mil.* Mündungspfropfen *m* (*am Geschütz*). **3.** *Töpferei:* Kapselstoß *m.* **II** *v/t* **4.** *ein Faß* a) verspunden, b) verfüllen. **5.** *meist* ~ **up** *e-e Öffnung etc* verstopfen. **6.** *sl.* a) *j-m das Gesicht etc* zerschlagen, grün u. blau hauen, b) *ein Auto etc* schwer beschädigen *od.* verbeulen, c) *Steine* schmeißen. **III** *adj* **7.** *Austral.* bank'rott: **to go** ~ ‚kaputtgehen' (*sterben, Bankrott machen*). **IV** *adv* **8.** *sl.* päng!, wumm!

bun·ga·low ['bʌŋgə,lou] *s* Bungalow *m,* ebenerdiges Wohnhaus.

'bung,hole *s* Spund-, Zapfloch *n.*

bun·gle ['bʌŋgl] **I** *v/i* **1.** stümpern, pfuschen, ‚patzen'. **II** *v/t* **2.** verpfuschen, ‚verpatzen'. **III** *s* **3.** Stümpe'rei *f,* Pfusche'rei *f:* **to make a ~ of s.th.** → 2. **4.** grober Fehler, Schnitzer *m.* **'bun·gler** [-glər] *s* Stümper *m,* Pfuscher *m.* **'bun·gling** [-gliŋ] *adj* (*adv* **~ly**) ungeschickt, stümperhaft.

bun·ion ['bʌnjən] *s med.* entzündeter Fußballen.

bunk[1] [bʌŋk] **I** *s* a) *mar.* (Schlaf)Koje *f,* b) *allg.* Schlafstelle *f,* Bett *n,* ‚Falle' *f:* ~ **inspection** *mil.* Stubenappell *m.* **II** *v/i Am. colloq.* in e-r Koje *etc* schlafen, sich aufs Ohr legen (*zu Bett gehen*): **to ~ in** im Bett bleiben.

bunk[2] [bʌŋk] → **bunkum.**

bunk[3] [bʌŋk] *Br. sl.* **I** *v/i* ‚ausreißen', ‚verduften', ‚türmen'. **II** *s:* **to do a** ~ → I.

bunk·er ['bʌŋkər] **I** *s* **1.** *mar.* (*bes.* Kohlen)Bunker *m:* ~ **coal** Bunkerkohle *f.* **2.** *mil.* Bunker *m,* bombensicherer 'Unterstand. **3.** *Golf:* Bunker *m,* Sandloch *n* (*Hindernis*). **II** *v/i* **4.** *mar.* bunkern, *Kohle etc* laden. **III** *v/t* **5.** *Golf: den Ball* in e-n Bunker schlagen. **6.** *colloq.* in Schwierigkeiten bringen: **~ed** in der Klemme.

'bunk,house *s Am.* 'Arbeiterba,racke *f.*

bun·kum ['bʌŋkəm] *s* Blödsinn *m,* ‚Quatsch' *m,* ‚Blech' *n,* Gewäsch *n.*

bun·ny ['bʌni] *s* **1.** (*Kosename für*) Ka'ninchen *n,* Häs-chen *n.* **2.** B~ *Bedienung in e-m* **Playboy Club.**

Bun·sen burn·er ['bʌnsn] *s chem. tech.* Bunsenbrenner *m.*

bunt[1] [bʌnt] *s mar.* **1.** Buk *m,* Bauch *m* (*e-s Segels*). **2.** Mittelteil *m* e-r Raa.

bunt[2] [bʌnt] **I** *v/t u. v/i* **1.** mit den Hörnern *od.* dem Kopfe stoßen (*Ziege, Kalb*). **2.** *Baseball: den Ball* kurz *od.* leicht schlagen. **II** *s* **3.** Stoß *m* mit dem Kopf *od.* den Hörnern.

bunt[3] [bʌnt] *s bot.* Weizen-, Steinbrand *m.*

Bun·ter ['bʌntər] *s geol.* Buntsandstein *m.*

bun·ting[1] ['bʌntiŋ] *s mar.* **1.** Flaggentuch *n.* **2.** *collect.* Flaggen *pl.*
bun·ting[2] ['bʌntiŋ] *s orn.* Ammer *f.*
buoy [bɔi; *Am. a.* 'buːi] **I** *s* **1.** *mar.* Boje *f*, Bake *f*, Seezeichen *n.* **2.** Rettungsboje *f.* **II** *v/t* **3.** *meist* ~ up aufbojen, flott erhalten. **4.** *meist* ~ off (*od.* out) ausbojen, *e-e Fahrrinne* durch Bojen bezeichnen. **5.** *fig.* Auftrieb geben (*dat*), beleben, *den Geist etc* aufrechterhalten: ~ed up von neuem Mut erfüllt. **buoy·age** ['bɔiidʒ; *Am. a.* 'buːiidʒ] *s mar.* **1.** *collect.* (ausgelegte) Bojen *pl.* **2.** Mar'kierung *f* durch Bojen, Betonnung *f.*
buoy·an·cy ['bɔiənsi; *Am. a.* 'buːjənsi] *s* **1.** *phys.* Schwimm-, Tragkraft *f* (*schwimmender Körper*). **2.** *aer.* Auftrieb *m.* **3.** *fig.* a) Lebens-, Spannkraft *f*, b) Schwung *m*, Lebhaftigkeit *f*, Heiterkeit *f.* **4.** *econ.* Lebhaftigkeit *f.*
buoy·ant ['bɔiənt; *Am. a.* 'buːjənt] *adj* **1.** schwimmend, tragend (*Wasser etc*). **2.** *fig.* schwungvoll, lebhaft. **3.** *econ.* steigend, lebhaft. ~ **gas** *s tech.* Traggas *n.*
bur [bəːr] *s* **1.** *bot.* Klette *f* (*a. fig.*): to cling like a ~ (to s.o.) (j-m) wie e-e Klette anhängen. **2.** *bot.* rauhe *od.* stachelige Samenschale (*z. B. Igel der Kastanie*). **3.** *zo.* Knotenbildung *f* (*z. B. Rose am Hirschgeweih*). **4.** *tech.* → burr[1] 1-3.
Bur·ber·ry ['bəːrbəri] (*TM*) *s* wasserdichter Stoff *od.* Mantel.
bur·ble ['bəːrbl] **I** *v/i* **1.** brodeln, sprudeln. **2.** murmeln, plappern. **II** *s* **3.** *aer. tech.* Wirbel *m.* ~ **point** *s aer.* Grenzschichtablösungspunkt *m.*
bur·bot ['bəːrbət] *s zo.* (Aal)Quappe *f.*
burd [bəːrd] *s poet.* (junge) Dame.
bur·den[1] ['bəːrdn] **I** *s* **1.** Last *f*, Ladung *f*: to bear a ~ e-e (schwere) Last tragen. **2.** (*seelische od. finanzielle*) Last, Bürde *f*, Belastung *f*, Druck *m*: tax ~ Steuerlast; ~ of years Last der Jahre; to be a ~ to (*od.* on) s.o. j-m zur Last fallen; to throw off a ~ e-e Last abschütteln; to put the ~ of proof on s.o. j-m die Beweislast aufbürden. **3.** *econ.* Gemeinkosten *pl.* **4.** *tech.* a) (Trag)Last *f*, b) Druck *m*, c) *Hochofen*: Beschickung *f*, Gicht *f.* **5.** *mar.* a) Tragfähigkeit *f*, Tonnengehalt *m*: a ship of 1.000 tons ~ ein Schiff von 1000 Tonnen, b) Gewicht *n* der Schiffsladung. **II** *v/t* **6.** belasten: to ~ s.o. with s.th. j-m etwas aufbürden.
bur·den[2] ['bəːrdn] *s* **1.** *mus.* a) Baß *m*, tiefe Begleitung, b) → bourdon[1] c. **2.** Re'frain *m*, Kehrreim *m.* **3.** 'Haupti͵dee *f*, -punkt *m*, -gedanke *m*, Kern *m.*
bur·den·some ['bəːrdnsəm] *adj* lästig, beschwerlich, drückend.
bur·dock ['bəːrdɒk] *s bot.* (*bes.* Große) Klette.
bu·reau ['bju(ə)rou; *Br. a.* bju(ə)'rou] *pl* **-reaus, -reaux** [-rouz] *s* **1.** *Br.* Schreibtisch *m*, -pult *n.* **2.** *Am.* (*bes.* 'Spiegel)Kom͵mode *f.* **3.** Bü'ro *n*, Geschäfts-, Amtszimmer *n.* **4.** *Am.* a) Ab'teilung *f* (*e-s Staatsamtes*), b) Amt *n*, Dienststelle *f.* **5.** Auskunfts- *od.* Vermittlungsstelle *f.* **bu'reauc·ra·cy** [-'rɒkrəsi] *s* **1.** Bürokra'tie *f.* **2.** büro'kratisches Re'gierungssy͵stem. **3.** *collect.* (Berufs)Beamtentum *n.* **'bu·reau͵crat** [-͵kræt] *s* Büro'krat *m.* **͵bu·reau'crat·ic** *adj* (*adv* ~ally) büro'kratisch. **bu'reauc·ra·tist** [-'rɒkrətist] *s* **1.** Büro'krat *m.* **2.** Verfechter *m* des Bürokra'tismus. **bu'reauc·ra·͵tize** *v/t* bürokrati'sieren.
bu·rette [bju(ə)'ret] *s* **1.** *chem.* Bü'rette *f*, Meßröhre *f.* **2.** verzierte Kanne (*bes. für Meßwein*).
burg [bəːrg] *s* **1.** *Br. hist.* befestigte Stadt. **2.** *Am. colloq.* Stadt *f.*
bur·gee [*Br.* bəːr'dʒiː; *Am.* 'bəːrdʒiː] *s* **1.** *mar.* Doppelstander *m* (*Wimpel*). **2.** *tech. Br. e-e kleine Kohlensorte.*
bur·geon ['bəːrdʒən] **I** *s* **1.** *bot.* Knospe *f*, Auge *n.* **2.** *zo.* Keim *m.* **II** *v/i* **3.** knospen, (her'vor)sprießen (*a. fig.*).
bur·gess ['bəːrdʒis] *s hist.* **1.** *Br.* (wahlberechtigter) Bürger. **2.** *Br.* a) Vertreter *m* e-s Wahlbezirkes im Parla'ment, Abgeordnete(r) *m*, b) Stadtrat *m.* **3.** *Am.* Abgeordnete(r) *m* des Volkes.
burgh [*Br.* 'bʌrə; *Am.* bəːrg] *s* **1.** *Scot.* korpo'rierte Stadt. **2.** *Scot. od. poet. für* borough 1 *u.* 2.
burgh·er ['bəːrgər] *s* Bürger *m* (*nicht für brit. od. amer. Bürger gebraucht*).
bur·glar ['bəːrglər] *s* (nächtlicher) Einbrecher: ~ **alarm** Einbruchmelder *m*, Alarmanlage *f.*
bur·glar·i·ous [bər'glɛ(ə)riəs] *adj* (*adv* ~ly) einbrecherisch, Einbrecher..., Einbruchs... **bur·glar·ize** ['bəːrglə͵raiz] **I** *v/t* einbrechen in (*acc*). **II** *v/i* einbrechen.
'bur·glar'proof *adj* einbruchssicher.
bur·gla·ry ['bəːrgləri] *s* (nächtlicher) Einbruch(sdiebstahl). **bur·gle** ['bəːrgl] → burglarize.
bur·go·mas·ter [*Br.* 'bəːrgə͵mɑːstər; *Am.* -͵mæ(ː)s-] *s* Bürgermeister *m* (*in Deutschland u. Holland*).
bur·go·net ['bəːrgə͵net] *s hist.* Sturmhaube *f*, Helm *m.*
bur·grave ['bəːrgreiv] *s hist.* (*deutscher*) Burggraf.
Bur·gun·dy ['bəːrgəndi] *s* Bur'gunder *m* (*Wein*).
bur·i·al ['beriəl] *s* Begräbnis *n*, Beerdigung *f*, Beisetzung *f.* ~ **ground** *s* Friedhof *m.* ~ **mound** *s* Grabhügel *m.* ~ **place** *s* Grab(stätte *f*) *n.* ~ **serv·ice** *s* Trauerfeier *f.*
bu·rin ['bju(ə)rin] *s tech.* Grabstichel *m.*
burke [bəːrk] *v/t* **1.** ermorden, erwürgen. **2.** *fig.* unter'drücken, vertuschen.
burl [bəːrl] **I** *s* **1.** Knoten *m* (*in Tuch od. Garn*). **2.** *bot.* Auswuchs *m*, Knoten *m* (*an Bäumen*). **II** *v/t* **3.** *Tuch* belesen, noppen: ~ing iron Noppeisen *n*; ~ machine Zeugsichtemaschine *f.*
bur·lap ['bəːrlæp] *s* Rupfen *m*, Packleinwand *f*, Sackleinen *n.*
bur·lesque [bər'lesk] **I** *adj* **1.** bur'lesk, possenhaft. **II** *s* **2.** Bur'leske *f*, Posse *f*, Persi'flage *f.* **3.** *fig.* Karika'tur *f.* **4.** *Am.* Tingeltangel *n*, Varie'té *n.* **III** *v/t* **5.** bur'lesk behandeln, persi'flieren.
bur·ly ['bəːrli] *adj* stämmig.
Bur·man ['bəːrmən] *s* Bir'mane *m*, Bir'manin *f.*
Bur·mese [͵bəːr'miːz] **I** *adj* **1.** bir'manisch. **II** *s* **2.** a) → Burman, b) *collect.* Bir'manen *pl.* **3.** *ling.* Bir'manisch *n*, das Birmanische.
burn[1] [bəːrn] **I** *s* **1.** verbrannte Stelle. **2.** *med.* Brandwunde *f*, -mal *n.* **3.** *meist* slow ~ *Am. sl.* Wut.
II *v/i pret u. pp* **burned** *u.* **burnt** **4.** (ver)brennen, in Flammen stehen: the house is ~ing das Haus brennt. **5.** brennen (*Ofen, Licht etc*). **6.** *fig.* brennen (with vor *dat*): to ~ with impatience; ~ing with anger wutentbrannt; ~ing with love von Liebe entflammt; to be ~ing to do s.th. darauf brennen, etwas zu tun. **7.** ver-, anbrennen, versengen: the meat is ~t das Fleisch ist angebrannt. **8.** brennen (*Gesicht etc*), Hitze fühlen: his face ~ed in the wind; → ear[1] *Bes. Redew.* **9.** *colloq.* (*bei Rätsel- od. Suchspielen*) brennen, ‚heiß' (*ganz nahe daran*) sein. **10.** *chem.* verbrennen, oxy'dieren. **11.** a) in den Flammen 'umkommen, b) verbrannt werden, den Feuertod erleiden, c) *Am. sl.* auf dem e'lektrischen Stuhl 'hingerichtet werden.
III *v/t* **12.** (ver)brennen: his house was ~t sein Haus brannte ab; → boat 1, candle 1, midnight II. **13.** ab-, verbrennen, versengen, durch Feuer *od.* Hitze beschädigen, *Speise* anbrennen (lassen): to ~ one's fingers sich die Finger verbrennen (*a. fig.*); to ~ a hole ein Loch brennen. **14.** *tech.* (*Holz*)*Kohle, Ziegel, Kalk, Porzellan* brennen. **15.** heizen mit, *Kohle etc* verwenden: we ~ gas this winter. **16.** *Am. sl.* auf dem e'lektrischen Stuhl 'hinrichten. **17.** *Am. sl. e-n Ball etc* ‚pfeffern', schmeißen. **18.** → burn up 2 b.
Verbindungen mit Adverbien:
burn| down *v/t u. v/i* ab-, niederbrennen. ~ **in** *v/t Farben etc* einbrennen. ~ **out I** *v/i* **1.** ausbrennen. **II** *v/t* **2.** ausbrennen, -räuchern. **3.** *electr.* 'durchbrennen. **4.** → burn up 2 a. ~ **up I** *v/t* **1.** ganz verbrennen. **2.** *Am. sl.* a) *j-n* ‚fertigmachen', erschöpfen, b) *j-n* wütend machen. **II** *v/i* **3.** stark brennen, ganz ab- *od.* aus- *od.* verbrennen. **4.** *Am. sl.* wütend werden.
burn[2] [bəːrn] *s Scot.* Bach *m.*
burn·er ['bəːrnər] *s* Brenner *m* (*Person u. Gerät*).
bur·net ['bəːrnit] *s bot.* **1.** Wiesenknopf *m.* **2.** → pimpernel. ~ **rose** *s bot.* Biber'nellrose *f.* ~ **sax·i·frage** *s pharm.* Biber'nellwurz *f.*
burn·ing ['bəːrniŋ] **I** *adj* **1.** brennend, heiß, glühend (*alle a. fig.*): a ~ question e-e brennende Frage. **2.** *fig.* brennend, glühend (with vor *dat*): ~ with excitement; → burn[1] 6. **II** *s* **3.** Brand *m*, Brennen *n*, Hitze *f.* **4.** *tech.* Hitzebehandlung *f* (*z.B. beim Härten*). **5.** *tech.* Rösten *n*, (Zu)Brennen *n.* ~ **bush** *s Bibl.* brennender Dornbusch. ~ **glass** *s* Brennglas *n.* ~ **life** *s* Brenndauer *f* (*e-r Glühlampe etc*).
bur·nish ['bəːrniʃ] **I** *v/t* **1.** po'lieren, blank reiben. **2.** *Metall* brü'nieren. **3.** *hunt. das Geweih* fegen (*Hirsch*). **II** *v/i* **4.** glänzend *od.* blank werden. **III** *s* **5.** Glanz *m*, Poli'tur *f.* **'bur·nish·er** *s* **1.** Po'lierer *m*, Brü'nierer *m.* **2.** *tech.* Glättzahn *m*, Po'lier-, Gerbeisen *n*, Po'lierstahl *m*, -feile *f.*
bur·nous(e) [bər'nuːs; 'bəːrnuːs] *s* **1.** Burnus *m* (*arabischer Mantel*). **2.** burnusähnlicher Damenmantel.
'burn͵out *s* **1.** *electr. phys.* 'Durchbrennen *n.* **2.** *tech.* Brennschluß *m* (*e-r Rakete*).
burnt [bəːrnt] **I** *pret u. pp von* burn[1] II *u.* III. **II** *adj* ver-, gebrannt: ~ child dreads the fire gebranntes Kind scheut das Feuer. ~ **al·monds** *s pl* gebrannte Mandeln *pl.* ~ **lime** *s tech.* Ätzkalk *m*, gebrannter Kalk. ~ **of·fer·ing** *s Bibl.* Brandopfer *n.* **'~-'up** *adj* **1.** verbrannt. **2.** *Am. sl.* wütend.
burp [bəːrp] **I** *s* Rülpsen *n*, Rülpser *m*: ~ gun *mil. Am. sl.* Maschinenpistole *f.* **II** *v/i* rülpsen, aufstoßen. **III** *v/t ein Baby* aufstoßen lassen.
burr[1] [bəːr] **I** *s* **1.** *tech.* (Bohr-, Stanz-, Walz- *etc*)Grat *m* (*rauhe Kante od. Naht*). **2.** *tech.* kleine Beilagscheibe. **3.** *med.* (Zahn)Bohrer *m.* **4.** → bur 1-3. **II** *v/t* **5.** *tech.* abgraten.
burr[2] [bəːr] **I** *s* **1.** *ling.* Zäpfchenaussprache *f* des R. **2.** schnarrende Aussprache. **3.** Schnarrton *m.* **II** *v/i* **4.** rauh *od.* guttu'ral *od.* undeutlich sprechen. **5.** schnarren. **III** *v/t* **6.** gut-

tu'ral aussprechen, schnarren: he ~s his r's.

burr[3] [bəːr] *s* **1.** Mühlstein *m*. **2.** Wetzstein *m*.

burr drill *s tech.* Drillbohrer *m*.

bur·ro ['bəːrou; 'burou] *pl* **-ros** *s Am. dial.* kleiner (Pack)Esel.

bur·row [*Br.* 'bʌrou; *Am.* 'bəːrou] **I** *s* **1.** (*Fuchs- etc*)Bau *m*, Höhle *f*, Erdloch *n*. **2.** Fraßgang *m*, (*Wurm- etc*)Loch *n*. **3.** ‚Loch' *n*, (notdürftiger) 'Unterschlupf. **II** *v/i* **4.** e-e Höhle *od.* e-n Gang graben, wühlen. **5.** sich eingraben *od.* verkriechen *od.* verbergen (*a. fig.*). **6.** *fig.* (into) sich vertiefen (in *acc*), graben *od.* wühlen (in *dat*): **he ~ed into his records. III** *v/t* **7.** *e-n Bau etc* graben.

bur·row·ing owl [*Br.* 'bʌrouiŋ; *Am.* 'bəːr-] *s orn.* Höhleneule *f*.

bur·sa ['bəːrsə] *pl* **-sae** [-iː] *od.* **-sas** *s* Bursa *f*: a) *zo.* Tasche *f*, Beutel *m*, b) *anat.* Schleimbeutel *m*.

bur·sar ['bəːrsər] *s* **1.** Schatzmeister *m*. **2.** *univ.* Quästor *m*. **3.** *univ. Scot.* Stipendi'at *m*. **'bur·sa·ry** *s* **1.** Schatzamt *n*, Quä'stur *f*. **2.** *univ. Scot.* Sti'pendium *n*.

bur·si·tis [bər'saitis] *s med.* Schleimbeutelentzündung *f*.

burst [bəːrst] **I** *v/i pret u. pp* **burst,** *sl. od. dial.* **burst·ed 1.** bersten, (zer)platzen, aufplatzen, -springen (*Knospe, Tür etc*), aufgehen (*Geschwür*): **to ~ open** aufplatzen. **2.** (zer)platzen, explo'dieren, kre'pieren (*Granate etc*). **3.** zerbrechen, -splittern. **4.** *fig.* ausbrechen (into in *acc*), her'ausplatzen: **to ~ out laughing, to ~ into laughter** in Gelächter ausbrechen; **to ~ into tears** in Tränen ausbrechen; **to ~ into bloom** plötzlich erblühen; **to ~ into flame** in Flammen ausbrechen, aufflammen; **to ~ into rage** plötzlich in Wut geraten. **5.** zum Bersten voll sein (with von): **barns ~ing with grain; to ~ with health (energy)** *fig.* von Gesundheit (Energie) strotzen. **6.** *fig.* (*vor Neugierde, Neid etc*) bersten, platzen: **to ~ with curiosity (envy); I am ~ing to tell you** ich brenne darauf, es dir zu sagen. **7.** plötzlich her'ein- *od.* hin'ausstürmen: **to ~ into the room** ins Zimmer platzen *od.* stürzen. **8.** plötzlich sichtbar werden: **to ~ into view; to ~ forth** hervorbrechen, -sprudeln; **to ~ through** durchbrechen (*Sonne etc*); **to ~ upon s.o.** j-m plötzlich klar werden. **9.** *a.* **~ up** zs.-brechen, bank'rott gehen. **II** *v/t* **10.** (auf)sprengen, zum Platzen bringen (*a. fig.*): **to ~ open** aufbrechen; **I have ~ a blood vessel** mir ist e-e Ader geplatzt; **to ~ a hole into s.th.** ein Loch in etwas sprengen; **the car ~ a tyre** (*od.* **tire**) ein Reifen am Wagen platzte; **the river ~ its banks** der Fluß trat über die Ufer *od.* durchbrach die Dämme. **11.** zum Scheitern bringen, auffliegen lassen, rui'nieren. **III** *s* **12.** Bersten *n*, Platzen *n*, Explosi'on *f*. **13.** *fig.* Ausbruch *m*: **~ of applause** Beifallssturm *m*; **~ of hospitality** plötzliche Anwandlung von Gastfreundschaft; **~ of laughter** Lachsalve *f*. **14.** Bruch *m*, Riß *m*. **15.** *mil.* a) plötzlicher, kurzer Feuerschlag, b) Feuerstoß *m* (*e-s Maschinengewehrs etc*). **16.** *electr. phys.* a) (Strom)Stoß *m*, Im'puls *m*, b) Ionisati'onsstoß *m*. **17.** plötzliches Sichtbarwerden. **18.** *sport* Spurt *m*.

burst·ing| point ['bəːrstiŋ] *s* **1.** *mil.* Sprengpunkt *m*. **2.** *fig.* Siedepunkt *m*: **at ~** zum Zerreißen (gespannt). **~ strength** *s tech.* Berst-, Bruchfestigkeit *f*.

'burst-ˌup *s* **1.** Bank'rott *m*, Zs.-bruch *m*. **2.** Krach *m*, ‚Wirbel' *m*. **3.** 'Saufparˌtie *f*.

bur·then ['bəːrðən] *obs. für* **burden**[1].

bur·y ['beri] *v/t* **1.** ver-, eingraben, (ver)senken, *electr. tech.* in die Erde verlegen: **to ~ one's face in the pillows** sein Gesicht in den Kissen vergraben; **buried cable** *tech.* Erdkabel *n*; **buried wire** *electr.* Unterputzleitung *f*; → **hatchet** 2. **2.** begraben, beerdigen, bestatten. **3.** verschütten, begraben: **buried under an avalanche. 4.** *fig.* begraben, vergessen: **to ~ a quarrel. 5.** *fig.* versenken: **to ~ o.s. in one's books. 6.** verbergen, *fig. a.* le'bendig begraben: **buried in a cloister; to ~ o.s.** sich verkriechen.

bur·y·ing| bee·tle ['beriiŋ] *s zo.* (*ein*) Totengräber(käfer) *m*. **~ ground, ~ place** *s* Friedhof *m*, Grabstätte *f*.

bus [bʌs] **I** *s* **1.** Omnibus *m*, (Auto)Bus *m*: → **miss**[2] 1. **2.** *sl.* ‚Kiste' *f*: a) Auto *n*, b) Flugzeug *n*. **II** *v/i* **3.** *a.* **~ it** mit dem Omnibus fahren. **~ bar** *s electr.* Strom-, Sammelschiene *f*. **~ boy** *s Am.* Kellnerlehrling *m*, Pikkolo *m*.

bus·by ['bʌzbi] *s* Bärenmütze *f*.

bush[1] [buʃ] *s* **1.** Busch *m*, Strauch *m*: **to beat about** (*od.* **around**) **the ~** *fig.* wie die Katze um den heißen Brei herumgehen, nicht mit der Sprache herausrücken. **2.** Gebüsch *n*, Dickicht *n*. **3.** (*bes. australischer*) Busch, Urwald *m*: **to take to the ~** Buschklepper werden. **4.** buschiges Haar, (Haar)Schopf *m*. **5.** Wirtshaus-, *fig.* Aushängeschild *n*: **it needs no ~** *fig.* das braucht keine Reklame, es lobt sich selbst.

bush[2] [buʃ] *tech.* **I** *s* (Lauf-, Lager-)Buchse *f*, Lagerfutter *n*. **II** *v/t* ausbuchsen.

bush·el[1] ['buʃl] *s* **1.** Bushel *m*, Scheffel *m* (*Br. 36,37 l, Am. 35,24 l*): → **light**[1] 4. **2.** *fig.* Haufen *m*.

bush·el[2] ['buʃl] *v/t Am. Kleidung* ausbessern, flicken, ändern.

'bush|ˌfight·er *s* Gue'rillakämpfer *m* (*im Busch*). **~ har·row** *s* Buschegge *f*.

bush·ing ['buʃiŋ] *s* **1.** *tech.* a) → **bush**[2] I, b) Muffe *f*, Spannhülse *f*. **2.** *electr.* 'Durchführungshülse *f*.

bush| league *s sport Am. sl.* kleinerer Baseball-Verband. **'B~·man** [-mən] *s irr* **1.** Buschmann *m* (*Südafrikas*). **2.** b~ 'Hinterwäldler *m*. **'~ˌmas·ter** *s zo.* Buschmeister *m* (*amer. Giftschlange*). **~ met·al** *s tech.* Hartguß *m*. **'~ˌrang·er** *s bes. Austral.* Buschklepper *m*, Strauchdieb *m*. **'~ˌwhack** *v/i* **1.** im Wald *od.* Busch hausen *od.* um'herstreichen. **2.** e-n Gue'rillakampf führen. **'~ˌwhack·er** *s* **1.** Buschmesser *n*. **2.** → **bushfighter. 3.** → **Bushman** 1.

bush·y ['buʃi] *adj* buschig.

bus·i·ly ['bizili] *adv von* **busy.**

busi·ness ['biznis] *s* **1.** Geschäft *n*, Beruf *m*, Tätigkeit *f*, Gewerbe *n*, Arbeit *f*: **to carry on ~ as an estate agent** als Grundstücksmakler tätig sein; **on ~** geschäftlich, beruflich, in e-r geschäftlichen Angelegenheit; **he knows his ~** er versteht sein Geschäft; **on the way to ~** auf dem Weg zur Arbeit(sstätte). **2.** a) Kaufmannsberuf *m*, b) Geschäftsleben *n*, Handel *m*: **to be in ~** geschäftlich tätig sein, ein Geschäft haben; **to go into ~** Kaufmann werden; **to go out of ~** das Geschäft *od.* s-n Beruf aufgeben. **3.** *a.* **~ activity** *econ.* Geschäft(sgang *m*) *n*, Ge'schäftsvoˌlumen *n*, 'Umsatz *m*: **~ is slack** das Geschäft ist flau; **~ done** (*Börse*) Umsatzbetrag *m*, (tatsächlich) getätigte Abschlüsse; **no ~** (*done*) ohne Umsatz; **to do good ~** (**with**) gute Geschäfte machen (mit); **to lose ~** Kundschaft *od.* Aufträge verlieren; → **big** 1. **4.** *econ.* Geschäft *n*, (Ge'schäfts)Unterˌnehmen *n*, (-)Betrieb *m*, Firma *f*. **5.** (Laden)Geschäft *n*, Ge'schäftsloˌkal *n*. **6.** Arbeit *f*, Tätigkeit *f*, Beschäftigung *f*: **~ before pleasure** erst die Arbeit, dann das Vergnügen. **7.** *a.* **~ of the day** Tagesordnung *f*. **8.** Sache *f*, Aufgabe *f*, Pflicht *f*: **that's your ~ (to do)** das (zu tun) ist d-e Aufgabe; **to make it one's ~ to do, to make a ~ of doing** es sich zur Aufgabe machen zu tun. **9.** Angelegenheit *f*, Sache *f*: **to get down to ~** zur Sache kommen; **that's my ~** das ist m-e Sache; **mind your own ~** kümmern Sie sich um Ihre eigenen Angelegenheiten; **this is none of your ~** das geht Sie nichts an; **the whole ~** die ganze Sache; **to send s.o. about his ~** j-m heimleuchten; **to do s.o.'s ~, to give s.o. the ~** *colloq.* j-n ‚fertigmachen', es j-m besorgen; **he means ~** *colloq.* er meint es ernst, er macht Ernst damit. **10.** Anliegen *n*: **what is your ~? 11.** Anlaß *m*, Grund *m*, Berechtigung *f*: **you have no ~ to do that** Sie haben kein Recht, das zu tun; **what ~ had he to say that?** wie kam er dazu, das zu sagen? **12.** *thea.* Mimik *f* u. Gestik *f*.

busi·ness| a·gent *s* **1.** Handelsvertreter *m*. **2.** *Am.* Gewerkschaftsvertreter *m*. **~ card** *s* Geschäfts-, Empfehlungskarte *f*. **~ col·lege** *s Am.* Handelsschule *f*. **~ con·sult·ant** *s Am.* Betriebsberater *m*. **~ cy·cle** *s* Konjunk'turzyklus *m*. **~ end** *s colloq.* wesentlicher Teil (*e-r Sache*), *z. B.* Spitze *f* (*e-s Bohrers od. Dolchs*), Mündung *f od.* Lauf *m* (*e-r Pistole etc*). **~ hours** *s pl* Geschäftsstunden *pl*, -zeit *f*. **'~ˌlike** *adj* **1.** geschäftsmäßig, geschäftlich, sachlich, nüchtern. **2.** (geschäfts)tüchtig, praktisch. **~ ma·chine** *s* Bü'romaˌschine *f*. **'~ˌman** [-ˌmæn] *s irr* Geschäfts-, Kaufmann *m*. **~ out·look** *s econ.* Geschäftslage *f*. **~ re·ply card** *s* Werbeantwortkarte *f*. **~ re·search** *s* Konjunk'turforschung *f*. **~ se·cret** *s* Betriebs-, Geschäftsgeheimnis *n*. **~ suit** *s Am.* Straßenanzug *m*. **'~ˌwom·an** *s irr* Geschäftsfrau *f*: **she is a good ~** *fig.* sie ist geschäftstüchtig. **~ year** *s* Geschäftsjahr *n*.

busk[1] [bʌsk] *s* Kor'settstäbchen *n*.

busk[2] [bʌsk] *v/i* **1.** *mar.* her'umkreuzen. **2.** ‚her'umsausen'.

busk·er ['bʌskər] *s sl.* **1.** 'Straßenmusiˌkant *m*. **2.** 'Schmierenkomödiˌant *m*.

bus·kin ['bʌskin] *s* **1.** Halbstiefel *m*. **2.** *antiq. thea.* Ko'thurn *m*. **3.** *fig.* Tra'gödie *f*, Trauerspiel *n*.

'bus·man [-mən] *s irr* Omnibusfahrer *m*: **~'s holiday** Urlaub, der mit der üblichen Berufsarbeit verbracht wird.

buss[1] [bʌs] **I** *s* Schmatz *m*, Kuß *m*. **II** *v/t u. v/i* küssen.

buss[2] [bʌs] *s mar.* Büse *f*, Heringsfischerboot *n*.

bust[1] [bʌst] *s* **1.** Büste *f*: a) Brustbild *n* (*aus Stein, Bronze etc*), b) *anat.* Busen *m*. **2.** *Schneiderei*: Brustweite *f*.

bust[2] [bʌst] *sl.* **I** *v/i* **1.** ‚ka'puttgehen' (*a. fig.*), (zer)platzen, bersten: **and if I ~** und wenn es mich umbringt; **to ~ loose** losbrechen; **to ~ out** *ped. Am. sl.* durchfallen. **2.** *oft* **~ up** a) ‚platzen', ‚auffliegen', b) ‚pleite' gehen. **II** *v/t* **3.** ‚ka'puttmachen': a) (zer)sprengen, bersten lassen, b) *mil. Panzer* ‚knakken', c) bank'rott machen, rui'nieren, d) ‚auffliegen lassen', zerschlagen: to ~ a racket (wide open). **4.** *mil.* degra'dieren. **5.** *Am. ein Pferd* zähmen, zureiten. **6.** *Am.* ‚hauen', ‚knallen': to ~ s.o. on the nose. **III** *s* **7.** ‚Sauftour' *f*: to go on the ~ ‚auf die Pauke hauen', ‚sumpfen'. **8.** *Am.* ‚Pleite' *f*, Fehlschlag *m*, Bank'rott *m*. **IV** *adj u. adv* **9.** *sl.* ‚pleite', bank'rott, ka'putt: to go ~ → 1 *u.* 2.

bus·tard ['bʌstərd] *s orn.* Trappe *f*, *m*.

bust·er ['bʌstər] *s* **1.** *sl.* a) ‚Mordsding' *n*, b) ‚Mordskerl' *m*, c) *Am. allg.* Kerl *m*, Bursche *m*, (*in der Anrede*) ‚Kumpel' *m*, d) *Am.* Rowdy *m*, ‚Ra'daubruder' *m*. **2.** (Zer)Sprenger *m*: safe ~ Geldschrankknacker *m*; tank ~ *mil.* Panzerknacker *m*. **3.** → bust[2] 7. **4.** *Austral.* kalter, heftiger Südwind.

bus·tle[1] ['bʌsl] **I** *v/i* **1.** *a.* ~ about geschäftig tun *od.* sein, ‚her'umfuhrwerken', ‚(her'um)sausen', Betrieb machen. **2.** sich tummeln, hasten. **II** *v/t* **3.** *a.* ~ up antreiben, hetzen. **III** *s* **4.** Geschäftigkeit *f*, geschäftiges Treiben, Getriebe *n*, Gehetze *n*. **5.** Tu'mult *m*, Lärm *m*, Gewühl *n*.

bustle[2] ['bʌsl] *s* Tour'nüre *f* (*Gesäßpolster im Kleid*).

bustler ['bʌslər] *s* (geschäftiger) Wichtigtuer, unruhiger Mensch. '**bustling** *adj* ('über)eifrig, geschäftig.

'**bust-,up** → burst-up.

bus·y ['bizi] **I** *adj* (*adv* busily) **1.** beschäftigt, tätig: to be ~ doing s.th. mit etwas beschäftigt sein. **2.** geschäftig, emsig, rührig, fleißig: get ~! an die Arbeit!, ‚ran'!; → bee[1] 1. **3.** belebt (*Straße etc*). **4.** arbeits-, ereignisreich: a ~ life. **5.** 'über-, diensteifrig, auf-, zudringlich, lästig. **6.** *teleph. Am.* besetzt: not ~ frei. **II** *v/t* **7.** (o.s. sich) beschäftigen (with, in, at, about *ger* mit). **III** *s* **8.** *sl.* ‚Schnüffler' *m*, Detek'tiv *m*. '~,**bod·y** *s* ‚Gschaftlhuber' *m*, 'Übereifrige(r *m*) *f*, Wichtigtuer(in), aufdringlicher Mensch.

bus·y·ness ['bizinis] *s* Geschäftigkeit *f*, Beschäftigtsein *n*.

but [bʌt] **I** *adv* **1.** nur, bloß: ~ a child; there is ~ one way out es gibt nur 'einen Ausweg; I did ~ glance ich blickte nur flüchtig hin. **2.** erst, gerade: he left ~ an hour ago. **3.** wenigstens, immer'hin: you could ~ try. **4.** all ~ fast, beinahe, ‚um ein Haar': he all ~ died er wäre fast gestorben.

II *prep* **5.** außer: all ~ him alle außer ihm; the last ~ one der vorletzte; the last ~ two der drittletzte; nothing ~ nonsense nichts als Unsinn; ~ that außer daß; es sei denn, daß. **6.** ~ for ohne: ~ for my parents wenn m-e Eltern nicht (gewesen) wären.

III *conj* **7.** (*nach Negativen od. Interrogativen*) außer, als: what can I do ~ refuse was bleibt mir anderes übrig als abzulehnen; he could not ~ laugh er konnte nicht umhin zu lachen, er mußte einfach lachen. **8.** ohne daß: he never comes ~ he causes trouble er kommt nie, ohne Unannehmlichkeiten zu verursachen. **9.** *a.* ~ that, ~ what (*nach Negativen*) daß nicht: you are not so stupid ~ (*od.* ~ that, ~ what) you can learn that du bist nicht so dumm, daß du das nicht lernen könntest. **10.** ~ that daß: you cannot deny ~ that you did it. **11.** ~ that wenn nicht: I would do it ~ that I am busy. **12.** aber, je'doch: you want to do it ~ you cannot du willst es tun, aber du kannst es nicht; small ~ select klein, aber fein; ~ then aber schließlich, aber andererseits, immerhin. **13.** dennoch, nichtsdesto'weniger: ~ yet, ~ for all that (aber) trotzdem. **14.** sondern: not only ... ~ also nicht nur ..., sondern auch.

IV *neg rel pron* **15.** der *od.* die *od.* das nicht: there is no one ~ knows about it es gibt niemanden, der es nicht weiß; few of them ~ rejoiced da waren wenige, die sich nicht freuten.

V *s* **16.** Aber *n*, Einwand *m*, 'Widerspruch *m*: → if 5.

VI *v/t* **17.** Einwendungen machen: ~ me no buts hier gibt es kein Aber.

bu·ta·di·ene [,bjuːtə'daiiːn; -dai'iːn] *s chem.* Butadi'en *n*.

bu·tane ['bjuːtein; bjuː'tein] *s chem.* Bu'tan *n*.

bu·tan·ol ['bjuːtə,noul; -,nɒl] *s chem.* Buta'nol *n*, Bu'tylalkohol *m*.

bu·ta·none ['bjuːtə,noun] *s chem.* Buta'non *n*.

butch·er ['butʃər] **I** *s* **1.** Fleischer *m*, Metzger *m*, Schlächter *m*. **2.** *fig.* (Menschen)Schlächter *m*, Mörder *m*, Würger *m*. **3.** *Am.* Verkäufer *m* (*von Süßigkeiten etc in Eisenbahnzügen*). **II** *v/t* **4.** schlachten. **5.** abschlachten, morden, niedermetzeln. **6.** verpfuschen: to ~ a job.

butch·er·ly ['butʃərli] *adj* grausam, blutdürstig, mörderisch.

butch·er·y ['butʃəri] *s* **1.** Schlächterhandwerk *n*. **2.** Schlächte'rei *f*, Schlachtbank *f*, -haus *n*. **3.** *fig.* Metze'lei *f*, Blutbad *n*.

bu·tene ['bjuːtiːn] *s chem.* Bu'ten *n*.

but·ler ['bʌtlər] *s* **1.** Kellermeister *m*. **2.** Butler *m*, erster Diener (*im vornehmen Privathaushalt*).

butt[1] [bʌt] **I** *s* **1.** (dickes) Ende (*e-s Werkzeuges etc*). **2.** (Gewehr- *etc*)Kolben *m*. **3.** (Zi'garren-, Ziga'retten)-Stummel *m*, (Ziga'retten)Kippe *f*. **4.** *bot.* unteres Ende (*vom Stiel od. Stamm*). **5.** *tech.* a) Stoß *m* (*Berührungsstelle von Bauteil-Enden*), b) → butt joint. **6.** a) Kugelfang *m*, b) *meist pl* Schießstand *m*. **7.** *fig.* Zielscheibe *f* (*des Spottes etc*). **8.** Stoß *m* (*bes. mit den Hörnern od. mit dem Kopf*). **9.** *obs.* Ziel *n*. **II** *v/t* **10.** *tech.* (stumpf) anein'anderfügen, zs.-stoßen lassen. **11.** (*bes.* mit dem Kopf) stoßen. **III** *v/i* **12.** stoßen: to ~ into a) zs.-stoßen mit, rennen gegen, b) *sl.* sich einmischen in (*acc*); to ~ in sich einmischen. **13.** (zs.-, anein'ander)stoßen (on, against an *acc*): to ~ out vorspringen.

butt[2] [bʌt] *s* **1.** (Wein-, Bier)Faß *n*. **2.** Butt *n* (*englisches Flüssigkeitsmaß = 108 gallons*).

butte [bjuːt] *s geol. Am.* Spitzkuppe *f*.

butt end *s* **1.** dickes Endstück. **2.** *tech.* Plankenende *n*.

but·ter ['bʌtər] **I** *s* **1.** Butter *f*: melted ~ zerlassene Butter; run ~ Butterschmalz *n*; he looks as if ~ would not melt in his mouth er sieht aus, als könnte er nicht bis drei zählen. **2.** butterähnliche Masse: cocoa ~ Kakaobutter *f*; peanut ~ Erdnußbutter *f*. **3.** *colloq.* ‚Schmus' *m*, Schmeiche'lei *f*, ,Schöntue'rei *f*. **II** *v/t* **4.** mit Butter bestreichen: ~ed toast Toast *m* mit Butter. **5.** mit Butter zubereiten. **6.** *a.* ~ up *colloq.* *j-n* ‚einwickeln', *j-m* schmeicheln. ~ **bean** *s bot.* Wachsbohne *f*. ~ **boat** *s* (*Art*) Sauci'ere *f* (*für zerlassene Butter*). '~,**box** *s* Butterdose *f*. ~ **churn** *s* Butterfaß *n* (*zum Buttern*). '~,**cup,** ~ **dai·sy** *s bot.* Butterblume *f*, Hahnenfuß *m*. ~ **dish** *s* Butterdose *f*, -schale *f*. '~,**fat** *s* Butterfett *n*. '~,**fin·gered** *adj colloq.* ungeschickt (*im Gebrauch der Hände*), tolpatschig. '~,**fin·gers** *s pl* (*als sg konstruiert*) *colloq.* ‚Tapps' *m*.

but·ter·fly ['bʌtərflai] *s* **1.** *zo.* Schmetterling *m*, Tagfalter *m*: to break a ~ on a wheel *fig.* mit Kanonen nach Spatzen schießen; to have butterflies in one's stomach *colloq.* ein ‚komisches Gefühl' in der Magengegend spüren (*nervös sein*). **2.** *fig.* Schmetterling *m*, flatterhafter Mensch: social ~ ‚Partybiene' *f*. **3.** *Schwimmsport*: a) *a.* ~ (breast)stroke Schmetterlingsstil *m*, b) *a.* ~ dolphin Del'phinstil *m*. ~ **nut** *s tech.* Flügelmutter *f*. ~ **screw** *s tech.* Flügelschraube *f*. ~ **ta·ble** *s* Klapptisch *m* (*mit 2 hochklappbaren Seiten*). ~ **valve** *s tech.* Drosselklappe *f*.

but·ter·ine ['bʌtə,riːn; -rin] *s* Kunstbutter *f*, Marga'rine *f*.

'**but·ter|,milk** *s* Buttermilch *f*. '~-,**mus·lin** *s* lose gewebter Musse'lin. '~,**nut** *s* **1.** *bot.* a) Grauer Walnußbaum, b) Graunuß *f*. **2.** *Am. hist. sl.* *Spitzname für die Soldaten der Südstaaten im Bürgerkriege.* '~'**scotch** *s* (*Art*) Buttertoffee *n*, Kara'melle *f*. '~,**wort** *s bot.* Fettkraut *n*.

but·ter·y ['bʌtəri] **I** *adj* **1.** butterartig, Butter... **2.** mit Butter bestrichen. **3.** *colloq.* schmeichlerisch. **II** *s* **4.** Speisekammer *f*. **5.** *univ. Br.* Kan'tine *f*. ~ **hatch** *s* Ser'vierluke *f*.

butt| joint *s tech.* **1.** Stoß-, Hirnfuge *f*. **2.** Stumpfstoß *m*, Stoß-, Endverbindung *f*. **3.** Über'laschung *f*, Laschennietung *f*. '~-,**joint** → butt[1] 10.

but·tock ['bʌtək] *s* **1.** 'Hinterbacke *f*. **2.** *pl* ‚Hintern' *m*, 'Hinterteil *n*, Gesäß *n*. **3.** *oft pl mar.* Heck *n*. **4.** *Ringen*: Hüftschwung *m*.

but·ton ['bʌtn] **I** *s* **1.** (Kleider)Knopf *m*: not worth a ~ keinen Pfifferling wert; not to care a ~ about s.th. *colloq.* sich gar nichts aus etwas machen; to be a ~ short *colloq.* nicht ganz richtig im Oberstübchen sein; to take by the ~ → buttonhole 3. **2.** (Klingel-, Licht-, Druck-, Schalt)-Knopf *m*, (Druck)Taste *f*: to press the ~ auf den Knopf drücken. **3.** Knopf *m*, knopfähnlicher Gegenstand, *z. B.* a) ('Ansteck)Pla,kette *f*, (-)Nadel *f*, Abzeichen *n*, b) *fenc.* Knopf *m* (*des Rapiers etc*), c) *mus.* (Re'gister)Knopf *m*, d) *mus.* (Spiel)Knopf *m* (*der Ziehharmonika*), e) *electr.* (Mikro'phon)Kapsel *f*, f) 'Rundkopfmar,kierung *f* (*im Straßenverkehr*). **4.** *bot. knotenartige Bildung bei Pflanzen*: a) Auge *n*, Knospe *f*, b) Fruchtknoten *m*, c) kleine *od.* verkümmerte Frucht, d) junger Pilz. **5.** *pl* (*als sg konstruiert*) *a.* boy in ~s *colloq.* Ho'telpage *m*. **6.** *sport sl.* ‚Punkt' *m*, Kinnspitze *f*: on the ~ genau auf den ‚Punkt', *fig.* haargenau. **II** *v/t* **7.** *meist* ~ up zuknöpfen: to ~ up one's mouth *fig.* den Mund halten; ~ed mit Knöpfen versehen, (zu)geknöpft; ~ed up *colloq.* a) ‚zugeknöpft', zurückhaltend, b) ‚in der Tasche', sicher(gestellt). **III** *v/i* **8.** sich knöpfen lassen, *hinten etc* geknöpft werden. ~ **boot** *s* Knopfstiefel *m*. ~ **boy** *s* Ho'telpage *m*. '~,**hole** **I** *s* **1.** Knopfloch *n*. **2.** *Br. colloq.* Knopflochsträußchen *n*. **II** *v/t* **3.** *j-n* am Knopf festhalten u. auf ihn einreden, *j-n* ‚abfangen'. **4.** Knopflöcher nähen in. **5.** mit Knopflochstichen nähen. '~,**hole stitch** *s* Knopflochstich *m.* '~ˌ**hook** *s* Stiefelknöpfer *m.* ~**switch** *s tech.* Druckknopfschalter *m.* '~-ˌ**through** *s* 'durchgeknöpftes Kleid.

but·tress ['bʌtris] **I** *s* **1.** *arch.* Strebepfeiler *m,* 'Widerlager *n.* **2.** *fig.* Stütze *f.* **3.** vorspringender Teil. **II** *v/t a.* ~ up **4.** (durch Strebepfeiler) stützen. **5.** *fig.* (unter)'stützen, stärken.

butt| shaft *s mil. hist.* Bolzen *m,* Pfeil *m.* ~ **strap** *s tech.* Stoßblech *n,* Lasche *f.* ~ **weld** *s* Stumpf(schweiß)naht *f.* '~-ˌ**weld** *v/t* stumpfschweißen.

bu·tyl ['bju:til] *s chem.* Bu'tyl *n.* ~ **al·co·hol** *s chem.* Bu'tylalkohol *m.*

bu·tyl·ene ['bju:tiˌli:n] *s chem.* Buty'len *n.*

bu·tyr·a·ceous [ˌbju:tə'reiʃəs] *adj chem.* butterartig *od.* -haltig.

bu·tyr·al·de·hyde [ˌbju:tər'ældiˌhaid] *s chem.* Bu'tyraldeˌhyd *n.*

bu·tyr·ate ['bju:təˌreit] *s chem.* Buty'rat *n.*

bu·tyr·ic [bju'tirik] *adj chem.* Butter...: ~ **acid.**

bux·om ['bʌksəm] *adj* drall.

buy [bai] **I** *s* **1.** *Am. colloq.* Kauf *m,* (*das*) Gekaufte: **a good** ~ ein guter Kauf. **II** *v/t pret u. pp* **bought** [bɔ:t] **2.** (ein)kaufen, beziehen (of, from von; at bei): **all that money can** ~ alles, was für Geld zu haben ist; **$ 1.000 will** ~ **that car** für 1000 Dollar bekommt man diesen Wagen. **3.** *e-e Fahrkarte etc* lösen. **4.** *fig.* (*bes. durch ein Opfer*) erkaufen: **dearly bought** teuer erkauft. **5.** *j-n* ,kaufen', bestechen. **6.** *bes. relig.* loskaufen, auslösen. **7.** *sl.* a) *etwas* ,abnehmen', glauben, b) *etwas* akzep'tieren.

Verbindungen mit Adverbien:

buy| in I *v/t* **1.** sich eindecken mit. **2.** *auf Auktionen* zu'rückkaufen. **II** *v/i* **3.** *Börse*: sich eindecken, Aktien kaufen. ~ **off** *v/t* **1.** *j-n* abfinden. **2.** → buy 5. ~ **out** *v/t e-n Teilhaber etc* abfinden, auszahlen. ~ **o·ver** → buy 5. ~ **up** *v/t* aufkaufen.

buy·a·ble ['baiəbl] *adj* käuflich.

buy·er ['baiər] *s* **1.** Käufer(in), Abnehmer(in): ~**s** (*Börse*) Geld *n;* ~**-up** Aufkäufer *m;* ~**'s market** Käufermarkt *m;* ~**'s option** Kaufoption *f,* (*Börse*) Vorprämie *f;* ~**s' strike** Käuferstreik *m.* **2.** *econ.* Einkäufer(in).

buy·ing ['baiiŋ] **I** *s* (Ein-, Ab-, An)Kauf *m.* **II** *adj* (Ein)Kauf(s)...: ~ **agent** Einkaufsvertreter *m,* Einkäufer *m;* ~ **department** Einkaufsabteilung *f;* (**excessive**) ~ **power** (überschüssige) Kaufkraft; ~ **order** Kaufauftrag *m.*

buzz [bʌz] **I** *v/i* **1.** summen, surren, brummen, schwirren: **to** ~ **about** (*od.* **around**) herumschwirren (*a. fig.*); **to** ~ **off** *sl.* a) ,abschwirren', sich davonmachen, b) *teleph.* ab-, einhängen. **2.** raunen, tuscheln. **3.** *fig.* dröhnen, summen (**with** vor): ~**ing with excitement** in wilder Aufregung. **II** *v/t* **4.** raunen, tuscheln, durchein'anderreden: **to** ~ **s.th. about** *obs.* etwas herumflüstern. **5.** surren lassen. **6.** *Am.* mit e-r Kreissäge schneiden. **7.** *colloq.* ,schmeißen', schleudern. **8.** *teleph. colloq. j-n* ,anklingeln'. **9.** *aer.* a) in geringer Höhe über'fliegen, b) *ein Flugzeug* (bedrohlich) anfliegen. **III** *s* **10.** Summen *n,* Brummen *n,* Surren *n,* Schwirren *n.* **11.** Raunen *n,* Gemurmel *n,* Stimmengewirr *n.* **12.** Gerede *n,* Gerücht *n.*

buz·zard ['bʌzərd] *s* **1.** *orn.* a) Bussard *m,* b) *Amer.* Truthahngeier *m,* c) Fischadler *m.* **2.** *meist* **old** ~ *colloq.* ,alter Gauner'.

buzz bomb → flying bomb.

buzz·er ['bʌzər] *s* **1.** Summer *m,* Brummer *m, bes.* summendes In'sekt. **2.** Summer *m,* Summpfeife *f.* **3.** *electr.* a) Summer *m,* b) Unter'brecher *m.* **4.** a) *mil.* 'Feldteleˌgraph *m,* b) *sl.* Telegra'phist *m.* **5.** *Am. sl.* Poli'zeimarke *f.*

buzz| saw *s tech.* Kreissäge *f.* '~-ˌ**track** *s Film*: Geräuschspur *f.*

by¹ [bai; bi] **I** *prep* **1.** (*örtlich*) (nahe *od.* dicht) bei *od.* an (*dat*), neben (*dat*): **a house** ~ **the river** ein Haus beim *od.* am Fluß; **side** ~ **side** Seite an Seite. **2.** vor'bei *od.* vor'über an (*dat*), an (*dat*) ... entlang: **he went** ~ **the church. 3.** über (*acc*): **to go** ~ **London. 4.** auf (*dat*), entlang (*acc*) (*Weg etc*): **to come** ~ **another road** e-e andere Straße entlang kommen. **5.** per, mit, mittels, durch (*ein Verkehrsmittel*): ~ **air** mit dem Flugzeug; ~ **post** durch die Post, per Post; ~ **rail** mit der (Eisen)Bahn, per Bahn; ~ **water** zu Wasser. **6.** (*zeitlich*) bis zu, bis um, bis spätestens: **be here** ~ **4.30** sei um 4 Uhr 30 hier; ~ **that time** um diese Zeit, (ungefähr) zu diesem Zeitpunkt; ~ **now** mittlerweile, schon, inzwischen. **7.** während, bei (*Tageszeit*): ~ **day and night** bei Tag u. bei Nacht; ~ **candlelight** bei Kerzenlicht. **8.** nach, ...weise: ~ **the hour** stundenweise; **sold** ~ **the metre** meterweise verkauft. **9.** nach, gemäß: **it is ten** ~ **my watch** nach m-r Uhr ist es zehn. **10.** von: ~ **blood** von Geblüt, der Abstammung nach; ~ **nature** von Natur; ~ **trade** von Beruf. **11.** von, durch (*Urheberschaft*): **a play** ~ **Shaw** ein Stück von Shaw; **it was settled** ~ **him** es wurde durch ihn *od.* von ihm erledigt; ~ **o.s.** aus eigener Kraft, selbst, allein. **12.** mittels, mit Hilfe von, mit, durch: ~ **letter** brieflich; ~ **force** mit Gewalt; **written** ~ **pencil** mit Bleistift geschrieben; ~ **listening** durch Zuhören; ~ (**his**) **talking rapidly** dadurch, daß er schnell redete. **13.** um (*bei Größenverhältnissen*): (**too**) **short** ~ **an inch** um e-n Zoll zu kurz. **14.** *math.* a) mal: **3** (**multiplied**) ~ **4** drei mal vier; **the size is 9 feet** ~ **6** die Größe ist 9 auf (*od.* ×) 6 Fuß, b) durch: **6** (**divided**) ~ **2; to divide** ~ **two** durch zwei teilen. **15.** an (*dat*), bei: **to pull up** ~ **the roots** an den Wurzeln herausziehen; **to seize s.o.** ~ **the hand** j-n bei der Hand fassen.

II *adv* **16.** nahe, da('bei): **close** ~, **hard** ~ dicht dabei; ~ **and large** im großen u. ganzen; ~ **and** ~ bald, demnächst, nach u. nach. **17.** vor'bei, vor'über: **to pass** ~ vorübergehen; **to pass s.th.** ~ an etwas vorübergehen; **times gone** ~ vergangene Zeiten. **18.** bei'seite: **to put** ~ beiseite legen.

by² → bye II.

by- [bai] *Vorsilbe mit den Bedeutungen* a) (nahe) dabei *od.* vorbei, b) Neben..., Seiten..., c) geheim.

'by|-and-'by *s* Zukunft *f.* '~-ˌ**blow** *s* **1.** Seitenhieb *m.* **2.** uneheliches Kind. '~-ˌ**cor·ner** *s* abgelegener Ort.

bye [bai] **I** *s* **1.** Nebensache *f.* **2.** *Kricket*: durch e-n vor'beigelassenen Ball ausgelöster Lauf. **3.** *sport* Freilos *n,* kampfloses Aufsteigen in die nächste Runde (*mangels e-s Gegners*). **II** *adj* **4.** seitlich, Seiten... **5.** Neben...

bye- → by-.

bye-bye ['baiˌbai] **I** *s* ,Heia' *f* (*Kindersprache für Bett od. Schlaf*). **II** *interj colloq.* 'Wiedersehen!, Tschüs!

bye·law → bylaw.

'by|-eˌlec·tion *s* Ersatz-, Nachwahl *f.* '~**-efˌfect** *s* Nebenwirkung *f.* '~ˌ**gone I** *adj* vergangen. **II** *s* (*das*) Vergangene: **let** ~**s be** ~**s** laß(t) das Vergangene ruhen, sprechen wir nicht mehr davon. '~ˌ**law** *s* **1.** *bes. Br.* 'Ortsstaˌtut *n,* städtische Verordnung, Gemeindesatzung *f*: **building** ~**s** örtliche Bauvorschriften. **2.** a) Sta'tuten *pl,* Satzung *f* (*e-r Körperschaft des öffentlichen Rechts*), b) *pl econ. Am.* Satzung *f* (*e-r Aktiengesellschaft, bes. das Innenverhältnis betreffend*). **3.** 'Durchführungsverordnung *f,* Ergänzungsgesetz *n.* '~-ˌ**line** *s* **1.** *rail.* Nebenlinie *f.* **2.** Nebenbeschäftigung *f.* **3.** Verfasserzeile *f,* -angabe *f* (*unter der Überschrift e-s Zeitungsartikels*). '~ˌ**name** *s* **1.** Beiname *m.* **2.** Spitzname *m.*

'byˌpass I *s* **1.** 'Umleitung *f,* Um'gehungsstraße *f.* **2.** *tech.* Nebenleitung *f.* **3.** 'Seiten-, 'Nebenkaˌnal *m.* **4.** *electr.* Nebenschluß *m,* Shunt *m.* **5.** *Gasbrenner*: Dauerflamme *f.* **II** *v/t* **6.** um'gehen (*a. fig.*). **7.** vermeiden. **8.** *fig.* über'gehen. **9.** ab-, 'umleiten. **10.** *electr.* a) shunten, vor'beileiten, b) über'brücken. ~ **con·dens·er** *s electr.* Über'brückungskondenˌsator *m.*

'by|ˌpath *s* **1.** Seitenweg *m* (*a. fig.*). **2.** Pri'vatweg *m.* '~ˌ**play** *s thea.* Nebenspiel *n,* stummes Spiel. '~-ˌ**plot** *s* Nebenhandlung *f* (*im Drama*). '~-ˌ**prod·uct** *s* 'Nebenproˌdukt *n* (*a. fig.*), -erzeugnis *n.*

byre [bair] *s Br.* Kuhstall *m.*

byr·nie ['bə:rni] *s hist.* Brünne *f.*

'byˌroad *s* Seiten-, Nebenstraße *f,* -weg *m.*

By·ron·ic [bai'rɒnik] *adj* (*adv* ~**ally**) **1.** Byronsch(er, e, es). **2.** zynisch, byronisch.

'by|ˌstand·er *s* 'Umstehende(r *m*) *f,* Zuschauer(in). '~ˌ**street** *s* Seiten-, Nebenstraße *f.* '~ˌ**way** *s* Seiten-, Nebenweg *m* (*a. fig.*). '~ˌ**word** *s* **1.** Sprichwort *n.* **2.** (**for**) *a. contp.* Inbegriff *m* (*gen*), Musterbeispiel *n* (für). **3.** *fig.* Gespött *n,* Gegenstand *m* des Tadels *od.* der Verachtung. **4.** Bei-, Spitzname *m.* **5.** stehende Redensart, Schlagwort *n.*

By·zan·tine [bi'zæntain; -tin; -ˌti:n] **I** *adj* byzan'tinisch. **II** *s* Byzan'tiner(in).

C

C, c [siː] **I** *pl* **C's, Cs, c's, cs** [siːz] *s* **1.** C, c *n* (*Buchstabe*). **2.** *mus.* C, c *n* (*Tonbezeichnung*): **C flat** Ces, ces *n*; **C sharp** Cis, cis *n*; **C double flat** Ceses, ceses *n*; **C double sharp** Cisis, cisis *n*. **3.** *mus.* C *n* (*Taktzeichen des Viervierteltakts*). **4.** C *ped. bes. Am.* Drei *f*, Befriedigend *n* (*Note*). **5.** C *Am. sl.* Hundert'dollarschein *m*. **6.** C C *n*, C-förmiger Gegenstand. **II** *adj* **7.** dritt(er, e, es): **Company C. 8.** C C-..., C-förmig. **9.** **C plus (minus)** *electr.* Pluspol *m* (Minuspol *m*) e-r 'Gitterbatte,rie: **C supply** Gitterstromversorgung *f*.

cab[1] [kæb] **I** *s* **1.** Droschke *f*: a) Taxi *n*, b) Fi'aker *m*. **2.** a) Führerstand *m* (*Lokomotive*), b) Fahrerhaus *n* (*Lastkraftwagen*), c) Lenkerhäus-chen *n* (*Kran*). **II** *v/i* **3.** mit dem Taxi fahren.

cab[2] [kæb] *s ped. Br. sl.* ,Klatsche' *f* (*verbotene Übersetzung*).

ca·bal [kə'bæl] **I** *s* **1.** Ka'bale *f*, Ränkespiel *n*, In'trige *f*. **2.** Clique *f*, Klüngel *m*, Geheimbund *m*. **II** *v/i* **3.** sich zu e-m Geheimbund zs.-schließen, sich verschwören. **4.** intri'gieren.

cab·a·la ['kæbələ] *s* Kabbala *f*: a) *jüdische Geheimlehre*, b) *allg.* Geheimlehre *f*. **'cab·a,lism** *s* Kabba'listik *f*, Geheimwissenschaft *f*. **,cab·a'lis·tic** *adj*; **,cab·a'lis·ti·cal** *adj* (*adv* **~ly**) kabba'listisch.

cab·al·line ['kæbə,lain; -lin] *adj* Pferde...: **~ fountain** (*od.* **spring**) *poet.* Hippokrene *f*, Musenquell *m*.

ca·ba·na [kə'bɑːnə] *s Am.* (*bes.* Bade-)Hütte *f*, *a.* Strandzelt *n*.

cab·a·ret [*Br.* 'kæbə,rei, *a.* -,ret; *Am.* 'kæbə,ret] *s* **1.** *Am.* [,kæbə'rei] Kaba'rett *n*, Kleinkunstbühne *f*: **political ~** politisches Kabarett; **~ performer** Kabarettist(in). **2.** Restau'rant *n* mit Vorführungen.

cab·bage ['kæbidʒ] **I** *s bot.* **1.** Kohl *m*, Kohlpflanze *f*. **2.** Kohlkopf *m*. **3.** *a.* **palm ~** Palmkohl *m*. **4.** *a.* **~ leaves** *Am. sl.* ,Lappen' *pl* (*Papiergeld*). **II** *v/i* **5.** stehlen, sti'bitzen. **~ but·ter·fly** *s zo.* Großer Kohlweißling. **~ fly** *s zo.* (*e-e*) Kohlfliege. **'~,head** *s* **1.** Kohlkopf *m*. **2.** *colloq.* Dumm-, Schafskopf *m*. **~ let·tuce** *s bot.* 'Kopfsa,lat *m*. **~ palm** *s bot.* Kohlpalme *f*. **~ rose** *s bot.* Hundertblättrige Rose, Zenti'folie *f*. **~ tree** *s bot.* Kohlpalme *f* (*verschiedene Palmarten mit eßbaren Knospen*). **~ white** → **cabbage butterfly.**

cab·ba·la, cab·ba·lism, cab·ba·lis·tic(al) → **cabala** *etc.*

cab·by ['kæbi] *colloq. für* **cabdriver.**

'cab,driv·er *s* **1.** Taxifahrer *m*. **2.** Droschkenkutscher *m*.

ca·ber ['keibər] *s Scot.* Baumstamm *m*: **tossing the ~** *sport* Baumstammwerfen *n*.

cab·in ['kæbin] **I** *s* **1.** Häus-chen *n*, Hütte *f*. **2.** ('Schiffs-, 'Flugzeug- *etc*)-Ka,bine *f*. **3.** *mar.* a) Ka'jüte *f*, b) → **cabin class. 4.** a) Führer-, Pi'lotensitz *m* (*Flugzeug*), b) Gondel *f* (*Luftschiff*). **5.** *rail. Br.* Stellwerk(haus) *n*. **II** *v/t* **6.** einpferchen. **7. ~ off** in Ka'binen einteilen. **III** *v/i* **8.** beengt hausen, in e-r Hütte *od.* Ka'bine wohnen. **~ boy** *s mar.* Kammersteward *m*. **~ class** *s mar.* Ka'jütsklasse *f*, zweite Klasse. **~ cruis·er** *s mar.* Ka'binenkreuzer *m*. **~ de·part·ment** *s mar.* 'Wirtschaftsab,teilung *f* (*Handelsschiff*).

cab·i·net ['kæbinit] *s* **1.** *oft* **C~** *pol.* Kabi'nett *n*, Mi'nisterrat *m*: **~ council**, **~ meeting** Kabinettssitzung *f*; **~ crisis** Regierungskrise *f*; **~ government**, **~ system** Führung *f* der Regierungsgeschäfte durch den Ministerrat. **2.** Beratungs-, Sitzungszimmer *n*. **3.** Kabi'nett *n*, Gelaß *n*, kleiner Raum. **4.** Pri'vat-, Stu'dierzimmer *n*. **5.** Vi'trine *f*, Kabi'nett-, Sammlungsschrank *m*. **6.** (Bü'ro-, Kar'tei-, La'bor- *etc*) Schrank *m*, (Wand)Schränkchen *n*. **7.** Scha'tulle *f*, kleine Truhe. **8.** *Radio etc*: Gehäuse *n*, Schrank *m*. **9.** a) → **cabinet photograph**, b) → **cabinet size.** **~ cook·er** *s* Kochschrank *m*. **~ e·di·tion** *s* biblio'phile Ausgabe (*Buch*). **'~,mak·er** *s* Kunst-, Möbeltischler *m*. **'~,mak·ing** *s* **1.** ,Kunsttischle'rei *f*. **2.** *pol.* Re'gierungsbildung *f*. **C~ Min·is·ter** *s pol. Br.* Kabi'nettsmi,nister *m*. **~ paint·ing** *s* Kabi'nettmale,rei *f*. **~ pho·to·graph** *s* Photogra'phie *f* im Kabi'nettfor,mat. **~ pi·an·o** *s mus.* Pia'nino *n*. **~ pudding** *s* Kabi'nettpudding *m* (*Biskuitteig u. Rosinen*). **~ ques·tion** *s pol.* Kabi'netts-, Vertrauensfrage *f*. **~ saw** *s tech.* Steifsäge *f*. **~ size** *s phot.* Kabi'nettfor,mat *n* (*100 × 140 mm*). **~ var·nish** *s* 'Möbelpoli,tur *f*, -lack *m*. **'~,work** *s* Kunsttischlerarbeit *f*.

ca·ble ['keibl] **I** *s* **1.** Kabel *n*, Tau *n*, (Draht)Seil *n*. **2.** *mar.* Ankertau *n*, -kette *f*: **to slip the ~** a) das Ankertau schießen lassen, b) *sl.* ,abkratzen', sterben. **3.** *electr.* (Leitungs)Kabel *n*. **4.** *arch.* Schiffstauverzierung *f*. **5.** → **cablegram. 6.** → **cable transfer. II** *v/t* **7.** mit e-m Kabel versehen *od.* befestigen. **8.** *Drähte etc* ka'blieren, zu e-m Kabel zs.-drehen. **9.** *j-m e-e Nachricht* kabeln, drahten, telegra'phieren. **10.** *arch. e-n Säulenschaft* seilförmig winden. **III** *v/i* **11.** kabeln, drahten, telegra'phieren. **~ ad·dress** *s* Drahtanschrift *f*. **~ box** *s electr.* Kabelabzweiger *m*, -kasten *m*. **~ bridge** *s* Seil(hänge)brücke *f*. **~ car** *s* **1.** Ka'bine *f*, Gondel *f*, Wagen *m* e-r Drahtseilbahn. **2.** *Am.* (Straßenbahn)-Wagen *m* (→ **cable railway** 2). **~ con·trol** *s tech.* Seil(zug)steuerung *f*.

ca·ble·gram ['keibl,græm] *s* 'Kabelde,pesche *f*, -nachricht *f*.

ca·ble| joint *s* **1.** *tech.* a) Seilschloß *n*, b) Seilverbindung *f*. **2.** *electr.* Kabelverbindung *f*. **'~-,laid** *adj tech.* kabelartig gedreht: **~ rope** Kabeltrosse *f*. **~ mo(u)ld·ing** *s arch.* Schiffstauverzierung *f*. **~ rail·way** *s* **1.** Drahtseilbahn *f*. **2.** *Am.* Straßenbahn *f* (*deren Wagen durch unter der Straße liegende Drahtseile gezogen wurden*). **~ re·lease** *s phot.* Drahtauslöser *m*.

ca·blese [kei'bliːz] *s* Tele'grammstil *m*.

ca·ble's length ['keiblz] *s mar.* Kabellänge *f* (*Br. 185,3 m, Am. 219,5 m*).

ca·blet ['keiblit] *s tech.* kleines Kabel (*mit e-m Umfang von unter 10 Zoll*).

ca·ble| tier *s mar.* Kabelgatt *n*. **~ trans·fer** *s Am.* tele'graphische 'Geldüber,weisung. **'~,way** *s* Drahtseilbahn *f*.

ca·bling ['keibliŋ] *s arch.* Schiffstauverzierung(en *pl*) *f*.

'cab·man [-mən] *s irr* → **cabdriver.**

ca·boo·dle [kə'buːdl] *s sl.*: **the whole ~** a) (*von Sachen*) der ganze Plunder *od.* Kram, b) (*von Leuten*) die ganze Bande *od.* Sippschaft.

ca·boose [kə'buːs] *s* **1.** *mar.* Kom'büse *f*, Schiffsküche *f*. **2.** *rail. Am.* Dienst-, Bremswagen *m*.

cab·o·tage ['kæbə,tɑːʒ; -tidʒ] *s* **1.** Küstenschiffahrt *f*. **2.** Recht *n* zur Unter'haltung e-r Fluglinie im reinen Inlandsverkehr.

cab rank *s Br.* Taxi-, Droschkenstand *m*.

cab·ri·ole ['kæbri,oul] *s* geschwungenes, verziertes (Stuhl- *etc*)Bein.

cab·ri·o·let [,kæbrio'lei] *s* Kabrio'lett *n*: a) *zweirädriger Einspänner mit Klappdach*, b) *Auto mit Klappverdeck.*

'cab,stand → **cab rank.**

ca' can·ny [kɑː 'kæni; kɔː] **I** *v/i* ,langsamtreten': a) *Scot.* vorsichtig vorgehen, b) die Arbeitsleistung bremsen. **II** *s sl.* ,Langsamtreten' *n*, bewußte Produkti'onsverlangsamung.

ca·ca·o [kə'keiou; -'kɑː-] *s* **1.** *bot.* Ka'kaobaum *m*. **2.** Ka'kaobohnen *pl*. **~ bean** *s* Ka'kaobohne *f*. **~ but·ter** *s* Ka'kaobutter *f*.

cach·a·lot ['kæʃə,lɒt; -,lou] *s zo.* Pottwal *m*.

cache [kæʃ] **I** *s* **1.** Versteck *n*, geheimes (Waffen- *od.* Provi'ant)Lager. **2.** versteckte Vorräte *pl*. **II** *v/t* **3.** verbergen.

ca·chec·tic [kə'kektik], **ca'chec·ti·cal** [-kəl] *adj med.* ka'chektisch, blutarm.

ca·chet ['kæʃei; kæ'ʃei] *s* **1.** Siegel *n*: **to place one's ~ upon** *fig. e-e Sache* billigen. **2.** *fig.* Stempel *m*, Merkmal *n*, Gepräge *n*. **3.** *pharm.* (Ob'laten)Kapsel *f*. **4.** a) (Post)Stempel *m*, b) Werbeaufdruck *m*.

ca·chou [kə'ʃuː; kæ-] *s* **1.** → **catechu. 2.** Ca'chou *n* (*Pille gegen Mundgeruch*).

ca·cique [kə'siːk; kæ-] *s* **1.** Ka'zike *m* (*südamerikanischer Indianerhäuptling*). **2.** *pol. Am.* (po'litischer) Führer, Bonze *m*. **3.** *orn.* (*ein*) Stirnvogel *m*.

cack·le ['kækl] **I** *v/i* **1.** a) gackern (*Huhn*) (*a. fig. lachen*), b) schnattern (*Gans*) (*a. fig. schwatzen*). **II** *v/t* **2.** *Worte etc* (her'vor)schnattern, gackern. **III** *s* **3.** Gegacker *n*, Geschnatter *n* (*a. fig.*): **cut the ~!** *sl.* Schluß mit dem Gequatsche! **4.** gakkerndes Lachen. **'cack·ling** → **cackle** III.

cac·o·ëp·y ['kæko,epi; kæ'kouəpi] *s* schlechte *od.* fehlerhafte Aussprache.

cac·o·gen·ics [,kækə'dʒeniks] *s pl* (*als sg konstruiert*) *sociol.* Erforschung *f* der Rassenschädigungen.

ca·cog·ra·phy [kə'kɒgrəfi; kæ-] *s* Kakogra'phie *f*: a) schlechte Handschrift, b) fehlerhafte Schreibweise.

ca·col·o·gy [kə'kɒlədʒi; kæ-] *s* Kakolo'gie *f*: a) fehlerhafte Ausdrucksweise, b) schlechte Aussprache.

cac·o·phon·ic [,kækə'fɒnik], **,cac·o'phon·i·cal** → **cacophonous. ca·coph·o·nous** [kə'kɒfənəs] *adj* 'mißtönend, kako'phon. **ca'coph·o·ny** *s* Kakopho'nie *f*.

cac·ta·ceous [kæk'teiʃəs] *adj bot.* **1.** kaktusartig. **2.** zu den Kak'teen gehörend, Kaktus...

cac·tus ['kæktəs] *pl* **-ti** [-tai], **-tus·es** *s bot.* Kaktus *m*.

ca·cu·mi·nal [kə'kjuːminl; kæ-] *ling.*

I *adj* Kakuminal... II *s* Kakumi'nal-, Vordergaumenlaut *m*.
cad [kæd] *s* **1.** *colloq.* ordi'närer Kerl, ‚Pro'let' *m*. **2.** gemeiner Kerl, Cha'rakterschwein *n*. **3.** *univ. Br. sl. obs.* Bürger *m* (*Ggs. Student; Oxford*).
ca·das·ter → **cadastre.**
ca·das·tral [kə'dæstrəl] *adj* Kataster...
ca·das·tre [kə'dæstər] *s* Ka'taster *m*, Flur-, Grundbuch *n*.
ca·dav·er [kə'dævər; -'dei-] *s med.* Leichnam *m*. **ca'dav·er·ic** *adj* leichenhaft, Leichen... **ca'dav·er·ous** *adj* leichenhaft, -artig, -blaß, Leichen...
cad·die ['kædi] **I** *s* **1.** *Scot.* a) junger Bursche, b) *obs.* Laufbursche *m*. **2.** *sport* Caddie *m*, Golfjunge *m*. **II** *v/i* **3.** *Golf*: die Schläger tragen.
cad·dis ['kædis] *s a.* ~ **bait,** ~ **worm** *zo.* Larve *f* der Köcherfliege. ~ **fly** *s zo.* (*e-e*) Köcherfliege.
cad·dish ['kædiʃ] *adj* **1.** ungehobelt, pro'letenhaft. **2.** gemein.
cad·dy ['kædi] *s* Teedose *f*, -büchse *f*.
cade [keid] *s* von Menschen aufgezogenes Jungtier.
ca·dence ['keidəns] *s* **1.** (Vers-, Sprech)Rhythmus *m*. **2.** Takt(schlag) *m*, Rhythmus *m* (*a. fig.*). **3.** *mus.* a) Ka'denz *f*, Schluß(fall) *m*, b) Schlußphrase *f*, c) Schlußverzierung *f*: **half** ~, **imperfect** ~ Halbschluß. **4.** a) Sinken(lassen) *n*, b) Tonfall *m*, Modulati'on *f* (*der Stimme*), c) (besonderer) Ak'zent (*e-r Sprache*). **5.** *mil.* Zeitmaß *n*, Gleichschritt *m* (*Marsch*). **'ca·denced** *adj* kaden'ziert, rhythmisch fallend. **'ca·den·cy** *s* **1.** → cadence. **2.** *her.* Abstammung *f* von e-r jüngeren Linie.
ca·den·za [kə'denzə] *s mus.* Ka'denz *f*: a) (*eingeschaltete*) 'Solopasˌsage, b) (Kon'zert)Kaˌdenz *f*.
ca·det [kə'det] *s* **1.** *mil.* Ka'dett *m*, Offi'zier(s)anwärter *m*, -bewerber *m*: ~ **corps** *ped. Br.* Jugendkompanie *f* (*zur vormilitärischen Ausbildung*). **2.** jüngerer *od.* jüngster Sohn (*e-r adligen Familie*). **3.** *Am. sl.* a) Zuhälter *m*, b) Mädchenhändler *m*. ~ **nurse** *s* Lernschwester *f*.
ca·det ship *s mar.* Schulschiff *n*.
cadge [kædʒ] **I** *v/i colloq.* ‚schnorren', ‚nassauern', betteln (**for** um). **II** *v/t* erbetteln. **'cadg·er** *s* **1.** Hau'sierer(in), Trödler(in). **2.** *colloq.* ‚Schnorrer' *m*, Schma'rotzer *m*, ‚Nassauer' *m*.
ca·di ['kɑːdi; 'keidi] *s* Kadi *m*, Bezirksrichter *m* (*im Orient*).
cad·mi·um ['kædmiəm] *s chem.* Kadmium *n*. ~ **or·ange** *s* 'Kadmiumoˌrange *n*. **'~-ˌplate** *v/t tech.* kad'mieren.
ca·dre ['kɑːdr; 'kɑːdər; *Am. mil.* 'kædri] *s* **1.** *mil.* Kader *m*, Stammtruppe *f*. **2.** 'Rahmenorganisatiˌon *f*. **3.** *fig.* Grundstock *m*, Rahmen *m*.
ca·du·ce·us [kə'djuːsiəs] *pl* **-ce·i** [-siˌai] *s* Mer'kurstab *m* (*mil. Am. als Abzeichen e-s Militärarztes*).
ca·du·cous [kə'djuːkəs] *adj* **1.** 'hinfällig, vergänglich. **2.** *bot. physiol.* verwelkend, absterbend, abfallend (*Organ*). **3.** *bot.* frühzeitig abfallend.
cae·ca ['siːkə] *pl von* caecum.
cae·cal ['siːkəl] *adj anat.* cö'cal, Blinddarm... [*zo.* Blinddarm *m.*]
cae·cum ['siːkəm] *pl* **-ca** [-kə] *s anat.*
Cae·sar ['siːzər] *s* **1.** Cäsar *m* (*Titel der römischen Kaiser*). **2.** Auto'krat *m*. **3.** Kaiser *m*. **4.** *fig.* weltliche Gewalt.
Cae·sar·e·an, Cae·sar·i·an [si'zɛ(ə)riən] *adj* cä'sarisch, kaiserlich: ~ (**operation** *od.* **section**) *med.* Kaiserschnitt *m*.
Cae·sar·ism ['siːzəˌrizəm] *s* **1.** Cäsa'rismus *m*, Dikta'tur *f*. **2.** Cä'saren-, Herrschertum *n*. **3.** Herrschsucht *f*.
cae·si·ous ['siːziəs] *adj* bläulichgrün.
cae·su·ra [si'zju(ə)rə; si'ʒu(ə)rə] *s* Zä'sur *f*: a) *metr.* (Vers)Einschnitt *m*, b) *mus.* Ruhepunkt *m*.
ca·fé [*Br.* 'kæfei; *Am.* kə'fei; kæ-] *s* **1.** Ca'fé *n*, Kaffeehaus *n*. **2.** Restau'rant *n*. **3.** *Am.* Bar *f*, Nachtklub *m*. **4.** [ka'fe] (*Fr.*) Kaffee *m*.
caf·e·te·ri·a [ˌkæfə'ti(ə)riə; -fi-] *s bes. Am.* 'Selbstbedienungsrestauˌrant *n*.
caf·fe·in ['kæfiin; *Am. a.* -fiːn], **caf·fe·ine** ['kæfiˌiːn; *Am. a.* -fiːn] *s chem.* Koffe'in *n*, Kaffe'in *n*. **'caf·fe·inˌism** *s med.* Koffe'invergiftung *f*.
Caf·fre → **Kaffir.**
caf·tan ['kæftən; kæf'tɑːn] *s* Kaftan *m*.
cage [keidʒ] **I** *s* **1.** (Tier-, Vogel)Käfig *m*, Vogelbauer *m*, *n*. **2.** *fig.* Käfig *m*, Gefängnis *n*. **3.** *mil.* Kriegsgefangenen(teil)lager *n*. **4.** Fahrkorb *m*, Ka'bine *f* (*e-s Aufzugs*). **5.** *Bergbau*: Förderkorb *m*. **6.** *tech.* a) Kugelkäfig *m* (*e-s Kugellagers*), b) Stahlgerüst *n* (*a. arch. e-s Hochhauses*): ~ **construction** *arch.* (Stahl)Skelettbau *m*. **7.** *electr.* Käfig(schutz) *m*. **8.** *Baseball*: a) Schutzgitter *n*, b) abgegrenztes Trainingsfeld. **9.** *Hockey*: Tor *n*. **II** *v/t* **10.** in e-n Käfig sperren, einsperren. **11.** *Hockey*: *den Ball* ins Tor treiben. ~ **an·ten·na** *s Radio*: 'Käfiganˌtenne *f*. ~ **bird** *s* Käfig-, Stubenvogel *m*.
caged [keidʒd] *adj* (in e-n Käfig) eingesperrt, hinter Gittern. ~ **valve** *s tech.* hängendes Ven'til.
cage·ling ['keidʒliŋ] → **cage bird.**
cage·y ['keidʒi] *adj colloq.* **1.** vorsichtig, reser'viert. **2.** schlau, ‚gerissen'.
ca·hoot [kə'huːt] *s Am. sl.* Partnerschaft *f*: **to be in** ~**s with** unter 'einer Decke stecken mit *j-m*; **to go** ~**s** ‚Fifty-fifty' machen; **to go into** ~**s** with gemeinsame Sache machen mit.
cai·man → **cayman.**
Cain [kein] *s fig.* Kain *m*, (Bruder)-Mörder *m*: **to raise** ~ *sl.* Krach schlagen.
cai·no·zo·ic [ˌkaino'zouik; ˌkei-] → **cenozoic.**
cairn [kɛ(ə)rn] *s* **1.** Steinhaufen *m*, -hügel *m*: a) *Grenzmal*, b) Hügelgrab *n*. **2.** *a.* ~ **terrier** *zo.* Cairn Terrier *m*.
cairn·gorm ['kɛ(ə)rn'gɔːrm], *a.* ~ **stone** *s min.* Cairngorm *m* (*gelblicher Bergkristall*).
cais·son ['keisən] *s* **1.** *tech.* a) Cais'son *m*, Senkkasten *m* (*im Tiefbau*), b) Schleusenponton *m*, c) → **camel** 2. **2.** *mil.* a) Muniti'onswagen *m*, b) kistenförmige Mine. ~ **dis·ease** *s med.* Cais'son-, Druckluftkrankheit *f*.
cai·tiff ['keitif] *s poet.* Schurke *m*.
ca·jole [kə'dʒoul] *v/t* **1.** *j-m* schmeicheln, ‚um den Bart gehen', schöntun. **2.** *j-n* beschwatzen, verleiten (**into** doing **zu** tun): **to** ~ **s.o. out of s.th.** j-m durch Schmeicheln etwas ausreden; **to** ~ **s.th. out of s.o.** j-m etwas abbetteln. **ca'jole·ment, ca'jol·er·y** *s* **1.** Schmeiche'lei *f*, schmeichlerische Worte *pl*. **2.** gutes Zureden.
cake [keik] **I** *s* **1.** Kuchen *m*, süßes Gebäck: ~**s and ale** *fig.* Lebensfreude *f*, süßes Leben; **to be selling like hot** ~**s** ‚weggehen wie warme Semmeln' (*Waren*); **to take the** ~ *sl.* ‚den Vogel abschießen', alles übertreffen; **that takes the** ~! das ist die Höhe!; **you can't eat your** ~ **and have it!** du kannst nur eines von beiden tun *od.* haben!, entweder — oder! **2.** Fladen *m*, ungesäuertes Brot, *bes. Scot.* Haferkuchen *m*. **3.** Pfannkuchen *m*, ('Fleisch-, 'Fisch)Frika(n)ˌdelle *f*, (Kar'toffel-, Gemüse)Bratling *m*. **4.** kuchen- *od.* laibförmige Masse, *z. B.* Tafel *f Schokolade*, Riegel *m Seife*, (*Öl*)Kuchen *m*. **5.** Kruste *f*: ~**s of dirt.** **II** *v/t* **6.** mit e-r Kruste *von Schmutz etc* über'ziehen. **III** *v/i* **7.** sich zs.-ballen, (in Klumpen) zs.-backen. **'~-ˌeat·er** *s Am. colloq.* Sa'lonlöwe *m*. **'~ˌwalk** *s* Cakewalk *m* (*Tanz*).
cak·y ['keiki] *adj* kuchenartig.
cal·a·bash ['kæləˌbæʃ] *s* **1.** *bot.* a) Flaschenkürbis *m*, b) *a.* ~ **tree** Kala'bassenbaum *m*. **2.** Kale'basse *f*: a) *bot. Frucht des Kalebassenbaums*, b) *aus der Schale des Flaschenkürbis od. der Frucht des Kalebassenbaums hergestelltes Gefäß.*
cal·a·boose ['kæləˌbuːs; ˌkælə'buːs] *s Am. sl.* ‚Kittchen' *n* (*Gefängnis*).
cal·a·mar·y ['kæləməri] → **squid** 1.
cal·a·mine ['kæləˌmain] *s min.* Gal'mei *m*: a) edler Galmei, Zinkspat *m*, b) 'Kieselgalˌmei *m*, Kala'min *n*.
cal·a·mint ['kæləmint], *a.* ~ **balm** *s bot.* Kölle *f*, Bergminze *f*.
cal·a·mite ['kæləˌmait] *s geol.* Kala'mit *m* (*fossiler Schachtelhalm*).
ca·lam·i·tous [kə'læmitəs] *adj* (*adv* ~**ly**) unglücklich, Unglücks..., unheilvoll, katastro'phal. **ca'lam·i·ty** *s* **1.** Unglück *n*, Unheil *n*, Kata'strophe *f*: ~ **howler** *bes. Am.* Schwarzseher-(in), Panikmacher(in); ~**-howling** Schwarzseherei *f*. **2.** Elend *n*, Mi'sere *f*.
cal·a·mus ['kæləməs] *pl* **-mi** [-ˌmai] *s* **1.** *bot.* Gemeiner Kalmus. **2.** *antiq.* Schreibfeder *f* aus Schilfrohr. **3.** *zo.* Federkiel *m*.
ca·lash [kə'læʃ] *s* **1.** Ka'lesche *f* (*Kutschwagen*). **2.** *hist.* (*e-e*) (Frauen)-Haube.
cal·car·e·ous [kæl'kɛ(ə)riəs] *adj chem.* **1.** kalkartig. **2.** kalkig, Kalk...
cal·ce·o·la·ri·a [ˌkælsiə'lɛ(ə)riə] *s bot.* Pan'toffelblume *f*.
cal·cic ['kælsik] *adj* Kalk..., Kalzium...
cal·ci·cole ['kælsiˌkoul] *s bot.* calci'phile *od.* kalkliebende Pflanze.
cal·cif·er·ous [kæl'sifərəs] *adj chem.* **1.** kalkhaltig. **2.** kohlensauren Kalk enthaltend.
cal·cif·ic [kæl'sifik] *adj* kalkbildend.
ˌcal·ci·fi'ca·tion *s* **1.** *med.* Verkalkung *f*. **2.** Kalkbildung *f*. **3.** *geol.* Kalkablagerung *f*.
cal·ci·fy ['kælsiˌfai] *v/t u. v/i* verkalken.
cal·ci·mine ['kælsiˌmain; -min] **I** *s* Kalkanstrich *m*. **II** *v/t* kalken.
cal·ci·na·tion [ˌkælsi'neiʃən] *s tech.* Kalzi'nierung *f*, Glühen *n*. **cal·cine** ['kælsain] *tech.* **I** *v/t* kalzi'nieren, verkalken, glühen, rösten. **II** *v/i* kalzi'niert werden. [Kalkspat *m.*]
cal·cite ['kælsait] *s min.* Cal'cit *m*,
cal·ci·um ['kælsiəm] *s chem.* Kalzium *n*. ~ **car·bide** *s* ('Kalzium)Karˌbid *n*. ~ **car·bon·ate** *s* 'Kalziumkarboˌnat *n*, Schlämmkreide *f*. ~ **chlo·ride** *s* Chlorkalzium *n*. ~ **hy·drox·ide** *s* gelöschter Kalk, 'Kalziumˌhydroˌxyd *n*. ~ **light** → **limelight** 1. ~ **phos·phate** *s* 'Kalziumphosˌphat *n*.
'calc|-ˌsin·ter ['kælk-] *s min.* Kalksinter *m*, Traver'tin *m*. **'~-ˌspar, '~ˌspar** *s min.* Kalkspat *m*. **'~-ˌtu·fa,** *a.* **'~-ˌtuff** *s min.* Kalktuff *m*.
cal·cu·la·ble ['kælkjuləbl] *adj* **1.** berechenbar. **2.** verläßlich.
cal·cu·late ['kælkjuˌleit] **I** *v/t* **1.** kalku'lieren, ausrechnen, er-, berechnen: **to** ~ **a distance.** **2.** *meist pass* berechnen, planen: → **calculated** 2. **3.** *Am. colloq.* vermuten, denken, glauben

(that daß). **4.** *econ. Preis etc* kalku'lieren. **II** *v/i* **5.** rechnen, e-e Berechnung anstellen, schätzen. **6.** (be)rechnen, über'legen. **7.** ~ (up)on rechnen mit *od.* auf (*acc*), zählen *od.* sich verlassen auf (*acc*). **'cal·cu,lat·ed** *adj* **1.** berechnet (for auf *acc*), gewollt, beabsichtigt: a ~ lie e-e wohlbedachte Lüge; a ~ risk ein einkalkuliertes Risiko. **2.** geeignet, gedacht, bestimmt (for für; to do zu tun): it was ~ to impress es war darauf berechnet *od.* angelegt, Eindruck zu machen. **'cal·cu,lat·ing** *adj* **1.** (schlau) berechnend, (kühl) über'legend *od.* abwägend. **2.** Rechen...: ~ machine; ~ punch Rechenlocher *m.* **,cal·cu'la·tion** *s* **1.** Kalkulati'on *f*, Er-, Berechnung *f*: ~ of profits Gewinnkalkulation, Rentabilitätsrechnung; to be out in one's ~ sich verrechnet haben. **2.** Schätzung *f*, (Kosten)Voranschlag *m.* **3.** Berechnung *f*, Über'legung *f.* **'cal·cu,la·tive** [-,leitiv] *adj* berechnend. **'cal·cu,la·tor** [-tər] *s* **1.** (Be)Rechner *m.* **2.** 'Rechenta,belle *f.* **3.** 'Rechenma,schine *f.*

cal·cu·lous ['kælkjuləs] *adj med.* **1.** steinkrank. **2.** Stein...

cal·cu·lus[1] ['kælkjuləs] *pl* **-li** [-,lai], **-lus·es** *s med.* (*Blasen-, Gallen- etc*)Stein *m*: renal ~ Nierenstein.

cal·cu·lus[2] ['kælkjuləs] *pl* **-li** [-,lai], **-lus·es** *s math.* Kal'kül *n*: a) Rechnungsart *f*, (*Differential- etc*)Rechnung *f*, b) höhere A'nalysis, *bes.* ,Infinitesi'malkal,kül *n*: ~ of probabilities Wahrscheinlichkeitsrechnung.

cal·dron → cauldron.

Cal·e·do·ni·an [,kæli'dounjən] *poet.* **I** *adj* kale'donisch (*schottisch*). **II** *s* Kale'donier *m* (*Schotte*).

cal·e·fa·cient [,kæli'feiʃənt] *adj u. s* erwärmend(es Mittel). **,cal·e'fac·tion** [-'fækʃən] *s* Erwärmung *f*, Erhitzung *f.*

ca·lem·bour [kalɑ̃'bu:r; 'kæləm,bur] (*Fr.*) *s* Wortspiel *n*, Kalauer *m.*

cal·en·dar ['kæləndər] **I** *s* **1.** Ka'lender *m.* **2.** Jahrbuch *n*, Almanach *m.* **3.** *fig.* Ka'lender *m*, Zeitrechnung *f.* **4.** Liste *f*, Re'gister *n*, (Urkunden)Verzeichnis *n.* **5.** a) *a. econ. jur.* Ter'minka,lender *m*, b) *parl. Am.* 'Sitzungska,lender *m.* **6.** *Br.* (*Art*) Hochschulordnung *f.* **7.** *obs.* Vorbild *n*, Muster *n.* **II** *adj* **8.** Kalender...: ~ month; ~ year; ~ clock (*od.* watch) Kalender-, Datumsuhr *f.* **III** *v/t* **9.** in e-n Ka'lender eintragen, regi'strieren.

cal·en·der[1] ['kæləndər] *tech.* **I** *s* Ka'lander *m*, Sati'nierma,schine *f.* **II** *v/t* ka'landern, sati'nieren, glätten.

cal·en·der[2] ['kæləndər] *s* Derwisch *m.*

cal·ends ['kæləndz; -lindz] *s pl antiq.* Ka'lenden *pl* (*1. Tag des Monats*): on the Greek ~ *fig.* am St. Nimmerleinstag. [Fieber, Tropenfieber *n.*]

cal·en·ture ['kæləntʃər] *s med.* heftiges

calf[1] [*Br.* kɑ:f; *Am.* kæ(:)f] *pl* **calves** [-vz] *s* **1.** Kalb *n* (*bes. der Kuh, a. vom Elefant, Seehund, Wal, Hirsch etc*): with (*od.* in) ~ trächtig (*Kuh*); sucking ~ Milchkalb. **2.** Kalbleder *n.* **3.** *a.* ~ binding (*Buchbinderei*) Franz-, Lederband *m*: ~bound in Kalbleder gebunden. **4.** *colloq.* ,Kalb' *n*, ,Schafskopf' *m.* **5.** treibende Eisscholle.

calf[2] [*Br.* kɑ:f; *Am.* kæ(:)f] *pl* **calves** [-vz] *s* Wade *f* (*Bein, Strumpf etc*).

calf love *s colloq.* jugendliche Schwärme'rei, erste Liebe.

'calf's-,foot jel·ly [*Br.* kɑ:vz; *Am.* kæ(:)vz] *s* Kalbsfußsülze *f*, Gela'tine *f.*

'calf,skin *s* Kalbsfell *n.* [Unhold *m.*]

Cal·i·ban ['kæli,bæn] *s* Kaliban *m*,

cal·i·ber, *bes. Br.* **cal·i·bre** ['kælibər] *s* **1.** *mil.* Ka'liber *n*: ~ of a gun; ~ of a shell. **2.** (innerer) 'Durchmesser: ~ of a cylinder. **3.** *tech.* Ka'liber(lehre *f*) *n* (*Meßwerkzeug*). **4.** *fig.* Ka'liber *n*, For'mat *n*: a man of his ~. **'cal·i·bered,** *bes. Br.* **'cal·i·bred** *adj* ...kalibrig.

cal·i·brate ['kæli,breit] *v/t tech.* kali'brieren: a) eichen, b) mit e-r Gradeinteilung versehen. **'cal·i,brat·ed** *adj* gradu'iert. **,cal·i'bra·tion** *s tech.* Kali'brierung *f*, Eichung *f.*

cal·i·bre, cal·i·bred *bes. Br. für* caliber, calibered.

cal·i·ces ['kæli,si:z] *pl von* calix.

cal·i·co ['kæli,kou] **I** *pl* **-cos, -coes** *s* **1.** Kaliko *m*, (bedruckter) Kat'tun. **2.** *Br.* weißer *od.* ungebleichter Baumwollstoff. **II** *adj* **3.** Kattun... **4.** *Am. colloq.* bunt, scheckig.

ca·lif, cal·if·ate → caliph, caliphate.

Cal·i·for·ni·an [,kæli'fɔ:rnjən; -niən] **I** *adj* kali'fornisch. **II** *s* Kali'fornier(in).

cal·i·pash ['kæli,pæʃ] *s* (*eßbare*) Gal'lerte an der oberen Platte der Schildkröte. **cal·i·pee** ['kæli,pi:] *s* (*eßbare*) Gal'lerte am Bauchschild der Schildkröte.

cal·i·per, *bes. Br.* **cal·li·per** ['kælipər] *tech.* **I** *s meist pl* Greifzirkel *m*, (Schub)Lehre *f*, Taster *m*: inside ~s Innen-, Lochtaster; outside ~s Außentaster. **II** *v/t* mit e-m Greifzirkel messen. **~ rule** *s tech.* (Werkstatt)Schieblehre *f.* **~ slide** *s tech.* Schublehre *f.*

ca·liph ['keilif; 'kælif] *s* Ka'lif *m.*

cal·iph·ate ['kæli,feit; -fit] *s* Kali'fat *n.*

cal·is·then·ic [,kælis'θenik], **,cal·is'then·i·cal** [-kəl] *adj* gym'nastisch, Gymnastik... **,cal·is'then·ics** *s pl* **1.** (*meist als sg konstruiert*) Gym'nastik(lehre) *f.* **2.** (*als pl konstruiert*) Gym'nastik *f*, Freiübungen *pl.*

ca·lix ['keiliks; 'kæl-] *pl* **cal·i·ces** ['kæli,si:z] *s anat. zo., a. relig.* Kelch *m.*

calk[1] [kɔ:k] *v/t* **1.** *mar.* kal'fatern, (*a. allg. Ritzen*) abdichten. **2.** *tech.* verstemmen.

calk[2] [kɔ:k] **I** *s* **1.** Stollen *m* (*am Hufeisen*). **2.** *Am.* Griffeisen *n*, Gleitschutzbeschlag *m* (*an der Schuhsohle*). **II** *v/t* **3.** mit Stollen *etc* versehen.

calk[3] [kælk] *v/t* (ab-, 'durch)pausen.

cal·kin ['kɔ:kin; 'kæl-] *Br. für* calk[2] I.

call [kɔ:l] **I** *s* **1.** Ruf *m*, Schrei *m* (for nach): ~ for help Hilferuf; within ~ in Rufweite. **2.** (Lock)Ruf *m* (*e-s Tieres*). **3.** *fig.* Lockung *f*, Ruf *m*: the ~ of the sea. **4.** Si'gnal *n*: ~ to quarters *mil. Am.* Zapfenstreich *m.* **5.** *fig.* Berufung *f*, Missi'on *f.* **6.** Ruf *m*, Berufung *f* (to auf *e-n Lehrstuhl*, *an e-e Universität, in ein Amt*). **7.** Aufruf *m*, Aufforderung *f*, Befehl *m*: to make a ~ on e-e Aufforderung richten an (*acc*); ~ to arms *mil.* Einberufung *f.* **8.** *thea.* Her'ausruf *m* (*vor den Vorhang*). **9.** (kurzer) Besuch (on s.o., at s.o.'s house bei j-m; at the hospital im Krankenhaus): house of ~ Gasthaus *n*; place of ~ Geschäftshaus *n*; postman's ~ (*das*) Eintreffen der Post. **10.** *mar.* Anlaufen *n* (*e-s Hafens*): to make a ~ at a port e-n Hafen anlaufen; → port[1] 1. **11.** *neg* a) Veranlassung *f*, Grund *m*, b) Recht *n*, Befugnis *f*: he had no ~ to do that. **12.** In'anspruchnahme *f*: to make many ~s on s.o.'s time j-s Zeit oft in Anspruch nehmen. **13.** Namensverlesung *f.* **14.** (Tele'phon)Anruf *m*, (-)Gespräch *n*: I had three ~s ich wurde dreimal angerufen. **15.** *Kartenspiel*: a) Ansage *f*, b) *Poker*: Aufforderung *f* die Karten zu zeigen. **16.** *econ.* a) Zahlungsaufforderung *f*, b) Abruf *m*, Kündigung *f* (*von Geldern*): at (*od.* on) ~ auf Abruf (bereitstehend), auf tägliche Kündigung; money at ~ tägliches Geld, c) Einlösungsaufforderung *f* (*auf Schuldverschreibungen*), d) Nachfrage *f* (for nach). **17.** *Börse*: *a*) Prämiengeschäft *n* auf Nehmen, b) 'Kauf-, Be'zugsopti,on *f*: to have the first ~ *fig.* den Vorrang haben.

II *v/t* **18.** *j-n* (her'bei)rufen, *Arzt, Auto etc* kommen lassen: to ~ to arms zu den Waffen rufen; → attention 1, being 1, *etc.* **19.** *etwas* aufrufen. **20.** befehlen, anordnen: → halt[1] 1. **21.** *Versammlung etc* einberufen, zs.-rufen: to ~ a meeting. **22.** *j-n* wecken: ~ me at 7 o'clock. **23.** *Tiere* (an)locken. **24.** *teleph. j-n* anrufen. **25.** *Namen etc* verlesen: → roll 2. **26.** *jur. Streitsache, Zeugen* aufrufen: to ~ a case. **27.** *econ. Schuldverschreibung etc* einfordern, kündigen. **28.** *j-n* berufen, ernennen (to zu). **29.** *j-n od. etwas* rufen, nennen: to ~ s.o. Peter; to be ~ed heißen, genannt werden (after nach); to ~ s.th. one's own etwas sein eigen nennen; to ~ a thing by its name e-e Sache beim richtigen Namen nennen; → spade[1] 1. **30.** (be)nennen, bezeichnen (als): what do you ~ this? wie heißt *od.* nennt man das? **31.** nennen, finden, heißen, halten für: I ~ that stupid. **32.** *j-n etwas* schimpfen, heißen, schelten: to ~ s.o. a fool; → name 11. **33.** *Kartenspiel*: *Farbe* ansagen: to ~ diamonds; to ~ s.o.'s hand (*Poker*) j-n auffordern, s-e Karten vorzuzeigen.

III *v/i* **34.** rufen: to ~ to s.o. j-m zurufen. **35.** *a. fig.* rufen, schreien, dringend verlangen (for nach): the situation ~s for courage die Lage erfordert Mut; duty ~s die Pflicht ruft; not ~ed for unnötig. **36.** vorsprechen, e-n (kurzen) Besuch machen (on bei *j-m*; at in *dat*): has he ~ed yet? ist er schon dagewesen?; to ~ for a) (an)fordern, bestellen, b) abholen; to be ~ed for postlagernd. **37.** *mar.* anlegen (at in *dat*): to ~ at a port e-n Hafen anlaufen. **38.** sich wenden (upon, on an *j-n*; for s.th. um etwas *od.* wegen e-r Sache); to be ~ed upon to do s.th. aufgefordert werden, etwas zu tun; I feel ~ed upon ich fühle mich genötigt (to do zu tun). **39.** anrufen, telepho'nieren.

Verbindungen mit Adverbien:

call| a·side *v/t* bei'seite rufen, auf die Seite nehmen. **~ a·way** *v/t* **1.** wegrufen. **2.** *fig. Gedanken etc* ablenken. **~ back I** *v/t* **1.** zu'rückrufen. **2.** wider'rufen. **II** *v/i* **3.** *a. teleph.* zu'rückrufen. **~ down** *v/t* **1.** *Segen etc* her'abflehen, -rufen. **2.** *Zorn etc* auf sich ziehen. **3.** *Am. colloq.* ,her'unterputzen', ausschimpfen. **~ forth** *v/t* **1.** her'vorrufen, auslösen. **2.** aufrufen. **3.** *fig. Willen, Kraft etc* aufbieten. **~ in I** *v/t* **1.** *Geld* einziehen, außer 'Umlauf setzen. **2.** her'ein-, her'beirufen. **3.** *Sachverständigen, Arzt etc* (hin)'zuziehen, zu Rate ziehen. **4.** *Schuld* einfordern. **5.** *Geld* kündigen. **II** *v/i* **6.** kurz vorsprechen (on bei *j-m*; at in *dat*). **~ off** *v/t* **1.** *j-n* (von s-m Posten) abberufen. **2.** *Gedanken etc* ablenken. **3.** *Namen etc* aufrufen, laut verlesen. **4.** *colloq.* ,abblasen', absagen, rückgängig machen. **~ out I** *v/t* **1.** ausrufen, laut rufen. **2.** *Militär, Polizei* aufbieten. **3.** *fig. Gefühl* her'vorrufen, auslösen.

II *v/i* **4.** laut rufen, (auf)schreien. ~ **o·ver** *v/t Namen, Liste etc* verlesen. ~ **up** *v/t* **1.** *j-n* her'aufrufen. **2.** *fig.* her'aufbeschwören, wachrufen, (sich) ins Gedächtnis zu'rückrufen. **3.** *Sprecher etc* aufrufen. **4.** anrufen, 'antelepho,nieren.

call·a·ble ['kɔːləbl] *adj econ.* **1.** aufruffähig. **2.** kündbar. **3.** einziehbar.

call| bell *s* Tisch-, Rufglocke *f.* ~ **bird** *s* Lockvogel *m.* ~ **box** *s* **1.** *Br.* Fernsprechzelle *f.* **2.** *Am.* Postschließfach *n.* '~,**boy** *s* **1.** Ho'telpage *m.* **2.** Schiffsjunge *m.* **3.** *thea.* Inspizi'entengehilfe *m.* ~ **but·ton** *s* Klingelknopf *m.* ~ **day** *s jur. Br.* Zulassungstag *m* (*für junge Anwälte*). ~ **duck** *s hunt.* Lockente *f.*

called [kɔːld] *adj* genannt, namens.

call·er[1] ['kɔːlər] *s* **1.** Rufer(in). **2.** *teleph.* Anrufer(in). **3.** Besucher(in).

cal·ler[2] ['kælər; 'kɑː-] *adj Scot. od. dial.* frisch, kühl, erfrischend.

call girl *s* Callgirl *n.*

cal·li ['kælai] *pl von* callus.

cal·lig·ra·pher [kə'ligrəfər] *s* Kalli'graph *m.* **cal·li·graph·ic** [,kæli'græfik] *adj* kalli'graphisch. **cal'lig·ra·phist** → calligrapher. **cal'lig·ra·phy** *s* **1.** Kalligra'phie *f*, Schönschreibkunst *f.* **2.** (*schöne*) Handschrift.

call·ing ['kɔːliŋ] **I** *s* **1.** Rufen *n.* **2.** Beruf *m*, Geschäft *n*, Gewerbe *n.* **3.** *relig.* Berufung *f.* **4.** Einberufung *f* (*e-r Versammlung*), Einladung *f.* **5.** Aufruf *m*, Aufforderung *f.* **6.** *mil.* Einberufung *f*: the ~ of the reserves. **II** *adj* **7.** rufend. **8.** (An)Ruf... **9.** Besuchs... ~ **card** *s Am.* Vi'sitenkarte *f.*

Cal·li·o·pe [kə'laiə,piː; -pi] **I** *npr myth.* Kal'liope *f* (*Muse der epischen Dichtung*). **II** *s* c~ *mus.* Dampf(pfeifen)orgel *f.*

cal·li·per *bes. Br. für* caliper.

cal·lis·then·ics → calisthenics.

cal·li·thump ['kæli,θʌmp] *s Am. colloq.* Ra'dau-, 'Katzenmu,sik *f.*

call| loan *s econ.* täglich kündbares Darlehen. ~ **mon·ey** *s econ.* tägliches Geld, Tagesgeld *n.* ~ **night** → call supper. ~ **num·ber** *s* **1.** *teleph.* Rufnummer *f.* **2.** *Am.* Standortnummer *f*, Signa'tur *f* (*e-s Buches*).

cal·los·i·ty [kə'lɒsiti; kæ-] *s* **1.** Schwiele *f*, harte (Haut)Stelle, Hornhautbildung *f.* **2.** *bot. med.* → callus. **3.** *fig.* Gefühllosigkeit *f*, Gefühlsroheit *f.* **4.** *fig.* Abgestumpftheit *f.*

cal·lous ['kæləs] **I** *adj* (*adv* ~ly) **1.** *med.* schwielig, verhärtet. **2.** *fig.* abgestumpft, gefühllos, abgebrüht, gleichgültig. **II** *v/t u. v/i* **3.** hart *od.* schwielig machen (werden), (sich) verhärten. **4.** *fig.* gefühllos machen (werden), abstumpfen. '**cal·lous·ness** *s* **1.** Schwieligkeit *f.* **2.** *fig.* Gefühllosigkeit *f.*

cal·low ['kælou] **I** *adj* **1.** *orn.* ungefiedert, nackt. **2.** dünn, leicht (*Bart, Gefieder etc*). **3.** *fig.* ‚grün', unreif, unerfahren: a ~ youth. **4.** *Br. dial.* brach, kahl: ~ land. **5.** *Ir.* tiefliegend, sumpfig: ~ meadow. **II** *s* **6.** *Ir.* Niederung *f.*

call| rate *s econ.* Zinsfuß *m* für tägliches Geld. ~ **sign,** ~ **sig·nal** *s teleph. etc* Rufzeichen *n.* ~ **slip** *s Am.* Bücherbestellzettel *m* (*in Leihbibliotheken*). ~ **sup·per** *s Br. Festessen anläßlich der Zulassung e-s Anwaltes.* '~-,**up** *s mil.* Einberufung *f.*

cal·lus ['kæləs] *pl* **-lus·es, -li** [-lai] *s* **1.** *med.* a) Kallus *m*, Knochennarbe *f*, b) Schwiele *f*, Hornhaut *f.* **2.** *bot.* Kallus *m*: a) *Gewebewulst, Zellwucherung an Wundflächen,* b) *Belag älterer Siebplatten.*

calm [kɑːm] **I** *s* **1.** Stille *f*, Ruhe *f* (*a. fig.*): ~ (of mind) Gelassenheit *f*, Gemütsruhe *f.* **2.** *mar.* Windstille *f*: dead ~ völlige Windstille, Flaute *f.* **II** *adj* (*adv* ~ly) **3.** still, ruhig. **4.** windstill. **5.** *fig.* ruhig, gelassen: ~ and collected ruhig u. gefaßt. **6.** ‚kühl', unverfroren: a ~ liar. **III** *v/t* **7.** beruhigen, besänftigen. **IV** *v/i oft* ~ down **8.** sich beruhigen. **9.** sich legen (*Gefühl*).

cal·ma·tive ['kælmətiv; 'kɑːm-] **I** *s med.* Beruhigungsmittel *n* (*a. fig.*). **II** *adj* beruhigend.

calm·ness ['kɑːmnis] *s* **1.** Ruhe *f*, Stille *f.* **2.** Gemütsruhe *f.*

cal·o·mel ['kælə,mel] *s chem. med.* Kalomel *n*, 'Quecksilberchlo,rür *n.*

cal·o·res·cence [kælo'resns] *s phys.* Kalores'zenz *f* (*Übergang von Wärmestrahlen in Lichtstrahlen*).

Cal·or gas ['kælər] (*TM*) *s* Flaschen-, Pro'pangas *n.*

ca·lor·ic [kə'lɒrik] **I** *s* **1.** (*kalorische*) Wärme. **2.** *obs.* Wärmestoff *m.* **II** *adj* **3.** *phys.* ka'lorisch, Wärme...: ~ engine Heißluftmaschine *f.*

cal·o·rie ['kæləri] *s* Kalo'rie *f*, Wärmeeinheit *f.*

ca·lor·i·fa·cient [kə,lɒri'feiʃənt] *adj* Wärme erzeugend. **cal·o·rif·ic** [,kælə'rifik] *adj* **1.** Wärme erzeugend. **2.** Erwärmungs..., Wärme...: ~ capacity *phys.* spezifische Wärme; ~ value Heizwert *m.* ,**cal·o'rif·ics** *s pl* (*als sg konstruiert*) **1.** Wärmelehre *f.* **2.** Heiz(ungs)technik *f.*

cal·o·rim·e·ter [,kælə'rimitər] *s phys.* Kalori'meter *m*, Wärmemesser *m.* ,**cal·o'rim·e·try** [-tri] *s* Kalorime'trie *f*, Wärmemessung *f.*

cal·o·ry → calorie.

ca·lotte [kə'lɒt] *s* **1.** *R.C.* Ka'lotte *f*, Scheitelkäppchen *n.* **2.** Eiskuppe *f* (*e-s Berges*). **3.** *math.* Ka'lotte *f*, Kugelabschnitt *m.*

cal·trop, *a.* **cal·trap** ['kæltrəp] *s* **1.** *mil. hist.* Fußangel *f.* **2.** *bot.* a) Stern-, Wegedistel *f*, b) Wassernuß *f.*

cal·u·met ['kælju,met] *s* Kalu'met *n*, (indi'anische) Friedenspfeife.

ca·lum·ni·ate [kə'lʌmni,eit] **I** *v/t* verleumden, fälschlich beschuldigen. **II** *v/i* üble Nachreden verbreiten. **ca,lum·ni'a·tion** *s* Verleumdung *f.* **ca'lum·ni,a·tor** [-tər] *s* Verleumder(in), Ehrabschneider(in). **ca'lum·ni,a·to·ry, ca'lum·ni·ous** *adj* verleumderisch. **cal·um·ny** ['kæləmni] *s* Verleumdung *f*, falsche Anschuldigung.

cal·u·tron ['kæljətrɒn] *s phys.* Calu'tron *n* (*Zyklotron*).

cal·va·ri·a [kæl'vε(ə)riə] *s anat.* Schädeldach *n.*

Cal·va·ry ['kælvəri] *s* **1.** *Bibl.* Golgatha *n.* **2.** c~ *relig.* a) Kal'varienberg *m*, Kreuzigungsgruppe *f*, b) 'Kreuzweg(stati,onen *pl*) *m.* **3.** *fig.* Leidensweg *m.*

calve [kɑːv; *Am. a.* kæ(ː)v] **I** *v/i* **1.** kalben, Junge werfen. **2.** *geol.* kalben (*Eisberg, Gletscher etc*). **II** *v/t* **3.** *ein Kalb* zur Welt bringen. **4.** *Stücke* abstoßen.

calves [*Br.* kɑːvz; *Am.* kæ(ː)vz] *pl von* calf[1] *u.* [2].

Cal·vin·ism ['kælvi,nizəm] *s* Kalvi'nismus *m.* '**Cal·vin·ist** *s* Kalvi'nist(in). ,**Cal·vin'is·tic,** ,**Cal·vin'is·ti·cal** *adj* kalvi'nistisch.

calx [kælks] *pl* '**cal·ces** [-siːz] *s chem.* **1.** O'xyd *n.* **2.** *obs.* Me'tallkalk *m.*

cal·y·ces ['kæli,siːz] *pl von* calyx.

cal·y·cif·er·ous [,kæli'sifərəs] *adj bot.* kelchtragend.

ca·lyx ['keiliks; 'kæl-] *pl* '**ca·lyx·es** [-ksiːz], **cal·y·ces** ['kæli,siːz] *s* **1.** *anat. bot.* Kelch *m.* **2.** *anat.* Nierenkelch *m.*

cam [kæm] *s tech.* Nocken *m*, Nocke *f*, (Hebe)Daumen *m*, (Steuer)Kurve *f*: ~-control(l)ed nockengesteuert; ~ gear Kurvengetriebe *n*; ~ lever Nocken-, Kipphebel *m.*

ca·ma·ra·de·rie [,kɑːmə'rɑːdəri; ,kæm-] *s* Kame'radschaft(lichkeit) *f.*

cam·a·ril·la [,kæmə'rilə] *s* Kama'rilla *f*: a) *geheimes Audienz- u. Beratungszimmer,* b) 'Hofka,bale *f*, -clique *f.*

cam·ber ['kæmbər] **I** *v/t* **1.** biegen, krümmen, wölben, schweifen. **II** *v/i* **2.** sich wölben *od.* krümmen. **III** *s* **3.** leichte kon'vexe Krümmung. **4.** (leichte) Wölbung. **5.** *a.* ~ angle *mot.* Radsturz(winkel) *m.* ~ **beam** *s arch.* Krumm-, Kehlbalken *m.*

cam·bered ['kæmbərd] *adj* gekrümmt, gewölbt, geschweift. ~ **ax·le** *s tech.* gestürzte Achse. ~ **wheel** *s mot.* gestürztes Rad.

cam·bist ['kæmbist] *s* **1.** *econ.* a) Wechselmakler *m*, b) Sachverständige(r) *m* in Sortengeschäften. **2.** 'Umrechnungsta,bellen *pl.*

Cam·bri·an ['kæmbriən] **I** *s* **1.** Wa'liser(in). **2.** *geol.* kambrische Formati'on, Kambrium *n.* **II** *adj* **3.** wa'lisisch. **4.** *geol.* kambrisch.

cam·bric ['keimbrik] *s* Kambrik *m*, Ba'tist *m.*

Cam·bridge blue ['keimbridʒ] *s* Hellblau *n.*

came [keim] *pret von* come.

cam·el ['kæməl] *s* **1.** *zo.* Ka'mel *n.* **2.** *mar. tech.* Ka'mel *n*, Hebeleichter *m.* **3.** (*Art*) Flugzeug *n.* '~,**back** *s mot. etc* Runderneuerungs-, (Auf)Sommerungsgummi *m*, *n.*

cam·el·eer [,kæmə'liər] *s* Ka'meltreiber *m.*

cam·el hair → camel's hair.

ca·mel·li·a [kə'miːljə; -'mel-; -liə] *s bot.* Ka'melie *f.*

cam·el·ry ['kæməlri] *s mil.* Ka'meltruppe *f.*

cam·el's| hair ['kæməlz] *s* **1.** Ka'melhaar *n.* **2.** Ka'melhaar(stoff *m*) *n.* '~-,**hair** *adj* **1.** Kamelhaar... **2.** *paint.* aus Eichhörnchenhaaren (*Pinsel*).

cam·e·o ['kæmi,ou] *s* Ka'mee *f.*

cam·er·a ['kæmərə] *pl* (*für* 1 *u.* 2) **-er·as,** (*für* 3-6) **-er·ae** [-,riː] *s* **1.** Kamera *f*, 'Photoappa,rat *m.* **2.** Film-, Fernsehkamera *f*: ~ crane *Br.* Hebetisch *m*, Kamerabühne *f*; ~ tube *TV* Bildaufnahmeröhre *f.* **3.** → camera obscura. **4.** *jur.* Richterzimmer *n*: in ~ a) unter Ausschluß der Öffentlichkeit, b) *fig.* geheim. **5.** *arch.* Gewölbe *n.* **6.** *pol.* Kammer *f* (*bes. in Italien*). **7.** Apo'stolische Kammer (*päpstliche Vermögensverwaltung*). ~ **lu·ci·da** ['ljuːsidə] *s opt.* Zeichenprisma *n.* '~,**man** [-,mæn] *s irr* **1.** *Film*: Kameramann *m.* **2.** Bildberichterstatter *m* (*e-r Zeitung*). ~ **ob·scu·ra** [ɒb'skju(ə)rə] *s* Camera *f* ob'scura, Lochkamera *f.*

Cam·er·o·ni·an [,kæmə'rouniən] **I** *s* **1.** *relig.* Cameroni'aner *m* (*strenger schottischer Presbyterianer*). **2.** *pl* erstes schottisches 'Schützenbatail,lon. **II** *adj* **3.** *relig.* cameroni'anisch.

cam·i·knick·ers [,kæmi'nikərz] *s pl Br.* (Damen)Hemdhose *f.*

cam·i·on ['kæmiən] *s mil.* Lastwagen *m* (*zum Geschütztransport*).

cam·i·sole ['kæmi,soul] *s* **1.** ('Damen-),Untertaille *f*, kurzes Jäckchen. **2.** *obs.* Kami'sol *n*, Wams *n.*

cam·let ['kæmlit] *s* Kame'lott *m* (*feines Wollgewebe*).

cam·mock ['kæmək] → restharrow.

cam·o·mile ['kæmə,mail] *s bot.* Ka'mille *f*: ~ (tea) Kamillentee *m.*

cam·ou·flage ['kæmə,flɑːʒ; -mu-] **I** *s* **1.** *mil.* Tarnung *f* (*a. fig.*): ~ measures Verschleierungsmaßnahmen; ~ paint Tarnfarbe *f*, -anstrich *m.* **2.** *fig.* Verstellung *f*, Irreführung *f*. **II** *v/t* **3.** *mil.* tarnen. **4.** *fig.* tarnen, verschleiern.

camp [kæmp] **I** *s* **1.** (Zelt-, Ferien)Lager *n*, Lager(platz *m*) *n*, Camp *n* (*alle a. collect. Personen*): ~ **bed** Feldbett *n*; ~ **chair** Feld-, Klappstuhl *m*; ~ **disease** Fleckfieber *n*, Lagerseuche *f*; **to pitch one's** ~ das Lager aufschlagen; **to break** (*od.* **strike**) ~ das Lager abbrechen. **2.** *mil.* Lager *n*, Truppenruhe- u. Übungsplatz *m*. **3.** *bes. mil.* Lagerleben *n*. **4.** *fig.* Lager *n*, Par'tei *f*, Anhänger *pl* (*e-r Richtung*): **the rival** ~ das gegnerische Lager. **5.** *Am.* Siedlung *f*, *bes.* 'Goldgräberkolo,nie *f*. **II** *v/i* **6.** lagern, kam'pieren: **to** ~ **on s.o.'s trail** *Am. colloq.* unablässig hinter j-m her sein. **7.** *oft* ~ **out** in e-m (Zelt)Lager wohnen, zelten, campen. **III** *v/t* **8.** (in e-m Lager) 'unterbringen.

cam·paign [kæm'pein] **I** *s* **1.** *mil.* Feldzug *m*: ~ **medal** Erinnerungsmedaille *f*. **2.** *fig.* Schlacht *f*, Kam'pagne *f*, (Werbe)Feldzug *m*: **advertising** ~; **sales** ~ Verkaufsaktion *f*; **electoral** ~ Wahlkampagne; ~ **of vituperation** Verleumdungskampagne; ~ **button** *Am.* Wahlkampfplakette *f*. **3.** (Hoch)-Betriebszeit *f*. **4.** *metall.* Hütten-, Ofenreise *f*. **5.** *obs.* 'Landpar,tie *f*. **II** *v/i* **6.** kämpfen, zu Felde ziehen, e-n Feldzug mitmachen *od.* unter'nehmen. **7.** *fig.* werben, 'Wahlpropa,ganda machen, sich einsetzen (**for** für). **8.** *Am.* am Wahlkampf teilnehmen, *a.* kandi'dieren (**for** für). **cam'paign·er** *s* Kombat'tant *m*, (Mit)-Kämpfer *m*: **old** ~ a) alter Soldat, Veteran *m*, b) *fig.* alter Praktikus.

cam·pan·u·la [kæm'pænjulə] *s bot.* Glockenblume *f*.

Cam·bell·ite ['kæmbə,lait] *s relig. Am.* Mitglied *n* der Sekte ‚Jünger Christi' (**Disciples of Christ**).

cam·pea·chy wood [kæm'pi:tʃi], **cam·pe·che wood** [kɑ:m'petʃe] *s* Cam'peche-, Blauholz *n*.

camp·er ['kæmpər] *s* Lager-, Zeltbewohner(in), Zeltende(r *m*) *f*, Camper(in).

'camp|,fire *s* **1.** Lagerfeuer *n*. **2.** *fig.* Treffen *n*: ~ **girl** *Am.* (*Art*) Pfadfinderin *f*. ~ **fol·low·er** *s* **1.** Schlachtenbummler *m* (*a. fig.*), *engS.* a) Marke'tender(in), b) (dem Heer folgende) Dirne. **2.** *pol. etc* Mitläufer *m*.

cam·phire ['kæmfaiər] → **henna** 1.

cam·phol ['kæmfɒl; *Am. a.* -foul] *s chem.* Borne'ol *n*.

cam·phor ['kæmfər] *s chem.* Kampfer *m*: ~ **ball** Mottenkugel *f*. **'cam·phor,ate** [-,reit] **I** *v/t* kampfern. **II** *s* kampfersaures Salz. **cam·phor·ic** [kæm'fɒrik] *adj chem.* **1.** kampferhaltig. **2.** Kampfer...: ~ **acid.**

cam·phor| ice *s chem.* Kampfereis *n*. ~ **oil** *s chem.* Kampferöl *n*. ~ **tree** *s bot.* Kampferbaum *m*. **'~,wood** *s* Kampferholz *n*.

camp·ing ['kæmpiŋ] *s* Lagern *n*, Kam'pieren *n*, Zelten *n*, Camping *n*. ~ **ground,** ~ **site** *s* Lager-, Zelt-, Campingplatz *m*.

cam·pi·on ['kæmpiən] *s bot.* Feuer-, Lichtnelke *f*.

camp meet·ing *s Am.* religi'öse Versammlung im Freien *od.* im Zelt, 'Zeltmissi,on *f*.

cam·po·ree [,kæmpə'ri:] *s Am.* kleineres Pfadfindertreffen.

'camp|,shed *v/t Br. Ufermauer* durch Bohlen verstärken. **'~,shed·ding, '~,sheet·ing, '~,shot** *s Br.* Bohlenverstärkung *f* (*e-r Ufermauer*). **'~,stool** *s* Feld-, Klappstuhl *m*.

cam·pus ['kæmpəs] *s Am.* **1.** a) Campus *m* (*Gesamtanlage e-s amer. College*), b) Schulhof *m*, -anlage *f*. **2.** *fig.* aka'demische Welt.

campyl(o)- [kæmpil(o)] *bot. Wortelement mit der Bedeutung* gebogen, gekrümmt.

'cam|,shaft *s tech.* Nockenwelle *f*. ~ **switch** *s tech.* Nockenschalter *m*. ~ **wheel** *s tech.* Nockenrad *n*, Ex'zentrik *f*. **'~,wood** *s* Kamholz *n*.

can[1] [kæn] *inf u. pp fehlen, 2. sg pres obs.* **canst** [kænst] *3. sg pres* **can** *neg* **can·not,** *pret* **could** [kud] *v/aux* (*mit folgendem inf ohne* **to**) **1.** *ich, er, sie, es* kann, *wir, ihr, Sie, sie* können: ~ **you do it?**; **he could not but laugh, he could not help laughing** er konnte nicht umhin zu lachen, er mußte einfach lachen; **I shall do all I** ~ ich werde alles tun, was ich (tun) kann *od.* was in m-n Kräften steht; ~ **he still be living?** kann es sein, daß er noch am Leben ist?, ob er wohl noch lebt?; → **could. 2.** *colloq.* dürfen, können.

can[2] [kæn] **I** *s* **1.** *Br.* (Blech)Kanne *f*: **to carry the** ~ *sl.* a) getadelt werden, b) den Sündenbock spielen. **2.** Trinkgefäß *n*. **3.** *Am.* (Kon'serven)Dose *f*, (-)Büchse *f*: ~ **opener** Dosen-, Büchsenöffner *m*; **in the** ~ *sl.* abgedreht, fertig (*Film*). **4.** *Am.* (Ein)Weckglas *n*. **5.** *Am.* Müll-, Abfalleimer *m*. **6.** Ka'nister *m*. **7.** *Am. sl.* a) ‚Kittchen' *n* (*Gefängnis*), b) ‚Klo' *n*, Abort *m*, c) 'Hinterteil *n*. **8.** *mar. mil. Am. sl.* a) Wasserbombe *f*, b) ‚Eimer' *m*, Zerstörer *m*. **II** *v/t* **9.** *Am.* in Büchsen konser'vieren, eindosen. **10.** *tech. Am.* einkapseln, her'metisch verschließen. **11.** *Am. sl.* a) ‚rausschmeißen', entlassen, b) aufhören mit, sein lassen: ~ **it!** hör auf damit!, c) ‚einlochen', einsperren. **12.** *colloq.* (auf Band *od.* Schallplatte) aufnehmen.

Ca·naan·ite ['keinə,nait] *Bibl.* **I** *s* Kanaa'niter(in). **II** *adj* kanaa'näisch.

Ca·na·di·an [kə'neidiən] **I** *adj* ka'nadisch. **II** *s* Ka'nadier(in).

ca·naille [kə'neil; kə'nɑ:j] *s* Pöbel *m*, Ka'naille *f*, Gesindel *n*, Pack *n*.

ca·nal [kə'næl] **I** *s* **1.** Ka'nal *m* (*für Schiffahrt, Bewässerung etc*). **2.** Förde *f*, Meeresarm *m*. **3.** *anat. zo.* Ka'nal *m*, Gang *m*, Röhre *f*. **4.** *astr.* 'Marska,nal *m*. **II** *v/t* **5.** kanali'sieren.

ca·nal·i·za·tion [,kænəlai'zeiʃən; -li-; *Am. a.* kə,nælə-] *s* Kanalisati'on *f*, Kanali'sierung *f*. **ca·nal·ize** ['kænə,laiz; *Am. a.* kə'næl-] *v/t* **1.** kanali'sieren. **2.** *mar.* a) in e-n Ka'nal verwandeln, b) *e-n Fluß* kanali'sieren, schiffbar machen. **3.** *bes. fig. etwas* (in bestimmte Bahnen) lenken.

ca·nal| lock *s* Ka'nalschleuse *f*. ~ **rays** *s pl chem. phys.* Ka'nalstrahlen *pl*. **C~ Zone** *s* Ka'nalzone *f* (*am Suez- u. am Panamakanal*).

can·a·pé ['kænəpi; -,pei] *s* Appe'tithappen *m*, belegtes Brot.

ca·nard [kə'nɑ:rd; 'kæ-] *s* **1.** Zeitungsente *f*, Falschmeldung *f*. **2.** *a.* ~**-type aircraft** ‚Ente' *f*, Entenschwanzflugzeug *n*.

ca·nar·y [kə'nɛ(ə)ri] **I** *s* **1.** *a.* ~ **bird** Ka'narienvogel *m*. **2.** *a.* ~ **wine** Ka'narienwein *m*, -sekt *m*. **II** *adj* **3.** *a.* ~ **yellow** ka'nariengelb. **ca'nar·y-,creep·er** *s bot.* Ka'narien-, Kapu'zinerkresse *f*.

ca·nas·ta [kə'næstə] *s* Ka'nasta *n* [(*Kartenspiel*).]

ca·nas·ter [kə'næstər] *s* Ka'naster *m*, Knaster *m* (*grober Tabak*).

can·cel ['kænsəl] **I** *v/t* **1.** ('durch-, aus)-streichen, 'ausra,dieren. **2.** wider'rufen, aufheben, annul'lieren, rückgängig machen, für ungültig erklären, streichen: **until** ~**(l)ed** bis auf Widerruf. **3.** *e-e Eintragung, e-e Bandaufnahme etc* löschen. **4.** *e-e Verabredung etc* absagen, *e-e Veranstaltung etc* ausfallen lassen. **5.** *e-e Briefmarke* entwerten. **6.** *math.* streichen, heben. **7.** *mus. Vorzeichen* auflösen, -heben. **8.** *fig.* auslöschen, ungültig *od.* wertlos machen, tilgen. **9.** *fig.* zu'nichte machen. **10.** *a.* ~ **out** ausgleichen, kompen'sieren. **11.** *print.* streichen. **II** *v/i* **12.** *a.* ~ **out** sich (gegenseitig) aufheben. **III** *s* **13.** → **cancellation. 14.** *mus.* Auflösungs-, Wieder'herstellungszeichen *n*. **15.** *print.* a) Streichung *f*, b) Korrek'tur *f*. **16.** *pl* → **canceler** 2. **'can·cel·er,** *bes. Br.* **'can·cel·ler** *s* **1.** Entwertungsstempel *m*. **2.** *pl* Lochzange *f*.

can·cel·late ['kænsə,leit], **'can·cel,lat·ed** [-id] *adj* **1.** gegittert, gitterförmig. **2.** *med.* schwammig.

can·cel·la·tion [,kænsə'leiʃən] *s* **1.** Streichung *f*. **2.** *econ.* Aufhebung *f* (*e-s Auftrags etc*), Annul'lierung *f*, Stor'nierung *f*, Rückgängigmachung *f*, Abbestellung *f*. **3.** *econ.* Löschung *f* (*e-r Prämie, e-s Warenzeichens, e-r Firma im Handelsregister etc*). **4.** Entwertung *f* (*von Wertzeichen*).

can·cel·ler ['kænsələr] *bes. Br. für* **canceler.**

can·cel·lous ['kænsələs] → **cancellate.**

can·cer ['kænsər] *s* **1.** *med.* Krebs *m*, Karzi'nom *n*. **2.** *fig.* Krebsschaden *m*, Übel *n*. **3.** **C~** *astr.* Krebs *m*. **'can·cer·ous** *adj med.* krebsartig, Krebs...

can·cri·form ['kæŋkri,fɔ:rm] → **cancroid** I.

can·croid ['kæŋkrɔid] **I** *adj* **1.** *zo.* krebsartig. **2.** *med.* → **cancerous. II** *s* **3.** *med.* Kankro'id *n*.

can·de·la·bra [,kændə'lɑ:brə; -'lei-; -di-] *s* **1.** *pl* **-bras** Kande'laber *m*. **2.** *pl von* **candelabrum. ,can·de'la·brum** [-brəm] *pl* **-bra** [-brə], **-brums** *s* Kande'laber *m*, Armleuchter *m*.

can·des·cence [kæn'desns] *s* Weißglühen *n*, Weißglut *f*. **can'des·cent** *adj* weißglühend.

can·did ['kændid] *adj* (*adv* ~**ly**) **1.** offen (u. ehrlich), aufrichtig, freimütig. **2.** unvoreingenommen, objek'tiv: **a** ~ **opinion. 3.** *phot. etc* ungestellt, le'bendig, unbemerkt aufgenommen: ~ **camera** Kleinstbildkamera *f*; ~ **picture** Schnappschuß *m*. **'can·did·ness** *s* Offenheit *f*.

can·di·da·cy ['kændidəsi] *s bes. Am.* Kandida'tur *f*, Bewerbung *f*, Anwartschaft *f*.

can·di·date ['kændi,deit; -dit] *s* (**for**) Kandi'dat(in) (für), Anwärter(in) (auf *acc*) (*beide a. iro.*), Bewerber(in) (um): **to run** (*Br.* **stand**) **as a** ~ **for** kandidieren für, sich bewerben um; ~ **chemicals** in Frage kommende *od.* in engerer Wahl stehende Stoffe. **'can·di·da·ture** [-dətʃər] *Br. für* **candidacy.**

can·died ['kændid] *adj* **1.** kan'diert, über'zuckert: ~ **peel** Zitronat *n*. **2.** kristalli'siert (*Sirup etc*). **3.** *fig.* honigsüß, schmeichlerisch.

can·dle ['kændl] **I** *s* **1.** (Wachs- *etc*)-Kerze *f*, Licht *n*: **to burn the** ~ **at both ends** *fig.* Raubbau mit s-r Gesundheit treiben, sich übernehmen; **not to be fit to hold a** ~ **to** *j-m* das Wasser nicht reichen können; **the thing** (*od.* **game**) **is not worth the** ~ die Sache ist nicht der Mühe wert. **2.** *electr. phys.* (Nor'mal)Kerze *f* (*Lichteinheit*). **II** *v/t* **3.** *Briefe, Eier etc* durch'leuchten. **'~,ber·ry** *s bot.* Wachsmyrte(nbeere)

f. ~ **end** *s* Kerzenstummel *m.* '~,**-foot** *s irr* → foot-candle. '~,**light** *s* **1.** Kerzenlicht *n.* **2.** künstliches Licht. **3.** Abenddämmerung *f.*
Can·dle·mas ['kændlməs] *s R.C.* (Ma'riä) Lichtmeß *f.*
can·dle| pow·er *s phys.* Nor'malkerze *f*, Kerzen-, Lichtstärke *f.* '~,**stick** *s* (Kerzen)Leuchter *m.* '~,**wick** *s* Kerzendocht *m.*
can·dock ['kændɒk] *s bot.* Gelbe Teichrose.
can·dor, *bes. Br.* **can·dour** ['kændər] *s* **1.** Offenheit *f*, Aufrichtigkeit *f.* **2.** Unvoreingenommenheit *f.*
can·dy ['kændi] **I** *s* **1.** Kandis(zucker) *m.* **2.** *Am.* a) Süßwaren *pl*, Süßigkeiten *pl*, Kon'fekt *n*, b) *a.* **hard** ~ Bon'bon *m, n.* **II** *v/t* **3.** kan'dieren, gla'sieren, mit Zucker über'ziehen *od.* einmachen. **4.** *Zucker etc* kristalli'sieren lassen. ~ **bar** *s Am.* (*meist mit Schokolade überzogene*) *Stange aus Zucker, Nüssen u. anderen Zutaten.*
cane [kein] **I** *s* **1.** Spa'zierstock *m.* **2.** (Rohr)Stock *m.* **3.** *bot.* a) (Bambus-, Zucker-, Schilf)Rohr *n*, b) Schaft *m* (*mancher Palmen*), c) Stamm *m* (*Himbeerstrauch etc*). **4.** *collect.* spanisches Rohr, Peddigrohr *n* (*für Korbflechtarbeiten*). **II** *v/t* **5.** (mit dem Stock) züchtigen, (ver)prügeln. **6.** *fig.* (into s.o. j-m) *etwas* einbleuen. **7.** a) aus Rohr flechten, b) *e-n Stuhl etc* mit Rohrgeflecht versehen: ~**-bottomed** mit Sitz aus Rohr(geflecht). '~,**brake** *s Am.* Rohrdickicht *n*, Röhricht *n.* ~ **chair** *s* Rohrstuhl *m.*
ca·nel·la [kə'nelə], ~ **al·ba,** ~ **bark** *s* Ca'nellarinde *f*, Ka'neel *m.*
cane| mill *s tech.* Zuckerrohrmühle *f.* ~ **sug·ar** *s* Rohrzucker *m.* ~ **trash** *s* Ba'gasse *f.* '~,**work** *s* Rohrgeflecht *n.*
cangue [kæŋ] *s hist.* (schwerer) Holzkragen (*chinesisches Strafinstrument*).
Ca·nic·u·la [kə'nikjulə] *s astr.* Hundsstern *m*, Sirius *m.*
ca·nic·u·lar| cy·cle [kə'nikjulər] *s astr.* 'Hundssternperi,ode *f.* ~ **days** *s pl* Hundstage *pl.* ~ **heat** *s* Hundstagshitze *f.*
ca·nine ['keinain; *Am. a.* kə'nain] **I** *adj* **1.** Hunde..., Hunds... (*a. fig. contp.*). **II** *s* **2.** *zo.* Hund *m.* **3.** *a.* ~ **tooth** Augen-, Eckzahn *m.* ~ **ap·pe·tite** *s* Wolfshunger *m.* ~ **laugh** *s med.* Lachmuskelkrampf *m.* ~ **mad·ness** *s med.* Toll-, Hundswut *f.*
can·ing ['keiniŋ] *s*: **to give s.o. a** ~ j-m e-e Tracht Prügel verabreichen.
Ca·nis| Ma·jor ['keinis] *s astr.* Großer Hund (*Sternbild*). ~ **Mi·nor** *s astr.* Kleiner Hund (*Sternbild*).
can·is·ter ['kænistər] *s* **1.** Ka'nister *m*, Blechbüchse *f*, -dose *f.* **2.** *mil.* a) Atemeinsatz *m* (*der Gasmaske*), b) *a.* ~ **shot** Kartätsche(nschuß *m*) *f.*
can·ker ['kæŋkər] **I** *s* **1.** *med.* a) Krebsgeschwür *n*, b) Soor *m*, Schwämmchen *n*, c) Lippengeschwür *n.* **2.** *vet.* Strahlfäule *f* (*am Pferdefuß*). **3.** *bot.* Baumkrebs *m.* **4.** *zo.* a) → **cankerworm** 1, b) *allg.* schädliche Raupe. **5.** Rost *m*, Fraß *m.* **6.** *fig.* Krebsschaden *m*, fressendes Übel, nagender Wurm. **II** *v/t* **7.** *fig.* a) anstecken, vergiften, b) zerfressen. **III** *v/i* **8.** *fig.* a) angesteckt *od.* vergiftet werden, (langsam) verderben, b) angefressen werden. '**can·kered** *adj* **1.** *bot.* a) vom Baumkrebs *od.* Rost befallen, brandig, b) von Raupen zerfressen. **2.** zerfressen. **3.** *fig.* a) giftig, bösartig, b) verdrießlich, mürrisch. '**can·ker·ous** *adj* **1.** *med.* a) krebsig, fressend, b) von Krebs befallen. **2.** *fig.* fressend, nagend, verderblich.
can·ker| rash *s med.* Scharlach *m.* ~ **sore** *s med.* Mundgeschwür *n.* '~,**worm** *s* **1.** *zo.* schädliche Raupe. **2.** *fig.* → **canker** 6.
can·na·bis ['kænəbis] *s* **1.** *bot.* Hanf *m.* **2.** *pharm.* Haschisch *n* (*Rauschgift*).
canned [kænd] *adj* **1.** eingedost, konser'viert, Dosen..., Büchsen...: ~ **food** Dosenkonserven; ~ **meat** Büchsenfleisch *n.* **2.** *Am. sl.* me'chanisch reprodu'ziert: ~ **drama** Film *m*; ~ **film** *TV* Aufzeichnung *f*; ~ **music** ‚Konservenmusik' *f* (*auf Schallplatten etc*). **3.** *sl.* stereo'typ, scha'blonenhaft. **4.** *Am. sl.* ‚blau', betrunken.
can·nel ['kænl], ~ **coal** *s* Kännelkohle *f* (*bitumenhaltige Pechkohle*).
can·ne·lure ['kænə,ljuər] *s* **1.** *arch.* Kanne'lierung *f*, Auskehlung *f.* **2.** *mil.* Führungsrille *f* (*e-r Patrone*).
can·ner ['kænər] *s* **1.** Kon'servenfabri,kant *m.* **2.** Arbeiter(in) in e-r Kon'servenfa,brik. '**can·ner·y** *s* Kon'servenfa,brik *f.*
can·ni·bal ['kænibəl] **I** *s* **1.** Kanni'bale *m*, Menschenfresser *m.* **2.** Tier, das seinesgleichen verzehrt. **II** *adj* **3.** kanni'balisch (*a. fig. unmenschlich*). '**can·ni·bal,ism** *s* **1.** Kanniba'lismus *m.* **2.** *fig.* Blutdurst *m*, Unmenschlichkeit *f.* ,**can·ni·bal'is·tic** → **cannibal** 3. '**can·ni·bal,ize** *v/t mil. sl. Maschinen etc* ‚ausschlachten'.
can·ni·kin ['kænikin] *s* Kännchen *n.*
can·ning ['kæniŋ] *s* Kon'servenfabrikati,on *f*: ~ **factory** → **cannery.**
can·non ['kænən] **I** *s* **1.** *mil.* a) Ka'none *f*, Geschütz *n*, b) *collect.* Ka'nonen *pl*, Geschütze *pl*, Artille'rie *f.* **2.** *tech.* a) Henkel *m*, Krone *f* (*e-r Glocke*), b) sich frei um e-e Welle drehender Zy'linder. **3.** Gebiß *n* (*des Pferdegeschirrs*). **4.** *zo.* Ka'nonenbein *n* (*Mittelfußknochen*). **5.** *Billard*: *Br.* Karambo'lage *f.* **II** *v/i* **6.** *Billard*: *Br.* karambo'lieren. **7.** (**against, into, with**) rennen, prallen (gegen, an *acc*), karambo'lieren (mit). **III** *v/t* → **cannonade** 3.
can·non·ade [,kænə'neid] **I** *s* **1.** *mil.* Kano'nade *f*, Beschießung *f.* **2.** *fig.* Dröhnen *n*, Donnern *n.* **II** *v/t* **3.** *mil.* mit Artille'rie beschießen, bombar'dieren.
can·non| ball *s* **1.** Ka'nonenkugel *f.* **2.** *sport* ‚Bombenschuß' *m.* ~ **bit** → **cannon** 3. ~ **bone** *s zo.* **1.** → **cannon** 4. **2.** Sprungbein *n.*
can·non·eer [,kænə'nir] *s mil.* Kano'nier *m.*
can·non fod·der *s* Ka'nonenfutter *n.*
can·non·ry ['kænənri] *s collect.* **1.** → **cannon** 1 b. **2.** Geschützfeuer *n.*
can·non shot *s mil.* **1.** Ka'nonenschuß *m.* **2.** Ge'schützmuniti,on *f.* **3.** Schußweite *f* (*Geschütz*).
can·not ['kænɒt] → **can**[1] 1.
can·nu·la ['kænjulə] *pl* **-lae** [-,liː] *s med.* Ka'nüle *f.*
can·ny ['kæni] *adj* (*adv* **cannily**) *Scot. od. dial.* **1.** 'umsichtig, vorsichtig. **2.** gescheit, schlau, erfahren. **3.** (sehr) sparsam. **4.** sanft. **5.** gemütlich.
ca·noe [kə'nuː] **I** *s* **1.** Kanu *n.* **2.** Paddelboot *n*: **to paddle one's own** ~ auf eigenen Füßen stehen, sein eigener Herr sein. **II** *v/i* **3.** Kanu fahren, paddeln. **ca'noe·ist** *s* Kanufahrer(in), Ka'nute *m*, Paddler(in).
can·on[1] ['kænən] *s* **1.** Kanon *m*, Regel *f*, Richtschnur *f*, Vorschrift *f.* **2.** Maßstab *m*, Wertmesser *m.* **3.** Grundsatz *m*: ~**s of professional ethics** Standesregeln (*der Anwälte, Ärzte etc*). **4.** *relig.* Kanon *m*: a) ka'nonische Bücher *pl* (*der Bibel*), b) C~ Meßkanon *m*, c) Heiligenverzeichnis *n.* **5.** *relig.* a) Ordensregeln *pl*, b) → **canon law.** **6.** au'thentische Schriften *pl* (*e-s Autors*): **the Chaucer** ~. **7.** *mus.* Kanon *m.* **8.** *print.* Kanon(schrift) *f.*
can·on[2] ['kænən] *s relig.* **1.** Chor-, Dom-, Stiftsherr *m*, Ka'nonikus *m.* **2.** *hist.* Mitglied *n* e-r klösterlichen Gemeinschaft von Klerikern.
ca·ñon → **canyon.**
can·on bit → **cannon** 3.
can·on·ess ['kænənis] *s relig.* Kano'nissin *f*, Stiftsdame *f.*
ca·non·i·cal [kə'nɒnikəl] **I** *adj* (*adv* ~**ly**) **1.** ka'nonisch, vorschriftsmäßig. **2.** *Bibl.* ka'nonisch: ~ **books.** **3.** anerkannt, autori'siert. **II** *s* **4.** *pl relig.* Meßgewänder *pl*, kirchliche Amtstracht. ~ **hours** *s pl* **1.** *relig.* ka'nonische Stunden *pl* (*offizielle Gebetsstunden*). **2.** *Br. Zeit von 8 bis 15 Uhr, während der in englischen Pfarrkirchen getraut wird.*
can·on·ist ['kænənist] *s* Kano'nist *m*, Kirchenrechtler *m.*
can·on·i·za·tion [,kænənai'zeiʃən; -ni'z-] *s relig.* Kanonisati'on *f*, Heiligsprechung *f.* '**can·on,ize** *v/t relig.* **1.** heiligsprechen, kanoni'sieren. **2.** a) sanktio'nieren, b) unter die ka'nonischen Bücher aufnehmen.
can·on law *s* ka'nonisches Recht, Kirchenrecht *n.*
can·on·ry ['kænənri] *s* Kanoni'kat *n*, Domherrnpfründe *f.*
ca·noo·dle [kə'nuːdl] *v/t u. v/i sl.* ‚knudeln', ‚knutschen', (lieb)kosen.
can·o·pied ['kænəpid] *adj* mit e-m Baldachin (versehen).
can·o·py ['kænəpi] **I** *s* **1.** Baldachin *m*, (Bett-, Thron-, Trag)Himmel *m*: ~ **bed** Himmelbett *n*; ~ **top** *mot.* Sonnendach *n*, Verdeck *n.* **2.** *arch.* 'überhängendes Schutzdach. **3.** *arch.* Baldachin *m* (*Überdachung des Altars etc*). **4.** *aer.* a) Fallschirmkörper *m*, b) Ka'binendach *n*, Verkleidung *f* (*Führersitz*). **5.** *electr.* 'Lampenarma,tur *f.* **6.** *fig.* Himmel *m*, Firma'ment *n.* **II** *v/t* **7.** (mit e-m Baldachin) über'dachen. **8.** *fig.* bedecken.
ca·no·rous [kə'nɔːrəs] *adj* me'lodisch.
canst [kænst] *obs. od. poet.* (*2. sg pres von* **can**[1]) kannst.
cant[1] [kænt] **I** *s* **1.** Gewinsel *n.* **2.** Ar'got *n*, Jar'gon *m*, Bettler-, Gauner-, Pöbelsprache *f.* **3.** Fach-, Zunftsprache *f.* **4.** *fig.* Kauderwelsch *n*, Gewäsch *n.* **5.** Heuche'lei *f*, scheinheiliges Gerede. **6.** nichtssagendes Schlagwort, stehende Redensart: **the same old** ~ die alte Leier. **II** *v/i* **7.** mit kläglicher Stimme reden. **8.** heucheln, scheinheilig reden. **9.** Jar'gon reden. **10.** Phrasen dreschen.
cant[2] [kænt] **I** *s* **1.** Schrägung *f*, geneigte Fläche: ~ **of a polygon.** **2.** Neigung *f.* **3.** plötzlicher Ruck, Stoß *m.* **4.** plötzliche Wendung. **II** *v/t* **5.** schräg legen, kanten, kippen: **to** ~ **over** umstürzen, umkippen. **6.** (mit e-m Ruck) schleudern. **7.** *tech.* abschrägen. **III** *v/i* **8.** *a.* ~ **over** a) sich neigen, sich auf die Seite legen, b) 'umkippen.
cant[3] [kænt] **I** *s* Versteigerung *f*, Aukti'on *f.* **II** *v/t* versteigern.
can't [*Br.* kɑːnt; *Am.* kæ(ː)nt] *colloq. für* **cannot.**
Can·tab ['kæntæb] *abbr. für* **Cantabrigian.**
can·ta·bi·le [kɑːn'tɑːbiːle; kæn'tɑːbili] *adj mus.* kan'tabel, gesangartig.
Can·ta·brig·i·an [,kæntə'bridʒiən] **I** *s* Stu'dent(in) an der Universi'tät Cambridge (*England*). **II** *adj* von *od.* aus Cambridge.

can·ta·loup(e) [*Br.* ˈkæntəˌluːp; *Am.* -ˌloup] *s bot.* Kantaˈlupe *f*, ˈBeutel-, ˈWarzenmeˌlone *f*.
can·tan·ker·ous [kænˈtæŋkərəs] *adj* (*adv* ~ly) *fig.* giftig, streitsüchtig, ‚eklig', rechthaberisch, ‚stänkernd'. **canˈtan·ker·ous·ness** *s fig.* giftiges Wesen, Streitsucht *f*.
can·ta·ta [kænˈtɑːtə] *s mus.* Kanˈtate *f*.
Can·ta·te [kænˈteitiː] *s relig.* Psalm 98.
cant dog *s tech. Am.* Kanthaken *m*.
can·teen [kænˈtiːn] *s* **1.** Kanˈtine *f*. **2.** *mil.* a) Feldküche *f*, b) Meˈnagekoffer *m* (*der Offiziere*), c) *Am.* Feldflasche *f*, d) Kanˈtine *f*, e) Kochgeschirr *n*: ~ **cup** *Am.* Feldbecher *m*. **3.** Erfrischungsstand *m*, Büˈfett *n* (*bei Veranstaltungen*). **4.** Geschirr- u. Besteckkasten *m*.
cant·er[1] [ˈkæntər] *s* **1.** Frömmler(in). **2.** Heuchler(in). **3.** Phrasendrescher(in).
cant·er[2] [ˈkæntər] **I** *s* Kanter *m*, leichter Gaˈlopp: **to win in a** ~ mühelos gewinnen *od.* siegen. **II** *v/t* kantern lassen. **III** *v/i* kantern, im leichten Gaˈlopp reiten.
can·ter·bur·y [ˈkæntərˌberi] *s* Noten- *od.* Zeitschriftenständer *m*. **C~ bell** *s bot.* (*e-e*) Glockenblume. **C~ lamb** *s Br.* Hammelfleisch *n* (*aus Neuseeland*).
can·thar·i·des [kænˈθæriˌdiːz] *s pl pharm.* Kanthaˈriden *pl*.
cant hook *s tech.* Kanthaken *m*.
can·ti·cle [ˈkæntikl] *s relig.* Lobgesang *m* (*bes. Bibl.*): **C~s** *Bibl.* (*das*) Hohelied Salomos, (*das*) Lied der Lieder.
can·ti·le·ver [ˈkæntiˌliːvər; *Am. a.* -ˌlevər] **I** *s* **1.** *arch.* Konˈsole *f*. **2.** *tech.* freitragender Arm, vorspringender Träger, Ausleger *m*. **3.** *aer.* unverspreizte *od.* freitragende Tragfläche. **II** *adj* **4.** freitragend. ~ **arm,** ~ **beam** *s tech.* Ausleger(balken) *m*. ~ **bridge** *s tech.* Auslegerbrücke *f*. ~ **roof** *s arch.* Krag-, Auslegerdach *n*. ~ **wing** → cantilever 3.
cant·ing [ˈkæntiŋ] *adj* **1.** scheinheilig, frömmlerisch. **2.** (wie ein Bettler) winselnd. **3.** kauderwelschend.
can·tle [ˈkæntl] *s* **1.** ˈHinterpausche *f*, -zwiesel *m* (*des Reitsattels*). **2.** Ausschnitt *m*, Teil *m*, *n*, Stück *n*.
can·to [ˈkæntou] *pl* **-tos** *s* **1.** Gesang *m* (*Teil e-r größeren Dichtung*). **2.** *mus.* a) Ober-, Soˈpranstimme *f* (*in vokaler Mehrstimmigkeit*), b) Meloˈdiestimme *f* (*a. instrumental*).
can·ton [ˈkæntɒn; kænˈtɒn] **I** *s* **1.** Kanˈton *m*, (Verwaltungs)Bezirk *m* (*bes. der Schweiz u. Frankreichs*). **2.** *her.* Feld *n*. **3.** Gösch *f* (*Obereck an Flaggen*). **II** *v/t* **4.** *oft* ~ **out** in Abˈteilungen *od.* Felder teilen. **5.** in Kanˈtone *od.* (poˈlitische) Bezirke einteilen. **6.** [*Br. a.* -ˈtuːn] *mil.* ˈeinquarˌtieren. ˈ**can·ton·al** [-tənl] *adj* kantoˈnal, Bezirks...
can·ton·ment [kænˈtɒnmənt; *Br. a.* -ˈtuːn-] *s mil.* **1.** (ˈOrts)ˌUnterkunft *f*, Quarˈtier *n*. **2.** Ausbildungslager *n*.
can·tred [ˈkæntred], ˈ**can·tref** [-trev] *s hist.* Diˈstrikt *m* (*von 100 Dörfern*), Hundertschaft *f* (*in Wales*).
can·trip [ˈkæntrip] *s bes. Scot.* **1.** Zauber(spruch) *m*. **2.** (Schelmen)Streich *m*.
Ca·nuck [kəˈnʌk] *s Am. od. Canad. sl.* Kaˈnadier(in) (franˈzösischer Abstammung).
can·vas [ˈkænvəs] **I** *s* **1.** *mar.* a) Segeltuch *n*, b) *collect.* Segel *pl*: **under** ~ unter Segel (→ 3); **under full** ~ mit allen Segeln. **2.** Pack-, Zeltleinwand *f*. **3.** Zelt *n*, *collect.* Zelte *pl*: **under** ~ in Zelten (→ 1). **4.** Kanevas *m*, Straˈmin *m* (*für Stickereien*). **5.** *paint.* a) Leinwand *f*, b) (Öl)Gemälde *n* auf Leinwand. **II** *v/t* **6.** mit Segeltuch überˈziehen. ˈ~ˌ**back** *s orn.* ˈKanevasˌente *f*.
can·vass [ˈkænvəs] **I** *v/t* **1.** eingehend unterˈsuchen *od.* erörtern, prüfen. **2.** *j-n* ausfragen, sonˈdieren. **3.** *pol.* a) werben um (*Stimmen*), b) *e-n Wahldistrikt* bearbeiten, c) die Stimmung erforschen in (*e-m Wahlkreis*). **4.** *econ.* a) *e-n Geschäftsbezirk* bereisen, bearbeiten, b) *Aufträge* herˈeinholen, *Abonnenten, Inserate* sammeln. **5.** um *j-n od. etwas* werben. **II** *v/i* **6.** *pol. Br.* e-n Wahlfeldzug veranstalten, Stimmen werben. **7.** werben (**for** um *od.* für). **8.** debatˈtieren, diskuˈtieren. **III** *s* **9.** sorgfältige Prüfung *od.* Erörterung. **10.** Wahl- *od.* Propaˈgandafeldzug *m*. **11.** *econ.* Werbefeldzug *m*. **12.** → **canvassing** 3.
can·vass·er [ˈkænvəsər] *s* **1.** Stimmenwerber *m*, (ˈWahl)Propaganˌdist *m*. **2.** *pol. Am.* Wahlstimmenprüfer *m*. **3.** Handelsvertreter *m*: **advertising** ~ Anzeigenvertreter; **insurance** ~ Versicherungsagent *m*.
can·vas shoes *s pl* Segeltuchschuhe *pl*.
can·vass·ing [ˈkænvəsiŋ] *s* **1.** (Kunden)Werbung *f*, Reˈklame *f*, Propaˈganda *f*: ~ **campaign** Werbeaktion *f*. **2.** *pol.* Stimmenwerbung *f*, ˈWahlpropaˌganda *f*. **3.** *Am.* Wahlstimmenprüfung *f*.
can·vas top *s mot.* Planverdeck *n*.
can·yon [ˈkænjən] *s* Cañon *m*.
caou·tchouc [ˈkautʃuk; -tʃuːk; ˈkuː-] *s* Kautschuk *m*, Gummi *m*, *n*.
caout·chou·cin [ˈkautʃusin; ˈkuː-], ˈ**caout·chou·cine** [-sin; -ˌsiːn] *s chem.* Kautschuköl *n*.
cap [kæp] **I** *s* **1.** Mütze *f*, Kappe *f*, Haube *f*: ~ **and bells** Schellen-, Narrenkappe; ~ **in hand** demütig, unterwürfig; **if the** ~ **fits, wear it!** wen's juckt, der kratze sich!; **to set one's** ~ **at s.o.** *colloq.* j-n zu angeln suchen, hinter j-m her sein (*Frau*); → **thinking** 3. **2.** (viereckige) Universiˈtätsmütze, Baˈrett *n*: ~ **and gown** Universitätstracht *f*, Barett u. Talar. **3.** (Sport-, Stuˈdenten-, Klub-, Dienst)Mütze *f*: **to get one's** ~ *sport* in die offizielle Mannschaft eingereiht werden; ~ **of maintenance** *hist.* Schirmhaube *f*. **4.** *bot.* Hut *m* (*e-s Pilzes*). **5.** Gipfel *m*, Spitze *f*. **6.** *arch.* a) Haubendach *n*, b) Kapiˈtell *n*, c) Aufsatz *m*. **7.** a) *mil. u. Bergbau*: Zünd-, Sprengkapsel *f*, b) Zündplättchen *n*: ~ **pistol** Kinderpistole *f*. **8.** *tech.* a) (Schutz-, Verschluß)Kappe *f od.* (-)Kapsel *f*, b) Deckel *m*, c) Schuhkappe *f*, -spitze *f*, d) *mot.* (Reifen)Auflage *f*: **full** ~ Runderneuerung *f*. **9.** *geol.* Deckschicht *f*.
II *v/t* **10.** (mit *od.* wie mit e-r Kappe) bedecken. **11.** krönen: a) oben liegen auf (*dat*), b) *fig.* abschließen. **12.** *Br. j-m* e-n akaˈdemischen Grad verleihen. **13.** *sport j-n* in die erste Mannschaft aufnehmen, *j-n* auszeichnen. **14.** vor *j-m* die Mütze abnehmen, *j-n* grüßen. **15.** *fig.* überˈtreffen, -ˈtrumpfen, schlagen: **to** ~ **the climax** (*od.* **everything**) allem die Krone aufsetzen, alles übertreffen; → **verse** 1. **16.** *Reifen* runderneuern.
ca·pa·bil·i·ty [ˌkeipəˈbiliti] *s* **1.** Fähigkeit *f* (**of s.th.** zu etwas), Vermögen *n*. **2.** Tauglichkeit *f* (**for** zu). **3.** *a. pl* Befähigung *f*, Taˈlent *n*, Begabung *f*.
ca·pa·ble [ˈkeipəbl] *adj* (*adv* **capably**) **1.** (leistungs)fähig, tüchtig: **a** ~ **teacher.** **2.** fähig (**of** zu *od. gen*), imˈstande (**of doing** zu tun): ~ **of murder** e-s Mordes fähig. **3.** geeignet, tauglich (**for** zu). **4.** (**of**) zulassend (*acc*), fähig (zu): ~ **of being divided** teilbar; ~ **of improvement** verbesserungsfähig; **this text is not** ~ **of translation** dieser Text läßt sich nicht übersetzen. **5.** *jur.* berechtigt (*zu erben etc*): **legally** ~ rechts-, geschäftsfähig.
ca·pa·cious [kəˈpeiʃəs] *adj* (*adv* ~ly) **1.** geräumig, weit. **2.** umˈfassend (*a. fig.*). **caˈpa·cious·ness** *s* Geräumigkeit *f*, Weite *f*.
ca·pac·i·tance [kəˈpæsitəns] *s electr.* Kapaziˈtät *f*, kapaziˈtiver (ˈBlind)ˌWiderstand. [gen.]
ca·pac·i·tate [kəˈpæsiˌteit] *v/t* befähi-
ca·pac·i·tive [kəˈpæsitiv] *adj electr.* kapaziˈtiv. **caˈpac·i·tor** [-tər] *s electr.* (ˈMehrfach)Kondenˌsator *m*.
ca·pac·i·ty [kəˈpæsiti] **I** *s* **1.** a) Fassungsvermögen *n*, Kapaziˈtät *f*, b) (Raum)Inhalt *m*, Voˈlumen *n*: **full to** ~ ganz voll, *thea. a.* ausverkauft; **seating** ~ Sitzgelegenheit *f* (**of** für); → **measure** 1. **2.** *phys.* Aufnahmefähigkeit *f*. **3.** *electr.* a) Kapaziˈtät *f*, b) Leistungsfähigkeit *f*, Belastbarkeit *f*. **4.** *mar. rail.* Ladefähigkeit *f*. **5.** (Leistungs)Fähigkeit *f*, Vermögen *n*, Kraft *f* (**of, for** zu). **6.** *econ. tech.* Kapaziˈtät *f*, Leistungsfähigkeit *f*, (Nenn)Leistung *f*: **working to** ~ mit Höchstleistung arbeitend, voll ausgelastet; ~ **of a computer** maximale Stellenzahl e-r Rechenmaschine. **7.** *fig.* (geistiges) Fassungsvermögen, Auffassungsgabe *f*, Fähigkeit *f*. **8.** Eigenschaft *f*, Stellung *f*: **in his** ~ **as** in s-r Eigenschaft als. **9.** *jur.* (Geschäfts-, Teˈstier- *etc*)Fähigkeit *f*: **criminal** ~ strafrechtliche Verantwortlichkeit; ~ **to sue and to be sued** Prozeßfähigkeit. **II** *adj* **10.** maxiˈmal, Höchst...: ~ **business** Rekordgeschäft *n*. **11.** ausverkauft, voll (*Theater*): **a** ~ **house.** **12.** *electr.* kapaziˈtiv.
cap-a-pie, cap-à-pie [ˌkæpəˈpiː] *adv* von Kopf bis Fuß.
ca·par·i·son [kəˈpærisn] *s* **1.** Schaˈbracke *f*, (verzierte) Pferdedecke. **2.** (Auf)Putz *m*, Ausstattung *f*.
cape[1] [keip] *s* Cape *n*, ˈUmhang *m*.
cape[2] [keip] *s* Kap *n*, Vorgebirge *n*: **the C~ (of Good Hope)** das Kap der Guten Hoffnung; **C~ boy** südafrikanischer Negermischling; **C~ doctor** starker Südostwind (*in Südafrika*); **C~ Dutch** *ling.* Kapholländisch *n*; **C~ smoke** *colloq. ein südafrikanischer Branntwein*; **C~ wine** Kapwein *m*.
ca·per[1] [ˈkeipər] **I** *s* Kapriˈole *f*: a) Freuden-, Luftsprung *m*, b) *fig.* Streich *m*, Schabernack *m*: **to cut** ~**s** Luftsprünge (*od.* (*a. fig.*) Kapriolen machen. **II** *v/i* Kapriˈolen machen.
ca·per[2] [ˈkeipər] *s bot.* **1.** Kapernstrauch *m*. **2.** Kaper *f* (*Gewürz*).
cap·er·cail·lie [ˌkæpərˈkeilji], ˌ**caperˈcail·zie** [-lji; -lzi] *s orn.* (Großer) Auerhahn.
cap·ful [ˈkæpful] *s* (*e-e*) Mützevoll: **a** ~ **(of wind)** *mar. fig.* Wind *m* von kurzer Dauer, e-e ‚Mütze Wind'.
ca·pi·as [ˈkeipiəs; ˈkæp-] *s a.* **writ of** ~ *jur.* Haftbefehl *m* (*bes. im Vollstreckungsverfahren*).
cap·il·lar·i·ty [ˌkæpiˈlæriti] *s phys.* Kapillariˈtät *f*, Kapilˈlaranziehung *f*.
cap·il·lar·y [*Br.* kəˈpiləri; *Am.* ˈkæpəˌleri] **I** *adj* **1.** haarförmig, -fein, kapilˈlar. **2.** haarähnlich, Haar... **3.** Kapillar..., Haargefäß...: ~ **action** Kapillareffekt *m*; ~ **attraction** → **capillarity.** **II** *s* **4.** Haargefäß *n*.

cap·i·tal[1] ['kæpitl] *s arch.* Kapi'tell *n.*
cap·i·tal[2] ['kæpitl] **I** *s* **1.** Hauptstadt *f.* **2.** großer Buchstabe, Ma'juskel *f.* **3.** *econ.* Kapi'tal *n*, Vermögen *n*: invested ~ Anlagekapital; ~ **fund** Stamm-, Grundkapital; ~ **levy** Vermögensabgabe *f.* **4.** *econ.* Reinvermögen *n.* **5.** C~ *sociol.* Kapi'tal *n*, Unter'nehmer(tum *n*) *pl*: C~ **and Labo(u)r.** **6.** Vorteil *m*, Nutzen *m*: **to make ~ out of s.th.** aus etwas Kapital schlagen *od.* Nutzen ziehen. **II** *adj* (*adv* ~**ly**) **7.** *jur.* a) kapi'tal, todeswürdig: ~ **murder** Mord *m*; ~ **offence** (*Am.* **offense**) Kapitalverbrechen *n*, b) Todes...: ~ **punishment** Todesstrafe *f*; → **sin** 1. **8.** größt(er, e, es), höchst(er, e, es), äußerst(er, e, es): ~ **importance.** **9.** Haupt..., wichtigst(er, e, es): ~ **city** Hauptstadt *f.* **10.** verhängnisvoll: **a ~ error.** **11.** großartig, ausgezeichnet, fa'mos: **a ~ fellow; a ~ joke** ein Mordsspaß. **12.** groß (geschrieben): ~ **letter** Großbuchstabe *m*; ~ **B** großes B.
cap·i·tal| ac·count *s econ.* **1.** Kapi'talkonto *n.* **2.** Kapi'talaufstellung *f* (*e-s Unternehmens*). ~ **bal·ance** *s* Bi'lanzsaldo *m.* ~ **ex·pend·i·ture** *s* Kapi'talaufwand *m.* ~ **goods** *s pl* Produkti'onsgüter *pl.* ~ **in·vest·ment** *s* **1.** Kapi'talanlage *f.* **2.** langfristig angelegtes Kapi'tal.
cap·i·tal·ism ['kæpitəˌlizəm] *s* Kapita'lismus *m.* '**cap·i·tal·ist** *s* Kapita'list *m.* ˌ**cap·i·tal'is·tic** *adj* (*adv* ~**ally**) kapita'listisch.
cap·i·tal·i·za·tion [ˌkæpitəlai'zeiʃən] *s* **1.** *econ.* ˌKapitalisati'on *f*, Errechnung *f* des Kapi'talbetrages aus den Zinsen. **2.** *econ.* Kapitali'sierung *f* (*e-r Gesellschaft*). **3.** Großschreibung *f.*
cap·i·tal·ize ['kæpitəˌlaiz] **I** *v/t* **1.** *econ.* a) kapitali'sieren, den Kapi'talbetrag (*gen*) errechnen, b) zum Vermögen schlagen, c) mit Kapi'tal ausstatten. **2.** mit großen (Anfangs)Buchstaben schreiben. **II** *v/i* **3.** Kapi'tal anhäufen. **4.** e-n Kapi'talwert haben (**at** von). **5.** ~ **on** Kapi'tal schlagen *od.* Nutzen ziehen aus.
cap·i·tal| mar·ket *s econ.* Kapi'tal-, Geldmarkt *m.* ~ **re·turns tax** *s econ.* Kapiˌtaler'tragssteuer *f.* ~ **ship** *s mar.* Großkampfschiff *n.* ~ **stock** *s econ.* **1.** 'Aktien-, 'Stammkapiˌtal *n.* **2.** *collect.* Aktien *pl* e-r Aktiengesellschaft.
cap·i·ta·tion [ˌkæpi'teiʃən] *s* **1.** Kopfzählung *f.* **2.** *a.* ~ **tax** Kopfsteuer *f.* **3.** Zahlung *f* pro Kopf.
Cap·i·tol ['kæpitl] *s* Kapi'tol *n*: a) *antiq. im alten Rom*, b) *Kongreßhaus in Washington, a. einzelstaatliches Regierungsgebäude.*
ca·pit·u·lar [kə'pitjulər; *Am.* -tʃə-] *relig.* **I** *adj* kapitu'lar, zu e-m Ka'pitel gehörig. **II** *s* Kapitu'lar *m*, Dom-, Stiftsherr *m.*
ca·pit·u·late [*Br.* kə'pitjuˌleit; *Am.* -tʃə-] *v/i* (**to**) kapitu'lieren, die Waffen strecken (vor) (*beide a. fig.*), sich ergeben (*dat*). **caˌpit·u'la·tion** *s* **1.** *mil.* a) Kapitulati'on *f*, 'Übergabe *f*, b) Kapitulati'onsurkunde *f.* **2.** *hist.* Kapitulati'on *f* (*Vertrag über Exterritorialitätsrechte*).
Cap'n ['kæpn] *abbr. für* **Captain.**
ca·pon [*Br.* 'keipən; *Am.* -pɑn] *s* Ka'paun *m.* **ca·pon·ize** ['keipəˌnaiz] *v/t* ka'paunen, ka'strieren.
cap·o·ral ['kæpəˌrɑːl; ˌkæpə'ræl] *s* (*ein*) grober Tabak.
ca·pot [kə'pɒt] (*Pikettspiel*) **I** *s* Spiel *n od.* Par'tie *f* (*Gewinnen aller Stiche*). **II** *v/t j-n* durch e-e Par'tie schlagen.
capped [kæpt] *adj* mit e-r Kappe *od.* Mütze bedeckt: ~ **and gowned** in vollem Ornat.
cap·per ['kæpər] *s Am. sl.* **1.** *fig.* Scheinbieter *m* (*bei Versteigerungen*). **2.** ‚Schlepper' *m* (*in Spielhöllen*).
cap·ric ['kæprik] *adj chem.* Caprin...
ca·pric·cio [ka'prittʃo] *pl* **-cios,** (*Ital.*) **-ci** [-tʃi] *s* **1.** *mus.* Ca'priccio *n.* **2.** Streich *m*, Schabernack *m.* **3.** → **caprice** 1. **ca·pric·cio·so** [kapritˈtʃoso] (*Ital.*) *adj u. adv mus.* capricci'oso, kaprizi'ös.
ca·price [kə'priːs] *s* **1.** Laune *f*, launischer Einfall, Ka'price *f.* **2.** Launenhaftigkeit *f.* **ca·pri·cious** [kə'priʃəs] *adj* (*adv* ~**ly**) launenhaft, launisch, kaprizi'ös. **ca'pri·cious·ness** *s* Launenhaftigkeit *f*, kaprizi'öse Art.
Cap·ri·corn ['kæpriˌkɔːrn] *s astr.* Steinbock *m* (*Sternbild u. Tierkreiszeichen*): → **tropic** 1.
cap·rine ['kæprain; -rin] *adj zo.* ziegenähnlich, Ziegen...
cap·ri·ole ['kæpriˌoul] **I** *s* Kapri'ole *f* (*a. beim Reiten*), Bock-, Luftsprung *m.* **II** *v/i* Kapri'olen machen.
ca·pro·ic ac·id [kə'prouik] *s chem.* Ca'pron-, He'xansäure *f.*
ca·pryl·ic ac·id [kə'prilik] *s chem.* Ka'pryl-, Oc'tansäure *f.*
cap·si·cum ['kæpsikəm] *s* **1.** *bot.* Spanischer Pfeffer. **2.** *pharm.* Kapsikum *n.*
cap·size [kæp'saiz] *mar.* **I** *v/i* kentern, 'umschlagen (*a. fig.*). **II** *v/t* zum Kentern bringen.
cap·stan ['kæpstən] *s* **1.** *tech.* a) stehende Winde, b) (Schacht)Winde *f*, c) *electr.* Tonwelle *f*, Bandantriebsachse *f* (*e-s Tonbandgeräts*): ~ **idler** Andruckrolle *f.* **2.** *mar.* (Gang)Spill *n*, Ankerwinde *f.* ~ **drive** *s tech.* Göpelantrieb *m.* ~ **en·gine** *s mar.* 'Ankerˌlichtmaˌschine *f.* ~ **lathe** *s tech.* Re'volverdrehbank *f.*
'capˌstone *s arch.* (Ab)Deck-, Schlußstein *m* (*a. fig.*), Mauerkappe *f.*
cap·su·lar ['kæpsjulər; *Am. a.* -sələr] *adj* kapselförmig, Kapsel... '**cap·suˌlate** [-ˌleit], '**cap·suˌlat·ed** [-id] *adj* eingekapselt, verkapselt.
cap·sule ['kæpsjuːl; *Am. a.* -səl] **I** *s* **1.** *anat.* Kapsel *f*, Hülle *f*, Schale *f*: **articular** ~ Gelenkkapsel. **2.** *bot.* a) Kapselfrucht *f*, b) Sporenkapsel *f.* **3.** *pharm.* (Arz'nei)Kapsel *f.* **4.** (Me'tall)Kapsel *f* (*als Flaschenverschluß*). **5.** Kapsel *f*, kleines Gehäuse: (**space**) ~ Raumkapsel. **6.** *fig.* kurze 'Übersicht, 'Überblick *m.* **7.** *chem.* Abdampfschale *f*, -tiegel *m.* **II** *v/t* **8.** ein-, verkapseln. **9.** *fig.* kurz um'reißen. **III** *adj* **10.** kurz, Kurz...: ~ **biography.**
cap·tain ['kæptin] **I** *s* **1.** (An)Führer *m*, Oberhaupt *n*: ~ **of industry** Industriekapitän *m.* **2.** *mil.* a) Hauptmann *m*, b) *hist.* Rittmeister *m* (*der Kavallerie*). **3.** *mar.* a) Kapi'tän *m*, Komman'dant *m*, b) *mil.* Kapi'tän *m* zur See, c) 'Unteroffiˌzier *m* mit besonderen Aufgaben: ~ **of the gun** Geschützführer *m.* **4.** *sport* ('Mannschafts)Kapiˌtän *m.* **5.** *Bergbau*: Obersteiger *m.* **6.** *ped. Br.* Klassenführer(in), -sprecher(in). **7.** *Am.* Poli'zeihauptmann *m.* **II** *v/t* **8.** anführen, leiten: **to ~ a team.**
cap·tain·cy ['kæptinsi], '**cap·tainˌship** *s* **1.** *mil.* Stelle *f od.* Rang *m* e-s Hauptmanns *od.* Kapi'täns *etc.* **2.** Führung *f.* **3.** mili'tärisches Geschick.
cap·ta·tion [kæp'teiʃən] *s* Streben *n* nach Beifall *od.* Gunst.
cap·tion ['kæpʃən] **I** *s* **1.** *bes. Am.* a) 'Überschrift *f*, Titel *m*, Kopf *m*: ~ **of an article**, b) 'Bildˌunterschrift *f*, -text *m*, c) Zwischen-, 'Untertitel *m* (*Film*). **2.** *jur.* a) Prä'ambel *f*: ~ **of a document**, b) Rubrum *n* (*Bezeichnung der Prozeßparteien u. des Gerichts*), c) Spalte *f*, Ru'brik *f.* **3.** *selten* Wegnahme *f.* **II** *v/t* **4.** *bes. Am.* mit e-r 'Überschrift *etc* versehen.
cap·tious ['kæpʃəs] *adj* (*adv* ~**ly**) **1.** verfänglich: **a ~ question.** **2.** spitzfindig, pe'dantisch, krittelig: **a ~ critic.** '**cap·tious·ness** *s* **1.** Verfänglichkeit *f.* **2.** Spitzfindigkeit *f*, Tadelsucht *f.*
cap·ti·vate ['kæptiˌveit] *v/t fig.* gefangennehmen, fesseln, (für sich) einnehmen, bestricken, bezaubern: **to be ~d with s.th.** von etwas eingenommen sein. '**cap·tiˌvat·ing** *adj* (*adv* ~**ly**) fesselnd, bezaubernd, einnehmend. ˌ**cap·ti'va·tion** *s* Bezauberung *f.*
cap·tive ['kæptiv] **I** *adj* **1.** gefangen, in Gefangenschaft: ~ **knights;** ~ **animals; to hold** ~ gefangenhalten (*a. fig.*). **2.** festgehalten: ~ **audience** unfreiwillige Zuhörerschaft; ~ **balloon** Fesselballon *m.* **3.** Gefangenen... **4.** *fig.* gefangen, gefesselt (to von). **5.** *tech.* unverlierbar: ~ **screw.** **6.** *econ. Am.* für den Eigenbedarf (*nicht für den Markt*) bestimmt: ~ **shop** zum Betrieb gehöriges Geschäft. **II** *s* **7.** Gefangene(r *m*) *f.* **8.** *fig.* Gefangene(r *m*) *f*, Sklave *m* (to *gen*).
cap·tiv·i·ty [kæp'tiviti] *s* **1.** Gefangenschaft *f.* **2.** *fig.* Knechtschaft *f.*
cap·tor ['kæptər] *s* **1.** j-d, der Gefangene macht: **his** ~ der ihn gefangennahm. **2.** Erbeuter *m.* **3.** *mar.* Kaper *m*, Aufbringer *m* (*e-s Schiffes*).
cap·ture ['kæptʃər] **I** *v/t* **1.** fangen, gefangennehmen. **2.** *mil.* a) erobern, b) erbeuten: ~**d property** Beute *f.* **3.** *mar.* kapern, aufbringen. **4.** *fig.* erobern: a) *Macht etc* an sich reißen, b) erlangen, gewinnen: **to ~ a prize,** c) gewinnen, fesseln, für sich einnehmen. **5.** *fig. e-e Stimmung, a. phys. Neutronen* einfangen: **to ~ a mood.** **II** *s* **6.** Gefangennahme *f.* **7.** *mil.* a) Einnahme *f*, Eroberung *f*, b) Erbeutung *f.* **8.** *mar.* a) Kapern *n*, Aufbringen *n*, b) Beute *f*, Prise *f.* **9.** *fig.* Eroberung *f.*
cap·u·chin ['kæpjutʃin; -juʃin] *s* **1.** C~ *relig.* Kapu'ziner(mönch) *m.* **2.** Ka'puze *f.* **3.** ('Damen)ˌUmhang *m* mit Ka'puze. **4.** *zo.* a) *a.* ~ **monkey** Kapu'zineraffe *m*, b) (*e-e*) Lockentaube.
car [kɑːr] *s* **1.** Auto(mo'bil) *n*, (Kraft)Wagen *m*: ~ **air ferry service** Auto-Luftfährendienst *m*; **by** ~ mit dem (*od.* im) Auto; → **car body, car hop,** *etc.* **2.** *bes. Am.* Eisenbahnwagen *m*, Wag'gon *m*; (*Br. nur in Zssgn*): → **dining car,** *etc.* **3.** Wagen *m*, Karren *m*, Fahrzeug *n.* **4.** *Br.* (zweirädriger) Trans'portwagen. **5.** *aer.* (Luftschiff-*etc*)Gondel *f.* **6.** *Am.* Fahrstuhl *m*, 'Aufzugskaˌbine *f.* **7.** *poet.* (Kriegs-, Tri'umph)Wagen *m.*
ca·ra·ba·o [ˌkɑːrɑː'bɑːou] *pl* **-ba·os** → **buffalo** 1 a.
car·a·bin ['kærəbin], '**car·aˌbine** [-ˌbain] → **carbine.**
car·a·bi·neer, car·a·bi·nier [ˌkærəbi'nir] *s mil.* Karabini'er *m*: **the C~s** *Br.* das 6. Garde-Dragonerregiment.
car·a·cal ['kærəˌkæl] *s zo.* Kara'kal *m*, Wüstenluchs *m.*
car·a·col ['kærəˌkɒl], '**car·aˌcole** [-ˌkoul] **I** *s* **1.** *Reitkunst*: Kara'kole *f*, halbe Wendung. **2.** *arch.* Wendeltreppe *f.* **II** *v/i* **3.** karako'lieren, schwenken, im Zickzack reiten.

ca·rafe [*Br.* kə'rɑːf; *Am.* kə'ræ(ː)f] *s* Ka'raffe *f*, Glasflasche *f* mit Stöpsel.
car·a·mel ['kærəməl; -ˌmel] *s* **1.** Kara'mel *m*, gebrannter Zucker. **2.** Kara'melle *f*, 'Sahnebonˌbon *m*, *n*.
car·a·pace ['kærəˌpeis] *s zo.* Schale *f*, Rückenschild *m* (*der Schildkröte etc*).
car·at ['kærət] *s* Ka'rat *n*: a) *Juwelen- u. Perlengewicht* (= *200 mg*), b) *Goldfeingehalt*.
car·a·van ['kærəˌvæn; ˌkærə'væn] **I** *s* **1.** Kara'wane *f* (*a. fig.*). **2.** großer Trans'port- *od.* Reisewagen. **3.** gedeckter Lieferwagen. **4.** *Br.* Wohnwagen(anhänger) *m*: ~ **site** Campingplatz *m* (für Wohnwagen). **II** *v/i* **5.** *Br.* im Wohnwagen reisen. **ˌcar·a'van·sa·ry** [-səri], *a.* **ˌcar·a'van·seˌrai** [-ˌrai] *s* **1.** Karawanse'rei *f*. **2.** großes Gasthaus.
car·a·vel ['kærəˌvel] *s mar.* Kara'velle *f*.
car·a·way ['kærəˌwei] *s bot.* Kümmel *m* (*a. Gewürz*). ~ **seeds** *s pl* Kümmelsamen *pl*, -körner *pl*.
car·bam·ic ac·id [kɑːr'bæmik] *s chem.* Carba'minsäure *f*. **car·bam·ide** [kɑːr'bæmaid; 'kɑːrbəˌmaid] *s chem.* Carba'mid *n*, Harnstoff *m*.
car·bide ['kɑːrbaid] *s chem.* Kar'bid *n*.
car·bine ['kɑːrbain] *s mil.* Kara'biner *m*. **ˌcar·bi'neer, ˌcar·bi'nier** [-bi'nir] → carabineer.
car bod·y *s tech.* Karosse'rie *f*.
car·bo·hy·drate [ˌkɑːrbo'haidreit] *s chem.* 'Kohle(n)hyˌdrat *n*.
car·bol·ic ac·id [kɑːr'bɒlik] *s chem.* Kar'bol(säure *f*) *n*, Phe'nol *n*.
car·bo·lize ['kɑːrbəˌlaiz] *v/t chem.* mit Kar'bolsäure behandeln *od.* tränken.
car·bon ['kɑːrbən] *s* **1.** *chem.* Kohlenstoff *m*. **2.** *electr.* 'Kohle(elekˌtrode) *f*. **3.** a) 'Kohlepaˌpier *n*, b) 'Durchschlag *m*, Ko'pie *f*.
car·bo·na·ceous [ˌkɑːrbə'neiʃəs] *adj* **1.** *chem.* kohlenstoffhaltig, -artig. **2.** *geol.* kohlenhaltig. **3.** kohleartig.
car·bon·ate ['kɑːrbəˌneit; -nit] *chem.* **I** *s* **1.** Karbo'nat *n*, kohlensaures Salz: ~ **of lime** Kalziumkarbonat, Kreide *f*, Kalkstein *m*; ~ **of soda** Natriumkarbonat, kohlensaures Natron, Soda *n*. **II** *v/t* [-ˌneit] **2.** mit Kohlensäure *od.* Kohlen'dioˌxyd behandeln *od.* sättigen *od.* verbinden: ~**d water** kohlensäurehaltiges Wasser, Sodawasser *n*. **3.** karboni'sieren.
car·bon| black *s* Kohlenschwarz *n*, (Lampen)Ruß *m*. ~ **brush** *s electr.* Kohlebürste *f*, Schleifkohle *f*. ~ **but·ton** *s electr.* Mikro'phonkapsel *f*. ~ **cop·y** → carbon 3 b. ~ **di·ox·ide** *s chem.* Kohlen'dioˌxyd *n*, Kohlensäure *f*. '~**-diˌox·ide snow** *s tech.* Kohlensäureschnee *m*, Trockeneis *n*. ~ **di·sul·fide,** *a.* ~ **di·sul·phide** *s chem.* Schwefelkohlenstoff *m*. ~ **dust** *s electr.* Kohlenstaub *m*: ~ **microphone** Kohlenstaubmikrophon *n*.
car·bon·ic [kɑːr'bɒnik] *adj chem.* **1.** kohlenstoffhaltig: ~ **acid** Kohlensäure *f*. **2.** Kohlen... **3.** C~ → carboniferous 2 b.
car'bon·ic|-'ac·id gas → carbon dioxide. ~ **ox·ide** *s chem.* Kohlen'monoˌxyd *n*.
car·bon·if·er·ous [ˌkɑːrbə'nifərəs] **I** *adj* **1.** a) kohlenstoffhaltig, b) kohlehaltig, kohlig. **2.** *geol.* a) kohleführend, -haltig, b) C~ das Kar'bon betreffend, Karbon... **II** *s* **3.** C~ *geol.* a) Kar'bon *n*, b) Kar'bon *n* u. Perm *n*.
car·bon·i·za·tion [ˌkɑːrbənai'zeiʃən] *s* **1.** Verkohlung *f*. **2.** *chem. tech.* Durch'tränkung *f od.* Verbindung *f* mit Kohlenstoff, Karbonisati'on *f*. **3.** *tech.* Verkokung *f*, Verschwelung *f*: ~ **plant** Kokerei *f*. **4.** *Wollverarbeitung*: Karbonisati'on *f*. **5.** *geol.* Inkohlung *f*.
car·bon·ize ['kɑːrbəˌnaiz] **I** *v/t* **1.** verkohlen. **2.** *chem. tech.* karboni'sieren. **3.** *tech.* garen, verkoken. **II** *v/i* **4.** verkohlen: **to** ~ **at low temperature** schwelen.
car·bon| lamp *s tech.* Kohle(n)fadenlampe *f*. ~ **mi·cro·phone** *s electr.* 'Kohlemikroˌphon *n*. ~ **mon·ox·ide** *s chem.* Kohlen'monoˌxyd *n*. ~ **pa·per** *s* 'Kohlepaˌpier *n* (*a. phot.*). ~ **print** *s print.* Kohle-, Pig'mentdruck *m*. ~ **proc·ess** *s phot.* Pig'mentdruckverfahren *n*. ~ **steel** *s metall.* Kohlenstoff-, Flußstahl *m*. ~ **tet·ra·chlo·ride** *s chem.* Tetra'chlorkohlenstoff *m*. ~ **trans·mit·ter** → carbon microphone.
car·bon·yl ['kɑːrbəˌnil] *s chem.* Karbo'nyl *n*.
car·bo·run·dum [ˌkɑːrbə'rʌndəm] *s tech.* Karbo'rundum *n* (*Schleifmittel*).
car·boy ['kɑːrbɔi] *s* Korbflasche *f*, ('Glas)Balˌlon *m* (*bes. für Säuren*).
car·bun·cle ['kɑːrbʌŋkl] *s* **1.** *med.* Kar'bunkel *m*. **2.** a) rund geschliffener Gra'nat, b) *obs.* Kar'funkel(stein) *m*.
car·bu·ret [*Br.* 'kɑːrbju(ə)ˌret; *Am.* -bjə-; -bə-; *a.* -ˌreit] *chem.* **I** *s* **1.** Kar'bid *n*. **II** *v/t* **2.** mit Kohlenstoff verbinden. **3.** karbu'rieren. **'car·buˌret·ed,** *bes. Br.* **'car·buˌret·ted** *adj* karbu'riert. **car·bu·re·tion** [ˌkɑːrbju'reʃən; *Am. a.* -bə'reiʃən] *s* **1.** *chem.* Karbu'rierung *f*. **2.** *tech.* a) Vergasung *f*, b) Vergaseranordnung *f*.
car·bu·ret·or, *bes. Br.* **car·bu·ret·tor** [*Br.* 'kɑːrbju(ə)ˌretər; *Am.* -bjə-; -bə-; *a.* -bəˌreitər] *s* **1.** *mot. tech.* Vergaser *m*. **2.** *chem.* Karbu'rator *m*. ~ **float** *s tech.* Vergaserschwimmer *m*. ~ **nee·dle** *s tech.* Schwimmernadel *f*. ~ **jet** *s tech.* Vergaserdüse *f*.
car·bu·ret·ted, car·bu·ret·tor *bes. Br. für* carbureted, carburetor.
car·bu·rize [*Br.* 'kɑːrbju(ə)ˌraiz; *Am.* -bjə-; -bə-] *v/t tech.* **1.** *chem.* a) mit Kohlenstoff verbinden *od.* anreichern, b) karbu'rieren. **2.** einsatzhärten: ~**d steel** einsatzgehärteter Stahl. **3.** zemen'tieren.
car·ca·jou ['kɑːrkəˌdʒuː; -ˌʒuː] *s zo.* [Amer. Vielfraß *m*.]
car·ca·net ['kɑːrkəˌnet] *s obs.* Halsgeschmeide *n*, -schmuck *m*.
car·case, car·cass ['kɑːrkəs] *s* **1.** Ka'daver *m*, Aas *n*, (Tier-, *contp.* Menschen)Leiche *f*. **2.** *humor.* ‚Leichnam' *m* (*Körper*). **3.** Rumpf *m* (*e-s ausgeweideten Tieres*): ~ **meat** frisches (*Ggs. konserviertes*) Fleisch. **4.** *fig.* Ru'ine *f*, Trümmer *pl*, Wrack *n*. **5.** Gerippe *n*, Ske'lett *n*: **the** ~ **of a ship**. **6.** Rohbau *m*, Gerüst *n*. **7.** *tech.* Kar'kasse *f*, Leinwandkörper *m* (*e-s Gummireifens*). **8.** *mil. hist.* Kar'kasse *f*, 'Brandgraˌnate *f*.
car·cin·o·gen [kɑːr'sinədʒən] *s med.* Karzino'gen *n*, Krebserreger *m*. **ˌcar·ci·no'gen·ic** [-'dʒenik] *adj* karzino'gen, krebserzeugend. **ˌcar·ci'nol·o·gy** [-'nɒlədʒi] *s* **1.** *med.* Krebsforschung *f*. **2.** *zo.* Karzinolo'gie *f* (*Krebskunde*).
car·ci·no·ma [ˌkɑːrsi'noumə] *pl* **-ma·ta** [-mətə] *od.* **-mas** *s med.* Karzi'nom *n*, Krebsgeschwür *n*. **ˌcar·ci'no·sis** [-'nousis] *s med.* Karzi'nose *f* (*Krebskrankheit*).
card[1] [kɑːrd] **I** *s* **1.** (Spiel)Karte *f*: (**a game of** *od.* **at**) ~**s** Kartenspiel *n*; **house of** ~**s** *fig.* Kartenhaus *n*; **to play** (**at**) ~**s** Karten spielen; **to play one's** ~**s well** *fig.* geschickt vorgehen; **to put one's** ~**s on the table** *fig.* s-e Karten auf den Tisch legen; **to show one's** ~**s** *bes. fig.* s-e Karten aufdekken; **to throw up the** ~**s** *fig.* aufgeben, sich geschlagen geben; **a safe** ~ *fig.* e-e sichere Karte, ein sicheres Mittel; **he is a safe** ~ auf ihn kann man sich verlassen; **it is quite on the** ~**s** es ist durchaus möglich *od.* ‚drin'; **he holds all the** ~**s** er hat alle Trümpfe in der Hand; **he has a** ~ **up his sleeve** *fig.* er hat (noch) e-n Trumpf in der Hand. **2.** (Post)Karte *f*. **3.** (Geschäfts-, Vi'siten-, Speise-, Wein-, Hochzeits-, Einladungs- *etc*)Karte *f*. **4.** *tech.* (Loch)Karte *f*: ~ **accounting** Lochkartenabrechnung *f*; ~**-control(l)ed calculator** (loch)kartengesteuerte Rechenmaschine. **5.** Mitgliedskarte *f*: ~**-carrying member** eingeschriebenes Mitglied; **to get one's** ~**s** entlassen werden. **6.** (Eintritts)Karte *f*. **7.** *sport* Pro'gramm *n*: **the correct** ~ die richtige Liste; **the** ~ *colloq.* das Richtige. **8.** Windrose *f* (*e-s Kompasses*): **by the** ~ *fig.* präzise. **9.** a) *colloq.* Kerl *m*, Bursche *m*: **a knowing** ~ ein schlauer Kerl, b) *sl.* Kauz *m*, Origi'nal *n*: **a queer** ~ ‚e-e komische Marke'.
card[2] [kɑːrd] *tech.* **I** *s* **1.** Kar'dätsche *f*, Wollkratze *f*, Krempel *f*, Karde *f*. **2.** 'Krempelmaˌschine *f*. **II** *v/t* **3.** *Wolle* kar'dätschen, krempeln: ~**ed yarn** Streichgarn *n*.
car·dam·i·ne [kɑːr'dæminiː] *s bot.* Schaumkraut *n*.
Car·dan| joint ['kɑːrdæn] *s tech.* Kar'dan-, Kreuzgelenk *n*. ~ **shaft** *s tech.* Kar'dan-, Gelenkwelle *f*.
'card|ˌboard *s* Kar'ton(paˌpier *n*) *m*, Pappe *f*, Papp(en)deckel *m*: ~ **box** Pappschachtel *f*, -karton *m*. ~ **cat·a·log(ue)** *s* 'Zettelkataˌlog *m*, Karto'thek *f*, Kar'tei *f*. ~ **cloth,** ~ **cloth·ing** *s tech.* Kratzenleder *n*, -tuch *n*.
card·er ['kɑːrdər] *s tech.* **1.** Krempler *m*, Wollkämmer *m*. **2.** → carding machine.
card file → card catalog(ue).
car·di·a ['kɑːrdiə] *s anat.* **1.** Kardia *f*, Magenmund *m*. **2.** Magengrund *m*.
car·di·ac ['kɑːrdiˌæk] *med.* **I** *adj* **1.** Herz...: ~ **asthma**. **2.** die Kardia *od.* den Magengrund betreffend. **II** *s* **3.** Herzmittel *n*. ~ **in·farc·tion** *s med.* 'Herzinˌfarkt *m*. ~ **mur·mur** *s med.* Herzgeräusch *n*. ~ **or·i·fice** *s anat.* Magenmund *m*. ~ **valve** *s anat.* Herzklappe *f*.
car·di·al·gi·a [ˌkɑːrdi'ældʒiə] *s med.* [Sodbrennen *n*.]
car·di·gan ['kɑːrdigən] *s* wollene Strickjacke *od.* -weste, Wolljacke *f*.
car·di·nal ['kɑːrdinl] **I** *adj* (*adv* ~**ly**) **1.** grundsätzlich, hauptsächlich, Grund..., Haupt..., Kardinal...: **of** ~ **importance** von grundsätzlicher Bedeutung; ~ **number,** ~ **numeral** → 7; ~ **points** *geogr.* (*die*) vier (Haupt)-Himmelsrichtungen; ~ **signs** *astr.* (*die*) Hauptzeichen im Tierkreis; ~ **virtues** Kardinaltugenden. **2.** *relig.* Kardinals... **3.** scharlachrot: ~ **flower** Kardinalsblume *f*. **II** *s* **4.** *relig.* Kardi'nal *m*. **5.** *a.* ~ **bird** *orn.* Kardi'nal(vogel) *m*. **6.** Scharlachrot *n*. **7.** Kardi'nal-, Grundzahl *f*. **'car·di·nalˌate** [-nəˌleit] *s relig.* **1.** Kardi'nalswürde *f*. **2.** *collect.* Kardi'nalskolˌlegium *n*. **'car·di·nal-ˌship** *s* Kardi'nalswürde *f*.
card| in·dex → card catalog(ue). '~**-'in·dex** *v/t* **1.** e-e Kar'tei anlegen von. **2.** in e-e Kar'tei eintragen.
card·ing ['kɑːrdiŋ] *s tech.* Krempeln *n*, Kar'dätschen *n*. ~ **ma·chine** *s tech.* 'Krempelmaˌschine *f*.
car·di·o·gram ['kɑːrdiəˌgræm] *s med.* Kardio'gramm *n*. **'car·di·oˌgraph**

[-ˌgræ(ː)f; *Br. a.* -ˌgrɑːf] *s med.* Kardio'graph *m* (*Apparat*).
car·di·oid ['kɑːrdiˌɔid] **I** *s math.* Kardio'ide *f*, Herzkurve *f*. **II** *adj* herzförmig.
car·di·ol·o·gy [ˌkɑːrdi'ɒlədʒi] *s med.* Kardiolo'gie *f*, Herzheilkunde *f*.
car·di·tis [kɑːr'daitis] *s med.* Kar'ditis *f*, Herzentzündung *f*.
card| room *s* (Karten)Spielzimmer *n*. **'~ˌsharp(·er)** *s* Falschspieler *m*. **~ trick** *s* Kartenkunststück *n*. **~ vote** *s pol.* Abstimmung *f* durch Wahlmänner (*in Gewerkschaften*).
care [kɛr] **I** *s* **1.** Sorge *f*, Besorgnis *f*, Kummer *m*: **to be free from ~(s)** keine Sorgen haben; **without a ~ in the world** völlig sorgenfrei. **2.** Sorgfalt *f*, Achtsamkeit *f*, Aufmerksamkeit *f*, Vorsicht *f*: **ordinary ~** *jur.* verkehrsübliche Sorgfalt; **with due ~** mit der erforderlichen Sorgfalt; **to bestow great ~ (up)on** große Sorgfalt verwenden auf (*acc*); **have a ~!** *Br.* sei (seien Sie) vorsichtig!; **to take ~** a) vorsichtig sein, aufpassen, b) sich Mühe geben, c) darauf achten *od.* nicht vergessen (**to do** zu tun; **that** daß); **to take ~ not to do s.th.** sich hüten, etwas zu tun; etwas ja nicht tun. **3.** a) Obhut *f*, Schutz *m*, Fürsorge *f*, Betreuung *f*, (*Kinder- etc, a. Körper- etc*)Pflege *f*, b) Aufsicht *f*, Leitung *f*: **~ and custody** (*od.* **control**) *jur.* Sorgerecht *n*, Personensorge *f* (**to the person of** für *j-n*). **4.** a) Pflicht *f*: **his special ~s**, b) → **charge** 29 a u. b.
II *v/i* **5.** sich sorgen (**about** über *acc*, um). **6. ~ for** sorgen für, sich kümmern um, betreuen, pflegen: (**well**) **~d-for** (wohl)gepflegt. **7.** (**for**) Inter'esse haben (für), (*j-n*) gern haben *od.* mögen: **he doesn't ~ for her** er macht sich nichts aus ihr, er mag sie nicht. **8.** (*meist neg od. interrog*) sich etwas machen aus: **I don't ~ for whisky** ich mache mir nichts aus Whisky; **he ~s a great deal** es ist ihm sehr daran gelegen, es macht ihm schon etwas aus; **she doesn't really ~** in Wirklichkeit liegt ihr nicht viel daran; **I don't ~ a damn** (*od.* **fig, pin, straw**), **I couldn't ~ less** es ist mir völlig gleich(gültig) *od.* egal *od.* ‚schnuppe' *od.* ‚Wurst'!; **who ~s?** was macht das schon (aus)?; na, und (wenn schon)?; **for all I ~** meinetwegen, vor mir aus; **for all you ~** wenn es nach dir ginge. **9.** (*neg od. interrog*) Lust haben, es gern haben *od.* tun *od.* sehen: **I don't ~ to do it now** ich habe keine Lust, es jetzt zu tun; **I don't ~ to be seen with you** ich lege keinen Wert darauf, mit dir gesehen zu werden. **10.** (*neg od. konditional*) etwas da'gegen haben: **we don't ~ if you stay here** wir haben nichts dagegen *od.* es macht uns nichts aus, wenn du hierbleibst; **I don't ~ if I do!** *colloq.* von mir aus!
ca·reen [kə'riːn] **I** *v/t* **1.** *mar. Schiff* kielholen (*auf die Seite legen*). **2.** *mar. ein Schiff in dieser Lage* reinigen, ausbessern. **II** *v/i* **3.** *mar.* krängen, sich auf die Seite legen. **4.** *mar.* kielholen, Schiffe reinigen. **5.** *fig.* (hin u. her) schwanken, torkeln. **ca'reen·age** *s mar.* **1.** (*a.* Kosten *pl* der) Kielholung *f*. **2.** Kielholplatz *m*.
ca·reer [kə'rir] **I** *s* **1.** Karri'ere *f*, Laufbahn *f*, Werdegang *m*: **to enter upon a ~** e-e Laufbahn einschlagen. **2.** (*erfolgreiche*) Karri'ere: **to make a ~ for o.s.** Karriere machen. **3.** (Lebens)Beruf *m*: **~ man** (*od.* **officer**) *Am.* Berufsbeamte(r) *m*; **~ woman** *e-e* Frau, die in ihrem Beruf aufgeht; ‚Karrierefrau' *f*. **4.** gestreckter Ga'lopp, Karri'ere *f*: **in full ~** in vollem Galopp (*a. weitS.*). **II** *v/i* **5.** galop'pieren. **6.** rennen, rasen, jagen. **ca·reer·ist** [kə'ri(ə)rist] *s* Karri'eremacher *m*.
'careˌfree *adj* sorgenfrei, sorglos.
care·ful ['kɛrfəl; -ful] *adj* (*adv* **~ly**) **1.** vorsichtig, achtsam: **be ~!** gib acht!, nimm dich in acht!; **to be ~ to do** darauf achten zu tun, nicht vergessen zu tun; **be ~ not to do it!** tu das ja nicht! **2.** sorgfältig, gründlich: **a ~ study**; **to be ~ about s.th.** sorgfältig mit etwas zu Werke gehen. **3.** sorgsam bedacht, achtsam (**of, for, about** auf *acc*), 'umsichtig, behutsam: **be ~ of your clothes!** schone deine Kleidung! **4.** sparsam. **'care·ful·ness** *s* **1.** Vorsicht *f*, Behutsamkeit *f*. **2.** Sorgfalt *f*, Gründlichkeit *f*.
care·less ['kɛrlis] *adj* (*adv* **~ly**) **1.** nachlässig, unordentlich, liederlich. **2.** 'unüberˌlegt, unbedacht: **a ~ remark**; **a ~ mistake** ein Flüchtigkeitsfehler. **3.** (**of, about**) unachtsam (auf *acc*), unbekümmert (um), gleichgültig (gegen): **to be ~ of** nicht achten auf (*acc*). **4.** unvorsichtig, leichtsinnig, fahrlässig: **~ driving** *Br.* fahrlässiges Fahren. **5.** sorglos. **'care·less·ness** *s* **1.** Nachlässigkeit *f*. **2.** 'Unüberˌlegtheit *f*. **3.** Sorglosigkeit *f*, Unachtsamkeit *f*. **4.** Fahrlässigkeit *f*.
ca·ress [kə'res] **I** *s* **1.** Liebkosung *f*. **II** *v/t* **2.** liebkosen, herzen, streicheln. **3.** *fig.* schmeicheln (*dat*): **music ~es the ear.** **ca'ress·ing** *adj* (*adv* **~ly**) **1.** liebkosend, zärtlich. **2.** schmeichelnd.
car·et ['kærət] *s* Einschaltungszeichen *n* (∧) (*für fehlendes Wort im Text*).
'care|ˌtak·er I *s* **1.** Wärter(in), Pfleger(in). **2.** (Haus)Verwalter(in). **II** *adj* **3.** sachwaltend, vorläufig, Interims...: **~ government** geschäftsführende Regierung, Übergangskabinett *n*. **'~ˌtak·ing** *adj* sorgsam. **'~ˌworn** *adj* vergrämt, abgehärmt.
ca·rex ['kɛ(ə)reks] *pl* **car·i·ces** ['kæriˌsiːz] *s bot.* Segge *f*, Riedgras *n*.
'carˌfare *s Am.* Fahrpreis *m*, -geld *n*.
car·fax ['kɑːrfæks] *s Br.* (Straßen)Kreuzung *f* (*von 4 od. mehr Straßen*).
car·go ['kɑːrgou] *pl* **-goes** *od.* **-gos** *s* **1.** Ladung *f* (*bes. Schiff od. Flugzeug*): **general** (*od.* **mixed**) **~** Stückgutladung, gemischte Fracht; **to discharge a ~** e-e Ladung löschen; **to take in ~** einladen. **2.** Fracht(gut *n*) *f*. **~ airplane** *s* Trans'portflugzeug *n*. **~ boat** *s mar.* Frachtschiff *n*. **~ book** *s mar.* Ladebuch *n*. **'~-ˌcar·ry·ing** *adj* Fracht..., Transport...: **~ glider** *aer.* Lastensegler *m*. **~ hold** *s mar.* Laderaum *m*. **~ lin·er** *s aer. mar.* (regelmäßig verkehrendes) Frachtschiff *od.* Trans'portflugzeug. **~ par·a·chute** *s aer.* Lastenfallschirm *m*. **~ port** *s mar.* Luke *f*, Ladepforte *f*.
car·hop ['kɑːrˌhɒp] *s Am.* Kellner(in) in e-m 'Autorestauˌrant.
Car·ib ['kærib] *s* Kar(a)'ibe *m* (*Indianer*). **Car·ib·be·an** [ˌkæri'biːən; kə'ribiən] **I** *adj* **1.** kar(a)'ibisch: **~ Islands** Kar(a)ibische Inseln, Kleine Antillen. **II** *s* **2.** → **Carib.** **3.** *geogr.* Kar(a)'ibisches Meer.
car·i·bou, *a.* **car·i·boo** ['kæriˌbuː] *s sg u. pl collect. zo.* Kari'bu *n* (*nordamer. Ren*).
car·i·ca·ture ['kærikəˌtʃur; *Br. a.* -'tjuə] **I** *s* **1.** Karika'tur *f*: a) Spottbild *n*, b) *a. fig.* Kari'kierung *f*. **2.** Zerrbild *n*. **II** *v/t* **3.** kari'kieren. **4.** lächerlich darstellen *od.* machen. **ˌcar·i·ca'tur·ist** [-'tʃu(ə)rist; *Br. a.* -'tju(ə)-; *Am. a.* 'kærikətʃə-] *s* Karikatu'rist *m*.
car·i·es ['kɛ(ə)riːz; -riˌiːz] *s med.* Karies *f*: a) Knochenfraß *m*, b) Zahnfäule *f*.
car·il·lon ['kæriˌlɒn; kə'riljən] *s mus.* Caril'lon *n*: a) (Turm)Glockenspiel *n*, b) Stahlspiel *n*, c) *e-e Orgelmixtur*, d) 'Glockenspielmuˌsik *f*.
ca·ri·na [kə'rainə] *pl* **-nae** [-niː] *s bot. zo.* Kiel *m*. **car·i·nate** ['kæriˌneit] *adj bot. zo.* gekielt.
Ca·rin·thi·an [kə'rinθiən] *adj* kärntnerisch, Kärntner(...).
car·i·ous ['kɛ(ə)riəs] *adj med.* kari'ös, faul.
car jack *s tech.* Wagenheber *m*.
cark [kɑːrk] *s obs.* Kummer *m*, Sorge *f*. **'cark·ing** *adj* bedrückend, quälend.
carl(e) [kɑːrl] *s* **1.** *Scot.* Bursche *m*, Kerl *m*. **2.** *obs. od. dial.* Lümmel *m*.
car·li·na [kɑːr'lainə], **car·line** ['kɑːrlain] *s bot.* Eberwurz *f*.
'carˌload *s* **1.** Wagenladung *f*. **2.** *Am.* Wag'gonladung *f*: **less than ~** Stückgut *n*; **mixed ~** Sammelladung. **3.** *econ. Am.* Minimumladung *f* (*für ermäßigten Frachttarif*). **4.** *Am. fig.* e-e Menge.
Car·lo·vin·gi·an [ˌkɑːrlo'vindʒiən] → **Carolingian.**
'car·man [-mən] *s irr* **1.** Fuhrmann *m*. **2.** (Kraft)Fahrer *m*. **3.** *Am.* (Straßenbahn- *etc*)Fahrer *m od.* (-)Schaffner *m*.
Car·mel·ite ['kɑːrməˌlait] *relig.* **I** *s* Karme'liter(in). **II** *adj* Karmeliter...
car·min·a·tive ['kɑːrmiˌneitiv; kɑːr'minətiv] *med.* **I** *s* Mittel *n* gegen Blähungen. **II** *adj* windtreibend.
car·mine ['kɑːrmain; -min] **I** *s* **1.** Kar'minrot *n*. **2.** Kar'min *n* (*Farbstoff*). **II** *adj* **3.** kar'minrot.
car·nage ['kɑːrnidʒ] *s* Blutbad *n*, Gemetzel *n*.
car·nal ['kɑːrnl] *adj* (*adv* **~ly**) fleischlich, sinnlich: a) körperlich, b) geschlechtlich, sexu'ell: **~ delight** Fleisches-, Sinnenlust *f*; **~ desire** sinnliche Begierde; **to have ~ knowledge of s.o.** mit j-m geschlechtlichen Umgang haben. **car·nal·i·ty** [kɑːr'næliti] *s* Fleischeslust *f*, Sinnlichkeit *f*. **'car·nalˌize** *v/t* sinnlich machen.
car·nas·si·al [kɑːr'næsiəl] *zo.* **I** *adj* Fleischfresser..., Reiß... (*Zahn*). **II** *s* Reißzahn *m*.
car·na·tion [kɑːr'neiʃən] *s* **1.** *bot.* (Garten)Nelke *f*. **2.** Blaßrot *n*, Rosa *n*. **3.** *paint.* Fleischfarbe *f*, -ton *m*.
car·ni·val ['kɑːrnivəl] *s* **1.** Karneval *m*, Fasching *m*. **2.** Vergnügungspark *m*. **3.** ausgelassene Lustbarkeit.
car·niv·o·ra [kɑːr'nivərə] *s pl zo.* Fleischfresser *pl*. **'car·niˌvore** [-ˌvɔːr] *s* **1.** *zo.* fleischfressendes Tier, *bes.* Raubtier *n*. **2.** *bot.* fleischfressende Pflanze. **car'niv·o·rous** *adj* (*adv* **~ly**) *bot. zo.* fleischfressend.
car·ob ['kærəb] *s bot.* **1.** Jo'hannisbrotbaum *m*. **2.** *a.* **~ bean** Jo'hannisbrot *n*.
ca·roche [kə'routʃ; -'rouʃ] *s hist.* Ka'rosse *f*, Staatskutsche *f*.
car·ol ['kærəl] **I** *s* **1.** Freuden-, Lobgesang *m*, Jubellied *n*. **2.** (Weihnachts)Lied *n*: **~ singers** Weihnachtssänger (*Kinder, die am Weihnachtsabend singend von Haus zu Haus ziehen*). **II** *v/i* **3.** fröhlich singen, jubi'lieren. **4.** Weihnachtslieder singen.
Car·o·lin·gi·an [ˌkærə'lindʒiən] *hist.* **I** *adj* karolingisch. **II** *s* Karolinger *m*.
car·om ['kærəm] *bes. Am.* **I** *s* **1.** *Billard*: Karambo'lage *f*. **II** *v/i* **2.** e-e Karambo'lage erzielen. **3.** auftreffen u. zu'rückprallen (*Ball, Kugel*). **4.** *fig.* abprallen.

car·o·tene ['kærə,tiːn] *s chem.* Caro'tin *n.*
ca·rot·id [kə'rɒtid] *anat.* **I** *s* Ka'rotis *f*, Halsschlag-, Kopfschlagader *f.* **II** *adj* die Ka'rotis betreffend.
car·o·tin ['kærətin] → **carotene.**
ca·rous·al [kə'rauzəl] *s* **1.** Trinkgelage *n*, Zeche'rei *f.* **2.** *Am.* Karus'sell *n.*
ca·rouse [kə'rauz] **I** *v/i* (lärmend) zechen, trinken. **II** *s* → **carousal** 1.
car·ou·sel → **carrousel.**
carp[1] [kɑːrp] *v/i* (**at**) (her'um)nörgeln (an *dat*), kritteln (über *acc*).
carp[2] [kɑːrp] *s ichth.* Karpfen *m.*
car·pal ['kɑːrpəl] *anat.* **I** *s* **1.** Handwurzel *f.* **2.** Handwurzelknochen *m.* **II** *adj* **3.** Handwurzel...: ~ **bone** → 2.
car park *s* Parkplatz *m.*
car·pel ['kɑːrpəl] *s bot.* Fruchtblatt *n.*
car·pen·ter ['kɑːrpəntər] **I** *s* (*mar.* Schiffs)Zimmermann *m*, (Bau)Tischler *m.* **II** *v/t u. v/i* zimmern. ~ **ant** *s zo.* (*e-e*) Holzameise. ~ **bee** *s zo.* (*e-e*) Holzbiene.
car·pen·ter·ing ['kɑːrpəntəriŋ] *s* Zimme'rei *f*, Zimmermannsarbeit *f.*
car·pen·ter| moth *s zo.* Holzbohrer *m.* ~ **scene** *s thea.* **1.** Szene *f* auf der Vorbühne. **2.** Zwischenvorhang *m.*
car·pen·try ['kɑːrpəntri] *s* **1.** Zimmerhandwerk *n.* **2.** → **carpentering.**
carp·er ['kɑːrpər] *s* Nörgler(in), Krittler(in).
car·pet ['kɑːrpit] **I** *s* **1.** Teppich *m* (*a. fig.*), (Treppen- *etc*)Läufer *m*: **a** ~ **of moss** ein Moosteppich; **to be on the** ~ a) zur Debatte stehen, auf dem Tapet sein, b) *colloq.* ‚zs.-gestaucht' werden; → **red carpet. 2.** (schwere) Decke. **II** *v/t* **3.** mit Teppichen *od.* e-m Teppich *od.* Läufer belegen. **4.** *Br. colloq.* *j-n* zur Rede stellen, ‚zs.-stauchen', zu'rechtweisen. '~,**bag** *s* Reisetasche *f.* '~,**bag·ger** *s Am. colloq.* **1.** (po'litischer) Abenteurer (*ursprünglich nach dem Bürgerkrieg 1861-65*). **2.** 'Schwindelbanki,er *m.* **3.** *allg.* Abenteurer *m*, Schwindler *m.* '~,**beat·er** *s* Teppichklopfer *m.* ~ **bed** *s* Teppichbeet *n.* ~ **bomb·ing** *s mil.* Bombenteppichwurf *m.* ~ **dance** *s* zwangloses Tänzchen.
car·pet·ing ['kɑːrpitiŋ] *s* **1.** 'Teppichstoff *m*, -materi,al *n*: **felt** ~ Teppichfilz *m.* **2.** *collect.* Teppiche *pl.*
car·pet| knight *s Br. humor.* Sa'lonlöwe *m.* ~ **moth** *s zo.* **1.** Ta'petenmotte *f.* **2.** Kleidermotte *f.* **3.** Larve *f* des Teppichkäfers. **4.** (*ein*) Blattspanner *m.* ~ **rod** *s* Läuferstange *f* (*für Treppenläufer*). ~ **sweep·er** *s* 'Teppichkehrma,schine *f.*
car·pi ['kɑːrpai] *pl von* **carpus.**
carp·ing ['kɑːrpiŋ] **I** *s* Nörge'lei *f*, Kritte'lei *f.* **II** *adj* (*adv* ~**ly**) nörgelig, krittelig.
car·po·lite ['kɑːrpə,lait] *s bot. geol.* Karpo'lith *m*, Fruchtversteinerung *f.*
car·pol·o·gy [kɑːr'pɒlədʒi] *s* Karpolo'gie *f*, Fruchtlehre *f*, -kunde *f.*
car·poph·a·gous [kɑːr'pɒfəgəs] *adj zo.* fruchtessend, von Früchten lebend.
car·po·phore ['kɑːrpə,fɔːr] *s bot.* Karpo'phor *m*, Fruchtträger *m.*
car·po·phyl ['kɑːrpəfil] → **carpel.**
'**car,port** *s Am.* Be'helfsga,rage *f.*
car·pus ['kɑːrpəs] *pl* **-pi** [-pai] (*Lat.*) *s anat.* Handgelenk *n*, -wurzel *f.*
car·rel ['kærəl] *s* kleine Lesenische (*im Bibliotheksmagazin*).
car·riage ['kæridʒ] *s* **1.** Wagen *m*, Kutsche *f*, Equi'page *f*: ~ **and pair** Zweispänner *m.* **2.** *Br.* Eisenbahnwagen *m.* **3.** Beförderung *f*, Fahren *n*, Trans'port *m* (*von Waren*). **4.** *econ.* Trans'port-, Beförderungskosten *pl*, Fracht(gebühr) *f*, Rollgeld *n*: **bill of** ~ (Bahn)Frachtbrief *m*; **to charge for** ~ Frachtkosten berechnen. **5.** *mil.* (Ge'schütz)La,fette *f*: **gun motor** ~ Selbstfahrlafette. **6.** *tech.* a) Fahrgestell *n* (*a. aer.*), Wagen *m* (*a. e-r Druck- od. Schreibmaschine*), b) Laufwerk *n*, c) Sup'port *m*, Schlitten *m* (*e-r Werkzeugmaschine*). **7.** (Körper)Haltung *f*, Gang *m*: **a graceful** ~. **8.** *pol.* 'Durchbringen *n* (*e-r Gesetzesvorlage*). **9.** *obs.* Benehmen *n*, Auftreten *n.* **10.** *obs.* Bürde *f.* '**car·riage·a·ble** *adj* **1.** transpor'tierbar. **2.** befahrbar: ~ **road.**
car·riage| bod·y *s* Wagenkasten *m*, Karosse'rie *f.* ~ **build·er** *s* Wagenbauer *m.* ~ **dog** → **coach dog.** ~ **drive** *s* Fahrweg *m* (*in e-m Park etc*). '~-'**for·ward** *adv Br.* unter Fracht- *od.* Portonachnahme. '~-'**free** *adj u. adv* frachtfrei, franko. ~ **horse** *s* Kutschpferd *n.* '~-'**paid** → **carriage-free.** '~,**way** *s* Fahrdamm *m*, -bahn *f*: **dual** ~ doppelte Fahrbahn.
car·ri·er ['kæriər] *s* **1.** Träger *m*, Über'bringer *m*, Bote *m.* **2.** Fuhrmann *m*, Spedi'teur *m*: → **common carrier. 3.** *mar.* Verfrachter *m.* **4.** *med.* Keimträger *m*, ('Krankheits)Über,träger *m.* **5.** a) *chem.* (Über)'Träger *m*, Kataly'sator *m*, b) *Atomphysik*: 'Träger(sub,stanz *f*) *m.* **6.** *tech.* a) Schlitten *m*, Trans'port *m*, b) Mitnehmer *m* (*auf Drehbänken*), c) 'Förderma,schine *f*, d) *phot.* Halterahmen *m*, e) Leitung *f.* **7.** Gepäckträger *m* (*am Fahrrad*). **8.** Trans'portbehälter *m.* **9.** *electr.* a) Träger(strom) *m*, b) Träger(welle *f*) *m.* **10.** → **aircraft carrier. 11.** → **carrier pigeon.** '~-,**bag** *s* Tragebeutel *m* (*aus Papier*). '~-,**based,** '~-,**borne** *adj mil.* (Flugzeug)Träger...: ~ **aircraft** Trägerflugzeug *n.* ~ **cur·rent** → **carrier** 9a. ~ **fre·quen·cy** *s electr.* 'Trägerfre,quenz *f.* ~ **pi·geon** *s* Brieftaube *f.* ~ **te·leg·ra·phy** *s electr.* 'Träger(fre,quenz)telegra,phie *f.* ~ **trans·mis·sion** *s electr.* **1.** 'Träger(fre,quenz)über,tragung *f.* **2.** *Radio*: Drahtfunk *m.* ~ **wave** → **carrier** 9b.
car·ri·on ['kæriən] **I** *s* **1.** Aas *n.* **2.** verdorbenes Fleisch. **3.** *fig.* Unrat *m*, Schmutz *m.* **II** *adj* **4.** aasfressend. **5.** aasig. ~ **bee·tle** *s zo.* Aaskäfer *m*, Totengräber *m.* ~ **crow** *s orn.* Aas-, Rabenkrähe *f.*
car·ron oil ['kærən] *s med.* Brandöl *n.*
car·rot ['kærət] *s* **1.** *bot.* Ka'rotte *f*, Möhre *f*, Mohrrübe *f*, Gelbe Rübe: ~ **or stick** *fig.* Zuckerbrot oder Peitsche. **2.** *pl colloq.* a) rotes Haar, b) Rotkopf *m.* '**car·rot·y** *adj* **1.** gelbrot. **2.** rothaarig.
car·rou·sel [,kæru'zel] *s* **1.** *bes. Am.* Karus'sell *n.* **2.** *hist.* Reiterspiel *n.*
car·ry ['kæri] **I** *s* **1.** Trag-, Schußweite *f.* **2.** *Golf*: Flugstrecke *f* (*des Balls*). **3.** *Am. od. Canad.* → **portage** 3.
II *v/t* **4.** tragen: **to** ~ **s.th. in one's hand; he carried his jacket** er trug s-e Jacke (*über dem Arm*); **pillars** ~**ing an arch** bogentragende Pfeiler; **to** ~ **one's head high** den Kopf hoch tragen; **to** ~ **o.s. well** a) sich gut halten, b) sich gut benehmen; **to** ~ **a disease** e-e Krankheit weitertragen *od.* verbreiten; **to** ~ **sails** *mar.* Segel führen; **he knows how to** ~ **his liquor** er kann e-e Menge (Alkohol) vertragen; **as fast as his legs could** ~ **him** so schnell ihn s-e Beine trugen. **5.** *fig.* tragen, (unter)'stützen. **6.** bringen, tragen, führen, schaffen, befördern: **to** ~ **mail** *rail.* Post befördern; **the pipes** ~ **water** die Rohre führen Wasser; → **Newcastle. 7.** *Nachricht etc* (über)'bringen: **to** ~ **a message; he carried his complaint to the manager** er trug s-e Beschwerde dem Geschäftsführer vor. **8.** mitführen, mit sich *od.* bei sich tragen: **to** ~ **arms; to** ~ **a watch** e-e Uhr bei sich tragen *od.* haben; **to** ~ **s.th. in one's head** *fig.* etwas im Kopf haben *od.* behalten; **to** ~ **with one** *fig.* im Geiste mit sich herumtragen. **9.** *fig.* (an sich *od.* zum Inhalt) haben: **to** ~ **conviction** überzeugen(d sein *od.* klingen); **to** ~ **a moral** e-e Moral (zum Inhalt) haben; **to** ~ **weight** Gewicht *od.* Bedeutung haben, viel gelten (**with** bei). **10.** *fig.* nach sich ziehen, zur Folge haben: **the crime carries a penalty; to** ~ **consequences** Folgen haben. **11.** weiterführen, (hin'durch-, hin'auf- *etc*)führen, *e-e Hecke, Mauer etc* ziehen: **to** ~ **the chimney through the roof** den Schornstein durch das Dach führen. **12.** *fig.* fortreißen, über'wältigen: **to** ~ **the audience with one** die Zuhörer mitreißen; **to** ~ **all** (*od.* **the world**) **before one** auf der ganzen Linie siegen, vollen Erfolg haben, Triumphe feiern. **13.** *fig.* treiben: **to** ~ **s.th. too far** (*od.* **to excess**) etwas übertreiben *od.* zu weit treiben; **to** ~ **it with a high hand** gebieterisch auftreten. **14.** *fig.* a) erreichen, 'durchsetzen: **to** ~ **into effect** verwirklichen, ausführen; → **point** 22, b) *pol. Antrag etc* 'durchbringen: **to** ~ **a motion unanimously** e-n Antrag einstimmig annehmen; **the motion was carried** der Antrag ging durch. **15.** *fig.* a) erlangen, erringen, gewinnen: **to** ~ **a prize,** b) siegreich *od.* erfolgreich her'vorgehen aus: **to** ~ **an election;** → **day** *Bes. Redew.*, c) *mil.* (ein)nehmen, erobern: **to** ~ **a fortress. 16.** *Früchte etc* tragen, her'vorbringen. **17.** *Mineralien etc* führen, enthalten. **18.** tragen, ernähren, unter'halten: **the country cannot** ~ **such a population. 19.** *e-n Bericht etc* bringen: **this newspaper carries no weather forecast. 20.** *econ.* a) *Ware* führen: **to** ~ **hardware,** b) in den Büchern führen: **to** ~ **a debt,** c) *Zinsen* tragen: **to** ~ **interest,** d) *Versicherung etc* zahlen: **to** ~ **insurance** versichert sein. **21.** *hunt. die Spur* festhalten (*Hund*). **22.** *mus. Ton, Melodie* tragen.
III *v/i* **23.** tragen (*a. mus. Ton, Stimme*). **24.** den Kopf *gut etc* halten (*Pferd*): **the horse carries well. 25.** tragen, reichen (*Stimme, Schußwaffe etc*): **his voice carries far** s-e Stimme trägt weit. **26.** sich *gut etc* tragen lassen. **27.** *Am.* Anklang finden, ‚einschlagen' (*Kunstwerk etc*).
Verbindungen mit Adverbien:
car·ry| a·bout *v/t* (mit sich) her'umtragen (*a. fig.*): **to** ~ **in one's mind.** ~ **a·long** *v/t* **1.** mitnehmen, forttragen. **2.** weiter-, fortführen. ~ **a·way** *v/t* **1.** weg-, forttragen, -schaffen. **2.** fortreißen. **3.** *fig.* a) verleiten, b) 'hinreißen, mit sich fortreißen. ~ **back** *v/t* **1.** zu'rücktragen, -bringen. **2.** *fig. Gedanken* zu'rücklenken (**to** auf *acc*). **3.** *fig.* zu'rückversetzen (**to** in *acc*): **this carries me back to my youth.** ~ **down** *v/t* hin'untertragen, -bringen. ~ **for·ward** *v/t* **1.** fortsetzen, (erfolgreich) fortführen. **2.** *econ. Summe, Saldo* vor-, 'übertragen: **amount carried forward** → **carry-over** 2. ~ **in** *v/t* hin'eintragen, -schaffen. ~ **off** *v/t* **1.** forttragen, -schaffen. **2.** abführen (**to prison** ins Gefängnis). **3.** entfüh-

ren. **4.** *j-n* hin'wegraffen (*Krankheit*). **5.** *Preis, Sieg etc* da'vontragen, erringen. **6.** to carry it off well die Sache gut durchstehen. **~ on I** *v/t* **1.** fortführen, -setzen, weiterführen. **2.** *Geschäft, Prozeß etc* betreiben, führen: to ~ business as a broker als Makler tätig sein. **3.** *e-n Plan etc* beharrlich verfolgen. **II** *v/i* **4.** weitermachen: ~! a) (mach) weiter!, *mil.* Weitermachen!, b) nur (immer) zu! **5.** *colloq.* a) ein ‚The'ater' *od.* e-e Szene machen, ‚angeben', b) sich ‚da'nebenbenehmen', es wild *od.* wüst treiben, c) ~ with ‚es haben' mit, ein (Liebes)Verhältnis haben mit *j-m.* **~ out** *v/t* **1.** hin'austragen, -schaffen, -bringen. **2.** aus-, 'durchführen: to ~ an order (plan, *etc*). **3.** erfüllen: to ~ a contract. **~ o·ver** *v/t* **1.** hin'übertragen, -schaffen, -führen. **2.** auf-, verschieben. **3.** *Waren etc* zu'rück(be)halten. **4.** *econ.* → carry forward 2. **5.** *Börse*: *Br.* prolon'gieren. **~ through** *v/t* **1.** 'durch-, ausführen. **2.** *etwas* 'durchsetzen. **3.** *j-m* 'durchhelfen, *j-n* 'durchbringen. **~ up** *v/t* **1.** hin'aufbringen, -führen, -tragen. **2.** *e-e Mauer etc* errichten, bauen. **3.** *Tatsachen etc* zu'rückverfolgen.

'car·ry|,all *s Am.* **1.** *hist.* leichter, gedeckter Einspänner. **2.** Per'sonenkraftwagen *m* mit Längssitzen. **3.** große (Einkaufs-, Reise)Tasche. **'~-,cot** *s* (Baby)Tragtasche *f*, Kindertrage *f*. **~ for·ward** *s econ. Br.* (Saldo)Vortrag *m*, 'Übertrag *m*.

car·ry·ing ['kæriiŋ] **I** *s* **1.** Tragen *n*. **2.** Trans'port *m*, Beförderung *f*. **II** *adj* **3.** tragend, haltend, Trag(e)...: ~ strap Tragriemen *m*, -gurt *m*. **4.** Speditions..., Transport...: ~ cost Transportkosten. **~ a·gent** *s* Spedi'teur *m*. **~ busi·ness** *s* Spediti'onsgeschäft *n*. **~ ca·pac·i·ty** *s tech.* **1.** *electr.* Belastbarkeit *f*. **2.** Lade-, Tragfähigkeit *f*. **'~-'on** *pl* **'~s-'on** *s colloq.* ‚The'ater' *n*, Af'färe *f*, Gehabe *n*: scandalous carryings-on ‚tolle Sachen', skandalöse Geschichten. **~ trade** *s* **1.** Trans'port-, Frachtgeschäft *n*. **2.** Trans'port-, Spediti'onsgewerbe *n*.

'car·ry-,o·ver *s econ.* **1.** Rest *m* (*e-r Ernte etc, der zur nächsten Partie dazugeschlagen wird*). **2.** 'Übertrag *m*, (Saldo)Vortrag *m*.

car| shed *s* (*Am. a. rail.*) Wagenschuppen *m*. **'~,sick** *adj* auto- *od.* eisenbahnkrank. **~ sick·ness** *s* Auto-, Eisenbahnkrankheit *f*.

cart [kɑːrt] **I** *s* **1.** (*meist zweirädriger*) (Fracht-, Last)Karren, Karre *f*: ~ horse Zugpferd *n*, Karrengaul *m*; to be in the ~ *Br. sl.* ‚in der Klemme sein'; to put the ~ before the horse *fig.* das Pferd beim Schwanz aufzäumen. **2.** zweirädriger Wagen (*für Personen*). **3.** (Hand)Wagen *m*, Wägelchen *n*. **II** *v/t* **4.** karren, in e-m Karren befördern *od.* fahren: to ~ about *fig.* umherschleppen. **cart·age** ['kɑːrtidʒ] *s* **1.** Fahren *n*, Trans'port *m*. **2.** Fuhrlohn *m*, Rollgeld *n*.

carte [kɑːrt] *s fenc.* Quart *f*.

carte blanche ['kɑːrt 'blɑ̃ʃ; 'blɑːnʃ] *pl* **cartes blanches** ['kɑːrts] *s* **1.** *econ.* Blan'kett *n*. **2.** *fig.* unbeschränkte Vollmacht: to have ~ (völlig) freie Hand haben.

car·tel [kɑːr'tel; 'kɑːrtel] *s* **1.** *econ.* Kar'tell *n*. **2.** *oft* C~ *pol.* Kar'tell *n* (*festes Bündnis mehrerer Parteien*). **3.** *mil.* Abkommen *n* über den Austausch von Kriegsgefangenen. **4.** schriftliche Her'ausforderung zum Zweikampf. **'car·tel·ism** *s* Kar'tellwesen *n*.

car·tel·i·za·tion [,kɑːrtəlai'zeiʃən; -li-] *s econ.* Kartel'lierung *f*. **'car·tel,ize** *v/t u. v/i* kartel'lieren.

cart·er ['kɑːrtər] *s* Fuhrmann *m*.

Car·te·sian [kɑːr'tiːʒən; *Br. a.* -ziən] **I** *adj* **1.** kar'tesisch, kartesi'anisch. **II** *s* **2.** Kartesi'aner *m*. **3.** *a.* ~ curve *math.* kar'tesische Kurve. **Car'te·sian,ism** *s philos.* Kartesia'nismus *m*, Lehre *f* des Des'cartes.

Car·tha·gin·i·an [,kɑːrθə'dʒiniən] **I** *adj* kar'thagisch. **II** *s* Kar'thager(in).

Car·thu·sian [*Br.* kɑːr'θjuːziən; -'θuː-; *Am.* -ʒən] **I** *s* **1.** Kar'täuser(mönch) *m*. **2.** *Br.* Schüler *m* der Charterhouse-Schule (*in England*). **II** *adj* **3.** Kartäuser...

car·ti·lage ['kɑːrtilidʒ] *s anat.* Knorpel *m*. **,car·ti'lag·i·nous** [-'lædʒinəs] *adj anat. zo.* knorpelig, Knorpel...

'cart,load *s* Karren-, Wagenladung *f*, Fuder *n*, Fuhre *f*: by ~s fuder-, fuhren-, wagenweise.

car·to·gram ['kɑːrto,græm] *s* Karto'gramm *n*, sta'tistische Karte.

car·tog·ra·pher [kɑːr'tɒgrəfər] *s* Karto'graph(in), Kartenzeichner(in). **,car·to'graph·ic** [-tə'græfik], **,car·to'graph·i·cal** *adj* karto'graphisch: ~ distance Entfernung *f* auf der Karte. **car'tog·ra·phy** *s* Kartogra'phie *f*.

car·ton ['kɑːrtən] *s* **1.** ('Papp)Kar,ton *m*, (Papp)Schachtel *f*. **2.** weiße Scheibe, (*das*) ‚Schwarze' (*der Schießscheibe*).

car·toon [kɑːr'tuːn] **I** *s* **1.** Karika'tur *f*, Witzzeichnung *f*. **2.** Zeichentrickfilm *m*. **3.** *Am.* Karika'turenreihe *f* in Fortsetzungen (*in Zeitschriften etc*). **4.** *paint.* Kar'ton *m*, Entwurf *m* (*in natürlicher Größe*). **II** *v/t* **5.** kari'kieren. **6.** *paint.* als Kar'ton entwerfen. **III** *v/i* **7.** Karika'turen zeichnen. **car'toon·ist** *s* Karikatu'rist *m*.

car·touch(e) [kɑːr'tuːʃ] *s* **1.** Kar'tusche *f*: a) *arch. medaillonförmiges Ornamentmotiv*, b) *Umrahmung e-r ägyptischen Hieroglyphe, die e-n Königsnamen darstellt.* **2.** a) Sprengkapsel *f* (*e-s Feuerwerkskörpers*), b) *mil.* Pa'pierkar,tuschhülse *f*.

car·tridge ['kɑːrtridʒ] *s* **1.** *mil.* a) Pa'trone *f*: blank ~ Platzpatrone; → ball cartridge, drill cartridge, b) *Artillerie*: Kar'tusche *f*. **2.** *phot.* 'Filmpa,trone *f*. **3.** *phys.* Spaltstoffhülse *f*. **4.** Tonabnehmer *m* (*des Plattenspielers*). **~ belt** *s mil.* **1.** Pa'tronen-, Ladegurt *m* (*MG*). **2.** Pa'tronentragegurt *m*. **~ case** *s* Pa'tronenhülse *f*: ~ jacket Hülsenmantel *m*. **~ clip** *s mil.* Ladestreifen *m*. **~ fuse** *s electr.* Pa'tronensicherung *f*. **~ pa·per** *s tech.* **1.** 'Kardus-, 'Linienpa,pier *n*. **2.** Kar'tonpa,pier *n*.

cart| road, '~,way *s* Fahrweg *m* (für Karren). **~ wheel** *s* **1.** Wagenrad *n*. **2.** *sport* (*seitliches geschlagenes*) Rad: to do (*od.* turn) ~s radschlagen. **3.** *humor.* a) amer. Silberdollar *m*, b) brit. Kronenstück *n*. **'~,wheel** *v/i* **1.** radschlagen. **2.** a) sich mehrmals (seitlich) über'schlagen, b) *aer.* auf e-m Flügelende landen. **'~,wright** *s* Stellmacher *m*, Wagenbauer *m*.

car·un·cle ['kærʌŋkl; kə'rʌŋkl] *s* **1.** *med.* Ka'runkel *m*, Fleischgeschwulst *f*. **2.** *orn.* Fleischauswuchs *m*, -lappen *m*. **3.** *bot.* Auswuchs *m*.

carve [kɑːrv] **I** *v/t* **1.** (*in*) *Holz* schnitzen, (*in*) *Stein* meißeln: ~d work Schnitzwerk *n*, -arbeit *f*. **2.** ausschnitzen, -meißeln: to ~ out of stone aus Stein meißeln *od.* hauen. **3.** einschneiden, -meißeln: to ~ a design in stone. **4.** (mit Schnitze'reien) verzieren: to ~ a stone with figures. **5.** *Fleisch etc* zerlegen, vorschneiden, tran'chieren. **6.** *oft* ~ out *fig.* a) gestalten: to ~ out a fortune ein Vermögen machen, b) for o.s. sich *e-n Weg* bahnen, *Karriere* machen. **7.** *meist* ~ up *Gebiet etc* aufteilen. **II** *v/i* **8.** schnitzen, meißeln. **9.** (*bei Tisch*) vorschneiden, tran'chieren.

car·vel ['kɑːrvəl] → caravel. **'~-,built** *adj mar.* kar'weel-, glattgebaut (*Ggs. klinkergebaut*): ~ boat Karweelboot *n*.

carv·en ['kɑːrvən] *adj poet.* geschnitzt, gemeißelt: a ~ image.

carv·er ['kɑːrvər] *s* **1.** (Holz)Schnitzer *m*, Bildhauer *m*. **2.** Vorschneider *m* (*bei Tisch*). **3.** Tran'chiermesser *n*: (a pair of) ~s Tranchierbesteck *n*.

'carve-,up *s Br. sl.* Schwindel *m*.

carv·ing ['kɑːrviŋ] *s* **1.** Schnitzen *n*, Meißeln *n*. **2.** Schnitze'rei *f*, Schnitzwerk *n*, geschnitztes Bildwerk. **3.** Tran'chieren *n*. **~ chis·el** *s tech.* Schnitzmeißel *m*, Bos'siereisen *n*. **~ knife** *s irr* Tran'chiermesser *n*.

car·y·at·id [,kæri'ætid] *pl* **-i·des** [-,diːz], *a.* **-ids** *s arch.* Karya'tide *f* (*weibliche Figur als Säule*).

ca·sa·ba [kə'sɑːbə], *a.* **~ mel·on** *s bot.* 'Winterme,lone *f*.

cas·cade [kæs'keid] **I** *s* **1.** Kas'kade *f*, (*bes. mehrstufiger*) Wasserfall. **2.** *etwas kaskadenartig Fallendes, z. B.* Faltenwurf *m*. **3.** (*bes.* 'Spitzen)Ja,bot *n*. **4.** Kas'kade *f*: a) *Feuerwerkskörper*, b) *chem. Anordnung über- od. hintereinandergeschalteter Gefäße od. Geräte*, c) *electr.* → cascade connection. **II** *v/i* **5.** a) kas'kadenartig her'abstürzen, b) *fig.* regnen, haufenweise her'einkommen (*Briefe etc*). **III** *v/t* **6.** *electr.* in Kas'kade schalten: ~d circuit Kaskadenschaltung *f*. **~ am·pli·fi·ca·tion** *s electr.* Kas'kadenverstärkung *f*. **~ bomb·ing** *s mil.* Kas'kaden-, Mar'kierungsbombenwurf *m*. **~ con·nec·tion** *s electr.* Kas'kade(nschaltung) *f*.

case[1] [keis] **I** *s* **1.** Fall *m*: a ~ in point ein typischer Fall, ein einschlägiges Beispiel; a clear ~ of injustice ein klarer Fall von Ungerechtigkeit; he is a hard ~ er ist ein schwieriger Fall; it is a ~ of es handelt sich um. **2.** Fall *m*, 'Umstand *m*, Lage *f*: in any ~ auf jeden Fall, jedenfalls, sowieso; in no ~ auf keinen Fall, keinesfalls; in ~ (that) im Falle daß, falls; in ~ of im Falle von (*od. gen*); in ~ of need nötigenfalls, im Notfall; in that ~ in diesem Falle; the ~ is this die Sache ist 'die, der Fall liegt 'so; as the ~ may be je nachdem. **3.** Fall *m*, Tatsache *f*: that is not the ~ (with him) das ist (bei ihm) nicht der Fall, das trifft (auf ihn) nicht zu; as is the ~ with me wie es bei mir der Fall ist; if that is the ~ wenn das der Fall ist, wenn das zutrifft. **4.** Sache *f*, Angelegenheit *f*, Frage *f*: ~ of conscience Gewissensfrage; that alters the ~ das ändert die Sache; to come down to ~s *colloq.* zur Sache kommen; → 6. **5.** *jur.* (Streit)Sache *f*, (Rechts)Fall *m*: the ~ of Brown der Fall Brown; → leading case. **6.** *bes. jur.* a) (Gesamtheit *f* der) Tatsachen *pl* u. Beweise *pl*, Be'weismateri,al *n*, b) (*a.* begründeter) Standpunkt (*e-r Partei*), c) *allg.* Argu'mente *pl*, (triftige) Gründe *pl*: the ~ for the defence die Verteidigung; to make out a ~ s-e Sache beweisen; to make out one's ~ triftige Gründe vorlegen, s-e Gründe als stichhaltig beweisen; **to state one's ~** s-e Klage *od.* Verteidigung *od.* (*a. allg.*) s-e Sache vortragen; **he has a good** (*od.* **strong**) ~ viele Tatsachen sprechen für ihn, er hat gute Beweise, s-e Sache steht gut; **there is a ~ for it** es gibt triftige Gründe dafür, vieles spricht dafür; → **rest**[1] 28. **7.** *ling.* Kasus *m*, Fall *m.* **8.** *med.* (Krankheits)Fall *m*, Pati'ent(in): **two ~s of typhoid** zwei Fälle von Typhus *od.* zwei Typhuskranke; → **mental**[2] 3. **9.** *colloq.* komischer Kauz. **10.** *sl.* Verliebtheit *f*: **they had quite a ~ on each other** *Am.* ‚sie waren schrecklich ineinander verknallt'.

II *v/t* **11.** *Am. sl.* ‚ausbaldowern'.

case[2] [keis] **I** *s* **1.** Kiste *f*, Kasten *m* (*mit Inhalt*): **a ~ of wine** e-e Kiste Wein. **2.** *allg.* Behälter *m*, Behältnis *n*, *bes.* a) Schachtel *f*, b) (*Schmuck*)-Kästchen *n*, c) (*Brillen-, Zigaretten- etc*)E'tui *n*, (*Brillen-, Messer*)Futte'ral *n*, (Schutz)Hülle *f* (*für Bücher, Messer etc*), d) (*Akten-, Schreib*)Mappe *f*, e) Koffer *m*, f) (*Glas*)Schrank *m*, g) (*Uhr- etc*)Gehäuse *n*, h) (*Kissen*)Bezug *m*, 'Überzug *m.* **3.** Besteckkasten *m* (*e-s Chirurgen etc*): **~ of instruments** Besteck *n.* **4.** *arch.* (Tür-, Fenster)Futter *n*, Einfassung *f.* **5.** *Buchbinderei*: Einbanddecke *f.* **6.** *print.* Setzkasten *m*: → **lower (upper) case. 7.** *tech.* Verkleidung *f*, Mantel *m.* **8.** *mil.* → **case shot.**

II *v/t* **9.** in ein Gehäuse *od.* Futte'ral stecken, mit e-m Gehäuse *od.* e-r Hülle um'geben. **10.** (**in**) einhüllen (in *acc*), um'geben (mit). **11.** *hunt. Tier* abziehen, abbalgen: **to ~ a fox. 12.** *Buchbinderei*: *Buchblock* (in die Einbanddecke) einhängen. **13.** *tech.* verkleiden, um'manteln. **14.** *print. Lettern* in den Setzkasten einordnen.

case| bind·ing *s* **1.** Einhängen *n* (*des Buchblocks*) in die Einbanddecke. **2.** Einbanddecke *f.* **'~ˌbook** *s* **1.** *jur.* Präju'dizienbuch *n.* **2.** *med.* Pati'entenbuch *n* (*des Arztes*). **'~-ˌbound** *adj* in fester Decke gebunden (*Buch*). **~ cast·ings** *s pl tech.* Hartguß *m.* **~ end·ing** *s ling.* Kasusendung *f.* **'~ˌhard·en** *v/t* **1.** *metall.* einsatzhärten. **2.** *fig.* abhärten. **'~ˌhard·ened** *adj* **1.** *metall.* im Einsatz gehärtet, schalenhart. **2.** *fig.* abgehärtet, ‚hartgesotten'. **~ his·to·ry** *s* **1.** *bes. jur. sociol.* Vorgeschichte *f* (*e-s Falles*). **2.** *med.* Anam'nese *f*, Krankengeschichte *f.* **3.** Perso'nalakte *f.*

ca·se·in ['keisiin; -si:n] *s chem.* Ka-se'in *n.*

case| knife *s irr* Dolch *m*, Hirschfänger *m.* **~ law** *s jur.* Fallrecht *n* (*auf Präzedenzfällen beruhend*).

case·mate ['keismeit] *s mar. mil.* Kase'matte *f.*

case·ment ['keismənt] *s arch.* a) Fensterflügel *m*: **~ cloth** Gardinenstoff *m*, b) *a.* **~ window** Flügelfenster *n*, c) Hohlkehle *f.*

ca·se·ous ['keisiəs] *adj* käsig, käseartig.

ca·sern(e) [kə'zə:rn] *s mil.* Ka'serne *f.*

case| shot *s mil.* Schrap'nell *n*, Kar'tätsche *f.* **~ stud·y** *s sociol.* Einzelfallstudie *f.* **~ sys·tem** *s jur.* ('Rechts)'Unterricht *m* an Hand von Präze'denzfällen u. praktischen Beispielen. **'~ˌwork**[1] *s* **1.** *Buchbinderei*: 'Herstellen *n* der Buchdecken. **2.** *print.* Handsatz *m.* **'~ˌwork**[2] *s sociol.* sozi'ale Einzelarbeit (*samt Studium von Vorgeschichte u. Milieu*). **'~ˌwork·er** *s* Individu'alfürsorger(in).

cash[1] [kæʃ] **I** *s* **1.** (Bar)Geld *n*: → **hard cash. 2.** *econ.* Barzahlung *f*, Kasse *f*: **for ~, ~ down** gegen bar *od.* Barzahlung; **~ in advance** gegen Vorauszahlung; **for prompt** (*od.* **ready**) **~** gegen sofortige Kasse; **~ in bank** Bankguthaben *n*; **~ in hand** Bar-, Kassenbestand *m*; **in ~** per Kassa, bar; **to be in (out of) ~** (nicht) bei Kasse sein; **short of ~** knapp bei Kasse; **to turn into ~** zu Geld machen, einlösen; → **cash and carry,** de**livery** 1. **II** *v/t* **3.** *Scheck etc* einlösen, -wechseln, ('ein)kasˌsieren, zu Geld machen. **4.** (in bar) auszahlen.

Verbindung mit Adverb:

cash| in I *v/t* **1.** einlösen: **to ~ one's checks** (*od.* **chips**) a) *Am. colloq.* (*Poker etc*) s-e Spielmarken einlösen, b) *sl.* → 2. **II** *v/i* **2.** *sl.* ‚abtreten' (*sterben*). **3. ~ on** *Am. colloq.* profi'tieren von, Nutzen ziehen *od.* Kapi'tal schlagen aus: **to ~ on an idea.**

cash[2] [kæʃ] *s sg u. pl* Käsch *n* (*Gewicht u. Münze in Ostindien, China, Japan*).

cash| ac·count *s econ.* Kassenkonto *n.* **~ ad·vance** *s* Barvorschuß *m.* **~ and car·ry I** *s* Cash and carry (*Barzahlung u. Abtransport der Ware durch den Käufer selbst*). **II** *adv* (nur) gegen Barzahlung u. 'Übernahme des Trans'ports.

ca·shaw *s bot.* Me'lonenkürbis *m.*

cash| bal·ance *s econ.* Kassenbestand *m*, -saldo *m*, Barguthaben *n.* **'~ˌbook** *s* Kassabuch *n.* **'~ˌbox** *s* 'Geldkasˌsette *f.* **~ busi·ness** *s* Bar(zahlungs)-, Kassageschäft *n.* **~ crop** *s* leicht verkäufliches 'Landbauproˌdukt. **~ desk** *s* Kasse *f* (*Zahlstelle im Warenhaus etc*). **~ dis·count** *s* Kassaskonto *m, n.*

ca·shew [kə'ʃu:; 'kæ-] *s bot.* **1.** Aca'joubaum *m.* **2.** *a.* **~ nut** Aca'jounuß *f.*

cash·ier[1] [kæ'ʃir] *s* Kas'sierer(in), Kassenverwalter(in): **~'s cheque** (*Am.* **check**) Bankanweisung *f*, Kassenscheck *m*; **~'s office** Kasse *f.*

cash·ier[2] [kæ'ʃir] *v/t* **1.** *mil.* kas'sieren, (aus der Ar'mee *etc*) ausstoßen. **2.** verwerfen.

cash·mere ['kæʃmir] *s* **1.** Kaschmirwolle *f.* **2.** Kaschmir *m* (*Gewebe*). **3.** *a.* **C~ shawl** Kaschmirschal *m.*

cash| note *s econ.* Kassenanweisung *f.* **~ pay·ment** *s* Barzahlung *f.* **~ price** *s* Bar(zahlungs)-, Kassapreis *m.* **~ pur·chase** *s* Barkauf *m.* **~ reg·is·ter** *s* Regi'strier-, Kon'trollkasse *f.* **~ sale** *s* Bar-, Kassaverkauf *m*, -geschäft *n.*

cas·ing ['keisiŋ] *s* **1.** *tech.* a) Verkleidung *f*, Um'mantelung *f*, (Schutz)-Hülle *f*, (Ver)Schalung *f*, b) Gehäuse *n.* **2.** *tech.* Ver'schalungs-, Be'kleidungsmateriˌal *n.* **3.** (Fenster-, Tür)-Futter *n.* **4.** *mot.* Mantel *m*: **tyre ~. 5.** *tech.* Futterrohr *n* (*e-s Bohrloches etc*). **6.** Wurst-, Fleischerdarm *m.*

ca·si·no [kə'si:nou] *pl* **-nos, -ni** [-ni:] *s* ('Spiel-, Unter'haltungs)Kaˌsino *n*, Gesellschaftshaus *n.*

cask [*Br.* ka:sk; *Am.* kæ(:)sk] **I** *s* Faß *n*, Tonne *f*: **a ~ of wine** ein Faß Wein. **II** *v/t* in ein Faß *od.* in Fässer füllen.

cas·ket [*Br.* 'ka:skit; *Am.* 'kæ(:)s-] *s* **1.** Scha'tulle *f*, Kästchen *n.* **2.** *bes. Am.* Sarg *m.* **3.** *fig.* Gefäß *n.*

Cas·pi·an ['kæspiən] *adj* kaspisch: **~ Sea** Kaspisches Meer.

casque [kæsk] *s poet.* Helm *m.*

casqued *adj poet.* behelmt.

Cas·san·dra [kə'sændrə] *s fig.* Kas'sandra *f* (*Unglücksprophetin*).

cas·sa·tion [kæ'seiʃən] *s jur.* Kassati'on *f*, Aufhebung *f*: **Court of C~** Kassationshof *m.*

cas·se·role ['kæsəˌroul] *s* **1.** Kasse'rolle *f*, Tiegel *m.* **2.** Auflaufform *f.* **3.** a) Auflauf *m*, b) in der Kasse'rolle ser'viertes Gericht. **4.** *chem.* runder (Porzel'lan)Tiegel (*mit Griff*).

cas·sette [ka'sɛt] (*Fr.*) *s a. phot. tech.* Kas'sette *f.*

cas·sia [*Br.* 'kæsiə; *Am.* -ʃə] *s* **1.** *bot.* Kassie *f.* **2.** *a.* **~ tree** *bot.* Kassia-Zimtbaum *m.* **~ bark** *s* Kassiarinde *f.*

cas·si·mere ['kæsiˌmir] *s* Kasimir *m* (*feines weiches Wollgewebe*).

cas·si·no [kə'si:nou] *s* Ka'sino *n* (*Kartenspiel*).

cas·sock ['kæsək] *s relig.* Sou'tane *f.*

cast [*Br.* ka:st; *Am.* kæ(:)st] **I** *s* **1.** Wurf *m* (*a. mit Würfeln*): **~ of fortune** Zufall *m.* **2.** Wurfweite *f.* **3.** a) Auswerfen *n* (*der Angel etc*), b) Angelhaken *m*, Köder *m.* **4.** a) Gewölle *n* (*von Raubvögeln*), b) (*von Würmern aufgeworfenes*) Erdhäufchen, c) abgestoßene Haut (*e-s Insekts*). **5.** (*bes. seitwärts gerichteter*) Blick, (Augen)-Fehler *m*: **to have a ~ in one's eye** (etwas) schielen. **6.** *thea.* (Rollen)-Besetzung *f*: a) Rollenverteilung *f*, b) En'semble *n*, (*die*) Mitwirkenden *pl*: **with the full ~** in voller Besetzung. **7.** Faltenwurf *m* (*auf Gemälden*). **8.** Anlage *f* (*e-s Werkes*), Form *f*, Zuschnitt *m.* **9.** Schat'tierung *f*, (Farb)-Ton *m*, Anflug *m* (*a. fig.*): **to have a slight ~ of blue** ins Blaue spielen. **10.** Gesichtsschnitt *m.* **11.** *tech.* Guß(form *f*, -stück *n*) *m.* **12.** *tech.* Abdruck *m*, Mo'dell *n*, Form *f.* **13.** *med.* Gipsverband *m.* **14.** (*angeborene*) Art: **~ of mind** Geistesart. **15.** Typ *m*, Gattung *f*, Schlag *m.* **16.** a) Berechnung *f*, b) Aufrechnung *f*, Additi'on *f.*

II *v/t pret u. pp* **cast 17.** werfen: **to ~ a burden (up)on** *fig. j-m* e-e Last aufbürden; → **blame** 5, **die**[2] 1, **dust** 1, **lot** 1, **slur**[1] 3, **spell**[2] 2, **tooth** 1. **18.** *Angel, Anker, Lot, Netz etc* auswerfen. **19.** *zo.* a) *Haut, Gehörn* abwerfen, *Zähne* verlieren, b) *Junge* (vorzeitig) werfen, gebären. **20.** *Stimmzettel* abgeben: **to ~ one's vote** s-e Stimme abgeben. **21.** *Blicke* werfen, *sein Auge* richten (at, on, upon auf *acc*). **22.** *Licht, Schatten etc* werfen (on auf *acc*; over über *acc*). **23.** *jur. j-n* e-n Pro'zeß verlieren lassen. **24.** *meist* **~ up** zs.-zählen, ausrechnen: **to ~ accounts** *econ.* Abrechnung machen, Saldo ziehen; → **horoscope. 25.** *tech. Metall, Glas, Statue etc* gießen, formen. **26.** *fig.* formen, bilden, gestalten: → **mold**[1] 1. **27.** *thea.* a) *Stück* besetzen, b) (to) Rollen verteilen (an *acc*), zuweisen (*dat*): **the play is perfectly ~** das Stück ist ausgezeichnet besetzt; **he was badly ~** er war e-e Fehlbesetzung.

III *v/i* **28.** sich werfen, krumm werden (*Holz*), sich (ver)ziehen (*Stoff.*) **29.** die Angel auswerfen. **30.** *tech.* a) sich gießen *od.* formen lassen (*a. fig.*), b) sich formen. **31.** *mar.* abfallen.

Verbindungen mit Adverbien:

cast| a·bout I *v/t* **1.** um'herwerfen. **II** *v/i* **2.** *fig.* suchen (for nach; to do zu tun), sinnen (for auf *acc*), planen, über'legen (to do zu tun). **3.** *hunt.* nach der verlorenen Fährte suchen (*Hund*). **4.** *mar.* um'herlaˌvieren. **~ a·side** *v/t* bei'seite werfen *od.* schieben, verwerfen. **~ a·way** *v/t* **1.** weg-, verwerfen, sich entledigen (*gen*). **2.** verschwenden. **3. to be ~** *mar.* scheitern, verschlagen werden (*beide a. fig.*). **~ down** *v/t* **1.** niederwerfen (*a. fig. besiegen*). **2.** *fig.* demütigen, entmutigen: **to be ~** niedergeschlagen sein (about über *acc*). **3.** *die Augen* niederschlagen: to ~ one's eyes. **4.** *die Stimmung* dämpfen. **~ in** *v/t* hin'einwerfen: → lot 1. **~ off I** *v/t* **1.** ab-, wegwerfen, von sich werfen, sich *e-r Sache* entledigen, *Sohn etc* verstoßen. **2.** (*beim Stricken*) *Maschen* abnehmen. **3.** *print.* den 'Druck,umfang berechnen für (*ein Manuskript*). **II** *v/i* **4.** *mar. vom Land* abstoßen. **~ on** *v/t* (*beim Stricken*) *die ersten Maschen* aufnehmen. **~ out** *v/t* hin'auswerfen, vertreiben. **~ up** *v/t* **1.** aufwerfen, in die Höhe werfen. **2.** *die Augen* aufschlagen: to ~ one's eyes. **3.** → cast 24. **4.** erbrechen.

cas·ta·net [,kæstə'net] *s* Kasta'gnette *f.*

'cast·a,way I *s* **1.** Verworfene(r *m*) *f*, Verstoßene(r *m*) *f.* **2.** *mar.* Schiffbrüchige(r *m*) *f* (*a. fig.*). **II** *adj* **3.** weggeworfen, unnütz (*a. fig.*). **4.** *mar. u. fig.* schiffbrüchig, gestrandet.

caste [*Br.* kɑːst; *Am.* kæ(ː)st] *s* **1.** (*indische*) Kaste: ~ **feeling** Kastengeist *m*; ~ **mark** Kastenzeichen *n.* **2.** Kaste *f*, Gesellschaftsklasse *f.* **3.** gesellschaftliche Stellung, Rang *m*, Ansehen *n*: **to lose** ~ an gesellschaftlichem Ansehen verlieren (**with** bei).

cas·tel·lan ['kæstələn] *s* Kastel'lan *m*, Burg-, Schloßvogt *m.*

cas·tel·lat·ed ['kæstə,leitid] *adj* **1.** burgartig (gebaut), mit Türmen u. Zinnen (versehen). **2.** burgengekrönt. **3.** burgenreich.

cast·er [*Br.* 'kɑːstər; *Am.* 'kæ(ː)s-] *s* **1.** Berechner(in): ~ **of horoscopes** Horoskopsteller(in). **2.** *tech.* a) Gießer *m*, b) Walzrad *n*, c) Lenkrad *n*, d) → castor[2]. **3.** → castor[5].

cas·ti·gate ['kæsti,geit] *v/t* **1.** züchtigen. **2.** *fig.* geißeln, tadeln. **3.** *fig. Text* verbessern, emen'dieren. **,cas·ti'ga·tion** *s* **1.** Züchtigung *f.* **2.** Geißelung *f*, schwerer Tadel, scharfe Kri'tik. **3.** Textverbesserung *f.* **'cas·ti,ga·tor** [-tər] *s* **1.** Züchtiger *m.* **2.** Tadler *m.* **3.** Emen'dator *m.*

Cas·tile [kæs'tiːl] **I** *s a.* **c~ soap** O'livenöl,seife *f.* **II** *adj* ka'stilisch. **Cas'til·ian** [-'tiljən; -liən] **I** *s* **1.** Ka'stilier(in). **2.** *ling.* Ka'stilisch *n*, das Kastilische, Spanisch *n.* **II** *adj* **3.** ka'stilisch.

cast·ing [*Br.* 'kɑːstiŋ; *Am.* 'kæ(ː)s-] **I** *s tech.* **1.** a) Guß *m*, Gießen *n*, b) Gußstück *n*, c) Gußeisen *n*, d) *pl* Gußwaren *pl.* **2.** *Maurerei*: (roher) Bewurf, Kalkverputz *m*: **rough** ~. **3.** *thea.* → cast 6 a. **II** *adj* **4.** Wurf... **~ bot·tle** *s* Spritzfläschchen *n* (*für Parfüm*). **~ burr** *s tech.* Gußnaht *f.* **~ gate** *s tech.* Gußtrichter *m.* **~ la·dle** *s tech.* Gießkelle *f.* **~ net** *s* Wurfnetz *n.* **~ shop** *s tech.* Gieße'rei *f.* **~ vote** *s* (*die*) entscheidende Stimme: **he shall have the** ~ s-e Stimme entscheidet.

cast| i·ron *s tech.* Guß-, Roheisen *n.* **'~-'i·ron** *adj* **1.** gußeisern: ~ **castings** Grauguß(stücke) *m.* **2.** *fig.* eisern: a) unbeugsam: ~ **will**, b) 'unum,stößlich: ~ **rules**, c) völlig unempfindlich: ~ **constitution** eiserne Gesundheit.

cas·tle [*Br.* 'kɑːsl; *Am.* 'kæ(ː)sl] **I** *s* **1.** Ka'stell *n*, Burg *f*, Schloß *n*: ~ **in the air**, ~ **in Spain** *fig.* Luftschloß. **2.** *Schach*: Turm *m.* **3. The C~** die ehemalige brit. Verwaltung in Irland. **II** *v/i* **4.** *Schach*: ro'chieren. **'~-,build·er** *s* Pro'jektemacher *m*, Phan'tast *m.* **~ nut** *s tech.* Kronenmutter *f.*

'cast,off I *s* **1.** Verstoßene(r *m*) *f.* **2.** (*etwas*) Abgelegtes *od.* Weggeworfenes. **II** *adj* **3.** verstoßen. **4.** abgelegt, weggeworfen, 'ausran,giert: ~ **clothes.**

Cas·tor[1] [*Br.* 'kɑːstər; *Am.* 'kæ(ː)s-] *s* **1.** *astr.* Kastor *m* (*Stern*). **2.** *mar.* (*einflammiges*) Sankt Elmsfeuer.

cas·tor[2] [*Br.* 'kɑːstər; *Am.* 'kæ(ː)s-] *s* (schwenkbare) Laufrolle.

cas·tor[3] [*Br.* 'kɑːstər; *Am.* 'kæ(ː)s-] *s* **1.** *zo.* Biber *m.* **2.** *pharm.* Bibergeil *n.* **3.** → **beaver**[1] 3.

cas·tor[4] [*Br.* 'kɑːstər; *Am.* 'kæ(ː)s-] *s vet.* Spat *m.*

cas·tor[5] [*Br.* 'kɑːstər; *Am.* 'kæ(ː)s-] *s* **1.** Streubüchse *f* (*für Pfeffer etc*). **2.** *pl* Me'nage *f*, Gewürzständer *m.*

cas·tor| oil *s pharm.* Rizinus-, Kastoröl *n.* **~ sug·ar** *s Br.* Puderzucker *m.*

cas·trate ['kæstreit; *Br. a.* kæs'treit] *v/t* **1.** *med. vet.* ka'strieren, entmannen, verschneiden. **2.** *fig.* a) kraftlos machen, b) *ein Buch* (von anstößigen Stellen) reinigen, c) *e-n Text* verstümmeln. **cas'tra·tion** *s* Ka'strierung *f.*

cast steel *s tech.* Gußstahl *m.*

cas·u·al ['kæʒuəl; *Br. a.* -ʒju-] **I** *adj* (*adv* **~ly**) **1.** zufällig: **a** ~ **visit**; **a** ~ **observer.** **2.** gelegentlich, unregelmäßig: ~ **customers**; ~ **labo(u)rer** → 7 a; ~ **poor** → 7 c; ~ **ward** *Br.* Asyl *n* für Obdachlose. **3.** beiläufig: **a** ~ **remark**; **a** ~ **glance** ein flüchtiger Blick. **4.** lässig: a) gleichgültig, nachlässig, b) zwanglos, sa'lopp: **his** ~ **manner.** **5.** sportlich, sa'lopp (*Kleidung*): ~ **jacket** Freizeitjacke *f.* **II** *s* **6.** a) sportliches Kleidungsstück, Straßenanzug *m*, -kleid *n*, b) *pl* Slipper *pl* (*Schuhe mit flachen Absätzen*). **7.** a) Gelegenheitsarbeiter *m*, b) gelegentlicher Besucher *od.* Kunde, c) *Br.* gelegentlicher Fürsorgeempfänger. **8.** *pl mil. Am.* 'Durchgangsperso,nal *n.* **'cas·u·al,ism** *s philos.* Kasua'lismus *m*, Zufallsglaube *m.* **'cas·u·al·ness** *s* Nachlässigkeit *f*, Gleichgültigkeit *f.*

cas·u·al·ty ['kæʒuəlti; *Br. a.* -ʒju-] *s* **1.** Unfall *m.* **2.** a) Verunglückte(r *m*) *f*, Opfer *n*, b) *mil.* Verwundete(r) *m od.* Gefallene(r) *m*: **casualties** Opfer *pl* (*e-r Katastrophe etc*), *mil. meist* Verluste *pl*; ~ **list** Verlustliste *f*; ~ **clinic** *med.* Unfallstation *f*, Ambulanz *f.*

cas·u·ist ['kæʒuist; *Br. a.* -zju-] *s* Kasu'ist *m* (*a. fig. Haarspalter*). **,cas·u'is·tic** *adj*; **,cas·u'is·ti·cal** *adj* (*adv* **~ly**) kasu'istisch (*a. fig. spitzfindig*). **'cas·u·ist·ry** [-tri] *s* **1.** Kasu'istik *f.* **2.** Spitzfindigkeit *f.*

cat[1] [kæt] *s* **1.** *zo.* Katze *f*: (**domestic**) ~ Hauskatze; **he-~**, **tom-~**, **male** ~ Kater *m*; **she-~**, **female** ~ Katze. **2.** *fig.* Katze *f*, falsches Frauenzimmer: **old** ~ boshafte Hexe. **3.** → cat-o'-nine tails. **4.** *mar.* Katt *f.* **5.** → hepcat.

Besondere Redewendungen:

a ~ **may look at a king** sieht doch die Katze den Kaiser an; **it's raining ~s and dogs** es gießt in Strömen; **it's enough to make a** ~ **laugh** *colloq.* da lachen ja die Hühner; **to let the** ~ **out of the bag** die Katze aus dem Sack lassen; **to wait for the** ~ **to jump** die Entwicklung der Ereignisse abwarten; **to see which way the** ~ **jumps** *fig.* sehen, wie der Hase läuft; **there is not room to swing a** ~ *sl.* es ist kaum Platz zum Umdrehen; **to live like** ~ **and dog** wie Hund u. Katze leben; **to turn (the)** ~ **in (the) pan** flugs die Fronten wechseln; **when the ~'s away the mice will play** wenn die Katze aus dem Hause ist, tanzen die Mäuse (auf dem Tisch); **the ~'s pyjamas** (*od.* **whiskers**) *sl.* haarscharf das richtige, (genau) 'die Sache.

cat[2] [kæt] **I** *v/t* **1.** (aus)peitschen. **2.** *mar. den Anker* katten. **II** *v/i* **3.** *Br. sl.* ,kotzen', (sich er)brechen.

ca·tab·o·lism [kə'tæbə,lizəm] *s biol.* Katabo'lismus *m*, Abbau *m.*

cat·a·chre·sis [,kætə'kriːsis] *s ling.* Kata'chrese *f* (*Störung eines sprachlichen Bildes durch unlogische Begriffsverbindung*). **,cat·a·chres·tic** [-'krestik] *adj*; **,cat·a'chres·ti·cal** *adj* (*adv* **~ly**) 'mißbräuchlich.

cat·a·clysm ['kætə,klizəm] *s* **1.** *geol.* Kata'klysmus *m*, verheerende 'Umwälzung. **2.** *relig.* Sintflut *f.* **3.** *fig.* (völliger) 'Umsturz *od.* Zs.-bruch, Kata'strophe *f.* **,cat·a'clys·mic** *adj* 'umwälzend, verheerend.

cat·a·comb ['kætə,koum] *s* **1.** Kata'kombe *f.* **2.** Kellernische *f.*

cat·a·cous·tics [,kætə'kuːstiks] *s pl* (*meist als sg konstruiert*) *phys.* Kata'kustik *f.*

cat·a·falque ['kætə,fælk] *s* **1.** Kata'falk *m*, Trauergerüst *n.* **2.** offener Leichenwagen.

Cat·a·lan ['kætələn; -,læn] **I** *s* **1.** Kata'lane *m*, Kata'lanin *f.* **2.** *ling.* Kata'lanisch *n*, das Katalanische. **II** *adj* **3.** kata'lanisch.

cat·a·lec·tic [,kætə'lektik] *adj metr.* kata'lektisch, unvollständig (*Vers*).

cat·a·lep·sis [,kætə'lepsis], **'cat·a,lep·sy** [-si] *s med. psych.* Katalep'sie *f*, Starrkrampf *m.*

cat·a·logue, *Am. a.* **cat·a·log** ['kætə,lɒg] **I** *s* **1.** Kata'log *m.* **2.** Verzeichnis *n*, (Preis- *etc*)Liste *f.* **3.** *univ. Am.* (*Art*) Hochschulordnung *f.* **II** *v/t* **4.** in e-n Kata'log aufnehmen, katalogi'sieren. **'cat·a·log(u),ize** *v/t* → catalogue 4.

ca·tal·pa [kə'tælpə] *s bot.* Trom'petenbaum *m.*

ca·tal·y·sis [kə'tælisis] *s chem.* Kata'lyse *f.* **cat·a·lyst** ['kætəlist] *s* Kataly'sator *m.* **,cat·a'lyt·ic** [-'litik] *adj* kata'lytisch. **'cat·a,lyze** [-,laiz] *v/t* kata'lytisch beeinflussen, kataly'sieren (*a. fig.*). **'cat·a,lyz·er** *s* Kataly'sator *m.*

cat·a·ma·ran [,kætəmə'ræn] *s* **1.** *mar.* Floß *n.* **2.** *mar.* Auslegerboot *n.* **3.** *colloq.* ,Kratzbürste' *f*, Xan'thippe *f.*

cat·a·me·ni·a [,kætə'miːniə] *s physiol.* Menstruati'on *f*, Peri'ode *f.*

cat·a·mite ['kætə,mait] *s* Lustknabe *m.*

cat·am·ne·sis [,kætəm'niːsis] *s med.* Katam'nese *f* (*abschließender Krankheitsbericht*).

cat·a·mount ['kætə,maunt] *s zo. Am.* **1.** → cougar. **2.** → lynx 1. **3.** → catamountain 1.

cat·a·moun·tain [,kætə'mauntin] *s* **1.** *zo.* a) (euro'päische) Wildkatze, b) → leopard 1. **2.** *fig.* ,Tiger' *m*, Wüterich *m.*

'cat-and-'dog *adj* wie Hund u. Katze: [**a** ~ **life.**]

cat·a·phyll ['kætəfil], **,cat·a'phyl·la·ry** [-əri] *s bot.* Keim-, Niederblatt *n.*

cat·a·plasm ['kætə,plæzəm] *s med.* Kata'plasma *n*, 'Brei,umschlag *m.*

cat·a·plex·y ['kætə,pleksi] *s* Kataple'xie *f*, Schrecklähmung *f.*

cat·a·pult ['kætə,pʌlt] **I** *s* **1.** Kata'pult *m, n*: a) 'Wurfma,schine *f*, b) (Spiel-)Schleuder *f*, c) *aer.* Startschleuder *f*: ~ **seat** Schleudersitz *m*; ~ **take-off** Katapult-, Schleuderstart *m.* **II** *v/t* **2.** (*a. v/i*) mit e-m Kata'pult beschießen. **3.** schleudern.

cat·a·ract ['kætə,rækt] *s* **1.** Kata'rakt *m*, (*großer*) Wasserfall. **2.** *fig.* Wolkenbruch *m.* **3.** *med.* grauer Star.

ca·tarrh [kə'tɑːr] *s med.* Ka'tarrh *m*, Schnupfen *m.* **ca'tarrh·al** *adj* katar'rhalisch, Schnupfen...

ca·tas·ta·sis [kə'tæstəsis] *pl* **-ses** [-,siːz] *s thea.* Kata'stase *f*, Höhepunkt *m.*

ca·tas·tro·phe [kə'tæstrəfi] *s* **1.** Kata'strophe *f* (*a. im Drama*), Verhängnis *n*, tragischer Ausgang, Unglück *n*, Schicksalsschlag *m*. **2.** *geol*. Kata'strophe *f*, (*plötzliche*) 'Umwälzung. **cat·a·stroph·ic** [ˌkætəˈstrɒfik], ˌ**cat·a'stroph·i·cal** *adj* katastro'phal.

'**cat**|ˌ**bird** *s orn*. (*e-e*) amer. Spottdrossel. '~ˌ**boat** *s mar*. Catboat *n*, Katboot *n* (*kleines Segelboot mit Mast am Bug*). ~ **bur·glar** *s* Fas'sadenkletterer *m*, Einsteigdieb *m*. '~ˌ**call I** *s* Auspfeifen *n* (*als Zeichen des Mißfallens*), schriller Pfiff. **II** *v/i* pfeifen. **III** *v/t j-n* auspfeifen.

catch [kætʃ] **I** *s* **1.** Fangen *n*. **2.** Fang *m*, Beute *f* (*beide a. fig.*): a good ~ a) ein guter Fang (*beim Fischen od. fig.*), b) *colloq*. e-e gute Partie (*Heirat*); no ~ *colloq*. kein (gutes) Geschäft. **3.** *Baseball, Kricket*: a) Fang *m* (*e-s Balles*), b) Fänger *m*. **4.** Stocken *n* (*des Atems*): there was a ~ in his voice s-e Stimme stockte. **5.** Halt *m*, Griff *m*. **6.** *tech*. a) Haken *m*, Schnäpper *m*, (Tür)Klinke *f*: ~ of a lock Schließhaken, b) Sperre *f*, Sicherung *f*, Verschluß *m* (*e-r Brosche etc*), c) Knagge *f*, Mitnehmer *m*, d) *arch*. Halter *m*. **7.** *fig*. Haken *m*: a) Falle *f*, Schlinge *f*, Kniff *m*, b) Schwierigkeit *f*: there must be a ~ somewhere die Sache muß irgendwo e-n Haken haben. **8.** a) Brocken *m*, Bruchstück *n*, b) Pause *f*, kurze Unter'brechung: by ~es stückchenweise. **9.** *agr. Am*. Keimen *n*. **10.** *mus*. Kanon *m*.

II *v/t pret u. pp* **caught** [kɔːt] **11.** a) *e-n Ball etc* fangen, *a. e-n Blick* auffangen, (er)haschen, *ein Tier etc* (ein)fangen, *Flüssigkeiten* auffangen, b) *allg*. ,kriegen', bekommen, erwischen: to ~ a ball; to ~ s.o.'s eye → 15; to ~ a thief e-n Dieb fassen *od*. ,schnappen'; to ~ a train e-n Zug (noch) kriegen *od*. erwischen; → crab[1] 1, breath 1, glimpse 1, hip[1] 1, sight 2, Tartar[1] 2. **12.** *j-n* einholen. **13.** über'raschen, erwischen, ertappen (s.o. at s.th. j-n bei etwas; s.o. doing j-n dabei, wie er etwas tut): I caught myself lying ich ertappte mich bei e-r Lüge; they were caught in a storm sie wurden vom Sturm überrascht, sie gerieten in ein Unwetter; ~ me (doing that)! *Br. colloq*. (das) fällt mir nicht im Traum ein!, ,denkste'!; ~ him! *iro*. der läßt sich nicht erwischen!; he caught himself er hielt plötzlich inne (*beim Sprechen*), er fing sich (gerade noch); → nap[1] 2, unawares 2. **14.** *a. fig*. packen, ergreifen, erfassen: she caught her child to herself sie riß ihr Kind an sich; the fire caught the curtains das Feuer erfaßte die Vorhänge; he caught (*od*. was caught with) the general enthusiasm er wurde von der allgemeinen Begeisterung erfaßt *od*. angesteckt; → hold[2] 1. **15.** *fig*. fesseln, gefangennehmen: to ~ the ear ans Ohr dringen; to ~ the eye ins Auge fallen; to ~ s.o's eye (*od*. attention) j-s Aufmerksamkeit auf sich lenken; → speaker 2, fancy 7. **16.** erfassen, verstehen, ,mitkriegen': she did not ~ his name. **17.** *fig*. einfangen: he caught the atmosphere well; caught from life dem Leben abgelauscht. **18.** sich *e-e Krankheit etc* holen, sich *e-e Erkältung etc, a. e-e Strafe etc* zuziehen, bekommen: to ~ a cold; to ~ a bullet in one's leg e-n Schuß ins Bein abbekommen; to ~ it *sl*. ,sein Fett kriegen', ,eins aufs Dach bekommen'; → fire 1, hell 1. **19.** *fig*. *Gewohnheit, Aussprache* annehmen. **20.** a) streifen *od*. stoßen an (*acc*), b) hängenbleiben *od*. sich verfangen mit *etwas*: to ~ one's foot in s.th. mit dem Fuß in etwas hängenbleiben; my fingers were caught in the door ich klemmte mir die Finger in der Tür. **21.** *sl*. a) *e-n Schlag* versetzen (*dat*): to ~ s.o. a blow, b) treffen: the blow caught him on the chin.

III *v/i* **22.** fassen, greifen: to ~ at greifen *od*. schnappen nach, (*fig. Gelegenheit* gern) ergreifen. **23.** *tech*. inein'ander- *od*. eingreifen (*Räder*), einschnappen, -rasten (*Schloß etc*). **24.** sich verfangen, hängenbleiben: her dress caught on a nail; the plane caught in the trees. **25.** klemmen, festsitzen: the bolt ~es somewhere. **26.** sich ausbreiten (*Feuer*). **27.** ansteckend sein: this disease is not ~ing. **28.** *Am. colloq*. keimen, ausschlagen.

Verbindungen mit Adverbien:

catch| **on** *v/i colloq*. **1.** *bes. Am*. ka'pieren, verstehen (to s.th. etwas). **2.** einschlagen, Anklang finden, popu'lär werden. ~ **out** *v/t* **1.** ertappen. **2.** *Kricket*: *den Schläger* (durch Fangen des Balles) ,aus' machen. ~ **up** *v/t* **1.** aufhalten, unter'brechen. **2.** einholen: to ~ with s.o. a) j-n einholen, b) *fig*. mit j-m ,quitt' werden. **3.** (schnell) ergreifen, *a. Kleid* aufraffen. **4.** *fig. e-n Gedanken* aufgreifen.

catch·a·ble ['kætʃəbl] *adj* fangbar.

'**catch**|ˌ**all** *s Am*. Tasche *f od*. Behälter *m* für alles mögliche (*a. fig.*). '~**-as-'catch-'can** *s sport* Catch (as catch can) *n*, Freistilringkampf *m*. ~ **ba·sin** *s tech*. Auffangbehälter *m*. ~ **bolt** *s tech*. Riegel *m* mit Feder. ~ **crop** *s agr*. Zwischenfrucht *f*. '~ˌ**cry** *s* Schlagwort *n*.

catch·er ['kætʃər] *s* Fänger *m*.

'**catch**ˌ**fly** *s bot*. **1.** (*bes.* Garten)Leimkraut *n*. **2.** Pechnelke *f*.

catch·ing ['kætʃiŋ] *adj* (*adv* ~ly) **1.** *med*. ansteckend (*a. fig. Lachen etc*). **2.** *fig*. anziehend, fesselnd (to für). **3.** → catchy 1. **4.** verfänglich, arglistig: ~ bargain *jur*. arglistiges *od*. wucherisches Rechtsgeschäft.

catch·ment ['kætʃmənt] *s* **1.** (Auf)-Fangen *n* (*von Wasser*). **2.** *geol*. Auffangbehälter *m*, Reser'voir *n*. ~ **a·re·a**, ~ **ba·sin** *s geol*. Sammelbecken *n*, Einzugsgebiet *n* (*e-s Flusses*).

'**catch**|ˌ**pen·ny I** *adj* wertlos, Schund..., auf Kundenfang berechnet. **II** *s* Schund(ware *f*) *m*, 'Lock-, 'Schleuderarˌtikel *m*. '~ˌ**phrase** *s* Schlagwort *n*. '~ˌ**pole**, '~ˌ**poll** *s* Büttel *m*, Gerichtsdiener *m*. '~**·up** → ketchup. '~ˌ**weed** *s bot*. (*ein*) Labkraut *n*. '~ˌ**weight** *s sport* durch keinerlei Regeln beschränktes Gewicht e-s Wettkampfteilnehmers. '~ˌ**word** *s* **1.** Stichwort *n* (*im Lexikon etc*) (*a. thea.*). **2.** Schlagwort *n*. **3.** *print*. a) *hist*. Kustos *m*, b) Ko'lumnentitel *m*.

catch·y ['kætʃi] *adj colloq*. **1.** eingängig, leicht zu behalten(d): ~ melody. **2.** → catching 2 *u*. 4. **3.** unregelmäßig, abgerissen. **4.** schwierig.

cate [keit] *s meist pl* **1.** *obs*. Lebensmittel *pl*. **2.** Leckerbissen *pl*.

cat·e·che·sis [ˌkætiˈkiːsis] *s relig*. Kate'chese *f*. ˌ**cat·e'chet·ic** [-'ketik] *adj*; ˌ**cat·e'chet·i·cal** *adj* (*adv* ~ly) kate'chetisch.

cat·e·chin ['kætitʃin; -kin] *s chem*. Kate'chin *n*.

cat·e·chism ['kætiˌkizəm] *s* **1.** C~ *relig*. Kate'chismus *m*. **2.** *fig*. Reihe *f od*. Folge *f* von Fragen. '**cat·e·chist** *s relig*. Kate'chet(in), Religi'onslehrer(in). ˌ**cat·e'chis·tic**, ˌ**cat·e'chis·ti·cal** *adj relig*. kate'chetisch, Katechismus...

'**cat·e**ˌ**chize** *v/t* **1.** *relig*. katechi'sieren, durch Frage u. Antwort unter'richten. **2.** exami'nieren, ausforschen.

cat·e·chol ['kætiˌkɒl; -ˌkoul; -tiˌtʃ-] *s chem. phot*. 'Brenzkateˌchin *n*.

cat·e·chu ['kætiˌtʃuː; -kjuː] *s chem*. Katechu *n*, Katschu *n*.

cat·e·chu·men [ˌkætiˈkjuːmən] *s* **1.** *relig*. Konfir'mand(in). **2.** *fig*. Neuling *m*, Anfänger(in).

cat·e·gor·i·cal [ˌkætiˈgɒrikəl] *adj* (*adv* ~ly) **1.** *philos*. kate'gorisch: ~ imperative. **2.** *fig*. kate'gorisch, bestimmt, unbedingt. '**cat·e·go**ˌ**rize** [-gəˌraiz] *v/t* nach Katego'rien ordnen, einordnen, klassifi'zieren. **cat·e·go·ry** ['kætigəri] *s* Katego'rie *f*: a) *philos*. Begriffsklasse *f*, b) *fig*. Art *f*, Klasse *f*, Gruppe *f*.

ca·te·na [kəˈtiːnə] (*Lat.*) *s* **1.** Reihe(nfolge) *f*, Kette *f*. **2.** *relig*. Ka'tene *f* (*Reihe von Beweisstellen aus Kirchenschriftstellern zur Bibelauslegung*).

cat·e·nar·i·an [ˌkætiˈnɛ(ə)riən] *adj math*. zu e-r Kettenlinie gehörig. '**cat·e·nar·y** [-nəri] **I** *adj* Ketten...: ~**bridge** Hängebrücke *f*. **II** *s math*. Kettenlinie *f*. '**cat·e**ˌ**nate** [-ˌneit] *v/t* verketten, anein'anderreihen.

ca·ter ['keitər] *v/i* **1.** Lebensmittel liefern *od*. anschaffen. **2.** sorgen (for für). **3.** *fig*. (for, to) befriedigen (*acc*), etwas bieten (*dat*): to ~ to popular taste. **4.** *fig*. schmeicheln (to, for *dat*).

cat·er·an ['kætərən] *s* **1.** *mil. obs*. (*schottischer od. irischer*) Irregu'lärer. **2.** Ban'dit *m*, Räuber *m*.

'**cat·er-**ˌ**cor·ner(ed)** ['keitər; *Am. a*. 'kæt-] *adj* diago'nal.

'**ca·ter-**ˌ**cous·in** ['keitər] *s* **1.** (entfernter) Vetter. **2.** Busenfreund(in).

ca·ter·er ['keitərər] *s* ('Lebensmittel-*od*. 'Speise)Liefeˌrant *m*, Einkäufer *m*, Provi'antmeister *m*, Trai'teur *m* (*der* [*beruflich*] *für Essen, Trinken u. Bedienung* [*bei gesellschaftlichen Veranstaltungen*] *sorgt*).

cat·er·pil·lar ['kætərˌpilər] *s* **1.** *zo*. Raupe *f*. **2.** *fig*. a) Schma'rotzer, b) Erpresser *m*.

cat·er·waul ['kætərˌwɔːl] **I** *s* **1.** Mi'auen *n*, Schreien *n*, Katzengeschrei *n*. **2.** *fig*. Kreischen *n*, Gezeter *n*. **II** *v/i* **3.** mi'auen, schreien. **4.** *fig*. kreischen. **5.** *contp*. geil sein.

'**cat**|-ˌ**eyed** *adj* **1.** katzenäugig. **2.** im Dunkeln sehend. '~ˌ**fall** *s mar*. Kattläufer *m*. '~ˌ**fish** *s ichth*. **1.** Kat-, Katzenfisch *m*, Wels *m*. **2.** Petermännchen *n*. **3.** Gemeiner Seewolf. '~ˌ**gut** *s* **1.** *mus*. a) Darmsaite *f*, b) *weitS*. Geige *f*, c) *collect*. 'Streichinstruˌmente *pl*. **2.** *med*. Katgut *n*. **3.** (*Art*) Steifleinen *n*.

ca·thar·sis [kəˈθɑːrsis] *s* **1.** *Ästhetik*: Katharsis *f*. **2.** *med*. Entschlackung *f*. **3.** *psych*. seelische Entspannung, 'Abreaˌgieren *n*. **ca'thar·tic** [-tik] **I** *s pharm*. Entschlackungs-, Abführmittel *n*. **II** *adj* (*adv* ~ally) reinigend, (er)lösend, läuternd. **ca'thar·ti·cal** *adj* (*adv* ~ly) → cathartic II.

ca·the·dra [kəˈθiːdrə] *s* **1.** *relig*. a) Cathedra *f*, Bischofsstuhl *m*, b) Bistum *n*, c) Bischofswürde *f*. **2.** Ka'theder *m, n*.

ca·the·dral [kəˈθiːdrəl] *relig*. **I** *s* **1.** Kathe'drale *f*, Dom *m*. **II** *adj* **2.** Dom...: ~ church → 1; ~ town Stadt *f* mit Bischofssitz u. Kathedrale. **3.** Kathedral..., offizi'ell kirchlich, ex cathedra: ~ utterance.

Cath·er·ine wheel ['kæθrin; -ərin] *s* **1.** Katha'rinenrad *n*: a) *arch. ein Radfenster*, b) *her. Rad mit Spitzen od. Haken am Kranz*. **2.** Feuerrad *n* (*Feu-*

erwerkskörper). **3.** *sport* Rad *n*: to turn ~s radschlagen.

cath·e·ter ['kæθitər] *s med.* Ka'theter *m*. **'cath·e·ter,ize** *v/t* e-n Ka'theter einführen in (*acc*).

cath·e·tus ['kæθitəs] *s math.* **1.** Ka'thete *f*. **2.** Senkrechte *f*.

cath·o·dal ['kæθoudl] *adj electr.* Kathoden...

cath·ode ['kæθoud] *s electr.* Ka'thode *f*. ~ **cur·rent** *s electr.* **1.** Ka'thodenstrom *m* (*bei Elektronenröhren etc*). **2.** Entladungsstrom *m* (*bei Gasentladungsgefäßen*). '~-**,ray tube** *s* Ka'thodenstrahlröhre *f*, Braunsche Röhre.

ca·thod·ic [kə'θɒdik] *adj phys.* ka'thodisch.

cath·o·lic ['kæθəlik; -θlik] **I** *adj* **1.** ('all)um,fassend, univer'sal. **2.** vorurteilslos. **3.** großzügig, tole'rant. **4.** C~ *relig.* (*bes. römisch-*)ka'tholisch. **II** *s* **5.** C~ Katho'lik(in). **Ca·thol·i·cism** [kə'θɒli,sizəm] *s relig.* Katholi'zismus *m*.

cath·o·lic·i·ty [,kæθə'lisiti] *s* **1.** Allgemeingültigkeit *f*, Universali'tät *f*. **2.** Großzügigkeit *f*, Tole'ranz *f*. **3.** ka'tholischer Glaube. **4.** C~ Katholizi'tät *f* (*Gesamtheit der katholischen Kirche*).

ca·thol·i·cize [kə'θɒli,saiz] *v/t u. v/i* ka'tholisch machen (werden).

cat ice *s* dünne Eisschicht.

cat·i·on ['kæt,aiən] *s chem. phys.* Kation *n* (*positiv geladenes Ion*).

cat·kin ['kætkin] *s bot.* (Blüten)-Kätzchen *n* (*Weiden etc*).

'cat|,lap *s Br.* **1.** schwacher Tee. **2.** ‚Gesöff' *n*. '~**,like** *adj* katzenartig.

cat·ling ['kætliŋ] *s* **1.** Kätzchen *n*. **2.** *med.* (feines) Amputati'onsmesser. **3.** *mus.* dünnste Saite.

'cat|,mint *Br. für* catnip. ~ **nap** *s* Nickerchen *n*, kurzes Schläfchen. ~**·nip**, ~**·nep** ['kætnip] *s bot.* Echte Katzenminze.

cat-o'-moun·tain [,kæto'mauntin] → catamountain.

,cat-o'-'nine-,tails *s sg u. pl* neunschwänzige Katze (*Peitsche*).

ca·top·tric [kə'tɒptrik] *phys.* **I** *adj* kat'optrisch, Spiegel... **II** *s* → catoptrics. **ca'top·trics** *s pl* (*als sg konstruiert*) *phys.* Kat'optrik *f* (*Lehre von der Reflexion der Lichtstrahlen*).

cat's| cra·dle *s* Abnehme-, Fadenspiel *n*. '~-**,ear** *s bot.* Ferkelkraut *n*. '~-**,eye** *s* **1.** *min.* Katzenauge *n*. **2.** *bot.* (*ein*) Ehrenpreis *m*. **3.** *tech.* Katzenauge *n*, Rückstrahler *m*. '~-**,foot** *s irr bot.* **1.** Katzenpfötchen *n*. **2.** Gundermann *n*. '~-**,paw** *s* **1.** Katzenpfote *f*. **2.** *fig.* Handlanger *m*, *j-s* Werkzeug *n*: to make s.o. a ~ j-n die Kastanien aus dem Feuer holen lassen.

cat·sup ['kætsəp] → ketchup.

cat·ta·lo ['kætə,lou] *pl* **-los** *od.* **-loes** *s Kreuzung zwischen amer. Büffel u. Hausrind.*

cat·ti·ness ['kætinis] *s* Bosheit *f*. **'cat·tish** *adj* (*adv* ~ly) **1.** katzenhaft. **2.** *fig.* falsch, boshaft, gehässig.

cat·tle ['kætl] *s collect.* (*meist als pl konstruiert*) **1.** (Rind)Vieh *n*: ten head of ~ zehn Stück Vieh, zehn Rinder. **2.** *contp.* Viehzeug *n* (*Menschen*). ~ **car** *s rail. Am.* Viehwagen *m*. ~**lift·er** *s* Viehdieb *m*. '~**·man** [-mən] *s irr* **1.** *bes. Am.* Viehzüchter *m*. **2.** Viehknecht *m*. ~ **pen** *s* Viehgehege *n*, Pferch *m*. ~ **plague** *s vet.* Rinderpest *f*. ~ **range** *s* Weideland *n*, Viehtrift *f*.

cat·ty[1] ['kæti] → cattish.

cat·ty[2] ['kæti] *s* Katt(i) *m* (*ostasiatisches Gewicht, etwa ein Pfund*).

'cat·ty-,cor·nered → cater-cornered.

'cat|,walk *s tech.* Laufplanke *f*, Steg *m*. ~ **whisk·er** *s electr.* De'tektornadel *f*.

Cau·ca·sian [kɔː'keiʒən; *Br. a.* -ziən] **I** *adj* kau'kasisch. **II** *s* Kau'kasier(in).

cau·cus ['kɔːkəs] *pol.* **I** *s* **1.** *Am.* Wahlversammlung *f* (*e-r Partei zur Ernennung von Kandidaten etc*). **2.** Versammlung *f* von Par'teiführern, Par'teikonfe,renz *f*. **3.** *Br.* örtlicher Par'teiausschuß. **II** *v/i* **4.** *Am.* e-e Wahl- *od.* Par'teiversammlung abhalten.

cau·dal ['kɔːdl] *adj zo.* Schwanz..., Steiß...: ~ fin Schwanzflosse *f*. **'cau·date** [-deit] *adj zo.* geschwänzt.

cau·dle ['kɔːdl] *s* Warmbier *n od.* Glühwein *m* (*bes. für Wöchnerinnen*).

caught [kɔːt] *pret u. pp von* catch.

caul [kɔːl] *s* **1.** Haarnetz *n* (*bes. e-r Haube*). **2.** *anat.* a) großes Netz, b) Glückshaube *f* (*der Neugeborenen*).

caul·dron ['kɔːldrən] *s* großer Kessel (*a. fig.*): witches' ~ Hexenkessel.

cau·li·flow·er [*Br.* 'kɔli,flaur; *Am.* 'kɔːlə-] *s bot.* Blumenkohl *m*. ~ **ear** *s durch Schläge entstelltes Ohr.*

cau·li·form ['kɔːli,fɔːrm] *adj bot.* stengelförmig. **'cau·line** [-lin; -lain] *adj* Stengel..., stengelständig.

caulk [kɔːk] *v/t* **1.** *mar.* kal'fatern, mit Werg dichten. **2.** *tech.* abdichten.

cau·lome ['kɔːloum] *s bot.* Caulom *n*, (blättertreibende) Achse.

caus·al ['kɔːzəl] *adj* (*adv* ~ly) ursächlich, kau'sal: ~ connection Kausalzusammenhang *m*; ~ law Kausalgesetz *n*. **cau·sal·i·ty** [kɔː'zæliti] *s* **1.** Ursächlichkeit *f*, Kausali'tät *f*: law of ~ Kausalgesetz *n*. **2.** Kau'salzu,sammenhang *m*, Kau'salnexus *m*.

cau·sa·tion [kɔː'zeiʃən] *s* **1.** Verursachung *f*: chain of ~ Kausalzusammenhang *m*. **2.** Ursache *f*. **3.** Ursächlichkeit *f*. **4.** *philos.* Kau'salprin,zip *n*. **cau'sa·tion,ism** → causation 4.

caus·a·tive ['kɔːzətiv] **I** *adj* **1.** kau'sal, begründend, verursachend (of *acc*). **2.** *ling.* kausativ. **II** *s* **3.** *ling.* Kausa'tivum *n*.

cause [kɔːz] **I** *s* **1.** Ursache *f*: final ~ *philos.* Endzweck *m*. **2.** Grund *m*, Anlaß *m*, Veranlassung *f* (for zu): to give s.o. ~ for j-m Anlaß geben zu; for ~ *jur.* aus wichtigem Grunde; without ~ ohne triftigen Grund. **3.** (gute) Sache: to fight for one's ~; to make common ~ with gemeinsame Sache machen mit; in the ~ of zum Wohle (*gen*), für. **4.** *jur.* a) Sache *f*, Rechtsstreit *m*, Pro'zeß *m*: matrimonial ~ Ehesache; lost ~ *fig.* verlorene *od.* aussichtslose Sache, b) Gegenstand *m*, Grund *m* (*e-s Rechtsstreits*): ~ of action Klagegrund; to show ~ s-e Gründe darlegen, dartun (why warum). **5.** Sache *f*, Angelegenheit *f*, Frage *f*: living ~s aktuelle Fragen *od.* Angelegenheiten. **II** *v/t* **6.** veranlassen, lassen: to ~ s.o. to do s.th. j-n etwas tun lassen; j-n veranlassen, etwas zu tun; to ~ s.th. to be done etwas veranlassen; he ~d the man to be arrested er ließ den Mann verhaften; er veranlaßte, daß der Mann verhaftet wurde. **7.** verursachen, her'vorrufen, bewirken. **8.** bereiten, zufügen: to ~ s.o. trouble j-m Mühe *od.* Schwierigkeiten bereiten.

cause·less ['kɔːzlis] *adj* (*adv* ~ly) unbegründet, grundlos, ohne Grund.

cause list *s jur.* Ter'min-, Pro'zeßliste *f*.

cau·se·rie [,kouzə'riː] *s* Plaude'rei *f*.

cause·way ['kɔːz,wei], *Br. a.* **'cau·sey** [-zei] *s* **1.** erhöhter Fußweg, Damm *m* (*durch e-n See od. Sumpf*). **2.** *obs.* Chaus'see *f*.

caus·tic ['kɔːstik] **I** *adj* (*adv* ~ally) **1.** *chem.* kaustisch, ätzend, beizend, brennend. **2.** *fig.* beißend, ätzend, sar'kastisch: ~ humo(u)r; a ~ reply. **3.** *phys.* kaustisch. **II** *s* **4.** Beiz-, Ätzmittel *n*. **5.** *phys.* → a) caustic curve, b) caustic surface. ~ **curve** *s phys.* Brennlinie *f*, kaustische Kurve.

caus·tic·i·ty [kɔːs'tisiti] *s* **1.** Ätz-, Beizkraft *f*. **2.** Sar'kasmus *m*, Schärfe *f*.

caus·tic| lime *s chem.* Ätzkalk *m*. ~ **pot·ash** *s* Ätzkali *n*. ~ **so·da** *s* Ätznatron *n*.

cau·ter·i·za·tion [,kɔːtərai'zeiʃən; -ri-] *s med. tech.* **1.** Kauterisati'on *f*, (Aus)-Brennen *n*. **2.** Ätzen *n*, Ätzung *f*.

'cau·ter,ize *v/t* **1.** *med. tech.* kauteri'sieren, (aus)brennen, (ver)ätzen. **2.** *fig. Gefühl, Gewissen* abtöten, abstumpfen. **cau·ter·y** ['kɔːtəri] *s* **1.** → cauterization. **2.** *med.* a) *a.* actual ~ Kauter *m*, Brenneisen *n*, b) *a.* chemical ~ Ätzmittel *n*, -stift *m*.

cau·tion ['kɔːʃən] **I** *s* **1.** Vorsicht *f*, Behutsamkeit *f*: to proceed with ~ Vorsicht walten lassen; ~! *mot. etc* Vorsicht! **2.** a) Verwarnung *f*, b) (tadelnde) Verwarnung. **3.** *jur.* a) Rechtsmittel- *od.* Eidesbelehrung *f*, b) (poli'zeiliche) Verwarnung, c) Vormerkung *f* (*zur Sicherung von Grundstücksrechten*), d) *bes. Scot.* Kauti'on *f*, Bürgschaft *f*. **4.** *mil.* 'Ankündigungskom,mando *n*. **5.** *colloq.* a) (*etwas*) Origi'nelles, drollige *od.* ‚tolle' Sache, b) Origi'nal *n*, ‚ulkige Nummer' (*Person*), c) unheimlicher Kerl. **II** *v/t* **6.** warnen (against vor *dat*): to ~ o.s. sich in acht nehmen. **7.** verwarnen. **8.** *jur.* belehren (as to über *acc*). **'cau·tion·ar·y** *adj* warnend, Warn..., Warnungs...: ~ command → caution 4; ~ mortgage *Am.* Sicherungshypothek *f*; ~ signal Warnsignal *n*.

cau·tion mon·ey *s bes. univ. Br.* Kauti'on *f*, (hinter'legte) Bürgschaft.

cau·tious ['kɔːʃəs] *adj* (*adv* ~ly) **1.** vorsichtig, behutsam, auf der Hut. **2.** achtsam (of auf *acc*). **'cau·tious·ness** *s* Vorsicht *f*, Behutsamkeit *f*.

cav·al·cade [,kævəl'keid] *s* Kaval'kade *f*, Reiterzug *m*.

cav·a·lier [,kævə'lir] **I** *s* **1.** Reiter *m*. **2.** Ritter *m*, Edelmann *m*. **3.** Kava'lier *m*: a) ritterlicher Mensch, b) Verehrer *m od.* Begleiter *m* (*e-r Dame*). **4.** C~ *hist.* Kava'lier *m*, Roya'list *m* (*Anhänger Karls I. von England*). **II** *adj* **5.** arro'gant, anmaßend, rücksichtslos. **6.** unbekümmert, lässig. **7.** C~ *hist.* roya'listisch: the C~ Poets die Kavalierdichter.

cav·al·ry ['kævəlri] *s* **1.** *mil.* Kavalle'rie *f*, Reite'rei *f*: two hundred ~ 200 Mann Kavallerie. **2.** *collect.* a) Reiter *pl*, b) Pferde *pl*. '~**·man** [-mən] *s irr mil.* Kavalle'rist *m*.

cave[1] [keiv] **I** *s* **1.** Höhle *f*. **2.** *pol. Br.* a) Absonderung *f*, Sezessi'on *f* (*e-s Teils e-r Partei*), b) Sezessi'onsgruppe *f*: to form a ~ → 7. **II** *v/t* **3.** aushöhlen. **4.** *meist* ~ in eindrücken, zum Einsturz bringen. **III** *v/i* **5.** *meist* ~ in einbrechen, -stürzen, -sinken. **6.** *meist* ~ in *colloq.* a) (*vor Erschöpfung*) ‚zs.-klappen', ‚schlappmachen', b) nachgeben, klein beigeben. **7.** *pol. Br.* sich (*in e-r bestimmten Frage von der Partei*) absondern.

ca·ve[2] ['keivi] (*Lat.*) *interj ped. sl.* Vorsicht!, Achtung!: to keep ~ ‚Schmiere stehen', aufpassen.

ca·ve·at ['keivi,æt] *s jur.* **1.** Einspruch

m: to file (*od.* enter) a ~ Einspruch erheben, Verwahrung einlegen (against gegen). 2. a) *Am.* (vorläufige) Pa'tentanmeldung, b) *Br.* Einspruch *m* gegen e-e Pa'tenterneuerung.
cave| bear *s zo.* Höhlenbär *m.* ~ **dwell·er** *s* Höhlenbewohner(in). '~-,**in** *s* Einsturz *m*, Senkung *f* (*des Bodens*). ~ **man** *s irr* 1. Höhlenbewohner *m*, -mensch *m.* 2. *humor.* (*triebhafter*) Na'turbursche, ‚Bär' *m.*
cav·en·dish ['kævəndiʃ] *s* Cavendish *m* (*in Täfelchen gepreßter Tabak*).
cav·ern ['kævərn] *s* (große) Höhle. '**cav·ern·ous** *adj* 1. voller Höhlen. 2. po'rös. 3. tiefliegend, hohl (*Augen*). 4. hohl, eingefallen (*Wangen etc*). 5. höhlenartig. 6. *anat.* kaver'nös: ~ body Schwellkörper *m.*
cav·es·son ['kævisən] *s* Kappzaum *m.*
cav·i·ar(e) ['kævi,ɑːr; ,kævi'ɑːr] *s* Kaviar *m*: ~ to the general *fig.* Kaviar fürs Volk.
cav·il ['kævil] **I** *v/i* nörgeln, kritteln: to ~ at (*od.* about) s.th. an etwas herumnörgeln, etwas bekritteln. **II** *s* Nörge'lei *f*, Kritte'lei *f*, Spitzfindigkeit *f.* '**cav·il·(l)er** *s* Nörgler(in). '**cav·il·(l)ing** *adj* nörglerisch, krittelig, spitzfindig.
cav·i·ty ['kæviti] *s* 1. (Aus)Höhlung *f*, Hohlraum *m.* 2. *Kunststoffverarbeitung*: a) (Ma'trizen)Hohlraum *m*, b) Ma'trize *f*, 'Form,unterteil *n*: multiple ~ mo(u)ld Mehrfachform *f.* 3. *anat.* Höhle *f*, Raum *m*, Grube *f*: abdominal ~ Bauchhöhle; → oral 2, pelvic. 4. *med.* a) Ka'verne *f*, b) Loch *n* (im Zahn) (*bei Karies*).
ca·vort [kə'vɔːrt] *v/i Am. colloq.* Kapri'olen machen, ‚um'herkarri,olen', -springen (*bes. Pferd od. Reiter*).
ca·vy ['keivi] *s zo.* (*bes.* Gemeines) Meerschweinchen.
caw [kɔː] **I** *s* Krächzen *n* (*Raben, Krähen; a. fig.*). **II** *v/i* krächzen.
Cax·ton ['kækstən] *s* 1. Caxton *m* (*von William Caxton gedrucktes Buch*). 2. c~ *print.* Caxton *f* (*altgotische Schrift*).
cay [kei; kiː] *s* Riff *n*, Sandbank *f.*
cay·enne [kei'en; kai-], *a.* ~ **pep·per** *s* Cay'ennepfeffer *m.*
cay·man ['keimən] *pl* **-mans** *s zo.* Kaiman *m* (*ein Alligator*).
C clef *s mus.* C-Schlüssel *m.*
ce → cee.
cease [siːs] **I** *v/i* 1. aufhören, zu Ende gehen, enden: the noise ~d. 2. *obs.* ablassen (from von): he ~d from strife. 3. *obs.* (aus)sterben. **II** *v/t* 4. aufhören (to do *od.* doing zu tun): they ~d to work sie hörten auf zu arbeiten, sie stellten die Arbeit ein; he ~d talking er hörte zu sprechen *od.* mit Sprechen auf; to ~ fire *mil.* das Feuer einstellen; to ~ payment *econ.* die Zahlungen einstellen; ~ and desist order *jur. Am.* Unterlassungsbefehl *m.* **III** *s* 5. *obs.* Aufhören *n* (*nur in*): without ~ unaufhörlich. '~**'fire** *s mil.* Feuereinstellung *f*, Waffenruhe *f.*
cease·less ['siːslis] *adj* (*adv* ~ly) unaufhörlich. '**cease·less·ness** *s* Endlosigkeit *f*, Unaufhörlichkeit *f.*
ce·cal → caecal.
ce·cils ['seslz; 'siːs-; 'sis-] *s pl* Frika'dellen *pl*, Fleischklöße *pl.*
ce·cum → caecum.
ce·dar ['siːdər] **I** *s bot.* 1. Zeder *f*: ~ of Lebanon Echte Zeder, Libanonzeder; ~ of Atlas Atlas-, Silberzeder. 2. *verschiedene zedernähnliche Bäume, z. B.* a) Wa'cholder *m*: red ~ Rote *od.* Falsche Zeder, b) Lebensbaum *m*, c) 'Zederzy,presse *f.* 3. Zedernholz *n.* **II** *adj* 4. aus Zedernholz, Zedern...: ~ nut Zirbelnuß *f*; ~ pine (*e-e*) amer. Kiefer. **ce·darn** ['siːdərn] *adj poet.* Zedern...
cede [siːd] **I** *v/t* 1. (to) abtreten, abgeben (*dat od.* an *acc*), über'lassen (*dat*): to ~ a right ein Recht abtreten. 2. zugeben. **II** *v/i* 3. weichen, nachgeben.
ce·dil·la [si'dilə] *s ling.* Ce'dille *f.*
ce·drate ['siːdreit] *s* Zitro'nat *n.*
cee [siː] **I** *s* C, c *n* (*Buchstabe*). **II** *adj* C-..., C-förmig.
ceil [siːl] *v/t* 1. *Zimmerdecke* täfeln *od.* verputzen. 2. e-e Decke einziehen in (*e-n Raum*).
ceil·ing ['siːliŋ] *s* 1. Decke *f*, Pla'fond *m* (*e-s Raumes*): to hit the ~ *colloq.* ‚an die Decke gehen'. 2. *mar.* Wegerung *f*, Innenbeplankung *f.* 3. a) Maximum *n*, Höchstmaß *n*, b) *econ.* Höchstgrenze *f* (*von Preisen etc*): ~ price Höchstpreis *m*; ~ voltage Spitzenspannung *f.* 4. *aer.* Gipfelhöhe *f*: absolute ~ Gipfelhöhe unter besonderen Betriebsbedingungen; service ~ Dienstgipfelhöhe, Gipfelhöhe unter normalen Betriebsbedingungen. 5. *aer. phys.* Wolkenhöhe *f*, 'Wolken-,untergrenze *f*: unlimited ~ unbegrenzte Wolkenhöhe *od.* Sicht.
cel·a·don ['selə,dɒn] *s* Blaßgrün *n.*
cel·an·dine ['selən,dain] *s bot.* 1. *a.* greater ~ Schöllkraut *n.* 2. *a.* lesser ~ Scharbockskraut *n.*
cel·e·brant ['selibrənt] *s* 1. *relig.* Zele'brant *m.* 2. Feiernde(r *m*) *f.*
cel·e·brate ['seli,breit] **I** *v/t* 1. *Fest etc* feiern, (festlich) begehen. 2. *j-n* feiern, preisen. 3. *relig.* *Messe etc* zele'brieren, abhalten, feiern, lesen. **II** *v/i* 4. feiern. 5. *relig.* zele'brieren. '**cel·e-,brat·ed** *adj* 1. gefeiert, berühmt (for für, wegen). 2. (berühmt-)berüchtigt. ,**cel·e'bra·tion** *s* 1. Feier *f.* 2. Feiern *n*, Begehen *n* (*e-s Festes*): in ~ of zur Feier (*gen*). 3. Verherrlichung *f.* 4. *relig.* Zele'brieren *n*, Lesen *n* (*der Messe*). '**cel·e,bra·tor** [-tər] *s* Feiernde(r *m*) *f.* **ce·leb·ri·ty** [si'lebriti] *s* Berühmtheit *f*: a) promi'nente Per'son, b) Ruhm *m.*
ce·ler·i·ac [si'leri,æk; 'selər-] *s bot.* Knollensellerie *m, f.*
ce·ler·i·ty [si'leriti] *s* Schnelligkeit *f*, Geschwindigkeit *f.*
cel·er·y ['seləri] *s bot.* Sellerie *m, f.*
ce·les·ta [si'lestə] *s mus.* Ce'lesta *f*, 'Stahl(platten)kla,vier *n.*
ce·leste [si'lest] *s* 1. Himmelblau *n.* 2. *mus.* a) Vox *f* ce'lestis (*Orgelregister*), b) leises (Kla'vier)Pe,dal.
ce·les·tial [*Br.* si'lestjəl; *Am.* -tʃəl] **I** *adj* (*adv* ~ly) 1. himmlisch, Himmels..., göttlich: C~ City *relig.* Himmlisches Jerusalem. 2. *astr.* Himmels...: ~ body; ~ equator; ~ light Himmels-, Astrallicht *n*; ~ navigation Astronavigation *f.* 3. C~ *humor.* chi'nesisch: C~ Empire *hist.* Reich *n* des Himmels (*China*). **II** *s* 4. Himmelsbewohner(in), Selige(r *m*) *f.* 5. C~ *colloq.* Chi'nese *m*, Chi'nesin *f.* 6. *a.* ~ blue Himmelblau *n.*
ce·li·ac ['siːli,æk] *adj anat.* Bauch...
cel·i·ba·cy ['selibəsi] *s* Zöli'bat *n, m*, Ehelosigkeit *f.* ,**cel·i·ba'tar·i·an** [-'tɛ(ə)riən] *adj* 1. unverheiratet. 2. das Zöli'bat befürwortend. '**cel·i·bate** [-bit; -,beit] **I** *s* Unverheiratete(r *m*) *f.* **II** *adj* unverheiratet.
cell [sel] *s* 1. (Kloster-, Gefängnis- *etc*)-Zelle *f*: condemned ~ Todeszelle. 2. *allg.* Zelle *f* (*a. pol.*), Kammer *f* (*a. physiol., im Gewebe*), Fach *n* (*a. bot., des Fruchtknotens*). 3. *biol.* Zelle *f*: ~ division Zellteilung *f*; ~ fluid Zellsaft *m*; ~ membrane Plasmahaut *f*; ~ wall Zellwand *f.* 4. *electr.* a) Zelle *f*, Ele'ment *n* (*e-r Batterie*), b) Speicherzelle *f* (*e-r Rechenmaschine*), c) Schaltzelle *f.* 5. *chem. phys.* elektro'lytische Zelle. 6. *aer.* a) *Flügel u. Verspannungsglieder auf e-r Seite des Rumpfes*, b) Gaszelle *f.*
cel·lar ['selər] **I** *s* 1. Keller *m.* 2. Weinkeller *m*, -vorrat *m*: he keeps a good ~ er hat gute Weine. 3. → saltcellar 1. **II** *v/t* 4. *a.* ~ in einkellern. '**cel·lar·age** *s* 1. *collect.* Keller(räume) *pl.* 2. Kellermiete *f.* 3. Einkellerung *f.* **cel·lar·et** [,selə'ret] *s* Wein-, Flaschenschränkchen *n.* '**cel·lar·man** [-mən] *s irr* 1. Kellermeister *m.* 2. Weinhändler *m.*
-celled [seld] *adj* (*in Zssgn*) ...zellig.
cel·list, 'cel·list ['tʃelist] *s mus.* Cel'list(in).
cel·lo, 'cel·lo ['tʃelou] *pl* **-los, -li** [-liː] *s mus.* (Violon)'Cello *n.*
cel·lo·phane ['selə,fein] *s tech.* Zello'phan *n*, Zellglas *n*: ~ package Zellophan-, Klarsichtpackung *f.*
cel·lu·lar ['seljulər] *adj* zellu'lar, zellig, Zell(en)...: ~ shirt Netzhemd *n*; ~ tissue *biol.* Zellgewebe *n.* **cel·lule** ['seljuːl] *s* kleine Zelle. ,**cel·lu'li·tis** [-'laitis] *s med.* Zellgewebsentzündung *f.* '**cel·lu,loid** [-,lɔid] *s tech.* Zellu'loid *n.* '**cel·lu,lose** [-,lous] **I** *s* 1. Zellu'lose *f*, Zellstoff *m.* **II** *adj* 2. Zellulose...: ~ nitrate Nitrozellulose *f.* 3. zellu'lar. ,**cel·lu'los·i·ty** [-'lɒsiti] *s* zellu'lare Beschaffenheit.
Cel·si·us ['selsiəs], *a.* ~ **ther·mom·e·ter** *s phys.* 'Celsiusthermo,meter *n*: 20° Celsius 20° Celsius.
celt[1] [selt] *s hist.* Kelt *m*, Faustkeil *m.*
Celt[2] [selt; kelt] *s* Kelte *m*, Keltin *f.*
Celt·ic ['seltik; 'kel-] **I** *adj* keltisch: the ~ fringe die keltischen Randvölker der brit. Inseln. **II** *s ling.* Keltisch *n*, das Keltische. **Celt·i·cism** ['selti-,sizəm; 'kel-] *s* Kelti'zismus *m*: a) *keltischer Brauch*, b) *ling. keltische Spracheigentümlichkeit.*
,**Cel·to-'Ro·man** [,seltou'roumən] *adj* 'keltoro,manisch.
cel·tuce ['seltis] *s ein Gemüse, das den Geschmack von Kopfsalat u. Sellerie in sich vereinigt.*
ce·ment [si'ment] **I** *s* 1. Ze'ment *m*, (Kalk)Mörtel *m.* 2. Klebstoff *m*, Kitt *m.* 3. Bindemittel *n.* 4. *fig.* Bindung *f*, Band *n.* 5. a) *biol.* 'Zahnze,ment *m*, b) Ze'ment *m* zur Zahnfüllung. **II** *v/t* 6. *tech.* a) zemen'tieren, b) (ver)kitten, einkitten, c) *metall.* harteinsetzen. 7. *fig.* (be)festigen, fest verbinden, ‚zemen'tieren'.
ce·men·ta·tion [,siːmən'teiʃən; ,semən-] *s* 1. Zemen'tierung *f.* 2. Zemen'tieren *n*, Kitten *n.* 3. *a.* ~ process *metall.* Einsatzhärtung *f.* 4. *fig.* Festigung *f.*
cem·e·ter·y [*Br.* 'semitri; *Am.* -ə,teri] *s* Friedhof *m*, Begräbnisstätte *f.*
cen·o·bite ['siːno,bait; 'sen-] *s relig.* Zöno'bit *m*, Klostermönch *m.* ,**ceno'bit·ic** [-'bitik], ,**cen·o'bit·i·cal** *adj* klösterlich, Kloster...
cen·o·taph [*Br.* 'senə,tɑːf; *Am.* -,tæ(ː)f] *s* Zeno'taph *n*, (leeres) Ehrengrabmal: the C~ *das brit. Ehrenmal in London für die Gefallenen beider Weltkriege.*
ce·no·zo·ic [,siːnə'zouik; ,sen-] *s geol.* Käno'zoikum *n* (*Periode zwischen Tertiär u. Jetztzeit*).
cense [sens] *v/t* beräuchern. '**cen·ser** [-sər] *s* Weihrauchfaß *n.*
cen·sor ['sensər] **I** *s* 1. Zensor *m*,

Kunst-, Schrifttumsprüfer *m.* **2.** Briefzensor *m.* **3.** *univ. Br.* (*ein*) Aufsichtsbeamte(r) *m.* **4.** *antiq.* Zensor *m*, Sittenrichter *m* (*in Rom*). **5.** *psych.* Zen'sur *f* (*von Regungen des Unbewußten*). **II** *v/t* **6.** zen'sieren, über'prüfen.

cen·so·ri·ous [sen'sɔːriəs] *adj* (*adv* ~ly) **1.** kritisch, streng. **2.** tadelsüchtig, krittelig. **cen'so·ri·ous·ness** *s* Tadelsucht *f*, Kritte'lei *f*.

cen·sor·ship ['sensər,ʃip] *s* **1.** Zen'sur *f*. **2.** Zensoramt *n*.

cen·sur·a·ble ['senʃərəbl] *adj* tadelnswert, tadelhaft, sträflich.

cen·sure ['senʃər] **I** *s* **1.** Tadel *m*, Verweis *m*, Rüge *f*: to pass a vote of ~ ein Mißtrauensvotum abgeben. **2.** (of) Kri'tik *f* (an *dat*), 'Mißbilligung *f* (*gen*). **3.** *obs.* Urteil *n*, Meinung *f*. **II** *v/t u. v/i* **4.** tadeln, miß'billigen, verurteilen, kriti'sieren.

cen·sus ['sensəs] *s* Zensus *m*, (*bes.* Volks)Zählung *f*, Erhebung *f*: C~ Bureau *Am.* Statistisches Bundesamt; ~ of opinion Meinungsbefragung *f*; livestock ~ Viehzählung; traffic ~ Verkehrszählung; to take a ~ e-e Zählung vornehmen; ~-paper Zensusformular *n*.

cent [sent] *s* **1.** Hundert *n* (*nur noch in Wendungen wie*): at five per ~ zu 5 Prozent; ~ per ~ hundertprozentig (*a. fig.*). **2.** *Am.* Cent *m* ($^1/_{100}$ *Dollar*). **3.** *colloq.* Pfennig *m*, Heller *m*: not worth a ~ keinen Heller wert.

cen·tal ['sentl] *s selten* Zentner *m* (= *45,36 kg*).

cen·taur ['sentɔːr] *s* **1.** *myth.* Zen'taur *m.* **2.** *fig.* Zwitterwesen *n*.

Cen·tau·rus [sen'tɔːrəs] *s astr.* Zen'taur *m* (*Sternbild*).

cen·tau·ry ['sentɔːri] *s bot.* **1.** (*e-e*) Flockenblume. **2.** Tausend'güldenkraut *n.* **3.** Bitterling *m*.

cen·te·nar·i·an [,senti'nɛ(ə)riən] **I** *adj* hundertjährig, 100 Jahre alt. **II** *s* Hundertjährige(r *m*) *f*. **cen·te·nar·y** [*Br.* sen'tiːnəri; *Am.* 'sentə,neri] **I** *adj* **1.** hundertjährig, von 100 Jahren. **2.** hundert betragend. **II** *s* **3.** Jahr'hundert *n*, Zeitraum *m* von 100 Jahren. **4.** Hundert'jahrfeier *f*, hundertjähriges Jubi'läum.

cen·ten·ni·al [sen'teniəl; -njəl] **I** *adj* hundertjährig. **II** *s* → centenary 4.

cen·ter, *bes. Br.* **cen·tre** ['sentər] **I** *s* **1.** *math. mil. phys. etc, a. fig.* Zentrum *n*, Mittelpunkt *m*: ~ of attraction a) *phys.* Anziehungsmittelpunkt, b) *fig.* Hauptanziehungspunkt *m*; ~ of gravity *phys.* a) Schwerpunkt *m* (*a. fig.*), b) Gleichgewichtspunkt *m*; ~ of gyration (*od.* motion) *phys.* Drehpunkt *m*; ~ of inertia (*od.* mass) Massen-, Trägheitszentrum; ~ of interest Hauptinteresse *n*, Mittelpunkt (des Interesses); ~ of trade Handelszentrum. **2.** Zen'trale *f*, Zen'tralstelle *f*, (Haupt)Sitz *m*, Hauptgebiet *n*: research ~ Forschungszentrale, -institut *n*; training ~ Ausbildungsstätte *f*, -lager *n*; → shopping II. **3.** *fig.* Herd *m*: the ~ of the revolt; → storm center. **4.** *pol.* a) (*die*) Mitte, b) 'Zentrums-, 'Mittelpar,tei *f*. **5.** *physiol.* (Nerven)Zentrum *n.* **6.** *sport* a) → center forward, b) → center half. **7.** *tech.* a) (Dreh-, Körner)Spitze *f* (*e-r Drehbank*), b) Bogenlehre *f*, -gerüst *n*. **II** *v/t* **8.** in den Mittelpunkt stellen (*a. fig.*). **9.** *fig.* richten, konzen'trieren (on auf *acc*). **10.** *tech.* a) zen'trieren, einmitten: to ~ the bubble die Libelle (*der Wasserwaage*) einspielen lassen, b) ankörnen. **11.** *math.* den Mittelpunkt (*gen*) finden. **12.** *sport den Ball* (zur Mitte) flanken. **III** *v/i* **13.** im Mittelpunkt stehen. **14.** sich richten *od.* konzen'trieren (in, on auf *acc*), sich drehen (round um). **15.** *fig.* sich gründen (on auf *dat*). **16.** *sport* flanken. ~ **bit** *s tech.* Zentrumsbohrer *m.* '~,**board** *s mar.* **1.** Kielschwert *n.* **2.** Schwertboot *n.* ~ **drill** *s tech.* Zen'trierbohrer *m.* ~ **for·ward** *s Fußball*: Mittelstürmer *m*: at ~ auf dem Mittelstürmerposten. ~ **half** *s Fußball*: Mittelläufer *m*.

cen·ter·ing, *bes. Br.* **cen·tre·ing** ['sentəriŋ], '**cen·tring** [-triŋ] *s tech.* **1.** Zen'trierung *f*, Einmitten *n.* **2.** Lehr-, Bogen-, Wölbgerüst *n.* ~ **lathe** *s tech.* Spitzendrehbank *f.* ~ **ma·chine** *s tech.* Zen'trierma,schine *f*.

cen·ter| line, *bes. Br.* **cen·tre| line** *s* **1.** Mitte *f*, Mittellinie *f*. **2.** *mar.* Mittschiffslinie *f*. '~,**piece** *s* **1.** Mittelteil *m*, *n*, -stück *n*. **2.** (mittlerer) Tafelaufsatz. ~ **punch** *s tech.* (An)Körner *m*, Locheisen *n*. '~-,**sec·ond** *s* Zen'tralse,kunde(nzeiger *m*) *f*.

cen·tes·i·mal [sen'tesiməl] *adj* (*adv* ~ly) **1.** hundertst(er, e, es). **2.** zentesi'mal, hundertteilig.

cen·ti·are ['senti,ɛr] *s* Qua'dratmeter *n*.

cen·ti·grade ['senti,greid] *adj* hundertteilig, -gradig: ~ thermometer Celsiusthermometer *n*; 20 degrees ~ 20 Grad Celsius (*abbr.* 20° C).

cen·ti·gram(me) ['senti,græm] *s* Zentigramm *n*.

cen·ti·li·ter, *bes. Br.* **cen·ti·li·tre** ['senti,liːtər] *s* Zentiliter *n*.

cen·til·lion [sen'tiljən] *s math.* 'Zentilli,on *f* (*Am.* 10^{300}, *Br.* 10^{600}).

cen·ti·me·ter, *bes. Br.* **cen·ti·me·tre** ['senti,miːtər] *s* Zentimeter *n.* '~-**'gram-'sec·ond** *s phys.* Zenti'meter-,Gramm-Se,kunde *f*.

cen·ti·pede ['sentipiːd] *s zo.* Hundertfüßer *m*.

cent·ner ['sentnər] *s* Zentner *m* (*50 kg*): metric ~, double ~ Doppelzentner.

cen·tral ['sentrəl] **I** *adj* (*adv* ~ly) **1.** zen'tral (gelegen), zentrisch. **2.** Mittel(punkts)... **3.** Haupt..., Zentral...: ~ bank *econ.* Zentralbank *f*; ~ figure Schlüssel-, Hauptfigur *f*; ~ idea Hauptgedanke *m*; ~ question Schlüsselfrage *f*. **II** *s* **4.** (*Am.* Tele'phon)Zen,trale *f*. **C~ A·mer·i·can** *adj* zen'tral-, 'mittelameri,kanisch. **C~ Crim·i·nal Court** *s jur. Br.* Krimi'nalgericht *n* (für schwerere Straffälle; *in London*). **C~ Eu·ro·pe·an time** *s* 'mitteleuro,päische Zeit (*abbr.* M.E.Z.). ~ **heat·ing** *s* Zen'tralheizung *f*.

cen·tral·ism ['sentrə,lizəm] *s* Zentra'lismus *m*, (Poli'tik *f* der) Zentrali'sierung *f*. '**cen·tral·ist** *s* Zentra'list *m*. '**cen·tral,ite** [-,lait] *s tech. Zusatz zu festem Raketentreibstoff.* **cen'tral·i·ty** [-'træliti] *s* Zentrali'tät *f*, zen'trale Lage. ,**cen·tral·i'za·tion** *s* Zentrali'sierung *f*. '**cen·tral,ize I** *v/t* zentrali'sieren, (in e-m Punkt) vereinigen. **II** *v/i* sich zentrali'sieren.

cen·tral| lu·bri·ca·tion *s tech.* Zen'tralschmierung *f.* ~ **nerv·ous sys·tem** *s physiol.* Zen'tral,nervensy,stem *n.* ~ **point** *s* **1.** *math.* Mittelpunkt *m.* **2.** *electr.* Nullpunkt *m.* **C~ Pow·ers** *s pl pol. hist.* Mittelmächte *pl* (*bes. Deutschland u. Österreich-Ungarn*). ~ **sta·tion** *s* **1.** *mar.* ('Bord)Zen,trale *f*. **2.** Haupt-, Zen'tralbahnhof *m.* **3.** *electr.* Zen'tral-, 'Hauptstati,on *f*.

cen·tre *bes. Br. für* center. ~ **bit** *etc bes. Br. für* center bit *etc.*

cen·tre·ing ['sentəriŋ] *bes. Br. für* centering.

cen·tric ['sentrik] *adj*; '**cen·tri·cal** [-kəl] *adj* (*adv* ~ly) zen'tral, zentrisch, mittig, im Mittelpunkt befindlich. **cen'tric·i·ty** [-'trisiti] *s* zen'trale Lage.

cen·trif·u·gal [sen'trifjugəl] *adj* (*adv* ~ly) *phys.* zentrifu'gal (*a. physiol. Nerven*). ~ **blow·er** *s tech.* Schleudergebläse *n.* ~ **brake** *s tech.* Zentrifu'galbremse *f.* ~ **clutch** *s tech.* Fliehkraftkupplung *f.* ~ **force** *s phys.* Flieh-, Zentrifu'galkraft *f.* ~ **gov·er·nor** *s tech.* Fliehkraft-, Zentrifu'galregler *m*.

cen·trif·u·gal·ize [sen'trifjugə,laiz], **cen'trif·u,gate** [-,geit] → centrifuge II.

cen·tri·fuge ['sentri,fjuːdʒ] *tech.* **I** *s* Zentri'fuge *f*, Trennschleuder *f*. **II** *v/t* schleudern, zentrifu'gieren.

cen·tring ['sentriŋ] *bes. Br. für* centering.

cen·trip·e·tal [sen'tripitl] *adj phys.* zentripe'tal: ~ force Zentripetalkraft *f*.

cen·tu·ple ['sentjupl] **I** *adj* hundertfach. **II** *v/t* verhundertfachen. **III** *s* (*das*) Hundertfache. **cen·tu·pli·cate** [sen'tjuːplikit; -,keit] **I** *adj* **1.** hundertfach. **II** *v/t* [-,keit] **2.** verhundertfachen. **3.** in hundertfacher Ausfertigung anfertigen. **III** *s* **4.** (*das*) Hundertfache. **5.** hundertfache Ausfertigung: in ~.

cen·tu·ri·on [sen'tju(ə)riən] *s antiq. mil.* Zen'turio *m* (*Hauptmann e-r römischen Zenturie*).

cen·tu·ry ['sentʃəri; *Br. a.* -tʃuri] *s* **1.** Jahr'hundert *n*: centuries-old jahrhundertealt. **2.** Satz *m od.* Gruppe *f* von hundert: a) *sport* 100 Punkte *pl*, b) *Rennsport*: 100 Meilen *pl*, c) *Krikket*: 100 Läufe *pl.* **3.** *print.* e-e Typenart. **4.** *antiq.* Zen'turie *f.* ~ **plant** *s bot.* (*e-e*) A'gave.

ceorl [tʃeɔːrl] *s hist.* Freie(r) *m* (*der untersten Stufe bei den Angelsachsen*).

ce·phal·ic [se'fælik; si-] *adj anat.* Schädel..., Kopf...: ~ index Schädelindex *m*.

ceph·a·lo·pod ['sefələ,pɒd] *s zo.* Kopffüßer *m*.

-cephalous [sefələs] *Wortelement mit der Bedeutung* ...köpfig.

Ce·pheus ['siːfjuːs; -fiəs] *s astr.* Kepheus *m* (*Sternbild*).

ce·ram·ic [sə'ræmik; si-] *adj* ke'ramisch. **ce'ram·ics** *s pl* **1.** (*als sg konstruiert*) Ke'ramik *f*, Töpfe'rei *f*. **2.** (*als pl konstruiert*) Töpferware(n *pl*) *f*, Ke'ramikgegenstände *pl*. **cer·a·mist** ['serəmist] *s* Ke'ramiker(in).

cer·a·mog·ra·phy [,serə'mɒgrəfi] *s* Keramogra'phie *f*.

cer·a·toid ['serə,tɔid] *adj* hornig.

Cer·be·re·an [sər'bi(ə)riən] *adj* Zerberus..., zerberusgleich.

Cer·ber·us ['sɔːrbərəs] *s* **1.** *fig.* Zerberus *m*, grimmiger Wächter: → sop 6. **2.** *astr.* Zerberus *m* (*Sternbild*).

cere [sir] **I** *s orn.* Wachshaut *f* (*am Schnabel*). **II** *v/t* in Wachstuch einhüllen.

ce·re·al ['si(ə)riəl] **I** *adj* **1.** Getreide... **II** *s* **2.** Zere'alie *f*, Getreidepflanze *f*, Kornfrucht *f*. **3.** Getreideflocken(gericht *n*) *pl*, Frühstückskost *f* (*aus Getreide*).

cer·e·bel·lar [,seri'belər] *adj anat.* Kleinhirn... ,**cer·e'bel·lum** [-ləm] *pl* **-la** [-lə] *s* Zere'bellum *n*, Kleinhirn *n*.

cer·e·bral ['seribrəl] **I** *adj* **1.** *anat.* zere'bral, Gehirn... **2.** *ling.* Kakuminal... **3.** (rein) intellektu'ell. **II** *s* **4.** *ling.* Kakumi'nallaut *m*, Zere'bral *m*. ,**cer·e'bra·tion** [-'breiʃən] *s* **1.** 'Denkpro,zeß *m*, Gehirntätigkeit *f*. **2.** Denken *n*, Gedanke *m*.

cer·e·bro·spi·nal men·in·gi·tis [ˌseribro'spainəl] *s med.* Genickstarre *f.*

cer·e·brum ['seribrəm] *s anat.* Großhirn *n.*

'cereˌcloth *s* Wachstuch *n*, -leinwand *f*, *bes. als* Leichentuch *n.*

cere·ment ['siᵊrmənt] *s meist pl* **1.** → cerecloth. **2.** Totenhemd *n.*

cer·e·mo·ni·al [ˌseri'mouniəl; -njəl] **I** *adj* (*adv* ~ly) **1.** zeremoni'ell, feierlich. **2.** → ceremonius 2 *u.* 3. **II** *s* **3.** Zeremoni'ell *n* (*a. fig.*). **ˌcer·e'mo·ni·alˌism** *s* Vorliebe *f* für Zere'monien.

cer·e·mo·ni·ous [ˌseri'mouniəs; -njəs] *adj* (*adv* ~ly) **1.** feierlich. **2.** zeremoni'ös, förmlich. **3.** ritu'ell. **4.** 'umständlich, steif. **ˌcer·e'mo·ni·ous·ness** *s* **1.** Feierlichkeit *f.* **2.** Förmlichkeit *f*, 'Umständlichkeit *f.*

cer·e·mo·ny [*Br.* 'seriməni; *Am.* 'serəˌmouni] *s* **1.** Zeremo'nie *f*, Feier(lichkeit) *f*, feierlicher Brauch: **master of ceremonies** a) Zeremonienmeister *m*, b) *thea. etc* Conférencier *m.* **2.** Förmlichkeit(en *pl*) *f*: **without** ~ ohne Umstände (zu machen); → **stand on** 1. **3.** Höflichkeitsgeste *f.*

ce·re·ous ['si(ə)riəs] *adj* wächsern.

cer·iph → **serif.**

ce·rise [sə'riːz; -'riːs] **I** *adj* kirschrot, ce'rise. **II** *s* Kirschrot *n.*

ce·ri·um ['si(ə)riəm] *s chem.* Cer(ium) *n.* ~ **met·als** *s pl* Ce'rite *pl.*

ce·rog·ra·phy [si'rɒgrəfi] *s* Zerogra'phie *f*, 'WachsgraˌvierunG *f.*

ce·ro·type ['si(ə)rəˌtaip; 'ser-] *s print.* Wachsdruckverfahren *n.*

cert [səːrt] *s Br. sl.* ‚todsichere Sache'.

cer·tain ['səːrtn] *adj* **1.** *allg.* sicher: a) (*meist von Sachen*) gewiß, bestimmt: **it is** ~ **that** es ist sicher, daß; **it is** ~ **to happen** es wird gewiß geschehen; **for** ~ ganz gewiß, mit Sicherheit, b) (*meist von Personen*) über'zeugt, gewiß: **to be** (*od.* **feel**) ~ **of s.th.** e-r Sache sicher *od.* gewiß sein; **to make** ~ **of s.th.** sich e-r Sache vergewissern, c) verläßlich, zuverlässig: **a** ~ **remedy** ein sicheres Mittel; **the news is quite** ~ die Nachricht ist durchaus zuverlässig. **2.** bestimmt: **a** ~ **day** ein (ganz) bestimmter Tag. **3.** gewiß, unbestimmt: **a** ~ **charm**; **a** ~ **Mr. Brown** ein gewisser Herr Brown; **in a** ~ **sense** in gewissem Sinne; **to a** ~ **extent** bis zu e-m gewissen Grade, gewissermaßen; **for** ~ **reasons** aus gewissen Gründen; → **something** 1. **'cer·tain·ly** *adv* **1.** sicher, gewiß, zweifellos, bestimmt. **2.** (*in Antworten*) sicherlich, aber sicher, bestimmt, na'türlich.

cer·tain·ty ['səːrtnti] *s* **1.** Sicherheit *f*, Bestimmtheit *f*, Gewißheit *f*: **to know for** (*od.* **of, to**) **a** ~ mit Sicherheit wissen. **2.** Über'zeugung *f.*

cer·tes ['səːrtiz; -tiːz] *adv obs.* sicherlich.

cer·ti·fi·a·ble ['səːrtiˌfaiəbl] *adj* (*adv* **certifiably**) **1.** zu bescheinigen(d). **2.** *jur. med.* a) geistesgestört, anstaltsreif (*Person*), b) melde-, anmeldungspflichtig (*Krankheit*), c) *colloq.* verrückt.

cer·tif·i·cate I *s* [sər'tifikit] **1.** Bescheinigung *f*, At'test *n*, Schein *m*, Zertifi'kat *n*, Urkunde *f*: ~ **of baptism** Taufschein; ~ **of deposit** *econ.* Depotschein (*Bank*); → **incorporation** 3; ~ **of indebtedness** *econ.* a) Schuldschein, b) *Am.* Schatzanweisung *f*; ~ **of origin** *econ.* Ursprungszeugnis *n*; ~ **of stock** *econ. Am.* Aktienzertifikat *n.* **2.** *ped.* Zeugnis *n*: **General C**~ **of Education** *Br.* a) *Zwischenprüfung nach dem 4. od. 5. Jahr der höheren Schule*, b) *a.* **General C**~ **of Education (advanced level)** (*etwa*) Abitur(zeugnis) *n*, Reifeprüfung *f od.* -zeugnis; **school** ~ Schul-, *bes.* Abgangszeugnis. **3.** Gutachten *n.* **4.** *econ.* a) Geleitzettel *m* (*Zollbehörde*), b) *Am. Papiergeld mit dem Vermerk, daß Gold od. Silber als Gegenwert hinterlegt wurde.* **5.** *mar.* Befähigungsschein *m* (*Handelskapitän*). **II** *v/t* [-ˌkeit] **6.** *etwas* bescheinigen, e-e Bescheinigung *od.* ein Zeugnis ausstellen über (*acc*). **7.** *j-m* e-e Bescheinigung *od.* ein Zeugnis geben: ~**d** (amtlich) zugelassen, diplomiert; ~**d bankrupt** *jur. Br.* rehabilitierter Konkursschuldner; ~**d engineer** Diplomingenieur *m.*

cer·ti·fi·ca·tion [ˌsəːrtifi'keiʃən] *s* **1.** (Ausstellen *n* e-r) Bescheinigung *f.* **2.** → **certificate** 1. **3.** a) (amtliche) Beglaubigung, b) beglaubigte Erklärung. **4.** *econ.* Garan'tieerklärung *f* (*auf e-m Scheck durch e-e Bank*). **cer·tif·i·ca·to·ry** [sər'tifiˌkeitəri] *adj* bescheinigend, Beglaubigungs...

cer·ti·fied ['səːrtiˌfaid] *adj* **1.** bescheinigt, beglaubigt: → **copy** 1. **2.** garan'tiert. **3.** *jur. med. Br.* für geistesgestört u. anstaltsreif erklärt, entmündigt. ~ **check** *s econ. Am.* (*als gedeckt*) bestätigter Scheck. ~ **mail** *s Am.* eingeschriebene (*aber unversicherte*) Sendung(en *pl*). ~ **milk** *s* amtlich geprüfte Milch. ~ **pub·lic ac·count·ant** *s econ. Am.* amtlich zugelassener Wirtschaftsprüfer.

cer·ti·fi·er ['səːrtiˌfaiər] *s* Aussteller *m* e-r Bescheinigung.

cer·ti·fy ['səːrtiˌfai] **I** *v/t* **1.** bescheinigen, versichern, atte'stieren: **this is to** ~ **that** es wird hiermit bescheinigt, daß. **2.** beglaubigen, beurkunden: → **copy** 1. **3.** *econ. Am. Scheck* als gedeckt bestätigen (*Bank*). **4.** *j-n* vergewissern (of *gen*). **5.** *Br. j-n* amtlich für geistesgestört erklären. **6.** *jur. e-e Sache* verweisen (to an *ein anderes Gericht*). **II** *v/i* **7.** ~ **to** *etwas* bezeugen.

cer·ti·o·ra·ri [ˌsəːrʃiəː'rɛ(ə)rai] *s jur.* Aktenanforderung *f* (*durch ein übergeordnetes Gericht*).

cer·ti·tude ['səːrtiˌtjuːd] *s* (innere) Gewißheit.

ce·ru·le·an [si'ruːliən] *adj poet.* himmel-, tiefblau.

ce·ru·men [si'ruːmen] *s physiol.* Ohrenschmalz *n.*

ce·ruse ['si(ə)ruːs; si'ruːs] *s* **1.** *chem.* Bleiweiß *n.* **2.** (*e-e*) weiße Schminke.

cer·vi·cal ['səːrvikəl] *anat.* **I** *adj* zervi'kal, Hals..., Nacken... **II** *s* Halswirbel *m.*

cer·vine ['səːrvain; -vin] *adj* **1.** *zo.* Hirsch... **2.** schwarzbraun.

cer·vix ['səːrviks] *pl* **-vi·ces** [sər'vaisiːz] *od.* **-vix·es** [-viksiz] *s anat.* **1.** Hals *m*, *bes.* Genick *n.* **2.** (*bes.* Gebärmutter)Hals *m.*

Ce·sar·e·an → **Caesarean.**

ce·sar·e·vitch [si'zɑːrəvitʃ] *s hist.* Za'rewitsch *m.*

Ce·sar·e·witch [si'zɑːrəwitʃ] *s Pferderennen in Newmarket, England.*

cess¹ [ses] *s Ir. od. dial.* Steuer *f.*

cess² [ses] *s Ir.* Glück *n* (*bes. in*): **bad** ~ **to you!** die Pest über dich!

ces·sa·tion [se'seiʃən] *s* Aufhören *n*, Einstellen *n*, Stillstand *m*, Ende *n.*

cess·er ['sesər] *s jur.* Einstellung *f*, *a.* Ablauf *m* (*e-s Zeitraums etc*).

ces·sion ['seʃən] *s* Zessi'on *f*, Abtretung *f.* **'ces·sion·ar·y** *s* Zessio'nar *m.*

'cessˌpit, 'cessˌpool *s* **1.** Abort-, Jauche(n)-, Senkgrube *f.* **2.** *fig.* Pfuhl *m*: **a cesspool of iniquity** ein Sündenpfuhl.

ces·tode ['sestoud] *pl* **-to·da** [-'toudə], **ces·toid** ['sestɔid] *s zo.* Bandwurm *m.*

ce·su·ra → **caesura.**

ce·ta·cean [si'teiʃən] *zo.* **I** *s* Wal *m.* **II** *adj* Wal(fisch)... **ce'ta·ceous** [-ʃəs] *adj zo.* walartig, Wal...

ce·tane ['siːtein] *s chem.* Ce'tan *m.* ~ **num·ber** *s chem.* Ce'tanzahl *f.*

Ce·tus ['siːtəs] *s astr.* Cetus *m*, Walfisch *m* (*Sternbild*).

ce·vi·tam·ic ac·id [ˌsiːvai'tæmik; -vi-] *s chem.* Vita'min C *n.*

chafe [tʃeif] **I** *v/t* **1.** warmreiben, frot'tieren. **2.** (auf-, 'durch)reiben, scheuern, wund reiben: **clothing that** ~**s one's skin** Kleidung, die auf der Haut scheuert. **3.** *fig.* ärgern, reizen. **II** *v/i* **4.** (sich 'durch)reiben, scheuern, schaben. **5.** sich reiben (**against** an *dat*). **6.** sich ärgern, toben, wüten. **III** *s* **7.** wund- *od.* 'durchgescheuerte Stelle. **8.** *obs.* Ärger *m*, Zorn *m.*

chaf·er ['tʃeifər] *s zo.* (*bes.* Mai)Käfer *m.*

chaff¹ [*Br.* tʃɑːf; *Am.* tʃæ(ː)f] *s* **1.** Spreu *f*, Kaff *n*: **to separate the** ~ **from the wheat** die Spreu vom Weizen scheiden. **2.** Häcksel *m*, *n.* **3.** wertloses Zeug. **4.** *mil.* Düppel-, Stani'olstreifen *m*, Radarstörfolie *f.*

chaff² [*Br.* tʃɑːf; *Am.* tʃæ(ː)f] *colloq.* **I** *v/t u. v/i* necken, aufziehen. **II** *s* Necke'rei *f*, Schäke'rei *f.*

'chaffˌcut·ter *s agr.* **1.** Häckselschneider *m.* **2.** Häckselbank *f.*

chaf·fer ['tʃæfər] **I** *s* Handeln *n*, Feilschen *n.* **II** *v/i* handeln, feilschen, schachern.

chaf·finch ['tʃæfintʃ] *s orn.* Buchfink *m.*

chaf·ing ['tʃeifiŋ] *s* **1.** ('Durch-, Wund)Reiben *n*, Scheuern *n.* **2.** Wut *f*, Ärger *m.* ~ **dish** *s* **1.** Wärmepfanne *f.* **2.** Re'chaud *n.*

cha·grin [ʃə'grin; *Br. a.* 'ʃæg-; -riːn] **I** *s* Ärger *m*, Verdruß *m*: **to his** ~ zu s-m Verdruß. **II** *v/t* (ver)ärgern, verdrießen, kränken. **cha'grined** *adj* ärgerlich, gekränkt.

chain [tʃein] **I** *s* **1.** Kette *f* (*a. tech.*): ~ **of office** Amtskette; → **tire chain.** **2.** *fig.* Kette *f*, Fessel *f*: **in** ~**s** gefangen, in Ketten. **3.** *fig.* Kette *f*, Reihe *f*: **the** ~ **of events**; **a link in the** ~ **of evidence** ein Glied in der Beweiskette. **4.** *a.* ~ **of mountains** Gebirgskette *f.* **5.** *econ.* 'Kettenunterˌnehmen *n*, Fili'albetriebe *pl*: **a** ~ **of grocery stores.** **6.** *chem.* Kette *f* (*von Atomen des gleichen Elementes*). **7.** *tech.* a) Meßkette *f*, b) *Maßeinheit* (*66 Fuß = 20,12 m*). **8.** *Weberei*: Kette *f*, Zettel *m.* **II** *v/t* **9.** (an)ketten, mit e-r Kette befestigen (to an *dat*): **to** ~ **(up) a dog** e-n Hund anketten *od.* an die Kette legen; ~**ed to his wife** *fig.* an s-e Frau gekettet. **10.** *e-n Gefangenen* in Ketten legen, fesseln: **to** ~ **a prisoner.** **11.** *Land* mit der Meßkette messen. **12.** *math.* verketten. **13.** mit der Sicherheitskette zuketten.

chain| ar·gu·ment *s philos.* Kettenschluß *m.* ~ **ar·mo(u)r** *s* Kettenpanzer *m.* ~ **belt** *s tech.* endlose Kette. ~ **bridge** *s* Ketten-, Hängebrücke *f.* ~ **dredg·er** *s tech.* Eimerkettenbagger *m.* ~ **drive** *s tech.* Laufkette *f*, Kettenantrieb *m.* ~ **gang** *s* Trupp *m* anein'andergeketteter Sträflinge. ~ **gear** *s tech.* Kettengetriebe *n.*

chain·less ['tʃeinlis] *adj* kettenlos: ~ **drive** *tech.* kettenloser Antrieb.

chain| let·ter *s* Kettenbrief *m.* ~ **mail** *s* Kettenpanzer *m.* ~ **pump** *s* Kettenpumpe *f*, Pater'nosterwerk *n.* **'~-reˌact·ing pile** *s phys.* 'KernreˌaktoR *m.* ~ **re·ac·tion** *s phys.* 'KettenreaktiˌoN *f.* **'~-ˌsmoke** *v/i u. v/t* Kette rauchen, e-e (*Zigarette*) an der andern anstecken. ~ **smok·er** *s* Kettenraucher-

(in). ~ **stitch** s *Nähen*: Kettenstich *m*. ~ **store** s Fili'albetrieb *m*, Kettenladen *m*.

chair [tʃɛr] I s 1. Stuhl *m*, Sessel *m*: to take a ~ Platz nehmen, sich setzen; on a ~ auf e-m Stuhl; in a ~ in *od.* auf e-m Sessel. 2. *fig.* a) Amtssitz *m*, b) Richterstuhl *m*, c) Vorsitz *m*: to be in the ~, to take the ~ den Vorsitz führen *od.* übernehmen; to leave the ~ die Sitzung aufheben, d) Vorsitzende(r *m*) *f*: to address the ~ sich an den Vorsitzenden wenden; ~, ~! *parl. Br.* zur Ordnung! 3. Lehrstuhl *m*, Profes'sur *f* (of für): ~ of Natural History. 4. *Am.* (*der*) e'lektrische Stuhl. 5. *tech.* a) *rail.* Schienenstuhl *m*, b) Glasmacherstuhl *m*. 6. Sänfte *f*. II *v/t* 7. bestuhlen, mit Stühlen versehen. 8. auf e-n Amtssitz *od.* Lehrstuhl *etc* berufen, einsetzen. 9. *Br.* auf e-m Stuhl (im Tri'umph) um'hertragen. 10. den Vorsitz führen von (*od. gen*). ~ **back** s Stuhl-, Sessellehne *f*. ~ **bot·tom** s Stuhlsitz *m*. ~ **car** s *rail. Am.* 1. Sa'lonwagen *m*. 2. Wagen *m* mit verstellbaren Sitzen. ~ **days** s *pl fig.* Lebensabend *m*.

chair·man ['tʃɛrmən] s *irr* 1. Vorsitzende(r) *m*, Präsi'dent *m*. 2. j-d, der e-n Rollstuhl schiebt. '**chair·man,ship** s Vorsitz *m*, Amt *n* des Vorsitzenden.

chair·o·plane ['tʃɛ(ə)rou,plein] s 'Kettenkarus,sell *n*.

'**chair,wom·an** s *irr* Vorsitzende *f*.

chaise [ʃeiz] s Chaise *f*, Ka'lesche *f*. ~ **longue** ['lɔ̃g; lɔːŋg] s Chaise'longue *f*, Liegesofa *n*.

cha·la·za [kə'leizə] *pl* **-zae** [-iː] s Cha'laza *f*: a) *bot.* Nabel-, Keimfleck *m*, b) *zo.* Hagelschnur *f* (*im Ei*).

chal·ced·o·ny [kæl'sedəni; 'kælsi,douni] s *min.* Chalce'don *m*.

chal·co·cite ['kælko,sait] s *min.* Chalko'zit *m*, Kupferglanz *m*.

chal·cog·ra·pher [kæl'kɒgrəfər], **chal'cog·ra·phist** s Kupferstecher *m*.

chal·dron ['tʃɔːldrən] s *fast obs. ein englisches Hohl- od. Kohlenmaß = 1,16 cbm.*

cha·let ['ʃælei; ʃæ'lei] s Cha'let *n*: a) Sennhütte *f*, b) Landhaus *n*.

chal·ice ['tʃælis] s 1. *poet.* (Trink)Becher *m*. 2. *relig.* (Abendmahls)Kelch *m*.

chalk [tʃɔːk] I s 1. *min.* Kreide *f*, Kalk *m*. 2. Zeichenkreide *f*, Kreidestift *m*: colo(u)red ~ Pastell-, Bunt-, Farbstift; → French chalk; to give ~ for cheese Schlechtes für Gutes geben; as different as ~ and cheese verschieden wie Tag u. Nacht; he doesn't know ~ from cheese er hat keine blasse Ahnung. 3. Kreidestrich *m*: to walk the ~ → chalk line. 4. *Br.* a) (angekreidete) Schuld, b) Plus-, Gewinnpunkt *m* (*bei Spielen*): that is one ~ to me! *colloq.* das ist ein Punkt für mich!; not by a long ~ *colloq.* bei weitem nicht. II *v/t* 5. mit Kreide behandeln. 6. mit Kreide schreiben *od.* zeichnen *od.* mar'kieren, ankreiden: to ~ s.th. up *colloq.* etwas rot im Kalender anstreichen. 7. kalken, weißen: to ~ a wall. 8. ~ up a) anschreiben, auf die Rechnung setzen, b) no'tieren: to ~ up s.th. against s.o. j-m etwas als Schuld verbuchen *od.* ankreiden; to ~ s.th. up to *fig.* etwas *j-m od. e-r Sache* zuschreiben; to ~ it up e-e Rechnung auflaufen lassen. 9. entwerfen, skiz'zieren: to ~ out a plan. ~ **bed** s *geol.* Kreideschicht *f*. '~,**cut·ter** s Kreidegräber *m*. ~ **line** s *tech.* Schlagschnur *f*: to walk the ~ auf dem (Kreide)Strich gehen können (*noch nüchtern sein*). ~ **talk** s *Am. Vortrag, bei dem der Redner Illustrationen an die Tafel zeichnet.*

chal·lenge ['tʃælindʒ] I s 1. Her'ausforderung *f* (to *gen od.* an *acc*) (*a. sport u. fig.*), Kampfansage *f*. 2. *fig.* (to) a) Angriff *m* (auf *acc*), b) Pro'test *m*, Einwand *m* (gegen). 3. *fig.* Pro'blem *n*, (schwierige *od.* lockende) Aufgabe, Probe *f*: the ~ now is jetzt gilt es (to do zu tun). 4. *mil.* a) Anruf *m* (durch Wachtposten), b) *Radar*: Abfragung *f*. 5. *hunt.* Anschlagen *n* (der Hunde). 6. *jur.* a) Ablehnung *f* (*e-s Geschworenen od. Richters*), b) Anfechtung *f* (*e-s Beweismittels etc*). 7. Aufforderung *f* zur Stellungnahme. 8. *med.* Immuni'tätstest *m*. II *v/t* 9. (*zum Kampf etc*) her'ausfordern. 10. auf-, her'ausfordern (to do zu tun). 11. a) *jur. Geschworene* ablehnen, b) *etwas od. die Gültigkeit e-r Sache* anfechten. 12. *etwas* stark anzweifeln, angreifen, in Frage stellen. 13. *Aufmerksamkeit etc* fordern, Anspruch erheben auf (*acc*), *Bewunderung* abnötigen, *j-n* locken *od.* reizen (*Aufgabe*): to ~ attention. 14. in scharfen Wettstreit treten mit. 15. *mil.* a) anrufen, b) (*Radar*) abfragen. III *v/i* 16. anschlagen (*Hund*). '**chal·lenge·a·ble** *adj* her'auszufordern(d), anfechtbar. '**chal·leng·er** s Her'ausforderer *m*.

chal·lenge tro·phy s *sport* Wanderpreis *m*.

chal·leng·ing ['tʃælindʒiŋ] *adj* (*adv* ~ly) 1. her'ausfordernd, provo'zierend. 2. faszi'nierend, lockend: a ~ task. 3. schwierig.

cha·lyb·e·ate [kə'libiit; -,eit] I *adj min.* stahl-, eisenhaltig: ~ spring Stahlquelle *f*. II s *med.* Stahlwasser *n*.

chal·y·bite ['kæli,bait] s *geol.* Eisenspat *m*, Spateisenstein *m*.

cham·ber ['tʃeimbər] I s 1. *obs.* (*bes.* Schlaf)Zimmer *n*, Stube *f*, Kammer *f*, Gemach *n*: bridal ~ Brautgemach. 2. *pl Br.* a) (*zu vermietende*) Zimmer *pl*, Junggesellenwohnungen *pl*, b) Geschäftsräume *pl*: to live in ~s privat wohnen. 3. (Empfangs)Zimmer *n*, Raum *m* (*in e-m Palast od. e-r Residenz*): audience-~. 4. *parl.* a) Sitzungssaal *m*, b) Kammer *f*, gesetzgebende Körperschaft. 5. Kammer *f*, Amt *n*: ~ of commerce Handelskammer. 6. *jur.* Amtszimmer *n* des Richters: in ~s in nichtöffentlicher Sitzung. 7. *pl jur.* 'Anwaltszimmer *pl*, -bü,ros *pl* (*bes. in den* Inns of Court). 8. Schatzamt *n*. 9. *tech.* Kammer *f* (*Am. a. e-r Schleuse*), *mil.* (Gewehr)Kammer *f*. 10. *anat. zo.* Kammer *f*: ~ of the eye Augenkammer. II *v/t* 11. *a. Gewehr etc* mit e-r Kammer versehen. ~ **con·cert** s *mus.* 'Kammerkon,zert *n*. ~ **coun·sel** s Rechtsberater *m* (*der nur Privatpraxis ausübt u. nicht vor Gericht plädiert*).

cham·ber·er ['tʃeimbərər] s *obs.* a) Stubenmädchen *n*, b) Diener *m*, c) Ga'lan *m*, Hofmacher *m*.

cham·ber·lain ['tʃeimbərlin] s 1. Kammerherr *m*: Lord Great C~ of England Großkämmerer *m* (*Vorsteher des Hofstaates*); → Lord Chamberlain (of the Household). 2. hoher Hofbeamter *od.* Stadtkämmerer *m*. 3. Haushofmeister *m* (*in adeligem Haushalt*). 4. Schatzmeister *m*.

'**cham·ber|,maid** s Zimmermädchen *n* (*im Hotel*). ~ **mu·sic** s 'Kammermu,sik *f*. ~ **or·ches·tra** s 'Kammeror,chester *n*. ~ **or·gan** s Zimmerorgel *f*. ~ **pot** s Nachtgeschirr *n*. ~ **prac·tice** s (*private*) Rechtsanwaltspraxis (*die nur in der Kanzlei ausgeübt wird*).

cha·me·le·on [kə'miːliən; -ljən] s 1. *zo.* Cha'mäleon *n* (*a. fig. Mensch*). 2. C~ *astr.* Cha'mäleon *n* (*Sternbild*).

cham·fer ['tʃæmfər] I s 1. *arch.* Auskehlung *f*, Hohlrinne *f*, Kanne'lierung *f* (*e-r Säule*). 2. *tech.* a) abgestoßene Kante, Schrägkante *f* (*Tisch*), b) Abschrägung *f*, Fase *f*. II *v/t* 3. *arch.* auskehlen, kanne'lieren. 4. *tech.* a) abkanten, schräg abstoßen, b) abschrägen, c) riffeln, abfasern, verjüngen.

cham·fron ['tʃæmfrən] s *hist.* Stirnschild *m* (*e-s Streitrosses*).

cham·ois ['ʃæmwɑː; -mi] s 1. *zo.* Gemse *f*. 2. *a.* ~ leather [*meist* 'ʃæmi] Sämischleder *n*. 3. *tech.* Po'lierleder *n*.

cham·o·mile → camomile.

champ[1] [tʃæmp] I *v/t* 1. (heftig *od.* geräuschvoll) kauen. 2. kauen auf (*dat*), beißen auf (*acc*) (*z. B. Pferde auf das Zaumgebiß*). II *v/i* 3. kauen: to ~ at the bit a) am Gebiß kauen (*Pferd*), b) *fig.* ungeduldig sein, c) *fig.* mit den Zähnen knirschen. III s 4. Kauen *n*.

champ[2] [tʃæmp] *sl. für* champion 4.

cham·pagne [ʃæm'pein] s 1. Cham'pagner *m*, Sekt *m*, Schaumwein *m*. 2. Cham'pagnerfarbe *f*.

cham·per·ty ['tʃæmpərti] s *jur. Übernahme e-r Streitsache durch Anwälte od. Außenstehende gegen Erfolgshonorar (z. B. Anteil am Streitobjekt).*

cham·pi·gnon [ʃæm'pinjən; *Br. a.* tʃæm-] s *bot.* Wiesenchampignon *m*.

cham·pi·on ['tʃæmpjən] I s 1. (Tur'nier)Kämpfer *m*, Kämpe *m*. 2. (of) Streiter *m* (für), Verfechter *m*, Fürsprecher *m* (von *od. gen*). 3. Sieger *m* (*bei e-m Wettbewerb etc*). 4. *sport* Meister *m*, Titelhalter *m*. II *v/t* 5. *Sache, Idee etc* verfechten, eintreten für, verteidigen. III *adj* 6. best(er, e, es), Meister...: ~ boxer. '**cham·pi·on,ship** s 1. *sport etc* a) Meisterschaft *f*, -titel *m*, b) *pl* Meisterschaftskämpfe *pl*, Meisterschaften *pl*. 2. (of) Verfechten *n* (*gen*), Eintreten *n* (für).

chance [*Br.* tʃɑːns; *Am.* tʃæ(ː)ns] I s 1. Zufall *m*: a lucky ~; game of ~ Glücksspiel *n*; by ~ zufällig; by the merest ~ rein zufällig; to leave it to ~ es dem Zufall überlassen. 2. Schicksal *n*: whatever be my ~. 3. Möglichkeit *f*, Wahr'scheinlichkeit *f*: all ~s of error alle denkbaren Fehlerquellen; on the (off) ~ auf die (entfernte) Möglichkeit hin, auf gut Glück; the ~s are that es besteht Aussicht daß, aller Wahrscheinlichkeit nach. 4. Chance *f*: a) (günstige) Gelegenheit, (sich bietende) Möglichkeit: the ~ of a lifetime e-e einmalige Gelegenheit, 'die Chance s-s *etc* Lebens; give him a ~! gib ihm e-e Chance!, versuch's mal mit ihm!; → main chance, b) Aussicht *f* (of auf *acc*): a good ~ of success; to stand a ~ Aussichten *od.* e-e Chance haben; the ~s are against you die Umstände sind gegen dich. 5. Risiko *n*: to take a ~ es darauf ankommen lassen, es riskieren; to take one's ~ sein Glück versuchen; to take no ~s nichts riskieren (wollen). 6. *obs.* 'Mißgeschick *n*. 7. *Am. dial.* Menge *f*, Anzahl *f*. II *v/i* 8. (unerwartet) eintreten *od.* geschehen: it ~d that es fügte sich (so), daß; I ~d to meet her zufällig traf ich sie. 9. ~ (up)on zufällig stoßen auf (*acc*). III *v/t* 10. es ankommen lassen auf (*acc*), ris'kieren: to ~ defeat; to ~ missing him es riskieren, ihn zu verfehlen; to ~ one's arm *Br.* Kopf u. Kragen riskieren; to ~ it *colloq.* es darauf ankommen lassen. IV *adj*

11. zufällig, Zufalls...: a ~ acquaintance; ~ hit Zufallstreffer *m.* ~ **child** *s* uneheliches Kind. ~ **com·er** *s* unerwarteter Ankömmling.

chan·cel [*Br.* 'tʃɑːnsəl; *Am.* 'tʃæ(ː)n-] *s relig.* Al'tarraum *m*, hoher Chor: ~ table Altar *m*, Abendmahlstisch *m.*

chan·cel·ler·y [*Br.* 'tʃɑːnsələri; -sləri; *Am.* 'tʃæ(ː)n-] *s* **1.** Amt *n* e-s Kanzlers. **2.** Kanz'lei *f.* **3.** 'Botschafts-, Ge'sandtschafts-, Konsu'latskanzˌlei *f.*

chan·cel·lor [*Br.* 'tʃɑːnsələr; *Am.* 'tʃæ(ː)n-] *s* **1.** Kanzler *m*: a) Vorsteher *m* e-r 'Hofkanzˌlei, b) (*Art*) Sekre'tär *m*, Kanz'leivorstand *m* (*an Konsulaten etc*). **2.** *pol.* Kanzler *m* (*Regierungschef in Deutschland etc*). **3.** *Br. Titel hoher Staatswürdenträger*: C~ of the Exchequer Schatzkanzler *m*, Finanzminister *m*; → Lord Chancellor. **4.** *univ.* a) *Br.* Kanzler *m* (*Ehrentitel des höchsten Gönners od. Protektors an verschiedenen Universitäten*), b) *Am.* Rektor *m.* **5.** *Am.* Vorsitzende(r) *m od.* Richter *m* (*gewisser Gerichtshöfe*). '**chan·cel·lorˌship** *s* Kanzleramt *n*, -würde *f.*

'**chance-ˌmed·ley** *s* **1.** *jur.* Totschlag *m* (*in Notwehr od. Affekt*). **2.** reiner Zufall.

chan·cer·y [*Br.* 'tʃɑːnsəri; *Am.* 'tʃæ(ː)n-] *s* **1.** Kanz'lei *f.* **2.** *jur.* Kanz'leigericht *n*: a) *hist. Br. des Lordkanzlers bis 1873*, b) *Am.* → chancery court. **3.** *jur.* Billigkeitsrecht *n.* **4.** gerichtliche Verwaltung: in ~ a) unter gerichtlicher (Zwangs)Verwaltung, b) *Boxen etc*: *sl.* ,im Schwitzkasten', c) *fig.* in der Klemme; → ward 4. ~ **court** *s jur.* Kan'zleigericht *n* (*das nach Billigkeitsgrundsätzen urteilt*). **C~ Di·vi·sion** *s jur. Br.* Kammer *f* für Billigkeitsrechtsprechung des High Court of Justice.

chan·cre ['ʃæŋkər] *s med.* Schanker *m.* '**chan·croid** [-krɔid] *s* weicher Schanker.

chanc·y [*Br.* 'tʃɑːnsi; *Am.* 'tʃæ(ː)nsi] *adj colloq.* unsicher, ris'kant.

chan·de·lier [ˌʃændə'lir] *s* **1.** Kerzenhalter *m*, (Arm)Leuchter *m.* **2.** Kronleuchter *m*, Lüster *m.*

chan·delle [ʃæn'del] *s aer.* Chan'delle *f* (*hochgezogene Kehrtkurve*).

chan·dler [*Br.* 'tʃɑːndlər; *Am.* 'tʃæ(ː)n-] *s* **1.** Kerzenzieher *m.* **2.** Krämer *m*, Händler *m.* '**chan·dler·y** *s* **1.** Kramladen *m.* **2.** Krämerware(n *pl*) *f.*

chan·frin ['tʃænfrin] *s* Vorderteil *m* des Pferdekopfes.

change [tʃeindʒ] **I** *v/t* **1.** (ver)ändern, 'umändern, verwandeln (into in *acc*): to ~ colo(u)r die Farbe wechseln (*erbleichen, erröten*); to ~ one's lodgings umziehen; to ~ one's note (*od.* tune) *colloq.* e-n anderen Ton anschlagen, andere Saiten aufziehen; → subject 1. **2.** wechseln, (ver)tauschen: to ~ one's shoes andere Schuhe anziehen, die Schuhe wechseln; to ~ hands den Besitzer wechseln; to ~ places with s.o. mit j-m den Platz *od.* die Plätze tauschen; to ~ trains umsteigen; → mind 4, *etc.* **3.** *Bettzeug etc* wechseln, *Bett* frisch beziehen, *Baby* trockenlegen, wickeln. **4.** *Geld* wechseln: can you ~ this note?; to ~ dollars into francs Dollar in Franken umwechseln. **5.** *tech. Teile* (aus)wechseln, *Öl* wechseln. **6.** *mot. tech.* schalten: → gear 3; to ~ over a) umschalten, b) *Maschine, a. Industrie etc* umstellen (to auf *acc*). **7.** *electr.* kommu'tieren.

II *v/i* **8.** sich (ver)ändern, wechseln: the weather ~d; his expression ~d; the moon is changing der Mond wechselt; the prices have ~d die Preise haben sich geändert. **9.** sich verwandeln (to, into in *acc*). **10.** 'übergehen (to zu): he ~d to cigars. **11.** sich 'umziehen (for dinner zum Abendessen). **12.** *rail. etc* 'umsteigen.

III *s* **13.** (Ver)Änderung *f*, Wechsel *m*, (Ver)Wandlung *f*, *weitS. a.* 'Umschwung *m*, Wendung *f*: ~ for the better (worse) Besserung *f* (Verschlimmerung *f*); ~ of air Luftveränderung; ~ in weather Witterungsumschlag *m*; ~ of heart Sinnesänderung; ~ of life *physiol.* Wechseljahre *pl.*; ~ of the moon Mondwechsel; ~ of voice Stimmwechsel. **14.** (Aus)Tausch *m.* **15.** (*etwas*) Neues, Abwechslung *f*: for a ~ zur Abwechslung. **16.** a) Wechsel *m* (*Kleidung etc*): ~ of clothes Umziehen *n*, b) Kleidung *f* zum Wechseln, frische Wäsche. **17.** a) Wechselgeld *n*, b) Kleingeld *n*, c) her'ausgegebenes Geld: to get (give) ~ Geld herausbekommen (herausgeben) (for a pound auf ein Pfund); to get no ~ out of s.o. *fig.* nichts aus j-m herausholen können. **18.** C~ *Br. colloq. für* Exchange. **19.** *mus.* a) (Tonart-, Takt-, Tempo)Wechsel *m*, b) Vari'ierung *f*, c) (*enharmonische*) Verwechslung *f*, d) *meist pl* Wechsel(folge *f*) *m* (*beim Wechselläuten*): to ring the ~s wechselläuten, *fig. sl.* beim Geldwechseln ,beschummeln'.

change·a·bil·i·ty [ˌtʃeindʒə'biliti] *s* Veränderlichkeit *f*, Unbeständigkeit *f*, Wankelmut *m.* '**change·a·ble** *adj* (*adv* changeably) **1.** veränderlich, wankelmütig, unbeständig, wandelbar. **2.** chan'gierend (*Stoff*). '**change·a·ble·ness** → changeability.

change·ful ['tʃeindʒful] *adj* (*adv* ~ly) veränderlich, wechselvoll.

change gear *s tech.* Wechselgetriebe *n.*

change·less ['tʃeindʒlis] *adj* unveränderlich, beständig, ohne Wechsel.

change·ling ['tʃeindʒliŋ] *s* **1.** Wechselbalg *m*, 'untergeschobenes Kind. **2.** *obs.* wankelmütiger Mensch.

'**change-ˌo·ver** *s* **1.** *electr. tech.* 'Umschaltung *f*: ~ switch Umschalter *m*, Polwender *m.* **2.** *tech. u. fig.* 'Umstellung *f* (*e-r Maschine, Industrie etc*).

chang·er ['tʃeindʒər] *s* **1.** (Ver)Änderer *m.* **2.** *in Zssgn* (Platten- *etc*)Wechsler *m* (*Gerät*).

change| ring·ing *s* Wechselläuten *n.* '**~-'speed gear** *s tech.* Wechsel-, Schaltgetriebe *n.*

chang·ing ['tʃeindʒiŋ] **I** *adj* veränderlich (*a. Wetter*), wechselnd, wandelbar. **II** *s* Wechsel *m*, Veränderung *f*: ~ of the guard Wachablösung *f*; ~ of gears Schalten *n* (der Gänge). '**~-ˌroom** *s* 'Umkleideraum *m.*

chan·nel ['tʃænəl] **I** *s* **1.** Flußbett *n.* **2.** Fahrrinne *f*, Ka'nal *m.* **3.** (breite Wasser)Straße: the English C~, *bes. Br.* the C~ der (Ärmel)Kanal. **4.** *mar.* a) schiffbarer Wasserweg (*der 2 Gewässer verbindet*), b) Seegatt *n*, c) Rüst *f.* **5.** Zufahrtsweg *m*, (Hafen)Einfahrt *f.* **6.** Rinne *f*, Gosse *f.* **7.** *fig.* Ka'nal *m*, Bahn *f*, Weg *m*: to direct a matter into (*od.* through) other ~s e-e Angelegenheit in andere Bahnen lenken; ~s of supply Versorgungswege; through official ~s auf dem Dienst- *od.* Instanzenweg; ~s of trade Handelswege. **8.** *electr.* Fre'quenzband *n*, (*Fernseh- etc*)Ka'nal *m*: ~ selector Kanalwähler *m.* **9.** *tech.* 'Durchlaßröhre *f.* **10.** *arch.* Auskehlung *f*, Kanne'lierung *f.* **11.** *tech.* Nut *f*, Furche *f*, Riefe *f.* **12.** *a.* ~ iron *tech.* U-Eisen *n.* **II** *v/t* **13.** rinnenförmig aushöhlen, furchen. **14.** *arch.* auskehlen, kanne'lieren. **15.** *tech.* nuten, furchen. **16.** *fig.* lenken, leiten.

chant [*Br.* tʃɑːnt; *Am.* tʃæ(ː)nt] **I** *s* **1.** Gesang *m*, Weise *f*, Melo'die *f.* **2.** *relig.* a) (*rezitierender*) Kirchengesang, *bes.* Psalmo'die *f*, b) 'Kirchenmeloˌdie *f.* **3.** Singsang *m*, mono'toner Gesang *od.* Tonfall. **II** *v/t* **4.** singen. **5.** besingen, preisen. **6.** ('her-, her'unter)leiern. **7.** immer wieder rufen. **8.** *sl. j-m ein Pferd* ,andrehen' *od.* aufschwatzen. **III** *v/i* **9.** singen, *relig. a.* psalmo'dieren (*a. fig.*). '**chant·er** *s* **1.** a) (Kirchen)Sänger(in), b) Kantor *m*, Vorsänger *m.* **2.** *mus.* Melo'diepfeife *f* (*des Dudelsacks*).

chan·te·relle[1] [ˌtʃæntə'rel; ˌʃæn-] *s bot.* Pfifferling *m.*

chan·te·relle[2] [ʃɑ̃t'rɛl] (*Fr.*) *s mus.* E-Saite *f*, Sangsaite *f.*

chant·ey ['ʃænti; 'tʃæn-] *s* Ma'trosenlied *n*, Shanty *n.*

chan·ti·cleer [ˌtʃænti'klir] *s poet.* Hahn *m.*

chan·try [*Br.* 'tʃɑːntri; *Am.* 'tʃæ(ː)n-] *s relig.* **1.** Stiftung *f* von Seelenmessen. **2.** Vo'tivkaˌpelle *f od.* -alˌtar *m.*

chant·y → chantey.

cha·os ['keiɒs] *s* Chaos *n*: a) Urzustand *m* (*vor der Schöpfung*), b) *fig.* Wirrwarr *m*, Durchein'ander *n.* **cha'ot·ic** [-'ɒtik] *adj* (*adv* ~ally) cha'otisch, wirr.

chap[1] [tʃæp] *s colloq.* Bursche *m*, Junge *m*, Kerl *m*: a nice ~ ein netter Kerl; old ~ ,alter Knabe'.

chap[2] [tʃæp] *s* Kinnbacke(n *m*) *f*, Kiefer *m od. pl*, Maul *n* (*e-s Tieres*).

chap[3] [tʃæp] **I** *v/t* **1.** *Holz* spalten. **2.** Risse verursachen in *od.* auf (*dat*), *die Haut* rissig machen. **II** *v/i* **3.** aufspringen, rissig werden (*Haut*): → chapped. **III** *s* **4.** Riß *m*, Sprung *m.*

'**chapˌbook** *s* **1.** *hist.* Volksbuch *n*, Bal'ladenbüchlein *n.* **2.** kleines (Unter'haltungs)Buch.

chape [tʃeip] *s* **1.** *mil.* a) Ortband *n* (*e-r Degenscheide*), b) Schuh *m* (*e-r Säbelscheide*). **2.** Schnallenhaken *m.* **3.** *Br.* 'Durchziehschlaufe *f.*

chap·el ['tʃæpəl] *s* **1.** Ka'pelle *f*: a) *Teil e-r Kirche*, b) *Privatkapelle e-s Schlosses, Klosters etc*, c) *a.* ~ of ease Fili'alkirche *f.* **2.** Gottesdienst *m* (*in e-r Kapelle*). **3.** Gotteshaus *n*: a) *e-r Universität etc*, b) *Br. der Dissenters*: he is ~ *colloq.* er ist ein Dissenter. **4.** *mus.* a) Or'chester *n od.* Sängerchor *m* e-r Ka'pelle, b) ('Hof-, 'Haus)Kaˌpelle *f.* **5.** *print.* a) Drucke'rei *f*, b) Versammlung *f* des 'Setzer- u. 'Druckerpersoˌnals. '**chap·el·ry** [-ri] *s relig.* Sprengel *m.*

chap·er·on ['ʃæpəˌroun] **I** *s* Anstandsdame *f*, Beschützer(in). **II** *v/t* (als Anstandsdame) begleiten, beschützen. '**chap·erˌon·age** *s* Begleiten *n*, Schutz *m.*

chap·fall·en ['tʃæpˌfɔːlən] *adj fig.* entmutigt, niedergeschlagen.

chap·i·ter ['tʃæpitər] *s arch.* Ka'pitell *n.*

chap·lain ['tʃæplin] *s* **1.** Ka'plan *m*, Geistliche(r) *m* (*an e-r Kapelle*). **2.** Hof-, Haus-, Anstandsgeistliche(r) *m.* **3.** Mili'tär- *od.* Ma'rinegeistliche(r) *m*: army ~; navy ~. '**chap·lain·cy** *s* Ka'plansamt *n*, -würde *f*, -pfründe *f.*

chap·let ['tʃæplit] *s* **1.** Kranz *m.* **2.** Perlenschnur *f*, -kette *f.* **3.** *relig.* (*verkürzter*) Rosenkranz.

chap·man ['tʃæpmən] *s irr Br.* Hau'sierer *m*, Händler *m.*

chapped [tʃæpt], **ˈchap·py** *adj* aufgesprungen, rissig (*bes. Haut*): ~ **hands.**
chap·pie [ˈtʃæpi] *s colloq.* Kerlchen *n.*
chap·ter [ˈtʃæptər] **I** *s* **1.** Kaˈpitel *n* (*e-s Buches u. fig.*): ~ **and verse** a) Kapitel u. Vers (*Angabe e-r Bibelstelle*), b) genaue Einzelheiten; **he knows** ~ **and verse of** er weiß genau Bescheid über (*acc*); **to the end of the** ~ bis ans Ende. **2.** *Br. Titel der einzelnen Parlamentsbeschlüsse e-r Session.* **3.** *relig.* Zweig *m* e-r religiˈösen Gesellschaft. **4.** *relig.* a) ˈDomkaˌpitel *n*, b) ˈOrdenskaˌpitel *n*, c) Vollversammlung *f* der Kaˈnoniker e-r Proˈvinz. **5.** *Am.* Ortsgruppe *f* (*e-s Vereins etc*). **6.** *pl* römische Zahlen *pl* (*bes. auf dem Zifferblatt*). **II** *v/t* **7.** in Kaˈpitel einteilen. ~ **house** *s* **1.** *relig.* ˈDomkaˌpitel *n*, Stift(shaus) *n.* **2.** *Am.* Klubhaus *n* (*von Studenten*).
char[1] [tʃɑːr] **I** *v/t* **1.** verkohlen, -koken. **2.** anbrennen. **II** *v/i* **3.** verkohlen. **III** *s* **4.** Holz-, Knochen-, Tierkohle *f.*
char[2] [tʃɑːr] *s ichth.* ˈRotfoˌrelle *f.*
char[3] [tʃɑːr] **I** *s* **1.** *Br. colloq. für* charlady, charwoman. **2.** Gelegenheitsarbeit *f*, *pl bes.* Hausarbeit *f.* **II** *v/i* **3.** als Putzfrau arbeiten.
char[4] [tʃɑːr] *s Br. sl.* Tee *m.*
char·a·banc, char-à-banc [ˈʃærəˌbæŋ] *pl* **-bancs** [-z] *s* **1.** Kremser *m.* **2.** *Br.* ˈAusflugsˌautobus *m.*
char·ac·ter [ˈkæriktər] **I** *s* **1.** *allg.* Chaˈrakter *m*: a) Wesen *n*, Art *f* (*e-s Menschen etc*): **bad** ~; **a man of noble** ~; ~ **defect** Charakterfehler *m*, b) guter Charakter: (**strong**) ~ Charakterstärke *f*; **he has** (*od.* **is a man of**) ~ er hat Charakter, c) (ausgeprägte) Perˈsönlichkeit: **he is an odd** ~ er ist ein merkwürdiger Mensch *od.* Charakter; **a public** ~ e-e bekannte Persönlichkeit; **he is (quite) a** ~ *colloq.* er ist (schon) ein Original *od.* ein komischer Kerl, d) Eigenschaft(en *pl*) *f*, (charakteˈristisches) Kennzeichen, Gepräge *n*, *a. biol.* Merkmal *n*: **the** ~ **of the landscape** der Landschaftscharakter; → **generic** 1. **2.** a) Ruf *m*, Leumund *m*, b) Zeugnis *n* (*bes. für Personal*): **to give s.o. a good** ~ j-m ein gutes Zeugnis ausstellen (*a. fig.*). **3.** Eigenschaft *f*, Rang *m*, Stellung *f*: **in his** ~ **of ambassador** in s-r Eigenschaft als Botschafter. **4.** Fiˈgur *f*, Gestalt *f* (*e-s Romans etc*): **the** ~**s of the play** die Charaktere des Stückes. **5.** *thea.* Rolle *f*: **in** ~ a) der Rolle gemäß, b) *fig.* (zum Charakter des Ganzen) passend; **it is out of** ~ es paßt nicht (dazu, zu ihm *etc*), es fällt aus dem Rahmen. **6.** Schrift(zeichen *n*) *f*, Buchstabe *m*: **in Greek** ~**s**; **in large** ~**s** mit großen Buchstaben; **to know s.o.'s** ~**s** j-s Handschrift kennen. **7.** Ziffer *f*, Zahl(zeichen *n*) *f.* **8.** Geheimzeichen *n.* **II** *adj* **9.** Charakter...: ~ **actor** *thea.* Charakterdarsteller *m*; ~ **assassination** Rufmord *m*; ~ **building** Charakterbildung *f.*
char·ac·ter·is·tic [ˌkæriktəˈristik] **I** *adj* **1.** charakteˈristisch, bezeichnend, eigentümlich, typisch (**of** für): ~ **curve** *tech.* Leistungskurve *f*, -kennlinie *f*; ~ **note** *mus.* Leitton *m.* **II** *s* **2.** charakteˈristisches Merkmal, Eigentümlichkeit *f*, Kennzeichen *n*: (**performance**) ~ *tech.* (Leistungs)Angabe *f*, (-)Kennwert *m.* **3.** *math.* Index *m* e-s Logaˈrithmus, Kennziffer *f.* ˌ**char·ac·ter·ˈis·ti·cal** → characteristic I. ˌ**char·ac·terˈis·ti·cal·ly** *adv* in charakteˈristischer Weise, bezeichnenderweise.
char·ac·ter·i·za·tion [ˌkæriktəraiˈzeiʃən; -riˈz-] *s* Charakteriˈsierung *f*, Kennzeichnung *f.*
char·ac·ter·ize [ˈkæriktəˌraiz] *v/t* charakteriˈsieren: a) beschreiben, schildern, b) kennzeichnen.
char·ac·ter·less [ˈkæriktərlis] *adj* chaˈrakterlos, nichtssagend.
cha·rade [*Br.* ʃəˈrɑːd; *Am.* ʃəˈreid] *s* Schaˈrade *f*, (*in Verkleidungsszenen dargestelltes*) Silbenrätsel.
char·coal [ˈtʃɑːrkoul] *s* **1.** Holz-, Knochenkohle *f.* **2.** (Reiß-, Zeichen)Kohle *f*, Kohlestift *m.* ~ **burn·er** *s* Köhler *m*, Kohlenbrenner *m.* ~ **draw·ing** *s* **1.** Kohlezeichnung *f.* **2.** Kohlezeichnen *n* (*als Kunst*).
chard [tʃɑːrd] *s* **1.** Blattstiele *pl* der Artiˈschocke. **2.** a) *bot.* Mangold *m*, b) Mangold(gemüse *n*) *m.*
chare [tʃɛr] → char[3] 2 *u.* 3.
charge [tʃɑːrdʒ] **I** *v/t* **1.** beladen, (*a. fig. sein Gedächtnis etc*) belasten. **2.** (an)füllen, *tech. a.* beschicken. **3.** *Gewehr, Mine etc* laden: **to** ~ **a rifle.** **4.** *electr. Batterie etc* aufladen. **5.** *chem.* sättigen, ansetzen (**with** mit). **6.** ~ **with** *fig. j-m etwas* aufbürden. **7.** (**with**) *j-n* beauftragen (mit), *j-m* (an)befehlen, zur Pflicht machen (*acc*): **to** ~ **s.o. with a task** j-n mit e-r Aufgabe betrauen; **to** ~ **s.o. to be careful** j-m einschärfen, vorsichtig zu sein. **8.** belehren, *j-m* Weisungen geben: **to** ~ **the jury** *jur.* den Geschworenen Rechtsbelehrung erteilen. **9.** (**with**) *j-m* (*etwas*) zur Last legen *od.* vorwerfen *od.* anlasten, *a. jur. j-n* (*e-r Sache*) beschuldigen *od.* anklagen *od.* bezichtigen: **to** ~ **s.o. with murder.** **10.** (**with**) *econ. j-n* belasten (mit *e-m Betrag*), *j-m* (*etwas*) in Rechnung stellen: **to** ~ **an amount to s.o.'s account** j-s Konto mit e-m Betrage belasten. **11.** berechnen, (als Preis) fordern: **how much do you** ~ **for it?** wieviel berechnen *od.* verlangen Sie dafür?; **he** ~**d me 3 dollars for it** er berechnete mir 3 Dollar dafür. **12.** *mil. sport* angreifen, stürmen, attacˈkieren. **13.** *sport den Gegner* ‚angehen', rempeln. **14.** *mil. Waffe* zum Angriff fällen.
II *v/i* **15.** angreifen, stürmen: **to** ~ **at s.o.** j-n attackieren.
III *s* **16.** *bes. fig.* Last *f*, Belastung *f*, Bürde *f.* **17.** Fracht(ladung) *f.* **18.** *tech.* a) Beschickung(sgut *n*) *f*, Füllung *f*, *metall.* Charge *f*, Gicht *f*, b) Ladung *f* (*e-r Schußwaffe, Batterie etc*), (Pulver-, Spreng)Ladung *f.* **19.** *fig.* Exploˈsivkraft *f*, Dyˈnamik *f*: **emotional** ~. **20.** (finanziˈelle) Belastung *od.* Last: ~ **on an estate** Grundstücksbelastung, Grundschuld *f*; **to become a** ~ **upon the parish** der Gemeinde *od.* Fürsorge zur Last fallen. **21.** *fig.* (**upon**) Anforderung *f* (an *acc*), Beanspruchung *f* (*gen*). **22.** a) Preis *m*, Kosten *pl*, b) Forderung *f*, in Rechnung gestellter Betrag, c) Gebühr *f*, d) *a. pl* Unkosten *pl*, Spesen *pl*: ~ **for admission** Eintrittspreis; **at s.o.'s** ~ auf j-s Kosten; **free of** ~ kostenlos, gratis; **what is the** ~**?** was kostet es?; **there is no** ~ es kostet nichts. **23.** *econ.* Belastung *f* (**to an account** e-s Kontos). **24.** Beschuldigung *f*, Vorwurf *m*, *jur. a.* (Punkt *m* der) Anklage *f*: **on a** ~ **of murder** wegen Mord; **to return to the** ~ *fig.* auf das alte Thema zurückkommen. **25.** *mil. u. allg.* Angriff *m*, Ansturm *m*, Atˈtacke *f.* **26.** *mil.* Siˈgnal *n* zum Angriff. **27.** Verantwortung *f*: a) Aufsicht *f*, Leitung *f*, b) Obhut *f*, Verwahrung *f*: **the person in** ~ die verantwortliche Person, der *od.* die Verantwortliche; **to be in** ~ **of** verantwortlich sein für, die Aufsicht *od.* den Befehl führen über (*acc*), leiten, befehligen; **to have** ~ **of** in Obhut *od.* Verwahrung haben, betreuen; **to place** (*od.* **put**) **s.o. in** ~ **of** j-m die Leitung *od.* Aufsicht *etc* übertragen (*gen*); **to take** ~ die Leitung *etc* übernehmen, die Sache in die Hand nehmen. **28.** *Br.* (poliˈzeilicher) Gewahrsam: **to give s.o. in** ~. **29.** a) Schützling *m*, Pflegebefohlene(r *m*) *f*, Mündel *m*, *n*, b) *j-m* anvertraute Sache, c) *relig.* Gemeinde(glied *n*) *f* (*e-s Seelsorgers*), ‚Schäflein' *n od. pl.* **30.** Befehl *m*, Anweisung *f.* **31.** *jur.* Rechtsbelehrung *f* (*an die Geschworenen*). **32.** *her.* Wappenbild *n.*
charge·a·ble [ˈtʃɑːrdʒəbl] *adj* (*adv* **chargeably**) **1.** (**to**) anrechenbar, anzurechnen(d) (*dat*), zu Lasten gehend (von). **2.** anzuklagen(d), belangbar (**for** wegen): ~ **offence** (*Am.* **offense**) gerichtlich zu belangendes Vergehen. **3.** zur Last fallend: **to become** ~ **to the parish** der Gemeinde zur Last fallen. **4.** besteuerbar.
charge ac·count *s econ. Am.* laufendes Konto.
char·gé d'af·faires [*Br.* ˈʃɑːʒei dæˈfɛə; *Am.* ʃɑːrˈʒei dæˈfɛr] *pl* **char·gés d'affaires** [*Br.* -ʒei; *Am.* -ˈʒeiz] *s* Charˈgé d'afˈfaires *m*, (diploˈmatischer) Geschäftsträger.
charg·er[1] [ˈtʃɑːrdʒər] *s* **1.** a) *mil.* Chargen-, Dienstpferd *n* (*e-s Offiziers*), b) *poet.* (Schlacht)Roß *n.* **2.** *a.* ~ **strip** *mil.* Ladestreifen *m.* **3.** *electr.* Akkumulaˈtorenˌladeˌvorrichtung *f.* **4.** *tech.* Aufgeber *m.*
charg·er[2] [ˈtʃɑːrdʒər] *s Am. obs. u. Br.* Taˈblett *n*, Platte *f.*
charge sheet *s* **1.** a) Poliˈzeireˌgister *n* (*der Verhafteten u. der gegen sie erhobenen Beschuldigungen*), b) poliˈzeiliches Aktenblatt (*über den Einzelfall*). **2.** *mil.* Tatbericht *m.*
charg·ing [ˈtʃɑːrdʒiŋ] *s* **1.** Beladung *f.* **2.** *tech.* Beschickung *f* (*e-r Anlage*). **3.** *electr.* (Auf)Ladung *f.* **4.** *econ.* Belastung *f*, Auf-, Anrechnung *f.* ~ **ca·pac·i·tor** *s electr.* ˈLadekondenˌsator *m.* ~ **floor** *s tech.* Gichtbühne *f.* ~ **hole** *s tech.* Einschüttöffnung *f.* ~ **or·der** *s jur. Br.* Beschlagnahmeverfügung *f.*
char·i·ness [ˈtʃɛ(ə)rinis] *s* **1.** Vorsicht *f*, Behutsamkeit *f.* **2.** Sparsamkeit *f.*
char·i·ot [ˈtʃæriət] *s* **1.** *antiq.* zweirädriger Streit- *od.* Triˈumphwagen. **2.** leichter vierrädriger Wagen. ˌ**char·i·otˈeer** [-ˈtir] *s bes. poet.* Wagen-, Rosselenker *m.*
char·is·ma [kəˈrizmə] *s* Charisma *n*: a) *relig. göttliche Gnadengabe*, b) *fig.* große Gabe, Ausstrahlung *f.*
char·i·ta·ble [ˈtʃæritəbl] *adj* (*adv* **charitably**) **1.** wohltätig, mild(tätig), karitaˈtiv: ~ **society** Wohltätigkeitsverein *m.* **2.** gütig, nachsichtig (**to** *j-m* gegenˈüber): **to take a** ~ **view of s.th.** e-e Sache mit Nachsicht beurteilen. ˈ**char·i·ta·ble·ness** → charity 2 *u.* 3.
char·i·ty [ˈtʃæriti] **I** *s* **1.** (christliche) Nächstenliebe: **Brother of** ~ barmherziger Bruder. **2.** Wohl-, Mildtätigkeit *f* (**to the poor** gegen die Armen): ~ **begins at home** die Nächstenliebe beginnt zu Haus; **as cold as** ~ *fig.* hart wie Stein. **3.** Liebe *f*, Güte *f*, Milde *f*, Nachsicht *f*: **to practice** ~ **toward(s) s.o.** j-m gegenüber Milde

od. Nachsicht üben. **4.** Almosen *n*, milde Gabe. **5.** gutes Werk. **6.** wohltätige Einrichtung *od.* Stiftung, 'Wohlfahrtsinsti,tut *n.* **II** *adj* **7.** Wohltätigkeits...: ~ **bazaar**; ~ **stamp** *mail* Wohlfahrtsmarke *f.*

cha·ri·va·ri [ˌʃɑːriˈvɑːri; *Am. a.* ʃəˌrivəˈriː; ˈʃivəˌriː] *s* Chari'vari *n*, 'Katzenmu,sik *f* (*Am. bes. als Ständchen für Neuvermählte*).

char·la·dy [ˈtʃɑːrˌleidi] *Br. für* **char·woman.**

char·la·tan [ˈʃɑːrlətən] *s* Scharlatan *m*: a) Quacksalber *m*, Marktschreier *m*, b) Schwindler *m.* ˌ**char·la'tan·ic** [-ˈtænik], ˌ**char·la'tan·i·cal** *adj* quacksalberisch, pfuscherhaft, marktschreierisch. '**char·la·tan**ˌ**ism**, '**char·la·tan·ry** [-ri] *s* Scharlatane'rie *f.*

Charles's Wain [ˈtʃɑːrlziz], *a.* **Charles' Wain** *s astr.* der Große Bär *od.* Wagen.

Char·ley horse [ˈtʃɑːrli] *s Am. colloq.* Muskelkater *m.*

char·lock [ˈtʃɑːrlək] *s bot.* Ackersenf *m*, Hederich *m.*

char·lotte [ˈʃɑːrlət] *s* Char'lotte *f* (*Obstdessert mit zerkleinertem Röstbrot*). ~ **russe** [ruːs] *s* Char'lotte *f* russe (*Obstdessert im Biskuitrand mit Schlagsahne- od. Eierkremfüllung*).

charm [tʃɑːrm] **I** *s* **1.** Charme *m*, Zauber *m*, bezauberndes Wesen, (Lieb)Reiz *m*: **feminine** ~**s** weibliche Reize; ~ **of style** gefälliger Stil; **to turn on the old** ~ *colloq.* s-n Charme spielen lassen. **2.** a) Zauberformel *f*, -mittel *n*, b) Zauber *m*: **to be under a** ~ unter e-m Zauber *od.* e-m Banne stehen; **like a** ~ *fig.* wie Zauberei, fabelhaft. **3.** Talisman *m*, Amu'lett *n.* **II** *v/t* **4.** bezaubern, reizen, entzücken: ~**ed by** (*od.* **with**) bezaubert durch, entzückt von; **to be** ~**ed to meet s.o.** entzückt sein, j-n zu treffen. **5.** be-, verzaubern, behexen: ~**ed against s.th.** gegen etwas gefeit; **to bear a** ~**ed life** durch e-n Zauber unverwundbar sein; **to** ~ **away** wegzaubern. **6.** (wie) durch Zauber beschützen. **III** *v/i* **7.** bezaubern(d wirken), entzücken. '**charm·er** *s* **1.** Zauberer *m*, Zauberin *f.* **2.** a) bezaubernder Mensch, Char'meur *m*, b) reizvolles Geschöpf, ‚Circe' *f* (*Frau*).

charm·ing [ˈtʃɑːrmiŋ] *adj* (*adv* ~**ly**) char'mant, bezaubernd, entzückend, reizend. '**charm·ing·ness** *s* bezauberndes Wesen, Liebenswürdigkeit *f.*

char·nel [ˈtʃɑːrnl] **I** *s obs.* Begräbnisplatz *m.* **II** *adj* Leichen... ~ **house** *s* Leichen-, Beinhaus *n.*

char·qui [ˈtʃɑːrki] *s* in Streifen geschnittenes, getrocknetes Rindfleisch.

chart [tʃɑːrt] **I** *s* **1.** Ta'belle *f*: **genealogical** ~. **2.** a) graphische Darstellung, *z. B.* (Farb)Skala *f*, (Fieber)Kurve *f*, (Wetter)Karte *f*, b) *bes. tech.* Plan *m*, Dia'gramm *n*, Tafel *f*, Schaubild *n*, Kurve(nblatt *n*) *f.* **3.** (*bes.* See-, Himmels)Karte *f*: **admiralty** ~ Admiralitätskarte; → **astronomical. II** *v/t* **4.** auf e-r Karte *etc* einzeichnen *od.* verzeichnen. **5.** graphisch darstellen, skiz'zieren. **6.** *fig.* entwerfen, planen.

char·ta [ˈkɑːrtə] (*Lat.*) *s hist.* Urkunde *f*: → **Magna Charta.**

char·ter [ˈtʃɑːrtər] **I** *s* **1.** Urkunde *f*, Freibrief *m.* **2.** Privi'legium *n* (von Freiheiten u. Rechten). **3.** Gnadenbrief *m.* **4.** a) *urkundliche Genehmigung seitens e-r Gesellschaft etc zur Gründung e-r Filiale, Tochtergesellschaft etc*, b) Gründungsurkunde *f* u. Satzungen *pl*: ~ **member** Stammitglied *n.* **5.** *pol.* Charta *f*, Verfassung(surkunde) *f*: **the C**~ **of the United Nations. 6.** a) Charterung *f*, Mieten *n*, Befrachten *n* (*e-s Schiffes etc*), b) → **charter party. II** *v/t* **7.** privile'gieren: **to** ~ **a bank. 8.** a) *Schiff, Flugzeug* chartern, mieten, b) (*durch Chartepartie*) be-, verfrachten, c) *Boot, Wagen etc* mieten. '**char·ter·age** *s mar.* Be-, Verfrachtung *f*, Charter *f.*

char·tered [ˈtʃɑːrtərd] *adj* **1.** privile'giert, berechtigt, diplo'miert: ~ **accountant** beeidigter Rechnungs- *od.* Wirtschaftsprüfer; ~ **company** *Br.* (königlich) privilegierte Gesellschaft; ~ **corporation** *Am.* zugelassene Gesellschaft. **2.** gechartert, befrachtet, gemietet. '**char·ter·er** *s mar.* Befrachter *m.*

char·ter par·ty *s* 'Chartepar,tie *f*, Befrachtungsvertrag *m.*

Chart·ism [ˈtʃɑːrtizəm] *s hist. Br.* Char'tismus *m* (*politische Bewegung 1830—48*).

char·treuse [ʃɑːrˈtrəːz] *s* **1.** (*TM*) Char'treuse *f* (*Kräuterlikör*). **2.** hellgrüne Farbe. **3. C**~ Kar'täuserkloster *n.*

'**chart**ˌ**room** *s mar.* Kartenzimmer *n*, -haus *n*, Navigati'onsraum *m.*

char·wom·an [ˈtʃɑːrˌwumən] *s irr* Putz-, Rein(e)mache-, Aufwartefrau *f.*

char·y [ˈtʃɛ(ə)ri] *adj* (*adv* **charily**) **1.** vorsichtig, behutsam (in, of in *dat*, bei). **2.** wählerisch. **3.** sparsam, zu'rückhaltend (of mit).

chase[1] [tʃeis] **I** *v/t* **1.** jagen, Jagd machen auf (*acc*), nachjagen (*dat*), verfolgen. **2.** *hunt.* hetzen, jagen. **3.** *a.* ~ **away** verjagen, -treiben: **go** ~ **yourself!** *Am. sl.* hau ab! **II** *v/i* **4.** jagen: **to** ~ **after s.o.** j-m nachjagen. **5.** *colloq.* jagen, eilen. **III** *s* **6.** a) *hunt. u. fig.* (Hetz)Jagd *f*: **to go in** ~ **of the fox** hinter dem Fuchs herjagen, b) *fig.* Verfolgung *f*: **to give** ~ die Verfolgung aufnehmen; **to give** ~ **to s.o.** (**s.th.**) j-n (etwas) verfolgen, j-m (e-r Sache) nachjagen. **7.** gejagtes Wild (*a. fig.*) *od.* Schiff *etc.* **8.** *Br.* a) 'Jagd(re,vier *n*) *f*, b) *jur.* Jagdrecht *n.*

chase[2] [tʃeis] **I** *s* **1.** *print.* Formrahmen *m.* **2.** Kupferstecherrahmen *m.* **3.** Rinne *f*, Furche *f.* **4.** *mil.* langes, gezogenes Feld (*e-s Geschützrohres*). **II** *v/t* **5.** zise'lieren, ausmeißeln: ~**d work** getriebene Arbeit. **6.** *tech.* a) punzen, b) *Gewinde* strehlen, strählen.

chase gun *s mar.* Buggeschütz *n.*

chas·er[1] [ˈtʃeisər] *s* **1.** Jäger *m*, Verfolger *m.* **2.** *mar.* a) Jagd machendes Schiff, (*bes.* U-Boot)Jäger *m*, b) Jagdgeschütz *n.* **3.** *aer.* Jagdflugzeug *n*, Jäger *m.* **4.** *Am. colloq.* ‚Schluck *m* zum Nachspülen' (*Schnaps auf Kaffee etc*). **5.** *Am. colloq.* ‚Rausschmeißer' *m*, 'Schlußmelo,die *f.* **6.** *sl.* a) Schürzenjäger *m*, b) mannstolles Weibsbild.

chas·er[2] [ˈtʃeisər] *s tech.* **1.** Zise'leur *m.* **2.** Gewindestahl *m*, -strähler *m.* **3.** Treibpunzen *m.*

chas·ing lathe [ˈtʃeisiŋ] *s tech.* Drück(dreh)bank *f.*

chasm [ˈkæzəm] *s* **1.** Kluft *f*, Abgrund *m* (*a. fig.*). **2.** Schlucht *f*, Klamm *f.* **3.** Riß *m*, Spalte *f.* **4.** Lücke *f.*

chas·sé [*Br.* ˈʃæsei; *Am.* ʃæˈsei] *s* Schas'sieren *n*, gleitender Tanzschritt.

chas·seur [ʃæˈsəːr] *s* **1.** *mil.* Jäger *m* (*in der französischen Armee*). **2.** li'vrierter La'kai. **3.** Jäger *m.*

chas·sis [ˈʃæsi; *Am. a.* -sis] *s* **1.** Chas'sis *n*: a) *aer. mot.* Fahrgestell *n*, b) *Radio*: Grundplatte *f.* **2.** *mil.* La'fettenrahmen *m.*

chaste [tʃeist] *adj* (*adv* ~**ly**) **1.** keusch: a) rein, unschuldig, b) züchtig, tugendhaft, c) schamhaft, anständig. **2.** stilrein, von edler Schlichtheit: **a** ~ **design. 3.** bescheiden, schlicht: **a** ~ **meal. chas·ten** [ˈtʃeisn] *v/t* **1.** züchtigen, strafen. **2.** *fig.* reinigen, läutern, *Stil etc* verfeinern. **3.** *fig.* a) mäßigen, dämpfen, b) demütigen, ernüchtern. '**chaste·ness** *s* Keuschheit *f.*

chas·tise [tʃæsˈtaiz] *v/t* **1.** züchtigen, (be)strafen. **2.** *fig.* geißeln, tadeln. '**chas·tise·ment** [-tizmənt] *s* Züchtigung *f*, Strafe *f.*

chas·ti·ty [ˈtʃæstiti] *s* **1.** Keuschheit *f*: ~ **belt** *hist.* Keuschheitsgürtel *m.* **2.** Reinheit *f*, Unbeflecktheit *f.* **3.** Schlichtheit *f.*

chas·u·ble [ˈtʃæzjubl] *s relig.* Kasel *f*, Meßgewand *n.*

chat[1] [tʃæt] **I** *v/i* plaudern, plauschen, schwatzen. **II** *s* Plaude'rei *f* (*a. im Radio etc*), Schwätzchen *n*, Plausch *m*: **to have a** ~ **with s.o.** mit j-m plaudern.

chat[2] [tʃæt] *s orn.* Steinschmätzer *m.*

chat·e·lain [ˈʃætəˌlein] *s* Kastel'lan *m.*

chat·e·laine [ˈʃætəˌlein] *s* **1.** Kastel'lanin *f.* **2.** Schloßherrin *f.* **3.** Chate'laine *f*, (Gürtel)Kette *f.*

chat·tel [ˈtʃætl] *s* **1.** Sklave *m*, Leibeigene(r *m*) *f.* **2.** *meist pl jur.* a) *a.* ~(**s**) **personal** Mo'bilien *pl*, bewegliches Eigentum, Hab *n* u. Gut *n*, b) jegliches Eigentum (*mit Ausnahme von Grundstücken u. Gebäuden*): ~ **real** Besitzrecht *n* (*z. B. Pacht*). ~ **mortgage** *s jur. Am.* Mobili'arhypo,thek *f.* ~ **pa·per** *s Am.* Ver'kehrspa,pier *n.*

chat·ter [ˈtʃætər] **I** *v/i* **1.** schnattern (*Affen*), krächzen (*Elstern etc*). **2.** schnattern: a) schwatzen, plappern, b) klappern: **his teeth** ~**ed with cold** er klapperte vor Kälte (mit den Zähnen). **3.** rattern, klappern (*Blech etc*). **4.** plätschern. **II** *v/t* **5.** (da'her)plappern. **III** *s* **6.** Geschnatter *n*, Geplapper *n*, Geschwätz *n.* **7.** *orn.* Gezwitscher *n.* **8.** Klappern *n*, Rattern *n.* '~ˌ**box** *s* **1.** Plaudertasche *f*, Plappermaul *n.* **2.** *sl.* a) *mil.* Ma'schinengewehr *n etc*, b) ‚Quietschkasten' *m* (*Radio etc*).

chat·ter·er [ˈtʃætərər] *s* Schwätzer(in).

chat·ti·ness [ˈtʃætinis] *s* Gesprächigkeit *f*, Redseligkeit *f.*

chat·ty [ˈtʃæti] *adj* (*adv* **chattily**) **1.** geschwätzig, redselig, gesprächig. **2.** plaudernd, im Plauderton (geschrieben *etc*), unter'haltsam: **a** ~ **letter.**

chauf·feur [ʃouˈfəːr; ˈʃoufər] *s* Chauf'feur *m*, Fahrer *m.* **chauf'feuse** [-ˈføz] *s* Fahrerin *f.*

chau·vin·ism [ˈʃouviˌnizəm] *s* Chauvi'nismus *m.* '**chau·vin·ist** *s* Chauvi'nist *m.* ˌ**chau·vin'is·tic** *adj* (*adv* ~**ally**) chauvi'nistisch.

chaw [tʃɔː] *v/t vulg.* **1.** kauen. **2.** ~ **up** *bes. Am.* *j-n* ‚fix u. fertig machen'.

chaw·dron [ˈtʃɔːdrən] *s obs.* Kal'daunen *pl*, (Tier)Eingeweide *pl.*

cheap [tʃiːp] **I** *adj* (*adv* ~**ly**) **1.** billig, preiswert, wohlfeil: **to get off** ~ *sl.* mit e-m blauen Auge davonkommen; **to hold s.th.** ~ e-e geringe Meinung von etwas haben; **as** ~ **as dirt** *sl.* spottbillig; **on the** ~ *colloq.* auf ganz billige Weise (*a. fig. contp.*); **it is** ~ **at that price** für diesen Preis ist es billig. **2.** *fig.* billig: a) mühelos: ~ **glory**, b) minderwertig, kitschig: ~ **finery. 3.** *fig.* ‚billig': a) schäbig, gemein: ~ **conduct** schäbiges Benehmen, b) ordi'när: **a** ~ **girl**; **to feel** ~ sich ‚billig' *od.* ärmlich vorkommen; **4.** *Br.* verbilligt, ermäßigt: **a** ~ **fare. II** *adv* **5.** billig: **to buy s.th.** ~. '**cheap·en I** *v/t* **1.** verbilligen, (im Preise) her'absetzen. **2.** *fig.* schlechtmachen. **3.** *fig.*

ordi'när erscheinen lassen: to ~ o.s. sich herabwürdigen. **II** *v/i* **4.** billiger werden. '**cheap·ness** *s* Billigkeit *f*.

cheap skate *s Am. sl.* ‚Knicker' *m*, ‚Geizkragen' *m*, Geizhals *m*.

cheat [tʃiːt] **I** *s* **1.** Betrüger(in), Schwindler(in), ‚Mogler(in)'. **2.** Betrug *m* (*a. jur.*), Schwindel *m*, ‚Moge'lei' *f*. **II** *v/t* **3.** betrügen (*a. fig. um e-e Möglichkeit etc*), beschwindeln, ‚bemogeln' (of, out of um): to ~ s.o. into doing s.th. j-n dazu verleiten, etwas zu tun; to ~ s.o. into believing that j-m weismachen, daß. **4.** ein Schnippchen schlagen, sich entziehen (*dat*): to ~ justice. **III** *v/i* **5.** betrügen, schwindeln, ‚mogeln': to ~ at cards beim Kartenspiel mogeln. '**cheat·er** *s* **1.** → cheat 1. **2.** *pl Am. sl.* Brille *f*. '**cheat·er·y** [-əri] → cheat 2.

check [tʃek] **I** *s* **1.** Schach(stellung *f*) *n*: in ~ im Schach (stehend); to give ~ Schach bieten; to hold (*od.* keep) in ~ *fig.* in Schach halten. **2.** Hemmnis *n*, Hindernis *n* (*Person od. Sache*) (on für): without a ~ unbehindert; to put a ~ upon s.o. j-m e-n Dämpfer aufsetzen, j-n zurückhalten. **3.** Einhalt *m*, Unter'brechung *f*, Rückschlag *m*: to give a ~ to Einhalt gebieten (*dat*). **4.** Kon'trolle *f*, Über'prüfung *f*, Nachprüfung *f*, Über'wachung *f*: to keep a ~ upon s.th. etwas unter Kontrolle halten. **5.** Kon'trollzeichen *n*, *bes.* Häkchen *n* (*an Listen etc*). **6.** *econ. Am.* Scheck *m* (= *Br.* cheque): to give s.o. a blank ~ *fig.* j-m freie Hand lassen. **7.** *bes. Am.* Kassenschein *m*, -zettel *m*, Rechnung *f* (*im Kaufhaus od. Restaurant*). **8.** Kon'trollabschnitt *m*, -marke *f*, -schein *m*. **9.** Aufbewahrungsschein *m*: a) Garde'robenmarke *f*, b) Gepäckschein *m*. **10.** (*Essens- etc*)Bon *m*, Gutschein *m*. **11.** a) Schachbrett-, Würfel-, Karomuster *n*, b) Karo *n*, Viereck *n*, c) ka'rierter Stoff. **12.** Spielmarke *f* (*z.B. beim Pokerspiel*): to pass (*od.* hand in) one's ~s *colloq.* ‚abkratzen' (*sterben*). **13.** *tech.* Arre'tiervorrichtung *f*, -feder *f*. **14.** kleiner Riß *od.* Spalt (*in Holz, Stahl etc*). **15.** *Eishockey*: Behinderung *f*, Körperspiel *n*. **16.** *hunt.* Abkommen *n* von der Fährte, Stutzen *n* (*des Jagdhundes*). **II** *interj* **17.** Schach! **18.** *Am. colloq.* klar! **III** *v/t* **19.** Schach bieten (*dat*). **20.** hemmen, hindern, zum Stehen bringen, aufhalten, eindämmen. **21.** *tech., a. fig. econ. etc* drosseln, bremsen. **22.** zu'rückhalten, Einhalt tun (*dat*), zügeln, dämpfen: to ~ o.s. (plötzlich) innehalten, sich e-s anderen besinnen. **23.** *Eishockey*: *Gegner* behindern. **24.** kontrol'lieren, über'prüfen, nachprüfen (for auf *e-e Sache* hin): to ~ against vergleichen mit. **25.** (*auf e-r Liste etc*) abhaken, ankreuzen. **26.** a) (zur Aufbewahrung *od.* in der Garde'robe) abgeben, b) *Am.* (als Reisegepäck) aufgeben. **27.** a) (zur Aufbewahrung) annehmen, b) *Am.* zur Beförderung (als Reisegepäck) über'nehmen *od.* annehmen. **28.** ka'rieren, mit e-m Karomuster versehen. **29.** *a.* ~ out *Am. Geld* mittels Scheck abheben. **30.** *Br. Karte* lochen. **31.** *obs. j-n* rügen, tadeln.
IV *v/i* **32.** a) sich als richtig erweisen, stimmen, b) (with) genau entsprechen (*dat*), über'einstimmen (mit). **33.** *oft* ~ up (on) *Am.* (*e-e Sache*) nachprüfen, (*e-e Sache od. j-n*) über'prüfen. **34.** (plötzlich) inne- *od.* anhalten, stutzen (*a. Jagdhund*). **35.** *tech.* rissig werden.

Verbindungen mit Adverbien:
check| in *v/i* **1.** *Am.* sich anmelden, absteigen (*in e-m Hotel*). **2.** *Br.* (*bei Arbeitsanfang*) (die Karte) stempeln. ~ **off** → check 25. ~ **out I** *v/t* **1.** → check 29. **II** *v/i* **2.** *Am.* das Ho'tel (nach Begleichung der Rechnung) verlassen, sich abmelden. **3.** *Br.* (*bei Arbeitsbeendigung*) (die Karte) stempeln. ~ **up** → check 33.

check·a·ble ['tʃekəbl] *adj* kontrol'lierbar, nachprüfbar.

check| ac·count *s econ.* Gegenrechnung *f*, Kon'trollkonto *n*. '~ˌ**back** *s Am.* (*bes.* erneute) Über'prüfung, Rückfrage *f*. ~ **bit** *s tech.* Kon'trollimˌpuls *m* (*e-r Rechenmaschine*). '~ˌ**book**, *Br.* '**cheque-ˌbook** *s* Scheckbuch *n*, -heft *n*. ~ **col·lar** *s* **1.** (*Art*) Kummet *n* (*zum Einfahren von Pferden*). **2.** Dres'surhalsband *n* (*für Hunde*).

checked [tʃekt] *adj* **1.** ka'riert. **2.** *ling.* a) auf e-n Konso'nanten endend (*Silbe*), b) in geschlossener Silbe (stehend).

check·er, *bes. Br.* **cheq·uer** ['tʃekər] **I** *s* **1.** *Am.* a) (Dame)Stein *m*, b) *pl* (*als sg konstruiert*) Damespiel *n*: to play (at) ~s Dame spielen. **2.** *obs.* Schachbrett *n*. **3.** Karomuster *n*. **II** *v/t* **4.** ka'rieren. **5.** *fig.* vari'ieren, bunt *od.* wechselvoll gestalten. '~ˌ**board**, *bes. Br.* '**cheq·uer-ˌboard I** *s* Schach- *od.* Damebrett *n*. **II** *adj* → checkered 1.

check·ered, *bes. Br.* **cheq·uered** ['tʃekərd] *adj* **1.** ka'riert, gewürfelt, schachbrettartig. **2.** bunt (*a. fig.*). **3.** *fig.* wechselvoll, bewegt: a ~ career.

'**check·erˌwork**, *bes. Br.* '**cheq·uer-work** *s* schachbrettartig ausgelegte Arbeit, Schachbrettmuster *n*.

check·ing ac·count ['tʃekiŋ] *s econ. Am.* Scheckkonto *n*.

check| key *s Br.* Haus(tür)schlüssel *m*. ~ **list** *s* **1.** Kon'troll-, Vergleichsliste *f*. **2.** *Am.* Wählerliste *f*. ~ **lock** *s* kleines Sicherheitsschloß. '~ˌ**mate I** *s* **1.** (Schach)Matt *n*, Mattstellung *f*. **2.** *fig.* Niederlage *f*. **II** *v/t* **3.** (schach)matt setzen (*a. fig.*). **III** *interj* **4.** schachmatt! ~ **nut** *s tech.* Gegenmutter *f*. '~ˌ**off** *s Am.* Lohnabzüge *pl* (*bes. für Gewerkschaftsbeiträge*). '~ˌ**out test** *s tech.* (letzte) Über'prüfung, Gesamtprüfung *f* (*e-s Gerätes etc*). '~-ˌ**o·ver** → checkup 1. '~ˌ**point** *s* **1.** *mil.* Bezugs-, Orien'tierungspunkt *m*. **2.** *electr. tech.* Kon'troll-, Eichpunkt *m*. **3.** *pol.* Kon'trollpunkt *m* (*an der Grenze*). ~ **rail** *s tech.* Gegenschiene *f*. '~ˌ**rein** *s* Ausbindezügel *m*. '~ˌ**room** *s Am.* **1.** *rail.* Gepäckaufbewahrung(sstelle) *f*. **2.** → cloakroom 1. '~-'**test** *s* Kon'trollversuch *m*. '~ˌ**up** *s* **1.** Über'prüfung *f*, Kon'trolle *f*. **2.** *Am.* ärztliche Unter'suchung. ~ **valve** *s tech.* **1.** 'Absperrvenˌtil *n*. **2.** 'Rückschlagvenˌtil *n*. '~ˌ**weigh·er** *s tech.* **1.** Wiegemeister *m*. **2.** Kon'trollwaage *f*.

Ched·dar (cheese) ['tʃedər] *s* Cheddarkäse *m*.

cheek [tʃiːk] **I** *s* **1.** Backe *f*, Wange *f*: ~ by jowl dicht *od.* vertraulich beisammen, Seite an Seite. **2.** *colloq.* Frechheit *f*, Unverfrorenheit *f*: to have the ~ to do s.th. die Frechheit *od.* Stirn besitzen, etwas zu tun. **3.** *tech.* Backe *f* (*Seitenteil e-s Schraubstocks etc*): ~s of a vice. **4.** a) Knebel *m* (*am Trensengebiß e-s Pferdes*), b) *pl* Backenteile *pl* (*des Pferdegeschirrs*). **II** *v/t* **5.** *Br. colloq.* frech sein gegen *j-n*. '~ˌ**bone** *s* Backenknochen *m*.

cheeked [tʃiːkt] *adj in Zssgn* ...wangig: rosy-~ rotbäckig.

cheek·i·ness ['tʃiːkinis] *s colloq.* Frechheit *f*.

'**cheek|ˌpiece** *s* Backenriemen *m* (*am Pferdegeschirr*). ~ **pouch** *s zo.* Backentasche *f*. ~ **tooth** *s irr* Backenzahn *m*.

cheek·y ['tʃiːki] *adj* (*adv* cheekily) *colloq.* frech, unverschämt.

cheep [tʃiːp] **I** *v/t u. v/i* piepsen. **II** *s* Piepsen *n*. '**cheep·er** *s orn.* junger Vogel, Küken *n*.

cheer [tʃir] **I** *s* **1.** Beifall(sruf) *m*, Hur'ra(ruf *m*) *n*, Hoch(ruf *m*) *n*: three ~s for him! ein dreifaches Hoch auf ihn!, er lebe hoch, hoch, hoch!; to the ~s of unter dem Beifall *etc* (*gen*). **2.** Ermunterung *f*, Aufheiterung *f*, Trost *m*: words of ~; ~! → cheerio 3. **3.** a) gute Laune, vergnügte Stimmung, Frohsinn *m*, Fröhlichkeit *f*, b) Stimmung *f*: good ~ → a; to be of good ~ guter Laune *od.* Dinge sein, vergnügt *od.* froh sein; be of good ~! sei guten Mutes!; to make good ~ sich amüsieren, *a.* gut essen u. trinken. **4.** Speise *f* u. Trank *m*. **II** *v/t* **5.** Beifall spenden (*dat*), zujubeln (*dat*), mit Hoch- *od.* Bravorufen begrüßen, hochleben lassen. **6.** *a.* ~ on anspornen, anfeuern: to ~ on a football team. **7.** *a.* ~ up *j-n* er-, aufmuntern, aufheitern. **III** *v/i* **8.** Beifall spenden, hoch *od.* hur'ra rufen, jubeln. **9.** *meist* ~ up Mut fassen, (wieder) fröhlich werden: ~ up! Kopf hoch!

cheer·ful ['tʃirful] *adj* **1.** fröhlich, vergnügt, munter. **2.** erfreulich, freundlich: a ~ room ein freundliches Zimmer. **3.** fröhlich: a ~ song. **4.** freudig, gern (gegeben). '**cheer·ful·ly** *adv* **1.** → cheerful. **2.** *iro.* ‚quietschvergnügt', ganz gemütlich. '**cheer·ful·ness**, '**cheer·i·ness** *s* Fröhlichkeit *f*.

cheer·i·o ['tʃi(ə)ri'ou] *interj bes. Br. colloq.* **1.** hal'lo! **2.** mach's gut!, tschüs! (*adieu*). **3.** Prosit!, Prost!

'**cheerˌlead·er** *s sport Am.* Anführer *m* der Claque bei Sportveranstaltungen.

cheer·less ['tʃirlis] *adj* (*adv* ~ly) freudlos, trüb(e), trostlos. '**cheer·y** *adj* (*adv* cheerily) froh, vergnügt, munter.

cheese[1] [tʃiːz] *s* **1.** Käse *m*: big ~ *sl.* ‚hohes Tier'; hard ~! *sl.* schöne Pleite!; the ~ *sl.* das Richtige, das einzig Wahre; that's the ~ so ist's richtig! **2.** *meist pl Br. colloq.* Knicks *m*.

cheese[2] [tʃiːz] *v/t*: ~ it! *sl.* ‚hau ab'!

cheese a·e·ri·al *s electr.* 'Käse-, Seg'mentanˌtenne *f*.

'**cheeseˌburg·er** *s Am.* mit Käse über'backenes Frika'dellensandwich.

'**cheese|ˌcake** *s* **1.** Käsekuchen *m*. **2.** *sl.* a) Pin-up-girl *n* (*Bild*), b) ‚Sexbombe' *f*, ‚tolle Frau'. '~ˌ**cloth** *s* Mull *m*, 'durchsichtiges Gewebe, *engS.* Seihtuch *n*. ~ **knife** *s irr* **1.** *Käsefabrikation*: Käsespachtel *m*, *f*. **2.** Käsemesser *n* (*a. humor. Säbel etc*). ~ **mite** *s zo.* Käsemilbe *f*. '~ˌ**mon·ger** *s* Käsehändler *m*. '~ˌ**par·ing I** *s* **1.** Käserinde *f*. **2.** wertlose Sache. **3.** Knause'rei *f*. **II** *adj* **4.** knauserig. ~ **ren·net** *s bot.* Echtes Labkraut. ~ **scoop** *s* Käsestecher *m*. ~ **spread** *s* Streich-, Schmelzkäse *m*. ~ **sticks**, ~ **straws** *s pl* Käsestangen *pl* (*Gebäck*).

chees·y ['tʃiːzi] *adj* **1.** käsig. **2.** *Am. sl.* a) mise'rabel, b) piekfein.

chee·tah ['tʃiːtə] *s zo.* Gepard *m*.

chef [ʃef], ~ **de cui·sine** [ʃef də kɥi'zin] (*Fr.*) *s* Küchenchef *m*. ~**-d'œu·vre** [ʃɛ'dœːvr] *pl* **chefs-d'œu·vre** (*Fr.*) *s* Meisterwerk *n*.

Che·ka ['tʃeikə; -kaː] *s hist.* Tscheka *f* (*sowjetrussische Geheimpolizei*).

che·la[1] ['ki:lə] *s zo.* Schere *f.*
che·la[2] ['tʃeilə; -lɑ:] *s Br. Ind.* Schüler *m,* Jünger *m (e-s Priesters etc).*
che·lo·ni·an [ki'louniən] *zo.* **I** *adj* schildkrötenartig. **II** *s* Schildkröte *f.*
chem·ic ['kemik] *obs.* **I** *adj* **1.** alchi'mistisch. **2.** chemisch. **II** *s* **3.** Alchi'mist *m.*
chem·i·cal ['kemikəl] **I** *adj (adv* **~ly)** chemisch: ~ **changes;** ~ **laboratory;** ~ **fibre** (*Am.* **fiber)** Chemie-, Kunstfaser *f.* **2.** *mil.* chemisch, Kampfstoff...: ~ **agent** Kampfstoff *m;* ~ **projector** Gaswerfer *m.* **II** *s* **3.** Chemi'kalie *f,* chemisches Präpa'rat. ~ **en·gi·neer** *s* Chemotechniker *m.* ~ **en·gi·neer·ing** *s* Indu'strieche,mie *f.* ~ **war·fare** *s* chemische Kriegführung.
che·mise [ʃə'mi:z] *s* (Damen)Hemd *n.*
chem·i·sette [,ʃemi'zet] *s* Chemi'sett *n,* Chemi'sette *f,* Vorhemd *n,* Spitzeneinsatz *m (im Kleid).*
chem·ism ['kemizəm] *s* Che'mismus *m (chemische Wirkung od. Zs.-setzung).*
chem·ist ['kemist] *s* **1.** *a.* **analytical** ~ Chemiker(in). **2.** *Br.* Apo'theker(in), Dro'gist(in): **dispensing** ~ geprüfter Apotheker; **~'s shop** Apotheke *f,* Drogerie *f.* **'chem·is·try** [-tri] *s* **1.** Che'mie *f.* **2.** chemische Eigenschaften *pl od.* Zs.-setzung. **3.** *fig.* a) Wesen *n,* Na'tur *f,* b) Wirken *n.*
chem·i·type ['kemi,taip] *s print.* Chemity'pie *f.*
chem·o·ther·a·peu·tics [,kemo,θerə'pju:tiks] *s pl (als sg konstruiert),* **,chem·o'ther·a·py** *s* 'Chemothera,pie *f.*
chem·ur·gy ['kemərdʒi] *s* industri'elle Che'mie *(zur Verwertung landwirtschaftlicher Rohprodukte).*
che·nille [ʃə'ni:l] *s* **1.** Che'nille *f.* **2.** Stoff *m* mit eingewebter Che'nille.
cheque *Br. für* check 6. **cheq·uer, cheq·uered** *bes. Br. für* **checker, checkered.**
cher·ish ['tʃeriʃ] *v/t* **1.** (wert)schätzen, hochhalten. **2.** zugetan sein *(dat),* zärtlich lieben. **3.** sorgen für, (hegen u.) pflegen. **4.** *Gefühle etc* hegen: **to** ~ **hope;** to ~ **no resentment** keinen Groll hegen. **5.** *fig.* festhalten an *(dat):* **to** ~ **an idea.**
che·root [ʃə'ru:t] *s* Stumpen *m (Zigarre ohne Spitzen).*
cher·ry ['tʃeri] **I** *s* **1.** *bot.* a) Kirsche *f,* b) → **cherry tree,** c) → **cherry-wood. 2.** kirschenähnliche Pflanze *od.* Beere. **3.** Kirschrot *n.* **4.** Gesenk-, Kugelfräser *m.* **5.** *Am. sl.* Jungfräulichkeit *f.* **II** *adj* **6.** kirschfarben, -rot. **'~,blos·som** *s* Kirschblüte *f.* ~ **bounce** *s* **1.** → **cherry brandy. 2.** Branntwein *m* mit Zucker. ~ **bran·dy** *s* Cherry Brandy *m,* 'Kirschli,kör *m.* **'~-,breech·es** *s pl Br.* elftes Hu'sarenregi,ment. ~ **coal** *s* weiche, nicht backende Kohle. ~ **lau·rel** *s bot.* Kirschlorbeer *m.* ~ **pie** *s* **1.** Kirschtorte *f.* **2.** *bot. (ein)* Helio'trop *m.* ~ **pit** *Am. für* **cherry stone. '~-'red** *adj* **1.** kirschrot. **2.** rotglühend: ~ **heat** volle Rotgluthitze. ~ **stone** *s* **1.** Kirschkern *m,* -stein *m.* **2.** *(ein)* Spiel *n* mit Kirschkernen. ~ **tree** *s* Kirschbaum *m.* **'~-,wood** *s* Kirschbaum(holz *n*) *m.*
cher·so·nese ['kə:rso,ni:z; -,ni:s] *s* Halbinsel *f.*
chert [tʃə:rt] *s min.* Feuer-, Hornstein *m.*
cher·ub ['tʃerəb] *pl* **-ubs, -u·bim** [-əbim; -jub-] *s* **1.** Cherub *m,* Engel *m.* **2.** geflügelter Engelskopf. **3.** *fig.* Engel(chen *n*) *m (Kind).* **4.** pausbäckige Per'son *(bes. Kind).* **che·ru·bic** [tʃə'ru:bik] *adj (adv* **~ally)** engelhaft.
cher·vil ['tʃə:rvil] *s bot.* Kerbel *m.*
Chesh·ire| cat ['tʃeʃər] *s:* **to grin like a** ~ (ewig) grinsen ,wie ein Affe'. ~ **cheese** *s* Chesterkäse *m.*
chess[1] [tʃes] *s* Schach(spiel) *n:* **a game of** ~ e-e Partie Schach, e-e Schachpartie.
chess[2] [tʃes] *s* Bohle *f,* Planke *f (e-r Pontonbrücke).*
chess[3] [tʃes] *s bot. Am.* Roggentrespe *f.*
'chess|,board *s* Schachbrett *n.* **'~-man** [-mən] *s irr* 'Schachfi,gur *f.* ~ **play·er** *s* Schachspieler(in). **'~-,prob·lem** *s* Schachaufgabe *f.*
ches·sy·lite ['tʃesi,lait] *s min.* Azu'rit *m.*
chest [tʃest] *s* **1.** Kiste *f,* Kasten *m,* Truhe *f:* **tool** ~ Werkzeugkasten; ~ **(of drawers)** Kommode *f;* **~-on-~** Doppelkommode *f.* **2.** *anat.* Brust(kasten *m*) *f:* ~ **expander** *sport* Expander *m;* ~ **note,** ~ **tone** *mus.* Brustton *m;* ~ **set** Brustgarnitur *f (Funkgerät);* ~ **trouble** Lungenleiden *n;* ~ **voice** *mus.* Bruststimme *f;* **to beat one's** ~ sich (reuig) an die Brust schlagen; **to have a cold in one's** ~ es auf der Brust haben, e-n Katarrh haben; **to get s.th. off one's** ~ *sl.* sich etwas von der Seele schaffen. **3.** Kasse *f,* Fonds *m.*
chest·ed ['tʃestid] *adj (in Zssgn)* ...brüstig: **narrow-~** engbrüstig.
ches·ter·field ['tʃestər,fi:ld] *s* **1.** einreihiger Mantel. **2.** Polstersofa *n.*
chest·nut ['tʃesnʌt; 'tʃest-] **I** *s* **1.** Ka'stanie *f:* a) *bot.* 'Edel- *od.* 'Roßka,stanie *f:* **to pull the ~s out of the fire** *fig.* die Kastanien aus dem Feuer holen, b) *bot.* Ka'stanienbaum *m,* c) Ka'stanienholz *n,* d) Ka'stanienbraun *n.* **2.** *colloq.* ,alte Ka'melle', alter Witz. **3.** a) Braune(r) *m (Pferd),* b) *vet.* Ka'stanie *f,* Hornwarze *f.* **II** *adj* **4.** ka'stanienbraun.
chest·y ['tʃesti] *adj (adv* **chestily) 1.** tief *(Stimme).* **2.** *colloq.* schwach auf der Brust. **3.** *sl.* eingebildet, arro'gant.
che·val-de-frise [ʃə'vældə'fri:z] *pl* **che·vaux-de-frise** [ʃə'vou-] *s mil.* spanischer Reiter. **che·val glass** [ʃə'væl] *s* Drehspiegel *m.*
chev·a·lier [,ʃevə'lir] *s* **1.** (Ordens)Ritter *m:* ~ **of the Legion of Hono(u)r** Ritter der Ehrenlegion. **2.** Chevali'er *m (französischer Adliger).* **3.** *fig.* Kava'lier *m.*
che·vet [ʃə'vɛ] *(Fr.) s arch.* Apsis *f.*
Chev·i·ot ['tʃeviət; 'tʃi:-] *s* **1.** *zo.* Bergschaf *n.* **2.** [*Am.* 'ʃeviət] Cheviot(stoff) *m.*
chev·ron ['ʃevrən] *s* **1.** *her.* Sparren *m.* **2.** *mil.* Winkel *m (Rangabzeichen).* **3.** *arch.* Zickzackleiste *f.*
chev·ro·tain ['ʃevro,tein; -tin] *s zo.* Kant(s)chil *m,* Zwergböckchen *n.*
chev·y ['tʃevi] **I** *s* **1.** *Br. Ruf bei der Hetzjagd.* **2.** (Hetz)Jagd *f.* **3.** Barlaufspiel *n.* **II** *v/t* **4.** *dial.* jagen. **5.** *j-n* her'umhetzen, -jagen, *weitS.* piesacken, schika'nieren. **III** *v/i* **6.** *dial.* rennen.
chew [tʃu:] **I** *v/t* **1.** (zer)kauen: → **cud 1, rag**[1] 1. **2.** *fig.* sinnen auf *(acc),* brüten: **to** ~ **revenge. II** *v/i* **3.** kauen. **4.** *colloq.* Tabak kauen. **5.** nachsinnen, grübeln (on über *acc*). **III** *s* **6.** Kauen *n.* **7.** *(das)* Gekaute, Priem *m.*
chew·ing ['tʃu:iŋ] → **chew 6.** ~ **gum** *s* Kaugummi *m.*
chi [kai] *s* Chi *n (griechischer Buchstabe).*
chi·a·ro·o·scu·ro [ki,ɑ:rəo'skju(ə)rou], **chi,a·ro'scu·ro** [-rə'sk-] *pl* **-ros** *(Ital.) s paint.* **1.** Chiaro'scuro *n,* Helldunkel *n.* **2.** Verteilung *f* von Licht u. Schatten.
chic [ʃi:k; ʃik] *colloq.* **I** *s* Schick *m,* Ele'ganz *f,* Geschmack *m.* **II** *adj* schick, ele'gant, geschmackvoll.
chi·cane [ʃi'kein] **I** *s* **1.** → **chicanery. 2.** *Bridge:* Blatt *n* ohne Trümpfe. **II** *v/t* **3.** *j-n* über'vorteilen, betrügen. **III** *v/i* **4.** schika'nieren, Rechtskniffe anwenden. **chi'can·er·y** [-əri] *s* Schi'kane *f,* Rechtskniff *m,* -verdrehung *f.*
chick [tʃik] *s* Küken *n,* junger Vogel.
chick·a·ree ['tʃikə,ri:] *s zo. Am.* Rotes Nordamer. Eichhörnchen.
chick·en ['tʃikin] **I** *s* **1.** Küken *n,* Hühnchen *n,* Hähnchen *n:* **to count one's ~s before they are hatched** das Fell des Bären verkaufen, ehe man ihn hat. **2.** Huhn *n.* **3.** Hühnerfleisch *n.* **4.** *colloq.* ,Küken' *n (junge Person):* **she is no** ~ sie ist nicht mehr so jung. **5.** Feigling *m.* **6.** *mil. sl.* Schi'kane *f,* ,Schleifen' *n:* **to give s.o.** ~ j-n ,schleifen', mit j-m ,Schlitten fahren'. **II** *adj* **7.** *sl.* feig(e): **he is ~;** to get ~ → 8. **III** *v/i* **8.** *sl.* ,Schiß' bekommen: **to** ~ **out** sich ,drücken'. **'~,breast·ed** *adj* hühnerbrüstig. ~ **broth** *s* Hühnerbrühe *f.* ~ **feed** *s Am.* **1.** Hühnerfutter *n.* **2.** *sl. contp.* a) Kleingeld *n,* Groschen *pl,* b) ,ein paar Groschen' *pl,* lächerlich kleine Summe, Lap'palie *f.* ~ **haz·ard** *s Am.* Ha'sardspiel *n* mit geringen Einsätzen. **'~'heart·ed** *adj* furchtsam, feige. **'~-'liv·ered** *adj Am. sl.* feige. ~ **pox** *s med.* Windpocken *pl.* ~ **run** *s* Hühnerauslauf *m.* ~ **stake** *s Br.* kleiner Einsatz *(bei Glücksspielen).* ~ **wire** *s Am.* feinmaschiges Drahtgeflecht.
'chick|-,pea *s bot.* Kichererbse *f.* **'~,weed** *s bot.* Vogelmiere *f.*
chic·le ['tʃikl; -kli], *a.* ~ **gum** *s* Chiclegummi *m (für Kaugummi).*
chic·o·ry ['tʃikəri] *s bot.* **1.** Weiße Zi'chorie. **2.** Zi'chorie *f (als Kaffeezusatzmittel).* **3.** *Am.* En'divie(nsa,lat *m*) *f.*
chide [tʃaid] *pret* **chid** [tʃid], *a.* **chid·ed** ['tʃaidid] *pp* **chid, chid·ed** *od.* **chid·den** ['tʃidn] **I** *v/t* (aus)schelten, tadeln. **II** *v/i* zanken, tadeln, schelten.
chief [tʃi:f] **I** *s* **1.** a) (Ober)Haupt *n,* (An)Führer *m,* Chef *m,* Vorgesetzte(r) *m,* Leiter *m:* ~ **of a department, department** ~ Abteilungsleiter. **2.** Häuptling *m:* **Red Indian** ~ Indianerhäuptling. **3.** *mil. Am.* Inspizi'ent *m.* **4.** *her.* Schildhaupt *n (Wappenbild).* **5.** Hauptteil *m, n,* wichtigster Teil. **II** *adj (adv* → **chiefly) 6.** erst(er, e, es), oberst(er, e, es), höchst(er, e, es), Ober..., Haupt...: ~ **accountant** *econ.* Chefbuchhalter *m;* ~ **cameraman** *(Film)* Aufnahmeleiter *m;* ~ **designer** Chefkonstrukteur *m;* ~ **meal** Hauptmahlzeit *f;* ~ **problem** Hauptproblem *n.* **7.** hauptsächlichst(er, e, es), wichtigst(er, e, es). **III** *adv obs.* **8.** hauptsächlich. ~ **clerk** *s* **1.** a) Bü'rovorsteher *m,* b) erster Buchhalter. **2.** *Am.* erster Verkäufer. ~ **con·sta·ble** *s Br.* Poli'zeipräsi,dent *m (e-r Stadt od. Grafschaft).* ~ **en·gi·neer** *s* **1.** 'Chefingeni,eur *m.* **2.** *mar.* erster Maschi'nist. **3.** *mil.* leitender Ingeni'eur *od.* Pio'nieroffi,zier *m.* ~ **ex·am·in·er** *s Patentrecht:* Oberprüfer *m.* **C~ Ex·ec·u·tive** *s Am.* oberster Verwaltungschef, *bes.* Präsi'dent *m* der U.S.A. ~ **jus·tice** *s* **1.** *jur.* Oberrichter *m,* Präsi'dent *m* e-s mehrgliedrigen Gerichtshofes. **2.** *Am. Vorsitzende(r) des* Supreme Court *u. anderer hoher Gerichte:* **C~ J~ of the United States.**
chief·ly ['tʃi:fli] *adv* hauptsächlich.
chief| of staff *s mil.* **1.** (Gene'ral)Stabs-

chef *m*, Chef *m* des (Gene'ral)Stabes. **2.** *Am.* Inspek'teur *m* u. Gene'ralstabschef *m* (*e-r Teilstreitkraft*). **~ of state** *s* Staatschef *m*, -oberhaupt *n*. **~ pet·ty of·fi·cer** *s mar. mil.* **1.** *Am.* Stabsbootsmann *m*. **2.** *Br.* Oberbootsmann *m*.

chief·tain ['tʃiːftən; -tin] *s* Häuptling *m* (*e-s Stammes*), Anführer *m* (*e-r Bande*). '**chief·tain·cy,** '**chief·tain,ship** *s* Amt *n od.* Würde *f* e-s Häuptlings.

chiff-chaff ['tʃif,tʃæf] *s orn.* Weidenlaubsänger *m*, Zilpzalp *m*.

chif·fon [*Br.* 'ʃifən; *Am.* ʃi'fan] *s* **1.** Chif'fon *m* (*Gewebe*). **2.** *pl colloq.* ('Zier)Garni,tur *f* (*an Damenkleidern*).

chif·fo·nier [,ʃifə'nir] *s* Chiffoni'ere *f* (*Kommode, oft mit Spiegel*).

chig·ger ['tʃigər] *s zo.* **1.** *parasitische Larve einiger Herbst- od. Erntemilben.* **2.** → chigoe.

chi·gnon ['ʃiːnjɒn; -jɔ̃] *s* Chi'gnon *m*, Nackenknoten *m*.

chig·oe ['tʃigou] *pl* **-oes** *s zo.* Sandfloh *m*.

chil·blain ['tʃil,blein] *s* Frostbeule *f*.

child [tʃaild] *pl* **chil·dren** ['tʃildrən] *s* **1.** Kind *n*: with ~ schwanger; from a ~ von Kindheit an; be a good ~! sei artig!; that's ~'s play das ist ein Kinderspiel *od.* kinderleicht (to verglichen mit); ~ bride kindliche Braut; ~ labo(u)r Kinderarbeit *f*. **2.** *fig.* Kind *n*, kindliche *od.* (*contp.*) kindische Per'son. **3.** Kind *n*, Nachkomme *m*: the children of Israel die Kinder Israels; the children of light a) *Bibl.* die Kinder des Lichtes, b) die Quäker. **4.** *obs. od. poet.* Jüngling *m* vornehmer Abkunft, Junker *m*. **5.** *fig.* Jünger *m*, Schüler *m*. **6.** *fig.* Kind *n*, Pro'dukt *n*. '**~,bear·ing** *s* Gebären *n*. '**~,bed** *s* Kind-, Wochenbett *n*: to be in ~ im Wochenbett liegen; ~ fever *med.* Kindbettfieber *n*. '**~,birth** *s* Geburt *f*, Niederkunft *f*, Entbindung *f*. **~ care** *s* Kinderpflege *f*, -fürsorge *f*.

childe → child 4.

Chil·der·mas ['tʃildər,mæs] *s relig. obs.* Fest *n* der Unschuldigen Kinder (*28. Dezember*).

child guid·ance *s* 'heilpäda,gogische Führung (des Kindes): ~ clinic heilpädagogische Beratungsstelle für Kinderfragen.

child·hood ['tʃaild,hud] *s* Kindheit *f*: second ~ zweite Kindheit (*Senilität*).

child·ish ['tʃaildiʃ] *adj* (*adv* ~ly) **1.** kindlich. **2.** kindisch. '**child·ish·ness** *s* **1.** Kindlichkeit *f*. **2.** kindisches Wesen, Kinde'rei *f*.

child·less ['tʃaildlis] *adj* kinderlos.

'**child,like** *adj* kindlich.

child re·lief *s Br.* Steuerfreibetrag *m* für Kinder.

chil·dren ['tʃildrən] *pl von* child. **C~ Act** *s jur.* Kinderschutzgesetz *n*.

child| steal·ing *s jur.* Kindesraub *m*. **~ wel·fare** *s* Jugendwohlfahrt *f*: ~ worker Jugendpfleger(in). '**~,wife** *s irr* Kindweib *n*, (sehr) junge Ehefrau.

chil·e → chili.

Chil·e·an ['tʃiliən] **I** *s* Chi'lene *m*, Chi'lenin *f*. **II** *adj* chi'lenisch.

Chil·e salt·pe·ter ['tʃili] *s chem.* 'Chilesal,peter *m*.

chil·i ['tʃili] *pl* **chil·ies** *s bot.* (*ein*) Paprika *m*, (*ein*) Spanischer Pfeffer: ~ sauce würzige (Paprika)Soße.

chil·i·ad ['kili,æd] *s* **1.** Tausend *n*. **2.** Jahr'tausend *n*. **chil·i·asm** ['kili,æzəm] *s relig.* Chili'asmus *m*, Lehre *f* vom tausendjährigen Reich Christi.

chill [tʃil] **I** *s* **1.** Kältegefühl *n*, Frösteln *n*, (*a.* Fieber)Schauer *m*: ~s (and fever) *Am.* Schüttelfrost *m*; a ~ of fear ein eisiges Gefühl der Angst. **2.** Kälte *f*, Kühle *f* (*beide a. fig.*): autumn ~ in the air; to take the ~ off *etwas* leicht anwärmen, überschlagen lassen. **3.** Erkältung *f*: to catch a ~ sich erkälten. **4.** *fig.* Gefühl *n* der Entmutigung, gedrückte Stimmung, Eishauch *m*: to cast a ~ upon → 11. **5.** *metall.* a) Ko'kille *f*, Abschreck-, Gußform *f*, b) Abschreckstück *n*. **II** *adj* **6.** *a. fig.* kalt, eisig, frostig, kühl: a ~ night; a ~ reception ein kühler Empfang. **7.** fröstelnd. **8.** *fig.* bedrückend, entmutigend. **III** *v/i* **9.** abkühlen. **IV** *v/t* **10.** abkühlen (lassen), kalt machen, *j-n* frösteln lassen, *Lebensmittel etc* kühlen: ~ed gekühlt; ~ed cargo Kühlgut *n*, gekühlte Ladung; ~ed meat Kühlfleisch *n*. **11.** *fig.* abkühlen, entmutigen, dämpfen. **12.** *metall.* a) abschrecken, härten: ~ed iron Hartguß *m*, b) in Ko'kille (ver)gießen. '**~-,cast** *adj tech.* in Ko'killen gegossen, abgeschreckt. **~ cast·ing** *s* Ko'killen-, Hartguß *m*.

chil·li *pl* **-lies** → chili.

chill·i·ness ['tʃilinis] *s* Kälte *f*, Schauer *m*, Schauder *m* (*a. fig.*).

chill·ing ['tʃiliŋ] **I** *s* **1.** Abkühlung *f*. **2.** *tech.* Abschrecken *n*. **3.** *tech.* Kühlen *n*, Gefrieren *n*. **II** *adj* → chill 6 *u.* 7.

'**chill,room** *s* Gefrier-, Kühlraum *m*.

chill·y[1] ['tʃili] *adj* a) kalt, frostig, kühl (*a. fig.*), b) fröstelnd: to feel ~ frösteln.

chil·ly[2] → chili.

Chil·tern Hun·dreds ['tʃiltərn] *s Br.* Kronamt *n* (*dessen Verwaltung der Form halber zurücktretenden Parlamentariern übertragen wird*): to apply for the ~ s-n Sitz im Parlament aufgeben.

chi·mae·ra [ki'mi(ə)rə; kai-] *s* **1.** *zo.* a) Chi'märe *f*, Seehase *m*, b) Seedrachen *m*. **2.** → chimera.

chimb → chime[2].

chime[1] [tʃaim] **I** *s* **1.** (Turm)Glockenspiel *n*. **2.** *mus.* Glocken-, Stahlspiel *n* (*des Orchesters*). **3.** Satz *m* Glocken u. Hämmer (*wie bei Spieluhren etc*). **4.** *fig.* Einklang *m*, Harmo'nie *f*. **5.** har'monisches Glockengeläute. **6.** Mu'sik *f*, Melo'die *f*. **II** *v/i* **7.** (Glokken) läuten. **8.** ertönen, erklingen. **9.** *fig.* harmo'nieren, über'einstimmen (with mit). **10.** ~ in sich (ins Gespräch) einmischen, (*a. mus.*) einfallen: to ~ in with a) zustimmen, beipflichten (*dat*), b) übereinstimmen mit. **III** *v/t* **11.** *Glocken* läuten, *a. e-e Melodie* erklingen lassen. **12.** *die Stunde* schlagen: Big Ben ~s the hours. **13.** rhythmisch *od.* me'chanisch 'hersagen.

chime[2] [tʃaim] *s* Zarge *f* (*e-s Fasses*).

chim·er[1] ['tʃaimər] *s* Glockenspieler *m*.

chim·er[2] ['tʃimər; 'ʃimər] → chimere.

chi·me·ra [ki'mi(ə)rə; kai-] *s* **1.** *myth.* Chi'mära *f* (*Ungeheuer*). **2.** *fig.* a) Schreckgespenst *n*, b) Schi'märe *f*, Hirngespinst *n*, Trugbild *n*. **3.** *bot.* Chi'märe *f* (*Pflanze aus Geweben von zwei genotypisch verschiedenen Arten*).

chi·mere [tʃi'mir; ʃi'mir] *s relig.* Sa'marie *f*, Si'mare *f* (*Obergewand*).

chi·mer·ic [ki'merik; kai-] *adj*; **chi·'mer·i·cal** *adj* (*adv* ~ly) **1.** schi'märisch, trügerisch. **2.** schi'märenhaft, phan'tastisch.

chim·ney ['tʃimni] *s* **1.** Schornstein *m*, Schlot *m*, Ka'min *m*, Rauchfang *m*: to smoke like a ~ *fig.* rauchen wie ein Schlot. **2.** ('Lampen)Zy,linder *m*. **3.** *geol.* a) Vul'kanschlot *m*, b) Ka'min *m* (*Felskluft*). **4.** Ka'min *m*, Herd *m*, Esse *f*: open ~ offener Kamin. **~ flue** *s* 'Rauchka,nal *m*, Schornsteinzug *m*. **~ piece** *s* Ka'minsims *m*, *n*. **~ pot** *s* Ka'min-, Schornsteinkappe *f*: ~ hat *Br. sl.*, Angströhre' *f* (*Zylinder*). **~ stack,** *Br. a.* **~ stalk** *s* Schornsteinkasten *m* (*mehrerer Schornsteinröhren*). **~ swal·low** *s orn.* **1.** Rauchschwalbe *f*. **2.** *Am. für* chimney swift. **~ sweep(·er)** *s* Schornsteinfeger *m*, Rauchfangkehrer *m*. **~ swift** *s orn.* (*ein*) Stachelschwanzsegler *m*.

chim·pan·zee [,tʃimpæn'ziː; tʃim'pænzi] *s zo.* Schim'panse *m*.

chin [tʃin] **I** *s* Kinn *n*: up to the ~ bis zum Kinn, *fig.* bis über die Ohren; to take it on the ~ *Am. sl.* a) schwer einstecken müssen, e-e böse ‚Pleite' erleben, b) es standhaft ertragen; keep your ~ up! Kopf hoch!, halte die Ohren steif! **II** *v/t* ~ o.s. (up) *Am.* Klimmzüge *od.* e-n Klimmzug machen. **III** *v/i Am. sl.* ‚quasseln'.

chi·na ['tʃainə] **I** *s* **1.** Porzel'lan *n*. **2.** (Porzel'lan)Geschirr *n*. **II** *adj* **3.** aus Porzel'lan, Porzellan... **C~ as·ter** *s bot.* China-, Garten-, Sommeraster *f*. **~ bark** *s bot.* Chinarinde *f*. **~ blue** *s chem.* Kobaltblau *n*. **C~ clay** *s min.* Kao'lin *n*, Porzel'lanerde *f*. **C~ ink** *s* chi'nesische Tusche.

Chi·na·man ['tʃainəmən] *s irr meist contp.* Chi'nese *m*.

'**chi·na|,root** *s bot.* Chinawurzel *f*. **C~ rose** *s bot.* **1.** Chi'nesischer Roseneibisch. **2.** Monatsrose *f*. '**C~,town** *s* Chi'nesenviertel *n*. '**~,ware** *s* Porzel'lan(waren *pl*) *n*.

chinch [tʃintʃ] *s zo. Am.* **1.** Bettwanze *f*. **2.** *a.* ~ bug Getreidewanze *f*.

chin·chil·la [tʃin'tʃilə] *s* **1.** *zo.* Kleine Chin'chilla, Wollmaus *f*. **2.** Chin'chillapelz *m*.

chin-chin ['tʃin,tʃin] (*Pidgin-English*) *interj* **1.** a) (guten) ‚Tag'!, b) tschüs!, adi'eu. **2.** prosit!, prost!

'**chin-'deep I** *adj* **1.** bis zum Hals eingesunken *od.* reichend. **2.** *fig.* tief versunken. **II** *adv* **3.** bis zum Hals, *fig.* bis über die Ohren, tief.

chine[1] [tʃain] *s Br. dial.* tiefe u. enge Schlucht.

chine[2] [tʃain] *s* **1.** Rückgrat *n*, Kreuz *n*. **2.** Kamm-, Lendenstück *n* (*vom Schlachttier*). **3.** (Berg)Kamm *m*, Grat *m*. **4.** *mar.* Kimme *f*.

Chi·nee [,tʃai'niː] *s colloq.* Chi'nese *m*.

Chi·nese [,tʃai'niːz] **I** *adj* **1.** chi'nesisch. **II** *s* **2.** a) Chi'nese *m*, Chi'nesin *f*, b) *pl* Chi'nesen *pl*. **3.** *ling.* Chi'nesisch *n*, das Chinesische. **~ lan·tern** *s* Pa'pierla,terne *f*, Lampi'on *m*, *n*. **~ puz·zle** *s* **1.** Ve'xier-, Geduld(s)spiel *n* (*a. fig.*). **2.** *fig.* kompli'zierte Angelegenheit. **~ red** *s* Zin'noberrot *n*. **~ white** *s* Zinkweiß *n*.

Chink[1] [tʃiŋk] *s sl. contp.* Chi'nese *m*.

chink[2] [tʃiŋk] **I** *s* Riß *m*, Ritze *f*, Spalt *m*, Spalte *f*: → glottal. **II** *v/t* die Ritzen *etc* schließen von *od.* in (*dat*).

chink[3] [tʃiŋk] **I** *v/t* **1.** klingen *od.* klirren lassen, klimpern mit (*Geld etc*), mit *den Gläsern* anstoßen. **II** *v/i* **2.** klimpern, klingen. **III** *s* **3.** Klingen *n*, Klirren *n*, Klimpern *n*.

chink·y ['tʃiŋki] *adj* rissig.

Chino- [tʃaino] *Wortelement mit der Bedeutung* chinesisch.

Chi·nook [tʃi'nuːk; -'nuk] *s* **1.** Chi'nook(indi,aner) *m*. **2.** *Mischsprache aus Englisch, Französisch u. Chinook.* **3.** c~ *Am.* Chi'nook *m*, föhnartiger Wind.

chin strap *s* Kinnriemen *m* (*Pferdegeschirr*), Sturmriemen *m* (*Helm*).

chintz [tʃints] *s* Chintz *m*, 'Möbelkat-

ˌtun *m.* 'chintz·y *adj Am. colloq.* **1.** altmodisch. **2.** ‚billig', schäbig.

chip[1] [tʃip] **I** *s* **1.** (Holz- *od.* Me'tall)-Splitter *m*, Span *m*, Schnitzel *n*, *m*, Abfall *m*: **he is a ~ of the old block** *fig.* er ist ganz (wie) der Vater; **to have a ~ on one's shoulder** *colloq.* ‚geladen sein' (*vor Zorn*); **dry as a ~** fade, *fig. a.* trocken, ledern. **2.** angeschlagene Stelle (*an Geschirr etc*). **3.** *Küche*: Scheibchen *n*: **orange ~s**; → **potato chips**. **4.** Spielmarke *f*: **to be in the ~s** *Am. sl.* ‚Zaster haben', reich sein; **to pass in one's ~s** *Am. sl.* ‚abkratzen', sterben; **the ~s are down** *Am. sl.* jetzt geht es um die Wurst. **5.** *Golf*: kurzer Schlag aus dem Handgelenk. **6.** (geschliffener Bril'lant- *etc*)Splitter. **7.** Holz- *od.* Strohfasern *pl* (*für Korbflechter etc*). **II** *v/t* **8.** (mit der Axt *od.* dem Meißel *etc*) behauen. **9.** abraspeln, abschnitzeln. **10.** abbrechen. **11.** *Kanten, Ecken von Geschirr etc* an-, abschlagen. **12.** *colloq.* hänseln, necken. **III** *v/i* **13.** abbrechen, abbröckeln.

Verbindungen mit Adverbien:

chip| in I *v/i* **1.** *Am.* (ein)setzen (*beim Spiel*). **2.** *Am.* aushelfen, (dazu) beisteuern. **3.** *sl.* sich einmischen, ‚da'zwischenfahren'. **II** *v/t* **4.** (*im Gespräch*) einwerfen. **5.** *Geld etc* beisteuern. **~ off I** *v/t* abbrechen. **II** *v/i* abbröckeln, abblättern.

chip[2] [tʃip] *s Ringen*: Kunstgriff *m*. **II** *v/t j-m* ein Bein stellen.

chip| ax(e) *s* Schlichtbeil *n*. **~ bas·ket** *s* Spankorb *m*. **~ bird** *s orn.* (*ein*) amer. Sperling *m*. **~ board** *s* **1.** Spanholzplatte(n *pl*) *f*. **2.** *aus Papierabfällen hergestellte Pappe*. **~ bon·net** *s* Basthut *m*. '**~ˌmunk** *s zo. Am.* gestreiftes Eichhörnchen.

chipped [tʃipt] *adj* **1.** angeschlagen (*Geschirr etc*). **2.** abgebröckelt.

Chip·pen·dale ['tʃipənˌdeil] *s* Chippendalestil *m* (*Möbelstil*).

chip·per[1] ['tʃipər] *adj Am. colloq.* lebhaft, munter, vergnügt.

chip·per[2] ['tʃipər] *v/i dial. od. Am.* **1.** zwitschern. **2.** schwatzen.

chip·ping ['tʃipiŋ] *s* **1.** Abspringen *n*, Abbröckeln *n* (*e-s Stückes*). **2.** *tech.* Ab-, Grobmeißeln *n*. **3.** a) Span *m*, Schnitzel *m*, *n*, abgesprungenes *od.* abgeschlagenes Stück, b) angestoßene Ecke. **4.** *pl tech.* a) Bohrspäne *pl*, b) (Straßen)Splitt *m*.

chip·py ['tʃipi] **I** *s* **1.** *Am. sl.* ‚Flittchen' *n*, ‚leichtes Mädchen'. **2.** → **chip bird**. **II** *adj* **3.** rissig, voller Sprünge, angeschlagen (*Geschirr*). **4.** *fig.* trocken, fade. **5.** *sl.* verkatert. **6.** *colloq.* gereizt.

chip shot → **chip**[1] 5.

chirk [tʃəːrk] *Am. colloq.* **I** *adj* → **chipper**[1]. **II** *v/t* **~ up** aufheitern.

chi·rog·ra·pher [kai'rɒgrəfər] *s Br. hist.* (Amts)Schreiber *m*. **chi'rog·ra·phy** *s* **1.** Schreibkunst *f*. **2.** Handschrift *f*.

chi·ro·man·cer ['kairoˌmænsər] *s* Chiro'mant *m*, Handliniendeuter *m*. '**chi·roˌman·cy** *s* Chiroman'tie *f*, Handlesekunst *f*.

chi·rop·o·dist [kai'rɒpədist; ki-] *s* (Hand- u.) Fußpfleger(in). **chi'rop·o·dy** *s* (Hand- u.) Fußpflege *f*, (Mani'küre *f* u.) Pedi'küre *f*.

chi·ro·prac·tic [ˌkairo'præktik] *s med.* Chiro'praktik *f*. '**chi·roˌprac·tor** [-tər] *s* Chiro'praktiker *m*.

chirp [tʃəːrp] **I** *v/t u. v/i* zirpen, zwitschern, piepsen (*a. fig. Person etc*). **II** *s* Gezirp *n*, Zwitschern *n*. '**chirp·y** *adj* (*adv* **chirpily**) *colloq.* ‚quietschvergnügt', munter.

chirr [tʃəːr] **I** *v/i* zirpen. **II** *s* Zirpen *n*.

chir·rup ['tʃirəp] *v/i* **1.** zwitschern, zirpen. **2.** (*ermunternd*) mit der Zunge schnalzen. **3.** *sl.* Beifall klatschen, (durch Zuruf) ermuntern.

chis·el ['tʃizl] **I** *s* **1.** Meißel *m*. **2.** *tech.* (Stech)Beitel *m*, Stemmeisen *n*. **II** *v/t* **3.** mit dem Meißel bearbeiten, (aus)meißeln. **4.** *fig.* sti'listisch ausfeilen. **5.** *sl.* a) ‚reinlegen', betrügen, b) ergaunern, ‚her'ausschinden'. **III** *v/i* **6.** meißeln. **7.** *sl.* ‚krumme Sachen machen', ‚mogeln'. '**chis·eled,** *bes. Br.* '**chis·elled** *adj* **1.** (aus)gemeißelt, geformt. **2.** *fig.* scharf geschnitten: **~ face**; **a finely ~ mouth**. **3.** *fig.* a) ausgefeilt, geschliffen: **~ style**, b) durch'dacht: **~ idea**. '**chis·el·er,** *bes. Br.* '**chis·el·ler** *s sl.* a) Gauner(in), Betrüger(in), b) ‚Nassauer' *m* (*Schmarotzer*).

chit[1] [tʃit] *s* Kindchen *n*: **a ~ of a girl** ein junges Ding.

chit[2] [tʃit] *s* (Essen-, Getränke- *etc*)-Marke *f*, Bon *m*, Gutschein *m*.

chit-chat ['tʃitˌtʃæt] *s* Geplauder *n*.

chit·ter·ling ['tʃitərliŋ] *s* **1.** *meist pl* Inne'reien *pl*, Gekröse *n* (*bes. vom Schwein*). **2.** *obs.* Rüsche *f*.

chiv·al·resque [ˌʃivəl'resk], '**chiv·al·ric** [-rik] *adj* ritterlich, ga'lant, cheva'le'resk. '**chiv·al·rous** *adj* (*adv* **~ly**) **1.** → **chivalresque**. **2.** tapfer, loy'al, großzügig. '**chiv·al·ry** [-ri] *s* **1.** Ritterlichkeit *f*, ritterliches *od.* ga'lantes Benehmen. **2.** ritterliche Tugend. **3.** Rittertum *n*, -wesen *n*. **4.** Gruppe *f* von Rittern. **5.** *obs.* Ritterstand *m*.

chive[1] [tʃaiv] *s bot.* Schnittlauch *m*.

chive[2] [tʃiv] *sl.* **I** *s* Messer *n*. **II** *v/t* (mit dem Messer) erstechen.

chive gar·lic → **chive**[1].

chiv·y, chiv·vy ['tʃivi] → **chevy**.

chlo·ral ['kləːrəl] *s chem.* Chlo'ral *n*: **~ (hydrate)** Chloralhydrat *n*. '**chlo·ralˌism** *s med.* Chlo'ralvergiftung *f*.

chlo·rate ['kləːreit; -rit] *s chem.* Chlo'rat *n*, chlorsaures Salz. '**chlo·ric** *adj chem.* chlorhaltig, Chlor..., chlorsauer: **~ acid** Chlorsäure *f*. '**chlo·ride** [-raid; -rid] *s chem.* Chlo'rid *n*, Chlorverbindung *f*: **~ of lime** Chlorcalcium *n*. '**chlo·rinˌate** [-riˌneit] *v/t* **1.** *chem.* chlo'rieren, mit Chlor verbinden *od.* behandeln: **~d lime** Chlorkalk *m*. **2.** *Wasser etc* chloren. '**chlo·rine** [-riːn; -rin] *s chem.* Chlor *n*.

chlo·rite[1] ['kləːrait] *s min.* Chlo'rit *m*.

chlo·rite[2] ['kləːrait] *s chem.* chlorigsaures Salz.

chlo·ro·form ['kləːrəˌfəːrm; *Br. a.* 'klər-] **I** *s chem. med.* Chloro'form *n*. **II** *v/t* chlorofor'mieren.

chlo·ro·phyl(l) ['kləːrəfil; *Br. a.* 'klər-] *s bot.* Chloro'phyll *n*, Blattgrün *n*.

chlo·ro·plast ['kləːrəˌplæst] *s* Chloro'plast *n*, Farbstoffträger *m*.

chlo·ro·sis [klə'rousis] *s bot. med.* Chlo'rose *f*, Bleichsucht *f*. **chlo'rot·ic** [-'rɒtik] *adj bot. med.* chlo'rotisch.

chlo·rous ['kləːrəs] *adj* chlorig: **~ acid**.

choc [tʃɒk] *s colloq. abbr. für* **chocolate**: **~ ice** Schokoladeneis *n*.

chock [tʃɒk] **I** *s* **1.** (Brems-, Hemm)-Keil *m*. **2.** *mar.* (Boots)Klampe *f*. **II** *v/t* **3.** festkeilen. **III** *adv* **4.** möglichst nahe, dicht: **~ against the wall** dicht an die Wand *stellen etc*. '**~-a-'block** *adv* **1.** *mar.* Block an Block. **2.** *fig.* vollgepfropft. '**~-'full** *adj* zum Bersten *od.* gerammelt voll.

choc·o·late ['tʃɒkəlit; -klit] **I** *s* **1.** Schoko'lade *f* (*a. als Getränk*). **2.** Schoko'lade(n)braun *n*. **II** *adj* **3.** schoko'laden, Schokolade(n)... **4.** schoko'lade(n)farben. **~ cream** *s* 'Kremschokoˌlade *f*, Pra'line *f*, Prali'né *n*.

choice [tʃɔis] **I** *s* **1.** *allg.* Wahl *f*: a) Auswahl *f*: **to have the ~** die Wahl haben; **to make a ~** wählen, e-e Wahl treffen; **to take one's ~** s-e Wahl treffen, nach Belieben auswählen; **his ~ fell on me** s-e Wahl fiel auf mich, b) freie Wahl: **at ~** nach Belieben; **of one's own free ~** aus eigener freier Wahl; **for** (*od.* **by**) **~** am liebsten, vorzugsweise; **to give s.o. his ~** j-m die Wahl lassen; → **Hobson's choice**, c) gewählte *od.* auserwählte Per'son *od.* Sache: **you are his ~** s-e Wahl ist auf Sie gefallen, d) Alterna'tive *f*, andere Möglichkeit: **I have no ~** ich habe keine andere Wahl (**but to do** als zu tun), *a.* es ist mir einerlei. **2.** (große *od.* reichhaltige) Auswahl: **a wide ~ of products**. **3.** Auslese *f*, (*das*) Beste, (*die*) E'lite: **the ~ of everything** das Beste, was es gibt; **the ~ of our troops** unsere Kerntruppen. **II** *adj* (*adv* **~ly**) **4.** auserlesen, ausgesucht (gut): **~ quality**; **a ~ dinner** ein erlesenes *od.* vorzügliches Mahl; **~ goods** ausgesuchte *od.* ausgesucht gute Waren; **in ~ words** in gewählten Worten. **5.** wählerisch (**of** mit). '**choice·ness** *s* Auserlesenheit *f*, Gewähltheit *f*, Feinheit *f*.

choir [kwaiər] **I** *s* **1.** *mus.* a) (Sänger-, *bes.* Kirchen)Chor *m*, Chorvereinigung *f*, Singgruppe *f*, b) Stimmgruppe *f* (*e-s Chors*), c) Instru'mentengattung *f* (*Orchester*), d) Gruppe *f*, Chor *m* (*gleicher Instrumente od. Orgelregister*). **2.** *arch.* Chor *m*: a) Chor-, Al'tarraum *m*, b) 'Choremˌpore *f*. **II** *v/i* **3.** im Chor singen. '**~ˌboy** *s* Chor-, Sängerknabe *m*. **~ loft** *s* 'Choremˌpore *f* (*Kirche*). '**~ˌmas·ter** *s* 'Chordiriˌgent *m*, -leiter *m*. **~ or·gan** *s* Chororgel *f*.

choke [tʃouk] **I** *s* **1.** Würgen *n*. **2.** *tech.* Drossel-, Luft-, Starterklappe *f*. **3.** *electr.* Drosselspule *f*. **4.** → **chokebore**. **5.** *Ringen*: Würgegriff *m*. **II** *v/t* **6.** würgen. **7.** e-n Erstickungsanfall her'vorrufen bei *j-m*. **8.** erwürgen, erdrosseln, (*a. weitS. Pflanze, Feuer*) ersticken. **9.** *a.* **~ back** (*od.* **down**) *fig. Lachen, Gefühle etc* ersticken, unter'drücken. **10.** *tech. Motor* a) abdrosseln, b) *colloq.* ‚abwürgen'. **11.** *electr. Strom* verdrosseln. **12.** *a.* **~ back** (*od.* **off**) *fig.* hemmen, nicht aufkommen lassen, abwürgen, *Konjunktur etc* drosseln, dämpfen: **to ~ (back) the building boom**. **13.** *a.* **~ up** a) verstopfen, versperren, b) vollstopfen, über'füllen. **III** *v/i* **14.** würgen. **15.** ersticken (*a. fig.* **with** vor *Lachen etc*). **16.** e-n Erstickungsanfall haben. **17.** sich verstopfen. '**~ˌbore** *s* Würgebohrung *f* (*des Schrotgewehres*). **~ coil** *s* **1.** *electr.* Drosselspule *f*. **2.** *tech.* Abflachungsdrossel *f*. '**~ˌdamp** *s Bergbau*: Ferch *m*, (Nach)Schwaden *m*, Stickwetter *n*. '**~-'full** → **chock-full**.

chok·er ['tʃoukər] *s colloq.* a) ‚Vatermörder' *m* (*enger od. hoher Kragen*), b) enge Kette, enges Halsband, c) (Herren)Schal *m*, Halstuch *n*.

choke throt·tle *s tech.* Starterklappe *f*.

chok·ing ['tʃoukiŋ] *adj* **1.** würgend, erstickend (*a. fig.*). **2.** *fig.* (*vor Bewegung, Zorn etc*) erstickt: **to speak with a ~ voice**.

chok·y[1] ['tʃouki] → **choking 1**.

chok·y[2] ['tʃouki] *s Br. Ind.* **1.** 'Post-, 'Zollstatiˌon *f*. **2.** *sl.* ‚Kittchen' *n*.

chol·er ['kɒlər] *s* **1.** *obs.* Galle *f*. **2.** *fig.*

Zorn *m*: to raise s.o.'s ~ j-s Zorn erregen.
chol·er·a ['kɒlərə] *s med.* **1.** Cholera *f*: a) 'Brech,durchfall *m*, b) asi'atische Cholera. **2.** *vet. Am.* Schweinepest *f*.
chol·er·ic ['kɒlərik] *adj* (*adv* ~ally) cho'lerisch, reizbar, jähzornig.
chol·er·ine ['kɒlə,rain; -rin] *s med.* Cholerine *f*, 'Brech,durchfall *m*.
cho·les·ter·ol [kə'lestə,rɒl; -,roul] *s chem.* Choleste'rin *n*, Gallenfett *n*.
choose [tʃu:z] *pret u. obs. pp* **chose** [tʃouz] *pp* **cho·sen** ['tʃouzn] **I** *v/t* **1.** (aus)wählen, aussuchen: to ~ a hat; to ~ s.o. as (*od.* for *od.* to be) one's leader j-n zum Führer wählen; → chosen II. **2.** *a. iro.* belieben, (es) vorziehen, beschließen (to do zu tun): he chose to run er zog es vor, davonzulaufen; he did not ~ to answer er geruhte nicht zu antworten; to do as one ~s tun wie es e-m beliebt; stay as long as you ~ bleibe so lange, wie du willst *od.* wie es dir gefällt. **II** *v/i* **3.** wählen. **4.** die Wahl haben, wählen (können): there is not much to ~ between them es ist kaum ein Unterschied zwischen ihnen; he cannot ~ but come er kann nicht umhin, zu kommen; es bleibt ihm nichts anderes übrig, als zu kommen. **'choos·er** *s* (Aus)Wählende(r *m*) *f*: → beggar 2. **'choos·ing** *s* Auswahl *f*: it is all of your ~ Sie haben sich alles selbst zuzuschreiben. **'choos·y** *adj colloq.* wählerisch, heikel.
chop[1] [tʃɒp] **I** *s* **1.** Hacken *n*. **2.** (Axt)-Hieb *m*, Schlag *m*. **3.** *Boxen*: kurzer, nach unten gezogener Schlag. **4.** (Teil)-Stück *n*, (*bes.* Fleisch)Schnitte *f*, *engS.* Kote'lett *n*, Schnitzel *n*. **5.** *agr.* gehäckseltes Futter. **6.** *pl* kurzer, unregelmäßiger Wellenschlag. **II** *v/t* **7.** (zer)-hacken, hauen, spalten, in Stücke hacken: to ~ wood Holz hacken. **8.** *Tennis etc*: *den Ball* schneiden. **9.** *aer. Am.* (ab)drosseln. **III** *v/i* **10.** hacken. **11.** sich einmischen (in[to] in *ein Gespräch*). **12.** schnappen (at nach): to ~ at the shadow and lose the substance nach dem Schatten haschen u. die Hauptsache verfehlen.
Verbindungen mit Adverbien:
chop| a·way I *v/t* abhacken. **II** *v/i* (munter) drauf'loshacken. ~ **back** *v/i* e-n Haken schlagen. ~ **down** *v/t* fällen. ~ **in** *v/i* da'zwischenfahren, sich einmischen. ~ **off** *v/t* **1.** abhacken. **2.** *tech. Metall* abschroten, schruppen. ~ **up** *v/t* zer-, kleinhacken, spalten.
chop[2] [tʃɒp] **I** *v/i* **1.** *oft* ~ about, ~ round sich drehen u. wenden, plötzlich 'umschlagen (*Wind etc*): to ~ and change *fig.* sich dauernd ändern, hin u. her schwanken. **II** *v/t* **2.** ~ logic (*bes.* haarspalterisch) dispu'tieren (with mit). **3.** *Br. dial.* (aus)tauschen. **III** *s* **4.** *meist pl* Wechsel *m*: ~s and changes Wechselfälle, ewiges Hin u. Her.
chop[3] [tʃɒp] *s* **1.** *meist pl* (Kinn)-Backen *pl*. **2.** *pl humor.* Mund *m*: to lick one's ~s sich die Lippen lecken. **3.** *pl fig.* Maul *n*, Rachen *m*, Mündung *f* (*e-r Kanone etc*).
chop[4] [tʃɒp] *s* (*in Indien u. China*) **1.** (Amts)Stempel *m*. **2.** amtlich gestempeltes Doku'ment, Pas'sierschein *m*: grand ~ Zollschein. **3.** (*bes. in China*) Handelsmarke *f*. **4.** Quali'tät *f*: first ~ a) erste Sorte, b) erstklassig.
'chop-'chop (*Pidgin-English*) **I** *adv* schnell. **II** *interj* hopphopp!
'chop,house[1] *s* billiges Restau'rant.
'chop,house[2] *s* (*China*) Zollhaus *n*.
chop·per ['tʃɒpər] *s* **1.** (Holz- *etc*)-Hacker *m*. **2.** Hackmesser *n*, -beil *n*, Häckselmesser *n*. **3.** *electr.* Zerhacker *m*. **4.** *Am. sl.* a) *pl* Zähne *pl*, b) ‚Kaffeemühle' *f* (*Hubschrauber*), c) Ma'schinengewehr *n*.
chop·ping[1] ['tʃɒpiŋ] *adj Br.* kräftig, stramm: a ~ baby.
chop·ping[2] ['tʃɒpiŋ] **I** *adj* **1.** abgebrochen, kurz, stoßweise erfolgend (*Wellen etc*): ~ sea kabbelige See. **2.** plötzlich 'umschlagend (*Wind etc*). **II** *s* **3.** Wechsel *m*: ~ and changing ewiges Hin u. Her.
chop·ping| block *s* Hackblock *m*, -klotz *m*. ~ **knife** *s irr* Hack-, Wiegemesser *n*.
chop·py ['tʃɒpi] *adj* **1.** *mar.* unruhig, kabbelig: ~ sea. **2.** böig (*Wind*). **3.** *fig.* a) abgehackt: ~ style, b) zu'sammenhang(s)los.
'chop|,stick *s* Eßstäbchen *n* (*der Chinesen etc*). ~ **stroke** *s Tennis etc*: geschnittener Schlag. ~ **su·ey** ['su:i] *s chinesisches Mischgericht.*
cho·ra·gus [ko'reigəs] *s* **1.** *antiq.* Cho'reg *m*, Chorführer *m*. **2.** *mus.* a) Chorleiter *m*, b) 'Chodi,rektor *m* (*Kirche*).
cho·ral ['kɔ:rəl] *adj* (*adv* ~ly) Chor..., chorartig: ~ concert Chorkonzert *n*; ~ service Chorgottesdienst *m*; ~ society Gesangverein *m*. **cho·ral(e)** [ko'ra:l; -'ræl] *s* Cho'ral *m*.
chord[1] [kɔ:rd] *s* **1.** *mus.* Saite *f*. **2.** *fig.* Saite *f*, Ton *m*: to strike the right ~ die richtige Saite anschlagen (with s.o. bei j-m); does that strike a ~? erinnert (dich) das an etwas? **3.** *math.* Sehne *f*. **4.** *tech.* a) Kämpferlinie *f*, b) Spannweite *f*. **5.** *anat.* a) Sehne *f*, b) Band *n*, Strang *m*. **6.** *aer.* (Pro'fil)Sehne *f*.
chord[2] [kɔ:rd] *s mus.* Ak'kord *m*: to break into a ~ *sl.* e-n Tusch blasen.
chor·di·tis [kɔ:r'daitis] *s med.* **1.** Chor'ditis *f*, Stimmbandentzündung *f*. **2.** Samenstrangentzündung *f*.
chore [tʃɔ:r] **I** *s dial. od. Am.* **1.** → char[3] 2. **2.** *pl* täglich zu erledigende (Haus)Arbeiten *pl*. **3.** schwierige *od.* unangenehme Aufgabe. **II** *v/i* **4.** *Am.* Hausarbeit verrichten.
cho·re·a [kə'ri:ə] *s med.* Cho'rea *f*, Veitstanz *m*.
cho·re·og·ra·pher [,kɒri'ɒgrəfər] *s* Choreo'graph(in), Tanzgestalter(in). **,cho·re·o'graph·ic** [-riə'græfik] *adj* choreo'graphisch. **,cho·re'og·ra·phy** *s* Choreogra'phie *f*: a) Tanzschrift *f*, b) Tanzgestaltung *f*.
cho·ri·amb ['kɒri,æmb] *s metr.* Chori'ambus *m* (*aus Trochäus und Jambus*).
cho·ric ['kɒrik] *adj* Chor..., chorisch.
cho·ri·oid ['kɔ:ri,ɔid] *s anat.* Aderhaut *f* des Auges.
cho·ri·on ['kɔ:ri,ɒn] *pl* **-ri·a** [-ə] *s biol.* Chorion *n*, Ei-, Fruchthaut *f*.
cho·rist ['kɒrist] *s thea.* Chorsänger-(in). **'chor·is·ter** *s* **1.** (*bes.* Kirchen)-Chorsänger(in). **2.** *Am.* Kirchenchorleiter *m*.
cho·rog·ra·phy [ko'rɒgrəfi] *s* **1.** Chorogra'phie *f*, Land(schafts)beschreibung *f*. **2.** karto'graphische Darstellung e-s Landstrichs.
cho·roid ['kɒrɔid] → chorioid.
cho·rol·o·gy [ko'rɒlədʒi] *s biol.* Choro-lo'gie *f*, Studium *n* der örtlichen Verbreitung von Lebewesen.
chor·tle ['tʃɔ:rtl] **I** *v/t u. v/i* glucksen, froh'locken. **II** *s* Glucksen *n*.
cho·rus ['kɔ:rəs] **I** *s* **1.** *antiq.* Chor *m* (*im Drama*). **2.** *thea.* a) (Sänger)Chor *m*, b) Tanzgruppe *f* (*bes. e-r Revue*). **3.** *mus.* Chor *m*: a) 'Chorpar,tie *f*, b) 'Chorkompositi,on *f*, c) ('Chor)-Re,frain *m*, Kehrreim *m* (*a. fig.*). **4.** *hist.* Chorus *m*, Chorsprecher *m* (*bes. im Elisabethanischen Drama*). **5.** *fig.* Chor *m*: ~ of protest Protestgeschrei *n*; in ~ im Chor, alle gemeinsam. **6.** Mix'turenchor *m* (*e-r Orgel*). **7.** *Jazz*: Chorus *m*, Variati'onsthema *n od.* -peri,ode *f*. **II** *v/t u. v/i* **8.** im Chor singen *od.* sprechen *od.* rufen. ~ **girl** *s* **1.** Cho'ristin *f*. **2.** (Re'vue)-Tänzerin *f*.
chose[1] [tʃouz] *pret u. obs. pp von* choose.
chose[2] [ʃouz] *s jur.* Sache *f*, 'Rechtsob,jekt *n*: ~ in action obligatorischer Anspruch (*auf Eigentum, das nur auf gerichtlichem Wege zu erlangen ist*), unkörperlicher Rechtsgegenstand; ~ in possession im unbestrittenen Besitz befindliches Rechtsobjekt.
cho·sen ['tʃouzn] **I** *pp von* choose. **II** *adj* ausgesucht, auserwählt: the ~ people *Bibl.* das auserwählte Volk (*die Juden*). **III** *s* the ~ die Auserwählten.
chough [tʃʌf] *s orn.* (*ein*) Rabenvogel *m*: alpine ~ Alpendohle *f*; Cornish ~ Alpenkrähe *f*, Steindohle *f*.
chow [tʃau] *s* **1.** *zo.* Chow-Chow *m* (*chinesischer Hund*). **2.** *Am. sl.* ‚Futter' *n*, Essen *n*.
chow·chow ['tʃau,tʃau] *s* **1.** (*China u. Indien*) a) Konfi'türe *f* aus gemischten Früchten, b) gemischtes Allerlei. **2.** zerkleinerte Mixed Pickles *pl* in Senfsoße. **3.** → chow 1.
chow·der ['tʃaudər] *s Am. ein Mischgericht aus Fischen, Muscheln etc.*
chre·ma·tis·tics [,kri:mə'tistiks] *s pl* (*als sg konstruiert*) *econ.* Chrema'tistik *f* (*Lehre von der Gütererwerbung u. -erhaltung*).
chres·tom·a·thy [kres'tɒməθi] *s* Chrestoma'thie *f*, lite'rarische Mustersammlung *od.* Auswahl, Lesebuch *n*.
chrism ['krizəm] *s relig.* **1.** Chrisam *n*, geweihtes Salböl. **2.** Salbung *f*. **3.** → chrisom 2 *u.* 3.
chris·om ['krizəm] *s* **1.** → chrism 1 *u.* 2. **2.** *hist.* Taufkleid *n*. **3.** *obs.* Täufling *m*, kleines Kind.
Christ [kraist] *s Bibl.* der Gesalbte, Christus *m*: before ~ (*abbr.* B.C.) vor Christi Geburt (*abbr.* v. Chr.).
christ·cross ['kris,krɒs; -,krɔ:s] *s* Zeichen *n* des Kreuzes.
chris·ten ['krisn] *v/t* **1.** taufen. **2.** (auf den Namen ...) taufen: he was ~ed John er wurde John getauft. **3.** *Schiff etc* taufen, benennen. **4.** *colloq.* ‚einweihen'.
Chris·ten·dom ['krisndəm] *s* **1.** Christenheit *f*. **2.** die christliche Welt.
chris·ten·ing ['krisniŋ] **I** *s* (Kind)-Taufe *f*. **II** *adj* Tauf...
Christ·er ['kraistər] *s Am. sl.* Frömmler *m*, Betbruder *m*.
Christ·hood ['kraisthud] *s* Sendung *f od.* Amt *n* des Mes'sias.
Chris·tian ['kristʃən; *Br. a.* -tjən] **I** *adj* (*adv* ~ly) **1.** christlich. **2.** *colloq.* anständig, mensch(enfreund)lich. **II** *s* **3.** Christ(in). **4.** Christ(enmensch) *m*, guter Mensch. **5.** *bes. dial.* Mensch *m* (*Ggs. Tier*). ~ **E·ra** *s* christliche Zeitrechnung.
Chris·tian·ism ['kristʃə,nizəm; -tjə-] *s* Christentum *n*, christlicher Glaube.
Chris·ti·an·i·ty [,kristi'æniti; -tʃi-] *s* **1.** Christenheit *f*. **2.** Christentum *n*, christlicher Glaube. **3.** christliches Denken *od.* Handeln.
Chris·tian·ize ['kristʃə,naiz] **I** *v/t* christiani'sieren, zum Christentum bekehren. **II** *v/i* sich zum Christentum bekennen.

'Chris·tian,like, Chris·tian·ly ['kristʃənli; *Br. a.* -tjən-] *adj* christlich.
Chris·tian| name *s* Tauf-, Vorname *m.* ~ **Sci·ence** *s* Christliche Wissenschaft (*religiöse Gemeinschaft*). ~ **Sci·en·tist** *s* Szien'tist(in), Anhänger(in) der Christlichen Wissenschaft.
Christ·mas ['krisməs] *s* Christ-, Weihnachtsfest *n*, Weihnachten *f, n u. pl*: to wish s.o. a merry (*od.* happy) ~ j-m fröhliche Weihnachten wünschen. '~-,**box** *s Br.* Weihnachtsgeschenk *n* (*a. Trinkgeld für Bedienstete etc*). ~ **card** *s* Weihnachtskarte *f.* ~ **car·ol** *s* Weihnachtslied *n.* ~ **Eve** *s* Heiliger Abend, Weihnachtsabend *m.* ~ **flow·er** *s bot.* **1.** Christrose *f.* **2.** Winterling *m.* **3.** Weihnachtsstern *m*, Poin'settie *f.* ~ **pud·ding** *s Br.* Plumpudding *m.*
Christ·mass·y ['krisməsi] *adj colloq.* weihnachtlich.
'Christ·mas|,tide *s* Weihnachtszeit *f.* ~ **tree** *s* **1.** Christ-, Weihnachtsbaum *m.* **2.** *tech. sl.* Steigrohrkopf *m* (*Ölgewinnung*).
Christ·mas·y → **Christmassy.**
'Christ's-,thorn *s bot.* Christusdorn *m.*
chro·ma ['kroumə] *s* **1.** Farbenreinheit *f.* **2.** 'Farbenintensi,tät *f.*
chro·mate ['kroumeit] *s chem.* Chro'mat *n*, chromsaures Salz.
chro·mat·ic [kro'mætik] *adj* (*adv* ~**ally**) **1.** *phys.* chro'matisch, Farben... **2.** *mus.* a) chro'matisch, b) alte'riert, c) (stark) modu'lierend: ~ **sign** Versetzungs-, Vorzeichen *n.* **chro'mat·ics** *s pl* (*als sg konstruiert*) **1.** Farbenlehre *f.* **2.** *mus.* Chro'matik *f.*
chro·ma·tid ['kroumətid] *s med.* 'Halbchromo,som *n.* '**chro·ma·tin** [-tin] *s biol. med.* Chroma'tin *n.* '**chro·ma,tism** *s* **1.** Chroma'tismus *m*, Färbung *f.* **2.** *bot.* 'unna,türliche Färbung einzelner Pflanzenteile. **3.** *phys.* Farbenzerstreuung *f.*
chro·ma·tog·ra·phy [,kroumə'tɒgrəfi] *s chem.* Chromatogra'phie *f.* '**chro·ma·to,phore** [-tə,fɔːr] *s* **1.** *zo.* Farb(en)zelle *f.* **2.** *bot.* Chromato'phor *n*, Farbstoffträger *m.*
chrome [kroum] **I** *s* **1.** → **chromium. 2.** *tech.* 'Kalium,dichro,mat *n* (*gelber Farbstoff*). **3.** *a.* ~ **yellow** Chromgelb *n.* **4.** *a.* ~ **leather** Chromleder *n.* **II** *v/t* **5.** *a.* ~**-plate** *tech.* verchromen. ~ **red** *s* Chromrot *n.* ~ **steel** *s* Chromstahl *m.*
chro·mic ['kroumik] *adj chem.* chromsäurehaltig: ~ **acid** Chromsäure *f.*
chro·mite ['kroumait] *s min.* Chromeisenerz *n.*
chro·mi·um ['kroumiəm] *s chem.* Chrom *n.* '~-,**plate** *v/t tech.* verchromen. '~-,**plat·ing** *s* Verchromung *f.* ~ **steel** *s* Chromstahl *m.*
chro·mo·gen ['kroumədʒən] *s chem.* Farbenerzeuger *m*, Chromo'gen *n.*
chro·mo·lith·o·graph [,kroumo'liθə,græ(ː)f; *Br. a.* -,grɑːf] *s* ,Chromolithogra'phie *f*, Mehrfarbensteindruck *m* (*Bild*). ,**chro·mo·li'thog·ra·phy** [-li'θɒgrəfi] *s* ,Chromolithogra'phie *f*, Mehrfarbensteindruck *m* (*Verfahren*).
chro·mo·mere ['kroumə,mir] *s biol.* Chromo'mer *n.*
chro·mo·plasm ['kroumo,plæzəm] *s biol.* Chromo'plasma *n.* '**chro·mo·,plast** [-,plæst] *s biol.* Pig'mentzelle *f.*
chro·mo·some ['kroumə,soum] *s biol.* Chromo'som *n.*
chro·mo·sphere ['kroumə,sfir] *s astr.* Chromo'sphäre *f.*
chro·mo·type ['kroumə,taip] *s* **1.** Farbdruck *m.* **2.** Chromoty'pie *f*, 'Farbphotogra,phie *f* (*Bild u. Verfahren*).
chron·ic ['krɒnik] *adj*; '**chron·i·cal** *adj* (*adv* ~**ly**) **1.** ständig, (an)dauernd, ,ewig': ~ **state of affairs. 2.** a) eingewurzelt, b) unverbesserlich, eingefleischt: a ~ **grumbler. 3.** *bes. med.* chronisch, langwierig: ~ **disease**; ~ **carrier** Dauerausscheider *m.* **4.** *Br. sl.* scheußlich, mise'rabel.
chron·i·cle ['krɒnikl] **I** *s* **1.** Chronik *f.* **2.** C~**s** *pl Bibl.* Chronik *f*, Bücher *pl* der Chronika. **II** *v/t* **3.** aufzeichnen, berichten. '**chron·i·cler** [-klər] *s* Chro'nist *m.*
chron·o·gram ['krɒnə,græm] *s* Chrono'gramm *n*, Zahlenbuchstabeninschrift *f.* '**chron·o,graph** [-,græ(ː)f; *Br. a.* -,grɑːf] *s* Chrono'graph *m*, Zeitmesser *m*, -schreiber *m.*
chro·nol·o·ger [krə'nɒlədʒər] *s* Chrono'loge *m*, Zeitforscher *m.* **chron·o·log·i·cal** [,krɒnə'lɒdʒikəl] *adj* (*adv* ~**ly**) chrono'logisch: ~ **order** zeitliche Aufeinanderfolge. **chro'nol·o·gist** → **chronologer. chro'nol·o,gize** *v/t* chronologi'sieren, nach der Zeitfolge ordnen. **chro'nol·o·gy** *s* **1.** Chronolo'gie *f*, Zeitbestimmung *f*, -rechnung *f.* **2.** Zeittafel *f.* **3.** chrono'logische Aufstellung.
chro·nom·e·ter [krə'nɒmitər] *s* Chrono'meter *n*, Zeitmesser *m*, Präzisi'onsuhr *f.* **chron·o·met·ric** [,krɒnə'metrik], ,**chron·o'met·ri·cal** *adj* chrono'metrisch. **chro'nom·e·try** [-tri] *s* Zeitmessung *f.*
chron·o·scope ['krɒnə,skoup] *s* Chrono'skop *n*, regi'strierender Zeitmesser.
chrys·a·lid ['krisəlid] *zo.* **I** *adj* puppenartig. **II** *s* → **chrysalis. chrys·a·lis** ['krisəlis] *pl* '**chrys·a·lis·es** *od.* **chry·sal·i·des** [kri'sæli,diːz] *s zo.* Schmetterlingspuppe *f.*
chrys·an·the·mum [kri'sænθəməm] *s bot.* Chrys'anthemum *n*, Chrysan'theme *f*, Winteraster *f.*
chrys·o·lite ['krisə,lait] *s min.* Chryso'lith *m.*
chtho·ni·an ['θouniən], **chthon·ic** ['θɒnik] *adj* chthonisch, ... der 'Unterwelt.
chub [tʃʌb] *s ichth.* Döbel *m.*
chub·bi·ness ['tʃʌbinis] *s* Pausbäckigkeit *f*, rundliches Aussehen. '**chub·by** *adj* pausbäckig, rundlich, mollig.
chuck[1] [tʃʌk] **I** *s* **1.** ruckartiger Wurf. **2.** zärtlicher Griff unters Kinn. **3.** the ~ *Br. sl.* der ,Rausschmiß', die Entlassung: to give s.o. the ~ j-n rausschmeißen. **II** *v/t* **4.** werfen, schleudern, ,schmeißen': to ~ s.th. *sl.* etwas ,hinschmeißen' (*aufgeben*); ~ it! *sl.* laß das! **5.** ~ s.o. under the chin j-n unters Kinn fassen.
Verbindungen mit Adverbien:
chuck| a·way *v/t sl.* ,wegschmeißen' (*a. fig. verschwenden*). ~ **out** *v/t sl.* ,rausschmeißen'. ~ **up** *v/t sl.* ,an den Nagel hängen' (*aufgeben*).
chuck[2] [tʃʌk] **I** *s* **1.** Glucken *n* (*der Henne*). **2.** ,Schnucki' *m* (*Kosewort*). **II** *v/t u. v/i* **3.** glucken. **III** *interj* **4.** put, put! (*Lockruf für Hühner*).
chuck[3] [tʃʌk] *tech.* **I** *s* **1.** Spann-, Klemmfutter *n* (*e-s Werkzeuges*). **2.** Spannvorrichtung *f.* **3.** 'Bohr(ma,schinen),futter *n.* **II** *v/t* **4.** in das Futter einspannen.
chuck[4] [tʃʌk] *s Am. sl.* ,Futter' *n*, Essen *n.*
'chuck·er-,out ['tʃʌkər-] *s sl.* ,Rausschmeißer' *m* (*in Lokalen etc*).
chuck| far·thing *s* (*Art*) Murmelspiel *n* (*mit Münzen*). ~ **lathe** *s* Futterdrehbank *f.*
chuck·le ['tʃʌkl] **I** *v/i* **1.** glucksen, (stillvergnügt) in sich hin'einlachen. **2.** glucken (*Henne*). **II** *s* **3.** Glucksen *n*, leises Lachen. '~,**head** *s dial. od. Am. colloq.* Dummkopf *m.* '~'**head·ed** *adj dial. od. Am. colloq.* dumm, blöde.
chud·dah ['tʃʌdə], **chud·dar** ['tʃʌdər] *s Br. Ind.* 'Umhängetuch *n* (*für Frauen*).
chu·fa ['tʃuːfə] *s bot. Am.* Erdmandel *f.*
chuff[1] [tʃʌf] *s* Bauerntölpel *m.*
chuff[2] [tʃʌf] *Am. colloq.* **I** *s* Puffen *n*, Stampfen *n* (*der Lokomotive*). **II** *v/i* puffen, paffen.
chug [tʃʌg], **chug-chug** ['tʃʌg'tʃʌg] *Am. colloq.* **I** *s* **1.** Puffen *n*, Tuckern *n* (*des Motors*). **II** *v/i* **2.** puffen, tuckern. **3.** tuckern(d fahren), (da'hin)pusten.
chuk·ker ['tʃʌkər] *s sport* Spielachtel *n* beim Polospiel.
chum[1] [tʃʌm] *colloq.* **I** *s* **1.** Stubengenosse *m.* **2.** ,Kumpel' *m*, Kame'rad *m*: to be great ~**s** ,dicke' Freunde sein. **II** *v/i* **3.** ein Zimmer teilen (with mit). **4.** ,dick' befreundet sein: to ~ up with s.o. enge Freundschaft mit j-m schließen.
chum[2] [tʃʌm] *s Am.* Fisch- *od.* Fleischreste *pl* (*als Fischköder*).
chum·my ['tʃʌmi] *adj* (*adv* **chummily**) *colloq.* **1.** gesellig. **2.** ,dick' befreundet: don't get ~ with me! nur keine plumpe Vertraulichkeit!
chump [tʃʌmp] *s* **1.** Holzklotz *m.* **2.** dickes Ende (*z. B. der Hammelkeule*). **3.** *colloq.* Trottel *m*, Dummkopf *m.* **4.** *Br. sl.* ,Birne' *f*, Kopf *m*: to be off one's ~ ,e-n Vogel haben'.
chunk [tʃʌŋk] *s colloq. od. dial.* **1.** (Holz)Klotz *m*, Klumpen *m*, ,Runken' *m*: a ~ of bread ein (dickes) Stück Brot. **2.** *Am.* a) ,Bulle' *m*, vierschrötiger Kerl, b) (*bes.* kleines) stämmiges Tier (*bes. Pferd*). **3.** *fig.* ,Batzen' *m*, ,großer Brocken'. '**chunk·y** *adj Am. colloq.* **1.** unter'setzt, stämmig, vierschrötig. **2.** klobig, klotzig.
church [tʃəːrtʃ] **I** *s* **1.** Kirche *f*, Gotteshaus *n*: to go to ~ in die Kirche gehen. **2.** Kirche *f*, Gottesdienst *m*: at (*od.* in) ~ in der Kirche, beim Gottesdienst; to attend ~ am Gottesdienst teilnehmen; ~ is over die Kirche ist aus. **3.** Kirche *f*, *bes.* Christenheit *f.* **4.** Kirchengemeinde *f.* **5.** Geistlichkeit *f*: to enter the ~ Geistlicher werden. **II** *v/t* **6.** (*zur Taufe etc*) in die Kirche bringen. **7.** e-n Dankgottesdienst halten für (*e-e Wöchnerin*). **III** *adj* **8.** Kirchen..., kirchlich: ~ court. '~,**go·er** *s* Kirchgänger(in).
church·ing ['tʃəːrtʃiŋ] *s* Aussegnung *f* (*bes. e-r Wöchnerin*).
church| in·vis·i·ble *s* unsichtbare Kirche, Gemeinschaft *f* der (*irdischen u. überirdischen*) Gläubigen. ~ **law** *s* Kirchenrecht *n.* '~**man** [-mən] *s irr* **1.** Geistliche(r) *m.* **2.** Mitglied *n* der angli'kanischen Kirche. ~ **mil·i·tant** *s* (*die*) streitende Kirche (*auf Erden*). **C~ of Eng·land** *s* englische Staatskirche, angli'kanische Kirche. **C~ of (Je·sus Christ of) Lat·ter-day Saints** *s* Mor'monenkirche *f.* ~ **pa·rade** *s mil.* Kirchgang *m* (*e-r militärischen Formation*). '~-,**rate** *s* Kirchenabgabe *f.* ~ **reg·is·ter** *s* 'Kirchenbuch *n*, -re,gister *n.* '~,**scot,** '~,**shot** *s hist.* Kirchenabgabe *f.* ~ **text** *s* **1.** altenglische Kirchenschrift. **2.** *print.* Angelsächsisch *f* (*Schrifttyp*). ~ **tri·um·phant** *s* (*die*) trium'phierende Kirche, himmlische Gemeinde. '~-'**ward·en** *s* **1.** *Br.* Kirchenvorsteher *m.* **2.** *Am.* Verwalter *m* der weltlichen Angelegenheiten e-r Kirche *od.* Gemeinde. **3.** *colloq.* lange gebogene Tabakspfeife. '~,**wom·an** *s irr* **1.** eifrige

Kirchgängerin. **2.** weibliches Mitglied der angli'kanischen Kirche.

church·y ['tʃəːrtʃi] *adj colloq.* kirchlich (gesinnt).

'church,yard *s* Kirchhof *m*, Friedhof *m*: in the ~ auf dem Kirchhof; → cough 1.

churl [tʃəːrl] *s* **1.** Flegel *m*, Grobian *m.* **2.** Bauer *m.* **3.** Geizhals *m.* **4.** *Br. hist.* freier Mann (*niedersten Ranges*).

'churl·ish *adj* (*adv* ~ly) **1.** *fig.* grob, ungehobelt, flegelhaft. **2.** mürrisch. **3.** geizig, knauserig.

churn [tʃəːrn] **I** *s* **1.** 'Butterfaß *n*, -ma,schine *f.* **2.** *Br.* Milchkanne *f.* **II** *v/t* **3.** buttern: to ~ cream; to ~ out *fig.* in schneller Folge herstellen. **4.** *Flüssigkeiten* heftig schütteln, schäumen machen, *die Wellen* aufwühlen, peitschen: to ~ one's way sich s-n Weg bahnen. **III** *v/i* **5.** buttern. **6.** schäumen. **7.** sich heftig bewegen. ~ **drill** *s tech.* **1.** Seilbohrer *m.* **2.** Schlagbohrer *m.* '~,**milk** *s bes. dial.* Buttermilch *f.*

churr [tʃəːr] *v/i* surren, schwirren.

chute [ʃuːt] **I** *s* **1.** a) Stromschnelle *f*, starkes Gefälle, b) Wasserfall *m.* **2.** *Am.* Wasserrutschbahn *f* (*Art Schleuse für Baumstämme etc*). **3.** *tech.* a) Rutsch-, Gleitbahn *f*, Rutsche *f*, (Förder)Rinne *f*, b) Schacht *m*, c) Müllschütte *f*, -schlucker *m.* **4.** *sport* Rodelbahn *f.* **5.** *colloq. abbr. für* parachute. **II** *v/t* **6.** auf e-r Rutschbahn transpor'tieren. **III** *v/i* **7.** e-e Rutschbahn benützen: to ~ the chutes *colloq.* e-e Rutschbahn (im Vergnügungspark *etc*) hinunterrutschen. ~ **mag·a·zine** *s mil.* ('Bomben)-,Schüttmaga,zin *n.* '~-**the-'chute(s)** *s colloq.* Rutschbahn *f* (*für Kinder*).

chut·ist ['ʃuːtist] *colloq. abbr. für* parachutist.

chut·nee, chut·ney ['tʃʌtni] *s* Chutney [*n* (*indisches Gewürz*).

chyle [kail] *s physiol.* Chylus *m*, Milch-, Speisesaft *m*, Darmlymphe *f.*

chyme [kaim] *s physiol.* Chymus *m*, Speise-, Magenbrei *m.*

ci·bo·ri·um [si'bɔːriəm] *s relig.* a) Zi'borium *n* (*Gefäß für die geweihte Hostie*), b) Taber'nakel *m*, *n*, c) Al'tarbaldachin *m.*

ci·ca·da [si'keidə; -'kɑː-] *pl* **-dae** [-iː], **-das** *s zo.* Zi'kade *f*, Baumgrille *f.*

cic·a·trice ['sikətris] *s* Narbe *f* (*a. bot.*). '**cic·a·triced** *adj med.* vernarbt. ,**cic·a'tri·cial** [-'triʃəl] *adj* Narben... '**cic·a,tri·cle** [-kl] *s* **1.** *bot.* a) Samennabel *m*, b) Blattnarbe *f.* **2.** *zo.* Hahnentritt *m* (*im Ei*). '**cic·a·trix** [-triks] *pl* ,**cic·a'tri·ces** [-'traisiːz] *s* **1.** Narbe *f.* **2.** → cicatricle. '**cic·a,trize** *v/i u. v/t* vernarben (lassen).

ci·ce·ro·ne [,tʃitʃə'rouni; ,sisə-] *pl* **-ni** [-iː] *s* Cice'rone *m*, Fremdenführer *m.*

Cic·e·ro·ni·an [sisə'rouniən] *adj* cice'ronisch, redegewandt.

ci·cu·ta [si'kjuːtə] *s bot.* Schierling *m.*

ci·der ['saidər] *s a.* hard ~ Apfelwein *m*: sweet ~ Süßmost *m.* '~-'**and** *s colloq.* Apfelwein *m* ‚mit' (Zutaten). ~ **cup** *s* eisgekühlter Apfelwein mit Früchten u. Kräutern. ~ **press** *s* Apfelpresse *f.*

C.I.F., cif [sif] (*abbr. von* cost, insurance, freight) *econ.* Kosten, Versicherung, Fracht (*zum benannten Bestimmungshafen*): ~ New York cif New York; ~ price cif-Preis *m*; ~ landed Verkäufer übernimmt außer den cif-Verpflichtungen auch die Abladekosten.

ci·gar [si'gɑːr] *s* Zi'garre *f.* ~ **box** *s* Zi'garrenkiste *f*, -schachtel *f.* ~ **case** *s* Zi'garrene,tui *n.* ~ **cut·ter** *s* Zi'garrenabschneider *m.*

cig·a·rette, *selten* **cig·a·ret** [,sigə'ret; 'sigə,ret] *s* Ziga'rette *f.* ~ **case** *s* Ziga'rettene,tui *n.* ~ **hold·er** *s* (Ziga'retten)Spitze *f.* [(*Halter*).]

ci·gar hold·er *s* Zi'garrenspitze *f*

cil·i·a ['siliə] *pl von* cilium.

cil·i·ar·y ['siliəri] *adj anat.* Wimper...: ~ movement; ~ muscle Linsen-, Ziliarmuskel *m* (*des Augapfels*). **cil·i·ate** ['siliit; -,eit] **I** *adj anat. bot.* bewimpert. **II** *s zo.* Wimpertierchen *n.*

cil·i·at·ed ['sili,eitid] → ciliate I.

cil·ice ['silis] *s* härenes Hemd.

cil·i·um ['siliəm] *pl* '**cil·i·a** [-ə] *s* **1.** *anat.* (Augen)Wimper *f.* **2.** *bot. zo.* Wimper *f*, Cilium *n.*

Cim·me·ri·an [si'mi(ə)riən] *adj* **1.** *antiq.* kim'merisch. **2.** *fig.* dunkel: ~ darkness kimmerische Finsternis.

cinch[1] [sintʃ] *Am.* **I** *s* **1.** Sattel-, Packgurt *m.* **2.** *sl.* a) ‚todsichere' Sache, ‚klarer Fall', b) Leichtigkeit *f*, ‚Kinderspiel' *n.* **II** *v/t* **3.** (fest)gürten. **4.** *sl.* sicherstellen.

cinch[2] [sintʃ] *s Am. ein Kartenspiel.*

cin·cho·na [sin'kounə] *s* **1.** *bot.* Chinarindenbaum *m.* **2.** *chem.* China-, Fieberrinde *f.* '**cin·cho,nine** [-kə,niːn; -nin] *s chem.* Cincho'nin *n.* '**cin·cho,nism** *s med.* Chi'ninvergiftung *f.*

cinc·ture ['siŋktʃər] **I** *s* **1.** Gürtel *m* (*a. fig.*), Gurt *m.* **2.** *arch.* (Säulen)-Kranz *m.* **II** *v/t* **3.** um'gürten, um'zäunen, einschließen.

cin·der ['sindər] *s* **1.** Zinder *m*, *a. tech.* Schlacke *f*, ausgeglühte Kohle: burnt to a ~ verkohlt, verbrannt. **2.** *pl* Asche *f.* **3.** *sl.* a) → cinder track, b) *Br.* Aufputschmittel *n.* ~ **block** *s tech.* **1.** Abschlußblock *m* (*e-s Hochofens mit Schlackenöffnung*). **2.** Schlackenstein *m.* ~ **con·crete** *s* 'Aschen-, 'Löschbe,ton *m.* ~ **cone** *s geol.* vul'kanischer Aschenkegel.

Cin·der·el·la [,sində'relə] *s* Aschenbrödel *n*, -puttel *n* (*a. fig.*): ~ dance *Br.* Tanzgesellschaft, die nur bis Mitternacht dauert.

cin·der| path *s* **1.** Weg *m* mit Schlakkenschüttung. **2.** → cinder track. ~ **pig** *s tech.* Schlackenroheisen *n.* ~ **track** *s sport* Aschenbahn *f.*

cin·der·y ['sindəri] *adj* schlackig.

cin·e·cam·er·a [,sini'kæmərə] *s* Filmkamera *f.* **ci·né film** *s* Film *m* (*für Amateurkamera*).

cin·e·ma ['sinimə] *s* **1.** *bes. Br.* Kino *n*, 'Film-, 'Lichtspielthe,ater *n*: ~-goer Kinobesucher(in). **2.** the ~ der Film, die Filmkunst. ,**cin·e'mat·ic** [-'mætik] *adj* (*adv* ~ally) Film..., filmisch. ,**cin·e'mat·o,graph** [-'mætə,græ(ː)f; *Br. a.* -,grɑːf] *bes. Br.* **I** *s* **1.** 'Filmpro,jektor *m.* **2.** Filmkamera *f.* **II** *v/t* **3.** (ver)filmen. **III** *v/i* **4.** filmen. ,**cin·e·ma'tog·ra·pher** [-mə'tɒgrəfər] *s* Kameramann *m.* ,**cin·e,mat·o·'graph·ic** [-'græfik] *adj* (*adv* ~ally) kinemato'graphisch, Film... ,**cin·e·ma'tog·ra·phy** *s* ,Kinematogra'phie *f*, Lichtspielwesen *n.*

cin·e·ra·ri·um [,sinə'rɛ(ə)riəm] *pl* **-i·a** [-ə] *s* **1.** Urnenfriedhof *m.* **2.** Urnennische *f.*

cin·er·ar·y ['sinərəri] *adj* Aschen... ~ **urn** *s* Totenurne *f.*

cin·er·a·tor ['sinə,reitər] *s* Leichenverbrennungsofen *m* (*im Krematorium*).

ci·ne·re·ous [si'ni(ə)riəs] *adj* aschgrau.

Cin·ga·lese → Singhalese.

cin·na·bar ['sinə,bɑːr] *s* **1.** *min.* Zin'nober *m.* **2.** zin'noberroter Farbstoff. **3.** Zin'noberrot *n.*

cin·nam·ic [si'næmik; 'sinəmik] *adj chem.* Zimt...: ~ acid.

cin·na·mon ['sinəmən] **I** *s bot.* **1.** Zimtbaum *m.* **2.** Zimt *m*, Ka'neel *m.* **3.** Zimtfarbe *f.* **II** *adj* **4.** zimtfarben. ~ **bark** *s* Zimtrinde *f.* ~ **bear** *s zo.* Baribal *m*, Amer. Schwarzbär *m.* ~ **stick** *s* Stangenzimt *m.*

cinque [siŋk] *s* Fünf *f* (*auf Würfeln od. Spielkarten*).

cinque|·foil ['siŋk,fɔil] *s* **1.** *bot.* (*ein*) Fingerkraut *n.* **2.** *arch. her.* 'Fünfblattro,sette *f.* **C~ Ports** *s pl* Cinque Ports *pl* (*ursprünglich die 5 Seestädte Hastings, Sandwich, Dover, Romney u. Hythe*).

ci·on → scion.

ci·pher ['saifər] **I** *s* **1.** *math.* Null *f* (*Ziffer*). **2.** (a'rabische) Ziffer, Zahl *f*, Nummer *f.* **3.** *fig.* a) Null *f* (*unbedeutende Person*), b) Nichts *n* (*unbedeutende Sache*). **4.** a) Chiffre *f*, Geheimschrift *f*: in ~ chiffriert, b) chif'frierter Text, c) Schlüssel *m* (zu e-r Geheimschrift). **5.** Mono'gramm *n.* **II** *v/i* **6.** rechnen. **7.** chif'frieren, schlüsseln. **III** *v/t* **8.** chif'frieren, verschlüsseln. **9.** ~ out a) be-, ausrechnen, b) entziffern, dechif'frieren, c) *Am. colloq.* ‚ausknobeln', austüfteln. ~ **clerk** *s* Verschlüssler *m.* ~ **code** *s* Codechiffre *f*, Tele'grammschlüssel *m.* '~-,**key** → cipher 4c. '~,**text** *s* Schlüsseltext *m.*

cir·ca ['səːrkə] **I** *adv* zirka, ungefähr, etwa. **II** *prep* um ... her'um: ~ 1850 um das Jahr 1850.

Cir·cas·sian [səːr'kæʃiən; -siən] **I** *s* **1.** Tscher'kesse *m*, Tscher'kessin *f.* **2.** *ling.* die tscher'kessische Sprache. **3.** c~ Zirkas *m* (*Wollstoff*). **II** *adj* **4.** tscher'kessisch.

Cir·ce ['səːrsi] *npr myth.* Circe *f* (*a. fig. Verführerin*). **Cir·ce·an** [səːr'siːən] *adj* verführerisch, betörend.

cir·cle ['səːrkl] **I** *s* **1.** *math.* a) Kreis *m*, b) Kreisfläche *f*, -inhalt *m*, c) 'Kreis,umfang *m*: ~ of curvature Krümmungskreis; to square the ~ den Kreis quadrieren (*a. fig. das Unmögliche vollbringen*). **2.** Kreis *m*, Kranz *m*, Ring *m* (*von Dingen*). **3.** 'Zirkusma,nege *f*, A'rena *f.* **4.** *thea.* Rang *m*: upper ~ zweiter Rang, Galerie *f*; → dress circle. **5.** Wirkungskreis *m*, Einflußsphäre *f.* **6.** *fig.* Kreislauf *m*: ~ of the seasons; in a ~ ohne Unterbrechung. **7.** *philos.* Zirkelschluß *m*: to argue in a ~ im Kreise argumentieren; → vicious circle. **8.** Serie *f*, Zyklus *m*, Ring *m.* **9.** a) Zirkel *m*: theatrical ~s, b) (Gesellschafts)Kreis *m*: court ~s; ~ of friends Freundeskreis. **10.** (Verwaltungs)Kreis *m.* **11.** 'Umkreis *m.* **12.** *mar.* (Längen- *od.* Breiten)Kreis *m*: ~ of longitude (latitude). **13.** *astr.* a) Bahn *f od.* 'Umdrehungsperi,ode *f* (*e-s Himmelskörpers*), b) Hof *m* (*bes. des Mondes*). **14.** Krone *f*, Dia'dem *n.* **15.** *Br. colloq. für* circle line. **II** *v/t* **16.** um'geben, -'ringen. **17.** um'kreisen. **18.** einkreisen, -schließen, um'zingeln. **19.** um'winden. **20.** kreisförmig machen. **III** *v/i* **21.** kreisen, sich im Kreise bewegen, die Runde machen (*a. Pokal*). **22.** *mil.* e-e Schwenkung ausführen.

cir·clet ['səːrklit] *s* **1.** kleiner Kreis. **2.** Reif *m*, Ring *m.* **3.** Dia'dem *n.*

circs [səːrks] *s pl colloq.* 'Umstände *pl.*

cir·cuit ['səːrkit] **I** *s* **1.** a) Kreisbewegung *f*, b) 'Um-, Kreislauf *m.* **2.** 'Umfang *m*, 'Umkreis *m*: *10 miles* in ~ im Umfang. **3.** Bereich *m*, Gebiet *n.*

4. Runde *f*, Rundreise *f*: to make the ~ of die Runde *od.* e-e Rundreise machen in (*dat*). **5.** *jur. Br.* a) Rundreise *f* von Richtern (*zur Abhaltung der Assisen*): to go on ~ die Assisen abhalten, b) die an den As'sisen beteiligten Richter *pl* u. Anwälte *pl*, c) *a. Am.* Gerichtsbezirk *m.* **6.** *aer.* Rundflug *m*: to do a ~ e-e Platzrunde fliegen. **7.** The'ater- *od.* 'Kinokon-ˌzern *m*, -ring *m.* **8.** 'Umweg *m* (*a. fig.*): to make a ~. **9.** *electr.* a) Stromkreis *m*, (Anschluß)Leitung *f*: control ~ Steuerkreis *m*; in ~ angeschlossen; to put in ~ anschließen; to close (open) the ~ den Stromkreis schließen (öffnen); → closed 1, short circuit, b) Schaltung *f*, 'Schaltsyˌstem *n* (*e-s Gerätes etc*), c) → circuit diagram, d) Wechselsprechanlage *f.* **10.** *phys.* ma'gnetischer Kreis. **11.** *mot.* Rennbahn *f.* **12.** *Am.* (Baseball- *etc*)Liga *f.* **13.** *Am.* (Per'sonen)Kreis *m*, ‚Verein' *m.* **II** *v/t* **14.** um'kreisen, die Runde machen um. ~ **break·er** *s electr.* ('Strom)Unterˌbrecher *m*, Ausschalter *m.* ~ **clos·er** *s electr.* Einschalter *m.* ~ **court** *s jur.* **1.** *Br.* Gerichtshof, der peri'odisch in bestimmten Bezirken tagt. **2.** *Am.* ordentliches Gericht, *z. B.* a) (*etwa*) Landgericht *n*, b) (*etwa*) Oberlandesgericht *n.* ~ **court of ap·peal** *s jur. Am.* Bundesgericht *n* als Be'rufungsinˌstanz (*zwischen dem* District Court *und dem* Supreme Court). ~ **di·a·gram** *s electr.* Schaltschema *n*, -bild *n.* ~ **log·ic** *s tech.* Schaltkreislogik *f.*

cir·cu·i·tous [sər'kjuːitəs] *adj* (*adv* ~ly) **1.** e-n 'Umweg machend *od.* bedeutend: by a ~ route auf e-m Umweg. **2.** weitschweifig, 'umständlich.

cir·cu·it·ry [sər'kjuːitri] *s electr.* **1.** 'Schaltsyˌstem *n.* **2.** *colloq.* Schaltungen *pl.* **3.** Schaltplan *m.*

cir·cu·i·ty [sər'kjuːiti] *s* **1.** Kreisbewegung *f.* **2.** 'Umständlichkeit *f*, 'Umschweife *pl.*

cir·cu·lar ['səːrkjulər] **I** *adj* (*adv* ~ly) **1.** (kreis)rund, kreisförmig. **2.** a) Kreis...: ~ motion, b) Rund...: ~ dance, c) Ring...: ~ road. **3.** peri'odisch, (im Kreislauf) 'wiederkehrend. **4.** 'umständlich. **5.** Umlauf..., Rund..., Zirkular...: ~ order Runderlaß *m.* **II** *s* **6.** Zirku'lar *n*, Rundschreiben *n*, 'Umlauf(schreiben *n*) *m.* ~ **check,** *Br.* ~ **cheque** *s econ.* Zirku'lar-, Reisescheck *m.* ~ **cone** *s math.* Kreiskegel *m.* ~ **func·tion** *s math.* 'Kreisfunktiˌon *f.* ~ **in·san·i·ty** *s med.* manisch--depres'sives Irresein.

cir·cu·lar·i·ty [ˌsəːrkju'læriti] *s* Kreisförmigkeit *f.*

cir·cu·lar·ize ['səːrkjuləˌraiz] *v/t* **1.** rund machen. **2.** Rundschreiben, *bes.* Werbeschriften versenden an (*acc*). **3.** a) Fragebogen schicken an (*acc*), b) befragen. **4.** durch Rundschreiben werben für.

cir·cu·lar| let·ter → circular 6. ~ **let·ter of cred·it** *s* 'Reisekreˌditbrief *m.* ~ **meas·ure** *s math.* (Kreis)Bogenmaß *n.* ~ **note** *s* **1.** Zirku'larnote *f*, diplo'matisches Rundschreiben. **2.** *econ.* 'Reisekreˌditbrief *m.* ~ **num·ber** *s math.* Zirku'larzahl *f.* ~ **pitch** *s tech.* 'Umfangsteilung *f* (*Zahnrad*). ~ **saw** *s tech.* Kreissäge *f.* ~ **skirt** *s* Glockenrock *m.* ~ **stair(·case)** *s Am.* Wendeltreppe *f.* ~ **tick·et** *s* Rundreisefahrschein *m.* ~ **tour** *s* Rundreise *f*, -fahrt *f.* ~ **track** *s mil.* (Dreh)Kranz *m.* ~ **tri·an·gle** *s math.* sphärisches Dreieck.

cir·cu·late ['səːrkjuˌleit] **I** *v/i* **1.** zirku'lieren: a) 'umlaufen, kreisen, b) im 'Umlauf sein, kur'sieren (*Geld, Nachricht etc*). **2.** her'umreisen, -gehen. **II** *v/t* **3.** in 'Umlauf setzen, zirku'lieren lassen, *Wechsel* gi'rieren.

cir·cu·lat·ing ['səːrkjuˌleitiŋ] *adj* **1.** zirku'lierend, 'umlaufend, kur'sierend. **2.** *math.* peri'odisch: ~ fraction. ~ **cap·i·tal** *s econ.* 'Umlaufskapiˌtal *n*, -vermögen *n.* ~ **dec·i·mal** *s math.* peri'odischer Dezi'malbruch. ~ **li·brar·y** *s* 'Leihbiblioˌthek *f.* ~ **me·di·um** *s econ.* **1.** Tauschmittel *n.* **2.** 'Umlaufs-, Zahlungsmittel *n.* ~ **mem·o·ry** *s tech.* 'Umlaufspeicher *m.* ~ **pump** *s tech.* 'Umlaufspumpe *f.*

cir·cu·la·tion [ˌsəːrkju'leiʃən] *s* **1.** Kreislauf *m*, Zirkulati'on *f.* **2.** *physiol.* (Blut)Kreislauf *m*, 'Blutzirkulatiˌon *f.* **3.** *econ.* a) 'Umlauf *m*, Verkehr *m*: ~ of bills Wechselverkehr, -umlauf; ~ of capital Kapitalverkehr; to be in ~ in Umlauf sein, zirkulieren (*Geld etc*) (*a. fig.*); to bring (*od.* put) into ~ in Umlauf setzen, in den Verkehr bringen; out of ~ außer Kurs (gesetzt); to withdraw from ~ aus dem Verkehr ziehen, b) im 'Umlauf befindliche Zahlungsmittel *pl.* **4.** *econ.* a) Verbreitung *f*, Absatz *m* (*e-s Artikels*), b) Auflage(nhöhe, -nziffer) *f* (*e-s Buches, e-r Zeitung etc*), c) (Fernseh- *etc*)Teilnehmer *pl*, d) Verbreitung *f*, Zahl *f* der (durch Werbung) angesprochenen Per'sonen. **5.** Strömung *f*, 'Durchzug *m*, -fluß *m.* **6.** *arch.* Verbindungsräume *pl* (*Treppen, Gänge etc*). ~ **heat·ing** *s tech.* 'Umlaufheizung *f.*

cir·cu·la·tive ['səːrkjuˌleitiv] → circulatory.

cir·cu·la·tor ['səːrkjuˌleitər] *s* **1.** Verbreiter(in): ~ of scandal. **2.** *tech.* Zirkulati'onsvorrichtung *f.* '**cir·cu·la·to·ry** [-lətəri] *adj* **1.** zirku'lierend, 'umlaufend, kreisend: ~ motion. **2.** Umlaufs..., Zirkulations..., *med.* (Blut)Kreislaufs...: ~ disturbance *med.* Kreislaufstörung *f*; ~ system *physiol.* Kreislauf *m.*

cir·cum·am·bi·ent [ˌsəːrkəm'æmbiənt] *adj* um'gebend, um'schließend, einschließend (*a. fig.*). ˌ**cir·cum'am·buˌlate** [-'æmbjuˌleit] **I** *v/t* **1.** her'umgehen um. **II** *v/i* **2.** her'um-, um'hergehen. **3.** *fig.* um die Sache her'umreden. ˌ**cir·cum'ben·di·bus** [-'bendibəs] *s humor fig.* 'Umschweife *pl*, 'umständliche Ausdrucksweise. '**cir·cumˌcen·ter,** *bes. Br.* '**cir·cumˌcen·tre** [-ˌsentər] *s math.* 'Umkreismittelpunkt *m.*

cir·cum·cise ['səːrkəmˌsaiz] *v/t* **1.** *med. relig.* beschneiden. **2.** *fig.* reinigen, läutern. ˌ**cir·cum'ci·sion** [-'siʒən] *s* **1.** *med. relig.* Beschneidung *f.* **2.** *fig.* Reinigung *f*, Läuterung *f.* **3.** C~ *relig.* Fest *n* der Beschneidung Christi (*am 1. Januar*). **4.** the ~ *Bibl.* die Beschnittenen *pl* (*Juden*).

cir·cum·fer·ence [sər'kʌmfərəns] *s math.* 'Umkreis *m*, ('Kreis)ˌUmfang *m*, Periphe'rie *f.* **cirˌcum·fe'ren·tial** [-fə'renʃəl] *adj* peri'pherisch, Umfangs...

cir·cum·flex ['səːrkəmˌfleks] **I** *s* **1.** *a.* ~ accent *ling.* Zirkum'flex *m.* **II** *adj* **2.** *ling.* mit e-m Zirkum'flex (versehen) (*Laut*). **3.** *anat.* gebogen, gekrümmt (*bes. Blutgefäß*). **III** *v/t* **4.** *ling.* mit (e-m) Zirkum'flex schreiben.

cir·cum·fuse [ˌsəːrkəm'fjuːz] *v/t* **1.** um'fließen, (mit Flüssigkeit) um'geben. **2.** *fig.* um'geben. ˌ**cir·cum'gy·rate** [-'dʒaireit] *v/i* **1.** sich drehen, ro'tieren. **2.** her'umreisen. ˌ**cir·cum'ja·cent** [-'dʒeisənt] *adj* 'umliegend, um'gebend. ˌ**cir·cum·lo'cu·tion** [-lo'kjuːʃən] *s* **1.** Um'schreibung *f.* **2.** a) 'Umschweife *pl* (*beim Reden*), b) Weitschweifigkeit *f*, 'umständliche Ausdrucksweise: C~ Office *humor.* langsam arbeitende Behörde. ˌ**cir·cum'loc·u·to·ry** [-'lɒkjutəri] *adj* **1.** um'schreibend. **2.** weitschweifig. ˌ**cir·cum'nav·iˌgate** [-'næviˌgeit] *v/t* um'schiffen, um'segeln. ˌ**cir·cumˌnav·i'ga·tion** *s* Um'schiffung *f*, Um'segelung *f.* ˌ**cir·cum'nav·iˌga·tor** *s* Um'segler *m.*

cir·cum·scribe [ˌsəːrkəm'skraib; *Br. a.* 'səːkəmˌskraib] *v/t* **1.** e-e Linie ziehen um. **2.** begrenzen, einschränken. **3.** a) (*a. math. e-e Figur*) um'schreiben, b) defi'nieren. ˌ**cir·cum'scrip·tion** [-'skripʃən] *s* **1.** Beschränkung *f*, Begrenzung *f.* **2.** Um'schreibung *f.* **3.** a) Um'grenzung *f*, b) um'grenzte Fläche. **4.** 'Umschrift *f* (*e-r Münze etc*).

cir·cum·spect ['səːrkəmˌspekt] *adj* (*adv* ~ly) **1.** 'umsichtig, wohlerwogen: a ~ plan. **2.** vorsichtig, behutsam: ~ behavio(u)r. ˌ**cir·cum'spec·tion** *s* **1.** 'Umsicht *f.* **2.** Vorsicht *f*, Behutsamkeit *f.* ˌ**cir·cum'spec·tive** → circumspect.

cir·cum·stance ['səːrkəmˌstæns] *s* **1.** 'Umstand *m*: a) Be'gleitˌumstand *m*, b) Tatsache *f*, c) Einzelheit *f*, d) Ereignis *n*: a fortunate ~ ein glücklicher Umstand; a victim of ~ ein Opfer der Umstände. **2.** *meist pl* (Sach)Lage *f*, Sachverhalt *m*, 'Umstände *pl*, Verhältnisse *pl*: extenuating ~s *jur.* mildernde Umstände; under no ~s unter keinen Umständen, auf keinen Fall; in (*od.* under) the ~s unter diesen Umständen. **3.** *pl* Verhältnisse *pl*, Lebenslage *f*: in easy (reduced) ~s in angenehmen (beschränkten) Verhältnissen *leben.* **4.** Ausführlichkeit *f*, Weitschweifigkeit *f*, 'Umständlichkeit *f.* **5.** Zeremoni'ell *n*, Formali'tät(en *pl*) *f*, 'Umstände *pl*: without any ~ ohne alle Umstände. '**cir·cumˌstanced** *adj* **1.** in e-r *guten etc* Lage, (*gut- etc*)situ'iert: poorly ~ in ärmlichen Verhältnissen. **2.** gelagert (*Sache*): well timed and ~d zur rechten Zeit und unter günstigen Umständen.

cir·cum·stan·tial [ˌsəːrkəm'stænʃəl] *adj* (*adv* ~ly) **1.** durch die 'Umstände bedingt. **2.** nebensächlich, zufällig. **3.** ausführlich, detail'liert. **4.** 'umständlich, weitschweifig. ~ **ev·i·dence** *s jur.* In'dizien(beweis *m*) *pl.*

cir·cum·stan·ti·al·i·ty [ˌsəːrkəmˌstænʃi'æliti] *s* **1.** Ausführlichkeit *f.* **2.** 'Umständlichkeit *f.* **3.** Einzelheit *f*, De'tail *n.* ˌ**cir·cum'stan·tiˌate** [-ˌeit] *v/t* **1.** genau beschreiben *od.* darstellen. **2.** *a. jur.* auf Grund von Be'gleitˌumständen beweisen.

cir·cum·val·la·tion [ˌsəːrkəmvæ'leiʃən] *s* Um'wallung *f.*

cir·cum·vent [ˌsəːrkəm'vent] *v/t* **1.** um'zingeln. **2.** über'listen, hinter'gehen, täuschen. **3.** vereiteln, verhindern. **4.** ausweichen (*dat*), um'gehen: to ~ a rule. ˌ**cir·cum'ven·tion** *s* **1.** Um'zingelung *f.* **2.** Über'listung *f.* **3.** Vereitelung *f.* **4.** Um'gehung *f.* ˌ**cir·cum'ven·tive** *adj* betrügerisch, raffi'niert.

cir·cum·vo·lu·tion [ˌsəːrkəmvə'ljuːʃən; -'luː-] *s* **1.** ('Um)Drehung *f.* **2.** 'Umwälzung *f.* **3.** Windung *f.*

cir·cus ['sə:rkəs] *s* **1.** a) Zirkus *m*, b) Zirkus(truppe *f*) *m*, c) Zirkusvorstellung *f*, d) 'Zirkusa,rena *f*: ~ **parade** (festlicher) Umzug e-s Zirkus; ~ **rider** Zirkusreiter(in). **2.** kreisförmige Anordnung von Bauten. **3.** *Br.* runder, von Häusern um'schlossener Platz (*von dem strahlenförmig Straßen ausgehen*). **4.** *antiq. u. fig.* Am'phithe,ater *n*. **5.** *mil. Br. sl.* a) im Kreis fliegende Flugzeugstaffel, b) ,fliegende' motori'sierte Truppeneinheit. **6.** *Am. sl.* ,Mordsspaß' *m*. **7.** ,Rummel' *m*, ,Zirkus' *m*.

cirl bun·ting [sə:rl] *s orn.* Zaunammer *f*.

cirque [sə:rk] *s* **1.** *geol.* Kar *n*, na'türliches Am'phithe,ater: ~ **lake** Karsee *m*. **2.** Ring *m*, kreisförmige Aufstellung.

cir·rho·sis [si'rousis] *s med.* Zir'rhosis *f*, (*bes.* Leber)Schrumpfung *f*.

cir·ri ['sirai] *pl von* **cirrus**.

cir·ri·ped ['siriped] *s zo.* Rankenfüßer *m*.

cir·ro·cu·mu·lus [,siro'kju:mjuləs] *s* Zirrokumulus *m*, Schäfchenwolke *f*.

cir·rose [si'rous; 'sirous] *adj* **1.** *bot.* mit Ranken. **2.** *zo.* mit Haaren *od.* Fühlern. **3.** federartig.

cir·ro·stra·tus [,siro'streitəs] *s* Zirrostratus *m*, Schleierwolke *f*.

cir·rous ['sirəs] → **cirrose**.

cir·rus ['sirəs] *pl* **-ri** [-ai] *s* **1.** *bot.* Ranke *f*. **2.** *zo.* a) Wimper *f*, b) Rankenfuß *m*. **3.** Zirrus *m*, Federwolke *f*.

cis- [sis] *Vorsilbe mit der Bedeutung* a) diesseits, b) nach (*e-m Zeitpunkt*).

cis·al·pine [sis'ælpain; -pin] *adj* zisal'pin(isch), diesseits der Alpen.

cis·at·lan·tic [,sisət'læntik] *adj* diesseits des At'lantischen Ozeans.

cis·mon·tane [sis'mɒntein] *adj* diesseits der Berge (*bes. an der Nordseite*).

cis·soid ['sisɔid] *math.* **I** *s* Zisso'ide *f*, Efeulinie *f*. **II** *adj* zisso'id.

cis·sy → **sissy**.

cist [sist] *s antiq.* **1.** Kiste *f*, Truhe *f*. **2.** keltisches Steingrab.

Cis·ter·cian [sis'tə:rʃən] **I** *s* Zisterzi'enser(mönch) *m*. **II** *adj* zisterzi'ensisch, Zisterzienser...

cis·tern ['sistərn] *s* **1.** Zi'sterne *f*, Wasserbehälter *m*: ~ **barometer** *phys.* Gefäßbarometer *n*. **2.** *Am.* ('unterirdischer) Regenwasserspeicher. **3.** *anat.* Lymphraum *m*.

cis·tus ['sistəs] *pl* **-ti** [-ai] *s bot.* Zistrose *f*.

cit·a·ble ['saitəbl] *adj* anführbar, zi'tierbar.

cit·a·del ['sitədl; -,del] *s* **1.** *mil.* **1.** Zita'delle *f* (*a. fig.*). **2.** *mar.* Zita'delle *f*, gepanzerte Mittelaufbauten *pl*.

ci·ta·tion [sai'teiʃən] *s* **1.** Zi'tieren *n*, Anführung *f*. **2.** a) Zi'tat *n* (*zitierte Stelle*), b) *jur.* (of) Berufung *f* (auf *e-e Grundsatzentscheidung etc*), Her'anziehung *f* (*gen*). **3.** a) Vorladung *f* (*vor Gericht etc*), b) *Br.* Streitverkündung *f* (*im Zivilprozeß vor dem* High Court). **4.** Aufzählung *f*. **5.** a) (lobende) Erwähnung, b) *mil.* ehrenvolle Erwähnung (*z. B. im Tagesbefehl*).

cite [sait] *v/t* **1.** zi'tieren. **2.** (als Beispiel *od.* Beweis) anführen, vorbringen, sich berufen auf (*acc*). **3.** vorladen, zi'tieren (*vor Gericht etc*). **4.** *poet.* auffordern, aufrufen. **5.** *mil.* lobend (*in e-m Bericht*) erwähnen.

cith·a·ra ['siθərə] *s antiq. mus.* Kithara *f* (*dreieckige Leier*).

cith·er ['siθər], '**cith·ern** [-ərn] *s mus.* **1.** → **cithara**. **2.** → **zither**.

cit·i·fy ['siti,fai] *v/t Am. colloq.* verstädtern.

cit·i·zen ['sitizn] *s* **1.** Bürger(in): a) Staatsbürger(in), Staatsangehörige(r *m*) *f*: ~ **of the world** Weltbürger, b) Einwohner(in) e-r Stadt. **2.** Stadtbewohner(in), Städter(in). **3.** *jur.* Bürger *m* im Genuß der Bürgerrechte. **4.** Zivi'list *m*. '**cit·i·zen·ry** [-ri] *s* Bürgerschaft *f*. '**cit·i·zen,ship** *s* **1.** Staatsbürgerschaft *f*. **2.** Bürgerrecht *n*.

cit·ral ['sitrəl] *s chem.* Zi'tral *n*.

cit·rate ['sitreit; -rit; 'sait-] *s chem.* Zi'trat *n*.

cit·re·ous ['sitriəs] *adj* zi'tronengelb.

cit·ric ac·id ['sitrik] *s chem.* Zi'tronensäure *f*.

cit·ri·cul·ture ['sitri,kʌltʃər] *s* Anbau *m* von Zitrusfrüchten.

cit·rin ['sitrin] *s chem.* Zi'trin *n*, Vita'min P *n*.

cit·rine ['sitrin] **I** *adj* **1.** zi'tronengelb. **II** *s* **2.** *min.* Zi'trin *m*. **3.** Zi'tronengelb *n*.

cit·ron ['sitrən] *s* **1.** *bot.* Gemeiner Zi'tronenbaum. **2.** Zitro'nat *n*.

cit·ron·el·la [,sitrə'nelə] *s* **1.** *bot.* Zi'tronengras *n*. **2.** *a.* ~ **oil** Zitro'nell-Öl *n*.

'**cit·ron,wood** *s* **1.** Zi'tronenbaumholz *n*. **2.** Sandarakholz *n*.

cit·rus ['sitrəs] *bot.* **I** *s* Citrus(gewächs *n*) *f*. **II** *adj* Citrus...

cit·tern ['sitərn] *s mus. hist.* 'Lautengi,tarre *f*.

cit·y ['siti] *s* **1.** (Groß)Stadt *f*: C~ **of God** *relig.* Reich *n* Gottes. **2.** *Br.* inkorpo'rierte Stadt (*meist mit Kathedrale*). **3.** **the C~** die (Londoner) City: a) *Altstadt von London*, b) *Geschäftsviertel in der City*, c) *fig. Londoner Geschäftswelt*. **4.** *Am.* inkorpo'rierte Stadtgemeinde (*unter e-m Bürgermeister u. Gemeinderat*). **5.** *Canad.* Stadtgemeinde *f* erster Ordnung (*mit großer Einwohnerzahl*). **6.** *antiq.* Stadtstaat *m*. ~ **ar·ti·cle** *s econ.* Börsenbericht *m* (*in e-r Zeitung*). '~-,**born** *adj* in e-r (Groß)Stadt geboren. '~-,**bred** *adj* in der Stadt aufgewachsen, mit städtischer Erziehung. **C~ Com·pa·ny** *s e-e der großen Londoner Gilden*. ~ **coun·cil** *s* Stadtrat *m*. ~ **court** *s jur. Am.* Stadtgericht *n*. ~ **ed·i·tor** *s* **1.** *Am.* Lo'kalredak,teur *m*. **2.** *Br.* Redak'teur *m* des Fi'nanz- u. Handelsteils. ~ **fa·ther** *s* Stadtrat *m*: ~**s** Stadtväter. '~,**folk** *s colloq.* Städter *pl*. ~ **hall** *s bes. Am.* Rathaus *n*. ~ **man** *s irr Br.* **1.** Fi'nanz- *od.* Geschäftsmann *m* der City. **2.** Bankangestellte(r) *m*. ~ **man·ag·er** *s Am.* (*vom Stadtrat ernannter*) 'Stadtdi,rektor. ~ **plan·ning** *s* Stadtplanung *f*. ~ **re·cord·er** *s* Stadtsyndikus *m*. '~-**state** *s* Stadtstaat *m*.

civ·et ['sivit] *s zo.* **1.** Zibet *m* (*moschusartiges Sekret*). **2.** *a.* ~ **cat** Zibetkatze *f*.

civ·ic ['sivik] *adj* (*adv* ~**ally**) **1.** (*a.* staats)bürgerlich, Bürger...: ~ **duties**; ~ **pride**; ~ **rights** → **civil rights**. **2.** städtisch, Stadt...: ~ **centre** (*Am.* **center**) Behördenviertel *n*; ~ **problems** städtische Probleme.

civ·ics ['siviks] *s pl* (*als sg konstruiert*) *bes. ped.* Staatsbürgerkunde *f*.

civ·ies, *Br.* **civ·vies** ['siviz] *s pl sl.* ,Zi'vilkla,motten' *pl*.

civ·il ['sivl; -vil] *adj* (*adv* ~**ly**) **1.** staatlich, Staats...: ~ **institutions**; ~ **affairs** Verwaltungsangelegenheiten. **2.** bürgerlich, (Staats)Bürger...: ~ **duty** bürgerliche Pflicht, Bürgerpflicht *f*; ~ **life** bürgerliches Leben; ~ **society** bürgerliche Gesellschaft; → **civil rights**. **3.** zi'vil, Zivil... (*Ggs. militärisch, kirchlich etc*): ~ **aviation**; ~ **government** Zivilverwaltung *f*; → **civil marriage**. **4.** zivili'siert. **5.** höflich: a ~ **answer**; **keep a** ~ **tongue in your head!** nur nicht unhöflich werden! **6.** staatlich festgesetzt (*Zeitrechnung*): ~ **year** bürgerliches Jahr. **7.** *jur.* a) zi'vil-, pri'vatrechtlich, bürgerlich-rechtlich: ~ **case** (*od.* **suit**) Zivilsache *f*, -prozeß *m*, b) gemäß römischem Recht. ~ **death** *s* bürgerlicher Tod (*Verlust der Ehrenrechte etc*). ~ **de·fence,** *Am.* ~ **de·fense** *s* zi'vile Verteidigung. ~ **dis·o·be·di·ence** *s* bürgerlicher Ungehorsam (*Verweigerung der Bürgerpflichten als politisches Kampfmittel*). ~ **en·gi·neer** *s* Zi'vil-, 'Bauingeni,eur *m*. ~ **en·gi·neer·ing** *s* (*planender*) Ingeni'eurbau, Tiefbau *m*. ~ **gov·ern·ment** *s* Zi'vilverwaltung *f*.

ci·vil·ian [si'viljən] **I** *s* **1.** Zivi'list *m*. **2.** *jur.* Kenner *m* des römischen *od.* des bürgerlichen Rechts. **II** *adj* **3.** zi'vil, bürgerlich, Zivil...: ~ **life**. **ci,vil·ian·i·'za·tion** [-nai'zeiʃən] *s* **1.** Freilassung *f* (*von Kriegsgefangenen*). **2.** 'Umwandlung *f* (*e-r Garnison etc*) zur zi'vilen Verwendung.

ci·vil·i·ty [si'viliti] *s* Höflichkeit *f*, Artigkeit *f*, Gefälligkeit *f*: in ~ anständiger-, höflicherweise.

civ·i·liz·a·ble ['sivi,laizəbl] *adj* zivili'sierbar. ,**civ·i·li'za·tion** *s* **1.** Zivilisati'on *f*, Kul'tur *f*. **2.** zivili'sierte Welt. '**civ·i,lize** *v/t* zivili'sieren. '**civ·i,lized** *adj* **1.** zivili'siert, gebildet, kulti'viert: ~ **nations** Kulturvölker. **2.** höflich.

civ·il| jus·tice *s jur.* Zi'vilgerichtsbarkeit *f*. ~ **law** *s jur.* **1.** römisches Pri'vatrecht. **2.** Zi'vil-, Pri'vatrecht *n*, bürgerliches Recht. ~ **list** *s parl. Br.* Zi'villiste *f* (*die zur Bestreitung des königlichen Haushaltes bewilligten Beträge*). **C~ Lord** *s Br.* zi'viles Mitglied der Admirali'tät. ~ **mar·riage** *s* Zi'viltrauung *f*, -ehe *f*, standesamtliche Trauung. ~ **rights** *s pl* bürgerliche Ehrenrechte *pl*: **loss of** ~ *jur.* Verlust *m* der bürgerlichen Ehrenrechte. ~ **serv·ant** *s bes. Br.* Staatsbeamte(r) *m*, Beamte(r) *m* im öffentlichen Dienst. ~ **serv·ice** *s* Verwaltungs-, Staatsdienst *m*: **to be on** ~ *Am.* im Staatsdienst als Beamter angestellt sein. ~ **war** *s* **1.** Bürgerkrieg *m*. **2.** C~ W~ a) amer. Sezessi'onskrieg *m* (*1861—65*), b) Krieg *m* zwischen den englischen Roya'listen u. dem Parla'ment (*1642 bis 1652*). ~ **wrong** *s jur.* unerlaubte Handlung.

civ·ism ['sivizəm] *s* Bürgersinn *m*, -tugend *f*.

civ·vies ['siviz] *Br. für* **civies**.

civ·vy street ['sivi] *s mil. sl.* Zi'villeben *n*.

clach·an ['klɑxən] *s Scot. od. Ir.* kleines Dorf, Weiler *m*.

clack [klæk] **I** *v/i* **1.** klappern. **2.** knallen (*Peitsche*). **3.** schnattern (*Gans*), gackern, glucken (*Henne*). **4.** plappern, ,gackern'. **II** *v/t* **5.** plappern. **6.** klappern lassen. **7.** knallen mit (*e-r Peitsche etc*). **III** *s* **8.** Klappern *n*, Geklapper *n*, Rasseln *n*. **9.** Klapper *f*. **10.** Geplapper *n*. **11.** *sl.* ,Klappe' *f* (*Mund*). **12.** *tech.* Ven'tilklappe *f*. ~ **valve** *s* 'Klappenven,til *n*.

clad [klæd] **I** *pret u. pp von* **clothe**. **II** *adj* **1.** gekleidet. **2.** *tech.* ('nichtgal,vanisch) plat'tiert.

claim [kleim] **I** *v/t* **1.** (*ein Recht od. als Recht*) fordern, beanspruchen, verlangen, geltend machen, Anspruch erheben auf (*acc*): **to** ~ **compensation** Ersatz fordern. **2.** *fig.* (er)fordern, erheischen, in Anspruch nehmen: **to** ~ **attention**. **3.** *fig. Todesopfer, Leben* fordern: **the plague** ~**ed thousands of lives**. **4.** a) behaupten (s.th. etwas; **that** daß), b) (von sich) behaupten (**to be** zu sein), für sich in Anspruch nehmen, Anspruch erheben auf (*acc*): to ~ **victory**, c) aufweisen (können), haben. **5.** zu'rück-, einfordern, (*als sein Eigentum*) abholen. **II** *v/i* **6.** ~ **against** Klage erheben gegen. **III** *s* **7.** Anspruch *m*, Forderung *f* (on, **against** gegen): to lay ~ to → 1, 4 b; **to make a** ~ e-e Forderung erheben *od.* geltend machen; **to make (many)** ~**s upon** *fig. j-n, j-s Zeit* (stark) in Anspruch nehmen. **8.** a) (Rechts)Anspruch *m*, Anrecht *n* (to, [up]on auf *acc*, gegen): ~ **for damages** Schadensersatzanspruch; **to put in** (*od.* **enter**) **a** ~ e-e Forderung erheben, e-n Anspruch geltend machen, b) (Zahlungs)Forderung *f*, c) (Pa'tent)Anspruch *m.* **9.** Behauptung *f*, Anspruch *m.* **10.** *Am.* Stück *n* Staatsland (*das von Ansiedlern abgesteckt u. beansprucht wird*). **11.** *Bergbau*: Mutung *f*, Grubenanteil *m.* '**claim·a·ble** *adj* zu beanspruchen(d). '**claim·ant,** '**claim·er** *s* **1.** Beanspruchende(r *m*) *f*, Anspruch-erhebende(r *m*) *f*, Antragsteller(in): **rightful** ~ Anspruchsberechtigte(r *m*) *f.* **2.** Präten'dent *m.* **3.** Anwärter(in) (to auf *acc*).

clair·voy·ance [klɛr'vɔiəns] *s* **1.** Hellsehen *n.* **2.** ungewöhnlicher Scharfsinn. **clair'voy·ant I** *adj* hellseherisch. **II** *s* Hellseher(in).

clam[1] [klæm] **I** *s* **1.** *zo.* eßbare Muschel: **hard** ~, **round** ~ Venusmuschel; **long** ~ Sand- *od.* Schwertmuschel; ~ **chowder** *Am.* Suppe *f* mit Muscheln u. Gemüse; **(as) close as a** ~ geizig, knickerig. **2.** *Am. colloq.* ‚zugeknöpfter' Mensch. **II** *v/i Am.* **3.** Muscheln suchen. **4.** *bes.* ~ **up** *sl.* den Mund zumachen, nichts mehr sagen.

clam[2] [klæm] → **clamp**[1].

cla·mant ['kleimənt] *adj* **1.** lärmend, schreiend (*a. fig.*): ~ **wrong. 2.** dringend.

clam·bake ['klæm,beik] *s Am.* **1.** Picknick *n* (*bes. am* Strand). **2.** *sl.* (gesellschaftlicher) ‚Rummel', große Party. **3.** *Radio, TV*: *sl.* verpatzte Sendung.

clam·ber ['klæmbər] **I** *v/i* (mühsam) klettern, klimmen. **II** *v/t* erklimmen. **III** *s* Klettern *n*, Erklimmen *n.*

clam·mi·ness ['klæminis] *s* feuchtkalte Klebrigkeit.

clam·my ['klæmi] *adj* (*adv* **clammily**) feuchtkalt (u. klebrig), klamm.

clam·or, *bes. Br.* **clam·our** ['klæmər] **I** *s* **1.** *a. fig.* Lärm *m*, lautes Geschrei, Tu'mult *m.* **2.** *bes. fig.* (Weh)Geschrei *n*, lautstarker Pro'test (**against** gegen), (*fordernder*) Schrei (**for** nach). **II** *v/i* **3.** (laut) schreien, lärmen, toben. **4.** *fig.* schreien: a) wütend verlangen (**for** nach), b) Lärm schlagen, heftig prote'stieren (**against** gegen). **III** *v/t* **5.** *etwas* schreien. **6.** ~ **down** *j-n* niederbrüllen. '**clam·or·ous** *adj* (*adv* ~**ly**) **1.** lärmend, schreiend, tobend. **2.** lärmerfüllt, tosend.

clamp[1] [klæmp] **I** *s* **1.** *tech.* a) Klampe *f*, Klammer *f*, Krampe *f*, Zwinge *f*, b) Klemmschraube *f*, -schelle *f*, Einspannkopf *m*, c) *electr.* Erdungsschelle *f*, d) Hirnleiste *f*, e) Haspe *f*, Angel *f*, f) Halterung *f*, g) 'Schraubstock-,klemmstück *n*, h) Einschiebeleiste *f.* **2.** *Formerei*: Formkastenpresse *f.* **3.** *sport* Strammer *m* (*e-r Skibindung*). **II** *v/t* **4.** *tech.* a) festklemmen, mit Klammer(n) *etc* befestigen, b) strammen. **5.** ~ **down** *fig.* als Strafe auferlegen, anordnen. **6.** *mar. Deck* reinigen. **III** *v/i* **7.** ~ **down** *fig. colloq.* zuschlagen, scharf vorgehen *od.* einschreiten (**on** gegen).

clamp[2] [klæmp] **I** *s* **1.** Haufen *m*, Stapel *m.* **2.** *Brit.* (Kar'toffel- *etc*)-Miete *f.* **II** *v/t Brit.* **3.** (auf)stapeln.

clamp[3] [klæmp] **I** *v/i* schwerfällig auftreten, trampeln. **II** *s* schwerer Tritt.

clamp| bolt *s tech.* Klemmbolzen *m.* ~ **bush·ing** *s* Klemmbuchse *f.* ~ **cou·pling** *s* Klemm-, Schalenkupplung *f.*

clamp·ing ['klæmpiŋ] *adj tech.* Spann-..., Klemm...: ~ **lever**; ~ **screw.** ~ **cir·cuit** *s electr.* Klemmschaltung *f.* ~ **col·lar,** ~ **ring** *s tech.* Klemmring *m*, Schelle *f.* ~ **sleeve** *s* Spannhülse *f.*

'**clam,shell** *s* **1.** *zo.* Muschelschale *f.* **2.** *a.* ~ **bucket** Greifbaggereimer *m.*

clan [klæn] *s* **1.** Clan *m*: a) *Scot.* Stamm *m*, b) *allg.* Sippe *f*, Geschlecht *n*: **gathering of the** ~**s** Sippentag *m.* **2.** Gruppe *f* innerhalb e-s Stammes mit gemeinsamen Vorfahren in der weiblichen *od.* männlichen Linie. **3.** Clique *f*, Sippschaft *f*, Gruppe *f.*

clan·des·tine [klæn'destin] *adj* (*adv* ~**ly**) heimlich, verborgen, verstohlen: ~ **trade** Schleichhandel *m.*

clang [klæŋ] **I** *v/i* schallen, klingen, klirren. **II** *v/t* laut schallen *od.* erklingen lassen. **III** *s* (lauter, me'tallischer) Klang *od.* Ton, Geklirr *n.*

clang·er ['klæŋər] *s sl.* unpassende Bemerkung, Faux'pas *m*: **to drop a** ~ ins Fettnäpfchen treten.

clang·or, *bes. Br.* **clang·our** ['klæŋgər; 'klæŋər] → **clang** III. '**clang·or·ous** *adj* (*adv* ~**ly**) **1.** schallend, schmetternd, gellend, schrill. **2.** klirrend.

clank [klæŋk] **I** *s* Klirren *n*, Geklirr *n*, Gerassel *n*: ~ **of arms** Waffengeklirr; ~ **of chains** Kettengerassel. **II** *v/i u. v/t* klirren *od.* rasseln (mit).

clan·nish ['klæniʃ] *adj* (*adv* ~**ly**) **1.** zu e-m Clan gehörig, Sippen...: ~ **pride** Sippenstolz *m.* **2.** stammesbewußt, stammverbunden. **3.** (unter sich) zs.-haltend. '**clan·nish·ness** *s* **1.** Stammesverbundenheit *f.* **2.** *fig.* (über'triebenes *od.* engherziges) Stammesgefühl. **3.** Zs.-halten *n.*

clan·ship ['klænʃip] *s* **1.** Vereinigung *f* in e-m Clan. **2.** Stammesbewußtsein *n.*

clans·man ['klænzmən] *s irr* Stammesmitglied *n*, Mitglied *n* e-s Clans.

clap[1] [klæp] **I** *s* **1.** (*a.* Hände-, Beifall)-Klatschen *n.* **2.** leichter Schlag, Klaps *m.* **3.** Krachen *n*, Schlag *m*: **a** ~ **of thunder** ein Donnerschlag. **II** *v/t* **4.** schlagen *od.* klappen *od.* klatschen mit, (*hörbar*) zs.-schlagen: **to** ~ **one's hands** in die Hände klatschen; **to** ~ **the wings** mit den Flügeln schlagen. **5.** Beifall klatschen, applau'dieren (*dat*). **6.** klopfen (s.o. **on the shoulder** j-m auf die Schulter). **7.** hastig *od.* e'nergisch 'hinstellen, -setzen, -werfen: **to** ~ **on one's hat** sich den Hut aufstülpen; **to** ~ **eyes on** erblicken; **to** ~ **to** *die Tür etc* zuschlagen; **to** ~ **up** a) *j-n* einsperren, b) *etwas* zs.-pfuschen. **8.** *fig.* ‚aufbrummen', auferlegen: **to** ~ **import duties on s.th.** etwas mit Einfuhrzoll belegen. **III** *v/i* **9.** klatschen, schlagen. **10.** (Beifall) klatschen, applau'dieren.

clap[2] [klæp] *s med. vulg.* Tripper *m.*

clap|·board ['klæbərd; 'klæp,bɔːrd] **I** *s* **1.** *Am.* Schindel *f.* **2.** Faßdaube *f.* **3.** *Film*: Klatsche *f*, Syn'chronklappe *f.* **II** *v/t Am.* **4.** mit Schindeln decken *od.* verschalen. '~**,net** *s* Schlagnetz *n.*

clap·per ['klæpər] *s* **1.** Beifallsklatscher *m.* **2.** Klöppel *m* (*Glocke*). **3.** Klapper *f* (*a. tech. der Mühle*). **4.** *colloq.* Zunge *f*, Mundwerk *n.* **5.** → **clapboard** 3.

'~**,claw** *v/t obs. od. dial.* **1.** zerkratzen. **2.** ausschelten.

'**clap,trap I** *s* **1.** Ef,fekthasche'rei *f.* **2.** ,Phrasendresche'rei *f*, Gewäsch *n.* **3.** Re'klame *f.* **II** *adj* **4.** ef'fekthaschend. **5.** hohl, kitschig.

claque [klæk] *s* Claque *f*, Gruppe *f* (*bestellter*) Beifallsklatscher. **cla·queur** [kla'kœːr] (*Fr.*) *s* Cla'queur *m.*

clar·ence ['klærəns] *s* vierrädrige, geschlossene Kutsche (*für 4 Personen*).

clar·en·don ['klærəndən] *s print.* halbfette Egypti'enne.

clar·et ['klærət; -it] **I** *s* **1.** roter Bor'deaux(wein). **2.** *allg.* Rotwein *m.* **3.** *a.* ~ **red** Weinrot *n.* **4.** *sport sl.* Blut *n.* **II** *adj* **5.** weinrot. ~ **cup** *s* gekühlte Rotweinbowle.

clar·i·fi·ca·tion [,klærifi'keiʃən] *s* **1.** (Er-, Auf)Klärung *f*, Klarstellung *f.* **2.** *tech.* (Abwasser)Klärung *f*, (Ab)-Läuterung *f*, Abklärung *f*: ~ **plant** Kläranlage *f.*

clar·i·fy ['klæri,fai] **I** *v/t* **1.** *fig.* (auf-, er)klären, erhellen, klarstellen. **2.** *tech.* (ab)klären, läutern, reinigen. **II** *v/i* **3.** *fig.* sich (auf)klären, klar werden. **4.** sich (ab)klären (*Flüssigkeit etc*).

clar·i·net [,klæri'net] *s mus.* Klari'nette *f* (*a. Orgelregister*). ,**clar·i'net·(t)ist** *s* Klarinet'tist *m.*

clar·i·on ['klæriən] **I** *s* **1.** *mus.* a) *hist.* Cla'rin(o) *n*, Clai'ron *n* (*hellklingende Trompete*), b) Clai'ron *n* (*helle Zungenstimme der Orgel*). **2.** *poet.* heller Trom'petenton: ~ **call** *fig.* Weckruf *m*; ~ **voice** *fig.* Trompetenstimme *f.* **II** *v/t* **3.** 'auspo,saunen, laut verkünden.

clar·i·o·net [,klæriə'net] → **clarinet.**

clar·i·ty ['klæriti] *s allg.* Klarheit *f.*

cla·ro ['klɑːrou] *s* helle, milde Zi'garre.

clar·y ['klɛ(ə)ri] *s bot.* **1.** Muska'tellersal,bei *m.* **2.** 'Scharlachsal,bei *m.*

clash [klæʃ] **I** *v/i* **1.** klirren, rasseln, klatschen: ~**ing gears** *mot.* krachendes Getriebe. **2.** (klirrend) anein'anderstoßen. **3.** prallen, stoßen (**into** gegen), (*a. feindlich*) zs.-prallen, -stoßen (**with** mit). **4.** *fig.* (**with**) kolli'dieren: a) anein'andergeraten (mit), b) im 'Widerspruch stehen (zu), unver'einbar sein (mit), c) (zeitlich) zs.-fallen (mit). **5.** nicht zs.-passen *od.* harmo'nieren (**with** mit): **these colo(u)rs** ~ diese Farben harmonieren nicht. **II** *v/t* **6.** klirren *od.* rasseln mit. **7.** klirrend *od.* schmetternd anein'anderschlagen. **III** *s* **8.** (*metallisches*) Krachen, Geklirr *n*, Gerassel *n*, Geschmetter *n.* **9.** (*a. fig. feindlicher*) Zs.-stoß, -prall, Kollisi'on *f.* **10.** *fig.* Kon'flikt *m*, 'Widerspruch *m*, -streit *m*, Reibung *f.* **11.** (zeitliches) Aufein'andertreffen. ~ **gear** *s tech.* (Zahnrad)Wechselgetriebe *n.*

clasp [*Br.* klɑːsp; *Am.* klæ(ː)sp] **I** *v/t* **1.** ein-, zuhaken, zu-, festschnallen, mit Schnallen *od.* Haken befestigen *od.* schließen. **2.** mit Schnallen *od.* Haken *etc* versehen. **3.** ergreifen, um'klammern, (fest) um'fassen: **to** ~ **s.o.'s hand** a) j-m die Hand drücken, b) j-s Hand umklammern; **to** ~ **one's hands** die Hände falten; **to** ~ **s.o. to one's breast** j-n an die Brust drücken. **II** *s* **4.** Klammer *f*, Haken *m*, Schnalle *f*, Spange *f*: ~ **and eye** Haken u. Öse. **5.** Schloß *n*, Schließe *f* (*e-s Buches, e-r Handtasche etc*). **6.** *mil.* Ordensspange *f.* **7.** Um'klammerung *f*, Um'armung *f*: **by** ~ **of hands** durch Händedruck *od.* Handschlag. '**clasp·er** *s* **1.** (Haken-, Schnallen)Verschluß *m.* **2.** *pl zo.* a) Haltezange *f*, b) 'Haftor,gan *n.* **3.** *bot.* Ranke *f.*

clasp| knife *s irr* Klapp-, Taschenmesser *n.* ~ **lock** *s* Schnappschloß *n.*

class [*Br.* klɑːs; *Am.* klæ(ː)s] **I** *s* **1.** Klasse *f* (*a. biol.*), Gruppe *f*, Katego'rie *f*, Art *f*. **2.** (Wert)Klasse *f*: in the same ~ with gleichwertig mit; in a ~ by itself (*od.* of its own) e-e Klasse für sich (*überlegen*); no ~ *sl.* minderwertig. **3.** (Güte)Klasse *f*, Quali'tät *f*: high-~ goods erstklassige Ware. **4.** *rail. etc* Klasse *f*: first-~ ticket Fahrkarte *f* erster Klasse. **5.** a) gesellschaftlicher Rang, sozi'ale Stellung, b) (Gesellschafts)Klasse *f*, (Bevölkerungs)-Schicht *f*: the (upper) ~es die oberen Klassen; to pull ~ on s.o. *sl.* j-n s-e gesellschaftliche Überlegenheit fühlen lassen. **6.** *bes. Am. sl.* ‚Klasse' *f*, Erstklassigkeit *f*: he (it) has ~ er (es) ist (große) Klasse. **7.** *ped.* a) (Schul)-Klasse *f*: to be at the top of one's ~ der Klassenerste sein, b) ('Unterrichts)Stunde *f*: to attend ~es am Unterricht teilnehmen. **8.** Kurs(us) *m*. **9.** *univ. Am.* a) Stu'denten *pl* e-s Jahrgangs, Stu'dentenjahrgang *m*, b) Promoti'onsklasse *f*, c) Semi'nar *n*: Spanish ~. **10.** *univ. Br.* a) → honors degree, b) Stufe *f*, Gruppe *f*, Klasse *f* (*Einteilung der Kandidaten nach dem Resultat der Honours-Prüfung*): to take a ~ e-n Honours-Grad erlangen. **11.** *mil.* Re'krutenjahrgang *m*. **12.** *math.* Aggre'gat *n*, mehrgliedrige Zahlengröße. **II** *v/t* **13.** klassifi'zieren: a) in Klassen einteilen, b) in e-e Klasse einteilen, einordnen, einstufen: to ~ with gleichstellen mit, rechnen zu; to be ~ed a) angesehen werden (as als), b) *Br.* e-e Universitätsprüfung (*für* honours) bestehen. **III** *v/i* **14.** zu (e-r bestimmten Klasse) zählen. '~-ˌ**book** *s ped.* **1.** *Am.* Klassenbuch *n*. **2.** *Br.* Schul-, Lehrbuch *n*. ~ **con·flict** *s* Klassenkampf *m*. '~-'**con·scious** *adj* klassenbewußt. ~ **con·scious·ness** *s* Klassenbewußtsein *n*. ~ **day** *s univ. Am.* Abschlußfeier(lichkeiten *pl*) *f*. '~ˌ**fel·low** *s* 'Klassenkameˌrad(in), Mitschüler(in). ~ **ha·tred** *s* Klassenhaß *m*.

clas·sic ['klæsik] **I** *adj* (*adv* ~ally) **1.** erstklassig, ausgezeichnet. **2.** klassisch, mustergültig, voll'endet: ~ prose; a ~ example ein klassisches Beispiel. **3.** klassisch: a) das klassische Altertum betreffend, b) die klassische Litera'tur *etc* betreffend, c) (durch e-n Schriftsteller *od.* ein geschichtliches Ereignis) berühmt: ~ districts of London. **4.** klassisch: a) 'herkömmlich, traditio'nell: a ~ method, b) typisch, c) *bes. Am.* zeitlos: a ~ dress. **II** *s* **5.** Klassiker *m* (*Literatur od. Kunst*). **6.** klassisches Werk. **7.** *pl* klassische Philolo'gie. **8.** Jünger(in) der Klassik, Verehrer(in) der Klassiker. **9.** (*das*) Klassische (*Stil, Kunst etc*). **10.** *Am.* klassisches Beispiel (of für).

clas·si·cal ['klæsikəl] *adj* (*adv* ~ly) **1.** → classic 2, 3 a, b, 4. **2.** klassisch, dem an'tiken Stil entsprechend: ~ architecture a) klassischer *od.* antiker Baustil, b) klassizistischer Baustil. **3.** klassisch: a) huma'nistisch gebildet, b) die klassische Kunst *od.* Litera'tur betreffend: ~ education klassische *od.* humanistische (Aus)Bildung; the ~ languages die alten Sprachen; ~ scholar Altphilologe *m*, Humanist *m*. **4.** klassisch (*Musik*).

clas·si·cism ['klæsiˌsizəm] *s* **1.** a) Klassik *f*, b) Klassi'zismus *m*. **2.** klassische Bildung. **3.** klassische Redewendung *od.* Bezeichnung. '**clas·si·cist** *s* Kenner *m od.* Anhänger *m* des Klassischen u. der Klassiker. '**clas·siˌcize I** *v/t* klassisch machen. **II** *v/i* dem klassischen Stile entsprechen.

clas·si·fi·a·ble ['klæsiˌfaiəbl] *adj* klassifi'zierbar. ˌ**clas·si·fi'ca·tion** *s* **1.** Klassifikati'on *f*: a) Einteilung *f*, Anordnung *f*, Aufstellung *f*, b) *bot. zo.* Sy'stem *n*, Gruppeneinteilung *f* der Tiere u. Pflanzen. **2.** Einstufung *f*. **3.** *mil. pol.* Geheimhaltungsstufe *f*.

clas·si·fi·ca·to·ry ['klæsifiˌkeitəri; *Am. a.* klə'sifəkəˌtɔːri] *adj* klassifi'zierend, Klassifikations... '**clas·siˌfied** [-ˌfaid] *adj* **1.** klassifi'ziert, in *od.* nach Klassen *od.* Gruppen eingeteilt: ~ ad(vertisement) kleine Anzeige. **2.** *mil. pol.* geheim: ~ matter *mil.* Verschlußsache *f*. '**clas·siˌfy** [-ˌfai] *v/t* **1.** klassifi'zieren, ('ein)grupˌpieren, (in *od.* nach Klassen *od.* Gruppen) einteilen, einordnen, einstufen. **2.** *math.* (aus)gliedern. **3.** *tech.* sor'tieren, klas'sieren. **4.** *mil.* mit Geheimhaltungsstufe versehen.

clas·sis ['klæsis] *s relig.* 'Kreissynˌode *f* (*in gewissen reformierten Kirchen*).

class| lim·it *s math.* Klassenende *n*, Grenzpunkt *m*. '~-ˌ**list** *s univ. Br.* Benotungsliste *f* (*der Kandidaten, die nach den Ergebnissen der Honours-Prüfung in 3 Gruppen eingeteilt werden*). '~-**man** [-mən] *s irr Br.* (*Oxford*) *Student, der e-e Honours-Prüfung bestanden hat u. in die Benotungsliste eingetragen wird.* '~ˌ**mate** → classfellow. ~ **mean·ing** *s ling.* Bedeutung *f* e-r gram'matischen Katego'rie. ~ **num·ber** *s Bibliothek*: Signa'tur *f*, Kennummer *f*. '~ˌ**room** *s* Klassenzimmer *n*. ~ **strug·gle** *s* Klassenkampf *m*.

class·y [*Br.* 'klɑːsi; *Am.* 'klæ(ː)si] *adj sl.* ‚Klasse', ‚Klasse...', erstklassig.

clas·tic ['klæstik] **I** *adj* **1.** zerlegbar (*bes. anatomisches Modell*). **2.** *geol.* klastisch. **II** *s* **3.** *pl geol.* sekun'däre Gesteine *pl*.

clat·ter ['klætər] **I** *v/i* **1.** klappern, rasseln. **2.** poltern, klappern, trappen: to ~ about umhertrampeln. **3.** *fig.* plappern, schwatzen. **II** *v/t* **4.** klappern *od.* rasseln mit. **III** *s* **5.** Geklapper *n*, Gerassel *n*. **6.** Getrappel *n*, Getrampel *n*. **7.** Krach *m*, Lärm *m*. **8.** Geplapper *n*.

clause [klɔːz] *s* **1.** *ling.* Satz(teil *m*, -glied *n*) *m*: principal ~ Hauptsatz; subordinate ~ Nebensatz. **2.** *jur.* a) Klausel *f*, Vorbehalt *m*, Bestimmung *f*, b) Abschnitt *m*, Absatz *m*.

claus·tral ['klɔːstrəl] *adj* klösterlich.

claus·tro·pho·bi·a [ˌklɔːstrə'foubiə] *s med.* Klaustropho'bie *f*, krankhafte Furcht vor geschlossenen Räumen.

clave [kleiv] *obs. pret von* cleave[1].

clav·i·a·ture ['klæviətʃər] *s mus.* **1.** Klavia'tur *f*. **2.** Kla'vierfingersatz *m*.

clav·i·chord ['klæviˌkɔːrd] *s mus.* Klavi'chord *n*.

clav·i·cle ['klævikl] *s* **1.** *anat.* Schlüsselbein *n*. **2.** *bot.* kleine Ranke.

cla·vic·u·lar [klə'vikjulər] *adj zo.* Schlüsselbein...

cla·vi·er ['klæviər] *s mus.* **1.** Klavia'tur *f*. **2.** [klə'vir] 'Tasten-, Kla'vierinstruˌment *n*. **3.** (*stumme*) 'Übungsklaviaˌtur.

claw [klɔː] **I** *s* **1.** *zo.* a) Klaue *f*, Kralle *f* (*beide a. fig.*), b) Schere *f* (*Krebs etc*): to get one's ~s into s.o. *fig.* j-n in s-e Klauen bekommen; to pare s.o.'s ~s *fig.* j-m die Krallen beschneiden. **2.** *fig.* ‚Klaue' *f*, ‚Pfote' *f* (*Hand*). **3.** Kratzwunde *f*. **4.** *bot.* Nagel *m* (*an den Blütenblättern*). **5.** a) Klaue *f*, Kralle *f*, Haken *m*, Greifer *m*, b) gespaltene Finne (*des Hammers*). **II** *v/t* **6.** die Krallen schlagen in (*acc*). **7.** (zer)-kratzen, zerkrallen, zerreißen. **8.** um'krallen, packen. **9.** ~ off sich entledigen (*gen*), loswerden. **III** *v/i* **10.** kratzen. **11.** (mit den Krallen) reißen, zerren (at an *dat*). **12.** packen, greifen (at nach). **13.** *oft* ~ off *mar.* windwärts vom Ufer abhalten. ~ **bar** *s tech.* lange Nagelklaue, Brecheisen *n* mit Finne. ~ **clutch** *s tech.* Klauenkupplung *f*.

clawed [klɔːd] *adj* mit Klauen.

'**claw|-ˌham·mer** *s* **1.** *tech.* Splitt-, Klauenhammer *m*. **2.** *a.* ~ coat *humor.* Frack *m*. ~ **wrench** *s tech.* Nagelzieher *m*.

clay [klei] **I** *s* **1.** Ton(erde *f*) *m*, Lehm *m*, Mergel *m*: baked ~ gebrannte Erde; fire ~, refractory ~ feuerfester Ton, Schamotte(ton *m*) *f*. **2.** (feuchte) Erde, zäher Lehm. **3.** *fig.* Erde *f*, Staub *m* u. Asche *f*, irdische Hülle (*Leib*): to wet one's ~ *colloq.* ‚sich die Kehle anfeuchten'. **4.** → clay pipe. **II** *v/t* **5.** mit Ton *od.* Lehm behandeln, verschmieren. **6.** *tech. Zucker* decken, ter'rieren. '~ˌ**bank** *s* **1.** *geol.* Tonschicht *f*. **2.** *Am.* rötlich-gelbes Braun. ~ **brick** *s tech.* **1.** Lehmstein *m*, ungebrannter Ziegel. **2.** Luftziegel *m*.

clay·ey ['kleii] *adj* tonig, lehmig, Ton..., Lehm...

clay marl *s geol.* Tonmergel *m*.

clay·more ['kleiˌmɔːr] *s Scot.* **1.** *hist.* Zweihänder *m*, Breitschwert *n*. **2.** Säbel *m* mit Korbgriff.

clay| pi·geon *s sport* Tontaube *f*. ~ **pipe** *s* Tonpfeife *f* (*zum Rauchen*). ~ **pit** *s* Ton-, Lehmgrube *f*. ~ **slate** *s* Tonschiefer *m*. ~ **soil** *s* Lehm-, Tonboden *m*. ~ **sug·ar** *s* gedeckter Zucker.

clean [kliːn] **I** *adj* (*adv* → cleanly) **1.** rein, sauber: → breast 2, heel[1] *Bes. Redew.* **2.** sauber, frisch (gewaschen). **3.** reinlich, stubenrein: the dog is ~. **4.** rein, unvermischt: ~ gold. **5.** sauber, einwandfrei: ~ food. **6.** rein, makellos (*Edelstein etc*; *a. fig.*): ~ record tadellose Vergangenheit. **7.** (*moralisch*) rein, lauter, schuldlos: a ~ conscience ein reines Gewissen. **8.** anständig, sauber: a ~ story; keep it ~! nicht obszön werden! **9.** rein, unbeschrieben, leer: a ~ sheet of paper. **10.** sauber, ohne Korrek'turen (*Schrift*): → copy 1; ~ printer's proof (fast) fehlerloser Korrekturbogen. **11.** anständig, fair: a ~ fighter; ~ rivalry. **12.** klar, sauber: a ~ set of fingerprints. **13.** glatt, sauber, tadellos (ausgeführt), fehlerfrei: a ~ leap ein glatter Sprung (*über ein Hindernis*). **14.** glatt, eben: ~ cut glatter Schnitt; ~ wood astfreies Holz. **15.** restlos, gründlich: a ~ miss ein glatter Fehlschuß; to make a ~ break with the past völlig mit der Vergangenheit brechen. **16.** *mar.* a) mit gereinigtem Kiel u. Rumpf, b) leer, ohne Ladung, c) scharf, spitz zulaufend, mit gefälligen Linien. **17.** klar, ebenmäßig, 'wohlproportioˌniert: ~ features klare Gesichtszüge.

II *adv* **18.** rein(lich), sauber, sorgfältig: to sweep ~ a) rein ausfegen, b) *fig.* völlig hinwegfegen, vollständig aufräumen mit (*etwas*); → broom 1; to come ~ *Am. sl.* (alles) gestehen. **19.** anständig, fair: to fight ~. **20.** rein, glatt, völlig, ganz u. gar, to'tal: to go ~ off one's head *colloq.* völlig den Kopf verlieren; to forget ~ about s.th. *colloq.* etwas total vergessen; the bullet went ~ through the door die Kugel durchschlug glatt die Tür; ~

gone *colloq.* a) spurlos verschwunden, b) ‚total übergeschnappt'. **III** *v/t* **21.** reinigen, säubern, *Fenster, Schuhe, Silber, Zähne* putzen: to ~ **house** *Am. sl.* gründlich aufräumen, reinen Tisch machen. **22.** waschen. **23.** freimachen von, leerfegen. **24.** → **clean out. 25.** → **clean up I.**

Verbindungen mit Adverbien:

clean| down *v/t* gründlich reinigen. ~ **off** *v/t* abputzen. ~ **out** *v/t* **1.** reinigen. **2.** (aus)leeren. **3.** *Gebäude etc* räumen. **4.** *j-n* erschöpfen. **5.** *fig.* ausmerzen, aufräumen mit. **6.** *sl. j-n* ‚ausnehmen', schröpfen, (aus)plündern. **7.** *Am. sl.* ‚rausschmeißen', hin'auswerfen. ~ **up I** *v/t* **1.** gründlich reinigen. **2.** in Ordnung bringen, aufräumen. **3.** bereinigen. **4.** *sl.* einheimsen, -stecken. **5.** *Am. sl.* ‚fertigmachen', vernichtend schlagen. **II** *v/i* **6.** *Am. sl.* schwer einheimsen.

clean·a·ble ['kli:nəbl] *adj* gut zu reinigen(d), waschbar.

clean| ac·cept·ance *s econ.* bedingungsloses Ak'zept, vorbehaltlose Annahme. ~ **and jerk** *s Gewichtheben:* Stoßen *n.* ~ **bill** *s* **1.** *econ.* reine Tratte: ~ **of lading** *econ.* echtes Konnossement. **2.** → **bill**[2] 6. '~-ˌ**bred** *adj* reinrassig. '~-ˌ**cut** *adj* **1.** klar, scharf geschnitten: ~ **features. 2.** *fig.* klar um'rissen, klar, deutlich. **3.** wohlgeformt. **4.** anständig, sauber (*Person*).

clean·er ['kli:nər] *s* **1.** a) Reiniger *m* (*Person od. Vorrichtung*), 'Reinigungsmaˌschine *f,* b) *pl* Reinigung(sanstalt) *f:* ~'**s naphtha** Waschbenzin *n;* **to send to the** ~**s** a) zur Reinigung schicken, b) *Am. sl.* → **clean out** 6. **2.** Reinigungsmittel *n.* **3.** Staubsauger *m.* **4.** Rein(e)machefrau *f,* (*Fenster- etc*)Putzer *m.*

'**clean|-'fin·gered** *adj* **1.** *fig.* ehrlich. **2.** geschickt. '~'**hand·ed** *adj fig.* schuldlos. '~-'**limbed** *adj* 'wohlproportioˌniert, -gebaut.

clean·li·ness ['klenlinis] *s* Reinlichkeit *f.*

'**clean-'liv·ing** *adj* mit einwandfreiem Lebenswandel, cha'rakterlich sauber.

clean·ly I *adj* ['klenli] reinlich: a) sauber, b) sauberkeitsliebend. **II** *adv* ['kli:nli] säuberlich, reinlich. **clean·ness** ['kli:nnis] *s* Sauberkeit *f,* Reinheit *f.*

'**cleanˌout** *s* **1.** Reinigung *f,* Säuberung *f.* **2.** *tech.* Reinigungsöffnung *f.*

cleanse [klenz] *v/t* **1.** *a. fig.* reinigen, säubern, reinwaschen (**from** von). **2.** heilen. **3.** befreien, frei-, lossprechen (**from** von). '**cleans·er** *s* **1.** Reiniger *m.* **2.** *Br.* Straßenkehrer *m.* **3.** Reinigungsmittel *n.*

'**clean-'shav·en** *adj* 'glattraˌsiert.

cleans·ing ['klenziŋ] *adj* Reinigungs...: ~ **cream;** ~ **tissue** Reinigungstuch *n.*

'**cleanˌup** *s* **1.** Reinigung *f,* Säuberung *f.* **2.** *fig.* 'Säuberung(saktiˌon) *f,* Ausmerzung *f.* **3.** *Am. sl.* ‚Schnitt' *m,* (großer) Pro'fit. **4.** *Am. sl.* ‚böse Schlappe'.

clear [klir] **I** *adj* (*adv* → **clearly**) **1.** klar, hell: ~ **day (eyes, light, water,** *etc*); **as** ~ **as mud** *colloq.* völlig unklar. **2.** klar, 'durchsichtig, rein: → **crystal** 1. **3.** klar, heiter: ~ **sky;** ~ **weather. 4.** rein, flecken-, makellos: ~ **skin. 5.** klar, rein, hell: ~ **voice;** → **bell**[1] 1. **6.** *fig.* klar, hell, scharf: **a** ~ **head** ein klarer *od.* heller Kopf. **7.** klar, unvermischt: ~ **blue;** ~ **soup** klare Suppe. **8.** *Funk etc:* unverschlüsselt: ~ **text** → 23. **9.** klar, 'übersichtlich: ~ **design. 10.** klar, deutlich, verständlich: ~ **speech; to make s.th.** ~ **(to s.o.)** (j-m) etwas klarmachen; **to make it** ~ **that** klipp u. klar sagen, daß; **to make o.s.** ~ sich klar ausdrücken, sich verständlich machen. **11.** klar, offensichtlich: **a** ~ **case of bribery; a** ~ **victory** ein klarer Sieg; **to be** ~ **about s.th.** sich über etwas im klaren sein. **12.** klar: a) sicher, b) in Ordnung: **all** ~ alles klar. **13.** frei (**of** von), unbehindert, offen: ~ **road** freie Straße. **14.** (**of**) frei (von *Schulden etc*), unbelastet (mit): ~ **of debt;** ~ **title** einwandfreier Rechtstitel; **a** ~ **conscience** ein reines Gewissen. **15.** *econ.* netto, Netto..., Rein...: ~ **profit;** ~ **loss** reiner Verlust. **16.** glatt, voll, ganz: **a** ~ **ten minutes;** ~ **15 yards. 17.** *tech.* licht: ~ **height;** ~ **width.**

II *adv* **18.** hell, klar. **19.** klar, deutlich: **to speak** ~; → 10. **20.** *colloq.* völlig, ganz, glatt: **to jump** ~ **over the fence** glatt über den Zaun springen. **21.** frei, los, weg (**of** von): **to keep** ~ **of** (ver)meiden; **to keep the road** ~ die Straße frei *od.* offen halten; **to be** ~ **of s.th.** etwas los sein; **to get** ~ **of** loskommen von; **to jump** ~ wegspringen, sich durch e-n Sprung retten; **to see one's way** ~ freie Bahn haben.

III *s* **22.** freier Raum: **in the** ~ a) frei, heraus, *sport* freistehend, b) *fig.* aus der Sache heraus, *bes.* vom Verdacht gereinigt. **23.** *Funk etc:* Klartext *m:* **in the** ~ im Klartext.

IV *v/t* **24.** *oft* ~ **away** wegräumen, -schaffen (**from** von). **25.** *e-e Straße etc* freimachen, *e-n Saal etc, econ. a.* (*Waren*)*Lager* räumen. **26.** *den Tisch* abräumen, abdecken. **27.** *Land, Wald* roden. **28.** reinigen, säubern: **to** ~ **the air** (*od.* **atmosphere**) *fig.* die Atmosphäre reinigen; **to** ~ **one's throat** sich räuspern. **29.** leeren, entladen. **30.** *Schulden* tilgen, bezahlen, bereinigen. **31.** von Schulden befreien: **to** ~ **an estate. 32.** *econ.* a) *e-n Scheck* einlösen, b) *e-n Scheck etc* durch ein 'Clearing-Instiˌtut verrechnen lassen, c) als Reingewinn erzielen. **33.** frei-, lossprechen, entlasten: **to** ~ **o.s. (s.o.) of a crime** sich (j-n) vom Verdacht e-s Verbrechens reinigen; **to** ~ **one's conscience** sein Gewissen entlasten; **to** ~ **one's name** s-n Namen reinwaschen. **34.** *etwas* (auf)klären. **35.** *allg.* abfertigen, *bes. mar.* a) *Waren* dekla'rieren, verzollen, b) *das Schiff* 'ausklaˌrieren, c) aus *dem Hafen* auslaufen, d) *die Ladung* löschen, e) von *der Küste* freikommen, f) *das Deck* klarmachen (**for action** zum Gefecht). **36.** *ein Hindernis* (glatt) nehmen, über *e-e Hecke etc* setzen: **to** ~ **a hedge. 37.** (knapp *od.* heil) vor'beikommen an (*dat*): **his car just** ~**ed the bus.**

V *v/i* **38.** sich klären (*Wein etc*), klar *od.* hell werden. **39.** sich aufklären, -hellen (*Wetter etc*). **40.** *oft* ~ **away** sich verziehen (*Nebel etc*). **41.** *econ. mar.* a) die 'Zollformaliˌtäten erledigen, b) 'ausklaˌrieren, den Hafen nach Erledigung der 'Zollformaliˌtäten verlassen.

Verbindungen mit Adverbien:

clear| in *v/i mar.* 'einklaˌrieren. ~ **off I** *v/t* **1.** (weg)räumen, beseitigen. **2.** → **clear** 30. **II** *v/i* **3.** → **clear out** 4. ~ **out I** *v/t* **1.** (aus)räumen, leeren. **2.** vertreiben. **II** *v/i* **3.** *mar.* 'ausklaˌrieren. **4.** *colloq.* ‚sich verziehen', ‚abhauen'. ~ **up I** *v/t* **1.** aufräumen, in Ordnung bringen. **2.** (auf)klären, erklären, lösen. **3.** → **clear** 30. **II** *v/i* **4.** → **clear** 39.

clear·ance ['kli(ə)rəns] *s* **1.** Räumung *f,* Beseitigung *f,* Freimachung *f.* **2.** Leerung *f.* **3.** a) Abholzung *f,* Rodung *f,* b) Lichtung *f.* **4.** *tech.* a) lichter Abstand, Zwischenraum *m,* b) lichte Höhe, c) Spiel(raum *m*) *n,* Luft *f,* d) *mot. etc* Bodenfreiheit *f,* e) → **clearance angle. 5.** *econ.* a) Tilgung *f,* volle Bezahlung, b) Verrechnung *f* (im Clearingverkehr), c) → **clearance sale. 6.** *mar.* a) 'Ausklaˌrierung *f,* Zollabfertigung *f,* b) Zollschein *m:* ~ **(papers)** Zollpapiere. **7.** *allg.* Abfertigung *f, bes.* a) *aer.* Freigabe *f,* Start- *od.* 'Durchflugerlaubnis *f,* b) *mar.* Auslaufgenehmigung *f.* **8.** *allg.* Erlaubnis *f,* Genehmigung *f.* **9.** *jur. pol. etc* Unbedenklichkeitsbescheinigung *f.* ~ **an·gle** *s tech.* Anstellwinkel *m.* ~ **fit** *s tech.* Spielpassung *f.* ~ **light** *s aer.* seitliches Begrenzungslicht. ~ **sale** *s* Räumungs-, Ausverkauf *m.* ~ **space** *s mot.* Verdichtungsraum *m.*

'**clear|-ˌchan·nel sta·tion** *s tech. Sender, der auf s-m eigenen Frequenzkanal mit maximaler Stärke senden kann.* '~-'**cut** *adj* **1.** scharf geschnitten. **2.** klar um'rissen. **3.** klar, deutlich, bestimmt. '~-ˌ**eyed** *adj bes. fig.* hell-, scharfsichtig, klarsehend. '~'**head·ed** *adj* klardenkend, intelli'gent.

clear·ing ['kli(ə)riŋ] *s* **1.** (Auf-, Aus-) Räumen *n.* **2.** Säuberung *f.* **3.** Aufklärung *f.* **4.** Lichtung *f,* Schlag *m,* Rodung *f* (*im Wald*). **5.** *econ.* a) Clearing *n,* Verrechnungsverkehr *m,* b) *pl* Verrechnungssumme *f* (*im Clearingverkehr*). ~ **check,** *bes. Br.* ~ **cheque** *s econ.* Verrechnungsscheck *m.* ~ **com·pa·ny** *s mil.* Sani'tätskompaˌnie *f.* **C~ Hos·pi·tal** *s mil. Br.* 'Feldlazaˌrett *n* (*als Durchgangsstelle*). '~ˌ**house** *s econ.* 'Clearinginstiˌtut *n,* Verrechnungskasse *f.* ~ **oath** *s jur.* Reinigungseid *m.* ~ **sta·tion** *s mil. Am.* Truppen-, Hauptverbandsplatz *m.* ~ **sys·tem** *s econ.* Clearingverkehr *m.*

clear·ly ['klirli] *adv* **1.** klar, deutlich. **2.** offensichtlich, zweifellos. '**clear·ness** *s* **1.** Klarheit *f:* a) Helle *f,* b) Deutlichkeit *f.* **2.** Reinheit *f.* **3.** *phot. etc* (Bild)Schärfe *f.*

clear| ob·scure *s paint.* Helldunkel *n.* '~-'**sight·ed** *adj* **1.** klarsichtig. **2.** *fig.* hellsichtig, klardenkend, klug. ˌ~-'**sight·ed·ness** *s* klarer Blick. '~ˌ**starch** *v/t Wäsche* stärken.

cleat [kli:t] **I** *s* **1.** Keil *m,* Pflock *m.* **2.** *mar.* Klampe *f* (*Verstärkungsleiste*). **3.** *tech.* Kreuzholz *n,* Querleiste *f.* **4.** *electr.* Iso'lierschelle *f.* **5.** breitköpfiger Schuhnagel. **II** *v/t* **6.** mit Klampen *etc* befestigen.

cleav·age ['kli:vidʒ] *s* **1.** Spaltung *f* (*a. chem. u. fig.*), (Auf-, Zer)Teilung *f.* **2.** Spalt *m.* **3.** *biol.* (Zell)Teilung *f.* **4.** *zo.* (Ei)Furchung *f.* **5.** *min.* a) Spaltbarkeit *f* (*Kristalle*), b) *a.* ~ **face** Spaltebene *f.* **6.** *geol.* Schieferung *f.*

cleave[1] [kli:v] *pret* **cleft** [kleft], **cleaved, clove** [klouv], *obs.* **clave** [kleiv], *pp* **cleft, cleaved, clo·ven** ['klouvn] **I** *v/t* **1.** (zer)spalten, (zer)teilen. **2.** ab-, lostrennen. **3.** *Luft, Wasser etc* durch'schneiden. **4.** *e-n Weg* öffnen, bahnen: **to** ~ **a path. II** *v/i* **5.** sich spalten, bersten.

cleave[2] [kli:v] *v/i* **1.** (an)kleben, hängenbleiben (**to** an *dat*). **2.** *fig.* (**to**) treu bleiben (*dat*), halten (zu).

cleav·er ['kli:vər] *s* Hackmesser *n,* -beil *n.*

cleav·ers ['kli:vərz] *s sg u. pl bot.* (*ein*) Labkraut *n.*

clef [klef] *s mus.* (Noten)Schlüssel *m.*

cleft[1] [kleft] *pret u. pp von* **cleave**[1].

cleft[2] [kleft] **I** *s* **1.** Spalt *m,* Spalte *f,*

Schlitz *m*, Ritze *f*: ~ **of a rock** Felsspalte. **2.** Kluft *f*. **3.** *zo.* a) Spalt *m* (*im Pferdehuf*), b) Zehe *f* (*Spalthufer*). **4.** *vet.* Hornspalte *f* (*am Pferdehuf*). **II** *adj* **5.** gespalten, geteilt. **'~-'foot·ed** *adj zo.* mit Spalthuf: ~ **animal** Spalthufer *m*. ~ **pal·ate** *s* Gaumenspalte *f*, Wolfsrachen *m*. ~ **stick** *s* ‚Klemme' *f*.

cleis·tog·a·my [klais'tɒgəmi] *s bot.* Kleistoga'mie *f*, Selbstbestäubung *f* bei geschlossener Blüte.

clem [klem] *v/i u. v/t* verschmachten (lassen).

clem·a·tis ['klemətis] *s bot.* Waldrebe *f*, Klematis *f*.

clem·en·cy ['klemənsi] *s* **1.** Milde *f*, Gnade *f*, Nachsicht *f*: ~ **board** Gnadenbehörde *f*. **2.** Milde *f* (*des Wetters etc*). **clem·ent** ['klemənt] *adj* (*adv* ~**ly**) **1.** mild, nachsichtig, gnädig. **2.** mild (*Wetter*).

clench [klentʃ] **I** *v/t* **1.** *die Lippen etc* (fest) zs.-pressen: **to ~ one's fist** die Faust ballen; **to ~ one's teeth** die Zähne zs.-beißen. **2.** fest packen *od.* anfassen. **3.** → **clinch** 1—3. **4.** *fig. Nerven, Geist etc* anspannen: **with ~ed attention** mit gespannter Aufmerksamkeit. **II** *v/i* **5.** sich fest zs.-pressen. **6.** → **clinch** 5. **III** *s* **7.** Festhalten *n*, fester Griff, Zs.-pressen *n*. **'clench·er** → **clincher**.

clep·to·ma·ni·a → **kleptomania**.

clere·sto·ry ['klirˌstɔːri] *s* **1.** *arch.* Lichtgaden *m*, Fenstergeschoß *n* (*am Hauptschiff e-r Kirche*). **2.** *rail.* Dachaufsatz *m* (*mit Fenstern*).

cler·gy ['kləːrdʒi] *s relig.* Geistlichkeit *f*, Klerus *m*, (*die*) Geistlichen *pl*. **'~·man** [-mən] *s irr* **1.** Geistliche(r) *m*. **2.** ordi'nierter Priester.

cler·ic ['klerik] **I** *s* **1.** Geistliche(r) *m*, Kleriker *m*. **2.** ordi'nierter Priester. **II** *adj* → **clerical** I. **'cler·i·cal I** *adj* (*adv* ~**ly**) **1.** kleri'kal, geistlich. **2.** Schreib..., Büro...: ~ **error** Schreibfehler *m*; ~ **work** Büroarbeit *f*. **II** *s* **3.** → **cleric** 1. **4.** *pol.* Kleri'kale(r) *m*. **5.** *pl* Priestertracht *f*. **'cler·i·calˌism** *s pol.* Klerika'lismus *m*.

cler·i·hew ['kleriˌhjuː] *s* vierzeiliger *humoristischer Vers*.

clerk [*Br.* klɑːk; *Am.* kləːrk] **I** *s* **1.** Schriftführer *m*, Sekre'tär *m*, Schreiber *m*, Kanz'list *m* (*in öffentlichen Ämtern*): ~ **of the court** *jur.* Urkundsbeamte(r) *m*, Protokollführer *m*; **town ~**, *Am.* **city ~** Stadtsyndikus *m*. **2.** kaufmännischer Angestellter, (Bü'ro-, *a.* Bank-, Post)Angestellte(r *m*) *f*, (Bank-, Post)Beamte(r) *m*, (-)Beamtin *f*: **bookkeeping ~** Buchhalter(in); **signing ~** Prokurist(in); → **chief clerk**. **3.** *Br.* ju'ristischer Angestellter: **articled ~** Rechtspraktikant *m*. **4.** *Br.* Vorsteher *m*, Leiter *m*: ~ **of (the) works** Bauleiter; **the ~ of the weather** *fig.* der Wettergott, Petrus. **5.** *Am.* (Laden-)Verkäufer(in). **6.** *Am.* Empfangschef *m* (*im Hotel*). **7.** *relig.* a) → **cleric** 1 *u.* 2, b) Kirchenbeamte(r) *m*. **8.** *obs.* a) Schreibkundige(r) *m*, b) Gelehrte(r) *m*. **II** *v/i* **9.** als Schreiber *od. Am.* als Verkäufer(in) tätig sein. **'clerk·ly** *adj* **1.** Schreiber..., Sekretärs..., Angestellten...: **a ~ hand** e-e schöne Handschrift. **2.** *obs.* gelehrt. **'clerk·ship** *s* Stellung *f* e-s Buchhalters *etc*.

clev·er ['klevər] *adj* (*adv* ~**ly**) **1.** geschickt: a) gewandt, tüchtig (**at** in *dat*): **a ~ artisan**, b) gerissen, raffi'niert: **a ~ salesman**; **a ~ trick**, c) sehr praktisch: **a ~ device**. **2.** gescheit: a) klug, intelli'gent, b) geistreich: **a ~ remark**. **3.** *contp.* ‚superklug', oberflächlich. **4.** begabt (**at** in *dat*, für). **5.** *Am. colloq.* gutmütig. **6.** *Am. od. dial.* wohlgebaut (*Tier*). **'clev·er·ness** *s* **1.** Gewandtheit *f*, Geschick(lichkeit *f*) *n*. **2.** Klugheit *f*. **3.** Gerissenheit *f*.

clev·is ['klevis] *s tech.* **1.** U-förmige Zugstange, Bügel *m* (*an der Wagendeichsel etc*). **2.** Haken *m*.

clew [kluː] **I** *s* **1.** (Wolle-, Garn- *etc*)-Knäuel *m*, *n*. **2.** → **clue** 1 *u.* 2. **3.** *myth. fig.* (Leit)Faden *m* (*im Labyrinth etc*). **4.** *mar.* Schothorn *n*. **II** *v/t* **5.** (auf)wickeln, knäueln. **6.** *mar.* a) ~ **down** *Segel* streichen, b) ~ **up** *Segel* aufgeien. ~ **gar·net** *s mar.* Geitau *n* (*des Haupt- od. Focksegels*). ~ **line** *s* Geitau *n* (*der kleinen Segel*).

cli·ché [*Br.* 'kliːʃei; *Am.* kliː'ʃei] *s* **1.** *print.* Kli'schee *n*, Druckstock *m*. **2.** *fig.* Kli'schee *n*, Gemeinplatz *m*, abgedroschene Phrase *od.* Sache.

click [klik] **I** *s* **1.** Klicken *n*, Knipsen *n*, Knacken *n*, Ticken *n*. **2.** Einschnappen *n* (*der Türklinke etc*). **3.** Schnappvorrichtung *f*. **4.** *tech.* a) Sperrklinke *f*, -vorrichtung *f*: ~ **spring** Sperrfeder *f*, b) *electr.* Schaltklinke *f*. **5.** Schnalzlaut *m* (*mit der Zunge*). **6.** *Ringen*: Beinausheber *m*. **II** *v/i* **7.** klicken, knacken, ticken. **8.** (*mit der Zunge*) schnalzen. **9.** klappern. **10.** (zu-, ein)-schnappen, einfallen (*Klinke, Schloß*): **to ~ into place** a) einrasten, b) *fig.* sein (richtiges) Plätzchen finden. **11.** *sl.* ‚'hinhauen': a) tadellos klappen, b) Erfolg haben (**with** mit, bei), c) über'einstimmen. **12.** *sl.* a) so'fort Gefallen anein'ander finden, sich ‚prima' verstehen, b) sich inein'ander ‚verknallen' (*verlieben*). **III** *v/t* **13.** klicken *od.* knacken *od.* einschnappen lassen: **to ~ the door (to)** die Tür zuklinken; **to ~ one's heels** die Hacken zs.-schlagen. **14.** mit *Gläsern* anstoßen. **15.** schnalzen mit (*der Zunge*). **'~-ˌclack** *s* Klippklapp *n*.

click·er ['klikər] *s* **1.** *Br.* Ausstanzer *m* (*von Schuhoberteilen*). **2.** *print.* Met'teur *m*.

cli·ent ['klaiənt] *s* **1.** *jur.* Kli'ent(in), Man'dant(in) (*e-s Anwalts*). **2.** Kunde *m*, Kundin *f*, Auftraggeber(in). **3.** Abhängige(r *m*) *f*, Va'sall *m*. **'cli·ent·age** *s* **1.** → **clientele**. **2.** Kli'entschaft *f*.

cli·en·tele [*Br.* ˌkliːɑ̃'teil; *Am.* ˌklaiən'tel] *s* **1.** Klien'tel *f*, Kli'enten *pl* (*e-s Anwalts*). **2.** Pati'enten(kreis *m*) *pl* (*e-s Arztes*). **3.** *econ.* Kunden(kreis *m*) *pl*, Kundschaft *f*. **4.** Gefolgschaft *f*.

cliff [klif] *s* **1.** Klippe *f*, Felsen *m*. **2.** steiler Abhang, (Fels)Wand *f*. ~ **dwell·er** *s* **1.** Felsenbewohner *m* (*Vorfahre der Puebloindianer*). **2.** *Am. sl.* Bewohner(in) e-r 'Mietskaˌserne. **'~-ˌhang·er** *s Am. sl.* **1.** spannender 'Fortsetzungsroˌman (*der immer im spannendsten Moment aufhört*). **2.** *fig.* spannende Sache.

cliff·y ['klifi] *adj* felsig, steil, schroff.

cli·mac·ter·ic [klai'mæktərik; ˌklaimæk'terik] **I** *adj* **1.** *med.* klimak'terisch. **2.** entscheidend, kritisch. **3.** → **climactic**. **II** *s* **4.** klimak'terische *od.* kritische Zeit (*a. fig.*): **the grand ~** das 63. Lebensjahr. **5.** Klimak'terium *n*, Wechseljahre *pl*, kritisches Alter. **ˌcli·mac'ter·i·cal** → **climacteric** 1 *u.* 2.

cli·mac·tic [klai'mæktik] *adj* sich steigernd, sich zuspitzend.

cli·mate ['klaimit] *s* **1.** Klima *n*. **2.** Himmelsstrich *m*, Gegend *f*. **3.** *fig.* Klima *n*, Atmo'sphäre *f*: **office ~** Betriebsklima; ~ **of opinion(s)** herrschende Ansichten. **cli'mat·ic** [-'mætik] *adj* (*adv* ~**ally**) kli'matisch, Klima...

ˌcli·ma·to'log·ic [-mətə'lɒdʒik] *adj*; **ˌcli·ma·to'log·i·cal** *adj* (*adv* ~**ly**) klimato'logisch. **ˌcli·ma'tol·o·gist** [-mə'tɒlədʒist] *s* Klimato'loge *m*. **ˌcli·ma'tol·o·gy** *s* Klimatolo'gie *f*, Klimakunde *f*. **ˌcli·ma'tom·e·ter** [-mə'tɒmitər] *s* Klimato'meter *n* (*Instrument zur Messung der Temperaturschwankungen*).

cli·max ['klaimæks] **I** *s* **1.** *Rhetorik*: Klimax *f*, Steigerung *f*. **2.** Gipfel *m*, Höhepunkt *m*: **to reach a ~** e-n Höhepunkt erreichen. **3.** *physiol.* Or'gasmus *m*. **II** *v/t* **4.** steigern, auf e-n Höhepunkt bringen. **5.** *Laufbahn etc* krönen: **to ~ one's career**. **III** *v/i* **6.** sich steigern. **7.** e-n Höhepunkt erreichen.

climb [klaim] **I** *s* **1.** Aufstieg *m* (*a. fig.*), Besteigung *f*. **2.** 'Kletterparˌtie *f*. **3.** *aer.* Steigen *n*, Steigflug *m*: **rate of ~** Steiggeschwindigkeit *f*. **4.** *mot.* Berg'auffahrt *f*. **II** *v/i* **5.** klettern, klimmen. **6.** (auf-, em'por)steigen (*a. Rauch etc*), sich emporarbeiten (*a. fig.*). **7.** (an)steigen (*Straße, Weg*). **8.** *bot.* klettern, sich hin'aufranken. **9.** (hoch)-klettern (*Preise etc*). **III** *v/t* **10.** er-, besteigen, erklettern, erklimmen, klettern auf (*acc*).

Verbindungen mit Adverbien:

climb| down *v/i* **1.** hin'unter-, her'untersteigen, -klettern. **2.** *colloq.* klein beigeben, e-n Rückzieher machen. ~ **up I** *v/i* hin'aufsteigen, -klettern. **II** *v/t* → **climb** 10.

climb·a·ble ['klaiməbl] *adj* ersteigbar.

'climb-and-'dive in·di·ca·tor → **climb indicator**.

'climb-ˌdown *s colloq.* ‚Rückzieher' *m*, Nachgeben *n*.

climb·er ['klaimər] *s* **1.** Kletterer *m*, *engS.* (Berg)Steiger *m*: **a good ~** a) ein guter Bergsteiger *od.* Kletterer, b) *mot.* ein bergfreudiger Wagen. **2.** *bot.* Schling-, Kletterpflanze *f*. **3.** *orn.* Klettervogel *m*. **4.** Steigeisen *n*. **5.** *colloq.* (gesellschaftlicher) Streber.

climb in·di·ca·tor *s aer.* Stato'skop *n*.

climb·ing| a·bil·i·ty ['klaimiŋ] *s* **1.** *aer.* Steigvermögen *n*. **2.** *mot.* Bergfreudigkeit *f*. ~ **i·ron** *s* Steigeisen *n*. ~ **rose** *s bot.* Kletterrose *f*.

climb mill·ing *s tech.* Kletterfräsen *n*.

clime [klaim] *s poet.* **1.** Gegend *f*, Landstrich *m*: **to seek milder ~s** Gegenden mit milderem Klima aufsuchen. **2.** *fig.* Gebiet *n*, Sphäre *f*.

clinch [klintʃ] **I** *v/t* **1.** (vollends) entscheiden: **to ~ the game**; **that ~ed it** damit war die Sache entschieden; **to ~ the argument** den Streit für sich entscheiden; **to ~ s.o.'s suspicion** j-s Verdacht endgültig bestätigen. **2.** *tech.* a) sicher befestigen, b) (ver)nieten, c) *Nagel etc* stauchen. **3.** *mar. Tau* mit Ankerstich befestigen. **4.** *Boxen*: um'klammern. **II** *v/i* **5.** *Boxen*: clinchen, in den Clinch gehen. **III** *s* **6.** *tech.* a) Vernietung *f*, Niet *m*, b) Haspe *f*. **7.** fester Halt (*a. fig.*). **8.** Griff *m*. **9.** *Boxen*: Clinch *m* (*a. sl. Umarmung*). **10.** *mar.* Ankerstich *m*.

clinch·er ['klintʃər] *s* **1.** *tech.* a) Klammer *f*, Klampe *f*, b) Niet(nagel) *m*. **2.** *colloq.* a) entscheidendes Argu'ment, Trumpf *m*, b) entscheidender 'Umstand: **that's the ~** damit ist der Fall erledigt *od.* die Sache entschieden. **'~-ˌbuilt** → **clinker-built**. ~ **rim** *s tech.* Wulstfelge *f*. ~ **tire**, *bes. Br.* ~ **tyre** *s tech.* Wulstreifen *m*.

clinch nail *s tech.* Niet(nagel) *m*.

cline [klain] *s biol.* Ableitung *f*, Progressi'on *f* (*Fortschrittslinie e-s Verwandtschafts-Merkmals*).

cling [kliŋ] *v/i pret u. pp* **clung** [klʌŋ] **1.** (fest) haften, kleben (to an *dat*): to ~ together aneinanderhaften, -hängen, zs.-halten (*a. fig.*); *the wet dress* clung to her body ... klebte ihr am Leib. **2.** *a. fig.* anhaften (to *dat*): the smell clung to his clothes; the nickname clung to him der Spitzname haftete ihm an *od.* blieb an ihm hängen. **3.** *a. fig.* (to) sich klammern (an *e-e Sache, j-n, e-e Hoffnung etc*), festhalten (an *e-r Meinung, Sitte etc*): to ~ to a hope (opinion, custom); to ~ to the text sich eng an den Text halten, am Text kleben. **4.** sich (an)schmiegen (to an *acc*). **5.** *fig.* (to) hängen (an *dat*), anhangen (*dat*). '~ˌ**stone I** *s* **1.** am Fleisch haftender (*Pfirsich*)Stein. **2.** Pfirsich *m* mit haftendem Stein. **II** *adj* **3.** mit haftendem Stein.

cling·y ['kliŋi] *adj* **1.** haftend. **2.** zäh, klebrig.

clin·ic ['klinik] **I** *s* **1.** *allg.* Klinik *f*, Krankenhaus *n*. **2.** a) Klinik *f*, Universi'tätskrankenhaus *n*, b) Klinikum *n*, klinischer 'Unterricht. **3.** Poliklinik *f*, Ambu'lanz *f*. **4.** fachmännische Beratungsstelle (*in Verbindung mit e-r Lehranstalt etc*): reading ~. **5.** *relig. hist.* auf dem Sterbebett Getaufte(r *m*) *f*. **II** *adj* → clinical.

clin·i·cal ['klinikəl] *adj* (*adv* ~ly) **1.** *med. allg.* klinisch: ~ diagnosis; ~ instruction Unterweisung *f* (der Studenten) am Krankenbett; ~ thermometer Fieberthermometer *n*. **2.** *fig.* nüchtern, kühl analy'sierend. **3.** *relig.* am Kranken- *od.* Sterbebett gespendet (*Sakrament*): ~ baptism Taufe *f* am Sterbebett.

clin·i·car ['kliniˌkɑːr] *s* fahrbare Klinik.

cli·ni·cian [kli'niʃən] *s* Kliniker *m*.

clink[1] [kliŋk] **I** *v/i* klingen, klimpern, klirren. **II** *v/t* klingen *od.* klirren lassen: to ~ glasses (mit den Gläsern) anstoßen. **III** *s* Klingen *n*, Klimpern *n*, Klirren *n*.

clink[2] [kliŋk] *s sl.* ‚Kittchen' *n*.

clink·er[1] ['kliŋkər] *s* **1.** Klinker(stein) *m*, Hartziegel *m*. **2.** verglaster Backstein. **3.** Schlacke *f*. **4.** bei der Härtung von Stahl sich bildende Kruste.

clink·er[2] ['kliŋkər] *s sl.* **1.** *Br.* 'Prachtexemˌplar *n*, -stück *n* (*Sache od. Person*). **2.** *Am.* a) Schnitzer *m*, ‚Patzer' *m* (*Fehler*), b) ‚Pleite' *f*, (*Mißerfolg*).

clink·er| brick → clinker[1] 1. '~-ˌ**built** *adj mar.* in Klinkerbauart.

clink·ing ['kliŋkiŋ] *adj u. adv sl.* ‚prima', ‚Klasse', e'norm.

cli·noid proc·ess ['klainɔid] *s anat.* Sattelfortsatz *m*.

cli·nom·e·ter [klai'nɒmitər] *s* **1.** Klino'meter *n*, Neigungsmesser *m*. **2.** *math.* Winkelmesser *m*. **3.** *mil.* 'Winkelquaˌdrant *m*.

clin·quant ['kliŋkənt] *obs.* **I** *adj* goldflimmernd. **II** *s* Flitter(gold *n*) *m*.

clip[1] [klip] **I** *v/t* **1.** (be)schneiden, stutzen (*a. fig.*): to ~ a hedge; to ~ s.o.'s wings *fig.* j-m die Flügel stutzen. **2.** *fig.* kürzen, beschneiden: to ~ s.o.'s power; to ~ wages. **3.** *a.* ~ off abschneiden. **4.** *aus der Zeitung* ausschneiden. **5.** *Haare* schneiden. **6.** *Schaf etc* scheren. **7.** *Wolle* beim Scheren abwerfen (*Schaf*). **8.** *Münze* beschneiden. **9.** *Silben* verschlucken, *Worte* verstümmeln: ~ped speech knappe *od.* schneidige Sprechweise. **10.** *sl. j-m* e-n Schlag ‚verpassen'. **11.** *Am. sl. j-n* ‚erleichtern' (for um *Geld*). **12.** *Fahrkarte etc* lochen. **II** *v/i* **13.** schneiden. **14.** *colloq.* ‚sausen', (da'hin)jagen. **III** *s* **15.** Schneiden *n*, Stutzen *n*, Scheren *n*. **16.** Haarschnitt *m*. **17.** Schur *f*. **18.** Wollertrag *m* (*e-r Schur*). **19.** Ausschnitt *m*. **20.** *pl* (Schaf)Schere *f*. **21.** heftiger Schlag. **22.** *bes. Am.* schnelle Gangart: to go at a good ~ ein scharfes Tempo gehen.

clip[2] [klip] **I** *v/t pret u. pp* **clipped** *od.* **clipt 1.** festhalten, mit festem Griff packen. **2.** befestigen, anklammern. **3.** *amer. Fußball*: *Gegner* (regelwidrig) von hinten zu Fall bringen. **4.** *obs. od. dial.* um'fassen, um'armen. **II** *s* **5.** (Heft-, Bü'ro- *etc*)Klammer *f*, Klipp *m*, Spange *f*. **6.** *tech.* a) Klammer *f*, Lasche *f*, b) Kluppe *f*, c) Schelle *f*, Bügel *m*. **7.** *electr.* Halterung *f*, Clip *m*. **8.** *mil.* a) Pa'tronenrahmen *m*, b) Ladestreifen *m*.

clip·per ['klipər] *s* **1.** (*Tier*)Scherer *m*. **2.** *meist pl* (*Nagel- etc*)Schere *f*, 'Haarschneidemaˌschine *f*. **3.** Renner *m*, schnelles Pferd. **4.** *mar.* Klipper *m* (*Schnellsegler*). **5.** *aer.* Klipper(flugzeug *n*) *m* (*für Überseeflüge*). **6.** *sl.* ‚tolle' Per'son *od.* Sache, 'Prachtexemˌplar *n*. ~ **cir·cuit** *s TV* Clipper *m*, Ampli'tudensepaˌrator *m*.

clip·ping ['klipiŋ] **I** *s* **1.** Scheren *n*, Stutzen *n*, (Be)Schneiden *n*. **2.** (Zeitungs)Ausschnitt *m*: ~ bureau *Am.* Zeitungsausschnittbüro *n*. **3.** *meist pl* Schnitzel *pl*, Abfälle *pl*. **II** *adj* **4.** schnell: a ~ pace ein scharfes Tempo. **5.** *sl.* ‚toll', erstklassig.

'**clip-ˌjoint** *s Am. sl.* 'Nepploˌkal *n*.

clip·pie ['klipi] *s Br. sl.* (Bus- *od.* Straßenbahn)Schaffnerin *f*.

clipt [klipt] *pret u. pp von* clip[2] I.

clique [kliːk; klik] *s* Clique *f*, Klüngel *m*. '**cli·quey**, '**cli·quish** → cliquy. '**cli·quism** *s* Cliquenwesen *n*. '**cli·quy** *adj* cliquenbildend, cliquenhaft.

cli·to·ris ['klaitəris; 'klit-] *s anat.* Klitoris *f*, Kitzler *m*.

clo·a·ca [klou'eikə] *pl* **-cae** [-siː] *s* **1.** Klo'ake *f*: a) 'Abzugskaˌnal *m*, Senkgrube *f*, b) *anat. zo. Endabschnitt des Darmkanals*, c) *fig.* mo'ralischer Sumpf, Pfuhl *m*. **2.** Abort *m*. **clo'a·cal** *adj* Kloaken..., klo'akenhaft.

cloak [klouk] **I** *s* **1.** (loser) Mantel, Cape *n*, 'Umhang *m*. **2.** *fig.* Deckmantel *m*: the ~ of secrecy der Schleier des Geheimnisses; under the ~ of unter dem Deckmantel *od.* Vorwand (*gen*), im Schutz (*der Nacht etc*). **3.** *zo.* Mantel *m* (*der Weichtiere*). **4.** *fig.* Decke *f*. **II** *v/t* **5.** (wie) mit e-m Mantel bedecken *od.* einhüllen. **6.** *fig.* bemänteln, verhüllen. '~**-and-'dagger** *adj* **1.** Verschwörung u. In'trige betreffend, Mantel- u. Degen...: ~ drama. **2.** Spionage... '~**-and-'sword** *adj* 'abenteuerlich-roˌmantisch: ~ play. '~ˌ**room** *s* **1.** Garde'robe(nraum *m*) *f*, Kleiderablage *f*. **2.** *Br. euphem.* Toi'lette *f*. **3.** *rail.* (Hand)Gepäckaufbewahrung *f*.

clob·ber[1] ['klɒbər] *s* **1.** Lederpaste *f*. **2.** *Br. sl.* ‚Kla'motten' *pl* (*Kleider*).

clob·ber[2] ['klɒbər] *v/t Am. sl.* a) ‚vermöbeln', verprügeln, b) zs.-schlagen, c) *fig.* ‚über'fahren' (*besiegen*).

cloche [klɒʃ; klouʃ; klɔːʃ] *s* **1.** Glasglocke *f* (*für Pflanzen*). **2.** Glocke *f* (*Damenhut*).

clock[1] [klɒk] **I** *s* **1.** (Wand-, Turm-, Stand)Uhr *f*: (a)round the ~ a) den ganzen Tag (über), vierundzwanzig Stunden (lang), b) ununterbrochen; five o'~ fünf Uhr; to know what o'~ it is a) wissen, wieviel Uhr es ist, b) *fig.* wissen, was die Glocke geschlagen hat; to put the ~ back, to turn back the ~ *fig.* das Rad zurückdrehen. **2.** *colloq.* a) Kon'troll-, Stoppuhr *f*, b) Fahrpreisanzeiger *m* (*Taxi*). **3.** *colloq.* Pusteblume *f* (*Fruchtstand des Löwenzahns*). **II** *v/t* **4.** *bes. sport* a) abstoppen, die Zeit (*e-s Läufers etc*) nehmen, b) *e-e Zeit* erreichen (for über *e-e Distanz*). **5.** *Arbeitszeit an der Stechuhr, Geschwindigkeit, Zahlen etc* regi'strieren. **III** *v/i* **6.** ~ in (out) den Arbeitsantritt (Arbeitsschluß) a) regi'strieren (*Uhr*), b) stechen *od.* stempeln (*Arbeiter*), die Kon'trolluhr pas'sieren.

clock[2] [klɒk] *s* eingewebte *od.* eingestickte Verzierung (*am Strumpf*).

clock| card *s* Stechkarte *f*. ~ **cy·cle** *s* Taktzyklus *m* (*e-r Rechenmaschine*). '~ˌ**face** *s* Zifferblatt *n*. ~ **gen·er·a·tor** *s Rechenmaschine*: 'Taktimˌpulsgeber *m*. ~ **hour** *s* volle Stunde. '~ˌ**mak·er** *s* Uhrmacher *m*. ~ **watch** *s* Taschenuhr *f* mit Schlagwerk. ~ **watch·er** *s Am. colloq.* Angestellter, der immer nach der Uhr schaut. '~ˌ**wise** *adj* im Uhrzeigersinn, rechtsläufig, Rechts...: ~ rotation. '~ˌ**work** *s* Uhr-, Räder-, Gehwerk *n* (*a. fig.*): ~ fuse *mil.* Uhrwerkszünder *m*; ~ toy Spielzeug *n* zum Aufziehen, mechanisches Spielzeug; like ~ a) wie am Schnürchen, wie geschmiert, b) (pünktlich) wie die Uhr.

clod [klɒd] *s* **1.** Klumpen *m*. **2.** Erdklumpen *m*, Scholle *f*. **3.** *fig.* Körper *m* (*Ggs. Seele*). **4.** *contp.* Tolpatsch *m*, Tölpel *m*. **5.** Teil *m*, *n* der Rindsschulter. '**clod·dish**, '**clod·dy** *adj* **1.** klumpig. **2.** *fig.* plump, klobig.

'**clod|ˌhop·per** *s* **1.** Bauerntölpel *m*. **2.** *pl* schwere, klobige Schuhe *pl*. '~ˌ**hop·ping** *adj* grob, klobig, ungeschlacht. '~ˌ**pate**, '~ˌ**pole**, '~ˌ**poll** *s* Dummkopf *m*.

cloff [klɒf] *s hist.* Gutgewicht *n* (*2 lbs je 3 Zentner*).

clog [klɒg] **I** *s* **1.** (Holz)Klotz *m*. **2.** *fig.* Hemmschuh *m*, Hemmnis *n*, Klotz *m* am Bein. **3.** fester Arbeitsschuh mit Holzsohle, Holzschuh *m*, Pan'tine *f*. **4.** *tech.* Verstopfung *f* (*e-r Maschine*). **5.** → clog dance. **II** *v/t* **6.** (be)hindern, hemmen, belasten. **7.** verstopfen. **8.** *Schuhe* mit Holzsohlen versehen. **III** *v/i* **9.** sich verstopfen. **10.** klumpig werden, sich zs.-ballen. ~ **dance** *s* Holzschuhtanz *m*.

cloi·son·né [*Br.* ˌklwɑzou'ne; *Am.* ˌklɔizə'nei] **I** *s a.* ~ enamel Cloison'né *n*, Goldzellenschmelz *m*. **II** *adj* Cloisonné...

clois·ter ['klɔistər] **I** *s* **1.** Kloster *n*. **2.** *arch.* a) Kreuzgang *m*, b) gedeckter (Säulen)Gang (*um e-n Hof*), Ar'kade *f*. **II** *v/t* **3.** in ein Kloster stecken. **4.** *fig.* (*a.* o.s. sich) von der Welt abschließen, einsperren. '**clois·tered** *adj* **1.** mit e-m Kreuzgang (versehen). **2.** *fig.* a) einsam, zu'rückgezogen, b) weltfremd.

clois·tral ['klɔistrəl] *adj* klösterlich, Kloster...

cloke → cloak.

clomb [kloum] *obs. od. dial. pret u. pp von* climb.

clon [klɒn; kloun], **clone** [kloun] *s bot.* Klon *m* (*nur vegetativ hervorgebrachte Nachkommenschaft e-r Pflanze*).

clon·ic ['klɒnik] *adj* klonisch. **clo·nus** ['klounəs] *s med.* Klonus *m*, klonischer Zuckkrampf.

cloot [kluːt] *s bes. Scot.* **1.** a) Zehe *f* (*e-s gespaltenen Hufes*), b) Huf *m*. **2.** C~s *pl* (*als sg konstruiert*) → Clootie. '**Cloot·ie** [-ti] *s Scot. od. dial.* (Ritter *m* mit dem) Pferdefuß *m*, Teufel *m*.

close [klous] **I** *adj* (*adv* → closely) **1.** ver-, geschlossen, (*nur pred*) zu.

2. eingeschlossen, um'geben. 3. zu'rückgezogen, abgeschieden. 4. verborgen, geheim. 5. dumpf, schwül, drückend: ~ atmosphere. 6. *fig.* verschlossen, -schwiegen, zu'rückhaltend. 7. geizig, knauserig, karg. 8. eng, knapp, beschränkt: money is ~ Geld ist knapp. 9. nicht zugänglich, nicht öffentlich, geschlossen. 10. dicht, fest: ~ texture. 11. eng, (dicht) gedrängt: ~ handwriting. 12. knapp, kurz, bündig: ~ style. 13. kurz (*Haar*). 14. eng (anliegend): ~ gown. 15. (wort)getreu, genau: ~ translation. 16. stark: ~ resemblance. 17. nah, dicht: ~ combat *mil.* Nahkampf *m*; ~ fight Handgemenge *n*, *weitS.* zähes Ringen, harter Kampf; ~ proximity nächste Nähe; → close quarters; ~ together dicht beieinander; ~ to (*pred*) a) nahe *od.* dicht bei, b) (*zeitlich*) dicht vor (*dat*), nahe (*dat*), c) *fig.* (*j-m*) nahestehend, vertraut mit, d) *fig.* eng verwandt *od.* verbunden mit; ~ to tears den Tränen nahe; a speed ~ to that of sound e-e Geschwindigkeit, die dicht an die Schallgeschwindigkeit herankommt. 18. eng, vertraut: ~ friends. 19. nah: ~ relatives. 20. *fig.* knapp: ~ escape; to be (have) a ~ shave (*Am.* call) → shave 11. 21. *fig.* scharf, hart, fast unentschieden *od.* gleichwertig: ~ game; ~ election knapper Wahlsieg; ~ finish scharfer Endkampf. 22. gespannt: ~ attention. 23. gründlich, eingehend, scharf, genau: ~ investigation; ~ observer scharfer Beobachter; ~ questioning strenges Verhör. 24. streng, scharf: ~ arrest strenge Haft; ~ prisoner streng bewachter Gefangener; in ~ custody unter scharfer Bewachung; to keep a ~ watch on scharf im Auge behalten (*acc*). 25. streng, logisch, lückenlos (*Beweisführung etc*): ~ reasoning. 26. *ling.* geschlossen: ~ sound; ~ syllable; → punctuation 1. 27. *mus.* eng: ~ harmony enger Satz.

II *adv* 28. eng, nahe, dicht: ~ by a) nahe dabei, b) nahe *od.* dicht bei, neben (*dat*); ~ at hand nahe bevorstehend; ~ on two hundred fast *od.* annähernd zweihundert; to fly ~ to the ground dicht am Boden fliegen; to come ~ to *fig.* dicht herankommen *od.* -reichen an (*acc*), fast ... sein; to cut ~ ganz kurz schneiden; to keep ~ in der Nähe bleiben; to lie (*od.* keep) ~ sich verborgen halten; to press s.o. ~ j-n hart bedrängen; to run s.o. ~ j-m fast gleichkommen; if you look ~r wenn du näher *od.* genauer hinsiehst.

III *s* [klouz] 29. (Ab)Schluß *m*, Ende *n*: to come (*od.* draw) to a ~ sich dem Ende nähern. 30. Schlußwort *n*. 31. Briefschluß *m*. 32. *mus.* Ka'denz *f*, Schluß(fall) *m*. 33. Handgemenge *n*, Kampf *m*. 34. *Br.* a) Einfriedung *f*, Hof *m* (*e-r Kirche, Schule etc*), b) Gehege *n*, c) *jur.* (eingefriedetes) Grundstück: breach of ~ widerrechtliches Betreten fremden Besitztums. 35. *Br.* (kurze, um'baute) Sackgasse. 36. *Scot.* 'Haus₍durchgang *m* zum Hof.

IV *v/t* [klouz] 37. (ab-, ver-, zu)schließen, zumachen: to ~ the door upon a) *j-n* abweisen, b) *etwas* unmöglich machen; to ~ the shop a) den Laden schließen, zumachen, b) das Geschäft aufgeben; → closed, eye 1, gap 6, mind 2, rank 7. 38. verstopfen: to ~ a hole. 39. *e-n Betrieb, die Schule etc* schließen. 40. *ein Gelände, e-e Straße* (ab)sperren: to ~ a road. 41. *die Hand* schließen, *die Faust* ballen. 42. *die Sicht* versperren: to ~ the view. 43. *electr. den Stromkreis* schließen. 44. *fig.* beenden, be-, abschließen: to ~ a career (debate, speech, war); to ~ the court *jur.* die Verhandlung schließen; to ~ an issue e-e (strittige) Sache erledigen; to ~ a procession e-n Zug beschließen; to ~ one's days s-e Tage beschließen (*sterben*). 45. *econ. ein Konto, e-e Rechnung* abschließen: to ~ an account; → book 9. 46. *e-n Handel, ein Geschäft* abschließen: to ~ a bargain. 47. *e-e Strecke* zu'rücklegen: to ~ a distance. 48. *mar.* näher her'angehen an (*acc*): to ~ the wind an den Wind gehen. 49. *econ. Am.* → close out 2.

V *v/i* 50. *allg.* sich schließen (*a. Lücke, Wunde etc*). 51. geschlossen werden. 52. schließen, zumachen: schools ~d for the holiday; the shop ~s at 5 o'clock. 53. enden, aufhören, zu Ende gehen. 54. schließen (with the words mit den Worten). 55. *Börse*: abschließen (at mit). 56. her'anrücken, sich nähern: to ~ (a)round (*od.* about) s.o. j-n einschließen, j-n umzingeln, j-n umgehen. 57. ~ with s.o. mit j-m (handels)einig werden, sich mit j-m einigen (on über *acc*). 58. ~ with s.o. mit j-m handgemein werden *od.* anein'andergeraten. 59. sich verringern (*Abstand, Strecke*): the distance ~d. 60. aufrücken (*Rennpferd*).

Verbindungen mit Adverbien:

close| down I *v/t* 1. *ein Geschäft etc* schließen, aufgeben, *e-n Betrieb* stillegen. II *v/i* 2. schließen, zumachen, stillgelegt werden. 3. *fig.* scharf vorgehen (on gegen): to ~ on gambling dens. ~ **in** *v/i* sich her'anarbeiten (on, upon an *acc*). ~ **out** *Am.* I *v/t* 1. ausschließen. 2. *econ. Waren etc* (im Ausverkauf *etc*) abstoßen, verkaufen. 3. außer Betrieb stellen, stillegen. 4. (plötzlich) beenden. II *v/i* 5. *econ.* e-n Ausverkauf machen. ~ **up** I *v/t* 1. → close 37—39. 2. *fig.* abschließen, beenden, erledigen. II *v/i* 3. → close down 2. 4. *mil. etc* die Reihen schließen.

'close|-'bod·ied ['klous-] *adj* eng anliegend (*Kleider*). ~ **bor·ough** *s Br. hist.* Wahlbezirk *m* mit eng begrenzter Zahl von Wahlberechtigten. ~ **col·umn** *s mil.* (auf)geschlossene 'Marschko₍lonne (*Fahrzeuge*). ~ **cor·po·ra·tion** *s* 1. *econ. Am.* (Aktien)Gesellschaft *f* mit geschlossenem Mitgliederkreis (*entspricht etwa der deutschen GmbH*). 2. geschlossene Korporati'on (*welche die in ihr freiwerdenden Stellen durch interne Wahl wieder besetzt*). 3. *fig.* exklu'siver Zirkel. '~-'**cropped** *adj* kurzgeschoren.

closed [klouzd] *adj* 1. geschlossen (*a. electr. tech. u. ling.*), *pred* zu: ~ circuit geschlossener Stromkreis, Ruhestromkreis *m*; ~ current *electr.* Ruhestrom *m*; to sit in ~ court *jur.* unter Ausschluß der Öffentlichkeit verhandeln. 2. ge-, versperrt: ~ to vehicles für Fahrzeuge gesperrt. 3. geheim: a ~ file. 4. geschlossen, exklu'siv: a ~ circle; ~ corporation → close corporation. 5. in sich geschlossen, au'tark: ~ economy. '~-'**cir·cuit tel·e·vi·sion** *s* 'Fernsehüber₍tragung *f* im Kurzschlußverfahren, *z. B.* Betriebsfernsehen *n*. ~ **ses·sion** *s pol.* Sitzung *f* unter Ausschluß der Öffentlichkeit. ~ **shop** *s econ.* gewerkschaftspflichtiger Betrieb.

'close|'fist·ed ['klous-] *adj* geizig, knauserig. ₍~'**fist·ed·ness** *s* Geiz *m*, Knause'rei *f*. ~ **fit** *s* 1. enge Paßform. 2. *tech.* Edelpassung *f*. '~-'**grained** *adj* feinkörnig (*Holz, Stein etc*). '~-'**hauled** *adj mar.* hart am Wind. ~ **in·ter·val** *s mil.* Tuchfühlung *f*. '~-₍**knit** *adj fig.* festgefügt, sta'bil. '~-'**lipped** *adj fig.* verschlossen, schweigsam.

close·ly ['klousli] *adv* 1. genau, eingehend. 2. scharf, streng. 3. fest, dicht, eng. 4. nah. 5. aus der Nähe.

'close'mouthed *adj* verschwiegen.

close·ness ['klousnis] *s* 1. Nähe *f*: ~ of relationship; ~ to life Lebensnähe. 2. Enge *f*, Knappheit *f*. 3. Festigkeit *f*, Dichtheit *f*, Dichte *f*. 4. Genauigkeit *f*. 5. Verschwiegenheit *f*, Verschlossenheit *f*. 6. Schwüle *f*, Stickigkeit *f*. 7. Schärfe *f*, Strenge *f*. 8. Geiz *m*.

close| or·der *s mil.* geschlossene Ordnung. '~-₍**out** *s a.* ~ sale Ausverkauf *m* wegen Geschäftsaufgabe. ~ **quar·ters** *s pl* 1. Nahkampf *m*, Handgemenge *n*: to come to ~ handgemein werden. 2. Beengtheit *f*, beengte Lage. 3. Nähe *f*, enger Kon'takt: at ~ in (*od.* aus) nächster Nähe.

clos·er ['klouzər] *s* 1. Schließer(in). 2. *tech.* Verschlußvorrichtung *f*. 3. *arch.* Schlußstein *m*, Kopfziegel *m*. 4. abschließende (Pro'gramm)Nummer.

'close|-'range *adj* aus nächster Nähe, Nah... ~ **schol·ar·ship** *s Br.* nur an bestimmte Kandi'daten erteiltes Sti'pendium. ~ **sea·son** → close time.

clos·et ['klɒzit] I *s* 1. (Wand-, Einbau-, Vorrats)Schrank *m*. 2. Kabi'nett *n*, Gelaß *n*, Kammer *f*, Geheimzimmer *n*: ~ drama, ~ play Lesedrama *n*. 3. ('Wasser)Klo₍sett *n*. II *adj* 4. pri'vat, vertraulich, geheim. 5. theo're'tisch, wirklichkeitsfern. III *v/t* 6. in e-n Raum (*zwecks Beratung etc*) einschließen: to be ~ed together with s.o. geheime Besprechungen führen mit j-m. 7. einschließen, verbergen.

close| time *s hunt.* Schonzeit *f*. '~-'**tongued** *adj* verschwiegen, vorsichtig (*im Sprechen*). '~-₍**up** *s* 1. *phot. Film*: Nah-, Großaufnahme *f*. 2. genaue Betrachtung, scharfes Bild.

clos·ing| date ['klouziŋ] *s* letzter Ter'min (for applicants für Bewerbungen). ~ **price** *s Börse*: 'Schlußno₍tierung *f*. ~ **scene** *s thea.* Schlußszene *f*. ~ **speech** *s jur.* 'Schlußplädo₍yer *n*. ~ **time** *s* Poli'zeistunde *f*, Geschäftsschluß *m*, Feierabend *m*.

clo·sure ['klouʒər] I *s* 1. (Zu-, Ver)Schließen *n*. 2. Schließung *f*, Stillegung *f* (*e-s Betriebs*). 3. Abgeschlossenheit *f*. 4. *tech.* Verschluß(vorrichtung *f*) *m*. 5. Schluß *m*, Beendigung *f* (*e-r Debatte etc*): to apply (*od.* move) the ~ *parl. Br.* den Antrag auf Schluß der Debatte (*mit anschließender Abstimmung*) stellen. II *v/t* 6. *parl. Br. e-e Debatte* zum Abschluß bringen.

clot [klɒt] I *s* 1. Klumpen *m*, Klümpchen *n*: ~ of blood, blood ~ *med.* Blutgerinnsel *n*. 2. Narr *m*. II *v/i* 3. gerinnen. 4. Klumpen bilden: → clotted.

cloth [klɒθ; klɔːθ] I *pl* **cloths** [-ðz; -θs] *s* 1. Tuch *n*, Gewebe *n*, (*engS.* Woll)Stoff *m*: American ~ (*Art*) Wachstuch; ~ of state Baldachin *m*, Thronhimmel *m*; → coat 1. 2. Tuch *n*, Lappen *m*. 3. (Tisch)Tuch *n*, Decke *f*: to lay the ~ den Tisch decken. 4. (*bes.* geistliche) Tracht: the ~ der geistliche Stand, die Geistlichkeit. 5. *mar.* a) Segeltuch *n*, b) Segel *pl*. 6. *pl thea.* Sof'fitten *pl*. 7. (Buchbinder)Leinwand *f*: bound in ~, ~-bound in Leinen (gebunden). **II** *adj* **8.** aus Tuch, *bes.* Leinen...: ~ **board** Leinwanddeckel *m* (*e-s Buches*); ~ **binding** Leinenband *m*.

clothe [klouð] *pret u. pp* **clothed** [klouðd] *od.* **clad** [klæd] *v/t* **1.** (an-, be)kleiden. **2.** einkleiden, mit Kleidern versehen. **3.** mit Stoff beziehen. **4.** *fig.* um'hüllen, einhüllen. **5.** *in Worte* kleiden, fassen.

clothes [klouðz] *s pl* **1.** Kleider *pl*, Kleidung *f*: **a suit of** ~ ein Anzug; **to change one's** ~ sich umziehen; **to put on one's** ~ sich ankleiden. **2.** (Leib)Wäsche *f*. **3.** *a.* **bed** ~ Bettwäsche *f*. '~-ˌ**bas·ket** *s* Wäschekorb *m*. '~ˌ**brush** *s* Kleiderbürste *f*. '~ˌ**horse** *s* Trockengestell *n* für Wäsche. '~ˌ**line** *s* Wäscheleine *f*. ~ **moth** *s zo.* **1.** Kleidermotte *f*. **2.** Pelzmotte *f*. ~ **peg** *bes. Br.*, '~ˌ**pin** *bes. Am. s* Wäscheklammer *f*. '~ˌ**press** *s* Kleider- *od.* Wäscheschrank *m*. ~ **tree** *s* Kleiderständer *m*.

cloth hall *s hist.* Tuchbörse *f*.

cloth·ier ['klouðiər; -jər] *s* 'Tuch-, 'Kleiderfabriˌkant *m od.* -händler *m*.

cloth·ing ['klouðiŋ] *s* **1.** (Be)Kleidung *f*: **article of** ~ Kleidungsstück *n*; ~ **industry** Bekleidungsindustrie *f*. **2.** Um'hüllung *f*, Hülle *f*, Decke *f*. **3.** *mar.* Segel *pl*, Take'lage *f*. ~ **store** *s Am.* (Herren)Bekleidungsgeschäft *n*. ~ **wool** *s* Kratz-, Streichwolle *f*.

cloth| pa·per *s* 'Glanzpaˌpier *n* (*zum Appretieren*). ~ **wheel** *s tech.* (*mit Tuch überzogenes*) Po'lier-, Schmirgelrad. '~ˌ**work·er** *s* Tuchmacher *m*, -wirker *m*. ~ **yard** *s hist.* Tuchelle *f*.

clot·ted ['klɒtid] *adj* **1.** geronnen. **2.** klumpig: ~ **cream** (*Art*) verdickte Sahne; ~ **hair** verklebtes *od.* verfilztes Haar. '**clot·ting** [-tiŋ] *s* **1.** *med.* (Blut)-Gerinnung *f*. **2.** Klumpenbildung *f*. '**clot·ty** *adj* klumpig.

clo·ture ['kloutʃər] *Am. für* **closure** 5 *u.* 6.

clou [klu] (*Fr.*) *s* Clou *m*, Höhepunkt *m*, Hauptsache *f*.

cloud [klaud] **I** *s* **1.** Wolke *f*: ~ **of dust** Staubwolke; **to be in the** ~**s** *fig.* in höheren Regionen schweben: a) in Gedanken vertieft sein, b) schwärmerisch veranlagt sein; → **silver lining**. **2.** Wolke *f*, Schwarm *m*, Haufe(n) *m*: **a** ~ **of insects**; ~ **of electrons** *phys.* Elektronenwolke, -schwarm; ~ **track** *phys.* Nebelspur *f*. **3.** Wolke *f* (*a. in Flüssigkeiten*), dunkler Fleck, Fehler *m* (*in Edelsteinen, Holz etc*). **4.** (dunkler) Fleck (*z. B. auf der Stirn e-s Pferdes*). **5.** *fig.* a) (drohende) Wolke: **the** ~**s of war**, b) Schatten *m*, Trübung *f*: **to cast a** ~ **on s.th.** e-n Schatten auf etwas werfen, etwas trüben; **under a** ~ a) unter dem Schatten e-s Verdachtes, in Verruf, b) in Ungnade; ~ **on title** (geltend gemachter) Fehler im Besitz. **II** *v/t* **6.** be-, um'wölken. **7.** *Glas etc, a. j-s Verstand, Urteil etc* trüben: **to** ~ **the issue** die Sache vernebeln *od.* unklar machen. **8.** *fig.* verdunkeln, trüben, e-n Schatten werfen auf (*acc*): **a** ~**ed future** e-e trübe Zukunft. **9.** *Ruf etc* beflecken. **10.** ädern, flecken. **11.** *tech.* a) *Seide* moi'rieren, b) *Stoff, a. Stahl* flammen. **III** *v/i a.* ~ **over 12.** sich bewölken. **13.** sich verdunkeln *od.* trüben, sich um'wölken (*a. fig.*). **14.** (sich) beschlagen (*Glas*). '~-ˌ**built** *adj fig.* phan'tastisch, nebelhaft. '~ˌ**burst** *s* Wolkenbruch *m*. '~-ˌ**capped** *adj* um'wölkt, mit e-r Wolkenhaube. ~ **cham·ber** *s phys.* Nebelkammer *f*. '**C~-ˌCuck·oo-'Land** *s* Wolken'kuckucksheim *n*. ~ **drift** *s* **1.** Wolkenzug *m*. **2.** *Verstäuben von Insektenvertilgungsmitteln vom Flugzeug aus.*

cloud·ed ['klaudid] *adj* **1.** be-, um'wölkt. **2.** trübe, wolkig. **3.** beschlagen (*Glas*). **4.** *fig.* a) düster, trübe, b) um'wölkt, getrübt (*Verstand etc*). **5.** → **cloudy** 3. **cloud·i·ness** ['klaudinis] *s* **1.** Bewölkung *f*, Trübheit *f*. **2.** *tech.* Trübung *f*, Schleier *m*. '**cloud·ing** *s* **1.** Wolkigkeit *f*. **2.** Wolken-, Moi'rémuster *n* (*auf Seidenstoff etc*). **3.** Um'wölkung *f*, Trübung *f* (*a. fig.*).

'**cloudˌland** *s* **1.** 'Wolkenregiˌon *f*. **2.** Traumland *n*, Wolken'kuckucksheim *n*. '**cloud·less** *adj* (*adv* ~**ly**) **1.** wolkenlos, klar. **2.** *fig.* ungetrübt. '**cloud·let** [-lit] *s* Wölkchen *n*.

cloud·y ['klaudi] *adj* (*adv* **cloudily**) **1.** wolkig, bewölkt. **2.** wolkenartig, Wolken... **3.** wolkig (*Edelstein etc*). **4.** moi'riert (*Stoff*). **5.** wolkig, trübe (*Flüssigkeit*). **6.** *fig.* düster, um'wölkt (*Stirn*). **7.** *fig.* nebelhaft, unklar.

clough [klʌf] *s dial.* Bergschlucht *f*.

clout [klaut] **I** *s* **1.** *colloq.* Schlag *m*, Hieb *m* (*a. Kricket etc*): ~ **on the head** Kopfnuß *f*. **2.** *Bogenschießen*: a) Zentrum *n* (*der Zielscheibe*), b) Treffer *m*. **3.** *obs. od. dial.* Lappen *m*. **II** *v/t* **4.** *colloq.* schlagen, *j-m* e-n Hieb versetzen. **5.** *Kricket etc*: *sl. den Ball* schlagen. ~ **nail** *s tech.* Schuhnagel *m*.

clove[1] [klouv] *s* **1.** (Gewürz)Nelke *f*. **2.** *bot.* Gewürznelkenbaum *m*.

clove[2] [klouv] *s bot.* **1.** Brut-, Nebenzwiebel *f* (*des Knoblauchs, Schnittlauchs etc*). **2.** Teilfrucht *f*.

clove[3] [klouv] *pret von* **cleave**[1].

clove[4] [klouv] *s Am. dial.* (Felsen)-Spalte *f*, Schlucht *f*.

clove hitch *s mar.* (*Art*) Schifferknoten *m*.

clo·ven ['klouvn] *adj* geteilt, gespalten. ~ **foot** *s irr* → **cloven hoof** 2. ~ **hoof** *s* **1.** *zo.* Huf *m* der Paarzeher. **2.** Pferdefuß *m* (*des Teufels*): **the** ~ *fig.* der (Ritter mit dem) Pferdefuß, der Teufel; **to show the** ~ den Pferdefuß (*od.* sein wahres Gesicht) zeigen. '~-'**hoofed** *adj* **1.** *zo.* paarzehig. **2.** mit e-m Pferdefuß, teuflisch.

clove pink *s* **1.** *bot.* (*e-e*) Gartennelke. **2.** Nelkenrot *n*.

clo·ver ['klouvər] *s bot.* Klee *m*, *bes.* Kopf-, Wiesenklee *m*: **to be** (*od.* **to live**) **in** ~ üppig leben, in der Wolle sitzen. '~ˌ**leaf** *s irr* **1.** Kleeblatt *n*. **2.** *mot.* Kleeblatt *n* (*Autobahnkreuzung*). '~-ˌ**leaf** *adj* kleeblattförmig: ~ **aerial** (*Am.* **antenna**) Kleeblattantenne *f*; ~ **intersection** → **cloverleaf** 2.

clown [klaun] **I** *s* **1.** Clown *m*, Hans'wurst *m*, Possenreißer *m*, Kasper *m* (*alle a. fig.*). **2.** Bauernlümmel *m*, Grobian *m*. **3.** *obs.* Bauer *m*. **II** *v/i* **4.** *oft* ~ **it** den Clown machen, sich wie ein Hans'wurst benehmen, kaspern. '**clown·er·y** [-əri] *s* **1.** Clowne'rie *f*, närrisches Benehmen. **2.** Posse *f*. '**clown·ish** *adj* (*adv* ~**ly**) **1.** bäurisch, plump, tölpelhaft. **2.** närrisch.

cloy [klɔi] **I** *v/t* **1.** über'sättigen, -'laden. **2.** anwidern. **II** *v/i* **3.** Über'sättigung verursachen. **4.** unangenehm werden. '**cloy·ing** *adj* unangenehm, widerlich.

club [klʌb] **I** *s* **1.** Keule *f*, Knüttel *m*, Prügel *m*. **2.** *sport* a) Schlagholz *n*, b) (Golf)Schläger *m*, c) → **Indian club**. **3.** Klumpen *m*, Knoten *m*. **4.** *hist.* Haarknoten *m* (*der Herren im 18. Jh.*). **5.** *zo.* keulenförmiger Fühler. **6.** a) Klub *m*, Verein *m*, Gesellschaft *f*: **sports** ~ Sportverein, b) → **clubhouse**. **7.** *Spielkarten*: a) Treff *n*, Kreuz *n*, Eichel *f*, b) Karte *f* der Treff- *od.* Kreuzfarbe, c) Treffansage *f*. **II** *v/t* **8.** mit e-r Keule *etc* schlagen: **to** ~ **a rifle** mit dem (Gewehr)Kolben dreinschlagen. **9.** *mil. Br.* Verwirrung stiften unter (*dat*). **10.** zs.-fassen, -ballen. **11.** vereinigen: **to** ~ **efforts** sich gemeinsam bemühen. **12.** sich teilen in (*acc*), gemeinsam aufkommen für (*Kosten*), *Geld etc* beisteuern *od.* zs.-legen. **III** *v/i* **13.** *meist* ~ **together** sich zs.-tun: a) e-n Verein *etc* bilden, b) (Geld) zs.-legen. **14.** sich zs.-ballen. **15.** *oft* ~ **down** *mar.* vor schleppendem Anker mit dem Strom treiben (*Schiff*). '**club·(b)a·ble** *adj colloq.* **1.** klubfähig. **2.** gesellig. **clubbed** [klʌbd] *adj* **1.** keulenförmig. **2.** klumpig, Klump... '**club·by** *adj colloq.* gesellig.

club| car *s rail. Am.* Sa'lonwagen *m*. ~ **chair** *s* Klubsessel *m*. ~ **com·pass** *s* Kolbenzirkel *m*. '~'**foot** *s irr med.* Klumpfuß *m*. '~'**foot·ed** *adj* klumpfüßig. ~ **grass** → **club rush** 2. '~ˌ**house** *s* Klub(haus *n*) *m*, Vereinshaus *n*. '~ˌ**land** *s* Klubviertel *n* (*bes. in London*). ~ **law** *s* Faustrecht *n*. '~·**man** [-mən] *s irr* **1.** Klubmitglied *n*. **2.** Klubmensch *m*. '~·**moˌbile** [-məˌbiːl] *s* Erfrischungswagen *m*, -fahrzeug *n* (*für Arbeiter etc*). ~ **moss** *s bot.* Bärlapp *m*. ~ **rush** *s bot.* **1.** Simse *f*. **2.** Breitblättriger Rohrkolben. ~ **sand·wich** *s Am.* Sandwich *n* (*meist aus drei Lagen Toast, kaltem Geflügel, grünem Salat u. Mayonnaise bestehend*). ~ **steak** *s* Lendenstück *n*. ~ **swing·ing** *s Gymnastik*: Keulenschwingen *n*.

cluck [klʌk] **I** *v/i* **1.** gluck(s)en. **2.** schnalzen. **3.** ~ **over** *fig.* Inter'esse an (*dat*) *od.* Besorgnis über (*acc*) äußern. **II** *v/t* **4.** gluckend locken (*Henne*). **5.** **to** ~ **one's tongue** mit der Zunge schnalzen. **III** *s* **6.** Glucken *n* (*Henne*). **7.** Schnalzen *n*, Klicken *n*.

clue [kluː] *s* **1.** *fig.* Anhaltspunkt *m*, Fingerzeig *m*, Spur *f*. **2.** *fig.* Schlüssel *m* (*zu e-m Rätsel etc*): **I haven't a** ~ *colloq.* ich habe keinen Schimmer. **3.** Faden *m* (*e-r Erzählung etc*). **4.** → **clew** 1, 3, 4.

clum·ber (span·iel) ['klʌmbər] *s zo.* kurzbeiniger, kräftiger Spaniel.

clump [klʌmp] **I** *s* **1.** Büschel *n*. **2.** (*bes. Baum- od. Häuser*)Gruppe *f*: **a** ~ **of trees**. **3.** (Holz)Klotz *m*, (*Erd- etc*)-Klumpen *m*. **4.** Haufen *m*, Masse *f*. **5.** Zs.-ballung *f*. **6.** Trampeln *n*, schwerer Tritt. **7.** Doppelsohle *f*. **8.** wuchtiger Schlag. **9.** *pl* Frage- u. Antwortspiel *n*. **II** *v/i* **10.** trampeln, schwerfällig gehen. **11.** sich zs.-ballen. **III** *v/t* **12.** zs.-ballen, aufhäufen. **13.** mit Doppelsohlen versehen. **14.** e-n wuchtigen Schlag versetzen (*dat*).

clum·si·ness ['klʌmzinis] *s* **1.** Ungeschick(lichkeit *f*) *n*, Unbeholfenheit *f*, Schwerfälligkeit *f*. **2.** Taktlosigkeit *f*. **3.** Plumpheit *f*, Unförmigkeit *f*. '**clum·sy** *adj* (*adv* **clumsily**) *allg.* plump: a) ungeschickt, unbeholfen: ~ **hands**; **a** ~ **worker**; **a** ~ **excuse**, b) schwerfällig: **a** ~ **man**; **a** ~ **style**, c) taktlos: **a** ~ **joke**, d) unförmig.

clung [klʌŋ] *pret u. pp von* **cling**.

Clu·ni·ac ['kluːniˌæk] *relig.* **I** *s* Klunia'zenser *m*. **II** *adj* klunia'zensisch.

Clu·ny lace ['kluːni] *s* Clu'nyspitze *f*.

clu·pe·id ['kluːpiid] *s ichth.* Hering(sfisch) *m*. '**clu·peˌoid I** *adj* heringsartig. **II** *s* heringsartiger Fisch.

clus·ter ['klʌstər] **I** *s* **1.** *bot.* Büschel *n*, Traube *f*: **a** ~ **of grapes** e-e Weintraube. **2.** Haufen *m*, Menge *f*, Schwarm *m*, Anhäufung *f*, Gruppe *f*:

a ~ of bees ein Bienenschwarm; a ~ of trees e-e Baumgruppe. 3. *astr.* Sternhaufen *m.* 4. *a. tech.* traubenförmige Anordnung, Bündel *n* (*von Bomben, Lampen etc*). 5. *mil. Am.* Spange *f* (*am Ordensband*). **II** *v/i* 6. e-e Gruppe *od.* Gruppen bilden, sich versammeln *od.* scharen *od.* drängen (round um). 7. trauben- *od.* büschelartig wachsen, sich ranken (round um). 8. sich (zs.-)ballen (*Schnee*). **III** *v/t* 9. in Büscheln sammeln, häufen, bündeln. 10. mit Büscheln *etc* bedecken. **'clus·tered** *adj* 1. büschel- *od.* traubenförmig, gebündelt. 2. mit Büscheln bedeckt.

clus·ter| gear *s tech.* Stufenzahnrad *n*, -getriebe *n.* ~ **pine** *s bot.* Strandkiefer *f.*

clutch[1] [klʌtʃ] **I** *v/t* 1. packen, (er)greifen. 2. um'klammern, -'krampfen, krampfhaft festhalten: to ~ to one's breast an die Brust pressen. 3. *a. fig.* an sich reißen. 4. *tech.* kuppeln. **II** *v/i* 5. ~ at (heftig *od.* gierig) greifen nach. **III** *s* 6. (krampfhafter *od.* gieriger) Griff: to make a ~ at → 5. 7. a) *zo.* Klaue *f*, Kralle *f* (*beide a. fig.*), b) *fig.* Hand *f*, Gewalt *f*: in s.o.'s ~es in j-s Klauen *od.* Gewalt; in the ~es of passion in den Fängen der Leidenschaft. 8. *tech.* a) Greifer *m*, Klaue *f*, b) Kupplungshebel *m*, c) (Ausrück-, Schalt)Kupplung *f*: to let in (*od.* engage) the ~ einkuppeln.

clutch[2] [klʌtʃ] *s* 1. Brut *f* (*junger Hühner*). 2. Nest *n* (*mit Eiern*), Gelege *n.*

clutch| cou·pling *s* 1. schaltbare Klauenkupplung. 2. Kupplungsgelenk *n.* ~ **disk** *s* Kupplungsscheibe *f.* ~ **fac·ing,** ~ **lin·ing** *s* Kupplungsbelag *m.* ~ **ped·al** *s* 'Kupplungspe,dal *n.*

clut·ter ['klʌtər] *Br. dial. od. Am.* **I** *v/t* 1. *a.* ~ up (unordentlich) vollstopfen, über'häufen, verunzieren. 2. durchein'anderwerfen, um'herstreuen. **II** *v/i* 3. (wirr) durchein'anderlaufen. **III** *s* 4. Wirrwarr *m*, Durchein'ander *n.* 5. Unordnung *f.* 6. *Radar*: Störungszeichen *n.* 7. Lärm *m.*

Clydes·dale ['klaidz,deil] *s e-e Rasse schwerer schottischer Zugpferde.* ~ **ter·ri·er** *s* Seidenpinscher *m.*

clyp·e·ate ['klipi,eit], **'clyp·e·i,form** [-i,fɔːrm] *adj biol.* schildförmig. **'clyp·e·us** [-əs] *pl* **-e·i** [-,ai] *s zo.* Kopfschild *m* (*der Insekten*).

clys·ter ['klistər] *med.* **I** *s* Kli'stier *n*, Einlauf *m.* **II** *v/t j-m* e-n Einlauf geben.

coach [koutʃ] **I** *s* 1. (*große, geschlossene*) Kutsche: ~ and four Vierspänner *m.* 2. *rail. Br.* (Per'sonen)Wagen *m.* 3. (Auto)Bus *m*, (*bes.* Reise)Omnibus *m.* 4. *Am.* geschlossenes Auto, Limou'sine *f* (*meist mit zwei Türen*). 5. *mot.* Karosse'rie *f.* 6. Einpauker *m*, Nachhilfe-, Hauslehrer *m.* 7. *sport* Trainer *m*: football ~. 8. *fig.* Lehrmeister *m.* 9. *Am.* kurzer Leitfaden. **II** *v/t* 10. *j-m* 'Nachhilfe,unterricht geben: to ~ s.o. in s.th. j-m etwas einpauken, j-n in e-e Sache einarbeiten. 11. *j-m* Anweisungen geben, *j-n* instru'ieren. 12. *sport* trai'nieren. **III** *v/i* 13. in e-r Kutsche reisen, kut'schieren. 14. 'Nachhilfe,unterricht geben (*dat*) *od.* haben (with bei). ~ **box** *s* Kutschbock *m*, Kutschersitz *m.* **'~-,build·er** *s* 1. Stellmacher *m.* 2. *mot. Br.* Karosse'riebauer *m.* ~ **dog** *s zo.* Dalma'tiner *m.*

coach·ee [kou'tʃiː] *s* Kutscher *m.*

coach·er ['koutʃər] *s* 1. Einpauker *m.* 2. *sport* Trainer *m.* 3. Kutschpferd *n.*

'coach|,fel·low *s* 1. Pferd *n* e-s Gespanns. 2. Gefährte *m.* ~ **horse** *s* Kutschpferd *n.* ~ **house** *s* Wagenschuppen *m.*

coach·ing ['koutʃiŋ] *s* 1. 'Nachhilfe,unterricht *m*, Einpauken *n.* 2. Unter'weisung *f*, Anleitung *f.*

'coach|·man [-mən] *s irr* 1. Kutscher *m.* 2. *Angeln*: Kutscher *m* (*künstliche Fliege*). **'~,whip** *s* 1. Kutscherpeitsche *f.* 2. *zo.* Peitschenschlange *f.* **'~,work** *s mot.* Karosse'rie *f.*

co·ac·tion [kou'ækʃən] *s* 1. Zs.-wirken *n.* 2. Zwang *m.* **co'ac·tive** *adj* 1. zs.-wirkend. 2. zwingend.

co·ad·ju·tor [kou'ædʒutər] *s* 1. Gehilfe *m*, Assi'stent *m.* 2. *relig.* Koad'jutor *m* (*e-s Bischofs*).

co·ag·u·la·ble [kou'ægjuləbl] *adj* gerinnbar. **co'ag·u·lant** *s* Gerinnungsmittel *n.* **co'ag·u,late** [-,leit] **I** *v/i* gerinnen, koagu'lieren. **II** *v/t* gerinnen lassen. **co,ag·u'la·tion** *s* 1. Gerinnen *n*, Koagulati'on *f.* 2. Flockenbildung *f.* **co'ag·u,la·tive** *adj* Gerinnen verursachend. **co'ag·u·lum** [-ləm] *pl* **-la** [-lə] *s* 1. geronnene Masse, Gerinnsel *n.* 2. Blutgerinnsel *n*, -klumpen *m.*

coal [koul] **I** *s* 1. *min.* a) Kohle *f*, b) *engS.* Steinkohle *f*, c) (*ein*) Stück *n* Kohle. 2. Holzkohle *f.* 3. (glühendes) Stück Kohle *od.* Holz. 4. *pl Br.* Kohle *f*, Kohlen *pl*, Kohlenvorrat *m*: to lay in ~s sich mit Kohlen eindecken; to carry (*od.* send) ~s to Newcastle *fig.* Eulen nach Athen tragen; to haul (*od.* drag) s.o. over the ~s *fig.* j-m die Hölle heiß machen; to heap ~s of fire on s.o.'s head *fig.* feurige Kohlen auf j-s Haupt sammeln. 5. *chem.* Schlacke *f.* **II** *v/t* 6. zu Kohle brennen. 7. *mar. rail.* bekohlen, mit Kohle versorgen. **III** *v/i* 8. *mar. rail.* Kohle einnehmen, bunkern. **C~ and Steel Com·mu·ni·ty** *s econ.* Mon'tanuni,on *f.* ~ **bed** *s geol.* Kohlenflöz *n.* **'~,bin** *s* 1. Verschlag *m* (*im Keller*) für Kohlen. 2. *tech.* Kohlenbunker *m.* **'~-,black** *adj* kohlschwarz. ~ **black·ing** *s* schwarzer Eisenlack. ~ **brass** *s geol.* Schwefelkiesminen *pl.*

coal·er ['koulər] *s* 'Kohlenschlepper *m*, -wag,gon *m*, -zug *m.*

co·a·lesce [,kouə'les] *v/i* verschmelzen, zs.-wachsen, sich vereinigen *od.* verbinden (*alle a. fig.*). **,co·a'les·cence** *s* Verschmelzung *f*, Vereinigung *f.* **,co·a'les·cent** *adj* verschmelzend.

'coal|-,fac·tor *s Br.* Kohlenhändler *m.* ~ **field** *s* 'Kohlenre,vier *n.* **'~,fish** *s ichth.* 1. Köhler *m.* 2. Kerzenfisch *m.* ~ **flap** *s Br.* (*in den Gehsteig eingelassene*) Deckplatte des Kohlenschachts. ~ **gas** *s* 1. Kohlengas *n.* 2. Leuchtgas *n.* ~ **heav·er** *s* Kohlenträger *m.*

coal·ing sta·tion ['kouliŋ] *s mar.* 'Bunker-, 'Kohlenstati,on *f.*

co·a·li·tion [,kouə'liʃən] *s* Koaliti'on *f*, Bündnis *n*, Zs.-schluß *m*, Vereinigung *f*: ~ government Koalitionsregierung *f.* **,co·a'li·tion·ist** *s* Koalitio'nist *m.*

coal| mas·ter *s* Besitzer *m od.* Pächter *m* e-s Steinkohlenbergwerks. ~ **measures** *s pl geol.* Kohlengebirge *n.* ~ **mine** *s* Kohlenbergwerk *n*, Kohlengrube *f*, -zeche *f.* ~ **min·er** *s* Grubenarbeiter *m*, Bergmann *m*, -arbeiter *m.* ~ **min·ing** *s* Kohlenbergbau *m.* **'~-,mouse** *s irr orn.* Tannenmeise *f.* ~ **oil** *s Am.* Pe'troleum *n.* ~ **own·er** → coal master. **'~,pit** *s* 1. Kohlengrube *f.* 2. *Am.* Holzkohlenmeiler *m.* ~ **plant** *s geol.* Pflanzenabdruck *m* in Steinkohlen. **'~-,plate** → coal flap. ~ **screen** *s* Kohlensieb *n.* ~ **scut·tle** *s* Kohleneimer *m*, -behälter *m*, -kiste *f.* ~ **seam** *s geol.* Kohlenflöz *n.* ~ **tar** *s* Steinkohlenteer *m.* ~ **tit(·mouse)** → coalmouse. ~ **wharf** *s* Bunkerkai *m.*

coam·ing ['koumiŋ] *s meist pl mar.* Süll *n*, Lukenkimming *f.*

co·ap·ta·tion [,kouæp'teiʃən] *s* 1. Zs.-passen *n* (*von Teilen*). 2. *med.* Einrichten *n* (*gebrochener Knochenteile*).

coarse [kɔːrs] *adj* (*adv* ~ly) 1. *allg.* grob: a) rauh: ~ skin; ~ linen Grobleinwand *f*; ~ fare grobe *od.* einfache Kost, b) grobkörnig: ~ sand; ~ bread Schrotbrot *n*; ~ fodder *agr.* Rauhfutter *n*, c) derb: ~ face. 2. grob, ungenau: ~ adjustment *tech.* Grobeinstellung *f.* 3. *fig.* grob, derb, roh, ungehobelt: a ~ fellow; ~ language; ~ manners. 4. gemein, unanständig. 5. *tech.* steil-, grobgängig (*Gewinde*). **'~-'grained** *adj* 1. grobkörnig. 2. *fig.* rauh, ungehobelt.

coars·en ['kɔːrsn] **I** *v/t* grob machen, vergröbern (*a. fig.*). **II** *v/i* grob werden, sich vergröbern. **'coarse·ness** *s* 1. Grobheit *f*, grobe Quali'tät. 2. *fig.* a) Grob-, Derbheit *f*, b) Gemeinheit *f*, Unanständigkeit *f.*

coast [koust] **I** *s* 1. Küste *f*, Gestade *n*, Meeresufer *n*: the ~ is clear *fig.* die Luft ist rein, die Bahn ist frei. 2. Küstenlandstrich *m.* 3. the C~ *Am.* die (Pa'zifik)Küste. 4. *Am.* a) Rodelbahn *f*, b) (Rodel)Abfahrt *f.* **II** *v/i* 5. *mar.* a) die Küste entlangfahren, b) Küstenschiffahrt treiben. 6. *Am. od. Canad.* rodeln. 7. *mit e-m Fahrzeug* (berg'ab) rollen, im Leerlauf (*Auto*) *od.* im Freilauf (*Fahrrad*) fahren. 8. *tech.* leerlaufen (*Maschine, Motor*). 9. sich ohne Anstrengung (*unter Ausnutzung e-s Schwungs*) fortbewegen. 10. ~ on *sl.* ,reisen' auf (*e-n Trick etc*). **III** *v/t* 11. an der Küste entlangfahren von (*od. gen*). **'coast·al** *adj* Küsten...

coast ar·til·ler·y *s mil. Am.* 'Küstenartille,rie *f.*

coast·er ['koustər] *s* 1. *mar.* a) Küstenfahrer *m* (*bes. Schiff*), b) Küstenfahrzeug, das nur Inlandshäfen anläuft. 2. Küstenbewohner(in). 3. *Am.* (Rodel)Schlitten *m.* 4. Berg- u. Talbahn *f* (*im Vergnügungspark*). 5. Ta'blett *n*, *bes.* Ser'viertischchen *n.* 6. 'Untersatz *m* (*für Gläser etc*). 7. Fußstütze *f* (*an der Vordergabel des Fahrrads*). ~ **brake** *s* Rücktrittbremse *f.*

coast guard *s* 1. *Br.* Küstenwache *f* (*a. mil.*), Küstenzollwache *f.* 2. C~ G~ *Am.* (staatlicher) Küstenwach- u. Rettungsdienst. 3. Angehörige(r) *m* der Küsten(zoll)wache *od.* des Küstenwachdienstes, Küstenwächter *m.*

coast·ing ['koustiŋ] *s* 1. Küstenschiffahrt *f.* 2. *Am.* Rodeln *n.* 3. Berg'abfahren *n* (*ohne Arbeitsleistung, im Freilauf od. bei abgestelltem Motor*). ~ **trade** *s* Küstenhandel *m.*

coast| line *s* Küstenlinie *f*, -strich *m.* **'~,wait·er** *s Br.* Beamte(r) *m* der Zollaufsicht über den Küstenhandel. **'~,wise I** *adv* 1. an der Küste entlang, längs der Küste. **II** *adj* Küsten...

coat [kout] **I** *s* 1. Rock *m*, Jacke *f*, Jac'kett *n* (*des Herrenanzugs*): to cut one's ~ according to one's cloth sich nach der Decke strecken; to wear the king's ~ *fig. hist.* des Königs Rock tragen, Soldat sein. 2. Mantel *m*: to turn one's ~ *fig.* sein Mäntelchen nach dem Wind hängen; → trail 1. 3. Damenjacke *f*: ~ and skirt (Schneider-)Kostüm *n.* 4. *meist pl Br. dial.* a) 'Unterrock *m*, b) Frauenrock *m.* 5. *zo.* a) Pelz *m*, Fell *n*, b) Haut *f*, c) Gefieder *n.* 6. Haut *f*, Schale *f*, Hülle *f.*

7. (*Farb-, Metall- etc*)'Überzug *m*, Anstrich *m*, Schicht *f*, (Gips)Bewurf *m*: to apply a second ~ of paint e-n zweiten Anstrich auftragen. **8.** → coat of arms. **II** *v/t* **9.** mit e-m Mantel *od.* e-r Jacke bekleiden. **10.** mit e-m 'Überzug (*von Farbe etc*) versehen, (an)streichen, über'streichen, -'ziehen: to ~ with silver mit Silber plattieren. **11.** bedecken, um'hüllen, um'geben (with mit). ~ **ar·mor,** *bes. Br.* ~ **ar·mour** *s* **1.** Fa'milienwappen *n*. **2.** *obs. für* coat of arms. ~ **dress** *s* Mantelkleid *n*.

coat·ed ['koutid] *adj* **1.** (*a. in Zssgn*) mit e-m (...) Rock *od.* Mantel bekleidet, ...röckig: black-~ schwarz gekleidet, schwarzröckig; rough-~ dog rauhhaariger Hund. **2.** (mit ...) über'zogen *od.* gestrichen *od.* bedeckt: sugar-~ mit Zuckerüberzug; ~ tablet Dragée *n*. **3.** *tech.* a) gestrichen: ~ paper, b) imprä'gniert: ~ fabric. **4.** *med.* belegt (*Zunge*).

coat·ee [kou'tiː] *s* enganliegender, kurzer (*bes.* Waffen-, Uni'form)Rock.

coat hang·er *s* Kleiderbügel *m*.

co·a·ti [kou'ɑːti] *s zo.* Nasenbär *m*.

coat·ing ['koutiŋ] *s* **1.** Mantelstoff *m*, -tuch *n*. **2.** *tech.* → coat 7. **3.** *tech.* a) Futter *n*, b) Beschlag *m*.

coat| of arms *s* Wappen(schild *m od. n*) *n*. ~ **of mail** *s* Harnisch *m*, Panzer(hemd *n*) *m*. '~-ˌ**style** *adj* Rock..., 'durchgeknöpft (*Hemd*). '~-ˌ**tail** *s* Rockschoß *m*.

co-au·thor [kou'ɔːθər] *s* Mitautor *m*.

coax [kouks] **I** *v/t* **1.** (*durch Schmeicheln*) über'reden, beschwatzen, bewegen (s.o. to do *od.* into doing s.th. j-n zu etwas), *j-m* gut *od.* schmeichelnd zureden. **2.** sich erschmeicheln: to ~ s.th. out of s.o. j-m etwas abschwatzen. **3.** *etwas* ganz vorsichtig *od.* mit Gefühl *in e-n bestimmten Zustand* bringen: he ~ed the fire to burn ‚mit Geduld u. Spucke' brachte er das Feuer in Gang. **4.** *obs.* schmeicheln (*dat*), liebkosen. **II** *v/i* **5.** schmeicheln, Über'redungskunst anwenden: ~ing schmeichelnd, überredend.

co·ax·al [kou'æksəl] → coaxial.

coax·er ['kouksər] *s* Schmeichler(in), Über'redungskünstler(in).

co·ax·i·al [kou'æksiəl] *adj math. tech.* koaxi'al, kon'zentrisch.

cob[1] [kɒb] *s* **1.** *zo.* männlicher Schwan. **2.** kleines, gedrungenes Pferd. **3.** *Am.* Pferd *n* mit außergewöhnlich hohem Tritt. **4.** Klumpen *m*, Stück *n* (*Kohle etc*). **5.** Maiskolben *m*. **6.** *Br.* 'Baumateriˌal *n* für Wellerbau, Strohlehm *m*. **7.** *dial.* → a) cobloaf, b) cobnut. **8.** *obs. od. dial.* bedeutender Mann.

cob[2] [kɒb] *s orn.* (*e-e*) Seemöwe, *bes.* Mantelmöwe *f*.

co·balt ['koubɔːlt; ko'bɔːlt] *s* **1.** *chem. min.* Kobalt *m*: ~-60 Kobalt ^{60}Co (*künstlich erzeugtes radioaktives Isotop*); ~ bomb Kobaltbombe *f*. **2.** → cobalt blue. ~ **blue** *s* **1.** Kobaltblau *n*. **2.** Schmalt *m*, Schmelzblau *n*.

co·bal·tic [ko'bɔːltik], **co·balt·if·er·ous** [ˌkoubɔːl'tifərəs] *adj* kobalthaltig.

co·bal·tite [ko'bɔːltait; 'koubɔːlˌtait] *s min.* Kobaltglanz *m*.

cob·ble[1] ['kɒbl] **I** *s* **1.** Kopfstein *m*, runder Pflasterstein. **2.** *pl* Kopfsteinpflaster *n*. **3.** *pl* → cob coal. **4.** Klumpen *m* Abfalleisen. **II** *v/t* **5.** mit Kopfsteinen pflastern.

cob·ble[2] ['kɒbl] **I** *v/t* **1.** roh (zs.-)flicken. **2.** zs.-pfuschen, -schustern. **II** *v/i* **3.** Schuhe flicken.

cob·bler ['kɒblər] *s* **1.** (Flick)Schuster *m*. **2.** *fig.* Pfuscher *m*, Stümper *m*. **3.** *Am.* Cobbler *m* (*Bargetränk aus Wein, Früchten, Zucker etc*). **4.** *Am.* 'Fruchtpaˌstete *f*.

'cob·blerˌfish *s ichth.* (*e-e*) 'Stachelmaˌkrele.

'cob·bleˌstone → cobble[1] 1.

cob coal *s* Nuß-, Stückkohle *f*.

Cob·den·ism ['kɒbdəˌnizəm] *s econ.* Manchestertum *n*, Freihandelslehre *f*.

co·bel·lig·er·ent [ˌkoubə'lidʒərənt] **I** *s* mitkriegführender Staat (*ohne Bestehen e-s Bündnisvertrages*). **II** *adj* mitkriegführend.

co·ble ['koubl; 'kɒbl] *s* flaches Boot.

'cob|ˌloaf *s irr* rundes Brot, runder Laib Brot. '~ˌ**nut** *s* **1.** *bot.* Haselnuß *f*. **2.** *ein Kinderspiel mit an Schnüren befestigten Nüssen.*

co·bra ['koubrə] *s zo.* **1.** Kobra *f*: a) (*e-e*) Hutschlange, b) → cobra de capello. **2.** Mamba *f*. ~ **de ca·pel·lo** [diː kə'pelou] *s zo.* Indische Brillenschlange, Kobra *f*.

cob swan *s* männlicher Schwan.

co·burg ['kouˌbəːrg] *s ein dünner Kleiderstoff aus Kammgarn mit Baumwolle od. Seide.*

'cobˌweb *s* **1.** Spinn(en)gewebe *n*, Spinnwebe *f*. **2.** Spinnenfaden *m*. **3.** feines, zartes Gewebe (*a. fig.*). **4.** Hirngespinst *n*: to blow away the ~s sich e-n klaren Kopf schaffen. **5.** *fig.* Netz *n*, Schlinge *f*: the ~s of the law die Tücken des Gesetzes. **6.** *fig.* (alter) Staub. **'cobˌwebbed** *adj* voller Spinnweben. **'cobˌweb·by** *adj* **1.** spinnwebartig, zart. **2.** → cobwebbed.

co·ca ['koukə] *s* **1.** *bot.* (*e-e*) Koka. **2.** getrocknete Kokablätter *pl*.

co·cain(e) [ko'kein; 'koukein] *s chem.* Koka'in *n*.

co·cain·ism [ko'keinizəm] *s med.* **1.** Koka'invergiftung *f*. **2.** Koka'insucht *f*.

co'cain·ize *v/t med.* kokaini'sieren, mit Koka'inlösung betäuben.

coc·cid ['kɒksid] *s zo.* Schildlaus *f*.

coc·coid ['kɒkɔid] *adj bot. med.* kokkenähnlich.

coc·cous ['kɒkəs] *adj bot.* aus Kokken bestehend.

coc·cus ['kɒkəs] *pl* **-ci** ['kɒksai] *s* **1.** *med.* (Mikro)Kokkus *m*, Kokke *f*, 'Kugelbakˌterie *f*. **2.** *bot.* a) Kokke *f* (*runde Teilfrucht*), b) Sporenmutterzelle *f*.

coc·cyg·e·al [kɒk'sidʒiəl] *adj anat.* Steißbein...: ~ bone → coccyx 1.

coc·cyx ['kɒksiks] *pl* **-cy·ges** [-'saidʒiːz] *s* **1.** *anat.* Steißbein *n*. **2.** *zo.* Schwanzfortsatz *m*.

Co·chin, c~ ['koutʃin; 'kɒtʃin], *a.* **'Co·chin-'Chi·na, 'c~-'c~** *s orn.* Kotschin'chinahuhn *n*.

coch·i·neal [ˌkɒtʃi'niːl] *s* **1.** Kosche'nille(farbe *f*, -rot *n*) *f*. **2.** *a.* ~ insect *zo.* Kosche'nille(schildlaus) *f*.

coch·le·a ['kɒkliə] *pl* **-le·ae** [-liˌiː] *s anat.* Cochlea *f*, Schnecke *f* (*im Ohr*).

cock[1] [kɒk] **I** *s* **1.** *orn.* Hahn *m*: ~ of the north Bergfink *m*; ~ of the wood Schopfspecht *m*; old ~! *Br. colloq.* alter Knabe!; that ~ won't fight *vulg.* so geht das nicht. **2.** Männchen *n*, Hähnchen *n* (*von Vögeln außer Hühnern*). **3.** a) Hahnenschrei *m*, b) Zeit *f* des ersten Hahnenschreis. **4.** Turm-, Wetterhahn *m*. **5.** (An)Führer *m*: ~ of the school Erste(r) *m od.* Anführer unter den Schülern; ~ of the walk (*od.* roost) Hahn *m* im Korbe. **6.** *tech.* (Absperr-, Wasser-, Gas)Hahn *m*. **7.** a) (Gewehr-, Pi'stolen)Hahn *m*, b) Hahnstellung *f*: at full ~ mit gespanntem Hahn; at half ~ mit Hahn in Ruh; → half-cock. **8.** *sport* Ziel *n* (*beim Eisschießen*). **9.** a) (vielsagendes *od.* verächtliches) (Augen)Zwinkern, b) Hochtragen *n* (*des Kopfes, der Nase*), c) keckes Schiefsetzen (*des Hutes*): to give one's hat a saucy ~ s-n Hut keck aufs Ohr setzen, d) Spitzen *n* (*der Ohren*), e) Aufrichten *n* (*des Schweifs*). **10.** aufgebogene Hutkrempe. **11.** *tech.* Unruhscheibe *f* (*der Uhr*). **12.** *vulg.* Penis *m*. **II** *v/t* **13.** *den Gewehrhahn* spannen. **14.** *bes. den Kopf* (*herausfordernd, vielsagend etc*) aufrichten *od.* schiefstellen: to ~ (up) one's head; to ~ one's ears die Ohren spitzen; to ~ one's eye at s.o. j-n vielsagend *od.* verächtlich ansehen; to ~ one's hat den Hut schief aufsetzen; → snook. **15.** *Hutkrempe* aufrichten. **III** *v/i* **16.** *obs.* ein'herstolˌzieren, großspurig auftreten. **IV** *adj* **17.** *meist orn.* männlich: ~ canary Kanarienhähnchen *n*; ~ lobster männlicher Hummer. **18.** *sl.* Ober..., Haupt...

cock[2] [kɒk] **I** *s* kleiner Heu-, Getreide-, Dünger-, Torfhaufen. **II** *v/t Heu etc* in Haufen setzen.

cock[3] [kɒk] *obs. für* cockboat.

cock·ade [kɒ'keid] *s* Ko'karde *f*. **cock-'ad·ed** *adj* mit e-r Ko'karde.

cock-a-doo·dle-doo ['kɒkəˌduːdl'duː] *s* **1.** Kikeri'ki *n* (*Krähen des Hahns*). **2.** *humor.* Kikeri'ki *m* (*Hahn*).

cock-a-hoop [ˌkɒkə'huːp] *adj u. adv* **1.** trium'phierend. **2.** prahlerisch, arro'gant. **3.** ausgelassen, fi'del.

Cock·aigne [kɒ'kein] *s* **1.** Schla'raffenland *n*. **2.** Cockneyland *n* (*London*).

cock·a·leek·ie [ˌkɒkə'liːki] *s Scot.* Hühnersuppe *f* mit Lauch. ˌ**cock·a'lo·rum** [-'lɔːrəm] *s* **1.** kleiner Hahn. **2.** *fig.* (kleiner) Gernegroß.

'cock-and-'bull sto·ry *s* Ammenmärchen *n*, Lügengeschichte *f*.

cock·a·too [ˌkɒkə'tuː] *s orn.* Kakadu *m*.

cock·a·trice ['kɒkətris; *Br. a.* -ˌtrais] *s* **1.** *myth.* Basi'lisk *m*. **2.** *fig.* Schlange *f*, tückische Per'son.

Cock·ayne → Cockaigne.

'cock|ˌboat *s mar.* Beiboot *n*. ~ **broth** *s* Hühner(fleisch)brühe *f*. '~ˌ**chaf·er** *s zo.* Maikäfer *m*. '~ˌ**crow(·ing)** *s* **1.** Hahnenschrei *m*. **2.** *fig.* Tagesanbruch *m*.

cocked [kɒkt] *adj* **1.** aufwärts gerichtet. **2.** aufgestülpt. **3.** gespannt (*Feuerwaffe*): → half cocked. ~ **hat** *s* Dreispitz *m* (*Hut*): to knock into a ~ *sl.* a) zu Brei schlagen, b) restlos ‚fertigmachen'.

cock·er[1] ['kɒkər] *s* **1.** → cocker spaniel. **2.** a) Kampfhahnzüchter *m*, b) Liebhaber *m* von Hahnenkämpfen.

cock·er[2] ['kɒkər] *v/t* verhätscheln, verwöhnen: to ~ up aufpäppeln.

Cock·er[3] ['kɒkər] *npr nur in*: according to ~ nach Adam Riese, genau.

cock·er·el ['kɒkərəl] *s* **1.** junger Hahn. **2.** *fig.* junger Mann.

cock·er span·iel *s* Cocker-Spaniel *m*.

cock·et ['kɒkit] *s Br. hist.* a) königliches Zollsiegel, b) Zollplombe *f*.

'cock|ˌeye *s* **1.** *sl.* Schielauge *n*. **2.** *tech.* Kara'binerhaken *m* (*am Pferdegeschirr*). '~ˌ**eyed** *adj sl.* **1.** schielend. **2.** (krumm u.) schief. **3.** ‚blöd', verrückt. **4.** *Am.* ‚blau' (*betrunken*). ~ **feath·er** *s* Feder *f* (*am Pfeil*). '~ˌ**fight(·ing)** *s* Hahnenkampf *m*: that beats cockfighting *colloq.* ‚das ist 'ne Wucht'. '~'**horse I** *s* **1.** a) Schaukel-, Steckenpferd *n*, b) Knie *n* (*auf dem man ein Kind reiten läßt*): a-~ → II. **II** *adj u. adv* **2.** hoch zu Roß. **3.** hochmütig, stolz.

cock·i·ness ['kɒkinis] *s* Eingebildetheit *f*, Keckheit *f*, Anmaßung *f*.

cock·ish ['kɒkiʃ] *adj colloq.* **1.** wie ein Hahn. **2.** → **cocky.**

cock·le[1] ['kɒkl] **I** *s* **1.** *zo.* (*bes.* eßbare) Herzmuschel: **that warms the ~s of my heart** *fig.* das tut m-m Herzen wohl, das tut mir gut. **2.** → **cockleshell. 3.** Runzel *f*, Falte *f*. **II** *v/i* **4.** runz(e)lig werden. **5.** sich kräuseln *od.* werfen. **III** *v/t* **6.** runzeln. **7.** kräuseln.

cock·le[2] ['kɒkl] → **corncockle.**

cock·le[3] ['kɒkl] *s* **1.** *a.* ~ **stove** Kachelofen *m*. **2.** *a.* ~ **oast** Hopfendarrofen *m*.

'cock·le|ˌboat → **cockboat.** **'~ˌbur** *s bot.* Spitzklette *f*. **'~ˌshell** *s* **1.** Muschelschale *f*. **2.** ‚Nußschale' *f*, kleines Boot.

'cock|ˌlight *s Br. dial.* (Morgen-, Abend)Dämmerung *f*. **'~ˌloft** *s* Dachkammer *f*. **'~ˌmas·ter** → **cocker**[1] 2. **~ met·al** *s tech.* 'Graumeˌtall *n*.

cock·ney ['kɒkni] **I** *s* **1.** *oft* **C~** (*meist contp.*) Cockney *m*, waschechter Londoner (*bes. aus dem* East End). **2.** *oft* **C~** 'Cockneydiaˌlekt *m*, -aussprache *f*. **3.** *obs.* a) verhätscheltes Kind, b) Städter *m*. **II** *adj* **4.** Cockney... **'cock·ney·dom** *s* **1.** Gegend *f*, in der die Cockneys wohnen (*der Osten Londons*). **2.** *collect.* die Cockneys *pl*. **'cock·neyˌfy** [-ˌfai] *v/t u. v/i* zum Cockney machen (werden). **'cock·neyˌism** *s* **1.** Cockneyausdruck *m*. **2.** Cockneyeigenart *f*.

'cock|ˌpit *s* **1.** *aer.* Führer-, Pi'lotenkaˌbine *f*, Pi'lotensitz *m*, Cockpit *n*. **2.** *mar.* Cockpit *n*: a) Ka'binenvorraum *m* (*e-r Jacht*), b) Sitzraum *m* (*im Segelboot*). **3.** *mar. obs.* a) Raumdeck *n* für jüngere Offi'ziere, b) Verbandsplatz *m*. **4.** Hahnenkampfplatz *m*. **5.** *fig.* Kampfplatz *m*. **'~ˌroach** *s zo.* (Küchen)Schabe *f*.

cocks|·comb ['kɒksˌkoum] *s* **1.** *zo.* Hahnenkamm *m*. **2.** Narrenkappe *f*. **3.** *bot.* a) Ko'rallenbaum *m*, b) (*ein*) Hahnenkamm *m*. **4.** Stutzer *m*, Geck *m*. **'~ˌfoot** *s irr bot.* Band-, Knäuelgras *n*.

'cock|ˌshot, '~ˌshy *s sl.* **1.** (*ein*) Wurfspiel *n*. **2.** Wurf *m* auf ein Ziel. **3.** Zielscheibe *f* (*a. fig.*). **'~ˌspur** *s* **1.** *zo.* Hahnensporn *m*. **2.** *bot.* a) Hahnensporn-Weißdorn *m*, b) Stachelige Pi'sonie. **'~'sure** *adj* **1.** ganz sicher, todsicher, vollkommen über'zeugt. **2.** über'trieben selbstsicher, anmaßend. **3.** *obs.* ganz ohne Gefahr.

cock·sy ['kɒksi] → **cocky.**

'cock|ˌtail *s* **1.** a) Cocktail *m* (*alkoholisches Mischgetränk*), b) Austern-, Hummern-, Krabbencocktail *m*, c) Fruchtcocktail *m*, gemischte Fruchtschale. **2.** a) Pferd *n* mit gestutztem Schweif, b) Halbblut *n* (*Pferd*). **'~-ˌtailed** *adj* mit gestutztem Schweif.

cock·y ['kɒki] *adj colloq.* frech, keck, ‚naßforsch'.

cock·y-leek·y [ˌkɒki'liːki] → **cockaleekie.**

cock·y·ol·(l)y bird [ˌkɒki'ɒli] *s humor.* Piepvögelchen *n*.

co·co ['koukou] **I** *pl* **-cos** *s* **1.** *bot.* a) → **coconut palm,** b) Kokosnuß *f*. **2.** *sl.* ‚Kürbis' *m* (*Kopf*). **II** *adj* **3.** aus Kokosfasern 'hergestellt, Kokos...

co·coa ['koukou] **I** *s* **1.** a) Ka'kao(pulver *n*) *m*, b) Ka'kao *m* (*Getränk*). **2.** *fälschlich für* coco. **~ bean** *s* Ka'kaobohne *f*. **~ but·ter** *s* Ka'kaobutter *f*.

co·con·scious [kou'kɒnʃəs] *adj psych.* nebenbewußt. **co'con·scious·ness** *s psych.* Nebenbewußtsein *n*.

co·co·nut ['koukəˌnʌt] *s* **1.** Kokosnuß *f*: **that accounts for the milk in the ~** *humor.* ‚daher der Name'! **2.** *sl.* ‚Kürbis' *m* (*Kopf*). **~ but·ter** *s* Kokosbutter *f*. **~ mat·ting** *s* Kokosmatte *f*. **~ milk** *s* Kokosmilch *f*. **~ oil** *s* Kokosöl *n*. **~ palm, ~ tree** *s bot.* Kokospalme *f*.

co·coon [kə'kuːn] **I** *s* **1.** *zo.* a) Ko'kon *m*, Puppe *f* (*der Seidenraupe*), b) Gespinst *n*, Schutzhülle *f* (*bes. für Egel, Spinnen, Fische*). **2.** *mil.* Schutzhülle *f* (*aus Plastik, für Geräte*). **II** *v/t* **3.** in e-n Ko'kon einspinnen. **4.** *mil. Gerät* ‚einmotten'. **5.** *fig.* einhüllen. **III** *v/i* **6.** sich (in e-n Ko'kon) einspinnen. **co'coon·er·y** [-əri] *s* (Gebäude *n od.* Raum *m* für) Seidenraupenzucht *f*.

co·co| palm, '~-ˌtree → **coconut palm.**

co·cotte [ko'kɒt] *s* **1.** Ko'kotte *f*. **2.** Kasse'rolle *f*.

cod[1] [kɒd] *pl* **cods,** *collect.* **cod** *s ichth.* Kabeljau *m*, Dorsch *m*: **dried ~** Stockfisch *m*; **cured ~** Klippfisch *m*.

cod[2] [kɒd] *s* **1.** *dial.* Hülse *f*, Schote *f*. **2.** *obs.* Beutel *m*, Tasche *f*.

cod[3] [kɒd] *v/t u. v/i* foppen.

co·da ['koudə] *s mus.* Coda *f*, Schlußteil *m* e-s Satzes.

cod·dle ['kɒdl] *v/t* **1.** langsam kochen lassen. **2.** verhätscheln, verzärteln: **to ~ up** aufpäppeln.

code [koud] *s* **1.** *jur.* Kodex *m*, Gesetzbuch *n*, Gesetzessammlung *f*. **2.** Kodex *m*, Regeln *pl*: **~ of hono(u)r** Ehrenkodex. **3.** *mar. mil.* Si'gnalbuch *n*. **4.** (Tele'graphen)Kode *m*, (De'peschen)Schlüssel *m*. **5.** a) Kode *m*, Schlüsselschrift *f*, b) Chiffre *f*: **~ name** Deckname *m*; **~ number** Kode-, Kennziffer *f*; **~ word** Kode-, Schlüsselwort *n*, c) Kode *m*, Schlüssel *m*. **II** *v/t* **6.** kodifi'zieren. **7.** in Kode *od.* Schlüsselschrift 'umsetzen, verschlüsseln, co'dieren, chif'frieren: **~d message; ~d instruction** (*Rechenmaschine*) codierter Befehl.

'codeˌball *s sport* Codeball(spiel *n*) *m*.

co·de·fend·ant, *Br.* **co-...** [ˌkoudi'fendənt] *s jur.* a) (*Zivilrecht*) Mitbeklagte(r *m*) *f*, b) (*Strafrecht*) Mitangeklagte(r *m*) *f*.

code plug *s electr.* Schlüsselstecker *m*.

co·de·ter·min·a·tion, *Br.* **co-...** *s* Mitbestimmung(srecht *n*) *f*.

co·dex ['koudeks] *pl* **co·di·ces** ['koudiˌsiːz; 'kɒd-] *s* Kodex *m*, alte Handschrift.

'cod|ˌfish *s Am.* → **cod**[1]. **'~ˌfish·er** *s* **1.** Kabeljaufänger *m*, -fischer *m*. **2.** Boot *n* zum Kabeljaufang.

codg·er ['kɒdʒər] *s* **1.** *colloq.* alter Kauz *od.* Kerl. **2.** *Br.* alter Geizhals.

co·di·ces ['koudiˌsiːz; 'kɒd-] *pl von* codex.

cod·i·cil ['kɒdisil] *s jur.* **1.** Kodi'zill *n*, Testa'mentsnachtrag *m*. **2.** Zusatz *m*, Anhang *m*. **ˌcod·i'cil·la·ry** [-ləri] *adj* Kodizill...

cod·i·fi·ca·tion [ˌkɒdifi'keiʃən; ˌkou-] *s* Kodifi'zierung *f*. **'cod·iˌfy** [-ˌfai] *v/t* **1.** *jur.* kodifi'zieren. **2.** in ein Sy'stem bringen. **3.** *Nachricht etc* verschlüsseln.

co·di·rec·tion·al [ˌkoudi'rekʃənl; -dai-] *adj* die'selbe Richtung habend.

cod·lin ['kɒdlin] → **codling**[2].

cod·ling[1] ['kɒdliŋ] *s ichth.* junger Kabeljau *od.* Dorsch.

cod·ling[2] ['kɒdliŋ] *s Br.* (*ein*) Kochapfel *m*.

cod·ling moth *s zo.* Apfelwickler *m*.

'cod|-ˌliv·er oil *s* Lebertran *m*. **'~ˌpiece** *s hist.* Hosenlatz *m*, -beutel *m*.

co-driv·er ['koudraivər] *s* Beifahrer *m*.

co·ed, co-ed ['kou'ed] *s ped. Am.* Stu'dentin *f od.* Schülerin *f* e-r Lehranstalt mit Koedukati'on.

co·ed·u·ca·tion, *Br.* **co-...** ['kouˌedʒu'keiʃən; *Br. a.* -ˌedju-] *s ped.* Koedukati'on *f*, gemeinsame Erziehung beider Geschlechter. **'coˌed·u'ca·tion·al,** *Br.* **'co-...** *adj* Koedukations...

co·ef·fi·cient [ˌkoui'fiʃənt] **I** *s* **1.** *math. phys.* Koeffizi'ent *m*. **2.** mitwirkende Kraft, Faktor *m*. **II** *adj* **3.** mit-, zs.-wirkend. **~ of fric·tion** *s phys.* 'Reibungskoeffiziˌent *m*. **~ of meas·ure** *s math.* Maßzahl *f*.

coe·horn ['kouhəːrn] *s mil. hist.* kleiner tragbarer Mörser (*18. Jh.*).

coe·len·ter·ate [si'lentəˌreit; -rit] *s zo.* Hohltier *n*. **coe'len·terˌon** [-ˌrɒn] *pl* **-ter·a** [-rə] *s zo.* **1.** Ga'stralraum *m* (*der Hohltiere*). **2.** Darmleibeshöhle *f*.

coe·li·ac → **celiac.**

co·emp·tion [kou'empʃən] *s* Aufkauf *m* des gesamten Vorrats (*e-r Ware*).

coe·no·bite → **cenobite.**

coe·no·bi·um [si'noubiəm] *pl* **-bi·a** [-ə] *s* **1.** Kloster(gemeinschaft *f*) *n*. **2.** *biol.* 'Zellkoloˌnie *f*. **3.** *bot.* Klause *f* (*einsamige Teilfrucht*).

co·en·zyme [kou'enzaim] *s med.* Co-en'zym *n*, 'Konferˌment *n*.

co·e·qual [kou'iːkwəl] **I** *adj* (*adv* **~ly**) ebenbürtig, gleichrangig, -gestellt. **II** *s* Rang-, Standesgenosse *m*, Ebenbürtige(r *m*) *f*.

co·erce [kou'əːrs] *v/t* **1.** zu'rückhalten. **2.** zwingen, nötigen (**into** zu). **3.** erzwingen: **to ~ obedience.** **co'er·ci·ble** *adj* (*adv* **coercibly**) **1.** erzwingbar, zu erzwingen(d). **2.** *phys.* kompri'mierbar.

co·er·cion [kou'əːrʃən] *s* **1.** Einschränkung *f*. **2.** Zwang *m*, Gewalt *f*: **by ~** → **coercively. 3.** *pol.* 'Zwangsreˌgierung *f*, -reˌgime *n* (*bes. in Irland*). **4.** *jur.* Nötigung *f*. **co'er·cion·ist** *s* Anhänger(in) der 'Zwangspoliˌtik.

co·er·cive [kou'əːrsiv] **I** *adj* **1.** zwingend, Zwangs...: **~ measure** Zwangsmaßnahme *f*. **2.** über'zeugend, zwingend: **~ reasons. 3.** *phys.* koerzi'tiv: **~ force** Koerzitivkraft *f*. **II** *s* **4.** Zwangsmittel *n*. **co'er·cive·ly** *adv* durch Zwang, zwangsweise. **co'er·cive·ness** *s* (*das*) Zwingende.

co·es·sen·tial [ˌkoui'senʃəl] *adj* wesensgleich.

co·e·ta·ne·ous [ˌkoui'teiniəs] → **coeval I.**

co·e·val [kou'iːvəl] **I** *adj* **1.** gleichzeitig, zeitgenössisch. **2.** gleichalt(e)rig. **3.** von gleicher Dauer. **II** *s* **4.** Zeitgenosse *m*. **5.** Altersgenosse *m*.

co·ex·ec·u·tor, *Br.* **co-...** [ˌkouig'zekjutər] *s* gleichzeitig eingesetzter Testa'mentsvollˌstrecker.

co·ex·ist, *Br.* **co-...** [ˌkouig'zist] *v/i* gleichzeitig *od.* nebenein'ander bestehen *od.* leben, koexi'stieren. **ˌco·ex'ist·ence** *s* gleichzeitiges Bestehen, Nebenein'anderleben *n*, Koexi'stenz *f*: **pacific ~** *pol.* friedliche Koexistenz. **ˌco·ex'ist·ent** *adj* gleichzeitig *od.* nebenein'ander bestehend, koexi'stent.

co·fac·tor [kou'fæktər] *s math.* Ad'junkte *f*, Faktor *m*.

cof·fee ['kɒfi] *s* **1.** Kaffee *m* (*Getränk*). **2.** Kaffee(bohnen *pl*) *m*: **ground (roasted) ~** gemahlener (gebrannter) Kaffee; **white ~** Milchkaffee. **3.** *bot.* Kaffeebaum *m*. **4.** Kaffeebraun *n*. **~ bar** *s* Es'presso(bar *f*) *n*. **~ bean** *s* Kaffeebohne *f*. **~ ber·ry** *s* Kaffeebeere *f*. **~ break** *s Am.* Kaffeepause *f*. **~ cup** *s* Kaffeetasse *f*. **~ grounds** *s pl* Kaffeesatz *m*. **'~ˌhouse** *s* Kaffeehaus *n*, Ca'fé *n*. **~ mill** *s* Kaffeemühle *f*. **'~ˌpot** *s* Kaffeekanne *f*. **~ roast·er** *s* **1.** Kaffeebrenner *m*. **2.** Kaffeetrommel *f*. **'~ˌroom** *s* **1.** Kaffeestube *f*, Frühstückszimmer *n* (*im Hotel etc*). **2.** Restau'rant *n* (*e-s Hotels etc*). ~ **roy·al** *s* Kaffee *m* mit Schuß. ~ **set** *s* 'Kaffeeser,vice *n*. ~ **shop** *Am. für* coffeeroom 2. ~ **ta·ble** *s* (*Art*) Couchtisch *m*. ~ **tree** *s bot.* **1.** Kaffeebaum *m*. **2.** Schusserbaum *m*.

cof·fer ['kɒfər] **I** *s* **1.** Kasten *m*, Kiste *f*, Truhe *f* (*bes. für Geld, Schmuck etc*). **2.** *pl* a) Schatz *m*, Schätze *pl*, Gelder *pl*, b) Schatzkammer *f*, Tre'sor *m*. **3.** *tech.* a) *Brückenbau*: Fangdamm *m*, b) Kammer *f* (*e-r Schleuse*). **4.** *arch.* Deckenfeld *n*, Kas'sette *f*. **II** *v/t* **5.** (in e-r Truhe) verwahren. **6.** *arch.* kasset'tieren: ~**ed ceiling** Kassettendecke *f*. '~,**dam** *s* **1.** *Brückenbau*: a) Fang-, Kastendamm *m*, b) Cais'son *m*. **2.** *mar.* Kofferdamm *m*. **3.** *mar.* Cais'son *m* (*zur Reparatur von Schiffen unter der Wasserlinie*).

cof·fin ['kɒfin] **I** *s* **1.** Sarg *m*: **to drive a nail into s.o.'s** ~ *fig.* der Nagel zu j-s Sarg sein. **2.** Pferdehuf *m*. **3.** *print.* Karren *m*. **4.** *mar. colloq.* Sarg *m* (*seeuntüchtiges Schiff*). **II** *v/t* **5.** einsargen. **6.** *fig.* ein-, wegschließen. ~ **bone** *s zo.* Hufbein *n* (*des Pferdes*). ~ **cor·ner** *s amer. Fußball*: Spielfeldecke *f* zwischen Mal- u. Marklinie. ~ **joint** *s zo.* Hufgelenk *n* (*des Pferdes*). ~ **nail** *s* Sargnagel *m*.

cof·fle ['kɒfl] *s* Zug *m* anein'andergeketteter Menschen (*bes. Sklaven*) *od.* Tiere.

cog[1] [kɒg] *s* **1.** *tech.* a) (Rad)Zahn *m*, Kamm *m*, b) Zahnrad *n*. **2.** *fig.* Rädchen *n* (*Person*).

cog[2] [kɒg] *v/t* **1.** *Würfel* mit Blei beschweren: **to ~ the dice** beim Würfeln betrügen. **2.** ‚übers Ohr hauen'.

cog[3] [kɒg] *s mar.* **1.** *hist.* Kogge *f*, Handelssegler *m*. **2.** → **cockboat**.

co·gen·cy ['koudʒənsi] *s* zwingende Kraft, Beweiskraft *f*, Triftigkeit *f*. '**co·gent** *adj* (*adv* ~**ly**) zwingend, über'zeugend, triftig: ~ **arguments**.

cogged [kɒgd] *adj* **1.** *tech.* gezahnt: ~ **roller**. **2.** ~ **dice** (mit Blei) beschwerte *od.* falsche Würfel *pl*.

cog·ging| joint ['kɒgiŋ] *s tech.* verzahnte Verbindung. ~ **mill** *s tech.* Vorstraße *f*, Blockwalzwerk *n*.

cog·i·ta·ble ['kɒdʒitəbl] *adj* denkbar. '**cog·i,tate** [-,teit] **I** *v/t* **1.** nachdenken *od.* (nach)sinnen *od.* medi'tieren über (*acc*), über'legen (*acc*). **2.** ersinnen. **3.** *philos.* denken. **II** *v/i* **4.** (nach)denken, (nach)sinnen: to ~ (up)on → 1. ,**cog·i'ta·tion** *s* **1.** (Nach)Sinnen *n*. **2.** Denkfähigkeit *f*. **3.** Gedanke *m*, Über'legung *f*. '**cog·i,ta·tive** *adj* **1.** (nach)sinnend. **2.** nachdenklich. **3.** Denk...: ~ **faculty** Denkfähigkeit *f*. **4.** denkfähig, denkend.

co·gnac ['kounjæk; 'kɒn-] *s* **1.** Cognac *m* (*französischer Weinbrand*). **2.** *weitS.* Kognak *m*, Weinbrand *m*.

cog·nate ['kɒgneit] **I** *adj* **1.** (bluts)verwandt. **2.** *fig.* (art)verwandt. **3.** *ling.* a) gleichen Ursprungs, verwandt: ~ **words**, b) sinnverwandt, aus dem'selben Stamm: ~ **object** Objekt *n* des Inhalts. **II** *s* **4.** *jur.* (*engS.* Bluts)Verwandte(r *m*) *f*. **5.** (*etwas*) Verwandtes. **6.** *ling.* verwandtes Wort. **cog'na·tion** *s* Verwandtschaft *f*.

cog·ni·tion [kɒg'niʃən] *s* **1.** Erkennen *n*. **2.** Erkenntnis *f*. **3.** Erkennungsvermögen *n*. **4.** a) Wahrnehmung *f*, b) Begriff *m*. **5.** Kenntnis *f*, Wissen *n*. **6.** *jur. bes. Scot.* gerichtliches Erkenntnis.

cog·ni·za·ble ['kɒgnizəbl; 'kɒn-] *adj* (*adv* **cognizably**) **1.** a) erkennbar, b) wahrnehmbar. **2.** *jur.* a) der Gerichtsbarkeit e-s (*bestimmten*) Gerichts unter'worfen, b) gerichtlich verfolgbar, c) zu verhandeln(d).

cog·ni·zance ['kɒgnizəns; 'kɒn-] *s* **1.** Erkenntnis *f*, Kenntnis(nahme) *f*: **to have ~ (of s.th.)** (von etwas) Kenntnis haben; **to take ~ of s.th.** von etwas Kenntnis nehmen. **2.** *jur.* a) gerichtliches Erkenntnis, b) (Ausübung *f* der) Gerichtsbarkeit *f*, Zuständigkeit *f*, c) Einräumung *f od.* Anerkennung *f* der Klage: **to fall under the ~ of a court** zur Zuständigkeit e-s Gerichts gehören; **to have ~ over** zuständig sein für (*a. weitS.*); **to take (judicial) ~ of** sich zuständig mit *e-m Fall* befassen; **beyond my ~** außerhalb m-r Befugnis (→ 3). **3.** Erkenntnissphäre *f*: **beyond his ~** außerhalb s-s Wissensbereichs (liegend). **4.** *bes. her.* Ab-, Kennzeichen *n*. '**cog·ni·zant** *adj* **1.** unter'richtet (**of** über *acc od.* von): **to be ~ of s.th.** von etwas Kenntnis haben, (um) etwas wissen. **2.** *jur.* zuständig. **3.** *philos.* erkennend.

cog·nize ['kɒgnaiz] *v/t bes. philos.* erkennen.

cog·no·men [kɒg'noumen] *pl* **-mens, -nom·i·na** [-'nɒminə] *s* **1.** Fa'milien-, Zuname *m*. **2.** Spitz-, Beiname *m*.

cog·nosce [kɒg'nɒs] *v/t jur. Scot.* **1.** unter'suchen. **2.** entscheiden. **3.** → **certify** 5.

co·gno·scen·te [koɲo'ʃɛnte] *pl* **-ti** [-ti] (*Ital.*) *s* (*bes.* Kunst)Kenner *m*.

cog·nos·ci·ble [kɒg'nɒsibl] *adj* erkennbar.

cog·no·vit [kɒg'nouvit] *s jur.* Anerkennung *f* e-r klägerischen Forderung seitens des Beklagten.

'**cog|,rail** *s tech.* Zahnschiene *f*. ~ **rail·way**, '~,**way** *s* Zahnradbahn *f*. '~,**wheel** *s tech.* Zahn-, Kammrad *n*: ~ **drive** Zahnradantrieb *m*; ~ **railway** Zahnradbahn *f*.

co·hab·it [kou'hæbit] *v/i* **1.** (als Eheleute) zs.-leben. **2.** in wilder Ehe leben. **co'hab·it·ant** *s* Mitbewohner(in). **co,hab·i'ta·tion** *s* **1.** Bei'sammenwohnen *n* (*bes. von Eheleuten*). **2.** wilde Ehe. **3.** Beischlaf *m*, Beiwohnung *f*.

co·heir [kou'ɛr] *s* Miterbe *m*. **co'heir·ess** [-'ɛ(ə)ris] *s* Miterbin *f*.

co·here [kou'hir] *v/i* **1.** zs.-hängen, -kleben. **2.** *fig.* zs.-hängen, in (logischem) Zs.-hang stehen. **3.** zs.-halten, -gehalten werden. **4.** *fig.* (**with**) zs.-passen, über'einstimmen (mit), passen (zu). **5.** *Radio*: fritten.

co·her·ence [kou'hi(ə)rəns], **co'her·en·cy** *s* **1.** Zs.-halt *m* (*a. fig.*). **2.** *phys.* Kohäsi'on *f*. **3.** *Radio*: Frittung *f*. **4.** (na'türlicher *od.* logischer) Zs.-hang: ~ **of speech** Klarheit *f* der Rede. **5.** *fig.* Über'einstimmung *f*. **co'her·ent** *adj* (*adv* ~**ly**) **1.** zs.-hängend, -haftend, verbunden. **2.** *phys.* kohä'rent. **3.** (logisch) zs.-hängend, einheitlich, klar, verständlich: **to be ~ in one's speech** sich klar ausdrücken (können). **4.** über'einstimmend, zs.-passend. **co'her·er** *s Radio*: Fritter (empfänger) *m*.

co·her·i·tor [kou'heritər] → **coheir**.

co·he·sion [kou'hi:ʒən] *s* **1.** Zs.-halt *m*, -hang *m*. **2.** Bindekraft *f*. **3.** *phys.* Kohäsi'on *f*. **co'he·sive** [-siv] *adj* **1.** Kohäsions..., Binde...: ~ **force** → **cohesiveness** 1. **2.** fest zs.-haltend *od.* -hängend. **3.** *fig.* bindend. **co'he·sive·ness** *s* **1.** Kohäsi'ons-, Bindekraft *f*. **2.** Festigkeit *f*.

co·hort ['kouhɔ:rt] *s* **1.** *antiq. mil.* Ko'horte *f*. **2.** Gruppe *f*, Schar *f* (*Krieger etc*). **3.** *Statistik*: (Per'sonen)Gruppe *f* mit e-m gleichen sta'tistischen Faktor.

co·hune [ko'hu:n], *a.* ~ **palm** *s bot.* Co'hunepalme *f*.

coif [kɔif] **I** *s* **1.** Kappe *f*, (*a.* Nonnen)Haube *f*. **2.** *jur. hist. Br.* weiße Kappe der Anwälte, *bes. der* **serjeants-at-law**: **to take the ~** zum **serjeant-at-law** befördert werden. **II** *v/t* **3.** mit e-r Kappe bekleiden.

coif·feur [kwa'fœ:r] (*Fr.*) *s* Fri'seur *m*.

coif·fure [kwa:'fjur] **I** *s* **1.** Fri'sur *f*, Haartracht *f*. **2.** Kopfputz *m*. **II** *v/t* **3.** fri'sieren.

coign(e) [kɔin] *s* Ecke *f*, Eckstein *m*. ~ **of vant·age** *s fig.* a) günstiger (Angriffs)Punkt, vorteilhafte Stellung, b) (hohe) Warte.

coil[1] [kɔil] **I** *v/t* **1.** *a.* ~ **up** aufrollen, (auf)wickeln: **to ~ o.s. up** sich zs.-rollen. **2.** *mar.* *Tau* aufschießen, in Ringen überein'anderlegen: **to ~ a rope**. **3.** spi'ralenförmig winden. **4.** um'schlingen. **5.** *electr.* wickeln. **II** *v/i* **6.** *a.* ~ **up** sich winden, sich zs.-rollen. **7.** sich winden *od.* wickeln, sich schlingen (**about, around** um). **8.** sich (da'hin)schlängeln. **III** *s* **9.** Rolle *f*, Spi'rale *f*. **10.** *mar.* Tauwerks-, Seilrolle *f*. **11.** Rolle *f*, Spule *f*: ~ **of wire**; ~ **of yarn** Garnknäuel *m*, *n*. **12.** *tech.* a) Spi'rale *f*, (*a.* einzelne) Windung, b) (Rohr)Schlange *f*, c) *electr.* Spule *f*, Wicklung *f*. **13.** Haarrolle *f*. **14.** a) Rolle *f* von Briefmarken (→ **coil stamps**), b) *Briefmarke in e-r solchen Rolle*.

coil[2] [kɔil] *s obs. od. poet.* a) Tu'mult *m*, Wirrwarr *m*, b) Plage *f*: **mortal ~** Drang *m od.* Mühsal *f* des Irdischen.

coil| ig·ni·tion *s electr.* Abreißzündung *f*. '~-,**load** *v/t electr.* pupini'sieren, bespulen. ~ **spring** *s tech.* Spi'ralfeder *f*. ~ **stamps** *s pl* Briefmarken *pl* in perfo'rierten, zs.-gerollten Bogen (*zu 500 Stück*).

coin [kɔin] **I** *s* **1.** Münze *f*: a) Geldstück *n*, b) (gemünztes) Geld, Me'tallgeld *n*: **base ~, false ~** falsches Geld; **current ~** gangbare Münze; **small ~** Scheidemünze; **to pay s.o. in his own ~** *fig.* j-m mit gleicher Münze heimzahlen. **2.** → **coign(e)**. **II** *v/t* **3.** a) *Metall* münzen, b) *Münzen* schlagen, prägen: **to ~ money** *colloq.* Geld wie Heu verdienen. **4.** *fig. Wort* prägen. **5.** *fig.* zu Geld machen. **III** *v/i* **6.** münzen, Geld prägen. '**coin·age** *s* **1.** Prägen *n*, (Aus)Münzen *n*. **2.** *collect.* Münzen *pl*, (gemünztes) Geld. **3.** 'Münzsy,stem *n*: **decimal ~** Dezimalmünzsystem. **4.** Münzrecht *n*. **5.** *fig.* Prägung *f* (*von Wörtern etc*).

'**coin|-,box tel·e·phone** *s* Münzfernsprecher *m*. ~ **chang·er** *s* Münzwechsler *m* (*Automat*).

co·in·cide [,kouin'said] *v/i* **1.** (*örtlich od. zeitlich*) zs.-treffen, -fallen (**with** mit). **2.** über'einstimmen, sich decken (**with** mit).

co·in·ci·dence [kou'insidəns] *s* **1.** Zs.-treffen *n*, Zs.-fallen *n* (*in Raum od. Zeit*). **2.** auffälliges Zs.-treffen, Zufall *m*: **not a mere ~** kein bloßer Zufall; **by mere ~** rein zufällig. **3.** Über'einstimmung *f*. **co'in·ci·dent** *adj* (*adv* ~**ly**) **1.** zs.-fallend, -treffend (*örtlich u. zeitlich*), gleichzeitig (**with** mit). **2.** (**with**) genau über'einstimmend (mit), sich deckend (mit), genau entsprechend (*dat*). **co,in·ci'den·tal** [-'dentl] *adj* **1.** → **coincident** 2. **2.** zufällig. **3.** *tech.* zwei Arbeitsvorgänge gleichzeitig ausführend.

coin·er ['kɔinər] *s* **1.** Münzschläger *m*,

Präger *m.* **2.** *fig.* Präger *m.* **3.** *Br.* Falschmünzer *m.* '**coin·ing** *adj* Münz..., Präge...: ~ die Münz-, Prägestempel *m.*

co·in·stan·ta·ne·ous [ˌkouinstən'teiniəs] *adj* (*adv* ~ly) (genau) gleichzeitig.

co·in·sur·ance [ˌkouin'ʃu(ə)rəns] *s econ.* **1.** Mitversicherung *f.* **2.** Rückversicherung *f.*

coir [kɔir] *s* Co'ir *f* (*Kokosfasergarn*).

cois·trel ['kɔistrəl], '**cois·tril** [-tril] *s obs.* Stallknecht *m* (*a. fig. contp.*).

co·i·tal ['kouitəl] *adj* (den)Geschlechtsverkehr betreffend.

co·i·tion [kou'iʃən], **co·i·tus** ['kouitəs] *s* Koitus *m*, (Geschlechts)Verkehr *m.*

co·ju·ror [kou'dʒu(ə)rər] *s jur.* Eideshelfer *m.*

coke¹ [kouk] *tech.* **I** *s* Koks *m*: ~ breeze Koksgrus *m*; ~ iron Kokseisen *n.* **II** *v/t* verkoken (lassen). **III** *v/i* verkoken.

coke² [kouk] *s sl.* ‚Koks' *m*, Koka'in *n.*

Coke³ [kouk] (*TM*) *s* **1.** ‚Coca' *f* (*Coca-Cola*). **2.** c~ *colloq. allg.* Erfrischungsgetränk *n*, Limo'nade *f.*

co·ker¹ ['koukər] *Br. für* coco.

cok·er² ['koukər] *s Am. Bergbewohner von Westvirginia u. Pennsylvania.*

'**co·ker**ˌ**nut** *Br. für* coconut.

col [kɒl] *s* **1.** Gebirgspaß *m*, Joch *n.* **2.** *meteor.* schmales Tief.

co·la¹ → kola.

co·la² ['koulə] *pl von* colon¹ *u.* colon² 2.

col·an·der ['kʌləndər; 'kɒl-] **I** *s* Sieb *n*, Seiher *m*, 'Durchschlag *m.* **II** *v/t* 'durchseihen, ('durch)sieben.

co·la nut → kola 1.

co·lat·i·tude, *Br.* **co-...** [kou'lætiˌtjuːd] *s astr.* Komple'ment *n* der Breite e-s Gestirns, Diffe'renz *f* zwischen e-r gegebenen Breite u. 90°.

col·chi·cum ['kɒltʃikəm; 'kɒlki-] *s bot.* **1.** Herbstzeitlose *f.* **2.** Herbstzeitlosensamen *pl od.* -knollen *pl.* **3.** *pharm.* Colchicum *n.*

cold [kould] **I** *adj* (*adv* ~ly) **1.** kalt: as ~ as ice eiskalt; ~ fury *fig.* kalte Wut; ~ meat a) kalte Platte, Aufschnitt *m*, b) *Am. sl.* Leiche *f*; ~ sweat kalter Schweiß; → cold blood, shoulder 1, water *Bes. Redew.* **2.** kalt, frierend: I feel (*od.* am) ~ mir ist kalt, ich friere, mich friert; to get ~ feet *colloq.* ‚kalte Füße' *od.* ‚Bammel' (*Angst*) bekommen. **3.** tot: he lay ~ in his coffin. **4.** *fig.* kalt, kühl: a) frostig, unfreundlich: a ~ welcome, b) nüchtern, leidenschaftslos: ~ reason; the ~ facts die nackten Tatsachen; in ~ print schwarz auf weiß, c) 'unperˌsönlich: ~ style, d) ruhig, gelassen: it left me ~ es ließ mich kalt, e) gefühllos, gleichgültig, teilnahmslos (to gegen): ~ comfort magerer Trost; → charity 2. **5.** (gefühls)kalt, fri'gid: a ~ woman. **6.** lau, wenig interes'siert: a ~ audience. **7.** *fig.* a) alt, über'holt, ‚abgestanden': ~ news, b) fad(e), langweilig, trocken. **8.** kalt (*unvorbereitet od. noch nicht in Schwung*): a ~ player; a ~ motor; ~ starting *mot.* Kaltstart *m.* **9.** *hunt. u. fig.* kalt: ~ scent kalte Fährte. **10.** ‚kalt', weit da'von entfernt (*im Suchspiel u. fig.*). **11.** kalt (wirkend): ~ colo(u)rs; a ~ room. **12.** *Am. sl.* a) bewußtlos: to knock s.o. out ~, b) (tod)sicher: to know s.th. ~, c) betrügerisch: ~ check gefälschter Scheck.

II *s* **13.** Kälte *f.* **14.** Kälte *f*, kalte Witterung: to be left out in the ~ *fig.* a) kaltgestellt sein, ignoriert werden, leer ausgehen, b) schutzlos dastehen. **15.** *med.* Erkältung *f*: (common) ~, ~ (in the head) Schnupfen *m*; to catch (*od.* take) (a) ~ sich erkälten.

cold| blood *s fig.* kaltes Blut, Kaltblütigkeit *f*: to murder s.o. in ~ j-n kaltblütig *od.* kalten Blutes ermorden. '~-'**blood·ed** *adj* **1.** *zo.* kaltblütig. **2.** *fig.* a) kaltblütig, gefühllos, b) kaltblütig (begangen): ~ murder. **3.** kälteempfindlich. ~ **cash** *s Am.* flüssige Mittel *pl*, Bargeld *n.* ~ **cream** *s* Cold Cream *n* (*Fettsalbe*). '~-'**drawn** *adj tech.* **1.** kaltgezogen (*Metall*). **2.** kaltgepreßt (*Öl*). ~ **e·mis·sion** *s phys.* kalte Elek'tronenemissiˌon. ~ **frame** *s* glasgedeckter Blumen- *od.* Pflanzenkasten. ~ **front** *s meteor.* Kaltluftfront *f.* '~-'**ham·mer** *v/t tech.* kalthämmern, -schmieden. '~-'**ham·mered** *adj tech.* federhart. '~'**heart·ed** *adj* (*adv* ~ly) kalt-, hartherzig. '~'**heart·ed·ness** *s* Kalt-, Hartherzigkeit *f.* '~ˌ**house** → cold frame.

cold·ish ['kouldiʃ] *adj* ziemlich *od.* etwas kalt.

cold·ness ['kouldnis] *s* Kälte *f* (*a. fig.*).

cold| pack *s med.* kalte Packung. '~-'**pack meth·od** *s tech.* Kaltverfahren *n* (*beim Konservieren*). ~ **pig** *s Br. sl.* ‚kalte Dusche' (*um j-n aufzuwecken*). ~ **press** *s tech.* Kaltpresse *f.* '~-**re**-'**sist·ant** *adj* kältebeständig. ~ **rubber** *s tech.* 'Tieftemperaˌturkautschuk *m*, Cold Rubber *m.* ~ **saw** *s tech.* Me'tallsäge *f* zum kalten Schneiden von Me'tall. '~-'**short** *adj tech.* kaltbrüchig. '~-'**shoul·der** *v/t colloq.* j-m die kalte Schulter zeigen, j-n kalt behandeln *od.* abweisen. ~ **sore** *s med.* Lippen-, Gesichtsherpes *f* (*Bläs-chenflechte*). ~ **steel** *s* blanke Waffe (*Messer, Bajonett etc*). ~ **stor·age** *s* Kühlraum-, Kaltlagerung *f*: to put s.th. in ~ *fig.* etwas ‚auf Eis legen' (*aufschieben*). '~-'**stor·age room** *s* Kühlraum *m.* ~ **store** *s* Kühlhalle *f*, -haus *n.* ~ **war** *s pol.* kalter Krieg. '~-ˌ**wa·ter cure** *s med.* Kaltwasser-, Kneippkur *f.* ~ **wave** *s* **1.** *meteor.* Kältewelle *f.* **2.** Kaltwelle *f* (*Frisur*). ~ **with·out** *s Br. colloq.* alko'holisches Getränk mit kaltem Wasser ohne Zucker. '~-'**work·ing** *s tech.* Kaltverformung *f*, Kaltstrecken *n.*

cole [koul] *s bot.* (*ein*) Kohl *m*, *bes.* Raps *m.*

co·le·op·ter·a [ˌkɒli'ɒptərə; ˌkou-] *s pl* Käfer *pl.* ˌ**co·le'op·ter·ist** *s* Käferkenner *m.* ˌ**co·le'op·ter·ous** *adj* zu den Käfern gehörig, Käfer...

co·le·o·rhi·za [ˌkoulio'raizə] *pl* **-zae** [-iː] *s bot.* (Keim)Wurzelscheide *f.*

'**cole|**ˌ**seed** *s bot.* **1.** Rübsamen *m.* **2.** Raps *m*, Rübsen *m.* '~ˌ**slaw** *s Am.* 'Kohlsaˌlat *m.*

co·le·us ['kouliəs] *s bot.* Buntlippe *f.*

'**cole**ˌ**wort** → cole.

co·li·ba·cil·lus [ˌkoulibə'siləs] *s med.* 'Kolibaˌzillus *m*, Ba'zillus *m* Coli.

col·ic ['kɒlik] *med.* **I** *s* **1.** Kolik *f*: renal ~ Nierenkolik. **II** *adj* **2.** → colicky. **3.** Dickdarm... '**col·ick·y** *adj* **1.** kolikartig, Kolik... **2.** Kolik verursachend.

col·i·se·um [ˌkɒli'siːəm] *s* **1.** Am'phitheˌater *n.* **2.** *sport* a) Sporthalle *f*, b) Stadion *n.* **3.** C~ Kolos'seum *n* (*in Rom*).

co·li·tis [ko'laitis] *s med.* Ko'litis *f*, 'Dickdarmkaˌtarrh *m.*

col·lab·o·rate [kə'læbəˌreit] *v/i* **1.** zs.-, mitarbeiten: to ~ with s.o. in s.th. mit j-m an e-r Sache zs.-arbeiten. **2.** zs.-gehen, sich zs.-tun (with mit). **3.** *pol.* mit dem Feind zs.-arbeiten, kollabo'rieren. **col**ˌ**lab·o'ra·tion** *s* **1.** Zs.-arbeit *f* (in bei *e-r Sache*): in ~ with gemeinsam mit. **2.** *pol.* Kollaborati'on *f.* **col**ˌ**lab·o'ra·tion·ist** *s pol.* Kollabora'teur *m.* **col'lab·o**ˌ**ra·tive** *adj* zs.-arbeitend, Gemeinschafts... **col'lab·o**ˌ**ra·tor** [-tər] *s* **1.** Mitarbeiter(in). **2.** *pol.* Kollabora'teur *m.*

col·lage [kə'lɑːʒ; kou-] *s paint.* Col'lage *f.*

col·laps·a·ble → collapsible.

col·lapse [kə'læps] **I** *v/i* **1.** zs.-brechen, einfallen, -stürzen. **2.** *fig.* zs.-brechen, scheitern: the whole plan ~d. **3.** *fig.* (*moralisch od. physisch*) zs.-brechen, ‚zs.-klappen'. **4.** *med.* a) e-n Kol'laps erleiden, b) kolla'bieren (*Lunge*). **5.** *tech.* zs.-legbar sein, sich zs.-klappen lassen. **II** *s* **6.** Einsturz *m*: ~ of a house. **7.** *fig.* Zs.-bruch *m*, Fehlschlag *m*: ~ of a bank Bankkrach *m*; ~ of prices (tiefer) Preissturz. **8.** a) (körperlicher *od.* seelischer) Zs.-bruch, b) *med.* Kol'laps *m*, plötzlicher Kräfteverfall: nervous ~ Nervenzusammenbruch. **col'laps·i·ble** *adj* zs.-klappbar, Klapp..., Falt...: ~ boat Faltboot *n*; ~ chair Klappstuhl *m*; ~ roof Klapp-, Rollverdeck *n*; ~ tube Tube *f* (*für Zahnpasta etc*).

col·lar ['kɒlər] **I** *s* **1.** (*Hemd-, Rock-, Pelz- etc*)Kragen *m*: to take s.o. by the ~ j-n beim Kragen nehmen. **2.** (*Hunde- etc*)Halsband *n*: to slip the (*od.* one's) ~ a) sich (von s-m Halsband) befreien, b) *fig.* den Kopf aus der Schlinge ziehen. **3.** Kummet *n* (*Pferdegeschirr*): to work against the ~ *fig.* schuften wie ein Pferd. **4.** Hals-, Amts-, Ordenskette *f*: ~ of SS (*od.* Esses) *Br.* a) *hist.* Insignien des Hauses Lancaster, b) *heute*: Kette *f* des Lord Justice von England. **5.** Kolli'er *n*: a ~ of pearls. **6.** *Am. hist.* eisernes Halsband (*für Sklaven*): he wears no man's ~ *pol. fig.* er ist unabhängig *od.* kein Parteigänger. **7.** *zo.* a) Halsstreifen *m*, -kragen *m*, b) Mantelwulst *m.* **8.** *tech.* a) Ring *m*, Man'schette *f*, Bund *m*, Zwinge *f*, Hals *m* (*bei Wellen od. Achsen*), b) Flansch *m*, Kragen *m*, Rand *m*, c) Reifen *m*, Reif *m*, d) Prägering *m*, e) Zapfenlager *n*, f) Walzring *m*, g) → collar beam, h) *arch.* Ring *m*, Kranz *m.* **II** *v/t* **9.** mit e-m Kragen versehen. **10.** *sport den Gegner* stoppen *od.* angehen. **11.** *j-n* beim Kragen packen. **12.** *sl.* schnappen: a) *j-n* festnehmen, b) *etwas* ‚ergattern', erwischen. **13.** *Br. Fleisch etc* rollen u. zs.-binden. ~ **beam** *s arch.* Quer-, Kehlbalken *m.* '~ˌ**bone** *s anat.* Schlüsselbein *n.* ~ **but·ton** *s Am.* Kragenknopf *m.* ~ **day** *s Br. Tag, an dem die Würdenträger am englischen Hof ihre Ordensketten tragen.*

col·lar·et(te) [ˌkɒlə'ret] *s* kleiner (Spitzen- *etc*)Kragen.

col·lar| in·sig·ni·a *s pl* Kragenabzeichen *pl.* ~ **nut** *s tech.* Ringmutter *f.* ~ **patch** *s mil.* (Kragen)Spiegel *m.* ~ **stud** *s Br.* Kragenknopf *m.* ~ **work** *s* **1.** Fahrt *f* berg'auf. **2.** *fig.* harte Arbeit, Schinde'rei *f.*

col·late [kɒ'leit] *v/t* **1.** *Texte etc* kollatio'nieren: a) *mit dem Original vergleichen*, b) *print. auf richtige Zahl u. Anordnung überprüfen.* **2.** *Texte* zs.-stellen (u. vergleichen). **3.** *electr. tech. Lochkarten etc* mischen. **4.** *relig.* (*in e-e Pfründe*) einsetzen.

col·lat·er·al [kə'lætərəl] **I** *adj* (*adv* ~ly) **1.** seitlich, Seiten... **2.** paral'lel (laufend). **3.** *bot.* nebenständig. **4.** begleitend, Neben...: ~ circumstances Begleit-, Nebenumstände. **5.** zusätzlich, Neben...: ~ insurance. **6.** 'indiˌrekt.

7. gleichzeitig (auftretend). 8. in der Seitenlinie (verwandt); ~ **descent** Abstammung *f* von e-r Seitenlinie. **II** *s* 9. *econ.* Nebensicherheit *f*, -bürgschaft *f*. 10. Seitenverwandte(r *m*) *f*. ~ **cir·cu·la·tion** *s med.* kollate'raler Kreislauf. ~ **fraud** *s jur.* (*vorsätzlicher*) Betrug. ~ **loan** *s econ.* Lom'barddarlehen *n*, -kre͵dit *m*. ~ **se·cu·ri·ty** → collateral 9. ~ **sub·ject** *s ped.* Nebenfach *n*. ~ **trust bond** *s econ. Schuldverschreibung, die durch Deponierung von Effekten als Treuhandgut gesichert ist.*

col·la·tion [kɒ'leiʃən] *s* 1. (Text-)Vergleichung *f*, Kollati'on *f*. 2. Zs.-stellen *n* (*von Texten etc*) zum Vergleichen. 3. Über'prüfung *f*. 4. Beschreibung *f* der technischen Einzelheiten e-s Buches (*Format, Seitenzahl etc*). 5. Verifi'zierung *f* (*e-r Depesche durch Wiederholung*). 6. *relig.* Verleihung *f* e-r Pfründe. 7. *relig.* Zs.-kunft *f* (*zu erbaulicher Lektüre*). 8. Imbiß *m*.

col'la·tor [-tər] *s* 1. Kollatio'nierende(r *m*) *f*. 2. *relig.* Verleiher *m*.

col·league I *s* ['kɒliːg] Kol'lege *m*, Kol'legin *f*, Mitarbeiter(in). **II** *v/i* [kɒ'liːg] sich zs.-tun.

col·lect[1] [kə'lekt] **I** *v/t* 1. *Briefmarken etc* sammeln: to ~ stamps. 2. (ein-)sammeln: to ~ the letters den Briefkasten leeren. 3. auflesen. 4. versammeln. 5. (an)sammeln, zs.-bringen, zs.-tragen: to ~ facts. 6. *etwas od. j-n* abholen. 7. *Geld, Rechnungsbetrag etc* ('ein)kas͵sieren: to ~ an insurance benefit e-e Versicherungsleistung beziehen *od.* erhalten; to ~ a fine e-e Geldstrafe eintreiben; to ~ taxes Steuern erheben *od.* einziehen. 8. *Gedanken etc* sammeln: to ~ o.s. sich sammeln *od.* fassen; to ~ one's thoughts s-e Gedanken zs.-nehmen. 9. *ein Pferd* fest in die Hand nehmen. 10. folgern, schließen (from aus). **II** *v/i* 11. sich (ver)sammeln. 12. sich (an-)sammeln, sich (an)häufen. 13. sammeln. **III** *adj* 14. *Am.* Nachnahme..., bei Lieferung zu bezahlen(d): ~ call *teleph.* R-Gespräch *n*. **IV** *adv* 15. *a.* ~ on delivery (*abbr.* COD) *Am.* gegen Nachnahme.

col·lect[2] ['kɒlekt] *s relig.* Kol'lekte *f*, Kirchengebet *n*.

col·lect·a·ble → collectible.

col·lec·ta·ne·a [͵kɒlek'teiniə] *s pl* Lesefrüchte *pl* (*gesammelte Auszüge*).

col·lect·ed [kə'lektid] *adj* 1. gesammelt: ~ work. 2. *fig.* gefaßt, gesammelt, ruhig. **col'lect·ed·ness** *s fig.* Gefaßtheit *f*, Fassung *f*, Sammlung *f*.

col'lect·i·ble *adj* 1. sammelbar. 2. *econ.* einzieh-, eintreib-, einlösbar.

col·lect·ing [kə'lektiŋ] **I** *s* 1. Sammeln *n*. 2. *econ.* Einziehung *f*, -treibung *f*, In'kasso *n*. **II** *adj* 3. Sammel... ~ **a·gent** *s econ.* In'kassoa͵gent *m*. ~ **bar** *s electr.* Sammelschiene *f*. ~ **cen·ter**, *bes. Br.* **cen·tre** *s* Sammelstelle *f*. ~ **e·lec·trode** *s* 'Fangelek͵trode *f*. ~ **sta·tion** *s mil.* Truppenverbandsplatz *m*.

col·lec·tion [kə'lekʃən] *s* 1. (Ein-)Sammeln *n*. 2. (*Briefmarken- etc*)-Sammlung *f*: stamp ~. 3. Kol'lekte *f*, (Geld)Sammlung *f*. 4. *econ.* In'kasso *n*, Ein-, Beitreibung *f*: forcible ~ Zwangsbeitreibung; ~ at source Steuererhebung *f* an der Quelle; ~ department Inkassoabteilung *f*. 5. *econ.* ('Muster)Kollekti͵on *f*, Auswahl *f*, Sorti'ment *n*. 6. Beschaffung *f*, Einholung *f*: ~ of news; ~ of statistics statistische Erhebung(en *pl*). 7. Abholung *f*. 8. Leerung *f* des Briefkastens. 9. Ansammlung *f*, Anhäufung *f*. 10. *fig.* Fassung *f*, Sammlung *f*, Gefaßtsein *n*. 11. *pl univ. Br.* Schlußprüfung *f* am Ende e-s Tri'mesters (*Oxford*). 12. *Br.* Steuerbezirk *m*.

col·lec·tive [kə'lektiv] **I** *adj* (*adv* → collectively) 1. gesammelt, vereint, zs.-gefaßt. 2. kollek'tiv: a) e-e ganze Gruppe betreffend, gesamt: ~ interests Gesamtinteressen, b) gemeinsam: ~ ownership, c) Gemeinschafts..., gemeinschaftlich: ~ consciousness *psych.* Kollektivbewußtsein *n*, d) um'fassend, zs.-fassend. 3. Sammel... (*a. bot.*), Gemeinschafts...: ~ number *teleph.* Sammelnummer *f*, -anschluß *m*. **II** *s* 4. *ling.* Kollek'tivum *n*, Sammelwort *n*. 5. Gemeinschaft *f*, Gruppe *f*. 6. *pol.* a) Kollek'tiv *n*, Produkti'onsgemeinschaft *f* (*in kommunistischen Ländern*), b) → collective farm. ~ **a·gree·ment** *s econ.* Kollek'tivvertrag *m*, Ta'rifabkommen *n*. ~ **bar·gain·ing** *s econ.* Ta'rifverhandlungen *pl* (*zwischen Arbeitgeber[n] u. Gewerkschaften*). ~ **be·hav·io(u)r** *s sociol.* Kollek'tivverhalten *n*. ~ **farm** *s* Kol'chose *f*.

col·lec·tive·ly [kə'lektivli] *adv* 1. gemeinsam, zu'sammen, gemeinschaftlich. 2. insgesamt.

col·lec·tive| mort·gage *s econ.* Ge'samthypo͵thek *f*. ~ **noun** → collective 4. ~ **se·cu·ri·ty** *s pol.* kollek'tive Sicherheit.

col·lec·tiv·ism [kə'lekti͵vizəm] *s econ. pol.* Kollekti'vismus *m*. **col'lec·tiv·ist I** *s* Kollekti'vist(in). **II** *adj* kollekti'vistisch.

col·lec·tiv·i·ty [͵kɒlek'tiviti] *s* 1. Kollektivi'tät *f*, kollek'tiver Cha'rakter. 2. (*die*) Gesamtheit, (*das*) Ganze. 3. (*die*) Gesamtheit des Volkes.

col·lec·tiv·i·za·tion [kə͵lektivai'zeiʃən; -vi-] *s* Kollekti'vierung *f*. **col'lec·tiv͵ize** *v/t* kollekti'vieren.

col·lec·tor [kə'lektər] *s* 1. Sammler(in): ~'s item (*od.* piece) Sammlerstück *n*. 2. Kas'sierer *m*, (*Steuer- etc*)Einnehmer *m*. 3. Einsammler *m*. 4. *electr.* a) Stromabnehmer *m*, b) 'Auffangelek͵trode *f*. 5. *tech.* Sammelscheibe *f*. 6. *Br. Ind.* oberste(r) Verwaltungsbeamte(r) e-s Bezirkes. ~ **ring** *s electr.* Schleifring *m*.

col·leen ['kɒliːn; kɒ'liːn] *s Ir.* Mädchen *n*.

col·lege ['kɒlidʒ] *s* 1. *Br.* College *n* (*Wohngemeinschaft von Dozenten u. Studenten innerhalb e-r Universität*): to enter (*od.* go to) ~ e-e Universität beziehen. 2. *Br.* höhere (*zu e-r Universität gehörende*) Lehranstalt: University C~ (*in London*). 3. *Am.* a) College *n*, höhere Lehranstalt (*selbständig od. vereinigt mit e-r Universität, mit meist vierjährigem Lehrplan den Übergang bildend zwischen der höheren Schule,* high school, *u. dem Universitäts- od. Berufsstudium*), b) Insti'tut *n* (*für Sonderausbildung*): medical ~. 4. höhere Lehranstalt, Akade'mie *f*: a) *Br. e-e der großen* Public Schools *wie Eton etc*, b) *Lehranstalt für besondere Studienzweige*: Naval C~ Marineakademie. 5. College(gebäude) *n*. 6. Kol'legium *n*: a) *organisierte Vereinigung von Personen mit gemeinsamen Pflichten u. Rechten*, b) Ausschuß *m*: → electoral 1. 7. *relig.* (*Kardinals- etc*)Kol'legium *n*. 8. a) Gemein-, Gesellschaft *f*, b) Schwarm *m* (*Bienen*). 9. *sl.* ‚Kittchen' *n* (*Gefängnis*). ~ **liv·ing** *s Br.* Pfründe *f* für e-n (*meist theologischen*) Gelehrten an e-m College. **C~ of Arms** → Heralds' College. **C~ of Jus·tice** *s jur. Scot.* 'Rechtskol͵legium *n* (*aus Richtern u. Anwälten bestehend*). ~ **pud·ding** *s* (*Art*) kleiner Plumpudding.

col·leg·er ['kɒlidʒər] *s* 1. *Br.* (im College wohnender) Stipendi'at (*Eton*). 2. *Am.* Stu'dent *m* e-s College.

col·lege wid·ow *s Am. colloq.* ‚ewige Stu'dentenbraut'.

col·le·gi·al [kə'liːdʒiəl] → collegiate.

col'le·gi·an [-dʒiən; -dʒən] *s* 1. Mitglied *n od.* Stu'dent *m* e-s College. 2. *Br. sl.* ‚Knastschieber' *m*, Sträfling *m*.

col·le·gi·ate [kə'liːdʒiit; -dʒit] *adj* College..., Hochschul..., aka'demisch, Studenten...: ~ dictionary Schulwörterbuch *n*; ~ school *Br.* höhere Schule. ~ **church** *s relig.* 1. *Br.* Kollegi'at-, Stiftskirche *f*. 2. *Am.* Vereinigung *f* mehrerer ehemals unabhängiger Kirchen. 3. *Scot.* Kirche *f od.* Gemeinde *f* mit mindestens zwei ranggleichen Pa'storen.

col·let ['kɒlit] *s tech.* 1. Me'tallring *m*, Spannhülse *f*, Zwinge *f*. 2. Fassung *f* (*e-s Edelsteins*).

col·lide [kə'laid] *v/i* (with) kolli'dieren (mit): a) zs.-stoßen (mit) (*a. fig.*), b) stoßen (gegen), c) *fig.* im 'Widerspruch stehen (zu).

col·lie ['kɒli] *s zo.* Collie *m*, schottischer Schäferhund.

col·lier ['kɒljər] *s* 1. Kohlenarbeiter *m*, Bergmann *m*. 2. *mar.* a) Kohlendampfer *m*, -schiff *n*, b) Ma'trose *m* auf e-m Kohlenschiff. 3. *obs.* Kohlenträger *m*, -händler *m*. **'col·lier·y** *s* Kohlengrube *f*, (Kohlen)Zeche *f*.

col·li·gate ['kɒli͵geit] *v/t* 1. *philos. Tatsachen* logisch verbinden. 2. verbinden, vereinigen.

col·li·mate ['kɒli͵meit] *v/t astr. phys.* 1. *zwei Linien etc* zs.-fallen lassen. 2. *Teleskop etc* richten, einstellen. **͵col·li'ma·tion** *s astr. phys.* 1. Kollimati'on *f* (*Übereinstimmung od. Parallelität zweier Richtungen an e-m Meßgerät*): ~ error Kollimationsfehler *m*; ~ line Sehlinie *f*. 2. genaues Einstellen (*Meßgerät*). **'col·li͵ma·tor** [-tər] *s astr. phys. TV* Kolli'mator *m*.

col·lin·e·ar [kə'liniər] *adj math.* kolline'ar (*auf derselben Geraden liegend*).

Col·lins[1] ['kɒlinz] *s Br. colloq.* Dankbrief *m* an den Gastgeber.

col·lins[2] ['kɒlinz] *s alkoholisches Mischgetränk*.

col·li·qua·tion [͵kɒli'kweiʃən] *s med.* Zersetzung *f* (*von Geweben*).

col·li·sion [kə'liʒən] *s* 1. Zs.-stoß *m*, Zs.-prall *m*, Kollisi'on *f* (*alle a. fig.*): to come into ~ with s.th. mit etwas zs.-stoßen. 2. *fig.* 'Widerspruch *m*, -streit *m*, Kon'flikt *m*, Gegensatz *m*.

col·lo·cate ['kɒlo͵keit] *v/t* zs.-stellen, ordnen.

col·loc·u·tor [kə'lɒkjutər; 'kɒlə͵kjuːtər] *s* Gesprächspartner(in).

col·lo·di·on [kə'loudiən] *chem.* **I** *s* Kol'lodium *n*. **II** *adj* Kollodium...: ~ cotton *tech.* Schießbaumwolle *f*. **col'lo·di·on͵ize** *v/t* mit Kol'lodium behandeln.

col·loid ['kɒlɔid] **I** *s chem.* Kollo'id *n*, gallertartiger Stoff. **II** *adj* → colloidal 1. **col'loi·dal** *adj* 1. *chem.* kolloi'dal, gallertartig. 2. *min.* a'morph.

col·lop ['kɒləp] *s Br. obs.* 1. kleine Scheibe Speck *od.* Fleisch: minced ~s *Scot.* Klops *m*. 2. Speck *m* mit Ei: C~ Monday Rosenmontag *m*.

col·lo·qui·al [kə'loukwiəl] *adj* (*adv* ~ly) 'umgangssprachlich, famili'är, Umgangs...: ~ English Umgangsenglisch *n*; ~ expression → colloquialism.

col'lo·qui·al͵ism *s* Ausdruck *m* der

ˈUmgangssprache. **colˈlo·qui·alˌize** *v/t* ˈumgangssprachlich verwenden *od.* gestalten.

col·lo·quist [ˈkɒləkwist] → collocutor.

col·lo·quy [ˈkɒləkwi] *s* (förmliche) Unterˈhaltung, Gespräch *n.*

col·lo·type [ˈkɒləˌtaip] *phot.* **I** *s* **1.** Lichtdruckverfahren *n.* **2.** Farbenlichtdruck *m.* **3.** Lichtdruckplatte *f* (*mit Chromgelatineschicht überzogen*). **II** *v/t* **4.** im Lichtdruckverfahren ˈherstellen.

col·lude [kəˈljuːd; -ˈluːd] *v/i* in heimlichem Einverständnis stehen *od.* handeln, unter e-r Decke stecken.

col·lum [ˈkɒləm] *pl* **-la** [-ə] *s anat. bot.* Hals *m*, halsähnlicher Teil.

col·lu·sion [kəˈluːʒən] *s* **1.** *jur.* Kollusiˈon *f*: a) geheimes *od.* betrügerisches Einverständnis, vorherige Absprache, b) Verdunkelung *f*: **to act in ~** in geheimem Einverständnis handeln. **2.** abgekartete Sache, Schwindel *m.* **colˈlu·sive** [-siv] *adj* (*adv* **~ly**) heimlich verabredet, abgekartet.

col·ly → collie.

col·lyr·i·um [kəˈli(ə)riəm] *pl* **-i·a** [-ə], **-i·ums** *s med.* Augenwasser *n.*

col·ly·wob·bles [ˈkɒliˌwɒblz] *s* (*als sg od. pl konstruiert*) *Br. humor.* **1.** Bauchweh *n.* **2.** Magenknurren *n.*

co·lo·en·ter·i·tis [ˌkouloˌentəˈraitis] *s med.* Enterokoˈlitis *f.*

co·logne [kəˈloun], *a.* **C~ wa·ter** *s* Kölnischwasser *n*, Eau de Coˈlogne *n, f.*

Co·lom·bi·an [kəˈlʌmbiən] **I** *adj* koˈlumbisch. **II** *s* Koˈlumbier(in).

co·lon[1] [ˈkoulən] *pl* **-lons, -la** [-ə] *s anat.* Colon *n*, Dickdarm *m.*

co·lon[2] [ˈkoulən] *s ling.* **1.** Doppelpunkt *m.* **2.** *pl* **-la** [-ə] ˈHauptabˌteilung *f* e-r rhythmischen Periˈode.

co·lon[3] [koˈloun] *pl* **-lons, -lo·nes** [-neis] *s* Coˈlon *m* (*Währungseinheit in Costa Rica u. El Salvador*).

colo·nel [ˈkəːrnl] *s* **1.** *mil.* Oberst *m.* **2.** **C~** *Am. Ehrentitel für prominente Bürger.* ˈ**colo·nel·cy** *s* Stelle *f od.* Rang *m* e-s Obersten.

colo·nel| gen·er·al *s mil.* Geneˌralˈoberst *m.* ˈ**~-in-ˌchief** *s* Regiˈmentschef *m* (*ehrenhalber*).

co·lo·ni·al [kəˈlouniəl] **I** *adj* (*adv* **~ly**) **1.** koloniˈal, Kolonial...: **~ goods, ~ produce** Kolonialwaren; **~ system** → colonialism 2. **2.** *Am.* a) die dreizehn brit. Koloˈnien betreffend (*die sich als Vereinigte Staaten selbständig machten*), b) die Zeit vor 1776 *od.* (*weitS.*) das 18. Jh. betreffend. **3.** *biol.* koloˈnienbildend, gesellig. **4.** **C~** *arch. Am.* den Koloniˈalstil (*des 18. Jh.*) betreffend. **II** *s* → **colonist.** **coˈlo·ni·al·ˌism** *s* **1.** (*ein*) für e-e Koloˈnie typischer Zug (*in Sitte, Ausdrucksweise etc*). **2.** *pol.* Koloniaˈlismus *m*, Koloniˈalsysˌstem *n*, -poliˌtik *f.*

Co·lo·ni·al| of·fice *s pol. Br.* Koloniˈalminiˌsterium *n.* **~ Sec·re·tar·y** *s* Koloniˈalmiˌnister *m.*

co·lon·ic [koˈlɒnik] *adj anat.* Dick[darm...]

col·o·nist [ˈkɒlənist] *s* Koloˈnist(in), Ansiedler(in). **ˌcol·o·niˈza·tion** *s* **1.** Kolonisatiˈon *f*, Besiedlung *f* (*a. biol.*). **2.** *pol.* vorˈübergehende Ansiedlung von Wählern in e-m Wahlbezirk (*um Stimmen zu gewinnen*). ˈ**col·oˌnize** **I** *v/t* **1.** koloniˈsieren, besiedeln. **2.** ansiedeln. **II** *v/i* **3.** sich ansiedeln. **4.** e-e Koloˈnie bilden. ˈ**col·oˌniz·er** *s* **1.** Koloniˈsator *m.* **2.** → colonist.

col·on·nade [ˌkɒləˈneid] *s* **1.** *arch.* Kolonˈnade *f*, Säulengang *m.* **2.** Alˈlee *f.*

col·o·ny [ˈkɒləni] *s allg.* Koloˈnie *f*: a) Koloniˈal-, Siedlungsgebiet *n*: **the Colonies** *hist.* die dreizehn brit. Kolonien (*die sich als Vereinigte Staaten von Amerika selbständig machten*), b) Siedlung *f*, c) Gruppe *f* von Ansiedlern, d) (ˈAusländer-, ˈFremden)KoloˌnieHF *f*: **the German ~ in Rome; a ~ of artists** e-e Künstlerkolonie, e) *biol.* (Bakˈterien-, ˈPflanzen- *od.* ˈTier)Koloˌnie *f.*

col·o·phon [ˈkɒləˌfɒn] *s* Koloˈphon *m* (*Schlußinschrift alter Druckwerke*).

col·o·pho·ny [ˈkɒləˌfouni; kəˈlɒfəni] *s* Koloˈphonium *n*, Geigenharz *n.*

col·or, *bes. Br.* **col·our** [ˈkʌlər] **I** *s* **1.** (*bes.* chroˈmatische) Farbe. **2.** (*a.* gesunde) Gesichtsfarbe: **to have ~** gesund aussehen; **to lose ~** die Farbe verlieren, erbleichen; **she has little ~** sie ist blaß; → **change** 1, off-colo(u)r. **3.** (*bes.* dunkle) Hautfarbe: **gentleman of ~** Farbige(r) *m*, Neger *m*; **people of ~** Farbige; **~ problem** Rassenfrage *f*, Negerproblem *n.* **4.** (Gesichts)Röte *f*: **her ~ came and went** sie wurde abwechselnd rot u. blaß. **5.** *fig.* Farbe *f*, Leˈbendigkeit *f*, Koloˈrit *n*: **a novel with much local ~** ein Roman mit viel Lokalkolorit; **to add** (*od.* **lend**) **~ to** *etwas* beleben, lebendig *od.* realistisch gestalten. **6.** *paint. tech.* Farbe *f*, Farbstoff *m*: **~ additive** Farbstoffzusatz *m*; **to lay on the ~s too thickly** *fig.* (die Farben) zu dick auftragen; **to paint in bright (dark) ~s** *etwas* in rosigen (düsteren) Farben schildern. **7.** a) Farbgebung *f*, b) Farbwirkung *f.* **8.** *mus.* Klangfarbe *f.* **9.** *fig.* Färbung *f*, Ton *m*, Chaˈrakter *m*, Stimmung *f.* **10.** Farbe *f*, farbiges Band *od.* Abzeichen (*e-r Schule, e-s Jockei etc*): **to get one's ~s** sein Mitgliedsabzeichen (*als neues Mitglied*) erhalten. **11.** *pl mil.* Fahne *f*: **to call to the ~s** einberufen; **to join the ~s** zur Fahne eilen, Soldat werden; **to come off with flying ~s** e-n glänzenden Sieg *od.* Erfolg erzielen; **trooping the ~s** Fahnenparade *f.* **12.** *pl mar.* Flagge *f*: **to lower one's ~s** die Flagge streichen (*a. fig. klein beigeben*); **to nail one's ~s to the mast, to stick to one's ~s** standhaft bleiben, nicht kapitulieren (wollen); **to sail under false ~s** unter falscher Flagge segeln; **to come out in one's true ~s** sich im wahren Lichte zeigen; **to show one's true ~s** a) sein wahres Gesicht zeigen, b) Farbe bekennen, sich erklären. **13.** Anschein *m*, Anstrich *m*: **~ of truth; to give ~ to the story** der Sache den Anstrich der Wahrscheinlichkeit geben, die Sache glaubhafter machen; **~ of office** *jur.* Amtsanmaßung *f*; **~ of title** *jur. Am.* (zu Unrecht) behaupteter Rechtstitel. **14.** Deckmantel *m*, Vorwand *m*: **under the ~ of charity** unter dem Vorwand *od.* Mäntelchen der Nächstenliebe. **15.** Art *f*, Sorte *f*: **a man of his ~** ein Mann s-s Schlages. **16.** *colloq.* Spur *f*: **he will not see the ~ of my money** von mir bekommt er keinen Pfennig. **17.** *Kartenspiel*: rote u. schwarze Farbe. **18.** *her.* Wappenfarbe *f.* **19.** ausgewaschenes Goldteilchen.

II *v/t* **20.** färben, koloˈrieren, anstreichen. **21.** *fig.* färben: a) e-n Anstrich geben (*dat*), gefärbt darstellen, entstellen: **a ~ed report** ein gefärbter Bericht, b) schönfärben, beschönigen. **22.** *fig.* abfärben auf (*acc*), beeinflussen.

III *v/i* **23.** sich (ver)färben, (e-e) Farbe annehmen. **24.** erröten.

col·or·a·ble, *bes. Br.* **col·our·a·ble** [ˈkʌlərəbl] *adj* (*adv* **colo[u]rably**) **1.** färbbar. **2.** plauˈsibel, glaubhaft. **3.** vorgeblich, finˈgiert: **~ imitation** *jur.* täuschend ähnliche Nachahmung (*e-s Warenzeichens*); **~ title** *jur.* unzureichender Anspruch auf Eigentumsrecht.

Col·o·ra·do (po·ta·to) bee·tle [ˌkɒləˈrɑːdou; -ˈrædou] *s zo.* Coloˈrado-, Karˈtoffelkäfer *m.*

col·or·ant [ˈkʌlərənt] *s Am.* Farbstoff [*m*, Färbemittel *n.*]

col·or·a·tion, *bes. Br.* **col·our·a·tion** [ˌkʌləˈreiʃən] *s* **1.** Färben *n*, Koloˈrieren *n.* **2.** Farb(en)gebung *f*, ˈFarbzuˌsammenstellung *f.* **3.** *biol.* Färbung *f.*

col·o·ra·tu·ra [*Br.* ˌkɒlərəˈtu(ə)rə; *Am.* ˌkʌl-] *s mus.* **1.** Koloraˈtur *f.* **2.** virtuˈose Muˈsik. **3.** Koloraˈtursängerin *f.* **~ so·pran·o** *s* Koloraˈtursoˌpran *m* (*Stimme u. Sängerin*).

col·or| bar, *bes. Br.* **col·our| bar** *s bes. Br.* Rassenschranke *f.* ˈ**~-ˌbear·er** *s mil.* Fahnenträger *m.* ˈ**~-ˌblind** *adj* **1.** *med.* farbenblind. **2.** *Am. fig.* blind (to für). **~ blind·ness** *s med.* Farbenblindheit *f.* **~ box** *s* Farb(en)-, Malkasten *m.* **~ cast** *s* Farbfernsehsendung *f.* **~ chart** *s* Farbenskala *f.*

col·ored, *bes. Br.* **col·oured** [ˈkʌlərd] **I** *adj* **1.** farbig, bunt (*beide a. fig.*), koloˈriert: **~ pencil** Bunt-, Farbstift *m*; **~ plate** Farbenkunstdruck *m.* **2.** farbig, *bes.* Neger...: **a ~ man** ein Farbiger; **~ people** Farbige; **a ~ school** e-e Schule für Farbige. **3.** *fig.* gefärbt: a) beschönigt, b) nicht objekˈtiv, tendenziˈös: **~ account,** c) beeinflußt: **politically ~. 4.** *fig.* angeblich, falsch: **a ~ ally. 5.** *in Zssgn* ...farbig, ...farben. **II** *s* **6.** (*als pl konstruiert*) *Am.* Neger(innen) *pl.*

col·or·ful, *bes. Br.* **col·our·ful** [ˈkʌlərful] *adj* **1.** farbenfreudig, -prächtig. **2.** *fig.* farbig, bunt, lebhaft, abwechslungsreich: **a ~ pageant; a ~ description. 3.** *fig.* auffallend, interesˈsant: **a ~ personality.**

col·or guard, *bes. Br.* **col·our guard** *s mil.* Fahnenwache *f*, -abordnung *f.*

col·or·if·ic [ˌkʌləˈrifik; *Br. a.* ˌkɒl-] *adj* **1.** farbgebend. **2.** *obs.* a) Farb..., b) farbenfreudig.

col·or·im·e·ter [ˌkʌləˈrimitər; *Br. a.* ˌkɒl-] *s phys.* Koloriˈmeter *n*, Farbenmesser *m.*

col·or·ing, *bes. Br.* **col·our·ing** [ˈkʌləriŋ] **I** *s* **1.** Färben *n.* **2.** Farbe *f*, Färbemittel *n.* **3.** Färbung *f*, Koloˈrit *n*, Farbe *f*, Farbgebung *f.* **4.** Gesichts- (u. Haar)farbe *f.* **5.** *fig.* äußerer Anstrich, Schein *m.* **6.** *fig.* ˌSchönfärbeˈrei *f*, Beschönigung *f.* **7.** *fig.* Färbung *f*, Tenˈdenz *f.* **II** *adj* **8.** Farb...: **~ matter** Farbstoff *m.*

col·or·ist, *bes. Br.* **col·our·ist** [ˈkʌlərist] *s paint.* Farbenkünstler *m*, *engS.* Koloˈrist *m.*

col·or·less, *bes. Br.* **col·our·less** [ˈkʌlərlis] *adj* (*adv* **~ly**) **1.** farblos (*a. fig. nichtssagend*). **2.** *fig.* neuˈtral, ˈunparˌteiisch.

col·or| line, *bes. Br.* **col·our| line** *s Am.* Rassenschranke *f.* ˈ**~·man** [-mən] *s irr Br.* Farbenhändler *m.* **~ pho·tog·ra·phy** *s phot.* ˈFarbphotograˌphie *f.* **~ plate** *s* Farben(kunst)druck *m.* **~ print** *s print.* Farbendruck *m* (*Bild*). **~ print·ing** *s print.* Bunt-, Farbendruck *m* (*Verfahren*). **~ sa·lute** *s mil.* Flaggengruß *m.* **~ scheme** → coloration 2. **~ screen** *s tech.* Farbraster *m.* **~ ser·geant** *s mil.* (*etwa*) Oberfeldwebel *m.* **~ serv·ice** *s mil.* Wehrdienst *m.* **~ tel·e·vi·sion** *s* Farbfernsehen *n.*

co·los·sal [kəˈlɒsl] *adj* kolosˈsal, riesig, Riesen..., ungeheuer (*alle a. colloq.*): a ~ statue; a ~ mistake.

col·os·se·um [ˌkɒləˈsiːəm] → coliseum.

Co·los·sians [kəˈlɒʃənz] *s pl Bibl.* (Brief *m* des Paulus an die) Koˈlosser *pl.*

co·los·sus [kəˈlɒsəs] *pl* **-si** [-ai], *a.* **-sus·es** *s* **1.** Koˈloß *m*: a) Riese *m*, b) (*etwas*) Riesengroßes. **2.** Riesenstandbild *n.*

co·los·trum [kəˈlɒstrəm] *s biol.* Vormilch *f.*

col·our, col·our·a·ble, col·our·a·tion, col·our bar *etc* → color, colorable, coloration, color bar *etc.*

col·por·tage [ˈkɒlˌpɔːrtidʒ] *s* Kolporˈtage *f.* **ˈcolˌpor·teur** [-tər] *s* Kolporˈteur *m*, Hauˈsierer *m* mit (*bes. religiösen*) Büchern *od.* Zeitschriften.

colt[1] [koult] **I** *s* **1.** Füllen *n*, Fohlen *n*: as sound as a ~ gesund wie ein Fisch im Wasser. **2.** *fig.* ‚Grünschnabel' *m*, junger Springinsfeld. **3.** *sport colloq.* Neuling *m.* **4.** *mar.* Tauende *n.* **II** *v/t* **5.** *mar.* mit dem Tauende verprügeln.

Colt[2] [koult] (*TM*) *s* Colt *m* (*Revolver*).

col·ter, *bes. Br.* **coul·ter** [ˈkoultər] *s agr.* Kolter *n* (*am Pflug*).

colt·ish [ˈkoultiʃ] *adj* **1.** fohlenartig. **2.** ausgelassen, ˈübermütig.

ˈcoltsˌfoot *pl* **-ˌfoots** *s bot.* Huflattich *m.*

colt's tooth *s irr* **1.** *zo.* a) Milchzahn *m*, b) Wolfszahn *m* (*beim Pferd*). **2.** (jugendlicher) ˈÜbermut: to cast (*od.* shed) one's ~ sich die Hörner abstoßen.

Co·lum·bi·an[1] [kəˈlʌmbiən] *adj* **1.** *poet.* ameriˈkanisch. **2.** Koˈlumbus betreffend.

Co·lum·bi·an[2] [kəˈlʌmbiən] *s print.* Tertia *f* (*16 Punkt; Schriftgröße*).

co·lum·bic ac·id [kəˈlʌmbik] *s chem.* Coˈlumbium-, Niˈobsäure *f.*

col·um·bine[1] [ˈkɒləmˌbain] *adj* **1.** taubenartig, Tauben... **2.** taubengrau.

col·um·bine[2] [ˈkɒləmˌbain] *s bot.* Akeˈlei *f.*

Col·um·bine[3] [ˈkɒləmˌbain] *s thea.* Kolomˈbine *f* (*Geliebte des Harlekin*).

co·lum·bite [kəˈlʌmbait] *s min.* Columˈbit *m.* **coˈlum·bi·um** [-biəm] *s chem.* Coˈlumbium *n*, Niˈobium *n.*

col·umn [ˈkɒləm] *s* **1.** *arch.* Säule *f*, Pfeiler *m.* **2.** *tech.* a) Ständer *m*, Pfosten *m*, Stütze *f*, b) Koˈlonne *f*, säulenförmiger Destilˈlierappaˌrat. **3.** *fig.* (Rauch-, Wasser- *etc*)Säule *f*: ~ of smoke; ~ of mercury *phys.* Quecksilbersäule; → spinal column. **4.** *print.* Koˈlumne *f*, (Satz-, Zeitungs)Spalte *f*: printed in double ~s zweispaltig gedruckt. **5.** *Zeitung*: a) Unterˈhaltungsteil *m*, b) regelmäßig erscheinender ˈZeitungsarˌtikel (*über ein bestimmtes Gebiet*), Spalte *f.* **6.** *math.* Koˈlonne *f*, senkrechte (Zahlen)Reihe. **7.** Feld *n*, Ruˈbrik *f* (*e-r Tabelle*). **8.** *mil.* (ˈMarsch)Koˌlonne *f*: ~ left, march! links schwenkt, marsch!; → fifth column.

co·lum·nar [kəˈlʌmnər] *adj* **1.** säulenartig, -förmig. **2.** Säulen... **3.** in Koˈlonnen gedruckt *od.* angeordnet. **col·um·nat·ed** [ˈkɒləmˌneitid], **ˈcol·umned** [-əmd] *adj* **1.** mit Säulen (versehen), von Säulen getragen, Säulen... **2.** → columnar. **ˈcol·um·nist** *s Zeitung*: Kolumˈnist(in), Arˈtikel-, Spaltenschreiber(in).

co·lure [koˈljur; ˈkouljur] *s astr.* Koˈlur *m*, Deklinatiˈonskreis *m.*

col·za [ˈkɒlzə] *s bot.* Raps *m.*

co·ma[1] [ˈkoumə] *s med.* **1.** Koma *n*, anhaltende *od.* tiefe Bewußtlosigkeit. **2.** Dämmerzustand *m.*

co·ma[2] [ˈkoumə] *pl* **-mae** [-iː] *s* **1.** *bot.* a) Schopf *m*, b) Haarbüschel *n* (*an Samen*). **2.** *astr. phys.* Koma *f* (*Nebelhülle um den Kern e-s Kometen*). **3.** *phys.* Koma *f* (*Linsenfehler*).

Co·man·che [koˈmæntʃi] *s* **1.** Koˈmantsche *m*, Koˈmantschin *f.* **2.** *ling.* Koˈmantschensprache *f.*

Co·man·che·an [koˈmæntʃiən] *s e-e nordamer. geologische Periode* (*zwischen Jura- u. Kreidezeit*).

com·a·tose [ˈkouməˌtous; ˈkɒm-] *adj med.* komaˈtös, im Koma befindlich.

comb[1] [koum] **I** *s* **1.** Kamm *m.* **2.** (Pferde)Striegel *m.* **3.** *tech.* Kamm *m*, *bes.* a) Wollkamm *m*, b) (Flachs)-Hechel *f*, c) Gewindeschneider *m* (*an e-r Drehbank*), d) *electr.* (Kamm)-Stromabnehmer *m.* **4.** *zo.* Kamm *m* (*des Hahnes etc*): to cut s.o.'s ~ *fig.* j-n demütigen. **5.** (Berg- *od.* Wellen)-Kamm *m.* **6.** Honigwabe *f.* **II** *v/t* **7.** *Haar* kämmen. **8.** a) *Wolle* auskämmen, krempeln, b) *Flachs* hecheln. **9.** *Pferd* striegeln. **10.** *fig. Gegend* ˈdurchkämmen, absuchen, durchˈsuchen. **11.** *meist* ~ out *fig.* a) sieben, sichten, b) aussondern, -suchen, c) *mil.* ausmustern.

comb[2] → coomb.

com·bat [ˈkɒmbæt; ˈkʌm-; kəmˈbæt] **I** *v/t* **1.** bekämpfen, kämpfen gegen. **II** *v/i* **2.** kämpfen. **III** *s* [ˈkɒmbæt; ˈkʌm-] **3.** Kampf *m.* **4.** *mil.* a) (Entscheidungs)Kampf *m*, Gefecht *n*, (Kampf)Einsatz *m*, b) *a.* single ~ Einzel-, Zweikampf *m.* **IV** *adj* [ˈkɒmbæt; ˈkʌm-] **5.** Kampf...: ~ airfield Feldflugplatz *m.*

com·bat·ant [ˈkɒmbətənt; ˈkʌm-] **I** *s* **1.** Kämpfer *m.* **2.** *mil.* Angehörige(r) *m* der Kampftruppen, Frontkämpfer *m*, Kombatˈtant *m.* **3.** Duelˈlant *m.* **II** *adj* **4.** kämpfend. **5.** *mil.* zur Kampftruppe gehörig, Kampf...

com·bat| car *s mil. Am.* Kampfwagen *m.* ~ **ef·fi·cien·cy** *s mil.* Kampfwert *m.* ~ **fa·tigue** *s mil. psych.* ˈKriegsneuˌrose *f.* ~ **group** *s mil.* Kampfgruppe *f.*

com·ba·tive [ˈkɒmbətiv; ˈkʌm-; *Am. a.* kəmˈbætiv] *adj* (*adv* ~ly) **1.** kampfbereit. **2.** kampf-, rauflustig.

com·bat| or·der *s mil.* Gefechtsbefehl *m.* ~ **team** *s mil. Am.* Kampfgruppe *f.* ~ **u·nit** *s mil. Am.* Kampfverband *m.*

combe → coomb.

comb·er [ˈkoumər] *s* **1.** a) Wollkämmer *m*, Krempler *m*, b) Flachshechler *m.* **2.** *tech.* a) ˈKrempelmaˌschine *f*, b) ˈHechelmaˌschine *f.* **3.** *mar.* Sturzwelle *f*, Brecher *m.*

comb hon·ey *s* Scheibenhonig *m.*

com·bi·na·tion [ˌkɒmbiˈneiʃən] *s* **1.** Verbindung *f*, -einigung *f*, -knüpfung *f*, Kombinatiˈon *f* (*a. Sport, Schach etc*). **2.** Zs.-stellung *f.* **3.** Vereinigung *f*, Verbindung *f*, Interˈessengemeinschaft *f* (*von Personen*). **4.** a) Gewerkschaft *f*, b) Konˈzern *m*, c) Karˈtell *n*, Ring *m.* **5.** Zs.-schluß *m*, Bündnis *n*, Absprache *f*: ~ in restraint of trade Abkommen *n* zur Monopolisierung des Handels. **6.** *mus.* Combo *f*, (kleine) Jazzband. **7.** *tech.* Kombinatiˈon *f*, kombiˈniertes Gerät. **8.** Motorrad *n* mit Beiwagen, ˈBeiwagenmaˌschine *f.* **9.** *chem.* Verbindung *f.* **10.** *math.* Kombinatiˈon *f.* **11.** *tech.* a) (ˈBuchstaben)Kombinatiˌon *f* (*Vexierschloß*), b) Mechaˈnismus *m* e-s Veˈxierschlosses. **12.** *meist pl* Kombinatiˈon *f*: a) Hemdhose *f*, b) (einteiliger) Schutzanzug, Monˈtur *f.* ~ **fuse** *s tech.* kombiˈnierter Zünder, Doppelzünder *m.* ~ **lock** *s tech.* Kombinatiˈons-, Veˈxierschloß *n.* ~ **pli·ers** *s pl* (*a. als sg konstruiert*) Kombinatiˈonszange *f.* ~ **room** *s Br.* Gemeinschaftsraum *m* (*der Fellows e-s College der Universität Cambridge*).

com·bi·na·tive [ˈkɒmbiˌneitiv; *Am. a.* kəmˈbainə-] *adj* **1.** verbindend. **2.** Verbindungs...

com·bin·a·to·ri·al [*Br.* ˌkəmbinəˈtɔːriəl; *Am.* kəmˌbainəˈtɔːr-] *adj math.* kombinaˈtorisch. ~ **a·nal·y·sis** *s math.* Kombinatiˈons- u. Permutatiˈonslehre *f.*

com·bine [kəmˈbain] **I** *v/t* **1.** verbinden (*a. chem.*), vereinigen, zs.-setzen, kombiˈnieren: to ~ business with pleasure das Angenehme mit dem Nützlichen verbinden; to ~ forces Kräfte vereinigen. **2.** in sich vereinigen, *Eigenschaften etc* gleichzeitig besitzen. **II** *v/i* **3.** sich verbinden (*a. chem.*), sich vereinigen. **4.** sich zs.-schließen, sich verbünden. **5.** zs.-wirken. **6.** e-e Einheit bilden. **III** *s* [ˈkɒmbain; kəmˈbain] **7.** Verbindung *f*, Vereinigung *f.* **8.** a) poˈlitische *od.* wirtschaftliche Interˈessengemeinschaft, b) *econ.* Verband *m*, Konˈzern *m*, Karˈtell *n*: ~ price Verbandspreis *m.* **9.** [ˈkɒmbain] *agr.* Mähdrescher *m.*

com·bined [kəmˈbaind] *adj* **1.** vereinigt. **2.** verbündet. **3.** *chem.* verbunden. **4.** gemeinsam, gemeinschaftlich: ~ efforts gemeinsame Bemühungen. **5.** *mil.* verbunden (*mehrere Truppengattungen*), kombiˈniert, ˈinteralliˌiert (*mehrere Alliierte*). ~ **a·e·ri·al** *s electr.* kombiˈnierte (AM-FM)-Anˈtenne, Geˈmeinschaftsanˌtenne *f.* ~ **arms** *s pl mil.* verbundene Waffen *pl*, gemischte Verbände *pl.* ~ **e·vent** *s sport* Kombinatiˈon(slauf *m*) *f.* ~ **op·er·a·tion** *s mil.* Operatiˈon *f* verbundener Waffen. ~ **ski·ing** *s sport* kombiˈniertes Skirennen: a) alˈpine Kombinatiˈon, b) nordische Kombinatiˈon.

comb·ing [ˈkoumiŋ] *s* **1.** (Aus)Kämmen *n.* **2.** *pl* ausgekämmte Haare *pl.* ~ **works** *s pl tech.* Kämmeˈrei *f.*

com·bin·ing form [kəmˈbainiŋ] *s ling.* in Zs.-setzungen verwendete Wortform (*wie* Anglo- *etc*).

com·bo [ˈkɒmbou] *s* → combination 6.

ˈcomb-ˌout *s* **1.** Auskämmen *n.* **2.** *fig.* ˈDurchkämmen *n*, Absuchen *n.* **3.** *mil. Br. sl.* Musterung *f* der bisher Unabkömmlichen.

com·bus·ti·bil·i·ty [kəmˌbʌstiˈbiliti] *s* (Ver)Brennbarkeit *f*, Entzündlichkeit *f.* **comˈbus·ti·ble I** *adj* **1.** (ver)brennbar, (leicht) entzündlich. **2.** *fig.* erregbar, jähzornig. **II** *s* **3.** ˈBrennstoff *m*, -materiˌal *n.*

com·bus·tion [kəmˈbʌstʃən] *s* **1.** Verbrennung *f* (*a. biol. chem.*), Entzündung *f.* **2.** *fig.* Erregung *f*, Aufruhr *m*, Tuˈmult *m.* ~ **cham·ber** *s tech.* Verbrennungskammer *f*, -raum *m*, Brennkammer *f.* ~ **en·gine** *s tech.* Verˈbrennungs(ˌkraft)maˌschine *f.* ~ **mo·tor** *s tech.* Verbrennungsmotor *m.*

com·bus·tive [kəmˈbʌstiv] *adj* **1.** entzündend, Zünd... **2.** Verbrennungs..., Brenn..., Entzündungs... **comˈbus·tor** [-tər] *s tech.* Verbrennungskammer *f* e-s Düsenmotors.

come [kʌm] **I** *v/i pret* **came** [keim] *pp* **come 1.** kommen: s.o. is coming es kommt j-d; to be long in coming lange auf sich warten lassen; to ~ before the judge vor den Richter kommen; he came to see us er besuchte uns, er suchte uns auf; no work has ~ his way er hat (noch) keine Arbeit gefunden; that ~s on page 4 das kommt auf Seite 4; the message has ~ die Nachricht ist gekommen *od.* eingetroffen; ill luck came to him ihm widerfuhr Unglück; I was coming to that darauf wollte ich gerade hinaus. **2.** (dran)kommen, an die Reihe kommen: who ~s first? **3.** kommen, erscheinen, auftreten: to ~ and go a) kommen u. gehen, b) erscheinen u. verschwinden; love will ~ in time mit der Zeit wird die Liebe sich einstellen; to ~ into view sichtbar werden. **4.** reichen, sich erstrecken: the dress ~s to her knees das Kleid reicht ihr bis zu den Knien. **5.** kommen, gelangen (to zu): to ~ to the throne den Thron besteigen; to ~ into danger in Gefahr geraten; when we ~ to die wenn es zum Sterben kommt, wenn wir sterben müssen; how came it to be yours? wie kamen *od.* gelangten Sie dazu? **6.** kommen, abstammen (of, from von): he ~s of a good family er kommt *od.* stammt aus gutem Hause; I ~ from Leeds ich stamme aus Leeds. **7.** kommen, ˈherrühren (of von): that's what ~s of your hurry das kommt von d-r Eile; nothing came of it es wurde nichts daraus. **8.** kommen, geschehen, sich entwickeln, sich ereignen: ~ what may (*od.* will) komme, was da wolle; it came as a great shock to me es war für mich ein schwerer Schlag. **9.** sich erweisen: it ~s expensive es kommt teuer; the expenses ~ rather high die Kosten kommen recht hoch. **10.** ankommen (to s.o. j-n): it ~s hard (easy) to me es fällt mir schwer (leicht). **11.** (*vor inf*) werden, sich entwickeln, dahin *od.* dazu kommen: he has ~ to be a good musician er ist ein guter Musiker geworden; it has ~ to be the custom es ist Sitte geworden; to ~ to know s.o. j-n kennenlernen; I have ~ to believe that ich bin zu der Überzeugung gekommen, daß; how did you ~ to do that? wie kamen Sie dazu, das zu tun? **12.** (*bes. vor adj*) werden, sich entwickeln: to ~ true wahr werden, sich erfüllen; to ~ all right in Ordnung kommen; to ~ undone auf-, ab-, losgehen, sich lösen; the butter will not ~ die Butter bildet sich nicht *od.* ‚wird' nicht. **13.** *agr. bot.* (herˈaus)kommen, sprießen, keimen. **14.** auf den Markt kommen, erhältlich *od.* zu haben sein: these shirts ~ in three sizes diese Hemden gibt es in drei Größen. **15.** to ~ (*als adj gebraucht*) (zu)künftig, kommend: the life to ~ das zukünftige Leben; for all time to ~ für alle Zukunft; in the years to ~ in den kommenden Jahren.

II *v/t* **16.** *colloq.* sich aufspielen als, *j-n od. etwas* spielen, herˈauskehren: don't try to ~ the great scholar over me! versuche nicht, mir gegenüber den großen Gelehrten zu spielen!; don't ~ that dodge over me! mit dem Trick kommst du bei mir nicht an.

III *interj* **17.** na (hör mal)!, komm!, bitte!: ~, ~! a) *a.* ~ now! nanu!, nicht so wild!, immer langsam!, b) (*ermutigend*) na komm schon!, auf geht's!

Besondere Redewendungen:

~ again! *sl.* sag's nochmal!; ~ to that *colloq.* was das betrifft; as stupid as they ~ *colloq.* dumm wie Bohnenstroh; how ~? *sl.* wieso (denn)?, wie kommt das?; a year ago ~ March im März vor e-m Jahr; came Christmas dann kam Weihnachten; he is coming nicely *colloq.* er macht sich recht gut; to ~ to o.s. (wieder) zu sich kommen; to ~ it *sl.* ‚es schaffen'; he can't ~ that *sl.* das schafft er nicht; (*siehe a. die Verbindungen mit den entsprechenden Substantiven etc*).

Verbindungen mit Präpositionen:

come| a·cross *v/i* **1.** zufällig treffen *od.* finden, stoßen auf (*acc*). **2.** *j-m* in den Sinn kommen. ~ **aft·er** *v/i* **1.** *j-m* folgen, hinter *j-m* ˈhergehen. **2.** *etwas* holen kommen. **3.** suchen, sich bemühen um. ~ **at** *v/i* **1.** erreichen, bekommen, erlangen. **2.** angreifen, auf *j-n* losgehen. ~ **be·tween** *v/i fig.* zwischen (*Leute od. Dinge*) treten: he came between them er kam dazwischen. ~ **by** *v/i* kommen zu *etwas*, erlangen, bekommen. ~ **for** *v/i etwas* abholen kommen. ~ **in·to** *v/i* **1.** eintreten in (*acc*). **2.** *e-m Klub etc* beitreten. **3.** (*rasch od. unerwartet*) zu *etwas* kommen: to ~ a fortune ein Vermögen erben; → fashion 1, own *Bes. Redew.*, use 10. ~ **near** *v/i* **1.** *fig.* nahekommen (*dat*). **2.** ~ doing (s.th.) beinahe (etwas) tun. ~ **on** → come upon. ~ **o·ver** *v/i* **1.** überˈkommen, beschleichen, befallen: what has ~ you? was ist mit dir los?, was fällt dir ein? **2.** *sl. j-n* reinlegen. **3.** → come 16. ~ **to** *v/i* **1.** *j-m* zufallen (*bes. durch Erbschaft*). **2.** *j-m* zukommen, zustehen: all the credit that's coming to him; he had it coming to him *colloq.* er hatte das längst verdient. **3.** zum *Bewußtsein etc* kommen, zur *Besinnung* kommen. **4.** kommen *od.* gelangen zu: what are things coming to? wohin sind wir (*od.* ist die Welt) geraten?; when it comes to paying wenn es ans Bezahlen geht. **5.** sich belaufen auf (*acc*): it comes to £ 100. ~ **un·der** *v/i* **1.** kommen *od.* fallen unter (*acc*): to ~ a law. **2.** geraten unter (*acc*). ~ **up·on** *v/i* **1.** *j-n* befallen, überˈkommen, *j-m* zustoßen. **2.** über *j-n* ˈherfallen. **3.** (*zufällig*) treffen, stoßen auf (*acc*). **4.** *j-m* zur Last fallen. ~ **with·in** → come under.

Verbindungen mit Adverbien:

come| a·bout *v/i* **1.** geschehen, pasˈsieren. **2.** entstehen. **3.** *mar.* ˈumspringen (*Wind*). ~ **a·cross** *v/i sl.* **1.** a) ‚die Sache liefern', ‚spuren', b) ‚blechen' (*zahlen*): to ~ with herausrücken mit. **2.** ‚es schaffen'. ~ **a·long** *v/i* **1.** mitkommen, -gehen: ~! *colloq.* ‚dalli'!, komm schon! **2.** daˈherkommen, sich einstellen. **3.** *colloq.* vorwärtskommen, Fortschritte machen. **4.** *colloq.* mitmachen, zustimmen. ~ **a·part** *v/i* **1.** auseinˈanderfallen, in Stücke gehen. **2.** *colloq.* ‚aus dem Leim gehen' (*Person*). ~ **a·way** *v/i* **1.** sich lösen, ab-, losgehen (*Knopf etc*). **2.** weggehen (*Person*). ~ **back** *v/i* **1.** zuˈrückkommen, ˈwiederkehren: to ~ to s.th. auf e-e Sache zurückkommen. **2.** *sl.* ein ‚Comeback' haben. **3.** wieder einfallen (to s.o. j-m). **4.** *bes. Am. sl.* (*bes.* schlagfertig) antworten. ~ **by** *v/i* **1.** vorˈbeikommen. **2.** *colloq.* ‚reinschauen' (*Besucher*). ~ **down** *v/i* **1.** herˈab-, herˈunterkommen. **2.** (ein)stürzen, fallen. **3.** *aer.* niedergehen. **4.** *a.* ~ in the world *fig.* herˈunterkommen (*Person*). **5.** *ped. univ. Br.* in die Ferien gehen. **6.** überˈliefert werden. **7.** *colloq.* herˈuntergehen, sinken (*Preis*), billiger werden (*Dinge*). **8.** nachgeben, kleinlaut werden: → peg 1. **9.** ~ on a) sich stürzen auf (*acc*), b) ˈherfallen über (*acc*), *j-m* ‚aufs Dach steigen'. **10.** ~ with *colloq.* herˈausrücken mit: to ~ handsome(ly) sich spendabel zeigen. **11.** ~ with erkranken an (*dat*). **12.** it comes down to this es läuft darauf hinˈaus. ~ **forth** *v/i* herˈvorkommen. ~ **for·ward** *v/i* **1.** an die Öffentlichkeit treten, herˈvortreten: to ~ as a candidate als Kandidat auftreten. **2.** sich (freiwillig) melden, sich anbieten. ~ **home** *v/i* **1.** nach Hause kommen. **2.** *fig.* Eindruck machen, wirken, ‚einschlagen', ‚ziehen'. ~ **in** *v/i* **1.** herˈeinkommen: ~! a) herein!, b) (*Funk*) bitte melden! **2.** eingehen, -treffen (*Nachricht, Geld etc*), *mar. rail. sport* einlaufen: to ~ second den zweiten Platz belegen. **3.** aufkommen, in Mode kommen: long skirts ~ again. **4.** an die Macht *od.* ans Ruder kommen. **5.** beginnen, an die Reihe kommen. **6.** sich *als nützlich etc* erweisen: this will ~ useful; → handy 5. **7.** angehen, betreffen, zu tun haben mit. **8.** Berücksichtigung finden: where do I ~? wo bleibe ich?; that's where you ~ da bist dann du dran; where does the joke ~? was ist daran so witzig? **9.** ~ for bekommen, ‚kriegen'. ~ **off** *v/i* **1.** ab-, losgehen, sich lösen. **2.** *fig.* stattfinden, ‚über die Bühne gehen'. **3.** a) abschneiden: he came off best, b) erfolgreich verlaufen, glücken. **4.** *a.* ~ duty frei werden, den Dienst beenden. **5.** ~ it! *Am. sl.* hör schon auf damit! ~ **on** *v/i* **1.** herˈankommen: ~! a) komm (mit), b) komm her!, c) na, komm schon!; los!, d) *sl.* na, na!; nur sachte! **2.** beginnen, einsetzen: it came on to rain es begann zu regnen. **3.** an die Reihe kommen. **4.** *thea.* a) auftreten, b) aufgeführt werden. **5.** stattfinden: it comes on next week. **6.** a) wachsen, gedeihen, b) vorˈankommen, Fortschritte machen. ~ **out** *v/i* **1.** herˈaus-, herˈvorkommen, sich zeigen. **2.** *a.* ~ on strike streiken. **3.** herˈauskommen: a) erscheinen (*Bücher*), b) bekanntwerden, an den Tag kommen (*Wahrheit etc*). **4.** ausgehen (*Haare*), herˈausgehen (*Farbe*). **5.** *colloq.* werden, sich *gut etc* entwickeln. **6.** ausbrechen (*Ausschlag*). **7.** debüˈtieren: a) zum ersten Male auftreten (*Schauspieler*), b) in die Gesellschaft eingeführt werden. **8.** ~ with *etwas* ausplaudern, gestehen. **9.** ~ against sich erklären gegen, den Kampf ansagen (*dat*). ~ **o·ver** *v/i* **1.** herˈüberkommen. **2.** ˈübergehen (to zu). **3.** *Br.* werden, sich fühlen: to ~ faint. ~ **round** *v/i* **1.** ‚vorˈbeikommen' (*Besucher*). **2.** ˈwiederkehren (*Fest, Zeitabschnitt*). **3.** einlenken: to ~ to s.o.'s way of thinking sich zu j-s Meinung bekehren. **4.** wieder zu sich kommen, sich erholen. ~ **through** *v/i* ˈdurchkommen (*a. fig.*). ~ **to** *v/i* **1.** a) wieder zu sich kommen, das Bewußtsein wiedererlangen, b) sich erholen. **2.** *mar.* vor Anker gehen. ~ **up** *v/i* **1.** herˈaufkommen. **2.** herˈankommen: to ~ to s.o. an j-n herantreten. **3.** *vor Gericht etc* kommen: to ~ before the court. **4.** *a.* ~ for discussion zur Sprache kommen, angeschnitten werden: the question came up. **5.** ~ for zur *Abstimmung, Entscheidung* kommen. **6.** aufkommen, Mode werden. **7.** *Br.* die Universiˈtät beziehen. **8.** *Br.* nach London kommen. **9.** ~ to a) reichen bis, herˈankommen an (*acc*), b) *fig.* gleichkommen, entsprechen (*dat*): → expectation 1, scratch[1] 5. **10.** ~ with a) *j-n* einholen, b) *fig.* es *j-m* gleichtun. **11.** ~ with ‚daˈherkommen' mit, ‚auftischen': to ~ with a solution e-e Lösung präsentieren.

come-at-a·ble [kʌm'ætəbl] *adj colloq.* erreichbar, zugänglich.

'come,back *s* **1.** *bes. sport thea. colloq.* ‚Comeback' *n*, (erfolgreiche) Rück-, 'Wiederkehr, Wieder'hochkommen *n*: to stage a ~ ein Comeback versuchen. **2.** *sl.* (schlagfertige) Antwort.

co·me·di·an [kə'mi:diən] *s* **1.** Komödi'ant(in) (*a. fig.*), Schauspieler(in), *bes.* Komiker(in). **2.** Lustspieldichter *m.* **3.** *Am. bes. iro.* Spaßvogel *m.*

co,me·di'enne [-'en] *s* Komikerin *f*, Schauspielerin *f* in Lustspielen. **co-,me·di'et·ta** [-'etə] *s* kurzes Lustspiel, Posse *f.*

com·e·dist ['kɒmidist] *s* Lustspieldichter *m.*

com·e·do ['kɒmi,dou] *pl* **-do·nes** [-'douni:z], **-dos** *s med.* Mitesser *m.*

'come,down *s fig.* **1.** Fall *m*, Niedergang *m*, Abstieg *m.* **2.** Reinfall *m.*

com·e·dy ['kɒmədi] *s* **1.** *thea.* Ko'mödie *f*, Lustspiel *n*: light ~ Schwank *m*; ~ of character Charakterkomödie; ~ of manners Sittenkomödie; ~ ballet komisches Ballett. **2.** *fig.* ‚Ko'mödie' *f*, komische Sache. **3.** Komik *f.*

,come-'hith·er *s* (verführerische) Einladung: ~ look einladender Blick.

come·li·ness ['kʌmlinis] *s* Anmut *f*, Schönheit *f.* **'come·ly** *adj* **1.** anmutig, hübsch, schön. **2.** *obs.* schicklich.

'come|-,off *s colloq.* **1.** Vorwand *m* Ausflucht *f.* **2.** *obs.* Ausgang *m*, Ende *n.* **'~-,on** *s Am. sl.* **1.** Lockmittel *n*, Köder *m* (*bes. für Käufer*). **2.** Schwindler *m.* **3.** leichtes Opfer, Gimpel *m.*

com·er ['kʌmər] *s* **1.** Kommende(r *m*) *f*, Ankömmling *m*: first ~ Zuerstkommende(r), wer zuerst kommt, *weitS.* (*der od. die*) erste beste; all ~s all u. jeder, jedermann. **2.** *Am. sl.* vielversprechende Per'son *od.* Sache: he is a ~ er ist der kommende Mann.

co·mes·ti·ble [kə'mestibl] **I** *adj* eßbar, genießbar. **II** *s pl* Eßwaren *pl*, Nahrungs-, Lebensmittel *pl.*

com·et ['kɒmit] *s astr.* Ko'met *m.*

come·up·pance [kʌm'ʌpəns] *s Am. sl.* wohlverdiente Rüge *od.* Strafe.

com·fit ['kʌmfit; 'kɒm-] *s* Kon'fekt *n*, Zuckerwerk *n*, kan'dierte Früchte *pl.*

com·fort ['kʌmfərt] **I** *v/t* **1.** trösten, *j-m* Trost gewähren. **2.** beruhigen. **3.** erquicken, erfreuen. **4.** *j-m* Mut zusprechen. **5.** *obs.* unter'stützen, *j-m* helfen. **II** *s* **6.** Trost *m*, Tröstung *f*, Erleichterung *f* (to für): to derive (*od.* take) ~ from s.th. aus etwas Trost schöpfen; what a ~ Gott sei Dank!, welch ein Trost!; he was a great ~ to her er war ihr ein großer Trost *od.* Beistand; → cold 4e. **7.** Wohltat *f*, Labsal *n*, Erquickung *f* (to für). **8.** Behaglichkeit *f*, Wohlergehen *n*: to live in ~ ein behagliches u. sorgenfreies Leben führen. **9.** Kom'fort *m*, Bequemlichkeit *f*: domestic ~s *pl* häuslicher Komfort; ~ station (*od.* room) *Am.* öffentliche Bedürfnisanstalt. **10.** *a.* soldiers' ~s *pl* Liebesgaben *pl* (für Sol'daten). **11.** *obs.* Hilfe *f.*

com·fort·a·ble ['kʌmfərtəbl] *adj* (*adv* comfortably) **1.** komfor'tabel, bequem, behaglich, gemütlich: to make o.s. ~ es sich bequem machen; are you ~? haben Sie es bequem?, sitzen *od.* liegen *etc* Sie bequem?; to feel ~ sich wohl fühlen; the patient is ~ der Patient hat keine Beschwerden. **2.** bequem, sorgenfrei: to live in ~ circumstances in angenehmen Verhältnissen leben. **3.** ausreichend, reichlich, recht gut: a ~ income. **4.** tröstlich. **5.** angenehm, wohltuend, beruhigend.

com·fort·er ['kʌmfərtər] *s* **1.** Tröster *m*: the C~ *relig.* der Tröster (*der Heilige Geist*); → Job[3]. **2.** *bes. Br.* wollenes Halstuch. **3.** *Am.* (gesteppte) Tages(bett)decke, Steppdecke *f.* **4.** *bes. Br.* Schnuller *m* (*für Babys*). **'com·fort·ing** *adj* tröstlich, ermutigend. **'com·fort·less** *adj* **1.** trostlos. **2.** unerfreulich, unerquicklich, unbehaglich.

com·frey ['kʌmfri] *s bot.* Schwarzwurz *f.*

com·fy ['kʌmfi] *adj colloq.* behaglich, bequem, gemütlich.

com·ic ['kɒmik] **I** *adj* (*adv* → comically) **1.** komisch, Komödien..., Lustspiel...: ~ actor Komiker *m*; ~ writer Lustspieldichter *m.* **2.** komisch, humo'ristisch: ~ book *Am.* buntes (Monats)Heft mit Bildergeschichten; ~ paper → 5a. **3.** ulkig, drollig. **II** *s* **4.** Komiker *m.* **5.** *colloq.* a) Witzblatt *n*, b) *pl* → comic strips. **6.** 'Filmko,mödie *f.* **7.** (*das*) Komische, Komik *f.*

'com·i·cal *adj* (*adv* → comically) **1.** komisch, ulkig, spaßig. **2.** *colloq.* komisch, sonderbar. **,com·i'cal·i·ty** [-'kæliti] *s* Komik *f*, (*das*) Komische, Spaßigkeit *f.* **'com·i·cal·ly** *adv* komisch(erweise). **'com·i·cal·ness** → comicality.

com·ic| op·er·a *s mus.* Ope'rette *f*, komische Oper. **~ strips** *s pl* Comic strips *pl*, Comics *pl* (*Bilderfolgen witzigen od. abenteuerlichen Inhalts*).

com·ing ['kʌmiŋ] **I** *adj* **1.** kommend: a) (zu)künftig: the ~ man der kommende Mann, b) nächst(er, e, es): ~ week. **II** *s* **2.** Kommen *n*, Nahen *n*, Ankunft *f.* **3.** Eintritt *m* (*e-s Ereignisses*): ~ of age Mündigwerden *n.* **4.** C~ *relig.* Ad'vent *m*, Kommen *n* (*Christi*): the Second C~ of Christ die Wiederkunft Christi. **~ in** *pl* **com·ings in** *s* **1.** Anfang *m*, Beginn *m.* **2.** *pl* Einkommen *n*, Einnahmen *pl.*

com·i·ty ['kɒmiti] *s* **1.** Freundlichkeit *f*, Höflichkeit *f.* **2.** ~ of nations *jur.* gutes Einvernehmen der Nati'onen.

com·ma ['kɒmə] *pl* **-mas, -ma·ta** [-mətə] *s* **1.** Komma *n* (*a. mus.*), Beistrich *m.* **2.** *metr.* a) Halbvers *m* (*des Hexameters*), b) Zä'sur *f.* **3.** *fig.* (kurze) Pause. **~ ba·cil·lus** *s med.* 'Kommaba,zillus *m.*

com·mand [*Br.* kə'mɑ:nd; *Am.* -'mæ(:)nd] **I** *v/t* **1.** befehlen, gebieten (*dat*): to ~ s.o. to come j-m befehlen zu kommen, j-n kommen heißen. **2.** gebieten, fordern, (gebieterisch) verlangen: to ~ silence Ruhe gebieten. **3.** beherrschen, gebieten über (*acc*), unter sich haben. **4.** *mil.* komman'dieren: a) *j-m* befehlen, b) *Truppe* befehligen, führen. **5.** *Gefühle, a. die Lage* beherrschen: to ~ o.s. (*od.* one's temper) sich beherrschen. **6.** zur Verfügung haben, verfügen über (*acc*): to ~ a sum; to ~ s.o.'s services. **7.** *Mitgefühl, Vertrauen etc* einflößen: to ~ sympathy; to ~ admiration Bewunderung abnötigen *od.* verdienen; to ~ respect Achtung gebieten. **8.** (*durch strategisch günstige Lage*) beherrschen: this hill ~s a wide area. **9.** *Aussicht* gewähren, bieten: this window ~s a fine view. **10.** *arch.* den einzigen Zugang bilden zu (*e-m Gebäudeteil etc*). **11.** *econ.* a) *Preis* einbringen, erzielen, b) *Absatz* finden. **12.** *obs.* bestellen.

II *v/i* **13.** befehlen, gebieten, herrschen. **14.** *mil.* komman'dieren, das Kom'mando führen, den Befehl haben. **15.** reichen, Ausblick haben: as far as the eye ~s soweit das Auge reicht.

III *s* **16.** Befehl *m* (*a. tech. beim Computer*), Gebot *n*: at s.o.'s ~ auf j-s Befehl; by ~ laut Befehl. **17.** *fig.* Herrschaft *f*, Gewalt *f* (of über *acc*): to lose ~ of one's temper die Beherrschung verlieren. **18.** Verfügung *f*: to be at s.o.'s ~ j-m zur Verfügung stehen; to have at ~ → 6. **19.** Beherrschung *f*, Kenntnis *f* (*e-r Sprache etc*): to have ~ of *e-e Fremdsprache etc* beherrschen; his ~ of English s-e Englischkenntnisse; ~ of language Sprachbeherrschung *f*, Redegewandtheit *f.* **20.** *mil.* Kom'mando *n*: a) (Ober)Befehl *m*, Führung *f*: to be in ~ das Kommando führen; in ~ of befehligend; to take ~ of an army das Kommando über e-e Armee übernehmen; the higher ~ *Br.* die höhere Führung, b) (volle) Kom'mandogewalt, Befehlsbefugnis *f*, c) Befehl *m*: ~ of execution Ausführungskommando, d) Kom'mando-, Befehlsbereich *m.* **21.** *mil.* Kom'mandobehörde *f*, Führungsstab *m*, 'Oberkom,mando *n.* **22.** (*strategische*) Beherrschung (*e-s Gebietes etc*). **23.** Sichtweite *f*, Aussicht *f.* **24.** *Br.* königliche Einladung.

com·man·dant [,kɒmən'dænt; -'dɑ:nt] *s mil.* Komman'dant *m* (*e-s Lagers etc*), Komman'deur *m* (*e-r Schule*).

com·mand car *s mil. Am.* Befehlsfahrzeug *n*, Kübelwagen *m.*

com·man·deer [,kɒmən'dir] *v/t* **1.** zum Mili'tärdienst zwingen. **2.** *mil.* requi'rieren, beitreiben. **3.** *colloq.* ‚organi'sieren', sich aneignen.

com·mand·er [*Br.* kə'mɑ:ndər; *Am.* -'mæ(:)n-] *s* **1.** *mil.* Truppen-, Einheitsführer *m*: a) Komman'deur *m* (*vom Bataillon bis einschließlich Korps*), Befehlshaber *m* (*e-r Armee*), b) Komman'dant *m* (*e-r Festung od. e-s Panzers od. Flugzeugs*), c) (Zug)Führer *m*, (Kompa'nie)Chef *m*, d) ~ in chief *pl* ~s in chief Oberbefehlshaber *m.* **2.** *mar. Am.* Fre'gattenkapi,tän *m.* **3.** C~ of the Faithful *hist.* Beherrscher *m* der Gläubigen (*Sultan der Türkei*). **4.** Kom'tur *m*, Komman'deur *m* (*e-s Verdienstordens*). **5.** *hist.* Kom'tur *m* (*e-s Ritterordens*): Grand C~ Großkomtur. **com'mand·er·y** *s* **1.** *hist.* Komtu'rei *f.* **2.** *mil.* Kommandan'tur *f* (*Bezirk*).

com·mand·ing [*Br.* kə'mɑ:ndiŋ; *Am.* -'mæ(:)nd-] *adj* (*adv* ~ly) **1.** herrschend, gebietend, befehlend. **2.** domi'nierend, achtunggebietend, impo'nierend, eindrucksvoll. **3.** herrisch, gebieterisch. **4.** *mar. mil.* komman'dierend, befehlshabend: ~ general kommandierender General, (Armee)Befehlshaber *m*; ~ officer Komman'deur *m*, Einheitsführer *m.* **5.** (*die Gegend*) beherrschend. **6.** weit: ~ view.

com·mand·ment [*Br.* kə'mɑ:ndmənt; *Am.* -'mæ(:)nd-] *s* **1.** Gebot *n*, Gesetz *n*, Vorschrift *f*: the Ten C~s *Bibl.* die Zehn Gebote. **2.** Befehlsgewalt *f.*

com·man·do [*Br.* kə'mɑ:ndou; *Am.* -'mæ(:)n-] *pl* **-dos, -does** *s mil.* **1.** Kom'mando(truppe *f*) *n*: ~ raid Kommandoüberfall *m.* **2.** Sol'dat *m* e-r Kom'mandotruppe. **3.** *S.Afr.* a) Kom'mando *n* (*Truppenaufgebot*), b) Expediti'on *f.*

com·mand| pa·per *s parl. Br.* (*dem Parlament vorgelegter*) Kabi'nettsbeschluß. **~ per·form·ance** *s thea.* Aufführung *f* auf königlichen Befehl *od.*

Wunsch. ~ **post** *s mil.* Befehls-, Gefechtsstand *m.*

com·mem·o·rate [kəˈmeməˌreit] *v/t* **1.** erinnern an (*acc*): a monument to ~ a victory ein Denkmal zur Erinnerung an e-n Sieg. **2.** e-e Gedenkfeier abhalten für, *j-s* Gedächtnis feiern, (ehrend) gedenken (*gen*). **comˌmem·oˈra·tion** *s* **1.** (ehrendes) Gedenken, Erinnerung *f*, Gedächtnis *n*: in ~ of zum Gedächtnis an (*acc*). **2.** Gedenk-, Gedächtnisfeier *f.* **3.** Stiftergedenkfest *n* (*Universität Oxford*).

com·mem·o·ra·tive [kəˈmemərətiv; -ˌreit-], **comˈmem·o·ra·to·ry** *adj* **1.** erinnernd (of an *acc*). **2.** Gedenk..., Gedächtnis..., Erinnerungs...

com·mence [kəˈmens] **I** *v/i* **1.** beginnen, anfangen (to do zu tun). **2.** *Br.* (*an der Universität Cambridge*) e-n akaˈdemischen Grad erwerben: to ~ M.A. zum M.A. promovieren. **II** *v/t* **3.** beginnen, anfangen (doing zu tun). **4.** *jur. e-e Klage* anhängig machen, *e-n Prozeß* einleiten *od.* anstrengen. **comˈmence·ment** *s* **1.** Anfang *m*, Beginn *m.* **2.** *bes. Am.* (Tag *m* der) Feier *f* der Verleihung akaˈdemischer Grade. **comˈmenc·ing** *adj* Anfangs...: ~ salary.

com·mend [kəˈmend] *v/t* **1.** empfehlen, loben(d erwähnen): to ~ o.s. sich (*als geeignet*) empfehlen (*a. Sache*); ~ me to ... *colloq.* da lobe ich mir ... **2.** empfehlen, anvertrauen (to *dat*): to ~ o.s. to God. **comˈmend·a·ble** *adj* (*adv* commendably) empfehlens-, lobenswert, löblich.

com·men·da·tion [ˌkɒmenˈdeiʃən] *s* **1.** Empfehlung *f.* **2.** Lob *n*, Preis *m.* **3.** *relig.* Sterbegottesdienst *m*, Toten-, Seelenmesse *f.* **ˈcom·menˌda·tor** [-tər] *s relig.* Verwalter *m* e-r Komˈmende. **com·mend·a·to·ry** [kəˈmendətəri] *adj* **1.** empfehlend, Empfehlungs... **2.** lobend, anerkennend.

com·men·sal [kəˈmensəl] **I** *s* **1.** Tischgenosse *m.* **2.** *biol.* Kommenˈsale *m* (*mit e-m anderen in Ernährungsgemeinschaft lebender Organismus*). **II** *adj* **3.** am gleichen Tisch essend. **4.** *biol.* kommenˈsal.

com·men·su·ra·bil·i·ty [kəˌmenʃərəˈbiliti] *s* **1.** ˌKommensurabiliˈtät *f*, Vergleichbarkeit *f.* **2.** richtiges Verhältnis. **comˈmen·su·ra·ble** *adj* (*adv* commensurably) **1.** (with) kommensuˈrabel (mit), vergleichbar (mit), mit demˈselben Maß meßbar (wie). **2.** angemessen, im richtigen Verhältnis.

com·men·su·rate [kəˈmenʃərit] *adj* (*adv* ~ly) **1.** gleich groß, von gleicher Dauer, von gleichem ˈUmfang *od.* (Aus)Maß (with wie). **2.** (with, to) im Einklang stehend (mit), entsprechend *od.* angemessen (*dat*). **3.** → commensurable. **comˌmen·suˈra·tion** *s* **1.** Anpassung *f.* **2.** Gleichmaß *n.* **3.** richtiges Verhältnis.

com·ment [ˈkɒment] **I** *s* **1.** (on, upon) Kommenˈtar *m* (zu): a) Bemerkung *f*, Erklärung *f*, Stellungnahme *f* (zu): no ~! (ich habe) nichts dazu zu sagen!, *iro.* Kommentar überflüssig!, b) (kritische *od.* erklärende) Erläuterung, Anmerkung *f* (zu), Deutung *f* (*gen*): fair ~ (on a matter of public interest) *jur.* Wahrnehmung *f* berechtigter Interessen, sachliche Kritik. **2.** Kriˈtik *f*, kritische Bemerkungen *pl.* **3.** Gerede *n*: to give rise to much ~ viel von sich reden machen. **II** *v/i* (on, upon) **4.** Erläuterungen *od.* Anmerkungen machen (zu). **5.** (kritische) Bemerkungen machen *od.* sich kritisch äußern (über *acc*). **6.** reden, klatschen (über *acc*). **III** *v/t* **7.** kommenˈtieren: he ~ed that er wies darauf hin, daß.

com·men·tar·y [ˈkɒməntəri] *s* **1.** Kommenˈtar *m* (*erläuternde Abhandlung*) (on zu): a ~ on the Bible ein Bibelkommentar. **2.** Kommenˈtar *m*, erläuternder Bericht: radio ~ Rundfunkkommentar. **3.** → comment 1. **4.** *pl* Kommenˈtare *pl*, tagebuchartige Bemerkungen *pl*, Denkschriften *pl.* **ˌcom·menˈta·tion** *s* Kommenˈtierung *f.* **ˈcom·menˌta·tor** [-ˌteitər] *s* **1.** Kommenˈtator *m*, Erläuterer *m.* **2.** ˈRundfunkkommenˌtator *m.* **3.** Berichterstatter *m.*

com·merce [ˈkɒmərs] *s* **1.** Handel *m*, Handelsverkehr *m*: domestic (*od.* internal) ~ Binnenhandel; foreign ~ Außenhandel. **2.** (gesellschaftlicher) Verkehr, ˈUmgang *m*: to have no ~ with *fig.* nichts zu tun haben mit. **3.** Geschlechtsverkehr *m.* **4.** (Gedanken)Austausch *m.* **5.** Komˈmerzspiel *n* (*Kartenspiel*). ~ **de·stroy·er** *s mar.* Handelszerstörer *m.*

com·mer·cial [kəˈməːrʃəl] **I** *adj* (*adv* ~ly) **1.** Handels..., Geschäfts..., kommerziˈell, kaufmännisch, geschäftlich. **2.** handeltreibend. **3.** für den Handel bestimmt, Handels... **4.** gewerbsmäßig *od.* im großen erzeugt *od.* erzeugbar. **5.** handelsüblich: ~ quality. **6.** *Radio, TV*: Werbe..., Reklame...: ~ broadcasting Werbefunk *m*; ~ television Werbefernsehen *n.* **7.** auf finanziˈellen Gewinn abzielend: a ~ drama. **II** *s* **8.** *Radio, TV*: a) Werbesendung *f*, b) von e-m Sponsor finanˈzierte Sendung. **9.** *Br. colloq.* Handlungsreisende(r) *m.* ~ **a·gen·cy** *s* **1.** ˈHandelsauskunfˌtei *f.* **2.** ˈHandelsagenˌtur *f*, -vertretung *f.* ~ **al·co·hol** *s* handelsüblicher Alkohol, Sprit *m.* ~ **art** *s* Gebrauchs-, Werbegraphik *f.* ~ **a·vi·a·tion** *s* Handels-, Verkehrsluftfahrt *f.* ~ **col·lege** *s* ˈHandelsakadeˌmie *f*, -hochschule *f.* ~ **court** *s jur.* Handelsgericht *n.* ~ **cred·it** *s* ˈWaren-, ˈHandels-, Geˈschäftskreˌdit *m.* ~ **di·rec·to·ry** *s* ˈHandelsaˌdreßbuch *n.* ~ **fer·ti·liz·er** *s* Handelsdünger *m.* ~ **ge·og·ra·phy** *s* ˈWirtschaftsgeograˌphie *f.* ~ **ho·tel** *s* Hoˈtel *n* für Handlungsreisende.

com·mer·cial·ism [kəˈməːrʃəˌlizəm] *s* **1.** Handelsgeist *m.* **2.** Handelsgepflogenheit *f.* **3.** Handels-, Geschäftsausdruck *m.* **comˈmer·cial·ist** *s* **1.** Handeltreibende(r) *m.* **2.** kommerziˈell denkender Mensch. **comˌmer·cial·iˈza·tion** *s* Kommerzialiˈsierung *f*, kaufmännische Verwertung *od.* Ausnutzung. **comˈmer·cialˌize** *v/t* **1.** kommerzialiˈsieren, kommerziˈell verwerten *od.* ausnutzen, ein Geschäft machen aus. **2.** in den Handel bringen.

com·mer·cial| law *s jur.* Handelsrecht *n.* ~ **let·ter** *s* Geschäftsbrief *m.* ~ **let·ter of cred·it** *s* Akkrediˈtiv *n.* ~ **loan** *s* ˈWarenkreˌdit *m.* ~ **man** *s irr* Geschäftsmann *m.* ~ **pa·per** *s* kurzfristiges ˈHandelspaˌpier, ˈInhaberpaˌpier *n* (*bes. Wechsel*). ~ **room** *s Br. Hotelzimmer, in dem Handlungsreisende Kunden empfangen können.* ~ **school** *s* Handelsschule *f.* ~ **sci·ence** *s* Handelswissenschaft *f.* ~ **tim·ber** *s* Nutzholz *n.* ~ **trav·el·(l)er** *s* Handlungsreisende(r) *m.* ~ **trea·ty** *s* Handelsvertrag *m*, -abkommen *n.* ~ **ve·hi·cle** *s* Nutzfahrzeug *n.*

com·mie, C~ [ˈkɒmi] *s colloq.* Kommuˈnist(in).

com·mi·na·tion [ˌkɒmiˈneiʃən] *s* **1.** Drohung *f* (mit e-r Strafe). **2.** *relig.* (*anglikanische Kirche*) a) Androhung *f* göttlicher Strafe, b) Bußgottesdienst *m.*

com·min·gle [kəˈmiŋgl] *v/t u. v/i* (sich) vermischen.

com·mi·nute [ˈkɒmiˌnjuːt] *v/t* **1.** zerreiben, pulveriˈsieren. **2.** zerkleinern, zersplittern: ~d fracture *med.* Splitterbruch *m.* **ˌcom·miˈnu·tion** *s* **1.** Zerreibung *f*, Pulveriˈsierung *f.* **2.** Zerkleinerung *f.* **3.** Abnutzung *f.* **4.** *med.* (Knochen)Splitterung *f.*

com·mis·er·ate [kəˈmizəˌreit] **I** *v/t* *j-n* bemitleiden, bedauern. **II** *v/i* Mitleid fühlen (with mit). **comˌmis·erˈa·tion** *s* Mitleid *n*, Erbarmen *n.* **comˈmis·erˌa·tive** *adj* mitleidsvoll.

com·mis·sar [ˈkɒmiˌsaːr] *s* Kommisˈsar *m* (*bes. in der Sowjetunion*): People's C~ Volkskommissar. **ˌcom·misˈsar·i·al** [-ˈsɛ(ə)riəl] *adj* kommisˈsarisch, Kommissar... **ˌcom·misˈsar·i·at** [-ˈsɛ(ə)riət] *s* **1.** *mil.* a) Intendanˈtur *f*, b) Verˈpflegungsorganisaˌtiˌon *f.* **2.** Lebensmittelversorgung *f.* **3.** *pol.* ˈVolkskommissariˌat *n.*

com·mis·sar·y [ˈkɒmisəri] *s* **1.** (*relig.* bischöflicher) Kommisˈsar, Beauftragte(r) *m.* **2.** *pol.* (ˈVolks)KommisˌSar *m.* **3.** *jur.* a) *Scot.* Richter *m* e-s Grafschaftsgerichts, b) *Br.* Universiˈtätsrichter *m* (*Cambridge*). **4.** Verˈpflegungsstelle *f*, -magaˌzin *n.* **5.** *mil.* Verpflegungsausgabestelle *f.* ~ **gen·er·al** *s* Geneˈralkommisˌsar *m.*

com·mis·sion [kəˈmiʃən] **I** *s* **1.** Überˈtragung *f* (to an *acc*). **2.** Auftrag *m*, Anweisung *f.* **3.** Bevollmächtigung *f*, Beauftragung *f*, Vollmacht *f* (*a. als Urkunde*). **4.** a) Ernennungsurkunde *f*, b) *mil.* Offiˈzierspaˌtent *n*: to hold a ~ e-e Offiziersstelle innehaben. **5.** Kommissiˈon *f*, Ausschuß *m*: to be on the ~ Mitglied der Kommission sein; ~ of inquiry Untersuchungsausschuß. **6.** kommisˈsarische Stellung *od.* Verwaltung: in ~ a) bevollmächtigt, beauftragt (*Person*), b) in kommissarischer Verwaltung (*Amt etc*). **7.** (überˈtragenes) Amt: in ~ in amtlicher Stellung. **8.** überˈtragene Aufgabe, Auftrag *m.* **9.** *econ.* a) (Geschäfts)Auftrag *m*, b) Kommissiˈon *f*, Geschäftsvollmacht *f*: on ~ in Kommission, c) Provisiˈon *f*, Kommissiˈons-, Vermittlungsgebühr *f*: to sell on ~ gegen Provision verkaufen; ~ agent Kommissionär *m*, Provisionsvertreter *m*, d) Courˈtage *f*, Maklergebühr *f.* **10.** Verübung *f*, Begehung *f*: ~ of a crime. **11.** a) *mar.* Dienst *m* (*e-s Schiffes*), b) *colloq.* Betrieb(sfähigkeit *f*) *m*: to put (*od.* place) a ship in (*od.* into) ~ ein Schiff (wieder) in Dienst stellen; to put out of ~ *Schiff* außer Dienst stellen, *colloq. etwas* ‚außer Gefecht setzen', ‚kaputtmachen'; out of ~ außer Betrieb, ‚kaputt'.

II *v/t* **12.** bevollmächtigen, beauftragen. **13.** a) *j-m* e-n Auftrag *od.* e-e Bestellung geben, b) *etwas* in Auftrag geben, bestellen: to ~ a statue. **14.** *mar. mil. j-m* ein Offiˈzierspaˌtent verleihen, *j-n* zum Offiˈzier ernennen. **15.** *mar. Schiff* in Dienst stellen. **16.** *j-m* ein Amt überˈtragen.

com·mis·sion·aire [kəˌmiʃəˈnɛr] *s* **1.** *bes. Br.* a) Kommissioˈnär *m*, Dienstmann *m*, Bote *m*, b) (Hoˈtel)Portiˌer *m*, (liˈvrierter) Türsteher. **2.** *Am.* (Handels)Vertreter *m*, *bes.* (Auslands)Einkäufer *m.*

com·mis·sion day *s jur. Br.* Eröffnungstag *m* der Asˈsisen.

com·mis·sioned of·fi·cer [kəˈmiʃənd] *s* (durch Paˈtent bestallter) Offiˈzier.
com·mis·sion·er [kəˈmiʃənər] *s* **1.** Bevollmächtigte(r) *m*, Beauftragte(r) *m*. **2.** (Reˈgierungs)Kommisˌsar *m*: High C~ Hoch-, Oberkommissar (*Vertreter der brit. Dominien in London*). **3.** *bes. Am.* Leiter *m* des Amtes (of für) (*das e-m Ministerium unterstellt ist*): ~ of patents Leiter des Patentamts; ~ of police Polizeichef *m*. **4.** Mitglied *n* e-r (Reˈgierungs)Kommissiˌon, Kommisˈsar *m*. **5.** *pl* Reˈgierungskommissiˌon *f*. **6.** *jur.* beauftragter Richter.
com·mis·sion| mer·chant *s econ.* Kommissioˈnär *m*, ˈHandelsaˌgent *m*, Inhaber *m* e-s Kommissiˈonsgeschäfts. ~ **of the peace** *s Br.* Friedensrichteramt *n*. ~ **plan** *s pol. Am.* Stadtverwaltung *f* durch e-n kleinen gewählten Ausschuß.
com·mis·sure [ˈkɒmiˌsjur] *s* **1.** Naht *f*, Verbindungsstelle *f*. **2.** *anat.* Verbindung *f*, *bes.* a) Nervenverbindungsstrang *m*, b) Fuge *f*, (Knochen)Naht *f*.
com·mit [kəˈmit] *v/t* **1.** anvertrauen, überˈgeben, -ˈtragen, -ˈantworten (to *dat*): to ~ s.th. to s.o.'s care etwas j-s Fürsorge anvertrauen; to ~ one's soul to God s-e Seele Gott befehlen; to ~ to the grave der Erde übergeben, beerdigen. **2.** festhalten (to auf, in *dat*): to ~ to paper (*od.* to writing) zu Papier bringen; to ~ to memory auswendig lernen. **3.** *jur.* a) *j-n* einweisen (to prison in e-e Strafanstalt; to an institution in e-e Heil- u. Pflegeanstalt), b) *j-n* überˈgeben: to ~ a prisoner for trial e-n Verhafteten zur Aburteilung dem Gericht überliefern. **4.** *parl. Gesetzesantrag etc* an e-n Ausschuß überˈweisen. **5.** *ein Verbrechen etc* begehen, verüben: to ~ murder; to ~ a sin (folly) e-e Sünde (Dummheit) begehen; → suicide 1. **6.** (to) *j-n* (*od.* o.s. sich) verpflichten (zu), binden (an *acc*), festlegen (auf *acc*): to be ~ted sich festgelegt haben; ~ted writer engagierter Schriftsteller. **7.** kompromiˈttieren, gefährden: to ~ o.s. sich e-e Blöße geben, sich kompromittieren. **8.** *mil. Truppen* einsetzen.
com·mit·ment [kəˈmitmənt] *s* **1.** Überˈtragung *f*, -ˈantwortung *f*, -ˈweisung *f*, ˈÜbergabe *f* (to an *acc*). **2.** *jur.* a) → committal 2, b) Verhaftung *f*, c) schriftlicher Haftbefehl. **3.** *parl.* Überˈweisung *f* an e-n Ausschuß. **4.** Begehung *f*, Verübung *f*: ~ of a crime. **5.** (to) Verpflichtung *f* (zu), Festlegung *f* (auf *acc*), Bindung *f* (an *acc*), *a.* (*politisches etc*) Engageˈment: to undertake a ~ e-e Verpflichtung eingehen; without any ~ ganz unverbindlich. **6.** *econ.* a) Verbindlichkeit *f*, (finanziˈelle) Verpflichtung, b) *Am. Börse*: Engageˈment *n*.
com·mit·ta·ble [kəˈmitəbl] *adj* leicht zu begehen(d): ~ mistake. **comˈmit·tal** *s* **1.** → commitment 1—5. **2.** *jur.* Überˈstellung *f*, Einlieferung *f*, Einweisung *f* (to in *e-e Strafanstalt od. e-e Heil- u. Pflegeanstalt*): ~ to prison; ~ order Einweisungsbeschluß *m*. **3.** Beerdigung *f*: ~ service Grabrede *f*.
com·mit·tee [kəˈmiti] *s* **1.** Komiˈtee *n*, Ausschuß *m*, Kommissiˈon *f*: joint ~ gemischte Kommission; standing ~ ständiger Ausschuß; the House goes into C~ (*od.* resolves itself into a C~) *parl.* das (Abgeordneten)Haus konstituiert sich als Ausschuß; ~ of the whole (House) *parl.* das gesamte als Ausschuß zs.-getretene Haus; C~ of Supply *Br.* Staatsausgaben-Bewilligungsausschuß; C~ of Ways and Means *bes. Br.* Finanz-, Haushaltsausschuß; ~man, ~woman Komiteemitglied *n*; ~ stage Stadium *n* der Ausschußberatung (*zwischen 2. u. 3. Lesung e-s Gesetzentwurfs*). **2.** [*Br.* ˌkɔmiˈtiː] *jur.* Kuˈrator *m*, Vormund *m*.
com·mix [kəˈmiks; kɒ-] *v/t u. v/i* (sich) (ver)mischen. **comˈmix·ture** [-tʃər] *s* **1.** (Ver)Mischung *f*. **2.** Gemisch *n*.
com·mode [kəˈmoud] *s* **1.** (ˈWasch)Komˌmode *f*. **2.** hoher Nachtstuhl. **3.** *hist.* Faltenhaube *f*.
com·mo·di·ous [kəˈmoudiəs] *adj* (*adv* ~ly) **1.** geräumig. **2.** (zweck)dienlich, geeignet. **comˈmo·di·ous·ness** *s* **1.** Geräumigkeit *f*. **2.** Zweckdienlichkeit *f*.
com·mod·i·ty [kəˈmɒditi] *s* **1.** *econ.* Ware *f*, (ˈHandels)Arˌtikel *m*, Gebrauchsgegenstand *m*. **2.** Vermögensgegenstand *m*. **3.** *obs.* Vorteil *m*, Nutzen *m*. ~ **dol·lar** *s econ. Am.* Warendollar *m* (*vorgeschlagene Währungseinheit, deren Goldgehalt sich der jeweiligen Warenindexziffer anpassen würde*). ~ **mon·ey** *s econ. Am.* auf dem commodity dollar fußende Währung. ~ **pa·per** *s econ.* Dokuˈmententratte *f*.
com·mo·dore [ˈkɒməˌdɔːr] *s mar.* **1.** Kommoˈdore *m*: a) *Am. Kapitän zur See mit Admiralsrang*, b) *Br. Kapitän zur See, Geschwaderkommandant* (*kein offizieller Dienstgrad*), c) *rangältester Kapitän mehrerer (Kriegs)Schiffe*, d) *Ehrentitel für verdiente Kapitäne der Handelsmarine*. **2.** Präsiˈdent *m* e-s Jachtklubs. **3.** Kommoˈdoreschiff *n*.
com·mon [ˈkɒmən] **I** *adj* (*adv* → commonly) **1.** gemein(sam), gemeinschaftlich: our ~ interest; ~ to all allen gemeinsam; to be on ~ ground with s.o. auf den gleichen Grundlagen fußen wie j-d; to be ~ ground between the parties *jur.* von keiner der Parteien bestritten werden; → cause 3. **2.** allgemein, öffentlich: by ~ consent mit allgemeiner Zustimmung; ~ crier öffentlicher Ausrufer. **3.** Gemeinde..., Stadt... **4.** noˈtorisch, berüchtigt: ~ criminal. **5.** allgemein (bekannt), allˈtäglich, gewöhnlich, norˈmal, vertraut: it is a ~ belief es wird allgemein geglaubt; it is ~ knowledge (usage) es ist allgemein bekannt (üblich); a very ~ name ein sehr häufiger Name; ~ sight alltäglicher *od.* vertrauter Anblick; ~ talk Stadtgespräch *n*. **6.** üblich, allgemein gebräuchlich: ~ salt gewöhnliches Salz, Kochsalz *n*. **7.** *bes. biol.* gemein (*die häufigste Art bezeichnend*): ~ or garden *colloq.* ‚Feld-, Wald- u. Wiesen...'; → cold 15. **8.** allgemein zugänglich, öffentlich: ~ woman Prostituierte *f*. **9.** gewöhnlich, minderwertig, zweitklassig. **10.** abgedroschen: a ~ phrase. **11.** *colloq.* gewöhnlich, gemein, ordiˈnär: ~ manners. **12.** gewöhnlich, gemein, ohne Rang: the ~ people das einfache Volk; ~ soldier gemeiner Soldat. **13.** *math.* gemeinsam.
II *s* **14.** Allˈmende *f*, Gemeindeland *n* (*heute oft Parkanlage in der Ortsmitte*). **15.** *a.* right of ~ Mitbenutzungsrecht *n* (of an *dat*): ~ of pasture Weiderecht. **16.** Gemeinsamkeit *f*: (to act) in ~ gemeinsam (vorgehen); in ~ with (genau) wie; to have in ~ with gemein haben mit; to hold in ~ gemeinsam besitzen. **17.** (*das*) Gewöhnliche, Norm *f*: out of the ~ außergewöhnlich, -ordentlich. **18.** → commons.
com·mon·a·ble [ˈkɒmənəbl] *adj* **1.** in gemeinsamem Besitz (*Land*), Gemeinde... **2.** Gemeindeweide...: ~ cattle. ˈ**com·mon·age** *s* **1.** gemeinsames Nutzungsrecht (*von Weideland etc*). **2.** gemeinsamer Besitz. ˌ**com·monˈal·i·ty** [-ˈnæliti] → commonalty 1. ˈ**com·mon·al·ty** [-əlti] *s* **1.** (*das*) gemeine Volk, Allgeˈmeinheit *f*. **2.** (Mitglieder *pl* e-r) Körperschaft *f*.
com·mon| car·ri·er *s* **1.** öffentliche Verkehrs- *od.* Transˈportgesellschaft. **2.** ˈFuhrunterˌnehmer *m*, Spediˈteur *m*, Speditiˈon *f*. ~ **coun·cil** *s selten* Gemeinderat *m* (*in USA u. London*). ~ **di·vi·sor** *s math.* gemeinsamer Teiler.
com·mon·er [ˈkɒmənər] *s* **1.** Bürger(licher) *m*, Nichtadlige(r) *m*. **2.** *Br.* Stuˈdent (*bes. in Oxford*), der s-n ˈUnterhalt selbst bezahlt. **3.** C~ *Br.* a) *parl.* ˈUnterhausabgeordnete(r) *m*: the First C~ der Sprecher des Unterhauses, b) Mitglied *n* des Londoner Stadtrats.
com·mon| frac·tion *s math.* gemeiner Bruch. ~ **gen·der** *s ling.* doppeltes Geschlecht. ~ **law** *s jur.* **1.** (ungeschriebenes englisches) Gewohnheitsrecht (*Ggs. römisches Recht od.* Statute Law). **2.** von den königlichen Gerichtshöfen in England entwickeltes strenges Recht (*Ggs.* Equity Law). ˈ~-ˈ**law** *adj jur.* gewohnheitsrechtlich: ~ marriage eheähnliches Zs.-leben (ohne kirchliche *od.* Ziviltrauung), Konsensehe *f*.
com·mon·ly [ˈkɒmənli] *adv* gewöhnlich, im allgemeinen, norˈmalerweise.
Com·mon| Mar·ket *s econ. pol.* Gemeinsamer Markt. **c~ meas·ure** *s* **1.** → common divisor. **2.** *mus.* gerader Takt, *bes.* Vierˈvierteltakt *m*. **c~ mul·ti·ple** *s math.* gemeinsames Vielfaches. **c~ name** *s* Gattungsname *m*.
com·mon·ness [ˈkɒmənnis] *s* **1.** Gemeinsamkeit *f*. **2.** Gewöhnlichkeit *f*, Allˈtäglichkeit *f*, Häufigkeit *f*. **3.** Schlichtheit *f*. **4.** Gewöhnlichkeit *f*, ordiˈnäre Art.
com·mon| night·shade *s bot.* Schwarzer Nachtschatten. ~ **noun** *s ling.* Gattungsname *m*, -wort *n*. ~ **num·ber** *s ling.* unbestimmte Zahl.
com·mon·place [ˈkɒmənˌpleis] **I** *s* **1.** Gemeinplatz *m*, Binsenwahrheit *f*, Platiˈtüde *f*. **2.** Allˈtäglichkeit *f*, Abgedroschenheit *f*. **3.** allˈtägliche (*uninteressante*) Sache. **4.** Lesefrucht *f*, Aufzeichnung *f* (*aus e-m Buch*): ~ book Kollektaneen-, Notizbuch *n*. **II** *adj* **5.** allˈtäglich, Alltags..., ˈuninteresˌsant, platt, abgedroschen.
com·mon| pleas *s pl jur. Br. hist.* Ziˈvilrechtsklagen *pl*. **C~ prayer** *s relig.* **1.** angliˈkanische Liturˈgie. **2.** (Book of) ~ Gebetbuch *n* der angliˈkanischen Kirche. ~ **room** *s* **1.** Gemeinschaftsraum *m*: junior (senior) ~ *univ. Br.* Gemeinschaftsraum für Studenten (für den Lehrkörper *od.* die Fellows). **2.** *ped.* Lehrerzimmer *n*.
com·mons [ˈkɒmənz] *s pl* **1.** (*das*) gemeine Volk, (*die*) Gemeinen *pl od.* Bürgerlichen *pl*. **2.** the C~ *parl.* a) die ˈUnterhausˌabgeordneten *pl*, b) *a.* House of C~ Unterhaus *n*. **3.** *Br.* a) Gemeinschaftsessen *n* (*bes. in Colleges*): to eat at ~ am gemeinsamen Mahl teilnehmen, b) tägliche Kost, Essen *n*, Ratiˈon *f*: kept on short ~ auf schmale Kost gesetzt.
com·mon| school *s Am.* öffentliche Volksschule. ~ **sense** *s* gesunder Menschenverstand, praktischer Sinn: in ~ vernünftigerweise. ˈ~-ˌ**sense** *adj* vernünftig (denkend), verständig, dem gesunden Menschenverstand entspre-

chend. ~ **ser·geant** *s* Richter *m* u. Rechtsberater *m* der City of London. ~ **stock** *s econ.* 'Stammˌaktien(kapiˌtal *n*) *pl* (*ohne Vorrechte*). ~ **time** → common measure 2. '~ˌ**weal,** *a.* ~ **weal** *s* **1.** Gemeinwohl *n*, (*das*) allgemeine Wohl. **2.** → commonwealth.

'**com·monˌwealth** *s* **1.** Gemeinwesen *n*, Staat *m*, Nati'on *f*. **2.** Freistaat *m*, Repu'blik *f*. **3.** C~ *Br. hist.* Repu'blik *f*, Commonwealth *n* (*unter Cromwell 1649—60*). **4.** *Am.* a) *offizielle Bezeichnung für e-n der Staaten Massachusetts, Pennsylvania, Virginia u. Kentucky*, b) *hist. Bundesstaat der USA.* **5.** Commonwealth *n*, Staatenbund *m*: the British C~ of Nations die Britische Nationengemeinschaft, das Commonwealth; the C~ of Australia der Australische Bund; C~ Day *Br.* Commonwealth-Feiertag *m* (*am 24. Mai, dem Geburtstag der Queen Victoria*); the ~ of learning *fig.* die Gelehrtenwelt. **6.** *obs.* Gemeinwohl *n*.

com·mo·tion [kə'mouʃən] *s* **1.** heftige Bewegung, Erschütterung *f*. **2.** Er-, Aufregung *f*. **3.** *pol. u. fig.* Aufruhr *m*, Tu'mult *m*. **4.** Durchein'ander *n*, Wirrwarr *m*.

com·mu·nal ['kɒmjunl; kə'mjuː-] *adj* **1.** Gemeinde..., Kommunal... **2.** Gemeinschafts..., Volks...: ~ kitchen Volksküche *f*. **3.** einfach, Volks...: ~ poetry Volksdichtung *f*. **4.** Volksgruppen betreffend (*bes. in Indien*): ~ strife. '**com·mu·nalˌism** *s* Kommuna'lismus *m* (*Regierungssystem in Form von fast unabhängigen verbündeten kommunalen Bezirken*). ˌ**com·mu·nal·i'za·tion** *s* Kommunali'sierung *f*. **com'mu·nalˌize** *v/t* kommunali'sieren, in Gemeindebesitz *od.* -verwaltung 'überführen.

com·mune[1] **I** *v/i* [kə'mjuːn] **1.** sich (vertraulich) unter'halten, sich besprechen, Gedanken austauschen (with mit): to ~ with o.s. mit sich zu Rate gehen. **2.** *relig.* kommuni'zieren, das heilige Abendmahl empfangen. **II** *s* ['kɒmjuːn] **3.** Gespräch *n*.

com·mune[2] ['kɒmjuːn] *s* Gemeinde *f*, Kom'mune *f* (*in Frankreich etc*).

com·mu·ni·ca·bil·i·ty [kəˌmjuːnikə'biliti] *s* **1.** Mitteilbarkeit *f*. **2.** Über'tragbarkeit *f*. **3.** Mitteilsamkeit *f*. **com'mu·ni·ca·ble** *adj* (*adv* communicably) **1.** mitteilbar: ~ knowledge. **2.** über'tragbar: ~ disease *med.* übertragbare *od.* ansteckende Krankheit. **3.** mitteilsam. **com'mu·ni·ca·ble·ness** → communicability. **com'mu·ni·cant** [-kənt] **I** *s* **1.** *relig.* a) Kommuni'kant(in), b) (*kommunizierendes*) Kirchenmitglied. **2.** Mitteilende(r *m*) *f*, Gewährsmann *m*. **II** *adj* **3.** mitteilend. **4.** teilhabend.

com·mu·ni·cate [kə'mjuːniˌkeit] **I** *v/t* **1.** mitteilen (s.th. to s.o. j-m etwas). **2.** über'tragen (to auf *acc*): to ~ a disease; to ~ itself (to) sich mitteilen (*dat*) (*Erregung etc*). **3.** *obs.* teilnehmen an (*dat*). **II** *v/i* **4.** sich besprechen, Gedanken *od.* Informati'onen *od.* Briefe *etc* austauschen, in Verbindung stehen (with mit). **5.** sich in Verbindung setzen (with s.o. mit j-m). **6.** mitein'ander in Verbindung stehen *od.* (durch e-e Tür *etc*) verbunden sein, zs.-hängen: these two rooms ~; communicating door Verbindungstür *f*. **7.** *relig.* → commune[1] 2.

com·mu·ni·ca·tion [kəˌmjuːni'keiʃən] *s* **1.** (to) *allg.* Mitteilung *f* (an *acc*): a) Verständigung *f* (*gen od.* von), b) Über'mittlung *f* (*e-r Nachricht*) (an *acc*), c) Nachricht *f*, Botschaft *f* (an *acc*), d) Kommunikati'on *f* (*von Ideen etc*). **2.** *a. med. phys.* Über'tragung *f* (to auf *acc*): ~ of motion Bewegungsfortpflanzung *f*; ~ of power Kraftübertragung. **3.** Gedanken-, Meinungsaustausch *m*, (Brief-, Nachrichten-)Verkehr *m*, Schriftwechsel *m*, Verbindung *f*: to be in ~ with s.o. mit j-m in Verbindung stehen; to break off all ~ jeglichen Verkehr abbrechen. **4.** Verbindung *f*, Verkehrsweg *m*, 'Durchgang *m*. **5.** *pl bes. mil.* Fernmelde(verbindungs)wesen *n*: ~ officer Fernmeldeoffizier *m*; ~ system Fernmeldenetz *n*. **6.** *pl mil.* Nachschublinien *pl*, Verbindungswege *pl*. **7.** Versammlung *f* (*Freimaurerloge*). ~ **cen·ter,** *bes. Br.* ~ **cen·tre** *s mil.* 'Fernmeldestelle *f*, -meldezenˌtrale *f*. ~ **cord** *s rail.* Notleine *f*, -bremse *f*. ~ **en·gi·neer·ing** *s* Fernmeldetechnik *f*. ~ **serv·ice** *s* 'Nachrichtensyˌstem *n*, -dienst *m*.

com·mu·ni·ca·tive [kə'mjuːniˌkeitiv] *adj* (*adv* ~ly) **1.** mitteilsam, gesprächig. **2.** Mitteilungs... **com'mu·niˌca·tive·ness** *s* Mitteilsamkeit *f*, Gesprächigkeit *f*. **com'mu·niˌca·tor** [-tər] *s* **1.** Mitteilende(r) *m*. **2.** *tel.* (Zeichen-)Geber *m*. **3.** *rail. Br.* Notbremse *f*. **com'mu·niˌca·to·ry** *adj* mitteilend.

com·mun·ion [kə'mjuːnjən] *s* **1.** Teilhaben *n*. **2.** gemeinsamer Besitz: ~ of goods Gütergemeinschaft *f*. **3.** Gemeinschaft *f* (*von Personen*): C~ of Saints Gemeinschaft der Heiligen. **4.** Verkehr *m*, Verbindung *f*, 'Umgang *m*, (enge) Gemeinschaft: to have (*od.* hold) ~ with s.o. mit j-m Umgang pflegen; to hold ~ with o.s. Einkehr bei sich selbst halten. **5.** *relig.* Religi'onsgemeinschaft *f*: to receive into the ~ of the Church in die Gemeinschaft der Kirche aufnehmen. **6.** C~ *relig.* (heiliges) Abendmahl, *R. C.* (heilige) Kommuni'on: C~ cup Abendmahlskelch *m*; C~ rail Altargitter *n*; C~ service Abendmahlsgottesdienst *m*. C~ table Abendmahlstisch *m*.

com·mu·ni·qué [kə'mjuːniˌkei; kəˌmjuːni'kei] *s* Kommuni'qué *n*.

com·mu·nism ['kɒmjuˌnizəm] *s* **1.** *econ. pol.* Kommu'nismus *m*. **2.** *biol.* Kommensa'lismus *m*. '**com·mu·nist,** C~ **I** *s* Kommu'nist(in). **II** *adj* kommu'nistisch. ˌ**com·mu'nis·tic** *adj* kommu'nistisch.

com·mu·ni·ty [kə'mjuːniti] *s* **1.** Gemeinschaft *f*: the ~ of scholars; ~ singing Offenes Singen; ~ spirit Gemeinschaftsgeist *m*. **2.** (organi'sierte po'litische *od.* sozi'ale) Gemeinschaft. **3.** Gemeinde *f*. **4.** the ~ die Allge'meinheit, die Öffentlichkeit, das Volk. **5.** Staat *m*, Gemeinwesen *n*. **6.** *relig.* (*nach e-r bestimmten Regel lebende*) Gemeinschaft. **7.** in Gütergemeinschaft lebende (Per'sonen)Gruppe. **8.** *bot. zo.* Gemein-, Gesellschaft *f*. **9.** Gemeinschaft *f*, Gemeinsamkeit *f*, gemeinsamer Besitz: ~ of goods Gütergemeinschaft; ~ of interests Interessengemeinschaft; ~ property *jur.* (eheliches) Gemein-, Gesamtgut; ~ aerial (*Am.* antenna) Gemeinschaftsantenne *f*. **10.** *jur.* eheliche Gütergemeinschaft. ~ **cen·ter,** *bes. Br.* ~ **cen·tre** *s Am. od. Canad.* **1.** Volks-, Gemeinschaftshaus *n*, -heim *n* (*für gesellschaftliche, volksbildende etc Veranstaltungen*). **2.** *Gesellschaft zur Förderung der Volksbildung etc.* ~ **chest,** ~ **fund** *s Am. od. Canad.* (öffentlicher) Wohlfahrtsfonds.

com·mu·ni·za·tion [ˌkɒmjunai'zeiʃən; -ni-] *s* Über'führung *f* in Gemeinbesitz. '**com·muˌnize** *v/t* **1.** in Gemeinbesitz 'überführen, soziali'sieren. **2.** kommu'nistisch machen.

com·mut·a·ble [kə'mjuːtəbl] *adj* **1.** ver-, austauschbar, 'umwandelbar. **2.** (*durch Geld*) ablösbar.

com·mu·tate ['kɒmjuˌteit] *v/t electr.* a) *Strom* wenden, 'umpolen, b) *Wechselstrom* in Gleichstrom verwandeln, gleichrichten: commutating pole Wendepol *m*.

com·mu·ta·tion [ˌkɒmju'teiʃən] *s* **1.** ('Um-, Aus)Tausch *m*, 'Umwandlung *f*. **2.** a) Ablösung *f* (*durch Geld*), Abfindung *f*, b) Ablösung(ssumme) *f*. **3.** *jur.* 'Strafˌumwandlung *f*, -milderung *f*. **4.** *rail. etc Am.* Pendeln *n*, Pendelverkehr *m*: ~ ticket Zeitkarte *f*. **5.** *electr.* Kommutati'on *f*, Stromwendung *f*. **6.** *astr. math.* Kommutati'on *f*.

com·mu·ta·tive [kə'mjuːtətiv; 'kɒmjuˌteitiv] *adj* (*adv* ~ly) **1.** auswechselbar, Ersatz... **2.** Tausch... **3.** gegen-, wechselseitig. **4.** *math.* kommuta'tiv, vertauschbar.

com·mu·ta·tor ['kɒmjuˌteitər] *s electr.* a) Kommu'tator *m*, Pol-, Stromwender *m*, b) Kol'lektor *m*, c) *mot.* Zündverteiler *m*. ~ **bar** *s electr.* Kommu'tator-, Kol'lektorsegˌment *n*. ~ **pitch** *s electr.* Kommu'tatorteilung *f*. ~ **switch** *s electr.* Wendeschalter *m*.

com·mute [kə'mjuːt] **I** *v/t* **1.** aus-, 'umtauschen, vertauschen, auswechseln. **2.** eintauschen (for für). **3.** (to, into) *jur. Strafen* 'umwandeln (in *acc*), mildern (zu). **4.** *Verpflichtungen etc* 'umwandeln (into in *acc*), ablösen (for, into durch). **5.** *electr.* → commutate. **II** *v/i* **6.** *rail. etc Am.* pendeln.

com'mut·er *s* **1.** *bes. Am.* Zeitkarteninhaber(in), Pendler(in): ~ train Pendler-, Vorortzug *m*. **2.** → commutator.

com·pact[1] ['kɒmpækt] *s* Vertrag *m*, Pakt *m*.

com·pact[2] [kəm'pækt] **I** *adj* (*adv* ~ly) **1.** kom'pakt, fest, dicht (zs.-)gedrängt, raumsparend: ~ car → 10. **2.** *geol.* dicht, mas'siv. **3.** gedrungen: ~ figure. **4.** *fig.* knapp, gedrängt: ~ style. **II** *v/t* **5.** kom'pakt machen, zs.-drängen, -pressen, fest mitein'ander verbinden, verdichten: ~ed → I; ~ed of zs.-gesetzt aus. **6.** konsoli'dieren, festigen. **III** *s* ['kɒmpækt] **7.** kom'pakte Masse. **8.** *tech.* Preßling *m* (*aus Metallstaub etc*). **9.** (Kom'pakt)Puderdose *f* (*a. mit Rouge*). **10.** *mot. Am.* Kom'paktwagen *m*. **com·pact·ness** [kəm'pæktnis] *s* **1.** Kom'paktheit *f*. **2.** *fig.* Knappheit *f*, Gedrängtheit *f* (*Stil*).

com·pan·ion[1] [kəm'pænjən] **I** *s* **1.** Begleiter(in) (*a. astr. fig.*). **2.** Kame'rad(in), Genosse *m*, Genossin *f*, Gefährte *m*, Gefährtin *f*: ~-at-arms Waffengefährte; ~ in misfortune Leidensgefährte. **3.** Gesellschafter(in). **4.** Gegen-, Seitenstück *n*, Pen'dant *n*. **5.** Handbuch *n*, Leitfaden *m*. **6.** Ritter *m* (*unterste Stufe*): C~ of the Bath Ritter des Bath-Ordens. **7.** *contp.* Kum'pan *m*, Kerl *m*. **II** *v/t* **8.** *j-n* begleiten. **III** *v/i* **9.** verkehren (with mit). **IV** *adj* **10.** dazu passend, da'zugehörig: ~ piece → 4; ~ volume zugehöriger Band.

com·pan·ion[2] [kəm'pænjən] *s mar.* **1.** Ka'jütskappe *f* (*Überdachung der Kajütstreppe*). **2.** Ka'jütstreppe *f*, Niedergang *m*. **3.** Deckfenster *n*.

com·pan·ion·a·ble [kəm'pænjənəbl] *adj* (*adv* companionably) 'umgänglich, gesellig, leutselig. **com'pan·ion·a·ble·ness** *s* 'Umgänglichkeit *f*.

com·pan·ion·ate [kəm'pænjənit] *adj*

kame'radschaftlich: ~ marriage Kameradschaftsehe *f*.

com·pan·ion| crop *s agr.* Zwischenfrucht *f*. ~ **hatch** → companion² 1. ~ **hatch·way,** ~ **lad·der** → companion² 2.

com·pan·ion·ship [kəm'pænjən,ʃip] *s* **1.** Begleitung *f*, Gesellschaft *f*. **2.** Gesellschaft *f*, Gemeinschaft *f*. **3.** *print. Br.* Ko'lonne *f* (*von Setzern*).

com'pan·ion,way → companion² 2.

com·pa·ny ['kʌmpəni] **I** *s* **1.** Gesellschaft *f*, Begleitung *f*: in ~ (with) in Gesellschaft *od.* Begleitung (*gen od.* von), zusammen (mit); I sin in good ~ ich befinde mich in guter Gesellschaft (*wenn ich das tue*); to keep (*od.* bear) s.o. ~ j-m Gesellschaft leisten; to cry for ~ mitweinen; to part ~ with s.o. a) sich von j-m trennen, b) *fig.* sich von j-m lossagen, c) *fig.* anderer Meinung sein als j-d; he is good ~ es ist nett, mit ihm zs.-zusein; two is ~, three is none (*od.* three is a crowd) zu zweit ist es gemütlich, ein Dritter stört; → break¹ 22. **2.** Gesellschaft *f*: to see much ~ a) viel in Gesellschaft gehen, b) oft Gäste haben; to be fond of ~ die Geselligkeit lieben; to be on one's ~ manners s-e besten Manieren zur Schau tragen. **3.** Gesellschaft *f*, 'Umgang *m*, Verkehr *m*: to keep good ~ guten Umgang pflegen; to keep ~ with verkehren *od.* Umgang haben mit. **4.** *colloq.* Besuch *m*, Gast *m od.* Gäste *pl*: to have ~ for tea Gäste zum Tee haben; present ~ excepted! Anwesende ausgenommen! **5.** *econ.* (Handels)Gesellschaft *f*, Firma *f*: ~ name Firmenname *m*; ~ physician Betriebsarzt *m*; ~'s water Leitungswasser *n*. **6.** *econ.* (*in Firmennamen*) Teilhaber *m od. pl*: Brown & C~ (*abbr.* Co.) Brown u. Kompanie *od.* Kompagnon (*abbr.* & Co.). **7.** *colloq.* (*meist contp.*) Genossen *pl*, Kum'pane *pl*, Kon'sorten *pl*. **8.** (The'ater)Truppe *f*. **9.** *mil.* Kompa'nie *f*. **10.** *mar.* Mannschaft *f*, Besatzung *f*. **11.** Anzahl *f*, Menge *f*. **12.** *hist.* Zunft *f*, Innung *f*. **II** *v/i* **13.** verkehren (with mit). **III** *v/t* **14.** *obs.* begleiten.

com·pa·ny| man *s irr* → company spy. ~ **of·fi·cer** *s mil.* Kompa'nie-, Subal'ternoffi,zier *m*. ~ **ser·geant ma·jor** *s mil.* Hauptfeldwebel *m*. ~ **spy** *s Am. contp.* Betriebsspitzel *m*, ‚Radfahrer' *m*. ~ **store** *s Am.* firmeneigenes (Laden)Geschäft, Verkaufsstelle *f* e-r 'Herstellerfirma. ~ **un·ion** *s Am.* Arbeitervereinigung *f* (*innerhalb e-s Unternehmens*).

com·pa·ra·bil·i·ty [,kɒmpərə'biliti] → comparableness. **'com·pa·ra·ble** *adj* (*adv* comparably) vergleichbar (to, with mit). **'com·pa·ra·ble·ness** *s* Vergleichbarkeit *f*.

com·par·a·tist [kəm'pærətist] *s* vergleichender Litera'turwissenschaftler.

com·par·a·tive [kəm'pærətiv] **I** *adj* **1.** vergleichend: ~ literature (anatomy) vergleichende Literaturwissenschaft (Anatomie); ~ study vergleichende Abhandlung. **2.** Vergleichs... **3.** verhältnismäßig, rela'tiv. **4.** beträchtlich, ziemlich: with ~ speed. **5.** *ling.* a) steigernd, kompara'tiv, b) Komparativ... **II** *s* **6.** *ling.* Komparativ *m*. **com'par·a·tive·ly** *adv* verhältnismäßig, ziemlich.

com·pare [kəm'pɛr] **I** *v/t* **1.** vergleichen (with mit): (as) ~d with im Vergleich zu, gegenüber (*dat*). **2.** vergleichen, gleichsetzen, -stellen (to mit): not to be ~d to (*od.* with) nicht zu vergleichen mit. **3.** Vergleiche anstellen zwischen (*dat*), mitein'ander vergleichen, nebenein'anderstellen: to ~ notes Meinungen *od.* Erfahrungen austauschen, sich beraten. **4.** *ling.* steigern. **II** *v/i* **5.** sich vergleichen (lassen), e-n Vergleich aushalten (with mit): to ~ favo(u)rably with den Vergleich mit ... nicht zu scheuen brauchen, (noch) besser sein als. **III** *s* **6.** Vergleich *m*: beyond ~, without ~ unvergleichlich.

com·par·i·son [kəm'pærisn] *s* **1.** Vergleich *m*: by ~ vergleichsweise; in ~ with im Vergleich mit *od.* zu; to draw (*od.* make) a ~ e-n Vergleich anstellen *od.* ziehen; to bear ~ with e-n Vergleich aushalten mit; points of ~ Vergleichspunkte; without ~, beyond (all) ~ unvergleichlich. **2.** *ling.* Komparati'on *f*, Steigerung *f*. **3.** *rhet.* Gleichnis *n*.

com·part·ment [kəm'pɑːrtmənt] **I** *s* **1.** Ab'teilung *f*, Fach *n*, Kammer *f*. **2.** *rail.* ('Wagen)Ab,teil *n*, Cou'pé *n*. **3.** Fläche *f*, Feld *n*, Abschnitt *m*. **4.** *arch.* (abgeteiltes) Fach, Kas'sette *f*. **5.** *mar.* → watertight compartment. **6.** *pol. Br.* Abschnitt *m* der Tagesordnung (*für dessen Diskussion von der Regierung e-e bestimmte Zeitspanne angesetzt wird*). **7.** *fig.* a) Sektor *m*, b) abgegrenzte Gruppe. **II** *v/t* **8.** aufteilen, unter'teilen. **com·part·men·tal** [,kɒmpɑːrt'mentl] *adj* **1.** Abteilungs... **2.** aufgeteilt. **3.** fach-, felderartig.

com·pass ['kʌmpəs] **I** *s* **1.** *phys.* Kompaß *m*: point of the ~ Himmelsrichtung *f*; → box¹ 37. **2.** *meist pl, oft* pair of ~es *math. tech.* (Einsatz)Zirkel *m*: proportional ~es Reduktionszirkel. **3.** 'Umkreis *m*, 'Umfang *m*, Ausdehnung *f* (*a. fig.*): in ~ an Umfang; within the ~ of a year innerhalb e-s Jahres; within the ~ of the law im Rahmen des Gesetzes; the ~ of the eye der Gesichtskreis; this is beyond my ~ das geht über m-n Horizont. **4.** Grenzen *pl*, Schranken *pl*: to keep within ~ in Schranken halten; narrow ~ enge Grenzen. **5.** Bereich *m*, Sphäre *f*: the ~ of man's imagination. **6.** *mus.* 'Umfang *m* (*der Stimme etc*). **7.** Kreis *m*, Ring *m*, Bogen *m*: the ~ of the horizon. **8.** C~es *pl astr.* Zirkel *m* (*Sternbild*). **9.** *obs.* 'Umweg *m*. **II** *v/t* **10.** → encompass. **11.** her'umgehen um, um'kreisen. **12.** (*geistig*) begreifen, erfassen. **13.** voll'bringen, *Ziel* erreichen, *Ergebnis* erzielen. **14.** planen. **15.** *Plan* aushecken, *etwas* anzetteln. **16.** biegen. **III** *adj* **17.** bogenförmig. ~ **bear·ing** *s mar.* Kompaßpeilung *f*. ~ **box** *s mar.* Kompaßgehäuse *n*. ~ **brick** *s tech.* Krummziegel *m*. ~ **card** *s mar.* Kompaßrose *f*.

com·pass·es ['kʌmpəsiz] → compass 2.

com·pas·sion [kəm'pæʃən] **I** *s* Mitleid *n*, Mitgefühl *n*, Erbarmen *n* (for mit): to have (*od.* take) ~ (up)on s.o. Mitleid mit j-m empfinden. **II** *v/t* → compassionate II. **com'pas·sion·ate I** *adj* [-nit] (*adv* ~ly) mitfühlend, mitleidsvoll, mitleidig: ~ allowance Gehaltszulage *f od.* Zuschuß *m* als Härteausgleich; ~ leave *mil.* Urlaub *m* aus dringenden familiären Gründen. **II** *v/t* [-,neit] bemitleiden, Mitleid haben mit. **com'pas·sion·ate·ness** *s* **1.** mitfühlendes Wesen. **2.** Mitleid *n*.

com·pass| nee·dle *s* Kompaß-, Ma'gnetnadel *f*. ~ **plane** *s tech.* Rund-, Schiffshobel *m*. ~ **plant** *s bot.* Kompaßpflanze *f*. ~ **rose** *s mar.* Windrose *f*. ~ **saw** *s tech.* Schweif-, Loch-, Stichsäge *f*. ~ **win·dow** *s arch.* Rundbogenfenster *n*.

com·pat·i·bil·i·ty [kəm,pætə'biliti] *s* **1.** Vereinbarkeit *f*, Verträglichkeit *f* (with mit). **2.** *TV* ,Kompatibili'tät *f*, Bunt- oder Schwarz'weißempfang *m*.

com'pat·i·ble *adj* (*adv* compatibly) **1.** a) vereinbar, im Einklang (with mit), b) mitein'ander vereinbar, 'widerspruchsfrei: ~ ideas; ~ colo(u)r television kompatibiles Farbfernsehverfahren (→ compatibility 2). **2.** angemessen (with *dat*).

com·pa·tri·ot [*Br.* kəm'pætriət; *Am.* -'peit-] **I** *s* Landsmann *m*, -männin *f*. **II** *adj* landsmännisch. **com,pa·tri'ot·ic** [-'ɒtik] → compatriot II.

com·peer [kɒm'pir] *s* **1.** Gleichgestellte(r *m*) *f*, Standesgenosse *m*: to have no ~ nicht seinesgleichen haben. **2.** Kame'rad(in).

com·pel [kəm'pel] *v/t* **1.** zwingen, nötigen: to be ~led to do (*od.* into doing) gezwungen sein, *etwas* zu tun; *etwas* tun müssen. **2.** *etwas* erzwingen. **3.** *a. Bewunderung etc* abnötigen (from s.o. j-m): to ~ admiration. **4.** unter'werfen (to *dat*), bezwingen. **com'pel·la·ble** *adj* **1.** zu zwingen(d) (to zu). **2.** erzwingbar.

com·pel·ling [kəm'peliŋ] *adj* (*adv* ~ly) **1.** zwingend. **2.** 'unwider,stehlich.

com·pend ['kɒmpend] → compendium.

com·pen·di·ous [kəm'pendiəs] *adj* (*adv* ~ly) kurz(gefaßt), gedrängt. **com'pen·di·ous·ness** *s* Kürze *f*, Gedrängtheit *f*. **com'pen·di·um** [-əm] *pl* **-ums, -a** [-ə] *s* **1.** Kom'pendium *n*, Leitfaden *m*, Handbuch *n*, Grundriß *m*. **2.** Abriß *m*, Zs.-fassung *f*.

com·pen·sate ['kɒmpən,seit] **I** *v/t* **1.** kompen'sieren (*a. psych.*), ausgleichen, aufwiegen, wettmachen. **2.** a) *j-n* entschädigen (for für), b) *Am. j-n* bezahlen, entlohnen, c) *etwas* ersetzen, vergüten, für *etwas* Ersatz leisten (to s.o. j-m). **3.** *phys. tech.* a) gegenein'ander ausgleichen, kompen'sieren, b) auswuchten. **II** *v/i* **4.** Ersatz bieten *od.* leisten, entschädigen (for für). **5.** ~ for → 1.

com·pen·sat·ing ['kɒmpən,seitiŋ] *adj* ausgleichend, Ausgleichs..., Kompensations... ~ **con·dens·er** *s electr.* 'Ausgleichskonden,sator *m*. ~ **er·rors** *s pl* sich gegenseitig aufhebende Fehler *pl*. ~ **gear** *s tech.* Ausgleichs-, *bes.* Differenti'algetriebe *n*.

com·pen·sa·tion [,kɒmpən'seiʃən; -pen-] *s* **1.** *a. chem. electr. tech.* Kompensati'on *f*, Ausgleich *m*. **2.** *econ. jur.* a) Vergütung *f*, (Rück)Erstattung *f*, b) gegenseitige Abrechnung, c) Ersatz *m*, Entgelt *n*, d) (Schaden)Ersatz *m*, Entschädigung *f*: to pay ~ Schadenersatz leisten; as (*od.* by way of) ~ als Ersatz; (workmen's) ~ (Betriebs)Unfallentschädigung. **3.** *jur.* Kompensati'on *f*: a) Abfindung *f*, b) Aufrechnung *f*. **4.** *Am.* Bezahlung *f*, Gehalt *n*, Lohn *m*. **5.** *psych.* Kompensati'on *f*, Ersatzhandlung *f*. **,com·pen'sa·tion·al** *adj* Kompensations..., Ersatz..., Ausgleichs...

com·pen·sa·tion| bal·ance *s tech.* Kompensati'ons,unruhe *f* (*der Uhr*). ~ **in·sur·ance** *s econ.* wechselseitige Versicherung.

com·pen·sa·tive ['kɒmpən,seitiv; kəm'pensətiv] *adj* **1.** kompen'sierend, ausgleichend. **2.** entschädigend, vergütend, Entschädigungs... **3.** Ersatz...

com·pen·sa·tor ['kɒmpən,seitər] *s tech.* Kompen'sator *m*, Ausgleichsvorrichtung *f.* **com·pen·sa·to·ry** [kəm'pensətəri] *adj* **1.** → compensative. **2.** ~ lengthening *ling.* Ersatzdehnung *f.*

com·père ['kɒmpɛr] **I** *s Br.* Conférenci'er *m*, Ansager(in). **II** *v/t u. v/i* ansagen (bei).

com·pete [kəm'pi:t] *v/i* **1.** in Wettbewerb treten, sich (mit)bewerben (for s.th. um etwas). **2.** *econ. u. weitS.* konkur'rieren (with mit): competing business (product) Konkurrenzgeschäft *n* (-erzeugnis *n*). **3.** wetteifern, sich messen (with mit). **4.** *sport* a) am Wettkampf teilnehmen, b) *a. weitS.* kämpfen (for um; against gegen).

com·pe·tence ['kɒmpitəns], '**com·pe·ten·cy** *s* **1.** (for) Fähigkeit *f*, Befähigung *f* (zu), Tauglichkeit *f* (für). **2.** Tüchtigkeit *f*, Können *n.* **3.** *jur.* a) Zuständigkeit *f*, Kompe'tenz *f*, b) Zulässigkeit *f* (*von Beweisen etc*), c) Geschäftsfähigkeit *f.* **4.** (*gutes etc*) Auskommen: to enjoy a ~ sein Auskommen haben. '**com·pe·tent** *adj* (*adv* ~ly) **1.** (leistungs)fähig, tüchtig. **2.** fach-, sachkundig, qualifi'ziert. **3.** gut (gemacht), gekonnt. **4.** *jur.* a) *a. weitS.* kompe'tent, zuständig: a ~ judge ein zuständiger Richter, *fig.* ein sachkundiger Beurteiler, ein Kenner, b) zulässig: ~ evidence; ~ witness, c) geschäftsfähig. **5.** (for *od.* to do) ausreichend (für), angemessen (*dat*).

com·pe·ti·tion [ˌkɒmpi'tiʃən] *s* **1.** *allg.* Wettbewerb *m*, -kampf *m*, -streit *m* (for um). **2.** Konkur'renz *f*: a) *econ.* Wettbewerb *m*: free (unfair) ~ freier (unlauterer) Wettbewerb; ~ clause Konkurrenzklausel *f*; to enter into ~ with in Konkurrenz treten mit, konkurrieren mit, b) *econ.* Konkur'renzfirma *f*, -firmen *pl*, c) *weitS.* Gegner *pl*, Ri'valen *pl.* **3.** *sport* Wettkampf *m*, Konkur'renz *f*, Veranstaltung *f.* **4.** Preisausschreiben *n*, Wettbewerb *m.* **5.** *biol.* Exi'stenzkampf *m.*

com·pet·i·tive [kəm'petitiv] *adj* (*adv* ~ly) **1.** konkur'rierend, wetteifernd. **2.** Wettbewerbs..., Konkurrenz..., auf Wettbewerb eingestellt *od.* beruhend, *econ. a.* konkur'renzfähig: ~ examination Ausleseprüfung *f*; ~ game *sport* Wettspiel *n*; ~ position *econ.* Konkurrenzfähigkeit *f*; ~ sports Kampfsport *m*; on a ~ basis *econ.* auf Wettbewerbsgrundlage. **com'pet·i·tor** [-tər] *s* **1.** Mitbewerber(in) (for um). **2.** *bes. econ.* Konkur'rent *m*, Konkur'renz(firma) *f.* **3.** *bes. sport* (Wettbewerbs)Teilnehmer(in), Ri'vale *m*, Ri'valin *f.*

com·pi·la·tion [ˌkɒmpi'leiʃən] *s* Kompilati'on *f*: a) Zs.-stellen *n*, Sammeln *n*, b) Sammlung *f*, Sammelwerk *n* (*Buch*). **com·pil·a·to·ry** [kəm'pailətəri] *adj* kompila'torisch.

com·pile [kəm'pail] *v/t* **1.** *ein Verzeichnis etc* kompi'lieren, zs.-stellen, sammeln. **2.** *Material* zs.-tragen. **3.** *sl. Kricket: mehrere Läufe* machen. **com'pil·er** *s* Kompi'lator *m*, Bearbeiter(in).

com·pla·cence [kəm'pleisns], **com'pla·cen·cy** *s* **1.** Zu'friedenheit *f*, (Wohl)Behagen *n.* **2.** 'Selbstzuˌfriedenheit *f*, -gefälligkeit *f.* **3.** Quelle *f* der Befriedigung. **4.** Gleichgültigkeit *f.* **5.** → complaisance. **com'pla·cent** *adj* (*adv* ~ly) **1.** zu'frieden, *bes.* 'selbstzuˌfrieden, -gefällig. **2.** gleichgültig, lässig. **3.** angenehm.

com·plain [kəm'plein] *v/i* **1.** sich beklagen, sich beschweren, Klage *od.* Beschwerde führen (of, about über *acc*; to bei). **2.** jammern, klagen (of über *acc*): he ~ed of a sore throat. **3.** *jur.* a) klagen, b) (Straf)Anzeige erstatten (of gegen). **4.** *econ.* rekla'mieren: to ~ about *etwas* reklamieren *od.* beanstanden. **com'plain·ant** *s* **1.** Beschwerdeführer(in). **2.** *jur.* Kläger(in). **com'plain·er** *s* **1.** Nörgler(in). **2.** *jur. Scot.* Kläger(in). **com'plain·ing** *adj* (*adv* ~ly) **1.** klagend, jammernd. **2.** nörgelnd, murrend.

com·plaint [kəm'pleint] *s* **1.** Klage *f*, Beschwerde *f* (about über *acc*): ~ book Beschwerdebuch *n*; to make a ~ (about) → complain 1. **2.** *econ.* Reklamati'on *f*, Beanstandung *f*, Mängelrüge *f.* **3.** *jur.* a) (*Zivil*)Klage *f*, b) Klageschrift *f*, c) Beschwerde *f*, d) Beschwerdeschrift *f*, e) (Straf)Anzeige *f.* **4.** *med.* Beschwerde *f*, (chronisches) Leiden.

com·plai·sance [kəm'pleizəns; 'kɒmpleiˌzæns] *s* Gefälligkeit *f*, Willfährigkeit *f*, Entgegenkommen *n*, Höflichkeit *f*, Zu'vorkommenheit *f.* **com'plai·sant** *adj* (*adv* ~ly) gefällig, nachgiebig, höflich, zu'vor-, entgegenkommend (to gegen).

com·pla·nate ['kɒmpləˌneit; -nit] *adj* abgeplattet, abgeflacht.

com·ple·ment I *s* ['kɒmplimənt] **1.** Ergänzung *f*, Vervollständigung *f.* **2.** Ergänzungsstück *n.* **3.** *obs.* Voll'kommenheit *f.* **4.** Vollständigkeit *f*, -zähligkeit *f.* **5.** *a.* full ~ volle (An)Zahl *od.* Menge *od.* Besetzung, *bes.* a) *mar.* vollzählige Besatzung, b) *mil.* (volle) Stärke, Sollstärke *f.* **6.** *ling.* Ergänzung *f.* **7.** *math.* Komple'ment *n.* **8.** *mus.* Er'gänzung(s-interˌvall *n*) *f.* **9.** *Serologie*: Komple'ment *n*, Ale'xin *n.* **II** *v/t* [-ˌment] **10.** ergänzen, vervollständigen. ˌ**com·ple'men·tal** → complementary.

com·ple·men·ta·ry [ˌkɒmpli'mentəri] *adj* **1.** ergänzend, komplemen'tär: to be ~ to s.th. etwas ergänzen. **2.** sich gegenseitig ergänzend. ~ **an·gle** *s math.* Komplemen'tär-, Ergänzungswinkel *m.* ~ **col·o(u)rs** *s pl* Komplemen'tärfarben *pl.*

com·plete [kəm'pli:t] **I** *adj* (*adv* ~ly) **1.** kom'plett, vollständig, voll'kommen, völlig, ganz, to'tal: ~ combustion vollkommene Verbrennung; ~ defeat vollständige Niederlage; ~ outfit komplette Ausstattung. **2.** vollzählig, sämtlich. **3.** be-, voll'endet, fertig. **4.** *obs.* voll'kommen, per'fekt: a ~ gardener. **II** *v/t* **5.** vervollständigen, ergänzen. **6.** voll'enden, abschließen, beendigen, fertigstellen: to ~ a contract e-n Vertrag erfüllen; to ~ one's sentence *jur.* s-e Strafe verbüßen. **7.** *fig.* voll'enden, vervollkommnen. **8.** *ein Formular* ausfüllen. **9.** *e-e Telephonverbindung* 'herstellen. **com'plete·ness** *s* Vollständigkeit *f*, Voll'kommenheit *f.* **com'plet·ing** *adj* abschließend, Schluß... **com'ple·tion** [-ʃən] *s* **1.** Vervollkommnung *f*, Voll'endung *f*, Abschluß *m*, Beendigung *f*, Fertigstellung *f*: to bring to ~ zum Abschluß bringen; ~ date Fertigstellungstermin *m.* **2.** Vervollständigung *f.* **3.** Erfüllung *f.*

com·plex I *adj* ['kɒmpleks; *Am. a.* kəm'pleks] (*adv* ~ly) **1.** zs.-gesetzt: ~ word; → sentence 1. **2.** kompli'ziert, verwickelt, schwierig. **3.** *math.* kom'plex: ~ fraction komplexer Bruch, Doppelbruch *m.* **II** *s* ['kɒmpleks] **4.** Kom'plex *m*, (*das*) Ganze, Gesamtheit *f.* **5.** Inbegriff *m.* **6.** Sammlung *f.* **7.** *psych.* Kom'plex *m* (*a. weitS. Phobie, fixe Idee*). **8.** *chem.* Kom'plexverbindung *f.*

com·plex·ion [kəm'plekʃən] *s* **1.** Gesichtsfarbe *f*, Teint *m.* **2.** *fig.* Aussehen *n*, Cha'rakter *m*, Zug *m*: to put a fresh ~ on s.th. e-r Sache e-n neuen Anstrich geben; that puts a different ~ on it dadurch bekommt die Sache (freilich) ein (ganz) anderes Gesicht. **3.** allgemeines Aussehen, Farbe *f.* **com'plex·ioned** *adj* (*meist in Zssgn*) mit (*hellem etc*) Teint, von (*blasser etc*) Gesichts- *od.* Hautfarbe: dark-~; fair-~.

com·plex·i·ty [kəm'pleksiti] *s* **1.** Vielgestaltigkeit *f.* **2.** Kompli'ziertheit *f*, Schwierigkeit *f*, Verwicklung *f.* **3.** Komplikati'on *f.* **4.** (*etwas*) Kompli'ziertes. **5.** *math.* Komplexi'tät *f.*

com·pli·ance [kəm'plaiəns] *s* **1.** (with) a) Einwilligung *f* (in *acc*), Gewährung *f*, Erfüllung *f* (*gen*), b) Befolgung *f*, Einhalten *n* (*gen*): in ~ with *e-r Vorschrift, e-m Wunsche etc* gemäß. **2.** Willfährigkeit *f*, Unter'würfigkeit *f.* **com'pli·an·cy** → compliance 2. **com'pli·ant** *adj* (*adv* ~ly) nachgiebig, willfährig, entgegenkommend.

com·pli·ca·cy ['kɒmplikəsi] → complexity 2. '**com·pli·cate I** *adj* [-kit] **1.** kompli'ziert. **2.** *bot. zo.* längsgefaltet. **II** *v/t* [-ˌkeit] **3.** kompli'zieren, verwickeln, verwickelt machen, erschweren. '**com·pliˌcat·ed** *adj* **1.** kompli'ziert, verwickelt. **2.** *math.* verschlungen. ˌ**com·pli'ca·tion** *s* **1.** Komplikati'on *f* (*a. med.*), Verwicklung *f*, Erschwerung *f.* **2.** *math.* Verschlingung *f.*

com·plic·i·ty [kəm'plisiti] *s* Mitschuld *f*, Mittäterschaft *f*, Teilnahme *f* (in an *dat*).

com·pli·ment I *s* ['kɒmplimənt] **1.** Kompli'ment *n*, Höflichkeitsbezeigung *f*, Schmeiche'lei *f*: to pay s.o. a ~ j-m ein Kompliment machen. **2.** Lob *n*, Ausdruck *m* der Bewunderung: in ~ to zu Ehren (*gen*); he paid you a high ~ er hat dir ein großes Lob gespendet; to do (*od.* pay) s.o. the ~ of doing s.th. j-m die Ehre erweisen, etwas zu tun. **3.** Empfehlung *f*, Gruß *m*: my best ~s m-e besten Empfehlungen; with the ~s of the season mit den besten Wünschen zum Fest. **4.** *obs. od. dial.* Geschenk *n.* **II** *v/t* [-ˌment] **5.** (on) *j-m* ein Kompli'ment *od.* Komplimente machen (über *acc*), *j-m* gratu'lieren (zu). **6.** *j-n* beehren, auszeichnen (with mit). ˌ**com·pli'men·ta·ry** [-'mentəri] *adj* **1.** höflich, Höflichkeits...: ~ close Höflichkeits-, Schlußformel *f* (*in Briefen*). **2.** schmeichelhaft. **3.** Ehren...: ~ dinner Festessen *n*; ~ ticket Ehren-, Freikarte *f.* **4.** Frei..., Gratis...: ~ copy Freiexemplar *n* (*Buch*), Werbenummer *f* (*Zeitschrift*).

com·plin ['kɒmplin], '**com·pline** [-in; -ain] *s relig.* Kom'plet *f* (*Tagesschlußgebet*).

com·plot I *s* ['kɒmplɒt] Kom'plott *n*, Verschwörung *f.* **II** *v/t* [kəm'plɒt] anzetteln. **III** *v/i* sich verschwören.

com·ply [kəm'plai] *v/i* (with) a) einwilligen (in *acc*), sich fügen (*dat*), b) (*e-m Wunsche od. Befehl*) nachkommen *od.* entsprechen *od.* Folge leisten, erfüllen (*acc*): to ~ with a wish (an order), c) (*e-e Anordnung*) befolgen, einhalten: to ~ with an instruction; he complied er kam dem Wunsche *od.* Befehl *etc* nach, er fügte sich.

com·po ['kɒmpou] *pl* **-pos** (*abbr. für* composition) *s* **1.** *tech.* Kompositi'on *f*: a) Me'tallkompositiˌon *f*, b) Putz *m* (*aus Harz, Leim etc zu Wandverzie-*

rungen), c) Gips *m*, Mörtel *m*. **2.** *econ.* Abfindungssumme *f* (*an Gläubiger*). **~ ra·tion** *s mil.* 'Sammelratiˌon *f*.

com·po·nent [kəm'pounənt] **I** *adj* **1.** e-n Teil bildend, Teil...: **~ sentence** Teilaussage *f*; **~ part** Bestandteil *m*. **II** *s* **2.** (Bestand)Teil *m*, *tech. a.* Bauteil *m*; *a. math. phys.* Kompo'nente *f*. **3.** *fig.* Baustein *m*.

com·port [kəm'pɔːrt] **I** *v/t* **~ o.s.** sich betragen, sich benehmen, sich verhalten: **to ~ o.s. as if** auftreten, als ob. **II** *v/i* (**with**) sich vertragen (mit), passen (zu). **III** *s obs.* Betragen *n*, Benehmen *n*. **com'port·ment** *s* **1.** Betragen *n*, Benehmen *n*. **2.** Verhalten *n*. **3.** Haltung *f* (*des Körpers*).

com·pos ['kɒmpɒs] *abbr. für* **compos mentis.**

com·pose [kəm'pouz] **I** *v/t* **1.** zs.-setzen *od.* -stellen: **to be ~d of** bestehen *od.* sich zs.-setzen aus. **2.** bilden: **to ~ a sentence.** **3.** *Schriften etc* ab-, verfassen, aufsetzen: **to ~ a speech.** **4.** dichten, *ein Gedicht etc* verfassen. **5.** *mus.* kompo'nieren. **6.** *Gemälde etc* entwerfen. **7.** *print.* (ab)setzen. **8.** besänftigen: **to ~ o.s.** sich beruhigen, sich fassen. **9.** *Streit etc* beilegen, schlichten. **10.** a) in Ordnung bringen, regeln, b) ordnen, zu'rechtlegen: **to ~ one's thoughts** s-e Gedanken sammeln. **11.** **~ o.s.** sich anschicken (to zu). **II** *v/i* **12.** schriftstellern, schreiben, dichten. **13.** *mus.* kompo'nieren. **14.** (*als Künstler etc*) Entwürfe machen. **15.** *print.* setzen. **com'posed** *adj*; **com'pos·ed·ly** [-zidli] *adv* ruhig, gelassen, gesetzt. **com'pos·ed·ness** [-idnis] *s* Gelassenheit *f*, Ruhe *f*. **com'pos·er** *s* **1.** *mus.* Kompo'nist *m*. **2.** Verfasser(in). **3.** Schlichter(in).

com·pos·ing [kəm'pouziŋ] **I** *s* **1.** Kompo'nieren *n*, Dichten *n*. **2.** Schriftsetzen *n*. **II** *adj* **3.** beruhigend, Beruhigungs...: **~ draught** Schlaftrunk *m*. **~ room** *s print.* Setze'rei *f*, Setzersaal *m*. **~ rule** *s print.* Setzlinie *f*. **~ stick** *s print.* Winkelhaken *m*.

com·pos·ite [*Br.* 'kɒmpəzit; -zait; *Am.* kəm'pɑzit] **I** *adj* **1.** zs.-gesetzt (*a. math. Zahl*), gemischt (**of** aus): **~ arch** Spitzbogen *m*; **~ candle** (*Art*) Stearinkerze *f*; **~ construction** *tech.* Gemischtbauweise *f*. **2.** *bot.* Kompositen..., Korbblüter... **II** *s* **3.** Zs.-setzung *f*, Mischung *f*. **4.** *bot.* Korbblüter *m*, Kompo'site *f*. **~ car·riage** *s Br.* Eisenbahnwagen *m* mit mehreren Klassen. **~ con·nec·tion** *s tech.* Doppelbetriebsschaltung *f*. **~ in·dex num·ber** *s math.* Hauptmeßzahl *f*. **~ met·al** *s* Ver'bundmeˌtall *n*. **~ pho·to·graph** *s* Kompo'sitphotograˌphie *f* (*Photomontage etc*).

com·po·si·tion [ˌkɒmpə'ziʃən] *s* **1.** Zs.-setzung *f*, Bildung *f*. **2.** Abfassung *f*, Entwurf *m* (*e-r Schrift etc*). **3.** Schrift(stück *n*) *f*, (Schrift)Werk *n*, Dichtung *f*. **4.** *ped.* a) (Schul)Aufsatz *m*, b) Stilübung *f*. **5.** *ling.* a) ('Wort)Zuˌsammensetzung *f*, b) 'Satzkonstruktiˌon *f*. **6.** Kompositi'on *f*: a) Mu'sikstück *n*, b) (künstlerische) Anordnung *od.* Gestaltung, Aufbau *m*. **7.** Zs.-setzung *f*, Verbindung *f*, Struk'tur *f*, Syn'these *f*: **chemical ~** chemisches Präparat; **~ metal** Kupferlegierung *f*. **8.** *print.* a) Setzen *n*, Satz *m*, b) Walzenmasse *f*. **9.** Beschaffenheit *f*, Na'tur *f*, Anlage *f*, Art *f*. **10.** *jur.* Kompro'miß *m*, *n*, Vergleich *m* (*mit Gläubigern etc*): **~ in bankruptcy** Zwangsvergleich im Konkursverfahren; **~ proceedings** (Konkurs)Vergleichsverfahren *n*. **11.** Über'einkunft *f*, Abkommen *n*. **12.** a) Ablösung *f*, b) Abfindung(ssumme) *f*.

com·pos·i·tor [kəm'pɒzitər] *s* (Schrift)Setzer *m*.

com·pos men·tis ['kɒmpɒs 'mentis] (*Lat.*) *adj jur.* bei klarem Verstand, geschäftsfähig.

com·post ['kɒmpoust; *Br. a.* -pəst] **I** *s* **1.** Mischdünger *m*, Kom'post *m*. **II** *v/t* **2.** düngen. **3.** zu Dünger verarbeiten.

com·po·sure [kəm'pouʒər] *s* (Gemüts)Ruhe *f*, Fassung *f*, Gelassenheit *f*.

com·pote ['kɒmpout] *s* **1.** Kom'pott *n*, eingemachtes Obst. **2.** Kom'pottschale *f*.

com·pound[1] ['kɒmpaund] *s* **1.** (*in Indien, China etc*) um'zäuntes Grundstück. **2.** *mil. Am.* (Truppen- *od.* Gefangenen)Lager *n*.

com·pound[2] [kəm'paund] **I** *v/t* **1.** zs.-setzen, (ver)mischen. **2.** zs.-setzen, -stellen. **3.** 'herstellen, bilden. **4.** a) *Streit* beilegen, b) *Sache* gütlich *od.* durch Vergleich regeln. **5.** *econ. jur.* a) *Schulden* durch Vergleich tilgen, b) *laufende Verpflichtungen* durch einmalige Zahlung ablösen, c) *Gläubiger* befriedigen: **to ~ creditors,** d) *Zinseszinsen* zahlen. **6.** *jur. e-e Straftat* wegen erhaltener Entschädigung nicht verfolgen: **~ing a felony** (strafbare) Nichterstattung e-r Strafanzeige. **7.** *Am.* steigern, *bes.* verschlimmern. **8.** *electr.* compoun'dieren. **II** *v/i* **9.** sich vergleichen, sich einigen, akkor'dieren (**with** mit; **for** über *acc*). **10.** *fig.* sich vereinigen (**into** zu). **III** *adj* ['kɒmpaund; *Am. a.* kɑm'paund] **11.** *allg.* zs.-gesetzt. **12.** *med.* kompli'ziert. **13.** *electr. tech.* Verbund... **IV** *s* **14.** Zs.-setzung *f*, Mischung *f*. **15.** Mischung *f*, Masse *f*: **cleaning ~** Reinigungsmasse. **16.** *chem.* Verbindung *f*, Präpa'rat *n*. **17.** *ling.* Kom'positum *n*, zs.-gesetztes Wort.

com·pound| an·i·mal *s zo.* Tierstock *m*. **'~-'com·plex sen·tence** *s ling.* zs.-gesetzter Satz mit e-m Nebensatz od. mehreren Nebensätzen. **~ en·gine** *s tech.* Ver'bundmaˌschine *f*. **~ eye** *s zo.* Netz-, Fa'cettenauge *n*. **~ flow·er** *s bot.* zs.-gesetzte Blüte. **~ frac·tion** *s math.* zs.-gesetzter Bruch, Doppelbruch *m*. **~ frac·ture** *s med.* kompli'zierter Bruch. **~ fruit** *s bot.* Sammelfrucht *f*. **~ in·ter·est** *s econ.* Staffel-, Zinseszinsen *pl*. **~ mo·tor** *s electr.* Verbundmotor *m*. **~ noun** *s ling.* Kom'positum *n*, zs.-gesetztes Hauptwort. **~ nu·cle·us** *s Atomphysik*: Verbund-, Compoundkern *m*. **~ num·ber** *s math.* **1.** zs.-gesetzte Zahl (*keine Primzahl*). **2.** benannte Zahl. **~ op·tion** *s econ.* Doppelprämiengeschäft *n*. **~ sen·tence** *s ling.* zs.-gesetzter Satz. **~ steel** *s* Verbundstahl *m*. **~ tense** *s ling.* zs.-gesetzte Zeit(form). **'~-ˌwound dy·na·mo** *s electr.* Ver'bunddyˌnamo *m*.

com·preg ['kɒmpreg] *s* Kunstharzpreßholz *n*.

com·pre·hend [ˌkɒmpri'hend] **I** *v/t* **1.** um'fassen, einschließen, in sich fassen. **2.** begreifen, erfassen, verstehen. **II** *v/i* **3.** begreifen, verstehen. **ˌcom·preˌhen·si'bil·i·ty** [-sə'biliti] *s* Faßlichkeit *f*. **ˌcom·pre'hen·si·ble** *adj* (*adv* **comprehensibly**) begreiflich, verständlich, faßlich.

com·pre·hen·sion [ˌkɒmpri'henʃən] *s* **1.** Einbeziehung *f*. **2.** 'Umfang *m*. **3.** → **comprehensiveness.** **4.** Begriffsvermögen *n*, Fassungskraft *f*, Verstand *m*, Einsicht *f*: **it is beyond my ~** das geht über m-n Horizont. **5.** (**of**) Begreifen *n* (*gen*), Verständnis *n* (für): **to be quick (slow) of ~** schnell (langsam) begreifen. **6.** *philos.* Inhalt *m* e-s Begriffes. **7.** *relig.* Einbeziehung *f* der 'Nonkonforˌmisten in die angli'kanische Kirche. **ˌcom·pre'hen·sive** [-siv] *adj* (*adv* **~ly**) **1.** um'fassend, weit: **~ law** allgemeines Gesetz; **~ insurance** Versicherung *f* gegen alle Gefahren, Vollkasko *n*; **~ motor car insurance** Kasko-Versicherung *f*; **~ school** *Br.* (*alle Schulzweige umfassende*) Gesamtschule. **2.** in sich fassend (**of** *acc*). **3.** inhaltsreich. **4.** Begriffs...: **~ faculty** Fassungsvermögen *n*. **ˌcom·pre'hen·sive·ness** *s* 'Umfang *m*, Reichhaltigkeit *f*, (*das*) Um'fassende.

com·press I *v/t* [kəm'pres] zs.-drücken, -pressen, kompri'mieren. **II** *s* ['kɒmpres] *med.* Kom'presse *f*.

com·pressed [kəm'prest] *adj* **1.** kompri'miert, zs.-gepreßt, verdichtet: **~ air** Preß-, Druckluft *f*; **~-air brake** Druckluftbremse *f*; **~ steel** Preßstahl *m*. **2.** *fig.* zs.-gefaßt, gedrängt, gekürzt. **3.** *bot.* zs.-gedrückt. **4.** *zo.* schmal.

com·press·i·bil·i·ty [kəmˌpresə'biliti] *s* Zs.-drückbarkeit *f*, Kompressi'onsfähigkeit *f*, Verdichtbarkeit *f*. **com'press·i·ble** *adj* zs.-drückbar, kompri'mier-, verdichtbar.

com·pres·sion [kəm'preʃən] *s* **1.** Zs.-pressen *n*, -drücken *n*, Verdichtung *f*, Druck *m*. **2.** *fig.* knappe Formu'lierung. **3.** *tech.* a) (*Dampf- etc*) Druck *m*, b) Kompressi'on *f*, Verdichtung *f* (*bei Explosionsmotoren*), c) Druckbeanspruchung *f*. **~ cham·ber** *s mot.* Kompressi'ons-, Verdichtungsraum *m*. **~ cup** *s tech.* Preßöler *m*, Schmierbüchse *f*. **~ pres·sure** *s* Verdichtungsdruck *m*. **~ ra·tio** *s tech.* Verdichtungsverhältnis *n*. **~ spring** *s tech.* Druckfeder *f*. **~ stroke** *s mot.* Kompressi'onshub *m*.

com·pres·sive [kəm'presiv] *adj* zs.-drückend, -pressend, Preß..., Druck...: **~ strength** Druckfestigkeit *f*.

com·pres·sor [kəm'presər] *s* **1.** *anat.* Preß-, Schließmuskel *m*. **2.** *med.* a) Gefäßklemme *f*, (Ader)Presse *f*, b) Druckverband *m*. **3.** *tech.* Kom'pressor *m*, Verdichter *m*. **4.** *mar.* Kettenkneifer *m*.

com·pris·al [kəm'praizəl] *s* **1.** Um'fassung *f*, Einschließung *f*. **2.** Zs.-fassung *f*. **com'prise** *v/t* einschließen, um'fassen, enthalten.

com·pro·mise ['kɒmprəˌmaiz] **I** *s* **1.** Kompro'miß *m*, *n*. **2.** *jur.* (gütlicher *od.* schiedsrichterlicher) Vergleich. **3.** Konzessi'on *f*, Zugeständnis *n*. **4.** Gefährdung *f*. **5.** Mittelding *n*. **II** *v/t* **6.** durch Kompro'miß regeln, beilegen, schlichten. **7.** *Ruf, Leben etc* gefährden, aufs Spiel setzen. **8.** (**o.s.** sich) bloßstellen, kompromit'tieren. **III** *v/i* **9.** a) ein *od.* e-n Kompro'miß *od.* (*a. fig. contp.*) Kompro'misse schließen, b) sich vergleichen, zu e-r Über'einkunft gelangen (**on** über *acc*). **10.** Entgegenkommen zeigen (**on** in *dat*).

comp·trol·ler [kən'troulər] *s* (staatlicher) Rechnungsprüfer (*Beamter*): **C~ General** a) *Am.* Präsident *m* des Rechnungshofes, b) *Br.* Präsident *m* des Patentamtes; **C~ of the Currency** *Am.* Währungskommissar *m*.

com·pul·sion [kəm'pʌlʃən] *s* **1.** Zwang *m*: **under ~** unter Zwang *od.* Druck, gezwungen, zwangsweise. **2.** *psych.* Zwang *m*, 'unwiderˌstehlicher Drang. **com'pul·sive** [-siv] *adj* (*adv* **~ly**) zwingend, Zwangs...

com·pul·so·ry [kəm'pʌlsəri] *adj* (*adv* **compulsorily**) **1.** zwangsweise, gezwungen, Zwangs...: **~ measures.** **2.** obliga'torisch, zwingend (vorgeschrieben), Pflicht...: **~ dives** *sport*

Pflichtsprünge; ~ education allgemeine Schulpflicht; ~ military service allgemeine Wehrpflicht; ~ subject Pflichtfach *n*.

com·punc·tion [kəm'pʌŋkʃən] *s* a) Gewissensbisse *pl*, b) Reue *f*, c) Bedenken *pl*: without ~. **com'punc·tious** *adj* (*adv* ~ly) reuevoll, reuig.

com·pur·ga·tion [ˌkɒmpəːr'geiʃən] *s jur*. **1.** Reinwaschung *f*, Schuldlossprechung *f*, Rechtfertigung *f*. **2.** *hist*. Reinigung *f* durch Eideshilfe. **'com·purˌga·tor** [-tər] *s jur. hist*. Eideshelfer *m*.

com·put·a·ble [kəm'pjuːtəbl] *adj* berechenbar, zu berechnen(d).

com·pu·ta·tion [ˌkɒmpju'teiʃən] *s* **1.** (Be)Rechnen *n*, Kalku'lieren *n*. **2.** Berechnung *f*, An-, 'Überschlag *m*, Kalkulati'on *f*, Schätzung *f*.

com·pute [kəm'pjuːt] **I** *v/t* **1.** berechnen. **2.** schätzen, veranschlagen (at auf *acc*). **II** *v/i* **3.** rechnen (by nach). **com'put·er** *s* **1.** (Be)Rechner *m*, Kalku'lator *m*. **2.** *electr*. 'Rechenautoˌmat *m*, -maˌschine *f*, Com'puter *m*: electronic ~ Elektronenrechner *m*.

com·rade ['kɒmrid; -ræd; 'kʌm-] *s* **1.** Kame'rad *m*, Genosse *m*, Gefährte *m*: ~-in-arms Waffengefährte *m*. **2.** *pol*. (Par'tei)Genosse *m*. **'com·rade·ly** *adj* kame'radschaftlich. **'com·radeˌship** *s* Kame'radschaft *f*.

com·stock·er·y ['kʌmstɒkəri], *a*. **'Com·stockˌism** *s Am*. über'trieben strenge Zen'sur (gegen Immorali'tät in Kunst u. Litera'tur).

Com·ti·an ['kɒmtiən; 'kɔ̃t-] *adj* Comtesch(er, e, es) (*A. Comte od. s-e Lehre betreffend*). **'Comt·ism** *s* Positi'vismus *m*.

con[1] [kɒn] *v/t* kennenlernen, prüfen, stu'dieren, auswendig lernen: to ~ over a) durchlesen, -sehen, b) sich überlegen.

con[2] → conn.

con[3] [kɒn] **I** *adv* (*von* contra) gegen: pro and ~ für u. gegen. **II** *s* 'Gegenarguˌment *n*: to study the pros and ~s das Für u. Wider erwägen.

con[4] [kɒn] *sl*. **I** *adj* (*von* confidence) betrügerisch: ~ man Betrüger *m*, Hochstapler *m*; ~ game aufgelegter Schwindel. **II** *v/t* ‚'reinlegen', betrügen.

co·na·ri·um [kə'nɛ(ə)riəm] *pl* **-ri·a** [-ə] *s anat*. Zirbeldrüse *f*.

co·na·tion [kou'neiʃən] *s philos. psych*. Willenstrieb *m*, Begehren *n*. **con·a·tive** ['kɒnətiv; 'kou-] *adj* Begehrens..., triebhaft.

con·cat·e·nate [kɒn'kætiˌneit] *v/t* verketten, verknüpfen: ~d connection *electr*. Kaskadenschaltung *f*. **conˌcat·e'na·tion** *s* **1.** Verkettung *f*. **2.** Kette *f*.

con·cave I *adj* [kɒn'keiv, 'kɒnkeiv] (*adv* ~ly) kon'kav: a) hohl, ausgehöhlt, b) *tech*. hohlgeschliffen, Hohl...: ~ brick Hohlziegel *m*; ~ lens Zerstreuungslinse *f*; ~ mirror Hohlspiegel *m*. **II** *s* ['kɒnkeiv] (Aus)Höhlung *f*, Wölbung *f*, Hohlrundung *f*, kon'kave Fläche. **III** *v/t* aushöhlen, kon'kav formen. **con'cav·i·ty** [-'kæviti] *s* **1.** hohle Beschaffenheit, Konkavi'tät *f*. **2.** → concave II. **con·ca·vo-con·cave** [kɒn'keivoukɒn'keiv] *adj* 'bikonˌkav, auf beiden Seiten hohl. **con'ca·vo--con'vex** [-kɒn'veks] *adj* kon'kavkonˌvex, hohlerhaben.

con·ceal [kən'siːl] *v/t* (from vor *dat*) **1.** *allg*. verbergen: a) *a. tech*. verdekken, ka'schieren: ~ing power Deckkraft *f* (*von Farben*), b) verstecken, c) verborgen halten, geheimhalten, verschleiern: to ~ the true state of affairs; ~ed assets *econ*. (*Konkursrecht*) verschleierte Vermögenswerte, (*Buchführung*) unsichtbare Aktiven; ~ed damage verborgener *od*. latenter Schaden, d) verschweigen, verhehlen, verheimlichen. **2.** *mil*. verschleiern, tarnen: to ~ by smoke vernebeln. **con'ceal·er** *s* Verberger(in), (Ver-)Hehler(in). **con'ceal·ment** *s* **1.** Verbergung *f*, Verheimlichung *f*, Verschweigung *f*, Geheimhaltung *f*. **2.** Verborgenheit *f*, Versteck *n*. **3.** *mil*. Dekkung *f*, Tarnung *f*.

con·cede [kən'siːd] **I** *v/t* **1.** zugestehen, einräumen: a) gewähren, bewilligen (s.o. s.th. j-m etwas): to ~ a privilege ein Vorrecht einräumen, b) anerkennen, zugeben, zubilligen (*a*. that daß): to ~ a right ein Recht anerkennen; to ~ a point in e-m Punkt nachgeben, *sport dem Gegner* e-n Punkt überlassen (müssen). **2.** abtreten (to *dat*). **3.** *pol. Am*. (*e-m Gegner den Wahlsieg*) über'lassen. **II** *v/i* **4.** nachgeben, Zugeständnisse machen. **5.** *pol. sport Am*. sich geschlagen geben. **con'ced·ed·ly** [-didli] *adv* zugestandenermaßen.

con·ceit [kən'siːt] **I** *s* **1.** Eingebildetheit *f*, Einbildung *f*, (Eigen)Dünkel *m*, Selbstgefälligkeit *f*, Eitelkeit *f*. **2.** günstige Meinung (*nur noch in*): out of ~ with überdrüssig (*gen*); to put s.o. out of ~ with s.th. j-m die Lust an etwas nehmen. **3.** Gedanke *m*, Vorstellung *f*, I'dee *f*. **4.** guter Einfall, Witz *m*. **5.** a) seltsamer Einfall, Ma'rotte *f*, b) gesuchte Me'tapher. **6.** *obs*. per'sönliche Meinung: in my own ~ m-r Ansicht nach. **7.** *obs*. Begriffsvermögen *n*. **II** *v/t* **8.** glauben, denken (of von): well ~ed gut ausgedacht; to ~ o.s. to be s.th. sich einbilden, etwas zu sein. **con'ceit·ed** *adj* (*adv* ~ly) eingebildet, selbstgefällig, dünkelhaft, eitel (about, of auf *acc*).

con·ceiv·a·bil·i·ty [kənˌsiːvə'biliti] *s* Begreiflichkeit *f*. **con'ceiv·a·ble** *adj* begreiflich, faßlich, denkbar, vorstellbar: the best plan ~ der denkbar beste Plan. **con'ceiv·a·bly** [-bli] *adv* a) → conceivable, b) es ist denkbar, daß.

con·ceive [kən'siːv] **I** *v/t* **1.** *biol. ein Kind* empfangen. **2.** begreifen, sich vorstellen, sich denken, sich e-n Begriff *od*. e-e Vorstellung machen von. **3.** planen, ersinnen, ausdenken, entwerfen: to ~ an idea auf e-n Gedanken kommen; a badly ~d project e-e Fehlplanung. **4.** *e-e Neigung etc* fassen (for zu): to ~ an affection for s.o.; to ~ a desire e-n Wunsch hegen. **5.** *in Worten* ausdrücken. **II** *v/i* **6.** ~ of → 2. **7.** *biol*. a) empfangen, schwanger werden (*Mensch*), b) aufnehmen, trächtig werden (*Tier*).

con·cen·trate ['kɒnsənˌtreit] **I** *v/t* **1.** konzen'trieren (on, upon auf *acc*): a) zs.-ziehen, zs.-ballen, vereinigen, sammeln, mas'sieren: to ~ troops; ~d fire *mil*. konzentriertes *od*. zs.-gefaßtes Feuer, b) *Anstrengungen etc* richten: to ~ one's thoughts upon s.th. s-e Gedanken auf etwas richten, sich auf etwas konzentrieren. **2.** *fig*. zs.-fassen (in in *dat*). **3.** *chem. Lösung etc* a) sättigen, konzen'trieren, b) verstärken, *bes. metall*. anreichern. **II** *v/i* **4.** sich konzen'trieren (*etc*; → 1). **5.** sich (*an e-m Punkt*) sammeln. **III** *s* **6.** *chem*. Konzen'trat *n*. **'con·cenˌtrat·ed** *adj* konzen'triert.

con·cen·tra·tion [ˌkɒnsən'treiʃən] *s* **1.** Konzen'trierung *f*, Konzentrati'on *f*: a) Zs.-fassung *f*, Zs.-ziehung *f*, (Zs.-)Ballung *f*, Mas'sierung *f*, (An-)Sammlung *f* (*alle a. mil*.): ~ area *mil*. Bereitstellungsraum *m*, Aufmarschgebiet *n*; ~ camp *pol*. Konzentrationslager *n*, b) 'Hinlenkung *f* auf 'einen Punkt, c) *fig*. (geistige) Sammlung, gespannte Aufmerksamkeit. **2.** *chem*. Konzentrati'on *f*, Dichte *f*, Sättigung *f*. **3.** *metall*. Anreicherung *f*. **4.** *biol*. Konzentrati'on *f* der erblichen Veranlagung.

con·cen·tra·tive ['kɒnsənˌtreitiv] *adj* konzen'trierend. **'con·cenˌtra·tor** [-tər] *s* Sammler *m*, Verdichter *m*.

con·cen·tric [kən'sentrik] *adj*; **con'cen·tri·cal** *adj* (*adv* ~ly) kon'zentrisch. **con·cen·tric·i·ty** [ˌkɒnsən'trisiti] *s* Konzentrizi'tät *f*.

con·cept ['kɒnsept] *s* **1.** *philos*. (*allgemeiner logischer*) Begriff. **2.** Gedanke *m*, Auffassung *f*, Konzepti'on *f*.

con·cep·tion [kən'sepʃən] *s* **1.** *biol*. Empfängnis *f*: (statutory) period of ~ *jur*. (gesetzliche) Empfängniszeit. **2.** a) Begreifen *n*, b) Begriffsvermögen *n*, Verstand *m*, c) (*philos*. logischer) Begriff, Vorstellung *f* (of von): in my ~ nach m-r Auffassung, d) Konzepti'on *f*, I'dee *f*. **3.** Entwurf *m*, Kon'zept *n*, Plan *m*, Anlage *f*. **4.** (Geistes)Schöpfung *f*. **con'cep·tion·al** *adj* begrifflich, ab'strakt. **con'cep·tive** *adj* **1.** begreifend, empfänglich: ~ power Begriffsvermögen *n*. **2.** *med*. empfängnisfähig. **con'cep·tu·al** [*Br*. -tjuəl; *Am*. -tʃuəl] *adj* begrifflich, Begriffs...

con·cern [kən'səːrn] **I** *v/t* **1.** betreffen, angehen, sich beziehen auf (*acc*): it does not ~ me es betrifft mich nicht, es geht mich nichts an; as far as I am ~ed soweit es mich betrifft, was mich anbelangt; To Whom It May C~ an alle, die es angeht; Überschrift *f* (*auf Attesten etc*). **2.** von Wichtigkeit *od*. Belang *od*. Inter'esse sein für, angehen: this problem ~s us all dieses Problem geht uns alle an *od*. ist für uns alle wichtig; your reputation is ~ed es geht um d-n Ruf. **3.** beunruhigen: don't let that ~ you mache dir deswegen keine Sorge; to be ~ed about (*od*. at) sich Sorgen machen wegen; to be ~ed for s.o.'s safety um j-s Sicherheit besorgt sein; → concerned 5. **4.** interes'sieren, beschäftigen: to ~ o.s. with sich beschäftigen *od*. befassen mit; to be ~ed in a plot in e-e Verschwörung verwickelt sein; → concerned 2, 3. **II** *s* **5.** Angelegenheit *f*, Sache *f*: that is your ~ das ist Ihre Sache; that is no ~ of mine das geht mich nichts an; the ~s of the nation die Belange der Nation. **6.** Geschäft *n*, Firma *f*, Unter'nehmen *n*: first ~ Firma, die noch in den Händen der Gründer ist; a going ~ a) ein gutgehendes Unternehmen, b) *fig*. e-e gut funktionierende Sache. **7.** Unruhe *f*, Sorge *f*, Besorgnis *f* (at, about, for wegen, um). **8.** Wichtigkeit *f*: to be of no small ~ nicht ganz unbedeutend sein, sehr wichtig sein. **9.** Beziehung *f* (with zu): to have no ~ with a matter mit e-r Sache nichts zu tun haben. **10.** (at, about, for, in, with) Teilnahme *f* (an *dat*), Rücksicht *f* (auf *acc*), Anteil *m* (an *dat*), Inter'esse *n* (für): to feel a ~ for Teilnahme empfinden für, sich interessieren für. **11.** *colloq*. ‚Ding' *n*, Sache *f*, ‚Geschichte' *f*.

con·cerned [kən'səːrnd] *adj* **1.** betroffen, betreffend: the matter ~. **2.** (in) beteiligt, interes'siert (an *dat*), *contp*.

verwickelt (in *acc*): the parties ~ die Beteiligten. **3.** (with, in) a) befaßt *od.* beschäftigt (mit), b) handelnd (von). **4.** bemüht (to do zu tun). **5.** (about, at, for) a) besorgt (um), beunruhigt (wegen), in Unruhe *od.* Sorge (um, wegen), b) bekümmert, betrübt (wegen).

con'cern·ed·ly [-nidli] *adv.* **con'cern·ing** *adj* betreffend (*acc*), betreffs (*gen*), 'hinsichtlich, bezüglich, wegen (*gen*), über (*acc*): ~ me was mich (an)betrifft *od.* anbelangt.

con·cern·ment [kən'səːrnmənt] *s* **1.** Wichtigkeit *f*, Bedeutung *f*, Inter'esse *n*: of general ~. **2.** Beteiligung *f*, Anteil *m*. **3.** Besorgtheit *f*, Sorge *f* (for um *acc*, wegen *gen*).

con·cert ['kɒnsərt] **I** *s* **1.** *mus.* a) Kon'zert *n*: ~ hall Konzertsaal *m*, b) har'monische Über'einstimmung. **2.** Einvernehmen *n*, Einverständnis *n*, Über'einstimmung *f*, Harmo'nie *f*: in ~ with im Einvernehmen *od.* in Übereinstimmung mit. **3.** Zs.-wirken *n*: to act in ~ with s.o. gemeinsam mit j-m vorgehen. **II** *v/t* [kən'səːrt] **4.** *etwas* verabreden, abmachen, absprechen, aufein'ander abstimmen: to ~ measures. **5.** planen. **III** *v/i* **6.** zs.-arbeiten.

con'cert·ed *adj* **1.** gemeinsam (geplant *od.* ausgeführt): ~ action gemeinsames Vorgehen. **2.** *mus.* mehrstimmig (arran'giert).

'con·cert|,go·er *s* Kon'zertbesucher(in). **~ grand** *s mus.* Kon'zertflügel *m*.

con·cer·ti·na [ˌkɒnsər'tiːnə] **I** *s* Konzer'tina *f*, (sechseckige) 'Ziehharˌmonika. **II** *v/t u. v/i* 'ziehharˌmonikaförmig zs.-drücken *od.* -falten (zs.-gedrückt *od.* -gefaltet werden). **con·cer·ti·no** [ˌkɔːntʃer'tiːnɔː] (*Ital.*) *s mus.* Concer'tino *n*, kleines ('Solo)Konˌzert.

con·cer·to [kən'tʃɛrtou] *pl* **-tos** *s mus.* ('Solo)Konˌzert *m* (*mit Orchesterbegleitung*).

con·cert| of Eu·rope *s pol. hist.* Euro'päisches Kon'zert. **~ pitch** *s mus.* Kammer-, Kon'zertton *m*: at ~ *fig.* mit höchstem Schwung; up to ~ *fig.* auf der Höhe, in Form; to bring up to ~ voll zur Entfaltung bringen; to screw o.s. up to ~ sich unerhört steigern.

con·ces·sion [kən'seʃən] *s* **1.** Konzessi'on *f*, Entgegenkommen *n*, (*econ. a.* Zoll)Zugeständnis *n*: to make a ~ of a right ein Recht einräumen; to make no ~(s) keine Konzessionen machen (to s.o. j-m; to s.th. hinsichtlich e-r Sache). **2.** Anerkennung *f*, Zugeständnis *n* (*der Berechtigung e-s Standpunkts*). **3.** Genehmigung *f*, Bewilligung *f*. **4.** (amtliche *od.* staatliche) Konzessi'on, Privi'leg *n*: ~ of a mine Bergwerkskonzession. **5.** a) behördliche Über'lassung von Grund u. Boden, b) *Am.* Konzessi'on *f*, Gewerbeerlaubnis *f*, c) über'lassenes Stück Land. **6.** Über'lassung *f* von Grund u. Boden an e-e fremde Macht. **con·ˌces·sion'aire** [-'nɛr] *s econ.* Konzessi'onsˌinhaber(in). **con'ces·sion·ar·y I** *adj* **1.** Bewilligungs..., Konzessions... **2.** konzessio'niert, bewilligt. **II** *s* → concessionaire. **con'ces·sive** [-siv] *adj* **1.** Zugeständnisse machend. **2.** *ling.* konzes'siv: ~ clause einräumender Satz, Konzessivsatz *m*.

conch [kɒŋk] *pl* **~s** *od.* **con·ches** ['kɒntʃiz] *s* **1.** *zo.* Muschel(schale) *f*. **2.** *zo.* (*e-e*) See- *od.* Schneckenmuschel. **3.** *Am. sl. Landbewohner im Süden der USA, bes. in Florida.* **con·cha** ['kɒŋkə] *pl* **-chae** [-kiː] *s* **1.** *anat.* Ohrmuschel *f*. **2.** *arch.* Kuppeldach *n* (e-r Apsis). **'con·choid** [-kɔid] *s math.* Koncho'ide *f*, Schneckenlinie *f*.

con·chy ['kɒntʃi] *sl. für* conscientious objector 1.

con·cil·i·ar [kən'siliər] *adj relig.* Konzil...

con·cil·i·ate [kən'siliˌeit] *v/t* **1.** aus-, versöhnen, beschwichtigen. **2.** *Gunst etc* gewinnen. **3.** ausgleichen, in Einklang bringen. **conˌcil·i'a·tion** *s* Aus-, Versöhnung *f*, Schlichtung *f*, Ausgleich *m*: ~ board Schlichtungsamt *n*, Gütestelle *f*; ~ hearing *jur.* Sühnetermin *m* (*in Scheidungssachen*). **con'cil·iˌa·tive** → conciliatory. **con'cil·iˌa·tor** [-tər] *s* Schlichter *m*, Vermittler *m*. **con'cil·i·a·to·ry** *adj* versöhnlich, vermittelnd, Versöhnungs...: ~ proposal Vermittlungsvorschlag *m*.

con·cise [kən'sais] *adj* (*adv* ~ly) kurz, bündig, prä'gnant, prä'zis(e), knapp: ~ dictionary Handwörterbuch *n*. **con'cise·ness** *s* Kürze *f*, Prä'gnanz *f*. **con'ci·sion** [-'siʒən] *s* **1.** → conciseness. **2.** Verstümmelung *f*. **3.** *Bibl.* Beschneidung *f*.

con·clave ['kɒnkleiv; 'kɒŋ-] *s* **1.** *obs.* Beratungszimmer *n*. **2.** *R.C.* Kon'klave *n*. **3.** geheime Versammlung *od.* Sitzung.

con·clude [kən'kluːd] **I** *v/t* **1.** *a. e-e Rede etc* beenden, (be-, ab)schließen (with mit): to be ~d Schluß folgt. **2.** *Vertrag etc* (ab)schließen. **3.** *etwas* folgern, schließen (from aus). **4.** beschließen, entscheiden. **II** *v/i* **5.** schließen, enden, aufhören (with mit): he ~d by saying zum Schluß sagte er. **6.** beschließen. **7.** schließen, folgern (from aus). **con'clud·ing** *adj* (ab)schließend, End..., Schluß...: ~ scene Schlußszene *f*; ~ words Schlußworte.

con·clu·sion [kən'kluːʒən] *s* **1.** (Ab)Schluß *m*, Ende *n*: to bring to a ~ zum Abschluß bringen; in ~ zum Schluß, schließlich, endlich. **2.** Abschluß *m* (*e-s Vertrages etc*): ~ of peace Friedensschluß. **3.** (logischer) Schluß, (Schluß)Folgerung *f*: to come to (*od.* arrive at) the ~ that zu dem Schluß *od.* der Überzeugung kommen, daß; to draw a ~ e-n Schluß ziehen; to jump at (*od.* to) ~s voreilig(e) Schlüsse ziehen. **4.** Beschluß *m*, Entscheidung *f*. **5.** *jur.* a) bindende Verpflichtung, b) (*prozeßhindernde*) Einrede, c) Ausspruch *m*, Entscheidung *f*, d) Schlußausführungen *pl*. **6.** Erfolg *m*, Folge *f*, Ausgang *m*. **7.** to try ~s *Br.* es versuchen, sich *od.* s-e Kräfte messen (with mit). **8.** *ling.* A'podosis *f* (*Nachsatz e-s Bedingungssatzes*). **9.** *math.* Rückschluß *m*.

con·clu·sive [kən'kluːsiv] *adj* (*adv* ~ly) **1.** abschließend, Schluß... **2.** endgültig. **3.** schlüssig, über'zeugend: ~ evidence. **con'clu·sive·ness** *s* **1.** Endgültigkeit *f*. **2.** (*das*) Entscheidende *od.* Endgültige *od.* Über'zeugende. **3.** Schlüssigkeit *f*, Triftigkeit *f*, Beweiskraft *f*.

con·coct [kɒn'kɒkt] *v/t* **1.** (zs.-)brauen (*a. fig.*). **2.** *fig.* aushecken, -brüten, sich ausdenken: to ~ a plan. **con'coc·tion** *s* **1.** (Zs.-)Brauen *n*, Bereiten *n*. **2.** *med.* Absud *m*, zs.-gemischter Trank. **3.** *a. contp. u. fig.* Gebräu *n*. **4.** *fig.* Ausbrüten *n*, -hecken *n*: ~ of a plan (story). **5.** *fig.* (*das*) Zs.-gebraute *od.* Ausgeheckte, Erfindung *f*.

con·com·i·tance [kɒn'kɒmitəns], **con'com·i·tan·cy** *s* **1.** Zs.-bestehen *n*, gleichzeitiges Vor'handensein. **2.** *relig.* Konkomi'tanz *f*. **con'com·i·tant I** *adj* (*adv* ~ly) begleitend, gleichzeitig: ~ circumstances Begleitumstände. **II** *s* Be'gleiterscheinung *f*, -ˌumstand *m*.

con·cord ['kɒnkɔːrd; 'kɒŋ-] *s* **1.** Einmütigkeit *f*, Eintracht *f*, Einklang *m*, (*ling.* syn'taktische) Über'einstimmung. **2.** *mus.* a) Zs.-klang *m*, Harmo'nie *f*, b) Konso'nanz *f*. **3.** Vertrag *m*, Über'einkommen *n*.

con·cord·ance [kɒn'kɔːrdəns] *s* **1.** Über'einstimmung *f* (in mit). **2.** Konkor'danz *f* (*alphabetisches Wörter- od. Sachverzeichnis etc*): C~ to the Bible Bibelkonkordanz. **3.** *geol. tech.* Konkor'danz *f*. **con'cord·ant** *adj* (*adv* ~ly) **1.** (with, to) über'einstimmend (mit), entsprechend (*dat*). **2.** har'monisch.

con·cor·dat [kɒn'kɔːrdæt] *s* **1.** Über'einkommen *n*, Vertrag *m*. **2.** *relig.* Konkor'dat *n*.

con·course ['kɒnkɔːrs; 'kɒŋ-] *s* **1.** a) *allg.* Zs.-treffen *n*, b) Zs.-fluß *m*: a ~ of streams. **2.** (Menschen)Auflauf *m*, (-)Menge *f*, Ansammlung *f*, Gewühl *n*. **3.** *Am.* Fahrweg *m*, Prome'nade(nplatz *m*) *f* (*in e-m Park*). **4.** *Am.* a) Bahnhofshalle *f*, b) freier Platz, *a.* Saal *m* (*für Versammlungen etc*). **5.** *jur.* Konkur'renz *f*, Klagenhäufung *f*.

con·cres·cence [kɒn'kresns] *s biol.* **1.** Verwachsung *f* von Or'ganen *od.* Zellen. **2.** Zs.-wachsen *n* embryo'naler Teile.

con·crete [kɒn'kriːt] **I** *v/t* **1.** zu e-r kom'pakten Masse formen *od.* verbinden. **2.** *fig.* vereinigen (with mit). **3.** konkreti'sieren. **4.** *fig.* festigen. **5.** ['kɒnkriːt] *tech.* beto'nieren. **II** *v/i* **6.** sich zu e-r festen Masse vereinigen. **III** *adj* ['kɒnkriːt; kɒn'kriːt] (*adv* ~ly) **7.** fest, dicht, massig, kom'pakt, geronnen. **8.** *tech.* beto'niert, Beton...: ~ construction Betonbau *m*; ~ mixer Betonmischmaschine *f*; ~ steel Stahlbeton *m*. **9.** kon'kret (*a. ling. philos.*; *Ggs. abstrakt*), greifbar, wirklich, gegenständlich, fest um'rissen: ~ noun *ling.* Konkretum *n*; ~ proposals konkrete Vorschläge. **10.** *math.* benannt. **11.** *mus.* kon'kret (*von e-m Ton zum anderen gleitend*). **IV** *s* ['kɒnkriːt] **12.** *philos.* kon'kreter Gedanke *od.* Begriff: in the ~ im konkreten Sinne, in Wirklichkeit. **13.** feste *od.* kom'pakte Masse. **14.** *tech.* Be'ton *m*, Gußmörtel *m*, Ze'ment *m*. **15.** *Am.* Be'tondecke *f* (*e-r Straße etc*).

con·crete·ness [kɒn'kriːtnis] *s* **1.** Verwachsensein *n*. **2.** Geronnen-, Gefrorensein *n*, Verdickung *f*, Gerinnung *f*. **3.** *fig.* Körperlichkeit *f*, Festigkeit *f*.

con·cre·tion [kɒn'kriːʃən] *s* **1.** Zs.-wachsen *n*, Verwachsung *f*. **2.** Festwerden *n*, Gerinnen *n*. **3.** feste *od.* kom'pakte Masse. **4.** Verhärtung *f*, Häufung *f*, Knoten *m*. **5.** *geol.* Konkreti'on *f* (*Zs.-häufung*). **6.** *med.* Konkre'ment *n*: bronchial ~ Bronchienstein *m*; gouty ~ Gichtknoten *m*.

con·cu·bi·nage [kɒn'kjuːbinidʒ] *s* Konkubi'nat *n*, wilde Ehe. **con'cu·bi·nar·y** *adj* **1.** Konkubinats... **2.** im Konkubi'nat lebend. **con·cu·bine** ['kɒŋkjuˌbain; 'kɒn-] *s* **1.** Konku'bine *f*, Mä'tresse *f*. **2.** Nebenfrau *f*.

con·cu·pis·cence [kɒn'kjuːpisəns] *s* **1.** Lüsternheit *f*, sinnliche Begierde, Sinnlichkeit *f*. **2.** Gelüst(e) *n*, Begierde *f*. **con'cu·pis·cent** *adj* lüstern.

con·cur [kən'kəːr] *v/i* **1.** zs.-fallen, -treffen (*Ereignisse etc*). **2.** *relig.* aufein'anderfallen (*Feste*). **3.** (with s.o., in s.th.) über'einstimmen (mit j-m, in e-r Sache), beipflichten, -stimmen (j-m, e-r Sache). **4.** mitwirken, beitragen (to zu). **5.** zs.-wirken. **6.** *jur.* gemeinsam mit anderen Gläubigern Ansprüche auf e-e Kon'kursmasse erheben.

con·cur·rence [*Br.* kən'kʌrəns; *Am.* -'kəːr-] *s* **1.** Zs.-treffen *n.* **2.** Über'ein-, Zustimmung *f*, Einverständnis *n.* **3.** Mitwirkung *f.* **4.** Zs.-wirken *n.* **5.** *math.* Schnittpunkt *m.* **6.** *jur.* Kon'flikt *m*, Kollisi'on *f*: ~ **of rights. con'cur·ren·cy** → concurrence 1—5.

con·cur·rent [*Br.* kən'kʌrənt; *Am.* -'kəːr-] **I** *adj* (*adv* ~**ly**) **1.** gleichlaufend, nebenein'ander bestehend, gleichzeitig (**with** mit). **2.** zs.-fallend (**with** mit). **3.** zs.-, mitwirkend. **4.** *jur.* a) gleichberechtigt, b) gleich zuständig, c) gleichzeitig abgeschlossen (*Pacht, Versicherung etc*). **5.** über'einstimmend (**with** mit). **6.** *math.* durch den'selben Punkt gehend: ~ **lines. II** *s* **7.** mitwirkender 'Umstand, Be'gleitˌumstand *m.* **8.** *obs.* Konkur'rent *m.*

con·cuss [kən'kʌs] *v/t* **1.** *meist fig.* erschüttern (**with** durch). **2.** einschüchtern, durch Drohung zwingen. **con'cus·sion** [-ʃən] *s* Erschütterung *f*: ~ **of the brain** *med.* Gehirnerschütterung; ~ **fuse** *mil.* Erschütterungszünder *m*; ~ **spring** *tech.* Stoßdämpfer *m.* **con'cus·sive** [-siv] *adj* erschütternd.

con·cy·clic [kɒn'saiklik] *adj math.* kon'zyklisch.

con·demn [kən'dem] *v/t* **1.** verdammen, verurteilen, verwerfen, miß'billigen, tadeln (**as** als; **for, on account of** wegen): **to** ~ **as untrustworthy** als unglaubwürdig verwerfen. **2.** a) *jur. u. fig.* verurteilen (**to death** zum Tode): ~**ed cell** Zelle *f* für die zum Tode Verurteilten, b) *fig.* verdammen (**to** zu): **his own words** ~ **him** er hat sich selbst das Urteil gesprochen; **his very looks** ~ **him** sein bloßes Aussehen verrät ihn. **3.** *jur.* a) *Schmuggelware etc* als verfallen erklären, beschlagnahmen, b) *Am.* zwangsweise enteignen. **4.** für unbrauchbar *od.* unbewohnbar *od.* gesundheitsschädlich erklären, verwerfen: **to** ~ **a building (a food product). 5.** *mar.* a) *ein Schiff* kondem'nieren (*für seeuntüchtig erklären*), b) als Prise erklären, mit Beschlag belegen. **6.** *e-n Kranken* aufgeben, für unheilbar erklären. **con'dem·na·ble** [-nəbl] *adj* verdammenswert, zu verdammen(d).

con·dem·na·tion [ˌkɒndem'neiʃən] *s* **1.** *jur. u. fig.* Verurteilung *f.* **2.** *fig.* Verdammung *f*, 'Mißbilligung *f*, Verwerfung *f*, Tadel *m*: **his conduct was sufficient** ~ sein Betragen genügte (als Grund), um ihn zu verurteilen. **3.** Untauglichkeitserklärung *f*, Verwerfung *f*, *mar.* Kondem'nierung *f.* **4.** *jur.* a) *a. mar.* Beschlagnahme *f*, b) *Am.* Zwangsenteignung *f.* **con·dem·na·to·ry** [kən'demnətəri] *adj* **1.** *jur.* verurteilend. **2.** *fig.* verdammend.

con·den·sa·bil·i·ty [kənˌdensə'biliti] *s phys.* Konden'sierbarkeit *f.* **con'den·sa·ble** *adj phys.* konden'sierbar, verdichtbar. **con'den·sate** [-seit] → condensation 1c.

con·den·sa·tion [ˌkɒnden'seiʃən] *s* **1.** *phys.* a) Kondensati'on *f* (*a. chem.*), Verdichtung *f*: ~ **of gases,** b) Konzentrati'on *f*: ~ **of light,** c) Konden'sat *n*, Kondensati'onsproˌdukt *n.* **2.** *psych.* 'Wiedergabe *f* (zweier *od.* mehrerer Gedanken *etc*) durch 'ein Wort *od.* Wortbild (*in Allegorien, Träumen etc*). **3.** Zs.-drängung *f*, Anhäufung *f*: ~ **point** *math.* Häufungspunkt *m.* **4.** *fig.* Zs.-fassung *f*, (Ab)Kürzung *f*, bündige Darstellung. **5.** gekürzte Fassung (*e-s Romans etc*).

con·dense [kən'dens] **I** *v/t* **1.** *tech.* konden'sieren, verdichten (*beide a. chem.*), kompri'mieren, zs.-pressen. **2.** *phys.* a) *Gase etc* niederschlagen, b) konzen'trieren: **to** ~ **light rays. 3.** kürzen, zs.-fassen, gedrängt darstellen. **II** *v/i* **4.** sich verdichten, konden'siert werden. **5.** flüssig werden.

con·densed [kən'denst] *adj* **1.** verdichtet, kompri'miert (*Gase etc*). **2.** gekürzt, zs.-gedrängt. **3.** *print.* schmal. ~ **milk** *s* konden'sierte Milch, Kon'densmilch *f.* ~ **type** *s print.* schmale Drucktype.

con·dens·er [kən'densər] *s* **1.** *phys. tech.* a) Konden'sator *m* (*a. electr.*), Verdichter *m*, b) Verflüssiger *m*, c) Vorlage *f* (*bei Destillationseinrichtungen*). **2.** *opt.* Kon'densor *m*, Sammellinse *f.* ~ **an·ten·na** *s Radio*: Konden'satoranˌtenne *f.* ~ **mi·cro·phone** *s electr.* Konden'satormikroˌphon *n.*

con·dens·ing| coil [kən'densiŋ] *s tech.* Kühlschlange *f.* ~ **lens** → condenser 2.

con·de·scend [ˌkɒndi'send] *v/i* **1.** *a. iro.* sich her'ablassen, geruhen, belieben (**to do s.th.** etwas zu tun); **to** ~ **to s.th.** sich zu etwas herablassen. **2.** *contp.* sich (soweit) erniedrigen (**to do** zu tun). **3.** gönnerhaft *od.* leutselig sein (**to** gegen). **4.** ~ **upon** *Scot. od. obs.* (besonders) erwähnen. ˌ**con·de'scend·ing** *adj* (*adv* ~**ly**) her'ablassend, leutselig. ˌ**con·de'scen·sion** *s* Her'ablassung *f*, gönnerhafte Art.

con·dign [kən'dain] *adj* (*adv* ~**ly**) gebührend, angemessen (*bes. Strafe*).

con·di·ment ['kɒndimənt] *s* Würze *f*, (würzige) Zutat.

con·di·tion [kən'diʃən] **I** *s* **1.** *a. jur.* Bedingung *f*: a) Abmachung *f*, b) *jur.* Bestimmung *f*, Klausel *f*, Vertragspunkt *m*, Vorbehalt *m*: **peace** ~**s** Friedensbedingungen; **(up)on** ~ **that** unter der Bedingung, daß; vorausgesetzt, daß; **on** ~ freibleibend; **on** ~ **of his leaving** unter der Bedingung, daß er abreist; **on no** ~ unter keinen Umständen, keinesfalls; **to make s.th. a** ~ etwas zur Bedingung machen. **2.** *a. philos.* Vor'aussetzung *f*, (Vor)Bedingung *f.* **3.** *ling.* Bedingung *f*, (vorgestellter) Bedingungssatz. **4.** Verfassung *f*: a) Zustand *m*, Beschaffenheit *f*, b) (körperlicher *od.* Gesundheits-)Zustand, *sport* Konditi'on *f*, Form *f*: **in good** ~; **out of** ~ in schlechter Verfassung, in schlechtem Zustand; **road** ~ Straßenzustand. **5.** *med.* Leiden *n*: **heart** ~. **6.** Lage *f*: **in every** ~ **of life** in jeder Lebenslage. **7.** Fi'nanz-, Vermögenslage *f.* **8.** Rang *m*, (gesellschaftliche) Stellung, (*a.* Fa'milien-)Stand *m*: **persons of** ~ hochgestellte Persönlichkeiten; **to change one's** ~ heiraten. **9.** *ped. Am.* (Gegenstand *m* der) Nachprüfung *f* (*bei Nichterreichen des Studienzieles*). **10.** *pl* (Lebens)Bedingungen *pl*, Verhältnisse *pl*, 'Umstände *pl*: **living** ~**s**; **weather** ~**s** Witterung *f*; **working** ~**s** Arbeitsbedingungen, -verhältnisse.

II *v/t* **11.** zur Bedingung machen, (aus)bedingen, festsetzen, aus-, abmachen, die Bedingung stellen (**that** daß). **12.** die Vor'aussetzung sein für, bedingen: ~**ed by** bedingt durch. **13.** abhängig machen (**on** von): **to be** ~**ed on** abhängen von. **14.** *univ. Am.* a) *e-m Studenten* e-e Nachprüfung (*od. sonstige Bedingung*) auferlegen, b) e-e Nachprüfung ablegen müssen in (*e-m Fach*). **15.** *tech. etwas* auf s-n Zustand *od.* s-e Beschaffenheit prüfen, *Textilien* konditio'nieren. **16.** in den richtigen *od.* gewünschten Zustand bringen: → **air-condition. 17.** *fig.* a) formen, b) anpassen, c) beeinflussen.

con·di·tion·al [kən'diʃənl] **I** *adj* (*adv* ~**ly**) **1.** bedingt (**on, upon** durch), abhängig (**on, upon** von), eingeschränkt: ~ **acceptance** *econ.* bedingte Annahme; ~ **discharge** *jur.* bedingte Entlassung; ~ **sale** *econ. Am.* Verkauf *m* mit Eigentumsvorbehalt; **to be** ~ **(up)on** abhängen von; **to make** ~ **(up)on** abhängig machen von. **2.** *ling.* konditio'nal, Bedingungs...: ~ **clause** (*od.* **sentence**) → 5a; ~ **mood** → 5b. **3.** *philos.* a) hypo'thetisch, b) e-e hypo'thetische Prä'misse enthaltend: ~ **proposition** → 6. **II** *s* **4.** bedingender Ausdruck. **5.** *ling.* a) Bedingungs-, Konditio'nalsatz *m*, Bedingung *f*, b) Bedingungsform *f*, Konditio'nal(is) *m*, c) Be'dingungsparˌtikel *f.* **6.** *philos.* hypo'thetischer Satz. **conˌdi·tion'al·i·ty** [-'næliti] *s* Bedingtheit *f.*

con·di·tioned [kən'diʃənd] *adj* **1.** bedingt, abhängig: ~ **reflex** *med.* bedingter Reflex; → **condition** 12 *u.* 13. **2.** beschaffen, geartet. **3.** in gutem Zustand, in guter Verfassung. **con'di·tion·er** *s* **1.** *tech.* Konditio'nierappaˌrat *m.* **2.** Klimaanlage *f.* **3.** *agr.* Bodenverbesserer *m.* **4.** *sport* Trainer *m.*

con·do·la·to·ry [kən'doulətəri] *adj* Beileid bezeigend, Beileids..., Kondolenz... **con'dole** *v/i* sein Beileid bezeigen *od.* ausdrücken, kondo'lieren (**with s.o. on s.th.** j-m zu etwas). **con'do·lence** *s* Beileid(sbezeigung *f*) *n*, Kondo'lenz *f*: **letter of** ~ Beileidsbrief *m*; **visit of** ~ Kondolenzbesuch *m.*

con·dom ['kɒndəm] *s med.* Kon'dom *m*, Präserva'tiv *n.*

con·do·min·i·um [ˌkɒndə'miniəm] *s pol.* Kondo'minium *n.*

con·do·na·tion [ˌkɒndo'neiʃən] *s* Verzeihung *f* (*a. jur. e-s ehelichen Fehltritts*), Vergebung *f.* **con·done** [kən'doun] *v/t* verzeihen, vergeben.

con·dor ['kɒndəːr] *s orn.* Kondor *m.*

con·duce [kən'djuːs] *v/i* (**to, toward[s]**) beitragen (zu), dienlich *od.* förderlich sein, dienen (*dat*). **con'du·cive** *adj* (to) dienlich, förderlich (*dat*), nützlich, ersprießlich (für).

con·duct[1] **I** *s* ['kɒndʌkt] **1.** Führung *f*: a) Leitung *f*, Verwaltung *f*, b) Handhabung *f*, 'Durchführung *f*: ~ **of state** Staatsverwaltung; ~ **of war** Kriegführung. **2.** Geleit *n*, Begleitung *f*: → **safe-conduct. 3.** *fig.* Führung *f*, Betragen *n*, Benehmen *n*, Verhalten *n*, Haltung *f*: **good** ~ gute Führung; **line of** ~ Lebensführung. **4.** *obs.* Schutzgeleit *n.* **5.** *paint. etc* Ausführung *f.* **II** *v/t* [kən'dʌkt] **6.** führen, geleiten, begleiten: ~**ed tour** a) Führung *f*, b) Gesellschaftsreise *f* (*mit Führer*). **7.** *ein Geschäft* führen, betreiben, leiten, verwalten: **to** ~ **a campaign (a lawsuit)** e-n Feldzug (e-n Prozeß) führen; **to** ~ **war** Krieg führen. **8.** *mus. ein Orchester* leiten, diri'gieren. **9.** ~ **o.s.** sich betragen, sich benehmen, sich (auf)führen, sich verhalten. **10.** *phys. Wärme, Elektrizität etc* leiten. **III** *v/i* **11.** *phys.* leiten, als Leiter wirken. **12.** *mus.* diri'gieren.

con·duct[2] ['kɒndʌkt] *s Br.* Geistliche(r) *m* am **Eton College.**

con·duct·ance [kən'dʌktəns] *s electr.*

Leitfähigkeit *f*, Wirkleitwert *m*. **con-ˌduct·i'bil·i·ty** *s phys.* Leitvermögen *n*. **con'duct·i·ble** *adj* leitfähig.

con·duct·ing [kən'dʌktiŋ] *adj electr. phys.* leitfähig, leitend.

con·duc·tion [kən'dʌkʃən] *s* **1.** Leitung *f* (*a. phys. von Wärme etc*). **2.** *phys.* Leitvermögen *n*. **3.** *physiol.* Über'tragung *f* von Im'pulsen (*durch das Nervensystem*). **4.** *bot.* Saftsteigen *n*. **con'duc·tive** *adj phys.* leitend, leitfähig.

con·duc·tiv·i·ty [ˌkɒndʌk'tiviti] *s phys.* (*electr.* spe'zifisches) Leitvermögen.

con·duc·tor [kən'dʌktər] *s* **1.** Führer *m*, (*a.* Reise)Leiter *m*, Begleiter *m*. **2.** Leiter *m*, Verwalter *m*. **3.** a) (Omnibus-, Straßenbahn)Schaffner *m*, b) *rail. Am.* (Zug)Schaffner *m*. **4.** *mus.* Diri'gent *m*. **5.** *phys.* Leiter *m*. **6.** *electr.* a) (Strom)Leiter *m*, Leitung *f*, b) Blitzableiter *m*, c) (Kabel)Ader *f*, Seele *f*: ~ **circuit** Leiterkreis *m*; ~ **rail** Leit(ungs)schiene *f*. **con'duc·tor-ˌship** *s* **1.** Amt *n od.* Tätigkeit *f* e-s Leiters *od.* Diri'genten *etc*. **2.** Leitung *f*. **con'duc·tress** [-tris] *s* **1.** Leiterin *f*, Führerin *f*. **2.** Direk'trice *f*. **3.** *mus.* Diri'gentin *f*.

con·duit ['kɒndit; -duit; -djuit] *s* **1.** (Leitungs)Rohr *n*, Röhre *f*, Rohrleitung *f*, Ka'nal *m* (*a. fig.*). **2.** *electr.* a) Rohrkabel *n*, b) Iso'lierrohr *n* (*für Leitungsdrähte*). **3.** *geol.* Vul'kanschlot *m*. ~ **box** *s electr.* Abzweigdose *f*. ~ **pipe** *s* Leitungsrohr *n*.

con·dyle ['kɒndil] *s anat.* Gelenkhöcker *m*, -knorren *m*.

cone [koun] **I** *s* **1.** *math. u. fig.* Kegel *m*: **blunt** (*od.* **truncated**) ~ stumpfer Kegel, Kegelstumpf *m*; ~ **of fire** Feuergarbe *f*; **luminous** ~ Lichtkegel; ~ **of rays** kegelförmiges Strahlenbündel; ~ **of resistance** *tech.* Reibungs-, Friktionskegel; ~ **of silence** (*Radar*) Schweigekegel. **2.** *bot.* (Tannen- *etc*)-Zapfen *m*. **3.** kegelförmiger Gegenstand, *z. B.* Waffeltüte *f* (*für Speiseeis*). **4.** *tech.* Konus *m* (*a. electr. Membrane*). **5.** Bergkegel *m*. **6.** *anat.* Zapfen *m*, Zäpfchen *n* (*in der Netzhaut des Auges*). **7.** *geol.* Butze *f* (*Erzkegel im Taubgestein*). **II** *v/t* **8.** kegelförmig machen *od.* ausschleifen *od.* ausdrehen. ~ **bear·ing** *s tech.* Kegel-, Zapfenlager *n*. ~ **brake** *s tech.* Konus-, Kegelbremse *f*. ~ **clutch** *s tech.* Kegelkupplung *f*.

coned [kound] *adj* **1.** kegelförmig. **2.** *bot.* zapfentragend.

cone| drive *s tech.* Stufen(scheiben)antrieb *m*. ~ **fric·tion clutch** *s tech.* Reibungskupplung *f* (*mit Konus*). ~ **(loud·)speak·er** *s* Konuslautsprecher *m*. ~ **pul·ley** *s tech.* Stufenscheibe *f*. ~ **shell** *s zo.* Kegelschnecke *f*, Tüte *f*. ~ **sug·ar** *s* Hutzucker *m*. ~ **valve** *s tech.* 'Kegelvenˌtil *n*.

co·ney → cony.

con·fab ['kɒnfæb] *colloq. abbr. für* **confabulate** *u.* **confabulation**. **con-'fab·uˌlate** [-ˌleit] *v/i* sich vertraulich unter'halten, plaudern. **conˌfab·u-'la·tion** *s* **1.** Plaude'rei *f*. **2.** *psych.* Konfabulati'on *f*.

con·fect I *v/t* [kən'fekt] **1.** 'herstellen, (zu)bereiten, mischen. **2.** → **confection** 5. **3.** *obs.* einmachen, einpökeln. **II** *s* ['kɒnfekt] → **confection** 2.

con·fec·tion [kən'fekʃən] **I** *s* **1.** Zubereitung *f*, Mischung *f*. **2.** a) (mit Zucker) Eingemachtes *n*: ~**s** Konfitüren, b) Kon'fekt *n*, Süßwaren *pl*, c) *pharm.* Lat'werge *f*. **3.** 'Damenmode-, Konfekti'onsarˌtikel *m*. **II** *v/t* **4.** *Damenkleider etc* fa'brikmäßig 'herstellen, konfektio'nieren. **5.** (*mit Zucker*) einmachen. **con'fec·tion-ar·y I** *s* **1.** *bes. Am.* Kondito'rei *f*. **2.** Kon'fekt *n*. **II** *adj* **3.** Konditorei..., Konfekt... **con'fec·tion·er** *s* Kon'ditor *m*, Zuckerbäcker *m*: ~'**s sugar** *Am.* Puderzucker *m*. **con'fec·tion-er·y** *s* **1.** Süßigkeiten *pl*, Süß-, Kondito'reiwaren *pl*. **2.** Kondito'reigeˌwerbe *n*. **3.** Kondito'rei *f od.* Süßwarengeschäft *n*.

con·fed·er·a·cy [kən'fedərəsi; -drəsi] *s* **1.** Bündnis *n*, Bund *m*. **2.** (Staaten)-Bund *m*: **C**~ *Am. hist.* Konföderation *f* (*der Südstaaten im Sezessionskrieg*). **3.** Kom'plott *n*, Verschwörung *f*.

con·fed·er·ate [kən'fedərit; -drit] **I** *adj* **1.** verbündet, verbunden, konföde'riert (**with** mit), Bundes... **2. C**~ *Am. hist.* zu den Konföde'rierten Staaten von A'merika gehörig: **C**~ **States of America**. **II** *s* **3.** Verbündete(r) *m*, Bundesgenosse *m*. **4.** Kom'plice *m*, Mitschuldige(r) *m*, Helfershelfer *m*. **5.** *Am. hist.* Konföde'rierte(r) *m*, Südstaatler *m*. **III** *v/t u. v/i* [-ˌreit] **6.** (sich) verbünden *od.* (zu e-m Bund) vereinigen *od.* zs.-schließen.

con·fed·er·a·tion [kənˌfedə'reiʃən] *s* **1.** Bund *m*, Bündnis *n*, (födera'tiver) Zs.-schluß: **Articles of C**~ *Am. hist.* Bundesartikel (*von 1777, die erste Verfassung der 13 Kolonien*). **2.** (Staaten)Bund *m*: **Germanic C**~ Deutscher Bund; **Swiss C**~ (*die*) Schweizer Eidgenossenschaft. **con'fed·er·a·tive** [*Br.* -rətiv; *Am.* -ˌreitiv] *adj* föderati'tiv, Bundes...

con·fer [kən'fəːr] **I** *v/t* **1.** *ein Amt, e-n Titel etc* verleihen, über'tragen, erteilen (**on, upon** *dat*): **to ~ a degree (up)on s.o.** j-m e-n (akademischen) Grad verleihen; **to ~ a favo(u)r upon s.o.** j-m e-e Gefälligkeit erweisen. **2.** *im Imperativ*: vergleiche (*abbr.* **cf**). **II** *v/i* **3.** sich beraten, konfe'rieren, Rücksprache nehmen (**with** mit).

con·fer·ee [ˌkɒnfə'riː] *s* **1.** *Am.* Konfe'renzteilnehmer(in). **2.** Empfänger(in) (*e-s Titels etc*).

con·fer·ence ['kɒnfərəns] *s* **1.** Konfe'renz *f*: a) Beratung *f*, Besprechung *f*, Verhandlung *f*, b) Tagung *f*, Zs.-kunft *f*, Sitzung *f*: ~ **committee** *parl. Am.* Beratungsausschuß *m* (*der beiden Häuser des Kongresses*); **at the ~** auf der Konferenz *od.* Tagung; **in ~ with** in Beratung mit. **2.** *parl.* Verhandlung *f* zwischen Ausschüssen gesetzgebender Körperschaften. **3.** *sport Am.* Verband *m*, Liga *f*. **ˌcon·fer'en·tial** [-'renʃəl] *adj* Konferenz...

con·fer·ment [kən'fəːrmənt] *s* Verleihung *f* (**upon** an *acc*). **con'fer·ra-ble** *adj* über'tragbar.

con·fess [kən'fes] **I** *v/t* **1.** bekennen, (ein)gestehen: **to ~ a crime; to ~ a debt** e-e Schuld anerkennen. **2.** zugeben, (zu)gestehen, einräumen (*a.* **that** daß): **to ~ o.s. to be s.o.'s friend** sich als j-s Freund bekennen; **to ~ o.s. guilty of s.th.** sich e-r Sache schuldig bekennen. **3.** *bes. relig.* a) beichten, b) *j-s* Beichte abnehmen *od.* hören: **to ~ s.o.** **4.** *Bibl. u. poet.* offen'baren, kundtun. **II** *v/i* **5.** (**to**) (ein)gestehen (*acc*), sich schuldig bekennen (*gen*, an *dat*), beichten (*acc*), sich bekennen (zu): **to ~ to doing s.th.** (ein)gestehen, etwas getan zu haben; **he has ~ed** *jur.* er hat gestanden, er ist geständig. **6.** *relig.* a) beichten, b) Beichte hören.

con'fessed *adj* zugestanden, erklärt: **a ~ enemy** ein erklärter Gegner. **con'fess·ed·ly** [-idli] *adv* zugestandenermaßen, offenbar.

con·fes·sion [kən'feʃən] *s* **1.** Geständnis *n* (*a. jur.*), Bekenntnis *n*, (*Zivilrecht*) (förmliches) Anerkenntnis: **by** (*od.* **on**) **his own ~** nach s-m eigenen Geständnis. **2.** Einräumung *f*, Zugeständnis *n*. **3.** *jur.* Anerkenntnis *n*, Anerkennung *f* (*e-s Rechts etc*). **4.** *relig.* Beichte *f*, Sündenbekenntnis *n*: → **auricular** 2; **dying ~** Beichte auf dem Sterbebett. **5.** *relig.* Konfessi'on *f*: a) Glaubensbekenntnis *n*, b) Glaubensgemeinschaft *f*. **6.** *arch. relig.* Grabmal *n od.* Al'tar *m* e-s Bekenners. **con'fes·sion·al I** *adj* **1.** konfessio'nell, Konfessions..., Bekenntnis... **2.** Beicht... **II** *s* **3.** *relig.* Beichtstuhl *m*. **con'fes·sion·ar·y** *adj relig.* Beicht...

con·fes·sor [kən'fesər] *s* **1.** *relig.* Beichtvater *m*. **2.** Bekenner *m*, Glaubenszeuge *m*: **Edward the C**~ Eduard der Bekenner (*König Eduard III.*).

con·fet·ti (*Ital.*) *s pl* **1.** [kən'feti] Kon'fetti *pl*. **2.** [kon'fɛtti] Bon'bons *pl*.

con·fi·dant [ˌkɒnfi'dænt] *s* Vertraute(r) *m*, Mitwisser *m*. **ˌcon·fi'dante** [-'dænt] *s* Vertraute *f*, Mitwisserin *f*.

con·fide [kən'faid] **I** *v/i* **1.** sich anvertrauen (**in** *dat*). **2.** vertrauen (**in** *dat od.* **auf** *acc*): **to ~ in s.o.** j-m vertrauen, j-m Vertrauen schenken. **II** *v/t* **3.** *j-m etwas* anvertrauen: a) vertraulich mitteilen, b) zu treuen Händen über'geben, c) *j-n* betrauen mit *e-r Aufgabe etc*.

con·fi·dence ['kɒnfidəns] *s* **1.** (**in**) Vertrauen *n* (auf *acc*, zu), Zutrauen *n* (zu): **vote of ~** *parl.* Vertrauensvotum *n*; **vote of no ~** *parl.* Mißtrauensvotum *n*; **to have** (*od.* **place**) **~ in s.o.** zu j-m Vertrauen haben, in j-n Vertrauen setzen; **to take s.o. into one's ~** j-n ins Vertrauen ziehen; **to be in s.o.'s ~** j-s Vertrauen genießen; **in ~** im Vertrauen, vertraulich. **2.** Selbstvertrauen *n*, Zuversicht *f*. **3.** Dreistigkeit *f*. **4.** vertrauliche Mitteilung, Geheimnis *n*. **5.** feste Über'zeugung. ~ **course** *s mil.* Mutprobebahn *f*. ~ **game** *Am.* → **confidence trick**. ~ **lim·its** *s pl* sta'tistisches Zahlenpaar (*zur Feststellung e-r Bevölkerungseigenschaft*). ~ **man** *s irr* Bauernfänger *m*, Schwindler *m*, Hochstapler *m*. ~ **trick** *s* ˌBauernfänge'rei *f*, ˌHochstape'lei *f*. ~ **trick·ster** → **confidence man**.

con·fi·dent ['kɒnfidənt] **I** *adj* (*adv* ~**ly**) **1.** (**of, that**) über'zeugt (von, daß), gewiß, sicher (*gen*, daß): ~ **of victory** siegesgewiß. **2.** zuversichtlich. **3.** selbstsicher. **4.** anmaßend, dreist. **II** *s* **5.** Vertraute(r) *m*.

con·fi·den·tial [ˌkɒnfi'denʃəl] *adj* **1.** vertraulich, geheim, pri'vat: **private and ~** streng vertraulich. **2.** Vertrauen genießend, vertraut, Vertrauens...: ~ **agent** Geheimagent(in); ~ **clerk** *econ.* Prokurist(in); ~ **person** Vertrauensperson *f*; ~ **secretary** Privatsekretär(in). **3.** in'tim, vertraulich: ~ **communication** *jur.* vertrauliche Mitteilung (*an e-e schweigepflichtige Person, z. B. Anwalt*). **ˌcon·fi'den·tial·ly** *adv* vertraulich, im Vertrauen, pri'vatim.

con·fid·ing [kən'faidiŋ] *adj* (*adv* ~**ly**) vertrauensvoll, zutraulich. **con'fid-ing·ness** *s* Zutraulichkeit *f*.

con·fig·u·ra·tion [kənˌfigju'reiʃən] *s* **1.** (*äußere*) Bildung, Gestalt(ung) *f*, Bau *m*, *a. geol.* Struk'tur *f*: ~ **of the skull** Schädelbau. **2.** *astr.* a) Konfigurati'on *f*, A'spekt(e *pl*) *m*, b) Sternbild *n*. **3.** *phys.* a) A'tomanordnung *f* in Mole'külen, b) Elek'tronenanordnung *f.* **4.** *math.* Fi'gur *f*, Zs.-stellung *f.* **5.** *psych.* Gestalt *f.* **con,fig·u'ra·tion-,ism** *s* Ge'staltpsycholo,gie *f.*

con·fin·a·ble [kən'fainəbl] *adj* zu begrenzen(d), zu beschränken(d) (to auf *acc*).

con·fine I *s* ['kɒnfain] *meist pl* **1.** Grenze *f*, Grenzgebiet *n*, *fig.* Rand *m*, Schwelle *f*: on the ~s of death am Rande des Todes. **2.** [kən'fain] *obs.* Gebiet *n.* **3.** a) *poet.* Gefangenschaft *f*, b) *obs.* Gefängnis *n.* **II** *v/t* [kən'fain] **4.** begrenzen, be-, einschränken (to auf *acc*; within in): to ~ o.s. to sich beschränken auf. **5.** einschließen, einsperren. **6.** *j-s* Bewegungsfreiheit einschränken: ~d to bed ans Bett gefesselt, bettlägerig; ~d to one's room ans Zimmer gefesselt; to be ~d to barracks Kasernenarrest haben. **7.** *pass* (of) niederkommen (mit), entbunden werden (von): to be ~d of a boy. **con'fined** *adj* **1.** begrenzt, beschränkt, beengt. **2.** im Wochenbett liegend. **3.** *med.* verstopft. **con'fin·ed·ness** [-idnis] *s* Beschränktheit *f.*

con·fine·ment [kən'fainmənt] *s* **1.** Ein-, Beschränkung *f*, Ein-, Beengung *f.* **2.** Bettlägerigkeit *f.* **3.** Beengtheit *f.* **4.** Niederkunft *f*, Wochenbett *n.* **5.** Gefangenschaft *f*, Haft *f*, *mil.* Ar'rest(strafe *f*) *m*: ~ to quarters *mil.* Stubenarrest; close ~ strenge Haft; solitary ~ Einzelhaft; to place under ~ in Haft nehmen, in Arrest schicken.

con·firm [kən'fəːrm] *v/t* **1.** *Nachricht, econ. Auftrag, jur. Urteil etc* bestätigen: to ~ a contract; to ~ by oath eidlich bekräftigen; this ~ed my suspicions dies bestätigte m-n Verdacht; she ~ed his words sie bestätigte die Richtigkeit s-r Aussage. **2.** a) *Entschluß* bekräftigen, b) bestärken (s.o. in s.th. j-n in etwas). **3.** *j-s Macht etc* festigen. **4.** *j-n in e-m Amte etc* bestätigen. **5.** *relig.* a) konfir'mieren, b) *R.C.* firme(l)n. **con'firm·a·ble** *adj* zu bestätigen(d), erweisbar.

con·fir·ma·tion [,kɒnfər'meiʃən] *s* **1.** Bestätigung *f*: ~ of a report (theory, treaty); in ~ of in *od.* zur Bestätigung (*gen*). **2.** Bekräftigung *f*, (Be)Stärkung *f*, Festigung *f.* **3.** Beweis *m*, Bestätigung *f.* **4.** *relig.* a) Konfirmati'on *f*, Einsegnung *f*, b) *R.C.* Firm(el)ung *f.*

con·firm·a·tive [kən'fəːrmətiv] *adj* (*adv* ~ly); **con'firm·a·to·ry** *adj* bestätigend, bekräftigend, Bestätigungs...

con·firmed [kən'fəːrmd] *adj* **1.** bestätigt, bestärkt. **2.** fest, bestimmt. **3.** chronisch: a) eingewurzelt: a ~ habit, b) unverbesserlich, eingefleischt: ~ bachelor eingefleischter Junggeselle; she is a ~ invalid sie ist immerfort krank. **con'firm·ed·ness** [-idnis] *s* Eingewurzeltsein *n.* **con·fir·mee** [,kɒnfər'miː] *s relig.* a) Konfir'mand(in), b) *R.C.* Firmling *m.*

con·fis·ca·ble [kən'fiskəbl] *adj* konfis'zierbar, einziehbar.

con·fis·cate ['kɒnfis,keit] **I** *v/t* beschlagnahmen, einziehen, konfis'zieren. **II** *adj* beschlagnahmt, konfis'ziert. **'con·fis,cat·ed** → confiscate II. **,con·fis'ca·tion** *s* Einziehung *f*, Beschlagnahme *f*, Konfis'zierung *f.* **con·fis·ca·to·ry** [kən'fiskətəri] *adj* **1.** konfis'zierend, Beschlagnahme... **2.** *colloq.* räuberisch: ~ taxes ruinierende Steuern.

con·fla·grate ['kɒnflə,greit] **I** *v/t* in Flammen setzen, verbrennen (*a. fig.*). **II** *v/i* entbrennen, Feuer fangen (*a. fig.*). **,con·fla'gra·tion** *s* Feuersbrunst *f*, (großer) Brand.

con·flate [kən'fleit] *v/t zwei Lesarten* verschmelzen, vereinigen (into in *acc*). **con'fla·tion** *s* Verschmelzung *f* (*zweier Lesarten*).

con·flict I *s* ['kɒnflikt] Kon'flikt *m* (*a. im Drama etc*): a) (feindlicher) Zs.-stoß, Zs.-prall *m*, Ausein'andersetzung *f*, Kampf *m*, Kontro'verse *f*: armed ~ bewaffnete Auseinandersetzung, Krieg *m*; wordy ~ Wortstreit *m*, b) 'Widerstreit *m*, -spruch *m*: to come into ~ with s.o. mit j-m in (Wider)Spruch geraten; ~ of ideas Ideenkonflilkt; ~ of laws *jur.* Gesetzeskollision *f*, *weitS.* internationales Privatrecht; inner ~ innerer (*od.* seelischer) Konflikt. **II** *v/i* [kən'flikt] (with) in Kon'flikt stehen, kolli'dieren (mit), im 'Widerspruch *od.* Gegensatz stehen (zu): ~ing claim (*Patentrecht*) entgegenstehender *od.* kollidierender Anspruch; ~ing emotions Widerstreit *m* der Gefühle; ~ing laws einander widersprechende Gesetze.

con·flu·ence ['kɒnfluəns] *s* **1.** Zs.-fluß *m*: ~ of rivers. **2.** Zs.-strömen *n*, Zustrom *m* (*von Menschen*). **3.** (Menschen)Auflauf *m*, Gewühl *n*, Menge *f.* **4.** *physiol.* Zs.-wachsen *n.* **5.** *tech.* Konflu'enz *f.* **'con·flu·ent I** *adj* zs.-fließend, -laufend. **II** *s* Nebenfluß *m.* **con·flux** ['kɒnflʌks] → confluence 1—3.

con·form [kən'fəːrm] **I** *v/t* **1.** anpassen, -gleichen (to *dat od.* an *acc*): to ~ o.s. (to) → 3. **2.** in Einklang bringen. **II** *v/i* **3.** (to) sich anpassen *od.* angleichen (*dat*), sich richten (nach). **4.** über'einstimmen. **5.** sich fügen (to *dat*). **6.** *relig. Br.* sich in den Rahmen der angli'kanischen Staatskirche einfügen. **con,form·a'bil·i·ty** *s* Gleichförmigkeit *f*, Über'einstimmung *f* (to mit). **con'form·a·ble** *adj* (*adv* conformably) **1.** (to, with) kon'form, über'einstimmend, gleichförmig (mit), entsprechend, gemäß (*dat*): to be ~ to entsprechen (*dat*), übereinstimmen mit. **2.** vereinbar (with mit). **3.** fügsam. **4.** *geol.* gleichstreichend, -gelagert. **con'form·al** *adj math.* kon'form, winkeltreu: ~ projection. **con'form·ance** *s* **1.** Über'einstimmung *f*: in ~ with in Übereinstimmung mit, gemäß (*dat*). **2.** Anpassung *f* (to an *acc*).

con·for·ma·tion [,kɒnfəːr'meiʃən] *s* **1.** Angleichung *f*, Anpassung *f* (to an *acc*). **2.** Gestaltung *f*: a) Gestalt *f*, Struk'tur *f*, Anordnung *f*, (*a.* Körper)Bau *m*, b) Formgebung *f.*

con·form·er [kən'fəːrmər], **con'form·ist** *s* **1.** j-d, der sich anpaßt *od.* fügt. **2.** *Br. hist.* Konfor'mist(in), Anhänger(in) der englischen Staatskirche. **con'form·i·ty** *s* **1.** Gleichförmigkeit *f*, Über'einstimmung *f* (with mit): to be in ~ with s.th. mit e-r Sache übereinstimmen; in ~ with in Übereinstimmung *od.* übereinstimmend mit, gemäß (*dat*); ~ with law *math.* Gesetzlichkeit *f.* **2.** (to) Anpassung *f* (an *acc*), Fügsamkeit *f* (gegen'über), Befolgung *f* (*gen*). **3.** über'einstimmender Punkt, Ähnlichkeit *f*: conformities in style Ähnlichkeiten des Stils. **4.** *Br. hist.* Konformi'tät *f*, Zugehörigkeit *f* zur englischen Staatskirche.

con·found [kɒn'faund] *v/t* **1.** verwechseln, vermengen, durchein'anderbringen (with mit). **2.** *j-n od. etwas* verwirren, durchein'anderbringen. **3.** vernichten, vereiteln. **4.** wider'legen, (*im Streitgespräch*) e-e Abfuhr erteilen (*dat*). **5.** *bes. Bibl. j-n* beschämen. **6.** *als Verwünschung*: ~ him! zum Teufel mit ihm!; ~ it! zum Henker!, verdammt!; ~ his cheek! so e-e Frechheit! **con'found·ed I** *adj* (*adv* ~ly) **1.** verwirrt, bestürzt. **2.** *colloq.* (*a. interj u. adv*) verdammt, verflixt: a) verwünscht, verflucht, scheußlich, b) (*als Verstärkung*) ‚toll', verteufelt: ~(ly) cold.

con·fra·ter·ni·ty [,kɒnfrə'təːrniti] *s* **1.** *bes. relig.* Bruderschaft *f*, Gemeinschaft *f.* **2.** Brüderschaft *f*, brüderliche Gemeinschaft. **3.** (Berufs)Genossenschaft *f.* **'con·frere** [-frɛr], *Br.* **'con·frère** *s* Kol'lege *m.*

con·front [kən'frʌnt] *v/t* **1.** (*oft feindlich*) gegen'übertreten, -stehen (*dat*): to be ~ed with *Schwierigkeiten etc* gegenüberstehen, sich gegenübersehen (*dat*). **2.** mutig begegnen, sich stellen (*dat*). **3.** *a. jur.* (with) konfron'tieren (mit), gegen'überstellen (*dat*): to ~ s.o. with s.th. j-m etwas entgegenhalten. **4.** vergleichen. **con·fron·ta·tion** [,kɒnfrən'teiʃən], **con'front·ment** *s* Gegen'überstellung *f*, Konfrontati'on *f.*

Con·fu·cian [kən'fjuːʃən] **I** *adj* konfuzi'anisch. **II** *s* Konfuzi'aner(in).

con·fuse [kən'fjuːz] *v/t* **1.** (mitein'ander) verwechseln, durchein'anderbringen, -werfen (with mit). **2.** verwirren: a) in Unordnung bringen, b) aus der Fassung bringen, verlegen machen. **3.** verworren *od.* undeutlich machen: ~d noises verworrene Geräusche. **con'fused** *adj* **1.** verwirrt: a) kon'fus, verworren, wirr, b) verlegen, bestürzt. **2.** undeutlich, verworren: ~ sounds. **con'fus·ed·ly** [-idli] *adv.* **con'fus·ed·ness** [-idnis] *s* Verworrenheit *f*, Durchein'ander *n.* **con'fus·ing** *adj* (*adv* ~ly) verwirrend.

con·fu·sion [kən'fjuːʒən] *s* **1.** Verwirrung *f*, Durchein'ander *n*, (heillose) Unordnung: to cause ~ Verwirrung stiften *od.* anrichten. **2.** Aufruhr *m*, Lärm *m.* **3.** Verwirrung *f*, Bestürzung *f*, Verlegenheit *f*: to put s.o. to ~ j-n in Verlegenheit bringen; to be in a state of ~ verwirrt *od.* bestürzt sein. **4.** Verwechslung *f.* **5.** geistige Verwirrung. **6.** Verworrenheit *f.* **7.** *als Verwünschung*: ~ to our enemies! Tod unseren Feinden! **8.** *jur.* a) Vereinigung *f* (*zweier Rechte*), b) Verschmelzung *f* (*von Gütern*).

con·fut·a·ble [kən'fjuːtəbl] *adj* wider'legbar. **con·fu·ta·tion** [,kɒnfju'teiʃən] *s* Wider'legung *f*, Über'führung *f* (*durch Argumente etc*). **con'fut·a·tive** *adj* wider'legend, Widerlegungs...

con·fute [kən'fjuːt] *v/t* **1.** *etwas* wider'legen: to ~ an argument. **2.** *j-n* wider'legen, e-s Irrtums über'führen: to ~ an opponent. **3.** zu'nichte machen.

con·gé [kɔ̃'ʒe; 'kɒnʒei] (*Fr.*) *s* **1.** Abschied *m*: a) Verabschiedung *f*, b) Entlassung *f*: to give s.o. his ~ j-n verabschieden *od.* (*a. beruflich*) entlassen; to make one's ~ sich verabschieden. **2.** (Abschieds)Verbeugung *f.* **3.** Erlaubnis *f.*

con·geal [kən'dʒiːl] **I** *v/t* **1.** gefrieren *od.* gerinnen *od.* erstarren lassen (*a. fig.*). **II** *v/i* **2.** gefrieren, gerinnen, erstarren (*a. fig. vor Entsetzen*). **3.** *fig.* feste Gestalt annehmen. **con'geal·a·ble** *adj* gerinnbar, gefrierbar. **con'geal·ment** → congelation.

con·gee ['kɒndʒi] → congé 1.

con·ge·la·tion [,kɒndʒi'leiʃən] *s* **1.** Gefrieren *n*, Gerinnen *n*, Kristalli'sieren *n*: point of ~ Gefrierpunkt *m.* **2.** Erstarrung *f*, Festwerden *n.* **3.** gefrorene *od.* geronnene Masse.

con·ge·ner ['kɒndʒinər] **I** *s* **1.** *bes. bot. zo.* gleichartiges, verwandtes Ding *od.*

Wesen, Gattungsverwandte(r) *m*, -genosse *m.* **2.** Art-, Stammverwandte(r) *m.* **II** *adj* **3.** (art-, stamm)verwandt (to mit). **ˌcon·ge'ner·ic** [-'nerik], **ˌcon·ge'ner·i·cal** *adj* gleichartig, verwandt.

con·gen·ial [kən'dʒiːnjəl; -niəl] *adj* (*adv* ~**ly**) **1.** gleichartig, kongeni'al, (geistes)verwandt (**with** mit *od. dat*). **2.** sym'pathisch, angenehm (to *dat*): ~ **manners. 3.** angenehm, zusagend, entsprechend (to *dat*): **to be ~ to s.o.** (*od.* **to s.o.'s taste**) j-m zusagen. **4.** zuträglich (to *dat od.* für): ~ **to health. 5.** freundlich. **conˌge·ni'al·i·ty** [-ni'æliti] *s* **1.** Geistesverwandtschaft *f.* **2.** Freundlichkeit *f.*

con·gen·i·tal [kən'dʒenitl] *adj biol.* angeboren (*a. fig.*), ererbt, kongeni'tal (*a. bot.*): ~ **defect** Geburtsfehler *m*; ~ **instinct** angeborener *od.* natürlicher Instinkt; **a ~ liar** ein geborener Lügner. **con'gen·i·tal·ly** *adv* **1.** von Geburt (an): ~ **deaf. 2.** von Na'tur: ~ **sceptical.**

con·ger ['kɒŋgər], ~ **eel** *s ichth.* Meeraal *m.*

con·ge·ri·es [kɒn'dʒi(ə)riˌiːz; -riːz] *s sg u. pl* Anhäufung *f*, Masse *f.*

con·gest [kən'dʒest] **I** *v/t* **1.** ansammeln, anhäufen, zs.-drängen, stauen. **2.** verstopfen, bloc'kieren, (*med.* mit Blut) über'füllen: ~**ed streets; to ~ the market** *econ.* den Markt überschwemmen. **II** *v/i* **3.** sich ansammeln (*etc*; → I). **con'gest·ed** *adj* **1.** über'füllt (**with** von): ~ **area** übervölkertes Gebiet, Ballungsgebiet *n.* **2.** *med.* mit Blut über'füllt.

con·ges·tion [kən'dʒestʃən] *s* **1.** Ansammlung *f*, Anhäufung *f*, Andrang *m*: ~ **of population** Übervölkerung *f*; ~ **of traffic** Verkehrsstockung *f*, -stauung *f.* **2.** *med.* Kongesti'on *f*, Blutandrang *m* (**of the brain** zum Gehirn): **vascular ~** Gefäßstauung *f.*

con·glo·bate [kɒn'gloubeit; 'kɒngloˌbeit] **I** *adj* (zs.-)geballt, kugelig. **II** *v/t u. v/i* (sich) (zs.-)ballen (**into** zu).

con·glom·er·ate I *v/t u. v/i* [kən'glɒməˌreit] **1.** (sich) zs.-ballen: a) (sich) fest verbinden (to zu), b) (sich) anhäufen *od.* ansammeln. **II** *adj* [-rit] **2.** (zs.-)geballt, geknäuelt. **3.** *fig.* zs.-gewürfelt. **III** *s* **4.** Konglome'rat *n*: a) Trümmergestein *n*, b) *fig.* Anhäufung *f*, zs.-gewürfelte Masse, (*a. phys.*) Gemisch *n.* **conˌglom·er'at·ic** [-'rætik] *adj geol.* Konglomerat...: ~ **rock** Trümmergestein *n.* **conˌglom·er'a·tion** *s* **1.** Anhäufung *f*, Zs.-würfelung *f.* **2.** → **conglomerate 4 b. 3.** *math.* Häufung *f.* **4.** *geol.* Ballung *f.*

con·glu·ti·nate [kən'gluːtiˌneit] **I** *v/t* zs.-leimen, -kitten. **II** *v/i* zs.-kleben, -haften, sich mitein'ander vereinigen. **2.** Vereinigung *f.*

Con·go·lese [ˌkɒŋgou'liːz] **I** *adj* Kongo..., kongo'lesisch. **II** *s* Kongo'lese *m*, Kongo'lesin *f.*

Con·go| pa·per ['kɒŋgou] *s* 'Kongopaˌpier *n* (*mit Kongorot gefärbtes Reagenzpapier*). ~ **pink,** ~ **red** *s* Kongorot *n* (*Azofarbstoff*).

con·grat·u·lant [*Br.* kən'grætjulənt; *Am.* -tʃə-] **I** *s* Gratu'lant(in). **II** *adj* Gratulations... **con'grat·uˌlate** [-ˌleit] *v/t j-m* gratu'lieren, Glück wünschen, *j-n* beglückwünschen (**on** zu): **to ~ o.s. on s.th.** sich zu etwas gratulieren (*etc*). **conˌgrat·u'la·tion** *s* Gratulati'on *f*, Glückwunsch *m*: ~**s!** ich gratuliere!, m-n Glückwunsch! **con'grat·uˌla·tor** [-tər] *s* Gratu'lant(in). **con'grat·uˌla·to·ry** *adj* (be)glückwünschend, Glückwunsch..., Gratulations...

con·gre·gate ['kɒŋgriˌgeit] *v/t u. v/i* (sich) (ver)sammeln.

con·gre·ga·tion [ˌkɒŋgri'geiʃən] *s* **1.** (Ver)Sammeln *n.* **2.** Sammlung *f*, Menge *f.* **3.** Versammlung *f.* **4.** *relig.* (Kirchen)Gemeinde *f.* **5.** *R.C.* a) Kardi'nalskongregatiˌon *f*, b) Kongregati'on *f*, Ordensgenossenschaft *f.* **6.** *Bibl.* Gemeinschaft *f* der Juden. **7.** *univ. Br.* a) aka'demische Versammlung (*Oxford*), b) Se'natsversammlung *f* (*Cambridge*). **8.** *Am. hist.* (Stadt)Gemeinde *f*, Niederlassung *f.* **ˌcon·gre'ga·tion·al** *adj relig.* **1.** Gemeinde..., Versammlungs... **2.** gottesdienstlich. **3.** C~ indepen'dent, unabhängig: ~ **chapel** Kapelle *f* der freien Gemeinden. **ˌcon·gre'ga·tion·alˌism** *s relig.* **1.** ˌKongregationa'lismus *m*, Sy'stem *n* der Selbstverwaltung der Kirchengemeinde. **2.** C~ Lehre *f* der sich zu e-r Gemeinde vereinigenden Indepen'denten. **ˌCon·gre'ga·tion·al·ist** *s* ˌKongregationa'list(in), Mitglied *n* e-r Gemeinde von Indepen'denten.

con·gress ['kɒŋgres; -is] *s* **1.** Kon'greß *m*, Tagung *f.* **2.** Begegnung *f*, Zs.-kunft *f.* **3.** Geschlechtsverkehr *m.* **4.** *Am.* a) (*ohne art*) C~ Kon'greß *m*, gesetzgebende Versammlung (*Senat u. Repräsentantenhaus*), b) gesetzliche Dauer e-s Kongresses. **5.** gesetzgebende Körperschaft (*bes. e-r Republik*). ~ **boot** *s Am.* Zugstiefel *m.*

con·gres·sion·al [kən'greʃənl] *adj* **1.** Kongreß... **2.** C~ den amer. Kon'greß betreffend: C~ **debate** Kongreßdebatte *f*; C~ **medal** Verdienstmedaille *f*; C~ **Medal of Honor** *höchste Tapferkeitsauszeichnung.* **con'gres·sion·al·ist** *s* Mitglied *n* e-r Kon'greßparˌtei.

'con·gress|·man [-mən] *s irr parl.* Kon'greßabgeordnete(r) *m*, Mitglied *n* des amer. Repräsen'tantenhauses. **C~ of Vi·en·na** *s hist.* Wiener Kon'greß *m.* **'~ˌwom·an** *s irr parl.* Kon'greßabgeordnete *f* (→ **congressman**).

con·gru·ence ['kɒŋgruəns] *s* **1.** Über'einstimmung *f.* **2.** *math.* Kongru'enz *f*, Deckungsgleichheit *f.* **'con·gru·ent** *adj* **1.** (**with**) über'einstimmend (mit), entsprechend, gemäß (*dat*), passend (zu). **2.** *math.* kongru'ent (*a. fig.*), deckungsgleich. **con·gru·i·ty** [kən'gruiti; *Br. a.* kɒŋ-] *s* **1.** Über'einstimmung *f* (**with** mit). **2.** Folgerichtigkeit *f.* **3.** Angemessenheit *f.* **4.** *relig.* Kongrui'tät *f.* **5.** *math.* Kongru'enz *f*: **to be in ~** sich decken, kongruent sein. **6.** Einigungspunkt *m.* **con·gru·ous** ['kɒŋgruəs] *adj* (*adv* ~**ly**) **1.** (**to, with**) (*in sich*) über'einstimmend (mit), gemäß, entsprechend (*dat*). **2.** folgerichtig. **3.** passend. **4.** *math.* → **congruent 2.** **'con·gru·ous·ness** → **congruity.**

con·ic ['kɒnik] **I** *adj* **1.** → **conical. II** *s* **2.** → **conics. 3.** → **conic section 1.**

con·i·cal ['kɒnikəl] *adj* (*adv* ~**ly**) **1.** konisch, kegelförmig. **2.** verjüngt, kegelig. ~ **bear·ing** *s tech.* Spitzenlager *n.* ~ **frus·tum** *s math.* Kegelstumpf *m.*

con·i·cal·ness ['kɒnikəlnis], **co·nic·i·ty** [ko'nisiti] *s* Kegelform *f*, Konizi'tät *f.*

'con·i·co·cy'lin·dri·cal ['kɒniko-] *adj* 'konisch-zy'lindrisch. **con·ic·oid** ['kɒniˌkɔid] **I** *s math.* Fläche *f* zweiter Ordnung. **II** *adj* kegelförmig, kegelig.

con·ic sec·tion *s math.* **1.** Kegelschnitt *m.* **2.** *pl* → **conics.**

con·ic pro·jec·tion *s Kartographie*: 'Kegelprojektiˌon *f.*

con·ics ['kɒniks] *s pl* (*als sg konstruiert*) *math.* Lehre *f* von den Kegelschnitten.

co·ni·fer ['kounifər] *pl* **'co·ni·fers** *od.* **co·nif·er·ae** [ko'nifəˌriː] *s bot.* Koni'fere *f*, Nadelbaum *m.* **co'nif·er·ous** *adj bot.* **1.** zapfentragend: ~ **wood** Nadelholz *n.* **2.** Koniferen..., Nadelholz..., Nadel...

co·ni·form ['kouniˌfɔːrm] *adj* kegel-[förmig.]

con·jec·tur·a·ble [kən'dʒektʃərəbl] *adj* (*adv* **conjecturably**) erratbar, zu vermuten(d). **con'jec·tur·al** *adj* (*adv* ~**ly**) **1.** auf Vermutung beruhend, mutmaßlich. **2.** zu Mutmaßungen geneigt.

con·jec·ture [kən'dʒektʃər] **I** *s* **1.** Vermutung *f*, Mutmaßung *f*, Annahme *f*: **to make a ~** e-e Mutmaßung anstellen. **2.** Theo'rie *f*, (vage) I'dee. **3.** Konjek'tur *f* (*Textverbesserung*). **II** *v/t* **4.** vermuten, mutmaßen. **III** *v/i* **5.** Mutmaßungen anstellen, mutmaßen (**of, about** über *acc*).

con·join [kən'dʒɔin] *v/t u. v/i* (sich) verbinden *od.* vereinigen. **con'joined** *adj* **1.** verbunden, verknüpft. **2.** zs.-treffend: ~ **events. con·joint** [kən'dʒɔint; 'kɒn-] *adj* **1.** verbunden, vereinigt, gemeinsam. **2.** Mit...: ~ **minister** Mitminister *m.* **3.** *mus.* nebenein'ander liegend: ~ **degree** Nachbarstufe *f.* **con'joint·ly** *adv* zu'sammen, gemeinsam (**with** mit).

con·ju·gal ['kɒndʒugəl] *adj* (*adv* ~**ly**) ehelich, Ehe..., Gatten...: ~ **life** Eheleben *n*; ~ **rights** *jur.* eheliche Rechte. **ˌcon·ju'gal·i·ty** [-'gæliti] *s* Ehestand *m.*

con·ju·gate ['kɒndʒuˌgeit] **I** *v/t* **1.** *ling.* konju'gieren. **II** *v/i* **2.** *biol.* sich paaren. **III** *adj* [-git; -ˌgeit] **3.** (paarweise) verbunden, gepaart. **4.** *ling.* wurzelverwandt, paro'nym. **5.** *math.* (ein'ander) zugeordnet, konju'giert: ~ **axis;** ~ **lines;** ~ **number. 6.** *bot.* paarweise stehend, paarig. **7.** *chem. med.* konju'giert, assozi'iert. **IV** *s* **8.** *ling.* Paro'nym *n*, wurzel- *od.* stammverwandtes Wort. **9.** *chem.* konju'giertes Radi'kal. **'con·juˌgat·ed** *adj chem.* **1.** durch Koppelung von chemischen Verbindungen *od.* Radi'kalen gebildet. **2.** konju'gierte Doppelbindungen enthaltend. **ˌcon·ju'ga·tion** *s* **1.** Vereinigung *f.* **2.** *ling.* Konjugati'on *f*: a) Beugung *f*, b) Konjugati'onsgruppe *f*: **first ~** erste Konjugation. **3.** *biol.* Konjugati'on *f* (*von Geschlechtszellen*). **4.** *chem.* Konjugati'on *f* (*der Doppelbindungen od. π-Elektronen*).

con·junct [kən'dʒʌŋkt; 'kɒndʒʌŋkt] *adj* (*adv* ~**ly**) **1.** verbunden, vereint, gemeinsam (**with** mit): ~ **consonant** (*Sanskrit*) Ligatur *f*; ~ **degree** *mus.* Nachbarstufe *f.* **2.** *jur.* befangen.

con·junc·tion [kən'dʒʌŋkʃən] *s* **1.** Verbindung *f*, Vereinigung *f* (*a. fig.*): **in ~ with** in Verbindung *od.* zusammen mit; **taken in ~ with** zs.-genommen *od.* -gefaßt mit. **2.** Zs.-treffen *n*: **a ~ of events. 3.** *ling.* Konjunkti'on *f*, Bindewort *n.* **4.** *astr.* Konjunkti'on *f.* **con'junc·tion·al** *adj* **1.** *astr.* konjunktio'nal. **2.** *ling.* Konjunktions...

con·junc·ti·va [ˌkɒndʒʌŋk'taivə] *pl* **-vas,** *a.* **-vae** [-iː] *s anat.* Bindehaut *f.*

con·junc·tive [kən'dʒʌŋktiv] **I** *adj* **1.** (eng) verbunden. **2.** verbindend, Verbindungs...: ~ **tissue** *anat.* Bindegewebe *n.* **3.** *ling.* konjunktivisch, konjunktio'nal: ~ **adverb** verbindendes Umstandswort; ~ **mood** → **5. 4.** *math.* konjunk'tiv. **II** *s* **5.** *ling.* Konjunktiv *m.* **con'junc·tive·ly** *adv* gemeinsam, vereint.

con·junc·ti·vi·tis [kənˌdʒʌŋkti'vaitis] *s med.* Bindehautentzündung *f.*

con·junc·ture [kən'dʒʌŋktʃər] *s* **1.** Verbindung *f.* **2.** a) Zs.-treffen *n*, b) Zs.-treffen *n* von (*bes. ungünstigen*) 'Umständen, Krise *f.* **3.** 'Umstände *pl*, Zustand *m*, Lage *f.* **4.** *astr.* Konjunkti'on *f.*

con·ju·ra·tion [ˌkɒndʒu(ə)'reiʃən] *s* **1.** Beschwörung *f*: a) feierliche Anrufung: ~ of ghosts, b) Verzauberung *f.* **2.** Zauberformel *f.* **3.** Zaube'rei *f.* **4.** *obs.* Verschwörung *f.*

con·jure I *v/t* **1.** [kən'dʒuər] beschwören, inständigst bitten (um). **2.** ['kʌndʒər; 'kɒn-] *den Teufel etc* beschwören, (an)rufen: to ~ up heraufbeschwören (*a. fig.*), zitieren (→ 3). **3.** ['kʌndʒər] be-, verhexen, zaubern: to ~ away wegzaubern, bannen; to ~ up hervorzaubern (*a. fig.*) (→ 2). **II** *v/i* ['kʌndʒər; 'kɒn-] **4.** zaubern, hexen: a name to ~ with ein Name, der Wunder wirkt. **5.** Geister beschwören.

con·jur·er ['kʌndʒərər; 'kɒn-] *s* **1.** Zauberer *m*, Geisterbeschwörer *m*: he is no ~ *fig.* er hat das Pulver nicht erfunden. **2.** Zauberkünstler *m*, Taschenspieler *m.*

con·jur·ing trick ['kʌndʒəriŋ] *s* Zauberkunststück *n*, Zaubertrick *m.*

con·jur·or[1] [kɒn'dʒu(ə)rər] → conjurer.

con·jur·or[2] [kɒn'dʒu(ə)rər] *s* Mitverschworene(r) *m.*

conk[1] [kɒŋk] *sl.* **I** *s* ‚Riecher' *m* (*Nase*), *Am. a.* ‚Birne' *f* (*Kopf*). **II** *v/t j-n* auf die Nase *od.* den Kopf hauen.

conk[2] [kɒŋk] *s bot. Am.* **1.** Holzfäule *f.* **2.** kon'solenförmige Pilz-Fruchtkörper *pl* (*an fauligen Stämmen*).

conk[3] [kɒŋk] *v/i sl. meist* ~ out **1.** ‚streiken', ‚absterben', aussetzen (*Motor etc*). **2.** ‚abkratzen' (*sterben*). **3.** *Am.* a) ‚zs.-klappen' (*vor Erschöpfung etc*), b) ‚einpennen', einschlafen.

conk·er ['kɒŋkər] *s Br.* Schneckenschale *f od.* Ka'stanie *f*: ~s *Knabenspiel, bei dem die Teilnehmer mit e-r an e-r Schnur befestigten Kastanie versuchen, die des Partners zu zerschlagen.*

con man [kɒn] *s irr* → confidence trickster.

conn [kɒn] *mar.* **I** *v/t ein Schiff* führen. **II** *v/i* das Steuern über'wachen.

con·nate ['kɒneit] *adj* **1.** angeboren: ~ notions. **2.** gleichzeitig geboren *od.* entstanden. **3.** (abstammungs-, art)verwandt. **4.** gleichgeartet. **5.** *biol.* verwachsen.

con·nat·u·ral [kə'nætʃərəl] *adj* (*adv* ~ly) (to) von gleicher Na'tur (wie), ähnlich, verwandt, angeboren (*dat*).

con·nect [kə'nekt] **I** *v/t* **1.** *a. fig.* verbinden, verknüpfen, e-e Verbindung 'herstellen (with mit). **2.** *fig.* in Zs.-hang *od.* in Verbindung bringen: to ~ ideas Gedanken verknüpfen; to become ~ed (with) in Verbindung treten (mit), in verwandtschaftliche Beziehungen treten (zu). **3.** (to) *tech.* verbinden, koppeln, zs.-fügen (mit), *Wagen etc* anhängen, ankuppeln (an *acc*). **4.** (to) *electr.* anschließen (an *acc*), verbinden (mit), (zu)schalten (*dat*), Kon'takt 'herstellen zwischen (*dat*). **5.** *j-n* (tele'phonisch) verbinden (with mit): to be ~ed verbunden sein. **II** *v/i* **6.** in Verbindung treten *od.* stehen. **7.** in logischem Zs.-hang stehen (with mit). **8.** *rail. etc* Anschluß haben (with an *acc*). **9.** *Boxen*: ‚landen'.

con·nect·ed [kə'nektid] *adj* **1.** verbunden, verknüpft. **2.** logisch zs.-hängend. **3.** verwandt: ~ industries; to be well-~ einflußreiche Verwandte *od.* gute Beziehungen haben; ~ by marriage verschwägert. **4.** (with) verwickelt (in *acc*), beteiligt (an *dat*): to be ~ with an affair. **5.** *tech.* gekoppelt. **6.** *electr.* angeschlossen, (zu)geschaltet: ~ load Anschlußwert *m.* **con'nect·ed·ly** *adv* zs.-hängend, logisch: to think ~. **con'nect·ed·ness** *s* **1.** logischer Zs.-hang, Folgerichtigkeit *f.* **2.** *math.* Verbundenheit *f.* **con'nect·er** → connector.

con·nect·ing [kə'nektiŋ] *adj* Binde..., Verbindungs..., Anschluß... ~ **cord** *s electr.* Verbindungsschnur *f.* ~ **flange** *s tech.* Anschlußflansch *m.* ~ **link** *s* Binde-, Zwischenglied *n.* ~ **mem·brane** *s biol.* Verbindungshaut *f.* ~ **piece** *s tech.* Verbindungs-, Anschlußstück *n*, Stutzen *m.* ~ **plug** *s electr.* Stecker *m.* ~ **re·lay** *s electr.* 'Durchschaltereˌlais *n.* ~ **rod** *s tech.* Pleuel-, Kurbel-, Schubstange *f.* ~ **shaft** *s tech.* Transmissi'onswelle *f.*

con·nec·tion, *bes. Br. a.* **con·nex·ion** [kə'nekʃən] *s* **1.** Verbindung *f.* **2.** *tech. allg.* Verbindung *f*, Anschluß *m* (*beide a. electr. rail. teleph. etc*), Verbindungs-, Bindeglied *n*, *electr.* Schaltung *f*, Schaltverbindung *f*: ~ (piece) → connecting piece; hot water ~s Heißwasseranlage *f*; pipe ~ Rohranschluß; ~ plug Anschlußstecker *m*; remote control ~ Fernschaltung; **3.** Zs.-hang *m*, Beziehung *f*: in this ~ in diesem Zs.-hang; in ~ with this im Zs.-hang damit. **4.** per'sönliche Beziehung, Verbindung *f*: to enter into ~ with s.o. mit j-m in Verbindung treten. **5.** a) (*geschäftliche etc*) Verbindung, (*einflußreicher*) Bekannter *od.* Verwandter, b) *pl* (gute, nützliche, geschäftliche *etc*) Beziehungen *pl od.* Verbindungen *pl*, Bekannten-, Kundenkreis *m*, Verwandtschaft *f*, Konnexi'onen *pl*: business ~s; business with first-rate ~s Geschäft *n* mit erstklassigem Kundenkreis. **6.** religi'öse *od.* po'litische Gemeinschaft. **7.** *nur* connexion *Br.* Metho'distengemeinschaft *f.* **8.** (Geschlechts)Verkehr *m.*

con·nec·tive [kə'nektiv] **I** *adj* (*adv* ~ly) verbindend: ~ tissue *anat.* Binde-, Zellgewebe *n.* **II** *s ling.* Bindewort *n.*

con·nec·tor [kə'nektər] *s tech.* verbindender Teil, Anschluß(stück *n*) *m*, *bes.* a) Verbindungsschlauch *m*, b) *electr.* Steckverbindung *f*, c) *teleph.* Leitungswähler *m*, d) *rail.* (Wag'gon)-Kupplung *f*: ~ switch *electr.* Verbindungsschalter *m.*

con·nex·ion *bes. Br. für* connection.

conn·ing| bridge ['kɒniŋ] *s mar.* Kom'mandobrücke *f.* ~ **tow·er** *s mar. mil.* Kom'mandoturm *m.*

con·nip·tion [kə'nipʃən], *a.* ~ **fit** *s Am. colloq.* (Wut-, Lach)Anfall, ‚Rappel' *m.*

con·niv·ance [kə'naivəns] *s* **1.** stillschweigende Einwilligung *od.* Duldung, bewußtes Über'sehen (at, in, with *gen od.* von). **2.** *jur.* a) Begünstigung *f*, strafbares Einverständnis, b) (*stillschweigende*) Duldung ehebrecherischer Handlungen des Ehepartners.

con·nive [kə'naiv] *v/i* **1.** (at) ein Auge zudrücken (bei), stillschweigend dulden, geflissentlich über'sehen (*acc*). **2.** *a. jur.* (stillschweigend) Vorschub leisten (with s.o. j-m; at s.th. [bei] e-r Sache). **3.** *a. jur.* im geheimen Einverständnis stehen, ‚zs.-arbeiten' (with mit). **4.** *Am.* ein Kom'plott schmieden. **5.** *biol.* konver'gieren. **con'niv·ence** → connivance.

con·nois·seur [ˌkɒni'səːr] *s* (Kunst-*etc*)Kenner *m*: ~ of (*od.* in) wines Weinkenner. ˌ**con·nois'seur·ship** *s* **1.** Kennerschaft *f.* **2.** *collect.* (*die*) (Kunst)Kenner *pl.*

con·no·ta·tion [ˌkɒno'teiʃən] *s* **1.** Mitbezeichnung *f.* **2.** Nebenbedeutung *f*, Beiklang *m.* **3.** *ling. philos.* Begriffsinhalt *m*, (Wort)Bedeutung *f.* **con·not·a·tive** [kə'noutətiv; 'kɒnoˌteitiv] *adj* **1.** mitbedeutend. **2.** logisch um'fassend. **3.** Nebenbedeutungen habend. **con·note** [kə'nout] *v/t* mitbezeichnen, (zu'gleich) bedeuten, in sich schließen, den Beiklang haben von.

con·nu·bi·al [kə'njuːbiəl] *adj* (*adv* ~ly) ehelich, Ehe... **conˌnu·bi'al·i·ty** [-'æliti] *s* **1.** Ehestand *m.* **2.** *pl* eheliche Zärtlichkeiten *pl.*

co·noid ['kounəid] **I** *adj* **1.** kegelförmig. **2.** *math.* kono'idisch. **II** *s* **3.** *math.* a) Kono'id *n*, b) Kono'ide *f* (*Fläche*).

co'noi·dal, co'noi·dic, co'noi·di·cal → conoid I.

con·quer ['kɒŋkər] **I** *v/t* **1.** erobern: a) *Land etc* einnehmen: to ~ territories from s.o. j-m Land abgewinnen, b) *fig.* erringen, erkämpfen: to ~ one's independence, c) *fig. j-n, j-s Herz* gewinnen. **2.** a) unter'werfen, besiegen: to ~ the enemy, b) *a. fig.* über'winden, -'wältigen, bezwingen, Herr werden (*gen*): to ~ one's fear; to ~ difficulties; to ~ a mountain e-n Berg bezwingen. **II** *v/i* **3.** Eroberungen machen, siegen: to stoop to ~ sein Ziel durch Zugeständnisse zu erreichen trachten. '**con·quer·a·ble** *adj* zu erobern(d), besiegbar, über'windlich. '**con·quer·ing** *adj* (*adv* ~ly) erobernd, siegreich. '**con·quer·or** [-rər] *s* **1.** Eroberer *m*, (Be)Sieger *m*: (William) the C~ *hist.* Wilhelm der Eroberer. **2.** *colloq.* Entscheidungsspiel *n.*

con·quest ['kɒŋkwest; 'kɒn-] *s* **1.** Eroberung *f*: a) Unter'werfung *f*, -'jochung *f*: the C~ *hist.* die normannische Eroberung, b) erobertes Gebiet, c) *fig.* Erringung *f*: the ~ of liberty. **2.** *a. fig.* Über'windung *f*, Besiegung *f*, Sieg *m.* **3.** *fig.* ‚Eroberung' *f* (*Person*): to make a ~ of s.o. j-n erobern *od.* für sich gewinnen; you have made a ~! Sie haben e-e Eroberung gemacht! **4.** *jur. Scot.* (Güter)Erwerb *m.*

con·san·guine [kɒn'sæŋgwin], ˌ**con·san'guin·e·ous** [-iəs] *adj* blutsverwandt. ˌ**con·san'guin·i·ty** *s* Blutsverwandtschaft *f.*

con·science ['kɒnʃəns] *s* **1.** Gewissen *n*: a good (bad, guilty) ~ ein gutes (böses, schlechtes) Gewissen. **2.** Gewissenhaftigkeit *f.* **3.** *obs.* a) Bewußtsein *n*, b) innerstes Denken.

Besondere Redewendungen:

a matter of ~ e-e Gewissensfrage; in (all) ~ a) sicherlich, wahrhaftig, b) nach allem, was recht u. billig ist; upon my ~ auf mein Wort, gewiß; my ~! mein Gott!; for ~ sake um das Gewissen zu beruhigen; to have s.th. on one's ~ etwas auf dem Gewissen haben; to have the ~ to do s.th. die Frechheit *od.* Stirn besitzen, etwas zu tun; to speak one's ~ *obs.* s-e Meinung (unverblümt) sagen; with a safe ~ mit ruhigem Gewissen.

con·science| clause *s jur.* Gewissensklausel *f.* ~ **mon·ey** *s* Reugeld *n*, freiwillige (*bes.* ano'nyme) Steuernachzahlung. '**~-ˌproof** *adj* abgebrüht, ohne Gewissen(sregungen). '**~-ˌsmit·ten,** '**~-ˌstrick·en** *adj* von Gewissensbissen gepeinigt, reuevoll.

con·sci·en·tious [ˌkɒnʃi'enʃəs] *adj* (*adv* ~ly) **1.** gewissenhaft; a ~ worker; a ~ description. **2.** Gewissens... ˌ**con·sci-**

'en·tious·ness *s* Gewissenhaftigkeit *f*.

con·sci·en·tious ob·jec·tor *s* **1.** Kriegsdienstverweigerer *m* (*aus Gewissensgründen*). **2.** *Br.* Impfgegner *m*.

con·scion·a·ble ['kɒnʃənəbl] *adj obs.* **1.** gewissenhaft. **2.** gerecht, billig.

con·scious ['kɒnʃəs] *adj* (*adv* ~**ly**) **1.** *pred* bei Bewußtsein: **the patient is** ~. **2.** bewußt: ~ **mind** Bewußtsein *n*; **to be** ~ **of s.th.** sich e-r Sache bewußt sein, sich über e-e Sache im klaren sein, von etwas wissen *od.* Kenntnis haben; **to be** ~ **that** wissen, daß; **she became** ~ **that** es kam ihr zum Bewußtsein *od.* sie wurde sich klar darüber, daß. **3.** denkend: **man is a** ~ **being. 4.** bewußt (schaffend): ~ **artist. 5.** dem Bewußtsein gegenwärtig, bewußt: ~ **guilt. 6.** befangen. **7.** bewußt, wissentlich, absichtlich: **a** ~ **lie.**

-conscious [kɒnʃəs] *Wortelement mit der Bedeutung* a) aufgeschlossen für, interes'siert an (*dat*), ...freudig: **art-**~, b) empfindlich gegen (*etwas Schlechtes*), c) bewußt: **class**~.

con·scious·ness ['kɒnʃəsnis] *s* **1.** (of) Sichbe'wußtsein *n* (*gen*), Wissen *n* (von *od.* um). **2.** Bewußtsein(szustand *m*) *n*: **to lose** ~ das Bewußtsein verlieren; **to regain** ~ wieder zu sich kommen, das Bewußtsein wiedererlangen. **3.** (Gesamt)Bewußtsein *n*, Denken *n*, Empfinden *n*.

con·scribe [kən'skraib] → **conscript 4.**

con·script I *adj* ['kɒnskript] **1.** zwangsweise verpflichtet: ~ **labo(u)r. 2.** *mil.* einberufen, eingezogen: ~ **soldiers. 3.** ~ **fathers** *antiq.* (*die*) römischen Sena'toren *pl.* **II** *v/t* [kən'skript] **4.** *mil.* einziehen, -berufen, zwangsweise ausheben. **III** *s* ['kɒnskript] **5.** *mil.* Wehrdienstpflichtige(r) *m*, Einberufene(r) *m*, ausgehobener Re'krut *od.* Sol'dat.

con·scrip·tion [kən'skripʃən] *s* **1.** Zwangsaushebung *f*, Konskripti'on *f*, Einberufung *f*. **2.** *a.* **universal** ~ *mil.* allgemeine Wehrpflicht. **3.** *a.* **industrial** ~ Arbeitsverpflichtung *f*. **4.** *a.* ~ **of wealth** (Her'anziehung *f* zur) Vermögensabgabe *f*.

con·se·crate ['kɒnsiˌkreit] **I** *v/t allg.* weihen: a) *relig.* konse'krieren, einsegnen, b) widmen (to *dat*): **to** ~ **one's life to an idea,** c) heiligen: **a custom** ~**d by tradition. II** *v/i relig.* konse'krieren, die Wandlung voll'ziehen (*in der Messe*). **III** *adj* a) geweiht (to *dat*), b) geheiligt. ˌ**con·se'cra·tion** *s* **1.** *relig.* a) (*a.* Priester)Weihe *f*, Weihung *f*, b) Einsegnung *f*, c) Konsekrati'on *f*, Wandlung *f*. **2.** Heiligung *f*. **3.** Widmung *f*, 'Hingabe *f* (to an *acc*).

con·se·cu·tion [ˌkɒnsi'kjuːʃən] *s* **1.** (Aufein'ander)Folge *f*, Reihe *f*. **2.** *ling.* Wort-, Zeitfolge *f*: ~ **of tenses. 3.** logische Folge.

con·sec·u·tive [kən'sekjutiv] *adj* **1.** aufein'anderfolgend: **for three** ~ **weeks** drei Wochen hintereinander. **2.** (fort)laufend: ~ **number. 3.** konseku'tiv, abgeleitet: ~ **clause** *ling.* Konsekutiv-, Folgesatz *m*. **4.** *mus.* paral'lel (fortschreitend) (*Intervalle*). **5.** Folge...: ~ **symptom** *med.* Folgeerscheinung *f*. **con'sec·u·tive·ly** *adv* **1.** nach-, hinterein'ander. **2.** (fort)laufend: ~ **numbered. con'sec·u·tive·ness** *s* logische Aufein'anderfolge.

con·sen·su·al [kən'senʃuəl; -sjuəl] *adj* (*adv* ~**ly**) **1.** *jur.* auf bloßer mündlicher Über'einkunft beruhend: ~ **contract** obligatorischer Vertrag. **2.** unwillkürlich, Reflex...: ~ **motion.**

con·sen·sus [kən'sensəs] *pl* **-sus·es** [-iz] *s a.* ~ **of opinion** (allgemein) über'einstimmende Meinung, (allgemeine) Über'einstimmung.

con·sent [kən'sent] **I** *v/i* **1.** (to) zustimmen (*dat*), einwilligen (in *acc*). **2.** sich bereit erklären (to do s.th. etwas zu tun). **3.** nachgeben. **4.** *obs.* über'einstimmen. **II** *s* **5.** (to) Zustimmung *f*, Einverständnis *n* (zu), Einwilligung *f* (in *acc*), Genehmigung *f* (*gen od.* für): **age of** ~ *jur.* (*bes.* Ehe)-Mündigkeit *f*; **with one** ~ einstimmig, einmütig; **with the** ~ **of** mit Genehmigung von (*od. gen*); **silence gives** ~ Stillschweigen bedeutet Zustimmung; → **common 2.** **conˌsen·ta'ne·i·ty** [-tə'niːiti] *s* **1.** Über'einstimmung *f*. **2.** Einmütigkeit *f*. **con·sen·ta·ne·ous** [ˌkɒnsen'teiniəs], **con·sen·tient** [kən'senʃənt] *adj* (*adv* ~**ly**) **1.** (to, with) zustimmend (*dat od.* zu), über'einstimmend (mit). **2.** einmütig, einstimmig.

con·se·quence ['kɒnsiˌkwens; *Br. a.* -kwəns] *s* **1.** Folge *f*, Resul'tat *n*, Ergebnis *n*, Auswirkung *f*, Konse'quenz *f*: **bad** ~**s** schlimme Folgen; **in** ~ infolgedessen, folglich, daher; **in** ~ **of** infolge von (*od. gen*); **to take the** ~**s** die Folgen tragen; **with the** ~ **that** mit dem Ergebnis, daß; → **carry 10. 2.** Folgerung *f*, Schluß(satz) *m*. **3.** Bedeutung *f*, Wichtigkeit *f*: **of (no)** ~ von (ohne)Bedeutung, (un)bedeutend, (un)wichtig (to für); **it is of no** ~ es hat nichts auf sich. **4.** Einfluß *m*, Ansehen *n*: **a person of great** ~ e-e bedeutende *od.* einflußreiche Persönlichkeit. **5.** Würde *f*. **6.** ˌWichtigtue'rei *f*.

con·se·quent ['kɒnsiˌkwent; *Br. a.* -kwənt] **I** *adj* (*adv* → **consequently**) **1.** (on, upon) a) (nach)folgend (*dat*, auf *acc*): **to be** ~ **on s.th.** die Folge von etwas sein, e-r Sache folgen, b) sich ergebend, erfolgend (aus), dar'aus entstehend: **the** ~ **trouble. 2.** → **consequential 2. II** *s* **3.** Folge(erscheinung) *f*. **4.** *philos.* logische Folge, Folgerung *f*, Schluß *m*. **5.** *ling.* Nachsatz *m*. **6.** *math.* 'Hinterglied *n*. ˌ**conse'quen·tial** [-'kwenʃəl] *adj* (*adv* ~**ly**) **1.** a) (logisch) folgend (on auf *acc*), b) → **consequent 1. 2.** folgerichtig, logisch richtig, konse'quent. **3.** wichtigtuend, über'heblich. **4.** mittelbar, 'indiˌrekt: ~ **damage** *jur.* Folgeschaden *m*. **5.** gewichtig: ~ **people**; **a** ~ **error.** ˌ**con·seˌquen·ti'al·i·ty** [-ʃi'æliti] *s* ˌWichtigtue'rei *f*, Über'heblichkeit *f*. **'con·seˌquent·ly** *adv* **1.** als Folge, in der Folge. **2.** folglich, infolge'dessen, daher, deshalb.

con·serv·a·ble [kən'səːrvəbl] *adj* konser'vierbar. **con'serv·an·cy** *s* **1.** Erhaltung *f*. **2.** 'Forsterhaltung *f*, -konˌtrolle *f*: **nature** ~ a) Naturschutz *m*, b) Naturschutzamt *n*. **3.** *Br.* Kon'trollbehörde *f* über Forste, Häfen, Schiffahrt u. Fische'rei.

con·ser·va·tion [ˌkɒnsər'veiʃən] *s* **1.** Erhaltung *f*, Bewahrung *f*: ~ **of energy (mass, matter)** *phys.* Erhaltung der Energie (Masse, Materie). **2.** Na'turschutz *m*, Schutz *m*, Erhaltung *f* (*von Forsten etc*). **3.** Konser'vieren *n*, Haltbarmachen *n*.

con·serv·a·tism [kən'səːrvəˌtizəm] *s* **1.** *a. pol.* Konserva'tismus *m*: a) konserva'tive Grundsätze *pl od.* Einstellung, b) C~ *Br.* Grundsätze *pl* u. Ziele *pl* der konserva'tiven Par'tei. **2.** *Am.* Vorsicht *f*, Zu'rückhaltung *f*. **con'serv·a·tive I** *adj* (*adv* ~**ly**) **1.** erhaltend, bewahrend, konser'vierend: ~ **force** erhaltende Kraft. **2.** (*pol. meist* C~) konserva'tiv: **C~ Party** *pol. Br.* Konservative Partei. **3.** zu'rückhaltend, vorsichtig: **a** ~ **estimate**; ~ **investments. II** *s* **4.** *meist* C~ *pol.* Konserva'tive(r *m*) *f*, Mitglied *n* der Konservativen Par'tei. **5.** konserva'tiv denkender Mensch.

con·ser·va·toire [kənˌsəːrvə'twaːr] *s mus. bes. Br.* Konserva'torium *n*, Hochschule *f* für Mu'sik (*od. andere Künste*).

con·ser·va·tor ['kɒnsərˌveitər; kən'səːrvətər] *s* **1.** Konser'vator *m*, Mu'seumsdiˌrektor *m*. **2.** *Br.* Mitglied *n* der 'Stromkommissiˌon: ~ **of the river Thames** *Titel des* **Lord Mayor** *von London als Vorsitzender der* **conservancy. 3.** Erhalter *m*, Beschützer *m*: ~ **of the peace** Erhalter des Friedens (*Titel des englischen Königs*). **4.** *jur. Am.* Vormund *m*, Pfleger *m*.

con·serv·a·to·ry [kən'səːrvətri] **I** *s* **1.** *bes. Br.* Treib-, Gewächshaus *n*, Wintergarten *m*. **2.** → **conservatoire. 3.** *obs.* Aufbewahrungsort *m*. **II** *adj* **4.** erhaltend.

con·serve I *s* [kən'səːrv; *Am. a.* 'kɑnsəːrv] **1.** *meist pl* Eingemachtes *n*, Kon'serve *f*. **II** *v/t* [kən'səːrv] **2.** erhalten, bewahren. **3.** *obs. Obst etc* einmachen. **4.** *fig.* beibehalten, aufrechterhalten: **to** ~ **a custom.**

con·sid·er [kən'sidər] **I** *v/t* **1.** nachdenken über (*acc*). **2.** betrachten *od.* ansehen als, halten für: **to** ~ **s.o. (to be) a fool; to** ~ **s.th. (to be) a mistake; to be** ~**ed rich** für reich gelten *od.* gehalten werden; **you may** ~ **yourself lucky** du kannst von Glück sagen *od.* dich glücklich schätzen; ~ **yourself dismissed!** betrachten Sie sich als entlassen! **3.** sich über'legen, ins Auge fassen, in Erwägung ziehen, erwägen: **to** ~ **buying a car** den Kauf e-s Wagens erwägen; → **considered. 4.** berücksichtigen, in Betracht ziehen: **all things** ~**ed** wenn man alles erwägt; ~ **his age** bedenken Sie sein Alter; → **considering I. 5.** Rücksicht nehmen auf (*acc*), denken an (*acc*): **he never** ~**s others. 6.** achten, respek'tieren. **7.** finden, meinen, der Meinung sein, denken (*a.* **that** daß). **8.** (eingehend) betrachten. **9.** *obs.* j-n entschädigen *od.* belohnen. **II** *v/i* **10.** nachdenken, über'legen. **con'sid·er·a·ble I** *adj* (*adv* **considerably**) **1.** beachtlich, beträchtlich, erheblich, ansehnlich. **2.** bedeutend, wichtig (*a. Person*). **II** *s* **3.** *Am. colloq.* e-e ganze Menge, viel. **con'sid·er·a·ble·ness** *s* Beträchtlichkeit *f*, Bedeutung *f*.

con·sid·er·ate [kən'sidərit] *adj* (*adv* ~**ly**) **1.** aufmerksam, rücksichtsvoll (to, **towards** gegen). **2.** taktvoll. **3.** 'umsichtig, besonnen. **4.** ('wohl)-überˌlegt. **con'sid·er·ate·ness** *s* **1.** Rücksichtnahme *f*, Aufmerksamkeit *f*. **2.** 'Umsicht *f*.

con·sid·er·a·tion [kənˌsidə'reiʃən] *s* **1.** Erwägung *f*, Über'legung *f*: **on** (*od.* **under**) **no** ~ unter keinen Umständen; **the matter is under** ~ die Angelegenheit wird (noch) erwogen; **to give s.th. one's careful** ~ e-e Sache sorgfältig erwägen; **to take into** ~ in Erwägung *od.* in Betracht ziehen. **2.** Berücksichtigung *f*: **in** ~ **of** in Anbetracht (*gen*). **3.** Rücksicht(nahme) *f* (for, of auf *acc*): **lack of** ~ Rücksichtslosigkeit *f*; **out of** ~ **for s.o.** aus Rücksicht auf j-n. **4.** (zu berücksichtigender) Grund: **that is a** ~ das ist ein triftiger Grund, das ist von Belang;

money is no ~ Geld spielt keine Rolle *od.* ist Nebensache. **5.** Entgelt *n*, Entschädigung *f*, Vergütung *f*: in ~ of als Entgelt für; for a ~ gegen Entgelt. **6.** *jur.* (vertragliche) Gegenleistung: concurrent (executed) ~ gleichzeitige (vorher empfangene) Gegenleistung; for valuable ~ entgeltlich. **7.** (Hoch)Achtung *f*: a person of ~ e-e geachtete Persönlichkeit.

con·sid·ered [kən'sidərd] *adj a.* well-~ 'wohlüber,legt, -erwogen. **con'sid·er·ing I** *prep* in Anbetracht (*gen*), wenn man ... (*acc*) bedenkt. **II** *adv colloq.* den 'Umständen entsprechend: he is quite well ~ es geht ihm soweit ganz gut.

con·sign [kən'sain] *v/t* **1.** über'geben, -'liefern (to *dat*): to ~ to the flames den Flammen übergeben, verbrennen; → oblivion 1. **2.** *j-m etwas* anvertrauen. **3.** depo'nieren, hinter'legen: ~ed money Depositengelder. **4.** *etwas* vorsehen, bestimmen (for, to für). **5.** (to) *econ. Waren* a) über'senden, zusenden (*dat*), b) adres'sieren (an *acc*), c) in Konsignati'on geben (*dat*).

con·sig·na·tion [,kɒnsig'neiʃən] *s* **1.** *econ.* → consignment 1. **2.** *jur.* Hinter'legung *f*.

con·sign·ee [kɒnsai'ni:] *s econ.* Empfänger *m* (*von Ware zum Weiterverkauf*), Konsigna'tar *m*.

con·sign·er [kən'sainər] → consignor.

con·sign·ment [kən'sainmənt] *s econ.* **1.** Konsignati'on *f*, Über'sendung *f*, 'Waren,übergabe *f* zum Weiterverkauf: bill of ~, ~ note Frachtbrief *m*; ~ sale Konsignations-, Kommissionsverkauf *m*; in ~ in Konsignation *od.* Kommission. **2.** Sendung *f*, Lieferung *f*, konsi'gnierte Waren *pl.* **3.** Hinter'legung *f*. **4.** Über'weisung *f*.

con·sign·or [kən'sainər; ,kɒnsai'nɔ:r] *s* **1.** *allg.* Über'sender *m*. **2.** *econ.* Konsi'gnant *m*, (Waren)Absender *m*.

con·si·li·ence [kən'siliəns] *s fig.* Zs.-treffen *n*, Über'einstimmung *f*. **con'sil·i·ent** *adj fig.* zs.-treffend, über'einstimmend.

con·sist [kən'sist] *v/i* **1.** ~ of bestehen *od.* sich zs.-setzen aus. **2.** ~ in bestehen in (*dat*): his task ~s mainly in writing letters s-e Arbeit besteht hauptsächlich darin, Briefe zu schreiben. **3.** über'einstimmen, vereinbar sein (with mit).

con·sist·ence [kən'sistəns] → consistency 1 *u.* 2. **con'sist·en·cy** *s* **1.** Konsi'stenz *f*, Beschaffenheit *f*, (Grad *m* der) Festigkeit *f od.* Dichtigkeit *f*. **2.** *fig.* Beständigkeit *f*. **3.** Konse'quenz *f*, Folgerichtigkeit *f*. **4.** (innere) Über'einstimmung, Harmo'nie *f*, Vereinbarkeit *f*. **con'sist·ent** *adj* **1.** konse'quent: a) folgerichtig, 'widerspruchsfrei, b) gleichmäßig, stetig, unbeirrbar (*a. Person*). **2.** über'einstimmend, vereinbar, in Einklang stehend (with mit). **3.** konsi'stent, fest, dicht. **con'sist·ent·ly** *adv* **1.** im Einklang (with mit). **2.** 'durchweg.

con·sis·to·ry [kən'sistəri] *s* **1.** Kirchenrat *m*, geistliche Behörde, Konsi'storium *n*. **2.** *R.C.* Kardi'nalsversammlung *f*. **3.** *a.* C~ Court bischöfliches Konsi'storium der angli'kanischen Kirche (*Diözesangericht*). **4.** kirchliche Behörde, 'Presbyterkol,legium *n* (*einiger reformierter Kirchen*). **5.** Versammlungsort *m*, Beratungsraum *m*.

con·so·ci·ate [kən'souʃiit; -ʃi,eit] **I** *adj* verbunden. **II** *s* Genosse *m*, Teilhaber *m*. **III** *v/t u. v/i* [-ʃi,eit] (sich) vereinigen, (sich) verbinden. **con,so·ci'a·tion** [-si'eiʃən] *s* Vereinigung *f*, Bund *m*.

con·sol ['kɒnsɒl] *sg von* consols.

con·so·la·tion [,kɒnsə'leiʃən] *s* Tröstung *f*, Trost *m* (to für): poor ~ schlechter *od.* schwacher Trost; ~ game (match, race) *sport* Trostspiel *n* (-wettkampf *m*, -rennen *n*); → goal 2d; ~ prize Trostpreis *m*.

con·sol·a·to·ry [kən'sɒlətəri] *adj* tröstend, tröstlich, Trost...

con·sole[1] ['kɒnsoul] *s* **1.** Kon'sole *f*: a) *arch.* Krag-, Tragstein *m*, b) Wandgestell *n*. **2.** *a.* ~ table Wandtischchen *n*. **3.** *tech.* Stütze *f*, Strebe *f*. **4.** *mus.* (Orgel)Spieltisch *m*. **5.** *electr.* a) Gehäuse *n*, Kasten *m*, b) Radioschrank *m*, Mu'siktruhe *f*, c) Re'giepult *n*.

con·sole[2] [kən'soul] *v/t j-n* trösten: to ~ o.s. with s.th. sich mit etwas trösten.

con·sol·er [kən'soulər] *s* Tröster(in).

con·sol·i·date [kən'sɒli,deit] **I** *v/t* **1.** (ver)stärken, (be)festigen (*a. fig.*). **2.** *mil.* a) *Truppen* zs.-ziehen, b) *Stellung* ausbauen, verstärken. **3.** *econ.* a) (*bes. Staats*)*Schulden* konsoli'dieren, fun'dieren, b) *Emissionen* vereinigen, *Aktien* zs.-legen, c) *Gesellschaften* zs.-schließen. **4.** *jur. Nießbrauch, Eigentum etc, a. Klagen* vereinigen. **5.** *tech.* verdichten. **II** *v/i* **6.** sich verdichten, fest werden. **7.** *bes. fig.* sich festigen: to ~ into sich kristallisieren zu *e-m Ganzen.* **8.** *econ.* sich zs.-schließen. **III** *adj* → consolidated.

con·sol·i·dat·ed [kən'sɒli,deitid] *adj* **1.** fest, dicht, kom'pakt. **2.** *fig.* gefestigt. **3.** *econ.* vereinigt, konsoli'diert. **~ an·nu·i·ties** → consols. **~ bal·ance sheet** *s econ.* Ge'meinschafts-, Kon'zernbi,lanz *f*. **~ bond** *s econ.* **1.** konsoli'dierte 'Wertpa,piere *pl.* **2.** *Am.* durch e-e Ge'samthypo,thek gesicherte Schuldverschreibung. **C~ Fund** *s econ. Br.* konsoli'dierter Staatsfonds. **~ state·ment** *s econ. Am.* gemeinsame Gewinn- u. Verlustrechnung (*Konzern*).

con·sol·i·da·tion [kən,sɒli'deiʃən] *s* **1.** *a. geol.* Verdichtung *f*, Festwerden *n*. **2.** Festigung *f*, Konsoli'dierung *f*. **3.** a) Zs.-schluß *m*, Vereinigung *f* (*a. econ.*), b) *econ.* Kon'zernbildung *f*, Fusi'on *f*. **4.** *jur.* Vereinigung *f*, Zs.-legung *f*: ~ of actions. **5.** *agr.* Flurbereinigung *f*, Zs.-legung *f*. **6.** *med.* Indurati'on *f*, heilende Verhärtung (*bei Tuberkulose etc*). **7.** *tech.* na'türliche Bodenverdichtung, Sacken *n*.

con·sols [kən'sɒlz; 'kɒnsɒlz] *s pl econ. Br.* **1.** Kon'sols *pl*, konsoli'dierte Staatsanleihen *pl.* **2.** konsoli'dierte Aktien *pl.*

con·som·mé [*Br.* kən'sɒmei; *Am.* ,kɑnsə'mei] *s* Konsom'mee *f* (*klare Kraftbrühe*).

con·so·nance ['kɒnsənəns] *s* **1.** Zs.-, Gleichklang *m*, Harmo'nie *f*, Über'einstimmung *f*: ~ of words Gleichlaut *m*; ~ of opinions Meinungsgleichheit *f*; in ~ with in Einklang mit. **2.** Konso'nanz *f*: a) *mus.* har'monischer Zs.-klang, b) *phys.* Mitschwingen *n*. **'con·so·nant I** *adj* (*adv* ~ly) **1.** *mus.* konso'nant, har'monisch zs.-klingend. **2.** gleichlautend: ~ words. **3.** über'einstimmend, vereinbar (with mit). **4.** (to) passend (zu), gemäß, entsprechend (*dat*). **5.** *ling.* konso'nantisch. **II** *s* **6.** *ling.* Konso'nant *m*, Mitlaut *m*: ~ shifting Lautverschiebung *f*. **,con·so'nan·tal** [-'næntl] *adj ling.* konso'nantisch, Konsonanten...

con·sort I *s* ['kɒnsɔ:rt] **1.** Gemahl(in), Gatte *m*, Gattin *f*: king ~, prince ~ Prinzgemahl *m*. **2.** Gefährte *m*, Gefährtin *f*: ~s *contp.* Konsorten, Kumpane. **3.** *mar.* Begleit-, Geleitschiff *n*. **4.** *obs.* Über'einstimmung *f*: in ~ with im Einklang mit. **II** *v/i* [kən'sɔ:rt] **5.** (with) verkehren, 'umgehen (mit), sich gesellen (zu). **6.** pak'tieren. **7.** *fig.* (with) über'einstimmen, harmo'nieren (mit), passen (zu). **con'sor·ti·um** [-ʃiəm] *pl* **-ti·a** [-ʃiə] *s* **1.** *jur.* (eheliche) Gemeinschaft. **2.** Vereinigung *f*, Kon'sortium *n*. **3.** *econ.* (*internationales*) (Fi'nanz)Kon,sortium.

con·spec·tus [kən'spektəs] *s* **1.** (allgemeine) 'Übersicht. **2.** Zs.-fassung *f*.

con·spi·cu·i·ty [,kɒnspi'kju:iti] → conspicuousness.

con·spic·u·ous [kən'spikjuəs] *adj* (*adv* ~ly) **1.** deutlich sichtbar, in die Augen fallend. **2.** auffallend, auffällig (*a. contp.*): to make o.s. ~ sich auffällig benehmen, auffallen; ~ consumption *econ.* aufwendige Lebenshaltung aus Prestigegründen. **3.** *fig.* bemerkenswert, her'vorragend (for wegen): to be ~ by one's absence durch Abwesenheit glänzen (*Person*), völlig fehlen (*Sache*); to render o.s. ~ sich hervortun; ~ service *mil.* hervorragende Dienste. **con'spic·u·ous·ness** *s* **1.** Augenfälligkeit *f*, Deutlichkeit *f*. **2.** Auffälligkeit *f*.

con·spir·a·cy [kən'spirəsi] *s* **1.** Verschwörung *f*, Kom'plott *n*: ~ (to commit a crime) *jur.* Verabredung *f* zur Verübung e-r Straftat; ~ of silence verabredetes Stillschweigen. **2.** *fig.* Zs.-wirken *n*, Verkettung *f*: ~ of circumstances. **con'spir·a·tor** [-tər] *s* Verschwörer *m*. **con,spir·a'to·ri·al** [-'tɔ:riəl] *adj* (*adv* ~ly) verschwörerisch, Verschwörungs... **con'spir·a·tress** *s* Verschwörerin *f*. **con'spire** [-'spaiər] **I** *v/i* **1.** sich verschwören, ein Kom'plott schmieden, konspi'rieren (against gegen). **2.** *jur.* sich verabreden: to ~ to defraud s.o. **3.** zs.-wirken, -treffen, dazu beitragen, *contp.* sich verschworen haben: all things ~ to make him happy alles trifft zu s-m Glück zusammen. **II** *v/t* **4.** (heimlich) planen, aushecken, anzetteln.

con·spue [kən'spju:] *v/t* verachten.

con·sta·ble ['kʌnstəbl; 'kɒn-] *s* **1.** *bes. Br.* a) Poli'zist *m*, Schutzmann *m*: to outrun the ~ Schulden machen; → special 3 *u.* 5a, b) (höherer) Poli'zeibeamter: high ~ (*bis 1869*) Befehlshaber *m* e-r Hundertschaft; → Chief Constable. **2.** *hist.* Konne'tabel *m*, hoher Reichsbeamter: C~ of France; → Lord High Constable. **3.** *hist.* Schloßvogt *m*.

con·stab·u·lar·y [kən'stæbjuləri] **I** *s* **1.** Poli'zei(truppe) *f* (*e-s Bezirks*). **2.** (*Art*) Gendarme'rie *f*, mili'tärisch organi'sierte Schutztruppe. **II** *adj* **3.** poli'zeilich, Polizei...

con·stan·cy ['kɒnstənsi] *s* **1.** Beständigkeit *f*, Unveränderlichkeit *f*, Kon'stanz *f*. **2.** Bestand *m*, Dauer *f*. **3.** *fig.* Beständigkeit *f*, Unerschütterlichkeit *f*, Standhaftigkeit *f*. **4.** Treue *f*.

con·stant ['kɒnstənt] **I** *adj* (*adv* ~ly) **1.** beständig, unveränderlich, gleichbleibend, kon'stant. **2.** (be)ständig, fortwährend, unaufhörlich, (an)dauernd, stet(ig): ~ change stetiger Wechsel; ~ rain anhaltender Regen. **3.** *fig.* a) beständig, standhaft, beharrlich, fest, unerschütterlich, b) verläßlich, treu: ~ companion ständiger Begleiter. **4.** *electr. math. phys.* kon'stant: ~ quantity; ~ speed; ~ value *math.* fester Wert; ~ **white** *chem.* Permanentweiß *n.* **II** *s* **5.** (*das*) Beständige. **6.** *math. phys.* kon'stante Größe, Kon'stante *f*, Koeffizi'ent *m*, Expo'nent *m*: ~ **of friction** Reibungskoeffizient; ~ **of gravitation** Gravitations- *od.* Erdbeschleunigungskonstante.

con·stel·late ['kɒnstəˌleit] **I** *v/t Sterne* (zu e-r Gruppe) vereinigen (*a. fig.*). **II** *v/i* sich vereinigen. ˌ**con·stel'la·tion** *s* **1.** Konstellati'on *f*: a) *astr.* Sternbild *n*, b) Stellung *f* der Pla'neten zueinander, c) *fig.* Anordnung *f*, Grup'pierung *f*, d) Zs.-treffen *n* (*von Umständen*). **2.** glänzende Versammlung.

con·ster·nate ['kɒnstərˌneit] *v/t* bestürzen, verblüffen, verwirren: ~**d** konsterniert, bestürzt, verblüfft. ˌ**con·ster'na·tion** *s* Bestürzung *f*.

con·sti·pate ['kɒnstiˌpeit] *v/t med.* konsti'pieren, verstopfen. ˌ**con·sti'pa·tion** *s med.* Verstopfung *f*.

con·stit·u·en·cy [kən'stitjuənsi; -tʃu-] *s* **1.** Wählerschaft *f*. **2.** Wahlbezirk *m*, -kreis *m*. **3.** *colloq.* Kundenkreis *m*. **4.** *Am. colloq.* Abon'nenten-, Leserkreis *m*. **con'stit·u·ent I** *adj* **1.** e-n (Bestand)Teil bildend, zs.-setzend: ~ **part** → 4; ~ **fact** *jur.* Tatbestandsmerkmal *n*. **2.** *pol.* Wähler..., Wahl...: ~ **body** Wählerschaft *f*. **3.** *pol.* konstitu'ierend, verfassunggebend: **C**~ **Assembly** konstituierende Nationalversammlung. **II** *s* **4.** (wesentlicher) Bestandteil. **5.** *jur.* Vollmachtgeber(in). **6.** *econ.* Auftraggeber *m*, Aussteller *m* e-r Anweisung. **7.** *pol.* Wähler(in). **8.** *ling.* 'Satzteil *m*, -eleˌment *n*. **9.** *chem. phys.* Kompo'nente *f*.

con·sti·tute ['kɒnstiˌtjuːt] *v/t* **1.** *j-n* ernennen, einsetzen (*in ein Amt etc*): **to** ~ **s.o. a judge** j-n als Richter einsetzen *od.* zum Richter ernennen. **2.** *ein Gesetz* erlassen, in Kraft setzen. **3.** einrichten, gründen, konstitu'ieren: **to** ~ **a committee** e-n Ausschuß einsetzen; **to** ~ **o.s. a committee** sich als Ausschuß konstituieren; **the** ~**d authorities** die verfassungsmäßigen Behörden. **4.** ausmachen, bilden, darstellen: **this** ~**s a precedent** dies stellt e-n Präzedenzfall dar; **to be so** ~**d that** so beschaffen sein, daß.

con·sti·tu·tion [ˌkɒnsti'tjuːʃən] *s* **1.** Zs.-setzung *f*, (Auf)Bau *m*, Struk'tur *f*, Beschaffenheit *f*. **2.** Konstituti'on *f*, körperliche Veranlagung, Na'tur *f*: **strong (weak)** ~ starke (schwache) Konstitution; ~ **type** Konstitutionstyp *m*. **3.** Na'tur *f*, (seelische) Veranlagung, Wesen *n*: **by** ~ von Natur (aus). **4.** Einsetzung *f*, Bildung *f*, Errichtung *f*, Gründung *f*. **5.** Erlaß *m*, Verordnung *f*, Gesetz *n*. **6.** *pol.* Verfassung *f*, Grundgesetz *n*. ˌ**con·sti'tu·tion·al I** *adj* (*adv* ~**ly**) **1.** *med.* konstitutio'nell, veranlagungsgemäß: **a** ~ **disease** e-e Konstitutionskrankheit. **2.** gesundheitsfördernd. **3.** grundlegend, wesentlich. **4.** *pol.* verfassungsmäßig, Verfassungs..., konstitutio'nell: ~ **charter** Verfassungsurkunde *f*; ~ **government** verfassungsmäßige Regierung; ~ **law** *jur.* Verfassungsrecht *n*; ~ **liberty** verfassungsmäßig verbürgte Freiheit; ~ **state** Rechtsstaat *m*; → **monarchy** 1. **5.** verfassungstreu. **II** *s* **6.** *colloq.* Ver'dauungs- *od.* Ge'sundheitsspaˌziergang *m*. ˌ**con·sti'tu·tion·alˌism** *s pol.* ˌKonstitutiona'lismus *m*, konstitutio'nelle Re'gierungsform. ˌ**con·sti'tu·tion·al·ist** *s pol.* **1.** Anhänger *m* der konstitutio'nellen Re'gierungsform. **2.** Verfassungsrechtler *m*. ˌ**con·stiˌtu·tion'al·i·ty** [-'næliti] *s pol.* Verfassungsmäßigkeit *f*. ˌ**con·sti'tu·tion·alˌize** [-nəˌlaiz] *v/t pol.* konstitutio'nell machen.

con·sti·tu·tive ['kɒnstiˌtjuːtiv] *adj* **1.** → **constituent** I. **2.** grundlegend, wesentlich. **3.** gestaltend, aufbauend, richtunggebend. **4.** *philos.* konstitu'tiv, (*das Wesen e-r Sache*) bestimmend. **5.** begründend, konstitu'ierend.

con·strain [kən'strein] *v/t* **1.** *j-n* zwingen, nötigen, drängen: **to be** (*od.* **feel**) ~**ed to do s.th.** gezwungen *od.* genötigt sein *od.* sich gezwungen fühlen, etwas zu tun. **2.** *etwas* erzwingen. **3.** einengen. **4.** einsperren (**to** in *dat*). **5.** fesseln, binden. **6.** bedrücken. **con'strained** *adj* gezwungen, verlegen, verkrampft, 'unnaˌtürlich, steif: **a** ~ **laugh** ein gezwungenes Lachen. **con'strain·ed·ly** [-idli] *adv* gezwungen. **con·straint** [kən'streint] *s* **1.** Zwang *m*, Nötigung *f*: **under** ~ unter Zwang, gezwungen. **2.** Beschränkung *f*. **3.** *fig.* a) Befangenheit *f*, b) Gezwungenheit *f*. **4.** Zu'rückhaltung *f*, (Selbst)Beherrschung *f*. **5.** Haft *f*.

con·strict [kən'strikt] *v/t* zs.-ziehen, -pressen, -schnüren, einengen. **con'strict·ed** *adj* **1.** zs.-gezogen, -geschnürt. **2.** eingeengt, beschränkt. **3.** eng (*a. fig.*). **4.** *bot.* eingeschnürt. **con'stric·tion** *s* **1.** Zs.-ziehung *f*, Einschnürung *f*. **2.** Beengtheit *f*, Enge *f*. **con'stric·tive** *adj* zs.-ziehend, verengend, einschnürend. **con'stric·tor** [-tər] *s* **1.** *anat.* Schließmuskel *m*. **2.** *zo.* Riesenschlange *f*.

con·stru·a·ble [kən'struːəbl] *adj* auszulegen(d), auslegbar.

con·struct I *v/t* [kən'strʌkt] **1.** errichten, bauen. **2.** *tech.* konstru'ieren, bauen. **3.** *ling. math.* konstru'ieren. **4.** *fig.* gestalten, entwerfen, formen, ausarbeiten. **II** *s* ['kɒnstrʌkt] **5.** konstru'iertes Gebilde. **6.** *philos.* (*geistige*) Konstrukti'on. **con·struct·er** → **constructor**. **con'struct·i·ble** *adj math.* konstru'ierbar.

con·struc·tion [kən'strʌkʃən] *s* **1.** Konstrukti'on *f*, (Er)Bauen *n*, Bau *m*, Errichtung *f*: ~ **of transformers** Transformatorenbau; ~ **engineer** Bauingenieur *m*; **under** ~ im Bau (befindlich). **2.** Bauweise *f*, Konstrukti'on *f*: **steel** ~ Stahlbauweise, -konstruktion. **3.** Bau(werk *n*) *m*, Baulichkeit *f*, Anlage *f*. **4.** *fig.* Aufbau *m*, Anlage *f*, Gestaltung *f*, Konstrukti'on *f*. **5.** *math.* Konstrukti'on *f* (*e-r Figur od. Gleichung*). **6.** *ling.* 'Wort- *od.* 'Satzkonstruktiˌon *f*. **7.** *fig.* Auslegung *f*, Deutung *f*: **to put a favo(u)rable (wrong)** ~ **on s.th.** etwas günstig (falsch) auslegen; **on the strict** ~ **of** bei strenger Auslegung (*gen*). **con'struc·tion·al** *adj* **1.** *tech.* Konstruktions..., Bau..., baulich, konstrukti'onstechnisch: ~ **details**; ~ **engineering** Maschinenbau *m*. **2.** *geol.* aufbauend.

con·struc·tive [kən'strʌktiv] *adj* (*adv* ~**ly**) **1.** aufbauend, schaffend, schöpferisch, konstruk'tiv: ~ **talent**; ~ **work**. **2.** konstruk'tiv (*Ggs. destruktiv*): ~ **criticism**. **3.** → **constructional** 1. **4.** a) *a. jur.* gefolgert, abgeleitet, angenommen, b) *jur.* 'indiˌrekt, mittelbar, for'maljuˌristisch: ~ **delivery** symbolische Übereignung, Besitzkonstitut *n*; ~ **fraud** sittenwidrige, formal als Betrug zu ahndende Handlung; ~ **possession** mittelbarer Besitz. **con'structor** [-tər] *s* Erbauer *m*, Konstruk'teur *m*.

con·strue [kən'struː] **I** *v/t* **1.** *ling.* a) *e-n Satz* konstru'ieren, zergliedern, analy'sieren, b) *ein Wort* konstru'ieren, bilden: **to be** ~**d with** konstruiert werden mit (*e-r Präposition etc*), c) Wort für Wort über'setzen. **2.** auslegen, deuten, auffassen (**as** als). **II** *v/i* **3.** *ling.* a) e-e 'Satzanaˌlyse vornehmen, konstru'ieren, b) sich konstru'ieren lassen (*Satz etc*). **III** *s* ['kɒnstruː] **4.** wörtliche Über'setzung.

con·sub·stan·tial [ˌkɒnsəb'stænʃəl] *adj bes. relig.* 'eines Wesens: ~ **unity** Wesenseinheit *f*. ˌ**con·sub'stan·tialˌism** *s relig.* Lehre *f* von der Wesensgleichheit. ˌ**con·subˌstan·ti'al·i·ty** [-ʃi'æliti] *s relig.* ˌKonsubstantiali'tät *f*, Wesensgleichheit *f* (*der drei göttlichen Personen*). ˌ**con·subˌstan·ti'a·tion** *s relig.* ˌKonsubstantiati'on *f* (*Mitgegenwart des Leibes u. Blutes Christi beim Abendmahl*).

con·sue·tude ['kɒnswiˌtjuːd] *s* Gewohnheit *f*, Brauch *m*. ˌ**con·sue'tu·di·nar·y** [-dinəri] *adj* gewohnheitsmäßig, Gewohnheits...: ~ **law** *jur.* Gewohnheitsrecht *n*.

con·sul ['kɒnsəl] *s* Konsul *m* (*a. antiq. hist.*): ~ **general** Generalkonsul.

con·su·lar ['kɒnsjulər; *Am. a.* -sələr] *adj* Konsulats..., Konsular..., konsu'larisch: ~ **agent** Konsularagent *m*; ~ **invoice** *econ.* Konsulatsfaktura *f*; ~ **service** Konsulatsdienst *m*.

con·su·late ['kɒnsjulit; *Am. a.* -səlit] *s* **1.** Konsu'lat *n*: ~ **general** Generalkonsulat. **2.** Konsu'lat(sgebäude) *n*.

con·sul·ship ['kɒnsəlˌʃip] *s* Amt *n* e-s Konsuls, Konsu'lat *n*.

con·sult [kən'sʌlt] **I** *v/t* **1.** um Rat fragen, zu Rate ziehen, konsul'tieren (**about** wegen): **to** ~ **a doctor**; **to** ~ **one's watch** auf die Uhr schauen. **2.** nachschlagen *od.* -sehen in (*e-m Buch*): **to** ~ **a dictionary**; **to** ~ **an author** in *od.* bei e-m Autor nachschlagen. **3.** berücksichtigen, in Erwägung ziehen, im Auge haben: **they** ~**ed his wishes.** **II** *v/i* **4.** (sich) beraten, beratschlagen (**about** über *acc*).

con·sult·ant [kən'sʌltənt] *s* **1.** (fachmännischer) Berater, Gutachter *m*. **2.** *med.* fachärztlicher Berater. **3.** Ratsuchende(r *m*) *f*.

con·sul·ta·tion [ˌkɒnsəl'teiʃən] *s* Beratung *f*, Konfe'renz *f*, Rücksprache *f*, Konsultati'on *f* (*a. med.*): **on** ~ **with** nach Rücksprache mit; **to be in** ~ **over** (*od.* **on**) sich beraten über (*acc*); ~ **hour** Sprechstunde *f*.

con·sult·a·tive [kən'sʌltətiv], **con'sult·a·to·ry** *adj* beratend. **con·sul·tee** [ˌkɒnsəl'tiː] *s* fachlicher Berater.

con·sult·er [kən'sʌltər] *s* Ratsuchende(r *m*) *f*. **con'sult·ing** *adj* **1.** beratend: ~ **engineer** technischer (Betriebs)Berater; ~ **physician** beratender Arzt; ~ **room** Sprechzimmer *n*. **2.** ratsuchend. **con'sul·tive** → **consultative**.

con·sum·a·ble [kən'sjuːməbl; -'suːm-] **I** *adj* **1.** zerstörbar. **2.** verbrauchbar, Verbrauchs...: ~ **goods**. **II** *s* **3.** Ver'brauchsarˌtikel *m*.

con·sume [kən'sjuːm; -'suːm] **I** *v/t* **1.** zerstören, vernichten: ~**d by fire** ein Raub der Flammen. **2.** *fig.* verzehren: **to be** ~**d with desire (hatred)** von Begierde (Haß) verzehrt werden. **3.** auf-, verzehren, (auf)essen, trinken. **4.** auf-, verbrauchen, konsu'mieren: **this car** ~**s a lot of oil** dieser Wagen verbraucht viel Öl. **5.** verschwenden, vergeuden (**on** für). **6.** *Zeit* aufwenden, 'hinbringen. **7.** *Aufmerksamkeit etc* in Anspruch nehmen. **II** *v/i* **8.** *a.* ~ **away** sich abnutzen, sich verbrauchen, abnehmen, (da'hin)schwinden. **con'sum·ed·ly** [-idli] *adv* höchst.

con·sum·er [kən'sjuːmər; -'suːmər] *s* **1.** Verzehrer(in). **2.** *econ.* Verbraucher(in), Konsu'ment(in): ~(s') **goods** Konsumgüter; ~ **cooperative** Verbrauchergenossenschaft *f*; ~ **credit** Konsumentenkredit *m*; ~ **industry** Verbrauchsgüterindustrie *f*; ~ **research** Verbraucherforschung *f*; ~ **resistance** Kaufunlust *f*. **con'sum·ing** *adj* **1.** *fig.* verzehrend. **2.** *econ.* verbrauchend, Verbraucher...

con·sum·mate I *v/t* ['kɒnsəˌmeit] **1.** voll'enden, -'bringen, -'ziehen, zum Abschluß bringen. **2.** *die Ehe* voll'ziehen: to ~ **a marriage**. **3.** voll'kommen machen. **II** *adj* [kən'sʌmit] **4.** voll'endet, voll'kommen, vollständig: ~ **actor** vollendeter *od.* meisterhafter Schauspieler; ~ **cruelty** äußerste Grausamkeit; ~ **skill** höchstes Geschick; **with** ~ **art** mit künstlerischer Vollendung.

con·sum·ma·tion [ˌkɒnsə'meiʃən] *s* **1.** Voll'endung *f*, Voll'bringung *f*. **2.** Ziel *n*, Ende *n*. **3.** Erfüllung *f*. **4.** *jur.* Voll'ziehung *f* (*der Ehe*). **'con·sum·ˌma·tor** [-tər] *s* Voll'ender *m*.

con·sump·tion [kən'sʌmpʃən] *s* **1.** Verzehrung *f*. **2.** Zerstörung *f*. **3.** Verbrauch *m* (of an *dat*): **fuel** ~ Brennstoffverbrauch. **4.** *econ.* Kon'sum *m*, Verbrauch *m*. **5.** Verzehr *m*: **unfit for human** ~ für die menschliche Ernährung ungeeignet. **6.** *med.* a) Auszehrung *f*, b) Schwindsucht *f*, Tuberku'lose *f*: **pulmonary** ~ Lungenschwindsucht. **con'sump·tive I** *adj* (*adv* ~ly) **1.** (ver)zehrend. **2.** zerstörend, verheerend: ~ **fire**. **3.** verschwendend: ~ **of time** Zeit vergeudend, zeitraubend. **4.** *econ.* Verbrauchs... **5.** *med.* schwindsüchtig, tuberku'lös. **II** *s* **6.** *med.* Schwindsüchtige(r *m*) *f*.

con·tact ['kɒntækt] **I** *s* **1.** a) Kon'takt *m*, Berührung *f* (*a. math.*), b) *mil.* Feindberührung *f*: **to bring in(to)** ~ **with** in Berührung bringen mit. **2.** *fig.* Verbindung *f*, Fühlung *f*, Kon'takt *m*: **to be in close** ~ **with s.o.** enge Fühlung mit j-m haben; **to make** ~**s** Verbindungen anknüpfen; **business** ~**s** Geschäftsverbindungen. **3.** *electr.* Kon'takt *m*: a) Anschluß *m*, b) Kon'takt-, Schaltstück *n*: **to make (break)** ~ Kontakt herstellen, einschalten (unterbrechen, ausschalten). **4.** *med. colloq.* Kon'taktperˌson *f*, ansteckungsverdächtige Per'son. **5.** *Am.* Verbindungsmann *m* (*a. Geheimagent*), Gewährsmann *m*. **6.** *aer.* Bodensicht *f*. **II** *v/t* **7.** in Berührung bringen (with mit). **8.** sich in Verbindung setzen mit, sich wenden an (*acc*): **to** ~ **s.o. by mail**. **9.** Kon'takt haben mit, berühren. **10.** *Am. sl.* Beziehungen aufnehmen zu. **III** *v/i* **11.** *bes. electr.* ein'ander berühren, Kon'takt haben. **12.** *aer.* aufsetzen.

con·tact| ac·id *s chem.* Kon'taktsäure *f*. ~ **break·er** *s electr.* ('Strom)Unterˌbrecher *m*, Ausschalter *m*. ~ **brush** *s electr.* Kon'taktbürste *f*. ~ **e·lec·tric·i·ty** *s electr.* Kon'takt-, Be'rührungselektriziˌtät *f*. ~ **flight,** ~ **fly·ing** *s aer.* Flug *m* mit (ständiger) Boden- *od.* Seesicht, Sichtflug *m*. ~ **fuse** *s mil.* Kon'taktzünder *m*. ~ **lens** *s* Haft-, Kon'taktglas *n*, -schale *f* (*Brillenersatz*). ~ **mak·er** *s electr.* Kon'taktgeber *m*, Einschalter *m*, Schaltstück *n*. ~ **man** → contact 5. ~ **mine** *s mil.* Kon'takt-, Tretmine *f*.

con·tac·tor ['kɒntæktər] *s electr.* (Schalt)Schütz *n*: ~ **control(ler)** Schützensteuerung *f*; ~ **starter** Metallanlasser *m*; ~ **switch** Schütz(schalter *m*) *n*.

con·tact| print *s phot.* Kon'taktabzug *m*. ~ **rail** *s electr.* Kon'taktschiene *f*.

con·ta·gion [kən'teidʒən] *s* **1.** *med.* a) Ansteckung *f* (*durch Berührung*), b) ansteckende Krankheit, c) Seuche *f*, d) Ansteckungsstoff *m*. **2.** *fig.* Verseuchung *f*, Vergiftung *f*, verderblicher Einfluß. **3.** *fig.* a) Über'tragung *f* (*e-r Idee etc*), b) (*das*) Ansteckende: **the** ~ **of enthusiasm**. **4.** *poet.* Gift *n*.

con·ta·gious [kən'teidʒəs] *adj* (*adv* ~ly) **1.** *med.* di'rekt über'tragbar, ansteckend: ~ **disease**. **2.** infi'ziert: ~ **matter** Krankheitsstoff *m*. **3.** *fig.* ansteckend: **laughing is** ~ Lachen steckt an. **4.** *obs.* verderblich, schädlich. **con'ta·gi·um** [-dʒiəm] *pl* **-gi·a** [-ə] *s med.* Kon'tagium *n*, Ansteckungsstoff *m*.

con·tain [kən'tein] *v/t* **1.** enthalten: **to be** ~**ed in** enthalten sein in (*dat*). **2.** fassen, aufnehmen: **each bottle** ~**s the same quantity**. **3.** um'fassen, einschließen. **4.** *fig. Gefühle etc* zügeln, im Zaume halten, zu'rückhalten: **to** ~ **one's rage** s-n Zorn bändigen; **he could hardly** ~ **his laughter** er konnte das Lachen kaum unterdrücken. **5.** ~ **o.s.** (an) sich halten, sich beherrschen. **6.** *math.* enthalten, teilbar sein durch: **twenty** ~**s five four times** 5 ist in 20 viermal enthalten. **7.** enthalten, messen: **one yard** ~**s three feet**. **8.** *mil. Feindkräfte* binden, fesseln: ~**ing action** Fesselungsangriff *m*. **9.** *pol.* in Schach halten, eindämmen. **con'tain·er** *s* **1.** Behälter *m*, (Ben'zin- *etc*)Kaˌnister *m*. **2.** *econ.* Con'tainer *m*, Großbehälter *m*. **con'tain·ment** *s pol.* Eindämmung *f*, In-'Schach-Halten *n*: **policy of** ~ Eindämmungspolitik *f*.

con·tam·i·nant [kən'tæminənt] *s Atomphysik*: Verseuchungsstoff *m*.

con·tam·i·nate [kən'tæmiˌneit] *v/t* **1.** verunreinigen. **2.** infi'zieren, vergiften (*beide a. fig.*), (*a.* radioak'tiv) verseuchen. **conˌtam·i'na·tion** *s* **1.** Verunreinigung *f*. **2.** *mil.* a) Vergiftung *f* (*mit Kampfstoff*), b) Verseuchung *f* (*mit biologischen Kampfmitteln*). **3.** (radioak'tive) Verseuchung: ~ **meter** Geigerzähler *m*. **4.** *ling.* Kontaminati'on *f* (*von Wörtern, Texten etc*).

con·tan·go [kən'tæŋgou] *econ.* (*Londoner Börse*) **I** *pl* **-goes** *s* Re'port *m* (*Kurszuschlag beim Prolongationsgeschäft*). **II** *v/i pret u. pp* **-goed** Re'portgeschäfte abschließen.

con·temn [kən'tem] *v/t poet.* verachten. **con'tem·nor** [-nər] *s jur.* wegen 'Mißachtung des Gerichts verurteilte Per'son (→ **contempt 4**).

con·tem·plate ['kɒntəmˌpleit; kən'tem-] **I** *v/t* **1.** (nachdenklich) betrachten. **2.** nachdenken *od.* (nach)sinnen über (*acc*). **3.** erwägen, ins Auge fassen, vorhaben, beabsichtigen: **to** ~ **suicide** Selbstmord beabsichtigen. **4.** erwarten, rechnen mit. **5.** (*geistig*) betrachten, sich befassen mit. **II** *v/i* **6.** nachdenken, (nach)sinnen.

con·tem·pla·tion [ˌkɒntəm'pleiʃən; -tem-] *s* **1.** Betrachtung *f*, Meditati'on *f*, Nachdenken *n*, -sinnen *n*. **2.** (*aufmerksame*) Beobachtung. **3.** *bes. relig.* Kontemplati'on *f*, mystische Versenkung, (religi'öse) Betrachtung, Meditati'on *f*, innere Einkehr. **4.** Erwägung *f* (*e-s Vorhabens*): **to be in** ~ erwogen *od.* geplant werden; **to have in** ~ → **contemplate 3**. **5.** Absicht *f*.

con·tem·pla·tive ['kɒntəmˌpleitiv; kən'templə-] **I** *adj* (*adv* ~ly) **1.** nachdenklich, besinnlich, grüblerisch. **2.** *bes. relig.* kontempla'tiv, beschaulich. **II** *s* **3.** kontempla'tiver Mensch. **'con·temˌpla·tive·ness** *s* **1.** Nachdenklichkeit *f*. **2.** Beschaulichkeit *f*. **'con·temˌpla·tor** [-tər] *s* **1.** nachdenklicher Mensch. **2.** Betrachter *m*.

con·tem·po·ra·ne·i·ty [kənˌtempərə'niːiti] *s* Gleichzeitigkeit *f*. **conˌtem·po'ra·ne·ous** [-'reiniəs] *adj* (*adv* ~ly) gleichzeitig: **to be** ~ **with** zeitlich zs.-fallen mit; ~ **performance** *jur.* Erfüllung *f* Zug um Zug. **conˌtem·po'ra·ne·ous·ness** *s* Gleichzeitigkeit *f*.

con·tem·po·rar·y [kən'tempərəri] **I** *adj* **1.** zeitgenössisch: a) heutig, unserer Zeit, b) der damaligen Zeit. **2.** → **contemporaneous**. **3.** gleichalt(e)rig. **II** *s* **4.** Zeitgenosse *m*, -genossin *f*. **5.** Altersgenosse *m*, -genossin *f*. **6.** gleichzeitig erscheinende Zeitung, Konkur'renzblatt *n*. **con'tem·poˌrize** *v/i u. v/t* zeitlich zs.-fallen (lassen) (with mit).

con·tempt [kən'tempt] *s* **1.** Verachtung *f*, Geringschätzung *f*: **to feel** ~ **for s.o., to hold s.o. in** ~ j-n verachten (→ 4); **to bring into** ~ verächtlich machen, der Verachtung preisgeben; **beneath** ~ unter aller Kritik. **2.** Schande *f*, Schmach *f*: **to fall into** ~ in Schande geraten. **3.** 'Mißachtung *f* (*e-r Vorschrift etc*). **4.** *jur. a.* ~ **of court** 'Mißachtung *f* des Gerichtes (*Nichtbefolgung von Gerichtsbefehlen, vorsätzliches Nichterscheinen od. Ungebühr vor Gericht, unberechtigte Aussageverweigerung als Zeuge, Eingriff in ein schwebendes Verfahren durch die Presse etc*): **to hold s.o. in** ~ j-n wegen Mißachtung des Gerichts verurteilen. **conˌtempt·i'bil·i·ty** *s* **1.** Verächtlichkeit *f*, Nichtswürdigkeit *f*. **2.** Gemeinheit *f*. **con'tempt·i·ble** *adj* (*adv* **contemptibly**) **1.** verächtlich, verachtenswert, nichtswürdig: **the Old C**~**s** *brit. Expeditionskorps in Frankreich, 1914.* **2.** gemein, niederträchtig, niedrig. **con'temp·tu·ous** [*Br.* -tjuəs; *Am.* -tʃuəs] *adj* (*adv* ~ly) verächtlich, verachtungsvoll, geringschätzig: **to be** ~ **of s.th.** etwas verachten. **con'temp·tu·ous·ness** *s* Verächtlichkeit *f*, Geringschätzigkeit *f*.

con·tend [kən'tend] **I** *v/i* **1.** kämpfen, ringen (with mit; for um): **to** ~ **with many difficulties** mit vielen Schwierigkeiten (zu) kämpfen (haben). **2.** (*mit Worten*) streiten, dispu'tieren (about über *acc*), sich einsetzen (for für). **3.** wetteifern, sich bewerben (for um). **II** *v/t* **4.** *a. jur.* behaupten, die Behauptung aufstellen (that daß). **con'tend·er** *s* **1.** Kämpfer(in). **2.** Bewerber(in) (for um), Konkur'rent(in). **con'tend·ing** *adj* **1.** streitend, kämpfend. **2.** konkur'rierend. **3.** wider'streitend: ~ **claims**.

con·tent[1] ['kɒntent; kən'tent] *s* **1.** (Raum)Inhalt *m*, Fassungsvermögen *n*, Vo'lumen *n*. **2.** *meist pl* (*stofflicher*) Inhalt: **the** ~**s of my pockets**. **3.** *pl* (*a. als sg konstruiert*) Inhalt *m* (*e-s Buches etc*): **table of** ~ Inhaltsverzeichnis *n*. **4.** *chem. etc* Gehalt *m* (of an *dat*): ~ **of moisture** Feuchtigkeitsgehalt; **gold** ~ Goldgehalt. **5.** *fig.* (*geistiger*) Gehalt, Inhalt *m*, Sub'stanz *f*. **6.** Wesen *n*. **7.** *fig.* Ma'terie *f*, Stoff *m*.

con·tent[2] [kən'tent] **I** *pred adj* **1.** zu'frieden (with mit). **2.** bereit, willens (to do s.th. etwas zu tun). **3.** *pol.* (*im brit. Oberhaus*) einverstanden: **to declare o.s. (not)** ~ mit Ja (Nein) stimmen. **II** *v/t* **4.** befriedigen, zu'friedenstellen. **5.** ~ **o.s.** zu'frieden sein, sich zufrieden geben *od.* begnügen (with mit): **to** ~ **o.s. with doing s.th.** sich damit zufrieden geben, etwas zu tun. **III** *s* **6.** Zu'friedenheit *f*, Befriedigung *f*: to one's heart's ~ nach Herzenslust. **7.** *parl. Br.* Ja-Stimme *f*. **con·'tent·ed** *adj* (*adv* ~ly) zu'frieden (with mit). **con'tent·ed·ness** *s* Zu'friedenheit *f*.

con·ten·tion [kən'tenʃən] *s* **1.** Streit *m*, Zank *m*, Hader *m*: bone of ~ *fig.* Zankapfel *m*. **2.** Wettstreit *m*. **3.** (Wort-, Meinungs)Streit *m*, Kontro'verse *f*, Dis'put *m*. **4.** Argu'ment *n*, Behauptung *f*. **5.** Streitpunkt *m*. **con·'ten·tious** *adj* (*adv* ~ly) **1.** streitsüchtig, zänkisch. **2.** um'stritten, *a. jur.* streitig, strittig: ~ point Streitpunkt *m*; ~ jurisdiction streitige (*Ggs. freiwillige*) Gerichtsbarkeit. **con'ten·tious·ness** *s* Streitsucht *f*.

con·tent·ment [kən'tentmənt] *s* Zu'friedenheit *f*.

con·ter·mi·nal [kən'təːrminl], **con·'ter·mi·nous** *adj* **1.** (an)grenzend, anstoßend (with, to an *acc*): to be ~ e-e gemeinsame Grenze haben. **2.** zeitlich zs.-fallend. **3.** sich deckend.

con·test I *s* ['kɒntest] **1.** (*Br. a.* Wahl)-Kampf *m*, Streit *m*. **2.** Wettstreit *m*, *a. sport etc* Wettkampf *m*, -bewerb *m* (for um). **3.** Wortwechsel *m*, -streit *m*. **4.** Dis'put *m*, Kontro'verse *f*, Ausein'andersetzung *f*. **II** *v/t* [kən'test] **5.** kämpfen um, streiten um. **6.** wetteifern um, sich bewerben um, kandi'dieren für: to ~ a seat in Parliament; to ~ an election *pol.* für e-e Wahl kandidieren. **7.** bestreiten, *a. jur. e-e Aussage, ein Testament etc* anfechten: to ~ an election *pol.* ein Wahlergebnis anfechten. **III** *v/i* **8.** wetteifern (with, against mit). **con'test·a·ble** *adj* anfechtbar. **con'test·ant** *s* **1.** Wettkämpfer(in), (Wettkampf)Teilnehmer(in). **2.** *jur.* a) streitende Par'tei, b) Anfechter(in) (*a. pol. e-r Wahl*). **3.** *Am.* (Wett-, Mit)Bewerber(in), Kandi'dat-(in). **con·tes·ta·tion** [ˌkɒntes'teiʃən] *s* **1.** → contest 1, 4: in ~ umstritten, strittig. **2.** Streitpunkt *m*. **con'test·ed** *adj* angefochten, be-, um'stritten.

con·text ['kɒntekst] *s* **1.** Zs.-hang *m*, Kontext *m* (*e-r Schriftstelle etc*): to take words from their ~ Worte aus ihrem Zs.-hang reißen; in this ~ in diesem Zs.-hang. **2.** Um'gebung *f*, Mili'eu *n*.

con·tex·tu·al [kɒn'tekstʃuəl; *Br. a.* -tjuəl] *adj* (*adv* ~ly) **1.** dem Zs.-hang entsprechend. **2.** aus dem Zs.-hang *od.* Kontext ersichtlich. **con'tex·ture** [-tʃər] *s* **1.** Verwebung *f*, -knüpfung *f*. **2.** Gewebe *n*. **3.** Struk'tur *f*.

con·ti·gu·i·ty [ˌkɒnti'gjuiti] *s* **1.** Anein'andergrenzen *n*. **2.** (to) Angrenzen *n* (an *acc*), Berührung *f* (mit). **3.** Nähe *f*, Nachbarschaft *f*. **4.** (zs.-hängende) Masse, Reihe *f*. **con·tig·u·ous** [kən'tigjuəs] *adj* (*adv* ~ly) **1.** (to) angrenzend, anstoßend (an *acc*), berührend (*acc*). **2.** (to) nahe (*dat*), benachbart (*dat*). **3.** *math.* anliegend: ~ angles.

con·ti·nence ['kɒntinəns], *a.* **'con·ti·nen·cy** *s* (*bes. geschlechtliche*) Enthaltsamkeit, Mäßigkeit *f*.

con·ti·nent ['kɒntinənt] **I** *s* **1.** Kontinent *m*, Erdteil *m*: on the ~ of Australia auf dem australischen Kontinent. **2.** Festland *n*: the C~ a) *Br.* das (europäische) Festland, b) *hist.* der Kontinent (*die nordamer. Kolonien während des Unabhängigkeitskrieges*). **II** *adj* (*adv* ~ly) **3.** enthaltsam, mäßig. **4.** keusch. **5.** *obs.* einschränkend.

con·ti·nen·tal [ˌkɒnti'nentl] **I** *adj* **1.** *geogr.* kontinen'tal, Kontinental..., Festlands...: ~ climate. **2.** *meist* C~ *Br.* kontinen'tal(-euroˌpäisch), *weitS.* ausländisch: ~ politeness; ~ tour Europareise *f*; C~ system *hist.* Kontinentalsystem *n*, -sperre *f* (*Napoleons I.*). **3.** C~ *hist.* (*während des Unabhängigkeitskrieges*) kontinen'tal (*die nordamer. Kolonien betreffend*): C~ Congress Kontinentalkongreß *m* (*1774—83*). **II** *s* **4.** Festländer(in), Bewohner(in) e-s Kontinents. **5.** C~ *Br.* Bewohner(in) des euro'päischen Festlands. **6.** *hist.* a) C~ Sol'dat *m* der nordamer. Kontinen'talarˌmee (*1776 bis 1783*), b) *Banknote während des Unabhängigkeitskriegs*: not worth a ~ *Am. sl.* keinen Pfennig wert.

con·ti·nen·tal·ism [ˌkɒnti'nentlizəm] *s* Kontinenta'lismus *m*, charakte'ristischer Zug der Festlandbewohner.

ˌCon·ti'nen·talˌize *v/t* kontinen'tal machen, (*dat*) kontinentalen Cha'rakter geben: ~d *Br.* ‚europäisiert'.

con·tin·gence [kən'tindʒəns] *s* **1.** Berührung *f*, Kon'takt *m*: angle of ~ *math.* Berührungswinkel *m*. **2.** *selten für* contingency. **con'tin·gen·cy** *s* **1.** Zufälligkeit *f*, Abhängigkeit *f* vom Zufall, Ungewißheit *f*. **2.** Möglichkeit *f*, Eventuali'tät *f*, mögliches *od.* zufälliges *od.* unvorhergesehenes Ereignis, Zufall *m*. **3.** *jur.* Bedingung *f* (*als Rechtskraft auslösendes Ereignis*): (not) happening of the ~ (Ausfall *m*) Eintritt *m* der Bedingung. **4.** *pl econ.* unvorhergesehene Ausgaben *pl*: ~ reserve Delkredererückstellung *f*. **5.** Neben-, Folgeerscheinung *f*. **con·'tin·gent I** *adj* (*adv* ~ly) **1.** (on, upon) abhängig (von), bedingt (durch): to be ~ (up)on abhängen von; ~ claim (*od.* right) *jur.* bedingter Anspruch. **2.** möglich, eventu'ell, Eventual..., ungewiß: ~ fee *jur.* Erfolgshonorar *n*, Eventualgebühr *f*; ~ liability *econ.* Eventualverbindlichkeit *f*. **3.** zufallsbedingt, zufällig. **4.** *philos.* kontin'gent (*nicht notwendig, unwesentlich*). **II** *s* **5.** Kontin'gent *n*, Anteil *m*, Beitrag *m*, (Beteiligungs)Quote *f*. **6.** *mil.* ('Truppen)Kontinˌgent *n*. **7.** Zufall *m*, zufälliges Ereignis.

con·tin·u·a·ble [kən'tinjuəbl] *adj* fortsetzbar. **con'tin·u·al** *adj* **1.** fortwährend, 'ununterˌbrochen, (an)dauernd, unaufhörlich, anhaltend, (be)ständig. **2.** immer 'wiederkehrend, oft wieder'holt: a ~ knocking. **3.** *math.* kontinu'ierlich, stetig: ~ proportion. **con·'tin·u·al·ly** *adv* **1.** fortwährend (*etc*; → continual 1). **2.** immer wieder.

con·tin·u·ance [kən'tinjuəns] *s* **1.** → continuation 1, 2. **2.** Beständigkeit *f*. **3.** stetige Folge *od.* Wieder'holung. **4.** (Ver)Bleiben *n*: ~ in office. **5.** *jur.* Vertagung *f*. **con'tin·u·ant** *s* **1.** *ling.* Dauerlaut *m*. **2.** *math.* Kontinu'ante *f*.

con·tin·u·a·tion [kənˌtinju'eiʃən] *s* **1.** Fortsetzung *f* (*a. e-s Romans etc*), Weiterführung *f*. **2.** Fortbestand *m*, -dauer *f*. **3.** Verlängerung(sstück *n*) *f*. **4.** Erweiterung *f*. **5.** *Br. für* contango I: ~ bill Prolongationswechsel *m*. ~ school *s* Fortbildungsschule *f*.

con·tin·ue [kən'tinjuː] **I** *v/i* **1.** fortfahren, weitermachen: ~! *mil.* Weitermachen!; to ~ (*Redew.*) sodann, um fortzufahren. **2.** an-, fortdauern, weitergehen, anhalten: the rain ~d der Regen hielt an. **3.** (fort)dauern, (fort)-bestehen, von Dauer *od.* Bestand sein. **4.** (ver)bleiben: to ~ in a place an e-m Ort bleiben; to ~ in office im Amte bleiben. **5.** be-, verharren (in in *dat*, bei). **6.** a) ~ to do, ~ doing (auch) weiterhin tun: to ~ to sing weiter singen; to ~ to be manufactured weiterhin hergestellt werden; the boat ~d downstream das Boot fuhr weiter den Fluß hinab, b) ~ to be, ~ being weiterhin *od.* immer noch ... sein, bleiben: to ~ (to be) unconscious weiterhin *od.* immer noch bewußtlos sein. **II** *v/t* **7.** fortsetzen, -führen, fortfahren mit: to ~ a story; to ~ talking weitersprechen; to be ~d Fortsetzung folgt. **8.** verlängern. **9.** beibehalten, erhalten, (*in e-m Zustand etc*) belassen: to ~ judges in their posts Richter auf ihrem Posten belassen. **10.** *Beziehungen etc* aufrechterhalten. **11.** *bes. jur.* vertagen.

con·tin·ued [kən'tinjuːd] *adj* **1.** fortgesetzt, anhaltend, fortlaufend, stetig, unaufhörlich, kontinu'ierlich: ~ existence Fortbestand *m*; ~ use Weiterbenutzung *f*; ~ validity Fortdauer *f* der Gültigkeit. **2.** in Fortsetzungen erscheinend (*Roman etc*). ~ **bass** [beis] *s mus.* Gene'ralbaß *m*. ~ **frac·tion** *s math.* kontinu'ierlicher Bruch, Kettenbruch *m*. ~ **pro·por·tion** *s math.* fortlaufende, stetige Proporti'on. ~ **quan·ti·ty** *s math.* stetige Größe.

con·ti·nu·i·ty [ˌkɒnti'njuːiti] *s* **1.** Kontinui'tät *f*, Stetigkeit *f*, 'ununterˌbrochenes Fortdauern *od.* -bestehen. **2.** 'ununterˌbrochener Zs.-hang. **3.** zs.-hängendes Ganzes, kontinu'ierliche Reihe *od.* Folge, *a.* roter Faden (*e-r Erzählung etc*). **4.** (*Film*)Drehbuch *n*, (*Radio-, Fernseh*)Manu'skript *n*: ~ writer a) Drehbuchautor *m*, b) Textschreiber *m*; ~ man *od.* clerk (girl) Ateliersekretär(in). **5.** *Radio*: Zwischenansage *f*, verbindender Text. **6.** *math.* → continuum 2.

con·tin·u·ous [kən'tinjuəs] *adj* (*adv* ~ly) **1.** 'ununterˌbrochen, (fort-, an)-dauernd, (fort)laufend, fortwährend, (be)ständig, stetig, unaufhörlich. **2.** *a. math. phys. tech.* kontinu'ierlich: ~ motion, ~ operation Dauerbetrieb *m*, kontinuierliche Arbeitsweise. **3.** zs.-hängend, 'ununterˌbrochen: a ~ line. **4.** *ling.* progres'siv. ~ **cre·a·tion** *s philos.* fortdauernde Schöpfung. ~ **cur·rent** *s electr.* Gleichstrom *m*. ~ **dash** *s tel.* Dauerstrich *m*. **~-flow pro·duc·tion** *s tech.* 'Herstellung *f* nach dem 'Fließprinˌzip. ~ **fire** *s mil.* Dauerfeuer *n*. ~ **func·tion** *s math.* kontinu'ierliche Funkti'on. ~ **in·dus·try** *s econ.* Indu'strie, die sämtliche Arbeitsphasen (*vom Rohprodukt bis zur Fertigware*) 'durchführt. ~ **mill** *s metall.* kontinu'ierliche Walzenstraße. ~ **per·form·ance** *s Kino, Varieté etc*: Nonstopvorstellung *f*. ~ **spec·trum** *s phys.* kontinu'ierliches Spektrum. ~ **wave** *s phys.* ungedämpfte Welle.

con·tin·u·um [kən'tinjuəm] *s* **1.** → continuity 3. **2.** *math.* Kon'tinuum *n*, kontinu'ierliche Größe. **3.** 'ununterˌbrochener Zs.-hang.

con·to ['kɒntou] *pl* **-tos** *s* Conto de 'Reis *n* (*Rechnungsmünze*): a) *in Brasilien*: *1000 Cruzeiros*, b) *in Portugal*: *1000 Escudos*.

con·tort [kən'tɔːrt] *v/t* **1.** verdrehen, (zs.-)krümmen. **2.** *das Gesicht* verzerren, verziehen. **con'tort·ed** *adj* **1.** (zs.-)gekrümmt. **2.** verzerrt: ~ face. **3.** *bot.* gedreht: ~ leaves in the bud. **con'tor·tion** *s* **1.** (Ver)Krümmung *f*. **2.** Verzerrung *f*, Verdrehung *f*. **con·'tor·tion·ist** *s* **1.** Schlangenmensch *m*. **2.** Wortverdreher(in).

con·tour ['kɒntur] **I** *s* **1.** Kon'tur *f*, 'Umriß *m*. **2.** 'Umrißlinie *f*. **3.** *math.* geschlossene Kurve. **4.** → contour line. **II** *v/t* **5.** um'reißen, die Kon'turen anzeigen *od.* andeuten von (*a. fig.*). **6.** *e-e Straße* e-r Höhenlinie folgen lassen. ~ **chair** *s* der Körperform angepaßter Stuhl *od.* Sessel. ~ **farm·ing** *s agr.* Anbau *m* längs der Höhenlinien (*zur Verhütung der Bodenerosion*). ~ **feath·er** *s orn.* Kon'turfeder *f.* ~ **line** *s Kartographie*: Höhen(schicht)linie *f.* ~ **map** *s geogr.* Höhenlinienkarte *f.*

con·tra ['kɒntrə] **I** *prep* **1.** gegen, wider, kontra (*acc*): ~ **bonos mores** *jur.* sittenwidrig, unsittlich (*Vertrag etc*). **II** *adv* **2.** da'gegen, kontra. **III** *s* **3.** Gegen *n*, Wider *n*: **the pros and** ~**s** (*meist* **cons**) das Für u. Wider. **4.** *econ.* Kreditseite *f*: (**as**) **per** ~ als Gegenleistung *od.* -rechnung; ~ **account** Gegenrechnung *f*, -konto *n.*

con·tra·band ['kɒntrə,bænd] **I** *s* **1.** *econ.* unter Ein- *od.* Ausfuhrverbot stehende Ware. **2.** Konterbande *f*: a) Schmuggel-, Bannware *f*, b) *a.* ~ **of war** Kriegskonterbande *f.* **3.** Schmuggel *m*, Schleichhandel *m.* **II** *adj* **4.** *econ.* unter Ein- *od.* Ausfuhrverbot stehend: ~ **goods. 5.** Schmuggel..., 'ille,gal: ~ **trade** → 3. **'con·tra,band·ist** *s* Schmuggler(in).

con·tra·bass ['kɒntrə,beis] *mus.* **I** *s* Kontrabaß *m* (*Tonlage, Stimme od. Instrument*). **II** *adj* Kontrabaß..., sehr tief. **'con·tra,bass·ist** *s mus.* 'Kontrabas,sist *m.*

con·tra bas·soon *s mus.* 'Kontra-[fa,gott *n.*]

con·tra·cep·tion [,kɒntrə'sepʃən] *s med.* Empfängnisverhütung *f.* **,con·tra'cep·tive** *adj u. s med.* empfängnisverhütend(es Mittel).

con·tract I *s* ['kɒntrækt] **1.** *jur.* Vertrag *m*, Kon'trakt *m*: ~ **of employment** Arbeitsvertrag; ~ **of sale** Kaufvertrag; **to enter into** (*od.* **make**) **a** ~ e-n Vertrag schließen; **by** ~ vertraglich; **to be under** ~ **to s.o.** j-m vertraglich verpflichtet sein. **2.** *jur.* Vertragsurkunde *f.* **3.** a) Ehevertrag *m*, b) Verlöbnis *n.* **4.** *econ.* a) (Liefer-, Werk)Vertrag *m*, (fester) Auftrag: ~ **for services** Dienstvertrag; **under** ~ in Auftrag gegeben, b) Verdingung *f*, Ak'kord *m*: **to give by** ~ in Submission vergeben. **5.** *Kartenspiel*: a) *a.* ~ **bridge** Kon'trakt-Bridge *n*, b) höchstes Gebot. **6.** *rail.* Zeitkarte *f.*

II *v/t* [kən'trækt] **7.** zs.-ziehen: **to** ~ **a muscle**; **to** ~ **one's eyebrows**; **to** ~ **one's forehead** die Stirn runzeln. **8.** *ling.* zs.-ziehen, verkürzen. **9.** einschränken, schmälern, verengen. **10.** *e-e Gewohnheit* annehmen: **to** ~ **a habit. 11.** sich (*e-e Krankheit*) zuziehen: **to** ~ **a disease. 12.** *Schulden* machen: **to** ~ **debts. 13.** *e-e Verpflichtung* eingehen: **to** ~ **a liability. 14.** *e-n Vertrag, e-e Ehe etc* schließen. **15.** *Freundschaft* schließen, *e-e Bekanntschaft* machen.

III *v/i* **16.** sich zs.-ziehen, (ein)schrumpfen. **17.** sich verkleinern, kleiner werden. **18.** *jur.* kontra'hieren, e-n Vertrag schließen *od.* eingehen: **capable to** ~ geschäftsfähig. **19.** a) sich vertraglich verpflichten (**to do s.th.** etwas zu tun; **for s.th.** zu etwas), b) (**for s.th.**) sich (etwas) ausbedingen: **the fee** ~**ed for** das vertraglich festgesetzte Honorar.

Verbindungen mit Adverbien:

con·tract| in *v/i pol. Br.* sich (*schriftlich*) zur Bezahlung des Par'teibeitrages für die Labour Party verpflichten. ~ **out** *v/i* sich (*vertraglich*) befreien (**of** von).

con·tract·ed [kən'træktid] *adj* **1.** zs.-gezogen, -geschrumpft. **2.** verkürzt. **3.** gerunzelt (*Stirn etc*). **4.** *fig.* engherzig, beschränkt. **con,tract·i'bil·i·ty** *s* Zs.-ziehbarkeit *f.* **con'tract·i·ble** *adj* zs.-ziehbar. **con'trac·tile** [*Br.* -tail; *Am.* -til] *adj bes. biol.* zs.-ziehbar, kontrak'til. **con·trac·til·i·ty** [,kɒntræk'tiliti] *s* Zs.-ziehungsvermögen *n*, Kontraktili'tät *f.* **con·tract·ing** [kən'træktiŋ; 'kɒntræktiŋ] *adj* **1.** (sich) zs.-ziehend. **2.** vertragschließend, Vertrags...: **the** ~ **parties**; ~**-out clause** (*Völkerrecht*) Freizeichnungsklausel *f.*

con·trac·tion [kən'trækʃən] *s* **1.** Kontrakti'on *f*, Zs.-ziehung *f.* **2.** *ling.* Zs.-ziehung *f*, Ab-, Verkürzung *f* (*Wort*), Kurzwort *n.* **3.** *med.* a) Zuziehung *f*: ~ **of a disease**, b) dauernde Verkürzung: **muscular** ~ Muskelkontraktur *f.* **4.** *econ.* Kontrakti'on *f* (*Einschränkung des Notenumlaufs*). **con'trac·tive** [-tiv] *adj* zs.-ziehend.

con·tract note *s econ.* **1.** *Br.* Schlußschein *m* (*an der Londoner Börse*). **2.** Anzeige *f* e-r Transakti'on an den Auftraggeber (*durch e-n Makler etc*).

con·trac·tor [kən'træktər; *Am. a.* 'kɑntræktər] *s* **1.** *econ.* a) Kontra'hent(in), Vertragschließende(r *m*) *f*, b) Unter'nehmer *m* (*gemäß e-m Werk- od. Dienstvertrag*): (**building**) ~ Bauunternehmer, c) (Ver'trags)Liefe,rant *m.* **2.** *anat.* Schließmuskel *m.*

con·trac·tu·al [kən'træktʃuəl; *Br. a.* -tjuəl] *adj* (*adv* ~**ly**) vertraglich, vertragsmäßig, Vertrags...: ~ **duty.**

con·trac·ture [kən'træktʃər] *s med.* Kontrak'tur *f*, Zs.-ziehung *f.*

con·tra·dict [,kɒntrə'dikt] **I** *v/t* **1.** *j-m, e-r Sache* wider'sprechen, *etwas* bestreiten. **2.** wider'sprechen (*dat*), im 'Widerspruch stehen zu, unvereinbar sein mit: **his actions** ~ **his principles. II** *v/i* **3.** wider'sprechen. **,con·tra'dic·tion** *s* **1.** 'Widerspruch *m*, -rede *f*: **spirit of** ~ Widerspruchsgeist *m.* **2.** Bestreitung *f* (*e-r Behauptung etc*). **3.** 'Widerspruch *m*, Unvereinbarkeit *f*: **in** ~ **to** im Widerspruch zu; ~ **in terms** Widerspruch in sich (selbst). **,con·tra'dic·tious** *adj* (*adv* ~**ly**) zum 'Widerspruch geneigt, streitsüchtig. **,con·tra'dic·tious·ness** *s* 'Widerspruchsgeist *m.*

con·tra·dic·to·ri·ness [,kɒntrə'diktərinis] *s* (**to**) 'Widerspruch *m* (zu), Unvereinbarkeit *f* (mit). **,con·tra'dic·to·ry I** *adj* (*adv* **contradictorily**) **1.** (**to**) wider'sprechend (*dat*), im 'Widerspruch stehend (zu), unvereinbar (mit). **2.** ein'ander *od.* sich wider'sprechend, unvereinbar. **3.** *philos.* kontradik'torisch, wider'sprechend. **4.** rechthaberisch, streitsüchtig. **II** *s* **5.** *philos.* kontradik'torischer Begriff. **6.** 'Widerspruch *m.*

con·tra·dis·tinc·tion [,kɒntrədis'tiŋkʃən] *s* (Unter'scheidung *f* durch) Gegensatz *m*: **in** ~ **to** im Gegensatz zu. **,con·tra·dis'tinc·tive** *adj* **1.** gegensätzlich. **2.** unter'scheidend, Unterscheidungs... **,con·tra·dis'tin·guish** [-'tiŋgwiʃ] *v/t* (*durch Gegensätze*) unter'scheiden (**from** von).

con·trail ['kɒn,treil] *s aer.* Kon'densstreifen *m.*

con·tra·in·di·cate [,kɒntrə'indi,keit] *v/t med.* kontraindi'zieren, als schädlich erscheinen lassen. **,con·tra,in·di'ca·tion** *s med.* 'Kontraindikati,on *f.*

con·tra·in·jec·tion [,kɒntrəin'dʒekʃən] *s aer.* Treibstoffeinspritzung *f* gegen den Luftstrom.

con·tral·to [kən'træltou] *pl* **-tos** *mus.* **I** *s* Kontraalt *m*: a) (tiefer) Alt (*Stimme*), b) ('Kontra)Al,tistin *f.* **II** *adj* (Kontra)Alt...

con·tra·plex ['kɒntrə,pleks] *adj tel.* Gegensprech..., Duplex...

con·tra·prop ['kɒntrə,prɒp] *s aer.* zwei einachsige gegenläufige Pro'peller *pl.*

con·trap·tion [kən'træpʃən] *s colloq.* (neumodischer *od.* kompli'zierter *od.* ‚komischer') Appa'rat.

con·tra·pun·tal [,kɒntrə'pʌntl] *adj mus.* kontrapunktisch. **,con·tra'pun·tist** *s mus.* Kontrapunktiker *m.*

con·tra·ri·e·ty [,kɒntrə'raiəti] *s* **1.** → **contrariness** 1 *u.* 2. **2.** 'Widerspruch *m*, Gegensatz *m* (**to** zu).

con·tra·ri·ly [*Br.* 'kɒntrərili; *Am. a.* kən'trɛr-] *adv* **1.** entgegen (**to** *dat*). **2.** andererseits. **'con·tra·ri·ness** *s* **1.** Gegensätzlichkeit *f*, 'Widerspruch *m*, Unvereinbarkeit *f.* **2.** Widrigkeit *f*, Ungunst *f.* **3.** [*a.* kən'trɛ(ə)r-] 'Widerspenstigkeit *f*, Aufsässigkeit *f.*

con·trar·i·ous [kən'trɛ(ə)riəs] *adj* (*adv* ~**ly**) widrig, 'widerwärtig.

con·tra·ri·wise ['kɒntrəri,waiz] *adv* **1.** im Gegenteil. **2.** 'umgekehrt. **3.** andererseits.

con·tra·ro·tat·ing [,kɒntrəro'teitiŋ] *adj tech.* gegenläufig.

con·tra·ry ['kɒntrəri] **I** *adj* (*adv* → **contrarily**) **1.** entgegengesetzt, wider'sprechend (**to s.th.** e-r Sache): ~ **policy**; ~ **motion** *mus.* Gegenbewegung *f.* **2.** ein'ander entgegengesetzt, gegensätzlich: ~ **opinions. 3.** ander(er, e, es): **the** ~ **sex. 4.** widrig, ungünstig (*Wind, Wetter*). **5.** (**to**) verstoßend (gegen), im 'Widerspruch (zu): ~ **to orders** befehlswidrig; **his conduct is** ~ **to rules** sein Benehmen verstößt gegen die Regeln; → 8. **6.** [*a.* kən'trɛ(ə)ri] 'widerspenstig, -borstig, eigensinnig, aufsässig. **7.** *philos.* kon'trär. **II** *adv* **8.** im Gegensatz, im 'Widerspruch (**to** zu): ~ **to law** gegen das Gesetz, gesetzwidrig; ~ **to expectations** wider Erwarten; **to act** ~ **to nature** wider die Natur handeln; **to act** ~ **to one's principles** s-n Grundsätzen zuwiderhandeln; → 5. **III** *s* **9.** Gegenteil *n* (*a. philos.*): **on the** ~ im Gegenteil; **to be the** ~ **to** das Gegenteil sein von; **to the** ~ a) gegenteilig, b) *Am.* ungeachtet (*gen*); **proof to the** ~ Gegenbeweis *m*; **unless I hear to the** ~ falls ich nichts Gegenteiliges höre.

con·trast I *s* ['kɒntræst; *Br. a.* -trɑːst] **1.** Kon'trast *m*, Gegensatz *m* (**between** zwischen; **to** zu): **to form a** ~ e-n Kontrast bilden (**to** zu); **by** ~ **with** im Vergleich mit, verglichen mit; **in** ~ **to** im Gegensatz zu; **to be in** ~ **to s.th.** zu etwas im Gegensatz stehen; **he is a great** ~ **to his brother** er ist von s-m Bruder grundverschieden; ~ **bath** *med.* Wechselbad *n*; ~ **control** *electr. TV* Kontrastregler *m*; **image** ~ *phot. TV* Bildkontrast. **II** *v/t* [kən'træst; *Br. a.* -'trɑːst] **2.** (**with**) kontra'stieren, vergleichen (mit), entgegensetzen, gegen'überstellen (*dat*). **III** *v/i* **3.** (**with**) kontra'stieren (mit), sich abheben, abstechen (von, gegen): ~**ing colo(u)rs** kontrastierende Farben. **4.** (**with**) e-n Gegensatz bilden, im Gegensatz stehen (zu).

con·tra·stim·u·lant [,kɒntrə'stimjulənt] *med.* **I** *adj* **1.** reizentgegengesetzt wirkend. **2.** beruhigend. **II** *s* **3.** Beruhigungsmittel *n.*

con·tra·ten·or ['kɒntrə'tenər] *s mus.* Alt *m*, hoher Te'nor.

con·tra·vene [,kɒntrə'viːn] *v/t* **1.** zu'widerhandeln (*dat*), *Gesetz* über'treten, verstoßen gegen, verletzen:

to ~ a law. **2.** im 'Widerspruch stehen zu. **3.** bestreiten. **ˌcon·tra'ven·tion** [-'venʃən] *s* (of) Über'tretung *f* (von *od.* *gen*), Zu'widerhandlung *f* (gegen): in ~ of entgegen (*dat.*).

con·tre·temps [ˌkɔ̃trə'tɑ̃] *pl* **-temps** [-'tɑ̃z] (*Fr.*) unglücklicher Zufall, Widrigkeit *f*, ‚Panne' *f*.

con·trib·ute [kən'tribjut] **I** *v/t* **1.** beitragen (*a. fig.*), beisteuern (to zu, für). **2.** *Artikel etc zu e-r Zeitschrift* beitragen. **3.** *econ.* a) *Kapital in e-e Firma* einbringen, b) *Br. Geld* nachschießen (*bei Liquidation*): liable to ~ beitrags- *od.* nachschußpflichtig. **II** *v/i* **4.** (to) beitragen, e-n Beitrag leisten (zu) (*beide a. fig.*), mitwirken (an *dat*): to ~ to a newspaper für e-e Zeitung schreiben.

con·tri·bu·tion [ˌkɒntri'bjuːʃən] *s* **1.** Beitragung *f*, Beisteuerung *f* (to zu). **2.** Beitrag *m* (*a. fig., a. für Zeitschriften etc*), Beisteuer *f* (to zu): to make a ~ to → contribute 3. **3.** (Geld)Spende *f*, Zuwendung *f*. **4.** Abgabe *f*, 'Umlage *f*. **5.** Kriegssteuer *f*. **6.** *econ.* Einlage *f*, (Kapi'tal)Beitrag *m*. **7.** *econ.* Sozi'alversicherungsbeitrag *m*: employer's ~ Arbeitgeberanteil *m*, Sozialleistung *f*. **8.** *econ.* anteilmäßiger Beitrag bei Versicherungsschäden.

con·trib·u·tive [kən'tribjutiv] *adj* beisteuernd, mitwirkend. **con'trib·u·tor** [-tər] *s* **1.** Beisteuernde(r *m*) *f*, Beitragsleistende(r *m*) *f*, Beitragende(r *m*) *f*. **2.** Mitwirkende(r *m*) *f*, Mitarbeiter(in) (to a newspaper bei *od.* an e-r Zeitung). **con'trib·u·to·ry I** *adj* **1.** *a. fig.* beitragend (to zu). **2.** a) beitragspflichtig: ~ members; a ~ pension plan, b) nachschußpflichtig: ~ shareholders. **3.** (to) mitwirkend (an *dat*, bei), mitarbeitend (an *dat*). **4.** *fig.* mitwirkend, fördernd: ~ causes mitwirkende Ursachen; ~ negligence *jur.* mitwirkendes Verschulden, Mitverschulden *n* (*seitens des Geschädigten*). **5.** *obs.* tri'butpflichtig. **II** *s* **6.** → contributor 1. **7.** fördernder 'Umstand. **8.** Beitrags- *od.* (*econ.*) Nachschußpflichtige(r *m*) *f*.

con·trite ['kɒntrait; *Am. a.* kən'trait] *adj* (*adv* ~ly) zerknirscht, reuig, reumütig. **'con·trite·ness, con·tri·tion** [kən'triʃən] *s* Zerknirschung *f*, Reue *f*.

con·triv·a·ble [kən'traivəbl] *adj* **1.** erfind-, erdenkbar. **2.** 'durchführ-, 'herstellbar. **con'triv·ance** *s* **1.** *tech.* a) Ein-, Vorrichtung *f*: adjusting ~ Stellvorrichtung, b) Gerät *n*, Appa'rat *m*. **2.** Erfindung *f*, Planung *f*. **3.** Erfindungsgabe *f*, Findigkeit *f*. **4.** Bewerkstelligung *f*. **5.** Plan *m*. **6.** Kunstgriff *m*, List *f*, Kniff *m*.

con·trive [kən'traiv] **I** *v/t* **1.** erfinden, ersinnen, (sich) ausdenken, entwerfen: to ~ ways and means Mittel u. Wege finden. **2.** *etwas Böses* aushecken, *Pläne* schmieden. **3.** zu'stande bringen, bewerkstelligen. **4.** es fertigbringen, es verstehen, es einrichten: he ~d to make himself popular er verstand es *od.* es gelang ihm, sich beliebt zu machen. **II** *v/i* **5.** Pläne schmieden. **6.** Ränke schmieden. **7.** haushalten.

con·trol [kən'troul] **I** *v/t* **1.** beherrschen, die Herrschaft *od.* Kon'trolle haben über (*acc*), *etwas* in der Hand haben, gebieten über (*acc*): the company ~s the entire industry die Gesellschaft beherrscht die gesamte Industrie; ~ling interest *econ.* maßgebliche Beteiligung, ausschlaggebender Kapitalanteil; ~ling shareholder (*Am.* stockholder) Besitzer *m* der Aktienmajorität. **2.** in Schranken halten, *e-r Sache* Herr werden, Einhalt gebieten (*dat*), (erfolgreich) bekämpfen, eindämmen: to ~ a fire (insect pests, an epidemic disease, *etc*); to ~ o.s. (*od.* one's temper) sich beherrschen. **3.** kontrol'lieren: a) über'wachen, beaufsichtigen, b) (nach)prüfen: to ~ an experiment *scient.* ein Experiment durch Gegenversuche kontrollieren. **4.** regeln: vitamin D ~s bone growth. **5.** leiten, lenken, führen, verwalten. **6.** *econ.* (staatlich) bewirtschaften, planen, diri'gieren, *Absatz, Konsum, Kaufkraft etc* lenken, *Preise* binden: ~led economy gelenkte Wirtschaft, Planwirtschaft *f*; ~led prices gebundene Preise. **7.** *electr. tech.* steuern, regeln, regu'lieren: ~led by compressed air druckluftgesteuert; ~led rocket gesteuerte Rakete; ~led ventilation regulierbare Lüftung.
II *s* **8.** (of, over) Beherrschung *f* (*gen*) (*a. fig.*), Macht *f*, Gewalt *f*, Kon'trolle *f*, Herrschaft *f* (über *acc*): foreign ~ *pol.* Überfremdung *f*; to bring (*od.* get) under ~ Herr werden (*gen*), unter Kontrolle bringen; to get ~ over in s-e Gewalt *od.* in die Hand bekommen; to get beyond s.o.'s ~ j-m über den Kopf wachsen; circumstances beyond our ~ unvorhersehbare Umstände, Fälle höherer Gewalt; to have ~ over a) → 1, b) Gewalt über *j-n* haben; to have the situation under ~ Herr der Lage sein, die Lage beherrschen; to keep under ~ im Zaum halten, fest in der Hand haben; to lose ~ (over, of) die Herrschaft *od.* Gewalt *od.* Kontrolle verlieren (über *eine Partei, ein Auto etc*); to lose ~ of o.s. die (Selbst)Beherrschung verlieren. **9.** Selbstbeherrschung *f*. **10.** Körperbeherrschung *f*. **11.** (of, over) Aufsicht *f*, Kon'trolle *f* (über *acc*), Über'wachung *f* (*gen*): government (*od.* state) ~ staatliche Aufsicht; Board of C~ Aufsichtsbehörde *f*, -amt *n*; to be in ~ of s.th. etwas leiten *od.* unter sich haben; to be under s.o.'s ~ j-m unterstehen *od.* unterstellt sein. **12.** Leitung *f*, Verwaltung *f*: ~ of an enterprise; traffic ~ Verkehrsregelung *f*. **13.** *econ.* a) (*Kapital-, Konsum-, Kaufkraft- etc*)-Lenkung *f*: ~ of purchasing power, b) Bewirtschaftung *f*: (foreign) exchange ~ Devisenkontrolle *f*, -bewirtschaftung; price ~ Preiskontrolle *f*, -überwachung *f*, -bindung *f*. **14.** *jur.* (of, over) a) Verfügungsgewalt *f* (über *acc*), Gewahrsam *m* (*gen*): ~ of s.o.'s property, b) *a.* parental ~ elterliche Gewalt (über *acc*), Per'sonensorge *f* (für): to have the ~ of a child; to place s.o. under ~ j-n unter Vormundschaft stellen. **15.** Bekämpfung *f*, Eindämmung *f*: ~ of (the spread of) a disease. **16.** *tech.* Steuerung *f*, Bedienung *f*, Führung *f*: ~ of a vehicle. **17.** *meist pl tech.* a) Steuerung *f*, 'Steuervorrichtung *f*, -orˌgan *n*, Be'dienungseleˌmente *pl*, b) Kon'troll-, Regu'liervorrichtung *f*, Kon'troll-, Betätigungshebel *m*. **18.** *electr. tech.* Regelung *f*, Regu'lierung *f*. **19.** *pl aer.* Steuerung *f*, Leitwerk *n*, Steuerzüge *pl*. **20.** a) Kon'trolle *f*, Anhaltspunkt *m*, b) Vergleichswert *m*, c) → control experiment.

con·trol| and re·port·ing *s mil.* Fliegerleit- u. Flugmeldedienst *m*. ~ **chart** *s* **1.** sta'tistische Darstellung der Bevölkerungsdichte. **2.** *tech.* 'Steuerungsdiaˌgramm *n*. ~ **cir·cuit** *s electr.* **1.** Steuerkreis *m*. **2.** *pl Computer*: Steuerwerk *n*. ~ **col·umn** *s aer.* Steuersäule *f*. ~ **desk** *s* **1.** *electr.* Steuer-, Schaltpult *n*. **2.** *Radio, TV* Re'giepult *n*. ~ **en·gi·neer·ing** *s* Regel(ungs)technik *f*. ~ **ex·per·i·ment** *s* Kon'troll-, Gegenversuch *m*. ~ **gear** *s* **1.** Steuergestänge *n*, Schaltgetriebe *n*. **2.** *electr.* Steuergerät *n*. ~ **grid** *s electr.* Steuergitter *n*. ~ **knob** *s tech.* Bedienungsknopf *m*, -griff *m*.

con·trol·la·ble [kən'trouləbl] *adj* **1.** kontrol'lierbar. **2.** der Aufsicht *od.* Gewalt unter'worfen, zu beaufsichtigen(d) (by von). **3.** *electr. tech.* steuer-, regel-, regu'lierbar.

con·trol·ler [kən'troulər] *s* **1.** a) Kontrol'leur *m*, Aufseher *m*, b) Aufsichts-, Kon'troll-, Prüfbeamte(r) *m*, c) Rechnungsprüfer *m*, d) *Am.* Leiter *m* des Rechnungswesens. **2.** *aer.* a) Kon'trollbeamte(r) *m*, b) *mil.* 'Leitoffiˌzier *m*. **3.** *electr. tech.* Regler *m*, *mot.* Fahrschalter *m*: automatic ~ (Schalt)-Wächter *m*. **4.** *sport* Kon'trollposten *m*.

con·trol| le·ver *s* **1.** *mot. tech.* Schalthebel *m*. **2.** *aer.* → control stick. ~ **pan·el** *s electr.* Bedienungsfeld *n*. ~ **room** *s electr. tech.* **1.** Kon'trollraum *m*, (*mil.* Be'fehls)Zenˌtrale *f*. **2.** *Radio, TV* Re'gieraum *m*. ~ **stick** *s aer.* Steuerknüppel *m*. ~ **sur·face** *s aer.* Leit-, Steuerfläche *f*, Steuerruder *n*. ~ **switch** *s electr.* Steuerschalter *m*, -wähler *m*. ~ **tow·er** *s aer.* ('Flugsicherungs- *od.* F'S-)Konˌtrollturm *m*.

con·tro·ver·sial [ˌkɒntrə'vəːrʃəl] *adj* (*adv* ~ly) **1.** strittig, um'stritten, kontro'vers: a ~ book ein umstrittenes Buch; a ~ subject e-e Streitfrage. **2.** po'lemisch. **3.** streitsüchtig. **ˌcon·tro'ver·sial·ist** *s* Po'lemiker *m*. **'con·troˌver·sy** [-ˌvəːrsi] *s* **1.** Kontro'verse *f*: a) (Meinungs)Streit *m*, Ausein'andersetzung *f*, b) Dis'put *m*, Diskussi'on *f*, De'batte *f*: beyond ~, without ~ fraglos, unstreitig. **2.** *jur.* Rechtsstreit *m*, (Zi'vil)Proˌzeß *m*: → matter 3. **3.** Streitfrage *f*. **4.** Streit *m*.

con·tro·vert ['kɒntrəˌvəːrt; ˌkɒntrə'vəːrt] *v/t etwas* bestreiten, anfechten, *a. j-m* wider'sprechen: a ~ed doctrine e-e umstrittene *od.* angefochtene Doktrin. **ˌcon·tro'vert·i·ble** *adj* (*adv* controvertibly) **1.** streitig, strittig. **2.** anfechtbar.

con·tu·ma·cious [ˌkɒntju'meiʃəs] *adj* **1.** aufsässig, 'widerspenstig. **2.** *jur.* ungehorsam (*vor Gericht*), (*trotz Vorladung*) nicht erschienen. **ˌcon·tu'ma·cious·ness, 'con·tu·ma·cy** [-məsi] *s* **1.** Aufsässigkeit *f*, 'Widerspenstigkeit *f*. **2.** *jur.* Ungehorsam *m* *od.* (absichtliches) Nichterscheinen vor Gericht: to condemn for ~ gegen *j-n* ein Versäumnisurteil fällen.

con·tu·me·li·ous [ˌkɒntju'miːliəs] *adj* (*adv* ~ly) **1.** anmaßend, unverschämt, beleidigend. **2.** schändlich. **ˌcon·tu'me·li·ous·ness, 'con·tu·me·ly** [-mili; *Br. a.* -mli] *s* **1.** Hohn *m*. **2.** Schmach *f*, Schimpf *m*. **3.** Schmähung *f*.

con·tuse [kən'tjuːz] *v/t med.* quetschen: ~d wound Quetschwunde *f*. **con'tu·sion** [-'tjuːʒən] *s med.* Kontusi'on *f*, Quetschung *f*.

co·nun·drum [kə'nʌndrəm] *s* **1.** Scherzfrage *f*, (Scherz)Rätsel *n*: to set ~s Rätsel aufgeben. **2.** *fig.* Rätsel *n*.

con·ur·ba·tion [ˌkɒnəːr'beiʃən] *s* Gruppe *f* zs.-gewachsener (Vor)-Städte.

co·nus ['kounəs] *pl* **-ni** [-nai] *s* Konus *m*, Kegel *m*.

con·va·lesce [ˌkɒnvə'les] *v/i* gesund werden, genesen. ˌ**con·va'les·cence** *s* Rekonvales'zenz *f*, Genesung *f*. ˌ**con·va'les·cent I** *adj* **1.** rekonvales'zent, genesend. **2.** Genesungs...: ~ **home** Genesungsheim *n*. **II** *s* **3.** Rekonvales'zent(in), Genesende(r *m*) *f*.

con·vec·tion [kən'vekʃən] *s phys.* Konvekti'on *f*: a) (*bes.* Elektrizi'täts- *od.* 'Wärme)Überˌtragung *f*: ~ **current** Konvektionsstrom *m*, b) *aer.* Strahlung *f* (*vertikale Luftströmung*). **con'vec·tion·al** *adj phys.* Konvektions... **con'vec·tive** [-tiv] *adj* konvek'tiv, Konvektions..., Übertragungs... **con'vec·tor** [-tər] *s* **1.** *phys.* Konvekti'ons(strom)leiter *m*. **2.** (e'lektrischer) Konvekti'onsofen, Luftheizung *f*.

con·ve·nance [kɔ̃v'nɑ̃:s; 'kɒnvənɑ:ns] (*Fr.*) *s* **1.** Schicklichkeit *f*. **2.** *pl* Anstandsformen *pl*, Eti'kette *f*.

con·vene [kən'vi:n] **I** *v/i* **1.** a) zs.-kommen, sich versammeln, b) (*formell*) zs.-treten (*Parlament etc*). **2.** *fig.* zs.-treffen, -kommen (*Ereignisse*). **II** *v/t* **3.** versammeln, zs.-rufen, *Versammlung* (ein)berufen. **4.** *jur.* vorladen (before vor *acc*).

con·ven·ience [kən'vi:njəns] *s* **1.** Angemessenheit *f*. **2.** Annehmlichkeit *f*, Bequemlichkeit *f*: **at your** ~ nach Belieben, gelegentlich, wenn es Ihnen gerade paßt; **at your earliest** ~ so bald wie möglich; **suit your own** ~ handeln Sie ganz nach eigenem Belieben; ~ **of operation** *tech.* leichte Handhabung; ~ **outlet** *electr.* Normalsteckdose *f*. **3.** Vorteil *m*: **it is a great** ~ es ist sehr vorteilhaft; **to make a** ~ **of s.o.** j-n ausnützen; **marriage of** ~ Vernunftehe *f*, Geldheirat *f*. **4.** Bequemlichkeit *f*, Kom'fort *m*, (der Bequemlichkeit dienende) Einrichtung: **all (modern)** ~**s** alle Bequemlichkeiten *od.* aller Komfort (der Neuzeit); ~ **goods** *econ. Am.* Waren des täglichen Bedarfs (*bei bequemer Erhältlichkeit nahe der Wohnung des Verbrauchers*). **5.** *Br.* Klo'sett *n*, Toi'lette *f*: **public** ~ öffentliche Bedürfnisanstalt. **con'ven·ien·cy** → **convenience**. **con'ven·ient** *adj* **1.** bequem, praktisch, gut geeignet (for zu). **2.** bequem, günstig, passend, gelegen: **it is not** ~ **for me** es paßt mir schlecht. **3.** bequem gelegen, leicht zu erreichen(d) (*Ort*): ~ **to** in der Nähe von, nahe bei. **4.** handlich: **a** ~ **tool**. **5.** *obs.* geziemend, angemessen (to, for für). **con'ven·ient·ly** *adv* **1.** bequem (*etc*; → **convenient**). **2.** bequemerweise *etc*.

con·vent [*Br.* 'kɒnvənt; *Am.* -vent] *s* (*bes.* Nonnen)Kloster *n*.

con·ven·ti·cle [kən'ventikl] *s* **1.** Konven'tikel *n*, (heimliche) Zs.-kunft (*bes. der englischen Dissenters zur Zeit ihrer Unterdrückung*). **2.** Versammlungshaus *n*, *bes.* Andachtsstätte *f* (*der englischen Nonkonformisten od. Dissenters*). **con'ven·ti·cler** *s* Besucher(in) von Konven'tikeln, Sek'tierer(in), *bes.* Dis'senter *m*.

con·ven·tion [kən'venʃən] *s* **1.** Zs.-kunft *f*, Tagung *f*, Versammlung *f*, Treffen *n*. **2.** *Am.* a) *pol.* Par'teiversammlung *f*, -tag *m*: → **National Convention**, b) *parl.* verfassunggebende *od.* -ändernde Versammlung, c) Kon'greß *m*, Tagung *f* (*e-r Berufs- od. Fachgruppe*). **3.** *parl. Br. hist.* aus eigenem Recht erfolgte Versammlung: **C**~ **Parliament** Freiparlament (*das ohne den König zs.-trat*; *1660 u. 1668*). **4.** a) *jur.* Vertrag *m*, b) *pol.* Staatsvertrag *m*, Abkommen *n*, (*a.* Mili'tär)Konventiˌon *f*. **5.** (gesellschaftliche) Konventi'on, Sitte *f*, Gewohnheits- *od.* Anstandsregel *f*, (stillschweigende) Gepflogenheit *od.* Über'einkunft. **6.** *oft pl* Traditi'on *f*.

con·ven·tion·al [kən'venʃənl] *adj* (*adv* ~**ly**) **1.** konventio'nell, traditio'nell, 'herkömmlich (*alle a. mil.*, *Ggs. atomar*), üblich: ~ **methods**; ~ **weapons**; ~ **sign** Symbol *n*, (*bes.* Karten)Zeichen *n*. **2.** *contp.* scha'blonenhaft, 'unorigiˌnell, abgedroschen. **3.** konventio'nell, förmlich. **4.** *jur.* a) vertraglich vereinbart, vertragsgemäß, Vertrags..., b) gewohnheitsrechtlich. **con'ven·tion·alˌism** *s* Konventiona'lismus *m*, Festhalten *n* an Konventi'onen *od.* am 'Hergebrachten. **con'ven·tion·al·ist** *s* Konventiona'list *m*. **conˌven·tion'al·i·ty** [-'næliti] *s* **1.** 'Herkömmlichkeit *f*, Üblichkeit *f*. **2.** ˌKonventionali'tät *f*, Scha'blonenhaftigkeit *f*. **3.** → **conventionalism**. **con'ven·tion·alˌize** *v/t* konventio'nell machen *od.* (*a. Kunst*) darstellen, den Konventi'onen unter'werfen.

con·ven·tu·al [kən'ventʃuəl; *Br. a.* -tjuəl] **I** *adj* **1.** klösterlich, Kloster..., Konvents... **II** *s* **2.** Konventu'ale *m* (*Mönch*), Konventu'alin *f* (*Nonne*).

con·verge [kən'və:rdʒ] **I** *v/i* **1.** dem'selben Ziel zustreben, *a. math.* konver'gieren, zs.-laufen, sich ein'ander nähern. **2.** *math. phys.* sich nähern (to, **toward[s]** *dat*). **3.** *biol.* ein'ander ähnlich sein *od.* werden. **II** *v/t* **4.** *math.* konver'gieren lassen. **con'ver·gence, con'ver·gen·cy** *s* **1.** Zs.-laufen *n* (*von Straßen etc*). **2.** *math.* a) Konver'genz *f* (*a. biol. phys.*), b) Annäherung *f* (to, **toward[s]** an *acc*). **con'ver·gent** *adj bes. math.* konver'gent. **con'verg·ing** *adj* konver'gierend: a) zs.-laufend: ~ **lens** (*Optik*) Sammellinse *f*; ~ **point** *math.* Konvergenzpunkt *m*, b) *fig.* dem'selben Ziel zustrebend.

con·vers·a·ble [kən'və:rsəbl] *adj* (*adv* **conversably**) unter'haltsam, gesprächig, 'umgänglich, gesellig.

con·ver·sance ['kɒnvərsəns, kən'və:r-], **'con·ver·san·cy** [-si] *s* Vertrautheit *f* (with mit). **'con·ver·sant** *adj* **1.** bekannt, vertraut (with mit). **2.** (with) geübt, bewandert, erfahren (in *dat*), kundig (*gen*).

con·ver·sa·tion [ˌkɒnvər'seiʃən] *s* **1.** Konversati'on *f*, Unter'haltung *f*, Gespräch *n*: **by way of** ~ gesprächsweise; **to enter into** ~ **with s.o.** ein Gespräch mit j-m anknüpfen; → **subject** 1. **2.** 'Umgang *m*, Verkehr *m*. **3.** *jur.* Geschlechtsverkehr *m*; → **criminal** 1. **4.** *a.* ~ **piece** a) *paint.* Genrebild *n*, b) *thea.* Konversati'onsstück *n*. **5.** diplo'matisches Gespräch. ˌ**con·ver'sa·tion·al** *adj* (*adv* → **conversationally**) **1.** gesprächig. **2.** Unterhaltungs..., Konversations..., Gesprächs...: ~ **English** Umgangsenglisch *n*; ~ **grammar** Konversationsgrammatik *f*; ~ **style** Gesprächsstil *m*; ~ **tone** Plauderton *m*. ˌ**con·ver'sa·tion·al·ist** *s* gewandter Unter'halter, guter Gesellschafter. ˌ**con·ver'sa·tion·al·ly** *adv* **1.** gesprächsweise, in der Unter'haltung. **2.** im Plauderton. ˌ**con·ver'sa·tion·ist** → **conversationalist**.

con·ver·sa·zi·o·ne [konversa'tsjone] *pl* **-ni** [-ni], *a.* **-nes** (*Ital.*) *s* **1.** 'Abendunterˌhaltung *f*. **2.** lite'rarischer Gesellschaftsabend.

con·verse[1] **I** *v/i* [kən'və:rs] **1.** sich unter'halten, sprechen, ein Gespräch führen (with mit). **2.** *obs.* verkehren (with mit). **II** *s* ['kɒnvə:rs] **3.** vertraute Unter'haltung, Gespräch *n*. **4.** 'Umgang *m*, Verkehr *m*.

con·verse[2] ['kɒnvə:rs; kən'və:rs] **I** *adj* **1.** gegenteilig, 'umgekehrt. **2.** wechselseitig, rezi'prok. **II** *s* **3.** 'Umkehrung *f* (*a. math. philos.*), Gegenteil *n* (of von).

con·verse·ly [kən'və:rsli] *adv* 'umgekehrt.

con·ver·sion [kən'və:rʃən] *s* **1.** *allg.* 'Umwandlung *f*, Verwandlung *f* (into in *acc*). **2.** *arch. tech. etc* 'Umbau *m* (into in *acc*). **3.** *tech.*, *a. econ.* 'Umstellung *f* (to auf *acc*): ~ **of a plant to war production**; ~ **of gas to coke firing** Umstellung von Gas- auf Koksfeuerung. **4.** *chem. phys.* 'Umsetzung *f*: ~ **of energy**. **5.** *electr.* 'Umformung *f*: ~ **of current**. **6.** *math.* a) 'Umrechnung *f* (into in *acc*): ~ **table** Umrechnungstabelle *f*, b) 'Umwandlung *f*, c) 'Umkehrung *f*: ~ **of proportions**, d) Redukti'on *f*: ~ **of equations**. **7.** *Computer*: a) 'Umwandlung *f*, b) Mischung *f*. **8.** *philos.* 'Umkehrung *f*: ~ **of proposition**. **9.** *econ.* a) Konver'tierung *f*, 'Umwandlung *f*: ~ **of securities (of debts)**; ~ **loan** Konvertierungsanleihe *f*, b) Zs.-legung *f*: ~ **of shares**, c) 'Umstellung *f*: ~ **of currency**, d) 'Umrechnung *f*, -wechslung *f*, e) 'Umwandlung *f*, -gründung *f* (into in *acc*): ~ **of a partnership**. **9.** *jur.* a) ~ **to one's own use** Veruntreuung *f*, Unterschlagung *f*, *a.* 'widerrechtliche Aneignung, Besitzentziehung *f*, b) (Ver'mögens)ˌUmwandlung *f*: ~ **of real property into personal**. **10.** (to) Bekehrung *f* (zu): a) *relig.*, *a. pol. etc* 'Übertritt *m* (zu): **his** ~ **to Communism**, b) Meinungsänderung *f* (bezüglich *gen*): **his** ~ **to Shakespeare**. **11.** *psych.* 'Umwandlung *f* verdrängter Af'fekte in körperliche Zeichen. **12.** *sport* Verwandlung *f* (*e-s Strafstoßes etc in ein Tor*).

con·vert I *v/t* [kən'və:rt] **1.** *allg.*, *a. chem.* 'umwandeln, verwandeln (into in *acc*), *a. electr.* 'umformen (into zu): **to** ~ **into power** *phys.* in Energie umsetzen; **to** ~ **into cash** flüssig *od.* zu Geld machen. **2.** *arch. tech.* 'umbauen (into zu). **3.** *econ. tech. e-n Betrieb, e-e Maschine, die Produktion* 'umstellen (to auf *acc*). **4.** *tech.* a) verwandeln: **to** ~ **into coal** verkohlen; **to** ~ **into steel** stählen, in Stahl verwandeln, b) *metall.* frischen, bessemern, c) *Tiegelgußstahl* zemen'tieren. **5.** *econ.* a) *Wertpapiere, Schulden etc* konver'tieren, 'umwandeln: **to** ~ **debts**, b) *Geld* 'um-, einwechseln: **to** ~ **money**, c) *Aktien* zs.-legen: **to** ~ **shares**, d) *Währung* 'umstellen (to auf *acc*): **to** ~ **currency**. **6.** *math.* a) 'umrechnen (into in *acc*), b) auflösen, redu'zieren: **to** ~ **equations**, c) 'umkehren: **to** ~ **the proportions**. **7.** *Computer*: 'umsetzen, konver'tieren. **8.** *a.* ~ **to one's own use** *jur.* a) unter'schlagen, veruntreuen, b) sich 'widerrechtlich aneignen, unrechtmäßig für sich verwenden. **9.** *relig.* bekehren (to zu). **10.** (to) (zu *e-r anderen Ansicht*) bekehren, zum 'Übertritt (in *e-e andere Partei etc*) veranlassen. **11.** *sport* (zum Tor) verwandeln: **to** ~ **a free kick**. **II** *v/i* **12.** 'umgewandelt (*etc* → I) werden. **13.** sich verwandeln *od.* 'umwandeln (into zu). **14.** sich verwandeln (*etc*) lassen (into in *acc*): **the sofa** ~**s into a bed**. **15.** sich bekehren, *a.* konver'tieren (to zu). **16.** *sport* verwandeln, einschießen. **III** *s* ['kɒnvə:rt] **17.** Bekehrte(r *m*) *f*, *a*. Konver'tit(in): to become a ~ to → 15. **con'vert·ed** *adj* 'umgewandelt, verwandelt (*etc*; → convert I): ~ cruiser *mar*. Hilfskreuzer *m*; ~ flat in Teilwohnungen umgebaute große Wohnung; ~ steel Zementstahl *m*. **con'vert·er** *s* **1.** Bekehrer *m*. **2.** *metall*. Kon'verter *m*, (Bessemer)Birne *f*: ~ process Thomasverfahren *n*. **3.** *electr*. 'Umformer *m*. **4.** *tech*. Bleicher *m*, Appre'teur *m* (*von Textilien*). **5.** *TV* Wandler *m*. **6.** *mil*. 'Schlüssel-, Chif'frierma,schine *f*. **con,vert·i'bil·i·ty** *s* **1.** 'Umwandelbarkeit *f*, Verwandelbarkeit *f*. **2.** *econ*. a) 'Umsetzbarkeit *f*, b) Einlösbar-, Konver'tierbar-, 'Umwandelbarkeit *f*. **3.** *philos*. 'Umkehrbarkeit *f*. **4.** *math*. 'Umrechenbarkeit *f*. **con'vert·i·ble I** *adj* (*adv* convertibly) **1.** ('um)wandelbar: ~ aircraft → convertiplane; ~ husbandry *agr*. Fruchtwechselwirtschaft *f*. **2.** *econ*. a) 'umsetzbar, b) einlösbar, konver'tierbar: ~ bond Wandelschuldverschreibung *f*. **3.** gleichbedeutend: ~ terms. **4.** *math*. 'umrechenbar. **5.** *mot*. mit Klappverdeck *od*. Faltdach: ~ coupé → 9; ~ sedan *Am*. Cabriolimousine *f*. **6.** bekehrbar (to zu). **7.** *philos*. 'umkehrbar. **II** *s* **8.** 'umwandelbare Sache. **9.** Kabrio'lett *n*.

con·vert·i·plane [kən'vəːrti,plein] *s aer*. Verwandlungsflugzeug *n*.

con·ver·tor → converter 3.

con·vex I *adj* ['kɒnveks; kɒn'veks] **1.** kon'vex, erhaben, nach außen gewölbt: ~ lens Konvexlinse *f*. **2.** *math*. ausspringend: ~ angle. **II** *s* ['kɒnveks] **3.** a) kon'vexer Körper, b) kon'vexe Fläche. **con'vex·i·ty** *s* kon'vexe Form *od*. Eigenschaft, Wölbung *f*.

con'vex·o-'con·cave *adj phys*. kon'vex-kon,kav. **con'vex·o-'con·vex** *adj phys*. 'bikon,vex. **con'vex·o-'plane** *adj phys*. 'plankon,vex.

con·vey [kən'vei] *v/t* **1.** *Waren etc* befördern, transpor'tieren (*beide a. tech.*), (ver)senden, bringen. **2.** *tech*. zuführen, fördern: ~ing capacity Förderleistung *f*. **3.** über'bringen, -'mitteln, -'senden: to ~ greetings. **4.** *jur*. *Grundstück* über'tragen, abtreten (to an *acc*): to ~ real estate. **5.** *phys*. *Schall etc* fortpflanzen, über'tragen, *a*. *Elektrizität* leiten. **6.** *Krankheit etc* über'tragen: to ~ an infection. **7.** *fig*. *Ideen etc* mitteilen, vermitteln, *Meinung*, *Sinn* ausdrücken: to ~ a certain meaning e-n gewissen Sinn haben; this word ~s nothing to me dieses Wort sagt mir nichts.

con·vey·ance [kən'veiəns] *s* **1.** (*a*. 'Ab)Trans,port *m*, Über'sendung *f*, Beförderung *f*: ~ by rail Eisenbahntransport; means of ~ → 2. **2.** Trans'port-, Verkehrsmittel *n*, Fahrzeug *n*, Fuhrwerk *n*. **3.** Über'bringung *f*, -'sendung *f*. **4.** *fig*. Vermittlung *f*, Mitteilung *f*: ~ of ideas. **5.** *jur*. a) Über'tragung *f*, Abtretung *f*, Auflassung *f*: ~ of (title to) land, b) *a*. deed of ~ Abtretungs-, Auflassungsurkunde *f*. **6.** *electr*. Leitung *f*: open air ~ Freileitung. **7.** *phys*. Über'tragung *f*, Fortpflanzung *f*: ~ of sound. **8.** *tech*. a) Zuführung *f*, Förderung *f*, b) → conveyer 3. **con'vey·anc·er** *s jur*. No'tar *m* für 'Eigentumsüber,tragungen.

con·vey·er, con·vey·or [kən'veiər] *s* **1.** Beförderer *m*, (Über)'Bringer(in). **2.** Vermittler(in): ~ of new ideas. **3.** *tech*. a) Förderer *m*, Fördergerät *n*, -anlage *f*, Trans'porteinrichtung *f*, b) *a*. band ~, belt ~ laufendes Band, Trans'port-, Förder-, Fließband *n*. ~ belt → conveyer 3 b. ~ **buck·et** *s tech*. Förderkübel *m*. ~ **chain** *s tech*. Becher-, Förderkette *f*. ~ **chute** *s tech*. Förderrutsche *f*.

con'vey·er-,line pro·duc·tion *s tech*. Fließbandfertigung *f*.

con·vey·or·ize [kən'veiə,raiz] *v/t* **1.** mit Fördereinrichtung(en) versehen, für Fließbandarbeit einrichten. **2.** am Fließband 'herstellen.

con·vict I *v/t* [kən'vikt] **1.** *jur*. a) über'führen, für schuldig erklären (s.o. of murder j-n des Mordes), b) verurteilen (of wegen). **2.** über'zeugen (of von *e-m Unrecht etc*): to ~ s.o. of an error j-m e-n Irrtum zum Bewußtsein bringen. **II** *s* ['kɒnvikt] **3.** über'führter Missetäter *od*. Verbrecher, Verurteilte(r *m*) *f*. **4.** Sträfling *m*: ~ colony Sträflingskolonie *f*; ~ labo(u)r Sträflingsarbeit *f*.

con·vic·tion [kən'vikʃən] *s* **1.** *jur*. a) Schuldigsprechung *f*, Über'führung *f*, b) Verurteilung *f*: previous ~ Vorstrafe *f*; summary ~ Verurteilung im Schnellverfahren. **2.** (innere) Über'zeugung: by ~, from ~ aus Überzeugung; it is my ~ that ich bin der Überzeugung, daß; to be open to ~ sich gern überzeugen lassen; → carry 9. **3.** (*Schuld- etc*)Bewußtsein *n*, (innere) Gewißheit.

con·vince [kən'vins] *v/t* **1.** (*a*. o.s. sich) über'zeugen (of von; that daß). **2.** zum Bewußtsein bringen (s.o. of s.th. j-m etwas). **3.** *obs*. a) über'führen, b) wider'legen, c) über'winden. **con'vinc·ing** *adj* **1.** über'zeugend: ~ proof schlagender Beweis; ~ performance *fig*. überzeugende (*ausgezeichnete*) Darstellung *od*. Leistung; to be ~ überzeugen. **2.** Überzeugungs... **con'vinc·ing·ly** *adv* über'zeugend, in überzeugender Weise. **con'vinc·ing·ness** *s* Über'zeugungskraft *f*.

con·viv·i·al [kən'viviəl] *adj* (*adv* ~ly) **1.** gastlich, festlich, Fest... **2.** gesellig, lustig, heiter. **con'viv·i·al·ist** *s* lustiger Gesellschafter. **con,viv·i'al·i·ty** [-'æliti] *s* **1.** Fröhlichkeit *f* (*bei der Tafel*). **2.** Lustbarkeit *f*, Geselligkeit *f*. **3.** Schmause'rei *f*.

con·vo·ca·tion [,kɒnvə'keiʃən] *s* **1.** Ein-, Zs.-berufung *f*. **2.** Versammlung *f*. **3.** *relig*. a) Provinzi'alsyn,ode *f* (*der anglikanischen Kirche, bes. von Canterbury u. York*), b) Episko'palsyn,ode *f*, Kirchspielversammlung *f* (*der protestantischen Kirche*). **4.** *univ*. a) gesetzgebende Versammlung (*Oxford u. Durham*), b) außerordentliche Se'natssitzung (*Cambridge*), c) *Am*. Promoti'ons- *od*. Eröffnungsfeier *f*.

con·voke [kən'vouk] *v/t* (*bes. amtlich*) ein-, zs.-berufen.

con·vo·lute ['kɒnvə,luːt] *adj bes. bot*. (zs.-, überein'ander)gerollt, gewickelt, ringelförmig. **'con·vo,lut·ed** *adj* **1.** *bes. bot*. zs.-gerollt, gewunden, spi'ralig. **2.** *med*. knäuelförmig. **,con·vo'lu·tion** *s* **1.** Ein-, Zs.-rollung *f*, (Zs.-)Wick(e)lung *f*. **2.** *tech*. Windung *f*, 'Schrauben(,um)gang *m*. **3.** *anat*. (*bes*. Gehirn)Windung *f*.

con·vol·vu·lus [kən'vɒlvjuləs] *pl* **-lus·es** *od*. **-li** [-,lai] *s bot*. Winde *f*.

con·voy I *s* ['kɒnvɔi] **1.** Geleit *n*, (Schutz)Begleitung *f*, Schutz *m*. **2.** *mil*. a) Es'korte *f*, Bedeckung *f*, b) *a. allg*. ('Kraftwagen)Ko,lonne *f*, c) (bewachter) Trans'port. **3.** *mar*. Geleitzug *m*, Kon'voi *m*: to sail under ~ im Geleitzug fahren. **II** *v/t* [kən'vɔi; 'kɒnvɔi] **4.** schützend geleiten, decken, eskor'tieren.

con·vulse [kən'vʌls] *v/t* **1.** erschüttern (*a. fig. pol. etc*), in Zuckungen versetzen: to be ~d with laughter (pain) sich krümmen vor Lachen (Schmerzen). **2.** *Muskeln etc* krampfhaft zs.-ziehen: ~d features verzerrte Züge. **3.** *Am*. in Lachkrämpfe versetzen.

con'vul·sion *s* **1.** *bes. med*. Krampf *m*, Zuckung *f*, Konvulsi'on *f*: nervous ~s nervöse Zuckungen; to go into ~s, to be seized with ~s Krämpfe bekommen. **2.** *pl fig*. Krämpfe *pl*: ~s (of laughter) Lachkrämpfe. **3.** *pol*. Erschütterung *f*. **4.** *geol*. Erdstoß *m*, (Boden)Erschütterung *f*. **con'vul·sion·ar·y I** *s* **1.** an Zuckungen *od*. Krämpfen Leidende(r *m*) *f*. **2.** *relig*. religi'öser Schwärmer, *bes. hist*. Janse'nist *m*. **II** *adj* → convulsive 1.

con·vul·sive [kən'vʌlsiv] *adj* (*adv* ~ly) **1.** krampfhaft, -artig, konvul'siv. **2.** von Krämpfen befallen. **3.** *fig*. erschütternd.

co·ny ['kouni] *s* **1.** *zo*. (*bes*. 'Wild)Ka,ninchen *n*: ~ burrow Kaninchenbau *m*. **2.** Ka'ninchenfell *n*, *bes*. 'Sealka,nin *n* (*Imitation von Sealskin*).

coo [kuː] **I** *v/i orn*. gurren (*a. fig. Liebende*). **II** *v/t fig*. *etwas* gurren, säuseln, ‚flöten'. **III** *s* Gurren *n*. **IV** *interj Br. vulg*. Mensch!, Mann!

coo·ee, coo·ey ['kuːiː; 'kuːi] **I** *s* Kui *n* (*Signalruf*): within ~ in Rufweite. **II** *v/i* ‚kui' rufen. **III** *interj* kui!

cook [kuk] **I** *s* **1.** Koch *m*, Köchin *f*: too many ~s spoil the broth viele Köche verderben den Brei. **II** *v/t* **2.** *Speisen* kochen, zubereiten, braten, backen. **3.** *bes. tech*. der Hitze aussetzen, rösten. **4.** *a*. ~ up *fig*. zs.-brauen, sich ausdenken, erfinden, erdichten: to ~ up a story. **5.** ‚fri'sieren', (ver)fälschen: ~ed accounts *econ*. ‚frisierte' *od*. gefälschte Abrechnungen. **6.** (*durch Einführen in e-n Reaktor*) radioak'tiv machen. **7.** *sl*. verderben, rui'nieren: ~ed a) ‚erledigt', ‚fertig' (*erschöpft od. ruiniert*), b) *Am*. ‚blau', betrunken; to ~ s.o.'s goose a) j-m ‚die Suppe versalzen', b) j-m den Garaus machen. **III** *v/i* **8.** kochen: to ~ out *Am*. im Freien abkochen; now you are ~ing with gas! *sl*. ‚jetzt bist du auf dem richtigen Dampfer'. **9.** kochen, gekocht werden (*Speisen*): what's ~ing? *colloq*. was ist los?, was tut sich? **10.** sich *gut etc* kochen lassen.

'cook,book *s Am*. Kochbuch *n*.

cook·er ['kukər] *s* **1.** Kocher *m*, Kochgerät *n*. **2.** Kochgefäß *n*. **3.** Kochfrucht *f*, zum Kochen geeignete Frucht, z. B. Kochapfel *m*.

cook·er·y ['kukəri] *s* **1.** Kochen *n*. **2.** Kochen *n*, Kochkunst *f*. **3.** Kochstelle *f*. **4.** Leckerbissen *m*. **'~-,book** *s Br*. Kochbuch *n*.

'cook|-'gen·er·al *s Br*. Mädchen *n* für alles. **'~,house** *s* **1.** Küche(ngebäude *n*) *f* (*a. mil. Br.*). **2.** *mar*. Kom'büse *f*, Schiffsküche *f*.

cook·ie ['kuki] *s* **1.** *Am*. (süßer) Keks, Plätzchen *n*: ~ cutter Ausstech(back)form *f*; ~ pusher *sl*. a) ‚zahmer Salonlöwe', b) ‚Waschlappen' *m*, c) Karrieremacher *m*; to toss one's ~s *sl*. ‚Bröckchen lachen', ‚kotzen'. **2.** *Scot*. Brötchen *n*, Semmel *f*. **3.** *Am. sl*. a) Kerl *m*, Bursche *m*: a smart ~, b) ‚Süße' *f*, Schätzchen *n*.

cook·ing ['kukiŋ] **I** *s* **1.** Kochen *n*, Kochkunst *f*. **2.** Küche *f*, Art *f* zu kochen: Italian ~. **II** *adj* **3.** Koch... ~ **ap·ple** *s* Kochapfel *m*. ~ **plate** *s electr*. Kochplatte *f*. ~ **range** *s* Kochherd *m*. ~ **so·da** *s colloq*. Natron *n*.

'cook|,maid *s* Küchenmädchen *n*. **'~,out** *s bes. Am.* Abkochen *n* (*am Lagerfeuer*). **'~,room** *s Am.* **1.** Küche *f*. **2.** *mar.* → cookhouse 2. **'~,shop** *s* Speisehaus *n*. **'~,stove** *s Am.* Kochherd *m*.
cook·y → cookie.
cool [kuːl] **I** *adj* (*adv* **~ly**) **1.** kühl, frisch: to get ~ sich abkühlen. **2.** kühl(end), Kühle ausstrahlend: a ~ dress ein leichtes Kleid. **3.** kühl(end), erfrischend. **4.** fieberfrei. **5.** kühl, ruhig, beherrscht, gelassen, kalt(blütig): to keep ~ e-n kühlen Kopf behalten; keep ~! reg dich nicht auf!; → cucumber 1. **6.** kühl, gleichgültig, lau. **7.** kühl, kalt, abweisend: a ~ reception ein kühler Empfang. **8.** unverschämt, unverfroren, frech: ~ cheek *fig.* Frechheit *f*. **9.** *fig. colloq.* glatt, rund: a ~ thousand dollars glatte *od.* die Kleinigkeit von tausend Dollar. **10.** kühl, kalt: ~ colo(u)r. **11.** *Am. sl.* a) ‚kühl', leidenschaftslos, intellektu'ell unter'kühlt: ~ jazz Cool Jazz *m*, b) ‚toll', ‚Zucker' (*großartig*). **II** *s* **12.** Kühle *f*, Frische *f* (*der Luft*): in the ~ of the evening in der Abendkühle. **13.** kühler Ort. **14.** kühle Tageszeit. **III** *v/t* **15.** (ab)kühlen, kalt werden lassen: to ~ a bearing *tech.* ein (*heißgelaufenes*) Lager abkühlen; to ~ a liquid e-e Flüssigkeit abkühlen lassen; to let s.o. ~ his heels *fig.* j-n lange warten lassen. **16.** *fig. Leidenschaften etc* (ab)kühlen, beruhigen. **17.** (ab)kühlen, erfrischen. **IV** *v/i* **18.** kühl werden, sich (ab)kühlen: to let one's soup ~ s-e Suppe abkühlen lassen. **19.** ~ down (*od.* off) *fig.* sich abkühlen, sich legen, nachlassen, sich beruhigen. **20.** ~ down *colloq.* besonnener werden, die Ruhe 'wiederfinden.
cool·ant ['kuːlənt] *s tech.* Kühlmittel *n*.
'cool·er *s* **1.** (*Wein- etc*)Kühler *m*. **2.** a) Kühlraum *m*, b) Kühlschrank *m*. **3.** kühlendes Getränk *od.* Mittel. **4.** *fig.* Dämpfer *m*, kalte Dusche. **5.** *sl.* ‚Kittchen' *n* (*Gefängnis*).
'cool|-,ham·mer *v/t tech.* kalthämmern, -schmieden. **'~'head·ed** *adj* **1.** besonnen, kaltblütig. **2.** leidenschaftslos. **'~,house** *s* Kühlhaus *n*.
coo·lie ['kuːli] *s* Kuli *m*, Tagelöhner *m*.
cool·ing ['kuːliŋ] **I** *adj* **1.** (ab)kühlend. **2.** kühlend, erfrischend. **3.** *tech.* Kühl...: ~ air; ~ liquid; ~ coil Kühlschlange *f*; ~ fin Kühlrippe *f*; ~ plant Kühlanlage *f*. **II** *s* **4.** (Ab)Kühlung *f*. **,~-'off I** *s bes. fig.* Abkühlung *f*. **II** *adj fig.* zur Beruhigung (der Gemüter): ~ period ‚Abkühlungszeit' *f*, *econ. Am. a.* Stillhaltezeit *f*.
cool·ish ['kuːliʃ] *adj* etwas kühl.
cool·ness ['kuːlnis] *s* **1.** Kühle *f*. **2.** *fig.* Kühle *f*, Gelassenheit *f*, Kaltblütigkeit *f*. **3.** Gleichgültigkeit *f*, Lauheit *f*. **4.** Kälte *f*, kalte Förmlichkeit, Unfreundlichkeit *f*. **5.** Unverfrorenheit *f*.
coo·ly → coolie.
coom [kuːm] *s* **1.** Kohlenstaub *m*, Ruß *m*. **2.** a) Schlacke *f*, b) Asche *f*.
coomb(e) [kuːm] *s Br.* enge Talmulde.
coon [kuːn] *s* **1.** *zo.* Waschbär *m*: he is a gone ~ mit ihm ist's aus. **2.** *Am. sl.* a) *contp.* Neger(in): ~ song Negerlied *n*, b) schlauer Fuchs.
coon·can ['kuːn,kæn] *s Am.* (*Art*) Rommé *n* (*Kartenspiel*).
coop [kuːp] **I** *s* **1.** a) Hühnerkorb *m*, b) Brutkorb *m*. **2.** Auslauf *m* (*für Hühner*). **3.** Fischkorb *m* (*zum Fischfang*). **4.** *sl.* ‚Ka'buff' *n*, enger Raum. **5.** *sl.* Gefängnis *n*, ‚Kittchen' *n*: to fly the ~ ‚auskneifen'. **II** *v/t* **6.** *oft* ~ up, ~ in einsperren, einpferchen.
co·öp, co-op [kou'ɒp] *s colloq.* Kon'sum(verein *od.* -laden) *m* (*abbr. von* co-operative).
coop·er¹ ['kuːpər] **I** *s* **1.** Faßbinder *m*, Küfer *m*, Böttcher *m*: dry ~ Trockenfaßbinder; white ~ Feinböttcher. **2.** *Br.* a) Weinprüfer *m*, b) Weinabfüller *m*, -verkäufer *m*. **3.** *Br.* Mischbier *n* (*aus Stout u. Porter*). **II** *v/t* **4.** *Fässer* machen, binden, ausbessern. **5.** *oft* ~ out, ~ up anfertigen. **6.** *sl.* ‚vermasseln'.
coo·per² → coper¹.
coop·er·age ['kuːpəridʒ] *s* **1.** Böttche'rei *f*. **2.** Böttcher-, Küferlohn *m*.
co-'op·er,ate, *a.* **co'op·er,ate** [kou'ɒpə,reit] *v/i* **1.** zs.-arbeiten, -wirken (with mit *j-m*; in bei *e-r Sache*; to, toward[s] zu *e-m Zweck*). **2.** (in) mitwirken (an *dat*), helfen *od.* behilflich sein *od.* mitmachen (bei). **co-,op·er-'a·tion,** *a.* **co,op·er'a·tion** *s* **1.** Zs.-arbeit *f*, -wirken *n*. **2.** Mitarbeit *f*, Mitwirkung *f*, Hilfe *f*. **3.** a) genossenschaftlicher Zs.-schluß, b) auf Gegenseitigkeit begründete Zs.-arbeit e-r Genossenschaft. **co-,op·er'a·tion·ist,** *a.* **co,op·er'a·tion·ist** → co-operator 2. **co-'op·er·a·tive,** *a.* **co'op·er·a·tive** [-rətiv] **I** *adj* (*adv* **~ly**) **1.** zs.-arbeitend, -wirkend. **2.** mitarbeitend, -wirkend. **3.** zur Mitarbeit bereit, hilfsbereit, willig, behilflich. **4.** *econ.* a) Gemeinschafts..., b) genossenschaftlich, Genossenschafts...: ~ advertising Gemeinschaftswerbung *f*; ~ bank Genossenschaftsbank *f*; ~ building society Bau(spar)genossenschaft *f*; ~ buying, (marketing, selling) association Einkaufs(Absatz-, Verkaufs)genossenschaft *f*; ~ society → 5; ~ store → 6. **II** *s* **5.** a) Genossenschaft *f*, b) Kon'sumverein *m*. **6.** Kon'sumgeschäft *n*, -laden *m*, 'Konsum *m*.
co-'op·er·a·tive·ness, *a.* **co'op·er·a·tive·ness** *s* **1.** Bereitschaft *f* zur Zs.-arbeit. **2.** Hilfsbereitschaft *f*. **co-'op·er,a·tor, co'op·er,a·tor** [-,reitər] *s* **1.** Mitarbeiter(in), Mitwirkende(r *m*) *f*. **2.** Genossenschaftsmitglied *n*, Mitglied *n* e-s Kon'sumvereins.
co-opt [kou'ɒpt] *v/t* hin'zuwählen. **,co-op'ta·tion** *s* Zuwahl *f*.
co-or·di·nate, *bes. Am.* **co·or·di·nate** [kou'ɔːrdi,neit] **I** *v/t* **1.** koordi'nieren, bei-, gleichordnen, gleichschalten, einheitlich gestalten, (mitein'ander) in Einklang bringen, aufein'ander abstimmen. **2.** ausrichten, richtig anordnen. **II** *v/i* **3.** sich aufein'ander abstimmen, har'monisch zs.-wirken. **III** *adj* [-nit; -,neit] (*adv* **~ly**) **4.** koordi'niert, bei-, gleichgeordnet, gleichrangig, -wertig, -artig: ~ clause beigeordneter Satz; ~ court *jur.* gleichgeordnetes Gericht. **5.** *math.* Koordinaten...: ~ system; ~ geometry analytische Geometrie. **6.** *ped. univ. Am.* nach Geschlechtern getrennt: ~ university. **IV** *s* **7.** Bei- *od.* Nebengeordnetes *n*, Gleichwertiges *n*, -rangiges *n*. **8.** *math.* Koordi'nate *f*.
co-or·di·na·tion, *bes. Am.* **co·or·di·na·tion** [kou,ɔːrdi'neiʃən] *s* **1.** Koordinati'on *f*, Koordi'nierung *f*, Gleich-, Neben-, Beiordnung *f*, Gleichstellung *f*, -schaltung *f*, Abstimmung *f* (aufein'ander). **2.** Zs.-fassung *f*. **3.** har'monisches Zs.-spiel, Zs.-arbeit *f*, Über'einstimmung *f*. **4.** *physiol.* Koordinati'on *f*, har'monisches Zs.-wirken der Muskeln. **~ com·pound** *s chem.* Koordinati'onsverbindung *f*.
co-or·di·na·tive, *bes. Am.* **co·or·di·na·tive** [kou'ɔːrdi,neitiv] *adj* bei-, gleichordnend, zs.-fassend. **co-'or·di,na·tor,** *bes. Am.* **co'or·di,na·tor** [-tər] *s* Koordi'nator *m*.
coot [kuːt] *s* **1.** *orn.* Wasser-, *bes.* Bläßhuhn *n*: as bald as a ~ *colloq.* ratzekahl. **2.** *colloq.* Trottel *m*.
coot·er ['kuːtər] *s zo.* **1.** (*e-e*) Dosenschildkröte. **2.** (*e-e*) Schmuckschildkröte. **3.** Alli'gatorschildkröte *f*.
coot·ie ['kuːti] *s sl.* ‚Biene' *f*, Laus *f*.
cop¹ [kɒp] *s* **1.** *Spinnerei:* a) (Garn-)Kötzer *m*, (Garn)Winde *f*, b) Garnwickel *m*, -spule *f*, -knäuel *m*. **2.** a) Haufen *m*, b) (kleiner) Hügel.
cop² [kɒp] *sl.* **I** *v/t* **1.** erwischen (at bei): to ~ it ‚sein Fett kriegen'. **2.** ‚klauen', stehlen. **3.** ~ a plea *Am. sl.* sich wegen e-r kleinen Straftat schuldig bekennen. **II** *s* **4.** Erwischen *n*: a fair ~ Ertapptwerden *n* auf frischer Tat; no great ~ *Br. sl.* ‚nicht so toll'. **5.** ‚Po'lyp' *m*, ‚Bulle' *m* (*Polizist*).
co·pal ['koupəl; -pæl] *s tech.* Ko'pal(harz *n*) *m*.
co·par·ce·nar·y [kou'pɑːrsənəri] *s jur.* gemeinschaftliches Eigentum (gleichberechtigter gesetzlicher Erben an Grundbesitz). **co'par·ce·ner** *s* Miterbe *m*, -erbin *f*, Miteigentümer(in).
co·part·ner [kou'pɑːrtnər] *s* Teilhaber *m*, Mitinhaber *m*. **co'part·ner,ship, co'part·ner·y** *s econ.* **1.** Teilhaber-, Genossenschaft *f*. **2.** Gewinn- *od.* Mitbeteiligung *f* (of labo[u]r der Arbeitnehmer). **3.** 'Mitbeteiligungssy,stem *n*: ~ of labo(u)r Gewinnbeteiligung *f* der Arbeitnehmer.
cope¹ [koup] **I** *v/i* **1.** kämpfen, sich messen, es aufnehmen (with mit). **2.** (with) gewachsen sein (*dat*), fertig werden (mit), bewältigen, meistern (*acc*): to ~ with the situation. **3.** zupacken, die Lage meistern: the Government ~d swiftly. **II** *v/t* **4.** *Br. obs.* a) kämpfen mit, b) *j-m* begegnen.
cope² [koup] **I** *s* **1.** *relig.* Chor-, Vespermantel *m*, Chorrock *m*. **2.** *fig.* Mantel *m*. **3.** *fig.* Gewölbe *n*, Zelt *n*, Dach *n*: the ~ of heaven das Himmelszelt. **4.** *arch.* → coping. **5.** *Gießerei:* obere Formhälfte. **II** *v/t* **6.** mit e-m Chorrock bekleiden. **7.** *arch.* (be)decken.
co·peck → kope(c)k.
'cope,mate *s obs.* **1.** Gegner *m*. **2.** Genosse *m*.
co·pen·ha·gen [,koupn'heigən] *s* **1.** *Am.* 'Eierli,kör *m*. **2.** *Am.* (*ein*) Kußspiel *n*. **3.** *a.* ~ blue Graublau *n*.
co·pe·pod ['koupə,pɒd] *s zo.* Ruderfüßer *m*, Ruderfußkrebs *m*.
cop·er¹ ['koupər] *s mar.* Branntweinschiff *n*, Küper *m*.
cop·er² ['koupər] *s Br.* Pferdehändler *m*.
Co·per·ni·can [ko'pəːrnikən] **I** *adj* koperni'kanisch: ~ system *astr.* kopernikanisches (Welt)System. **II** *s* Koperni'kaner *m*.
copes·mate ['koups,meit] → copemate.
'cope,stone *s* **1.** *arch.* Deck-, Kappenstein *m*. **2.** *fig.* Krönung *f*, Schlußstein *m*.
co·phas·al [kou'feizəl] *adj electr.* gleichphasig.
cop·i·er ['kɒpiər] → copyist.
co·pi·lot, *Br.* **co-...** [kou'pailət] *s aer.* 'Kopi,lot *m*, zweiter Flugzeugführer.
cop·ing ['koupiŋ] *s arch.* Mauerkappe *f*, -krönung *f*. **~ saw** *s* Laubsäge *f*. **~ stone** → copestone.
co·pi·ous ['koupiəs] *adj* (*adv* **~ly**) **1.** reich(lich), ausgiebig: a ~ supply ein reichlicher Vorrat; ~ footnotes e-e Fülle von Fußnoten. **2.** gedankenreich. **3.** wortreich, weitschweifig, 'überschwenglich: ~ style. **'co·pi·ous·ness** *s* **1.** Reichlichkeit *f*, Fülle *f*, 'Überfluß *m*. **2.** Weitschweifigkeit *f*, Wortreichtum *m*.

co·pla·nar [kou'pleinər] *adj math.* kopla'nar.
co·plain·tiff, *Br.* **co-...** [kou'pleintif] *s jur.* Mitkläger(in).
co·pol·y·mer [kou'pɒlimər] *s chem.* Copoly'mer *n.* **co,pol·y·mer·i'za·tion** *s* ,Copolymerisati'on *f.* **co'pol·y·mer,ize** *v/t chem.* gleichzeitig polymeri'sieren.
copped [kɒpt] *adj* zugespitzt, spitz.
cop·per¹ ['kɒpər] **I** *s* **1.** *min.* Kupfer *n*: ~ **in rolls** Rollenkupfer; ~ **in sheets** Kupferblech *n.* **2.** Kupfermünze *f*: ~**s** Kupfergeld *n.* **3.** Kupferbehälter *m,* -gefäß *n.* **4.** (Kupfer-, *Br. bes.* Wasch)Kessel *m.* **5.** *pl Am. colloq.* Kupferaktien *pl,* -werte *pl.* **6.** Kupferrot *n.* **7.** *pl Br. colloq.* Mund *m* u. Kehle *f*: **hot** ~**s** ,Brand' *m* (*vom Trinken*); **to cool one's** ~**s** *sl.* s-n ,Brand' löschen. **II** *v/t* **8.** *tech.* a) verkupfern, b) mit Kupfer(blech) über'ziehen. **III** *adj* **9.** kupfern, aus Kupfer, Kupfer... **10.** kupferrot.
cop·per² ['kɒpər] → **cop²** 5.
cop·per·as ['kɒpərəs] *s chem.* 'Eisenvitri,ol *n,* 'Ferrosul,fat *n.*
cop·per| beech *s bot.* Blutbuche *f.* ~ **blue** *s* Kupferblau *n.* '~-'**bot·tomed** *adj* **1.** mit Kupferboden. **2.** *mar.* mit Kupferbeschlag *od.* -haut. **3.** *fig.* a) kerngesund, b) kapi'talkräftig. ~ **cap·tain** *s* falscher Hauptmann, *weitS.* Hochstapler *m.* ~ **chlo·ride** *s chem.* 'Kupferchlo,rid *n,* Chlorkupfer *n.* ~ **en·grav·ing** *s* Kupferstich *m* (*Bild u. Technik*). ~ **glance** *s min.* Kupferglanz *m.* '~,**head** *s zo.* Mokassinschlange *f.* **C**~ **In·di·an** *s* Ahte'na-Indi,aner *m.*
cop·per·ize ['kɒpə,raiz] *v/t tech.* verkupfern, mit Kupfer über'ziehen.
cop·per| loss *s electr.* Kupferverlust *m.* '~,**nose** *s* **1.** *sl.* Säufer-, Kar'funkelnase *f.* **2.** *orn.* Trauerente *f.* ~ **ore** *s min.* Kupfererz *n*: **green** ~ Malachit *m*; **yellow** ~ Kupferkies *m.* '~,**plate I** *s tech.* **1.** Kupferplatte *f.* **2.** Kupferstichplatte *f.* **3.** Kupferstich *m*: **like** ~ → 5. **II** *adj* **4.** Kupferstich... **5.** (wie) gestochen: ~ **writing.** '~,**plat·ed** *adj tech.* 'kupferplat,tiert, verkupfert. '~-,**plat·ing** *s tech.* (*galvanische*) Verkupferung, 'Kupfer,überzug *m.* ~ **py·ri·tes** *s min.* Kupferkies *m.* ~ **red** *s* Kupferrot *n.* ~ **rust** *s* Grünspan *m.* '~-,**smith** *s* Kupferschmied *m.*
cop·per·y ['kɒpəri] *adj* kupferig: a) kupferhaltig, b) kupferartig *od.* -farbig.
cop·pice ['kɒpis] *s* **1.** Niederwald *m,* 'Unterholz *n,* Gestrüpp *n,* Dickicht *n.* **2.** Schlagholz *n.* **3.** *bes. Br.* niedriges Wäldchen, Gehölz *n.* ~ **shoot** *s bot.* Wasser-, Nebenreis *n.*
cop·ra ['kɒprə] *s* Kopra *f.*
cop·ro·lite ['kɒprə,lait] *s* Kopro'lith *m,* Kotstein *m.* '**cop·ro·lith** [-liθ] *s med.* Darm-, Kotstein *m.*
co·proph·a·gan [kɒp'rɒfəgən] *s zo.* Kotfresser *m, bes.* Mistkäfer *m.* **cop'roph·a·gous** *adj zo.* kot-, mistfressend. **cop'roph·i·lous** [-filəs] *adj* **1.** *bot.* kopro'phil, auf Mist gedeihend (*Pilze etc*). **2.** *zo.* in Mist *od.* Kot lebend. **3.** *fig.* im Schmutz wühlend.
copse [kɒps], '~,**wood** → **coppice.** '**cops·y** *adj* buschig.
Copt [kɒpt] *s* Kopte *m,* Koptin *f.*
'cop·ter ['kɒptər] *colloq. für* **helicopter.**
Cop·tic ['kɒptik] **I** *s ling.* Koptisch *n,* das Koptische. **II** *adj* koptisch.
cop·u·la ['kɒpjulə] *pl* **-las,** *a.* **-lae** [-,liː] *s* **1.** Bindeglied *n.* **2.** Kopula *f*: a) *ling.* Bindewort *n,* Satzband *n,* b) *philos. drittes Glied e-s Urteils.* **3.** *med.* a) sero'logisches Bindeglied, b) Ambo'zeptor *m,* Im'munkörper *m.*
cop·u·late ['kɒpju,leit] *v/i* sich paaren, sich begatten. ,**cop·u'la·tion** *s* **1.** Verbindung *f.* **2.** *ling.* Verbindung *f* (*von Subjekt u. Prädikat*) durch e-e Kopula. **3.** a) Paarung *f,* Begattung *f,* b) Koitus *m,* Beischlaf *m.* '**cop·u,la·tive I** *adj* **1.** verbindend, Binde... **2.** *ling.* verbindend, kopula'tiv (*Wort*). **3.** → **copulatory. II** *s* **4.** *ling.* Kopula *f.* '**cop·u·la·to·ry** [-lətəri] *adj biol.* Begattungs..., Paarungs...
cop·y ['kɒpi] **I** *s* **1.** Ko'pie *f,* Abschrift *f*: **certified** (*od.* **exemplified**) ~ beglaubigte Abschrift; **fair** (*od.* **clean**) ~ Reinschrift; **rough** (*od.* **foul**) ~ erster Entwurf, Konzept *n,* Kladde *f*; **true** ~ (wort)getreue Abschrift. **2.** 'Durchschlag *m* (*Schreibmaschinentext*). **3.** Pause *f,* (*a. phot.*) Abzug *m.* **4.** *jur.* a) Ausfertigung *f* (*e-r Urkunde*), b) *Br.* Abschrift *f* des Zinsbuchs e-s Lehnsherrn, c) *Br.* → **copyhold. 5.** Nachahmung *f,* -bildung *f,* Reprodukti'on *f,* Ko'pie *f*: ~ **of a painting**; ~ **of a machine. 6.** Muster *n,* Mo'dell *n,* Vorlage *f.* **7.** *print.* a) (Satz)Vorlage *f,* druckfertiges Manu'skript, b) Kli'scheevorlage *f,* c) 'Umdruck *m,* d) Abklatsch *m.* **8.** Exem'plar *n*: ~ **of a book. 9.** (Werbe-, Zeitungs- *etc*)Text *m.* **10.** lite'rarisches Materi'al, Stoff *m*: **it makes good** ~ das gibt e-n guten Stoff ab. **II** *v/t* **11.** abschreiben, e-e Ko'pie anfertigen von, *tech. Daten* 'umspeichern: **to** ~ **out** ins reine schreiben, abschreiben. **12.** ('durch-, ab)pausen. **13.** *phot.* ko'pieren, e-n Abzug machen von. **14.** nachbilden, reprodu'zieren. **15.** nachahmen, -machen, imi'tieren, ko'pieren: **to** ~ **from life** nach dem Leben *od.* der Natur malen *etc.* **16.** *j-n, etwas* nachahmen, -machen, -äffen. **III** *v/i* **17.** ko'pieren, abschreiben (**from** von). **18.** *ped.* (vom Nachbarn) abschreiben. **19.** nachahmen.
'**cop·y|,book I** *s* **1.** a) (Schön)Schreibheft *n* (*mit Vorlagen*), b) Heft *n*: **to blot one's** ~ *Br. colloq.* ,sich danebenbenehmen'. **2.** *jur. Am.* Kopi'albuch *n.* **3.** *econ.* Ko'pierbuch *n.* **II** *adj* **4.** all'täglich, abgedroschen. '~,**cat** *colloq.* **I** *s* Nachäffer(in), -macher(in). **II** *v/t u. v/i* nachmachen, -äffen. ~ **desk** *s* Redakti'onstisch *m.* ~ **ed·i·tor** → **copyreader.** '~,**hold** *s jur. Br.* Zinslehen *n,* -gut *n.* '~,**hold·er** *s* **1.** *jur. Br.* Zinslehensbesitzer *m.* **2.** *print.* a) Manu'skripthalter *m,* b) Kor'rektorgehilfe *m.*
cop·y·ing| clerk ['kɒpiiŋ] *s* Abschreiber *m,* Ko'pist *m.* ~ **ink** *s* Ko'piertinte *f.* ~ **lathe** *s tech.* Ko'pier,drehma,schine *f.* ~ **pa·per** *s* 'Durchschlagpa,pier *n.* ~ **pen·cil** *s* Tintenstift *m.* ~ **press** *s tech.* Ko'pierpresse *f.* ~ **rib·bon** *s tech.* (Ko'pier)Farbband *n.*
cop·y·ist ['kɒpiist] *s* **1.** Abschreiber *m,* Ko'pist *m.* **2.** Nachahmer *m,* Imi'tator *m.* **3.** Plagi'ator *m.*
'**cop·y|,read·er** *s Am.* 'Zeitungsredak,teur (*der Artikel redigiert*). '~,**right** *jur.* **I** *s* Verlags-, Urheberrecht *n,* Copyright *n* (in für *od.* von): ~ **in designs** *econ.* Gebrauchsmusterschutz *m*; ~ **reserved** alle Rechte vorbehalten, urheberrechtlich geschützt. **II** *v/t* a) das Urheber- *od.* Verlagsrecht erwerben für *od.* von, b) urheberrechtlich schützen: **to** ~ **a book. III** *adj* verlags- *od.* urheberrechtlich *od.* gesetzlich geschützt. '~-,**writ·er** *s* (Werbe)Texter *m.*
co·quet [kou'ket; ko-] *v/i* **1.** koket'tieren (**with** mit). **2.** *fig.* tändeln, spielen, liebäugeln (**with** mit). **co·quet·ry** ['koukitri] *s* **1.** Kokette'rie *f.* **2.** Tände'lei *f.* **3.** niedlicher Charme.
co·quette [kou'ket; ko-] *s* Ko'kette *f.* **co'quet·tish** *adj* (*adv* ~**ly**) ko'kett.
co·quille [ko'kiːl; kou-] *s* **1.** Co'quille *f*: a) Muschelschale *f,* b) *darin angerichtete Vorspeise*: ~ **of turbot** Steinbutt *m* in Muschelschalen. **2.** Stichblatt *n*: ~ **of a sword. 3.** Rüsche *f.*
co·qui·to [ko'kiːtou; kou-], *a.* ~ **palm** *s bot.* Ko'quito-, Honigpalme *f.*
cor¹ [kɔːr] (*Fr.*) *s mus.* Horn *n.*
cor² [kɔːr] *interj Br. vulg.* herr'je!
cor·a·cle ['kɒrəkl] *s Boot aus mit Häuten überzogenem Weidengeflecht.*
cor·a·coid ['kɒrə,kɔid] *anat. zo.* **I** *adj* **1.** rabenschnabelförmig. **II** *s* **2.** *a.* ~ **bone** Rabenschnabelbein *n.* **3.** *a.* ~ **process** Rabenschnabelfortsatz *m.*
cor·al ['kɒrəl] **I** *s* **1.** *zo.* Ko'ralle *f*: a) (*einzelner*) Ko'rallenpo,lyp, b) Ko'rallenske,lett *n,* c) Ko'rallenstock *m.* **2.** Ko'rallenstück *n* (*zu Schmuck verarbeitet*). **3.** Beißring *m od.* Spielzeug *n* (*für Babys*) aus Ko'ralle. **4.** Ko'rallenrot *n.* **5.** unbefruchteter Hummerrogen. **II** *adj* **6.** Korallen... **7.** ko'rallenrot. ~ **bead** *s* **1.** Ko'rallenkügelchen *n,* -perle *f.* **2.** *pl* Ko'rallenkette *f.* '~,**ber·ry** *s bot.* Peterstrauch *m* (*nordamer. rote Schneebeere*). ~ **fish** *s ichth.* Ko'rallenfisch *m.* ~ **is·land** *s* Ko'ralleninsel *f.*
Co·ral·li·an [kə'ræliən] *s geol.* Ko'rallenkalk(stein) *m.*
cor·al·lif·er·ous [,kɒrə'lifərəs] *adj zo.* koralli'gen, ko'rallenbildend.
cor·al·lin ['kɒrəlin] → **coralline** 5.
cor·al·line ['kɒrəlin; -,lain] **I** *adj* **1.** *geol.* Korallen... **2.** ko'rallenähnlich. **3.** ko'rallenrot. **II** *s* **4.** *bot.* Ko'rallenalge *f.* **5.** [-,liːn] *chem.* Coral'lin *n.*
cor·al·lite ['kɒrə,lait] *s* **1.** *zo.* Ko'rallenske,lett *n.* **2.** *geol.* a) versteinerte Ko'ralle, b) Ko'rallenmarmor *m.* '**cor·al,loid** *adj* ko'rallenförmig.
cor·al| rag → **Corallian.** ~ **reef** *s* Ko'rallenriff *n.* '~,**root** *s bot.* Ko'rallenwurz *f.* ~ **snake** *s zo.* Ko'rallenschlange *f.* ~ **tree** *s bot.* Ko'rallenbaum *m.* '~,**wort** *s bot.* **1.** Zahnwurz *f.* **2.** → **coralroot.** [Englischhorn *n.*]
cor an·glais [kɔːr ɑ̃'glɛ] (*Fr.*) *s mus.*
cor·beil ['kɔːrbel] *s arch.* Blumen-, Fruchtkorb *m* (*als Zierat*).
cor·bel ['kɔːrbəl] *arch.* **I** *s* Kragstück *n,* -stein *m,* Kon'sole *f*: ~ **table** auf Kragsteinen ruhender Mauervorsprung, Bogenfries *m*; **pointed-arched** ~ **table** Spitzbogenfries *m.* **II** *v/t* durch Kragsteine stützen. '**cor·bel·ing,** *bes. Br.* '**cor·bel·ling** *s arch.* Vorkragung *f.*
cor·bie ['kɔːrbi] *s Scot.* **1.** Rabe *m.* **2.** Krähe *f.* ~ **ga·ble** *s arch.* Staffelgiebel *m.* '~,**step** *s arch.* Giebelstufe *f.*
cord [kɔːrd] **I** *s* **1.** Leine *f,* Schnur *f,* Kordel *f,* Strick *m,* Strang *m,* Seil *n*: ~ **fuse** Leitfeuer *n* (*Zündschnur*). **2.** *electr.* (Leitungs-, Anschluß)Schnur *f,* Litze *f.* **3.** Strang *m* (*des Henkers*). **4.** *anat.* Band *n,* Schnur *f,* Strang *m*: **spermatic** ~ Samenstrang; **spinal** ~ Rückenmark *n*; **umbilical** ~ Nabelschnur. **5.** a) Rippe *f* (*e-s Tuches*), b) gerippter Stoff, Rips *m, bes.* → **corduroy** 1, c) *pl* → **corduroy** 2. **6.** → **cord tire. 7.** Klafter *f, m, n* (*Raummaß für Holz etc* = 3,6 m³). **8.** *tech.* Meßschnur *f.* **9.** Rippe *f,* Schnur *f,* Bund *m* (*am Buchrücken*). **II** *v/t* **10.** (*mit Schnüren*) befestigen, festbinden. **11.** ver-, zuschnüren. **12.** mit Schnüren

verzieren. **13.** *Holz* zu Klaftern aufschichten. **14.** *Buchrücken* rippen.
'cord·age *s mar.* Tauwerk *n.*
cor·date ['kɔːrdeit] *adj bot. zo.* herzförmig (*Muschel, Blatt etc*).
cord·ed ['kɔːrdid] *adj* **1.** ge-, verschnürt. **2.** gerippt, gestreift (*Stoff*). **3.** aus Stricken gemacht: ~ **ladder** Strickleiter *f.* **4.** in Klaftern aufgestapelt (*Holz*).
Cor·de·lier [ˌkɔːrdi'liːr] *s relig.* Franzis'kaner(mönch) *m.*
cord grass *s bot.* (*ein*) Spartgras *n.*
cor·dial [*Br.* 'kɔːrdiəl; *Am.* -dʒəl] **I** *adj* (*adv* ~**ly**) **1.** herzlich, freundlich, warm: a ~ **reception. 2.** herzlich, aufrichtig: ~ **thanks**; to take a ~ **dislike to s.o.** e-e gründliche Abneigung gegen j-n fassen. **3.** *med.* belebend, (herz- *od.* magen)stärkend. **II** *s* **4.** *med.* belebendes *od.* (herz)stärkendes Mittel. **5.** (süßer, aro'matischer) Li'kör. **6.** *fig.* Wohltat *f*, Labsal *n.* **cor·dial·i·ty** [*Br.* ˌkɔːdi'æliti; *Am.* kɔːr'dʒæləti], **'cor·dial·ness** *s* Herzlichkeit *f*, Wärme *f.*
cor·di·er·ite ['kɔːrdiəˌrait] *s min.* Cordie'rit *m.*
cor·dil·le·ra [ˌkɔːrdil'jɛ(ə)rə; kɔːr'dilərə] *s Am.* Kettengebirge *n*, Kordil'lere *f.*
cord·ite ['kɔːrdait] *s mil.* Kor'dit *n.*
cor·di·tis [kɔːr'daitis] *s med.* Samenstrangentzündung *f.*
cor·do·ba ['kɔːrdobɑː] *s* Cordoba *m* (*Münze u. Münzeinheit in Nicaragua*).
cor·don ['kɔːrdn] **I** *s* **1.** Litze *f*, Kordel *f.* **2.** Ordensband *n.* **3.** Kor'don *m*: a) *mil.* Postenkette *f*: ~ **of sentries**, b) *allg.* Absperrkette *f*: ~ **of police. 4.** Kette *f*, Spa'lier *n* (*Personen*). **5.** *mil.* Mauerkranz *m*: ~ **of forts** Festungsgürtel *m.* **6.** *arch.* Kranz(gesims *n*) *m.* **7.** *agr.* Kor'don *m*, 'Schnurspaˌlierbaum *m.* **8.** *her.* (Knoten)Strick *m.* **II** *v/t* **9.** *a.* ~ **off** (mit Posten *od.* Seilen) absperren. ~ **bleu** [kɔr'dɔ̃ 'blø] (*Fr.*) *s* **1.** *hist.* Cordon bleu *m*: a) *blaues Band des französischen Heiligen-Geist-Ordens*, b) Ritter *m* des Ordens vom Heiligen Geist. **2.** *fig.* höchste Auszeichnung. **3.** hochgestellte Per'sönlichkeit. **4.** *humor.* erstklassiger Koch.
cor·do·van ['kɔːrdəvən] *s* Korduan(leder) *n.*
cord| stitch *s tech.* Kettenstich *m.* ~ **tire,** *bes. Br.* ~ **tyre** *s mot.* Kordreifen *m.*
cor·du·roy ['kɔːrdəˌrɔi; ˌkɔːrdə'rɔi] **I** *s* **1.** Kord-, Rippsamt *m.* **2.** *pl* Kordsamthose *f.* **3.** *a.* ~ **road** *Am.* Knüppeldamm *m.* **II** *adj* **4.** Kordsamt...
cord·wain ['kɔːrdwein] *s obs.* Korduan(leder) *n.* **'cord·wain·er** *s* **1.** the C~s die Gilde der Schuhmacher (*der Londoner City*). **2.** *obs.* Schuhmacher *m.*
'cordˌwood *s bes. Am.* Klafterholz *n.*
core [kɔːr] **I** *s* **1.** *bot.* a) Kerngehäuse *n*, b) Kern *m* (*e-r Frucht*), c) Kernholz *n* (*vom Baum*). **2.** *fig.* (*das*) Innerste (*e-r Sache*), Seele *f*, Herz *n*, Mark *n*, Kern *m*: the ~ **of the problem** der Kern des Problems; to the ~ bis ins Innerste, zutiefst; **English to the** ~ ein Engländer durch u. durch; → **rotten** 1. **3.** *electr.* a) Kern *m* (*Elektromagnet, Spule etc*), b) Ankerkern *m* (*Dynamo*), c) Kabelkern *m*, Seele *f* (*a. e-s Seils*). **4.** *tech.* a) *Furnierarbeit*: Blindholz *n*, b) *Bergbau etc*: Bohrkern *m*: ~ **drill** Kernbohrer *m*; ~ **drilling** Bohrprobe *f*, c) *Formerei*: (Form)Kern *m*; → **hard core** 1. **5.** *arch.* Kern *m*, Füllung *f*: ~ **of a column. 6.** *phys.* a) 'Rumpfaˌtom *n*, b) Re'aktorkern *m.* **7.** *med.* (Eiter)Pfropf *m* (*e-s Geschwürs*). **II** *v/t* **8.** *Äpfel etc* entkernen.
Co·re·an → **Korean.**
cored [kɔːrd] *adj* **1.** *a. tech.* mit Kern (versehen): ~ **electrode** *electr.* Seelenelektrode *f.* **2.** entkernt: ~ **apples. 3.** *tech.* hohl: ~ **hole** Kernloch *n.*
co·re·la·tion, *bes. Br.* **co-...** [ˌkouri'leiʃən] → **correlation.**
co·re·li·gion·ist [ˌkouri'lidʒənist] *s* Glaubensgenosse *m*, -genossin *f.*
co·re·op·sis [ˌkɒri'ɒpsis] *s bot.* Mädchenauge *n.*
cor·er ['kɔːrər] *s* Fruchtentkerner *m.*
co·re·spond·ent, *Br.* **co-...** [ˌkouri'spɒndənt] *s jur.* Mitbeklagte(r *m*) *f* (*bes. im Ehescheidungsverfahren*).
corf [kɔːrf] *pl* **corves** [kɔːrvz] *s Br.* **1.** *Bergbau*: Förderkorb *m*, Schlepptrog *m.* **2.** Fischkorb *m* (*im Wasser*).
cor·gi ['kɔːrgi] → **Welsh corgi.**
co·ri·a·ceous [ˌkɒri'eiʃəs] *adj* ledern: a) aus Leder, Leder..., b) zäh.
co·ri·an·der [ˌkɒri'ændər] *s bot.* Kori'ander *m.*
co·rinne [ko'rin] *s zo.* Ga'zelle *f.*
cor·inth ['kɒrinθ] *s* (*ein*) roter Farbstoff: **Congo** ~ Kongo(rot) *n.*
Co·rin·thi·an [kə'rinθiən] **I** *adj* **1.** ko'rinthisch. **2.** *fig.* a) reichverziert, b) prezi'ös: ~ **style. 3.** *fig.* ausschweifend. **II** *s* **4.** Ko'rinther(in). **5.** *pl* (*als sg konstruiert*) *Bibl.* (Brief *m* des Paulus an die) Ko'rinther *pl.* **6.** Mann *m* von Welt.
co·ri·um ['kɔːriəm] *pl* **co·ri·a** [-riə] *s anat. u. zo.* Lederhaut *f.*
cork [kɔːrk] **I** *s* **1.** Kork(rinde *f*) *m*, Rinde *f* der Korkeiche. **2.** → **cork oak. 3.** Korken *m*, Kork(stöpsel) *m*, Pfropfen *m.* **4.** *Gegenstand aus Kork, bes.* Angelkork *m*, Schwimmer *m.* **5.** *bot.* Kork *m*, Peri'derm *n.* **II** *v/t* **6.** *oft* ~ **up** zu-, verkorken. **7.** mit gebranntem Kork schwärzen.
corked [kɔːrkt] *adj* **1.** verkorkt, zugekorkt, verstöpselt. **2.** korkig, nach dem Kork schmeckend (*Wein*). **3.** *Am. sl.* ,blau' (*betrunken*). **'cork·er** *s* **1.** Verkorker(in). **2.** *sl.* a) entscheidendes Argu'ment, b) faustdicke Lüge. **3.** *sl.* a) ,Knüller' *m*, ,Schlager' *m*, ,tolles Ding', b) ,Mordskerl' *m.* **'cork·ing** *adj sl.* ,prima', ,phan'tastisch'.
cork| jack·et *s* Kork-, Schwimmweste *f.* ~ **leg** *s colloq.* Holzbein *n.* ~ **oak** *s bot.* Korkeiche *f.*
cork·screw ['kɔːrkˌskruː] **I** *s* **1.** Korkenzieher *m.* **II** *v/t colloq.* **2.** ('durch)winden, (-)schlängeln, spi'ralig bewegen. **3.** mühsam (her'aus)ziehen (out of aus): to ~ **the truth out of s.o.** *fig.* die Wahrheit aus j-m herausziehen. **III** *v/i* **4.** sich winden, sich schlängeln. **IV** *adj* **5.** spi'ralig gewunden, korkzieherförmig: ~ **curl** Korkenzieher *m* (*Locke*); ~ **staircase** Wendeltreppe *f.*
cork| sole *s* Kork-Einlegesohle *f.* ~ **tree** → **cork oak.** '~ˌ**wood** *s bot.* **1.** a) Korkholzbaum *m*, b) Korkholz *n.* **2.** → **balsa** 1.
cork·y ['kɔːrki] *adj* **1.** korkartig, Kork... **2.** *obs.* schrump(e)lig. **3.** → **corked** 2. **4.** *colloq.* lebhaft, ,kreuzfi'del', ,aufgedreht'.
corm [kɔːrm] *s bot.* Kormus *m*, beblätterter Sproß.
cor·mo·phyte ['kɔːrməˌfait] *s bot.* Kormus-, Sproßpflanze *f.*
cor·mo·rant ['kɔːrmərənt] *s* **1.** *orn.* Kormo'ran *m*, Scharbe *f.* **2.** *fig.* a) Vielfraß *m*, b) raffgierige Per'son.
cor·mus ['kɔːrməs] *s* **1.** *zo.* Tierstock *m*, Kormus *m.* **2.** *bot.* → **corm.**
corn[1] [kɔːrn] **I** *s* **1.** (Samen-, Getreide)Korn *n*: to **acknowledge the** ~ *Am. colloq.* sich geschlagen geben. **2.** *collect.* Korn(frucht *f*) *n*, Getreide *n*, *bes.* a) *Br.* Weizen *m*, b) *Scot. u. Ir.* Hafer *m*: ~ **in the ear** Korn in Ähren. **3.** *a.* **Indian** ~ *Am. u. Austral.* Mais *m.* **4.** *Am.* Maisgemüse *n*: ~ **on the cob** Maiskörner am Kolben (*als Gemüse serviert*). **5.** *Am. colloq. für* **corn whisky. 6.** *Am. sl.* (sentimen'taler) Kitsch, ,Schnulze' *f.* **II** *v/t* **7.** pökeln, einsalzen; → **corned** 1. **8.** *sl. j-n* betrunken *od.* ,blau' machen. **III** *v/i* **9.** Korn ansetzen (*Getreide*).
corn[2] [kɔːrn] *s med.* Hühnerauge *n*: to **tread on s.o.'s** ~**s** *fig.* j-m ,auf die Hühneraugen treten'.
corn| belt *s* Maisgürtel *m* (*Gebiet in USA, bes. Indiana, Illinois, Iowa, Kansas*). '~ˌ**bind,** *Am.* ~ **bind·weed** *s bot.* Ackerwinde *f.* ~ **bran·dy** *s* Korn(branntwein) *m*, Whisky *m.* '~ˌ**brash** *s geol.* Rogenstein *m.* ~ **bread** *s Am.* Maisbrot *n.* '~ˌ**cake** *s Am.* (Pfann)Kuchen *m* aus Maismehl. ~ **chandler** *s Br.* Korn-, Saathändler *m.* '~ˌ**cob** *s Am.* **1.** Maiskolben *m.* **2.** *a.* ~ **pipe** aus dem Strunk e-s Maiskolbens gefertigte Tabakspfeife. ~ **cock·le** *s bot.* Kornrade *f.* ~ **col·o(u)r** *s* Hellgelb *n.* '~ˌ**crack·er** *s Am.* **1.** Maisschrotmühle *f.* **2.** *colloq.* Einwohner(in) von Ken'tucky. ~ **crake** *s orn.* Wiesenknarre *f.* '~ˌ**crib** *s Am.* Lattenhaus *n*, luftiger Maisspeicher. ~ **dodg·er** *s Am. dial.* a) hartgebackener Maiskuchen, b) Maiskloß *m.*
cor·ne·a ['kɔːrniə] *s anat.* Kornea *f*, Hornhaut *f* (*des Auges*).
corned [kɔːrnd] *adj* **1.** gepökelt, eingesalzen: ~ **beef** Corned beef *n*, gepökeltes Rindfleisch. **2.** gekörnt, genarbt (*Leder*). **3.** körnig.
cor·nel ['kɔːrnəl] *s bot.* Kor'nelkirsche *f.*
cor·nel·ian[1] [kɔːr'niːljən] *adj*: ~ **cherry** → **cornel.**
cor·nel·ian[2] [kɔːr'niːljən] *s min.* Karne'ol *m.*
cor·ne·ous ['kɔːrniəs] *adj* hornig.
cor·ner ['kɔːrnər] **I** *s* **1.** (Straßen-, Häuser)Ecke *f*, *bes. mot.* (Straßen)Biegung *f*: **at the** ~ an der Ecke; **just round the** ~ gleich um die Ecke; to **take a** ~ *mot.* e-e Kurve nehmen; to **turn the** ~ a) um die (Straßen)Ecke biegen, b) *fig.* über den Berg hinwegkommen; to **cut off a** ~ e-e Ecke (*durch e-n Abkürzungsweg*) abschneiden. **2.** Winkel *m*, Ecke *f*: ~ **of the mouth** Mundwinkel; to **look at s.o. from the** ~ **of one's eye** j-n kritisch *od.* von der Seite ansehen. **3.** (verborgener) Winkel: to **put a child in the** ~ ein Kind in die Ecke stellen. **4.** *fig.* verteufelte Lage, Klemme *f*: to **drive s.o. into a** ~ j-n in die Enge treiben; to **be in a tight** ~ in der Klemme sitzen. **5.** entlegene Gegend: **the four** ~**s of the earth** die vier Enden der Erde. **6.** *fig.* Ecke *f*, Ende *n*, Seite *f*: **they came from all** ~**s** sie kamen von allen Ecken u. Enden. **7.** verstärkte Ecke, Eckenverstärkung *f*: **book** ~. **8.** *sport* a) *Fußball*: Eckball *m*, Ecke *f*, b) *Boxen*: (Ring)Ecke *f.* **9.** *econ.* Schwänze *f*, Corner *m*, Korner *m*: a) Aufkäufergruppe *f*, (Spekulati'ons)Ring *m*, b) (Aufkauf *m* zwecks) Mono'polbildung *f*: ~ **in cotton** Baumwollkorner. **10.** *fig.* Mono'pol *n* (on auf *acc*): a ~ **on virtue.**
II *v/t* **11.** mit Ecken versehen. **12.** in e-e Ecke stellen *od.* legen. **13.** *j-n* in die Enge treiben. **14.** a) *econ. Ware* (spekula'tiv) aufkaufen, cornern: to ~ **the**

market den Markt aufkaufen, b) *fig.* mit Beschlag belegen.
III *v/i* **15.** *Am.* e-e Ecke *od.* e-n Winkel bilden. **16.** *Am.* an e-r Ecke gelegen sein. **17.** *mot.* e-e Kurve nehmen. **18.** *econ.* e-n Corner bilden. ~ **boy** *s* Rowdy *m*, Eckensteher *m.* ~ **chis·el** *s tech.* Kantbeitel *m.* ~ **cup·board** *s* Eckschrank *m.*

cor·nered ['kɔːrnərd] *adj* **1.** eckig. **2.** *fig.* in die Enge getrieben: savage as a ~ rat. **3.** *in Zssgn* ...eckig.

cor·ner house *s* Eckhaus *n.*

cor·ner·ing ['kɔːrnəriŋ] *s mot.* Kurven(fahren) *n*: ~ stability Kurvenfestigkeit *f.*

cor·ner| joint *s tech.* Winkelstoß *m.* ~ **kick** → corner 8 a. ~ **seat** *s rail. etc* Eckplatz *m.* '~ˌ**stone** *s* **1.** *arch.* a) Eckstein *m*, b) Grundstein *m*: to lay the ~ den Grundstein legen. **2.** *fig.* Grundstein *m*, Eckpfeiler *m.* ~ **tooth** *s irr zo.* Eck-, Hakenzahn *m* (*des Pferdes*). '~ˌ**wise** *adv* **1.** mit der Ecke nach vorn. **2.** diago'nal.

cor·net [*Br.* 'kɔːnit; *Am.* kɔːr'net] *s* **1.** *mus.* a) (Ven'til-, Pi'ston)Korˌnett *n*, b) Zink *m* (*altes Blasinstrument aus Holz*), c) Kor'nett *n* (*Orgelstimme*), d) Kornet'tist *m.* **2.** ['kɔːrnit] Pa'piertüte *f.* **3.** *Br.* a) Eistüte *f*, b) Cremerolle *f*, -törtchen *n.* **4.** Schwesternhaube *f.* **5.** *hist.* (*Art*) reichverzierte Frauenhaube. **6.** *mil. hist.* a) Fähnlein *n*, Reitertrupp *m*, b) Kor'nett *m*, Fähnrich *m* (*der Kavallerie*). ~**-à-pis·tons** ['kɔːrnetə'pistɔnz] → cornet 1 a.

cor·net·cy [*Br.* 'kɔːnitsi; *Am.* kɔːr'netsi] *s* Fähnrichs-, Kor'nettstelle *f.*

cor·net·ist ['kɔːrnitist], **cor'net·tist** [-'netist] *s* Kornet'tist *m.*

corn| ex·change *s econ.* Getreidebörse *f.* ~ **fac·tor** *s* **1.** *Br.* Kornhändler *m.* **2.** *Am.* Maishändler *m.* '~ˌ**field** *s* **1.** *Br.* Korn-, Getreidefeld *n.* **2.** *Am.* Maisfeld *n.* ~ **flag** *s bot.* **1.** → gladiolus. **2.** Gelbe Schwertlilie. ~ **flakes** (*TM*) *s pl* Cornflakes *pl* (*geröstete Maisflocken*). ~ **flour** *s Br.* **1.** → cornstarch. **2.** Mais- *od.* Reismehl *n.* '~ˌ**flow·er** *s* **1.** *bot.* Kornblume *f.* **2.** *bot.* Kornrade *f.* **3.** Kornblumenblau *n.*

cor·nice ['kɔːrnis] **I** *s* **1.** *arch.* (*Dach- od. Säulen*)Gesims *n*, Sims *m*, Kar'nies *n.* **2.** Kranz-, Randleiste *f* (*an Möbelstücken etc*). **3.** Bilderleiste *f* (*zum Bilderaufhängen*). **4.** (Schnee)Wächte *f.* **II** *v/t* **5.** mit e-m Sims *etc* versehen.

cor·nif·er·ous [kɔːr'nifərəs] *adj geol.* hornsteinhaltig. **cor'nif·ic** *adj* hornbildend. **cor'nig·er·ous** [-'nidʒərəs] *adj* gehörnt: ~ animals Hornvieh *n.*

Cor·nish ['kɔːrniʃ] **I** *adj* kornisch, aus Cornwall. **II** *s* Kornisch *n*: a) kornische Sprache, b) *in Cornwall gesprochener englischer Dialekt.* '~**·man** [-mən] *s irr* Einwohner *m* von Cornwall.

corn| law *s* **1.** Korn(zoll)gesetz *n.* **2.** *pl*, *a.* C~ L~s *hist.* Korngesetze *pl* (*in England zwischen 1476 u. 1846*). '~ˌ**loft** *s* Getreidespeicher *m.* ~ **mar·i·gold** *s bot.* Gelbe Wucherblume. ~ **mill** *s* **1.** *agr. bes. Br.* Getreidemühle *f.* **2.** *Am.* 'Futterquetschmaˌschine *f.*

cor·no·pe·an [kɔːr'noupiən] → cornet 1 a.

corn| oys·ter *s Am.* (*Art*) Maispfannkuchen *m.* ~ **pick·er** *s agr. Am.* Maiskolbenpflücker *m* (*Maschine*). '~ˌ**pipe** *s* Halmflöte *f.* ~ **pit** *s Am.* Getreidebörse *f.* ~ **plas·ter** *s* Hühneraugenpflaster *n.* ~ **pone** *s Am. dial.* Maisbrot *n* (*ohne Milch u. Eier*). ~ **pop·per** *s Am.* Maisröster *m* (*Drahtkorbpfanne*). ~ **pop·py** *s bot.* Klatschmohn *m*, -rose *f.* ~ **rose** *s* **1.** → corn poppy. **2.** → corn cockle. ~ **sal·ad** *s bot.* (*ein*) 'Feldsaˌlat *m.* ~ **snow** *s* Firneis *n.* '~ˌ**stalk** *s* **1.** Getreidehalm *m.* **2.** *Am.* Maisstengel *m.* **3.** *colloq.* Bohnenstange *f* (*lange dünne Person, bes. Australier aus Neusüdwales*). '~ˌ**starch** *s* Maisstärke *f od.* -mehl *n.*

cor·nu ['kɔːrnjuː] *pl* **-nu·a** [-njuə] *s anat.* **1.** Horn *n*: ~ ammonis Ammonshorn (*im Gehirn*). **2.** Dornfortsatz *m.*

cor·nu·co·pi·a [*Br.* ˌkɔːrnju'koupiə; *Am.* -nə-] *pl* **-as** *s* **1.** Füllhorn *n* (*a. fig.*). **2.** *fig.* Fülle *f*, Reichtum *m*, 'Überfluß *m.* ˌ**cor·nu'co·pi·an** *adj* 'überreichlich.

cor·nute [kɔːr'njuːt] **I** *adj* **1.** gehörnt. **2.** hornförmig, -artig. **II** *v/t obs.* **3.** zum Hahnrei machen. **cor'nut·ed** → cornute I.

corn| wee·vil *s zo.* **1.** Kornkäfer *m.* **2.** *Am.* (*ein*) Getreiderüsselkäfer *m.* ~ **whis·k(e)y** *s Am.* Maisschnaps *m.*

corn·y ['kɔːrni] *adj* **1.** a) *Br.* Korn..., Getreide..., b) *Am.* aus Mais ('hergestellt), Mais... **2.** a) *Br.* korn-, getreidereich, b) *Am.* maisreich (*Gegend*). **3.** körnig. **4.** *Am. sl.* a) sentimen'tal, ‚schmalzig', b) kitschig, c) abgedroschen. **5.** *sl.* beschwipst.

co·rol·la [kə'rɒlə] *s bot.* Blumenkrone *f.*

cor·ol·lar·y [*Br.* kə'rɒləri; *Am.* 'kɑrəˌleri] *s* **1.** *math. philos.* (einfacher) Folgesatz. **2.** logische *od.* na'türliche Folge, Ergebnis *n* (of, to von): as a ~ to this als e-e Folge hiervon. **II** *adj* **3.** sich als Corol'larium ergebend. **4.** na'türlich folgend, sich logischerweise ergebend.

cor·ol·late ['kɒrəˌleit], '**cor·olˌlat·ed**, ˌ**cor·ol'lif·er·ous** [-'lifərəs] *adj bot.* e-e Blumenkrone tragend.

co·ro·na [kə'rounə] *pl* **-nas** *od.* **-nae** [-niː] *s* **1.** *astr.* a) Hof *m*, Kranz *m* (*um Sonne u. Mond*), b) Ko'rona *f*, 'Leuchtatmoˌsphäre *f* (*der Sonne*). **2.** *arch.* Kranzleiste *f*, -gesims *n.* **3.** *anat.* Kranz *m.* **4.** *med.* (Zahn)Krone *f.* **5.** *bot.* Nebenkrone *f.* **6.** *a.* ~ discharge *electr.* Ko'rona *f*, Glimm-, Sprühentladung *f.* **7.** *Phonetik*: a) Zungenspitze *f*, b) oberer Zahnrand. **8.** ringförmiger Kronleuchter (*in Kirchen*). **9.** *e-e längliche Zigarre.* **C~ Aus·tra·lis** [ɔː'streilis] *gen* **Co·ro·nae Aus·tra·lis** *s astr.* Südliche Krone (*Sternbild*). **C~ Bo·re·a·lis** [*Br.* ˌbɔːri'eilis; *Am.* ˌbɔːri'ælis] *gen* **Co·ro·nae Bo·re·a·lis** *s* Nördliche Krone (*Sternbild*).

cor·o·nach ['kɒrənək] *s Scot. u. Ir.* Totenklage *f.*

cor·o·nal ['kɒrənl] **I** *s* **1.** Stirnreif *m*, Dia'dem *n.* **2.** (Blumen)Kranz *m.* **3.** *a.* ~ suture *med.* Kranznaht *f.* **II** *adj* [*a.* kə'rounəl] **4.** *bes. anat.* Kron(en)..., Kranz...: ~ artery → coronary artery. **5.** *Phonetik*: a) koro'nal, b) alveo'lar (*Laut*).

cor·o·nar·y ['kɒrənəri] *adj* **1.** Kronen..., Kranz... **2.** *anat.* a) kranzartig angeordnet, b) koro'nar, die 'Kranzarˌterie betreffend. ~ **ar·ter·y** *s anat.* 'Kranzarˌterie *f* (*Herz*). ~ **throm·bo·sis** *s med.* Koro'narthromˌbose *f.*

cor·o·nate ['kɒrəˌneit] *v/t selten* krönen. ˌ**cor·o'na·tion** *s* **1.** a) Krönung *f* (*a. fig.*), b) Krönungsfeier *f*: ~ oath Krönungseid *m*; C~ Stone Krönungsstein *m* (*im Krönungssessel der englischen Könige*). **2.** *Damespiel*: Aufein'andersetzen *n* zweier Steine (*zur Dame*).

cor·o·ner ['kɒrənər] *s jur.* **1.** Coroner *m* (*amtlicher Leichenbeschauer u. Untersuchungsrichter in Fällen gewaltsamen od. plötzlichen Todes*): ~'s inquest gerichtliche Leichenschau u. Verhandlung zur Feststellung der Todesursache. **2.** *Br. hist. Beamter für die Verwaltung des Privatvermögens der Krone in e-r Grafschaft.*

cor·o·net ['kɒrənit] *s* **1.** kleine Krone, Krönchen *n.* **2.** Adelskrone *f.* **3.** Dia'dem *n*, Kopfputz *m* (*für Frauen*). **4.** Hufkrone *f* (*des Pferdes*). '**cor·o·net·ed**, *a.* '**cor·o·net·ted** *adj* **1.** e-e Krone *od.* ein Dia'dem tragend. **2.** ad(e)lig. **3.** mit e-r Adelskrone (versehen) (*Briefpapier etc*).

co·ro·zo [kə'rousou] *pl* **-zos**, *a.* ~ **palm** *s bot. Am.* **1.** Elfenbeinpalme *f.* **2.** Acro'comie *f.* **3.** → cohune.

cor·po·ra ['kɔːrpərə] *pl von* corpus.

cor·po·ral[1] ['kɔːrpərəl] **I** *adj* (*adv* ~ly) **1.** körperlich, leiblich: ~ punishment a) körperliche Züchtigung, Prügelstrafe *f*, b) *jur.* Körperstrafe *f.* **2.** per'sönlich: ~ possession; ~ oath *jur.* körperlicher Eid. **II** *s* **3.** *relig.* Corpo'rale *n* (*Unterlage für Hostie u. Kelch*).

cor·po·ral[2] ['kɔːrpərəl] *s* **1.** *mil.* 'Unteroffiˌzier *m*, *mar. a.* Maat *m.* **2.** Obergefreite(r) *m* (*der US-Marine-Infanterie*).

cor·po·ral·i·ty [ˌkɔːrpə'ræliti] *s* Körperlichkeit *f.*

cor·po·rate ['kɔːrpərit] *adj* **1.** *jur.* a) (*zur Körperschaft*) vereinigt, korpora'tiv, körperschaftlich, b) Körperschafts..., c) zu e-r Körperschaft gehörig, inkorpo'riert, d) *econ. Am.* e-r (Kapi'tal- *od.* Aktien)Gesellschaft, Gesellschafts..., Firmen...: ~ body → corporation 1; ~ counsel *Am.* Syndikus *m* (*e-r Aktiengesellschaft*); ~ limit *Am.* Stadt(gemeinde)grenze *f*; ~ member Vollmitglied *n* e-r Körperschaft *od.* (*Am.*) e-r (Aktien)Gesellschaft; ~ name a) *Br.* Name *m* e-r juristischen Person, b) *Am.* Firmenname *m*; ~ seal a) *Br.* Siegel *n* e-r juristischen Person, b) *Am.* Firmensiegel *n*; ~ stock *Am.* Aktien (e-r Gesellschaft); ~ tax *Am.* Körperschaftssteuer *f*; ~ town Stadt *f* mit eigenem Recht. **2.** → corporative 2. **3.** gemeinsam, kollek'tiv: to take ~ action gemeinsam handeln. '**cor·po·rate·ly** *adv* **1.** als Körperschaft, korpora'tiv. **2.** als Ganzes, gemeinsam.

cor·po·ra·tion [ˌkɔːrpə'reiʃən] *s* **1.** Korporati'on *f*, Körperschaft *f*, ju'ristische Per'son, *a.* Anstalt *f* (des öffentlichen *od.* pri'vaten Rechts): ~ aggregate (sole) Korporation aus mehreren Gliedern (aus 'einer Person). **2.** Vereinigung *f*, Gesellschaft *f.* **3.** *econ. Br.* (rechtsfähige) Handelsgesellschaft. **4.** *a.* stock ~ *econ. Am.* Kapi'tal-, Aktiengesellschaft *f*: ~ counsel Syndikus *m*; ~ law Aktienrecht *n od.* -gesetz *n*; ~ tax Körperschaftssteuer *f*; → close (public) corporation. **5.** Gilde *f*, Zunft *f*, Innung *f*: ~ of merchants (*od.* traders) Handelsinnung. **6.** *Br.* Stadtbehörde *f*, -verwaltung *f.* **7.** inkorpo'rierte Gemeinde, Stadtgemeinde *f.* **8.** *sl.* Schmerbauch *m.*

cor·po·ra·tive ['kɔːrpərətiv; -ˌreitiv] *adj* **1.** *econ.* a) korpora'tiv, körperschaftlich, b) *Am.* Gesellschafts...: ~ investor investierende Kapitalgesellschaft. **2.** *pol.* korpora'tiv, Korporativ... (*Staat, System*). '**cor·poˌra·tor**

[-tər] *s* Mitglied *n* e-r corporation, Gründungsmitglied *n*.

cor·po·re·al [kɔːr'pɔːriəl] *adj* (*adv* ~ly) **1.** körperlich, leiblich, physisch. **2.** materi'ell, dinglich, greifbar: ~ hereditament *jur.* a) *Br.* Grundbesitz *m*, b) *Am.* vererbliche Gegenstände. **cor,po·re'al·i·ty** [-'æliti] → corporality. **cor'po·re·al,ize** *v/t* verkörperlichen.

cor·po·re·i·ty [,kɔːrpə'riːəti] *s* Körperlichkeit *f*, körperliche Sub'stanz.

cor·po·sant ['kɔːrpə,zænt] *s* Elmsfeuer *n*.

corps [kɔːr] *pl* **corps** [-z] *s* **1.** *mil.* a) *a.* army ~ (Ar'mee)Korps *n*, b) Korps *n*, Truppe *f*: C~ of Engineers Pioniertruppe; volunteer ~ Freiwilligenkorps, -truppe. **2.** Körperschaft *f*, Corps *n*: → diplomatic 1. **3.** Corps *n*, Korporati'on *f*, stu'dentische Verbindung (*in Deutschland*). ~ **a·re·a** *s mil.* Korpsbereich *m* (*der US-Armee*). ~ **de bal·let** [kɔːr də ba'lɛ] (*Fr.*) *s* Corps de bal'let *n*, Bal'lettgruppe *f*. ~ **d'é·lite** (*Fr.*) *s* **1.** *mil.* E'litetruppe *f*. **2.** *fig.* E'lite *f*. ~ **di·plo·ma·tique** (*Fr.*) *s pol.* Diplo'matisches Korps.

corpse [kɔːrps] *s* **1.** Leichnam *m*, Leiche *f*. **2.** *Am. sl.* Kerl *m*.

cor·pu·lence ['kɔːrpjuləns], *a.* '**cor·pu·len·cy** *s* Korpu'lenz *f*, Beleibtheit *f*. '**cor·pu·lent** *adj* (*adv* ~ly) korpu'lent, beleibt, dick, stark.

cor·pus ['kɔːrpəs] *pl* '**cor·po·ra** [-pərə] *s* **1.** *meist humor.* Körper *m*, Leib *m*, ‚Korpus' *m*. **2.** Korpus *n*, Sammlung *f*: literary ~; the ~ of English law. **3.** Stamm *m*, Hauptmasse *f*, *bes. econ.* 'Stammkapi,tal *n* (*Ggs. Zinsen u. Ertrag*). **4.** Körper(schaft *f*) *m* (*Personen*). **C~ Chris·ti** ['kristi] *s relig.* Fron'leichnam(sfest *n*) *m*.

cor·pus·cle ['kɔːrpʌsl] *s* **1.** *biol.* (Blut)-Körperchen *n*. **2.** *chem. phys.* Kor'puskel *n*, Elemen'tarteilchen *n*. **cor'pus·cu·lar** [-'pʌskjulər] *adj chem. phys.* korpusku'lar: ~ theory (of light) Korpuskulartheorie *f* (des Lichtes). **cor'pus·cule** [-kjuːl] → corpuscle.

cor·pus| de·lic·ti [di'liktai] *s jur.* Corpus *n* de'licti: a) Tatbestand *m*, b) Tatbestandsverwirklichung *f*, c) (*nicht jur.*) Beweisstück *n*, *bes.* Leiche *f* (des Ermordeten). ~ **ju·ris** ['dʒu(ə)ris] *s jur.* Corpus *n* juris, Gesetzessammlung *f*.

cor·ral [*Br.* ko'rɑːl; *Am.* kə'ræl] *bes. Am.* **I** *s* **1.** Kor'ral *m*, Hürde *f*, Pferch *m*. **2.** Wagenburg *f* (*von Siedlern*). **II** *v/t* **3.** *Vieh* in e-n Pferch treiben. **4.** *fig.* einpferchen, -sperren. **5.** *Wagen* zu e-r Wagenburg zs.-stellen. **6.** *colloq.* mit Beschlag belegen, sich (*etwas*) aneignen *od.* ‚schnappen'.

cor·rect [kə'rekt] **I** *v/t* **1.** (o.s. sich) korri'gieren, verbessern, berichtigen: I must ~ this statement ich muß das richtigstellen. **2.** zu'rechtweisen, tadeln: I stand ~ed ich gebe m-n Fehler zu. **3.** *j-n od. etwas* (be)strafen (for wegen). **4.** a) *Fehler etc* abstellen, abschaffen: to ~ abuses, b) *mil. Ladehemmung* beheben. **5.** *chem. med. phys.* ausgleichen, neutrali'sieren. **6.** *electr. phot. TV* entzerren. **7.** *math. phys.* regu'lieren, ju'stieren. **II** *adj* (*adv* ~ly) **8.** richtig: a) fehlerfrei, b) wahr, zutreffend: that is ~ das stimmt; you are ~ (in saying) Sie haben recht (‚wenn Sie sagen). **9.** genau: ~ time. **10.** kor'rekt, einwandfrei, schicklich: ~ behavio(u)r; it is the ~ thing es gehört sich.

cor·rec·tion [kə'rekʃən] *s* **1.** Korrekti'on *f*, Korrek'tur *f*, Berichtigung *f* (*beide a. phys. tech.*), Verbesserung *f*, Richtigstellung *f*: I speak under ~ ich kann mich natürlich irren; ~ of a river Flußregulierung *f*; ~ of visual defects Korrektur von Sehfehlern. **2.** Korrek'tur *f*, Fehlerverbesserung *f*: mark of ~ Korrekturzeichen *n*. **3.** a) Zu'rechtweisung *f*, Tadel *m*, b) Bestrafung *f*, Strafe *f*, c) *jur.* Besserung *f*: house of ~ Strafanstalt *f*, Gefängnis *n*. **4.** *mil.* Beseitigung *f* (*e-r Ladehemmung*). **5.** *Radar*: Beschickung *f*. **6.** *math. phys.* Korrekti'onskoeffizi,ent *m*. **7.** *electr.* Entzerrung *f*. **8.** *Navigation*: Vorhalt *m*. **9.** *chem. med.* Korrek'tur *f*, Ausgleich *m*. **10.** *fig.* Abstellung *f*: ~ of abuses. **cor'rec·tion·al** → corrective I.

cor·rect·i·tude [kə'rekti,tjuːd] *s* Richtigkeit *f*, Kor'rektheit *f* (*bes. des Benehmens*). **cor'rec·tive I** *adj* (*adv* ~ly) **1.** korri'gierend, verbessernd, berichtigend, Verbesserungs..., Berichtigungs..., Korrektur...: ~ action (*od.* measure) Abhilfemaßnahme *f*. **2.** *med.* korrek'tiv, lindernd. **3.** *chem.* mildernd, neutrali'sierend. **4.** *jur.* Besserungs..., Straf...: ~ training Besserungsmaßregel *f*, Unterbringung *f* in e-m Arbeitshaus. **II** *s* **5.** (of, to) Abhilfe *f* (für), Heil-, Gegenmittel *n* (gegen): as a ~ of abuses. **6.** a) *med.* Korrek'tiv *n*, Gegenmittel *n* (of für), b) *pharm.* (Ge'schmacks),Korrigens *n*. **cor'rect·ness** *s* Kor'rektheit *f*, Richtigkeit *f*. **cor'rec·tor** [-tər] *s* **1.** Berichtiger *m*, Verbesserer *m*. **2.** Kritiker(in), Tadler(in). **3.** *meist* ~ of the press *bes. Br.* Kor'rektor *m*. **4.** Verbesserungs-, Berichtigungsmittel *n*. **5.** *electr.* Korrek'tur-, Ausgleichsregler *m*.

cor·re·late ['kɒri,leit] **I** *v/t* **1.** in Wechselbeziehung bringen (with mit), aufein'ander beziehen. **2.** in Über'einstimmung bringen (with mit), aufein'ander abstimmen, ein'ander angleichen. **II** *v/i* **3.** in Wechselbeziehung stehen (with mit), sich aufein'ander beziehen. **4.** (with) über'einstimmen (mit), entsprechen (*dat*). **III** *adj* **5.** aufein'ander bezüglich, korrela'tiv. **6.** (ein'ander) entsprechend, über'einstimmend: to be ~ (to) entsprechen (*dat*). **IV** *s* **7.** Korre'lat *n*, Ergänzung *f*, Wechselbegriff *m*. **8.** Gegenstück *n* (of zu). '**cor·re,lat·ed** → correlate III.

cor·re·la·tion [,kɒri'leiʃən] *s* **1.** *bes. biol. math. psych.* Korrelati'on *f*, Wechselbeziehung *f*, -wirkung *f*, gegenseitige Abhängigkeit, Zs.-hang *m*: ~ computer *tech.* Korrelationsrechner *m*; ~ function *math.* Korrelationsfunktion *f*; ~ ratio (*Statistik*) Korrelationsverhältnis *n*. **2.** Über'einstimmung *f* (with mit), Entsprechung *f*.

cor·rel·a·tive [kə'relətiv] **I** *adj* **1.** korrela'tiv, in Wechselbeziehung stehend, wechselseitig bedingt, voneinander abhängig, sich gegenseitig ergänzend, aufein'ander abgestimmt. **2.** entsprechend. **II** *s* → correlate 7.

cor·re·spond [,kɒri'spɒnd] *v/i* **1.** (to, with) entsprechen (*dat*), passen (zu), über'einstimmen (mit). **2.** mitein'ander über'einstimmen, zuein'ander passen. **3.** (to) entsprechen (*dat*), das Gegenstück sein (von), ana'log sein (zu). **4.** korrespon'dieren, in Briefwechsel stehen (with mit). **5.** *econ.* in Geschäftsbeziehungen stehen (with mit). **6.** *math.* korrespon'dieren.

cor·re·spond·ence [,kɒri'spɒndəns] *s* **1.** Über'einstimmung *f* (with mit; between zwischen *dat*). **2.** Angemessenheit *f*, Entsprechung *f*, Analo'gie *f*: to bear ~ to s.th. e-r Sache angemessen *od.* gemäß sein *od.* entsprechen. **3.** Korrespon'denz *f*: a) Brief-, Schriftwechsel *m*: to be in ~ (with) → correspond 4, b) Briefe *pl*. **4.** (*bes. econ.* Geschäfts)Verbindung *f*: to break off ~ with die Verbindung abbrechen mit *od.* zu. **5.** *Zeitungswesen*: Beiträge *pl* (*e-s Korrespondenten*). **6.** *math.* Zuordnung *f*. ~ **course** *s* 'Fern,unterrichtskursus *m*. ~ **school** *s* 'Fernlehrinsti,tut *n*.

cor·re·spond·en·cy [,kɒri'spɒndənsi] → correspondence 1. **,cor·re'spond·ent I** *s* **1.** Korrespon'dent(in): a) Briefpartner(in), b) *econ.* (auswärtiger) Geschäftsfreund, Geschäftsverbindung *f*: ~ bank Korrespondenzbank *f*, c) *Zeitung*: Berichterstatter(in), Mitarbeiter(in): foreign ~ Auslandskorrespondent(in). **2.** Gegenstück *n* (of zu). **II** *adj* (*adv* ~ly) **3.** entsprechend, gemäß (to *dat*), über'einstimmend (with mit). **,cor·re'spond·ing** *adj* **1.** entsprechend, gemäß (to *dat*). **2.** korrespon'dierend, in Briefwechsel stehend (with mit): ~ member korrespondierendes Mitglied (*e-r Gesellschaft etc*). **3.** *math.* (ein'ander) zugeordnet. **,cor·re'spond·ing·ly** *adv* entsprechend, demgemäß.

cor·ri·dor ['kɒri,dɔːr] *s* **1.** Korridor *m*, Gang *m*, Flur *m*. **2.** Gale'rie *f*. **3.** *rail.* Korridor *m*, (Seiten)Gang *m*: ~ train D-Zug *m*, Durchgangszug *m*. **4.** *geogr. pol.* Korridor *m*. **5.** *aer.* Luftkorridor *m*, Flugschneise *f*.

cor·rie ['kɒri] *s Scot.* kleiner Talkessel.

cor·ri·gen·dum [,kɒri'dʒendəm] *pl* **-da** [-də] *s* **1.** a) Druckfehler *m*, b) Berichtigung *f*. **2.** *pl* Druckfehlerverzeichnis *n*.

cor·ri·gi·bil·i·ty [,kɒridʒi'biliti] *s* **1.** Korri'gierbarkeit *f*. **2.** Besserungsfähigkeit *f*. **3.** Lenksamkeit *f*. '**cor·ri·gi·ble** *adj* **1.** korri'gierbar, zu verbessern(d), gutzumachen(d). **2.** besserungsfähig. **3.** fügsam, lenksam.

cor·rob·o·rant [kə'rɒbərənt] **I** *adj* **1.** bekräftigend. **2.** stärkend, kräftigend (*a. med.*). **II** *s* **3.** Bekräftigung *f*. **4.** Stärkungs-, Kräftigungsmittel *n* (*a. med.*). **cor'rob·o,rate** [-,reit] *v/t* bekräftigen, bestätigen, erhärten. **cor,rob·o'ra·tion** *s* Bekräftigung *f*, Bestätigung *f*, Erhärtung *f*: in ~ of zur Bestätigung von (*od. gen*). **cor'rob·o,ra·tive, cor'rob·o·ra·to·ry** *adj* bestätigend, bekräftigend, erhärtend.

cor·rob·o·ree, *a.* **cor·rob·o·ri** [kə'rɒbəri] *s Austral.* **1.** Kor'robori *m* (*nächtliches Fest der Eingeborenen*). **2.** *fig.* lärmende Festlichkeit.

cor·rode [kə'roud] **I** *v/t* **1.** *chem. tech.* korro'dieren, an-, zerfressen, angreifen, ätzen. **2.** *tech.* (weg)beizen. **3.** *fig.* zerfressen, -stören, unter'graben: corroding care nagende Sorge. **II** *v/i* **4.** *tech.* korro'dieren. **5.** *tech.* rosten: ~d rostig. **6.** *tech.* korro'dierend wirken, ätzen, fressen (into an *dat*). **7.** sich einfressen (into in *acc*). **8.** zerstört werden, verfallen. **cor'rod·ent** → corrosive. **cor'rod·i·ble** *adj* korro'dierbar.

cor·ro·sion [kə'rouʒən] *s* **1.** *chem. tech.* Korrosi'on *f*, An-, Zerfressung *f* (*beide a. fig.*). **2.** *fig.* Unter'grabung *f*. **3.** *tech.* Rostfraß *m*, -bildung *f*. **4.** *chem. tech.* Ätzen *n*, Beizen *n*.

5. Korrosi'onspro,dukt *n*, Rost *m*. ~ **pit** *s tech.* Rost-, Korrosi'onsnarbe *f*.

cor'ro·sion-re'sist·ant *adj tech.* korrosi'onsbeständig.

cor·ro·sive [kə'rousiv] **I** *adj* (*adv* ~ly) **1.** *chem. tech.* korro'dierend, zerfressend, angreifend, ätzend, Korrosions...: ~ **sublimate** *chem.* Ätz-, Quecksilbersublimat *n*. **2.** *tech.* beizend: ~ **power** Beizkraft *f*. **3.** *fig.* nagend, quälend. **II** *s* **4.** *chem. tech.* Korrosi'ons-, Ätzmittel *n*. **5.** *tech.* Beizmittel *n*, Beize *f*. **cor'ro·sive·ness** *s* ätzende Schärfe.

cor·ru·gate ['kɒrə,geit; -ru-] **I** *v/t* **1.** runzeln, furchen. **2.** wellen, riefen. **II** *v/i* **3.** sich runzeln *od.* furchen, runz(e)lig werden. **4.** sich wellen. **III** *adj* [-git; -,geit] → **corrugated.** **'cor·ru,gat·ed** *adj* **1.** gerunzelt, runz(e)lig, gefurcht. **2.** gewellt, gerippt, geriffelt, Well...: ~ **brick** Wellstein *m*; ~ **cardboard** Wellpappe *f*; ~ **iron** (*od.* **sheet**) Wellblech *n*; ~ **lens** *opt.* Riffellinse *f*. **,cor·ru'ga·tion** *s* **1.** Runzeln *n*, Furchen *n*. **2.** Runz(e)ligkeit *f*, Furchung *f*. **3.** Wellen *n*, Riffeln *n*. **4.** Welligkeit *f*, Gewelltheit *f*. **5.** Runzel *f*, Falte *f*, Furche *f* (*auf der Stirn*). **6.** (*einzelne*) Welle, Rippe *f*.

cor·rupt [kə'rʌpt] **I** *adj* (*adv* ~ly) **1.** (*moralisch*) verdorben, verderbt, schlecht, verworfen. **2.** unredlich, unlauter. **3.** kor'rupt: a) bestechlich: ~ **judges**, b) Bestechungs...: ~ **practices** Bestechungsmethoden, Korruption *f*; C~ **Practices Act** *pol. Am.* Gesetz *n* zur Verhinderung von Wahlvergehen. **4.** *obs.* faul, verdorben, schlecht: ~ **food**. **5.** verfälscht: a) unecht, unrein, b) verderbt, entstellt: ~ **text**. **II** *v/t* **6.** verderben, (*zu Schlechtem*) verleiten, -führen. **7.** korrum'pieren, bestechen. **8.** zersetzen, unter'graben, zu'grunde richten. **9.** *bes. fig.* anstecken. **10.** *e-n Text* verderben, -fälschen. **III** *v/i* **11.** (*moralisch*) verderben, -kommen. **12.** (ver)faulen, verderben (*Speisen*). **cor'rupt·ed** → **corrupt I. cor'rupt·er** *s* **1.** Verderber(in), Verführer(in). **2.** Bestecher(in). **cor'rupt·i·ble I** *adj* (*adv* **corruptibly**) **1.** verführbar. **2.** bestechlich, käuflich. **3.** verderblich (*Speisen*). **II** *s* **4.** **the** ~ *Bibl.* das Vergängliche.

cor·rup·tion [kə'rʌpʃən] *s* **1.** Verführung *f*, Entsittlichung *f*. **2.** Verderbtheit *f*, Verdorbenheit *f*, Entartung *f*: ~ **of the blood** *jur. hist.* Entrechtung *f* (als Folge e-s **attainder**). **3.** verderblicher *od.* entsittlichender Einfluß. **4.** Korrupti'on *f*: a) Kor'ruptheit *f*, Bestechlichkeit *f*, b) kor'rupte Me'thoden *pl*, Be'stechung(spoli,tik) *f*: ~ **of witnesses** Zeugenbestechung *f*. **5.** Verderbnis *f* (*der Sprache etc*). **6.** Entstellung *f*, Verfälschung *f*: ~ **of a text**; ~ **of words** Verballhornung *f* von Wörtern. **7.** Fäulnis *f*.

cor·rup·tive [kə'rʌptiv] *adj* **1.** zersetzend, verderblich, entsittlichend: ~ **influence**. **2.** *fig.* ansteckend. **cor'rupt·ness** → **corruption** 2 *u.* 4.

cor·sage [kɔːr'sɑːʒ] *s* **1.** Taille *f*, Mieder *n*. **2.** 'Ansteckbu,kett *n*.

cor·sair ['kɔːrsɛr] *s* **1.** *hist.* Kor'sar *m*, Seeräuber *m*. **2.** Kaperschiff *n*.

corse [kɔːrs] *s poet.* Leichnam *m*.

corse·let ['kɔːrslit] *s* **1.** *Am. meist* **cor·se·let** [,kɔːrsə'let] Korse'lett *n*, Mieder *n*. **2.** *hist.* Harnisch *m*. **3.** *zo.* Brustabschnitt *m* (*von Insekten*). **cor·set** ['kɔːrsit] **I** *s oft pl* Kor'sett *n*. **II** *v/t* mit e-m Kor'sett einschnüren. **'cor·set·ed** *adj* (ein)geschnürt. **'cor·set·ry** [-tri] *s* Miederwaren *pl*.

Cor·si·can ['kɔːrsikən] **I** *adj* **1.** korsisch. **II** *s* **2.** Korse *m*, Korsin *f*. **3.** *ling.* Korsisch *n*, das Korsische.

cors·let → **corselet.**

cor·tege [kɔːr'teiʒ], *a.* **cor·tège** [kɔr'tɛːʒ] (*Fr.*) *s* **1.** Gefolge *n*, Kor'tege *n* (*e-s Fürsten*). **2.** Zug *m*, Prozessi'on *f*.

cor·tex ['kɔːrteks] *pl* **-ti·ces** [-ti,siːz] *s* **1.** *anat. bot.* Rinde *f*: **cerebral** ~ Großhirnrinde. **2.** *pharm.* Kortex *m* (*pflanzliche Rinde*). **'cor·ti·cal** *adj bes. anat. med.* korti'kal, Rinden...: ~ **blindness** Rindenblindheit *f*. **'cor·ti·cate** [-tikit; -,keit], **'cor·ti,cat·ed** [-,keitid] *adj bes. bot.* berindet. **,cor·ti'ca·tion** *s bot.* Rindenbildung *f*.

co·run·dum [ko'rʌndəm] *s min.* Ko'rund *m*.

co·rus·cant [ko'rʌskənt] *adj* **1.** aufblitzend. **2.** funkelnd.

cor·us·cate ['kɒrəs,keit] *v/i* **1.** aufblitzen. **2.** funkeln, glänzen. **3.** *fig.* glänzen, bril'lieren. **,cor·us'ca·tion** *s* **1.** (Auf)Blitzen *n*. **2.** Funkeln *n*. **3.** *fig.* (Geistes)Blitz(e *pl*) *m*.

cor·vée [kɔr've; 'kɔːrvei] (*Fr.*) *s* **1.** *hist. u. fig.* Frondienst *m*. **2.** *econ.* (*ganz od. teilweise*) unbezahlte Arbeit für öffentliche Stellen (*Straßenbau etc*).

corves [kɔːrvz] *pl von* **corf.**

cor·vette [kɔːr'vet], *a.* **cor·vet** ['kɔːrvet] *s mar.* Kor'vette *f*.

cor·vine ['kɔːrvain] *adj* **1.** raben-, krähenartig. **2.** zu den Rabenvögeln gehörend. **'Cor·vus** [-vəs] *gen* **-vi** [-vai] *s astr.* Rabe *m* (*Sternbild*).

cor·y·ban·tic [,kɒri'bæntik] *adj* kory'bantisch, ausgelassen, wild, toll.

co·ryd·a·lis [kə'ridəlis] *s bot.* Lerchensporn *m*.

Cor·y·don ['kɒridən; -,dɒn] *s* **1.** *poet.* Korydon *m* (*Schäfer in Idyllen*). **2.** schmachtender Liebhaber. **3.** Bauernbursche *m*.

cor·ymb ['kɒrimb; -im] *s bot.* Co'rymbus *m*, Ebenstrauß *m*.

cor·y·phae·us [,kɒri'fiːəs] *pl* **-phae·i** [-ai] *s* **1.** *antiq.* Kory'phäe *m*, Chorführer *m* (*im Drama*). **2.** *fig.* Führer *m*, führender Geist, Hauptvertreter *m* (*e-r philosophischen Richtung etc*).

,co·ry'phee [-'fei] *s* Primaballe'rina *f*.

co·ry·za [ko'raizə] *s med.* Schnupfen *m*.

cos [kɒs] *s bot.* (*ein*) Lattich *m*.

co·saque [kɒ'zɑːk] *s Br.* 'Knallbon,bon *m, n*.

co·se·cant [kou'siːkənt] *s math.* Kosekans *m*.

co·seis·mal [kou'saizməl; -'sais-] *adj phys.* koseis'mal: ~ **line** Koseismale *f*.

cosh[1] [kɒʃ] *Br. sl.* **I** *s* Knüppel *m*, Totschläger *m*. **II** *v/t j-n* mit e-m Knüppel schlagen, *j-m* eins über den Schädel hauen.

cosh[2] [kɒʃ] *s math.* hyper'bolischer Kosinus (*abbr. für cosinus hyperbolicus*).

cosh·er ['kɒʃər] *v/t* verhätscheln.

co·sig·na·to·ry, *Br.* **co-...** [kou'signətəri] **I** *s* 'Mitunter,zeichner(in). **II** *adj* 'mitunter,zeichnend.

co·sine ['kousain] *s math.* Kosinus *m*: ~ **law** Kosinussatz *m*.

co·si·ness ['kouzinis] *s* Behaglichkeit *f*, Gemütlichkeit *f*, Traulichkeit *f*.

cosm- [kɒzm] → **cosmo-.**

cos·met·ic [kɒz'metik] **I** *adj* (*adv* ~ally) **1.** kos'metisch, Schönheits...: ~ **plastic surgery** Schönheitschirurgie *f*. **II** *s* **2.** Kos'metikum *n*, kos'metisches Mittel, Schönheitsmittel *n*. **3.** *pl* Kos'metik *f*, Schönheitspflege *f*. **,cos·me'ti·cian** [-mə'tiʃən] → **cosmetologist.**

cos·me·tol·o·gist [,kɒzmi'tɒlədʒist] *s bes. Am.* Kos'metiker(in), Schönheitspfleger(in). **,cos·me'tol·o·gy** *s* Kos'metik *f*, Schönheitspflege *f*.

cos·mic ['kɒzmik] *adj* (*adv* ~ally) kosmisch: a) das Weltall betreffend, zum Weltall gehörend: ~ **rays** kosmische Strahlen, Höhenstrahlen, b) ganzheitlich geordnet, harmonisch, c) weltumspannend, d) unermeßlich, gewaltig. **'cos·mi·cal** *adj* (*adv* ~ly) kosmisch, das Weltall betreffend: ~ **constant** *phys.* kosmische Konstante.

cos·mog·o·ny [kɒz'mɒgəni] *s* Kosmogo'nie *f*, Theo'rie *f* der Weltentstehung.

cos·mog·ra·pher [kɒz'mɒgrəfər] *s* Kosmo'graph *m*. **,cos·mo'graph·ic** [-mo'græfik], **,cos·mo'graph·i·cal** *adj* kosmo'graphisch, weltbeschreibend. **cos'mog·ra·phy** *s* Kosmogra'phie *f*.

cos·mo·log·ic [,kɒzmo'lɒdʒik], **,cos·mo'log·i·cal** *adj* kosmo'logisch. **cos'mol·o·gy** [-'mɒlədʒi] *s* Kosmolo'gie *f*, Lehre *f* vom Weltall.

cos·mo·naut [,kɒzmo'nɔːt] *s* Weltraumfahrer *m*, Kosmo'naut *m*.

cos·mo·plas·tic [,kɒzmo'plæstik] *adj* kosmo'plastisch, weltbildend.

cos·mop·o·lis [kɒz'mɒpəlis] *s* Weltstadt *f*. **,cos·mo'pol·i·tan** [-mə'pɒlitən] **I** *adj* kosmopo'litisch (*a. biol.*), weltbürgerlich, *weitS.* weltoffen: ~ **city** Weltstadt *f*. **II** *s* → **cosmopolite.** **,cos·mo'pol·i·tan,ism** → **cosmopolitism.** **cos'mop·o,lite** [-'mɒpə,lait] *s* **1.** Kosmopo'lit(in), Weltbürger(in). **2.** *biol.* Kosmopo'lit *m*. **cos'mop·o,lit·ism** *s* **1.** Kosmopoli'tismus *m*, Weltbürgertum *n*. **2.** Weltoffenheit *f*.

cos·mo·ra·ma [*Br.* ,kɒzmə'rɑːmə; *Am.* -'ræ(ː)mə] *s* Kosmo'rama *n* (*perspektivisch naturgetreue Darstellung von Landschaften, Städtebildern etc*).

cos·mos ['kɒzmɒs] *s* **1.** Kosmos *m*: a) Weltall *n*, b) (Welt)Ordnung *f*. **2.** in sich geschlossenes Sy'stem, Welt *f* für sich. **3.** *bot.* Schmuckkörbchen *n*.

cos·mo·the·ism ['kɒzmo,θiːizəm] *s* Kosmothe'ismus *m*, Panthe'ismus *m*.

co·spe·cif·ic [,kouspə'sifik] *adj biol.* artgleich.

coss [kous] *s indisches Längenmaß* [(2,5—5 *km*).]

Cos·sack ['kɒsæk] *s* Ko'sak *m*.

cos·set ['kɒsit] **I** *s* **1.** von Hand aufgezogenes Lamm. **2.** *fig.* Liebling *m* (*Kosename*). **II** *v/t* **3.** *a.* ~ **up** verhätscheln, -päppeln, -wöhnen.

cost [kɒst; kɔːst] **I** *s* **1.** (*stets sg*) Kosten *pl*, Aufwand *m*, Preis *m*: ~ **of living** Lebenshaltungskosten; ~ **of living allowance** (*od.* **bonus**) Teuerungszulage *f*; ~ **of living adjustment** (Lohn)Angleichung *f* an die hohen Lebenshaltungskosten; ~ **of living index** Lebenshaltungsindex *m*; → **count**[1] 11. **2.** Kosten *pl*, Schaden *m*, Nachteil *m*: **to my** ~ auf m-e Kosten, zu m-m Schaden; **I know to my** ~ ich weiß (es) aus eigener (bitterer) Erfahrung; **at s.o.'s** ~ auf j-s Kosten; **at the** ~ **of his health** auf Kosten s-r Gesundheit. **3.** Opfer *n*, Preis *m*: **at all** ~**s, at any** ~ um jeden Preis; **at a heavy** ~ unter schweren Opfern. **4.** (*stets sg*) *econ.* (Selbst-, Gestehungs)Kosten *pl*, Einkaufs-, Einstands-, Anschaffungspreis *m*: ~ **accounting** → **costing**; ~ **accountant** (Betriebs)Kalkulator *m*; ~ **book** a) Kalkulationsbuch *n*, b) *Br.* Kuxbuch *n*; ~ **control** Kostenlenkung *f*; ~ **free** kostenlos, -frei; ~ **plus** Gestehungskosten plus Unternehmergewinn; ~ **price** Selbstkostenpreis *m*, (Netto)-

Einkaufspreis *m*; at ~ zum Selbstkostenpreis; ~, insurance, and freight (*abbr.* c.i.f.) alle Fracht- u. Seeversicherungskosten bis zum Ankunftshafen vom Verkäufer bezahlt; ~ of construction Baukosten; ~ of production Produktions-, Herstellungskosten. **5.** *pl* (Un)Kosten *pl*, Auslagen *pl*, Spesen *pl*. **6.** *pl jur.* (Gerichts)Kosten *pl*, Gebühren *pl*: with ~s a) kostenpflichtig, b) nebst Tragung der Kosten: to condemn s.o. in the ~s j-n zu den Kosten verurteilen; → dismiss 8.
II *v/t pret u. pp* **cost** (*kein pass*) **7.** *e-n Preis* kosten: what does it ~? was kostet es?; it ~ me one pound es kostete mich ein Pfund. **8.** kosten, bringen um: it almost ~ him his life es kostete ihn *od.* ihm fast das Leben. **9.** *etwas Unangenehmes* verursachen, kosten: it ~ me a lot of trouble es verursachte mir *od.* kostete mich große Mühe. **10.** *econ.* den Preis *od.* die Kosten kalku'lieren von (*od. gen*): ~ed at mit e-m Kostenanschlag von. **III** *v/i* **11.** zu stehen kommen: it ~ him dearly *bes. fig.* es kam ihm teuer zu stehen.

cos·ta ['kɒstə] *pl* **-tae** [-tiː] *s* **1.** *anat.* Rippe *f*. **2.** *bot.* Mittelrippe *f* (*vom Blatt*). **3.** *zo.* Ader *f* (*des Insektenflügels*). **'cos·tal** *adj* **1.** *anat.* ko'stal, Rippen... **2.** *bot.* (Blatt)Rippen... **3.** *zo.* (Flügel)Ader...

co-star ['kou'stɑːr] **I** *s* e-r der Hauptdarsteller. **II** *v/t j-m* die Hauptrollen geben, (*mit andern*) zu'sammen (als Hauptdarsteller) auftreten lassen. **III** *v/i* die Hauptrolle(n) haben *od.* spielen, (*mit andern*) zu'sammen (als Hauptdarsteller) auftreten.

cos·tard ['kɒstərd] *s* **1.** *e-e englische Apfelsorte*. **2.** *humor.* ‚Birne' *f* (*Kopf*).

cos·tate ['kɒsteit], *a.* **'cos·tat·ed** *adj* **1.** *anat.* mit Rippen (versehen). **2.** *bot. zo.* gerippt.

cos·ter·mon·ger ['kɒstərˌmʌŋgər], *a. kurz* **'cos·ter** *s Br.* Obst-, Gemüse- u. Fischhändler(in), -verkäufer(in) (*mit Handwagen*), Höker(in).

cost·ing ['kɒstiŋ] *s econ. Br.* Kosten(be)rechnung *f*, ('Kosten)Kalkulatiˌon *f*.

cos·tive ['kɒstiv] *adj* (*adv* ~ly) **1.** *med.* a) verstopft, b) an Verstopfung leidend, hartleibig. **2.** *fig.* geizig, knauserig. **'cos·tive·ness** *s* **1.** *med.* Verstopfung *f*. **2.** Geiz *m*.

cost·li·ness ['kɒstlinis; 'kɔːst-] *s* **1.** Kostspieligkeit *f*. **2.** Kostbarkeit *f*, Pracht *f*.

'cost·ly *adj* **1.** kostspielig, teuer. **2.** kostbar, wertvoll. **3.** prächtig.

cost·mar·y ['kɒstˌmɛ(ə)ri] *s bot.* Ma'rien-, Frauenblatt *n*.

costo- [kɒsto] *Wortelement mit der Bedeutung* Rippe(n).

cos·tume ['kɒstjuːm] **I** *s* **1.** Ko'stüm *n*, Kleidung *f*, Tracht *f*. **2.** ('Masken-, 'Bühnen)Koˌstüm *n*. **3.** Ko'stüm(kleid) *n* (*für Damen*). **4.** (Damen)Kleidung *f*. **II** *adj* **5.** Kostüm...: ~ ball Kostümball *m*; ~ jewel(le)ry Modeschmuck *m*; ~ piece *thea.* Kostümstück *n*. **III** *v/t* [kɒs'tjuːm] **6.** kostü'mieren. **7.** mit Kleidung versehen.

cos'tum·er, cos'tum·i·er [-iər] *s* **1.** Ko'stümverleiher(in). **2.** Kostümi'er *m*, The'aterschneider(in).

co·sure·ty [kou'ʃurti] *s jur.* **1.** Mitbürge *m*. **2.** Mitbürgschaft *f*.

co·sy ['kouzi] **I** *adj* (*adv* **cosily**) behaglich, gemütlich, traulich, heimelig. **II** *s* → tea cosy.

cot[1] [kɒt] *s* **1.** Feldbett *n*. **2.** *Br.* Kinderbettchen *n*. **3.** leichte Bettstelle. **4.** *mar.* Schwingbett *n*.

cot[2] [kɒt] **I** *s* **1.** Häus-chen *n*, Hütte *f*, Kate *f*. **2.** Stall *m*, Häus-chen *n*, Schuppen *m*. **3.** (*schützendes*) Gehäuse. **4.** 'Überzug *m*, Futte'ral *n*. **II** *v/t* **5.** in den Stall bringen.

cot[3] [kɒt] *abbr. für* cotangent.

co·tan·gent [kou'tændʒənt] *s math.* Kotangens *m*, 'Kotanˌgente *f*. **ˌco·tan'gen·tial** [-'dʒenʃəl] *adj math.* kotangenti'al.

cote[1] [kout] → cot[2].

cote[2] [kout] *v/t obs.* über'holen, [-'treffen.]

co·tem·po·ra·ne·ous [kouˌtempə'reiniəs], **co'tem·po·rar·y** → contemporaneous, contemporary.

co·ten·an·cy [kou'tenənsi] *s jur.* Mitpacht *f*. **co'ten·ant** *s* Mitpächter *m*.

co·te·rie ['koutəri] *s* **1.** exklu'siver (*literarischer etc*) Zirkel, erlesener Kreis. **2.** Kote'rie *f*, Klüngel *m*, Clique *f*.

co·ter·mi·nous [kou'təːrminəs] → [conterminous.]

co·thurn ['kouθəːrn; kou'θəːrn] → cothurnus. **co'thur·nus** [-nəs] *pl* **-ni** [-nai] *s* Ko'thurn *m*: a) *antiq. thea.* Stelzenschuh *m* (*der tragischen Schauspieler*), b) erhabener, pa'thetischer Stil.

co·tid·al [kou'taidl] *adj*: ~ lines *mar.* [Isorrhachien.]

co·til·lion, *a.* **co·til·lon** [ko'tiljən] *s* Kotil'lon *m* (*Tanz*).

cot·ta ['kɒtə] *s relig.* Chorhemd *n*.

cot·tage ['kɒtidʒ] *s* **1.** Hütte *f*, Kate *f*. **2.** *Br.* Landarbeiterhütte *f*. **3.** 'Einfaˌmilienhaus *n*. **4.** (kleines) Landhaus: Swiss ~ Schweizerhaus. **5.** *Am.* Sommersitz *m*, Villa *f*. **6.** *Am.* Wohngebäude *n*, Depen'dance *f* (*e-s Sanatoriums etc*). **7.** *Am.* Heim *n* mit Fa'miliensyˌstem (*für verwahrloste Kinder*). **8.** *econ.* Werkswohnung *f*. ~ **al·lot·ment** *s Br.* (e-m Landarbeiter über'lassenes) kleines Grundstück, Schrebergarten *m*. ~ **cheese** *s* Weiß-, Landkäse *m*, Quark(käse) *m*. ~ **chi·na** *s* billiges Bristol-Steingut. ~ **hos·pi·tal** *s* **1.** *Br. kleines Krankenhaus, das von den ortsansässigen praktischen Ärzten betreut wird*. **2.** *aus kleinen Einzelgebäuden bestehende Klinik*. ~ **in·dus·try** *s* 'Heimarbeit *f*, -induˌstrie *f*. ~ **loaf** *s Br.* Weißbrot *n* (*kleiner runder Teil auf größerem*). ~ **or·né** [ɔːr'nei] *s* kleine Villa (*mit Parkanlagen*). ~ **pe·ri·od** *s* 'Heimarbeitsperiˌode *f* (*der industriellen Entwicklung*). ~ **pi·an·o** *s* Pia'nino *n*. ~ **pud·ding** *s* Kuchen *m* mit süßer Soße.

cot·tag·er ['kɒtidʒər] *s* **1.** (Klein)Häusler *m*, Kätner *m*. **2.** *Br.* Landarbeiter *m*. **3.** Villenbewohner *m*. **4.** *Am.* Villenbesitzer *m*.

cot·tage sys·tem *s econ.* Bereitstellung *f* von Werkswohnungen (gegen Lohn-[abzug).]

cot·tar → cotter[2].

cot·ter[1] ['kɒtər] *tech.* **I** *s* a) (Quer-, Schließ)Keil *m*, b) → cotter pin. **II** *v/t* versplinten.

cot·ter[2] ['kɒtər] *s bes. Scot.* a) (Frei)Häusler *m*, Kleinbauer *m*, b) Pachthäusler *m*.

cot·ter| bolt *s tech.* a) Bolzen *m* mit Splint, b) Vorsteckkeil *m*. ~ **pin** *s tech.* Splint *m*, Vorsteckstift *m*. ~ **slot** *s* Keilnut *f*.

cot·ti·er ['kɒtiər] *s* **1.** → cotter[2]. **2.** Pachthäusler *m* (*in Irland*).

cot·ton ['kɒtn] **I** *s* **1.** Baumwolle *f*: carded ~ Kammbaumwolle; → absorbent 3. **2.** *bot.* (*e-e*) Baumwollpflanze. **3.** a) Baumwollstoff *m*, -gewebe *n*, b) *pl* Baumwollwaren *pl*, -kleidung *f*. **4.** (Baumwoll)Garn *n*, (-)Zwirn *m*: knitting ~ Stickgarn. **5.** *bot.* Wolle *f* (*Pflanzen-Substanz*). **II** *adj* **6.** baumwollen, aus Baumwolle, Baumwoll... **III** *v/i* **7.** to ~ (on) to *colloq.* a) sich mit *etwas* befreunden, b) *etwas* ‚ka'pieren', verstehen, c) e-e Zuneigung zu *j-m* fassen, sich mit *j-m* anfreunden; to ~ up to s.o. sich j-m freundlich nähern. **8.** *colloq.* gut auskommen, harmo'nieren (with mit).

ˌcot·ton'ade [-'neid] *s* Cotto'nade *f*.

cot·ton| belt *s* Baumwollzone *f* (*im Süden der USA*). ~ **cake** *s* Baumwollkuchen *m* (*Rückstand*). **'~-ˌcov·ered** *adj tech.* 'baumwollumˌsponnen. ~ **gin** *s tech.* Ent'körnungsmaˌschine *f* (*für Baumwolle*). ~ **grass** *s bot.* Wollgras *n*. ~ **grow·er** *s* Baumwollpflanzer *m*.

cot·ton·ize ['kɒtˌnaiz] *v/t tech. Flachs, Hanf* cottoni'sieren.

cot·ton| lord *s* 'Baumwollmaˌgnat *m*. ~ **mill** *s* ˌBaumwollspinne'rei *f*.

cot·ton·oc·ra·cy [ˌkɒt'nɒkrəsi] *s collect. colloq.* 'Baumwollmaˌgnaten *pl*. **ˌCot·ton·'op·o·lis** [-'nɒpəlis] *s colloq.* Baumwollstadt *f* (*Spitzname für Manchester*).

cot·ton| pick·er *s* Baumwollpflücker *m*. ~ **plant** *s* Baumwollstaude *f*. ~ **press** *s* Baumwollballenpresse *f* (*Gebäude od. Maschine*). ~ **print** *s* bedruckter Kat'tun. **'~ˌseed** *s bot.* Baumwollsame *m*: ~ cake → cotton cake; ~ oil Baumwollsamenöl *n*. ~ **spin·ner** *s* **1.** Arbeiter(in) in e-r ˌBaumwollspinne'rei. **2.** Besitzer *m* e-r ˌBaumwollspinne'rei. **C~ State** *s* Baumwollstaat *m* (*Spitzname für Alabama*). **'~ˌtail** *s zo.* (*ein*) amer. 'Wildkaˌninchen *n*. ~ **tree** *s bot.* **1.** (*ein*) Kapok-, Baumwollbaum *m*. **2.** a) (*e-e*) nordamer. Pappel, b) Schwarzpappel *f*. **3.** Ma'jagua *m* (*Australien*). ~ **waste** *s* **1.** Baumwollabfall *m*. **2.** *tech.* Putzwolle *f*. **'~ˌwood** *s* **1.** *bot.* (*e-e*) amer. Pappel, *bes.* Dreieckblättrige Pappel. **2.** Pappelholz *n* (*von* 1). ~ **wool** *s* **1.** Rohbaumwolle *f*. **2.** *pharm. Br.* Watte *f*.

cot·ton·y ['kɒtni] *adj* **1.** baumwollartig. **2.** weich, wollig, flaumig.

cot·y·le·don [ˌkɒti'liːdən] *s* **1.** *bot.* Keimblatt *n*. **2.** *bot.* Nabelkraut *n*. **3.** *zo.* Pla'zentazotte *f*.

cot·y·loid ['kɒtiˌlɔid] *adj anat. zo.* **1.** schalenförmig. **2.** Hüftpfannen...: ~ cavity Hüftpfanne *f*.

co·type [kou'taip] *s bot. zo.* Cotypus *m*.

couch[1] [kautʃ] **I** *s* **1.** Couch *f* (*a. des Psychiaters*), Liege(sofa *n*) *f*, Chaise'longue *f*, Ruhebett *n*. **2.** *poet.* Bett *n*. **3.** Lager(stätte *f*) *n*. **4.** *hunt.* Lager *n*, Versteck *n* (*von Wild*). **5.** *tech.* Grund(schicht *f*) *m*, Grun'dierung *f*, erster Anstrich (*von Farbe, Leim etc*). **II** *v/t* **6.** a) *Worte etc* fassen, formu'lieren, b) *Gedanken etc* in Worte fassen *od.* kleiden, ausdrücken, formu'lieren, abfassen. **7.** *Lanze* senken, einlegen. **8.** ~ o.s. sich niederlegen: to be ~ed liegen. **9.** besticken (with, of mit): → couching. **10.** *tech. Papier* gautschen. **11.** *med.* a) *den Star* stechen: to ~ a cataract, b) *j-m* den Star stechen. **12.** *obs.* a) einbetten, b) verbergen. **III** *v/i* **13.** ruhen, liegen. **14.** sich (zur Ruhe) 'hinlegen. **15.** sich ducken, kauern. **16.** lauern.

couch[2] [kautʃ; kuːtʃ] → couch grass.

couch·ant ['kautʃənt] *adj her.* mit erhobenem Kopf liegend.

couch grass *s bot.* Gemeine Quecke.

couch·ing ['kautʃiŋ] *s* ˌPlattsticke'rei *f*.

Cou·é·ism [*Br.* 'kuːeiˌizəm; *Am.* kuː'ei-] *s med. psych.* Coué'ismus *m*, Cou'ésches Heilverfahren.

cou·gar ['ku:gər] *s zo.* Kuguar *m*, Puma *m*, Silberlöwe *m*.

cough [kɒf; kɔ:f] **I** *s* **1.** *med.* Husten *m*: churchyard ~ *colloq.* ,Friedhofsjodler' *m* (*schlimmer Husten*); to have a ~ Husten haben; to give a (slight) ~ hüsteln, sich räuspern. **2.** Husten *n*. **3.** *mot.* Verschlucken *n*. **II** *v/i* **4.** husten. **5.** *mot.* zeitweise aussetzen. **III** *v/t* **6.** *meist* ~ out, ~ up aushusten. **7.** ~ down *e-n Redner* niederhusten, durch (absichtliches) Husten zum Schweigen bringen. **8.** ~ up *sl.* her'ausrücken mit (*Geld, der Wahrheit etc*). ~ **drop,** ~ **loz·enge** *s* 'Hustenbon,bon *m, n*.

could [kud] *v/aux* (*von* can¹) **1.** *pret ich, er, sie, es* konnte, *du* konntest, *wir, ihr, Sie, sie* konnten: he ~ not come. **2.** (*konditional, vermutend od. fragend*) *ich, er, sie, es* könnte, *du* könntest, *wir, ihr, Sie, sie* könnten: I ~ have killed him ich hätte ihn umbringen können; that ~ be right das könnte stimmen.

could·n't ['kudnt] *colloq. für* could not.

couldst [kudst] *obs. od. poet. 2. sg von* could.

cou·lee ['ku:li], *a.* **cou·lée** [ku'le] (*Fr.*) *s* **1.** *Am.* a) (Felsen)Schlucht *f*, b) oft austrocknender Bach. **2.** *geol.* (erstarrter) Lavastrom.

cou·lisse [ku:'li:s] *s* **1.** *tech.* a) Falz *m*, Schnurrinne *f*, b) Ku'lisse *f*, Gleitbahn *f*. **2.** *thea.* Ku'lisse *f*.

cou·loir [ku'lwa:r] (*Fr.*) *s* **1.** Bergschlucht *f*. **2.** *tech.* 'Baggerma,schine *f*.

cou·lomb [ku:'lɒm] *s electr.* Cou'lomb *n*, Am'perese,kunde *f*: C~'s law Coulombsches Gesetz. ~ **me·ter, cou·lom·e·ter** [ku:'lɒmitər] *s electr.* Cou'lombmeter *n*, Voltmeter *n*.

coul·ter *bes. Br. für* colter.

coun·cil ['kaunsl; -sil] *s* **1.** Ratsversammlung *f*, -sitzung *f*: to be in ~ zu Rate sitzen; to meet in ~ e-e (Rats)Sitzung abhalten. **2.** Rat *m*, beratende Versammlung: family ~ Familienrat; ~ of physicians Ärztekollegium *n*. **3.** Rat *m* (*als Körperschaft*): C~ of Europe Europarat; C~ of National Defense *Am.* Nationaler Verteidigungsrat; C~ of State Staatsrat; ~ of war Kriegsrat (*a. fig.*). **4.** C~ *Br.* Geheimer Kronrat: the King (Queen, Crown) in C~ der König (die Königin, die Krone) u. der Kronrat. **5.** Gemeinderat *m*: municipal ~ Stadtrat. **6.** 'Vorstand(skomi,tee *n*) *m* (*e-r Gesellschaft*). **7.** Gewerkschaftsrat *m*. **8.** *relig.* Kon'zil *n*, Syn'ode *f*, Kirchenversammlung *f*: → ecumenical. **9.** *Bibl.* Hoher Rat (*der Juden*). ~ **board** *s* **1.** Sitzungstisch *m*. **2.** Ratsversammlung *f*. ~ **es·tate** *s Br.* städtische Siedlung, sozi'ale Wohnsiedlung. ~ **house** *s Br.* stadteigenes Wohnhaus (*mit niedrigen Mieten*).

coun·cil·lor(·ship) *bes. Br. für* councilor(ship).

'coun·cil·man [-mən] *s irr* Stadtrat *m*, -verordnete(r) *m*.

coun·ci·lor ['kaunsilər] *s* Ratsmitglied *n*, -herr *m*, (Stadt)Rat *m*, (-)Rätin *f*.

'coun·ci·lor,ship *s* Ratsherrnwürde *f*.

coun·cil school *s* Grafschaftsschule *f* (*1902 in England u. Wales vom Grafschaftsrat eingerichtete öffentliche Schule*).

coun·sel ['kaunsəl] **I** *s* **1.** Rat(schlag) *m*: to ask ~ of s.o. j-n um Rat fragen; to take ~ of s.o. von j-m Rat annehmen. **2.** (gemeinsame) Beratung, Beratschlagung *f*: to hold (*od.* take) ~ with s.o. a) sich beraten mit j-m, b) sich Rat holen bei j-m; to take ~ together zusammen beratschlagen, sich gemeinsam beraten. **3.** Ratschluß *m*, Entschluß *m*, Absicht *f*, Plan *m*: to be of ~ with die gleichen Pläne haben wie. **4.** *obs.* per'sönliche Meinung *od.* Absicht: to keep one's (own) ~ s-e Meinung *od.* Absicht für sich behalten; divided ~s geteilte Meinungen. **5.** *jur.* Rechtsbeistand *m*, -berater *m*, (Rechts)Anwalt *m*: ~ for the plaintiff Anwalt des Klägers; ~ for the prosecution Anklagevertreter *m*; C~ for the Crown *Br.* öffentlicher Ankläger; ~'s opinion Rechtsgutachten *n*; ~'s speech *Br.* Anwaltsplädoyer *n*; leading ~ → leader 4a; → junior 2c, defence 5. **6.** (*als pl konstruiert*) *jur. collect.* Anwälte *pl*, ju'ristische Berater *pl*. **7.** Berater *m*, Ratgeber *m*. **II** *v/t* **8.** *j-m* raten, *j-m* e-n Rat geben *od.* erteilen. **9.** zu etwas raten: to ~ s.th. to s.o. j-m etwas raten *od.* empfehlen; to ~ delay Aufschub empfehlen. **10.** ~ and procure *jur.* Beihilfe leisten zu *e-r Straftat*.

coun·se·lor ['kaunsələr], *bes. Br.* **'coun·sel·lor** *s* **1.** Berater *m*, Ratgeber *m*. **2.** Rat(smitglied *n*) *m*. **3.** *a.* ~-at-law *Am. u. Ir.* Rechtsbeistand *m*, Anwalt *m*. **4.** Rechtsberater *m*: ~ of embassy Botschaftsrat *m*. **5.** Studienberater *m* (*an amer. Schulen*).

count¹ [kaunt] **I** *s* **1.** Zählen *n*, (Be)Rechnung *f*, (Auf-, Aus-, Ab)Zählung *f*: ~ of the ballots Stimmenzählung; blood ~ Blutkörperchenzählung; to keep ~ of s.th. etwas genau zählen (können); to lose ~ a) sich verzählen, b) *fig.* die Übersicht verlieren (of über *acc*); by this ~ nach dieser Zählung *od.* Berechnung; to take ~ of s.th. etwas zählen; to take the ~ (*Boxen*) ausgezählt werden; to take a ~ of nine (*Boxen*) bis neun am Boden bleiben. **2.** (Volks)Zählung *f*. **3.** An-, Endzahl *f*, Ergebnis *n*. **4.** *jur.* (An)Klagepunkt *m*: the accused was found guilty on all ~s der Angeklagte wurde in allen Anklagepunkten für schuldig befunden; on this ~ *fig.* in dieser Hinsicht, in diesem Punkt. **5.** Berücksichtigung *f*: to leave out of ~ unberücksichtigt lassen; to take no ~ of s.th. etwas nicht berücksichtigen *od.* zählen. **6.** *sport etc* Punktzahl *f*, (erzielte) Punkte *pl*. **7.** *tech.* Zähleranzeige *f*, -stand *m*. **8.** *tech.* (Feinheits)Nummer *f* (*von Garn*). **9.** *parl.* → count-out.

II *v/t* **10.** (ab-, auf-, aus-, zs.-)zählen. **11.** aus-, berechnen: to ~ the cost a) die Kosten berechnen, b) *fig.* die Folgen bedenken. **12.** zählen bis: to ~ ten. **13.** (mit)zählen, mit einrechnen, einschließen, berücksichtigen: without (*od.* not) ~ing ohne mitzurechnen, abgesehen von; ~ing the persons present die Anwesenden mitgerechnet. **14.** halten für, betrachten als, zählen (among zu), schätzen: to ~ s.o. one's enemy j-n für s-n Feind halten; to ~ s.o. among one's best friends j-n zu s-n besten Freunden zählen; to ~ o.s. lucky sich glücklich schätzen; to ~ s.th. for (*od.* as) lost etwas als verloren betrachten; to ~ of no importance für unwichtig halten.

III *v/i* **15.** zählen: to ~ up to ten; he ~s among my friends *fig.* er zählt zu m-n Freunden. **16.** rechnen: ~ing from today von heute an (gerechnet). **17.** (on, upon) zählen, sich verlassen (auf *acc*), sicher rechnen (mit): I ~ on you; I ~ on your being in time ich verlasse mich darauf, daß Sie pünktlich sind. **18.** zählen: a) von Wert *od.* Gewicht sein, ins Gewicht fallen, b) gelten: this does not ~ das zählt *od.* gilt nicht, das ist ohne Belang, das fällt nicht ins Gewicht; he simply doesn't ~ er zählt überhaupt nicht; to ~ for much viel gelten *od.* wert sein, von großem Belang sein. **19.** zählen, sich belaufen auf (*acc*): they ~ed ten sie waren zehn an der Zahl.

Verbindungen mit Adverbien:

count| down *v/t Geld* 'hinzählen. ~ **in** *v/t* → count¹ 13: count me in! ich bin dabei!, da mache ich mit! ~ **off** *v/t u. v/i bes. mil.* abzählen. ~ **out** *v/t* **1.** auszählen. **2.** ausschließen, außer acht *od.* unberücksichtigt lassen: you can count me out a) zähle nicht auf mich, mit mir kannst du nicht rechnen, b) *colloq.* ohne mich!, da mache ich nicht mit! **3.** *parl. Br.* a) *das Unterhaus* (wegen Beschlußunfähigkeit) vertagen, b) durch Vertagung zu Fall bringen: to ~ a bill. **4.** *pol. Am. sl. j-n* durch schwindelhafte Stimmzählung bei der Wahl 'durchfallen lassen. **5.** *j-n* (*beim Boxen od. Kinderspiel*) auszählen. ~ **o·ver** *v/t* nachzählen. ~ **up** *v/t* zs.-zählen.

count² [kaunt] *s* Graf *m* (*nichtbrit. außer in*): → count palatine.

count·a·ble ['kauntəbl] *adj* (ab)zählbar, berechenbar.

'count-,down *s* **1.** Countdown *m*, Startzählung *f* (*z. B. beim Abschuß e-r Rakete*), *weitS.* letzte (Start)Vorbereitungen *pl*. **2.** *Radar*: Antwortbakenausbeute *f*.

coun·te·nance ['kauntinəns] **I** *s* **1.** Gesichtsausdruck *m*, Miene *f*: to change one's ~ s-n Gesichtsausdruck ändern, die Farbe wechseln; to keep one's ~ e-e ernste Miene *od.* die Fassung bewahren. **2.** Fassung *f*, Haltung *f*, Gemütsruhe *f*: in ~ gefaßt; to put s.o. out of ~ j-n aus der Fassung bringen, j-n verwirren. **3.** Gesicht *n*, Antlitz *n*. **4.** Gunst(bezeigung) *f*, Ermunterung *f*, (mo'ralische) Unter'stützung: to give (*od.* lend) ~ to s.o. j-n ermutigen, j-n unterstützen; to be in ~ in Gunst stehen. **5.** Bekräftigung *f*: to lend ~ to s.th. e-r Sache Glaubwürdigkeit verleihen, etwas bekräftigen. **6.** *obs.* Benehmen *n*. **II** *v/t* **7.** *j-n* ermutigen, ermuntern, unter'stützen. **8.** *etwas* begünstigen, billigen, *e-r Sache* Vorschub leisten. **9.** dulden, zulassen.

count·er¹ ['kauntər] *s* **1.** Ladentisch *m*: to nail to the ~ *fig.* *e-e Lüge etc* festnageln; to sell over the ~ a) im Laden verkaufen, b) *Börse*: *Am.* im freien Verkehr *od.* freihändig verkaufen; under the ~ *fig.* unter dem Ladentisch, im Schleichhandel. **2.** Theke *f* (*im Wirtshaus etc*). **3.** Zahltisch *m*, Schalter *m*. **4.** *econ.* Schranke *f* (*an der Börse*). **5.** Spielmarke *f*, Je'ton *m*. **6.** Zählperle *f*, -kugel *f* (*e-r Kinder-Rechenmaschine*). **7.** *hist. od. obs.* (Schuld)Gefängnis *n*.

count·er² ['kauntər] *s* **1.** Zähler *m*. **2.** *tech.* Zähler *m*, Zählgerät *n*, -vorrichtung *f*, -werk *n*: ~ balance Zählersaldo *m*; ~ punch exit Zählerablochung *f*; ~ total exit Summenwerk-Ausgang *m*.

coun·ter³ ['kauntər] **I** *adv* **1.** in entgegengesetzter Richtung, verkehrt. **2.** *fig.* im 'Widerspruch, im Gegensatz (to zu): ~ to (zu)wider, entgegen (*dat*); to run ~ to s.th. e-r Sache zuwiderlaufen; to run ~ to a plan e-n Plan durchkreuzen; ~ to all rules entgegen allen *od.* wider alle Regeln. **II** *adj*

3. Gegen..., entgegengesetzt. **III** *s* **4.** Gegenteil *n*. **5.** *Boxen*: a) Kontern *n*, b) Konter-, Gegenschlag *m*. **6.** *fenc.* 'Konterpaˌrade *f*: ~-parry Gegenparade. **7.** *Eiskunstlauf*: Gegenwende *f*. **8.** *mar.* Gilling *f*, Gillung *f*. **9.** *print.* Bunze *f*. **10.** *vet. zo.* Brustgrube *f* (*des Pferdes*). **11.** *abbr. für* a) countershaft, b) countertenor. **IV** *v/t* **12.** entgegenwirken (*dat*), *e-n Plan* durch'kreuzen. **13.** zu'widerhandeln (*dat*). **14.** entgegentreten (*dat*), wider'sprechen (*dat*), entgegnen (*dat*), bekämpfen. **15.** *mil.* abwehren. **16.** *bes. sport e-n Schlag, Zug etc* mit e-m Gegenschlag *od.* -zug beantworten. **V** *v/i* **17.** e-n Gegenschlag führen. **18.** *Boxen*: kontern.

coun·ter[4] ['kauntər] *obs. für* encounter.

counter- [kauntər] *Wortelement mit der Bedeutung* a) Gegen..., (ent)gegen..., b) gegenseitig, c) Vergeltungs...

ˌcoun·ter-'act *v/t* **1.** entgegenwirken (*dat*): ~ing forces Gegenkräfte. **2.** *e-e Wirkung* kompen'sieren, neutrali'sieren. **3.** entgegenarbeiten (*dat*), 'Widerstand leisten (*dat*), bekämpfen. **4.** durch'kreuzen, vereiteln. **ˌcoun·ter'ac·tion** *s* **1.** Gegenwirkung *f*. **2.** Oppositi'on *f*, 'Widerstand *m*. **3.** Gegenmaßnahme *f*. **4.** Durch'kreuzung *f*, Hinter'treibung *f*. **ˌcoun·ter-'ac·tive** *adj* (*adv* ~ly) entgegenwirkend, wider'strebend, Gegen...

coun·ter·at·tack I *s* ['kauntərəˌtæk] Gegenangriff *m* (*a. fig.*). **II** *v/t* [ˌ-'tæk] e-n Gegenangriff richten gegen. **III** *v/i* e-n Gegenangriff 'durchführen.

ˌcoun·ter·at'trac·tion *s phys.* **1.** entgegengesetzte Anziehungskraft. **2.** *fig.* 'Gegenattraktiˌon *f*.

coun·ter·bal·ance I *s* ['kauntərˌbæləns] **1.** *fig.* Gegengewicht *n* (to gegen). **2.** *tech.* Ausgleich-, Gegengewicht *n*. **3.** *econ.* Gegensaldo *m*. **II** *v/t* [ˌ-'bæləns] **4.** ein Gegengewicht bilden zu, ausgleichen, aufwiegen, (*dat*) die Waage halten. **5.** *tech.* ausgleichen, *Räder etc* auswuchten. **6.** *econ.* (durch Gegenrechnung) ausgleichen.

'coun·terˌblast *s* **1.** Gegen(wind)stoß *m*. **2.** *fig.* heftige Reakti'on.

'coun·terˌblow *s fig.* Gegenschlag *m*.

'coun·terˌbond *s econ.* Rück-, Gegenschein *m*, -verschreibung *f*.

coun·ter·bore *tech.* **I** *s* ['kauntərˌbɔːr] **1.** a) (Kopf-, Hals)Senker *m*, b) Zapfenfräser *m*. **II** *v/t* [ˌ-'bɔːr] **2.** ansenken, ausfräsen. **3.** versenken.

coun·ter·charge I *s* ['kauntərˌtʃɑːrdʒ] **1.** *jur.* 'Wider-, Gegenklage *f*. **2.** *mil.* Gegenstoß *m*, -angriff *m*. **II** *v/t* [ˌ-'tʃɑːrdʒ] **3.** *jur.* (e-e) 'Widerklage erheben gegen (with wegen). **4.** *mil.* e-n Gegenstoß richten gegen.

coun·ter·check I *s* ['kauntərˌtʃek] **1.** Gegenwirkung *f*. **2.** *fig.* Hindernis *n*: to be a ~ to s.th. e-r Sache im Wege stehen. **3.** Gegen-, Nachprüfung *f*. **II** *v/t* [ˌ-'tʃek] **4.** aufhalten, verhindern. **5.** (*e-r hemmenden Kraft*) entgegenwirken.

count·er check *s econ. Am.* Blankobank-, Kassenscheck *m*.

coun·ter·claim I *s* ['kauntərˌkleim] **1.** *econ. jur.* Gegenanspruch *m*. **2.** → countercharge 1. **II** *v/t* [ˌ-'kleim] **3.** *e-e Summe* als Gegenforderung beanspruchen. **III** *v/i* **4.** Gegenforderungen stellen. **5.** (e-e) 'Widerklage erheben.

ˌcoun·ter'clock·wise *adj u. adv* entgegen dem *od.* gegen den Uhrzeigersinn: ~ rotation Linkslauf *m*, -drehung *f*.

'coun·terˌcur·rent *s bes. electr.* Gegenstrom *m*.

'coun·terˌcyc·li·cal *adj econ.* konjunk'turdämpfend.

'coun·ter·efˌfect *s* Gegenwirkung *f*.

'coun·ter·eˌlec·tro'mo·tive force *s phys.* 'gegeneˌlektromoˌtorische Kraft, Gegen-EMK *f*.

ˌcoun·ter'es·pi·o·nage *s* 'Gegenspioˌnage *f*, Spio'nageabwehr *f*.

'coun·terˌev·i·dence *s jur.* Gegenbeweis *m*.

coun·ter·feit ['kauntərˌfit; *Br. a.* -ˌfiːt] **I** *adj* **1.** nachgemacht, gefälscht, unecht, falsch: ~ bank notes; ~ coin (*od.* money) Falschgeld *n*. **2.** *fig.* vorgetäuscht, falsch. **II** *s* **3.** Fälschung *f*, Nachahmung *f*. **4.** gefälschte Banknote *od.* Münze, Falschgeld *n*. **5.** unerlaubter Nachdruck. **6.** *obs.* a) Nachbildung *f*, b) Betrüger *m*. **III** *v/t* **7.** fälschen, nachahmen. **8.** nachahmen. **9.** heucheln, vorgeben, simu'lieren. **IV** *v/i* **10.** fälschen, Fälschungen (*bes.* Falschgeld) 'herstellen. **'coun·terˌfeit·er** *s* **1.** (Banknoten)Fälscher *m*, Falschmünzer *m*. **2.** Nachahmer(in), -macher(in). **3.** Heuchler(in), Betrüger(in). **'coun·terˌfeit·ing** *s* **1.** Banknotenfälschung *f*, Falschmünze'rei *f*. **2.** Nachahmung *f*, Fälschung *f*. **3.** Heuche'lei *f*.

'coun·terˌflow en·gine *s tech.* 'Gegenstrommaˌschine *f*, -strommotor *m*.

'coun·terˌfoil *s* **1.** (Kon'troll)Abschnitt *m*, -zettel *m*, Ku'pon *m* (*an Scheckheften etc*). **2.** a) Ku'pon *m*, Zins- *od.* Divi'dendenschein *m* (*bei Aktien etc*), b) Ta'lon *m* (*Erneuerungsschein*). **3.** Gepäckschein *m*.

'coun·terˌfort *s arch. tech.* Strebe-, Verstärkungspfeiler *m*.

'coun·terˌfugue *s mus.* Gegenfuge *f*.

'coun·ter·inˌsur·ance *s* Gegen-, Rückversicherung *f*.

ˌcoun·ter·in'tel·li·gence *s mil.* Spio'nageabwehr(dienst *m*) *f*: C~ Corps *Am.* (Spionage)Abwehrdienst.

ˌcoun·ter'ir·ri·tant *med.* **I** *s* **1.** Gegenreizmittel *n*. **2.** Gegenmittel *n* (*gegen Reizgifte*). **II** *adj* **3.** e-n Gegenreiz her'vorrufend.

'count·erˌjump·er *s colloq.* ‚Ladenschwengel' *m* (*Verkäufer*).

coun·ter·mand I *v/t* [*Br.* ˌkauntər'mɑːnd; *Am.* -'mæ(ː)nd] **1.** *e-n Befehl etc* wider'rufen, rückgängig machen, 'umstoßen, *econ. e-n Auftrag* zu'rückziehen, stor'nieren: payment ~ed Zahlung gesperrt (*bei Schecks; Anweisung an die Bank*). **2.** *Ware* abbestellen. **II** *s* [*Br.* '-ˌmɑːnd; *Am.* '-ˌmæ(ː)nd] **3.** Gegenbefehl *m*. **4.** Wider'rufung *f*, Aufhebung *f* (*e-r Anordnung*), Annul'lierung *f*, Stor'nierung *f* (*e-s Auftrags*).

coun·ter·march I *s* ['kauntərˌmɑːrtʃ] **1.** *bes. mil.* Rückmarsch *m*. **2.** *fig.* völlige 'Umkehr, Kehrtwendung *f*. **II** *v/i u. v/t* [ˌ-'mɑːrtʃ] **3.** zu'rückmarˌschieren (lassen).

coun·ter·mark I *s* ['kauntərˌmɑːrk] Gegen-, Kon'trollzeichen *n* (*für die Echtheit etc*). **II** *v/t* [ˌ-'mɑːrk] mit e-m Gegen- *od.* Kon'trollzeichen versehen.

'coun·terˌmeas·ure *s* Gegenmaßnahme *f*, -maßregel *f*.

coun·ter·mine I *s* ['kauntərˌmain] **1.** *mil.* Gegenmine *f*. **2.** *fig.* Gegenanschlag *m*, -mine *f*. **II** *v/t* [ˌ-'main] **3.** *mil.* kontermi'nieren. **4.** *fig.* durch e-n Gegenschlag vereiteln, untermi'nieren.

'coun·terˌmo·tion *s* **1.** Gegenbewegung *f*. **2.** *pol.* Gegenantrag *m*.

'coun·terˌmove *s* Gegenzug *m*.

'coun·terˌmove·ment *s* Gegenbewegung *f*.

'coun·terˌnut *s tech.* Kontermutter *f*.

'coun·ter·ofˌfen·sive *s mil.* 'Gegenoffenˌsive *f*.

'coun·terˌof·fer *s* Gegenangebot *n*.

'coun·terˌor·der *s* **1.** Gegenbefehl *m*. **2.** *econ.* a) Gegenauftrag *m*, b) ('Auftrags)Storˌnierung *f*.

'coun·terˌpane *s* Bett-, Steppdecke *f*.

'coun·terˌpart *s* **1.** Gegen-, Seitenstück *n* (to zu). **2.** Pen'dant *n*, genaue Ergänzung. **3.** Ebenbild *n* (*Person*). **4.** *jur.* Ko'pie *f*, Dupli'kat *n*, zweite Ausfertigung. **5.** *mus.* Gegenstimme *f*, -part *m*. **6.** *econ.* Gegenwert *m*.

'coun·terˌplea *s jur.* Gegeneinwand *m*.

coun·ter·plot I *s* ['kauntərˌplɒt] Gegenanschlag *m*. **II** *v/t* [ˌ-'plɒt] entgegenarbeiten (*dat*). **III** *v/i* e-n Gegenanschlag ersinnen *od.* ausführen.

'coun·terˌpoint *mus.* **I** *s* Kontrapunkt *m*. **II** *adj* kontra'punktisch. **III** *v/t* kontrapunk'tieren.

'coun·terˌpoise I *s* **1.** *a. fig.* Gegengewicht *n* (to gegen, zu). **2.** Gleichgewicht(szustand *m*) *n*. **3.** *Reitkunst*: fester Sitz im Sattel. **4.** *electr.* künstliche Erde, Gegengewicht *n*. **II** *v/t* **5.** als Gegengewicht wirken zu, ausgleichen (*beide a. fig.*). **6.** *fig.* im Gleichgewicht halten, aufwiegen, kompen'sieren. **7.** ins Gleichgewicht bringen.

'coun·terˌproof *s tech.* **1.** Gegenprobe *f*. **2.** *print.* Konterabdruck *m*.

'coun·ter·prop·a'gan·da *s* 'Gegenpropaˌganda *f*.

'coun·ter·proˌpos·al *s* Gegenvorschlag *m*.

'coun·terˌpunch *s* **1.** *print. tech.* Gegenpunzen *m*. **2.** *Boxen*: Konterschlag *m*.

ˌcoun·ter·re'coil *s mil. tech.* (Rohr)Vorlauf *m*: ~ cylinder Vorholzylinder *m*.

ˌcoun·ter·re'con·nais·sance *s mil.* Gegenaufklärung *f*.

'coun·terˌref·or'ma·tion *s* 'Gegenreformatiˌon *f*.

'coun·terˌrev·o'lu·tion *s pol.* 'Gegen-, 'Konterrevolutiˌon *f*.

coun·ter·se'cu·ri·ty *s econ.* **1.** Rückbürgschaft *f*. **2.** Rückbürge *m*.

'coun·terˌshaft *s tech.* Vorlegewelle *f*. ~ **gear** *s tech.* Vorgelege(getriebe) *n*.

'coun·terˌsign I *s* **1.** *mil.* Pa'role *f*, Losungswort *n*. **2.** Gegenzeichen *n*. **II** *v/t* **3.** gegenzeichnen, 'mitunterˌzeichnen. **4.** *fig.* bestätigen.

ˌcoun·ter'sig·na·ture *s* Gegenzeichnung *f*, 'Mitˌunterschrift *f*.

'coun·terˌsink *tech.* **I** *s* **1.** Spitzsenker *m*, Versenkbohrer *m*, Krauskopf *m*. **2.** An-, Versenkung *f* (*für Schraubenköpfe etc*). **3.** Senkschraube *f*. **II** *v/t irr* **4.** *ein Loch* ansenken, (aus)fräsen. **5.** *den Schraubenkopf* versenken.

'coun·terˌstate·ment *s* Gegenerklärung *f*.

'coun·terˌstroke *s* Gegenschlag *m*.

'coun·terˌsunk *adj tech.* **1.** versenkt, Senk...: ~ screw. **2.** angesenkt (*Loch*).

'coun·ter'ten·or *s mus.* hoher Te'nor.

'coun·ter'vail I *v/t* **1.** aufwiegen, ausgleichen. **2.** entgegenwirken (*dat*). **II** *v/i* **3.** (against) das Gleichgewicht 'herstellen (zu), stark genug sein, ausreichen (gegen): ~ing duty *econ.* Ausgleichszoll *m*; ~ing powers ausgleichende Gegenkräfte.

'coun·ter-ˌvolt·age *s electr.* Gegenspannung *f*.

ˌcoun·ter'weigh → counterbalance 4.

'coun·ter,weight *s* Gegengewicht *n* (*a. fig.* to gegen).
'coun·ter,word *s* Aller'weltswort *n.*
coun·ter·work I *s* ['kauntər,wəːrk] **1.** Gegenanstrengung *f.* **2.** *mil.* Gegenbefestigung *f.* **II** *v/t* [,-'wəːrk] **3.** entgegenarbeiten, -wirken (*dat*). **4.** vereiteln. **III** *v/i* **5.** Gegenanstrengungen machen, da'gegenarbeiten.
count·ess ['kauntis] *s* **1.** *Br.* Gräfin *f* (*aus eigenem Recht od. als Gemahlin e-s Earl*). **2.** a) (*nicht brit.*) Gräfin *f*, b) Kom'teß *f*, Kom'tesse *f* (*unverheiratete Tochter e-s nichtbrit. Grafen*).
count·ing ['kauntiŋ] **I** *s* **1.** Zählen *n*, Rechnen *n.* **2.** (Ab)Zählung *f.* **II** *adj* **3.** Zähl..., Rechen... **~ cir·cuit** *s electr.* (Im'puls)Zählschaltung *f*, Zählkreis *m.* **~ glass** *s tech.* Zählglas *n*, -lupe *f.* **'~,house** *s bes. Br.* Kon'tor *n*, Bü'ro *n*, 'Buchhaltung(sab,teilung) *f.* **~ tube** *s tech.* Zählrohr *n.*
count·less ['kauntlis] *adj* zahllos, un- zählig.
'count-,out *s parl. Br.* Vertagung *f* des 'Unterhauses wegen Beschlußunfähigkeit.
count pal·a·tine *s hist.* Pfalzgraf *m.*
coun·tri·fied ['kʌntri,faid] *adj* **1.** ländlich, bäuerlich. **2.** verbauert, bäurisch.
coun·try ['kʌntri] **I** *s* **1.** Gegend *f*, Landstrich *m*, -schaft *f*, Gebiet *n*: flat ~ Flachland; wooded ~ waldige Gegend; unknown ~ unbekanntes Gebiet (*a. fig.*); that's quite new ~ to me *fig.* das ist ein ganz neues Gebiet *od.* völliges Neuland für mich; to go up ~ ins (Landes)Innere reisen. **2.** Land *n*, Staat *m*: native ~ Heimatland; from all over the ~ aus dem ganzen Land; in this ~ hierzulande; ~ of birth Geburtsland; ~ of destination Bestimmungsland; ~ of origin Ursprungsland. **3.** Heimat(land *n*) *f*, Vaterland *n*: ~ of adoption Wahlheimat. **4.** Bevölkerung *f* (*e-s Staates*), (*die*) Öffentlichkeit, Volk *n*, Nati'on *f*: → appeal 3 *u.* 9; trial by the ~ *jur.* Verhandlung *f* vor den Geschworenen. **5.** (*das*) Land, (*die*) Pro'vinz (*Ggs. Stadt*): in the ~ auf dem Lande; to go (down) (in)to the ~ (*bes. von London*) aufs Land gehen. **6.** Gelände *n*, Ter'rain *n*: rough ~; hilly ~ Hügelland *n.* **7.** *Bergbau*: a) Feld *n*, Re'vier *n*, b) Nebengestein *n*, Gebirge *n.* **8.** *Kricket*: die weit von den Toren entfernten Teile des Spielfelds. **II** *adj* **9.** ländlich, vom Lande, Land..., Provinz... **10.** bäurisch, ungehobelt.
coun·try| bank *s* Land-, Pro'vinzbank *f.* **~ box** *s Br.* kleines Landhaus. **'~,bred** *adj* auf dem Land erzogen *od.* aufgewachsen. **~ bump·kin** *s* Bauer(ntölpel) *m.* **~ club** *s Am.* Sport- u. Gesellschaftsklub *m* auf dem Land (*für Städter*). **~ cous·in** *s* **1.** Vetter *m od.* Base *f* vom Lande. **2.** ‚Unschuld *f* vom Lande'. **'~,folk** *s* Bauern *pl*, Landvolk *n*, -bevölkerung *f.* **~ gen·tle·man** *s irr* **1.** Landedelmann *m.* **2.** Gutsbesitzer *m.* **~ home, ~ house** *s* **1.** Landhaus *n*, Villa *f.* **2.** Landsitz *m.* **~ jake** *Am. für* country bumpkin. **~ life** *s irr* Landleben *n.* **'~·man** [-mən] *s irr* **1.** *a.* fellow ~ Landsmann *m.* **2.** Einwohner *m.* **3.** Landmann *m*, -bewohner *m*, Bauer *m.* **~ par·ty** *s pol.* **1.** A'grarierpar,tei *f.* **2.** C~ P~ *Br. hist. um 1673 gegründete, gegen den Hof gerichtete Partei.* **~ rock** → country 7b. **'~,seat** *s* (größerer) Landsitz. **'~,side** *s* **1.** Landstrich *m*, (ländliche) Gegend. **2.** 'Umgegend *f.* **3.** Landschaft *f.* **4.** (Land)Bevölkerung *f.* **~ squire** *s* Landjunker *m*, -edelmann *m.* **'~-'wide** *adj* über das ganze Land verbreitet, im ganzen Land. **'~,wom·an** *s irr* **1.** Landsmännin *f.* **2.** Einwohnerin *f.* **3.** Landfrau *f*, Bäu(e)rin *f*, Bauersfrau *f.*
count·ship ['kauntʃip] *s* Grafenwürde *f.*
coun·ty[1] ['kaunti] *s* **1.** *Br.* a) Grafschaft *f* (*Verwaltungsbezirk*), b) (*die*) (Bewohner *pl* e-r) Grafschaft. **2.** *Br.* (*die*) Aristokra'tie e-r Grafschaft. **3.** *Am.* a) Kreis *m*, (Verwaltungs)Bezirk *m*, b) Kreis(bevölkerung *f*) *m.*
count·y[2] ['kaunti] *s obs.* Graf *m.*
coun·ty| at large *s* (hi'storische) Grafschaft (*mit den heutigen Grafschaften nicht übereinstimmend*). **~ at·tor·ney** *s jur. Am.* Staatsanwalt *m.* **~ bor·ough** *s Br.* Grafschaftsstadt *f* (*Stadt mit über 50 000 Einwohnern, die e-e eigene Grafschaft bildet*). **~ col·lege** *s Br.* Fortbildungsschule *f.* **~ con·stab·u·lar·y** *s* 'Landpoli,zei *f.* **~ cor·po·rate** *s Br.* Grafschaftsstadt *f* (*Stadt, die e-e eigene Grafschaft bildet*). **~ coun·cil** *s Br.* Grafschaftsrat *m* (*Verwaltungsbehörde*). **~ court** *s jur.* **1.** *Br.* Grafschaftsgericht *n* (*erstinstanzliches Zivilgericht*). **2.** *Am.* Kreisgericht *n* (*für Zivil- u. Strafsachen geringerer Bedeutung*). **~ fam·i·ly** *s Br.* Adelsfamilie *f* (*mit dem Ahnensitz in e-r Grafschaft*). **~ hall** *s* Rathaus *n* e-r Grafschaft. **~ man·ag·er** *s Am.* Landrat *m.* **~ pal·a·tine** *s hist.* Pfalzgrafschaft *f* (*in England die Grafschaften Lancashire, Cheshire u. Durham*). **~ seat** *s Am.*, **~ town** *s* Kreis(haupt)stadt *f.*
coup [kuː] *s* **1.** Coup *m*, gelungener Streich. **2.** a) Gewalt-, Handstreich *m*, b) Staatsstreich *m*, Putsch *m.* **3.** Bra'vourstück *n.* **4.** *Billard*: di'rektes Einlochen des Balles. **5.** einmalige Um'drehung des Rou'lettrades. **~ de grâce** [ku də 'grɑːs] (*Fr.*) *s* Gnadenstoß *m* (*a. fig.*). **~ de main** [ku də 'mɛ̃] (*Fr.*) *s bes. mil.* Handstreich *m.* **~ de maî·tre** [ku də 'mɛːtr] (*Fr.*) *s* Meisterstück *n.* **~ d'é·tat** [ku de'ta] (*Fr.*) → coup 2b. **~ de thé·â·tre** [ku də te'ɑːtr] (*Fr.*) *s* **1.** *thea. u. fig.* über'raschende Wendung. **2.** *a. fig.* The'atercoup *m.*
cou·pé [*Br.* 'kuːpei; *Am.* kuː'pei] *s* Cou'pé *n*: a) [*Am. a.* kuːp] *mot. zweitürige u. meist zweisitzige Limousine*, b) *geschlossene vierrädrige Kutsche*, c) *rail. Br.* 'Halbab,teil *n.*
cou·ple ['kʌpl] **I** *s* **1.** Paar *n*: a ~ of a) zwei, b) *colloq.* ein paar, zwei oder drei, etliche; in ~s paarweise. **2.** (*bes.* Ehe-, Braut-, Liebes)Paar *n*, Pärchen *n*: dancing ~ Tanzpaar; loving ~ Liebespaar; married ~ Ehepaar. **3.** Verbindungs-, Bindeglied *n.* **4.** Koppel *n*, Riemen *m*: to go (*od.* run) in ~s *fig.* aneinandergebunden sein; to hunt (*od.* go) in ~s *fig.* stets gemeinsam handeln. **5.** (*pl collect. oft* couple) Paar *n*, *bes.* Koppel *f* (*Jagdhunde*). **6.** *phys. tech.* (Kräfte)Paar *n*: ~ of forces. **7.** *electr.* Elek'trodenpaar *n.* **8.** *arch.* Dachbund *m*: main ~ Hauptgebinde *n.* **II** *v/t* **9.** (zs.-)koppeln, verbinden. **10.** paaren. **11.** *colloq. ein Paar* verheiraten, ehelich verbinden. **12.** *tech.* (an-, ver)kuppeln: to ~ in einkuppeln. **13.** *electr. Kreise* koppeln: to ~ back rückkoppeln; to ~ out auskoppeln. **14.** *mus. Oktaven etc* koppeln. **15.** *in Gedanken* verbinden, zs.-bringen (with mit). **III** *v/i* **16.** sich paaren. **17.** heiraten.
cou·pled ['kʌpld] *adj* **1.** *a. fig.* gepaart, verbunden (with mit). **2.** *tech.* gekuppelt. **3.** *electr. phys.* verkoppelt: ~ circuit. **~ col·umn** *s arch.* gekoppelte Säule.
cou·pler ['kʌplər] *s* **1.** j-d, der *od.* etwas, was (zu e-m Paar) verbindet. **2.** *mus.* Koppel *f* (*der Orgel*). **3.** *tech.* Kupp(e)lung *f.* **4.** *electr.* a) Koppel(glied *n*) *f*, Kopplungsspule *f*, b) (Leitungs)Muffe *f.* **~ plug** *s electr.* Kupplungs-, Gerätestecker *m.* **~ sock·et** *s electr.* Gerätesteckdose *f.*
cou·ple skat·ing *s Eiskunst- u. Rollschuhlauf*: Paarlaufen *n*, -lauf *m.*
cou·plet ['kʌplit] *s* **1.** Vers-, *bes.* Reimpaar *n.* **2.** *mus.* Du'ole *f.*
cou·pling ['kʌpliŋ] *s* **1.** Verbindung *f*, -einigung *f.* **2.** Paarung *f*, Begattung *f.* **3.** *tech.* a) Verbindungs-, Kupplungsstück *n*, Rohrmuffe *f*, b) Kupplung *f*: direct ~ kraftschlüssige Kupplung; disk ~ Scheibenkupplung. **4.** *electr.* a) Kopplung *f* (*von Kreisen*), b) *a.* ~ attenuation Kopplungsdämpfung *f.* **5.** *zo.* Mittelhand *f* (*des Pferdes*). **~ box** *s tech.* Kupplungsmuffe *f.* **~ coil** *s electr.* Kopplungsspule *f.* **~ disk** *s tech.* Kupplungsscheibe *f.* **~ gear** *s tech.* Einrückvorrichtung *f.* **~ grab** *s tech.* Klauenkette *f.* **~ nut** *s tech.* Spannmutter *f.* **~ pin** *s tech.* Kupplungsbolzen *m*, Mitnehmerstift *m.* **~ rod** *s tech.* Kupplungsstange *f.*
cou·pon ['kuːpɒn] *s* **1.** *econ.* Cou'pon *m*, Ku'pon *m*, Zinsschein *m*: (dividend) ~ Dividendenschein *m*; ~ bond *Am.* Inhaberschuldverschreibung *f* mit Zinsschein; ~ sheet Couponbogen *m.* **2.** a) Kassenzettel *m*, Gutschein *m*, Bon *m*, b) Berechtigungs-, Bezugsschein *m.* **3.** Ku'pon *m*, Gutschein *m*, Bestellzettel *m* (*in Zeitungsinseraten etc*). **4.** *Br.* Abschnitt *m* (*der Lebensmittelkarte etc*): to spend (*od.* surrender) ~s Marken abgeben; ~ goods markenpflichtige Waren. **5.** Kon'trollabschnitt *m.* **6.** *pol. Br. sl.* Zustimmung *f* des Par'teiführers (*zur Kandidatur e-s Wahlbewerbers*). **7.** *Br.* Tippzettel *m* (*Fußballtoto*).
cour·age [*Br.* 'kʌridʒ; *Am.* 'kəːr-] *s* Mut *m*, Beherztheit *f*, Kühnheit *f*, Tapferkeit *f*: to have the ~ of one's convictions (stets) s-r Überzeugung gemäß handeln, Zivilcourage haben; to lose ~ den Mut verlieren; to pluck up (*od.* take) ~ Mut fassen; to screw up (*od.* summon up) all one's ~, to take one's ~ in both hands s-n ganzen Mut zs.-nehmen, sich ermannen.
cou·ra·geous [kə'reidʒəs] *adj* (*adv* ~ly) mutig, beherzt, tapfer.
cour·i·er ['kuriər; *Am. a.* 'kəːr-] *s* **1.** Eilbote *m*, (*a. diplomatischer*) Ku'rier. **2.** a) *Br. hist.* Reisemarschall *m*, b) Reiseleiter *m.* **3.** *Canad.* Postbote *m.* **4.** *Am.* Verbindungsmann *m* (*Agent*). **5.** *Am.* Ku'rierflugzeug *n.*
cour·lan ['kurlən] *s orn.* Riesenralle *f.*
course [kɔːrs] **I** *s* **1.** a) Fahrt *f*, Reise *f*, b) Lauf *m*, Weg *m*, (eingeschlagene) Richtung: to take one's ~ s-n Weg verfolgen *od.* gehen; to keep to one's ~ beharrlich s-n Weg verfolgen. **2.** *aer. mar.* Kurs *m*: direct (magnetic, true) ~ gerader (mißweisender, rechtweisender) Kurs; ~ made good *aer.* richtiger Kurs; on (off) ~ (nicht) auf Kurs; to change one's ~ s-n Kurs ändern (*a. fig.*); to stand upon the ~ den Kurs halten; to steer a ~ e-n Kurs steuern (*a. fig.*); ~ computer *aer.* Kursrechner *m*; ~ recorder Kursschreiber *m*; ~-setting device Kursgeber *m.* **3.** *fig.* Kurs *m*, Weg *m*, Me'thode *f*, Verfahren *n*: → action 1; to adopt a new ~ e-n neuen Kurs *od.*

Weg einschlagen; to take one's own ~ s-n eigenen Weg gehen. **4.** Verhaltens-, Lebensweise *f*: (evil) ~s üble Gewohnheiten. **5.** (zu'rückgelegter) Weg, Strecke *f*. **6.** *sport* (Renn)Bahn *f*, (-)Strecke *f*: (golf) ~ Golfplatz *m*. **7.** (Ver)Lauf *m* (*zeitlich*): in the ~ of im (Ver)Lauf (*gen*), während (*gen*); in (the) ~ of time im Laufe der Zeit. **8.** Lebenslauf *m*, -bahn *f*, Karri'ere *f*. **9.** (na'türlicher) Lauf, Ab-, Verlauf *m*, (Fort)Gang *m*: of ~ (*colloq. a. einfach* ~) natürlich, selbstverständlich; a matter of ~ e-e Selbstverständlichkeit; the ~ of events der Gang der Ereignisse, der Lauf der Dinge; in the ordinary ~ of things normalerweise; ~ of nature natürlicher Lauf der Dinge; the ~ of a disease der Verlauf e-r Krankheit; the sickness will take its ~ die Krankheit wird ihren Lauf nehmen; to let things run (*od.* take) their ~ den Dingen ihren Lauf lassen; in ~ of construction im Bau (begriffen). **10.** üblicher Gang *od.* Verlauf: ~ of business *econ.* (regelmäßiger *od.* normaler) Geschäftsgang; ~ of law Rechtsgang, -weg *m*; → due 9. **11.** (Reihen-, Aufein'ander)Folge *f*. **12.** Turnus *m*, regelmäßiger Wechsel (*der Dienstzeiten etc*). **13.** Gang *m*, Gericht *n* (*Speisen*): a four-~ meal e-e Mahlzeit mit vier Gängen; last ~ Nachtisch *m*. **14.** Zyklus *m*, Reihe *f*, Folge *f*: a ~ of lectures e-e Vortragsreihe. **15.** *a.* ~ of instruction Kurs(us) *m*, Lehrgang *m*: German ~ Deutschkursus, deutsches Lehrbuch; ~ of study *univ.* a) Kursus *m*, b) Lehrplan *m*; training ~ Übungskurs. **16.** *med.* Kur *f*: to undergo a ~ of (medical) treatment sich e-r Kur *od.* e-r längeren Behandlung unterziehen. **17.** *econ. obs.* (Geld-, Wechsel)Kurs *m*. **18.** *econ.* Marktlage *f*, Ten'denz *f*. **19.** *mar.* unteres großes Segel: main ~ Großsegel. **20.** *arch.* Lage *f*, Schicht *f* (*Ziegel etc*): ~ of archstones Wölbschicht. **21.** *Stricken*: Maschenreihe *f*. **22.** (monthly) ~s *pl physiol.* Menstruati'on *f*, Peri'ode *f*, Regel *f*. **23.** *sport hist.* Gang *m* (*im Turnier etc*). **24.** *geol.* Streichen *n* (*Lagerstätte*). **25.** *Bergbau*: Ader *f*, Gang *m*, stehendes Flöz: ~ of ore Erzgang. **26.** *tech.* Bahn *f*, Strich *m*, Schnitt *m*, Schlag *m*.
II *v/t* **27.** durch'eilen, jagen durch *od.* über (*acc*). **28.** *Wild, bes. Hasen* (mit Hunden) hetzen.
III *v/i* **29.** rennen, eilen, jagen, stürmen (*a. fig.*): to ~ through s.th. *fig.* etwas durcheilen. **30.** an e-m Rennen, e-r Hetzjagd *etc* teilnehmen.

cours·er[1] ['kɔːrsər] *s poet.* Renner *m* (*schnelles Pferd*).

cours·er[2] ['kɔːrsər] *s hunt.* **1.** Jäger *m* (*bei der Hetzjagd*). **2.** Jagdhund *m*.

cours·er[3] ['kɔːrsər] *s orn.* Rennvogel *m*.

cours·ing ['kɔːrsiŋ] *s* Hetzjagd *f* mit Hunden.

court [kɔːrt] **I** *s* **1.** (Innen-, Vor)Hof *m*. **2.** *bes. Br.* stattliches Wohngebäude. **3.** a) kurze Straße *od.* Sackgasse, b) kleiner Platz, c) (*bes. in London*) 'Hintergäßchen *n*. **4.** *sport* a) Spielplatz *m*: tennis ~ Tennisplatz, b) (Spielplatz)Feld *n*. **5.** (*fürstlicher etc*) Hof, Resi'denz *f*: to be presented at ~ bei Hofe vorgestellt werden; to have a friend at ~ *fig.* e-n einflußreichen Fürsprecher haben. **6.** a) fürstlicher Hof *od.* Haushalt, b) fürstliche Fa'milie, c) Hofstaat *m*: to hold ~ Hof halten; to keep ~ herrschen. **7.** königliche *od.* fürstliche Re'gierung. **8.** (Empfang *m* bei) Hof *m*, Cour *f*: to hold a ~ e-e Cour abhalten. **9.** *fig.* Hof *m*, Cour *f*, Aufwartung *f*: to pay (one's) ~ to s.o. a) j-m (*bes. e-r Dame*) den Hof machen, b) j-m s-e Aufwartung machen. **10.** *jur.* Gericht *n*: a) Gerichtshof *m*, b) (*die*) Richter *pl*, c) Gerichtssaal *m*: ~ of law, ~ of justice Gerichtshof; ordinary ~, ~ of record ordentliches Gericht; ~ not of record Spezialgericht; ~ above höhere Instanz; to appear in ~ vor Gericht erscheinen; in full ~ in pleno; the ~ will not sit tomorrow morgen findet keine Gerichtssitzung statt; to bring into ~ vor (das) Gericht bringen, verklagen; to come to ~ vor Gericht *od.* zur Verhandlung kommen (*Klage*); to go into ~ klagen; in and out of ~ gerichtlich u. außergerichtlich; out of ~ *fig.* a) nicht zur Sache gehörig, b) indiskutabel; to put o.s. out of ~ sich disqualifizieren; to settle a matter out of ~ e-e Sache außergerichtlich *od.* auf gütlichem Wege beilegen; to laugh out of ~ verlachen; → appeal 6, arbitration 2, assize 4a, equity 2a, *etc.* **11.** *jur.* (Gerichts)Sitzung *f*: in open ~ in öffentlicher Sitzung *od.* Verhandlung; to open the ~ die Sitzung eröffnen. **12.** *parl.* (gesetzgebende) Versammlung: the High C~ of Parliament *Br.* die Parlamentsversammlung. **13.** Rat *m*, Versammlung *f*, Kura'torium *n*: ~ of assistance Kirchenrat (*e-r Pfarrei*); ~ of directors Direktion *f*, Vorstand *m*. **14.** Ortsgruppe *f*, *a.* (Freimaurer)Loge *f*.
II *v/t* **15.** *j-m* den Hof machen, *j-m* huldigen. **16.** um'werben (*a. fig.*), werben *od.* freien um (*e-e Dame*). **17.** *fig.* buhlen *od.* werben um: to ~ s.o.'s favo(u)r. **18.** *fig.* sich bemühen um, suchen: to ~ disaster das Schicksal herausfordern, mit dem Feuer spielen; to ~ sleep Schlaf suchen.
III *v/i* **19.** freien: to go ~ing a) auf Freiersfüßen gehen, b) auf Liebe ausgehen; ~ing couple Liebespaar *n*.

court| ball *s* Hofball *m*. '~-,**bar·on** *s jur. Br. hist.* Guts-, Patrimoni'algericht *n*. ~ **card** *s* Bildkarte *f* (*König, Dame od. Bube*). **C~ Cir·cu·lar** *s* (*tägliche*) Hofnachrichten *pl*. ~ **cup·board** *s* Kre'denztisch *m*. ~ **day** *s* Gerichtstag *m*. ~ **dress** *s* (vorschriftsmäßige) Hofkleidung, Hoftracht *f*.

cour·te·ous ['kəːrtiəs] *adj* (*adv* ~ly) höflich, verbindlich, liebenswürdig. '**cour·te·ous·ness** → courtesy 1.

cour·te·san [*Br.* ,kɔːti'zæn; *Am.* 'kɔːrtəzən; 'kəːr-] *s* Kurti'sane *f*.

cour·te·sy ['kəːrtisi] **I** *s* **1.** Höflichkeit *f*, Liebenswürdigkeit *f*, Artigkeit *f* (*alle a. als Handlung*) (to, toward[s] gegen): by ~ aus Höflichkeit (→ 2); to be in ~ bound to do s.th. anstandshalber verpflichtet sein, etwas zu tun; ~ on the road Höflichkeit im Straßenverkehr; ~ of the port Recht *n* auf sofortige Zollabfertigung; ~ light *mot.* Innenlampe *f*; ~ visit Höflichkeits-, Anstandsbesuch *m*. **2.** Gefälligkeit *f*: by ~ aus Gefälligkeit (→ 1); title by ~, ~ title Höflichkeits-, Ehrentitel *m*; by ~ of a) mit freundlicher Genehmigung von (*od. gen*), b) durch, mittels. **3.** → curts(e)y I. **II** *v/i* → curts(e)y II.

cour·te·zan → courtesan.

court| fees *s pl jur.* Gerichtsgebühren *pl*, -kosten *pl*. ~ **game** *s sport* Feld-, Netzspiel *n*. ~ **guide** *s* 'Hof-, 'Adelska,lender *m* (*Verzeichnis der hoffähigen Personen*). ~ **hand** *s* gotische Kanz'leischrift. '~,**house** *s Am.* **1.** Verwaltungs- u. Gerichtsgebäude *n*. **2.** *weitS.* Kreis(haupt)stadt *f*.

cour·ti·er ['kɔːrtiər; -tjər] *s* Höfling *m*.

court| lands *s pl jur. Br.* Allodi'algüter *pl*. '~,**like** *adj* **1.** höfisch. **2.** höflich.

court·li·ness ['kɔːrtlinis] *s* Vornehmheit *f*, Würde *f*. '**court·ly I** *adj* **1.** höfisch: ~ love *hist.* ritterliche Minne. **2.** vornehm, gepflegt, ele'gant. **3.** höflich. **4.** schmeichlerisch, ölig. **II** *adv* **5.** höflich.

'**court|-'mar·tial** *pl* '**courts-'mar·tial I** *s* Kriegsgericht *n*: shot by sentence of ~ standrechtlich erschossen. **II** *v/t* vor ein Kriegsgericht stellen. ~ **mourn·ing** *s* Hoftrauer *f*. ~ **or·der** *s jur.* Gerichtsbeschluß *m*, richterliche Verfügung. ~ **paint·er** *s* Hofmaler *m*. ~ **plas·ter** *s* Englisch-, Heftpflaster *n*. ~ **prom·is·es** *s pl* leere Versprechungen *pl*. ~ **re·port·er** *s* Gerichtsschreiber *m*. '~,**room** *s* Gerichtssaal *m*.

court·ship ['kɔːrtʃip] *s* **1.** Hofmachen *n*. **2.** Freien *n*, Werben *n*: days of ~ Zeit *f* der jungen Liebe. **3.** *fig.* (of) Werben *n* (um), Um'werben *n* (*gen*). **4.** *zo.* Werben *n*, *orn.* Balz *f*.

court| shoes *s pl* Pumps *pl*. ~ **ten·nis** *s sport hist.* Racket *n*, Federballspiel *n*. '~,**yard** *s* Hof(raum) *m*.

cous·in ['kʌzn] *s* **1.** a) Vetter *m*, b) Base *f*, Ku'sine *f*: first (*od.* full) ~ → cousin-german; second ~s Vettern *od.* Basen zweiten Grades; first ~ once removed a) Kind *n* e-s leiblichen Vetters *od.* e-r leiblichen Base, b) leiblicher Vetter *od.* leibliche Base e-s Elternteils. **2.** *weitS.* Verwandte(r *m*) *f*: to call ~s sich auf die Verwandtschaft berufen (with mit); forty-second ~ entfernter Verwandter.

'**cous·in-'ger·man** *pl* '**cous·ins-'ger·man** *s* leiblicher Vetter *od.* leibliche Base, Geschwisterkind *n*.

cous·in·ly ['kʌznli] *adj u. adv* vetterlich. '**cous·in·ry** [-ri], '**cous·in,ship** *s* **1.** Vetter(n)schaft *f*. **2.** Verwandtschaft *f*.

cou·tu·rier [kuty'rje] (*Fr.*) *s* (Damen)-Schneider *m*. **cou·tu·rière** [kuty'rjɛːr] (*Fr.*) *s* Schneiderin *f*.

cou·vade [kuː'vɑːd] *s* Cou'vade *f*, Männerkindbett *n*.

co·va·lence [kou'veiləns], **co'va·len·cy** *s chem.* Kova'lenz *f*.

cove[1] [kouv] **I** *s* **1.** kleine Bucht. **2.** Schlupfwinkel *m*. **3.** *Scot. od. dial.* Höhle *f*. **4.** *arch.* a) Wölbung *f*, b) Gewölbebogen *m*. **II** *v/t arch.* **5.** (über)-'wölben.

cove[2] [kouv] *s Br. sl.* Bursche *m*.

cov·en ['kʌvn] *s* Hexensabbat *m*.

cov·e·nant ['kʌvənənt] **I** *s* **1.** feierliches Abkommen *od.* (*relig.*) Bündnis. **2.** *jur.* a) (*förmlicher*) Vertrag, b) (feierliche) Zusicherung, c) Vertragsklausel *f*: full ~ deed *Am.* Grundstücksübertragungsurkunde *f* mit bestimmten Zusicherungen; negative ~ Unterlassungsversprechen *n*. **3.** C~ *hist.* Covenant *m* (*Name mehrerer Bündnisse der schottischen Presbyterianer zur Verteidigung ihres Glaubens, bes.*): The National C~ (*1638*); The Solemn League and C~ (*1643*). **4.** *Bibl.* a) Bund *m* (*Gottes mit den Menschen*): the Old (New) C~ der Alte (Neue) Bund; → ark 3, b) (göttliche) Verheißung: the land of the ~ das Gelobte Land. **5.** *jur. pol.* Satzung *f*, Sta'tut *n*: C~ of the League of Nations Völkerbundspakt *m* (*1919*). **II** *v/i*

6. e-n Vertrag schließen, über'einkommen (with mit; for über *acc*). **7.** sich (schriftlich *od.* feierlich) verpflichten, sich gegenseitig geloben (to do zu tun; that daß). **III** *v/t* **8.** (vertraglich) vereinbaren *od.* zusichern. **9.** feierlich geloben. **'cov·e·nant·ed** *adj* **1.** vertraglich festgelegt, vertragsmäßig. **2.** vertraglich gebunden. **ˌcov·e·nan'tee** [-'tiː] *s jur.* (*der*) (aus e-m Vertrag) Berechtigte, Kontra'hent *m.* **'cov·e·nant·er** [-tər] *s* **1.** (*der*) (aus e-m Vertrag) Verpflichtete, Kontra'hent *m.* **2.** C~ [*Scot.* ˌkʌvə'næntə] *hist.* Covenanter *m* (*Anhänger des* National Covenant). **'cov·e·nan·tor** [-tər] → covenanter 1.

cov·en·trize ['kɒvənˌtraiz; 'kʌv-] *v/t* ‚coven'trieren', (to'tal) zerbomben *od.* zerstören. **'Cov·en·try** [-tri] *npr* Coventry *n* (*englische Stadt*): to send s.o. to ~ *fig.* j-n gesellschaftlich ächten.

cov·er ['kʌvər] **I** *s* **1.** Decke *f.* **2.** *weitS.* (Pflanzen-, Schnee-, Wolken- *etc*)-Decke *f.* **3.** Deckel *m.* **4.** a) (Buch)-Decke(l *m*) *f*, Einband *m*: from ~ to ~ von der ersten bis zur letzten Seite, b) 'Umschlag- *od.* Titelseite *f*, c) ('Schutz)ˌUmschlag *m.* **5.** Um'hüllung *f*, Hülle *f*, Futte'ral *n*, Kappe *f.* **6.** 'Überzug *m*, Bezug *m*: bed ~. **7.** *tech.* a) Schutzhaube *f od.* -platte *f*, b) Schutzmantel *m* (*von elektrischen Röhren*), c) *mot.* (Reifen)Decke *f*, Mantel *m.* **8.** 'Briefˌumschlag *m*, Ku'vert *n*: under same ~ mit gleichem Schreiben, beiliegend; under separate ~ in besonderem Umschlag, gesondert. **9.** A'dreßˌumschlag (*der e-n an j-d anders gerichteten Brief enthält*): under ~ of unter der (Deck)Adresse von. **10.** Faltbrief *m.* **11.** *Philatelie*: Ganzsache *f.* **12.** Schutz *m*, Obdach *n*, Dach *n*: to get under ~ sich unterstellen. **13.** Schutz *m* (from gegen): under (the) ~ of night im Schutze der Nacht. **14.** *mil.* a) Deckung *f* (from vor *dat*): to take ~ in Deckung gehen, Deckung nehmen, b) Sicherung *f*, Abschirmung *f*: air ~ → coverage 9; → covering fire. **15.** *hunt.* a) Lager *n* (*von Wild*), b) (schützendes) Dickicht: to break ~ ins Freie treten. **16.** *fig.* Tarnung *f*, Deckmantel *m*, Vorwand *m*: under ~ of unter dem Deckmantel (*gen*), getarnt als. **17.** Gedeck *n* (*bei Tisch*). **18.** *econ.* Deckung *f*, Sicherheit *f*: ~ funds Deckungsmittel; ~ ratio Deckungsverhältnis *n* (*Währung*). **19.** *Versicherungsrecht*: (Schadens)-Deckung *f*, Versicherungsschutz *m*: ~ note → covering note.

II *v/t* **20.** be-, zudecken (with mit): ~ed with voll von; to remain ~ed den Hut aufbehalten; be ~ed!, ~ your head! bedecken Sie sich!; to ~ o.s. with glory (shame) *fig.* sich mit Ruhm (Schande) bedecken; to ~ a roof ein Dach decken. **21.** *e-e Fläche* bedecken, einnehmen, sich über *e-e Fläche, a. e-e Zeitspanne* erstrecken. **22.** *Papier, Seiten* vollschreiben. **23.** über'ziehen, um'wickeln, um'hüllen, um'spinnen: ~ed buttons überzogene Knöpfe. **24.** einhüllen, -wickeln, -schlagen (in, with in *acc*). **25.** a) verdecken, -bergen (*a. fig.*), b) *oft* ~ up *fig.* verhüllen, -hehlen, bemänteln: to ~ (up) one's mistakes; to ~ up a scandal e-n Skandal vertuschen. **26.** (o.s. sich) decken, schützen, sichern (from vor *dat*, gegen). **27.** *mil.* a) decken, schützen, abschirmen, sichern: to ~ the retreat, b) (*als Hintermann etc*) decken: to be ~ed auf Vordermann stehen, c) *ein Gebiet* beherrschen, im Schußfeld haben, d) *Gelände* bestreichen, (mit Feuer) belegen. **28.** zielen auf (*acc*), in Schach halten: to ~ s.o. with a pistol. **29.** *econ.* decken, bestreiten: to ~ expenses; to ~ a loss e-n Verlust decken; to ~ debts Schulden (ab)-decken. **30.** *econ.* versichern, decken. **31.** decken, genügen *od.* ausreichen für: to ~ a requirement. **32.** um'fassen, um'schließen, einschließen, be'inhalten, behandeln, enthalten: the book does not ~ that period. **33.** *statistisch, mit Radar, Werbung etc* erfassen. **34.** *ein Thema* erschöpfend behandeln. **35.** *Presse, Rundfunk etc*: berichten über (*acc*): to ~ the elections. **36.** *e-e Strecke* zu'rücklegen: to ~ three miles; to ~ the ground alles (gründlich) durchnehmen *od.* bearbeiten *od.* behandeln. **37.** *e-n Bezirk* bereisen, bearbeiten: this salesman ~s Utah. **38.** *ein Gebiet* versorgen, ope'rieren in (*dat*): the busline ~s this area. **39.** *sport e-n Gegner* decken. **40.** *j-n* beschatten, beobachten. **41.** *zo. ein Weibchen* decken, bespringen, *e-e Stute* beschälen. **42.** *Bibl. e-e Sünde* vergeben, auslöschen.

III *v/i* **43.** *tech.* decken: this paint does not ~. **44.** *sport* decken. **45.** ~ for *Am.* einspringen für.

Verbindungen mit Adverbien u. Präpositionen:

cov·er| in *v/t ein Haus* decken, bedachen. ~ **in·to** *v/t* **1.** transfe'rieren auf (*acc*), über'tragen (*dat*). **2.** unter'stellen (*dat*), einbeziehen in (*acc*). ~ **o·ver** *v/t* über'ziehen, -'decken. ~ **up I** *v/t* **1.** (ganz) zudecken *od.* verdecken. **2.** verbergen, -heimlichen, -tuschen: to ~ for s.o. j-n decken. **II** *v/i* **3.** *Boxen*: sich decken.

cov·er ad·dress *s* 'Deckaˌdresse *f.*

cov·er·age ['kʌvəridʒ] *s* **1.** *allg.* Erfassung *f.* **2.** Bearbeitung *f*, Behandlung *f* (*e-s Themas*). **3.** a) erfaßtes Gebiet, erfaßte Menge, b) Streuungsdichte *f*, c) Geltungsbereich *m*, Verbreitung *f.* **4.** Ausstrahlung *f*, Reichweite *f* (*e-s Senders, e-r Werbung etc*). **5.** *Radar*: Auffaßbereich *m.* **6.** *econ.* 'Umfang *m* (*e-r Versicherung*), Versicherungsschutz *m*, (Schadens)Deckung *f.* **7.** *econ.* Deckung *f* (*Währung*): a twenty per cent gold ~. **8.** *Presse, Rundfunk etc*: Berichterstattung *f* (of über *acc*). **9.** *mil.* Luftsicherung *f*, Abschirmung *f* durch die Luftwaffe. **10.** *tech.* Ergiebigkeit *f* (*e-s Lacks etc*). **11.** Pflanzendecke *f.*

'cov·er|-ˌall *adj Am.* um'fassend. **'~ˌalls** *s* (*als pl konstruiert*) *Am.* Overall *m.* ~ **charge** *s* pro Gedeck berechneter Betrag, Gedeck *n.* ~ **crop** *s agr.* Deck-, Schutzfrucht *f.* ~ **de·sign** *s* Titelbild *n.*

cov·ered ['kʌvərd] *adj* be-, gedeckt: ~ bridge gedeckte Brücke; ~ cable *tech.* umhülltes Kabel; ~ court *sport* Hallenspielplatz *m*; ~ electrode *tech.* Mantelelektrode *f*; ~ job *Am.* pflichtversicherte Tätigkeit; ~ market Markthalle *f*; ~ storage space überdachter Lagerraum; ~ wag(g)on a) Planwagen *m*, b) *rail. Br.* geschlossener Güterwagen; ~ wire *tech.* umsponnener Draht.

cov·er| girl *s* Titelbildschönheit *f.* ~ **glass** *s* **1.** *Diaskop*: Deckglas *n.* **2.** Deckgläs-chen *n* (*am Mikroskop*).

cov·er·ing ['kʌvəriŋ] **I** *s* **1.** → cover 5. **2.** (Be)Kleidung *f.* **3.** Um'hüllung *f.* **4.** *aer.* Bespannung *f.* **5.** (Fußboden)-Belag *m.* **6.** *econ.* Deckungskauf *m.* **7.** *mil.* Abschirmung *f*, Sicherung *f.* **II** *adj* **8.** (be)deckend, Deck... **9.** Schutz... **10.** *mil.* Deckungs..., Sicherungs... ~ **a·gree·ment** *s* Mantelvertrag *m.* ~ **fire** *s mil.* Deckungsfeuer *n*, Feuerschutz *m.* ~ **force** *s mil.* Sicherungs-, Deckungstruppen *pl.* ~ **let·ter** *s* Begleitbrief *m*, -schreiben *n.* ~ **note** *s econ. Br.* Deckungszusage *f* (*für e-e Feuerversicherung*). ~ **pow·er** *s* **1.** *tech.* Deckkraft *f* (*von Farbe*). **2.** *phot.* Bildwinkel *m.*

cov·er·let ['kʌvərlit], *a.* **'cov·er·lid** [-lid] *s* ('Bett)ˌÜberwurf *m.*

cov·er| plate *s tech.* **1.** Abdeckplatte *f.* **2.** Lasche *f*, Verstärkungsplatte *f.* ~ **shot** *s phot.* To'tale *f.* **'~ˌslut** *s* 'Umhang *m*, 'Überwurf *m.* ~ **sto·ry** *s* Titelgeschichte *f.*

cov·ert ['kʌvərt] **I** *adj* (*adv* ~ly) **1.** geschützt. **2.** heimlich, verborgen, -steckt, -schleiert. **3.** *jur.* verheiratet (*Frau*): → feme covert. **II** *s* [*Br. a.* 'kʌvə] **4.** Deckung *f*, Schutz *m*, Obdach *n.* **5.** Versteck *n*, Schlupfwinkel *m.* **6.** *hunt.* a) Lager *n* (*von Wild*), b) Dickicht *n.* **7.** ['kʌvərt] *orn.* Deckfeder *f.* ~ **coat** *s* Covercoat(mantel) *m*, Staubmantel *m.*

cov·er·ture [*Br.* 'kʌvətjuə; *Am.* 'kʌvərtʃər] *s* **1.** Decke *f*, Hülle *f.* **2.** Oberdach *n*, Schutz *m.* **3.** *fig.* Deckmantel *m.* **4.** *jur.* Ehestand *m* (der Frau).

'cov·er-ˌup *s Am.* Tarnung *f*, Verschleierung *f* (for *gen*).

cov·et ['kʌvit] *v/t* begehren, sich gelüsten lassen nach, trachten nach. **'cov·et·a·ble** *adj* begehrenswert. **'cov·et·ing** *adj* (*adv* ~ly) (be)gierig, lüstern. **'cov·et·ous** *adj* (*adv* ~ly) **1.** begehrlich, (be)gierig, lüstern (of nach). **2.** habsüchtig. **'cov·et·ous·ness** *s* **1.** heftiges Verlangen, Gier *f*, Begierde *f.* **2.** Habsucht *f*, Geiz *m.*

cov·ey ['kʌvi] *s* **1.** *orn.* Brut *f* (*Vogelmutter mit Jungen*), Hecke *f.* **2.** *hunt.* Volk *n*, Kette *f* (*Rebhühner*). **3.** *fig.* Schwarm *m*, Schar *f*, Trupp *m.*

cov·in ['kʌvin] *s* geheimes Einverständnis, betrügerische Absprache.

cov·ing ['kouviŋ] *s arch.* **1.** Wölbung *f.* **2.** 'überhangendes Obergeschoß. **3.** schräge Seitenwände *pl* (*Kamin*).

cow[1] [kau] *pl* **cows**, *obs.* **kine** [kain] *s zo.* **1.** Kuh *f* (*a. fig. contp.*). **2.** Kuh *f*, Weibchen *n* (*bes. des Elefanten, Wals etc*).

cow[2] [kau] *v/t* einschüchtern, ducken: to ~ s.o. into j-n (durch Einschüchterung) zwingen *od.* treiben zu.

cow[3] [kau] *v/t u. v/i Scot.* scheren, abschneiden.

cow·age *s bot.* Afri'kanische Juckbohne *f.*

cow·ard ['kauərd] **I** *s* Feigling *m*, Hasenfuß *m*, Memme *f.* **II** *adj* feig(e). **'cow·ard·ice** [-dis] *s* Feigheit *f.* **'cow·ard·li·ness** *s* **1.** Feigheit *f.* **2.** Erbärmlichkeit *f.* **'cow·ard·ly I** *adj* **1.** feig(e). **2.** erbärmlich, gemein: ~ lie. **II** *adv* **3.** feige.

'cow|ˌbane *s bot.* Wasserschierling *m.* **'~ˌbell** *s* **1.** Kuhglocke *f.* **2.** *bot.* Gemeines Leimkraut. **'~ˌber·ry** *s bot.* **1.** Preiselbeere *f.* **2.** *Am.* (*e-e*) Rebhuhnbeere. **'~ˌboy** *s* **1.** Cowboy *m* (*berittener Rinderhirt*). **2.** Kuhjunge *m*, -hirt *m.* **'~ˌcatch·er** *s rail. Am.* Schienenräumer *m.*

cow·die ['kaudi] → kauri.

cow·er ['kauər] *v/i* **1.** kauern, (zs.-gekauert) hocken: ~ing plunge *sport* Paketsprung *m.* **2.** sich ducken (*aus Angst etc*). **3.** sich verkriechen.

'cow|ˌfish *s ichth.* **1.** *ein kleiner Wal.*

2. (*ein*) Kofferfisch *m.* **3.** (*e-e*) Rundschwanz-Seekuh, (*ein*) Laman'tin *m.* **'~,girl** *s Am.* (berittene) Kuhhirtin.

cow| hand *s Am.* Rinderhirt *m*, Cowboy *m.* **'~,heel** *s* Kuhfuß-, Kalbsfußsülze *f.* **'~,herb** *s bot.* Kuhnelke *f.* **'~,herd** *s* Kuhhirt *m.* **'~,hide** *s* **1.** Kuhhaut *f.* **2.** Rindsleder *n.* **3.** Ochsenziemer *m* (*Peitsche*). **4.** *pl Am.* (schwere) Rindlederschuhe *pl od.* -stiefel *pl.*

cowl[1] [kaul] *s* **1.** Mönchskutte *f* (*mit Kapuze*). **2.** Ka'puze *f.* **3.** *tech.* (drehbare) Schornsteinkappe. **4.** *rail.* Rauchhaube *f.* **5.** *tech.* Funkenrost *m*, Sieb *n.* **6.** *tech.* a) *mot.* Haube *f*, Winddach *n*: ~ **panel** Hauben-, Verkleidungsblech *n*, b) → **cowling,** c) Verkleidung *f.*

cowl[2] [koul; kuːl] *s Br. dial.* Zuber *m.*

cowled [kauld] *adj* **1.** mit e-r Mönchskutte *od.* Ka'puze bekleidet. **2.** *bot. zo.* ka'puzenförmig.

cowl·ing ['kauliŋ] *s aer.* (*stromlinienförmige, abnehmbare*) Motorhaube.

'cow·man [-mən] *s irr* **1.** *Am.* Rinderzüchter *m.* **2.** Kuhknecht *m*, Schweizer *m.*

co-work·er [kou'wəːrkər] *s* Mitarbeiter(in).

cow| pars·nip *s bot.* Bärenklau *m, f.* **'~,pea** *s bot.* Langbohne *f.* **'~,pen** *s* Kuhhürde *f.* ~ **po·ny** *s Am.* Pony *n*, Pferd *n* (*zum Kühehüten*). **'~,pox** *s med.* Kuh-, Impfpocken *pl.* **'~,punch·er** *s Am. colloq.* Cowboy *m.*

cow·rie, cow·ry ['kauri] *s* **1.** *zo.* (*e-e*) Porzel'lanschnecke, *bes.* Kaurischnecke *f.* **2.** Kauri(muschel) *f*, Muschelgeld *n.*

cow| shark *s ichth.* Kuhhaifisch *m.* **'~,shed** *s* Kuhstall *m.* **'~,shot** *s Kricket*: *sl.* heftiger Schlag in geduckter Stellung. **'~,skin** → **cowhide** 1—3. **'~·slip** *s bot.* **1.** *Br.* Schlüsselblume *f*, Himmelsschlüssel *m.* **2.** *Am.* Sumpfdotterblume *f.*

cox [kɒks] *colloq. für* **coxswain.**

cox·a ['kɒksə] *pl* **-ae** [-iː] *s* **1.** *anat.* a) Hüfte *f*, Hüftbein *n*, b) Hüftgelenk *n.* **2.** *zo.* Hüftglied *n* (*von Spinnen etc*). **'cox·al** *adj anat.* Hüft...

cox·comb ['kɒks,koum] *s* **1.** Geck *m*, Stutzer *m.* **2.** → **cockscomb. 3.** *obs.* (Hahnenkamm *m* der) Narrenkappe *f.*

coxed four [kɒkst] *s sport* Vierer *m* mit Steuermann, Vierer *m* ,mit'.

cox·swain ['kɒksn; -,swein] **I** *s* **1.** Steuermann *m* (*Boot*). **2.** Boot(s)führer *m.* **II** *v/t u. v/i* **3.** steuern: **~ed four** → **coxed four. 'cox·swain·less** *adj* ohne Steuermann: ~ **pair** *sport* Zweier *m* ohne Steuermann.

cox·y ['kɒksi] → **cocky.**

coy [kɔi] *adj* (*adv* **~ly**) **1.** schüchtern, bescheiden, scheu: ~ **of speech** wortkarg. **2.** spröde, zimperlich (*Mädchen*). **3.** abgeschlossen (*Ort*). **'coy·ness** *s* **1.** Schüchternheit *f*, Scheu *f.* **2.** Sprödigkeit *f.*

coy·ote [kai'outi; 'kaiout] *s zo.* Prä'rie-, Steppenwolf *m*, Coy'ote *m.* **C~ State** *s* (*Spitzname für*) 'Südda,kota *n* (*USA*).

coy·pu ['kɔipuː] *pl* **-pus,** *collect.* **-pu** *s* **1.** *zo.* Koipu *m*, Nutria *f.* **2.** Nutriapelz *m.*

coz [kʌz] *s colloq.* **1.** Vetter *m.* **2.** Base *f.*

coz·en ['kʌzn] *v/t u. v/i* **1.** betrügen, prellen (of, out of um). **2.** betören, ködern: to ~ **into doing s.th.** *j-n* dazu verleiten, etwas zu tun; to ~ **s.th. out of s.o.** j-m etwas abschmeicheln. **'coz·en·er** *s* Betrüger *m.*

co·zi·ness *etc* → **cosiness** *etc.*

crab[1] [kræb] **I** *s* **1.** *zo.* a) Krabbe *f*, b) Taschenkrebs *m*: **to catch a ~** (*Rudern*) ,e-n Krebs fangen' (*mit dem Ruder im Wasser steckenbleiben*). **2.** C~ *astr.* Krebs *m.* **3.** *aer.* Schieben *n* (*durch Seitenwind*). **4.** *tech.* a) Hebezeug *n*, Winde *f*, b) Laufkatze *f*, c) Befestigungsklammer *f* (*für transportable Maschinen*). **5.** *pl* niedrigster Wurf (*beim Würfelspiel*): **to turn out ~s** *sl.* schiefgehen. **6.** → **crab louse. II** *v/i* **7.** Krabben fangen. **8.** *mar.* dwars abtreiben. **III** *v/t* **9.** *ein Flugzeug* schieben, im Seitenwind gegensteuern. **10.** *Textilwesen*: krabben, einbrennen.

crab[2] [kræb] *s* **1.** → **crab apple. 2.** Knotenstock *m.* **3.** a) Nörgler(in), Miesmacher(in), b) Drückeberger(in).

crab[3] [kræb] **I** *v/t* **1.** kratzen, krallen (*Falke*). **2.** *colloq.* bekritteln, her'untermachen, (her'um)nörgeln an (*dat*). **3.** *colloq.* verderben, -patzen. **II** *v/i* **4.** raufen (*Falken*). **5.** *colloq.* nörgeln. **6.** *Am. sl.* murren, schmollen.

crab| an·gle *s aer.* Vorhaltewinkel *m.* ~ **ap·ple** *s* **1.** *a.* ~ **tree** *bot.* (*ein*) Holzapfelbaum *m.* **2.** Holzapfel *m* (*Frucht*). **3.** kleiner, saurer Erdapfel.

crab·bed ['kræbid] *adj* (*adv* **~ly**) **1.** griesgrämig, mürrisch, kratzbürstig, verdrießlich. **2.** bitter, boshaft: ~ **wit. 3.** halsstarrig. **4.** verworren, unklar, kraus: ~ **style. 5.** kritz(e)lig, unleserlich (*Handschrift*). **'crab·bed·ness** *s* **1.** Griesgrämigkeit *f.* **2.** Boshaftigkeit *f.* **3.** Halsstarrigkeit *f.* **4.** Verworrenheit *f.* **5.** Unleserlichkeit *f.* **'crab·ber** *s Am. sl.* → **crab**[2] 3 a. **'crab·bing** *s Textilwesen*: Krabben *n*, Einbrennen *n*: ~ **machine** Krabb-, Einbrennmaschine *f.* **'crab·by** → **crabbed** 1 *u.* 2.

crab| claw *s tech.* Klaue *f*, Greifer *m.* ~ **louse** *s irr zo.* Filzlaus *f.*

crack [kræk] **I** *s* **1.** Krach *m*, Knall *m* (*e-r Peitsche, e-s Gewehrs etc*), (Donner)Schlag *m*, Knacks *m*, Knacken *n*: **the ~ of doom** die Posaunen des Jüngsten Gerichts; **the ~ of dawn** das Morgengrauen; **in a ~** *colloq.* im Nu. **2.** *colloq.* (heftiger) Schlag. **3.** Sprung *m*, Riß *m.* **4.** Spalte *f*, Spalt *m*, Ritz *m*, Schlitz *m.* **5.** a) ,Knacks' *m*, geistiger De'fekt, b) → **crackpot** I. **6.** Stimmbruch *m.* **7.** *sl.* Versuch *m*: **to take a ~ at s.th., to give s.th. a ~** es (einmal) mit etwas versuchen. **8.** *sl.* a) Witz *m*, b) Seitenhieb *m*, Stiche'lei *f.* **9.** *Br. colloq.* ,Ka'none' *f*, ,As' *n* (*bes. Sportler*). **10.** *Br. sl.* Einbruch *m.*

II *adj* **12.** *colloq.* erstklassig, Elite..., Meister..., großartig: **a ~ player** ein Meisterspieler; **a ~ shot** ein Meisterschütze; **a ~ team** *sport* e-e erstklassige Mannschaft; ~ **regiment** feudales Regiment.

III *interj* **13.** krach!, knacks!

IV *v/i* **14.** krachen, knallen, knacken. **15.** (zer)springen, (-)platzen, (-)bersten, (-)brechen, rissig werden, (auf)reißen. **16.** brechen, 'überschnappen (*Stimme*). **17.** *fig.* zs.-brechen: **he ~ed under the strain. 18.** *sl.* ka'puttgehen, in die Brüche gehen. **19.** *sl.* nachlassen, erlahmen. **20.** to get **~ing** *colloq.* loslegen, Tempo vorlegen: **~ing speed** *colloq.* tolles Tempo. **21.** *dial.* prahlen, aufschneiden. **22.** *Scot. od. dial.* plaudern. **23.** *chem.* sich (durch Hitze) zersetzen.

V *v/t* **24.** knallen mit, knacken *od.* krachen lassen: **to ~ one's fingers** mit den Fingern knacken; **to ~ the whip** a) mit der Peitsche knallen, b) *fig.* zeigen, wer der Herr ist; **to ~ a smile** *sl.* lächeln; → **joke** 1. **25.** zerbrechen, (zer)spalten, (zer)sprengen: **to ~ an egg** ein Ei aufschlagen; → **bottle**[1] 1. **26.** a) schlagen, hauen: **to ~ s.o. over the head,** b) ein-, zerschlagen: **to ~ a windowpane. 27.** *e-e Nuß* (auf)knacken. **28.** *colloq.* (auf)knakken: **to ~ a safe** e-n Geldschrank knacken; **to ~ a code** e-n Kode ,knacken' *od.* entziffern; **to ~ a crib** *Br. sl.* in ein Haus einbrechen; **to ~ a gang** e-e Verbrecherbande auffliegen lassen; **to ~ a problem** ein Problem lösen; **to ~ a society** in e-e Gesellschaft eindringen *od.* einbrechen. **29.** ka'puttmachen, rui'nieren (*a. fig.*). **30.** erschüttern, ,anknacksen': **to ~ s.o.'s pride. 31.** *tech. Erdöl* kracken.

Verbindungen mit Adverbien:

crack| down *v/i Am. colloq.* (on) scharf vorgehen (gegen), 'durchgreifen (bei), zuschlagen. ~ **on** *mar.* **I** *v/t mehr Segel od. Schraubenumdrehungen* zulegen. **II** *v/i* unter vollem Zeug laufen (*Schiff*). ~ **up I** *v/i* **1.** (*körperlich od. seelisch*) zs.-brechen. **2.** *aer.* abstürzen, Bruch machen. **3.** sein Auto *etc* zu'schanden fahren, e-n Unfall ,bauen'. **II** *v/t* **4.** *ein Fahrzeug* zu'schanden fahren. **5.** *colloq.* anpreisen, loben.

crack·a·jack ['krækə,dʒæk] *sl.* **I** *s* **1.** ,prima *od.* toller Kerl', ,Mordskerl' *m*, ,Ka'none' *f.* **2.** ,prima *od.* tolle Sache', ,Mordsding' *n*, ,Knüller' *m.* **II** *adj* **3.** ,prima', erstklassig, ,bombig'.

'crack|,brained *adj* verrückt. **'~,down** *s Am. sl.* **1.** scharfes 'Durchgreifen, Blitzmaßnahme(n *pl*) *f*, Akti'on *f.* **2.** Razzia *f.*

cracked [krækt] *adj* **1.** gesprungen, rissig, geborsten: **the cup is ~** die Tasse hat e-n Sprung. **2.** zersprungen, -brochen. **3.** ,angeknackst', rui'niert: ~ **reputation. 4.** *colloq.* verrückt, ,'übergeschnappt'. **5.** rauh, gebrochen, 'überschnappend: ~ **voice.**

crack·er ['krækər] *s* **1.** *bes. Am.* (*ungesüßter*) (Knusper)Keks. **2.** Schwärmer *m*, Frosch *m* (*Feuerwerk*). **3.** *a.* ~ **bonbon** 'Knallbon,bon *m, n.* **4.** Nußknacker *m.* **5.** *tech.* Brecher *m*, Brechwalze *f.* **6.** *Am.* a) *contp.* armer Weißer (*in den Südstaaten*), b) (*Spitzname für*) Bewohner *m* von Georgia *od.* Florida. **7.** *Br. sl.* a) Zs.-bruch *m*, ,Kladdera'datsch' *m*, b) ,Zahn' *m*, Tempo *n.* **'~,jack** → **crackajack.**

crack·ers ['krækərz] *adj Br. sl.* **1.** verrückt: **to drive s.o. ~** j-n verrückt machen. **2.** ,wild', begeistert: **to go ~ about** ganz hingerissen sein von.

crack·ing ['krækiŋ] **I** *s* **1.** *tech.* Kracken *n*, Krackverfahren *n* (*für Öl*). **2.** *tech.* Haarrißbildung *f.* **II** *adj u. adv sl.* **3.** ,prima', fabelhaft.

'crack,jaw *adj* zungenbrecherisch.

crack·le ['krækl] **I** *v/i* **1.** knistern, krachen, prasseln (*alle a. Radio etc*), knattern: **to ~ with** *fig.* knistern vor *Spannung etc*, sprühen vor *Witz etc*, pulsieren von *Aktivität etc.* **2.** Risse bilden. **II** *v/t* **3.** knistern *od.* krachen lassen. **4.** *tech. Glas od. Glasur* kraque'lieren. **III** *s* **5.** Krachen *n*, Knistern *n*, Prasseln *n*, Knattern *n.* **6.** Kraque'lée *f, n*: ~ **china** Kraqueléeporzellan *n.* **7.** a) Haarrißbildung *f*, b) Rissigkeit *f.*

crack·led ['krækld] *adj* **1.** kraque'liert. **2.** rissig. **3.** mit knuspriger Kruste (*Braten*).

crack·le| fin·ish *s tech.* 'Eisblumenlac,kierung *f.* ~ **glass** *s* Kraque'léeglas *n.*

crack·ling ['krækliŋ] *s* **1.** → **crackle** 5. **2.** a) knusprige Kruste (*des Schweinebratens*), b) *meist pl* Schweinegrieben *pl.* **3.** (*Art*) Hundekuchen *m* (*aus Talggrieben*). **'crack·ly** *adj* knusprig.

crack·nel ['krækn̩l] *s* **1.** Knusperkeks *m, n.* **2.** *pl* → crackling 2 a.

'crack,pot *sl.* **I** *s* (*harmloser*) Verrückter, ‚Spinner' *m.* **II** *adj* verrückt.

cracks·man ['kræksmən] *s irr sl.* Einbrecher *m*, Geldschrankknacker *m.*

'crack-,up *s* **1.** *aer.* Bruch(landung *f*) *m.* **2.** Zs.-stoß *m.* **3.** *sl.* (*körperlicher od. seelischer*) Zs.-bruch. **4.** *econ. pol. etc* Zs.-bruch *m*, Scheitern *n.*

crack·y ['kræki] → cracked 1 *u.* 4.

-cracy [krəsi] *Wortelement mit der Bedeutung* Herrschaft.

cra·dle ['kreidl] **I** *s* **1.** Wiege *f* (*a. fig.*): the ~ of civilization; from the ~ to the grave von der Wiege bis zur Bahre. **2.** *fig.* Wiege *f*, Kindheit *f*, Anfang(sstadium *n*) *m*: from the ~ von Kindheit *od.* Kindesbeinen auf; in the ~ in den ersten Anfängen. **3.** *wiegenartiges Gerät, bes. tech.* a) Hängegerüst *n*, Schwebebühne *f* (*für Bauarbeiter*), b) Gründungseisen *n* (*des Graveurs*), c) Räderschlitten *m* (*für Arbeiten unter Autos*), d) Schwingtrog *m* (*der Goldwäscher*), e) (Tele'phon)Gabel *f.* **4.** *agr.* (Sensen)Korb *m.* **5.** *mar.* (Stapel)Schlitten *m.* **6.** *mil.* Rohrwiege *f*: ~ carriage Wiegenlafette *f.* **7.** *med.* a) (Draht)Schiene *f*, b) Schutzgestell *n* (*zum Abhalten des Bettzeuges von Wunden*), c) *vet.* Halsgestell *n* (*für Tiere*). **II** *v/t* **8.** wiegen, schaukeln. **9.** in die Wiege legen. **10.** in den Schlaf wiegen. **11.** bergen, betten: to ~ one's head on one's arms. **12.** *fig.* a) hegen, b) pflegen, auf-, großziehen. **13.** *agr.* mit der Gerüstsense mähen. **14.** *ein Schiff* durch e-n Stapelschlitten stützen *od.* befördern. **15.** *goldhaltige Erde* im Schwingtrog waschen. **16.** *teleph. den Hörer* auflegen. ~ **cap** *s med.* Kopfschorf *m* (*bei Kindern*). ~ **snatch·er** *s Am. humor.* Mann *m* mit e-r Vorliebe für blutjunge Mädchen. '~,**song** *s* Wiegenlied *n.* ~ **vault** *s arch.* Tonnengewölbe *n.*

craft [*Br.* krɑːft; *Am.* kræ(ː)ft] *s* **1.** (Hand- *od.* Kunst)Fertigkeit *f*, Geschicklichkeit *f*, Kunst *f*: → art[1] 4, gentle art, stagecraft. **2.** Gewerbe *n*, Beruf *m*, Handwerk *n*: ~ union Gewerkschaft *f* (*e-s bestimmten Handwerks*). **3.** the C~ die Königliche Kunst, die Freimaurerei. **4.** Innung *f*, Gilde *f*, Zunft *f*: to be one of the ~ ein Mann vom Fach sein. **5.** → craftiness. **6.** *mar.* a) Fahrzeug *n*, Schiff *n*, b) (*als pl konstruiert*) Fahrzeuge *pl*, Schiffe *pl.* **7.** *aer.* a) Flugzeug *n*, b) (*als pl konstruiert*) Flugzeuge *pl.*

'craft·i·ness [-tinis] *s* Schlauheit *f*, Verschlagenheit *f*, List *f.*

crafts·man [*Br.* 'krɑːftsmən; *Am.* 'kræ(ː)fts-] *s irr* **1.** (gelernter) Handwerker. **2.** Kunsthandwerker *m.* **3.** *fig.* Könner *m*, Künstler *m.* **'crafts·man-,ship** *s* **1.** Kunstfertigkeit *f*, (handwerkliches) Können *od.* Geschick. **2.** Künstlertum *n.*

craft·y [*Br.* 'krɑːfti; *Am.* 'kræ(ː)fti] *adj* (*adv* craftily) **1.** listig, schlau, gerieben, verschlagen. **2.** *obs.* geschickt.

crag [kræg] *s* **1.** Felsenspitze *f*, Klippe *f.* **2.** *geol.* Crag *m.*

crag·ged ['krægid] *adj* **1.** felsig, schroff. **2.** *fig.* knorrig, rauh: a ~ man. **'crag·ged·ness, 'crag·gi·ness** *s* **1.** Felsigkeit *f*, Schroffheit *f.* **2.** Rauheit *f.* **'crag·gy** → cragged.

crags·man ['krægzmən] *s irr* (Felsen)-Kletterer *m*, geübter Bergsteiger.

crake [kreik] **I** *s* **1.** *orn.* (*e-e*) Ralle, *bes.* → corn crake. **2.** Krächzen *n.* **II** *v/i* **3.** krächzen.

cram [kræm] **I** *v/t* **1.** vollstopfen, anfüllen, über'füllen, *a. fig.* vollpacken, -pfropfen (with mit): a book ~med with facts; a ~med schedule ein Übermaß an Terminen. **2.** (*mit Speisen*) über'laden, -'füttern. **3.** *Geflügel* stopfen, nudeln, mästen. **4.** (hin'ein)-stopfen, (-)zwängen (into in *acc*): to ~ down hinunterstopfen, -zwängen. **5.** *colloq.* a) *j-n* einpauken, b) *meist* ~ up *ein Fach* (ein)pauken. **6.** *sl. j-n* (nach Strich u. Faden) anlügen. **II** *v/i* **7.** sich (gierig) vollessen, gierig stopfen. **8.** *colloq.* (*für e-e Prüfung*) ‚pauken', ‚büffeln', ‚ochsen'. **III** *s* **9.** *colloq.* Gedränge *n.* **10.** *colloq.* a) Einpauke'rei *f*, b) eingepauktes Wissen. **11.** *sl.* Lüge *f.*

cram·bo ['kræmbou] *s* **1.** Reimspiel *n*: dumb ~ Scharade *f.* **2.** *contp.* Reim(wort *n*) *m*: nothing but ~ ‚Reim-dich-oder-ich-freß-dich'.

'cram-'full *adj* zum Bersten voll.

cram·mer ['kræmər] *s* **1.** *colloq.* Einpauker *m.* **2.** *sl.* Lüge *f.*

cram·oi·sy, *a.* **cram·oi·sie** ['kræmɔizi] *s obs.* Purpurtuch *n.*

cramp[1] [kræmp] *med.* **I** *s* Krampf *m*: ~ in the calf Wadenkrampf; to be seized with ~ e-n Krampf bekommen; ~s (Unterleibs)Krämpfe. **II** *v/t* (ver)-krampfen, krampfhaft verziehen.

cramp[2] [kræmp] **I** *s* **1.** *tech.* Krampe *f*, Klammer *f*, Schraubzwinge *f.* **2.** Gießzange *f.* **3.** *Schuh- u. Lederfabrikation*: Formholz *n.* **4.** *fig.* Zwang *m*, Einengung *f*, Fessel *f.* **II** *v/t* **5.** *tech.* mit Klammern *etc* befestigen, anklammern, ankrampen. **6.** *Leder* auf dem Formholz zurichten. **7.** *fig.* einzwängen, -engen, hemmen: to be ~ed for space (*od.* room) (zu) wenig Platz haben, eng zs.-gepfercht sein; that ~s my style da(bei) kann ich mich nicht recht entfalten. **III** *adj* **8.** verwickelt, -worren. **9.** eng, beengt.

cramped [kræmpt] *adj* **1.** verkrampft. **2.** → cramp[2] 8 *u.* 9.

cramp·et(te) ['kræmpit] *s* **1.** *mil.* Ortband *n* (*der Säbelscheide*). **2.** → crampon 2.

'cramp|,fish *s* (*ein*) Zitterrochen *m.* ~ **i·ron** *s* **1.** Haspe *f*, eiserne Klammer, Krampe *f.* **2.** *arch.* Steinanker *m.*

cram·pon ['kræmpən], *Am. a.* **cram'poon** [-'puːn] *s meist pl* **1.** *tech.* Kanthaken *m.* **2.** Steigeisen *n.* **3.** Eissporn *m.*

cran·ber·ry ['krænbəri] *s bot.* Vac'cinium *n*: *bes.* a) *a.* small ~, European ~ Moosbeere *f*, b) *a.* large ~, American ~ Krannbeere *f*, c) Preisel-, Kronsbeere *f*, d) *a.* ~ tree (*od.* bush) Gewöhnlicher Schneeball.

crane [krein] **I** *s* **1.** *orn.* Kranich *m.* **2.** C~ *astr.* Kranich *m* (*Sternbild*). **3.** *tech.* Kran *m*: hoisting ~ Hebekran; travel(l)ing ~ Laufkran; ~ truck Kranwagen *m.* **4.** *tech.* a) Aufzug *m*, b) Winde *f.* **5.** *tech.* Arm *m*, Ausleger *m.* **II** *v/t* **6.** mit e-m Kran heben *od.* hochwinden. **7.** *den Hals* recken, vorstrecken (for nach): to ~ one's neck for s.o. sich nach j-m den Hals ausrecken. **III** *v/i* **8.** sich strecken, sich den Hals (aus)recken. **9.** *fig.* haltmachen, zögern. **10.** zu'rückschrecken (at vor *dat*). ~ **driv·er** *s tech.* Kranführer *m.* ~ **fly** *s zo.* (*e-e*) (Erd)-Schnake.

'crane's-,bill, *a.* **'cranes,bill** ['kreinz-] *s bot.* Storchschnabel *m.*

cra·ni·a ['kreiniə] *pl von* cranium.

'cra·ni·al *adj anat.* krani'al, Schädel...: ~ index Schädelindex *m.*

cra·ni·ol·o·gy [,kreini'ɒlədʒi] *s* Schädellehre *f.* **,cra·ni'om·e·ter** [-'ɒmitər] *s* Kranio'meter *n*, Schädelmesser *m.* **,cra·ni·o'met·ric** [-nio'metrik], **,cra·ni·o'met·ri·cal** *adj* kranio'metrisch. **,cra·ni'om·e·try** [-'ɒmitri] *s* Kraniome'trie *f*, Schädelmessung *f.*

cra·ni·um ['kreiniəm] *pl* **-ni·a** [-ə], *Am. a.* **-ni·ums** *s anat.* **1.** Cranium *n*, (*vollständiger*) Schädel. **2.** Hirnschale *f.*

crank [kræŋk] **I** *s* **1.** *tech.* a) Kurbel *f*, b) Kurbelkröpfung *f* (*e-r Welle*), c) Schwengel *m.* **2.** *hist.* Tretmühle *f* (*Strafinstrument*). **3.** *colloq.* wunderlicher Kauz, ‚Spinner' *m*, (harmloser) Verrückter. **4.** fixe I'dee, Ma'rotte *f*, Grille *f.* **5.** Verrücktheit *f*, Verschrobenheit *f.* **6.** Wortspiel *n*, -verdrehung *f.* **II** *v/t* **7.** *tech.* kröpfen. **8.** a) *oft* ~ up ankurbeln, *den Motor* anwerfen, anlassen: ~ing speed Anlaßdrehzahl *f*, b) *den Motor, e-e Maschine* 'durchdrehen. **III** *v/i* **9.** kurbeln. **IV** *adj* **10.** → cranky 1. **11.** *mar.* rank, leicht kenterbar. ~ **ax·le** *s tech.* Kurbelachse *f*, -welle *f.* ~ **brace** *s tech.* Brust-, Bohrleier *f.* '~,**case** *s mot. tech.* Kurbelkasten *m*, -gehäuse *n.*

cranked [kræŋkt] *adj tech.* **1.** gekröpft: ~ shaft. **2.** mit e-r Kurbel versehen *od.* betrieben, Kurbel...

crank·i·ness ['kræŋkinis] *s* **1.** Verschrobenheit *f*, Wunderlichkeit *f.* **2.** Reizbarkeit *f.* **3.** Wack(e)ligkeit *f*, Unsicherheit *f.* **4.** *mar.* Rankheit *f.*

'crank|,pin, ~ **pin** *s tech.* Kurbelzapfen *m.* ~ **plane** *s* **1.** *tech.* 'Kurbelhobel(ma,schine *f*) *m.* **2.** *phys.* Kurbelebene *f.* '~,**shaft** *s tech.* Kurbelwelle *f.* ~ **web** *s tech.* Kurbelarm *m.*

crank·y ['kræŋki] *adj* (*adv* crankily) **1.** verschroben, wunderlich, grillenhaft, kauzig. **2.** reizbar, schlecht gelaunt. **3.** wack(e)lig, unsicher, baufällig. **4.** *mar.* → crank 11.

cran·nied ['krænid] *adj* rissig.

cran·nog ['krænəg], **'cran·noge** [-nədʒ] *s hist. Scot. u. Ir.* Pfahlbau *m.*

cran·ny ['kræni] *s* **1.** Ritze *f*, Spalt(e *f*) *m*, Riß *m.* **2.** Schlupfwinkel *m.*

crap [kræp] **I** *s* **1.** *Würfeln*: a) *Am.* Fehlwurf *m*, b) → craps. **2.** *Am.* a) *vulg.* ‚Scheiße' *f* (*Kot*), b) *sl.* ‚Mist' *m*, ‚Käse' *m*, ‚Quatsch' *m.* **II** *v/i* **3.** *Am. vulg.* ‚scheißen'. **4.** *Am. sl.* ‚Mist machen *od.* quatschen'. **5.** ~ out *Am. sl.* a) ‚Mattscheibe' bekommen, ohnmächtig werden, b) sich drücken.

crape [kreip] **I** *s* **1.** Krepp *m.* **2.** Trauerflor *m.* **II** *v/t* **3.** mit e-m Trauerflor versehen. **4.** *obs. Haar* kräuseln. ~ **cloth** *s* Wollkrepp *m.* '~,**hang·er** *s Am. sl.* ‚Miesepeter' *m.*

craps [kræps] *s pl* (*als sg konstruiert*) *Am.* (*ein*) Würfelspiel *n*: to shoot ~ würfeln, Würfel spielen.

crap·u·lence ['kræpjuləns], **'crap·u·len·cy** *s* **1.** Unmäßigkeit *f*, *bes.* Saufe'rei *f.* **2.** ‚Kater' *m*, Katzenjammer *m.* **'crap·u·lent, 'crap·u·lous** *adj* **1.** unmäßig (*im Essen u. Trinken*). **2.** ‚verkatert'.

crash[1] [kræʃ] **I** *v/t* **1.** zertrümmern, -schmettern. **2.** sich *e-n Weg* krachend bahnen. **3.** *aer.* → crash-land I. **4.** *Am. sl.* (ungeladen) sich eindrängen in (*acc*), hin'einplatzen in (*acc*): to ~ a party; to ~ the gate → gate-crash I. **5.** *Am. sl. fig.* e-n Einbruch erzielen in (*acc*), *etwas* ‚schaffen': to ~ a market; to ~ the headlines. **II** *v/i* **6.** (krachend) zerbersten, zerbrechen, zerschmettert werden. **7.** krachend einstürzen, zs.-

krachen. **8.** *fig.* zs.-brechen, -krachen. **9.** (*gegen die Wand etc*) krachen: to ~ against (*od.* into) the wall; to ~ down krachend herniederstürzen; to ~ open krachend auffliegen (*Tür*). **10.** stürmen, platzen, krachen: to ~ in(to the room) hereinplatzen. **11.** *mot.* zs.-stoßen, verunglücken. **12.** a) abstürzen, zerschellen, b) *aer.* → crash-land II. **III** *s* **13.** Krach(en *n*) *m.* **14.** Zs.-stoß *m*: a) Zs.-prall *m*, b) schwerer Unfall. **15.** *bes. econ.* a) Zs.-bruch *m*, ‚Krach' *m*, b) Ru'in *m.* **16.** *aer.* Absturz *m*, Bruchlandung *f.* **17.** *pl Radio*: Krachgeräusche *pl*, atmo'sphärische Störungen *pl.* **IV** *adj* **18.** *Am. sl.* Schnell..., Sofort..., Blitz...: ~ course Schnellkurs(us) *m*; ~ program(me) Sofortprogramm *n.* **V** *interj* **19.** krach!

crash[2] [kræʃ] *s* grober Leinendrell.

crash| boat *s mar. Spezialboot der Flugzeugnotrettung.* ~ **dive** *s mar.* Schnelltauchen *n* (*U-Boot*). **'~-'dive** *v/i* schnelltauchen (*U-Boot*). ~**hel·met** *s* Sturzhelm *m.* **'~-'land** *aer.* **I** *v/t* e-e Bruchlandung machen mit *e-m Flugzeug.* **II** *v/i* Bruch machen, e-e Bruchlandung machen, bruchlanden. ~**land·ing** *s aer.* Bruchlandung *f.* ~ **truck,** ~ **wag·(g)on** *s* Rettungswagen *m.*

cra·sis ['kreisis] *pl* **-ses** [-siːz] *s ling.* Krasis *f* (*Zs.-ziehung von Vokalen*).

crass [kræs] *adj* (*adv* ~ly) **1.** *fig.* grob, kraß: a ~ mistake; a ~ materialist ein krasser Materialist. **2.** dumm. **'cras·si,tude** [-i,tjuːd], **'crass·ness** *s* **1.** *fig.* a) Kraßheit *f*, b) krasse Dummheit. **2.** Grob-, Derbheit *f.*

cratch [krætʃ] *s* Futterkrippe *f.*

crate [kreit] **I** *s* **1.** Lattenkiste *f*, -verschlag *m.* **2.** großer Weidenkorb. **3.** *sl.* ‚Kiste' *f* (*Auto od. Flugzeug*). **II** *v/t* **4.** in e-r Lattenkiste verpacken.

crat·er[1] ['kreitər] *s* Packer *m.*

cra·ter[2] ['kreitər] *s* **1.** *geol.* Krater *m*: ~ lake Kratersee *m.* **2.** Krater *m* (*a. med.*), (Bomben-, Gra'nat)Trichter *m.* **3.** *electr.* Krater *m* (*der positiven Kohle*).

cra·ter·i·form ['kreitəri,fɔːrm; krə'ter-] *adj* krater-, trichterförmig.

cra·tur ['kreitər] *Scot. u. Ir. für* creature.

craunch [krɔːntʃ; krɑːntʃ] → crunch.

cra·vat [krə'væt] *s* **1.** Kra'watte *f.* **2.** Halstuch *n.* **3.** *med.* Dreiecktuch *n.*

crave [kreiv] **I** *v/t* **1.** *etwas* ersehnen. **2.** (inständig) bitten *od.* flehen um. **3.** (dringend) benötigen, verlangen: the stomach ~s food. **II** *v/i* **4.** sich sehnen (for, after nach). **5.** ~ for → 2.

cra·ven ['kreivən] **I** *adj* (*adv* ~ly) feig(e), ängstlich: to cry ~ sich ergeben. **II** *s* Feigling *m*, Memme *f.*

crav·ing ['kreiviŋ] *s* **1.** heftiges Verlangen, Sehnsucht *f* (for nach). **2.** (krankhafte) Begierde (for nach).

craw [krɔː] *s* **1.** *orn.* Kropf *m.* **2.** *allg. zo.* Magen *m.*

craw·fish ['krɔː,fiʃ] **I** *s* **1.** *bes. Am. für* crayfish. **2.** *Am. sl.* ‚Drückeberger' *m.* **II** *v/i* **3.** *meist* ~ out *Am. colloq.* a) sich ‚verdünni'sieren', b) sich drücken, ‚kneifen', e-n Rückzieher machen.

crawl[1] [krɔːl] **I** *v/i* **1.** kriechen: a) krabbeln, b) *fig.* sich da'hinschleppen, schleichen (*a. Arbeit, Zeit etc*), c) im ‚Schneckentempo' gehen *od.* fahren, d) *fig.* unter'würfig sein. **2.** wimmeln (with von). **3.** kribbeln: his flesh was ~ing er bekam e-e Gänsehaut, es überlief ihn (kalt). **4.** (zer)fließen (*Farbe*). **5.** *sport* kraulen, im Kraulstil schwimmen. **II** *v/t* **6.** *sport e-e Strecke* kraulen. **III** *s* **7.** Kriechen *n*, Schleichen *n*: to go at a ~ → 1 c. **8.** *sport* Kraul(en) *n*, Kraulstil *m*: to swim ~ → 5.

crawl[2] [krɔːl] *s* 'Schildkröten-, 'Fisch-, 'Krebsreser,voir *n* (*am Ufer*).

crawl·er ['krɔːlər] *s* **1.** Kriecher(in), Schleicher(in). **2.** Kriechtier *n*, Gewürm *n.* **3.** *Br. colloq.* a) Kriecher(in), Schmeichler(in), b) Faulpelz *m.* **4.** *Br. colloq.* (leeres) Taxi auf Fahrgastsuche. **5.** *tech.* a) *a.* ~ crane Gleiskettenkran *m*, b) *a.* ~ tractor Raupenschlepper *m.* **6.** *sport* Kraulschwimmer(in). **7.** Krabbelanzug *m* (*für Kleinkinder*). **'crawl·y** *colloq. für* creepy.

cray·fish ['krei,fiʃ] *s zo.* **1.** (*ein*) Fluß-, Panzerkrebs *m.* **2.** Lan'guste *f.*

cray·on ['kreiən; -ɒn] **I** *s* **1.** Zeichenkreide *f.* **2.** Zeichen-, Bunt-, Pa'stellstift *m*: blue ~ Blaustift; in ~ in Pastell. **3.** Kreide- *od.* Pa'stellzeichnung *f*: ~ board Zeichenkarton *m.* **II** *v/t* **4.** mit Kreide *etc* zeichnen.

craze [kreiz] **I** *v/t* **1.** verrückt *od.* toll machen. **2.** *Töpferei*: kraque'lieren. **3.** *obs.* zerschmettern. **II** *s* **4.** Ma'nie *f*, Verrücktheit *f*, ‚Fimmel' *m*, ‚Spleen' *m*, fixe I'dee: it is the ~ now es ist gerade die große Mode; the latest ~ der letzte (Mode)Schrei. **5.** Wahn(sinn) *m.* **crazed** *adj* **1.** → crazy 1 *u.* 2. **2.** haarrissig, kraque'liert (*Glasur*). **'cra·zi·ness** [-inis] *s* Verrücktheit *f*, Tollheit *f.* **'craz·ing** *s Töpferei etc*: Kraque'lierung *f*, Haarrißbildung *f.*

cra·zy ['kreizi] *adj* (*adv* crazily) **1.** *a. fig.* verrückt, toll, wahnsinnig (with pain vor Schmerzen). **2.** *colloq.* (about) a) (wild) begeistert (für), besessen *od.* 'hingerissen (von), vernarrt (in *acc*), b) versessen *od.* ‚scharf' (auf *acc*), wild *od.* verrückt (nach): ~ to do s.th. versessen darauf, etwas zu tun; to be ~ about (*od.* over, for) s.o. ganz verrückt nach j-m sein. **3.** *Am. sl.* ‚phan'tastisch', ‚toll'. **4.** a) rissig, voller Risse, b) baufällig, wack(e)lig. **5.** schief. **6.** krumm, gewunden. **7.** wirr: a ~ pile of equipment. **8.** Flicken..., zs.-gesetzt, -gestückelt (*Decke etc*). ~ **bone** *Am. für* funny bone. ~ **pave·ment,** ~ **pav·ing** *s* Mosa'ikpflaster. ~ **quilt** *s Am.* Flickendecke *f.*

creak [kriːk] **I** *v/i* knarren, kreischen, quietschen, knirschen: to ~ along *fig.* sich dahinschleppen (*Handlung etc*). **II** *v/t* knarren mit. **III** *s* Knarren *n*, Knirschen *n.* **'creak·y** *adj* (*adv* creakily) knarrend, knirschend, quietschend.

cream [kriːm] **I** *s* **1.** Rahm *m*, Sahne *f* (*der Milch*). **2.** a) Creme(speise) *f*, Krem *f*, b) Cremesuppe *f*, c) Rahmsoße *f.* **3.** (*kosmetische*) Creme, (*Haut-etc*)Krem *f*, Salbe *f.* **4.** *meist pl* 'Sahnebon,bons *pl*: chocolate ~s Pralinen. **5.** Cremefarbe *f.* **6.** *fig.* Creme *f*, Auslese *f*, Blüte *f*, E'lite *f*: the ~ of society. **7.** (*das*) Beste, Kern *m*, Po'inte *f*: the ~ of the joke. **II** *v/i* **8.** Sahne ansetzen *od.* bilden. **9.** schäumen. **III** *v/t* **10.** abrahmen, absahnen, den Rahm abschöpfen von (*a. fig.*). **11.** *Milch* Sahne ansetzen lassen. **12.** *Eiweiß etc* zu Schaum schlagen. **13.** *e-e Speise* mit Sahne *od.* Cremesoße zubereiten. **14.** *dem Kaffee od. Tee* Sahne zugießen. **15.** *das Gesicht etc* einkremen. **16.** *Am. sl.* a) *etwas* ‚abstauben', ‚sich unter den Nagel reißen', b) *e-e Prüfung etc* ‚(tadellos) schaukeln', c) *j-n* ‚'reinlegen' *od.* ausplündern, d) *sport e-n Gegner* ‚fertigmachen'. **IV** *adj* **17.** Sahne..., Rahm... **18.** creme(farben). **'~,cake** *s* (Butter)-Kremtorte *f.* ~ **cheese** *s* Rahm-, Weich-, Schmelzkäse *m.* **'~-'col·o(u)red** → cream 18.

cream·er ['kriːmər] *s* **1.** Sahnekännchen *n*, -gießer *m.* **2.** 'Milchschleuder *f*, -zentri,fuge *f.* **'cream·er·y** *s* **1.** Molke'rei *f.* **2.** Milchgeschäft *n.*

'cream|-,faced *adj* blaß, bleich. ~ **ice** *s Br.* → ice-cream. **'~,laid** *adj* cremefarben u. gerippt (*Papier*). ~ **nut** *s bot.* Paranuß *f.* ~ **of tar·tar** *s chem.* Weinstein *m.* **'~-of-'tar·tar tree** *s bot.* Au'stralische Adan'sonie. ~ **puff** *s* **1.** Windbeutel *m* (*Sahnegebäck*). **2.** *Am. sl.* ‚Waschlappen' *m.* **'~-,slice** *s* Rahmkelle *f.* **'~-,wove** → cream-laid.

cream·y ['kriːmi] *adj* **1.** sahnig. **2.** weich. **3.** creme(farben).

crease [kriːs] **I** *s* **1.** (*a.* Haut)Falte *f.* **2.** Bügelfalte *f*, Kniff *m.* **3.** Falz *m*, Knick *m*, Eselsohr *n* (*in Papier*). **4.** *Kricket*: Aufstellungslinie *f*: → popping crease. **5.** *Eishockey*: Torraum *m.* **II** *v/t* **6.** falten, knicken, kniffen, 'umbiegen. **7.** zerknittern. **8.** a) *hunt. Am. ein Tier* krellen (*durch Streifschuß zeitweilig lähmen*), b) *allg.* streifen, anschießen. **III** *v/i* **9.** Falten bekommen, knittern. **10.** sich falten lassen.

creased [kriːst] *adj* **1.** in Falten gelegt, gefaltet. **2.** mit e-r Bügelfalte, gebügelt. **3.** zerknittert.

'crease|-,proof, **'~-re,sist·ant** *adj* knitterfrei, -fest (*Stoff*).

creas·y ['kriːsi] *adj* zerknittert.

cre·ate [kri'eit] *v/t* **1.** (er)schaffen: God ~d man. **2.** schaffen, ins Leben rufen, her'vorbringen, erzeugen. **3.** *fig.* her'vorrufen, verursachen: to ~ an impression (a disturbance, a scandal, a sensation, *etc*); to ~ a demand e-n Bedarf wecken; to ~ an opportunity (a situation) e-e Gelegenheit (e-e Lage) schaffen. **4.** *econ. jur.* a) gründen, errichten, ins Leben rufen: to ~ a corporation, b) *e-e Haftung etc* begründen: to ~ a liability, c) *e-e Hypothek* bestellen: to ~ a mortgage, d) *Geld, Kredit* schöpfen. **5.** *thea., Mode*: kre'ieren, gestalten. **6.** *j-n* ernennen: to ~ a peer. **7.** *j-n* erheben zu, machen zu: to ~ s.o. a peer.

cre·a·tine ['kriːə,tiːn; -tin] *s chem. physiol.* Krea'tin *n.*

cre·a·tion [kri'eiʃən] *s* **1.** (Er)Schaffung *f*, Erzeugung *f*, Her'vorbringung *f*: ~ of currency *econ.* Geldschöpfung *f.* **2.** the C~ *relig.* die Schöpfung, die Erschaffung (*der Welt*). **3.** a) Schöpfung *f*, Welt *f*: the whole ~ alle Welt, alle Geschöpfe, die ganze Schöpfung, b) Geschöpf *n*, Krea'tur *f.* **4.** a) Errichtung *f*, Bildung *f*, Gründung *f*: ~ of a special committee, b) Begründung *f*: ~ of a liability. **5.** (Kunst-, Mode)Schöpfung *f*, Werk *n.* **6.** *thea.* Kre'ierung *f*, Gestaltung *f* (*e-r Rolle*). **7.** Schaffung *f*, Ernennung *f*: an earl of recent ~ ein neuerdings ernannter Graf. **cre'a·tion·al** *adj* Schöpfungs... **cre'a·tion,ism** *s relig.* **1.** Lehre *f* von der Weltschöpfung durch e-n all'mächtigen Schöpfer. **2.** Kreatia'nismus *m* (*Lehre von der Neuerschaffung jeder Einzelseele*).

cre·a·tive [kri'eitiv] *adj* (*adv* ~ly) **1.** (er)schaffend, Schöpfungs... **2.** schöpferisch: ~ art (genius, play, *etc*). **3.** (of s.th. etwas) her'vorrufend, verursachend, erzeugend. **cre'a·tive·ness** *s* schöpferische Kraft. **cre'a·tor** [-tər] *s* **1.** Schöpfer *m*, Erschaffer *m*, Erzeuger *m.* **2.** Urheber *m*, Verursacher *m.* **3.** the C~ der Schöpfer.

crea·ture ['kriːtʃər] *s* **1.** Geschöpf *n*, (Lebe)Wesen *n*, Krea'tur *f*: fellow ~ Mitmensch *m*; ~ of habit *fig.* Gewohnheitstier *n*. **2.** Krea'tur *f*, Tier *n* (*Ggs. Mensch*): dumb ~ stumme Kreatur. **3.** *Am.* Haustier *n*. **4.** *colloq.* Geschöpf *n*, Ding *n*: lovely ~ süßes Geschöpf (*Frau*); poor (silly) ~ armes (dummes) Ding. **5.** *j-s* Krea'tur *f*: a) Günstling *m*, b) Handlanger *m*, Werkzeug *n*. **6.** *meist* the ~ ['kriːtər; 'krei-] *colloq.* Alkohol *m*, *bes.* Whisky *m*. ~ **com·forts** *s pl* (*die*) leiblichen Genüsse *pl*, (*das*) leibliche Wohl.

crea·ture·ly ['kriːtʃərli] *adj* krea'türlich, menschlich.

crèche [kreiʃ; kreʃ] *s bes. Br.* Kinderhort *m*.

cre·dence ['kriːdəns] *s* **1.** Glaube *m* (of an *acc*): to give ~ to s.th. e-r Sache Glauben schenken; letters of ~ *pol.* Beglaubigungsschreiben *n*. **2.** *a.* ~ table Kre'denz(tisch *m*) *f* (*a. relig.*).

cre·den·dum [kri'dendəm] *pl* **-da** [-də] *s relig.* 'Glaubensar,tikel *m*.

cre·den·tials [kri'denʃəlz] *s pl* **1.** Beglaubigungsschreiben *n*. **2.** Empfehlungsschreiben *n*, Refe'renzen *pl*. **3.** (Leumunds)Zeugnis *n*, Zeugnisse *pl*. **4.** 'Ausweis(pa,piere *pl*) *m*.

cred·i·bil·i·ty [,kredi'biliti] *s* Glaubwürdigkeit *f*. **'cred·i·ble** *adj* (*adv* credibly) glaubwürdig, zuverlässig: ~ information; a ~ witness; to show credibly *jur.* glaubhaft machen.

cred·it ['kredit] **I** *s* **1.** Glaube(n) *m*: to give ~ to s.th. e-r Sache Glauben schenken; → worthy 2. **2.** Ansehen *n*, Achtung *f*, guter Ruf. **3.** Glaubwürdigkeit *f*, Zuverlässigkeit *f*. **4.** Einfluß *m*. **5.** Ehre *f*: to be a ~ to s.o., to be to s.o.'s ~, to do s.o. ~, to reflect ~ on s.o. j-m Ehre machen *od.* einbringen, j-m zur Ehre gereichen; he has not done you ~ mit ihm haben Sie keine Ehre eingelegt; with ~ ehrenvoll. **6.** Anerkennung *f*, Lob *n*: to get ~ for s.th. Anerkennung finden für etwas; that's very much to his ~ das ist sehr anerkennenswert *od.* verdienstvoll von ihm. **7.** Verdienst *n*: to give s.o. (the) ~ for s.th. a) j-m etwas hoch *od.* als Verdienst anrechnen, b) j-m etwas zutrauen, c) sich j-m für etwas (dankbar) verpflichtet fühlen; to take ~ to o.s. for s.th., to take (the) ~ for s.th. sich etwas als Verdienst anrechnen, den Ruhm *od.* das Verdienst für etwas in Anspruch nehmen. **8.** *econ.* a) Kre'dit *m*, b) Zeit *f*, Ziel *n*, c) (*a.* letter of ~) Akkredi'tiv *n*: on ~ auf Kredit *od.* Ziel; at one month's ~ auf e-n Monat Ziel; ~ on goods Warenkredit; ~ on real estate Realkredit; to give s.o. ~ for £ 10 j-m in Höhe von 10 Pfund Kredit geben; to open a ~ e-n Kredit *od.* ein Akkreditiv eröffnen. **9.** *econ.* Kre'dit(würdigkeit *f*, -fähigkeit *f*) *m*: ~ agency (*Am. a.* bureau) Auskunftei *f* (über Kreditwürdigkeit); ~ rating *Am.* (Einschätzung *f* der) Kreditfähigkeit *od.* -würdigkeit; ~ report Kreditauskunft *f*. **10.** *econ.* a) Guthaben *n*, 'Kreditposten *m*, b) 'Kredit(seite *f*) *n*, Haben *n*: your ~ Saldo zu Ihren Gunsten; sale on ~ Kreditverkauf *m*; to enter (*od.* place, put) a sum to s.o.'s ~ j-m e-n Betrag gutschreiben. **11.** *econ. parl. Br.* Vorgriff *m* auf das Bud'get. **12.** *a.* tax ~ *Am.* (Steuer)Freibetrag *m*, abzugsfähiger Betrag. **13.** *univ. Am.* a) Anrechnungspunkt *m* (*auf ein für den Erwerb e-s akademischen Grades zu erfüllendes Pensum*), b) Abgangszeugnis *n*: → credit hour. **14.** *a. pl* Erwähnung *f* (*der Darsteller u. sonstigen Mitwirkenden*), *Film*, *TV a.* Vorspann *m*.
II *v/t* **15.** a) Glauben schenken (*dat*), *j-m od. e-e Sache* glauben. **16.** *j-m* (ver)trauen. **17.** zutrauen, zuschreiben, beilegen (s.o. with s.th. j-m etwas). **18.** *econ.* a) *e-n Betrag* gutschreiben, kredi'tieren (to s.o. j-m), b) *j-n* erkennen (with, for für): to ~ s.o. with a sum. **19.** *univ. Am. j-m* anrechnen: to ~ s.o. with three hours in history j-m für e-n Geschichtskurs 3 Punkte (aufs Pensum) anrechnen.

cred·it·a·ble ['kreditəbl] *adj* (*adv* creditably) (to) rühmlich, ehrenvoll (für), lobens-, anerkennenswert (von), achtbar: to be ~ to s.o. j-m Ehre machen.

cred·it| bal·ance *s econ.* 'Kreditsaldo *m*, Guthaben *n*. ~ **bank** *s econ.* Kre'ditbank *f*, -anstalt *f*. ~ **cur·ren·cy** → credit money. ~ **hour** *s univ. Am.* anrechenbare (Vorlesungs)Stunde. ~ **in·stru·ment** *s econ.* Kre'ditinstru,ment *n* (*Wechsel etc*). ~ **in·sur·ance** *s econ.* Kre'ditversicherung *f*. ~ **in·ter·est** *s econ.* Habenzinsen *pl*. ~ **line** *s* **1.** *econ.* Kre'ditgrenze *f*. **2.** a) 'Herkunfts-, Quellenangabe *f*, b) → credit 14. ~ **man** *s irr econ. Am.* Kre'ditfestsetzer *m*. ~ **mem·o·ran·dum** → credit slip. ~ **mon·ey** *s econ.* nicht voll gedeckte Währung. ~ **note** *s econ.* Gutschriftsanzeige *f*.

cred·i·tor ['kreditər] *s econ.* **1.** Kreditor *m*, Gläubiger *m*: ~ of a bankrupt's estate Massegläubiger; general ~ Gesamtgläubiger; preferred (*od.* privileged) ~, *Br.* preferential ~ bevorrechtigter Gläubiger; ~s' committee Gläubigerausschuß *m*; ~s' petition Konkurseröffnungsantrag *m* der Gläubiger. **2.** a) 'Kredit(seite *f*) *m*, Haben *n* (*im Kontobuch*), b) *pl Bilanz*: Kredi'toren *pl*, Verbindlichkeiten *pl*.

cred·it| side *s econ.* 'Kredit-, Habenseite *f*. ~ **slip** *s econ.* Gutschriftzettel *m*. ~ **ti·tle** → credit 14.

cre·do ['kriːdou] *pl* **-dos** *s* **1.** *relig.* Credo *n*. **2.** → creed 2.

cre·du·li·ty [krə'djuːliti; kri-] *s* Leichtgläubigkeit *f*.

cred·u·lous [*Br.* 'kredjuləs; *Am.* -dʒələs] *adj* (*adv* ~ly) leichtgläubig, vertrauensselig (of gegen'über). **'cred·u·lous·ness** → credulity.

creed [kriːd] *s* **1.** *relig.* a) Glaubensbekenntnis *n*, b) Glaube *m*, Bekenntnis *n*, Konfessi'on *f*: the (Apostles') C~ das Apostolische Glaubensbekenntnis. **2.** *fig.* Über'zeugung, Kredo *n*, Weltanschauung *f*.

creek [kriːk; *Am. a.* krik] *s* **1.** *Am.* Flüßchen *n*, kleiner Wasserlauf, Creek *m* (*nur von der Flut gespeist*): up the ~ *fig.* in der Klemme (sitzend). **2.** *bes. Br.* kleine Bucht.

creel [kriːl] *s* Weiden-, Fischkorb *m* (*des Anglers*).

creep [kriːp] **I** *v/i pret u. pp* **crept** [krept] **1.** kriechen. **2.** kriechen, (da'hin)schleichen (*a. Zeit*): to ~ in sich einschleichen (*a. fig. Fehler etc*); to ~ up a) heranschleichen, b) *econ.* langsam steigen (*Preise etc*); old age ~s upon us unbemerkt kommt das Alter über uns. **3.** *fig.* kriechen: to ~ back (*demütig*) wieder angekrochen kommen; to ~ into s.o.'s favo(u)r sich bei j-m einschmeicheln. **4.** kribbeln, schaudern: it made my flesh ~ es überlief mich (eis)kalt, ich bekam e-e Gänsehaut. **5.** *bot.* kriechen, sich ranken (*Pflanze*). **6.** *tech.* a) kriechen, (ver)rutschen, wandern, b) sich dehnen, sich verziehen. **7.** *electr.* nacheilen. **II** *v/t* **8.** *poet.* kriechen über (*acc*). **III** *s* **9.** → crawl[1] 7. **10.** *pl colloq.* Gruseln *n*, Gänsehaut *f*: it gave me the ~s es überlief mich (eis)kalt, ich bekam e-e Gänsehaut; he gave me the ~s s-e Gegenwart machte mich schaudern. **11.** *Am. sl.* Säuferwahnsinn *m*. **12.** Schlupfloch *n*. **13.** *geol.* Rutsch *m*, Bodenkriechen *n*. **14.** *tech.* a) Kriechdehnung *f*, b) Kriechen *n*, Wandern *n*. **15.** *electr.* Nacheilen *n*. **16.** *Am. sl.* a) (*Hotel- etc*)Dieb *m*, b) ‚Schnüffler' *m*, c) ‚Mißgeburt' *f*, ‚Ekel' *n*.

creep·age ['kriːpidʒ] *s* **1.** *electr.* Kriechen *n*: ~ path Kriechweg *m*, -strecke *f*. **2.** → creep 14.

creep·er ['kriːpər] *s* **1.** a) Kriechtier *n*, b) kriechendes In'sekt, c) Wurm *m*. **2.** *fig.* Kriecher(in). **3.** *pl* Spielanzug *m* (*für Kleinkinder*). **4.** *bot.* Kletter-, Kriech-, Schlingpflanze *f*. **5.** *orn.* (*ein*) Baumläufer *m*. **6.** *mar.* Dragganker *m*, Dragge *f*. **7.** a) Eissporn *m* (*am Schuh*), b) Steigeisen *n*. **8.** *tech.* a) Förderband *n*, b) Trans'portschnecke *f*. ~ **lane** *s mot. Am.* Kriechspur *f*. ~ **ti·tle** → creeping title.

'creep,hole *s* Schlupfloch *n* (*a. fig.*).

creep·ie-peep·ie ['kriːpi'piːpi] *s* tragbarer Fernsehsender.

creep·ing ['kriːpiŋ] **I** *adj* (*adv* ~ly) **1.** kriechend, schleichend (*a. fig.*). **2.** *bot.* kriechend, kletternd. **3.** kribbelnd, schaudernd: ~ sensation gruseliges Gefühl, Gänsehaut *f*. **II** *s* **4.** Kriechen *n*, Schleichen *n* (*a. fig.*). **5.** → creep 14. ~ **bar·rage** *s mil.* Feuerwalze *f*. ~ **cur·rent** *s electr.* Kriechstrom *m*. ~ **disk** *s zo.* Kriechsohle *f* (*der Schnecken etc*). ~ **ti·tle** *s Film*: Fahrtitel *m*.

creep·y ['kriːpi] *adj* **1.** kriechend: a) krabbelnd, b) schleichend, sehr langsam. **2.** gruselig, unheimlich, schaurig. **3.** schaudernd.

creese [kriːs] *s* Kris *m* (*malaiischer Dolch*).

cre·mate [*Br.* kri'meit; *Am.* 'kriːmeit] *v/t bes. Leichen* verbrennen, einäschern. **cre·ma·tion** [kri'meiʃən] *s* (*bes.* Leichen)Verbrennung *f*, Einäscherung *f*, Feuerbestattung *f*. **cre·ma·tor** [*Br.* kri'meitər; *Am.* 'kriː-] *s* **1.** Leichenverbrenner *m*. **2.** Krema'torium *n*.

crem·a·to·ri·um [,kremə'tɔːriəm; *Am. a.* ,kriː-] *pl* **-ri·ums, -ri·a** [-ə] *bes. Br. für* crematory I. **cre·ma·to·ry** [*Br.* 'kremətəri; *Am.* 'kriː-] **I** *s* **1.** Krema'torium *n*. **2.** Feuerbestattungsofen *m*. **II** *adj* **3.** Feuerbestattungs...

crème [krɛm] (*Fr.*) *s* **1.** Creme *f*, Krem *f*. **2.** Creme(speise) *f*. **3.** 'Cremeli,kör *m*. ~ **de la** ~ (*Fr.*) *s fig.* a) das Beste vom Besten, die Auslese, b) die E'lite (der Gesellschaft), die vornehmsten Leute *pl*. ~ **de menthe** [də'mɑ̃ːt] (*Fr.*) *s* 'Pfefferminzli,kör *m*.

crem·o·carp ['kremo,kɑːrp] *s bot.* Cremo'carpium *n*, Hängefrucht *f*.

Cre·mo·na [kri'mounə] *s mus.* Cremo'neser Geige *f*.

cre·nate ['kriːneit], **'cre·nat·ed** *adj bot.* gekerbt, zackig. **cre·na·tion** [kri'neiʃən], **cren·a·ture** ['krenətʃər] *s* **1.** *bes. bot.* Kerbung *f*, Auszackung *f*. **2.** *med.* Schrumpfung *f* (*roter Blutkörperchen*).

cren·el ['krenəl] **I** *s mil.* Schießscharte *f*. **II** *v/t* → crenelate I.

cren·el·ate ['kreni,leit] **I** *v/t* **1.** krene'lieren, mit Zinnen versehen. **2.** *arch.* mit e-m zinnenartigen Orna'ment versehen. **II** *adj* → crenelated. **'cren-**

el,at·ed *adj* **1.** krene'liert, mit Zinnen (versehen). **2.** *arch.* mit e-m zinnenartigen Orna'ment (versehen). **3.** → crenulate. ,**cren·el'a·tion** *s* **1.** Krene'lierung *f*, Zinnenbildung *f*. **2.** Zinne(n *pl*) *f*. **3.** Auskerbung *f*, Kerbe *f*. **4.** → crenulation. [*etc.*]

cren·el·late *etc bes. Br. für* crenelate

cren·u·late ['krenju,leit; -lit], '**cren·u,lat·ed** *adj bot.* fein gekerbt. ,**cren·u'la·tion** *s bot.* feine Kerbung.

cre·ole ['kri:oul] **I** *s* **1.** Kre'ole *m*, Kre'olin *f*. **2.** *a.* ~ negro *in Amerika geborener Neger.* **3.** *ling.* a) Louisi'ana-Fran,zösisch *n*, b) 'Negerfran,zösisch *n*, c) Negerspanisch *n*. **II** *adj* **4.** kre'olisch, Kreolen...

cre·o·sol ['kri:ə,sɒl; -,soul] *s chem.* Kreo'sol *n*.

cre·o·sote ['kri:ə,sout] *chem. pharm.* *s* **1.** Kreo'sot *n*. **2.** 'Steinkohlenteerkreo,sot *n*.

crêpe, *Am. meist* **crepe** [kreip] **I** *s* **1.** Krepp *m*. **2.** → crape 2. **3.** → crêpe paper *od.* rubber. **II** *v/t* **4.** kreppen, kräuseln. ~ **de Chine** [də'ʃi:n] *s* Crêpe de Chine *m*. '~,**hang·er** → crapehanger. ~ **pa·per** *s* 'Kreppa,pier *n*. ~ **rub·ber** *s* Kreppgummi *m*. ~ **su·zette** [su:'zet] *pl* **crêpes su·zette** *s* Crêpe *f* Su'zette (*Art Pfannkuchen*).

crep·i·tant ['krepitənt] *adj* knisternd, knackend, Knack... '**crep·i,tate** [-,teit] *v/i* **1.** knarren, knistern, knakken, rasseln. **2.** *zo.* Ätzflüssigkeit ausspritzen (*Käfer*). ,**crep·i'ta·tion** *s* Knarren *n*, Knistern *n*, Krachen *n*.

crept [krept] *pret u. pp von* creep.

cre·pus·cle [kri'pʌsl] *s* Zwielicht *n*, (Morgen- *od.* Abend)Dämmerung *f*.

cre'pus·cu·lar [-kjulər] *adj* **1.** Dämmerungs... **2.** dämmerig, Dämmer... **3.** *zo.* im Zwielicht erscheinend.

cre'pus·cule [-kju:l] → crepuscle.

cre·scen·do [krə'ʃendou; kre-] **I** *pl* **-dos** *s mus.* **1.** Cre'scendo *n* (*a. fig.*). **II** *adj* **2.** anschwellend, stärker werdend. **III** *adv* **3.** *mus.* cre'scendo. **4.** all'mählich anschwellend, mit zunehmender Lautstärke. **IV** *v/i* **5.** anschwellen, stärker werden.

cres·cent ['kresnt] **I** *s* **1.** Halbmond *m*, Mondsichel *f*. **2.** *pol. hist.* Halbmond *m* (*Symbol der Türkei od. des Islams*). **3.** halbmondförmiger Gegenstand *od.* Strand *od.* Straßenzug *etc.* **4.** *mus.* Schellenbaum *m*. **5.** Hörnchen *n* (*Gebäck*). **II** *adj* **6.** (halb)mond-, sichelförmig. **7.** zunehmend, wachsend. ,**cres·cent'ade** [-'teid] *s* heiliger Kriegszug der Mohamme'daner.

cress [kres] *s bot.* Kresse *f*.

cres·set ['kresit] *s* Stocklaterne *f*, Kohlen-, Pechpfanne *f*.

crest [krest] **I** *s* **1.** *orn.* a) (Feder-, Haar)Büschel *n*, Haube *f*, b) (Hahnen)Kamm *m*. **2.** *zo.* Kamm *m* (*des Pferdes etc*). **3.** *zo.* (*Pferde- etc*)Mähne *f*. **4.** Helmbusch *m*, -schmuck *m* (*a. her.*). **5.** *her.* a) Verzierung *f* über dem (Fa'milien)Wappen, b) Wappen *n*: family ~. **6.** Helm *m*. **7.** Gipfel *m* (*e-s Berges etc*). **8.** (Berg)Kamm *m*, Bergrücken *m*, Grat *m*. **9.** (*Wellen*)-Kamm *m*: on the ~ of the wave *fig.* auf dem Gipfel des Glücks, ganz oben. **10.** *fig.* Krone *f*, Gipfel *m*, Scheitelpunkt *m*: at the ~ of his fame auf dem Gipfel s-s Ruhms. **11.** *fig.* Höchst-, Scheitelwert *m*, Gipfel *m*, Spitze *f*: ~ factor *phys.* Scheitelfaktor *m*; ~ voltage *electr.* Spitzenspannung *f*. **12.** a) Stolz *m*, b) Mut *m*, c) Hochgefühl *n*. **13.** *anat.* (Knochen)Leiste *f*, Kamm *m*. **14.** *arch.* Krone *f*, Firstkamm *m*: ~ tile Kamm-, Firstziegel *m*. **II** *v/t* **15.** mit e-m Kamm *etc* versehen. **16.** *fig.* krönen. **17.** erklimmen. **III** *v/i* **18.** hoch aufwogen (*Welle*). ~ **clearance** *s tech.* Kopf-, Spitzenspiel *n*.

crest·ed ['krestid] *adj* mit e-m Kamm *etc* versehen, Schopf...: ~ lark *orn.* Haubenlerche *f*.

crest·fall·en ['krest,fɔ:lən] *adj* **1.** *fig.* niedergeschlagen, zerschmettert. **2.** mit seitwärts hängendem Hals (*Pferd*).

cre·syl·ic [kri'silik] *adj chem.* Kresol...: ~ acid; ~ resin Kresolharz *n*.

cre·ta·ceous [kri'teiʃəs] **I** *adj* **1.** kreidig, kreideartig *od.* -haltig, Kreide... **2.** C~ *geol.* Kreide...: C~ formation → 3a; C~ period → 3b. **II** *s* **3.** C~ *geol.* a) 'Kreide(formati,on) *f*, b) Kreidezeit *f*.

Cre·tan ['kri:tən] **I** *adj* kretisch, aus Kreta. **II** *s* Kreter(in). '**cre·tic I** *s metr.* Kretikus *m*. **II** *adj* C~ → Cretan I.

cre·tin ['kri:tin; *Br. a.* 'kretin] *s med.* Kre'tin *m* (*a. fig. contp.*). '**cre·tin,ism** *s med.* Kreti'nismus *m*. '**cre·tin·ous** *adj* kre'tinhaft.

cre·tonne [*Br.* kre'tɒn; *Am.* kri-] *s* Kre'tonne *f* (*Gewebe*).

cre·vasse [krə'væs] **I** *s* **1.** tiefer Spalt *od.* Riß. **2.** Gletscherspalte *f*. **3.** *Am.* Bruch *m* im Deich *od.* Schutzdamm. **II** *v/t* **4.** aufreißen. [(Fels)Spalte *f*.]

crev·ice ['krevis] *s* Riß *m*, Spalt *m*,

crew[1] [kru:] *s* **1.** (*Arbeits*)Gruppe *f*, (*Bau- etc*)Trupp *m*, (*Arbeiter*)Ko'lonne *f*. **2.** *allg. tech.* (Bedienungs)-Mannschaft *f*. **3.** a) *aer. mar.* Besatzung *f*, b) *mar. engS.* Mannschaft *f* (*Ggs. Offiziere*). **4.** *sport* a) (*Boots*)-Mannschaft *f*, b) *Am. colloq.* (*das*) Rudern. **5.** *Am.* Pfadfindergruppe *f*. **6.** Belegschaft *f*, ('Dienst)Perso,nal *n*: ~ of a train Zugpersonal. **7.** (*obs.* bewaffneter) Haufe, Schar *f*. **8.** *contp.* Bande *f*, Rotte *f*.

crew[2] [kru:] *pret von* crow.

crew cut *s* Bürstenschnitt *m*.

crew·el ['kru:əl] *s* Crewelgarn *n*.

crib [krib] **I** *s* **1.** Kinderbett *n* (mit hohen Seiten). **2.** a) Hürde *f*, Pferch *m*, Stall *m*, b) Stand *m* (*in Ställen*), c) (Futter)Krippe *f*. **3.** Hütte *f*, Kate *f*. **4.** kleiner enger Raum. **5.** Geräteraum *m*. **6.** *sl.* ‚Bude' *f*, ‚Laden' *m* (*Haus*): → crack 28. **7.** *Am. sl.* a) Spe'lunke *f*, b) ‚Puff' *m*, Bor'dell *n*. **8.** Weidenkorb *m* (*Fischfalle*). **9.** (*meist offener*) Kasten, Speicher *m*. **10.** *tech.* a) Senkkiste *f*, b) Latten-, Holzgerüst *n*, c) Kranz *m* (*zum Schachtausbau*), d) Holzfütterung *f* (*Schacht*), e) Bühne *f*. **11.** *colloq.* kleiner Diebstahl (*a. fig. Plagiat*). **12.** *ped. Br. colloq.* Eselsbrücke *f*, ‚Klatsche' *f*, ‚Schlauch' *m* (*unerlaubte Übersetzungshilfe*). **13.** *Cribbage*: für den Geber abgelegte Karten *pl*. **14.** *Br. colloq.* Mittagessen *n*. **II** *v/t* **15.** ein-, zs.-pferchen. **16.** *tech.* a) mit e-m Holzgerüst stützen, b) *e-n Schacht* auszimmern. **17.** *colloq.* ‚sti'bitzen', ‚klauen' (*a. fig. plagiieren*). **III** *v/i* **18.** *colloq.* ‚klauen': a) stehlen, b) plagi'ieren, abschreiben. **19.** *ped. Br. colloq.* mogeln. **crib·bage** ['kribidʒ] *s* Cribbage *n* (*Kartenspiel*): ~ board Markierbrett *n*.

'**crib|-,bit·er** *s* Krippensetzer *m* (*Pferd*). ~ **bit·ing** *s* Krippensetzen *n*.

crib·rate ['kribreit] *adj bot. zo.* siebartig durch'löchert. '**crib·ri,form** [-ri,fɔ:rm] *adj anat. zo.* siebförmig.

'**crib,work** *s tech.* **1.** ('Bau- *od.* 'Stapel)Konstrukti,on *f* mit längs u. quer überein'anderliegenden Träger(balken)lagen. **2.** *Bergbau*: Ring- *od.* Kranzausbau *m*.

crick [krik] *med.* **I** *s* Muskelkrampf *m*: ~ in one's back Hexenschuß *m*; ~ in one's neck steifer Hals. **II** *v/t* verrenken: to ~ one's neck sich den Hals verrenken.

crick·et[1] ['krikit] *s zo.* (*bes.* Haus)-Grille *f*, Heimchen *n*: → merry 1.

crick·et[2] ['krikit] **I** *s* **1.** *sport* Kricket *n*: ~ bat Kricketschläger *m*; ~ field, ~ ground Kricket(spiel)platz *m*; ~ pitch Teil *m* des Kricketplatzes zwischen den beiden Torlinien. **2.** Fairneß *f*: not ~ nicht fair *od.* anständig; to play ~ sich an die Spielregeln halten. **II** *v/i* **3.** Kricket spielen.

crick·et[3] ['krikit] *s* Schemel *m*. [*m*.]

crick·et·er ['krikitər] *s* Kricketspieler

cri·coid ['kraikɔid] *anat.* **I** *adj* ringförmig: ~ cartilage → II. **II** *s* Ringknorpel *m*.

cri·er ['kraiər] *s* **1.** Schreier *m*. **2.** (öffentlicher) Ausrufer. **3.** Marktschreier *m*.

cri·key ['kraiki] *interj sl.* herr'je!

crime [kraim] **I** *s* **1.** *jur.* Verbrechen *n*, Straftat *f*: ~ against humanity Verbrechen gegen die Menschlichkeit; ~ wave Welle *f* von Verbrechen. **2.** → criminality 1. **3.** Frevel *m*: a) Übel-, Untat *f*: ‚C~ and Punishment' ‚Schuld und Sühne' (*Dostojewskij*), b) schwere Sünde. **4.** *colloq.* a) ‚Verbrechen' *n*: it would be a ~ to waste such an opportunity, b) ‚Jammer' *m*, Zumutung *f*: it is a ~ to have to listen to that. **II** *v/t* **5.** *mil. Br. sl.* beschuldigen.

Cri·me·an [krai'mi:ən; kri-; -'miən] *adj* Krim..., die Krim betreffend: ~ War Krimkrieg *m* (*1853—56*).

crim·i·nal ['kriminl] **I** *adj* (*adv* → criminally) **1.** *jur. u. allg.* (*a. fig.*) krimi'nell, verbrecherisch: ~ act Straftat *f*, strafbare Handlung; ~ conversation Ehebruch *m*; ~ intent verbrecherische Absicht; ~ neglect grobe Fahrlässigkeit. **2.** *jur.* strafrechtlich, Straf..., Kriminal...: ~ action Strafprozeß *m*, -verfahren *n*; ~ appeal Berufung *f od.* Revision *f* in Strafsachen; ~ code Strafgesetzbuch *n*; ~ discretion Strafmündigkeit *f*; C~ Investigation Department (*abbr.* C.I.D.) oberste Kriminalpolizeibehörde (*im Scotland Yard*); ~ jurisdiction Strafgerichtsbarkeit *f*, Zuständigkeit *f* in Strafsachen; ~ justice Strafrechtspflege *f*; ~ law Strafrecht *n*; ~ lawyer Strafrechtler *m*; ~ liability strafrechtliche Verantwortlichkeit, Zurechnungsfähigkeit *f*; ~ proceedings Strafverfahren *n*. **II** *s* **3.** Verbrecher(in), Krimi'nelle(r *m*) *f*.

crim·i·nal·ism ['kriminə,lizəm] *s* krimi'nelle Veranlagung. '**crim·i·nal·ist** *s* **1.** Krimina'list *m*, Strafrechtler *m*. **2.** Krimino'loge *m*. ,**crim·i·nal'is·tics** *s pl* (*als sg konstruiert*) Krimina'listik *f*. ,**crim·i'nal·i·ty** [-'næliti] *s* **1.** Kriminali'tät *f*, Verbrechertum *n*. **2.** Strafbarkeit *f*, Schuld *f*.

crim·i·nal·ly ['kriminəli] *adv* **1.** → criminal 1. **2.** in verbrecherischer Weise *od.* Absicht. **3.** strafrechtlich.

crim·i·nate ['krimi,neit] *v/t* **1.** anklagen, *e-s Verbrechens* beschuldigen. **2.** *etwas* scharf tadeln, verurteilen. **3.** in ein Verbrechen verwickeln. **4.** für schuldig erklären. ,**crim·i'na·tion** *s jur.* Anklage *f*, An-, Beschuldigung *f*. '**crim·i,na·tive,** '**crim·i,na·to·ry** *adj* anklagend, beschuldigend, inkrimi'nierend.

crim·i·nol·o·gist [ˌkrimiˈnɒlədʒist] *s* Kriminoˈloge *m.* ˌ**crim·iˈnol·o·gy** *s* Kriminoloˈgie *f.* ˈ**crim·i·nous clerk** *s jur.* verbrecherischer Geistlicher.

crimp[1] [krimp] **I** *v/t* **1.** kräuseln, kreppen, knittern, wellen. **2.** falten, fälteln. **3.** *Leder* zuˈrechtbiegen. **4.** *tech.* bördeln, randkehlen, sicken: to ~ over umfalzen; ~ed joint Sickenverbindung *f.* **5.** (*den Rand der Patronenhülse nach Einbringen der Ladung*) anwürgen. **6.** *Kochkunst*: *e-n Fisch* (auf)schlitzen (*um das Fleisch fester zu machen*). **7.** *Am. sl.* behindern, stören, einengen. **II** *s* **8.** Kräuselung *f*, Welligkeit *f.* **9.** Krause *f*, Falte *f.* **10.** *meist pl* gekräuseltes Haar. **11.** *tech.* Falz *m.* **12.** *Am. sl.* Hindernis *n*, Behinderung *f*: to put a ~ in → 7.

crimp[2] [krimp] **I** *v/t Matrosen etc* gewaltsam anwerben, (zum Dienst) pressen. **II** *s* (verbrecherischer) Werber, Seelenverkäufer *m.*

crimp·er [ˈkrimpər] *s tech.* **1.** ˈBördel-, ˈRändel-, ˈSickenmaˌschine *f.* **2.** Lederpresse *f.* **3.** Arbeiter, der kräuselt *etc.* ~ **house** *s mar. mil.* ˈPreßspeˌlunke *f.* ~ **i·ron** *s tech.* a) Stellschere *f*, b) Rillenstempel *m.* ~ **press** *s tech.* Bördelpresse *f.*

crimp·y [ˈkrimpi] *adj* gekräuselt, wellig.

crimson [ˈkrimzn] **I** *s* **1.** Karmeˈsin-, Karˈmin-, Hochrot *n.* **II** *adj* **2.** karmeˈsin-, karˈmin-, hochrot. **3.** puterrot (*vor Scham, Zorn etc*). **4.** *fig.* blutig, blutdürstig. **III** *v/t* **5.** hochrot färben. **IV** *v/i* **6.** *fig.* puterrot werden (*im Gesicht*). ~ **ram·bler** *s bot.* Crimson Rambler *f* (*blutrote Kletterrose*).

cringe [krindʒ] **I** *v/i* **1.** sich (*bes. furchtsam od. unterwürfig*) ducken, sich (zs.-)krümmen. **2.** *fig.* kriechen, ‚katzbuckeln' (to vor *dat*): cringing and fawning kriecherische Schmeichelei. **II** *s* **3.** kriecherische Höflichkeit *od.* Verbeugung. ˈ**cring·ing** *adj* (*adv* ~ly) kriecherisch, unterˈwürfig.

cri·nite [ˈkrainait] *adj* behaart.

crin·kle [ˈkriŋkl] **I** *v/i* **1.** sich winden, sich krümmen. **2.** sich kräuseln, Falten werfen. **3.** knittern. **4.** rascheln, knistern. **II** *v/t* **5.** krümmen, (wellenförmig) biegen, faltig machen. **6.** kräuseln. **III** *s* **7.** Falte *f*, Runzel *f.* **8.** Windung *f*, Krümmung *f.* ˈ~-ˌ**cran·kle** [-ˌkræŋkl] *s* **1.** Wellenlinie *f.* **2.** Zickzack *m.*

crin·kly [ˈkriŋkli] *adj* **1.** gekräuselt, kraus, faltig, wellig. **2.** zerknittert. **3.** raschelnd, knisternd.

crin·kum-cran·kum [ˈkriŋkəmˈkræŋkəm] *s colloq.* verzwickte *od.* kompliˈzierte Sache, Wirrwarr *m.*

cri·noid [ˈkrainɔid; ˈkrin-] **I** *adj* **1.** lilienartig. **2.** *zo.* Seelilien... **II** *s zo.* **3.** Seelilie *f*, Haarstern *m.*

crin·o·line [ˈkrinəˌliːn; -lin] *s* **1.** Krinoˈlin *n*, Roßhaarstoff *m.* **2.** *hist.* Krinoˈline *f*, Reifrock *m.* **3.** *mar.* Torˈpedoabwehrnetz *n.*

cri·o·sphinx [ˈkraiəˌsfiŋks] *s* Sphinx *f* mit Widderkopf.

cripes [kraips] *interj vulg.* herrje!

crip·ple [ˈkripl] **I** *s* **1.** Krüppel *m* (*a. fig.*). **2.** *fig. Am.* kaˈputte *od.* verpfuschte Sache. **3.** Gerüst *n* (*zum Fensterputzen etc*). **II** *v/t* **4.** zum Krüppel machen. **5.** lähmen. **6.** *fig.* lähmen, lahmlegen. **7.** *tech.* außer Funktiˈon setzen. **8.** *aer. mar. mil.* kampf- *od.* aktiˈonsunfähig machen. **III** *v/i* **9.** humpeln. ˈ**crip·pled** *adj* **1.** a) verkrüppelt, b) gelähmt. **2.** *fig.* gelähmt, lahmgelegt. ˈ**crip·ple·dom** *s* Krüppelhaftigkeit *f*, Gelähmtsein *n.* ˈ**crip·pling I** *adj* **1.** lähmend (*a. fig.*). **II** *s* **2.** Lähmung *f*, Lahmlegung *f.* **3.** Wack(e)ligwerden *n* (*e-s Baugerüsts etc*). **4.** *arch.* Stützbalken *pl.*

cri·sis [ˈkraisis] *pl* **-ses** [-siːz] *s* **1.** Krise *f*, Krisis *f* (*beide a. med.*): economic ~ Wirtschaftskrise. **2.** *a. thea.* Krise *f*, Wende-, Höhepunkt *m.*

crisp [krisp] **I** *adj* (*adv* ~ly) **1.** knusp(e)rig, mürbe (*Gebäck etc*). **2.** bröck(e)lig, spröde. **3.** a) drahtig, b) kraus: ~ hair. **4.** ungeknittert, steif: ~ paper. **5.** frisch, saftig, fest: ~ vegetables. **6.** *fig.* forsch, schneidig: ~ manner. **7.** flott, lebhaft. **8.** knapp, treffend: a ~ answer. **9.** a) leˈbendig, flott: ~ dialogue, b) klar: ~ style. **10.** scharf, frisch: ~ air; ~ breeze. **II** *s* **11.** (*etwas*) Knusp(e)riges. **12.** *pl Br. geröstete Kartoffelschnitzel in Tüten.* **13.** Knusp(e)rigkeit *f*: done to a ~ a) knusp(e)rig gebacken *od.* gebraten, b) verbrannt (*Toast etc*). **III** *v/t* **14.** knusp(e)rig backen *od.* braten, braun rösten. **15.** *Haar etc* kräuseln. **IV** *v/i* **16.** knusp(e)rig werden. **17.** sich kräuseln.

cris·pate [ˈkrispeit], ˈ**cris·pat·ed** *adj* gekräuselt, kraus. **crisˈpa·tion** *s* **1.** Kräuselung *f.* **2.** *med.* (leichtes) Muskelzucken.

crisp·en [ˈkrispn] → crisp III *u.* IV.

crisp·ness [ˈkrispnis] *s* **1.** Knusp(e)rigkeit *f.* **2.** Frische *f*, Festigkeit *f.* **3.** Forsch-, Flottheit *f*, Schmissigkeit *f.* **4.** Knappheit *f*, Leˈbendigkeit *f.* **5.** Schärfe *f.* ˈ**crisp·y** → crisp 1—4.

criss·cross [ˈkrisˌkrɒs; -ˌkrɔːs] **I** *adj* **1.** gekreuzt, kreuzweise, kreuz u. quer (laufend), Kreuz... **2.** *Br.* mürrisch. **II** *s* **3.** Netz *n* sich schneidender Linien, Gewirr *n.* **4.** *Br.* (*Am. obs.*) Kreuz(zeichen) *n* (*als Unterschrift*). **5.** (*ein*) Schreibspiel *n.* **III** *adv* **6.** (kreuz u.) quer, kreuzweise, in die Quere, durcheinˈander. **7.** *fig.* verkehrt, quer. **IV** *v/t* **8.** (wiederˈholt ˈdurch)kreuzen, kreuz u. quer ˈdurchstreichen. **V** *v/i* **9.** sich kreuzen, sich überˈschneiden. **10.** kreuz u. quer (ver)laufen.

cri·te·ri·on [kraiˈti(ə)riən] *pl* **-ri·a** *s* Kriˈterium *n*, Prüfstein *m*, Maßstab *m*, Richtschnur *f*, (Unterˈscheidungs)Merkmal *n*: that is no ~ das ist nicht maßgebend (for für).

crit·ic [ˈkritik] *s* Kritiker(in): a) Beurteiler(in), b) (Kunst- *etc*)Kritiker(in), Rezenˈsent(in), c) Krittler(in), Tadler(in) (of *gen od.* von).

crit·i·cal [ˈkritikəl] *adj* (*adv* ~ly) *allg.* kritisch: a) (streng) prüfend, sorgfältig (prüfend), anspruchsvoll, b) tadelsüchtig (of gegenˈüber *dat*): to be ~ of s.th. an e-r Sache etwas auszusetzen haben, e-r Sache kritisch gegenüberstehen, etwas kritisieren, c) beurteilend (*in der Kunst etc*), d) wissenschaftlich erläuternd: ~ edition kritische Ausgabe, e) kunstverständig, f) entscheidend: the ~ moment, g) gefährlich, bedenklich, ernst, brenzlig: ~ situation; ~ altitude *aer.* kritische Höhe; ~ angle *phys.* kritischer Winkel, *aer. a.* ~ angle of attack kritischer Anstellwinkel; ~ constants kritische Konstanten; ~ load Grenzbelastung *f*; ~ mass kritische Masse; ~ speed *aer.* kritische Geschwindigkeit, *tech.* kritische Drehzahl; h) knapp: ~ supplies Mangelgüter. ˈ**crit·i·cal·ness** *s* (*das*) Kritische.

crit·ic·as·ter [*Br.* ˌkritiˈkæstə; *Am.* ˈkritiˌkæstər] *s* Kritiˈkaster *m.*

crit·i·cism [ˈkritiˌsizəm] *s* **1.** *allg.* Kriˈtik *f*: a) kritische Beurteilung, b) Tadel *m*, Vorwurf *m*: open to ~ anfechtbar; above ~ über jede Kritik *od.* jeden Tadel erhaben, c) → critique 1, d) kritische Unterˈsuchung (*der Bibel etc*): textual ~ Textkritik. **2.** *philos.* Kritiˈzismus *m.*

crit·i·ciz·a·ble [ˈkritiˌsaizəbl] *adj* **1.** anfechtbar. **2.** tadelnswert. ˈ**crit·i·ˌcize I** *v/i* kritiˈsieren: a) Kriˈtik üben, b) kritteln. **II** *v/t* kritiˈsieren: a) kritisch beurteilen, b) Kriˈtik üben an (*dat*), bekritteln, tadeln, rügen, c) besprechen, rezenˈsieren.

cri·tique [kriˈtiːk] *s* **1.** Kriˈtik *f*, Rezensiˈon *f*, kritische Abhandlung *od.* Besprechung. **2.** kritische Unterˈsuchung, Kriˈtik *f*: „C~ of Pure Reason" „Kritik der reinen Vernunft" (*Kant*).

crit·ter [ˈkritər] *Am. dial. für* creature.

croak [krouk] **I** *v/i* **1.** quaken (*Frosch*). **2.** krächzen (*Rabe etc, a. fig. Mensch*). **3.** *fig.* ‚unken', Unglück propheˈzeien. **4.** *vulg.* ‚abkratzen', ‚verrecken' (*sterben*). **II** *v/t* **5.** *etwas* krächzen(d sagen). **6.** jammern(d sagen). **7.** *vulg.* ‚abmurksen' (*töten*). **III** *s* **8.** Quaken *n*, Gequake *n.* **9.** Krächzen *n*, Gekrächze *n.* **10.** Miesmacher *m*, Schwarzseher *m*, ‚Unke' *f.* ˈ**croak·er** *s* **1.** → croak 10. **2.** *Am. sl.* ‚Quacksalber' *m* (*Arzt*). ˈ**croak·y** *adj* (*adv* croakily) krächzend.

Cro·at [ˈkrouæt] *s* Kroˈate *m*, Kroˈatin *f.* **Croˈa·tian** [-ˈeiʃən; -ˈeiʃiən] **I** *adj* **1.** kroˈatisch. **II** *s* **2.** → Croat. **3.** *ling.* Kroˈatisch *n.*

cro·chet [*Br.* ˈkrouʃei; *Am.* krouˈʃei] **I** *s a.* ~ work Häkelarbeit *f*, Häkeˈlei *f.* **II** *v/t u. v/i* häkeln.

crock[1] [krɒk] *s* **1.** irdener Topf *od.* Krug. **2.** Topfscherbe *f.*

crock[2] [krɒk] *sl.* **I** *s* **1.** *Br.* Klepper *m*, alter Gaul. **2.** *Br.* altes Wrack (*Person od. Sache*). **3.** *Am.* a) ‚altes Ekel', b) ‚alte Ziege' (*Frau*), c) Säufer *m.* **II** *v/i* **4.** *oft* ~ up *Br.* zs.-brechen. **III** *v/t* **5.** *Br.* arbeitsunfähig machen. **6.** *allg.* kaˈputtmachen.

crock[3] [krɒk] **I** *s* **1.** Ruß *m*, Schmutz *m.* **2.** abgehende Farbe. **II** *v/t* **3.** beschmutzen.

crocked [krɒkd] *adj Am. sl.* besoffen.

crock·er·y [ˈkrɒkəri] *s collect.* irdenes Geschirr, Steingut *n*, Töpferware *f.*

crock·et [ˈkrɒkit] *s arch.* Kriechblume *f*, Krabbe *f* (*Ornament*).

croc·o·dile [ˈkrɒkəˌdail] *s* **1.** *zo.* Krokoˈdil *n.* **2.** *Br. colloq.* Zweierreihe *f* (*bes. von Schulmädchen*). **3.** Krokoˈdilleder *n.* **4.** *philos.* Krokoˈdilschluß *m.* ~ **clip** *s tech.* Krokoˈdilklemme *f.* ~ **tears** *s pl* Krokoˈdilstränen *pl.*

croc·o·dil·i·an [ˌkrɒkəˈdiliən] *zo.* **I** *s* Krokoˈdil *n.* **II** *adj* zu den Krokoˈdilen gehörig, krokoˈdilartig.

cro·cus [ˈkroukəs] *s* **1.** *bot.* Krokus *m.* **2.** *tech.* Poˈlierrot *n*: ~ cloth Polierleinen *n.*

Croe·sus [ˈkriːsəs] *s* Krösus *m.*

croft [krɒft; krɔːft] *s Br.* **1.** kleines (Acker)Feld (*beim Haus*). **2.** kleiner Bauernhof. ˈ**croft·er** *s Br.* Kleinbauer *m.*

Cro-Ma·gnon [ˌkrouˌmaˈnjɔ̃; -ˈmægnɒn] **I** *adj* Cro-Magnon... **II** *s* Cro-Maˈgnon-Mensch *m.*

crom·lech [ˈkrɒmlek] *s* **1.** Kromlech *m*, druˈidischer Steinkreis. **2.** → dolmen.

Crom·wel·li·an [krɒmˈweliən; -ljən] **I** *adj* Cromwell betreffend, aus *od.* zu Cromwells Zeit. **II** *s* Anhänger(in) Cromwells.

crone [kroun] *s* altes Weib.

cro·ny ['krouni] *s* alter Freund, alte Freundin, Kum'pan *m*: old ~ Busenfreund(in), Intimus *m*, ‚Spezi' *m*. '**cro·ny,ism** *s* Vetternwirtschaft *f*.

crook [kruk] **I** *s* **1.** Häkchen *n*, Haken *m*. **2.** (Schirm)Krücke *f*. **3.** Hirtenstab *m*. **4.** *relig.* Bischofs-, Krummstab *m*. **5.** Kniestück *n*. **6.** Krümmung *f*, Biegung *f*. **7.** *colloq.* Gauner *m*, Betrüger *m*, Schwindler *m*, Hochstapler *m*: on the ~ *sl.* auf betrügerische Weise, unehrlich, hintenherum. **8.** *mus.* Einsatzstück *n*, Stimmbogen *m*. **II** *v/t* **9.** krümmen, biegen. **10.** *Am. sl.* a) *etwas* ‚vermasseln', b) *j-n* betrügen, c) *etwas* ergaunern. **III** *v/i* **11.** sich krümmen, sich biegen. **12.** krumm sein. '**~,backed** *adj* bucklig.

crook·ed ['krukid] *adj* (*adv* **~ly**) **1.** gekrümmt, gebogen, gewunden, krumm. **2.** (vom Alter) gebeugt. **3.** verwachsen, buck(e)lig. **4.** unehrlich, betrügerisch: ~ ways krumme Wege. **5.** *colloq.* unehrlich erworben, ergaunert. '**crook·ed·ness** *s* **1.** Gekrümmtheit *f*. **2.** Krümmung *f*. **3.** Buckligkeit *f*. **4.** Unehrlichkeit *f*, (*das*) Betrügerische.

Crookes| glass [kruks] *s tech.* Crookesglas *n* (*ein Filterglas*). **~ space** *s phys.* Crookesscher Dunkelraum.

croon [kru:n] **I** *v/t u. v/i* **1.** schmachtend singen. **2.** leise singen *od.* summen. **II** *s* **3.** leises Singen *od.* Summen. **4.** Wehklagen *n*. **5.** *a.* ~ song ‚Schnulze' *f*, sentimen'taler Schlager. '**croon·er** *s* Schnulzen-, Schlagersänger(in).

crop [krɒp] **I** *s* **1.** (Feld)Frucht *f*, *bes.* Getreide *n* auf dem Halm: ~ rotation Fruchtwechsel *m*. **2.** Ernte(ertrag *m*) *f*: the ~s die (Gesamt)Ernte; a heavy ~ e-e reiche Ernte; tobacco ~ Tabakernte, -ertrag. **3.** *fig.* a) Ertrag *m*, Ernte *f*, Ausbeute *f* (of an *dat*), b) große Menge, Masse *f*, Haufen *m*, Schwung *m*. **4.** Bebauung *f*: a field in ~ ein bebautes Feld. **5.** (Peitschen)-Stock *m*. **6.** kurze Reitpeitsche mit Schlaufe. **7.** *a.* ~ hide (*ganzes*) gegerbtes (Rinder)Fell. **8.** Stutzen *n*, Abschneiden *n*. **9.** Erkennungszeichen *n* am Ohr (*von Tieren; durch Stutzen entstanden*). **10.** a) kurzer Haarschnitt, b) kurz geschnittenes Haar. **11.** abgeschnittenes Stück. **12.** *Bergbau*: a) (*das*) Anstehende, b) Scheideerz *n*. **13.** *zo.* a) Kropf *m* (*der Vögel od. Insekten*), b) Vormagen *m*. **II** *v/t pret u. pp* **cropped** *od. selten* **cropt** **14.** abschneiden. **15.** ernten. **16.** (ab)mähen. **17.** *e-e Wiese etc* abfressen, abweiden. **18.** stutzen, beschneiden. **19.** *das Haar* kurz scheren. **20.** *j-n* kahlscheren. **21.** die Ohren stutzen (*dat*). **22.** *fig.* zu'rechtstutzen. **23.** *ein Feld* bebauen. **III** *v/i* **24.** Ernte tragen: to ~ heavily reichen Ertrag bringen, gut tragen. **25.** *meist* ~ up, ~ out *geol.* zu'tage ausgehen, anstehen. **26.** *meist* ~ up, ~ out *fig.* plötzlich auftauchen *od.* zu'tage treten, sich zeigen, sich ergeben. **27.** grasen, weiden. '**~-,eared** *adj* **1.** mit gestutzten Ohren. **2.** mit kurzgeschorenem Haar.

crop·per ['krɒpər] *s* **1.** Be-, Abschneider(in). **2.** Schnitter(in). **3.** a) Bebauer *m* (*von Ackerland*), b) *Am.* → sharecropper. **4.** Ertrag liefernde Pflanze, Träger *m*: a good ~ e-e gut tragende Pflanze. **5.** *colloq.* schwerer Sturz (*bes. vom Pferd*): to come a ~ schwer hinschlagen, ‚auf die Nase fallen' (→ 6). **6.** *colloq.* 'Mißerfolg *m*, Fehlschlag *m*: to come a ~ Schiffbruch erleiden, reinfallen (→ 5). **7.** *tech.* 'Scherma,schine *f*. **8.** *orn.* Kropftaube *f*. '**crop·py** *s Br. hist.* Geschorene(r) *m* (*irischer Aufständischer 1798*). **cropt** *selten pret u. pp von* crop.

cro·quet [*Br.* 'kroukei; -ki; *Am.* krou'kei] *sport* **I** *s* **1.** Krocket *n*. **2.** Kroc'kieren *n*. **II** *v/t u. v/i* **3.** krok'kieren.

cro·quette [krou'ket] *s* Kro'kette *f*, [Bratklößchen *n*.]

cro·quis [krɔ'ki] (*Fr.*) *s* **1.** Skizze *f*. **2.** *mil.* Kro'ki *n*.

crore [krɔ:r] *s Br. Ind.* Ka'ror *m* (*10 Millionen, bes. Rupien*).

cro·sier ['krouʒər] *s relig.* Bischofs-, Krummstab *m*.

cross [krɒs; krɔ:s] **I** *s* **1.** Kreuz *n*: to be nailed on (*od.* to) the ~ ans Kreuz geschlagen *od.* gekreuzigt werden. **2.** the C~ das Kreuz (Christi): a) das Christentum, b) das Kruzi'fix: ~ and crescent Kreuz u. Halbmond, Christentum u. Islam. **3.** Kruzi'fix (*als Bildwerk*). **4.** Kreuzestod *m* (*Christi*). **5.** *fig.* Kreuz *n*, Leiden *n*: to bear one's ~ sein Kreuz tragen; to take up one's ~ sein Kreuz auf sich nehmen. **6.** (Gedenk)Kreuz *n* (*Denkmal etc*). **7.** Kreuz(zeichen) *n*: to make the sign of the ~ sich bekreuzigen. **8.** Kreuz(zeichen) *n* (*als Unterschrift*). **9.** Kreuz *n*, Merkzeichen *n*: to mark with a ~, to put a ~ against ankreuzen, mit e-m Kreuz bezeichnen. **10.** *her. etc* Kreuz *n*: ~ potent Krückenkreuz. **11.** (Ordens-, Ehren)Kreuz *n*: Grand C~ Großkreuz. **12.** Kreuz *n*, kreuzförmiger Gegenstand. **13.** *tech.* Kreuzstück *n*, kreuzförmiges Röhrenstück. **14.** *tech.* Fadenkreuz *n*. **15.** *electr.* Querschluß *m*. **16.** a) Kreuzung *f*, b) Kreuzungspunkt *m*. **17.** 'Widerwärtigkeit *f*, Unannehmlichkeit *f*, Schwierigkeit *f*. **18.** *biol.* a) Kreuzung *f*, b) 'Kreuzung(spro,dukt *n*) *f* (between zwischen *dat*). **19.** *fig.* Mittel-, Zwischending *n*. **20.** Querstrich *m*. **21.** *sport* Schrägpaß *m*. **22.** *Boxen*: Kreuzschlag *m*, Haken *m* (*über die Vorhand des Gegners*). **23.** *sl.* Gaune'rei *f*, Schwindel *m*: on the ~ auf e-e ‚krumme Tour'. **24.** *bes. sport sl.* Schiebung *f*. **25.** C~ *astr.* → a) southern 1, b) northern 1.

II *v/t* **26.** bekreuz(ig)en, das Kreuzzeichen machen auf (*acc*) *od.* über (*dat*): to ~ o.s. sich bekreuzigen; to ~ s.o.'s hand (*od.* palm) a) j-m (Trink)-Geld geben, b) j-n ‚schmieren' *od.* bestechen. **27.** kreuzen, über Kreuz legen: to ~ one's arms a) die Arme kreuzen *od.* verschränken, b) *fig.* die Hände in den Schoß legen; to ~ one's legs die Beine kreuzen *od.* überschlagen; → finger 1, sword 1. **28.** *e-e Grenze, ein Meer, die Straße etc* über'queren, *ein Land etc* durch'queren, (hin'über)gehen *od.* (-)fahren über (*acc*): to ~ the floor (of the House) *parl. Br.* zur Gegenpartei übergehen; to ~ s.o.'s path *fig.* j-m in die Quere kommen; to ~ the street die Straße überqueren, über die Straße gehen; it ~ed me (*od.* my mind) es fiel mir ein, es kam mir in den Sinn. **29.** *fig.* über'schreiten. **30.** sich erstrecken über (*acc*). **31.** hin'überschaffen, -transpor,tieren. **32.** kreuzen, schneiden: to ~ each other sich kreuzen *od.* schneiden *od.* treffen. **33.** sich kreuzen mit: your letter ~ed mine. **34.** ankreuzen. **35.** *oft* ~ off, ~ out aus-, 'durchstreichen. **36.** e-n Querstrich ziehen durch: to ~ a check (*Br.* cheque) e-n Scheck ‚kreuzen' (*als Verrechnungsscheck kennzeichnen*); to ~ a ‚t' im (Buchstaben) ‚t' den Querstrich ziehen. **37.** *mar. die Rahen* kaien. **38.** a) *e-n Plan etc* durch'kreuzen, vereiteln, b) *j-m* entgegentreten, *j-m* in die Quere kommen: to be ~ed auf Widerstand stoßen; to be ~ed in love Unglück in der Liebe haben. **39.** ~ up *Am. colloq.* a) *j-n* ‚reinlegen', b) *etwas* ‚platzen lassen', ‚vermasseln'. **40.** *biol.* kreuzen. **41.** *ein Pferd* besteigen.

III *v/i* **42.** quer liegen *od.* verlaufen. **43.** sich kreuzen, sich schneiden. **44.** *oft* ~ over (to) a) hin'übergehen, -fahren (zu), 'übersetzen (nach), b) hin'überreichen (bis). **45.** sich kreuzen (*Briefe*). **46.** *biol.* sich kreuzen (lassen). **47.** ~ over a) *biol.* Gene austauschen, b) *thea.* die Bühne über'queren.

IV *adj* **48.** sich kreuzend, sich (über)'schneidend, kreuzweise angelegt *od.* liegend, quer (liegend *od.* laufend), Quer... **49.** schräg, Schräg... **50.** wechsel-, gegenseitig: ~ payments. **51.** (to) entgegengesetzt (*dat*), im 'Widerspruch (zu). **52.** Gegen..., Wider... **53.** 'widerwärtig, unangenehm, ungünstig. **54.** *colloq.* (with) ärgerlich (mit), mürrisch (gegen), böse (auf *acc*, mit): as ~ as two sticks bitterböse, sehr übelgelaunt. **55.** *biol.* Kreuzungs... **56.** *Statistik etc*: Querschnitts..., vergleichend. **57.** *sl.* unehrlich.

V *adv* **58.** quer. **59.** über'kreuz, kreuzweise. **60.** falsch, verkehrt.

cross·a·ble ['krɒsəbl] *adj* über'schreitbar, über-, durch'querbar.

cross| ac·tion *s jur.* Gegen-, 'Widerklage *f*. **~ ac·cept·ance** *s econ.* ,Wechselreite'rei *f*. **~ ap·peal** *s jur.* Anschlußberufung *f*. **~ ax·le** *s tech.* Querhebelachse *f*, 'durchlaufende Achse. '**~,bar** *s* **1.** Querholz *n*, -riegel *m*, -schiene *f*, -stange *f*: ~ transducer *electr.* Jochwandler *m*. **2.** *tech.* a) Tra'verse *f*, Querträger *m*, -strebe *f*, b) *Weberei*: Querstock *m*. **3.** a) Querlatte *f*, b) Sprosse *f*. **4.** Riegel *m* (*e-r Fachwand*). **5.** *tech.* oberes Rahmenrohr (*am Fahrrad*). **6.** Querstreifen *m*, -linie *f*. **7.** *sport* a) Tor-, Querlatte *f*, b) Latte *f* (*beim Hochsprung*). '**~,beam** *s* **1.** *tech.* Querträger *m*, -balken *m*. **2.** *mar.* Dwarsbalken *m*. **~ bear·ing** *s electr. mar.* Kreuzpeilung *f*. '**~-,bed·ded** *adj geol.* kreuzweise geschichtet. '**~,belt** *s* quer über die Brust laufender Gürtel, *bes. mil.* 'Kreuzbande,lier *n*. '**~-,bench** *parl. Br.* **I** *s* Querbank *f* der Par'teilosen (*im Oberhaus*). **II** *adj* par'teilos, unabhängig. '**~-,bench·er** *s parl. Br.* Par'teilose(r *m*) *f*, Unabhängige(r *m*) *f*. '**~,bill** *s orn.* (*ein*) Kreuzschnabel *m*. **~ bill** *s* **1.** *jur.* Klagebeantwortung *f*. **2.** *econ.* Gegenwechsel *m*. '**~,bones** *s pl* gekreuzte Knochen *pl* (*unter e-m Totenkopf*). '**~,bow** *s* Armbrust *f*. **~ brace** *s tech.* Kreuz-, Querverstrebung *f*. '**~,bred** *biol.* **I** *adj* durch Kreuzung erzeugt, gekreuzt, hy'brid. **II** *s* Hy'bride *f*, *m*, Mischling *m*, Kreuzung *f*. '**~,breed** *s* **1.** → crossbred II. **2.** Mischrasse *f*. '**~,buck** *s mot. Am.* Warnkreuz *n* (*an Straßenkreuzungen*). **~ bun** *s* Kreuzsemmel *f* (*bes. am Karfreitag gegessen*). '**~-,but·tock** *s Ringen*: (*Art*) Hüftschwung *m*. '**~-,Chan·nel** *adj* (*bes.* den 'Ärmel)Ka,nal überquerend: ~ steamer Kanaldampfer *m*. '**~-,check** **I** *v/t u. v/i* (kontrol'lieren u.) 'gegenkontrol,lieren. **II** *s* doppelte Kon'trolle. **~ claim** *s jur.* Gegenanspruch *m*. **~ com·plaint** → cross action. '**~-con,nec·tion** *s* **1.** *tech.*

Querverbindung *f.* **2.** *electr.* Querschaltung *f.* **'~-ˌcoun·try I** *adj* **1.** Querfeldein..., Gelände..., *mot. a.* geländegängig: **~ mobility** Geländegängigkeit *f*; **~ tire** (*od.* **tyre**) Geländereifen *m*; **~ vehicle** Geländefahrzeug *n*, -wagen *m*; **~ race** → 3. **2.** Überland...: **~ flight. II** *s* **3.** Querfeldeinrennen *n*, Geländelauf *m.* **4.** 'Überlandflug *m.* **~ cou·pling** *s electr.* 'Übersprechkopplung *f.* **'~ˌcur·rent** *s* Gegenstrom *m*, -strömung *f* (*a. fig.*).

'crossˌcut I *adj* **1.** *tech.* a) querschneidend, Quer..., b) quergeschnitten. **2.** quer durch'schnitten. **II** *s* **3.** Abkürzungsweg *m.* **4.** quer verlaufender Einschnitt, Querweg *m.* **5.** *Bergbau*: Querschlag *m.* **6.** *Holzbearbeitung*: Hirnschnitt *m.* **7.** *abbr. für* **crosscut chisel, crosscut file, crosscut saw. III** *v/t u. v/i irr* **8.** *tech.* quer 'durchschneiden, quersägen. **~ chis·el** *s tech.* Kreuzmeißel *m.* **~ end** *s tech.* Hirn-, Stirnfläche *f* (*bes. von Holz*). **~ file** *s tech.* Kreuzhiebfeile *f.* **~ saw** *s tech.* Schrot-, Quer-, Zugsäge *f.* **~ wood** *s tech.* Hirn-, Stirnholz *n.*

crosse [krɒs; krɔːs] *s sport* La'crosse-[Schläger *m.*]

crossed [krɒst; krɔːst] *adj* gekreuzt: **~ check** (*Br.* **cheque**) *econ.* gekreuzter Scheck, Verrechnungsscheck *m*; **~ generally (specially)** ohne (mit) Angabe e-r bestimmten Bank u. an e-e beliebige (nur an diese) Bank zahlbar (*Verrechnungsscheck*).

cross| en·try *s econ.* Gegen-, 'Umbuchung *f.* **'~-exˌam·i'na·tion** *s jur.* Kreuzverhör *n.* **'~-ex'am·ine** *jur.* **I** *v/t* ins Kreuzverhör nehmen. **II** *v/i* ein Kreuzverhör vornehmen. **'~-ˌeye** *s med.* Innenschielen *n.* **'~-ˌeyed** *adj* **1.** (nach innen) schielend. **2.** *Am. fig.* verkehrt. **'~-ˌfade** *v/t Film TV etc*: über'blenden. **'~-ˌfer·ti·li'za·tion** *s* **1.** *bot. zo.* Kreuzbefruchtung *f.* **2.** *fig.* gegenseitige Befruchtung, Wechselspiel *n.* **'~-'fer·tiˌlize** *v/i* sich kreuzweise befruchten. **~ fire** *s* **1.** *mil.* Kreuzfeuer *n* (*a. fig.*). **2.** *teleph.* (Indukti'ons)Störung *f.* **'~ˌfoot·ing** *s math.* Querrechnen *n.* **~ grain** *s* Querfaserung *f.* **'~-'grained** *adj* **1.** a) quergefasert, b) unregelmäßig gefasert. **2.** *fig.* a) 'widerspenstig (*a. Sache*), b) eigensinnig, c) kratzbürstig. **~ hairs** *s pl opt.* Fadenkreuz *n.* **'~ˌhatch** *v/t u. v/i* mit Kreuzlagen schraf'fieren. **'~ˌhatch·ing** *s* 'Kreuzschrafˌfierung *f.* **'~ˌhead** *s* **1.** *tech.* Kreuzkopf *m.* **2.** *tech.* Preßholm *m.* **3.** → **cross heading** 1. **~ head·ing** *s* **1.** 'Zwischenˌüberschrift *f.* **2.** *Bergbau*: Wettertür *f.* **'~-im'mu·ni·ty** *s med. Immunität gegen eins von zwei Antigenen nach Immunisierung gegen das andere.* **'~-ˌin·dex** → a) **cross reference,** b) **cross-refer.**

cross·ing ['krɒsɪŋ; 'krɔːsɪŋ] *s* **1.** Kreuzen *n*, Kreuzung *f.* **2.** Durch'querung *f.* **3.** Über'querung *f* (*e-r Straße etc*): **~ the line** a) Überquerung des Äquators, b) Äquatortaufe *f.* **4.** 'Überfahrt *f* (*zur See*): **rough ~** stürmische Überfahrt. **5.** (*Straßen- etc*)Kreuzung *f.* **6.** 'Straßenˌübergang *m*: **(pedestrian) ~** Fußgängerüberweg *m*; → **grade** 7, **level** 12. **7.** 'Übergangs-, 'Überfahrtstelle *f* (*über e-n Fluß etc*). **8.** *rail. tech.* Kreuzungs-, Herzstück *n.* **9.** *arch.* Vierung *f.* **10.** *biol.* Kreuzung *f.* **'~-'o·ver** *s biol.* Crossing-'over *n*, 'Genˌaustausch *m* zwischen Chromo'somenpaaren. **'~-ˌsweep·er** *s* Straßenkehrer *m.*

cross| kick *s Rugby*: Flanke *f.* **'~-'leg·ged** [-'legd; *Am. a.* -'legɪd] *adj* mit 'über- *od.* überein'andergeschlagenen *od.* gekreuzten Beinen. **~ li·a·bil·i·ty** *s jur.* beiderseitige Haftpflicht. **~ li·cense** *s Am.* Li'zenz, die (*von e-m Patentinhaber*) im Austausch gegen e-e andere erteilt wird. **'~ˌlight** *s* **1.** schräg einfallendes Licht. **2.** *fig.* erhellendes Mo'ment: **to throw a ~ on** *etwas* gleichzeitig *od.* indirekt erhellen. **'~-ˌlink·ing** *s chem.* Vernetzung *f.* **'~-ˌlots** *adv Am. colloq.* querfeldein, über Stock u. Stein. **~ mo·tion** *s jur.* Gegenantrag *m.*

cross·ness ['krɒsnɪs; 'krɔːs-] *s* **1.** Verdrießlichkeit *f*, schlechte Laune. **2.** 'Widerborstigkeit *f.*

'crossˌo·ver *s* **1.** → **crossing** 3, 6, 7. **2.** *rail.* Kreuzungsweiche *f.* **3.** *biol.* a) → **crossing-over,** b) ausgetauschtes Gen. **4.** *electr.* a) Über'kreuzung *f* (*von Leitungen*), b) *a. opt. TV* Bündelknoten *m.*

'cross|-ˌo·ver net·work *s electr.* 'Hochtonlautsprechersyˌstem *n.* **'~-ˌpatch** *s colloq.* ‚Kratzbürste' *f.* **'~-ˌpiece** *s* **1.** *tech.* Querstück *n*, -balken *m.* **2.** *mar.* a) Dwarsbalken *m*, b) Netzbaum *m*, c) Nagelbank *f.* **'~ˌpoint** *s rail. Br.* Schienenkreuzung *f.* **ˌ~-'polˌli·nate** *v/t u. v/i bot.* durch Fremdbestäubung befruchten. **'~-ˌpol·li'na·tion** *s bot.* Fremdbestäubung *f.* **'~-'pur·pos·es** *s pl* **1.** Gegenein'ander *n*: **to be at ~** einander (unabsichtlich) entgegenarbeiten, sich (gegenseitig) mißverstehen; **to talk at ~** aneinander vorbeireden. **2.** (*ein*) Frage-und-Antwort-Spiel *n.* **~ quar·ters** *s pl arch.* Vierblatt *n.* **'~-'ques·tion I** *s* Frage *f* im Kreuzverhör. **II** *v/t* → **cross-examine** I. **~ rate** *s econ.* 'Kreuznoˌtierung *f*, Kreuzkurs *m.* **ˌ~-re'fer** *v/t u. v/i* (durch e-n Querverweis) verweisen. **~ ref·er·ence** *s* Kreuz-, Querverweis *m.* **'~ˌroad** *s* **1.** Querstraße *f.* **2.** Seitenstraße *f.* **3.** *pl* (*meist als sg konstruiert*) a) Straßenkreuzung *f*: **at a ~s** an e-r Kreuzung, b) *Am. fig.* Treffpunkt *m*, c) *fig.* Scheideweg *m*: **at the ~s** am Scheidewege. **'~ˌruff** *s Bridge, Whist*: Zwickmühle *f.* **~ sec·tion** *s* **1.** *math. tech.* a) Querschnitt *m*, b) Querschnittzeichnung *f*, Querriß *m.* **2.** *fig.* Querschnitt *m* (**of** durch). **3.** *Atomphysik*: Reakti'onswahrˌscheinlichkeit *f.* **'~-'sec·tion I** *v/t* **1.** e-n Querschnitt machen durch. **2.** im Querschnitt darstellen. **3.** quer durch'schneiden. **II** *adj* **4.** Querschnitts...: **~ paper** kariertes Papier, Millimeterpapier *n.* **'~-ˌsec·tion·al** *adj* Querschnitts...: **~ view** → **cross section** 1b. **~ spi·der** *s zo.* Kreuzspinne *f.* **'~-ˌstitch I** *s* Kreuzstich *m.* **II** *v/t u. v/i* in Kreuzstich sticken. **~ street** *s* Querstraße *f.* **~ suit** *s jur. Am.* 'Widerklage *f.* **~ talk** *s* **1.** *teleph. etc* 'Über-, Nebensprechen *n.* **2.** Ko'pierefˌfekt *m* (*auf Tonbändern*). **3.** *Br.* Austausch *m* von Schlagfertigkeiten. **'~ˌtie** *s tech.* **1.** Tra'verse *f*, Querschwelle *f.* **2.** Eisenbahnschwelle *f.* **'~-ˌtown** *adv u. adj Am.* **1.** quer durch die Stadt (gehend *od.* fahrend *od.* reichend). **2.** am jeweils anderen Ende der Stadt (wohnend). **'~ˌtree** *s mar.* Dwarssaling *f.* **~ vault, '~-ˌvault·ing** *s arch.* Kreuzgewölbe *n.* **~ vein** *s* **1.** *geol.* Kreuzflöz *n*, Quergang *m.* **2.** *zo.* Querader *f.* **'~-ˌvot·ing** *s pol.* Abstimmung *f* über Kreuz (*wobei einzelne Abgeordnete mit der Gegenpartei stimmen*). **'~ˌwalk** *s* 'Fußgängerˌübergang *m.* **'~ˌway** → **crossroad** 1, 2. **'~ˌways** → **crosswise. ~ wind** *s aer.* Seitenwind *m.* **~ wires** → **cross hairs. '~ˌwise** *adv* **1.** quer, kreuzweise. **2.** kreuzförmig. **3.** *fig.* schief, verkehrt: **to go ~** schiefgehen. **'~ˌword (puz·zle)** *s* Kreuzworträtsel *n.*

crotch [krɒtʃ] *s* **1.** gegabelte Stange. **2.** Gabelung *f.* **3.** a) Schritt *m* (*der Hose od. des Körpers*), b) Zwickel *m.*

crotch·et ['krɒtʃɪt] *s* **1.** Haken *m.* **2.** *zo.* Hakenfortsatz *m.* **3.** *fig.* Grille *f*, Ma'rotte *f.* **4.** *Am.* Trick *m.* **5.** *mus. bes. Br.* Viertelnote *f.* **'crotch·et·i·ness** *s* Grillenhaftigkeit *f*, Verschrobenheit *f.* **'crotch·et·y** *adj* grillenhaft.

cro·ton ['krəʊtən] *s bot.* Kroton *m*: **~ oil** Krotonöl *n* (*Abführmittel*). **C~ bug** *s zo. Am.* Küchenschabe *f.*

crouch [kraʊtʃ] **I** *v/i* **1.** sich bücken, sich (nieder)ducken. **2.** hocken, (sich zs.-)kauern (**before** vor *dat*): **to be ~ed** kauern. **3.** *fig.* (unter'würfig) kriechen, sich ducken (**to** vor *dat*). **II** *v/t* **4.** ducken. **III** *s* **5.** Ducken *n*, Kauern *n.* **6.** kauernde Stellung, Hockstellung *f.* **7.** geduckte Haltung.

croup[1] [kruːp] *s* Kruppe *f*, Kreuz *n*, 'Hinterteil *n* (*bes. von Pferden*).

croup[2] [kruːp] *s med.* **1.** Krupp *m*, 'Kehlkopfdiphtheˌrie *f.* **2.** falscher Krupp. [Krup'pade *f.*]

crou·pade [kruː'peɪd] *s Reitkunst*:

croupe → **croup**[1].

crou·pi·er ['kruːpɪər] *s* **1.** Croupi'er *m*, Bankhalter *m* (*an Spielbanken*). **2.** Kontrapräses *m* (*bei Diners*).

crou·ton ['kruːtɒn; kruː'tɔ̃] *s* Crou'ton *m* (*geröstetes Weißbrotscheibchen*).

crow[1] [krəʊ] *s* **1.** *orn.* (*e-e*) Krähe: **as the ~ flies** a) (in der) Luftlinie, b) schnurgerade; **to eat ~** *Am. colloq.* zu Kreuze kriechen, ‚klein u. häßlich' sein *od.* werden; **to have a ~ to pluck** (*od.* **pull, pick**) **with s.o.** mit j-m ein Hühnchen zu rupfen haben; **a white ~** *fig.* ein weißer Rabe, e-e große Seltenheit. **2.** *orn.* (*ein*) Rabenvogel *m od.* rabenähnlicher Vogel, *bes.* **Cornish ~** Steinkrähe *f.* **3.** *Am. contp.* Neger *m.*

crow[2] [krəʊ] **I** *v/i pret* **crowed** *u.* (*für* 1) **crew** [kruː], *pp* **crowed,** *obs.* **crown** [krəʊn] **1.** krähen (*Hahn*). **2.** (*fröhlich*) krähen. **3.** jubeln, froh'locken, trium'phieren (**over** über *acc*). **4.** protzen, prahlen (**over, about** mit). **II** *v/t* **5.** *etwas* krähen. **III** *s* **6.** Krähen *n.* **7.** Schreien *n*, (*Freuden*)-Schrei *m.*

crow[3] [krəʊ] *s zo.* Gekröse *n.*

Crow[4] [krəʊ] *s sg u. collect. pl* **1.** 'Krähenindiˌaner *pl*, Crow *pl.* **2.** 'Krähenindiˌaner(in). **3.** *ling.* Crow *n* (*e-e Sioux-Sprache*).

'crow|ˌbait *s* **1.** Aas *n.* **2.** *Am. colloq.* ‚Klepper' *m*, alter Gaul. **'~ˌbar** *s tech.* Brecheisen *n*, -stange *f.* **'~ˌber·ry** *s bot.* Schwarze Krähenbeere. **'~ˌbill** → **crow's-bill.**

crowd[1] [kraʊd] **I** *s* **1.** dichte (Menschen)Menge, Masse *f*, Gedränge *n*: **~s of people** Menschenmassen; **he would pass in a ~** er ist nicht schlechter als andere. **2. the ~** die Masse, das (gemeine) Volk: **to follow the ~** der Mehrheit folgen. **3.** *Br. sl., Am. colloq.* Gesellschaft *f*, ‚Haufen' *m*, ‚Verein' *m*, ‚Bande' *f*, Clique *f.* **4.** Ansammlung *f*, Haufen *m*: **a ~ of books. II** *v/i* **5.** (zs.-)strömen, sich drängen (**into s.th.** in etwas; **round s.o.** um j-n). **6.** *Am.* a) vorwärtsdrängen, b) vorwärtseilen. **III** *v/t* **7.** zs.-drängen, -pressen: **to ~ (on) sail** *mar.* prangen, alle Segel bei-

setzen; to ~ on speed Tempo zulegen. **8.** hin'einpressen, -stopfen, -pferchen (into in *acc*). **9.** vollstopfen (with mit). **10.** *Am.* a) (vorwärts)schieben, stoßen, b) antreiben, hetzen, c) *Auto etc* abdrängen, d) *j-m* im Nacken sitzen *od.* dicht auf den Fersen folgen, e) fast erreichen: ~ing thirty an die Dreißig (*Alter*). **11.** *Am. fig.* a) erdrücken, über'häufen (with mit), b) *j-s Geduld, sein Glück etc* strapa'zieren: to ~ one's luck. **12.** *Am. colloq.* j-n drängen.
Verbindungen mit Adverbien:
crowd| in *v/i* hin'einströmen, sich hin'eindrängen: to ~ upon s.o. j-n bestürmen, auf j-n einstürmen (*Gedanken etc*). ~ **out I** *v/i* **1.** sich hin'ausdrängen. **II** *v/t* **2.** *Am.* a) hin'ausdrängen, b) *fig.* verdrängen. **3.** (wegen Platzmangels) aussperren. ~ **up I** *v/i* hin'aufströmen, sich hin'aufdrängen. **II** *v/t Am. Preise* in die Höhe treiben.
crowd[2] [kraud] *s mus. hist.* Crwth *f*, Crewth *f*, Crotta *f* (*altkeltisches lyraähnliches Saiteninstrument*).
crowd·ed ['kraudid] *adj* **1.** (with) über'füllt, vollgestopft (mit), voll, wimmelnd (von): ~ to overflowing zum Bersten voll; ~ profession überlaufener Beruf; ~ program(me) überreiches Programm; ~ street überfüllte *od.* verkehrsreiche Straße. **2.** über'völkert. **3.** zs.-gepfercht. **4.** *fig.* (zs.-)gedrängt, beengt. **5.** *fig.* voll ausgefüllt, arbeits-, ereignisreich: ~ hours.
'crow,foot *pl* **-,feet,** *für* 1 **-,foots** *s* **1.** *bot.* a) Hahnenfuß *m*, b) (*ein*) Storchschnabel *m*. **2.** *mar.* Hahnepot *f*. **3.** *tech.* Halterung *f*. **4.** *tech.* Merkzeichen *n* (*in Zeichnungen*). **5.** → crow's-foot.
crown [kraun] **I** *s* **1.** *antiq.* Sieger-, Lorbeerkranz *m* (*a. fig.*), Ehrenkrone *f*: the ~ of glory *fig.* die Ruhmeskrone. **2.** Krone *f*, Kranz *m*: martyr's ~ Märtyrerkrone. **3.** *fig.* Krone *f*, Palme *f*, ehrenhafte Auszeichnung, *sport a.* (Meister)Titel *m*. **4.** a) (*Königs- etc*)Krone *f*, b) Herrschermacht *f*, -würde *f*: to succeed to the ~ den Thron besteigen. **5.** the C~ a) die Krone, der Souve'rän, der König, die Königin, b) der Staat, der Fiskus: ~ cases *jur. Br.* Strafsachen; ~ property fiskalisches Eigentum. **6.** Krone *f*: a) Crown *f* (*englisches Fünfschillingstück*): half a ~ e-e halbe Krone, 2 Schilling 6 Pence, b) *Währungseinheit in Schweden, der Tschechoslowakei etc.* **7.** *bot.* a) (Baum)Krone *f*, b) Haarkrone *f*, c) Wurzelhals *m*, d) Nebenkrone *f* (*bei Narzissen etc*). **8.** Scheitel *m*, Wirbel *m* (*des Kopfes*). **9.** Kopf *m*, Schädel *m*: to break one's ~ sich den Schädel einschlagen. **10.** *orn.* Kamm *m*, Schopf *m*, Krönchen *n*. **11.** *med.* a) (Zahn-)Krone *f*, b) (künstliche) Krone. **12.** höchster Punkt, Scheitel(punkt) *m*, Gipfel *m*. **13.** *fig.* Krönung *f*, Krone *f*, Höhepunkt *m*, Gipfel(punkt) *m*, Schlußstein *m*: the ~ of his life. **14.** *arch.* a) Scheitelpunkt *m* (*e-s Bogens*), b) Bekrönung *f*. **15.** *mar.* a) (Anker)Kreuz *n*, b) Kreuzknoten *m*. **16.** *tech.* a) Haube *f* (*e-r Glocke*), b) Gichtmantel *m*, Ofengewölbe *n*, c) Kuppel *f* (*Glasofen*), d) Schleusenhaupt *n*, e) (Aufzugs)Krone *f* (*der Uhr*), f) (Hut)Krone *f*, g) → crown cap (glass, lens, saw). **17.** Krone *f* (*oberer Teil des Brillanten*). **18.** 'Kronenpa,pier *n* (*Format*; *USA*: *15 × 19 Zoll, England*: *15 × 20 Zoll*).
II *v/t* **19.** (be)krönen, bekränzen: to be ~ed king zum König gekrönt werden. **20.** *fig. allg.* krönen: a) ehren, auszeichnen: to ~ s.o. athlete of the year j-n zum Sportler des Jahres krönen *od.* ausrufen, b) schmücken, zieren, c) den Gipfel *od.* den Höhepunkt bilden von (*od. gen*): to ~ all alles überbieten, allem die Krone aufsetzen (*a. iro.*), *iro.* (*als Redew.*) zu allem Überfluß *od.* Unglück, d) erfolgreich *od.* glorreich abschließen: ~ed with success von Erfolg gekrönt. **21.** *Damespiel*: zur Dame machen. **22.** *med.* über'kronen: to ~ a tooth. **23.** mit e-m Kronenverschluß versehen. **24.** *sl.* *j-m* ‚eins aufs Dach geben': to ~ s.o. with a beer bottle.
crown| ant·ler *s zo.* oberste Sprosse des Hirschgeweihs. ~ **bit** *s tech.* Kronenbohrer *m*. ~ **cap** *s* Kronenverschluß *m*. ~ **col·o·ny** *s Br.* 'Kronkolo,nie *f*.
crowned [kraund] *adj* **1.** gekrönt: ~ heads gekrönte Häupter. **2.** mit e-m Kamm, Schopf *etc* versehen: ~ heron Schopfreiher *m*. **3.** *in Zssgn*: a high-~ hat ein Hut mit hohem Kopf.
crown| es·cape·ment *s tech.* Spindelhemmung *f* (*der Uhr*). ~ **glass** *s* **1.** *tech.* Mondglas *n*, Butzenscheibe *f*. **2.** *opt.* Kronglas *n*. ~ **head** *s Damespiel*: Damenreihe *f*.
crown·ing ['krauniŋ] **I** *adj* krönend, alles über'bietend, höchst, glorreich, Glanz... **II** *s* Krönung *f* (*a. fig.*).
crown| jew·els *s pl* 'Kronju,welen *pl*, 'Reichsklein,odien *pl*. ~ **land** *s* **1.** Krongut *n*, königliche *od.* kaiserliche Do'mäne. **2.** ,Staatslände'reien *pl*. ~ **law** *s jur. Br.* Strafrecht *n*. ~ **lens** *s* Kronglaslinse *f*. ~ **of·fice** *s jur. Br.* Krimi'nalamt *n* der King's *od.* Queen's Bench Division. ~ **prince** *s* Kronprinz *m* (*a. fig.*). ~ **prin·cess** *s* 'Kronprin,zessin *f*. ~ **rust** *s bot.* Kronenrost *m*. ~ **saw** *s* Kron-, Ringsäge *f*. ~ **wheel** *s tech.* **1.** Kronrad *n* (*der Uhr etc*). **2.** Kammrad *n*. **3.** *mot.* (großes) Differenti'alantriebs-Kegelrad. ~ **wit·ness** *s jur. Br.* Kronzeuge *m*.
'crow-,quill *s* **1.** (Raben)Kielfeder *f*. **2.** feine Stahlfeder.
'crow's|-,bill [krouz] *s med.* Kugelzange *f*. **'~-,foot** *s irr* **1.** *pl* Krähenfüße *pl*, Fältchen *pl* (*an den Augen*). **2.** *aer. tech.* Gänsefuß *m* (*e-e Seilverspannung*). **3.** *Schneiderei*: Fliege *f*. **4.** *mil.* Fußangel *f*. **5.** → crowfoot 1—4. **'~-,nest** *s mar.* Ausguck *m*, Krähennest *n*.
croy·don ['krɔidn] *s* (*Art*) Gig *n*, zweirädriger Wagen.
cro·zier → crosier.
cru [kry] *pl* **crus** (*Fr.*) *s* Gewächs *n*, Wachstum *n* (*Wein*).
cru·ces ['kru:si:z] *pl von* crux.
cru·cial ['kru:ʃəl; *Br. a.* -ʃiəl] *adj* (*adv* ~ly) **1.** kritisch, entscheidend: a ~ moment; ~ point springender Punkt; ~ test Feuerprobe *f*. **2.** schwierig: ~ problem. **3.** kreuzförmig, Kreuz...
cru·ci·ate ['kru:ʃiit; -,eit] *adj* kreuzförmig.
cru·ci·ble ['kru:sibl] *s* **1.** *tech.* (Schmelz)Tiegel *m*. **2.** *tech.* Herd *m* (*e-s Gebläseofens*). **3.** *fig.* Feuerprobe *f*. ~ **fur·nace** *s tech.* Tiegelofen *m*. ~ **steel** *s tech.* Tiegel(guß)stahl *m*.
cru·cif·er·ous [kru:'sifərəs] *adj bot.* zu den Kreuzblütern gehörend: ~ plant Kreuzblüter *m*.
cru·ci·fix ['kru:sifiks] *s* Kruzi'fix *n*.
,cru·ci'fix·ion [-'fikʃən] *s* **1.** Kreuzigung *f*. **2.** C~ Kreuzigung *f* Christi. **3.** Kreuzestod *m*. **4.** *fig.* Mar'tyrium *n*.
'cru·ci,form [-,fɔ:rm] *adj* kreuzförmig. **'cru·ci,fy** [-,fai] *v/t* **1.** kreuzigen, ans Kreuz schlagen. **2.** *fig. Begierden* abtöten. **3.** *fig.* martern, quälen.
crude [kru:d] **I** *adj* (*adv* ~ly) **1.** roh, ungekocht. **2.** roh, unverarbeitet, unbearbeitet, Roh...: ~ metal (oil, ore, rubber, sugar) Rohmetall *n* (-öl *n*, -erz *n*, -gummi *n*, *m*, -zucker *m*); ~ lead Werkblei *n*. **3.** unfertig, grob, nicht ausgearbeitet, 'undurch,dacht. **4.** *fig.* roh, unreif. **5.** *fig.* roh, grob, ungehobelt, unfein. **6.** primi'tiv: a) grob, plump, 'unele,gant, b) bar'barisch, c) simpel: ~ construction; a ~ sketch e-e rohe Skizze. **7.** *fig.* nackt, ungeschminkt: ~ facts. **8.** grell, geschmacklos. **9.** *Statistik*: roh, Roh..., nicht aufgeschlüsselt: ~ death rates. **II** *s* **10.** 'Rohpro,dukt *n*. **11.** *tech.* a) Rohöl *n*, b) 'Rohdestil,lat *n* des Steinkohlenteers (*Benzol etc*). **'crude·ness** → crudity.
cru·di·ty ['kru:diti] *s* **1.** Roheit *f* (*a. fig.*). **2.** Unfertigkeit *f*. **3.** Unreife *f*. **4.** Grobheit *f*, Ungeschliffenheit *f*. **5.** Plumpheit *f*. **6.** *fig.* Ungeschminktheit *f*. **7.** Geschmacklosigkeit *f*. **8.** (*etwas*) Unfertiges *od.* Unverarbeitetes.
cru·el ['kru:əl] **I** *adj* **1.** grausam (to gegen). **2.** unmenschlich, hart, unbarmherzig, roh, gefühllos. **3.** schrecklich, mörderisch: ~ heat; ~ struggle. **II** *adv* **4.** *colloq.* → cruelly. **'cru·el·ly** *adv* **1.** grausam. **2.** *colloq.* ‚grausam', schrecklich, scheußlich: ~ hot.
cru·el·ty ['kru:əlti] *s* **1.** Grausamkeit *f*: a) Unmenschlichkeit *f* (to gegen['über]), b) Miß'handlung *f*, Quäle'rei *f*: ~ to animals Tierquälerei; Society for the Prevention of C~ to Animals Tierschutzverein *m*. **2.** *jur.* → mental cruelty. **3.** Schwere *f*, Härte *f*.
cru·et ['kru:it] *s* **1.** Essig-, Ölfläschchen *n*. **2.** *R.C.* Meßkännchen *n*. ~ **stand** *s* Me'nage *f*, Gewürzständer *m*.
cruise [kru:z] **I** *v/i* **1.** *mar.* kreuzen, e-e Kreuzfahrt *od.* Seereise machen. **2.** *aer. mot. etc* a) e-e Kreuz- *od.* Vergnügungsfahrt unter'nehmen, b) mit Reisegeschwindigkeit fliegen *od.* fahren. **3.** her'umfahren, -reisen: cruising taxi → cruiser 3 a. **II** *v/t* **4.** kreuzen in (*dat*), her'umfahren in (*dat*). **III** *s* **5.** Kreuzen *n*. **6.** Kreuz-, Vergnügungsfahrt *f*, Seereise *f*. **7.** Her'umfahren *n*.
'cruis·er *s* **1.** her'umfahrendes Fahrzeug, *bes.* kreuzendes Schiff. **2.** *mar.* a) *mil.* Kreuzer *m*, b) Vergnügungsdampfer *m*, c) (Motor)Jacht *f*. **3.** *Am.* a) her'umfahrendes Taxi auf Fahrgastsuche, b) (Funk)Streifenwagen *m* (*der Polizei*). **4.** → timber cruiser. **5.** *Am. colloq.* (*bes.* Vergnügungs)Reisende(r *m*) *f*. **6.** *sl.* ‚Strichmädchen' *n*. **7.** *a.* ~weight (*Boxen*) *colloq.* Halbschwergewicht *n*. **'cruis·ing** *adj aer. mar. mot.* Reise...: ~ altitude Reiseflughöhe *f*; ~ gear *mot.* Schongang *m*; ~ radius (*od.* range) *aer. mar.* Aktionsradius *m*; ~ speed a) *aer. mot.* Dauer-, Reisegeschwindigkeit *f*, b) *mar.* Marschfahrt *f*.
crul·ler ['krʌlər] *s Am.* (*Art*) Ber'liner Pfannkuchen *m*.
crumb [krʌm] **I** *s* **1.** Krume *f*: a) Krümel *m*, Brosame *f*, Brösel *m*, b) *weicher Teil des Brotes*. **2.** *pl Kochkunst*: Krümelauflage *f*. **3.** *fig.* (*ein*) bißchen, (winzige) Spur, Krümchen *n*. **4.** *Am. sl.* a) ‚Biene' *f*, Laus *f*, b) ‚Scheißkerl' *m*. **II** *v/t u. v/i* **5.** *Kochkunst*: pa'nieren. **6.** zerkrümeln. **7.** *colloq.* von Brosamen säubern.
crum·ble ['krʌmbl] **I** *v/t* **1.** zerkrü-

meln, -bröckeln. **II** *v/i* **2.** zerbröckeln, -fallen. **3.** *fig.* zerfallen, zu'grunde gehen. **4.** *econ.* abbröckeln (*Kurse*).
'crum·bling, 'crum·bly *adj* **1.** krüm(e)lig, bröck(e)lig. **2.** zerbröckelnd, -fallend. **crumb·y** ['krʌmi] *adj* **1.** voller Krumen. **2.** weich, krüm(e)lig. **3.** → crummy.
crum·my ['krʌmi] *adj sl.* **1.** *Am.* ‚lausig', mise'rabel. **2.** *Br.* mollig (*Frau*).
crump [krʌmp] *s* **1.** Knirschen *n.* **2.** *mil. Br. sl.* a) heftiges Krachen, b) ‚dicker Brocken' (*Granate etc*).
crum·pet ['krʌmpit] *s bes. Br.* **1.** (*ein*) weicher Teekuchen, Fladen *m.* **2.** *sl.* ‚Birne' *f* (*Kopf*).
crum·ple ['krʌmpl] **I** *v/t* **1.** *a.* ~ up zerknittern, -knüllen. **2.** zerdrücken. **3.** *fig. j-n* 'umwerfen. **II** *v/i* **4.** faltig *od.* zerdrückt werden, knittern, zs.-schrumpeln. **5.** zs.-brechen (*a. fig.*). **III** *s* **6.** (Knitter)Falte *f.*
crunch [krʌntʃ] **I** *v/t* **1.** knirschend (zer)kauen. **2.** zermalmen. **II** *v/i* **3.** knirschend kauen. **4.** knirschen. **5.** sich knirschend bewegen. **III** *s* **6.** Knirschen *n.*
crup·per ['krʌpər; 'kru-] *s* **1.** Schwanzriemen *m* (*des Pferdegeschirrs*). **2.** Kruppe *f* (*des Pferdes*).
cru·ral ['kru(ə)rəl] *adj anat.* Schenkel..., Bein...
cru·sade [kruː'seid] **I** *s* Kreuzzug *m* (*a. fig.*). **II** *v/i* a) e-n Kreuzzug unter'nehmen (*a. fig.*), b) *fig.* zu Felde ziehen, kämpfen (against gegen). **cru'sad·er** *s* **1.** *hist.* Kreuzfahrer *m*, -ritter *m.* **2.** *fig.* Kämpfer *m.*
cruse [kruːz] *s Bibl.* (irdener) Krug.
crush [krʌʃ] **I** *s* **1.** (Zer)Quetschen *n*: ~ syndrome *med.* Quetschsyndrom *n.* **2.** (zermalmender) Druck. **3.** Gedränge *n*, Gewühl *n.* **4.** *colloq.* große Gesellschaft *od.* Party, ‚Rummel' *m.* **5.** *sl.* Schwarm *m*: to have a ~ on s.o. in j-n ‚verknallt' *od.* verliebt sein. **II** *v/t* **6.** zerquetschen, -malmen, -drücken. **7.** zerdrücken, -knittern. **8.** quetschen, heftig drücken. **9.** *tech.* zerkleinern, -mahlen, -stoßen, schroten, *Erz etc* brechen: ~ed coke Brechkoks *m*; ~ed stone Schotter *m.* **10.** (hin'ein)quetschen, -pressen (into in *acc*). **11.** auspressen, -drücken, -quetschen (from aus). **12.** *fig.* a) nieder-, zerschmettern, über'wältigen, vernichten: → crushing 3, b) niederwerfen, unter'drücken: to ~ a rebellion. **III** *v/i* **13.** zerquetscht *od.* zerdrückt werden. **14.** zerbrechen. **15.** sich drängen (into in *acc*). **16.** zerknittern.
Verbindungen mit Adverbien:
crush| down → crush 6 *u.* 12. ~ **out** *v/t* **1.** *e-e Zigarette etc* ausdrücken, -pressen. **2.** *fig.* zertreten. ~ **up** *v/t* **1.** → crush 6 *u.* 9. **2.** zerknüllen.
crush·er ['krʌʃər] *s* **1.** *tech.* a) Zer'kleinerungsmaˌschine *f*, Brecher *m*, Brechwerk *n*, b) Presse *f*, Quetsche *f.* **2.** *colloq.* a) vernichtender Schlag, b) (*etwas*) 'Umwerfendes, ‚dicker Hund'. **3.** *sl.* ‚Po'lyp' *m* (*Polizist*).
crush hat *s* **1.** Klapphut *m.* **2.** weicher (Filz)Hut.
crush·ing ['krʌʃiŋ] *adj* (*adv* ~ly) **1.** zermalmend. **2.** *tech.* Brech..., Mahl...: ~ cylinder Brech-, Quetschwalze *f*; ~ mill Brech(walz)-, Quetschwerk *n*; ~ strength Druckfestigkeit *f.* **3.** *fig.* niederschmetternd, über'wältigend, vernichtend: a ~ blow ein vernichtender Schlag; a ~ burden of debts e-e erdrückende Schuldenlast.
crush room *s thea. etc* Fo'yer *n.*
crust [krʌst] **I** *s* **1.** Kruste *f.* **2.** (Brot)-Kruste *f*, Rinde *f.* **3.** Knust *m*, hartes *od.* trockenes Stück Brot: to earn one's ~ *colloq.* s-n Hungerlohn verdienen. **4.** Kruste *f*, Teig *m* (*e-r Pastete*). **5.** *bot. zo.* Schale *f.* **6.** *geol.* (Erd)Kruste *f*, (Erd)Rinde *f.* **7.** *med.* Kruste *f*, Schorf *m.* **8.** Niederschlag *m* (*in Weinflaschen*). **9.** *fig.* Kruste *f*, (harte) Schale. **10.** *sl.* Unverschämtheit *f.* **II** *v/t* **11.** *a.* ~ over mit e-r Kruste über'ziehen. **12.** verkrusten. **III** *v/i* **13.** verkrusten, e-e Kruste bilden: → crusted. **14.** verharschen (*Schnee*).
crus·ta·cea [krʌs'teiʃə] *s pl zo.* Krebs-, Krustentiere *pl.* **crus'ta·cean** [-ʃən] *zo.* **I** *adj* zu den Krebstieren gehörig, Krebs... **II** *s* Krebs-, Krustentier *n.* **crus'ta·ceous** [-ʃəs] *adj* **1.** krustenartig. **2.** → crustacean I.
crust·ed ['krʌstid] *adj* **1.** mit e-r Kruste über'zogen, verkrustet, krustig: ~ snow Harsch(schnee) *m.* **2.** abgelagert (*Wein*). **3.** *fig.* alt: a) alt'hergebracht, b) eingefleischt: a ~ Conservative.
crust·i·ness ['krʌstinis] *s* **1.** Krustigkeit *f.* **2.** *fig.* Rau-, Grobheit *f*, Bärbeißigkeit *f.* **'crust·y** *adj* (*adv* crustily) **1.** → crusted 1 *u.* 2. **2.** mürrisch, bärbeißig, barsch. **3.** *Am. colloq.* unanständig: ~ jokes.
crutch [krʌtʃ] **I** *s* **1.** Krücke *f*: to go on ~es → 8. **2.** krückenartige *od.* gabelförmige Stütze. **3.** *tech.* a) Gabel *f*, b) Krücke *f* (*beim Puddeln*). **4.** Gabelung *f.* **5.** *anat.* Schritt *m*, Beingabelung *f.* **6.** *fig.* Krücke *f*, Stütze *f*, Hilfe *f.* **II** *v/t* **7.** stützen. **III** *v/i* **8.** auf *od.* an Krücken gehen.
crutched[1] [krʌtʃt] *adj* **1.** auf Krücken gestützt. **2.** eingeklemmt.
crutched[2] [krʌtʃt] *adj* ein Kreuz(zeichen) führend.
Crutch·ed Fri·ar ['krʌtʃid; krʌtʃt] *s relig. hist.* (*ein*) Kreuzbruder *m.*
crux [krʌks] *pl* **'crux·es, cru·ces** ['kruːsiːz] *s* **1.** Kern *m*, springender Punkt. **2.** a) Schwierigkeit *f*, ‚Haken' *m*, b) schwieriges Pro'blem, ‚harte Nuß'. **3.** *bes. her.* Kreuz *n.* **4.** C~ *astr.* Kreuz *n* des Südens.
cry [krai] **I** *s* **1.** Schrei *m*, Ruf *m* (for nach): a ~ for help ein Hilferuf; within ~ (of) in Rufweite (von); a far ~ from *fig.* a) (himmel)weit entfernt von, b) etwas ganz anderes als; that's still a far ~ das ist noch in weiter Ferne. **2.** Geschrei *n*: much ~ and little wool viel Geschrei u. wenig Wolle; the popular ~ die Stimme des Volkes. **3.** Weinen *n*, Wehklagen *n*: to have a good ~ sich ordentlich ausweinen. **4.** Bitten *n*, Flehen *n.* **5.** Ausrufen *n*, Geschrei *n* (*der Straßenhändler*): (all) the ~ *Am. fig.* der letzte Schrei. **6.** (Schlacht)Ruf *m*, Schlag-, Losungswort *n.* **7.** Gerücht *n.* **8.** *hunt.* Anschlagen *n*, Gebell *n* (*Meute*): in full ~ in wilder Jagd *od.* Verfolgung. **9.** *hunt.* Meute *f*, Koppel *f.* **10.** *fig.* Meute *f*, Herde *f* (*Menschen*): to follow in the ~ mit der Meute mitlaufen, mit den Wölfen heulen. **11.** *tech.* (*Zinn*)Geschrei *n.*
II *v/i* **12.** schreien (*a. Tiere*). **13.** schreien, (laut) rufen, dringend verlangen (for nach): to ~ for help um Hilfe rufen; → moon 1. **14.** ~ for *fig.* schreien nach, dringend erfordern (*Sache*): the situation cries for swift action; to ~ for vengeance nach Rache schreien. **15.** a) weinen, b) heulen, jammern (over wegen, über *acc*; for um): → milk 1. **16.** (against) murren (gegen), schimpfen (auf *acc*), sich beklagen (über *acc*). **17.** *hunt.* anschlagen, bellen.
III *v/t* **18.** *etwas* schreien, (aus)rufen: to ~ halves halbpart verlangen; → quits, shame 2, wolf 1. **19.** *Waren etc* ausrufen, -bieten, -schreien: to ~ one's wares. **20.** flehen um, erflehen. **21.** weinen: to ~ o.s. to sleep sich in den Schlaf weinen; to ~ one's eyes out sich die Augen ausweinen.
Verbindungen mit Adverbien:
cry| back *v/i biol.* (ata'vistisch) rückschlagen. ~ **down** *v/t* **1.** her'untersetzen, -machen. **2.** niederschreien. ~ **off I** *v/t* rückgängig machen, zu'rücktreten von, (plötzlich) absagen. **II** *v/i* zu'rücktreten, absagen, sich entschuldigen. ~ **out I** *v/t* ausrufen. **II** *v/i* aufschreien: to ~ against heftig protestieren gegen, *etwas* verdammen *od.* heftig mißbilligen; to ~ (for) → cry 13 *u.* 14; (it is) for crying out loud (es ist) zum Aus-der-Haut-Fahren. ~ **up** *v/t* laut preisen, rühmen.
'cryˌba·by *s* **1.** kleiner Schreihals. **2.** *contp.* Heulsuse *f.*
cry·ing ['kraiiŋ] *adj* **1.** weinend (*etc*; → cry II). **2.** *fig.* a) (himmel)schreiend: ~ shame, b) schlimm, dringend.
cry·o·gen ['kraiədʒən] *s tech.* Kältemischung *f*, -mittel *n.* **ˌcry·o'gen·ic** [-'dʒenik] *adj tech.* **1.** kälteerzeugend. **2.** kryo'genisch: ~ computer.
crypt[1] [kript] *s* **1.** *arch.* Krypta *f*, Gruft *f.* **2.** *anat. zo.* a) Krypta *f*, Grube *f*, b) einfache Drüse.
crypt[2] [kript] *Am. sl. für* a) cryptanalysis, b) cryptogram, c) cryptography.
crypt·a·nal·y·sis [ˌkriptə'næləsis] *s* Entzifferung *f* von Geheimschriften. **crypt'an·aˌlyze** *v/t u. v/i* entziffern.
cryp·tic ['kriptik], *a.* **'cryp·ti·cal** *adj* (*adv* ~ly) **1.** geheim, verborgen. **2.** mysteri'ös, rätselhaft, dunkel: ~ remarks. **3.** *zo.* Schutz...: ~ colo(u)ring.
crypto- [kripto] *Wortelement mit der Bedeutung* krypto..., geheim.
cryp·to [kripto] *sl.* **I** *s* verkappter Anhänger, heimliches Mitglied. **II** *adj u. adv* verschlüsselt: ~ text.
'cryp·to-ˌcom·mu·nist *s* verkappter Kommu'nist.
cryp·to·gam ['kriptoˌgæm] *s bot.* Krypto'game *f*, Sporenpflanze *f.* **ˌcryp·to'gam·ic** [-'gæmik], **cryp'tog·a·mous** [-'tɒgəməs] *adj bot.* krypto'gam(isch). **cryp'tog·a·my** *s bot.* Kryptoga'mie *f.* **ˌcryp·to'gen·ic** [-'dʒenik] *adj biol. med.* krypto'gen, kryptoge'netisch (*unbekannten Ursprungs*). **'cryp·toˌgram** [-ˌgræm] *s* Text *m* in Geheimschrift, verschlüsselter Text.
cryp·to·graph ['kriptoˌgræ(ː)f; *Br. a.* -ˌgrɑːf] *s* **1.** → cryptogram. **2.** Geheimschriftgerät *n.* **cryp'tog·ra·pher** [-'tɒgrəfər] *s* (Ver-, Ent)Schlüsseler *m.* **ˌcryp·to'graph·ic** [-'græfik] *adj* (*adv* ~ally) **1.** Verschlüsselungs... **2.** verschlüsselt: ~ text. **cryp'tog·ra·phy** *s* **1.** Schlüsselwesen *n.* **2.** Geheimschrift *f.* **cryp'tol·o·gist** [-'tɒlədʒist] → cryptographer. **ˌcryp·to'mech·aˌnism** *s* 'Schlüsselmaˌschine *f.*
cryp·to·nym ['kriptonim] *s* Krypto'nym *n*, Deckname *m.*
crys·tal ['kristl] **I** *s* **1.** Kri'stall *m* (*a. chem. min. phys.*): as clear as ~ a) kristallklar, b) *fig.* sonnenklar. **2.** 'Bergkriˌstall *m.* **3.** *a.* ~ glass *tech.* a) Kri'stall(glas) *n*, b) *collect.* Kri'stall *n*, Glaswaren *pl* aus Kri'stallglas. **4.** Uhrglas *n.* **5.** *electr.* a) (*Detektor*)Kri'stall *m*, b) → crystal detector, c)

(Steuer-, Schwing)Quarz *m.* **II** *adj* **6.** kri'stallen: a) Kristall..., b) kri'stallklar, -hell. **7.** *electr.* Kristall..., piezoe'lektrisch: ~ microphone. ~ **ball** *s* Kri'stallkugel *f* (*des Hellsehers*). '**~-conˌtrolled** *adj electr.* quarzgesteuert, Quarz... ~ **de·tec·tor** *s Radio*: (Kri'stall)DeˌTektor *m.* '**~-ˌgaz·er** *s* Hellseher *m* (*der in e-m Kristall die Zukunft sieht*). ~ **gaz·ing** *s* Kri'stallsehen *n.*

crys·tal·line ['kristəlin; -ˌlain] *adj* **1.** kristal'linisch (*a. geol.*), kri'stallen, kri'stallartig, Kristall...: ~ lens *anat.* (Augen)Linse *f.* **2.** *fig.* kri'stallklar. '**crys·talˌlite** [-ˌlait] *s min.* Kristal'lit *m.*

crys·tal·liz·a·ble ['kristəˌlaizəbl] *adj* kristalli'sierbar. ˌ**crys·tal·li'za·tion** *s* Kristallisati'on *f,* Kristalli'sierung *f,* Kri'stallbildung *f.* '**crys·talˌlize I** *v/t* **1.** kristalli'sieren. **2.** *fig.* kon'krete *od.* feste Form geben (*dat*). **3.** *Früchte* kan'dieren. **II** *v/i* **4.** kristalli'sieren. **5.** *fig.* kon'krete *od.* feste Form annehmen, (sich) kristalli'sieren (into zu): to ~ out sich herauskristallisieren.

crys·tal·log·ra·pher [ˌkristə'lɒgrəfər] *s* Kristallo'graph *m.* ˌ**crys·tal'log·ra·phy** *s* Kristallogra'phie *f.*

crys·tal·loid ['kristəˌlɔid] **I** *adj* kri'stallähnlich. **II** *s bot. chem.* Kristallo'id *n.*

crys·tal| set *s Radio*: (Kri'stall)DeˌTektorempfänger *m.* '**~-ˌtuned** *adj Radio*: quarzgesteuert.

cte·noid ['ti:nɔid] *adj* **1.** *zo.* kammartig. **2.** *ichth.* kteno'id, kammschuppig: ~ fish Kammschupper *m.*

cte·noph·o·ran [ti'nɒfərən] *zo.* **I** *adj* Rippenquallen... **II** *s* Rippenqualle *f.*

cub [kʌb] **I** *s* **1.** Junges *n* (*des Fuchses, Bären etc*). **2.** *humor. od. contp.* (junger) Springinsfeld: unlicked ~ j-d der noch nicht trocken hinter den Ohren ist. **3.** Flegel *m,* Bengel *m.* **4.** Anfänger *m*: ~ reporter (unerfahrener) junger Reporter. **5.** *a.* wolf ~, ~ scout Wölfling *m* (*Jungpfadfinder*). **II** *v/t* **6.** *Junge* werfen. **III** *v/i* **7.** (Junge) werfen. **8.** junge Füchse jagen.

cub·age ['kju:bidʒ] → cubature.

Cu·ban ['kju:bən] **I** *adj* **1.** ku'banisch. **II** *s* **2.** Ku'baner(in). **3.** Kubatabak *m.*

cu·ba·ture ['kju:bətʃər] *s math.* **1.** Kuba'tur *f,* Raum(inhalts)berechnung *f.* **2.** Ku'bik-, Rauminhalt *m.*

cub·by(·hole) ['kʌbi(ˌhoul)] *s* **1.** behagliches Plätzchen, kleiner gemütlicher Raum. **2.** ‚Ka'buff' *n,* Kämmerchen *n,* winziger Raum.

cube [kju:b] **I** *s* **1.** Würfel *m*: ~ ore *min.* Würfelerz *n*; ~ sugar Würfelzucker *m.* **2.** *math.* a) Würfel *m,* Kubus *m*: ~ root Kubikwurzel *f,* dritte Wurzel, b) Ku'bikzahl *f,* dritte Po'tenz. **3.** *tech.* Pflasterwürfel *m,* -stein *m.* **II** *v/t* **4.** *math.* ku'bieren: a) zur dritten Po'tenz erheben: two ~d zwei hoch drei (2^3), b) den Rauminhalt messen von (*od. gen*). **5.** würfeln, in Würfel schneiden *od.* pressen. **6.** *tech.* (mit Würfeln) pflastern.

cu·beb ['kju:beb] *s pharm.* **1.** Ku'bebe *f* (*Frucht des Kubebenpfeffers*). **2.** Ku'bebenzigaˌrette *f.*

cu·bic ['kju:bik] **I** *adj* (*adv* ~ally) **1.** Kubik..., Raum...: ~ capacity; ~ content → cubature 2; ~ foot Kubikfuß *m*; ~ meter (*bes. Br.* metre) Kubik-, Raum-, Festmeter *n*; ~ number → cube 2 b. **2.** kubisch, würfelförmig, Würfel...: ~ niter (*bes. Br.* nitre) *chem.* Würfel-, Natronsalpeter *m.* **3.** *math.* kubisch: ~ equation kubische Gleichung, Gleichung *f* dritten Grades. **4.** *min.* iso'metrisch (*Kristall*). **II** *s* **5.** *math.* kubische Größe *od.* Gleichung *od.* Kurve. '**cu·bi·cal** *adj* (*adv* ~ly) → cubic I.

cu·bi·cle ['kju:bikl] *s* **1.** kleiner abgeteilter (Schlaf)Raum. **2.** Ka'bine *f,* Zelle *f,* Nische *f.* **3.** *electr.* Schaltzelle *f.*

cu·bi·form ['kju:biˌfɔ:rm] *adj* würfelförmig.

cub·ism ['kju:bizəm] *s paint. etc* Ku'bismus *m.* '**cub·ist I** *s* Ku'bist *m.* **II** *adj* ku'bistisch.

cu·bit ['kju:bit] *s* Elle *f* (*altes Längenmaß*). '**cu·bi·tal** *adj* **1.** e-e Elle lang. **2.** *anat.* kubi'tal, Ell(en)bogen..., Unterarm... '**cu·bi·tus** [-təs] *pl* **-ti** [-ˌtai] *s anat.* a) Ell(en)bogen *m,* b) 'Unterarm *m.*

cu·bo·cube ['kju:boˌkju:b] *s math.* sechste Po'tenz.

cu·boid ['kju:bɔid] *adj* **1.** annähernd würfelförmig. **2.** *anat.* Würfel...

cuck·ing stool ['kʌkiŋ] *s hist.* Schandstuhl *m* (*Art Pranger*).

cuck·old ['kʌkəld] **I** *s* Hahnrei *m,* betrogener Ehemann. **II** *v/t* zum Hahnrei machen, *j-m* Hörner aufsetzen. '**cuck·old·ry** [-ri] *s* **1.** Hörneraufsetzen *n.* **2.** Hörnertragen *n.*

cuck·oo ['kuku:] **I** *s* **1.** *orn.* Kuckuck *m.* **2.** Kuckucksruf *m.* **3.** *sl.* ‚Heini' *m,* ‚Spinner' *m.* **II** *v/i* **4.** ‚kuckuck' rufen. **III** *adj* **5.** *sl.* ‚bekloppt', ‚plem'plem'. ~ **clock** *s* Kuckucksuhr *f.* '**~ˌflow·er** *s bot.* **1.** Wiesenschaumkraut *n.* **2.** Kuckucksnelke *f.* ~ **fly** *s zo.* Goldwespe *f.* '**~ˌpint** [-ˌpint] *s bot.* Gefleckter Aronstab. ~ **spit,** ~ **spit·tle** *s zo.* **1.** Kuckucksspeichel *m.* **2.** 'Schaumziˌkade *f.*

cu·cum·ber ['kju:kʌmbər] *s* **1.** Gurke *f* (*Frucht von* 2): as cool as a ~ *colloq.* ‚eiskalt', kühl u. gelassen, ‚frech wie Oskar'. **2.** *bot.* Gartengurke *f,* Echte Gurke. **3.** *Am.* → cucumber tree. ~ **slic·er** *s* Gurkenhobel *m.* ~ **tree** *s bot.* (*e-e*) amer. Ma'gnolie.

cu·cur·bit [kju'kə:rbit] *s* **1.** *bot.* Kürbisgewächs *n.* **2.** *chem.* Destillati'onsflasche *f.*

cud [kʌd] *s* **1.** Klumpen *m* 'wiedergekäuten Futters: to chew the ~ a) wiederkäuen, b) *fig.* überlegen, nachsinnen. **2.** *sl.* Priemchen *n* Kautabak.

cud·bear ['kʌdbɛr] *s* Or'seille *f* (*roter Pflanzenfarbstoff*).

cud·dle ['kʌdl] **I** *v/t* an sich drücken, hätscheln, herzen, ‚knuddeln'. **II** *v/i* sich kuscheln, sich schmiegen, warm *od.* behaglich liegen: to ~ up sich zs.-kuscheln, sich warm einmummeln (*im Bett*). **III** *s* enge Um'armung, Lieb'kosung *f.* '**cud·dle·some** [-səm], '**cud·dly** *adj* ‚schnuckelig'.

cud·dy[1] ['kʌdi] *s* **1.** *mar.* a) Ka'jüte *f,* b) Kom'büse *f.* **2.** kleiner Raum *od.* Schrank.

cud·dy[2] ['kʌdi] *s Scot.* Esel *m* (*a. fig.*).

cudg·el ['kʌdʒəl] **I** *s* **1.** Knüttel *m,* Keule *f*: to take up the ~s *fig.* vom Leder ziehen; to take up the ~s for s.o. *fig.* für j-n eintreten *od.* e-e Lanze brechen. **2.** *pl, a.* ~ play Stockfechten *n.* **II** *v/t* **3.** prügeln: → brain 2.

cue[1] [kju:] **I** *s* **1.** *thea. etc, a. fig.* Stichwort *n*: ~ lights *TV* Studiosignallampen; ~ sheet *TV* Regiebogen *m*; to miss one's ~ sein Stichwort verpassen. **2.** Wink *m,* Fingerzeig *m*: to give s.o. his ~ j-m die Worte in den Mund legen; to take up the ~ den Wink verstehen; to take the ~ from s.o. sich nach j-m richten. **3.** Anhaltspunkt *m.* **4.** Rolle *f,* Aufgabe *f.* **5.** *obs.* Stimmung *f,* Laune *f.* **6.** *mus.* Kustos *m* (*kleine Orientierungsnote*). **II** *v/t* **7.** *j-m* das Stichwort geben. **8.** *a.* ~ in *e-e Szene etc* einschalten.

cue[2] [kju:] *s* **1.** Queue *n,* Billardstock *m*: ~ ball Spiel-, Stoßball *m.* **2.** (Haar)-Zopf *m.*

cue·ist ['kju:ist] *s* Billardspieler *m.*

cues·ta ['kwestə] *s geol. Am.* Schicht-, Landstufe *f.*

cuff[1] [kʌf] *s* **1.** (Ärmel-, *Am. a.* Hosen)Aufschlag *m,* Stulpe *f* (*a. vom Handschuh*), Man'schette *f* (*a. tech.*): ~ link Manschettenknopf *m*; off the ~ *Am. colloq.* aus dem Handgelenk *od.* Stegreif; on the ~ *Am.* a) auf Borg *od.* Kredit *od.* Abzahlung, b) gratis. **2.** *pl* Handschellen *pl.*

cuff[2] [kʌf] **I** *v/t* (mit der flachen Hand) schlagen, knuffen: to ~ s.o.'s ears j-n ohrfeigen. **II** *s* Schlag *m,* Knuff *m.*

cui·rass [kwi'ræs] **I** *s* **1.** Küraß *m,* (Brust)Harnisch *m,* Panzer *m.* **2.** *zo.* Panzer *m.* **3.** *med.* a) Gipsverband *m* um Rumpf u. Hals, b) (*ein*) 'Sauerstoffappaˌrat *m.* **II** *v/t* **4.** mit e-m Küraß bekleiden. **5.** panzern. **cui·rassier** [ˌkwirə'sir] *s mil.* Küras'sier *m.*

cuish [kwiʃ] → cuisse.

cui·sine [kwi'zi:n] *s* **1.** Küche *f* (*Raum*). **2.** Küche *f,* Kochkunst *f.*

cuisse [kwis] *s mil. hist.* **1.** Beinschiene *f.* **2.** *pl* Beinharnisch *m.*

cul-de-sac ['kuldə'sæk; 'kʌl-] *pl* **cul--de-sacs** *od.* **culs-de-sac** *s* **1.** Sackgasse *f* (*a. fig.*). **2.** *anat.* Blindsack *m.*

cu·let ['kju:lit] *s* **1.** Kü'lasse *f* (*Unterteil des Brillanten*). **2.** *mil. hist.* Gesäßharnisch *m.*

cu·lex ['kju:leks] *pl* '**cu·liˌces** [-liˌsi:z] *s* [*zo.* Stechmücke *f.*]

cu·li·nar·y [*Br.* 'kʌlinəri; *Am.* 'kju:ləˌneri] *adj* kuli'narisch, Koch..., Küchen...: ~ art Kochkunst *f*; ~ herbs Küchenkräuter.

cull [kʌl] **I** *v/t* **1.** pflücken. **2.** auslesen, -suchen. **3.** *Minderwertiges* 'aussorˌtieren. **4.** das Merzvieh aussondern aus (*e-r Herde*). **II** *s* **5.** (*etwas*) (als minderwertig) Ausgesondertes. **6.** *pl* a) Ausschuß *m,* b) Merzvieh *n.* **7.** *Am.* Ausschußholz *n.*

cul·len·der ['kʌləndər] → colander.

cul·let ['kʌlit] *s* Bruchglas *n.*

cul·lis ['kʌlis] *s arch.* Dachrinne *f.*

cul·ly ['kʌli] *s sl.* **1.** Bursche *m.* **2.** ‚Kumpel' *m.* **3.** Trottel *m.*

culm[1] [kʌlm] *s* **1.** Kohlenstaub *m,* -klein *n,* Grus *m*: ~ coke Fein-, Perlkoks *m.* **2.** *a.* ~ measures *geol.* Kulm *n,* unterer Kohlenkalk.

culm[2] [kʌlm] *s bot.* **1.** (*bes.* Gras)Halm *m,* Stengel *m.* **2.** *pl Br.* Malzkeime *pl.*

cul·mi·nant ['kʌlminənt] *adj* **1.** *astr.* kulmi'nierend. **2.** *fig.* auf dem Gipfelpunkt.

cul·mi·nate ['kʌlmiˌneit] **I** *v/i* **1.** *astr.* kulmi'nieren. **2.** den Höhepunkt erreichen (*a. fig.*): culminating point Kulminations-, Höhepunkt *m.* **3.** *fig.* gipfeln (in in *dat*). **II** *v/t* **4.** krönen, den Höhepunkt bilden von (*od. gen*). **5.** auf den Höhepunkt bringen. ˌ**cul·mi'na·tion** *s* **1.** *astr.* Kulminati'on *f.* **2.** *bes. fig.* Gipfel *m,* Höhepunkt *m,* höchster Stand: to reach the ~ of one's career den Höhepunkt s-r Laufbahn erreichen.

cu·lottes [kju'lɒts] *s pl* Hosenrock *m.*

cul·pa·bil·i·ty [ˌkʌlpə'biliti] *s* Sträflichkeit *f,* Schuldhaftigkeit *f.* '**cul·pa·ble** *adj* (*adv* culpably) **1.** tadelnswert, sträflich. **2.** *jur.* strafbar, schuldhaft: ~ negligence (grobe) Fahrlässigkeit.

cul·prit ['kʌlprit] *s* **1.** *jur.* a) Angeklagte(r *m*) *f,* Angeschuldigte(r *m*) *f,*

b) Täter(in), Schuldige(r *m*) *f*. **2.** *allg.*, *a. iro.* Missetäter(in).

cult [kʌlt] *s* **1.** *relig.* Kult(us) *m*: the Mithras ~, the ~ of Mithras der Mithra(s)kult. **2.** *fig.* Kult *m*: a) (*unmäßige*) *Verehrung od. Hingabe*, b) *dumme Mode*. **3.** Kultgemeinschaft *f*. **4.** *relig.* Sekte *f*.

cultch [kʌltʃ] *s* Steine *pl od.* Schalen *pl etc* als Austernbett.

cult·ic ['kʌltik] *adj* kultisch, Kult...

cult·ism ['kʌltizəm] *s* Kultbegeisterung *f*. '**cult·ist** *s* Anhänger(in) e-s Kults, Kultbegeisterte(r *m*) *f*.

cul·ti·va·ble ['kʌltivəbl] *adj* **1.** kulti'vierbar: a) bebaubar, bestellbar: ~ soil, b) anbaufähig, züchtbar: ~ plants, c) zivili'sierbar. **2.** entwicklungsfähig. '**cul·tiˌvar** [-ˌvaːr] *s biol.* Kul'turrasse *f*, -varieˌtät *f*. '**cul·tiˌvat·a·ble** [-ˌveitəbl] → cultivable.

cul·ti·vate ['kʌltiˌveit] *v/t* **1.** *agr.* a) *den Boden* bebauen, bestellen, bearbeiten, b) *engS.* mit dem Kulti'vator bearbeiten, c) *Pflanzen* züchten, ziehen, (an)bauen. **2.** zivili'sieren. **3.** veredeln, -feinern, entwickeln, fort-, ausbilden, *e-e Kunst etc* fördern. **4.** *e-e Kunst etc* pflegen, betreiben, sich widmen (*dat*). **5.** sich befleißigen (*gen*), Wert legen auf (*acc*): to ~ good manners. **6.** a) *e-e Freundschaft*, *Beziehungen etc* pflegen, b) freundschaftlichen Verkehr suchen *od.* pflegen mit, sich *j-m* widmen, sich *j-n* ‚warmhalten': to ~ s.o. '**cul·tiˌvat·ed** *adj* **1.** bebaut, bestellt, kulti'viert, Kultur... **2.** gezüchtet, Kultur...: ~ plant Kulturpflanze *f*. **3.** zivili'siert, verfeinert. **4.** kulti'viert, gebildet.

cul·ti·va·tion [ˌkʌlti'veiʃən] *s* **1.** Kulti'vierung *f*, Bearbeitung *f*, Bestellung *f*, Bebauung *f*, Urbarmachung *f*: ~ of the soil; area under ~ Anbau-, Kulturfläche *f*. **2.** Ackerbau *m*, Anbau *m*. **3.** Züchtung *f*. **4.** *fig.* Pflege *f*: a) Übung *f*, b) Förderung *f* (*e-r Kunst etc*), c) (Aus)Bildung *f*, Verfeinerung *f*, d) Hegen *n* (*e-r Freundschaft etc*). **5.** → culture 7. '**cul·tiˌva·tor** [-tər] *s* **1.** Landwirt *m*, Bebauer *m* (*des Bodens*). **2.** Pflanzer *m*, Züchter *m*. **3.** *agr.* Kulti'vator *m* (*Gerät*). **4.** *fig.* Förderer *m*.

cul·tur·al ['kʌltʃərəl] *adj* **1.** Kultur..., kultu'rell: ~ activities; ~ change Kulturwandel *m*; ~ history Kulturgeschichte *f*; ~ lag → culture lag. **2.** *biol.* gezüchtet, Kultur...: ~ variety Kulturrasse *f*. '**cul·tur·al·ly** *adv* in kultu'reller 'Hinsicht, kultu'rell.

cul·ture ['kʌltʃər] **I** *s* **1.** → cultivation 1 *u.* 2. **2.** Anbau *m*, (*Pflanzen*)-Zucht *f*: fruit ~ Obstbau *m*. **3.** Züchtung *f*, (*Tier*)Zucht *f*: ~ of bees Bienenzucht. **4.** Kul'tur *f* (*angebaute Pflanzen*). **5.** *biol.* a) Züchtung *f* (*von Bakterien, Gewebe etc*), b) Kul'tur *f*: bacterial ~ Bakterienkultur; ~ of mo(u)lds Pilzkultur. **6.** → cultivation 4 a-c. **7.** (*geistige*) Kul'tur: a) (Geistes)Bildung *f*, b) Kulti'viertheit *f*, verfeinerte Lebensweise. **8.** Kul'tur *f*: a) *geistiges, künstlerisches u. soziales Leben e-r Gemeinschaft*, b) Kul'turform *f*, -stufe *f*. **II** *v/t* **9.** *biol.* a) *Bakterien etc* züchten, b) e-e Kul'tur züchten in (*dat*). ~ **a·re·a** *s* Kul'turraum *m*. ~ **com·plex** *s* Kom'plex *m* mehrerer gleichgerichteter Kul'turerscheinungen u. -tenˌdenzen.

cul·tured ['kʌltʃərd] *adj* **1.** kulti'viert: a) *agr.* bebaut: ~ fields, b) *fig.* gebildet, gepflegt. **2.** gezüchtet, Zucht...: ~ pearl.

cul·ture| fac·tor *s sociol.* Kul'turfaktor *m*. ~ **lag** *s sociol.* parti'elle Kul'turˌrückständigkeit. ~ **me·di·um** *s biol.* Kul'tursubˌstrat *n*, (künstlicher) Nährboden. ~ **pearl** *s* Zuchtperle *f*.

cul·tur·ist ['kʌltʃərist] *s* **1.** Züchter *m*. **2.** Kul'turbeflissene(r *m*) *f*. **3.** Anhänger(in) e-r bestimmten Kul'tur.

cul·ver ['kʌlvər] *s orn.* (*bes.* Ringel)-Taube *f*.

[schlange *f*.]

cul·ver·in ['kʌlvərin] *s mil. hist.* Feld-

cul·vert ['kʌlvərt] *s tech.* **1.** ('Bach)-ˌDurchlaß *m*. **2.** (über'wölbter) 'Abzugskaˌnal. **3.** 'unterirdische (Wasser)-Leitung.

cum [kʌm; kum] (*Lat.*) *prep* **1.** (zu'sammen) mit, samt: ~ dividend *econ.* mit Dividende; ~ rights *econ.* mit Bezugsrecht (*auf neue Aktien*). **2.** *Br. humor.* und gleichzeitig, plus: garage-~-workshop.

cu·ma·cean [kju'meiʃən] *zo.* **I** *adj* Cumaceen... **II** *s* Cuma'cee *f* (*Krebs*).

cu'ma·ceous → cumacean I.

cu·ma·ra ['kuːmərə], '**cu·maˌru** [-ˌruː] *s bot.* Tonkabaum *m*.

cum·ber ['kʌmbər] **I** *v/t* **1.** zur Last fallen (*dat*). **2.** hemmen, (be)hindern, belasten. **II** *s* **3.** Behinderung *f*. **4.** Last *f*, Hindernis *n*, Bürde *f*. '**cumber·some** [-səm] *adj* (*adv* ~ly) **1.** lästig, hinderlich, beschwerlich. **2.** plump, klobig, schwerfällig. '**cumber·some·ness** *s* **1.** Lästigkeit *f*. **2.** Schwerfälligkeit *f*, Plumpheit *f*.

cum·brance ['kʌmbrəns] *s* **1.** Last *f*, Bürde *f*. **2.** Schwierigkeit *f*.

Cum·bri·an ['kʌmbriən] **I** *adj* kumbrisch. **II** *s* Bewohner(in) von Cumberland.

cum·brous ['kʌmbrəs] *adj* (*adv* ~ly) → cumbersome.

[*m*.]

cum·in ['kʌmin] *s bot.* Kreuzkümmel

cum·mer ['kʌmər] *s Scot.* **1.** Gevatterin *f*. **2.** Mädchen *n*, Frau *f*.

cum·mer·bund ['kʌmərˌbʌnd] *s* **1.** *Br. Ind.* Schärpe *f*, Leibgurt *m*. **2.** *Mode*: Kummerbund *m*.

cum·min → cumin.

cum·shaw ['kʌmʃɔː] *s* Trinkgeld *n* (*in chinesischen Hafenstädten*).

cu·mu·lant ['kjuːmjulənt] *s math.* Kumu'lant *m*.

cu·mu·late ['kjuːmjuˌleit] **I** *v/t* **1.** (an-, auf)häufen. **2.** *bes. jur. mehrere Klagen* vereinigen. **II** *v/i* **3.** sich (an-, auf)-häufen. **III** *adj* [-lit; -ˌleit] **4.** (an-, auf)-gehäuft. ˌ**cu·mu'la·tion** *s* (An)Häufung *f*.

cu·mu·la·tive ['kjuːmjuˌleitiv] *adj* **1.** kumula'tiv, Sammel..., Gesamt...: ~ effect Gesamtwirkung *f*. **2.** sich (an)häufend *od.* sum'mierend, anwachsend, sich steigernd. **3.** zusätzlich, (noch) hin'zukommend, verstärkend, Zusatz... **4.** *econ.* kumula'tiv: ~ dividend Dividende *f* auf kumulative Vorzugsaktien; ~ preferred stock, *Br.* ~ preference shares kumulative Vorzugsaktien. ~ **ev·i·dence** *s jur.* zusätzlicher *od.* verstärkender Beweis. ~ **fre·quen·cy** *s Statistik etc*: Summenhäufigkeit *f*: ~ curve Summenkurve *f*. ~ **leg·a·cy** *s jur.* Zusatzvermächtnis *n*. ~ **vot·ing** *s* Kumu'lierungssysˌtem *n* (*bei Wahlen*).

ˌ**cu·mu·lo|-'cir·rus** [ˌkjuːmjulo-] *s meteor.* Kumulo'zirrus *m*. ˌ~-'**nimbus** *s* Kumulo'nimbus *m*, Gewitterwolke *f*. ˌ~-'**stra·tus** *s* Kumulo'stratus *m*, Strato'kumulus *m*.

cu·mu·lus ['kjuːmjuləs] *pl* **-li** [-ˌlai] *s* **1.** Haufen *m*. **2.** Kumulus *m*, Haufenwolke *f*.

cu·ne·i·form ['kjuːniiˌfɔːrm] **I** *adj* **1.** keilförmig, Keil... **2.** Keilschrift...: ~ characters Keilschrift(zeichen *pl*) *f*. **II** *s* **3.** Keilschrift *f*. **4.** *anat.* a) Keilbein *n*, b) Dreiecksbein *n* (*an Fuß u. Hand*).

[form.]

cu·ni·form ['kjuːniˌfɔːrm] → cunei-

cun·ning ['kʌniŋ] **I** *adj* (*adv* ~ly) **1.** klug, geschickt. **2.** schlau, listig, verschmitzt, -schlagen. **3.** *Am. colloq.* a) niedlich, süß: a ~ baby, b) drollig: a ~ frown. **II** *s* **4.** Schlauheit *f*, Verschmitztheit *f*. **5.** Verschlagenheit *f*, (Arg)List *f*. **6.** Geschicklichkeit *f*.

cunt [kʌnt] *s vulg.* **1.** Vagina *f*. **2.** Koitus *m*. **3.** Weibsbild *n*.

cup [kʌp] **I** *s* **1.** Schale *f* (*a. des Weinglases etc*), Napf *m*. **2.** (*Wein- etc*)Becher *m*, Kelch *m*: to be fond of the ~ gern ‚bechern' *od.* trinken. **3.** a) Tasse *f*, b) (*e-e*) Tasse(voll): a ~ of tea e-e Tasse Tee; that's not my ~ of tea *Br. colloq.* das ist nicht mein Fall. **4.** *sport* Cup *m*, Po'kal *m*: ~ final Pokalendspiel *n*; ~ tie Ausscheidungsspiel *n* (*im Pokalturnier*). **5.** Bowle *f*, ‚kalte Ente' (*Getränk*). **6.** *relig.* a) Abendmahlskelch *m*, b) Abendmahlswein *m*. **7.** Schicksal *n*, Kelch *m*: the ~ of happiness der Kelch *od.* Becher der Freude; the ~ of bitterness (*od.* sorrow) der Kelch des Leidens; his ~ is full das Maß s-r Leiden *od.* Freuden ist voll; → dreg 1. **8.** *pl* a) Zechen *n*, Trinken *n*, b) Zechgelage *n*, c) (Be)-Trunkenheit *f*: to be in one's ~s betrunken sein, zu tief ins Glas geschaut haben. **9.** schalen- *od.* becher- *od.* kelchförmiger Gegenstand. **10.** *bot.* Blüten-, Fruchtbecher *m*, (Blumen)-Kelch *m*. **11.** *zo.* Kelch *m*. **12.** *Golf*: a) Me'tallfütterung *f* des Loches, b) Loch *n*. **13.** *med.* → cupping glass. **14.** *anat.* (Gelenk)Pfanne *f*. **15.** *sport* Hodenschützer *m*. **16.** Körbchen *n*, Schale *f* (*des Büstenhalters*). **17.** Mulde *f*. **18.** → cupful 2.

II *v/t* **19.** in e-e Schale *etc* legen *od.* gießen. **20.** (mit e-m Becher) schöpfen. **21.** a) *die Hand* ‚hohl' machen, wölben, b) *das Kinn etc* in die (hohle) Hand legen *od.* schmiegen, c) *die Hand* wölben über (*acc*). **22.** *med.* schröpfen.

cup| and ball *s* Fangbecher(spiel *n*) *m*. '~-**and-'ball joint** *s tech.* Kugelgelenk *n*. '~-**and-'cone bear·ing** *s tech.* Kegelkugellager *n*. ~ **ba·rom·e·ter** *s* Ge'fäßbaroˌmeter *n*. '~ˌ**bear·er** *s* Mundschenk *m*.

cup·board ['kʌbərd] *s* **1.** (Geschirr-, Speise)Schrank *m*, Kre'denz *f*, Anrichte *f*. **2.** *Br.* kleiner Schrank. ~ **love** *s* berechnende Liebe.

'**cupˌcake** *s* (*Art*) Napfkuchen *m*.

cu·pel ['kjuːpəl; kjuː'pel] *chem. tech.* **I** *s* **1.** ('Scheide-, 'Treib)Kaˌpelle *f*, Ku'pelle *f*. **2.** Treibherd *m*. **II** *v/t* **3.** kupel'lieren, abtreiben.

cup·ful ['kʌpˌful] *pl* **-fuls** *s* **1.** (*e-e*) Schale(voll), (*ein*) Becher(voll) *m*, (*e-e*) Tasse(voll). **2.** *Am. Kochkunst*: $^1/_2$ Pinte *f* (*0,235 l*).

cup grease *s tech.* Staufferfett *n*.

Cu·pid ['kjuːpid] *s* **1.** *antiq.* Kupido *m*, Amor *m* (*a. fig. Liebe*). **2.** c~ Amo'rette *f*.

cu·pid·i·ty [kju'piditi] *s* **1.** Habgier *f*. **2.** Gier *f*, Begierde *f*, Gelüst(e) *n*.

Cu·pid's bow ['kjuːpidz] *s* **1.** Amorsbogen *m* (*die klassische Bogenform*). **2.** e-m klassischen Bogen ähnliche Linienführung (*bes. der Lippen*).

cup in·su·la·tor *s electr.* 'Glockenisoˌlator *m*.

cu·po·la ['kjuːpələ] *s* **1.** Kuppel(dach *n*,

-gewölbe *n*) *f*. **2.** *a.* ~ **furnace** *tech.* Ku'pol-, Kuppelofen *m*. **3.** *mar. mil.* Panzerturm *m*.
cup·ping ['kʌpiŋ] *s med.* Schröpfen *n*. ~ **glass** *s med.* Schröpfglas *n*, -kopf *m*.
cu·pre·ous ['kjuːpriəs] *adj* **1.** kupfern. **2.** kupferhaltig. **3.** kupferartig.
cu·pric ['kjuːprik] *adj chem.* Kupfer..., Cupri... (*zweiwertiges Kupfer enthaltend*): ~ **oxide** Kupferoxyd *n*. **cu'prif·er·ous** [-'prifərəs] *adj min.* kupferhaltig, Kupfer... '**cu·prite** [-prait] *s min.* Cu'prit *m*, Rotkupfer(erz) *n*.
cu·pro·nick·el [ˌkjuːpro'nikl] *s tech.* Kupfernickel *n*, Nickelkupfer *n*.
cu·prous ['kjuːprəs] *adj chem.* Kupfer..., Cupro... (*einwertiges Kupfer enthaltend*).
cu·pu·late ['kjuːpjuːˌleit], *a.* '**cu·pu·lar** [-lər] *adj* **1.** becherförmig, -artig. **2.** *bot.* bechertragend.
cu·pule ['kjuːpjuːl] *s* **1.** *bot.* Blütenbecher *m*. **2.** *zo.* Saugnäpfchen *n*.
cu·pu·lif·er·ous [ˌkjuːpju'lifərəs] *adj bot.* **1.** zu den Becherfrüchtlern gehörend. **2.** bechertragend.
cur [kəːr] *s* **1.** Köter *m*. **2.** *fig. contp.* (,Schweine)Hund' *m*, ,Schwein' *n*.
cur·a·bil·i·ty [ˌkju(ə)rə'biliti] *s* Heilbarkeit *f*. '**cur·a·ble** *adj* heilbar.
cu·ra·cy ['kju(ə)rəsi] *s relig.* Kura'tie *f*, Hilfspfarramt *n*.
cu·ra·re, cu·ra·ri [kju(ə)'rɑːri], *a.* **cu'ra·ra** [-rɑː] *s* Ku'rare *n* (*Pfeilgift*).
cu·rate ['kju(ə)rit] *s* **1.** *relig.* Hilfspfarrer *m*, -geistliche(r) *m*: ~**-in--charge** stellvertretender Pfarrer. **2.** *Br. colloq.* kleiner Schürhaken.
cur·a·tive ['kju(ə)rətiv] **I** *adj* heilend, Heil... **II** *s* Heilmittel *n*.
cu·ra·tor [kju(ə)'reitər] *s* **1.** Kustos *m*, Mu'seumsdiˌrektor *m*. **2.** *univ. Br.* Mitglied *n* des Kura'toriums. **3.** ['kju(ə)rətər] *bes. jur. Scot.* Vormund *m*, Pfleger *m*. **4.** *jur.* Verwalter *m*, Pfleger *m*: ~ **absentis** *Am.* Abwesenheitspfleger. **cu'ra·torˌship** *s* Amt *n od.* Amtszeit *f* e-s Kustos *etc.*
curb [kəːrb] **I** *s* **1.** a) Kan'dare *f*, b) Kinnkette *f* (*Pferdezaum*). **2.** *fig.* Zaum *m*, Zügel(ung *f*) *m*: **to put a** ~ **(up)on** → 10. **3.** *bes. Am.* Bordschwelle *f*, Rand-, Bordstein *m*. **4.** *Am.* (steinerne) Einfassung. **5.** *Br.* (schwellenartiger) Ka'minvorsatz. **6.** *arch.* a) Auskleidung *f*, b) Kranz *m* (*am Kuppeldach*). **7.** *tech.* a) Be'tonkasten *m*, b) Kranz *m* (*der Turbine od. e-r Gußform*), c) (*oberer*) Mühlenkranz. **8.** *econ. Am.* a) Straßenmarkt *m*, b) Freiverkehrsbörse *f*: ~ **broker** Freiverkehrsmakler *m*. **9.** *vet.* Spat *m*, Hasenfuß *m*. **II** *v/t* **10.** Zügel anlegen (*dat*), zügeln, im Zaum halten, bändigen: **to** ~ **one's imagination**; **to** ~ **smuggling** dem Schmuggelunwesen Einhalt gebieten; **to** ~ **a boom** e-e Konjunktur dämpfen *od.* drosseln; **to** ~ **production** die Produktion einschränken *od.* drosseln. **11.** *ein Pferd* an die Kan'dare legen. **12.** *e-n Gehweg* mit Randsteinen einfassen, *e-n Brunnen etc* einfassen. ~ **bit** *s* Kan'darenstange *f*. ~ **mar·ket** → curb 8. ~ **pin** *s* Rückerstift *m* (*Uhr*). ~ **pric·es** *s pl econ. Am.* Freiverkehrskurse *pl*. ~ **roof** *s arch.* Man'sard(en)dach *n*. ~ **serv·ice** *s econ. Am.* Bedienung *f* im Auto. ~ **stocks** *s pl econ. Am.* an der Freiverkehrsbörse no'tierte Aktien *pl*. '~**ˌstone I** *s* **1.** → curb 3. **II** *adj* **2.** *econ. Am.* Straßen..., Winkel...: ~ **broker** Straßenmakler *m*. **3.** *Am. colloq.* ,Schmalspur...': ~ **engineer**; ~ **opinion** unmaßgebliche Ansicht(en).

cur·cu·ma ['kəːrkjumə] *s bot.* Kur'kume *f*, Gelbwurz *f*.
curd [kəːrd] *s* **1.** *oft pl* geronnene *od.* dicke Milch, Quark *m*: **to turn to** ~**s and whey** gerinnen; ~ **cheese** Weiß-, Quarkkäse *m*. **2.** Gerinnsel *n*: ~ **soap** Kernseife *f*.
cur·dle ['kəːrdl] **I** *v/t* **1.** *Milch* gerinnen lassen. **2.** *fig.* erstarren lassen: **to** ~ **s.o.'s blood** j-m das Blut in den Adern erstarren lassen. **II** *v/i* **3.** gerinnen, dick werden (*Milch*). **4.** *fig.* erstarren: **it made my blood** ~ das Blut erstarrte mir in den Adern. '**curd·y** *adj* **1.** geronnen, dick. **2.** klumpig. **3.** *chem.* (flockig)käsig.
cure[1] [kjur] **I** *s* **1.** *med.* Kur *f*, Heilverfahren *n*, Behandlung *f* (for gegen): **to take a milk** ~ e-e Milchkur machen; **under** ~ in Behandlung. **2.** *med.* Heilung *f*: **past** ~ a) unheilbar krank (*Person*), b) unheilbar (*Krankheit*); **to effect a** ~ gründlich kurieren. **3.** *med.* (Heil)Mittel *n* (for gegen). **4.** *fig.* Mittel *n*, Abhilfe *f*, Re'zept *n*. **5.** Haltbarmachung *f*: a) Räuchern *n*, b) Einpökeln *n*, -salzen *n*, c) Trocknen *n*, d) Beizen *n*, e) (Aus)Härtung *f* (*von Kunststoffen*). **6.** *tech.* Vulkani'sieren *n*. **7.** *relig.* a) *a.* ~ **of souls** Seelsorge *f*, b) Pfar'rei *f* (*Amt u. Bezirk*). **II** *v/t* **8.** *med.* a) *j-n* heilen, ku'rieren (of von) (*a. fig.*): **to** ~ **s.o. of lying** j-m das Lügen abgewöhnen; **to** ~ **s.o. of an idea** j-n von e-r Idee abbringen, b) *e-e Krankheit* heilen: **to** ~ **a disease**. **9.** haltbar machen: a) räuchern, b) trocknen, c) beizen, d) einpökeln, -salzen, e) aushärten (*Kunststoffe*). **10.** *tech.* vulkani'sieren. **III** *v/i* **11.** Heilung bringen, heilen. **12.** e-e Kur machen.
cure[2] [kjur] *s sl.* komischer Kauz.
'**cure-ˌall** *s* All'heilmittel *n*.
cure·less ['kjurlis] *adj* unheilbar.
cu·ret·tage [kju(ə)'retidʒ] *s med.* Auskratzung *f*. **cu'rette** [-'ret] *med.* **I** *s* Kü'rette *f*, Auskratzer *m*. **II** *v/t* auskratzen. **cu'rette·ment** → curettage.
cur·few ['kəːrfjuː] *s* **1.** Abendläuten *n*. **2.** Zeit *f* des Abendläutens. **3.** *a.* ~ **bell** Abendglocke *f*. **4.** *mil.* a) Ausgangsverbot *n*, b) Zapfenstreich *m*. **5.** Sperrstunde *f*.
cu·ri·a ['kju(ə)riə] *pl* **-ae** [-ˌiː] (*Lat.*) *s* **1.** *antiq. hist. od. R.C.* Kurie *f*. **2.** *hist.* königlicher Gerichts- *od.* Verwaltungshof (*in England*).
cu·rie ['kju(ə)riː; kju(ə)'riː] *s chem. phys.* Cu'rie *f* (*Strahlungseinheit*). **C~ con·stant** *s phys.* Cu'riesche Kon'stante. [setz.]
Cu·rie's law *s phys.* Cu'riesches Ge-
cu·ri·o ['kju(ə)riˌou] *pl* **-os** → curiosity 2 *a u.* c.
cu·ri·os·i·ty [ˌkju(ə)ri'ɒsiti] *s* **1.** Neugier *f*, Wißbegierde *f*: **out of** ~ aus Neugier. **2.** Kuriosi'tät *f*: a) Rari'tät *f*, b) Sehenswürdigkeit *f*, c) Kuri'osum *n*, komische Sache *od.* Per'son. **3.** *obs.* peinliche Genauigkeit. ~ **shop** *s* Antiqui'täten-, Rari'tätenladen *m*.
cu·ri·ous ['kju(ə)riəs] *adj* (*adv* ~**ly**) **1.** neugierig, wißbegierig (**about** betreffs): **I am** ~ **to know if** ich möchte gern wissen, ob; **to be** ~ **about s.th.** etwas genau wissen wollen. **2.** neugierig, schnüffelnd. **3.** kuri'os, seltsam, merkwürdig: ~**ly enough** merkwürdigerweise. **4.** *colloq.* komisch, wunderlich. **5.** *obs.* genau, sorgfältig, peinlich, streng. **6.** ob'szön, porno'graphisch (*Literatur*).
curl [kəːrl] **I** *v/t* **1.** *Haar etc* locken, kräuseln, ringeln: **it's enough to** ~ **your hair** *colloq.* da stehen e-m die Haare zu Berge. **2.** (*spiralförmig*) winden, zs.-rollen: **to** ~ **o.s. up** → 10; **with legs** ~**ed** mit übergeschlagenen Beinen. **3.** *Wasser* kräuseln. **4.** *die Nase* krausziehen, *die Lippen* (verächtlich) schürzen. **5.** *tech.* bördeln. **II** *v/i* **6.** sich locken *od.* kräuseln *od.* ringeln (*Haar*). **7.** sich wellen: **to** ~ **up** in Ringeln hochsteigen (*Rauch*). **8.** sich (*spiralförmig*) winden. **9.** sich kräuseln, kleine Wellen schlagen (*Wasser*). **10.** *a.* ~ **up** sich ein- *od.* zs.-rollen: **to** ~ **up on the sofa** es sich auf dem Sofa gemütlich machen. **11.** *sport colloq.* zs.-brechen, -klappen, ,eingehen'. **12.** *sport* Curling spielen. **III** *s* **13.** Locke *f*, Ringel *m*: **in** ~**s** gelockt, geringelt. **14.** (Rauch)Ring *m*, Kringel *m*. **15.** Windung *f*. **16.** *a. math. phys.* Wirbel *m*. **17.** Kräuseln *n*, Krausziehen *n*. **18.** *bot.* Kräuselkrankheit *f*.
curl cloud *s* Cirrus-, Federwolke *f*.
curled [kəːrld] *adj* gelockt, lockig, gekräuselt, geringelt, kraus.
curl·er ['kəːrlər] *s* **1.** *sport* Curlingspieler *m*. **2.** Lockenwickel *m*.
cur·lew ['kəːrljuː] *s orn.* (*ein*) Brachvogel *m*, *bes.* a) *a.* **common** ~ Großer Brachvogel, Brachhuhn *n*, b) *a.* ~ **jack** Kleiner Brachvogel.
curl·i·cue ['kəːrliˌkjuː] *s* Schnörkel *m*.
curl·ing ['kəːrliŋ] *s* **1.** Locken *n*, Kräuseln *n*, Fri'sieren *n*. **2.** Winden *n*. **3.** Wogen *n*. **4.** *sport* Curling(spiel) *n* (*ursprünglich schottische Form des Eisschießens*): ~ **stone** Curlingstein *m*. **5.** *tech.* Bördeln *n*. ~ **i·rons** *s pl* (Locken)Brennschere *f*. ~ **ma·chine** *s tech.* 'Bördelmaˌschine *f*. ~ **tongs** → curling irons.
'**curlˌpa·per** *s* Pa'pierhaarwickel *m*.
curl·y ['kəːrli] *adj* **1.** → curled. **2.** wellig gemasert (*Holz*). **3.** Locken tragend. '~**-ˌhead·ed** *adj* locken-, krausköpfig. '~**-ˌpate** *s colloq.* Lokkenkopf *m* (*Person*).
cur·mudg·eon [kəːr'mʌdʒən] *s* **1.** Geizhals *m*, Knicker *m*. **2.** Griesgram *m*, Brummbär *m*. **cur'mudg·eon·ly** *adj* **1.** griesgrämig. **2.** geizig, knickerig.
cur·rach, cur·ragh ['kʌrə] → coracle.
cur·rant [*Br.* 'kʌrənt; *Am.* 'kəːr-] *s* **1.** Ko'rinthe *f* (*kleine Rosine*). **2. red (white, black)** ~ *bot.* rote (weiße, schwarze) Jo'hannisbeere.
cur·ren·cy [*Br.* 'kʌrənsi; *Am.* 'kəːr-] *s* **1.** 'Umlauf *m*, Zirkulati'on *f*: **to give** ~ **to a rumo(u)r** ein Gerücht in Umlauf bringen *od.* kursieren lassen. **2.** a) (Allge'mein)Gültigkeit *f*, allgemeine Geltung, b) Gebräuchlichkeit *f*, Geläufigkeit *f*: ~ **of a word**, c) Verbreitung *f*: ~ **of news**. **3.** *econ.* a) 'Geldˌumlauf *m*, b) 'umlaufendes Geld, c) Zahlungs-, 'Umlaufsmittel *pl*, d) De'visen *pl*, e) (Geld)Währung *f*, Va'luta *f*: **gold** ~ Goldwährung. **4.** *econ.* Laufzeit *f* (*e-s Wechsels, a. e-s Vertrags etc*), Gültigkeitsdauer *f*. ~ **ac·count** *s econ.* Va'luten-, Währungs-, De'visenkonto *n*. ~ **bills** *s pl econ. Br.* De'visenwechsel *pl*, Wechsel *pl* in ausländischer Währung. ~ **bond** *s econ.* Va'luta-, Auslandsbond *m*. ~ **con·trol** *s econ.* **1.** 'Währungskonˌtrolle *f*. **2.** De'visenkonˌtrolle *f od.* -bewirtschaftung *f*. ~ **doc·trine** *s econ.* Prin'zip *n* der vollen Deckung durch 'Edelmeˌtalle. ~ **note** *s econ. Br.* Schatzanweisung *f* (*1914—28*). ~ **re·form** *s econ.* 'Währungsreˌform *f*.
cur·rent [*Br.* 'kʌrənt; *Am.* 'kəːr-] **I** *adj* (*adv* → **currently**) **1.** laufend (*Jahr*,

Monat, Konto etc): ~ **business** laufende Geschäfte. **2.** gegenwärtig, jetzig, augenblicklich, aktu'ell: ~ **events** Tagesereignisse, -politik *f*; ~ **price** Tagespreis *m*; ~ **value** gegenwärtiger Marktwert. **3.** 'umlaufend, kur'sierend (*Geld, Gerücht etc*): **to be ~** kursieren. **4.** allgemein bekannt *od.* verbreitet. **5.** üblich, geläufig, gebräuchlich: **not in ~ use** nicht allgemein üblich. **6.** (**to pass**) ~ allgemein gültig *od.* anerkannt (sein). **7.** *econ.* a) (markt)gängig (*Ware*), b) gültig, ku'rant (*Geld*), c) kurs-, verkehrsfähig, d) → 3. **8.** *obs.* fließend: ~ **handwriting.** **II** *s* **9.** Strömung *f*, Strom *m* (*beide a. fig.*): **against the ~** gegen den Strom; ~ **of air** Luftstrom *m od.* -zug *m.* **10.** *fig.* a) Richtung *f*, Ten'denz *f*, b) (Ver)Lauf *m*, Gang *m.* **11.** *electr.* Strom *m.* ~ **ac·count** *s econ.* laufendes Konto, laufende Rechnung, Kontokor'rent *n.* ~ **as·sets** *s pl econ.* laufende Ak'tiven *pl*, 'Umlaufsvermögen *n.* ~ **coin** *s econ.* gangbare Münze. ~ **col·lec·tor** *s electr.* Stromabnehmer *m*, (Strom)Sammelschiene *f.* ~ **ex·change** *s econ.* Tageskurs *m*: **at the ~** zum Tageskurs. ~ **ex·pens·es** *s pl econ.* laufende Ausgaben *pl.* ~ **li·a·bil·i·ties** *s pl econ.* laufende Verpflichtungen *pl.* ~ **lim·it·er** *s electr.* Strombegrenzer *m.* '~-,**lim·it·ing** *adj electr.* strombegrenzend: ~ **fuse.**

cur·rent·ly [*Br.* 'kʌrəntli; *Am.* 'kəːr-] *adv* **1.** gegenwärtig, zur Zeit, jetzt, im Augenblick. **2.** *fig.* fließend, flüssig.

cur·rent| me·ter *s electr.* Stromzähler *m.* ~ **mon·ey** *s econ.* gangbares Geld, Ku'rantgeld *n.* ~ **price** *s econ.* Tages-, Marktpreis *m.* ~ **re·ceiv·a·bles** *s pl econ. Am.* 'Umlaufsvermögen *n.*

cur·ri·cle [*Br.* 'kʌrikl; *Am.* 'kəːrəkl] *s* Karri'ol(e *f*) *n*, zweirädrige Kutsche (*mit 2 Pferden*).

cur·ric·u·lar [kə'rikjulər] *adj* Lehrplan...

cur·ric·u·lum [kə'rikjuləm] *pl* **-la** [-lə] *s* Studien-, Lehrplan *m.* ~ **vi·tae** ['vaitiː] (*Lat.*) *s* Lebenslauf *m.*

cur·ri·er [*Br.* 'kʌriər; *Am.* 'kəːr-] *s* **1.** (Pferde)Striegler *m.* **2.** Lederzurichter *m.*

cur·ry[1] [*Br.* 'kʌri; *Am.* 'kəːri] *v/t* **1.** *ein Pferd* striegeln, abreiben. **2.** *tech. Leder* zurichten, gerben. **3.** *colloq.* verdreschen. **4. to ~ favo(u)r with s.o.** sich bei j-m einschmeicheln *od.* lieb Kind machen (wollen).

cur·ry[2] [*Br.* 'kʌri; *Am.* 'kəːri] **I** *s* **1.** Curry *m, n* (*Gewürz*). **2.** Curry(gericht *n*) *m, n.* **II** *v/t* **3.** mit Curry(soße) zubereiten: **curried chicken** Curryhuhn *n.*

'cur·ry|,comb I *s* Striegel *m.* **II** *v/t* striegeln. ~ **pow·der** *s* Currypulver *n.*

curse [kəːrs] **I** *s* **1.** Fluch *m*: **to lay a ~ upon** → 6a; **there is a ~ upon it** es liegt ein Fluch darauf. **2.** *relig.* a) Verdammung *f*, b) Bann(fluch) *m.* **3.** Fluch(wort *n*) *m*, Verwünschung *f.* **4.** Fluch *m*, Unglück *n* (**to** für), Geißel *f.* **5.** *colloq.* ‚verwünschte Tage' *pl* (*Menstruation*). **II** *v/t pret u. pp* **cursed,** *obs.* **curst** [kəːrst] **6.** verfluchen: a) mit e-m Fluch belegen, b) verwünschen, fluchen auf (*acc*): ~ **it!** hol's der Teufel!; ~ **him!** der Teufel soll ihn holen! **7.** (*meist pass*) strafen, quälen: **to be ~d with s.th.** mit etwas bestraft *od.* geplagt sein. **8.** *relig.* mit dem Bannfluch belegen. **III** *v/i* **9.** fluchen, Flüche ausstoßen.

curs·ed ['kəːrsid] *adj* (*adv* ~**ly**) verflucht, -wünscht, -dammt (*alle a. colloq.*). **'curs·ed·ness** *s* **1.** Verfluchtheit *f.* **2.** Fluchwürdigkeit *f*, Scheußlichkeit *f.*

cur·sive ['kəːrsiv] **I** *adj* **1.** kur'siv, Kursiv... (*Handschrift*): **in ~ characters** *print.* in Schreibschrift (gedruckt). **2.** *fig.* sa'lopp, lässig (*Stil etc*). **II** *s* **3.** kur'siv geschriebenes Manu'skript. **4.** *print.* Schreibschrift *f.*

cur·sor ['kəːrsər] *s* **1.** *math. tech.* Läufer *m*, Schieber *m* (*am Rechenstab etc*). **2.** Zeiger *m* (*am Meßgerät*). **3.** *Radar*: Peilzeiger *m.* **cur'so·ri·al** [-'sɔːriəl] *adj zo.* Lauf...

cur·so·ri·ness ['kəːrsərinis] *s* Flüchtigkeit *f*, Oberflächlichkeit *f.* **'cur·so·ry** *adj* (*adv* **cursorily**) flüchtig, oberflächlich.

curst [kəːrst] *obs. pret u. pp von* **curse.**

curt [kəːrt] *adj* (*adv* ~**ly**) **1.** kurz(gefaßt), knapp: **a ~ report.** **2.** (**with**) barsch, schroff (gegen), kurz angebunden (mit).

cur·tail [kəːr'teil] *v/t* **1.** (ab-, ver)kürzen: ~**ed word** Kurzwort *n.* **2.** beschneiden, stutzen. **3.** *fig. Ausgaben etc* kürzen, *Preise etc* her'absetzen, *a. j-s Rechte etc* beschneiden, be-, einschränken: **to ~ s.o.'s rights; to ~ wages** (die) Löhne kürzen *od.* herabsetzen. **cur'tail·ment** *s* **1.** (Ab-, Ver)Kürzung *f.* **2.** *fig.* Kürzung *f*, Beschneidung *f.* **3.** Be-, Einschränkung *f*, Her'absetzung *f* (**in** *gen*).

cur·tain ['kəːrtn; -tin] **I** *s* **1.** Vorhang *m*, Gar'dine *f*: **to draw the ~(s)** den Vorhang *od.* die Gardinen auf- *od.* zuziehen (→ 3). **2.** *fig.* Vorhang *m*, (*a. Regen-, Wolken- etc*)Wand *f*: **a ~ of rain; ~ of fire** *mil.* Feuervorhang. **3.** *fig.* Vorhang *m*, Schleier *m*, Hülle *f*: **security ~** *pol.* (ausgeklügeltes) System von Sicherheitsmaßnahmen; **behind the ~** hinter den Kulissen; **to draw the ~ over s.th.** etwas begraben; **to lift the ~** den Schleier lüften. **4.** *thea.* a) Vorhang *m*: **the ~ rises** der Vorhang geht auf; **the ~ falls** der Vorhang fällt (*a. fig.*), b) Aufgehen *n* des Vorhangs, Aktbeginn *m*, c) Fallen *n* des Vorhangs, Aktschluß *m*, d) Ta'bleau *n* (*effektvolle Schlußszene*), e) Her'vorruf *m*: **to take ten ~s** zehn Vorhänge haben. **5.** 'Schlußmu,sik *f* (*e-r Radiosendung etc*). **6.** *pl* (*als sg konstruiert*) *Am. sl.* ‚Sense' *f*, das Ende: **it was ~s for him** da war es aus mit ihm. **II** *v/t* **7.** mit Vorhängen versehen: **to ~ off** mit Vorhängen abteilen *od.* abschließen. **8.** *fig.* verhüllen, -schleiern. ~ **call** → curtain 4 e. ~ **fall** → curtain 4 c. ~ **fire** *s mil.* Sperrfeuer *n*, Feuervorhang *m.* ~ **lec·ture** *s* Gar'dinenpredigt *f.* ~ **rais·er** *s thea.* kleines Vorspiel (*a. fig.*). ~ **wall** *s arch.* **1.** Zwischenwand *f*, -mauer *f.* **2.** Blendwand *f.*

Cur·ta·na [kəːr'tɑːnə; -'teinə] *s* Cur'tane *f* (*Schwert ohne Spitze, das dem englischen König bei der Krönung vorangetragen wird*).

cur·te·sy ['kəːrtəsi] *s jur.* Wittumsrecht *n*, Nießbrauch *m* des Witwers am Grundbesitz der verstorbenen Ehefrau.

cur·ti·lage ['kəːrtilidʒ] *s* zum Haus gehöriger (um'friedeter) Hof *etc.*

curt·ness ['kəːrtnis] *s* **1.** Kürze *f*, Knappheit *f.* **2.** Barschheit *f.*

curt·s(e)y ['kəːrtsi] **I** *s* Knicks *m*: **to drop a ~ (to)** → II. **II** *v/i* e-n Knicks machen, knicksen, sich verneigen (to vor *dat*).

cur·va·ceous [kəːr'veiʃəs] *adj colloq.* ‚kurvenreich' (*Frau*).

cur·vate ['kəːrveit; -vit], **'cur·vat·ed** [-veitid] *adj* geschweift, geschwungen.

cur·va·ture ['kəːrvətʃər] *s* Krümmung *f* (*a. math.*): ~ **of the earth** Erdkrümmung; ~ **of field** *TV* Bildfeldwölbung *f*; ~ **of the spine** *med.* Rückgratverkrümmung *f.*

curve [kəːrv] **I** *s* **1.** Kurve *f* (*a. math.*): a) Krümmung *f*, Biegung *f*, b) (Straßen)Kurve *f*, (-)Biegung *f*, c) Rundung *f*, d) *Statistik etc*: Schaulinie *f*, e) *fig.* Ten'denz *f*: ~ **of pursuit** *math.* Verfolgungskurve; ~ **fitting** *math.* Angleichung *f* e-r Kurve. **2.** *tech.* 'Kurvenline,al *n.* **3.** *pl Am.* runde Klammern *pl*, Paren'these *f.* **4.** *Baseball*: Kurven-, Ef'fetball *m.* **5.** *Am. sl.* Trick *m*, Ma'növer *n.* **II** *v/t* **6.** biegen, krümmen. **7.** schweifen, runden, wölben. **III** *v/i* **8.** sich biegen *od.* krümmen *od.* wölben. **9.** kurven, e-e Kurve beschreiben. **curved** [kəːrvd] *adj* **1.** gekrümmt, gebogen, krumm: ~ **space** *math.* gekrümmter Raum. **2.** *arch.* gewölbt, Bogen... **3.** geschweift, geschwungen. **4.** *mil.* Steil...: ~ **fire.**

curve·some ['kəːrvsəm] → curvaceous.

cur·vet [kəːr'vet; 'kəːrvit] **I** *s* **1.** *Reitkunst*: Kur'bette *f*, Bogensprung *m.* **2.** Luft-, Bocksprung *m.* **II** *v/i* **3.** kurbet'tieren.

cur·vi·form ['kəːrvi,fɔːrm] *adj* bogen-, kurvenförmig.

cur·vi·lin·e·ar [,kəːrvi'liniər], *a.* **,cur·vi'lin·e·al** [-əl] *adj* krummlinig.

curv·om·e·ter [kəːr'vɒmitər] *s tech.* Kurvenmesser *m.*

cu·sec ['kjuːsek] *s* Ku'bikfuß *m* pro Se'kunde.

cush·at ['kʌʃət] *s orn.* Ringeltaube *f.*

cush·ion ['kuʃən] **I** *s* **1.** Kissen *n*, Polster *n.* **2.** *fig.* Polster *n*: **a ~ of reserves; a ~ against unemployment.** **3.** Wulst *m* (*für die Frisur*). **4.** Bande *f* (*Billardtisch*). **5.** *tech.* a) Puffer *m*, Dämpfer *m*, b) Vergolder-, Blattkissen *n*, c) Zwischenlage *f*, Polsterschicht *f od.* -streifen *m* (*bei Luftreifen*), d) Felgenring *m*, e) (*Gas-, Dampf- etc*)Polster *n*, (Luft)Kissen *n.* **6.** *arch.* a) Kämpferschicht *f*, b) Kissen *n*, Ruhestein *m.* **7.** *zo.* a) Fettpolster *n* (*des Pferdehufes*), b) wulstige Oberlippe (*bestimmter Hunde*). **8.** *Am. Radio, TV*: (Pro'gramm)Füllsel *n.* **II** *v/t* **9.** mit Kissen versehen. **10.** durch Kissen schützen. **11.** weich betten. **12.** polstern (*a. fig.*). **13.** *e-n Stoß, e-n Fall etc* dämpfen, auffangen. **14.** *fig.* vertuschen. **15.** *tech.* abfedern, dämpfen. ~ **cap·i·tal** *s arch.* **1.** 'Wulstkapi,tell *n.* **2.** 'Würfelkapi,tell *n.*

cush·ioned ['kuʃənd] *adj* **1.** gepolstert, Polster... **2.** *fig.* bequem, behaglich. **3.** kissen-, polsterförmig. **4.** *tech.* federnd, stoßgedämpft.

cush·ion| plant *s bot.* Polsterpflanze *f.* ~ **tire,** *bes. Br.* ~ **tyre** *s tech.* 'Hochelastik-, Halbluftreifen *m.*

cush·y ['kuʃi] *adj bes. Br. sl.* ‚gemütlich', ‚schlau', angenehm: **a ~ job.**

cusp [kʌsp] *s* **1.** Spitze *f*, spitzes Ende. **2.** *anat. zo.* (Zahn)Höcker *m.* **3.** *anat.* Zipfel *m* (*der Herzklappe*). **4.** *math.* Scheitelpunkt *m* (*e-r Kurve*). **5.** *arch.* Nase *f* (*am gotischen Maßwerk*). **6.** *astr.* Spitze *f*, Horn *n* (*des Halbmonds*).

cus·pate ['kʌspit; -peit], **'cus·pat·ed** [-peitid], **cusped** [kʌspt] *adj* spitz (zulaufend).

cus·pid ['kʌspid] *s anat.* Eckzahn *m.*

cus·pi·dal ['kʌspidl] *adj math.* Spitzen...: ~ **curve.** **'cus·pi,date** [-,deit] *adj* **1.** spitz (zulaufend). **2.** *bot.* (stachel)spitzig.

cus·pi·dor ['kʌspiˌdɔːr] *s Am.* **1.** Spucknapf *m.* **2.** *aer.* Speitüte *f.*
cuss [kʌs] *colloq.* **I** *s* **1.** Fluch *m,* Verwünschung *f:* ~ **word** Schimpfwort *n;* → **tinker** 1. **2.** *oft humor.* Bursche *m,* ‚Nummer' *f:* **a queer** ~ ein komischer Kauz. **II** *v/t* **3.** *a.* ~ **out** verfluchen, fluchen auf (*acc*), beschimpfen. **III** *v/i* **4.** fluchen. '**cuss·ed** [-id] *adj colloq.* **1.** verflucht, -flixt. **2.** gemein, boshaft. **3.** stur, bockbeinig. '**cuss·ed·ness** *s colloq.* **1.** Bosheit *f.* **2.** Sturheit *f.*
cus·tard ['kʌstərd] *s* Eierkrem *f.* ~ **ap·ple** *s bot.* (*e-e*) An'none.
cus·to·di·al [kʌs'toudiəl] **I** *adj* **1.** Aufsichts...: ~ **care** Obhut *f.* **2.** vormundschaftlich. **3.** treuhänderisch. **II** *s* **4.** *R.C.* a) Cu'stodia *f,* b) Re'liquienkästchen *n.* **cus'to·di·an** *s* **1.** Hüter *m,* Wächter *m.* **2.** (*Haus- etc*)Verwalter *m.* **3.** Aufseher *m,* Kustos *m* (*Museum*). **4.** Verwahrer *m* (*a. jur.*). **5.** *jur.* (Vermögens)Verwalter *m,* Treuhänder *m.* **6.** Verwahrungsstelle *f.* **cus'to·di·anˌship** *s* Amt *n* e-s Verwalters *etc,* Verwaltung *f,* Treuhänderschaft *f.*
cus·to·dy ['kʌstədi] *s* **1.** (Ob)Hut *f,* Schutz *m,* Bewachung *f:* **in s.o.'s** ~ in j-s Obhut. **2.** Aufsicht *f* (**of** über *acc*). **3.** (*Vermögens-etc*)Verwaltung *f.* **4.** *jur.* Gewahrsam *m:* a) tatsächlicher Besitz, b) (*a.* Unter'suchungs)Haft *f:* **protective** ~ Schutzhaft; **to take into** ~ verhaften, in Gewahrsam nehmen. **5.** *jur.* Sorgerecht *n,* Erziehungsgewalt *f.* **6.** *econ. Am.* Verwaltung *f* von Ef'fekten: ~ **receipt** Depotschein *m.*
cus·tom ['kʌstəm] **I** *s* **1.** Brauch *m,* Gewohnheit *f,* Sitte *f:* ~ **of** (*od.* **in**) **trade** *econ.* Handelssitte, -brauch, Usance *f;* ~ **of the port** (*abbr.* **c.o.p.**) *econ.* Hafenbrauch, -usance *f;* ~ **of the Realm** *Br.* Landesbrauch. **2.** *collect.* Sitten *pl* u. Gebräuche *pl.* **3.** *jur.* a) fester Brauch, b) Gewohnheitsrecht *n:* ~ **of war** Kriegsbrauch *m.* **4.** *pl* Brauchtum *n.* **5.** *hist.* (*durch Gewohnheitsrecht festgelegte*) Abgabe *od.* Dienstleistung. **6.** *econ.* Kundschaft *f,* Kunden *pl:* **to draw** ~ **from** Einnahmen haben von (*e-m Kundenkreis*); **to withdraw one's** ~ s-e Kundschaft entziehen (**from** *dat*). **7.** *pl* Zoll *m:* **to pay (the)** ~**s** den Zoll bezahlen; ~**s authorities** → 8. **8.** *pl* Zollbehörde *f,* -amt *n.* **II** *adj* **9.** *Am.* a) → **custom-made:** ~ **shoes** Maßschuhe; ~ **work** Maßarbeit *f,* b) auf Bestellung *od.* für Kunden arbeitend: ~ **tailor** Maßschneider *m.*
cus·tom·ar·i·ly ['kʌstəmərili] *adv* üblicherweise, 'herkömmlicherweise.
'**cus·tom·ar·y I** *adj* **1.** gebräuchlich, gewöhnlich, 'herkömmlich, üblich: **as is** ~ wie es üblich ist, wie üblich. **2.** gewohnt, Gewohnheits... **3.** *jur.* gewohnheitsrechtlich: ~ **law** Gewohnheitsrecht *n.* **II** *s* **4.** (Sammlung *f* der) Gewohnheitsrechte *pl.*
'**cus·tom-'built** *adj Am.* für den Besteller spezi'ell gebaut, einzeln angefertigt (*Auto etc*).
cus·tom·er ['kʌstəmər] *s* **1.** Kunde *m,* Kundin *f,* Abnehmer(in), Käufer(in): **chance** (*od.* **street**) ~ Laufkunde; **regular** ~ a) Stammkunde, fester Kunde, b) Stammgast *m;* ~**'s check** *Am.* Kundenscheck *m;* ~ **country** Abnehmerland *n;* ~**'s loan** Kundenkredit *m;* ~ **service** Kundendienst *m.* **2.** *colloq.* Bursche *m,* Kerl *m,* ‚Kunde' *m,* ‚Zeitgenosse' *m.* ~ **a·gent** *s econ.* Kundenvertreter *m* (*im Exportgeschäft*). ~ **own·er·ship** *s econ.* Aktienbesitz *m* der Kundschaft gemeinwirtschaftlicher Unter'nehmen.
'**cus·tom**| ˌ**house** *s* Zollamt *n:* ~ **agent** (*od.* **broker**) Zollagent *m.* ~ **in·voice** *s econ.* 'Zollfakˌtura *f.* '~-'**made** *adj Am.* nach Maß *od.* auf Bestellung *od.* spezi'ell angefertigt, Maß...
cus·toms| **clear·ance,** *a.* ~ **clear·ing** *s* Zollabfertigung *f.* ~ **dec·la·ra·tion** *s* 'Zolldeklaratiˌon *f,* -erklärung *f.* ~ **ex·am·i·na·tion** *s* 'Zollrevisiˌon *f,* -konˌtrolle *f.* ~ **un·ion** *s* 'Zolluniˌon *f,* -verein *m.* ~ **war·rant** *s econ.* Zollauslieferungsschein *m.*
cut [kʌt] **I** *s* **1.** Schnitt *m.* **2.** Hieb *m:* ~ **and thrust** a) *fenc.* Hieb u. Stoß *m,* b) *fig.* (*feindseliges*) Hin u. Her, Widerstreit *m.* **3.** *fig.* Stich *m,* (Seiten)Hieb *m,* Bosheit *f.* **4.** *colloq.* Schneiden *n,* Grußverweigerung *f:* **to give s.o. the** ~ **direct** j-n ostentativ schneiden. **5.** (Spaten)Stich *m.* **6.** Haarschnitt *m.* **7.** *tech.* Ein-, Anschnitt *m,* Kerbe *f.* **8.** *tech.* Schnittfläche *f.* **9.** *tech.* Schrot *m, n.* **10.** a) Einschnitt *m,* 'Durchstich *m* (*im Gelände*), b) Graben *m.* **11.** Schnitte *f,* Stück *n* (*bes. Fleisch*): **cold** ~**s** Aufschnitt *m.* **12.** *Am. colloq.* Imbiß *m.* **13.** *Am. colloq.* Anteil *m:* **my** ~ **is 20%**. **14.** a) Mahd *f* (*Gras*), b) Schlag *m* (*Holz*), c) Schur *f* (*Wolle*). **15.** *Film:* Schnitt *m.* **16.** *Film, Radio, TV:* scharfe Über'blendung, Schnitt *m.* **17.** Wegabkürzung *f,* di'rekter Weg. **18.** *Kricket, Tennis:* geschnittener Ball. **19.** Stück *n,* Länge *f* (*von Stoff, Tuch*). **20.** (Zu)Schnitt *m,* Fas'son *f* (*bes. von Kleidung*). **21.** Schnitt *m,* Schliff *m* (*von Edelsteinen*). **22.** *fig.* Art *f,* Schlag *m:* **of quite a different** ~ aus ganz anderem Holz geschnitzt. **23.** Gesichtsschnitt *m.* **24.** *colloq.* (*soziale etc*) Stufe: **a** ~ **above** e-e Stufe besser als. **25.** *print.* a) (Kupfer)Stich *m,* b) Druckstock *m,* c) Kli'schee *n.* **26.** Holzschnitt *m.* **27.** (*modischer*) Schlitz (*im Kleid*). **28.** Streichung *f,* Auslassung *f,* Kürzung *f* (*in e-m Buch etc*). **29.** *econ.* Abzug *m,* Abstrich *m,* Streichung *f,* Kürzung *f,* Senkung *f:* ~ **in prices** Preissenkung *od.* -herabsetzung *f;* ~ **in salary** Gehaltskürzung. **30.** *bes. univ. colloq.* ‚Schwänzen' *n.* **31.** *Kartenspiel:* a) Abheben *n,* b) abgehobene Karte(n *pl*). **32.** Strohhalm *m* (*zum Losen*): **to draw** ~**s** Strohhalme ziehen, losen.
II *adj* **33.** beschnitten, (zu)geschnitten, gestutzt, gespalten, zersägt: ~ **flowers** Schnittblumen; ~ **glass** geschliffenes Glas. **34.** *bot.* (ein)gekerbt. **35.** gemeißelt, geschnitzt, behauen. **36.** verschnitten, ka'striert: **a** ~ **horse** ein Wallach. **37.** *econ.* her'abgesetzt, ermäßigt: ~ **prices.** **38.** *sl.* ‚blau', ‚besoffen'.
III *v/t pret u. pp* **cut** **39.** (be-, zer)schneiden, ab-, 'durchschneiden, e-n Schnitt machen in (*acc*): **to** ~ **one's finger** sich in den Finger schneiden; **to** ~ **to pieces** zerstückeln; **to** ~ **one's teeth** Zähne bekommen, zahnen. **40.** abhacken, -schneiden, -sägen, *mar.* kappen: **to** ~ **a book** ein Buch aufschneiden; **to** ~ **coal** Kohle(n) hauen; **to** ~ **grass** Gras mähen; **to** ~ **trees** Bäume fällen; **to** ~ **turf** Rasen stechen; **to** ~ **wood** Holz hacken. **41.** *e-e Hecke etc* beschneiden, stutzen: **to** ~ **s.o.'s hair** j-m die Haare schneiden. **42.** e-e Schnittwunde beibringen (*dat*), verwunden, -letzen. **43.** schlagen: **to** ~ **a horse with a whip.** **44.** *Tiere* ka'strieren, verschneiden. **45.** *ein Kleid etc* zuschneiden, *etwas* zu'rechtschneiden, *e-n Schlüssel* anfertigen, *e-n Braten* vorschneiden *od.* zerlegen. **46.** *e-n Stein* behauen, *Glas, Edelsteine* schleifen. **47.** (ein)schnitzen, einschneiden, -ritzen. **48.** *e-n Weg* ausgraben, -hauen, *e-n Graben* stechen, *e-n Tunnel* bohren: **to** ~ **one's way** sich e-n Weg bahnen. **49.** *agr. Land* 'umackern, pflügen. **50.** *math. etc* durch'schneiden, kreuzen. **51.** *mot.* a) *e-e Kurve* schneiden, b) *ein Verkehrslicht etc* über'fahren. **52.** *e-n Text etc, a. e-n Betrag etc* kürzen, beschneiden, zs.-streichen: **to** ~ **an article;** **to** ~ **a film** e-n Film schneiden; **to** ~ **the wages** die Löhne kürzen; **to** ~ **production** die Produktion einschränken *od.* drosseln. **53.** *econ. Preise* her'absetzen, senken. **54.** *die Geschwindigkeit* her'absetzen, verringern. **55.** *econ. e-n Verlust* abschreiben: **I have** ~ **my losses** a) ich habe m-e Verluste abgeschrieben, b) *fig.* ich habe diese Sache aufgegeben. **56.** a) *chem. tech.* verdünnen, auflösen, b) *colloq.* verwässern. **57.** *tech.* abstoßen, *Metall, a. Gewinde* schneiden, beschroten, fräsen, scheren, schleifen. **58.** *electr. teleph. e-e Verbindung* trennen. **59.** *electr. mot. tech.* a) *den Motor etc* ab-, ausschalten, b) *den Motor* drosseln. **60.** *Film, Radio, TV:* abbrechen. **61.** (*auf Tonband*) mitschneiden. **62.** *fig. e-e Verbindung* abbrechen, aufgeben. **63.** *fig.* betrüben, verletzen, kränken: **it** ~ **him to the heart** es tat ihm in der Seele weh, es schnitt ihm ins Herz. **64.** *colloq. j-n* schneiden, nicht grüßen: **to** ~ **s.o. dead** j-n völlig ignorieren. **65.** *bes. univ. colloq. e-e Vorlesung etc* ‚schwänzen'. **66.** *Karten* abheben. **67.** *sport den Ball* schneiden. **68.** *Am. sl. Gewinne* teilen. **69.** *sport e-n Rekord* brechen. **70.** → **cut out** 9.
IV *v/i* **71.** schneiden, hauen (**in, into** in *acc*), bohren, hauen, sägen, stechen: **it** ~**s both ways** *fig.* a) es ist ein zweischneidiges Schwert, b) das gilt für beide Teile (gleichermaßen). **72.** einschneiden, drücken (*Kragen etc*). **73.** sich (gut) schneiden lassen. **74.** 'durchbrechen (*Zähne*). **75.** (auf dem kürzesten Wege) hin'durchgehen, den kürzesten Weg einschlagen. **76.** *sl.* a) rasen, flitzen, b) ‚abhauen': **to** ~ **and run** Reißaus nehmen. **77.** weh tun, kränken. **78.** *Kartenspiel:* abheben. **79.** *sport* (den Ball) schneiden. **80.** *Film etc:* a) schneiden, über'blenden, b) abbrechen. **81.** *bes. univ. colloq.* (die Vorlesung *etc*) ‚schwänzen'. **82.** *paint.* stark her'vortreten (*Farbe*). **83.** *Am. sl.* die Gewinne teilen.
Verbindungen mit Präpositionen:
cut| **a·cross** *v/t* **1.** *etwas* (quer) durch'schneiden *od.* -'laufen, (quer) (hin'durch)gehen durch. **2.** *fig.* a) über'schneiden, b) hin'ausgehen über (*acc*), c) einbeziehen. ~ **in·to** *v/i* **1.** einschneiden in (*acc*) (*a. fig.*): **it** ~ **his time** es kostete ihn Zeit; **to** ~ **a market** *econ.* e-n Einbruch in e-n Markt erzielen; **it** ~ **the value of his house** es verringerte den Wert s-s Hauses. **2.** *math.* durch'dringen. ~ **through** *v/t* durch'schneiden, -'hauen, -'stechen, -'graben.
Verbindungen mit Adverbien:
cut| **back I** *v/t* → **cut** 41, 52, 54. **II** *v/i* (zu)'rückblenden (**to** auf *acc*) (*Film, Roman etc*). ~ **down I** *v/t* **1.** abhacken, abhauen, *Bäume* fällen,

e-n Wald abholzen. **2.** zu'rechtschneiden, -stutzen (*a. fig.*): to cut s.o. down to size *Am. sl.* j-m den Mund stopfen. **3.** niederschlagen, -metzeln. **4.** *fig.* da'hin-, wegraffen. **5.** a) *Ausgaben* verringern, einschränken, b) → cut 52, 53. **6.** *electr. die Spannung* redu'zieren. **7.** *tech.* abdrehen. **II** *v/i* **8.** ~ on *etwas* einschränken: to ~ on smoking. ~ **in I** *v/t* **1.** *tech. den Motor* einschalten. **2.** *electr. in e-n Stromkreis* einschalten. **3.** *Film etc*: *Szene etc* einschalten, -fügen. **4.** *Am. sl. j-n* beteiligen (on an *dat*). **II** *v/i* **5.** sich (plötzlich) einmischen, sich einschalten. **6.** sich eindrängen. **7.** *mot.* sich einreihen. **8.** *colloq.* (*beim Tanz*) abklatschen. **9.** *Kartenspiel*: (als Partner) einspringen. **10.** *tech. teleph.* sich einschalten. ~ **loose** *v/i* **1.** sich lossagen *od.* freimachen (from von). **2.** sich gehen lassen. **3.** *Am.* a) loslegen (with mit), b) ‚auf die Pauke hauen'. ~ **off** *v/t* **1.** abschneiden, -hauen, -sägen: to ~ s.o.'s head j-n köpfen. **2.** *den Strom etc* absperren, abdrehen, *e-e Verbindung, Versorgung, den Weg etc* abschneiden: to ~ the enemy's retreat dem Feind den Rückzug abschneiden. **3.** *teleph. e-n Teilnehmer* trennen. **4.** *electr. tech.* ab-, ausschalten. **5.** *fig.* a) abschneiden, trennen, b) abbrechen, (ab'rupt) beenden. **6.** *j-n* enterben. **7.** *j-n* da'hinraffen. ~ **o·pen** *v/t* aufschneiden. ~ **out I** *v/t* **1.** (her)'ausschneiden. **2.** *ein Kleid* zuschneiden. **3.** *nur pass* planen, vorbereiten, ausersehen: to be ~ for a job für e-e Aufgabe wie geschaffen sein; → work 1. **4.** *e-n Rivalen* ausstechen, verdrängen. **5.** *tech.* a) her'ausnehmen, abkuppeln, b) *a. electr.* ab-, ausschalten. **6.** *mar. ein Schiff* durch Abschneiden von der Küste kapern. **7.** *Am. ein Weidetier* von der Herde absondern. **8.** *colloq. etwas* abstellen, ausschalten, entfernen. **9.** *Am. sl. etwas* unter'lassen, aufhören mit: cut it out! hör auf (damit)!, laß den Quatsch! **10.** *Am. sl. j-n* betrügen (of um *s-n Anteil*). **II** *v/i* **11.** plötzlich abbiegen, ausscheren (*Fahrzeug*). **12.** *Kartenspiel*: ausscheiden. **13.** *tech.* a) sich ausschalten, b) aussetzen, -fallen (*Motor*). ~ **o·ver** *v/t Wald* ausforsten, abholzen. ~ **short** *v/t* **1.** unter'brechen. **2.** vorzeitig beenden, (unerwartet) kürzen. ~ **un·der** *econ.* **I** *v/t* unter'bieten. **II** *v/i* unter dem Marktpreis verkaufen. ~ **up I** *v/t* **1.** zerschneiden, -hauen, -sägen. **2.** zerlegen. **3.** zerreißen, aufschlitzen, *den Boden* zerwühlen. **4.** unter'brechen. **5.** vernichten, dezi'mieren. **6.** ‚verreißen', scharf kriti'sieren. **7.** *meist pass* tief betrüben, kränken, erregen: to be ~ tief betrübt sein. **II** *v/i* **8.** *sl.* sich benehmen: to ~ rough ‚massiv' *od.* grob werden; to ~ fat (*od.* rich) reich sterben. **9.** *Am. sl.* a) ‚angeben', b) Unsinn treiben.

'cut|-and-'come-a'gain *s* **1.** Hülle *f* u. Fülle *f*. **2.** *bot.* 'Sommerlevˌkoje *f*. **'~-and-'dried** *adj* a) (fix u.) fertig, b) scha'blonenhaft. **'~-and-'try** *adj* em'pirisch.

cu·ta·ne·ous [kjuː'teiniəs] *adj anat.* [ku'tan, Haut...]

'cut·aˌway I *adj* **1.** schneidend. **2.** beschnitten. **3.** weggeschnitten. **4.** mit abgerundeten Vorderschößen (*Jacke*). **5.** Schnitt..., im Ausschnitt: ~ model Schnittmodell *n*; ~ view Ausschnitt(darstellung *f*) *m*. **II** *s* **6.** *a.* ~ coat Cut(away) *m*.

'cutˌback, *Br.* **'cut-ˌback** *s* **1.** *Film etc*: Rückblende *f*. **2.** *Am.* Redu'zierung *f*, Verringerung *f*, Einschränkung *f*, Kürzung *f*, Abstrich *m*.

cute [kjuːt] *adj* (*adv* ~ly) *colloq.* **1.** scharfsinnig, raffi'niert. **2.** *Am.* nett, hübsch, niedlich, ‚süß'. **'cute·ness** *s colloq.* **1.** Klug-, Schlauheit *f*. **2.** *Am.* Niedlichkeit *f*.

Cuth·bert ['kʌθbərt] *s bes. mil. Br. sl.* ‚Drückeberger' *m*.

cu·ti·cle ['kjuːtikl] *s* **1.** Ku'tikula *f*: a) *anat.* (Ober)Häutchen *n*, Epi'dermis *f*, b) *zellfreie Abscheidung der Oberhaut*, c) *bot. äußerste Schicht der Oberhaut*. **2.** Deck-, Oberhaut *f*, *bes.* Nagelhaut *f*: ~ scissors Nagelschere *f*. **3.** Häutchen *n* (*auf Flüssigkeiten*).

cu·tie ['kjuːti], *a.* **'cut·ey** *s Am. sl.* **1.** a) ‚flotte Biene', fesches Mädel, b) ‚süßer Kerl', netter Bursche. **2.** *sport* ‚Stra'tege' *m*, ‚alter Hase'.

cut·in, *Br.* **cut-in** ['kʌtˌin] **I** *adj* **1.** eingefügt, zwischengeschaltet. **II** *s* **2.** *Film etc*: a) Einschnitt(szene *f*) *m*, b) zwischengeschaltete 'Durchsage. **3.** *Film, Zeitung*: Zwischentitel *m*.

cu·tis ['kjuːtis] *s anat.* Kutis *f*, Korium *n*, Lederhaut *f*.

cut·las(s) ['kʌtləs] *s* **1.** *mar.* Entermesser *n*, kurzer Säbel. **2.** Ma'chete *f*.

cut·ler ['kʌtlər] *s* 'Messerschmied *m*, -fabriˌkant *m*. **'cut·ler·y** *s* **1.** Messerschmiedehandwerk *n*. **2.** *collect.* Messerwaren *pl*. **3.** Tisch-, Eßbesteck *n*.

cut·let ['kʌtlit] *s* Kote'lett *n*, Rippenstück *n*, Schnitzel *n*.

'cutˌoff, *Br.* **'cut-ˌoff** *s* **1.** Abkürzung(sweg *m*) *f*. **2.** *geol.* a) Mä'anderabschnürung *f* (*e-s Flusses*), b) na'türlich abgeschnürte Flußschlinge. **3.** *Wasserbau*: 'Stichkaˌnal *m*. **4.** *electr. tech.* a) (Ab)Sperrung *f*, Ab-, Ausschaltung *f*, b) Ausschalt(zeit)punkt *m*, c) 'Sperr-, 'Abschaltperiˌode *f*, -zeit *f*, d) Ausschalt-, Sperrvorrichtung *f*, e) *a.* ~ point Sperrpunkt *m*, -stelle *f* (*in e-m Stromkreis*). **5.** Brennschluß *m* (*bei Raketen*). **6.** *Am. fig.* a) Stopp *m*, Beendigung *f*, b) letzter Ter'min, Stichtag *m*. ~ **cur·rent** *s electr.* Ausschaltspitzenstrom *m*. ~ **key** *s electr.* Trenntaste *f*. ~ **valve** *s tech.* 'Absperrvenˌtil *n*.

'cut|ˌout *s* **1.** Ausschnitt *m*. **2.** 'Ausschneidefiˌgur *f* (*bes. für Kinder*). **3.** *electr. tech.* a) *a.* ~ switch Ausschalter *m*, Unter'brecher *m*, b) 'Sicherung(sautoˌmat *m*) *f*: ~ box Schalt-, Sicherungskasten *m*. **4.** *mot.* Auspuffklappe *f*. **'~ˌo·ver I** *adj* **1.** abgeholzt (*Forstland*). **II** *s* **2.** Kahlschlag *m*. **3.** *electr. teleph.* 'Umschalten *n*. **'~ˌpurse** *s* Taschendieb(in). **'~-'rate** *adj Am.* **1.** *econ.* a) ermäßigt, her'abgesetzt: ~ articles; ~ prices, b) zu her'abgesetzten Preisen verkaufend, ‚billig': ~ stores, c) (Fahrpreis- *etc*)Ermäßigung(en) genießend: ~ passengers. **2.** *colloq. fig.* ‚billig', ‚nachgemacht'.

cut·ter ['kʌtər] *s* **1.** (Blech-, Holz-)Schneider *m*, Zuschneider *m* (*a. von Tuch*), (Stein)Hauer *m*, (Glas-, Dia'mant)Schleifer *m*. **2.** *tech.* a) 'Schneidemaˌschine *f*, -werkzeug *n*, b) Fräser *m*, c) Stichel *m*, Meißel *m*, Stahl *m*, d) Bohrer *m*, e) Paral'lelschere *f*. **3.** a) Schneiddose *f*, b) Schneidstichel *m* (*für Schallplatten*). **4.** *Bergbau*: a) 'Schrämmaˌschine *f*, b) Hauer *m* (*Person*). **5.** *Kochkunst*: Ausstechform *f*. **6.** *tech.* (*Art*) weicher Backstein. **7.** *Film*: Cutter(in), Schnittmeister(in). **8.** *Am.* leichter (Pferde)Schlitten. **9.** *mar.* a) Kutter *m*, b) (Bei)Boot *n* (*von Kriegsschiffen*), c) *a.* coast guard ~ *Am.* Küstenwachfahrzeug *n*. ~ **bar** *s tech.* **1.** Bohrspindel *f*, -welle *f*. **2.** Schneidebalken *m*, -stange *f* (*e-r Mähmaschine*). **'~ˌhead** *s tech.* **1.** Bohr-, Messerkopf *m*. **2.** Fräs(spindel)kopf *m*. **3.** Hobelmesser *n*.

'cutˌthroat I *s* **1.** (Meuchel)Mörder *m*, Mordbube *m*, Räuber *m*. **2.** *fig.* Halsabschneider *m*, Schuft *m*. **3.** *orn.* Bandfink *m*. **4.** *ein Kartenspiel meist zu dritt*. **5.** *a.* ~ razor *colloq.* (großes) Ra'siermesser. **II** *adj* **6.** mörderisch, grausam, Mörder... **7.** *fig.* halsabschneiderisch, mörderisch: ~ competition Konkurrenz(kampf *m*) *f* bis aufs Messer; ~ price Wucherpreis *m*. **8.** zu dreien gespielt: ~ bridge.

cut·ting ['kʌtiŋ] **I** *s* **1.** (Ab-, Aus-, Be-, Zu)Schneiden *n* (*etc*; → cut III). **2.** → cut 7, 15, 16. **3.** (Zeitungs)Ausschnitt *m*. **4.** *tech., bes. rail.* Einschnitt *m*, 'Durchstich *m*. **5.** *tech.* a) Fräsen *n*, Schneiden *n*, spanabhebende Bearbeitung, Zerspanung *f*, b) Kerbe *f*, Schlitz *m*, c) *pl* (Dreh-, Hobel)Späne *pl*, d) *pl* Abfälle *pl*, Schnitzel *pl*. **6.** *bot.* Ableger *m*, Steckling *m*, Setzling *m*. **II** *adj* (*adv* ~ly) **7.** Schneid(e)..., Schnitt..., schneidend (*a. fig. Schmerz, Wind*). **8.** *fig.* schneidend, beißend, scharf: a ~ remark. ~ **an·gle** *s tech.* Schneide-, Schnittwinkel *m*. ~ **blow·pipe** *s tech.* Schneidbrenner *m*. ~ **die** *s tech.* Schneideisen *n*, 'Stanzschaˌblone *f*. ~ **edge** *s* Schneide *f*, Schnittkante *f*. ~ **ma·chine** *s tech.* 'Fräsmaˌschine *f*. ~ **nip·pers** *s pl* Kneifzange *f*. ~ **oil** *s tech.* Kühlöl *n*. ~ **press** *s tech.* Schnittpresse *f*. ~ **punch** *s tech.* Locheisen *n*, Schnittstempel *m*. ~ **sty·lus** → cutter 3 b. ~ **torch** → cutting blowpipe.

cut·tle ['kʌtl] → cuttlefish. **'~ˌbone** *s ichth.* Blackfischbein *n*, Kalkschulp *m*. **'~ˌfish** *s* (*ein*) Kopffüßer *m*, *bes.* Gemeiner Tintenfisch, Kuttelfisch *m*.

cut·ty ['kʌti] *bes. Scot.* **I** *adj* **1.** kurz (geschnitten). **II** *s* **2.** Stummelpfeife *f*. **3.** a) ‚kurzbeiniges Wesen' (*Mädchen*), b) ‚Flittchen' *n*. ~ **stool** *s bes. Scot.* **1.** Schemel *m*. **2.** *hist.* Arme'sünderstuhl *m*.

'cutˌup *pl* **'cutˌups** *s Am. sl.* **1.** Angeber *m*. **2.** ‚Kasper' *m*, Witzbold *m*.

cut| vel·vet *s* Voile- *od.* Chif'fonstoff *m* mit Samtmuster. **'~ˌwa·ter** *s* **1.** *mar.* Schegg *m* (*e-r Brücke*). **2.** Pfeilerkopf *m*, Gali'on *n*. **'~ˌwork** *s Stickerei*: 'Durchbrucharbeit *f*.

cy·an·am·ide [ˌsaiə'næmid; -aid; sai'ænəm-] *s chem.* **1.** Zyana'mid *n*. **2.** Kalkstickstoff *m*. **'cy·aˌnate** [-əˌneit] *s chem.* Zya'nat *n*.

cy·an·ic [sai'ænik] *adj* **1.** zy'anblau. **2.** *chem.* Zyan...: ~ acid.

cy·a·nide ['saiəˌnaid; -nid] **I** *s chem.* Zya'nid *n*: ~ of copper Zyankupfer *n*; ~ of potash Zyankali *n*. **II** *v/t metall.* a) zemen'tieren, b) im Zya'nidverfahren bearbeiten.

cy·a·nin ['saiənin] *s chem.* Zya'nin *n*. **'cy·aˌnite** [-ˌnait] *s min.* Zya'nit *m*.

cy·an·o·gen [sai'ænədʒən] *s chem.* **1.** Zy'an *n* (*Radikal*). **2.** 'Dizyˌan *n*.

cy·a·no·sis [ˌsaiə'nousis] *s med.* Zya'nose *f*, Blausucht *f*.

cy·ber·net·ic [ˌsaibər'netik] *adj* kyber'netisch. **ˌcy·ber'net·i·cist** [-isist], *a.* **ˌcy·ber·ne'ti·cian** [-ni'tiʃən] *s* Kyber'netiker *m*. **ˌcy·ber'net·ics** [-'netiks] *s pl* (*als sg konstruiert*) *biol. tech.* Kyber'netik *f* (*Wissenschaft von den Steuerungs- u. Regelungsvorgängen*).

cyc·la·men ['sikləmən] *s bot.* Alpenveilchen *n*.

cyc·la·mine ['sikləˌmiːn; -min] *s chem.* [zyklisches A'min.]

cy·cle ['saikl] **I** *s* **1.** Zyklus *m*, Kreis(lauf) *m*, 'Umlauf *m*: lunar ~ Mondzyklus; business (*od.* trade) ~ Konjunkturzyklus. **2.** Peri'ode *f*: in ~s periodisch (wiederkehrend). **3.** *astr.* Himmelskreis *m*. **4.** Zeitalter *n*, Ära *f*. **5.** Zyklus *m*: a) (Gedicht-, Lieder-, Sagen)Kreis *m*, b) Folge *f*, Reihe *f*, Serie *f* (*von Schriften*). **6.** a) Fahrrad *n*, b) Dreirad *n*: ~ path Radfahrweg *m*. **7.** *electr. phys.* ('Schwingungs)Peri,ode *f*: ~s per second (*abbr.* cps) Hertz. **8.** *tech.* a) (Arbeits)Spiel *n*, Arbeitsgang *m*, b) (Motor)Takt *m*: four-stroke ~ Viertakt; four-~ engine Viertaktmotor *m*. **9.** *Thermodynamik*: 'Kreispro,zeß *m*. **10.** *chem.* Ring *m*. **11.** *math.* a) Kreis *m*, b) → cyclic permutation. **12.** *bot.* Quirl *m*, Wirtel *m*. **13.** *zo.* Zyklus *m*, Entwicklungsgang *m*. **II** *v/i* **14.** e-n Kreislauf 'durchmachen. **15.** peri'odisch 'wiederkehren. **16.** radfahren, radeln. **III** *v/t* **17.** e-n Kreislauf 'durchmachen lassen. **18.** *a. tech.* peri'odisch wieder'holen. '~,**car** *s* Kleinstauto *n*, -wagen *m*.

cy·clic ['saiklik; 'sik-] *adj*; '**cy·cli·cal** [-kəl] *adj* (*adv* ~ly) **1.** zyklisch: a) Kreislauf..., kreisläufig, b) peri'odisch, c) *chem.* Zyklo..., Ring..., d) *bot.* wirtelig (*Blüte*). **2.** *econ.* konjunk'turrhythmisch, -po,litisch, -bedingt, konjunktu'rell, Konjunktur... **3.** *Literatur*: zyklisch: ~ poet zyklischer Dichter, Zykliker *m*. **4.** *psych.* zyklisch: ~ insanity zyklisches (manisch-depressives) Irresein.

cy·clic| per·mu·ta·tion *s math.* zyklische Permutati'on. ~ **rate** *s mil.* Feuergeschwindigkeit *f*.

cy·cling ['saikliŋ] *s* **1.** Radfahren *n*. **2.** *sport* Radrennsport *m*: ~ race Radrennen *n*. '**cy·clist** *s* Radfahrer(in).

cy·cloid ['saikləid] **I** *s* **1.** *math.* Zyklo'ide *f*, Radlinie *f*, -kurve *f*. **2.** *psych.* zyklo'ider Mensch. **II** *adj* **3.** kreisähnlich. **4.** *ichth.* a) zyklo'id-, rundschuppig (*Fisch*), b) zyklo'id, rund. **5.** *psych.* zyklo'id. **cy'cloi·dal** *adj* **1.** *phys.* Zykloiden...: ~ pendulum. **2.** → cycloid II.

cy·clom·e·ter [sai'klɒmitər] *s* **1.** *math.* Zyklo'meter *n*, Kreisberechner *m* (*Instrument*). **2.** *tech.* Wegmesser *m*, Um'drehungszähler *m*.

cy·clone ['saikloun] *s* **1.** *meteor.* a) Zy'klon *m*, Wirbelsturm *m*, b) Zy'klone *f*, Tief(druckgebiet) *n*, c) *colloq. u. fig.* Or'kan *m*: a ~ of laughter. **2.** *tech.* a) Zentri'fuge *f*, Schleuder *f*, b) Zy'klon(entstauber) *m* (*für Luft od. Gas*).

cy·clo·pae·di·a *etc* → cyclopedia *etc*.

Cy·clo·pe·an [,saiklo'piːən] *adj* **1.** Zyklopen... **2.** *a.* c~ zy'klopisch, gi'gantisch. **3.** c~ *arch.* mega'lithisch.

cy·clo·pe·di·a [,saiklo'piːdiə] *s* Enzyklopä'die *f*. ,**cy·clo'pe·dic**, ,**cy·clo'pe·di·cal** *adj* enzyklo'pädisch, univer'sal, um'fassend: ~ knowledge.

Cy·clop·ic [sai'klɒpik] → Cyclopean.

Cy·clops ['saiklɒps] *pl* **-clo·pes** [sai'kloupiːz] *s myth.* Zy'klop *m*.

cy·clo·ra·ma [,saiklo'rɑːmə; *Am. a.* -'ræmə] *s* 'Rundgemälde *n*, -ku,lisse *f*.

cy·clo·style ['saiklo,stail] **I** *s* Zyklo'styl *m*. **II** *v/t* durch Zyklo'styl vervielfältigen.

cy·clo·thyme ['saiklo,θaim] *s psych.* zyklo'thymer Mensch.

cy·clo·tron ['saiklo,trɒn] *s phys.* Zyklotron *n*, (Teilchen)Beschleuniger *m*.

cy·der → cider.

cyg·net ['signit] *s orn.* junger Schwan.

cyl·in·der ['silindər] *s* **1.** *print. tech.* Zy'linder *m*, Walze *f* (*beide a. math.*), Rolle *f*, Trommel *f*: six-~ car Sechszylinderwagen *m*. **2.** *tech.* a) (Re'volver)Trommel *f*, b) Bohrung *f*, Seele *f*, c) Gas-, Stahlflasche *f*, d) 'Meßzy,linder *m*, e) Stiefel *m* (*e-r Pumpe*). **3.** *bot.* Zen'tralzy,linder *m*. **4.** *Archäologie*: 'Siegelzy,linder *m*, Rollsiegel *n*. ~ **barrel** *s tech.* Zy'lindermantel *m*. ~ **block** *s tech.* Zy'linderblock *m*. ~ **bore** *s tech.* Zy'linderbohrung *f*.

cyl·in·dered ['silindərd] *adj tech.* ...zylindrig: four-~ engine Vierzylindermotor *m*.

cyl·in·der| es·cape·ment *s tech.* Zy'linderhemmung *f* (*Uhr*). ~ **glass** *s tech. Am.* geblasenes Flachglas. ~ **head** *s tech.* Zy'linderkopf *m*. ~ **press** *s tech.* ('Druck)Zy,linder(schnell)presse *f*. ~ **saw** *s tech.* Trommelsäge *f*.

cy·lin·dri·cal [si'lindrikəl], *a.* **cy'lin·dric** *adj math.* zy'lindrisch, Zylinder..., *tech. a.* walzenförmig.

cy·lin·dri·cal| co·or·di·nates *s pl math.* Zy'linderkoordi,naten *pl*. ~ **func·tions,** ~ **har·mon·ics** *s pl math.* Zy'linderfunkti,onen *pl*, Besselsche Funkti'onen *pl*.

cy·lin·dri·form [si'lindri,fɔːrm] *adj* zy'linderförmig. '**cyl·in,droid I** *s math.* Zylindro'id *n*. **II** *adj* zylindro'id.

cy·ma ['saimə] *pl a.* **-mae** [-miː] *s* **1.** *arch.* Kyma *n* (*Schmuckleiste*). **2.** *bot.* → cyme.

cy·mar → simar.

cym·bal ['simbəl] *s mus.* **1.** *meist pl* Becken *n* (*Schlaginstrument*). **2.** Zimbel *f* (*Orgelregister*). '**cym·bal·ist** *s mus.* Beckenschläger *m*. '**cym·ba·lo** [-lou] *pl* **-los** *s mus.* Hackbrett *n*.

cyme [saim] *s bot.* a) Zyma *f*, Gabel-Blütenstand *m*, b) Trugdolde *f*.

Cym·ric ['kimrik] **I** *adj* kymrisch, wa'lisisch. **II** *s ling.* Kymrisch *n*, das Kymrische. '**Cym·ry**, *a.* '**Cym·ries** *s pl* Kymren *pl*.

cyn·ic ['sinik] **I** *s* **1.** Zyniker *m*, bissiger Spötter. **2.** C~ *antiq. philos.* Kyniker *m*. **II** *adj* (*adv* ~ally) **3.** → cynical. **4.** C~ *antiq. philos.* kynisch. '**cyn·i·cal** *adj* (*adv* ~ly) zynisch: a) bissig, spöttisch, b) menschenverachtend, verbittert. '**cyn·i,cism** [-,sizəm] *s* **1.** Zy'nismus *m*. **2.** zynische Bemerkung. **3.** C~ *antiq. philos.* Ky'nismus *m*. '**cyn·i·cist** → cynic 1.

cy·no·sure ['sainəʃur] *s* **1.** *fig.* Anziehungspunkt *m*, Gegenstand *m* der Bewunderung. **2.** C~ *astr.* a) Kleiner Bär (*Sternbild*), b) Po'larstern *m*.

cy·pher → cipher.

cy pres ['siː 'prei] *adj u. adv jur.* den Absichten des Erb-lassers soweit wie möglich entsprechend.

cy·press¹ ['saiprəs; -pris] *s bot.* **1.** Zy'presse *f*. **2.** (*ein*) zy'pressenartiger Baum, *bes.* a) (*e-e*) 'Lebensbaum-, 'Scheinzy,presse, b) Vir'ginische 'Sumpfzy,presse, c) Yaccabaum *m* (*Mittelamerika*). **3.** Zy'pressenholz *n*.

cy·press² ['saiprəs; -pris] *s hist.* feiner Ba'tist (*bes. für Trauerkleidung*).

Cyp·ri·an ['sipriən] **I** *adj* **1.** zyprisch. **2.** *fig.* lasterhaft. **II** *s* **3.** → Cypriote I. **4.** lasterhafte Per'son, *bes.* Hure *f*.

cy·pri·nid [si'prainid; 'sipri-] *ichth.* **I** *s* Karpfen *m*. **II** *adj* karpfenartig.

Cyp·ri·ote ['sipri,out], *a.* '**Cyp·ri·ot** [-ət] **I** *s* **1.** Zypri'ot(in), Zyprer(in). **2.** *ling.* Zyprisch *n*, zyprischer Dia'lekt. **II** *adj* **3.** zyprisch.

cy·prus ['saiprəs] → cypress².

Cy·ril·lic [si'rilik] *adj* ky'rillisch.

cyst [sist] *s* **1.** Zyste *f*: a) *med.* Sackgeschwulst *f*, b) *biol.* Ruhezelle *f*, c) Blase *f*. **2.** Kapsel *f*, Hülle *f*.

cyst·ic ['sistik] *adj* **1.** *bes. med.* zystisch: ~ kidney Zystenniere *f*. **2.** *anat.* (Gallen-, Harn)Blasen...

cys·ti·tis [sis'taitis] *s med.* 'Blasenka,tarrh *m*.

cys·to·cele ['sisto,siːl] *s med.* (Harn)-Blasenbruch *m*.

cys·to·scope ['sisto,skoup] *s med.* Zysto'skop *n*, Blasenspiegel *m*. **cys'tos·co·py** [-'tɒskəpi] *s med.* Zystosko'pie *f*. **cys'tot·o·my** [-'tɒtəmi] *s med.* Blasen(stein)schnitt *m*.

cy·to·blast ['saito,blæst] *s biol.* Zyto'blast *m*, Zellkern *m*. '**cy·to,chrome** [-,kroum] *s biol.* Zyto'chrom *n*, Zellfarbstoff *m*.

cy·tode ['saitoud] *s biol.* Zy'tode *f*.

cy·to·ge·net·ics [,saitodʒə'netiks] *s pl* (*als sg konstruiert*) *biol.* Zytoge'netik *f* (*Erforschung der zellphysiologischen Grundlagen der Vererbung*). **cy'tog·e·nous** [-'tɒdʒənəs] *adj biol.* zyto'gen, zellbildend.

cy·tol·o·gy [sai'tɒlədʒi] *s biol.* Zytolo'gie *f*, Zellenlehre *f*.

cy·tol·y·sis [sai'tɒlisis] *s med.* Zyto'lyse *f*, Zellauflösung *f*, -zerfall *m*.

cy·to·plasm ['saito,plæzəm] *s biol.* Zyto'plasma *n*, Zellplasma *n*. '**cy·to,plast** [-,plæst] *s biol.* Zyto'plasma *n*, Zellkörper *m* (*ohne Kern*).

czar [zɑːr] *s* **1.** *meist* C~ *hist.* Zar *m*. **2.** *fig.* Herrscher *m*, Dik'tator *m*.

czar·das ['tʃɑːrdɑːʃ] *s* Csárdás *m* (*ungarischer Tanz*).

czar·dom ['zɑːrdəm] *s* **1.** Zarenreich *n*. **2.** Zarenwürde *f*. **3.** *fig.* (auto'kratische) Herrschaft.

czar·e·vitch ['zɑːrəvitʃ; -ri-] *s* Za'rewitsch *m*. **cza'ri·na** [-'riːnə] *s* Zarin *f*. '**czar·ism** *s* Zarentum *n*. **czar'is·tic** *adj* za'ristisch, Zaren... **cza'rit·za** [-'riːtsə] → czarina.

Czech [tʃek] **I** *s* **1.** Tscheche *m*, Tschechin *f*. **2.** *ling.* Tschechisch *n*, das Tschechische. **II** *adj* **3.** tschechisch. '**Czech·ic** → Czech II.

Czech·o·slo·vak, Czech·o-Slo·vak ['tʃeko'slouvæk], *a.* ,**Czech·o·slo'vak·i·an**, ,**Czech·o-Slo'vak·i·an** [-kiən] **I** *s* Tschechoslo'wak(in). **II** *adj* tschechoslo'wakisch.

D

D, d [diː] **I** *s pl* **D's, Ds, d's, ds** [diːz] **1.** D, d *n* (*Buchstabe*). **2.** *mus.* D, d *n* (*Note*): D flat Des, des *n*; D sharp Dis, dis *n*; D double flat Deses, deses *n*; D double sharp Disis, disis *n*. **3.** d *math.* d (*4. bekannte Größe*). **4.** D *ped. bes. Am.* Vier *f*, Ausreichend *n*. **5.** D D *n*, D-förmiger Gegenstand. **II** *adj* **6.** viert(er, e, es): Company D die 4. Kompanie.

'd [d] *colloq. für* had, should, would: you'd.

da [dɑː] → dad.

dab[1] [dæb] **I** *v/t* **1.** leicht schlagen *od.* klopfen, antippen. **2.** be-, abtupfen. **3.** *Fläche* bestreichen. **4.** *a.* ~ on *Farbe etc.* auftragen. **5.** *print.* kli'schieren, abklatschen. **II** *v/i* **6.** tippen, tupfen, leicht schlagen: to ~ at → 1 *u.* 2. **7.** picken. **III** *s* **8.** (leichter) Klaps, Tupfer *m*, sanfter Schlag. **9.** Klecks *m*, Spritzer *m*. **10.** → dabber.

dab[2] [dæb] *s ichth.* **1.** Dab *m*, Kliesche *f*. **2.** Scholle *f*, Flach-, Plattfisch *m*.

dab[3] [dæb] *s colloq.* Könner *m*, Ex'perte *m*, ‚Künstler' *m*: to be a ~ at s.th. sich auf e-e Sache verstehen.

dab·ber ['dæbər] *s* **1.** (Watte)Bausch *m*, weicher Ballen, Tupfer *m*. **2.** a) *print.* Farbballen *m*, b) *Stereotypie*: Klopfbürste *f*.

dab·ble ['dæbl] **I** *v/t* **1.** besprengen, bespritzen. **2.** betupfen. **II** *v/i* **3.** (*im Wasser*) plantschen, plätschern. **4.** *fig.* sich oberflächlich *od.* aus Liebhabe'rei befassen *od.* beschäftigen (in mit): to ~ in writing (so) nebenbei ein bißchen schriftstellern. **'dab·bler** *s* Dilet'tant(in), Stümper(in).

dab·ster ['dæbstər] *s* **1.** → dab[3]. **2.** → dabbler.

da ca·po [da 'kapo] (*Ital.*) *adv mus.* da capo, noch einmal.

dace [deis] *pl* **dac·es,** *collect.* **dace** *s ichth.* **1.** Häsling *m*, Hasel *m* (*europäischer Karpfenfisch*). **2.** *ein nordamer. Süßwasser-Karpfenfisch.*

dachs·hund ['dæksˌhund; *Am. a.* 'dæʃ-] *s zo.* Dachshund *m*, Dackel *m*.

da·coit [də'kɔit] *s* Ban'dit *m* (*in Indien u. Burma*). **da'coit·y,** *a.* **da'coit·age** *s* Räube'rei *f*, Räuberunwesen *n*.

dac·ry·o·cyst ['dækrioˌsist] *s med.* Tränensack *m*.

dac·tyl ['dæktil] *s* **1.** *metr.* Daktylus *m* (*Versfuß*). **2.** *zo.* Finger *m*, Zehe *f*.

dac·tyl·ic [dæk'tilik] *adj u. s metr.* dak'tylisch(er Vers).

dac·ty·lo·gram ['dæktiloˌgræm] *s* Fingerabdruck *m*. **ˌdac·ty'log·ra·phy** [-'lɒgrəfi] *s* **1.** Daktylogra'phie *f*. **2.** → dactylology. **ˌdac·ty'lol·o·gy** [-'lɒlədʒi] *s* Fingersprache *f*.

dad [dæd] *s colloq.* Vati *m*, Papi *m*.

Da·da·ism ['dɑːdɑˌizəm] *s* Dada'ismus *m* (*Kunst- u. Literaturrichtung etwa 1916—20*). **'Da·da·ist** *s* Dada'ist *m*.

dad·dy ['dædi] → dad. **~ long·legs** *s zo.* **1.** *Br.* Schnake *f*. **2.** *Am.* Weberknecht *m* (*Spinne*).

da·do ['deidou] **I** *s pl* **-does** **1.** *arch.* Posta'mentwürfel *m*. **2.** a) untere Wand, b) untere Wandverkleidung. **II** *v/t* **3.** *tech.* auskehlen, langlochen.

dae·dal ['diːdl], **Dae·da·li·an, Dae·da·le·an** [di'deiliən] *adj* **1.** dä'dalisch: a) geschickt, b) kunstvoll (gearbeitet), c) reich gestaltet. **2.** ingeni'ös, sinnreich. **3.** kompli'ziert.

dae·mon ['diːmən] *pl* **-mons** *od.* **-mo·nes** [-ˌniːz] *s* **1.** *antiq.* Dämon *m* (*niedere Gottheit*). **2.** *fig.* Geist *m*, Genius *m*, höhere Macht. **3.** Dai'monion *n*, innere Stimme. **4.** (*das*) Dä'monische (*im Menschen*). **5.** → demon.

daf·fa·down·dil·ly ['dæfədaun'dili] *dial. od. poet. für* daffodil 1.

daf·fo·dil ['dæfədil] *s* **1.** *bot.* Gelbe Nar'zisse, Osterblume *f*, -glocke *f*. **2.** Kadmiumgelb *n*.

daff·y ['dæfi] *adj Am. colloq. od. Br. dial.* ‚doof', dämlich, ‚bekloppt'.

daft [*Br.* dɑːft; *Am.* dæ(ː)ft] *adj* (*adv* ~ly) **1.** ‚doof', trottelhaft, dämlich. **2.** ‚bekloppt', verrückt. **3.** *Scot.* 'übermütig. **'daft·ness** *s* **1.** Dämlichkeit *f*. **2.** Verrücktheit *f*.

dag [dæg] *s* **1.** Zotte(l) *f*, Zipfel *m*, Fetzen *m*. **2.** *Br. od. Austral. für* daglock.

dag·ger ['dægər] *s* **1.** Dolch *m*: to be at ~s drawn *fig.* auf Kriegsfuß stehen (with mit); to look ~s at s.o. j-n mit Blicken durchbohren; to speak ~s scharfe u. verletzende Worte sprechen. **2.** *print.* Kreuz(zeichen) *n* (†).

dag·lock ['dægˌlɒk] *s* Wollklunker *f*.

Da·go ['deigou] *pl* **-gos** *od.* **-goes** *s colloq.* ‚Welsche(r)' *m* (*verächtlich für Italiener, Spanier u. Portugiesen*).

da·guerre·o·type [də'geroˌtaip] *phot.* **I** *s* **1.** Daguerreo'typ *n* (*Lichtbild auf Silberplatte*). **2.** Daguerreoty'pie *f*. **II** *v/t* **3.** daguerreoty'pieren. **da'guerre·oˌtyp·y** → daguerreotype 2.

dahl·ia [*Br.* 'deiljə; *Am.* 'dæljə; 'dɑːljə] *s* **1.** *bot.* Dahlie *f*, Geor'gine *f*: a blue ~ *fig.* e-e Unmöglichkeit, etwas Unglaubliches. **2.** Dahlia *n*, Me'thylvioˌlett *n* (*Farbstoff*).

Dail Eir·eann [dɔil 'ɛ(ə)rən], *a.* **Dail** *s* Abgeordnetenhaus *n* (*von Eire*).

dai·ly ['deili] **I** *adj* **1.** täglich, Tage(s)...: our ~ bread unser täglich(es) Brot; ~ experience (all)tägliche Erfahrung; ~ newspaper → 5; ~ wages Tag(e)lohn *m*. **2.** *fig.* all'täglich, ständig. **II** *adv* **3.** täglich. **4.** immer, ständig. **III** *s* **5.** Tageszeitung *f*. **6.** *Br. colloq.* Tag(es)mädchen *n*, -frau *f*. **~ bread·er** *s rail. Br.* Pendler *m*.

dain·ti·fy ['deintiˌfai] *v/t* verfeinern, zierlich (*etc*, → dainty) machen. **'dain·ti·ness** *s* **1.** Zierlichkeit *f*, Niedlichkeit *f*. **2.** wählerisches Wesen, Verwöhntheit *f*. **3.** Zimperlichkeit *f*, Geziertheit *f*. **4.** Schmackhaftigkeit *f*.

dain·ty ['deinti] **I** *adj* (*adv* daintily) **1.** zierlich, niedlich, fein, nett, reizend. **2.** exqui'sit, köstlich, erlesen. **3.** wählerisch, verwöhnt (*bes. im Essen*). **4.** zart(fühlend). **5.** zart, sanft: none too daintily ziemlich unsanft, in wenig zarter Weise. **6.** geziert, zimperlich. **7.** deli'kat, schmackhaft, lecker. **II** *s* **8.** Leckerbissen *m*: a) Delika'tesse *f*, Näsche'rei *f*, b) *fig.* Genuß *m*, Köstlichkeit *f*.

dai·qui·ri ['daikəri; 'dæ-] *s* Dai'quiricocktail *m* (*aus Rum, Zitronensaft, Zucker u. Eis*).

dair·y ['dɛ(ə)ri] *s* **1.** Molke'rei *f*, Meie'rei *f*. **2.** Molke'rei(betrieb *m*) *f*, Milchwirtschaft *f*. **3.** Milchhandlung *f*. **4.** *a.* ~ cattle *collect.* Milchvieh *n*. **~ farm** *s* Meie'rei *f*, Molke'rei *f*. **~ hus·band·ry** *s* Milchwirtschaft *f*.

dair·y·ing ['dɛ(ə)riiŋ] **I** *s* Milchwirtschaft *f*, Molke'reiwesen *n*. **II** *adj* Molkerei..., Meierei...

dair·y| lunch *s Am. colloq.* Milchbar *f*. **'~ˌmaid** *s* Milchmädchen *n*. **'~·man** [-mən] *s irr* **1.** Milchmann *m*. **2.** Melker *m*, Schweizer *m*. **3.** 'Milchproduˌzent *m*. **~ prod·uce** *s* Molke'reiproˌdukte *pl*.

da·is ['deiis] *pl* **-is·es** *s* **1.** Podium *n*, E'strade *f*, erhöhter Platz *od.* Sitz. **2.** Baldachin *m*.

dai·sied ['deizid] *adj* voller Gänseblümchen.

dai·sy ['deizi] **I** *s* **1.** *bot.* Gänseblümchen *n*, Maßliebchen *n*, Tausendschön(chen) *n*: to be as fresh as a ~ sich quicklebendig fühlen; to be under the daisies, to push up (the) daisies *sl.* ‚die Radieschen von unten wachsen sehen' (*tot sein*). **2.** *a.* oxeye ~ *bot.* Marge'rite *f*. **3.** *sl.* a) 'Prachtexemˌplar *n*, b) Prachtkerl *m*, Perle *f* (*Person*). **II** *adj* **4.** *sl.* erstklassig, ‚prima'. **~ chain** *s* **1.** Gänseblumenkränzchen *n*, -kette *f*. **2.** *fig.* Reigen *m*, Kette *f*: ~ of events. **~ cut·ter** *s sl.* **1.** Pferd *n* mit schleppendem Gang. **2.** *sport* Flachschuß *m*, ‚Roller' *m*.

dak [dɔːk] *s Ind.* **1.** Post *f*: ~ boat Postboot *n*. **2.** Re'laistransˌport *m*: ~ bungalow Herberge *f*.

da·koit(·y) → dacoit(y).

Da·lai La·ma ['dɑːlai 'lɑːmə; 'dæl-] *s* Dalai Lama *m*.

dale [deil] *s bes. dial. od. poet.* Tal *n*.

dales·man ['deilzmən] *s irr* Talbewohner *m* (*bes. der nordenglischen Flußtäler*).

da·li ['dɑːli] *s bot.* Talg-, Mus'katnuß(baum *m*) *f*.

dal·li·ance ['dæliəns] *s* **1.** Tröde'lei *f*, Bumme'lei *f*. **2.** Verzögerung *f*. **3.** Tände'lei *f*: a) Spiele'rei *f*, b) Liebe'lei *f*, Geschäker *n*. **'dal·li·er** *s* **1.** Bummler *m*. **2.** Tändler *m*, Schäker *m*.

dal·ly ['dæli] **I** *v/i* **1.** scherzen, schäkern, liebeln. **2.** spielen, liebäugeln, leichtsinnig 'umgehen (with mit): to ~ with danger mit der Gefahr spielen. **3.** her'umtrödeln, bummeln, Zeit vertändeln. **II** *v/t* **4.** ~ away a) *Zeit* vertändeln, -trödeln, b) *Gelegenheit* verpassen, -scherzen, -spielen. **'dal·ly·ing** *adj* **1.** scherzend, schäkernd. **2.** tändelnd, verspielt. **3.** leichtsinnig.

Dal·ma·tian [dæl'meiʃən; -ʃiən] **I** *adj* **1.** dalma'tinisch, dal'matisch. **II** *s* **2.** Dalma'tiner(in). **3.** *a.* ~ dog Dalma'tiner *m* (*Hunderasse*).

dal·mat·ic [dæl'mætik] *s relig.* Dal'matik(a) *f* (*liturgisches Obergewand*).

dal se·gno [dal'seɲo] (*Ital.*) *adv mus.* vom Zeichen an wieder'holen.

dal·ton·ism ['dɔːltəˌnizəm] *s med.* Dalto'nismus *m*, Farbenblindheit *f*.

dam[1] [dæm] **I** *s* **1.** (Stau)Damm *m*, Deich *m*, Wehr *n*, Talsperre *f*. **2.** Stausee *m*, -gewässer *n*. **3.** *fig.* Damm *m*. **II** *v/t* **4.** *a.* ~ up a) mit e-m Damm versehen, b) stauen, (ab-, ein)dämmen (*a. fig.*), c) (ab)sperren, hemmen, bloc'kieren (*a. fig.*). **5.** ~ out aussperren.

dam[2] [dæm] *s* **1.** *zo.* Mutter(tier *n*) *f*. **2.** *contp.* ‚Alte' *f* (*Frau*).

dam·age ['dæmidʒ] **I** *s* **1.** Schade(n) *m*, (Be)Schädigung *f* (to an *dat*): to do ~ Schaden anrichten; to do ~ to → 5; ~ by sea *mar.* Seeschaden, Havarie *f*; ~ caused by fire Brandschaden; → property 1. **2.** Verlust *m*, Einbuße *f*. **3.** *pl jur.* a) Schadenbetrag *m*, b) Schadenersatz *m*: action for ~s Schadenersatzklage *f*; to pay ~s Schadenersatz leisten; to sue for ~s, to seek ~s (against) auf Schadenersatz klagen (gegen *j-n*); → exemplary 2; punitive (*etc*); award 1; **4.** *sl.* Preis *m*, Rechnung *f*, ,Zeche' *f*: what's the ~? was macht der Schaden?, was kostet es? **II** *v/t* **5.** beschädigen: men ~d by war Kriegsbeschädigte. **6.** *j-m*, *j-s Ruf etc* schaden, Schaden zufügen, *j-n* schädigen. **III** *v/i* **7.** Schaden nehmen, beschädigt werden. **'dam·age·a·ble** *adj* empfindlich, leicht zu beschädigen(d). **'dam·aged** *adj* **1.** beschädigt, schadhaft, de'fekt: in a ~ condition in beschädigtem Zustand. **2.** verletzt, lä'diert. **3.** verdorben. **'dam·ag·ing** *adj* (*adv* ~ly) schädlich, nachteilig (to für).

Dam·a·scene ['dæmə,si:n] **I** *adj* **1.** damas'zenisch, Damas'zener. **2.** d~ *tech.* Damaszener..., damas'ziert. **II** *s* **3.** Damas'zener(in). **4.** d~ Damas'zenerarbeit *f*, Damas'zierung *f*. **5.** d~ → damson. **III** *v/t* **6.** d~ *Metall* damas'zieren. **'dam·a,scened** *adj* damas'ziert.

da·mas·cus [də'mæskəs] *s* **1.** *abbr. für* Damascus blade, Damascus sword, damask steel. **2.** → damask 1 *u.* 2. **D~ blade** *s* Damas'zener Klinge *f*. **D~ steel** → damask steel. **D~ sword** *s* Damas'zener Schwert *n*.

dam·ask ['dæməsk] **I** *s* **1.** Da'mast *m* (*Stoff*). **2.** Da'mast *m*, Damas'zierung *f* (*Stahl*). **3.** → damask steel. **4.** *a.* ~ rose *bot.* Damas'zener-, Portlandrose *f*. **5.** (*ein*) Rosa *n* (*Farbe*). **II** *adj* **6.** → Damascene 1. **7.** da'masten. **8.** aus Da'maststahl. **9.** mit Da'mast(muster), damas'siert. **10.** rosarot. **III** *v/t* **11.** *Metall* damas'zieren. **12.** *Stoff* damas'sieren, mustern. **13.** (bunt) verzieren. [ask 11.]

dam·a·skeen [,dæmə'ski:n] → dam-

dame [deim] *s* **1.** *Br.* a) Freifrau *f* (*Titel der Frau e-s* Knight *od.* Baronet), b) D~ *der dem* Knight *entsprechende Titel der weiblichen Mitglieder des* Order of the British Empire (*vor dem Vornamen*): D~ Diana X. **2.** Ma'trone *f*, alte Dame: D~ Nature Mutter Natur. **3.** *ped.* a) Schulleiterin *f*, b) (*in Eton*) Heimleiterin *f*. **4.** *Am. sl.* Weibsbild *n*. **5.** *obs. od. poet.* gnädige Frau (*Anrede*). **6.** *hist.* Lady *f* (*Frau od. Tochter e-s Lord*). ~ **school** *s Am. hist. od Br.* pri'vate Elemen'tarschule unter Leitung e-r Direk'torin.

dame's| gil·li·flow·er, ~ **rock·et,** ~ **vi·o·let** → damewort.

'dame,wort *s bot.* 'Frauenvi,ole *f*.

damn [dæm] **I** *v/t* **1.** *relig. u. weitS.* verdammen. **2.** verurteilen, tadeln. **3.** verwerfen, ablehnen: to ~ a book; → praise 3. **4.** vernichten, verderben, rui'nieren. **5.** verfluchen, verdammen, verwünschen: ~ (it)!, ~ me! *vulg.* verflucht!, verdammt!, verwünscht!; ~ you! *vulg.* hol dich der Teufel!; well, I'll be ~ed! nicht zu glauben!, das ist die Höhe!; I'll be ~ed if a) ich freß 'nen Besen, wenn ..., b) (es) fällt mir nicht im Traum ein (*das zu tun*). **II** *v/i* **6.** fluchen. **III** *s* **7.** Fluch *m*. **8.** ,Pfifferling' *m*, ,Dreck' *m*: I don't care a ~ ,das ist mir völlig schnuppe'; it's not worth a ~ es ist keinen Pfifferling wert. **IV** *interj* **9.** verflucht!, verflixt! **V** *adj u. adv* → damned 2 *u.* 4.

,dam·na'bil·i·ty [-nə'biliti] *s* Verdammungswürdigkeit *f*, Verwerflichkeit *f*. **'dam·na·ble** *adj* (*adv* damnably) **1.** verdammungswürdig, verwerflich. **2.** ab'scheulich, verflucht.

dam·na·tion [dæm'neiʃən] **I** *s* **1.** Verdammung *f*, Verurteilung *f*. **2.** Verwerfung *f*, Ablehnung *f*. **3.** *relig.* Verdammnis *f*. **II** *interj* → damn IV.

'dam·na·to·ry [-nətəri] *adj* verdammend, Verdammungs...

damned [dæmd] **I** *adj* **1.** *bes. relig.* verdammt: the ~ die Verdammten. **2.** *vulg.* verdammt, verwünscht, verflucht: a ~ fool ein Idiot, ein blöder Kerl; ~ nonsense kompletter Unsinn. **3.** *als bekräftigendes Füllwort*: a ~ sight better viel besser; every ~ one of them jeder (einzelne) (von ihnen); he ~ well ought to know it das müßte er wahrhaftig wissen. **II** *adv* **4.** *vulg.* verdammt, schrecklich, furchtbar: ~ cold; ~ funny schrecklich komisch.

dam·ni·fi·ca·tion [,dæmnifi'keiʃən] *s* Schädigung *f*. **'dam·ni,fy** [-,fai] *v/t bes. jur. j-n* schädigen.

damn·ing ['dæmiŋ] *adj fig.* erdrükkend, vernichtend: ~ evidence.

Dam·o·cles ['dæmə,kli:z] *npr* Damokles *m*: sword of ~ *fig.* Damoklesschwert *n*. [*für* damsel.]

dam·o·sel, dam·o·zel ['dæmə,zel] *obs.*

damp [dæmp] **I** *adj* (*adv* ~ly) **1.** feucht, dumpfig, klamm. **2.** dunstig. **3.** *obs. od. Am. fig.* trüb(e), trostlos. **II** *s* **4.** Feuchtigkeit *f*. **5.** Dunst *m*. **6.** *Bergbau*: a) Schwaden *m*, b) *pl* Schlag-, Grubenwetter *n*. **7.** *fig.* Niedergeschlagenheit *f*, Mutlosigkeit *f*, Depressi'on *f*. **8.** *fig.* Dämpfer *m*, Entmutigung *f*: to cast a ~ on (*od.* over) s.th. etwas dämpfen *od.* lähmen, auf etwas lähmend wirken. **III** *v/t* **9.** an-, befeuchten. **10.** a) *Begeisterung etc* dämpfen: to ~ s.o.'s enthusiasm, b) *j-n* entmutigen, depri'mieren. **11.** *Feuer* ersticken, auslöschen. **12.** *electr. mus. phys.* dämpfen. **IV** *v/i* **13.** feucht werden. **14.** → damp out.

Verbindungen mit Adverbien:

damp| down *v/t* **1.** *Feuer* abdämpfen. **2.** *tech.* drosseln. **3.** *Wäsche zum Bügeln* einsprengen u. einrollen. **4.** → damp 10. ~ **off** *v/i bot.* an der 'Umfallkrankheit leiden (*Keimling*). ~ **out** *v/i electr.* abklingen.

damp course *s arch.* Sperrbahn *f*, Iso'lierschicht.

damped [dæmpt] *adj bes. electr. mus. phys.* gedämpft: ~ oscillation.

damp·en ['dæmpən] → damp 9, 10, 13.

damp·er ['dæmpər] *s* **1.** *bes. fig.* Dämpfer *m*: to be a ~ to, to cast (*od.* put) a ~ on *fig.* e-n Dämpfer aufsetzen (*dat*), dämpfen, lähmend wirken auf (*acc*). **2.** *tech.* Luft-, Ofen-, Zugklappe *f*, Schieber *m*. **3.** *mus.* Dämpfer *m*: ~ pedal Fortepedal *n*. **4.** *electr.* a) (Schwingungs)Dämpfung *f*, Dämpfungsvorrichtung *f* (*für Magnetnadeln etc*), b) Kurzschlußring *m*. **5.** *Br.* Stoßdämpfer *m*. **6.** *Am. sl.* Regi'strierkasse *f*. **7.** *Br.* Anfeuchter *m* (*Arbeiter*). **8.** *Austral.* flaches, ungesäuertes Brot (*in glühender Asche gebacken*).

damp·ing ['dæmpiŋ] *s electr. phys.* Dämpfung *f*: ~ capacity of metals Dämpfung der Metalle; ~ resistance *electr.* Dämpfungs-, Bremswiderstand *m*. [dumpfig, klamm.]

damp·ish ['dæmpiʃ] *adj* etwas feucht,

damp·ness ['dæmpnis] *s* Feuchtigkeit *f*, Dumpfigkeit *f*. **'damp,proof** *adj* feuchtigkeitsbeständig.

dam·sel ['dæmzəl] *s* junges Mädchen, Fräulein *n*, Maid *f*.

dam·son ['dæmzən] *s bot.* Hafer-, Damas'zenerpflaume *f*. ~ **cheese** *s* steifes Pflaumenmus.

Dan [dæn] *s obs. Ehrentitel vor Götter- u. Dichternamen*: ~ Cupid Gott *m* Amor.

Dan·a·id·e·an [,dænei'idiən] *adj* dana'idisch, Danaiden... (*frucht- u. endlos*): ~ job Danaidenarbeit *f*.

dance [*Br.* dɑ:ns; *Am.* dæ(:)ns] **I** *v/i* **1.** tanzen: to ~ to (*od.* after) s.o.'s pipe (*od.* tune, whistle) *fig.* nach j-s Pfeife tanzen; to ~ on air (*od.* nothing) *iro.* ,baumeln', gehängt werden. **2.** (with vor *Freude, Schmerzen etc*) tanzen, hüpfen, (um'her)springen: to ~ with joy. **3.** tanzen, schaukeln, flattern: leaves ~ed in the air. **II** *v/t* **4.** *e-n Tanz* tanzen: to ~ a waltz; to ~ attendance on s.o. *fig.* um j-n scharwenzeln *od.* herumtanzen. **5.** *e-n Bären etc* tanzen lassen. **6.** tanzen *od.* hüpfen lassen, *ein Kind* schaukeln. **7.** tanzen: to ~ away *Zeit etc* vertanzen. **III** *s* **8.** Tanz *m* (*a. mus.*): to have a ~ with s.o. mit j-m (e-n Tanz) tanzen; to lead the ~ den Reigen eröffnen (*a. fig.*); to lead s.o. a ~ a) j-n zum Narren halten, b) j-m das Leben sauer machen; to join the ~ *fig.* den Tanz mitmachen; D~ of Death Totentanz. **9.** Tanzgesellschaft *f*, Ball *m*: at a ~ auf e-m Ball. **IV** *adj* **10.** Tanz...: ~ band; ~ music; ~ hall Tanzlokal *n*.

danc·er [*Br.* 'dɑ:nsə; *Am.* 'dæ(:)nsər] *s* Tänzer(in).

danc·ing [*Br.* 'dɑ:nsiŋ; *Am.* 'dæ(:)n-] *s* Tanzen *n*, Tanz(kunst *f*) *m*. ~ **disease** *s med.* Choreoma'nie *f*, Tanzwut *f*. ~ **girl** *s* (*berufsmäßige*) Tänzerin. ~ **hall** *s Am.* öffentliches 'Tanzlo,kal. ~ **les·son** *s* Tanzstunde *f*. ~ **mas·ter** *s* Tanzlehrer *m*. ~ **school** *s* Tanzschule *f*. [wenzahn *m*.]

dan·de·li·on ['dændi,laiən] *s bot.* Lö-

dan·der[1] ['dændər] *s colloq.* Wut *f*: to get s.o.'s ~ up j-n ,auf die Palme' bringen.

dan·der[2] ['dændər] *Scot. od. dial.* **I** *v/i* bummeln, spa'zieren. **II** *s* Bummel *m*.

dan·di·a·cal [dæn'daiəkəl] → dandy 5.

dan·di·fied ['dændi,faid] → dandy 5.

dan·dle ['dændəl] *v/t* **1.** *Kind* (auf den Armen *od.* Knien) wiegen, schaukeln. **2.** hätscheln, (lieb)kosen. **3.** verhätscheln, verwöhnen.

dan·druff, *a.* **dan·driff** ['dændrəf] *s* (Kopf-, Haar)Schuppen *pl*.

dan·dy ['dændi] **I** *s* **1.** Dandy *m*, Geck *m*, Stutzer *m*. **2.** *sl. od. colloq.* (*etwas*) Großartiges: that's the ~ das ist das Richtige *od.* ,die Masche'. **3.** *mar.* a) Heckmaster *m*, b) Besansegel *n*. **4.** *abbr. für* dandy cart, dandy roll. **II** *adj* **5.** stutzer-, geckenhaft, geschniegelt, Dandy... **6.** *colloq.* erstklassig, ,prima', (*nur pred*) ,bestens'.

dan·dy·ish ['dændiiʃ] → dandy 5.

'dan·dy,ism *s* Gecken-, Stutzerhaftigkeit *f*, Dandytum *n*.

dan·dy| roll, ~ **roll·er** *s Papierfabrikation*: Dandyroller *m*, -walze *f* (*zur Einpressung des Wasserzeichens*).

Dane [dein] *s* **1.** Däne *m*, Dänin *f*. **2.** *a.* great D~ *zo.* dänische Dogge. **'~,geld** [-,geld], **'~,gelt** [-,gelt] *s Br. hist.* Danegeld *n* (*altenglische Grundsteuer*).

'Dane,law, *a.* (*fälschlich*) **Da·ne·la·ga** [,dɑ:nə'lɑ:gə], **Dane·lagh** ['dein,lɔ:] *s hist.* **1.** dänisches Recht (*in den ehe-*

mals von den Dänen besetzten Gebieten Englands). **2.** Gebiet *n* unter dänischem Recht.

'Dane,wort *s bot.* 'Zwergho,lunder *m.*

dan·ger ['deindʒər] **I** *s* **1.** Gefahr *f* (to für): to be in ~ of falling Gefahr laufen zu fallen; to be in ~ of one's life in Lebensgefahr sein *od.* schweben; ~ of fire Feuersgefahr. **2.** (to) Bedrohung *f*, Gefährdung *f* (*gen*), Gefahr *f* (für): a ~ to peace. **3.** *a.* ~ signal *rail.* Not-, Haltezeichen *n*: the signal is at ~ das Signal zeigt Gefahr an. **II** *adj* **4.** Gefahren...: ~ area, ~ zone *mil.* Gefahrenzone *f*, Sperrgebiet *n*; ~ pay Gefahrenzulage *f*; ~ point, ~ spot Gefahrenpunkt *m*, -stelle *f.* **'dan·ger·ous** *adj* (*adv* ~ly) **1.** gefährlich (to für *od. dat*), gefahrvoll. **2.** ris'kant, bedenklich. **3.** gefährlich: he looks ~; a ~ animal. **'dan·ger·ous·ness** *s* Gefährlichkeit *f*, Gefahr *f.*

dan·gle ['dæŋgəl] **I** *v/i* **1.** baumeln, (her'ab)hängen. **2.** *fig.* (about, round) her'umhängen (um *j-n*), (*j-m*) nicht vom Leibe gehen: to ~ after s.o. j-m nachlaufen, sich j-m anhängen. **II** *v/t* **3.** 'hin- u. 'herschlenkern, baumeln lassen: to ~ s.th. before s.o. *fig.* j-m etwas verlockend in Aussicht stellen. **'dan·gler** *s fig.* Schürzenjäger *m.* **'dan·gling** *adj* **1.** baumelnd. **2.** *ling.* unverbunden: ~ adverb.

Dan·iel ['dænjəl] *npr u. s Bibl.* (das Buch) Daniel *m.*

Dan·ish ['deiniʃ] **I** *adj* dänisch. **II** *s ling.* Dänisch *n*, das Dänische. ~ **bal·ance** *s tech.* Schnellwaage *f* mit festem Gewicht. ~ **pas·try** *s* (*ein*) Blätterteiggebäck *n.*

dank [dæŋk] *adj* (*unangenehm*) feucht, naß(kalt), dumpfig.

Da·no-Nor·we·gian ['deinounɔːr'wiːdʒən] *s ling.* Dänisch-Norwegisch *n* (*auf Dänisch beruhende norwegische Schriftsprache*).

danse ma·ca·bre [dɑ̃ːs ma'kɑːbr] (*Fr.*) *s* Danse *m* ma'cabre, Totentanz *m.*

dan·seuse [dɑːn'səːz] *s* Ballet'teuse *f.*

Dan·te·an ['dæntiən; dæn'tiːən] **I** *adj* **1.** dantisch, Dantesch(er, e, es) (*Dante betreffend*). **2.** → Dantesque. **II** *s* **3.** Danteforscher(in) *od.* -liebhaber(in). **Dan'tesque** [-'tesk] *adj* dan'tesk, in Dantes Art.

Da·nu·bi·an [dæ'njuːbiən; də-] *adj* [Donau...]

dap [dæp] *v/i* **1.** *Angelsport*: den Köder sanft ins Wasser fallen lassen. **2.** flink 'untertauchen (*Ente etc*). **3.** hüpfen.

daph·ne ['dæfni] *s bot.* **1.** Seidelbast *m.* **2.** Edler Lorbeer.

dap·per ['dæpər] *adj* **1.** a'drett, ele'gant. **2.** flink, gewandt. **3.** lebhaft.

dap·ple ['dæpl] **I** *v/t* **1.** tüpfeln, sprenkeln, scheckig machen. **II** *v/i* **2.** schekkig *od.* bunt werden. **III** *s* **3.** Scheckigkeit *f.* **4.** Fleck *m*, Tupfen *m.* **5.** (*das*) Gescheckte *od.* Bunte. **6.** *zo.* Scheck(e) *m*: ~ bay Spiegelbraune(r) *m.* **IV** *adj* → dappled. **'dap·pled** *adj* **1.** gesprenkelt, gefleckt, scheckig: ~ shade Halbschatten *m.* **2.** bunt.

'dap·ple|-'gray, **'~-'grey** *adj* apfelgrau: ~ (horse) Apfelschimmel *m.*

dar·bies ['dɑːrbiz] *s pl sl.* Handschellen *pl*, Fesseln *pl.*

Dar·by and Joan ['dɑːrbi ənd 'dʒoun] *s* glückliches (*bes. älteres*) Ehepaar.

Dar·by·ite ['dɑːrbi,ait] *s relig.* Darby'ist *m*, Plymouthbruder *m.*

dare [dɛr] **I** *v/i pret* **dared,** *dial.* **durst** [dəːrst] *pp* **dared 1.** es wagen, sich (ge)trauen, sich erdreisten, sich erkühnen, sich unter'stehen: how ~ you say that? wie können Sie es wagen, das zu sagen?; how ~ you! a) untersteh dich!, b) was fällt dir ein!; he ~d not ask, he did not ~ to ask er traute sich nicht zu fragen; I ~ say (*od.* ~say) ich darf wohl behaupten, ich glaube wohl, allerdings, jawohl; I ~ swear ich bin ganz sicher, aber gewiß doch. **II** *v/t* **2.** *etwas* wagen, ris'kieren, sich her'anwagen an (*acc*). **3.** *j-n* her'ausfordern: I ~ you! du traust dich ja nicht!; I ~ you to deny it wage nicht, es abzustreiten. **4.** *fig.* (*acc*) her'ausfordern, (*dat*) trotzen, trotzig *od.* mutig begegnen, Trotz bieten. **III** *s* **5.** Her'ausforderung *f*: to give the ~ to s.o. j-n herausfordern; to accept (*od.* take) the ~ die Herausforderung annehmen. **6.** *obs.* a) Kühnheit *f*, b) Wagestück *n.*

'dare|,dev·il I *s* Wag(e)hals *m*, Draufgänger *m*, Teufelskerl *m.* **II** *adj* tollkühn, waghalsig, verwegen. **'~,dev·il(t)ry** *s* Tollkühnheit *f*, Waghalsigkeit *f*, Verwegenheit *f.*

daren't [dɛrnt] *colloq. für* dare not.

dar·ing ['dɛ(ə)riŋ] **I** *adj* (*adv* ~ly) **1.** wagemutig, tapfer, kühn. **2.** *a. fig.* gewagt, verwegen: a ~ neckline. **3.** unverschämt, dreist. **II** *s* **4.** (Wage)-Mut *m*, Kühnheit *f.* **'dar·ing·ness** *s* Wagemut *m.*

dark [dɑːrk] **I** *adj* (*adv* → darkly) **1.** dunkel, finster: it is getting ~ es wird dunkel. **2.** dunkel (*Farbe*): a ~ green. **3.** brü'nett, dunkel: ~ hair. **4.** *fig.* düster, finster, freud-, trostlos, trüb(e): a ~ future; the ~ side of things *fig.* die Schattenseite der Dinge. **5.** düster, finster: a ~ look. **6.** finster, unwissend, unaufgeklärt: a ~ age. **7.** böse, verbrecherisch, schwarz: ~ thoughts; a ~ crime ein finsteres Verbrechen; **8.** geheim(nisvoll), verborgen, dunkel, unerforschlich: to keep s.th. ~ etwas geheimhalten; keep it ~! kein Wort darüber!; → dark horse; **9.** *fig.* dunkel, unklar, mysteri'ös: ~ words. **10.** *ling.* dunkel: ~ vowel. **II** *s* **11.** Dunkel(heit *f*) *n*, Finsternis *f*: in the ~ im Dunkel(n), in der Dunkelheit; after ~ nach Einbruch der Dunkelheit; at ~ bei Dunkelwerden. **12.** *paint.* dunkle Farbe, Schatten *m.* **13.** *fig.* (*das*) Dunkle *od.* Verborgene *od.* Geheime: in the ~ insgeheim. **14.** *fig.* (*das*) Ungewisse *od.* Dunkle: to keep s.o. in the ~ about s.th. j-n über etwas im ungewissen lassen; a leap in the ~ ein Sprung ins Dunkle *od.* Ungewisse; I am in the ~ ich tappe im dunkeln. ~ **ad·ap·ta·tion** *s med.* 'Dunkeladaptati,on *f* (*des Auges*). **D~ Ag·es** *s pl* (frühes *od.* finsteres) Mittelalter. **D~ Con·ti·nent** *s* **1.** (*der*) dunkle Erdteil, Afrika *n.* **2.** unerforschter Kontinent.

dark·en ['dɑːrkən] **I** *v/t* **1.** verdunkeln (*a. fig.*), dunkel *od.* finster machen, verfinstern: don't ~ my door again! komm mir nie wieder ins Haus! **2.** dunkel *od.* dunkler färben, schwärzen. **3.** *fig.* verdüstern, trüben: to ~ s.o.'s name j-s Ruf beeinträchtigen. **4.** *Sinn* verdunkeln, unklar machen. **5.** die Sehkraft *der Augen* vermindern, blind machen. **II** *v/i* **6.** dunkel werden, sich verdunkeln, sich verfinstern. **7.** sich dunkel *od.* dunkler färben. **8.** *fig.* sich verdüstern *od.* trüben.

dark·ey → darky.

dark horse *s* **1.** (*auf der Rennbahn noch*) unbekanntes Rennpferd, Außenseiter *m* (*a. fig.*). **2.** *pol.* (*in der Öffentlichkeit*) wenig bekannter Kandi'dat, ‚unbeschriebenes Blatt'.

dark·ish ['dɑːrkiʃ] *adj* **1.** etwas dunkel. **2.** schwärzlich. **3.** dämmerig.

dark lan·tern *s* 'Blendla,terne *f.*

dark·ling ['dɑːrkliŋ] **I** *adj* **1.** sich verdunkelnd. **2.** dunkel. **II** *adv* **3.** *poet.* im Dunkeln.

dark·ly ['dɑːrkli] *adv* **1.** dunkel. **2.** *fig.* dunkel, geheimnisvoll, auf geheimnisvolle Weise. **3.** undeutlich. **4.** *fig.* finster, böse.

dark·ness ['dɑːrknis] *s* **1.** (*a. fig.*) Dunkelheit *f*, Finsternis *f*, Nacht *f.* **2.** Heimlichkeit *f*, Verborgenheit *f.* **3.** dunkle Färbung. **4.** (*das*) Böse: the powers of ~ die Mächte der Finsternis. **5.** *fig.* (das Reich der) Finsternis *f*: the Prince of ~ der Fürst der Finsternis (*der Teufel*). **6.** Blindheit *f.* **7.** *fig.* (geistige) Blindheit, Unwissenheit *f.* **8.** *fig.* Unklarheit *f*, Unverständlichkeit *f*, Dunkelheit *f.*

dark| re·ac·tion *s chem.* 'Dunkelreakti,on *f.* **'~,room** *s phot.* Dunkelkammer *f.* ~ **seg·ment** *s astr.* Erdschatten *m.* **'~,skinned** *adj* dunkelhäutig. ~ **slide** *s phot.* **1.** Kas'sette *f.* **2.** Plattenhalter *m.*

dark·some ['dɑːrksəm] *adj bes. poet.* **1.** dunkel, trüb(e). **2.** finster, böse.

dark·y ['dɑːrki] *s colloq.* Neger(in).

dar·ling ['dɑːrliŋ] **I** *s* **1.** Liebling *m*, Liebste(r *m*) *f*, (Gold)Schatz *m*: a ~ of fortune Glückskind *n*; aren't you a ~ du bist doch ein Engel *od.* ein lieber Kerl. **II** *adj* **2.** lieb, geliebt, Herzens... **3.** reizend, entzückend, goldig, süß: a ~ little hat.

darn[1] [dɑːrn] **I** *v/t Loch, Strümpfe etc* stopfen, ausbessern. **II** *s* gestopfte Stelle, (*das*) Gestopfte.

darn[2] [dɑːrn] *sl. für* damn.

darned [dɑːrnd] *adj u. adv sl. für* damned 2, 3, 4.

dar·nel ['dɑːrnl] *s bot.* Lolch *m.*

darn·er ['dɑːrnər] *s* **1.** Stopfer(in). **2.** Stopfnadel *f.* **3.** Stopfei *n*, -pilz *m.*

darn·ing ['dɑːrniŋ] *s* Stopfen *n.* ~ **ball** *s* Stopfkugel *f.* ~ **egg** *s* Stopfei *n.* ~ **nee·dle** *s* **1.** Stopfnadel *f.* **2.** *zo.* Li'belle *f.* ~ **yarn** *s* Stopfgarn *n.*

dart [dɑːrt] **I** *s* **1.** Wurfspeer *m*, -spieß *m.* **2.** (Wurf)Pfeil *m*: as straight as a ~ pfeilgerade; the ~ of sarcasm *fig.* der Stachel des Spotts. **3.** *zo.* Stachel *m* (*von Insekten*). **4.** Satz *m*, Sprung *m*: to make a ~ for losstürzen auf (*acc*). **5.** *pl* Pfeilwerfen *n* (*nach e-m Korkbrett*): ~board Zielscheibe *f.* **6.** *Schneiderei*: Abnäher *m.* **II** *v/t* **7.** *Speere, Pfeile* werfen, schießen, schleudern (*a. fig.*): to ~ a look at s.o. j-m e-n Blick zuwerfen. **8.** blitzschnell bewegen: to ~ one's head. **III** *v/i* **9.** sausen, flitzen, schießen, stürzen: to ~ at s.o. auf j-n losstürzen; he ~ed off er schoß davon. **10.** sich blitzschnell bewegen, zucken.

dart·ing ['dɑːrtiŋ] *adj* (*adv* ~ly) blitz- [schnell.]

Dart·moor ['dɑːrt,mur; -,mɔːr], *a.* ~ **pris·on** *s englische Strafanstalt bei Princetown, Devon.*

dar·tre ['dɑːrtər] *s med.* Herpes *f*, Bläs-chenausschlag *m.*

Dar·win·i·an [dɑːr'winiən] **I** *adj* dar'winisch, darwi'nistisch: ~ theory → Darwinism. **II** *s* Darwi'nist(in). **'Dar·win,ism** *s* Darwi'nismus *m.* **'Dar·win·ist** → Darwinian.

dash [dæʃ] **I** *v/t* **1.** schlagen, heftig stoßen, schmettern: to ~ to pieces in Stücke schlagen, zerschlagen, zerschmettern; to ~ out s.o.'s brain j-m den Schädel einschlagen. **2.** schleudern, schmeißen, schmettern, knallen: to ~ to the ground zu Boden schmettern *od.* schleudern. **3.** über'schütten, begießen, an-, bespritzen. **4.** spritzen, klatschen, gießen, schütten: to ~ water in s.o.'s face; to ~ down *od.* off *Getränk* hinunterstürzen. **5.** (ver)mischen (*a. fig.*): happiness ~ed with bitterness. **6.** *fig.* zerschlagen, zerstören, zu'nichte machen: to ~ one's hopes. **7.** *Gemüt etc* niederdrücken, depri'mieren. **8.** verwirren, aus der Fassung bringen. **9.** ~ off *od.* down *fig. Schriftliches* schnell 'hinhauen, -werfen, entwerfen: to ~ off an essay. **10.** *euphem. für* damn: ~ it! zum Kuckuck (damit)!

II *v/i* **11.** stürmen, (sich) stürzen: to ~ off davonjagen, -stürzen. **12.** (da'hin)stürmen, (-)jagen, (-)rasen. **13.** *sport* spurten. **14.** (heftig) aufschlagen, klatschen, prallen. **15.** scheitern (against an *dat*).

III *s* **16.** Schlag *m*: at one ~ mit 'einem Schlag (*a. fig.*). **17.** Klatschen *n*, Prall(en *n*) *m*, Aufschlag *m*. **18.** Schuß *m*, Zusatz *m*, Spritzer *m*: wine with a ~ of water Wein mit e-m Schuß Wasser; a ~ of salt e-e Prise Salz. **19.** Anflug *m*: a ~ of sadness. **20.** Stich *m* (of green ins Grüne). **21.** a) (Feder)Strich *m*, b) (Gedanken)-Strich *m*, Strich *m* für etwas Ausgelassenes, c) *tel.* (Morse)Strich *m*. **22.** *mus.* a) Stac'catokeil *m*, b) *Generalbaß*: Erhöhungsstrich *m*, c) Plicastrich *m* (*Ligatur*). **23.** (An)-Sturm *m*, Vorstoß *m*, Sprung *m*, stürmischer Anlauf: to make a ~ (at, for) (los)stürmen, sich stürzen (auf *acc*). **24.** Schneid *m*, Schwung *m*, Schmiß *m*, E'lan *m*. **25.** Ele'ganz *f*, glänzendes Auftreten: to cut a ~ e-e gute Figur abgeben, Aufsehen erregen. **26.** → dashboard. **27.** *sport* Kurzstreckenlauf *m*.

IV *interj* **28.** *bes. Br. colloq.* (*euphem. für* damn) verflixt: oh ~! ei verflixt!

'dash,board *s* **1.** *aer. mot.* Arma'turen-, Instru'mentenbrett *n*. **2.** Spritzbrett *n* (*e-r Kutsche*).

dashed [dæʃt] *adj u. adv colloq.* verflixt, verflucht.

dash·er ['dæʃər] *s* **1.** Zerstörer(in), Vernichter(in): ~ of hopes. **2.** Butterstößel *m*. **3.** *Am. für* dashboard 2. **4.** *colloq.* ele'gante Erscheinung, flotter Kerl. **'dash·ing** *adj* (*adv* ~ly) **1.** schneidig, forsch, verwegen. **2.** flott, ele'gant, fesch. **3.** klatschend, schlagend. **4.** rauschend: ~ waters.

dash| light *s mot.* Arma'turenbrettbeleuchtung *f*. **'~,pot** *s tech.* **1.** Stoßdämpfer *m*, Puffer *m*. **2.** 'Bremszy'linder *m*.

das·tard ['dæstərd] **I** *s* (gemeiner) Feigling, Memme *f*. **II** *adj* → dastardly. **'das·tard·li·ness** *s* **1.** Feigheit *f*. **2.** Heimtücke *f*. **'das·tard·ly** *adj u. adv* **1.** feig(e). **2.** heimtückisch, gemein.

da·ta ['deitə; *Am. a.* 'dætə] *s pl* **1.** *pl von* datum. **2.** (*Am. oft als sg konstruiert*) (*a. technische*) Daten *pl od.* Einzelheiten *pl od.* Angaben *pl*, 'Unterlagen *pl*: personal ~ Personalangaben, Personalien. **3.** *tech.* (Meß- u. Versuchs)Werte *pl*: ~ computer *mil.* a) *Artillerie*: Rechengerät *n*, b) *Flak*: Kommandogerät *n*; ~ processing (elektronische) Datenverarbeitung; ~ processing machine datenverarbeitende Maschine.

date[1] [deit] *s bot.* **1.** Dattel *f*. **2.** Dattelpalme *f*.

date[2] [deit] **I** *s* **1.** Datum *n*, Tag *m*: what is the ~ today? der wievielte ist heute?; the "Times" of today's ~ die heutige „Times". **2.** Datum *n*, Zeit(punkt *m*) *f*: of recent ~ neu(eren Datums), modern; at an early ~ (möglichst) bald. **3.** Zeit(raum *m*) *f*, E'poche *f*: of Roman ~ aus der Römerzeit. **4.** Datum *n*, Datums- (u. Orts)angabe *f* (*auf Briefen etc*): ~ as per postmark Datum des Poststempels; ~ of invoice Rechnungsdatum. **5.** *econ. jur.* Tag *m*, Ter'min *m*: ~ of delivery Liefertermin; ~ of maturity Fälligkeits-, Verfallstag; to fix a ~ e-n Termin festsetzen. **6.** *econ.* a) Ausstellungstag *m* (*e-s Wechsels*), b) Frist *f*, Sicht *f*, Ziel *n*: at a long ~ auf lange Sicht. **7.** *Am. colloq.* Verabredung *f*, Rendez'vous *n*: to have a ~ with s.o. mit j-m verabredet sein; to make a ~ sich verabreden. **8.** *Am. sl.* (Verabredungs)Partner(in): who is your ~? mit wem bist du (denn) verabredet? **9.** heutiges Datum, heutiger Tag: four weeks after ~ vier Wochen (nach dato) von heute; to ~ bis heute, bis auf den heutigen Tag. **10.** neuester Stand: out of ~ veraltet, überholt, unmodern; to go out of ~ veralten; (up *od.* down) to ~ zeitgemäß, modern, auf dem laufenden, auf der Höhe (der Zeit); to bring up to ~ auf den neuesten Stand bringen, modernisieren; → up-to-date.

II *v/t* **11.** da'tieren: to ~ ahead voraus-, vordatieren; to ~ back zurückdatieren. **12.** ein Datum *od.* e-e Zeit festsetzen *od.* angeben für. **13.** 'herleiten (from aus *od.* von). **14.** als über'holt *od.* veraltet kennzeichnen. **15.** e-r bestimmten Zeit *od.* E'poche zuordnen. **16.** ~ up *Am. sl.* sich (regelmäßig) verabreden mit, ‚gehen' mit *j-m*: to ~ a girl.

III *v/i* **17.** da'tieren, da'tiert sein (from von). **18.** ~ from (*od.* back to) stammen *od.* sich 'herleiten aus, s-n Ursprung haben *od.* entstanden sein in (*dat*). **19.** ~ back to bis in *e-e Zeit* zu'rückreichen, auf *e-e Zeit* zu'rückgehen. **20.** ~ from rechnen von. **21.** veralten, sich über'leben.

'date·block *s* ('Abreiß-, Ter'min)Ka,lender *m*.

dat·ed ['deitid] *adj* **1.** da'tiert. **2.** veraltet, über'holt. **3.** ~ up *bes. Am. sl.* (im voraus) mit Verabredungen voll beschäftigt (*Person*), voll besetzt (*Tag*). **'date·less** *adj* **1.** 'unda,tiert. **2.** endlos. **3.** zeitlos: a ~ work of art. **4.** *Am. colloq.* frei, ohne Verabredung(en): ~ evening.

date| line *s* **1.** Datumszeile *f* (*der Zeitung etc*). **2.** *geogr.* Datumsgrenze *f*. ~ **palm** → date[1] 2. ~ **plum** *s bot.* Götterpflaume *f*.

dat·er ['deitər] *s* Da'tierappa,rat *m*, Datumstempel *m*.

date| shell *s zo.* Seedattel *f*. ~ **stamp** *s* Datum-, Poststempel *m*. ~ **sug·ar** *s* Palmzucker *m*.

dat·ing ['deitiŋ] *s* Da'tierung *f*.

da·ti·val [dei'taivəl] → dative 1.

da·tive ['deitiv] **I** *adj* **1.** *ling.* da'tivisch, Dativ...: ~ case → 3; ~ termination Dativendung *f*. **2.** *jur.* a) vergebbar, verfügbar, b) wider'ruflich (*nicht erblich*): decree ~ Ernennungserlaß *m* (*e-s Testamentsvollstreckers*); ~ tutelage übertragene Vormundschaft. **II** *s* **3.** *ling.* Dativ *m*, dritter Fall.

da·tum ['deitəm; *Am. a.* 'dætəm] *pl* **-ta** [-tə] *s* **1.** (*das*) Gegebene *od.* Festgesetzte. **2.** gegebene Tatsache, Prä'misse *f*, Vor'aussetzung *f*, Gegebenheit *f*, Grundlage *f*. **3.** *math.* gegebene Größe. **4.** → data. ~ **lev·el** → datum plane. ~ **line** *s* **1.** *surv.* Bezugslinie *f*. **2.** *mil.* Standlinie *f* (*Artillerie*). ~ **plane** *s math. phys.* Bezugsebene *f*. ~ **point** *s* **1.** *math. phys.* Bezugspunkt *m*. **2.** *surv.* Nor'malfixpunkt *m*.

da·tu·ra [də'tju(ə)rə] *s bot.* Stechapfel *m*.

daub [dɔːb] **I** *v/t* **1.** be-, verschmieren, be-, über'streichen. **2.** (on) verstreichen, verschmieren (auf *dat*), streichen, schmieren (auf *acc*). **3.** *tech.* bewerfen, verputzen: to ~ a wall. **4.** *a. fig.* besudeln, beschmutzen. **5.** *contp. Bild* zs.-klecksen, -schmieren. **II** *v/i* **6.** *paint.* klecksen, schmieren. **III** *s* **7.** *tech.* grober Putz, Rauhputz *m*. **8.** Geschmiere *n*, Gekleckse *n*. **9.** *paint.* schlechtes Gemälde, Geschmiere *n*, (,Farb)Kleckse'rei *f*. **'daub·er** *s* **1.** Schmierfink *m*, Kleckser(in). **2.** *paint.* Farbenkleckser(in). **3.** *tech.* Gipser *m*. **4.** *bes. tech.* a) Tupfer *m*, Bausch *m*, b) Schmierbürste *f*. **5.** *Am. sl.* Mut *m*: keep your ~ up! halt die Ohren steif! **'daub·er·y** [-əri] → daub 8 *u.* 9. **'daub·ster** [-stər] → dauber 2. **'daub·y** *adj* schmierig.

daugh·ter ['dɔːtər] *s* Tochter *f* (*a. fig.*): D~s of the American Revolution *patriotische Frauenvereinigung in USA*; ~ cell *biol.* Tochterzelle *f*; ~ language Tochtersprache *f*. **'~-in-,law** *s* Schwiegertochter *f*.

daugh·ter·ly ['dɔːtərli] *adj* töchterlich.

dauk → dak.

daunt [dɔːnt; *Am. a.* dɑːnt] *v/t* **1.** einschüchtern, erschrecken: nothing ~ed unverzagt; a ~ing task e-e beängstigende Aufgabe. **2.** entmutigen. **'daunt·less** *adj* (*adv* ~ly) unerschrocken, furchtlos. **'daunt·less·ness** *s* Unerschrockenheit *f*.

dav·en·port ['dævn,pɔːrt] *s* **1.** kleiner Sekre'tär (*Schreibtisch*). **2.** *Am.* Chaise'longue *f*, Diwan *m*.

Da·vy Jones's lock·er ['deivi 'dʒounziz] *s mar.* Seemannsgrab *n*, Meeresgrund *m*: to go to ~ ertrinken.

Da·vy lamp *s Bergbau*: Davysche Sicherheitslampe.

daw [dɔː] *s orn.* Dohle *f*.

daw·dle ['dɔːdl] **I** *v/i* **1.** (her'um)trödeln, (-)bummeln: to ~ over one's work bei der Arbeit trödeln. **II** *v/t* **2.** *oft* ~ away *Zeit* vertrödeln. **III** *s* **3.** → dawdler. **4.** Tröde'lei *f*, Bumme'lei *f*. **'daw·dler** *s* (Her'um)-Trödler(in), Bummler(in). **'daw·dling** *adj* (*adv* ~ly) träge, bummelig.

dawk → dak.

dawn [dɔːn] **I** *v/i* **1.** tagen, dämmern, grauen, anbrechen (*Morgen, Tag*). **2.** *fig.* (her'auf)dämmern, aufgehen, erwachen, anfangen. **3.** *fig.* ~ (up)on *j-m* dämmern, aufgehen, klarwerden, zum Bewußtsein kommen: the truth ~ed (up)on him ihm ging ein Licht auf. **4.** *fig.* sich zu entwickeln *od.* entfalten beginnen, erwachen (*Geist, Talent*). **II** *s* **5.** (Morgen)Dämmerung *f*, Tagesanbruch *m*, Morgengrauen *n*: at ~ bei Morgengrauen *od.* Tagesanbruch. **6.** *fig.* Morgen *m*, Erwachen *n*, Anbruch *m*, Beginn *m*, Anfang *m*: ~ of a new era; ~ of hope erster Hoffnungsschimmer. **'dawn·ing** → dawn II.

day [dei] *s* **1.** Tag *m* (*Ggs Nacht*): it is broad ~ es ist heller Tag; before ~ vor Tagesanbruch. **2.** Tag *m* (*Zeitraum*): civil ~ bürgerlicher Tag (*von Mitternacht bis Mitternacht*); ~ off, ~ out freier Tag; three ~s from London drei Tage(reisen) von London entfernt; eight-hour ~ Achtstundentag. **3.** (*bestimmter*) Tag: → New Year's

Day. **4.** Empfangs-, Besuchstag *m.* **5.** (*festgesetzter*) Tag, Ter'min *m*: ~ **of delivery** Lieferungstermin, -tag; **to keep one's ~** pünktlich sein. **6.** *oft pl* (Lebens)Zeit *f*, Zeiten *pl*, Tage *pl*: **in my young ~s** in m-n Jugendtagen; **in his school ~s** in s-r Schulzeit; **in those ~s** in jenen Tagen, damals; **in the ~s of old** vorzeiten, in alten Zeiten, einst; **to end one's ~s** s-e Tage beschließen, sterben. **7.** *oft pl* (*beste*) Zeit (*des Lebens*), Glanzzeit *f*: **in our ~** zu unserer Zeit; **every dog has his ~** jedem lacht einmal das Glück; **to have had one's ~** sich überlebt haben, am Ende sein; **he** (*od.* **it**) **has had his** (*od.* **its**) ~ s-e beste Zeit ist vorüber; **those were the ~s!** das waren noch Zeiten! **8.** *arch.* Öffnung *f*, (*die*) Lichte: ~ **of a window. 9.** *Bergbau*: Tag *m.*
Besondere Redewendungen:
~ **after** ~ Tag für Tag; **the ~ after** a) tags darauf, am nächsten Tag, b) der nächste Tag; **the ~ after tomorrow**, *Am.* ~ **after tomorrow** übermorgen; **all (the) ~, all ~ long** den ganzen Tag, den lieben langen Tag; (~ **and**) ~ **about** e-n um den andern Tag, jeden zweiten Tag; **the ~ before** a) tags zuvor, b) der vorhergehende Tag; **the ~ before yesterday**, *Am.* ~ **before yesterday** vorgestern; **it was ~s before he came** es vergingen *od.* es dauerte Tage, ehe er kam; **by ~** bei Tag(e); **by the ~** a) tageweise, b) im Tagelohn (*arbeiten*); ~ **by** ~ (tag)täglich, Tag für Tag, jeden Tag wieder; **to call it a ~** *colloq.* (für heute) Schluß machen; **to carry** (*od.* **win**) **the ~** den Sieg davontragen; **to lose the ~** den Kampf verlieren; **every other** (*od.* **second**) ~ alle zwei Tage, jeden zweiten Tag; **to fall on evil ~s** ins Unglück geraten; **from ~ to ~** a) von Tag zu Tag, zusehends, b) von e-m Tag zum anderen; ~ **in, ~ out** tagaus, tagein; immerfort; **to ask s.o. the time of ~** j-n nach der Uhrzeit fragen; **to give s.o. the time of ~** j-m guten Tag sagen; **to know the time of ~** wissen, was die Glocke geschlagen hat; Bescheid wissen; **to save the ~** die Lage retten; **one ~** e-s Tages, einst(mals) (*in der Zukunft od. Vergangenheit*); **some ~** e-s Tages, irgendwann einmal (*in der Zukunft*); **the other ~** neulich; **(in) these ~s** heutzutage; **one of these (fine) ~s** demnächst, nächstens (einmal), e-s schönen Tages; **this ~ week** *bes. Br.* a) heute in e-r Woche, b) heute vor e-r Woche; **to this ~** bis auf den heutigen Tag; **to a ~** auf den Tag genau; → day's work.

day|bed *s* Ruhebett *n*, Sofa *n.* ~ **blind·ness** *s med.* Tagblindheit *f.* ~ **board·er** *s* Tagesschüler(in), Ex'terne(r *m*) *f* (*e-s Internats*). '~,**book** *s* **1.** Tagebuch *n.* **2.** *econ.* a) Jour'nal *n*, Memori'al *n*, b) Verkaufsbuch *n*, c) Kassenbuch *n*; ~ **boy** *s Br.* ex'terner Schüler e-s Inter'nats. '~,**break** *s* Tagesanbruch *m.* '~-,**by-**'~ *adj* (tag)'täglich. ~ **coach,** *a.* ~ **car** *s rail. Am.* (*normaler*) Per'sonenwagen. '~,**dream I** *s* **1.** Wachtraum *m*, Träume'rei *f.* **2.** Luftschloß *n.* **II** *v/i* **3.** Luftschlösser bauen, (mit offenen Augen) träumen. '~,**dream·er** *s* Träumer(in). ~ **fight·er** *s aer. mil.* Tagjäger *m.* '~,**flow·er** *s bot.* **1.** Comme'line *f.* **2.** Trades'cantie *f.* **3.** Harzige Zistrose. '~,**fly** *s zo.* Eintagsfliege *f.* ~ **la·bo(u)r·er** *s* Tagelöhner *m.* ~ **let·ter** *s Am.* 'Brieftele-,gramm *n.*

'day,light *s* **1.** Tageslicht *n*: **in broad ~** am hellichten Tag; **to burn ~** bei Tag (*künstliches*) Licht brennen; **to knock the ~s out of s.o.** *colloq.* j-n fürchterlich verdreschen; **to let ~ into s.o.** *sl.* j-n ‚durchlöchern' (*erstechen od. erschießen*); **to let ~ into s.th.** *fig.* a) etwas der Öffentlichkeit zugänglich machen, b) etwas aufhellen *od.* klären; **to throw ~ on s.th.** *fig.* Licht in e-e Sache bringen; **he sees ~ at last** *fig.* a) endlich geht ihm ein Licht auf, b) endlich ist er aus dem Schlimmsten heraus. **2.** Tagesanbruch *m.* **3.** Zwischenraum *m*, Abstand *m.* ~ **blue** *s* Tageslichtblau *n.* ~ **lamp** *s* Tageslichtlampe *f.* ~ **sav·ing** *s* Nutzung *f* des frühen Tageslichts (*durch Einführen der Sommerzeit*). ~ **sav·ing time** *s* Sommerzeit *f.*

day|nurs·er·y *s* **1.** Kinderkrippe *f*, -garten *m*, -tagesstätte *f.* **2.** (Kinder)-Spielzimmer *n.* ~ **rate** *s econ.* Tageslohn *m.* '~,**room** *s* Tagesraum *m* (*in Internaten etc*). ~ **schol·ar** *s* Ex'terne(r) *m* (*e-s Internats*). ~ **school** *s* **1.** Exter'nat *n*, Schule *f* ohne Pensio'nat. **2.** Tagesschule *f* (*Ggs. Abendschule*). **3.** Werktagsschule *f* (*Ggs. Sonntagsschule*). ~ **shift** *s* Tagschicht *f.* ~ **sight** *s med.* Nachtblindheit *f.*

days·man ['deizmən] *s irr obs.* **1.** Tagelöhner *m.* **2.** Schiedsrichter *m.*

'day|,spring *s* **1.** *poet.* Tagesanbruch *m.* **2.** *fig.* Beginn *m.* '~,**star** *s astr.* Morgenstern *m.* ~ **stu·dent** → day scholar.

day's work *s* **1.** Tagewerk *n*: **that's all in the ~** *fig.* das gehört (eben) alles mit dazu. **2.** *econ.* Arbeitstag *m.* **3.** *mar.* Etmal *n* (*nautischer Tag von Mittag bis Mittag*).

day|tick·et *s* Tagesrückfahrkarte *f.* '~,**time** *s* Tageszeit *f*, (*heller*) Tag: **in the ~** am Tag, bei Tage. '~,**times** *adv Am. colloq.* bei *od.* am Tag. '~-**to-**'~ *adj* täglich, ständig, 'ununter-,brochen: **on a ~ basis** von Tag zu Tag.

daze [deiz] **I** *v/t* **1.** betäuben, lähmen (*a. fig.*). **2.** blenden, verwirren. **II** *s* **3.** *a. fig.* Betäubung *f*, Lähmung *f*, Benommenheit *f*: **in a ~** benommen, betäubt. **4.** *min.* Glimmer *m.* **dazed** *adj* **1.** betäubt, benommen. **2.** geblendet, verwirrt, verstört. **daz·ed·ly** ['deizidli] *adv* → dazed.

daz·zle ['dæzl] **I** *v/t* **1.** blenden (*a. fig.*). **2.** *fig.* verwirren, verblüffen. **3.** *mil.* (*durch Anstrich*) tarnen. **II** *s* **4.** Blenden *n*: ~ **lamps,** ~ **lights** Blendlampen. **5.** Leuchten *n*, blendender Glanz. **6.** *meist* ~ **paint,** ~ **system** *mar.* Tarnanstrich *m.* '**daz·zler** *s sl.* **1.** ‚Blender' *m*, ‚Angeber' *m.* **2.** ‚tolle Frau'. **3.** ‚tolle Sache'. '**daz·zling** *adj* (*adv* ~**ly**) **1.** blendend, glänzend (*a. fig.*). **2.** strahlend (schön): **a ~ beauty. 3.** verwirrend.

D-day ['di:,dei] *s mil. hist. der Tag der alliierten Landung in der Normandie, 6. Juni 1944.*

dea·con ['di:kən] **I** *s* **1.** *relig.* Dia'kon *m*, Di'akonus *m.* **2.** *anglikanische Kirche*: Geistliche(r) *m* dritten (*niedersten*) Weihegrades. **3.** *Freimaurerei*: Logenbeamte(r) *m.* **II** *v/t Am.* **4.** (*die Strophen vor dem Singen*) laut vorlesen. **5.** *colloq. Obst etc* so verpacken, daß das Beste oben'auf liegt. '**dea·con·ess** *s* **1.** Dia'konin *f.* **2.** Diako'nissin *f*, Diako'nisse *f.* '**dea·con·ry** [-ri] *s relig.* Diako'nat *n.*

de·ac·ti·vate [di:'ækti,veit] *v/t mil.* **1.** *e-e Einheit* auflösen. **2.** *Munition* entschärfen.

dead [ded] **I** *adj* **1.** tot, gestorben: **as ~ as mutton** (*od.* **a doornail**) mausetot; ~ **body** Leiche *f*, Leichnam *m*; ~ **and gone** tot u. begraben (*a. fig.*); ~ **to the world** a) bewußtlos, b) ‚weggetreten' (*in tiefem Schlaf*), c) sinnlos betrunken; **to shoot s.o. ~** j-n erschießen, j-n totschießen; **to wait for a ~ man's shoes** auf e-e Erbschaft warten; **he is ~ of pneumonia** er ist an Lungenentzündung gestorben; **he is a ~ man** *fig.* er ist ein Kind des Todes. **2.** tot, leblos: ~ **matter** tote Materie (→ 23). **3.** todähnlich, tief: **a ~ sleep. 4.** *colloq.* ‚restlos fertig', todmüde, zu Tode erschöpft: **I'm ~. 5.** unzugänglich, unempfänglich (**to** für). **6.** taub (**to advice** gegen Ratschläge). **7.** gefühllos, abgestorben, erstarrt: ~ **fingers. 8.** *fig.* gefühllos, gleichgültig, abgestumpft (**to** gegen). **9.** tot, ausgestorben: ~ **language** tote Sprache. **10.** über'lebt, tot, veraltet: ~ **customs. 11.** erloschen: ~ **fire;** ~ **volcano;** ~ **passions. 12.** tot, geistlos. **13.** unfruchtbar, tot, leer, öde: ~ **wastes. 14.** tot, still, stehend: → **dead water. 15.** *jur.* a) ungültig: ~ **agreement,** b) bürgerlich tot. **16.** langweilig, öd(e): **a ~ party. 17.** tot, nichtssagend, farb-, ausdruckslos. **18.** *bes. econ.* still, ruhig, flau: ~ **season;** ~ **market** flauer Markt. **19.** *econ.* tot, gewinn-, 'umsatzlos: ~ **assets** unproduktive (Kapitals)Anlage; ~ **capital (stock)** totes Kapital (Inventar). **20.** *tech.* a) außer Betrieb, tot: ~ **track** totes Gleis, b) de'fekt: ~ **valve;** ~ **engine** ausgefallener *od.* abgestorbener Motor, c) leer, erschöpft: ~ **battery. 21.** *tech.* tot, starr, fest: ~ **axle. 22.** *electr.* strom-, spannungslos, tot. **23.** *print.* abgelegt: ~ **matter** Ablegesatz *m* (→ 2). **24.** *bes. arch.* blind, Blend...: ~ **floor** Blend-, Blindboden *m*; ~ **window** totes Fenster. **25.** Sack... (*ohne Ausgang*): ~ **street** Sackgasse *f.* **26.** dumpf, klanglos, tot (*Ton*). **27.** matt, glanzlos, stumpf, tot: ~ **colo(u)rs;** ~ **eyes.** ~ **gilding** matte Vergoldung. **28.** schal, abgestanden: ~ **drinks. 29.** verwelkt, dürr, abgestorben: ~ **flowers. 30.** (a'kustisch) tot: ~ **room** toter *od.* schalldichter Raum. **31.** völlig, abso'lut, restlos, to'tal: ~ **black** tiefschwarz; ~ **calm** Flaute *f*, völlige (Wind)Stille; ~ **certainty** absolute Gewißheit; **in ~ earnest** in vollem Ernst; ~ **loss** Totalverlust *m*; ~ **silence** Totenstille *f*; ~ **stop** völliger Stillstand; **to come to a ~ stop** schlagartig stehenbleiben *od.* aufhören. **32.** todsicher, unfehlbar: **he is a ~ shot. 33.** äußerst(er, e, es): **a ~ strain;** **a ~ push** ein verzweifelter, aber vergeblicher Stoß. **34.** *sport* a) tot, nicht im Spiel (*Ball*), b) nicht im Spiel, ausgeschlossen (*Spieler*).
II *s* **35.** stillste Zeit: **at ~ of night** mitten in der Nacht; **the ~ of winter** der tiefste Winter. **36. the ~** a) der, die, das Tote, b) *collect.* die Toten *pl*: **several ~** mehrere Tote.
III *adv* **37.** restlos, abso'lut, völlig, gänzlich, to'tal: ~ **asleep** im tiefsten Schlaf; ~ **drunk** sinnlos betrunken; ~ **straight** schnurgerade; ~ **slow!** *mot.* Schritt fahren!; ~ **tired** todmüde. **38.** plötzlich, ab'rupt: **to stop ~** schlagartig stehenbleiben *od.* aufhören. **39.** genau, di'rekt: ~ **against** genau gegenüber von (*od. dat*); ~ **(set) against** ganz u. gar gegen (*etwas* eingestellt); ~ **set on** ganz scharf auf (*acc*).

dead| ac·count *s econ.* totes Konto.

'**~-(and-)a'live** *adj fig.* tot, langweilig. **~ a·re·a** *s mil.* toter Schußwinkel(bereich). '**~-'ball line** *s sport* Auslinie *f* (*hinter dem Tor e-s Rugbyplatzes*). '**~,beat** *adj electr. phys.* aperi'odisch (gedämpft). '**~-'beat** *adj colloq.* todmüde, völlig ,ka'putt' *od.* erschöpft. **~ beat** *s sl.* **1.** *Am.* ,Nassauer' *m*, ,Schnorrer' *m*. **2.** *Austral.* Habenichts *m*. '**~,born** → **stillborn.** **~ cen·ter,** *bes. Br.* **~ cen·tre** *s tech.* **1.** toter Punkt, Totlage *f*, -punkt *m*. **2.** tote Spitze, Reitstockspitze *f* (*der Drehbank etc*). **3.** Körnerspitze *f*. '**~-,col·o(u)r·ing** *s paint.* Grun'dierung *f*. **~ earth** → **dead ground** 1.

dead·en ['dedn] *v/t* **1.** dämpfen, (ab)schwächen: **to ~ a sound; to ~ a blow; 2.** schalldicht machen: **to ~ a wall. 3.** *Gefühl* abtöten, abstumpfen (to gegen). **4.** *Metall* mat'tieren, glanzlos machen. **5.** *Geschwindigkeit* vermindern.

dead| end *s* **1.** Sackgasse *f* (*a. fig.*): **to come to a ~** in e-e Sackgasse geraten. **2.** *bes. tech.* blindes Ende. '**~-,end** *adj* **1.** ohne Ausgang, Sack...: **~ street** Sackgasse *f*; **~ station** *rail.* Kopfbahnhof *m*. **2.** *fig.* ausweglos. **3.** verwahrlost, Slum...: **~ kid** verwahrlostes Kind, jugendlicher Verbrecher. '**~,fall** *s hunt.* Prügel-, Baumfalle *f*. **~ file** *s* abgelegte Akte. **~ fire** *s* Elmsfeuer *n*; **~ freight** *s mar.* Fehl-, Fautfracht *f*. **~ ground** *s.* **1.** *electr.* Erdung *f* mit sehr geringem 'Übergangs,widerstand. **2.** *mil.* → **dead space.** **~ hand** → **mortmain.** '**~,head** *s* **1.** *colloq.* a) Freikarteninhaber(in), b) Schwarzfahrer(in), blinder Passa'gier, c) *Am.* ,Nassauer' *m*, d) *Am.* ,Blindgänger' *m*. **2.** *tech.* verlorener (*Gieß*)Kopf. **~ heat** *s sport* totes Rennen. **~ horse** *s fig.* reizlos gewordene Sache, *bes.* vor'ausbezahlte Arbeit. '**~,house** *s* Leichenhalle *f*. **~ lat·i·tude** *s mar.* gegißte geo'graphische Breite. **~ let·ter** *s* **1.** *fig.* toter Buchstabe (*unwirksames Gesetz*). **2.** unzustellbarer Brief: **~ office** Abteilung *f* für unzustellbare Briefe. **~ lift** *s* **1.** Lastheben *n* ohne me'chanische Hilfsmittel. **2.** *fig.* schwere (Kraft)Probe, fast aussichtslose Sache. '**~,light** *s* **1.** *mar.* Fensterblende *f*. **2.** feste Dachluke. '**~,line** *s Am.* **1.** letzter ('Ablieferungs)Ter,min: **to work against a ~** unter Termindruck arbeiten. **2.** Stichtag *m*. **3.** äußerste Grenze. **4.** Sperrlinie *f*, Todesstreifen *m* (*im Gefängnis*).

dead·li·ness ['dedlinis] *s* Tödlichkeit *f*, (*das*) Tödliche.

dead| load *s tech.* totes Gewicht, tote *od.* ruhende Last, Eigengewicht *n*. '**~,lock** *bes. fig.* **I** *s* völliger Stillstand, Sackgasse *f*, toter Punkt: **to break the ~** den toten Punkt (*in Verhandlungen etc*) überwinden; **to come to a ~** → III. **II** *v/t* zum völligen Stillstand bringen. **III** *v/i* sich festfahren, auf e-m toten Punkt anlangen. **~ lock** *s tech.* Ein'riegelschloß *n*.

dead·ly ['dedli] **I** *adj* **1.** tödlich, todbringend: **~ poison. 2.** *fig.* unversöhnlich, schrecklich, tödlich: **~ enemy** Todfeind *m*; **~ fight** mörderischer Kampf. **3.** *fig.* tödlich, vernichtend, verderblich (to für): → **sin** 1. **4.** tödlich, unfehlbar: **~ efficiency; ~ precision. 5.** totenähnlich, Todes...: **~ pallor** Leichen-, Todesblässe *f*. **6.** *colloq.* schrecklich, groß, sehr, äußerst(er, e, es): **in ~ haste. II** *adv* **7.** totenähnlich, leichenhaft: **~ pale** toten-, leichenblaß. **8.** tod..., äußerst, schrecklich: **~ dull** sterbenslangweilig; **~ tired** todmüde. **~ a·gar·ic** *s bot.* Giftpilz *m*, *bes.* Fliegenpilz *m*. **~ night·shade** *s bot.* **1.** Tollkirsche *f*. **2.** Schwarzer Nachtschatten.

'**dead|·man** *s irr* **1.** *tech.* Abfang- *od.* Haltehaken *m*. **2.** (Zelt)Hering *m*. **3.** *Am.* 'umgestürzter Baum. '**~-,man con·trol** *s tech.* Sicherheits-, Notsteuerungsvorrichtung *f*. **~ march** *s mus.* Trauermarsch *m*. **~ ma·rine** *s sl.* leere ,Pulle'.

dead·ness ['dednis] *s* **1.** *bes. fig.* Leblosigkeit *f*, Erstarrung *f*. **2.** Gefühllosigkeit *f*, Abgestumpftheit *f*, Kälte *f*, Gleichgültigkeit *f*. **3.** *fig.* Leere *f*, Öde *f*. **4.** *bes. econ.* Unbelebt-, Flauheit *f*, Flaute *f*. **5.** Mattheit *f*, Glanzlosigkeit *f* (*e-r Farbe*).

dead| net·tle *s bot.* Taubnessel *f*. **~ oil** *s chem.* Schweröl *n*, Kreo'sot *n*. **~ pan** *s Am. sl.* **1.** ausdrucksloses *od.* 'undurch,dringliches Gesicht. **2.** ,Ölgötze' *m* (*bes. Komiker, der keine Miene verzieht*). '**~-,pan** *adj Am. sl.* **1.** ausdrucksslos: **~ face; ~ stare. 2.** mit ausdruckslosem Gesicht (*Person*). '**~,pay** *s mar. mil.* betrügerisch weiterbezogener Sold. **~ point** → **dead center** 1. **~ reck·on·ing** *s mar.* gegißtes Besteck, Koppeln *n*. **~ rope** *s mar.* stehendes Gut, festes Tauwerk. **~ set** *s* **1.** *hunt.* Stehen *n* (*des Hundes*). **2.** völliger Stillstand: **at a ~** festgefahren. **3.** entschlossener Angriff. **4.** verbissene Feindschaft. **5.** hartnäckiges Bemühen, *bes.* beharrliches Werben (at um). **~ space** *s mil.* toter Winkel. '**~-,stick land·ing** *s aer.* Landung *f* mit abgestelltem Motor. **~ time** *s* **1.** *mil.* Befehls-, Kom'mandoverzug *m* (*Artillerie*). **2.** *phys. tech.* Totzeit *f*. **~ wa·ter** *s* **1.** stehendes *od.* stilles Wasser. **2.** *mar.* Kielwasser *n*, Sog *m*. **~ weight** *s* **1.** ganze Last, volles Gewicht (*e-s ruhenden Körpers*). **2.** *fig.* schwere Bürde *od.* Last. **3.** Leer-, Eigengewicht *n*, totes Gewicht. **4.** *econ. der Teil der Staatsschuld Großbritanniens, dem keine Anlagen od. produktive Ausgaben gegenüberstehen.* '**~-,weight ca·pac·i·ty** *s mar.* Tragfähigkeit *f*, Ladevermögen *n*. '**~,wood** *s* **1.** totes Holz (*abgestorbene Äste od. Bäume*). **2.** *fig.* (nutzloser) Ballast, nutzlose (Mit)Glieder *pl* (*e-r Gesellschaft*). **3.** (*etwas*) Veraltetes *od.* Über'holtes. **4.** Plunder *m*, *bes. econ.* Ladenhüter *pl*. **5.** *pl mar.* Totholz *n*. **~ work** *s* vorbereitende Arbeit.

de·a·er·ate [diː'eiəreit] *v/t u. v/i* entlüften. **de'a·er,a·tor** [-tər] *s* Entlüfter *m*, Entlüftungsanlage *f*.

deaf [def] *adj* (*adv* **~ly**) **1.** *med.* taub: **~ and dumb** taubstumm; **~ of an** (*od.* **in one**) **ear** auf 'einem Ohr taub; **~ as an adder** (*od.* **a post**) stocktaub. **2.** schwerhörig. **3.** *fig.* (to) taub (gegen), unzugänglich (für): **none so ~ as those that won't hear** (*etwa*) wem nicht zu raten ist, dem ist auch nicht zu helfen; → **ear** *Bes. Redew.* '**~-and-'dumb** *adj* Taubstummen..., Finger...: **~ alphabet; ~ language.**

deaf·en ['defn] *v/t* **1.** taub machen. **2.** betäuben (with durch). **3.** *Schall* dämpfen. **4.** *arch. Wände etc* schalldicht machen. '**deaf·en·ing** *adj* (*adv* **~ly**) (ohren)betäubend: **~ noise.**

'**deaf|-'mute I** *adj* taubstumm. **II** *s* Taubstumme(r *m*) *f*. '**~-'mute·ness,** '**~-'mut·ism** *s* Taubstummheit *f*.

deaf·ness ['defnis] *s* **1.** *med.* Taubheit *f* (*a. fig.* to gegen): **psychic ~** Seelentaubheit. **2.** Schwerhörigkeit *f*.

deal[1] [diːl] **I** *v/i pret u. pp* **dealt** [delt] **1. ~ with** (*od.* in) sich befassen *od.* beschäftigen *od.* abgeben mit *etwas*. **2. ~ with** (*od.* in) handeln von, sich befassen mit, *etwas* behandeln *od.* zum Thema haben: **botany ~s with plants. 3. ~ with** sich mit *e-m Problem etc* befassen *od.* beschäftigen *od.* ausein'andersetzen, *etwas* in Angriff nehmen. **4. ~ with** *etwas* erledigen, mit *etwas od. j-m* fertig werden: **I cannot ~ with it. 5. ~ with** (*od.* by) behandeln (*acc*), 'umgehen mit: **to ~ fairly with** (*od.* by) **s.o.** sich fair gegen j-n verhalten, fair an j-m handeln. **6. ~ with** mit *j-m* verkehren *od.* zu tun haben. **7. ~ with** *econ.* Handel treiben *od.* Geschäfte machen *od.* in Geschäftsverkehr stehen mit, kaufen bei. **8.** handeln, Handel treiben (in mit): **to ~ in paper** Papier führen. **9.** heimlich Geschäfte machen, ,schieben'. **10.** *Kartenspiel*: geben.
II *v/t* **11.** *oft* **~ out** *etwas* ver-, austeilen: **to ~ out rations; to ~ blows** Schläge austeilen; **to ~ s.o.** (**s.th.**) **a blow, to ~ a blow at s.o.** (**s.th.**) j-m (e-r Sache) e-n Schlag versetzen. **12.** *j-m etwas* zuteilen. **13.** a) *Karten* geben, austeilen, b) *j-m e-e Karte* geben.
III *s* **14.** *colloq.* a) Handlungsweise *f*, Verfahren *n*, Poli'tik *f*: → **New Deal,** b) Behandlung *f*. **15.** *colloq.* Geschäft *n*, Handel *m*, Transakti'on *f*: **it's a ~!** abgemacht!; (**a**) **good ~!** ein gutes Geschäft!; **square ~** a) anständige Behandlung, b) reeller Handel; **big ~!** *Am. sl. iro.* na, was ist das schon?; → **raw** 14. **16.** Abkommen *n*, Über'einkunft *f*: **to make a ~** ein Abkommen treffen. **17.** Schiebung *f*, dunkles Geschäft. **18.** *Kartenspiel*: a) Blatt *n*, b) Geben *n*: **it is my ~** ich muß geben.

deal[2] [diːl] *s* **1.** Menge *f*, Teil *m*: **a great ~** sehr viel; **not by a great ~** bei weitem nicht; **a good ~** e-e ganze Menge, ziemlich viel. **2.** *colloq.* e-e ganze Menge, ziemlich *od.* sehr viel: **a ~ worse** weit(aus) *od.* viel schlechter.

deal[3] [diːl] *s* **1.** *Br.* a) Brett *n*, Planke *f* (*aus Tannen- od. Kiefernholz*), b) Bohle *f*, Diele *f*. **2.** rohes Kiefernbrett (*mit bestimmten Abmessungen*). **3.** Kiefern- *od.* Tannenholz *n*.

deal·er ['diːlər] *s* **1.** *econ.* a) Händler(in), Kaufmann *m*: **~ in antiques** Antiquitätenhändler, b) Börsenhändler *m*. **2.** *Kartenspiel*: Geber(in). **3.** *Person von bestimmtem Verhalten*: **plain ~** aufrichtiger Mensch.

deal·ing ['diːliŋ] *s* **1.** *meist pl* 'Umgang *m*, Verkehr *m*, Beziehungen *pl*: **to have ~s with s.o.** mit j-m verkehren *od.* zu tun haben; **there is no ~ with her** mit ihr ist nicht auszukommen. **2.** *econ.* a) Geschäftsverkehr *m*, b) Handel *m*, Geschäft *n* (in in *dat*, mit): **~ in real estate** Immobilienhandel. **3.** Verfahren *n*, Verhalten *n*, Handlungsweise *f*. **4.** Austeilen *n*, Geben *n* (*von Karten*).

dealt [delt] *pret u. pp von* **deal**[1].

dean[1] [diːn] *s* **1.** *univ.* a) De'kan *m* (*Vorstand e-r Fakultät od. e-s College*), b) (*Oxford u. Cambridge*) Fellow *m* mit besonderen Aufgaben. **2.** *univ. Am.* a) Vorstand *m* e-r Fakul'tät, b) Hauptberater(in), Vorsteher(in) (*der Studenten*). **3.** *relig.* De'chant *m*, De'kan *m*, 'Superinten,dent *m*. **4. D~ of Arches** Laienrichter *m* des kirchlichen Appellati'onsgerichts (*Canterbury u. York*). **6.** Vorsitzende(r *m*) *f*, Präsi'dent(in): **D~ of Faculty** *Scot.* Präsident der Anwaltskammer; **the ~ of the diplo-**

matic corps der Doyen des diplomatischen Korps.
dean² → dene².
dean·er·y ['diːnəri] *s* Deka'nat *n.*
dear¹ [diər] **I** *adj* (*adv* → dearly) **1.** teuer, lieb (to s.o. j-m): ~ mother liebe Mutter; D~ Sir, (*in Briefen*) sehr geehrter Herr (*Name*)!; D~ Mrs. B., (*in Briefen*) sehr geehrte Frau B.!; those near and ~ to you die dir lieb u. teuer sind; to run (work) for ~ life um sein Leben rennen (arbeiten, als ob es ums Leben ginge). **2.** teuer, kostspielig. **3.** hoch (*Preis*). **4.** innig: ~ love; my ~est wish mein sehnlichster Wunsch. **II** *s* **5.** Liebste(r *m*) *f*, Schatz *m*: isn't she a ~? ist sie nicht ein Engel?; there's a ~ sei (so) lieb. **6.** (*Anrede*) mein Lieber, m-e Liebe: my ~s m-e Lieben. **III** *adv* **7.** teuer: it will cost you ~ das wird dir teuer zu stehen kommen. **8.** → dearly 1. **IV** *interj* **9.** (oh) ~!, ~ ~!, ~ me! du liebe Zeit!, du meine Güte!, ach je!
dear² [diər] *adj obs.* schwer, hart.
'dear-,bought *adj* **1.** teuer gekauft. **2.** *fig.* teuer erkauft.
dear·ie → deary.
dear·ly ['diərli] *adv* **1.** innig, herzlich, von ganzem Herzen: to love s.o. ~; to wish s.th. ~ etwas heiß ersehnen. **2.** teuer (*im Preis*). **'dear·ness** *s* **1.** hoher Wert: her ~ to me was sie mir bedeutet. **2.** (*das*) Liebe(nswerte). **3.** Innigkeit *f.* **4.** hoher Preis, Kostspieligkeit *f.*
dearth [dəːrθ] *s* **1.** Mangel *m* (of an *dat*). **2.** Teuerung *f*, (Hungers)Not *f.* **3.** *obs.* Kostspieligkeit *f.* [Schatz *m.*]
dear·y ['di(ə)ri] *s colloq.* Liebling *m*,
death [deθ] *s* **1.** Tod *m*: to ~ zu Tode; bled to ~ verblutet; burnt to ~ verbrannt; frozen to ~ erfroren; tired to ~ todmüde; to (the) ~ bis zum äußersten; fight to the ~ Kampf *m* bis aufs Messer; (as) sure as ~ bomben-, todsicher; to catch one's ~ sich den Tod holen (*engS. durch Erkältung*); to hold on like grim ~ verbissen festhalten; to put (*od.* do) to ~ töten, *bes.* hinrichten; ~ in life lebendiger Tod (*unheilbare Krankheit etc*); to be in at the ~ a) *hunt.* bei der Tötung des Fuchses (*durch die Hunde*) dabeisein, b) *fig.* das Ende miterleben; it is ~ to do this darauf steht der Tod (*Todesstrafe*); it is ~ to think of it *fig.* der bloße Gedanke ist entsetzlich. **2.** D~ der Tod: at D~'s door an der Schwelle des Todes. **3.** Tod *m*, Ende *n*, 'Untergang *m*, Vernichtung *f.* **4.** Tod *m* (*Todesart*): ~ by hanging Tod durch Erhängen; to die an easy ~ e-n leichten Tod haben. **5.** Todesfall *m.* **6.** Tod *m* (*Todesursache*): he will be the ~ of me a) er bringt mich noch ins Grab, b) ich lache mich noch tot über ihn; to be ~ on s.th. *sl.* a) etwas aus dem Effeff verstehen, b) ganz versessen auf etwas sein, c) etwas nicht ‚riechen' können. **7.** (Ab)Sterben *n.*
death| ag·o·ny *s* Todeskampf *m.* **'~,bed** *s* Sterbebett *n*: ~ repentance Reue *f* auf dem Sterbebett. **~ bell** *s* Toten-, Sterbeglocke *f.* **~ ben·e·fit** *s* **1.** Sterbegeld *n.* **2.** Hinter'bliebenenrente *f.* **'~,blow** *s* **1.** Todesstreich *m.* **2.** *fig.* Todesstoß *m* (to für). **~ cell** *s* Todeszelle *f* (*wo ein Verurteilter bis zu s-r Hinrichtung verwahrt wird*). **~ cer·tif·i·cate** *s* Totenschein *m*, Sterbeurkunde *f.* **~ cham·ber** *s* **1.** Sterbezimmer *n.* **2.** 'Hinrichtungsraum *m.* **~ cup** *s bot.* Grüner Knollenblätterpilz. **~ du·ty** *s jur.* Erbschafts-, Nachlaßsteuer *f.* **~ house** *s Am. Gefängnisraum od. -gebäude, in dem Verurteilte auf die Hinrichtung warten.* **~ knell** *s* Totengeläut(e) *n*, -glocke *f* (*a. fig.*).
death·less ['deθlis] *adj bes. fig.* unsterblich: ~ fame.
'death,like *adj* totenähnlich, leichenartig: ~ pallor Toten-, Leichenblässe *f.* **'death·ly** → deadly.
death| march *s* Todesmarsch *m* (*von Gefangenen etc*). **~ mask** *s* Totenmaske *f.* **~ pen·al·ty** *s* Todesstrafe *f.* **~ rate** *s* Sterblichkeitsziffer *f.* **~ rat·tle** *s* Todesröcheln *n.* **~ ray** *s* Todesstrahl *m.* **~ roll** *s* **1.** *mil.* Gefallenen-, Verlustliste *f.* **2.** Zahl *f* der Todesopfer. **~ row** *s Am.* Todeszellen *pl.*
'death's-,head *s* **1.** Totenkopf *m* (*bes. als Symbol*). **2.** *a.* ~ moth *zo.* Totenkopf(schwärmer) *m.*
death| toll *s* (Zahl *f* der) Opfer *pl*, (*die*) Toten *pl.* **'~,trap** *s* Todes-, Mausefalle *f* (*gefährlicher Ort*). **~ war·rant** *s* **1.** *jur.* 'Hinrichtungsbefehl *m.* **2.** *fig.* Todesurteil *n* (of für). **'~,watch** *s* **1.** Totenwache *f.* **2.** *zo.* Totenuhr *f* (*verschiedene Klopfkäfer*). **~ wish** *s* Todeswunsch *m*, -sehnsucht *f.*
de·ba·cle [dei'baːkl], *a.* (*Fr.*) **dé·bâ·cle** [de'baːkl] *s* **1.** De'bakel *n*, Zs.-bruch *m*, Kata'strophe *f.* **2.** plötzliche Massenflucht, wildes Durchein'ander. **3.** *geol.* a) Eisaufbruch *m*, b) Eisgang *m*, c) Murgang *m.* **4.** Wassersturz *m.*
de·bar [di'baːr] *v/t pret u. pp* **-'barred** **1.** *j-n* ausschließen (from von *etwas*, aus *e-m Verein*). **2.** *j-n* hindern (from doing zu tun). **3.** *j-m etwas* versagen: to ~ s.o. the crown j-n von der Thronfolge ausschließen. **4.** *etwas* verhindern, verbieten.
de·bark [di'baːrk], **,de·bar'ka·tion** → disembark *etc.*
de·bar·ment [di'baːrmənt] *s* Ausschließung *f*, Ausschluß *m* (from von).
de·base [di'beis] *v/t* **1.** (cha'rakterlich) verderben. **2.** (o.s. sich) entwürdigen, erniedrigen. **3.** im Wert mindern. **4.** *Wert* (her'ab)mindern. **5.** verfälschen. **de'based** *adj* **1.** verderbt (*etc*). **2.** minderwertig (*Geld*; *a. fig.*). **3.** abgegriffen (*Wort*). **de'base·ment** *s* **1.** Entwürdigung *f*, Erniedrigung *f.* **2.** Verschlechterung *f*, Wertminderung *f.* **3.** Her'abminderung *f* (*des Wertes*). **4.** Verderbtheit *f.* **5.** Verfälschung *f.*
de·bat·a·ble [di'beitəbl] *adj* **1.** disku'tabel. **2.** fraglich, strittig, um'stritten. **3.** *jur.* anfechtbar, streitig. **~ ground** *s* **1.** *pol.* um'strittenes Land. **2.** *fig.* Zankapfel *m*: that is ~ darüber läßt sich streiten. **~ land** → debatable ground 1.
de·bate [di'beit] **I** *v/i* **1.** debat'tieren, disku'tieren, Erörterungen anstellen (on, upon über *acc*). **2.** sich beraten: to ~ with o.s. → 5. **3.** *obs.* kämpfen. **II** *v/t* **4.** *etwas* debat'tieren, disku'tieren, erörtern. **5.** erwägen, sich über'legen, mit sich zu Rate gehen über (*acc*). **6.** *obs.* kämpfen um. **III** *s* **7.** De'batte *f* (*a. parl.*), Diskussi'on *f*, Erörterung *f*, Rede-, Wortstreit *m*: beyond ~ unbestreitbar. **de'bat·er** *s* **1.** Dispu'tant(in), Debat'tierende(r *m*) *f.* **2.** *parl.* Redner *m.* **de'bat·ing** *adj*: ~ club, ~ society Debattierklub *m.*
de·bauch [di'bɔːtʃ] **I** *v/t* **1.** (*sittlich*) verderben. **2.** verführen, verleiten (to zu). **II** *v/i* **3.** (*sittlich*) her'unterkommen, verkommen. **4.** schwelgen, schlemmen, prassen. **III** *s* **5.** Ausschweifung *f*, Orgie *f.* **6.** Schwelge'rei *f.* **de'bauched** *adj* ausschweifend, liederlich, verderbt. **deb·au·chee** [,debɔː'tʃiː; -'ʃiː] *s* Wüstling *m*, Wollüstling *m*, Schwelger *m*, Schlemmer *m.* **de'bauch·er** *s* Verführer *m*, Verderber *m.* **de'bauch·er·y** *s* **1.** Ausschweifung *f*, Schwelge'rei *f.* **2.** *pl* Ausschweifungen *pl*, Orgien *pl.* **de·bauch·ment** *s* **1.** Ausschweifung *f*, Orgie *f.* **2.** Schwelge'rei *f.* **3.** Verderbtheit *f*, Liederlichkeit *f.* **4.** Verführung *f.*
de·ben·ture [di'bentʃər] *s econ.* **1.** a) (*amtlich beglaubigter, meist gesiegelter*) Schuldschein, b) *a.* ~ bond Schuldverschreibung *f*, Obligati'on *f*, c) *Br.* Pfandbrief *m*: ~ stock *Br.* Obligationen, *Am.* Vorzugsaktien erster Klasse; mortgage ~ Hypothekenbrief *m*; first ~s Prioritätsobligationen, Prioritäten; second ~s Prioritäten zweiten Ranges. **2.** Rückzollschein *m.*
de'ben·tured *adj econ.* **1.** durch Schuldschein gesichert. **2.** rückzollberechtigt: ~ goods Rückzollgüter.
de·bil·i·tate [di'bili,teit] *v/t* schwächen, entkräften. **de,bil·i'ta·tion** *s* Schwächung *f*, Entkräftung *f.* **de'bil·i·ty** *s* **1.** Schwäche *f*, Kraftlosigkeit *f.* **2.** *med.* Schwäche-, Erschöpfungszustand *m*: nervous ~ Nervenschwäche *f.*
deb·it ['debit] *econ.* **I** *s* **1.** Debet *n*, Soll(wert *m*) *n*, Schuldposten *m.* **2.** (Konto)Belastung *f*: to the ~ of zu Lasten von. **3.** *a.* ~ side Debetseite *f* (*im Hauptbuch*): to charge (*od.* place) a sum to s.o.'s ~ j-s Konto mit e-r Summe belasten. **II** *v/t* **4.** *j-n, ein Konto* debi'tieren, belasten (with mit). **5.** *etwas* debi'tieren, zur Last schreiben. **III** *adj* **6.** Debet..., Schuld...: ~ account; ~ balance Debetsaldo *m*; your ~ balance Saldo zu Ihren Lasten; ~ entry Lastschrift *f.*
de·block [diː'blɒk] *v/t econ. eingefrorene Konten* freigeben, entsperren.
deb·o·nair(e) [,debə'nɛr] *adj* **1.** liebenswürdig, höflich, char'mant. **2.** heiter, unbefangen. **3.** 'lässig(-ele,gant).
de·bouch [di'buːʃ; *Br. a.* di'bautʃ] *v/i* **1.** *mil.* her'vorbrechen. **2.** sich ergießen, (ein)münden (*Fluß*).
de·bouch·ment [di'buːʃmənt; *Br. a.* di'bautʃ-] *s* **1.** *mil.* Her'vorbrechen *n*, Ausfall *m.* **2.** Mündung *f.*
de·brief·ing [diː'briːfiŋ] *s aer. mil.* Einsatzbesprechung *f* (nach dem Flug).
de·bris, dé·bris ['deibriː; *Br. a.* 'debriː; *Am. a.* də'briː] *s* **1.** Trümmer *pl*, Schutt *m* (*beide a. geol.*). **2.** *Bergbau*: Hau(f)werk *n.*
debt [det] *s* **1.** Schuld *f*, *bes. econ. jur.* Forderung *f*: bad ~ zweifelhafte Forderungen *od.* Außenstände; ~ collector *jur.* Schuldeneintreiber *m*; ~ of hono(u)r Ehren-, *bes.* Spielschuld; ~ of gratitude Dankesschuld; to owe s.o. a ~ of gratitude, to be in s.o.'s ~ j-m Dank schulden, in j-s Schuld stehen; to pay one's ~ to nature den Weg alles Irdischen gehen, sterben; to incur (*od.* contract) ~s, to run (*od.* get, fall) into ~ Schulden machen, in Schulden geraten; to be in ~ Schulden haben, verschuldet sein. **2.** *meist* action of ~ *jur.* Schuldklage *f.* **3.** *Bibl.* Schuld *f*, Sünde *f*: forgive us our ~s. **debt·or** ['detər] *s* **1.** *jur.* Schuldner(in). **2.** *econ.* Debitor *m*: ~ nation Schuldnerland *n.*
de·bug [diː'bʌg] *v/t Am.* **1.** *Pflanzen* von Schädlingen befreien. **2.** *tech.* Fehler *od.* ‚Mucken' *e-r Maschine* beseitigen.
de·bunk [diː'bʌŋk] *v/t sl.* entlarven,

(*dat.*) den Nimbus nehmen. **de'bunk·er** *s sl.* Entlarver *m.*
de·bus [diː'bʌs] *v/i u. v/t* (aus Bussen *od.* Lastwagen) aussteigen (ausladen).
dé·but, *Am.* **de·but** [*Br.* 'deibuː; *Am.* di'bjuː; dei-] *s* De'büt *n*: a) *bes. thea.* erstes Auftreten, b) Einführung *f* (*e-r jungen Dame*) in die Gesellschaft, c) Anfang *m*, Antritt *m* (*e-r Karriere etc*).
déb·u·tant, *Am.* **deb·u·tant** [*Br.* 'debjuˌtɑ̃; *Am.* ˌdebju'tɑːnt] *s* Debü'tant *m.* **déb·u·tante,** *Am.* **deb·u·tante** [*Br.* -ˌtɑ̃t; *Am.* -'tɑːnt] *s* Debü'tantin *f.*
dec·a·dal ['dekədl] *adj* de'kadisch.
dec·ade ['dekeid] *s* **1.** De'kade *f*: a) *Anzahl von 10 Stück, Zehnergruppe,* b) *Zeitraum von 10 Monaten etc,* c) Jahr'zehnt *n.* **2.** *electr. tech.* De'kade *f*: ~ connection Dekadenschaltung *f.*
de·ca·dence ['dekədəns; di'kei-] *s* **1.** Deka'denz *f*, Entartung *f*, Verfall *m*, Niedergang *m.* **2.** Deka'denz(literaˌtur) *f.* **'de·ca·dent I** *adj* **1.** deka'dent. **2.** Dekadenz... **II** *s* **3.** deka'denter Mensch. **4.** Deka'denz-Dichter *m*, *bes.* Symbo'list *m.*
de·cad·ic [di'kædik] *adj math.* de'kadisch, Dezimal..., Zehner...
dec·a·gon ['dekəˌgɒn] *s math.* Deka'gon *n*, Zehneck *n.* **de·cag·o·nal** [di'kægənl] *adj* dekago'nal.
dec·a·gram(me) ['dekəˌgræm] *s* Deka'gramm *n* (*10 Gramm*). **ˌdec·a'he·dron** [-'hiːdrən] *pl* **-drons, -dra** [-drə] *s math.* Deka'eder *n*, Zehnflächner *m.*
de·cal·ci·fi·ca·tion [diːˌkælsifi'keiʃən] *s* Entkalkung *f.* **de'cal·ciˌfy** [-ˌfai] *v/t* entkalken.
de·cal·co·ma·ni·a [diˌkælko'meiniə] *s* Abziehbild(verfahren) *n.*
De·cal·o·gist [di'kælədʒist] *s relig.* Erklärer *m* des Deka'logs. **Dec·a·log(ue), d~** ['dekəˌlɒg] *s Bibl.* Deka'log *m*, (*die*) Zehn Gebote *pl.*
De·cam·er·on·ic [diˌkæmə'rɒnik] *adj* dekame'ronisch.
de·cam·e·ter[1] [di'kæmitər] *s* De'kameter *m* (*zehnfüßiger Vers*).
dec·a·me·ter[2], *bes. Br.* **dec·a·me·tre** ['dekəˌmiːtər] *s* Deka'meter *n* (*10 Meter*).
de·camp [di'kæmp] *v/i* **1.** *mil.* (heimlich) das Lager abbrechen, 'abmarˌschieren. **2.** sich aus dem Staube machen, ausrücken. **de'camp·ment** *s mil.* (heimlicher) Aufbruch *od.* Abzug.
dec·a·nal [di'keinl; *Am. a.* 'dekənl] *adj* **1.** Dekans... **2.** → decani.
dec·ane ['dekein] *s chem.* De'kan *n.*
de·ca·ni [di'keinai] *adj* südseitig, auf der Südseite (*des Kirchenchors*).
de·cant ['di'kænt] *v/t* **1.** dekan'tieren, vorsichtig abgießen. **2.** ab-, 'umfüllen. **de·can·ta·tion** [ˌdiːkæn'teiʃən] *s* **1.** Dekantati'on *f.* **2.** 'Umfüllung *f.* **de'cant·er** *s* **1.** Dekan'tiergefäß *n*, Klärflasche *f.* **2.** Ka'raffe *f.*
de·cap·i·tate [di'kæpiˌteit] *v/t* **1.** enthaupten, köpfen. **2.** *Am. colloq.* (*aus politischen Gründen*) entlassen, ‚absägen'. **deˌcap·i'ta·tion** *s* **1.** Enthauptung *f.* **2.** *Am. colloq.* plötzliche Entlassung.
de·car·bon·ate [diː'kɑːrbəˌneit] *v/t chem.* Kohlensäure *od.* ˌKohlen'dioˌxyd entziehen (*dat*). **de'car·bon·ˌa·tor** [-tər] *s tech.* Entrußungsmittel *n od.* -gerät *n.* **de'car·bonˌize** *v/t u. v/i* dekarboni'sieren, entkohlen.
de·car·tel·i·za·tion [diːˌkɑːrtəlai'zeiʃən] *s econ.* Entflechtung *f.* **de'car·telˌize** [-ˌlaiz] *v/t ein Kartell* entflechten.
dec·a·stich ['dekəˌstik] *s metr.* De'kastichon *n*, Zehnzeiler *m.*
de·cas·u·al·i·za·tion [diːˌkæʒuəlai'zeiʃən] *s Br.* Ausmerzung *f* der Gelegenheitsarbeit.
dec·a·syl·lab·ic [ˌdekəsi'læbik], **ˌdec·a'syl·la·ble** [-əbl] **I** *adj* zehnsilbig. **II** *s* zehnsilbiger Vers, Zehnsilber *m.*
de·cath·lon [di'kæθlɒn] *s sport* Zehnkampf *m.*
dec·a·tize ['dekəˌtaiz] *v/t Seide etc* deka'tieren.
de·cay [di'kei] **I** *v/i* **1.** verfallen, in Verfall geraten, zu'grunde gehen. **2.** schwach *od.* kraftlos werden. **3.** abnehmen, schwinden. **4.** verwelken, absterben. **5.** zerfallen, vermodern. **6.** verfaulen, verwesen. **7.** *med.* faulen, kari'ös *od.* schlecht werden (*Zahn*). **8.** *geol.* verwittern. **9.** *phys.* zerfallen (*Radium etc*). **II** *s* **10.** Verfall *m*: to fall (*od.* go) (in)to ~ → 1. **11.** Verfall *m*, (Alters)Schwäche *f.* **12.** Nieder-, 'Untergang *m*, Ru'in *m.* **13.** (ständiger) Rückgang. **14.** Verwelken *n.* **15.** Zerfall *m*, Zersetzung *f.* **16.** Verfaulen *n*, Vermodern *n*, Verwesung *f*, Fäulnis *f.* **17.** *med.* Faulen *n*, Schlechtwerden *n* (*der Zähne*). **18.** *geol.* Verwitterung *f.* **19.** *phys.* Zerfall *m* (*radioaktiver Substanzen*). **de'cayed** *adj* **1.** verfallen: ~ circumstances zerrüttete (Vermögens)Verhältnisse; ~ with age altersschwach. **2.** her'untergekommen. **3.** verwelkt. **4.** vermodert, morsch. **5.** verfault. **6.** *med.* faul, schlecht (*Zahn*). **7.** *geol.* verwittert.
de·cease [di'siːs] **I** *v/i* sterben, 'hinscheiden, verscheiden. **II** *s* Tod *m*, Ableben *n.* **de'ceased I** *adj* ver-, gestorben. **II** *s* the ~ der *od.* die Verstorbene.
de·ce·dent [di'siːdənt] *s jur. Am.* Verstorbene(r *m*) *f*, Erb-lasser(in): ~ estate Nachlaß *m.*
de·ceit [di'siːt] *s* **1.** *a. jur.* Betrug *m*, Betrüge'rei *f*, (bewußte) Täuschung: to practice ~ on s.o. j-n betrügen. **2.** Falschheit *f*, Tücke *f*, 'Hinterlist *f.* **3.** List *f*, Ränke *pl.* **de'ceit·ful** [-ful] *adj* (*adv* ~ly) **1.** falsch, 'hinterlistig, ränkevoll. **2.** (be)trügerisch. **de'ceit·ful·ness** → deceit 2.
de·ceiv·a·ble [di'siːvəbl] *adj* (*adv* deceivably) leicht zu täuschen(d).
de·ceive [di'siːv] **I** *v/t* **1.** täuschen, irreführen. **2.** täuschen, betrügen, hinter'gehen, hinters Licht führen: to be ~d sich täuschen (lassen); to be ~d in s.o. sich in j-m täuschen; to ~ o.s. sich täuschen, sich e-r Täuschung hingeben. **3.** (*meist pass*) *Hoffnung etc* enttäuschen, zu'nichte machen: his hopes were ~d. **II** *v/i* **4.** betrügen, täuschen. **5.** trügen (*Sache*). **de'ceiv·er** *s* Betrüger(in).
de·cel·er·ate [diː'seləˌreit] **I** *v/t* **1.** verzögern, verlangsamen. **2.** die Geschwindigkeit her'absetzen von (*od. gen*). **II** *v/i* **3.** sich verlangsamen. **4.** s-e Geschwindigkeit verringern. **deˌcel·er'a·tion** *s* Verlangsamung *f*, Geschwindigkeitsabnahme *f.*
de·cel·er·on [diː'seləˌrɒn] *s aer. Kombination von Luftbremsen u. Landeklappen bei Düsenflugzeugen.*
De·cem·ber [di'sembər] *s* De'zember *m*: in ~ im Dezember.
de·cem·vi·rate [di'semvərit; -ˌreit] *s* Dezemvi'rat *n.*
de·cen·a·ry [di'senəri] *s Br. hist.* Zehntbezirk *m.*
de·cen·cy ['diːsnsi] *s* **1.** Anstand *m*, Schicklichkeit *f*: for ~'s sake anstandshalber; sense of ~ Anstand(sgefühl *n*) *m.* **2.** Anständigkeit *f*: he had the ~ to do er war so anständig, zu tun. **3.** *pl* a) geziemende Form, b) Anstand *m.* **4.** *pl* Annehmlichkeiten *pl* (*des Lebens*).
de·cen·na·ry [di'senəri] → decennium.
de·cen·ni·al [di'seniəl] **I** *adj* **1.** zehnjährig, zehn Jahre dauernd. **2.** alle zehn Jahre 'wiederkehrend. **II** *s* **3.** *Am.* a) zehnter Jahrestag, b) Zehn'jahr(es)feier *f.* **de'cen·ni·al·ly** *adv* alle zehn Jahre. **de'cen·ni·um** [-iəm] *pl* **-ni·ums, -ni·a** [-niə] *s* De'zennium *n*, Jahr'zehnt *n.*
de·cent ['diːsnt] *adj* **1.** anständig: a) schicklich, b) sittsam, c) ehrbar, ordentlich. **2.** de'zent, unaufdringlich. **3.** (ganz) ‚anständig', pas'sabel, annehmbar: a ~ breakfast. **4.** *Br. colloq.* nett, anständig: it was very ~ of him. **'de·cent·ly** *adv* **1.** anständig (*etc* → decent). **2.** anständigerweise.
de·cen·tral·i·za·tion [diːˌsentrəlai'zeiʃən] *s* Dezentrali'sierung *f.* **de'cen·tralˌize** *v/t* dezentrali'sieren.
de·cep·tion [di'sepʃən] *s* **1.** Täuschung *f*, Irreführung *f.* **2.** Betrug *m.* **3.** Irrtum *m*, (Selbst)Täuschung *f.* **4.** List *f*, Kniff *m.* **5.** Sinnestäuschung *f*, Trugbild *n.* **de'cep·tive** *adj* (*adv* ~ly) **1.** täuschend, irreführend. **2.** (be)trügerisch, Trug... **de'cep·tive·ness** *s* (*das*) Trügerische.
de·chris·tian·i·za·tion [diːˌkristʃənai'zeiʃən] *s* Entchristlichung *f.*
dec·i·bel ['desiˌbel] *s phys.* Dezibel *n.*
de·cid·a·ble [di'saidəbl] *adj* entscheidbar, zu entscheiden(d).
de·cide [di'said] **I** *v/t* **1.** *etwas* entscheiden: to ~ a battle. **2.** *j-n* bestimmen *od.* veranlassen (to do zu tun): that ~d me das gab für mich den Ausschlag, damit war die Sache für mich entschieden. **3.** *etwas* bestimmen, festsetzen: to ~ the right moment. **4.** entscheiden, bestimmen (that daß). **5.** feststellen, zu dem Schluß *od.* zu der Über'zeugung kommen, finden (that daß). **II** *v/i* **6.** entscheiden, die Entscheidung treffen. **7.** sich entscheiden, sich entschließen, beschließen (to go *od.* on going zu gehen; against going nicht zu gehen): to ~ in favo(u)r of sich entscheiden für; to ~ on s.th. e-e Entscheidung treffen hinsichtlich (*gen*). **8.** (die Sache) entscheiden, den Ausschlag geben. **de'cid·ed** *adj* **1.** entschieden, eindeutig, unzweifelhaft, deutlich. **2.** entschieden, entschlossen, fest, bestimmt: a ~ attitude; a ~ opponent ein entschiedener Gegner (of von *od. gen*). **de'cid·ed·ly** *adv* **1.** entschieden, zweifellos, fraglos. **2.** sicher, bestimmt. **de'cid·er** *s* **1.** Entscheider(in). **2.** (*etwas*) Entscheidendes. **3.** *sport* Stechen *n*, Entscheidungskampf *m.*
de·cid·u·ous [di'sidjuəs] *adj* **1.** *bot.* laubwechselnd: ~ trees Laubbäume. **2.** *bot.* (jedes Jahr) abfallend: ~ leaves. **3.** *zo.* abfallend: ~ horns; ~ tooth *anat.* Milchzahn *m.* **4.** *fig.* vergänglich.
dec·i·gram(me) ['desiˌgræm] *s* Zehntel-, Dezi'gramm *n.*
dec·ile ['desil] *s Statistik*: De'zile *f*, Zehntelwert *m.*
dec·i·li·ter, *bes. Br.* **dec·i·li·tre** ['desiˌliːtər] *s* Dezi'liter *n.*
de·cil·lion [di'siljən] *s math.* **1.** *Br.* Dezilli'on *f* (10^{60}). **2.** *Am.* Quintilli'arde *f* (10^{33}).
dec·i·mal ['desiməl] **I** *adj* (*adv* → decimally) **1.** dezi'mal, Dezimal...: to go ~ das Dezimalsystem einführen. **II** *s* **2.** *a.* ~ fraction Dezi'malbruch *m.* **3.** Dezi'malzahl *f*: circulating (recurring) ~ periodische (unendliche) Dezi-

malzahl. **4.** Dezi'male *f*, Dezi'malstelle *f*. ~ **a·rith·me·tic** *s math.* **1.** auf dem Dezi'malsy,stem aufgebaute Arith'metik. **2.** Dezi'malrechnung *f*. ~ **clas·si·fi·ca·tion** *s* Dezi'malklassifikati,on *f*.
dec·i·mal·ism ['desimə,lizəm] *s* Dezi'malsy,stem *n* (*bes. in Währung, Maßen etc*). '**dec·i·mal,ize** *v/t* auf das Dezi'malsy,stem zu'rückführen. '**dec·i·mal·ly** *adv* **1.** nach dem Dezi'malsy,stem. **2.** in Dezi'malzahlen (ausgedrückt).
dec·i·mal| no·ta·tion *s* **1.** Dezi'malzahlensy,stem *n*. **2.** de'kadisches 'Zahlensy,stem. ~ **place** *s* Dezi'malstelle *f*. ~ **point** *s* Komma *n* (*im Englischen ein Punkt*) vor der ersten Dezi'malstelle. ~ **re·sist·ance** *s electr.* De'kaden,widerstand *m*. ~ **sys·tem** *s* Dezi'malsy,stem *n*.
dec·i·mate ['desi,meit] *v/t* **1.** *mil.* dezi'mieren. **2.** *fig.* dezi'mieren, stark schwächen, Verheerung anrichten unter (*dat*). **3.** den zehnten Teil nehmen von. ,**dec·i'ma·tion** *s* Dezi'mierung *f* (*a. fig.*).
dec·i·me·ter, *bes. Br.* **dec·i·me·tre** ['desi,mi:tər] *s* Dezi'meter *n*.
de·ci·pher [di'saifər] *v/t* **1.** entziffern. **2.** *Geheimschrift* dechif'frieren. **3.** *fig.* enträtseln. **de'ci·pher·a·ble** *adj* **1.** entzifferbar. **2.** enträtselbar. **de'ci·pher·ment** *s* **1.** Entzifferung *f*, Dechif'frierung *f*. **2.** Enträtselung *f*.
de·ci·sion [di'siʒən] *s* **1.** Entscheidung *f* (*e-r Streitfrage etc*): **to make** (*od.* **take**) **a** ~ e-e Entscheidung treffen (**over** über *acc*); **to get the** ~ *sport* den Sieg zugesprochen erhalten. **2.** *jur.* (gerichtliche) Entscheidung, Urteil *n*. **3.** Entschluß *m*: **to arrive at a** ~, **to come to a** ~, **to take a** ~ zu e-m Entschluß kommen. **4.** Entschlußkraft *f*, Entschlossenheit *f*: ~ **of character** Charakterstärke *f*.
de·ci·sive [di'saisiv] *adj* **1.** entscheidend, Entscheidungs...: ~ **battle** Entscheidungsschlacht *f*; **to be** ~ **of** *etwas* entscheiden. **2.** bestimmend, ausschlag-, maßgebend (**to** für): **to be** ~ **(in)** maßgebend sein (in *dat od.* bei), maßgebend mitwirken (bei). **3.** endgültig. **4.** entschlossen, entschieden. **de'ci·sive·ly** *adv* entscheidend, in entscheidender Weise. **de'ci·sive·ness** *s* **1.** entscheidende Kraft. **2.** Maßgeblichkeit *f*. **3.** Endgültigkeit *f*. **4.** Entschlossenheit *f*, Entschiedenheit *f*. **5.** Eindeutigkeit *f*.
de·civ·i·lize [di:'sivi,laiz] *v/t* entzivili'sieren, der Zivilisati'on berauben.
deck [dek] **I** *s* **1.** *mar.* (Ver)Deck *n*: **on** ~ a) auf Deck, b) *Am. colloq.* bereit, zur Hand, auf dem Posten; **all hands on** ~! alle Mann an Deck!; **below** ~ unter Deck; **to clear the** ~**s** (**for action**) a) das Schiff klar zum Gefecht machen, b) *fig.* sich bereitmachen. **2.** *aer.* Tragdeck *n*, -fläche *f*. **3.** *rail. Am.* (Wag'gon)Deck *n*. **4.** *tech.* Stock(werk *n*) *m*, Plattform *f*: ~ **of a bus** (Ober)Deck e-s Omnibusses. **5.** *bes. Am.* a) Spiel *n*, Pack *m* (Spiel)Karten, b) Ta'lon *m*, Stock *m* (*nach dem Geben übrigbleibende Karten*). **6.** *sl.* (Erd)Boden *m*. **II** *v/t* **7.** *oft* ~ **out** a) kostbar bekleiden, b) (aus)schmükken. ~ **beam** *s mar.* Deck(s)balken *m*. ~ **car·go** *s mar.* Deckladung *f*. ~ **chair** *s* Liege-, Klappstuhl *m*.
deck·er ['dekər] *s in Zssgn* ...decker *m*: → **three-decker**.
deck| feath·er *s zo.* Deckfeder *f*. ~ **game** *s* Bordspiel *n*. ~ **hand** *s mar.* (gemeiner) Ma'trose. '~,**house** *s mar.* Deckhaus *n* (*Ruder- u. Kartenhaus*).
deck·le ['dekl] *s Papiererzeugung*: **1.** Deckel *m* (*der Schöpfform*). **2.** → **deckle edge**. ~ **edge** *s* Büttenrand *m*. '~-'**edged** *adj* **1.** rauhkantig, Büttenrand...: ~ **paper**. **2.** unbeschnitten: ~ **book**.
deck|log *s mar.* Logbuch *n*. ~ **of·fi·cer** *s mar.* Offi'zier *m* an Deck. ~ **roof** *s arch.* flaches Dach ohne Brüstung.
de·claim [di'kleim] **I** *v/i* **1.** (*öffentlich od. feierlich*) reden, e-e Rede halten (**on** über *acc*). **2.** losziehen, eifern, wettern (**against** gegen). **3.** dekla'mieren. **4.** Phrasen dreschen, e-e Ti'rade vom Stapel lassen. **II** *v/t* **5.** dekla'mieren, vortragen: **to** ~ **poems**. **6.** in bom'bastischer Weise vortragen.
dec·la·ma·tion [,deklə'meiʃən] *s* **1.** Deklamati'on *f* (*a. mus.*), öffentlicher Vortrag. **2.** öffentliche (*weitS.* schwungvolle) Rede. **3.** Ti'rade *f*, (Rede)Erguß *m*. **4.** Vortragsübung *f*.
de·clam·a·to·ry [di'klæmətəri] *adj* (*adv* **declamatorily**) **1.** deklama'torisch, rhe'torisch, Rede..., Vortrags... **2.** eifernd. **3.** pa'thetisch, bom'bastisch.
de·clar·a·ble [di'klɛ(ə)rəbl] *adj* zoll-, steuerpflichtig.
de·clar·ant [di'klɛ(ə)rənt] *s* **1.** Erklärende(r *m*) *f*. **2.** *Am.* Einbürgerungsanwärter *m*.
dec·la·ra·tion [,deklə'reiʃən] *s* **1.** Erklärung *f*, Aussage *f*: **to make a** ~ e-e Erklärung abgeben. **2.** (feierliche) Erklärung, Verkündung *f*: ~ **of independence** Unabhängigkeitserklärung; ~ **of war** Kriegserklärung. **3.** Mani'fest *n*, Proklamati'on *f*. **4.** *jur.* a) erste klägerische Erklärung, b) Klage(schrift) *f*, c) eidesstattliche Erklärung (*von Zeugen etc*). **5.** *econ.* ('Zoll)Deklarati,on *f*, Zollerklärung *f*: **to make a** ~ die Waren deklarieren. **6.** *econ.* (offizi'elle) Erklärung: ~ **of bankruptcy** Bankrotterklärung, Konkursanmeldung *f*; ~ **of value** Wertangabe *f*. **7.** *Bridge*: Ansage *f*.
de·clar·a·tive [di'klærətiv] *adj* **1.** → **declaratory** 1 *u.* 2. **2.** *ling.* Aussage...: ~ **sentence**. **de'clar·a·to·ry** [-təri] *adj* (*adv* **declaratorily**) **1.** (klar) feststellend, erklärend: **to be** ~ **of** feststellen, darlegen. **2.** *jur.* interpre'tierend, das gültige Recht feststellend: ~ **statute**; **3.** *jur.* (*die Rechte der Parteien*) feststellend, Feststellungs...: ~ **judg(e)ment** Feststellungsurteil *n*.
de·clare [di'klɛr] **I** *v/t* **1.** erklären, verkünden, (for'mell) bekanntgeben: **to** ~ **one's insolvency, to** ~ **o.s. insolvent** Konkurs anmelden, sich für zahlungsunfähig erklären; **to** ~ **open** für eröffnet erklären; **to** ~ **off** absagen, rückgängig machen, für beendet erklären. **2.** (*offiziell*) erklären, prokla'mieren, verkünden: → **war** 1. **3.** (*oft mit doppeltem acc*) erklären: **to** ~ **s.o. the winner** j-n zum Sieger erklären; **to** ~ **s.o. (to be) one's friend** j-n für s-n Freund erklären. **4.** bekanntgeben, -machen: **to** ~ **s.th. for sale** etwas zum Verkauf ausbieten. **5.** eindeutig feststellen, erklären. **6.** erklären, aussagen (**that** daß). **7.** behaupten, versichern (**s.th. to be false** daß etwas falsch ist). **8.** ~ **o.s.** a) sich erklären (*a. durch Heiratsantrag*), sich offen'baren (*a. Sache*), s-e Meinung kundtun, b) s-n wahren Cha'rakter *od.* sich im wahren Licht zeigen; **to** ~ **o.s. for s.th.** sich zu e-r Sache bekennen. **9.** dekla'rieren, verzollen: **have you anything to** ~? haben Sie etwas zu verzollen? **10.** a) *Vermögen etc* anmelden, b) *Wert* angeben, dekla'rieren. **11.** *Dividende* festsetzen, ausschütten. **12.** *Kartenspiel*: a) *Punkte* ansagen, b) *Farbe* als Trumpf ansagen. **13.** *Kricket*: *Spiel* vorzeitig für beendet erklären. **14.** *Pferdesport*: die Nennung (*e-s Pferdes*) zu'rückziehen. **II** *v/i* **15.** e-e Erklärung abgeben: **well, I** ~! ich muß (schon) sagen!, wahrhaftig!, nanu! **16.** sich erklären *od.* entscheiden (**for** für; **against** gegen). **17.** *Kartenspiel*: (Trumpf) ansagen. **18.** *Kricket*: ein Spiel vorzeitig abbrechen. **19.** ~ **off** a) absagen, b) zu'rücktreten, sich zu'rückziehen, sich lossagen (**from** von). **de'clared** *adj* (offen) erklärt, zugegeben: **a** ~ **enemy** ein erklärter Feind. **de'clar·ed·ly** [-idli] *adv* erklärtermaßen, offen, ausgesprochen.
de·class [*Br.* di:'klɑ:s; *Am.* -'klæ(:)s] *v/t* deklas'sieren, aus s-r (Gesellschafts)Klasse ausstoßen. **dé·classé,** (*f*) **dé·clas·sée** [deklɑ'se] (*Fr.*) *adj* her'untergekommen, sozi'al abgesunken.
de·clas·si·fy [di:'klæsi,fai] *v/t* die Geheimhaltungsstufe aufheben von (*od. gen*), *Dokumente etc* freigeben.
de·clen·sion [di'klenʃən] *s* **1.** Neigung *f*, Abfall *m*, -hang *m*. **2.** Niedergang *m*, Verfall *m*. **3.** Abweichung *f* (**from** von). **4.** *ling.* Deklinati'on *f*. **5.** → **declination** 5. **de'clen·sion·al** *adj* **1.** Neigungs... **2.** Abweichungs... **3.** *ling.* Deklinations...
de·clin·a·ble [di'klainəbl] *adj ling.* dekli'nierbar.
dec·li·na·tion [,dekli'neiʃən] *s* **1.** Neigung *f*, Schräglage *f*, Abschüssigkeit *f*. **2.** Abweichung *f* (*a. fig.*). **3.** (höfliche) Ablehnung (**of** *gen*). **4.** *astr.* Deklinati'on *f*. **5.** *phys.* Deklinati'on *f*, 'Mißweisung *f*: ~ **compass** *mar.* Deklinationsbussole *f*. **6.** Niedergang *m*.
dec·li·na·tor ['dekli,neitər] *s mil.* ('Richtkreis)Bus,sole *f*.
de·clin·a·to·ry [di'klainətəri] *adj* **1.** ablehnend, abweisend. **2.** abweichend.
de·cline [di'klain] **I** *v/i* **1.** sich neigen, sich senken, abschüssig sein, abfallen. **2.** sich neigen, zur Neige gehen, dem Ende zugehen: **declining age** vorgerücktes Alter; **declining years** Lebensabend *m*. **3.** verfallen, in Verfall geraten. **4.** sich verschlechtern, abnehmen, zu'rückgehen: **business** ~**s**. **5.** sinken, fallen (*Preise*). **6.** (*körperlich*) abnehmen, verfallen. **7.** sich her'beilassen (**to** zu). **8.** abweichen. **9.** (höflich) ablehnen. **10.** *ling.* dekli'niert werden.
II *v/t* **11.** neigen, senken. **12.** ausschlagen, (höflich) ablehnen, nicht annehmen: **to** ~ **with thanks** (*oft iro.*) dankend ablehnen. **13.** es ablehnen (**to go** *od.* **going** zu gehen). **14.** *ling.* beugen, dekli'nieren.
III *s* **15.** Neigung *f*, Senkung *f*. **16.** Abhang *m*. **17.** Neige *f*, Ende *n*: ~ **of life** vorgerücktes Alter, Lebensabend *m*. **18.** Sinken *n*, Untergang *m*: ~ **of the sun**; **19.** Niedergang *m*, Verfall *m*: **to be on the** ~ a) zur Neige gehen, b) im Niedergang begriffen sein, sinken. **20.** Verschlechterung *f*, Abnahme *f*, Rückgang *m*: ~ **of** (*od.* **in**) **strength** Abnahme der Kraft. **21.** (Preis)Rückgang *m*: ~ **of** (*od.* **in**) **prices**. **22.** *med.* a) (körperlicher u. geistiger) Verfall, b) Siechtum *n*, *bes.* 'Lungentuberku,lose *f*: **to fall into a** ~ a) (dahin)siechen, b) Lungentuberkulose bekommen. **23.** *med.* Abklingen *n*.

dec·li·nom·e·ter [ˌdekli'nɒmitər] *s phys.* Deklino'meter *n*, Neigungsmesser *m*.
de·cliv·i·tous [di'klivitəs] *adj* abschüssig, (ziemlich) steil. **de'cliv·i·ty** *s* **1.** (Abwärts)Neigung *f*, Abschüssigkeit *f*. **2.** (Ab)Hang *m*. **de·cli·vous** [di'klaivəs] *adj* abfallend, abschüssig.
de·clutch [diː'klʌtʃ] *v/i tech.* auskuppeln. [(ball).]
de·co·coon [ˌdiːkə'kuːn] → demoth-
de·coct [di'kɒkt] *v/t* **1.** auskochen, absieden. **2.** *chem.* diri'gieren. **de'coc·tion** *s* **1.** Auskochen *n*, Absieden *n*. **2.** Abkochung *f*, Ab'sud *m*.
de·code [diː'koud] *v/t u. v/i* dechif'frieren, entschlüsseln.
de·co·here [ˌdiːko'hir] *v/t u. v/i electr.* entfritten. **ˌde·co'her·er** [-'hi(ə)rər] *s* Entfritter *m*.
de·col·late [di'kɒleit] *v/t j-n* enthaupten, köpfen. **de·col·la·tion** [ˌdiːkə'leiʃən] *s* Enthauptung *f*.
dé·col·le·té(e) [*Br.* dei'kɔltei; *Am.* ˌdeikɑl'tei] *adj* **1.** dekolle'tiert, (tief) ausgeschnitten (*Kleid*). **2.** dekolle'tiert (*Dame*).
de·col·or [diː'kʌlər] → decolorize. **de'col·or·ant I** *adj* entfärbend, bleichend. **II** *s* Bleichmittel *n*. **de'col·or·ate, ˌde·col·or'a·tion** → decolorize, decolorization. **deˌcol·or·i'za·tion** *s* Entfärbung *f*, Bleichung *f*. **de'col·orˌize** *v/t* entfärben, bleichen.
de·col·our *etc bes. Br. für* decolor *etc*.
de·com·pen·sa·tion [diːˌkɒmpen'seiʃən] *s med.* Kompensati'onsstörung *f* (*des Herzens*).
de·com·pose [ˌdiːkəm'pouz] **I** *v/t* **1.** *chem. phys.* zerlegen, spalten, scheiden. **2.** zersetzen. **II** *v/i* **3.** sich auflösen, zerfallen (into in *acc*). **4.** sich zersetzen, verwesen, verfaulen. **ˌde·com'posed** *adj* **1.** verfault, verwest, faul. **2.** verdorben: ~ food.
de·com·pos·ite [di'kɒmpəzit; *Am. a.* ˌdiːkəm'pɑzit] **I** *adj* doppelt *od.* mehrfach zs.-gesetzt. **II** *s ling.* mit e-m Kom'positum zs.-gesetztes Wort.
de·com·po·si·tion [ˌdiːkɒmpə'ziʃən] *s* **1.** *chem. phys.* Zerlegung *f*, Aufspaltung *f*: ~ of forces (light) Zerlegung der Kräfte (des Lichtes); ~ potential (*od.* voltage) Zerlegungspotential *n*. **2.** Zersetzung *f*, Zerfall *m* (*a. geol.*). **3.** Verwesung *f*, Fäulnis *f*.
de·com·pound [ˌdiːkəm'paund] **I** *v/t* **1.** doppelt *od.* mehrfach zs.-setzen. **2.** zerlegen. **II** *adj u. s.* → decomposite.
de·com·press [ˌdiːkəm'pres] *v/t* **1.** *tech.* dekompri'mieren, den Druck her'abmindern in (*dat*). **2.** von Druck befreien (*a. med.*). **ˌde·com'pres·sion** [-'preʃən] *s* **1.** *tech.* Dekompressi'on *f*, (all'mähliche) Druckverminderung: ~ chamber *bes. aer.* Höhenkammer *f*. **2.** Druckentlastung *f* (*a. med.*).
de·con·se·crate [diː'kɒnsiˌkreit] *v/t* säkulari'sieren, verweltlichen.
de·con·tam·i·nate [ˌdiːkən'tæmiˌneit] *v/t* entgiften, -seuchen, -strahlen. **ˌde·conˌtam·i'na·tion** *s* Entgiftung *f*, *bes.* Entgasung *f*, Entseuchung *f*, Entstrahlung *f*: ~ squad (*Luftschutz*) Entgiftungstrupp *m*.
de·con·trol [ˌdiːkən'troul] **I** *v/t* **1.** von der Kon'trolle befreien. **2.** *econ.* freigeben, die Zwangsbewirtschaftung aufheben von (*od. gen*). **II** *s* **3.** Aufhebung *f* der Kon'trolle, *bes.* der Zwangsbewirtschaftung, Freigabe *f*.
dé·cor [de'kɔːr] (*Fr.*) *s* De'kor *m*: a) Ausschmückung *f*, b) *thea.* Ausstattung *f*.
dec·o·rate ['dekəˌreit] **I** *v/t* **1.** schmükken, (ver)zieren. **2.** ausschmücken, deko'rieren. **3.** deko'rieren, (*mit Orden etc*) auszeichnen. **II** *v/i* **4.** deko'rieren. **'Dec·oˌrat·ed style** *s* deko'rierter Stil (*englische Hochgotik, 14. Jh.*). **ˌdec·o'ra·tion** *s* **1.** (Aus)Schmückung *f*, Deko'rierung *f*. **2.** Schmuck *m*, Dekorati'on *f*, Verzierung *f*. **3.** Orden *m*, Ehrenzeichen *n*: D~ Day → Memorial Day. **'dec·o·ra·tive** [-rətiv] *adj* dekora'tiv: a) schmückend, Schmuck..., Zier..., b) ornamen'tal: ~ art, c) *humor.* hübsch. **ˌdec·o·ra·tive·ness** *s* dekora'tiver Cha'rakter, dekorative Wirkung. **'dec·oˌra·tor** [-ˌreitər] *s* **1.** Dekora'teur *m*: window ~ Schaufensterdekorateur. **2.** → interior decorator. **3.** Dekorati'onsmaler *m*, Tape'zierer *m* u. Anstreicher *m*.
dec·o·rous ['dekərəs] *adj* (*adv* ~ly) schicklich, (wohl)anständig. **'dec·o·rous·ness** *s* Schicklichkeit *f*.
de·cor·ti·cate [diː'kɔːrtiˌkeit] *v/t* **1.** ab-, entrinden. **2.** (ab)schälen. **3.** *Getreide etc* enthülsen. **4.** *med.* ausschälen, entkapseln. **deˌcor·ti'ca·tion** *s* Entrindung *f*, (Ab-, Aus)Schälung *f*, Enthülsung *f*.
de·co·rum [di'kɔːrəm] *s* **1.** De'korum *n*, (äußerer) Anstand, Schicklichkeit *f*: sense of ~ Anstandsgefühl *n*; to maintain one's ~ das Dekorum wahren. **2.** Eti'kette *f*, Anstandsformen *pl*. **3.** Ordnung *f*. [koppeln.]
de·cou·ple [diː'kʌpl] *v/t electr.* ent-
de·coy [di'kɔi] **I** *s* **1.** Köder *m*, Lockspeise *f*. **2.** *a.* ~ duck *hunt. u. fig.* Lockvogel *m*. **3.** *hunt.* Vogel-, *bes.* Entenfalle *f*. **4.** *mil.* a) Scheinanlage *f*: ~ airfield Scheinflugplatz *m*, b) *a.* ~ ship *mar.* U-Boot-Falle *f*. **II** *v/t* **5.** ködern. **6.** locken (into in *acc*). **7.** verlocken, verleiten.
de·crease [diː'kriːs] **I** *v/i* (all'mählich) abnehmen, sich vermindern, sich verringern: the days ~ in length die Tage werden kürzer; decreasing series *math.* fallende Reihe. **II** *v/t* vermindern, -ringern, -kleinern, -kürzen, her'absetzen, redu'zieren: to ~ one's speed. **III** *s* ['diːkriːs; diː'kriːs; di-] Abnahme *f*, Verminderung *f*, -ringerung *f*, -kleinerung *f*, -kürzung *f*, Redu'zierung *f*, Rückgang *m*: ~ in prices Preisrückgang; ~ in value Wert(ver)minderung. **de'creas·ing·ly** *adv* in ständig abnehmendem Maße, immer weniger.
de·cree [di'kriː] **I** *s* **1.** De'kret *n*, Erlaß *m*, Verfügung *f*, Verordnung *f*: ~ law Verordnung mit Gesetzeskraft. **2.** *jur.* Entscheid *m*, Urteil *n*: ~ absolute rechtskräftiges (Scheidungs-) Urteil, Endurteil; → nullity 2, nisi. **3.** *oft* D~ *relig.* De'cretum *n*. **4.** Ratschluß *m* (*Gottes*), Fügung *f* (*des Schicksals*): ~ of fate. **II** *v/t* **5.** dekre'tieren, verfügen, verordnen. **6.** bestimmen (*Schicksal*). **7.** *jur.* entscheiden, verfügen. **III** *v/i* **8.** De'krete erlassen, Verordnungen her'ausgeben. **9.** bestimmen, entscheiden.
dec·re·ment ['dekrimənt] *s* **1.** Abnahme *f*: a) Verringerung *f*, b) Abgang *m*. **2.** *electr. math.* Dekre'ment *n*.
de·crem·e·ter [di'kremitər] *s electr.* Dämpfungsmesser *m*.
de·crep·it [di'krepit] *adj* **1.** altersschwach, klapprig (*beide a. fig.*): a ~ old man; a ~ car. **2.** verfallen, baufällig: a ~ hotel.
de·crep·i·tate [di'krepiˌteit] **I** *v/t Salz* verknistern. **II** *v/i* dekrepi'tieren. **deˌcrep·i'ta·tion** *s* **1.** Dekrepitati'on *f*. **2.** Knistern *n*, Prasseln *n*. **de'crep·i·tude** [-ˌtjuːd] *s* Altersschwäche *f*, 'Hinfälligkeit *f*.
de·cre·scen·do [ˌdiːkre'ʃendou] **I** *adj u. adv mus.* decre'scendo, abnehmend. **II** *s mus.* Decre'scendo *n* (*a. fig.*).
de·cres·cent [di'kresnt] *adj* abnehmend: ~ moon.
de·cre·tal [di'kriːtl] **I** *adj* **1.** Dekretal..., ein De'kret enthaltend: ~ epistle Dekretalbrief *m*. **II** *s relig.* **2.** Dekre'tale *n* (*Entscheid, bes. des Papstes*). **3.** *pl* Dekre'talien *pl* (*als Teil des Kirchenrechts*). **de'cre·tive** *adj* **1.** → decretory 1. **2.** → decretal 1. **de'cre·to·ry** *adj* **1.** dekre'torisch, gesetzgebend. **2.** endgültig (entscheidend).
de·cri·er [di'kraiər] *s* Schlechtmacher *m*, (heftiger u. böswilliger) Kritiker.
de·cry [di'krai] *v/t* schlecht-, her'untermachen, her'absetzen.
de·crypt [diː'kript] → decode.
de·cu·bi·tal [di'kjuːbitl] *adj med.* dekubi'tal: ~ ulcer → decubitus. **de'cu·bi·tus** [-təs] *s med.* Dekubi'tal-, Druckgeschwür *n*.
dec·u·man ['dekjumən] *adj* riesig.
dec·u·ple ['dekjupl] **I** *adj* zehnfach. **II** *s* (*das*) Zehnfache. **III** *v/t* verzehnfachen.
de·cus·sate I *v/t u. v/i* [di'kʌseit; 'dekəs-] **1.** (sich) kreuzweise schneiden. **II** *adj* [di'kʌseit; -sit] **2.** sich kreuzend *od.* schneidend. **3.** *bot.* kreuzgegenständig. **ˌde·cus'sa·tion** [ˌdiː-] *s* **1.** Kreuzung *f* (*a. anat.*).
de·dans [də'dɑ̃] (*Fr.*) *s* **1.** (offene) 'Zuschauertriˌbüne (*am Tennisplatz*). **2.** *collect.* Zuschauer *pl*.
ded·i·cate ['dediˌkeit] *v/t* **1.** weihen, widmen (to *dat*): to ~ s.th. to God. **2.** *Zeit, sein Leben etc* widmen (to *dat*): to ~ o.s. sich widmen *od.* hingeben; ~d hingebungsvoll; to be ~d to a cause sich e-r Sache verschrieben haben. **3.** *Buch etc* widmen, zueignen (to s.o. j-m). **4.** *Am.* feierlich eröffnen *od.* einweihen. **5.** *jur.* der Öffentlichkeit zugänglich machen: to ~ a road. **6.** *dem Feuer etc* über'antworten: to ~ a paper to the flames; to ~ a body to the grave e-n Leichnam der Erde überantworten. **ˌded·i·ca'tee** [-'tiː] *s* j-d dem etwas gewidmet ist *od.* wird. **ˌded·i'ca·tion** *s* **1.** Weihung *f*, Widmung *f*. **2.** (to) (Sich)'Widmen *n* (*dat*), 'Hingabe *f* (an *acc*). **3.** Widmung *f*, Zueignung *f*: ~ of a book. **4.** *jur.* Über'lassung *f* (zum allgemeinen Gebrauch). **'ded·iˌca·tive** → dedicatory. **'ded·iˌca·tor** [-tər] *s* Widmende(r *m*) *f*, Zueigner(in). **'ded·iˌca·to·ry, ˌded·i·ca'to·ri·al** [-'tɔːriəl] *adj* Widmungs..., Zueignungs...
de·duce [di'djuːs] *v/t* **1.** folgern, schließen (from aus). **2.** dedu'zieren, ab-, 'herleiten (from von). **de'duc·i·ble** *adj* zu folgern(d), 'herzuleiten(d), ab-, 'herleitbar.
de·duct [di'dʌkt] *v/t* abrechnen, abziehen, absetzen, abschreiben (from, out of von): charges ~ed nach Abzug der Kosten; to be ~ed from a sum von e-r Summe abgehen; ~ing (our) expenses abzüglich (unserer) Unkosten. **de'duct·i·ble** *adj* **1.** abziehbar. **2.** *econ.* abzugsfähig.
de·duc·tion [di'dʌkʃən] *s* **1.** *bes. econ.* Abzug *m*, Abziehen *n*, Abrechnung *f*, Absetzung *f* (from von): all ~s made unter Berücksichtigung aller Abzüge. **2.** *econ.* Abzug *m*, Ra'batt *m*, (Preis-) Nachlaß *m*. **3.** *math.* Subtrakti'on *f*. **4.** a) Folgern *n*, Schließen *n*, b) *philos.*

Dedukti'on *f*, c) (Schluß)Folgerung *f*, Schluß *m*: to draw a ~ e-n Schluß ziehen. **de'duc·tive** *adj* (*adv* ~ly) **1.** deduk'tiv, Deduktions... **2.** folgernd, schließend. **3.** ab-, 'herleitbar.

dee [diː] *s* **1.** D, d *n* (*Buchstabe*). **2.** D *n*, D-förmiger Gegenstand.

deed [diːd] **I** *s* **1.** Tat *f*, Handlung *f*: to do a good ~ e-e gute Tat vollbringen; → word *Bes. Redew.* **2.** Helden-, Großtat *f*. **3.** Misse-, Untat *f*. **4.** Tatsache *f*: → indeed. **5.** *jur.* (Vertrags-, *bes.* Über'tragungs)Urkunde *f*, Doku'ment *n*: ~ of gift (*od.* donation) Schenkungsurkunde; ~ of partnership Gesellschaftsvertrag *m*; → conveyance 5b. **II** *v/t* **6.** *jur. Am.* urkundlich über'tragen (to *dat od.* auf *acc*). ~ **poll** *s jur.* nur von 'einer Par'tei ausgefertigte Urkunde, Urkunde *f* e-s einseitigen Rechtsgeschäfts.

deem [diːm] **I** *v/i* **1.** denken: to ~ well of s.th. von etwas e-e gute Meinung haben. **2.** (*in Einschaltungen*) glauben, meinen, denken. **II** *v/t* **3.** halten für, erachten für, betrachten als: to ~ s.th. a duty; to ~ it right to do s.th. es für richtig halten, etwas zu tun. **4.** glauben, meinen (that daß).

deem·ster ['diːmstər] *s* Richter *m* (*auf der Insel Man*).

de-en·er·gize [diː'enər,dʒaiz] *v/t electr.* stromlos machen, ausschalten.

deep [diːp] **I** *adj* (*adv* → deeply) **1.** tief (*in vertikaler Richtung*): ten feet ~ zehn Fuß tief; a ~ plunge ein Sprung in große Tiefe; to go off (*od.* off at, in off) the ~ end *sl.* a) *Br.* die Beherrschung verlieren, in Rage kommen, b) *Am.* sich unüberlegt in etwas einlassen; in ~ water(s) *fig.* in Schwierigkeiten. **2.** tief (*in horizontaler Richtung*): a ~ wardrobe; ~ forests; ~ border breiter Rand; they marched four ~ sie marschierten in Viererreihen; three men ~ drei Mann hoch, zu dritt; ~ in the woods tief (drinnen) im Wald. **3.** niedrig gelegen. **4.** tief, aus der Tiefe kommend: a ~ breath. **5.** tief (versunken), versunken, vertieft: ~ in thought tief in Gedanken (versunken). **6.** tief (steckend *od.* verwickelt): to be ~ in debt tief in Schulden stecken; ~ in love schwer verliebt. **7.** dunkel, unergründlich, schwer verständlich, tief(sinnig): a ~ problem ein schwieriges Problem; that is too ~ for me das ist mir zu hoch, da komme ich nicht mit. **8.** gründlich, eingehend: ~ study; ~ learning fundiertes Wissen. **9.** verborgen, versteckt, geheim, dunkel: ~ designs; ~ motives. **10.** tief(gehend), mächtig, stark, groß: to make a ~ impression; ~ disappointment schwere *od.* bittere Enttäuschung; ~ gratitude tiefe *od.* aufrichtige *od.* innige Dankbarkeit; ~ mourning tiefe Trauer; ~ prayer inbrünstiges Gebet. **11.** tief, schwer(wiegend): ~ wrongs schweres Unrecht. **12.** tief, vollkommen: ~ night tiefe Nacht; ~ silence tiefes *od.* völliges Schweigen; ~ sleep tiefer Schlaf. **13.** stark, inten'siv: ~ enemy radikaler Feind; ~ interest starkes Interesse; ~ love leidenschaftliche Liebe. **14.** tiefst(er, e, es), äußerst(er, e, es): ~ poverty. **15.** tief, gründlich, scharfsinnig: a ~ thinker; ~ intellect scharfer Verstand; **16.** durch'trieben, schlau: he is a ~ one *sl.* er ist ein ganz durchtriebener Bursche, er hat es faustdick hinter den Ohren. **17.** tief, satt, dunkel: ~ colo(u)rs. **18.** tief, dunkel: ~ voice. **19.** *med.* subku'tan, unter der Haut. **20.** *psych.* unbewußt.

II *adv* **21.** tief: still waters run ~ stille Wasser sind tief. **22.** tief, spät: ~ into the night (bis) tief in die Nacht (hinein); ~ in winter tief im Winter. **23.** stark, gründlich, heftig: to drink ~ mächtig *od.* unmäßig trinken.

III *s* **24.** Tiefe *f*, tiefer Teil (*Gewässer*). **25.** Tiefe *f*, Abgrund *m*. **26.** tiefgelegene Stelle. **27.** *Kricket*: *Stellung der Feldspieler hinter dem Werfer am Außenrand des Spielfeldes.* **28.** the ~ *poet.* a) das Meer, b) das Firma'ment, c) die 'Unterwelt, d) der unendliche Raum, e) die unendliche Zeit. **29.** Mitte *f*: in the ~ of night in tiefster Nacht; in the ~ of winter im tiefsten Winter.

deep| breath·ing *s* Tiefatmen *n*, Atemübungen *pl.* **'~-,chest·ed** *adj* **1.** mit gewölbter Brust. **2.** mit Brustton. **'~-,dish** *adj* in e-r tiefen Schüssel gebacken: ~ pie Napfpastete *f*. **'~-,draw** *v/t irr tech.* tiefziehen. **'~-,draw·ing** *adj mar.* tiefgehend (*Schiff*). **'~-,drawn** *adj* **1.** *tech.* tiefgezogen, Tiefzieh... **2.** aus der Tiefe her'vorgeholt, tief: ~ sigh. **'~-,dyed** *adj fig.* eingefleischt, unverbesserlich, Erz...: a ~ villain.

deep·en ['diːpən] **I** *v/t* **1.** tief(er) machen. **2.** vertiefen. **3.** verbreitern. **4.** *fig.* vertiefen, verstärken, steigern. **5.** *Farben* verdunkeln, vertiefen. **6.** *Töne* tiefer stimmen. **7.** *Stimme* senken. **II** *v/i* **8.** tiefer werden, sich vertiefen. **9.** *fig.* sich vertiefen, sich steigern, stärker werden. **10.** dunkler werden, (nach)dunkeln (*Farbe*).

'deep|-,felt *adj* tiefempfunden. **'~-'freeze I** *s* Tiefkühlschrank *m*. **II** *v/t* tiefkühlen. **'~-'fry** *v/t* in schwimmendem Fett backen. **~ hit** *s Boxen*: Tiefschlag *m*.

deep·ie ['diːpi] *s colloq.* 'dreidimensio,naler Film.

'deep-,laid *adj* **1.** schlau (angelegt): ~ plots. **2.** verborgen, geheim.

deep·ly ['diːpli] *adv* tief (*etc*, → deep I): ~ devised reiflich überlegt; ~ hurt schwer gekränkt; ~ indebted äußerst dankbar; ~ offended tief beleidigt; ~ versed gründlich bewandert; to drink ~ unmäßig trinken.

'deep,mouthed *adj* **1.** tieftönend. **2.** mit tiefer Stimme (bellend): ~ dogs.

deep·ness ['diːpnis] *s* **1.** Tiefe *f* (*a. fig.*). **2.** Tiefe *f*, Schwerverständlichkeit *f*. **3.** Gründlichkeit *f*. **4.** Versteckheit *f*. **5.** Tiefe *f*, Stärke *f*. **6.** Innigkeit *f*, Inbrunst *f*. **7.** Scharfsinn *m*. **8.** Durch'triebenheit *f*.

'deep|-'read [-'red] *adj* sehr belesen. **'~-'root·ed** *adj* **1.** tief eingewurzelt *od.* verwurzelt (*a. fig.*). **2.** *fig.* eingefleischt. **~ scab** *s bot.* Tiefschorf *m* (*der Kartoffeln*). **'~-,sea** *adj* Tiefsee..., Hochsee...: ~ fish Tiefseefisch *m*; ~ fishing Hochseefischerei *f*. **'~-'seat·ed** *adj fig.* tiefsitzend, fest verwurzelt. **'~-,set** *adj* tiefliegend: ~ eyes. **D~ South** *s Am.* (der) tiefe Süden (*bes. Georgia, Alabama, Mississippi u. Louisiana*). **~ ther·a·py** *s med.* Tiefenbehandlung *f*, -bestrahlung *f*. **'~-'throat·ed** *adj* mit tiefer Stimme.

deer [dir] *pl* **deers,** *collect.* **deer** *s* **1.** *zo.* a) Hirsch *m*, b) (*volkssprachlich*) Reh *n*, c) *collect.* Hoch-, Rotwild *n*: → red deer, small deer. **~ for·est** *s hunt.* Hochwildgehege *n*, Jagdschutzgebiet *n*. **'~,hound** *s* schottischer Hirschhund, Deerhound *m* (*Windhundrasse*). **~ hunt** *s* Rotwildjagd *f*. **~ lau·rel** *s bot.* Große Alpenrose. **~ lick** *s* Salzlecke *f* für Rotwild. **~ park** *s* Wildpark *m*. **~ shot** *s* Rehposten *m* (*Schrotsorte*). **'~,skin** *s* **1.** Hirsch-, Rehhaut *f*, -fell *n*. **2.** (Kleidungsstück *n* aus) Hirsch- *od.* Rehleder *n*. **'~,stalk·er** *s* **1.** *hunt.* Pirschjäger *m*. **2.** Jagdhut *m*, -mütze *f*. **'~,stalk·ing** *s* Rotwild-, Rehpirsch *f*. **'~,stand** *s hunt.* Hochsitz *m*.

de-es·ca·late [diː'eskə,leit] *v/t u. v/i mil.* (die Kriegsmaßnahmen) entschärfen *od.* her'unterstufen.

de·face [di'feis] *v/t* **1.** entstellen, verunstalten. **2.** aus-, 'durchstreichen, unleserlich machen. **3.** *Briefmarken* entwerten. **4.** *fig.* beeinträchtigen. **de'face·ment** *s* **1.** Entstellung *f*, Verunstaltung *f*, Beschädigung *f*. **2.** Ausstreichung *f*. **3.** Entwertung *f* (*von Briefmarken*).

de fac·to [diː 'fæktou] (*Lat.*) *adj u. adv* de 'facto, tatsächlich: a ~ government e-e De-facto-Regierung.

de·fal·cate [di'fælkeit] *v/i* Veruntreuungen *od.* Unter'schlagungen begehen. **,de·fal'ca·tion** [,diː-] *s* **1.** Veruntreuung *f*, Unter'schlagung *f*. **2.** veruntreuter Betrag, Unter'schlagungssumme *f*. **'de·fal,ca·tor** [-tər] *s* Veruntreuer *m*.

def·a·ma·tion [,defə'meiʃən] *s* a) Verleumdung *f* (*a. jur.*), b) *jur.* (verleumderische) Beleidigung: ~ of character Ehrabschneidung *f*. **de·fam·a·to·ry** [di'fæmətəri] *adj* (*adv* **defamatorily**) verleumderisch, beleidigend, ehrenrührig, Schmäh...: to be ~ of s.o. j-n verleumden.

de·fame [di'feim] *v/t* verleumden, beleidigen. **de'fam·er** *s* Verleumder(in). **de'fam·ing** → defamatory.

de·fat·ted [diː'fætid] *adj* entfettet, fettarm.

de·fault [di'fɔːlt] **I** *s* **1.** Unter'lassung *f*, (Pflicht)Versäumnis *n*, Nachlässigkeit *f*. **2.** *econ.* Nichterfüllung *f*, (Leistungs-, Zahlungs)Verzug *m*: to be in ~ im Verzug sein; ~ of interest Zinsverzug; on ~ of payment wegen Nichtzahlung. **3.** *jur.* Nichterscheinen *n* vor Gericht: judg(e)ment by ~ Versäumnisurteil *n*; to be sentenced by (*od.* in) ~ in Abwesenheit verurteilt werden; to make ~ nicht (vor Gericht) erscheinen. **4.** *sport* Nichtantreten *n*. **5.** Mangel *m*, Fehlen *n*: in ~ of in Ermangelung von (*od. gen*), mangels (*gen*); in ~ whereof widrigenfalls. **6.** *hunt.* Verlieren *n* der Fährte. **II** *v/i* **7.** s-n Verpflichtungen nicht nachkommen: to ~ on s.th. etwas vernachlässigen *od.* versäumen, mit etwas im Rückstand sein. **8.** *econ.* s-n (Zahlungs)Verpflichtungen nicht nachkommen, im Verzug sein: to ~ on a debt e-e Schuld nicht bezahlen. **9.** *jur.* a) nicht (vor Gericht) erscheinen, b) durch Nichterscheinen vor Gericht den Pro'zeß verlieren. **10.** *sport* a) nicht antreten, b) durch Nichtantreten den Kampf verlieren. **III** *v/t* **11.** *e-r Verpflichtung* nicht nachkommen, in Verzug geraten mit, *e-n Vertrag* brechen: ~ed bonds notleidende Obligationen; ~ed mortgage verfallene Hypothek. **12.** *jur.* das Nichterscheinen feststellen von, wegen Nichterscheinens (vor Gericht) verurteilen. **13.** *sport* nicht antreten zu (*e-m Kampf*). **de'fault·er** *s* **1.** Säumige(r *m*) *f*, ‚Drückeberger' *m*. **2.** *econ.* a) säumiger Zahler *od.* Schuldner, b) Zahlungsunfähige(r *m*) *f*; **3.** *jur.* vor Gericht nicht Erscheinende(r *m*) *f*. **4.** *mil. Br.* Delin'quent *m*: ~ book Strafbuch *n*.

de·fea·sance [di'fiːzəns] *s jur.* **1.** Annul'lierung *f*, Nichtigkeitserklärung *f*, Aufhebung *f*. **2.** (zusätzliche Urkunde mit e-r) Nichtigkeitsklausel *f*. **de'fea·sanced** → **defeasible.**

de·fea·si·bil·i·ty [diˌfiːzə'biliti] *s* Anfechtbar-, Annul'lierbarkeit *f*. **de'fea·si·ble** *adj* anfecht-, annul'lier-, aufhebbar.

de·feat [di'fiːt] **I** *v/t* **1.** *Gegner* besiegen, schlagen: he felt ~ed *fig.* er war niedergeschlagen; it ~s me to do so es geht über m-e Kraft. **2.** *Angriff* nieder-, ab-, zu'rückschlagen, abweisen. **3.** *parl. Antrag etc* zu Fall bringen: to ~ by vote niederstimmen. **4.** *Hoffnung, Plan etc* vereiteln, zu'nichte machen, durch'kreuzen. **5.** *jur.* null u. nichtig machen: to ~ a claim. **II** *s* **6.** Besiegung *f*, Niederwerfung *f*. **7.** Niederlage *f*: to admit ~ sich geschlagen geben. **8.** *parl.* Ablehnung *f* (*e-s Antrags*). **9.** Vereitelung *f*, Durch'kreuzung *f*: ~ of hopes. **10.** 'Mißerfolg *m*, Fehlschlag *m*. **de'feat·er** *s* Besieger(in), Über'winder(in). **de'feat·ism** *s* Defä'tismus *m*, ˌMiesmache'rei *f*. **de'feat·ist I** *s* Defä'tist(in), Miesmacher(in). **II** *adj* defä'tistisch.

def·e·cate ['defiˌkeit] **I** *v/t* **1.** *Flüssigkeit* reinigen, klären. **2.** *fig.* reinigen, läutern (of von). **II** *v/i* **3.** Stuhl(gang) haben, den Darm entleeren. ˌ**def·e'ca·tion** *s* **1.** Reinigung *f*, Klärung *f*. **2.** Darmentleerung *f*, Stuhlgang *m*.

de·fect I *s* [di'fekt; 'diːfekt] **1.** De'fekt *m*, Fehler *m*, schadhafte Stelle (in an *dat*, in *dat*): a ~ in character ein Charakterfehler; ~ of vision Sehfehler. **2.** Mangel *m*, Unvollkommenheit *f*, Schwäche *f*: ~ of judg(e)ment Mangel an Urteilskraft; ~ of memory Gedächtnisschwäche; ~ in title *jur.* Fehler *m* im Recht. **3.** (*geistiger od. psychischer*) De'fekt. **4.** *med.* Gebrechen *n*. **II** *v/i* [di'fekt] **5.** abfallen, abtrünnig werden. **6.** (to) flüchten (zu, nach), (*zum Feind*) 'übergehen. **de'fec·tion** *s* **1.** Abfall *m*, Lossagung *f* (from von). **2.** Treubruch *m*. **3.** 'Übertritt *m* (to zu).

de·fec·tive [di'fektiv] **I** *adj* (*adv* ~ly) **1.** mangelhaft, unzulänglich: ~ hearing mangelhaftes Hörvermögen; he is ~ in es mangelt *od.* gebricht ihm an (*dat*). **2.** schadhaft, de'fekt: ~ engine. **3.** (*geistig od. psychisch*) de'fekt: mentally ~ schwachsinnig. **4.** *ling.* unvollständig: a ~ verb. **II** *s* **5.** Kranke(r *m*) *f*: mental ~ Schwachsinnige(r *m*) *f*. **6.** Krüppel *m*. **de'fec·tive·ness** *s* **1.** Mangelhaftigkeit *f*, Unzulänglichkeit *f*. **2.** Schadhaftigkeit *f*.

de·fec·tor [di'fektər] *s* Abtrünnige(r *m*) *f*.

de·fence, *Am.* **de·fense** [di'fens] *s* **1.** Verteidigung *f*, Schutz *m*: in ~ of zur Verteidigung *od.* zum Schutze von (*od. gen*); ~ in depth *mil.* Verteidigung aus der Tiefe, Tiefengliederung *f*; ~ economy Wehrwirtschaft *f*; ~ production Rüstungsproduktion *f*; to come to s.o.'s ~ j-n verteidigen; in ~ of life in Notwehr. **2.** Verteidigung *f*, Gegenwehr *f*: to make a good ~ sich tapfer zur Wehr setzen. **3.** *mil.* a) Verteidigung *f*, (*taktisch*) Abwehr *f*, b) *meist pl* Verteidigungsanlage *f*, Befestigung *f*, Abwehrstellung *f*. **4.** (*a.* stichhaltige *od.* gültige) Verteidigung, Rechtfertigung *f*. **5.** *jur.* a) Verteidigung *f*, b) Verteidigungsmittel *n*, *bes.* Einrede *f*, Verteidigungsschrift *f*, c) beklagte *od.* angeklagte Par'tei (*bes. deren Verteidiger*): counsel for the ~, ~ counsel Verteidiger *m*; → witness 1; to conduct s.o.'s ~ j-n als Verteidiger vertreten; to conduct one's own ~ sich selbst verteidigen; in his ~ zu s-r Verteidigung; to put up a clever ~ sich geschickt verteidigen. **6.** Verteidigungsmittel *n*, -waffe *f*. **7.** *sport* Verteidigung *f* (*Hintermannschaft od. deren Spielweise*). **8.** *Am.* Verbot *n*: to be in ~ verboten sein. **de'fence·less,** *Am.* **de'fense·less** *adj* (*adv* ~ly) **1.** schutz-, wehr-, hilflos. **2.** *mil.* unverteidigt, unbefestigt, offen. **de'fence·less·ness,** *Am.* **de'fense·less·ness** *s* Schutz-, Wehrlosigkeit *f*.

de·fence| mech·a·nism, *Am.* **de·fense mech·a·nism,** ~ **re·ac·tion** *s biol.* **1.** 'Abwehrmechaˌnismus *m* (*e-s Organismus, a. psych.*). **2.** Abwehrmaßnahme *f* (*des Körpers*). ~ **third** *s Eishockey*: Verteidigungsdrittel *n*.

de·fend [di'fend] *v/t* **1.** (from, against) verteidigen (gegen), schützen (vor *dat*, gegen). **2.** *Meinung etc* verteidigen, rechtfertigen. **3.** *Interessen* schützen, wahren. **4.** *jur.* a) *j-n* verteidigen, b) sich auf *e-e Klage* einlassen: to ~ the suit *od.* claim den Klageanspruch bestreiten. **de'fend·a·ble** *adj* verteidigungsfähig, zu verteidigen(d). **de'fend·ant I** *s jur.* **1.** Beklagte(r *m*) *f* (*im Zivilprozeß*): ~ counterclaiming Widerkläger(in). **2.** Angeklagte(r *m*) *f* (*im Strafprozeß*). **II** *adj* **3.** *jur.* a) beklagt, b) angeklagt: the ~ company. **de'fend·er** *s* **1.** Verteidiger *m*, (Be)Schützer *m*: public ~ *jur.* Pflichtverteidiger; D~ of the Faith Verteidiger des Glaubens (*ein Titel der engl. Könige seit 1521*). **2.** *sport* Titelverteidiger(in).

de·fen·es·tra·tion [diːˌfenis'treiʃən; di-] *s* Fenstersturz *m*.

de·fense *etc Am. für* defence *etc.*

de·fen·si·ble [di'fensəbl] *adj* (*adv* defensibly) **1.** zu verteidigen(d), verteidigungsfähig, haltbar. **2.** vertretbar, zu rechtfertigen(d).

de·fen·sive [di'fensiv] **I** *adj* (*adv* ~ly) **1.** defen'siv: a) verteidigend, schützend, abwehrend, Verteidigungs..., Schutz..., Abwehr..., b) sich verteidigend. **2.** *fig.* abwehrend: ~ gesture. **II** *s* **3.** Defen'sive *f*, Verteidigung *f*, (*taktisch, a. biol.*) Abwehr *f*: to be (stand) on the ~ sich in der Defensive befinden (halten). ~ **ac·tiv·i·ty** *s bes. biol.* Abwehrtätigkeit *f*. ~ **glands** *s pl zo.* Schutzdrüsen *pl*. ~ **post** *s mil.* 'Widerstandsnest *n*. ~ **pro·te·in** *s chem. med.* 'Schutzproteˌin *n*, Antikörper *m*; ~ **strike** *s* Abwehrstreik *m*.

de·fer[1] [di'fəːr] **I** *v/t* **1.** auf-, verschieben (to auf *acc*). **2.** hin'ausschieben, verzögern. **3.** zögern (doing *od.* to do zu tun). **4.** *Am.* (vom Wehrdienst) zu'rückstellen. **II** *v/i* **5.** zögern, abwarten.

de·fer[2] [di'fəːr] *v/i* (to) sich beugen (vor *dat*), sich fügen (*dat*), nachgeben (*dat*), sich dem Urteil *od.* Wunsch unter'werfen (von *od. gen*).

de·fer·a·ble → **deferrable.**

def·er·ence ['defərəns] *s* **1.** Ehrerbietung *f*, (Hoch)Achtung *f* (to gegen'über, vor *dat*): in ~ to, out of ~ to aus Achtung vor (*dat*); with all due ~ to bei aller Hochachtung vor (*dat*); to pay (*od.* show) ~ to s.o. j-m Achtung zollen. **2.** Rücksicht(nahme) *f* (to auf *acc*): in ~ to, out of ~ to mit *od.* aus Rücksicht auf (*acc*). **3.** (höfliche) Nachgiebigkeit (to s.o. j-m gegen'über), Unter'werfung *f* (to unter *acc*).

def·er·ent[1] ['defərənt] → **deferential.**

def·er·ent[2] ['defərənt] *adj* **1.** ableitend, Ableitungs... **2.** *anat.* Samenleiter...

def·er·en·tial [ˌdefə'renʃəl] *adj* **1.** ehrerbietig, achtungs-, re'spektvoll. **2.** rücksichtsvoll.

de·fer·ment [di'fəːrmənt] *s* **1.** Aufschub *m*, Verschiebung *f*. **2.** *mil. Am.* Zu'rückstellung *f* (*vom Wehrdienst*). **de'fer·ra·ble** *adj* **1.** aufschiebbar. **2.** *mil. Am.* a) zu'rückstellbar (*bei der Musterung*), b) e-e Zu'rückstellung bewirkend.

de·ferred [di'fəːrd] *adj* auf-, hin'ausgeschoben, ausgesetzt. ~ **an·nu·i·ty** *s* Anwartschaftsrente *f*. ~ **as·set** *s econ.* zeitweilig nicht einlösbarer Ak'tivposten. ~ **bond** *s econ.* **1.** *Am.* Obligati'on *f* mit Zinsenauszahlung nach Erfüllung e-r bestimmten Bedingung. **2.** *Br.* Obligati'on *f* mit all'mählich ansteigender Verzinsung. ~ **div·i·dend** *s econ.* Divi'dende *f* mit aufgeschobener Fälligkeit. ~ **pay** *s* zu'rückbehaltener Lohn. ~ **pay·ment** *s econ.* **1.** Zahlungsaufschub *m*. **2.** Ab-, Ratenzahlung *f*. ~ **shares** *s pl*, ~ **stock** *s econ.* Nachzugsaktien *pl*.

de·fi·ance [di'faiəns] *s* **1.** Trotz *m*, kühner *od.* kecker 'Widerstand: to bid ~ to s.o., to set s.o. at ~ j-m Trotz bieten. **2.** Trotz *m*, Hohn *m*, offene Verachtung: in ~ of ungeachtet, trotz (*gen*), (*e-m Gebot etc*) zuwider; in ~ of s.o. j-m zum Trotz *od.* Hohn; to bid ~ to common sense dem gesunden Menschenverstand hohnsprechen. **3.** Her'ausforderung *f*. **de'fi·ant** *adj* (*adv* ~ly) **1.** trotzig. **2.** her'ausfordernd, keck.

de·fi·cien·cy [di'fiʃənsi] *s* **1.** Unzulänglichkeit *f*, Mangelhaftigkeit *f*, Unvollkommenheit *f*, Schwäche *f*. **2.** (of) Mangel *m* (an *dat*), Fehlen *n* (von): from ~ of means aus Mangel an Mitteln; ~ of blood Blutarmut *f*. **3.** De'fekt *m*, Mangel *m*. **4.** Fehlbetrag *m*, Manko *n*, Defizit *n*: ~ in weight Gewichtsmanko; to make good a ~ das Fehlende ergänzen. **5.** *psych.* Schwachsinn *m*. ~ **ac·count** *s econ.* Aufstellung *f* der Verlustquellen. ~ **dis·ease** *s med.* Mangelkrankheit *f*, *bes.* Avitami'nose *f*. ~ **re·port** *s mil.* Fehlmeldung *f*.

de·fi·cient [di'fiʃənt] **I** *adj* (*adv* ~ly) **1.** unzulänglich, unzureichend, mangelhaft, ungenügend: mentally ~ schwachsinnig. **2.** Mangel leidend (in an *dat*): to be ~ in es fehlen lassen an (*dat*), ermangeln (*gen*), arm sein an (*dat*); the country is ~ in means dem Land fehlt es an Mitteln; to be ~ in vitamins nicht genügend Vitamine haben. **3.** fehlend: the amount ~ der Fehlbetrag. **II** *s* **4.** *psych.* Schwachsinnige(r *m*) *f*.

def·i·cit ['defisit] *s* **1.** *econ.* Defizit *n*, Fehlbetrag *m*, Verlust *m*, Ausfall *m*, 'Unterbiˌlanz *f*. **2.** Mangel *m* (in an *dat*).

de·fi·er [di'faiər] *s* **1.** Verhöhner(in), Verächter(in): ~ of the laws Gesetzesverächter. **2.** Her'ausforderer *m*.

def·i·lade [ˌdefi'leid] *mil.* **I** *v/t* **1.** gegen Feuer decken *od.* sichern. **2.** *Festungswerke* im Defile'ment anordnen. **II** *s* **3.** Deckung *f*, Tarnung *f*, Defile'ment *n*: ~ position verdeckte (Feuer)Stellung.

de·file[1] [di'fail] *v/t* **1.** *a. fig.* beschmutzen, besudeln. **2.** (*moralisch*) verderben, beflecken. **3.** verunglimpfen, mit Schmutz bewerfen. **4.** *Heiligtum etc, a. e-e Frau* schänden.

de·file[2] **I** *s* ['diːfail; di'fail] **1.** Engpaß *m*, Hohlweg *m*. **2.** *mil.* Vor'beimarsch *m*. **II** *v/i* [di'fail] **3.** *mil.* defi'lieren, (pa'rademäßig) vor'beimarˌschieren.

de·file·ment [di'failmənt] *s* **1.** *a. fig.* Beschmutzung *f*, Besudelung *f*, Befleckung *f*. **2.** Schändung *f*. **de'fil·er** *s* **1.** Beschmutzer(in), Besudeler(in). **2.** Schänder(in).

de·fin·a·ble [di'fainəbl] *adj* (*adv* **definably**) **1.** defi'nierbar, (genau) erklärbar, bestimm-, festlegbar. **2.** genau um'grenzbar.

de·fine [di'fain] *v/t* **1.** defi'nieren: a) *Wort etc* (genau) erklären, b) *Begriff etc* bestimmen, genau bezeichnen, c) *Recht etc* (klar) um'reißen, festlegen. **2.** (genau) abgrenzen, be-, um'grenzen. **3.** scharf abzeichnen *od.* her'vortreten lassen: **it ~s itself against the background** es hebt sich scharf *od.* deutlich vom Hintergrund ab. **4.** charakteri'sieren, kennzeichnen.

def·i·nite ['definit] *adj* **1.** bestimmt, prä'zis, klar, eindeutig: **~ idea. 2.** bestimmt, klar *od.* fest um'rissen, eindeutig festgelegt: **~ plans. 3.** (genau) festgesetzt *od.* -gelegt, bestimmt: **~ period; ~ integral** *math.* bestimmtes Integral. **4.** endgültig, defini'tiv: **a ~ answer. 5.** *ling.* bestimmt: **~ article.** **'def·i·nite·ly** *adv* **1.** bestimmt (*etc* → **definite**). **2.** zweifellos, abso'lut, entschieden, ausgesprochen. **'def·i·nite·ness** *s* Bestimmtheit *f*, Eindeutigkeit *f*.

def·i·ni·tion [ˌdefi'niʃən] *s* **1.** Definiti'on *f*: a) Defi'nierung *f*, genaue Bestimmung, b) Begriffsbestimmung *f*, (genaue) Erklärung. **2.** Ex'aktheit *f*, Genauigkeit *f*. **3.** a) *Radio*: Trennschärfe *f*, b) *phot. TV* Bildschärfe *f*. **4.** *opt. etc* Präzisi'on *f*.

de·fin·i·tive [di'finitiv] **I** *adj* (*adv* **~ly**) **1.** defini'tiv, endgültig. **2.** (genau) defi'nierend *od.* unter'scheidend. **3.** klar um'rissen, bestimmt. **4.** ausdrücklich, entschieden. **5.** tatsächlich, ausgesprochen. **6.** maßgeblich, Standard...: **a ~ book. 7.** entschieden, fest (*in s-r Meinung*). **II** *s* **8.** *ling.* Bestimmungswort *n*.

def·la·grate ['defləˌgreit] *v/i u. v/t chem.* rasch abbrennen (lassen). **ˌdef·la'gra·tion** *s chem.* Verpuffung *f*.

de·flate [di'fleit] **I** *v/t* **1.** (die) Luft *od.* (das) Gas ablassen aus, entleeren. **2.** *econ. Währung etc* auf den Nor'malstand zu'rückführen. **3.** *fig.* a) ‚klein u. häßlich machen', b) ernüchtern, enttäuschen. **II** *v/i* **4.** Luft *od.* Gas ablassen. **5.** *econ.* e-e Deflati'on 'durchführen. **6.** einschrumpfen (*a. fig.*). **de'fla·tion** *s* **1.** Ablassung *f od.* Entleerung *f* von Luft *od.* Gas. **2.** *econ.* Deflati'on *f*. **3.** *geol.* 'Winderosiˌon *f*, Abblasung *f*. **de'fla·tion·ar·y** *adj* Deflations..., deflatio'nistisch. **de'fla·tion·ist** *econ.* **I** *s* Befürworter(in) e-r Deflati'onspoliˌtik. **II** *adj* deflatio'nistisch.

de·flect [di'flekt] **I** *v/t* **1.** ablenken, abwenden: **~ing electrode** *electr.* Ablenkelektrode *f*. **2.** *tech.* a) 'umbiegen, b) 'durchbiegen. **II** *v/i* **3.** abweichen (**from** von).

de·flec·tion, *bes. Br.* **de·flex·ion** [di'flekʃən] *s* **1.** Abbiegung *f*, Ablenkung *f*. **2.** Abweichung *f* (*a. fig.*). **3.** Biegung *f*, Krümmung *f*. **4.** *phys.* a) Ausschlag *m*, Ablenkung *f* (*e-s Zeigers*), b) *TV Radar*: Ablenkung *f*, Steuerung *f* (*e-s Elektronenstrahls*). **5.** *phys.* Beugung *f* (*von Lichtstrahlen*). **6.** *tech.* 'Durchbiegung *f*. **7.** *mar.* Abtrift *f*. **8.** *mil.* a) Seitenabweichung *f*, -streuung *f*, b) Seitenvorhalt *m*.

de·flec·tive [di'flektiv] *adj* ablenkend.

de·flec·tom·e·ter [ˌdiːflek'tɒmitər] *s tech.* Biegungsmesser *m*.

de·flec·tor [di'flektər] *s* **1.** *tech.* De'flektor *m*, Ablenkvorrichtung *f*: **~ coil** *electr.* Ablenkspule *f*. **2.** *aer.* Ablenk-, Leitfläche *f*.

de·flex·ion *etc bes. Br. für* deflection *etc.*

de·floc·cu·late [di'flɒkjuˌleit] *v/t u. v/i chem.* (sich) entflocken.

de·flo·rate [di'flɔːreit] → **deflower.**

def·lo·ra·tion [ˌdeflo'reiʃən] *s* **1.** Deflorati'on *f*, Entjungferung *f*. **2.** Schändung *f*. **3.** *fig.* Blütenlese *f*.

de·flow·er [di'flauər] *v/t* **1.** deflo'rieren, entjungfern. **2.** schänden (*a. fig.*). **3.** *fig.* (*dat*) die Schönheit *od.* den Reiz nehmen.

de·fo·li·ate [di'fouliˌeit; diː-] **I** *v/t* entblättern. **II** *v/i* sich entlauben, die Blätter verlieren. **deˌfo·li'a·tion** *s* Entblätterung *f*, Laubfall *m*.

de·force [di'fɔːrs] *v/t jur.* **1.** gewaltsam *od.* 'widerrechtlich vorenthalten (**s.th. from s.o.** j-m etwas). **2.** *j-n* 'widerrechtlich s-s Besitzes berauben.

de·for·est [di'fɒrist; diː-] *v/t* **1.** entwalden. **2.** abforsten, abholzen. **deˌfor·est'a·tion** *s* **1.** Entwaldung *f*. **2.** Abforstung *f*, Abholzung *f*.

de·form [di'fɔːrm] *v/t* **1.** *a. phys. tech.* verformen. **2.** verunstalten, entstellen, defor'mieren. **3.** 'umformen, 'umgestalten. **4.** *math. phys.* verzerren. **de'form·a·ble** *adj tech.* verformbar.

de·for·ma·tion [ˌdiːfɔːr'meiʃən] *s* **1.** Verformung *f*. **2.** Entstellung *f*, Verunstaltung *f*, 'Mißbildung *f*. **3.** 'Umgestaltung *f*. **4.** *math. phys.* Verzerrung *f*. **5.** *phys. tech.* Deformati'on *f*, Verformung *f*.

de·formed [di'fɔːrmd] *adj* **1.** defor'miert, 'mißgestalt(et), entstellt, häßlich. **2.** *fig.* ‚verbogen' entartet: **~ mind. 3.** *tech.* verformt. **de'form·ed·ly** [-idli] *adv* häßlich. **de'form·ed·ness** → **deformity** 1. **de'form·i·ty** *s* **1.** 'Mißgestalt *f*, Unförmigkeit *f*, Ungestaltheit *f*, Häßlichkeit *f*. **2.** 'Mißbildung *f*, Auswuchs *m*. **3.** 'mißgestalte Per'son *od.* Sache. **4.** Verderbtheit *f* (*des Charakters*), mo'ralischer De'fekt.

de·fraud [di'frɔːd] *v/t* betrügen (**s.o. of s.th.** j-n um etwas): **to ~ the revenue (the customs)** Steuern (den Zoll) hinterziehen; **with intent to ~** *jur.* in betrügerischer Absicht, arglistig. **ˌde·frau'da·tion** [ˌdiː-] *s* Unter'schlagung *f*, (*Steuer- etc*)Hinter'ziehung *f*, Betrug *m*. **de'fraud·er** *s* Defrau'dant *m*, Betrüger *m*, *bes.* 'Steuerhinterˌzieher *m*.

de·fray [di'frei] *v/t Kosten* bestreiten, tragen, bezahlen. **de'fray·al, de'fray·ment** *s* Bestreitung *f* (*der Kosten*).

de·frost [diː'frɒst] *v/t* entfrosten, abtauen, von Eis befreien. **de'frost·er** *s* Entfroster *m*, Enteisungsanlage *f*.

deft [deft] *adj* (*adv* **~ly**) flink, geschickt, gewandt. **'deft·ness** *s* Geschickt-, Gewandtheit *f*.

de·funct [di'fʌŋkt] **I** *adj* **1.** ver-, gestorben. **2.** *fig.* erloschen, eingegangen, nicht mehr exi'stierend, ehemalig. **II** *s* **3.** **the ~** der *od.* die Verstorbene.

de·fuse [diː'fjuːz] *v/t Bomben etc* entschärfen.

de·fy [di'fai] *v/t* **1.** trotzen (*dat*), Trotz *od.* die Stirn bieten (*dat*) (*a. fig.*). **2.** sich hin'wegsetzen über (*acc*), verachten. **3.** sich wider'setzen (*dat*), Schwierigkeiten machen (*dat*): **to ~ description** unbeschreiblich sein, jeder Beschreibung spotten; **to ~ translation** (**fast**) unübersetzbar sein, sich nicht übersetzen lassen. **4.** her'ausfordern: **I ~ anyone to do it** ich möchte den sehen, der das tut; **I ~ him to do it** ich weiß genau, daß er es nicht (tun) kann. **5.** *obs.* (zum Kampf) her'ausfordern.

dé·ga·gé [dega'ʒe] (*Fr.*) *adj* ungezwungen, zwanglos.

de·gas [diː'gæs; di-] *v/t mil. tech.* entgasen. **deˌgas·i·fi'ca·tion** *s mil. tech.* Entgasung *f*.

de·gauss [di'gaus; -'gɔːs] *v/t Schiff* 'entmagnetiˌsieren.

de·gen·er·a·cy [di'dʒenərəsi] *s* Degenerati'on *f*, Entartung *f*, Verderbtheit *f*. **de'gen·erˌate I** *v/i* [-ˌreit] (**into**) entarten: a) *biol. etc* degene'rieren (zu), b) *allg.* ausarten (zu, in *acc*), her'absinken (zu, auf die Stufe *gen*). **II** *adj* [-rit] degene'riert, entartet, verderbt. **III** *s* [-rit] degene'rierter Mensch. **de'gen·er·ate·ness** *s* Degene'riertheit *f*, Entartung *f*. **deˌgen·er'a·tion** *s* **1.** Degenerati'on *f*, Entartung *f* (*a. biol. med.*): **~ of tissue** *med.* Gewebsentartung; **fatty ~ (of the heart)** (Herz)Verfettung *f*. **2.** Degene'riertheit *f*. **3.** Ausartung *f*. **de'gen·erˌa·tive** *adj* **1.** Degenerations..., Entartungs... **2.** degene'rierend, entartend.

de·germ [diː'dʒəːrm], **de'ger·miˌnate** [-miˌneit] *v/t* entkeimen.

deg·ra·da·tion [ˌdegrə'deiʃən] *s* **1.** (*a. mil.*) Degra'dierung *f*, (*a. relig.*) Degradati'on *f*, Ab-, Entsetzung *f*. **2.** Absinken *n*, Verschlechterung *f*, Entartung *f*. **3.** *phys.* Degradati'on *f*: **~ of energy. 4.** *biol.* Degenerati'on *f*. **5.** Entwürdigung *f*, Erniedrigung *f*. **6.** Verminderung *f*, Schwächung *f*. **7.** *geol.* Abtragung *f*, Erosi'on *f*. **8.** *chem.* Zerlegung *f*, Abbau *m*.

de·grade [di'greid] **I** *v/t* **1.** degra'dieren, (im Rang) her'absetzen. **2.** verderben, korrum'pieren, entarten lassen. **3.** entwürdigen, erniedrigen (**into, to** zu), in Schande bringen. **4.** vermindern, her'absetzen, abschwächen. **5.** verschlechtern. **6.** *geol.* abtragen, ero'dieren. **7.** *chem.* zerlegen, abbauen. **II** *v/i* **8.** (ab)sinken. **9.** *biol.* degene'rieren, entarten. **10.** *univ. Br.* (*Cambridge*) das Ex'amen um ein Jahr hin'ausschieben. **de'grad·ing** *adj* **1.** erniedrigend, entwürdigend, menschenunwürdig, schändlich. **2.** her'absetzend, geringschätzig.

de·grease [diː'griːs] *v/t* entfetten.

de·gree [di'griː] **I** *s* **1.** Grad *m*, Stufe *f*, Schritt *m*: **~ of priority** Dringlichkeitsgrad, -stufe; **murder of the first ~** *jur. Am.* Mord *m* (ersten Grades); **murder of the second ~** *Am.* Totschlag *m*; **by ~s** stufenweise, allmählich, nach u. nach; **by many ~s** bei weitem; **by slow ~s** ganz allmählich; → 5. **2.** (Verwandtschafts)Grad *m*. **3.** Rang *m*, Stufe *f*, (*gesellschaftlicher*) Stand: **of high ~** von hohem Rang; **military ~ of rank** militärische Rangstufe; **freemason's ~** Grad e-s Freimaurers. **4.** Grad *m*, Ausmaß *n*: **~ of hardness** Härtegrad; **~ of saturation** Sättigungsgrad. **5.** *fig.* Grad *m*, (Aus)Maß *n*: **to a ~** a) in hohem Maße, sehr, b) einigermaßen, in gewissem Grade; **to a certain ~** ziemlich, bis zu e-m gewissen Grade; **to a high ~** in hohem Maße; **in the highest ~, to the last ~** in höchstem Grade, aufs höchste; **not in the slightest ~** nicht im geringsten; **in no ~** keineswegs; **in no small ~** in nicht geringem Grade. **6.** *astr. geogr. math. phys.* Grad *m*: **an angle of ninety ~s** ein Winkel von 90 Grad; **an equation of the third ~** e-e Gleichung dritten Grades; **ten ~s**

Fahrenheit 10 Grad Fahrenheit; ~ of latitude Breitengrad. **7.** Gehalt *m* (of an *dat*): of high ~ hochgradig. **8.** (aka'demischer) Grad, Würde *f*: the ~ of doctor der Doktorgrad, die Doktorwürde; to take one's ~ e-n akademischen Grad erwerben, promovieren; ~-day Promotionstag *m*. **9.** *ling.* Steigerungsstufe *f*. **10.** *mus.* Tonstufe *f*, Inter'vall *n*. **11.** *obs.* Stufe *f* (*e-r Treppe etc*): song of ~s *Bibl.* Graduale *n*, Stufenpsalm *m*.

de·gres·sion [di'greʃən] *s* **1.** *Steuerrecht*: Degressi'on *f*. **2.** Absteigen *n*, Abstieg *m*. **de'gres·sive** *adj* (*adv* ~ly) **1.** *econ.* degres'siv: ~ taxation. **2.** absteigend. [nußvolles) Kosten.]

de·gus·ta·tion [ˌdi:gʌs'teiʃən] *s* (ge-

de·hisce [di'his] *v/i bot.* aufspringen. **de'his·cent** *adj* aufplatzend, -springend: ~ fruit *bot.* Springfrucht *f*.

de·hor·ta·tion [ˌdi:hɔ:r'teiʃən] *s* Abraten *n*.

de·hu·man·ize [di:'hju:məˌnaiz] *v/t* entmenschlichen, entseelen.

de·hu·mid·i·fy [ˌdi:hju:'midiˌfai] *v/t der Luft etc* die Feuchtigkeit entziehen.

de·hy·drate [di:'haidreit] **I** *v/t* **1.** *chem.* dehy'drieren. **2.** (*dat*) das Wasser entziehen, (*acc*) vollständig trocknen: ~d vegetables Trockengemüse *n*. **3.** entwässern. **II** *v/i* **4.** Wasser verlieren *od.* abgeben. **ˌde·hy'dra·tion** *s* **1.** *chem.* Dehy'drierung *f*, Wasserabspaltung *f*. **2.** Entwässerung *f*. **3.** Wasserentzug *m*.

de·hy·dro·gen·ize [di:'haidrədʒəˌnaiz] *v/t chem.* dehy'drieren, (*dat*) Wasserstoff entziehen.

de·hyp·no·tize [di:'hipnəˌtaiz] *v/t* aus der Hyp'nose erwecken.

de·ice [di:'ais] *v/t aer.* enteisen. **de'ic·er** *s aer.* Enteiser *m*, Enteisungsmittel *n*, -anlage *f*, -gerät *n*.

de·i·cide ['di:iˌsaid] *s* **1.** Gottesmord *m*. **2.** Gottesmörder *m*.

deic·tic ['daiktik] *adj* (*adv* ~ally) deiktisch: a) *philos.* auf Beispiele begründet, b) *ling.* 'hinweisend.

de·if·ic [di:'ifik] *adj* **1.** vergöttlichend. **2.** gottähnlich. **ˌde·i·fi'ca·tion** *s* **1.** Vergötterung *f*, Apothe'ose *f*. **2.** (*etwas*) Vergöttlichtes. **'de·iˌform** [-ˌfɔ:rm] *adj* gottähnlich, göttlich. **'de·iˌfy** [-ˌfai] *v/t* **1.** zum Gott erheben, vergöttlichen. **2.** als Gott verehren, anbeten (*a. fig.*).

deign [dein] **I** *v/i* sich her'ablassen, geruhen, belieben (to do zu tun). **II** *v/t* gnädig gewähren, sich her'ablassen zu: he ~ed no answer.

deil [di:l] *s Scot.* Teufel *m*.

de·i·on·i·za·tion [di:ˌaiənai'zeiʃən] *s electr.* Entioni'sierung *f*.

de·ism ['di:izəm] *s* De'ismus *m*. **'de·ist** *s* De'ist(in). **de'is·tic** *adj*; **de'is·ti·cal** *adj* (*adv* ~ly) de'istisch.

de·i·ty ['di:iti] *s* Gottheit *f*: the D~ *relig.* die Gottheit, Gott *m*.

dé·jà vu [deʒa'vy] (*Fr.*) *s psych.* Déjà-'vu-Erlebnis *n*.

de·ject [di'dʒekt] **I** *v/t* mutlos machen. **II** *adj obs. für* dejected. **de'jec·ta** [-tə] *s pl* Exkre'mente *pl*. **de'ject·ed** *adj* (*adv* ~ly) niedergeschlagen, mutlos, depri'miert. **de'ject·ed·ness** → dejection 1.

de·jec·tion [di'dʒekʃən] *s* **1.** Niedergeschlagenheit *f*, Trübsinn *m*. **2.** *med.* a) Kotentleerung *f*, Stuhlgang *m*, b) Stuhl *m*, Kot *m*. **de'jec·to·ry** [-təri] *adj med.* abführend.

de ju·re [di: 'dʒu(ə)ri] (*Lat.*) *adj u. adv* de jure, De-jure... von Rechts wegen.

dek·ko ['dekou] *s sl.* kurzer Blick.

de·lac·ta·tion [ˌdi:læk'teiʃən] *s med.* Entwöhnung *f*, Abstillen *n*.

de·laine [də'lein] *s* leichter Musse'lin aus Wolle (u. Baumwolle).

de·lam·i·nate [di:'læmiˌneit] *v/i* in Schichten abblättern.

de·late [di'leit] *v/t Scot.* *j-n* anzeigen, denun'zieren. **de'la·tion** *s* Anzeige *f*, Denunziati'on *f*. **de'la·tor** [-tər] *s* Denunzi'ant *m*.

Del·a·war·e·an [ˌdelə'wɛ(ə)riən] **I** *adj* Delaware..., aus *od.* von Delaware. **II** *s* Bewohner(in) des Staates Delaware (*USA*).

de·lay [di'lei] **I** *v/t* **1.** ver-, auf-, hin'ausschieben, verzögern, verschleppen: to ~ doing s.th. zögern, etwas zu tun; not to be ~ed unaufschiebbar. **2.** aufhalten, hemmen, (be)hindern. **II** *v/i* **3.** zögern, zaudern. **4.** nicht weitermachen, Zeit vertrödeln. **5.** säumen, sich aufhalten, Zeit verlieren. **III** *s* **6.** Verzögerung *f* (*a. phys. tech.*), Verzug *m*, Aufschub *m*, Verspätung *f*: ~ in delivery *econ.* Lieferverzug; without ~ unverzüglich; the matter bears no ~ die Sache duldet keinen Aufschub. **7.** *econ.* Aufschub *m*, Stundung *f*: ~ of payment Zahlungsaufschub.

de·layed [di'leid] *adj* **1.** aufgeschoben, verschoben. **2.** verzögert, verspätet. **3.** Spät...: ~ ignition *tech.* Spätzündung *f*. **de'layed-'ac·tion** *adj* Verzögerungs...: ~ bomb *mil.* Bombe *f* mit Verzögerungszünder; ~ device *phot.* Selbstauslöser *m*; ~ fuse a) *mil.* Verzögerungszünder *m*, b) *electr.* träge Sicherung.

de·lay·er [di'leiər] *s* **1.** (Ver)Zögerer *m*. **2.** Verzögerungsgrund *m*. **de'lay·ing** *adj* **1.** aufschiebend. **2.** verzögernd. **3.** 'hinhaltend.

del cred·er·e [del 'kredəri] *econ.* **I** *s* Del'kredere *n*, Bürgschaft *f*: to stand ~ Bürgschaft leisten. **II** *adj* Delkredere...

de·le ['di:li] *print.* **I** *imp* (*von Lat. delere*) dele'atur, ‚wegzustreichen'. **II** *v/t* tilgen, streichen. **III** *s* Dele'atur *n*.

de·lec·ta·ble [di'lektəbl] *adj* (*adv* delectably) ergötzlich, köstlich.

de·lec·ta·tion [ˌdi:lek'teiʃən] *s* Ergötzen *n*, Vergnügen *n*, Genuß *m*.

del·e·ga·ble ['deligəbl] *adj* dele'gierbar. **'del·e·ga·cy** [-gəsi] *s* **1.** Dele'gierung *f*. **2.** dele'gierte Vollmacht. **3.** Delegati'on *f*, Abordnung *f*.

del·e·gate I *s* ['deliˌgeit; -git] **1.** Dele'gierte(r *m*) *f*, Abgeordnete(r *m*) *f*, bevollmächtigter Vertreter, Beauftragte(r *m*) *f*. **2.** *parl. Am.* Dele'gierte(r *m*) *f* (*Vertreter e-s Territoriums im Repräsentantenhaus des amer. Kongresses*). **3.** the ~s *econ.* der Vorstand. **II** *v/t* [-ˌgeit] **4.** abordnen, dele'gieren, als Dele'gierten entsenden. **5.** *j-n* bevollmächtigen, *Vollmachten etc* über'tragen, anvertrauen (to s.o. j-m): to ~ authority to s.o. j-m Vollmacht erteilen. **III** *adj* [-git; -ˌgeit] **6.** dele'giert, abgeordnet, beauftragt.

del·e·ga·tion [ˌdeli'geiʃən] *s* **1.** Dele'gierung *f*, Abordnung *f* (*e-r Person*). **2.** Bevollmächtigung *f*, Über'tragung *f*: ~ of powers Vollmachtsübertragung. **3.** Delegati'on *f*, Abordnung *m*, Ausschuß *m*. **4.** *parl. Am.* Dele'gierte *pl*, (Kon'greß)Abgeordnete *pl*: the ~ from Texas. **5.** *econ.* a) Kre'ditbrief *m*, b) 'Schuldüberˌweisung *f*, c) 'Vollmachtsüberˌtragung *f*. **'del·eˌga·to·ry** *adj* **1.** → delegate 6. **2.** Vollmachts...

de·lete [di'li:t] *v/t u. v/i* tilgen, (aus)streichen, ('aus)raˌdieren.

del·e·te·ri·ous [ˌdeli'ti(ə)riəs] *adj* (*adv* ~ly) **1.** gesundheitsschädlich, giftig. **2.** schädlich, verderblich.

de·le·tion [di'li:ʃən] *s* (Aus)Streichung *f*: a) Tilgung *f*, b) (*das*) Ausgestrichene.

delft [delft], *a.* **delf, 'delftˌware** *s* **1.** Delfter Fay'encen *pl od.* Zeug *n*. **2.** *allg.* gla'siertes Steingut.

De·li·an ['di:liən] *adj* delisch, aus Delos: ~ problem *math.* delisches Problem; the ~ god Apollo.

de·lib·er·ate I *adj* [di'libərit] (*adv* ~ly) **1.** über'legt, wohlerwogen, bewußt, absichtlich, vorsätzlich: a ~ lie e-e bewußte *od.* vorsätzliche Lüge; a ~ misrepresentation e-e bewußt falsche Darstellung. **2.** bedächtig, bedachtsam, vorsichtig, besonnen. **3.** bedächtig, gemächlich: ~ attack *mil.* Angriff *m* nach Bereitstellung; ~ fire *mil.* verlangsamte Salvenfolge. **II** *v/t* [-ˌreit] **4.** über'legen, erwägen (what to do was man tun soll). **III** *v/i* **5.** nachdenken, über'legen. **6.** beratschlagen, sich beraten (on, upon über *acc*). **de'lib·er·ate·ness** [-rit-] *s* **1.** Bedächtigkeit *f*: a) Bedachtsamkeit *f*, Besonnenheit *f*, b) Langsamkeit *f*, Gemächlichkeit *f*. **2.** Vorsätzlichkeit *f*.

de·lib·er·a·tion [diˌlibə'reiʃən] *s* **1.** Über'legung *f*: on careful ~ nach reiflicher Überlegung. **2.** Beratung *f*: to come under ~ zur Beratung kommen, zur Sprache gebracht werden. **3.** Bedächtigkeit *f*, Vorsicht *f*, Bedachtsam-, Behutsamkeit *f*. **de'liberˌa·tive** *adj* (*adv* ~ly) **1.** beratend: ~ assembly beratende Versammlung. **2.** über'legend.

del·i·ca·cy ['delikəsi] *s* **1.** Zartheit *f*: a) Feinheit *f*, b) Zierlichkeit *f*, c) Zerbrechlich-, Schwächlich-, Empfindlich-, Anfälligkeit *f*. **2.** Fein-, Zartgefühl *n*, Takt *m*. **3.** Feinheit *f*, Empfindlichkeit *f* (*e-s Meßgeräts etc*). **4.** (*das*) Heikle, heikler Cha'rakter: negotiations of great ~ sehr heikle Besprechungen. **5.** wählerisches Wesen. **6.** Delika'tesse *f*, Leckerbissen *m*. **7.** Schmackhaftigkeit *f*, Köstlichkeit *f*.

del·i·cate ['delikit] **I** *adj* (*adv* ~ly) **1.** zart: a) fein: ~ hands; ~ colo(u)r; ~ tissue, b) zierlich, gra'zil: a ~ girl; ~ figure, c) zerbrechlich, empfindlich: to be of ~ health von zarter Gesundheit sein; to be in a ~ condition in anderen Umständen sein, d) sanft, leise: a ~ hint ein zarter Wink. **2.** kitzlig, deli'kat, heikel: a ~ subject. **3.** fein gesponnen, schlau: a ~ plan. **4.** fein, empfindlich: a ~ instrument. **5.** feinfühlig, zartfühlend, taktvoll. **6.** fein, vornehm: ~ manners. **7.** feinfühlig, empfindsam: a ~ soul. **8.** deli'kat, lecker, köstlich, wohlschmeckend: a ~ dish. **9.** verwöhnt: ~ tastes.

del·i·ca·tes·sen [ˌdelikə'tesən] *s pl* **1.** Delika'tessen *pl*, Feinkost *f*. **2.** (*als sg konstruiert*) Delika'tessen-, Feinkostgeschäft *n*.

de·li·cious [di'liʃəs] **I** *adj* (*adv* ~ly) köstlich: a) wohlschmeckend, b) herrlich, c) ergötzlich. **II** *s* D~ (*ein*) amer. roter Eßapfel. **de'li·cious·ness** *s* Köstlichkeit *f*.

de·lict [di'likt] *s jur.* De'likt *n*.

de·light [di'lait] **I** *s* **1.** Vergnügen *n*, Freude *f*, Wonne *f*, Lust *f*, Entzücken *n*: to my ~ zu m-r Freude; to the ~ of zum Ergötzen (*gen*); to take ~ in s.th. an e-r Sache s-e Freude haben, an etwas Vergnügen finden; to take a ~ in doing s.th. sich ein Vergnügen daraus machen, etwas zu tun. **II** *v/t* **2.** ergötzen, erfreuen, entzücken: to be ~ed sich freuen, entzückt sein (with, at über *acc*, von); I shall be ~ed to come ich komme mit dem größten Vergnügen; to be ~ed with s.o. von j-m entzückt sein. **III** *v/i* **3.** sich (er)freuen, entzückt sein, schwelgen, sich belustigen: to ~ in (große) Freude haben an (*dat*), Vergnügen finden an (*dat*), sich ein Vergnügen machen aus, schwelgen in (*dat*). **4.** Vergnügen bereiten. **de'light·ed** *adj* (*adv* ~ly) entzückt, (hoch)erfreut, begeistert: to be ~ with the result vom Ergebnis begeistert sein; to be ~ to do s.th. etwas mit (dem größten) Vergnügen tun. **de'light·ed·ness** *s* Entzücktsein *n*. **de'light·ful** [-ful] *adj* (*adv* ~ly) entzückend, köstlich, herrlich, wunderbar, reizend. **de'light·ful·ness** *s* Köstlich-, Herrlich-, Ergötzlichkeit *f*. **de'light·some** [-səm] → delightful.

De·li·lah [di'lailə] *npr Bibl.* De'lila *f* (*a. fig. heimtückische Verführerin*).

de·lime [diː'laim] *v/t chem.* entkalken.

de·lim·it [di'limit], **de'lim·i,tate** [-,teit] *v/t* abgrenzen. **de,lim·i'ta·tion** *s* Abgrenzung *f*. **de'lim·i,ta·tive** *adj* ab-, begrenzend.

de·lin·e·a·ble [di'liniəbl] *adj* **1.** skiz'zierbar. **2.** zeichnerisch darstellbar. **3.** beschreibbar.

de·lin·e·ate [di'lini,eit] *v/t* **1.** skiz'zieren, entwerfen. **2.** zeichnen, (zeichnerisch *od. weitS.* genau) darstellen. **3.** (genau) beschreiben, schildern. **de,lin·e'a·tion** *s* **1.** Skiz'zierung *f*. **2.** Zeichnung *f*, (zeichnerische *od. weitS.* genaue) Darstellung. **3.** (genaue) Beschreibung *od.* Schilderung: ~ of character Charakterzeichnung *f*, -beschreibung. **4.** Skizze *f*, Entwurf *m*. **de'lin·e,a·tor** [-tər] *s* **1.** Skiz'zierer *m*. **2.** Zeichner *m*. **3.** Beschreiber *m*. **4.** *surv.* Vermessungsschreiber *m*. **5.** *pl Am.* 'Lichtreflek,toren *pl* (*an Straßenbiegungen etc*).

de·lin·quen·cy [di'liŋkwənsi] *s* **1.** Pflichtvergessenheit *f*. **2.** Gesetzesverletzung *f*, Straftat *f*. **3.** Kriminali'tät *f*: → juvenile 2. **de'lin·quent I** *adj* (*adv* ~ly) **1.** pflichtvergessen. **2.** straffällig, verbrecherisch: ~ minor jugendliche(r) Straffällige(r). **3.** *Am.* rückständig, nicht (rechtzeitig) bezahlt: ~ taxes. **II** *s* **4.** Pflichtvergessene(r *m*) *f*. **5.** Delin'quent(in), Straffällige(r *m*) *f*, Verbrecher(in).

del·i·quesce [,deli'kwes] *v/i* **1.** wegschmelzen. **2.** *chem.* zerfließen, zergehen. **,del·i'ques·cence** *s* **1.** Weg-, Zerschmelzen *n*. **2.** *chem.* Zerfließen *n*. **3.** 'Schmelzpro,dukt *n*. **,del·i'ques·cent** *adj* **1.** zerschmelzend. **2.** *chem.* zerfließend.

de·lir·i·ous [di'liriəs] *adj* (*adv* ~ly) **1.** *med.* deli'rös, an De'lirium leidend, irreredend, phanta'sierend: to be ~ with fever Fieberphantasien haben. **2.** *fig.* rasend, wahnsinnig (with vor): ~ with joy.

de·lir·i·um [di'liriəm] *pl* **-i·ums, -i·a** [-ə] *s* **1.** *med.* De'lirium *n*, (Fieber-)Wahn *m*, Phanta'sieren *n*. **2.** *fig.* Rase'rei *f*, Wahnsinn *m*, Taumel *m*. **~ tre·mens** ['triːmenz] *s med.* De'lirium *n* tremens, Säuferwahnsinn *m*.

de·liv·er [di'livər] **I** *v/t* **1.** *a.* ~ up, ~ over über'geben, -'liefern, -'tragen, -'reichen, -'antworten, ausliefern, -händigen, abtreten, *jur. a.* her'ausgeben: to ~ in trust in Verwahrung geben; to ~ o.s. up to s.o. sich j-m stellen *od.* ergeben; to ~ to posterity der Nachwelt überliefern. **2.** *bes. econ.* liefern (to *dat od.* an *acc*): to be ~ed in a month in e-m Monat lieferbar; to ~ the goods → 17. **3.** *e-n Brief etc* befördern, zustellen (*a. jur.*), austragen. **4.** *e-e Nachricht etc* über'bringen, bestellen, ausrichten: to ~ a message. **5.** *jur. das Urteil* verkünden, aussprechen. **6.** *e-e Meinung* äußern, von sich geben, *ein Urteil* abgeben: to ~ o.s. of *etwas* äußern; to ~ o.s. on sich äußern über (*acc*). **7.** vortragen, zum Vortrag bringen, *e-e Rede, e-n Vortrag* halten (to s.o. vor j-m): to ~ a speech. **8.** *e-n Schlag etc* austeilen, versetzen: to ~ a blow; to ~ one's blow losschlagen. **9.** *mil.* abfeuern, *e-e Salve etc* abgeben. **10.** *sport den Ball* werfen, abspielen. **11.** befreien (from, out of aus, von). **12.** erlösen, (er)retten: ~ us from evil erlöse uns von dem Übel. **13.** (*meist im pass gebraucht*) a) *e-e Frau* entbinden, b) *ein Kind* gebären, c) *ein Kind* ‚holen' (*Arzt*): to be ~ed of a child entbunden werden. **14.** *pol. Am. colloq. die erwarteten od. gewünschten Stimmen* bringen. **II** *v/i* **15.** liefern. **16.** befreien. **17.** *sl.* a) Wort halten, b) die Erwartungen erfüllen, c) ‚die Sache schaukeln', ‚es schaffen'.

de·liv·er·a·ble [di'livərəbl] *adj econ.* lieferbar, zu liefern(d). **de'liv·er·ance** *s* **1.** Befreiung *f*, Erlösung *f*, (Er)Rettung *f* (from aus, von). **2.** Äußerung *f*: a) Verkündung *f*, b) (geäußerte) Meinung. **3.** *jur. Scot.* (Zwischen)Entscheid *m*, Beschluß *m*. **de'liv·er·er** *s* **1.** Befreier *m*, (Er)Retter *m*, Erlöser *m*. **2.** Über'bringer *m*. **3.** Austräger *m*.

de·liv·er·y [di'livəri] *s* **1.** *econ.* a) (Aus-)Lieferung *f*, Zusendung *f* (to an *acc*), b) Lieferung *f* (*das Gelieferte*): contract for ~ Liefervertrag *m*; on ~ bei Lieferung, bei Empfang; *Br.* cash (*Am.* collect) on ~ (*abbr.* C.O.D.) Zahlung gegen Nachnahme; to take ~ of abnehmen (*acc*); bill of ~ Lieferschein *m*. **2.** Über'bringung *f*, Beförderung *f*, Ablieferung *f*. **3.** *mail* Zustellung *f*. **4.** (*jur.* for'melle) Aushändigung, 'Übergabe *f*. **5.** *jur.* 'Übergabe *f*, Über'tragung *f*: ~ of property. **6.** *jur.* Auslieferung *f*: ~ of a criminal; ~ of hostages Stellung *f* von Geiseln. **7.** a) Vortrag *m*: ~ of a speech, b) Vortragsweise *f*, -art *f*, Vortrag *m*. **8.** *sport* a) Wurf *m*, b) Abspiel *n*. **9.** Befreiung *f*, Freilassung *f* (from aus). **10.** (Er)Rettung *f*, Erlösung *f* (from aus, von). **11.** Entbindung *f*, Niederkunft *f*: early ~ Frühgeburt *f*. **12.** *tech.* a) Zuleitung *f*, Zuführung *f*: ~ of fuel Brennstoffzufuhr *f*, b) Ausstoß *m*, Förderleistung *f*: ~ of a pump, c) Ab-, Ausfluß *m*, Ableitung *f*. **~ car** *s* Lieferwagen *m*. **~ cock** *s tech.* Ablaßhahn *m*.

de'liv·er·y|·man [-mən] *s irr* **1.** Geschäftsbote *m*. **2.** Liefe'rant *m*. **~ note** *s econ.* Lieferschein *m*. **~ or·der** *s econ.* Lieferauftrag *m*. **~ out·put** *s tech.* Förderleistung *f*. **~ pipe** *s tech.* Ausfluß-, Druckrohr *n*, Ableitungsröhre *f*. **~ room** *s med.* Kreißsaal *m*, Entbindungsraum *m*. **~ serv·ice** *s* Zustelldienst *m*. **~ tick·et** *s econ.* Schlußzettel *m* (*bei Börsengeschäften*). **~ valve** *s tech.* 'Ablaßven,til *n*. **~ van,** *Am.* **~ wag·on** *s* Lieferwagen *m*.

dell [del] *s* kleines, enges Tal.

de·louse [diː'laus; -z] *v/t* **1.** entlausen. **2.** *fig.* säubern.

Del·phi·an ['delfiən], **'Del·phic** *adj* **1.** delphisch: the ~ oracle das Delphische Orakel. **2.** *fig.* delphisch, dunkel, zweideutig.

del·phin·i·um [del'finiəm] *s bot.* Rittersporn *m*.

del·phi·noid ['delfi,nɔid] *zo.* **I** *adj* zu den Del'phinen gehörig. **II** *s* Del'phin *m*.

del·ta ['deltə] *s* **1.** Delta *n* (*griechischer Buchstabe*). **2.** Delta *n*, Dreieck *n*: ~ connection *electr.* Dreieckschaltung *f*; ~ current *electr.* Dreieckstrom *m*; ~ wing *aer.* Deltaflügel *m*; ~ rays *phys.* Deltastrahlen. **3.** *geogr.* a) (Fluß)-Delta *n*, b) Nildelta *n*. **del'ta·ic** [-'teiik] *adj* **1.** Delta... **2.** deltaförmig.

del·toid ['deltɔid] **I** *s* **1.** *anat.* Deltamuskel *m*, Armheber *m*. **2.** *math.* Delto'id *n*. **II** *adj* **3.** *anat.* delto'id: ~ muscle → 1. **4.** deltaförmig.

de·lude [di'luːd; -'ljː-] *v/t* **1.** täuschen, irreführen, (be)trügen: to ~ o.s. sich Illusionen hingeben, sich etwas vormachen. **2.** verleiten (into zu).

del·uge ['deljuːdʒ] **I** *s* **1.** Über'schwemmung *f*: the D~ *Bibl.* die Sintflut. **2.** starker (Regen-, Wasser)Guß. **3.** *fig.* Flut *f*, (Un)Menge *f*. **II** *v/t* **4.** über'schwemmen, -'fluten (*a. fig.*): ~d with letters *fig.* mit Briefen überschüttet; ~d with water von Wasser überflutet.

de·lu·sion [di'luːʒən; -'ljuː-] *s* **1.** Irreführung *f*, Täuschung *f*. **2.** Wahn *m*, Selbsttäuschung *f*, Verblendung *f*, Irrtum *m*, Irrglauben *m*: to be (*od.* to labo[u]r) under the ~ that in dem Wahn leben, daß. **3.** *psych.* Wahn *m*: ~s of grandeur Größenwahn. **de'lu·sion·al** *adj* eingebildet, wahnhaft, Wahn...: ~ idea Wahnidee *f*. **de'lu·sive** *adj* (*adv* ~ly) **1.** täuschend, irreführend, trügerisch. **2.** → delusional. **de'lu·sive·ness** *s* (*das*) Trügerische. **de'lu·so·ry** [-səri] → delusive.

de luxe [di 'luks; -'lʌks] *adj u. adv* luxuri'ös, Luxus...: ~ edition Luxusausgabe *f*.

delve [delv] **I** *v/i* **1.** *obs. u. dial.* graben. **2.** *fig.* angestrengt suchen, forschen, graben (for nach): to ~ among books in Büchern stöbern; to ~ into → 5. **3.** plötzlich abfallen (*Gelände*). **II** *v/t* **4.** *obs. od. dial.* (aus-, 'um)graben. **5.** erforschen, ergründen, sich vertiefen in (*acc*). **III** *s* **6.** Grube *f*, Höhle *f*. **7.** Falte *f*.

de·mag·net·ize [diː'mægnə,taiz] *v/t* entmagneti'sieren.

dem·a·gog·ic [,demə'gɒgik; -dʒik] *adj*; **,dem·a'gog·i·cal** *adj* (*adv* ~ly) **1.** dema'gogisch, aufwieglerisch. **2.** Demagogen... **'dem·a,gog·ism** [-,gɒgizəm] *s* Demago'gie *f*.

dem·a·gogue ['demə,gɒg] *s pol.* Dema'goge *m*: a) *contp.* Volksverführer *m*, b) Volksführer *m*. **'dem·a,gog·uer·y** [-əri], **'dem·a·gog·y** [-,gɒgi; -,gɒdʒi] → demagogism.

de·mand [*Br.* di'mɑːnd; *Am.* di'mæ(ː)nd] **I** *v/t* **1.** fordern, verlangen (of *od.* from s.o. von j-m). **2.** (gebieterisch *od.* dringend) fragen nach. **3.** *fig.* erfordern, verlangen: this task ~s great skill. **4.** *jur.* beanspruchen. **II** *s* **5.** Forderung *f*, Verlangen *n* (for nach; on s.o. an j-n): ~ for payment Zahlungsaufforderung; (up)on ~ a) auf Verlangen, b) *econ.* bei Vorlage, auf Sicht. **6.** (on) Anforderung *f* (an *acc*), In'anspruchnahme *f*, Beanspruchung *f* (*gen*): to make great ~s on *j-s Zeit etc* stark in Anspruch nehmen, große Anforderungen stellen an (*acc*). **7.** Frage *f*, Nachforschung *f*. **8.** *jur.* a) (Rechts)Anspruch *m* (against s.o. gegen j-n), b) Forderung *f* (on an *acc*). **9.** *econ. u. allg.* (for) Nachfrage *f* (nach), Bedarf *m* (an *dat*): to be in great (*od.* much in) ~ sehr gefragt

od. begehrt *od.* beliebt sein; supply and ~ *econ.* Angebot u. Nachfrage. **10.** *electr. Am.* (Strom)Verbrauch *m.*
de'mand·ant *s jur.* Kläger(in).
de·mand| bill *s econ.* Sichtwechsel *m.* ~ **de·pos·it** *s econ. Am.* tägliches Geld. ~ **draft** → demand bill.
de·mand·er [*Br.* di'mɑːndər; *Am.* -'mæ(ː)n-] *s* **1.** Fordernde(r *m*) *f.* **2.** (Nach)Frager(in). **3.** *econ.* Gläubiger(in). **4.** *econ.* Käufer(in). **de'mand·ing** *adj* (*adv* ~ly) **1.** (mit Entschiedenheit) fordernd. **2.** anspruchsvoll (*a. fig.*): ~ music. **3.** schwierig, hohe Anforderungen stellend: a ~ task.
de·mand| loan → call loan. ~ **note** *s econ.* **1.** *Br.* Zahlungsaufforderung *f.* **2.** *Am.* → demand bill.
de·mar·cate ['diːmɑːrˌkeit] *v/t a. fig.* abgrenzen (from gegen, von). ˌ**de·mar'ca·tion** *s* Abgrenzung *f*, Grenzfestlegung *f*, Demarkati'on *f*: line of ~ a) Grenzlinie *f*, b) *pol.* Demarkationslinie *f*, c) *fig.* Grenze *f*, Scheidelinie *f.*
dé·marche [de'marʃ; 'deimɑːrʃ] (*Fr.*) *s* De'marche *f*, diplo'matischer Schritt.
de·mar·ka·tion → demarcation.
de·ma·te·ri·al·ize [ˌdiːmə'ti(ə)riəˌlaiz] *v/t u. v/i* **1.** (sich) ˌentmateriali'sieren. **2.** (sich) auflösen.
de·mean[1] [di'miːn] *v/t* (*meist* o.s. sich) erniedrigen *od.* her'abwürdigen (by doing s.th. dadurch, daß man etwas tut).
de·mean[2] [di'miːn] *v/t*: ~ o.s. sich benehmen, sich verhalten.
de·mean·or, *bes. Br.* **de·mean·our** [di'miːnər] *s* Benehmen *n*, Verhalten *n*, Betragen *n*, Auftreten *n.*
de·ment [di'ment] *v/t* wahnsinnig machen. **de'ment·ed** *adj* (*adv* ~ly) wahnsinnig, verrückt.
dé·men·ti [demɑ̃'ti] (*Fr.*) *s* De'menti *n.*
de·men·ti·a [di'menʃiə; -ʃə] *s med.* **1.** Schwach-, Blödsinn *m*: precocious ~ Jugendirresein *n*; senile ~ Altersblödsinn; **2.** Wahn-, Irrsinn *m.* ~ **prae·cox** ['priːkɒks] *s med.* De'mentia *f* praecox.
dem·e·rar·a [ˌdemə'rɛ(ə)rə] *s ein brauner Rohrzucker.*
de·mer·it [diː'merit] *s* **1.** Schuld *f*, Verschulden *n*, tadelnswertes Verhalten. **2.** Mangel *m*, Fehler *m*, Nachteil *m*, schlechte Seite. **3.** Unwürdigkeit *f*, Unwert *m.* **4.** *a.* ~ mark *ped.* Tadel *m* (*bes. für schlechtes Betragen*). **5.** *obs.* Verdienst *n.* **de·mer·i·to·ri·ous** [diːˌmeri'tɔːriəs] *adj* tadelnswert.
de·mer·sal [di'məːrsəl] *adj zo.* auf dem Meeresboden liegend *od.* wohnend.
de·mesne [di'mein; -'miːn] *s* **1.** *jur.* freier Grundbesitz, Eigenbesitz *m*: to hold land in ~ Land als freies Grundeigentum besitzen. **2.** *jur.* Landsitz *m*, -gut *n.* **3.** *jur.* vom Besitzer selbst verwaltete Lände'reien *pl.* **4.** *jur.* Do'mäne *f*: ~ of the crown, Royal ~ Krongut *n*; ~ of the state Staatsdomäne. **5.** *fig.* Do'mäne *f*, Gebiet *n.*
demi- [demi] *Wortelement mit der Bedeutung* halb.
'**dem·iˌgod** *s* Halbgott *m.* '**dem·iˌgod·dess** *s* Halbgöttin *f.* '**dem·iˌjohn** *s* große Korbflasche, ('Glas-, 'Säure)Balˌlon *m.*
de·mil·i·ta·rize [diː'militəˌraiz] *v/t* **1.** ˌentmilitari'sieren. **2.** in Zi'vilverwaltung 'überführen.
'**dem·i'lune** *s* **1.** *physiol.* Halbmond *m.* **2.** *mil.* Lü'nette *f* (*Festungsschanze*).
ˌ**dem·i·mon'daine** *s* Halbweltdame *f.*
'**dem·iˌmonde** *s* Halbwelt *f.*
de·min·er·al·ize [diː'minərəˌlaiz] *v/t* ˌdeminerali'sieren, entsalzen.
ˌ**dem·i·re'lief** *s* 'Halbreliˌef *n.*
dem·i·rep ['demiˌrep] *s sl.* Frau *f* von zweifelhaftem Ruf.
de·mise [di'maiz] **I** *s* **1.** Ableben *n*, 'Hinscheiden *n*, Tod *m.* **2.** *jur.* 'Grundstücksüberˌtragung *f*, *bes.* Verpachtung *f.* **3.** ('Herrschafts)Überˌtragung *f*: ~ of the Crown Übertragung der Krone (*an den Nachfolger*). **II** *v/t* **4.** *jur. Grundstück* über'tragen, *bes.* verpachten (to *dat*). **5.** *Herrschaft, Krone etc* über'tragen, -'geben. **6.** (*testamentarisch*) vermachen.
dem·i·sem·i ['demi'semi] *adj* Viertel...: the ~ educated die Viertelgebildeten.
'**dem·i'sem·iˌqua·ver** *s mus.* Zweiund'dreißigstel(note *f*) *n.*
de·mis·sion [di'miʃən] *s* **1.** Niederlegung *f*: ~ of an office. **2.** Demissi'on *f*, Rücktritt *m.* **3.** Abdankung *f.*
dem·i·tasse ['demiˌtæs] *s* **1.** Täßchen *n* Mokka. **2.** Mokkatasse *f.*
dem·i·urge ['demiˌəːrdʒ] *s* **1.** *philos.* Demi'urg *m*, Weltbaumeister *m.* **2.** *fig.* Weltenschöpfer *m.*
dem·i·volt(e) ['demiˌvoult] *s Reitkunst*: halbe Volte.
de·mob [di'mɒb] *Br. colloq.* **I** *s* → demobilization. **II** *v/t* → demobilize 2.
de·mo·bi·li·za·tion [ˌdiːmoubilai'zeiʃən] *s* **1.** Demobili'sierung *f*, Abrüstung *f.* **2.** Demo'bilmachung *f.* **3.** Entlassung *f* aus dem Mili'tärdienst.
de'mo·biˌlize *v/t* **1.** demobili'sieren, abrüsten. **2.** *Soldaten* entlassen, *Heer* auflösen. **3.** *Kriegsschiff* außer Dienst stellen.
de·moc·ra·cy [di'mɒkrəsi; də-] *s* **1.** Demokra'tie *f.* **2.** das Volk (*als Träger der Souveränität*). **3.** D~ *pol. Am.* die Demo'kratische Par'tei (*od.* deren Grundsätze *u.* Poli'tik).
dem·o·crat ['demoˌkræt] *s* **1.** Demo'krat(in). **2.** D~ *pol. Am.* Demo'krat(in), Mitglied *n* der Demo'kratischen Par'tei. **3.** *Am.* leichter, offener Wagen. ˌ**dem·o'crat·ic** *adj* (*adv* ~ally) **1.** demo'kratisch. **2.** *meist* D~ *pol. Am.* demo'kratisch (*die Demokratische Partei betreffend*).
de·moc·ra·ti·za·tion [diˌmɒkrətai'zeiʃən] *s* Demokrati'sierung *f.* **de'moc·raˌtize I** *v/t* demokrati'sieren. **II** *v/i* demo'kratisch werden.
dé·mo·dé [demɔ'de] (*Fr.*), **de·mod·ed** [diː'moudid] *adj* altmodisch, 'unmoˌdern, aus der Mode.
de·mod·u·late [diː'mɒdjuˌleit] *v/t electr.* demodu'lieren. ˌ**de·mod·u'la·tion** *s electr.* Demodulati'on *f*, HF-Gleichrichtung *f.* **de'mod·uˌla·tor** [-tər] *s electr.* Demodu'lator *m.*
de·mog·ra·pher [di'mɒgrəfər] *s* Demo'graph *m.* **de·mo·graph·ic** [ˌdiːmo'græfik] *adj* demo'graphisch, be'völkerungsstaˌtistisch. **de'mog·ra·phy** *s* Demogra'phie *f*, Be'völkerungsstaˌtistik *f.*
de·mol·ish [di'mɒliʃ] *v/t* **1.** demo'lieren, ab-, ein-, niederreißen, *a. mil.* sprengen. **2.** *e-e Festung* schleifen. **3.** *bes. fig.* a) vernichten, zerstören, ka'puttmachen: to ~ a legend, b) *a. j-n* rui'nieren. **4.** *colloq.* aufessen, ‚verdrücken'. **dem·o·li·tion** [ˌdemo'liʃən; ˌdiː-] **I** *s* **1.** Demo'lierung *f*, Niederreißen *n.* **2.** Schleifen *n* (*e-r Festung*). **3.** Vernichtung *f*, Zerstörung *f.* **4.** *pl Am.* Sprengstoffe *pl.* **II** *adj* **5.** *bes. mil.* Spreng...: ~ bomb Sprengbombe *f*; ~ charge Sprengladung *f*, geballte Ladung; ~ squad (*od.* team) Sprengtrupp *m.*
de·mon ['diːmən] **I** *s* **1.** → daemon. **2.** Dämon *m*: a) *a. fig.* böser Geist, Teufel *m*, b) *fig.* Unhold *m*, Bösewicht *m.* **3.** Teufelskerl *m*: a ~ for work ein unermüdlicher Arbeiter; a ~ at tennis ein leidenschaftlicher Tennisspieler. **4.** *Br. colloq.* Schwung *m*, Tempo *n.* **II** *adj* **5.** dä'monisch (*a. fig*). **6.** *fig.* wild, besessen.
de·mon·ess ['diːmənis] *s* Dä'monin *f*, (weiblicher) Dämon, Teufelin *f.*
de·mon·e·ti·za·tion [diːˌmɒnitai'zeiʃən; -ˌmʌn-] *s* Außer'kurssetzung *f*, Entwertung *f.* **de'mon·eˌtize** *v/t* außer Kurs setzen.
de·mo·ni·ac [di'mouniˌæk] **I** *adj* (*adv* ~ally) **1.** dä'monisch, teuflisch. **2.** (vom Teufel) besessen. **3.** *fig.* besessen, wild rasend. **II** *s* **4.** (vom Teufel) Besessene(r *m*) *f.* **de·mo·ni·a·cal** [ˌdiːmə'naiəkəl] *adj* (*adv* ~ly) → demoniac I.
de·mon·ic [di'mɒnik] *adj* dä'monisch: a) teuflisch, b) 'überirdisch, 'übernaˌtürlich. **de·mon·ism** ['diːməˌnizəm] *s* **1.** Dä'monenglaube *m.* **2.** → demonology. '**de·monˌize** *v/t* **1.** dämoni'sieren, dä'monisch machen. **2.** zu e-m Dämon machen.
de·mon·ol·a·ter [ˌdiːmə'nɒlətər] *s* Dä'monen-, Teufelsanbeter(in). ˌ**de·mon'ol·a·try** [-tri] *s* Dä'monen-, Teufelsverehrung *f*, Teufelsdienst *m.* ˌ**de·mon'ol·o·gist** [-'nɒlədʒist] *s* Dämono'loge *m.* ˌ**de·mon'ol·o·gy** [-dʒi] *s* Dämonolo'gie *f*, Dä'monenlehre *f.*
de·mon·stra·bil·i·ty [diˌmɒnstrə'biliti; ˌdemən-] *s* Demon'strierbar-, Beweisbar-, Nachweisbarkeit *f.* **de'mon·stra·ble** *adj* (*adv* demonstrably) **1.** demon'strierbar, beweisbar, nachweisbar. **2.** offensichtlich. **de'mon·stra·ble·ness** → demonstrability. **de'mon·strant** *s* Demon'strant(in).
dem·on·strate ['demənˌstreit] **I** *v/t* **1.** demon'strieren: a) beweisen, b) dartun, -legen, zeigen, anschaulich machen, veranschaulichen. **2.** *econ. e-e Maschine etc* vorführen. **3.** zeigen, an den Tag legen: to ~ one's aversion. **II** *v/i* **4.** demon'strieren, e-e öffentliche Kundgebung veranstalten, an e-r Demonstrati'on teilnehmen. **5.** *mil.* e-e Demonstrati'on 'durchführen. ˌ**dem·on'stra·tion** *s* **1.** Demon'strierung *f*, (anschauliche) Darstellung, Veranschaulichung *f*, praktisches Beispiel: ~ material Anschauungsmaterial *n.* **2.** a) Demonstrati'on *f*, (unzweifelhafter) Beweis (of für): to ~ überzeugend, b) Beweismittel *n*, c) Beweisführung *f.* **3.** (öffentliche) Vorführung, Demonstrati'on *f* (to vor *j-m*). **4.** Äußerung *f*, Manifestati'on *f*, Bekundung *f*: a ~ of gratitude. **5.** Demonstrati'on *f*: a) öffentliche Kundgebung, b) Pro'testaktiˌon *f*, 'Massenproˌtest *m*: at a ~ bei e-r Demonstration, auf e-r Kundgebung. **6.** (po'litische *od.* mili'tärische) Demonstrati'on. **7.** *mil.* 'Ablenkungs-, 'Scheinmaˌnöver *n.*
de·mon·stra·tive [di'mɒnstrətiv] **I** *adj* (*adv* ~ly) **1.** (eindeutig) beweisend, über'zeugend, anschaulich *od.* deutlich (zeigend): to be ~ of *etwas* eindeutig beweisen *od.* anschaulich zeigen. **2.** gefühlvoll, 'überschwenglich. **3.** demonstra'tiv, auffällig, betont: ~ cordiality. **4.** *ling.* demonstra'tiv, 'hinweisend: ~ pronoun Demonstrativpronomen *n*, hinweisendes Fürwort. **II** *s* **5.** *ling.* Demonstra'tivum *n.* **de'mon·stra·tive·ness** *s* **1.** Beweiskraft *f.* **2.** 'Überschwenglichkeit *f.* **3.** Betontheit *f*, Absichtlichkeit *f.*
dem·on·stra·tor ['demənˌstreitər] *s* **1.** Beweisführer *m*, Darleger *m*, Erklärer *m.* **2.** Beweis(mittel *n*) *m.* **3.** *pol.* Demon'strant(in). **4.** *ped. univ.* a) De-

mon'strator *m*, Assi'stent *m*, b) *med.* Pro'sektor *m*. **5.** *econ.* a) Vorführer *m*, b) 'Vorführmoˌdell *n*. **de·mon·stra·to·ry** [di'mɒnstrətəri] → demonstrative 1.

de·mor·al·i·za·tion [diˌmɒrəlai'zeiʃən] *s* Demorali'sierung *f*: a) Entsittlichung *f*, b) Entmutigung *f*, c) Zersetzung *f*, d) Zuchtlosigkeit *f*. **de'mor·alˌize** *v/t* demorali'sieren: a) (sittlich) verderben, b) zersetzen, c) zermürben, entmutigen, erschüttern, die ('Kampf)-Moˌral *od.* die Diszi'plin *e-r Truppe etc* unter'graben. **de'mor·alˌiz·ing** *adj* demorali'sierend.

de·mote [di'mout] *v/t* **1.** degra'dieren (to zu). **2.** *ped. Am.* (in e-e niedere Klasse) zu'rückversetzen.

de·moth(·ball) [diː'mɒθ(ˌbɔːl)] *v/t mil. Am. Flugzeuge etc* (wieder) einsatzbereit machen.

de·mot·ic [di'mɒtik; diː-] *adj* de'motisch, volkstümlich: ~ **characters** demotische Schriftzeichen (*vereinfachte altägyptische Schrift*).

de·mo·tion [diː'mouʃən] *s* **1.** *mil.* Degra'dierung *f*. **2.** *ped. Am.* Zu'rückversetzung *f*.

de·mount [diː'maunt] *v/t tech.* **1.** 'abmonˌtieren, abnehmen. **2.** ausein'andernehmen, zerlegen. **de'mount·a·ble** *adj* **1.** 'abmonˌtierbar. **2.** zerlegbar.

de·mur [di'məːr] **I** *v/i* **1.** Einwendungen machen, Bedenken äußern, prote'stieren (to gegen). **2.** zögern, zaudern. **3.** *jur.* e-n Rechtseinwand erheben (to gegen). **II** *s* **4.** Einwand *m*, 'Widerspruch *m*, Bedenken *n*: **without** ~, **no** ~ anstandslos. **5.** Zögern *n*, Zaudern *n*, Unentschlossenheit *f*.

de·mure [di'mjur] *adj* (*adv* ~**ly**) **1.** zimperlich, geziert, spröde. **2.** prüde, sittsam. **3.** gesetzt, ernst, zu'rückhaltend. **de'mure·ness** *s* **1.** Zimperlichkeit *f*. **2.** Gesetztheit *f*. **3.** Zu'rückhaltung *f*.

de·mur·rage [*Br.* di'mʌridʒ; *Am.* -'məːr-] *s econ.* **1.** a) *mar.* 'Überliegezeit *f*, b) *rail.* zu langes Stehen (*bei Entladung*): **to be on** ~ die Liegezeit überschritten haben. **2.** a) ('Über)-Liegegeld *n*, b) Wagenstandgeld *n*. **3.** *colloq.* Lagergeld *n*. **4.** *Bankwesen*: *Br.* Spesen *pl* für Noten- *od.* Goldeinlösung.

de·mur·rer [di'məːrər] *s* **1.** Einspruch-erhebende(r *m*) *f*. **2.** *jur.* Einrede *f*, Einwendung *f*, Rechtseinwand *m* (to gegen): ~ **to action** prozeßhindernde Einrede. **3.** Einwand *m*.

de·my [di'mai] *s* **1.** *univ.* Stipendi'at *m* (*im Magdalen College, Oxford*). **2.** *ein Papierformat* (*16 × 21 Zoll in USA; in England 15½ × 20 Zoll für Schreibpapier, 17½ × 22½ Zoll für Druckpapier*).

den [den] **I** *s* **1.** Höhle *f*, Bau *m*, Lager *n* (*e-s wilden Tieres*): **the lion's** ~ *fig.* die Höhle des Löwen; **Daniel in the lion's** ~ *Bibl. u. fig.* Daniel in der Löwengrube. **2.** Höhle *f*, Versteck *n*, Nest *n*: ~ **of robbers** Räuberhöhle; ~ **of thieves** *Bibl.* Mördergrube *f*; ~ **of vice** Lasterhöhle; **opium** ~ Opiumhöhle; **gambling** ~ Spielhölle *f*. **3.** *fig. contp.* Höhle *f*, ‚Loch' *n*, unwirtliche Behausung. **4.** (gemütliches) Zimmer, ‚Bude' *f*, *a.* Stu'dierzimmer *n*. **II** *v/i* **5.** ~ **up** *Am.* sich in s-e Höhle zu'rückziehen (*bes. zum Winterschlaf*).

den·a·ry ['diːnəri; *Am. a.* 'den-] *adj* **1.** zehnfach, Zehn... **2.** Dezimal...

de·na·tion·al·i·za·tion [diːˌnæʃənəlai'zeiʃən] *s* **1.** ˌEntnationali'sierung *f*. **2.** *econ.* Entstaatlichung *f*, ˌReprivati'sierung *f*. **de'na·tion·alˌize** *v/t* **1.** ˌentnationali'sieren, (*dat*) den natio'nalen Cha'rakter nehmen. **2.** der Herrschaft e-r (einzelnen) Nati'on entziehen. **3.** *j-m* die Staatsangehörigkeit aberkennen. **4.** *econ.* entstaatlichen, ˌreprivati'sieren.

de·nat·u·ral·i·za·tion [diːˌnætʃərəlai'zeiʃən] *s* **1.** Na'turentfremdung *f*. **2.** Ausbürgerung *f*. **de'nat·u·ralˌize** *v/t* **1.** 'unnaˌtürlich machen. **2.** s-r wahren Na'tur entfremden. **3.** ˌdenaturali'sieren, ausbürgern.

de·na·tur·ant [diː'neitʃərənt; di-] *s* Denatu'rierungs-, Vergällungsmittel *n*. **de'na·ture** *v/t chem.* denatu'rieren: a) *Alkohol etc* vergällen, ungenießbar machen, b) *Eiweiß chemisch nicht definierbar verändern.*

de·na·zi·fi·ca·tion [diːˌnɑːtsifi'keiʃən; -ˌnæt-] *s pol. hist.* Entnazifi'zierung *f*: ~ **tribunal** Spruchkammer *f*. **de'na·ziˌfy** [-ˌfai] *v/t* entnazifi'zieren.

den·dri·form ['dendriˌfɔːrm] *adj* baumförmig, verzweigt.

den·drite ['dendrait] *s* **1.** *min.* Den'drit *m*. **2.** → **dendron**. **den'drit·ic** [-'dritik], **den'drit·i·cal** *adj* **1.** *anat. min.* den'dritisch. **2.** (baumähnlich) verästelt.

den·dro·chro·nol·o·gy [ˌdendrokrə'nɒlədʒi] *s* 'Dendrochronoloˌgie *f*, 'Baumringchronoloˌgie *f*.

den·dro·lite ['dendroˌlait] *s* Dendro'lith *m*, Pflanzenversteinerung *f*.

den·drol·o·gy [den'drɒlədʒi] *s* Dendrolo'gie *f*, Baum-, Gehölzkunde *f*.

den·dron ['dendrɒn] *pl* **-dra** [-drə] *s anat.* Den'drit *m*, Dendron *n* (*Protoplasmafortsatz der Nervenzellen*).

dene[1] [diːn] *s Br.* (Sand)Düne *f*.

dene[2] [diːn] *s* (kleines) Tal.

den·e·ga·tion [ˌdeni'geiʃən] *s* (Ab)-Leugnung *f*, Ablehnung *f*.

dene·hole ['diːnˌhoul] *s prähistorische Bodenhöhle* (*bes. in Essex u. Kent*).

den·gue ['deŋgi; -gei] *s med.* Denguefieber *n*.

de·ni·a·ble [di'naiəbl] *adj* abzuleugnen(d), verneinbar.

de·ni·al [di'naiəl] *s* **1.** Ablehnung *f*, Absage *f*, Verweigerung *f*: **to get a** ~, **to meet with a** ~ e-e abschlägige Antwort erhalten; **to take no** ~ sich nicht abweisen lassen. **2.** Verneinung *f*, (Ab)Leugnung *f*: **official** ~ Dementi *n*; **3.** (Ver)Leugnung *f*: ~ **of God** Gottesleugnung. **4.** Selbstverleugnung *f*.

de·nic·o·tin·ize [diː'nikətiˌnaiz], *a.* **de·nic·o·tine** [diː'nikəˌtiːn] *v/t* entnikotini'sieren: ~**d** nikotinarm, -frei.

de·ni·er[1] [di'naiər] *s* **1.** Verweigerer *m*, Verweigerin *f*. **2.** Leugner(in).

de·nier[2] *s* **1.** ['denjər] Deni'er *m* (*0,05 g; Gewichtseinheit zur Bestimmung des Titers von Seidengarn etc*). **2.** [di'nir; də-] *hist.* Deni'er *m*, Pfennig *m* (*alte französische Münze*).

den·i·grate ['deniˌgreit] *v/t* **1.** schwärzen. **2.** *fig.* anschwärzen, verunglimpfen. ˌ**den·i'gra·tion** *s* Verunglimpfung *f*, Anschwärzung *f*.

den·im ['denim] *s* **1.** (grober) Baumwolldrillich. **2.** *pl* Drillichanzug *m*.

de·ni·trate [diː'naitreit] *v/t chem.* deni'trieren. **de'ni·triˌfy** [-triˌfai] *v/t chem.* denitrifi'zieren.

den·i·zen ['denizn] **I** *s* **1.** Bürger(in), Bewohner(in), Einwohner(in) (*a. fig.*). **2.** (teilweise) eingebürgerter Ausländer. **3.** Stammgast *m*. **4.** (*etwas*) Eingebürgertes, *bes.* eingebürgertes Wort *od.* Tier. **II** *v/t* **5.** (teilweise) einbürgern *od.* naturali'sieren. **6.** bevölkern.

de·nom·i·nate **I** *v/t* [di'nɒmiˌneit] **1.** benennen, bezeichnen. **2.** nennen, bezeichnen als: **to** ~ **s.th. a crime**. **II** *adj* [-nit; -ˌneit] **3.** *bes. math.* benannt: ~ **quantity**.

de·nom·i·na·tion [diˌnɒmi'neiʃən] *s* **1.** Benennung *f*. **2.** Bezeichnung *f*, Name *m*. **3.** Gruppe *f*, Klasse *f*, Katego'rie *f*. **4.** *relig.* a) Sekte *f*, b) Konfessi'on *f*, Bekenntnis *n*. **5.** (Maß-, Gewichts-, Wert)Einheit *f*. **6.** *econ.* Nennwert *m* (*von Banknoten etc*): **shares in small** ~**s** Aktien in kleiner Stückelung. **deˌnom·i'na·tion·al** *adj* (*adv* ~**ly**) *relig.* konfessio'nell, Konfessions..., Bekenntnis...: ~ **school**. **deˌnom·i'na·tion·alˌism** *s* **1.** Sek'tierertum *n*. **2.** Prin'zip *n* des konfessio'nellen 'Unterrichts. **deˌnom·i'na·tion·alˌize** *v/t* ˌkonfessionali'sieren.

de·nom·i·na·tive [di'nɒminətiv] *adj* **1.** benennend, Nenn... **2.** a) benannt, b) benennbar. **3.** *ling.* von e-m Nomen abgeleitet.

de·nom·i·na·tor [di'nɒmiˌneitər] *s* **1.** *math.* Nenner *m* (*e-s Bruchs*): **common** ~ gemeinsamer Nenner, Generalnenner (*a. fig.*); **to reduce to a common** ~ auf e-n gemeinsamen Nenner bringen (*a. fig.*). **2.** Namengeber(in).

de·no·ta·tion [ˌdiːnou'teiʃən] *s* **1.** Bezeichnung *f*. **2.** Bedeutung *f*: ~ **of a word**. **3.** *Logik*: Be'griffsˌumfang *m*.

de·no·ta·tive [di'noutətiv; 'diːnouˌteitiv] *adj* (*adv* ~**ly**) an-, bedeutend, bezeichnend: **to be** ~ **of s.th.** etwas bedeuten *od.* bezeichnen.

de·note [di'nout] *v/t* **1.** an-, bedeuten, anzeigen: **to** ~ **that** bedeuten *od.* anzeigen, daß. **2.** anzeigen, angeben. **3.** kenn-, bezeichnen, bedeuten.

de·noue·ment [dei'nuːmɑ̃] *s* **1.** Lösung *f* (des Knotens) (*im Drama etc*). **2.** Ausgang *m*, Resul'tat *n*.

de·nounce [di'nauns] *v/t* **1.** (öffentlich) anprangern *od.* verurteilen, brandmarken. **2.** (to) *j-n* anzeigen (*dat od.* bei), *contp. j-n* denun'zieren. **3.** *e-n Vertrag* kündigen. **4.** *obs.* verkünden, (drohend) ankündigen. **de'nounce·ment** *s* **1.** öffentliche Rüge, Anprangerung *f*, Brandmarkung *f*. **2.** Anzeige *f*, Denunziati'on *f*. **3.** (of) Kündigung *f* (*gen*), Rücktritt *m* (von *e-m Vertrag*).

dense [dens] **I** *adj* (*adv* ~**ly**) **1.** *allg., a. phys.* dicht: ~ **crowd**; ~ **fabric**; ~ **fog**; ~ **forest**; ~ **population**; ~ **print** enger Druck. **2.** *fig.* beschränkt, schwerfällig, begriffsstutzig, schwer von Begriff. **3.** *phot.* dicht, gut belichtet (*Negativ*): **too** ~ überbelichtet. **'dense·ness** *s* **1.** Dichtheit *f*, Dichte *f*. **2.** *fig.* Beschränktheit *f*, Begriffsstutzigkeit *f*. **'den·siˌfy** [-siˌfai; -sə-] *v/t u. v/i* (sich) verdichten.

den·sim·e·ter [den'simitər] *s chem. phys.* Densi'meter *n*, Dichtemesser *m*. ˌ**densi'tom·e·ter** [-si'tɒmitər] *s* **1.** → **densimeter**. **2.** *phot.* Densito'meter *n*, Schwärzungsmesser *m*.

den·si·ty ['densiti] *s* **1.** Dichte *f*, Dichtheit *f*: ~ **of population** Bevölkerungsdichte; ~ **of traffic** Verkehrsdichte. **2.** *fig.* → **denseness** 2. **3.** *chem. electr. phys.* Dichte *f*: ~ **of field** Feld(linien)-dichte. **4.** *phot.* Dichte *f*, Schwärzung *f*.

dent[1] [dent] **I** *s* **1.** Beule *f*, Delle *f*, Einbeulung *f*. **2.** *fig. Am.* a) ‚Loch' *n*, Einbuße *f*: **to make a** ~ **in** ein Loch reißen in (*Vorräte etc*), *etwas* angreifen *od.* beeinträchtigen, b) Fortschritt *m* (into bei *e-r Sache*). **II** *v/t u. v/i* **3.** (sich) einbeulen.

dent[2] [dent] *s* **1.** Kerbe *f*, Einschnitt *m*. **2.** *tech.* Zahn *m*.

den·tal ['dentl] **I** *adj* **1.** *med.* den'tal, Zahn...: ~ **formula** Zahnformel *f*; ~

plate Zahnprothese *f*, Platte *f*; ~ **surgeon** Zahnarzt *m*; ~ **surgery** Zahnchirurgie *f*; ~ **technician** a) Zahntechniker *m*, b) Dentist *m*. **2.** *med.* zahnärztlich: D~ **Corps** *mil. Am.* zahnärztliches Korps. **3.** *ling.* a) Dental..., den'tal, b) Alveolar..., alveo'lar: ~ **consonant** → 4. **II** *s* **4.** *ling.* a) Den'tal(laut) *m*, b) Alveo'lar(laut) *m*.

den·ta·ry ['dentəri] *zo.* **I** *adj* Zahn(bein)... **II** *s a.* ~ **bone** Zahnbein *n*.

'den·tate [-teit] *adj bot. zo.* gezähnt.

den'ta·tion *s* **1.** *zo.* Bezahnung *f*. **2.** *bot.* Zähnung *f*. **3.** zahnartiger Fortsatz.

den·ti·cle ['dentikl] *s* Zähnchen *n*.

den'tic·u·late [-'tikjulit; -ˌleit], *a.* **den'tic·uˌlat·ed** *adj* **1.** *bot.* gezähnelt. **2.** gezackt. **denˌtic·u'la·tion** *s* **1.** *bot.* Zähnelung *f*. **2.** Auszackung *f*. **3.** *arch.* Zahnschnitt *m*.

den·ti·form ['dentiˌfɔːrm] *adj* zahnförmig. **'den·ti·frice** [-fris] *s* Zahnputzmittel *n*.

den·til ['dentil] *s arch.* Zahn *m* (*einzelner Vorsprung beim Zahnschnitt*).

den·ti·lin·gual [ˌdenti'liŋgwəl] *ling.* **I** *adj* dentilingu'al. **II** *s* Dentilingu'al(laut) *m*.

den·tin ['dentin] → **dentine**. **'den·ti·nal** [-tinl] *adj anat.* Zahnbein... **'den·tine** [-tiːn] *s med.* Den'tin *n*, Zahnbein *n*.

den·ti·phone ['dentiˌfoun] *s med. an die Zähne angesetzter Hörapparat für Schwerhörige.*

den·tist ['dentist] *s* Zahnarzt *m*, -ärztin *f*. **'den·tist·ry** [-tri] *s* Zahnheilkunde *f*.

den·ti·tion [den'tiʃən] *s* **1.** *anat. zo.* 'Zahnsyˌstem *n*, Gebiß *n*. **2.** *med.* Zahnen *n* (*der Kinder*).

den·toid ['dentɔid] *adj* zahnartig.

den·ture ['dentʃər] *s* **1.** *anat.* Gebiß *n*. **2.** *a.* **artificial** ~ *med.* künstliches Gebiß, 'Zahnproˌthese *f*.

den·u·da·tion [ˌdenju'deiʃən; ˌdiːnjuː-] *s* **1.** Entblößung *f*. **2.** *geol.* Abtragung *f*.

de·nude [di'njuːd] *v/t* **1.** (of) entblößen (von *od. gen*), berauben (*gen*) (*a. fig.*). **2.** *geol.* (durch Abtragung) freilegen.

de·nun·ci·ate [di'nʌnsiˌeit; -ʃi-] → **denounce**. **deˌnun·ci'a·tion** *s* **1.** → **denouncement**. **2.** *jur.* (Straf)Anzeige *f*. **de'nun·ciˌa·tive** → **denunciatory**. **de'nun·ciˌa·tor** [-tər] *s* Denunzi'ant(in). **de'nun·ciˌa·to·ry** *adj* **1.** denun'zierend, anzeigend. **2.** brandmarkend, verdammend. **3.** drohend.

de·nu·tri·tion [ˌdiːnjuː'triʃən] *s med.* **1.** Nahrungsentzug *m*. **2.** Nahrungsrückgang *m*.

de·ny [di'nai] **I** *v/t* **1.** ab-, bestreiten, in Abrede stellen, demen'tieren, (ab)leugnen: to ~ **a charge** e-e Beschuldigung zurückweisen; I ~ **having said so** ich bestreite, daß ich das gesagt habe; **it cannot be denied, there is no** ~**ing (the fact)** es läßt sich nicht bestreiten, es ist nicht zu leugnen (**that** daß); **they** ~ **they have done it** sie leugnen, es getan zu haben. **2.** *etwas* verneinen, ne'gieren. **3.** (*als falsch od. irrig*) ablehnen, verwerfen: **to** ~ **a doctrine**. **4.** *e-e Bitte etc* ablehnen, *j-m etwas* abschlagen, verweigern, versagen: **to** ~ **o.s. any pleasure** sich jedes Vergnügen versagen; **to** ~ **a plea** *jur.* e-n Antrag abweisen. **5.** *j-n* zu'rück-, abweisen, *j-m* e-e Bitte abschlagen *od.* versagen: **she was hard to** ~ es war schwer, sie zurückzuweisen; **to** ~ **o.s.** Selbstverleugnung üben. **6.** *e-r Neigung etc* wider'stehen, entsagen (*dat*). **7.** *j-n* verleugnen, nichts zu tun haben wollen mit. **8.** *s-n Glauben, s-e Unterschrift etc* verleugnen, nicht anerkennen: **to** ~ **one's faith**. **9.** *Besucher etc* abweisen, nicht zu- *od.* vorlassen. **10.** *j-n* verleugnen, *j-s Anwesenheit* leugnen. **II** *v/i* **11.** leugnen. **12.** verneinen.

de·o·dand ['diːoˌdænd] *s jur. hist. Br.* Deo'dand *n* (*Sache, die den Tod e-s Menschen verursacht hatte u. der Krone anheimfiel*).

de·o·dor·ant [diː'oudərənt] **I** *s* desodo'rierendes Mittel, Deso'dorans *n*. **II** *adj* desodo'rierend, geruchtilgend.

deˌo·dor·i'za·tion *s* Desodo'rierung *f*. **de'o·dorˌize** *v/t u. v/i* desodo'rieren. **de'o·dorˌiz·er** → **deodorant** I.

de·on·tol·o·gy [ˌdiːɒn'tɒlədʒi] *s* Pflichten-, Sittenlehre *f*, Deontolo'gie *f*.

de·ox·i·date [diː'ɒksiˌdeit] → **deoxidize**. **deˌox·i'da·tion** → **deoxidization**. **deˌox·i·di'za·tion** *s chem.* Desoxydati'on *f*, Redukti'on *f*. **de'ox·iˌdize** *v/t chem.* desoxy'dieren.

de·ox·y·gen·ate [diː'ɒksidʒəˌneit] *v/t chem.* (*dat*) den Sauerstoff entziehen.

deˌox·y·gen'a·tion, deˌox·y·gen·i'za·tion *s* Sauerstoffentzug *m*.

de·part [di'pɑːrt] **I** *v/i* **1.** weg-, fortgehen, *bes.* abreisen, abfahren (**for** nach). **2.** *rail. etc* abgehen, abfahren, *aer.* abfliegen. **3.** (**from**) abweichen (von *e-r Regel, der Wahrheit etc*), (*s-n Plan etc*) ändern: **to** ~ **from a rule**; **to** ~ **from one's word** sein Wort brechen. **4.** 'hinscheiden, verscheiden: **to** ~ **from life** aus dem Leben scheiden. **5.** *jur.* vom Gegenstand der Klage abweichen. **II** *v/t* **6.** *obs.* verlassen: **to** ~ **this life** sterben. **de'part·ed** *adj* **1.** tot, verstorben: **the** ~ a) der *od.* die Verstorbene, b) *collect.* die Verstorbenen *pl*. **2.** vergangen.

de·part·ment [di'pɑːrtmənt] *s* **1.** Fach *n*, Gebiet *n*, Res'sort *n*, Geschäftsbereich *m*. **2.** *econ.* Branche *f*, Geschäftszweig *m*. **3.** Ab'teilung *f*: ~ **of German** *univ.* germanistische *od.* deutschsprachliche Abteilung; **export** ~ *econ.* Exportabteilung; **furniture** ~ Möbelabteilung (*im Warenhaus*). **4.** Departe'ment *n*, (Verwaltungs)Bezirk *m* (*in Frankreich*). **5.** Dienst-, Geschäftsstelle *f*. **6.** Amt *n*: **health** ~ Gesundheitsamt. **7.** *Am.* Mini'sterium *n*: D~ **of the Air Force** Luftwaffenministerium; D~ **of the Army** Heeresministerium; D~ **of Defense**, (*in Kanada*) D~ **of National Defense** Verteidigungsministerium; D~ **of State** Außenministerium; D~ **of the Treasury** Schatzamt *n*; D~ **of Commerce (and Labor)** Handelsministerium. **8.** *mil.* Bereich *m*, Zone *f*.

de·part·men·tal [ˌdiːpɑːrt'mentl] *adj* (*adv* ~**ly**) **1.** Abteilungs... **2.** Fach..., Branchen... **3.** Bezirks... **4.** ministeri'ell, Ministerial... **ˌde·part'men·talˌize** *v/t* in Ab'teilungen gliedern.

de·part·ment store *s* Kauf-, Warenhaus *n*.

de·par·ture [di'pɑːrtʃər] *s* **1.** a) Weggang *m*, *bes. mil.* Abzug *m*, b) Abreise *f*: **to take one's** ~ sich verabschieden, weg-, fortgehen. **2.** *rail. etc* Abfahrt *f*, Abgang *m*, *aer.* Abflug *m* (**for** nach): (**time of**) ~ Abgangs-, Abfahrtszeit *f*. **3.** *fig.* Anfang *m*, Beginn *m*, Start *m*: **a new** ~ a) ein neuer Anfang, b) ein neuer Weg, ein neues Verfahren; **point of** ~ Ausgangspunkt *m* (**for** für). **4.** Abweichen *n*, Abweichung *f* (**from** von): **a** ~ **from official procedure**; **a** ~ **from one's plan**. **5.** *mar.* a) 'Längenˌunterschied *m* (*bei der gegißten Besteckrechnung*), b) Abfahrtspunkt *m* (*Beginn der Besteckrechnung*). **6.** *jur.* Abweichung *f* (*vom Gegenstand der Klage*), Klageänderung *f*. **7.** *obs.* Tod *m*, 'Hinscheiden *n*.

de·pas·ture [*Br.* diː'pɑːstʃər; *Am.* -'pæ(ː)s-] **I** *v/t* **1.** abweiden. **2.** *Vieh* weiden. **II** *v/i* **3.** weiden (*Vieh*).

de·pau·per·ate [di'pɔːpəˌreit] *v/t* **1.** arm machen. **2.** verkümmern lassen. **3.** entkräften. **de'pau·perˌize** *v/t* der Armut entreißen.

de·pend [di'pend] *v/i* **1.** sich verlassen (**on, upon** auf *acc*): **you may** ~ **on it (on him)** Sie können sich darauf (auf ihn) verlassen. **2.** (**on, upon**) abhängen, abhängig sein (von): a) angewiesen sein (auf *acc*): **children** ~ **on their parents**; **he** ~**s on my help**, b) ankommen auf (*acc*): **it** ~**s on you; it** ~**s on his permission** es hängt von s-r Erlaubnis ab; **it** ~**s on the circumstances** es kommt auf die Umstände an, es hängt von den Umständen ab; **that** ~**s** das kommt darauf an, je nachdem; ~**ing on the quantity used** je nach (der verwendeten) Menge; ~**ing on whether** je nachdem, ob; **3.** 'untergeordnet sein (**on, upon** *dat*). **4.** *bes. jur.* schweben, in der Schwebe *od.* noch unentschieden *od.* anhängig sein. **5.** her'abhängen (**from** von). **deˌpend·a'bil·i·ty** *s* Verläßlichkeit *f*, Zuverlässigkeit *f*. **de'pend·a·ble** *adj* (*adv* **dependably**) verläßlich, zuverlässig. **de'pend·a·ble·ness** → **dependability**.

de·pend·ant → **dependent**.

de·pend·ence [di'pendəns] *s* **1.** (**on, upon**) Abhängigkeit *f* (von), Angewiesensein *n* (auf *acc*): **to bring under the** ~ **of** abhängig machen von. **2.** Bedingtsein *n* (**on, upon** durch). **3.** 'Untergeordnetsein *n*. **4.** Vertrauen *n* (**on, upon** auf *od.* in *acc*): **to put** (*od.* **place**) ~ **on s.o.** sich auf j-n verlassen, Vertrauen in j-n setzen. **5.** *fig.* Stütze *f*: **he was her sole** ~. **6.** *bes. jur.* Schweben *n*, Anhängigsein *n*: **in** ~ in der Schwebe. **de'pend·en·cy** *s* **1.** → **dependence** 1, 2, 3. **2.** (*etwas*) 'Untergeordnetes *od.* Da'zugehöriges. **3.** *pol.* abhängiges Gebiet, Schutzgebiet *n*, Kolo'nie *f*. **4.** *arch.* Nebengebäude *n*, Depen'dance *f*. **de'pen·dent I** *adj* **1.** (**on, upon**) abhängig, abhängend (von): a) angewiesen (auf *acc*): ~ **on s.o.'s support**, b) bedingt (durch): ~ **on weather conditions**. **3.** vertrauend, sich verlassend (**on, upon** auf *acc*). **4.** (**on**) 'untergeordnet (*dat*), abhängig (von): ~ **clause** *ling.* Nebensatz *m*. **5.** her'abhängend. **II** *s* **6.** Abhängige(r *m*) *f*, *bes.* (Fa'milien)-Angehörige(r *m*) *f*.

de·peo·ple [diː'piːpəl] *v/t* entvölkern.

de·per·son·al·i·za·tion [diːˌpəːrsənəlai'zeiʃən] *s psych.* Entper'sönlichung *f*. **de'per·son·alˌize** *v/t* 'unperˌsönlich machen.

de·phlo·gis·ti·cate [ˌdiːflo'dʒistiˌkeit] *v/t chem.* dephlogi'stieren, oxy'dieren.

de·pict [di'pikt] *v/t* **1.** (ab)malen, zeichnen, (bildlich) darstellen. **2.** schildern, beschreiben, veranschaulichen, anschaulich darstellen. **de'pic·tion** *s* **1.** Malen *n*, Zeichnen *n*. **2.** bildliche Darstellung, Zeichnung *f*, Bild *n*. **3.** Schilderung *f*, Beschreibung *f*, (anschauliche) Darstellung. **de'pic·tive** *adj* schildernd, veranschaulichend.

dep·i·late ['depiˌleit] *v/t* enthaaren, depi'lieren. ˌ**dep·i'la·tion** *s* Depilati'on *f*, Enthaarung *f*. **de·pil·a·to·ry** [di'pilətəri] **I** *adj* enthaarend. **II** *s* Enthaarungsmittel *n*.
de·plane [diː'plein] **I** *v/t* aus dem Flugzeug ausladen. **II** *v/i* aus dem Flugzeug (aus)steigen, von Bord gehen.
de·plen·ish [di'pleniʃ] *v/t* entleeren.
de·plete [di'pliːt] *v/t* **1.** leeren, leer machen (of von). **2.** *med. Gefäße* (ent)leeren, erleichtern. **3.** *fig. Kräfte, Vorräte etc* erschöpfen. **de'ple·tion** [-ʃən] *s* **1.** Entleerung *f*. **2.** *fig.* Erschöpfung *f*: ~ **of capital** *econ.* Kapitalentblößung *f*. **3.** *med.* a) Flüssigkeitsentzug *m*, b) Flüssigkeitsarmut *f*, c) Erschöpfungszustand *m*. **de·ple·tive** [di'pliːtiv] **I** *adj* **1.** (ent)leerend. **2.** erschöpfend. **3.** *med.* flüssigkeitentziehend. **II** *s* **4.** *med.* flüssigkeitentziehendes Mittel. **de'ple·to·ry** → **depletive I.**
de·plor·a·ble [di'plɔːrəbl] *adj* **1.** bedauerlich, bedauerns-, beklagenswert. **2.** erbärmlich, jämmerlich, kläglich. **de'plor·a·bly** *adv* **1.** bedauerlich (*etc*, → **deplorable**). **2.** bedauerlicherweise, in beklagenswerter Weise.
de·plore [di'plɔːr] *v/t* beklagen: a) bedauern, b) miß'billigen, c) betrauern, beweinen. **de'plor·ing·ly** *adv* **1.** bedauernd. **2.** klagend, jammernd.
de·ploy [di'plɔi] **I** *v/t* **1.** *mil.* (*taktisch*) Ge'fechtsformatiˌon annehmen lassen: a) entwickeln, b) entfalten. **2.** *mil. u. allg.* verteilen, gliedern, aufstellen, einsetzen. **3.** *Truppen* statio'nieren. **II** *v/i* **4.** *mil.* sich entwickeln, sich entfalten, ausschwärmen, (die) Ge'fechtsformatiˌon annehmen. **5.** *mar.* in die Gefechtslinie 'übergehen. **6.** sich ausbreiten. **III** *s* → **deployment.** **de'ploy·ment** *s mil.* **1.** Aufmarsch *m*, Entfaltung *f*, Entwicklung *f*: ~ **in depth** Tiefengliederung *f*; ~ **in width** Seitenstaffelung *f*. **2.** Verteilung *f*, Aufstellung *f*, Einsatz *m*. **3.** Statio'nierung *f* (*von Truppen*).
de·plume [di'pluːm; diː-] *v/t* rupfen.
de·po·lar·i·za·tion [diːˌpoulərai'zeiʃən] *s electr. phys.* Depolari'sierung *f*. **de'po·larˌize** *v/t* **1.** *electr. phys.* depolari'sieren. **2.** *fig. e-e Überzeugung etc* erschüttern.
de·pol·y·mer·ize [diː'pɒliməˌraiz] *v/t u. v/i chem.* ˌdepolymeri'sieren.
de·pone [di'poun] → **depose** 3 *u.* 4.
de·po·nent [di'pounənt] **I** *adj* **1.** *ling.* mit passiver Form u. aktiver Bedeutung: ~ **verb** → 2. **II** *s* **2.** *ling.* De'ponens *n*. **3.** *jur.* vereidigter Zeuge, (*in Urkunden*) *der od. die* Erschienene.
de·pop·u·late [diː'pɒpjuˌleit] *v/t u. v/i* (sich) entvölkern. **deˌpop·u'la·tion** *s* Entvölkerung *f*.
de·port [di'pɔːrt] *v/t* **1.** (zwangsweise) fortschaffen. **2.** depor'tieren. **3.** des Landes verweisen, ausweisen, *Ausländer a.* abschieben, *hist.* verbannen. **4.** ~ **o.s.** sich *gut etc* benehmen *od.* betragen. ˌ**de·por'ta·tion** [ˌdiː-] *s* **1.** Deportati'on *f*, Zwangsverschikkung *f*. **2.** Ausweisung *f*, Landesverweisung *f*, Verbannung *f*. ˌ**de·por'tee** [-'tiː] *s* Depor'tierte(r *m*) *f*. **de'port·ment** *s* **1.** Benehmen *n*, Betragen *n*, (*a. phys. tech.*) Verhalten *n*. **2.** (Körper)Haltung *f*.
de·pos·a·ble [di'pouzəbl] *adj* absetzbar. **de'pos·al** *s* Absetzung *f*.
de·pose [di'pouz] **I** *v/t* **1.** *fig. j-n* absetzen: to ~ **s.o. from office** j-n s-s Amtes entheben. **2.** entthronen. **3.** *jur.* unter Eid aussagen *od.* zu Proto'koll geben, eidlich bezeugen *od.* erklären. **II** *v/i* **4.** *jur.* (*bes.* in Form e-r schriftlichen, beeideten Erklärung) aussagen, e-e beeidete Erklärung abgeben: to ~ **to s.th.** → 3.
de·pos·it [di'pɒzit] **I** *v/t* **1.** ab-, niedersetzen, -stellen, -legen, *weitS. etwas od. j-n* (sicher) 'unterbringen. **2.** *chem. geol. tech.* ablagern, absetzen, sedimen'tieren. **3.** *Eier* (ab)legen. **4.** depo'nieren: a) *Sache* hinter'legen, b) *Geld* hinter'legen, einzahlen. **5.** *econ. e-n Betrag* anzahlen. **II** *v/i* **6.** *chem.* sich absetzen *od.* ablagern *od.* niederschlagen. **7.** e-e Einzahlung machen. **III** *s* **8.** *bes. geol.* Ablagerung *f*, *bes. Bergbau*: Lager(stätte *f*) *n*: ~ **of ore** Erzlager. **9.** *chem. tech.* Ablagerung *f*, (Boden)Satz *m*, Niederschlag *m*, Sedi'ment *n*. **10.** *electr.* (gal'vanischer) (Me'tall)ˌÜberzug. **11.** *econ.* Depo'nierung *f*, Hinter'legung *f*. **12.** De'pot *n* (*hinterlegter Wertgegenstand*): (up)on (*od.* in) ~ in Depot, deponiert; to place on ~ → 4. **13.** *Bankwesen*: a) Einzahlung *f*, b) (Geld)Einlage *f* (*meist pl*): ~s Depositen(gelder, -einlagen); ~ **account** Depositen-, Einlagekonto *n*; ~ **receipt** (*od.* **slip**) Einzahlungsbeleg *m*. **14.** *jur.* Pfand *n*, Hinter'legung *f*, Sicherheit *f*. **15.** *econ.* Anzahlung *f*: to **make a** ~ e-e Anzahlung leisten. **16.** → **depository** 1.
de·pos·i·tar·y [di'pɒzitəri] *s econ.* **1.** Deposi'tar(in), Verwahrer(in): ~ **bank** *Am.* Depositenbank *f*; ~ **state** *pol.* Verwahrerstaat *m*. **2.** → **depository** 1.
de·pos·it| bank *s econ.* Depo'sitenbank *f*. ~ **bank·ing** *s econ.* Depo'sitengeschäft *n*. ~ **bill** *s econ.* De'potwechsel *m*. ~ **cop·y** *s* Be'legexemˌplar *n* (*für öffentliche Bibliotheken*). ~ **cur·ren·cy** *s econ. Am. colloq.* bargeldlose Zahlungsmittel *pl*, Gi'ralgeld *n*.
dep·o·si·tion [ˌdepə'ziʃən; ˌdiː-] *s* **1.** Absetzung *f*: a) Amtsenthebung *f*, b) Entthronung *f*: ~ **of a monarch**, c) *relig.* Depositi'on *f*: ~ **of a clergyman.** **2.** *chem. geol. tech.* a) Ablagerungs-, Sedi'mentbildung *f*, b) → **deposit** 8 *u.* 9. **3.** *econ.* → **deposit** 11-13. **4.** *jur.* (Abgabe *f od.* Proto'koll *n* e-r beeideten) Erklärung *od.* Aussage. **5.** *paint.* Kreuzabnahme *f*.
de·pos·i·tor [di'pɒzitər] *s* **1.** *econ.* a) Hinter'leger(in), Depo'nent(in), Depo'siteninhaber(in), b) Einzahler(in), (Spar)Einleger(in), c) Kontoinhaber(in), Bankkunde *m*. **2.** *tech.* Galvani'seur *m*. **de'pos·i·to·ry** *s* **1.** Verwahrungsort *m*, Hinter'legungsstelle *f*. **2.** → **depot** 1. **3.** *fig.* Fundgrube *f*. **4.** → **depositary** 1.
de·pot [*Br.* 'depou; *Am.* 'diːpou] *s* **1.** De'pot *n*, Lagerhaus *n*, Niederlage *f*, Maga'zin *n*. **2.** *Am.* Bahnhof *m*. **3.** *mil.* De'pot *n*: a) Gerätepark *m*, b) Sammelplatz *m*, c) Ersatztruppenteil *m*. **4.** *med.* De'pot *n*: ~ **effect** Depotwirkung *f*.
dep·ra·va·tion [ˌdeprə'veiʃən] *s* **1.** → **depravity.** **2.** Verführung *f* (zum Schlechten), Entsittlichung *f*.
de·prave [di'preiv] *v/t* **1.** (*moralisch*) verderben. **2.** *obs.* diffa'mieren. **de'praved** *adj* verderbt, verdorben, verworfen, entartet, (sittlich) schlecht, lasterhaft. **de'prav·ed·ly** [-idli] *adv*. **de'prav·i·ty** [-'præviti] *s* **1.** Verderbtheit *f*, Verdorbenheit *f*, Verworfenheit *f*, Entartung *f*, Lasterhaftigkeit *f*. **2.** *relig.* (*das*) Böse im Menschen, Erbsünde *f*. **3.** schlimme Tat, Schlechtigkeit *f*.
dep·re·cate ['depriˌkeit] *v/t* **1.** miß'billigen, verurteilen, tadeln, verwerfen, ablehnen, (weit) von sich weisen. **2.** *etwas* durch Bitten *od.* Gebet abzuwenden suchen. '**dep·reˌcat·ing** *adj* (*adv* ~**ly**) **1.** miß'billigend, ablehnend. **2.** (bescheiden) abwehrend, wegwerfend: ~ **gesture.** **3.** bittend, flehend. ˌ**dep·re'ca·tion** *s* **1.** 'Mißbilligung *f*, Ablehnung *f*. **2.** Bitten *n od.* Flehen *n* (*um Abwendung e-s Übels*). '**dep·reˌca·tive** → **deprecating.** '**dep·reˌca·tor** [-tər] *s* Gegner(in). '**dep·reˌca·to·ry** → **deprecating.**
de·pre·ci·a·ble [di'priːʃiəbl] *adj econ.* abschreibbar.
de·pre·ci·ate [di'priːʃiˌeit] **I** *v/t* **1.** geringschätzen, unter'schätzen, verachten. **2.** her'absetzen, -würdigen, her'untermachen. **3.** *econ.* a) (*im Wert od. Preis*) her'absetzen, b) abschreiben, Abschreibungen machen von: to ~ **a machine by 10 per cent** 10% des Maschinenwerts abschreiben. **4.** *econ. Währung* ent-, abwerten: ~**d currency** notleidende Währung. **II** *v/i* **5.** an Achtung *od.* Wert verlieren. **6.** *econ.* a) (*im Wert od. Preis*) sinken, b) abgeschrieben werden. **7.** schlechter werden, sich verschlechtern. **de'pre·ciˌat·ing** *adj* (*adv* ~**ly**) geringschätzig, verächtlich.
de·pre·ci·a·tion [diˌpriːʃi'eiʃən] *s* **1.** Unter'schätzung *f*, Geringschätzung *f*, Verachtung *f*, 'Mißachtung *f*. **2.** Her'absetzung *f*, -würdigung *f*. **3.** Verschlechterung *f*. **4.** *econ.* a) Wertminderung *f*, -verlust *m*, b) Abschreibung *f*, c) Abwertung *f* (*der Währung*): ~ **charge** Abschreibungssatz *m*, -betrag *m*; ~ **fund** Abnutzungs-, Abschreibungsfonds *m*.
de·pre·ci·a·to·ry [di'priːʃiˌeitəri], *a.* **de'pre·ciˌa·tive** [-ˌeitiv] *adj* geringschätzig, verächtlich.
dep·re·date ['depriˌdeit] *v/t* **1.** plündern, berauben. **2.** verwüsten. ˌ**dep·re'da·tion** *s* **1.** Plünderung *f*. **2.** Verwüstung *f*. **3.** *fig.* Raubzug *m*. '**dep·reˌda·tor** [-tər] *s* Plünderer *m*, Räuber *m*. **dep·re·da·to·ry** [di'predətəri] *adj* **1.** plündernd. **2.** verwüstend.
de·press [di'pres] *v/t* **1.** a) *j-n* depri'mieren, niederdrücken, bedrücken, b) *die Stimmung* drücken. **2.** *e-e Tätigkeit, bes. den Handel* niederdrükken, abflauen lassen. **3.** *die Leistung etc* her'absetzen, schwächen. **4.** *den Preis, Wert* (her'ab)drücken, senken: to ~ **the market** *econ.* die Kurse drücken. **5.** *e-e Taste etc* her'unter-, niederdrücken: to ~ **a key.** **6.** senken: to ~ **a gun.** **7.** *math. Gleichung* redu'zieren. **de'pres·sant** *med.* **I** *adj* **1.** hemmend, dämpfend (*Medikament etc*). **2.** beruhigend. **II** *s* **3.** Beruhigungsmittel *n*.
de·pressed [di'prest] *adj* **1.** depri'miert, niedergeschlagen, -gedrückt, bedrückt (*Person*). **2.** gedrückt (*Stimmung; a. econ. Börse*). **3.** eingedrückt, vertieft. **4.** flau, matt, schwach: ~ **trade**; ~ **industry** notleidende *od.* darniederliegende *od.* von e-r Krise betroffene Industrie. **5.** gedrückt (*Preis*), verringert, vermindert (*Wert*). **6.** unter'drückt: ~ **proletariat.** **7.** *bot. zo.* abgeflacht, abgeplattet. ~ **a·re·a** *s Br.* Notstandsgebiet *n*. ~ **class·es** *s pl Br.* Parias *pl* (*niedrigste Kasten Indiens*).
de·press·i·ble [di'presibl] *adj* niederzudrücken(d). **de'press·ing** *adj* (*adv* ~**ly**) **1.** depri'mierend, niederdrückend, bedrückend. **2.** kläglich.
de·pres·sion [di'preʃən] *s* **1.** Depres-

si'on *f*, Niedergeschlagenheit *f*, Ge-, Bedrücktheit *f*. **2.** *psych.* (echte *od.* endo'gene) Melancho'lie. **3.** (Ein)-Senkung *f*, Vertiefung *f*: ~ of the ground Bodensenkung *f*; precordial ~ *med.* Herzgrube *f*. **4.** *geol.* Depressi'on *f*, Landsenke *f*. **5.** *econ.* a) Depressi'on *f*, Konjunk'turrückgang *m*, Flaute *f*, Tiefstand *m*, Wirtschaftskrise *f*, b) *Börse*: Baisse *f*, c) Fallen *n* (*der Preise*): ~ of the market Preisdruck *m*, Baissestimmung *f*. **6.** Nieder-, Her'abdrückung *f*. **7.** Abnehmen *n*, Abflauen *n*, Her'absetzung *f* (*der Kraft etc*). **8.** *med.* Entkräftung *f*, Schwäche *f*. **9.** *astr.* Depressi'on *f*, negative Höhe. **10.** *surv.* Depressi'on *f*. **11.** *meteor.* Tief(druckgebiet) *n*. **12.** *math.* Redukti'on *f*.

de·pres·sive [di'presiv] *adj* **1.** depri'mierend. **2.** *psych.* depres'siv.

de·pres·sor [di'presər] *s* **1.** *anat.* a) Senker *m*, Niederzieher *m* (*Muskel*), b) *a.* ~ nerve Nervus *m* de'pressor. **2.** *med.* a) blutdrucksenkendes Mittel, b) *Instrument zum Niederdrücken, bes.* Zungenspatel *m*. **3.** *chem.* Inhi'bitor *m*.

dep·ri·va·tion [ˌdepri'veiʃən], *a.* **de·priv·al** [di'praivəl] *s* **1.** Beraubung *f*, Entzug *m*, Entziehung *f*. **2.** (empfindlicher) Verlust. **3.** Mangel *m*, Entbehrung *f*. **4.** a) Absetzung *f*, b) *relig.* Deprivati'on *f*, Entsetzung *f* aus der Pfründe.

de·prive [di'praiv] *v/t* **1.** (of s.th.) *j-n od. etwas* (e-r Sache) berauben, *j-m* (etwas) entziehen *od.* nehmen: to ~ s.o. of a right; to be ~d of s.th. etwas entbehren (müssen). **2.** (of s.th.) *j-m* (etwas) vorenthalten. **3.** ausschließen, fernhalten (of s.th. von etwas). **4.** *bes. Geistliche* absetzen.

depth [depθ] *s* **1.** Tiefe *f*: eight feet in ~ 8 Fuß tief; it is beyond (*od.* out of) his ~ das geht über s-n Horizont *od.* s-e Kräfte; to get out of one's ~ *a. fig.* den Boden unter den Füßen verlieren; to be out of one's ~ *fig.* ratlos *od.* unsicher sein, ‚schwimmen'. **2.** Tiefe *f* (*als dritte Dimension*): ~ of column *mil.* Marschtiefe. **3.** *phys.* a) *a.* ~ of field, ~ of focus Schärfentiefe *f*, b) *bes. phot.* Tiefenschärfe *f*. **4.** *oft pl* Tiefe *f*, Mitte *f*, (*das*) Innerste (*a. fig.*): in the ~s of the slums mitten in den Slums; in the ~ of night in tiefer Nacht, mitten in der Nacht; in the ~ of winter im tiefsten Winter. **5.** *oft pl* Tiefe *f*, Abgrund *m* (*a. fig.*): from the ~s of misery aus tiefstem Elend. **6.** *fig.* a) Tiefe *f*: ~ of meaning, b) tiefer Sinn, tiefe Bedeutung, c) Tiefe *f*, Intensi'tät *f*: ~ of grief, d) Tiefe *f*, Ausmaß *n*: ~ of knowledge; ~ of guilt, e) (Gedanken)Tiefe *f*, Tiefgründigkeit *f*, f) Scharfsinn *m*, g) Dunkelheit *f*, Unklarheit *f*, Unergründlichkeit *f*. **7.** Tiefe *f*: ~ of a sound. **8.** Stärke *f*, Tiefe *f*: ~ of colo(u)rs. **9.** *Bergbau*: Teufe *f*. **10.** *psych.* 'Unterbewußtsein *n*: ~ analysis tiefenpsychologische Analyse; ~ interview Tiefeninterview *n*; ~ psychology Tiefenpsychologie *f*. ~ **charge,** *a.* ~ **bomb** *s mil.* Wasserbombe *f*. ~ **ga(u)ge** *s tech.* Tiefenmesser *m*, -lehre *f*.

depth·less ['depθlis] *adj fig.* unermeßlich tief, unendlich.

dep·u·rate ['depju(ə)ˌreit] *v/t bes. chem.* reinigen, läutern. '**dep·uˌra·tive** *med.* **I** *adj* reinigend. **II** *s* Reinigungsmittel *n*.

de·purge [di:'pəːrdʒ] *v/t* (po'litisch) rehabili'tieren.

dep·u·ta·tion [ˌdepju'teiʃən] *s* Deputati'on *f*, Abordnung *f*: a) Absendung *f*, b) *collect.* Depu'tierte *pl*, Abgesandte *pl*.

de·pute [di'pjuːt] *v/t* **1.** depu'tieren, dele'gieren, abordnen, bevollmächtigen. **2.** *e-e Aufgabe etc* über'tragen.

dep·u·tize ['depjuˌtaiz; -jə-] **I** *v/t* abordnen, (als Vertreter) ernennen. **II** *v/i* als Abgeordneter *od.* Vertreter fun'gieren: to ~ for s.o. j-n vertreten.

dep·u·ty ['depjuti] **I** *s* **1.** (Stell)Vertreter(in), Beauftragte(r *m*) *f*, Bevollmächtigte(r *m*) *f*: by ~ durch Stellvertreter. **2.** *parl.* Depu'tierte(r *m*) *f*, Abgeordnete(r *m*) *f*. **3.** *Bergbau*: *Br.* Steiger *m*. **4.** *a.* ~ sheriff *Am. Stellvertreter e-s* sheriff. **II** *adj* **5.** stellvertretend, Vize... ~ **chair·man** *s irr* 'Vizepräsiˌdent *m*, stellvertretender *od.* zweiter Vorsitzender.

de·rac·i·nate [di'ræsiˌneit] *v/t* **1.** (mit der Wurzel) ausrotten, vernichten. **2.** entwurzeln (*a. fig.*).

de·rail [diː'reil; di-] **I** *v/t* entgleisen lassen, zum Entgleisen bringen. **II** *v/i* entgleisen. **de'railment** *s* Entgleisung *f*.

de·range [di'reindʒ] *v/t* **1.** in Unordnung bringen, durchein'anderbringen, verwirren. **2.** (die Funkti'on *e-s Organs etc*, den Betrieb *e-r technischen Anlage etc*) stören. **3.** (geistig) zerrütten, wahnsinnig machen. **4.** unter'brechen, stören. **de'ranged** *adj* **1.** in Unordnung, gestört, durchein'ander. **2.** geistig zerrüttet, geistesgestört, verrückt. **de'range·ment** *s* **1.** Unordnung *f*, Verwirrung *f*, Durchein'ander *n*. **2.** Geistesgestörtheit *f*. **3.** Störung *f*.

de·rate [diː'reit] *v/t Gemeindesteuern für j-n* her'absetzen, senken.

de·ra·tion [diː'ræʃən] → decontrol 2.

Der·by [*Br.* 'dɑːbi; *Am.* 'dəːrbi] *s* **1.** Derby *n*: a) *englisches Zuchtrennen der Dreijährigen in Epsom*, b) *allg. Pferderennen*: the Kentucky ~. **2.** d~ *Am.* ‚Me'lone' *f*, steifer, runder Filzhut. ~ **blue** *s* Rötlichblau *n*. ~ **dog** *s colloq.* ‚Panne' *f*.

der·e·lict ['derilikt] **I** *adj* **1.** *meist jur.* herrenlos, aufgegeben, verlassen. **2.** *bes. Am.* nachlässig: ~ in duty pflichtvergessen. **3.** her'untergekommen, baufällig, zerfallen. **II** *s* **4.** *jur.* herrenloses Gut. **5.** *mar.* (treibendes) Wrack. **6.** *jur.* verlandete Strecke. **7.** menschliches Wrack, her'untergekommener Mensch, Strandgut *n* des Lebens: ~ of society (von der Gesellschaft) Ausgestoßene(r *m*) *f*. **8.** *bes. Am.* Pflichtvergessene(r *m*) *f*. ˌ**der·e'lic·tion** [-kʃən] *s* **1.** schuldhafte Vernachlässigung, schuldhaftes Versäumnis: ~ of duty Pflichtversäumnis, -vergessenheit *f*. **2.** *jur.* Besitzaufgabe *f*, Preisgabe *f*. **3.** Verlassen *n*, Aufgeben *n*. **4.** Mangel *m*, Fehler *m*. **5.** *jur.* Verlandung *f*, Landgewinn *m* in'folge Rückgangs des Wasserspiegels.

de·req·ui·si·tion [diːˌrekwi'ziʃən] *v/t beschlagnahmtes Gut* freigeben, *bes.* wieder der Zi'vilverwaltung zuführen.

de·re·stric·tion [ˌdiːri'strikʃən] *s* Lokkerung *f* von Einschränkungsmaßnahmen, *bes.* Aufhebung *f* der Geschwindigkeitsbegrenzung.

de·ride [di'raid] *v/t* verlachen, -höhnen, -spotten. **de'rid·er** *s* Spötter(in), Verspotter(in), Verächter(in). **de'rid·ing·ly** *adv* spöttisch, höhnisch.

de ri·gueur [də ri'gœːr] (*Fr.*) *pred adj* streng nach der Eti'kette, unerläßlich.

de·ri·sion [di'riʒən] *s* **1.** Hohn *m*, Spott *m*: to hold in ~ verspotten; to be in ~ verspottet werden; to bring into ~ zum Gespött machen. **2.** *fig.* Gespött *n*, Zielscheibe *f* des Spottes: to be a ~ to s.o. j-m zum Gespött dienen. **de·ri·sive** [di'raisiv] *adj* (*adv* ~ly), **de'ri·so·ry** *adj* **1.** spöttisch, höhnisch, Hohn... **2.** lächerlich.

de·riv·a·ble [di'raivəbl] *adj* (*adv* derivably) **1.** zu gewinnen(d), erreichbar (from aus). **2.** ab-, 'herleitbar: to be ~ from sich herleiten lassen von. **der·i·vate** ['deriˌveit] → derivative 1 *u.* 6.

der·i·va·tion [ˌderi'veiʃən] *s* **1.** Ab-, 'Herleitung *f* (from von). **2.** 'Herkunft *f*, Ursprung *m*, Abstammung *f*. **3.** *ling. u. math.* Derivati'on *f*, Ableitung *f*. **4.** *ling.* etymo'logische Ableitung, Etymolo'gie *f*.

de·riv·a·tive [di'rivətiv] **I** *adj* (*adv* ~ly) **1.** abgeleitet (from von). **2.** sekun'där. **II** *s* **3.** (*etwas*) Ab- *od.* 'Hergeleitetes, Ab-, 'Herleitung *f*. **4.** *ling.* Ableitung *f*, abgeleitete Form. **5.** *chem.* Deri'vat *n*, Abkömmling *m*. **6.** *math.* Deri'vierte *f*, abgeleitete Funkti'on.

de·rive [di'raiv] **I** *v/t* **1.** 'herleiten, über'nehmen (from von): to be ~d from, to ~ itself from → 8; to ~ one's name from s-n Namen herleiten von; ~d income *econ.* abgeleitetes Einkommen. **2.** *Nutzen* ziehen, *Gewinn* schöpfen (from aus): to ~ profit from s.th. **3.** *etwas* gewinnen, erhalten (from aus): to ~ pleasure from s.th. Freude an e-r Sache finden *od.* haben. **4.** (from) a) *etwas* 'herleiten *od.* schließen (aus), b) *e-n Schluß* ziehen (aus). **5.** *ling.* ab-, 'herleiten: ~d meaning abgeleitete Bedeutung. **6.** *chem. math.* ableiten: ~d function → derivative 6. **7.** *electr.* abzweigen, ableiten: ~d circuit Abzweigkreis *m*. **II** *v/i* **8.** (from) a) ab-, 'herstammen, 'herkommen, -rühren (von, aus), ausgehen (von), s-n Ursprung haben (in *dat*), b) sich 'her-, ableiten (von).

derm [dəːrm], **der·ma** ['dəːrmə] *s anat.* **1.** Lederhaut *f*, Corium *n*. **2.** Haut *f*. '**der·mal** *adj anat.* **1.** Lederhaut... **2.** der'mal, Dermal..., Haut...

der·mat·ic [dər'mætik] *adj* der'matisch, Haut... **der·ma·ti·tis** [ˌdəːrmə'taitis] *s med.* Derma'titis *f*, Hautentzündung *f*.

der·mat·o·gen [dər'mætədʒən; 'dəːrməˌtou-] *s bot.* Dermato'gen *n* (*Bildungsgewebe der Pflanzen-Oberhaut*).

der·ma·tol·o·gist [ˌdəːrmə'tɒlədʒist] *s* Dermato'loge *m*. ˌ**der·ma'tol·o·gy** *s med.* Dermatolo'gie *f*. '**der·ma·toˌphyte** [-toˌfait] *s med.* Hautpilz *m*. ˌ**der·ma·to·phy'to·sis** [-'tousis] *s* Dermatophy'tose *f*, Pilzerkrankung *f* der Haut.

der·mic ['dəːrmik] *adj* Haut... '**der·mis** [-is] → derma.

der·o·gate ['deroˌgeit] *v/i* **1.** (from) Abbruch tun, abträglich sein, schaden (*dat*), beeinträchtigen, schmälern (*acc*). **2.** *fig.* unwürdig handeln, nachteilig abweichen (from von): to ~ from o.s. sich zu s-m Nachteil verändern. **3.** sich erniedrigen, sich etwas vergeben. ˌ**der·o'ga·tion** *s* **1.** Beeinträchtigung *f*, Schmälerung *f*: to be a ~ from (*od.* of, to) → derogate 1. **2.** *fig.* Her'absetzung *f*. **3.** *jur.* teilweise Aufhebung.

de·rog·a·to·ry [di'rɒgətəri] *adj* (*adv* derogatorily) **1.** (from, to) nachteilig (für), abträglich (*dat*), schädlich (*dat od.* für): to be ~ from (*od.* to) s.th. e-r Sache abträglich sein, etwas beeinträchtigen. **2.** abfällig, gering-, ab-

schätzig: ~ **remarks**. **3.** her'absetzend, -würdigend: ~ **to him** seiner unwürdig.
der·rick ['derik] *s* **1.** *tech.* a) *a.* ~ **crane** Derrickkran *m*, Auslegerwippkran *m*, b) Dreibockgestell *n* (*e-s Hebekrans*), c) (fester *od.* beweglicher) Ausleger. **2.** *tech.* Bohrturm *m*. **3.** *mar.* Ladebaum *m*.
der·ring-do ['deriŋ'duː] *s* Verwegenheit *f*, Tollkühnheit *f*.
der·rin·ger ['derindʒər] *s Am. kurze Pistole mit großem Kaliber.*
derv [dəːrv] *s* Dieselkraftstoff *m*.
der·vish ['dəːrviʃ] *s* Derwisch *m*: **dancing** ~, **whirling** ~ tanzender Derwisch; **howling** ~ heulender Derwisch.
de·sal·i·nate [diː'sæliˌneit] *v/t* entsalzen.
de·scale [diː'skeil] *v/t tech.* entzundern, von Kesselstein befreien.
des·cant I *s* ['deskænt] **1.** *mus.* Dis'kant *m*: a) Gegenstimme *f* (*über e-m Choral etc*), b) Oberstimme *f*, So'pran *m*: ~ **clef** Diskantschlüssel *m*. **2.** *mus.* a) Vari'ierung *f*, b) vari'ierte Melo'die. **3.** *poet.* Melo'die *f*, Weise *f*. **II** *v/i* [des'kænt; dis-] **4.** *mus.* diskan'tieren. **5.** sich auslassen *od.* verbreiten (**on** über *acc*).
de·scend [di'send] **I** *v/i* **1.** her'ab-, hin'ab-, her'unter-, hin'unter-, niedergehen, -kommen, -steigen, -fahren, -fließen, -sinken: **to** ~ **to hell** zur Hölle niederfahren; **to** ~ **into a mine** (*Bergbau*) einfahren. **2.** *aer.* a) niedergehen, landen, b) (mit dem Fallschirm) abspringen. **3.** sich senken, sinken, fallen: **the road** ~**ed**. **4.** eingehen, zu sprechen kommen (**to** auf *acc*): **to** ~ **to details**. **5.** 'herkommen, ab-, 'herstammen (**from** von *j-m*, aus *e-r Familie*): **to** ~ **from a noble family**. **6.** (**to**) 'übergehen, sich vererben (auf *acc*), zufallen (*dat*). **7.** (**on, upon**) a) 'herfallen (über *acc*), (sich) stürzen (auf *acc*), über'fallen (*acc*), einfallen (in *acc*), b) *fig.* her'einbrechen, kommen (über *acc*), ‚über'fallen' (*acc*). **8.** *fig.* sich her'abwürdigen, sich erniedrigen, sich 'hergeben (**to** zu). **9.** *fig.* (her'ab)sinken. **10.** *astr.* a) absteigen, sich dem Süden nähern, b) sinken: **the sun** ~**s**. **11.** *mus.* tiefer werden, absteigen. **II** *v/t* **12.** *e-e Treppe etc* hin'ab-, hin'unter-, her'ab-, her'untersteigen, -gehen. **13.** *e-n Fluß etc* hin'unterfahren. **14. to be** ~**ed** (**from**) → 5.
de·scend·a·ble → **descendible**.
de·scend·ant [di'sendənt] *s* **1.** Nachkomme *m*, Abkömmling *m*, Deszen'dent *m*. **2.** Sinken *n*: **his star is in the** ~ sein Stern ist im Sinken (begriffen). **de'scend·i·ble** *adj* (**to**) vererbbar (*dat*), über'tragbar (*dat od.* auf *acc*).
de·scend·ing|a·or·ta [di'sendiŋ] *s med.* absteigende A'orta. ~ **diph·thong** *s ling.* fallender Di'phthong. ~ **let·ter** *s print.* Buchstabe *m* mit 'Unterlänge. ~ **line** *s* Deszen'denz *f*, absteigende Linie (*Verwandtschaft*). ~ **rhythm** *s metr.* fallender Rhythmus.
de·scent [di'sent] *s* **1.** Her'ab-, Her'unter-, Hin'unter-, Hin'absteigen *n*, Abstieg *m*, Tal-, Abfahrt *f*, *Bergbau*: Einfahrt *f*: ~ **of the Holy Ghost** *Bibl.* Ausgießung *f* des Heiligen Geistes; ~ **from the cross** *paint.* Kreuzabnahme *f*. **2.** *aer.* a) Höhenaufgabe *f*, Sinkflug *m*, Niedergehen *n* (*des Flugzeugs vor der Landung*), b) (Fallschirm-)Absprung *m*. **3.** Abhang *m*, Abfall *m*, Senkung *f*, Gefälle *n*. **4.** (*der*) Weg hin'ab. **5.** Fallen *n* (*der Temperatur etc*). **6.** *fig.* Niedergang *m*, (Ab)Sinken *n*, Abstieg *m*. **7.** Deszen'denz *f*: a) Abstammung *f*, Geburt *f*, Ab-, 'Herkunft *f*: **of French** ~ französischer Herkunft, b) Nachkommenschaft *f*, c) absteigende Linie. **8.** *jur.* Vererbung *f*, Über'tragung *f*, 'Übergang *m*. **9.** (**on, upon**) Einfall *m* (in *acc*), feindliche Landung (in *dat od.* auf *dat*), Angriff *m* (auf *acc*), (*a. iro.*) 'Überfall *m* (auf *acc*).
de·scrib·a·ble [di'skraibəbl] *adj* zu beschreiben(d), beschreibbar.
de·scribe [di'skraib] *v/t* **1.** beschreiben, schildern (**s.th. to s.o.** j-m etwas). **2.** (**as**) bezeichnen (als), nennen (*acc*): **to** ~ **s.o. as a fool**. **3.** *bes. math. e-n Kreis, e-e Kurve* beschreiben: **to** ~ **a circle**. **de'scrib·er** *s* Beschreiber(in), Schilderer *m*.
de·scrip·tion [di'skripʃən] *s* **1.** (*a. technische*) Beschreibung, Darstellung *f*, Schilderung *f*: **beautiful beyond all** ~ unbeschreiblich schön; **to know s.o. by** ~ j-n der Beschreibung nach kennen; **to take s.o.'s** ~ j-s Signalement aufnehmen; → **beggar** 6; **defy** 3. **2.** Bezeichnung *f*, Beschreibung *f*: **goods by** ~ *econ.* Gattungsware(n *pl*) *f*; **purchase by** ~ Gattungskauf *m*. **3.** Art *f*, Sorte *f*: **of every** ~ jeder Art u. Beschreibung; **of the worst** ~ von der schlimmsten Art, übelster Sorte. **4.** Beschreibung *f* (*e-r Bewegung, e-r Figur etc*).
de·scrip·tive [di'skriptiv] *adj* (*adv* ~**ly**) **1.** beschreibend, schildernd, darstellend, erläuternd, deskrip'tiv: ~ **clause** *ling.* nicht einschränkender Relativsatz; ~ **geometry** *math.* darstellende Geometrie; ~ **science** deskriptive *od.* beschreibende Wissenschaft; **to be** ~ **of s.th.** etwas beschreiben *od.* bezeichnen. **2.** anschaulich (geschrieben *od.* schreibend): **a** ~ **account**; **a** ~ **writer**. **de'scrip·tive·ness** *s* Anschaulichkeit *f*.
de·scry [di'skrai] *v/t* gewahren, wahrnehmen, erspähen, entdecken.
des·e·crate ['desiˌkreit] *v/t* entheiligen, entweihen, profa'nieren, schänden. ˌ**des·e'cra·tion** *s* Entweihung *f*, Entheiligung *f*, Schändung *f*.
de·seg·re·gate [diː'segriˌgeit] *v/t pol. Am.* die Rassentrennung aufheben in (*e-r Schule etc*). ˌ**de·seg·re'ga·tion** *s pol. Am.* Aufhebung *f* der Rassentrennung.
de·sen·si·tize [diː'sensiˌtaiz] *v/t* **1.** *med.* desensiti'sieren, unempfindlich *od.* im'mun machen (**to** gegen). **2.** a) *psych. j-n* von neu'rotischen Spannungen befreien, b) *j-n* abstumpfen. **3.** *phot.* ˌdesensibili'sieren, lichtunempfindlich machen. **de'sen·siˌtiz·er** *s phot.* ˌDesensibili'sator *m*.
de·sert[1] [di'zəːrt] **I** *v/t* **1.** verlassen, im Stich lassen: **his courage** ~**ed him**. **2.** *jur. Ehegatten* böswillig verlassen. **3.** abtrünnig *od.* untreu werden (*dat*), abfallen von: **to** ~ **the colo(u)rs** *mil.* fahnenflüchtig werden. **II** *v/i* **4.** *mil.* fahnenflüchtig werden, deser'tieren (**from** aus *der Armee etc*). **5.** 'überlaufen, -gehen (**to** zu).
de·sert[2] [di'zəːrt] *s* **1.** Verdienst *n*. **2.** Wert *m*, Verdienst(lichkeit *f*) *n*: **to be judged according to one's** ~ nach s-m Verdienst eingeschätzt werden. **3.** verdienter Lohn (*a. iro. Strafe*): **to get one's** ~**s** s-n wohlverdienten Lohn empfangen.
des·ert[3] ['dezərt] **I** *s* **1.** Wüste *f*. **2.** Einöde *f*, Ödland *n*. **3.** *fig.* Unfruchtbarkeit *f*, Öde *f*. **II** *adj* **4.** Wüsten...: ~ **fox**; ~ **(bob)cat** *amer.* Rotluchs *m*. **5.** öde, wüst, verödet, verlassen.
de·sert·ed [di'zəːrtid] *adj* **1.** verlassen, unbewohnt, (wie) ausgestorben, menschenleer. **2.** verlassen, einsam (*Person*). **de'sert·er** *s* **1.** *mar. mil.* a) Deser'teur *m*, Fahnenflüchtige(r) *m*, b) 'Überläufer *m*. **2.** *fig.* Abtrünnige(r *m*) *f*.
de·ser·tion [di'zəːrʃən] *s* **1.** Verlassen *n*, Im'stichlassen *n*. **2.** Verlassenheit *f*. **3.** Abtrünnigwerden *n*, Abfall *m* (**from a party** von e-r Partei). **4.** Unter'lassen *n* (*e-r Pflicht etc*). **5.** *jur.* böswilliges Verlassen. **6.** *mar. mil.* Deserti'on *f*, Fahnenflucht *f*.
de·serve [di'zəːrv] **I** *v/t* **1.** verdienen (*acc*), würdig sein (*gen*), Anspruch haben auf (*acc*): **to** ~ **praise** Lob verdienen. **2.** verdienen, verdient haben: **to** ~ **punishment**. **II** *v/i* **3. to** ~ **well of s.o. (s.th.)** sich um j-n (etwas) verdient machen; **to** ~ **ill of s.o.** j-m e-n schlechten Dienst erwiesen haben. **de'served** *adj* (wohl)verdient. **de'serv·ed·ly** [-idli] *adv* verdientermaßen, mit Recht. **de'serv·ing** *adj* **1.** verdienstvoll, verdient (*Person*). **2.** verdienstlich, -voll (*Tat*). **3. to be** ~ **of s.th.** etwas verdienen, e-r Sache wert *od.* würdig sein.
des·ha·bille [ˌdezə'biːl; 'dezəˌbiːl] → **dishabille**.
des·ic·cant ['desikənt] *adj u. s med.* (aus)trocknend(es Mittel).
des·ic·cate ['desiˌkeit] *v/t u. v/i* (aus)trocknen, (aus)dörren: ~**d fruit** Dörrobst *n*; ~**d milk** Trockenmilch *f*. ˌ**des·ic'ca·tion** *s* (Aus)Trocknung *f*. **des·ic·ca·tive** [*Br.* de'sikətiv; *Am.* 'desəˌkeitiv] *adj u. s* (aus)trocknend(es Mittel). '**des·icˌca·tor** [-tər] *s* **1.** *chem.* Exsic'cator *m*, Entfeuchter *m*. **2.** *tech.* 'Trockenappaˌrat *m*. **de·sic·ca·to·ry** [di'sikətəri] *adj* (aus)trocknend.
de·sid·er·a·ta [diˌsidə'reitə] *pl von* desideratum.
de·sid·er·ate [di'sidəˌreit; -'zid-] *v/t* **1.** bedürfen (*gen*), vermissen, nötig haben. **2.** ersehnen. **deˌsid·er'a·tion** *s* Bedürfnis *n*. **de'sid·er·a·tive** [-rətiv] *ling.* **I** *adj* desidera'tiv, ein Verlangen *od.* Bedürfnis ausdrückend: ~ **verb** → II. **II** *s* Desidera'tivum *n*. **deˌsid·er'a·tum** [-'reitəm] *pl* **-ta** [-tə] *s* Deside'rat *n*, (*etwas*) Erwünschtes, Bedürfnis *n*, Erfordernis *n*, Mangel *m*.
de·sign [di'zain] **I** *v/t* **1.** entwerfen, aufzeichnen, skiz'zieren, *tech.* konstru'ieren: **to** ~ **a dress** ein Kleid entwerfen. **2.** gestalten, ausführen, anlegen: **beautifully** ~**ed**. **3.** *fig.* entwerfen, ausdenken, ersinnen. **4.** im Sinne haben, vorhaben, planen (**doing** *od.* **to do** zu tun). **5.** bestimmen, vorsehen (**for** für *j-n od. etwas*; **as** als): ~**ed to do s.th.** dafür bestimmt *od.* darauf angelegt, etwas zu tun (*Sache*). **6.** (**for**) *j-n* bestimmen (zu), ausersehen, vorsehen (für): **he was** ~**ed for service in the navy**; **to** ~ **s.o. to be a priest**.
II *v/i* **7.** Pläne entwerfen, Entwürfe machen (**for** für).
III *s* **8.** Entwurf *m*, Zeichnung *f*, Plan *m*, Skizze *f*. **9.** Muster(zeichnung *f*) *n*, Des'sin *n*: **registered** ~ Gebrauchs-, Geschmacksmuster; → **copyright I**. **10.** *tech.* a) Baumuster *n*, Konstrukti'onszeichnung *f*, b) Bauart *f*, Bau(weise *f*) *m*, Konstrukti'on *f*, Ausführung *f*: ~ **engineer** Konstrukteur *m*; → **industrial design**. **11.** (dekora'tives) Muster, Des'sin *n*: **floral** ~ Blumenmuster. **12.** (künstlerische *od.* äußere) Gestaltung, Formgebung *f*. **13.** Plan *m*, Anlage *f*, Anordnung *f*.

14. Plan *m*, Vorhaben *n*, Absicht *f*: by ~ mit Absicht; with the ~ of doing mit der Absicht *od.* dem Vorsatz zu tun. **15.** Ziel *n*, (End)Zweck *m*. **16.** Anschlag *m* (upon s.o.'s life auf j-s Leben), böse Absicht: to have ~s (up)on (*od.* against) etwas (Böses) im Schilde führen gegen, e-n Anschlag vorhaben auf (*acc*). **17.** Zweckmäßigkeit *f*: argument from ~ *relig.* Beweis *m* aus der Zweckmäßigkeit, teleologischer Gottesbeweis.

des·ig·nate I *v/t* [ˈdezigˌneit] **1.** *etwas* bezeichnen, kennzeichnen. **2.** *a.* ~ as *etwas od. j-n* bezeichnen als, (be)nennen. **3.** *etwas* bestimmen, festlegen: to ~ a task. **4.** *j-n* (*im voraus*) desiˈgnieren, bestimmen, ausersehen (to, for für *ein Amt etc*; zu *e-m Amtsträger etc*). **5.** *etwas* bestimmen, vorsehen (for für). **6.** *mil. Schußziel* ansprechen. **II** *adj* [-nit; -ˌneit] **7.** desiˈgniert, vorgesehen, ausersehen (*nachgestellt*): president ~ designierter Präsident. **ˌdes·igˈna·tion** *s* **1.** Bezeichnung *f*: a) Kennzeichnung *f*, b) Name *m*, Benennung *f*. **2.** Bestimmung *f*, Festlegung *f*, -setzung *f* (*e-r Sache*). **3.** (to, for) Designatiˈon *f*, Bestimmung *f od.* Ernennung *f* (*im voraus*) (für *ein Amt etc*; zu *e-m Amtsträger etc*), Berufung *f* (auf *e-n Posten*; in *ein Amt*; zu *e-m Amtsträger*). **4.** Bedeutung *f*, Sinn *m*.

de·signed [diˈzaind] *adj* **1.** bestimmt (*etc*, → design I). **2.** absichtlich, vorsätzlich. **deˈsign·ed·ly** [-idli] *adv* → designed 2.

des·ig·nee [ˌdezigˈniː] *s* Desiˈgnatus *m*, desigˈnierter Amtsinhaber.

de·sign·er [diˈzainər] *s* **1.** Entwerfer (-in): a) Dessinaˈteur *m*, (Muster)-Zeichner(in), b) (Form)Gestalter(in), c) *tech.* Konstrukˈteur *m*, d) Erfinder(in). **2.** *fig.* Ränkeschmied(in), Intriˈgant(in). **deˈsign·ing** *adj* (*adv* ~ly) ränkevoll, intriˈgant, berechnend.

de·sil·ic·i·fy [ˌdiːsiˈlisiˌfai] *v/t chem.* entkieseln.

des·i·nence [ˈdesinəns] *s* **1.** Ausgang *m*, Ende *n*, Schluß *m*. **2.** *ling.* a) Endung *f*, b) Sufˈfix *n*, Nachsilbe *f*.

de·sip·i·ence [diˈsipiəns] *s* Albernheit *f*, Torheit *f*, Unsinn *m*.

de·sir·a·bil·i·ty [diˌzai(ə)rəˈbiliti] *s* Erwünschtheit *f*. **deˈsir·a·ble** *adj* (*adv* desirably) **1.** wünschenswert, erwünscht. **2.** angenehm. **3.** begehrenswert, reizvoll. **deˈsir·a·ble·ness** → desirability.

de·sire [diˈzair] **I** *v/t* **1.** wünschen, begehren, verlangen, wollen (s.th. of s.o. etwas von j-m): to ~ s.th. (to be) done wünschen, daß etwas getan wird *od.* geschieht; to leave much (nothing) to be ~d viel (nichts) zu wünschen übriglassen; as ~d wie gewünscht; if ~d auf Wunsch, wenn gewünscht. **2.** *etwas* ersehnen, (*sehnlich*) begehren. **3.** *j-n* begehren: to ~ a woman. **4.** *j-n* bitten, ersuchen: to ~ s.o. to go. **II** *v/i* **5.** Wünsche *od.* e-n Wunsch hegen. **III** *s* **6.** Wunsch *m*, Verlangen *n*, Begehren *n* (for nach): to feel a ~ for doing (*od.* to do) den Wunsch verspüren zu tun. **7.** Wunsch *m*, Bitte *f*, Begehr *m*, *n*: at his ~ auf s-e Bitte *od.* s-n Wunsch. **8.** Sehnsucht *f*, Verlangen *n* (for nach). **9.** (*sinnliche*) Begierde, Trieb *m*. **10.** (*das*) Gewünschte *od.* Ersehnte, Wunsch *m*. **deˈsired** *adj* **1.** er-, gewünscht: ~ value *tech.* Sollwert *m*. **2.** ersehnt. **deˈsir·ous** [-ˈzai(ə)r-] *adj* (*adv* ~ly) **1.** begierig, verlangend (of nach). **2.** wünschend, begehrend: to be ~ of s.th. etwas wünschen *od.* begehren; to be ~ of doing danach trachten *od.* verlangen zu tun; to be ~ to learn (*od.* to know) s.th. etwas (sehr) gern wissen wollen; the parties are ~ (*in Verträgen*) die Vertragsparteien beabsichtigen.

de·sist [diˈzist] *v/i* abstehen, (ab)lassen, Abstand nehmen (from von). **deˈsist·ance, deˈsist·ence** *s* Abstehen *n*, Ablassen *n*.

desk [desk] **I** *s* **1.** Schreibtisch *m*. **2.** (Lese-, Schreib-, Noten-, *tech.* Schalt)-Pult *n*. **3.** *fig.* a) geistlicher Beruf, b) Büˈroarbeit *f*, c) Schriftstelleˈrei *f*. **4.** *relig. bes. Am.* Kanzel *f*. **5.** (Zahl)-Kasse *f*: pay at the ~! **6.** *Am.* a) (ˈZeitungs)Redaktiˌon *f*, b) Redakˈteur *m*. **7.** *Am.* Empfang *m*, Anmeldung *f* (*im Hotel*): ~ clerk (Hotel)Portier *m*. **8.** Auskunft(sschalter *m*) *f*. **II** *adj* **9.** (Schreib)Tisch...: ~ book Handbuch *n*; ~ knife Radiermesser *n*; ~ set Schreibzeug *n*; ~ strategist *iro.* Schreibtischstratege *m*; ~ sergeant diensthabender Polizist. **10.** Schreib-(tisch)..., Büro...: ~ work.

des·o·late I *adj* [ˈdesolit] (*adv* ~ly) **1.** wüst, verwüstet. **2.** einsam, verlassen: a) unbewohnt: ~ country, b) alˈlein, vereinsamt: a ~ old woman. **3.** trostlos: a) traurig: ~ thoughts, b) öde: ~ hours; a ~ landscape. **II** *v/t* [-ˌleit] **4.** verwüsten. **5.** entvölkern. **6.** verlassen, einsam zuˈrücklassen. **7.** trostlos *od.* elend machen. **ˈdes·o·late·ness** [-lit] → desolation. **ˌdes·oˈla·tion** *s* **1.** Verwüstung *f*. **2.** Entvölkerung *f*, Verödung *f*: ~ of a district. **3.** Einsamkeit *f*, Verlassenheit *f*. **4.** Trostlosigkeit *f*: a) Elend *n*, Traurigkeit *f*, b) Öde *f*.

des·ox·al·ic [ˌdesɒkˈsælik] *adj chem.* Desoxal...: ~ acid.

de·spair [diˈspɛr] **I** *v/i* **1.** (of) verzweifeln (an *dat*), ohne Hoffnung sein, alle Hoffnung aufgeben *od.* verlieren (für *od.* auf *acc*): to ~ of mankind an der Menschheit verzweifeln. **II** *s* **2.** Verzweiflung *f* (at über *acc*), Hoffnungslosigkeit *f*: to drive s.o. to ~ j-n zur Verzweiflung bringen, j-n rasend machen. **3.** Ursache *f od.* Gegenstand *m* der Verzweiflung: to be the ~ of s.o. j-n zur Verzweiflung bringen. **deˈspair·ing** *adj* (*adv* ~ly) verzweifelt, voll Verzweiflung.

des·patch *etc* → dispatch *etc*.

des·per·a·do [ˌdespəˈreidou; -ˈrɑː-] *pl* **-does, -dos** *s* Despeˈrado *m*.

des·per·ate [ˈdespərit] **I** *adj* (*adv* ~ly) **1.** verzweifelt, rasend, verwegen *od.* tollkühn (aus Verzweiflung), despeˈrat: a ~ deed e-e Verzweiflungstat; a ~ effort e-e verzweifelte Anstrengung; to be ~ for s.th. etwas verzweifelt *od.* dringend nötig haben. **2.** verzweifelt, hoffnungs-, ausweglos: a ~ situation. **3.** heftig, äußerst: a ~ dislike. **4.** *colloq.* ungeheuer, schrecklich: ~ nonsense; a ~ fool ein hoffnungsloser Narr. **II** *adv colloq.* **5.** schrecklich, äußerst, sehr. **ˈdes·per·ate·ness** → desperation 2. **ˌdes·perˈa·tion** *s* **1.** Raseˈrei *f*, Verzweiflung *f*: to drive to ~ rasend machen, zur Verzweiflung bringen. **2.** (höchste) Verzweiflung, Hoffnungslosigkeit *f*.

des·pi·ca·ble [ˈdespikəbl] *adj* (*adv* despicably) verächtlich, verachtenswert.

de·spise [diˈspaiz] *v/t* verachten, verschmähen, geringschätzen. **deˈspis·er** *s* Verächter(in).

de·spite [diˈspait] **I** *prep* **1.** *a.* ~ of trotz (*gen od. dat*), ungeachtet (*gen*). **II** *s* **2.** *obs.* Schimpf *m*, (angetane) Schmach. **3.** Trotz *m*: in ~ (of) → 1; in ~ of him ihm zum Trotz; in my (his *etc*) ~ *obs.* mir (ihm *etc*) zum Trotz; in ~ of myself (*etc*) ohne es zu wollen. **4.** Haß *m*, Tücke *f*, Bosheit *f*. **deˈspite·ful** [-ful] *adj* (*adv* ~ly) **1.** höhnend. **2.** trotzig. **3.** tückisch, gehässig, boshaft.

de·spoil [diˈspɔil] *v/t* plündern, berauben (of s.th. e-r Sache).

de·spo·li·a·tion [diˌspouliˈeiʃən], *a.* **de·spoil·ment** [diˈspɔilmənt] *s* Plünderung *f*, Beraubung *f*.

de·spond [diˈspɒnd] **I** *v/i* verzagen, verzweifeln, den Mut verlieren. **II** *s obs.* Verzweiflung *f*. **deˈspond·ence, deˈspond·en·cy** *s* Verzagtheit *f*, Mutlosigkeit *f*, Verzweiflung *f*. **deˈspond·ent** *adj* (*adv* ~ly) mutlos, verzagt, verzweifelt, niedergeschlagen, bedrückt.

des·pot [ˈdespɒt] *s* Desˈpot *m*: a) Gewalt-, Selbstherrscher *m*, b) *fig.* Tyˈrann *m*. **desˈpot·ic** [-ˈpɒtik] *adj*; **desˈpot·i·cal** *adj* (*adv* ~ly) desˈpotisch, herrisch, tyˈrannisch. **ˈdes·potˌism** *s* Despoˈtismus *m*, Despoˈtie *f*, Tyranˈnei *f*, Gewaltherrschaft *f*.

de·spu·mate [diˈspjuːmeit; ˈdespjuˌmeit] *tech.* **I** *v/t* abschöpfen. **II** *v/i* sich abschäumen.

des·qua·mate [ˈdeskwəˌmeit] *v/i med.* **1.** sich abschuppen (*Haut etc*). **2.** sich häuten, sich schuppen (*Person*). **ˌdes·quaˈma·tion** *s med.* Abschuppung *f*.

des·sert [diˈzəːrt] **I** *s* Desˈsert *n*, Nachtisch *m*. **II** *adj* Dessert..., Nachtisch...: ~spoon Dessertlöffel *m*.

des·ti·na·tion [ˌdestiˈneiʃən] *s* **1.** (*econ. a.* place of ~) Bestimmungsort *m*. **2.** Aˈdresse *f*, Reiseziel *n*. **3.** Bestimmung *f*, (End)Zweck *m*, Ziel *n*.

des·tine [ˈdestin] *v/t* **1.** *etwas* bestimmen, vorsehen (for für *e-n Zweck*; to do zu tun). **2.** *j-n* bestimmen, prädestiˈnieren, ausersehen (*bes. durch Umstände od. Schicksal*): he was ~d to (*inf*) er sollte (*früh sterben etc*), es war ihm beschieden zu (*inf*). **ˈdes·tined** *adj* bestimmt, unterˈwegs (for nach): a ship ~ for London.

des·ti·ny [ˈdestini] *s* **1.** Schicksal *n*: a) Geschick *n*, Los *n*, b) Verhängnis *n*: he met his ~ sein Schicksal ereilte ihn; the destinies of Europe die Geschicke Europas. **2.** (*unvermeidliches*) Ende, Schicksal *n*. **3.** D~ das Schicksal (*personifiziert*): the Destinies die Schicksalsgöttinen, die Parzen.

des·ti·tute [ˈdestiˌtjuːt] **I** *adj* **1.** mittellos, (völlig) verarmt, notleidend. **2.** (of) ermangelnd (*gen*), bar (*gen*), ohne: ~ of all power völlig machtlos, ohne jede Macht. **3.** *fig.* entblößt, beraubt (of *gen*): ~ of all authority. **II** *s* **4.** Mittel-, Hilflose(r *m*) *f*, Arme(r *m*) *f*. **ˌdes·tiˈtu·tion** *s* **1.** (äußerste) Armut, (bittere) Not, Elend *n*. **2.** (völliger) Mangel (of an *dat*).

des·tri·er [ˈdestriər] *s obs.* Streitroß *n*.

de·stroy [diˈstrɔi] *v/t* **1.** zerstören, vernichten. **2.** zertrümmern, *Gebäude etc* niederreißen. **3.** *etwas* ruiˈnieren, unbrauchbar machen. **4.** *j-n, e-e Armee, Insekten etc* vernichten. **5.** töten, ˈumbringen. **6.** *fig. j-n, j-s Ruf, Gesundheit etc* ruiˈnieren, zuˈgrunde richten, *Hoffnungen etc* zuˈnichte machen, zerstören. **deˈstroy·a·ble** *adj* zerstörbar. **deˈstroy·er** *s* **1.** Zerstörer(in), Vernichter(in). **2.** *mar. mil.* Zerstörer *m*: ~ escort Geleitzerstörer.

de·struct·i·bil·i·ty [diˌstrʌktiˈbiliti] *s* Zerstörbarkeit *f*. **deˈstruct·i·ble** *adj* zerstörbar.

de·struc·tion [diˈstrʌkʃən] *s* **1.** Zerstörung *f*. **2.** Verwüstung *f*. **3.** Vernichtung *f*, Vertilgung *f*, Ausrottung *f*. **4.** Tötung *f*. **5.** Verderb(en *n*) *m*, 'Untergang *m*. **de'struc·tion·ist** *s* **1.** Zerstörungswütige(r *m*) *f*. **2.** *bes. pol.* 'Umstürzler(in).

de·struc·tive [di'strʌktiv] *adj* (*adv* ~ly) **1.** zerstörend, vernichtend: → **distillation** 1. **2.** *fig.* destruk'tiv, zerstörerisch, zerrüttend, verderblich, schädlich: ~ **to health** gesundheitsschädlich; **to be** ~ **of s.th.** etwas zerstören *od.* untergraben. **3.** destruk'tiv, (rein) negativ: ~ **criticism. de'struc·tive·ness, de·struc·tiv·i·ty** [ˌdiːstrʌk'tiviti] *s* **1.** zerstörende *od.* vernichtende Wirkung. **2.** (*das*) Destruk'tive *od.* Zersetzende, destruk'tive Eigenschaft.

de'struc·tor [-tər] *s tech.* (Müll)-Verbrennungsofen *m*.

des·ue·tude ['deswiˌtjuːd; di'sjuːiˌt-] *s* Ungebräuchlichkeit *f*: **to fall** (*od.* **pass**) **into** ~ außer Gebrauch kommen.

de·sul·fur [diː'sʌlfər], **de'sul·fuˌrate** [-fju(ə)ˌreit], **de'sul·fuˌrize** [-fju(ə)ˌraiz] *v/t chem.* entschwefeln. **de·sul·phur** *etc Br. für* **desulfur** *etc.*

des·ul·to·ri·ness ['desəltərinis] *s* **1.** Zs.-hang-, Plan-, Ziellosigkeit *f*. **2.** Flüchtigkeit *f*, Oberflächlichkeit *f*, Sprunghaftigkeit *f*. **3.** Unstetigkeit *f*. **'des·ul·to·ry** *adj* (*adv* **desultorily**) **1.** 'unzuˌsammenhängend, planlos, ziellos: ~ **talk. 2.** abschweifend: ~ **remarks. 3.** oberflächlich, flüchtig, sprunghaft. **4.** unruhig, unstet. **5.** vereinzelt.

de·tach [di'tætʃ] **I** *v/t* **1.** (ab-, los)trennen, loslösen, losmachen, *a. tech.* abnehmen: **to** ~ **o.s.** sich befreien. **2.** absondern, freimachen. **3.** *mar. mil.* deta'chieren, ('ab)kommanˌdieren. **II** *v/i* **4.** sich (los)lösen, sich absondern. **de'tach·a·ble** *adj* (*adv* **detachably**) abnehmbar (*a. tech.*), loslösbar, (ab)trennbar. **de'tached** *adj* **1.** (ab)getrennt, (ab-, los)gelöst: **to become** ~ sich (los)lösen. **2.** einzeln, frei-, al'leinstehend: ~ **house. 3.** sepa'rat, gesondert. **4.** *mar. mil.* deta'chiert, 'abkommanˌdiert. **5.** *fig.* a) objek'tiv, 'unvorˌeingenommen, b) (**about**) 'uninteresˌsiert (an *dat*), gleichgültig (gegen), c) distan'ziert: **a** ~ **attitude. de'tach·ed·ly** [-idli] *adv.* **de'tached·ness** → **detachment** 2, 3, 4.

de·tach·ment [di'tætʃmənt] *s* **1.** Absonderung *f*, (Ab)Trennung *f*, (Los)-Lösung *f* (**from** von). **2.** *fig.* (innerer) Abstand, Di'stanz *f*, Losgelöstsein *n*, (innere) Freiheit. **3.** *fig.* Objektivi'tät *f*, Unvoreingenommenheit *f*. **4.** Gleichgültigkeit *f* (**from** gegen). **5.** *mil.* → **detail** 7 a *u.* b.

de·tail I *s* ['diːteil; di'teil] **1.** De'tail *n*: a) Einzelheit *f*, einzelner Punkt, b) *a. pl collect.* (nähere) Einzelheiten *pl*, Näheres *n*: **a wealth of** ~ e-e Fülle von Einzelheiten; **to go into** ~ ins einzelne gehen, auf Einzelheiten eingehen; **in** ~ ausführlich, mit allen Einzelheiten, Punkt für Punkt, im einzelnen. **2.** Einzelteil *m*, *n*: ~ **drawing** *tech.* Stück-, Teilzeichnung *f*. **3.** De'tailbehandlung *f*, ausführliche Behandlung (*e-s Themas etc*). **4.** ausführliche Darstellung. **5.** *Kunst*: De'tail *n*: a) De'tailarbeit *f*, b) Ausschnitt *m*. **6.** 'Nebensache *f*, -ˌumstand *m*. **7.** *mil.* a) ('Sonder)KomˌmandoDas *n*, Ab'teilung *f*, Trupp *m*, b) 'Abkommanˌdierung *f*, c) Sonderauftrag *m*, d) Tagesbefehl *m*. **II** *v/t* [di'teil; *Br. a.* 'diː-] **8.** detail'lieren, ausführlich behandeln *od.* berichten, genau beschreiben. **9.** *Tatsachen etc* einzeln aufzählen *od.* aufführen, einzeln eingehen auf (*acc*). **10.** *mil.* 'abkommanˌdieren, (zum Dienst) einteilen.

de·tailed [di'teild; 'diːteild] *adj* **1.** ausführlich, eingehend, genau. **2.** 'umständlich.

de·tain [di'tein] *v/t* **1.** *j-n* auf-, ab-, zu'rückhalten, hindern. **2.** *j-n* warten lassen. **3.** *jur. j-n* in Haft (be)halten, festhalten. **4.** *obs. etwas* ('widerrechtlich) zu'rückhalten. **5.** *ped.* nachsitzen lassen. **6.** *fig. j-n* fesseln (*Buch etc*).

de·tain·ee [ditei'niː] *s* Häftling *m*. **de'tain·er** *s jur.* **1.** 'widerrechtliche Vorenthaltung. **2.** Haftverlängerungsbefehl *m*.

de·tect [di'tekt] *v/t* **1.** entdecken, (her'aus)finden, ermitteln, feststellen. **2.** erspähen, wahrnehmen. **3.** *Geheimnis* enthüllen: **to** ~ **a secret. 4.** *Verbrechen etc* aufdecken: **to** ~ **a crime. 5.** *j-n* entlarven: **to** ~ **a hypocrite. 6.** *j-n* ertappen (in bei). **7.** *mil. Gas, Minen* spüren, *Ziel* erfassen. **8.** *Radio*: gleichrichten. **de'tect·a·ble** *adj* feststellbar, entdeckbar. **de'tec·taˌphone** [-təˌfoun] *s teleph.* Abhörgerät *n*. **de·tect·i·ble** → **detectable**.

de·tec·tion [di'tekʃən] *s* **1.** Entdeckung *f*, Entdecken *n*, Feststellung *f*, Ermittlung *f*. **2.** Entlarvung *f*. **3.** Aufdeckung *f*, Aufklärung *f*: **crime** ~. **4.** *Radio*: Gleichrichtung *f*, Demodulati'on *f*. **5.** *mil.* Zielauffassung *f*. **de'tec·tive I** *adj* Detektiv..., Kriminal...: ~ **police** Kriminalpolizei *f*; ~ **story** Kriminalroman *m*; ~ **fiction** Kriminalromane *pl*. **II** *s* Detek'tiv(in), Krimi'nalbeamte(r) *m*, Ge'heimpoliˌzist(in): **private** ~ Privatdetektiv *m*.

de·tec·tor [di'tektər] *s* **1.** Auf-, Entdecker *m*, Enthüller *m*. **2.** *tech.* a) Anzeigevorrichtung *f*, b) Angeber *m* (*an Geldschränken*). **3.** *electr.* De'tektor *m*, HF-Gleichrichter *m*, Demodu'lator *m*. **4.** *mil.* a) Spürgerät *n* (*für radioaktive Stoffe etc*), b) *mar.* Ortungsgerät *n* (*gegen U-Boote*), c) *mar.* Tor'pedosuchgerät *n*.

de·tent [di'tent] *s tech.* Sperrklinke *f*, -kegel *m*, -haken *m*, Sperre *f*, Arre'tierung *f*.

dé·tente [de'tɑ̃ːt] (*Fr.*) *s bes. pol.* Entspannung *f*.

de·ten·tion [di'tenʃən] *s* **1.** Inhaf'tierung *f*, Festnahme *f*. **2.** Haft *f*, Gewahrsam *m*: ~ (**pending trial**) Untersuchungshaft; ~ **barracks** *mil.* Militärstrafanstalt *f*; ~ **colony** Strafkolonie *f*; ~ **centre** *Br.*, ~ **home** *Am.* Jugendstrafanstalt *f*. **3.** Zu'rück-, Ab-, Aufhaltung *f*. **4.** Verzögerung *f*. **5.** Vorenthaltung *f*, Einbehaltung *f*: ~ **of wages** Gehalts-, Lohneinbehaltung. **6.** *ped.* Ar'rest *m*, Nachsitzen *n*.

de·ter [di'təːr] *v/t* abschrecken, zu'rück-, abhalten (**from** von).

de·terge [di'təːrdʒ] *v/t bes. e-e Wunde* reinigen. **de'ter·gent I** *adj* **1.** reinigend. **II** *s* **2.** *a. med.* Reinigungsmittel *n*. **3.** Waschmittel *n*.

de·te·ri·o·rate [di'ti(ə)riəˌreit] **I** *v/i* **1.** sich verschlechtern, schlechter werden, verderben, entarten. **2.** verfallen, her'unterkommen. **3.** *econ.* an Wert verlieren. **II** *v/t* **4.** verschlechtern, verschlimmern, beeinträchtigen. **5.** *den Wert* (ver)mindern. **6.** im Wert vermindern, her'absetzen. **deˌte·ri·o'ra·tion** *s* **1.** Verschlechterung *f*, Verschlimmerung *f*. **2.** Entartung *f*. **3.** *econ.* Verschleiß *m*, Verderb *m*. **4.** Wertminderung *f*. **de'te·ri·oˌra·tive** *adj* verschlechternd.

de·ter·ment [di'təːrmənt] *s* **1.** Abschreckung *f* (**from** von). **2.** Abschreckungsmittel *n*.

de·ter·mi·na·ble [di'təːrminəbl] *adj* (*adv* **determinably**) **1.** bestimmbar, entscheidbar, festsetzbar. **2.** *jur.* befristet. **de'ter·mi·nant I** *adj* **1.** bestimmend, entscheidend. **II** *s* **2.** (*das*) Bestimmende *od.* Entscheidende, entscheidender Faktor. **3.** *biol. math.* Determi'nante *f*.

de·ter·mi·nate [di'təːrminit] *adj* (*adv* ~ly) **1.** bestimmt, festgelegt. **2.** entschieden, beschlossen. **3.** endgültig. **4.** entschlossen, entschieden, bestimmt. **5.** *bot.* cy'mös. **de'ter·mi·nate·ness** *s* **1.** Bestimmtheit *f*. **2.** Entschlossenheit *f*, Entschiedenheit *f*.

de·ter·mi·na·tion [diˌtəːrmi'neiʃən] *s* **1.** Entschluß *m*, Entscheidung *f*. **2.** Beschluß *m*. **3.** Bestimmung *f*, Festsetzung *f*. **4.** Feststellung *f*, Ermittlung *f*, Bestimmung *f*: ~ **of calorific value** Heizwertbestimmung. **5.** Bestimmt-, Entschlossen-, Entschiedenheit *f*, Zielstrebigkeit *f*: **a man of** ~ ein entschlossener Mensch. **6.** Ziel *n*, Zweck *m*, feste Absicht. **7.** Ten'denz *f*, Neigung *f*: ~ **of blood** *med.* Blutandrang *m*. **8.** Abgrenzung *f*. **9.** *jur.* Ablauf *m*, Ende *n* (*Vertrag*). **10.** *Logik*: Determinati'on *f*, Bestimmung *f*. **de'ter·miˌna·tive I** *adj* **1.** (näher) bestimmend, einschränkend, Bestimmungs... **2.** bestimmend, entscheidend. **II** *s* **3.** (*etwas*) Bestimmendes *od.* Charakte'ristisches. **4.** entscheidender *od.* maßgebender Faktor. **5.** *ling.* a) Determina'tiv *n*, b) Determina'tivproˌnomen *n*.

de·ter·mine [di'təːrmin] **I** *v/t* **1.** *e-e Streitfrage etc* entscheiden. **2.** *etwas* beschließen (*a.* **to do** zu tun), *e-n Zeitpunkt etc* bestimmen, festsetzen. **3.** feststellen, ermitteln, bestimmen: **to** ~ **the salt content. 4.** bedingen, bestimmen, maßgebend sein für: **demand** ~**s the price. 5.** *j-n* bestimmen, veranlassen (**to do** zu tun). **6.** *bes. jur.* beend(ig)en, aufheben, ablaufen lassen. **7.** *Logik*: determi'nieren, bestimmen. **II** *v/i* **8.** (**on**) sich entscheiden (für), sich entschließen (zu): **to** ~ **on doing s.th.** sich dazu entschließen, etwas zu tun. **9.** *bes. jur.* enden, ablaufen. **de'ter·mined** *adj* (*adv* ~ly) **1.** (fest) entschlossen: **he was** ~ **to know** er wollte unbedingt wissen. **2.** entschieden. **3.** bestimmt, festgelegt.

de·ter·min·ism [di'təːrmiˌnizəm] *s philos.* Determi'nismus *m*. **de'ter·min·ist** *philos.* **I** *s* Determi'nist(in). **II** *adj* determi'nistisch.

de·ter·rent [*Br.* di'terənt; *Am.* -'təːr-] **I** *adj* abschreckend, Abschreckungs... **II** *s* Abschreckungsmittel *n*.

de·test [di'test] *v/t* verabscheuen, hassen. **de'test·a·ble** *adj* (*adv* **detestably**) ab'scheulich, verabscheuungs-, hassenswert. **ˌde·tes'ta·tion** [ˌdiː-] *s* (**of**) Verabscheuung *f* (*gen*), Abscheu *m* (vor *dat*, gegen).

de·throne [di'θroun] *v/t* entthronen (*a. fig.*). **de'throne·ment** *s* Entthronung *f*.

det·i·nue ['detiˌnjuː] *s jur.* Vorenthaltung *f*: **action of** ~ Vindikationsklage *f* (*auf Herausgabe*).

det·o·nate ['detoˌneit] **I** *v/t* **1.** deto'nieren *od.* explo'dieren lassen, zur Detonati'on bringen. **II** *v/i* **2.** deto'nieren, explo'dieren. **3.** *mot.* klopfen. **'det·oˌnat·ing** *adj tech.* Detonations..., Spreng..., Zünd..., Knall...: ~ **explosive** (*od.* **powder**) Brisanzsprengstoff *m*; ~ **fuse** Knallzündschnur *f*; ~ **gas** *chem.* Knallgas *n*; ~ **tube** *chem.* Verpuffungsröhre *f*.

ˌdet·o'na·tion *s* Detonati'on *f*, Explosi'on *f*, *mot.* Klopfen *n*. **'det·oˌnator** [-tər] *s tech.* **1.** Zünd-, Sprengkapsel *f*, Sprengzünder *m*. **2.** (Si'gnal-)Knallkapsel *f*.

de·tour, dé·tour [*Br.* 'deituə *u.* di'tuə; *Am.* 'diːtur; di'tur] **I** *s* **1.** 'Umweg *m*. **2.** (Ver'kehrs)ˌUmleitung *f*. **3.** *fig.* 'Umschweif *m*. **II** *v/i* **4.** e-n 'Umweg machen. **III** *v/t* **5.** *Verkehr etc* 'umleiten.

de·tox·i·cate [diː'tɒksiˌkeit] *v/t* entgiften.

de·tract [di'trækt] **I** *v/t* **1.** entziehen, (weg)nehmen. **2.** *selten* verunglimpfen. **II** *v/i* **3.** (from) (*e-r Sache*) Abbruch tun, her'absetzen, schmälern (*acc*): to ~ from s.o.'s reputation. **de'trac·tion** *s* **1.** Her'absetzung *f*, Verunglimpfung *f*, Verleumdung *f*. **2.** Beeinträchtigung *f*, Schmälerung *f* (from *gen*). **de'trac·tive** *adj* **1.** verleumderisch, verunglimpfend. **2.** beeinträchtigend. **de'trac·tor** [-tər] *s* **1.** Kritiker *m*, Her'absetzer *m*. **2.** Verleumder(in), Lästerer *m*. **de'trac·to·ry** → detractive.

de·train [diː'trein] *bes. mil. rail.* **I** *v/t* **1.** *Personen* aussteigen lassen. **2.** *Güter, a. Truppen* ausladen. **II** *v/i* **3.** aussteigen. **de'train·ment** *s* **1.** Aussteigen *n*. **2.** Ausladen *n*.

det·ri·ment ['detrimənt] *s* **1.** Nachteil *m*, Schaden *m* (to für), Abbruch *m*: to the ~ of s.o. zu j-s Nachteil *od.* Schaden; without ~ to ohne Schaden für. **2.** *Br.* Abnützungsgebühr *f* (*der Studenten für ihre Zimmer*). **ˌdet·ri'men·tal** [-'mentl] **I** *adj* (to) nachteilig, schädlich (für), abträglich (*dat*): to be ~ to s.th. e-r Sache schaden. **II** *s sl.* unerwünschter Freier.

de·tri·tal [di'traitl] *adj geol.* Geröll..., Schutt... **de'trit·ed** *adj* **1.** abgenützt, abgegriffen: ~ coin. **2.** *geol.* verwittert, Geröll... **de'tri·tion** [-'triʃən] *s* Zer-, Abreibung *f*, Abnützung *f*. **de'tri·tus** [-'traitəs] *s geol.* Geröll *n*, Schutt *m*.

de·trun·cate [di'trʌŋkeit; diː-] *v/t* beschneiden, stutzen, kürzen.

deuce [djuːs] *s* **1.** *Kartenspiel, Würfeln*: Zwei *f*: ~-ace a) Wurf *m* mit e-r Zwei u. e-r Eins, b) *fig.* Pech *n*. **2.** *Tennis*: Einstand *m*. **3.** *sl.* (*als Ausruf od. intens*) Teufel *m*: how (who *etc*) the ~ wie (wer *etc*) zum Teufel; ~ take it! hol's der Teufel; ~ knows weiß der Teufel; the ~ he can! nicht zu glauben, daß er es kann!; ~ a bit nicht im geringsten; a ~ of a row ein Mordskrach (*Lärm od. Streit*); to play the ~ with Schindluder treiben mit; there will be the ~ to pay das setzt noch was ab; **'deu·ced** [-sid; -st] *adj*, **'deu·ced·ly** [-sidli] *adv sl.* verteufelt, verflixt, verwünscht.

deu·te·ri·um [djuː'ti(ə)riəm] *s chem.* Deu'terium *n*, schwerer Wasserstoff. **~ ox·ide** *s chem.* Deu'teriumoˌxyd *n*, schweres Wasser.

deutero- [djuːtəro] *Wortelement mit der Bedeutung* zweit(er, e, es).

deu·ter·on ['djuːtəˌrɒn] *s phys.* Deuteron *n*.

Deu·ter·on·o·mist [ˌdjuːtə'rɒnəmist] *s* Verfasser *m* des 5. Buches Mose. **ˌDeu·ter'on·o·my** *s Bibl.* Deutero'nomium *n*, Fünftes Buch Mose.

deu·ter·op·a·thy [ˌdjuːtə'rɒpəθi] *s med.* Deuteropa'thie *f*, Sekun'därkrankheit *f*.

deu·to·plasm ['djuːtoˌplæzəm] *s biol.* Deuto'plasma *n* (*Nährplasma im Ei*).

de·val·u·ate [diː'væljuˌeit] *v/t econ.* abwerten. **ˌde·val·u'a·tion** *s econ.* Abwertung *f*. **de'val·ue** [-juː] → devaluate.

dev·as·tate ['devəsˌteit] *v/t* verwüsten, vernichten (*a. fig.*). **'dev·asˌtat·ing** *adj* (*adv* ~ly) **1.** verheerend (*a. fig.*). **2.** *sl.* ‚toll', e'norm, phan'tastisch. **3.** *fig.* niederschmetternd: ~ criticism vernichtende Kritik. **ˌdev·as'ta·tion** *s* Verwüstung *f*. **'dev·asˌta·tor** [-tər] *s* Verwüster(in).

de·vel·op [di'veləp] **I** *v/t* **1.** entwickeln: to ~ a theory; to ~ faculties Fähigkeiten entwickeln *od.* entfalten; to ~ muscles Muskeln entwickeln *od.* bilden. **2.** entwickeln, zeigen, an den Tag legen: to ~ an interest for s.th. **3.** werden lassen, gestalten (into zu). **4.** sich *e-e Krankheit* zuziehen: to ~ measles; to ~ a fever Fieber bekommen. **5.** *e-e Geschwindigkeit, Stärke etc* entwickeln, erreichen: to ~ a high speed. **6.** fördern, entwickeln, ausbauen: to ~ an industry. **7.** *Naturschätze, a. Bauland* erschließen, nutzbar machen. **8.** *e-n Gedanken, Plan etc, a. ein Verfahren* entwickeln, ausarbeiten: to ~ a method. **9.** *math.* a) *e-e Gleichung etc* entwickeln: to ~ an equation, b) *e-e Fläche* abwickeln: to ~ a surface. **10.** *mus. ein Thema* entwickeln, 'durchführen. **11.** *phot.* entwickeln. **12.** *mil. e-n Angriff* eröffnen. **II** *v/i* **13.** sich entwickeln (from aus): to ~ into sich entwickeln *od.* gestalten zu, zu *etwas* werden. **14.** (langsam) werden, entstehen, sich entfalten. **15.** *Am.* zu'tage treten, sich zeigen, bekanntwerden. **de'vel·op·a·ble** *adj* **1.** *allg.* entwicklungsfähig. **2.** *fig.* ausbaufähig: a ~ position. **3.** erschließbar. **4.** *phot.* entwickelbar. **5.** *math.* develop'pabel, abwickelbar: ~ surface. **de'vel·op·er** *s phot.* **1.** Entwickler(in). **2.** Entwickler(flüssigkeit *f*) *m*. **de'vel·op·ing** *adj bes. phot.* Entwicklungs...: ~ bath Entwicklungsbad *n*; ~ country *pol.* Entwicklungsland *n*.

de·vel·op·ment [di'veləpmənt] *s* **1.** *a. biol. math.* Entwicklung *f*: a new ~ in electronics; stage of ~ Entwicklungsstufe *f*; ~ engineer *tech.* Entwicklungsingenieur *m*. **2.** Entfaltung *f*, (Aus)Bildung *f*, Wachstum *n*, Werden *n*, Entstehen *n*. **3.** Ausbau *m*, Förderung *f*: ~ of business contacts. **4.** Erschließung *f*, Nutzbarmachung *f*: ~ of land; ~ area *econ. Br.* Entwicklungs-, Förderungsgebiet *n*. **5.** *Bergbau*: Aufschließung *f*. **6.** Entwicklung *f*: a) Darlegung *f*: ~ of an argument, b) Ausarbeitung *f*: ~ of new methods. **7.** *mus.* a) Entwicklung *f*, 'Durchführung *f*, b) 'Durchführung(steil *m*) *f*. **deˌvel·op'ment·al** [-'mentl] *adj* Entwicklungs...: ~ aid; ~ disease; ~ anatomy Entwicklungsgeschichte *f*; ~ program(me) Aufbauprogramm *n*.

de·vi·ant ['diːviənt] → deviate III.

de·vi·ate ['diːviˌeit] **I** *v/i* abweichen, abgehen (from von). **II** *v/t* ablenken. **III** *adj u. s* [-it; -ˌeit] *psych.* vom 'Durchschnitt abweichend(es Indi'viduum). **ˌde·vi'a·tion** *s* **1.** Abweichung *f*, Abweichen *n* (from von): standard ~ (*Statistik*) mittlere quadratische Abweichung. **2.** *a. opt. phys.* Ablenkung *f*. **3.** *phys. tech.* Abweichung *f*: ~ from linearity. **4.** *aer. mar.* Deviati'on *f*, Abweichung *f*, Ablenkung *f*, Fehlweisung *f* (*der Kompaßnadel*). **5.** a) *aer.* (Kurs)Versetzung *f*, b) *mar.* Kursabweichung *f*, c) *Seeversicherung*: unerlaubte Deviati'on *od.* Kursabweichung. **6.** *pol.* → deviationism. **ˌde·vi'a·tion·ism** *s pol.* Abweichlertum *n*, Abweichen *n* von der Par'teilinie. **ˌde·vi'a·tion·ist** *s pol.* Abweichler(in). **'de·viˌa·tor** [-tər] *s* Abweichende(r *m*) *f*.

de·vice [di'vais] *s* **1.** Vor-, Einrichtung *f*, Gerät *n*. **2.** Erfindung *f*. **3.** (*etwas*) kunstvoll Erdachtes, Einfall *m*. **4.** Plan *m*, Pro'jekt *n*, Vorhaben *n*. **5.** Kunstgriff *m*, Kniff *m*, Trick *m*. **6.** Anschlag *m*, böse Absicht. **7.** *pl* Neigung *f*, Wille *m*: left to one's own ~s sich selbst überlassen. **8.** De'vise *f*, Motto *n*, Sinn-, Wahlspruch *m*. **9.** *her.* Sinnbild *n*. **10.** Zeichnung *f*, Plan *m*, Entwurf *m*, Muster *n*.

dev·il ['devl] **I** *s* **1.** Teufel *m*: a) the ~, *a.* the D~ (der) Satan (*a. fig.*), b) Höllengeist *m*, c) Dämon *m*, d) *fig.* Unhold *m*: a ~ in petticoats *colloq.* ein Weibsteufel; little ~ *colloq.* kleiner Racker; (poor) ~ armer Teufel *od.* Schlucker; between the ~ and the deep (blue) sea *fig.* zwischen zwei Feuern, in e-r bösen Zwickmühle; talk of the ~ (and he will appear) *colloq.* wenn man vom Teufel spricht, dann kommt er; like the ~ *colloq.* wie der Teufel, wie verrückt; to go to the ~ *sl.* zum Teufel *od.* vor die Hunde gehen; go to the ~! scher dich zum Teufel!; the ~ take the hindmost den letzten beißen die Hunde; the ~ and all *colloq.* a) alles denkbar Schlechte, b) alles Mögliche; there's the ~ to pay *colloq.* das dicke Ende kommt noch; the ~ is in it if *colloq.* es geht mit dem Teufel zu, wenn; the ~! *colloq.* a) (*verärgert*) zum Teufel!, zum Kuckuck!, b) (*erstaunt*) Donnerwetter!, da hört doch alles auf!; the ~ take it (him *etc*) *sl.* der Teufel soll es (ihn *etc*) holen; what (where, how *etc*) the ~ *colloq.* was (wo, wie *etc*) zum Teufel; ~s on horseback *Gericht aus knusprigen Speckstücken auf Austern*; to give the ~ his due jedem das Seine lassen; → tattoo[1] 2. **2.** *a.* ~ of a fellow *humor. od. colloq.* Teufelskerl *m*, toller Bursche. **3.** *colloq.* Draufgängertum *n*, Schneid *m*. **4.** *fig.* Laster *n*, Übel *n*, Teufel *m*: the ~ of drink. **5.** a (*od.* the) ~ *colloq. intens* a) e-e verteufelte Sache, b) ein Mordsding, e-e Mordssache: a (*od.* the) ~ of a mess ein Mordsdurcheinander; the ~ of a job e-e Mords- *od.* Heidenarbeit; isn't it the ~ das ist doch e-e verflixte Sache; the ~ of it das Vertrackte an der Sache; the ~ of a good joke ein verdammt guter Witz. **6.** *colloq. intens* (*als Verneinung*) nicht der (die, das) geringste: ~ a bit überhaupt nicht, nicht die Spur; ~ a one nicht ein einziger. **7.** Handlanger *m*: → printer's devil. **8.** Lohnschreiber *m*. **9.** Hilfsanwalt *m*. **10.** scharf gewürztes Pfannen- *od.* Grillgericht. **11.** Sprühteufel *m* (*Feuerwerk*). **12.** *tech.* a) Zer'kleinerungsmaˌschine *f*, *bes.* Reißwolf *m*, Holländer *m*, b) Holzgewindedrehbank *f*.
II *v/t pret u. pp* **'dev·iled,** *bes. Br.* **'dev·illed** **13.** *colloq.* j-n plagen, schika'nieren, ‚piesacken'. **14.** *tech. Lumpen etc* zerfasern, wolfen. **15.** *Speisen* scharf gewürzt grillen *od.* braten: → deviled.
III *v/i* **16.** Handlangerdienste tun (for für). **17.** *jur.* Hilfsanwalt sein.

'dev·il-ˌdodg·er *s colloq.* **1.** Betbruder *m*, -schwester *f*. **2.** ‚Kanzelpauker' *m*.

dev·il·dom ['devldəm] *s* Hölle *f*.

dev·iled, *bes. Br.* **dev·illed** ['devld]

adj Kochkunst: fein zerhackt u. scharf gewürzt: ~ ham; ~ eggs gefüllte Eier.
'dev·il,fish *s ichth.* **1.** (*bes.* Flügel-)Rochen *m*, Teufelsfisch *m*. **2.** Krake *m*. **3.** Seeteufel *m*.
dev·il·ish ['devliʃ] **I** *adj* (*adv* ~ly) **1.** teuflisch. **2.** *colloq.* verteufelt, verdammt, höllisch, schrecklich. **II** *adv* **3.** → 2. **'dev·il·ish·ness** *s* **1.** (*das*) Teuflische. **2.** → devilry 1.
dev·illed *bes. Br. für* deviled.
'dev·il-may-'care *adj* **1.** leichtsinnig, ‚wurstig'. **2.** rücksichtslos. **3.** verwegen.
dev·il·ment ['devlmənt] *s* **1.** Unfug *m*, Schelme'rei *f*. **2.** böser Streich, Schurkenstreich *m*. **'dev·il·ry** [-ri] *s* **1.** Teufe'lei *f*, Untat *f*, Schurke'rei *f*. **2.** Schlechtigkeit *f*. **3.** wilde Ausgelassenheit, 'Übermut *m*. **4.** Teufelsbande *f*. **5.** Teufelskunst *f*.
dev·il's| ad·vo·cate *s R.C. u. fig.* Advo'catus *m* di'aboli, Teufelsanwalt *m*. ~ **bed·posts** *s pl sl. Kartenspiel*: Kreuz-, Eichel-Vier *f*. **'~-,bones** *s* Würfel(spiel *n*) *pl*. ~ **books** *s pl* Gebetbuch *n* des Teufels, Spielkarten *pl*. ~ **darn·ing nee·dle** *s* **1.** *zo.* Li'belle *f*. **2.** *bot.* a) Nadelkerbel *m*, b) → devil's hair. ~ **doz·en** *s sl.* Dreizehn *f*. ~ **food (cake)** *s Am.* schwere, dunkle Schoko'ladentorte. **'~-'hair** *s bot.* Vir'ginische Waldrebe. **'~-,milk** *s bot.* **1.** Garten-Wolfsmilch *f*. **2.** Sonnen-Wolfsmilch *f*.
dev·il·try ['devltri] *Br. dial. od. Am. für* devilry.
dev·il wor·ship *s* Teufelsanbetung *f*, [-dienst *m*.]
de·vi·ous ['di:viəs] *adj* (*adv* ~ly) **1.** abwegig, irrig, falsch: ~ **arguments**; ~ step Fehltritt *m*. **2.** gewunden (*a. fig.*): ~ path Ab-, Umweg *m*. **3.** um'herirrend. **4.** verschlagen, unaufrichtig, falsch: **by** ~ **means** auf krummen Wegen, ‚hintenherum'. **5.** abgelegen: ~ coasts. **'de·vi·ous·ness** *s* **1.** Abwegigkeit *f*. **2.** Gewundenheit *f*. **3.** Verschlagenheit *f*, Unaufrichtigkeit *f*.
de·vis·a·ble [di'vaizəbl] *adj* **1.** erfindbar, erdenkbar, erdenklich. **2.** *jur.* vermachbar, vererbbar.
de·vise [di'vaiz] **I** *v/t* **1.** erdenken, ausdenken, ersinnen, erfinden: to ~ **ways and means** Mittel u. Wege ersinnen. **2.** *jur. bes. Grundbesitz* (letztwillig) vermachen, hinter'lassen (to s.o. j-m). **3.** *obs.* trachten nach. **4.** *obs.* a) sich vorstellen, begreifen, b) ahnen. **II** *s* **5.** *jur.* a) Hinter'lassung *f*, b) Vermächtnis *n*, c) Testa'ment *n*. **de·vi·see** [di,vai'zi:; ,devi'zi:] *s jur.* Vermächtnisnehmer(in), Testa'mentserbe *m*, -erbin *f* (*von Grundbesitz*). **de'vis·er** *s* **1.** Erfinder(in). **2.** Planer(in). **3.** → devisor. **de'vi·sor** [-zər; -zɔ:r] *s jur.* Erb-lasser(in) (*von Grundbesitz*).
de·vi·tal·i·za·tion [di:,vaitəlai'zeiʃən] *s* Schwächung *f* der Lebenskraft. **de'vi·tal,ize** *v/t* entkräften, schwächen, der Lebenskraft berauben.
de·vit·ri·fy [di:'vitri,fai] *v/t* entglasen.
de·vo·cal·i·za·tion [di:,voukəlai'zeiʃən] *s ling.* Stimmlosmachen *n*. **de'vo·cal,ize** *v/t ling. e-n Laut* stimmlos machen.
de·void [di'vɔid; di:-] *adj*: ~ of ohne (*acc*), bar (*gen*), ermangelnd (*gen*), frei von: ~ of **feeling** gefühllos.
de·voir [də'vwɑ:r; 'dev-] *s* **1.** Pflicht *f*: **to do one's** ~ s-e Pflicht *od.* sein möglichstes tun. **2.** *pl* Höflichkeitsbezeigungen *pl*: **to pay one's** ~**s** to s.o. j-m s-e Aufwartung machen.
dev·o·lu·tion [*Br.* ,di:və'lu:ʃən; *Am.* ,dev-] *s* **1.** Ab-, Verlauf *m*: ~ of events, time, *etc.* **2.** *jur.* a) Erbfolge *f*, b) Über'tragung *f*, 'Übergang *m* (on, upon auf *acc*): ~ of property, rights, *etc*, c) Heimfall *m* (on, upon an *acc*). **3.** a) Über'tragung *f*: ~ of duties, functions, powers, *etc*, b) *parl.* Über'weisung *f* (upon a committee an e-n Ausschuß), c) *pol.* Dezentralisati'on *f*. **4.** *biol.* Degenerati'on *f*, Entartung *f*.
de·volve [di'vɒlv] **I** *v/t* (upon) *Rechte, Pflichten etc* über'tragen (*dat od.* auf *acc*), *contp.* abwälzen (auf *acc*): to ~ a duty. **II** *v/i* (on, upon, to) 'übergehen (auf *acc*), über'tragen werden (*dat od.* auf *acc*), zufallen (*dat*) (*Rechte, Pflichten, Besitz etc*): it ~d (up)on him to do es wurde ihm übertragen *od.* fiel ihm zu *od.* oblag ihm zu tun.
Dev·on ['devn] *s* Devon(vieh) *n*.
De·vo·ni·an [di'vouniən; de-] **I** *adj* **1.** de'vonisch (*Devonshire betreffend*). **2.** *geol.* de'vonisch. **II** *s* **3.** Bewohner(in) von Devonshire. **4.** *geol.* De'von *n*.
de·vote [di'vout] *v/t* **1.** *s-e Zeit, Gedanken, Anstrengungen etc* widmen, *etwas* weihen, 'hingeben, opfern (to *dat*): to ~ o.s. to a cause sich e-r Sache widmen *od.* verschreiben; to ~ o.s. to s.o. sich j-m widmen. **2.** weihen, 'hingeben, über'geben (to *dat*). **de'vot·ed** *adj* (*adv* ~ly) **1.** 'hingebungsvoll: a) aufopfernd, treu, b) anhänglich, zärtlich, c) eifrig, begeistert. **2.** gewidmet, geweiht. **3.** dem 'Untergang geweiht, todgeweiht.
dev·o·tee [,devo'ti:] *s* **1.** eifriger *od.* begeisterter Anhänger: jazz ~. **2.** glühender Verehrer *od.* Verfechter. **3.** (*bes. religiöser*) Eiferer, Fa'natiker *m*. **4.** (streng) religi'öser Mensch.
de·vo·tion [di'vouʃən] *s* **1.** Widmung *f*, Weihung *f*. **2.** 'Hingabe *f*: a) Ergebenheit *f*, Treue *f*, 'Hingegebenheit *f*, b) Aufopferung *f*, c) Eifer *m*, 'Hingebung *f*, d) Liebe *f*, Verehrung *f*, (innige) Zuneigung. **3.** *relig.* a) Andacht *f*, 'Hingebung *f*, Frömmigkeit *f*, b) *pl* Gebet *n*, Andacht(sübung) *f*. **de'vo·tion·al I** *adj* (*adv* ~ly) **1.** andächtig, fromm. **2.** Andachts..., Erbauungs...: ~ book. **II** *s* **3.** *Am.* (kurze) Andacht. **de'vo·tion·al·ist** *s* **1.** Andächtige(r *m*) *f*. **2.** Frömmler(in).
de·vour [di'vaur] *v/t* **1.** (gierig) verschlingen. **2.** *fig.* verzehren, verschlingen, wegraffen, vernichten. **3.** *fig. ein Buch* verschlingen. **4.** *fig.* (mit Blikken) verschlingen. **5.** *fig. j-n* verzehren, verschlingen: ~**ed by passion** von Leidenschaft verzehrt. **de'vour·ing** *adj* (*adv* ~ly) **1.** gierig. **2.** *fig.* verzehrend.
de·vout [di'vaut] *adj* (*adv* ~ly) **1.** fromm. **2.** andächtig, 'hingegeben. **3.** innig, inbrünstig. **4.** herzlich. **5.** eifrig. **de'vout·ness** *s* **1.** Frömmigkeit *f*. **2.** Andacht *f*, 'Hingabe *f*. **3.** Innigkeit *f*, Inbrunst *f*. **4.** Herzlichkeit *f*. **5.** Eifer *m*.
dew [dju:] **I** *s* **1.** Tau *m*. **2.** *fig.* Frische *f*, Schmelz *m*, Tau *m*. **3.** *fig.* Tau *m*, Feuchtigkeit *f* (*Tränen etc*). **II** *v/t* **4.** betauen, benetzen. **III** *v/i* **5.** tauen.
de·wan [di'wɑ:n] *s Br. Ind.* **1.** *pol.* a) Premi'ermi,nister *m* (*e-s indischen Staates*), b) *hist.* Fi'nanzmi,nister *m*. **2.** eingeborener Verwalter.
'dew|,ber·ry *s bot.* (*e-e*) Brombeere. **'~,claw** *s zo.* Afterklaue *f*. **'~,drop** *s* Tautropfen *m*. **'~,fall** *s* Taufall *m*.
dew·i·ness ['dju:inis] *s* (Tau)Feuchtigkeit *f*.
'dew|,lap *s* **1.** a) *zo.* Wamme *f*, b) *orn.* Hautlappen *m*. **2.** *colloq.* Doppelkinn *n*. ~ **point** *s phys.* Taupunkt *m*. ~ **pond** *s Br.* Tauteich *m*. ~ **rake** *s* leichter (Draht)Rechen (*für Rasen etc*). **'~,ret, '~,rot** *v/t Flachs* tau-rösten. ~ **worm** *s* großer Regenwurm.
dew·y ['dju:i] *adj* **1.** taufeucht, *a. fig.* taufrisch. **2.** feucht, benetzt. **3.** frisch, erfrischend.
dex·ter ['dekstər] *adj* **1.** recht(er, e, es), rechts(seitig). **2.** *her.* rechts (*vom Beschauer aus links*). **dex'ter·i·ty** [-'teriti] *s* **1.** Gewandtheit *f*, Geschicklichkeit *f*. **2.** Rechtshändigkeit *f*. **'dex·ter·ous** *adj* (*adv* ~ly) **1.** gewandt, geschickt, behend, flink. **2.** rechtshändig.
dex·tral ['dekstrəl] *adj* (*adv* ~ly) **1.** → dexter 1. **2.** rechtshändig.
dex·tran ['dekstrən], **'dex·trane** [-trein] *s chem.* Dex'tran *n*. **'dex·trin** [-trin], *a.* **'dex·trine** [-tri:n] *s chem.* Dex'trin *n*, Stärkegummi *n*, *m*.
dex·tro·gy·ra·tion [,dekstrodʒai'reiʃən], **,dex·tro·ro'ta·tion** [-ro'teiʃən] *s chem. phys.* Rechtsdrehung *f*. **,dex·tro·ro'ta·to·ry** [-ro'teitəri] *adj chem. phys.* rechtsdrehend.
dex·trose ['dekstrous] *s chem.* Dex'trose *f*, Traubenzucker *m*.
dex·trous ['dekstrəs] → dexterous.
'dex·trous·ness → dexterity.
'D-'flat *s mus.* Des *n*. ~ **ma·jor** *s* Des-Dur *n*. ~ **mi·nor** *s* des-Moll *n*.
dhar·ma ['dɑ:rmə] *s* Dharma *n* (*im Indischen alles, was als tragendes Prinzip aufgefaßt werden kann*).
dhoo·ti ['du:ti], **dho·ti** ['douti] *s* (*in Indien*) Lendentuch *n* (*der Männer*).
dhow [dau] *s mar.* D(h)au *f* (*arabisches Segelfahrzeug*).
di [di:] *s mus.* Di *n* (*Solmisationssilbe*).
di-[1] [dai] *Vorsilbe mit der Bedeutung* zwei, doppelt.
di-[2] [di] → dis-[1].
di-[3] [dai] → dia-.
dia- [daiə] *Vorsilbe mit den Bedeutungen* a) durch b) vollständig, c) sich trennend, d) entgegengesetzt.
di·a·base ['daiə,beis] *s min.* **1.** *Am.* Dia'bas *m*. **2.** *Br.* (*Art*) Ba'salt *m*.
di·a·be·tes [,daiə'bi:tiz; -ti:z] *s med.* Dia'betes *m*: a) *a.* **sugar** ~ Zuckerkrankheit *f*, b) Wasserharnruhr *f*. **,di·a'bet·ic** [-'betik; -'bi:-] *med.* **I** *adj* dia'betisch: a) zuckerkrank, b) Diabetes...: ~ diet Diabeteskost *f*. **II** *s* Dia'betiker(in), Zuckerkranke(r *m*) *f*.
di·a·ble·rie [di'ɑ:bləri], *a.* **di'ab·ler·y** [-'æb-] *s* **1.** Teufelskunst *f*, Zaube'rei *f*. **2.** Dämonolo'gie *f*. **3.** *fig.* a) Teufe'lei *f*, b) Hexensabbat *m*.
di·a·bol·ic [,daiə'bɒlik] *adj*; **,di·a'bol·i·cal** *adj* (*adv* ~ly) dia'bolisch, teuflisch, böse.
di·ab·o·lism [dai'æbə,lizəm] *s* **1.** Teufelswerk *n*, Teufe'lei *f*, Zaube'rei *f*. **2.** teuflische Besessenheit. **3.** Teufelslehre *f*. **4.** Teufelskult *m*. **di'ab·o,lize** *v/t* **1.** teuflisch machen. **2.** als Teufel darstellen. **di'ab·o·lo** [-lou] *s* Di'abolo(spiel) *n*.
di·ac·e·tate [dai'æsi,teit] *s chem.* ['Diace,tat *n*.]
di·ac·id [dai'æsid] *chem.* **I** *adj* zweisäurig (*Basen*). **II** *s* Disäure *f*.
di·ac·o·nal [dai'ækənl] *adj relig.* Diakons... **di'ac·o·nate** [-nit; -,neit] *s relig.* Diako'nat *n*.
di·a·crit·ic [,daiə'kritik] **I** *adj* dia'kritisch, unter'scheidend. **II** *s ling.* dia'kritisches Zeichen. **,di·a'crit·i·cal** → diacritic I.
di·ac·tin·ic [,daiæk'tinik] *adj phys.* die ak'tinischen Strahlen 'durchlassend.
di·a·del·phous [,daiə'delfəs] *adj bot.* dia'delphisch, zweibrüderig.

di·a·dem ['daiə,dem] *s* **1.** Dia'dem *n*, Stirnband *n*. **2.** Krone *f*. **3.** *fig.* Dia'dem *n*, Hoheit *f*, Herrscherwürde *f*.

di·aer·e·sis [dai'ɛ(ə)rəsis; *Br. a.* -'i(ə)r-] *s* **1.** *ling.* a) Diä'rese *f*, Di'äresis *f* (*getrennte Aussprache zweier Vokale*), b) Trema *n*. **2.** *metr.* Diä'rese *f*, Di'äresis *f* (*Verseinschnitt*).

di·a·ge·o·trop·ic [,daiə,dʒiːə'trɒpik] *adj bot.* transver'sal-geo,tropisch.

di·ag·nose [,daiəg'nouz; -s; *Br. a.* 'daiəg,nouz] *med.* **I** *v/t* diagnosti'zieren, bestimmen, feststellen (*a. weitS.*), *fig.* beurteilen, halten für. **II** *v/i* diagnosti'zieren, e-e Dia'gnose stellen. **,di·ag'no·sis** [-'nousis] *pl* **-ses** [-siːz] *s* **1.** *med.* Dia'gnose *f* (*a. fig.*): to make a ~ → diagnose II. **2.** Beurteilung *f* (*der Lage etc*), Bestimmung *f*, Befund *m*. **,di·ag'nos·tic** [-'nɒstik] *med.* **I** *adj* (*adv* ~ally) dia'gnostisch. **II** *s* a) Sym'ptom *n*, charakte'ristisches Merkmal (*a. fig.*), b) *meist pl* Dia'gnostik *f*. **,di·ag'nos·ti,cate** [-,keit] → diagnose. **,di·ag·nos'ti·cian** [-nɒs'tiʃən] *s med.* Dia'gnostiker(in).

di·ag·o·nal [dai'ægənl] **I** *adj* (*adv* ~ly) **1.** *math. tech.* diago'nal: ~ surface Diagonalfläche *f*; ~ cloth → 4; ~ line → 3. **2.** schräg(laufend), über Kreuz, Kreuz... **II** *s* **3.** *math.* Diago'nale *f*. **4.** schräggeripptes Gewebe.

di·a·gram ['daiə,græm] *s* **1.** Dia'gramm *n*, graphische Darstellung, Schema *n*, *tech. a.* Schau-, Kurvenbild *n*: functional ~ *tech.* Arbeitsplan *m*, Pfeilzeichnung *f*; wiring ~ *electr.* Schaltbild *n*, -plan *m*. **2.** *bot.* 'Blütendia,gramm *n*. **,di·a·gram'mat·ic** [-grə'mætik] *adj*; **,di·a·gram'mat·i·cal** *adj* (*adv* ~ly) graphisch, sche'matisch.

di·a·graph ['daiə,græ(ː)f; *Br. a.* -,grɑːf] *s tech.* Dia'graph *m* (*Zeichengerät*).

di·a·ki·ne·sis [,daiəki'niːsis; -kai-] *s biol.* Diaki'nese *f*.

di·al ['daiəl] **I** *s* **1.** *a.* ~ plate Zifferblatt *n* (*der Uhr*). **2.** *a.* ~ plate *tech.* Skala *f*, Skalenblatt *n*, -scheibe *f*: ~ ga(u)ge Meßuhr *f*; ~ light (*Radio*) Skalenbeleuchtung *f*. **3.** *teleph.* Wähl-, Nummernscheibe *f*: ~ telephone Selbstanschluß-, Selbstwähltelephon *n*; ~ (*od.* ~[l]ing) tone Amtszeichen *n*. **4.** *Bergbau*: Markscheide(r)kompaß *m*. **5.** *sl.* ‚Zifferblatt' *n*, ‚Vi'sage' *f* (*Gesicht*). **II** *v/t pret u. pp* **'di·aled,** *bes. Br.* **'di·alled 6.** *teleph.* wählen. **7.** *e-n Sender etc* einstellen. **8.** mit e-r Skala *etc* bestimmen *od.* messen.

di·al·co·hol [dai'ælkohɒl] *s chem.* Dialkohol *m*. **di'al·de,hyde** [-'ældi,haid] *s chem.* 'Dialde,hyd *n*.

di·a·lect ['daiə,lekt] *s* **1.** Dia'lekt *m*: a) Mundart *f*, b) Sprachzweig *m*: ~ atlas Sprachatlas *m*. **2.** Jar'gon *m*. **,di·a'lec·tal** *adj* (*adv* ~ly) dia'lektisch, mundartlich, Dialekt...

di·a·lec·tic [,daiə'lektik] **I** *adj* (*adv* ~ally) **1.** *philos.* dia'lektisch. **2.** spitzfindig. **3.** *ling.* → dialectal. **II** *s philos.* **4.** *oft pl* Dia'lektik *f*. **5.** dia'lektische Ausein'andersetzung. **6.** Spitzfindigkeit *f*. **7.** Dia'lektiker *m*.

di·a·lec·ti·cal [,daiə'lektikəl] *adj* (*adv* ~ly) → dialectic I. ~ **ma·te·ri·al·ism** *s philos.* dia'lektischer Materia'lismus.

di·a·lec·ti·cian [,daiəlek'tiʃən] *s* **1.** *philos.* Dia'lektiker *m*. **2.** *ling.* Mundartforscher *m*. **,di·a'lec·ti,cism** [-ti,sizəm] *s* **1.** *philos.* (*praktische*) Dia'lektik. **2.** *ling.* a) Mundartlichkeit *f*, b) Dia'lektausdruck *m*. **,di·a·lec'tol·o·gy** [-'tɒlədʒi] *s ling.* Mundartforschung *f*.

di·a·log *Am. für* dialogue.

di·a·log·ic [,daiə'lɒdʒik] *adj* (*adv* ~ally) dia'logisch, in Dia'logform. **di'al·o,gism** [-'ælə,dʒizəm] *s* Dialo'gismus *m*, (gedachte) Diskussi'on in Gesprächsform. **di'al·o·gist** *s* **1.** Teilnehmer(in) an e-m Dia'log. **2.** Verfasser(in) e-s Dia'logs. **di'al·o,gize** *v/i* e-n Dia'log führen.

di·a·logue, *Am. a.* **di·a·log** ['daiəlɒg] *s* **1.** Dia'log *m*, (Zwie)Gespräch *n*. **2.** Dia'log-, Gesprächsform *f*: written in ~. **3.** Dialo'gismus *m* (*Werk in Dialogform*).

di·al·y·sis [dai'ælisis] *pl* **-ses** [-,siːz] *s* **1.** *chem.* Dia'lyse *f*. **2.** Trennung *f*, Auflösung *f*. **'di·a,lyze** *v/t chem.* dialy'sieren. **'di·a,lyz·er** *s chem.* Dialy'sator *m*.

di·a·mag·net·ic [,daiəmæg'netik] *adj* (*adv* ~ally) *phys.* diama'gnetisch.

di·am·e·ter [dai'æmitər] *s* **1.** *math.* Dia'meter *m*, 'Durchmesser *m*: in ~ im Durchmesser. **2.** 'Durchmesser *m*, Dicke *f*, Stärke *f*: inside ~ Innendurchmesser, lichte Weite. **di'am·e·tral** [-trəl] → diametrical.

di·a·met·ric [,daiə'metrik] → diametrical 1.

di·a·met·ri·cal [,daiə'metrikəl] *adj* (*adv* ~ly) **1.** dia'metrisch. **2.** *fig.* diame'tral, genau entgegengesetzt: ~ opposites diametrale Gegensätze.

di·a·mine ['daiə,miːn; ,daiə'miːn] *s chem.* Dia'min(overbindung *f*) *n*.

di·a·mond ['daiəmənd; 'daim-] **I** *s* **1.** *min.* Dia'mant *m*: ~ cut ~ ‚Wurst wider Wurst', wie du mir, so ich dir; ~ in the rough → rough diamond; → black diamond. **2.** *tech.* Dia'mant *m*, Glasschneider *m*. **3.** *math.* Raute *f*, Rhombus *m*. **4.** *Kartenspiel*: a) Karo *n*, b) Karokarte *f*. **5.** *Baseball*: a) (*rautenförmiges*) Spielfeld, b) 'Malqua,drat *n*. **6.** *print.* Dia'mant *f* (*Schriftgrad*). **II** *v/t* **7.** (wie) mit Dia'manten schmücken. **III** *adj* **8.** dia'manten. **9.** Diamant... **10.** rhombisch, rautenförmig. ~ **cut·ter** *s* Dia'mantschleifer *m*. ~ **drill** *s tech.* Dia'mantbohrer *m*: a) *Bohrer für Diamanten*, b) *Bohrer mit Diamantspitze*. ~ **field** *s* Dia'mantenfeld *n*. ~ **ju·bi·lee** *s* dia'mantenes Jubi'läum. ~ **mine** *s* Dia'mantmine *f*. ~ **pane** *s* rautenförmige Fensterscheibe. ~ **pen·cil** *s tech.* 'Glaserdia,mant *m*. ~ **point** *s tech.* **1.** Rautenstichel *m*. **2.** *rail.* a) *pl* Schnitt-Eckpunkte *pl* e-s Kreuzungsherzstücks, b) spitzer Winkel. **'~-,point(·ed)** *adj tech.* mit rautenförmiger Spitze: ~ tool Spitzstahl *m*. ~ **saw** *s tech.* Dia'mantsäge *f*. ~ **wed·ding** *s* dia'mantene Hochzeit.

Di·an·a [dai'ænə] *s* **1.** *poet.* Mond *m*. **2.** *fig.* Di'ana *f* (*Reiterin, Jägerin, graziöses od. sprödes Mädchen*).

di·an·drous [dai'ændrəs] *adj bot.* di'andrisch, zweimännig.

di·a·nod·al [,daiə'noudl] *adj math.* durch (e-n) Knoten gehend (*Kurven*), Knoten...

di·an·thus [dai'ænθəs] *s bot.* Nelke *f*.

di·a·pa·son [,daiə'peizn; -sn] *s* **1.** *antiq. mus.* Diapa'son *m, n*, Ok'tave *f*. **2.** *mus.* a) gesamter Tonbereich, b) 'Ton,umfang *m*. **3.** *mus.* Men'sur *f* (*e-s Instruments*). **4.** *mus.* a) 8-Fuß-Ton *m*, b) *a.* open ~ Prinzi'pal *n* (*der Orgel*). **5.** *a.* ~ normal *mus.* Nor'malstimmung *f*, Kammerton *m*. **6.** *mus.* Stimmgabel *f*. **7.** Zs.-Klang *m*, Harmo'nie *f*. **8.** *fig.* 'Umfang *m*, Bereich *m*.

di·a·per ['daiəpər] **I** *s* **1.** Di'aper *m*, Gänseaugenstoff *m* (*Jacquardgewebe aus Leinen od. Baumwolle*). **2.** *a.* ~ pattern Di'aper-, Kantenmuster *n*. **3.** Windel *f*: ~ rash *med.* Wundsein *n* (*beim Säugling*). **4.** Monatsbinde *f*. **II** *v/t* **5.** mit (e-m) Di'apermuster verzieren.

di·a·phane ['daiə,fein] *s* 'durchsichtige Sub'stanz.

di·aph·a·nom·e·ter [dai,æfə'nɒmitər] *s* Diaphano'meter *n*, Transpa'renzmesser *m*. **di'aph·a·nous** *adj* (*adv* ~ly) 'durchsichtig, transpa'rent (*a. fig.*).

di·a·pho·ret·ic [,daiəfo'retik] *adj u. s med.* schweißtreibend(es Mittel).

di·a·phragm ['daiə,fræm] *s* **1.** *anat.* Dia'phragma *n*: a) Scheidewand *f*, b) *bes.* Zwerchfell *n*. **2.** *phys.* 'halb,durchlässige Schicht *od.* Scheidewand *od.* Mem'bran(e). **3.** *teleph. etc* Mem'bran(e) *f*. **4.** *opt. phot.* Blende *f*. **5.** *bot.* Dia'phragma *n*. **6.** *med.* Pes'sar *n* (*zur Empfängnisverhütung*). ~ **pump** *s tech.* Mem'branpumpe *f*. ~ **shut·ter** *s phot.* Dia'phragmenverschluß *m*. ~ **valve** *s tech.* Mem'branven,til *n*.

di·a·pos·i·tive [,daiə'pɒzitiv] *s phot.* Diaposi'tiv *n*.

di·arch·y ['daiɑːrki] *s* Diar'chie *f*, Doppelherrschaft *f*.

di·ar·i·al [dai'ɛ(ə)riəl], **di'ar·i·an** *adj* Tagebuch... **di·a·rist** ['daiərist] *s* Tagebuchschreiber(in). **'di·a,rize I** *v/t* ins Tagebuch eintragen. **II** *v/i* (ein) Tagebuch führen.

di·ar·rh(o)e·a [,daiə'riːə] *s med.* Diar'rhöe *f*, 'Durchfall *m*: verbal ~ *humor.* ‚Mauldiarrhöe'. **,di·ar'rh(o)e·al, ,di·ar'rh(o)e·ic** *adj med.* Durchfall...

di·a·ry ['daiəri] *s* **1.** Tagebuch *n*. **2.** No'tizbuch *n*, 'Taschenka,lender *m*. **3.** Ter'minka,lender *m*.

Di·as·po·ra [dai'æspərə] *s* Di'aspora *f*: a) *hist. die seit dem babylonischen Exil außerhalb Palästinas lebenden Juden*, b) *die unter Heiden lebenden Judenchristen*, c) *relig.* (*bes. christliche*) Streugemeinde.

di·a·stase ['daiə,steis] *s biol. chem.* [Dia'stase *f*.]

di·as·to·le [dai'æstəli; -,liː] *s* **1.** *physiol.* ('Herz)Di,astole *f*. **2.** *metr.* Di'astole *f*, metrische Dehnung.

di·as·tro·phism [dai'æstrə,fizəm] *s geol.* Veränderung *f* der Erdoberfläche.

di·a·ther·mic [,daiə'θəːrmik] *adj* **1.** *phys.* dia'therm, diather'man, 'ultrarot-, 'wärme,durchlässig. **2.** *med.* dia'thermisch. **,di·a'ther·mize** *v/t med.* dia'thermisch behandeln. **,di·a'ther·mous** → diathermic. **'di·a,ther·my** *s med.* Diather'mie *f*.

di·ath·e·sis [dai'æθisis] *pl* **-ses** [-,siːz] *s* Dia'these *f*: a) *med.* Anlage *f*, Dispositi'on *f*, Empfänglichkeit *f* (to für), b) *allg.* Neigung *f*, Anlage *f*.

di·a·tom ['daiə,tɒm] *s bot.* Diato'mee *f*, Kieselalge *f*. **,di·a·to'ma·ceous** [-to'meiʃəs] *adj bot.* Diatomeen...: ~ earth *geol.* Diatomeenerde *f*, Kieselgur *f*.

di·a·tom·ic [,daiə'tɒmik] *adj chem.* **1.** 'zweia,tomig. **2.** zweiwertig.

di·a·ton·ic [,daiə'tɒnik] *adj mus.* dia'tonisch.

di·a·tribe ['daiə,traib] *s* Ausfall *m*, gehässiger Angriff, Hetz- *od.* Schmährede *f od.* -schrift *f*.

di·az·o·a·min(e) [dai,æzoə'miːn] *s chem.* Diazoa'minoverbindung *f*.

dib[1] [dib] *v/i Angeln*: den Köder (*im Wasser*) auf u. ab hüpfen lassen.

dib[2] [dib] *s* **1.** *pl Br. Kinderspiel mit Steinchen od.* (*Schafs*)*Knöchelchen*. **2.** Spielmünze *f*, -marke *f*. **3.** *pl sl.* ‚Mo'neten' *pl*, ‚Zaster' *m* (*Geld*).

di·bas·ic [dai'beisik] *adj chem.* zweibasisch.
dib·ber ['dibər] *s* **1.** → dibble[1] 1. **2.** *mil.* Minenlegestab *m.*
dib·ble[1] ['dibl] *agr.* **I** *s* **1.** Dibbelstock *m,* Pflanz-, Setzholz *n.* **II** *v/t* **2.** mit e-m Setzholz pflanzen. **3.** (*mit dem Setzholz*) Löcher machen in (*acc*). **III** *v/i* **4.** dibbeln.
dib·ble[2] ['dibl] → dib[1].
di·ben·zyl [dai'benzil; ˌdaiben'zil] *adj chem.* zwei Ben'zylgruppen enthaltend.
di·bran·chi·ate [dai'bræŋkiit; -kiˌeit] *adj ichth.* zweikiemig.
di·car·bon·ate [dai'kɑːrbəˌneit] *s chem.* **1.** Dikarbo'nat *n.* **2.** → dicarboxylate. ˌ**di·car'box·yl·ate** [-'bɒksileit] *s chem.* Dicarboxy'lat *n.*
dice [dais] **I** *s* **1.** *pl von* die[2] 1, 2, 3: → load 15, loaded 2. **II** *v/t* **2.** *Kochkunst*: in Würfel schneiden. **3.** würfeln: to ~ away beim Würfeln verlieren. **4.** würfeln, mit e-m Würfel- *od.* Karomuster verzieren. **5.** *mil. Am.* Luftaufnahmen machen von. **III** *v/i* **6.** würfeln, knobeln. **7.** *mil. Am.* (im Tiefflug) Luftaufnahmen machen. '~ˌ**box** *s* Würfel-, Knobelbecher *m*: ~ insulator *electr.* Puppenisolator *m.*
di·cen·tra [dai'sentrə] *s bot.* Tränendes Herz.
di·ceph·a·lous [dai'sefələs] *adj* doppel-, zweiköpfig.
dic·er ['daisər] *s* **1.** Würfelspieler(in). **2.** *Am.* 'Würfelˌschneidmaˌschine *f.* **3.** *Am. sl.* ‚Me'lone' *f,* steifer Hut.
dich- [daik] → dicho-.
di·chlo·ride [dai'klɔːraid], *a.* **di'chlo·rid** [-rid] *s chem.* Dichlo'rid *n.*
dicho- [daiko] *Wortelement mit der Bedeutung* in zwei Teilen, paarig.
di·chog·a·my [dai'kɒgəmi] *s bot.* Dichoga'mie *f.*
di·chot·o·mize [dai'kɒtəˌmaiz] *v/t* **1.** aufspalten. **2.** *bot. zo., a. Logik*: dicho'tomisch anordnen. **3.** *Systematik*: auf e-n zweigabeligen Bestimmungsschlüssel verteilen. **4.** *astr. bes. den Mond* halb beleuchten. **di'chot·o·my** [-mi] *s* Dichoto'mie *f*: a) (Zwei)Teilung *f,* (Auf)Spaltung *f,* b) *Logik*: Diä'rese *f,* Zweiteilung *f* (*Begriffsanordnung*), c) *bot. zo.* (wieder'holte) Gabelung, d) *astr.* Halbsicht *f.*
di·chro·ic [dai'krouik] *adj* **1.** *min.* dichro'itisch (*Kristall*). **2.** → dichromatic. '**di·chroˌism** *s* **1.** *opt.* Dichro'ismus *m.* **2.** → dichromatism. ˌ**di·chro'it·ic** → dichroic.
di·chro·mat·ic [ˌdaikro'mætik] *adj* **1.** *bes. biol.* dichro'matisch, zweifarbig. **2.** *med.* a) dichro'mat, parti'ell farbenblind, b) die Dichromato'psie betreffend. **di·chro·ma·tism** [dai'kroumaˌtizəm] *s* **1.** Zweifarbigkeit *f.* **2.** *med.* Dichromato'psie *f.*
di·chro·mic[1] [dai'kroumik] *adj* **1.** → dichroic 1. **2.** → dichromatic 2 b.
di·chro·mic[2] [dai'kroumik] *adj chem.* zwei Radi'kale der Chromsäure enthaltend.
di·chro·mic| ac·id *s chem.* Di'chromsäure *f.* ~ **vi·sion** *s med.* Dichromato'psie *f.*
dick[1] [dik] *s sl.* **1.** Reitpeitsche *f.* **2.** *Am.* ‚Schnüffler' *m* (*Detektiv*): private ~ Privatdetektiv *m.*
dick[2] [dik] *s sl. abbr. für* declaration: to take one's ~ that schwören, daß; up to ~ tadellos.
Dick[3] [dik] *npr abbr. für* Richard.
dick·ens ['dikinz] *s sl. euphem.* Teufel *m*: what (how) the ~! was (wie) zum Teufel *od.* Kuckuck!
Dick·en·si·an [di'kenziən] **I** *s* Bewunderer *m od.* Kenner *m* der Werke Dickens'. **II** *adj* dickenssch(er, e, es).
dick·er[1] ['dikər] *Am.* **I** *s* **1.** Schacher *m,* ‚Kuhhandel' *m.* **2.** Tauschhandel *m.* **II** *v/i* **3.** feilschen, schachern (for um). **4.** tauschen, Tauschgeschäfte machen.
dick·er[2] ['dikər] *s econ.* zehn Stück (*Zählmaß bes. für Felle*).
dick·ey[1] ['diki] *s colloq.* **1.** Hemdbrust *f.* **2.** (Blusen)Einsatz *m.* **3.** *Am.* leinener (Hemd)Kragen. **4.** (Kinder-)Lätzchen *n od.* (-)Schürzchen *n.* **5.** Esel *m.* **6.** *a.* ~**bird** Vögelchen *n,* Piepmatz *m.* **7.** Bedientensitz *m.* **8.** *mot.* Rück-, Klapp-, Notsitz *m.*
dick·ey[2] ['diki] *adj colloq.* wack(e)lig, ‚mau', ‚mies'.
dick·y → dickey[1] 6 *u.* dickey[2].
di·cli·nism ['daikliˌnizəm] *s bot.* Getrenntgeschlechtigkeit *f.*
di·cot·y·le·don [ˌdaiˌkɒti'liːdən] *s bot.* Diko'tyle *f,* zweikeimblättrige Pflanze. ˌ**di·cot·y'le·don·ous** [-'liːdənəs] *adj bot.* diko'tyl, zweikeimblättrig.
di·crot·ic [dai'krɒtik] *adj med.* di'krot(isch), doppelschlägig (*Puls*).
dic·ta ['diktə] *pl von* dictum.
dic·tate [dik'teit; *Am. a.* 'dikteit] **I** *v/t* (to *dat*) **1.** *e-n Brief etc* dik'tieren: to ~ a letter to s.o. **2.** dik'tieren: a) vorschreiben, gebieten: necessity ~s it die Not gebietet es, b) auferlegen, aufzwingen: to ~ terms to s.o. **3.** eingeben, -flößen. **II** *v/i* **4.** dik'tieren, ein Dik'tat geben: dictating machine Diktiergerät *n.* **5.** dik'tieren, befehlen, herrschen: to ~ to s.o. j-n beherrschen, j-m Befehle geben; he will not be ~d to er läßt sich keine Vorschriften machen; as the situation ~s wie es die Lage gebietet *od.* erfordert. **III** *s* ['dikteit] **6.** Gebot *n,* Befehl *m,* Dik'tat *n*: the ~s of conscience (reason) das Gebot des Gewissens (der Vernunft). **dic'ta·tion** *s* **1.** Dik'tat *n*: a) Dik'tieren *n,* b) Dik'tatschreiben *n,* c) dik'tierter Text. **2.** Gebot *n,* Geheiß *n.*
dic·ta·tor [dik'teitər; *Am. a.* 'dikteitər] *s* Dik'tator *m* (*a. fig.*), 'unumˌschränkter Machthaber, Gewalthaber *m.* ˌ**dic·ta'to·ri·al** [-tə'tɔːriəl] *adj* (*adv* ~ly) dikta'torisch: a) gebieterisch, autori'tär, b) abso'lut, 'unumˌschränkt: ~ power. **dic'ta·torˌship** *s* Dikta'tur *f,* Gewaltherrschaft *f*: the ~ of the proletariat *pol.* die Diktatur des Proletariats. **dic'ta·tress** [-tris] *s* Dikta'torin *f.*
dic·tion ['dikʃən] *s* **1.** Dikti'on *f,* Ausdrucks-, Redeweise *f,* Sprache *f,* Stil *m.* **2.** (*gesprochene*) Sprache, Vortrag *m.* **3.** *Am.* Aussprache *f.*
dic·tion·ar·y ['dikʃənəri] *s* **1.** Wörterbuch *n,* Lexikon *n*: a French-English ~; pronouncing ~ Aussprachewörterbuch. **2.** (*bes.* einsprachiges) enzyklo'pädisches Wörterbuch. **3.** Lexikon *n,* Enzyklopä'die *f*: a walking (*od.* living) ~ *fig.* ein wandelndes Lexikon. **4.** *fig.* Vokabu'lar *n,* Terminolo'gie *f.* ~ **cat·a·log(ue)** *s* alpha'betisches Bücherverzeichnis.
dic·to·graph ['diktəˌgræ(ː)f; *Br. a.* -ˌgrɑːf] *s teleph.* Abhörgerät *n.*
dic·tum ['diktəm] *pl* **-ta** [-tə], **-tums** *s* **1.** autorita'tiver Ausspruch *od.* Entscheid. **2.** *jur.* richterlicher Ausspruch. **3.** Diktum *n,* Ausspruch *m,* Ma'xime *f,* geflügeltes Wort.
did [did] *pret von* do[1].
di·dac·tic [dai'dæktik; *Br. a.* di-] **I** *adj* (*adv* ~ally) **1.** di'daktisch, lehrhaft, belehrend: ~ poem Lehrgedicht *n.* **2.** belehrend, schulmeisternd. **II** *s* **3.** *pl* (*als sg konstruiert*) Di'daktik *f,* 'Unterrichtslehre *f.* **di'dac·ti·cal** *adj* (*adv* ~ly) → didactic I. **di'dac·tiˌcism** [-tiˌsizəm] *s* **1.** di'daktische Me'thode. **2.** (*das*) Di'daktische, Lehrhaftigkeit *f.*
di·dap·per ['daiˌdæpər] → dabchick.
did·dle[1] ['didl] *v/t sl.* beschwindeln, betrügen, übers Ohr hauen.
did·dle[2] ['didl] *colloq. od. dial.* **I** *v/i* her'umzappeln. **II** *v/t* hüpfen lassen.
did·n't ['didnt] *colloq. für* did not.
di·do ['daidou] *pl* **-do(e)s** *s Am. colloq.* Kapri'ole *f*: to cut (up) ~(e)s Kapriolen machen.
didst [didst] *obs. od. poet. 2. sg pret von* do[1].
did·y·mous ['didiməs] *adj bot. zo.* doppelt, gepaart, Zwillings...
did·y·na·mi·an [ˌdidi'neimiən], **di·dyn·a·mous** [dai'dinəməs] *adj bot.* didy'namisch, zweimächtig.
die[1] [dai] *v/i pres p* **dy·ing** ['daiiŋ] **1.** sterben: to ~ by one's own hand Selbstmord begehen; to ~ of old age an Altersschwäche sterben; to ~ of hunger Hungers sterben, verhungern; to ~ for one's country für sein (Vater-)Land sterben; to ~ from a wound an e-r Verwundung sterben, e-r Verwundung erliegen; to ~ of boredom *fig.* vor Lange(r)weile (fast) umkommen; to ~ of (*od.* with) laughter *fig.* sich totlachen; to ~ a martyr als Märtyrer *od.* den Märtyrertod sterben; to ~ game kämpfend sterben (*a. fig.*); to ~ hard a) zählebig sein (*a. Sache*), ‚nicht tot zu kriegen sein', b) *fig.* nicht nachgeben wollen; to ~ in one's boots (*od.* shoes) a) e-s plötzlichen *od.* gewaltsamen Todes sterben, b) in den Sielen sterben; never say ~! nur nicht nachgeben!; → ditch 1; harness 1. **2.** eingehen (*Pflanze, Tier*), verenden (*Tier*). **3.** *bes. fig.* vergehen, erlöschen, ausgelöscht werden, aufhören. **4.** *oft* ~ out, ~ down, ~ away ersterben, vergehen, schwinden, sich verlieren: the sound ~d der Ton erstarb (verhallte *od.* verklang). **5.** *oft* ~ out, ~ down ausgehen, erlöschen. **6.** vergessen werden, in Vergessenheit geraten. **7.** nachlassen, schwächer werden, abflauen (*Wind etc*). **8.** absterben, stehenbleiben (*Motor*). **9.** (to, unto) sich lossagen (von), den Rücken kehren (*dat*): to ~ to the world; to ~ unto sin sich von der Sünde lossagen. **10.** (da'hin)schmachten. **11.** *meist* to be dying (for; to do) schmachten, sich sehnen (nach; danach, zu tun), brennen (auf *acc*; darauf, zu tun): he was dying for a drink; I am dying to see it ich möchte es schrecklich gern sehen.
Verbindungen mit Adverbien:
die| a·way *v/i* **1.** sich verlieren, ersterben, sich legen (*Wind*), verhallen, verklingen (*Ton*). **2.** ersterben, immer schwächer werden, langsam erlöschen, schwinden, vergehen: to ~ into the darkness sich im Dunkel verlieren. **3.** ohnmächtig werden. ~ **back** → die down 2. ~ **down** *v/i* **1.** → die away 1. **2.** *bot.* (von oben) absterben. ~ **off** *v/i* 'hin-, wegsterben. ~ **out** *v/i* **1.** (all'mählich) aufhören, vergehen. **2.** erlöschen (*Feuer*). **3.** aussterben (*a. fig.*).
die[2] [dai] *pl* (1—3) **dice** [dais] *od.* (4 *u.* 5) **dies** *s* **1.** Würfel *m*: the ~ is cast *fig.* die Würfel sind gefallen; to play at dice würfeln, knobeln, mit Würfeln spielen; as straight as a ~ a) pfeilgerade, b) *fig.* grundehrlich, -anständig; the dice are loaded against him die Chancen sind gegen ihn; to venture on the cast of a ~ auf e-n Wurf setzen; no ~! *Am. sl.* nichts zu machen! **2.** Würfel *m,* wür-

felförmiges Stück. **3.** *fig.* Zufalls-, Glücksspiel *n.* **4.** *arch.* Würfel *m* (*e-s Sockels*). **5.** *tech.* a) *print.* Prägestock *m*, -stempel *m*, b) Schneideisen *n*, -kluppe *f*, c) (Draht)Zieheisen *n*, d) Gesenk *n*, Gußform *f*, Ko'kille *f*: (female *od.* lower) ~ Matrize *f*; upper ~ Patrize *f*.

'die|-a,way *adj* schmachtend. **'~-,cast** *v/t irr tech.* spritzgießen, spritzen. **~ cast·ing** *s tech.* Spritzguß(stück *n*) *m.* **~ chuck** → die head. **'~-,cut** *v/t irr tech.* stempelschneiden. **'~-,hard I** *s* **1.** Dickschädel *m*, zäher u. unnachgiebiger Mensch, Unentwegte(r *m*) *f.* **2.** zählebige Sache. **3.** *pol.* hartnäckiger Reaktio'när, *bes.* ex'tremer Konserva'tiver. **4.** Die-hards *pl mil. Beiname des 57. brit. Infanterieregiments.* **II** *adj* **5.** hartnäckig, zäh, verstockt. **6.** nicht 'umzubringen(d). **~ head, ~ hold·er** *s tech.* **1.** Schneidkopf *m.* **2.** Setzkopf *m* (*e-s Niets*).

di·e·lec·tric [,daii'lektrik] *electr.* **I** *s* Dië'lektrikum *n.* **II** *adj* dië'lektrisch, nichtleitend: ~ constant Diëlektrizitätskonstante *f*; ~ strength Spannungs-, Durchschlagsfestigkeit *f.*

di·er·e·sis → diaeresis.

die·sel ['di:zəl] *adj* Diesel...: ~ engine; ~ oil; ~ cycle Dieselverfahren *n.*

die·sel·i·za·tion [,di:zəlai'zeiʃən] *s* 'Umstellung *f* auf Dieselbetrieb. **'die·sel,ize** *v/t* auf Dieselbetrieb 'umstellen.

'die,sink·er *s tech.* Werkzeugmacher *m* (*bes. für spanabhebende Werkzeuge u. Stanzwerkzeuge*).

di·e·sis ['daiəsis] *pl* **-ses** [-,si:z] *s* **1.** *print.* Doppelkreuz *n.* **2.** *mus.* Kreuz *n*, Erhöhungszeichen *n.*

di·es non ['daii:z'nɒn; 'di:eis] *s* **1.** *jur.* gerichtsfreier Tag. **2.** *fig.* Tag, der nicht zählt.

die stock *s tech.* Schneidkluppe *f.*

di·et[1] ['daiət] **I** *s* **1.** Nahrung *f*, Ernährung *f*, Speise *f*, (*a. fig. geistige*) Kost: full (low) ~ reichliche (magere) Kost; vegetable ~ vegetarische Kost. **2.** *med.* Di'ät *f*, Schon-, Krankenkost *f*: ~ kitchen Diätküche *f*; to be (put) (up)on a ~ auf Diät *etc* gesetzt sein, diät leben (müssen); to take a ~ → 4. **II** *v/t* **3.** *j-n* auf Di'ät setzen: to ~ o.s. → 4. **III** *v/i* **4.** Di'ät halten, diät leben.

di·et[2] ['daiət] *s* **1.** *pol.* (*bes. nicht brit. od. amer.*) Parla'ment *n*, *bes.* a) Reichstag *m*: Federal D~ Bundestag *m* (*Westdeutschland*), b) Reichsrat *m* (*Österreich*), c) Landtag *m* (*in deutschen Ländern*). **2.** Tagung *f.*

di·e·tar·y ['daiətəri] **I** *s* **1.** *med.* Di'ätzettel *m*, -vorschrift *f.* **2.** Speisezettel *m.* **3.** ('Speise)Rati,on *f* (*in Gefängnissen etc*). **II** *adj* **4.** Diät..., diä'tetisch.

,di·e'tet·ic [-'tetik] *adj*; **,di·e'tet·i·cal** *adj* (*adv* ~ly) *med.* diä'tetisch, Diät... **,di·e'tet·ics** *s pl* (*als sg konstruiert*) *med.* Diä'tetik *f*, Di'ätlehre *f*, -kunde *f.* **,di·e'tet·ist** → dietitian.

di·eth·yl [dai'eθil] *adj chem.* Diäthyl...

di·e·ti·tian, *a.* **di·e·ti·cian** [,daiə'tiʃən] *s med.* Diä'tetiker(in).

dif·fer ['difər] *v/i* **1.** sich unter'scheiden, verschieden sein, abweichen (from von): we ~ very much in that wir sind darin sehr verschieden; it ~s in being smaller es unterscheidet sich dadurch, daß es kleiner ist. **2.** ausein'andergehen (*Meinungen*). **3.** (from, with) nicht über'einstimmen (mit), anderer Meinung sein (als): I beg to ~ ich bin (leider) anderer Ansicht; → agree 4. **4.** diffe'rieren, sich nicht einig sein (on über *acc*).

dif·fer·ence ['difrəns; -fərəns] **I** *s* **1.** 'Unterschied *m*, Unter'scheidung *f*: to make no ~ between keinen Unterschied machen zwischen (*dat*); that makes a great ~ a) das macht viel aus, b) das ändert die Sach(lag)e, das ist von Bedeutung (to für); it makes no ~ (to me) es ist (mir) gleich(gültig), es macht (mir) nichts aus; it made all the ~ es änderte die Sache vollkommen, es gab der Sache ein ganz anderes Gesicht; what's the ~? was macht es schon aus?; **2.** 'Unterschied *m*, Verschiedenheit *f*: ~ of opinion Meinungsverschiedenheit. **3.** Diffe'renz *f* (*a. Börse*), 'Unterschied *m* (*in Menge, Grad etc*): ~ in price, price ~ Preisunterschied; to split the ~ a) *fig.* sich vergleichen, zu e-m Kompromiß kommen, b) sich in die Differenz teilen. **4.** *math.* Diffe'renz *f*: a) Rest *m*, b) Änderungsbetrag *m* (*e-s Funktionsgliedes*): ~ equation Differenzengleichung *f.* **5.** Uneinigkeit *f*, Diffe'renz *f*, Streit *m*, Meinungsverschiedenheit *f.* **6.** Streitpunkt *m.* **7.** Unter'scheidungsmerkmal *n.* **8.** Besonderheit *f*: a film with a ~ ein Film (von) ganz besonderer Art. **9.** *Logik*: → differentia; **II** *v/t* **10.** unter'scheiden (from von; between zwischen *dat*). **11.** e-n 'Unterschied machen zwischen (*dat*).

dif·fer·ent ['difrənt; -fərənt] *adj* (*adv* → differently) **1.** verschieden(artig): in three ~ places an 3 verschiedenen Orten. **2.** (from, *a.* than, to) verschieden (von), anders (als): that's ~! das ist etwas and(e)res!; it looks ~ es sieht anders aus. **3.** ander(er, e, es): that's a ~ matter das ist etwas and(e)res. **4.** besonder(er, e, es), individu'ell.

dif·fer·en·tial [,difə'renʃəl] **I** *adj* (*adv* ~ly) **1.** unter'scheidend, Unterscheidungs..., besonder(er, e, es), charakte'ristisch. **2.** 'unterschiedlich, verschieden. **3.** *electr. math. phys. tech.* Differential...: ~ equation; ~ geometry; ~ screw. **4.** *econ.* gestaffelt, Differential...: ~ tariff Differential-, Staffeltarif *m.* **5.** *geol.* selek'tiv. **II** *s* **6.** Unter'scheidungsmerkmal *n.* **7.** *math.* Differenti'al *n.* **8.** *tech.* → differential gear. **9.** *econ.* a) 'Fahrpreisdiffe,renz *f*, b) → differential rate, c) 'Lohn- *od.* Ge'haltsdiffe,renz *f*, -gefälle *n.* **~ brake** *s tech.* Differenti'albremse *f.* **~ cal·cu·lus** *s math.* Differenti'alrechnung *f.* **~ com·pound wind·ing** *s electr.* Gegenverbundwicklung *f.* **~ du·ties** *s pl econ.* Differenti'alzoll *m.* **~ gear, ~ gear·ing** *s tech.* Differenti'al-, Ausgleichs-, Wechselgetriebe *n.* **~ pis·ton** *s tech.* Stufen-, Differenti'alkolben *m.* **~ rate** *s rail. etc* 'Ausnahmeta,rif *m.*

dif·fer·en·ti·ate [,difə'renʃi,eit] **I** *v/t* **1.** e-n 'Unterschied machen, unter'scheiden (between zwischen *dat*). **2.** (unter)'scheiden, sondern, trennen (from von). **3.** (auf)teilen, zerlegen (into in *acc*). **4.** *a. biol.* differen'zieren, speziali'sieren: to be ~d → 6. **5.** *math.* differen'zieren, *e-e Funktion* ableiten. **II** *v/i* **6.** sich differen'zieren, sich unter'scheiden, sich entfernen, sich verschieden entwickeln (from von). **7.** differen'zieren, 'Unterschiede machen. **,dif·fer,en·ti'a·tion** *s* Differen'zierung *f*: a) Unter'scheidung *f*, b) (Aus)Sonderung *f*, (Auf)Teilung *f*, c) Speziali'sierung *f*: ~ of labo(u)r Arbeitsteilung, d) *math.* Differentiati'on *f*, Ableitung *f.*

dif·fer·ent·ly ['difərəntli] *adv* (from) anders (als), verschieden, 'unterschiedlich (von).

dif·fi·cult ['difikəlt; *bes. Am.* -,kʌlt] *adj* **1.** schwierig, schwer: ~ problem; ~ text; a ~ climb ein schwieriger *od.* mühsamer *od.* beschwerlicher Aufstieg. **2.** schwierig, schwer zu behandeln(d) (*Person*). **'dif·fi·cul·ty** [-kəlti; *bes. Am.* -,kʌlti] *s* **1.** Schwierigkeit *f*: a) Mühe *f*: with ~ mühsam, (nur) schwer; to have (*od.* find) ~ in doing s.th. Mühe haben, etwas zu tun; etwas schwierig finden, b) schwierige Sache, Pro'blem *n*, c) Hindernis *n*, 'Widerstand *m*: to make difficulties Schwierigkeiten bereiten (*Sache*) *od.* machen (*Person*). **2.** *oft pl* schwierige Lage, (*a.* Geld)Schwierigkeiten *pl*, Verlegenheit *f.*

dif·fi·dence ['difidəns] *s* Schüchternheit *f*, mangelndes Selbstvertrauen (in zu). **'dif·fi·dent** *adj* (*adv* ~ly) schüchtern, ohne Selbstvertrauen: to be ~ in singing sich scheuen zu singen.

dif·flu·ence ['difluəns] *s* Zerfließen *n*, Flüssigwerden *n.* **'dif·flu·ent** *adj* zerfließend.

dif·fract [di'frækt] *v/t phys.* beugen. **dif'frac·tion** [-kʃən] *s phys.* Beugung *f*, Diffrakti'on *f.* **dif'frac·tive** *adj phys.* beugend.

dif·fuse [di'fju:z] **I** *v/t* **1.** ausgießen, -schütten. **2.** *bes. fig.* verbreiten: to ~ heat (geniality, knowledge, rumo[u]rs, *etc*). **3.** *a. fig.* zersplittern, verzetteln: to ~ one's forces. **4.** *chem. phys.* diffun'dieren: a) zerstreuen, b) vermischen, c) durch'dringen: to be ~d sich vermischen. **II** *v/i* **5.** sich zerstreuen, sich verbreiten. **6.** *bes. chem. phys.* a) sich vermischen, b) diffun'dieren, (ein)dringen (into in *acc*). **III** *adj* [-'fju:s] (*adv* ~ly) **7.** dif'fus: a) weitschweifig, langatmig (*Stil, Autor*), b) (weit) zerstreut, verbreitet, c) nicht klar abgegrenzt. **dif'fused** *adj*, **dif'fus·ed·ly** [-zidli] *adv* dif'fus, zerstreut (*Licht*), verbreitet.

dif·fus·i·bil·i·ty [di,fju:zə'biliti] *s phys.* Diffusi'onsvermögen *n.* **dif'fus·i·ble** *adj* **1.** verbreitbar. **2.** *phys.* diffusi'onsfähig.

dif·fu·sion [di'fju:ʒən] *s* **1.** Ausbreitung *f*, Aus-, Zerstreuung *f.* **2.** *fig.* Verbreitung *f.* **3.** Weitschweifigkeit *f.* **4.** *chem. phys.* Diffusi'on *f.* **5.** *sociol.* Diffusi'on *f* (*Ausbreitung von Kulturerscheinungen*). **dif'fu·sive** [-siv] *adj* (*adv* ~ly) **1.** ausbreitungsfähig. **2.** sich aus- *od.* verbreitend. **3.** *fig.* weitschweifig. **4.** *phys.* Diffusions... **dif'fu·sive·ness** *s* **1.** Ausbreitungsfähigkeit *f.* **2.** *fig.* Weitschweifigkeit *f.* **3.** *phys.* Diffusi'onsfähigkeit *f.* **4.** Aus-, Verbreitung *f.* **,dif·fu'siv·i·ty** [-'siviti] *s phys.* Diffusi'onsvermögen *n.*

dig [dig] **I** *s* **1.** Graben *n*, Grabung *f.* **2.** *colloq.* (archäo'logische) 'Ausgrabung(sexpediti,on). **3.** *colloq.* Puff *m*, Stoß *m*: ~ in the ribs Rippenstoß *m.* **4.** *colloq.* (at) sar'kastische Bemerkung (über), (Seiten)Hieb (auf *j-n*). **5.** *ped. Am. sl.* ‚Büffler' *m* (*fleißiger Student*). **6.** *pl Br. colloq.* ‚Bude' *f*, (Stu'denten)Zimmer *n.* **II** *v/t pret u. pp* **dug** [dʌg], *selten* **digged 7.** graben in (*dat*): to ~ the ground. **8.** *oft* ~ up *den Boden* 'umgraben. **9.** *oft* ~ up, ~ out a) *etwas* ausgraben, b) *fig.* ausgraben, aufdecken, ans Tageslicht bringen, c) auftreiben, finden. **10.** *ein Loch etc* graben: to ~ a pit a) e-e (Fall)Grube ausheben, b) *fig.* e-e Falle stellen (for *dat*); to ~ one's way through s.th. sich e-n Weg durch etwas graben *od.* bahnen (*a. fig.*). **11.** eingraben, bohren: to ~ one's teeth into s.th. die Zähne in etwas graben *od.* schlagen. **12.** *colloq.* e-n Stoß geben (*dat*), stoßen, puffen: to ~ (spurs into) a horse e-m Pferd die Sporen geben. **13.** *Am. sl.* a) ‚ka'pieren', verstehen, b) etwas übrig haben für, ‚stehen auf' (*acc*), c) ‚ankieken', sich ansehen. **III** *v/i* **14.** graben, schürfen (for nach). **15.** *fig.* a) forschen (for nach), b) (into) (forschend) eindringen (in *acc*), (gründlich) stu'dieren (*acc*). **16.** → dig in 3. **17.** *oft* ~ away *Am. colloq.* ‚büffeln', ‚ochsen'. **18.** *Br. sl.* hausen, wohnen.

Verbindungen mit Adverbien:

dig| in I *v/t* **1.** eingraben: to dig o.s. in a) → 2, b) *fig.* sich verschanzen, feste Stellung beziehen. **II** *v/i* **2.** *mil.* sich eingraben, sich verschanzen. **3.** sich ‚ranmachen', sich e'nergisch an die Arbeit machen. ~ **out** → dig 9. ~ **up** → dig 8 *u.* 9.

di·gal·lic [dai'gælik] *adj chem.* tan'ninsauer: ~ acid Tanninsäure *f.*

di·gest [di'dʒest; dai-] **I** *v/t* **1.** *Speisen* verdauen. **2.** *med. etwas* verdauen helfen (*Medikament etc*). **3.** *fig.* verdauen, (innerlich) verarbeiten, in sich aufnehmen. **4.** über'legen, durch'denken. **5.** verwinden, (hin'unter)schlucken, ‚verdauen'. **6.** ordnen, in ein Sy'stem bringen, klassifi'zieren. **7.** *chem.* dige'rieren, aufschließen, -lösen. **II** *v/i* **8.** (s-e Nahrung) verdauen. **9.** sich verdauen lassen, verdaulich sein: to ~ well leicht verdaulich sein. **III** *s* ['daidʒest] **10.** Digest *m*, Auslese *f* (*a. Zeitschrift*), Auswahl *f* (of *aus Veröffentlichungen*). **11.** (of) a) Abriß *m* (*gen*), 'Überblick *m* (über *acc*), b) Auszug *m* (aus). **12.** *jur.* a) Gesetzessammlung *f*, b) the D~ die Di'gesten *pl*, die Pan'dekten *pl* (*Hauptbestandteil des Corpus juris civilis*). **di'gest·er** *s* **1.** *med.* verdauungsförderndes Mittel. **2.** Dampfkochtopf *m.* **3.** *chem. tech.* Auto'klav *m.* **di͵gest·i'bil·i·ty** *s* Verdaulichkeit *f*, Bekömmlichkeit *f.* **di'gest·i·ble** verdaulich, bekömmlich.

di·ges·tion [di'dʒestʃən; dai-] *s* **1.** *physiol.* Verdauung *f*: a) Verdauungstätigkeit *f*, b) *collect.* Ver'dauungsor͵gane *pl*: hard (easy) of ~ schwer (leicht) verdaulich. **2.** *fig.* Verdauung *f*, (innerliche) Verarbeitung. **3.** *fig.* Systemati'sierung *f*, Ordnen *n.* **di'ges·tive** [-tiv] **I** *adj* (*adv* ~ly) **1.** *med.* verdauungsfördernd, dige'stiv. **2.** bekömmlich. **3.** Verdauungs...: ~ canal, ~ system, ~ tract Verdauungskanal *m*, -system *n.* **II** *s* **4.** *med.* verdauungsförderndes Mittel. **di'ges·tive·ness** *s* Verdaulichkeit *f*, Bekömmlichkeit *f.*

dig·ger ['digər] *s* **1.** a) Gräber(in), b) Grab-, Erdarbeiter *m.* **2.** → gold digger 1. **3.** Grabgerät *n.* **4.** *tech.* a) 'Grabma͵schine *f* (*bes. Löffelbagger, Rodemaschine etc*), b) Ven'tilnadel *f.* **5.** *agr.* Kar'toffelroder *m.* **6.** D~, *a.* D~ Indian *primitiver Indianer.* **7.** *a.* ~ wasp *zo.* Grabwespe *f.* **8.** *sl.* australischer *od.* neu'seeländischer Sol'dat (*im 1. Weltkrieg*).

dig·ging ['digiŋ] *s* **1.** *pl* Schurf *m*, Schürfung *f*, *bes.* Goldbergwerk *n.* **2.** *pl* Aushub *m*, ausgeworfene Erde. **3.** *pl colloq.* ‚Bude' *f*, Behausung *f.*

dight [dait] *pret u. pp* **dight** *od.* **'dight·ed** *v/t obs. poet.* zurichten, schmücken.

dig·it ['didʒit] *s* **1.** *zo.* Finger *m od.* Zehe *f.* **2.** Fingerbreite *f* (³/₄ *Zoll* = *1,9 cm*). **3.** *astr.* astro'nomischer Zoll (¹/₁₂ *des Sonnen- od. Monddurchmessers*). **4.** *math.* a) e-e der Ziffern von 0-9, Einer *m*, b) Stelle *f*: three-~ number dreistellige Zahl. **'dig·it·al I** *adj* **1.** digi'tal, Finger...: ~ computer *tech.* Digitalrechner *m*; ~ signal *tech.* digitales *od.* numerisches Signal. **II** *s* **2.** *humor.* Finger *m.* **3.** *mus.* Taste *f.*

dig·i·ta·lin [͵didʒi'teilin; -'tæl-] *s chem.* Digita'lin *n.*

dig·i·ta·lis [͵didʒi'teilis; -'tæl-] *s* **1.** *bot.* Fingerhut *m.* **2.** *pharm.* Digi'talis *n.* **'dig·i·tal͵ism** [-tə͵lizəm] *s med.* Digi'talisvergiftung *f.*

dig·i·tate ['didʒi͵teit], *a.* **'dig·i͵tat·ed** [-id] *adj* **1.** *bot.* gefingert (*Blatt*). **2.** *zo.* mit Fingern *od.* fingerförmigen Fortsätzen. **3.** fingerförmig.

dig·i·ti·grade ['didʒiti͵greid] *zo.* **I** *adj* auf den Zehen gehend. **II** *s* Zehengänger *m.*

di·glot ['daiglɒt] *adj u. s* zweisprachig(e Ausgabe).

di·glyph ['daiglif] *s arch.* Di'glyph *m*, Zweischlitz *m.*

dig·ni·fied ['digni͵faid] *adj* würdevoll, würdig. **'dig·ni͵fy** [-͵fai] *v/t* **1.** ehren, auszeichnen. **2.** zieren, schmücken. **3.** Würde verleihen (*dat*). **4.** *contp.* hochtrabend benennen.

dig·ni·tar·y ['dignitəri] *s* **1.** Würdenträger(in). **2.** *relig.* Prä'lat *m.*

dig·ni·ty ['digniti] *s* **1.** Würde *f*: a) Hoheit *f*, Erhabenheit *f*, würdevolles Auftreten, b) Adel *m.* **2.** Würde *f*, Rang *m*, (hohe) Stellung: beneath my ~ unter m-r Würde; to stand (up)on one's ~ sich nichts vergeben, auf s-n Rang pochen. **3.** Größe *f*, Würde *f*: ~ of soul Seelengröße, -adel *m.* **4.** Würde *f*, Ansehen *n.*

di·go·neu·tic [͵daigo'nju:tik] *adj zo.* zweimal im Jahr brütend.

di·graph ['daigræ(:)f; *Br. a.* -grɑ:f] *s ling.* Di'graph *m* (*Verbindung von 2 Buchstaben zu einem Laut*).

di·gress [dai'gres; di-] *v/i meist fig.* abschweifen (from von, into in *acc*). **di'gres·sion** [-ʃən] *s meist fig.* Abschweifung *f*: to make a ~ abschweifen. **di'gres·sion·al, di'gres·sive** [-siv] *adj* (*adv* ~ly) **1.** abschweifend. **2.** abwegig.

digs [digz] *s pl* → dig 6.

di·he·dral [dai'hi:drəl] **I** *adj* **1.** *math.* di'edrisch, zweiflächig: ~ angle a) Flächenwinkel *m*, b) → 4. **2.** *aer.* V-förmig (*Tragflächen*). **II** *s* **3.** *math.* Di'eder *m*, Zweiflach *n*, -flächner *m.* **4.** *aer.* Neigungswinkel *m*, V-Form *f*, V-Stellung *f* (*der Tragflächen*).

di·he·dron [dai'hi:drən] → dihedral 3.

di·hex·a·he·dron [͵dai͵heksə'hi:drən] *s math.* Dihexa'eder *m.*

dike[1] [daik] **I** *s* **1.** Deich *m*, Damm *m.* **2.** a) Graben *m*, Ka'nal *m*, b) (*natürlicher*) Wasserlauf. **3.** Erdwall *m.* **4.** erhöhter Fahrdamm. **5.** *Scot.* Grenz-, Schutzmauer *f.* **6.** a) Schutzwall *m* (*a. fig.*), b) *fig.* Bollwerk *n.* **7.** *a.* ~ rock *geol.* Gangstock *m* (*erstarrten Eruptivgesteins*). **II** *v/t* **8.** eindämmen, -deichen.

dike[2] [daik] *v/t Am. colloq.* aufputzen, schmücken: (all) ~d out (*od.* up) aufgeputzt, ‚aufgedonnert'.

dik·er ['daikər] *s* Deich-, Dammarbeiter *m.*

'dike|͵reeve, ~ **ward·en** *s Br.* Deich-u. Ka'nalaufseher *m.*

dik·tat [dik'tɑ:t] *s* (*Ger.*) *pol.* Dik'tat *n.*

di·lap·i·date [di'læpi͵deit] **I** *v/t* **1.** *ein Haus etc* verfallen *od.* her'unterkommen lassen, rui'nieren. **2.** vergeuden, verschleudern: to ~ a fortune. **II** *v/i* **3.** verfallen, in Verfall geraten, her'unterkommen. **di'lap·i͵dat·ed** *adj* **1.** zer-, verfallen, baufällig. **2.** schäbig, verwahrlost. **di͵lap·i'da·tion** *s* **1.** Verfallenlassen *n*, Her'unterwirtschaften *n.* **2.** Zerfall *m* (*a. geol.*), Verfall *m*, Baufälligkeit *f.* **3.** Vergeudung *f.*

di·lat·a·bil·i·ty [dai͵leitə'biliti; di-] *s phys.* Dehnbarkeit *f*, (Aus)Dehnungsvermögen *n.* **di'lat·a·ble** *adj phys.* (aus)dehnbar. **di'lat·ant** *adj phys.* dila'tant.

dil·a·ta·tion [͵dilə'teiʃən; ͵dai-] *s* **1.** *phys.* Ausdehnung *f.* **2.** *med.* (*Herz- etc*)Erweiterung *f.* **3.** *med.* (künstliche) Erweiterung.

di·late [dai'leit; di-] **I** *v/t* **1.** (aus)dehnen, (aus)weiten, erweitern: with ~d eyes mit aufgerissenen Augen. **II** *v/i* **2.** sich (aus)dehnen *od.* (-)weiten, sich erweitern. **3.** *fig.* sich (ausführlich) verbreiten *od.* auslassen (on, upon über *acc*). **di'la·tion** → dilatation.

di·la·tom·e·ter [͵dailə'tɒmitər; ͵dil-] *s phys.* Dilato'meter *n*, (Aus)Dehnungsmesser *m.*

di·la·tor [dai'leitər; di-] *s* **1.** *anat.* Dehner *m* (*Muskel*). **2.** *med.* Dehnsonde *f.*

dil·a·to·ri·ness ['dilətərinis] *s* Zögern *n*, Zaudern *n*, Säumigkeit *f*, Saumseligkeit *f*, Langsamkeit *f.* **'dil·a·to·ry** *adj* (*adv* dilatorily) **1.** aufschiebend, verzögernd, 'hinhaltend: ~ policy (*od.* tactics) Verzögerungspolitik *f*, Verschleppungstaktik *f.* **2.** zaudernd, säumig, saumselig, langsam. **3.** *jur.* dila'torisch, aufschiebend.

di·lem·ma [di'lemə; dai-] *s* **1.** Di'lemma *n*, Zwangslage *f*, Klemme *f*: the horns of the ~ die zwei Alternativen e-s Dilemmas; on the horns of a ~ in e-r Zwickmühle. **2.** *Logik*: Di'lemma *n*, Wechselschluß *m.*

dil·et·tan·te [dili'tænti] **I** *pl* **-ti** [-ti:], **-tes** *s* **1.** Dilet'tant(in): a) Ama'teur(in) (*bes. in der Kunst*), Nichtfachmann *m*, b) *contp.* Stümper(in). **2.** (Kunst)Liebhaber(in). **II** *adj* **3.** dilet'tantisch. **͵dil·et'tant·ish** → dilettante 3. **͵dil·et'tant·ism,** *a.* **͵dil·et'tan·te͵ism** *s* Dilettan'tismus *m.*

dil·i·gence[1] ['dilidʒəns] *s* Fleiß *m*, Eifer *m*, Emsigkeit *f*, Sorgfalt *f*: due ~ *jur.* (im Verkehr) erforderliche Sorgfalt.

dil·i·gence[2] ['dilidʒəns] *s* Postkutsche *f.*

dil·i·gent ['dilidʒənt] *adj* (*adv* ~ly) **1.** fleißig, emsig. **2.** sorgfältig, gewissenhaft.

dill [dil] *s bot.* Dill *m*, Gurkenkraut *n.* ~ **pick·le** *s* mit Dill eingelegte Gurke.

dil·ly·dal·ly ['dili͵dæli] *v/i* **1.** Zeit vertrödeln, (her'um)trödeln. **2.** zaudern, schwanken.

dil·u·ent ['diljuənt] *chem.* **I** *adj* verdünnend. **II** *s* Verdünnungsmittel *n.*

di·lute [di'lju:t; dai-; -'lu:t] **I** *v/t* **1.** verdünnen, *bes.* (ver)wässern. **2.** *e-e Farbe* dämpfen. **3.** *fig., a. econ. Aktien* verwässern, (ab)schwächen, mildern: to ~ a statement; to ~ labo(u)r ungelernte Arbeiter einstellen. **II** *adj* **4.** verdünnt. **5.** gedämpft: ~ colo(u)rs. **6.** *fig.* verwässert, abgeschwächt. **di'lut·ed** → dilute II. **di͵lut'ee** [-'ti:] *s* ungelernter Arbeiter. **di'lute·ness** → dilution 3. **di'lu·tion** *s* **1.** Verdünnung *f*, (Ver)Wässerung *f.* **2.** *fig.* Verwässerung *f*: ~ of shares; ~ of labo(u)r Einstellung *f* ungelernter Arbeiter. **3.** Wässerigkeit *f.* **4.** (verdünnte) Lösung.

di·lu·vi·al [di'lu:viəl; *Br. a.* dai-], **di'lu·vi·an** *adj* **1.** *geol.* diluvi'al, Eiszeit... **2.** Überschwemmungs... **3.** (Sint)Flut..., sintflutlich. **di'lu·vi·an-**

ˌ**ism** *s geol.* Diluvia'nismus *m* (*Erdbildungstheorie*). **di'lu·vi·um** [-əm] *pl* **-vi·a** [-ə] *s geol.* 'fluvioglaziˌale Schotter *pl.*

dim [dim] **I** *adj* (*adv* ~ly) **1.** (halb)dunkel, düster: → view 13; ~ prospects *fig.* trübe Aussichten. **2.** undeutlich, verschwommen, schwach. **3.** trübe, blaß, matt: ~ colo(u)r. **4.** schwach, trüb: ~ light. **5.** getrübt, trübe. **6.** *fig.* schwer von Begriff. **7.** *Am. sl.* fad, langweilig. **II** *v/t* **8.** verdunkeln, verdüstern. **9.** trüben (*a. fig.*): to ~ s.o.'s love. **10.** *tech.* mat'tieren. **11.** *a.* ~ out *Licht* abblenden, dämpfen. **III** *v/i* **12.** sich verdunkeln *od.* verdüstern. **13.** sich trüben (*a. fig.*), matt *od.* trübe werden. **14.** undeutlich werden. **15.** verblassen (*a. fig.*).

dime [daim] *s* a) (*silbernes*) Zehn'centstück (*in den USA u. Kanada*), b) *fig.* Groschen *m*: ~ store billiges Warenhaus; they are a ~ a dozen *Am. colloq.* sie sind spottbillig, man bekommt sie nachgeworfen. ~ **mu·se·um** *s Am.* Kuriosi'tätenmuˌseum *n.* ~ **nov·el** *s Am.* ,'Groschenroˌman' *m.*

di·men·sion [di'menʃən; *Br. a.* dai-] **I** *s* **1.** Dimensi'on *f* (*a. math.*): a) Ausdehnung *f*, Aus-, Abmessung *f*, Maß *n*, b) *pl oft fig.* Ausmaß *n*, Größe *f*, Grad *m*: of vast ~s riesengroß, von riesenhaftem Ausmaß *od.* Umfang. **2.** *pl phys.* Dimensi'on *f* (*Maß physikalischer Größen*). **II** *v/t* **3.** dimensio'nieren, bemessen: comply ~ed. **4.** *tech.* mit Maßangaben versehen: ~ed sketch Maßskizze *f.* **di'men·sion·al** *adj* dimensio'nal: three-~ dreidimensional. **di'men·sion·less** *adj* winzig klein.

di·mer·ic [dai'merik] *adj* **1.** → dimerous. **2.** *chem.* di'mer, zweiglied(e)rig.

dim·er·ous ['dimərəs] *adj* **1.** *zo.* zweiteilig. **2.** *bot.* zweiglied(e)rig.

dim·e·ter ['dimitər] *s metr.* Dimeter *m.*

di·meth·yl [dai'meθil] *s chem.* Ä'than *n.* **diˌmeth·yl·a·mine** [-ə'miːn; -'æmin] *s chem.* Dime'thylaˌmin *n.*

di·mid·i·ate [di'midiˌeit; dai-] **I** *v/t* **1.** hal'bieren. **2.** *her.* halb darstellen. **II** *adj* **3.** *bot. zo.* hal'biert, halb ausgebildet. **4.** *bot.* an e-r Seite gespalten.

di·min·ish [di'miniʃ] **I** *v/t* **1.** verringern, (ver)mindern: ~ed responsibility *jur.* verminderte Zurechnungsfähigkeit. **2.** verkleinern. **3.** redu'zieren, her'absetzen. **4.** (ab)schwächen. **5.** *fig.* her'abwürdigen, -setzen. **6.** *arch.* verjüngen: ~ed column. **7.** *mus.* a) *Notenwerte, Thema* verkleinern, b) *Intervall, Akkord* vermindern. **II** *v/i* **8.** sich vermindern, sich verringern. **9.** abnehmen (in an *dat*). **di'min·ish·a·ble** *adj* redu'zierbar. **di'min·ish·ing** *adj* (*adv* ~ly) abnehmend, sich verringernd, schwindend.

di·min·u·en·do [diˌminju'endou] *mus.* **I** *adj u. adv* diminu'endo, abnehmend. **II** *pl* **-dos** *s* Diminu'endo *n.*

dim·i·nu·tion [ˌdimi'njuːʃən] *s* **1.** (Ver)Minderung *f*, Verringerung *f.* **2.** Verkleinerung *f* (*a. mus.*). **3.** Her'absetzung *f* (*a. fig.*). **4.** Abnahme *f*, Nachlassen *n.* **5.** *arch.* Verjüngung *f.*

di·min·u·ti·val [diˌminju'taivəl] → diminutive 2.

di·min·u·tive [di'minjutiv] **I** *adj* (*adv* ~ly) **1.** klein, winzig. **2.** *ling.* diminu'tiv, Diminutiv..., Verkleinerungs... **II** *s* **3.** *ling.* Diminu'tiv(um) *n*, Verkleinerungsform *f od.* -silbe *f.* **di'min·u·tive·ness** *s* Winzigkeit *f.*

dim·i·ty ['dimiti] *s* Dimitz *m*, Köperbaumwolle *f.*

dim·mer[1] ['dimər] *s tech.* Abblendungsvorrichtung *f*: ~ switch Abblendschalter *m.*

dim·mer[2] ['dimər] *comp zu* dim I.

dim·mest ['dimist] *sup zu* dim I.

dim·ness ['dimnis] *s* **1.** Düsterkeit *f*, Dunkelheit *f.* **2.** Trüb-, Mattheit *f.* **3.** Unklarheit *f*, Undeutlichkeit *f.*

di·mor·phic [dai'mɔːrfik] *adj* di'morph, zweigestaltig. **di'mor·phism** *s biol. min.* Dimor'phismus *m*, Zweigestaltigkeit *f.* **di'mor·phous** → dimorphic.

'**dim-ˌout** *s* **1.** Abblendung *f.* **2.** *mil.* (Teil)Verdunk(e)lung *f.* **3.** *fig.* Drosselung *f*, Sperre *f*: a ~ on news e-e Nachrichtensperre.

dim·ple ['dimpl] **I** *s* **1.** Grübchen *n* (*in der Wange etc*). **2.** Delle *f*, Vertiefung *f.* **3.** Kräuselung *f* (*im Wasser*). **II** *v/t* **4.** Grübchen machen in (*acc*): a smile ~d her cheeks. **5.** *Wasser* kräuseln. **III** *v/i* **6.** Grübchen bekommen. **7.** sich kräuseln (*Wasser*). '**dim·pled** *adj* **1.** mit Grübchen: to be ~ Grübchen haben. **2.** gekräuselt (*Wasser*). '**dim·ply** [-pli] *adj* **1.** voll(er) Grübchen. **2.** → dimpled 2.

'**dimˌwit** *s sl.* ,Blödmann' *m*, ,Dussel' *m.* '**dimˌwit·ted** *adj sl.* ,dämlich'.

din [din] **I** *s* **1.** Lärm *m*, Getöse *n.* **2.** Geklirr *n*, Gerassel *n.* **II** *v/t* **3.** (*durch Lärm*) betäuben. **4.** schreien, grölen. **5.** dauernd (vor)predigen, (immer wieder) einhämmern (s.th. into s.o. j-m etwas). **III** *v/i* **6.** lärmen, tosen, dröhnen (with von). **7.** klirren, rasseln.

di·nar [diː'nɑːr; di-] *s* Di'nar *m.*

Di·nar·ic [di'nærik] *adj* di'narisch: ~ race; ~ Alps Dinarische Alpen.

dine [dain] **I** *v/i* **1.** speisen, essen, di'nieren: to ~ out auswärts essen (gehen); to ~ off (*od.* on) mutton (zur Mahlzeit) Hammelfleisch essen; to ~ with Duke Humphrey *fig.* nichts zu essen haben. **II** *v/t* **2.** *j-n* speisen, bewirten, (bei sich) zu Gaste haben. **3.** *e-e bestimmte Anzahl Personen* fassen (*Speisezimmer*): this room ~s 20 in diesem Zimmer kann für 20 Personen gedeckt werden. '**din·er** *s* **1.** Speisende(r *m*) *f.* **2.** Tischgast *m.* **3.** *bes. Am.* a) Speisewagen *m*, b) Imbißstube *f* (*in Form e-s Speisewagens*).

di·ner·gate [dai'nəːrgeit] *s zo.* Sol'dat *m* (*der Ameisen*).

'**din·er-'out** *s* **1.** häufig zum Essen Eingeladene(r *m*) *f*: a popular ~ ein gern gesehener Tischgast. **2.** j-d, der oft auswärts ißt.

di·nette [dai'net] *s Am.* Eßnische *f.*

ding [diŋ] **I** *v/t* **1.** *Glocke etc* erklingen lassen, klingen mit. **2.** → din 5. **II** *v/i* **3.** (er)klingen.

ding·dong ['diŋˌdɒŋ] **I** *s* **1.** Bimbam *n*, Klingklang *n.* **2.** Viertel'stundenglocke *f* (*der Turmuhr*). **II** *adj* **3.** Bimbam... **4.** *colloq.* heiß, heftig (u. wechselvoll): a ~ fight ein hin u. her wogender Kampf. **III** *v/i* **5.** bimbam läuten.

dinge [dindʒ] *s Am. sl.* Nigger *m.*

din·ghy, *a.* **din·gey** ['diŋgi] *s* **1.** *mar.* a) Ding(h)i *n*, b) Beiboot *n.* **2.** *aer.* Schlauchboot *n.*

din·gi·ness ['dindʒinis] *s* **1.** Schmutzigkeit *f*, Schmuddeligkeit *f.* **2.** trübe *od.* schmutzige Farbe. **3.** Schäbigkeit *f* (*a. fig.*). **4.** *fig.* Anrüchigkeit *f.*

din·gle ['diŋgl] *s* enges Tal, (Wald)Schlucht *f.*

'**din·gleˌber·ry** *s bot.* Nordamer. Moosbeere *f.*

din·go ['diŋgou] *pl* **-goes** *s zo.* Dingo *m* (*australischer Wildhund*).

ding·us ['diŋəs] *s Am. od. S.Afr. sl.* Dingsda *n.*

din·gy[1] ['dindʒi] **I** *adj* (*adv* dingily) **1.** schmutzig, schmuddelig. **2.** trüb, schmutzigfarben. **3.** schäbig. **4.** zweifelhaft, dunkel, anrüchig. **II** *s* **5.** *dial. od. sl.* Farbige(r *m*) *f.*

din·gy[2] → dinghy.

di·nic·o·tin·ic ac·id [daiˌnikə'tinik] *s chem.* Diniko'tinsäure *f.*

din·ing| car ['dainiŋ] *s* Speisewagen *m.* ~ **hall** *s* Speisesaal *m.* ~ **room** *s* Speise-, Eßzimmer *n.* ~ **sa·loon** *s* **1.** *mar.* Speiseraum *m.* **2.** *rail. Br.* 'Speisesaˌlon *m.*

dinitro- [dainaitro] *chem. Wortelement mit der Bedeutung* mit 2 Nitrogruppen.

di·ni·tro·cel·lu·lose [daiˌnaitro'seljuˌlous] *s chem.* Diˌnitrozellu'lose *f.* **diˌni·tro'tol·uˌene** [-'tɒljuˌiːn] *s chem.* Diˌnitrotolu'ol *n.*

dink·ey ['diŋki] *s colloq.* **1.** kleines Ding, (*etwas*) Kleines. **2.** *rail.* kleine Ver'schiebelokomoˌtive.

din·kum ['diŋkəm] *adj u. adv Austral. sl.* **1.** echt: ~ oil die volle Wahrheit. **2.** ehrlich.

dink·y[1] ['diŋki] *adj sl.* **1.** *Br.* zierlich, niedlich, nett. **2.** *Am.* klein, unbedeutend.

dink·y[2] ['diŋki] *s* **1.** → dinghy. **2.** → dinkey.

din·ner ['dinər] *s* **1.** (Mittag-, Abend)Essen *n* (*Hauptmahlzeit*): after ~ nach dem Essen, nach Tisch; at ~ bei Tisch; what are we having for ~? was gibt es zum Essen?; to ask s.o. to ~ j-n zum Essen einladen; ~ without grace Geschlechtsverkehr *m* vor der Ehe; → stay[1] 1. **2.** Di'ner *n*, Festessen *n*: at a ~ auf *od.* bei e-m Diner. ~ **bell** *s* Gong *m*, Essensglocke *f.* ~ **card** *s* Tischkarte *f.* ~ **coat** *bes. Am.* → dinner jacket. ~ **dance** *s* Abendgesellschaft *f* mit Tanz. ~ **dress,** ~ **gown** *s* kleines Abendkleid. ~ **jack·et** *s* Smoking(jacke *f*) *m.* ~ **pail** *s Am.* Eßgefäß *n* (*für Schulkinder etc*). ~ **par·ty** *s* Tisch-, Abendgesellschaft *f.* ~ **serv·ice,** ~ **set** *s* Tafelgeschirr *n.* ~ **ta·ble** *s* Eßtisch *m.* '~ˌ**time** *s* Tischzeit *f.* ~ **wag·(g)on** *s* Ser'vierwagen *m.*

di·no·saur ['dainəˌsɔːr] *s zo.* Dino'saurier *m.*

dint [dint] **I** *s* **1.** *obs.* a) Schlag *m*, b) Kraft *f* (*bes. in*): by ~ of kraft, mittels, vermöge (*alle gen*). **2.** a) Delle *f*, Beule *f*, Vertiefung *f*, b) Strieme *f.* **II** *v/t* **3.** einbeulen.

di·oc·e·san [dai'ɒsisən] **I** *adj* Diözesan... **II** *s* (Diöze'san)Bischof *m.*

di·o·cese ['daiəˌsiːs; -sis] *s* Diö'zese *f.*

di·ode ['daioud] *s electr.* **1.** Di'ode *f*, Zweipolröhre *f.* **2.** Kri'stalldiˌode *f*, -gleichrichter *m*: ~ detector Diodengleichrichter.

di·oe·cious [dai'iːʃəs] *adj* di'özisch: a) *biol.* getrenntgeschlechtlich, b) *bot.* zweihäusig.

Di·o·ny·si·a [ˌdaiə'niziə; -ʃiə] *s pl antiq.* Dio'nysien *pl*, Di'onysosfest *n.* ˌ**Di·o'nys·iˌac** [-ˌæk] *adj*; ˌ**Di·o·ny'si·a·cal** [-'saiəkəl] *adj* (*adv* ~ly) dio'nysisch. ˌ**Di·o'ny·sian** [-'niʃən; -'nisiən] *adj* **1.** → Dionysiac. **2.** d~ *fig.* dio'nysisch, orgi'astisch.

Di·o·phan·tine [ˌdaio'fæntin; -tain] *adj math.* dio'phantisch.

di·op·side [dai'ɒpsaid] *s min.* Diop'sid *m* (*ein Pyroxen*). **di'op·tase** [-teis] *s min.* Diop'tas *m*, 'Kupfersmaˌragd *m.*

di·op·ter, di·op·tre [dai'ɒptər] *s phys.* Diop'trie *f* (*Maßeinheit für die Brechkraft von Linsen*). **di'op·tric** [-trik] **I** *adj* **1.** *phys.* di'optrisch, lichtbrechend.

2. 'durchsichtig. **II** *s* **3.** → diopter. **4.** *pl* (*meist als sg konstruiert*) *phys.* Di'optrik *f*, Brechungslehre *f*. **di'op·tri·cal** → dioptric I.

di·o·ra·ma [ˌdaiə'rɑːmə; *Am. a.* -'ræmə] *s* Dio'rama *n* (*ein Schaubild mit plastischen Gegenständen vor beleuchteter Unterlage*). **ˌdi·o'ram·ic** [-'ræmik] *adj* dio'ramisch.

Di·os·cu·ri [ˌdaiɒs'kju(ə)rai] *s pl* Dios'kuren *pl* (*Castor u. Pollux*).

di·ose ['daious] *s chem.* Bi'ose *f* (*einfachster Zucker*).

di·ox·ide [dai'ɒksaid; -sid] *s chem.* **1.** 'Dioˌxyd *n*. **2.** → peroxide.

dip [dip] **I** *v/t pret u. pp* **dipped,** *a.* **dipt 1.** (ein)tauchen, (ein)tunken (in, into in *acc*): to ~ one's hand into one's pocket in die Tasche greifen (*a. fig.*). **2.** *oft* ~ up schöpfen (from, out of aus). **3.** rasch senken: to ~ one's head; to ~ the flag *mar.* die Flagge (zum Gruß) dippen, die Flagge auf- u. niederholen; to ~ the headlights *mot.* (die Scheinwerfer) abblenden. **4.** *relig.* (durch 'Untertauchen) taufen. **5.** färben, in e-e Farblösung tauchen. **6.** *Schafe etc* dippen, in desinfi'zierender Lösung baden. **7.** *Kerzen* ziehen. **8.** *colloq.* in Schulden *od.* Schwierigkeiten verwickeln.
II *v/i* **9.** 'unter-, eintauchen. **10.** hin'einfahren, -langen, -greifen: to ~ into one's purse in die Tasche greifen, zahlen. **11.** sinken (below the horizon unter den Horizont). **12.** a) sich neigen, sich senken (*Gelände, Waage, Magnetnadel etc*), b) *geol.* einfallen. **13.** *econ.* (leicht) fallen, sinken: prices ~ped. **14.** sich flüchtig befassen (in, into mit): to ~ into a book e-n Blick in ein Buch werfen. **15.** ~ into erforschen: to ~ into the past. **16.** ~ into *Reserven, Vorrat etc* angreifen. **17.** a) nieder- u. wieder auffliegen, b) *aer.* vor dem Steigen plötzlich tiefer gehen.
III *s* **18.** ('Unter-, Ein)Tauchen *n*. **19.** (kurzes) Bad. **20.** geschöpfte Flüssigkeit *etc*, Schöpfprobe *f*. **21.** *bes. tech.* (Tauch)Bad *n*, Lösung *f*. **22.** (Ver)Sinken *n*. **23.** Neigung *f*, Senkung *f*, Gefälle *n*. **24.** Fallwinkel *m*. **25.** *mar.* Depressi'on *f*, Kimmtiefe *f*: ~ of the horizon. **26.** Inklinati'on *f* (*der Magnetnadel*). **27.** *geol.* Einfallen *n* (*der Schichten*). **28.** Vertiefung *f*, Bodensenke *f*. **29.** Tiefgang *m* (*e-s Schiffes*), Tiefe *f* des Eintauchens. **30.** *a.* ~ candle gezogene Kerze. **31.** a) schnelles Hin'ab(- u. Hin'auf)fliegen, b) *aer.* plötzliches Tiefergehen vor dem Steigen. **32.** *mar.* Dippen *n* (*kurzes Niederholen der Flagge*). **33.** *sport* Streck-, Beugestütz *m* (*am Barren*). **34.** *Kochkunst*: *Am.* Tunke *f*, (süße) Soße. **35.** Angreifen *n* (into *e-r Reserve, e-s Vorrats etc*). **36.** *sl.* a) Taschendieb *m*, b) Taschendiebstahl *m*. **37.** *fig.* flüchtiger Blick: a ~ into poetry; a ~ into politics ein ‚Ausflug' in die Politik.

dip| braz·ing *s tech.* Tauchlöten *n*. ~ **cir·cle** *s tech.* Neigungskreis *m*. '~-ˌ**dye** *v/t tech.* im Stück färben.

di·pet·al·ous [dai'petələs] *adj bot.* mit 2 Kronblättern.

di·phase ['daiˌfeiz] *adj electr.* **1.** zweiphasig. **2.** Zweiphasen...

'dipˌhead *s Bergbau*: Hauptstrecke *f*.

di·phos·gene [dai'fɒsdʒiːn] *s chem.* Diphos'gen *n* (*Grünkreuzkampfstoff*).

diph·the·ri·a [dif'θi(ə)riə; dip-] *s med.* Diphthe'rie *f*. **diph'the·ri·al, diph'ther·ic** [-'θerik], **ˌdiph·the'rit·ic** [-θə'ritik] *adj med.* diph'therisch. **ˌdiph·the'ri·tis** [-'raitis] → diphtheria. **'diph·theˌroid** *adj med.* diphthero'id, diphthe'rieartig.

diph·thong ['difθɒŋ; 'dip-] *s ling.* **1.** Di'phthong *m*, 'Doppelvoˌkal *m*. **2.** *die Ligatur* æ *od.* œ. **diph'thon·gal** [-ŋgəl] *adj* (*adv* ~ly) *ling.* di'phthongisch. **diph'thong·ic** → diphthongal. **ˌdiph·thong·i'za·tion** *s ling.* Diphthon'gierung *f*. **'diph·thongˌize** *ling.* **I** *v/t* diphthon'gieren. **II** *v/i* diphthon'giert werden.

di·ple·gi·a [dai'pliːdʒiə] *s med.* Diple'gie *f*, doppelseitige Lähmung.

di·plex ['daipleks] *adj electr.* Diplex..., doppelt: ~ operation Diplexbetrieb *m*; ~ telegraphy Doppelschreiber *m*.

dip·loid ['diplɔid] *adj biol.* diplo'id (*mit doppeltem Chromosomensatz*).

di·plo·ma [di'ploumə] *pl* **-mas,** *selten* **-ma·ta** [-mətə] *s* **1.** (*bes.* aka'demisches) Di'plom, (Ernennungs)Urkunde *f*. **2.** amtliches Schriftstück. **3.** Verfassungs-, Staatsurkunde *f*, Charte *f*.

di·plo·ma·cy [di'plouməsi] *s* **1.** *pol.* Diploma'tie *f*. **2.** *fig.* Diploma'tie *f*, diplo'matisches Vorgehen.

di·plo·maed [di'ploumәd] *adj* diplo'miert, Diplom...

dip·lo·mat ['diploˌmæt] *s pol. u. fig.* Diplo'mat *m*. **ˌdip·lo'mat·ic I** *adj* (*adv* ~ally) **1.** *pol.* diplo'matisch: ~ agent diplomatischer Vertreter; ~ corps, *a.* ~ body diplomatisches Korps; ~ service diplomatischer Dienst. **2.** *fig.* diplo'matisch, klug, gewandt. **3.** paläo'graphisch, urkundlich. **II** *s* **4.** *pol.* Diplo'mat *m*. **ˌdip·lo'mat·ics** *s pl* (*meist als sg konstruiert*) **1.** Diplo'matik *f*, Urkundenlehre *f*. **2.** Diploma'tie *f*.

di·plo·ma·tist [di'ploumətist] → diplomat. **di'plo·maˌtize I** *v/i* diplo'matisch handeln *od.* vorgehen. **II** *v/t* diplo'matisch behandeln.

dip| nee·dle → dipping needle. ~ **net** *s Fischerei*: Streichnetz *n*.

dip·no·an ['dipnoən] *zo.* **I** *adj* zu den Lungenfischen gehörig, Lungenfisch... **II** *s* Lungenfisch *m*.

dip·o·dy ['dipədi] *s metr.* Dipo'die *f* (*Gruppe aus 2 gleichen Versfüßen*).

di·po·lar [dai'poulər] *adj phys.* zweipolig. **'diˌpole** [-ˌpoul] *s electr. phys.* Dipol *m*.

dip·per ['dipər] *s* **1.** *tech.* a) Färber *m*, b) Gla'sierer *m*, c) Kerzenzieher *m*, d) (Me'tall)Beizer *m*, e) Büttgeselle *m*. **2.** *bes. Am.* Schöpfer *m*, Schöpflöffel *m*. **3.** *tech.* a) Baggereimer *m*, b) Bagger *m*. **4.** D~ *astr. Am.* a) *a.* Big D~ Himmelswagen *m* (*die 7 hellsten Sterne im Sternbild des Großen Bären*), b) *a.* Little D~ Kleiner Wagen, c) Ple'jaden *pl*. **5.** *orn.* Taucher *m*. **6.** *relig.* → immersionist. ~ **dredge,** ~ **dredg·er** *s tech.* Löffelbagger *m*. ~ **gourd** *s bot.* Flaschenkürbis *m*.

dip·ping ['dipiŋ] *s* **1.** Eintauchen *n*. **2.** *tech.* a) Färben *n*, b) Gla'sieren *n*, c) Abbeizen *n*, d) Kerzenziehen *n*. **3.** Waschen *n* in desinfi'zierender Lösung. **4.** *tech.* (Tauch)Bad *n*. ~ **bat·ter·y** *s electr.* 'Tauchbatteˌrie *f*. ~ **com·pass** *s phys.* Inklinati'ons-, Neigungskompaß *m*. ~ **e·lec·trode** *s electr.* 'Tauchelekˌtrode *f*. ~ **nee·dle** *s mar.* Inklinati'onsnadel *f*. ~ **rod** *s* Wünschelrute *f*. ~ **var·nish** *s tech.* Tauchlack *m*.

dip·so·ma·ni·a [ˌdipso'meiniə] *s med.* Dipsoma'nie *f* (*periodisch auftretende Trunksucht*). **ˌdip·so'ma·niˌac** [-ˌæk] *s med.* Dipso'mane *m*, Dipso'manin *f*.

'dip|ˌstick *s tech.* (Öl- *etc*)Meßstab *m*. ~ **switch** *s mot.* Abblendschalter *m*.

dipt [dipt] *pret u. pp von* dip.

dip·ter·al ['diptərəl] *adj* **1.** → dipterous 2. **2.** *arch.* mit doppeltem 'Säulenˌumgang. **'dip·ter·an** *zo.* **I** *adj* → dipterous 2. **II** *s* → dipteron.

dip·ter·on ['diptəˌrɒn] *s zo.* Di'ptere *m*, Zweiflügler *m*. **'dip·ter·ous** *adj* **1.** *bot. zo.* zweiflügelig. **2.** *zo.* zu den Zweiflüglern gehörend.

dip trap *s tech.* Schwanenhals *m*, U-Rohrkrümmer *m*.

dip·tych ['diptik] *s* Diptychon *n*: a) *antiq. zs.-klappbare Schreibtafel*, b) *paint. zweiflügeliges Altarbild.*

dire [dair] *adj* **1.** gräßlich, entsetzlich, schrecklich: ~ sisters Furien. **2.** a) tödlich, unheilbringend, b) unheilverkündend. **3.** äußerst(er, e, es), höchst(er, e, es): to be in ~ need of s.th. etwas ganz dringend brauchen.

di·rect [di'rekt; dai-] **I** *v/t* **1.** *s-e Aufmerksamkeit etc* richten, lenken (to, toward[s] auf *acc*): to ~ one's attention (efforts, *etc*) to s.th.; a method ~ed to doing s.th. ein Verfahren, das darauf abzielt, etwas zu tun. **2.** *ein Fahrzeug* lenken. **3.** *e-n Betrieb etc* führen, leiten, lenken. **4.** *Worte* richten (to an *acc*). **5.** *e-n Brief etc* adres'sieren, richten (to an *acc*). **6.** anweisen, heißen, beauftragen, *j-m* Anweisung geben (to do zu tun): to ~ the jury as to the law *jur.* den Geschworenen Rechtsbelehrung erteilen. **7.** anordnen, verfügen, bestimmen: to ~ s.th. to be done etwas anordnen; anordnen, daß etwas geschieht; as ~ed laut Verfügung, nach Vorschrift. **8.** a) *j-m* den Weg zeigen *od.* weisen (to zu, nach), b) *j-n* (ver)weisen (to an *acc*). **9.** a) *ein Orchester* diri'gieren, b) Re'gie führen bei (*e-m Film od. Stück*): ~ed by unter der Regie *od.* Spielleitung von. **II** *v/i* **10.** befehlen, bestimmen. **11.** a) *mus.* diri'gieren, b) *thea. etc* Re'gie führen, die Spielleitung haben. **III** *adj* (*adv* → directly I) **12.** di'rekt, gerade. **13.** di'rekt, unmittelbar: ~ sale; ~ tax; ~ labo(u)r produktive Arbeitskräfte; ~ mail Postwurfsendung *f*; ~ primary *pol. Am.* Vorwahl *f* durch direkte Wahl; ~ train *rail.* durchgehender Zug; ~ voting *pol.* direkte Wahl; → direct method. **14.** unmittelbar, per'sönlich: ~ responsibility. **15.** *econ.* spe'zifisch, di'rekt: ~ costs. **16.** a) klar, unzweideutig, eindeutig, b) offen, ehrlich: a ~ answer. **17.** di'rekt, genau: the ~ contrary das genaue Gegenteil. **18.** *ling.* di'rekt: ~ speech; ~ object direktes Objekt, Akkusativobjekt *n*. **19.** *astr.* rechtläufig. **20.** *electr.* a) Gleichstrom..., b) Gleich... **IV** *adv* **21.** di'rekt, unmittelbar: I wrote to him ~.

di·rect| ac·tion *s pol.* di'rekte Akti'on (*bes. illegale Kampfmaßnahmen der Arbeiterschaft*). ~ **ad·ver·tis·ing** *s econ.* Werbung *f* beim Konsu'menten. ~ **at·tack** *s ling.* harter (Vo'kal)Einsatz. ~ **carv·ing** *s Bildhauerei*: Behauen *n* ohne Verwendung e-s 'Leitmoˌdells. ~ **cost·ing** *s econ. Am.* Grenzkostenrechnung *f*. ~ **cur·rent** *s electr.* Gleichstrom *m*. ~ **dis·course** *s ling.* di'rekte Rede. ~ **drive** *s tech.* di'rekter Antrieb. ~ **ev·i·dence** *s jur.* Zeugenbeweis *m* (*Ggs. Indizienbeweis*). ~ **fire** *s mil.* di'rekter Beschuß. ~ **hit** *s mil.* Volltreffer *m*.

di·rec·tion [di'rekʃən; dai-] *s* **1.** Richtung *f*: to take a ~ e-e Richtung einschlagen; in the ~ of in (der) Richtung auf (*acc*) *od.* nach; from (in) all ~s aus (nach) allen Richtungen, von (nach) allen Seiten; sense of ~ Ortssinn *m.* ~ of rotation *phys. tech.* Drehrichtung, -sinn *m.* **2.** *fig.* Richtung *f*, Ten'denz *f*, Strömung *f*: new ~s in drama; to give another ~ to in e-e neue Richtung *od.* in andere Bahnen lenken; in many ~s in vieler Hinsicht. **3.** Leitung *f*, Lenkung *f*, Führung *f* (*e-s Betriebs etc*): under his ~ unter s-r Leitung. **4.** Anweisung *f*, Anleitung *f*, Belehrung *f*: ~s for use Gebrauchsanweisung. **5.** *oft pl* (An)Weisung *f*, Anordnung *f*, Befehl *m*: by (*od.* at) ~ of auf Anweisung von. **6.** Vorschrift *f*, Richtlinie *f*. **7.** A'dresse *f*, Aufschrift *f* (*e-s Briefes etc*). **8.** *econ.* Direk'torium *n*, Direkti'on *f*, Leitung *f*. **9.** *Film etc*: Spielleitung *f*, Re'gie *f*. **10.** *mus.* a) Spielanweisung *f* (*über Tempo etc*), b) Stabführung *f*, Leitung *f*.

di·rec·tion·al [di'rekʃənl; dai-] *adj* **1.** Richtungs...: ~ sense *math.* Richtungssinn *m.* **2.** *electr.* a) Richt..., gerichtet, b) Peil... ~ **a·e·ri·al,** ~ **an·ten·na** *s electr.* gerichtete An'tenne, 'Richtanˌtenne *f*, -strahler *m.* ~ **cal·cu·lus** *s math.* Rechnung *f* mit gerichteten Größen. ~ **co·ef·fi·cient** *s math.* Richtungsfaktor *m.* ~ **fil·ter** *s electr.* Bandfilter *n.* ~ **gy·ro** *s aer.* Kurs-, Richtkreisel *m.* ~ **ra·di·o** *s electr.* **1.** Richtfunk *m.* **2.** Peilfunk *m.* ~ **trans·mit·ter** *s electr.* **1.** Richtfunksender *m.* **2.** Peilsender *m.*

di·rec·tion| find·er *s electr.* (Funk)Peiler *m*, Peilempfänger *m.* ~ **find·ing** *s electr.* **1.** (Funk)Peilung *f*, Richtungsbestimmung *f*. **2.** Peilwesen *n.* ~ **in·di·ca·tor** *s* **1.** *mot.* (Fahrt)Richtungsanzeiger *m*: a) Winker *m*, b) Blinker *m.* **2.** *aer.* Kursweiser *m.*

di·rec·tive [di'rektiv; dai-] **I** *adj* lenkend, leitend, richtunggebend, -weisend: ~ rule → II. **II** *s* Direk'tive *f*, Verhaltungsmaßregel *f*, (An)Weisung *f*, Vorschrift *f*. ~ **an·ten·na** *s electr.* 'Richtanˌtenne *f*. ~ **pow·er** *s electr.* Richtvermögen *n.*

di·rect·ly [di'rektli; dai-] **I** *adv* **1.** di'rekt, gerade, in gerader Richtung. **2.** unmittelbar, di'rekt (*a. tech.*): ~ proportional direkt proportional; ~ in the middle direkt *od.* genau in der Mitte; ~ opposed genau entgegengesetzt. **3.** *bes. Br.* [*colloq. a.* 'drekli] a) so'fort, so'gleich, b) gleich, bald: I am coming ~. **4.** unzwei-, eindeutig, klar. **5.** offen, ehrlich. **II** *conj* [*Br. a.* 'drekli] **6.** *colloq.* so'bald (als): ~ he entered.

di·rect meth·od *s* di'rekte Me'thode (*Fremdsprachenunterricht ohne Verwendung der Muttersprache u. ohne theoretische Grammatik*).

di·rect·ness [di'rektnis; dai-] *s* **1.** Geradheit *f*, Geradlinigkeit *f*, gerade Richtung. **2.** Unmittelbarkeit *f*. **3.** Eindeutigkeit *f*, Deutlichkeit *f*. **4.** Offenheit *f*.

di·rec·tor [di'rektər; dai-] *s* **1.** Di'rektor *m*, Leiter *m*, Vorsteher *m*: D~ of Public Prosecutions *jur. Br.* Leiter der Anklagebehörde. **2.** *econ.* a) Di'rektor *m*, b) Mitglied *n* des Verwaltungsrats (*e-r Kapitalgesellschaft*), Aufsichtsratsmitglied *n.* **3.** *Film etc*: Regis'seur *m*, Spielleiter *m.* **4.** *mus.* Diri'gent *m.* **5.** *mil.* Kom'mandogerät *n.* **6.** *med.* Leitungssonde *f*. **di'rec·to·ral** → directorial. **di'rec·to·rate** [-rit] *s* **1.** Direkto'rat *n*, Direk'torenposten *m*, -stelle *f*. **2.** Direk'torium *n.* **3.** *econ.* a) Direk'torium *n*, b) Aufsichtsrat *m.*

di'rec·tor-'gen·er·al *pl* **di'rec·tor-'gen·er·al(s)** *s* Gene'raldiˌrektor *m.*

di·rec·to·ri·al [diˌrek'tɔːriəl] *adj* **1.** Direktor...: ~ position. **2.** → directive I.

di·rec·tor·ship [di'rektərˌʃip; dai-] → directorate 1.

di·rec·to·ry [di'rektəri; dai-] **I** *s* **1.** a) A'dreßbuch *n*, b) Tele'phonbuch *n*, c) Branchenverzeichnis *n*: → trade directory. **2.** *bes. relig.* Gottesdienstordnung *f*. **3.** Leitfaden *m*, Richtschnur *f*. **4.** Direk'torium *n.* **5.** D~ *hist.* Direc'toire *n*, Direk'torium *n* (*französische Revolution*). **II** *adj* → directive I.

di'rect|-'proc·ess steel *s tech.* Rennstahl *m.* ~ **prod·uct** *s math.* Ska'larproˌdukt *n.*

di·rec·tress [di'rektris; dai-] *s* Direk'torin *f*, Direk'trice *f*, Vorsteherin *f*, Leiterin *f*.

di·rec·trice [dəˌrek'triːs] → directress.

di·rec·trix [di'rektriks; dai-] *pl* **-trix·es, -'tri·ces** [-'traisiːz] *s* **1.** *selten für* directress. **2.** *math.* Di'rektrix *f*, Leitlinie *f*. **3.** *mil.* Nullstrahl *m.*

di'rect-'writ·ing com·pa·ny *s econ.* Rückversicherungsgesellschaft *f*.

dire·ful ['dairful; -fəl] → dire 1.

dirge [dəːrdʒ] *s* Klage-, Trauerlied *n.*

dir·i·gi·bil·i·ty [ˌdiridʒə'biliti] *s* Lenkbarkeit *f*. '**dir·i·gi·ble** *adj u. s* lenkbar(es Luftschiff).

dir·i·ment ['dirimənt] *adj* unwirksam machend, aufhebend: ~ impediment *jur.* trennendes Ehehindernis.

dirk [dəːrk] **I** *s* Dolch *m.* **II** *v/t* erdolchen.

dirl [dirl; dəːrl] *v/i Scot.* **1.** beben. **2.** dröhnen.

dirn·dl ['dəːrndl] *s* Dirndl(kleid) *n.*

dirt [dəːrt] *s* **1.** Schmutz *m*, Kot *m*, Dreck *m.* **2.** (lockere) Erde. **3.** *fig.* Plunder *m*, Schund *m.* **4.** *fig.* (*moralischer*) Schmutz. **5.** *fig.* Schmutz *m*: a) unflätiges Reden, b) üble Verleumdungen *pl*, Gemeinheit(en *pl*) *f*.
Besondere Redewendungen:
hard ~ Schutt *m*; soft ~ Müll *m*, Kehricht *m*, *n*; to have to eat ~ sich demütigen müssen; to fling (*od.* throw) ~ at s.o. j-n mit Dreck bewerfen, j-n in den Schmutz ziehen; to treat s.o. like ~ j-n wie (den letzten) Dreck behandeln; to do s.o. ~ *Am. sl.* j-n in gemeiner Weise hereinlegen.

'**dirt|-'cheap** *adj u. adv* spottbillig. ~ **farm·er** *s Am. colloq.* Farmer, der selbst sein Land bestellt.

dirt·i·ness ['dəːrtinis] *s* **1.** Schmutz(igkeit *f*) *m.* **2.** Gemeinheit *f*, Niedertracht *f*. **3.** (*moralische*) Schmutzigkeit. **4.** Unfreundlichkeit *f* (*des Wetters*).

dirt| road *s Am.* Erdstraße *f*, unbefestigte Straße. ~ **track** *s* Schlacken-, Aschenbahn *f*.

dirt·y ['dəːrti] **I** *adj* (*adv* **dirtily**) **1.** schmutzig, dreckig, Schmutz...: ~-brown schmutzigbraun; ~ water schmutziges Wasser; ~ work a) Dreckarbeit *f*, b) niedere Arbeit; to wash one's ~ linen in public *fig.* s-e schmutzige Wäsche vor allen Leuten waschen. **2.** *fig.* gemein, niederträchtig: a ~ lot ein Lumpenpack; a ~ trick e-e Gemeinheit; to do the ~ on s.o. *Br. colloq.* j-n gemein behandeln. **3.** *fig.* (*moralisch*) schmutzig, unflätig, unanständig: a ~ mind schmutzige Gedanken. **4.** schlecht, stürmisch: ~ weather. **5.** schmutzfarben. **II** *v/t* **6.** beschmutzen, besudeln (*a. fig.*). **III** *v/i* **7.** schmutzig werden, schmutzen.

Dis [dis] *s poet.* 'Unterwelt *f*.

dis- [dis] *Vorsilbe* **1.** auseinander-, ab-, dis-, ent-, un-, weg-, ver-, zer-. **2.** *Verneinung*: to disaccord nicht über'einstimmen.

dis·a·bil·i·ty [ˌdisə'biliti] *s* **1.** Unvermögen *n*, Unfähigkeit *f*. **2.** *jur.* Rechtsunfähigkeit *f*: to lie under a ~ rechtsunfähig sein. **3.** (*dauernde*) Körperbeschädigung, Invalidi'tät *f*. **4.** *mil.* a) Dienstuntauglichkeit *f*, b) Kampfunfähigkeit *f*. **5.** Unzulänglichkeit *f*. ~ **clause** *s econ.* Invalidi'tätsklausel *f*. ~ **in·sur·ance** *s econ.* Invalidi'täts-, Inva'lidenversicherung *f*.

dis·a·ble [dis'eibl] *v/t* **1.** unfähig machen, außerstand setzen (from doing *od.* to do s.th. etwas zu tun). **2.** unbrauchbar *od.* untauglich machen (for für, zu). **3.** *mil.* a) dienstuntauglich machen, b) kampfunfähig machen. **4.** *jur.* rechtsunfähig machen. **5.** entkräften, lähmen. **6.** verkrüppeln. **7.** entwerten. **dis'a·bled** *adj* **1.** (dauernd) dienst- *od.* arbeitsunfähig, inva'lid(e). **2.** *mil.* a) dienstunfähig, untauglich, b) kriegsversehrt: a ~ ex-soldier ein Kriegsversehrter, c) kampfunfähig. **3.** unbrauchbar, untauglich. **4.** *mar.* manö'vrierunfähig, seeuntüchtig. **dis'a·ble·ment** *s* **1.** (Dienst-, Arbeits-, Erwerbs)Unfähigkeit *f*, Invalidi'tät *f*: ~ annuity Invalidenrente *f*; ~ insurance → disability insurance. **2.** → disability 4. **3.** Unbrauchbarmachen *n.*

dis·a·buse [ˌdisə'bjuːz] *v/t* **1.** aus dem Irrtum befreien, e-s Besseren belehren (of über *acc*), aufklären. **2.** befreien, erleichtern (of von): to ~ o.s. (*od.* one's mind) of s.th. sich von etwas (*Irrtümlichem*) befreien, etwas ablegen.

dis·ac·cord [ˌdisə'kɔːrd] **I** *v/i* **1.** nicht über'einstimmen. **II** *s* **2.** Uneinigkeit *f*, Nichtüber'einstimmung *f*. **3.** 'Widerspruch *m.* ˌ**dis·ac'cord·ant** *adj* nicht über'einstimmend.

dis·ac·cus·tom [ˌdisə'kʌstəm] *v/t*: to ~ s.o. to s.th. j-n e-r Sache entwöhnen, j-m etwas abgewöhnen; ~ed to nicht gewöhnt an (*acc*).

dis·ad·van·tage [*Br.* ˌdisəd'vɑːntidʒ; *Am.* -'væ(ː)n-] *s* **1.** Nachteil *m* (to für): to be at a ~, to labo(u)r under a ~ im Nachteil sein; to put o.s. at a ~ with s.o. sich j-m gegenüber in den Nachteil setzen; to s.o.'s ~ zu j-s Nachteil *od.* Schaden. **2.** ungünstige Lage: to take s.o. at a ~ j-s ungünstige Lage ausnutzen. **3.** Schade(n) *m*, Verlust *m* (to für): to sell to (*od.* at a) ~ mit Verlust verkaufen. **disˌad·van'ta·geous** [-ˌædvən'teidʒəs] *adj* (*adv* ~ly) nachteilig, ungünstig, unvorteilhaft, schädlich (to für).

dis·af·fect [ˌdisə'fekt] *v/t* unzufrieden machen, verstimmen, verärgern. ˌ**dis·af'fect·ed** *adj* (*adv* ~ly) **1.** (to, toward[s]) unzufrieden (mit), abgeneigt (*dat*), 'mißvergnügt (über *acc*). **2.** unzuverlässig: a ~ army. ˌ**dis·af'fect·ed·ness,** ˌ**dis·af'fec·tion** *s* **1.** (for) Unzufriedenheit *f* (mit), Abgeneigtheit *f* (gegen). **2.** *pol.* Unzuverlässigkeit *f*.

dis·af·firm [ˌdisə'fəːrm] *v/t* **1.** (ab)leugnen, nicht anerkennen. **2.** *jur.* aufheben, 'umstoßen: to ~ a ruling.

dis·af·for·est [ˌdisə'fɒrist] *v/t* **1.** *jur. e-m Wald* den Schutz durch das Forstrecht nehmen. **2.** abforsten, abholzen. ˌ**dis·afˌfor·es'ta·tion,** ˌ**dis·af'for·est·ment** *s* **1.** Erklärung *f* zu gewöhnlichem Land (*das nicht dem Forstrecht untersteht*). **2.** Abforstung *f*.

dis·ag·i·o [dis'ædʒiou] *s econ.* Dis'agio *n*, Abschlag *m.*

dis·a·gree [ˌdisə'griː] *v/i* **1.** (with) nicht über'einstimmen (mit), im 'Widerspruch stehen (zu, mit): the witnesses ~ die Zeugen widersprechen einander.

2. (with s.o.) anderer Meinung sein (als j-d), uneinig sein (mit j-m), (j-m) nicht zustimmen. **3.** sich streiten (on, about über *acc*). **4.** (with s.th.) nicht einverstanden sein (mit etwas), gegen (e-e Sache) sein, (etwas) ablehnen. **5.** j-m schlecht *od.* nicht bekommen, nicht zuträglich sein (with *dat*): this fruit ~s with me. **ˌdis·aˈgree·a·ble** *adj* (*adv* **disagreeably**) unangenehm: a) widerlich, b) unliebenswürdig, eklig, c) lästig. **ˌdis·aˈgree·a·ble·ness** *s* **1.** ˈWiderwärtigkeit *f.* **2.** Unliebenswürdigkeit *f.* **3.** Unannehmlichkeit *f*, Lästigkeit *f.* **ˌdis·aˈgree·ment** *s* **1.** Verschiedenheit *f*, ˈUnterschied *m*, Unstimmigkeit *f*: in ~ from zum Unterschied von, abweichend von. **2.** ˈWiderspruch *m* (between zwischen *dat*). **3.** Meinungsverschiedenheit *f.* **4.** Streitigkeit *f*, ˈMißhelligkeit *f.*

dis·al·low [ˌdisəˈlau] *v/t* **1.** nicht gestatten *od.* zugeben *od.* erlauben, mißˈbilligen, verbieten, verweigern. **2.** nicht anerkennen, nicht gelten lassen, *sport a.* annulˈlieren. **ˌdis·alˈlow·a·ble** *adj* zu verwerfen(d), nicht zu billigen(d). **ˌdis·alˈlow·ance** *s* **1.** ˈMißbilligung *f.* **2.** Nichtanerkennung *f*, Verwerfung *f.*

dis·ap·pear [ˌdisəˈpiːr] *v/i* **1.** verschwinden (from von, aus; to nach). **2.** verlorengehen (*Gebräuche etc*). **ˌdis·apˈpear·ance** [-ˈpi(ə)rəns] *s* **1.** Verschwinden *n.* **2.** *tech.* Schwund *m.* **ˌdis·apˈpear·ing** *adj* **1.** verschwindend. **2.** versenkbar, Versenk...: ~ bed Klappbett *n.*

dis·ap·point [ˌdisəˈpɔint] *v/t* **1.** *j-n* enttäuschen: to be ~ed enttäuscht sein (at, with über *acc*); to be ~ed of s.th. um etwas betrogen *od.* gebracht werden; to be ~ed in s.th. in e-r Sache enttäuscht werden. **2.** *Hoffnungen etc* (ent)täuschen, vereiteln. **3.** *colloq.* im Stich lassen, ‚sitzenlassen'. **ˌdis·apˈpoint·ed** *adj* (*adv* ~ly) enttäuscht: agreeably ~ angenehm enttäuscht. **ˌdis·apˈpoint·ing** *adj* (*adv* ~ly) enttäuschend. **ˌdis·apˈpoint·ment** *s* **1.** Enttäuschung *f* (at s.th. über e-e Sache; in s.o. über j-n): to meet with ~ e-e Enttäuschung erleben, enttäuscht werden. **2.** Enttäuschung *f*, Vereitelung *f*: ~ of plans. **3.** ˈMißerfolg *m*, Fehlschlag *m.* **4.** Enttäuschung *f* (*Person od. Sache, die enttäuscht*).

dis·ap·pro·ba·tion [ˌdisæproˈbeiʃən] *s* ˈMißbilligung *f.* **disˈap·proˌba·tive, disˈap·proˌba·to·ry** *adj* mißˈbilligend.

dis·ap·prov·al [ˌdisəˈpruːvəl] *s* **1.** (of) ˈMißbilligung *f* (*gen*), ˈMißfallen *n* (über *acc*). **2.** Tadel *m.* **ˌdis·apˈprove** [-ˈpruːv] **I** *v/t* mißˈbilligen, verurteilen, tadeln. **II** *v/i* sein ˈMißfallen äußern (of über *acc*). **ˌdis·apˈprov·ing** *adj* (*adv* ~ly) mißˈbilligend.

dis·arm [disˈɑːrm] **I** *v/t* **1.** entwaffnen (*a. fig. freundlich stimmen*). **2.** unschädlich machen. **3.** *Bomben etc* entschärfen. **4.** *fig.* besänftigen: to ~ s.o.'s rage. **II** *v/i* **5.** *mil. pol.* abrüsten. **disˈar·ma·ment** *s* **1.** Entwaffnung *f.* **2.** *mil. pol.* Abrüstung *f.* **disˈarm·ing** *adj* (*adv* ~ly) *fig.* entwaffnend: a ~ smile.

dis·ar·range [ˌdisəˈreindʒ] *v/t* in Unordnung bringen, durcheinˈanderbringen, verwirren. **ˌdis·arˈrange·ment** *s* Verwirrung *f*, Unordnung *f.*

dis·ar·ray [ˌdisəˈrei] **I** *v/t* **1.** *bes. Truppen* in Unordnung bringen. **2.** entkleiden (of *gen*) (*a. fig.*). **II** *s* **3.** Unordnung *f*, Verwirrung *f.* **4.** nachlässige Kleidung.

dis·ar·tic·u·late [ˌdisɑːrˈtikjuˌleit] **I** *v/t* **1.** zergliedern, trennen. **2.** *med.* exartikuˈlieren. **II** *v/i* **3.** aus den Fugen gehen. **ˌdis·arˌtic·uˈla·tion** *s* **1.** Zergliederung *f.* **2.** *med.* ˌExartikulatiˈon *f.*

dis·as·sem·ble [ˌdisəˈsembl] *v/t* auseinˈandernehmen, zerlegen, ˈabmonˌtieren. **ˌdis·asˈsem·bly** *s* **1.** Zerlegung *f*, Abbau *m*, Demonˈtage *f.* **2.** zerlegter Zustand.

dis·as·sim·i·late [ˌdisəˈsimiˌleit] *v/t physiol.* abbauen. **ˌdis·asˌsim·iˈla·tion** *s physiol.* Abbau *m.*

dis·as·so·ci·ate [ˌdisəˈsouʃiˌeit] → dissociate I. **ˌdis·asˌso·ciˈa·tion** → dissociation.

dis·as·ter [*Br.* diˈzɑːstə; *Am.* -ˈzæ(ː)stər] **I** *s* **1.** Unglück *n* (to für), Unheil *n*, Verderben *n*: to bring to ~ ins Unglück bringen. **2.** Unglück *n*, Kataˈstrophe *f.* **II** *adj* **3.** Katastrophen...: ~ area; ~ control Katastrophenbekämpfung *f*; ~ unit (Katastrophen-)Einsatzgruppe *f.*

dis·as·trous [*Br.* diˈzɑːstrəs; *Am.* -ˈzæ(ː)s-] *adj* (*adv* ~ly) **1.** unglücklich, unglückselig, unheil-, verhängnisvoll, schrecklich (to für). **2.** katastroˈphal, verheerend.

dis·a·vow [ˌdisəˈvau] *v/t* **1.** nicht anerkennen, desavouˈieren. **2.** nichts zu tun haben wollen mit, abrücken von. **3.** in Abrede stellen, (ab)leugnen, nicht wahrhaben wollen. **ˌdis·aˈvow·al** *s* **1.** Nichtanerkennung *f.* **2.** Ableugnen *n.* **3.** Zuˈrückweisung *f* (*e-r Behauptung etc*). **4.** Deˈmenti *n.*

dis·band [disˈbænd] **I** *v/t mil.* a) *Truppen* entlassen, b) *Einheit* auflösen. **II** *v/i* sich auflösen, auseinˈandergehen. **disˈband·ment** *s bes. mil.* Auflösung *f.*

dis·bar [disˈbɑːr] *v/t jur.* aus dem Anwaltstand ausschließen. **disˈbar·ment** *s* Ausschluß *m* aus dem Anwaltstand.

dis·be·lief [ˌdisbiˈliːf] *s* **1.** Unglaube *m.* **2.** Zweifel *m* (in an *dat*). **ˌdis·beˈlieve** [-ˈliːv] **I** *v/t* keinen Glauben schenken (*dat*): a) *etwas* bezweifeln, nicht glauben, b) *j-m* nicht glauben. **II** *v/i* nicht glauben (in an *acc*). **ˌdis·beˈliev·er** *s* Ungläubige(r *m*) *f* (*a. relig.*), Zweifler(in).

dis·bench [disˈbentʃ] *v/t jur. Br.* aus dem Vorstand e-s der Inns of Court ausstoßen.

dis·bud [disˈbʌd] *v/t pret u. pp* **-ˈbud·ded** von (ˈüberschüssigen) Knospen *od.* Schößlingen befreien.

dis·bur·den [disˈbəːrdn] **I** *v/t* **1.** (von e-r Bürde) befreien, entlasten (of, from von): to ~ one's mind sein Herz ausschütten *od.* erleichtern. **2.** *Last, Sorgen etc* loswerden, abladen (upon auf *acc*). **II** *v/i* **3.** (e-e Last) ab- *od.* ausladen.

dis·burs·a·ble [disˈbəːrsəbl] *adj* auszahlbar. **disˈburs·al** → disbursement. **disˈburse** [-ˈbəːrs] **I** *v/t* **1.** *Geld* auszahlen. **2.** ausgeben, -legen. **II** *v/i* **3.** Geld auslegen. **4.** Ausgaben haben. **disˈburse·ment** *s* **1.** Auszahlung *f.* **2.** Ausgabe *f*, -lage *f*, Verauslagung *f.*

dis·burs·ing of·fi·cer [disˈbəːrsiŋ] *s mil.* Zahlmeister *m.*

disc → disk.

dis·cal·ce·ate [disˈkælsiit; -siˌeit] **I** *adj* → discalced. **II** *s relig.* Barfüßer(in) (*Mönch, Nonne*). **disˈcalced** [-ˈkælst] *adj* **1.** barfuß. **2.** *relig.* Barfüßer...

dis·cant [ˈdiskænt; disˈkænt] → descant.

dis·card [disˈkɑːrd] **I** *v/t* **1.** *Karten* a) ablegen, b) abwerfen. **2.** *etwas* ablegen, ˈausranˌgieren, ausscheiden: to ~ old clothes. **3.** ad acta legen. **4.** *e-e Gewohnheit* ablegen, aufgeben: to ~ a habit (prejudice, *etc*); to ~ a method ein Verfahren aufgeben. **5.** *j-n* verabschieden, entlassen, ‚ˈausranˌgieren'. **II** *v/i* **6.** a) Karten ablegen, b) (Karten) abwerfen, nicht (Farbe) bedienen. **III** *s* [ˈdiskɑːrd] **7.** *Kartenspiel*: a) Ablegen *n*, Abwerfen *n*, b) abgeworfene *od.* abgelegte Karte(n *pl*). **8.** *Am. etwas* Abgelegtes, abgelegte Sache, entlassene Perˈson. **9.** *Am.* Abfall *m*: to throw into the ~ ablegen, ad acta legen, nicht mehr beachten.

dis·cern [diˈsəːrn; -ˈzəːrn] *v/t* **1.** (*sinnlich od. geistig*) wahrnehmen, erkennen, feststellen. **2.** *obs.* unterˈscheiden (können): to ~ good and (*od.* from) evil zwischen Gut u. Böse unterscheiden (können). **disˈcern·i·ble** *adj* (*adv* **discernibly**) wahrnehmbar, erkennbar, sichtbar. **disˈcern·ing** *adj* urteilsfähig, scharfsichtig, kritisch (urteilend), klug. **disˈcern·ment** *s* **1.** Scharfblick *m*, Urteil(skraft *f*) *n*, Unterˈscheidungsfähigkeit *f.* **2.** Einsicht *f* (of in *acc*). **3.** Wahrnehmen *n*, Erkennen *n.* **4.** Wahrnehmungskraft *f.*

dis·cerp·ti·ble [diˈsəːrptibl] *adj* (zer)trennbar.

dis·charge [disˈtʃɑːrdʒ] **I** *v/t* **1.** *allg.* entlasten (*a. arch.*), entladen (*a. electr.*). **2.** ausladen: a) *ein Schiff etc* entladen, b) *e-e Ladung* löschen: to ~ a cargo, c) *Passagiere* ausschiffen. **3.** *ein Gewehr, Geschoß etc* abfeuern, abschießen: to ~ a gun (an arrow, *etc*). **4.** *Wasser etc* ablassen, ablaufen *od.* abströmen lassen: the river ~s itself into a lake der Fluß ergießt sich *od.* mündet in e-n See. **5.** *tech. Produkte etc* abführen, ausstoßen (*Maschine*). **6.** von sich geben, ausströmen, -senden: to ~ fumes. **7.** *med. physiol.* absondern: to ~ saliva; the ulcer ~s matter das Geschwür eitert. **8.** *s-n Gefühlen* Luft machen, *s-n Zorn* auslassen (on an *dat*): to ~ one's emotions (one's fury, *etc*). **9.** *j-n* befreien, entbinden (of, from von *Verpflichtungen etc*; from doing s.th. davon, etwas zu tun). **10.** *j-n* freisprechen *od.* entlasten (of von). **11.** *j-n* entlassen (from aus *dat.*): to ~ an employee (a patient, a prisoner, a soldier, *etc*). **12.** *s-e Verpflichtungen* erfüllen, nachkommen (*dat*), *Schulden* bezahlen, begleichen, tilgen: to ~ one's liabilities. **13.** *e-n Wechsel* einlösen. **14.** a) *e-n Schuldner* entlasten: to ~ a debtor, b) *obs. e-n Gläubiger* befriedigen: to ~ a creditor. **15.** *ein Amt* verwalten, versehen. **16.** *s-e Pflicht* erfüllen, sich *e-r Aufgabe* entledigen: to ~ one's duty. **17.** *obs. thea. e-e Rolle* spielen. **18.** *jur. ein Urteil etc* aufheben: to ~ a court order. **19.** *Färberei*: (aus)bleichen. **20.** *obs. od. Scot.* verbieten.

II *v/i* **21.** sich e-r Last entledigen. **22.** herˈvorströmen. **23.** abfließen. **24.** sich ergießen, münden (*Fluß*). **25.** Flüssigkeit ausströmen lassen. **26.** *med.* eitern. **27.** losgehen, sich entladen (*Gewehr etc*). **28.** *electr.* sich entladen. **29.** ver-, auslaufen (*Farbe*).

III *s* [*a.* ˈdistʃɑːrdʒ] **30.** Entladung *f*, Löschen *n* (*e-s Schiffes etc*). **31.** Löschung *f*, Ausladung *f* (*e-r Fracht*). **32.** Abfeuern *n*: ~ of a gun. **33.** Aus-, Abfluß *m.* **34.** *tech.* a) Ab-, Auslaß *m*: ~ cock Ablaßhahn *m*, b) Auslauf *m* (*e-r Verpackungsmaschine etc*): ~ chute Auslaufrutsche *f.* **35.** Abflußmenge *f.* **36.** a) Absonderung *f*: ~ **of saliva,** b) *med.* (*Augen- etc*)Ausfluß *m*: a ~ **from the eyes. 37.** a) Ausstoßen *n*: the ~ **of smoke,** b) *electr.* Entladung *f.* **38.** Befreiung *f* (*von Verpflichtungen etc*), Entlastung *f.* **39.** *jur.* Freisprechung *f* (**from** von). **40.** *jur.* Entlassung *f*, Freilassung *f* (**from prison** aus dem Gefängnis). **41.** *jur.* Aufhebung *f*: ~ **of an order. 42.** *jur.* Entlastung *f* (*e-s Schuldners*): ~ **of a bankrupt** Aufhebung *f* des Konkursverfahrens, Entlastung des Gemeinschuldners. **43.** a) Erfüllung *f* (*e-r Verpflichtung etc*), b) Bezahlung *f* (*e-r Schuld etc*): **in** ~ **of** zur Begleichung von (*od. gen*), c) Einlösung *f* (*e-s Wechsels*). **44.** Erfüllung *f* (*e-r Pflicht etc*). **45.** Verwaltung *f*, Ausübung *f* (*e-s Amtes*). **46.** Quittung *f*: ~ **in full** vollständige Quittung. **47.** Entlassung *f*: ~ **of employees. 48.** *mil.* (Dienst)Entlassung *f*, Verabschiedung *f.* **49.** *Färberei*: (Aus)Bleichung *f.* **50.** *arch.* Entlastung *f*, Stütze *f.*

dis·charge| pipe *s tech.* Abflußrohr *n.* ~ **po·ten·tial** *s electr.* Ent'ladungspotenti,al *n*, -spannung *f.* ~ **print** *s print.* Ätzdruck *m.*

dis·charg·er [dis'tʃɑːrdʒər] *s* **1.** Entlader *m.* **2.** Entladevorrichtung *f.* **3.** *electr.* a) Entlader *m*, b) Funkenstrecke *f.* **4.** *aer.* Abwurfbehälter *m.*

dis·charg·ing| arch [dis'tʃɑːrdʒiŋ] *s arch.* Entlastungsbogen *m.* ~ **cur·rent** *s electr.* Entladestrom *m.* ~ **pipe** *s tech.* (Aus)Blasrohr *n.* ~ **vault** *s arch.* Leibungsbogen *m.*

dis·ci·ple [di'saipl] *s* **1.** *Bibl.* Jünger *m.* **2.** *relig.* A'postel *m.* **3.** Schüler *m*, Anhänger *m*, Jünger *m.*

Dis·ci·ples of Christ *s pl relig.* Campbel'liten *pl*, Jünger *pl* Christi (*kongregationalistische Sekte*).

dis·ci·plin·a·ble ['disi,plinəbl] *adj* **1.** folg-, fügsam, erziehbar. **2.** strafbar. **dis·ci·pli·nal** [,disi'plainl; 'disiplinl] *adj* **1.** Disziplin... **2.** erzieherisch. **'dis·ci·plin·ant** [-plinənt] *s* **1.** j-d, der sich e-r (strengen) Diszi'plin unter'wirft. **2.** *relig. hist.* Flagel'lant *m*, Geißler *m.*

dis·ci·pli·nar·i·an [,disipli'nɛ(ə)riən] **I** *s* **1.** Zuchtmeister *m* (*a. fig.*). **2.** strenger Lehrer *od.* Vorgesetzter. **3.** D~ *hist.* kalvi'nistischer Puri'taner (*in England*). **II** *adj* → **disciplinary.** **'dis·ci·pli·nar·y** [-nəri] *adj* **1.** erzieherisch, die Diszi'plin fördernd. **2.** diszipli'narisch, Disziplinar...: ~ **punishment;** ~ **action** Disziplinarmaßnahme *f*, -verfahren *n.* **3.** Straf...: ~ **barracks** *mil.* Militär-Strafanstalt *f.*

dis·ci·pline ['disiplin] **I** *s* **1.** Schulung *f*, Ausbildung *f.* **2.** Drill *m.* **3.** Bestrafung *f*, Züchtigung *f.* **4.** Ka'steiung *f.* **5.** Diszi'plin *f*, (Mannes)Zucht *f.* **6.** 'Selbstdiszi,plin *f.* **7.** Vorschriften *pl*, Regeln *pl*, Kodex *m* von Vorschriften. **8.** *relig.* Diszi'plin *f* (*Regeln der kirchlichen Verwaltung, Liturgie etc*). **9.** Diszi'plin *f*, Wissenszweig *m*, ('Unterrichts)Fach *n.* **II** *v/t* **10.** schulen, (aus)bilden, erziehen, unter'richten. **11.** *mil.* drillen. **12.** an 'Selbstdiszi,plin gewöhnen. **13.** diszipli'nieren, an Diszi'plin gewöhnen, zur (Mannes)Zucht erziehen: **well** ~**d** gut diszipliniert. **14.** bestrafen.

disc jock·ey → **disk jockey.**

dis·claim [dis'kleim] **I** *v/t* **1.** *etwas* in Abrede stellen, abstreiten. **2.** a) jede Verantwortung ablehnen für, b) *e-e Verantwortung* ablehnen, c) *etwas* nicht anerkennen. **3.** verleugnen. **4.** *jur.* Verzicht leisten auf (*acc*), keinen Anspruch erheben auf (*acc*). **II** *v/i* **5.** *jur.* Verzicht leisten, verzichten. **dis'claim·er** *s* **1.** Verzicht(leistung *f*) *m.* **2.** (öffentlicher) 'Widerruf, De'menti *n.*

dis·close [dis'klouz] **I** *v/t* **1.** enthüllen, sichtbar machen, ans Licht bringen. **2.** *Pläne etc* enthüllen, aufdecken, offen'baren. **3.** zeigen, verraten: **his books** ~ **great learning. 4.** *obs.* öffnen. **II** *s obs. für* **disclosure. dis'clo·sure** [-ʒər] *s* **1.** Enthüllung *f*: a) Aufdeckung *f*, Offen'barung *f*, b) (*das*) Enthüllte. **2.** Verlautbarung *f*, Bekanntgabe *f*: ~ **of secrets** Preisgabe *f* von Geheimnissen. **3.** *Patentrecht*: genaue Beschreibung.

dis·cog·ra·phy [dis'kɒgrəfi] *s* Schallplattenverzeichnis *n.*

dis·coid ['diskɔid] **I** *adj* scheibenförmig, Scheiben... **II** *s* scheibenförmiger Gegenstand. **dis'coi·dal** *adj* **1.** → **discoid I. 2.** *med.* diskoi'dal.

dis·col·or [dis'kʌlər] **I** *v/t* **1.** verfärben, anders färben. **2.** beflecken. **3.** bleichen, entfärben. **4.** *fig.* entstellen. **II** *v/i* **5.** sich verfärben, die Farbe verlieren, verblassen. **dis,col·or'a·tion** *s* **1.** Verfärbung *f.* **2.** Befleckung *f.* **3.** Bleichung *f*, Entfärbung *f*, Farbverlust *m.* **4.** Fleck *m*, *bes.* entfärbte *od.* verschossene Stelle. **dis'col·ored** *adj* **1.** verfärbt. **2.** fleckig. **3.** blaß, entfärbt, verschossen, ausgebleicht.

dis·col·our, dis·col·our·a·tion, dis·col·oured *bes. Br. für* **discolor** *etc.*

dis·com·fit [dis'kʌmfit] *v/t* **1.** (vernichtend) schlagen, besiegen. **2.** *j-s* Pläne durch'kreuzen: **to** ~ **s.o. 3.** aus der Fassung bringen, verwirren. **dis'com·fi·ture** [-tʃər] *s* **1.** Vernichtung *f*, Besiegung *f.* **2.** Niederlage *f* (*in der Schlacht*). **3.** Vereitelung *f*, Durch'kreuzung *f*, Enttäuschung *f* (*von Hoffnungen etc*). **4.** Verwirrung *f.*

dis·com·fort [dis'kʌmfərt] **I** *s* **1.** Unannehmlichkeit *f*, Verdruß *m.* **2.** Unbehagen *n.* **3.** (*körperliche*) Beschwerde. **4.** Sorge *f*, Qual *f.* **II** *v/t* **5.** *j-m* Unbehagen verursachen, unbehaglich sein. **6.** beunruhigen, quälen. **dis'com·fort·ed** *adj* **1.** 'mißvergnügt. **2.** beunruhigt.

dis·com·mode [,diskə'moud] *v/t* **1.** inkommo'dieren, *j-m* Unannehmlichkeiten verursachen. **2.** belästigen, *j-m* zur Last fallen.

dis·com·mon [dis'kɒmən] *v/t* **1.** *univ.* (*Oxford u. Cambridge*) *e-m Geschäftsmann* den Verkauf an Stu'denten unter'sagen. **2.** *jur. Gemeindeland* der gemeinsamen Nutzung entziehen, einfried(ig)en. **dis·'com·mons** *v/t univ.* **1.** *Studenten* vom gemeinsamen Mahl ausschließen. **2.** → **discommon 1.**

dis·com·pose [,diskəm'pouz] *v/t* **1.** in Unordnung bringen, (*a. fig. j-n*) durchein'anderbringen. **2.** *j-n* (völlig) aus der Fassung bringen, verwirren, beunruhigen. **,dis·com'pos·ed·ly** [-idli] *adv* verwirrt, beunruhigt. **,dis·com'po·sure** [-ʒər] *s* Fassungslosigkeit *f*, Verwirrung *f*, Aufregung *f.*

dis·con·cert [,diskən'səːrt] *v/t* **1.** aus der Fassung bringen, bestürzen, verwirren. **2.** beunruhigen. **3.** durchein'anderbringen. **4.** *e-n Plan etc* zu'nichte machen, vereiteln. **,dis·con'cert·ed** *adj* **1.** aus der Fassung gebracht, bestürzt, verwirrt. **2.** beunruhigt.

dis·con·form·i·ty [,diskən'fɔːrmiti] *s* **1.** 'Nichtüber,einstimmung *f* (**to, with** mit). **2.** *geol.* diskor'dante Lagerung.

dis·con·nect [,diskə'nekt] *v/t* **1.** (zer)trennen, loslösen (**with, from** von). **2.** *tech.* a) ent-, auskuppeln, b) *die Kupplung* ausrücken. **3.** *electr.* trennen, ab-, ausschalten, unter'brechen: ~**ing switch** Trennschalter *m.* **,dis·con'nect·ed** *adj* (*adv* ~**ly**) **1.** (ab)getrennt, losgelöst. **2.** 'unzu,sammenhängend. **,dis·con'nec·tion** [-kʃən] *s* **1.** Abgetrenntheit *f*, Losgelöstheit *f.* **2.** Zs.-hangslosigkeit *f.* **3.** Trennung *f.* **4.** *electr.* Trennung *f*, Abschaltung *f*, Unter'brechung *f.* **,dis·con'nec·tor** [-tər] *s electr.* Trennschalter *m.*

dis·con·nex·ion *bes. Br. für* **disconnection.**

dis·con·so·late [dis'kɒnsəlit; -,leit] *adj* (*adv* ~**ly**) trostlos: a) untröstlich, verzweifelt, tieftraurig, unglücklich, b) freudlos, trüb: ~ **weather. dis'con·so·late·ness, dis,con·so'la·tion** *s* **1.** Untröstlichkeit *f.* **2.** Trostlosigkeit *f.*

dis·con·tent [,diskən'tent] **I** *adj* **1.** unzufrieden. **II** *s* **2.** (**at, with**) Unzufriedenheit *f* (mit), 'Mißvergnügen *n* (über *acc*). **3.** *selten* Unzufriedene(r *m*) *f.* **,dis·con'tent·ed** *adj* (*adv* ~**ly**) (**with**) unzufrieden (mit), 'mißvergnügt (über *acc*). **,dis·con'tent·ed·ness, ,dis·con'tent·ment** → **discontent 2.**

dis·con·tig·u·ous [,diskən'tigjuəs] *adj bes. Scot.* nicht zs.-hängend, sich nicht berührend.

dis·con·tin·u·ance [,diskən'tinjuəns], **,dis·con,tin·u'a·tion** [-'eiʃən] *s* **1.** Unter'brechung *f.* **2.** Einstellung *f.* **3.** Aufgeben *n*: ~ **of a habit. 4.** Abbruch *m*: ~ **of business relations. 5.** Aufhören *n.* **6.** *jur.* a) Einstellung *f* (*des Verfahrens*), b) Absetzung *f* (*e-s Prozesses*), c) Zu'rückziehung *f* (*e-r Klage*). **,dis·con'tin·ue** [-'tinju] **I** *v/t* **1.** aussetzen, unter'brechen. **2.** einstellen, nicht weiterführen: **to** ~ **a contract** ein Vertragsverhältnis auflösen. **3.** *e-e Gewohnheit etc* aufgeben. **4.** *Beziehungen* abbrechen. **5.** *e-e Zeitung* abbestellen. **6.** aufhören (**doing** zu tun). **7.** *jur.* a) *das Verfahren* einstellen, b) *den Prozeß* absetzen, c) *die Klage* zu'rückziehen. **II** *v/i* **8.** aufhören.

dis·con·ti·nu·i·ty [,diskɒnti'njuiti] *s* **1.** Unter'brochenheit *f.* **2.** Zs.-hang(s)losigkeit *f.* **3.** Unter'brechung *f.* **4.** *math. phys.* Diskontinui'tät *f.*

dis·con·tin·u·ous [,diskən'tinjuəs] *adj* (*adv* ~**ly**) **1.** unter'brochen, mit Unter'brechungen. **2.** 'unzu,sammenhängend. **3.** *math. phys.* diskontinu'ierlich, unstetig. **4.** sprunghaft: ~ **development.**

dis·co·phile ['disko,fail; -fil] *s* Schallplattensammler(in).

dis·co·plasm ['disko,plæzəm] *s med.* Disco'plasma *n* (*Zellplasma der roten Blutkörperchen*).

dis·cord I *s* ['diskɔːrd] **1.** 'Nichtüber,einstimmung *f*: **to be at** ~ **with** im Widerspruch stehen mit *od.* zu. **2.** Uneinigkeit *f.* **3.** Zwietracht *f*, Zwist *m*, Streit *m*, Zank *m*: **apple of** ~ Zankapfel *m.* **4.** *mus.* 'Mißklang *m*, (schreiende) Disso'nanz. **5.** *fig.* 'Mißklang *m*, -ton *m.* **6.** (*bes.* Streit)Lärm *m.* **II** *v/i* [dis'kɔːrd] **7.** uneins sein. **8.** nicht über'einstimmen (**with, from** mit). **dis'cord·ance, dis'cord·an·cy** *s* **1.** → **discord 1-5. 2.** *geol.* Diskor'danz *f.* **dis'cord·ant** *adj* (*adv* ~**ly**) **1.** (**with**) nicht über'einstimmend (mit), wider'sprechend (*dat*). **2.** sich wider'sprechend, entgegengesetzt: ~ **views. 3.** *mus.* a) 'unhar,monisch, 'mißtönend (*beide a. weitS. u. fig.*), disso'nant, b) verstimmt.

dis·co·theque [ˌdiskəˈtek] *s* Disko'thek *f.*

dis·count [ˈdiskaunt] **I** *s* **1.** *econ.* Preisnachlaß *m*, Abschlag *m*, Raˈbatt *m*, Skonto *m, n.* **2.** *econ.* a) Disˈkont *m*, Wechselzins *m*, b) → **discount rate. 3.** *econ.* Abzug *m* (*vom Nominalwert*): **at a** ~ a) unter Pari, b) *fig.* unbeliebt, nicht geschätzt, c) *fig.* nicht gefragt; **to sell at a** ~ mit Verlust verkaufen. **4.** *econ.* Disˈkont *m*, Zinszahlung *f* im voraus. **5.** Abzug *m*, Vorbehalt *m* (*wegen Übertreibung*). **II** *v/t* [*a.* disˈkaunt] **6.** *econ.* abziehen, abrechnen. **7.** *econ.* e-n Abzug gewähren auf (*e-e Rechnung etc*). **8.** *econ. e-n Wechsel etc* diskonˈtieren. **9.** *fig.* unberücksichtigt lassen, nicht mitrechnen. **10.** im Wert vermindern, beeinträchtigen. **11.** nur teilweise glauben, mit Vorsicht aufnehmen: **to** ~ **s.o.'s story. III** *v/i* **12.** *econ.* diskonˈtieren, Disˈkontdarlehen gewähren. **disˈcount·a·ble** *adj econ.* disˈkontfähig, diskonˈtierbar.

dis·count| bank *s econ.* Disˈkontbank *f.* ~ **bills** *s pl econ.* Disˈkonten(wechsel) *pl.* ~ **bro·ker** *s econ.* Disˈkont-, Wechselmakler *m.* ~ **com·pa·ny** *s econ.* Disˈkontgesellschaft *f.* ~ **day** *s econ.* Disˈkonttag *m.*

dis·coun·te·nance [disˈkauntinəns] *v/t* **1.** aus der Fassung bringen. **2.** (offen) mißˈbilligen, ablehnen. **3.** zu hindern suchen, nicht unterˈstützen.

dis·count·er [ˈdiskauntər; disˈkauntər] *s econ.* **1.** Diskonˈtierer *m.* **2.** *Am.* ˈDiscounter *m*, Inhaber(in) e-s discount house 2.

dis·count| house *s econ.* **1.** a) → **discount company**, b) Disˈkonthaus *n*, -bank *f.* **2.** *Am.* ˈDiscountgeschäft *n*, Disˈkonthaus *n* (*mit preisvergünstigter Ware*). ~ **man** → **discounter** 2. ~ **mar·ket** *s econ.* Disˈkont-, Wechselmarkt *m.* ~ **rate** *s econ.* Disˈkontsatz *m*, ˈBankdisˌkont *m*, -rate *f.*

dis·cour·age [*Br.* disˈkʌridʒ; *Am.* -ˈkɜːr-] *v/t* **1.** entmutigen. **2.** abschrecken, abhalten, *j-m* abraten (**from** von; **from doing** [davon,] *etwas* zu tun). **3.** abschrecken von. **4.** hemmen, beeinträchtigen, nicht begünstigen, einzuschränken suchen. **5.** mißˈbilligen, verurteilen. **disˈcour·age·ment** *s* **1.** Entmutigung *f.* **2.** Abschreckung *f.* **3.** Abschreckung(smittel *n*) *f.* **4.** Hemmung *f*, Einschränkung *f.* **5.** Hindernis *n*, Schwierigkeit *f* (**to** für). **disˈcour·ag·ing** *adj* (*adv* ~**ly**) entmutigend.

dis·course I *s* [ˈdiskɔːrs; disˈkɔːrs] **1.** Unterˈhaltung *f*, Gespräch *n.* **2.** a) Darlegung *f*, b) (mündliche *od.* schriftliche) Abhandlung, *bes.* Vortrag *m*, Predigt *f.* **3.** a) logisches Denken, b) Fähigkeit *f* zu logischem Denken. **II** *v/i* [disˈkɔːrs] **4.** sich unterˈhalten (**on** über *acc*). **5.** s-e Ansichten darlegen. **6.** e-n Vortrag halten (**on** über *acc*). **7.** *meist fig.* doˈzieren *od.* predigen (**on** über *acc*). **III** *v/t* **8.** *poet. Musik* vortragen, spielen.

dis·cour·te·ous [disˈkɜːrtiəs] *adj* (*adv* ~**ly**) unhöflich, ˈunzuˌvorkommend, grob. **disˈcour·te·ous·ness, disˈcour·te·sy** *s* Unhöflichkeit *f.*

dis·cov·er [disˈkʌvər] *v/t* **1.** *Land* entdecken. **2.** ausfindig machen, erspähen, entdecken. **3.** *fig.* entdecken, (herˈaus)finden, (plötzlich) erkennen (**from** aus). **4.** *selten* enthüllen, aufdecken: **to** ~ **check** maskiertes Schach bieten. **disˈcov·er·a·ble** *adj* **1.** entdeckbar. **2.** wahrnehmbar, ersichtlich. **3.** feststellbar. **disˈcov·er·er** *s* Entdecker(in).

dis·cov·ert [disˈkʌvərt] *adj jur.* unverheiratet, verwitwet (*Frau*). **disˈcov·er·ture** [-tʃər] *s jur.* Unverheiratetsein *n* (*der Frau*).

dis·cov·er·y [disˈkʌvəri] *s* **1.** Entdeckung *f*: **voyage of** ~ Entdeckungsfahrt *f*, Forschungsreise *f.* **2.** Auffindung *f.* **3.** Enthüllung *f*, Offenˈbarung *f*, (offene) Darlegung. **4.** Entdeckung *f*, Fund *m*: **this is my** ~ das ist m-e Entdeckung. **5.** *jur.* zwangsweise Offenˈbarung (*von Dokumenten etc an den Prozeßgegner*): **bill of** ~ Ausmittelungsklage *f.* **6.** erstes Auffinden von Bodenschätzen.

dis·cred·it [disˈkredit] **I** *v/t* **1.** diskrediˈtieren, in Verruf *od.* ˈMißkreˌdit bringen (**with** bei), ein schlechtes Licht werfen auf (*acc*), Unehre machen (*dat*). **2.** anzweifeln, keinen Glauben schenken (*dat*). **II** *s* **3.** Zweifel *m*, ˈMißtrauen *n*: **to cast** (*od.* **throw**) ~ **on s.th.** etwas zweifelhaft erscheinen lassen. **4.** ˈMißkreˌdit *m*, schlechter Ruf, Schande *f*: **to bring into** ~, **to bring** ~ **on** → 1. **5.** Schande *f.* **disˈcred·it·a·ble** *adj* (*adv* **discreditably**) schändlich. **disˈcred·it·ed** *adj* **1.** verrufen, diskrediˈtiert. **2.** unglaubwürdig.

dis·creet [disˈkriːt] *adj* (*adv* ~**ly**) **1.** ˈum-, vorsichtig, besonnen, verständig. **2.** disˈkret, taktvoll, verschwiegen. **disˈcreet·ness** *s* **1.** Besonnenheit *f.* **2.** Verschwiegenheit *f.*

dis·crep·an·cy [disˈkrepənsi], *selten* **disˈcrep·ance** *s* **1.** Diskreˈpanz *f*, ˈWiderspruch *m*, Unstimmigkeit *f*, Verschiedenheit *f.* **2.** Zwiespalt *m.* **disˈcrep·ant** *adj* **1.** diskreˈpant, sich widerˈsprechend. **2.** abweichend.

dis·crete [disˈkriːt] *adj* (*adv* ~**ly**) **1.** getrennt (*a. bot.*), einzeln. **2.** aus einzelnen Teilen bestehend. **3.** *math.* disˈkret, unstetig. **4.** *philos.* abˈstrakt.

dis·cre·tion [disˈkreʃən] *s* **1.** Verfügungsfreiheit *f*, Machtbefugnis *f.* **2.** (*a. jur.* freies) Ermessen, Gutdünken *n*, Belieben *n*: **at (your)** ~ nach (Ihrem) Belieben; **it is at** (*od.* **within**) **your** ~ es steht Ihnen frei; **use your own** ~ handle nach eigenem Gutdünken *od.* Ermessen; **to surrender at** ~ bedingungslos kapitulieren. **3.** Klugheit *f*, Besonnenheit *f*, ˈUm-, Vorsicht *f*: **years** (*od.* **age**) **of** ~ *jur.* Alter *n* der freien Willensbestimmung, Strafmündigkeit *f* (*14 Jahre*); ~ **is the better part of valo(u)r** Vorsicht ist der bessere Teil der Tapferkeit. **4.** Diskretiˈon *f*: a) Verschwiegenheit *f*, Takt *m*, b) Zuˈrückhaltung *f.* **disˈcre·tion·ar·y** *adj* (*adv* **discretionarily**) dem eigenen Gutdünken überˈlassen, ins freie Ermessen gestellt, beliebig, wahlfrei: ~ **powers** unumschränkte Vollmacht, Handlungsfreiheit *f.*

dis·cre·tive [disˈkriːtiv] *adj* **1.** → **disjunctive** I. **2.** unterˈscheidend.

dis·crim·i·nant [disˈkriminənt] *s math.* Diskrimiˈnante *f.*

dis·crim·i·nate [disˈkrimiˌneit] **I** *v/i* **1.** (scharf) unterˈscheiden, e-n ˈUnterschied machen (**between** zwischen *dat*): **to** ~ **between** *Personen* unterschiedlich behandeln; **to** ~ **against s.o.** j-n benachteiligen *od.* diskriminieren; **to** ~ **in favo(u)r of s.o.** j-n begünstigen *od.* bevorzugen. **II** *v/t* **2.** (voneinˈander) unterˈscheiden, auseinˈanderhalten (**from** von). **3.** absondern, abtrennen (**from** von). **4.** *selten* unterˈscheiden, abheben. **III** *adj* [-nit] **5.** scharf unterˈscheidend, feine ˈUnterschiede machend. **6.** unterˈschieden. **disˈcrim·iˌnat·ing** [-ˌneitiŋ] *adj* (*adv* ~**ly**) **1.** unterˈscheidend, auseinˈanderhaltend. **2.** ˈumsichtig, scharfsinnig, urteilsfähig. **3.** anspruchsvoll: ~ **buyers. 4.** *econ.* Differential...: ~ **duty. 5.** *electr.* Selektiv...: ~ **relay** Rückstromrelais *n.*

dis·crim·i·na·tion [disˌkrimiˈneiʃən] *s* **1.** Unterˈscheidung *f.* **2.** ˈUnterschied *m.* **3.** ˈunterschiedliche Behandlung: ~ **against (in favo(u)r of) s.o.** Benachteiligung *f* (Begünstigung *f*) e-r Person. **4.** Diskrimiˈnierung *f*, Benachteiligung *f*, Schlechterstellung *f*: **racial** ~ Rassendiskriminierung. **5.** Scharfblick *m*, Urteilskraft *f*, -fähigkeit *f*, Unterˈscheidungsvermögen *n.* **6.** Unterˈscheidungsmerkmal *n.* **disˈcrim·iˌna·tive** [-ˌneitiv] *adj* **1.** charakteˈristisch, unterˈscheidend: ~ **features** Unterscheidungsmerkmale. **2.** ˈUnterschiede machend, ˈunterschiedlich behandelnd, *bes.* diskrimiˈnierend. **3.** → **discriminating** 4. **disˈcrim·iˌna·tor** [-tər] *s* **1.** Unterˈscheidende(r *m*) *f.* **2.** *electr.* a) Freˈquenzgleichrichter *m*, b) *TV* Diskrimiˈnator *m.* **disˈcrim·iˌna·to·ry** → **discriminative.**

dis·cur·sive [disˈkɜːrsiv] *adj* (*adv* ~**ly**) **1.** abschweifend, unstet, sprunghaft, ständig das Thema wechselnd. **2.** *philos.* diskurˈsiv, folgernd.

dis·cus [ˈdiskəs] *pl* **-cus·es, dis·ci** [ˈdis(k)ai] *s sport* **1.** Diskus *m*, Wurfscheibe *f.* **2.** Diskuswerfen *n.*

dis·cuss [disˈkʌs] *v/t* **1.** diskuˈtieren, besprechen, erörtern, verhandeln, beraten (**s.th.** über e-e Sache). **2.** sprechen über (*acc*), sich unterˈhalten über (*acc*): **to** ~ **s.th.** über etwas reden. **3.** prüfen, unterˈsuchen, behandeln. **4.** *colloq.* ‚sich (*e-e Flasche Wein etc*) zu Gemüte führen', genießen. **5.** *obs.* erklären, enthüllen. **disˈcuss·i·ble** *adj* diskuˈtabel.

dis·cus·sion [disˈkʌʃən] *s* **1.** Diskussiˈon *f*, Deˈbatte *f*, Besprechung *f*, Erörterung *f*: **to be under** ~ zur Diskussion stehen, erörtert werden; **to enter into** (*od.* **upon**) **a** ~ in e-e Diskussion eintreten; **a matter for** ~ ein Diskussionsgegenstand. **2.** Prüfung *f*, Unterˈsuchung *f*, Beratung *f.* **3.** *colloq.* Genuß *m*, (genußvolles) Verzehren. **4.** *med.* Beseitigung *f* (*e-s Tumors*).

dis·dain [disˈdein] **I** *v/t* **1.** verachten, geringschätzen. **2.** *a. e-e Speise etc* verschmähen, es für unter s-r Würde halten (**doing** *od.* **to do** zu tun). **II** *s* **3.** Verachtung *f*, (hochmütige) Geringschätzung: **in** ~ geringschätzig. **4.** Hochmut *m.* **disˈdain·ful** [-ful; -fəl] *adj* (*adv* ~**ly**) **1.** verächtlich, verachtungsvoll, geringschätzig: **to be** ~ **of s.th.** etwas verachten. **2.** hochmütig.

dis·ease [diˈziːz] **I** *s biol. bot. med.* Krankheit *f* (*a. fig.*), Leiden *n*: ~**-resisting** erkrankungsfest. **II** *v/t* krank machen. **disˈeased** *adj* **1.** krank, erkrankt: ~ **in body and mind** krank an Leib u. Seele. **2.** krankhaft: ~ **imagination.**

dis·em·bark [ˌdisimˈbɑːrk; -em-] **I** *v/t* ausschiffen, -laden, an Land setzen, *Truppen etc* landen. **II** *v/i* landen, aussteigen, sich ausschiffen, von Bord *od.* an Land gehen. **ˌdis·em·barˈka·tion** [-em-], **ˌdis·emˈbark·ment** *s* Ausschiffung *f*, Landung *f.*

dis·em·bar·rass [ˌdisimˈbærəs; -em-] *v/t* **1.** *j-m* aus e-r Verlegenheit helfen.

2. (o.s. sich) befreien, freimachen, erlösen (of von). **ˌdis·em'bar·rass·ment** *s* **1.** Befreiung *f* (aus e-r Verlegenheit). **2.** Befreiung *f*, Erlösung *f*.
dis·em·bod·ied [ˌdisim'bɒdid; -em-] *adj* entkörpert, körperlos: ~ **voice** geisterhafte Stimme. **ˌdis·em'bod·i·ment** *s* **1.** Entkörperlichung *f*, Befreiung *f* von körperlicher Form *od.* Hülle. **2.** *mil. selten* Auflösung *f* (*von Truppen*). **ˌdis·em'bod·y** *v/t* **1.** entkörperlichen. **2.** *Seele etc* von der körperlichen Hülle befreien.
dis·em·bogue [ˌdisim'boug; -em-] **I** *v/i* **1.** sich ergießen, münden, fließen (into in *acc*). **2.** her'vorströmen (*a. fig.*). **3.** → **debouch 2. 4.** ausbrechen (*Vulkan*). **II** *v/t* **5.** ergießen, entladen, fließen lassen: **the river** ~**s itself** (*od.* **its waters**) **into the sea** der Fluß ergießt sich ins Meer. **6.** ausströmen lassen.
dis·em·bos·om [ˌdisim'buzəm; -em-] *v/t* enthüllen: **to** ~ **o.s.** sich offenbaren (**to s.o.** j-m).
dis·em·bow·el [ˌdisim'bauəl; -em-] *v/t* **1.** ausweiden, ausnehmen. **2.** a) *den Bauch* aufschlitzen, b) *j-m* den Bauch aufschlitzen.
dis·en·chant [*Br.* ˌdisin'tʃɑːnt; -en-; *Am.* -'tʃæ(ː)nt] *v/t* ernüchtern, desillusio'nieren, entzaubern. **ˌdis·en'chant·ment** *s* Ernüchterung *f*, Desillusio'nierung *f*.
dis·en·cum·ber [ˌdisin'kʌmbər; -en-] *v/t* **1.** *von e-r Last* befreien, entlasten (**of, from** von). **2.** (von Schulden) entlasten.
dis·en·fran·chise [ˌdisin'fræntʃaiz; -en-] → **disfranchise.**
dis·en·gage [ˌdisin'geidʒ; -en-] **I** *v/t* **1.** los-, freimachen, befreien (**from** von). **2.** befreien, entbinden, entlasten (**from** von *Verbindlichkeiten etc*). **3.** *mil.* sich absetzen von (*dem Feind*). **4.** *tech.* los-, entkuppeln, ausrücken: **to** ~ **the clutch** auskuppeln. **II** *v/i* **5.** sich freimachen, loskommen (**from** von). **6.** *fenc.* täuschen. **ˌdis·en'gaged** *adj* **1.** frei, unbeschäftigt. **2.** frei, nicht besetzt (*Leitung etc*). **3.** nicht gebunden. **ˌdis·en'gage·ment** *s* **1.** Befreiung *f*, Loslösung *f*. **2.** Entbindung *f* (**from** von *Verpflichtungen etc*). **3.** Losgelöst-, Freisein *n*. **4.** Entlobung *f*. **5.** Ungebundenheit *f*. **6.** Muße *f*. **7.** *chem.* Entbindung *f*, Freiwerden *n*. **8.** *mil.* Absetzen *n* (vom Feind). **9.** *pol.* Disen'gagement *n*, Ausein'anderrükken *n*.
dis·en·gag·ing| gear [ˌdisin'geidʒiŋ; -en-] *s tech.* Ausrück-, Auskupp(e)lungsvorrichtung *f*. ~ **le·ver** *s tech.* Ausrückhebel *m*.
dis·en·tail [ˌdisin'teil; -en-] *v/t jur. ein Grundstück* von e-r festgelegten Erbfolge befreien.
dis·en·tan·gle [ˌdisin'tæŋgl; -en-] **I** *v/t* **1.** her'auslösen (**from** aus). **2.** entwirren, entflechten, lösen. **3.** befreien (**from** von, aus). **II** *v/i* **4.** sich freimachen, sich loslösen. **5.** sich befreien. **ˌdis·en'tan·gle·ment** *s* **1.** Los-, Her'auslösung *f*. **2.** Entwirrung *f*. **3.** Befreiung *f*.
dis·en·thral(l) [ˌdisin'θrɔːl; -en-] *v/t* befreien (from aus den Banden *gen*). **ˌdis·en'thral(l)·ment** *s* Befreiung *f* (aus der Knechtschaft).
dis·en·ti·tle [ˌdisin'taitl; -en-] *v/t j-m* e-n Rechtsanspruch nehmen: **to be** ~**d to** keinen Anspruch haben auf (*acc*).
dis·en·tomb [ˌdisin'tuːm; -en-] *v/t* **1.** exhu'mieren, wieder ausgraben. **2.** *fig.* ausgraben.
dis·en·train [ˌdisin'trein; -en-] → **detrain.**
dis·e·qui·lib·ri·um [disˌiːkwi'libriəm] *s* **1.** mangelndes *od.* gestörtes Gleichgewicht (*a. fig.*). **2.** Labili'tät *f*, Unausgeglichenheit *f*.
dis·es·tab·lish [ˌdisis'tæbliʃ; -ses-] *v/t* **1.** abschaffen, aufheben. **2.** *e-e Kirche* entstaatlichen. **ˌdis·es'tab·lish·ment** *s* **1.** Abschaffung *f*. **2.** ~ **of the Church** Entstaatlichung *f* der Kirche, Trennung *f* von Kirche u. Staat.
dis·es·teem [ˌdisis'tiːm; -ses-] *s* Geringschätzung *f*, 'Mißachtung *f*.
dis·fa·vo(u)r [dis'feivər] **I** *s* **1.** 'Mißbilligung *f*, -fallen *n*, -gunst *f*, Unwillen *m*, Ungnade *f*: **to look upon s.th. with** ~ etwas mit Mißfallen betrachten. **2.** Ungnade *f*: **to be in** (**fall into**) ~ in Ungnade stehen (fallen) (**with** bei). **3.** Schaden *m*: **in my** ~ zu m-n Ungunsten. **II** *v/t* **4.** ungnädig behandeln. **5.** miß'billigen.
dis·fea·ture [dis'fiːtʃər] *v/t* entstellen.
dis·fig·u·ra·tion [disˌfigju'reiʃən] → **disfigurement. dis·fig·ure** [dis'figər] *v/t* **1.** entstellen, verunstalten (**with** durch). **2.** beeinträchtigen, Abbruch tun (*dat*). **dis'fig·ure·ment** *s* Entstellung *f*, Verunstaltung *f*.
dis·for·est [dis'fɒrist] → **disafforest.**
dis·fran·chise [dis'fræntʃaiz] *v/t* entrechten, *j-m* die Bürgerrechte *od.* das Wahlrecht entziehen. **dis'fran·chise·ment** [-tʃizmənt] *s* Entrechtung *f*, *bes.* Entzug *m* der Bürgerrechte *od.* des Wahlrechts.
dis·gorge [dis'gɔːrdʒ] **I** *v/t* **1.** ausspeien, -stoßen, ausströmen lassen, entladen. **2.** ('widerwillig) wieder her'ausgeben. **II** *v/i* **3.** sich ergießen, sich entladen.
dis·grace [dis'greis] **I** *s* **1.** Schande *f*: **to bring** ~ **on** → 4. **2.** Schande *f*, Schandfleck *m* (**to** für): **he is a** ~ **to the party. 3.** Ungnade *f*: **to be in** (**fall into**) ~ **with** in Ungnade stehen (fallen) bei. **II** *v/t* **4.** Schande bringen über (*acc*), *j-m* Schande bereiten, entehren, schänden. **5.** *j-m* s-e Gunst entziehen: **to be** ~**d** in Ungnade fallen. **dis'grace·ful** [-ful] *adj* (*adv* ~**ly**) schändlich, schimpflich, schmachvoll, entehrend. **dis'grace·ful·ness** *s* Schändlichkeit *f*, Schande *f*.
dis·grun·tle [dis'grʌntl] *v/t bes. Am.* verärgern, verstimmen. **dis'grun·tled** *adj* verärgert, verstimmt (**at** über *acc*).
dis·guise [dis'gaiz] **I** *v/t* **1.** verkleiden, vermummen, mas'kieren. **2.** verstellen: **to** ~ **one's handwriting** (*od.* **voice**). **3.** verschleiern, verhüllen, verbergen, tarnen, verhehlen (**from s.o.** vor *j-m*): **to** ~ **one's plans** (*od.* **thoughts, feelings,** *etc*). **4.** *obs. od. sl.* betrunken machen: ~**d in** (*od.* **with**) **drink** betrunken. **II** *s* **5.** Verkleidung *f*, Vermummung *f*: **in** ~ a) maskiert, verkleidet, b) *fig.* verkappt; → **blessing** 1. **6.** *thea. u. fig.* Maske *f*. **7.** Verstellung *f*. **8.** Verschleierung *f*. **9.** Täuschung *f*, Irreführung *f*, Vorwand *m*. **dis'guis·ed·ly** [-idli] *adv* **1.** verkleidet, mas'kiert. **2.** verschleiert.
dis·gust [dis'gʌst] **I** *v/t* **1.** (an)ekeln, anwidern, mit Ekel erfüllen: **to be** ~**ed with** (*od.* **at, by**) Ekel empfinden über (*acc*) (→ 2). **2.** mit Abscheu erfüllen, *j-m* auf die Nerven gehen: **to be** ~**ed with s.o.** empört *od.* entrüstet sein über j-n, sich sehr über j-n ärgern (→ 1). **II** *s* **3.** (**at, for**) Ekel *m*, Abscheu *m* (vor *dat*), 'Widerwille *m* (gegen): **in** ~ mit Abscheu. **dis'gust·ed** *adj* (*adv* ~**ly**) (**at, with**) **1.** angeekelt, angewidert (von): ~ **with life** lebensüberdrüssig. **2.** empört, entrüstet (über *acc*). **dis'gust·ful** [-ful] *adj* **1.** → **disgusting. 2.** von Ekel erfüllt. **dis'gust·ing** *adj* ekelhaft, widerlich, ab'scheulich. **dis'gust·ing·ly** *adv* **1.** ekelhaft. **2.** *colloq.* schrecklich: ~ **rich.**
dish [diʃ] **I** *s* **1.** a) Schüssel *f*, Platte *f*, b) Teller *m*. **2.** Schale *f*. **3.** a) Schüssel(voll) *f*, b) Teller(voll) *m*. **4.** Gericht *n*, Speise *f*: **a cold** ~ ein kaltes Gericht; **a made** ~ ein aus mehreren Zutaten bereitetes Gericht; ~ **gravy** Fleischsaft *m*; **standing** ~ a) täglich wiederkehrendes Gericht, b) *fig.* alte Leier, immer dasselbe; **that's not my** ~ *Am. colloq.* das ist nichts für mich. **5.** schüsselartige Vertiefung. **6.** Konkavi'tät *f*: **the** ~ **of the wheel** *tech.* der Radsturz. **7.** *Am. sl.* ‚dufte Puppe' (*hübsches Mädchen*). **II** *v/t* **8.** *oft* ~ **up** a) *Speisen* anrichten, b) auftragen, auftischen. **9.** *oft* ~ **up** *fig.* auftischen, ‚(da'her)bringen'. **10.** ~ **out** *Speisen* austeilen. **11.** *a. tech.* kon'kav machen, schlüsselartig vertiefen, (nach innen) wölben. **12.** *tech. Rad* stürzen. **13.** *sl.* a) her'einlegen, b) ‚kaltstellen', c) *j-n* ‚erledigen'. **III** *v/i* **14.** sich kon'kav austiefen.
dis·ha·bille [ˌdisæ'biːl] *s* Negli'gé *n*: a) Hauskleid *n*, Morgenrock *m*, b) nachlässige Kleidung: **in** ~ im Negligé, nachlässig gekleidet.
dis·har·mo·ni·ous [ˌdishɑːr'mouniəs] *adj* dishar'monisch, nicht über'einstimmend. **dis'har·moˌnize I** *v/t* dishar'monisch machen. **II** *v/i* disharmo'nieren. **dis'har·mo·ny** *s* Disharmo'nie *f*, 'Mißklang *m*.
'dish|ˌcloth, *a.* **'~ˌclout** *s* **1.** Spültuch *n*, -lappen *m*. **2.** Geschirrtuch *n*. ~ **cov·er** *s* Cloche *f* (*Metallhaube zum Warmhalten von Speisen*).
dis·heart·en [dis'hɑːrtn] *v/t* entmutigen, niedergeschlagen stimmen. **dis'heart·en·ing** *adj* (*adv* ~**ly**) entmutigend. **dis'heart·en·ment** *s* Entmutigung *f*.
dished [diʃt] *adj* **1.** kon'kav gewölbt. **2.** *tech.* gestürzt (*Räder*). **3.** *sl.* ‚fertig', ‚erledigt': **I'm** ~ ich bin erledigt (*erschöpft od. ruiniert*).
dis·her·i·son [dis'herizn] *s bes. Br.* Enterbung *f*.
di·shev·el [di'ʃevəl] *v/t* a) *das Haar* unordentlich her'abhängen lassen, b) zerzausen. **di'shev·eled,** *bes. Br.* **di'shev·elled** *adj* **1.** zerzaust, aufgelöst, wirr (*Haar*). **2.** mit zerzaustem Haar. **3.** schlampig, unordentlich, ungepflegt.
dis·hon·est [dis'ɒnist] *adj* (*adv* ~**ly**) unehrlich, unredlich, unlauter, betrügerisch, unsauber. **dis'hon·es·ty** *s* Unredlichkeit *f*: a) Unehrlichkeit *f*, b) unredliche Handlung, Betrug *m*.
dis·hon·or [dis'ɒnər] **I** *s* **1.** Ehrlosigkeit *f*, Unehre *f*. **2.** Schmach *f*, Schande *f*. **3.** Schandfleck *m*, Schande *f* (**to** für): **he is a** ~ **to the nation. 4.** Schimpf *m*. **5.** *econ.* 'Nichthonoˌrierung *f*, Nichteinlösung *f*: ~ **of a bill. II** *v/t* **6.** entehren: a) in Unehre bringen, b) *e-e Frau* schänden. **7.** beleidigen(d behandeln). **8.** *econ. e-n Wechsel etc* nicht hono'rieren. **9.** *ein Versprechen etc* nicht einlösen. **dis'hon·or·a·ble** *adj* (*adv* **dishonorably**) **1.** schändlich, schimpflich, entehrend, unehrenhaft: ~ **discharge** *mil.* Entlassung *f* wegen Wehrunwürdigkeit. **2.** gemein, niederträchtig. **3.** ehrlos. **dis'hon·or·a·ble·ness** *s* **1.** Schändlichkeit *f*. **2.** Gemeinheit *f*. **3.** Ehrlosigkeit *f*.
dis·hon·our, dis·hon·our·a·ble, dis-

hon·our·a·ble·ness *bes. Br. für* dishonor *etc.*

'dish|,pan *s* Abwaschschüssel *f.* **~ rack** *s* Abtropf-, Abstellbrett *n (für Geschirr).* **'~,rag** → dishcloth. **~ tow·el** *s* Geschirrtuch *n.* **'~,wash** → dishwater. **'~,wash·er** *s* **1.** Tellerwäscher(in). **2.** Ge'schirr,spülma,schine *f.* **3.** → water wagtail. **'~,wa·ter** *s* Abwasch-, Spülwasser *n.*

dis·il·lu·sion [,disi'lu:ʒən] **I** *s* Ernüchterung *f,* Enttäuschung *f,* Desillusi'on *f.* **II** *v/t* ernüchtern, desillusio'nieren, von Illusi'onen befreien. **,dis·il'lu·sion,ize** → disillusion II. **,dis·il'lu·sion·ment** → disillusion I. **,dis·il'lu·sive** [-siv] *adj* ernüchternd, desillusio'nierend.

dis·in·cen·tive [,disin'sentiv] *s* **1.** Abschreckungsmittel *n.* **2.** *econ.* leistungshemmender Faktor.

dis·in·cli·na·tion [dis,inkli'neiʃən] *s* Abneigung *f,* Abgeneigtheit *f* (for, to gegen; to do zu tun): **~ to buy** Kaufunlust *f.* **,dis·in'cline** [-'klain] **I** *v/t* abgeneigt machen. **II** *v/i* abgeneigt sein. **,dis·in'clined** *adj* abgeneigt.

dis·in·fect [,disin'fekt] *v/t* desinfi'zieren, entkeimen, -seuchen, keimfrei machen. **,dis·in'fect·ant I** *s* Desinfekti'onsmittel *n.* **II** *adj* desinfi'zierend, keimtötend. **,dis·in'fec·tion** *s* Desinfekti'on *f,* Desinfi'zierung *f.* **,dis·in'fec·tor** [-tər] *s* Desin'fektor *m,* Desinfekti'onsappa,rat *m.*

dis·in·fest [,disin'fest] *v/t* von Ungeziefer befreien, entwesen, entlausen.

dis·in·fla·tion [,disin'fleiʃən] → deflation. **,dis·in'fla·tion·ar·y** → deflationary.

dis·in·gen·u·ous [,disin'dʒenjuəs] *adj* (*adv* **~ly**) **1.** unaufrichtig, unehrlich. **2.** 'hinterhältig, arglistig. **3.** verschlagen, schlau. **,dis·in'gen·u·ous·ness** *s* **1.** Unredlichkeit *f,* Unaufrichtigkeit *f.* **2.** Verschlagenheit *f,* Schläue *f.*

dis·in·her·it [,disin'herit] *v/t* enterben. **,dis·in'her·it·ance** *s* Enterbung *f.*

dis·in·te·grate [dis'inti,greit] **I** *v/t* **1.** *a. phys.* (*in s-e Bestandteile*) auflösen, aufspalten. **2.** zerkleinern, aufschließen. **3.** zertrümmern, zersetzen. **4.** *fig.* auflösen, zersetzen. **II** *v/i* **5.** sich aufspalten *od.* auflösen *od.* zersetzen. **6.** ver-, zerfallen (*a. fig.*). **7.** *geol.* verwittern. **dis,in·te'gra·tion** *s* **1.** Auflösung *f,* Aufspaltung *f,* Zerstückelung *f.* **2.** Zertrümmerung *f,* Zersetzung *f,* Zerstörung *f.* **3.** Zerfall *m* (*a. fig.*): **~ of the nucleus** *phys.* Kernzerfall. **4.** *geol.* Verwitterung *f.* **dis'in·te,gra·tor** [-tər] *s tech.* Desinte'grator *m,* Zerkleinerer *m,* 'Brech-, Pulveri'sierma,schine *f.*

dis·in·ter [,disin'tə:r] *v/t e-e Leiche* exhu'mieren, ausgraben (*a. fig.*).

dis·in·ter·est [dis'intərist; -trist] **I** *s* **1.** Uneigennützigkeit *f.* **2.** Inter'esselosigkeit *f.* **3.** Nachteil *m*: **to the ~ of** zum Nachteil von (*od. gen*). **II** *v/t* **4.** *j-m* das Inter'esse nehmen: **to ~ o.s.** kein Interesse zeigen. **dis'in·ter·est·ed** *adj* (*adv* **~ly**) **1.** uneigennützig, selbstlos. **2.** objek'tiv, 'unpar,teiisch. **3.** *selten* 'uninteres,siert (in an *dat*). **dis'in·ter·est·ed·ness** *s* **1.** Uneigennützigkeit *f.* **2.** Objektivi'tät *f.* **3.** *selten* 'Uninteres,siertheit *f.*

dis·in·ter·ment [,disin'tə:rmənt] *s* Exhu'mierung *f,* Ausgrabung *f.*

dis·in·vest·ment [,disin'vestmənt] *s econ.* Zu'rückziehung *f* von 'Anlagekapi,tal, *bes.* Reali'sierung *f* von Vermögenswerten im Ausland.

dis·join [dis'dʒɔin] *v/t* trennen.

dis·joint [dis'dʒɔint] *v/t* **1.** ausein'andernehmen, zerlegen, zerstückeln, zergliedern. **2.** ver-, ausrenken. **3.** *Geflügel etc* zerlegen. **4.** (ab)trennen (from von). **5.** *fig.* in Unordnung *od.* aus den Fugen bringen. **6.** den Zs.-hang zerstören von (*od. gen*). **dis'joint·ed** *adj* (*adv* **~ly**) **1.** zerstückelt. **2.** abgetrennt. **3.** aus den Fugen geraten. **4.** zs.-hang(s)los, wirr, zerrissen, abgerissen: **~ talk.** **dis'joint·ed·ness** *s* Zs.-hang(s)losigkeit *f.*

dis·junc·tion [dis'dʒʌŋkʃən] *s* **1.** Trennung *f,* Absonderung *f.* **2.** *Logik*: Disjunkti'on *f.* **dis'junc·tive I** *adj* **1.** (ab)trennend. **2.** *ling., a. Logik*: disjunk'tiv: **~ pronoun**; **~ proposition** → 4. **II** *s* **3.** *ling.* disjunk'tive Konjunkti'on. **4.** *Logik*: Disjunk'tivsatz *m.*

dis·june [dis'dʒu:n] *s Scot.* Frühstück *n.*

disk [disk] *s* **1.** Scheibe *f,* runde Platte *od.* Marke, runder Deckel, Teller *m.* **2.** *tech.* a) Scheibe *f,* b) La'melle *f,* c) Kurbelblatt *n,* d) Drehscheibe *f,* Teller *m,* e) Si'gnalscheibe *f.* **3.** *teleph.* Nummern-, Wählscheibe *f.* **4.** (Schall)-Platte *f.* **5.** Scheibe *f* (*der Sonne etc*). **6.** *sport* Diskus *m,* Wurfscheibe *f.* **7.** *anat. zo.* Scheibe *f*: (inter)articular **~** Gelenkscheibe, Diskus *m*; optic **~** Papille *f.* **8.** *bot.* a) Scheibe *f* (*Mittelteil des Blütenköpfchens der Compositen*), b) Blattspreite *f,* c) Fruchtscheibe *f* (*Wucherung der Blütenachse*), d) Haftscheibe *f.* **9.** *Eishockey*: *colloq.* Puck *m,* Scheibe *f.* **10.** Schneeteller *m* (*am Schistock*). **~ brake** *s tech.* Scheibenbremse *f.* **~ clutch** *s tech.* Scheiben-, La'mellenkupplung *f.* **~ flow·er** *s bot.* Scheibenblüte *f.* **~ har·row** *s agr.* Scheibenegge *f.* **~ jock·ey** *s sl.* Disc Jockey *m,* Ansager *m* bei e-r Schallplatten(wunsch)sendung. **~ saw** *s* Kreissäge *f.* **~ valve** *s tech.* 'Tellerven,til *n.* **~ wheel** *s tech.* (Voll)Scheibenrad *n.* **~ wind·ing** *s electr.* Scheibenwicklung *f.*

dis·like [dis'laik] **I** *v/t* nicht leiden können, nicht mögen, nicht lieben: I **~ having to go** ich mag nicht (gern) gehen, ich gehe ungern; **to make o.s. ~d** sich unbeliebt machen. **II** *s* Abneigung *f,* 'Widerwille *m* (to, of, for gegen): **to take a ~ to s.o.** gegen j-n e-e Abneigung fassen.

dis·limn [dis'lim] *v/t poet.* auslöschen.

dis·lo·cate ['dislo,keit] *v/t* **1.** verrücken, verschieben. **2.** *Industrie, mil. Truppen* verlagern. **3.** *med.* a) ver-, ausrenken, b) lu'xieren, c) dislo'zieren: **to ~ one's arm** sich den Arm verrenken. **4.** *fig.* erschüttern, zerrütten. **5.** *geol.* verwerfen. **,dis·lo'ca·tion** *s* **1.** Verrückung *f,* Verschiebung *f.* **2.** Verlagerung *f.* **3.** *med.* a) Verrenkung *f,* b) Luxati'on *f,* c) Dislokati'on *f.* **4.** *fig.* Verwirrung *f,* Erschütterung *f,* Zerrüttung *f.* **5.** *geol.* Verwerfung *f.*

dis·lodge [dis'lɒdʒ] **I** *v/t* **1.** aufjagen, -stöbern. **2.** entfernen, vertreiben, verjagen. **3.** *mil. den Feind* aus der Stellung werfen. **4.** 'ausquar,tieren. **II** *v/i* **5.** aus-, wegziehen. **dis'lodg(e)·ment** *s* **1.** Vertreibung *f,* Verjagung *f.* **2.** 'Ausquar,tierung *f.*

dis·loy·al [dis'lɔiəl] *adj* (*adv* **~ly**) (to) treulos, untreu (*dat*), illoy'al (gegen). **dis'loy·al·ty** [-ti] *s* Untreue *f,* Treulosigkeit *f.*

dis·mal ['dizməl] **I** *adj* **1.** düster, trüb(e), trostlos, bedrückend, traurig, elend: **the ~ science** *humor.* die Volkswirtschaft. **2.** furchtbar, schrecklich, gräßlich. **3.** *obs.* unheilvoll. **II** *s* **4.** the **~s** *pl colloq.* der Trübsinn: **to be in the ~s** niedergeschlagen sein. **5.** trübsinniger Mensch. **6.** *Am.* (Küsten)-Sumpf *m.* **'dis·mal·ly** *adv* **1.** düster (*etc,* → dismal). **2.** schmählich. **'dis·mal·ness** *s* **1.** Düsterkeit *f,* Trostlosigkeit *f.* **2.** Schrecklichkeit *f.* **3.** Traurigkeit *f.*

dis·man·tle [dis'mæntl] *v/t* **1.** demon'tieren, abbauen. **2.** *Gebäude* abbrechen, niederreißen. **3.** entkleiden, entblößen (of s.th. e-r Sache). **4.** (vollständig) ausräumen. **5.** *mar.* a) abtakeln, b) abwracken. **6.** *e-e Festung* schleifen. **7.** zerlegen, ausein'andernehmen. **8.** unbrauchbar machen. **dis'man·tle·ment** *s* **1.** Demon'tage *f,* Abbruch *m.* **2.** *mar.* Abtakelung *f.* **3.** Schleifung *f* (*e-r Festung*). **4.** Zerlegung *f.*

dis·mast [*Br.* dis'mɑ:st; *Am.* -'mæ(:)st] *v/t ein Schiff* entmasten.

dis·may [dis'mei] **I** *v/t* erschrecken, entsetzen, in Schrecken versetzen, bestürzen: **not ~ed** unbeirrt. **II** *s* Schreck(en) *m,* Entsetzen *n,* Bestürzung *f* (at über *acc*).

dis·mem·ber [dis'membər] *v/t* **1.** zerstückeln, zerreißen, verstümmeln (*a. fig.*). **2.** zergliedern. **dis'mem·ber·ment** *s* Zerstückelung *f.*

dis·miss [dis'mis] *v/t* **1.** entlassen, gehen lassen. **2.** fortschicken, verabschieden. **3.** *mil.* wegtreten lassen: **~!** weg(ge)treten! **4.** entlassen (from aus *e-m Amt etc*), abbauen: **to be ~ed from the service** aus dem Heer *etc* entlassen *od.* ausgestoßen werden. **5.** *ein Thema etc* als erledigt betrachten, fallenlassen, aufgeben. **6.** *a.* **to ~ from one's mind** (aus s-n Gedanken) verbannen, aufgeben. **7.** abtun, hin'weggehen über (*acc*): **to ~ a question as irrelevant** e-e Frage als unwesentlich abtun *od.* kurzerhand als unerheblich betrachten. **8.** *a. jur.* abweisen: **to ~ an action with costs** e-e Klage kostenpflichtig abweisen. **9.** *Kricket*: a) *den Ball* abschlagen, b) *den Schläger* ‚aus' machen. **dis'miss·al** *s* **1.** Entlassung *f* (from aus). **2.** Aufgabe *f.* **3.** Abtun *n* (*e-r Frage etc*). **4.** *jur.* Abweisung *f.* **dis'miss·i·ble** *adj* **1.** entlaßbar, absetzbar. **2.** abweisbar. **3.** unbedeutend: **a ~ question.**

dis·mount [dis'maunt] **I** *v/i* **1.** absteigen, absitzen (from von): **~!** *mil.* absitzen! **2.** *poet.* her'absteigen, -sinken. **II** *v/t* **3.** a) aus dem Sattel heben, vom Pferd schleudern, b) *den Reiter* abwerfen (*Pferd*). **4.** (ab)steigen von: **to ~ a horse.** **5.** *e-e Reitertruppe* a) der Pferde berauben, b) absitzen lassen. **6.** demon'tieren, 'abmon,tieren, ausbauen. **7.** zerlegen, ausein'andernehmen.

dis·mu·ta·tion [,dismju'teiʃən] *s biol. chem.* Dismutati'on *f.*

dis·o·be·di·ence [,diso'bi:diəns] *s* **1.** Ungehorsam *m,* Unfolgsamkeit *f.* **2.** Gehorsamsverweigerung *f.* **3.** Nichtbefolgung *f* (of a law e-s Gesetzes); → civil disobedience. **,dis·o'be·di·ent** *adj* (*adv* **~ly**) ungehorsam (to gegen). **,dis·o'bey** [-'bei] **I** *v/t* **1.** *j-m* nicht gehorchen, ungehorsam sein gegen *j-n.* **2.** *ein Gesetz etc* nicht befolgen, über'treten, miß'achten, *e-n Befehl* verweigern: **I will not be ~ed** ich dulde keinen Ungehorsam. **II** *v/i* **3.** nicht gehorchen.

dis·o·blige [,diso'blaidʒ] *v/t* **1.** ungefällig sein gegen *j-n.* **2.** *j-n* kränken, verletzen. **,dis·o'blig·ing** *adj* (*adv* **~ly**) ungefällig, 'unzu,vorkommend, unfreundlich. **ˌdis·oˈblig·ing·ness** *s* Ungefälligkeit *f*, Unfreundlichkeit *f*.

dis·or·der [disˈɔːrdər] **I** *s* **1.** Unordnung *f*, Durcheinˈander *n*, Verwirrung *f*: **to throw into ~** → 6. **2.** Syˈstemlosigkeit *f*. **3.** (öffentliche) Ruhestörung, Aufruhr *m*, Unruhen *pl*. **4.** ungebührliches Benehmen. **5.** *med.* Störung *f*, Erkrankung *f*: **mental ~** Geistesstörung. **II** *v/t* **6.** in Unordnung bringen, durcheinˈanderbringen, verwirren. **7.** zerrütten, Störungen herˈvorrufen in (*dat*), *bes. den Magen* verderben. **disˈor·dered** *adj* **1.** in Unordnung, unordentlich, zerrüttet. **2.** *med.* gestört, (*a.* geistes)krank: **my stomach is ~** ich habe mir den Magen verdorben. **disˈor·der·li·ness** [-linis] *s* **1.** Unordnung *f*, Verwirrung *f*. **2.** Schlampigkeit *f*. **3.** Liederlichkeit *f*. **4.** unbotmäßiges Verhalten. **disˈor·der·ly I** *adj* **1.** verwirrt, unordentlich, schlampig, liederlich. **2.** gesetzwidrig, aufrührerisch, unbotmäßig. **3.** *jur.* Ärgernis erregend, ordnungswidrig: **~ conduct** ordnungswidriges Verhalten, grober Unfug; **~ house** a) verrufenes Haus, Bordell *n*, b) Spielhölle *f*. **II** *s* **4.** *a.* **~ person** *jur.* a) Ruhestörer *m*, Störer *m* der öffentlichen Ordnung, b) Erreger *m* öffentlichen Ärgernisses. **III** *adv* **5.** unordentlich (*etc*, → I). **6.** in unordentlicher (gesetzwidriger *etc*) Weise. **7.** verworren, durcheinˈander.

dis·or·gan·i·za·tion [disˌɔːrgənaiˈzeiʃən] *s* **1.** ˌDesorganisatiˈon *f*, Auflösung *f*, Zerrüttung *f*. **2.** → **disorder** 1. **disˈor·ganˌize** *v/t* **1.** desorganiˈsieren, auflösen, zerrütten. **2.** → **disorder** 6.

dis·o·ri·ent [disˈɔːriənt] *v/t* **1.** *a. psych.* *j-n* desorienˈtieren, verwirren. **2.** in die Irre führen. **3.** von der Richtung nach Osten ablenken. **disˈo·ri·enˌtate** [-ˌteit] *v/t* **1.** → **disorient**. **2.** *e-e Kirche* nicht genau nach Osten ausrichten. **disˌo·ri·enˈta·tion** *s* **1.** Verwirrtheit *f*, Unsicherheit *f*. **2.** *psych.* Desorienˈtiertheit *f*.

dis·own [disˈoun] *v/t* **1.** nicht (als sein eigen) anerkennen, nichts zu tun haben wollen mit, ablehnen. **2.** ableugnen. **3.** *Kind* verleugnen, verstoßen. **4.** nicht (als gültig) anerkennen.

dis·par·age [disˈpæridʒ] *v/t* **1.** in Verruf bringen. **2.** herˈabsetzen, geringschätzen, verächtlich machen *od.* behandeln. **3.** verachten. **disˈpar·age·ment** *s* **1.** Herˈabsetzung *f*, Verunglimpfung *f*, Verächtlichmachung *f*: **no ~, without ~ to you** ohne Ihnen zu nahe treten zu wollen. **2.** Schande *f*, Verruf *m*. **3.** Verachtung *f*, Geringschätzung *f*. **disˈpar·ag·ing** *adj* (*adv* **~ly**) verächtlich, geringschätzig, herˈabsetzend.

dis·pa·rate [ˈdispərit; -ˌreit] **I** *adj* (*adv* **~ly**) **1.** ungleichartig, grundverschieden, unvereinbar. **2.** *Logik*: dispaˈrat. **II** *s* **3.** (*etwas*) Grundverschiedenes: **~s** unvereinbare *od.* unvergleichbare Dinge. **ˈdis·pa·rate·ness, disˈpar·i·ty** [-ˈpæriti; -əti] *s* Verschiedenheit *f*, Unvereinbarkeit *f*, ˈUnterschied *m*, Dispariˈtät *f*: **~ in age** (zu großer) Altersunterschied.

dis·pas·sion [disˈpæʃən] *s* Leidenschaftslosigkeit *f*, Gemütsruhe *f*. **disˈpas·sion·ate** [-nit] *adj* (*adv* **~ly**) leidenschaftslos, kühl, sachlich, ruhig, nüchtern, objekˈtiv.

dis·patch [disˈpætʃ] **I** *v/t* **1.** *j-n* (ab)senden, (ab)schicken, *mil.* *Truppen* in Marsch setzen. **2.** *etwas* absenden, versenden, abschicken, befördern, speˈdieren, abfertigen (*a. rail.*). **3.** ins Jenseits befördern, töten. **4.** rasch *od.* prompt erledigen *od.* ausführen. **5.** *colloq.* ‚wegputzen', schnell aufessen. **II** *v/i obs.* **6.** sich beeilen. **III** *s* **7.** Absendung *f* (*e-s Boten*). **8.** Absendung *f*, Versand *m*, Abfertigung *f*, Beförderung *f*: **~ by rail** Bahnversand; **~ of mail** Postabfertigung. **9.** Tötung *f*: **happy ~** Harakiri *n*. **10.** (rasche) Erledigung. **11.** Eile *f*, Schnelligkeit *f*: **with ~** eilends, eiligst. **12.** Deˈpesche *f*: a) Eilbotschaft *f*, b) Bericht *m* (*e-s Korrespondenten*). **13.** *Br.* (amtlicher) Kriegsbericht. **14.** Teleˈgramm *n*. **15.** *econ.* Speditiˈon *f*. **~ boat** *s* Aˈviso *m*, Deˈpeschenboot *n*. **~ book** *s* (Post-)Abfertigungsbuch *n*. **~ box** *s* Deˈpeschentasche *f*. **~ case** *s* Aktenmappe *f*, -tasche *f*.

dis·patch·er [disˈpætʃər] *s* **1.** *rail.* Fahrdienstleiter *m*. **2.** *econ. Am.* Abteilungsleiter *m* für Produktiˈonsplanung u. -konˌtrolle.

dis·patch| goods *s pl* Eilgut *n*. **~ mon·ey** *s econ. Br.* Eilgeld *n* (*beim Unterschreiten der vereinbarten Hafenliegezeit*). **~ note** *s* Postbegleitschein *m* (*für Auslandspakete*). **~ rid·er** *s mil.* **1.** Meldereiter *m*. **2.** Meldefahrer *m*.

dis·pel [disˈpel] **I** *v/t bes. fig.* zerstreuen, verbannen, vertreiben, verjagen: **to ~ doubts**. **II** *v/i* sich zerstreuen.

dis·pen·sa·bil·i·ty [disˌpensəˈbiliti] *s* **1.** Entbehrlichkeit *f*. **2.** Verteilbarkeit *f*. **3.** *relig.* Dispenˈsierbarkeit *f*. **4.** Erläßlichkeit *f*. **disˈpen·sa·ble** *adj* (*adv* **dispensably**) **1.** entbehrlich, unwesentlich. **2.** *relig.* dispenˈsierbar. **3.** erläßlich. **disˈpen·sa·ry** [-səri] *s* **1.** (*bes.* ˈArmen)Apoˌtheke *f*. **2.** *med.* a) Ambuˈlanz *f* für Unbemittelte, b) *mil.* (ˈKranken)Reˌvier *n*.

dis·pen·sa·tion [ˌdispenˈseiʃən] *s* **1.** Aus-, Verteilung *f*. **2.** Zuteilung *f*, Gabe *f*. **3.** Lenkung *f*, Regelung *f*. **4.** Ordnung *f*, Syˈstem *n*. **5.** Einrichtung *f*, Vorkehrung *f*. **6.** *relig.* a) göttliche Lenkung (der Welt), b) *a.* **divine** (*od.* **heavenly**) **~** (göttliche) Fügung: **the ~ of Providence** das Walten der Vorsehung. **7.** (religiˈöses) Syˈstem. **8.** (**with, from**) Disˈpens *m*: a) *relig.* Dispensatiˈon *f* (von), Erlaß *m* (*gen*): **marriage ~** Ehedispens, b) *jur.* Befreiung *f* (von), Ausnahmebewilligung *f* (für). **9.** Verzicht *m* (**with** auf *acc*). **ˈdis·penˌsa·tor** [-ˌseitər] *s* **1.** Verteiler *m*, Spender *m*. **2.** *selten* Verwalter *m*, Lenker *m*. **disˈpen·sa·to·ry** [-sətəri] **I** *s pharm.* Dispensaˈtorium *n*, Arzˈneibuch *n*. **II** *adj* → **dispensing** 3.

dis·pense [disˈpens] **I** *v/t* **1.** aus-, verteilen. **2.** *das Sakrament* spenden. **3.** *Recht* sprechen: **to ~ justice**. **4.** *pharm.* *Arzneien* dispenˈsieren, (nach Reˈzept) zubereiten u. abgeben. **5.** dispenˈsieren, *j-m* Disˈpens gewähren. **6.** entheben, befreien, entbinden (**from** von). **II** *v/i* **7.** Disˈpens erteilen. **8. ~ with** a) verzichten auf (*acc*), b) entbehren, auskommen ohne, c) ˈüberflüssig machen, d) *Gesetz* nicht anwenden, e) auf die Einhaltung *e-s Versprechens etc* verzichten: **it may be ~d with** man kann darauf verzichten, es ist entbehrlich. **disˈpens·er** *s* **1.** Aus-, Verteiler *m*, Spender *m*: **~ of justice** Rechtsprecher *m*. **2.** *tech.* Spender *m* (*Ausgabegerät*): **soap ~**. **3.** Sprecher *m* (*Recht*). **4.** Apoˈtheker *m*, Arzˈneiˌhersteller *m*. **disˈpens·ing** *adj* **1.** austeilend, spendend. **2.** *pharm.* dispenˈsierend: **~ chemist** Apotheker *m*. **3.** Disˈpens gewährend, befreiend: **~ power** *jur.* richterliche Befugnis, e-e Gesetzesvorschrift außer acht zu lassen.

dis·per·gate [ˈdispərˌgeit] *v/t chem. phys.* disperˈgieren, verteilen.

di·sper·mous [daiˈspəːrməs] *adj bot.* zweisamig.

dis·per·sal [disˈpəːrsəl] *s* **1.** Zerstreuung *f*. **2.** Verbreitung *f*. **3.** Zersplitterung *f*. **4.** *a mil.* Auflockerung *f*: **~ of industry** Verteilung *f* der Industrie, industrielle Auflockerung; **~ of ownership** Eigentumsstreuung *f*. **~ a·pron** *s aer.* (auseinˈandergezogener) Abstellplatz. **~ a·re·a** *s* **1.** *aer.* → **dispersal apron**. **2.** *mil.* Auflockerungsgebiet *n*.

dis·perse [disˈpəːrs] **I** *v/t* **1.** zerstreuen (*a. phys.*): **to be ~d over** zerstreut sein über (*acc*). **2.** ver-, ausbreiten (**over** über *acc*). **3.** verteilen. **4.** → **dispel** I. **5.** *chem. phys.* disperˈgieren, fein(st) verteilen: **~d phase** Dispersionsphase *f*. **6.** *mil.* auflockern: **~d formation** aufgelockerte Formation. **II** *v/i* **7.** sich zerstreuen, auseinˈandergehen: **the crowd ~s**. **8.** sich auflösen, verschwinden. **9.** sich verteilen *od.* zersplittern. **disˈpers·ed·ly** [-idli] *adv* verstreut, vereinzelt.

dis·per·sion [disˈpəːrʃən] *s* **1.** Zerstreuung *f*. **2.** Aus-, Verbreitung *f* (**over** über *acc*). **3.** Auflösung *f* (*von Nebel etc*). **4.** Zerstäubung *f*. **5. D~** Diˈaspora *f*, Zerstreuung *f* (*der Juden*). **6.** *phys.* Dispersiˈon *f*, (Zer)Streuung *f*. **7.** *chem.* a) disˈperse Phase, b) Dispersiˈon *f*: **~ medium** Dispersionsmittel *n*, Dispergens *n*. **8.** *math. mil.* Streuung *f*: **~ error** *mil.* Streu(ungs)fehler *m*; **~ pattern** *mil.* Trefferbild *n*. **9.** *mil.* → **dispersal** 4. **10.** *fig.* Auflockerung *f*, Verteilung *f*. **disˈper·sive** [-siv] *adj* **1.** zerstreuend. **2.** Dispersions..., (Zer)Streuungs... **3.** *chem.* disperˈgierend.

dis·pir·it [disˈpirit] *v/t* entmutigen, niederdrücken, depriˈmieren. **disˈpir·it·ed** *adj* entmutigt, mutlos, niedergeschlagen.

dis·place [disˈpleis] *v/t* **1.** versetzen, -rücken, -lagern, -schieben. **2.** verdrängen (*a. mar.*). **3.** *j-n* entheben, absetzen, entlassen. **4.** ersetzen (*a. chem.*). **5.** verschleppen, -treiben, deporˈtieren: **~d person** (*abbr.* D.P.) Verschleppte(r *m*) *f*, Zwangsarbeiter(in), -umsiedler(in), D.P.

dis·place·ment [disˈpleismənt] *s* **1.** Verlagerung *f*, -schiebung *f*, -rückung *f*: **~ of funds** *econ.* anderweitige Kapitalverwendung. **2.** Verdrängung *f*. **3.** *mar. phys.* (Wasser)Verdrängung *f*. **4.** Absetzung *f*. **5.** Ersetzung *f* (*a. chem.*), Ersatz *m*. **6.** Verschleppung *f*. **7.** *tech.* Kolbenverdrängung *f*. **8.** *geol.* Dislokatiˈon *f*, Versetzung *f*. **9.** *psych.* Gefühlsverlagerung *f*. **~ ton** *s mar.* Verdrängungstonne *f*. **~ ton·nage** *s mar.* Verˈdrängungstonˌnage *f*.

dis·play [disˈplei] **I** *v/t* **1.** entfalten, ausbreiten: **to ~ the flag**. **2.** (ˈher)zeigen. **3.** *fig.* zeigen, entfalten, offenˈbaren, an den Tag legen: **to ~ activity** Aktivität zeigen *od.* entfalten. **4.** *econ.* *Waren* auslegen, ausstellen. **5.** (protzig) zur Schau stellen, protzen mit, herˈvorkehren. **6.** *print.* herˈvorheben. **II** *s* **7.** Entfaltung *f* (*a. mil.*). **8.** (ˈHer-)Zeigen *n*, (Zur)ˈSchaustellung *f*, Entfaltung *f*: **~ of energy** Entfaltung von Tatkraft; **~ of power** Machtentfaltung. **9.** *econ. etc* Ausstellung *f*, Auslage *f*: **window ~** Schaufensterauslage, -dekoration *f*. **10.** (protzige) Schaustellung. **11.** Aufwand *m*, Pomp *m*, Prunk *m*: **to make a great ~** großen

Prunk entfalten; to make a great ~ of sehr prunken mit. **12.** *print.* Her'vorhebung *f* (*a. Textstelle*). **III** *adj* **13.** *econ.* Ausstellungs..., Auslage...: ~ advertising Großanzeige(n), graphische Werbung; ~ artist, ~man (Werbe)-Dekorateur *m*; ~ box Schaupackung *f*; ~ case Schaukasten *m*, Vitrine *f*; ~ window Auslagefenster *n*.

dis·please [dis'pli:z] **I** *v/t* **1.** *j-m* miß'fallen: to be ~d at (*od.* with) s.th. an etwas Mißfallen finden, unzufrieden sein mit etwas, ungehalten sein über etwas. **2.** ärgern, kränken. **3.** *das Auge etc* beleidigen, *den Geschmack* verletzen. **II** *v/i* **4.** miß'fallen, Mißfallen erregen. **dis'pleas·ing** *adj* (*adv* ~ly) unangenehm, 'widerwärtig, leidig.

dis·pleas·ure [dis'pleʒər] *s* a) 'Mißfallen *n*, 'Mißvergnügen *n* (of über *acc*), Ungehaltenheit *f*, Ärger *m*, Verdruß *m*, Unwille *m* (at über *acc*).

dis·plume [dis'plu:m] *v/t poet.* **1.** entfiedern. **2.** entehren.

dis·port [dis'pɔ:rt] *v/i od. v/t* (~ o.s.) **1.** sich vergnügen, sich amü'sieren, sich ergötzen. **2.** her'umtollen, sich (ausgelassen) tummeln.

dis·pos·a·bil·i·ty [dis,pouzə'biliti] *s* (freie) Verfügbarkeit. **dis'pos·a·ble** *adj* **1.** dispo'nibel, (frei) verfügbar, verwendbar: ~ income Nettoeinkommen *n*. **2.** (nach Gebrauch) wegzuwerfen(d), Einweg...: ~ towels. **3.** veräußerlich, verkäuflich.

dis·pos·al [dis'pouzəl] *s* **1.** Erledigung *f* (of s.th. e-r Sache). **2.** Beseitigung *f*: ~ of rubbish; after the ~ of it nachdem man es losgeworden war. **3.** Erledigung *f*, Vernichtung *f*: the ~ of all enemy air-craft. **4.** a) 'Übergabe *f*, Über'tragung *f*, b) *a.* ~ by sale Veräußerung *f*, Verkauf *m*: for ~ zum Verkauf. **5.** Verfügung(srecht *n*) *f* (of über *acc*): to be at s.o.'s ~ j-m zur Verfügung stehen; to place (*od.* put) s.th. at s.o.'s ~ j-m etwas zur Verfügung stellen; to have the ~ of s.th. über etwas verfügen (können). **6.** Leitung *f*, Regelung *f*. **7.** Anordnung *f*, Aufstellung *f* (*a. mil.*).

dis·pose [dis'pouz] **I** *v/t* **1.** anordnen, ein-, verteilen, einrichten, aufstellen: to ~ in depth *mil.* nach der Tiefe gliedern. **2.** zu'rechtlegen. **3.** *j-n* geneigt machen, bewegen, veranlassen (to zu; to do zu tun). **4.** *etwas* regeln, bestimmen. **II** *v/i* **5.** (*endgültig*) entscheiden, verfügen, ordnen, Verfügungen treffen: → propose 6. **6.** ~ of a) (frei) verfügen *od.* dispo'nieren über (*acc*): to ~ of large funds; to ~ of one's time, b) entscheiden über (*acc*), lenken, c) (endgültig) erledigen: to ~ of an affair, d) *j-n od. etwas* abtun, abfertigen, e) loswerden, sich entledigen (*gen*), f) wegschaffen, beseitigen: to ~ of trash, g) *e-n Gegner etc* erledigen, unschädlich machen, vernichten: to ~ of an enemy, h) *mil. Bomben etc* entschärfen, i) verzehren, trinken: to ~ of a meal; to ~ of a bottle, j) über'geben, -'tragen: to ~ of by will testamentarisch vermachen, letztwillig verfügen über (*acc*); disposing mind *jur.* Testierfähigkeit *f*, k) verkaufen, veräußern, *econ. a.* absetzen, abstoßen, l) *s-e Tochter* verheiraten (to an *acc*).

dis·posed [dis'pouzd] *adj* **1.** gestimmt, gelaunt, eingestellt, gesinnt: well-~ gutgelaunt; ill-~ (well-~) to(ward[s]) s.o. j-m übelgesinnt (wohlgesinnt). **2.** geneigt, bereit (to zu; to do zu tun). **3.** *oft* ~ of abgegeben, über'tragen, verkauft, veräußert: not ~ *econ.* unbegeben. **dis'pos·ed·ly** [-zidli] *adv* würdevoll.

dis·po·si·tion [,dispə'ziʃən] *s* **1.** Veranlagung *f*: a) Gemütsart *f*, Cha'rakteranlage *f*, b) (physische) Anlage, Neigung *f*, Bereitschaft *f*, Dispositi'on *f*. **2.** Neigung *f*, Hang *m* (to zu). **3.** Fähigkeit *f*. **4.** Stimmung *f*, Laune *f*. **5.** Anordnung *f*, Anlage *f*, Planung *f*, Ein-, Verteilung *f*, Aufstellung *f* (*a. mil.*). **6.** (of) a) Erledigung *f* (*gen*), b) *bes. jur.* Entscheidung *f* (über *acc*). **7.** (*bes.* göttliche) Lenkung. **8.** 'Übergabe *f*, Über'tragung *f*: testamentary ~ letztwillige Verfügung. **9.** (freie) Verfügung, Verfügungsgewalt *f*: at your ~ zu Ihrer Verfügung. **10.** *pl* Dispositi'onen *pl*, Vorkehrungen *pl*, Vorbereitungen *pl*: to make (one's) ~s (s-e) Vorkehrungen treffen, disponieren.

dis·pos·sess [,dispə'zes] *v/t* **1.** enteignen, aus dem Besitz vertreiben (of *gen*). **2.** berauben (of *gen*). **3.** befreien (of von): to ~ s.o. of a prejudice. **,dis·pos'ses·sion** *s* Enteignung *f*, Vertreibung *f*, Beraubung *f*. **,dis·pos'ses·so·ry** [-səri] *adj* Enteignung...

dis·praise [dis'preiz] **I** *v/t* **1.** tadeln. **2.** her'absetzen. **II** *s* **3.** Tadel *m*. **4.** Her'absetzung *f*: in ~ geringschätzig.

dis·proof [dis'pru:f] *s* Wider'legung *f*.

dis·pro·por·tion [,disprə'pɔ:rʃən] **I** *s* 'Mißverhältnis *n*: ~ of supply to demand Mißverhältnis zwischen Angebot u. Nachfrage; ~ in age (zu großer) Altersunterschied. **II** *v/t* in ein 'Mißverhältnis setzen *od.* bringen.

dis·pro·por·tion·ate [,disprə'pɔ:rʃənit] *adj* (*adv* ~ly) **1.** unverhältnismäßig (groß *od.* klein), in keinem Verhältnis stehend. **2.** unangemessen. **3.** über'trieben: ~ expectations. **4.** 'unproportio,niert.

dis·prov·al [dis'pru:vəl] → disproof. **dis'prove** *v/t* wider'legen, als falsch erweisen.

dis·pu·ta·ble [dis'pju:təbl] *adj* bestreitbar, strittig, unerwiesen, fraglich, anzuzweifeln(d). **dis·pu·tant** ['dispjutənt; dis'pju:-] **I** *adj* dispu'tierend. **II** *s* Dispu'tant *m*, Gegner *m*.

dis·pu·ta·tion [,dispju'teiʃən] *s* **1.** Dis'put *m*, Wortstreit *m*. **2.** Disputati'on *f*, Streitgespräch *n*. **3.** *obs.* Unter'haltung *f*. **,dis·pu'ta·tious** *adj* (*adv* ~ly) streitsüchtig, zänkisch. **,dis·pu'ta·tious·ness** *s* Streitsucht *f*. **dis·put·a·tive** [dis'pju:tətiv] → disputatious.

dis·pute [dis'pju:t] **I** *v/i* **1.** dispu'tieren, debat'tieren, streiten (on, about über *acc*): there is no disputing about tastes über den Geschmack läßt sich nicht streiten. **2.** (sich) streiten, zanken. **II** *v/t* **3.** disku'tieren, erörtern. **4.** bestreiten, in Zweifel ziehen, anfechten. **5.** kämpfen um, sich bemühen um: to ~ the victory to s.o. j-m den Sieg streitig machen; to ~ the victory um den Sieg kämpfen. **6.** (an)kämpfen gegen, wider'streben (*dat*). **III** *s* **7.** Dis'put *m*, Diskussi'on *f*, Wortstreit *m*, Kontro'verse *f*, De'batte *f*: in ~ zur Debatte stehend, umstritten, strittig; beyond (*od.* past, without) ~ außerhalb jeder Diskussion stehend, unzweifelhaft, fraglos: a matter of ~ e-e strittige Sache. **8.** (heftiger) Streit.

dis·qual·i·fi·ca·tion [dis,kwɒlifi'keiʃən] *s* **1.** ,Disqualifikati'on *f*, Disqualifi'zierung *f*, Untauglichkeitserklärung *f*. **2.** Untauglichkeit *f*, Ungeeignetheit *f*, mangelnde Eignung *od.* Befähigung (for für). **3.** *sport* ,Disqualifikati'on *f*, Ausschluß *m*. **4.** disqualifi'zierender 'Umstand, Grund *m* zum Ausschluß.

dis'qual·i,fy [-,fai] *v/t* **1.** ungeeignet *od.* unfähig *od.* untauglich machen (for für): to be disqualified for ungeeignet (*etc*) sein für. **2.** für unfähig *od.* untauglich *od.* nicht berechtigt erklären (for zu): to ~ s.o. from (holding) public office j-m die Fähigkeit zur Ausübung e-s öffentlichen Amtes absprechen *od.* nehmen; to ~ s.o. from driving j-m die Fahrerlaubnis entziehen. **3.** *sport* disqualifi'zieren, ausschließen.

dis·qui·et [dis'kwaiət] **I** *v/t* beunruhigen, mit Besorgnis erfüllen. **II** *s* Unruhe *f*, Besorgnis *f*, Angst *f*. **dis'qui·et·ing** *adj* (*adv* ~ly) beunruhigend. **dis'qui·e,tude** [-,tju:d] → disquiet II.

dis·qui·si·tion [,diskwi'ziʃən] *s* **1.** (*ausführliche*) Abhandlung *od.* Rede (on über *acc*). **2.** *obs.* Unter'suchung *f*. **,dis·qui'si·tion·al** *adj* **1.** ausführlich unter'suchend, eingehend. **2.** darlegend, erklärend.

dis·rate [dis'reit] *v/t mar.* degra'dieren.

dis·re·gard [,disri'gɑ:rd] **I** *v/t* **1.** nicht beachten, keine Beachtung schenken (*dat*), igno'rieren, sich hin'wegsetzen über (*acc*), nicht achten auf (*acc*). **2.** *etwas* außer acht lassen, ausklammern, absehen von. **3.** miß'achten, geringschätzen. **II** *s* **4.** Nichtbeachtung *f*, Vernachlässigung *f*, Außer'achtlassen *n* (of, for *gen*). **5.** Nicht-, 'Mißachtung *f*, Geringschätzung *f* (of, for *gen*, für). **6.** Gleichgültigkeit *f* (of, for gegen-'über). **7.** Igno'rierung *f* (of, for *gen*). **,dis·re'gard·ful** [-ful] *adj* (*adv* ~ly) a) nicht achtend, unachtsam (of auf *acc*), b) nachlässig, c) miß'achtend: to be ~ of → disregard 1 *u.* 3.

dis·rel·ish [dis'reliʃ] **I** *s* Abneigung *f*, 'Widerwille *m* (for gegen). **II** *v/t* e-n 'Widerwillen haben gegen.

dis·re·mem·ber [,disri'membər] *v/t u. v/i colloq. od. dial.* vergessen.

dis·re·pair [,disri'pɛr] *s* Verfall *m*, Baufälligkeit *f*, schlechter Zustand: to be in (a state of) ~ in baufälligem Zustand sein; to fall into ~ verfallen.

dis·rep·u·ta·bil·i·ty [dis,repjutə'biliti] *s* **1.** schlechter Ruf, Verrufenheit *f*. **2.** Schimpflichkeit *f*. **dis'rep·u·ta·ble** *adj* (*adv* disreputably) **1.** verrufen, übel beleumundet. **2.** gemein, ehrlos. **3.** anrüchig. **dis·re·pute** [,disri'pju:t] *s* Verruf *m*, schlechter Ruf, Verrufenheit *f*, Schande *f*: to be in ~ verrufen sein, in Mißkredit stehen; to bring (fall, sink) into ~ in Verruf bringen (kommen).

dis·re·spect [,disri'spekt] **I** *s* **1.** (to) Re'spektlosigkeit *f*, Unehrerbietigkeit *f* (gegen), Nicht-, 'Mißachtung *f* (*gen*). **2.** Unhöflichkeit *f* (to gegen). **II** *v/t* **3.** nicht achten, sich re'spektlos benehmen gegen'über. **4.** unhöflich *od.* geringschätzig behandeln. **,dis·re'spect·ful** [-ful] *adj* (*adv* ~ly) (to gegen) **1.** re'spektlos, unehrerbietig, frech. **2.** unhöflich. **,dis·re'spect·ful·ness** *s* **1.** Unehrerbietigkeit *f*, Re'spektlosigkeit *f*. **2.** Unhöflichkeit *f*.

dis·robe [dis'roub] **I** *v/t* **1.** entkleiden, entblößen (*beide a. fig.*). **II** *v/i* **2.** sich entkleiden. **3.** s-e Robe *od.* Amtstracht ablegen.

dis·root [dis'ru:t] *v/t* **1.** entwurzeln, ausreißen (from aus). **2.** (*aus der Heimat etc*) vertreiben.

dis·rupt [dis'rʌpt] **I** *v/t* **1.** ausein'ander-, zerbrechen, sprengen, zertrümmern. **2.** ausein'ander-, zerreißen, (zer)spalten. **3.** unter'brechen. **4.** zerrütten. **II** *v/i* **5.** ausein'anderbrechen.

6. zerreißen. 7. *electr.* 'durchschlagen. **dis'rup·tion** *s* **1.** Zerbrechung *f*, Zerreißung *f*, Zerschlagung *f*. **2.** Bersten *n*. **3.** Zerrissenheit *f*, Spaltung *f*. **4.** Bruch *m*, Riß *m*. **5.** Unter'brechung *f*. **6.** Zerrüttung *f*, Verfall *m*. **7.** the D~ *relig.* die Spaltung (*der Kirche von Schottland 1843*).

dis·rup·tive [dis'rʌptiv] *adj.* **1.** (zer)spaltend, zerbrechend, zertrümmernd, zerreißend. **2.** auflösend, zersetzend, zerrüttend. **3.** *electr.* disrup'tiv: ~ **discharge** Durch-, Überschlag *m*; ~ **strength** Durchschlagfestigkeit *f*; ~ **voltage** Durchschlagspannung *f*. **4.** *mil.* bri'sant, 'hochexplo,siv.

dis·sat·is·fac·tion [,dissætis'fækʃən] *s* Unzufriedenheit *f* (at, over, with über *acc*, mit). **,dis·sat·is'fac·to·ry** [-təri] *adj* unbefriedigend (to für), nicht zu'friedenstellend. **dis'sat·is,fied** [-,faid] *adj* **1.** unbefriedigt (at, with über *acc*, von). **2.** verdrießlich, unzufrieden. **dis'sat·is,fy** *v/t* **1.** unzufrieden machen, nicht befriedigen, verdrießen. **2.** *j-m* miß'fallen.

dis·sect [di'sekt] *v/t* **1.** zergliedern, zerlegen. **2.** *med.* se'zieren, (ana'tomisch) zerlegen. **3.** *fig.* zergliedern, (genau) analy'sieren. **4.** *geogr.* zerschneiden, zertalen. **5.** *econ. Konten etc* aufgliedern. **dis'sect·ing** *adj* **1.** zergliedernd. **2.** *med.* Sezier..., Sektions... **3.** *bot. zo.* Präparier... **dis'sec·tion** *s* **1.** Zergliederung *f*: a) Zerlegung *f*, b) *fig.* (genaue) Ana'lyse. **2.** *med.* Se'zieren *n*, Sekti'on *f*. **3.** *bot. med. zo.* Präpa'rat *n*. **4.** *econ.* Aufgliederung *f*: ~ **of accounts**. **dis'sec·tor** [-tər] *s* **1.** Zergliederer *m*, Zerleger *m*: ~ **tube** *TV* Bildzerlegerröhre *f*. **2.** *med.* Se'zierer *m*.

dis·seise *etc* → **disseize** *etc*.

dis·seize [dis'si:z] *v/t jur.* 'widerrechtlich enteignen *od.* aus dem Besitz vertreiben, berauben (of *gen*). **dis'sei·zin** [-zin] *s jur.* Besitzraubung *f*, 'widerrechtliche Enteignung.

dis·sem·blance[1] [di'sembləns] *s* Unähnlichkeit *f*, Verschiedenheit *f*.

dis·sem·blance[2] [di'sembləns] *s* **1.** Verstellung *f*. **2.** Vortäuschung *f*.

dis·sem·ble [di'sembl] **I** *v/t* **1.** verhehlen, verbergen, sich (*etwas*) nicht anmerken lassen. **2.** vortäuschen, simu'lieren. **3.** unbeachtet lassen, (scheinbar) nicht beachten. **II** *v/i* **4.** heucheln, sich verstellen. **5.** simu'lieren. **dis'sem·bler** *s* **1.** Heuchler(in). **2.** Simu'lant(in). **dis'sem·bling I** *adj* heuchlerisch, falsch, arglistig. **II** *s* Heuche'lei *f*, Verstellung *f*.

dis·sem·i·nate [di'semi,neit] *v/t* **1.** *Saat* ausstreuen (*a. fig.*). **2.** *e-e Lehre etc* verbreiten: to ~ **ideas**; to ~ **books**; ~**d sclerosis** *med.* multiple Sklerose. **dis'sem·i,nat·ed** *adj min.* eingesprengt (through in *acc*). **dis,sem·i'na·tion** *s* **1.** Ausstreuung *f* (*a. fig.*). **2.** Verbreitung *f*. **3.** *geol.* Einsprengung *f*. **dis'sem·i,na·tor** [-tər] *s* Ausstreuer *m*, Verbreiter *m*.

dis·sen·sion [di'senʃən] *s* **1.** Zwietracht *f*, (heftige) Meinungsverschiedenheit, Zwist *m*, Streit *m*. **2.** 'Nichtüber,einstimmung *f*, Uneinigkeit *f*.

dis·sent [di'sent] **I** *v/i* **1.** (from) anderer Meinung sein (als), nicht über'einstimmen (mit), nicht zustimmen (*dat*). **2.** *relig.* von der Staatskirche abweichen. **II** *s* **3.** 'Nichtüber,einstimmung *f*, Meinungsverschiedenheit *f*. **4.** *relig.* a) Abweichung *f* von der Staatskirche, b) *collect.* (*die*) Dis'senters *pl.* **dis'sent·er** *s* **1.** Andersdenkende(r *m*) *f*. **2.** *relig.* a) Dissi'dent *m*, j-d der die Autori'tät e-r Staatskirche nicht anerkennt, b) *oft* D~ Dis'senter *m*, Nonkonfor'mist *m* (*der sich nicht zur anglikanischen Kirche bekennt*). **dis'sen·tient** [-ʃənt; -ʃiənt] **I** *adj* **1.** andersdenkend, nicht (mit der Mehrheit) über'einstimmend, abweichend: **without a** ~ **vote** ohne Gegenstimme, einstimmig. **II** *s* **2.** Andersdenkende(r *m*) *f*. **3.** Gegenstimme *f*: **with no** ~ ohne Gegenstimme. **dis'sent·ing** *adj* **1.** → **dissentient** I. **2.** von der Staatskirche abweichend, dissi'dierend. **3.** nonkonfor'mistisch, Dissidenten...

dis·sert [di'sə:rt], **dis·ser·tate** ['disər,teit] *v/i* e-n Vortrag halten *od.* e-e Abhandlung schreiben (on über *acc*). **,dis·ser'ta·tion** *s* **1.** (gelehrte) Abhandlung (on über *acc*). **2.** Dissertati'on *f*. **3.** (wissenschaftliche) Erörterung, (gelehrter) Vortrag.

dis·serve [dis'sə:rv] *v/t j-m* e-n schlechten Dienst erweisen, schaden. **dis'serv·ice** [-vis] *s* (to) schlechter Dienst (an *dat*), Schaden *m* (für): **to do s.o. a** ~, **to do a** ~ **to s.o.** j-m einen schlechten Dienst erweisen; **to be of** ~ **to s.o.**, j-m zum Nachteil gereichen.

dis·sev·er [di'sevər] *v/t* **1.** trennen, spalten, absondern (from von). **2.** (zer)teilen, (zer)trennen (into in *acc*). **dis'sev·er·ance, dis'sev·er·ment** *s* Trennung *f*, Spaltung *f*.

dis·si·dence ['disidəns] *s* **1.** (heftige) Meinungsverschiedenheit, Uneinigkeit *f*, Diffe'renz *f*. **2.** *relig.* Abfall *m* von der Staatskirche. **'dis·si·dent I** *adj* **1.** (from) andersdenkend (als), nicht über'einstimmend (mit), abweichend (von). **II** *s* **2.** Andersdenkende(r *m*) *f*. **3.** *relig.* Dissi'dent(in).

dis·sim·i·lar [di'similər] *adj* (*adv* ~**ly**) verschieden (to, from von), unähnlich, ungleich(artig). **dis,sim·i'lar·i·ty** [-'læriti] *s* **1.** Ungleichheit *f*, Verschiedenheit *f*, -artigkeit *f*, Unähnlichkeit *f*. **2.** 'Unterschied *m*.

dis·sim·i·late [di'simi,leit] *v/t* **1.** unähnlich machen. **2.** *ling.* dissimi'lieren. **3.** *biol.* dissimi'lieren, abbauen. **dis,sim·i'la·tion** *s* **1.** Entähnlichung *f*. **2.** *ling.* Dissimilati'on *f*. **3.** *biol.* Dissimilati'on *f*, Katabo'lismus *m*. **,dis·si'mil·i,tude** [-'mili,tju:d] → **dissimilarity**.

dis·sim·u·late [di'simju,leit] **I** *v/t* **1.** verheimlichen, verbergen, verhehlen. **II** *v/i* **2.** sich verstellen, heucheln. **3.** dissimu'lieren, Krankheiten verheimlichen. **dis,sim·u'la·tion** *s* **1.** Verheimlichung *f*. **2.** Verstellung *f*, Heuche'lei *f*. **3.** *med.* Dissimulati'on *f*. **dis'sim·u,la·tor** [-tər] *s* Heuchler *m*.

dis·si·pate ['disi,peit] **I** *v/t* **1.** zerstreuen (*a. phys.*): to ~ **the enemy forces**. **2.** zerstreuen, (in nichts) auflösen: to ~ **the fog**. **3.** *Sorgen etc* zerstreuen, verscheuchen, vertreiben: to ~ **s.o.'s cares**. **4.** *Kräfte* verzetteln, vergeuden: to ~ **one's energies** s-e Kräfte *od.* sich verzetteln. **5.** *ein Vermögen etc* 'durchbringen, verprassen, verschwenden: to ~ **the family fortune**. **6.** *phys.* a) *Hitze* ableiten, b) *mechanische Energie etc* in Hitze 'umwandeln. **II** *v/i* **7.** sich zerstreuen, sich auflösen, sich verflüchtigen. **8.** ein ausschweifendes Leben führen. **'dis·si,pat·ed** *adj* ausschweifend, zügellos, liederlich. **'dis·si,pat·er** *s* **1.** Verschwender *m*, Prasser *m*. **2.** ausschweifender Mensch.

dis·si·pa·tion [,disi'peiʃən] *s* **1.** Zerstreuung *f*. **2.** Zerstreuung *f*, Auflösung *f* (*von Nebel etc*). **3.** Zerstreuung *f*, Vertreibung *f*: ~ **of cares**. **4.** Verschwendung *f*, Vergeudung *f*. **5.** Verzettelung *f*. **6.** (müßige) Zerstreuung, Zeitvertreib *m*. **7.** Ausschweifung *f*, Liederlichkeit *f*. **8.** *phys.* a) Zerstreuung *f*, b) Ableitung *f*, c) Verflüchtigung *f*, d) Dissipati'on *f* (*der Energie*): **circle of** ~ Streuungskreis *m*. **'dis·si,pa·tive** *adj* **1.** zerstreuend, zerteilend. **2.** verschwenderisch. **3.** *phys.* a) ableitend, b) dissipa'tiv.

dis·so·ci·a·ble [di'souʃiəbl; -ʃəbl] *adj* **1.** (ab)trennbar. **2.** unvereinbar. **3.** [-ʃə-] ungesellig, 'unsozi,al. **4.** *chem.* dissozi'ierbar. **dis'so·cial** [-ʃəl] *adj* 'unsozi,al, ego'istisch.

dis·so·ci·ate [di'souʃi,eit] **I** *v/t* **1.** trennen, loslösen, absondern (from von). **2.** ~ **o.s.** sich trennen, sich lossagen, sich distan'zieren, abrücken (from von). **3.** *chem. psych.* dissozi'ieren: ~**d personality** Mensch *m* mit Doppelbewußtsein. **II** *v/i* **4.** sich (ab)trennen, sich loslösen. **5.** *chem.* dissozi'ieren.

dis·so·ci·a·tion [di,sousi'eiʃən; -,souʃi-] *s* Dissoziati'on *f*: a) Trennung *f*, Absonderung *f*, Auflösung *f*, b) Fehlen *n* e-s engen Verbundenseins, c) *chem. phys.* Zerfall *m*, d) *psych.* Assoziati'onsstörung *f*, *bes.* Bewußtseinsspaltung *f*.

dis·sol·u·bil·i·ty [di,sɒlju'biliti] *s* **1.** Löslichkeit *f*. **2.** (Auf)Lösbarkeit *f*, Trennbarkeit *f*. **dis'sol·u·ble** *adj* **1.** (auf)lösbar, dem Zerfall ausgesetzt. **2.** löslich. **3.** auflösbar, trennbar: ~ **marriage**.

dis·so·lute ['disə,lu:t; -,lju:t] *adj* (*adv* ~**ly**) zügellos, ausschweifend, liederlich. **'dis·so,lute·ness** *s* Zügellosigkeit *f*, Ausschweifung *f*.

dis·so·lu·tion [,disə'lu:ʃən; -'lju:-] *s* **1.** Auflösung *f*: a) Zerlegung *f*, Trennung *f*, b) *jur. parl. etc* Aufhebung *f*: ~ **of Parliament**; ~ **of a marriage** Auflösung *od.* Scheidung *f* e-r Ehe, c) *econ.* Liquidati'on *f*, Löschung *f*: ~ **of a company**, d) Ver-, Zerfall *m*, Zs.-bruch *m*. **2.** *biol.* Zersetzung *f*: ~ **of the blood**. **3.** *chem.* a) Lösung *f*, b) Verflüssigung *f*, Auflösung *f*. **4.** Tod *m*, Vernichtung *f*.

dis·solv·a·ble [di'zɒlvəbl] *adj* **1.** auflösbar. **2.** löslich.

dis·solve [di'zɒlv] **I** *v/t* **1.** auflösen (*a. fig.*): to ~ **sugar**; to ~ **Parliament**; to ~ **an assembly**; to ~ **a partnership**; to ~ **a marriage** e-e Ehe (auf)lösen *od.* scheiden; ~**d in** (*od.* **to**) **tears** in Tränen aufgelöst. **2.** schmelzen, verflüssigen. **3.** *jur.* annul'lieren, aufheben. **4.** auflösen, zersetzen. **5.** zerstören, vernichten. **6.** *ein Geheimnis, e-n Zauber* lösen: to ~ **the mystery**. **7.** *Film*: über'blenden, inein'ander 'übergehen lassen. **II** *v/i* **8.** sich auflösen. **9.** sich auflösen, ausein'andergehen (*Parlament etc*). **10.** zerfallen. **11.** sich (in nichts) auflösen, 'hinschwinden. **12.** *Film*: über'blenden, all'mählich inein'ander 'übergehen. **III** *s* **13.** *Film*: Über'blendung *f*. **dis'sol·vent I** *adj* **1.** (auf)lösend. **2.** zersetzend. **II** *s* **3.** *chem. tech.* Lösungsmittel *n*: **to act as a** ~ **upon** (*od.* **to**) **s.th.** *fig.* auflösend auf etwas wirken.

dis·solv·ing [di'zɒlviŋ] *adj* **1.** (auf)lösend. **2.** sich auflösend. **3.** löslich. ~ **pow·er** *s* (Auf)Lösungsvermögen *n*. ~ **shut·ter** *s phot.* Über'blendverschluß *m*, Über'blendungsblende *f*.

dis·so·nance ['disonəns], *a.* **'dis·so·nan·cy** *s* Disso'nanz *f*: a) *mus.* 'Mißklang *m* (*a. fig.*), b) Uneinigkeit *f*, 'Mißhelligkeit *f*. **'dis·so·nant** *adj* (*adv* ~ly) **1.** *mus.* disso'nant, disso'nierend. **2.** mißtönend. **3.** *fig.* abweichend (from, to von).

dis·suade [di'sweid] *v/t* **1.** *j-m* abraten (from von): to ~ s.o. from doing s.th. j-m (davon) abraten, etwas zu tun. **2.** *j-n* abbringen (from von). **3.** abraten von: to ~ a course of action. **dis'suad·er** *s* Abratende(r *m*) *f*, Warner(in). **dis'sua·sion** [-ʒən] *s* **1.** Abraten *n*, Abbringen *n* (from von). **2.** warnender Rat, Abmahnung *f*. **dis'sua·sive** [-siv] *adj* (*adv* ~ly) abratend.

dis·syl·lab·ic, dis·syl·la·ble → disyllabic, disyllable.

dis·sym·met·ric [ˌdisi'metrik; ˌdissi-] *adj*; **ˌdis·sym'met·ri·cal** *adj* (*adv* ~ly) **1.** asym'metrisch, 'unsymˌmetrisch. **2.** enˌantio'morph (*Kristall*). **dis'sym·me·try** [-'simitri] *s* Asymme'trie *f*.

dis·taff [*Br.* 'distɑːf; *Am.* -tæ(ː)f] *s* **1.** (Spinn)Rocken *m*, Kunkel *f*. **2.** *fig.* Frauenarbeit *f*. ~ **side** *s* weibliche Linie (*e-r Familie*).

dis·tal ['distl] *adj anat.* di'stal, körperfern.

dis·tance ['distəns] **I** *s* **1.** Entfernung *f* (from von): at a ~ a) in einiger Entfernung, b) von weitem, von fern; a good ~ off ziemlich weit entfernt; at an equal ~ gleich weit (entfernt); from a ~ aus einiger Entfernung; within striking ~ handgreiflich nahe; within walking ~ zu Fuß erreichbar. **2.** Ferne *f*: from (in) the ~ aus (in) der Ferne. **3.** Zwischenraum *m*, Abstand *m* (between zwischen *dat*). **4.** Entfernung *f*, Strecke *f*: the ~ covered die zurückgelegte Strecke; ~ of vision Sehweite *f*. **5.** (*zeitlicher*) Abstand, Zeitraum *m*. **6.** *fig.* Abstand *m*, Entfernung *f*, Entferntheit *f*. **7.** *fig.* Di'stanz *f*, Abstand *m*, Zu'rückhaltung *f*: to keep s.o. at a ~ j-m gegenüber reserviert sein, sich j-n vom Leibe halten; to keep one's ~ zurückhaltend sein, (die gebührende) Distanz halten; to know one's ~ wissen, wie weit man gehen darf. **8.** *paint. etc* a) Perspek'tive *f*, b) *a. pl* 'Hintergrund *m*: middle ~ Mittelgrund *m*, c) Ferne *f*. **9.** *mus.* Inter'vall *n*. **10.** *Pferderennsport*: ('Ziel)Diˌstanz *f* (*zwischen Ziel u. Distanzpfosten*). **11.** *sport* a) Di'stanz *f*, Strecke *f*, b) *fenc.*, *Boxen*: Di'stanz *f* (*zwischen den Gegnern*), c) Langstrecke *f*: ~ runner Langstreckenläufer *m*. **II** *v/t* **12.** über'holen, (weit) hinter sich lassen, *sport a.* distan'zieren. **13.** *fig.* über'flügeln, -'treffen. ~ **flight** *s aer.* Weitflug *m*. ~ **light** *s mot.* Fernlicht *n*. ~ **post** *s* Di'stanzpfosten *m* (*beim Ausscheidungsrennen*). ~ **scale** *s tech.* Entfernungsskala *f* (*an Meßgeräten*). ~ **shot** *s phot.* Fernaufnahme *f*.

dis·tant ['distənt] *adj* (*adv* ~ly) **1.** entfernt, weit (from von): some miles ~; ~ relation entfernte(r) *od.* weitläufige(r) Verwandte(r); ~ resemblance entfernte *od.* schwache Ähnlichkeit; a ~ dream ein vager Traum, e-e schwache Aussicht. **2.** fern (*a. zeitlich*): ~ countries; ~ times. **3.** (weit) vonein'ander entfernt. **4.** (from) abweichend (von), ander(er, e, es) (als). **5.** kühl, abweisend, zu'rückhaltend: ~ politeness. **6.** weit, in große(r) Ferne: ~ voyage. **7.** Fern...: ~ action Fernwirkung *f*; ~ (block) signal *rail.* Vorsignal *n*; ~ control Fernsteuerung *f*; ~ reading instrument Fernmeßgerät *n*, fernanzeigendes Instrument; ~ reconnaissance *mil.* strategische Aufklärung, Fernaufklärung *f*.

dis·taste [dis'teist] *s* (for) 'Widerwille *m*, Abneigung *f* (gegen), Ekel *m*, Abscheu *m* (vor *dat*). **dis'taste·ful** [-ful] *adj* (*adv* ~ly) **1.** unangenehm, widerlich, zu'wider (to s.o. j-m). **2.** *fig.* ekelhaft, -erregend. **dis'taste·fulness** *s* **1.** Ekelhaftigkeit *f*, 'Widerwärtigkeit *f*. **2.** Unannehmlichkeit *f*.

dis·tem·per[1] [dis'tempər] **I** *s* **1.** üble Laune. **2.** *vet.* a) Staupe *f* (*bei Hunden*), b) Druse *f* (*bei Pferden*). **3.** Krankheit *f*, Unpäßlichkeit *f*. **4.** (po'litische) Unruhe(n *pl*). **II** *v/t* **5.** *körperliche Funktionen* stören, *den Geist* zerrütten, *j-n* krank machen. **6.** *j-n* verstimmen.

dis·tem·per[2] [dis'tempər] **I** *s* **1.** ˌTemperamale'rei *f* (*Technik od. Gemälde*). **2.** a) Temperafarbe *f*, b) Leimfarbe *f*: to paint in ~ → 3. **II** *v/t* **3.** mit Tempera- *od.* Leimfarbe malen.

dis·tem·pered [dis'tempərd] *adj* **1.** krank, unpäßlich. **2.** (geistes)gestört. **3.** übelgelaunt, 'mißgestimmt.

dis·tend [dis'tend] **I** *v/t* (aus)dehnen, weiten, *bes.* aufblasen, aufblähen. **II** *v/i* sich (aus)dehnen, (an)schwellen.

dis·ten·si·bil·i·ty [disˌtensi'biliti] *s* (Aus)Dehnbarkeit *f*. **dis'ten·si·ble** *adj* (aus)dehnbar. **dis'ten·sion, dis'ten·tion** [-ʃən] *s* **1.** (Aus)Dehnung *f*, Streckung *f*. **2.** Aufblähung *f*, (An)Schwellen *n*.

dis·tich ['distik] *s metr.* **1.** Distichon *n* (*Verspaar*). **2.** gereimtes Verspaar.

'dis·tich·ous *adj bot.* di'stich, zweireihig.

dis·til(l) [dis'til] **I** *v/t* **1.** *chem. tech.* a) ('um)destilˌlieren, abziehen, b) entgasen, schwelen, c) 'abdestilˌlieren (from aus), d) ~ off, ~ out 'ausdestilˌlieren, abtreiben. **2.** *Branntwein* brennen (from aus). **3.** *fig. das Wesentliche od. Beste* entnehmen, (her'aus)ziehen, gewinnen (from aus). **4.** her'abtropfen *od.* -tröpfeln lassen: to be distilled sich niederschlagen (on auf *acc*). **II** *v/i* **5.** *chem. tech.* destil'lieren. **6.** sich (all'mählich) konden'sieren. **7.** her'abtröpfeln, -tropfen. **8.** sich in Tropfen ausscheiden. **9.** her'ausfließen, rieseln. **dis'till·a·ble** *adj chem. tech.* destil'lierbar.

dis·til·late ['distilit; -ˌleit] *s chem. tech.* Destil'lat *n* (from aus). **ˌdis·til'la·tion** *s* **1.** *chem. tech.* Destillati'on *f*: destructive ~ Zersetzungsdestillation; dry ~ Trockendestillation. **2.** *chem. tech.* Destil'lat *n*. **3.** Brennen *n* (*von Branntwein*). **4.** Ex'trakt *m*, Auszug *m*. **5.** *fig.* 'Quintesˌsenz *f*, Wesen *n*, Kern *m*. **dis'till·er** *s* **1.** *chem. tech.* Destil'lierappaˌrat *m*. **2.** Destilla'teur *m*, Branntweinbrenner *m*. **dis'till·er·y** [-əri] *s* **1.** ('Branntwein)Brenneˌrei *f*. **2.** Destil'lieranlage *f*.

dis·till·ing flask [dis'tiliŋ] *s chem. tech.* Destil'lierkolben *m*.

dis·tinct [dis'tiŋkt] *adj* (*adv* → distinctly) **1.** ver-, unter'schieden (from von). **2.** einzeln, (vonein'ander) getrennt, (ab)gesondert. **3.** verschiedenartig. **4.** ausgeprägt, charakte'ristisch. **5.** klar, deutlich, eindeutig, bestimmt, entschieden, ausgesprochen. **6.** scharf (unter'scheidend), deutlich: ~ vision.

dis·tinc·tion [dis'tiŋkʃən] *s* **1.** Unter'scheidung *f*: a ~ without a difference e-e spitzfindige Unterscheidung, ein nur nomineller Unterschied. **2.** 'Unterschied *m*: in ~ from zum Unterschied von; to draw (*od.* make) a ~ between e-n Unterschied machen zwischen (*dat*); without ~ of person(s) ohne Unterschied der Person. **3.** Unter'scheidungsmerkmal *n*, Kennzeichen *n*. **4.** Auszeichnung *f*: a) Ehrung *f*, b) Ehrenzeichen *n*. **5.** Ruf *m*, Ruhm *m*, Ehre *f*. **6.** her'vorragende Eigenschaft. **7.** (hoher) Rang. **8.** Vornehmheit *f*, Würde *f*. **9.** → distinctiveness 1, 2.

dis·tinc·tive [dis'tiŋktiv] *adj* (*adv* ~ly) **1.** unter'scheidend, Unterscheidungs..., Erkennungs...: → feature 3. **2.** kennzeichnend, bezeichnend, charakte'ristisch (of für), besonder(er, e, es), ausgeprägt, spe'zifisch: to be ~ of s.th. etwas kennzeichnen. **dis'tinc·tive·ness** *s* **1.** charakte'ristische Eigenart, Besonderheit *f*. **2.** Deutlichkeit *f*, Klarheit *f*. **dis'tinct·ly** *adv* **1.** deutlich (*a. fig.*). **2.** *fig.* klar, unzweideutig, ausdrücklich. **dis'tinct·ness** *s* **1.** Deutlichkeit *f*, Klarheit *f*, Bestimmtheit *f*. **2.** Verschiedenheit *f* (from von). **3.** Getrenntheit *f* (from von). **4.** Verschiedenartigkeit *f*.

dis·tin·gué [distæŋ'gei; distɛ̃'ge] *adj* distingu'iert, vornehm.

dis·tin·guish [dis'tiŋgwiʃ] **I** *v/t* **1.** unter'scheiden (from von): as ~ed from zum Unterschied von, im Gegensatz zu. **2.** ausein'anderhalten (können). **3.** (deutlich) wahrnehmen, erkennen. **4.** einteilen (into in *acc*). **5.** kennzeichnen, charakteri'sieren: → distinguishing. **6.** auszeichnen (*a. iro.*), ehrend her'vorheben, (*dat*) Ruhm verleihen: to ~ o.s. sich auszeichnen; to be ~ed by s.th. sich durch etwas auszeichnen. **II** *v/i* **7.** unter'scheiden, 'Unterschiede *od.* e-n Unterschied machen (between zwischen *dat*).

dis'tin·guish·a·ble *adj* (*adv* distinguishably) **1.** unter'scheidbar (from von). **2.** wahrnehmbar, erkennbar. **3.** kenntlich (by an *dat*, durch). **4.** einteilbar (into in *acc*). **dis'tin·guished** [-gwiʃt] *adj* **1.** sich unter'scheidend (by durch). **2.** kenntlich (by an *dat*, durch). **3.** bemerkenswert (for wegen, by durch). **4.** her'vorragend, ausgezeichnet. **5.** berühmt (for wegen). **6.** distingu'iert, vornehm.

Dis·tin·guished Con·duct Med·al *s mil. Br.* 'Kriegsverdienstmeˌdaille *f*. ~ **Fly·ing Cross** *s aer. mil.* Kriegsverdienstkreuz *n* für Flieger. ~ **Serv·ice Cross** *s mil.* Kriegsverdienstkreuz *n*. ~ **Serv·ice Med·al** *s mil.* 'Kriegsverdienstmeˌdaille *f*. ~ **Serv·ice Order** *s mil. Br.* Kriegsverdienstorden *m*.

dis·tin·guish·ing [dis'tiŋgwiʃiŋ] *adj* charakte'ristisch, unter'scheidend, kennzeichnend, Unterscheidungs...: ~ mark Kennzeichen *n*.

di·stom·a·tous [dai'stɒmətəs; -'stou-] *adj zo.* zweimäulig. **dis·tome** ['distoum] *s zo.* (*ein*) Saugwurm *m*, *bes.* Leberegel *m*.

dis·tort [dis'tɔːrt] *v/t* **1.** verdrehen, verbiegen, verrenken. **2.** *das Gesicht etc* verzerren (*a. electr. tech.*): ~ed with (*od.* by) pain schmerzverzerrt; ~ing mirror Vexier-, Zerrspiegel *m*. **3.** *tech.* verformen: to be ~ed sich verziehen, sich werfen (*Holz*). **4.** *Tatsachen etc* verdrehen, entstellen. **dis'tort·ed·ly** *adv* entstellt, verdreht.

dis·tor·tion [dis'tɔːrʃən] *s* **1.** Verdrehung *f* (*a. phys.*). **2.** Verzerrung *f* (*a. electr. phot.*): ~ corrector *electr.* Entzerrer *m*. **3.** *tech.* Verformung *f*, Verwindung *f*. **4.** *fig.* Verdrehung *f*, Entstellung *f* (*von Tatsachen*).

dis·tract [dis'trækt] *v/t* **1.** *j-s Auf-*

merksamkeit, e-e Person etc ablenken (from von). **2.** *j-n* zerstreuen. **3.** verwirren. **4.** aufwühlen, erregen. **5.** beunruhigen, quälen, peinigen: **to be ~ed with pain** von Schmerzen gequält werden. **6.** *meist pp* rasend machen, zur Rase'rei treiben: **to be ~ed with** (*od.* by, at) **s.th.** außer sich sein über etwas. **dis'tract·ed** *adj* (*adv* **~ly**) **1.** verwirrt. **2.** beunruhigt, gequält. **3.** (heftig) erregt, außer sich, von Sinnen: **~ with** (*od.* by) **pain** rasend *od.* wahnsinnig vor Schmerzen. **dis'trac·tion** *s* **1.** Ablenkung *f.* **2.** *oft pl* Zerstreuung *f*, Ablenkung *f*, Unter'haltung *f.* **3.** Zerstreutheit *f.* **4.** Verwirrung *f*, Bestürzung *f.* **5.** (heftige) Erregung. **6.** Verzweiflung *f.* **7.** Wahnsinn *m*, Rase'rei *f*: **to ~** bis zur Raserei; **to drive s.o. to ~** j-n zur Raserei treiben; **to love to ~** rasend *od.* bis zum Wahnsinn lieben. **8.** Aufruhr *m*, Tu'mult *m.*

dis·train [dis'trein] *v/t u. v/i jur.* (**~ upon**) a) *j-n* pfänden, b) *etwas* pfänden, beschlagnahmen, mit Beschlag belegen. **dis'train·a·ble** *adj jur.* pfändbar. **ˌdis·train'ee** [-'niː] *s jur.* Gepfändete(r *m*) *f.* **dis'train·er** [dis'treinər], **dis·train·or** [ˌdistrei'nɔːr] *s jur.* Pfänder(in), Pfändungsgläubiger(in). **dis'traint** [-'treint] *s jur.* Pfändung *f*, Zwangsvollstreckung *f*, Beschlagnahme *f.*

dis·trait [dis'trei; -'trɛ] *adj* zerstreut.

dis·traught [dis'trɔːt] → **distracted**.

dis·tress [dis'tres] **I** *s* **1.** Qual *f*, Pein *f*, Schmerz *m.* **2.** Leid *n*, Kummer *m*, Trübsal *f*, Sorge *f.* **3.** Not *f*, Elend *n*: **brothers in ~** Leidensgenossen. **4.** Notlage *f*, Notstand *m*: **~ merchandise** im Notverkauf abgesetzte Ware; **~ sale** Notverkauf *m.* **5.** *mar.* Seenot *f*: **~ call, ~ signal** (See)Notzeichen *n*, SOS-Ruf *m*; **~ gun** (*od.* **rocket**) Alarm-, Notgeschütz *n* (*od.* -rakete *f*). **6.** Gefahr *f*, Bedrängnis *f*, Not *f.* **7.** *jur.* a) Beschlagnahme *f*, Pfändung *f*, 'Zwangsvollˌstreckung *f*: **to levy a ~ on** → 14, b) gepfändeter Gegenstand, Pfand *n.* **II** *v/t* **8.** quälen, peinigen, plagen. **9.** bedrücken, mit Sorge erfüllen, beunruhigen: **to ~ o.s. about** sich sorgen um. **10.** betrüben, unglücklich machen. **11.** in Not *od.* Elend bringen. **12.** in Bedrängnis *od.* Gefahr *od.* Not bringen. **13.** erschöpfen. **14.** *jur.* pfänden, mit Beschlag belegen, beschlagnahmen. **dis'tressed** [-'trest] *adj* **1.** gequält. **2.** bekümmert, besorgt (**about** um). **3.** unglücklich, betrübt. **4.** bedrängt, in Not. **5.** notleidend, in Not: **~ area** *Br.* Elends-, Notstandsgebiet *n*; **~ ships** Schiffe in Seenot. **6.** erschöpft. **dis'tress·ful** [-ful] *adj* (*adv* **~ly**) **1.** → **distressing** 1. **2.** unglücklich, elend, jämmerlich, notleidend: **the ~ country** Irland. **dis'tress·ing** *adj* (*adv* **~ly**) **1.** qualvoll, kummervoll, schmerzlich. **2.** (be)drückend, quälend. **3.** peinlich. **4.** jammervoll, betrüblich. **5.** erschütternd.

dis·trib·ut·a·ble [dis'tribjutəbl] *adj* **1.** ver-, austeilbar. **2.** zu verteilen(d). **dis'trib·u·tar·y** *s geogr.* abzweigender Flußarm, *bes.* Delta-Arm *m.* **dis'trib·ute** [-bjuːt] *v/t* **1.** ver-, austeilen (**among** unter *dat od. acc*; **to** an *acc*): **~d charge** *mil.* gestreckte Ladung. **2.** spenden, zuteilen (**to** *dat*): **to ~ justice** *fig.* Recht sprechen. **3.** *econ. Waren* verteilen, vertreiben, absetzen: **to ~ merchandise**. **4.** *econ. e-e Dividende, Gewinne* ausschütten. **5.** *Post* zustellen. **6.** ver-, ausbreiten, ausstreuen, *Farbe etc* verteilen. **7.** ab-, einteilen (**into** in *acc*), *mil. Truppen* gliedern. **8.** *print.* a) *den Satz* ablegen, b) *Farbe* auftragen. **9.** *philos. e-n Ausdruck* in s-r vollen logischen Ausdehnung gebrauchen. **disˌtrib·u'tee** [-juˈtiː] *s jur.* (*bes.* gesetzlicher) Erbe, (gesetzliche) Erbin, *weitS.* Empfänger(in). **dis'trib·ut·er** → **distributor**.

dis·trib·ut·ing| a·gent [dis'tribjutiŋ] *s econ.* (Großhandels)Vertreter *m*, Verteiler *m.* **~ box** *s* **1.** *tech.* Dampf-, Schieberkasten *m.* **2.** *electr.* Verteilerkasten *m*, -dose *f.* **~ cen·ter**, *Br.* **~ cen·tre** *s econ.* Absatz-, Verteilungszentrum *n.* **~ le·ver** *s tech.* Steuerungshebel *m.* **~ pipe** *s tech.* Verteilungsrohr *n.* **~ ta·ble** *s print.* Farb(e)tisch *m.*

dis·tri·bu·tion [ˌdistri'bjuːʃən] *s* **1.** Ver-, Austeilung *f.* **2.** *electr. phys. tech.* a) Verteilung *f*, b) Verzweigung *f*: **~ of current** Stromverteilung. **3.** Ver-, Ausbreitung *f* (*a. biol.*). **4.** Einteilung *f* (**into** in *acc*), Klassifi'zierung *f*, *a. mil.* Gliederung *f.* **5.** Zuteilung *f*, Gabe *f*, Spende *f*: **charitable ~s** milde Gaben. **6.** *econ.* a) Verteilung *f*, Vertrieb *m*, b) Zwischenhandel *m*, c) Verleih *m* (*von Filmen*), d) Ausschüttung *f* (*von Dividenden, Gewinn*), e) Verteilung *f* (*des Volkseinkommens*): **~ of wealth** Güterverteilung. **7.** Ausstreuen *n* (*von Samen etc*). **8.** Verteilen *n*, Verteilung *f*, Auftragen *n* (*von Farben etc*). **9.** *philos.* Anwendung *f* (*e-s Begriffes*) in s-r vollen logischen Ausdehnung. **10.** *print.* Ablegen *n* (*des Satzes*). **11.** *jur.* (Ver)Teilung *f* (*e-r Hinterlassenschaft*). **~ curve** *s* Verteilungskurve *f.* **~ function** *s math.* Ver'teilungsfunktiˌon *f.*

dis·trib·u·tive [dis'tribjutiv] **I** *adj* **1.** aus-, zu-, verteilend, Verteilungs...: **~ agency** *econ.* Vertriebsagentur *f*, Vertretung *f*; **~ share** *jur.* gesetzlicher Erbteil; **~ justice** ausgleichende Gerechtigkeit. **2.** jeden einzelnen betreffend. **3.** *ling. math.* distribu'tiv, Distributiv... **4.** *philos.* in s-r vollen logischen Ausdehnung genommen (*Begriff*). **II** *s* **5.** *ling.* Distribu'tivum *n.* **dis'trib·u·tive·ly** *adv* im einzelnen, auf jeden einzelnen bezüglich. **dis'trib·u·tor** [-tər] *s* **1.** Verteiler *m* (*a. econ*). **2.** *econ.* Groß-, Zwischenhändler *m*, *pl* (Film)Verleih *m.* **3.** *tech.* Verteiler *m* (*Gerät*): **manure ~** Düngerstreumaschine *f.* **4.** *electr. tech.* (Zünd)Verteiler *m*: **~ cable** Zündkabel *n*; **~ shaft** Verteilerwelle *f.* **5.** *tech.* Verteilerdüse *f.*

dis·trict ['distrikt] *s* **1.** Di'strikt *m*, (Verwaltungs)Bezirk *m*, Kreis *m*: **Congressional ~** *pol. Am.* Wahlbezirk e-s Kandidaten für das Repräsentantenhaus; **electoral ~, election ~** Wahlbezirk. **2.** (Stadt)Bezirk *m*, (-)Viertel *n.* **3.** *Br.* Grafschaftsbezirk *m.* **4.** Gegend *f*, Gebiet *n*, Landstrich *m.* **~ at·tor·ney** *s Am.* (Bezirks)Staatsanwalt *m.* **~ coun·cil** *s Br. od. Austral.* Bezirksrat *m.* **~ court** *s jur. bes. Am.* Bezirks-, Kreisgericht *n*, *bes.* (Bundes)Gericht *n* erster In'stanz. **~ heat·ing** *s* Fern(be)heizung *f* (*von Wohnungen*). **~ judge** *s jur. bes. Am.* Bezirks-, Kreisrichter *m.* **D~ Rail·way** *s* Bezirksbahn *f* (*Londoner Stadt- u. Vorortbahn*). **~ vis·i·tor** *s Br.* (freiwillige) Pfarrgehilfin.

dis·trin·gas [dis'triŋgæs] (*Lat.*) *s jur.* Pfändungsbefehl *m* (*an den Sheriff*).

dis·trust [dis'trʌst] **I** *s* 'Mißtrauen *n*, Argwohn *m* (**of** gegen): **to hold s.o. in ~** j-m mißtrauen. **II** *v/t* miß'trauen (*dat*), 'mißtrauisch sein gegen. **dis'trust·ful** [-ful] *adj* (*adv* **~ly**) 'mißtrauisch, argwöhnisch (**of** gegen): **to be ~ of** → **distrust** II; **to be ~ of o.s.** gehemmt sein, kein Selbstvertrauen haben. **dis'trust·ful·ness** → **distrust** I.

dis·turb [dis'tɔːrb] *v/t* **1.** *allg.* stören (*a. electr. math. meteor. tech.*): a) behindern, beeinträchtigen, b) belästigen, c) beunruhigen, aufregen, erregen: **~ed at** beunruhigt *od.* betroffen über (*acc*), d) aufschrecken, aufscheuchen, e) durchein'anderbringen, in Unordnung bringen: **to ~ the traffic**; **to ~ the peace** *jur.* die öffentliche Ruhe stören. **2.** *jur. j-n in der Ausübung e-s Rechts* stören, *j-n im Genuß od. im Besitz e-r Sache* stören. **dis'turb·ance** *s* **1.** Störung *f* (*a. electr. tech. etc*): a) Behinderung *f*: **~ of circulation** *med.* Kreislaufstörung, b) Belästigung *f*, c) Beunruhigung *f*, d) *psych.* (seelische) Erregung, Aufregung *f*, e) Aufscheuchen *n.* **2.** Unruhe *f*, Aufruhr *m*, Tu'mult *m*: **~ of the peace** *jur.* öffentliche Ruhestörung; **to cause** (*od.* **create**) **a ~** die öffentliche Ruhe *od.* Ordnung stören. **3.** Verwirrung *f*, Durchein'ander *n*, Unordnung *f.* **4.** *geol.* Faltung *f.* **5.** *jur.* Behinderung *f* in der Ausübung von Rechten, *bes.* Besitzstörung *f.* **dis'turb·er** *s* Störer(in), Störenfried *m*, Unruhestifter(in). **dis'turb·ing** *adj* (*adv* **~ly**) beunruhigend (**to** für): **~ news**.

di·sul·fate [dai'sʌlfeit] *s chem.* **1.** 'Pyrosulˌfat *n.* **2.** Bisul'fat *n.* **di'sul·fide** [-faid; -fid] *s chem.* Bisul'fid *n.* **di·sul·phate** *etc* → **disulfate** *etc.*

dis·un·ion [dis'juːnjən] *s* **1.** Trennung *f*, Spaltung *f.* **2.** Uneinigkeit *f*, Zwietracht *f.* **dis'un·ionˌism** *s pol.* Spaltungsbewegung *f.* **dis'un·ion·ist** *s pol.* **1.** Befürworter *m* e-r Spaltung. **2.** *Am. hist.* Sezessio'nist *m.*

dis·u·nite [ˌdisjuː'nait] **I** *v/t* **1.** trennen (**from** von). **2.** *fig.* trennen, spalten, entzweien: **~d** entzweit, verfeindet, in Unfrieden lebend. **II** *v/i* **3.** sich trennen. **4.** sich entzweien. **dis'u·ni·ty** [-niti] *s* Uneinigkeit *f.*

dis·use I *s* [dis'juːs] a) Nichtgebrauch *m*, -verwendung *f*, -benutzung *f*, b) Aufhören *n* (*e-s Brauchs*): **to fall into ~** außer Gebrauch kommen, ungebräuchlich werden. **II** *v/t* [dis'juːz] nicht mehr gebrauchen *od.* benützen, aufgeben. **dis'used** [-'juːzd] *adj* außer Gebrauch, veraltet.

dis·syl·lab·ic [ˌdisi'læbik] *adj* zweisilbig. **di'syl·la·ble** [-ləbl] *s* zweisilbiges Wort.

ditch [ditʃ] **I** *s* **1.** Graben *m*: **to be in the last ~** *fig.* e-n letzten verzweifelten Kampf liefern; in großer Not sein; **to die in the last ~** bis zum letzten Atemzug kämpfen (*a. fig.*). **2.** Abzugs-, Drä'niergraben *m.* **3.** Straßengraben *m.* **4.** Bewässerungs-, Wassergraben *m*, Fluß-, Bachbett *n*, Ka'nal *m*: **the D~** *aer. Br. sl.* der ‚Bach': a) der (Ärmel)Kanal, b) die Nordsee. **II** *v/t* **5.** mit e-m Graben um'geben *od.* versehen. **6.** Gräben ziehen durch *od.* in (*dat*). **7.** durch Abzugsgräben entwässern. **8. to be ~ed** im Straßengraben landen *od.* steckenbleiben (*Fahrzeug*), *bes. Am.* entgleisen (*Zug*). **9.** *Am. sl.* a) ‚wegschmeißen', b) loswerden, über Bord werfen, c) *j-n* im Stich lassen *od.* ‚sausen lassen', d) *die Schule* schwänzen. **10.** *aer. sl.* auf dem

Wasser notlanden mit (*e-m Flugzeug*). **III** *v/i* **11.** Gräben ziehen *od.* ausbessern. **12.** *aer. sl.* auf dem Wasser notlanden.

ditch·er ['ditʃər] *s* **1.** Grabenbauer *m.* **2.** *tech.* 'Grabma,schine *f*, Tieflöffelbagger *m.*

ditch| moss *s bot.* Wasserpest *f.* **'~,wa·ter** *s* abgestandenes (fauliges) Wasser: **as dull as ~** *colloq.* ‚stinklangweilig'.

dith·er ['diðər] **I** *s* Zittern *n*, ‚Bibbern' *n*, ‚Tatterich' *m*: **in a ~, all of a ~** (ganz) verdattert *od.* aus dem Häuschen. **II** *v/i* (vor Aufregung) zittern, ‚bibbern', verdattert *od.* aus dem Häus-chen sein.

dith·y·ramb ['diθi,ræm; -,ræmb] *s* Dithy'rambe *f*, Lobeshymne *f.* **,dith·y'ram·bic** [-bik] *adj* (*adv* **~ally**) **1.** dithy'rambisch. **2.** enthusi'astisch, 'überschwenglich.

dit·o·kous ['ditəkəs] *adj zo.* **1.** a) Zwillinge werfend, b) zwei Eier legend. **2.** zwei Arten Junge werfend.

dit·ta·ny ['ditəni] *s bot.* Kretischer Diptam, Diptamdost *m.*

dit·to ['ditou] **I** *s pl* **-tos 1.** Dito *n*, (*das*) Besagte *od.* Erwähnte *od.* Gleiche, das'selbe: **~ marks** Dito-, Wiederholungszeichen *pl*; **to say ~ to s.o.** j-m beipflichten. **2.** gleicher *od.* gleichartiger Stoff: **~s** (*od.* **~ suit, suit of ~s**) (zs.-gehörige) Kleidungsstücke aus dem gleichen Stoff. **II** *adv* **3.** dito, des'gleichen. **4.** ebenso, -falls. **III** *v/t pret u. pp* **-toed** *colloq.* **5.** etwas Gleiches finden wie. **6.** *Am.* vervielfältigen. **IV** *v/i* **7.** das'selbe tun *od.* sagen.

dit·ty ['diti] *s* Liedchen *n.*

dit·ty| bag, ~ box *s mar.* **1.** Nähzeug *n*, -beutel *m*, -kästchen *n.* **2.** Uten'silienkasten *m.*

di·u·re·sis [,daiju(ə)'ri:sis] *s med.* Diu'rese *f*, ('übermäßige) Harnausscheidung. **,di·u'ret·ic** [-'retik] *med.* **I** *adj* diu'retisch, harntreibend: **~ tea** Blasentee *m.* **II** *s* Diu'retikum *n*, harntreibendes Mittel.

di·ur·nal [dai'ə:rnl] **I** *adj* (*adv* **~ly**) **1.** täglich ('wiederkehrend), Tag(es)... **2.** *bot.* sich nur bei Tag entfaltend. **3.** *zo.* bei Tag auftretend *od.* jagend *etc*, Tag...: **~ lepidoptera** Tagfalter. **II** *s* **4.** *R.C.* Diur'nale *n* (*Brevier für die Tageszeiten*). **5.** Tagebuch *n.* **~ arc** *s astr.* Tagbogen *m.* **~ cir·cle** *s* **1.** *astr.* Tagkreis *m.* **2.** *mar.* 'Abweichungsparal,lel *m.*

di·va ['di:va:] *pl* **-vas, -ve** [-ve] *s* Diva *f*, Prima'donna *f.*

di·va·gate ['daivə,geit] *v/i* **1.** her'umwandern, -schweifen. **2.** abschweifen, nicht bei der Sache bleiben. **,di·va'ga·tion** *s* **1.** Abschweifung *f*, Ex'kurs *m.* **2.** Abkehr *f* (**from** von).

di·va·lent [dai'veilənt] → **bivalent.**

di·van [di'væn; 'dai-] *s* **1.** a) Diwan *m*, (Liege)Sofa *n*, Chaise'longue *f*, b) *a.* **~-bed** Liege *f* (*Art Bettcouch*). **2.** (*im Orient*) Diwan *m*: a) *Staatsrat*, b) *Ratszimmer*, c) *Regierungskanzlei*, d) *Gerichtssaal*, e) *Empfangshalle*, f) *großes öffentliches Gebäude.* **3.** Diwan *m*, Gedichtsammlung *f.* **4.** Kaffee- u. Rauchzimmer *n.*

dive [daiv] **I** *v/i pret* **dived,** *Am. colloq. od. Br. dial. a.* **dove** [douv], *pp* **dived 1.** tauchen (**for** nach, **into** in *acc*). **2.** ('unter)tauchen (*a. U-Boot*). **3.** *sport* a) e-n Hecht- *od.* Kopfsprung machen, b) e-n (Kunst)Sprung ausführen, c) sich werfen, hechten (**for the ball** nach dem Ball). **4.** *aer.* e-n Sturzflug machen. **5.** stürzen, fallen. **6.** sich ducken *od.* bücken, haschen (**for** nach). **7.** (*mit der Hand etc*) hin'einfahren, -greifen (**into** in *acc*). **8.** (schnell *od.* tief) eindringen, fahren, verschwinden (**into** in *acc*). **9.** *fig.* sich stürzen (**into** in *acc*): **to ~ into a new profession.** **10.** *fig.* sich vertiefen (**into** in *acc*). **III** *s* **11.** ('Unter)Tauchen *n*, *mar. a.* 'Unterwasser-, Tauchfahrt *f.* **12.** *sport* Kopfsprung *m*, Hechtsprung *m* (*a. des Torwarts etc*), Kunstsprung *m*: **to take a ~** e-n Kopfsprung *etc* machen; **to take a ~ into s.th.** *fig.* sich in e-e Sache vertiefen. **13.** (hastiges) Bücken *od.* Ducken, (plötzliches) Haschen: **to make a ~ at s.th.** a) sich hastig nach etwas bücken, b) plötzlich nach etwas haschen; **to make a ~ for** sich stürzen auf (*acc*). **14.** *aer.* Sturzflug *m.* **15.** *Br.* 'Keller(lo,kal *n*) *m*: **oyster ~** Austernkeller. **16.** *Am. colloq.* ‚Spe'lunke' *f*, ‚finsteres' Lo'kal. **'~-,bomb** *v/t u. v/i* im Sturzflug mit Bomben angreifen. **~ bomb·er** *s* Sturzkampfflugzeug *n*, Sturz(kampf)bomber *m*, Stuka *m.*

div·er ['daivər] *s* **1.** Taucher(in). **2.** *sport* Kunstspringer(in). **3.** *zo.* a) (*ein*) Seetaucher *m*, b) (*ein*) Tauchvogel *m*, *bes.* Steißfuß *m*, Alk *m*, Pingu'in *m.*

di·verge [dai'və:rdʒ; di'v-] **I** *v/i* **1.** diver'gieren (*a. math. phys.*), ausein'andergehen, -laufen, sich (voneinander) trennen: **diverging lens** *opt.* Zerstreuungslinse *f.* **2.** abzweigen (**from** von). **3.** (von der Norm) abweichen. **4.** verschiedener Meinung sein. **II** *v/t* **5.** diver'gieren lassen. **6.** ablenken. **di'ver·gence, di'ver·gen·cy** *s* **1.** *bot. math. opt. phys.* Diver'genz *f.* **2.** Ausein'andergehen *n*, -laufen *n.* **3.** Abzweigung *f.* **4.** Abweichung *f* (von der Norm). **5.** Meinungsverschiedenheit *f.* **di'ver·gent** *adj* (*adv* **~ly**) **1.** *math. phys.* diver'gierend. **2.** *opt.* Zerstreuungs... **3.** ausein'andergehend, -laufend. **4.** (von der Norm) abweichend.

di·vers ['daivərz] *adj obs.* **1.** di'verse, etliche, mehrere. **2.** → **diverse** 1.

di·verse [dai'və:rs; 'dai-; di'v-] *adj* (*adv* **~ly**) **1.** verschieden, ungleich, andersartig. **2.** mannigfaltig.

di·ver·si·fi·ca·tion [dai,və:rsifi'keiʃən; di,v-] *s* **1.** Ab-, Veränderung *f.* **2.** Modifikati'on *f.* **3.** abwechslungsreiche Gestaltung: **~ of products** *econ.* Verbreiterung *f* des Produktionsprogramms. **4.** Mannigfaltigkeit *f.* **5.** *econ.* verteilte Anlage (*von Kapital*), Anlagenstreuung *f.* **di'ver·si,fied** [-,faid] *adj* **1.** verschieden(artig). **2.** mannigfaltig. **3.** abwechslungsreich. **4.** *econ.* verteilt angelegt: **~ capital.**

di·ver·si·flor·ous [dai,və:rsi'flɔ:rəs; di,v-] *adj bot.* verschiedenblütig. **di'ver·si,form** [-,fɔ:rm] *adj* vielgestaltig. **di'ver·si,fy** [-,fai] *v/t* **1.** verändern. **2.** modifi'zieren. **3.** abwechslungsreich gestalten, Abwechslung bringen in (*acc*), vari'ieren, beleben. **4.** *econ. Kapital* verteilt anlegen.

di·ver·sion [dai'və:rʃən; di'v-; -ʒən] *s* **1.** Ablenkung *f* (**from** von). **2.** Abzweigung *f*: **~ of funds.** **3.** Zerstreuung *f*, Zeitvertreib *m*, Unter'haltung *f.* **4.** *mil.* 'Ablenkungsma,növer *n*, -angriff *m.* **5.** *Br.* (Ver'kehrs),Umleitung *f.* **6.** *econ.* 'Umleitung *f* (*e-r Fracht*). **di'ver·sion·al** *adj* Ablenkungs..., Unterhaltungs... **di'ver·sion·ar·y** *adj bes. mil.* Ablenkungs... **di'ver·sion·ist** *s pol.* Sabo'teur *m.*

di·ver·si·ty [dai'və:rsiti; di'v-] *s* **1.** Verschiedenheit *f*, Ungleichheit *f*: **~ of opinion** Meinungsverschiedenheit. **2.** Mannigfaltigkeit *f*, Vielgestaltigkeit *f.* **3.** Abwechslung *f*, Buntheit *f.*

di·vert [dai'və:rt; di'v-] *v/t* **1.** ablenken, ableiten, abwenden (**from** von, **to** nach), lenken (**to** auf *acc*): → **diverting.** **2.** abbringen (**from** von). **3.** *Geld etc* abzweigen (**to** für). **4.** *Br. den Verkehr* 'umleiten. **5.** zerstreuen, unter'halten, belustigen (**with** mit, durch). **6.** von sich ablenken.

di·ver·ti·men·to [diverti'mento] *pl* **-ti** [-ti] (*Ital.*) *s mus.* Diverti'mento *n.*

di·vert·ing [dai'və:rtiŋ; di'v-] *adj* (*adv* **~ly**) **1.** ablenkend: **~ attack** *mil.* Ablenkungs-, Entlastungsangriff *m.* **2.** unter'haltsam, amü'sant.

di·ver·tisse·ment [divɛrtis'mɑ̃] (*Fr.*) *s mus.* Diverti'mento *n*, Divertisse'ment *n*: a) *serenadenähnliches Instrumentalstück*, b) (*Ballett*)*Einlage*, c) *Potpourri*, d) *Zwischenspiel in e-r Fuge.*

Di·ves ['daivi:z] *s* **1.** *Bibl.* der reiche Mann. **2.** Reiche(r) *m*: **~ costs** *jur. Br.* erhöhte Kosten für Reiche.

di·vest [dai'vest; di'v-] *v/t* **1.** (*a. fig.*) entkleiden (**of** *gen*). **2.** *fig.* entblößen, berauben (**of** *gen*): **to ~ s.o. of** j-m *ein Recht etc* entziehen *od.* nehmen; **to ~ o.s. of** *etwas* ablegen, *etwas* ab- *od.* aufgeben, sich *e-s Rechtes etc* begeben *od.* entäußern. **di'ves·ti·ble** *adj jur.* einziehbar (*Vermögen*), aufhebbar (*Recht*). **di'vest·i·ture** [-tʃər], *a.* **di'vest·ment** *s* Entblößung *f*, -kleidung *f*, Beraubung *f.*

di·vid·a·ble [di'vaidəbl] *adj* teilbar.

di·vide [di'vaid] **I** *v/t* **1.** teilen: **to ~ in halves** in zwei Hälften teilen, halbieren; **to be ~d into** → 10; **to ~ s.th. with s.o.** etwas mit j-m teilen. **2.** (zer)teilen, spalten, *fig. a.* ent'zweien, ausein'anderbringen: → **divided** 1. **3.** trennen, scheiden (**from** von). **4.** ver-, austeilen (**among, between** unter *dat od. acc*). **5.** *econ. e-e Dividende* ausschütten. **6.** einteilen (**into, in** in *acc*). **7.** *math.* a) divi'dieren, teilen (**ten by three** zehn durch drei), b) ohne Rest teilen, aufgehen in (*dat*). **8.** *math. tech.* gradu'ieren, mit e-r Gradeinteilung versehen. **9.** *pol. Br. das Parlament etc* (namentlich *od.* im Hammelsprung) abstimmen lassen (**on** über *acc*). **II** *v/i* **10.** sich teilen. **11.** sich aufteilen, zerfallen (**into** in *acc.*). **12.** sich auflösen (**into** in *acc*). **13.** sich trennen (**from** von). **14.** *math.* a) divi'dieren, teilen, b) aufgehen (**into** in *dat*). **15.** *parl. Br.* (im Hammelsprung) abstimmen. **16.** verschiedener Meinung sein (**upon** über *acc*). **III** *s* **17.** *geogr. Am.* Wasserscheide *f*: → **Great Divide.**

di·vid·ed [di'vaidid] *adj* **1.** geteilt (*a. fig. uneinig*): **~ opinions** geteilte Meinungen; **~ counsel** Uneinigkeit *f*; **his mind was ~** er war unentschlossen, er schwankte; **they were ~ against themselves** sie waren unter sich uneins. **2.** Teil...: **~ circle** *tech.* Teil-, Einstellkreis *m.*

div·i·dend ['dividend] *s* **1.** *math.* Divi'dend *m* (*zu teilende Zahl*). **2.** *econ.* Divi'dende *f*, Gewinnanteil *m*: *Br.* **cum ~,** *Am.* **~ on** mit Dividende; *Br.* **ex ~,** *Am.* **~ off** ohne Dividende; **~ on account** Abschlagsdividende; **to pay a ~** *fig.* sich bezahlt machen. **3.** *jur.* Rate *f*, (Kon'kurs)Quote *f*: **~ of a bankrupt's estate.** **4.** Anteil *m.* **~ cou·pon, ~ war·rant** *s econ.* Gewinnanteil-, Divi'dendenschein *m.*

di·vid·er [di'vaidər] *s* **1.** Teiler(in). **2.** Verteiler(in). **3.** Entzweier *m.* **4.** *pl* Stech-, Teilzirkel *m.* **5.** Trennwand *f* (*in Behältern etc*).

di·vid·ing [di'vaidiŋ] **I** *s* (Ver)Teilung *f*. **II** *adj* Trennungs...: ~ line Scheide-, Trennungslinie *f*. ~ **plate** *s tech*. Teilscheibe *f*.

di·vid·u·al [di'vidjuəl] *adj* **1.** (ab)getrennt, einzeln. **2.** trenn-, teilbar. **3.** verteilt.

div·i·na·tion [ˌdivi'neiʃən] *s* **1.** Zukunftsschau *f*, ˌWahrsage'rei *f*. **2.** Weissagung *f*, Prophe'zeiung *f*. **3.** (Vor)Ahnung *f*, (sichere) Vermutung. **di'vin·a·to·ry** [-nətəri] *adj* seherisch.

di·vine [di'vain] **I** *adj* (*adv* ~ly) **1.** göttlich, Gottes...: ~ **judg(e)ment**; ~ **right of kings** Königstum *n* von Gottes Gnaden, Gottesgnadentum *n*; D~ **Will** der göttliche Wille. **2.** geweiht, geistlich, heilig: ~ **service**, ~ **worship** Gottesdienst *m*. **3.** *a. colloq.* göttlich, himmlisch: **a** ~ **hat**. **4.** theo'logisch. **II** *s* **5.** Geistliche(r) *m*. **6.** Theo'loge *m*. **III** *v/t* **7.** (er)ahnen, (intui'tiv) erkennen. **8.** (vor'aus)ahnen. **9.** erraten. **10.** prophe'zeien. **IV** *v/i* **11.** wahrsagen. **12.** Ahnungen haben. **di'vin·er** *s* **1.** Wahrsager *m*. **2.** Erahner *m*. **3.** Errater *m*. **4.** (Wünschel)Rutengänger *m*.

div·ing ['daiviŋ] **I** *s* **1.** Tauchen *n*. **2.** *sport* Kunstspringen *n*. **II** *adj* **3.** tauchend. **4.** Tauch..., Taucher... **5.** *aer.* Sturzflug...: ~ **brake**; ~ **attack** Sturzangriff *m*. ~ **bell** *s tech*. Taucherglocke *f*. ~ **board** *s sport* Sprungbrett *n*. ~ **dress** → **diving suit**. ~ **duck** *s orn.* Tauchente *f*. ~ **hel·met** *s mar.* Taucherhelm *m*. ~ **suit** *s* Taucheranzug *m*. ~ **tow·er** *s sport* Sprungturm *m*.

di·vin·ing rod [di'vainiŋ] *s* Wünschelrute *f*.

di·vin·i·ty [di'viniti] *s* **1.** Göttlichkeit *f*, göttliches Wesen: **the** ~ **of Jesus**. **2.** Gottheit *f*: **the** D~ die Gottheit, Gott *m*. **3.** göttliches Wesen. **4.** Theolo'gie *f*: **a lesson in** ~ e-e Religionsstunde; → **doctor** 2. **5.** *a.* ~ **fudge** *Am. ein Schaumgebäck.*

div·i·nize ['diviˌnaiz] *v/t* vergöttlichen.

di·vis·i·bil·i·ty [diˌvizi'biliti] *s* Teilbarkeit *f*. **di'vis·i·ble** *adj* (*adv* **divisibly**) teilbar: ~ **surplus** *econ.* verteilbarer Überschuß.

di·vi·sion [di'viʒən] *s* **1.** Teilung *f*. **2.** Zerteilung *f*, Spaltung *f*. **3.** (Ab)Trennung *f* (**from** von). **4.** (Ver)Teilung *f*: ~ **of labo(u)r** Arbeitsteilung. **5.** Verteilung *f*, Aus-, Aufteilung *f*: ~ **of profits**. **6.** Gliederung *f*, Einteilung *f* (**into** in *acc*): **geographic** ~; ~ **of shares** *econ.* (Aktien)Stückelung *f*. **7.** *math.* a) Divisi'on *f*: **long** ~ ungekürzte Division, b) Schnitt *m*. **8.** Trenn-, Scheidelinie *f*: ~ **wall** Trennwand *f*. **9.** Grenze *f*, Grenzlinie *f*. **10.** Abschnitt *m*, Teil *m*. **11.** Spaltung *f*, Kluft *f*, Uneinigkeit *f*. **12.** *pol.* (namentliche) Abstimmung, Hammelsprung *m*: **to go into** ~ zur Abstimmung schreiten; **to take a** ~ e-e Abstimmung vornehmen; **upon a** ~ nach Abstimmung. **13.** Ab'teilung *f* (*a. univ.*, *Am. a. e-s Ministeriums*): **first (third)** ~ *Br.* (Gefängnis)Abteilung mit milder (sehr strenger) Behandlung. **14.** *jur. Br.* Kammer *f* (des **High Court**). **15.** (Verwaltungs-, Gerichts-, *Br. a.* Wahl)Bezirk *m*. **16.** *mil.* Divisi'on *f* (*a. mar.*). **17.** Gruppe *f*, Klasse *f*, Katego'rie *f*. **18.** *biol.* ('Unter)Gruppe *f*, ('Unter)AbˌteilungS *f*. **19.** *sport* a) (*Fußball- etc*) Liga *f*, Spielklasse *f*, b) *Boxen etc*: Klasse *f*. **20.** a) Fachgruppe *f* (*der Industrie*), b) Indu'striezweig *m*. **di'vi·sion·al** *adj* **1.** Trenn..., Scheide...: ~ **line**. **2.** *mil.* Divisions...: ~ **headquarters**. **3.** Abteilungs...: ~ **head** Abteilungsleiter *m*; ~ **court** → **division** 14. **4.** Bezirks... **5.** Scheide...: ~ **coin** *econ.* Scheidemünze *f*. **di'vi·sionˌism** *s paint.* Divisio'nismus *m*.

di·vi·sion| mark *s* **1.** → **division sign**. **2.** Teilstrich *m*. ~ **sign** *s math.* Divisi'onszeichen *n*.

di·vi·sive [di'vaisiv] *adj* **1.** teilend. **2.** ent'zweiend, trennend.

di·vi·sor [di'vaizər] *s math.* Di'visor *m*, Teiler *m*: ~ **chain** Teilerkette *f*.

di·vorce [di'vɔːrs] **I** *s* **1.** *jur.* a) (Ehe)Scheidung *f*, b) *a.* **limited** ~ Ehetrennung *f*: ~ **from bed and board** Trennung von Tisch u. Bett; **action for** ~, ~ **suit** (Ehe)Scheidungsklage *f*, -prozeß *m*; **to obtain** (*od.* **get**) **a** ~ **from s.o.** von j-m geschieden werden; ~ **court** Scheidungsgericht *n*; **cause of** ~, **ground for** ~ (Ehe)Scheidungsgrund *m*; **to seek a** ~ sich scheiden lassen (wollen). **2.** *fig.* Scheidung *f*, Trennung *f* (**from** von, **between** zwischen *dat*). **II** *v/t* **3.** *jur. j-n* scheiden (**from** von): **to** ~ **s.o.** j-s Ehe scheiden; **to** ~ **one's wife, to** ~ **o.s. from one's wife** sich von s-r Frau scheiden lassen; **to be** ~**d from** geschieden sein (*od.* werden) von. **4.** *fig.* (völlig) trennen, scheiden, (los)lösen (**from** von): **to** ~ **a word from its context** ein Wort aus dem Zs.-hang reißen. **diˌvor'cee** [-'siː] *s* Geschiedene(r *m*) *f*. **di'vorce·ment** → **divorce** I.

div·ot ['divət] *s* **1.** *Scot.* Sode *f*, Rasen-, Torfstück *n*. **2.** *Golf*: (*durch Fehlschläge*) ausgehacktes Rasenstück.

di·vul·ga·tion [ˌdivʌl'geiʃən] *s* Enthüllung *f*, Bekanntmachung *f*.

di·vulge [di'vʌldʒ; *Br. a.* dai-] *v/t ein Geheimnis etc* enthüllen, bekanntmachen, preisgeben, ausplaudern, verbreiten. **di'vul·gence**, *a.* **di'vulge·ment** → **divulgation**.

di·vul·sion [di'vʌlʃən; *Br. a.* dai-] *s* Losreißung *f*, gewaltsame Trennung.

div·vy ['divi] *sl.* **I** *v/t* **1.** *oft* ~ **up** aufteilen. **II** *s* **2.** (Auf)Teilung *f*. **3.** (An)Teil *m*. **4.** *econ.* Divi'dende *f*.

dix·ie[1] ['diksi] *s Am. sl. od. Br.* **1.** Kochgeschirr *n*. **2.** Feldkessel *m*.

Dix·ie[2] ['diksi] *s* **1.** *Bezeichnung für den Süden der USA.* **2.** *Titel eines bekannten Liedes.*

Dix·ie|·crat ['diksiˌkræt] *s pol. Mitglied e-r Splittergruppe der Demokratischen Partei im Süden der USA.* '~**ˌland** *s* **1.** → **Dixie**[2] 1. **2.** *mus.* Dixieland(-Stil) *m*.

dix·y → **dixie**[1].

diz·en ['daizn; 'dizn] *v/t a.* ~ **out**, ~ **up** *obs.* her'ausputzen, 'ausstafˌfieren.

di·zy·got·ic [ˌdaizai'gɒtik] *adj biol.* zweieiig: ~ **twins**.

diz·zi·ness ['dizinis] *s* **1.** Schwindel *m*, Schwind(e)ligkeit *f*. **2.** Schwindelanfall *m*. **3.** Benommenheit *f*.

diz·zy ['dizi] **I** *adj* (*adv* **dizzily**) **1.** schwind(e)lig. **2.** verwirrt, benommen. **3.** schwindelnd, schwindelerregend: ~ **heights**; ~ **speed**. **4.** schwindelnd hoch: **a** ~ **building**. **5.** wirr, kon'fus. **6.** unbesonnen. **7.** *colloq.* verrückt. **II** *v/t* **8.** schwind(e)lig machen. **9.** verwirren.

djin → **jinn**.

D ma·jor *s mus.* D-Dur *n*. **D mi·nor** *s mus.* d-Moll *n*.

do[1] [duː] *pret* **did** [did] *pp* **done** [dʌn] 3. *sg pres* **does** [dʌz; dəz] **I** *v/t* **1.** tun, machen: **what can I** ~ (**for you**)? was kann ich (für Sie) tun?, womit kann ich (Ihnen) dienen?; **to** ~ **right** (**wrong**) (un)recht tun; ~ **what he would** er konnte anfangen, was er wollte; **what is to be done** (*od.* **to do**)? was ist zu tun?, was soll geschehen?; **if it were to** ~ **again** wenn es noch einmal getan werden müßte; **what have you done to my suit?** was haben Sie mit m-m Anzug gemacht?; **she did no more than look at him** sie hat ihn nur angesehen; **he does not know what to** ~ **with his time** er weiß nicht, was er mit s-r Zeit anfangen soll; → **do with**. **2.** tun, ausführen, voll'bringen, *Arbeiten* verrichten, *Verbrechen* begehen: **to** ~ **odd jobs**; **to** ~ **murder**; **to** ~ **one's lessons** *ped.* s-e (Haus)Aufgaben machen; **he did all the writing** er hat alles allein geschrieben; **he did (all) the talking** er führte (allein) das große Wort; **let me** ~ **the talking** laß mich sprechen; **it can't be done** es geht nicht, es ist undurchführbar; → **done** 1, 2. **3.** tätigen, machen: **to** ~ **business** *colloq.* Geschäfte tätigen. **4.** tun, leisten, voll'bringen: **to** ~ **one's best** (*od. sl.* **one's damnedest**) sein Bestes tun, sich alle Mühe geben; **to** ~ **better** a) Besseres leisten, b) sich verbessern. **5.** anfertigen, 'herstellen, *Kunstwerk etc a.* schaffen: **to** ~ **a portrait** ein Porträt malen; **to** ~ **a translation** e-e Übersetzung machen *od.* anfertigen. **6.** *j-m etwas* tun, zufügen, erweisen: **to** ~ **s.o. harm** j-m Schaden zufügen, j-m schaden; **beer does me good** Bier tut mir gut, Bier bekommt mir; **much good may it** ~ **you!** (*bes. iro.*) wohl bekomm's!; ~ **me the hono(u)r** erweisen Sie mir die Ehre; **will you** ~ **me the favo(u)r?** wollen Sie mir den Gefallen tun? **7.** einbringen, gewähren: **to** ~ **s.o. credit, to** ~ **credit to s.o.** j-m zur Ehre gereichen. **8.** erzielen, erreichen: **I did it!** ich habe es geschafft!; **now you have done it!** *contp.* nun hast du es glücklich geschafft! **9.** sich beschäftigen mit, arbeiten an (*dat*). **10.** *Speisen* zubereiten, *bes.* kochen *od.* braten. **11.** in Ordnung bringen, *z.B.* a) *Geschirr* abwaschen, b) *das Zimmer* aufräumen, ‚machen'. **12.** 'herrichten, deko'rieren, schmücken. **13.** ('her)richten: **to** ~ **one's hair** sich das Haar machen, sich frisieren; **to** ~ **one's face** sich das Gesicht waschen; **she is having her nails done** sie läßt sich maniküren. **14.** *e-e Fremdsprache etc* treiben, lernen: **to** ~ **French**; **to** ~ **Shakespeare** Shakespeare durchnehmen *od.* behandeln. **15.** *e-e Aufgabe* lösen. **16.** über'setzen (**into German** ins Deutsche). **17.** *e-e Rolle etc* spielen, *e-n Charakter* darstellen: **to** ~ **Othello** den Othello spielen; **to** ~ **the polite** den höflichen Mann spielen *od.* markieren; **to** ~ **the host** den Gastgeber spielen. **18.** zu'rücklegen, ‚schaffen', machen: **they did 20 miles** sie legten 32 km zurück; **the car does 50 m.p.h.** der Wagen fährt 80 km/h. **19.** *colloq.* besichtigen, die Sehenswürdigkeiten besichtigen von (*od. gen*): **to** ~ **Rome in three days** Rom in drei Tagen besichtigen *od.* ‚machen'. **20.** *colloq.* genügen (*dat*): **it will** ~ **us for the moment**. **21.** *colloq.* erschöpfen, ‚erledigen': **they were pretty well done** sie waren am Ende (ihrer Kräfte). **22.** *colloq.* a) *j-n* ‚erledigen', ‚fertigmachen': **I'll** ~ **him in three rounds**, b) drannehmen (*Friseur etc*): **I'll** ~ **you next, sir**. **23.** *sl.* ‚reinlegen', ‚übers Ohr hauen', ‚anschmieren', ‚bescheißen': **to** ~ **s.o. out of s.th.** j-n um etwas betrügen *od.* bringen. **24.** *sl. e-e Strafe* absitzen:

he did two years in prison er hat zwei Jahre (im Gefängnis) gesessen; he did three months for theft er war wegen Diebstahls drei Monate eingesperrt. **25.** *colloq.* bewirten, behandeln: to ~ o.s. well sich gütlich tun, es sich gutgehen lassen; to ~ s.o. proud j-n fürstlich bewirten; they ~ you very well here hier werden Sie gut bewirtet, hier sind Sie gut aufgehoben. **26.** bringen (*obs. außer in*): to ~ to death töten, umbringen.

II *v/i* **27.** handeln, vorgehen, tun, sich verhalten: he did well to come er tat gut daran zu kommen; the premier would ~ wisely to resign der Premier würde klug handeln *od.* wäre gut beraten, wenn er zurückträte. **28.** (tätig) handeln, wirken: ~ or die kämpfen oder untergehen; it's ~ or die now! jetzt geht's ums Ganze!; a ~ or die spirit e-e Entschlossenheit bis zum Äußersten. **29.** weiter-, vor'ankommen: to ~ well a) vorwärtskommen, Erfolge haben (with bei, mit), gut abschneiden (in bei, in *dat*), b) gut gedeihen (*Getreide etc*) (→ 30). **30.** Leistungen voll'bringen: to ~ well a) s-e Sache gut machen, b) viel Geld verdienen (→ 28). **31.** sich befinden: to ~ well a) sich wohl befinden, gesund sein, b) in guten Verhältnissen leben, c) sich gut erholen; how ~ you ~? a) guten Tag!, b) es freut mich (, Sie kennenzulernen), c) *obs.* wie geht es (Ihnen)? **32.** auskommen, zu Rande kommen. **33.** genügen, (aus)reichen, passen, dem Zweck entsprechen *od.* dienen: that will (not) ~ das genügt *od.* reicht (nicht); it will ~ tomorrow es hat Zeit bis morgen; we'll make it ~ wir werden schon damit auskommen. **34.** angehen, recht sein, sich schicken, passen: that won't ~! a) das geht nicht (an)!, b) das wird nicht gehen!; it won't ~ to be rude mit Grobheit kommt man nicht weit(er), man darf nicht unhöflich sein. **35.** (*im pres perfect*) aufhören: have done! hör auf!; genug (davon)!; let us have done with it! hören wir auf damit!; to have done with → done 5.

III *Ersatzverbum zur Vermeidung von Wiederholungen* **36.** *v/t u. v/i* tun (*bleibt meist unübersetzt*): he treats his children as I ~ my dogs er behandelt s-e Kinder wie ich m-e Hunde; you know it as well as I ~ du weißt es so gut wie ich; he sang better than he had ever done before er sang besser, als (er) je zuvor (gesungen hatte); I take a bath — So ~ I ich nehme ein Bad — Ich auch; he does not work hard, does he? er arbeitet nicht viel, nicht wahr?; he works hard, does he not? er arbeitet viel, nicht wahr?; Did he buy it? — He did. Kaufte er es? — Ja(wohl)!; ~ you understand? — I don't. Verstehen Sie? — Nein!; He sold his car. — Did he? Er hat sein Auto verkauft. — Wirklich?, So?; I wanted to go there, and I did so ich wollte hingehen u. tat es auch.

IV *Hilfsverbum* **37.** *zur Umschreibung in Fragesätzen*: ~ you know him? kennen Sie ihn? **38.** *zur Umschreibung in mit* not *verneinten Sätzen*: I ~ not believe it ich glaube es nicht; ~ not go there! gehen Sie nicht hin!; don't! tun Sie es nicht!, lassen Sie das! **39.** *zur Verstärkung*: I ~ like it! mir gefällt es wirklich; but I ~ see it! aber ich sehe es doch!; I did see it, but ich sah es wohl *od.* zwar, aber; be quiet, ~! sei doch still! **40.** *bei Satzumstellungen mit voranstehendem* hardly, little, rarely *etc*: rarely does one see such things solche Dinge sieht man selten.

Verbindungen mit Präpositionen:

do| by *v/i* handeln an (*dat*), sich verhalten gegen, behandeln: to do well by s.o. j-n gut *od.* anständig behandeln; do ([un]to others) as you would be done by was du nicht willst, daß man dir tu', das füg' auch keinem andern zu! **~ for** *v/t* **1.** ‚erledigen', zu'grunde richten, rui'nieren: he is done for er ist erledigt. **2.** töten, 'umbringen. **3.** *colloq. j-m* den Haushalt führen. **4.** sorgen für, Vorsorge treffen für. **5.** ausreichen für. **6.** passen *od.* sich eignen für. **~ to, ~ un·to** → do by. **~ with** *v/t* **1.** *etwas* tun *od.* anfangen mit: I can't do anything with it (him) ich kann nichts damit (mit ihm) anfangen; I won't have anything to ~ it (you) ich will nichts damit (mit dir) zu tun *od.* zu schaffen haben; it has nothing to ~ you es hat nichts mit dir zu tun; → done 5. **2.** auskommen mit, sich begnügen mit: we can ~ it wir können damit auskommen. **3.** could ~ *colloq.* (sehr gut) brauchen können: he could ~ the money; I could ~ a glass of beer ich könnte ein Glas Bier vertragen; he could ~ a haircut er müßte sich mal (wieder) die Haare schneiden lassen. **~ with·out** *v/i* auskommen ohne, fertig werden ohne, *etwas* entbehren, verzichten auf (*acc*): we can ~ it.

Verbindungen mit Adverbien:

do| a·way *v/t obs.* beseitigen. **~ a·way with** *v/t* **1.** beseitigen: a) wegschaffen, b) abschaffen. **2.** loswerden, *Geld* 'durchbringen. **3.** 'umbringen, töten: to ~ o.s. sich umbringen. **~ down** *v/t Br. colloq.* → do 22. **~ in** *v/t sl.* **1.** verprügeln. **2.** ‚erledigen': a) erschöpfen, b) zu'grunde richten, c) ‚um die Ecke bringen', 'umbringen. **3.** → do 22. **~ out** *v/t colloq. Zimmer etc* säubern, ausfegen. **~ up** *v/t* **1.** a) zs.-schnüren, b) *ein Päckchen* zu'rechtmachen *od.* verschnüren, c) einpacken, d) schließen, zuknöpfen. **2.** *das Haar* hochstecken. **3.** 'herrichten, in'stand setzen, wieder in Ordnung bringen. **4.** *colloq.* ‚fertigmachen': a) erschöpfen, ermüden, b) *Am.* zu'grunde richten, rui'nieren.

do² [duː] *pl* **dos, do's** [duːz] *s* **1.** *sl.* Schwindel *m*, Gaune'rei *f*, ‚Beschiß' *m*. **2.** *Br. colloq.* Fest *n*, Festivi'tät *f*, (große) ‚Sache'. **3.** *pl Br. colloq.* (An)Teile *pl*: fair do's! redlich teilen! **4.** *pl colloq.* Gebote *pl*: do's and don'ts Gebote u. Verbote, Regeln.

do³ [dou] *s mus.* Do *n* (*Solmisationssilbe*).

do·a·ble ['duːəbl] *adj* ausführbar.

'do-ˌall *s* Fak'totum *n*.

doat → dote.

dob·bin ['dɒbin] *s* (frommes) Arbeits-, Zugpferd, ‚Hans' *m*.

Do·ber·man (pin·scher) ['doubərmən] *s* Dobermann(pinscher) *m* (*Hund*).

doc [dɒk] *Am. colloq. für* doctor.

do·cent ['dousent; do'sent] *s Am.* (Pri'vat)Doˌzent *m*. **'do·centˌship** *s Am.* Dozen'tur *f*.

doch-an|-dor·rach ['dɒxən'dɒrəx], **'~-'dor·ris** [-ris] *s* Abschiedstrunk *m*.

doc·ile [*Br.* 'dousail; *Am.* 'dɑsl] *adj* **1.** fügsam, gefügig. **2.** gelehrig. **3.** fromm (*Pferd*). **do·cil·i·ty** [do'siliti] *s* **1.** Fügsamkeit *f*. **2.** Gelehrigkeit *f*.

dock¹ [dɒk] **I** *s* **1.** Dock *n*: a) *Hafenbecken*, b) *Anlage zum Trockensetzen von Schiffen*: to put a ship in ~ → 8; → dry dock *etc*. **2.** Hafenbecken *n*, Anlegeplatz *m* (*zwischen 2 Kais etc*): ~ authorities Hafenbehörde *f*. **3.** *Am.* Kai *m*, Pier *m*. **4.** *pl* Docks *pl*, Hafenanlagen *pl*, (Schiffs)Werft *f*: ~ crane Werftkran *m*; ~ strike Dockarbeiterstreik *m*. **5.** *rail.* a) *Am.* Laderampe *f*, b) *Br.* Abstellgleis *n*. **6.** → hangar. **7.** *thea.* Ku'lissenraum *m*. **II** *v/t* **8.** *ein Schiff* (ein)docken, ins Dock bringen. **9.** *rail. e-n Zug* aufs Abstellgleis (*Am.* zur Laderampe) bringen. **III** *v/i* **10.** ins Dock gehen, docken, im Dock liegen. **11.** im Hafen *od.* am Kai anlegen.

dock² [dɒk] **I** *s* **1.** (Schwanz)Rübe *f*, fleischiger Teil des Schwanzes. **2.** (Schwanz)Stummel *m*, Stutzschwanz *m*. **3.** Schwanzriemen *m*. **4.** (*Lohn- etc*)Kürzung *f*. **II** *v/t* **5.** *den Schwanz etc* stutzen, beschneiden. **6.** den Schwanz stutzen (*dat*), *ein Pferd* angli'sieren: a ~ed horse ein Stutzschwanz. **7.** *j-m* die Haare schneiden. **8.** a) *j-s Lohn etc* kürzen, beschneiden, b) *j-m* den Lohn kürzen. **9.** berauben (of *gen*): to ~ the entail *jur.* die Erbfolge aufheben.

dock³ [dɒk] *s jur.* Anklagebank *f*: to be in the ~ auf der Anklagebank sitzen; to put in the ~ *fig.* anklagen.

dock⁴ [dɒk] *s bot.* Ampfer *m*.

dock·age¹ ['dɒkidʒ] *s mar.* **1.** Dock-, Hafengebühren *pl*, Kaigebühr *f*. **2.** Docken *n*, 'Unterbringung *f* im Dock. **3.** Dockanlagen *pl*.

dock·age² ['dɒkidʒ] *s* **1.** Kürzung *f*, Beschneidung *f* (*des Lohnes etc*). **2.** (Lohn)Abzug *m*.

dock| brief *s jur. Br. von e-m Barrister kostenlos übernommener Auftrag zur Verteidigung, den ein mittelloser Angeklagter erteilt.* **~ dues** *s pl* → dockage¹ 1.

dock·er ['dɒkər] *s Br.* Dock-, Hafenarbeiter *m*, Schauermann *m*.

dock·et ['dɒkit] **I** *s* **1.** *jur.* a) Gerichts-, Ter'minkaˌlender *m*, b) *bes. Br.* 'Urteilsreˌgister *n*: to clear the ~ *Am.* die anhängigen (Gerichts)Fälle erledigen. **2.** *Am.* Tagesordnung *f*: to be on the ~ auf der Tagesordnung stehen. **3.** Inhaltsangabe *f*, -vermerk *m* (*auf Akten etc*). **4.** *econ.* a) 'Warenaˌdreßzettel *m*, b) Eti'kett *n*, c) *Br.* Zollquittung *f*, d) *Br.* Einkaufsgenehmigung *f*, e) *Br.* Bestell-, Lieferschein *m*. **II** *v/t* **5.** in e-e Liste eintragen. **6.** *jur.* in ein Re'gister *od.* in die Pro'zeßliste eintragen. **7.** *Dokumente etc* mit kurzem Inhaltsvermerk versehen. **8.** *econ. Waren* a) mit A'dreßzettel versehen, b) etiket'tieren, beschriften.

dock| gate *s mar.* **1.** Docktor *n*. **2.** Schleusentor *n*. **~ glass** *s* großes Glas (*zur Weinprobe*).

dock·ing [dɒkiŋ] *s Raumfahrt*: Rendez'vous *n*, Zs.-koppeln *n* (von Raumkapseln).

'dock|ˌland *s* Hafenviertel *n*. **'~ˌmas·ter** *s mar.* 'Hafenkapiˌtän *m*, Dockmeister *m*. **~ re·ceipt** → dock warrant. **~ sor·rel** *s bot.* Sauerampfer *m*. **~ war·rant** *s econ. mar.* Dockempfangs-, Docklagerschein *m*. **~ work·er** → docker. **'~ˌyard** *s mar.* **1.** Werft *f*. **2.** *bes. Br.* Ma'rinewerft *f*.

doc·tor ['dɒktər] **I** *s* **1.** Doktor *m*, Arzt *m*: ~'s stuff *colloq.* Medizin *f*. **2.** *univ.* Doktor *m*: D~ of Divinity (Laws, Medicine) Doktor der Theologie (Rechte, Medizin); to take one's ~'s degree (zum Doktor) promovieren; Dear D~ Sehr geehrter Herr Doktor!; Dr. and Mrs. B. Herr u. Frau Dr. B. **3.** Gelehrte(r) *m* (*obs. außer in*): D~ of the Church Kirchenvater *m*. **4.** *bes. mar. sl.* ‚Smutje' *m*, Schiffskoch *m*. **5.** *tech. ein Hilfsmittel, bes.* a) Schaber *m*, Abstreichmesser *n*, b) Lötkolben *m*, c) → donkey engine, d) *a.* ~ blade Rakelmesser *n* (*e-r Druckwalze*). **6.** *Angeln*: (*e-e*) *künstliche Fliege*. **7.** *colloq.* kühle Brise. **II** *v/t* **8.** (ärztlich) behandeln, ‚verarzten'. **9.** ‚her'umdoktern' an (*dat*), ‚zs.-flicken', (notdürftig) ausbessern. **10.** *j-m* die Doktorwürde verleihen. **11.** *j-n* mit Doktor anreden. **12.** *a.* ~ up *colloq.* a) *Wein etc* verfälschen, verpanschen, b) *Abrechnungen etc* zu'rechtdoktern, ('auf)fri͵sieren, fälschen: to ~ one's accounts. **III** *v/i* **13.** *colloq.* als Arzt prakti'zieren.

doc·tor·al ['dɒktərəl] *adj* Doktor(s)...: ~ cap Doktorhut *m*; ~ degree Doktorgrad *m*. **'doc·to·rand** [-rənd] *s* Dokto'rand(in). **'doc·tor·ate** [-rit] *s* Dokto'rat *n*, Doktorwürde *f*, -titel *m*.

doc'to·ri·al [-'tɔːriəl] *adj* **1.** → doctoral. **2.** doktor-, lehrhaft.

Doc·tor's Com·mons *s Gebäude in London, früher Speisesaal u. Sitz des Rechtsgelehrtenkollegiums, später Sitz von Gerichtshöfen.*

doc·tor·ship ['dɒktər͵ʃip] *s* **1.** → doctorate. **2.** Gelehrtheit *f*.

doc·tri·naire [͵dɒktri'nɛr] **I** *s* Doktri'när *m*, engstirniger Prin'zipienreiter. **II** *adj* doktri'när, schulmeisterlich.

doc·tri·nal ['dɒktrinl; *Br. a.* -'trai-] *adj* **1.** lehrmäßig, Lehr...: ~ proposition Lehrsatz *m*. **2.** dog'matisch: ~ theology Dogmatik *f*.

doc·tri·nar·i·an [͵dɒktri'nɛ(ə)riən] → doctrinaire.

doc·trine ['dɒktrin] *s* **1.** Dok'trin *f*, Lehre *f*, Lehrmeinung *f*: ~ of descent Abstammungslehre *f*. **2.** *bes. pol.* Dok'trin *f*, Grundsatz *m*: party ~ Parteiprogramm *n*. **'doc·trin͵ism** *s* Doktrina'rismus *m*.

doc·u·ment I *s* ['dɒkjumənt] **1.** Doku'ment *n*, Urkunde *f*, Belegstück *n*, 'Unterlage *f*: ~ of title *jur.* Eigentumsurkunde *f*, Besitztitel *m*; supported by ~s urkundlich belegt. **2.** Doku'ment *n*, amtliches Schriftstück, Aktenstück *n*, *pl* Akten *pl*: secret ~ Geheimdokument. **3.** *pl econ.* a) Ver'ladepa͵piere *pl*, b) 'Schiffspa͵piere *pl*: ~s against acceptance (payment) Dokumente gegen Akzept (Bezahlung). **II** *v/t* [-͵ment] **4.** *econ.* mit den notwendigen Pa'pieren versehen. **5.** dokumen'tieren, dokumen'tarisch *od.* urkundlich belegen. **6.** genaue 'Hinweise auf Belege geben in (*e-m Buch etc.*). ͵**doc·u'men·tal** [-'mentl] → documentary 1.

doc·u·men·ta·ry [͵dɒkju'mentəri] **I** *adj* **1.** dokumen'tarisch, urkundlich: ~ bill (*od.* draft) *econ.* Dokumententratte *f*; ~ evidence Urkundenbeweis *m*; ~ stamp Urkundenstempel(marke *f*) *m*, Steuermarke *f*. **2.** auf Belegen *od.* Urkunden *od.* (hi'storischen) Doku'menten aufbauend. **3.** Dokumentar..., Tatsachen...: ~ film → 4. **II** *s* **4.** Dokumen'tar-, Tatsachen-, Kul'turfilm *m*.

doc·u·men·ta·tion [͵dɒkjumen'teiʃən] *s* **1.** Dokumentati'on *f*, Her'anziehung *f* von Doku'menten *od.* Urkunden, Urkunden-, Quellenbenutzung *f*. **2.** dokumen'tarischer Nachweis *od.* Beleg.

dod·der¹ ['dɒdər] *v/i* **1.** (*vor Schwäche*) zittern, (sch)wanken, wackeln, schlottern. **2.** wack(e)lig gehen, wackeln. **3.** ‚quasseln'.

dod·der² ['dɒdər] *s bot.* Teufelszwirn *m*, Seide *f*.

dod·dered ['dɒdərd] *adj* **1.** astlos: a ~ tree. **2.** altersschwach, tatterig. **'dod·der·ing, 'dod·der·y** *adj* **1.** (sch)wankend, zittrig. **2.** tatterig, vertrottelt, se'nil.

do·dec·a·gon [dou'dekə͵gɒn] *s math.* Zwölfeck *n*, Dodeka'gon *n*. ͵**do·dec·a'he·dral** [-'hiːdrəl] *adj math.* dodeka'edrisch, zwölfflächig. ͵**do·dec·a'he·dron** [-drən] *s math.* Dodeka'eder *n*, Zwölfflach *n*, -flächner *m*. ͵**do·dec·a'syl·la·ble** ['siləbl] *s* zwölfsilbiger Vers.

dodge [dɒdʒ] **I** *v/i* **1.** (rasch) zur Seite springen, ausweichen. **2.** a) schlüpfen (about um ... herum, behind hinter *acc*), b) sich verstecken (behind hinter *dat*). **3.** a) sich rasch hin u. her bewegen, b) sausen, flitzen. **4.** Ausflüchte gebrauchen. **5.** sich drücken (*vor e-r Pflicht etc*). **6.** Winkelzüge machen. **II** *v/t* **7.** *e-m Schlag, e-m Verfolger etc* ausweichen. **8.** *colloq.* sich drücken vor (*dat*), um'gehen (*acc*), aus dem Weg gehen (*dat*): to ~ doing vermeiden zu tun; to ~ a question (e-r Frage) ausweichen. **9.** zum besten haben, irreführen. **10.** *e-n Schüler etc* unerwartet ausfragen, außer der Reihe fragen. **III** *s* **11.** Sprung *m* zur Seite, rasches Ausweichen. **12.** *colloq.* Schlich *m*, Kniff *m*, Trick *m*: to be up to all the ~s ‚mit allen Wassern gewaschen sein'. **13.** *colloq.* a) sinnreicher Mecha'nismus, ‚Pa'tent' *n*, b) (geeignetes) Hilfsmittel. **'dodg·er** *s* **1.** geriebener Bursche, verschlagener Mensch. **2.** Schwindler *m*, Gauner *m*. **3.** Drückeberger *m*. **4.** *Am. od. Austral.* Re'klame-, Handzettel *m*, Flugblatt *n*. **5.** *mar. colloq.* Wetterschutz *m*. **6.** *Am.* Maiskuchen *m*, -brot *n*. **'dodg·er·y** [-əri] *s* **1.** Schwinde'lei *f*. **2.** Kniff *m*, Trick *m*. **'dodg·y** *adj* verschlagen, gerieben.

do·do ['doudou] *pl* **-does, -dos** *s* **1.** *orn.* Do'do *m*, Dronte *f* (*ausgestorbene Riesentaube*). **2.** *colloq.* ‚altmodischer Mensch'. **3.** *aer. Am. sl.* Flugschüler *m*, Anfänger *m*.

doe [dou] *s zo.* **1.** Damhirschkuh *f*. **2.** *Weibchen der Ziegen, Kaninchen u. anderer Säugetiere, deren Männchen allg. als* buck *bezeichnet wird, bes.* (Reh)Geiß *f*.

do·er ['duːər] *s* **1.** Handelnde(r *m*) *f*, Tatmensch *m*. **2.** Täter(in). **3.** *sl.* Betrüger(in), Gauner *m*. **4.** (gut *od.* schlecht) gedeihendes Tier: those steers are good (poor) ~s.

does [dʌz; dəz] 3. *sg pres von* do¹.

'doe͵skin *s* **1.** a) Rehfell *n*, b) Rehleder *n*. **2.** Doeskin *n* (*ein Wollstoff*).

does·n't ['dʌznt] *colloq. für* does not.

do·est ['duːist] *obs. od. poet.* 2. *sg pres von* do¹: thou ~ du tust.

do·eth ['duːiθ] *obs. od. poet.* 3. *sg pres von* do¹: he ~ er tut.

doff [dɒf] *v/t* **1.** *Kleider etc* ablegen, ausziehen, *bes. den Hut* abnehmen. **2.** *fig. Manieren etc* ablegen. **3.** *fig.* loswerden.

dog [dɒg] **I** *s* **1.** *zo.* Hund *m*. **2.** *zo.* Rüde *m* (*männlicher Hund, Wolf, Fuchs etc*). **3.** *contp.* ‚Hund' *m*, Schuft *m*: dirty ~ gemeiner Schuft, ‚Mistkerl' *m*. **4.** *colloq.* Bursche *m*, Kerl *m*: gay ~ ‚lustiger Vogel'; lazy ~ ‚fauler Hund'; lucky ~ Glückspilz *m*; sly ~ schlauer Fuchs. **5.** Greater (Lesser) D~ *astr.* Großer (Kleiner) Hund. **6.** D~ → Dog Star. **7.** *Bergbau*: Hund *m*, Förderwagen *m*. **8.** *tech. e-e Befestigungsvorrichtung, bes.* a) Klammer *f*, Greifhaken *m*, b) Klaue *f*, Knagge *f*, Nocken *m*, c) *a.* stop ~ Anschlag(bolzen) *m*, d) Drehherz *n* (*der Werkzeugmaschine*), e) Mitnehmer(stift) *m*, f) Klemmschraube *f*, g) Sperrhaken *m*, h) Bock *m*, Gestell *n*. **9.** → fire dog. **10.** → sundog 1b, fogdog. **11.** *Am. sl. für* hot dog I. **12.** the ~s *Br. colloq.* das Windhundrennen.

Besondere Redewendungen:

~ in the manger Neidhammel *m*; the ~s of war die Kriegsfurien; not a ~'s chance nicht die geringste Chance *od.* Aussicht; not in a ~'s age *colloq.* seit e-r Ewigkeit nicht; to go to the ~s vor die Hunde *od.* zugrunde gehen; to give (*od.* throw) to the ~s a) den Hunden vorwerfen, b) *fig.* opfern, c) wegwerfen; to lead a ~'s life ein Hundeleben führen; to lead s.o. a ~'s life j-m das Leben zur Hölle machen; to help a lame ~ over a stile j-m in der Not beistehen; to put on ~ *colloq.* ‚angeben', vornehm tun; to take a hair of the ~ that bit you den Kater in Alkohol ersäufen; let sleeping ~s lie *fig.* a) schlafende Hunde soll man nicht wecken, laß die Finger davon, b) laß den Hund begraben sein, rühr nicht alte Geschichten auf; ~ does not eat ~ e-e Krähe hackt der anderen kein Auge aus; love me, love my ~ wer mich liebt, muß auch m-e Freunde lieben. → day 7, teach 4, word *Bes. Redew.*

II *v/t* **13.** *j-n* beharrlich verfolgen, *j-m* nachspüren: to ~ s.o.'s footsteps j-m auf den Fersen bleiben. **14.** *fig.* verfolgen. **15.** (wie) mit Hunden hetzen. **16.** *tech.* mit e-r Klammer befestigen.

III *adv* **17.** äußerst, ‚hunde...': ~-cheap spottbillig; ~-poor bettelarm; ~-sick hundeelend.

'dog͵bane *s bot.* Hundstod *m*, -gift *n*.

'dog͵ber·ry¹ *s bot.* Hundsbeere *f*.

'Dog͵ber·ry² *s* dummer u. geschwätziger kleiner Beamter (*nach der Gestalt in „Viel Lärm um nichts"*).

dog| bis·cuit *s* Hundekuchen *m*. **'~͵cart** *s* Dogcart *m* (*leichter zweirädriger Einspänner*). **~ clutch** *s tech.* Ausrückmuffe *f*, Klauenkupplung *f*. **~ col·lar** *s* **1.** Hundehalsband *n*. **2.** *colloq.* Kol'lar *n*, steifer, hoher Kragen (*e-s Geistlichen*). **~ days** *s pl* Hundstage *pl*.

doge [doudʒ] *s* Doge *m* (*Oberhaupt der Republiken Venedig od. Genua*).

'dog|͵ear → dog's-ear. **'~͵face** *s Am. mil. sl.* a) Landser *m*, b) Re'krut *m*. **'~͵fall** *s Ringen*: gleichzeitiges Fallen (der beiden Gegner) (*wobei keinem der Ringer Punkte gutgeschrieben werden*). **~ fan·ci·er** *s* **1.** Hundeliebhaber(in). **2.** Hundezüchter(in). **'~͵fight** *s* **1.** Handgemenge *n*. **2.** *mil.* a) (Panzer- *etc*)Nah-, Einzelkampf *m*, b) *aer.* Kurvenkampf *m*. **'~͵fish** *s zo.* (*ein*) kleiner Hai, *bes* a) spiny ~ Gemeiner Dornhai, b) smooth ~ Hundshai *m*. **~ fox** *s zo.* Fuchsrüde *m*.

dog·ged ['dɒgid] *adj* (*adv* ~ly) verbissen, hartnäckig, zäh: it's ~ does it Zähigkeit siegt. **'dog·ged·ness** *s* Verbissenheit *f*, Hartnäckigkeit *f*, Zähigkeit *f*.

dog·ger¹ ['dɒgər] *s mar.* Dogger *m* (*zweimastiges Fischerboot*).

Dog·ger² ['dɒgər] *s geol.* Dogger *m* (*mittlere Juraformation*).

dog·ger·el ['dɒgərəl] **I** *adj* **1.** holp(e)rig, Knittel... (*Vers etc*). **2.** bur'lesk, possenhaft. **II** *s* **3.** holp(e)riger Vers, *bes.* Knittelvers *m.*
dog·gie → doggy[1].
dog·gish ['dɒgiʃ] *adj* (*adv* ~**ly**) **1.** hundeartig, hündisch, Hunde... **2.** bissig, mürrisch.
dog·go ['dɒgou] *adv*: to lie ~ *sl.* a) sich nicht rühren, sich mäus-chenstill verhalten, b) sich versteckt halten.
ˌ**dog'gone** *interj Am.* verflixt!
dog grass *s bot.* Hundsquecke *f.*
dog·grel ['dɒgrəl] → doggerel.
dog·gy[1] ['dɒgi] *s* Hündchen *n*, Wauwau *m.*
dog·gy[2] ['dɒgi] *adj* **1.** → doggish. **2.** *colloq.* hundeliebend: a ~ person ein Hundenarr. **3.** *Am. colloq.* ‚todschick', ‚supervornehm'.
'**dogˌhouse** *s* Hundehütte *f*: in the ~ *bes. Am. colloq.* in Ungnade.
do·gie ['dougi] *s Am.* **1.** mutterloses Kalb. **2.** minderwertiges Tier.
dog| Lat·in *s* 'Küchenlaˌtein *n.* ~ **lead** [li:d] *s* Hundeleine *f.* '~-ˌ**leg·ged,** *a.* '~-ˌ**leg** *adj* gekrümmt, gebogen: ~ stairs Treppe *f* mit Absätzen.
dog·ma ['dɒgmə] *pl* **-mas, -ma·ta** [-mətə] *s* **1.** *relig.* Dogma *n*: a) Glaubenssatz *m*, b) Lehrsystem *n.* **2.** *fig.* Dogma *n*, Grundsatz *m.* **3.** Lehrsatz *m.*
dog'mat·ic [-'mætik] *adj* (*adv* ~**ally**) **1.** *relig.* dog'matisch. **2.** dog'matisch: a) entschieden, bestimmt, b) gebieterisch anmaßend, rechthaberisch. **dog'mat·ics** *s pl* (*als sg konstruiert*) Dog'matik *f.*
dog·ma·tism ['dɒgməˌtizəm] *s* **1.** Dogma'tismus *m* (*a. philos.*). **2.** selbstsicheres Behaupten, Selbstherrlichkeit *f*, Rechthabe'rei *f.* '**dog·ma·tist** *s* **1.** Dog'matiker *m* (*a. philos.*). **2.** selbstsicherer *od.* dreister Behaupter. '**dog·maˌtize I** *v/i* **1.** dogmati'sieren, dog'matische *od.* dreiste Behauptungen aufstellen (on über *acc*), s-e Meinung als maßgeblich 'hinstellen. **II** *v/t* **2.** mit (dog'matischer) Bestimmtheit behaupten. **3.** *bes. relig.* zum Dogma erheben.
'**do-'good·er** *s colloq.* Weltverbesserer *m*, Humani'tätsaˌpostel *m.*
dog| rac·ing *s* Hunderennen *n.* ~ **rose** *s bot.* Wilde Rose, Hecken-, Hundsrose *f.*
dog salm·on *s ichth.* Ketalachs *m.*
'**dog's|-ˌear I** *s* Eselsohr *n* (*im Buch*). **II** *v/t* Eselsohren machen in (*ein Buch etc*). '~-ˌ**eared** *adj* mit Eselsohren.
'**dog|ˌshore** *s mar. tech.* Schlittenständer *m.* ~ **show** *s* Hundeausstellung *f.* '~ˌ**skin** *s* Hundsleder *n.* ~ **sledge** *s* Hundeschlitten *m.* '~ˌ**sleep** *s* leichter *od.* unruhiger Schlaf.
dog's| let·ter *s* (*der*) Buchstabe r, (*das*) (gerollte) R. '~-ˌ**nose** *s sl. ein Getränk aus Bier u. Gin od. Rum.*
Dog Star *s astr.* Sirius *m*, Hundsstern *m.*
dog| tag *s* **1.** Hunde(kenn)marke *f.* **2.** *mil. Am. sl.* ‚Hundemarke' *f* (*Erkennungsmarke*). ~ **tax** *s* Hundesteuer *f.* ~ **tent** *s mil. sl.* Feldzelt *n.* '~-ˌ**tired** *adj* hunde-, todmüde. '~-ˌ**tooth** *s irr arch.* 'Hundszahnornaˌment *n.* '~ˌ**tooth vi·o·let** *s bot.* Gemeiner Hundszahn. ~ **vi·o·let** *s bot.* Hundsveilchen *n.* '~ˌ**watch** *s mar.* Spaltwache *f*, Plattfuß *m*: first ~ 1. Plattfuß (*16-18 Uhr*); second ~ 2. Plattfuß (*18-20 Uhr*). ~ **whelk** *s zo. e-e dickschalige Meermuschel.* ~ **whip** *s* Hundepeitsche *f.* '~ˌ**wood** *s bot.* Hartriegel *m.*
do·gy → dogie.

doi·ly ['dɔili] *s* Deckchen *n*, 'Tassen-, 'Tellerˌunterlage *f.*
do·ing ['du:iŋ] *s* **1.** Tun *n*, Tat *f*: it was your ~ a) Sie haben es getan, b) es war Ihre Schuld (that daß); this will want some ~ das will erst getan sein. **2.** *pl* a) Handlungen *pl*, Taten *pl*, Tätigkeit *f*, b) Begebenheiten *pl*, Vorfälle *pl*, c) Treiben *n*, Betragen *n*: fine ~s these! das sind mir schöne Geschichten! **3.** *pl sl.* (gesellschaftliches) Leben, Ereignisse *pl.* **4.** *pl sl.* notwendige Sachen *pl*, notwendiges Zubehör.
doit [dɔit] *s fig.* Deut *m*: I don't care a ~ ich kümmere mich keinen Deut darum; not worth a ~ keinen Pfifferling wert.
'**do-it-your'self I** *s* Selbstmachen *n*, -anfertigen *n.* **II** *adj* Selbstanfertigungs..., Mach-es-selbst-..., Bastel...
dol·drums ['dɒldrəmz] *s pl* **1.** *geogr.* a) Kalmengürtel *m*, -zone *f*, b) Kalmen *pl*, äquatori'ale Windstillen *pl.* **2.** Niedergeschlagenheit *f*, Depressi'on *f*, Trübsinn *m*, *bes. econ.* Flaute *f*: in the ~ a) deprimiert, niedergeschlagen, b) darniederliegend (*Industrie etc*).
dole[1] [doul] **I** *s* **1.** milde Gabe, Almosen *n.* **2.** (Almosen)Verteilung *f.* **3.** 'Arbeitslosenunterˌstützung *f*: to be (*od.* go) on the ~ stempeln gehen. **4.** *obs.* Schicksal *n.* **II** *v/t* **5.** als Almosen verteilen (to an *acc*). **6.** ~ out sparsam ver- *od.* austeilen.
dole[2] [doul] *s obs.* Kummer *m*, Klage *f.*
dole·ful ['doulful] *adj* (*adv* ~**ly**) **1.** traurig, trübselig. **2.** schmerzlich, klagend. '**dole·ful·ness** *s* **1.** Trauer *f*, Kummer *m.* **2.** Schmerzlichkeit *f.* **3.** Trübseligkeit *f.*
dol·i·cho·ce·phal·ic [ˌdɒlikosi'fælik] *adj* langköpfig, -schädelig. ˌ**dol·i·cho'ceph·aˌlism** [-'sefəˌlizəm] *s* Langköpfigkeit *f.* ˌ**dol·i·cho'ceph·a·lous** → dolichocephalic. ˌ**dol·i·cho'ceph·a·ly** → dolichocephalism.
'**do-ˌlit·tle** *s colloq.* Nichtstuer(in), Faulenzer(in), Faulpelz *m.*
doll [dɒl] **I** *s* **1.** Puppe *f*: ~'s house Puppenstube *f*, -haus *n*; ~'s face *fig.* Puppengesicht *n.* **2.** Puppe *f* (*hübsche, aber dumme Frau*). **3.** *Am. sl.* a) *allg.* ‚Mädel' *n*, Frau *f*, b) ‚prima Kerl' (*Mann od. Frau*). **II** *v/t u. v/i* **4.** ~ up *sl.* (sich) aufputzen, ‚-donnern'.
dol·lar ['dɒlər] *s* **1.** Dollar *m* (*Währungseinheit der USA, Kanadas etc*): the almighty ~ das Geld, der Mammon; ~ diplomacy Dollardiplomatie *f*; ~ gap *econ.* Dollarlücke *f.* **2.** *hist.* Taler *m* (*alte deutsche Münze*). **3.** (mexi'kanischer) Peso. **4.** Juan *m* (*chinesischer Silberdollar*). **5.** *Br. sl.* Krone *f* (*Fünfschillingstück*).
doll·ish ['dɒliʃ] *adj* puppenhaft.
dol·lop ['dɒləp] *s colloq.* **1.** Klumpen *m.* **2.** Masse *f*, Menge *f.* **3.** *Am.* ‚Schuß' *m*: a ~ of brandy; a ~ of satire.
doll·y ['dɒli] **I** *s* **1.** ‚Puppi' *f*, Püppchen *n* (*Kinderwort*). **2.** *tech.* a) niedriger Trans'portwagen, b) fahrbares Mon'tagegestell, c) 'Schmalspurlokomoˌtive *f* (*bes. an Baustellen*), d) *Film*: Kamerawagen *m.* **3.** *mil.* Muniti'onskarren *m.* **4.** *tech.* Nietkolben *m*, Gegen-, Vorhalter *m.* **5.** Rammschutz *m* (*e-r Pfahlramme*). **6.** *Bergbau*: Rührer *m.* **7.** (Wäsche)Stampfer *m*, Stößel *m.* **8.** *Am.* Anhängerbock *m* (*des Sattelschleppers*). **II** *adj* **9.** puppenhaft. ~ **shot** *s Film, TV*: Fahraufnahme *f.* ~ **tub** *s* Waschfaß *n.* **D~ Var·den** ['vɑ:rdn] *s* **1.** breitrandiger, blumengeschmückter Damenhut. **2.** buntgeblümtes Damenkleid. **3.** *a.* ~ trout *ichth. e-e große nordamer. Forelle.*
dol·man ['dɒlmən] *pl* **-mans** *s* **1.** Damenmantel *m* mit capeartigen Ärmeln: ~ sleeve capeartiger Ärmel. **2.** Dolman *m* (*Husarenjacke*).
dol·men ['dɒlmen] *s* Dolmen *m* (*vorgeschichtliches Steingrabmal*).
dol·o·mite ['dɒləˌmait] *s* **1.** *min.* Dolo'mit *m.* **2.** *geol.* Dolo'mit(gestein *n*) *m.* **3.** the D~s *geogr.* die Dolo'miten.
do·lor, *bes. Br.* **do·lour** ['doulər] *s poet.* Leid *n*, Pein *f*, Qual *f*, Schmerz *m*: the D~s of Mary *relig.* die Schmerzen Mariä.
dol·or·ous ['dɒlərəs] *adj* (*adv* ~**ly**) schmerzlich: a) qualvoll, b) traurig.
do·lour *bes. Br. für* dolor.
dol·phin ['dɒlfin] *s* **1.** *zo.* Del'phin *m*: bottle-nosed ~ Großer Tümmler. **2.** *ichth.* 'Goldmaˌkrele *f.* **3.** *mar.* a) Ankerboje *f*, b) Dalbe *f*, (Anlege-)Pfahl *m.* ~ **fly** *s zo.* Schwarze Bohnen-(blatt)laus.
dolt [doult] *s* Dummkopf *m*, Tölpel *m.* '**dolt·ish** *adj* (*adv* ~**ly**) tölpelhaft, dumm.
dom [dɒm] *s* Dom *m*: a) *Titel für Vornehme in Portugal u. Brasilien*, b) *Anrede für Angehörige mancher geistlicher Orden, bes. Benediktiner.*
do·main [do'mein; dou-] *s* **1.** *jur.* Verfügungsrecht *n*, -gewalt *f* (*über Landbesitz etc*): (power of) eminent ~ Enteignungsrecht *n* des Staates (zu öffentlichen Zwecken). **2.** a) Landbesitz *m*, Lände'reien *pl*, b) Land-, Herrengut *n.* **3.** Herrschaftsgebiet *n.* **4.** Do'mäne *f*, Staats-, Krongut *n.* **5.** *fig.* Do'mäne *f*, Bereich *m*, Sphäre *f*, (Arbeits-, Wissens)Gebiet *n*, Reich *n.*
dome [doum] **I** *s* **1.** *arch.* Kuppel(dach *n*) *f*, (Kuppel)Gewölbe *n.* **2.** Wölbung *f.* **3.** Dom *m*: a) *obs.* Kathe'drale *f*, b) *poet.* (stolzer) Bau. **4.** Kuppel *f*, kuppelförmige Bildung: ~ of pleura *med.* Pleurakuppel. **5.** *tech.* a) Dampfdom *m*, b) Staubdeckel *m.* **6.** *geol.* Dom *m.* **7.** Doma *n* (*Kristallform*). **8.** *Am. sl.* ‚Birne' *f*, Kopf *m.* **II** *v/t* **9.** mit e-r Kuppel versehen. **10.** kuppelartig formen: ~d → dome-shaped. **III** *v/i* **11.** sich (kuppelförmig) wölben.
domes·day ['du:mzˌdei] *selten für* doomsday. **D~ Book** *s Reichsgrundbuch Englands* (*1085/86*).
'**dome-ˌshaped** *adj* kuppelförmig, gewölbt.
do·mes·tic [do'mestik] **I** *adj* (*adv* ~**ally**) **1.** häuslich, Haus..., Haushalts..., Familien..., Privat...: ~ affairs häusliche Angelegenheiten (→5); ~ appliance Haushaltsgerät *n*; ~ architecture Häuser-, Wohnungsbau *m*; ~ coal Hausbrandkohle *f*; ~ drama *thea.* bürgerliches Drama; ~ economy Hauswirtschaft *f*, Haushaltskunde *f*; ~ life Familienleben *n*; ~ relations (law) *jur. Am.* Familienrecht *n*; ~ science Hauswirtschaftslehre *f*; ~ servant (*od.* helper, worker) → 6; ~ system Heimindustrie-System *n*; ~ virtues häusliche Tugenden. **2.** häuslich (veranlagt): a ~ man. **3.** Haus..., zahm: ~ animals Haustiere; ~ fowl *zo.* Haushuhn *n.* **4.** inländisch, im Inland erzeugt, einheimisch, Inlands..., Landes..., Innen..., Binnen...: ~ bill *econ.* Inlandswechsel *m*; ~ goods Inlandswaren; ~ mail *Am.* Inlandspost *f*; ~ market inländischer Markt, Binnenmarkt *m*; ~ products → 7; → trade 1. **5.** inner(er, e, es), Innen...: ~ affairs

innere Angelegenheiten (→ 1); in the ~ field innenpolitisch; a ~ political issue e-e innenpolitische Frage; ~ policy Innenpolitik *f.* **II** *s* **6.** Hausangestellte(r *m*) *f*, Dienstbote *m.* **7.** *pl econ.* 'Landesproˌdukte *pl*, inländische Erzeugnisse *pl.* **do'mes·ti·ca·ble** *adj* zähmbar. **do'mes·tiˌcate** [-tiˌkeit] *v/t* **1.** domesti'zieren: a) zu Haustieren machen, zähmen, b) *bot.* zu Kul'turpflanzen machen. **2.** an häusliches Leben gewöhnen, *iro.* ‚zähmen': to ~ one's husband; not ~d a) *Brit.* nichts vom Haushalt verstehend, b) nicht am Familienleben hängend, unhäuslich, nicht ‚gezähmt'. **3.** *Wilde* zivili'sieren. **4.** *fig.* einbürgern, heimisch machen. **doˌmes·ti'ca·tion** *s* **1.** Zähmung *f.* **2.** Gewöhnung *f* an häusliches Leben. **3.** Eingewöhnung *f* (with bei). **4.** *fig.* Einbürgerung *f.* **5.** *bot.* Kulti'vierung *f.*

do·mes·tic·i·ty [ˌdoumes'tisiti] *s* **1.** (Neigung *f* zur) Häuslichkeit *f.* **2.** häusliches Leben. **3.** *pl* häusliche Angelegenheiten *pl.* **do·mes·ti·cize** [do'mestiˌsaiz] → domesticate.

dom·i·cil ['dɒmisil] → domicile I.

dom·i·cile ['dɒmisil; *Br. a.* -ˌsail] **I** *s* **1.** Domi'zil *n*, Wohnsitz *m*, -ort *m*, Aufenthalt(sort) *m.* **2.** Wohnung *f*: breach of ~ Hausfriedensbruch *m.* **3.** *jur.* (ständiger *od.* bürgerlich-rechtlicher) Wohnsitz: ~ of choice Wahlwohnsitz; ~ of origin Geburtswohnsitz. **4.** *Am.* (Geschäfts)Sitz *m* (*e-r Gesellschaft*). **5.** *econ.* Zahlungsort *m* (*für e-n Wechsel*). **II** *v/t* **6.** ansässig *od.* wohnhaft machen, ansiedeln. **7.** *econ. e-n Wechsel* domizi'lieren, (*auf e-n bestimmten Ort*) zahlbar stellen: ~d bill Domizilwechsel *m.* **'dom·i·ciled** *adj* ansässig, wohnhaft. **ˌdom·i'cil·i·ar·y** [-'siljəri] *adj* Haus..., Wohnungs...: ~ right Hausrecht *n*; ~ visit (*polizeiliche etc*) Haussuchung. **ˌdom·i'cil·iˌate** [-'siliˌeit] → domicile II. **ˌdom·iˌcil·i'a·tion** *s econ.* Domizi'lierung *f* (*e-s Wechsels*).

dom·i·nance ['dɒminəns] *s* **1.** (Vor)Herrschaft *f*, (Vor)Herrschen *n.* **2.** Macht *f*, Einfluß *m.* **3.** *biol.* Domi'nanz *f.* **'dom·i·nant I** *adj* (*adv* ~ly) **1.** domi'nierend, (vor)herrschend. **2.** beherrschend: a) bestimmend, tonangebend: ~ influence; the ~ factor der entscheidende Faktor, b) em'porragend, weithin sichtbar: ~ hill. **3.** *biol.* domi'nant, über'lagernd. **4.** *mus.* Dominant...: ~ seventh chord Dominantseptakkord *m.* **II** *s* **5.** *biol.* domi'nante Erbanlage, vorherrschendes Merkmal. **6.** *mus.* ('Ober)Domiˌnante *f.* **7.** *bot.* Domi'nante *f.* **8.** *fig.* beherrschendes Ele'ment.

dom·i·nate ['dɒmiˌneit] **I** *v/t* beherrschen (*a. fig.*), herrschen *od.* em'porragen über (*acc*). **II** *v/i* domi'nieren, (vor)herrschen: to ~ over herrschen über (*acc*). **ˌdom·i'na·tion** *s* **1.** (Vor)Herrschaft *f.* **2.** Willkürherrschaft *f.*

dom·i·ne ['dɒmini; 'dou-] *s obs.* Herr, Meister (*Anrede*).

dom·i·neer [ˌdɒmi'niər] *v/i* **1.** (over) des'potisch herrschen (über *acc*), tyranni'sieren (*acc*). **2.** den Herrn spielen, anmaßend auftreten. **ˌdom·i'neer·ing** [-'ni(ə)r-] *adj* (*adv* ~ly) **1.** ty'rannisch, des'potisch. **2.** herrisch, gebieterisch. **3.** anmaßend.

do·min·i·cal [do'minikəl] *adj* **1.** *relig.* des Herrn (Jesu): ~ day Tag *m* des Herrn (*Sonntag*); ~ letter Sonntagsbuchstabe *m* (*im Kirchenkalender*); ~ prayer Gebet *n* des Herrn (*das Vaterunser*). **2.** sonntäglich.

Do·min·i·can [do'minikən] **I** *adj* **1.** *relig.* domini'kanisch, Dominikaner...: ~ friar → 3. **2.** *pol.* domini'kanisch: the ~ Republic die Dominikanische Republik. **II** *s* **3.** *relig.* Domini'kaner(mönch) *m.* **4.** Domini'kaner(in) (*Einwohner der Dominikanischen Republik*).

dom·i·nie ['dɒmini] *s* **1.** *Scot.* Schulmeister *m.* **2.** [*a.* 'dou-] *Am.* Pfarrer *m*, Pastor *m* (*der* Reformed Dutch Church *od. allg. colloq.*).

do·min·ion [də'minjən] *s* **1.** a) (Ober)Herrschaft *f*, b) Re'gierungsgewalt *f*, c) *fig.* Herrschaft *f*, Einfluß *m* (*alle* over über *acc*). **2.** (Herrschafts)Gebiet *n.* **3.** Lände'reien *pl* (*e-s Feudalherrn etc*). **4.** *oft* D~ Do'minion *n* (*sich selbst regierendes Land des Brit. Staatenbundes; seit 1947* Country of the Commonwealth *genannt*): the D~ of Canada das Dominion Kanada. **5.** the D~ *Am.* Kanada *n.* **6.** *jur.* a) unbeschränktes Eigentum(srecht), b) (tatsächliche) Gewalt (over über *eine Sache*). **D~ Day** *s nationaler Feiertag in Kanada* (*der 1. Juli*) *u. Neuseeland* (*der 4. Montag im September*).

dom·i·no ['dɒmiˌnou] **I** *pl* **-noes, -nos** *s* **1.** Domino *m* (*Maskenkostüm u. Person*). **2.** Halbmaske *f*, (kleine) Larve. **3.** a) *pl* (*als sg konstruiert*) Domino(spiel) *n*, b) Dominostein *m.* **II** *interj* **4.** Domino! (*beim Spiel*). **5.** *fig.* fertig!, Schluß!, aus! **'dom·iˌnoed** *adj* mit e-m Domino bekleidet.

do·mite ['doumait] *s geol.* Do'mit *m.*

don[1] [dɒn] *s* **1.** D~ Don *m* (*spanischer Höflichkeitstitel*). **2.** Grande *m*, spanischer Edelmann. **3.** Spanier *m.* **4.** a) großer Herr, gewichtige Per'sönlichkeit, b) Kory'phäe *f, m*, Fachmann *m* (at in *dat*, für). **5.** *univ. Br.* Universi'tätslehrer *m* (*bes. ein Collegeleiter, Fellow od. Tutor*).

don[2] [dɒn] *v/t etwas* anziehen, *den Hut* aufsetzen.

do·na(h) ['dounə] *s sl.* ‚Donja' *f*, Liebchen *n.*

do·nate [do'neit; 'dou-] *v/t bes. Am.* schenken (*a. jur.*), als Schenkung über'lassen, stiften, *a. Blut etc* spenden (to s.o. j-m): ~d stock *econ.* zurückgegebene (Gründer)Aktie(n *pl*). **do'na·tion** *s* Schenkung *f* (*a. jur.*), Gabe *f*, Geschenk *n*, Stiftung *f*, Spende *f*: to make a ~ of s.th. to s.o. j-m etwas zum Geschenk machen.

don·a·tive ['dɒnətiv; 'dou-] **I** *s* **1.** Schenkung *f.* **2.** *relig.* durch Schenkung über'tragene Pfründe. **II** *adj* **3.** Schenkungs... **4.** geschenkt. **5.** *relig.* durch bloße Schenkung über'tragen (*Pfründe*). **do·na·tor** [do'neitər; 'douneitər] → donor 1.

done [dʌn] **I** *pp von* do[1]. **II** *adj* **1.** getan: well ~! gut gemacht!, bravo! (→ 4); it isn't ~ so etwas tut man nicht, das gehört sich nicht; it is ~ es gehört zum guten Ton. **2.** erledigt: to get s.th. ~ etwas erledigen (lassen); he gets things ~ er bringt etwas zuwege. **3.** *econ.* bezahlt. **4.** *Kochkunst*: gar: well ~ gut durchgebraten (→ 1). **5.** *colloq.* fertig: I am ~ with it ich bin fertig damit; to have ~ with a) fertig sein mit (*a. fig. mit j-m*), b) nichts mehr zu tun haben wollen mit, c) nicht mehr brauchen; → do for 1. **6.** ~ up *colloq.* erschöpft, ‚erledigt', ‚fertig', ‚ka'putt' (with von). **7.** ~ brown *colloq.* schwer übers Ohr gehauen. **8.** *in Urkunden*: gegeben, ausgefertigt: ~ at New York. **9.** ~! abgemacht!, topp!

do·nee [ˌdou'niː] *s jur.* Schenkungsempfänger(in), Beschenkte(r *m*) *f.*

don·jon ['dʌndʒən; 'dɒn-] *s* Don'jon *m*, Hauptturm *m* (*der normannischen Burg*).

don·key ['dɒŋki] **I** *s* **1.** Esel *m* (*a. fig. contp. Dummkopf*): ~'s years *Br. colloq.* e-e ‚Ewigkeit', lange Zeit. **2.** *abbr. für* donkey engine *etc.* **II** *adj* **3.** Hilfs...: ~ boiler; ~ pump. **~ en·gine** *s tech.* kleine (*transportable*) 'Hilfsmaˌschine. **'~·man** [-mən] *s irr* **1.** Eseltreiber *m.* **2.** Bedienungsmann *m* e-r 'Hilfsmaˌschine. **'~ˌwork** *s colloq.* Placke'rei *f*, Kuliarbeit *f.*

don·nish ['dɒniʃ] *adj* (*adv* ~ly) steif, pe'dantisch, gravi'tätisch. **'don·nish·ness** *s* Steifheit *f*, Pedante'rie *f.*

Don·ny·brook (Fair) ['dɒniˌbruk] *s fig.* wüstes *od.* wildes Treiben, ‚Tollhaus' *n.*

do·nor ['dounər; -nɔːr] *s* **1.** Schenker(in) (*a. jur.*), Spender(in), Stifter(in). **2.** *med.* (*bes.* Blut-, Or'gan)Spender(in).

'do-ˌnoth·ing I *s* Faulenzer(in), Nichtstuer(in). **II** *adj* nichtstuerisch, faul.

Don Quix·ote [dɒn 'kwiksot; ki'houti] *s* Don Qui'chotte *m* (*weltfremder Idealist*).

don't [dount] **I 1.** *colloq. für* do not. **2.** *sl. od. dial. für* does not. **II** *s* **3.** *colloq.* Verbot *n*: → do[2] 4.

doo·dah ['duːdɑː] *s sl.* Mords'aufregung *f*: to be all of a ~ ganz ‚aus dem Häus-chen sein'.

doo·dle[1] ['duːdl] **I** *s* Gekritzel *n*, gedankenlos 'hingezeichnete Fi'gur(en *pl*). **II** *v/i* etwas gedankenlos 'hinkritzeln, ‚Männchen malen'.

doo·dle[2] ['duːdl] *v/t Scot. den Dudelsack* spielen.

doo·dle·bug ['duːdlˌbʌg] *s* **1.** *Am.* Wünschelrute *f.* **2.** *Br. colloq.* Ra'kete *f, bes.* V 1 *f* (*im 2. Weltkrieg*). **3.** *zo. Am.* Ameisenlöwe *m* (*Larve der Ameisenjungfern*).

doo·hick·us [duː'hikəs], **doo'hin·key** [-'hiŋki], **doo'hin·kus** [-kəs] *s Am. sl.* ‚Dingsda' *n.*

doom [duːm] **I** *s* **1.** Schicksal *n*, Los *n*, (*bes.* böses) Geschick, Verhängnis *n*: he met his ~ sein Schicksal ereilte ihn. **2.** a) Verderben *n*, 'Untergang *m*, b) Tod *m.* **3.** a) *hist.* Gesetz *n*, Erlaß *m*, b) *obs.* Urteilsspruch *m*, (*bes.* Verdammungs)Urteil *n*, c) *fig.* Todesurteil *n.* **4.** the day of ~ *relig.* der Tag des Gerichts, das Jüngste Gericht; → crack 1. **II** *v/t* **5.** *a. fig.* verurteilen, verdammen (to zu; to do zu tun): to ~ to death. **doomed** *adj* **1.** verloren, dem 'Untergang geweiht: the ~ train der Unglückszug. **2.** *fig.* verurteilt, verdammt (to zu; to do zu tun): ~ to wait; ~ to failure zum Scheitern verurteilt.

dooms·day ['duːmzˌdei] *s* Jüngstes Gericht, Weltgericht *n*: till ~ bis zum Jüngsten Tag. **D~ Book** → Domesday Book.

door [dɔːr] *s* **1.** Tür *f.* **2.** Tor *n*, Pforte *f* (*beide a. fig.*). **3.** a) Ein-, Zugang *m*, b) Ausgang *m.* **4.** Wagentür *f*, (Wagen)Schlag *m.* **5.** *mar.* Luke *f.*
Besondere Redewendungen:
from ~ to ~ von Haus zu Haus; out of (*od.* without) ~s a) außer Haus, nicht zu Hause, b) im Freien, draußen, c) ins Freie; within ~s a) im Hause, drinnen, b) zu Hause; the enemy is at our ~ der Feind steht vor den Toren; he lives two ~s down the street er wohnt zwei Türen *od.* Häuser weiter; next ~ nebenan, im nächsten

Haus *od.* Raum; **next ~ to** *fig.* beinahe, fast, so gut wie; **this is next ~ to a miracle** dies ist beinahe ein Wunder, dies grenzt an ein Wunder; **to lay s.th. at s.o.'s ~** j-m etwas zur Last legen; **to lay the blame at s.o.'s ~** j-m die Schuld zuschieben; **the fault lies at his ~** er trägt die Schuld; **to bang** (*od.* **close**) **the ~ on s.th.** etwas unmöglich machen; **to show s.o. the ~, to turn s.o. out of ~s** j-m die Tür weisen, j-n hinauswerfen; **to see s.o. to the ~** j-n zur Tür begleiten; **to open the ~ to s.o.** j-n hereinlassen, j-m (die Tür) öffnen; **to open a ~ to** (*od.* **for**) **s.th.** etwas ermöglichen *od.* möglich machen, *contp. a. e-m Mißbrauch etc* Tür u. Tor öffnen; **to throw the ~ open to s.th.** *fig.* e-r Sache Einlaß gewähren; **packed to the ~s** voll (besetzt); **at death's ~** am Rand des Grabes; → **darken** 1, **close** 37.

'door|,bell *s* Türklingel *f*, -glocke *f*. **'~,case** *s tech.* Türeinfassung *f*, -futter *n*, -zarge *f*. **~ chain** *s* Sicherheitskette *f*. **~ clos·er** *s* Türschließer *m*: automatic ~ Selbstschließer *m*. **'~,frame** *s* Türrahmen *m*. **~ han·dle** *s* Türgriff *m*, -klinke *f*. **'~,keep·er** *s* Pförtner *m*, Porti'er *m*. **'~-,key child** *s* Schlüsselkind *n*. **'~,knob** *s* Türknopf *m*, -griff *m*. **'~·man** [-mən] *s irr bes. Am.* **1.** Pförtner *m*. **2.** Türsteher *m* (*in Hotels etc*). **~ mat** *s* **1.** Türmatte *f*, (Fuß)Abtreter *m*. **2.** *colloq.* a) ‚Fußabtreter' *m*, ‚Prügelknabe' *m*, b) Kriecher *m*. **~ mon·ey** *s* Eintrittsgeld *n*. **'~,nail** *s* Türnagel *m*: → **dead** 1. **~ o·pen·er** *s* **1.** Türöffner *m* (*Vorrichtung*). **2.** *econ. Am.* Werbegeschenk *n* (*e-s Hausierers*). **'~,plate** *s* Türschild *n*. **'~,post** *s* Türpfosten *m*. **~ scrap·er** *s* Fußabstreifer *m* (*aus Metall*). **'~,step** *s* Stufe *f* vor der Haustür, Türstufe *f*: **at** (*od.* **on**) **s.o.'s ~** vor j-s Tür (*a. fig*). **'~,stop** *s* Anschlag *m* (*e-r Tür*). **'~-to-'~** *adj econ. Am.* Haus-zu-Haus...: **~ salesman** Hausierer *m*, Vertreter *m*; **~ selling** Hausverkauf *m*. **'~,way** *s arch.* **1.** Torweg *m*. **2.** Türöffnung *f*, (Tür)Eingang *m*. **'~,yard** *s Am.* Vorhof *m*, -garten *m*.

dop[1] [dɒp] *s tech.* Dia'mantenhalter *m* (*beim Schleifen*).

dop[2] [dɒp] *s* Kapbranntwein *m*.

dope [doup] **I** *s* **1.** dicke Flüssigkeit, Schmiere *f*. **2.** *tech.* a) Schmiermittel *n*, b) Absorpti'onsmittel *n*, c) Zusatzstoff *m*, d) *mot.* (Ben'zin)Zusatzmittel *n*. **3.** *aer.* Spannlack *m*, Firnis *m*. **4.** *sl.* a) Rauschgift *n*, b) *Am.* Rauschgiftsüchtige(r *m*) *f*. **5.** *sport* a) Aufputschmittel *n*, b) leistungshemmendes Präpa'rat. **6.** *sl.* Idi'ot *m*, Trottel *m*. **7.** *sl.* a) *oft* **inside ~** (vertrauliche) Informati'onen *pl*, Geheimtip(s *pl*) *m*, b) *allg.* Information(en *pl*) *f*, Materi'al *n*: **to get the ~ on** alles in Erfahrung bringen über (*acc*). **II** *v/t* **8.** *aer.* lak'kieren, firnissen. **9.** a) ein Absorpti'onsmittel zumischen (*dat*), b) *Benzin* mit e-m Zusatzmittel versehen. **10.** *sl.* a) *j-m* Rauschgift verabreichen, b) *j-n* betäuben, c) *sport* dopen, d) *fig.* einschläfern, -lullen. **11.** *Am. sl.* ‚hinters Licht führen', ‚übers Ohr hauen'. **12.** *meist* **~ out** *sl.* a) her'ausfinden, ausfindig machen, b) ausknobeln, (*dat*) auf die Spur kommen, c) ausarbeiten: **to ~ out a plan.** **~ fiend** *s sl.* Rauschgiftsüchtige(r *m*) *f*. **~ ring** *s sl.* Ring *m* von Rauschgifthändlern. **'~,sheet** *s sport sl.* (vertraulicher) Bericht (*über Rennpferde*).

dope·y ['doupi] *adj sl.* **1.** benommen, benebelt. **2.** blöd, ‚dämlich', ‚doof'.

'dop·ing *s sport sl.* Doping *n*.

Dop·pler ef·fect ['dɒplər] *s phys.* 'Dopplere f,fekt *m*.

dop·y → **dopey**.

dor[1] [dɔːr] → **dorbeetle**.

dor[2] [dɔːr] *s obs.* Ulk *m*.

Do·ra ['dɔːrə] *Br. colloq. für* **Defence of the Realm Act.**

do·ra·do [do'rɑːdou] *s* **1.** *ichth.* 'Goldma,krele *f*. **2.** **D~** *astr.* Schwertfisch *m* (*südliches Sternbild*).

dor·bee·tle ['dɔːr,biːtl] *s zo.* **1.** Mist-, Roßkäfer *m*. **2.** ‚Brummer' *m*, Brummkäfer *m*, *bes.* Maikäfer *m*.

Do·ri·an ['dɔːriən] **I** *adj* dorisch: **~ mode, ~ music** dorische Tonart. **II** *s* Dorier(in).

Dor·ic ['dɒrik] **I** *adj* **1.** dorisch: **~ order** *arch.* dorische (Säulen)Ordnung. **2.** breit, bäurisch, grob (*Dialekt*). **II** *s* **3.** Dorisch *n*, dorischer Dia'lekt. **4.** breiter *od.* grober Dia'lekt.

Dor·king ['dɔːrkiŋ] *s* Dorking-Huhn *n*.

dorm [dɔːrm] *colloq. für* **dormitory.**

dor·man·cy ['dɔːrmənsi] *s* Schlaf(zustand) *m*, (*a. bot.* Knospen- *od.* Samen)Ruhe *f*. **'dor·mant** *adj* **1.** schlafend (*a. her.*). **2.** *fig.* ruhend (*a. bot.*), untätig: **~ volcano** untätiger Vulkan; **to lie ~** ruhen (→ 5, 7). **3.** *zo.* Winterschlaf haltend. **4.** träge, schläfrig. **5.** *fig.* schlummernd, verborgen, la'tent: **~ passion; ~ talent; to lie ~** schlummern, verborgen liegen (→ 2, 7). **6.** *jur.* ruhend, nicht ausgenützt *od.* beansprucht: **~ title.** **7.** *a. econ.* unbenutzt, brach(liegend): **~ faculties; ~ account** umsatzloses Konto; **~ capital** totes Kapital; **~ partner** stiller Teilhaber; **to lie ~** a) brachliegen, b) *econ.* sich nicht verzinsen (→ 2, 5).

dor·mer (win·dow) ['dɔːrmər] *s arch.* Dach-, Boden-, Giebelfenster *n*.

dor·mie → **dormy.**

dor·mi·to·ry ['dɔːrmitri] *s* **1.** *bes. Br.* Schlafsaal *m*. **2.** *bes. Am.* Gebäude *n* mit Schlafräumen, *bes.* Stu'denten(wohn)heim *n*. **~ sub·urb** *s* Schlaf-, Wohnstadt *f*.

dor·mouse ['dɔːr,maus] *s irr zo.* Schlafmaus *f*: **common ~** Haselmaus *f*; → **sleep** 1.

dor·my ['dɔːrmi] *adj* (*Golf*) *nur in*: **to be ~ two** zwei (Löcher) vor'aus haben.

dor·o·thy bag ['dɒrəθi] *s Br.* offene beutelförmige Damenhandtasche (*mit Tragschlaufe*).

dorp [dɔːrp] *s* **1.** *obs.* Weiler *m*. **2.** [*S.Afr.* Ortschaft *f*.]

dors- [dɔːrs] → **dorsi-.**

dor·sal ['dɔːrsəl] **I** *adj* **1.** *anat. zo.* dor'sal, Rücken..., Dorsal...: **~ fin** a) → 5, b) *aer.* Seitenflosse *f*; **~ vertebra** → 4 a. **2.** *bot.* dor'sal, rückenständig. **3.** *Phonetik*: dor'sal. **II** *s* **4.** *anat.* a) Rückenwirbel *m*, b) Rükkennerv *m*. **5.** *zo.* Rückenflosse *f*. **6.** → **dossal.** **'dor·sal·ly** *adv med. zo.* dor'sal, am Rücken, dem Rücken zu.

dorsi- [dɔːrsi] *Wortelement mit der Bedeutung* Rücken.

dor·sif·er·ous [dɔːr'sifərəs] *adj* **1.** *bot.* die Sporen auf der 'Blatt,unterseite tragend. **2.** *zo.* die Eier *od.* Jungen auf dem Rücken tragend. **,dor·si'ven·tral** [-'ventrəl] *adj* **1.** *bot.* dorsiven'tral. **2.** → **dorsoventral** 1.

dorso- [dɔːrso] → **dorsi-.**

dor·so·ven·tral [,dɔːrso'ventrəl] *adj* **1.** *med. zo.* dorsoven'tral, in der Richtung vom Rücken zum Bauch. **2.** → **dorsiventral** 1.

do·ry[1] ['dɔːri] *s mar.* Dory *n* (*kleines Boot*).

do·ry[2] ['dɔːri] **1.** → **John Dory.** **2.** → **walleyed pike.**

dos·age ['dousidʒ] *s* **1.** Do'sierung *f*, Verabreichung *f* (*von Arznei*) in Dosen. **2.** → **dose** 1 *u.* 2.

dose [dous] **I** *s* **1.** *med.* Dosis *f*, (Arz'nei)Gabe *f*: **~ of radiation** Strahlen-, Bestrahlungsdosis. **2.** *fig.* Dosis *f*, Porti'on *f*: **a heavy ~ of sarcasm** e-e kräftige Dosis Sarkasmus. **3.** *fig.* bittere Pille. **4.** (Zucker)Zusatz *m* (*in Sekt etc*). **5.** *vulg.* Tripper *m*. **II** *v/t* **6.** *Arznei etc* do'sieren, in Dosen verabreichen: **dosing machine** Dosiermaschine *f*. **7.** *j-m* Dosen verabreichen, Arz'nei geben: **to ~ s.o. with** j-m *e-e Strafe etc* ‚verpassen'. **8.** a) *dem Sekt etc* Zucker zusetzen, b) verfälschen, panschen.

do·sim·e·ter [do'simitər] *s med.* Dosi'meter *n* (*zur Bestimmung der Bestrahlungsdosis*). **do'sim·e·try** [-tri] *s med.* Dosime'trie *f*, Do'sierung *f*.

do·si·ol·o·gy [,dousi'ɒlədʒi], **do'sol·o·gy** [do'sɒl-] *s med.* Dosolo'gie *f*, Arz'neiabgabelehre *f*.

doss [dɒs] *Br. sl.* **I** *s* **1.** ‚Klappe' *f*, ‚Falle' *f*, ‚Flohkiste' *f* (*Bett*). **2.** Schlaf *m*. **II** *v/i* **3.** ‚pennen' (*schlafen*).

dos·sal, *a.* **dos·sel** ['dɒsəl] *s relig.* Dor'sale *n* (*Seidenvorhang als Altarhintergrund etc*).

dos·ser[1] ['dɒsər] *s* **1.** Rücken(trag)korb *m*. **2.** (reich bestickter) Wandbehang *od.* -teppich.

dos·ser[2] ['dɒsər] *s sl.* ‚Pennbruder' *m*.

doss house *s sl.* ‚Penne' *f* (*primitive Herberge*).

dos·si·er ['dɒsi,ei; -siər] *s* Dossi'er *m*, *n*, Akten(heft *n*, -bündel *n*) *pl*.

dost [dʌst] *poet. 2. sg pres von* do[1].

dot[1] [dɒt] *s jur.* Mitgift *f*.

dot[2] [dɒt] **I** *s* **1.** Punkt *m* (*a. mus. u. Morsen*), Pünktchen *n*, Tüpfelchen *n*: **correct to a ~** *colloq.* aufs Haar *od.* bis aufs i-Tüpfelchen (genau); **to come on the ~** *colloq.* auf die Sekunde pünktlich kommen. **2.** Tupfen *m*, kleiner Fleck. **3.** *fig.* Knirps *m*, (*etwas*) Winziges. **II** *v/t* **4.** punk'tieren, pünkteln: **~ted line** a) punktierte Linie (*für Unterschrift*), b) *Verkehrswesen*: unterbrochene Linie (*in der Straßenmitte*); **to sign on the ~ted line** (*fig.* ohne zu fragen) unterschreiben *od.* annehmen; **to ~ and carry (one)** a) die Einer hinschreiben u. die Zehner ‚merken' (*Kinderformel beim Addieren*), b) *colloq.* Schritt für Schritt vorgehen. **5.** *i u. j* mit dem i-Punkt versehen, den i-Punkt machen auf (*acc*): **to ~ the** (*od.* **one's**) **i's (and cross the** [*od.* **one's**] **t's)** *fig.* peinlich genau sein, alles ganz genau klarmachen. **6.** tüpfeln. **7.** *fig.* sprenkeln, über'säen: **a meadow ~ted with flowers.** **8.** verstreuen. **9.** *sl.* schlagen: **he ~ted him one** ‚er langte *od.* knallte ihm eine'.

dot·age ['doutidʒ] *s* **1.** (*geistige*) Altersschwäche, Senili'tät *f*: **to be in one's ~** senil *od.* kindisch sein, in s-r zweiten Kindheit sein. **2.** Affenliebe *f*, Vernarrtheit *f*.

'dot|-and-'dash *adj* **1.** Morse... **2.** 'strichpunk,tiert: **~ line.** **~ and go one** *colloq.* **I** *v/i* **1.** hinken. **II** *s* **2.** Hinken *n*. **3.** Hinkende(r *m*) *f*. **III** *adj u. adv* **4.** hinkend.

do·tard ['doutərd] *s* schwachsinniger u. kindischer Greis, se'niler Mensch.

'dot-'dash → **dot-and-dash.**

dote [dout] *v/i* **1.** (on, upon) vernarrt sein (in *acc*): a) zärtlich lieben (*acc*), b) schwärmen (für). **2.** a) kindisch *od.*

schwachsinnig *od.* se'nil sein, b) sabbeln, faseln. **3.** (ver)faulen (*Baum*).

doth [dʌθ] *obs. od. poet. 3. sg pres von* do[1].

dot·ing ['doutiŋ] *adj* (*adv* ~ly) **1.** vernarrt, verliebt (on in *acc*). **2.** schwachsinnig, kindisch, *bes.* se'nil. **3.** altersschwach (*Baum etc*).

dot·ter·el [*Br.* 'dɔtrəl; *Am.* 'dɑtərəl] **1.** *orn.* Mori'nell(regenpfeifer) *m.* **2.** *Br.* Gimpel *m,* Trottel *m.*

dot·tle ['dɒtl] *s* Tabakrest *m* (*im Pfeifenkopf*).

dot·trel ['dɒtrəl] → **dotterel.**

dot·ty ['dɒti] *adj* **1.** punk'tiert. **2.** gepünktelt, getüpfelt. **3.** *colloq.* a) unsicher, wack(e)lig (on one's legs auf den Beinen), b) ‚bekloppt', verrückt.

dou·ble ['dʌbl] **I** *adj* (*adv* → **doubly**) **1.** a) doppelt, Doppel..., zweifach: ~ function; ~ bottom doppelter Boden; ~ the value der zweifache *od.* doppelte Wert; to give a ~ knock zweimal klopfen, b) doppelt so groß wie, das Doppelte (*gen*): produced in quantities ~ the prewar output. **2.** Doppelt..., verdoppelt, verstärkt: ~ beer Starkbier *n.* **3.** Doppel..., für zwei bestimmt: ~ bed Doppelbett *n;* ~ room Doppel-, Zweibettzimmer *n.* **4.** gepaart, Doppel...: ~ doors Doppeltür *f;* ~ nozzle *tech.* Doppel-, Zweifachdüse *f.* **5.** *bot.* gefüllt, doppelt. **6.** *mus.* e-e Ok'tave tiefer (klingend), Kontra... **7.** zwiespältig, zweideutig. **8.** unaufrichtig, falsch. **9.** gekrümmt.
II *adv* **10.** doppelt, noch einmal: ~ as long. **11.** doppelt, zweifach: to play (at) ~ or quit(s) alles riskieren *od.* aufs Spiel setzen; to see ~ doppelt sehen. **12.** paarweise, zu zweit: to sleep ~. **13.** unaufrichtig, falsch.
III *s* **14.** (*das*) Doppelte *od.* Zweifache. **15.** Gegenstück *n:* a) Ebenbild *n,* b) Seitenstück *n,* Doppel *n,* Dupli'kat *n* (*a. Abschrift*). **16.** Doppelgänger(in). **17.** a) Falte *f,* b) Windung *f,* **18.** Seiten-, Quersprung *m,* Haken(schlag) *m:* to give s.o. the ~ j-m ‚durch die Lappen gehen'. **19.** *mil.* Laufschritt *m:* at the ~ im Laufschritt. **20.** Trick *m,* Winkelzug *m.* **21.** a) *thea.* zweite Besetzung, b) *Film:* Double *n.* **22.** *pl Tennis etc:* Doppel *n:* a ~s match e-e Doppelpartie. **23.** *sport* a) Doppelsieg *m,* b) *Tennis:* Doppelfehler *m.* **24.** *Bridge etc:* a) Doppeln *n,* b) Karte, die Doppeln gestattet. **25.** Doppelwette *f.* **26.** *astr.* Doppelstern *m.*
IV *v/t* **27.** verdoppeln (*a. mus.*), verzweifachen. **28.** um das Doppelte über'treffen. **29.** *oft* ~ up a) kniffen, falten, 'umschlagen, b) zs.-falten, -legen, c) *die Faust* ballen; → **double up** 2. **30.** um'segeln, -'schiffen, **31.** *a.* ~ up *sl.* 'einquar,tieren (with zu'sammen mit). **32.** *Bridge etc: das Gebot* doppeln. **33.** *thea. etc* als Double einspringen für, *e-e Rolle* als Double spielen: to ~ a part a) e-e Rolle mit übernehmen, b) e-e Doppelrolle spielen. **34.** *Spinnerei:* dou'blieren.
V *v/i* **35.** sich verdoppeln. **36.** sich falten, sich biegen. **37.** plötzlich kehrtmachen, *bes.* e-n Haken schlagen. **38.** Winkelzüge machen. **39.** doppelt verwendbar sein. **40.** a) *thea.* als Double spielen, b) *thea.* e-e Doppelrolle spielen, c) *mus.* 2 Instru'mente (in e-r Ka'pelle) spielen. **41.** *Bridge:* doppeln. **42.** den Einsatz verdoppeln. **43.** a) *mil.* im Schnellschritt mar'schieren, b) *colloq.* sich beeilen.
Verbindungen mit Adverbien:
dou·ble| back I *v/t* zs.-falten, -schlagen, zu'rückschlagen, 'umbiegen. **II** *v/i* kehrtmachen (u. zu'rücklaufen) (on auf *dat*). ~ **down** *v/t* 'umbiegen, ('um)falten. ~ **in** *v/t* einbiegen, -schlagen, nach innen falten. ~ **up I** *v/t* **1.** → double 29. **2.** zs.-krümmen: to be doubled up with pain sich vor Schmerzen krümmen. **3.** *colloq.* ‚erledigen', ‚zu'sammenhauen'. **II** *v/i* **4.** sich (zs.-)falten *od.* (zs.-)rollen (lassen). **5.** sich biegen. **6.** *fig.* sich krümmen *od.* biegen (with vor *dat*): to ~ with pain sich vor Schmerzen krümmen. **7.** sein Quar'tier teilen (müssen). **8.** zs.-brechen, -klappen.

'dou·ble|-'act·ing, '~-'ac·tion *adj tech.* doppeltwirkend. **'~-'ac·tion fuse** *s mil.* Doppelzünder *m.* ~ **a·gent** *s pol.* 'Doppela,gent *m* (*der für 2 einander feindliche Mächte arbeitet*). ~ **bar** *s mus.* Doppel-, Schlußstrich *m.* **'~-,bar·rel(l)ed** *adj* **1.** doppelläufig: ~ gun Doppelflinte *f.* **2.** *fig.* zweifach: a ~ desire; ~ name Doppelname *m.* **3.** zweideutig, zweifelhaft: a ~ compliment. ~ **bass** [beis] → **contrabass.** ~ **bas·soon** *s mus.* 'Kontrafa,gott *n.* **'~-,bed·ded room** *s* Zweibettzimmer *n.* ~ **bend** *s* **1.** S-Kurve *f.* **2.** *tech.* Doppelkrümmer *m.* ~ **bond** *s chem.* Äthy'lenbindung *f.* **'~-'bot·tom** *adj mar.* mit Doppelboden. **'~-'breast·ed** *adj* zweireihig: ~ suit. **'~-'check** *v/t u. v/i* genau nachprüfen. ~ **chin** *s* Doppelkinn *n.* **'~-'chinned** *adj* mit Doppelkinn. ~ **cloth** *s* Doppelgewebe *n.* ~ **col·umn** *s* Doppelspalte *f* (*in der Zeitung*): in ~s zweispaltig. **'~-'con·cave** *adj* bikon'kav. ~ **con·scious·ness** *s med.* Doppelbewußtsein *n.* **'~-'con·vex** *adj* bikon'vex. ~ **cross** *s* **1.** *sport sl.* (Doppel)Schiebung *f* (*Kämpfer hält sich nicht an die Vereinbarung zu verlieren*). **2.** *sl.* Beschwindeln *n* e-s Kom'plicen *od.* Partners, Betrug *m.* **3.** *biol.* Doppelkreuzung *f.* **'~-'cross** *v/t sl. bes. s-n Partner* hinter'gehen, ‚anschmieren'. **'~-'cross·er** *s sl.* ‚Verräter' *m,* Betrüger *m.* **'~-,cut file** *s tech.* Doppelhiebfeile *f.* ~ **dag·ger** *s print.* Doppelkreuz *n.* ~ **date** *s Am. colloq.* 'Doppelrendez,vous *n* (*zweier Paare*). **'~-'deal·er** *s* unaufrichtiger Mensch, ‚falscher Fuffziger', Betrüger *m.* **'~-'deal·ing I** *adj* unaufrichtig, falsch. **II** *s* Betrug *m,* Doppelzüngigkeit *f,* Falschheit *f,* Achselträge'rei *f.* **'~-'deck·er** *s* **1.** Doppeldecker *m* (*Schiff, Flugzeug, Autobus etc*). **2.** a) zweistöckiges Bettgestell, b) zweistöckiges Haus, c) Ro'man *m* in zwei Bänden, d) *Am. sl.* Doppelsandwich *n* (*aus 3 Brotscheiben u. 2 Einlagen*). ~ **Dutch** *s colloq.* Kauderwelsch *n:* to talk ~. **'~-'dyed** *adj* **1.** zweimal gefärbt. **2.** *fig.* eingefleischt, Erz...: ~ villain Erzgauner *m.* ~ **ea·gle** *s* **1.** *her.* Doppeladler *m.* **2.** *Am.* Doppeladler *m* (*goldenes 20-Dollar-Stück*). **'~-'edged** *adj* zweischneidig (*a. fig.*): a ~ sword. ~ **el·e·phant** *s ein Papierformat* (40 × 26½ *Zoll*). **~-en·ten·dre** [dublɑ̃'tɑ̃:dr] (*Fr.*) *s* **1.** Doppelsinn *m,* Zweideutigkeit *f.* **2.** zweideutiger Ausdruck. ~ **en·try** *s econ.* doppelte Buchführung. ~ **ex·po·sure** *s phot.* Doppelbelichtung *f.* **'~-'faced** *adj* **1.** heuchlerisch, unaufrichtig, falsch. **2.** doppelgesichtig. **3.** zweiseitig. ~ **fault** *s Tennis:* Doppelfehler *m.* ~ **fea·ture** *s Film:* 'Doppelpro,gramm *n* (*2 Spielfilme in jeder Vorstellung*). ~ **first** *s univ. Br.* **1.** mit Auszeichnung erworbener aka'demischer Honours-Grad in zwei verschiedenen Fächern. **2.** *Student, der e-n solchen Grad erworben hat.* **'~-'flu·id** *adj electr.* mit zwei Flüssigkeiten (*Batterie*). ~ **fugue** *s mus.* Doppelfuge *f.* **'~,gang·er** *s* Doppelgänger(in). ~ **har·ness** *s* **1.** Doppelgespann *n.* **2.** *humor.* Ehejoch *n,* -stand *m.* **'~-'head·er** *s Am.* **1.** von zwei Lokomo'tiven gezogener Zug. **2.** *sport* a) zwei Spiele zwischen den'selben Mannschaften unmittelbar hinterein'ander, b) Doppelveranstaltung *f.* ~ **in·dem·ni·ty** *s* Verdoppelung *f* der Versicherungssumme (*bei Unfalltod*). **'~-'joint·ed** *adj* mit Gummigelenken (*Artist etc*). **'~-'lead·ed** [-'ledid] *adj print.* doppelt durch'schossen. **'~-'lock** *v/t* doppelt verschließen. ~ **mag·num** *s* große Weinflasche, (*etwa*) Vier'literflasche *f.* ~ **march** *s mil.* Laufschritt *m.* **'~-'mean·ing** *adj* **1.** doppelsinnig. **2.** zweideutig. **'~-'mind·ed** *adj* **1.** wankelmütig, unentschlossen. **2.** unaufrichtig. ~ **nel·son** *s Ringen:* Doppelnelson *m.*

dou·ble·ness ['dʌblnis] *s* **1.** (*das*) Doppelte, Duplizi'tät *f.* **2.** Falschheit *f,* Doppelzüngigkeit *f,* Unaufrichtigkeit *f,* Heuche'lei *f.* **3.** Unentschiedenheit *f.*

dou·ble| pi·ca *s print.* Doppelcicero *f* (*Schriftgrad*). ~ **play** *s Baseball:* Doppelaus *n.* ~ **point** *s math.* Doppelpunkt *m* (*e-r Kurve*). **'~-'quick** *mil.* **I** *s* → double time. **II** *adj* Schnellschritt... **III** *adv* im Schnellschritt.

dou·bler ['dʌblər] *s* **1.** Verdoppler(in). **2.** *electr.* (Fre'quenz)Verdoppler *m.* **3.** *Spinnerei:* a) Dou'blierer *m,* b) Du'bliermaˌschine *f,* c) Drucktuch *n.*

dou·ble| reed *s mus.* doppeltes Rohrblatt. **'~-'rip·per,** *a.* **'~-'run·ner** *s Am.* Doppelschlitten *m.* ~ **salt** *s chem.* Doppelsalz *n.* ~ **sharp** *s mus.* Doppelkreuz *n.* **'~-'spaced** *adj* mit doppeltem Zeilenabstand, zweizeilig. ~ **stand·ard** *s* doppelter Mo'ralkodex. ~ **star** *s astr.* Doppelstern *m.* ~ **stem** *s Skilauf:* Stemmbogen *m.* **~-stop** *mus.* **I** *s* ['-ˌstɒp] Doppelgriff *m* (*auf der Geige etc*). **II** *v/t* ['-'stɒp] Doppelgriffe spielen auf (*dat*).

dou·blet ['dʌblit] *s* **1.** *hist.* (*Art*) Wams *n.* **2.** Paar *n* (*Dinge*). **3.** Du'blette *f:* a) Dupli'kat *n,* Doppelstück *n,* b) *print.* Doppelsatz *m,* c) *unechter Edelstein.* **4.** Doppelform *f* (*e-s zweifach entlehnten Wortes*). **5.** *pl* Pasch *m* (*beim Würfeln*). **6.** *phys. tech.* Doppellinie *f.* **7.** *Optik:* Doppellinse *f.* **8.** *electr.* 'Dipol(anˌtenne *f*) *m.*

'dou·ble|,take *s fig.* ‚Spätzündung' *f.* ~ **talk** *s colloq.* **1.** Mischmasch *m* aus Sinn u. Unsinn. **2.** doppeldeutiges Gerede. **'~,think** *s humor.* ‚Zwiedenken' *n* (*die Fähigkeit, zwei einander widersprechende Gesinnungen zu haben*). ~ **thread** *s tech.* Doppelgewinde *n.* **'~-'thread·ed** *adj tech.* **1.** gezwirnt. **2.** doppelgängig: ~ screw. ~ **time** *s* **1.** *mil.* a) Schnellschritt *m,* b) langsamer Laufschritt: in ~ *colloq.* im Eiltempo, fix. **2.** *Am. colloq.* doppelter Lohn. **'~-'tongue** *v/i mus.* mit Doppelzunge (stac'cato) blasen. **'~-'tongued** *adj* doppelzüngig, falsch. **'~-'tracked** *adj rail.* zweigleisig.

dou·bling ['dʌbliŋ] *s* **1.** Verdoppelung *f.* **2.** (Zs.-)Faltung *f.* **3.** Hakenschlagen *n,* Ausweichen *n.* **4.** Winkelzug *m,* Kniff *m.*

dou·bloon [dʌ'blu:n] *s hist.* Du'blone *f* (*spanische Goldmünze*).

dou·bly ['dʌ:bli] *adv* doppelt, zweifach.

doubt [daut] **I** *v/i* **1.** zweifeln (of s.th. an e-r Sache). **2.** zögern, schwanken, Bedenken haben *od.* tragen.
II *v/t* **3.** (es) bezweifeln, (dar'an) zweifeln, nicht sicher sein (whether, if ob; that daß; *in verneinten u. fragenden Sätzen*: that, but, but that daß): I ~ whether he will come ich zweifle, ob er kommen wird; I ~ that he can come ich bezweifle es, daß er kommen kann; I don't ~ that he will come ich zweifle nicht daran, daß er kommen wird. **4.** bezweifeln, anzweifeln, zweifeln an (*dat*): I almost ~ it ich möchte es fast bezweifeln; to ~ s.o.'s abilities j-s Fähigkeiten bezweifeln. **5.** miß'trauen (*dat*), keinen Glauben schenken (*dat*): to ~ s.o.'s words. **6.** *obs. od. dial.* fürchten.
III *s* **7.** Zweifel *m* (of an *dat*; about hinsichtlich *gen*; that daß): no ~, without ~, beyond ~ zweifellos, ohne Zweifel, fraglos, sicher(lich); in ~ im *od.* in Zweifel, im ungewissen (→ 9); to leave s.o. in no ~ about s.th. j-n über etwas nicht im ungewissen *od.* Zweifel lassen; there is no (not the smallest) ~ (that, but) es besteht kein (nicht der geringste) Zweifel darüber (daß); to have no ~ (*od.* not a ~) of nicht zweifeln an (*dat*); to have no ~ that nicht bezweifeln, daß; to make no ~ sicher sein, keinen Zweifel hegen; it is not in any ~ darüber besteht kein Zweifel; **8.** a) Bedenken *n*, Besorgnis *f* (about wegen), b) Argwohn *m*: to have some ~s left noch einige Bedenken hegen; to put in ~ fraglich *od.* fragwürdig erscheinen lassen; to raise ~s Bedenken erregen, Zweifel aufkommen lassen. **9.** Ungewißheit *f*: in ~ a) ungewiß, b) unschlüssig (→ 7); to give s.o. the benefit of the ~ im Zweifelsfalle zu j-s Gunsten entscheiden. **10.** *obs.* Schwierigkeit *f*, Pro'blem *n*. **11.** *obs.* Besorgnis *f*.

doubt·er ['dautər] *s* Zweifler(in).

doubt·ful ['dautful] *adj* (*adv* ~ly) **1.** zweifelhaft: a) unsicher, unklar, b) bedenklich, fragwürdig, c) ungewiß, unentschieden, unsicher, d) verdächtig, dubi'os: a ~ fellow. **2.** zweifelnd, unsicher, unschlüssig: to be ~ of (*od.* about) s.th. an etwas zweifeln, über e-e Sache im Zweifel sein. **'doubt·ful·ness** *s* **1.** Zweifelhaftigkeit *f*, Unsicherheit *f*. **2.** Fragwürdigkeit *f*. **3.** Ungewißheit *f*. **4.** Unschlüssigkeit *f*. **'doubt·ing** *adj* (*adv* ~ly) **1.** zweifelnd, 'mißtrauisch, argwöhnisch: → Thomas II. **2.** schwankend, unschlüssig. **'doubt·less** *adv* **1.** zweifellos, ohne Zweifel, sicherlich. **2.** ('höchst)wahr'scheinlich.

dou·ceur [du'sœ:r] (*Fr.*) *s* **1.** (Geld-)Geschenk *n*, Dou'ceur *n*, Trinkgeld *n*. **2.** Bestechung(sgeld *n*) *f*. **3.** *obs.* Freundlichkeit *f*, Milde *f*.

douche [du:ʃ] **I** *s* **1.** Dusche *f*, Brause *f*: cold ~ kalte Dusche (*a. fig.*). **2.** Dusch-, Brausebad *n*. **3.** *med.* a) (*bes.* Scheiden)Spülung *f*, b) 'Spülappa,rat *m*, Irri'gator *m*. **II** *v/t* **4.** (ab)duschen. **5.** *med.* (aus)spülen. **III** *v/i* **6.** sich (ab)duschen.

dough [dou] *s* **1.** Teig *m*. **2.** *weitS.* Teig *m*, teigartige Masse. **3.** *sl.* ‚Zaster' *m*, ‚Mo'neten' *pl*, ‚Pinke' *f* (*Geld*). **'~,boy** *s colloq.* **1.** (gekochter) Mehlkloß. **2.** *Am.* ‚Landser' *m* (*Infanterist*). **'~,foot** *s irr* → doughboy 2. **'~,nut** *s* Krapfen *m*, Ber'liner Pfannkuchen *m* (*in USA meist ringförmig, in England kugelförmig*). **'~,nut tire** *s mot. Am.* großer Bal'lonreifen.

dought [daut] *pret von* dow.

dough·ti·ness ['dautinis] *s obs. od. humor.* Mannhaftigkeit *f*. **'dough·ty** *adj* (*adv* doughtily) *obs. od. humor.* beherzt, mannhaft, wacker, tapfer.

dough·y ['doui] *adj* **1.** teigig, teigartig, weich. **2.** klitschig, nicht 'durchgebacken: ~ bread. **3.** *fig.* teigig, wächsern: ~ face.

Doug·las| fir ['dʌgləs], *a.* ~ **hemlock,** ~ **pine,** ~ **spruce** *s bot.* Douglastanne *f*, -fichte *f*.

dou·ma → duma.

dour [du:r] *adj Scot.* a) mürrisch, b) grimmig, c) hart, streng, d) hartnäckig, störrisch, stur.

douse [daus] **I** *v/t* **1.** ins Wasser tauchen, eintauchen, (mit Wasser) begießen, durch'tränken (with mit). **2.** *colloq. das Licht* auslöschen: to ~ the glim *sl.* das Licht ausmachen. **3.** *mar.* a) *das Segel* laufen lassen, b) *das Tauende* loswerfen, c) *e-e Luke* schließen.

dou·ze·pers ['du:zə,pɛrz] *s pl* **1.** (*die*) zwölf Pala'dine (*Karls des Großen*). **2.** *hist.* (*die*) zwölf Pairs Frankreichs.

dove[1] [dʌv] *s* **1.** *orn.* Taube *f*: ~ of peace *fig.* Friedenstaube. **2.** *relig.* a) Taube *f* (*Symbol des Heiligen Geistes*), b) D~ Heiliger Geist. **3.** Täubchen *n*, Liebling *m* (*Kosewort*). **4.** *pol.* ‚Taube' *f* (*Gegner des bewaffneten Konflikts*): → hawk[1] 3.

dove[2] [douv] *Am. colloq. od. Br. dial.* *pret von* dive.

dove| col·o(u)r [dʌv] *s* Taubengrau *n*. **'~-,col·o(u)red** *adj* taubengrau. **'~-,cot(e)** *s* Taubenschlag *m*: to flutter the ~s *fig.* den Bürgerschreck spielen. **'~-,eyed** *adj* sanftäugig. **'~-,like** *adj* sanft (wie e-e Taube).

'dove's-,foot *s irr bot.* (*ein*) Storchschnabel *m*.

dove·tail ['dʌv,teil] **I** *s* **1.** *tech.* Schwalbenschwanz *m*, Zinken *m*. **II** *v/t* **2.** *tech.* verschwalben, vernuten, verzinken. **3.** *fig.* fest (mitein'ander) verbinden, zs.-fügen, inein'ander verzahnen. **4.** einfügen, -passen, -gliedern (into in *acc*). **III** *v/i* **5.** (into) genau passen (in *acc*), genau angepaßt sein (*dat*). **6.** genau inein'anderpassen *od.* -greifen. **'dove,tailed** *adj tech.* a) durch Schwalbenschwanz verbunden, b) mit Zinken versehen, c) schwalbenschwanzförmig.

dove·tail| mo(u)ld·ing *s arch.* Schwalbenschwanzverzierung *f*. ~ **plane** *s tech.* Grathobel *m*. ~ **saw** *s tech.* Zinkensäge *f*.

dow [dau; dou] *pret u. pp* **dowed** *od.* **dought** [daut] *v/i Scot. od. dial.* **1.** können. **2.** blühen, gedeihen.

dow·a·ger ['dauədʒər] *s* **1.** *jur. Br.* Witwe *f* (*bes.* aus vornehmem Stand): queen ~ Königinwitwe; ~ duchess Herzoginwitwe. **2.** *colloq.* Ma'trone *f*, würdevolle ältere Dame.

dow·di·ness ['daudinis] *s* 'Unele,ganz *f*, Schäbigkeit *f*, Schlampigkeit *f*. **'dow·dy** (*adv* dowdily) **I** *adj* **1.** a) schlecht *od.* nachlässig gekleidet, schlampig, b) 'unele,gant, c) 'unmo,dern, d) schäbig. **II** *s* **2.** nachlässig gekleidete Frau, Schlampe *f*. **3.** *Am.* (*Art*) Fruchtauflauf *m*. **'dow·dy·ish** *adj* ziemlich schlampig *od.* schäbig.

dow·el ['dauəl] *tech.* **I** *s* **1.** (Holz)Dübel *m*, Holzpflock *m*. **2.** Wanddübel *m*. **II** *v/t* **3.** (ver)dübeln. ~ **pin** → dowel 1.

dow·er ['dauər] **I** *s* **1.** *jur.* Wittum *n*, Witwen-Leibgedinge *n*. **2.** Mitgift *f*. **3.** (na'türliche) Gabe, Begabung *f*. **II** *v/t* **4.** ausstatten (*a. fig.*), *j-m* ein Wittum *od.* e-e Mitgift geben.

dow·ie ['daui; 'doui] *adj Scot. od. dial.* schwermütig, traurig.

down[1] [daun] **I** *adv* **1.** nach unten, her-, hin'unter, her-, hin'ab, ab-, niederwärts, zum Boden, zum Grund: up and ~ hinauf u. hinunter, auf u. ab *od.* nieder; ~ from fort von, von ... herab; ~ to bis hinunter *od.* hinab zu; ~ to our times bis auf *od.* in unsere Zeit; ~ to the last detail bis ins letzte Detail; ~ to the last man bis zum letzten Mann; from ... ~ to von ... bis hinunter zu; to look ~ hinunter-, hinab-, herabsehen; ~ to the ground *colloq.* vollständig, absolut, durchaus, ganz u. gar; to be ~ on s.o. *colloq.* a) über j-n herfallen, b) j-n ‚auf dem Kieker' haben. **2.** nieder...: to burn ~ niederbrennen; to hiss ~ aus-, niederzischen. **3.** (in) bar, so'fort: to pay ~; ten dollars ~ 10 Dollar (in) bar. **4.** zu Pa'pier, nieder...: to write ~ niederschreiben; to take ~ zu Papier bringen, notieren. **5.** vorgemerkt, angesetzt: the Bill is ~ for the third reading today heute steht die dritte Lesung der Gesetzesvorlage auf der Tagesordnung; to be ~ for Friday für Freitag angesetzt sein. **6.** von e-r großen Stadt (*bes. in England*: von London) weg: to go ~ to the country aufs Land fahren; to go ~ *Br.* London verlassen. **7.** *bes. Am.* a) zu e-r großen Stadt hin, b) zur 'Endstati,on hin, c) ins Geschäftsviertel. **8.** (nach Süden) hin'unter. **9.** a) mit dem Strom, fluß'abwärts, b) mit dem Wind. **10.** *Br.* von der Universi'tät: to go ~ a) in die (Universitäts)Ferien gehen, b) die Universität verlassen; to send s.o. ~ j-n relegieren. **11.** *ellipt.* nieder!: ~ with the capitalists! nieder mit den Kapitalisten!; ~ on your knees! auf die Knie mit dir! **12.** (dr)unten: ~ there dort unten; ~ under in Australien. **13.** unten im Hause, aufgestanden: he is not ~ yet er ist noch oben *od.* im Schlafzimmer. **14.** 'untergegangen: the sun is ~. **15.** a) her'untergegangen, gefallen (*Preise*), b) billiger (*Waren*). **16.** gefallen (*Thermometer etc*): ~ by 10 degrees um 10 Grad gefallen. **17.** *Br.* a) nicht in London, b) nicht an der Universi'tät. **18.** a) nieder-, 'hingestreckt, am Boden (liegend), b) *Boxen*: am Boden, ‚unten': ~ and out k.o., kampfunfähig, *fig.* ‚erledigt', ‚fix u. fertig', ruiniert, c) erschöpft, ‚ab', ‚ka'putt', d) depri'miert, niedergeschlagen; → mouth 1, e) her'untergekommen, in elenden Verhältnissen (lebend): to have come ~ in the world bessere Tage gesehen haben; → heel[1] *Bes. Redew.* **19.** bettlägerig: to be ~ with the flu mit Grippe im Bett liegen. **20.** *sport* (*um Punkte etc*) zu'rück: he was two points ~ er war *od.* lag 2 Punkte zurück.
II *adj* **21.** nach unten *od.* abwärts gerichtet, Abwärts...: a ~ jump ein Sprung nach unten; ~ trend Abwärtsbewegung *f*, sinkende Tendenz. **22.** unten befindlich, **23.** depri'miert, niedergeschlagen. **24.** *Br.* von London abfahrend *od.* kommend: ~ train; ~ platform Abfahrtsbahnsteig *m* (*in London*). **25.** *bes. Am.* a) in Richtung nach e-r großen Stadt, b) zum Geschäftsviertel (hin), in die Stadtmitte. **26.** *colloq.* bar, Bar...: → down payment.
III *prep* **27.** her-, hin'unter, her-, hin'ab, entlang: ~ the hill den Hügel

hinunter; ~ **the river** den Fluß hinunter, flußabwärts; ~ **the middle** durch die Mitte; ~ **the street** die Straße entlang *od.* hinunter. **28.** hin'unter (*zum Meer*). **29.** (in der'selben Richtung) mit: ~ **the wind** mit dem Wind. **30.** a) hin'unter in (*acc*), b) hin'ein in (*acc*): ~ **town**, *meist* ~**town** in die *od.* zur Stadt(mitte). **31.** unten an (*dat*): **further** ~ **the Rhine** weiter unten am Rhein. **32.** *zeitlich*: durch ... (hin'durch): ~ **the ages** durch alle Zeiten *od.* Jahrhunderte.

IV *s* **33.** Abwärtsbewegung *f*, Abstieg *m*, Nieder-, Rückgang *m*. **34.** Tiefpunkt *m*, -stand *m*. **35.** Depressi'on *f*, (seelischer) Tiefpunkt. **36.** *colloq.* Groll *m*: **to have a** ~ **on s.o.** e-n Pik auf j-n haben, j-n ‚auf dem Kieker' haben. **37.** *amer. Fußball*: a) 'Angriffsunter,brechung *f* (*durch den Schiedsrichter*), b) 'Angriffsakti,on *f*.

V *v/t* **38.** zu Fall bringen. **39.** niederwerfen, -schlagen, bezwingen. **40.** niederlegen: **to** ~ **tools** a) die Arbeit einstellen, b) in den Streik treten. **41.** *ein Flugzeug* zum Absturz bringen, abschießen. **42.** *e-n Reiter* abwerfen. **43.** *colloq. ein Getränk* ‚hin'unterkippen', ‚hinter die Binde gießen'.

VI *v/i* **44.** hin'abgehen, -sinken, her'unterkommen, -fallen. **45.** (die Kehle) hin'unterrutschen, (gut) schmecken.

down[2] [daun] *s* **1.** *orn.* a) Daunen *pl*, flaumiges Gefieder: **dead** ~ Raufdaunen; **live** ~ Nestdaunen; ~ **quilt** Daunendecke *f*, b) Daune *f*, Flaumfeder *f*: **in the** ~ noch nicht flügge. **2.** (*a.* Bart)Flaum *m*, feine Härchen *pl*. **3.** *bot.* a) feiner Flaum, b) haarige Samenkrone, Pappus *m*. **4.** weiche, flaumige Masse.

down[3] [daun] *s* **1.** a) Hügel *m*, b) Sandhügel *m*, *bes.* Düne *f*. **2.** *pl* waldloses, *bes.* grasbedecktes Hügelland: **the D~s** a) *Hügelland entlang der Süd- u. Südostküste Englands*, b) *Reede an der Südostküste Englands, vor der Stadt Deal.*

'down|-and-'out I *adj* **1.** völlig ‚erledigt', ‚restlos fertig' (*a. weitS. ruiniert*). **2.** her'untergekommen, ganz ‚auf den Hund gekommen'. **II** *s* **3.** völlig ‚erledigter' Mensch. **'~-and-'out·er** → down-and-out II. **'~-at(-the)-,heel(s)** *adj* schäbig, abgerissen.

'down|,beat I *s mus.* **1.** Niederschlag *m* (*beim Dirigieren*). **2.** erster Schlag (*e-s Taktes*). **3.** *fig.* Rückgang *m*, Flaute *f*. **II** *adj* **4.** pessi'mistisch, traurig. **'~-,bow** *s mus.* Abstrich *m* (*bei Violine u. Viola*), 'Herstrich *m* (*bei Cello u. Kontrabaß*). **'~,cast I** *adj* **1.** niedergeschlagen: a) gesenkt (*Blick*), b) depri'miert. **2.** *tech.* einziehend (*Schacht*). **II** *s* **3.** *Bergbau*: Wetterschacht *m*, einziehender Schacht. **'~,come** → downfall. **'~,draft, '~,draught** *s* **1.** *tech.* Fallstrom *m*: ~ **carburet(t)or** Fallstromvergaser *m*. **2.** Abwind *m*. **'~-'East** *adj Am.* in den Neu'england-Staaten, *bes.* in Maine (befindlich). **,~-'East·er** *s Am.* Neu'engländer(in), Bewohner(in) von Neu'england, *bes.* von Maine. **'~,fall** *s* **1.** (plötzliches) Fallen, Sturz *m*. **2.** starker Regenguß, Platzregen *m*, *a.* starker Schneefall. **3.** *fig.* Fall *m*, Sturz *m*, Nieder-, 'Untergang *m*. **4.** *hunt.* Schlagfalle *f*. **'~,fall·en** *adj fig.* gefallen, gestürzt, rui'niert. **~·grade I** *s* ['-,greid] **1.** Gefälle *n*: ~ **of the road.** **2.** *fig.* Niedergang *m*: **on the** ~ auf dem absteigenden Ast, im Niedergang (befindlich). **II** *adj u. adv* ['-'greid] **3.** → **downhill** I *u.* II. **III** *v/t* **4.** (im Rang) her'absetzen, degra'dieren. **5.** *econ.* in der Quali'tät her'absetzen. **6.** *mil.* die Geheimhaltungsstufe her'untersetzen von. **'~'heart·ed** *adj* niedergeschlagen, entmutigt, verzagt: **are we** ~? *sl.* das kann uns nicht erschüttern! **,~'heart·ed·ness** *s* Niedergeschlagenheit *f*. **~·hill I** *adv* ['-'hil] **1.** abwärts, berg'ab (*beide a. fig.*), ins Tal (hin'ab): **he is going** ~ *fig.* es geht bergab mit ihm. **II** *adj* **2.** abschüssig. **3.** Abwärts... **4.** *Skisport*: Abfahrts...: ~ **course**, ~ **run** Abfahrtsstrecke *f*; ~ **race** Abfahrtslauf *m*. **III** *s* ['-,hil] **5.** Abhang *m* (*a. fig.*): **the** ~ **of life** *fig.* die absteigende Hälfte des Lebens.

Down·ing Street ['dauniŋ] *s* Downing Street *f*: a) *Londoner Straße mit dem Amtssitz des Premierministers*, b) *fig. die Regierung von Großbritannien*: ~ **disapproves.**

'down|-,lead [-,li:d] *s electr.* Niederführung *f* (*e-r Hochantenne*). **'~,most** [-,moust; -məst] *adv u. adj* zu'unterst (liegend). **~ pay·ment** *s econ.* **1.** Bar-, So'fortzahlung *f*. **2.** Anzahlung *f* (*bei Ratenkäufen*). **~ pipe** *s* Abflußrohr *n*. **'~,pour** *s* **1.** Niederströmen *n*. **2.** Platzregen *m*, Regenguß *m*. **'~-,right I** *adj* **1.** völlig, abso'lut, ausgesprochen, 'hundertpro,zentig: **a** ~ **lie** e-e glatte Lüge; **a** ~ **moralist** ein ausgesprochener Moralist; ~ **nonsense** völliger *od.* kompletter Unsinn. **2.** gerade, offen(herzig), ehrlich, unzweideutig, unverblümt: **a** ~ **answer.** **II** *adv* **3.** völlig, geradezu, durch'aus, ganz u. gar, durch u. durch, to'tal, gehörig, tüchtig, gänzlich, ausgesprochen: ~ **lovely** ausgesprochen hübsch; **to refuse** ~ glatt ablehnen. **4.** offen, gerade her'aus.

'down|,spout *s* Fallrohr *n* (*bes. der Dachrinne*). **'~'stage** *adv* zum *od.* (*a. adj*) im Vordergrund der Bühne. **'~,stair** → **downstairs** II. **~·stairs I** *adv* ['-'stɛrz] **1.** die Treppe hin'unter. **2.** ein Stockwerk *od.* einige Stockwerke tiefer, in *od.* zu e-m tieferen Stockwerk. **3.** unten (im Haus). **II** *adj* ['-,stɛrz] **4.** unten (im Haus), in e-m tieferen Stockwerk gelegen *od.* befindlich, zum unteren Stockwerk gehörig: **the** ~ **room** das untere Zimmer. **III** *s* [,-'stɛrz] **5.** unteres Stockwerk, untere Stockwerke *pl*. **'~,state** *adj u. adv Am.* in der *od.* in die (*bes.* südliche) Pro'vinz (*e-s Bundesstaates*). **~·stream I** *adv* ['-'stri:m] strom'ab(wärts). **II** *adj* ['-,stri:m] strom'abwärts gerichtet *od.* gelegen. **'~,stroke** *s* **1.** Grund-, Abstrich *m* (*beim Schreiben*). **2.** *tech.* Abwärts-, Leerhub *m* (*des Kolbens etc*). **'~,swing** *s* Abnehmen *n*, (*econ.* Konjunk'tur)-Rückgang *m*. **'~-the-,line** *adj u. adv* auf der ganzen Linie, durch die Bank, vorbehaltlos. **'~,throw** *s* **1.** Niederwerfen *n*, Sturz *m*. **2.** *geol.* Schichtensenkung *f*. **'~,time** *s econ. Am.* Leerlauf(zeit *f*) *m* (*in e-r Fabrik etc*). **'~-,tools** *v/i* die Arbeit niederlegen, streiken. **~·town** *Am.* **I** *adv* ['-'taun] **1.** im *od.* zum Geschäftsviertel (der Stadt). **II** *adj* ['-,taun] **2.** im Geschäftsviertel (gelegen *od.* tätig): **a** ~ **shop**; **a** ~ **broker.** **3.** ins *od.* durchs Geschäftsviertel (fahrend *etc*). **III** *s* ['-,taun] **4.** Geschäftsviertel *n*, Stadtmitte *f*, Innenstadt *f*. **~ town** → **downtown** III. **'~'trod·den** *adj* unter'drückt, (mit Füßen) getreten. **'~,turn** *s econ.* (Geschäfts)Rückgang *m*.

down·ward ['daunwərd] **I** *adv* **1.** hin'ab, abwärts, nach unten, hin'unter. **2.** strom'abwärts. **3.** *fig.* abwärts, berg'ab: **he went** ~ **in life** es ging bergab mit ihm. **4.** (*zeitlich*) her'ab, abwärts: ~ **from Shakespeare to the twentieth century** von Shakespeare (herab) bis zum 20. Jh. **II** *adj* **5.** Abwärts..., sich neigend, nach unten gerichtet *od.* führend: ~ **acceleration** *phys.* Fallbeschleunigung *f*; ~ **current** *aer. phys.* Abwind *m*; ~ **prices** sinkende Preise; ~ **stroke** *tech.* Abwärtshub *m*. **6.** *fig.* berg'ab *od.* zum Abgrund führend. **7.** absteigend (*Linie e-s Stammbaums etc*). **8.** bedrückt, pessi'mistisch. **'down·wards** [-wərdz] → **downward** I.

'down|-,wash *s* **1.** *aer.* Abwind(winkel) *m*. **2.** her'abgespültes Materi'al. **'~,wind** *s aer.* Fallwind *m*.

down·y[1] ['dauni] *adj* **1.** *orn.* mit Daunen bedeckt. **2.** *bot.* feinstflaumig. **3.** mit Flaum *od.* feinen Härchen bedeckt, flaumig: ~ **skin.** **4.** Daunen...: ~ **pillow.** **5.** *fig.* sanft, weich. **6.** *sl.* gerieben, gerissen.

down·y[2] ['dauni] *adj* sanft gewellt u. mit Gras bewachsen: ~ **country.**

dow·ry ['dau(ə)ri] *s* **1.** Mitgift *f*, Ausstattung *f*, -steuer *f*. **2.** *obs.* Morgengabe *f*. **3.** *fig.* Gabe *f*, Ta'lent *n*.

dowse[1] → **douse.**

dowse[2] [dauz] *v/i* mit der Wünschelrute (Wasser) suchen.

dows·er ['dauzər] *s* **1.** Wünschelrute *f*. **2.** (Wünschel)Rutengänger *m*. **'dows·ing rod** *s* Wünschelrute *f*.

dox·ol·o·gy [dɒ'ksɒlədʒi] *s relig.* Lobpreisung *f* Gottes, Lobgesang *m*.

dox·y[1] ['dɒksi] *s colloq. od. humor.* Meinung *f* (*bes. in religiösen Dingen*).

dox·y[2] ['dɒksi] *s* **1.** *obs.* Mä'tresse *f*, Geliebte *f*. **2.** *sl.* Flittchen *n*, Nutte *f*.

doy·en [dwa'jɛ̃; 'dɔiən] (*Fr.*) *s* **1.** Sprecher *m*, Rangälteste(r) *m*. **2.** Doy'en *m* (*des diplomatischen Korps*). **3.** *fig.* Altmeister *m*, erste Autori'tät.

doy·ley, doy·ly → **doily.**

doze [douz] **I** *v/i* dösen, (leicht *od.* halb) schlummern: **to** ~ **off** einnicken, einduseln. **II** *v/t oft* ~ **away** *die Zeit etc* verträumen *od.* verdösen. **III** *s* Dösen *n*, leichter Schlummer.

doz·en[1] ['dʌzn] *s* **1.** *sg u. pl* (*vor Haupt- u. nach Zahlwörtern od. ähnlichen Wörtern außer nach* **some**) Dutzend *n*: **three** ~ **apples** 3 Dutzend Äpfel; **several** ~ **eggs** mehrere Dutzend Eier; **a** ~ **bottles of beer** ein Dutzend Flaschen Bier. **2.** Dutzend *n* (*a. weitS.*): ~**s of birds** Dutzende von Vögeln; **some** ~**s of children** einige Dutzend Kinder; ~**s of people** *colloq.* e-e Menge Leute; ~**s of times** dutzendmal, oft; **in** ~**s**, **by the** ~ zu Dutzenden, dutzendweise; **cheaper by the** ~ im Dutzend billiger; **a round** ~ ein volles Dutzend; **a baker's** (*od.* **devil's, printer's, long**) ~ 13 Stück; **ten shillings a** ~ 10 Schilling das Dutzend; **to talk nineteen to the** ~ *Br.* das Blaue vom Himmel herunterschwatzen; **to do one's daily** ~ s-e Frühgymnastik treiben.

doz·en[2] ['douzn] *v/t Scot.* betäuben.

doz·enth ['dʌznθ] *adj* zwölft(er, e, es): **for the** ~ **time** *colloq.* zum ‚hundertsten Male'.

doz·er ['douzər] *s* **1.** Dösende(r *m*) *f*. **2.** → **bulldozer** 1.

doz·i·ness ['douzinis] *s* Schläfrigkeit *f*, Verschlafenheit *f*. **'doz·y** *adj* **1.** schläfrig, träge, dösig. **2.** angefault (*Holz, Obst etc*).

drab[1] [dræb] **I** *s* **1.** Gelb-, Graubraun *n.* **2.** dicker graubrauner Wollstoff. **3.** *fig.* (graue) Eintönigkeit. **II** *adj* **4.** gelb-, graubraun, schmutzfarben. **5.** *fig.* grau, trüb(e), düster, farblos, eintönig, fad(e).

drab[2] [dræb] *s* **1.** Schlampe *f.* **2.** Dirne *f,* Hure *f.*

drab·bet ['dræbit] *s Br.* grober graubrauner Leinenstoff.

drab·ble ['dræbl] **I** *v/t Kleider* im Schmutz schleifen lassen, beschmutzen. **II** *v/i* (im Schmutz) waten.

drab·ness ['dræbnis] *s fig.* Farblosigkeit *f,* Eintönigkeit *f.*

drachm [dræm] *s* **1.** → drachma 1. **2.** → dram.

drach·ma ['drækmə] *pl* **-mas, -mae** [-mi:], **-mai** [-mai] *s* **1.** Drachme *f*: a) *altgriechische Gewichts- u. Rechnungseinheit,* b) *Währungseinheit im heutigen Griechenland.* **2.** → dram.

Dra·co ['dreikou] *gen* **Dra'co·nis** [-'kounis] *s astr.* Drache *m (Sternbild).*

Dra·co·ni·an [drei'kouniən], **Dra'con·ic** [-'kɒnik] *adj* dra'konisch, hart, äußerst streng, rigo'ros: ~ **laws.**

draff [dræf] *s* **1.** Bodensatz *m.* **2.** Abfall *m.* **3.** Vieh-, Schweinetrank *m.* **4.** *Brauerei*: Trester *pl.*

draft, *Br.* (*für* 3,5,14,21) **draught** [*Br.* drɑ:ft; *Am.* dræ(:)ft] **I** *s* **1.** Skizze *f,* Zeichnung *f.* **2.** Entwurf *m*: a) Skizze *f (für e-e künstlerische Arbeit),* b) Riß *m (für Bauten, Maschinen etc),* c) Kon'zept *n (für ein Schriftstück etc)*: **preliminary** ~ Vorentwurf; ~ **agreement** Vertragsentwurf. **3.** (Luft-, Kessel-, Ofen)Zug *m*: **forced** ~ *tech.* künstlicher Zug, Druckluftstrom *m*; **there is an awful** ~ es zieht fürchterlich; **to feel the draught** *Br. sl.* die Folgen spüren, in Bedrängnis sein. **4.** *tech.* 'Zugregu,liervorrichtung *f (an e-m Ofen etc).* **5.** a) Ziehen *n,* b) gezogene Menge *od.* Last. **6.** *fig.* Her'anziehen *n,* In'anspruchnahme *f,* starke Beanspruchung (**on, upon** *gen*): **to make a** ~ **on** *Hilfsmittel etc* heranziehen, in Anspruch nehmen; **to make a** ~ **on s.o.'s friendship** j-s Freundschaft in Anspruch nehmen. **7.** Abhebung *f (von Geld)*: **to make a** ~ **on one's account** von s-m Konto *(Geld)* abheben. **8.** *econ.* a) schriftliche Zahlungsanweisung, b) Scheck *m,* c) Tratte *f,* (tras'sierter) Wechsel, d) Ziehung *f,* Tras'sierung *f*: ~ **(payable) at sight** Sichttratte, -wechsel; **to make out a** ~ **on s.o.** auf j-n e-n Wechsel ziehen. **9.** Abordnung *f,* Auswahl *f (von Personen).* **10.** *mil.* a) Einberufung *f,* Einziehung *f,* Aushebung *f,* Her'anziehung *f* zum Wehrdienst, b) Aufgebot *n,* Wehrdienstpflichtige *pl.* **11.** *mil.* a) ('Sonder)Kom,mando *n,* ('abkomman,dierte) Ab'teilung, b) Ersatz(truppe *f*) *m.* **12.** *econ.* a) 'Überschlag *m (der Waage),* b) Gutgewicht *n (für Verluste beim Auswiegen etc).* **13.** *Gießerei*: Verjüngung *f,* Konizi'tät *f (des Modells).* **14.** *mar.* Tiefgang *m.* **15.** → **draught** I.

II *v/t* **16.** entwerfen, skiz'zieren, *Schriftstück* aufsetzen, abfassen: **to** ~ **an agreement.** **17.** (fort-, ab-, weg)ziehen. **18.** *Personen* (zu e-m bestimmten Zweck) auswählen. **19.** *mil.* a) (zum Wehrdienst) einberufen *od.* ausheben, einziehen (**into** zu), b) *Truppen* 'abkomman,dieren. **20.** *Austral. Schafe etc* aussor,tieren.

III *adj* **21.** Zug...: ~ **animal** Zugtier *n.* **22.** *mil.* a) Einberufungs...: ~ **act** Rekrutierungsgesetz *n*; ~ **board** Musterungskommission *f,* b) einberufen, ausgehoben, c) 'abkomman,diert.

draft·ee [*Br.* drɑ:f'ti:; *Am.* dræ(:)f-] *s Am.* **1.** (zu e-r bestimmten Aufgabe) Ausgewählte(r *m*) *f.* **2.** *mil.* zum Wehrdienst Eingezogene(r) *m,* Einberufene(r) *m,* Wehrdienstpflichtige(r) *m.*

draft·er [*Br.* 'drɑ:ftər; *Am.* 'dræ(:)f-] *s* **1.** Verfasser *m,* Urheber *m,* Planer *m.* **2.** → **draftsman** 2. **3.** Zugpferd *n.*

draft| e·vad·er *s mil. Am.* Drückeberger *m.* '**~-ex,empt** *adj Am.* vom Wehrdienst befreit. ~ **ga(u)ge** *s tech.* Zugmesser *m.* ~ **horse** *s* Zugpferd *n.*

draft·i·ness [*Br.* 'drɑ:ftinis; *Am.* 'dræ(:)f-] *s* **1.** Zugigkeit *f.* **2.** Windigkeit *f.*

draft·ing| board [*Br.* 'drɑ:ftiŋ; *Am.* 'dræ(:)f-] *s* Zeichenbrett *n.* ~ **pa·per** *s* 'Zeichenpa,pier *n.* ~ **room** *s tech. Am.* 'Zeichensaal *m,* -bü,ro *n.*

drafts·man [*Br.* 'drɑ:ftsmən; *Am.* 'dræ(:)f-] *s irr* **1.** Zeichner *m,* Gestalter *m.* **2.** *tech.* (Konstrukti'ons-, Muster)Zeichner *m.* **3.** Entwerfer *m,* Verfasser *m.* **4.** → **draughtsman** 1.

'**drafts·man,ship** *s* **1.** Zeichenkunst *f,* zeichnerische Begabung. **2.** Kunst *f* des Entwerfens.

draft·y [*Br.* 'drɑ:fti; *Am.* 'dræ(:)fti] *adj* **1.** zugig. **2.** windig.

drag [dræg] **I** *s* **1.** Schleppen *n,* Zerren *n.* **2.** *mar.* a) Dragge *f,* Such-, Dregganker *m,* b) Schleppnetz *n.* **3.** *agr.* a) schwere Egge, b) Mistrechen *m.* **4.** *tech.* a) starker Roll- *od.* Blockwagen, b) Last-, Trans'portschlitten *m.* **5.** schwere (vierspännige) Kutsche. **6.** Schlepp-, Zugseil *n.* **7.** Schleife *f (zum Steintransport etc).* **8.** *tech.* Baggerschaufel *f,* Erdräumer *m.* **9.** Hemmschuh *m,* Schleife *f*: **to put on the** ~ den Hemmschuh ansetzen. **10.** *tech.* Hemmzeug *n,* -vorrichtung *f.* **11.** *fig.* Hemmschuh *m,* Hemmnis *n,* Belastung *f* (**on** für). **12.** *aer. phys.* 'Luft-, 'Strömungs,widerstand *m.* **13.** *tech.* (Faden)Zug *m (bei Wickelmaschinen etc).* **14.** Sich'schleppen *n, (etwas)* Mühsames: **what a** ~ **up these stairs!** was für ein mühsames Treppensteigen! **15.** schleppendes Verfahren, Verschleppung *f.* **16.** *(etwas)* Schleppendes *od.* Langweiliges, *z. B.* Länge *f,* langweilige Stelle *(in e-m Drama etc).* **17.** *hunt.* Streichnetz *n (zum Vogelfang).* **18.** *hunt.* a) Fährte *f,* Witterung *f,* b) Schleppe *f (künstliche Witterung),* c) Schleppjagd *f.* **19.** *Angeln*: a) Spulenbremse *f,* b) seitlicher Zug *(an der Angelschnur).* **20.** *Am. sl.* a) Einfluß *m,* b) Protekti'on *f.*

II *v/t* **21.** schleppen, zerren, schleifen, ziehen: **to** ~ **the anchor** *mar.* vor Anker treiben. **22.** nachschleifen: **to** ~ **one's feet** a) mit den Füßen schlurren, b) *fig.* sich Zeit lassen. **23.** a) mit e-m Schleppnetz absuchen (**for** nach), b) mit e-m Schleppnetz finden *od.* fangen. **24.** *fig.* absuchen (**for** nach). **25.** *e-n Teich etc* ausbaggern. **26.** eggen. **27.** *fig.* da'hinschleppen. **28.** *fig.* a) hin'ein-, her'einziehen (**into** in *acc*), b) → **drag out.**

III *v/i* **29.** geschleppt *od.* geschleift werden. **30.** (am Boden) schleppen *od.* schleifen: **the anchor ~s** *mar.* der Anker findet keinen Halt. **31.** sich (da'hin)schleppen. **32.** schlurfen *(Füße).* **33.** *fig.* sich (da)'hinschleppen, langweilig werden *od.* sein: **time ~s on his hands** die Zeit wird ihm lang. **34.** *econ.* schleppend *od.* flau gehen. **35.** zu'rückbleiben, nachhinken. **36.** *mus.* zu langsam spielen *od.* gespielt werden, schleppen. **37.** dreggen, mit e-m Schleppnetz suchen *od.* fischen (**for** nach). **38.** zerren, heftig ziehen (**at** an *dat*).

Verbindungen mit Adverbien:

drag| a·long I *v/t* fortschleppen, -zerren. **II** *v/i* sich da'hinschleppen. ~ **in** *v/t bes. fig.* hin'ein-, her'beiziehen: **to** ~ **by the head and shoulders** an den Haaren herbeiziehen. ~ **on I** *v/t* (da)'hin-, weiterschleppen. **II** *v/i a. fig.* sich da'hinschleppen, *fig.* sich 'hinziehen. ~ **out** *v/t fig.* 'hinschleppen, 'hin-, hin'ausziehen, in die Länge ziehen. ~ **up** *v/t colloq. ein Kind* lieblos aufziehen.

drag| an·chor *s mar.* Treib-, Schleppanker *m.* '**~,bar** *s rail.* Kupp(e)lungsstange *f.* ~ **chain** *s* **1.** *tech.* Hemm-, Sperrkette *f.* **2.** *fig.* → drag 11.

drag·ging ['drægiŋ] *adj* **1.** schleppend *(a. fig. langsam).* **2.** nachhinkend, zu'rückbleibend.

drag·gle ['drægl] **I** *v/t* **1.** beschmutzen, besudeln. **2.** (nach)schleifen, durch den Schmutz schleifen, schleppen. **II** *v/i* **3.** (nach)schleifen. **4.** beschmutzt werden. **5.** zu'rückbleiben, nachhinken. '**~,tail** *s contp.* Schmutzliese *f,* Schlampe *f.* '**~,tailed** *adj* schmutzig, schlampig.

'**drag|,hound** *s hunt.* Jagdhund *m* für Schleppjagden. ~ **hunt** *s* Schleppjagd *f.* '**~,line** *s* **1.** *tech.* Schleppleine *f.* **2.** *aer.* Schleppseil *n.* **3.** *a.* ~ **dredge,** ~ **excavator** *tech.* Schürfkübelbagger *m.* ~ **link** *s tech.* Kupp(e)lungsglied *n.* '**~,net** *s* **1.** *Fischerei*: Schleppnetz *n.* **2.** *hunt.* Streichnetz *n.* **3.** *fig.* (Fang)Netz *n (der Polizei etc).*

drag·o·man ['drægomən] *pl* **-mans** *od.* **-men** *s* Dragoman *m (Dolmetscher im Nahen Osten).*

drag·on ['drægən] *s* **1.** *myth.* Drache *m,* Lindwurm *m.* **2.** *Bibl.* Drache *m,* Untier *n, a.* Wal-, Haifisch *m,* Schlange *f*: **the old D~** der Satan. **3.** *fig.* Beschützer(in), Drachen *m (Anstandsdame etc).* **4.** *a.* **flying** ~ *zo.* Fliegender Drache. **5.** *(e-e)* Brieftaube *f.* **6.** *bot. (ein)* Aronstabgewächs *n.* **7.** *mil.* 'Zugma,schine *f,* (gepanzerter) Raupenschlepper. **8.** *mil. hist.* a) kurze (mit e-m Drachenkopf verzierte) Mus'kete, b) Dra'goner *m.* **9.** D~ → **Draco.**

drag·on·et ['drægənit] *s* **1.** kleiner Drache. **2.** *ichth.* Spinnenfisch *m.*

'**drag·on,fly** *s zo.* Li'belle *f,* Wasserjungfer *f.*

drag·on's| blood *s bot.* Drachenblut *n (mehrere rote Harze).* ~ **head,** *a.* '**~-,head** → dragonhead. ~ **teeth** *s pl* **1.** *mil.* Höckerhindernis *n,* Panzerhöcker *pl.* **2.** *fig.* Drachensaat *f*: **to sow** ~ Zwietracht säen.

drag·on tree *s bot.* Echter Drachenbaum.

dra·goon [drə'gu:n] **I** *s* **1.** *mil.* a) Dra'goner *m,* b) → **dragon** 8 a. **2.** *fig.* bru'taler Kerl, Rohling *m.* **3.** → **dragon** 5. **II** *v/t* **4.** (durch Truppen) unter'drücken *od.* verfolgen. **5.** peinigen, schinden. **6.** *fig.* zwingen (**into** zu).

'**drag,rope** *s* **1.** Schlepp-, Zugseil *n.* **2.** *aer.* a) Ballastleine *f,* b) Leitseil *n,* c) Vertauungsleine *f.*

drail [dreil] *s Angeln*: Grundangel *f.*

drain [drein] **I** *v/t* **1.** *e-e Flüssigkeit* ableiten, abfließen lassen. **2.** *med. Eiter etc* drä'nieren, abziehen. **3.** beseitigen. **4.** bis zur Neige austrinken *od.* leeren: → **dreg** 1. **5.** *Land* entwässern, drä'nieren, trockenlegen. **6.** das Wasser ableiten von *(Straßen etc).* **7.** *Gebäude* *etc* kanali'sieren, mit Kanalisati'on versehen. **8.** ab- *od.* austrocknen lassen. **9.** *fig.* erschöpfen: a) *Vorräte etc* aufbrauchen, -zehren, b) *j-n* ermüden, *j-s* Kräfte aufzehren. **10.** (of) arm machen (an *dat*), berauben (*gen*). **11.** *ein Land etc* völlig ausplündern, ausbluten lassen. **12.** fil'trieren. **13.** ~ **off,** ~ **away** *Wasser etc* weg-, ableiten, abziehen. **II** *v/i* **14.** ~ **off,** ~ **away** (all'mählich) weg-, abfließen. **15.** sickern. **16.** leerlaufen, all'mählich leer werden (*Gefäße etc*). **17.** abtropfen. **18.** (all'mählich) austrocknen. **19.** sich entwässern (into in *acc*), entwässert *od.* trocken werden. **20.** *a.* ~ **away** *fig.* da'hinschwinden. **III** *s* **21.** → **drainage** 1, 2, 3, 7. **22.** a) 'Abzugska,nal *m*, Entwässerungsgraben *m*, Drän *m*, b) (Abzugs)Rinne *f*, c) Straßenrinne *f*, Gosse *f*, d) Sickerrohr *n*, e) Kanalisati'onsrohr *n*, f) Senkgrube *f*: **to pour down the** ~ *fig. Geld* zum Fenster hinauswerfen. **23.** *pl* Kanalisati'on *f*. **24.** *med.* Drain *m*. **25.** *fig.* Abfluß *m*: **foreign** ~ Kapitalabwanderung *f*, Abfluß von Geld ins Ausland; **brain** ~ Abwandern *n* von Wissenschaftlern ins Ausland. **26.** (ständige) In'anspruchnahme, Beanspruchung *f*, Belastung *f* (on *gen*): **a great** ~ **on the purse** e-e schwere finanzielle Belastung. **27.** *sl. obs.* Schlückchen *n*.

drain·age ['dreinidʒ] *s* **1.** Ableitung *f*: ~ **of water.** **2.** (all'mähliches) Abfließen, Abfluß *m*, Entleerung *f*. **3.** Entwässerung *f* (*a. geogr.*), Drä'nage *f* (*a. med.*), Trockenlegung *f*. **4.** Ent'wässerungssy,stem *n*. **5.** Kanalisati'on *f*. **6.** Entwässerungsanlage *f*, -graben *m*, -röhre *f*. **7.** abgeleitete Flüssigkeit, *bes.* Abwasser *n*. ~ **ba·sin,** *a.* ~ **a·re·a** *s geogr.* Strom-, Einzugsgebiet *n*. ~ **tube** *s med.* Drain *m*, 'Abflußka,nüle *f*.

'drain|,board *s Am.* Tropfplatte *f*, Abtropfbrett *n*. ~ **cock** *s tech.* Ablaß-, Entleerungshahn *m*.

drain·er ['dreinər] *s* **1.** a) Drä'nierer *m*, Drä'nagearbeiter *m*, b) Kanalisati'onsarbeiter *m*. **2.** a) Abtropfgefäß *n*, b) (Ab)Tropfbrett *n*, c) Schöpfkelle *f*.

drain·ing| board ['dreiniŋ] *Br. für* **drainboard.** ~ **en·gine** *s* Drä'nierma,schine *f*. ~ **stand** *s* Abtropfständer *m*.

drain·less ['dreinlis] *adj* **1.** *poet.* unerschöpflich. **2.** ohne Kanalisati'on. **3.** nicht trockenlegbar.

'drain,pipe *s tech.* Abflußrohr *n*, Abzugsröhre *f*: ~ **trousers** *colloq.* Röhrenhose(n *pl*) *f*.

drake[1] [dreik] *s orn.* Enterich *m*.

drake[2] [dreik] *s* **1.** *obs.* Drache *m*. **2.** *hist.* a) *mil.* Feldschlange *f*, b) *mar.* Drache *m* (*Wikingerschiff*). **3.** *Angeln:* (Eintags)Fliege *f* (*als Köder*).

dram [dræm] *s* **1.** Dram *n*, Drachme *f* (*Apothekergewicht = 3,888 g, Handelsgewicht = 1,772 g*). **2.** → **fluid dram.** **3.** Schluck *m*, Schlückchen *n*: **fond of a** ~ trinkfreudig, ‚für e-n Schluck zu haben'. **4.** Kleinigkeit *f*, Quentchen *n*.

dra·ma ['drɑːmə; *Am. a.* 'dræmə] *s* **1.** Drama *n*, Schauspiel *n*. **2.** Drama *n*, dra'matische Dichtung *od.* Litera'tur, Dra'matik *f*. **3.** Schauspielkunst *f*. **4.** *fig.* Drama *n*, erregendes Geschehen.

dra·mat·ic [drə'mætik] *adj* (*adv* ~**ally**) **1.** dra'matisch, Schauspiel... **2.** Schauspiel(er)..., Theater...: ~ **rights** Aufführungs-, Bühnenrechte; ~ **school** Schauspielschule *f*. **3.** *fig.* dra'matisch, spannend, auf-, erregend. **4.** bühnengerecht. **dra'mat·ics** *s pl* **1.** (*als sg od. pl konstruiert*) dra'matische Darstellungskunst. **2.** (*als pl konstruiert*) dra'matische Aufführungen *pl od.* Werke *pl* (*bes. von Amateuren*). **3.** (*als pl konstruiert*) *fig.* Schauspiele'rei *f*, thea'tralisches Benehmen. **4.** The'aterwissenschaft *f*.

dram·a·tis per·so·nae ['dræmətis pər'souniː] (*Lat.*) *s pl* **1.** Per'sonen *pl* der Handlung. **2.** Rollenverzeichnis *n*.

dram·a·tist ['dræmətist] *s* Dra'matiker *m*, Schauspieldichter *m*, Bühnenschriftsteller *m*. **,dram·a·ti'za·tion** *s* Dramati'sierung *f* (*a. fig.*): ~ **of a novel** Bühnenbearbeitung *f* e-s Romans. **'dram·a,tize** *v/t* dramati'sieren: a) für die Bühne bearbeiten, b) *fig.* aufbauschen.

dram·a·turge ['dræmə,təːrdʒ] → **dramaturgist.** **,dram·a'tur·gic** *adj* **1.** drama'turgisch. **2.** → **dramatic** 1, 2. **'dram·a,tur·gist** *s* **1.** Drama'turg *m*. **2.** Dra'matiker *m*. **'dram·a,tur·gy** *s* Dramatur'gie *f*.

'dram,shop *s* Kneipe *f*, ‚Schnapsbude' *f*.

drank [dræŋk] *pret u. obs. pp von* **drink.**

drape [dreip] **I** *v/t* **1.** dra'pieren, (mit Stoff) behängen *od.* (aus)schmücken. **2.** dra'pieren, in (dekora'tive) Falten legen. **3.** *Mantel, Pelz etc* hängen (over über *acc*). **4.** (ein)hüllen (in in *acc*). **II** *v/i* **5.** in (dekora'tiven) Falten her'abfallen, schön fallen. **III** *s* **6.** Drape'rie *f*, Behang *m*, *meist pl* Vorhang *m*. **'drap·er** *s* Tex'tilkaufmann *m*, Tuch-, Stoffhändler *m*: ~**'s (shop)** Textilgeschäft *n*. **'dra·per·ied** [-rid] *adj* dra'piert. **'dra·per·y** *s* **1.** Drape'rie *f*: a) dekora'tiver Behang, Dra'pierung *f*, b) Faltenwurf *m*. **2.** *collect.* Tex'tilien *pl*, Webwaren *pl*, (*bes.* Woll)Stoffe *pl*, Tuch(e *pl*) *n*. **3.** *bes. Br.* Tex'til-, Tuch-, Stoffhandel *m*. **4.** *bes. Am.* Vorhänge *pl*, Vorhangstoffe *pl*.

dras·tic ['dræstik] **I** *adj* (*adv* ~**ally**) **1.** *med.* drastisch, kräftig (wirkend). **2.** drastisch, 'durchgreifend, gründlich, rigo'ros. **II** *s* **3.** *med.* Drastikum *n*.

drat [dræt] *interj colloq.* der Teufel soll (*es, ihn etc*) holen!: ~ **it (him)!** **'drat·ted** *adj colloq.* verflixt.

draught [*Br.* drɑːft; *Am.* dræ(ː)ft] **I** *s* **1.** Fischzug *m*: a) Fischen *n* mit dem Netz, b) (Fisch)Fang *m*. **2.** Zug *m*, Schluck *m*: **at a** ~ auf 'einen Zug, mit 'einem Male; **a** ~ **of beer** ein Schluck Bier. **3.** *fig.* Tropfen *m*, Becher *m*. **4.** *med.* Arz'neitrank *m*. **5.** Abziehen *n* (aus dem Faß *etc*): **beer on** ~, ~ **beer** Bier *n* vom Faß, Faßbier. **6.** *pl* (*als sg konstruiert*) *Br.* Damespiel *n*. **7.** a) *Br. für* **draft** 3, 5, 14, b) *selten Br. für* **draft** 2, 8, 11. **II** *v/t* **8.** *selten Br. für* **draft** 16.

'draught,board *s Br.* Damebrett *n*.

draught·i·ness [*Br.* 'drɑːftinis; *Am.* 'dræ(ː)f-] *bes. Br. für* **draftiness.**

draught net *s Fischerei:* Zugnetz *n*.

'draughts·man [-mən] *s irr* **1.** *Br.* Damestein *m*. **2.** → **draftsman.** **'draughts·man,ship** → **draftsmanship.** **'draught·y** *bes. Br. für* **drafty.**

drave [dreiv] *obs. od. dial. pret von* **drive.**

Dra·vid·i·an [drə'vidiən] **I** *s* **1.** Drawida *m* (*Angehöriger von 2*). **2.** Drawida *n* (*große nichtindogermanische indische Sprachfamilie*). **II** *adj* **3.** dra'widisch.

draw [drɔː] **I** *s* **1.** Ziehen *n*: **quick on the** ~ a) schnell (mit der Pistole), b) *fig.* schlagfertig, ‚fix'. **2.** Zug *m* (*a. an der Pfeife etc*). **3.** *fig.* Zug-, Anziehungskraft *f*. **4.** *fig.* Attrakti'on *f*, *bes.* Zugstück *n*, Schlager *m*: **box office** ~ Kassenschlager. **5.** Ziehen *n* (*e-s Loses etc*). **6.** a) Auslosen *n*, Verlosen *n*, b) Verlosung *f*, Ziehung *f*. **7.** gezogene Spielkarte(n *pl*). **8.** abgehobener Betrag. **9.** *Am.* Aufzug *m* (*e-r Zugbrücke*). **10.** *sport* Unentschieden *n*, unentschiedener Kampf: **to end in a** ~ unentschieden ausgehen. **11.** a) Fangfrage *f*, b) Fühler *m*. **12.** → **draw poker.** **13.** *tech.* a) (*Draht*)Ziehen *n*, b) Walzen *n*, c) Verjüngung *f*.

II *v/t pret* **drew** [druː] *pp* **drawn** [drɔːn] **14.** ziehen, zerren. **15.** ab-, an-, auf-, fort-, her'ab-, wegziehen: **to** ~ **a drawbridge** e-e Zugbrücke aufziehen; **to** ~ **the curtains** die Vorhänge auf- *od.* zuziehen; **to** ~ **the nets** die Netze einziehen *od.* -holen; **to** ~ **rein** die Zügel anziehen (*a. fig.*). **16.** *e-n Bogen* spannen. **17.** ziehen: **to** ~ **s.o. into talk** j-n ins Gespräch ziehen; → **draw aside.** **18.** (nach sich) ziehen, bewirken, zur Folge haben. **19.** (upon) ziehen (auf *acc*), bringen (über *acc*): **to** ~ **ruin upon o.s.** sich ins Unglück stürzen. **20.** *Atem* holen: **to** ~ **a sigh** aufseufzen; → **breath** 1. **21.** (her'aus)ziehen: **to** ~ **a tooth** e-n Zahn ziehen. **22.** *Karten* a) (vom Geber) erhalten, b) abheben, ziehen, c) her'ausholen: **to** ~ **the opponent's trumps** dem Gegner die Trümpfe herausholen. **23.** *Waffen* ziehen: **to** ~ **one's pistol.** **24.** a) *Lose* ziehen, b) (durch Los) gewinnen, *e-n Preis* erhalten, c) auslosen: **to** ~ **bonds** *econ.* Obligationen auslosen. **25.** *Wasser* her'aufpumpen, -holen, schöpfen. **26.** *Bier etc* abziehen, abzapfen (from von, aus). **27.** *med. Blut* entnehmen. **28.** *Tränen* a) her'vorlocken, b) entlocken (from s.o. j-m). **29.** *Tee* ziehen lassen. **30.** *fig.* anziehen, an sich ziehen, fesseln: **to feel** ~**n to s.o.** sich zu j-m hingezogen fühlen. **31.** *Kunden etc* anziehen, anlocken: **to** ~ **a full house** *thea.* das Haus füllen; ~**ing power** Zugkraft *f*. **32.** *j-s Aufmerksamkeit* lenken (to auf *acc*): **to** ~ **s.o.'s attention to s.th.** **33.** *j-n* (dazu) bewegen (to do s.th. etwas zu tun). **34.** *Linie, Grenze etc* ziehen. **35.** *Finger, Feder etc* gleiten lassen: **to** ~ **the pen across the paper.** **36.** zeichnen, malen, entwerfen (from nach). **37.** (in Worten) schildern, beschreiben, zeichnen: **to** ~ **it fine** *colloq.* es ganz genau nehmen; ~ **it mild!** mach's mal halblang!, du übertreibst! **38.** *Schriftstück* ab-, verfassen, aufsetzen: **to** ~ **(up) a deed.** **39.** *e-n Vergleich* an-, aufstellen, *e-e Parallele etc* ziehen: **to** ~ **a comparison.** **40.** *e-n Schluß, e-e Lehre* ziehen: **to** ~ **one's own conclusions** s-e eigenen Schlüsse ziehen. **41.** *Zinsen etc* einbringen, abwerfen: **to** ~ **interest;** **to** ~ **a good price** e-n guten Preis erzielen. **42.** *econ. Geld* abheben (from von *e-m Konto*). **43.** *econ. e-n Wechsel etc* ziehen, tras'sieren, ausstellen: **to** ~ **a bill of exchange on s.o.** e-n Wechsel ziehen auf j-n; **to** ~ **a check** (*Br.* **cheque**) e-n Scheck ausstellen. **44.** *ein Gehalt, a. Nachrichten etc* beziehen: **to** ~ **a good salary.** **45.** *fig.* entlocken (from *dat*): **to** ~ **applause** Beifall hervorrufen; **to** ~ **applause from an audience** e-m Publikum Beifall abringen; **to** ~ **(information from) s.o.** j-n ausholen, -fragen, -horchen; **to** ~ **no reply from s.o.** aus j-m keine Antwort herausbringen. **46.** *colloq. j-n* aus s-r

Re'serve her'auslocken. **47.** entnehmen (from *dat*): to ~ **advantage from** Vorteil ziehen aus; to ~ **consolation from** Trost schöpfen aus; to ~ **inspiration from** sich Anregung holen von (*od.* bei, durch). **48.** *Geflügel etc* ausnehmen, -weiden. **49.** *Gewässer* a) trockenlegen, b) (mit dem Netz) abfischen. **50.** a) *hunt. ein Dickicht* (nach Wild) durch'stöbern *od.* -'suchen, b) *Wild* aufstöbern. **51.** *tech.* a) *Draht, Röhren, Kerzen* ziehen, b) auswalzen, (st)recken, ziehen: to ~ **iron. 52.** *das Gesicht* verziehen, verzerren. **53.** runzeln, entstellen. **54.** *med. ein Geschwür etc* ausziehen, -trocknen. **55.** *mar.* e-n Tiefgang haben von: **the ship** ~**s eight feet. 56.** *bes. sport* unentschieden beenden. **57.** *Kricket*: *den Ball* zur **on**-Seite hin (*am Dreistab vorbei*) ablenken. **58.** *Golf*: *den Ball* zu weit nach links schlagen.

III *v/i* **59.** ziehen. **60.** *fig.* ziehen (*Theaterstück etc*). **61.** (sein Schwert *etc*) ziehen (on gegen). **62.** sich (*leicht etc*) ziehen lassen, laufen: **the wag(g)on** ~**s easily. 63.** fahren, sich bewegen: to ~ **into the station** *rail.* (in den Bahnhof) einfahren; → **draw near. 64.** (to) sich nähern (*dat*), her'ankommen (an *acc*): to ~ **to an end** sich dem Ende nähern, zu Ende gehen. **65.** sich versammeln (**round, about** um). **66.** sich zs.-ziehen, (ein)schrumpfen (**into** zu). **67.** sich (aus)dehnen. **68.** *mar.* schwellen (*Segel*). **69.** ziehen (*Tee, a. med. Pflaster, Salbe etc*). **70.** ziehen, Zug haben (*Kamin etc*). **71.** zeichnen, malen. **72.** (on, upon) in Anspruch nehmen (*acc*), Gebrauch machen (von), her'anziehen (*acc*), *Kapital, Vorräte etc* angreifen: to ~ **on one's reserves**; to ~ **on s.o.** *econ.* a) j-m e-e Zahlungsaufforderung zukommen lassen, b) auf j-n (e-n Wechsel) ziehen; to ~ **on s.o.** *fig.* j-n *od.* j-s Kräfte in Anspruch nehmen; to ~ **on s.o.'s generosity** j-s Großzügigkeit ausnützen; to ~ **on one's imagination** sich etwas einfallen lassen *od.* ausdenken. **73.** *sport* unentschieden kämpfen *od.* spielen, sich unentschieden trennen. **74.** Lose ziehen, losen (for um).

Verbindungen mit Adverbien:

draw| a·side I *v/t j-n* bei'seite nehmen, (*a. etwas*) zur Seite ziehen. **II** *v/i* zur Seite gehen *od.* treten. ~ **a·way I** *v/t* **1.** weg-, zu'rückziehen. **2.** *j-s Aufmerksamkeit* ablenken. **II** *v/i* **3.** sich entfernen. **4.** (from) e-n Vorsprung gewinnen (vor), sich lösen (von). ~ **back I** *v/t* **1.** *a. Truppen* zu'rückziehen. **2.** *econ.* e-e Rückvergütung erhalten für (*Zoll beim Warenexport*). **II** *v/i* **3.** sich zu'rückziehen. **4.** zu'rückweichen. ~ **down** *v/t* **1.** her'abziehen. **2.** *Unglück etc* her'aufbeschwören. ~ **forth** *v/t* **1.** her'vor-, her'auslocken. **2.** *fig.* her'auslocken. ~ **in I** *v/t* **1.** ein-, zs.-ziehen. **2.** (dazu) verlocken *od.* verleiten (to do zu tun). **3.** all'mählich schmaler werden lassen. **4.** *Ausgaben* einschränken. **II** *v/i* **5.** a) sich neigen (*Tag*), b) abnehmen, kürzer werden (*Tage*). **6.** sich einschränken. **7.** *fig.* ‚e-n Rückzieher' machen. ~ **near** *v/i* (to) sich nähern (*dat*), her'anrücken, näher her'ankommen (an *acc*). ~ **off I** *v/t* **1.** *Truppen* ab-, zu'rückziehen. **2.** → **draw away** 2. **3.** *chem.* ausziehen, 'ausdestilˌlieren. **4.** abzapfen. **II** *v/i* **5.** sich zu'rückziehen (*Truppen etc*). **6.** sich abwenden (from von). ~ **on I** *v/t* **1.** *Kleider* an-, 'überziehen. **2.** *fig.* anziehen, anlocken. **3.** verursachen, her'beiführen: to ~ **disaster. II** *v/i* **4.** → **draw near.** ~ **out I** *v/t* **1.** her'ausziehen, -holen (from aus). **2.** *fig.* a) *e-e Aussage, die Wahrheit* her'ausholen, -locken, -bringen, b) *j-n* ausholen, -horchen. **3.** *Truppen* a) deta'chieren, b) aufstellen. **4.** verlängern, ausziehen. **5.** *fig.* ausdehnen, hin'ausziehen. **6.** → **draw up** 4. **II** *v/i* **7.** länger werden (*Tage*). ~ **to·geth·er I** *v/t* **1.** zs.-ziehen. **II** *v/i* **2.** sich zs.-ziehen. **3.** zs.-kommen, sich (ver)sammeln. ~ **up I** *v/t* **1.** hin'aufziehen, aufrichten: **to draw o.s. up** sich (stolz, entrüstet *etc*) aufrichten. **2.** her'anziehen, -schieben. **3.** *Truppen etc* aufstellen, 'aufmarˌschieren lassen. **4.** *e-n Vertrag etc* aufsetzen, abfassen, (in richtiger Form) ausfertigen. **5.** *e-e Bilanz etc* aufstellen. **6.** *Vorschläge, e-n Plan etc* entwerfen, ausarbeiten. **7.** *sein Pferd etc* zum Stehen bringen. **II** *v/i* **8.** (an)halten, stehenbleiben. **9.** vorfahren (before vor *dat*). **10.** 'aufmarˌschieren (*Truppen etc*). **11.** her'ankommen (with, to an *acc*). **12.** aufholen: to ~ **with s.o.** j-n einholen *od.* überholen.

'draw|ˌback *s* **1.** (to) Nachteil *m* (für), Beeinträchtigung *f* (*gen*), Hindernis *n* (für). **2.** Nachteil *m*, Schattenseite *f*, Mangel *m*, (*der*) Haken (an der Sache). **3.** Abzug *m* (from von). **4.** *econ.* a) Rückvergütung *f*, b) Zoll- *od.* Steuerrückvergütung *f*, Rückzoll *m*. **'~ˌbar** *s* **1.** *rail.* Zugstange *f*. **2.** *Am.* Zuglatte *f* (*im Zaun*). **'~ˌbench** *s tech.* (Draht)-Ziehbank *f*. **'~ˌbridge** *s* Zugbrücke *f*.

Draw·can·sir ['drɔːkænsər] *s* Bra'marbas *m*, Eisenfresser *m*, Maulheld *m*.

draw·ee [ˌdrɔː'iː] *s econ.* Bezogene(r *m*) *f*, Tras'sat *m* (*e-s Wechsels etc*).

draw·er [*für 1-3*: drɔːr; *für 4-7*: 'drɔːər] *s* **1.** Schublade *f*, -fach *n*. **2.** *pl* Kom'mode *f*. **3.** *pl a.* **pair of** ~**s** 'Unterhose *f*, *bes.* a) 'Herrenˌunterhose *f*, b) (Damen)Schlüpfer *m*. **4.** Zieher *m*. **5.** Zeichner *m*. **6.** *econ.* Aussteller *m*, Zieher *m*, Tras'sant *m* (*e-s Wechsels*).

'draw|ˌfile *v/t tech.* mit der Feile glätten. **'~ˌgear** *s rail. Br.* Kupp(e)lungsvorrichtung *f*.

draw·ing ['drɔːiŋ] *s* **1.** Ziehen *n*. **2.** Zeichnen *n*: **in** ~ a) richtig gezeichnet, b) *fig.* zs.-stimmend; **out of** ~ a) unperspektivisch, verzeichnet, b) *fig.* nicht zs.-stimmend. **3.** Zeichenkunst *f*. **4.** a) Zeichnung *f* (*a. tech.*), b) (Zeichen)Skizze *f*, Entwurf *m*. **5.** Aus-, Verlosung *f*, Ziehung *f*. **6.** Abhebung *f* (*von Geld*). **7.** *pl* a) Bezüge *pl*, b) *econ. Br.* Einnahmen *pl*. ~ **ac·count** *s econ.* **1.** laufende Rechnung. **2.** Giro-, Scheckkonto *n*. ~ **block** *s* Zeichenblock *m*. ~ **board** *s* Reiß-, Zeichenbrett *n*. ~ **card** *s Am.* Zugnummer *f*: a) zugkräftiges Stück, b) zugkräftiger Schauspieler. ~ **com·pass·es** *s pl* Reiß-, Zeichenzirkel *m*. ~ **ink** *s* Zeichentinte *f*, Ausziehtusche *f*. ~ **knife** → **drawknife.** ~ **mas·ter** *s* Zeichenlehrer *m*. ~ **of·fice** *s Br.* 'Zeichenbüˌro *n*. ~ **pa·per** *s* 'Zeichenpaˌpier *n*. ~ **pen** *s* Zeichen-, Reißfeder *f*. ~ **pen·cil** *s* Zeichenstift *m*. ~ **pin** *s Br.* Reißzwecke *f*, -nagel *m*, Heftzwecke *f*. ~ **room** *s* **1.** Gesellschafts-, Empfangszimmer *n*, Sa'lon *m*: **not fit for the** ~ nicht salonfähig (*Witz etc*). **2.** Empfang *m* (*bes. Br.* bei Hofe), Gesellschaftsabend *m*: **to hold a** ~ e-n Empfang geben. **3.** *rail. Am.* Sa'lon *m*, Pri'vatabˌteil *n* (*im Pullmanwagen*). **'~-ˌroom** *adj* **1.** Salon..., vornehm, gepflegt: ~ **manners**; ~ **car** *rail. Am.* Salonwagen *m*. **2.** Gesellschafts..., Salon...: ~ **comedy.** ~ **set** *s* Reißzeug *n*.

'drawˌknife *s irr tech.* (Ab)Zieh-[messer *n*.]

drawl [drɔːl] **I** *v/t u. v/i* gedehnt *od.* schleppend sprechen. **II** *s* gedehntes Sprechen. **'drawl·ing** *adj* (*adv* ~**ly**) gedehnt, schleppend.

drawn [drɔːn] **I** *pp von* draw. **II** *adj* **1.** gezogen. **2.** *tech.* gezogen: ~ **wire. 3.** verzerrt (with von): **a face** ~ **with pain** ein schmerzverzerrtes Gesicht. **4.** *sport* unentschieden: ~ **match.** ~ **bond** *s econ.* ausgeloste Schuldverschreibung. ~ **but·ter (sauce)** *s Am.* Buttersoße *f*. ~ **work** *s* Hohlsaumarbeit *f*.

'draw|ˌplate *s tech.* (Draht)Zieheisen *n*, Lochplatte *f*. **'~ˌpoint** *s* **1.** Ra'dier-, Reißnadel *f* (*des Graveurs*). **2.** Spitzbohrer *m*. ~ **po·ker** *s Abart des Pokers, bei der nach dem Geben Karten abgelegt u. durch andere ersetzt werden dürfen.* **'~ˌshave** → drawknife. **'~ˌstring** *s* **1.** Zugband *n*, -schnur *f*. **2.** Vorhangschnur *f*. ~ **well** *s* Ziehbrunnen *m*.

dray[1] [drei] *s* **1.** (niedriger) Block- *od.* Rollwagen, *bes.* Bierwagen *m*. **2.** Schleife *f*, Lastschlitten *m*.

dray[2] [drei] *s* Eichhörnchennest *n*.

dray| horse *s* schwerer Karrengaul. **'~·man** [-mən] *s irr* Roll-, *bes.* Bierkutscher *m*.

dread [dred] **I** *v/t* **1.** *etwas, j-n* sehr fürchten, fürchten (to do zu tun), (große) Angst haben vor (*dat*), Grauen empfinden vor (*dat*), sich fürchten vor (*dat*). **2.** *obs.* Ehrfurcht haben vor (*dat*). **II** *s* **3.** (große) Angst, Furcht *f* (of vor *dat*; of doing zu tun). **4.** Grauen *n* (of vor *dat*). **5.** *obs.* Ehrfurcht *f*. **6.** Schreckgestalt *f*, Gegenstand *m* des Schreckens, Schrecken *m*. **III** *adj* **7.** *poet.* → dreadful 1 *u.* 2. **'dread·ed** *adj* gefürchtet, furchtbar. **'dread·ful** [-ful; -fəl] **I** *adj* (*adv* ~**ly**) **1.** fürchterlich, furchtbar, schrecklich (*alle a. colloq. fig.*). **2.** ehrwürdig, erhaben, hehr. **3.** *colloq.* a) gräßlich, scheußlich, b) furchtbar groß, kolos'sal, entsetzlich lang. **II** *s Br.* → **penny dreadful.** **'dread·less** *adj* (*adv* ~**ly**) furchtlos. **'dreadˌnought,** *a.* **'dreadˌnaught** *s* **1.** *mar.* a) Dreadnought *m* (*frühester Typ des modernen Schlachtschiffs*), b) Schlachtschiff *n*. **2.** dicker, wetterfester Stoff *od.* Mantel.

dream [driːm] **I** *s* **1.** Traum *m*: ~ **analysis** *psych.* Traumanalyse *f*; ~ **book** Traumbuch *n*; ~ **factory** *iro.* ‚Traumfabrik' *f* (*Filmproduktion*); **a** ~ **comes true** ein Traum geht in Erfüllung *od.* wird wahr; → **waking** 5. **2.** Traum(zustand) *m*: **as in a** ~ wie im Traum. **3.** Traumbild *n*. **4.** (Tag)-Traum *m*, Träume'rei *f*. **5.** (Wunsch)-Traum *m*, Sehnsucht(straum *m*) *f*. **6.** *fig.* Traum *m*, Ide'al *n*: **a** ~ **of a hat** ein Gedicht von e-m Hut, ein traumhaft schöner Hut; **it is a perfect** ~ es ist wunderschön. **II** *v/i pret u. pp* **dreamed** *od.* **dreamt** [dremt] **7.** träumen (of von) (*a. fig.*): **to** ~ **of doing s.th.** davon träumen, etwas zu tun (→ 9). **8.** träumen, verträumt *od.* träumerisch sein. **9.** ~ **of** *meist neg* a) ahnen (*acc*), b) daran denken (doing zu tun): **I never** ~**ed of it** ich habe es mir nie träumen lassen; **we did not** ~ **of going there** wir dachten nicht im Traum daran hinzugehen; **more things than we** ~ **of** mehr Dinge, als wir uns denken können. **III** *v/t* **10.** träumen (*a. fig.*): **to** ~ **a dream** e-n Traum träumen *od.* haben; **I** ~**ed that** mir träumte, daß. **11.** erträumen, ersehnen. **12.** sich träumen lassen, ahnen: without ~ing that ohne zu ahnen, daß. **13.** ~ away verträumen. **14.** ~ up *colloq.* a) zu ˈsammenträumen, -phantaˌsieren, b) erfinden, sich einfallen lassen.

ˈdreamˌboat *s sl.* **1.** Schwarm *m*, Ideˈal *n.* **2.** ‚Schatz' *m*, Liebste(r) *m.* **3.** Phanˈtast *m.*

dream·er [ˈdriːmər] *s* **1.** Träumer(in) (*a. fig.*). **2.** Phanˈtast(in). **ˈdream·i·ness** [-inis] *s* **1.** Verträumtheit *f*, träumerisches Wesen. **2.** Traumhaftigkeit *f*, Verschwommenheit *f.* **ˈdream·ing** *adj* (*adv* ~ly) verträumt.

ˈdream|ˌland *s* Traum-, Märchenland *n.* **ˈ~ˌlike** *adj* traumhaft, -ähnlich. ~ **read·er** *s* Traumdeuter(in).

dreamt [dremt] *pret u. pp von* dream.

dream world *s* Traumwelt *f.*

dream·y [ˈdriːmi] *adj* (*adv* dreamily) **1.** verträumt, träumerisch. **2.** traumhaft, dunkel, verschwommen.

drear [drir] *poet. für* dreary.

drear·i·ness [ˈdri(ə)rinis] *s* **1.** Düsterkeit *f*, Trostlosigkeit *f.* **2.** Langweiligkeit *f*, Öde *f.* **ˈdrear·y** *adj* (*adv* drearily) **1.** düster, trostlos, trübselig. **2.** langweilig, öde.

dredge[1] [dredʒ] **I** *s* **1.** *tech.* a) ˈBagger(maˌschine *f*) *m*, b) Naß-, Schwimmbagger *m.* **2.** *mar.* a) Schleppnetz *n*, b) Dregganker *m.* **II** *v/t* **3.** *tech.* ausbaggern: ~d material Baggergut *n*; to ~ away (up) mit dem Bagger wegräumen (heraufholen). **4.** mit dem Schleppnetz fangen *od.* herˈaufholen. **5.** *fig.* durchˈforschen. **III** *v/i* **6.** *tech.* baggern. **7.** mit dem Schleppnetz suchen *od.* fischen (for nach). **8.** ~ for *fig.* → 5.

dredge[2] [dredʒ] *v/t* **1.** (mit Mehl *etc*) bestreuen. **2.** *Mehl etc* streuen.

dredg·er[1] [ˈdredʒər] *s* **1.** *tech.* a) Baggerarbeiter *m*, b) Bagger *m*: ~ bucket Baggereimer *m.* **2.** Dregger *m*, Schleppnetzfischer *m.*

dredg·er[2] [ˈdredʒər] *s* (Mehl- *etc*)Streubüchse *f*, (-)Streuer *m.*

dredg·ing| box [ˈdredʒiŋ] → dredger[2]. ~ **ma·chine** *s* ˈBagger(maˌschine *f*) *m.*

dree [driː] *v/t Scot.* erdulden: to ~ one's weird sich in sein Schicksal fügen.

dreg [dreg] *s* **1.** *meist pl* a) (Boden)Satz *m*, Hefe *f*, b) Verunreinigungen *pl*: to drain a cup to the ~s e-n Becher bis zur Neige leeren. **2.** *meist pl fig.* Abschaum *m*, Hefe *f*, Auswurf *m*: the ~s of mankind der Abschaum der Menschheit. **3.** *meist pl* Unrat *m*, Abfall *m.* **4.** a) (kleiner) Rest, b) kleine Menge: not a ~ gar nichts. **ˈdreg·gy** *adj* hefig, trüb, schlammig.

drench [drentʃ] **I** *v/t* **1.** durchˈnässen, (durch)ˈtränken: ~ed in blood blutgetränkt; ~ed with rain vom Regen (vollkommen *od.* bis auf die Haut) durchnäßt; ~ed in tears in Tränen gebadet; sun-~ed sonnengebadet. **2.** *vet.* a) *e-m Tier* Arzˈnei (gewaltsam) einflößen, b) purˈgieren. **II** *s* **3.** → drencher 1. **4.** Trunk *m.* **5.** *obs.* Arzˈnei- *od.* Gifttrank *m.* **6.** *vet.* Arzˈneitrank *m*, *bes.* Abführmittel *n.* **ˈdrench·er** *s* **1.** (Regen)Guß *m*, (-)Schauer *m.* **2.** *vet.* Gerät *n* zum Eingeben von Arzˈneitränken.

Dres·den [ˈdrezdən] *s a.* ~ china, ~ porcelain Meiß(e)ner Porzelˈlan *n.* ~ **point lace** *s* sächsische Spitzen *pl.*

dress [dres] **I** *s* **1.** Kleidung *f*: a) Anzug *m* (*a. mil.*), b) (Damen)Kleid *n*: summer ~ Sommerkleid; birds in winter ~ *fig.* Vögel im Winterkleid; ~ designer Modezeichner(in). **2.** a) Toiˈlette *f* (*e-r Dame*), b) Abend-, Gesellschaftskleidung *f*: in full ~ im Gesellschaftsanzug, in Gala. **3.** *fig.* Gewand *n*, Kleid *n*, Gestalt *f*, Form *f.* **II** *v/t* **4.** an-, bekleiden, anziehen: to ~ o.s. sich anziehen. **5.** einkleiden, mit Kleidung versehen. **6.** *j-n* (fein) herˈausputzen. **7.** *thea.* mit Koˈstümen ausstatten, kostüˈmieren: to ~ it Kostümprobe abhalten. **8.** schmücken, dekoˈrieren: to ~ a shop window ein Schaufenster dekorieren; to ~ ship *mar.* über die Toppen flaggen. **9.** zuˈrechtmachen, (ˈher)richten, *bes.* a) *Speisen* zubereiten, b) *Salat* anmachen, c) *Hühner etc* brat- *od.* kochfertig machen, d) *das Haar* friˈsieren, e) *ein Zimmer* säubern, putzen. **10.** *ein Pferd* striegeln. **11.** *tech.* zurichten, nach(be)arbeiten, behandeln, aufbereiten, *bes.* a) *Balken etc* hobeln *od.* abputzen, b) *Häute* gerben, zurichten, c) *Tuch* appreˈtieren, glätten, d) *Weberei*: schlichten, e) *Erz* aufbereiten, f) *Stein* behauen, g) be-, zuschneiden, h) glätten, *a. Edelsteine* poˈlieren, schleifen, i) *Flachs* hecheln. **12.** *Land, Garten etc* a) bebauen, b) düngen, c) jäten. **13.** *Pflanzen* zuˈrechtstutzen, beschneiden. **14.** *med. Wunden etc* behandeln, verbinden. **15.** gerade ausrichten, ordnen. **16.** *mil.* (aus)richten: to ~ the ranks. **III** *v/i* **17.** sich ankleiden, sich anziehen: to ~ for supper sich zum Abendessen umkleiden *od.* umziehen; to ~ well (badly) *weitS.* sich geschmackvoll (geschmacklos) anziehen. **18.** Abendkleidung anziehen, sich festlich kleiden, ‚sich in Gala werfen'. **19.** *mil.* sich (aus)richten: ~! richt't euch!

Verbindungen mit Adverbien:

dress| down *v/t* **1.** *Pferd* striegeln. **2.** *colloq.* a) *j-n* (aus)schimpfen, *j-m* ‚e-e Standpauke halten', b) *j-n* ˈdurchprügeln. ~ **up,** *a.* ~ **out I** *v/t* **1.** fein machen, *j-m* Galakleidung anziehen. **2.** herˈausputzen, ‚auftakeln'. **II** *v/i* **3.** sich fein machen, ‚sich in Gala werfen'. **4.** sich herˈausputzen *od.* ‚auftakeln'. **5.** sich kostüˈmieren.

dress af·fair *s* Galaveranstaltung *f.*

dres·sage [dreˈsɑːʒ] *s* Dresˈsurreiten *n.*

dress| cir·cle *s thea. etc* erster Rang. ~ **clothes** *s pl* Gesellschaftskleidung *f.* ~ **coat** *s* **1.** Frack *m.* **2.** *mar. mil.* Paˈraderock *m.*

ˈdressed-ˈup [drest] *adj* **1.** in Gala (gekleidet). **2.** ‚aufgetakelt'.

dress·er[1] [ˈdresər] *s* **1.** Ankleider(in). **2.** *thea.* a) Kostüˈmiˈer *m*, b) Garderoˈbiere *f*, c) Friˈseuse *f.* **3.** *colloq.* j-d, der sich (*sorgfältig etc*) kleidet: a careful ~. **4.** *med.* chirˈurgischer Assiˈstent. **5.** ˈSchaufensterdekoraˌteur *m.* **6.** *tech.* a) Zurichter *m*, Aufbereiter *m*, b) Appreˈtierer *m*, c) Schlichter *m*, d) Pocharbeiter *m.* **7.** *tech.* Gerät *n* zum Zurichten, Nachbearbeiten *etc.*

dress·er[2] [ˈdresər] *s* **1.** *bes. Br.* a) (Küchen)Anrichte *f*, b) Küchen-, Geschirrschrank *m.* **2.** *Am.* → dressing table.

dress| goods *s pl* (Damen)Kleiderstoffe *pl.* ~ **guard** *s* Kleiderschutznetz *n* (*am Damenfahrrad*).

dress·i·ness [ˈdresinis] *s* **1.** Eleˈganz *f.* **2.** ‚aufgetakelte' Erscheinung.

dress·ing [ˈdresiŋ] *s* **1.** Ankleiden *n.* **2.** (Be)Kleidung *f.* **3.** *tech.* Aufbereitung *f*, Nachbearbeitung *f*, Zurichtung *f.* **4.** *tech.* a) Appreˈtur *f*, b) Schlichte *f.* **5.** *tech.* a) Verkleidung *f*, Verputz *m*, b) Schotterbelag *m* (*Straße*). **6.** Zubereitung *f* (*von Speisen*). **7.** Tunke *f*, Soße *f.* **8.** Füllung *f* (*von Geflügel etc*). **9.** → dressing-down. **10.** *med.* a) Verbinden *n* (*e-r Wunde*), b) Verband *m.* **11.** *agr.* a) Düngung *f*, b) Dünger *m.* ~ **case** *s* Kulˈturbeutel *m*, -tasche *f*, ˈReisenecesˌsaire *n.* **ˈ~-ˈdown** *s colloq.* a) ‚Standpauke' *f*, Rüffel *m*, b) Tracht *f* Prügel: to give s.o. a ~ j-n ausschimpfen *od.* verprügeln. ~ **gown** *s* Schlaf-, Morgenrock *m.* ~ **jack·et** *s Br.* Friˈsiermantel *m.* ~ **ma·chine** *s tech.* ˈZurichtmaˌschine *f.* ~ **room** *s* **1.** ˈUm-, Ankleidezimmer *n.* **2.** (ˈKünstler)Gardeˌrobe *f.* ~ **sack** *Am. für* dressing jacket. ~ **sta·tion** *s med. mil.* (Feld)Verbandsplatz *m.* ~ **ta·ble** *s* Toiˈlettentisch *m*, Friˈsierkomˌmode *f.*

ˈdress|ˌmak·er *s* Damenschneiderin *f.* **ˈ~ˌmak·ing** *s* ˌDamenschneideˈrei *f.* ~ **pa·rade** *s mil.* Paˈrade *f* in ˈGalauniˌform. ~ **pat·tern** *s* Schnittmuster *n.* ~ **pre·serv·er** → dress shield. ~ **re·hears·al** *s* Geneˈralprobe *f.* ~ **shield** *s* Schweißblatt *n.* ~ **shirt** *s* Frackhemd *n.* ~ **suit** *s* Abend-, Gesellschafts-, Frackanzug *m.* ~ **u·ni·form** *s mil.* großer Dienstanzug.

dress·y [ˈdresi] *adj* **1.** (auffällig) eleˈgant gekleidet. **2.** geschniegelt, ‚aufgetakelt'. **3.** der Mode ergeben. **4.** *colloq.* eleˈgant, schick, modisch, fesch: a ~ blouse.

drew [druː] *pret von* draw.

drib·ble [ˈdribl] **I** *v/i* **1.** tröpfeln (*a. fig.*). **2.** sabbern, geifern. **3.** *sport* dribbeln. **II** *v/t* **4.** (herˈab)tröpfeln lassen, träufeln: to ~ away *fig.* (allmählich) vertun; to ~ out in kleinen Mengen (her)geben. **5.** *sport den Ball* dribbeln, vor sich ˈhertreiben. **III** *s* **6.** Getröpfel *n.* **7.** Tropfen *m.* **8.** *fig.* → driblet. **9.** *colloq.* feiner Regen, Nieseln *n.* **10.** *sport* Dribbling *n.*

drib·(b)let [ˈdriblit] *s* kleine Menge *od.* Summe, (*das*) bißchen: by ~s in kleinen Mengen, tropfenweise.

dried [draid] *adj* Dörr…, getrocknet: ~ cod Stockfisch *m*; ~ fruit Dörrobst *n*; ~ milk Trockenmilch *f.*

dri·er[1] [ˈdraiər] *s* **1.** Trockenmittel *n.* **2.** ˈTrockenappaˌrat *m*, Trockner *m.*

dri·er[2] [ˈdraiər] *comp von* dry.

dri·est [ˈdraiist] *sup von* dry.

drift [drift] **I** *s* **1.** Treiben *n*, Getriebenwerden *n.* **2.** *aer. mar.* Abtrift *f*, Abtrieb *m*, (Kurs)Versetzung *f.* **3.** *Ballistik*: Seitenabweichung *f.* **4.** *geogr.* Drift(strömung) *f* (*im Meer*). **5.** (Strömungs)Richtung *f.* **6.** *fig.* a) Strömung *f*, Tenˈdenz *f*, Lauf *m*, Richtung *f*: ~ away from allmähliches Abgehen von, b) Absicht *f*, c) Gedankengang *m*, d) Sinn *m*, Bedeutung *f.* **7.** (*etwas*) Daˈhingetriebenes, *bes.* a) Treibholz *n*, b) Treibeis *n*, c) daˈhingetriebene Wolke, d) (Schnee)Gestöber *n*, e) daˈhinjagender Sturm, Schauer *m*, Guß *m.* **8.** (Schnee)Verwehung *f*, (Schnee-, Sand)Wehe *f.* **9.** → driftage 2. **10.** *geol.* Geschiebe *n.* **11.** *Br.* (Vieh)Auftrieb *m*, Zs.-treiben *n.* **12.** Abwanderung *f*: industrial ~; ~ from the land Landflucht *f.* **13.** *fig.* a) treibende Kraft, b) (bestimmender) Einfluß. **14.** *fig.* (Sich)ˈTreibenlassen *n*, Ziellosigkeit *f*: the policy of ~. **15.** *tech.* a) Lochräumer *m*, -hammer *m*, b) Austreiber *m*, Dorn *m*, c) Punzen *m*, ˈDurchschlag *m.* **16.** *Bergbau*: Strecke *f*, Stollen *m.* **II** *v/i* **17.** *a. fig.* getrieben werden, treiben (into in *e-n Krieg etc*): to ~ apart sich auseinanderleben, sich trennen; to ~ away a) abwandern,

b) sich entfernen (from von); to let things ~ den Dingen ihren Lauf lassen. **18.** (*bes.* ziellos) (um'her)wandern. **19.** *fig.* getrieben werden, sich (willenlos) treiben lassen. **20.** gezogen werden, geraten (into in *acc*). **21.** sich häufen, Verwehungen bilden: ~ing sand Treib-, Flugsand *m*.
III *v/t* **22.** (da'hin)treiben, (-)tragen. **23.** wehen. **24.** aufhäufen, zs.-treiben. **25.** *tech. ein Loch* ausdornen.
drift·age ['driftidʒ] *s* **1.** Abtrift *f*, Abtrieb *m* (*durch Strömung od. Wind*). **2.** Treibgut *n*, angeschwemmtes Gut.
drift| an·chor *s mar.* Treibanker *m*. ~ **an·gle** *s* **1.** *aer.* Abtriftwinkel *m*. **2.** *mar.* Derivati'onswinkel *m*. ~ **av·a·lanche** *s* 'Staubla,wine *f*.
drift·er ['driftər] *s* **1.** zielloser Mensch, ‚Gammler' *m*. **2.** *mar.* a) Drifter *m*, Treibnetzfischdampfer *m*, b) Treibnetzfischer *m*. **3.** *Bergbau*: Gesteinshauer *m*.
drift| ice *s* Treibeis *n*. ~ **me·ter** *s aer.* Abtriftmesser *m*. ~ **net** *s* Treibnetz *n*. **D~ pe·ri·od** *s geol.* Di'luvium *n*, Eiszeit *f*. '~,**wood** *s* Treibholz *n*.
drill[1] [dril] **I** *s* **1.** *tech.* 'Bohrgerät *n*, -ma,schine *f*, (Drill-, Me'tall-, Stein)Bohrer *m*. **2.** *mil.* for'male Ausbildung, Drill *m*, Exer'zieren *n*. **3.** *fig.* Drill(en *n*) *m*, strenge Schulung: Swedish ~ *sport* Freiübungen *pl*. **4.** Drill *m*, 'Ausbildungsme,thode *f*. **II** *v/t* **5.** *ein Loch* bohren. **6.** durch'bohren: to ~ a tooth *med.* e-n Zahn an- *od.* ausbohren. **7.** *mil. u. fig.* drillen, 'einexer,zieren. **8.** *fig.* drillen, (gründlich) ausbilden. **9.** eindrillen, ‚einpauken' (into s.o. j-m): to ~ French grammar into s.o. **10.** erschießen. **III** *v/i* **11.** (*tech. engS.* ins Volle) bohren: to ~ for oil nach Öl bohren. **12.** *mil. u. fig.* exer'zieren, gedrillt *od.* ausgebildet werden. **13.** sich ausbilden, trai'nieren.
drill[2] [dril] *agr.* **I** *s* **1.** (Saat)Rille *f*, Furche *f*. **2.** 'Reihen,sä-, 'Drillma,schine *f*. **3.** Drillsaat *f*. **II** *v/t* **4.** *Saat* in Reihen säen *od.* pflanzen. **5.** *Land* in Reihen besäen *od.* bepflanzen.
drill[3] [dril] *s* Drill(ich) *m*, Drell *m*.
drill[4] [dril] *s zo.* Drill *m* (*Pavian*).
drill| bit *s tech.* **1.** Bohrspitze *f*, -eisen *n*. **2.** Einsatzbohrer *m*. ~ **book** *s mil.* Exer'zierregle,ment *n*. ~ **car·tridge** *s mil.* Exer'zierpa,trone *f*. ~ **chuck** *s tech.* Bohr-, Spannfutter *n*. ~ **ga(u)ge** *s tech.* Bohr(er)lehre *f*. ~ **ground** *s mil.* Exer'zierplatz *m*.
drill·ing[1] ['driliŋ] *s* **1.** *tech.* Bohren *n*. **2.** *pl tech.* Bohrspäne *pl*. **3.** → drill[1] 2, 3.
drill·ing[2] ['driliŋ] *s agr.* Drillen *n*, Säen *n* mit der 'Drillma,schine.
drill·ing| bit *s tech.* **1.** Bohrspitze *f*. **2.** (Gesteins)Bohrer *m*. ~ **ca·pac·i·ty** *s tech.* **1.** Bohrleistung *f*. **2.** 'Bohr,durchmesser *m* (*e-r Maschine*). ~ **ham·mer** *s tech.* Bohr-, Drillhammer *m*. ~ **jig** *s tech.* Bohrvorrichtung *f*, -futter *n*. ~ **ma·chine** *s tech.* 'Bohrma,schine *f*.
'drill|,mas·ter *s* **1.** *mil.* Ausbilder *m*. **2.** *fig.* ‚Einpauker' *m*. ~ **plough** → drill[2] 2. ~ **press** *s* ('Säulen),Bohrma,schine *f*. ~ **ser·geant** *s mil.* 'Ausbildungs,unteroffi,zier *m*. ~ **ship** *s mar.* Schulschiff *n*.
dri·ly → dryly.
drink [driŋk] **I** *s* **1.** Getränk *n*. **2.** Drink *m*, alko'holisches Getränk: to have a ~ with s.o. mit j-m ein Glas trinken; to be fond of ~ gern trinken; in ~ betrunken. **3.** *collect.* Getränke *pl*: food and ~ Speise u. Trank. **4.** *fig.* das Trinken, der Trunk, der Alkohol: to take to ~ sich dem Trunk ergeben; to be on the ~ *colloq.* dem Trunk frönen. **5.** Trunk *m*, Schluck *m*, Zug *m*: a ~ of water ein Schluck Wasser; to take (*od.* have) a ~ etwas trinken. **6.** *sl.* (*das*) ‚große Wasser', (*der*) ‚Teich' (*Ozean*).
II *v/t pret* **drank** [dræŋk] *obs. a.* **drunk** [drʌŋk], *pp* **drunk,** *selten* **drank,** *obs.* **drunk·en** ['drʌŋkən] **7.** trinken: to ~ tea; to ~ one's soup s-e Suppe essen. **8.** trinken, saufen (*Tier*). **9.** aufsaugen. **10.** *fig.* → drink in 2, 3. **11.** austrinken, leeren. **12.** trinken *od.* anstoßen auf (*acc*): → health 3.
III *v/i* **13.** trinken (out of aus; *poet.* of von): to ~ deep (*od.* hard) a) e-n großen Schluck nehmen, b) *fig.* ein starker Trinker sein. **14.** trinken, saufen (*Tier*). **15.** trinken, dem Alkohol zusprechen, *stärker*: ein Trinker sein. **16.** trinken, anstoßen (to auf *acc*).
Verbindungen mit Adverbien:
drink| a·way *v/t* vertrinken. ~ **down** *v/t j-n* unter den Tisch trinken. ~ **in** *v/t* **1.** aufsaugen. **2.** *fig.* (gierig) in sich aufnehmen, verschlingen: to ~ s.o.'s words. **3.** *fig. Luft etc* einsaugen, (ein)schlürfen. ~ **off,** ~ **up** *v/t* austrinken, leeren.
drink·a·ble ['driŋkəbl] **I** *adj* trinkbar, Trink... **II** *s pl* Getränke *pl*. **'drink·er** *s* **1.** Trinkende(r *m*) *f*. **2.** Zecher *m*. **3.** Trinker *m*, Säufer *m*.
drink·ing ['driŋkiŋ] **I** *s* **1.** Trinken *n*. **2.** (*gewohnheitsmäßiges*) Trinken (*alkoholischer Getränke*). **3.** → drinking bout. **II** *adj* **4.** trinkend: a ~ man ein Trinker. **5.** Trink..., Trunk..., Zech... ~ **bout** *s* Trinkgelage *n*, Zeche'rei *f*. ~ **cup** *s* Trinkbecher *m*. ~ **foun·tain** *s* Trinkbrunnen *m*. ~ **song** *s* Trinklied *n*. ~ **straw** *s* Trinkhalm *m*. ~ **wa·ter** *s* Trinkwasser *n*.
drink of·fer·ing *s relig.* Trankopfer *n*.
drip [drip] **I** *v/t pret u. pp* **dripped** *od.* **dript** [dript] **1.** (her'ab)tröpfeln *od.* (-)tropfen lassen. **II** *v/i* **2.** triefen (with von; *a. fig.*). **3.** (her'ab)tröpfeln, (-)tropfen (from von). **III** *s* **4.** → dripping 1, 2. **5.** *arch.* Trauf-, Kranzleiste *f*. **6.** *tech.* a) Tropfrohr *n*, b) Tropfenfänger *m*. **7.** *Am. sl.* a) ‚Nulpe' *f*, Idi'ot *m*, b) Quatsch *m*. ~ **cock** *s tech.* Entwässerungshahn *m*. ~ **cof·fee** *s Am.* Filterkaffee *m*. '~-,**drip** *s* fortwährendes Tröpfeln. '~-,**dry** *adj* bügelfrei: ~ shirts. ~ **feed** *s tech.* Tropf(öl)schmierung *f*. ~ **oil·er** *s tech.* Tropföler *m*.
drip·ping ['dripiŋ] **I** *s* **1.** (Her'ab)Tröpfeln *n*, (-)Tropfen *n*. **2.** *oft pl* (her'ab)tröpfelnde Flüssigkeit. **3.** (abtropfendes)Bratenfett. **II** *adj* **4.** (her'ab)tröpfelnd, (-)tropfend. **5.** triefend (with von; *a. fig.*): ~ wet; ~ with sentiment. **6.** (völlig) durch'näßt. ~ **pan** *s* **1.** Tropfpfanne *f* (*für abtropfendes Fett*). **2.** Bratpfanne *f*.
'drip|-,proof *adj tech.* tropfwassergeschützt. '~,**stone** *s* **1.** *arch.* Trauf-, Kranzleiste *f*. **2.** *min.* Tropfstein *m*.
drive [draiv] **I** *s* **1.** Fahrt *f*, *bes.* Aus-, Spa'zierfahrt *f*, Ausflug *m*: to take a ~, to go for a ~ → drive out 2; the ~ back die Rückfahrt. **2.** a) Treiben *n* (*von Vieh, Holz etc*), b) Zs.-treiben *n* (*von Vieh*), c) zs.-getriebene Tiere *pl*. **3.** *hunt.* Treibjagd *f*. **4.** *Tennis, Golf etc*: Drive *m*, Treibschlag *m*. **5.** Vorstoß *m*: a) *mil.* kraftvolle Offen'sive, b) *fig.* e'nergische Unter'nehmung. **6.** *fig.* Kam'pagne *f*, (*bes.* Werbe)Feldzug *m*, (*bes.* 'Sammel)Akti,on *f*. **7.** *econ. Am. colloq.* große Ver'kaufsakti,on zu her'abgesetzten Preisen. **8.** *fig.* Schwung *m*, E'lan *m*, Dy'namik *f*. **9.** *fig.* Druck *m*, Drangsal *f*, Über'lastung *f*. **10.** a) Ten'denz *f*, Neigung *f* (*a. psych.*), b) *psych.* Trieb *m*, Drang *m*: sexual ~ Geschlechtstrieb. **11.** a) Fahrstraße *f*, -weg *m*, b) (pri'vate) Auffahrt (*zu e-r Villa etc*). **12.** *tech.* Antrieb *m*: four-wheel ~ Vierradantrieb. **13.** *mot.* (Links- *etc*) Steuerung *f*: left-hand ~.
II *v/t pret* **drove** [drouv] *obs.* **drave** [dreiv] *pp* **driv·en** ['drivn] **14.** (vorwärts-, an)treiben: to ~ all before one *fig.* jeden Widerstand überwinden, unaufhaltsam sein. **15.** *fig.* treiben: to ~ s.o. to desperation j-n zur Verzweiflung treiben; to ~ s.o. to death j-n in den Tod treiben; → mad 1. **16.** *e-n Nagel etc* (ein)treiben, (ein)schlagen, *e-n Pfahl* (ein)rammen: to ~ home a) ganz einschlagen, b) *fig. j-m etwas* klarmachen; to ~ s.th. into s.o. *fig.* j-m etwas einbleuen. **17.** (zur Arbeit) antreiben, hetzen: to ~ s.o. hard a) j-n schinden, b) j-n in die Enge treiben. **18.** *j-n* veranlassen (to, into zu; to do zu tun), bringen (to, into zu), dazu bringen *od.* treiben (to do zu tun): driven by hunger vom Hunger getrieben. **19.** *j-n* nötigen, zwingen (to, into zu; to do zu tun). **20.** zs.-treiben. **21.** vertreiben, verjagen (from von). **22.** *hunt.* treiben, hetzen, jagen. **23.** *Auto etc* lenken, steuern, fahren: to ~ one's own car s-n eigenen Wagen fahren. **24.** (im Auto *etc*) fahren, befördern, bringen (to nach). **25.** *tech.* (an)treiben: driven by steam mit Dampf betrieben, mit Dampfantrieb. **26.** zielbewußt 'durchführen: to ~ a good bargain ein Geschäft vorteilhaft zum Abschluß bringen; he ~s a hard bargain ‚er geht mächtig ran' (*beim Handeln*). **27.** *ein Gewerbe* (zielbewußt) (be)treiben. **28.** *e-n Tunnel etc* bohren, vortreiben. **29.** *colloq.* hin'ausschieben: to ~ s.th. to the last minute. **30.** *sport den Ball* (mit e-m Treibschlag) ab- *od.* zu'rückspielen, treiben.
III *v/i* **31.** (da'hin)treiben, (da'hin)getrieben werden: to ~ before the wind vor dem Wind treiben. **32.** rasen, brausen, jagen, stürmen. **33.** a) (Auto) fahren, chauf'fieren, e-n *od.* den Wagen steuern, b) kut'schieren: can you ~? können Sie (Auto) fahren? **34.** (spa'zieren)fahren. **35.** *sport* e-n Treibschlag ausführen. **36.** zielen (at auf *acc*): → let[1] *Bes. Redew.* **37.** ab-, 'hinzielen (at auf *acc*): what is he driving at? worauf will er hinaus?, was meint *od.* will er eigentlich? **38.** schwer arbeiten (at an *dat*).
Verbindungen mit Adverbien:
drive| a·way I *v/t* (*a. fig. Sorgen etc*) vertreiben, verjagen. **II** *v/i* fort-, wegfahren. ~ **back I** *v/t* **1.** zu'rücktreiben. **2.** zu'rückfahren, -bringen. **II** *v/i* **3.** zu'rückfahren. ~ **in I** *v/t* **1.** → drive 16. **2.** hin'eintreiben. **II** *v/i* **3.** (*mit dem Auto etc*) hin'einfahren. ~ **on I** *v/t* **1.** an-, vorwärtstreiben. **2.** *fig.* vor'antreiben: to ~ a project. **II** *v/i* **3.** weiterfahren. ~ **out** *v/t* **1.** aus-, vertreiben, verjagen. **2.** (*a. v/i*) aus-, spa'zierenfahren. ~ **up I** *v/t Preise etc* in die Höhe treiben. **II** *v/i* vorfahren (to vor *dat*).
'drive-,in *Am.* **I** *adj* **1.** Auto..., Vorfahr..., Sitz-im-Auto-... **II** *s* **2.** Autokino *n*, Drive-'in-'Filmthe,ater *n*. **3.** Geschäft *n*, in dem die Kunden vom

Auto aus ihre Einkäufe tätigen können. **4.** Autorasthaus *n* (*in dem die Gäste im Auto bedient werden*).

driv·el ['drivl] **I** *v/i* **1.** sabbern, geifern. **2.** (dummes Zeug) schwatzen, plappern, faseln. **3.** kindisch *od.* vertrottelt sein. **II** *v/t* **4.** da'herschwatzen. **5.** *a.* ~ **away** vertändeln, vertrödeln. **III** *s* **6.** Unsinn *m*, (unsinniges) Geschwätz, Gefasel *n*. **'driv·el·er,** *bes. Br.* **'driv·el·ler** *s* Schwätzer(in), Faselhans *m*.

driv·en ['drivn] **I** *pp von* **drive. II** *adj* **1.** (an-, vorwärts-, zs.-)getrieben: **as white as** ~ **snow** weiß wie frischgefallener Schnee. **2.** (*in die Erde etc*) (hin'ein)getrieben, hin'eingebohrt. **3.** *tech.* angetrieben, betrieben: → **drive** 25.

driv·er ['draivər] *s* **1.** (An)Treiber *m*. **2.** a) Fahrer *m*, Lenker *m*, Chauf'feur *m*, b) *rail. etc* Führer *m*, c) *obs.* Fuhrmann *m*, Kutscher *m*. **3.** (Vieh)Treiber *m*. **4.** *colloq.* Antreiber *m*, (Leute)-Schinder *m*. **5.** *tech.* a) Treib-, Triebrad *n*, Ritzel *n*, b) Mitnehmer *m*. **6.** *tech.* Rammblock *m*, Ramme *f*. **7.** *Golf*: Driver *m* (*für Treibschläge*). ~ **ant** *s zo.* Treiber-, Wanderameise *f*.

driv·er's| cab *s tech.* Führerhaus *n*, -stand *m*. ~ **li·cense** *s Am.* Führerschein *m*. ~ **seat** *s* Führersitz *m*: **in the** ~ *fig.* am Ruder, an der Macht.

'drive|,screw *s tech.* Schlagschraube *f*. ~ **shaft** *s tech.* Antriebswelle *f*. **'~,way** *s* **1.** *Am. für* **drive** 11. **2.** (Vieh)Trift *f*.

driv·ing ['draiviŋ] **I** *adj* **1.** (an)treibend: ~ **force** treibende Kraft. **2.** *tech.* Antriebs..., Treib..., Trieb... **3.** *mot.* Fahr...: ~ **lessons** Fahrstunden; **to take** ~ **lessons** Fahrunterricht nehmen. **4.** ungestüm, stürmisch: ~ **rain. II** *s* **5.** Treiben *n*. **6.** Autofahren *n*. ~ **ax·le** *s tech.* Treibachse *f*, Antriebswelle *f*. ~ **belt** *s tech.* Treibriemen *m*. ~ **gear** *s tech.* Antrieb *m*, Triebwerk *n*, Getriebe *n*. ~ **i·ron** *s* **1.** *tech.* Bohreisen *n* (*für Erdbohrungen*). **2.** *Golf*: eiserner Schläger mit leichter Neigung. ~ **li·cence,** *Am.* ~ **li·cense** *s* Führerschein *m*. ~ **mir·ror** *s mot.* Rückspiegel *m*. ~ **pow·er** *s tech.* Antriebskraft *f*, -leistung *f*. ~ **shaft** → **drive shaft.** ~ **spring** *s* Trieb-, Gangfeder *f* (*der Uhr*). ~ **test** *s* Fahrprüfung *f*. ~ **wheel** *s tech.* Trieb-, Antriebsrad *n*.

driz·zle ['drizl] **I** *v/i* **1.** nieseln, fein regnen. **II** *v/t* **2.** in kleinen Tröpfchen versprühen. **3.** mit kleinen Tröpfchen benetzen. **III** *s* **4.** Sprüh-, Nieselregen *m*. **'driz·zly** *adj* nieselnd, feucht u. neb(e)lig.

drogue [droug] *s* **1.** → **sea anchor. 2.** *aer. mil.* Schleppscheibe *f*, -sack *m*.

droit [drɔit; drwa] *s jur.* Recht(sanspruch *m*) *n*: ~**s of Admiralty** Rechtsansprüche der Marinebehörde auf feindliche Schiffe.

droll [droul] **I** *adj* (*adv* **drolly**) drollig, spaßig, komisch, pos'sierlich. **II** *s selten* Possenreißer *m*. **'droll·er·y** [-əri] *s* **1.** drollige Sache. **2.** Schnurre *f*, Schwank *m*, Spaß *m*. **3.** Posse *f*. **4.** Spaßigkeit *f*, Komik *f*. **5.** *obs.* a) komisches Bild, b) Puppenspiel *n*.

-drome [droum] *Wortelement mit der Bedeutung* (Renn)Bahn.

drome [droum] *sl. für* **airdrome** *od. Br.* **aerodrome.**

drom·e·dar·y ['drɒmədəri; 'drʌm-] *s zo.* Drome'dar *n*.

drone[1] [droun] **I** *s* **1.** *a.* ~ **bee** *zo.* Drohn(e*f*) *m* (*Bienenmännchen*). **2.** *fig.* Drohne *f*, Nichtstuer *m*, Schma'rotzer *m*. **3.** *mil.* (*durch Funk*) ferngesteuertes Fahrzeug (*bes. Flugzeug, Boot, Rakete*). **II** *v/i* **4.** ein Drohnendasein führen. **III** *v/t* **5.** vertrödeln.

drone[2] [droun] **I** *v/i* **1.** brummen, summen. **2.** murmeln. **3.** *fig.* leiern, eintönig sprechen *od.* lesen. **II** *v/t* **4.** 'herleiern. **III** *s* **5.** *mus.* a) Bor'dun *m* b) Baßpfeife *f* (*des Dudelsacks*). **6.** Brummen *n*, Summen *n*. **7.** *fig.* Geleier *n*. **8.** *fig.* leiernder Redner.

dron·ish ['drouniʃ] *adj* (*adv* ~**ly**) drohnenhaft, faul. **'dron·y** *adj* **1.** → **dronish. 2.** summend.

drool [dru:l] **I** *v/i Br. od. Am. dial. für* **drivel** I. **II** *s Am. sl. od. Br. dial. für* **drivel** III.

droop [dru:p] **I** *v/i* **1.** (schlaff) her'abhängen *od.* -sinken. **2.** (ver)welken. **3.** ermatten, erschlaffen, erschöpft zs.-sinken (**from, with** vor *dat*, in'folge). **4.** sinken (*Mut etc*). **5.** den Kopf hängenlassen. **6.** *econ.* abbröckeln, fallen (*Preise*). **7.** *poet.* sich neigen (*Sonne etc*). **II** *v/t* **8.** (schlaff) her'abhängen lassen. **9.** *den Kopf* hängenlassen, *den Mut* sinken lassen. **III** *s* **10.** (Her'ab)Hängen *n*. **11.** Erschlaffen *n*. **'droop·y** *adj* **1.** erschlafft, ermattet, schlaff, matt. **2.** niedergeschlagen, mutlos.

drop [drɒp] **I** *s* **1.** Tropfen *m*: **a** ~ **of blood** ein Blutstropfen; **a** ~ **in the bucket** (*od.* **ocean**) *fig.* ein Tropfen auf e-n heißen Stein. **2.** *pl med.* Tropfen *pl*, 'Tropfarz,nei *f*. **3.** *fig.* Tropfen *m*, Tröpfchen *n*, (*das*) bißchen: ~ **by** ~, **in** ~**s** tropfen-, tröpfchenweise. **4.** *fig.* Glas *n*, Gläs-chen *n*: **he has taken a** ~ **too much** er hat ein Glas über den Durst getrunken; **to have a** ~ **in one's eye** *colloq.* ,einen (leichten) sitzen haben'. **5.** tropfenähnliches Gebilde, *bes.* a) Ohrgehänge *n*, b) (her'abhängendes) Prisma (*am Glaslüster*). **6.** 'Fruchtbon,bon *m, n, pl* Drops *pl*. **7.** a) Fallen *n*, Fall *m* (**from** aus), b) → **airdrop: at the** ~ **of a hat** *Am. colloq.* beim geringsten Anlaß, prompt; **to get** (*od.* **have**) **the** ~ **on s.o.** *Am. colloq.* a) j-m (*beim Ziehen der Waffen*) zuvorkommen, b) j-m überlegen sein, j-m (weit) voraus sein. **8.** *econ.* plötzliches Fallen *od.* Sinken (*der Preise*): **a** ~ **in prices; to take a** ~ fallen. **9.** Fall(tiefe *f*) *m*: **a** ~ **of ten feet** ein Fall aus 3 Meter Höhe. **10.** (plötzliche) Senkung, (steiler) Abfall, Gefälle *n*. **11.** Fall *m*, Sturz *m* (*der Temperatur etc*). **12.** *electr.* (Ab)-Fall *m* (*der Spannung*). **13.** a) Fallvorrichtung *f*, b) Vorrichtung *f* zum Her'ablassen (*von Lasten etc*). **14.** Falltür *f*. **15.** a) Fallbrett *n* (*am Galgen*), b) Galgen *m*. **16.** (Fall)Klappe *f* (*am Schlüsselloch etc*). **17.** *Am.* (Brief)-Einwurf *m*: **letter** ~. **18.** → **drop curtain.**

II *v/i pret u. pp* **dropped** *od.* **dropt** [drɒpt] **19.** (her'ab)tropfen, her'abtröpfeln. **20.** triefen (**with** von). **21.** (her'ab-, her'unter)fallen (**from** von, **out of** aus): **to let s.th.** ~ etwas fallen lassen; **these words** ~**ped from his lips** *fig.* diese Worte kamen von s-n Lippen. **22.** (nieder)sinken, fallen: **to** ~ **on one's knees** auf die Knie sinken *od.* fallen; **to** ~ **into a chair** auf *od.* in e-n Sessel sinken. **23.** a) (ohnmächtig) zu Boden sinken, 'umfallen, b) *a.* ~ **dead** tot 'umfallen: **fit** (*od.* **ready**) **to** ~ zum Umfallen müde. **24.** *fig.* aufhören, im Sande verlaufen, einschlafen: **our correspondence** ~**ped. 25.** sinken, (ver)fallen: **to** ~ **asleep** einschlafen, in Schlaf sinken; **to** ~ **into a habit** in e-e Gewohnheit verfallen. **26.** (ab)sinken, sich senken. **27.** sinken, fallen, her'untergehen (*Preise, Thermometer etc*). **28.** sich senken (*Stimme*). **29.** sich legen (*Wind*). **30.** zufällig *od.* unerwartet kommen *od.* gehen: **to** ~ **into the room** unerwartet ins Zimmer treten; **to** ~ **across s.o. (s.th.)** zufällig auf j-n (etwas) stoßen. **31.** *colloq.* 'herfallen (**on, across, into s.o.** über j-n). **32.** → **drop back: to** ~ **to the rear** zurückbleiben, ins Hintertreffen geraten. **33.** *zo. Junge* werfen, *bes.* a) lammen, b) kalben, c) fohlen. **34.** abfallen (*Gelände etc*).

III *v/t* **35.** (her'ab)tropfen *od.* (-)tröpfeln lassen. **36.** tropfenweise eingießen. **37.** *e-e Träne* vergießen, fallen lassen. **38.** senken, her'ablassen. **39.** fallen lassen: **to** ~ **a book. 40.** (hin'ein)werfen (**into** in *acc*). **41.** *Bomben etc* (ab)werfen. **42.** *mar. den Anker* auswerfen. **43.** *e-e Bemerkung* fallenlassen: **to** ~ **a remark;** ~ **me a line!** schreibe mir ein paar Zeilen! **44.** *ein Thema, e-e Gewohnheit etc* fallenlassen: **to** ~ **a subject (habit** *etc*). **45.** *e-e Tätigkeit* aufgeben, aufhören mit: **to** ~ **writing** aufhören zu schreiben; **to** ~ **the correspondence** die Korrespondenz einstellen; ~ **it!** hör auf damit!, laß das! **46.** *j-n* fallenlassen, nichts mehr zu tun haben wollen mit. **47.** *Am.* a) *j-n* entlassen, b) (*von e-m College etc*) ausschließen. **48.** *zo. Junge, bes. Lämmer* werfen. **49.** *e-e Last, a. Passagiere* absetzen. **50.** *sl. Geld* a) loswerden, b) verlieren. **51.** *Buchstaben etc* auslassen: **to** ~ **one's aitches** a) das ,h' nicht sprechen, b) *fig.* e-e vulgäre Aussprache haben. **52.** zu Fall bringen, zu Boden schlagen. **53.** ab-, her'unterschießen: **to** ~ **a bird. 54.** *die Augen od. die Stimme* senken. **55.** *sport ein Tor* durch e-n Halbvolleyball erzielen.

Verbindungen mit Adverbien:

drop| a·way *v/i* **1.** (nachein'ander) abfallen. **2.** (e-r nach dem anderen) sich entfernen. **3.** außer Sicht kommen. ~ **back,** ~ **be·hind** *v/i* zu'rückbleiben, -fallen, ins 'Hintertreffen geraten. ~ **down** *v/i* **1.** her'abtröpfeln. **2.** her'abfallen. **3.** niedersinken. ~ **in** *v/i* **1.** her'einkommen (*a. fig. Aufträge etc*). **2.** einlaufen (*Aufträge*). **3.** (kurz) her'einschauen (**on** bei), her'einschneien. ~ **off** *v/i* **1.** abfallen (*a. electr.*). **2.** fallen, zu'rückgehen, abnehmen. **3.** einschlafen. ~ **out** *v/i* **1.** ausscheiden. **2.** verschwinden. **3.** sich zu'rückziehen (**of s.th.** von etwas).

drop| arch *s arch.* niedriger Spitzbogen. ~ **ball** *s Fußball*: Schiedsrichterball *m*. ~ **bot·tom** *s* Bodenklappe *f*. ~ **cur·tain** *s thea.* (Zwischenakt)Vorhang *m*. **'~-,forge** *v/t tech.* im Gesenk schmieden. ~ **forg·ing** *s tech.* **1.** Gesenkschmieden *n*. **2.** Gesenkschmiedestück *n*. ~ **ham·mer** *s tech.* Fall-, Gesenkhammer *m*. ~ **han·dle** *s tech.* Klappgriff *m*. **'~,head I** *s* **1.** *tech.* Versenkvorrichtung *f* (*für e-e Nähmaschine etc*). **2.** *mot. Br.* a) Klappverdeck *n*, b) Kabrio'lett *n*. **II** *adj* **3.** versenkbar: ~ **coupé** → 2 b. ~ **kick** *s sport* a) Fallabstoß *m*, b) 'Halb,volleyball *m*.

drop·let ['drɒplit] *s* Tröpfchen *n*.

drop| let·ter *s* **1.** postlagernder Brief. **2.** *Am.* Ortsbrief *m*. **'~-,out cur·rent** *s electr.* Auslöse-, Abschaltstrom *m*.

drop·per ['drɒpər] *s med. etc* Tropfglas *n*, Tropfenzähler *m*: **eye** ~ Augentropfer *m*.

drop·ping ['drɒpiŋ] *s* **1.** Tropfen *n*,

Tröpfeln *n*: constant ~ wears a stone steter Tropfen höhlt den Stein. **2.** Abwurf *m*, Abwerfen *n* (*von Bomben etc*). **3.** (Her'ab)Fallen *n*. **4.** *pl* (Tier)Mist *m*, Dung *m*, 'Tierexkreˌmente *pl*. **5.** *pl* (Ab)Fallwolle *f*.
drop| pit *s tech.* Arbeitsgrube *f*. **~ scene** *s* **1.** → drop curtain. **2.** *fig.* dra'matische Schlußszene, Fi'nale *n*. **~ seat** *s* Klappsitz *m*. **~ ship·ment** *s econ.* Di'rektversand *m* (an den Einzelhändler). **~ shot** → drop stroke. **~ shut·ter** *s phot.* Fallverschluß *m*.
drop·si·cal ['drɒpsikəl], *obs.* **'drop·sied** [-sid] *adj med.* **1.** wassersüchtig. **2.** ödema'tös, Wassersucht...
drop| stitch *s* Fallmasche *f*. **~ stroke** *s Tennis*: Stoppball *m*.
drop·sy ['drɒpsi] *s med.* **1.** Wassersucht *f*. **2.** Ö'dem *n*.
dropt [drɒpt] *pret u. pp von* drop.
drop| ta·ble *s* Klapptisch *m*. **'~-ˌtank** *s aer.* (Kraftstoff)Abwurfbehälter *m*. **~ test** *s tech.* Schlagprobe *f*. **'~ˌwise** *adv* tropfenweise. **'~ˌwort** *s bot.* **1.** Mädesüß *n*. **2.** Rebendolde *f*.
dross [drɒs] *s* **1.** *metall.* a) (Ab)Schaum *m*, b) Schlacke *f*, Gekrätz *n*. **2.** Abfall *m*, Unrat *m*. **3.** *fig.* Abfall *m*, Auswurf *m*, wertloses Zeug. **'dross·y** *adj* **1.** unrein. **2.** schlackig. **3.** *fig.* wertlos, vergänglich.
drought [draut] *s* **1.** Trockenheit *f*, Dürre *f*. **2.** 'Dürre(periˌode) *f*. **3.** *fig.* Mangel *m*. **4.** *obs. od. dial.* Durst *m*. **'drought·y** *adj* **1.** trocken, dürr. **2.** regenlos. **3.** *obs. od. dial.* durstig.
drouth [drauθ], **'drouth·y** → drought, droughty.
drove[1] [drouv] *pret von* drive.
drove[2] [drouv] *s* **1.** (getriebene) Herde (*Vieh*). **2.** *fig.* Herde *f*, Zug *m* (*Menschen*).
dro·ver ['drouvər] *s* **1.** Viehhändler *m*. **2.** Viehtreiber *m*.
drown [draun] **I** *v/i* **1.** ertrinken, ‚ersaufen': a ~ing man will catch at a straw ein Ertrinkender greift nach e-m Strohhalm; death by ~ing Tod *m* durch Ertrinken. **II** *v/t* **2.** (o.s. sich) ertränken, ‚ersäufen': to be ~ed ertrinken. **3.** über'schwemmen, -'fluten: ~ed in tears in Tränen gebadet; like a ~ed rat pudelnaß. **4.** *a.* ~ out (*bes. die Stimme*) über'tönen. **5.** *fig.* ersticken, ertränken, betäuben.
drowse [drauz] **I** *v/i* **1.** schläfrig sein, (da'hin)dösen, schlummern. **2.** *fig.* schwerfällig *od.* verschlafen sein. **II** *v/t* **3.** schläfrig machen, einschläfern. **4.** *Zeit etc* verdösen, verschlafen. **III** *s* **5.** Dösen *n*, Halbschlaf *m*. **'drow·si·ness** *s* Schläfrigkeit *f*. **'drow·sy** *adj* (*adv* drowsily) **1.** schläfrig, schlaftrunken. **2.** einschläfernd. **3.** (*bes. geistig*) schwerfällig, träg(e), verschlafen.
drub [drʌb] *v/t* **1.** (ver)prügeln: to ~ s.th. into (out of) s.o. j-m etwas einbleuen (austreiben). **2.** über'legen besiegen, ‚über'fahren'. **'drub·bing** *s* **1.** Tracht *f* Prügel. **2.** Niederlage *f*.
drudge [drʌdʒ] **I** *s* **1.** *fig.* Kuli *m*, Packesel *m*, Arbeitstier *n*: to be the ~ das Aschenbrödel sein. **2.** → drudgery. **II** *v/i* **3.** sich (ab)placken, schuften, sich (ab)schinden. **'drudg·er·y** [-əri] *s* Schinde'rei *f*, Placke'rei *f*. **'drudg·ing·ly** *adv* mühsam.
drug [drʌg] **I** *s* **1.** Droge *f*, Arz'neimittel *n*, pharma'zeutisches Präpa'rat, Medika'ment *n*, Droge'rieware *f*: ~-fast arzneifest, drogenresistent. **2.** Nar'kotikum *n*, *bes.* Rauschgift *n*: ~ habit Rauschgiftsucht *f*; → addict 1. **3.** *fig.* Droge *f*, (*etwas*) Berauschendes, Betäubungsmittel *n*: music is a ~. **4.** ~ on (*od.* in) the market *econ.* Ladenhüter *m*, schwer verkäufliche Ware. **II** *v/t* **5.** a) Drogen beimischen (*dat*), b) mit chemischen Zusatzmitteln versehen, verfälschen. **6.** *j-n* unter Drogen setzen. **7.** *a. fig.* a) vergiften, b) betäuben: ~ged with sleep schlaftrunken. **8.** *fig.* über'sättigen. **III** *v/i* **9.** Rauschgift nehmen.
drug·get ['drʌgit] *s* **1.** Dro'gett *m* (*ein Wollstoff*). **2.** grobes Gewebe, *bes.* Teppich-, Möbelschoner *m*.
drug·gist ['drʌgist] *s* Dro'gist *m*.
'drugˌstore *s Am.* **1.** Drugstore *m*, Droge'rie *f* (*mit Warenverkauf u. Imbißstube*). **2.** Apo'theke *f*, Droge'rie *f*.
Dru·id ['dru:id] *s* Dru'ide *m*. **'Dru·id·ess** *s* Dru'idin *f*. **dru'id·ic, dru'id·i·cal** *adj* dru'idisch, Druiden...
drum[1] [drʌm] **I** *s* **1.** *mus.* Trommel *f*: to beat the ~ die Trommel schlagen *od.* rühren, trommeln; with ~s beating mit klingendem Spiel. **2.** *pl mus.* Schlagzeug *n* (*e-r Tanzkapelle*). **3.** Trommel-, Paukenschlag *m* (*a. fig.*). **4.** Trommler *m*, Tambour *m*. **5.** *tech.* (*a.* Förder-, Misch-, Seil-)Trommel *f*, Walze *f*, Zy'linder *m*. **6.** *tech.* Scheibe *f*. **7.** *mil.* Trommel *f* (*automatischer Feuerwaffen*). **8.** *electr.* Trommel *f*, (Eisen)Kern *m* (*e-s Ankers*). **9.** Trommel *f*, trommelförmiger Behälter. **10.** *anat.* a) Mittelohr *n*, b) Trommelfell *n*. **11.** *arch.* (Säulen)Trommel *f*. **12.** *obs.* Tee- *od.* Abendgesellschaft *f*. **II** *v/t* **13.** *e-n Rhythmus* trommeln: to ~ s.th. into s.o. *fig.* j-m etwas einhämmern. **14.** trommeln auf (*acc*): to ~ the table. **15.** ~ up *fig.* a) zs.-trommeln, (an)werben, ‚auf die Beine stellen', b) *Am.* sich einfallen lassen, sich ausdenken: to ~ up some good ideas. **16.** ~ out schimpflich ausstoßen, hin'auswerfen. **III** *v/i* **17.** *a. weitS.* trommeln (at an *acc*; on auf *acc*). **18.** (rhythmisch) dröhnen. **19.** burren, mit den Flügeln trommeln (*Federwild*). **20.** *Am.* die (Werbe)Trommel rühren (for für).
drum[2] [drʌm] *s* **1.** *Scot. od. Ir.* langer schmaler Hügel. **2.** → drumlin.
drum| ar·ma·ture *s electr.* Trommelanker *m*. **~ con·trol·ler** *s electr. tech.* Steuerwalze *f*. **'~ˌfire** *s mil.* Trommelfeuer *n*. **'~ˌfish** *s ichth.* Trommelfisch *m*.
'drumˌhead *s mus., a. anat.* Trommelfell *n*. **~ court-mar·tial** *s mil.* Standgericht *n*. **~ serv·ice** *s mil. relig.* Feldgottesdienst *m*.
drum·lin ['drʌmlin] *s geol.* langgestreckter Mo'ränenhügel.
drum| ma·jor *s* 'Tambourmaˌjor *m*. **~ ma·jor·ette** *s bes. Am.* 'Tambourmaˌjorin *f*.
drum·mer ['drʌmər] *s* **1.** *mus.* a) Trommler *m*, b) Schlagzeuger *m*. **2.** *econ. Am.* Vertreter *m*, Handlungsreisende(r) *m*.
Drum·mond light ['drʌmənd] *s phys.* Drummondsches Licht.
drum| saw *s tech.* Zy'lindersäge *f*. **~ sieve** *s tech.* Trommelsieb *n*. **'~ˌstick** *s* **1.** Trommelstock *m*, -schlegel *m*. **2.** 'Unterschenkel *m* (*von zubereitetem Geflügel*). **~ wind·ing** *s electr.* Trommelwick(e)lung *f*.
drunk [drʌŋk] **I** *adj* (*meist pred*) **1.** betrunken: to get ~ sich betrinken; ~ as a lord (*od.* a fiddler), dead ~ total betrunken *od.* ‚blau'; beastly ~ ‚stinkbesoffen'; ~ driving *jur. mot.* Trunkenheit *f* am Steuer. **2.** *fig.* (with) trunken (vor *dat*, von), berauscht (von): ~ with joy freudetrunken. **3.** *obs.* durch'tränkt. **II** *s sl.* **4.** a) Betrunkene(r *m*) *f*, b) → drunkard, c) *jur.* Fall *m* von Betrunkenheit. **5.** Saufe'rei *f*. **6.** *sl.* Rausch *m*, ‚Affen' *m*, Besoffenheit *f*. **III** *pp u. obs. pret von* drink. **'drunk·ard** [-ərd] *s* (Gewohnheits)Trinker(in), Säufer(in), Trunkenbold *m*. **'drunk·en I** *adj* (*meist attr*) (*adv* ~ly) **1.** betrunken. **2.** trunksüchtig. **3.** *fig.* → drunk 2. **4.** durch Betrunkenheit bedingt: a ~ quarrel ein im Rausch angefangener Streit. **II** *obs. pp von* drink. **'drunk·en·ness** *s* Trunkenheit *f*, Berauschtheit *f*, Rausch *m* (*alle a. fig.*): (habitual) ~ Trunksucht *f*.
dru·pa·ceous [dru:'peiʃəs] *adj bot.* Steinfrucht... **drupe** [dru:p] *s bot.* Steinfrucht *f*. **'drupe·let** [-lit], *a.* **'drup·el** [-pl] *s bot.* Steinfrüchtchen *n*.
Druse[1] [dru:z] *s* Druse *m*, Drusin *f* (*Mitglied e-r mohammedanischen Sekte*).
druse[2] [dru:z] *s geol. min.* (Kri'stall)-Druse *f*.
dry [drai] **I** *adj comp* **'dri·er**, *sup* **'dri·est** (*adv* → dryly, drily) **1.** trocken: to rub s.th. ~ etwas trockenreiben; not yet ~ behind the ears *colloq.* noch nicht trocken hinter den Ohren; a ~ cough ein trockener Husten; → run 74. **2.** Trocken...: ~ fruit Dörrobst *n*; ~ process *tech.* Trockenverfahren *n*. **3.** trocken, niederschlagsarm *od.* -frei: ~ land; a ~ summer. **4.** dürr, ausgedörrt. **5.** ausgetrocknet, versiegt: a ~ fountain pen ein leerer Füllhalter. **6.** trockenstehend (*Kuh etc*): the cow is ~ die Kuh steht trocken *od.* gibt keine Milch. **7.** tränenlos (*Auge*): with ~ eyes trockenen Auges, *a. fig.* ungerührt. **8.** *colloq.* durstig. **9.** durstig machend: ~ work. **10.** trocken, ohne Aufstrich: ~ bread. **11.** *obs.* unblutig, ohne Blutvergießen: ~ war. **12.** *paint. etc* streng, nüchtern, ex'akt. **13.** 'unprodukˌtiv (*Künstler etc*). **14.** nüchtern, nackt, ungeschminkt: ~ facts. **15.** trocken, langweilig, ledern: as ~ as dust sterbenslangweilig. **16.** trocken, sar'kastisch: ~ humo(u)r. **17.** trocken, stur, hu'morlos. **18.** kühl, gleichgültig, gelassen. **19.** trocken, herb: ~ wine. **20.** *colloq.* a) alkoholfeindlich: ~ law Prohibitionsgesetz *n*, b) trocken, mit Alkoholverbot: a ~ State ein Staat mit Alkoholverbot; to go ~ das Alkoholverbot einführen, c) abstinent. **21.** *mil. Am.* Übungs..., ohne scharfe Muniti'on: ~ firing Ziel- u. Anschlagübungen *pl*.
II *v/t* **22.** trocknen: to ~ one's tears. **23.** (o.s. sich, one's hands sich die Hände) abtrocknen. **24.** *oft* ~ up a) (auf)trocknen, b) austrocknen, c) *fig.* erschöpfen. **25.** *Obst etc* dörren.
III *v/i* **26.** trocknen, trocken werden. **27.** verdorren. **28.** ~ up a) ein-, aus-, vertrocknen, b) versiegen, c) keine Milch mehr geben (*Kuh etc*), d) *fig.* verblöden, e) *colloq.* versiegen, aufhören, f) *colloq.* verstummen, den Mund halten: ~ up! halte die Klappe!, g) *colloq.* (*in der Rolle*) steckenbleiben.
IV *s pl* **dries** [draiz] **29.** Trockenheit *f*. **30.** Trockenzeit *f*. **31.** *pl* **drys** *Am. colloq.* Prohibitio'nist *m*, Alkoholgegner *m*.
dry·ad ['draiəd; -æd] *s myth.* Dry'ade *f*.
'dry·asˌdust I *s a.* D~ trockener Stubengelehrter, pe'dantischer Bücherwurm. **II** *adj* (sehr) langweilig *od.* trocken.

dry| bat·ter·y *s electr.* 'Trockenbatteˌrie *f*. ~ **bob** *s ped. Br.* (*Eton College*) *Schüler, der Landsport treibt.* ~ **capi·tal** *s econ. colloq.* unverwässertes Ge'sellschaftskapiˌtal. ~ **cell** *s electr.* 'Trockeneleˌment *n*. '~-'**clean** *v/t* chemisch reinigen. ~ **clean·er** *s* chemische Reinigung(sanstalt). ~ **cleaning** *s* Trockenreinigung *f*, chemische Reinigung. ~ **clutch** *s tech.* Trocken-, Frikti'onskupplung *f*. '~-ˌ**cure** *v/t Fleisch etc* dörren, (trocken) einsalzen. ~ **dock** *s mar.* Trockendock *n*. '~-ˌ**dock** *v/t mar.* ins Trockendock bringen.

dry·er → drier[1].

dry| farm *s agr.* Trockenfarm *f*. '~-ˌ**farm** *agr.* **I** *v/i* trockenfarmen. **II** *v/t* im Trockenfarm-Verfahren bearbeiten. ~ **farm·ing** *s agr.* Trokkenfarmen *n*. ~ **fly** *s Angeln*: Trokkenfliege *f*. ~ **goods** *s pl econ. Am.* Tex'tilien *pl*, Tex'til-, Schnittwaren *pl*. '~-ˌ**gulch** *v/t Am. sl.* ‚abmurksen'. ~ **ice** *s chem.* Trockeneis *n*.

dry·ing| a·gent ['draiiŋ] *s tech.* Trokkenmittel *n*. ~ **ov·en** *s tech.* Trockenofen *m*.

dry·ly ['draili] *adv* trocken (*etc*, → dry I).

dry meas·ure *s* Trocken(hohl)maß *n*.

dry·ness ['drainis] *s* **1.** Trockenheit *f*: a) trockener Zustand, b) Dürre *f*, c) *fig.* (pe'dantische) Nüchternheit, d) Langweiligkeit *f*, e) Sar'kasmus *m*. **2.** *fig.* Kälte *f*, Kühlheit *f*.

dry| nurse *s* **1.** Kinderschwester *f*. **2.** *fig. Am. sl.* ‚Kindermädchen' *n*. '~-ˌ**nurse** *v/t* bemuttern, betreuen (*a. fig.*). ~ **pile** *s electr.* Zam'bonische (Trocken)Säule. ~ **plate** *s phot.* Trokkenplatte *f*. '~-'**plate proc·ess** *s phot.* trockenes Kol'lodiumverfahren. ~ **point** *s* **1.** Kaltnadel *f*. **2.** 'Kaltnadelraˌdierung *f*. **3.** Kaltnadelverfahren *n*. ~ **rot** *s* **1.** *bot.* Trockenfäule *f*. **2.** *bot.* (*ein*) Trockenfäule erregender Pilz. **3.** *fig.* Verfall *m*. ~ **run** *s mil. sl.* **1.** Übungsschießen *n* ohne scharfe Muniti'on. **2.** Probe *f*, Übung *f*. '~-ˌ**salt** *v/t* dörren u. einsalzen. '~ˌ**salt·er** *s Br.* Farben- u. Chemi'kalienhändler *m*. '~ˌ**salt·er·y** *s Br.* **1.** Chemi'kalienhandlung *f*. **2.** (Farben *pl* u.) Chemi'kalien *pl*. ~ **shampoo** *s* 'Trockenshamˌpoo *n*. '~-ˌ**shave** *v/t Am. sl.* ‚einseifen', betrügen. '~-'**shod** *adj* trockenen Fußes. ~ **steam** *s tech.* trockener *od.* über'hitzter Dampf. ~ **stor·age** *s* Lagerung *f* mit Kaltluftkühlung. ~ **wall** *s arch.* Trockenmauer *f*. ~ **wash** *s* Trockenwäsche *f*. ~ **weight** *s* Trockengewicht *n*.

du·al ['dju:əl] **I** *adj* zweifach, doppelt, Doppelt..., Zwei..., *tech. a.* Zwillings...: ~ **nature** Doppelnatur *f*; ~ **carriageway** *mot.* doppelte Fahrbahn; ~ **theorems** *math.* duale Sätze. **II** *s ling.* Dual *m*, Du'alis *m*. **D~ Al·li·ance** *s pol. hist.* **1.** Zweibund *m* (*Deutschland u. Österreich-Ungarn 1879—1918*). **2.** 'Doppelenˌtente *f* (*Frankreich u. Rußland 1891—1917*). ~ **con·trol** *s aer. tech.* Doppelsteuerung *f*. ~ **ig·ni·tion** *s tech.* Doppelzündung *f*.

du·al·ism ['dju:əˌlizəm] *s* **1.** *bes. philos. pol. relig.* Dua'lismus *m*. **2.** → duality. ˌ**du·al'is·tic** *adj* dua'listisch. **du'al·i·ty** [-'æliti; -əti] *s* Duali'tät *f*, Zweiheit *f*.

Du·al Mon·arch·y *s hist.* 'Doppelmonarˌchie *f* (*Österreich-Ungarn*).

du·al| na·tion·al·i·ty *s* doppelte Staatsangehörigkeit. '~-'**pur·pose** *adj* Doppel-, Zwei-, Mehrzweck... ~ **tires,** *bes. Br.* ~ **tyres** *s pl tech.* Zwillingsbereifung *f*.

dub[1] [dʌb] *v/t* **1.** *j-n* (zum Ritter) schlagen: to ~ **s.o. a knight. 2.** *oft humor.* betiteln, titu'lieren, nennen: to ~ **s.o. a scribbler. 3.** *tech.* a) zurichten, b) *Leder* einfetten, schmieren. **4.** *künstliche Angelfliege* 'herrichten. **5.** *Golf*: *den Ball* schlecht treffen. **6.** ‚verpatzen'.

dub[2] [dʌb] *s Am. sl.* ‚Flasche' *f*, Niete' *f*.

dub[3] [dʌb] *v/t* **1.** *e-n Film* a) (*in e-r anderen Sprache*) synchroni'sieren, b) ('nach)synchroniˌsieren, mit (zusätzlichen) 'Tonefˌfekten *etc* unter'malen. **2.** *Toneffekte etc in e-n Film* 'einsynchroniˌsieren.

dub·bin ['dʌbin] → dubbing 3.

dub·bing ['dʌbiŋ] *s* **1.** Ritterschlag *m*. **2.** Betiteln *n*. **3.** *tech.* (Leder)Schmiere *f*, Lederfett *n*.

du·bi·e·ty [dju:'baiəti], ˌ**du·bi'os·i·ty** [-bi'ɒsiti] *s* **1.** Zweifelhaftigkeit *f*. **2.** Ungewißheit *f*. **3.** Fragwürdigkeit *f*.

'**du·bi·ous** [-biəs] *adj* (*adv* ~**ly**) **1.** zweifelhaft: a) unklar, zweideutig, b) ungewiß, unbestimmt, c) fragwürdig, verdächtig, dubi'os, d) unzuverlässig. **2.** a) unschlüssig, b) unsicher, im Zweifel (of, **about** über *acc*).

'**du·bi·ous·ness** → dubiety.

du·bi·ta·tive ['dju:biˌteitiv] *adj* (*adv* ~**ly**) zweifelnd, zögernd.

du·cal ['dju:kəl] *adj* (*adv* ~**ly**) herzoglich, Herzogs...

duc·at ['dʌkit] *s* **1.** *hist.* Du'katen *m*. **2.** *pl obs. sl.* ‚Mo'neten' *pl*. **3.** *Am. sl. für* **ticket.**

duch·ess ['dʌtʃis] *s* Herzogin *f*.

duch·y ['dʌtʃi] *s* Herzogtum *n*.

duck[1] [dʌk] *s* **1.** *pl* **ducks,** *collect.* **duck** *orn.* Ente *f*: **five** ~ *od.* ~**s** 5 Enten; **like a** ~ **in a thunderstorm** *colloq.* wie vom Donner gerührt, bestürzt; **like water off a** ~**'s back** *colloq.* ohne den geringsten Eindruck zu machen; **like a** ~ **takes to the water** *fig.* mit der größten Selbstverständlichkeit; **a fine day for (young)** ~**s** *colloq.* ein regnerischer Tag; → ducks and drakes; → lame duck. **2.** (weibliche) Ente. **3.** Ente(nfleisch *n*) *f*: **roast** ~ gebratene Ente, Entenbraten *m*. **4.** *colloq.* ‚(Gold)Schatz' *m*: **she is a** ~ **of a girl** sie ist ein süßes Mädel. **5.** *Am. sl.* Bursche *m*, Kerl *m*. **6.** *Kricket*: Null *f*: **out for a** ~ aus dem Spiel, ohne e-n Punkt erzielt zu haben.

duck[2] [dʌk] **I** *v/i* **1.** (rasch) ('unter)tauchen. **2.** *a fig.* sich ducken (to s.o. vor j-m). **3.** sich verbeugen (to s.o. vor j-m). **4.** *Am. colloq.* sich ‚drükken': to ~ **out** *Am. sl.* ‚verduften'. **II** *v/t* **5.** ('unter)tauchen. **6.** ducken: to ~ **one's head** den Kopf ducken *od.* einziehen. **7.** *Am. colloq.* a) *e-n Schlag* abducken, b) sich ‚drücken' vor (*dat*). **III** *s* **8.** rasches ('Unter)Tauchen. **9.** Ducken *n*. **10.** (kurze) Verbeugung.

duck[3] [dʌk] *s* **1.** Segeltuch *n*, Sackleinwand *f*. **2.** *pl colloq.* Segeltuchkleider *pl*, *bes.* Segeltuchhose *f*.

duck[4] [dʌk] *s mil.* Am'phibien-Lastkraftwagen *m*.

'**duck|ˌbill** *s* **1.** *zo.* Schnabeltier *n*. **2.** *bot. Br.* Roter Weizen. '~-ˌ**billed plat·y·pus** → duckbill 1. '~ˌ**board** *s* Laufbrett *n*. ~ **call** *s hunt.* Entenpfeife *f*. ~ **egg** *s* **1.** Entenei *n*. **2.** → duck[1] 6.

duck·er[1] ['dʌkər] *s orn.* Tauchvogel *m*.

duck·er[2] ['dʌkər] *s* **1.** Entenzüchter *m*. **2.** *Am.* Entenjäger *m*.

duck hawk *s orn.* **1.** Amer. Wanderfalke *m*. **2.** *Br.* Rohrweihe *f*.

duck·ing[1] ['dʌkiŋ] *s* Entenjagd *f*.

duck·ing[2] ['dʌkiŋ] *s* (Ein-, 'Unter)Tauchen *n*: **to give s.o. a** ~ j-n untertauchen; **to get a** ~ *fig.* bis auf die Haut durchnäßt werden.

duck·ling ['dʌkliŋ] *s* Entchen *n*: **ugly** ~ *fig.* häßliches Entlein.

'**duck|ˌpin** *s* **1.** *kurzer, dicker Kegel.* **2.** *pl* (*als sg konstruiert*) (*Art*) Kegelspiel *n* (*mit 10* ~**s**). '~ˌ**pond** *s* Ententeich *m*.

ducks and drakes *s* Hüpfsteinwerfen *n* (*auf Wasser*): **to play (at)** ~ Hüpfsteine werfen; **to play (at)** ~ **with,** to **make** ~ **of** *fig.* a) *etwas* zum Fenster hinauswerfen, ‚aasen' mit *etwas*, b) Schindluder treiben mit *etwas*.

duck| shot *s hunt.* Entenschrot *m*, *n*. ~ **soup** *s Am. sl.* **1.** ‚Masche' *f*, leichte (u. einträgliche) Beschäftigung. **2.** kinderleichte Sache. '~ˌ**tail** *s S.Afr.* (*weißer*) Halbstarker. '~ˌ**weed** *s bot.* Wasserlinse *f*.

duck·y ['dʌki] *colloq.* **I** *s* Herzchen *n*, ‚Schatzi' *m*. **II** *adj* ‚goldig', ‚süß'.

duct [dʌkt] *s* **1.** *tech.* a) Röhre *f*, Rohr *n*, Leitung *f*, b) (*a. electr.* 'Kabel)Kaˌnal *m*. **2.** *anat. bot.* Gang *m*, Ka'nal *m*.

duc·tile [*Br.* 'dʌktail; *Am.* -til; -tl] *adj* **1.** *phys. tech.* a) duk'til, dehn-, streck-, hämmerbar, b) (aus)ziehbar, c) biegsam, geschmeidig. **2.** lenksam, fügsam. **duc'til·i·ty** [-'tiliti] *s* **1.** *phys. tech.* a) Duktili'tät *f*, Dehn-, Streckbarkeit *f*, b) (Aus)Ziehbarkeit *f*, c) Verformbarkeit *f*. **2.** Fügsamkeit *f*.

duct·less ['dʌktlis] *adj* ohne (Ausführungs)Gang *od.* ('Abfluß)Kaˌnal: ~ **gland** *med. zo.* endokrine Drüse.

dud [dʌd] **I** *s* **1.** *pl colloq.* ‚Klamotten' *pl* (*Kleider*). **2.** *pl colloq.* ‚Krempel' *m*, Siebensachen *pl*. **3.** *mil. sl.* Blindgänger *m* (*a. fig. Person*). **4.** *sl.* ‚Niete' *f*, Versager *m* (*Person*). **5.** *Br. sl.* geplatzter Scheck. **II** *adj sl.* **6.** wertlos, gefälscht. **7.** mise'rabel.

dude| [dju:d] *s Am. sl.* **1.** Geck *m*, ‚Gigerl' *m*, *n*. **2.** a) Oststaatler *m*, b) ‚Stadtfrack' *m*. ~ **ranch** *s Am.* Ferienranch *f* (*für Großstädter*).

dudg·eon[1] ['dʌdʒən] *s* Unwille *m*, Groll *m*, Wut *f*: **in** ~ wütend; **in high** ~ kochend vor Wut.

dudg·eon[2] ['dʌdʒən] *s obs.* (Dolch *m* mit) Holzgriff *m*.

due [dju:] **I** *adj* (*adv* → **duly**) **1.** *econ.* fällig, so'fort zahlbar: **to fall** (*od.* **become**) ~ fällig werden; **when** ~ bei Verfall *od.* Fälligkeit; ~ **date** Verfallstag *m*, Fälligkeitstermin *m*; **debts** ~ **and owing** Aktiva u. Passiva; ~ **from** fällig seitens (*gen*). **2.** *econ.* geschuldet, zustehend (to *dat*): **to be** ~ **to s.o.** j-m geschuldet werden. **3.** *zeitlich* fällig, erwartet: **the train is** ~ **at six** der Zug soll um 6 (Uhr) ankommen (abfahren); **I am** ~ **for dinner at eight** ich werde um 8 Uhr zum Diner erwartet; **he is** ~ **to return today** er soll heute zurückkommen, er wird heute zurückerwartet. **4.** verpflichtet: **to be** ~ **to do s.th.** etwas tun müssen *od.* sollen; **to be** ~ **to go** gehen müssen. **5.** (to) zuzuschreiben(d) (*dat*), veranlaßt (durch): **his poverty is** ~ **to his laziness** s-e Armut ist auf s-e Faulheit zurückzuführen; **death was** ~ **to cancer** Krebs war die Todesursache; **it is** ~ **to him** es ist ihm zu verdanken. **6.** ~ **to** (*inkorrekt statt* **owing to**) wegen (*gen*), in'folge *od.* auf Grund (*gen od.* von): ~ **to our ignorance. 7.** gebührend, geziemend: **with** ~ **respect** mit gebührender Hochachtung; **to be** ~ **to s.o.** j-m gebühren *od.* zukommen; it is ~ to him to say that man muß ihm einräumen *od.* zugestehen, daß; → honor 7. **8.** gehörig, gebührend, angemessen: after ~ consideration nach reiflicher Überlegung; to take all ~ measures alle erforderlichen Maßnahmen ergreifen; ~ care *jur.* ordentliche Sorgfalt. **9.** passend, richtig, recht: in ~ course zur rechten *od.* gegebenen Zeit; in ~ time rechtzeitig. **10.** vorschriftsmäßig: in ~ form ordnungsgemäß, vorschriftsmäßig, formgerecht. **11.** *Am. colloq.* im Begriff sein (to do zu tun): they were about ~ to find out. **II** *adv* **12.** di'rekt, genau: ~ west genau nach Westen. **III** *s* **13.** (*das*) Zustehende, (rechtmäßiger) Anteil *od.* Anspruch, Recht *n*: it is his ~ es steht *od.* kommt ihm (von Rechts wegen) zu, es gebührt ihm; to give everyone his ~ jedem das Seine geben; to give s.o. his ~ j-m Gerechtigkeit widerfahren lassen; → devil 1. **14.** gebührender Lohn. **15.** Schuld *f*: to pay one's ~s s-e Schulden bezahlen. **16.** *pl* Gebühren *pl*, (öffentliche) Abgaben *pl.* **17.** (Mitglieds)Beitrag *m*, Gebühr *f.*

duel ['dju:əl] **I** *s* Du'ell *n*, (Zwei)Kampf *m* (*a. fig.*): to fight a ~ sich duellieren; students' ~ Mensur *f.* **II** *v/i* sich duel'lieren. **'du·el·ing,** *bes. Br.* **'du·el·ling I** *s* Duel'lieren *n.* **II** *adj* Duell... **'du·el·ist,** *bes. Br.* **'du·el·list** *s* Duel'lant *m.*

du·en·na [dju:'enə] *s* Anstandsdame *f.*

du·et [dju:'et] **I** *s* **1.** *mus.* Du'ett *n.* **2.** *mus.* Duo *n*: to play a ~ a) ein Duo spielen, b) (*am Klavier*) vierhändig spielen. **3.** *fig.* Dia'log *m*, Wortgefecht *n.* **4.** Paar *n.* **II** *v/i* **5.** *mus.* a) ein *od.* im Du'ett singen, b) ein Duo spielen.

duff[1] [dʌf] *s* **1.** *dial. für* dough. **2.** *bes. mar.* (Mehl)Pudding *m.*

duff[2] [dʌf] *v/t sl.* **1.** ,'aufpo,lieren', ,fri'sieren'. **2.** *Austral. Vieh* (stehlen u.) mit neuen Brandzeichen versehen. **3.** *Golf*: *den Ball* verfehlen.

duf·fel ['dʌfəl] *s* **1.** Düffel *m* (*gerauhte Halbwollware*): ~ coat Dufflecoat *m.* **2.** *bes. Am. colloq.* Ausrüstung *f*: ~ bag Matchbeutel *m*, Kleidersack *m.*

duff·er ['dʌfər] *s* **1.** (betrügerischer) Händler *od.* Hau'sierer. **2.** *Br.* Betrüger *m.* **3.** *sl.* a) Schund *m*, Ramsch(ware *f*) *m*, b) gefälschter Gegenstand. **4.** *colloq.* a) Stümper *m*, b) Trottel *m.*

duf·fle ['dʌfl] → duffel.

dug[1] [dʌg] *pret u. pp von* dig.

dug[2] [dʌg] *s* **1.** Zitze *f.* **2.** Euter *n.*

du·gong ['du:gɒŋ] *s zo.* Dugong *m* (*Seekuh im Indischen Ozean*).

'dug,out *s* **1.** *bes. mil.* 'Unterstand *m.* **2.** Erd-, Höhlenwohnung *f.* **3.** Einbaum *m*, Kanu *n.* **4.** *Br. sl.* wieder ,ausgegrabener' (*reaktivierter*) Be'amter *od.* Offi'zier.

duke [dju:k] *s* **1.** Herzog *m*: (royal) ~ *Br.* Herzog u. Mitglied des königlichen Hauses. **2.** *pl sl.* Fäuste *pl*, ,Pranken' *pl.* **'duke·dom** *s* **1.** Herzogtum *n.* **2.** Herzogswürde *f.* **'duk·er·y** [-əri] *s* Herzogssitz *m*: The Dukeries *Waldland im nordwestlichen Nottinghamshire.*

dul·cet ['dʌlsit] **I** *adj* **1.** wohlklingend, me'lodisch, einschmeichelnd: in ~ tones in süßem Tone. **2.** *obs.* köstlich. **II** *s* **3.** *mus.* Dulcet *n* (*Orgelregister*).

dul·ci·an·a [,dʌlsi'ænə] *s mus.* Dulci'an *m* (*Orgelregister*).

dul·ci·fy ['dʌlsi,fai] *v/t* **1.** besänftigen. **2.** *obs.* (ver)süßen.

dul·ci·mer ['dʌlsimər] *s mus.* **1.** Hackbrett *n*, Zimbel *f.* **2.** (*Art*) Gi'tarre *f.* **3.** *Bibl.* Sackpfeife *f.*

dull [dʌl] **I** *adj* (*adv* dully) **1.** stumpfsinnig, schwer von Begriff, dumm. **2.** stumpf, unempfindlich, teilnahmslos, gleichgültig. **3.** träge, schwerfällig, langsam, schläfrig. **4.** gelangweilt: to feel ~ sich langweilen. **5.** langweilig, fad(e). **6.** *econ.* flau, lustlos, schleppend: ~ season stille Saison. **7.** stumpf: ~ blade. **8.** blind: a ~ mirror. **9.** matt, stumpf, glanzlos: ~ colo(u)rs; ~ eyes. **10.** dumpf: a ~ pain; a ~ sound. **11.** trüb(e): a ~ day; ~ weather. **12.** schwach: a ~ light. **II** *v/t* **13.** *e-e Klinge etc* stumpf machen. **14.** *fig.* abstumpfen. **15.** mat'tieren. **16.** *e-n Spiegel etc* blind machen, *a. den Blick* trüben. **17.** schwächen. **18.** mildern, dämpfen. **19.** *Schmerz* betäuben. **III** *v/i* **20.** stumpf werden, abstumpfen (*a. fig.*). **21.** träge *od.* fühllos werden. **22.** matt *od.* glanzlos *od.* trüb(e) werden. **23.** sich abschwächen.

dull·ard ['dʌlərd] *s* Dummkopf *m.*

'dull·ish *adj* etwas *od.* ziemlich dumm *od.* langweilig (*etc*, → dull I).

'dull·ness *s* **1.** Dummheit *f*, Stumpfsinn *m.* **2.** Schwerfälligkeit *f*, Trägheit *f.* **3.** Schwäche *f* (*Sinnesorgane*). **4.** Langweiligkeit *f*, Fadheit *f.* **5.** Stumpfheit *f*, Glanzlosigkeit *f* (*Farben etc*). **6.** Trübheit *f* (*Wetter*). **7.** Stumpfheit *f* (*Messer etc*). **8.** *econ.* Geschäftsstille *f*, Flaute *f.* **9.** Dumpfheit *f* (*Töne*). **'dull,wit·ted** *adj* dumm, schwachköpfig. **dul·ness** → dullness.

dulse [dʌls] *s bot.* Speise-Rotalge *f.*

du·ly ['dju:li] *adv* **1.** ordnungsgemäß, vorschriftsmäßig, gehörig, richtig, wie es sich gehört: ~ authorized representative ordnungsgemäß ausgewiesener Vertreter. **2.** gebührend. **3.** rechtzeitig, pünktlich.

du·ma ['du:mɑ:] *pl* **-mas** *s hist.* Duma *f* (*russischer Reichstag*).

dumb [dʌm] *adj* (*adv* ~ly) **1.** stumm: → deaf 1. **2.** stumm, ohne Sprache: ~ animals stumme Geschöpfe. **3.** sprachlos, stumm: struck ~ with amazement sprachlos vor Erstaunen. **4.** schweigsam. **5.** stumm: a ~ gesture. **6.** stumm, urteilslos, ohne Einfluß: the ~ masses. **7.** *ohne das übliche Merkmal*: ~ vessel *mar.* Fahrzeug *n* ohne Eigenantrieb; ~ note *mus.* nicht klingende Note. **8.** *Am. colloq.* ,doof', dumm, blöd. ~ **barge** *s mar. Br.* Schute *f.* **'~,bell I** *s* **1.** *sport* Hantel *f.* **2.** *Am. sl.* ,doofe Nuß', Dummkopf *m.* **II** *v/t u. v/i* **3.** hanteln.

,dumb'found *v/t u. v/i* verblüffen. **,dumb'found·ed** *adj* verblüfft, sprachlos, wie vom Donner gerührt. **,dumb'found·er** → dumbfound.

dum·ble·dore ['dʌmbl,dɔ:r] *Br. dial. für* a) bumblebee, b) cockchafer 1.

dumb·ness ['dʌmnis] *s* **1.** Stummheit *f.* **2.** (Still)Schweigen *n.* **3.** Sprachlosigkeit *f.*

dumb| pi·an·o *s mus.* stummes ('Übungs)Kla,vier. ~ **show** *s* **1.** Gebärdenspiel *n*, stummes Spiel. **2.** Panto'mime *f.* **'~-'wait·er** *s* **1.** stummer Diener (*Drehtisch zum Servieren*). **2.** *Am.* Speiseaufzug *m.*

dum·dum ['dʌmdʌm], *a.* ~ **bul·let** *s* Dum'dum(geschoß) *n.*

dum·found *etc* → dumbfound *etc.*

dum·my ['dʌmi] **I** *s* **1.** At'trappe *f*, *econ. a.* Leer-, Schaupackung *f* (*in Schaufenstern etc*): to sell the ~ *sport* den Gegner täuschen. **2.** 'Kleider-, 'Schaufensterpuppe *f*, -fi,gur *f.* **3.** *econ. jur.* Strohmann *m.* **4.** *Kartenspiel*: a) Strohmann *m*, b) Whistspiel *n* mit Strohmann: double ~ Whistspiel mit zwei Strohmännern. **5.** *thea. u. fig.* Sta'tist(in). **6.** *Br.* Schnuller *m.* **7.** Puppe *f*, Fi'gur *f* (*als Zielscheibe*). **8.** *colloq.* Dummkopf *m*, ,Blödmann' *m.* **9.** *bes. Am. colloq.* Verkehrsampel *f.* **10.** *print.* Blindband *m* (*Buch*). **11.** *tech.* (*Art*) Ran'gierlokomo,tive *f.* **II** *adj* **12.** falsch, fik'tiv, vorgeschoben, Schein...: ~ candidates; ~ aerial künstliche Antenne; ~ cartridge *mil.* Exerzierpatrone *f*; ~ concern *econ.* Scheinunternehmen *n.* ~ grenade *mil.* Übungshandgranate *f*; ~ warhead *mil.* blinder Gefechtskopf. **13.** unecht, nachgemacht. ~ **whist** → dummy 4b.

dump[1] [dʌmp] **I** *v/t* **1.** 'hinplumpsen *od.* (heftig) 'hinfallen lassen, 'hinwerfen. **2.** (heftig) absetzen *od.* abstellen. **3.** a) auskippen, abladen, schütten, b) *e-n Karren etc* ('um)kippen, entladen. **4.** *mil.* lagern, stapeln. **5.** *econ. Waren* verschleudern, (*bes.* ins Ausland) zu Schleuderpreisen verkaufen. **6.** loswerden, *bes. Einwanderer* abschieben. **II** *s* **7.** Plumps *m*, dumpfer Fall *od.* Schlag. **8.** a) Schutt-, Abfallhaufen *m*, b) (Schutt-, Müll-) Abladeplatz *m*, Schutthalde *f.* **9.** *Bergbau*: (Abraum)Halde *f.* **10.** abgeladene Masse *od.* Last. **11.** *mil.* De'pot *n*, Lager(platz *m*) *n*, Stapelplatz *m*: ammunition ~ Munitionslager, -depot *n.* **12.** *sl.* a) verwahrlostes Nest (*Ortschaft etc*), b) ,miese Bude' (*Haus*). **13.** → dumps.

dump[2] [dʌmp] *s* **1.** kleiner, dicker Gegenstand. **2.** bleierne Spielmünze. **3.** *colloq.* unter'setzte Per'son. **4.** *mar.* a) (*Art*) Bolzen *m* (*beim Schiffbau*), b) Tauring *m.* **5.** (*Art*) Kegel *m.* **6.** (*Art*) Bon'bon *m*, *n.*

'dump,cart *s* Kippwagen *m*, -karren *m.*

dump·ing ['dʌmpiŋ] *s* **1.** *econ.* Dumping *n*, 'Schleuderex,port *m*, -verkauf *m.* **2.** (Schutt)Abladen *n.* ~ **ground** *s Am.* → dump[1] 8b.

dump·ling ['dʌmpliŋ] *s* **1.** (*mit Kirschen etc gefüllter*) Mehlkloß: apple ~ Apfelknödel *m.* **2.** *colloq.* ,Dickerchen' *n*, (kleiner) Mops (*Person*).

dumps [dʌmps] *s pl* a) Niedergeschlagenheit *f*, b) ,miese' Laune: (down) in the ~ niedergeschlagen, trübsinnig, griesgrämig.

dump truck *s Am.* Kipp-Lastwagen *m.*

dump·y ['dʌmpi] **I** *adj* **1.** unter'setzt, plump. **II** *s* **2.** unter'setzte *od.* rundliche Per'son. **3.** stämmiges Tier. **4.** kurzbeiniges Huhn (*e-r schottischen Rasse*).

dun[1] [dʌn] **I** *v/t* **1.** *bes. Schuldner* mahnen, drängen, ,treten', *j-m* dauernd in den Ohren liegen: ~ning letter → 5. **2.** belästigen, bedrängen. **II** *s* **3.** Plagegeist *m*, *bes.* drängender Gläubiger. **4.** Schuldeneintreiber *m.* **5.** (*schriftliche*) Mahnung, Zahlungsaufforderung *f.*

dun[2] [dʌn] **I** *adj* **1.** grau-, schwärzlichbraun, mausgrau. **2.** *fig.* dunkel. **II** *s* **3.** Braune(r) *m* (*Pferd*). **4.** (*künstliche*) *Angelfliege.*

'dun,bird *s zo.* **1.** Tafelente *f.* **2.** Bergente *f.*

dunce [dʌns] *s* Dummkopf *m*: ~'s cap Narrenkappe *f* (*für e-n dummen Schüler*).

dun·der·head ['dʌndər,hed] *s* Dumm-, Schwachkopf *m.* **'dun·der,head·ed** *adj* dumm, schwachköpfig.

dune [djuːn] *s* Düne *f.*

dung [dʌŋ] **I** *s* **1.** Mist *m*, Dung *m*, Dünger *m*. **2.** (*bes.* Tier)Kot *m*. **3.** *fig.* Schmutz *m*. **II** *v/t u. v/i* **4.** düngen.

dun·ga·ree [ˌdʌŋgəˈriː] *s* **1.** grobes (*meist indisches*) Katˈtunzeug. **2.** *pl* (grober) Arbeitsanzug.

dung| bee·tle *s zo.* Mistkäfer *m*. **~ cart** *s* Mistkarren *m*.

dun·geon [ˈdʌndʒən] **I** *s* **1.** → **donjon**. **2.** (Burg)Verlies *n*, Kerker *m*. **II** *v/t* **3.** einkerkern.

dung| fly *s zo.* Dung-, Mistfliege *f*. **~ fork** *s* Mistgabel *f*.

ˈdungˌhill *s* **1.** Mist-, Düngerhaufen *m*: **a cock on his own ~** *fig.* ein Haustyrann. **2.** *fig.* Kloˈake *f*, schmutzige Sache. **~ fowl** *s* Hausgeflügel *n*.

dun·ie·was·sal [ˈduːniˌwɒsəl], *a.* **ˈdun·nieˌwas·sal** [ˈdʌn-] *s Scot.* niederer Adliger.

dunk [dʌŋk] *v/t u. v/i Am.* eintunken.

Dunk·er [ˈdʌŋkər] *s relig.* Tunker *m* (*Mitglied e-r Sekte*).

Dun·kirk [ˈdʌnkəːrk; dʌnˈkəːrk] *s fig.* Dünkirchen *n*.

dun·nage [ˈdʌnidʒ] **I** *s mar.* **1.** Stauholz *n*. **2.** perˈsönliches Gepäck. **II** *v/t* **3.** mit Stauholz füllen, garˈnieren.

dun·no [dəˈnou] *vulg. für* do not know.

dunt [dʌnt; dunt] *s* **1.** *Scot.* a) (dumpfer) Schlag, b) Platzwunde *f*. **2.** *aer.* plötzlicher senkrechter Stoß durch Steig- *od.* Fallböen.

du·o [ˈdjuːou] *pl* **-os**, **ˈdu·i** [-iː] *s* **1.** *mus.* Duo *n*, Duˈett *n*. **2.** Duo *n* (*Künstlerpaar etc.*).

duo- [djuːo] *Wortelement mit der Bedeutung* zwei.

du·o·de·cil·lion [ˌdjuːodiˈsiljən] *s math.* **1.** *Am.* Sextilliˈarde *f* (10^{39}). **2.** *Br.* Duodezilliˈon *f* (10^{72}).

du·o·dec·i·mal [ˌdjuːoˈdesiməl] *math.* **I** *adj* **1.** duodeziˈmal, dodeˈkadisch. **II** *s* **2.** zwölfter Teil, Zwölftel *n*. **3.** *pl* a) Duodeziˈmalsyˌstem *n*, b) Duodeziˈmal-Multiplikatiˌon *f*. **ˌdu·oˈdec·iˌmo** [-ˌmou] **I** *s* **1.** a) Duoˈdez *n* (*Buchformat*), b) Buch *n* im Duoˈdezforˌmat. **2.** *mus.* Duoˈdezime *f*. **II** *adj* **3.** Duodez...

du·o·de·nal [ˌdjuːoˈdiːnl] *adj med.* duodeˈnal, Zwölffingerdarm...: **~ ulcer**. **ˌdu·oˈden·a·ry** *adj math.* **1.** zwölffach, zwölf enthaltend. **2.** die n-te Wurzel 12 habend.

du·o·de·num [ˌdjuːoˈdiːnəm] *pl* **-na** [-nə] *s med.* Zwölfˈfingerdarm *m*.

du·o·logue [ˈdjuːəˌlɒg] *s* **1.** Zwiegespräch *n*. **2.** Duoˈdrama *n* (*Drama für 2 Personen*).

du·o·tone [ˈdjuːoˌtoun] *adj* zweifarbig.

dup·a·ble [ˈdjuːpəbl] *adj* vertrauensselig, leicht zu täuschen(d).

dupe [djuːp] **I** *s* **1.** Gefoppte(r *m*) *f*, Angeführte(r *m*) *f*, ‚Lacˈkierte(r‘ *m*) *f*, Betrogene(r *m*) *f*: **to be the ~ of s.o.** auf j-n hereinfallen. **2.** Leichtgläubige(r *m*) *f*, Gimpel *m*. **II** *v/t* **3.** *j-n* überˈtölpeln, ‚anschmieren‘, anführen, hinters Licht führen. **ˈdup·er·y** [-əri] *s* Täuschung *f*, ˌBauernfängeˈrei *f*, Überˈtölpelung *f*, Betrug *m*.

du·ple [ˈdjuːpl] *adj* doppelt, zweifach. **~ ra·tio** *s math.* doppeltes Verhältnis. **~ time** *s mus.* Zweiertakt *m*.

du·plex [ˈdjuːpleks] *adj* **1.** doppelt, Doppel..., zweifach. **2.** *electr. tech.* Duplex... **~ a·part·ment** *s Am.* Wohnung *f* mit Zimmern in zwei Stockwerken. **~ gas burn·er** *s tech.* Zweidüsen(gas)brenner *m*. **~ house** *s Am.* Doppel-, ˈZweifaˌmilienhaus *n*. **~ lathe** *s tech.* Doppeldrehbank *f*. **~ re·peat·er** *s electr.* Duplex-, Zweidraht-, Gegensprechverstärker *m*. **~ te·leg·ra·phy** *s tech.* ˈGegensprech-, ˈDuplextelegraˌphie *f*. **~ te·leph·o·ny** *s electr.* ˈDuplextelephoˌnie *f*, Gegensprechverkehr *m*.

du·pli·cate [ˈdjuːplikit] **I** *adj* **1.** Doppel..., zweifach, doppelt: **~ proportion, ~ ratio** → **duple ratio**. **2.** genau gleich *od.* entsprechend, Duplikat...: **~ key** Nachschlüssel *m*; **~ part** Ersatzteil *n*, Austauschstück *n*; **~ production** Reihen-, Serienfertigung *f*. **II** *s* **3.** Dupliˈkat *n*, Ab-, Zweitschrift *f*, Koˈpie *f*: **in ~** in zweifacher Ausfertigung *od.* Ausführung, in 2 Exemplaren, doppelt. **4.** (genau gleiches) Seitenstück, Koˈpie *f*. **5.** mit gleichen Karten wiederˈholtes Spiel. **6.** *econ.* a) Seˈkunda-, Dupliˈkatwechsel *m*. b) Pfandschein *m*. **III** *v/t* [-ˌkeit] **7.** verdoppeln, im Dupliˈkat ˈherstellen. **8.** ein Dupliˈkat anfertigen von, koˈpieren, e-e Abschrift machen von *e-m Brief etc*, verˈvielfältigen. **9.** zs.-falten. **10.** wiederˈholen. **ˌdu·pliˈca·tion** *s* **1.** Verdopp(e)lung *f*. **2.** → **duplicate** 3. **3.** Vervielfältigung *f*. **4.** Wiederˈholung *f*. **ˈdu·pliˌca·tor** [-tər] *s* Verˈvielfältigungsappaˌrat *m*.

du·plic·i·ty [djuːˈplisiti] *s* **1.** *fig.* Doppelzüngigkeit *f*, Falschheit *f*. **2.** Dupliziˈtät *f*, doppeltes Vorˈhandensein *od.* Vorkommen.

du·ra·bil·i·ty [ˌdju(ə)rəˈbiliti] *s* Dauer(haftigkeit) *f*, Beständigkeit *f*, Haltbarkeit *f*. **ˈdu·ra·ble** *adj* (*adv* **durably**) dauerhaft, haltbar. **ˈdu·ra·ble·ness** → **durability**.

du·ral·u·min [dju(ə)ˈræljumin] *s tech.* Duˈral *n*, ˈDuraluˌmin(ium) *n*.

du·ra·men [dju(ə)ˈreimin] *s bot.* Kern-, Herzholz *n*.

dur·ance [ˈdju(ə)rəns] *s* Haft *f* (*meist in*): **in ~ vile** hinter Schloß u. Riegel.

du·ra·tion [dju(ə)ˈreiʃən] *s* (Fort-, Zeit)Dauer *f*: **of short ~** von kurzer Dauer; **~ of life** Lebensdauer, -zeit *f*; **for the ~** a) für unbestimmte Zeit, b) *colloq.* für die Dauer des Krieges. **ˈdur·a·tive** [-rətiv] **I** *adj* **1.** dauernd. **2.** *ling.* duraˈtiv, Dauer... **II** *s ling.* **3.** duraˈtiver Konsoˈnant. **4.** Dauerform *f*, Duraˈtiv *m*.

dur·bar [ˈdəːrbaːr] *s Br. Ind.* **1.** Hof *m* (*e-s indischen Fürsten*). **2.** Galaempfang *m*.

du·ress(e) [dju(ə)ˈres; ˈdju(ə)ris] *s* **1.** Druck *m*, Zwang *m*. **2.** *jur.* Freiheitsberaubung *f*: **to be under ~** in Haft sein. **3.** *jur.* Zwang *m*, Nötigung *f*: **to act under ~** unter Zwang handeln.

Dur·ham [*Br.* ˈdʌrəm; *Am.* ˈdəːrəm] *s* Durham-, Shorthornrind *n*.

dur·ing [ˈdju(ə)riŋ] *prep* während, im Laufe von (*od. gen*), in (*e-m Zeitraum*): **~ the night**; **~ life** auf Lebensdauer.

dur·mast [*Br.* ˈdəːrmaːst; *Am.* -mæ(ː)st] *s bot.* Steineiche *f*.

durn [dəːrn] → **darn**².

du·ro [ˈdu(ə)rou] *pl* **-ros** *s* Duro *m* (*spanische u. südamer. Silbermünze*).

durst [dəːrst] *dial. pret von* dare.

du·rum (wheat) [ˈdju(ə)rəm] *s bot.* Hartweizen *m*.

dusk [dʌsk] **I** *s* (Abend)Dämmerung *f*, (beginnende) Dunkelheit, Halbdunkel *n*: **at ~** bei Einbruch der Dunkelheit. **II** *adj bes. poet.* dunkel, düster, dämmerig. **III** *v/t* verdunkeln. **IV** *v/i* dunkel werden. **ˈdusk·y** *adj* (*adv* **duskily**) **1.** dämmerig, düster (*a. fig.*). **2.** schwärzlich, dunkel.

dust [dʌst] **I** *s* **1.** Staub *m*: **to shake the ~ off one's feet** a) den Staub von s-n Füßen schütteln, b) *fig.* entrüstet weggehen; **to cast** (*od.* **throw**) **~ in s.o.'s eyes** *fig.* j-m Sand in die Augen streuen; **to be humbled in** (*od.* **to**) **the ~** (gedemütigt) im Staube liegen; **to drag in the ~** in den Schmutz ziehen; **in ~ and ashes** *fig.* in Sack u. Asche; **to bite the ~** ins Gras beißen; **to lick the ~** *fig.* a) im Staube kriechen, b) ins Gras beißen; **to raise s.o. from the ~** *fig.* j-n aus dem Staub erheben. **2.** Staubwolke *f*: **to raise a ~** e-e Staubwolke aufwirbeln; **to raise** (*od.* **kick up**) **a ~** *fig.* viel Staub aufwirbeln, viel Aufsehen erregen, Lärm machen; **the ~ has settled** die Aufregung hat sich gelegt. **3.** *fig.* a) Staub *m*, Erde *f*, b) sterbliche ˈÜberreste *pl*, c) menschlicher Körper, Mensch *m*: **to turn to ~ and ashes** zu Staub u. Asche werden, zerfallen. **4.** *Br.* Müll *m*, Kehricht *m, n*. **5.** *bot.* Blütenstaub *m*. **6.** (Gold- *etc*)Staub *m*. **7.** Bestäubungsmittel *n*, (Inˈsekten- *etc*)Pulver *n*. **8.** *sl.* ‚Moos‘ *n*, ‚Kies‘ *m* (*Geld*). **9.** → **dust-up**. **II** *v/t* **10.** abstauben. **11.** ausstäuben, -bürsten, -klopfen: **to ~ s.o.'s jacket** *sl.* j-n durchprügeln. **12.** bestreuen, bestäuben: **to ~ s.o.'s eyes** *fig.* j-m Sand in die Augen streuen. **13.** *Pulver etc* stäuben, streuen. **14.** staubig machen. **15.** zu Staub zerreiben. **III** *v/i* **16.** staubig werden. **17.** im Staub baden (*bes. Vogel*). **18.** *Am. sl.* sich aus dem Staub machen, ‚abhauen‘.

ˈdust|ˌbin *s* Mülleimer *m*, -tonne *f*. **~ bowl** *s geogr. Am.* ‚Streusandbüchse‘ *f* (*ausgetrocknetes Gebiet*). **ˈ~ˌbox** *s* **1.** → **dustbin**. **2.** Streusandbüchse *f*. **~ cart** *s* Müllkarren *m*. **~ cham·ber** *s tech.* (Flug)Staubkammer *f*. **~ cloak** → **dust coat**. **ˈ~ˌcloth** *s* **1.** Staubtuch *n*, -lappen *m*. **2.** Staubdecke *f* (*als Möbelschutz*). **~ coat** *s* Staubmantel *m*. **~ col·or,** *bes. Br.* **~ col·our** *s* mattes Hellbraun. **~ cov·er** *s* ˈSchutzˌumschlag *m* (*um Bücher*).

dust·er [ˈdʌstər] *s* **1.** a) Staubtuch *n*, -lappen *m*, b) Staubwedel *m*. **2.** *Am.* a) Staubmantel *m*, b) kurzer Morgenrock. **3.** Streudose *f*.

dust| ex·haust *s tech.* Staubabsaugung *f*. **~ hole** *s* Müll-, Abfallgrube *f*.

dust·ing [ˈdʌstiŋ] *s* **1.** Abstauben *n*, Staubwischen *n*. **2.** Bestäuben *n*. **3.** *sl.* ‚Abreibung‘ *f*, Tracht *f* Prügel.

dust| jack·et → **dust cover**. **ˈ~·man** [-mən] *s irr* **1.** Müllabfuhrmann *m*. **2.** → **sandman**. **ˈ~ˌpan** *s* Kehrichtschaufel *f*. **ˈ~ˈproof** *adj* staubdicht. **~ shot** *s hunt.* Vogeldunst *m* (*feinste Schrotsorte*). **ˈ~-ˈup** *s sl.* Krach *m*.

dust·y [ˈdʌsti] *adj* **1.** staubig, voll Staub. **2.** staubförmig, -artig. **3.** sandfarben. **4.** *fig.* fad(e), trocken. **5.** *fig.* vag(e), unklar: **a ~ answer**. **6.** *fig.* schlecht: **not so ~** *sl.* gar nicht so übel.

Dutch [dʌtʃ] **I** *adj* **1.** holländisch: **to go ~** *colloq.* ‚getrennte Kasse machen‘ (→ **Dutch treat**); **to talk to s.o. like a ~ uncle** *colloq.* j-m e-e Standpauke halten. **2.** *obs. od. sl.* deutsch. **II** *s* **3.** *ling.* Holländisch *n*: **in ~** auf holländisch, im Holländischen; **to be in ~ with s.o.** *Am. sl.* bei j-m ‚unten durch‘ sein; **that is all ~ to me** das sind mir böhmische Dörfer; → **double Dutch**. **4.** *obs. od. sl.* Deutsch *n*. **5.** the **~** *collect.* pl a) die Holländer *pl*, b) *obs. od. sl.* die Deutschen *pl*: **that beats the ~!** *colloq.* das ist ja die Höhe! **6.** **d~**, *meist* **old d~** *Br. sl.*

'Alte' *f* (*Ehefrau*). ~ **auc·tion** *s econ.* (Aukti'on *f* mit) Abschlag *m* (*bei der der Preis erniedrigt wird, bis sich ein Käufer findet*). ~ **clo·ver** *s bot.* Weißer Klee. ~ **cour·age** *s colloq.* angetrunkener Mut. ~ **foil,** ~ **gold** *s* unechtes Blattgold, Rauschgold *n.* ~ **leaf** *s irr* → Dutch foil. ~ **liq·uid** *s chem.* Haarlemer Öl *n*, Äthy'lenchlo,rid *n.*

Dutch·man ['dʌtʃmən] *s irr* **1.** Holländer *m* (*a. Südafrikaner holländischer Abkunft*). **2.** *obs. od. sl.* Deutsche(r) *m*: or I'm a ~ oder ich will Hans heißen; I'm a ~ if ich laß mich hängen, wenn. **3.** *mar.* Holländer *m* (*Schiff*).

Dutch| met·al *s* **1.** Tombak *m.* **2.** → Dutch foil. ~ **ov·en** *s* **1.** *Am.* (*ein*) flacher Bratentopf. **2.** Backsteinofen *m.* **3.** Röstblech *n* (*vor offenem Feuer*). ~ **tile** *s* gla'sierte Ofenkachel. ~ **treat** *s colloq.* gemeinsames Vergnügen (*Essen etc*), bei dem jeder für sich bezahlt. ~ **wife** *s irr* (*in Indien etc*) Rohrgestell *n*, Kissen *n* (*zum Auflegen der Arme u. Beine im Bett*). '~,**wom·an** *s irr* Holländerin *f*, Niederländerin *f.*

du·te·ous ['dju:tiəs] *adj* (*adv* ~ly) → dutiful.

du·ti·a·ble ['dju:tiəbl] *adj* steuer-, abgaben-, zollpflichtig.

du·ti·ful ['dju:tiful] *adj* (*adv* ~ly) **1.** pflichtgetreu, -bewußt. **2.** gehorsam. **3.** ehrerbietig. **4.** pflichtgemäß. '**du·ti·ful·ness** *s* **1.** Pflichttreue *f.* **2.** Gehorsam *m.* **3.** Ehrerbietung *f.*

du·ty ['dju:ti] *s* **1.** Pflicht *f*: a) Schuldigkeit *f* (to, toward[s] gegen[über]), b) Aufgabe *f*, Amt *n*: ~ to report Anzeigepflicht; civic ~ Bürgerpflicht; to do one's ~ s-e Pflicht tun (by s.o. an j-m); to be under a ~ to do s.th. verpflichtet sein, etwas zu tun; breach of ~ Pflichtverletzung *f*; (as) in ~ bound pflichtgemäß, -schuldig(st); to be in ~ bound to do s.th. etwas pflichtgemäß tun müssen. **2.** (amtlicher) Dienst: on ~ diensttuend, -habend, im Dienst; to be on ~ Dienst haben, im Dienst sein; off ~ dienstfrei; to be off ~ nicht im Dienst sein, dienstfrei haben; to do ~ for a) *fig.* benutzt werden *od.* dienen als (*etwas*), b) *j-n* vertreten; ~ officer *mil.* Offizier *m* vom Dienst. **3.** Ehrerbietung *f*, Re'spekt *m*: in ~ to aus Ehrerbietung gegen; ~ call Höflichkeits-, Pflichtbesuch *m.* **4.** *econ.* a) Steuer *f*, Abgabe *f*, b) Gebühr *f*, c) Zoll *m*: ~ on increment value Wertzuwachssteuer; ~ on exports Ausfuhrzoll; liable to ~ zollpflichtig; to pay ~ on s.th. etwas verzollen *od.* versteuern. **5.** *tech.* a) (Nutz-, Wirk-)Leistung *f*, b) Arbeitsweise *f*, c) Funkti'on *f.* **6.** *meist* ~ of water nötige Bewässerungsmenge. '~-'**free** *adj u. adv* abgaben-, zollfrei. '~-'**paid** *adj* verzollt, nach Verzollung: ~ entry Zollerklärung *f.*

du·um·vir [dju:'ʌmvər] *pl* **-vi,ri** [-vi,rai], **-virs** *s antiq.* Du'umvir *m.* **du'um·vi·rate** [-rit] *s* Duumvi'rat *n.*

dux [dʌks] *s* (*ohne pl*) *Br.* Erste(r) *m*, Primus *m* (*e-r Klasse*).

dwale [dweil] → belladonna 1.

dwarf [dwɔ:rf] **I** *s* **1.** Zwerg(in) (*a. fig.*). **2.** a) *zo.* Zwergtier *n*, b) *bot.* Zwergpflanze *f.* **3.** *astr.* → dwarf star. **II** *adj* **4.** zwergenhaft, *bes. bot. zo.* Zwerg...: ~ maple; ~ snake. **III** *v/t* **5.** *bes. fig.* verkümmern *od.* verkrüppeln lassen, im Wachstum *od.* in der Entfaltung hindern. **6.** verkleinern. **7.** klein erscheinen lassen, zs.-schrumpfen lassen. **8.** *fig.* in den Schatten stellen. **IV** *v/i* **9.** verkümmern, verkrüppeln. **10.** zs.-schrumpfen. '**dwarf·ish** *adj* (*adv* ~ly) **1.** zwergenhaft, winzig. **2.** *med.* 'unter-, unentwickelt.

dwarf| palm *s bot.* Zwergpalme *f.* ~ **star** *s astr.* Zwergstern *m.* ~ **wall** *s arch.* Quer-, Zwergmauer *f.*

dwell [dwel] **I** *v/i pret u. pp* **dwelt** [dwelt], *a.* **dwelled** **1.** *a. fig.* wohnen, hausen, leben. **2.** bleiben, (ver)weilen: to ~ (up)on a) (im Geiste) bei *etwas* verweilen, über *etwas* nachdenken, b) auf *etwas* Nachdruck legen; to ~ (up)on a subject bei e-m Thema verweilen, auf ein Thema näher eingehen; to ~ on a note *mus.* e-n Ton aushalten. **3.** zögern, stutzen (*bes. Pferd vor e-m Hindernis*). **4.** ruhen, begründet sein (in in *dat*). **II** *s* **5.** *sport* Zögern *n.* **6.** *tech.* Haltezeit *f*, 'Stillstandsperi,ode *f.* '**dwell·er** *s* **1.** Bewohner(in): city ~ Stadtbewohner(in). **2.** *sport* Pferd, das vor Hindernissen zögert. '**dwell·ing** *s* **1.** Wohnung *f*, Behausung *f.* **2.** Wohnen *n*, Aufenthalt *m*: ~ house Wohnhaus *n*; ~ unit Wohneinheit *f.* **3.** Wohnsitz *m*: ~ place Aufenthalts-, Wohnort *m.*

dwelt [dwelt] *pret u. pp von* dwell.

dwin·dle ['dwindl] **I** *v/i* **1.** abnehmen, schwinden, (zs.-)schrumpfen: to ~ away dahinschwinden. **2.** entarten (into zu), verfallen. **II** *v/t* **3.** vermindern.

dy·ad ['daiæd] *s* **1.** Paar *n.* **2.** *biol. chem.* Dy'ade *f.* **3.** *mus.* Zweiklang *m.* **dy'ad·ic** *adj* Zweier..., Doppel..., *math.* dy'adisch.

Dy·ak ['daiæk] *s* **1.** Dajak *m* (*Eingeborener Borneos*). **2.** *ling.* Dajak *n.*

Dy·as ['daiæs] *s geol.* Perm *n.*

d'ye [dji; djə] *colloq. für* do you.

dye [dai] **I** *s* **1.** Farbstoff *m.* **2.** *tech.* Färbe(flüssigkeit) *f*: ~ bath Färbebad *n*, Flotte *f.* **3.** Färbung *f*, Farbe *f*, Tönung *f*: of the deepest ~ *fig.* von der übelsten Sorte. **II** *v/t pret u. pp* **dyed,** *pres p* '**dye·ing** **4.** *bes. tech.* färben: to ~ in the wool *tech.* in der Wolle *od.* waschecht färben; to ~ in the grain *tech. Fasern* im Rohzustand färben, waschecht färben; ~d in the wool a) *tech.* in der Wolle gefärbt, b) *fig.* waschecht, durch u. durch. **III** *v/i* **5.** sich färben (lassen). '**dye·ing** *s* **1.** Färben *n.* **2.** Färbe'reigewerbe *n.*

dy·er ['daiər] *s* **1.** Färber(in). **2.** Farbstoff *m.*

'**dy·er's|-,broom** ['daiərz] *s bot.* Färberginster *m.* ~ **oak** *s bot.* Färbereiche *f.* ~ **weed** *s bot.* Gelbkraut *n*, Färber-Wau *m.* ~ **woad** *s bot.* (Färber)Waid *m.*

'**dye|,stuff** *s* Farbstoff *m.* '~,**wood** *s tech.* Färbe-, Farbholz *n.*

dy·ing ['daiiŋ] *adj* **1.** sterbend: a ~ man ein Sterbender; to be ~ im Sterben liegen; a ~ tradition e-e aussterbende Tradition. **2.** Sterbe...: ~ wish letzter Wunsch; ~ words letzte Worte; a ~ declaration e-e auf dem Sterbebett *od.* in der Todesstunde abgegebene Erklärung; to one's ~ day bis zum Tode. **3.** zu Ende gehend: the ~ year. **4.** *fig.* a) ersterbend: ~ voice, b) verhallend: ~ sounds. **3.** schmachtend: ~ look.

dyke → dike[1] *u.* dike[2].

dy·nam·e·ter [dai'næmitər] *s phys.* Dyna'meter *n.*

dy·nam·ic [dai'næmik] **I** *adj* (*adv* ~ally) **1.** *phys. u. fig.* dy'namisch: ~ force; ~ personality; ~ policy; ~ pressure *phys.* dynamischer Druck, Staudruck *m.* **II** *s meist pl* (*als sg konstruiert*) **2.** Dy'namik *f*: a) *phys. Lehre von den bewegenden Kräften*, b) *mus. Differenzierung der Tonstärke* c) *fig.* Schwung *m*, Kraft *f.* **3.** *fig.* Triebkraft *f*, treibende Kraft. **dy'nam·i·cal** *adj* (*adv* ~ly) → dynamic I.

dy·na·mism ['dainə,mizəm] *s* **1.** *philos.* Dyna'mismus *m.* **2.** dy'namische Kraft.

dy·na·mite ['dainə,mait] **I** *s* **1.** Dyna'mit *n.* **2.** *fig.* a) Zündstoff *m*, b) gefährliche *od.* 'umwerfende Sache *od.* Per'son. **II** *v/t* **3.** (*mit Dynamit*) (in die Luft) sprengen. '**dy·na,mit·er** *s* Sprengstoffattentäter *m.* '**dy·na,mit·ing** [-,maitiŋ] *s* **1.** Dyna'mitsprengung *f.* **2.** Zerstörung *f* durch Dyna'mit.

dy·na·mo ['dainə,mou] *s electr.* Dy'namo(ma,schine *f*) *m.*

dy·na·mo·e·lec·tric [,dainəmoi'lektrik], **,dy·na·mo·e'lec·tri·cal** *adj phys.* dy'namoe,lektrisch, e'lektrody,namisch.

dy·na·mom·e·ter [,dainə'mɒmitər] *s tech.* Dynamo'meter *n*, Kraftmesser *m.*

dy·na·mo·tor ['dainə,moutər] *s electr.* 'Umformer *m*, 'Motorgene,rator *m.*

dy·nast ['dinæst; *Br. a.* 'din-] *s* Dy'nast *m*, Herrscher *m.* **dy'nas·tic** [-'næstik] *adj* (*adv* ~ally) dy'nastisch. '**dy·nas·ty** [-nəsti] *s* Dyna'stie *f*, Herrschergeschlecht *n*, -haus *n.*

dy·na·tron ['dainə,trɒn] *s electr.* Dynatron *n*, Mesotron *n* (*Sekundärelektronenröhre*).

dyne [dain] *s phys.* Dyn *n*, Dyne *f* (*Einheit der Kraft im CGS-System*).

dys- [dis] *Vorsilbe mit den Bedeutungen*: a) schwierig, b) *biol.* ungleich(artig), c) mangelhaft, d) krankhaft.

dys·en·ter·ic [,disen'terik] *adj med.* **1.** Ruhr..., ruhrartig. **2.** ruhrkrank. **dys·en·ter·y** [*Br.* 'disəntri; *Am.* -,teri] *s med.* Dysente'rie *f*, Ruhr *f.*

dys·lo·gis·tic [,dislo'dʒistik] *adj* (*adv* ~ally) abfällig, her'absetzend.

dys·pep·si·a [dis'pepsiə; -ʃə], **dys'pep·sy** [-si] *s med.* Verdauungsstörung *f.* **dys'pep·tic** [-tik] **I** *adj* **1.** *med.* dys'peptisch. **2.** *fig.* depri'miert, 'mißgestimmt. **II** *s* **3.** Dys'peptiker(in).

dysp·n(o)e·a [disp'ni:ə] *s med.* Dys'pnoe *f*, Atemnot *f*, Kurzatmigkeit *f.*

dys·tel·e·ol·o·gy [,disteli'ɒlədʒi; -ti:-] *s biol.* Dysteolo'gie *f*, Unzweckmäßigkeitslehre *f.* **dys'tro·phi·a** [-'troufiə] → dystrophy. **dys'troph·ic** [-'trɒfik] *adj med.* **1.** dys'troph, Dystrophie... **2.** ernährungsgestört. '**dys·tro·phy** [-trəfi] *s med.* Dystro'phie *f*, Ernährungsstörung *f.*

E

E, e [iː] **I** *pl* **E's, Es, e's, es** [iːz] *s* **1.** E, e *n* (*5. Buchstabe*). **2.** *mus.* E, e *n* (*Note*): **E flat** Es, es *n*; **E sharp** Eis, eis *n*; **E double flat** Eses, eses *n*; **E double sharp** Eisis, eisis *n*. **3.** e *phys.* a) e (*Elementarladung*), b) → **erg.** **4.** E *ped. bes. Am.* Fünf *f*, Mangelhaft *n*. **5.** E (*Lloyds Schiffsklassifikation*) a) unterste Klasse, b) Schiff *n* unterer Klasse (*Holzschiffe*). **6.** E *Am.* (*Symbol für*) her'vorragende Leistung (= **excellence**). **II** *adj* **7.** fünft(er, e, es): **Company E** die 5. Kompanie.

e- [i] *für* **ex-** *vor Konsonanten* (*außer c, f, p, q, s, t*).

each [iːtʃ] **I** *adj* jeder, jede, jedes (einzelne) (*aus e-r bestimmten Zahl od. Gruppe*): ~ **man** jeder (Mann); ~ **one** jede(r) einzelne; ~ **and every one** alle u. jeder. **II** *pron* (ein) jeder, (e-e) jede, (ein) jedes: ~ **of us** jede(r) von uns; (**we help**) ~ **other** (wir helfen) einander *od.* uns (gegenseitig); **they think of** ~ **other** sie denken aneinander. **III** *adv* je, pro Per'son *od.* Stück: **they cost five shillings** ~ sie kosten fünf Schilling (das Stück); **we had one room** ~ wir hatten jeder ein Zimmer.

ea·ger[1] ['iːgər] *adj* (*adv* ~**ly**) **1.** eifrig, lebhaft: ~ **beaver** *Am. sl.* Streber *m*, Übereifrige(r) *m*. **2.** (**for, after, about**) begierig (nach), erpicht (auf *acc*): ~ **for knowledge** wißbegierig; **to be** ~ **to swim** erpicht darauf sein zu schwimmen. **3.** begierig, ungeduldig, gespannt: **to be** ~ **for news** ungeduldig auf Nachricht warten. **4.** heiß, heftig: ~ **desire.**

ea·ger[2] → **eagre.**

ea·ger·ness ['iːgərnis] *s* **1.** Ungeduld *f*. **2.** Eifer *m*, Begierde *f*.

ea·gle ['iːgl] *s* **1.** *orn., a. her.* Adler *m*. **2.** *Am. hist.* goldenes Zehn'dollarstück. **3.** *pl mil.* Adler *pl* (*Rangabzeichen e-s Obersten in der US-Armee*). **4.** E~ *astr.* Adler *m* (*Sternbild*). **5.** *Golf*: *Resultat, das um zwei Schläge unter dem Durchschnitt liegt.* '~-'**eyed** *adj* adleräugig, scharfsichtig. ~ **owl** *s orn.* Uhu *m*, Adlereule *f*.

ea·glet ['iːglit] *s orn.* junger Adler.

ea·gle vul·ture *s orn.* Geierseeadler *m*.

ea·gre ['iːgər; 'eigər] *s* Flutwelle *f*.

ear[1] [ir] *s* **1.** *anat.* Ohr *n*. **2.** *fig.* Gehör *n*, Ohr *n*: **a good** (*od.* **quick**) ~ ein feines Gehör, gute Ohren; **an** ~ **for music** a) musikalisches Gehör, b) Sinn *m* für Musik; **by** ~ nach dem Gehör (*spielen*). **3.** *fig.* Gehör *n*, Aufmerksamkeit *f*: **to give** (*od.* **lend**) **an** ~ **to s.o.** j-m Gehör schenken, j-n anhören; **to have s.o.'s** ~ j-s Ohr *od.* Aufmerksamkeit besitzen; **it came to my** ~**s** es kam mir zu Ohren. **4.** Henkel *m*, Griff *m*. **5.** Öhr *n*, Öse *f*. **6.** *electr.* Aufhängebock *m* (*für Oberleitungen von Fahrzeugen*). **7.** Titelbox *f* (*in Zeitungen*).

Besondere Redewendungen:
about one's ~**s** um die Ohren, rings um sich; **to bring s.th. about one's** ~**s** sich etwas einbrocken *od.* auf den Hals laden; **to be all** ~**s** ganz Ohr sein; **to be by the** ~**s** sich in den Haaren liegen; **I did not believe my** ~**s** ich traute m-n Ohren nicht; **his words fell on deaf** ~**s** s-e Worte stießen auf taube Ohren; **to turn a deaf** ~ **to s.th.** taub sein für *od.* gegen etwas; **up to the** ~**s** bis über die Ohren, ganz u. gar; **it goes in (at) one** ~ **and out at** (*od.* **of**) **the other** es geht zu e-m Ohr hinein u. zum anderen wieder hinaus; **to prick up** (*od.* **listen with all**) **one's** ~**s** die Ohren spitzen, gespannt lauschen; **to have one's** (*od.* **one, an**) ~ **to the ground** *colloq.* aufpassen, was vorgeht; **to play it by** ~ *fig.* improvisieren, sich durchlavieren; **a word in your** ~ ein Wort im Vertrauen; **his** ~**s were burning** ihm klangen die Ohren; → **flea** 1; **wall** *Bes. Redew.*

ear[2] [ir] *s* (Getreide)Ähre *f*.

'**ear|,ache** *s* Ohrenschmerzen *pl*, -reißen *n*. ~ **conch** *s anat.* äußeres Ohr, Ohrmuschel *f*. '~,**deaf·en·ing** *adj* ohrenbetäubend. '~,**drop** *s* Ohrgehänge *n*. '~,**drum** *s anat.* **1.** Trommelfell *n*. **2.** Mittelohr *n*.

eared[1] [ird] *adj* **1.** mit (...) Ohren, ...ohrig: → **lop-eared.** **2.** mit Henkel *od.* Öse (versehen).

eared[2] [ird] *adj* mit(...) Ähren: **long-**~ [langährig.]

ear| flap → **earlap.** '~**ful** *s*: **to get an** ~ *colloq.* ‚etwas zu hören bekommen'.

ear·ing ['i(ə)riŋ] *s mar.* Nockhorn *n*.

earl [əːrl] *s* Graf *m* (*dritthöchste brit. Adelsstufe zwischen* **marquis** *u.* **viscount**): **E**~ **Marshal** Großzeremonienmeister *m*.

earl·dom ['əːrldəm] *s* **1.** *hist.* Grafschaft *f*. **2.** Grafenwürde *f*.

ear·less ['irlis] *adj* **1.** ohrlos, ohne Ohren. **2.** henkellos. **3.** 'unmusi,kalisch.

ear·li·er ['əːrliər] **I** *comp von* **early.** **II** *adv* früher, zu'vor, vor'her. **III** *adj* früher, vergangen: **in** ~ **times.**

ear·li·est ['əːrliist] **I** *sup von* **early.** **II** *adv* **1.** am frühesten. **2.** frühestens. **III** *adj* **3.** frühest(er, e, es): **at the** ~ *ellipt.* frühestens.

ear·li·ness ['əːrlinis] *s* **1.** Frühe *f*, Frühzeitigkeit *f*. **2.** Frühaufstehen *n*.

'**ear,lobe** *s* Ohrläppchen *n*.

ear·ly ['əːrli] **I** *adv* **1.** früh, (früh)zeitig: ~ **in the day (year)** früh am Tag (im Jahr); ~ **on** schon früh(zeitig); ~ **in life** früh im Leben; ~ **May** Anfang Mai; **as** ~ **as May** schon im Mai; **as** ~ **as the times of Chaucer** schon zu Chaucers Zeiten; ~ **to bed and** ~ **to rise makes a man healthy, wealthy, and wise** Morgenstunde hat Gold im Munde. **2.** bald: → **possible** 1. **3.** am Anfang: ~ **on** *Br.* a) gleich zu Beginn, schon früh, b) bald. **4.** zu früh: **he arrived an hour** ~. **II** *adj* **5.** früh, (früh)zeitig: ~ **riser**, *humor.* ~ **bird** Frühaufsteher(in); **the** ~ **bird gets the worm** Morgenstunde hat Gold im Munde; *a.* wer zuerst kommt, mahlt zuerst; **to keep** ~ **hours** früh aufstehen u. früh zu Bett gehen; **the** ~ **summer** der Frühsommer; **at an** ~ **hour** zu früher Stunde; **it is still** ~ **days** *fig.* es ist noch früh am Tage. **6.** vorzeitig, früh: ~ **death.** **7.** zu früh: **you are** ~ **today** du bist heute (etwas) zu früh (daran). **8.** früh, Jugend...: **in his** ~ **days** in seiner Jugend. **9.** früh(reifend): ~ **peaches** frühe Pfirsiche. **10.** anfänglich, Früh..., früh, erst(er, e, es): ~ **Christian** frühchristlich; **the** ~ **Christians** die ersten Christen, die Frühchristen; ~ **history** Frühgeschichte *f*, frühe Geschichte. **11.** baldig: **an** ~ **reply.**

ear·ly| clos·ing *s econ.* früher Geschäftsschluß. **E**~ **Eng·lish style** *s arch.* frühgotischer Stil (*in England, etwa 1180—1270*). ~ **warn·ing** *s mil.* 'Vora,larm *m*.

'**ear|,mark** **I** *s* **1.** Ohrmarke *f* (*der Haustiere*). **2.** Kennzeichen *n*: **under** ~ gekennzeichnet. **3.** *fig.* Merkmal *n*, Kennzeichen *n*, Stempel *m*. **4.** Eselsohr *n*. **II** *v/t* **5.** kennzeichnen, bezeichnen. **6.** *bes. econ.* bestimmen, vorsehen, zu'rückstellen, -legen (**for** für): ~**ed funds** zweckbestimmte Mittel. '~-,**mind·ed** *adj psych.* audi'tiv. ~ **muff** *s Am.* Ohrenschützer *m*.

earn [əːrn] *v/t* **1.** *Geld etc* verdienen: ~**ed income** Arbeitseinkommen *n*; ~**ed surplus** Geschäftsgewinn *m*. **2.** *Zinsen etc* einbringen: **these shares** ~ **£ 500 a year.** **3.** *fig. j-m etwas* einbringen, -tragen: **it** ~**ed him a promotion.** **4.** *fig. Lob, Tadel etc* a) verdienen, b) ernten, erhalten: **to** ~ **praise.**

'**earn·er** *s* Verdiener(in): **salary** ~ Gehaltsempfänger(in).

ear·nest[1] ['əːrnist] **I** *adj* (*adv* ~**ly**) **1.** ernst. **2.** ernsthaft, gewissenhaft, eifrig. **3.** ernstlich: a) ernst(gemeint), b) dringend, inbrünstig, c) ehrlich, aufrichtig. **II** *s* **4.** Ernst *m*: **in** ~ im Ernst, ernst; **in good** ~ in vollem Ernst; **you are not in** ~ das ist doch nicht Ihr Ernst!; **to be in** ~ **about s.th.** es mit etwas ernst meinen.

ear·nest[2] ['əːrnist] *s* **1.** *jur.* An-, Auf-, Drauf-, Handgeld *n*, Anzahlung *f* (**of** auf *acc*): **in** ~ als Anzahlung. **2.** ('Unter)Pfand *n*. **3.** *fig.* Vorgeschmack *m*.

ear·nest·ness ['əːrnistnis] *s* **1.** Ernst(haftigkeit *f*) *m*. **2.** Eifer *m*.

ear·nest mon·ey → **earnest**[2] 1.

earn·ing ['əːrniŋ] *s econ.* **1.** (Geld)Verdienen *n*. **2.** *pl* Verdienst *m*: a) Einkommen *n*, Lohn *m*, Gehalt *n*, b) Gewinn *m*, Einnahmen *pl*, Ertrag *m*. ~ **pow·er** *s econ.* **1.** Erwerbskraft *f*, -vermögen *n*, -fähigkeit *f*. **2.** Ertragswert *m*, -fähigkeit *f*, Rentabili'tät *f*. ~ **val·ue** *s econ.* Ertragswert *m*.

'**ear|,phone** → **head phone.** '~,**pick** *s med.* Ohrlöffel *m*. '~,**piece** *s bes. teleph.* Hörer *m*, (Hör)Muschel *f*. '~-,**plug** *s* Wattepfropf *m*. '~,**ring** *s* Ohrring *m*. '~,**shot** *s*: **within (out of)** ~ in (außer) Hörweite. '~,**split·ting** *adj* ohrenzerreißend.

earth [əːrθ] **I** *s* **1.** Erde *f*: a) Erdball *m*, b) Welt *f*: **on** ~ auf Erden; **how (what, why) on** ~? wie (was, warum) in aller Welt? **2.** Erde *f*, (Erd)Boden *m*: **down to** ~ *fig.* nüchtern, prosaisch; **to come back** (*od.* **down**) **to** ~ *fig.* wieder nüchtern werden, auf den Boden der Wirklichkeit zurückkehren. **3.** (Fest)Land *n* (*Ggs. See*). **4.** *fig.* irdische Dinge *pl*, irdisches Dasein. **5.** *fig.* Erde *f*, Staub *m*: **of the** ~ erdgebunden, naturhaft. **6.** (Fuchs- *etc*) Bau *m*: **to run to** ~ a) *hunt. e-n Fuchs* im Bau aufstöbern, bis in s-n Bau verfolgen, b) *fig.* aufstöbern, ausfindig machen, c) → 12. **7.** *chem.* Erde *f*: **rare** ~**s** seltene Erden. **8.** *electr. Br.* a) Erde *f*,

Erdung *f*, Masse *f*, b) Erdschluß *m*: ~ **fault** Erdfehler *m*; ~ **potential** Nullspannung *f*. **II** *v/t* **9.** *meist* ~ **up** *agr.* (an)häufeln, mit Erde bedecken. **10.** *e-n Fuchs etc* in den Bau treiben. **11.** *electr. Br.* erden, an Masse legen: ~**ed conductor** geerdeter Leiter, Erder *m*; ~**ing switch** Erdungsschalter *m*. **III** *v/i* **12.** sich (in s-n Bau) verkriechen (*Fuchs*). '~ˌ**board** → moldboard 1. '~ˌ**born** *adj poet.* staubgeboren, irdisch, sterblich. '~-ˌ**bound** *adj* erdgebunden. ~ **clos·et** *s* Trockenabort *m*. ~ **con·nec·tion** → earth 8. ~ **cur·rent** *s electr.* Erd(ungs)strom *m*.

earth·en ['əːrθən] *adj* irden, tönern, Ton... '~ˌ**ware I** *s* **1.** (grobes) Steingut(geschirr), Töpferware *f*, irdenes Geschirr. **2.** grobes Steingut, Ton *m*. **II** *adj* **3.** irden, Steingut...

earth·i·ness ['əːrθinis] *s* **1.** Erdigkeit *f*. **2.** rea'listische (Denk)Art.

'**earth**ˌ**light** → earthshine.

earth·li·ness ['əːrθlinis] *s* (*das*) Irdische, Weltlichkeit *f*. '**earth·ling** [-liŋ] *s* **1.** Erdenbürger(in). **2.** Weltkind *n*.

earth·ly ['əːrθli] *adj* **1.** irdisch, weltlich. **2.** *colloq.* denkbar: **there is no ~ reason** es gibt keinen denkbaren *od.* erfindlichen Grund; **of no ~ use** völlig unnütz; **not to have an ~** *sl.* nicht die geringste Aussicht haben.

'**earth**|ˌ**nut** *s bot.* **1.** *e-e Knolle(npflanze), bes.* a) Fran'zösische 'Erdkaˌstanie, b) Erd-Eichel *f*, c) Erdnuß *f*, d) Erdmandel *f*. **2.** Echte Trüffel. '~ˌ**quake** *s* **1.** Erdbeben *n*. **2.** *fig.* Erschütterung *f*, 'Umwälzung *f*. '~ˌ**shaking** *adj fig.* welterschütternd. '~ˌ**shine** *s astr.* Erdlicht *n*.

earth·ward(s) ['əːrθwərd(z)] *adv* erdwärts.

earth| **wave** *s* **1.** Bodenwelle *f*. **2.** *geol.* Erdbebenwelle *f*. ~ **wax** *s min.* Ozoke'rit *n*, Erdwachs *n*. ~ **wire** *s electr.* Erdleitungsdraht *m*. '~ˌ**work** *s* **1.** *tech.* a) Erdarbeit *f*, b) Erdwall *m*, c) *Bahn- u. Straßenbau*: 'Unterbau *m*. **2.** *mil.* Feldschanze *f*. '~ˌ**worm** *s zo.* Regenwurm *m*.

earth·y ['əːrθi] *adj* **1.** erdig, Erd... **2.** erdfarben. **3.** irdisch, sinnlich, weltlich *od.* materi'ell (gesinnt). **4.** *fig.* a) grob, roh, b) derb, erdhaft: ~ **humo(u)r**.

ear| **trum·pet** *s med.* Hörrohr *n*. '~ˌ**wax** *s physiol.* Ohrenschmalz *n*. '~ˌ**wig** *s zo.* Ohrwurm *m*. '~'**wit·ness** *s* Ohrenzeuge *m*.

ease [iːz] **I** *s* **1.** Bequemlichkeit *f*, Behaglichkeit *f*, Behagen *n*, Wohlgefühl *n*: **to take one's ~** es sich gemütlich machen; **at ~** bequem, behaglich (→ 2, 3, 4, 5). **2.** *a.* ~ **of mind** (Gemüts)Ruhe *f*, Ausgeglichenheit *f*, (Seelen)Friede *m*: **at (one's) ~** ruhig, entspannt, gelöst; **to be** (*od.* **feel**) **at ~** sich wohl *od.* wie zu Hause fühlen; **to put** (*od.* **set**) **s.o. at (his) ~** a) j-n beruhigen, b) j-m die Befangenheit nehmen: **ill at ~** unruhig, unbehaglich, befangen. **3.** Sorglosigkeit *f*: **to live at ~** in guten Verhältnissen leben. **4.** *a. paint. etc* Leichtigkeit *f*, Mühelosigkeit *f*: **with ~** mühelos, leicht; ~ **of operation** leichte Bedienungsweise, einfache Bedienung. **5.** *a.* ~ **of manner** Ungezwungenheit *f*, Na'türlichkeit *f*, 'Ungeˌniertheit *f*: **at (one's) ~** ungezwungen, ungeniert; **to be at ~ with s.o.** ungezwungen mit j-m verkehren; **(stand) at ~!** *mil.* Rührt euch!; **at ~, march!** *mil.* ohne Tritt, Marsch! **6.** Erleichterung *f*, Befreiung *f* (**from** von): **to give s.o. ~** j-m Erleichterung verschaffen. **7.** *econ.* a) Nachgeben *n* (*der Preise*), (Kurs)-Abschwächung *f*, b) Flüssigkeit *f* (*des Kapitals*).

II *v/t* **8.** erleichtern, beruhigen: **to ~ one's mind** sich befreien *od.* erleichtern. **9.** bequem(er) *od.* leichter machen, *Arbeit etc* erleichtern. **10.** *Schmerzen* lindern. **11.** *e-r Sache* abhelfen. **12.** befreien, entlasten, erlösen (**of** von). **13.** *humor.* (**of**) *j-n* erleichtern (um), berauben (*gen*). **14.** lockern, entspannen (*beide a. fig.*): **to ~ off** *fig.* abschwächen; **to ~ taxes** Steuern senken. **15.** sacht *od.* vorsichtig bewegen *od.* manö'vrieren: **to ~ o.s. into a chair** sich vorsichtig in e-m Sessel niederlassen. **16.** *oft* ~ **down** a) *die Fahrt etc* vermindern, -langsamen, b) die Fahrt *od.* Geschwindigkeit vermindern (*gen*).

III *v/i* **17.** Erleichterung *od.* Entspannung schaffen. **18.** *meist* ~ **off**, ~ **up** a) nachlassen, sich abschwächen, b) sich entspannen (*Lage*). **19.** *econ.* fallen, abbröckeln (*Kurse, Preise*).

ease·ful ['iːzful] *adj* **1.** behaglich, wohlig. **2.** träge, gemächlich. **3.** ruhig, friedlich. **4.** erleichternd.

ea·sel ['iːzl] *s paint.* Staffe'lei *f*.

ease·ment ['iːzmənt] *s* **1.** *obs.* Erleichterung *f*. **2.** *jur.* Grunddienstbarkeit *f*.

eas·i·ly ['iːzili] *adv* **1.** leicht, mühelos, mit Leichtigkeit, bequem, glatt. **2.** ohne Zweifel, bei weitem. '**eas·i·ness** [-nis] *s* **1.** Leichtigkeit *f*, Mühelosigkeit *f*. **2.** Ungezwungenheit *f*, 'UngeˌNiertheit *f*. **3.** Leichtfertigkeit *f*.

east [iːst] **I** *s* **1.** Osten *m*: **to the ~ of** östlich *od.* im Osten von (*od. gen*); **the wind is in the ~** der Wind kommt von Osten; ~ **by north** *mar.* Ost zu Nord. **2.** E~ Osten *m*: a) Orient *m*, b) *pol. der kommunistische Staatenblock*. **3.** *meist* E~ Osten *m*, östlicher Teil (*e-s Landes*). **4. the** E~ *Am.* der Osten (*der USA*), die Oststaaten *pl*. **5.** Ostwind *m*. **II** *adj* **6.** Ost..., östlich: **the ~ gate**; ~ **wind** → 5. **III** *adv* **7.** ostwärts, in östlicher Richtung, nach Osten: ~ **of** östlich von (*od. gen*). '~ˌ**bound** *adj* nach Osten gehend *od.* reisend. **E~ End** *s* **1.** *Ostteil von London*. **2.** e~ e~ *fig.* Armenviertel *pl* (*e-r Stadt*). '**E~-'end·er** *s Bewohner(in) des Ostteils von London*.

East·er ['iːstər] **I** *s* **1.** Ostern *n od. pl*: **at ~** an *od.* zu Ostern. **2.** Osterfest *n*. **II** *adj* **3.** Oster...: ~ **day** Oster(sonn)tag *m*; ~ **egg** Osterei *n*.

east·er·ly ['iːstərli] **I** *adj* **1.** Ost..., östlich (gelegen). **2.** von Osten kommend, Ost...: ~ **wind**. **II** *adv* **3.** ostwärts, nach Osten.

east·ern ['iːstərn] **I** *adj* **1.** östlich. **2.** östlich, orien'talisch, morgenländisch. **3.** östlich, nach Osten (gerichtet): **an ~ route**. **4.** Ost..., östlich (gelegen): ~ **England** Ostengland *n*. **5.** aus Osten kommend; Ost...: ~ **wind**. **II** *s* E~ **6.** Orien'tale *m*. **7.** → easterner 1. **8.** *relig.* Angehörige(r *m*) *f* der 'griechisch-orthoˌdoxen Kirche. **E~ Church** *s relig.* 'griechisch-orthoˌdoxe Kirche. **E~ Em·pire** *s hist.* Oströmisches Reich.

east·ern·er ['iːstərnər] *s* **1.** Ostländer (-in). **2.** E~ *Am.* Oststaatler(in).

'**East·er**|ˌ**tide**, ~ **time** *s* **1.** Osterzeit *f*. **2.** Osterwoche *f*. ~ **week** → Eastertide 2.

East| **In·di·a Com·pa·ny** *s hist.* Ostindische Gesellschaft (*1600—1858*). ~ **In·di·a·man** *s mar. hist.* Ostindienfahrer *m* (*Schiff*).

east·ing ['iːstiŋ] *s* **1.** *mar.* zu'rückgelegter östlicher Kurs. **2.** östliche Entfernung (*von e-m Meridian*).

'**east-**ˌ**north'east** *s mar.* Ostnord'ost *m*.

East Side *s* **1.** *Ostteil von Manhattan*. **2.** e~ s~ *Am. fig.* Armenviertel *pl*.

east·ward ['iːstwərd] **I** *adv* ostwärts, nach Osten. **II** *adj* östlich, ostwärts gerichtet *etc*. '**east·wards** [-dz] → eastward I.

eas·y ['iːzi] **I** *adj* (*adv* → **easily**) **1.** leicht, mühelos: **an ~ victory**; **an ~ victim** ein leichtes Opfer; ~ **of access** leicht zugänglich *od.* erreichbar; **it is ~ for him to talk** er hat gut reden; **an ~ 200 pounds** glatt *od.* gut 200 Pfund. **2.** leicht, einfach: **an ~ language**; **an ~ task**; ~ **money** leicht verdientes Geld (→ 13 c). **3.** a) bequem: **an ~ chair**, b) gemütlich: **an ~ room**; **to make o.s. ~** es sich bequem *od.* gemütlich machen. **4.** *a.* ~ **in one's mind** ruhig, unbesorgt (**about** um), unbeschwert, sorglos. **5.** bequem, leicht, behaglich, angenehm: **an ~ life**; **an ~ fit** ein loser *od.* bequemer Sitz (*der Kleidung*); **to live in ~ circumstances, to be on ~ street** in guten Verhältnissen leben, wohlhabend sein. **6.** frei von Schmerzen *od.* Beschwerden: **to feel easier** sich besser fühlen. **7.** gemächlich, gemütlich: **an ~ pace**; **an ~ walk**. **8.** nachsichtig (**on** mit). **9.** günstig, erträglich, leicht, mäßig: **an ~ penalty** e-e leichte Strafe; **on ~ terms** zu günstigen Bedingungen. **10.** nachgiebig, gefügig. **11.** a) leichtfertig, b) locker, frei (*Moral etc*): **of ~ virtue** liederlich (*Frau*). **12.** ungezwungen, na'türlich, frei, unbefangen: ~ **manners**; **free and ~** (ganz) zwanglos, ohne Formalitäten; **an ~ style** ein leichter *od.* flüssiger Stil. **13.** *econ.* a) flau, lustlos (*Markt*), b) wenig gefragt (*Ware*), c) billig (*Geld*): ~**-money market** Geldmarktflüssigkeit *f*.

II *adv* **14.** leicht, bequem: ~ **to use** leicht zu handhaben(d); **to go ~, to take it ~** a) sich Zeit lassen, langsam tun, b) es sich gemütlich machen, c) sich nicht aufregen; **take it ~!** a) immer mit der Ruhe!, b) keine Bange!; **to go ~ on** *Am. colloq.* a) *j-n od. etwas* sachte anfassen, b) schonend *od.* sparsam umgehen mit; ~! sachte!, langsam!; ~ **all!** (*Rudern*) Halt!; **stand ~!** *mil.* Rührt euch!; **easier said than done** leichter gesagt als getan; ~ **come, ~ go** wie gewonnen, so zerronnen.

III *s* **15.** *Rudern*: (Ruhe)Pause *f*.

eas·y| **chair** *s* Lehnstuhl *m*, Sessel *m*. '~'**go·ing** *adj* **1.** bequem, gemächlich. **2.** unbeschwert, leichtlebig.

eat [iːt] **I** *s* **1.** *pl Am. sl.* ‚Futter' *n*, Eßwaren *pl*, Essen *n*.

II *v/t pret* **ate** [*bes. Br.* et; *bes. Am.* eit], *pp* **eat·en** ['iːtn] **2.** essen (*Mensch*), fressen (*Tier*): **fit to ~** genießbar; **to ~ one's terms** (*od.* **dinners**) *jur. Br.* s-e Studien an den Inns of Court absolvieren (*u. an den vorgeschriebenen Essen teilnehmen*); **to ~ one's words** das Gesagte (*demütig*) zurücknehmen *od.* widerrufen; **don't ~ me** *humor.* friß mich nur nicht (gleich) auf; **what's ~ing him?** was (für e-e Laus) ist ihm über die Leber gelaufen?; → **cake** 1, **crow**[1] 1, **dirt** *Bes. Redew.*, **dog** *Bes. Redew.*, **heart** *Bes. Redew.*, **humble pie**, **salt**[1] 1. **3.** zerfressen, -nagen, zehren *od.* nagen an (*dat*): ~**en by acid** von Säure zerfressen; ~**en by worms** wurmstichig. **4.** fressen, nagen: **to ~ holes**. **5.** → **eat up**.

III *v/i* **6.** essen: **to ~ well** gut essen, e-n guten Appetit haben; **to ~ out of**

s.o.'s hand *bes. fig.* j-m aus der Hand fressen. **7.** fressen, nagen (*a. fig.*): to ~ into *fig.* a) sich (hin)einfressen in (*acc*), eindringen in (*acc*), b) *Reserven etc* angreifen, ein Loch reißen in (*acc*); to ~ through s.th. sich durch etwas hindurch(fr)essen. **8.** sich essen (lassen): it ~s like pork.

Verbindungen mit Adverbien:

eat| a·way *v/t* (*langsam*) verzehren *od.* vernichten. ~ **out** *v/i* auswärts speisen. ~ **up** *v/t* **1.** aufessen, verzehren. **2.** *fig. Reserven etc* verschlingen. **3.** *fig.* vernichten. **4.** *j-n* verzehren (*Gefühl*): to be eaten up with curiosity vor Neugierde ‚platzen'. **5.** *fig. j-n* ‚auffressen' (*Arbeit*). **6.** *sl.* ‚fressen', ‚schlucken' (*etwas willig od. gierig in sich aufnehmen*).

eat·a·ble ['iːtəbl] **I** *adj* eßbar, genießbar. **II** *s pl* Eßwaren *pl.* '**eat·en** *pp von* eat. '**eat·er** *s* Esser(in): a poor ~ ein schwacher Esser.

eat·ing ['iːtiŋ] **I** *s* **1.** Essen *n.* **2.** Speise *f.* **II** *adj* **3.** essend. **4.** Eß...: an ~ apple. **5.** *bes. fig.* zehrend, nagend. ~ **house** *s* Gast-, Speisehaus *n.*

Eau| de Co·logne [ˌoudəkə'loun] *s* Kölnischwasser *n.* ~ **de Ja·velle** [odʒa'vɛl] (*Fr.*) *s* Ja'vellewasser *n.* ~ **de Nil(e)** [od'nil] (*Fr.*) *s* Nilgrün *n* (*Farbe*). ~ **de vie** [od'vi] (*Fr.*) *s* Branntwein *m.*

eaves [iːvz] *s pl* **1.** Dachrinne *f.* **2.** 'überhängende (Dach)Kante. '~ˌ**drop** *v/i* (heimlich) lauschen *od.* horchen: to ~ on s.o. j-n belauschen. '~ˌ**drop·per** *s* Horcher(in), Lauscher(in). '~ˌ**drop·ping** *s* (heimliches) Horchen.

ebb [eb] **I** *s* **1.** Ebbe *f*: ~ and flow Ebbe u. Flut. **2.** *fig.* Ebbe *f*, Tiefstand *m*, Abnahme *f*, Neige *f*: to be at a low ~ auf e-m Tiefpunkt angelangt sein, traurig dastehen, heruntergekommen sein. **II** *v/i* **3.** verebben, zu'rückgehen (*beide a. fig.*): to ~ and flow steigen u. fallen (*a. fig.*). **4.** *a.* ~ away *fig.* abnehmen, (da'hin)schwinden, versiegen: to ~ back (allmählich) wieder steigen. ~ **tide** → ebb 1, 2.

'**E-ˌboat** *s mar. Br.* Schnellboot *n.*

eb·on ['ebən] **I** *s poet.* Ebenholz *n.* **II** *adj* → ebony II. '**eb·onˌite** [-ˌnait] *s* Ebo'nit *n* (*Hartkautschuk*). '**eb·onˌize** *v/t* schwarz beizen. '**eb·on·y I** *s* **1.** *bot.* Ebenholzbaum *m.* **2.** Ebenholz *n.* **3.** *colloq.* Neger(in). **II** *adj* **4.** aus Ebenholz, Ebenholz... **5.** schwarz.

e·bri·e·ty [i(ː)'braiəti] → inebriety.

e·bul·li·ence [i'bʌljəns], *a.* **e'bul·li·en·cy** *s* **1.** Aufwallen *n* (*a. fig.*). **2.** *fig.* a) Ü'berschäumen *n* (*der Leidenschaft etc*), (Gefühls)Ausbruch *m*, b) 'Überschwenglichkeit *f.* **e'bul·li·ent** *adj* **1.** siedend, aufwallend. **2.** 'überfließend, -kochend. **3.** *fig.* a) sprudelnd, 'überschäumend (with von), b) 'überschwenglich. **eb·ul·li·tion** [ˌebə'liʃən] → ebullience 1, 2 a.

ec·cen·tric [ik'sentrik; ek-] **I** *adj* (*adv* ~ally) **1.** ex'zentrisch: a) wunderlich, über'spannt, verschroben, b) ausgefallen, ungewöhnlich. **2.** *math. tech.* ex'zentrisch: a) ohne gemeinsamen Mittelpunkt, b) nicht zen'tral, c) die Achse nicht im Mittelpunkt habend, d) nicht durch den Mittelpunkt gehend (*Achse*): ~ chuck exzentrisches Spannfutter. **3.** *tech.* Exzenter...: ~ gear; ~ wheel Exzenterscheibe *f.* **4.** *astr.* nicht rund. **II** *s* **5.** Sonderling *m*, wunderlicher Kauz, ex'zentrischer Mensch. **6.** *tech.* Ex'zenter *m.* **7.** *math.* ex'zentrische Fi'gur, *bes.* exzentrischer Kreis.

ec'cen·tri·cal *adj* (*adv* ~ly) → eccentric I.

ec·cen·tric·i·ty [ˌeksen'trisiti] *s* **1.** Verschrobenheit *f*, Über'spanntheit *f*, Exzentrizi'tät *f.* **2.** verschrobener Einfall. **3.** *math. tech.* Exzentrizi'tät *f.*

ec·chy·mo·sis [ˌeki'mousis] *s med.* Ekchy'mose *f*, subku'tane Blutung.

ec·cle·si·ast [i'kli:ziˌæst] *s relig.* **1.** → ecclesiastic II. **2.** E~ *Bibl.* Verfasser *m* des Predigers Salomo. **EcˌcIe·si'as·tes** [-tiːz] *s Bibl.* Ekklesi'astes *m*, der Prediger Salomo. **ecˌcle·si'as·tic I** *adj* (*adv* ~ally) → ecclesiastical. **II** *s* Ekklesi'ast *m*, Geistliche(r) *m.* **ecˌcle·si'as·ti·cal** *adj* (*adv* ~ly) ekklesi'astisch, kirchlich, Kirchen..., geistlich: ~ court geistliches Gericht; ~ law Kirchenrecht *n.*

ec·cle·si·as·ti·cism [iˌkliːzi'æstiˌsizəm] *s* Kirchentum *n*, Kirchlichkeit *f.*

eche [iːtʃ] *v/t obs.* **1.** vermehren. **2.** ~ out mühsam her'ausschinden.

ech·e·lon ['eʃəˌlɒn] **I** *s* **1.** *mar. mil.* Staffelung *f*: in ~ staffelförmig (aufgestellt). **2.** *aer.* 'Staffelflug *m*, -formatiˌon *f.* **3.** *mil.* a) Staffel *f* (*Voraus-, Sicherungs- od. Nachschubabteilung*), b) Stabsteil *m*, c) (Befehls)Ebene *f*, d) (In'standhaltungs)Stufe *f*, e) (Angriffs)Welle *f.* **4.** Rang *m*, Stufe *f.* **II** *adj* **5.** gestaffelt, Staffel... **III** *v/t* **6.** staffeln, staffelförmig gliedern. **IV** *v/i* **7.** sich staffeln, sich staffelförmig aufstellen.

e·chi·no·derm [i'kainoˌdəːrm; e'k-; 'ekino-] *s zo.* Stachelhäuter *m.*

e·chi·nus [i'kainəs; e'k-] *s* **1.** *zo.* Seeigel *m.* **2.** *arch.* E'chinus *m.*

ech·o ['ekou] *pl* **-oes I** *s* **1.** Echo *n*, 'Widerhall *m* (*beide a. fig.*): to the ~ laut, schallend; to find a sympathetic ~ *fig.* Anklang finden. **2.** *fig.* Echo *n*, Nachbeter(in), -ahmer(in). **3.** genaue Nachahmung. **4.** *mus.* a) Echo *n*, leise Wieder'holung, b) → echo organ, c) → echo stop. **5.** *metr.* → echo verse. **6.** *electr.* Echo *n* (*Reflektierung e-r Radiowelle*): a) *TV* Geisterbild *n*, b) *Radar*: Schattenbild *n.* **7.** *Kartenspiel*: Trumpfforderung *f.* **II** *v/i pret u. pp* '**ech·oed 8.** echoen, 'widerhallen (with von). **9.** nach-, 'widerhallen, zu'rückgeworfen werden (*Ton*). **10.** tönen, hallen (*Ton*). **III** *v/t* **11.** *e-n Ton* zu'rückwerfen, 'widerhallen lassen. **12.** a) *Worte* echoen, nachbeten, b) *j-m* alles nachbeten. **13.** nachahmen. '**ech·o·er** *s* Echo *n*, Nachbeter(in).

ech·o·gram ['ekoˌgræm] *s mar.* Echo'gramm *n.*

e·cho·ic [e'kouik] *adj* **1.** echoartig, Echo... **2.** *ling.* lautmalend, schallnachahmend. '**ech·oˌism** *s ling.* ˌLautmale'rei *f.*

ech·o| sound·er *s mar.* Echolot *n.* ~ **sound·ing** *s mar.* Echolotung *f.* ~ **stop** *s mus.* 'Echoreˌgister *n*, -zug *m* (*der Orgel*). ~ **verse** *s metr.* Echovers *m.* ~ **word** *s ling.* lautnachahmendes Wort.

e·cize ['iːsaiz] *v/i Ökologie*: sich der neuen Um'gebung anpassen.

é·clair [ei'klɛr] *s* E'clair *n.*

é·clat [*Br.* 'eiklɑː; *Am.* ei'klɑː; e'kla] *s* **1.** E'klat *m*, 'durchschlagender Erfolg, öffentliches Aufsehen. **2.** (allgemeiner) Beifall. **3.** *fig.* Auszeichnung *f*, Geltung *f.* **4.** bril'lanter Ef'fekt. **5.** Glanz *m*, Pomp *m.*

ec·lec·tic [ek'lektik; ik-] **I** *adj* (*adv* ~ally) ek'lektisch: a) *philos. den Eklektizismus betreffend*, b) auswählend, c) e-e Auswahl darstellend, aus verschiedenen Quellen zs.-gestellt. **II** *s bes. philos.* Ek'lektiker *m.* **ec'lec·tiˌcism** [-ˌsizəm] *s philos.* Eklekti'zismus *m.*

e·clipse [i'klips] **I** *s* **1.** *astr.* Ek'lipse *f*, Finsternis *f*, Verfinsterung *f*: ~ of the moon Mondfinsternis; partial (total) ~ partielle (totale) Finsternis. **2.** Verdunkelung *f*, Dunkelheit *f.* **3.** *fig.* Verdüsterung *f*, Über'schattung *f.* **4.** (Ver)Schwinden *n*, Sinken *n*, Niedergang *m*: in ~ verdunkelt, im Schwinden, im Sinken. **II** *v/t* **5.** *astr.* verfinstern. **6.** *fig.* verdunkeln. **7.** *fig.* in den Schatten stellen, über'ragen.

e'clip·tic [-tik] *astr.* **I** *s* Ek'liptik *f* (*scheinbare Sonnenbahn*). **II** *adj* ek'liptisch.

ec·logue ['eklɒg] *s* Ek'loge *f*, Hirtengedicht *n.*

ec·o·log·ic [ˌekə'lɒdʒik] *adj*; ˌ**ec·o'log·i·cal** *adj* (*adv* ~ly) öko'logisch. **e·col·o·gist** [i'kɒlədʒist] *s* Öko'loge *m.* **e'col·o·gy** [-dʒi] *s biol.* Ökolo'gie *f*: a) *Lehre von den Beziehungen der Lebewesen zu ihrer Umwelt*, b) *die Gesamtheit dieser Beziehungen.*

e·con·o·met·rics [iˌkɒnə'metriks] *s pl* (*als sg konstruiert*) *econ.* Ökonome'trie *f.*

e·co·nom·ic [ˌiːkə'nɒmik; ˌekə-] **I** *adj* (*adv* ~ally) **1.** (staats-, volks)wirtschaftlich, natio'nalökoˌnomisch, Wirtschafts...: ~ conditions a) Wirtschaftslage *f*, b) Erwerbsverhältnisse; ~ development wirtschaftliche Entwicklung; ~ geography Wirtschaftsgeographie *f*; ~ geology Montangeologie *f*; ~ policy Wirtschaftspolitik *f*; ~ science → 6 a. **2.** wirtschaftswissenschaftlich. **3.** Hauswirtschafts... **4.** praktisch, angewandt: ~ botany. **5.** a) ren'tabel, wirtschaftlich, gewinnbringend, b) *selten für* economical 1. **II** *s* **6.** *pl* (*als sg konstruiert*) a) Volkswirtschaft(slehre) *f*, Natio'nalökonoˌmie *f*, b) → economy 4. ˌ**e·co'nom·i·cal** *adj* (*adv* ~ly) **1.** wirtschaftlich, sparsam, haushälterisch. **2.** Spar... **3.** → economic I.

e·con·o·mist [i(ː)'kɒnəmist] *s* **1.** *a.* political ~ Volkswirt(schaftler) *m*, Natio'nalökoˌnom *m.* **2.** guter Haushälter, sparsamer Wirtschafter. **e'con·oˌmize I** *v/t* **1.** sparsam anwenden, sparsam 'umgehen *od.* wirtschaften mit, haushalten mit, sparen. **2.** (der Indu'strie) nutzbar machen, (gut *od.* am besten) ausnützen. **II** *v/i* **3.** sparen, sparsam wirtschaften. **4.** sich einschränken (in in *dat*): to ~ on → 1. **5.** Einsparungen machen. **e'con·oˌmiz·er** *s* **1.** sparsamer *od.* haushälterischer Mensch. **2.** *tech.* Sparanlage *f*, *bes.* Speisewasser-, Rauchgas-, Luftvorwärmer *m.*

e·con·o·my [i(ː)'kɒnəmi] **I** *s* **1.** Sparsamkeit *f*, Wirtschaftlichkeit *f*, Ausnützung *f.* **2.** *fig.* a) sparsame Anwendung (of *gen*), b) Sparsamkeit *f* in den (künstlerischen) Mitteln: dramatic ~ dramatische Knappheit. **3.** a) Sparmaßnahme *f*, b) Einsparung *f*, c) Ersparnis *f.* **4.** *econ.* a) 'Wirtschaft(ssyˌstem *n*) *f*, b) Wirtschaftslehre *f*: free ~ freie Wirtschaft; planned ~ Planwirtschaft; political ~ → economic 6 a. **5.** or'ganisches Sy'stem, Anordnung *f*, Aufbau *m.* **6.** *relig.* a) göttliche Weltordnung, b) verständige Handhabung (*e-r Doktrin*). **II** *adj* **7.** Spar...: ~ bottle; ~ car Wagen *m* mit geringen Betriebskosten; ~-priced billig, preisgünstig.

e·co·sys·tem ['iːkoˌsistəm] *s biol.* 'Oekosyˌstem *n* (*dynamische Lebens-*

einheit aus abiotischem Lebensraum u. biotischer Lebensgemeinschaft).

e·co·type ['i:koˌtaip] *s biol.* Öko'typ *m* (*Gesamtheit der standortgemäßen Erbeinheiten*).

ec·ru, *a.* **é·cru** ['ekru:; 'eikru:] **I** *adj* **1.** e'krü, na'turfarben, ungebleicht (*Stoff*). **II** *s* **2.** E'krüstoff *m.* **3.** E'krü *n,* Na'turfarbe *f.*

ec·sta·size ['ekstəˌsaiz] **I** *v/t* in Ek'stase versetzen. **II** *v/i* in Ek'stase geraten.

ec·sta·sy ['ekstəsi] *s* **1.** Ek'stase *f*: a) (Gefühls-, Sinnen)Taumel *m,* Rase'rei *f*: **to be in ~** außer sich sein, b) (*a.* dichterische *od.* religi'öse) Verzückung, Rausch *m,* (Taumel *m* der) Begeisterung *f*: **to go into ecstasies over s.th.** über etwas in Verzückung geraten, von etwas hingerissen sein, c) *med.* krankhafte Erregung. **2.** Aufregung *f.*

ec·stat·ic [ek'stætik; ik-] *adj* (*adv* **~ally**) **1.** ek'statisch (*a. fig.*). **2.** *fig.* a) schwärmerisch, 'überschwenglich, b) ent-, verzückt, begeistert, 'hingerissen. **3.** *fig.* entzückend, 'hinreißend.

ec·ta·sis ['ektəsis] *s* **1.** *ling.* Dehnung *f* (*Silbe*). **2.** *med.* Ekta'sie *f,* Erweiterung *f.*

ec·to·blast ['ektoˌblæst], **'ec·toˌderm** [-ˌdə:rm] *s* Ekto'derm *n,* äußeres Keimblatt.

ec·to·gen·ic [ˌekto'dʒenik], **ec·tog·e·nous** [ek'tɒdʒənəs] *adj biol.* außerhalb des Orga'nismus entstanden (*Parasit etc*).

ec·to·plasm ['ektoˌplæzəm] *s biol.* Ekto'plasma *n,* äußere Proto'plasmaschicht.

ec·to·zo·on [ˌekto'zouɒn] *pl* **-zo·a** [-ə] *s zo.* Ekto'zoon *n,* 'Außenparaˌsit *m.*

ec·type ['ektaip] *s* **1.** Nachbildung *f,* Reprodukti'on *f,* Ko'pie *f.* **2.** Abdruck *m* (*e-s Stempels etc*). **ˌec·ty'pog·ra·phy** [-ti'pɒgrəfi] *s tech.* Reli'efätzung *f.*

ec·u·men·i·cal [*Br.* ˌi:kju'menikəl; *Am.* ˌek-], *a.* **ˌec·u'men·ic** *adj* ökumenisch, allgemein, 'weltumˌfassend: **ecumenical council** *relig.* ökumenisches Konzil, Weltkirchenrat *m.*

ec·ze·ma ['eksimə] *s med.* Ek'zem *n.* **ec·zem·a·tous** [ek'zemətəs] *adj med.* ek'zemartig.

e·da·cious [i'deiʃəs] *adj* (*adv* **~ly**) gefräßig, gierig.

E·dam (cheese) ['i:dæm] *s* Edamer [(Käse) *m.*]

Ed·da ['edə] *s* Edda *f*: **Elder (Poetic) ~** ältere (poetische) Edda; **Younger (Prose) ~** jüngere (Prosa-)Edda.

ed·dy ['edi] **I** *s* **1.** (Wasser)Wirbel *m,* Strudel *m.* **2.** (Luft-, Staub)Wirbel *m.* **3.** *fig.* Wirbel *m.* **II** *v/t u. v/i* **4.** (her'um)wirbeln. **~ cur·rent** *s electr.* Wirbelstrom *m.*

e·del·weiss ['eidəlˌvais] *s bot.* Edel- [weiß *n.*]

e·de·ma [i(:)'di:mə] *pl* **-ma·ta** [-mətə] *s med.* Ö'dem *n,* Wassersucht *f*: **~ of the lungs** Lungenödem. **e'dem·a·tous** [-'demətəs], *a.* **e'dem·aˌtose** [-ˌtous] *adj* ö'demartig, Ödem...

E·den ['i:dn] *s Bibl.* (der Garten) Eden *n,* das Para'dies (*a. fig.*).

e·den·tate [i'denteit] **I** *adj* **1.** *zo.* zahnarm. **2.** *bot. zo.* zahnlos. **II** *s* **3.** *zo.* zahnarmes Tier.

edge [edʒ] **I** *s* **1.** a) *a.* **cutting ~** Schneide *f,* b) Schärfe *f*: **the knife has no ~** das Messer ist stumpf *od.* schneidet nicht; **to take the ~ off** *e-e Klinge* stumpf machen, *fig. e-r Sache* die Spitze *od.* Schärfe *od.* Wirkung nehmen; **to put an ~ on s.th.** etwas schärfen *od.* schleifen; **on ~** ungeduldig, nervös, gereizt; **to set s.o.'s teeth on ~** a) j-n kribbelig *od.* nervös machen, b) j-m durch Mark u. Bein gehen. **2.** *fig.* Schärfe *f,* Spitze *f*: **the ~ of sarcasm; to give an ~ to s.th.** etwas verschärfen *od.* in Schwung bringen; **not to put too fine an ~ upon it** kein Blatt vor den Mund nehmen. **3.** Ecke *f,* scharfe Kante, (Berg)Grat *m.* **4.** (äußerster) Rand, Saum *m*: **~ of the woods** Waldrand; **on the ~ of** *fig.* kurz vor; **to be on the ~ of despair** *fig.* am Rande der Verzweiflung sein; **to be on the ~ of doing s.th.** kurz davor stehen *od.* im Begriff sein, etwas zu tun. **5.** Grenze *f,* Grenzlinie *f.* **6.** Kante *f,* Schmalseite *f*: **the ~ of a table** die Tischkante; **to set (up) on ~** hochkant stellen. **7.** Schnitt *m* (*Buch*): → **gilt-edged** 1. **8.** *sport od. sl.* Vorteil *m* (on, in 'hinsichtlich *gen*): **to have the ~ on** (*od.* **over**) **s.o.** e-n Vorteil gegenüber j-m haben, j-m ‚über' sein. **9.** *Eiskunstlauf*: (Einwärts-, Auswärts)Bogen *m.*

II *v/t* **10.** schärfen, schleifen. **11.** um'säumen, um'randen, begrenzen, einfassen. **12.** *tech.* a) beschneiden, abkanten, b) *Blech* bördeln. **13.** (*langsam*) schieben, rücken, drängen (**through** durch): **to ~ o.s. into s.th.** sich in etwas (hin)eindrängen. **14.** *Ski* kanten.

III *v/i* **15.** sich schieben *od.* drängen.

Verbindungen mit Adverbien:

edge| a·way *v/i* (langsam) wegrücken, wegschleichen, sich langsam absetzen. **~ down** *v/t mar.* zuhalten (on auf *acc*). **~ in I** *v/t* einschieben, -werfen, -fügen: **to ~ a word. II** *v/i* sich hin'eindrängen *od.* -schieben. **~ off** → **edge away. ~ on** *v/t* antreiben, anstacheln, drängen. **~ out I** *v/t* **1.** hin'ausdrängen. **II** *v/i* **2.** sich hin'ausdrängen. **3.** sich fortstehlen.

edged [edʒd] *adj* **1.** mit e-r Schneide, schneidend, scharf. **2.** *in Zssgn* ...schneidig. **3.** eingefaßt, gesäumt. **4.** *in Zssgn* ...randig, ..gerändert: **black-~. ~ tool** *s* **1.** → **edge tool. 2. to play with edge(d) tools** *fig.* mit dem Feuer spielen.

edge| mill *s tech.* Kollergang *m.* **~ plane** *s tech.* Bestoßhobel *m.* **~ rail** *s rail.* Kantenschiene *f.* **~ roll** *s Buchbinderei*: **1.** Rändelstempel *m.* **2.** Randverzierung *f.* **~ tool** *s* Schneidewerkzeug *n.*

'edge|ˌways, '~ˌwise *adv* a) seitlich, von der Seite, Kante an Kante, mit der Kante nach vorn, b) hochkant(ig): **I could hardly get a word in ~** *fig.* ich konnte kaum ein Wort anbringen.

edg·ing ['edʒiŋ] *s* Rand *m,* Besatz *m,* Einfassung *f,* Borte *f*: **~ shears** Gartenschere *f* zum Beschneiden der Rasenränder. **'edg·y** *adj* **1.** kantig, eckig, scharf. **2.** *fig.* bissig, gereizt. **3.** *paint.* scharflinig.

edh [eð] *s ling.* durch'strichenes D (*altenglischer Buchstabe zur Bezeichnung des interdentalen Spiranten*).

ed·i·bil·i·ty [ˌedi'biliti] *s* Eß-, Genießbarkeit *f.* **'ed·i·ble I** *adj* eß-, genießbar: **~ oil** Speiseöl *n.* **II** *s pl* Eßwaren *pl,* Nahrungsmittel *pl.* **'ed·i·ble·ness** → **edibility.**

e·dict ['i:dikt] *s* E'dikt *n,* Erlaß *m.*

ed·i·fi·ca·tion [ˌedifi'keiʃən] *s* (religi'öse *od.* mo'ralische) Erbauung.

ed·i·fice ['edifis] ['edifis] *s* **1.** Gebäude *n,* Bau *m* (*a. fig.*). **2.** *fig.* Gefüge *n.*

'ed·iˌfy [-ˌfai] *v/t fig.* a) (*innerlich*) erbauen, b) aufrichten, c) (geistig *od.* mo'ralisch) bessern. **'ed·iˌfy·ing** *adj* (*adv* **~ly**) erbaulich (*a. iro.*), lehrreich.

ed·it ['edit] *v/t* **1.** *Texte, Schriften* a) her'ausgeben, e'dieren, b) redi'gieren, druckfertig machen, c) zur Veröffentlichung fertigmachen, d) zur Her'ausgabe sammeln u. ordnen u. korri'gieren. **2.** *ein Buch etc* bearbeiten, *bes.* kürzen, *e-n Film* schneiden. **3.** *e-e Zeitung etc* als Her'ausgeber leiten. **4.** *fig.* zu'rechtstutzen.

e·di·tion [i'diʃən] *s* **1.** Ausgabe *f* (*e-s Buches etc*): **a one-volume ~** e-e einbändige Ausgabe; **the morning ~** die Morgenausgabe (*Zeitung*). **2.** *fig.* (*kleinere etc*) Ausgabe: **he is a miniature ~ of his father** *humor.* er ist ganz der Papa. **3.** Auflage *f*: **first ~** erste Auflage, Erstdruck *m,* -ausgabe *f*; **to run into 20 ~s** 20 Auflagen erleben.

ed·i·tor ['editər] *s* **1.** Her'ausgeber *m* (*e-s literarischen Werkes*): **~ in chief** Hauptherausgeber. **2.** (Haupt)Schriftleiter *m,* ('Chef)Redakˌteur *m* (*e-r Zeitung*): **financial ~** Schriftleiter des Finanzteils; **sports ~** Sportredakteur; **the ~s** die Schriftleitung. **3.** 'Leitarˌtikler *m.* **ˌed·i'to·ri·al** [-'tɔ:riəl] **I** *adj* (*adv* → **editorially**) **1.** Herausgeber... **2.** redaktio'nell, Redaktions...: **~ staff** Schriftleitung *f,* Redaktion *f.* **II** *s* **3.** 'Leitarˌtikel *m.* **ˌed·i'to·ri·alˌize** *v/i Am.* sich in e-m 'Leitarˌtikel auslassen (on, **about** über *acc*). **ˌed·i'to·ri·al·ly** *adv* **1.** redaktio'nell. **2.** in Form e-s 'Leitarˌtikels. **'ed·i·torˌship** *s* Amt *n* e-s Her'ausgebers *od.* Redak'teurs. **'ed·i·tress** [-tris] *s* **1.** Her'ausgeberin *f.* **2.** Schriftleiterin *f.*

ed·u·cate ['edʒuˌkeit; *Br. a.* -dju-] *v/t* **1.** erziehen, unter'richten, (aus)bilden: **he was ~d at X** er besuchte die (Hoch)Schule in X. **2.** *weitS.* (to) a) erziehen (zu), b) gewöhnen (an *acc*). **3.** *Am.* verbessern. **4.** *Tiere* abrichten, dres'sieren. **5.** *obs. Kinder, Tiere* aufziehen. **'ed·uˌcat·ed** *adj* gebildet.

ed·u·ca·tion [ˌedʒu'keiʃən; *Br. a.* -dju-] *s* **1.** Erziehung *f* (*a. weitS.* to zu), (Aus)Bildung *f*: **university ~, college ~** akademische Bildung. **2.** (*erworbene*) Bildung, Bildungsstand *m*: **general ~** Allgemeinbildung. **3.** Bildungs-, Schulwesen *n*: → **higher education** *etc.* **4.** (Aus)Bildungsgang *m.* **5.** Päda'gogik *f,* Erziehung *f* (*als Wissenschaft*): **department of ~** *univ.* pädagogisches Seminar. **6.** Dres'sur *f,* Abrichtung *f* (*von Tieren*). **ˌed·u'ca·tion·al** *adj* (*adv* **~ly**) **1.** erzieherisch, Erziehungs..., päda'gogisch, Unterrichts...: **~ film** Lehrfilm *m*; **~ television** Schulfernsehen *n.* **2.** Bildungs...

ˌed·u'ca·tion·al·ist, *a.* **ˌed·u'ca·tion·ist** *s* **1.** Päda'goge *m,* Päda'gogin *f,* Erzieher(in). **2.** Erziehungswissenschaftler(in).

ed·u·ca·tive ['edʒuˌkeitiv; *Br. a.* -dju-] *adj* **1.** erzieherisch, Erziehungs... **2.** bildend, Bildungs... **'ed·uˌca·tor** [-ˌkeitər] *s* Erzieher(in), Lehrer(in).

e·duce [i'dju:s] *v/t* **1.** her'ausholen, entwickeln. **2.** *Logik*: *e-n Begriff* ableiten, *e-n Schluß* ziehen (**from** aus). **3.** *chem.* ausziehen, extra'hieren. **e'duc·i·ble** *adj* **1.** ableitbar. **2.** zu entwickeln(d). **e·duct** ['i:dʌkt] *s* **1.** *chem.* E'dukt *n,* Auszug *m.* **2.** → **eduction** 2.

e·duc·tion [i'dʌkʃən] *s* **1.** *fig.* Her'ausholen *n,* Entwicklung *f.* **2.** *Logik*: a) Ableitung *f* (*e-s Begriffs*), b) (Schluß)Folgerung *f.* **3.** *chem.* a) Ausziehen *n,* b) → **educt** 1. **~ pipe** *s tech.* Abzugsrohr *n.*

Ed·war·di·an [ed'wɔ:rdiən] **I** *adj* aus

der Re'gierungszeit *od.* charakte'ristisch für das Zeitalter König Eduards (*bes.* Eduards VII.). **II** *s* → **Teddy boy.**

eel [iːl] *s ichth.* **1.** Aal *m*: **as slippery as an ~** *fig.* aalglatt. **2.** aalähnlicher Fisch: **nine-eyed ~** Flußneunauge *n.* **3.** (*ein*) Fadenwurm *m*, *bes.* Essigälchen *n.* **~ buck, '~ˌpot** *s* Aalreuse *f.* **'~ˌpout** *s ichth.* **1.** Hammelfleischfisch *m.* **2.** Quappe *f.* **'~ˌspear** *s* Aalspeer *m*, -gabel *f.* **'~ˌworm** → **eel** 3.

e'en [iːn] *adv poet. für* **even**[1] *u.* [3].

e'er [ɛr] *adv poet. für* **ever.**

ee·rie ['i(ə)ri] *adj* (*adv* **eerily**) **1.** unheimlich, grausig. **2.** furchtsam. **'ee·ri·ness** *s* **1.** Unheimlichkeit *f.* **2.** Furchtsamkeit *f.*

ee·ry → **eerie.**

ef·face [i'feis] *v/t* **1.** (aus)streichen, *a. fig.* (aus)löschen, (aus)tilgen, verwischen. **2.** in den Schatten stellen: **to ~ o.s.** sich (*bescheiden*) zurückhalten, sich im Hintergrund halten. **ef'face·a·ble** *adj* auslöschbar. **ef'face·ment** *s* (Aus)Löschung *f*, Tilgung *f*, Streichung *f.*

ef·fect [i'fekt] **I** *s* **1.** Wirkung *f* (**on** auf *acc*): **cause and ~** Ursache u. Wirkung. **2.** Wirkung *f*, Erfolg *m*, Folge *f*, Konse'quenz *f*, Ergebnis *n*, Resul'tat *n*: **of no ~, without ~** ohne Erfolg *od.* Wirkung, erfolglos, wirkungslos, vergeblich; **to take ~** wirken (→ 8). **3.** Auswirkung(en *pl*) *f* (**on, upon** auf *acc*), Folge(n *pl*) *f.* **4.** Einwirkung *f*, -fluß *m.* **5.** Ef'fekt *m*, Wirkung *f*, Eindruck *m* (**on, upon** auf *acc*): **calculated** (*od.* **meant**) **for ~** auf Effekt berechnet; **to have an ~ on** wirken auf (*acc*), e-n Eindruck hinterlassen bei. **6.** Inhalt *m*, Sinn *m*: **a letter to the ~ that** ein Brief des Inhalts, daß; **to the same ~** desselben Inhalts; **to this ~** diesbezüglich, in diesem Sinn; → **strain**[1] 10. **7.** Wirklichkeit *f*: **to carry into** (*od.* **bring to**) **~** verwirklichen, ausführen; **in ~** in Wirklichkeit, tatsächlich, praktisch. **8.** (Rechts)Wirksamkeit *f*, (-)Kraft *f*, Gültigkeit *f*: **to take ~, to go** (*od.* **come**) **into ~** in Kraft treten, gültig *od.* wirksam werden; **with ~ from** mit Wirkung vom. **9.** *tech.* (Nutz)Leistung *f* (*e-r Maschine*). **10.** *electr. phys.* indu'zierte Leistung, Sekun'därleistung *f.* **11.** *pl econ.* a) Ef'fekten *pl*, b) bewegliches Eigentum, Vermögen(sstücke *pl*, -werte *pl*) *n*, Habseligkeiten *pl*, Habe *f*, c) Barbestand *m*, d) Ak'tiva *pl*, (Bank)Guthaben *n od. pl*: **no ~s** ohne Guthaben *od.* Deckung (*Scheckvermerk*). **II** *v/t* **12.** be-, erwirken, bewerkstelligen, verursachen, veranlassen. **13.** ausführen, tätigen, vornehmen, besorgen, erledigen, voll'bringen, -'ziehen: **to ~ payment** *econ.* Zahlung leisten. **14.** *econ.* a) *ein Geschäft, e-e Versicherung* abschließen, b) *e-e Police* ausfertigen.

ef·fec·tive [i'fektiv] **I** *adj* (*adv* **~ly**) **1.** wirksam, erfolgreich, wirkungsvoll: **to be ~** wirken, Erfolg haben (→ 3); **~ range** *mil.* wirksame Schußweite. **2.** eindrucks-, ef'fektvoll. **3.** *jur.* (rechts)wirksam, (-)gültig, rechtskräftig, in Kraft: **to be ~** (→ 1); **to become ~** in Kraft treten; **~ date** Tag *m* des Inkrafttretens; **~ from** (*od.* **as of**) mit Wirkung vom. **4.** tatsächlich, wirklich, effek'tiv: **~ money** Bargeld *n*; **~ strength** *mil.* Iststärke *f.* **5.** *mil.* diensttauglich, kampffähig, einsatzbereit. **6.** *tech.* effek'tiv, nutzbar, Nutz...: **~ current** *electr.* Effektivstrom *m*; **~ output** Nutzleistung *f*; **~ resistance** *electr.* Wirkwiderstand *m.* **II** *s* **7.** *mar. mil.* a) einsatzfähiger Sol'dat, b) Iststärke *f.* **ef'fec·tive·ness** *s* Wirksamkeit *f.* **ef'fect·less** *adj* wirkungs-, erfolg-, frucht-, ergebnislos, unwirksam. **ef'fec·tor** [-tər] *s* **1.** *anat.* 'Nervenˌendorˌgan *n.* **2.** Ausführer(in), Voll'bringer(in).

ef·fec·tu·al [i'fektʃuəl; *Br. a.* -tjuəl] *adj* (*adv* **~ly**) **1.** wirksam: **to be ~** wirken. **2.** ausreichend: **3.** (rechts)gültig, in Kraft. **4.** *econ.* vor'handen: **~ demand** durch vorhandenes Bargeld gedeckte Nachfrage. **ef'fec·tuˌate** [-ˌeit] *v/t* **1.** verwirklichen, ausführen. **2.** bewerkstelligen, bewirken. **efˌfec·tu'a·tion** *s* **1.** Verwirklichung *f*, Ausführung *f.* **2.** Bewerkstelligung *f.*

ef·fem·i·na·cy [i'feminəsi] *s* **1.** Weichlichkeit *f*, Verweichlichung *f.* **2.** unmännliches *od.* weibisches Wesen.

ef·fem·i·nate I *adj* [i'feminit] (*adv* **~ly**) **1.** weibisch, unmännlich. **2.** verweichlicht, weichlich. **II** *v/t u. v/i* [-ˌneit] **3.** weibisch machen (werden). **4.** verweichlichen. **III** *s* [-nit] **5.** Weichling *m*, weibischer Mensch. **ef'fem·i·nate·ness** → **effeminacy.**

ef·fer·vesce [ˌefər'ves] *v/i* **1.** (auf)brausen, sprudeln, schäumen, moussieren (*Sekt etc*). **2.** *fig.* ('über)sprudeln, 'überschäumen. **ˌef·fer'ves·cence, ˌef·fer'ves·cen·cy** *s* **1.** (Auf)Brausen *n*, Schäumen *n*, Mous'sieren *n.* **2.** *fig.* ('Über)Sprudeln *n*, 'Überschäumen *n.* **ˌef·fer'ves·cent** *adj* **1.** sprudelnd, schäumend, mous'sierend: **~ powder** Brausepulver *n.* **2.** *fig.* ('über)sprudelnd, 'überschäumend.

ef·fete [e'fiːt; i'f-] *adj* erschöpft, entkräftet, kraftlos, verbraucht.

ef·fi·ca·cious [ˌefi'keiʃəs] *adj* (*adv* **~ly**) wirksam, wirkungsvoll. **ˌef·fi'ca·cious·ness, 'ef·fi·ca·cy** [-kəsi] *s* Wirksamkeit *f.*

ef·fi·cien·cy [i'fiʃənsi] *s* **1.** Tüchtigkeit *f*, (Leistungs)Fähigkeit *f*: **~ report** Leistungsbericht *m*; **~ wages** Leistungslohn *m.* **2.** Wirksamkeit *f.* **3.** Tauglichkeit *f*, Brauchbarkeit *f.* **4.** ratio'nelle Arbeitsweise, Wirtschaftlichkeit *f*: **~ expert** *econ.* Wirtschaftsexperte *m*, Rationalisierungsfachmann *m*; **~ engineer** Zeitstudienbeamte(r) *m.* **5.** *phys. tech.* Leistung(sfähigkeit) *f*, Wirkungsgrad *m*, Nutzleistung *f*, Ausbeute *f.* **6.** wirkende Ursächlichkeit. **ef'fi·cient** *adj* (*adv* **~ly**) **1.** tüchtig, (leistungs)fähig. **2.** wirksam. **3.** zügig, rasch u. sicher, gewandt. **4.** gründlich. **5.** ratio'nell, wirtschaftlich: **~ methods.** **6.** brauchbar, tauglich, gut funktio'nierend, *tech. a.* leistungsstark. **7.** (be)wirkend: **~ cause** wirkende Ursache.

ef·fi·gy ['efidʒi] *s* (Ab)Bild *n*, Bildnis *n*: **to burn s.o. in ~** j-n in effigie *od.* im Bild verbrennen.

ef·flo·resce [ˌefləː'res] *v/i* **1.** *bes. fig.* aufblühen, sich entfalten, sich entwickeln. **2.** *chem.* 'ausblühen, -kristalliˌsieren, -wittern. **ˌef·flo'res·cence** *s* **1.** *bes. fig.* (Auf)Blühen *n*, Blüte(zeit) *f.* **2.** *med.* Efflores'zenz *f* (*Hautausschlag*). **3.** *chem.* Efflores'zenz *f*: a) Ausblühen *n*, b) Beschlag *m*, Ausblühung *f.* **ˌef·flo'res·cent** *adj* **1.** *bes. fig.* (auf)blühend. **2.** *chem.* effloresizierend, ausblühend.

ef·flu·ence ['efluəns] *s* **1.** Ausfließen *n*, -strömen *n.* **2.** Aus-, Abfluß *m.* **'ef·flu·ent I** *adj* **1.** ausfließend, -strömend. **II** *s* **2.** Aus-, Abfluß *m.* **3.** Abwasser *n.*

ef·flu·vi·um [e'fluːviəm; i'f-] *pl* **-vi·a** [-ə] *s* **1.** Ausdünstung *f.* **2.** *phys.* Ausfluß *m* (*kleinster Partikel*).

ef·flux ['eflʌks], *a.* **ef·flux·ion** [e'flʌkʃən; i'f-] *s* **1.** a) Abfließen *n*, Ausströmen *n*, b) Ausströmung *f*, -fluß *m*: **~ of gold** *econ.* Goldabfluß. **2.** *fig.* Vergehen *n*, Ver-, Ablauf *m*, Ende *n.*

ef·fort ['efərt] *s* **1.** Anstrengung *f*: a) Bemühung *f*, (angestrengter) Versuch, Bestreben *n*, b) Mühe *f*, harte Arbeit: **war ~** Kriegsanstrengungen; **rescue ~** Rettungsversuch *m*, -bemühungen; **to make an ~** sich bemühen, sich anstrengen; **to make every ~** sich alle Mühe geben; **to spare no ~** keine Mühe scheuen; **with an ~** mühsam. **2.** *colloq.* Leistung *f.* **3.** *phys.* Sekun'därkraft *f*, Potenti'alabfall *m.* **'ef·fort·less** *adj* (*adv* **~ly**) **1.** mühelos, leicht, ohne Anstrengung. **2.** müßig, untätig.

ef·fron·ter·y [i'frʌntəri; e'f-] *s* Frechheit *f*, Unverschämtheit *f.*

ef·fulge [e'fʌldʒ; i'f-] *v/i selten* strahlen, glänzen. **ef'ful·gence** *s* Glanz *m.* **ef'ful·gent** *adj* (*adv* **~ly**) strahlend.

ef·fuse I *v/t* [e'fjuːz; i'f-] **1.** aus-, vergießen, ausströmen lassen (*a. fig.*). **2.** ausstrahlen, verbreiten. **II** *v/i* **3.** ausströmen (*Gase etc*). **III** *adj* [-s] **4.** *bot.* ausgebreitet (*Blütenstand*).

ef·fu·sion [i'fjuːʒən; e'f-] *s* **1.** Aus-, Vergießen *n.* **2.** Ent-, Ausströmen *n.* **3.** *fig.* a) Erguß *m*, b) → **effusiveness.** **4.** *med.* Erguß *m*: **~ of blood** Bluterguß. **5.** *phys.* Effusi'on *f*: **~ rock** Effusivgestein *n.* **ef'fu·sive·ness** *s* 'Überschwenglichkeit *f.*

eft[1] [eft] *s zo.* Wassermolch *m.*

eft[2] [eft] *adv obs.* **1.** 'wiederum, nochmals. **2.** nachher.

eft·soon(s) [eft'suːn(z)] *adv obs.* **1.** bald dar'auf. **2.** als'bald, so'fort.

e·gad [i'gæd] *interj colloq.* bei Gott!

e·gal·i·tar·i·an [iˌgæli'tɛ(ə)riən] **I** *s* Gleichmacher(in), Verfechter(in) der Gleichheit aller. **II** *adj* gleichmacherisch. **eˌgal·i'tar·i·anˌism** *s* Lehre *f* von der Gleichheit aller.

e·gest [iː'dʒest] *v/t physiol.* ausscheiden. **e'ges·ta** [-tə] *s pl* Ausscheidungen *pl.*

egg[1] [eg] **I** *s* **1.** Ei *n*: **in the ~** *fig.* a) im Anfangsstadium, b) latent; **as sure as ~s is** (*selten* **are**) **~s** *sl.* so sicher wie das Amen in der Kirche, todsicher; **to have** (*od.* **put**) **all one's ~s in one basket** *colloq.* alles auf 'eine Karte setzen; **to lay an ~** *thea. sl.* nicht ‚ankommen', durchfallen; **to take ~s for money** *fig.* sich mit bloßen Versprechungen abspeisen lassen; **to tread upon ~s** *fig.* ganz vorsichtig lavieren; **teach your grandmother to suck ~s!** das Ei will klüger sein als die Henne! **2.** *biol.* Eizelle *f.* **3.** Ei *n* (*eiförmiger Gegenstand*): **~ and dart** (*od.* **anchor, tongue**) *arch.* Eierstab(ornament *n*) *m.* **4.** *mil. sl.* ‚Ei' *n*, ‚Koffer' *m*: a) (Flieger)Bombe *f*, b) Gra'nate *f.* **5.** *sl.* a) Kerl *m*, Bursche *m*, b) Sache *f*: **a bad** (**good**) **~** ein übler (feiner) Kerl *od.* e-e faule (prima) Sache; **good ~!** prima! **II** *v/t* **6.** *Speisen* mit Ei zubereiten: **to ~ and crumb** panieren. **7.** mit (faulen) Eiern bewerfen.

egg[2] [eg] *v/t meist* **~ on** anstacheln, antreiben, aufhetzen (**to** zu).

'egg|-and-'spoon race *s* Eierlaufen *n.* **~ beat·er** *s* **1.** Schneebesen *m*, -schläger *m.* **2.** *aer. sl.* ‚Kaffeemühle' *f*, Hubschrauber *m.* **~ bird** *s orn.* Rußseeschwalbe *f.* **~ case** *s* **1.** *zo.* Eiertasche *f*, -beutel *m.* **2.** Eierkiste *f.*

~ **cell** → egg¹ 2. ~ **coal** *s* Nußkohle *f*. ~ **co·sy** *s Br.* Eierwärmer *m*. '~ˌ**cup** *s* Eierbecher *m*. ~ **dance** *s* Eiertanz *m*.
egg·er ['egər] *s zo.* (*e-e*) Glucke (*Nachtschmetterling*).
egg| flip *s* Eierflip *m*. ~ **glass** *s* Eieruhr *f*. '~ˌ**head** *s Am. sl.* ‚Eierkopf' *m*, Intellektu'elle(r) *m*. ~ **mem·brane** *s zo.* **1.** 'Eimemˌbran *f*. **2.** Eihaut *f*. '~'**nog** *s* Eierflip *m*. '~ˌ**plant** *s bot.* Eierfrucht *f*, Auber'gine *f*. ~ **sham·poo** *s* 'Eiershamˌpoo *n*. '~-ˌ**shaped** *adj* eiförmig: ~ hand grenade Eierhandgranate *f*. '~ˌ**shell I** *s* **1.** Eierschale *f*. **2.** *a.* ~ china, ~ porcelain 'Eierschalenporzelˌlan *n*. **3.** Eierschalenfarbe. **II** *adj* **4.** eierschalenfarben. **5.** dünn u. zerbrechlich. ~ **slice** *s* Heber *m*, Wender *m* (*für Omelettes etc*). ~ **spoon** *s* Eierlöffel *m*. ~ **tim·er** *s* Eieruhr *f*. ~ **tooth** *s irr zo.* Eizahn *m*. ~ **whisk** → egg beater 1.
e·gis → aegis.
e·glan·du·lar [i'glændjulər], **e'glan·duˌlose** [-ˌlous] *adj biol.* drüsenlos.
e·go ['egou; 'iːgou] *pl* **-gos** *s* **1.** *philos. psych.* Ich *n*, Selbst *n*, Ego *n*: ~ ideal *psych.* Ichideal *n*. **2.** Selbstgefühl *n*. **3.** *colloq.* Selbstsucht *f*, -gefälligkeit *f*. ˌ**e·go'cen·tric** [-'sentrik] **I** *adj* egozentrisch, (über'trieben) ich- *od.* selbstbezogen. **II** *s* ego'zentrischer Mensch. '**e·goˌism** *s* Ego'ismus *m* (*a. philos.*), Selbstsucht *f*, Eigennutz *m*, Eigendünkel *m*. '**e·go·ist** *s* **1.** Ego'ist(in) (*a. philos.*), selbstsüchtiger Mensch. **2.** → egotist 1. ˌ**e·go'is·tic** *adj*, ˌ**e·go'is·ti·cal** *adj* (*adv* ~ly) ego'istisch (*a. philos.*), selbstsüchtig. ˌ**e·go'ma·ni·a** *s* krankhafte Selbstsucht *od.* -gefälligkeit *f*.
e·go·tism ['egəˌtizəm; 'iːg-] *s* **1.** (*bes. übertriebener*) Gebrauch des Wortes „Ich" (*in Rede u. Schrift*). **2.** Ego'tismus *m*: a) 'Selbstüberˌhebung *f*, Eigenlob *n*, b) Geltungsbedürfnis *n*, Selbstgefälligkeit *f*. **3.** Ego'ismus *m*, Selbstsucht *f*. **4.** Erzählung *f* über sich u. das eigene Tun. '**e·go·tist** *s* **1.** geltungsbedürftiger *od.* selbstgefälliger Mensch, Ego'tist(in). **2.** → egoist 1. ˌ**e·go'tis·tic** *adj*, ˌ**e·go'tis·ti·cal** *adj* (*adv* ~ly) **1.** ego'tistisch, selbstgefällig. **2.** → egoistic. '**e·goˌtize** *v/i* (*zu viel*) von sich sprechen *od.* schreiben.
e·gre·gious [i'griːdʒəs; -dʒiəs] *adj* (*adv* ~ly) **1.** unerhört, ungeheuer(lich), Mords...: an ~ lie. **2.** *obs.* her'vorragend.
e·gress ['iːgres] *s* **1.** Fortgang *m*. **2.** Ausgang *m*. **3.** Ausgangsrecht *n*. **4.** *fig.* Ausweg *m*. **5.** *astr.* Austritt *m*. **e·gres·sion** [i'greʃən] *s* Her'ausgehen *n*, Austritt *m*.
e·gret ['iːgrit; 'eg-; -ret] *s* **1.** *orn.* Silberreiher *m*. **2.** Reiherfeder *f*. **3.** *bot.* Federkrone *f*, Pappus *m*.
E·gyp·tian [i'dʒipʃən] **I** *adj* **1.** ä'gyptisch: ~ darkness *Bibl. u. fig.* ägyptische Finsternis. **II** *s* **2.** Ä'gypter(in). **3.** *ling.* Ä'gyptisch *n*. **4.** *obs.* Zi'geuner(in). ~ **print·ing type** *s* Egypti'enne *f* (*Druckschrift*).
E·gyp·to·log·i·cal [iˌdʒiptə'lɒdʒikəl] *adj* ägypto'logisch. **E·gyp·tol·o·gist** [ˌiːdʒip'tɒlədʒist] *s* Ägypto'loge *m*. ˌ**E·gyp'tol·o·gy** *s* Ägyptolo'gie *f*.
eh [ei; e] *interj* **1.** (*fragend*) a) wie?, wie bitte?, b) nicht wahr?, wie?, oder? **2.** (*überrascht*) ei!, sieh da!
ei·dent ['aidənt] *adj Scot.* fleißig.
ei·der ['aidər] *s* **1.** → eider duck. **2.** → eider down. ~ **down** *s* **1.** *collect.* Eiderdaunen *pl*. **2.** Daunendecke *f*. ~ **duck** *s orn.* Eiderente *f*.
ei·det·ic [ai'detik] *psych.* **I** *s* Ei'detiker(in). **II** *adj* ei'detisch, anschaulich nachempfindend: ~ imagery Anschauungsbilder *pl*.
ei·do·graph ['aidoˌgræ(ː)f; *Br. a.* -ˌgrɑːf] *s* Eido'graph *m*.
eight [eit] **I** *adj* **1.** acht: ~-hour day Achtstundentag *m*. **II** *s* **2.** Acht *f* (*Ziffer, Nummer, Figur, Spielkarte etc*): to have one over the ~ *sl.* ‚e-n in der Krone haben' (*betrunken sein*). **3.** *sport* a) Achtermannschaft *f*, b) Achter *m* (*Boot*): the E~s *Ruderrennen zwischen den College-Achtern von Oxford u. Cambridge*. ~ **ball** *s* **1.** *Am. die acht Punkte zählende schwarze Kugel beim Poulespiel*: to be behind the ~ *fig.* in der Klemme sein. **2.** *electr.* Mikro'phon *n* mit 'Rundcharakteˌristik. **3.** *Am. sl.* a) Nigger *m*, b) ‚Flasche' *f*, c) Spießer *m*.
eight·een ['ei'tiːn] **I** *adj* achtzehn: in the ~-twenties in den zwanziger Jahren des 19. Jhs. **II** *s* (*Zahl, Nummer*) Achtzehn *f*. '**eight'eenth** [-nθ] **I** *adj* **1.** achtzehnt(er, e, es). **II** *s* **2.** (*der, die, das*) Achtzehnte. **3.** Achtzehntel *n*. ˌ**eight'eenth·ly** *adv* achtzehntens.
'**eightˌfold** *adj u. adv* achtfach, -fältig.
eighth [eitθ] **I** *adj* **1.** acht(er, e, es): ~ note *mus.* Achtelnote *f*; ~ rest *mus.* Achtelpause *f*; ~ wonder achtes Weltwunder. **II** *s* **2.** (*der, die, das*) Achte. **3.** Achtel *n* (*a. mus.*). '**eighth·ly** *adv* achtens.
eight·i·eth ['eitiiθ] **I** *adj* **1.** achtzigst(er, e, es). **II** *s* **2.** (*der, die, das*) Achtzigste. **3.** Achtzigstel *n*.
eight·some ['eitsəm] *s Scot. meist* ~ reel *lebhafter schottischer Tanz mit 8 Tänzern.*
eight·y ['eiti] **I** *adj* achtzig. **II** *s* Achtzig *f* (*Zahl, Nummer*): the eighties a) die achtziger Jahre (*e-s Jahrhunderts*), b) die Achtziger(jahre) (*Lebensalter*). **E~ Club** *s liberaler Klub, 1880 in England gegründet.*
Ein·stein ['ainstain] *s fig. colloq.* Ge'nie *n*, Geistesriese *m* (*a. iro.*). ~ **e·qua·tion** *s math. phys.* Einsteinsche Gleichung.
Ein·stein·i·an [ain'stainiən] *adj phys.* Einsteinsch(er, e, es).
eis·tedd·fod [ais'teðvɒd; eis-] *pl* **-fod·au** [-ˌdai] *s* Eis'teddfod *n* (*walisisches Sänger- u. Dichterfest*).
ei·ther [*bes. Br.* 'aiðər; *bes. Am.* 'iːðər] **I** *adj* **1.** jeder, jede, jedes (*von zweien*), beide: on ~ side auf beiden Seiten; in ~ case in jedem der beiden Fälle, in beiden Fällen; there is nothing in ~ bottle beide Flaschen sind leer. **2.** irgendein(er, e, es) (*von zweien*): ~ way auf die e-e oder die andere Art; you may sit at ~ end of the table Sie können am oberen oder unteren Ende des Tisches sitzen. **II** *pron* **3.** irgendein(er, e, es) (*von zweien*): ~ of you can come (irgend) einer von euch (beiden) kann kommen; I haven't seen ~ ich habe beide nicht gesehen, ich habe keinen (von beiden) gesehen. **4.** beides: ~ is possible. **III** *conj* **5.** entweder: ~ ... or entweder ... oder; ~ be quiet or go entweder sei still oder gehe; ~ you are right or I am entweder du hast recht oder ich. **6.** ~ ... or weder ... noch (*im verneinenden Satz*): it is not enough ~ for you or for me es reicht weder für dich noch für mich. **IV** *adj* **7.** not ~ auch nicht; nor ... ~ (und) auch nicht, noch: she could not hear nor speak ~ sie konnte weder hören noch sprechen; if he does not dance she will not ~ wenn er nicht tanzt, wird sie es auch nicht tun; she sings, and not badly ~ sie singt, u. gar nicht schlecht. **8.** *unübersetzt*: without ~ good or bad intentions ohne gute oder schlechte Absichten.
e·jac·u·late [i'dʒækjuˌleit] **I** *v/t* **1.** *physiol.* ausstoßen, *bes. Samen* ejaku'lieren. **2.** *Worte etc* ausstoßen. **II** *v/i* **3.** Worte ausstoßen. **eˌjac·u'la·tion** *s* **1.** Ausruf *m*, Stoßseufzer *m*, -gebet *n*. **2.** Ausstoßen *n* (*von Worten etc*). **3.** *physiol.* a) Ejaku'lat *n*, b) Ausstoßung *f*, *bes.* Samenerguß *m*, Ejakulati'on *f*. **e'jac·u·la·to·ry** [-lətəri; -ˌlei-] *adj* **1.** hastig (ausgestoßen), Stoß...: ~ prayer Stoßgebet *n*. **2.** *physiol.* a) ausstoßend, b) (Samen)Ausstoß...
e·ject I *v/t* [i'dʒekt] **1.** (from) a) *j-n* hin'auswerfen (aus), vertreiben (aus *od.* von), b) *jur.* exmit'tieren, ausweisen (aus). **2.** (from) entsetzen (*gen*), entlassen *od.* entfernen (aus): to ~ s.o. from an office. **3.** *bes. tech.* ausstoßen, -werfen. **II** *s* ['iːdʒekt] **4.** *psych.* (*etwas*) nur Gefolgertes, (*etwas*) nicht dem eigenen Bewußtsein Angehöriges. **e'jec·ta** [-tə] *s pl* Auswürfe *pl* (*e-s Vulkans etc*). **e'jec·tion** [-kʃən] *s* **1.** Vertreibung *f* (from aus *od.* von). **2.** (Amts)Entsetzung *f*, Entlassung *f*, -fernung *f* (from an office aus e-m Amt). **3.** Ausstoßung *f*, -werfung *f*: ~ seat *aer.* Katapult-, Schleudersitz *m*. **4.** Auswurf *m* (*Vulkan etc*). **e'jec·tive** [-tiv] **I** *adj* **1.** Ausstoß(ungs)... **2.** *ling.* em'phatisch. **3.** *psych.* nur gefolgert. **II** *s* **4.** *ling.* em'phatischer *od.* als Preßlaut gesprochener Verschlußlaut *od.* Reibelaut. **e'ject·ment** *s* **1.** Vertreibung *f*, Ausstoßung *f*. **2.** *jur.* Besitzentziehung(sklage) *f*. **e'jec·tor** [-tər] *s* **1.** Vertreiber(in). **2.** *tech.* a) E'jektor *m*, 'Ausblase-, 'Auswurf-, 'Strahlappaˌrat *m*, (Saug-, Dampf)Strahlpumpe *f*, b) (Pa'tronenhülsen)Auswerfer *m*: ~ seat *aer.* Katapult-, Schleudersitz *m*.
eke¹ [iːk] *v/t* **1.** *meist* ~ out a) (mühsam) ergänzen *od.* zs.-stückeln, b) *Flüssigkeiten, Vorräte etc* strecken. **2.** ~ out *etwas* mühsam her'ausschinden: to ~ out a scanty living sich kümmerlich durchschlagen.
eke² [iːk] *adv u. conj obs.* auch.
el [el] *pl* **els** *s* **1.** L, l *n* (*Buchstabe*). **2.** *Am. colloq. abbr.* für elevated railroad. **3.** → ell¹.
e·lab·o·rate I *adj* [i'læbərit] **1.** sorgfältig *od.* kunstvoll gearbeitet, (in allen Einzelheiten) voll'endet: an ~ ornament. **2.** ('wohl)durchˌdacht, (sorgfältig) ausgearbeitet: an ~ report. **3.** a) kunstvoll, kompli'ziert, b) 'umständlich: an ~ description. **II** *v/t* [-ˌreit] **4.** sorgfältig *od.* bis ins einzelne ausarbeiten, vervollkommnen. **5.** *e-e Theorie etc* entwickeln. **6.** (mühsam) her'ausarbeiten. **7.** *biol.* a) 'umbilden, b) entwickeln: to ~ organic compounds. **III** *v/i* **8.** (on, upon) sich verbreiten (über *acc*), ausführlich behandeln (*acc*), näher eingehen (auf *acc*). **e'lab·o·rate·ly** *adv* **1.** sorgfältig, mit Genauigkeit, bis ins einzelne. **2.** ausführlich. **e'lab·o·rate·ness** *s* **1.** sorgfältige *od.* kunstvolle Ausführung. **2.** Sorgfalt *f*, sorgfältige Ausarbeitung. **3.** Kompli'ziertheit *f*. **eˌlab·o'ra·tion** *s* **1.** (sorgfältige *od.* kunstvolle) Ausarbeitung *od.* Ausführung. **2.** Ausarbeitung *f*, (Weiter)Entwicklung *f* (*e-r Theorie etc*). **3.** Vervollkommnung *f*, Verfeinerung *f*. **4.** ausführliche Behandlung (*e-s Themas etc*). **e'lab-**

o,ra·tive [-ˌreitiv] *adj* entwickelnd: to be ~ of s.th. etwas entwickeln.
el·ae·o·mar·gar·ic ac·id [ˌeliomaːr-ˈgærik] *s chem.* Oleomargaˈrinsäure *f.*
ˌel·ae'om·e·ter [-ˈɒmitər] *s tech.* ˈÖlaräoˌmeter *n*, Ölwaage *f.*
e·la·i·date [iˈleiiˌdeit] *s chem.* elaiˈdinsaures Salz. **el·a·id·ic** [ˌeleiˈidik; -liˈid-] *adj chem.* Elaidin...: ~ acid Elaidinsäure *f.* **e·la·i·din** [iˈlaiidin] *s chem.* Elaiˈdin *n.*
é·lan [eˈlɑ̃] (*Fr.*) *s* Eˈlan *m*, Schwung *m*, Feuer *n.*
e·land [ˈiːlənd] *s zo.* ˈElenantiˌlope *f.*
el·a·phine [ˈeləˌfain] *adj zo.* hirschartig, Hirsch...
e·lapse [iˈlæps] *v/i* vergehen, -streichen (*Zeit*), ablaufen (*Frist*).
e·las·tic [iˈlæstik] **I** *adj* (*adv* ~ally) **1.** eˈlastisch: a) federnd, spannkräftig (*alle a. fig.*), b) dehnbar, biegsam, geschmeidig (*a. fig.*): ~ conscience weites Gewissen; ~ currency *econ.* elastische Währung; an ~ word ein dehnbarer Begriff, c) *fig.* anpassungsfähig. **2.** *phys.* a) eˈlastisch (verformbar), b) (unbegrenzt) expansiˈonsfähig (*Gase*), c) inkompresˈsibel (*Flüssigkeiten*): ~ deformation elastische Verformung; ~ force → elasticity 1. **3.** Gummi...: ~ band; ~-side boots Zugstiefel *pl.* **II** *s* **4.** Gummiband *n*, -zug *m.* **5.** Gummistoff *m*, -gewebe *n.*
e·las·tic·i·ty [ˌiːlæsˈtisiti] *s* **1.** Elastiziˈtät *f*, Spannkraft *f* (*beide a. fig.*), Federkraft *f.* **2.** Biegsamkeit *f*, Geschmeidigkeit *f* (*a. fig.*). **3.** *fig.* Anpassungsfähigkeit *f.*
e·las·tiv·i·ty [iˌlæsˈtiviti; ˌiːlæs-] *s electr.* speˈzifische Unfähigkeit zur Haltung elektroˈstatischer Ladung.
e·las·to·mer [iˈlæstomər] *s chem.* eˈlastische (*gummiartige*) Masse.
e·late [iˈleit] **I** *v/t* **1.** erheben, freudig erregen, *j-m* Mut machen. **2.** aufblähen, stolz machen. **II** *adj* → elated.
e'lat·ed *adj* (*adv* ~ly) **1.** in gehobener Stimmung, freudig (erregt) (at über *acc*; with durch), ˈübermütig. **2.** erhaben, hochmütig, stolz. **e'lat·ed·ness** → elation.
el·a·ter [ˈelətər] *s* **1.** *bot.* Elaˈtere *f*, (Sporen)Schleuderer *m.* **2.** *zo* → elaterid.
e·la·tion [iˈleiʃən] *s* **1.** freudige Erregung, gehobene Stimmung. **2.** Stolz *m*, Hochmut *m.*
E lay·er *s phys.* E-Schicht *f* (*der Ionosphäre*).
el·bow [ˈelbou] **I** *s* **1.** Ell(en)bogen *m*: at one's ~ bei der Hand, zur Verfügung stehend; out at ~s a) schäbig, abgetragen (*Kleidung*), b) heruntergekommen (*Person*); up to the ~s bis über die Ohren: to lift (*od.* raise) one's ~ *humor.* ‚e-n heben' (*trinken*). **2.** (scharfe) Biegung *od.* Krümmung, Ecke *f*, Knie *n*, Knick *m* (*der Straße etc*). **3.** *tech.* a) (Rohr)Knie *n*, (-)Krümmer *m*, Kniestück *n*, Winkel(stück *n*) *m*, b) Seitenlehne *f* (*e-s Stuhls etc*). **II** *v/t* **4.** (*mit dem Ellbogen*) stoßen, drängen (*a. fig.*): to ~ s.o. out j-n hinausdrängen *od.* -stoßen, j-n beiseite schieben; to ~ o.s. through sich durchdränge(l)n; to ~ one's way → 6. **III** *v/i* **5.** (*rücksichtslos*) die Ellbogen gebrauchen (*a. fig.*). **6.** sich (*mit den Ellbogen*) e-n Weg bahnen: to ~ through a crowd. **ˈ~ˌchair** *s* Armstuhl *m*, -sessel *m.* **~ grease** *s humor.* **1.** ‚Armschmalz' *n* (*Kraft*). **2.** schwere Arbeit, ‚Schufteˈrei' *f.* **~ joint** *s* **1.** Ell(en)bogengelenk *n.* **2.** *tech.* Kniegelenk *n*, -stück *n.* **~ pipe** *s tech.* Knierohr *n.* **ˈ~ˌroom** *s a. fig.* Bewegungsfreiheit *f*, Spielraum *m.* **~ tel·e·scope** *s* Winkelfernrohr *n.*
el·chee [ˈeltʃi] *s* Botschafter *m.*
eld [eld] *s* **1.** *Scot. od. poet.* (Greisen)Alter *n.* **2.** *obs.* alte Zeiten *pl.*
eld·er¹ [ˈeldər] **I** *adj* **1.** älter(er, e, es) (*bes. unter den Angehörigen e-r Familie*): my ~ brother; Brown the ~ Brown senior; Holbein the E~ Holbein der Ältere. **2.** älter (*an Rang etc*): ~ officer *mil.* rangälterer Offizier; ~ title *jur.* älterer Anspruch; → elder statesman. **3.** *poet.* früher: in ~ times. **II** *s* **4.** (der, die) Ältere, Senior *m*: my ~s Leute, die älter sind als ich; he is my ~ by two years er ist zwei Jahre älter als ich. **5.** (Stammes-, Gemeinde)Älteste(r) *m.* **6.** Reˈspektsperˌson *f.* **7.** *relig.* (Kirchen)Älteste(r) *m*, Presbyter *m.* **8.** Seˈnator *m.* **9.** Vorfahr *m*, Ahn(e *f*) *m.*
el·der² [ˈeldər] *s bot.* Hoˈlunder *m.*
ˈel·derˌber·ry *s bot.* **1.** Hoˈlunderbeere *f.* **2.** → elder².
eld·er·ly [ˈeldərli] *adj* ältlich, älter(er, e, es): an ~ lady.
eld·er states·man *s irr* erfahrener (u. hochgeachteter) Staatsman (*als Berater*), ‚großer alter Mann' (*a. fig. e-r Berufsgruppe etc*).
eld·est [ˈeldist] *adj* ältest(er, e, es) (*bes. unter Angehörigen e-r Familie*): my ~ brother. **~ hand** *s Kartenspiel*: Vorhand *f.*
El Do·ra·do, *a.* **El·do·ra·do** [ˌeldəˈrɑːdou] *pl* **-dos** *s* (El)Doˈrado *n*, Gold-, Wunderland *n*, Paraˈdies *n.*
el·dritch [ˈeldritʃ] *adj Scot.* unheimlich, geisterhaft.
El·e·at·ic [ˌeliˈætik] *philos.* **I** *adj* eleˈatisch. **II** *s* Eleˈat(in), Anhänger(in) der eleˈatischen Schule.
e·lect [iˈlekt] **I** *v/t* **1.** *j-n* (er)wählen: to ~ s.o. to an office (to a council) j-n für ein *od.* zu e-m Amt (in e-n Rat) wählen; they ~ed him (to be) their president sie wählten ihn zum Präsidenten. **2.** *etwas* wählen, sich entscheiden für: to ~ to do s.th. sich (dazu) entschließen *od.* es vorziehen, etwas zu tun. **3.** *relig.* auserwählen. **II** *adj* **4.** (*meist nach Substantiv*) desiˈgniert, zukünftig: the bride-~ die Verlobte *od.* Zukünftige; the president-~ der zukünftige (*noch nicht amtierende*) Präsident. **5.** erlesen. **6.** *relig.* (*von Gott*) auserwählt. **III** *s* **7.** the ~ die Auserwählten *pl.*
e·lec·tion [iˈlekʃən] *s* **1.** *pol.* Wahl *f*: at the ~ bei der Wahl; ~ campaign Wahlkampf *m*, -feldzug *m*; E~ Day Wahltag *m*; ~ meeting Wahl-, Wählerversammlung *f*; ~ pledge Wahlversprechen *n*; ~ returns Wahlergebnisse. **2.** Wahl *f*, Wählen *n.* **3.** *relig.* (Aus)Erwählung *f*, Gnadenwahl *f.*
e·lec·tion·eer [iˌlekʃəˈnir] *v/i pol.* **1.** ˈWahlpropaˌganda treiben, e-n Wahlfeldzug ˈdurchführen. **2.** Stimmen werben, die Wähler bearbeiten. **eˌlec·tionˈeer·er** *s pol.* Stimmenwerber(in), ˈWahlpropaganˌdist(in). **eˌlec·tionˈeer·ing** *pol.* **I** *adj* Wahl(propaganda)...: ~ campaign Wahlfeldzug *m.* **II** *s* ˈWahlpropaˌganda *f*, -agitatiˌon *f.*
e·lec·tive [iˈlektiv] **I** *adj* **1.** gewählt, durch Wahl, Wahl... (*Beamter etc*). **2.** Wahl..., durch Wahl zu vergeben(d) (*Amt*). **3.** wahlberechtigt, wählend. **4.** *ped.* wahlfrei, Wahl... (*Schulfach*). **5.** *chem.* Wahl...: ~ affinity Wahlverwandtschaft *f* (*a. fig.*). **II** *s* **6.** *ped. Am.* Wahlfach *n*, wahlfreies Fach. **e'lec·tive·ly** *adv* **1.** durch Wahl. **2.** *Am.* wahlweise. **e'lec·tor** [-tər] *s* **1.** Wähler(in). **2.** E~ *hist.* Kurfürst *m.* **3.** *pol.* Wahlmann *m* (*bei der Präsidentenwahl in USA*). **e'lec·tor·al** [-ərəl] *adj* **1.** Wahl..., Wähler...: ~ college *pol. Am.* Wahlausschuß *m*, Wahlmänner *pl* (*e-s Staates*); ~ register Wahl-, Wählerliste *f.* **2.** *hist.* kurfürstlich, Kurfürsten...: ~ crown Kur(fürsten)hut *m.* **e'lec·tor·ate** [-ərit] *s* **1.** *pol.* Wähler(schaft *f*) *pl.* **2.** *hist.* Elektoˈrat *n*: a) Kurwürde *f*, b) Kurfürstentum *n.*
E·lec·tra com·plex [iˈlektrə] *s psych.* Eˈlektrakomˌplex *m.*
e·lec·tress [iˈlektris] *s* **1.** Wählerin *f.* **2.** *hist.* Kurfürstin *f.*
e·lec·tric [iˈlektrik] **I** *adj* (*adv* ~ally) **1.** a) eˈlektrisch: ~ cable (charge, current, light, locomotive, *etc*), b) Elektro...: ~ motor, c) Elektrizitäts...: ~ works, d) eˌlektroˈtechnisch. **2.** *fig.* elektriˈsierend. **II** *s* **3.** *phys.* elektroˈstatischer Körper, Nichtleiter *m.* **4.** *colloq.* a) ‚Eˈlektrische' *f* (*Straßenbahn*), b) O(berleitungs)bus *m.*
e·lec·tri·cal [iˈlektrikəl] *adj* (*adv* ~ly) → electric I. **~ en·gi·neer** *s* Eˈlektroingeniˌeur *m*, Eˌlektroˈtechniker *m.* **~ en·gi·neer·ing** *s* Eˌlektroˈtechnik *f.*
e·lec·tric| arc *s* Lichtbogen *m.* **~ blanket** *s* (eˈlektrische) Heizdecke. **~ blue** *s* Stahlblau *n.* **~ chair** *s* eˈlektrischer Stuhl (*für Hinrichtungen*). **~ cush·ion** *s* Heizkissen *n.* **~ eel** *s ichth.* Zitteraal *m.* **~ eye** *s electr.* **1.** Photozelle *f.* **2.** magisches Auge, Abstimmungsanzeiger(röhre *f*) *m.*
e·lec·tri·cian [iˌlekˈtriʃən; iː-] *s* Eˌlektroˈtechniker *m*, -meˈchaniker *m*, Eˈlektriker *m.* **eˌlecˈtric·i·ty** [-siti] *s phys.* **1.** Elektriziˈtät *f.* **2.** Elektriziˈtätslehre *f.*
e·lec·tric| me·ter *s electr.* eˈlektrisches Meßgerät, *bes.* Stromzähler *m.* **~ ray** *s ichth.* (*ein*) Zitterrochen *m.* **~ seal** *s* ˈSeal(eˌlectric)kaˌnin *n* (*Sealskinimitation*). **~ shock** *s* **1.** eˈlektrischer Schlag. **2.** *med.* Eˈlektroschock *m.* **~ stor·age stove** *s* Eˈlektrospeicherofen *m.* **~ storm** *s* Gewittersturm *m.* **~ torch** *s* (eˈlektrische) Taschenlampe.
e·lec·tri·fi·ca·tion [iˌlektrifiˈkeiʃən] *s* **1.** a) Elektriˈsierung *f* (*a. fig.*), b) *fig.* Begeisterung *f.* **2.** Elektrifiˈzierung *f*: ~ of a railway line. **e'lec·triˌfied** [-ˌfaid] *adj* **1.** elektriˈsiert: a) eˈlektrisch geladen, b) *fig.* ˈhingerissen: ~ obstacle *mil.* Starkstromsperre *f.* **2.** elektrifiˈziert. **e'lec·triˌfy** [-ˌfai] *v/t* **1.** elektriˈsieren: a) eˈlektrisch (auf)laden, b) *j-m* e-n eˈlektrischen Schlag versetzen, c) *fig.* erregen, begeistern, ˈhinreißen. **2.** *e-e Bahnlinie etc* elektrifiˈzieren. **eˌlec·triˈza·tion, e'lec·trize** → electrification, electrify.
e·lec·tro [iˈlektrou] *pl* **-tros** *s print. colloq.* Kliˈschee *n*, Druck-, Bildstock *m*, Galˈvano *n.*
electro- [ilektro] *Wortelement mit den Bedeutungen* a) Elektro..., elektro..., elektrisch, b) elektrolytisch, c) elektromagnetisch, d) Galvano...
eˌlec·tro·aˈnal·y·sis *s chem.* Eˈlektroanaˌlyse *f.* **eˌlec·tro·biˈol·o·gy** *s* Eˌlektrobioloˈgie *f.* **eˌlec·troˈcar·di·oˌgram** *s med.* Eˌlektrokardioˈgramm *n*, EKˈG *n.* **eˌlec·troˈcar·di·oˌgraph** *s med.* Eˌlektrokardioˈgraph *m*, EKˈG-Appaˌrat *m.* **eˌlec·troˈchem·i·cal** *adj* eˌlektroˈchemisch. **eˌlec·troˈchem·ist** *s* Eˌlektroˈchemiker(in). **eˌlec·troˈchem·is·try** *s* Eˌlektrocheˈmie *f.*
e·lec·tro·cute [iˈlektrəˌkjuːt] *v/t* **1.** auf dem eˈlektrischen Stuhl ˈhinrichten. **2.** durch eˈlektrischen Strom töten.

e,lec·tro'cu·tion [-ʃən] *s* 'Hinrichtung *f od.* Tod *m* durch e'lektrischen Strom.

e·lec·trode [i'lektroud] *s electr.* Elek'trode *f*: ~ **potential** Elektrodenspannung *f*.

e,lec·tro·dy'nam·ics *s pl* (*meist als sg konstruiert*) E,lektrody'namik *f*.

e,lec·tro·en'ceph·a·lo,gram *s med.* E,lektroen,zephalo'gramm *n*, EE'G *n*.

e,lec·tro·en'ceph·a·lo,graph *s med.* E,lektroen,zephalo'graph *m*, EE'G-Appa,rat *m*.

e·lec·tro·graph [i'lektro,græ(ː)f; *Br. a.* -,grɑːf] *s* **1.** a) regi'strierendes E,lektro'meter, b) E,lektro'meter-Dia,gramm *n*. **2.** e'lektrischer Gra'vierappa,rat. **3.** Appa'rat *m* zur e'lektrischen 'Bildüber,tragung. **4.** *med.* Röntgenbild *n*.

e,lec·tro·ki'net·ics *s pl* (*als sg konstruiert*) E,lektroki'netik *f*.

e·lec·tro·lier [i,lektro'liər] *s* e'lektrischer Kronleuchter.

e·lec·trol·y·sis [i,lek'trɒlisis] *s* **1.** *phys.* Elektro'lyse *f*. **2.** *med.* Beseitigung *f* von Tu'moren *etc* durch e'lektrischen Strom.

e·lec·tro·lyte [i'lektro,lait] *s* **1.** Elektro'lyt *m*. **2.** Elektro'lyt *m*, Füll-, Akkusäure *f* (*für Batterien*). **e,lec·tro'lyt·ic** [-'litik] *adj* (*adv* ~**ally**) e,lektro'lytisch, Elektrolyt...

e·lec·tro·lyze [i'lektro,laiz] *v/t* elektroly'sieren.

e,lec·tro'mag·net *s* E'lektroma,gnet *m*. **e,lec·tro·mag'net·ic** *adj* e,lektroma'gnetisch. **e,lec·tro,met·al'lur·gi·cal** *adj* e,lektrometal'lurgisch. **e,lec·tro'met·al,lur·gy** *s* E,lektrometallur'gie *f*.

e·lec·trom·e·ter [i,lek'trɒmitər] *s* E,lektro'meter *n*. **e,lec·tro'met·ric** [-tro'metrik] *adj* e,lektro'metrisch. **e,lec'trom·e·try** [-tri] *s* E,lektrome'trie *f*.

e,lec·tro·mo'bile *s* E,lektromo'bil *n*.

e,lec·tro'mo·tion *s* Elektrizi'tätsbewegung *f*. **e,lec·tro'mo·tive** *adj* e,lektromo'torisch; ~ **force** elektromotorische Kraft (*abbr.* EMK). **e,lec·tro'mo·tor** *s* **1.** *tech.* E'lektromotor *m*. **2.** *phys.* Elektrizi'tätserreger *m*.

e·lec·tron [i'lektrɒn] **I** *s chem. phys.* Elektron *n*. **II** *adj* Elektronen...: ~ **camera (gas, microscope, ray)**; ~ **gun** *TV* Strahlerzeuger *m*.

e·lec·tron·ic [i,lek'trɒnik; ,elek-] *adj* (*adv* ~**ally**) elek'tronisch, Elektronen...: ~ **brain** ‚Elektronengehirn' *n* (*elektronisches Rechengerät*); ~ **flash** *phot.* Elektronenblitz *m*; ~ **theater** (*Br.* **theatre**) Theater *n* im Fernsehen.

e,lec'tron·ics *s pl* (*als sg konstruiert*) *phys.* Elek'tronik *f*, Elek'tronenphy,sik *f od.* -technik *f*.

e,lec·tro'op·tics *s pl* (*als sg konstruiert*) *phys.* E'lektrooptik *f*.

e'lec·tro,phones *s pl mus.* E'lektro-Instru,mente *pl* (*Sammelname*).

e·lec·tro·pho·re·sis [i,lektrofə'riːsis] *s chem. phys.* E,lektro-, Katapho'rese *f*.

e·lec·troph·o·rus [i,lek'trɒfərəs; ,elek-] *pl* **-ri** [-,rai] *s phys.* E,lektro'phor *m*.

e'lec·tro,plate I *v/t* e,lektroplat'tieren, galvani'sieren. **II** *s* e,lektroplat'tierte Ware.

e,lec·tro'pos·i·tive *adj chem. phys.* **1.** e,lektro'positiv, positiv e'lektrisch, edel. **2.** basisch (*Element etc*).

e·lec·tro·scope [i'lektro,skoup] *s phys.* E,lektro'skop *n*. **e,lec·tro'scop·ic** [-'skɒpik] *adj* (*adv* ~**ally**) e,lektro'skopisch.

e'lec·tro,shock *s med.* **1.** E'lektroschock *m*. **2.** *a.* ~ **therapy** E'lektroschockthera,pie *f*.

e,lec·tro'stat·ic *adj* (*adv* ~**ally**) *phys.* e,lektro'statisch: ~ **field**; ~ **flux** dielektrischer Fluß; ~ **induction** Influenz *f*. **e,lec·tro'stat·ics** *s pl* (*als sg konstruiert*) E,lektro'statik *f*.

e,lec·tro'steel *s* E'lektrostahl *m*.

e,lec·tro'tech·nic *adj*; **e,lec·tro'tech·ni·cal** *adj* (*adv* ~**ly**) e,lektro'technisch. **e,lec·tro'tech·nics** *s pl* (*als sg konstruiert*) E,lektro'technik *f*. **e,lec·tro,ther·a'peu·tics** *s pl* (*als sg od. pl konstruiert*) *med.* E,lektrothera'pie *f*. **e,lec·tro,ther·a'peu·tist** *s med.* E,lektrothera'peut(in). **e,lec·tro'ther·a·pist** → **electrotherapeutist**. **e,lec·tro'ther·a·py** → **electrotherapeutics**. **e,lec·tro'ther·mics** *s pl* (*als sg konstruiert*) E,lektro'thermik *f*.

e·lec·tro·ton·ic [i,lektro'tɒnik] *adj med.* e,lektro'tonisch.

e·lec·tro·type [i'lektro,taip] *print.* **I** *s* **1.** Gal'vano *n*, E,lektro'type *f* (*Kopie e-r Druckplatte*). **2.** mit Gal'vano 'hergestellter Druckbogen. **3.** → **electrotypy**. **II** *adj* **4.** → **electrotypic**. **III** *v/t* **5.** gal,vano'plastisch vervielfältigen, (gal'vanisch) kli'schieren. **e,lec·tro'typ·ic** [-'tipik] *adj* gal,vano'plastisch, Galvano... **e'lec·tro,typ·ist** [-,taipist] *s* Gal,vano'plastiker *m*. **e'lec·tro,typ·y** *s* Gal,vano'plastik *f*, E,lektroty'pie *f*.

e·lec·trum [i'lektrəm] *s* **1.** E'lektrum *n*, Goldsilber *n* (*Legierung*). **2.** German Silver *n* (*Art Neusilber*).

e·lec·tu·ar·y [i'lektjuəri] *s pharm.* Lat'werge *f*.

el·ee·mos·y·nar·y [*Br.* ,eliːi'mɒsinəri; ,eliː'm-; *Am.* ,elə'm-; ,eliə'm-] *adj* wohl-, mildtätig, Wohltätigkeits...

el·e·gance ['eligəns], *a.* **'el·e·gan·cy** *s* **1.** Ele'ganz *f*: a) vornehme Schönheit, b) Gepflegtheit *f*, Schönheit *f*: ~ **of style**, c) Geschmack *m*, d) Anmut *f*, Grazie *f*, e) Geschick *n*. **2.** a) (*etwas*) Ele'gantes, ele'gante Form *od.* Erscheinung, b) ele'gante *od.* luxuri'öse Ausstattung. **3.** feine Sitte. **'el·e·gant** [-gənt] *adj* (*adv* ~**ly**) **1.** ele'gant: a) fein, geschmackvoll, vornehm u. schön, b) gewählt, gepflegt: ~ **manners**; ~ **style**, c) anmutig, d) geschickt, gekonnt. **2.** feinen Geschmack besitzend, von (feinem) Geschmack. **3.** *vulg.* ‚prima', erstklassig.

el·e·gi·ac [,eli'dʒaiæk; *Am. a.* i'liːdʒi,æk] **I** *adj* **1.** e'legisch: ~ **distich**, ~ **couplet** elegisches Distichon. **2.** e'legisch, schwermütig, klagend, Klage... **II** *s* **3.** e'legischer Vers, *bes.* Pen'tameter *m*. **4.** *meist pl* e'legisches Gedicht. **el·e·gist** ['elidʒist] *s* Ele'giendichter *m*.

e·le·git [i'liːdʒit] *s jur.* 'Pfändungsde,kret *n*, Exekuti'onsbefehl *m*.

el·e·gize ['eli,dʒaiz] **I** *v/i* e-e Ele'gie schreiben (**upon** auf *acc*). **II** *v/t* e-e Ele'gie schreiben auf (*acc*).

el·e·gy ['elidʒi] *s* Ele'gie *f*, Klagegedicht *n*, -lied *n*.

e·lek·tron [i'lektrɒn] *s tech.* E'lektron *n* (*Magnesiumlegierung*).

el·e·ment ['elimənt] *s* **1.** Ele'ment *n*: a) *philos.* Urstoff *m*: **the four** ~**s** die vier Elemente, b) Grundbestandteil *m*, wesentlicher Bestandteil, c) *chem.* Grundstoff *m*, d) *tech.* Bauteil *n*, e) Ursprung *m*, Grundlage *f*. **2.** *pl* Anfangsgründe *pl*, Anfänge *pl*, Grundlage(n *pl*) *f*: ~**s of geometry**. **3.** Grundtatsache *f*, grundlegender 'Umstand, wesentlicher Faktor: ~ **of uncertainty** Unsicherheitsfaktor; ~ **of surprise** Überraschungsmoment *n*. **4.** *jur.* Tatbestandsmerkmal *n*. **5.** *fig.* Körnchen *n*, Fünkchen *n*: **an** ~ **of truth**. **6.** (Bevölkerungs)Teil *m*, (*kriminelle etc*) Ele'mente *pl*: **the criminal** ~ **in a city**. **7.** ('Lebens)Ele,ment *n*, Sphäre *f*, gewohnte Um'gebung: **to be in one's** ~ in s-m Element sein; **to be out of one's** ~ nicht in s-m Element sein, sich unbehaglich *od.* fehl am Platze fühlen. **8.** *pl* Ele'mente *pl*, Na'turkräfte *pl*: **the war of the** ~**s** das Toben der Elemente. **9.** *math.* a) Ele'ment *n* (*e-r Menge etc*), b) Erzeugende *f* (*e-r Kurve etc*). **10.** *astr.* Ele'ment *n*, Bestimmungsstück *n*. **11.** *electr.* a) Ele'ment *n*, Zelle *f*, b) Elek'trode *f* (*e-r Elektronenröhre*). **12.** *phys.* Ele'ment *n* (*e-s Elementenpaars*). **13.** *mil.* Ele'ment *n*, Truppenkörper *m*, (Teil-)Einheit *f*. **14.** *aer.* Rotte *f*. **15.** *pl relig.* Brot *n* u. Wein *m* (*beim Abendmahl*).

el·e·men·tal [,eli'mentl] **I** *adj* (*adv* ~**ly**) **1.** elemen'tar: a) ursprünglich, na'türlich, b) urgewaltig, c) wesentlich, grundlegend. **2.** Elementar..., Ur...: ~ **force**; ~ **cell** Urzelle *f*; ~ **spirit** → 4. **3.** → **elementary** 2-6. **II** *s* **4.** Elemen'targeist *m*.

el·e·men·ta·ry [,eli'mentəri] *adj* **1.** → **elemental** 1 *u.* 2. **2.** elemen'tar, Elementar..., Einführungs..., Anfangs..., einführend, grundlegend. **3.** elemen'tar, einfach. **4.** *chem.* elemen'tar, unvermischt, nicht zerlegbar. **5.** *chem. math. phys.* Elementar...: ~ **particle** Elementarteilchen *n*. **6.** unentwickelt, rudimen'tär. ~ **ed·u·ca·tion** *s* Grundschul-, Volksschulbildung *f*. ~ **school** *s* Grund-, Volksschule *f*.

el·e·mi ['elimi] *s* E'lemi(harz) *n*.

el·e·phant ['elifənt] *s* **1.** *zo.* Ele'fant *m*: ~ **iron** *mil.* halbtonnenförmiges Wellblech (*für Baracken etc*). **2.** *Am.* Ele'fant *m*: a) *als Symbol der Republikanischen Partei der USA*, b) *fig. als Bezeichnung dieser Partei*. **3.** *meist* **white** ~ *colloq.* wertvoller, aber lästiger *od.* kostspieliger Besitz. **4.** *ein Papierformat* (*28 × 23 Zoll*).

el·e·phan·ti·a·sis [,elifən'taiəsis; -fæn-] *s med.* Elefan'tiasis *f*.

el·e·phan·tine [,eli'fæntain] *adj* **1.** ele'fantenartig. **2.** Elephanten... **3.** *fig.* riesenhaft. **4.** plump, schwerfällig. **,el·e'phan·toid** *adj* ele'fantenartig, Elefanten...

el·e·phant seal *s zo.* (*ein*) 'See-Ele,fant *m*.

'el·e·phant's-,ear *s bot.* Be'gonie *f*.

El·eu·sin·i·an [,elju'siniən] *adj antiq.* eleu'sinisch. ~ **mys·ter·ies** *s pl antiq. relig.* Eleu'sinische My'sterien *pl*.

e·leu·ther·o·ma·ni·ac [i,ljuːθəro'meini,æk] *s* 'Freiheitsfa,natiker(in). **e,leu·ther·o'phyl·lous** [-'filəs] *adj bot.* eleuthero'phyll, getrenntblättrig.

el·e·vate ['eli,veit] **I** *v/t* **1.** *e-e Last etc* (hoch-, em'por-, auf)heben. **2.** erhöhen. **3.** a) *den Blick etc* erheben, b) *die Stimme* heben. **4.** *mil.* a) *das Geschützrohr* erhöhen, b) *das Geschütz* der Höhe nach richten. **5.** a) *e-n Mast etc* aufrichten, b) *ein Gebäude* errichten. **6.** (to) *j-n* erheben (auf *den Thron*), befördern (zu *e-m Posten etc*): **to** ~ **s.o. to the nobility** j-n in den Adelsstand erheben. **7.** *fig. j-n* (*seelisch*) erheben, aufrichten. **8.** heben, veredeln, -feinern, besser machen. **9.** erheitern, beleben. **II** *adj poet. für* **elevated**.

'el·e,vat·ed I *adj* **1.** erhöht. **2.** erhaben, gehoben, edel, vornehm. **3.** a) erheitert, aufgemuntert, b) *colloq.* angeheitert, beschwipst. **4.** hoch, Hoch...: ~ **antenna** *electr.* Hochantenne *f*; ~ **railway** (*Am.* **railroad**) Hochbahn *f*; ~ **road** Hochstraße *f*. **II** *s* **5.** *Am. colloq.* Hochbahn *f*. **'el·e,vat·ing** *adj* **1.** *bes.*

tech. hebend; Hebe..., Aufzugs..., Höhen...: ~ **gear** *mil.* Höhenrichtmaschine *f*; ~ **screw** Richtschraube *f*. **2.** *fig.* erhebend. **3.** erheiternd.

el·e·va·tion [ˌeli'veiʃən] *s* **1.** (Hoch-, Em'por-, Auf)Heben *n*. **2.** Erhöhung *f*. **3.** Höhe *f*, (Grad *m* der) Erhöhung *f*. **4.** (Boden)Erhebung *f*, (An)Höhe *f*. **5.** *geogr.* Meereshöhe *f*. **6.** *mil. tech.* Richthöhe *f*: ~ **quadrant** Libellenquadrant *m*; ~ **range** Höhenrichtbereich *m*; ~ **setter** Höbenrichtkanonier *m*. **7.** *relig.* Elevati'on *f*, Erhebung *f* (*von Hostie u. Kelch*). **8.** *astr.* Elevati'on *f*, Höhe *f*. **9.** a) Aufstellen *n* (*e-s Mastes etc*), b) Errichtung *f* (*von Gebäuden*). **10.** *fig.* Erhebung *f*, Beförderung *f* (to zu). **11.** hohe Stellung, hoher Rang. **12.** *fig.* (*seelische*) Erhebung, Aufrichtung *f*. **13.** *fig.* a) Veredelung *f*, -feinerung *f*, Hebung *f*, b) Erhabenheit *f*, Gehobenheit *f*, Adel *m*, Würde *f*, Vornehmheit *f*. **14.** *arch. math.* Aufriß *m*, Verti'kalprojektiˌon *f*: **front** ~ Vorderansicht *f*, Längsriß *m*.

el·e·va·tor ['eliˌveitər] *s* **1.** *tech.* a) Ele'vator *m*, Förderwerk *n*, b) Lift *m*, Fahrstuhl *m*, Aufzug *m*, c) (Eimer-*etc*)Hebewerk *n*: **bucket** ~ Becherwerk *n*; ~ **dredge** Eimerbagger *m*. **2.** *agr. Am.* Getreidespeicher *m*, -silo *m* (*mit Aufzug*). **3.** *aer.* Höhensteuer *n*, -ruder *n*. **4.** *med.* a) Hebel *m*, b) *Zahnmedizin*: Wurzelheber *m*. **5.** *anat.* Hebemuskel *m*.

e·lev·en [i'levn] **I** *adj* **1.** elf. **II** *s* **2.** *Zahl, Nummer*: Elf *f*. **3.** *sport* Elf *f*, Elfermannschaft *f*. **4.** ~**s** → **elevenses.**

eˌlev·en-'plus ex·am·i·na·tion *s ped. Br. von Schülern ab dem 11. Lebensjahr abzulegende Prüfung, die über die schulische Weiterbildung entscheidet.*

e·lev·en·ses [i'levnziz] *s pl colloq.* leichter Imbiß um 11 Uhr vormittags.

e·lev·enth [i'levnθ] **I** *adj* **1.** elft(er, e, es): **at the** ~ **hour** *fig.* in letzter Stunde, fünf Minuten vor zwölf. **II** *s* **2.** (*der, die, das*) Elfte. **3.** Elftel *n*. **e'lev·enth·ly** *adv* elftens.

el·e·von ['elivɒn] *s aer.* kombi'niertes Höhen- u. Querruder.

elf [elf] *pl* **elves** [elvz] *s* **1.** Elf *m*, Elfe *f*. **2.** Kobold *m*. **3.** *fig.* a) Zwerg *m*, Knirps *m*, b) (kleiner) Racker, Kobold *m*. ~ **child** *s irr* **1.** Elfenkind *n*. **2.** Wechselbalg *m*.

elf·in ['elfin] **I** *adj* **1.** Elfen..., Zwergen... **2.** → **elfish. II** *s* → **elf.**

elf·ish ['elfiʃ] *adj* **1.** elfisch, elfenhaft, Elfen... **2.** koboldhaft, schelmisch.

'elf|ˌlock *s* verfilztes Haar, Weichselzopf *m*. **'~-ˌstruck** *adj* verhext.

E·li ['iːlai], *a.* **son of** ~ *s Am. colloq. Student des Yale College.*

e·lic·it [i'lisit] *v/t* **1.** (from) *etwas* (aus *j-m*) her'auslocken, -bringen, (*j-m*) entlocken: **to** ~ **a reply from s.o.** **2.** entnehmen (from *dat*). **3.** her'ausbekommen, ans Licht bringen. **4.** *e-n Reflex etc* auslösen.

e·lide [i'laid] *v/t ling. e-n Vokal od. e-e Silbe* eli'dieren, auslassen.

el·i·gi·bil·i·ty [ˌelidʒə'biliti] *s* **1.** Eignung *f*, Befähigung *f*: **his eligibilities** s-e Vorzüge. **2.** Berechtigung *f*. **3.** Wählbarkeit *f*, Wahlwürdigkeit *f*.

'el·i·gi·ble I *adj* (*adv* **eligibly**) **1.** (for) in Frage kommend: a) geeignet, annehmbar, akzep'tabel (für), b) berechtigt, befähigt (zu), qualifi'ziert (für), c) wählbar, wahlwürdig (für). **2.** wünschenswert, vorteilhaft. **3.** *econ.* bank-, dis'kontfähig. **II** *s* **4.** *colloq.* in Frage kommende Per'son *od.* Sache, *bes.* annehmbarer Freier, akzep'table Par'tie.

e·lim·i·na·ble [i'liminəbl] *adj* elimi'nierbar, auszuscheiden(d). **e'lim·iˌnate** [-ˌneit] *v/t* **1.** tilgen, beseitigen, entfernen, ausmerzen, (*a. math.*) elimi'nieren (**from** aus). **2.** ausscheiden (*a. chem. med.*), ausschließen, *a. e-n Gegner* ausschalten: **to be** ~**ed** *sport* ausscheiden. **3.** *Geschriebenes* streichen (*a. fig.*). **4.** aus-, weglassen.

e·lim·i·na·tion [iˌlimi'neiʃən] *s* **1.** Tilgung *f*, Beseitigung *f*, Entfernen *n*, Ausmerzung *f*, -schaltung *f*, Elimi'nierung *f*. **2.** *math.* Eliminati'on *f*. **3.** *chem. med., a. sport* Ausscheidung *f*: ~ **contest** *sport* Ausscheidungs-, Qualifikationswettbewerb *m*. **4.** Aus-, Weglassung *f*. **e'lim·iˌna·tor** [-tər] *s electr.* Sieb-, Sperrkreis *m*.

el·in·var ['elinˌvɑːr] *s tech.* 'Elinvar-Leˌgierung *f* (*Nickelstahllegierung*).

e·li·sion [i'liʒən] *s ling.* Elisi'on *f*, Auslassung *f* (*bes. e-s Vokals*).

é·lite [ei'liːt; e'liːt], *Am. a.* **e·lite** [i'liːt] *s* **1.** E'lite *f*: a) Auslese *f*, (*das*) Beste, (*die*) Besten *pl*, b) Führungs-, Oberschicht *f*, c) *mil.* E'lite-, Kerntruppe *f*. **2.** *e-e Typengröße auf der Schreibmaschine* (*10 Punkt*).

e·lix·ir [i'liksər] *s* **1.** Eli'xier *n*, Zaubertrank *m*: ~ **of life** Lebenselixier. **2.** All'heilmittel *n*. **3.** 'Quintesˌsenz *f*, Kern *m*. **4.** *Alchimie*: Auflösungsmittel *n* (*zur Verwandlung unedler Metalle in Gold*).

E·liz·a·be·than [iˌlizə'biːθən; -'beθən] **I** *adj* Elisabe'thanisch. **II** *s* Elisabe'thaner(in), Zeitgenosse *m od.* -genossin *f* E'lisabeths I. von England.

elk [elk] *pl* **elks** *od. bes. collect.* **elk** *s zo.* a) (euro'päischer) Elch, Elen(tier) *n*, b) Elk *m*, Wa'piti *m* (*Nordamerika*), c) Pferdehirsch *m*, Sambar *m* (*Südasien*). **'~ˌhound** *s* schwedischer Elchhund.

ell[1] [el] *s Am.* (*rechtwinklig angebauter*) Flügel (*e-s Gebäudes*).

ell[2] [el] *s* Elle *f* (*früheres Längenmaß*): **give him an inch and he'll take an** ~ *fig.* wenn man ihm den kleinen Finger gibt, nimmt er die ganze Hand.

el·lag·ic [i'lædʒik] *adj chem.* Ellag...

'ell,fish → **menhaden.**

el·lipse [i'lips] *s* **1.** *math.* El'lipse *f*. **2.** *selten für* **ellipsis** 1. **el'lip·sis** [-sis] *pl* **-ses** [-siːz] *s* **1.** *ling.* El'lipse *f*, Auslassung *f* (*e-s Worts*). **2.** *print.* (*durch Punkte etc angedeutete*) Auslassung. **el'lips·oid** *s math. phys.* Ellipso'id *n*.

el·lip·soi·dal [ˌelip'sɔidl; ˌil-] *adj math.* ellipso'idisch, el'liptisch: ~ **co-ordinates** elliptische Koordinaten.

el·lip·tic [i'liptik] *adj*; **el'lip·ti·cal** *adj* (*adv* ~**ly**) **1.** *math.* el'liptisch: ~ **function**; ~ **geometry**. **2.** *ling.* el'liptisch, unvollständig (*Satz*).

el·lip·tic·i·ty [ˌelip'tisiti; ˌil-] *s bes. astr.* Elliptizi'tät *f*, Abplattung *f*.

elm [elm] *s bot.* Ulme *f*, Rüster *f*. **'elm·y** *adj* **1.** ulmenreich. **2.** Ulmen...

el·o·cu·tion [ˌelə'kjuːʃən] *s* **1.** Vortrag(sweise *f*) *m*, Dikti'on *f*. **2.** Vortrags-, Redekunst *f*. **3.** Beredsamkeit *f*. **ˌel·o'cu·tion·ar·y** *adj* rednerisch, Vortrags... **ˌel·o'cu·tion·ist** *s* **1.** Vortrags-, Redekünstler(in). **2.** Vortragslehrer(in), Sprecherzieher(in).

e·lon·gate [*Br.* 'iːlɒŋˌgeit; *Am.* i'lɑŋ-; i'lɔːŋ-] **I** *v/t* **1.** verlängern. **2.** *bes. tech.* strecken, dehnen. **II** *v/i* **3.** sich verlängern. **4.** *bot.* a) in die Länge wachsen, b) spitz zulaufen. **III** *adj* [-git; -ˌgeit] → **elongated. e·lon·gat·ed** [*Br.* 'iːlɒŋˌgeitid; *Am.* i'lɑŋ-; i'lɔːŋ-] *adj* **1.** verlängert: ~ **charge** *mil.* gestreckte Ladung. **2.** lang u. dünn, in die Länge gezogen. **e·lon·ga·tion** [*Br.* ˌiːlɒŋ'geiʃən; *Am.* iˌlɑŋ-; iˌlɔːŋ-] *s* **1.** Verlängerung *f*, (Längen)Ausdehnung *f*. **2.** *tech.* Dehnung *f*, Streckung *f*. **3.** *astr. phys.* Elongati'on *f*.

e·lope [i'loup] *v/i* **1.** (mit s-m *od.* s-r Geliebten) entlaufen *od.* 'durchbrennen: **she** ~**d with her lover** sie ließ sich von ihrem Geliebten entführen, sie ging mit ihrem Geliebten durch. **2.** sich da'vonmachen, ausreißen. **e'lope·ment** *s* Entlaufen *n*, Flucht *f*, Entführung *f*. **e'lop·er** *s* Ausreißer(in).

el·o·quence ['eləkwəns] *s* **1.** Beredsamkeit *f*, Redegewandtheit *f*. **2.** Rhe'torik *f*, Redekunst *f*. **'el·o·quent** *adj* (*adv* ~**ly**) **1.** beredt, redegewandt. **2.** über'zeugend. **3.** *fig.* a) ausdrucksvoll, b) vielsagend, beredt: **an** ~ **look.**

else [els] *adv* **1.** (*in Fragen u. Verneinungen*) sonst, weiter, außerdem: **anything** ~? sonst noch etwas?; **what** ~ **can we do?** was können wir sonst noch tun?; **no one** ~, **nobody** ~ niemand sonst, weiter niemand; **nothing** ~ sonst nichts; **it is nobody** ~**'s business** es geht sonst niemanden etwas an; **where** ~? wo anders?, wo sonst (noch)?; **nowhere** ~ sonst nirgends. **2.** ander(er, e, es): **that's something** ~ das ist etwas anderes; **everybody** ~ alle anderen *od.* übrigen; **somebody** ~**'s seat** der (Sitz)Platz e-s (*od.* e-r) anderen. **3.** *meist* **or** ~ oder, sonst, wenn nicht: **hurry, (or)** ~ **you will be late** beeile dich, oder du kommst zu spät *od.* sonst kommst du zu spät; **or** ~! (*drohend*) oder sonst!, sonst (passiert was)! **'~ˌwhere** *adv* **1.** sonstwo, anderswo, anderwärts. **2.** 'anderswoˌhin, wo'anders hin.

e·lu·ci·date [i'luːsiˌdeit; i'ljuː-] *v/t* aufhellen, erklären, erläutern, deutlich machen. **eˌlu·ci'da·tion** *s* **1.** Erläuterung *f*, Er-, Aufklärung *f*, Aufhellung *f*. **2.** Aufschluß *m* (of über *acc*). **e'lu·ciˌda·tive** *adj* aufhellend, erklärend, erläuternd. **e'lu·ciˌda·tor** [-tər] *s* Erläuterer *m*, Erläuterin *f*, Erklärer(in). **e'lu·ciˌda·to·ry** → **elucidative.**

e·lude [i'luːd; i'ljuːd] *v/t* **1.** (geschickt) entgehen *od.* ausweichen (*dat*), sich entziehen (*dat*): **to** ~ **an obligation** sich e-r Verpflichtung entziehen. **2.** *das Gesetz etc* um'gehen. **3.** *j-m* entgehen, *j-s* Aufmerksamkeit entgehen: **this fact** ~**d him**; **to** ~ **observation** nicht bemerkt werden. **4.** *fig.* sich nicht (er)fassen lassen von, sich entziehen (*dat*): **a sense that** ~**s definition** ein Sinn, der sich nicht definieren läßt; **to** ~ **s.o.'s understanding** sich j-s Verständnis entziehen.

e·lu·sion [i'luːʒən; i'ljuː-] *s* **1.** (geschicktes) Ausweichen *od.* Entkommen (of vor *dat*). **2.** (geschickte) Um'gehung: ~ **of a law.** **3.** Ausflucht *f*, List *f*. **e'lu·sive** [-siv] *adj* (*adv* ~**ly**) **1.** ausweichend (of *dat od.* vor *dat*). **2.** schwer (er)faßbar *od.* bestimmbar *od.* defi'nierbar. **3.** um'gehend. **4.** unzuverlässig, schlecht: **an** ~ **memory. e'lu·sive·ness** *s* **1.** Ausweichen *n* (of vor *dat*), ausweichendes Verhalten. **2.** Unbestimmbarkeit *f*, Undefi'nierbarkeit *f*. **e'lu·so·ry** [-səri] *adj* **1.** täuschend, trügerisch. **2.** → **elusive.**

e·lu·tri·ate [i'luːtriˌeit; i'ljuː-] *v/t* (aus)schlämmen.

e·lu·vi·al [i'luːviəl; i'ljuː-] *adj geol.* eluvi'al, Eluvial... **eˌlu·vi'a·tion** *s geol.*

Auslaugung *f* (*des Bodens*). **e'lu·vi·um** [-əm] *s geol.* E'luvium *n.*
el·van ['elvən] *s geol.* Elvangang *m.*
el·ver ['elvər] *s ichth.* junger Aal.
elves [elvz] *pl von* elf. **'elv·ish** → elfish.
E·ly·sian [i'liziən] *adj* **1.** *myth.* e'lysisch (*a. fig.*). **2.** *fig.* para'diesisch, himmlisch. **E'ly·si·um** [-ziəm] *pl* **-si·ums, -si·a** [-ə] *s* **1.** E'lysium *n* (*a. fig.*). **2.** *fig.* Para'dies *n*, Himmel *m* (auf Erden).
el·y·tra ['elitrə] *pl von* elytron, elytrum.
el·y·tron ['eli,trɒn], **'el·y·trum** [-trəm] *pl* **-tra** [-trə] *s zo.* Deckflügel *m.*
El·ze·vir ['elzivir] *print.* **I** *s* **1.** Elzevir (-schrift) *f.* **2.** Elzevirdruck *m*, -ausgabe *f.* **II** *adj* **3.** Elzevir...
em [em] **I** *s* **1.** M, m *n* (*Buchstabe*). **2.** M *n* (*M-förmiger Gegenstand*). **3.** *print.* Geviert *n.* **II** *adj* **4.** M-..., M-förmig. **5.** *print.* Geviert...
'em [əm] *colloq. für* them: let 'em.
e·ma·ci·ate [i'meiʃi,eit] **I** *v/t* **1.** abzehren, ausmergeln. **2.** *den Boden* auslaugen. **II** *adj* [-it; -,eit] → emaciated. **e'ma·ci,at·ed** *adj* **1.** abgemagert, abgezehrt, ausgemergelt. **2.** ausgelaugt (*Boden*). **e,ma·ci'a·tion** *s* **1.** Aus-, Abzehrung *f*, Abmagerung *f.* **2.** Auslaugung *f.*
em·a·nate ['emə,neit] **I** *v/i* **1.** (from) ausfließen (aus), ausgehen, -strömen (von). **2.** *fig.* 'herrühren, ausgehen (from von). **II** *v/t* **3.** aussenden, -strömen, -strahlen (*a. fig.*). **,em·a'na·tion** *s* **1.** Ausströmen *n.* **2.** Ausströmung *f*, -strahlung *f* (*a. fig.*). **3.** Ausdünstung *f.* **4.** *fig.* Auswirkung *f.* **5.** *chem. philos. psych. relig.* Emanati'on *f.*
e·man·ci·pate [i'mænsi,peit] *v/t* **1.** freilassen, befreien, emanzi'pieren, selbständig *od.* unabhängig machen (from von): to ~ o.s. sich frei machen. **2.** emanzi'pieren, (bürgerlich u. sozi'al) gleichstellen. **3.** *jur.* für volljährig erklären. **e'man·ci,pat·ed** *adj* emanzi'piert: a) frei, unabhängig, b) gleichberechtigt, c) vorurteilslos, d) ungebunden. **e,man·ci'pa·tion** *s* **1.** Emanzipati'on *f*, Befreiung *f* von Bevormundung, bürgerliche Gleichstellung. **2.** Befreiung *f*, Freilassung *f* (*von Sklaven*). **3.** *fig.* Befreiung *f*, Freimachung *f.* **4.** *jur.* Emanzipati'on *f*, Volljährigkeitserklärung *f.* **e,man·ci'pa·tion·ist I** *s* Verteidiger(in) *od.* Fürsprecher(in) der Sklavenbefreiung *od.* der Gleichberechtigung. **II** *adj* emanzipa'torisch. **e'man·ci,pa·tor** [-tər] *s* Befreier *m*: the Great E~ *Beiname Abraham Lincolns.* **e'man·ci·pist** *s Austral.* entlassener Sträfling.
e·mas·cu·late I *v/t* [i'mæskju,leit] **1.** entmannen, ka'strieren. **2.** *fig.* verweichlichen. **3.** entkräften, schwächen, *ein Gesetz* abschwächen. **4.** *Sprache* kraft- *od.* farblos machen. **II** *adj* [-lit; -,leit] **5.** entmannt, ka'striert. **6.** *fig.* unmännlich, weibisch, verweichlicht. **7.** verwässert, kraftlos. **e,mas·cu'la·tion** *s* **1.** Entmannung *f*, Ka'strierung *f.* **2.** Verweichlichung *f.* **3.** Entkräftung *f*, Schwächung *f.* **4.** Schwächlichkeit *f*, Unmännlichkeit *f.* **5.** *fig.* Verstümmelung *f* (*e-s Textes*), Verwässerung *f* (*des Stils etc*). **e'mas·cu,la·to·ry,** *a.* **e'mas·cu,la·tive** *adj* verweichlichend.
em·balm [em'bɑːm; im-] *v/t* **1.** *e-n Leichnam* ('ein)balsa,mieren, salben. **2.** *poet.* durch'duften. **3.** *fig. etwas* vor der Vergessenheit bewahren, *j-s Andenken* (sorgsam) bewahren *od.* pflegen: to be ~ed in fortleben in (*dat*).
em'balm·er *s* 'Einbalsa,mierer(in), 'Tierpräpa,rator *m.* **em'balm·ment** *s* 'Einbalsa,mierung *f.*
em·bank [em'bæŋk; im-] *v/t* eindämmen, -deichen. **em'bank·ment** *s* **1.** Eindämmung *f*, -deichung *f.* **2.** (Erd)Damm *m*, Wasserwehr *f.* **3.** (Bahn-, Straßen)Damm *m.* **4.** gemauerte Uferstraße, Kai *m.*
em·bar·ca·tion → embarkation.
em·bar·go [em'bɑːrgou; im-] **I** *pl* **-goes** *s* **1.** *mar.* Em'bargo *n*: a) (Schiffs)Beschlagnahme *f* (*durch den Staat*), b) Hafensperre *f*: civil (hostile) ~ staatsrechtliches (völkerrechtliches) Embargo; to be under an ~ unter Beschlagnahme stehen; to lay an ~ on → 3. **2.** *econ.* a) Handelssperre *f*, -verbot *n*, b) *a. allg.* Sperre *f*, Verbot *n* (on auf *dat od. acc*): ~ on imports Einfuhrsperre. **II** *v/t pret u. pp* **-goed** [-goud] **3.** a) *Handel, Hafen* sperren, b) (*bes. staatsrechtlich*) beschlagnahmen, mit Beschlag belegen.
em·bark [em'bɑːrk; im-] **I** *v/t* **1.** *mar.* einschiffen, verladen (for nach). **2.** *fig.* *j-n* hin'einziehen, verwickeln (in in *acc*). **3.** *Geld* anlegen, inve'stieren (in in *acc*). **II** *v/i* **4.** *mar.* an Bord gehen, sich einschiffen (for nach). **5.** *fig.* (in, upon) sich einlassen (in *acc od.* auf *acc*), (*etwas*) anfangen *od.* unter'nehmen, in (*e-e Sache*) einsteigen. **em·bar·ka·tion** [,embɑːr'keiʃən], **em'bark·ment** *s mar.* Einschiffung *f*, Verladung *f.*
em·bar·rass [em'bærəs; im-] *v/t* **1.** *j-n* verwirren, aus der Fassung *od.* in Verlegenheit bringen, in e-e peinliche Lage versetzen. **2.** *j-n* behindern, *j-m* lästig sein. **3.** in Geldverlegenheit bringen. **4.** *etwas* (be)hindern, erschweren, kompli'zieren. **em'bar·rassed** *adj* **1.** verlegen, peinlich berührt, in Verlegenheit, außer Fassung (by über *acc*, wegen). **2.** verwirrt, bestürzt, betreten. **3.** behindert. **4.** kompli'ziert, verwikkelt. **5.** in Geldverlegenheit, in Zahlungsschwierigkeiten. **em'bar·rass·ing** *adj* (*adv* ~ly) (to *dat*) **1.** unangenehm. **2.** peinlich. **3.** ungelegen, unbequem. **em'bar·rass·ment** *s* **1.** Verlegenheit *f*, Verwirrung *f.* **2.** Kompli'zierung *f*, Verwicklung *f.* **3.** Behinderung *f*, Erschwerung *f*, Störung *f* (*to gen*). **4.** Hindernis *n*, Schwierigkeit *f.* **5.** verwirrende *od.* peinliche Sache *od.* Lage. **6.** Geldverlegenheit *f.* **7.** *med.* (Funkti'ons)Störung *f.*
em·bas·sy ['embəsi] *s* **1.** Botschaft *f od.* Gesandtschaft *f*: a) 'Botschafts- *od.* Ge'sandtschaftsperso,nal *n*, diplo'matische Vertreter *pl*, b) Botschafts- *od.* Gesandtschaftsgebäude *n.* **2.** Botschafteramt *n*, -würde *f.* **3.** diplo'matische Missi'on: on an ~ in diplomatischer Mission.
em·bat·tle [em'bætl; im-] *v/t mil.* **1.** in Schlachtordnung aufstellen. **2.** *e-e Stadt etc* befestigen, zur Festung ausbauen. **em'bat·tled** *adj* **1.** kampfbereit (*a. fig.*). **2.** mit Zinnen (versehen).
em·bed [em'bed; im-] *pret u. pp* **-'bed·ded** *v/t* **1.** (ein)betten, (ein)lagern, ver-, eingraben: ~ded in concrete einbetoniert. **2.** (*a. fig. im Gedächtnis etc*) verankern, fest einmauern (in in *acc od. dat*): firmly ~ded fest verankert. **3.** (fest) um'schließen.
em·bel·lish [em'beliʃ; im-] *v/t* **1.** verschöne(r)n, (aus)schmücken, verzieren. **2.** *fig. e-e Erzählung etc* ausschmücken. **em'bel·lish·ment** *s* **1.** Verschönerung *f*, Schmuck *m.* **2.** *fig.* Ausschmückung *f*, *a. mus.* Verzierung *f.*
em·ber[1] ['embər] *s* **1.** glühende Kohle. **2.** *pl* Glut(asche) *f.* **3.** *pl fig.* (letzte) Funken *pl.*
em·ber[2] ['embər] *adj relig.* Quatember...: E~ days Quatember(fasten) *pl.*
em·ber[3] ['embər], '~,**goose** *s irr orn.* Eistaucher *m.*
em·bez·zle [em'bezl; im-] *v/t* **1.** veruntreuen, unter'schlagen. **2.** *obs.* stehlen. **3.** *obs.* vergeuden. **em'bez·zle·ment** *s* Veruntreuung *f*, 'Unterschleif *m*, Unter'schlagung *f.* **em'bez·zler** *s* Veruntreuer(in).
em·bit·ter [em'bitər; im-] *v/t* **1.** verbittern, bitter machen (*a. fig.*). **2.** *fig.* a) *j-n* erbittern, b) *etwas* erschweren, verschlimmern. **em'bit·ter·ment** *s* **1.** Verbitterung *f* (*a. fig.*). **2.** *fig.* a) Erbitterung *f*, b) Verschlimmerung *f.*
em·bla·zon [em'bleizən; im-] *v/t* **1.** *her.* he'raldisch schmücken *od.* darstellen. **2.** schmücken, verzieren. **3.** *fig.* feiern, verherrlichen. **4.** 'auspo,saunen. **em'bla·zon·ment** *s* he'raldische Bemalung, Wappenschmuck *m.* **em'bla·zon·ry** [-ri] *s* **1.** ,Wappenmale'rei *f.* **2.** Wappenschmuck *m.*
em·blem ['embləm] **I** *s* **1.** Em'blem *n*, Sym'bol *n*, Sinnbild *n*: national ~ Hoheitszeichen *n.* **2.** Kennzeichen *n.* **3.** Verkörperung *f* (*e-r Idee etc*). **4.** *obs.* Em'blem *n* (*Mosaik- od. Einlegearbeit*). **II** *v/t* **5.** versinnbildlichen. **,em·blem'at·ic** [-'matik] *adj*; **,em·blem'at·i·cal** *adj* (*adv* ~ly) sym'bolisch, sinnbildlich: to be ~ of s.th. etwas versinnbildlichen. **em'blem·a,tize** [-'bleme,taiz] *v/t* versinnbildlichen, symboli'sieren, sinnbildlich darstellen.
em·ble·ments ['emblmənts] *s pl jur.* **1.** Ernteertrag *m.* **2.** Ernte-, Feldfrüchte *pl*, Ernte *f.*
em·bod·i·ment [em'bɒdimənt; im-] *s* **1.** Verkörperung *f.* **2.** Darstellung *f*, Verkörpern *n.* **3.** *tech.* Anwendungsform *f.* **4.** Aufnahme *f*, Einverleibung *f* (in in *acc*).
em·bod·y [em'bɒdi; im-] *v/t* **1.** körperliche Gestalt geben (*dat*). **2.** verkörpern: a) darstellen, kon'krete Form geben (*dat*), b) personifi'zieren: virtue embodied verkörperte Tugend. **3.** einfügen, aufnehmen, einverleiben (in in *acc*). **4.** um'fassen, in sich schließen.
em·bog [em'bɒg] *v/t* **1.** in e-n Sumpf stürzen (*a. fig.*). **2.** *fig.* verstricken.
em·bold·en [em'bouldən; im-] *v/t* ermutigen.
em·bo·lec·to·my [,embə'lektəmi] *s med.* Embolekto'mie *f.* **em'bol·ic** [-'bɒlik] *adj biol. med.* em'bolisch. **'em·bo,lism** [-bə,lizəm] *s med.* Embo'lie *f.*
em·bon·point [ɑ̃bɔ̃'pwɛ̃] (*Fr.*) *s* Embon'point *n*, (Wohl)Beleibtheit *f.*
em·bos·om [em'buzəm; im-] *v/t* **1.** um'armen, ans Herz drücken. **2.** *fig.* ins Herz schließen. **3.** hegen u. pflegen. **4.** *fig.* um'schließen, einhüllen, um'geben: ~ed in (*od.* with) umgeben von, eingeschlossen *od.* eingehüllt in (*acc*).
em·boss [em'bɒs; im-] *v/t tech.* **1.** a) bosseln, bos'sieren, erhaben *od.* in Reli'ef ausarbeiten, (hohl)prägen, b) *erhabene Arbeit* (mit dem Hammer) treiben, hämmern. **2.** mit erhabener Arbeit schmücken. **3.** *Stoffe* gau'frieren. **4.** reich verzieren. **em'bossed** *adj* **1.** *tech.* a) erhaben gearbeitet, getrieben, bos'siert, b) gepreßt, geprägt, c) gau'friert (*Stoffe*): ~ stamp Prägestempel *m.* **2.** *bot.* mit e-m Buckel auf

der Mitte des Hutes (*Pilz*). **3.** hoch-, her'vorstehend. **em'boss·ment** *s* **1.** erhabene Arbeit, Reli'efarbeit *f.* **2.** Erhebung *f*, Wulst *m.*

em·bou·chure [ˌɔmbu'ʃuːr] *s* **1.** (Fluß)-Mündung *f.* **2.** *mus.* a) Mundstück *n* (*e-s Blasinstruments*), b) Ansatz *m* (*des Bläsers*).

em·bowed [em'boud] *adj* **1.** *arch.* gewölbt. **2.** kon'vex, gebogen.

em·bow·el [em'bauəl; im-] *v/t* **1.** → disembowel. **2.** *obs.* einbetten.

em·brace[1] [em'breis; im-] **I** *v/t* **1.** a) um'armen, in die Arme schließen, b) um'fassen, um'klammern. **2.** *a. fig.* einschließen, um'schließen, um'fassen, in sich schließen. **3.** *fig.* a) bereitwillig annehmen, sich zu eigen machen, b) *e-e Gelegenheit* ergreifen, c) *ein Angebot, a. e-e Religion etc* annehmen, d) *e-n Beruf* ergreifen, einschlagen, e) *e-e Hoffnung* hegen. **4.** in sich aufnehmen, erfassen. **II** *v/i* **5.** sich um'armen. **III** *s* **6.** Um'armung *f.*

em·brace[2] [em'breis; im-] *v/t jur. Geschworene etc* bestechen.

em·brac·er, *a.* **em·brace·or** [em'breisər] *s jur.* Bestecher *m* (*von Geschworenen*). **em'brac·er·y** [-səri] *s jur.* Bestechung(sversuch *m*) *f.*

em·branch·ment [*Br.* em'brɑːntʃmənt; im-; *Am.* -'bræ(ː)ntʃ-] *s* Gabelung *f*, Verzweigung *f*, Zweig *m.*

em·bra·sure [em'breiʒər; im-] *s* **1.** *arch.* Laibung *f.* **2.** *mil.* (Schieß)Scharte *f.*

em·bro·cate ['embroˌkeit] *v/t med.* einreiben. **ˌem·bro'ca·tion** *s* **1.** Einreibung *f.* **2.** Einreibemittel *n.*

em·broi·der [em'brɔidər; im-] *v/t u. v/i* **1.** *Muster* sticken. **2.** *Stoff* bestikken, mit Sticke'rei verzieren. **3.** *fig. e-n Bericht etc* ausschmücken, ‚gar'nieren'. **em'broi·der·er** *s* Sticker(in). **em'broi·der·y** *s* **1.** Sticken *n*; **~ cotton** Stickgarn *n*; **~ frame** Stickrahmen *m*; **~ needle** Sticknadel *f.* **2.** Sticke'rei (-arbeit) *f*: **to do ~** sticken. **3.** bunter Schmuck. **4.** *fig.* Ausschmückung *f.*

em·broil [em'brɔil; im-] *v/t* **1.** *j-n* verwickeln, hin'einziehen: **~ed in a war** in e-n Krieg verwickelt. **2.** *j-n* in e-n Streit verwickeln (**with** mit). **3.** verwirren, durchein'anderbringen. **em'broil·ment** *s* **1.** Verwicklung *f*, Streit *m.* **2.** Verwirrung *f.*

em·bry·o ['embriˌou] **I** *pl* **-os** *s* **1.** *biol.* a) Embryo *m*, b) (Frucht)Keim *m*: **~ sac** *bot.* Embryosack *m.* **2.** *fig.* Keim *m*: **in ~** im Keim, im Entstehen, im Werden. **II** *adj* → **embryonic.**

em·bry·oc·to·ny [ˌembri'ɒktəni] *s med.* Fruchttötung *f.* **ˌem·bry'og·e·ny** [-'ɒdʒəni] *s biol.* Embryo'nalentwicklung *f.* **ˌem·bry'ol·o·gist** [-'ɒlədʒist] *s med.* Embryo'loge *m.* **ˌem·bry'ol·o·gy** *s med.* Embryolo'gie *f.*

em·bry·o·nal ['embriənl] → embryonic. **'em·bry·oˌnate** [-ˌneit], **'em·bry·oˌnat·ed** *adj* Embry'onen *od.* e-n Embryo enthaltend. **ˌem·bry'on·ic** [-'ɒnik] *adj* **1.** embryo'nal, Embryo... **2.** (noch) unentwickelt, rudimen'tär, keimend (*a. fig.*).

em·bus [em'bʌs] *mil.* **I** *v/t* auf Kraftfahrzeuge verladen. **II** *v/i* auf Kraftfahrzeuge verladen werden, aufsitzen.

em·bus·qué [ɑ̃bys'ke] (*Fr.*) *s* Drückeberger *m.*

em·cee ['em'siː] *Am.* **I** *s* Conférenci'er *m* (*von* **master of ceremonies**). **II** *v/t u. v/i* als Zere'monienmeister *od.* Conférenci'er leiten (auftreten).

eme [iːm] *s obs.* Oheim *m*, Onkel *m.*

e·mend [i'mend] *v/t bes. Texte* verbessern, korri'gieren, emen'dieren.

e·men·da·tion [ˌiːmen'deiʃən] *s* Emendati'on *f*, Verbesserung *f*, Berichtigung *f.* **'e·menˌda·tor** [-tər] *s* (Text)-Verbesserer *m*, Berichtiger *m.* **e·men·da·to·ry** [i'mendətəri] *adj* (text)verbessernd, Verbesserungs...

em·er·ald ['emərəld; 'emrəld] **I** *s* **1.** *min.* Sma'ragd *m.* **2.** *a.* **~ green** Sma'ragdgrün *n.* **3.** In'sertie *f* (*Schriftgrad von etwa* $6^1/_2$ *Punkten*). **II** *adj* **4.** sma'ragdgrün: **the E~ Isle** die grüne Insel (*Irland*). **~ feath·er** *s bot.* Spargelkraut *n*, Gärtnergrün *n.*

e·merge [i'məːrdʒ] *v/i* **1.** auftauchen: a) an die (Wasser)Oberfläche kommen, b) *a. fig.* zum Vorschein kommen, sich zeigen, c) *fig.* sich erheben (*Frage, Problem*), d) auftreten, in Erscheinung treten. **2.** her'vor-, her'auskommen. **3.** sich her'ausstellen *od.* ergeben (*Tatsache*). **4.** *fig.* (*als Sieger etc*) her'vorgehen (**from** aus). **5.** *fig.* sich entwickeln, em'porkommen.

e'mer·gence *s* **1.** Auftauchen *n*, Her'vor-, Her'auskommen *n*, Sichtbarwerden *n.* **2.** Em'porkommen *n.* **3.** Auf-, Zu'tagetreten *n.* **4.** Entstehen *n.* **5.** *bot.* Emer'genz *f*, Auswuchs *m.* **6.** *biol.* → **emergent evolution.**

e·mer·gen·cy [i'məːrdʒənsi] **I** *s* (*plötzlich eintretende*) Not(lage), (*a. nationaler*) Notstand, 'unvorˌhergesehenes Ereignis, kritische Lage: **in an ~,** in **case of ~** im Ernst- *od.* Notfall, notfalls; **state of ~** Notstand, *pol. a.* Ausnahmezustand *m.* **II** *adj* Not(stands)..., (Aus)Hilfs..., Behelfs...: **~ aid** (**program**) Soforthilfe(programm *n*) *f.* **~ brake** *s tech.* Notbremse *f.* **~ ca·ble** *s electr.* Hilfskabel *n.* **~ call** *s teleph.* Notruf *m.* **~ clause** *s* Dringlichkeits-, Notklausel *f.* **~ de·creee** *s* Notverordnung *f.* **~ door, ~ ex·it** *s* Notausgang *m.* **~ house** *s* Behelfsheim *n.* **~ land·ing** *s aer.* Notlandung *f.* **~ land·ing field** *s aer.* Notlande-, Hilfslandeplatz *m.* **~ man** *s irr bes. sport* Ersatzmann *m.* **~ meas·ure** *s* Not(stands)maßnahme *f.* **~ pow·ers** *s pl pol.* Vollmachten *pl* auf Grund e-s Notstandsgesetzes. **~ ra·tion** *s mil.* eiserne Rati'on.

e·mer·gent [i'məːrdʒənt] **I** *adj* (*adv* **~ly**) **1.** auftauchend, -steigend, em'porkommend (*alle a. fig.*): **~ countries** *pol.* Entwicklungsländer. **2.** *fig.* entstehend. -springend, her'vorgehend, sich ergebend (**from** aus). **3.** dringend, a'kut: **~ danger.** **4.** *biol. philos.* neu auftretend (*phylogenetische Merkmale*). **II** *s* **5.** *biol. philos.* Neubildung *f* (*im Verlauf e-r Entwicklung*). **~ ev·o·lu·tion** *s biol. philos.* Epige'nese *f*, Neuauftreten *n* (*von Merkmalen*).

e·mer·i·tus [i'meritəs] **I** *pl* **-ti** [-ˌtai] *s* E'meritus *m.* **II** *adj* emeri'tiert, in den Ruhestand versetzt.

e·mersed [i'məːrst; iː-] *adj bot.* e'mers, (*aus dem Wasser*) her'ausragend.

e'mer·sion *s* **1.** Auftauchen *n*, Her'auskommen *n*, -treten *n* (**from** aus). **2.** *astr.* Emersi'on *f*, Austritt *m* (*e-s Gestirns aus dem Schatten e-s anderen*).

em·er·y ['eməri] **I** *s* **1.** *min.* körniger Ko'rund, Schmirgel *m*: **to rub with ~** → 3. **II** *v/t* **2.** mit Schmirgel bedecken. **3.** (ab)schmirgeln. **III** *adj* **4.** Schmirgel...: **~ paper**; **~ stone.** **~ cake** *s tech.* Schmirgelkuchen *m.* **~ cloth** *s* Schmirgelleinen *n.* **~ pow·der** *s* Schmirgelpulver *n.*

em·e·sis ['emisis] *s med.* Erbrechen *n.*

e·met·ic [i'metik] *pharm.* **I** *adj* (*adv* **~ally**) Erbrechen erregend, e'metisch. **II** *s* Brechmittel *n* (*a. fig.*).

e·mic·tion [i'mikʃən] *s med.* **1.** Uri'nieren *n*, Harnlassen *n.* **2.** U'rin *m.* **e'mic·to·ry** [-təri] *adj u. s pharm.* harntreibend(es Mittel).

em·i·grant ['emigrənt] **I** *s* **1.** Auswanderer *m*, Emi'grant(in). **II** *adj* **2.** auswandernd, emi'grierend. **3.** Auswanderungs..., Auswanderer..., Emigranten...

em·i·grate ['emiˌgreit] **I** *v/i* **1.** auswandern, emi'grieren (**from** aus, von; **to** nach). **2.** ('um)ziehen. **II** *v/t* **3.** auswandern lassen, zur Auswanderung veranlassen. **4.** *j-m* beim Auswandern helfen. **ˌem·i'gra·tion** *s* **1.** Auswanderung *f*, Emigrati'on *f* (*a. fig.*). **2.** *collect.* Auswanderer *pl.* **3.** *med.* Zellaustritt *m.*

em·i·nence ['eminəns] *s* **1.** Erhöhung *f*, (An)Höhe *f.* **2.** a) hohe Stellung, Würde *f*, hoher Rang, b) Ruhm *m*, Berühmtheit *f*, Bedeutung *f.* **3.** Über'legenheit *f*, Vorrang *m.* **4.** *R.C.* Emi'nenz *f* (*Titel der Kardinäle*): **grey ~** *fig.* graue Eminenz. **'em·i·nent** *adj* **1.** her'vorragend, ausgezeichnet, berühmt. **2.** a) emi'nent, bedeutend, her'vorragend, b) vornehm, erhaben. **3.** über'ragend, außergewöhnlich: **an ~ success.** **4.** hoch(ragend): **an ~ promontory.** **5.** → **domain** 1. **'em·i·nent·ly** *adv* in hohem Maße, 'überaus, äußerst, her'vorragend.

e·mir [e'miːr] *s* Emir *m.* **e'mir·ate** [-rit; -reit] *s* Emi'rat *n* (*Würde od. Herrschaftsgebiet e-s Emirs*).

em·is·sar·y ['emisəri] *s* Send-, Geheimbote *m*, Abgesandte(r) *m* (mit geheimem Auftrag), Emis'sär *m.*

e·mis·sion [i'miʃən] *s* **1.** *bes. phys.* Ausstrahlung *f* (*a. fig.*), Ausströmung *f*, -sendung *f*, Emissi'on *f*: **Newton's theory of ~** Newtonsche Emissionstheorie. **2.** *physiol.* (Aus)Fluß *m*, (*bes.* Samen)Erguß *m.* **3.** *econ.* Emissi'on *f*, Ausgabe *f*: **~ of bank notes.** **4.** *obs.* Veröffentlichung *f.* **e'mis·sive** [-siv] *adj bes. phys.* aussendend, -strahlend: **to be ~ of heat** Hitze ausstrahlen.

em·is·siv·i·ty [ˌemi'siviti] *s phys.* Emissi'ons-, Strahlungsvermögen *n.*

e·mit [i'mit] *v/t* **1.** *Licht, Wärme etc* aussenden, -strahlen, -strömen. **2.** ausstoßen, -scheiden, von sich geben. **3.** *e-e Verfügung* ergehen lassen. **4.** *e-n Ton, a. e-e Meinung* von sich geben, äußern. **5.** *econ.* emit'tieren, in 'Umlauf setzen, ausgeben.

em·met ['emit] *s zo. poet. od. dial.* Ameise *f.*

em·me·trope ['emiˌtroup] *s med.* Nor'malsichtige(r *m*) *f.* **ˌem·me'tro·pi·a** [-piə] *s* Emmetro'pie *f*, Nor'malsichtigkeit *f.*

e·mol·li·ent [i'mɒliənt; -ljənt] **I** *adj* **1.** *pharm.* erweichend: **~ cream.** **2.** *fig.* beruhigend, sanft. **II** *s* **3.** erweichendes Mittel.

e·mol·u·ment [i'mɒljumənt] *s* **1.** Vergütung *f* (*bes. e-r Nebenbeschäftigung*). **2.** *pl* Einkünfte *pl*, Dienstbezüge *pl.*

e·mo·tion [i'mouʃən] *s* **1.** Gefühl *n*, Gemütsbewegung *f*, (Gefühls)Regung *f*, Emoti'on *f.* **2.** Gefühlswallung *f*, Erregung *f*, Leidenschaft *f.* **3.** Rührung *f*, Ergriffenheit *f.* **4.** *obs.* Tu'mult *m.* **e'mo·tion·a·ble** *adj* erregbar. **e'mo·tion·al** *adj* (*adv* → **emotionally**) **1.** gefühlsmäßig, -bedingt, emotio'nal, Affekt...: **~ act** gefühlsbedingte Handlung, Affekthandlung *f.* **2.** gefühlsbetont, emotio'nal, leicht erregbar *od.* gerührt, empfindsam. **3.** gefühlvoll, rührselig. **4.** Gemüts..., Gefühls..., emotio'nell, seelisch. **e'mo·tion·alˌism** *s* **1.** Gefühlsbetontheit *f*, Empfindsamkeit *f.* **2.** Ge₍fühlsduse'lei *f.* **3.** Gefühlsäußerung *f.* **e'mo·tion·al·ist** *s* Gefühlsmensch *m.* **e₍mo·tion·'al·i·ty** [-'næliti] *s* **1.** Gefühlsmäßigkeit *f.* **2.** → emotionalism. **e'mo·tion·al₍ize I** *v/t* **1.** zur Gefühlssache machen. **2.** Emoti'onen aufwühlen *od.* entfesseln bei (*j-m*). **3.** dramati'sieren. **II** *v/i* **4.** in Gefühlen schwelgen. **e'mo·tion·al·ly** [-nəli] *adv* gefühlsmäßig, emotio'nell, seelisch. **e'mo·tion·less** *adj* **1.** unbewegt, ungerührt. **2.** gefühllos.

e·mo·tive [i'moutiv] *adj* **1.** → emotional 1. **2.** gefühlvoll: an ~ speech. **e·mo·tiv·i·ty** [₍i:mo'tiviti] *s* Gefühlsmäßigkeit *f*, -betontheit *f.*

em·pale [em'peil; im-] → impale.

em'pan·el [-'pænl] → impanel.

em·path·ic [em'pæθik] *adj* (*adv* ~ally) einfühlend, Einfühlungs... **em·pa·thy** ['empəθi] *s psych.* Einfühlung(svermögen *n*) *f.*

em·pen·nage [ɑ̃pɛ'na:ʒ] (*Fr.*) *s aer.* [Leitwerk *n.*]

em·per·or ['empərər] *s* **1.** Kaiser *m.* **2.** *zo.* → purple emperor. ~ **bo·a** *s zo.* Kaiserboa *f.* ~ **fish** *s* Kaiserfisch *m.* ~ **moth** *s zo.* Kleines Nachtpfauenauge.

em·per·y ['empəri] *s poet.* **1.** Kaiserreich *n.* **2.** abso'lute Herrschaft.

em·pha·sis ['emfəsis] *pl* **-ses** [-₍si:z] *s* **1.** Betonung *f*: a) *ling.* Ton *m*, Ak'zent *m* (on auf *dat*), b) *Rhetorik*: Em'phase *f*, Her'vorhebung *f.* **2.** *fig.* Betonung *f*: a) Gewicht *n*, Schwerpunkt *m*, b) Nachdruck *m*: to lay (*od.* place) ~ on → emphasize 1 *u.* 2; to give ~ to s.th. e-r Sache Nachdruck verleihen; the ~ of the reform was on discipline der Nachdruck *od.* Schwerpunkt der Reform lag auf Disziplin; with ~ nachdrücklich, mit Nachdruck. **3.** *paint. etc* Deutlichkeit *f*, Betonung *f.* **'em·pha₍size** *v/t* **1.** (nachdrücklich) betonen, Nachdruck legen auf (*acc*), her'vorheben, unter'streichen. **2.** besonderen Wert legen auf (*acc*).

em·phat·ic [em'fætik; im-] *adj* (*adv* ~ally) **1.** nachdrücklich: a) em'phatisch, betont, ausdrücklich, deutlich, b) bestimmt, (ganz) entschieden. **2.** em'phatisch, eindringlich.

em·phy·se·ma [₍emfi'si:mə] *s med.* Emphy'sem *n*, Wundgeschwulst *f.*

em·pire ['empair] **I** *s* **1.** Reich *n*, Im'perium *n* (*beide a. fig.*): the (Holy Roman) E~ *hist.* das Heilige Römische Reich (Deutscher Nation); the (British) E~ das Brit. (Welt)Reich. **2.** Kaiserreich *n.* **3.** (Ober)Herrschaft *f*, Gewalt *f* (over über *acc*). **4.** *econ. u. fig.* Im'perium *n*: tobacco ~. **II** *adj* **5.** E~ Empire..., im Em'pirestil: ~ furniture; ~ gown. **6.** (Welt-, Kaiser)Reichs..., Empire...: ~ building a) (*die*) Schaffung e-s Weltreichs, b) *pol. fig.* Bildung *f* e-r Hausmacht. **E~ Cit·y** *s Am. Beiname der Stadt New York.* ~ **cloth** *s electr.* Iso'lierleinen *n.* **E~ Day** *s brit. Staatsfeiertag am 24. Mai, dem Geburtstag der Königin Victoria.* **E~ State** *s Am. Beiname des Staates New York.*

em·pir·ic [em'pirik] **I** *s* **1.** *philos.* Em'piriker(in). **2.** (Kur)Pfuscher(in). **II** *adj* (*adv* ~ally) → empirical. **em'pir·i·cal** *adj* (*adv* ~ly) **1.** *philos. scient.* em'pirisch, erfahrungsmäßig, Erfahrungs...: ~ formula. **2.** nicht wissenschaftlich, pfuscherhaft.

em·pir·i·cism [em'piri₍sizəm] *s* **1.** Empi'rismus *m* (*a. philos.*), Er'fahrungsme₍thode *f.* **2.** (₍Kur)Pfusche'rei *f.* **em'pir·i·cist** → empiric 1.

em·place [em'pleis; im-] *v/t* **1.** aufstellen. **2.** *mil. Geschütze* in Stellung bringen. **em'place·ment** *s* **1.** (Auf)Stellung *f.* **2.** Lage *f.* **3.** *mil.* a) Geschütz-, Feuerstellung *f*, b) Bettung *f.*

em·plane [em'plein; im-] *aer.* **I** *v/t* in ein Flugzeug (ver)laden. **II** *v/i* an Bord e-s Flugzeugs gehen.

em·ploy [em'plɔi; im-] **I** *v/t* **1.** *j-n* beschäftigen, *j-m* Arbeit geben. **2.** *Arbeiter* an-, einstellen, einsetzen: to ~ o.s. sich beschäftigen (with mit). **3.** an-, verwenden, gebrauchen (in, on bei; for für, zu): to ~ stones in building; to ~ new methods. **4.** (in) widmen (*dat*), Zeit verbringen (mit): to ~ all one's energies in s.th. e-r Sache s-e ganze Kraft widmen. **II** *s* **5.** Dienst(e *pl*) *m*, Beschäftigung(sverhältnis *n*) *f*: in ~ beschäftigt; out of ~ ohne Beschäftigung, stellen-, arbeitslos; to be in s.o.'s ~ in j-s Dienst(en) stehen, bei j-m beschäftigt *od.* angestellt sein. **em'ploy·a·ble** *adj* **1.** arbeitsfähig. **2.** zu beschäftigen(d). **3.** an-, verwendbar, verwendungsfähig. **em'ployed** [-'plɔid] *adj* angestellt, beschäftigt, berufstätig: the ~ die Angestellten. **em·ploy·ee** [₍emplɔi'i:; *Am. a.* im'plɔii:], *a.* **em·ploy·é, em·ploy·e** [*Br.* ɔm'plɔiei; *Am.* im'plɔii: *od.* ₍emplɔi'i:] *s* Arbeitnehmer (-in), Angestellte(r *m*) *f*, Arbeiter(in), Werksangehörige(r *m*) *f*, Lohn- *od.* Gehaltsempfänger(in): the ~s die Arbeitnehmer(schaft), die Belegschaft (*e-s Betriebes*). **em'ploy·er** *s* Arbeitgeber(in), Unter'nehmer(in): ~'s association Arbeitgeber-, Unternehmerverband *m*; ~'s liability *econ.* Unfallhaftpflicht *f* des Arbeitgebers; ~'s insurance *econ.* Betriebshaftpflichtversicherung *f.*

em·ploy·ment [em'plɔimənt; im-] *s* **1.** Beschäftigung *f* (*a. allg.*), Arbeit *f*, (An)Stellung *f*, Dienst-, Arbeitsverhältnis *n*, Dienst *m*: full ~ Vollbeschäftigung *f*; to be in (full) ~ (voll)beschäftigt sein; out of ~ stellen-, arbeitslos. **2.** Beschäftigung *f*, Ein-, Anstellung *f.* **3.** Beruf *m*, Tätigkeit *f*, Geschäft *n.* **4.** An-, Verwendung *f*, Einsatz *m.* ~ **a·gen·cy,** ~ **bu·reau** *s* 'Stellenvermittlungsbü₍ro *n*, Stellen-, Arbeitsnachweis *m.* ~ **ex·change** *s Br.* Arbeitsamt *n*, -vermittlung *f*, -nachweis *m.* ~ **mar·ket** *s* Arbeits-, Stellenmarkt *m.*

em·poi·son [em'pɔizn] *v/t obs. u. fig.* vergiften.

em·po·ri·um [em'pɔ:riəm] *pl* **-ri·ums** *od.* **-ri·a** [-riə] *s* **1.** Em'porium *n*: a) (Haupt)Handels-, Stapelplatz *m*, Handelszentrum *n*, b) Markt *m* (*Stadt*). **2.** a) *bes. humor.* (großer) Laden, b) Warenhaus *n.*

em·pow·er [em'pauər; im-] *v/t* **1.** bevollmächtigen, ermächtigen (to zu). **2.** fähig machen, befähigen (for zu).

em·press ['empris] *s* **1.** Kaiserin *f.* **2.** *fig.* (Be)Herrscherin *f*: ~ of the seas. ~ **cloth** *s* (*Art*) Me'rinostoff *m.*

em·prise, em·prize [em'praiz] *s obs.* Unter'nehmen *n*, Wagnis *n.*

emp·ti·ness ['emptinis] *s* **1.** Leerheit *f*, Leere *f.* **2.** *fig.* Hohlheit *f*, (innerliche *od.* inhaltliche) Leere, Nichtigkeit *f.* **3.** Mangel *m* (of an *dat*).

emp·ty ['empti] **I** *adj* (*adv* emptily) **1.** leer. **2.** leer(stehend), unbewohnt. **3.** leer, unbeladen: ~ weight Eigen-, Leergewicht *n.* **4.** (of) leer (an *dat*), bar (*gen*): ~ of joy freudlos, jeder Freude bar; to be ~ of s.th. e-r Sache entbehren. **5.** *fig.* leer, nichtig, nichtssagend, eitel, inhaltslos, hohl: ~ talk leeres *od.* hohles Gerede. **6.** *colloq.* hungrig, nüchtern: on an ~ stomach auf nüchternen Magen. **II** *v/t* **7.** (aus)leeren, entleeren, leer machen. **8.** *das Glas* leeren, austrinken. **9.** *ein Haus etc* (aus)räumen. **10.** schütten, leeren, gießen: to ~ water out of a pot. **11.** to ~ itself → 14. **12.** entleeren, berauben (of *gen*): to ~ s.th. of sense etwas des Sinnes berauben. **III** *v/i* **13.** leer werden, sich leeren. **14.** sich ergießen, münden (into the sea ins Meer). **IV** *s* **15.** *pl econ.* 'Leergut *n*, -materi₍al *n.* **'~-'hand·ed** *adj* mit leeren Händen. **'~-'head·ed** *adj fig.* hohlköpfig.

e·mu ['i:mju:] *s orn.* Emu *m.*

em·u·late I *v/t* ['emju₍leit] **1.** wetteifern mit, nacheifern (*dat*). **2.** nachahmen (*acc*), es gleichtun (wollen) (*dat.*) **II** *adj* [-lit] *obs.* bestrebt. **₍em·u·'la·tion** *s* **1.** Wetteifer *m*: in ~ of s.o. j-m nacheifernd. **2.** *obs.* Eifersucht *f.* **'em·u·₍la·tive** *adj* nacheifernd: to be ~ of s.o. j-m nacheifern. **'em·u₍la·tor** [-tər] *s* Nacheiferer *m.*

e·mul·si·fi·a·ble [i'mʌlsi₍faiəbl] *adj* emul'gierbar. **e₍mul·si·fi'ca·tion** [-fi'keiʃən] *s* Emul'gierung *f.* **e'mul·si₍fi·er** [-₍faiər] *s* E'mulgens *n*, Emulsi'onsmittel *n.* **e'mul·si₍fy** [-₍fai] *v/t u. v/i* emul'gieren.

e·mul·sion [i'mʌlʃən] *s chem. med. phot.* Emulsi'on *f.* **e'mul·sion₍ize** → emulsify. **e'mul·sive** [-siv] *adj* emulsi'onsartig, Emulsions...

en [en] **I** *s* **1.** N, n *n* (*Buchstabe*). **2.** N *n*, N-förmiger Gegenstand. **3.** *print.* Halbgeviert *n.* **II** *adj* **4.** N-förmig, N-... **5.** *print.* Halbgeviert...

en·a·ble [e'neibl; i'n-] *v/t* **1.** *j-n* berechtigen, ermächtigen: to ~ s.o. to do s.th. j-n dazu ermächtigen, etwas zu tun; enabling act *pol.* Ermächtigungsgesetz *n.* **2.** *j-n* befähigen, *j-n* in den Stand setzen, es *j-m* möglich machen *od.* ermöglichen: this ~d me to come dies machte es mir möglich zu kommen. **3.** *etwas* möglich machen, ermöglichen: to ~ s.th. to be done es ermöglichen, daß etwas geschieht; this ~s the housing to be detached dadurch kann das Gehäuse abgenommen werden.

en·act [e'nækt; i'n-] *v/t* **1.** *jur.* a) *ein Gesetz* erlassen, b) (gesetzlich) verfügen, verordnen, c) *e-m Parlamentsbeschluß* Gesetzeskraft verleihen: ~ing clause Einführungsklausel *f.* **2.** *thea.* a) *ein Stück* aufführen, insze'nieren, b) *e-e Person od. Rolle* darstellen, spielen, c) *fig.* in Szene setzen: to be ~ed stattfinden, über die Bühne *od.* vor sich gehen. **en'act·ment** *s* **1.** *jur.* a) Erlassen *n* (*Gesetz*), b) Erhebung *f* zum Gesetz, c) (gesetzliche) Verfügung *od.* Verordnung, Gesetz *n*, Erlaß *m.* **2.** Spiel *n*, Darstellung *f* (*e-r Rolle*).

en·am·el [i'næməl] **I** *s* **1.** E'mail(le *f*) *n*, Schmelzglas *n* (*auf Metall*). **2.** Gla'sur *f* (*auf Töpferwaren*). **3.** E'mail- *od.* Gla'surmasse *f.* **4.** E'mailgeschirr *n.* **5.** *paint.* E'mailmale'rei *f.* **6.** *tech.* Lack *m*, ('Schmelz)Gla₍sur *f*, Schmelz *m.* **7.** *anat.* (Zahn)Schmelz *m*: ~ cell innere Schmelzzelle. **8.** *Kosmetik*: (*Art*) Make-'up *n* (*Creme*). **II** *v/t* **9.** email'lieren. **10.** gla'sieren. **11.** lak'kieren. **12.** in E'mail malen. **13.** mit Farben schmücken. **III** *v/i* **14.** in E'mail arbeiten *od.* malen. **IV** *adj* **15.** a) Email...: ~ painting; ~ ware, b) Emaillier...: ~ kiln Emaillierofen *m.* **16.** *anat.* (Zahn)Schmelz... **en'am-**

el·er, *bes. Br.* **en'am·el·ler** *s* Email'leur *m*, Schmelzarbeiter *m*.

en·am·or, *bes. Br.* **en·am·our** [e'næmər; i'n-] *v/t meist pass* verliebt machen: to be **~ed of** a) verliebt sein in (*acc*), b) *fig.* gefesselt *od.* bezaubert sein von, sehr gern mögen (*acc*).

e·na·tion [i'neiʃən] *s bot.* Auswuchs *m*.

en bloc [en blɒk; ɑ̃] *adv* im ganzen, als Ganzes, en bloc.

en·cae·ni·a [en'siːniə; -njə; in-] *s* **1.** Gründungs-, Stiftungsfest *n*. **2.** E~ *jährliches Gründerfest an der Universität Oxford (im Juni)*.

en·cage [en'keidʒ; in-] *v/t* (in e-n Käfig) einsperren, einschließen.

en·camp [en'kæmp; in-] **I** *v/i* **1.** (sich) lagern, ein Lager beziehen *od.* aufschlagen. **2.** *mil.* lagern. **II** *v/t* **3.** *mil.* lagern lassen: to be **~ed** lagern. **en'camp·ment** *s* **1.** *mil.* (Feld)Lager *n*. **2.** Park *m* von Wohnwagen, Zeltlager *n*. **3.** Lagern *n*.

en·cap·su·late [en'kæpsju͵leit; in-] *v/t* ein-, verkapseln.

en·car·pus [en'kɑːrpəs; in-] *pl* **-pi** [-pai] *s arch.* 'Fruchtgir͵lande *f*.

en·case [en'keis; in-] *v/t* **1.** einschließen. **2.** um'schließen, -'geben. **en'case·ment** *s* **1.** Einschließung *f*. **2.** Um'schließung *f*, -'hüllung *f*, Hülle *f*.

en·cash [en'kæʃ; in-] *v/t econ. Br. Wechsel, Noten etc* 'einkas͵sieren, in bar einlösen. **en'cash·a·ble** *adj Br.* einlösbar. **en'cash·ment** *s Br.* In'kasso *n*, 'Einkas͵sierung *f*, Einlösung *f*.

en·caus·tic [en'kɔːstik] *paint.* **I** *adj* en'kaustisch: a) eingebrannt, b) *die Enkaustik betreffend*: **~ tile** buntglasierte Kachel. **II** *s a.* **~ painting** En'kaustik *f*, en'kaustische Maler'ei.

en·ceinte[1] [ɑ̃'sɛ̃ːt; *Am. a.* en'seint] (*Fr.*) *adj* schwanger.

en·ceinte[2] [ɑ̃'sɛ̃ːt; *Am. a.* en'seint] (*Fr.*) *s* **1.** *mil.* En'ceinte *f*, Um'wallung *f*. **2.** um'mauerter Stadtteil.

en·ce·phal·ic [͵ense'fælik] *adj med.* Gehirn..., das Gehirn betreffend. **en͵ceph·a'lit·ic** [-fə'litik] *adj* enzepha'litisch.

en·ceph·a·li·tis [en͵sefə'laitis] *s med.* Enzepha'litis *f*, Gehirnentzündung *f*. **~ le·thar·gi·ca** [li'θɑːrdʒikə] (*Lat.*) *s* Gehirngrippe *f*.

en·ceph·a·lo·cele [en'sefəlo͵siːl] *s med.* Hirnbruch *m*. **en'ceph·a·lo͵gram** [-lo͵græm], **en'ceph·a·lo͵graph** [-lo͵græ(ː)f; *Br. a.* -͵grɑːf] *s med.* Enzephalo'gramm *n*, Röntgenaufnahme *f* des Gehirns. **en͵ceph·a'log·ra·phy** [-'lɒgrəfi] *s med.* ͵Enzephalogra'phie *f*. **en͵ceph·a'lo·ma** [-'loumə] *s med.* Hirntumor *m*. **en͵ceph·a·lo͵my·e'li·tis** [-lo͵maiə'laitis] *s med. vet.* ͵Enzephalomye'litis *f*, Hirn- u. Rükkenmarksentzündung *f*.

en·chain [en'tʃein; in-] *v/t* **1.** anketten, mit Ketten befestigen. **2.** *fig.* fesseln, festhalten, hindern. **3.** *fig. die Aufmerksamkeit* fesseln. **en'chain·ment** *s* **1.** Ankettung *f*, Fesselung *f*. **2.** *fig.* Verkettung *f*. Kette *f*: **an ~ of events.**

en·chant [*Br.* en'tʃɑːnt; in-; *Am.* -'tʃæ(ː)nt] *v/t* **1.** verzaubern, ver-, behexen. **2.** *fig.* bezaubern, entzücken, berücken, 'hinreißen: to be **~ed** entzückt sein. **en'chant·er** *s* Zauberer *m*. **en'chant·ing** *adj* (*adv* **~ly**) bezaubernd, entzückend, 'hinreißend. **en'chant·ment** *s* **1.** Be-, Verzauberung *f* (*a. fig.*). **2.** Zauber(bann) *m*. **3.** Zaube'rei *f*. **4.** *fig.* a) Zauber *m*, b) Entzücken *n*. **en'chant·ress** [-tris] *s* **1.** Zauberin *f*. **2.** *fig.* bezaubernde Frau.

en·chase [en'tʃeis; in-] *v/t* **1.** *e-n Edelstein* fassen. **2.** zise'lieren: **~d work** getriebene *od.* ziselierte Arbeit. **3.** *Muster* ('ein)gra͵vieren (on in *acc*). **4.** *fig.* schmücken. **en'chas·er** *s* Zise'leur *m*, Gra'veur *m*.

en·chi·rid·i·on [͵enkai(ə)'ridiən] *s* Handbuch *n*, Leitfaden *m*.

en·cho·ri·al [en'kɔːriəl], **en·chor·ic** [en'kɒrik] *adj* (ein)heimisch.

en·ci·pher [en'saifər; in-] → **encode.**

en·cir·cle [en'səːrkl; in-] *v/t* **1.** um'geben, um'ringen. **2.** um'fassen, um'schlingen, um'schließen. **3.** einkreisen, um'zingeln, *mil. a.* einkesseln. **en'cir·cle·ment** *s* **1.** Um'fassung *f*, Um'schließung *f*. **2.** *pol.* Einkreisung *f*.

en·clasp [*Br.* en'klɑːsp; in-; *Am.* -'klæ(ː)sp] *v/t* um'fassen, um'schließen.

en·clave [en'kleiv; in-] **I** *v/t ein Gebiet* einschließen, um'geben. **II** *s* [*a.* 'enkleiv] En'klave *f*.

en·cli·sis ['eŋklisis] *s ling.* En'klisis *f*, En'klise *f*. **en·clit·ic** [en'klitik; in-] *ling.* **I** *adj* (*adv* **~ally**) en'klitisch. **II** *s* En'klitikon *n*, en'klitisches Wort.

en·close [en'klouz; in-] *v/t* **1.** (in) einschließen, *tech. a.* einkapseln (in *dat od. acc*), um'geben (mit): **~d motor** geschlossener Motor. **2.** *Land* einfried(ig)en, um'zäunen. **3.** um'ringen. **4.** *mit der Hand etc* um'fassen. **5.** *e-m Brief etc* beilegen, -fügen: **I ~d a cheque in my last letter. en'closed** [-'klouzd] *adj u. adv* (*in Briefen*) an'bei, beiliegend, in der Anlage: **~ please find** anbei erhalten Sie.

en·clo·sure [en'klouʒər; in-] *s* **1.** Einschließung *f*. **2.** a) Einfried(ig)ung *f*, Um'zäunung *f* (*bes. von Gemeindeland, um es zu Privateigentum zu machen*), b) Einfassung *f*, Zaun *m*, Mauer *f*. **3.** Bezirk *m*, Gehege *n*, eingehegtes Grundstück. **4.** Ein-, Bei-, Anlage *f* (*Brief, Paket etc*).

en·clothe [en'klouð; in-] → **clothe.**

en·code [en'koud; in-] *v/t e-n Text* verschlüsseln, chif'frieren. **en'code·ment** *s* verschlüsselter Text.

en·co·mi·um [en'koumiəm] *s* Lobrede *f*, -lied *n*, -preisung *f*.

en·com·pass [en'kʌmpəs; in-] *v/t* um'fassen, einschließen (with mit) (*a. fig.*). **en'com·pass·ment** *s* Um'gebensein *n*, Einschließung *f*.

en·core [*Br.* ɒŋ'kɔː; *Am.* 'ɑŋkɔːr; 'ɑn-] **I** *interj* **1.** noch einmal!, da capo! **II** *s* **2.** Da'kapo(ruf *m*) *n*. **3.** a) Wieder'holung *f*, b) Zugabe *f*: **he had several ~s** er mußte mehrere Zugaben geben. **III** *v/t* **4.** (*durch Dakaporufe*) nochmals verlangen: **to ~ a song. 5.** *j-n* um e-e Zugabe bitten.

en·coun·ter [en'kauntər; in-] **I** *v/t* **1.** *j-m od. e-r Sache* begegnen, *j-n od. etwas* treffen, auf *j-n, a.* auf *Widerstand, Schwierigkeiten etc* stoßen. **2.** mit *j-m* (feindlich) zs.-stoßen *od.* anein'andergeraten. **3.** *j-m* entgegentreten. **II** *v/i* **4.** sich begegnen, sich treffen, zs.-stoßen. **III** *s* **5.** Zs.-stoß *m* (*a. fig.*), (*feindliche*) Begegnung, Treffen *n*, Gefecht *n*, Du'ell *n*. **6.** Begegnung *f*, zufälliges Zs.-treffen (of, with mit). **7.** *obs.* Begrüßung *f*.

en·cour·age [*Br.* en'kʌridʒ; in-; *Am.* -'kɔːr-] *v/t* **1.** ermutigen, auf-, ermuntern, begeistern (to zu). **2.** anfeuern, anspornen, anreizen (to zu). **3.** *j-n* unter'stützen, bestärken (in in *dat*). **4.** *etwas* fördern, unter'stützen, eintreten *od.* sich einsetzen für. **5.** *etwas* verschlimmern, begünstigen. **en'cour·age·ment** *s* **1.** Ermutigung *f*, Auf-, Ermunterung *f*, Antrieb *m* (to für): **I gave him no ~ to do so** ich habe ihn nicht dazu ermutigt; **by way of ~** zur Aufmunterung. **2.** Förderung *f*, Unter'stützung *f*, Begünstigung *f*. **en'cour·ag·ing** *adj* (*adv* **~ly**) **1.** ermutigend. **2.** hoffnungsvoll, vielversprechend, erfreulich. **3.** entgegenkommend.

en·croach [en'kroutʃ; in-] **I** *v/i* **1.** (on, upon) eingreifen (in *j-s Besitz od. Recht*), unberechtigt eindringen (in *acc*), sich 'Übergriffe leisten (in, auf *acc*), (*j-s Recht*) verletzen. **2.** *fig.* berauben, schmälern (on, upon *acc*). **3.** die Grenze (*des Anstandes etc*) über'schreiten. **4.** über Gebühr in Anspruch nehmen, miß'brauchen (on, upon *acc*): **to ~ (up)on s.o.'s kindness. 5.** schmälern, beeinträchtigen (on, upon *acc*): **to ~ (up)on s.o.'s rights. 6.** sich anmaßen (on, upon *acc*). **II** *s obs. für* **encroachment. en'croach·ment** *s* **1.** (on, upon) Eingriff *m* (in *acc*), 'Übergriff *m* (in, auf *acc*): **~ (up)on his rights** Verletzung *f* s-r Rechte. **2.** Beeinträchtigung *f*, Anmaßung *f*. **3.** 'Übergreifen *n*, Vordringen *n*: **~ of swamps** *geogr.* Versumpfung *f*.

en·crust [en'krʌst; in-] → **incrust.**

en·crypt [en'kript; in-] *v/t e-n Text* verschlüsseln, chif'frieren. **en'cryp·tion** *s* Verschlüsselung *f*.

en·cul·tur·a·tion [en͵kʌltʃə'reiʃən] *s sociol.* Enkulturati'on *f*.

en·cum·ber [en'kʌmbər; in-] *v/t* **1.** (be)hindern. **2.** beschweren, belasten (with mit). **3.** (dinglich) belasten: **~ed estate** belastetes Grundstück; **~ed with debts** (völlig) verschuldet. **4.** *Räume* voll-, verstopfen, über'laden. **5.** *den Durchgang* versperren. **6.** erschweren, verwickeln. **en'cum·ber·ment** *s* Behinderung *f*, Versperrung *f*, Belastung *f*. **en'cum·brance** *s* **1.** Last *f*, Belastung *f*, Hindernis *n*, Behinderung *f*, Beschwerde *f*: **~ in walking** Behinderung beim Gehen. **2.** (Fa'milien)Anhang *m*, *bes.* Kinder *pl*: **married couple without ~** Ehepaar *n* ohne Verpflichtungen. **3.** *jur.* (Grundstücks)Belastung *f*, Hypo'theken-, Schuldenlast *f*. **en'cum·branc·er** *s jur.* Pfand-, Hypo'thekengläubiger(in).

en·cy·cli·cal [en'siklikəl; -'sai-], *a.* **en'cy·clic I** *adj* en'zyklisch, Rund...: **encyclical letter** → II. **II** *s relig.* (päpstliche) En'zyklika.

en·cy·clo·p(a)e·di·a [en͵saiklo'piːdiə; in-] *s* **1.** Enzyklopä'die *f*, Konversati'onslexikon *n*. **2.** allgemeines Lehrbuch (*e-r Wissenschaft*). **en͵cy·clo'p(a)e·dic, en͵cy·clo'p(a)e·di·cal** *adj* enzyklo'pädisch, um'fassend. **en͵cy·clo'p(a)e·dism** *s* **1.** enzyklo'pädischer Cha'rakter. **2.** enzyklo'pädisches Wissen. **3.** Lehren *pl* der fran'zösischen Enzyklopä'disten. **en͵cy·clo'p(a)e·dist** *s* **1.** Enzyklo'pädiker *m*. **2.** E~ (fran'zösischer) Enzyklopä'dist. **en͵cy·clo'p(a)e·dize** *v/t* enzyklo'pädisch darstellen *od.* ordnen.

en·cyst [en'sist] *v/t med. zo.* ab-, einkapseln (*a. fig.*). **en'cyst·ed** *adj* abgekapselt, verkapselt: **~ tumo(u)r** *med.* Balggeschwulst *f*. **en'cyst·ment** *s med. zo.* Ein-, Verkapselung *f*.

end [end] **I** *v/t* **1.** *a.* **~ off** beend(ig)en, zu Ende bringen *od.* führen, *e-r Sache* ein Ende machen. **2.** vernichten, töten, 'umbringen. **3.** a) *etwas* ab-, beschließen, b) *den Rest s-r Tage* zu-, verbringen, *s-e Tage* beschließen: **to ~ one's days in a workhouse. 4. ~ up** aufrecht *od.* hochkant stellen.

II *v/i* **5.** end(ig)en, aufhören, zu Ende kommen, schließen: **all's well that ~s well** Ende gut, alles gut. **6.** *a.* **~ up** end(ig)en, ausgehen (**by, in, with** damit, daß): **to ~ in disaster** mit e-m Fiasko enden; **it ~ed with** (*od.* **in**) **s.o. getting hurt** schließlich führte es dazu, daß j-d verletzt wurde; **to ~ in nothing** (*od.* **smoke**) zu nichts führen, verpuffen, im Sand verlaufen; **he will ~ by marrying her** er wird sie schließlich heiraten. **7.** sterben. **8. ~ up** a) enden, ‚landen' (**in prison** im Gefängnis), b) *sl.* ‚abkratzen', sterben.

III *s* **9.** (*örtlich*) Ende *n*: **to begin at the wrong ~** am falschen Ende anfangen; **from one ~ to another, from ~ to ~** von e-m Ende zum anderen, von Anfang bis (zum) Ende. **10.** Ende *n*, (entfernte) Gegend: **to the ~ of the world** bis ans Ende der Welt; **the other ~ of the street** das andere Ende der Straße; → **East End. 11.** Ende *n*, Endchen *n*, Rest *m*, Stück(chen) *n*, Stummel *m*, Stumpf *m*. **12.** Ende *n*, Spitze *f*: **the ~ of a pencil. 13.** *mar.* (Kabel-, Tau)Ende *n*. **14.** *tech.* Stirnseite *f*, -fläche *f*, Kopf *m*. **15.** (*zeitlich*) Ende *n*, Schluß *m*: **in the ~** am Ende, schließlich; **at the ~ of May** Ende Mai; **to the ~ of time** bis in alle Ewigkeit; **without ~** unaufhörlich, endlos, immer u. ewig; **with no ~ in sight** ohne daß ein Ende abzusehen wäre. **16.** Tod *m*, Vernichtung *f*, Ende *n*, 'Untergang *m*: **to be near one's ~** dem Tode nahe sein; **you will be the ~ of me!** du bringst mich noch ins Grab! **17.** Resul'tat *n*, Ergebnis *n*, Folge *f*: **the ~ of the matter was that** die Folge (davon) war, daß. **18.** *oft pl* Absicht *f*, (End)-Zweck *m*, Ziel *n*: **~ in itself** Selbstzweck; **the ~ justifies the means** der Zweck heiligt die Mittel; **to this ~** zu diesem Zweck; **to gain one's ~s** sein Ziel erreichen; **for one's own ~** zum eigenen Nutzen; **private ~s** Privatinteressen; **to no ~** vergebens. **19.** *sport Fußball etc*: Schlußmann *m*, Spieler, der an der Grundlinie spielt.

Besondere Redewendungen:
no ~ a) unendlich, überaus, b) sehr viel(e), unzählig; **no ~ of applause** *colloq.* nicht enden wollender Beifall; **no ~ of trouble** endlose Scherereien; **he is no ~ of a fool** *sl.* er ist ein Vollidiot; **we had no ~ of fun** *colloq.* wir hatten e-n Mordsspaß; **no ~ disappointed** *sl.* maßlos enttäuscht; **on ~** a) ununterbrochen, hintereinander, b) aufrecht stehend, hochkant; **for hours on ~** stundenlang; **to put s.th. on its ~** etwas aufrecht *od.* hochkant hinstellen; **to turn ~ for ~** (ganz) umdrehen; **~ to ~** der Länge nach, hintereinander; **my hair stood on ~** mir standen die Haare zu Berge; **at our** (*od.* **this**) **~** hier bei uns; **at your ~** *colloq.* bei Ihnen, dort, in Ihrer Stadt; **to be at an ~** a) zu Ende *od.* aus sein, b) mit s-n Mitteln *od.* Kräften am Ende sein; **to be at one's wits' ~** mit s-m Latein am Ende sein, sich nicht mehr zu helfen wissen; **to come to an ~** ein Ende nehmen *od.* finden, zu Ende gehen; **to come to a bad ~** ein schlimmes Ende nehmen; **to fight to the bitter ~** bis zum bitteren Ende kämpfen; **to go off the deep ~** *sl.* a) etwas riskieren, b) in Harnisch geraten, sich aufregen, c) den Kopf verlieren; **to have an ~** ein Ende haben *od.* nehmen; **to have s.th. at one's finger's ~s** etwas aus dem Effeff beherrschen, etwas (*Kenntnisse*) parat haben; **to keep one's ~ up** a) gut abschneiden, b) s-n Mann stehen, c) nicht nachgeben; **to make both ~s meet** mit s-n Einkünften auskommen, sich einrichten, sich nach der Decke strecken; **to make an ~ of** (*od.* **put an ~ to**) **s.th.** Schluß machen mit etwas, e-r Sache ein Ende setzen; **to put an ~ to o.s.** Schluß machen, sich das Leben nehmen.

end| a·but·ment *s tech.* Landpfeiler *m* (*e-r Brücke*). **'~-ˌall** *s selten* Abschluß *m*, Schlußstrich *m*: → **be-all.**

en·dam·age [en'dæmidʒ; in-] *v/t j-m, e-r Sache* schaden, *j-s Ruf* schädigen.

en·dan·ger [en'deindʒər; in-] *v/t* gefährden, in Gefahr bringen: **to ~ a country** die Sicherheit e-s Landes gefährden; **~ed** in Gefahr, gefährdet.

'end| ˌbrain *s anat.* Endhirn *n*. **~ cell** *s electr.* (Zu)Schaltzelle *f*. **~ clear·ance** *s tech.* Axi'alspiel *n*. **~ cleared zone** *s aer.* hindernisfreie Zone.

en·dear [en'dir; in-] *v/t* (**to s.o.** j-m) teuer *od.* wert *od.* lieb machen: **to ~ o.s. to s.o.** a) j-s Zuneigung gewinnen, b) sich bei j-m lieb Kind machen; **~ed to s.o.** j-m zugetan. **en'dear·ing** *adj* (*adv* **~ly**) **1.** reizend, gewinnend, anziehend. **2.** zärtlich. **en'dear·ment** *s* **1.** a) Zuneigung *f*, Liebe *f*, b) Beliebtheit *f*. **2.** Liebkosung *f*, Zärtlichkeit *f*: (**term of**) **~** Kosewort *n*.

en·deav·or, *bes. Br.* **en·deav·our** [en'devər; in-] **I** *v/i* (**after**) sich bemühen (um), streben, trachten (nach). **II** *v/t* (ver)suchen, bemüht *od.* bestrebt sein (**to do s.th.** etwas zu tun). **III** *s* (eifrige) Bemühung, Anstrengung *f*, Bestreben *n*: **in the ~ to do s.th.** in dem Bestreben, etwas zu tun; **to make every ~** sich sehr anstrengen, alles Erdenkliche versuchen; **to do one's best ~s** sich alle Mühe geben.

en·dem·ic [en'demik] **I** *adj* (*adv* **~ally**) **1.** en'demisch: a) *med.* (in bestimmten Gebieten ständig) auftretend, b) *bot. zo.* auf ein (enges) Gebiet beschränkt. **II** *s* **3.** *med.* en'demische Krankheit. **en·de·mic·i·ty** [ˌendi'misiti] → **endemism. en·de·mi·ol·o·gy** [enˌdiːmi'ɒlədʒi; -ˌdem-] *s med.* Endemiolo'gie *f*. **en·de·mism** ['endiˌmizəm] *s med.* en'demischer Cha'rakter.

en·den·i·zen [en'denizn] *v/t* einbürgern (*a. fig.*).

en·der·mic [en'dəːrmik], *a.* **en·der·mat·ic** [ˌendər'mætik] *adj med.* ender'matisch, auf die Haut wirkend.

en·de·ron ['endəˌrɒn] *s anat.* innere Haut.

end| game *s* Schlußphase *f* (*e-s Spiels*). **'~ˌgate** *s mot. Am.* Ladeklappe *f*. **'~-ˌgrain** *adj tech.* Hirnholz...

end·ing ['endiŋ] *s* **1.** Beendigung *f*, Abschluß *m*. **2.** Ende *n*, Schluß *m*: **happy ~** ‚Happy-End' *n*, glückliches Ende; **the play has a tragic ~** das Stück endet tragisch. **3.** Tod *m*, Ende *n*. **4.** *ling.* Endung *f*.

en·dive ['endiv; -daiv] *s bot.* 'Winter-enˌdivie *f*.

end·less ['endlis] *adj* (*adv* **~ly**) **1.** *bes. math.* endlos, ohne Ende, un'endlich. **2.** endlos, un'endlich lang: **an ~ speech. 3.** 'ununterˌbrochen, unaufhörlich, ewig, ständig: **~ quarrels. 4.** *tech.* endlos, ohne Ende: **~ band; ~ chain; ~ paper** Endlos-, Rollenpapier *n*; **~ screw** Schraube *f* ohne Ende, Schnecke *f*. **'end·less·ness** *s* Un'endlichkeit *f*, Endlosigkeit *f*, Ewigkeit *f*.

end| line *s sport* Grundlinie *f*. **~ man** *s irr* **1.** *sport* Schlußmann *m*. **2.** *Am.* letzter Mann der Reihe (*bes. der Clown bei* **minstrel shows**). **'~ˌmill** *s tech.* Schaft-, Stirnfräser *m*. **'~·most** [-moust] *adj selten* entferntest(er, e, es), hinterst(er, e, es).

en·do·blast ['endoˌblæst] *s biol.* Ento-'blast *n*, inneres Keimblatt.

en·do·car·di·al [ˌendo'kaːrdiəl], **ˌen·do'car·diˌac** [-ˌæk] *adj anat.* das innere Herz betreffend, endokardi'al. **ˌen·do·car'di·tis** [-'daitis] *s med.* Endokar'ditis *f*, Herzinnenhautentzündung *f*. **ˌen·do'car·di·um** [-diəm] *s anat.* Endo'kard *n*, Herzinnenhaut *f*.

en·do·carp ['endoˌkaːrp] *s bot.* Endo-'karp *n*, innere Fruchthaut.

en·do·crane ['endoˌkrein] *s anat.* Schädelinnenfläche *f*, Endo'kranium *n*.

en·do·crine ['endoˌkrain] *physiol.* **I** *adj* **1.** mit innerer Sekreti'on, endo'krin: **~ glands. II** *s* **2.** innere Sekreti'on. **3.** endo'krine Drüse. **ˌen·do·cri'nol·o·gy** [-'nɒlədʒi] *s med.* ˌEndokrinolo-'gie *f*.

en·do·derm ['endoˌdəːrm] *s* **1.** *bot.* Endo'dermis *f*, Schutzscheide *f*. **2.** *anat.* a) innere Schicht der Keimhaut, b) inneres Deckgewebe des Verdauungstrakts. **ˌen·do'der·mis** [-mis] → **endoderm.**

en·do·gam·ic [ˌendo'gæmik], **en·dog·a·mous** [en'dɒgəməs] *adj biol.* endo-'gam. **en'dog·a·my** *s* Endoga'mie *f* (*Heiratsordnung, nach der nur innerhalb e-r bestimmten sozialen Gruppe geheiratet werden darf*).

en·do·gas·tric [ˌendo'gæstrik] *adj biol. med.* das Mageninnere betreffend.

en·do·gen ['endodʒen] *s bot.* ˌMonokotyle'done *f*, Einkeimblättler *m*. **en·dog·e·nous** [en'dɒdʒənəs] *adj* endo'gen: a) *bes. bot.* von innen her'auswachsend, b) *geol.* im Erdinnern entstanden.

en·do·mi·to·sis [ˌendomai'tousis; -mi-] *s biol.* Endomi'tose *f*.

en·do·morph ['endoˌmɔːrf] *s* **1.** *min.* in den Kri'stallen anderer Körper eingeschlossenes Mine'ral. **2.** *psych.* endo'morpher (Körperbau)Typ. **ˌen·do'mor·phic** *adj min. psych.* endo-'morph.

'end-'on *adj u. adv* mit dem Ende vor-'an, (*e-m Gegenstande*) zugekehrt: **~ view** zugekehrte Ansicht.

en·do·par·a·site [ˌendo'pærəˌsait] *s zo.* Entopara'sit *m*, 'Innenschmaˌrotzer *m*. **'en·doˌplasm** [-ˌplæzəm] *s biol.* innere Plasmaschicht, Endo'plasma *n*. **ˌen·do'plas·mic** *adj* Endoplasma... **'en·doˌplast** [-ˌplæst] *s zo.* Kern *m* der Proto'zoen. **ˌen·do'pleu·ra** [-'plu(ə)rə] *s bot.* Endo'pleura *f*, innere Samenhaut.

en·dors·a·ble [en'dɔːrsəbl; in-] *adj econ.* indos'sierbar, gi'rierbar.

en·dorse [en'dɔːrs; in-] *v/t* **1.** a) *ein Dokument etc* auf der Rückseite beschreiben, b) *e-e Erklärung etc* vermerken (**on** auf *dat*): **to ~ a licence** (*Am.* **license**) e-e Strafe auf e-m Führerschein *etc* vermerken. **2.** *econ.* a) *e-n Scheck etc* indos'sieren, gi'rieren, b) *a.* **~ over** (durch Indossa'ment) über'tragen *od.* -'weisen (**to** *j-m*), c) *e-e Zahlung* auf der Rückseite des Wechsels *od.* Schecks bestätigen, d) Zinszahlung(en) vermerken auf (*e-m Wechsel etc*): **to ~ in blank** in blanko indossieren. **3.** *e-e Meinung etc* bekräftigen, unter'stützen, gutheißen, billigen, unter'schreiben: to ~ a plan; to ~ s.o.'s opinion j-m beipflichten; to ~ s.o.'s view sich j-s Ansicht anschließen. **ˌen·dor'see** [-'siː] *s econ.* Indos'sat *m*, Indossa'tar *m*, Gi'rat *m*. **en'dorse·ment** *s* **1.** Aufschrift *f*, Vermerk *m*, Zusatz *m* (*auf der Rückseite von Dokumenten*). **2.** *econ.* a) Giro *n*, Indossa'ment *n*, b) Über'tragung *f*: ~ in blank Blankogiro; ~ in full Vollgiro; ~ without recourse Giro ohne Verbindlichkeit. **3.** *fig.* a) Genehmigung *f*, Bestätigung *f*, Bekräftigung *f* (*Ansicht etc*), b) Billigung *f* (*Handlung*). **4.** *econ.* Zusatz(klausel *f*) *m*, Nachtrag *m* (*Versicherungspolice*). **en'dors·er** *s econ.* Indos'sant *m*, Gi'rant *m*, Über'trager *m*: preceding ~ Vor(der)mann *m*; subsequent ~ Nach-, Hintermann *m*.

en·do·sarc ['endoˌsaːrk] *s biol.* innere Plasmaschicht, 'Endoˌplasma *n*. **'en·doˌscope** [-ˌskoup] *s med.* Endo'skop *n* (*Instrument zur Untersuchung von Körperhöhlen*). **en·do·skel·e·tal** [ˌendo'skelitl] *adj zo.* Innenskelett...

en·dos·mom·e·ter [ˌendɒs'mɒmitər] *s phys.* Endosmo'meter *n*. **ˌen·dos'mo·sis** [-'mousis] *s phys.* Endos'mose *f*.

en·do·sperm ['endoˌspəːrm] *s bot.* Endo'sperm *n*, Nährgewebe *n* (*des Samens*).

en·dow [en'dau; in-] *v/t* **1.** do'tieren, ausstatten (with mit). **2.** stiften, gründen, subventio'nieren: to ~ a professorship e-e Professur gründen. **3.** *fig.* ausstatten, begaben. **en'dowed** *adj* **1.** ausgestattet, do'tiert: ~ school durch Stiftung erhaltene Schule. **2.** *fig.* begabt (with mit). **en'dow·ment** *s* **1.** Ausstattung *f*, Aussteuer *f*: ~ insurance, ~ assurance *econ.* Lebensversicherung *f* auf den Erlebensfall. **2.** Stiftung *f*, Dotati'on *f*, 'Stiftungskapiˌtal *n*. **3.** *meist pl* Begabung *f*, Gabe *f*, Ta'lent *n*. **4.** *oft pl relig. Am.* Vorbereitungskurs *m* für die Konfirmati'on (*bei den Mormonen*).

end| pa·per *s Buchbinderei*: (Innen-)Spiegel *m* (*Schutzblatt*). **~ plate** *s* **1.** *anat.* Nervenendplatte *f*. **2.** *tech.* Endplatte *f*. **~ play** *s tech.* Längsspiel *n*. **~ prod·uct** *s econ.* 'Endproˌdukt *n*. **~ rhyme** *s* Endreim *m*. **~ stone** *s tech.* Deckstein *m*. **~ ta·ble** *s Am.* (kleiner) Tisch (*am Sofaende*). **~ thrust** *s tech.* Längs-, Axi'aldruck *m*.

en·due [en'djuː; in-] *v/t* **1.** *Kleider etc* anlegen. **2.** bekleiden (with mit), kleiden (in in *acc*). **3.** *fig.* begaben: to be ~d with s.th. mit etwas ausgestattet sein. **4.** ausstatten, versehen (with mit).

en·dur·a·ble [en'dju(ə)rəbl; in-] *adj* (*adv* endurably) erträglich, leidlich.

en·dur·ance [en'dju(ə)rəns; in-] **I** *s* **1.** Dauer *f*. **2.** Dauerhaftigkeit *f*. **3.** a) Ertragen *n*, Erdulden *n*, Aushalten *n*, b) Ausdauer *f*, Geduld *f*, Standhaftigkeit *f*: beyond ~, past ~ unerträglich, nicht auszuhalten(d). **4.** Leid(en) *n*, Erduldetes *n*. **5.** *tech.* Dauerleistung *f*, *bes. aer.* Maxi'malflugzeit *f*. **II** *adj* **6.** Dauer... **~ fir·ing test** *s mil.* Dauerschußbelastung *f*. **~ flight** *s aer.* Dauerflug *m*. **~ lim·it** *s tech.* Belastungsgrenze *f*. **~ ra·tio** *s tech.* Belastungsverhältnis *n*. **~ run** *s* Dauerlauf *m*. **~ strength** *s tech.* 'Widerstandsfähigkeit *f* (bei Belastung). **~ test** *s tech.* Belastungsprobe *f*, Ermüdungsversuch *m*.

en·dure [en'djur; in-] **I** *v/i* **1.** (aus-, fort)dauern, Bestand haben. **2.** Geduld haben, ausharren, -halten. **II** *v/t* **3.** aushalten, ertragen, erdulden, 'durchmachen: not to be ~d unerträglich. **4.** *fig.* (*nur neg*) ausstehen, leiden: I cannot ~ him. **5.** *obs.* gestatten. **en'dur·ing** *adj* (*adv* ~ly) **1.** an-, fortdauernd, bleibend. **2.** ausdauernd.

'endˌways, 'endˌwise *adv* **1.** mit dem Ende nach vorn *od.* nach oben. **2.** aufrecht, gerade. **3.** hinterein'ander. **4.** der Länge nach. **5.** auf das Ende *od.* die Enden zu.

en·e·ma ['enimə] *s med.* **1.** Enema *n*, Kli'stier *n*, Einlauf *m*. **2.** Kli'stierspritze *f*.

en·e·my ['enimi] **I** *s* **1.** *mil.* Feind *m* (*a. weitS. feindliches Heer etc*). **2.** Gegner *m*, Feind *m*, 'Widersacher *m* (of, to *gen*): to be one's own ~ sich selbst schaden *od.* im Wege stehen; to make an ~ of s.o. sich j-n zum Feind machen; the article made him many enemies der Artikel machte ihm viele Feinde. **3.** *Bibl.* a) the E~, the old ~ der böse Feind, der Teufel, b) the ~ der Tod. **4.** *colloq.* Zeit *f*: how goes the ~? wie spät ist es? **II** *adj* **5.** feindlich, Feindes..., Feind...: ~ action Feind-, Kriegseinwirkung *f*; ~ alien feindlicher Ausländer; ~ country Feindesland *n*; ~ property *econ.* Feindvermögen *n*.

en·er·ge·sis [ˌenər'dʒiːsis] *s bot.* Ener'gieerzeugung *f* innerhalb e-r Pflanzenzelle.

en·er·get·ic [ˌenər'dʒetik] *adj*; **ˌen·er'get·i·cal** *adj* (*adv* ~ly) **1.** en'ergisch: a) tatkräftig, b) nachdrücklich. **2.** (sehr) wirksam. **3.** *tech.* ener'getisch. **ˌen·er'get·ics** *s pl* (*als sg konstruiert*) *phys.* Ener'getik *f*.

en·er·gic [e'nəːrdʒik] *adj phys.* Energie... **en'er·gid** [-dʒid] *s bot.* Ener'gid *n*.

en·er·gize ['enərˌdʒaiz] **I** *v/i* **1.** en'ergisch wirken *od.* handeln. **II** *v/t* **2.** *etwas* kräftigen *od.* kraftvoll machen, *e-r Sache* Ener'gie verleihen, *j-n* anspornen, mit Tatkraft erfüllen. **3.** *electr. phys. tech.* erregen: ~d *electr.* unter Spannung (stehend).

en·er·gu·men [ˌenər'gjuːmen] *s* **1.** *relig. hist.* Besessene(r *m*) *f*. **2.** *fig.* Enthusi'ast(in), Fa'natiker(in).

en·er·gy ['enərdʒi] *s* **1.** Ener'gie *f*: a) Kraft *f*, Nachdruck *m*: devote your energies to this setze d-e (ganze) Kraft dafür ein, b) Tatkraft *f*, c) kraftvolle Tätigkeit. **2.** Wirksamkeit *f*, 'Durchschlagskraft *f*: the ~ of an argument. **3.** *chem. phys.* Ener'gie *f*, (innewohnende) Kraft, Arbeitsfähigkeit *f*, Leistung *f*: actual (kinetic) ~ wirkliche (kinetische) Energie; molecular ~ Molekularkraft; ~ theorem *math.* Energiesatz *m*. **4.** Kraftaufwand *m*.

en·er·vate I *v/t* ['enərˌveit] entnerven, -kräften, schwächen (*alle a. fig.*). **II** *adj* [-vit] entnervt, abgespannt, kraftlos, schlaff. **ˌen·er'va·tion** *s* **1.** Entnervung *f*, Schwächung *f*. **2.** Schwäche *f*, Abgespanntheit *f*.

en·face [en'feis; in-] *v/t* **1.** *etwas* auf die Vorderseite (*e-s Wechsels etc*) schreiben *od.* drucken. **2.** *ein Schriftstück* auf der Vorderseite beschreiben *od.* bedrucken (with mit). **en'face·ment** *s* Aufschrift *f*, -druck *m*.

en·fee·ble [en'fiːbl; in-] *v/t* entkräften, schwächen. **en'fee·ble·ment** *s* Entkräftung *f*, Schwächung *f*.

en·feoff [en'fef; -'fiːf; in-] *v/t* **1.** *jur.* belehnen (with mit). **2.** *j-m etwas* über'geben, ausliefern. **en'feoff·ment** *s* **1.** Belehnung *f*. **2.** Lehnsbrief *m*. **3.** Lehen *n* (*a. fig.*).

en·fet·ter [en'fetər; in-] *v/t* fesseln.

en·fi·lade [ˌenfi'leid] **I** *s* **1.** *mil.* Flankenfeuer *n*, Längsbestreichung *f*. **2.** *fig.* Kette *f*, Reihe *f*. **3.** Zimmerflucht *f*. **II** *v/t* **4.** *mil.* (mit Flankenfeuer) bestreichen.

en·fold [en'fould; in-] *v/t* **1.** einhüllen (in in *acc*), um'hüllen (with mit). **2.** *fig.* um'fassen, um'schließen. **3.** falten.

en·force [en'fɔːrs; in-] *v/t* **1.** a) (mit Nachdruck) geltend machen: to ~ an argument, b) zur Geltung bringen, *e-r Sache* Geltung verschaffen, *ein Gesetz etc* 'durchführen: to ~ a law, c) *econ. Forderungen* (gerichtlich) geltend machen: to ~ a claim; to ~ payment of a debt e-e Schuld beitreiben, d) *jur. ein Urteil* voll'strecken: to ~ a judg(e)ment. **2.** 'durchsetzen, erzwingen: to ~ obedience (up)on s.o. von j-m Gehorsam erzwingen, sich bei j-m Gehorsam verschaffen. **3.** auferlegen, aufzwingen: to ~ one's will (up)on s.o. j-m s-n Willen aufzwingen. **en'force·a·ble** *adj* **1.** 'durchsetz-, erzwingbar. **2.** geltend zu machen(d), voll'streckbar, (ein)klagbar: ~ claims. **en'forced** *adj* erzwungen, aufgezwungen: ~ sale Zwangsverkauf *m*. **en'forc·ed·ly** [-sidli] *adv* **1.** notgedrungen. **2.** zwangsweise, gezwungenermaßen. **en'force·ment** *s* **1.** Geltendmachung *f*: ~ of an argument; ~ of a debt-claim. **2.** Erzwingung *f*, 'Durchsetzung *f*, -führung *f*. **3.** Voll'streckung *f*, -'zug *m*, (zwangsweise) 'Durchführung: ~ by writ *jur.* Zwangsvollstreckung; ~ of a judg(e)ment Urteilsvollstreckung. **4.** Zwang *m*.

en·frame [en'freim; in-] *v/t* einrahmen, einfassen.

en·fran·chise [en'fræntʃaiz; in-] *v/t* **1.** *Sklaven* befreien, freilassen, für frei erklären. **2.** *von Verpflichtungen etc* befreien. **3.** *j-m* das Bürger- *od.* Wahlrecht verleihen, *a. fig.* einbürgern: to be ~d das Wahlrecht erhalten. **4.** *e-r Stadt* po'litische *etc* Rechte gewähren. **5.** *Br. e-m Ort* Vertretung im 'Unterhaus verleihen. **en'fran·chise·ment** [-tʃizmənt] *s* **1.** Freilassung *f*, Befreiung *f*: ~ of slaves. **2.** Einbürgerung *f*. **3.** a) Erteilung *f* des Bürger- *od.* Wahlrechts, b) Gewährung *f* von 'Stadtpriviˌlegien. **4.** *jur. hist.* Ablösung *f* e-s Lehens.

en·gage [en'geidʒ; in-] **I** *v/t* **1.** (o.s. sich) *vertraglich etc* verpflichten *od.* binden (to do s.th. etwas zu tun): to ~ o.s. to s.o. sich j-m verdingen *od.* verpflichten (→ 3). **2.** (*meist pass od. mit* o.s.) verloben (to mit): ~d couple Brautpaar *n*, Verlobte; to become (*od.* get) ~d sich verloben. **3.** *j-n* enga'gieren, ein-, anstellen, in Dienst nehmen (as als): to ~ o.s. to s.o. bei j-m in Dienst treten (→ 1). **4.** a) *e-n Platz etc* (vor'her)bestellen, b) *etwas* mieten, *Zimmer* belegen. **5.** (*meist pass*) beschäftigen (in mit): to be ~d in (*od.* on) s.th. mit etwas beschäftigt sein, an etwas arbeiten; to be ~d eingeladen sein, etwas vorhaben, verabredet *od.* vergeben sein. **6.** *fig. j-n* fesseln, *j-n*, *j-s Kräfte etc* in Anspruch nehmen: to ~ s.o.'s attention j-s Aufmerksamkeit in Anspruch nehmen *od.* auf sich lenken; to ~ s.o. in conversation j-n ins Gespräch ziehen; to be deeply ~d in conversation in ein Gespräch vertieft sein; my time is fully ~d m-e

Zeit ist voll besetzt. **7.** *mil.* a) *Truppen* einsetzen, b) *den Feind* angreifen, *Feindkräfte* binden: to ~ the enemy. **8.** *Klingen* kreuzen. **9.** *tech.* einrasten lassen, *die Kupplung etc* einrücken, -schalten: to ~ the clutch (ein)kuppeln; to ~ a gear *mot.* e-n Gang einschalten *od.* einrücken. **10.** *j-n* für sich einnehmen, (für sich) gewinnen. **11.** *arch.* a) festmachen, einlassen, b) verbinden. **12.** *obs.* verpfänden.
II *v/i* **13.** Gewähr leisten, einstehen, garan'tieren, sich verbürgen (for für; that daß). **14.** sich verpflichten, es über'nehmen (to do s.th. etwas zu tun). **15.** ~ in sich einlassen auf (*acc*) *od.* in (*acc*), sich beteiligen an (*dat*). **16.** ~ in sich abgeben *od.* beschäftigen mit. **17.** *mil.* den Kampf eröffnen, angreifen, anbinden (with mit). **18.** *fenc.* Klingen binden. **19.** *tech.* einrasten, inein'ander-, eingreifen.

en·gaged [en'geidʒd; in-] *adj* **1.** verpflichtet, gebunden. **2.** besetzt, beschäftigt, vergeben, nicht abkömmlich: are you ~? sind Sie frei? **3.** ~ (to be married) verlobt. **4.** verwickelt (*in e-n Kampf etc*). **5.** *fig.* enga'giert: an ~ writer. **6.** besetzt (*Telephon*), vorbestellt, reser'viert (*Tisch etc*), belegt (*Zimmer*): ~ signal *teleph.* Besetztzeichen *n.* **7.** *tech.* eingerückt, im Eingriff (stehend).

en·gage·ment [en'geidʒmənt; in-] *s* **1.** Verpflichtung *f*, Verbindlichkeit *f*, Versprechen *n*: to be under an ~ to s.o. j-m (gegenüber) vertraglich verpflichtet *od.* gebunden sein; ~s *econ.* Zahlungsverpflichtungen; to enter into an ~ e-e Verpflichtung eingehen; without ~ unverbindlich, *econ. a.* freibleibend. **2.** Einladung *f*, Verabredung *f*: to have an ~ for the evening abends verabredet sein *od.* etwas vorhaben; ~ book Merkbuch *n* (für Verabredungen *etc*); ~ calendar Terminkalender *m.* **3.** Verlobung *f*, Verlöbnis *n* (to mit): to break off an ~ e-e Verlobung lösen, sich entloben; ~ ring Verlobungsring *m.* **4.** Beschäftigung *f*, Stelle *f*, Posten *m*, (An)Stellung *f.* **5.** *thea.* Engage'ment *n.* **6.** Beschäftigung *f*, Unter'nehmung *f.* **7.** *mil.* Gefecht *n*, Kampf(handlung *f*) *m.* **8.** *fenc.* Klingenbindung *f.* **9.** *tech.* Eingriff *m.*

en·gag·ing [en'geidʒiŋ; in-] *adj* (*adv* ~ly) **1.** einnehmend, gewinnend, fesselnd, anziehend, reizend. **2.** *tech.* Ein- *od.* Ausrück...: ~ gear, ~ mechanism Ein- u. Ausrückvorrichtung *f.* **en'gag·ing·ness** *s* einnehmendes Wesen.

en·gen·der [en'dʒendər; in-] **I** *v/t* **1.** *fig.* erzeugen, her'vorbringen, -rufen. **2.** *obs.* zeugen. **II** *v/i* **3.** entstehen.

en·gine ['endʒin; -dʒən] **I** *s* **1.** a) Ma'schine *f*, me'chanisches Werkzeug, b) *hist.* Folterwerkzeug *n*, *a.* 'Wurfmaˌschine *f.* **2.** *tech.* ('Antriebs-, 'Kraft-, 'Dampf)Maˌschine *f*, (*bes.* Verbrennungs)Motor *m*: aircraft ~ Flug(zeug)motor; hoisting ~ Fördermaschine. **3.** *rail.* Lokomo'tive *f.* **4.** *tech.* Holländer *m*, Stoffmühle *f.* **5.** Feuerspritze *f.* **6.** *fig.* Mittel *n*, Werkzeug *n.* **II** *v/t* **7.** *mar. ein Schiff* mit Ma'schinen versehen. ~ **beam** *s tech.* Balanci'er *m* (*Dampfmaschine*). ~ **break·down** *s tech.* Motorstörung *f*, -panne *f*, -schaden *m.* ~ **build·er** *s* Ma'schinenbauer *m.* ~ **ca·pac·i·ty** *s tech.* Mo'toren-, Ma'schinenleistung *f.* ~ **com·pa·ny** *s Am.* Löschzug *m* (*der Feuerwehr*). ~ **con·trol** *s tech.* **1.** Ma'schinen-, Motorsteuerung *f.* **2.** Bedienungshebel *m.* ~ **driv·er** *s* Lokomo'tivführer *m.*

en·gi·neer [ˌendʒi'nir] **I** *s* **1.** Ingeni'eur *m*, Techniker *m*: → chief engineer. **2.** → mechanical engineer. **3.** *a. mar.* Maschi'nist *m.* **4.** *Am.* Lokomo'tivführer *m.* **5.** *mil.* Pio'nier *m*: ~ combat battalion leichtes Pionierbataillon; ~ construction battalion schweres Pionierbataillon; ~ group Pionierregiment *n*; the Royal E~s *Br.* das Pionierkorps. **6.** *Bergbau*: a) Kunststeiger *m*, b) → mining engineer. **II** *v/t* **7.** *Straßen, Brücken etc* (er)bauen, anlegen, konstru'ieren, errichten. **8.** *colloq.* (geschickt) in die Wege leiten, bewerkstelligen, ‚organi'sieren', ‚deichseln', ‚einfädeln'. **III** *v/i* **9.** als Ingeni'eur tätig sein. ˌ**en·gi'neer·ing** *s* **1.** *allg.* Technik *f*, *engS.* Ingeni'eurwesen *n*, (*a.* mechanical ~) Ma'schinenbau *m*: railway ~ Eisenbahnbau *m*; ~ department technische Abteilung, Konstruktionsbüro *n*; ~ facilities technische Einrichtungen; ~ sciences technische Wissenschaften; ~ specialist Fachingenieur *m*; ~ standards committee Fachnormenausschuß *m.* **2.** *mil.* Pio'nierwesen *n.* **3.** *fig.* Manipulati'onen *pl*, Tricks *pl*, Ma'növer *n od. pl.*

en·gine| fit·ter *s* Ma'schinenschlosser *m*, Mon'teur *m.* '~ˌ**house** *s* **1.** Ma'schinenhaus *n*, Lokomo'tivschuppen *m.* **2.** *Feuerwehr*: Spritzenhaus *n.* ~ **lathe** *s tech.* Leitspindel-, Spitzendrehbank *f.* '~**·man** [-mən] *s irr.* **1.** Maschi'nist *m.* **2.** a) Spritzenmann *m*, b) *pl* Feuerwehr *f.* **3.** Lokomo'tivführer *m.* ~ **room** *s* Ma'schinenraum *m.*

en·gine·ry ['endʒinri; -nəri] *s* **1.** *bes. fig.* Maschine'rie *f.* **2.** *collect.* (*bes.* 'Kriegs)Maˌschinen *pl.*

en·gine| shaft *s tech.* **1.** Motorwelle *f.* **2.** Pumpenschacht *m.* ~ **speed** *s tech.* Motordrehzahl *f.* ~ **trou·ble** *s tech.* Motorstörung *f*, -panne *f*, -schaden *m.*

en·gird [en'gəːrd; in-] *pret u. pp* **-'gird·ed** *od.* **-'girt** [-'gəːrt], **en'gir·dle** [-dl] *v/t* um'gürten, um'geben.

Eng·land·er ['iŋgləndər] *s* Engländer *m*: → Little Englander.

Eng·lish ['iŋgliʃ] **I** *adj* **1.** englisch. **II** *s* **2.** the ~ die Engländer. **3.** *ling.* Englisch *n*, das Englische: in ~ auf englisch, im Englischen; into ~ ins Englische; from (the) ~ aus dem Englischen; the King's (*od.* Queen's) ~ korrektes, reines Englisch; in plain ~ unverblümt, ‚auf gut deutsch'. **4.** *print.* a) Mittel *f* (*Schriftgrad*; *14 Punkt*), b) Old ~ *e-e gotische Schrift.* **III** *v/t* **5.** *selten* ins Englische über'setzen. **6.** *ein Wort etc* angli'sieren. ~ **base·ment** *s Am.* hohes Kellergeschoß. ~ **Church** *s* angli'kanische Kirche. ~ **elm** *s bot.* Feldulme *f.* ~ **horn** *s mus.* Englischhorn *n* (*a. Orgelregister*).

Eng·lish·man ['iŋgliʃmən] *pl* **-men** [-men; -mən] *s* Engländer *m.*

Eng·lish·ry ['iŋgliʃri] *s* **1.** englische Abkunft. **2.** *hist.* englische Bevölkerung in Irland. **3.** *hist.* 'Engländerkoloˌnie *f.* **4.** englische Eigenart.

Eng·lish| set·ter *s zo.* Englischer Setter. ~ **son·net** *s* englisches So'nett (*im Stil Shakespeares od. der Elisabethanischen Periode*). '~ˌ**wom·an** *s irr* Engländerin *f.*

en·glut [en'glʌt; in-] *v/t* verschlingen.

en·gobe [en'goub; in-] *s chem.* 'Überzug *m*, -gußmasse *f.*

en·gorge [en'gɔːrdʒ; in-] *v/t* **1.** gierig verschlingen. **2.** *med.* verstopfen: ~d kidney Stauungsniere *f*; to be ~d voll *od.* verstopft sein (with von). **en'gorge·ment** *s med.* Über'füllung *f*, Kongesti'on *f*, Blutandrang *m.*

en·graft [*Br.* en'grɑːft; in-; *Am.* -'græ(ː)ft] *v/t* **1.** *bot.* (ein)pfropfen (into in *acc*; upon auf *acc*). **2.** *fig.* tief einpflanzen, einprägen (in *dat*). **3.** (upon) *fig.* aufpfropfen (*dat*), (noch) hin'zufügen (zu).

en·grail [en'greil; in-] *v/t ein Wappen* auszacken, *e-e Münze* rändeln.

en·grain [en'grein; in-] *v/t tech.* in der Wolle *od.* tief *od.* echt färben (*a. fig.*). **en'grained** *adj fig.* **1.** eingewurzelt, tiefsitzend: it is deeply ~ in him es ist ihm in Fleisch u. Blut übergegangen. **2.** eingefleischt, unverbesserlich: an ~ radical.

en·gram [en'græm; in-] *s* En'gramm *n*: a) *psych.* dauernde Einwirkung, bleibender Eindruck, b) *biol.* Reizspur *f* im Proto'plasma.

en·grave [en'greiv; in-] *pp* **-'graved,** *a. poet.* **-'grav·en** *v/t* **1.** eingraben, -schneiden, stechen, gra'vieren (upon, on in, auf *acc od. dat*). **2.** *fig.* tief einprägen: it is ~d upon his memory es hat sich ihm tief eingeprägt. **en'grav·er** *s* Gra'veur *m*, Kunststecher *m*: ~ of music Notenstecher; ~ on copper Kupferstecher; ~ on (*od.* in) steel Stahlstecher; ~ on wood Holzschneider *m*, Xylograph *m.* **en'grav·ing** *s* **1.** Gra'vieren *n*, Gra'vierkunst *f*: ~ cylinder Bildwalze *f*; ~ establishment Gravieranstalt *f*; ~ machine *tech.* Graviermaschine *f.* **2.** Druckplatte *f*: photographic ~ Photogravüre *f.* **3.** (Kupfer-, Stahl)Stich *m*, Holzschnitt *m.*

en·gross [en'grous; in-] *v/t* **1.** *jur.* a) *e-e Urkunde* ausfertigen *od.* aufsetzen, b) in großer Schrift *od.* ins reine (ab)schreiben, c) in gesetzlicher *od.* rechtsgültiger Form ausdrücken, d) *parl. e-m Gesetzentwurf* die endgültige Fassung (zur dritten Lesung) geben. **2.** *econ.* a) (*im großen*) (auf)kaufen, b) *den Markt* monopoli'sieren, *a. e-n Besitz etc* an sich reißen. **3.** *fig.* auf sich ziehen, ganz (für sich) in Anspruch *od.* in Beschlag nehmen: it ~ed his whole attention es nahm s-e ganze Aufmerksamkeit in Anspruch; to ~ the conversation das große Wort führen, die Unterhaltung an sich reißen. **en'grossed** *adj* (in) (voll) in Anspruch genommen (von), vertieft, -sunken (in *acc*). **en'gross·er** *s* **1.** Verfertiger *m* e-r Reinschrift. **2.** Verfasser *m* e-r Urkunde. **en'gross·ing** *adj* **1.** fesselnd, spannend. **2.** voll(auf) in Anspruch nehmend. **3.** ~ hand Kanz'leischrift *f.* **en'gross·ment** *s* **1.** Ausfertigung *f*, Ab-, Reinschrift *f e-r Urkunde* (in großer Schrift). **2.** *econ.* a) Aufkauf *m*, b) Monopoli'sierung *f* (*des Marktes*). **3.** In'anspruchnahme *f* (of, with durch).

en·gulf [en'gʌlf; in-] *v/t* **1.** (o.s. sich) stürzen, versenken (*a. fig.*): to be ~ed versinken, ertrinken. **2.** verschlingen (*a. fig.*). **3.** *fig.* über'wältigen.

en·hance [en'hæ(ː)ns; in-; *Br. a.* -'hɑːns] **I** *v/t* **1.** *den Wert etc* erhöhen, vergrößern, steigern, heben. **2.** *etwas* (vorteilhaft) zur Geltung bringen. **3.** *econ. den Preis* erhöhen, in die Höhe treiben: to ~ the price of s.th. etwas verteuern. **4.** *fig.* über'treiben. **II** *v/i* **5.** sich erhöhen *od.* vergrößern, wachsen. **6.** steigen (in price im Preis), wertvoller werden. **en'hance·ment** *s* **1.** Steigerung *f*, Verstärkung *f*, Erhöhung *f*, Vergrößerung *f.* **2.** Verteuerung *f.* **3.** Über'treibung *f.* **en-**

'**han·cive** [-siv] *adj* erhöhend, steigernd, verstärkend.
en·har·mon·ic [ˌenhɑːr'mɒnik] *mus.* **I** *adj* (*adv* ~ally) enhar'monisch. **II** *s* enhar'monischer Ton *od.* Ak'kord.
en·i·ac ['eniæk] *s* ENIAC (*ein elektronischer Rechenautomat; aus* electronic numerical integrator and computer).
e·nig·ma [i'nigmə] *pl* **-mas** *s* **1.** Rätsel *n.* **2.** *fig.* Rätsel *n*, rätselhafte Sache *od.* Per'son. **en·ig·mat·ic** [ˌenig'mætik] *adj*; ˌ**en·ig'mat·i·cal** *adj* (*adv* ~ly) rätselhaft, dunkel, geheimnisvoll. **e'nig·maˌtize I** *v/i* in Rätseln sprechen, o'rakeln. **II** *v/t etwas* in Dunkel hüllen, verschleiern.
en·jamb(e)·ment [en'dʒæmmənt; in-; -'dʒæmb-] *s metr.* Enjambe'ment *n*, Versbrechung *f.*
en·join [en'dʒɔin; in-] *v/t* **1.** auferlegen, zur Pflicht machen, vorschreiben (on s.o. j-m). **2.** *j-m* auftragen, befehlen, einschärfen (to do zu tun). **3.** bestimmen, Anweisung(en) erteilen (that daß). **4.** *jur. Am.* (durch gerichtliche Verfügung *etc*) unter'sagen (s.th. on s.o. j-m etwas; s.o. from doing s.th. j-m, etwas zu tun).
en·joy [en'dʒɔi; in-] *v/t* **1.** Vergnügen *od.* Gefallen finden *od.* Freude haben an (*dat*), sich erfreuen an (*dat*): to ~ doing s.th. daran Vergnügen finden (*etc*), etwas zu tun; I ~ **dancing** ich tanze gern, Tanzen macht mir Spaß; **did you ~ the play?** hat dir das (Theater)Stück gefallen?; **to ~ o.s.** sich amüsieren, sich gut unterhalten; **did you ~ yourself in London?** hat es dir in London gefallen? **2.** genießen, sich *etwas* schmecken lassen: **I ~ my food** das Essen schmeckt mir. **3.** sich (*e-s Besitzes*) erfreuen, *etwas* haben, besitzen: **to ~ (good) credit** (guten) Kredit genießen; **to ~ good health** sich e-r guten Gesundheit erfreuen; **to ~ a right** ein Recht genießen *od.* haben. **en'joy·a·ble** *adj* (*adv* **enjoyably**) **1.** brauch-, genießbar. **2.** genußreich, erfreulich, schön. **en'joy·ment** *s* **1.** Genuß *m*, Vergnügen *n*, Gefallen *n*, Freude *f* (of an *dat*; to für). **2.** Genuß *m* (*e-s Besitzes od. Rechts*), Besitz *m*: **quiet ~** *jur.* ruhiger Besitz. **3.** *jur.* Ausübung *f* e-s Rechts.
en·kin·dle [en'kindl; in-] *v/t meist fig.* entflammen, -zünden, -fachen.
en·lace [en'leis; in-] *v/t* **1.** (fest) um'schlingen, verstricken, -flechten. **2.** *fig.* um'geben.
en·large [en'lɑːrdʒ; in-] **I** *v/t* **1.** erweitern, ausdehnen, vergrößern: **reading ~s the mind** Lektüre erweitert den Gesichtskreis; → **enlarged** 1. **2.** *phot.* vergrößern. **3.** *obs.* freilassen. **II** *v/i* **4.** zunehmen, sich ausdehnen, sich erweitern, sich vergrößern. **5.** sich verbreiten *od.* (weitläufig) auslassen (on, upon über *acc*). **en'larged** *adj* **1.** vermehrt, erweitert: **~ and revised edition** vermehrte u. verbesserte Auflage. **2.** libe'ral, großzügig, weitherzig. **en'large·ment** *s* **1.** Erweiterung *f*, Ausdehnung *f*, Vergrößerung *f*, Verbreiterung *f* (*a. fig.*): **~ of the heart (tonsils)** *med.* Herzerweiterung (Mandelschwellung *f*). **2.** Zusatz *m*, Anhang *m.* **3.** Erweiterungs-, Anbau *m.* **4.** *phot.* Vergrößerung *f.* **5.** *obs.* Freilassung *f* (from aus). **en'larg·er** *s phot.* Vergrößerungsgerät *n.* **en'larg·ing** *adj phot.* Vergrößerungs...
en·light·en [en'laitn; in-] *v/t* **1.** *fig.* (*geistig*) erleuchten, aufklären, belehren, unter'richten (on, as to über *acc*). **2.** *poet. od. obs.* erhellen. **en'light·ened** *adj* **1.** *fig.* erleuchtet, aufgeklärt (on über *acc*). **2.** verständig: **an ~ judg(e)ment.** **3.** vorurteilsfrei. **en'light·en·ment** *s* Aufklärung *f*, Erleuchtung *f*: **the Age of E~** *philos.* das Zeitalter der Aufklärung.
en·link [en'liŋk; in-] *v/t* verketten, fest verbinden (to, with mit) (*a. fig.*).
en·list [en'list; in-] **I** *v/t* **1.** *Soldaten* anwerben, *Rekruten* einstellen: **~ed grade** *Am.* Unteroffiziers- *od.* Mannschaftsdienstgrad *m*; **~ed men** *Am.* Unteroffiziere u. Mannschaften. **2.** *fig.* her'anziehen, enga'gieren, zur Mitarbeit (*an e-r Sache*) gewinnen: **to ~ s.o.'s services** j-s Dienste in Anspruch nehmen; **to ~ s.o. in a cause** j-n für e-e Sache gewinnen. **II** *v/i* **3.** *bes. mil.* sich anwerben lassen, Sol'dat werden, sich freiwillig melden (to zu). **4.** (in) eintreten (für), mitwirken (bei), sich beteiligen (an *dat*). **en'list·ment** *s* **1.** *mil.* (An)Werbung *f*, Einstellung *f*: **~ allowance** *Am.* Treuprämie *f.* **2.** *bes. Am.* Eintritt *m* in die Ar'mee. **3.** *Am.* (Dauer *f* der) (Wehr-) Dienstverpflichtung *f.* **4.** Gewinnung *f* (*zur Mitarbeit*), Her'an-, Hin'zuziehung *f* (*von Helfern*).
en·liv·en [en'laivn; in-] *v/t* beleben, in Schwung bringen, ‚ankurbeln'.
en masse [en 'mæs; ã 'mas] (*Fr.*) *adv* **1.** in der Masse, in Massen. **2.** im großen. **3.** zu'sammen. **4.** als Ganzes.
en·mesh [en'meʃ; in-] *v/t* **1.** (wie) in e-m Netz fangen. **2.** *fig.* um'garnen, verstricken. **en'mesh·ment** *s* Verstrickung *f*, -wick(e)lung *f.*
en·mi·ty ['enmiti] *s* Feindschaft *f*, -seligkeit *f*, Haß *m* (of, against gegen): **at ~ with** verfeindet *od.* in Feindschaft mit; **to bear no ~** nichts nachtragen.
en·ne·ad ['eniˌæd] *s* Gruppe *f od.* Satz *m od.* Serie *f* von 9 Per'sonen *od.* Dingen.
en·no·ble [e'noubl; i(n)'n-] *v/t* adeln: a) in den Adelsstand erheben, b) *fig.* veredeln, erhöhen. **en'no·ble·ment** *s* **1.** Ad(e)lung *f*, Erhebung *f* in den Adelsstand. **2.** *fig.* Veredelung *f.*
en·nui [ɑː'nwiː] (*Fr.*) *s* Langeweile *f.*
e·nol ['iːnɒl; -noul] *s chem.* E'nol *n.* **e'nol·ic** [-'nɒlik] *adj* Enol...
e·nor·mi·ty [i'nɔːrmiti] *s* Ungeheuerlichkeit *f*: a) Enormi'tät *f*, b) Frevel *m*, Greuel *m*, Untat *f.* **e'nor·mous** *adj* (*adv* ~ly) **1.** e'norm, ungeheuer(lich), gewaltig, riesig, ‚kolos'sal'. **2.** *obs.* ab'scheulich. **e'nor·mous·ness** *s* ungeheure Größe, ˌMonumentali'tät *f.*
en·os·to·sis [ˌenɒs'tousis] *s med.* Eno'stose *f* (*innerer Knochenauswuchs*).
e·nough [i'nʌf] **I** *adj* ausreichend, 'hinlänglich, genug: **~ bread, bread ~** genug Brot, Brot genug; **five are ~** fünf reichen *od.* langen *od.* sind genug; **this is ~ (for us)** das genügt (uns); **it is ~ for me to know** es genügt mir zu wissen; **he was not man ~** (*od.* **~ of a man**) er war nicht Manns genug (to do zu tun). **II** *s* Genüge *f*, *n*, genügende Menge: **to have (quite) ~** (völlig) genug haben; **I have had ~, thank you!** danke, ich bin satt!; **I have had (more than) ~ of it** ich bin *od.* habe es (mehr als) satt, ‚ich bin (restlos) bedient'; **~ of that!** genug davon!, Schluß damit!; **to cry ~** sich geschlagen geben, aufhören; **~ and to spare** mehr als genug, übergenug; **~ is as good as a feast** allzuviel ist ungesund. **III** *adv* genug, genügend, 'hinlänglich: **it's a good ~ story** die Geschichte ist gut genug; **he does not sleep ~** er schläft nicht genug; **be kind ~ to do this for me** sei so gut *od.* freundlich u. erledige das für mich; **safe ~** durchaus sicher; **sure ~** a) und richtig *od.* tatsächlich, b) freilich, gewiß; **true ~** nur zu wahr; **he writes well ~** a) er schreibt recht gut, b) er schreibt (zwar) ganz leidlich *od.* schön (, aber ...); **you know well ~ that this is untrue** Sie wissen sehr wohl *od.* ganz gut, daß das unwahr ist; **you know well ~!** du weißt es ganz genau!; **that's not good ~** das lasse ich nicht gelten, das genügt nicht; **curiously ~** merkwürdigerweise. **IV** *interj* genug!, aufhören!
e·nounce [i'nauns; iː'n-] *v/t* **1.** verkünden. **2.** aussprechen, äußern. **e'nounce·ment** *s* **1.** Verkündung *f.* **2.** Äußerung *f.*
e·now [i'nau] *adj u. adv obs. od. dial.* [genug.]
en pas·sant [ã pa'sã] (*Fr.*) *adv* en pas'sant: a) im Vor'beigehen, b) beiläufig, neben'her.
en·plane [en'plein; in-] *v/i* ein Flugzeug besteigen, an Bord (e-s Flugzeugs) gehen.
en prise [ã 'priːz] (*Fr.*) *adj Schach*: [*spiel*: bedroht.]
en·quire [en'kwair; in-], **en·quir·y** → inquire, inquiry.
en·rage [en'reidʒ; in-] *v/t* wütend *od.* rasend machen, erzürnen. **en'raged** *adj* wütend, aufgebracht (at, about über *e-e Sache*): **to be ~ with s.o.** auf j-n wütend sein.
en rap·port [ã ra'pɔːr] (*Fr.*) *adj* in (enger) Verbindung.
en·rapt [en'ræpt; in-] *adj* 'hingerissen, entzückt. **en'rap·ture** [-tʃər] *v/t* 'hinreißen, entzücken: **to be ~d with** (*od.* by) s.th. von etwas hingerissen sein.
en·reg·i·ment [en'redʒimənt; in-] *v/t* in e-m Regi'ment zs.-fassen, einreihen, organi'sieren.
en·reg·is·ter [en'redʒistər; in-] *v/t* eintragen, regi'strieren, aufzeichnen.
en·rich [en'ritʃ; in-] *v/t* **1.** (*a.* o.s. sich) bereichern (*a. fig.*). **2.** reich *od.* wertvoll machen. **3.** anreichern: a) *agr.* ertragreich(er) machen: **to ~ the soil**, b) *chem. tech.* veredeln, c) den Nährwert erhöhen von (*od. gen*). **4.** (aus)schmücken, reich verzieren. **5.** *fig.* a) *den Geist* bereichern, befruchten, b) *den Wert etc* erhöhen, steigern. **en'rich·ment** *s* **1.** Bereicherung *f*: **unjust ~** ungerechtfertigte Bereicherung. **2.** *fig.* Befruchtung *f.* **3.** Verzierung *f*, Ausschmückung *f.* **4.** *tech.* Anreicherung *f.*
en·robe [en'roub; in-] *v/t* bekleiden (with, in mit) (*a. fig.*).
en·rol(l) [en'roul; in-] **I** *v/t* **1.** *j-s Namen* einschreiben, -tragen, verzeichnen (in in *dat od. acc*). **2.** *a) mil.* (an)werben, annehmen, b) *mar.* anmustern, anheuern, c) *Arbeiter* einstellen: **to ~ o.s.** sich einschreiben *od.* anwerben lassen; **to be enrolled** eingestellt werden, *in e-e Firma* eintreten. **3.** als Mitglied aufnehmen *od.* eintragen: **to ~ o.s. in a society** e-r Gesellschaft (als Mitglied) beitreten. **4.** *jur.* amtlich aufzeichnen, regi'strieren, (gerichtlich) protokol'lieren. **5.** *fig.* aufzeichnen, verewigen, ehren. **II** *v/i* **6.** sich einschreiben lassen. **7.** *ped. Am.* sich (als Schüler *od.* Stu'dent) immatriku'lieren (lassen). **en'rol(l)·ment** *s* **1.** Eintragung *f*, -schreibung *f.* **2.** a) *mil.* Anwerbung *f*, b) *mar.* Anheuerung *f*, c) Einstellung *f*, d) Aufnahme *f.* **3.** Beitrittserklärung *f.* **4.** *ped. Am.* a) ˌImmatrikulati'on *f*, b) Zahl *f* der Stu'dierenden. **5.** *jur.* Re'gister *n*, Verzeichnis *n.*

en route [ɑːn ˈruːt] (*Fr.*) *adv u. adj* unterˈwegs, en route (befindlich *od.* vorgefallen).

ens [enz] *pl* **en·ti·a** [ˈenʃiə] (*Lat.*) *s philos.* Ens *n*, Sein *n*, (*das*) Seiende, Ding *n*, Wesen *n*.

en·san·guine [enˈsæŋgwin; in-] *v/t* mit Blut beflecken: ~d blutbefleckt, blutrot.

en·sconce [enˈskɒns; in-] *v/t* **1.** (*meist* o.s. sich) verbergen, verstecken. **2.** ~ o.s. es sich bequem machen, sich (behaglich) niederlassen.

en·sem·ble [ɑːnˈsɑːmbl; ɑ̃ˈsɑ̃bl] (*Fr.*) *s* **1.** (*das*) Ganze, Gesamteindruck *m*. **2.** *mus. thea.* Enˈsemble(spiel) *n*. **3.** *Kleider*: Enˈsemble *n*, Garniˈtur *f*, Komˈplet *n*.

en·shrine [enˈʃrain; in-] *v/t* **1.** (*in e-n Schrein etc*) einschließen. **2.** (als Heiligtum) verwahren *od.* verehren. **3.** als Schrein dienen für (*etwas*).

en·shroud [enˈʃraud; in-] *v/t* einhüllen, (ver)hüllen (*a. fig.*).

en·si·form [ˈensiˌfɔːrm] *adj anat. bot.* schwertförmig.

en·sign [ˈensain; *bes. mar. u. mil.* -sin] *s* **1.** Fahne *f*, Stanˈdarte *f*. **2.** *mar.* (Schiffs)Flagge *f*, *bes.* Natioˈnalflagge *f*: Blue E~ Flagge der Marinereserve; Red E~ Flagge der Handelsmarine; White E~ Flagge der Kriegsmarine; to dip one's ~ to s.o. vor j-m die Fahne senken. **3.** [ˈensain] *Br. hist.* Fähnrich *m*. **4.** *mar. Am.* Leutnant *m* zur See. **5.** Abzeichen *n* (*e-s Amts od. e-r Würde*), Sinnbild *n*.

en·si·lage [ˈensilidʒ] *agr.* **I** *s* **1.** Silospeicherung *f* (von Grünfutter). **2.** Silo-, Grünfutter *n*. **3.** Süßpreßfutter *n*. **II** *v/t* → ensile. **en·sile** [enˈsail; ˈensail] *v/t agr. Grünfutter* in Silos aufbewahren *od.* zu Süßpreßfutter bereiten.

en·slave [enˈsleiv; in-] *v/t* **1.** *a. fig.* zum Sklaven machen, versklaven, knechten, unterˈjochen. **2.** *fig.* fesseln (to an *acc*), be-, verstricken, umˈgarnen. **enˈslave·ment** *s* **1.** Sklaveˈrei *f*, Versklavung *f*, Unterˈjochung *f*, Knechtschaft *f*. **2.** *fig.* sklavische Bindung (to an *acc*). **enˈslav·er** *s* **1.** Unterˈjocher (-in). **2.** Verführerin *f*, Circe *f*.

en·snare [enˈsnɛr; in-] *v/t* **1.** (*in e-r Schlinge etc*) fangen. **2.** *fig.* ver-, bestricken, umˈgarnen.

en·sor·cell, *Am. a.* **en·sor·cel** [enˈsɔːrsl; in-] *v/t* bezaubern.

en·sue [enˈsjuː; -ˈsuː; in-] **I** *v/t* **1.** *Bibl. ein Ziel* verfolgen, *e-m Vorbild* nachstreben. **II** *v/i* **2.** (darauf, nach)folgen, daˈnach kommen: the ensuing years die (darauf)folgenden *od.* nächsten *od.* bevorstehenden Jahre. **3.** (er)folgen, sich ergeben (from aus; on, upon auf *acc*).

en·sure [enˈʃur; in-] *v/t* **1.** (against, from) sichern, sicherstellen (gegen), schützen (vor *dat*). **2.** garanˈtieren (s.th. etwas; that daß; s.o. being daß j-d ist), Gewähr bieten für: to ~ s.th. to (*od.* for) s.o., to ~ s.o. s.th. j-m etwas sichern. **3.** sorgen für (*etwas*): to ~ that dafür sorgen, daß. **4.** *obs. etwas* versichern.

en·tab·la·ture [enˈtæblətʃər] *s arch.* (Säulen)Gebälk *n*. **en·ta·ble·ment** [enˈteiblmənt] *s arch.* **1.** → entablature. **2.** horizonˈtale Plattform (*über dem Sockel e-r Statue*).

en·tail [enˈteil; in-] **I** *v/t* **1.** *jur.* a) in ein unveräußerliches Erblehen verwandeln, b) als Fideikommiß vererben (on auf *acc*): ~ed estate Erb-, Familiengut *n*; ~ed property unveräußerlicher Grundbesitz. **2.** *fig. etwas* als unveräußerliches Erbe verleihen (on *dat*). **3.** *fig. etwas* mit sich bringen, zur Folge haben, nach sich ziehen, *Kosten etc* verursachen, erfordern. **4.** *etwas* aufbürden, anhängen ([up]on s.o. j-m). **II** *s* **5.** *jur.* a) ˈUmwandlung *f* (*e-s Grundstücks*) in ein unveräußerliches Erblehen, b) Erb-, Faˈmiliengut *n*, Fideikommiß *n*, c) unveräußerliche Erbfolge: to break the ~ das Fideikommiß auflösen. **6.** *fig.* a) (unveräußerliches) Erbe, b) Folge *f*, Konseˈquenz *f*. **enˈtail·ment** *s jur.* **1.** → entail 5. **2.** Überˈtragung *f* als Fideikommiß (on auf *acc*).

en·tan·gle [enˈtæŋgl; in-] *v/t* **1.** *Haare, Garn etc* verwirren, ‚verfitzen'. **2.** (o.s. sich) verwickeln, -heddern (in in *acc*). **3.** *fig.* (in Schwierigkeiten) verwickeln *od.* verstricken, in Verlegenheit bringen: to ~ o.s. in s.th., to become ~d in s.th. in e-e Sache verwickelt werden; to become ~d with in kompromittierende Beziehungen geraten mit, sich einlassen mit *j-m*. **4.** *etwas* verwirren, verwickelt *od.* verworren machen: ~d verwickelt, kompliziert. **enˈtan·gle·ment** *s* **1.** *a. fig.* Verwick(e)lung *f*, -wirrung *f*: to unravel an ~ e-e Verwirrung lösen. **2.** *fig.* Schwierigkeit *f*, Kompliˈziertheit *f*. **3.** Hindernis *n*, Fallstrick *m*. **4.** Liebschaft *f*, Liaiˈson *f*. **5.** *mil.* Drahtverhau *m*.

en·ta·sis [ˈentəsis] *s arch.* Enˈtase *f* (*Ausbauchung des Säulenschafts*).

en·tel·e·chy [enˈteliki] *s philos.* Enteleˈchie *f*: a) zielgerichtetes Entwicklungsvermögen, b) Eigengesetzlichkeit *f*.

en·tente [ɑ̃ˈtɑ̃ːt; ɑːnˈtɑːnt] *s* Bündnis *n*, Enˈtente *f*: E~ Cordiale *Bündnis zwischen Frankreich u. Großbritannien* (*1904*).

en·ter [ˈentər] **I** *v/t* **1.** (hinˈein)gehen, (-)kommen, (-)treten, (-)fließen in (*acc*), eintreten, -steigen, -greifen in (*acc*), betreten: to ~ a room ein Zimmer betreten. **2.** a) *mar. rail.* einlaufen, -fahren in (*acc*), b) *aer.* einfliegen in (*acc*). **3.** sich begeben in (*acc*), *etwas* aufsuchen: to ~ a hospital. **4.** eindringen *od.* einbrechen in (*acc*). **5.** eindringen in (*acc*), durchˈbohren: the bullet ~ed the skull; the thought ~ed my head *fig.* mir kam der Gedanke; it ~ed his mind es kam ihm in den Sinn. **6.** *fig.* eintreten in (*acc*), beitreten (*dat*): to ~ the army; to ~ a club; to ~ s.o.'s service in j-s Dienst treten; to ~ a profession e-n Beruf ergreifen; to ~ the university die Universität *od.* Hochschule beziehen; to ~ the war in den Krieg eintreten. **7.** *fig. etwas* antreten, beginnen, *e-n Zeitabschnitt, ein Werk* anfangen: to ~ one's fiftieth year in das fünfzigste Lebensjahr eintreten. **8.** hinˈeinbringen, *e-n Namen etc* eintragen, -schreiben, *j-n* aufnehmen, zulassen: to ~ one's name sich eintragen *od.* einschreiben *od.* anmelden; to be ~ed *univ.* immatrikuliert werden; to ~ s.o. at a school j-n zur Schule anmelden; to ~ s.th. into the minutes etwas protokollieren *od.* ins Protokoll aufnehmen. **9.** *sport* als Teilnehmer (an)melden, nennen. **10.** *econ.* (ver)buchen, eintragen: to ~ s.th. to the debit of s.o. j-m etwas in Rechnung stellen, j-n mit etwas belasten. **11.** *econ. mar. Waren beim Zollamt* deklaˈrieren, *Schiffe* ˈeinklaˌrieren: to ~ inwards (outwards) die Fracht e-s Schiffes bei der Einfahrt (Ausfahrt) anmelden. **12.** *jur. ein Recht* durch amtliche Eintragung wahren: to ~ an action e-e Klage anhängig machen. **13.** *jur. bes. Am.* Rechtsansprüche geltend machen auf (*acc*). **14.** *e-n Vorschlag etc* einreichen, ein-, vorbringen: to ~ a protest Protest erheben *od.* einlegen. **15.** *hunt. ein Tier* abrichten. **16.** *tech.* einfügen, -führen. **17.** ~ up a) *econ. e-n Posten* regelrecht buchen, b) *jur. ein Urteil* protokolˈlieren (lassen).

II *v/i* **18.** eintreten, herˈein-, hinˈeinkommen, -gehen, -treten: ~! herein! **19.** *sport* sich (als Teilnehmer) anmelden (for a race zu e-m Rennen). **20.** *thea.* auftreten: E~ a servant ein Diener tritt auf (*Bühnenanweisung*).

Verbindungen mit Präpositionen:

en·ter| in·to *v/t* **1.** → enter 1, 4, 5, 6. **2.** anfangen, beginnen, sich einlassen auf (*acc*), teilnehmen *od.* sich beteiligen an (*dat*), eingehen auf (*acc*): to ~ an arrangement (plan) auf e-n Vergleich (Plan) eingehen; to ~ the conversation sich an der Unterhaltung beteiligen; to ~ correspondence in Briefwechsel treten; to ~ details ins einzelne gehen. **3.** *e-n Vertrag etc* eingehen, abschließen: to ~ a treaty; to ~ an obligation e-e Verpflichtung eingehen. **4.** sich hinˈeindenken in (*acc*): to ~ s.o.'s feelings sich in j-n hineinversetzen, j-s Gefühle verstehen *od.* würdigen; to ~ the spirit of s.th. sich in den Geist e-r Sache einfühlen *od.* hineinversetzen; to ~ the spirit of the game mitmachen. **5.** e-n (wesentlichen) Bestandteil bilden von. **6.** e-e Rolle spielen bei. **~ on, ~ up·on** *v/t* **1.** *jur.* Besitz ergreifen von. **2.** a) *ein Thema* anschneiden, b) eintreten *od.* sich einlassen in (*ein Gespräch etc*). **3.** a) *ein Amt* antreten, b) beginnen: to ~ a career e-e Laufbahn einschlagen; to ~ a new phase in ein neues Stadium treten.

en·ter·ic [enˈterik] *adj med.* Darm..., enˈterisch: ~ canal Verdauungskanal *m*; ~ fever (Unterleibs)Typhus *m*.

en·ter·i·tis [ˌentəˈraitis] *s med.* Enteˈritis *f*, ˈDarmkaˌtarrh *m*.

en·ter·o·cele [ˈentəroˌsiːl] *s med.* Darmbruch *m*. **ˌen·ter·o·gasˈtri·tis** [-gæsˈtraitis] *s med.* Magen-ˈDarm-Kaˌtarrh *m*. **ˈen·ter·o·lith** [-roliθ] *s med.* Darmstein *m*. **ˈen·terˌon** [-ˌrɒn] *pl* **-ter·a** [-rə] *s anat.* ˈDarmkaˌnal *m*.

en·ter·prise [ˈentərˌpraiz] *s* **1.** Unterˈnehmen *n*, -ˈnehmung *f*. **2.** *econ.* (Geˈschäfts)Unterˌnehmen *n*, Betrieb *m*: private ~ freie Wirtschaft, Privatunternehmen. **3.** Spekulatiˈon *f*, Wagnis *n*. **4.** Unterˈnehmungsgeist *m*, -lust *f*, Initiaˈtive *f*: a man of ~ ein Mann mit Unternehmungsgeist. **ˈen·terˌpris·ing** *adj* (*adv* ~ly) **1.** unterˈnehmend, -ˈnehmungslustig. **2.** wagemutig, kühn.

en·ter·tain [ˌentərˈtein] **I** *v/t* **1.** *j-n* (*od.* o.s. sich) (angenehm) unterˈhalten, belustigen, amüˈsieren (*a. iro.*). **2.** *j-n* gastlich aufnehmen, bewirten, als Gast bei sich sehen: to be ~ed at (*Br. a.* to) dinner by s.o. bei j-m zum Abendessen zu Gast sein; to ~ angels unawares außerordentliche Gäste haben, ohne es zu wissen. **3.** *Furcht, Hoffnung etc* hegen: to ~ suspicions. **4.** *e-n Vorschlag etc* in Betracht *od.* Erwägung ziehen, *e-r Sache* Raum geben, eingehen auf (*acc*), nähertreten (*dat*): to ~ an idea sich mit e-m Gedanken tragen. **II** *v/i* **5.** Gäste empfangen, ein gastliches Haus führen, Gesellschaften geben: they ~ a great deal sie haben oft Gäste. ˌ**en·ter·'tain·er** *s* **1.** Gastgeber(in). **2.** Unter'halter(in), *engS.* Unter'haltungskünstler(in). ˌ**en·ter'tain·ing** *adj* (*adv* ~**ly**) unter'haltend, amü'sant, unter'haltsam. ˌ**en·ter'tain·ment** *s* **1.** Unter'haltung *f*, Belustigung *f*: **for s.o.'s** ~ zu j-s Unterhaltung; **much to his** ~ zu s-m großen Ergötzen, was ihn sehr amüsierte. **2.** (*öffentliche*) Unter'haltung, Aufführung *f*, Vorstellung *f*: **a place of** ~ e-e Vergnügungsstätte; ~ **tax** Lustbarkeits-, Vergnügungssteuer *f*. **3.** (gastliche) Aufnahme, Gastfreundschaft *f*, Bewirtung *f*: ~ **allowance** *econ.* Aufwandsentschädigung *f*. **4.** Fest *n*, Gesellschaft *f*, Ban'kett *n*. **5.** Erwägung *f*.

en·thral(l) [en'θrɔːl; in-] *v/t* **1.** *fig.* bezaubern, fesseln, in Bann schlagen. **2.** *obs.* unter'jochen. **en'thrall·ing** *adj* fesselnd, bezaubernd. **en'thral(l)·ment** *s* **1.** Bezauberung *f*. **2.** Unter'jochung *f*.

en·throne [en'θroun; in-] *v/t* **1.** auf den Thron setzen. **2.** *relig. e-n Bischof* einsetzen, inthroni'sieren. **3.** *fig.* erhöhen: **to be** ~**d** thronen. **en'throne·ment, en**ˌ**thron·i'za·tion** *s* **1.** Erhebung *f* auf den Thron. **2.** *relig.* Einsetzung *f*. **en'thron·ize** → enthrone.

en·thuse [en'θjuːz; in-] *colloq.* **I** *v/t* begeistern. **II** *v/i* (**about, over**) begeistert sein (von), schwärmen (von, für).

en'thu·siˌ**asm** [-ziˌæzəm] *s* **1.** Enthusi'asmus *m*, Begeisterung *f* (**for** für; **about** über *acc*). **2.** Schwärme'rei *f* (**for** für). **3.** Leidenschaft *f*, Passi'on *f*: **his** ~ **is tennis.** **4.** *relig. obs.* Verzückung *f*. **en'thu·si**ˌ**ast** [-ziˌæst] *s* **1.** Enthusi'ast(in), Schwärmer(in): **tennis** ~ Tennisbegeisterte(r *m*) *f*, leidenschaftlicher Tennisspieler. **2.** Fa'natiker(in). **en**ˌ**thu·si'as·tic** *adj* (*adv* ~**ally**) **1.** enthusi'astisch, begeistert (**about, over** über *acc*): **he was** ~ **about it** er war davon begeistert. **2.** schwärmerisch.

en·tice [en'tais; in-] *v/t* **1.** (an-, weg)locken (**from** von): **to** ~ **s.o. away** j-n abspenstig machen, *econ. a.* j-n abwerben. **2.** verlocken, -leiten, -führen, reizen (**into s.th.** zu etwas): **to** ~ **s.o. to do** (*od.* **into doing**) **s.th.** j-n dazu verleiten, etwas zu tun. **en'tice·ment** *s* **1.** (Ver)Lockung *f*, (An)Reiz *m*. **2.** Verführung *f*, -leitung *f*. **en'tic·er** *s* Verführer(in). **en'tic·ing** *adj* (*adv* ~**ly**) verlockend, -führerisch.

en·tire [en'tair; in-] **I** *adj* **1.** ganz, völlig, vollkommen, -zählig, -ständig, kom'plett. **2.** ganz, unversehrt, unbeschädigt, unvermindert, Gesamt...: ~ **proceeds** Gesamtertrag *m*. **3.** nicht ka'striert: ~ **horse** Hengst *m*. **4.** *fig.* uneingeschränkt, ungeteilt, voll, ungeschmälert: **my** ~ **affection.** **5.** aus 'einem Stück, zs.-hängend. **6.** *jur.* ungeteilt: ~ **tenancy** Pachtung *f* in 'einer Hand. **II** *s* **7.** (*das*) Ganze. **8.** nicht ka'striertes Pferd, Hengst *m*. **9.** *Br. hist.* (*Art*) Porterbier *n*. **10.** *mail Am.* Ganzsache *f*. **en'tire·ly** *adv* **1.** völlig, gänzlich, durch'aus, ganz u. gar. **2.** ausschließlich, bloß. **en'tire·ness** → entirety 1. **en'tire·ty** *s* **1.** (*das*) Ganze, Ganzheit *f*, Vollständigkeit *f*, Gesamtheit *f*: **in its** ~ in s-r Gesamtheit, als (ein) Ganzes. **2.** *jur.* ungeteilter Besitz.

en·ti·tle [en'taitl; in-] *v/t* **1.** *ein Buch etc* betiteln. **2.** *j-n* titu'lieren. **3.** (to) *j-n* berechtigen (zu), *j-m* ein Anrecht geben (auf *acc*): **to be** ~**d to s.th.** e-n (Rechts)Anspruch haben auf etwas, zu etwas berechtigt sein; **to be** ~**d to do s.th.** dazu berechtigt sein *od.* das Recht haben, etwas zu tun; ~**d to vote** wahl-, stimmberechtigt; ~**d to maintenance** unterhaltsberechtigt; **party** ~**d** Berechtigte(r *m*) *f*. **en'ti·tle·ment** *s* **1.** Betitelung *f*. **2.** a) (berechtigter) Anspruch, b) zustehender Betrag.

en·ti·ty ['entiti] *s* **1.** *philos.* a) Dasein *n*, Wesen *n*, b) (re'ales) Ding, Gebilde *n*, c) Wesenheit *f*. **2.** *jur.* 'Rechtsperˌsönlichkeit *f*: **legal** ~ juristische Person.

en·to·blast ['entoˌblæst], **'en·to**ˌ**derm** [-ˌdəːrm] *etc* → endoblast, endoderm *etc.*

en·tomb [en'tuːm; in-] *v/t* **1.** begraben, beerdigen, bestatten. **2.** verschütten, le'bendig begraben. **3.** einschließen *od.* vergraben (**in** in *dat od. acc*). **en'tomb·ment** *s* Begräbnis *n*.

en·tom·ic [en'tɒmik] *adj zo.* Insekten...

en·to·mo·log·i·cal [ˌentəmə'lɒdʒikəl] *adj* (*adv* ~**ly**) entomo'logisch. ˌ**en·to'mol·o·gist** [-'mɒlədʒist] *s* Entomo'loge *m*. ˌ**en·to'mol·o**ˌ**gize** *v/i* **1.** In'sektenkunde stu'dieren. **2.** In'sekten sammeln. ˌ**en·to'mol·o·gy** *s* Entomolo'gie *f*, In'sektenkunde *f*.

en·to·moph·a·gous [ˌentə'mɒfəgəs] *adj* in'sektenfressend. ˌ**en·to'moph·i·lous** [-filəs] *adj bot.* entomo'phil, durch In'sekten bestäubt.

en·to·phy·tal [ˌentə'faitl] → entophytic. **'en·to**ˌ**phyte** [-ˌfait] *s bot.* 'Innenschmaˌrotzer *m* (*Pflanze*). ˌ**en·to'phyt·ic** [-'fitik] *adj* Innenschmarotzer...

ent·op·tic [en'tɒptik] *adj med. zo.* ent'optisch, das Augeninnere betreffend. **ent'o·tic** [-'toutik; -'tɒtik] *adj med.* ent'otisch, das Innenohr betreffend.

en·tou·rage [ˌɒntu'rɑːʒ; ˌɑːn-] *s* **1.** Um'gebung *f*. **2.** Begleitung *f*.

en-tout-cas [ɑ̃ tu 'kɑ] (*Fr.*) *s* (*kombinierter*) Sonnen- u. Regenschirm.

en·to·zo·a [ˌento'zouə] *s pl zo.* Ento'zoa *pl*, Eingeweidewürmer *pl*.

en·tr'acte [ɑ̃'trækt; ɑːn-] *s* Entre'akt *m*, 'Zwischenˌakt(muˌsik *f*, -tanz *m*) *m*.

en·trails ['entreilz] *s pl* **1.** *anat.* Eingeweide *pl*. **2.** *fig.* (*das*) Innere: **the** ~ **of the earth** das Erdinnere.

en·train[1] [en'trein; in-] *v/t u. v/i* in e-n (Eisenbahn)Zug verladen (einsteigen).

en·train[2] [en'trein; in-] *v/t poet.* **1.** mit sich fortziehen. **2.** *fig.* nach sich ziehen.

en·train·ment [en'treinmənt; in-] *s* (Truppen)Verladung *f*.

en·trance[1] ['entrəns] *s* **1.** a) Eintreten *n*, Eintritt *m*, -zug *m*, b) *mot. etc* Einfahrt *f*, c) *aer.* Einflug *m*, d) *mar.* Einlaufen *n*: ~ **duty** *econ.* Eingangszoll *m*; ~ **zone** *aer.* Einflugzone *f*; **to make one's** ~ eintreten. **2.** Ein-, Zugang *m*, Tür *f*, Torweg *m* (**to** zu): ~ **hall** (Eingangs-, Vor)Halle *f*, (Haus)Flur *m*; **carriage** ~ Einfahrt *f*; **at the** ~ am Eingang, an der Tür. **3.** *mar.* (Hafen)Einfahrt *f*. **4.** *fig.* Antritt *m*: ~ **into** (*od.* **upon**) **an office** Amtsantritt; ~ **upon an inheritance** Antritt e-r Erbschaft. **5.** *a.* ~ **money** Eintrittsgeld *n*. **6.** Eintritt(serlaubnis *f*) *m*, Zutritt *m*, Einlaß *m*, Zulassung *f* (*a. fig.*): ~ **fee** a) Eintritt(sgeld *n*) *m*, b) Aufnahmegebühr *f*; **to have free** ~ freien Zutritt haben; **no** ~! Eintritt verboten! **7.** *thea.* Auftritt *m*. **8.** *fig.* Beginn *m* (**to** *gen*).

en·trance[2] [*Br.* en'trɑːns; in-; *Am.* -'træ(ː)ns] *v/t* **1.** *j-n* in Verzückung versetzen, in Bann schlagen, entzücken, 'hinreißen: ~**d** entzückt, hingerissen, gebannt. **2.** außer sich bringen, über'wältigen (**with** vor *dat*): ~**d with joy** freudetrunken. **3.** in Trance(zustand) versetzen.

en·trance·ment [*Br.* en'trɑːnsmənt; in-; *Am.* -'træ(ː)ns-] *s* Verzückung *f*.

en'tranc·ing [-siŋ] *adj* (*adv* ~**ly**) bezaubernd, 'hinreißend.

en·trant ['entrənt] *s* **1.** Eintretende(r *m*) *f*, Besucher(in). **2.** neu(eintretende)es Mitglied. **3.** *bes. sport* Teilnehmer(in), Bewerber(in), Konkur'rent(in).

en·trap [en'træp; in-] *v/t* **1.** (in e-r Falle) fangen. **2.** verführen, -leiten (**to s.th.** zu etwas; **into doing** zu tun). **3.** in 'Widersprüche verwickeln.

en·treat [en'triːt; in-] **I** *v/t* **1.** inständig bitten, dringend ersuchen, anflehen. **2.** *obs.* durch Bitten veranlassen. **3.** *Bibl. od. obs. j-n* behandeln. **II** *v/i* **4.** bitten, flehen: **to** ~ **of s.o. to do s.th.** j-n bitten, etwas zu tun. **en'treat·ing** *adj* (*adv* ~**ly**) flehentlich. **en'treat·y** *s* dringende *od.* inständige Bitte, Flehen *n*: **at s.o.'s** ~ auf j-s Bitte.

en·tre·cote [ɑ̃trə'koːt] (*Fr.*) *s Kochkunst*: Rippenstück *n*.

en·trée ['ɑːntrei; ɑ̃'tre] (*Fr.*) *s* **1.** Ein-, Zutritt *m*: **to have the** ~ **of a house** Zutritt zu e-m Hause haben. **2.** *Kochkunst*: a) Zwischengericht *n*, b) *Am.* Hauptgericht *n*, c) Fleischgericht *n* (*außer Braten*). **3.** *mus.* Einleitung *f*.

en·tre·mets ['ɑːntrəˌmei; ˌɑ̃trə'mɛ] *s sg u. pl Kochkunst*: Zwischen-, Nebengericht *n*, Beilage *f*.

en·trench [en'trentʃ; in-] **I** *v/i* 'übergreifen (**on, upon** auf *acc*). **II** *v/t mil.* mit Schützengräben versehen, befestigen, verschanzen: **to** ~ **o.s.** sich verschanzen, sich festsetzen (*a. fig.*); ~**ed** *fig.* eingewurzelt, feststehend. **en'trench·ment** *s mil.* **1.** Verschanzung *f*. **2.** *pl* Schützengräben *pl*.

en·tre·pot ['ɑːntrəˌpou] *s* **1.** Niederlage *f*, Stapelplatz *m*, Speicher *m*. **2.** *econ.* Transitlager *n*, Zollniederlage *f*. ˌ**en·tre·pre'neur** [-prə'nəːr] *s* **1.** *econ.* Unter'nehmer *m*. **2.** Veranstalter *m*, The'aterunterˌnehmer *m*. ˌ**en·tre·pre'neur·i·al** *adj* Unternehmer...

en·tre·sol ['ɑːntrəˌsɒl; *Am. a.* 'entər-] *s arch.* Halbgeschoß *n*, Zwischenstock(werk *n*) *m*.

en·tro·py ['entrəpi] *s phys.* Entro'pie *f*.

en·truck [en'trʌk; in-] *v/t u. v/i mil. Am.* (auf Lastkraftwagen) verladen (aufsitzen).

en·trust [en'trʌst; in-] *v/t* **1.** *etwas* anvertrauen (**to s.o.** j-m). **2.** *j-n* betrauen (**with a task** mit e-r Aufgabe). **3.** an-, zuweisen (**to** *dat*).

en·try ['entri] *s* **1.** → entrance 1. **2.** Einreise *f*, Zuzug *m*: ~ **permit** Einreiseerlaubnis *f*; ~ **and residence permit** Zuzugsgenehmigung *f*. **3.** *thea.* Auftritt *m*: **to make one's** ~ auftreten. **4.** Einfall(en *n*) *m* (*in ein Land*), Eindringen *n*, *jur.* Einbruch *m*. **5.** (Amts-, Dienst)Antritt *m*: ~ **into office (service).** **6.** Beitritt *m* (**to, into** zu): **Britain's** ~ **into the Common Market.** **7.** Einlaß *m*, Zutritt *m*: **to gain** (*od.* **obtain**) ~ Einlaß finden; **no** ~! Zutritt verboten!, *mot.* Keine Einfahrt! **8.** a) Zu-, Eingang(stür *f*) *m*, Einfahrt(stor *n*) *f*, b) Flur *m*, (Eingangs-, Vor)Halle *f*. **9.** a) Eintrag(ung *f*) *m*, Vormerkung *f*: ~ **in a diary** Tagebucheintrag(ung), b) Stichwort *n* (*im Lexikon*). **10.** *econ.* a) Eintragung *f*, Buchung *f*: to make an ~ of s.th. etwas buchen *od.* eintragen; credit ~ Gutschrift *f*; debit ~ Lastschrift *f*; → bookkeeping, b) (gebuchter) Posten. **11.** *econ.* Eingang *m* (*von Geldern etc*): upon ~ nach Eingang. **12.** *econ. mar.* 'Einklaˌrierung *f*, 'Zolldeklaratiˌon *f*: ~ inwards (outwards) Einfuhr-(Ausfuhr)deklaration. **13.** *Bergbau*: Fahr-, Hauptförderstrecke *f*. **14.** *jur.* Besitzantritt *m*, -ergreifung *f* (upon *gen*). **15.** *geogr.* (Fluß)Mündung *f*. **16.** *sport* a) Nennung *f*, Meldung *f*, b) → entrant 3, c) Nennungs-, Teilnehmerliste *f*: ~ fee Nenngebühr *f*.

en·twine [en'twain; in-] *v/t* **1.** um'schlingen, um'winden, verflechten (*a. fig.*): ~d letters verschlungene Buchstaben. **2.** winden, flechten, schlingen (about um).

en·twist [en'twist; in-] *v/t* (ver)flechten, um'winden, verknüpfen.

e·nu·cle·ate [i'nju:kliˌeit] *v/t* **1.** *fig.* deutlich machen, aufklären, erläutern. **2.** *med.* (her)ausschälen, -schneiden.

e·nu·mer·ate [i'nju:məˌreit] *v/t* **1.** aufzählen. **2.** spezifi'zieren: ~d powers *jur. Am.* speziell in Gesetzen erwähnte Machtbefugnisse. **eˌnu·mer'a·tion** *s* **1.** Aufzählung *f*. **2.** Liste *f*, Verzeichnis *n*. **e'nu·merˌa·tive** *adj* aufzählend. **e'nu·merˌa·tor** [-tər] *s* Zähler *m* (*bei Volkszählungen*).

e·nun·ci·ate [i'nʌnsiˌeit; -ʃiˌeit] *v/t* **1.** ausdrücken, -sprechen, (*a.* öffentlich) erklären. **2.** formu'lieren. **3.** behaupten, *e-n Grundsatz etc* aufstellen. **4.** (deutlich) aussprechen. **eˌnun·ci'a·tion** *s* **1.** a) Ausdruck *m*, Formu'lierung *f*, b) Aufstellung *f* (*e-s Grundsatzes etc*). **2.** Aussprache *f*, Vortrags-, Ausdrucksweise *f*. **3.** (öffentliche) Erklärung, Verkündung *f*. **e'nun·ciˌa·tive** *adj* **1.** ausdrückend: to be ~ of ausdrücken. **2.** Ausdrucks..., Aussprache...

en·ure [en'jur; in-] → inure.

en·u·re·sis [ˌenju(ə)'ri:sis] *s med.* Enu'resis *f*, Harnfluß *m*, Bettnässen *n*.

en·vel·op [en'veləp; in-] **I** *v/t* **1.** einschlagen, -wickeln, (ein)hüllen (in in *acc*). **2.** *fig.* ver-, einhüllen, um'hüllen, um'geben. **3.** *mil. den Feind* um'fassen, um'klammern. **II** *s Am.* → envelope.

en·ve·lope ['enviˌloup; 'ɒn-] *s* **1.** Decke *f*, Hülle *f*, 'Umschlag *m*, Um'hüllung *f*. **2.** 'Briefˌumschlag *m*, Ku'vert *n*. **3.** *aer.* (äußere) Luftschiff-, Ballonhülle. **4.** *mil.* Vorwall *m*. **5.** *astr.* Nebelhülle *f*. **6.** *bot.* Kelch *m*. **7.** *anat.* Hülle *f*, Schale *f*. **8.** *math.* Um'hüllungskurve *f*, Einhüllende *f*. **en·vel·op·ment** [en'veləpmənt; in-] *s* **1.** Einhüllung *f*, Um'hüllung *f*, Hülle *f*. **2.** *mil.* Um'fassung(sangriff *m*) *f*, Um'klammerung *f*.

en·ven·om [en'venəm; in-] *v/t* **1.** vergiften (*a. fig.*). **2.** erbittern, mit Haß erfüllen: ~ed giftig, haßerfüllt.

en·vi·a·ble ['enviəbl] *adj* (*adv* enviably) beneidenswert, zu beneiden(d). **'en·vi·a·ble·ness** *s* (*das*) Beneidenswerte. **'en·vi·er** *s* Neider(in). **'en·vi·ous** *adj* (*adv* ~ly) **1.** 'mißgünstig (of gegen). **2.** neidisch (of auf *acc*): to be ~ of s.o. because of s.th. j-n um etwas beneiden. **'en·vi·ous·ness** *s* 'Mißgunst *f*, Neid *m*.

en·vi·ron [en'vai(ə)rən; in-] *v/t* **1.** *a. fig.* um'geben, um'ringen (with mit). **2.** um'zingeln. **en'vi·ron·ment** *s* **1.** Um'gebung *f*. **2.** äußere Lebensbedingungen *pl*. **3.** *biol. sociol.* 'Umwelt *f*, Um'gebung *f*, Mili'eu *n*. **4.** *bot.* Standort *m*. **enˌvi·ron'men·tal** [-'mentl] *adj* Umgebungs..., Umwelt(s)..., Milieu...: ~ factors Umwelteinflüsse; ~ pollution Umweltverschmutzung *f*. **enˌvi·ron'men·tal·ly** *adv* in bezug auf *od.* durch die 'Umwelt. **en·vi·rons** [en'vai(ə)rənz; in-; 'envi-] *s pl* Um'gebung *f*, 'Umgegend *f* (*e-s Ortes etc*), Vororte *pl*.

en·vis·age [en'vizidʒ; in-] *v/t* **1.** *e-r Gefahr etc* (mutig) ins Auge sehen. **2.** in Aussicht nehmen, ins Auge fassen, gedenken (doing zu tun). **3.** sich vorstellen, (im Geiste) betrachten. **4.** intui'tiv wahrnehmen.

en·vi·sion [en'viʒən; in-] *v/t* sich (*etwas*) (im Geiste) vorstellen, sich ein (geistiges) Bild machen von.

en·voi [ɑ̃'vwa] (*Fr.*) *s* Zueignungs-, Schlußstrophe *f* (*e-s Gedichts*).

en·voy[1] ['envɔi] → envoi.

en·voy[2] ['envɔi] *s* **1.** *a.* ~ extraordinary Gesandte(r) *m* (*zweiten Grades unter dem Botschafter*). **2.** Abgesandte(r) *m*, Bevollmächtigte(r) *m*.

en·vy ['envi] **I** *s* **1.** (of) Neid *m* (auf *acc*), 'Mißgunst *f* (gegen): to be eaten up with ~ vor Neid platzen; demon of ~ Neidteufel *m*; green with ~ gelb vor Neid. **2.** Gegenstand *m* des Neides *od.* der Eifersucht: his garden is the ~ of all alle beneiden ihn um s-n Garten. **3.** *meist pl* Eifersüchte'lei *f*. **II** *v/t* **4.** *j-n um etwas* beneiden: I ~ you ich beneide dich; we ~ (you) your nice house wir beneiden Sie um Ihr schönes Haus. **5.** *j-m etwas* miß'gönnen.

en·wind [en'waind; in-] *v/t* um'winden, einhüllen (*a. fig.*).

en·wrap [en'ræp; in-] → wrap I.

en·zo·ot·ic [ˌenzo'ɒtik] *zo.* **I** *adj* enzo'otisch: ~ disease. **II** *s* enzo'otische Krankheit.

en·zyme ['enzaim; -zim] *s chem.* En'zym *n*, Fer'ment *n*. **en·zy·mol·o·gy** [ˌenzai'mɒlədʒi] *s* Enzymolo'gie *f*.

E·o·cene ['i:əˌsi:n] *geol.* **I** *adj* eo'zän. **II** *s* Eo'zän *n* (*unterste Gruppe der Tertiärformation*).

E·o·li·an *etc* → Aeolian *etc*.

e·o·lith ['i:əliθ] *s* Eo'lith *m*, (vorgeschichtliches) Steinwerkzeug. **ˌe·o'lith·ic** *adj* eo'lithisch, frühsteinzeitlich.

e·on ['i:ən; -ɒn] → aeon.

E·o·zo·ic [ˌi:ə'zouik] *adj geol.* eo'zoisch.

e·pact ['i:pækt] *s astr.* Ep'akte *f*.

ep·arch ['epɑ:rk] *s* **1.** *antiq.* Ep'arch *m*, Statthalter *m*. **2.** (*Neugriechenland*) Verwalter *m od.* Erzbischof *m* (*e-r Eparchie*). **'ep·arch·y** *s* Epar'chie *f*: a) *antiq.* Pro'vinz *f* unter e-m Ep'archen, b) Diö'zese *f*.

e·paule·ment [i'pɔ:lmənt] *s mil.* Schulterwehr *f*.

ep·au·let(te) ['epɔ:ˌlet] *s mil.* Epau'lette *f*, Schulterstück *n*: to win one's ~s zum Offizier befördert werden.

é·pée [e'pe] (*Fr.*) *s fenc.* Degen *m*.

ep·en·ceph·a·lon [ˌepen'sefəˌlɒn] *s med.* Nachhirn *n*.

ep·en·the·sis [e'penθisis] *pl* **-ses** [-ˌsi:z] *s ling.* Epen'these *f*, Laut-, Silben-, Buchstabeneinfügung *f*.

e·pergne [i'pɔ:rn] *s* Tafelaufsatz *m*.

ep·ex·e·ge·sis [eˌpeksi'dʒi:sis] *s ling.* Epexe'gese *f*, erklärender Zusatz.

e·phem·er·a [i'femərə] *pl* **-ae** [-ˌri:] *s* **1.** *zo.* Eintagsfliege *f*. **2.** *fig.* Eintagsfliege *f*, kurzlebiges Wesen, ephe'mere Erscheinung. **e'phem·er·al I** *adj* **1.** ephe'mer: a) *med. zo.* eintägig, Eintags..., b) *fig.* flüchtig, kurzlebig, (sehr) vergänglich. **II** *s* **2.** → ephemera 2. **3.** *bot.* kurzlebige Pflanze.

e·phem·er·is [i'femәris] *pl* **-i·des** [ˌefi'meriˌdi:z] *s* **1.** *astr.* a) Epheme'riden *pl* (*Tabelle über die tägliche Stellung der Himmelskörper*), b) astro'nomischer Almanach. **2.** *obs.* Tagebuch *n*.

e·phem·er·on [i'feməˌrɒn] *pl* **-a** [-rə], **-ons** → ephemera.

E·phe·sian [i'fi:ʒən; -ʒiən] **I** *adj* **1.** e'phesisch. **II** *s* **2.** Epheser(in). **3.** *pl Bibl.* Brief *m* (des Paulus an die) Epheser.

ep·i·blast ['epiˌblæst] *s biol.* Epi'blast *n*, äußeres Keimblatt. **ˌep·i'blas·tic** *adj* ekto'derm.

ep·ic ['epik] **I** *adj* (*adv* ~ally) **1.** episch, erzählend: ~ drama episches Drama; ~ poem Epos *n*. **2.** heldenhaft, heldisch, he'roisch: ~ achievements Heldentaten; ~ laughter homerisches Gelächter. **II** *s* **3.** Epos *n*, Heldengedicht *n*: national ~ Nationalepos. **4.** *allg.* episches Werk. **'ep·i·cal** *adj* (*adv* ~ly) episch.

ep·i·ca·lyx [ˌepi'keiliks; -'kæliks] *s bot.* Außenkelch *m*. **'ep·iˌcarp** [-ˌkɑ:rp] *s bot.* Epi'karp *n*, äußere Fruchthaut.

ep·i·cene ['epiˌsi:n] **I** *adj* **1.** *ling u. fig.* beiderlei Geschlechts. **2.** *fig.* a) für beide Geschlechter, b) geschlechtslos, zwitterhaft. **II** *s* **3.** Zwitter(wesen *n*) *m*.

ep·i·cen·ter, *bes. Br.* **ep·i·cen·tre** ['epiˌsentər], **ˌep·i'cen·trum** [-trəm] *s* **1.** Epi'zentrum *n*, Gebiet *n* über dem Erdbebenherd. **2.** *fig.* Mittelpunkt *m*.

ep·i·cism ['epiˌsizəm] *s* Epi'zismus *m*. **'ep·i·cist** *s* Epiker *m*.

ep·i·cot·yl [ˌepi'kɒtil] *s bot.* Epiko'tyl *n* (*Sproßstück über den Keimblättern*).

ep·i·cure ['epiˌkjur] *s* Genießer *m*, Genußmensch *m*, Feinschmecker *m*. **ˌep·i·cu're·an** [-kju(ə)'ri:ən] **I** *adj* **1.** E~ *philos.* epiku'reisch. **2.** a) genußsüchtig, sinnlich, b) feinschmeckerisch. **II** *s* **3.** E~ Epiku'reer *m* (*Anhänger des Epikur*). **4.** → epicure. **ˌEp·i·cu're·anˌism, 'Ep·i·curˌism** *s* **1.** *philos.* Epikure'ismus *m*, Lehre *f* des Epi'kur. **2.** e~ Genußsucht *f*.

ep·i·cy·cle ['epiˌsaikl] *s* **1.** *bes. astr.* Epi'zykel *m*, Nebenkreis *m*. **2.** *math.* (*der*) e-e Radlinie her'vorbringende Kreis. **ˌep·i'cy·clic** [-'saiklik; -'sik-] *adj* epi'zyklisch: ~ gear *tech.* Planeten-, Umlaufgetriebe *n*.

ep·i·cy·cloid [ˌepi'saiklɔid] *s math.* Epizyklo'ide *f*, Radlinie *f*: interior ~ Hypozykloide *f*.

ep·i·dem·ic [ˌepi'demik] **I** *adj* (*adv* ~ally) **1.** *med.* epi'demisch, seuchenartig. **2.** *fig.* gras'sierend, weit verbreitet. **II** *s* **3.** *med.* Epide'mie *f*, epi'demische Krankheit, Seuche *f*. **4.** *biol.* Massenauftreten *n*. **ˌep·i'dem·i·cal** *adj* (*adv* ~ly) → epidemic I. **ˌep·iˌde·mi'ol·o·gy** *s med.* Lehre *f* von den Epide'mien, ˌEpidemiolo'gie *f*.

ep·i·der·mal [ˌepi'dɔ:rməl], **ˌep·i'der·mic, ˌep·i'der·mi·cal** *adj* epider'mi'al, Epidermis... **ˌep·i'der·mis** [-mis] *s med. zo.* Epi'dermis *f*, Oberhaut *f*.

ep·i·di·a·scope [ˌepi'daiəˌskoup] *s* Epidia'skop *n*.

ep·i·gas·tri·um [ˌepi'gæstriəm] *s anat.* Oberbauch-, Magengegend *f*.

ep·i·gene ['epiˌdʒi:n] *adj* **1.** pseudo'morph (*Kristalle*). **2.** *geol.* auf der Erdoberfläche gebildet: ~ agents Oberkräfte.

ep·i·gen·e·sis [ˌepi'dʒenisis] *s biol.* Epige'nese *f* (*Entwicklung e-s organischen Keims durch Anwachs von außen*).

ep·i·glot·tis [ˌepi'glɒtis] *s anat.* Epi'glottis *f*, Kehldeckel *m*.

ep·i·gone ['epiˌgoun] *s* Epi'gone *m*, (unschöpferischer) Nachahmer.

ep·i·gram ['epiˌgræm] *s* **1.** Epi'gramm *n*, kurzes Sinn- *od.* Spottgedicht. **2.** epigram'matischer (Aus)Spruch. ˌ**ep·i·gram'mat·ic** [-grə'mætik] *adj* (*adv* ~**ally**) epigram'matisch, kurz u. treffend, scharf poin'tiert. ˌ**ep·i·'gram·ma·tist** *s* Epigram'matiker *m*. ˌ**ep·i'gram·maˌtize I** *v/t* **1.** kurz u. treffend ausdrücken. **2.** ein Epi'gramm machen über *od.* auf (*acc*). **II** *v/i* **3.** Epi'gramme verfassen.

ep·i·graph ['epiˌgræ(ː)f; *Br. a.* -ˌgrɑːf] *s* Epi'graph *n*: a) (Grab- *etc*)Inschrift *f*, b) Auf-, 'Umschrift *f* (*e-r Münze*), c) Sinnspruch *m*, Motto *n*. **ep·i·graph·ic** [ˌepi'græfik] *adj* epi'graphisch. **e·pig·ra·phist** [i'pigrəfist] *s* Inschriftenkenner(in), -forscher(in). **e'pig·ra·phy** *s* Epi'graphik *f*, Inschriftenkunde *f*.

ep·i·lep·sy ['epiˌlepsi] *s med.* Epilep'sie *f*, Fallsucht *f*. ˌ**ep·i'lep·tic** [-tik] **I** *adj* epi'leptisch, fallsüchtig: ~ **fit** epileptischer Anfall. **II** *s* Epi'leptiker(in).

e·pil·o·gist [i'pilədʒist] *s* Verfasser(in) *od.* Sprecher(in) e-s Epi'logs. **e'pil·oˌgize I** *v/i* e-n Epi'log schreiben *od.* sprechen. **II** *v/t* e-n Epi'log schreiben zu. **ep·i·logue,** *Am. a.* **ep·i·log** ['epiˌlɒg] *s* **1.** Epi'log *m*: a) Nach-, Schlußwort *n* (*im Buch etc*), b) *fig.* Nachspiel *n*, Ausklang *m*. **2.** *thea.* a) Epi'log *m*, Schlußrede *f*, b) Epi'logsprecher(in). **3.** *Br.* (kurze) Andacht (*im Radio*).

ep·i·pet·al·ous [ˌepi'petələs] *adj bot.* epipe'tal, vor den Kronblättern stehend (*Staubgefäße etc*).

E·piph·a·ny [i'pifəni] *s* **1.** *relig.* Epi'phanias *n*, Epi'phanienfest *n*, Drei'königstag *m*. **2.** e~ Epipha'nie *f*, (göttliche) Erscheinung, Manifesta-ti'on *f*.

ep·i·phe·nom·e·nal·ism [ˌepifə'nɒminəˌlizəm] *s philos.* Automa'tismus *m*. ˌ**ep·i·phe'nom·eˌnon** [-ˌnɒn] *pl* **-na** [-nə] *s* **1.** sekun'däre Erscheinung. **2.** *med.* später auftretende Krankheitserscheinung.

e·piph·y·sis [i'pifisis] *pl* **-ses** [-ˌsiːz] *s anat.* **1.** Knochenendstück *n*. **2.** Zirbeldrüse *f*.

ep·i·phyte ['epiˌfait] *s* **1.** *bot.* Epi'phyt *m*, 'Scheinschmaˌrotzer *m*. **2.** *med.* Epi(dermo)'phyt *m* (*Hautpilz*).

e·pis·co·pa·cy [i'piskəpəsi] *s relig.* Episko'pat *m*, *n*: a) bischöfliche Verfassung, b) Gesamtheit *f* der Bischöfe, c) Amtstätigkeit *f* e-s Bischofs, d) Bischofswürde *f*. **e'pis·co·pal** *adj* (*adv* ~**ly**) *relig.* episko'pal, bischöflich, Bischofs...: E~ **Church** Episkopalkirche *f*. **eˌpis·co'pa·li·an** [-'peiliən; -ljən] **I** *adj* **1.** bischöflich. **2.** *meist* E~ zu e-r (*bes. der englischen*) Episko'palkirche gehörig. **II** *s* **3.** Episko'pale *m*, Anhänger *m* der Episko'palverfassung. **4.** *meist* E~ Mitglied *n* e-r Episko'palkirche.

e·pis·co·pate [i'piskəpit; -ˌpeit] *s relig.* Episko'pat *m*, *n*: a) Bischofsamt *n*, -würde *f*, b) Bistum *n*, Bischofssitz *m*, c) Gesamtheit *f* der Bischöfe.

ep·i·sep·al·ous [ˌepi'sepələs] *adj bot.* epise'pal, vor den Kelchblättern stehend (*Staubgefäße*).

ep·i·sode ['epiˌsoud] *s* Epi'sode *f*: a) Neben-, Zwischenhandlung *f* (*im Drama etc*), b) eingeflochtene Erzählung, c) Abschnitt *m* von Ereignissen (*aus größerem Ganzen*), d) (Neben)-Ereignis *n*, e) *mus.* Zwischenspiel *n*. ˌ**ep·i'sod·ic** [-'sɒdik] *adj*; ˌ**ep·i'sod·i·cal** *adj* (*adv* ~**ly**) epi'sodisch.

e·pis·te·mo·log·i·cal [iˌpistimə'lɒdʒikəl] *adj* epistemo'logisch. **eˌpis·te'mol·o·gy** [-'mɒlədʒi] *s philos.* ˌEpistemolo'gie *f*, Er'kenntnistheoˌrie *f*.

e·pis·tle [i'pisl] *s* **1.** E'pistel *f*, (langer) Brief. **2.** E~ *Bibl.* Brief *m*, Sendschreiben *n*: E~ **to the Romans** Römerbrief. **3.** *relig.* E'pistel *f* (*Auszug aus den Episteln*). **e'pis·tler** [-lər; -tlər] *s* **1.** Brief-, E'pistelschreiber *m*. **2.** *relig.* E'pistelverleser *m*. **e'pis·to·lar·y** [-tələri] *adj* **1.** Briefe *od.* Briefschreiben betreffend. **2.** brieflich, Brief... **e'pis·to·ler** [-tələr] → **epistler**. **eˌpis·to'log·ra·phy** [-'lɒgrəfi] *s* Kunst *f* des Briefeschreibens.

e·pis·tro·phe [i'pistrəfi] *s* **1.** *Rhetorik*: E'pistrophe *f* (*Figur, in der jeder Satz mit demselben Wort endet*). **2.** *mus.* Re'frain *m*.

ep·i·style ['epistail] *s arch.* Archi'trav *m*, Hauptbalken *m*.

ep·i·taph ['epiˌtæ(ː)f; *Br. a.* -ˌtɑːf] **I** *s* **1.** Epi'taph *n*, Grabschrift *f*. **2.** Totengedicht *n*. **II** *v/t* **3.** e-e Grabschrift schreiben für (*j-n*).

e·pit·a·sis [i'pitəsis] *s* E'pitasis *f*, Schürzung *f* des Knotens, Höhepunkt *m* (*in e-m Drama*).

ep·i·tha·la·mi·um [ˌepiθə'leimiəm], *a.* ˌ**ep·i·tha'la·miˌon** [-ˌɒn] *pl* **-a** [-ə] *od.* **-ums** *s antiq.* Hochzeitsgedicht *n*.

ep·i·the·li·al [ˌepi'θiːliəl] *adj* Epithel... ˌ**ep·iˌthe·li'o·ma** [-'oumə] *s med.* Epitheli'om *n*, Hautkrebs *m*. ˌ**ep·i'the·li·um** [-əm] *s* **1.** *anat.* Epi'thel *n* (*oberste Zellschicht der Hautgewebe*). **2.** *bot.* Deckgewebe *n*.

ep·i·thet ['epiˌθet] *s* **1.** E'pitheton *n*, Eigenschafts-, Beiwort *n*, Attri'but *n*, Bezeichnung *f*: **strong** ~**s** Kraftausdrücke. **2.** Beiname *m*. **3.** *bot.* (*zusätzliche*) Bezeichnung (*bes. Artname*). ˌ**ep·i'thet·ic,** ˌ**ep·i'thet·i·cal** *adj* epi'thetisch, Beiwort...

e·pit·o·me [i'pitəmi] *s* **1.** Auszug *m*, Abriß *m*. **2.** kurze Darstellung *od.* Inhaltsangabe: **in** ~ a) auszugsweise, b) in gedrängter Form. **3.** *fig.* (verkleinerte) Verkörperung, Inbegriff *m*. **e'pit·oˌmize I** *v/t* **1.** e-n Auszug machen aus *od.* von, zs.-drängen. **2.** e-e gedrängte Darstellung *od.* e-n Abriß geben von. **II** *v/i* **3.** Auszüge machen. **e'pit·oˌmiz·er** *s* Verfasser(in) von Auszügen.

ep·i·zo·on [ˌepi'zouɒn] *pl* **-'zo·a** [-ə] *s zo.* Epi'zoon *n*, 'Außenschmaˌrotzer *m*.

ep·i·zo·ot·ic [ˌepizo'ɒtik] **I** *adj* **1.** epi'zoisch, 'oberflächenschmaˌrotzend. **2.** *vet.* epizo'otisch, seuchenartig, epi'demisch: ~ **aphtha** Maul- u. Klauenseuche *f*. **II** *s* **3.** *vet.* Viehseuche *f*.

ep·och [*bes. Br.* 'iːpɒk; *Am.* 'epək] *s* E'poche *f* (*a. geol.*), Zeitalter *n*, (*a.* neuer) Zeitabschnitt: **to make an** ~ Epoche machen, epochemachend sein: **this makes** (*od.* **marks**) **an** ~ **in the history** (**of**) dies ist ein Markstein *od.* Wendepunkt in der Geschichte (*gen*). **'ep·och·al** *adj* **1.** Epochen... **2.** epo'chal, e'pochemachend.

'e·poch|-'mak·ing, '~**-'mark·ing** *adj* e'pochemachend, bahnbrechend.

ep·ode ['epoud] *s* **1.** *metr.* Ep'ode *f*: a) Schlußgesang *m* e-r Ode, b) *ein lyrisches Gedicht aus abwechselnden Lang- u. Kurzversen*. **2.** *mus.* Kehrzeile *f*, Re'frain *m*. **ep'od·ic** [-'pɒdik] *adj* ep'odisch.

ep·o·nym ['epənim] *s* Epo'nym *m*: a) Stammvater *m*, b) *Person, nach der etwas benannt ist*, c) *Gattungsbezeichnung, die auf e-e Person zurückgeht*, d) bezeichnendes Beiwort. **ep·on·y·mous** [e'pɒniməs] *adj* namengebend.

ep·o·pee ['epəˌpiː] *s* **1.** → **epos**. **2.** epische Dichtung.

ep·os ['epɒs] *s* **1.** Epos *n*, episches Gedicht, Heldengedicht *n*. **2.** (*mündlich überlieferte*) epische Dichtung. **3.** Reihe *f* von Ereignissen, die sich zur epischen Darstellung eignen.

ep·som salt ['epsəm] *s oft pl pharm.* Epsomer Bittersalz *n*.

eq·ua·bil·i·ty [ˌekwə'biliti] *s* **1.** Gleichmut *m*. **2.** Gleichförmigkeit *f*. **'eq·ua·ble** *adj* (*adv* **equably**) **1.** gleich(förmig). **2.** ausgeglichen, -gewogen, ruhig.

e·qual ['iːkwəl] **I** *adj* (*adv* → **equally**) **1.** (*an Größe, Rang etc*) gleich (**to** *dat*): **to be** ~ **to** gleichen, gleich sein (→ 3, 4, 5); **twice three is** ~ **to six** zweimal drei ist gleich sechs; **not** ~ **to** geringer als; **with** ~ **courage** mit gleichem Mut; **of** ~ **angle** *math.* winkeltreu; ~ **in all respects** *math.* kongruent (*Dreieck*); ~ **in size, of** ~ **size** (von) gleicher Größe. **2.** gleichmütig, gelassen: ~ **mind** Gleichmut *m*. **3.** angemessen, entsprechend, gemäß (**to** *dat*): ~ **to new** wie neu; ~ **to your merit** Ihrem Verdienst entsprechend; **to be** ~ **to s.th.** e-r Sache entsprechen *od.* gleichkommen. **4.** im'stande, fähig: (**not**) **to be** ~ **to a task** e-r Aufgabe (nicht) gewachsen sein; **to be** ~ **to anything** zu allem fähig *od.* imstande sein. **5.** (**to**) aufgelegt (zu), geneigt (*dat*): **to be** ~ **to a glass of wine** e-m Glas Wein nicht abgeneigt sein. **6.** eben, plan: ~ **surface**. **7.** ausgeglichen, proportio'niert. **8.** *bot.* sym'metrisch, auf beiden Seiten gleich. **9.** gleichmäßig, -förmig. **10.** ebenbürtig (**to** *dat*), gleichwertig, -berechtigt: ~ **in strength** gleich stark; **on** ~ **terms** a) unter gleichen Bedingungen, b) auf gleichem Fuße.

II *s* **11.** Gleichgestellte(r *m*) *f*, -berechtigte(r *m*) *f*: **among** ~**s** unter Gleichgestellten; **your** ~**s** deinesgleichen; ~**s in age** Altersgenossen; **he has not his** ~, **he has no** ~, **he is without** ~ er hat nicht *od.* sucht seinesgleichen; **to be the** ~ **of s.o.** j-m ebenbürtig sein.

III *v/t* **12.** *j-m, e-r Sache* gleichen, entsprechen, gleich sein, gleichkommen, es aufnehmen mit (in an *dat*): **not to be** ~**(l)ed** nicht seinesgleichen haben, ohnegleichen sein.

e·qual·i·tar·i·an [iˌkwɒli'tɛ(ə)riən] **I** *adj* Gleichheits... **II** *s* Anhänger(in) des Gleichheitsgedankens, 'Gleichheitsaˌpostel *m*. **eˌqual·i'tar·i·anˌism** *s* Theo'rie *f* von der Gleichheit aller.

e·qual·i·ty [i'kwɒliti] *s* **1.** Gleichheit *f*: ~ (**of rights**) Gleichberechtigung *f*; **political** ~ politische Gleichberechtigung; ~ **of votes** Stimmengleichheit; **to be on an** ~ **with** a) auf gleicher Stufe stehen mit (*j-m*), b) gleich(bedeutend) sein mit (*etwas*); **perfect** ~ *math.* Kongruenz *f*; **sign of** ~ Gleichheitszeichen *n*; **to treat s.o. on a footing of** ~ mit j-m wie mit seinesgleichen verkehren; → **status** 1. **2.** *math.* Gleichförmigkeit *f*.

e·qual·i·za·tion [ˌiːkwəlai'zeiʃən; -li-] *s* **1.** Gleichstellung *f*, -machung *f*. **2.** *bes. econ.* Ausgleich(ung *f*) *m*. **3.** a) *tech.* Abgleich *m*, b) *electr. phot.* Entzerrung *f*. **'e·qualˌize I** *v/t* **1.** gleichmachen, -stellen, -setzen, angleichen. **2.** ausgleichen (*a. sport*), kompen'sieren. **3.** *Uhrmacherei*: abgleichen. **4.** *chem.* egali'sieren. **5.** *electr. phot.*

entzerren. **II** *v/i* **6.** *sport* ausgleichen. **'e·qual,iz·er** *s* **1.** *tech.* Stabili'sator *m.* **2.** *electr. phot.* Entzerrer *m.* **3.** *sport Br.* Ausgleich *m,* Ausgleichstor *n,* -punkt *m.* **4.** *Am. sl.* ‚Ka'none' *f,* Pi'stole *f.* **'e·qual,iz·ing** *adj electr. tech.* Ausgleichs...: ~ coil.

e·qual·ly ['i:kwəli] *adv* **1.** ebenso, in gleicher Weise, gleich: ~ distant gleichweit entfernt. **2.** zu gleichen Teilen, in gleichem Maße, gleichermaßen: we ~ with them wir ebenso wie sie. **3.** gleichmäßig. **'e·qual·ness** → equality.

e·qua·nim·i·ty [,i:kwə'nimiti; ,ek-] *s* Gleichmut *m*: with ~ mit Gleichmut, gleichmütig.

e·quate [i'kweit] **I** *v/t* **1.** gleichmachen. **2.** ausgleichen: to ~ exports and imports. **3.** (with, to) *j-n, etwas* gleichstellen, -setzen (*dat*), auf gleiche Stufe stellen (mit). **4.** in die Form e-r Gleichung bringen. **5.** *fig.* als gleich(wertig) ansehen *od.* behandeln. **II** *v/i* **6.** gleichen, entsprechen (with *dat*). **e'quat·ed** *adj econ.* Staffel...: ~ calculation of interest Staffelzinsrechnung *f.*

e·qua·tion [i'kweiʃən; -ʒən] *s* **1.** Angleichung *f,* Ausgleich *m*: ~ of exchange *econ.* Währungsausgleich. **2.** Gleichheit *f*: ~ of supply and demand *econ.* Gleichgewicht *n* von Angebot u. Nachfrage. **3.** *astr. chem. math.* Gleichung *f*: ~ formula Gleichungsformel *f*; ~ of state *phys.* Zustandsgleichung; to solve (form) an ~ e-e Gleichung auflösen (ansetzen). **4.** Faktor *m.* **5.** *sociol.* Ge'samtkom,plex *m* der Fak'toren u. Mo'tive menschlichen Verhaltens. **e'qua·tion·al** *adj* **1.** Gleichungs... **2.** *electr. tech.* Ausgleichs...

e·qua·tor [i'kweitər] *s* **1.** *astr. geogr.* Ä'quator *m.* **2.** Gürtellinie *f,* Teilungskreis *m.*

e·qua·to·ri·al [,i:kwə'tɔ:riəl; ek-] **I** *adj* äquatori'al, Äquator... **II** *s astr.* Re'fraktor *m,* Äquatori'al(instru,ment) *n.* ~ **cir·cle** *s astr.* Stundenkreis *m* am Äquatori'al. ~ **cur·rent** *s mar.* Äquatori'alströmung *f.*

eq·uer·ry ['ekwəri; *Br. a.* i'kweri] *s* **1.** Stallmeister *m.* **2.** [i'kweri] *Br.* Oberstallmeister *m,* Beamte(r) *m* des königlichen Haushaltes.

e·ques·tri·an [i'kwestriən] **I** *adj* Reit..., Reiter...: ~ statue Reiterstatue *f,* -standbild *n.* **II** *s* (*bes.* Kunst)Reiter (-in). **e,ques·tri'enne** [-,en] *s* (Kunst)-Reiterin *f.*

e·qui·an·gu·lar [,i:kwi'æŋgjulər] *adj math.* gleichwink(e)lig. **'e·qui,axed** [-,ækst] *adj* gleichachsig. **,e·qui'dis·tant** [-'distənt] *adj* (*adv* ~ly) **1.** gleichweit entfernt, in gleichem Abstand (from von), paral'lel (*Linie*). **2.** *geogr. math.* abstandstreu. **,e·qui'lat·er·al** [-'lætərəl] *bes. math.* **I** *adj* (*adv* ~ly) gleichseitig: ~ triangle. **II** *s* gleichseitige Fi'gur.

e·quil·i·brant [i'kwilibrənt] *s phys.* gleich große, entgegengesetzte Kraft.

e·qui·li·brate [,i:kwi'laibreit; i'kwili-] **I** *v/t* **1.** ins Gleichgewicht bringen. **2.** im Gleichgewicht halten. **3.** *tech.* auswuchten. **4.** *electr.* abgleichen. **II** *v/i* **5.** sich das Gleichgewicht halten (with mit). **,e·qui·li'bra·tion** [-li-] *s* **1.** Gleichgewicht *n* (with mit; to zu). **2.** 'Herstellung *f od.* Aufrechterhaltung *f* des Gleichgewichts.

e·quil·i·brist [i'kwilibrist] *s* Seiltänzer *m,* Akro'bat *m.* **e,quil·i'bris·tic** *adj* äquili'bristisch.

e·qui·lib·ri·um [,i:kwi'libriəm] *s phys. u. fig.* Gleichgewicht *n*: to be in ~ im Gleichgewicht sein; state of ~ Gleichgewichtszustand *m*; political ~ politisches Gleichgewicht.

e·qui·mo·lec·u·lar [,i:kwimə'lekjulər] *adj chem.* 'äquimoleku,lar. **,e·qui'mul·ti·ple** [-'mʌltipl] *s meist pl math.* Zahlen *pl* mit gemeinsamem Faktor.

e·quine ['i:kwain] *adj* pferdeartig, Pferde...: ~ antelope Blaubock *m.*

e·qui·noc·tial [,i:kwi'nɒkʃəl] **I** *adj* **1.** Äquinoktial..., die Tagund'nachtgleiche betreffend. **II** *s* **2.** *a.* ~ circle (*od.* line) 'Himmels-, 'Erdä,quator *m.* **3.** *pl a.* ~ gale Äquinokti'alsturm *m.*

e·qui·nox ['i:kwi,nɒks] *s astr.* **1.** Äqui'noktium *n,* Tagund'nachtgleiche *f*: autumnal (vernal) ~ Herbst-(Frühlings)äquinoktium. **2.** Äquinokti'alpunkt *m.*

e·quip [i'kwip] *v/t* **1.** (o.s. sich) ausrüsten, -statten (*a. mar. mil. tech.*), versehen (with mit). **2.** *fig.* ausrüsten (with mit), *j-m* das geistige Rüstzeug vermitteln *od.* geben.

eq·ui·page ['ekwipidʒ] *s* **1.** → equipment 1, 2 a *u.* b. **2.** a) Geschirr *n,* Ser'vice *n,* b) Gebrauchsgegenstände *pl.* **3.** Equi'page *f,* ele'gante Kutsche (*a. mit Pferden u. Dienern*).

e·quip·ment [i'kwipmənt] *s* **1.** *mar. mil.* Ausrüstung *f,* (Kriegs)Gerät *n*: ~ depot Zeugamt *n.* **2.** a) *a. tech.* Ausrüstung *f,* -stattung *f,* b) *meist pl* Ausrüstung(sgegenstände *pl*) *f,* Materi'al *n,* c) *tech.* Einrichtung *f,* (Betriebs)-Anlage(n *pl*) *f,* Ma'schine(n *pl*) *f,* Appara'tur *f,* Gerät *n,* d) *rail. Am.* rollendes Materi'al. **3.** *fig.* geistiges Rüstzeug.

e·qui·poise ['ekwi,pɔiz; 'i:k-] **I** *s* **1.** Gleichgewicht *n* (*a. fig.*). **2.** *meist fig.* Gegengewicht *n* (to gegen). **II** *v/t* **3.** aufwiegen. **4.** im Gleichgewicht halten.

e·qui·pol·lent [,i:kwi'pɒlənt] **I** *adj* **1.** gleich. **2.** gleichstark, -bedeutend, -wertig (with mit). **3.** *philos.* gleichbedeutend (*Sätze*). **II** *s* **4.** Äquiva'lent *n,* (*etwas*) Gleichwertiges.

e·qui·pon·der·ant [,i:kwi'pɒndərənt] *adj* **1.** gleich schwer. **2.** *fig.* von gleichem Gewicht, von gleicher Kraft. **,e·qui'pon·der,ate** [-,reit] **I** *v/i* gleich schwer sein (to, with wie). **II** *v/t* aufwiegen, im Gleichgewicht halten.

e·qui·po·ten·tial [,i:kwipo'tenʃəl] *adj* **1.** *fig.* → equiponderant 2. **2.** *chem. phys.* äquipotenti'al: ~ line a) *math.* Niveaulinie *f,* b) *phys.* Äquipotentiallinie *f.* **3.** *electr.* auf gleichem Potenti'al (befindlich), Spannungsausgleich(s)...

eq·ui·ta·ble ['ekwitəbl] *adj* (*adv* → equitably) **1.** gerecht, (recht u.) billig. **2.** 'unpar,teiisch. **3.** *jur.* a) das Billigkeitsrecht betreffend *od.* auf ihm beruhend, b) billigkeitsgerichtlich: ~ estate *Vermögen od. Grundstück, das j-m nach Billigkeitsrecht zusteht*; ~ mortgage *econ.* Billigkeitspfand *n.* **'eq·ui·ta·ble·ness** → equity 1. **'eq·ui·ta·bly** *adv* **1.** gerecht (*etc*; → equitable). **2.** gerechter-, billigerweise. **3.** *jur.* nach dem Billigkeitsrecht.

eq·ui·ta·tion [,ekwi'teiʃən] *s bes. humor.* Reiten *n,* Reitkunst *f.*

eq·ui·ty ['ekwiti] *s* **1.** Billigkeit *f,* Gerechtigkeit *f,* 'Unpar,teilichkeit *f.* **2.** *jur.* a) *a.* ~ law (*ungeschriebenes*) Billigkeitsrecht: in ~ → equitably 2 *u.* 3; E~ Court Billigkeitsgericht *n,* b) Billigkeitsgerichtsbarkeit *f,* c) *a.* claim in ~ Anspruch *m* nach dem Billigkeitsrecht. **3.** *econ. jur.* Wert *m* nach Abzug aller Belastungen, reiner Wert (*e-s Hauses etc*). **4.** *econ.* a) *a.* ~ capital 'Anteilskapi,tal *n,* b) *a.* ~ security Divi'dendenpa,pier *n*: ~ investment Investitionen in (*nicht festverzinslichen*) Anteilspapieren; ~ prices Kurse der Dividendenwerte. **5.** E~ *Br.* Berufsgenossenschaft *f* der Schauspieler. ~ **of re·demp·tion** *s jur.* **1.** Ablösungsrecht *n* des Hypo'thekenschuldners (*a. nach Ablauf der Ablösungsfrist*). **2.** dem Pfandschuldner verbleibender 'Überschuß nach Verkauf s-s verpfändeten Eigentums.

e·quiv·a·lence [i'kwivələns], *a.* **e'quiv·a·len·cy** *s* **1.** Gleichwertigkeit *f.* **2.** gleichwertiger Betrag, Gegenwert *m.* **3.** *chem.* a) Gleichwertigkeit *f,* b) Wertigkeit *f.* **e'quiv·a·lent I** *adj* (*adv* ~ly) **1.** gleichbedeutend (to mit). **2.** gleichwertig, entsprechend, äquiva'lent (*a. math.*) (to *dat*): to be ~ to gleichkommen, entsprechen (*dat*); ~ amount → 6. **3.** *chem.* äquiva'lent, von gleicher Wertigkeit: ~ number Valenzzahl *f.* **4.** *geol.* (*im Ursprung*) gleichzeitig. **II** *s* **5.** (of) Äquiva'lent *n* (für) (*a. phys.*), (genaue) Entsprechung, Gegen-, Seitenstück *n* (zu). **6.** gleicher Betrag, Gegenwert *m.*

e·quiv·o·cal [i'kwivəkəl] *adj* (*adv* ~ly) **1.** zweideutig, doppelsinnig. **2.** unbestimmt, ungewiß, zweifelhaft, fraglich: ~ success zweifelhafter Erfolg. **3.** fragwürdig, verdächtig. **e,quiv·o'cal·i·ty** [-'kæliti], **e'quiv·o·cal·ness** *s* Zweideutigkeit *f.* **e'quiv·o,cate** [-,keit] *v/i* **1.** zweideutig *od.* doppelzüngig reden *od.* handeln, Worte verdrehen. **2.** Ausflüchte gebrauchen. **e,quiv·o'ca·tion** *s* **1.** Zweideutigkeit *f,* Ausflucht *f.* **2.** Wortverdrehung *f.* **e'quiv·o,ca·tor** [-tər] *s* Wortverdreher(in).

eq·ui·voque, *a.* **eq·ui·voke** ['ekwi,vouk] *s* **1.** Zweideutigkeit *f.* **2.** Wortspiel *n.*

e·ra ['i(ə)rə; 'i:-] *s* **1.** Ära *f*: a) Zeitrechnung *f*: the Christian ~ christliche Zeitrechnung, b) Zeitalter *n,* (neuer) Zeitabschnitt, E'poche *f*: to mark an ~ e-e Epoche einleiten. **2.** denkwürdiger Tag (*an dem ein neuer Zeitabschnitt beginnt*).

e·ra·di·a·tion [i,reidi'eiʃən] *s* (Aus-) Strahlung *f.*

e·rad·i·ca·ble [i'rædikəbl] *adj* ausrottbar, auszurotten(d). **e'rad·i,cate** [-,keit] *v/t bes. fig.* (*gänzlich*) ausrotten, entwurzeln. **e,rad·i'ca·tion** *s* Ausrottung *f,* Entwurzelung *f.* **e'rad·i,ca·tive** *adj* **1.** (*gänzlich*) ausrottend. **2.** *med.* Radikal...

e·ras·a·ble [*Br.* i'reizəbl; *Am.* -səbl] *adj* auslöschbar.

e·rase [*Br.* i'reiz; *Am.* -s] *v/t* **1.** a) *Farbe etc* ab-, auskratzen, b) *Schrift etc* 'ausstreichen, -ra,dieren, löschen (from von). **2.** *Tonband(aufnahme)* löschen. **3.** *fig.* auslöschen, (aus)tilgen (from aus): to ~ from one's memory. **4.** a) vernichten, b) *j-n* ‚kaltmachen', 'umbringen. **e'ras·er** *s* a) Ra'diermesser *n,* b) Ra'diergummi *m*: pencil (ink) ~ Radiergummi für Bleistift (Tinte), c) *ped. Am.* Tafelwischer *m.* **e'ras·ing** *adj* Radier...: ~ shield Radierschablone *f*; ~ head (Tonband)Löschkopf *m.* **e'ra·sion** *s* **1.** → erasure. **2.** *med.* Auskratzung *f.*

e·ra·sure [i'reiʒər] *s* **1.** 'Ausra,dieren *n,* -streichen *n* (from aus, von), 'Ausra,dierung *f.* **2.** Löschung *f* e-r *Tonbandaufnahme.* **3.** Entfernung *f* (from aus, von). **4.** 'ausra,dierte Stelle, Ra'sur *f.* **5.** *fig.* (Ver)Tilgung *f,* Zerstörung *f.*

ere [ɛr] **I** *prep* **1.** (*zeitlich*) vor (*dat*): ~ this zuvor, schon vorher; → erelong, erenow. **II** *cj poet.* **2.** ehe, bevor. **3.** eher als, lieber als.

e·rect [i'rekt] **I** *v/t* **1.** aufrichten, in die Höhe richten, aufstellen: to ~ o.s. sich aufrichten. **2.** a) *Gebäude etc* errichten, bauen: to ~ a bridge, b) *tech. Maschinen* aufstellen, mon'tieren. **3.** *fig. e-e Theorie etc* aufstellen, *ein Horoskop* stellen. **4.** *math. das Lot, e-e Senkrechte* fällen, errichten. **5.** *jur.* einrichten, gründen. **6.** ~ into *fig. j-n od. etwas* machen *od.* erheben zu. **II** *adj* (*adv* ~ly) **7.** aufgerichtet, aufrecht: with head ~ erhobenen Hauptes. **8.** gerade: to stand ~ a) gerade stehen, b) *fig.* standhaft bleiben *od.* sein, standhalten. **9.** aufrecht, zu Berge stehend, sich sträubend (*Haare*). **e'rec·tile** [*Br.* -tail; *Am.* -til; -təl] *adj* **1.** aufrichtbar. **2.** aufgerichtet. **3.** *biol.* anschwellbar, erek'til: ~ tissue Schwellgewebe *n.* **e'rect·ing** *s* **1.** *tech.* Aufbau *m*, Mon'tage *f*: ~ crane Montagekran *m*; ~ shop Montagehalle *f.* **2.** *opt.* 'Bild,umkehrung *f*: ~ glass *Linse zum Umdrehen der seitenverkehrten Bilder e-s Mikroskops.* **e'rec·tion** *s* **1.** Auf-, Errichtung *f*, Aufführung *f.* **2.** Bau *m*, Gebäude *n.* **3.** *tech.* Mon'tage *f*: ~ pit Montagegrube *f.* **4.** *physiol.* Erekti'on *f.* **5.** Gründung *f.* **e'rect·ness** *s* aufrechte Haltung, G(e)radheit *f* (*a. fig.*). **e'rec·tor** [-tər] *s* **1.** Errichter *m*, Erbauer *m.* **2.** *anat.* Aufrichtmuskel *m.*

,ere'long, *a.* **ere long** *adv poet.* bald.

er·e·mite ['eri,mait] *s* Ere'mit *m*, Einsiedler *m.* **,er·e'mit·ic** [-'mitik], **,er·e'mit·i·cal** *adj* ere'mitisch, Einsiedler...

,ere'now, *oft* **ere now** *adv poet.* vordem, schon früher, bis jetzt.

e·rep·sin [i'repsin] *s physiol.* Erep'sin *n* (*Magensaftenzym*).

er·e·thism ['eri,θizəm] *s med.* Ere'thismus *m*, 'Übererregbarkeit *f*, Reizzustand *m.*

,ere'while(s) *adv obs.* vor kurzem, zu'vor.

erg [əːrg] *s phys.* Erg *n*, Arbeitseinheit *f* (*Arbeit e-s Dyns auf dem Weg von 1 cm*).

er·ga·toc·ra·cy [,əːrgə'tɒkrəsi] *s* Arbeiterherrschaft *f.*

er·gom·e·ter [əːr'gɒmitər] *s* Dynamo'meter *n*, Kraftmesser *m.*

er·gon ['əːrgɒn] *s phys.* **1.** Arbeit *f* (*nach Wärmeeinheiten gemessen*). **2.** → erg.

er·got ['əːrgət] *s* **1.** *bot.* Mutterkorn *n*, Brand *m.* **2.** → ergotin. **'er·got·in** [-tin] *s chem.* Ergo'tin *n* (*Extrakt aus Mutterkorn*). **'er·got,ism** *s* **1.** *bot.* Mutterkornbefall *m.* **2.** *med.* Kornstaupe *f*, Mutterkornvergiftung *f.*

er·i·ca ['erikə] *s bot.* Erika *f*, Heidekraut *n.*

Er·in ['i(ə)rin; 'erin] *npr poet.* Erin *n*, Irland *n.*

E·rin·ys [i'rinis; -'rai-] *pl* **-y,es** [-i,iːz] *s myth.* E'rin(n)ye *f*, Rachegöttin *f.*

e·ri·om·e·ter [,i(ə)ri'ɒmitər] *s tech.* Wollstärkemesser *m.*

er·is·tic [e'ristik] **I** *adj* **1.** Streit..., po'lemisch, Disputations... **II** *s* **2.** Po'lemiker *m.* **3.** Dispu'tierkunst *f.*

erk [əːrk] *s aer. Br. sl.* **1.** Flieger *m*, 'Luftwaffenre,krut *m.* **2.** 'Flugzeugme,chaniker *m.*

erl·king ['əːrl,kiŋ] *s* Erlkönig *m.*

er·mine ['əːrmin] *s* **1.** *zo.* Herme'lin *n.* **2.** Herme'lin(pelz) *m.* **3.** a) Herme'linmantel *m* (*der englischen Richter u. Peers*), b) *fig.* richterliche Würde. **'er·mined** *adj* **1.** mit Herme'lin besetzt *od.* bekleidet. **2.** *fig.* mit der Richter- *od.* Peerswürde bekleidet.

erne, *Am. a.* **ern** [əːrn] *s orn.* (*bes.* See)Adler *m.*

e·rode [i'roud] *v/t* **1.** an-, zer-, wegfressen, ätzen. **2.** *geol.* auswaschen, ero'dieren, abtragen. **3.** *tech. u. fig.* verschleißen. **4.** *fig.* (all'mählich) aushöhlen, unter'graben, zerstören. **5.** *Geschützrohr* ausbrennen. **e'rod·ed I** *pp von* erode. **II** *adj bot.* → erose. **e'rod·ent** *adj u. s* ätzend(es Mittel).

e·rog·e·nous [i'rɒdʒənəs] → erotogenic.

e·rose [i'rous] *adj bot.* ausgezackt.

e'ro·sion [-ʒən] *s* **1.** Zerfressen *n*, -fressung *f.* **2.** *geol.* Erosi'on *f*, Auswaschung *f*, Abtragung *f.* **3.** angefressene Stelle. **4.** *med.* Krebs *m.* **5.** *tech.* Verschleiß *m*, Abnützung *f*, Schwund *m.* **6.** *mil.* Ausbrennung *f* (*e-s Geschützrohrs*). **7.** *fig.* Aushöhlung *f*, Unter'grabung *f.* **e'ro·sion·al** *adj geol.* Erosions...: ~ debris Abtragungsschutt *m*; ~ surface Verebnungsfläche *f.* **e'ro·sive** [-siv] *adj* ätzend, zerfressend.

e·rot·ic [i'rɒtik] **I** *adj* (*adv* ~ally) **1.** e'rotisch, Liebes... **II** *s* **2.** e'rotisches Gedicht. **3.** E'rotiker(in). **e'rot·i·ca** [-kə] *s pl* E'rotika *pl* (*Bücher erotischen Inhalts*). **e'rot·i,cism** [-,sizəm], **er·o·tism** ['erə,tizəm] *s* **1.** *bes. psych.* E'rotik *f.* **2.** *biol.* geschlechtliche Erregung *od.* Begierde.

e·ro·to·gen·ic [i,routo'dʒenik] *adj physiol.* ero'gen, geschlechtlich erregend *od.* reizbar. **e,ro·to'ma·ni·a** [-'meiniə] *s med.* Erotoma'nie *f*, Liebeswahnsinn *m.*

err [əːr] *v/i* **1.** (sich) irren: to ~ is human Irren ist menschlich: to ~ on the safe side allzu vorsichtig sein. **2.** falsch *od.* unrichtig sein, fehlgehen (*Urteil etc*). **3.** (*moralisch*) auf Abwege geraten, fehlen, sündigen.

er·rand ['erənd] *s* **1.** Botschaft *f.* **2.** (Boten)Gang *m*, Besorgung *f*, Auftrag *m*: to go (*od.* run) (on) an ~ e-n Auftrag ausführen, e-n (Boten-)Gang *od.* e-e Besorgung machen; → fool's errand. ~ **boy** *s* Laufbursche *m.*

er·rant ['erənt] **I** *adj* **1.** (um'her)ziehend, wandernd, fahrend: knight ~, ~ knight → 6. **2.** *fig.* abenteuerlich. **3.** *jur. hist.* um'herreisend (*Richter in s-m Bezirk*). **4.** irrend. **5.** irrig, abweichend. **II** *s* **6.** fahrender Ritter. **'er·rant·ry** [-ri] *s* **1.** Um'herirren *n*, Wandern *n.* **2.** fahrendes Rittertum. **3.** Irrfahrt *f.*

er·ra·ta [i'reitə] → erratum 2.

er·rat·ic [i'rætik] **I** *adj* (*adv* ~ally) **1.** um'herirrend, -ziehend, -wandernd, Wander... **2.** *med.* (*im Körper*) hin u. her ziehend (*Gicht etc*). **3.** *geol.* er'ratisch: ~ block, ~ boulder → 6. **4.** ungleich-, unregelmäßig, regel-, ziellos (*Bewegung*). **5.** unstet, sprunghaft, launenhaft, unberechenbar, ex'zentrisch. **II** *s* **6.** *geol.* er'ratischer Block, Findling *m.*

er·ra·tum [i'reitəm] *pl* **-ta** [-tə] *s* **1.** (Druck)Fehler *m.* **2.** *pl* Druckfehlerverzeichnis *n*, Er'rata *pl.*

err·ing ['əːriŋ] *adj* (*adv* ~ly) **1.** sündig, fehlend. **2.** unartig. **3.** irrig, falsch.

er·ro·ne·ous [i'rouniəs; e'r-] *adj* irrig, irrtümlich, unrichtig, falsch. **er'ro·ne·ous·ly** *adv* irrtümlicherweise, zu Unrecht, aus Versehen. **er'ro·ne·ous·ness** *s* Irrigkeit *f*, Irrtum *m.*

er·ror ['erər] *s* **1.** Irrtum *m*, Fehler *m*, Versehen *n*: in ~ aus Versehen, irrtümlicherweise; to be in ~ sich irren, sich im Irrtum befinden; margin of ~ Fehlergrenze *f*; ~ of judg(e)ment Trugschluß *m*, irrige Ansicht, falsche Beurteilung; to make (*od.* commit) an ~ e-n Fehler machen *od.* begehen; ~s (and omissions) excepted *econ.* Irrtümer (u. Auslassungen) vorbehalten. **2.** *astr. math.* Fehler *m*, Abweichung *f*: ~ in range *a. mil.* Längenabweichung; ~ integral Fehlerintegral *n*; ~ law Gaußsches Fehlergesetz. **3.** *jur.* Formfehler *m*, Verfahrensmangel *m*: plaintiff in ~ Kläger *m* im Revisionsverfahren; writ of ~ Revisionsbefehl *m.* **4.** (*moralischer*) Fehltritt, Vergehen *n.* **5.** *Baseball*: Fehler *m* (*e-s Feldspielers*). **6.** *Christian Science*: Irrglaube *m.* **7.** Fehldruck *m* (*Briefmarke*). **8.** *mar.* 'Mißweisung *f*, Fehler *m.* ~ **in com·po·si·tion** *s print.* Satzfehler *m.* ~ **in fact** *s jur.* Tatbestandsirrtum *m.* ~ **in law** *s jur.* Rechtsirrtum *m.*

er·ror·less ['erərlis] *adj* fehlerlos, -frei.

er·satz [er'zats] (*Ger.*) **I** *s* Ersatz *m* (*a. fig.*), Austauschstoff *m.* **II** *adj* Ersatz...

Erse [əːrs] **I** *adj* **1.** ersisch, gälisch. **2.** (*fälschlich*) irisch. **II** *s ling.* **3.** Ersisch *n*, Gälisch *n* (*Sprache des schottischen Hochlandes*). **4.** (*fälschlich*) Irisch *n.*

erst [əːrst] *adv obs.* **1.** → erstwhile I. **2.** zu'erst. **'erst,while I** *adv obs.* ehedem, vormals. **II** *adj* ehemalig, früher.

e·ruct [i'rʌkt], *a.* **e'ruc·tate** [-teit] **I** *v/i* aufstoßen, rülpsen. **II** *v/t* ausspeien. **e,ruc'ta·tion** *s* **1.** Aufstoßen *n*, Rülpsen *n.* **2.** Ausbruch *m* (*e-s Vulkans etc*).

er·u·dite ['eru,dait; -rju-] **I** *adj* (*adv* ~ly) gelehrt, belesen. **II** *s* Gelehrte(r) *m.* **'er·u,dite·ness** *s* Gelehrsamkeit *f.* **,er·u'di·tion** *s* Gelehrsamkeit *f*, gelehrte Bildung, Belesenheit *f.*

e·rupt [i'rʌpt] **I** *v/i* **1.** ausbrechen (*Vulkan etc*). **2.** her'vorbrechen (from aus) (*Lava, Dampf etc*). **3.** ~ (with anger) (zornig) losbrechen, toben. **4.** *fig.* her'vorbrechen, plötzlich auftauchen. **5.** 'durchbrechen (*Zähne etc*). **II** *v/t* **6.** *Lava* auswerfen. **e'rup·tion** *s* **1.** Erupti'on *f*, Ausbruch *m* (*e-s Vulkans*). **2.** a) Her'vorbrechen *n* (*von Flammen etc*) (*a. fig.*), b) (*das*) Her'vorbrechende, *z. B.* Stichflamme *f*, 'Wasserfon,täne *f.* **3.** *fig.* (Wut- *etc*) Ausbruch *m.* **4.** *med.* a) (Her'vorbrechen *n* von) Hautausschlag *m*, Erupti'on *f*, b) 'Durchbruch *m* (*der Zähne*). **e'rup·tive I** *adj* (*adv* ~ly) **1.** aus-, her'vorbrechend. **2.** *geol.* erup'tiv, Eruptiv...: ~ rock → 5. **3.** *med.* ausschlagartig, von Ausschlag begleitet. **4.** *fig.* losbrechend, stürmisch, explo'siv. **II** *s* **5.** *geol.* Erup'tivgestein *n.* **,e·rup'tiv·i·ty** [,iː-] *s* erup'tiver Zustand.

e·ryn·go [i'riŋgou] *s bot.* Mannstreu *n.*

er·y·sip·e·las [,eri'sipiləs] *s med.* (Wund)Rose *f*, Rotlauf *m.*

er·y·the·ma [,eri'θiːmə] *s med.* Ery'them *n*, Rötung *f* der Haut.

e·ryth·rism [i'riθrizəm] *s zo.* (*durch Überwiegen der roten Farbstoffe bedingte*) Rotfärbung bei Tieren.

e·ryth·ro·cyte [i'riθro,sait] *s physiol.* Erythro'zyte *f*, rotes Blutkörperchen. **e,ryth·ro·cy'tom·e·ter** [-sai'tɒmitər] *s med.* Zählkammer *f* (*zur Zählung der roten Blutkörperchen*).

es·ca·drille [,eskə'dril] *s* **1.** *mar.* Geschwader *n* (*meist 8 Schiffe*). **2.** *aer.* Staffel *f* (*meist 6 Flugzeuge*).

es·ca·lade [,eskə'leid] **I** *s mil. hist.* Eska'lade *f*, (Mauer)Ersteigung *f* (*mit Leitern*), Erstürmung *f*, Sturm *m* (*a. fig.*). **II** *v/t* mit Sturmleitern ersteigen, erstürmen.

es·ca·late ['eskəˌleit] *v/t u. v/i mil. u. fig.* eska'lieren, höherschrauben.

es·ca·la·tion [ˌeskə'leiʃən] *s* **1.** *bes. econ.* auto'matischer Ausgleich (*auf Grund e-r Gleitklausel*). **2.** *mil. pol.* Eskalati'on *f* (*stufenweise Verschärfung*) (*a. fig.*).

es·ca·la·tor ['eskəˌleitər] *s* **1.** Rolltreppe *f*. **2.** *a.* ~ **clause** *econ.* (Lohn-, Preis- *etc*)Gleitklausel *f*.

es·cal·op, *bes. Br.* **es·cal·lop** [es'kɒləp; is-] *s* **1.** *zo.* (*e-e*) Kammuschel. **2.** gezähnter Rand.

es·cap·a·ble [is'keipəbl; es-] *adj* entrinnbar, vermeidbar.

es·ca·pade [ˌeskə'peid; 'eskəˌpeid] *s* **1.** Flucht *f*, Ausreißen *n*. **2.** Eska'pade *f*: a) mutwilliger *od.* toller Streich, b) Seitensprung *m*.

es·cape [is'keip; es-] **I** *v/t* **1.** *j-m* entfliehen, -kommen, -rinnen, -wischen. **2.** *e-r Sache* entgehen: **to ~ destruction** der Zerstörung entgehen; **to ~ being laughed at** der Gefahr entgehen, ausgelacht zu werden; **he just ~d being killed** er entging knapp dem Tode; **I cannot ~ the impression** ich kann mich des Eindrucks nicht erwehren. **3.** *fig. j-m* entgehen, über'sehen *od.* nicht verstanden werden von *j-m*: **that mistake ~d me** dieser Fehler entging mir; **the sense ~s me** der Sinn leuchtet mir nicht ein. **4.** *dem Gedächtnis* entfallen: **his name ~s me** (*od.* **my memory**) sein Name ist mir (*od.* m-m Gedächtnis) entfallen; → **notice** 1. **5.** *j-m* entschlüpfen, -fahren: **an oath ~d him.**
II *v/i* **6.** (ent)fliehen, entrinnen, -wischen, -laufen, -springen, -kommen (**from** aus, von). **7.** sich retten (**from** vor *dat*), (ungestraft *od.* mit dem Leben) da'vonkommen: **he ~d with a fright** er kam mit dem Schrekken davon. **8.** a) ausfließen (*Flüssigkeit etc*), b) entweichen, ausströmen (**from** aus) (*Gas etc*). **9.** verwildern (*Pflanzen*).
III *s* **10.** Entrinnen *n*, -weichen *n*, -kommen *n*, Flucht *f* (**from** aus, von): **to have a narrow (hairbreadth) ~** mit genauer *od.* knapper Not (um Haaresbreite) davonkommen *od.* entkommen; **I had a narrow ~ from falling** um ein Haar wäre ich gestürzt; **to make one's ~** entweichen, sich aus dem Staube machen. **11.** Rettung *f*, Bewahrtwerden *n* (**from** vor *dat*): (**way of**) ~ Ausweg *m*. **12.** Fluchtmittel *n*, Rettungsgerät *n*: ~ **apparatus** *mar.* Tauchretter *m*; **fire ~** Feuerleiter *f*. **13.** Entweichen *n*, Ausströmen *n*. **14.** *biol.* verwilderte Gartenpflanze, Kul'turflüchtling *m*. **15.** *fig.* Unter'haltung *f*, (Mittel *n* der) Entspannung *f od.* Zerstreuung *f od.* Ablenkung *f*; ~ **reading,** ~ **literature** Unterhaltungsliteratur *f*.

es·cape| art·ist *s* Befreiungskünstler *m*. ~ **clause** *s* Befreiungsklausel *f*. ~ **de·tec·tor** *s tech.* Lecksucher *m*.

es·ca·pee [ˌeskə'piː] *s* entwichener Straf- *od.* Kriegsgefangener, Ausreißer *m*, Flüchtling *m*.

es·cape| gear *s mar.* Tauchretter *m*. ~ **hatch** *s* **1.** *mar.* Notluke *f*. **2.** *aer.* Notausstieg *m*. **3.** *fig.* ‚Schlupfloch' *n*, Ausweg *m*. ~ **mech·a·nism** *s psych.* (*seelischer*) 'Abwehrmechaˌnismus.

es·cape·ment [is'keipmənt; es-] *s tech.* **1.** Hemmung *f* (*der Uhr*). **2.** 'Auslösemechaˌnismus *m*, Vorschub *m* (*der Schreibmaschine*). ~ **spin·dle** *s tech.* Hemmungswelle *f* (*der Uhr*). ~ **wheel** *s tech.* **1.** Hemmungsrad *n* (*der Uhr*). **2.** Schaltrad *n* (*der Schreibmaschine*).

es·cape| pipe *s tech.* Abflußrohr *n*. ~ **route** *s* Fluchtweg *m*. ~ **shaft** *s* Rettungsschacht *m*. ~ **valve** *s tech.* 'Abfluß-, 'Sicherheitsvenˌtil *n*.

es·cap·ism [is'keipizəm; es-] *s* Eska'pismus *m*: a) Wirklichkeitsflucht *f*, Flucht *f* in e-e Phanta'siewelt, b) *Literatur od. Kunst, die diese Tendenz ausdrückt od. unterstützt.* **es'cap·ist** **I** *s* j-d, der vor der Wirklichkeit zu fliehen sucht. **II** *adj* wirklichkeitsfliehend, *weitS.* Zerstreuungs..., Unterhaltungs...: ~ **literature.**

es·carp [es'kɑːrp; is-] *mil.* **I** *s* **1.** Böschung *f*, Abdachung *f*. **2.** vordere Grabenwand, innere Grabenböschung (*e-s Wallgrabens*). **II** *v/t* **3.** mit e-r Böschung versehen, abdachen. **es'carp·ment** *s* **1.** → **escarp** 1. **2.** *geol.* Steilabbruch *m*.

esch·a·lot ['eʃəˌlɒt; ˌeʃə'lɒt] → **shallot.**

es·char ['eskɑːr] *s med.* Grind *m*, (Brand)Schorf *m*, Kruste *f*.

es·cha·to·log·i·cal [ˌeskətə'lɒdʒikəl] *adj* eschato'logisch. ˌ**es·cha'tol·o·gist** [-'tɒlədʒist] *s* Eschato'loge *m*. ˌ**es·cha'tol·o·gy** *s relig.* Eschatolo'gie *f*, Lehre *f* von den letzten Dingen.

es·cheat [es'tʃiːt; is-] *jur.* **I** *s* **1.** Heimfall *m* (*e-s Guts an die Krone od. den Lehnsherrn, in Amerika an den Staat nach dem Tode aller Erben*). **2.** heimgefallenes Gut. **3.** → **escheatage.** **II** *v/i* **4.** an'heimfallen. **III** *v/t* **5.** konfis'zieren, (als Heimfallsgut) einziehen. **es'cheat·age** *s* Heimfallsrecht *n*.

es·chew [es'tʃuː; is-] *v/t etwas* (ver)meiden, fliehen, unter'lassen, scheuen.

es·cort **I** *s* ['eskɔːrt] **1.** *mil.* Es'korte *f*, Bedeckung *f*, Begleitmannschaft *f*. **2.** a) *aer. mar.* Geleit(schutz *m*) *n*, b) *mar.* Geleitschiff *n*. **3.** *fig.* a) Geleit *n*, Schutz *m*, b) Gefolge *n*, Begleitung *f*, c) Begleiter(in), d) (Reise- *etc*)Führer(in). **II** *v/t* [es'k-; is'k-] **4.** *j-n* eskor'tieren, geleiten. **5.** *fig.* begleiten, geleiten. ~ **car·ri·er** *s mar.* Geleitflugzeugträger *m*. ~ **fight·er** *s aer.* Begleitjäger *m*.

es·cribe [is'kraib; es'k-] *v/t math. e-n Kreis etc* anschreiben.

es·cri·toire [ˌeskri'twɑːr] *s* Schreib-pult *n*.

es·crow [ˌes'krou; 'esˌkrou] *s jur.* (bei e-m Treuhänder hinter'legte) Vertragsurkunde (*die erst bei Erfüllung e-r Bedingung in Kraft tritt*): **to place in ~** bei e-m Dritten (*bis zur Erfüllung e-r Vertragsbedingung*) hinterlegen.

es·cu·do [es'kuːdou] *pl* **-dos** *s* **1.** *Gold- od. Silbermünze mehrerer spanischer Länder.* **2.** Es'kudo *m* (*portugiesische Währungseinheit zu 100 Centavos*).

es·cu·lent ['eskjulənt] **I** *adj* eßbar, genießbar. **II** *s* Nahrungsmittel *n*.

es·cutch·eon [is'kʌtʃən; es-] *s* **1.** *her.* (Wappen)Schild *m, n*, Wappen *n*: ~ **of pretence** (*Am.* **pretense**) Beiwappen; **a blot on his ~** *fig.* ein Fleck auf s-r Ehre. **2.** *mar.* a) Namensbrett *n*, b) Spiegel *m* (*der Plattgattschiffe*). **3.** *tech.* Schlüssel(loch)-, Namensschild *n*. **4.** *bot.* (Pfropf)Schild *n*. **5.** *zo.* Schild *m*, Spiegel *m* (*Dam- u. Rotwild*).

es·kar ['eskɑːr], *bes. Am.* '**es·ker** [-kər] *s geol.* langgestreckter Geschiebehügel.

Es·ki·mo ['eskiˌmou] *pl* **-mos** **I** *s* **1.** Eskimo *m*. **2.** Eskimosprache *f*. **II** *adj* **3.** Eskimo...: ~ **dog** Eskimohund *m* (*Schlittenhund*).

es·ne ['ezni] *s hist.* Haussklave *m* (*der Angelsachsen*).

eso- [eso] *Wortelement mit der Bedeutung* innen.

e·soph·a·gus → **oesophagus.**

es·o·ter·ic [ˌeso'terik] *adj* (*adv* ~**ally**) **1.** *philos.* eso'terisch, (nur) für Eingeweihte bestimmt. **2.** auserlesen. **3.** geheim, vertraulich. **4.** *fig.* dunkel, mystisch. ˌ**es·o'ter·iˌcism** [-ˌsizəm], **e·sot·er·ism** [i'sɒtərizəm], **es·o·ter·y** ['esoˌteri; -təri] *s* Geheimlehre *f*.

es·pal·ier [es'pæljər; is-] **I** *s* **1.** Spa'lier *n*. **2.** Spa'lierbaum *m*. **II** *v/t* **3.** spa'lieren.

es·par·to [es'pɑːrtou] *s bot.* Es'parto-, Spartgras *n*.

es·pe·cial [es'peʃəl; is-] *adj* besonder(er, e, es): a) her'vorragend, vor'züglich, b) Haupt..., hauptsächlich, spezi'ell. **es'pe·cial·ly** *adv* besonders, hauptsächlich, vornehmlich: **more ~** ganz besonders.

Es·pe·ran·tism [ˌespə'ræntizəm] *s* Espe'rantobewegung *f*. ˌ**Es·pe'ran·tist** *s* Esperan'tist(in). ˌ**Es·pe'ran·to** [-tou] *s* Espe'ranto *n* (*Welthilfssprache*).

es·pi·al [es'paiəl] *s* (Er)Spähen *n*.

es·piè·gle·rie [ɛspjɛglə'ri] (*Fr.*) *s* Schelmenstück *n*.

es·pi·er [es'paiər] *s* Erspäher(in).

es·pi·o·nage ['espiənidʒ; ˌespiə'nɑːʒ] *s* Spio'nage *f*, ('Aus)Spioˌnieren *n*.

es·pla·nade [ˌesplə'neid] *s* Espla'nade *f* (*a. mil.*), offener, freier Platz.

es·pous·al [is'pauzəl; es-] *s* **1.** (**of**) Annahme *f* (von), offener Anschluß (an *acc*), Eintreten *n*, Par'teinahme *f* (für). **2.** *meist pl obs.* a) Vermählung *f*, b) Verlobung *f*. **es'pouse** [-z] *v/t* **1.** heiraten (*vom Mann*). **2.** *selten ein Mädchen* verheiraten (**to** an *acc*). **3.** *etwas* erwählen, eifrig auf- *od.* annehmen, eintreten *od.* sich einsetzen für, sich (*e-r Sache*) verschreiben, *e-n Glauben* annehmen.

es·pres·so [es'presou] *s* Es'pressomaˌschine *f* (*Kaffeemaschine*). ~ **bar,** ~ **ca·fé** *s* Es'presso(bar *f*) *n*.

es·prit [ɛs'pri; 'espriː] (*Fr.*) *s* Es'prit *m*, Geist *m*, Witz *m*. ~ **de corps** [də 'kɔːr] (*Fr.*) *s* Korpsgeist *m*.

es·py [es'pai] *v/t* erspähen, entdecken.

Es·qui·mau ['eskiˌmou] *pl* **-maux** [-ˌmou; -ˌmouz] → **Eskimo.**

es·quire [is'kwair; es-] *s* **1.** *Br. obs.* → **squire.** **2.** **E~** (*als Titel dem Namen nachgestellt, bes. auf Briefen, ohne Mr., Dr. etc, abbr.* **Esq.**) Wohlgeboren: **C.A. Brown, Esq.** Herrn C.A. Brown.

ess [es] *pl* **ess·es** ['esiz] *s* **1.** S, s *n* (*Buchstabe*). **2.** S *n*, S-förmiger Gegenstand, S-Form *f*: **Collar of Esses** *Br. hist. Abzeichen des Hauses Lancaster.*

es·say [e'sei] **I** *v/t* **1.** versuchen, pro'bieren, es versuchen *od.* e-n Versuch machen mit. **II** *v/i* **2.** versuchen, e-n Versuch machen. **III** *s* ['esei, 'esi] **3.** Versuch *m* (**at s.th.** [mit] e-r Sache; **at doing** zu tun). **4.** Essay *n*, (*kurze literarische etc*) Abhandlung, Aufsatz *m* (**on,** **in** über *acc*): ~ **questions,** ~ **test** *ped.* Prüfungsfragen, die mit e-r kurzen Abhandlung zu beantworten sind. '**es·say·ist** *s* Essay'ist(in), Verfasser(in) von Essays. ˌ**es·say'is·tic** *adj* essay'istisch.

es·sence ['esəns] *s* **1.** *philos.* Sub'stanz *f*, abso'lutes Sein. **2.** elemen'tarer Bestandteil: **fifth ~** Quintessenz *f*. **3.** *fig.* (*das*) Wesen(tliche), Kern *m* (*der Sache*): **in ~** im wesentlichen; **of the ~** von entscheidender Bedeutung, ausschlaggebend. **4.** Es'senz *f*, Auszug *m*, Ex'trakt *m*, ä'therisches Öl. **5.** Par'füm *n*, Wohlgeruch *m*.

Es·sene ['esiːn; e's-] *s relig. hist.* Es'sener *m*.

es·sen·tial [i'senʃəl; e's-] **I** *adj* (*adv* → essentially) **1.** wesentlich: a) grundlegend, fundamen'tal, b) inner(er, e, es), eigentlich, (lebens)wichtig, unentbehrlich, unbedingt erforderlich (to für): ~ **condition of life** *biol.* Lebensbedingung *f*; ~ **goods** lebenswichtige Güter; ~ **vows** *relig.* die drei wesentlichen Mönchsgelübde (*Keuschheit, Armut, Gehorsam*). **2.** *chem.* rein, destil'liert: ~ **oil** ätherisches Öl. **3.** *mus.* Haupt..., Grund...: ~ **chord** Grundakkord *m*. **II** *s meist pl* **4.** (*das*) Wesentliche *od.* Wichtigste, Hauptsache *f*, wesentliche 'Umstände *pl od.* Punkte *pl od.* Bestandteile *pl*. **5.** (wesentliche) Vor'aussetzung (to für): **an ~ to success.** **6.** unentbehrliche Per'son *od.* Sache. **es,sen·ti'al·i·ty** [-ʃi'æliti] *s* **1.** (*das*) Wesentliche. **2.** → essential 4. **es'sen·tial·ly** *adv* **1.** im wesentlichen, in der Hauptsache. **2.** in hohem Maße, ganz besonders.

es·tab·lish [is'tæbliʃ; es-] *v/t* **1.** festsetzen, einrichten, errichten, eta'blieren: **to ~ an account** ein Konto eröffnen; **to ~ a law** ein Gesetz einführen *od.* erlassen; **to ~ a republic** e-e Republik gründen; **to ~ a theory** e-e Theorie aufstellen. **2.** a) *j-n* einsetzen, ernennen, b) *e-n Ausschuß etc* bilden, einsetzen, schaffen, c) *ein Geschäft* eta'blieren, (be)gründen, errichten, d) *s-n Wohnsitz* begründen. **3.** *j-n beruflich* 'unterbringen, selbständig machen: **to ~ o.s.** *econ. u. fig.* sich etablieren, sich niederlassen. **4.** *fig. Ruhm, Rechte etc* begründen: **to ~ one's reputation as a surgeon** sich als Chirurg e-n Namen machen. **5.** *e-e Ansicht, Forderung etc* 'durchsetzen, Geltung verschaffen (*dat*). **6.** *Ordnung* schaffen, *e-e Verbindung etc* 'herstellen: **to ~ order; to ~ contact with s.o.** mit j-m Fühlung aufnehmen. **7.** *e-n Rekord* aufstellen. **8.** be-, erweisen, (einwandfrei) nachweisen: **to ~ one's identity; to ~ the fact that** die Tatsache beweisen, daß. **9.** *Kirche* verstaatlichen: **E~ed Church of England** englische Staatskirche. **es'tab·lished** *adj* **1.** bestehend: **the ~ laws.** **2.** fest begründet *od.* eingeführt. **3.** feststehend, unzweifelhaft: **an ~ fact.** **4.** zum festen Perso'nal gehörend: ~ **official** planmäßiger Beamter; ~ **staff** Stammpersonal *n*. **5. E~ Church** Staatskirche *f*.

es·tab·lish·ment [is'tæbliʃmənt; es-] *s* **1.** Errichtung *f*, Einrichtung *f*, Ein-, Festsetzung *f*, Einführung *f*, (Be)Gründung *f*, Bildung *f*, Schaffung *f*, Eta'blierung *f*: ~ **of diplomatic relations** Aufnahme *f* diplomatischer Beziehungen. **2.** Versorgung *f*, Einkommen *n*. **3.** *relig.* staatskirchliche Verfassung. **4.** organi'sierte Körperschaft *od.* Staatseinrichtung: **civil ~** Beamtenschaft *f*; **military ~** (*das*) Militär; **naval ~** (*die*) Flotte. **5.** *pol.* (*das*) E'stablishment, (*die*) eta'blierte Macht, (*die*) herrschende Schicht. **6.** *mar. mil.* a) Perso'nal-, Mannschaftsbestand *m*, (Soll)Stärke *f*, b) *Br.* Stärke- u. Ausrüstungsnachweisung *f*: **war ~** Kriegsstärke *f*. **7.** Anstalt *f*, (öffentliches) Insti'tut: **educational ~; research ~.** **8.** *econ.* Firma *f*, Geschäft *n*, Unter'nehmen *n*. **9.** Niederlassung *f*, fester Wohnsitz, (*bes. großer*) Haushalt: **to keep up a large ~** ein großes Haus führen. **10.** Nachweis *m*, Feststellung *f*: ~ **of paternity** *jur.* Vaterschaftsnachweis. **es,tab·lish·men'tar·i·an** [-men'tɛ(ə)riən] **I** *adj* staatskirchlich. **II** *s* Anhänger(in) des Staatskirchentums.

es·tate [is'teit; es-] *s* **1.** Stand *m*, Klasse *f*: **the (Three) E~s of the Realm** *Br.* die drei gesetzgebenden Stände (**Lords Spiritual, Lords Temporal, Commons**); **the third ~** *Fr. hist.* der dritte Stand, das Bürgertum; **the fourth ~** *humor.* die Presse. **2.** *jur.* a) Besitz(tum *n*) *m*, Vermögen *n*, (Erbschafts-, Kon'kurs)Masse *f*, Nachlaß *m*: → **personal** 6, **real**[1] 4, b) Besitzrecht *n*. **3.** (großes) Grundstück, Besitzung *f*, Landsitz *m*, Gut *n*. **4.** *fast nur Bibl.* (Zu)Stand *m*: **man's ~** Mannesalter *n*. **~ a·gent** *s Br.* **1.** Grundstücksverwalter *m*. **2.** Grundstücks-, Häusermakler *m*. **~ bot·tled** *adj* auf dem (Wein)Gut abgefüllt. **~ car** *s Br.* Kombiwagen *m*. **~ du·ty** *s jur. Br.* Nachlaßsteuer *f*. **~ (in) fee sim·ple** *s jur.* unbeschränkt vererbliches Grundeigentum. **~ in joint ten·an·cy** *s jur.* gemeinschaftlicher Besitz. **~ (in) tail** *s jur.* (*in bezug auf Veräußerung u. Vererbung*) beschränktes Besitzrecht, Fideikommiß *n*. **~ tax** *s jur. Am.* Nachlaßsteuer *f*.

es·teem [is'tiːm; es-] **I** *v/t* **1.** achten, (hoch)schätzen: **to ~ highly (little)** hoch- (gering)schätzen. **2.** erachten *od.* ansehen als, *etwas* halten für: **to ~ it an hono(u)r.** **II** *s* **3.** (for, of) Wertschätzung *f* (*gen*), Achtung *f* (vor *dat*): **to hold in (high) ~** → 1.

es·ter ['estər] *s chem.* Ester *m*. **es'ter·i,fy** [-'teri,fai] *chem.* **I** *v/t* in Ester verwandeln, zu Ester machen. **II** *v/i* sich in Ester verwandeln. **,es·ter·i'za·tion** *s chem.* Verwandlung *f* in *od.* Bildung *f* von Ester.

Es·ther ['estər] *npr u. s Bibl.* (das Buch) Esther *f*.

es·thete *etc* → aesthete *etc*.

Es·tho·ni·an → Estonian.

es·ti·ma·ble ['estiməbl] *adj* (*adv* estimably) **1.** achtens-, schätzenswert. **2.** schätzbar.

es·ti·mate ['esti,meit] **I** *v/t* **1.** (ab-, ein)schätzen, ta'xieren, veranschlagen (at auf *acc*, zu): **~d income** geschätztes Einkommen; **~d time of arrival** *aer.* voraussichtliche Ankunftszeit; **~d value** Schätzungswert *m*; **an ~d 200 buyers** schätzungsweise 200 Käufer. **2.** *etwas* beurteilen, bewerten, sich e-e Meinung bilden über (*acc*). **II** *v/i* **3.** (ab)schätzen. **III** *s* [-mit; -,meit] **4.** Schätzung *f*, Veranschlagung *f*, (Kosten)Anschlag *m*: **fair (rough) ~** reiner (grober) Überschlag; **building ~** Baukostenvoranschlag; **the E~s** *pol.* (Staats)Haushaltsvoranschlag, Bud'get *n*. **5.** Bewertung *f*, Beurteilung *f*: **to form an ~ of** → 2.

es·ti·ma·tion [,esti'meiʃən] *s* **1.** → estimate 4. **2.** Meinung *f*, Ansicht *f*, Urteil *n*: **in my ~** nach m-r Ansicht. **3.** (Wert)Schätzung *f*, (Hoch)Achtung *f*, guter Ruf: **to hold in ~** hochschätzen.

es·ti·val ['estivəl; es'taivəl; *Br. a.* iːs-] *adj* sommerlich, Sommer... **'es·ti,vate** [-,veit] *v/i zo.* über'sommern, e-n Sommerschlaf halten. **,es·ti'va·tion** *s* **1.** *zo.* Sommerschlaf *m*. **2.** *bot.* Knospendeckung *f*.

Es·to·ni·an [es'touniən] **I** *s* **1.** Este *m*, Estin *f*, Estländer(in). **2.** *ling.* Estnisch *n*, das Estnische. **II** *adj* **3.** estnisch.

es·top [es'tɒp; is-] *v/t jur. j-n* hindern (from s.th. an e-r Sache; from doing zu tun): **to be ~ped** (*durch sein früheres Verhalten* an der Geltendmachung e-s Rechtes *etc*) gehindert sein. **es'top·pel** [-əl] *s jur.* Ausschluß *m*, Hinderung *f* (*e-r Einrede etc auf Grund gegensätzlichen früheren Verhaltens des Antragstellers*).

es·trade [es'trɑːd] *s* E'strade *f*, erhöhter Platz.

es·trange [is'treindʒ; es-] *v/t* **1.** fernhalten (from von). **2.** *j-n* entfremden, abwenden, *j-s Zuneigung* abwendig machen (from *dat*). **es'trange·ment** *s* Entfremdung *f* (from von).

es·tray [is'trei; es-] *s* verirrtes *od.* entlaufenes Haustier.

es·treat [es'triːt] *jur.* **I** *s* **1.** beglaubigte Abschrift. **II** *v/t* **2.** Proto'kollauszüge (*e-s Urteils etc*) machen (*u. dem Vollstreckungsbeamten übermitteln*). **3.** a) *j-m* e-e Geldstrafe auferlegen, b) *etwas* eintreiben.

es·tri·ol ['estri,ɒl; -,oul; 'iːs-] *s biol. chem.* Oestri'ol *n*. **'es·tro·gen** [-trədʒən] *s biol. chem.* Oestro'gen *n* (*Sexualhormon*). **,es·tro'gen·ic** [-'dʒenik] *adj* oestro'gen. **'es·trone** [-troun] *s biol. chem.* Oe'stron *n* (*weibliches Sexualhormon*).

es·tu·ar·y ['estjuəri] *s* **1.** (*den Gezeiten ausgesetzte*) Flußmündung. **2.** Meeresbucht *f*, -arm *m*.

et cet·er·a, et·cet·er·a [et'setərə; -trə; -it-] (*Lat.*) und das übrige, und so weiter, et cetera (*abbr. etc. od. &c*). **et'cet·er·as** *s pl* Kleinigkeiten *pl*, Sonstiges *n*, Extraausgaben *pl*.

etch [etʃ] *v/t u. v/i* **1.** *tech. Metall, Glas etc* ätzen. **2.** a) kupferstechen, b) ra'dieren. **3.** *fig.* zeichnen, profi'lieren. **4.** *fig. ins Gedächtnis etc* eingraben. **'etch·er** *s* Kupferstecher *m*, Ra'dierer *m*. **'etch·ing** *s* **1.** Ätzen *n*, Ra'dieren *n*, Kupferstechen *n*: **~ bath** Ätzbad *n*; **~ needle** Radiernadel *f*. **2.** Ätz-, Ra'dierkunst *f*, ,Kupferstече'rei *f*. **3.** Ra'dierung *f*, Kupferstich *m*.

e·ter·nal [i'təːrnl] **I** *adj* (*adv* **~ly**) **1.** ewig: a) zeitlos, b) immerwährend: **~ life; the E~ City** die Ewige Stadt (*Rom*), c) 'unab,änderlich: **~ truth.** **2.** unveränderlich, bleibend. **3.** *colloq.* ,ewig', unaufhörlich. **II** *s* **4. the E~** der Ewige (*Gott*). **5.** *pl* ewige Dinge *pl*. **e'ter·nal,ize** *v/t* verewigen: a) unsterblich *od.* unvergeßlich machen, b) ewig fortdauern lassen.

e·ter·ni·ty [i'təːrniti] *s* **1.** Ewigkeit *f*, Un'sterblichkeit *f*: **to all ~** bis in alle Ewigkeit. **2.** *fig.* Ewigkeit *f*, sehr lange Zeit. **3.** *relig.* a) Ewigkeit *f*, Jenseits *n*, b) *pl* ewige Wahrheit(en *pl*). **e'ter·nize** → eternalize.

e·te·sian [i'tiːʒən] *adj* peri'odisch, Jahres..., jährlich: **E~ winds** Etesien (*passatähnliche Winde im Mittelmeer*).

eth·ane ['eθein] *s chem.* Äthylwasserstoff *m*, Ä'than *n*. **'eth·a,nol** [-ə,nɒl; -,noul] *s chem.* Ätha'nol *n*, Ä'thylalkohol *m*. **'eth·ene** [-iːn] *s chem.* Ä'then *n*, Äthy'len *n*. **'eth·e,nol** [-ə,nɒl; -,noul] *s chem.* Vi'nylalkohol *m*. **'eth·e·nyl** [-nil] *s* Äthyli'den *n*.

e·ther ['iːθər] *s* **1.** *poet.* Äther *m*, Himmel *m*. **2.** *chem.* a) Äther *m*, b) Ätherverbindung *f*: **butyric ~** Buttersäureäther. **3.** *phys. hist.* (Licht)Äther *m* (*bis um 1900 angenommener Stoff im freien Raum*). **e·the·re·al** [i'θi(ə)riəl] *adj* (*adv* **~ly**) ä'therisch: a) *poet.* himmlisch, zart, vergeistigt, b) *chem.* ätherartig. **e,the·re'al·i·ty** [-'æliti] → etherealness. **e'the·re·al,ize** [-ə,laiz] *v/t*

1. *fig.* ä'therisch machen, vergeistigen, verklären. 2. *chem.* ätheri'sieren.
e'the·re·al·ness *s* ä'therisches Wesen, Geistigkeit *f*. **e'the·re·ous, e·ther·ic** [i'θerik] *adj* ä'therisch, Äther... **e'ther·i,fy** [-,fai] *v/t* in Äther verwandeln. **'e·ther,ism** *s med.* Äthervergiftung *f*. **,e·ther·i'za·tion** *s med.* 'Ätherbetäubung *f*, -nar,kose *f*. **'e·ther,ize** *v/t* 1. → etherify. 2. *med.* mit Äther betäuben, narkoti'sieren.
eth·ic ['eθik] I *adj* (*adv* ~ally) 1. *selten für* ethical. II *s* 2. *pl* (*als sg konstruiert*) Mo'ralphiloso,phie *f*, Sittenlehre *f*, Ethik *f* (*als Wissenschaft*). 3. *pl* (*als pl konstruiert*) a) Sittlichkeit *f*, Mo'ral *f*, sittliche Haltung, b) (Berufs- *etc*) Ethos *n*, ethische Grundsätze *pl*: professional ~s. **'eth·i·cal** *adj* (*adv* ~ly) 1. ethisch: a) die Ethik betreffend: ~ literature, b) mo'ralisch, sittlich: ~ practices. 2. mo'ralisch einwandfrei, von ethischen Grundsätzen (geleitet). 3. dem Berufsethos entsprechend: not ~ for physicians dem Berufsethos der Ärzte widersprechend. 4. *pharm. Am.* re'zeptpflichtig: ~ drugs. 5. *ling.* ethisch: ~ dative.
eth·i·cist ['eθisist] *s* Ethiker *m*, Mora'list *m*.
eth·ine ['eθain] → acetylene.
E·thi·o·pi·an [,i:θi'oupiən] I *adj* 1. äthi'opisch. II *s* 2. Äthi'opier(in). 3. Angehörige(r *m*) *f* der äthi'opischen Rasse. 4. *humor.* Mohr *m*. **,E·thi'op·ic** [-'ɒpik] I *adj* äthi'opisch. II *s ling.* Äthi'opisch *n*.
eth·moid ['eθmɔid] *adj anat.* siebartig.
eth·nic ['eθnik] *adj*; **'eth·ni·cal** [-kəl] *adj* (*adv* ~ly) 1. heidnisch (*weder christlich noch jüdisch*). 2. ethnisch, rassisch, völkisch: ~ group *sociol.* Volksgruppe *f*; ~ German Volksdeutsche(r *m*) *f*.
eth·nog·e·ny [eθ'nɒdʒəni] *s* (Lehre *f* von der) Völkerentstehung *f*.
eth·nog·ra·pher [eθ'nɒgrəfər] *s* Ethno'graph *m*, Völkerforscher *m*. **eth·no·graph·ic** [,eθnə'græfik] *adj*; **,eth·no'graph·i·cal** *adj* (*adv* ~ly) ethno'graphisch, völkerkundlich. **eth'nog·ra·phy** *s* Ethnogra'phie *f*, (beschreibende) Völkerkunde.
eth·o·log·ic [,eθə'lɒdʒik] *adj*; **,eth·o'log·i·cal** [-kəl] *adj* (*adv* ~ly) etho'logisch. **e·thol·o·gist** [i'θɒlədʒist] *s* Etho'loge *m*. **e'thol·o·gy** *s* 1. *zo.* Etholo'gie *f*, Verhaltensforschung *f*, -lehre *f*. 2. Wissenschaft *f* von der Cha'rakterbildung, Per'sönlichkeitsforschung *f*.
e·thos ['i:θɒs] *s* 1. Ethos *n*, Cha'rakter *m*, Geist *m*, Wesensart *f*, sittlicher Gehalt (*e-r Kultur*). 2. Ethos *n*, sittliche Lebensgrundsätze *pl*. 3. ethischer Wert (*e-s Kunstwerks*).
eth·yl ['eθil] *s* 1. *chem.* Ä'thyl *n*. 2. *tech.* a) E~ (*TM*) *Name e-s Antiklopfmittels*, b) Treibstoff *m* mit Antiklopfmittel. ~ **ac·e·tate** *s chem.* Ä'thylace,tat *n*. ~ **al·co·hol** *s chem.* (Ä'thyl)Alkohol *m*, Spiritus *m*.
eth·yl·a·mine [,eθilə'mi:n; -'æmin] *s chem.* Äthyla'min *n*. **'eth·yl,ate** [-,leit] *chem.* I *s* Äthy'lat *n*, Ä'thylverbindung *f*. II *v/t* mit Ä'thyl verbinden, äthy'lieren.
eth·yl·ene ['eθi,li:n] *s chem.* Äthy'len *n*, schweres Kohlen'wasserstoffgas. ~ **chlo·ride** *s chem.* Äthy'lenchlo,rid *n*.
e·ti·o·late ['i:tiə,leit] *v/t* 1. *agr.* etio'lieren, vergeilen, (*durch Ausschluß von Licht*) bleichen. 2. *fig.* bleichsüchtig machen, verkümmern lassen. **,e·ti·o'la·tion** *s* 1. Bleichsucht *f*, -werden *n*. 2. *fig.* Siechtum *n*. 3. *agr.* Etiole'ment *n*, Vergeilung *f*.
e·ti·ol·o·gy [,i:ti'ɒlədʒi] *s* Ätiolo'gie *f*: a) Ursachenlehre *f*, b) *med.* Ursachenforschung *f*.
et·i·quette ['eti,ket; ,eti'ket] *s* Eti'kette *f*: a) ('Hof)Zeremoni,ell *n*, b) Anstandsregeln *pl*, (gute) 'Umgangsformen *pl*.
E·ton| col·lar ['i:tn] *s* breiter, steifer 'Umlegekragen. ~ **Col·lege** *s berühmte englische* Public School. ~ **crop** *s* Herrenschnitt *m*.
E·to·ni·an [i:'touniən] I *adj* Eton... II *s* Schüler *m* des Eton College.
E·ton jack·et *s* schwarze, kurze Jacke (*bes. der Etonschüler*).
E·trus·can [i'trʌskən], *a.* **E·tru·ri·an** [i'tru(ə)riən] I *adj* 1. e'truskisch. II *s* 2. E'trusker(in). 3. *ling.* E'truskisch *n*, das Etruskische.
é·tude [ei'tju:d] *s mus.* E'tüde *f*, Übungsstück *n*.
e·tui [ei'twi:; 'etwi:], *a.* **e·twee** [e'twi:; 'etwi:] *s* E'tui *n*.
e·tym·ic [e'timik] *adj ling.* Wurzel-, Stamm(wort)...
et·y·mo·log·ic [,etimə'lɒdʒik] *adj*; **,et·y·mo'log·i·cal** [-kəl] *adj* (*adv* ~ly) etymo'logisch. **,et·y'mol·o·gist** [-'mɒlədʒist] *s* Etymo'loge *m*. **,et·y'mol·o,gize** I *v/t* etymo'logisch erklären, *Wörter* auf ihren Ursprung unter'suchen, ableiten. II *v/i* Etymolo'gie treiben. **,et·y'mol·o·gy** *s ling.* Etymolo'gie *f*, Wortableitung *f*.
et·y·mon ['eti,mɒn] *s* Etymon *n*, Grund-, Stammwort *n*.
eu·ca·lyp·tus [,ju:kə'liptəs] *pl* **-ti** [-tai], *a.* **-tus·es** *s bot.* Euka'lyptus *m*: ~ oil *chem.* Eukalyptusöl *n*.
eu·cha·ris ['ju:kəris] *s bot.* Eucharis *f*.
Eu·cha·rist ['ju:kərist] *s relig.* 1. Euchari'stie *f*, (*das*) heilige Abendmahl, Sakra'ment *n* des Abendmahls. 2. Hostie *f*, 'Abendmahlsob,late *f*. 3. *Christian Science*: Verbindung *f* zu Gott. **,Eu·cha'ris·tic** *adj*: ~ Congress *R.C.* Eucharistischer Kongreß. **,Eu·cha'ris·ti·cal** *adj* eucha'ristisch, Abendmahls...
eu·chre ['ju:kər] I *s* 1. Euchrespiel *n* (*ein amer. Kartenspiel*). II *v/t* 2. im Euchrespiel besiegen. 3. *Am. sl.* a) über'tölpeln, b) prellen (out of um).
Eu·clid ['ju:klid] *s* 1. Eu'klids Werke *pl*. 2. (Eu'klidische) Geome'trie: to know one's ~ in der Geometrie gut beschlagen sein. **Eu'clid·e·an** *adj* eu'klidisch.
eu·dae·mon·ic [,ju:di'mɒnik], **,eu·dae'mon·i·cal** *adj* glückbringend. **,eu·dae'mon·ics** *s pl* 1. Mittel *pl* zum Glück. 2. (*als sg konstruiert*) → eudaemonism. **eu'dae·mon,ism** [-'di:mə,nizəm] *s philos.* Eudämo'nismus *m*, Glück'seligkeitslehre *f*.
eu·de·mon·ic *etc* → eudaemonic *etc*.
eu·gen·ic [ju:'dʒenik] *adj* (*adv* ~ally) eu'genisch, 'rassenhygi,enisch, -veredelnd. **eu'gen·ics** *s pl* (*als sg konstruiert*) Eu'genik *f*, 'Rassenhygi,ene *f*. **'eu·ge·nist** [-dʒənist] *s* Eu'geniker *m*.
eu·lo·gist ['ju:lədʒist] *s* Lobredner(in). **,eu·lo'gis·tic** *adj* (*adv* ~ally) (lob)preisend, lobend, rühmend: to be ~ of preisen. **eu'lo·gi·um** [-'loudʒiəm] → eulogy. **'eu·lo,gize** *v/t* loben, preisen, ‚in den Himmel heben'. **'eu·lo·gy** *s* 1. Lob(preisung *f*) *n*. 2. Lobrede *f*, Lob-, Nachschrift *f* (on auf *acc*).
Eu·men·i·des [ju:'meni,di:z] *s pl antiq.* Eume'niden *pl* (*Rachegöttinnen*).
eu·mer·ism ['ju:mə,rizəm] *s biol.* Masse *f* eume'ristischer Teile.
eu·nuch ['ju:nək] *s* 1. Eu'nuch *m*, (*kastrierter*) Haremsaufseher. 2. Entmannte(r) *m*, Ka'strat *m*. 3. *fig.* Schwächling *m*.
eu·pep·sia [ju:'pepsiə; -ʃə] *s med.* Eupep'sie *f*, gute Verdauung. **eu'pep·tic** [-tik] *adj med.* 1. gut verdauend. 2. verdauungsfördernd. 3. *fig.* heiter, opti'mistisch.
eu·phe·mism ['ju:fə,mizəm] *s* Euphe'mismus *m*: a) (sprachliche) Beschönigung *od.* Verhüllung, b) beschönigender Ausdruck. **,eu·phe'mis·tic** *adj* (*adv* ~ally) euphe'mistisch, beschönigend, mildernd. **'eu·phe,mize** I *v/t etwas* euphe'mistisch *od.* beschönigend ausdrücken. II *v/i* Euphe'mismen verwenden.
eu·phon·ic [ju:'fɒnik], **eu'pho·ni·ous** [-'founiəs] *adj* wohllautend, -klingend. **eu'pho·ni·um** [-əm] *s mus.* Eu'phonium *n* (*Name mehrerer Musikinstrumente, bes. des Baritonhorns*). **'eu·pho·ny** *s* 1. Eupho'nie *f*, Wohlklang *m*. 2. *ling.* leichte, angenehme Aussprache.
eu·phor·bi·a [ju:'fɔ:rbiə] *s bot.* Wolfsmilch *f*.
eu·pho·ri·a [ju:'fɔ:riə] *s* Eupho'rie *f*, subjek'tives Wohlbefinden (*a. med. Schwerkranker*). **eu'phor·ic** [-'fɒrik] *adj u. s med.* Eupho'rie erzeugend(es Mittel). **'eu·pho·ry** [-fəri] → euphoria.
eu·phra·sy ['ju:frəsi] *s bot.* Augentrost *m*.
eu·phu·ism ['ju:fju:,izəm] *s* Euphu'ismus *m*: a) *Stil nach Lylys „Euphues"*, b) gezierte Ausdrucksweise, verstiegener Stil, c) gezierter Ausdruck. **'eu·phu·ist** *s* Euphu'ist *m*. **,eu·phu'is·tic** *adj* (*adv* ~ally) euphu'istisch, geziert, gespreizt, schwülstig.
Eur·a·sian [ju(ə)'reiʒən; -ʒiən] I *adj* eu'rasisch. II *s* Eu'rasier(in).
Eu·re·ka [ju(ə)'ri:kə] *interj* heureka!, ich hab's (gefunden)!
eu·rhyth·mic *etc* → eurythmic *etc*.
Eu·ro·pe·an [,ju(ə)rə'pi:ən] I *adj* euro'päisch: ~ Atomic Energy Community Europäische Gemeinschaft für Atomenergie; ~ Coal and Steel Community Europäische Gemeinschaft für Kohle u. Stahl; ~ Economic Community Europäische Wirtschaftsgemeinschaft; ~ championship *sport* Europameisterschaft *f*; ~ plan *Am.* Hotelzimmer-Vermietung *f* ohne Verpflegung (*Ggs.* American Plan). II *s* Euro'päer(in). **,Eu·ro'pe·an,ism** *s* Euro'päertum *n*. **,Eu·ro'pe·an,ize** *v/t* europäi'sieren.
Eu·ro·vi·sion ['ju(ə)ro,viʒən] *s* Eurovisi'on *f* (*europäisches Fernsehnetz*).
eu·ryth·mic [ju:'riðmik; ju(ə)-], **eu'ryth·mi·cal** [-kəl] *adj* eu'rhythmisch: a) die Harmo'nie (der Teile) betreffend, b) *arch.* proportio'niert, har'monisch ([an]geordnet). **eu'ryth·mics** *s pl* (*als sg konstruiert*) rhythmische, har'monische Bewegung, *bes.* Ausdruckstanz *m*. **eu'ryth·my** *s* Eurhyth'mie *f*: a) *arch.* Ebenmaß *n*, Harmo'nie *f*, b) *med.* Regelmäßigkeit *f* des Pulses, c) *Anthroposophie*: *harmonische Vereinigung von Gesang od. Sprache mit Bewegung*.
Eu·sta·chi·an tube [ju:'steikiən; -ʃiən] *s anat.* Eu'stachische Röhre, 'Ohrtrom,pete *f*.
eu·tec·tic [ju:'tektik] *tech.* I *adj* 1. eu'tektisch: ~ alloy. 2. Legierungs... II *s* 3. Eu'tektikum *n* (*Stoffgemisch mit einheitlichem Schmelzpunkt*).
eu·tha·na·si·a [,ju:θə'neiziə; -ʒə] *s*

Euthana'sie *f*: a) sanfter Tod, b) *schmerzlose Tötung von unheilbar Kranken*, c) *med.* Sterbehilfe *f*.

eu·then·ics [juː'θeniks] *s pl* (*als sg konstruiert*) Eu'thenik *f* (*Lehre von der Steigerung der Lebenskraft durch Verbesserung der Umweltbedingungen*).

eu·tro·phy ['juːtrəfi] *s* Eutro'phie *f*, guter Ernährungszustand.

e·vac·u·ant [i'vækjuənt] *med.* **I** *adj* abführend. **II** *s* Abführmittel *n*.

e·vac·u·ate [i'vækjuˌeit] **I** *v/t* **1.** aus-, entleeren. **2.** a) *die Luft etc* her'auspumpen, b) *Gefäß* luftleer pumpen. **3.** *med.* entleeren, ausscheiden: to ~ **the bowels** den Darm entleeren, abführen. **4.** a) *Personen* evaku'ieren, aussiedeln, verschicken, b) *mil. Truppen* verlegen, *Verwundete etc* 'abtransporˌtieren, c) *Dinge* verlagern, d) *ein Gebiet etc, a. ein Haus* räumen. **5.** *fig.* s-s Inhaltes *od.* Wertes berauben. **II** *v/i* **6.** *bes. mil.* sich zu'rückziehen. **eˌvac·u'a·tion** *s* **1.** Aus-, Entleerung *f*. **2.** *mil.* a) Evaku'ierung *f*, 'Um-, Aussiedlung *f*, 'Abtransˌport *m*, Verlegung *f*, b) Räumung *f*: ~ **hospital** *Am.* Feldlazarett *n*. **3.** *med.* a) (Kot)-Entleerung *f*, Stuhlgang *m*, b) Kot *m*.

e·vac·u·ee [iˌvækju'iː; i'vækjuˌiː] *s* Evaku'ierte(r *m*) *f*, Aus-, 'Umsiedler(in).

e·vade [i'veid] *v/t* sich *e-r Sache* entziehen, *e-r Sache* entgehen, (*geschickt*) ausweichen, entwischen, *etwas* um'gehen, vermeiden, *jur. Steuern* hinter'ziehen: to ~ **detection** der Entdeckung entgehen; to ~ **a duty** sich e-r Pflicht entziehen; to ~ **definition** sich nicht definieren lassen. **e'vad·er** *s mil. Versprengter, der sich der Gefangennahme entziehen konnte.*

e·val·u·ate [i'væljuˌeit] *v/t* **1.** abschätzen, bewerten, beurteilen. **2.** berechnen, (zahlenmäßig) bestimmen. **3.** auswerten. **eˌval·u'a·tion** *s* **1.** Abschätzung *f*, Ta'xierung *f*, Beurteilung *f*, Bewertung *f*. **2.** *math.* (Wert)Bestimmung *f*, Berechnung *f*. **3.** Auswertung *f*.

ev·a·nesce [ˌevə'nes] *v/i* (ver)schwinden. **ˌev·a'nes·cence** [-'nesns] *s* **1.** (Da'hin)Schwinden *n*. **2.** Vergänglichkeit *f*. **ˌev·a'nes·cent** *adj* (*adv* ~**ly**) **1.** (ver-, da'hin)schwindend. **2.** *math.* un'endlich klein (*a. fig.*).

e·van·gel [i'vændʒəl] *s relig. u. fig.* Evan'gelium *n*.

e·van·gel·ic [ˌiːvæn'dʒelik] *adj* (*adv* ~**ally**) **1.** die vier Evan'gelien betreffend, Evangelien... **2.** evan'gelisch, prote'stantisch. **ˌe·van'gel·i·cal I** *adj* (*adv* ~**ly**) → **evangelic. II** *s* Anhänger(in) *od.* Mitglied *n* e-r evan'gelischen Kirche, Evan'gelische(r *m*) *f*. **ˌe·van'gel·i·calˌism** *s* **1.** Evan'geliumsgläubigkeit *f* (*Ggs. Werkgläubigkeit*). **2.** evan'gelischer Glaube. **e·van·gel·ism** [i'vændʒəˌlizəm] *s* Verkündigung *f* des Evan'geliums. **e'van·gelist** *s* **1.** *Bibl.* Evange'list *m*. **2.** Evange'list *m*, Erweckungs-, Wanderprediger *m*. **3.** Patri'arch *m* (*der Mormonenkirche*). **e'van·geˌlize I** *v/i* das Evan'gelium predigen, evangeli'sieren. **II** *v/t* für das Evan'gelium gewinnen, (zum Christentum) bekehren.

e·van·ish [i'væniʃ] *v/i meist poet.* (da'hin)schwinden.

e·vap·o·ra·ble [i'væpərəbl] *adj* verdunstbar. **e'vap·oˌrate** [-ˌreit] **I** *v/t* **1.** zur Verdampfung bringen, verdampfen *od.* verdunsten lassen. **2.** ab-, eindampfen, evapo'rieren: ~**d milk** Kondensmilch *f*. **3.** *fig.* schwinden lassen. **II** *v/i* **4.** verdampfen, -dunsten. **5.** *fig.* verschwinden, sich verflüchtigen (*beide a colloq. abhauen*), verfliegen. **eˌvap·o'ra·tion** *s* **1.** Verdampfung *f*, -dunstung *f*, -flüchtigung *f* (*a. fig.*). **2.** *tech.* Ab-, Eindampfen *n*, Einkochen *n*. **3.** *fig.* Verfliegen *n*. **e'vap·oˌra·tive** *adj* Verdunstungs..., Verdampfungs... **e'vap·oˌra·tor** [-tər] *s tech.* Abdampfvorrichtung *f*, Verdampfer *m*, Eindämpfgerät *n*.

e·va·sion [i'veiʒən] *s* **1.** Entkommen *n*, -rinnen *n*, Flucht *f*. **2.** (listiges) Ausweichen, Um'gehung *f*: ~ **of a duty** Vernachlässigung *f* e-r Pflicht; ~ **of a law** Umgehung e-s Gesetzes; ~ **of a tax** Hinterziehung *f* e-r Steuer. **3.** Ausflucht *f*, Ausrede *f*, ausweichende Antwort. **e'va·sive** [-siv] *adj* (*adv* ~**ly**) **1.** ausweichend: ~ **answer**; to be ~ ausweichen. **2.** aalglatt, gerissen. **3.** schwer feststell- *od.* faßbar. **e'va·sive·ness** *s* ausweichendes Wesen *od.* Verhalten.

Eve[1] [iːv] *npr Bibl.* Eva *f*: **a daughter of** ~ e-e Evastochter.

eve[2] [iːv] *s* **1.** *poet.* Abend *m*. **2.** *meist* E~ Vorabend *m*, -tag *m* (*e-s Festes*). **3.** *fig.* Vorabend *m*, Tag *m* (*vor e-m Ereignis*): **on the** ~ **of** am Vorabend von (*od. gen*); **to be on** (*od.* **upon**) **the** ~ **of s.th.** unmittelbar vor etwas stehen.

e·vec·tion [i'vekʃən] *s astr.* Evekti'on *f*, (*Größe der*) Ungleichheit *f* der Mondbahn (*um die Erde*).

e·ven[1] ['iːvən] *adv* **1.** so'gar, selbst, auch (*verstärkend*): ~ **the king**; ~ **in winter**; **not** ~ **he** nicht einmal er; **I never** ~ **read it** ich habe es nicht einmal gelesen; ~ **then** selbst dann; ~ **though**, ~ **if** selbst wenn, wenn auch; **without** ~ **looking** ohne auch nur hinzusehen. **2.** noch (*vor comp*): ~ **better** (sogar) noch besser; ~ **more** noch mehr. **3.** gerade (*zeitlich*): ~ **now** a) eben *od.* gerade jetzt, b) selbst jetzt *od.* heutzutage; **not** ~ **now** nicht einmal jetzt, selbst *od.* auch jetzt noch nicht. **4.** eben, ganz, gerade (*verstärkend*): ~ **as I expected** gerade *od.* genau, wie ich erwartete; ~ **as he spoke** gerade als er sprach; ~ **so** immerhin, dennoch, trotzdem, selbst dann. **5.** nämlich, das heißt: **God,** ~ **our own God. 6. or** ~ oder auch (nur), oder gar.

e·ven[2] ['iːvən] **I** *adj* **1.** eben, flach, glatt, gerade, gleich: ~ **with the ground** dem Boden gleich. **2.** in gleicher Höhe (**with** mit). **3.** *fig.* ausgeglichen, ruhig, gelassen: **of an** ~ **temper** ruhigen Gemüts; **an** ~ **voice** e-e ruhige *od.* kalte Stimme. **4.** gleichmäßig: ~ **colo(u)r (distance, rhythm,** *etc*); ~ **features** regelmäßige (Gesichts)Züge. **5.** waag(e)recht, horizon'tal: → **keel**[1] 1. **6.** *econ.* a) ausgeglichen, glatt, quitt, schuldenfrei, b) ohne (Gewinn *od.*) Verlust: **to be** ~ **with s.o.** mit j-m quitt sein (→ 10); **to get** ~ **with s.o.** mit j-m abrechnen *od.* quitt werden (*a. fig.*); → **break even. 7.** im Gleichgewicht (*a. fig.*). **8.** gerecht, 'unparˌteiisch: ~ **law. 9.** gleich, i'dentisch: ~ **portions**; ~ **bet** Wette *f* mit gleichem Einsatz; ~ **chances** gleiche Chancen; **he stands an** ~ **chance of winning** er hat e-e echte Chance, zu gewinnen; **to meet on** ~ **ground** mit gleichen Chancen kämpfen; ~ **money** gleicher (Wett)Einsatz; **your letter of** ~ **date** Ihr Schreiben gleichen Datums. **10.** gleich (*im Rang etc*): **to be** ~ **with s.o.** j-m gleichstehen (→ 6). **11.** gerade (*Zahl*; *Ggs.* **odd**): ~ **number**; ~ **page** Buchseite *f* mit gerader Zahl; **to end** ~ *print.* mit voller Zeile abschließen. **12.** rund, voll: ~ **sum. 13.** prä'zise, genau: **an** ~ **dozen** genau ein Dutzend.

II *v/t* **14.** (ein)ebnen, gleichmachen, glätten. **15.** *a.* ~ **out** ausgleichen. **16.** ~ **up** *e-e Rechnung* aus-, begleichen: **to** ~ **up accounts** Konten abstimmen; **to** ~ **matters up** sich revanchieren.

III *v/i* **17.** sich ausgleichen, gleich werden. **18. to** ~ **up on s.o.** mit j-m quitt werden.

e·ven[3] ['iːvən] *s poet. od. dial.* Abend *m*.

'e·ven|ˌfall *s poet.* Her'einbrechen *n* des Abends. **'~'hand·ed** *adj* 'unparˌteiisch.

eve·ning ['iːvniŋ] **I** *s* **1.** Abend *m*: **in the** ~ abends, am Abend; **last (this, tomorrow)** ~ gestern (heute, morgen) abend; **on the** ~ **of the same day** am Abend desselben Tages. **2.** *Am. dial.* Nachmittag *m*. **3.** *fig.* Ende *n*, *bes.* (*a.* ~ **of life**) Lebensabend *m*. **4.** 'Abend(ˌunterhaltung *f*) *m*, Gesellschaftsabend *m*: **musical** ~ musikalischer Abend. **II** *adj* **5.** abendlich, Abend... ~ **dress** *s* **1.** Abendkleid *n*. **2.** Abend-, Gesellschaftsanzug *m*, *bes.* a) Frack *m*, b) Smoking *m*. ~ **gown** *s* Abendkleid *n*. ~ **prim·rose** *s bot.* Nachtkerze *f*. ~ **school** → **night school.** ~ **shirt** *s* Frackhemd *n*. ~ **star** *s astr.* Abendstern *m*.

'e·ven'mind·ed *adj* gleichmütig, gelassen.

e·ven·ness ['iːvənnis] *s* **1.** Ebenheit *f*, Geradheit *f*. **2.** Glätte *f*. **3.** Gleichmäßigkeit *f*. **4.** Gleichheit *f*. **5.** Gleichmut *m*, (Seelen)Ruhe *f*. **6.** 'Unparˌteilichkeit *f*.

'e·venˌsong *s relig.* **1.** Abendgesang *m*, Vesper *f*. **2.** Abendandacht *f*.

e·vent [i'vent] *s* **1.** Fall *m*: **at all** ~**s** auf alle Fälle, jedenfalls; **in the** ~ **of death** im Todesfalle; **in the** ~ **of his death** im Falle s-s Todes, falls er sterben sollte; **in any** ~ auf jeden Fall. **2.** Ereignis *n*, Vorfall *m*, -kommnis *n*: **before the** ~ vorher, im voraus; **after the** ~ hinterher, im nachhinein; **in the course of** ~**s** im (Ver)Lauf der Ereignisse; **quite an** ~ ein großes Ereignis. **3.** a) *bes. sport* Veranstaltung *f*, (Pro'gramm)Nummer *f*, b) *sport* Diszi'plin *f*, Sportart *f*: **athletic** ~**s** (leicht)athletische Wettkämpfe; **track** ~**s** Laufwettkämpfe; **table of** ~**s** (Fest- *etc*)Programm *n*. **4.** Ausgang *m*, Ergebnis *n*: **in the** ~ schließlich.

'e·ven-'tem·pered *adj* gleichmütig, gelassen, ruhig.

e·vent·ful [i'ventful] *adj* **1.** ereignisreich. **2.** wichtig, bedeutend.

'e·venˌtide *meist poet. für* **evening.**

e·ven·tu·al [i'ventʃuəl; *Br.* -tjuəl] *adj* (*adv* → **eventually**) **1.** erfolgend, sich (als Folge) ergebend. **2.** schließlich, endlich. **3.** etwaig, eventu'ell. **eˌven·tu'al·i·ty** [-'æliti] *s* Möglichkeit *f*, Eventuali'tät *f*. **e'ven·tu·al·ly** *adv* schließlich, endlich.

e·ven·tu·ate [i'ventʃuˌeit; *Br. a.* -tju-] *v/i* **1.** ausgehen, endigen: **to** ~ **well** gut ausgehen; **to** ~ **in s.th.** in etwas endigen. **2.** *Am.* sich ereignen, eintreten, sich ergeben.

ev·er ['evər] *adv* **1.** immer (wieder), fortwährend, ständig, unaufhörlich: **for** ~ **(and** ~**)**, **for** ~ **and a day** für immer (u. ewig), für alle Zeiten; ~ **after(wards)**, ~ **since** von der Zeit an, seit der Zeit, seitdem; ~ **and again** (*od. obs.* **anon**) dann u. wann, immer wieder; **Yours** ~, **As** ~ **yours** stets

Dein *od.* Ihr (*Briefschluß*); ~-**recurrent** immer *od.* ständig wiederkehrend. **2.** immer (*vor comp*): ~ **larger** immer größer (werdend); ~(-)**increasing** ständig zunehmend, stetig (an)wachsend. **3.** je, jemals (*bes. in fragenden, verneinenden u. bedingenden Sätzen*): **no hope ~ to return; did you ~ see him?; scarecely ~, hardly ~, seldom if ~** fast nie; **the best I ~ saw** das Beste, was ich je gesehen habe; **did you ~?** *colloq.* hast du Töne?; na, sowas! **4.** *colloq.* je dagewesen, bei weitem, das es je gegeben hat: **the nicest thing ~. 5.** irgend, über'haupt, nur: **as soon as I ~ can** sobald ich nur kann, sobald es mir irgend möglich ist; **how ~ did he manage?** wie hat er das nur fertiggebracht? **6. ~ so** sehr, noch so: **~ so long** e-e Ewigkeit, ewig lange; **~ so much** noch so sehr, so viel wie nur irgend möglich, sehr viel; **thank you ~ so much!** tausend Dank!; **~ so many** unendlich viele; **~ so simple** ganz einfach; **let him be ~ so rich** mag er auch noch so reich sein. **7.** *colloq.* denn, über'haupt (*zur Verstärkung der Frage*): **what ~ does he want?** was will er denn überhaupt?; **what ~ do you mean?** was (in aller Welt) meinst du denn eigentlich?

'ev·er|ˌglade *s Am.* sumpfige Steppe, Küstensumpf *m.* **'~ˌglaze** *s* Everglaze *m* (*knitterfreier Baumwollstoff*). **'~ˌgreen I** *adj* **1.** immergrün (*a. fig.*). **2.** unverwüstlich, nie veraltend, *bes.* immer wieder gern gehört, ‚evergreen' (*Schlager*). **II** *s* **3.** *bot.* a) immergrüne Pflanze, b) Immergrün *n.* **4.** (Tannen)-Reisig *n*, (-)Grün *n* (*zur Dekoration*). **5.** *fig.* Evergreen *n* (*Schlager*).

ev·er·last·ing [*Br.* ˌevər'lɑːstiŋ; *Am.* -'læ(ː)stiŋ] **I** *adj* **1.** immerwährend, ewig: **the ~ God** der ewige Gott; **~ flower** → 5. **2.** *fig.* unaufhörlich, endlos, ermüdend. **3.** dauerhaft, unverwüstlich, unbegrenzt haltbar. **II** *s* **4.** Ewigkeit *f*: **for ~** auf ewig, für alle Zukunft; **from ~** seit Urzeiten. **5.** *bot.* (*e-e*) Immor'telle, (*e-e*) Strohblume. **6.** Lasting *m* (*starker Wollstoff*). **ˌev·er'last·ing·ness** *s* Ewigkeit *f*, Endlosigkeit *f.*

'ev·er|'liv·ing *adj* ewig, unsterblich. **ˌ~'more** *adv* **1.** a) immer(fort), ewig, allezeit, b) *meist* **for ~** in (alle) Ewigkeit, für immer. **2.** je(mals) wieder.

ev·er·y ['evri] *adj* **1.** jeder, jede, jedes: **~ minute. 2.** jeder (jede, jedes) (einzelne *od.* erdenkliche), aller, alle, alles: **her ~ wish** jeder ihrer Wünsche, alle ihre Wünsche. **3.** vollständig: **to have ~ confidence in s.o.** volles Vertrauen zu j-m haben; **their ~ liberty** ihre ganze Freiheit.

Besondere Redewendungen:

~ two days, ~ other (*od.* **second**) **day** jeden zweiten Tag, alle zwei Tage; **~ three days, ~ third day** jeden dritten Tag, alle drei Tage; **~ four days** alle vier Tage; **~ bit (of it)** *colloq.* völlig, ganz u. gar; **~ bit as much** ganz genau so viel *od.* sehr; **~ day** jeden Tag, alle Tage, täglich; **~how** *Am. colloq.* in jeder Weise; **~ now and then** (*od.* **again**), **~ once in a while, ~ so often** *colloq.* gelegentlich, hin u. wieder; **~ other** jeder zweite; **to have ~ reason** allen Grund haben (to do zu tun); **~ time** a) jederzeit, b) jedesmal, c) völlig, ganz; **~ which way** *Am. colloq.* a) in jeder Richtung, b) unordentlich.

'ev·er·y|ˌbod·y *pron* jeder(mann). **'~ˌday** *adj* **1.** (all)'täglich: **~ routine. 2.** Alltags...: **~ clothes. 3.** gewöhnlich, (mittel)mäßig: **~ people. 'E~ˌman** [-ˌmæn] *s* **1.** Jedermann *m*, der Mensch. **2. e~** jedermann. **'~ˌone** *pron* jeder(mann): **in ~'s mouth** in aller Munde. **~ one I** *pron* → **everyone. II** *adj* jeder einzelne: **we ~** jeder von uns. **'~ˌthing** *pron* **1.** alles (that was): **~ good** alles Gute. **2.** *colloq.* alles, das Aller'wichtigste, die Hauptsache: **speed is ~ to them** Geschwindigkeit bedeutet für sie alles. **3.** *colloq.* sehr viel, alles: **to think ~ of s.o.** sehr viel von j-m halten; **art is his ~** Kunst ist sein ein u. alles. **'~ˌwhere** *adv* 'überall, allent'halben.

e·vict [i'vikt] *v/t* **1.** *jur.* a) *e-n Mieter od. Pächter* (*im Wege der Zwangsvollstreckung*) zur Räumung zwingen, b) *von s-m Grundeigentum* wieder Besitz ergreifen. **2.** *fig. j-n* gewaltsam vertreiben. **e'vic·tion** *s jur.* **1.** Zwangsräumung *f*, Her'aussetzung *f*: **action for ~** Räumungsklage *f.* **2.** Wiederinbe'sitznahme *f.*

ev·i·dence ['evidəns] **I** *s* **1.** Augenscheinlichkeit *f*, Klarheit *f*, Offenkundigkeit *f*: **to be (much) in ~** (deutlich) sichtbar *od.* feststellbar sein, (stark) in Erscheinung treten, (stark) vertreten sein. **2.** *jur.* a) Be'weis(mittel *n*, -stück *n*, -materiˌal *n*) *m*, Beweise *pl*: **a piece of ~** ein Beweisstück; **~ for the prosecution** Belastungsmaterial; **~ of ownership** Eigentumsnachweis *m*; **law of ~** Beweisrecht *n*; **for lack of ~** mangels Beweises; **in ~ of** zum Beweis (*gen*); **on the ~** auf Grund des Beweismaterials; **to admit in ~** als Beweis zulassen; **to furnish ~ of** Beweise liefern *od.* erbringen für; **to offer in ~** als Beweis vorlegen; **offer in ~** Beweisantritt *m*, b) (Zeugen)Aussage *f*, Zeugnis *n*, Bekundung *f*: (**testimonial**) **~** Zeugenbeweis *m*; **medical ~** Aussage *f od.* Gutachten *n* des medizinischen Sachverständigen; **to give ~** (als Zeuge) aussagen; **to give** (*od.* **bear**) **~ of** aussagen über (*acc*), *a. fig.* zeugen von; **to refuse to give ~** die Aussage verweigern; **to hear ~** Zeugen vernehmen; **to take s.o.'s ~** j-n (als Zeugen) vernehmen; **hearing** (*od.* **taking**) **of ~** Beweisaufnahme *f*; **~** (**taken** *od.* **heard**) Ergebnis *n* der Beweisaufnahme, c) Zeuge *m*, Zeugin *f*: **to call s.o. in ~** j-n als Zeugen benennen; **to turn King's** (*od.* **Queen's**, *Am.* **State's**) **~** Kronzeuge werden (*bei Zusicherung der Straffreiheit gegen s-e Mitschuldigen aussagen*). **3.** (An)-Zeichen *n*, Spur *f* (of von *od. gen*): **there is no ~** es ist nicht ersichtlich *od.* feststellbar, nichts deutet darauf hin. **II** *v/t* **4.** dartun, be-, nachweisen, zeigen.

ev·i·dent ['evidənt] *adj* (*adv* → **evidently**) augenscheinlich, offensichtlich, -kundig, klar (ersichtlich). **ˌev·i'den·tial** [-'denʃəl], **ˌev·i'den·tia·ry** [-ʃəri] *adj* **1.** klar beweisend, über'zeugend: **to be ~ of** (klar) beweisen (*acc*). **2.** beweiserheblich, Beweis...: **~ value** Beweiswert *m.* **'ev·i·dent·ly** *adv* augenscheinlich, offensichtlich.

e·vil ['iːvl; 'iːvil] **I** *adj* (*adv* **~ly**) **1.** übel, böse, schlecht, schlimm: **~ eye** a) böser Blick, b) *fig.* schlimmer Einfluß; **the E~ One** der Böse (*Teufel*); **of ~ repute** von schlechtem Ruf; **~ spirit** böser Geist. **2.** böse, gottlos, boshaft, übel, schlecht: **~ tongue** böse Zunge, Lästerzunge *f*; **to look with an ~ eye upon s.o.** j-n scheel *od.* mißfällig ansehen. **3.** unglücklich: **~ day** Unglückstag *m*; **to fall on ~ days** ins Unglück geraten. **II** *adv* **4.** (*heute meist* **ill**) in böser *od.* schlechter Weise: **to speak ~ of s.o.** schlecht über j-n reden. **III** *s* **5.** Übel *n*, Unheil *n*, Unglück *n*: **of two ~s choose the less** von zwei Übeln wähle das kleinere; **the social ~** die Prostitution. **6.** (*das*) Böse, Sünde *f*, Verderbtheit *f*: **the powers of ~** die Mächte der Finsternis; **to do ~** Böses tun, sündigen. **7.** Unglück *n*: **to wish s.o. ~; for good or for ~** auf Gedeih u. Verderb. **8.** Krankheit *f* (*bes. in*): **Aleppo ~** Aleppobeule *f.* **'~-dis'posed** → **evil-minded. ˌ~'do·er** *s* Übeltäter(in). **'~-'mind·ed** *adj* übelgesinnt, boshaft, bösartig. **'~-'speak·ing I** *adj* verleumderisch. **II** *s* Verleumdung *f.*

e·vince [i'vins] *v/t* dartun, be-, erweisen, bekunden, an den Tag legen, zeigen. **e'vin·cive** *adj* beweisend, bezeichnend (of für): **to be ~ of s.th.** etwas beweisen *od.* zeigen.

e·vis·cer·ate [i'visəˌreit] *v/t* **1.** *Tiere* ausweiden, -nehmen. **2.** *fig.* inhalts- *od.* bedeutungslos machen, des Kerns *od.* Wesens berauben. **eˌvis·cer'a·tion** *s* **1.** Ausweidung *f.* **2.** *fig.* Verstümmelung *f.*

ev·o·ca·tion [ˌevo'keiʃən] *s* **1.** (Geister)Beschwörung *f.* **2.** *fig.* Her'vor-, Wachrufen *n* (*von Gefühlen etc*), Evokati'on *f.* **3.** *jur.* Ansichziehen *n* (*e-r Rechtssache*) durch ein höheres Gericht. **e·voc·a·tive** [i'vɒkətiv] *adj* (*im Geist*) her'vorrufend, evoka'torisch: **to be ~ of s.th.** an etwas erinnern.

e·voke [i'vouk] *v/t* **1.** *ein Gefühl etc* her'vor-, wachrufen. **2.** *Geister* (her-'auf)beschwören, her'beirufen. **3.** *jur. e-e Sache* an ein höheres Gericht ziehen.

ev·o·lute ['evəˌluːt; -ˌljuːt; *Br. a.* 'iː-] **I** *v/t u. v/i Am. colloq.* (sich) entwickeln. **II** *s math.* Evo'lute *f.*

ev·o·lu·tion [ˌevə'luːʃən; -'ljuː- *Br. a.* ˌiː-] *s* **1.** Entfaltung *f*, -wicklung *f*, Werdegang *m*, (Her'aus)Bildung *f.* **2.** Reihe *f*, Folge *f*: **~ of events. 3.** *math.* Wurzelziehen *n*, Radi'zieren *n.* **4.** *biol.* Evoluti'on *f*, Abstammung *f*: **doctrine** (*od.* **theory**) **of ~** Entwicklungslehre *f*, Evolutionstheorie *f.* **5.** *mil.* Entfaltung *f* e-r Formati'on, Ma'növer *n*, Manö'vrieren *n.* **6.** *phys.* Entwicklung *f* (*von Gas, Hitze etc*). **7.** (Pro'dukt *n* e-r) Entwicklung *f.* **8.** *tech.* Um'drehung *f*, Bewegung *f.* **ˌev·o'lu·tion·al** *adj* entwickelnd, Entwicklungs... **ˌev·o'lu·tion·ar·y** *adj* **1.** Entwicklungs..., Evolutions... **2.** *mil.* Entfaltungs..., Schwenkungs..., Manövrier... **ˌev·o'lu·tion·ist I** *s* Evolutio'nist(in), Anhänger(in) der (*biologischen*) Entwicklungslehre. **II** *adj* die Entwicklungslehre betreffend.

e·volve [i'vɒlv] **I** *v/t* **1.** entwickeln, -falten, -hüllen, her'ausarbeiten. **2.** *chem. phys.* von sich geben, abgeben, ausscheiden. **3.** her'vorrufen, erzeugen (from aus). **II** *v/i* **4.** sich entwickeln, -falten (into zu, in *acc*). **5.** entstehen (from aus). **e'volve·ment** *s* Entwicklung *f*, -faltung *f.*

e·vul·sion [i'vʌlʃən] *s* (*gewaltsames*) Ausreißen *od.* Ausziehen.

ewe [juː] *s zo.* Mutterschaf *n.* **~ lamb** *s* **1.** *zo.* Schaflamm *n.* **2.** *fig.* kostbarster Besitz. **'~ˌneck** *s* Hirschhals *m* (*an Pferden u. Hunden*).

ew·er ['juːər] *s* Wasserkanne *f*, -krug *m.*

ex[1] [eks] *prep* **1.** *econ.* aus, ab, von: **~ factory** ab Fabrik *od.* Werk. **2.** (*bes. von Börsenpapieren*) ohne, exklu'sive: **~ all** ausschließlich aller Rechte; **~**

dividend ohne Dividende. **3.** → **ex cathedra** *etc.*

ex² [eks] *pl* '**ex·es** *s* X, x *n* (*Buchstabe*).

ex- [eks] *Vorsilbe mit den Bedeutungen* a) aus..., heraus..., b) Ex..., ehemalig.

ex·ac·er·bate [ig'zæsərˌbeit; ek's-] *v/t* **1.** *j-n* a) verbittern, b) reizen, erbittern. **2.** *med.* verschlimmern. **exˌac·er'ba·tion** *s* **1.** Erbitterung *f.* **2.** *med.* Verschlimmerung *f.*

ex·act [ig'zækt] **I** *adj* (*adv* → **exactly**) **1.** ex'akt, genau, (genau) richtig, stimmend: the ~ **time** die genaue Zeit; the ~ **sciences** die exakten Wissenschaften. **2.** streng (um'rissen), genau: ~ **rules. 3.** genau, eigentlich, tatsächlich: his ~ **words. 4.** me'thodisch, pünktlich, gewissenhaft, sorgfältig (*Person*). **II** *v/t* **5.** (*dringend*) fordern, verlangen, erzwingen: to ~ **obedience. 6.** *Zahlung* eintreiben, erpressen (**from** von). **7.** dringend erfordern, erheischen. **ex'act·a·ble** *adj* erzwingbar, eintreibbar. **ex'act·er** *s* **1.** (Steuer)Beitreiber *m.* **2.** streng Fordernde(r *m*) *f.* **3.** Erpresser(in). **ex'act·ing** *adj* **1.** streng, genau. **2.** aufreibend, mühevoll, hart: an ~ **task. 3.** anspruchsvoll: an ~ **customer**; to be ~ hohe Anforderungen stellen. **ex'ac·tion** *s* **1.** Eintreibung *f*, Erpressung *f.* **2.** erpreßte Abgabe, ungesetzliche *od.* ungebührliche Forderung, Tri'but *m.* **3.** 'übermäßige Anforderung.

ex·act·i·tude [ig'zæktiˌtju:d] → **exactness. ex'act·ly** *adv* **1.** ex'akt, genau. **2.** sorgfältig, pünktlich. **3.** *als Antwort*: ganz recht, genau (wie Sie sagen), eben. **4.** *wo, wann etc* eigentlich: **where** ~; **not** ~ nicht gerade, nicht eben. **ex'act·ness** *s* **1.** Genauigkeit *f*, Ex'aktheit *f*, Richtigkeit *f.* **2.** Sorgfalt *f*, Pünktlichkeit *f.* **ex'ac·tor** [-tər] → **exacter.**

ex·ag·ger·ate [ig'zædʒəˌreit] **I** *v/t* **1.** unangemessen vergrößern, hochschrauben. **2.** *fig.* über'treiben, über'steigert darstellen. **3.** 'überbewerten. **4.** *ling.* zu stark betonen, her'vorheben. **5.** verstärken, -schlimmern. **II** *v/i* **6.** über'treiben. **ex'ag·gerˌat·ed** (*adv* ~**ly**) über'trieben. **exˌag·ger'a·tion** *s* **1.** Über'treibung *f.* **2.** 'Überbetonung *f.* **ex'ag·gerˌa·tive** *adj* (*adv* ~**ly**) **1.** über'treibend. **2.** über'trieben.

ex·alt [ig'zɔ:lt] *v/t* **1.** erheben. **2.** (*im Rang etc*) erheben, erhöhen (**to** zu). **3.** verstärken (*a. fig.*). **4.** *fig.* beleben, anregen: to ~ **the imagination. 5.** *fig.* erheben, (lob)preisen: to ~ **to the skies** in den Himmel heben. **6.** *den Geist* erheben. **7.** auszeichnen, adeln (**by** durch).

ex·al·ta·tion [ˌegzɔ:l'teiʃən] *s* **1.** Erhebung *f*, Erhöhung *f*: ~ **of the cross** *relig.* Kreuzeserhöhung. **2.** Begeisterung *f*, (leidenschaftliche) Erregung, Hochstimmung *f.* **3.** *relig.* Verzückung *f.* **4.** *astr. med.* Exaltati'on *f.*

ex·alt·ed [ig'zɔ:ltid] *adj* **1.** erhaben. **2.** gehoben: ~ **style. 3.** hoch. **4.** exal'tiert. **5.** begeistert.

ex·am [ig'zæm] *colloq. abbr. für* **examination.**

ex·am·i·na·tion [igˌzæmi'neiʃən] *s* **1.** Unter'suchung *f* (*a. med.*), Prüfung *f* (**of, into s.th.** e-r Sache): ~ **board** *mil.* Musterungskommission *f*; **to hold an** ~ **into a matter** e-e eingehende Untersuchung e-r Sache anstellen; **to be under** ~ geprüft *od.* untersucht werden (→ 3). **2.** Prüfung *f*, Ex'amen *n*: **to undergo** (*od.* **take**) **an** ~ sich e-r Prüfung unterziehen; **to fail in an** ~ in *od.* bei e-r Prüfung durchfallen; **to pass an** ~ e-e Prüfung bestehen; ~ **paper** Liste *f* der Prüfungsfragen *od.* -aufgaben, Prüfungsarbeit *f.* **3.** *jur.* (Zeugen)Vernehmung *f*: **direct** ~ direkte Befragung; **to be under** ~ vernommen werden (→ 1). **4.** Prüfung *f*, Unter'suchung *f*, Besichtigung *f*, 'Durchsicht *f*: ~ **of accounts** Rechnungsprüfung; **customs** ~ Zollrevision *f*; **on** (*od.* **upon**) ~ bei näherer Prüfung; **to make an** ~ **of s.th.** etwas besichtigen. **exˌam·i'na·tion·al** *adj* Prüfungs...

ex·am·ine [ig'zæmin] **I** *v/t* **1.** prüfen, unter'suchen (*a. med.*), revi'dieren: **to** ~ **accounts** Rechnungen überprüfen; **to** ~ **one's conscience** sein Gewissen prüfen *od.* erforschen. **2.** wissenschaftlich unter'suchen, erforschen. **3.** *jur.* vernehmen, -hören. **4.** *j-n* exami'nieren, prüfen: **examining board** Prüfungsausschuß *m*, -behörde *f.* **5.** besichtigen, revi'dieren, sich *etwas* (genau) ansehen. **II** *v/i* **6.** unter'suchen, prüfen (**into s.th.** etwas). **exˌam·i'nee** [-'ni:] *s* Prüfling *m*, ('Prüfungs)Kandiˌdat(in). **ex'am·in·er** *s* **1.** Prüfer(in), Prüfende(r *m*) *f*, Re'visor *m*, Exami'nator *m*, Prüfungsbeamte(r) *m.* **2.** *jur.* beauftragter Richter, Vernehmer *m.* **3.** *Patentrecht*: (Vor)Prüfer *m*: ~ **in chief** *Am.* Hauptprüfer.

ex·am·ple [*Br.* ig'zɑ:mpl; *Am.* ig'zæ(:)mpl] *s* **1.** Muster *n*, Probe *f*, Exem'plar *n.* **2.** Beispiel *n* (**of** für): **for** ~ zum Beispiel; **beyond** ~, **without** ~ beispiellos; **by way of** ~ um ein Beispiel zu geben. **3.** Vorbild *n*, vorbildliches Verhalten, (gutes *etc*) Beispiel (**to** für): **to give** (*od.* **set**) **a good** (**bad**) ~ ein gutes (schlechtes) Beispiel geben, mit gutem (schlechtem) Beispiel vorangehen; **to hold up as an** ~ **to s.o.** j-m als Beispiel hinstellen; **to take** ~ **by** sich ein Beispiel nehmen an (*dat*). **4.** (warnendes) Beispiel: **to make an** ~ (**of s.o.**) (an j-m) ein Exempel statuieren, (j-n) exemplarisch bestrafen; **let this be an** ~ **to you** laß dir dies zur Warnung dienen. **5.** *math.* Ex'empel *n*, Aufgabe *f.*

ex·an·i·mate [ig'zænimit; -ˌmeit] *adj* **1.** entseelt, leblos. **2.** *fig.* mutlos.

ex·an·the·ma [ˌeksæn'θi:mə] *pl* **-ma·ta** [-'θemətə; -'θi:m-] *s med.* Exan'them *n*, (Haut)Ausschlag *m.*

ex·as·per·ate [ig'zæspəˌreit; *Br. a.* -'zɑ:s-] *v/t* **1.** *j-n* ärgern, in Rage bringen, erbittern, reizen, erzürnen. **2.** *fig.* verschlimmern. **ex'as·perˌat·ed** *adj* gereizt, erbost. **ex'as·perˌat·ing** *adj* (*adv* ~**ly**) **1.** ärgerlich, zum Verzweifeln. **2.** aufreizend. **exˌas·per'a·tion** *s* **1.** Erbitterung *f*, Ärger *m.* **2.** *med.* Verschlimmerung *f.*

ex ca·the·dra [eks kə'θi:drə] **I** *adv* ex'cathedra, autorita'tiv. **II** *adj* autorita'tiv, maßgeblich.

ex·ca·vate ['ekskəˌveit] *v/t* **1.** ausgraben (*a. fig.*), aushöhlen. **2.** *tech.* ausgraben, -schachten, -baggern, *Erde* abtragen, *e-n Tunnel etc* graben. **ˌex·ca'va·tion** *s* **1.** Aushöhlung *f.* **2.** Höhle *f*, Vertiefung *f.* **3.** Ausgrabung *f*, -schachtung *f*, Aushub *m.* **4.** *rail.* 'Durchstich *m.* **5.** *geol.* Auskolkung *f.* '**ex·caˌva·tor** [-tər] *s* **1.** Ausgraber *m.* **2.** Erdarbeiter *m*, **3.** *tech.* Exka'vator *m* (Trocken)Bagger *m.* **4.** *med.* Exka'vator *m* (*des Zahnarztes*).

ex·ceed [ik'si:d] **I** *v/t* **1.** über'schreiten, -'steigen (*a. fig.*). **2.** *fig.* hin'ausgehen über (*acc*). **3.** *etwas, j-n* über'treffen. **II** *v/i* **4.** zu weit gehen, das Maß über'schreiten (**in** in *dat*). **5.** sich auszeichnen. **6.** zu viel essen *od.* trinken, ‚sündigen'. **ex'ceed·ing I** *adj* **1.** über'steigend, mehr als, über: **not** ~ (von) höchstens. **2.** 'übermäßig, außer'ordentlich, äußerst. **II** *adv obs. für* **exceedingly. ex'ceed·ing·ly** *adv* außer'ordentlich, 'überaus, äußerst.

ex·cel [ik'sel] *pret u. pp* **ex'celled I** *v/t* über'treffen, -'ragen: **not to be** ~**led** nicht zu übertreffen (sein); **to** ~ **o.s.** sich selbst übertreffen. **II** *v/i* sich her'vortun, sich auszeichnen, her'vorragen (**in, at** in *dat*; **as** als). **ex·cel·lence** ['eksələns] *s* **1.** Vor'trefflichkeit *f*, Vor'züglichkeit *f.* **2.** vor'zügliche Leistung. '**ex·cel·len·cy** *s* **1.** E~ Exzel'lenz *f* (*Titel für* **governors, ambassadors** *etc u. deren Gemahlinnen*): **Your (His, Her) E~** Eure (Seine, Ihre) Exzellenz. **2.** *selten für* **excellence** 1. '**ex·cel·lent** *adj* (*adv* ~**ly**) ausgezeichnet, (vor)'trefflich, vor'züglich.

ex·cel·si·or [ik'selsiˌɔ:r] **I** *adj* **1.** höher (hin'auf), noch besser (*Motto*). **2.** *econ.* von bester Quali'tät. **II** *s* **3.** *econ. Am.* Holzwolle *f.* **4.** *print.* Bril'lant *f* (*Schriftgrad; 3 Punkt*).

ex·cept [ik'sept] **I** *v/t* **1.** ausnehmen, -schließen (**from, out of** von, aus): **present company** ~**ed** Anwesende ausgenommen. **2.** vorbehalten (**from** von): → **error** 1. **II** *v/i* **3.** Einwendungen machen, Einspruch erheben (**to, against** gegen). **III** *prep* **4.** ausgenommen, außer, mit Ausnahme von (*od. gen*): ~ **for** bis auf, abgesehen von. **IV** *conj* **5.** es sei denn, daß; außer, wenn: ~ **that** außer, daß. **ex'cept·ing** *prep* (*fast nur nach* **always, not, nothing, without**) ausgenommen, außer, mit Ausnahme von (*od. gen*): **not** ~ **my brother** mein Bruder nicht ausgenommen.

ex·cep·tion [ik'sepʃən] *s* **1.** Ausnahme *f*, -schließung *f*: **by way of** ~ ausnahmsweise; **with the** ~ **of** mit Ausnahme von (*od. gen*), außer, ausgenommen, bis auf; **to admit of no** ~**(s)** keine Ausnahme zulassen; **to make no** ~**(s)** keine Ausnahme machen; **an** ~ **to the rule** e-e Ausnahme von der Regel; **the** ~ **proves the rule** die Ausnahme bestätigt die Regel; **without** ~ ohne Ausnahme, ausnahmslos. **2.** Einwendung *f*, Einwand *m* (**to** gegen): **to take** ~ **to s.th.** a) gegen etwas protestieren *od.* Einwendungen machen, b) an etwas Anstoß nehmen. **3.** *jur.* Einspruch *m*, Beschwerde *f* (*als Rechtsmittelvorbehalt*). **ex'cep·tion·a·ble** *adj* **1.** anfechtbar. **2.** tadelnswert, anstößig. **ex'cep·tion·al** *adj* **1.** Ausnahme..., Sonder...: ~ **tariff**; ~ **offer** *econ.* Vorzugsangebot *n.* **2.** außer-, ungewöhnlich. **ex'cep·tion·al·ly** *adv* **1.** außergewöhnlich. **2.** ausnahmsweise.

ex·cep·tive [ik'septiv] *adj* **1.** e-e Ausnahme machend: ~ **law** Ausnahmegesetz *n.* **2.** 'überkritisch, spitzfindig.

ex·cerpt [ik'sə:rpt; ek-] **I** *v/t* **1.** exzer'pieren, ausziehen (**from** aus). **II** *s* [*a.* 'eksə:rpt] **2.** Ex'zerpt *n*, Auszug *m* (**from** aus). **3.** Sepa'rat-, Sonder(ab)druck *m.* **ex'cerp·tion** *s* **1.** Exzer'pieren *n*, Ausziehen *n.* **2.** Auszug *m.*

ex·cess [ik'ses; ek-] **I** *s* **1.** 'Übermaß *n*, -fluß *m* (**of** von, an *dat*): **in** ~ übermäßig, -schüssig, im Übermaß; **in** ~ **of** mehr als, über (... hinaus); **to be in** ~ **of s.th.** etwas übersteigen *od.* überschreiten, über etwas hinausgehen; to ~ bis zum Übermaß, übermäßig; ~ **in birth rate** Geburtenüberschuß *m*; → **carry** 13. **2.** *meist pl* Ex'zeß *m*: a) Ausschreitung(en *pl*) *f*, b) Unmäßigkeit *f*, Ausschweifung *f*. **3.** 'Überschuß *m* (*a. chem. math.*), Mehrbetrag *m*: **to be in** ~ *econ.* überschießen; ~ **of age** Überalterung *f*; ~ **of export** Ausfuhrüberschuß; ~ **of purchasing power** Kaufkraftüberhang *m*. **II** *adj* [*a.* 'ekses] **4.** 'überschüssig, Über...: ~ **amount** Mehrbetrag *m*. **III** *v/t* **5.** *Br.* e-n Zuschlag bezahlen für (*etwas*) *od.* erheben von (*j-m*). ~ **fare** *s* (Fahrpreis)Zuschlag *m*. ~ **freight** *s* 'Überfracht *f*.

ex·ces·sive [ik'sesiv; ek-] *adj* (*adv* ~**ly**) **1.** 'übermäßig, über'trieben, unangemessen hoch: ~ **penalty**; ~ **demand** a) Überforderung *f*, b) Überbedarf *m*. **2.** *math.* über'höht. **ex'ces·sive·ness** *s* 'Übermäßigkeit *f*.

ex·cess| lug·gage *s* 'Übergewicht *n* (*des Reisegepäcks*). ~ **post·age** *s* Nachporto *n*, Nachgebühr *f*. ~ **pres·sure** *s tech.* 'Überdruck *m*. ~ **prof·its du·ty** *Br.*, ~ **prof·its tax** *Am. s* Mehrgewinnsteuer *f*. ~ **switch** *s electr.* 'Überstromschalter *m*. ~ **volt·age** *s electr.* 'Überspannung *f*. ~ **weight** *s econ.* Mehrgewicht *n*.

ex·change [iks'tʃeindʒ] **I** *v/t* **1.** (for) *etwas* aus-, 'umtauschen (gegen), (ver)tauschen (mit). **2.** eintauschen, *Geld a.* ('um)wechseln (for gegen). **3.** (*gegenseitig*) *Blicke, Küsse, die Plätze etc* tauschen, *Briefe, Grüße, Gedanken, Gefangene* austauschen. **4.** *tech.* auswechseln, -tauschen. **5.** *Schachspiel*: *Figuren* austauschen. **6.** ersetzen (for s.th. durch etwas).

II *v/i* **7.** tauschen. **8.** (for) als Gegenwert bezahlt werden (für), (*etwas*) wert sein: **a mark** ~**s for one Swiss franc** für e-e Mark bekommt man e-n Schweizer Franken. **9.** *mil.* sich versetzen lassen (into in *acc*).

III *s* **10.** (Aus-, 'Um)Tausch *m*, Auswechs(e)lung *f*, Tauschhandel *m*: **in** ~ als Ersatz, anstatt, dafür; **in** ~ **for** gegen, (als Entgelt) für; ~ **of letters** Schriftwechsel *m*; ~ **of prisoners** Gefangenenaustausch; ~ **of shots** Kugelwechsel *m*; ~ **of views** Gedanken-, Meinungsaustausch; **to give (take) in** ~ in Tausch geben (nehmen). **11.** eingetauschter Gegenstand, Gegenwert *m*. **12.** *econ.* a) ('Um)Wechseln *n*, Wechselverkehr *m*, b) 'Geld-, 'Wertˌumsatz *m*, c) *meist* **bill of** ~ Tratte *f*, Wechsel *m*, d) *a.* **rate of** ~ → **exchange rate**, e) *a.* **foreign** ~ De'visen *pl*, Va'luta *f*: **at the** ~ **of** zum Kurs von; **with a high (low)** ~ valutastark (-schwach); ~ **restrictions** devisenrechtliche Beschränkungen. **13.** *a.* **E**~ *econ.* Börse *f*: **at the** ~ auf der Börse; **quoted at the** ~ börsengängig. **14.** (Fernsprech)Amt *n*, Vermittlung *f*.

ex·change·a·bil·i·ty [iksˌtʃeindʒə'biliti] *s* **1.** (Aus)Tausch-, Auswechselbarkeit *f*. **2.** *math.* Vertauschbarkeit *f*. **ex'change·a·ble** *adj* **1.** (aus)tauschbar, auswechselbar (for gegen). **2.** *math.* vertauschbar. **3.** Tausch...: ~ **value**.

ex·change| bro·ker *s econ.* Wechsel-, Börsenmakler *m*. ~ **clear·ing** *s econ.* De'visenclearing *n*. ~ **con·trol** *s econ.* De'visenbewirtschaftung *f*. ~ **deal·er** *s econ.* De'visenhändler *m*. ~ **em·bar·go** *s econ.* De'visensperre *f*. ~ **line** *s electr.* Amtsleitung *f*. ~ **list** *s econ.* (Geld)Kurszettel *m*. ~ **rate** *s econ.* 'Umrechnungs-, Wechselkurs *m*. ~ **stu·dent** *s* 'Austauschstuˌdent(in).

ex·cheq·uer [iks'tʃekər] *s* **1.** *Br.* Schatzamt *n*, Staatskasse *f*, Fiskus *m*: **the E**~ das Finanzministerium. **2.** (**Court of**) **E**~ *hist.* Fi'nanzgericht *n*. **3.** *econ.* Geldmittel *pl*, Fi'nanzen *pl*, Kasse *f* (*e-r Firma*). ~ **bill** *s econ.* (kurzfristige) verzinsliche Schatzanweisung. ~ **bond** *s econ.* (langfristige) Schatzanweisung.

ex·cis·a·ble [ik'saizəbl; ek-] *adj econ.* (be)steuerbar, verbrauchssteuerpflichtig.

ex·cise[1] [ik'saiz; ek-] *v/t* **1.** *med.* her'aus-, abschneiden. **2.** *fig.* ausmerzen.

ex·cise[2] [ik'saiz; ek-] **I** *v/t* **1.** *j-n* besteuern. **2.** *Br. j-m* zuviel abnehmen. **II** *s* [*a.* 'eksaiz] **3.** *a.* ~ **duty** Verbrauchsabgabe *f*, (*indirekte*) Waren-, Verbrauchssteuer (*auf inländischen Waren*).

ex·cise| li·cence, *bes. Am.* ~ **li·cense** *s* 'Schankkonzessiˌon *f*. '~**man** [-mən] *s irr* Steuereinnehmer *m*. ~ **tax** *s Am.* **1.** → **excise**[2] 3. **2.** 'Umsatzsteuer *f*. **3.** Gewerbesteuer *f*.

ex·ci·sion [ik'siʒən; ek-] *s* **1.** *med.* Ausschneidung *f*, Exzisi'on *f*. **2.** Ausscheidung *f*, -rottung *f* (from aus).

ex·cit·a·bil·i·ty [ikˌsaitə'biliti] *s* Reiz-, Erregbarkeit *f*, Nervosi'tät *f*. **ex'cit·a·ble** *adj* reiz-, erregbar, ner'vös. **ex'cit·a·ble·ness** → **excitability**. **ex·cit·ant** [ik'saitənt; 'eksit-] **I** *adj* erregend: ~ **drug** → II. **II** *s med.* Reizmittel *n*, Stimulans *n*. **ex·ci·ta·tion** [ˌeksai'teiʃən; -si't-] *s* **1.** *a. chem. electr.* An-, Erregung *f*: ~ **energy** *phys.* Anregungsenergie *f*; ~ **voltage** *electr.* Erregerspannung *f*. **2.** *med.* Reiz *m*, Stimulus *m*.

ex·cite [ik'sait] *v/t* **1.** *j-n* er-, aufregen: **to** ~ **o.s., to get** ~**d** sich aufregen, sich ereifern (**over** über *acc*); **don't** ~**!** *Br. colloq.* reg dich nicht (so) auf! **2.** *j-n* (an-, auf)reizen, aufstacheln. **3.** *Interesse etc* erregen, (er)wecken, her'vorrufen. **4.** *med. e-n Nerv* reizen. **5.** *phot.* lichtempfindlich machen, präpa'rieren. **6.** *electr.* erregen. **7.** *Atomphysik*: *den Kern* anregen. **ex'cit·ed** *adj* (*adv* ~**ly**) erregt, aufgeregt. **ex'cite·ment** *s* **1.** Er-, Aufregung *f* (**over** über *acc*). **2.** *med.* Reizung *f*. **3.** Aufgeregtheit *f*. **ex'cit·er** *s* **1.** Antrieb *m*. **2.** Reizmittel *n* (of für). **3.** *electr.* Er'reger(maˌschine *f*) *m*: ~ **circuit** Erreger(strom)kreis *m*; ~ **lamp** Erregerlampe *f*. **ex'cit·ing** *adj* (*adv* ~**ly**) **1.** anregend. **2.** er-, aufregend, spannend, nervenaufpeitschend: **not exactly** ~ *colloq. contp.* ‚nicht gerade aufregend'. **3.** *electr.* Erreger...: ~ **current**. **ex'ci·tor** [-tər] *s* **1.** *med.* Reizmittel *n*. **2.** *anat.* Reiznerv *m*.

ex·claim [iks'kleim] **I** *v/i* **1.** ausrufen, (auf)schreien. **2.** eifern, wettern (**against** gegen). **II** *v/t* **3.** *etwas* ausrufen, -stoßen.

ex·cla·ma·tion [ˌekskla'meiʃən] *s* **1.** Ausruf *m*, (Auf)Schrei *m*: ~**s** Geschrei *n*. **2.** (heftiger) Pro'test. **3.** *a.* **note** (*Am.* **point**) **of** ~ Ausrufe-, Ausrufungszeichen *n*. **4.** *ling.* a) Interjekti'on *f*, b) Ausrufesatz *m*. ~ **mark,** *bes. Am.* ~ **point** → **exclamation** 3.

ex·clam·a·to·ry [iks'klæmətəri] *adj* **1.** ausrufend. **2.** a) schreierisch, b) eifernd. **3.** Ausrufungs...

ex·clave ['ekskleiv] *s* Ex'klave *f*.

ex·clo·sure [iks'klouʒər] *s Am.* eingezäunter Raum.

ex·clude [iks'kluːd] *v/t* ausschließen (from von): **not excluding myself** ich selbst nicht ausgenommen.

ex·clu·sion [iks'kluːʒən] *s* **1.** Ausschließung *f*, Ausschluß *m* (from von): **to the** ~ **of** unter Ausschluß von (*od. gen*); ~ **principle** a) *phys.* Äquivalenzprinzip *n*, b) *math.* Prinzip *n* der Ausschließung. **2.** Ausnahme *f*. **3.** *tech.* (Ab)Sperrung *f*. **ex'clu·sion·ˌism** *s* exklu'sives Wesen, exklusive Grundsätze *pl*.

ex·clu·sive [iks'kluːsiv] *adj* **1.** ausschließend: ~ **of** ausschließlich (*gen*), abgesehen von, ohne; **to be** ~ **of s.th.** etwas ausschließen. **2.** ausschließlich, al'leinig, Allein...: ~ **agent** Alleinvertreter *m*; ~ **jurisdiction** *jur.* ausschließliche Zuständigkeit; ~ **report** Sonderbericht *m*, exklusiver Artikel; ~ **rights** ausschließliche Rechte. **3.** exklu'siv, vornehm, wählerisch, unnahbar, sich abschließend. **ex'clu·sive·ly** *adv* nur, ausschließlich. **ex'clu·sive·ness** **1.** Ausschließlichkeit *f*. **2.** Exklusivi'tät *f*.

ex·cog·i·tate [eks'kɒdʒiˌteit] *v/t* aus-, erdenken, ersinnen. **exˌcog·i'ta·tion** *s* **1.** Nachdenken *n* (**of** über *acc*). **2.** Plan *m*, Erfindung *f*.

ex·com·mu·ni·cate *relig.* **I** *v/t* [ˌekskə'mjuːniˌkeit] exkommuni'zieren, mit dem (Kirchen)Bann belegen, (aus der Kirche) ausschließen. **II** *adj* [-kit; -ˌkeit] exkommuni'ziert. **III** *s* [-kit; -ˌkeit] Exkommuni'zierte(r *m*) *f*. **ˌex·com·ˌmu·ni'ca·tion** *s relig.* (Kirchen)Bann *m*, ˌExkommunikati'on *f*. **ˌex·com'mu·niˌca·tive,** **ˌex·com'mu·ni·ca·to·ry** [-kətəri] *adj* exkommuni'zierend, Exkommunikations...

ex·co·ri·ate [iks'kɔːriˌeit; eks-] *v/t* **1.** *die Haut* ritzen, wund reiben, abschürfen. **2.** die Haut abziehen von. **3.** *Bäume* abrinden. **4.** *fig. Am.* heftig angreifen, vernichtend kriti'sieren, brandmarken. **exˌco·ri'a·tion** *s* **1.** Abschälen *n*, Abrinden *n*. **2.** a) Schinden *n* (*der Haut*), b) (Haut)Abschürfung *f*. **3.** Wundreiben *n*.

ex·cor·ti·cate [iks'kɔːrtiˌkeit; eks-] *v/t biol.* entrinden, abkorken.

ex·cre·ment ['ekskrimənt] *s oft pl* Ausscheidung *f*, Auswurf *m*, Kot *m*, Exkre'mente *pl*. **ˌex·cre'men·tal** [-'mentl], **ˌex·cre·men'ti·tious** [-men'tiʃəs] *adj* kotartig, Kot...

ex·cres·cence [iks'kresns; eks-] *s* **1.** (*normaler*) (Aus)Wuchs. **2.** (*anomaler*) Auswuchs (*a. fig.*). **3.** Vorsprung *m*. **4.** *fig.* sekun'däre *od.* ab'norme Entwicklung (from aus). **ex'cres·cent** *adj* **1.** e-n Auswuchs darstellend. **2.** auswachsend. **3.** *fig.* 'überflüssig, -schüssig. **4.** *ling.* eingeschoben (*Konsonant*).

ex·cre·ta [iks'kriːtə; eks-] *s pl* → **excrement**. **ex'crete** *v/t u. v/i* absondern, ausscheiden, entleeren. **ex'cre·tion** *s* **1.** Ausscheidung *f*. **2.** Ab-, Aussonderung *f*. **3.** Auswurf *m*. **ex'cre·tive** *adj* ausscheidend. **ex'cre·to·ry** *biol. med.* **I** *adj* **1.** Ausscheidungs... **2.** absondernd, abführend. **II** *s* **3.** 'Ausscheidungsorˌgan *n*.

ex·cru·ci·ate [iks'kruːʃiˌeit; eks-] *v/t* martern, foltern, quälen. **ex'cru·ciˌat·ing** *adj* (*adv* ~**ly**) **1.** qualvoll, peinigend (to für). **2.** *colloq.* schauderhaft, unerträglich. **exˌcru·ci'a·tion** *s* Martern *n*, Marter *f*, Qual *f*.

ex·cul·pa·ble [iks'kʌlpəbl] *adj* entschuldbar, zu rechtfertigen(d).

ex·cul·pate ['ekskʌlˌpeit] *v/t* **1.** reinwaschen, rechtfertigen, entlasten, freisprechen (from von). **2.** *j-m* als Entschuldigung dienen. ˌ**ex·cul'pa·tion** *s* Entschuldigung *f*, Entlastung *f*, Rechtfertigung *f*. **ex'cul·pa·to·ry** [-pətəri] *adj* rechtfertigend, entlastend, Rechtfertigungs...

ex·cur·sion [iks'kəːrʃən; -ʒən] *s* **1.** *fig.* Abschweifung *f*. **2.** Ausflug *m*, -fahrt *f*, Abstecher *m*, Eskursi'on *f*, Par'tie *f*: scientific ~ wissenschaftliche Exkursion; ~ ticket *rail.* (Sonntags)Ausflugskarte *f*; ~ train Sonder-, Ausflugszug *m*. **3.** Streifzug *m*. **4.** *astr.* Abweichung *f*. **5.** *phys.* Ausschlag *m* (*des Pendels etc*). **6.** *tech.* Weg *m* (*e-s Maschinenteils*), *z. B.* (Kolben)Hub *m*. **ex'cur·sion·ist** *s* Ausflügler(in).

ex·cur·sive [iks'kəːrsiv] *adj* (*adv* ~ly) **1.** um'herschweifend. **2.** *fig.* a) abschweifend, b) sprunghaft, c) weitschweifig. **ex'cur·sus** [-səs] *pl* **-sus·es** *s* Ex'kurs(us) *m*, ausführliche Erörterung (*im Anhang*).

ex·cus·a·ble [iks'kjuːzəbl] *adj* entschuldbar, verzeihlich. **ex'cus·a·to·ry** *adj* entschuldigend, Rechtfertigungs...

ex·cuse I *v/t* [iks'kjuːz] **1.** *j-n od. etwas* entschuldigen, rechtfertigen, *j-m od. etwas* verzeihen: ~ me! a) entschuldigen Sie!, Verzeihung!, b) (*als Widerspruch*) keineswegs!, aber erlauben Sie mal!; ~ me for being late, ~ my being late verzeih, daß ich zu spät komme; please ~ my mistake bitte, entschuldigen Sie m-n Irrtum; to ~ o.s. sich entschuldigen *od.* rechtfertigen. **2.** Nachsicht haben mit (*j-m*). **3.** *neg* für (*etwas*) e-e Entschuldigung finden: I cannot ~ his conduct ich kann sein Verhalten nicht gutheißen. **4.** *meist pass* (from) *j-n* befreien (von), entheben (*gen*), *j-m* erlassen (*acc*); to be ~d from attendance vom Erscheinen befreit sein *od.* werden; to be ~d from duty dienstfrei bekommen; I must be ~d from doing this ich muß es leider ablehnen, dies zu tun; I beg to be ~d ich bitte, mich zu entschuldigen; he begs to be ~d er läßt sich entschuldigen. **5.** *j-m etwas* erlassen. **II** *s* [iks'kjuːs] **6.** Entschuldigung *f*: to offer (*od.* make) an ~ e-e Entschuldigung vorbringen, sich entschuldigen; in ~ of als *od.* zur Entschuldigung für; make my ~s to her entschuldige mich bei ihr. **7.** Entschuldigungs-, Milderungsgrund *m*, Rechtfertigung *f*: there is no ~ for his conduct für sein Verhalten gibt es keine Entschuldigung *od.* Rechtfertigung. **8.** Ausrede *f*, -flucht *f*, Vorwand *m*: a mere ~; to make ~s Ausflüchte machen. **9.** *fig.* dürftiger Ersatz: a poor ~ for a car ‚e-e armselige Kutsche'.

ex·e·at ['eksiˌæt] (*Lat.*) *s Br.* Urlaub *m* [(*für Studenten*).]

ex·e·cra·ble ['eksikrəbl] *adj* (*adv* execrably) ab'scheulich, scheußlich: ~ crime; ~ taste. **'ex·eˌcrate** [-ˌkreit] **I** *v/t* **1.** verfluchen. **2.** verabscheuen. **II** *v/i* **3.** fluchen. ˌ**ex·e'cra·tion** *s* **1.** Verwünschung *f*, Fluch *m*. **2.** Abscheu *m*: to hold in ~ verabscheuen. **'ex·eˌcra·tive, 'ex·eˌcra·to·ry** *adj* verwünschend, Verwünschungs...

ex·e·cut·a·ble ['eksiˌkjuːtəbl] *adj* 'durch-, ausführbar, voll'ziehbar. **ex·ec·u·tant** [ig'zekjutənt] *s* Ausführende(r *m*) *f*, *bes. mus.* Vortragende(r *m*) *f*.

ex·e·cute ['eksiˌkjuːt] *v/t* **1.** *e-n Auftrag, Plan etc* aus-, 'durchführen, *e-n Vertrag* erfüllen: to ~ a dance step e-n Tanzschritt machen; a statue ~d in bronze e-e in Bronze ausgeführte Statue. **2.** ausüben: to ~ an office. **3.** *mus.* vortragen, spielen. **4.** *jur.* a) *e-e Urkunde etc* (rechtsgültig) ausfertigen, durch 'Unterschrift, Siegel *etc* voll'ziehen, b) *e-e Vollmacht* ausstellen, c) *ein Testament* (rechtsgültig) errichten, d) *ein Urteil* voll'ziehen, -'strecken, e) *j-n* 'hinrichten, f) *j-n* pfänden. **'ex·eˌcut·er** → executor.

ex·e·cu·tion [ˌeksi'kjuːʃən] *s* **1.** Aus-, 'Durchführung *f*: to carry (*od.* put) s.th. into ~ etwas ausführen. **2.** (*Art u. Weise der*) Ausführung: a) *mus.* Vortrag *m*, Spiel *n*, Technik *f*, b) Darstellung *f*, Stil *m* (*Kunst u. Literatur*). **3.** *jur.* a) (rechtsgültige) Ausfertigung *e-r Urkunde*, Errichtung *f e-s Testaments*, Ausstellung *f e-r Vollmacht*, b) Erfüllung *f e-s Vertrags*, c) Voll'ziehung *f e-s Urteils*, d) Voll'streckung *f des Todesurteils*, 'Hinrichtung *f*: place of ~ Richtplatz *m*, e) Voll'ziehungsbefehl *m*, 'Zwangsvollˌstreckung *f*, Pfändung *f*: to levy ~ against a company die Zwangsvollstreckung in das Vermögen e-r Gesellschaft betreiben; sale under ~ Zwangsversteigerung *f*; to take in ~ *etwas* pfänden; writ of ~ Vollstreckungsbefehl *m*. **4.** to do ~ a) Verheerungen anrichten (*Waffen*), b) *fig.* Herzen brechen, Eroberungen machen. ˌ**ex·e'cu·tion·er** *s* Henker *m*, Scharfrichter *m*.

ex·ec·u·tive [ig'zekjutiv] **I** *adj* (*adv* ~ly) **1.** ausübend, voll'ziehend, *pol.* Exekutiv...: E~ Council Ministerrat *m*; ~ power, ~ authority → 3; ~ officer *Br.* Verwaltungsbeamte(r) *m* (→ 2); ~ order *Am.* (*vom Präsidenten erlassene*) Durchführungsverordnung; ~ session *parl. Am.* Geheimsitzung *f*. **2.** *econ.* geschäftsführend, leitend: ~ committee (*od.* board) → 6; ~ officer *Am.* → 5 (→ 1); ~ post leitende Stellung; ~ secretary *Am.* geschäftsführender Sekretär. **II** *s* **3.** *pol.* Exeku'tive *f*, voll'ziehende *od.* ausübende Gewalt (*im Staat*). **4.** *bes. Am.* erster geschäftsführender Beamter: (Chief) E~ a) Präsident *m* (*der USA*), b) Gouverneur *m* (*e-s Bundesstaates*). **5.** *econ. bes. Am.* leitender Angestellter, Di'rektor *m*, Geschäftsführer *m*. **6.** *Am.* Verwaltungsrat *m*, geschäftsführender Ausschuß. **7.** *mil. Am.* stellvertretender Komman'deur.

ex·ec·u·tor [ig'zekjutər] *s jur.* Testa'mentsvollˌstrecker *m*: ~ de son tort Testamentsvollstrecker ohne rechtlichen Auftrag; literary ~ Nachlaßverwalter *m* e-s Autors. **exˌec·u'to·ri·al** [-'tɔːriəl] *adj* Vollstreckungs... **ex'ec·u·torˌship** *s* Amt *n* e-s Testa'mentsvollˌstreckers. **ex'ec·u·to·ry** *adj* **1.** *econ. jur.* erfüllungsbedürftig, (aufschiebend) bedingt: ~ contract; ~ purchase Bedingungskauf *m*. **2.** Ausführungs..., Vollziehungs... **ex'ec·u·trix** [-triks] *s* Testa'mentsvollˌstreckerin *f*.

ex·e·ge·sis [ˌeksi'dʒiːsis] *pl* **-ses** [-siːz] *s* Exe'gese *f*, (*bes.* Bibel)Auslegung *f*.

ex·e·gete ['eksiˌdʒiːt] *s* Exe'get *m*. ˌ**ex·e'get·ic** [-'dʒetik] *adj*; ˌ**ex·e'get·i·cal** *adj* (*adv* ~ly) exe'getisch, erklärend, auslegend. ˌ**ex·e'get·ics** *s pl* (*als sg konstruiert*) Exe'getik *f*.

ex·em·plar [ig'zemplər] *s* **1.** Muster (-beispiel) *n*, Vorbild *n*. **2.** Typ *m*, Urbild *n*. **3.** Exem'plar *n* (*e-s Buches etc*). **4.** (*das*) typische Beispiel (of für). **ex'em·pla·ri·ness** *s* Musterhaftigkeit *f*, -gültigkeit *f*. **ex'em·pla·ry** *adj* (*adv* exemplarily) **1.** musterhaft, -gültig, vorbildlich. **2.** exem'plarisch, abschreckend (*Strafe etc*): ~ damages *jur.* Buße *f*. **3.** typisch, Muster...

ex·em·pli·fi·ca·tion [igˌzemplifi'keiʃən] *s* **1.** Erläuterung *f od.* Belegung *f* durch Beispiele, Veranschaulichung *f*: in ~ of zur Erläuterung (*gen*). **2.** Beleg *m*, Beispiel *n*, Muster *n*. **3.** *jur.* beglaubigte Abschrift. **ex'em·pliˌfy** [-ˌfai] *v/t* **1.** veranschaulichen: a) durch Beispiele erläutern, an Beispielen illu'strieren, b) als Beispiel dienen für. **2.** *jur.* a) e-e (beglaubigte) Abschrift machen von, b) durch beglaubigte Abschrift nachweisen.

ex·em·pli gra·ti·a [ig'zemplai 'greiʃiə] (*Lat.*) zum Beispiel (*abbr.* e.g.).

ex·empt [ig'zempt] **I** *v/t* **1.** *j-n* befreien (from von *Steuern, Verpflichtungen etc*): to be ~ed from s.th. von etwas ausgenommen werden *od.* sein; to ~ s.o. from liability j-s Haftung ausschließen; ~ed amount Freibetrag *m*. **2.** *mil.* (*vom Wehrdienst*) freistellen. **II** *adj* **3.** befreit, ausgenommen, frei (from von): ~ from taxation steuerfrei; customs-~ zollfrei. **III** *s* **4.** (*von Steuern etc*) Befreite(r *m*) *f*, Bevorrechtigte(r *m*) *f*. **ex'emp·tion** *s* **1.** Befreiung *f*, Freisein *n* (from von): ~ from taxes Steuerfreiheit *f*. **2.** *mil.* Freistellung *f* (*vom Wehrdienst*). **3.** Sonderstellung *f*, Vorrechte *pl*. **4.** *pl jur.* unpfändbare Gegenstände *pl od.* Beträge *pl*.

ex·en·ter·ate [ik'sentəˌreit] *v/t fig. ein Buch etc* ausziehen.

ex·e·qua·tur [ˌeksi'kweitər] *s* Exe'quatur *n*: a) *amtliche Anerkennung e-s Konsuls durch den Empfangsstaat*, b) *Anerkennung e-s Bischofs durch e-n Herrscher*.

ex·e·quies ['eksikwiz] *s pl* Ex'equien *pl*, Leichenbegängnis *n*, Totenfeier *f*.

ex·er·cis·a·ble ['eksərˌsaizəbl] *adj* ausübbar, anwendbar.

ex·er·cise ['eksərˌsaiz] **I** *s* **1.** Ausübung *f* (*e-r Kunst, der Macht, e-r Pflicht, e-s Rechts etc*), Geltendmachung *f* (*von Einfluß, Rechten etc*), Anwendung *f*, Gebrauch *m*: ~ of an office Ausübung e-s Amtes; in the ~ of their powers in Ausübung ihrer Machtbefugnisse. **2.** (*körperliche od. geistige*) Übung, (körperliche) Bewegung: bodily ~, physical ~ Leibesübung; to take ~ sich Bewegung machen (*im Freien*). **3.** *mil.* a) Exer'zieren *n*, b) Übung *f*, ('Übungs)Maˌnöver *n*. **4.** Übung(sarbeit) *f*, (schriftliche) Schulaufgabe: ~ book Schul-, Schreibheft *n*. **5.** *mus.* Übung(sstück *n*) *f*. **6.** Andacht(sübung) *f*, Gottesdienst *m*. **7.** *meist pl Am.* Feierlichkeiten *pl*. **II** *v/t* **8.** *ein Amt, ein Recht, Macht, e-n Einfluß* ausüben, *ein Recht, Einfluß, Macht* geltend machen, *etwas* anwenden: to ~ care Sorgfalt walten lassen; to ~ functions Tätigkeiten ausüben, Aufgaben wahrnehmen. **9.** *den Körper, Geist* üben. **10.** *j-n* üben, drillen, ausbilden, *s-e Glieder, Pferde* bewegen. **11.** *j-n, j-s Geist* stark beschäftigen, plagen, beunruhigen: to be ~d by (*od.* about) s.th. über etwas beunruhigt sein. **12.** *fig. Geduld etc* üben, an den Tag legen. **III** *v/i* **13.** sich üben, sich Bewegung machen. **14.** *sport* trai'nieren. **15.** *mil.* exer'zieren.

ex·er·ci·ta·tion [igˌzəːrsi'teiʃən] *s* **1.** Tätigkeit *f*, geistige Übung. **2.** (*literarische od. rhetorische*) Übung. **3.** lite'rarische Unter'suchung.

ex·ergue [ig'zəːrg; ek's-] *s* (*auf Münzen etc*) Ex'ergue *f*, Raum *m* unter dem Bild (*für Datum etc*).

ex·ert [ig'zəːrt] *v/t* **1.** (ge)brauchen, anwenden, *Druck, Einfluß, phys. e-e Kraft* ausüben: to ~ **one's authority** s-e Autorität geltend machen. **2.** ~ **o.s.** sich anstrengen, sich bemühen (for für, um). **ex'er·tion** *s* **1.** Ausübung *f*, Anwendung *f*: ~ **of power. 2.** Anstrengung *f*: a) Stra'paze *f*, b) Bemühung *f*.

ex·e·unt ['eksiʌnt] (*Lat.*) *thea. Bühnenanweisung*: (sie gehen) ab: ~ **omnes** alle ab.

ex·fo·li·ate [eks'fouli,eit] **I** *v/t* **1.** (in Schuppen) abwerfen. **2.** *med. die Haut* (in Schuppen) ablegen, *die Knochenoberfläche* abschälen. **3.** *fig.* entfalten, entwickeln. **II** *v/i* **4.** (sich) abblättern, sich abschälen. **5.** *geol.* sich abschiefern. **6.** sich entfalten *od.* entwickeln. **ex,fo·li'a·tion** *s* Abblätterung *f*.

ex·ha·la·tion [,ekshə'leiʃən] *s* **1.** Ver-, Ausdunstung *f*. **2.** Ausatmung *f*. **3.** Dunst *m*, Dampf *m*, Brodem *m*. **4.** *physiol.* a) Blähung *f*, b) Ausdünstung *f*. **5.** *fig.* Ausbruch *m*.

ex·hale [eks'heil; ig'zeil] **I** *v/t* **1.** ausatmen, -hauchen. **2.** ausdünsten: to **be** ~**d** ausdunsten. **3.** verdunsten lassen. **4.** *fig. e-n Seufzer etc* von sich geben, *a. das Leben* aushauchen: to ~ **anger** s-m Zorn Luft machen. **II** *v/i* **5.** ausströmen (**from** aus). **6.** ausatmen.

ex·haust [ig'zəːst] **I** *v/t* **1.** *bes. tech.* a) (ent)leeren, *a.* luftleer pumpen, b) *Luft, Wasser etc* her'auspumpen, *Gas* auspuffen, c) absaugen. **2.** *allg.* erschöpfen: a) *agr. den Boden* ausmergeln, b) *ein Bergwerk etc* völlig abbauen, c) *Vorräte* ver-, aufbrauchen, d) *j-n* ermüden, entkräften, ‚auspumpen', e) *j-s Kräfte* strapa'zieren: to ~ **s.o.'s patience** j-s Geduld erschöpfen, f) *ein Thema* erschöpfend behandeln: to ~ **a subject**; to ~ **all possibilities** alle Möglichkeiten ausschöpfen. **II** *v/i* **3.** sich entleeren. **4.** ausströmen (*Dampf*). **III** *s* **5.** *tech.* a) Dampfausströmung *f*, b) Abdampf *m*, Auspuffgase *pl*, c) Auspuff(rohr *n*) *m*, d) → **exhauster.** ~ **box** *s tech.* Schalldämpfer *m*, Auspufftopf *m.* ~ **cut-out** *s tech.* Auspuffklappe *f.* ~ **cy·cle** *s tech.* Auspufftakt *m*.

ex·haust·ed [ig'zəːstid] *adj* **1.** verbraucht, erschöpft, aufgebraucht (*Vorräte*), vergriffen (*Auflage*). **2.** erschöpft, ermattet. **3.** *econ.* abgelaufen (*Versicherung*). **ex'haust·er** *s tech.* (Ent)Lüfter *m*, Absaugevorrichtung *f*, Ex'haustor *m*. **ex'haust·i·ble** *adj* erschöpfbar, zu erschöpfen(d). **ex'haust·ing** *adj* erschöpfend, ermüdend, anstrengend, strapazi'ös.

ex·haus·tion [ig'zəːstʃən] *s* **1.** Entleerung *f*. **2.** *tech.* a) Ausströmen *n*, Auspuffen *n* (*von Dampf, Gas etc*), b) Auspumpen *n* (*von Luft etc*), c) Absaugung *f*. **3.** *allg.* Erschöpfung *f*: a) *agr.* Ausmergelung *f*: ~ **of the soil,** b) *Bergbau*: völliger Abbau, c) *chem.* Auflösung *f*, d) völliger Verbrauch: ~ **of reserves,** e) Ermattung *f*, Entkräftung *f*, *med. a.* ner'vöser Erschöpfungszustand. **4.** *math.* Approximati'on *f*, Exhausti'on *f*: **method of** ~ Approximationsmethode *f*. **ex'haus·tive** [-tiv] *adj* (*adv* ~**ly**) **1.** → **exhausting. 2.** *fig.* erschöpfend: ~ **investigation**; to **be** ~ **of** *ein Thema etc* erschöpfen(d behandeln). **ex'haust·less** *adj* unerschöpflich.

ex·haust| noz·zle *s tech.* Schubdüse *f*. ~ **pipe** *s tech.* Auspuffrohr *n.* ~ **port** *s tech.* 'Auspuffka,nal *m.* ~ **steam** *s tech.* Abdampf *m.* ~ **stroke** *s tech.* Auspuffhub *m.* ~ **valve** *s tech.* 'Auslaß-, 'Auspuffven,til *n*.

ex·hib·it [ig'zibit] **I** *v/t* **1.** ausstellen, zur Schau stellen: to ~ **goods**; to ~ **paintings. 2.** *fig.* zeigen, an den Tag legen, aufweisen, entfalten. **3.** *jur. e-e Urkunde* vorlegen, *ein Gesuch, a. e-e Klage* vorbringen, einreichen. **II** *v/i* **4.** ausstellen (**at a fair** auf e-r Messe). **III** *s* **5.** Ausstellungsstück *n*, ausgestellter Gegenstand. **6.** *jur.* a) schriftliche Eingabe, b) Beweisstück *n*, -urkunde *f*, c) Anlage *f* (*zu e-m Schriftsatz*).

ex·hi·bi·tion [,eksi'biʃən] *s* **1.** Darlegung *f*, Bekundung *f*, Entfaltung *f*. **2.** a) Ausstellung *f*, Messe *f*, Schau *f*, b) Aus-, (Zur')Schaustellung *f*, c) Vorführung *f*, Schauspiel *n*: ~ **contest** *sport* Schaukampf *m*; **art** ~ Kunstausstellung; **to be on** ~ (öffentlich) ausgestellt sein, zu sehen sein; **to make an** ~ **of o.s.** sich lächerlich *od.* zum Gespött machen, ‚auffallen'. **3.** → **exhibit** 5. **4.** *jur.* a) Einreichung *f*, Vorlage *f* (*von Papieren*), b) *Scot.* Pro'zeß *m* wegen Her'ausgabe (*von Papieren*). **5.** *univ. Br.* Sti'pendium *n*. **,ex·hi'bi·tion·er** *s univ. Br.* Stipendi'at *m*. **,ex·hi'bi·tion,ism** *s psych. u. fig.* Exhibitio'nismus *m*. **,ex·hi'bi·tion·ist** *s psych.* Exhibitio'nist *m*. **ex'hib·i·tor** [-tər] *s* **1.** Aussteller *m*, *econ. a.* Messeteilnehmer *m*. **2.** (Film)Vorführer *m*.

ex·hil·a·rant [ig'zilərənt] *adj* auf-, erheiternd, belebend, anregend. **ex'hil·a,rate** [-,reit] *v/t* er-, aufheitern. **ex'hil·a,rat·ed** *adj* **1.** heiter, angeregt. **2.** angeheitert. **ex'hil·a,rat·ing** *adj* (*adv* ~**ly**) anregend, erheiternd, amü'sant. **ex,hil·a'ra·tion** *s* **1.** Erheiterung *f*. **2.** Heiterkeit *f*. **ex'hil·a,ra·tive** → **exhilarating.**

ex·hort [ig'zəːrt] *v/t* **1.** ermahnen. **2.** ermuntern, antreiben, *j-m* zureden (to zu). **3.** *etwas* dringend empfehlen. **ex·hor·ta·tion** [,egzəːr'teiʃən] *s* **1.** Ermahnung *f*. **2.** Ermunterung *f*, Zureden *n*. **ex'hor·ta·tive** [-tətiv], **ex'hor·ta·to·ry** *adj* (er)mahnend.

ex·hu·ma·tion [,ekshjuː'meiʃən] *s* Exhu'mierung *f*. **ex·hume** [ig'zjuːm; eks'hjuːm] *v/t* **1.** *e-e Leiche* exhu'mieren. **2.** *fig.* ausgraben.

ex·i·gen·cy ['eksidʒənsi], *a.* **'ex·i·gence** *s* **1.** Dringlichkeit *f*, dringender Fall. **2.** (dringendes) Bedürfnis *od.* Erfordernis. **3.** Zwangs-, Notlage *f*, kritische Lage, Not *f*. **'ex·i·gent** *adj* **1.** dringend, dringlich, kritisch. **2.** anspruchsvoll. **3.** benötigend: **to be** ~ **of s.th.** etwas dringend erfordern. **'ex·i·gi·ble** [-dʒəbl] *adj* eintreibbar, einzutreiben(d), zu verlangen(d).

ex·i·gu·i·ty [,eksi'gjuːiti] *s* Kleinheit *f*, Spärlichkeit *f*, Geringfügigkeit *f*. **ex·ig·u·ous** [ig'zigjuəs; ik'sig-] *adj* klein, dürftig, unbedeutend, gering.

ex·ile ['eksail; 'egz-] **I** *s* **1.** Ex'il *n*, Verbannung *f* (*a. fig.*): **to go into** ~ in die Verbannung gehen; **to send into** ~ → 5; **government in** ~ Exilregierung *f*. **2.** *fig.* lange Abwesenheit, Abgeschiedenheit *f*. **3.** a) Verbannte(r *m*) *f*, b) im Ex'il Lebende(r *m*) *f*. **4. the E**~ *Bibl.* die Baby'lonische Gefangenschaft. **II** *v/t* **5.** verbannen (*a. fig.*), exi'lieren, in die Verbannung *od.* ins Ex'il schicken. **6.** *fig.* trennen. **ex·il·i·an** [eg'ziliən], **ex'il·ic** *adj* **1.** *Bibl.* die Baby'lonische Gefangenschaft betreffend. **2.** Exil..., ex'ilisch.

ex·il·i·ty [eg'ziliti] *s* Schwachheit *f*, Dünnheit *f*, Feinheit *f* (*a. fig.*).

ex·ist [ig'zist] *v/i* **1.** exi'stieren, vor'handen sein, (da)sein, sich finden, vorkommen (in in *dat*): to ~ **as** existieren in Form von; **do such things** ~? gibt es so etwas?; **the right to** ~ Existenzberechtigung *f*. **2.** leben (on von), bestehen, vege'tieren. **3.** dauern, bestehen. **ex'ist·ence** *s* **1.** Exi'stenz *f*, Dasein *n*, Vor'handensein *n*, Leben *n*, Bestehen *n*: **a wretched** ~ ein kümmerliches Dasein; **conditions (minimum) of** ~ Existenzbedingungen (-minimum *n*); **to call into** ~ ins Leben rufen; **to come into** ~ entstehen; **to be in** ~ bestehen, existieren; **to remain in** ~ weiterbestehen. **2.** Dauer *f*, (Fort)Bestand *m*, Exi'stenz *f*, Wesen *n*. **ex'ist·ent** *adj* **1.** exi'stierend, bestehend, vor'handen. **2.** gegenwärtig, augenblicklich (bestehend *od.* lebend).

ex·is·ten·tial [,egzis'tenʃəl] *adj* **1.** Existenz... **2.** *philos.* existenti'ell, Existential... **,ex·is'ten·tial,ism** *s philos.* Existentia'lismus *m*, Exi'stenzphiloso,phie *f*. **,ex·is'ten·tial·ist** *s* Existentia'list(in).

ex·it ['eksit; 'egzit] **I** *s* **1.** Abgang *m*: a) Abtreten *n* (*von der Bühne*), b) *fig.* Tod *m*: **to make one's** ~ → 6a *u.* 7. **2.** (*a.* Not)Ausgang *m* (*im Kino etc*). **3.** *Am.* (Autobahn)Ausfahrt *f*. **4.** *tech.* Austritt *m*: **port of** ~ Ausström-, Ausflußöffnung *f*; ~ **gas** Abgas *n*; ~ **heat** Abzugswärme *f*. **5.** Ausreise *f*: ~ **permit** Ausreiseerlaubnis *f*. **II** *v/i* **6.** *thea.* a) abgehen, abtreten, b) *Bühnenanweisung*: (er, sie, es geht) ab: ~ **Macbeth** Macbeth ab. **7.** *fig.* sterben.

ex li·bris [eks 'laibris] (*Lat.*) *s* Ex'libris *n*, Buchzeichen *n*.

exo- [ekso] *Vorsilbe mit der Bedeutung* außerhalb, äußerlich, außen.

ex·o·don·ti·a [,ekso'dɒnʃiə; -ʃə] *s med.* 'Zahnextrakti,onskunde *f*. **,ex·o'don·tist** [-tist] *s* 'Zahnchir,urg *m*.

ex·o·dus ['eksədəs] *s* **1.** Auszug *m* (*bes. der Juden aus Ägypten*). **2.** *fig.* Ab-, Auswanderung *f*, Massenflucht *f*: **general** ~ allgemeiner Aufbruch; ~ **of capital** *econ.* Kapitalabwanderung, -flucht; **rural** ~ Landflucht. **3. E**~ *Bibl.* Exodus *m*, Zweites Buch Mose.

ex of·fi·ci·o [,eksə'fiʃi,ou] (*Lat.*) **I** *adv* von Amts wegen. **II** *adj* Amts..., amtlich.

ex·o·gam·ic [,ekso'gæmik], **ex'og·a·mous** [-'sɒgəməs] *adj biol.* exo'gamisch. **ex'og·a·my** *s* **1.** Exoga'mie *f*, Fremdheirat *f* (*Ehe zwischen Angehörigen verschiedener* [*Stammes*]*Gruppen*). **2.** *biol.* Kreuzungsbefruchtung *f*.

ex·og·e·nous [ek'sɒdʒənəs] *adj* exo'gen: a) (von) außen erzeugt *od.* entstehend, b) *geol.* von außen wirkend.

ex·on ['eksɒn] *s e-r der 4 Offiziere der* **Yeomen of the Guard.**

ex·on·er·ate [ig'zɒnə,reit] *v/t* **1.** *e-n Angeklagten, a. e-n Schuldner* entlasten (**from** von). **2.** (**from**) befreien, entbinden (von), entheben (*gen*): **to** ~ **s.o. from a duty. 3.** reinigen, freisprechen (**from** von): **to** ~ **s.o. from a suspicion. ex,on·er'a·tion** *s* Entlastung *f*, Befreiung *f*. **ex'on·er,a·tive** *adj* entlastend, befreiend.

ex·oph·thal·mi·a [,eksɒf'θælmiə] *s med.* Exophthal'mie *f*, Glotzäugigkeit *f*.

ex·or·bi·tance [ig'zəːrbitəns], *a.* **ex'or·bi·tan·cy** [-si] *s* **1.** 'Übermaß *n*, Grenzen-, Maßlosigkeit *f*. **2.** Unmäßigkeit *f*. **ex'or·bi·tant** *adj* (*adv* ~**ly**) über'trieben, 'übermäßig, gren-

zen-, maßlos, ungeheuer: ~ price Wucherpreis *m.*
ex·or·cise ['eksɔːr͵saiz] *v/t* **1.** *böse Geister* austreiben, bannen. **2.** *j-n, e-n Ort* (durch Beschwörung) von bösen Geistern befreien. **3.** *Geister* beschwören, her'beirufen. **'ex·or͵cism** *s* Exor'zismus *m,* Teufelsbannung *f,* -austreibung *f,* Geisterbeschwörung *f.* **'ex·or·cist** *s* **1.** *relig.* Exor'zist *m.* **2.** Teufelsaustreiber *m,* Geisterbeschwörer *m.* **'ex·or͵cize** → exorcise.
ex·or·di·al [ig'zɔːrdiəl; ek's-] *adj* einleitend. **ex'or·di·um** [-əm] *pl* **-ums** *od.* **-a** [-ə] *s* Einleitung *f* (*e-r Rede, Abhandlung*).
ex·o·skel·e·ton [͵ekso'skelitn] *s zo.* ['Hautske͵lett *n.*]
ex·os·mo·sis [͵eksɒs'mousis; -sɒz] *s chem. phys.* Exos'mose *f.*
ex·o·spore ['ekso͵spɔːr] *s bot.* Exo'sporium *n,* äußere Sporenhaut.
ex·os·to·sis [͵eksɒs'tousis] *s med.* Knochenauswuchs *m,* Exo'stose *f.*
ex·o·ter·ic [͵ekso'terik] *adj;* **͵ex·o'ter·i·cal** [-kəl] *adj* (*adv* ~ly) exo'terisch, für Außenstehende bestimmt, öffentlich, popu'lär, gemeinverständlich.
ex·ot·ic [ig'zɒtik; eg-] **I** *adj* (*adv* ~ally) e'xotisch: a) ausländisch, fremd(ländisch), b) *fig.* fremdartig, bi'zarr. **II** *s* E'xot *m,* fremdländischer *od.* -artiger Mensch *od.* Gegenstand (*Pflanze, Sitte, Wort etc*). **ex'ot·i͵cism** [-͵sizəm] *s* **1.** ausländische Art. **2.** (*das*) E'xotische. **3.** ausländisches Idi'om. **4.** Vorliebe *f* für das E'xotische.
ex·pand [iks'pænd] **I** *v/t* **1.** ausbreiten, -spannen, entfalten. **2.** *econ. phys. etc, a. fig.* ausdehnen, -weiten, erweitern: ~ed program(me) erweitertes Programm. **3.** *e-e Abkürzung* (voll) ausschreiben. **4.** *math. e-e Gleichung* entwickeln. **II** *v/i* **5.** sich ausbreiten *od.* -dehnen, sich erweitern: his heart ~ed with joy sein Herz schwoll vor Freude. **6.** sich entwickeln, aufblühen (into zu). **7.** *fig.* a) (*vor Stolz, Freude etc*) ‚aufblühen', sich ‚fühlen', b) aus sich her'ausgehen. **8.** ~ (up)on → expatiate 1. **ex'pand·er** *s* **1.** *sport* Ex'pander *m,* Muskelstrecker *m.* **2.** *tech.* Rohrdichter *m.* **ex'pand·ing** *adj* sich ausdehnend *od.* erweiternd, wachsend, dehnbar: ~ clutch *tech.* Ausdehnungskupplung *f;* ~ mandrel *tech.* Spreiz-, Spanndorn *m;* ~ universe expandierender Kosmos.
ex·panse [iks'pæns] *s* **1.** ausgedehnter Raum, weite Fläche, Ausdehnung *f,* Weite *f.* **2.** *orn.* Spannweite *f,* Spanne *f.* **ex͵pan·si'bil·i·ty** *s* (Aus)Dehnbarkeit *f.* **ex'pan·si·ble** *adj* (aus)dehnbar. **ex'pan·sile** [*Br.* -sail; *Am.* -sil] *adj* (aus)dehnbar, Ausdehnungs...
ex·pan·sion [iks'pænʃən] *s* **1.** Ausbreitung *f.* **2.** *phys.* Ausdehnen *n,* -dehnung *f,* Aufweitung *f:* ~ due to heat Wärmeausdehnung. **3.** *fig.* a) (*a. econ.* Geschäfts)Erweiterung *f,* (*a. econ. Export-, Kapital-, Industrie-, Produktions- etc*)Ausweitung *f,* b) *econ.* Konjunk'turaufschwung *m,* c) *pol.* Expansi'on *f:* ~ of the ego *psych.* gesteigertes Selbstgefühl. **4.** (weiter) 'Umfang, Raum *m,* Weite *f.* **5.** *math.* Entwicklung *f* (*e-r Gleichung etc*). ~ **cir·cuit break·er** *s electr.* Expansi'ons(aus)schalter *m.* ~ **en·gine** *s tech.* Expansi'onsma͵schine *f.*
ex·pan·sion·ism [iks'pænʃə͵nizəm] *s* Expansi'onspoli͵tik *f.* **ex'pan·sion·ist I** *s* Anhänger(in) der Expansi'onspoli͵tik. **II** *adj* expansio'nistisch.
ex·pan·sion| joint *s tech.* Dehn(ungs)fuge *f.* ~ **ring** *s tech.* Spannring *m.* ~ **screw** *s tech.* Spreizschraube *f.* ~ **stroke** *s tech.* Arbeitshub *m,* -takt *m.*
ex·pan·sive [iks'pænsiv] *adj* (*adv* ~ly) **1.** ausdehnend, expan'siv, Ausdehnungs...: ~ force *tech.* Expansions-, (Aus)Dehnungskraft *f.* **2.** ausdehnungsfähig. **3.** weit, um'fassend, ausgedehnt, breit. **4.** *fig.* mitteilsam, aufgeschlossen, freundlich. **5.** *fig.* 'überschwenglich. **6.** *psych.* größenwahnsinnig. **ex'pan·sive·ness** *s* **1.** Ausdehnung *f.* **2.** Ausdehnungsvermögen *n.* **3.** *fig.* Aufgeschlossenheit *f,* Freundlichkeit *f.* **4.** *fig.* 'Überschwenglichkeit *f.* **5.** Größenwahn *m.*
ex par·te [eks 'pɑːrti] (*Lat.*) *adj u. adv jur.* einseitig, (seitens) 'einer Par'tei.
ex·pa·ti·ate [iks'peiʃi͵eit; eks-] *v/i* **1.** sich (*in Wort u. Schrift*) auslassen, sich verbreiten (on, upon über *acc*). **2.** *meist fig.* sich tummeln *od.* ergehen. **ex͵pa·ti'a·tion** *s* langatmige Auslassung, weitläufige Ausführung *od.* Erörterung. **ex'pa·ti͵a·to·ry** *adj* weitläufig, geschwätzig.
ex·pa·tri·ate [eks'peitri͵eit; -'pæt-] **I** *v/t* **1.** *j-n* ausbürgern, verbannen, expatri'ieren, *j-m* die Staatsbürgerschaft entziehen: to ~ o.s. → 2. **II** *v/i* **2.** s-e Staatsangehörigkeit aufgeben, auswandern. **III** *adj* [-it; -͵eit] **3.** a) verbannt, ausgebürgert, b) ständig im Ausland lebend. **IV** *s* **4.** Verbannte(r *m*) *f,* Ausgebürgerte(r *m*) *f.* **5.** freiwillig im Ex'il *od.* ständig im Ausland Lebende(r *m*) *f.* **ex͵pa·tri'a·tion** *s* **1.** Verbannung *f,* Ausbürgerung *f,* Aberkennung *f* der Staatsangehörigkeit. **2.** Auswanderung *f.* **3.** Aufgabe *f* s-r Staatsangehörigkeit.
ex·pect [iks'pekt] **I** *v/t* **1.** *j-n* erwarten (to dinner zum Essen). **2.** *etwas* erwarten: a) hoffen: I ~ to see you soon; I ~ you to come ich erwarte, daß du kommst, b) *etwas* gewärtigen: this is just what I ~ed of (*od.* from) him genau das erwartete ich von ihm, c) vor'hersehen, *e-r Sache* entgegensehen, d) rechnen auf (*acc*), verlangen: that is not ~ed of you das wird nicht von dir erwartet *od.* verlangt, e) *oft neg* gefaßt sein auf (*acc*): I had not ~ed such a reply. **3.** *colloq.* vermuten, denken, annehmen, glauben: I ~ so ich nehme (es) an. **II** *v/i* **4.** *colloq.* in anderen 'Umständen sein, schwanger sein: → expecting. **ex'pect·ance** → expectancy.
ex·pect·an·cy [iks'pektənsi] *s* **1.** (of) Erwartung *f* (*gen*), Hoffnung *f,* Aussicht *f* (auf *acc*). **2.** Gegenstand *m* der Erwartung. **3.** *econ. jur.* Anwartschaft *f:* estate in ~ Erbanwartschaft (auf Grundbesitz); tables of ~ (*Versicherungswesen*) Lebenserwartungstafeln. **ex'pect·ant I** *adj* (*adv* ~ly) **1.** erwartend: to be ~ of s.th. etwas erwarten; ~ heir a) *jur.* Erb(schafts)anwärter *m,* b) Thronanwärter *m.* **2.** erwartungsvoll. **3.** zu erwarten(d). **4.** *med.* abwartend: ~ method. **5.** schwanger, in anderen 'Umständen: ~ mother werdende Mutter; ~ father *humor.* Vater *m* in spe. **II** *s* **6.** Anwärter(in).
ex·pec·ta·tion [͵ekspek'teiʃən] *s* **1.** Erwartung *f,* Erwarten *n:* beyond ~ über Erwarten; on tiptoes with ~ brennend vor Erwartung; against (*od.* contrary to) ~(s) wider Erwarten; according to ~ erwartungsgemäß; to come up to ~ den Erwartungen entsprechen; to fall short of s.o.'s ~s hinter j-s Erwartungen zurückbleiben. **2.** Gegenstand *m* der Erwartung: to have great ~s einmal viel (*durch Erbschaft etc*) zu erwarten haben. **3.** *oft pl* Hoffnung *f,* Aussicht *f* (of auf *acc*): ~ of life Lebenserwartung *f,* mutmaßliche Lebensdauer; in ~ zu erwarten(d). **4.** *math.* Erwartungswert *m.* **E~ Week** *s relig. die 10 Tage zwischen Himmelfahrt u. Pfingsten.*
ex·pect·a·tive [iks'pektətiv] *adj* **1.** ab-, erwartend. **2.** Anwartschafts... **ex'pect·ed·ly** [-idli] *adv* erwartungsgemäß. **ex'pect·ing** *adj colloq.* schwanger, in anderen Umständen.
ex·pec·to·rant [iks'pektərənt] *adj u. s med.* schleimlösend(es Mittel). **ex'pec·to͵rate** [-͵reit] **I** *v/t med.* auswerfen, -spucken, -husten. **II** *v/i* a) (aus)spucken, b) Blut spucken. **ex͵pec·to'ra·tion** *s* **1.** *med.* Auswerfen *n* (*von Schleim etc*). **2.** (Aus)Spucken *n.* **3.** Auswurf *m.*
ex·pe·di·ence [iks'piːdiəns], **ex'pe·di·en·cy** [-si] *s* **1.** Tunlichkeit *f,* Ratsamkeit *f,* Angemessenheit *f.* **2.** Nützlichkeit *f,* Zweckdienlichkeit *f,* -mäßigkeit *f.* **3.** (selbstsüchtige) Berechnung, Selbstsucht *f,* Opportu'nismus *m.*
ex'pe·di·ent I *adj* (*adv* → expediently) **1.** tunlich, ratsam, angemessen, angebracht. **2.** zweckdienlich, -mäßig, nützlich, praktisch, vorteilhaft. **3.** eigennützig. **II** *s* **4.** (Hilfs)Mittel *n,* (Not)Behelf *m:* by way of ~ behelfsmäßig. **5.** Ausweg *m.* **ex͵pe·di'en·tial** [-'enʃəl] *adj* Zweckmäßigkeits..., Nützlichkeits... **ex'pe·di·ent·ly** *adv* zweckmäßigerweise.
ex·pe·dite ['ekspi͵dait] *v/t* **1.** beschleunigen: to ~ matters die Dinge beschleunigen, der Sache nachhelfen; ~d service *rail.* Expreßdienst *m.* **2.** schnell ausführen *od.* vornehmen. **3.** expe'dieren, absenden, befördern. **͵ex·pe'di·tion** [-'diʃən] *s* **1.** Eile *f,* Schnelligkeit *f.* **2.** (Forschungs)Reise *f,* Expediti'on *f:* on an ~ auf e-r Expedition. **3.** (Mitglieder *pl* e-r) Expediti'on *f.* **4.** *mil.* Feldzug *m.* **͵ex·pe'di·tion·ar·y** *adj* Expeditions...: ~ force Expeditionsstreitkräfte.
ex·pe·di·tious [͵ekspi'diʃəs] *adj* (*adv* ~ly) **1.** schnell, rasch, zügig, prompt. **2.** emsig.
ex·pel [iks'pel] *v/t* (from) **1.** vertreiben, wegjagen (von, aus). **2.** ausweisen (aus), verweisen (*des Landes*), verbannen (von, aus). **3.** hin'auswerfen, ausstoßen (aus), ausschließen (von): to ~ from the school. **4.** *Luft etc* ausatmen, -stoßen (aus). **5.** *chem.* abtreiben. **ex'pel·lant** *adj u. s med.* austreibend(es Mittel). **ex·pel·lee** [͵ekspe'liː] *s* (Heimat)Vertriebene(r *m*) *f.* **ex'pel·lent** → expellant.
ex·pend [iks'pend] *v/t* **1.** *Zeit, Mühe etc* auf-, verwenden, *Geld* ausgeben (on für). **2.** verbrauchen: to ~ o.s. *fig.* sich verausgaben. **ex'pend·a·ble I** *adj* **1.** verbrauchbar, Verbrauchs...: ~ item *mil. Am.* Verbrauchsartikel *m;* ~ items, *Br.* ~ stores *mil.* Verbrauchsmaterial *n.* **2.** *mil.* entbehrlich, dem Feind (*im Notfall*) zu opfern(d). **II** *s meist pl* **3.** (*etwas*) Entbehrliches. **4.** *bes. mil.* Verbrauchsgüter *pl.* **5.** *mil.* verlorener Haufe(n). **ex'pen·di·ture** [-ditʃər] *s* **1.** Aufwand *m,* Verbrauch *m* (of an *dat*). **2.** Verausgabung *f,* Ausgabe *f.* **3.** (Geld)Ausgabe(n *pl*) *f,* (Kosten)Aufwand *m,* Aufwendung(en *pl*) *f,* Auslage(n *pl*) *f,* Kosten *pl:* cash ~ *econ.* Barausgaben, -auslagen.
ex·pense [iks'pens] *s* **1.** → expenditure 3. **2.** *pl* (Un)Kosten *pl,* Spesen

pl: **travel(l)ing ~s** Reisespesen; **~ account** a) Spesenkonto *n*, b) Spesen(ab)rechnung *f*; **~ allowance** Aufwandsentschädigung *f*. **3.** Aufwand *m* (**of** an *dat*). **4.** *fig*. Kosten *pl*: **they laughed at my ~** sie lachten auf m-e Kosten; **at the ~ of his health** auf Kosten s-r Gesundheit.

Besondere Redewendungen:

~s covered kostenfrei; **~s deducted** nach Abzug der Kosten; **fixed** (*od.* **ordinary** *od.* **running**) **~s** laufende Ausgaben; **general ~** Gemeinkosten; **living ~** Lebenshaltungskosten; **working ~s** Betriebs(un)kosten; **to spare no ~** keine Kosten scheuen, es sich etwas kosten lassen; **at any ~** um jeden Preis; **at an ~ of** mit e-m Aufwand von; **at the ~ of** a) auf Kosten von (*a. fig.*), b) *fig*. zum Schaden *od*. Nachteil von; **at my ~** auf m-e Kosten, für m-e Rechnung; **at great ~** mit großen Kosten; **to go to great ~** sich in große Unkosten stürzen; **to go to the ~ of buying s.th.** soweit gehen, etwas zu kaufen; **to put s.o. to great ~** j-m große Kosten verursachen.

ex·pen·sive [iks'pensiv] *adj* (*adv* **~ly**) teuer, kostspielig: **it will come ~** es wird teuer kommen. **ex'pen·sive·ness** *s* Kostspieligkeit *f*.

ex·pe·ri·ence [iks'pi(ə)riəns] **I** *s* **1.** Erfahrung *f*, (Lebens)Praxis *f*: **by** (*od.* **from**) **my own ~** aus eigener Erfahrung; **to speak from ~** aus Erfahrung sprechen; **based on ~** auf Erfahrung begründet; **I know (it) by ~** ich weiß (es) aus Erfahrung; **in my ~** nach m-n Erfahrungen, m-s Wissens. **2.** Erlebnis *n*: **I had a strange ~** ich hatte ein seltsames Erlebnis, ich habe etwas Seltsames erlebt. **3.** Erfahrenheit *f*, (praktische) Erfahrung, Fach-, Sachkenntnis *f*, Kenntnisse *pl*: **business ~, ~ in trade** Geschäftserfahrung; **many years' ~** langjährige Erfahrung(en); **he lacks ~** ihm fehlt (die) Erfahrung. **4.** *relig*. a) Er'fahrungsreligi,on *f*, b) *Am*. religi'öse Erweckung: **~ meeting** Erweckungsversammlung *f*. **II** *v/t* **5.** erfahren: a) kennenlernen, b) erleben: **to ~ s.th. personally** etwas am eigenen Leibe erfahren; **to ~ difficulties** auf Schwierigkeiten stoßen, c) *Schmerzen*, *Verluste etc* erleiden, *etwas* 'durchmachen, *Vergnügen etc* empfinden: **to ~ pleasure**; **to ~ an advance** *econ*. e-e Kurssteigerung erfahren; **to ~ religion** *Am. colloq*. erweckt *od*. bekehrt werden. **ex'pe·ri·enced** *adj* erfahren, bewandert, (fach-, sach)kundig, bewährt, erprobt, routi'niert.

ex·pe·ri·ent [iks'pi(ə)riənt] *s psych*. Wahrnehmende(r *m*) *f*, j-d, der etwas erlebt. **ex,pe·ri'en·tial** [-'enʃəl] *adj philos*. erfahrungsmäßig, em'pirisch. **ex,pe·ri'en·tial,ism** *s philos*. Empi'rismus *m*. **ex,pe·ri'en·tial·ist** *s* Em'piriker *m*.

ex·per·i·ment I *s* [iks'perimənt] Versuch *m*, Probe *f*, Experi'ment *n*: **~ on animals** Tierversuch. **II** *v/i* [-,ment] experimen'tieren, Versuche anstellen (**on, upon** an *dat*; **with** mit): **to ~ with s.th.** etwas erproben *od*. versuchen.

ex·per·i·men·tal [iks,peri'mentl] *adj* (*adv* → **experimentally**) **1.** *scient*. Versuchs..., experimen'tell, Experimental...: **~ animal** Versuchstier *n*; **~ engineer** *tech*. Versuchsingenieur *m*; **~ physics** Experimentalphysik *f*; **~ station** Versuchsstation *f*; **~ theater** (*Br*. **theatre**) experimentelles Theater; → **stage** 8. **2.** Erfahrungs..., auf Erfahrung gegründet: **~ philosophy**.

ex,per·i'men·tal·ist *s* Experimen'tator *m*. **ex,per·i'men·tal,ize** *v/i* experimen'tieren (**on, upon** an *dat*). **ex,per·i'men·tal·ly** *adv* experimen'tell, auf experimentellem Wege, versuchsweise. **ex,per·i·men'ta·tion** *s* Experimen'tieren *n*.

ex·pert ['ekspəːrt] **I** *adj* [*pred a.* iks'pəːrt] (*adv* **~ly**) **1.** erfahren, kundig. **2.** fachmännisch, fach-, sachkundig, sachverständig: **~ work**; **~ engineer** Fachingenieur *m*; **~ knowledge** Sach-, Fachkenntnis *f*. **3.** Sachverständigen...: **~ evidence, ~ opinion** (Sachverständigen)Gutachten *n*; **~ witness** *jur*. sachverständiger Zeuge, Sachverständige(r *m*) *f*. **4.** geschickt, gewandt (**at, in** in *dat*). **II** *s* **5.** a) Fachmann *m*, Sachkundige(r *m*) *f*, Kenner(in), b) Ex'perte *m*, Autori'tät *f*, Sachverständige(r *m*) *f*, Gutachter(in) (**at, in** in *dat*; **on s.th.** [auf dem Gebiet] e-r Sache): **mining ~**.

ex·per·tise [ɛkspɛr'tiːz] (*Fr.*) *s* **1.** Ex'pertise *f*, (Sachverständigen)Gutachten *n*. **2.** Fach-, Sachkenntnis *f*. **3.** fachmännisches Können.

ex·pert·ness [eks'pəːrtnis] *s* Geschicklichkeit *f*, Erfahrenheit *f*.

ex·pi·a·ble ['ekspiəbl] *adj* sühnbar. **'ex·pi,ate** [-,eit] *v/t* sühnen, wieder'gutmachen, (ab)büßen. **,ex·pi'a·tion** *s* Sühne *f*, (Ab)Büßung *f*, Buße *f*: **to make ~ for s.th.** etwas sühnen; **in ~ of s.th.** um etwas zu sühnen; **Feast of E~** *relig*. (jüdisches) Versöhnungsfest. **'ex·pi,a·to·ry** *adj* sühnend, Sühn..., Buß...: **~ sacrifice** Sühnopfer *n*; **to be ~ of s.th.** etwas sühnen.

ex·pi·ra·tion [,ekspi'reiʃən] *s* **1.** Ausatmen *n*, -atmung *f*. **2.** Hauch *m*. **3.** *fig*. Tod *m*. **4.** *fig*. Ablauf *m* (*e-r Frist*, *e-s Vertrags etc*), Ende *n*: **at the ~ of the year** nach Ablauf des Jahres. **5.** *econ*. Verfall *m*, Fälligwerden *n*: **at the time of ~** zur Verfallszeit; **~ date** Verfalltag *m*. **ex·pi·ra·to·ry** [iks'pai(ə)rətəri] *adj* (Aus)Atmungs..., Atem...: **~ organ** Atmungsorgan *n*.

ex·pire [iks'pair] **I** *v/t* **1.** *Luft* ausatmen, -hauchen. **II** *v/i* **2.** ausatmen, -hauchen. **3.** sterben, verscheiden. **4.** *poet*. vergehen. **5.** ablaufen (*Frist*, *Vertrag etc*), erlöschen (*Konzession*, *Patent*, *Recht*, *Titel etc*), enden. **6.** ungültig werden, verfallen, s-e Gültigkeit verlieren. **7.** *econ*. fällig werden. **ex'pir·ing** *adj* **1.** sterbend, Todes... **2.** ablaufend, verfallend. **ex'pi·ry** → **expiration**.

ex·plain [iks'plein] *v/t* **1.** erklären, erläutern, verständlich machen, ausein'andersetzen (**s.th. to s.o.** j-m etwas): **to ~ s.th. away** etwas (durch allerhand Erklärungen) vertuschen, 'wegdispu,tieren. **2.** erklären, begründen, rechtfertigen: **to ~ one's conduct**; **~ yourself!** a) erklären Sie sich (deutlich)!, b) rechtfertigen Sie sich! **ex'plain·a·ble** *adj* erklärbar, erklärlich.

ex·pla·na·tion [,ekspla'neiʃən] *s* **1.** Erklärung *f*, Erläuterung *f* (**of** für): **to give an ~ of s.th.** etwas erklären; **in ~ of** zur Erklärung von, als Erklärung für, um zu erklären; **to make some ~** e-e Erklärung abgeben, sich erklären. **2.** Er-, Aufklärung *f*, Aufhellung *f*: **to find an ~ of** (*od.* **for**) **a mystery**. **3.** Ausein'andersetzung *f*, Verständigung *f*: **to come to an ~ with s.o.** sich mit j-m verständigen. **ex·plan·a·to·ry** [iks'plænətəri] *adj* (*adv* **explanatorily**) erklärend, erläuternd.

ex·ple·tive ['eksplitiv; *Br. a.* eks'pliːtiv] **I** *adj* **1.** ausfüllend, Ausfüll... **II** *s* **2.** Füllsel *n*, ‚Lückenbüßer' *m*. **3.** *ling*. Füllwort *n*. **4.** *euphem*. Fluch(wort *n*) *m*. **'ex·ple·to·ry** → **expletive** I.

ex·pli·ca·ble ['eksplikəbl] *adj* erklärbar, erklärlich. **'ex·pli,cate** [-,keit] *v/t* erklären, *Begriffe etc* entwickeln, erläutern, ausein'andersetzen, expli'zieren. **,ex·pli'ca·tion** *s* **1.** Erklärung *f*, Erläuterung *f*. **2.** Entfaltung *f*, Entwicklung *f*. **'ex·pli,ca·tive, 'ex·pli,ca·to·ry** *adj* erklärend, erläuternd.

ex·plic·it [iks'plisit] *adj* (*adv* **~ly**) **1.** ausdrücklich, deutlich, bestimmt, klar. **2.** ausführlich. **3.** offen, deutlich (**about, on** in bezug auf *acc*) (*Person*). **4.** *math*. expli'zit. **ex'plic·it·ness** *s* Deutlichkeit *f*, Bestimmtheit *f*.

ex·plode [iks'ploud] **I** *v/t* **1.** zur Explosi'on bringen, in die Luft sprengen, explo'dieren *od*. losgehen lassen. **2.** *e-e Theorie etc* über den Haufen werfen, zum Platzen bringen, zu'nichte machen, zerstören: **to be ~d** überlebt *od*. veraltet sein. **3.** *ling*. als Explo'sivlaut aussprechen. **II** *v/i* **4.** a) explo'dieren, in die Luft fliegen, (zer)platzen, (zer)knallen, sich entladen, b) *mil*. kre'pieren (*Granate etc*). **5.** *fig*. ausbrechen (**into, with** in *acc*), ‚platzen' (**with** vor *dat*): **to ~ with fury** vor Wut platzen, ‚explodieren'; **to ~ with laughter** in schallendes Gelächter ausbrechen. **6.** *fig*. sich jäh entwickeln (**into** zu), la'winenartig anwachsen.

ex·plod·ed view [iks'ploudid] *s tech*. Darstellung *f* in ausein'andergezogener Anordnung.

ex·plod·er [iks'ploudər] *s* Explosi'onsmittel *n*, Zündgerät *n*.

ex·ploit I *s* ['eksplɔit; iks'plɔit] **1.** (Helden)Tat *f*. **2.** Großtat *f*, große Leistung. **II** *v/t* [iks'plɔit] **3.** *etwas* auswerten, *ein Patent etc* (*kommerziell*) verwerten, *min. etc* ausbeuten, abbauen, *Land* kulti'vieren. **4.** *fig. contp. j-n od. etwas* ausnutzen, -beuten, *etwas* ausschlachten, Kapi'tal schlagen aus. **,ex·ploi'ta·tion,** *a.* **ex'ploit·age** *s* **1.** Ausnutzung *f*, -beutung *f* (*beide a. fig. contp.*), *min*. Abbau *m*, (*Erz- etc*) Gewinnung *f*: **wasteful ~** Raubbau *m*. **2.** (*Patent- etc*)Verwertung *f*: **right of ~** Verwertungsrecht *n*. **3.** *Am*. Re'klame *f*. **ex'ploit·a·tive** [-tiv] *adj* ausnutzend, Ausbeutungs... **ex'ploit·er** *s* Ausbeuter *m*.

ex·plo·ra·tion [,eksplo'reiʃən] *s* **1.** Erforschung *f* (*e-s Landes*). **2.** Unter'suchung *f*. **3.** *ped*. Orien'tierung *f*: **~ course** Orientierungs-, Überblickkurs *m*. **ex·plor·a·tive** [iks'plɔːrətiv] → **exploratory**. **ex'plor·a·to·ry** *adj* **1.** (er)forschend, unter'suchend, Erkundungs..., Forschungs...: **~ drilling** Versuchs-, Probebohrungen *pl*; **~ incision** *med*. Probeinzision *f*. **2.** informa'torisch, Informations..., son'dierend: **~ talks** Sondierungsgespräche.

ex·plore [iks'plɔːr] **I** *v/t* **1.** *ein Land* erforschen. **2.** erforschen, erkunden, unter'suchen, son'dieren (*a. med.*): **exploring(ly)** forschend, *a.* tastend. **II** *v/i* **3.** eingehende Unter'suchungen anstellen, forschen. **ex'plor·er** *s* **1.** Forscher(in), Forschungsreisende(r *m*) *f*: **polar ~** Polarforscher. **2.** *med*. Sonde *f*.

ex·plo·sion [iks'plouʒən] *s* **1.** a) Explosi'on *f*, Entladung *f*: **~-proof** explosionsgeschützt, b) Knall *m*, Erschütterung *f*, Detonati'on *f*. **2.** *fig*. Zerstörung *f*, Zs.-bruch *m*, ‚Platzen' *n*. **3.** *fig*. Ausbruch *m*. **4.** *fig*. jähe Entwicklung, la'winenartiges Anwachsen: **~ of population** Bevölkerungsexplosion *f*.

5. *ling.* Explosi'on *f* (*Verschlußsprengung bei Verschlußlauten*).

ex·plo·sive [iks'plousiv] **I** *adj* (*adv* ~ly) **1.** explo'siv, Spreng...: ~ effect; ~ combustion engine Explosions-, Verpuffungsmotor *m.* **2.** Explosions... **3.** *fig.* aufbrausend, jähzornig. **4.** *fig.* a) jäh: an ~ increase, b) la'winenartig (anwachsend), dy'namisch: an ~ market. **II** *s* **5.** a) Explo'siv-, Sprengstoff *m,* b) *pl mil.* Muniti'on *f u.* Sprengstoffe *pl.* **6.** *ling.* Explo'siv-, Verschlußlaut *m* (*k, p, t*). ~ **bomb** *s mil.* Sprengbombe *f.* ~ **charge** *s mil. tech.* Sprengladung *f.* ~ **cot·ton** *s tech.* Schießbaumwolle *f.* ~ **flame** *s tech.* Stichflamme *f.* ~ **force** *s mil. tech.* Bri'sanz-, Sprengkraft *f.* ~ **riv·et** *s tech.* Sprengniet *m.* ~ **thrust** *s* Verbrennungsdruck *m* (*e-r Rakete*). ~ **train** *s* Zündsatz *m.*

ex·po·nent [iks'pounənt] *s* **1.** *math.* Expo'nent *m,* Hochzahl *f.* **2.** *fig.* Expo'nent(in): a) Typ *m,* Repräsen'tant(in), b) Vertreter(in), Verfechter(in): the ~ of a doctrine. **3.** *fig.* Inter'pret(in). **ex·po·nen·tial** [ˌekspo'nenʃəl] *math.* **I** *adj* Exponential...: ~ series Exponentialreihe *f.* **II** *s* Exponenti'algröße *f.*

ex·port *econ.* **I** *v/t u. v/i* [iks'pɔːrt] **1.** expor'tieren (*a. fig.*), ausführen. **II** *s* ['eks-] **2.** Ex'port *m,* Ausfuhr(handel *m*) *f.* **3.** Ex'port-, 'Ausfuhrarˌtikel *m.* **4.** *pl* a) (Ge'samt)Exˌport *m,* (-)Ausfuhr *f,* b) Ex'portgüter *pl,* Ausfuhrware *f.* **III** *adj* **5.** Ausfuhr..., Export... **ex'port·a·ble** *adj* ex'portfähig, zur Ausfuhr geeignet, Ausfuhr... ˌ**ex·por'ta·tion** → export 2, 3.

ex·port| bar ['ekspɔːrt] *s econ.* Goldbarren *m* (*für internationalen Goldexport*). ~ **boun·ty** *s* Ex'port-, Ausfuhrprämie *f.* ~ **dec·la·ra·tion** *s* Ex'portdeklaratiˌon *f,* 'Ausfuhrerklärung *f* (*bei Seetransport*). ~ **du·ty** *s* Ausfuhr-, Ausgangszoll *m.*

ex·port·er [iks'pɔːrtər] *s* Expor'teur *m.*

ex·port| li·cense *s econ.* Ausfuhrbewilligung *f.* ~ **per·mit** *s* Ausfuhrbewilligung *f,* 'Zollpasˌsierzettel *m.* ~ **trade** *s* Ex'port-, Ausfuhr-, Außenhandel *m.*

ex·pos·al [iks'pouzəl] → exposure.

ex·pose [iks'pouz] *v/t* **1.** *ein Kind* aussetzen. **2.** aussetzen, preisgeben (to a danger e-r Gefahr *etc*): to ~ o.s. sich exponieren, sich e-e Blöße geben (→ 3 a, 5); → exposed. **3.** *fig.* a) (o.s. sich) bloßstellen, b) *j-n* entlarven, c) *etwas* aufdecken, entlarven: to ~ an election fraud. **4.** entblößen (*a. mil.*), enthüllen, zeigen. **5.** *fig. j-n* aussetzen, unter'werfen (to *dat*): to ~ o.s. to ridicule sich lächerlich machen, sich dem Gespött (der Leute) aussetzen. **6.** *Waren* ausstellen (for sale zum Verkauf): to ~ for inspection zur Ansicht auslegen. **7.** a) *phys. tech. e-r Einwirkung* aussetzen, b) *phot.* belichten. **8.** *fig.* darlegen, ausein'andersetzen.

ex·po·sé [*Br.* eks'pouzei; *Am.* ˌekspou'zei] *s* **1.** Expo'sé *n,* Denkschrift *f,* Darlegung *f.* **2.** Enthüllung *f,* Entlarvung *f.*

ex·posed [iks'pouzd] *adj* **1.** *pred* ausgesetzt (to *dat*). **2.** frei, offen. **3.** expo'niert, ungeschützt, preisgegeben, gefährdet. **ex'pos·ed·ness** [-idnis] *s* Ausgesetztsein *n.*

ex·po·si·tion [ˌekspo'ziʃən] *s* **1.** (*öffentliche*) Ausstellung, Schau *f.* **2.** Darlegung(en *pl*) *f,* Erklärung *f,* Ausführung(en *pl*) *f.* **3.** Auslegung *f,* Interpretati'on *f.* **4.** Expositi'on *f* (*Drama, Stoff*). **5.** *mus.* Expositi'on *f*: a) erster Teil e-r So'nate, b) erste Durchführung in e-r Fuge. **6.** → exposure 1, 7.

ex·pos·i·tive [iks'pɒzitiv] *adj* erklärend, erläuternd: to be ~ of s.th. etwas erklären. **ex'pos·i·tor** [-tər] *s* Ausleger *m,* Erklärer *m,* Deuter *m,* Kommen'tator *m.* **ex'pos·i·to·ry** → expositive.

ex post fac·to ['eks ˌpoust 'fæktou] (*Lat.*) *adj u. adv* rückwirkend: ~ law.

ex·pos·tu·late [iks'pɒstʃuˌleit] *v/i* **1.** prote'stieren. **2.** ~ with *j-m* (ernste) Vorhaltungen machen, *j-n* zur Rede stellen, *j-n* zu'rechtweisen. **exˌpos·tu'la·tion** *s* **1.** Klage *f,* Pro'test *m.* **2.** ernste Vorhaltung, Verweis *m.* **ex'pos·tuˌla·tive, ex'pos·tuˌla·to·ry** *adj* prote'stierend, mahnend.

ex·po·sure [iks'pouʒər] *s* **1.** (Kindes)-Aussetzung *f.* **2.** Aussetzen *n*: ~ to light Belichtung *f*; ~ to rays Bestrahlung *f.* **3.** (to) Ausgesetztsein *n,* Preisgegebensein *n* (*dat*), Gefährdung *f* (durch): ~ to infection; death by ~ Tod *m* durch Erfrieren *od.* durch die Unbilden der Witterung. **4.** a) Entblößung *f*: indecent ~ *jur.* (Erregung *f* öffentlichen Ärgernisses durch) unsittliches Entblößen, b) *med.* Frei-, Bloßlegung *f.* **5.** *fig.* Bloßstellung *f,* Enthüllung *f,* Entlarvung *f.* **6.** ungeschützte Lage. **7.** *phot.* a) Belichtung(szeit) *f,* b) Aufnahme *f*: ~ against the sun Gegenlichtaufnahme; ~ meter Belichtungsmesser *m*; ~ value Lichtwert *m.* **8.** Ausstellung *f* (*von Waren*). **9.** Lage *f* (*e-s Gebäudes*): southern ~.

ex·pound [iks'paund] **I** *v/t* **1.** erklären, erläutern, *e-e Theorie* entwickeln. **2.** auslegen: to ~ a text. **II** *v/i* **3.** Erläuterungen geben (upon über *acc,* zu).

ex·press [iks'pres] **I** *v/t* **1.** *obs. Saft etc* auspressen (from, out of aus). **2.** *e-e Ansicht etc* ausdrücken, äußern, zum Ausdruck bringen: to ~ an opinion; to ~ one's gratitude; to ~ o.s. sich äußern, sich erklären; to be ~ed zum Ausdruck kommen; not to be ~ed unaussprechlich. **3.** bezeichnen, bedeuten, vor-, darstellen. **4.** *Gefühle etc* zeigen, offen'baren, an den Tag legen, bekunden. **5.** a) durch Eilboten *od.* als Eilgut schicken, b) *Am. Gepäck etc* durch ein pri'vates Trans'portunterˌnehmen befördern lassen. **II** *adj* (*adv* → expressly) **6.** ausdrücklich, bestimmt, deutlich. **7.** Expreß..., Schnell-..., Eil...: ~ messenger (letter) *Br.* Eilbote *m* (-brief *m*); ~ delivery a) *Br.* Eilzustellung *f,* b) *Am.* Beförderung *f* durch ein privates Transportunternehmen. **8.** genau, gleich. **9.** besonder(er, e, es): for this ~ purpose eigens zu diesem Zweck. **III** *adv* **10.** ex'preß. **11.** eigens. **12.** a) *Br.* durch Eilboten, per Ex'preß, als Eilgut: to send s.th. ~, b) *Am.* durch ein pri'vates Trans'portunterˌnehmen. **IV** *s* **13.** *Br.* Eilbote *m.* **14.** a) Eilbeförderung *f,* b) *Am.* pri'vate Beförderung. **15.** Eil-, Ex'preßbrief *m,* -gut *n.* **16.** *rail.* D-Zug *m,* Schnellzug *m, Am. a.* Eilgüterzug *m.* **17.** → express rifle.

ex'press·age *s Am.* **1.** Sendung *f* durch e-e Pa'ketbeförderungsgesellschaft. **2.** Eilfrachtgebühr *f.*

ex·press| a·gent *s Am.* Spedi'teur *m.* ~ **boat** *s* Eilboot *n,* -dampfer *m.* ~ **car** *s rail. Am.* Pa'ketwagen *m.* ~ **com·pa·ny** *s Am.* Pa'ketbeförderungsgesellschaft *f.* ~ **en·gine** *s* 'Schnellzuglokomoˌtive *f.* ~ **goods** *s pl econ.* **1.** *Br.* Eilfracht *f,* -gut *n.* **2.** *Am.* durch e-e Pa'ketbeförderungsgesellschaft beförderte Fracht. ~ **high·way** → expressway.

ex·press·i·ble [iks'presibl] *adj* ausdrückbar.

ex·pres·sion [iks'preʃən] *s* **1.** *obs.* Auspressen *n.* **2.** *fig.* Ausdruck *m,* Äußerung *f*: to give ~ to s.th. e-r Sache Ausdruck verleihen; beyond all ~ unsagbar. **3.** Redensart *f,* Ausdruck *m*: technical ~ Fachausdruck. **4.** Ausdrucksweise *f,* Dikti'on *f.* **5.** Ausdruck(skraft *f*) *m*: with ~ mit Gefühl, ausdrucksvoll. **6.** (Gesichts)Ausdruck *m.* **7.** Tonfall *m.* **8.** *math.* Ausdruck *m,* Formel *f.* **ex'pres·sion·al** *adj* Ausdrucks... **ex'pres·sionˌism** *s* Expressio'nismus *m* (*Kunstrichtung*). **ex'pres·sion·ist I** *s* Expressio'nist(in). **II** *adj* expressio'nistisch. **ex'pres·sion·less** *adj* ausdruckslos.

ex·pres·sive [iks'presiv] *adj* (*adv* ~ly) **1.** ausdrückend (of *acc*): to be ~ of s.th. etwas ausdrücken. **2.** ausdrucksvoll, kräftig, nachdrücklich. **3.** Ausdrucks... **ex'pres·sive·ness** *s* **1.** Ausdruckskraft *f.* **2.** (*das*) Ausdrucksvolle.

ex'press·ly *adv* **1.** ausdrücklich, klar. **2.** besonders, eigens.

ex'press|·man [-mən] *s irr Am.* Angestellte(r) *m* e-r Pa'ketbeförderungsgesellschaft. ~ **ri·fle** *s* (*leichtes*) Jagdgewehr (*für Patronen mit hoher Brisanz*). ~ **train** → express 16.

ex'press·way *s Am.* Schnell(verkehrs)-straße *f* (*meist plankreuzungsfrei*).

ex·pro·pri·ate [eks'prouprиˌeit] *v/t jur.* *j-n od. etwas* enteignen: to ~ the owners from their estates den Eigentümern ihre Güter wegnehmen. **exˌpropri'a·tion** *s* **1.** *jur.* (*gerichtliche*) Enteignung. **2.** Enteignung *f,* Eigentumsberaubung *f.*

ex·pul·sion [iks'pʌlʃən] *s* **1.** Vertreibung *f* (from aus): ~ of enemy nationals Ausweisung *f od.* Abschiebung *f* von feindlichen Ausländern; ~ order Ausweisungsbefehl *m.* **2.** (from) Ausstoßung *f,* -schließung *f* (aus), Entfernung *f* (von): ~ from school. **3.** *med.* Abführen *n.* **ex'pul·sive** [-siv] *adj* **1.** vertreibend. **2.** Stoß..., Abtreib... **3.** *med.* abführend.

ex·punc·tion [iks'pʌŋkʃən] *s* Ausstreichung *f,* Tilgung *f* (*a. fig.*). **ex'punge** [-'pʌndʒ] *v/t* **1.** aus-, 'durchstreichen, (aus)löschen: to ~ from a list aus e-r Liste streichen. **2.** auslassen. **3.** *fig.* ausmerzen, vernichten.

ex·pur·gate ['ekspərˌgeit] *v/t* **1.** *ein Buch etc, a. fig.* säubern, reinigen (from von). **2.** *anstößige Stellen etc* streichen. ˌ**ex·pur'ga·tion** *s* **1.** Reinigung *f,* Säuberung *f.* **2.** Ausmerzung *f,* Streichung *f.* '**ex·purˌga·tor** [-tər] *s* Säuberer *m.* **ex·pur·ga·to·ry** [iks'pɜːrgətəri] *adj* reinigend (*a. med.*).

ex·qui·site ['ekskwizit; iks'kwizit] **I** *adj* **1.** köstlich, vor'züglich, ausgezeichnet, (aus)erlesen, exqui'sit. **2.** äußerst fein *od.* sub'til: an ~ remark. **3.** verfeinert, gepflegt, fein: ~ taste. **4.** äußerst empfindlich: he has an ~ ear er hat ein äußerst feines Ohr *od.* Gehör. **5.** (sehr) heftig, hochgradig, empfindlich (*Freude, Schmerz*). **6.** äußerst(er, e, es), höchst(er, e, es). **II** *s* **7.** Stutzer *m.* '**ex·qui·site·ly** *adv* **1.** ausnehmend, ungemein, höchst. **2.** genau. '**ex·qui·site·ness** *s* **1.** Vor'züglichkeit *f,* Vor'trefflichkeit *f.* **2.** Genauigkeit *f.* **3.** Heftigkeit *f.* **4.** Feinfühligkeit *f.*

ex·scind [ek'sind] *v/t* (her)'ausschneiden, entfernen (*a. fig.*).

ex·sect [ek'sekt] *v/t* (her)'ausschneiden, exzi'dieren.

ex·sert [eksˈsəːrt] **I** *v/t bot. med.* vortreiben: to be **~ed** vorstehen. **II** *adj* herˈvorgestreckt.

ex-serv·ice man [ˌeksˈsəːrvis] *s irr* ehemaliger Solˈdat, Veteˈran *m*: **ex--service men's association** Veteranenbund *m*.

ex·sic·cate [ˈeksiˌkeit] *v/t u. v/i* austrocknen. **ˈex·sicˌca·tive** *adj u. s* austrocknend(es Mittel). **ˈex·sicˌca·tor** [-tər] *s* ˈTrockenappaˌrat *m*.

ex·tant [iksˈtænt; ˈekstənt] *adj* (noch) vorˈhanden *od.* bestehend *od.* exiˈstierend, erhalten geblieben.

ex·tem·po·ra·ne·ous [iksˌtempəˈreiniəs] *adj* (*adv* **~ly**), **exˈtem·po·rar·y** *adj* (*adv* **extemporarily**) improviˈsiert, extempoˈriert, aus dem Stegreif. **ex-ˈtem·po·re** [-pəri] **I** *adv* unvorbereitet, aus dem Stegreif, exˈtempore. **II** *adj* → **extemporaneous. III** *s* unvorbereitete Rede, Stegreifgedicht *n*, Improvisatiˈon *f*, Exˈtempore *n*. **exˌtem·po·ri-ˈza·tion** *s* Extempoˈrieren *n*, Improvisatiˈon *f*. **exˈtem·poˌrize I** *v/t* extempoˈrieren, aus dem Stegreif *od.* unvorbereitet darbieten *od.* vortragen *od.* dichten *od.* spielen, improviˈsieren. **II** *v/i* extempoˈrieren. **exˈtem·poˌriz·er** *s* Improviˈsator *m*, Stegreifdichter *m*.

ex·tend [iksˈtend] **I** *v/t* **1.** (aus)dehnen, ausbreiten. **2.** verlängern, recken, strecken, ausziehen. **3.** vergrößern, erweitern, ausbauen: to **~ a production plant. 4.** ziehen, führen, spannen: to **~ a rope. 5.** ausstrecken (one's hand die Hand). **6.** *Nahrungsmittel etc* strecken: to **~ ground meat with cereal. 7.** *fig.* fort-, weiterführen, *e-n Besuch, s-e Macht* ausdehnen, *e-e Frist, e-n Vertrag etc* verlängern, *econ. a.* prolonˈgieren. **8.** (to, towards *dat*) a) *e-e Gunst, Hilfe* gewähren, *Gutes* erweisen, b) *s-n Dank, Glückwunsch etc* aussprechen: to **~ an invitation to(wards) s.o.** j-m e-e Einladung schicken, j-n einladen, c) *e-n Gruß* entbieten. **9.** *jur. verschuldeten Besitz* a) gerichtlich abschätzen, b) pfänden. **10.** *Abkürzungen* voll ausschreiben, *Kurzschrift* (in gewöhnliche Schrift) überˈtragen. **11.** *sport colloq. Pferde etc* bis zum äußersten anstrengen: to **~ o.s.** sich ausgeben. **12.** *aer. Fahrgestell etc* ausfahren. **13.** *mil* ausschwärmen lassen. **14.** *Buchhaltung*: überˈtragen. **II** *v/i* **15.** sich ausdehnen, sich erstrekken, reichen (over über *acc*; to bis zu). **16.** a) hinˈausgehen (beyond über *acc*), b) (herˈaus)ragen. **17.** *mil.* (aus)schwärmen. **exˈtend·ed** *adj* **1.** ausgedehnt (*a. fig. Zeitraum etc*). **2.** ausgestreckt: **~ hands. 3.** erweitert (*a. math.*). **4.** verlängert. **5.** groß, umˈfassend. **6.** ausgebreitet: **~ formation** auseinandergezogene Formation; **~ order** *mil.* geöffnete Ordnung. **7.** *print.* breit.

ex·ten·si·bil·i·ty [iksˌtensiˈbiliti] *s* (Aus)Dehnbarkeit *f*. **exˈten·si·ble** *adj* **1.** (aus)dehnbar. **2.** ausziehbar: **~ table** Ausziehtisch *m*. **3.** *anat.* aus-, vorstreckbar.

ex·ten·sion [iksˈtenʃən] *s* **1.** Ausdehnung *f* (*a. fig.*; to auf *acc*). **2.** *fig.* Erweiterung *f*, Vergrößerung *f*. **3.** → **university** 3. **4.** *med.* a) Strekken *n* (*e-s gebrochenen Gliedes*), b) Vorstrecken *n* (*der Zunge etc*). **5.** (Frist)Verlängerung *f*, *econ. a.* Prolongatiˈon *f*: **~ of credit** Kreditverlängerung; **~ of leave** Nachurlaub *m*. **6.** *electr. math. tech.* Verlängerung *f*, Streckung *f*. **7.** *arch.* Erweiterung *f*, Anbau *m* (*Gebäude*). **8.** *philos.* a) Ausdehnung *f*, b) ˈUmfang *m* (*e-s Begriffs*). **9.** *biol.* Streckungswachstum *n*. **10.** *electr. tech.* Nebenanschluß *m*. **11.** *phot.* Kameraauszug(slänge *f*) *m*. **~ board** *s teleph.* ˈHauszenˌtrale *f*. **~ class·es** *s pl* Fortbildungskurse *pl*. **~ cord** *s electr.* Verlängerungsschnur *f*. **~ course** *s* (*Art*) Volkshochschulkursus *m* (*der Universität*). **~ lad·der** *s* Ausziehleiter *f*. **~ line** *s* (Fernsprech)-Nebenanschluß *m*. **~ piece** *s* Verlängerungsstück *n*. **~ spring** *s tech.* Zugfeder *f*. **~ ta·ble** *s Am.* Ausziehtisch *m*.

ex·ten·sive [iksˈtensiv] *adj* (*adv* **~ly**) **1.** ausgedehnt (*a. math. u. fig.*): **~ farms**; **~ travels. 2.** geräumig, weit. **3.** *fig.* a) umˈfassend: **~ knowledge**, b) eingehend: an **~ report**, c) (zahl)reich: **~ examples**, d) beträchtlich: **~ funds**; **~ efforts. 4.** *philos.* räumlich, Raum... **5.** *agr.* extenˈsiv. **exˈten·sive·ness** *s* Ausdehnung *f*, Weite *f*, Größe *f*, ˈUmfang *m*.

ex·ten·som·e·ter [ˌekstenˈsɒmitər] *s phys.* Dehnungsmesser *m*.

ex·ten·sor [iksˈtensər] *s anat.* Streckmuskel *m*.

ex·tent [iksˈtent] *s* **1.** Ausdehnung *f*, Länge *f*, Weite *f*, Höhe *f*, Größe *f*. **2.** *math. u. fig.* Bereich *m*. **3.** *fig.* ˈUmfang *m*, (Aus)Maß *n*, Grad *m*: **~ of damage** Umfang des Schadens, Schadenshöhe *f*; **to the ~ of** bis zum Betrag *od.* zur Höhe von; **to a large ~** in hohem Grade, weitgehend; **to a certain ~** gewissermaßen, bis zu e-m gewissen Grade; **to the full ~** in vollem Umfang, völlig; **to some ~** in gewissem Grade, einigermaßen. **4.** Raum *m*, Strecke *f*: **a vast ~ of marsh.**

ex·ten·u·ate [iksˈtenjuˌeit] *v/t* **1.** abschwächen, mildern. **2.** beschönigen, bemänteln: **extenuating circumstances** *jur.* mildernde Umstände. **3.** *obs.* a) schwächen, b) verdünnen, c) herˈabsetzen. **exˌten·uˈa·tion** *s* **1.** Abschwächung *f*, Milderung *f*: in **~ of s.th.** zur Milderung e-r Sache, um etwas zu mildern. **2.** Beschönigung *f*. **exˈten·uˌa·tive, exˈten·uˌa·to·ry** *adj* **1.** mildernd, abschwächend. **2.** beschönigend.

ex·te·ri·or [iksˈti(ə)riər] **I** *adj* (*adv* **~ly**) **1.** äußerlich, äußer(er, e, es), Außen...: **~ angle** Außenwinkel *m*; **~ ballistics** äußere Ballistik; **~ view** Außenansicht *f*; **~ to** abseits von (*od. gen*), außerhalb (*gen*). **2.** *fig.* von außen (ein)wirkend *od.* kommend, fremd. **3.** *pol.* auswärtig: **~ possessions**; **~ policy** Außenpolitik *f*. **II** *s* **4.** (*das*) Äußere: a) Außenseite *f*, b) äußere Erscheinung (*e-r Person*). **5.** *pol.* auswärtige Angelegenheiten *pl*. **6.** *Film*: Außenaufnahme *f*. **exˌte·riˈor·i·ty** [-ˈɒriti] *s* **1.** (*das*) Äußere. **2.** Äußerlichkeit *f*. **exˈte·ri·orˌize** → **externalize.**

ex·ter·mi·nant [iksˈtəːrminənt] *s* Schädlingsbekämpfungsmittel *n*.

ex·ter·mi·nate [iksˈtəːrmiˌneit] *v/t* ausrotten, vertilgen. **exˌter·miˈna·tion** *s* Ausrottung *f*, Vertilgung *f*. **exˈter·miˌna·tive** → **exterminatory. ex-ˈter·miˌna·tor** [-tər] *s* **1.** Ausrotter *m*, Vernichter *m*. **2.** Kammerjäger *m*. **3.** → **exterminant. exˈter·miˌna·to·ry** *adj* Ausrottungs..., Vernichtungs...

ex·tern [ˈekstəːrn; iksˈtəːrn] **I** *adj* **1.** *selten für* **external. II** *s* **2.** Exˈterne(r) *m*, exˈterner Schüler. **3.** *med.* a) exˈterner ˈKrankenhausassiˌstent *od.* -arzt, b) ambuˈlanter Patiˈent.

ex·ter·nal [iksˈtəːrnl] **I** *adj* (*adv* → **externally**) **1.** äußerlich, außen befindlich, äußer(er, e, es), Außen...: **~ angle** *math.* Außenwinkel *m*; **~ ballistics** äußere Ballistik; **~ ear** *anat.* äußeres Ohr; **~ evidence** *jur.* äußere Beweise *pl*. **~ remedy** äußerliches (Heil)Mittel; **for ~ use** *med.* zum äußerlichen Gebrauch, äußerlich; **~ to** außerhalb (*gen*). **2.** a) (*äußerlich*) wahrnehmbar, sichtbar, b) *philos.* Erscheinungs...: **~ world. 3.** (rein) äußerlich, (nur) oberflächlich. **4.** *econ. pol.* ausländisch, Außen...: **~ affairs** *pol.* auswärtige Angelegenheiten; **~ assets** Auslandsvermögen *n od. pl*; **~ debt** auswärtige Schuld; **~ loan** Auslandskredit *m*; **~ trade** Außenhandel *m*. **5.** *econ.* außerbetrieblich, Fremd... **6.** *ped.* exˈtern, auswärtig: **~ student** Externe(r *m*) *f*, Gasthörer(in). **II** *s* **7.** *oft pl* (*das*) Äußere. **8.** *pl* Äußerlichkeiten *pl*, Nebensächlichkeiten *pl*.

ex·ter·nal·ism [iksˈtəːrnəˌlizəm] *s* **1.** *philos.* Phänomenaˈlismus *m*. **2.** Hang *m* zu Äußerlichkeiten. **ex·ter·nal·i·ty** [ˌekstərˈnæliti] *s* **1.** Äußerlichkeit *f*. **2.** *philos.* Exiˈstenz *f* außerhalb des Wahrnehmenden. **3.** a) äußerer Gegenstand, b) äußere Eigenschaft, c) äußere Dinge *pl*. **exˌter·nal·iˈza·tion** *s philos.* Objektiˈvierung *f*, Verkörperung *f*. **exˈter·nalˌize** *v/t philos.* **1.** verkörperlichen, objektiˈvieren. **2.** *psych. subjektive Empfindung* als objekˈtiv wahrnehmen, nach außen projiˈzieren. **exˈter·nal·ly** *adv* äußerlich, von außen.

ex·ter·ri·to·ri·al [ˌeksteriˈtəːriəl] → **extraterritorial.**

ex·tinct [iksˈtiŋkt] *adj* **1.** erloschen (*a. fig. Titel etc, geol. Vulkan*). **2.** *fig.* ausgestorben, ˈuntergegangen: **~ animal** ausgestorbenes Tier; **to become ~** erlöschen, aussterben. **3.** abgeschafft, aufgehoben: **~ laws. exˈtinc·tion** [-kʃən] *s* **1.** Auslöschung *f*: **the ~ of all life. 2.** Löschung *f* (*e-r Firma, Schuld etc*), ˈUntergang *m* (*e-s Rechts*). **3.** Abschaffung *f*. **4.** Vernichtung *f*, Ausrottung *f*, ˈUntergang *m*. **5.** *fig.* Aussterben *n*. **6.** *electr. phys.* (Aus)-Löschung *f*: **~ voltage** Löschspannung *f*.

ex·tin·guish [iksˈtiŋgwiʃ] *v/t* **1.** *Feuer, Lichter* (aus)löschen. **2.** *fig.* verdunkeln, in den Schatten stellen. **3.** *fig. Leben, Gefühl etc* auslöschen, ersticken, töten. **4.** *fig. e-n Gegner* zum Schweigen bringen. **5.** auslöschen, vernichten, zerstören. **6.** abschaffen, aufheben. **7.** *e-e Schuld* tilgen. **exˈtin·guish·a·ble** *adj* (aus)löschbar, tilgbar. **exˈtin·guish·er** *s* **1.** (Feuer)Löschgerät *n*. **2.** Lösch-, Lichthütchen *n*. **3.** Glut-, Zigaˈrettentöter *m*. **exˈtin·guish·ment** *s* **1.** Auslöschung *f*. **2.** Erlöschen *n*, Aussterben *n*. **3.** *jur.* Aufhebung *f*. **4.** *fig.* Unterˈdrückung *f*, Vertilgung *f*, Vernichtung *f*.

ex·tir·pate [ˈekstərˌpeit] *v/t* **1.** ausrotten, vernichten. **2.** ausmerzen. **3.** *med.* ausschneiden, entfernen. **ˌex·tirˈpa·tion** *s* **1.** Ausrottung *f*. **2.** *med.* Exstirpatiˈon *f*, Ausschneidung *f*. **ˈex·tirˌpa·tor** [-tər] *s* Vernichter *m*, Ausrotter *m*.

ex·tol [iksˈtoul; -sˈtɒl] *v/t* erheben, (lob)preisen, rühmen: **to ~ s.o. to the skies** j-n in den Himmel heben.

ex·tort [iksˈtəːrt] *v/t* **1.** (from) *etwas* erpressen, erzwingen (von), *a. Bewunderung etc* abringen, abnötigen (*dat*): **to ~ money (a confession)** Geld (ein Geständnis) erpressen. **2.** *fig. den Sinn* gewaltsam herˈausholen (from aus *Worten*). **exˈtor·tion** *s* **1.** Erpressung *f*. **2.** Wucher *m*. **exˈtor·tion·ate** [-nit]

adj (*adv* ~ly) **1.** erpresserisch. **2.** unmäßig, über'höht, Wucher...: ~ **price.**
ex'tor·tion·er, ex'tor·tion·ist *s* Erpresser *m*, Wucherer *m*.
ex·tra ['ekstrə] **I** *adj* **1.** zusätzlich, Extra..., Sonder..., Neben...: ~ **charge** a) (Sonder)Zuschlag *m*, b) *mil.* Zusatzladung *f*; ~ **charges** Nebenkosten; ~ **discount** Sonderrabatt *m*; ~ **dividend** Extra-, Zusatzdividende *f*; ~ **pay** Zulage *f*; **if you pay an** ~ **two shillings** wenn Sie noch zwei Schilling zulegen; ~ **work** Extraarbeit *f*, zusätzliche Arbeit, *ped.* Strafarbeit. **2.** besonder(er, e, es), außergewöhnlich, besonders gut: **it is nothing** ~ es ist nichts Besonderes. **II** *adv* **3.** extra, besonders: ~ **special edition** Spätausgabe *f*; **an** ~ **high price** ein besonders hoher Preis; **to be charged for** ~ gesondert zu berechnen. **III** *s* **4.** (*etwas*) Außergewöhnliches *od.* Zusätzliches, *bes.* a) Sonderarbeit *f*, -leistung *f*, b) Sonderberechnung *f*, Zuschlag *m*: **room service is** ~ Zimmerbedienung wird zusätzlich *od.* extra berechnet. **5.** (besonderer) Zusatz. **6.** *pl* Sonder-, Nebenausgaben *pl od.* -einnahmen *pl*. **7.** Extragericht *n*. **8.** Extrablatt *n*, -ausgabe *f* (*Zeitung*). **9.** Aushilfskraft *f* (*Arbeiter etc*). **10.** *Film*: Kom'parse *m*, Sta'tist(in).
'ex·tra|-,at·mos'pher·ic *adj phys.* außerhalb der Atmo'sphäre (gelegen). **'~'bold** *s print.* (*ein*) Fettdruck *m*. **,~-con'densed** *adj print.* schmallaufend (*Schrift*).
ex·tract I *v/t* [iks'trækt] **1.** her'ausziehen, -holen (from aus). **2.** extra'hieren: a) *med. e-n Zahn* ziehen, b) *chem.* ausziehen, -scheiden, c) *math. die Wurzel* ziehen. **3.** *Honig etc* schleudern. **4.** *metall. etc* gewinnen (from aus): ~**ing plant** Gewinnungsanlage *f*. **5.** *Beispiele etc* ausziehen, exzer'pieren (from a text aus e-m Text). **6.** *fig.* (from) *Informationen, Geld etc* her'ausholen (aus), entlocken, abringen (*dat*). **7.** *fig. e-e Lehre etc* ab-, 'herleiten. **II** *s* ['ekstrækt] **8.** *a. chem.* Auszug *m*, Ex'trakt *m* (from aus): ~ **of beef** Fleischextrakt; ~ **of account** Kontoauszug. **ex'tract·a·ble, ex'tract·i·ble** *adj* ausziehbar.
ex·trac·tion [iks'trækʃən] *s* **1.** (Her)'Ausziehen *n*. **2.** Extrakti'on *f*: a) *med.* (Her'aus)Ziehen *n* (*e-s Zahns*), b) *chem.* Ausziehen *n*, -scheidung *f*, c) *math.* (Aus)Ziehen *n* (*e-r Wurzel*). **3.** *metall. etc* Gewinnung *f*. **4.** *tech.* (Dampf)Entnahme *f*. **5.** → **extract** 8. **6.** *fig.* Entlockung *f*. **7.** Ab-, 'Herkunft *f*, Abstammung *f*. **ex'trac·tive I** *adj* **1.** (her)'ausziehend: ~ **industry** Industrie *f* zur Gewinnung von Naturprodukten. **2.** *chem.* Extraktiv... **II** *s* **3.** *chem.* Ex'trakt *m*. **ex'trac·tor** [-tər] *s* **1.** *tech.* (*a. mil.* Pa'tronen-, Hülsen)Auszieher *m*, Auswerfer *m*: ~ **hook** Auszieherkralle *f*. **2.** *med.* (Geburts-, Zahn)Zange *f*. **3.** Trockenschleuder *f*: **honey** ~ Honigschleuder.
,ex·tra·cur'ric·u·lar *adj ped.* außerplanmäßig (*Unterrichtsfächer*).
ex·tra·dit·a·ble ['ekstrə,daitəbl] *adj* **1.** Auslieferung nach sich ziehend: ~ **offence.** **2.** auszuliefern(d): ~ **criminal.** **'ex·tra,dite** *v/t* **1.** *flüchtige ausländische Verbrecher* ausliefern. **2.** *j-s* Auslieferung erwirken. **,ex·tra'di·tion** [-'diʃən] *s* Auslieferung *f*: **request for** ~ Auslieferungsersuchen *n*.
ex·tra·dos [eks'treidɒs] *s arch.* äußerer Bogen.

,ex·tra|·ju'di·cial *adj jur.* außergerichtlich. **,~'mar·i·tal** *adj* außerehelich. **,~'mun·dane** *adj* außerweltlich. **,~'mu·ral** *adj* außerhalb der Mauern (*e-r Stadt etc od. Universität*): ~ **student** Gasthörer(in); ~ **courses,** ~ **work** Hochschulkurse außerhalb der Universität.
ex·tra·ne·ous [iks'treiniəs] *adj* (*adv* ~ly) **1.** äußer(er, e, es), Außen... **2.** fremd (to *dat*). **3.** unwesentlich, nicht gehörig (to zu): **to be** ~ **to s.th.** nicht zu etwas gehören.
,ex·tra·of'fi·cial *adj* außeramtlich.
ex·traor·di·nar·i·ly [iks'trɔːdinərili] *adv* außerordentlich, besonders: ~ **cheap.** **ex'traor·di·nar·i·ness** *s* Außerordentlichkeit *f*, (*das*) Außerordentliche. **ex'traor·di·nar·y** *adj* **1.** außerordentlich, -gewöhnlich. **2.** ungewöhnlich, seltsam, merkwürdig. **3.** besonder(er, e, es). **4.** *econ. pol. etc* außerordentlich, Sonder... (*a. von Beamten*): ~ **powers;** ~ **meeting;** → **ambassador** 1.
ex·trap·o·late [eks'træpə,leit; 'ekstrəpə-] *v/t u. v/i math.* extrapo'lieren. **ex,trap·o'la·tion** *s* Extrapolati'on *f*, Weiterführung *f*.
,ex·tra|·pro'fes·sion·al *adj* außerberuflich, nicht zum Beruf gehörig. **'~,sen·so·ry** *adj* den Sinnen nicht zugänglich: ~ **perception** anomale Fähigkeit der Sinneswahrnehmung (*Hellsehen etc*). **'~'spe·cial I** *adj* **1.** Extra..., Sonder... **2.** ganz besonders gut. **II** *s* → **extra** 8. **'~,ter·ri'to·ri·al** *adj* ,exterritori'al, den Landesgesetzen nicht unter'worfen. **'~,ter·ri,to·ri'al·i·ty** *s* ,Exterritoriali'tät *f*. **'~-'time** *s sport* (Spiel)Verlängerung *f*.
ex·trav·a·gance [iks'trævəgəns], *selten* **ex'trav·a·gan·cy** [-si] *s* **1.** Verschwendung(ssucht) *f*. **2.** Ausschweifung *f*, Zügellosigkeit *f*: **extravagances** törichte Streiche. **3.** 'Übermaß *n*, Abgeschmacktheit *f*, Über'triebenheit *f*, -'spanntheit *f*, Extrava'ganz *f*. **ex'trav·a·gant** *adj* (*adv* ~ly) **1.** verschwenderisch. **2.** 'übermäßig, über'trieben, -'spannt, verstiegen, extrava'gant. **3.** ausschweifend, zügellos. **ex,trav·a'gan·za** [-'gænzə] *s* **1.** phan'tastische *od.* über'spannte Dichtung *od.* Kompositi'on. **2.** Ausstattungsstück *n*, (Zauber)Posse *f*, Bur'leske *f*, Ope'rette *f*.
ex·trav·a·gate [iks'trævə,geit] *v/i* **1.** um'her-, abschweifen. **2.** zu weit gehen, das Maß über'schreiten.
ex·trav·a·sate [iks'trævə,seit] **I** *v/t Blut etc aus e-m Gefäß* her'auslassen, -drängen. **II** *v/i med.* (aus den Gefäßen) her'austreten, ausfließen (*Blut*). **ex,trav·a'sa·tion** *s med.* **1.** Austritt *m*, Erguß *m*. **2.** Extrava'sat *n* (*ins Gewebe ausgetretenes Blut*).
ex·tra·ver·sion [,ekstrə'vɜːrʃən; -ʒən] *etc* → **extroversion** *etc.*
ex·treme [iks'triːm] **I** *adj* **1.** äußerst(er, e, es), weitest(er, e, es), End..., *a. tech.* ex'trem: ~ **border** äußerster Rand; ~ **value** Extremwert *m*. **2.** letzt(er, e, es): ~ **unction** Letzte Ölung. **3.** äußerst(er, e, es), höchst(er, e, es): ~ **danger;** ~ **penalty** a) Höchststrafe *f*, b) Todesstrafe *f*; ~ **old age** hohes Greisenalter. **4.** außergewöhnlich, über'trieben, Not...: ~ **case** a) äußerster Notfall, b) besonders schwerwiegender Fall. **5.** *a. pol.* ex'trem, radi'kal: ~ **measure** drastische *od.* radikale Maßnahme; ~ **Left** *pol.* äußerste Linke. **6.** dringend(st): ~ **necessity** zwingende Notwendigkeit.

7. *mus.* 'übermäßig (*Intervall*). **II** *s* **8.** äußerstes Ende, äußerste Grenze. **9.** (*das*) Äußerste, höchster Grad, Ex'trem *n*. **10.** 'Übermaß *n*, Über'treibung *f*. **11.** Gegensatz *m*. **12.** *math.* a) die größte *od.* kleinste Größe, b) Außenglied *n* (*e-r Gleichung etc*): **the** ~**s and the means** die äußeren u. inneren Glieder e-r Proportion. **13.** *philos.* äußerstes Glied (*e-s logischen Schlusses*).
Besondere Redewendungen:
at the other ~ am entgegengesetzten Ende; **in the** ~, **to an** ~ übermäßig, äußerst, aufs äußerste, höchst; **difficult in the** ~ äußerst schwierig; **to carry s.th. to an** ~ etwas zu weit treiben; **to fly to the opposite** ~ in das entgegengesetzte Extrem verfallen; **to go to** ~**s** vor nichts zurückschrecken; **to go from one** ~ **to the other** aus *od.* von e-m Extrem ins andere fallen; ~**s meet** die Extreme berühren sich; → **rush**[1] 1.
ex·treme·ly [iks'triːmli] *adv* äußerst, höchst, ungemein. **ex'treme·ness** *s* Maßlosigkeit *f*. **ex'trem,ism** *s* Extre'mismus *m*, Radika'lismus *m*. **ex'trem·ist I** *s* Extre'mist(in), Fa'natiker(in), ('Ultra)Radi,kale(r *m*) *f*. **II** *adj* ex'trem, extre'mistisch.
ex·trem·i·ty [iks'tremiti] *s* **1.** (*das*) Äußerste, äußerstes Ende, äußerste Grenze, Spitze *f*: **to the last** ~ bis zum Äußersten; **to drive s.o. to extremities** j-n zum Äußersten treiben. **2.** *fig.* höchster Grad: ~ **of joy** Übermaß *n* der Freude. **3.** *fig.* äußerste Not, verzweifelte Situati'on: **to be reduced to extremities** in größter Not sein. **4.** *oft pl* äußerste Maßnahme: **to go to extremities against s.o.** die äußersten Maßnahmen gegen j-n ergreifen. **5.** *fig.* verzweifelter Entschluß *od.* Gedanke. **6.** *pl* Gliedmaßen *pl*, Extremi'täten *pl*. **7.** *math.* Ende *n*.
ex·tri·ca·ble ['ekstrikəbl] *adj* (from) her'ausziehbar (aus), zu befreien(d) (aus, von). **'ex·tri,cate** [-,keit] *v/t* **1.** (from) *etwas od. j-n* (o.s. sich) her'auswinden, -ziehen (aus), freimachen (von), befreien (aus, von). **2.** *chem. Gas* frei machen. **,ex·tri'ca·tion** *s* **1.** Befreiung *f*. **2.** *chem.* Freimachen *n*.
ex·trin·sic [eks'trinsik] *adj* (*adv* ~ally) **1.** äußer(er, e, es): a) außen gelegen, b) von außen wirkend. **2.** nicht zur Sache gehörig, unwesentlich: **to be** ~ **to s.th.** nicht zu etwas gehören.
ex·trorse [eks'trɔːrs] *adj bot. zo.* auswärts gewendet, auswendig.
ex·tro·ver·sion [,ekstro'vɜːrʃən; -ʒən] *s psych.* Extraversi'on *f*, Extraver'tiertsein *n*. **'ex·tro,vert** [-,vɜːrt] *psych.* **I** *s* Extravert *m*, Extra-, Extrover'tierte(r *m*) *f*. **II** *adj* extra-, extrover'tiert.
ex·trude [iks'truːd] **I** *v/t* **1.** ausstoßen (*a. fig.*), (her)'auspressen. **2.** *tech.* strangpressen, *Schläuche* spritzen. **II** *v/i* **3.** vorstehen. **ex'trud·er** *s tech.* Strangpresse *f*. **ex'tru·sion** [-ʒən] *s* **1.** *tech.* a) Strangpressen *n*, b) Spritzen *n*, c) Strangpreßling *m*: ~ **die** Strangpreßform *f*, (Schlauch)Spritzform *f*. **2.** *geol.* Extrusi'on *f*. **3.** Verdrängung *f*, -treibung *f*. **ex'tru·sive** [-siv] *adj* **1.** ausstoßend. **2.** *geol.* extru'siv, an der Erdoberfläche erstarrt: ~ **rocks** Extrusivgestein *n*.
ex·u·ber·ance [ig'zjuːbərəns; -'zuː-] *s* **1.** Üppigkeit *f*, üppiger Reichtum, 'Überfluß *m*, Fülle *f*. **2.** 'Überschwang *m*, Ausgelassenheit *f*. **3.** (Rede)Schwall *m*. **ex'u·ber·ant** *adj* (*adv*

~ly) 1. üppig, ('über)reichlich. 2. *fig.* a) 'überschwenglich, b) ('über)sprudelnd, ausgelassen: ~ **spirits** sprudelnde Laune. 3. *fig.* fruchtbar. **ex'uber,ate** [-,reit] *v/i* 1. strotzen (**with** von). 2. schwelgen (**in** in *dat*).

ex·u·date ['eksju,deit] *s chem. med.* Exsu'dat *n.* ,**ex·u'da·tion** *s* Ausschwitzung *f*, Absonderung *f*.

ex·ude [ig'zju:d] I *v/t* 1. *Schweiß etc* ausschwitzen, absondern. 2. *fig.* von sich geben, ausstrahlen. II *v/i* 3. her'vorkommen (**from** aus). 4. *fig.* ausströmen.

ex·ult [ig'zʌlt] *v/i* froh'locken, jauchzen, trium'phieren (**at, over, in** über *acc*). **ex'ult·ant** *adj* (*adv* ~ly) froh'lockend, jauchzend, trium'phierend. **ex·ul·ta·tion** [,egzʌl'teiʃən] *s* Jubel *m*, Froh'locken *n*, Trium'phieren *n*. **ex'ult·ing** *adj* (*adv* ~ly) → **exultant**.

ex·urb ['ek,sə:rb; 'eg,z-] *s Am.* (vornehmer) Außenbezirk (*e-r Großstadt*). **ex'ur·ban,ite** [-bə,nait] *s* Bewohner(in) e-s (vornehmen) Außenbezirks. **ex'ur·bia** [-biə] *s* die (vornehmen) Außenbezirke *pl*.

ex·u·vi·ae [ig'zu:vi,i:; ik'su:-] (*Lat.*) *s pl* 1. *zo.* abgeworfene Häute *pl*, Schalen *pl*. 2. fos'sile 'Überreste *pl*. **ex'u·vi·al** *adj* 1. *zo.* abgeworfen. 2. Fos'silien enthaltend. 3. *fig.* fos'sil, alt. **ex'u·vi,ate** [-,eit] *zo.* I *v/t Haut* abwerfen. II *v/i* sich häuten. **ex,u·vi'a·tion** *s zo.* Ablegen *n* (*der Haut etc*).

ey·as ['aiəs] *pl* '**ey·as·es** [-iz] *s orn.* Nestling *m* (*a. fig.*), Nestfalke *m*.

eye [ai] I *s* 1. Auge *n*: **artificial** ~ künstliches Auge, Glasauge; **the mind's** ~ das geistige Auge; **the** ~**s of the law** *humor.* das Auge des Gesetzes (→ 4); (**an**) ~ **for** (**an**) ~ *Bibl.* Auge um Auge; ~**s right (front, left)!** *mil.* Augen rechts (geradeaus, die Augen links)!; **mind your** ~! Vorsicht!; **up to the** ~**s in work** bis über die Ohren in Arbeit; **to cry one's** ~**s out** sich die Augen ausweinen; **to do s.o. in the** ~ *sl.* j-n ,reinlegen' *od.* ,übers Ohr hauen'; **to keep one's** ~**s peeled** (*od.* **skinned**) scharf *od.* ,wie ein Schießhund' aufpassen; **to close** (*od.* **shut**) **one's** ~**s to s.th.** *fig.* die Augen vor etwas verschließen; **with one's** ~**s shut** mit geschlossenen Augen (*a. fig.*); **not to believe one's** ~**s** s-n Augen nicht trauen; **to offend the** ~ *fig.* dem Auge weh tun; **to open s.o.'s** ~**s** (**to s.th.**) j-m die Augen (für etwas) öffnen; **all my** ~**s** (**and Betty Martin**)! *sl.* so'n Blödsinn *od.* Quatsch!; **my** ~(**s**)! a) ach, du Schreck!, b) ,denkste'!, ,(und) sonst noch was'!; → **cast** 5; **meet** 10. 2. *fig.* Gesichtssinn *m*, Blick *m*, Auge(nmerk) *n*: **under my** ~**s** vor m-n Augen; **to cast an** ~ **over s.th.** e-n Blick auf etwas werfen; **to give an** ~ **to** ein Auge werfen auf (*acc*), anblicken; **to have an** ~ **to s.th.** a) ein Auge auf etwas haben, es auf etwas abgesehen haben, b) auf etwas achten; **with an** ~ **to s.th.** im Hinblick auf etwas; **to keep an** ~ **on s.th.** ein (wachsames) Auge auf etwas haben; **if he had half an** ~ wenn er nicht völlig blind wäre; **to see s.th. with half an** ~ etwas mit 'einem Blick sehen; **you can see that with half an** ~! das sieht doch ein Blinder!; **to be all** ~**s** s-e Augen überall haben, ganz Auge sein; **to set** (*od.* **clap, lay**) ~**s on s.th.** etwas zu Gesicht bekommen; **to strike the** ~ ins Auge fallen; → **catch** 15. 3. *fig.* Sinn *m*, Auge *n* (**for** für): **to have an** ~ **for s.th.** Sinn *od.* ein (offenes) Auge *od.* e-n Blick für etwas haben. 4. Ansicht *f*: **in my** ~**s** in m-n Augen, m-r Ansicht nach, (so) wie ich es sehe; **in the** ~**s of the law** vom Standpunkt des Gesetzes aus (→ 1); **to see** ~ **to** ~ **with s.o.** (**on s.th.**) mit j-m völlig (in e-r Sache) übereinstimmen. 5. *fig.* (einladender) Blick: **to make** ~**s at s.o.** j-m Augen machen, mit j-m kokettieren; **to give s.o. the** (**glad**) ~ j-m e-n einladenden Blick zuwerfen. 6. *fig.* Brennpunkt *m*: ~ **of day** *poet.* die Sonne; ~ **of a storm** Auge *n od.* windstilles Zentrum e-s Wirbelsturms. 7. *zo.* Krebsauge *n* (*Kalkkörper im Krebsmagen*). 8. *augenförmiges Ding od. Loch, bes. an Werkzeugen*: a) Öhr *n*: ~ **of a needle** Nadelöhr, b) Auge *n*, Öhr *n*, Stielloch *n* (*e-s Hammers etc*), c) Öse *f* (*am Kleid*), d) *bot.* Auge *n*, Knospe *f*, e) *zo.* Auge *n* (*Fleck auf e-m Schmetterling, Pfauenschweif etc*), f) *zo.* Kennung *f* (*Fleck am Pferdezahn*), g) Loch *n* (*im Käse, Brot*), h) Hahnentritt *m*, Narbe *f* (*im Ei*), i) *arch.* rundes Fenster, j) *mar.* Auge *n*: ~ **of an anchor** Ankerauge; **the** ~**s of a ship** die Klüsen (*am Bug*), k) Zentrum *n* (*der Zielscheibe*).

II *v/t pres p* '**eye·ing** *od.* '**ey·ing** 9. anschauen, betrachten, (scharf) beobachten, ins Auge fassen, beäugen: **to** ~ **s.o. up and down** j-n von oben bis unten mustern.

III *v/i* 10. *obs.* erscheinen.

eye| ap·peal *s* attrak'tive Gestaltung, optische Wirkung. '~**·ball** *s anat.* Augapfel *m.* '~-,**bath** *s med.* Augenbad *n.* '~,**beam** *s poet.* Blick *m*, Augenstrahl *m.* '~,**bolt** *s tech.* Aug-, Ringbolzen *m.* '~,**bright** *s bot.* Augentrost *m.* '~,**brow** *s* (Augen)Braue *f*: ~ **pencil** Augenbrauenstift *m*; **to raise one's** ~**s** *fig.* a) die Stirne runzeln (**at** über *acc*), b) hochnäsig dreinschauen; **to cause raised** ~**s** Mißfallen *od.* Aufsehen erregen. '~-,**catch·er** *s econ.* Blickfang *m.* '~-,**catch·ing** *adj* ins Auge fallend, auffallend. '~,**cup** *s med.* Augenschale *f*, -bad *n*.

eyed [aid] *adj* 1. mit Ösen *etc* (versehen). 2. *in Zssgn* ...äugig: **black-**~.

eye|·ful ['ai,ful] *s colloq.* 1. ,toller Anblick': **to get an** ~ ,was zu sehen bekommen'. 2. ,tolle Frau', bildschönes Weib. '~,**glass** *s* 1. Ein-, Augenglas *n*, Mon'okel *n.* 2. (**a pair of**) ~**es** *pl* a) (ein) Kneifer *m od.* Zwicker *m*, b) (e-e) Brille. 3. *opt.* Oku'lar *n.* ~ **ground** *s med.* 'Augen,hintergrund *m.* '~,**hole** *s* 1. Guckloch *n.* 2. *tech.* kleine runde Öffnung. 3. *anat.* Augenhöhle *f.* ~ **hos·pi·tal** *s* Augenklinik *f.* '~,**lash** *s* Augenwimper *f*: **without batting an** ~ *Am. colloq.* ohne mit der Wimper zu zucken. ~ **lens** *s* 1. *anat.* Hornhaut *f* (*am Auge*). 2. *opt.* Oku'larlinse *f*.

eye·less ['ailis] *adj* augenlos, blind.

eye·let ['ailit] *s* 1. Öse *f.* 2. a) kleine runde Öffnung, b) Loch *n*, c) Guckloch *n*.

eye| lev·el *s* Augenhöhe *f*: **on** ~ in Augenhöhe. '~,**lid** *s anat.* Augenlid *n*, -deckel *m*: **to hang by the** ~**s** *fig.* an e-m Faden hängen.

ey·en ['aiən] *obs. od. dial. pl von* **eye**.

eye| o·pen·er *s* 1. *colloq.* aufklärender 'Umstand, Über'raschung *f*: **it was quite an** ~ **to me** es hat mir einmal richtig die Augen geöffnet. 2. *Am. sl.* Schnäps-chen *n* am Morgen, ,Rachenputzer' *m.* '~,**piece** *s opt.* Oku'lar *n.* ~ **rhyme** *s* Augenreim *m* (*love: move*). '~,**serv·ant,** '~,**serv·er** *s obs.* Augendiener *m.* '~,**shot** *s* Sicht-, Sehweite *f*: **within** ~ in Sehweite. '~,**sight** *s* Sehkraft *f*, Augen(licht *n*) *pl*: **good** (**poor**) ~ gute (schwache) Augen. ~ **sock·et** *s anat.* Augenhöhle *f.* '~,**sore** *s* (*etwas*) Unschönes, Schandfleck *m*: **it is an** ~ es ist häßlich, es beleidigt das Auge; **it is an** ~ **to me** es ist mir ein Dorn im Auge; **he is an** ~ er ist ein Ekel. '~,**string** *s anat.* Augenmuskel *m.* '~'**tooth** *s irr anat.* Augen-, Eckzahn *m*: **he would give his** ~ **for it** er würde alles darum geben. '~,**wash** *s* 1. *pharm.* Augenwasser *n.* 2. *sl.* a) leeres Geschwätz, ,Quatsch' *n*, ,Gewäsch' *n*, b) Schwindel *m*, fauler Zauber. '~,**wa·ter** *s* 1. *pharm.* Augenwasser *n.* 2. *physiol.* Augenflüssigkeit *f.* '~'**wit·ness** I *s* Augenzeuge *m*: ~ **account** Augenzeugenbericht *m.* II *v/t* Augenzeuge sein von (*od. gen*), mit eigenen Augen sehen.

eyne [ain] *obs. pl von* **eye**.

ey·ot [eit] *s Br.* Flußinselchen *n*.

eyre [ɛr] *s jur. hist.* 1. Her'umreisen *n*, Rundreise *f*: **justices in** ~ herumreisende Richter. 2. her'umreisender Gerichtshof.

ey·rie, ey·ry ['ai(ə)ri; 'ɛ(ə)ri] → **aerie**.

E·zek·iel, E·ze·chi·el [i'zi:kjəl] *npr u. s Bibl.* (das Buch) He'sekiel *m od.* E'zechiel *m.* [Esra *m od.* Esdras *m.*}

Ez·ra ['ezrə] *npr u. s Bibl.* (das Buch)}

F

F, f [ef] **I** *s pl* **F's, Fs, f's, fs** [efs] **1.** F, f *n* (*Buchstabe*). **2.** *mus.* F, f *n* (*Tonbezeichnung*): F flat Fes, fes *n*; F sharp Fis, fis *n*; F double flat Feses, feses *n*; F double sharp Fisis, fisis *n*. **3.** F *math.* f (*Funktion von*). **4.** F *ped. bes. Am.* Sechs *f*, Ungenügend *n* (*Note*). **II** *adj* **5.** sechst(er, e, es): Company F die 6. Kompanie.

fa [fɑː] *s mus.* fa *n* (*Solmisationssilbe*).

Fa·bi·an ['feibiən] **I** *adj* **1.** fabisch, fabi'anisch, zaudernd: ~ tactics, ~ policy fabische Taktik, Verzögerungspolitik *f*. **2.** die Fabian Society betreffend. **II** *s* → Fabianist. **'Fa·bi·an,ism** *s* Fabia'nismus *m*, Poli'tik *f* der Fabian Society. **'Fa·bi·an·ist** *s* Fabier(in), Mitglied *n* der Fabian Society.

Fa·bi·an So·ci·e·ty *s* (*sozialistische*) Gesellschaft der Fabier (*1884 in England gegründet*).

fa·ble ['feibl] **I** *s* **1.** (Tier)Fabel *f*, Sage *f*, Märchen *n*. **2.** *collect.* Mythen *pl*, Le'genden *pl*. **3.** *fig.* ‚Märchen' *n*, erfundene Geschichte, Lüge *f*. **4.** Geschwätz *n*: old wives' ~s Altweibergewäsch *n*. **5.** *selten* Fabel *f*, Handlung *f* (*e-s Dramas*). **II** *v/i u. v/t obs. od. poet.* **6.** (er)dichten, fabeln. **'fa·bled** [-bld] *adj* **1.** erdichtet, der Sage angehörend. **2.** in Mythen vorkommend, legen'där. **'fa·bler** [-blər] *s* **1.** Fabeldichter(in). **2.** *fig.* Faselhans *m*.

fab·ric ['fæbrik] *s* **1.** Zs.-setzung *f*, Bau *m*. **2.** Gebilde *n*. **3.** *arch.* Gebäude *n*, Bau *m* (*a. fig.*). **4.** Bauerhaltung *f* (*bes. von Kirchen*). **5.** *fig.* Bau *m*, Gefüge *n*, Struk'tur *f*: the ~ of society die soziale Struktur. **6.** *fig.* Sy'stem *n*. **7.** Stoff *m*, Gewebe *n*: silk ~s Seidenstoffe; ~ gloves Stoffhandschuhe. **8.** *tech.* Leinwand *f*, Reifengewebe *n*. **9.** *geol.* Tex'tur *f*. **10.** *obs.* Fabri'kat *n*.

fab·ri·cate ['fæbri,keit] *v/t* **1.** fabri'zieren, (an)fertigen, 'herstellen. **2.** (er)bauen, errichten, *engS.* (*aus vorgefertigten Teilen*) zs.-bauen. **3.** *fig.* ‚fabri'zieren': a) erfinden, b) fälschen: to ~ evidence. **4.** *fig. Dokument* fälschen. **,fab·ri'ca·tion** *s* **1.** Fabrikati'on *f*, 'Herstellung *f*, Anfertigung *f*. **2.** (Zs.-)Bau *m*, Errichtung *f*. **3.** *fig.* Erfindung *f*, ‚Märchen' *n*, Lüge *f*. **4.** Fälschung *f*. **'fab·ri,ca·tor** [-tər] *s* **1.** 'Hersteller *m*. **2.** *fig.* Erfinder *m*, Urheber *m* (*von Lügen etc*), Schwindler *m*. **3.** Fälscher *m*.

fab·u·list ['fæbjulist] *s* **1.** Fabeldichter(in). **2.** Lügner(in), Schwindler(in). **,fab·u'los·i·ty** [-'lɒsiti] → fabulousness. **'fab·u·lous** *adj* (*adv* ~ly) **1.** legen'där, le'genden-, sagenhaft. **2.** Fabel... **3.** *fig.* sagen-, fabelhaft, ungeheuer, ‚toll': ~ wealth. **'fab·u·lous·ness** *s* Fabelhaftigkeit *f*.

fa·çade [fə'sɑːd; fæ-] *s* **1.** *arch.* Fas'sade *f*, Vorderseite *f*. **2.** *fig.* Fas'sade *f*.

face [feis] **I** *s* **1.** Gesicht *n*, *rhet.* Angesicht *n*, Antlitz *n* (*a. fig.*): to look s.o. in the ~ j-m ins Gesicht sehen. **2.** Gesicht(sausdruck *m*) *n*, Aussehen *n*, Miene *f*: to put a good ~ on the matter gute Miene zum bösen Spiel machen; to make (*od.* pull) a ~ ein Gesicht (*od.* e-e Grimasse *od.* Fratze) machen *od.* schneiden (at s.o. j-m); to pull a long ~ ein langes Gesicht machen; to put a bold ~ on s.th. sich etwas (*Unangenehmes etc*) nicht anmerken lassen, e-r Sache gelassen entgegensehen; → set against 1. **3.** *colloq. fig.* Stirn *f*, Dreistigkeit *f*, Unverschämtheit *f*: to have the ~ to do s.th. die Stirn haben *od.* so unverfroren sein, etwas zu tun. **4.** *fig.* Gegenwart *f*, Anblick *m*, Angesicht *n*: before his ~ vor s-n Augen, in s-r Gegenwart; in (the) ~ of a) angesichts (*gen*), gegenüber (*dat*), b) trotz (*gen od. dat*); in the ~ of danger angesichts der Gefahr; in the very ~ of day am hellichten Tage; for s.o.'s fair ~ um j-s schöner Augen willen; to laugh in s.o.'s ~ j-m ins Gesicht lachen; to shut the door in s.o.'s ~ j-m die Tür vor der Nase zuschlagen; to say s.th. to s.o.'s ~ j-m etwas ins Gesicht sagen; ~ to ~ von Angesicht zu Angesicht, direkt; ~ to ~ with Auge in Auge mit, gegenüber, vor (*dat*); to bring persons ~ to ~ Personen (einander) gegenüberstellen; to fly in the ~ of a) *j-m* ins Gesicht fahren, b) *fig.* sich (offen) widersetzen (*dat*), (*a. der Gefahr*) trotzen. **5.** *fig.* (*das*) Äußere, (äußere) Gestalt *od.* Erscheinung, Anschein *m*: the ~ of affairs die Sachlage; on the ~ of it auf den ersten Blick, augenscheinlich, äußerlich betrachtet; to put a new ~ on s.th. etwas in neuem *od.* anderem Licht erscheinen lassen. **6.** *fig.* Gesicht *n*, Ansehen *n*: to save one's ~ das Gesicht wahren; to lose ~ das Gesicht verlieren; loss of ~ Prestigeverlust *m*. **7.** *econ. jur.* Nennwert *m*, -betrag *m*, Nomi'nalwert *m* (*e-s Wertpapiers etc*), Wortlaut *m* (*e-s Dokuments*). **8.** Ober-, Außenfläche *f*, Vorderseite *f*: ~ (of a clock) Zifferblatt *n*; half ~ Profil *n*; lying on its ~ nach unten gekehrt liegend. **9.** *arch.* → façade 1. **10.** rechte Seite (*Stoff, Leder etc*). **11.** Bildseite *f* (*e-r Spielkarte*), A'vers *m* (*e-r Münze*). **12.** *math.* (*geometrische*) Fläche: ~ of a crystal Kristallfläche. **13.** *tech.* a) Stirnseite *f*, -fläche *f*, b) Amboß-, Hammerbahn *f*, c) Breite *f* (*e-s Zahnrades etc*), d) Brust *f* (*e-s Bohrers, Zahns etc*), e) Schneide *f*. **14.** *print.* Bild *n* (*der Type*). **15.** *Bergbau*: Streb *n*, Ort *n*, Wand *f*: ~ of a gangway Ort e-r Strecke, Ortsstoß *m*; ~ of a shaft Schachtstoß *m*; at the ~ am (Abbau)Stoß, vor Ort. **II** *v/t* **16.** *j-m* das Gesicht zuwenden, *j-n* ansehen, *j-m* ins Gesicht sehen. **17.** gegen'übersein, -liegen, -sitzen, -stehen, -treten (*dat*), nach *Osten etc* blicken *od.* liegen (*Raum*): the man facing me der Mann mir gegenüber; the house ~s the sea das Haus liegt (nach) dem Meer zu; the windows ~ the street die Fenster gehen auf die Straße (hinaus). **18.** *etwas* 'umkehren, 'umwenden: to ~ a card e-e Spielkarte aufdecken. **19.** *a.* ~ up to *j-m, e-r Sache* mutig *od.* keck entgegentreten *od.* begegnen, ins Auge sehen, die Stirn *od.* Spitze bieten, trotzen: to ~ the enemy; to ~ death dem Tod ins Auge blicken; to ~ it out die Sache (dreist *od.* kühl) durchstehen; → music 1. **20.** *oft* to be ~d with *fig.* sich (*j-m od. e-r Sache*) gegen'übersehen, gegen'überstehen, entgegenblicken, ins Auge sehen (*dat*): he was ~d with ruin er stand vor dem Nichts. **21.** *a.* to ~ up to *etwas* 'hinnehmen: to ~ the facts sich mit den Tatsachen abfinden; let's ~ it seien wir ehrlich. **22.** *tech.* a) *Oberfläche* verkleiden, verblenden, b) plandrehen, fräsen, *Stirnflächen* bearbeiten, c) *Schneiderei*: besetzen, einfassen: to ~ with red mit roten Aufschlägen versehen. **23.** *arch.* a) (mit Platten *etc*) verblenden, b) verputzen, c) *Steine* glätten. **24.** *econ. e-e Ware* verschönen, attrak'tiver machen: to ~ tea Tee färben. **25.** *mil.* e-e Wendung machen lassen. **III** *v/i* **26.** das Gesicht wenden, sich drehen, e-e Wendung machen (to, towards nach): to ~ about sich umwenden, kehrtmachen (*a. fig.*); left ~! *mil. Am.* linksum!; right about ~! rechtsum kehrt! **27.** sehen, blicken, liegen (to, towards nach): to ~ full to the South direkt nach Süden liegen.

'face|-a,bout → about-face I. **'~-,ache** *s* Ge'sichtsschmerz *m*, -neural,gie *f*. **~ amount** *s econ.* Nennbetrag *m*. **~ brick** *s arch.* Verblendstein *m*. **~ card** *s Kartenspiel*: Bildkarte *f*. **'~-,cen·tered**, *bes. Br.* **'~-,cen·tred** *adj chem. min. phys.* 'flächenzen,triert. **'~,cloth** *s* Waschlappen *m*.

faced [feist] *adj in Zssgn* mit (e-m) ... Gesicht: black-~.

face| guard *s* (Draht)Schutzmaske *f*. **~ hammer** *s tech.* Bahnschlägel *m*. **'~-,hard·en** *v/t tech.* die Oberfläche härten von (*od. gen*). **'~-,hard·en·ing** *s tech.* Oberflächenhärtung *f*. **~ lathe** *s tech.* Plandreh-, Scheibendrehbank *f*.

face·less ['feislis] *adj* **1.** gesichtslos. **2.** *fig.* a) unscheinbar, b) ano'nym.

'face|-,lift I *s* → face-lifting. **II** *v/t a. fig.* verschönern. **'~-,lift·ing** *s* **1.** Gesichtsstraffung *f* (*kosmetische Operation*). **2.** *fig.* Reno'vierung *f*, Verschönerung *f*. **~ mill** *s tech.* Planfräser *m*. **'~,plate** *s tech.* **1.** Planscheibe *f* (*der Drehbank*). **2.** Schutzplatte *f*.

fac·er ['feisər] *s* **1.** Schlag *m* ins Gesicht (*a. fig.*). **2.** *fig.* Schlag *m* (ins Kon'tor). **3.** *tech.* Plandreher *m*.

'face-,sav·ing *adj* das Gesicht *od.* den (An)Schein wahrend, ehrenrettend.

fac·et ['fæsit] **I** *s* **1.** Fa'cette *f* (*am Edelstein*). **2.** *min. tech.* Rauten-, Schliff-, Kri'stallfläche *f*. **3.** *zo.* Fa'cette *f* (*e-s Facettenauges*). **4.** *arch.* Grat *m*, Steg *m* (*an e-r Säule*). **5.** *anat.* Gelenkfläche *f* (*e-s Knochens*). **6.** *fig.* Seite *f*, A'spekt *m*, (Cha'rakter)Zug *m*. **II** *v/t* **7.** facet'tieren. **'fac·et·ed** [-tid] *adj* facet'tiert, Facetten...: ~ eye *zo.* Facettenauge *n*.

fa·ce·ti·ae [fə'siːʃi,iː] *s pl* Fa'zetien *pl*: a) witzige Aussprüche *pl*, b) derbkomische Werke *pl* (*Bücher*). **fa'ce·tious** [-ʃəs] *adj* (*adv* ~ly) witzig, drollig, spaßig, spaßhaft. **fa'ce·tious·ness** *s* Scherzhaftigkeit *f*, Witzigkeit *f*.

face| tow·el *s* (Gesichts)Handtuch *n*. **~ val·ue** *s* **1.** *econ.* Nenn-, Nomi'nalwert *m* (*e-r Banknote etc*). **2.** *fig.* scheinbarer Wert, (*das*) Äußere: I took his words at their ~ ich nahm s-e Worte für bare Münze. **~ wall** *s arch.* Stirnmauer *f*.

fa·ci·a ['fæʃiə; 'fei-] *s* **1.** Firmen-, Ladenschild *n*. **2.** *a.* ~ board, ~ panel Arma'turenbrett *n*.

fa·cial ['feiʃəl] **I** *adj* (*adv* ~**ly**) a) Gesichts...: ~ **nerve**, b) des Gesichts, im Gesicht: ~ **disfigurement**. **II** *s Am. colloq.* Ge'sichtsmasˌsage *f*. ~ **in·dex** *s Schädelmessung*: Gesichtsindex *m*. ~ **pack** *s Kosmetik*: Gesichtspackung *f*.
fa·cient ['feiʃənt] *s math.* Faktor *m*.
-facient [feiʃənt] *Endsilbe mit der Bedeutung* machend, verursachend.
fa·ci·es ['feiʃiˌi:z; -siˌi:z] *s* **1.** *med. zo.* Gesicht(sausdruck *m*) *n*. **2.** (*das*) Äußere, äußere Erscheinung, Habitus *m*. **3.** *med. zo.* allgemeiner Typus. **4.** *geol.* Fazies *f* (*Bezirk zs.-gehöriger Schichten*).
fac·ile [*Br.* 'fæsail; *Am.* -sil; -sl] *adj* (*adv* ~**ly**) **1.** leicht (zu tun *od.* zu meistern *od.* zu erwerben): a ~ **victory** ein leichter Sieg. **2.** (allzu) leicht, oberflächlich, ‚gekonnt': a ~ **style** ein leichter *od.* flüssiger Stil; ~ **solution** Patentrezept *n*. **3.** gewandt, geschickt, flink, leicht. **4.** 'umgänglich.
fa·cil·i·tate [fə'siliˌteit] *v/t etwas* erleichtern, leicht(er) machen, fördern.
faˌcil·i'ta·tion *s* Erleichterung *f*, Förderung *f*.
fa·cil·i·ty [fə'siliti] *s* **1.** Leichtigkeit *f* (*der Ausführung*). **2.** Gewandtheit *f*, Geschicklichkeit *f*. **3.** Gefälligkeit *f*, 'Umgänglichkeit *f*. **4.** (günstige) Gelegenheit, Möglichkeit *f* (for für). **5.** *meist pl* Einrichtung(en *pl*) *f*, (*Produktions- etc*)Anlage(n *pl*) *f*: **port facilities** Hafenanlagen; **transport facilities** Transportmöglichkeiten, -mittel. **6.** *meist pl* Erleichterung(en *pl*) *f*, Vorteil(e *pl*) *m*, Vergünstigung(en *pl*) *f*, Annehmlichkeit(en *pl*) *f*: **facilities of payment** Zahlungserleichterungen.
fac·ing ['feisiŋ] *s* **1.** *mil.* Wendung *f*, Schwenkung *f*: **to go through one's** ~**s** *fig.* zeigen (müssen), was man kann; **to put s.o. through his** ~**s** *fig.* j-n auf Herz u. Nieren prüfen. **2.** *tech.* Verkleidung *f*. **3.** *tech.* a) Plandrehen *n*, b) Planflächenschliff *m*: ~ **lathe** Plandrehbank *f*. **4.** *a.* ~ **sand** (*Gießerei*) feingesiebter Formsand. **5.** *tech.* Futter *n*, (Brems-, Kupplungs)Belag *m*: ~ **of a brake**. **6.** *arch.* a) Verblendung *f*: ~ **brick** Blendstein *m*, b) Bewurf *m*, Verputz *m*: **cement** ~, c) Stirnmauer *f*. **7.** *Zahntechnik*: Verblendung *f* (*e-r Krone etc*). **8.** *Schneiderei*: a) Aufschlag *m*, b) Einfassung *f*, Besatz *m*: ~**s** *mil.* (Uniform)Aufschläge.
fac·sim·i·le [fæk'simili] **I** *s* **1.** Fak'simile *n*, genaue Nachbildung, Reprodukti'on *f*: ~ **signature** Faksimileunterschrift *f*. **2.** *a.* ~ **transmission** (*od.* **broadcasting**) Bildfunk *m*: ~ **apparatus** Bildfunkgerät *n*; ~ **telegraphy** Bildtelegraphie *f*. **II** *v/t* **3.** faksimi'lieren.
fact [fækt] *s* **1.** Tatsache *f*, Faktum *n*, Wirklichkeit *f*, Wahrheit *f*: **naked** ~**s** nackte Tatsachen; ~ **and fancy** Dichtung u. Wahrheit; **in (point of)** ~ in der Tat, tatsächlich, faktisch, richtig gesagt, genaugenommen; **it is a** ~ es ist e-e Tatsache, es ist tatsächlich so, es stimmt; **the** ~ **(of the matter)** is Tatsache ist *od.* die Sache ist die (that daß); → **matter** 3; **to be founded on** ~ auf Tatsachen beruhen; **the** ~**s of life** das Geheimnis des Lebens, die Tatsachen über die Entstehung des Lebens; **to tell s.o. the** ~**s of life** j-n (*sexuell*) aufklären. **2.** *jur.* a) Tatsache *f*: **in** ~ **and law** in tatsächlicher u. rechtlicher Hinsicht; **the** ~**s (of the case)** der Tatbestand, die Tatumstände, der Sachverhalt; (**statement of)** ~**s** Tatbestand *m*, -bericht *m*, Darstellung *f* des Tatbestandes, b) Tat *f*: **before (after) the** ~ vor (nach) begangener Tat; → **accessory** 11. '~-ˌ**find·ing** *adj* Untersuchungs...: ~ **commission** Untersuchungsausschuß *m*; ~ **tour** Informationsreise *f*.
fac·tion ['fækʃən] *s* **1.** *bes. pol.* (eigennützige) Par'tei, 'Splitterparˌtei *f*, Clique *f*: **spirit of** ~ Parteigeist *m*. **2.** Par'teisucht *f*. **3.** Zwietracht *f* (in e-r Par'tei). **4.** *obs.* Kaste *f*. '**fac·tion·al** *adj* **1.** eigennützig. **2.** Faktions..., Partei... '**fac·tion·alˌism** *s* Par'teigeist *m*. '**fac·tion·ar·y**, '**fac·tion·ist** *s* Par'teigänger *m*.
fac·tious ['fækʃəs] *adj* (*adv* ~**ly**) **1.** Partei..., par'teisüchtig. **2.** aufrührerisch.
fac·ti·tious [fæk'tiʃəs] *adj* (*adv* ~**ly**) **1.** künstlich, (nach)gemacht, unecht. **2.** gekünstelt, konventio'nell. **fac'ti·tious·ness** *s* Künstlichkeit *f*.
fac·ti·tive ['fæktitiv] *adj ling.* fakti'tiv: ~ **verb**.
fac·tor ['fæktər] **I** *s* **1.** *econ.* a) (Handels)Vertreter *m*, (Ver'kaufs)Kommissioˌnär *m*, b) *Am.* Finan'zierungskommissioˌnär *m*. **2.** *fig.* Faktor *m* (*a. math.*), (mitwirkender) 'Umstand, Mo'ment *n*, Einfluß *m*: **the determining** ~ **of** (*od.* in) s.th. der bestimmende Umstand in e-r Sache; ~ **of merit** *tech.* Gütefaktor; **safety** ~ Sicherheitsfaktor, -grad *m*. **3.** *biol.* Erbfaktor *m*. **4.** *phot.* Multiplikati'onsfaktor *m*. **5.** *jur. Scot.* (Guts)Verwalter *m*. **II** *v/t* → **factorize** 1.
fac·tor·a·ble ['fæktərəbl] *adj math.* [zerlegbar.]
fac·tor·age ['fæktəridʒ] *s* Provisi'on *f*.
fac·to·ri·al [fæk'tɔ:riəl] **I** *adj biol. math. med.* Faktoren... **II** *s math.* Faku'tät *f*.
fac·tor·ing ['fæktəriŋ] *s econ.* Finan'zierung *f* offener Buchschulden, 'Absatzfinanˌzierung *f*. '**fac·torˌize** *v/t* **1.** *math.* in Fak'toren zerlegen. **2.** *jur. Am. Drittschuldner* pfänden.
fac·to·ry ['fæktəri; -tri] **I** *s econ.* **1.** Fa'brik(gebäude *n*, -anlage *f*) *f*. **2.** Fakto'rei *f*, Handelsniederlassung *f*. **II** *adj* **3.** Fabrik...: **Factories Acts** Arbeiterschutzgesetze; ~ **hand** Fabrikarbeiter(in); ~-**made** fabrikmäßig hergestellt; ~-**made goods** Fabrikware *f*.
fac·to·tum [fæk'toutəm] *s* Fak'totum *n*, ‚Mädchen *n* für alles'.
fac·tu·al [*Br.* 'fæktjuəl; *Am.* -tʃuəl] *adj* (*adv* ~**ly**) **1.** tatsächlich, auf Tatsachen beruhend, Tatsachen...: ~ **report** Tatsachenbericht *m*; ~ **situation** Sachlage *f*, -verhalt *m*. **2.** sich an die Tatsachen haltend, genau. **3.** sachlich.
fac·ul·ta·tive ['fækəlˌteitiv] *adj* **1.** berechtigend. **2.** fakulta'tiv, wahlfrei, beliebig: ~ **subject** *ped.* Wahlfach *n*. **3.** möglich. **4.** *biol.* zufällig.
fac·ul·ty ['fækəlti] *s* **1.** Fähigkeit *f*, Vermögen *n*: ~ **of hearing** Hörvermögen. **2.** Kraft *f*, Geschicklichkeit *f*, Gewandtheit *f*. **3.** (na'türliche) Gabe, Anlage *f*, Ta'lent *n*, Fähigkeit *f*: **(mental) faculties** Geisteskräfte. **4.** *univ.* a) Fakul'tät *f*, Wissenszweig *m*: **the medical** ~ die medizinische Fakultät, *weitS.* die Mediziner, b) (Mitglieder *pl* e-r) Fakultät, *Am.* Lehrkörper *m*. **5.** *jur.* a) Ermächtigung *f*, Befugnis *f* (for zu, für), b) *meist pl* Vermögen *n*, Eigentum *n*. **6.** *relig.* Befugnis *f*, Dispensati'on *f*.
fad [fæd] *s* **1.** (vor'übergehende) Liebhabe'rei. **2.** Mode(torheit) *f*. **3.** Ma'rotte *f*, Schrulle *f*. '**fad·dish** *adj* **1.** der (*gerade geltenden*) Mode ergeben, modisch. **2.** schrullenhaft, schrullig, ex'zentrisch. '**fad·dist** *s* Fex *m*.
fad·dy ['fædi] → **faddish**.
fade[1] [feid] **I** *v/i* **1.** (ver)welken. **2.** verschießen, verblassen, ver-, ausbleichen. **3.** *a.* ~ **away** *fig.* (da'hin)schwinden, ab-, verklingen, vergehen, zerrinnen, sich auflösen. **4.** *Radio*: schwinden, schwach *od.* unhörbar werden. **5.** *Am. sl.* a) ‚verduften', -schwinden, b) schlappmachen, nachlassen. **II** *v/t* **6.** verwelken *od.* verblassen lassen. **7.** *Film*, *Radio*: über'blenden, ein-, ausblenden.
Verbindungen mit Adverbien:
fade| in *v/t electr. phot.* ein-, aufblenden. ~ **out I** *v/t electr. phot.* aus-, abblenden. **II** *v/i* → **fade**[1] 4, 5.
fade[2] [fad] (*Fr.*) *adj* langweilig, fad(e).
fad·ed ['feidid] *adj* (*adv* ~**ly**) **1.** verblichen, -schossen. **2.** *bot. u. fig.* welk, verwelkt, -blüht, -blaßt, fahl.
'**fade-ˌin** *s* **1.** *phot.* Einblenden *n*, Einblendung *f*. **2.** *electr.* Einblendregler *m*. '**fade·less** *adj* (*adv* ~**ly**) **1.** licht-, farbecht. **2.** *fig.* unvergänglich. '**fade-ˌout** *s* **1.** *phot.* Ausblenden *n*, Ausblendung *f*. **2.** *electr.* Abblendregler *m*. **3.** *phys.* Ausschwingen *n*: ~ **time** Ausschwingzeit *f*. '**fad·er** *s Radio, TV*: Aufblend-, Abblend-, Über'blendregler *m*. '**fad·ing I** *adj* **1.** verblassend, -schießend. **2.** *bot.* (ver)welkend, verblühend (*a. fig.*). **3.** *fig.* a) vergänglich, b) matt, schwindend. **4.** *Radio*: schwindend. **II** *s* **5.** Verblassen *n*, -schießen *n*. **6.** *electr.* Über'blendung *f*. **7.** *Radio*: Fading *n*, Schwund *m*: ~ **control** Schwundregelung *f*.
fae·cal, fae·ces → **fecal** *etc.*
fa·er·ie, fa·er·y ['feiəri; 'fɛ(ə)ri] *obs.* **I** *s* **1.** → **fairy**. **2.** Feen-, Märchen-, Traumland *n*. **II** *adj* **3.** Feen..., Märchen...
fag[1] [fæg] *s bes. Br. sl.* ‚Glimmstengel' [*m*, Ziga'rette *f*.]
fag[2] [fæg] **I** *v/i* **1.** *Br.* sich abarbeiten, sich placken, sich (ab)schinden. **2.** *ped. Br.* den älteren Schülern Dienste leisten. **II** *v/t* **3.** *a.* ~ **out** ermüden, erschöpfen: **to be completely** ~**ged out** vollkommen ausgepumpt *od.* ‚fertig' sein. **4.** *ped. Br.* sich von (*jüngerem Schüler*) bedienen lassen. **III** *s* **5.** *ped. Br.* Schüler, der für e-n älteren Dienste verrichtet. **6.** *bes. Br. colloq.* Placke'rei *f*, Schinde'rei *f*. **7.** Erschöpfung *f*.
fag end *s* **1.** Salband *n*, -leiste *f* (*am Tuch*). **2.** *mar.* aufgedrehtes Tauende. **3.** *fig.* Ende *n*, Schluß *m*. **4.** letzter *od.* schäbiger Rest: **the** ~ **of the term** die letzten paar Tage des Semesters. **5.** *bes. Br. sl.* (Ziga'retten- *etc*)Stummel *m*, ‚Kippe' *f*.
fag·ging ['fægiŋ] *s* **1.** → **fag**[2] 6. **2.** *a.* ~ **system** *Br. die Sitte, daß jüngere Schüler älteren Dienste leisten müssen.*
fag·got, *bes. Am.* **fag·ot** ['fægət] **I** *s* **1.** Holz-, Reisigbündel *n*. **2.** *hist.* Scheiterhaufen *m*. **3.** *tech.* a) Bündel *n* Stahlstangen (*von 54,43 kg*), b) 'Schweißpaˌket *n*, Pa'ket *n* Eisenstäbe. **4.** *Kochkunst*: *Br.* 'Leberfrikaˌdelle *f*. **II** *v/t* **5.** bündeln, zu e-m Bündel zs.-binden. '~-'**vote** *s Br. hist.* durch (*meist* Schein)Kauf *od.* Über'tragung von Grundbesitz erlangte Wahlstimme.
fa·got·tist [fə'gɒtist] *s* Fagot'tist *m*.
fa·got·to [fɑ'gɒtɔ:] *pl* **-ti** [-ti] (*Ital.*) *s mus.* Fa'gott *n*.
fag·ot-vote → **faggot-vote**.
Fahl·band ['fa:lˌbant] (*Ger.*) *s min.* Fahlband *n*.
Fah·ren·heit ['færənˌhait] *s in England u. USA gebräuchliches Thermo-*

metersystem: 10° ~ zehn Grad Fahrenheit, 10° F; ~ thermometer Fahrenheitthermometer *n*.

fa·ience [fa'jɑ̃ːs; fai'ɑːns] *s* Fay'ence *f*.

fail [feil] **I** *v/i* **1.** (of, in) fehlen, mangeln (an *dat*), ermangeln (*gen*): he ~s in perseverance es fehlt ihm an Ausdauer. **2.** nachlassen, schwinden (*Kräfte etc*), ausbleiben, versiegen (*Quellen etc*): our supplies ~ed unsere Vorräte gingen aus *od.* zu Ende. **3.** miß'raten (*Ernte*), nicht aufgehen (*Saat*). **4.** abnehmen, schwächer werden: his eyesight ~ed s-e Sehkraft ließ nach. **5.** versagen: the engine ~ed. **6.** fehlschlagen, scheitern, miß'lingen, (s-n Zweck) verfehlen, 'Mißerfolg haben, Schiffbruch erleiden, es nicht fertigbringen (to do zu tun): he (the plan) ~ed er (der Plan) scheiterte; if everything else ~s *fig.* wenn alle Stricke reißen; he ~ed in all his attempts alle s-e Versuche schlugen fehl; the prophecy ~ed die Prophezeiung traf nicht ein; I ~ to see ich sehe nicht ein. **7.** verfehlen, versäumen, unter'lassen: he ~ed to come er kam nicht; he never ~s to come er kommt immer; don't ~ to come komme ja *od.* ganz bestimmt; he cannot ~ to win er muß einfach gewinnen; he ~s in his duty er ver(ab)säumt *od.* vernachlässigt s-e Pflicht. **8.** fehlgehen, irren: to ~ in one's hopes sich in s-n Hoffnungen täuschen. **9.** *econ.* bank'rott machen *od.* gehen, in Kon'kurs geraten. **10.** *ped.* 'durchfallen (in an examination in e-r Prüfung).

II *v/t* **11.** *j-m* fehlen, versagen: his courage ~ed him ihm sank der Mut; words ~ me es fehlen mir die Worte. **12.** *j-n* im Stich lassen, enttäuschen: I will never ~ you. **13.** a) *j-n in e-r Prüfung* 'durchfallen lassen: he ~ed them all, b) durchfallen in (*e-r Prüfung od. e-m Fach*).

III *s* **14.** Versäumnis *n* (*nur noch in*): without ~ unfehlbar, ganz gewiß, unbedingt.

fail·ing ['feiliŋ] **I** *adj* **1.** fehlend, ausbleibend: never ~ a) nie versagend, unfehlbar, b) nie versiegend. **II** *prep* **2.** in Ermang(e)lung (*gen*): ~ a purchaser. **3.** im Falle des Ausbleibens *od.* Miß'lingens *od.* Versagens *od.* Sterbens (*gen*): ~ this wenn nicht, andernfalls; ~ which widrigenfalls. **III** *s* **4.** Fehler *m*, Mangel *m*.

faille [feil; fail] *s* Faille *f*, Ripsseide *f*.

fail·ure ['feiljər] *s* **1.** Fehlen *n*, Nichtvor'handensein *n*: ~ of hairs. **2.** Ausbleiben *n*, Versagen *n*, Versiegen *n*. **3.** Unter'lassung *f*, Versäumnis *n*: ~ to comply with instructions Nichtbefolgung *f* von Vorschriften; ~ to pay Nichtzahlung *f*: his ~ to report die Tatsache, daß er keinen Bericht erstattete *od.* daß er es unterließ, Bericht zu erstatten. **4.** Ausbleiben *n*, Nicht'eintreten *n* (*e-s Ereignisses*). **5.** Fehlschlag(en *n*) *m*, Miß'lingen *n*, 'Mißerfolg *m*, Scheitern *n*: ~ of crops Mißernte *f*. **6.** Verfall *m*, Sinken *n*, Schwäche *f* (*der Kräfte, Sinne etc*). **7.** *med.* Versagen *n*, Störung *f* (*der Herztätigkeit etc*). **8.** *tech.* Versagen *n*, Versager *m*, Störung *f*, De'fekt *m*. **9.** *fig.* Schiffbruch *m*, Zs.-bruch *m*: to meet with ~ → fail 6. **10.** *econ.* Bank'rott *m*, Kon'kurs *m*. **11.** Versager *m* (*Person od. Sache*), verkrachte Exi'stenz (*Person*), Reinfall *m* (*Sache*). **12.** *ped.* 'Durchfallen *n* (*in e-r Prüfung*).

fain[1] [fein] **I** *adj pred* **1.** froh. **2.** bereit. **3.** genötigt (to do zu tun). **II** *adv* **4.** gern: I would ~ do it ich würde *od.* möchte es gern tun.

fain[2] [fein] → fains.

fai·ne·ance ['feiniəns], **'fai·ne·an·cy** *s* Nichtstun *n*, Müßiggang *m*. **'fai·né·ant I** *adj* müßig, faul. **II** *s* Müßiggänger(in), Faulenzer(in).

fains [feinz] *interj Br.* (*beim Spielen*) *meist* ~ I *mit nachfolgendem Gerundium* ich scheide aus.

faint [feint] **I** *adj* (*adv* ~ly) **1.** schwach, matt, kraftlos (with vor *dat*): to feel ~ sich matt *od.* e-r Ohnmacht nahe fühlen. **2.** schwach, matt (*Ton, Farbe etc, a. fig.*): a ~ effort; I have not the ~est idea ich habe nicht die leiseste Ahnung; ~ hope schwache Hoffnung; to have a ~ recollection of s.th. sich nur schwach an etwas erinnern (können). **3.** drückend (*Luft*). **4.** zaghaft, furchtsam, kleinmütig, feig(e): ~ heart never won fair lady wer nicht wagt, der nicht gewinnt. **II** *s* **5.** Ohnmacht *f*: dead ~ tiefe Ohnmacht. **III** *v/i* **6.** *a.* ~ away *poet.* schwach *od.* matt werden (with vor *dat*). **7.** in Ohnmacht fallen (with vor *dat*): ~ing fit Ohnmachtsanfall *m*. **8.** *obs.* verzagen.

'faint,heart *s* Feigling *m*. **'faint-'heart·ed** *adj* (*adv* ~ly) feig(e), mutlos, kleinmütig, verzagt. **,faint'heart·ed·ness** *s* Feigheit *f*, Mutlosigkeit *f*.

faint·ish ['feintiʃ] *adj* (etwas) schwach.

'faint·ness *s* **1.** Schwäche(gefühl *n*, -zustand *m*) *f*, Mattigkeit *f*. **2.** Ohnmachtsgefühl *n*. **3.** ~ of heart *fig.* Mutlosigkeit *f*, Verzagtheit *f*. **4.** Undeutlichkeit *f*. **faints** *s pl Branntweinbrennerei*: unreiner Rückstand.

fair[1] [fɛr] **I** *adj* (*adv* → fairly) **1.** schön, hübsch, nett, lieblich: the ~ sex das schöne *od.* zarte Geschlecht. **2.** a) hell, blond: ~ hair, b) hell: ~ skin, c) hellhäutig. **3.** rein, sauber, makellos, unbescholten: ~ name guter Ruf. **4.** *fig.* schön, gefällig: to give s.o. ~ words j-n mit schönen Worten abspeisen. **5.** klar, heiter (*Himmel*), schön, trokken (*Wetter, Tag*): set ~ beständig. **6.** rein, klar (*Wasser, Luft*). **7.** sauber, deutlich, leserlich: ~ copy Reinschrift *f*. **8.** frei, offen, unbehindert (*Aussicht etc*): ~ game jagdbares Wild, *bes. fig.* Freiwild *n* (to für). **9.** *fig.* günstig, aussichtsreich, vielversprechend: ~ chance recht gute Chance; → way[1] *Bes. Redew.*; wind[1] 1. **10.** (ganz) schön, ansehnlich, nett: a ~ sum. **11.** anständig: a) *bes. sport* fair, ritterlich, b) ehrlich, offen, aufrichtig (with gegen), c) 'unpar,teiisch, billig, gerecht: ~ and square offen u. ehrlich, anständig; by ~ means auf ehrliche Weise; by ~ means or foul so oder so; that's only ~ das ist nur recht u. billig; ~ is ~ Gerechtigkeit muß sein; ~ competition *econ.* Lauterkeit *f* des Wettbewerbs; all's ~ in love and war im Krieg u. in der Liebe ist alles erlaubt; → comment 1; play 3; warning 1. **12.** leidlich, ziemlich *od.* einigermaßen gut: ~ to middling gut bis mittelmäßig; to be a ~ judge of s.th. ein ziemlich gutes Urteil über etwas abgeben können; ~ business leidlich gute Geschäfte; pretty ~ nicht übel, recht *od.* ziemlich gut. **13.** angemessen: ~ estimate; ~ price; ~ wage. **14.** typisch, echt: a ~ example. **15.** berechtigt, gültig: a ~ complaint.

II *adv* **16.** schön, gut, freundlich, höflich: to speak s.o. ~ j-m schöne *od.* freundliche Worte sagen. **17.** rein, sauber, leserlich: to write out ~ ins reine schreiben. **18.** günstig (*nur noch in*): to bid (*od.* promise) ~ a) sich gut anlassen, zu Hoffnungen berechtigen, b) (gute) Aussicht haben, versprechen (to be zu sein); the wind sits ~ *mar.* der Wind ist günstig. **19.** anständig, ritterlich, fair: to play ~ a) fair spielen, b) *fig.* ehrlich sein, sich an die Spielregeln halten. **20.** 'unpar,teiisch, billig, gerecht. **21.** aufrichtig, offen, ehrlich: ~ and square offen u. ehrlich. **22.** auf gutem Fuß (with mit): to keep (*od.* stand) ~ with s.o. (sich) gut mit j-m stehen. **23.** di'rekt, genau: ~ in the face mitten ins Gesicht.

III *s obs.* **24.** Schöne *f*: the ~ das schöne Geschlecht. **25.** (*das*) Schöne *od.* Gute: for ~ *Am. sl.* wirklich, absolut, unbedingt.

IV *v/t* **26.** *tech.* glätten, zurichten: to ~ into einpassen in (*acc*). **27.** *Flugzeug* verkleiden. **28.** ins reine schreiben.

V *v/i* **29.** *a.* ~ off, ~ up sich aufheitern (*Wetter*).

fair[2] [fɛr] *s* **1.** Jahrmarkt *m*, Messe *f*: at the ~ auf der Messe; (a day) after the ~ *fig.* (e-n Tag) zu spät. **2.** Ausstellung *f*, Messe *f*: at the industrial ~ auf der Industriemesse. **3.** Ba'sar *m*.

fair| catch *s Rugby*: di'rekter Fang (*des Balls*). **'~-,deal·ing** *adj* ehrlich, anständig. **'~-,faced** *adj* **1.** hellhäutig. **2.** schön. **3.** *fig.* trügerisch. **~ green** *s Golf*: kurzgeschnittene Rasenfläche (*zwischen der Marke u. dem Grün*). **'~,ground** *s Am. oft pl* **1.** Ausstellungs-, Messegelände *n*. **2.** Rummel-, Vergnügungsplatz *m*. **'~-,haired** *adj* blond, hellhaarig: the ~ boy (of *od.* with) *fig.* der Liebling (*gen*).

fair·ing[1] ['fɛ(ə)riŋ] *s aer.* Verkleidung *f*.

fair·ing[2] ['fɛ(ə)riŋ] *s* Jahrmarkts-, Meßgeschenk *n*.

fair·ish ['fɛ(ə)riʃ] *adj* ziemlich (gut *od.* groß), leidlich, pas'sabel.

fair·ly ['fɛrli] *adv* **1.** ehrlich. **2.** anständig(erweise). **3.** gerecht(erweise). **4.** rechtmäßig(erweise). **5.** ziemlich. **6.** leidlich. **7.** gänzlich, völlig. **8.** geradezu, sozusagen. **9.** klar, deutlich. **10.** genau. **11.** günstig.

'fair-'mind·ed *adj* aufrichtig, gerecht (denkend). **,fair-'mind·ed·ness** *s* Ehrlichkeit *f*.

fair·ness ['fɛrnis] *s* **1.** Schönheit *f*. **2.** Reinheit *f*. **3.** Klarheit *f*. **4.** a) Hellfarbigkeit *f*, b) helle Haut- *od.* Gesichtsfarbe, c) Blondheit *f*. **5.** Anständigkeit *f*: a) (*bes.* sportliche) Fairneß, Ritterlichkeit *f*, b) Gerechtigkeit *f*, 'Unpar,teilichkeit *f*, c) Ehrlichkeit *f*: in ~ gerechterweise; in ~ to him um ihm Gerechtigkeit widerfahren zu lassen.

'fair|-'spo·ken *adj* freundlich, höflich. **~ trade** *s econ.* **1.** Freihandel *m* auf Gegenseitigkeitsbasis. **2.** *Am.* Handel *m* in Über'einstimmung mit e-m Preisbindungsvertrag. **'~-'trade** *Am.* **I** *adj* Preisbindungs...: ~ agreement. **II** *v/t Ware* in Über'einstimmung mit e-m Preisbindungsvertrag verkaufen. **'~,way** *s* **1.** *mar.* Fahrwasser *n*, -rinne *f*: ~ buoy Anseglungsboje *f*. **2.** → fair green. **'~-'weath·er** *adj* Schönwetter...: ~ friends *fig.* Freunde im Glück, unzuverlässige Freunde.

fair·y ['fɛ(ə)ri] **I** *s* **1.** Fee *f*, Elf(e *f*) *m*. **2.** *sl.* ‚Schwule(r)' *m*, Homosexu'elle(r) *m*. **II** *adj* **3.** feenartig. **4.** *fig.* feen-, zauberhaft, Feen... **'~,land** *s* Feen-, Märchenland *n*. **~ ring** *s bot.* Feenreigen *m*, -kreis *m*. ~ **tale** *s* Märchen *n* (*a. fig.*).

fait ac·com·pli [fɛtakɔ̃'pli] (*Fr.*) *s* voll'endete Tatsache.

faith [feiθ] *s* **1.** (in, on) Glaube(n) *m* (an *acc*), Vertrauen *n* (auf *acc*, zu): to have (*od.* put) ~ in a) *e-r Sache* Glauben schenken, an *etwas* glauben, b) zu *j-m* Vertrauen haben; to pin one's ~ on (*od.* to) sein (ganzes) Vertrauen setzen auf (*acc*); to have full ~ and credit *jur.* als Beweis gelten (*Urkunde*); on the ~ of im Vertrauen auf (*acc*). **2.** *relig.* a) (über'zeugter) Glaube(n), b) Glaube(nsbekenntnis *n*) *m*: the Christian ~. **3.** (Pflicht)Treue *f*, Redlichkeit *f*: breach of ~ Treu-, Vertrauensbruch *m*; in good ~ in gutem Glauben, gutgläubig (*a. jur.*); third party acting in good ~ *jur.* gutgläubiger Dritter; in bad ~ in böser Absicht, arglistig (*a. jur.*); in ~!, upon my ~! auf Ehre!, m-r Treu!, fürwahr! **4.** Versprechen *n*: to give (*od.* pledge) one's ~ sein Versprechen geben; to keep one's ~ sein Wort halten; to break (*od.* violate) one's ~ sein Versprechen *od.* Wort brechen. ~ **cure** → faith healing.

faith·ful ['feiθful] **I** *adj* **1.** (ge)treu (to *dat*). **2.** ehrlich, aufrichtig. **3.** gewissenhaft. **4.** (wahrheits)getreu, genau: a ~ description. **5.** glaubwürdig, zuverlässig: a ~ statement. **6.** gläubig. **II** *s* **7.** the ~ *pl relig.* die Gläubigen *pl*: Father of the F~ (*Islam*) Beherrscher *m* der Gläubigen (*der Kalif*). **8.** *pl* treue Anhänger *pl*. '**faith·ful·ly** *adv* **1.** treu, ergeben: Yours ~ Ihr (sehr) ergebener, hochachtungsvoll (*am Briefende*). **2.** ehrlich, aufrichtig. **3.** gewissenhaft, getreu(lich). **4.** *colloq.* nach-, ausdrücklich: to promise ~ fest versprechen. '**faith·ful·ness** *s* **1.** (Pflicht)Treue *f*, Zuverlässigkeit *f*. **2.** Ehrlichkeit *f*, Gewissenhaftigkeit *f*.

faith| heal·er *s* Gesundbeter(in). ~ **heal·ing** *s* Gesundbeten *n*.

faith·less ['feiθlis] *adj* (*adv* ~ly) **1.** ungläubig. **2.** un(ge)treu, treulos, unzuverlässig. '**faith·less·ness** *s* **1.** Unglaube *m*. **2.** Untreue *f*, Treulosigkeit *f*.

fake[1] [feik] *mar.* **I** *s* Bucht *f* (*Tauwindung*). **II** *v/t Tau* winden.

fake[2] [feik] *colloq.* **I** *v/t* **1.** *a.* ~ up *Bilanz etc* ,fri'sieren', zu'rechtdoktern. **2.** fälschen, nachmachen: to ~ a painting. **3.** *Am.* heucheln, vortäuschen. **4.** *sport Am. den Gegner* täuschen. **5.** *mus. Am. sl.* improvi'sieren. **II** *v/i* **6.** sich verstellen, so tun als ob. **III** *s* **7.** Schwindel *m*, Betrug *m*. **8.** Fälschung *f*, Nachahmung *f*, Imitati'on *f*. **9.** *Am.* Schwindler *m*, Betrüger *m*, Hochstapler *m*, *weitS.* ,Schauspieler' *m*. **IV** *adj* **10.** ver-, gefälscht, nachgemacht. **11.** falsch: a ~ colonel. **12.** vorgetäuscht.

fake·ment ['feikmənt] → fake[2] 7.

'**fak·er** *s* **1.** Fälscher *m*. **2.** → fake[2] 9. **3.** *Am. sl.* Straßenhändler *m*.

fa·kir [fə'kir; 'feikir] *s* **1.** *relig.* Fakir *m*. **2.** *Am. sl.* → fake[2] 9, faker 3.

fal·ba·la ['fælbələ] *s* Falbel *f*, Rüsche *f*.

fal·cate ['fælkeit] → falciform.

fal·chion ['fɔːltʃən; -lʃən] *s* **1.** *hist.* Krummschwert *n*. **2.** *poet.* Schwert *n*.

fal·ci·form ['fælsiˌfɔːrm] *adj anat. bot. zo.* sichelförmig, Sichel...

fal·con ['fɔːlkən; 'fɔːkən] *s* **1.** *orn.* Falke *m*. **2.** *hunt.* Jagdfalke *m*. **3.** *mil. hist.* Fal'kaune *f* (*Geschütz*). '**fal·con·er** *s hunt.* Falkner *m*: a) Abrichter *m* von Jagdfalken, b) Falken-, Beizjäger *m*.

'**fal·coˌnet** [-ˌnet] *s mil. hist.* Falko'nett *n* (*kleines Geschütz*).

'**fal·con-'gen·tle** *s orn.* (Wander)Falkenweibchen *n*.

fal·con·ry ['fɔːlkənri; 'fɔːk-] *s hunt.* **1.** Falkne'rei *f*, Falkenzucht *f*. **2.** Falkenbeize *f*, -jagd *f*.

fal·de·ral ['fældəˌræl; -'ræl] *s* **1.** *mus.* (Valle'ri)Valle'ra *n* (*Kehrreim*). **2.** *contp.* Firlefanz *m*.

fald·stool ['fɔːldˌstuːl] *s* Falt-, Klappstuhl *m*: a) Bischofsstuhl *m*, b) Bet-, Krönungsschemel *m*, c) *Church of England*: Lita'neipult *n*.

fall [fɔːl] **I** *s* **1.** Fall *m*, Sturz *m*, Fallen *n*: ~ from (*od.* out of) the window Sturz aus dem Fenster; to have a bad ~ schwer stürzen *od.* hinfallen *od.* zu Fall kommen; to ride for a ~ a) verwegen reiten, b) *fig.* das Schicksal herausfordern. **2.** a) (Ab)Fallen *n* (*der Blätter etc*), b) *bes. Am.* Herbst *m*: ~ weather Herbstwetter *n*. **3.** Fall *m*, Her'abfallen *n*, Faltenwurf *m* (*Stoff*). **4.** Fallen *n* (*des Vorhangs*). **5.** *tech.* Niedergang *m* (*des Kolbens etc*). **6.** Zs.-fallen *n*, Einsturz *m* (*e-s Gebäudes*). **7.** *phys.* a) *a.* free ~ freier Fall, b) Fallhöhe *f*, -strecke *f*. **8.** a) (Regen-, Schnee)Fall *m*, b) Regen-, Schnee-, Niederschlagsmenge *f*. **9.** Fallen *n* (*der Flut, Temperatur etc*), Sinken *n*, Abnehmen *n*: (heavy *od.* sudden) ~ in prices Preis-, Kurssturz *m*; to speculate on the ~ auf Baisse spekulieren. **10.** Abfall(en *n*) *m*, Gefälle *n*, Neigung *f* (*des Geländes*): a sharp ~ ein starkes Gefälle. **11.** *meist pl* (Wasser)Fall *m*: the Niagara F~s. **12.** Anbruch *m*, Her'einbrechen *n* (*der Nacht etc*). **13.** Fall *m*, Sturz *m*, Nieder-, 'Untergang *m*, Verfall *m*, Ende *n*: the ~ of Troy der Fall von Troja; rise and ~ Aufstieg *m* u. Untergang; ~ of life *fig.* Herbst *m* des Lebens. **14.** a) (*moralischer*) Verfall, b) Fall *m*, Fehltritt *m*: the F~, the ~ of man *Bibl.* der (erste) Sündenfall. **15.** *hunt.* a) Fall *m*, Tod *m* (*von Wild*), b) Falle *f*. **16.** *agr. zo.* Wurf *m* (*Lämmer etc*). **17.** *Ringen*: a) Niederwurf *m*, b) Runde *f*: win by ~ Schultersieg *m*; to try a ~ with s.o. sich mit j-m messen

II *v/i pret* **fell** [fel] *pp* **fall·en** ['fɔːlən] **18.** fallen: the curtain ~s der Vorhang fällt. **19.** (ab)fallen (*Blätter etc*). **20.** (her'unter)fallen, abstürzen: he fell to his death er stürzte tödlich ab. **21.** ('um-, 'hin-, nieder)fallen, stürzen, zu Fall kommen, zu Boden fallen (*Person*): he fell badly er stürzte schwer. **22.** 'umfallen, -stürzen (*Baum etc*). **23.** (*in Locken od. Falten etc*) (her'ab)fallen. **24.** *fig.* fallen: a) (*im Kampf*) 'umkommen, b) erobert werden (*Stadt*), c) gestürzt werden (*Regierung*), d) (*moralisch*) sinken, e) die Unschuld verlieren, e-n Fehltritt begehen (*Frau*). **25.** *fig.* fallen (*Flut, Preis, Temperatur etc*), abnehmen, sinken: the wind ~s der Wind legt sich *od.* läßt nach; his courage fell ihm sank der Mut; his voice (eyes) fell er senkte die Stimme (den Blick); his face fell er machte ein langes Gesicht. **26.** abfallen, sich neigen *od.* senken (towards zu ... hin) (*Gelände etc*). **27.** (*in Stücke*) zerfallen: to ~ asunder (*od.* in two) auseinanderfallen, entzweigehen. **28.** fallen, eintreten (*zeitlich*): Easter ~s late this year. **29.** sich ereignen. **30.** her'einbrechen (*Nacht*). **31.** *fig.* fallen (*Worte etc*): the remark fell from him er ließ die Bemerkung fallen. **32.** *krank, fällig etc* werden: to ~ ill; to ~ heir to s.th. etwas erben. **33.** beginnen: to ~ a-laughing zu lachen beginnen.

Verbindungen mit Präpositionen:

fall| a·mong *v/i* fallen *od.* geraten unter (*acc*): to ~ thieves *Bibl.* unter die Räuber fallen (*a. fig.*). ~ **be·hind** *v/i* zu'rückbleiben hinter (*j-m*). ~ **down** *v/i die Treppe etc* hin'unterfallen. ~ **for** *v/i Am. colloq.* **1.** (her)'einfallen auf (*j-n od. etwas*). **2.** sich in (*j-n*) ,verknallen'. ~ **from** *v/i* abfallen von, (*j-m od. e-r Sache*) abtrünnig *od.* untreu werden: to ~ grace a) sündigen, b) in Ungnade fallen. ~ **in** *v/i* fallen in (*ein Gebiet od. Fach*), gehören zu (*e-m Bereich*). ~ **in·to** *v/i* **1.** kommen *od.* geraten in (*acc*): to ~ difficulties; to ~ line a) *mil.* (in Reih u. Glied) antreten, b) *fig.* (with) konform gehen (mit), sich anschließen (*dat*); to ~ conversation ins Gespräch kommen. **2.** verfallen (*dat*), verfallen in (*acc*): to ~ error e-m Irrtum verfallen; → habit 1. **3.** zerfallen *od.* sich aufteilen in (*acc*): to ~ ruin zerfallen, in Trümmer gehen. **4.** münden in (*acc*). ~ **on** *v/i* **1.** fallen auf (*acc*): his glance fell on me. **2.** 'herfallen über (*acc*). **3.** geraten in (*acc*): to ~ evil times e-e schlimme Zeit mitmachen müssen. ~ **o·ver** *v/i* **1.** *colloq.* → fall on 2. **2.** *sl.* mit über'triebener Freundlichkeit behandeln: to ~ o.s. (*od.* each other) sich (fast) umbringen (to do zu tun). ~ **to** *v/i* **1.** mit (*etwas*) (unvermittelt) beginnen, sich machen an (*acc*): to ~ work; to ~ doing s.th. sich daranmachen, etwas zu tun. **2.** fallen an (*acc*), (*j-m*) zu-, an'heimfallen, (*j-m*) beschieden sein. ~ **un·der** *v/i* **1.** unter (*ein Gesetz etc*) fallen, zu (*e-r Kategorie etc*) gehören. **2.** (*der Kritik etc*) unter'liegen. ~ **up·on** → fall on. ~ **with·in** → fall in 1.

Verbindungen mit Adverbien:

fall| a·stern *v/i mar.* zu'rückbleiben. ~ **a·way** *v/i* **1.** abmagern, abnehmen, da'hinschwinden. **2.** → fall off 2 *u.* 3. ~ **back** *v/i* **1.** (zu'rück)weichen, sich zu'rückziehen: the enemy fell back; to ~ (up)on *fig.* zurückkommen *od.* -greifen auf (*acc*), e-n Rückhalt haben an (*dat*). **2.** → fall behind. ~ **be·hind** *v/i a. fig.* zu'rückbleiben, -fallen, ins 'Hintertreffen geraten. ~ **down** *v/i* **1.** 'hin-, hin'unterfallen. **2.** 'umfallen, einstürzen. **3.** (*ehrfürchtig*) niederfallen, auf die Knie sinken. **4.** (*wallend*) her'abfallen. **5.** (on) *colloq.* a) enttäuschen, versagen (bei), b) Pech haben (mit). ~ **foul** *v/i* **1.** *bes. mar. u. fig.* zs.-stoßen (of mit). **2.** in Streit *od.* Kon'flikt geraten (of mit): they ~ of each other sie geraten sich in die Haare. ~ **in** *v/i* **1.** einfallen, -stürzen. **2.** *mil.* antreten, ins Glied treten. **3.** *fig.* sich anschließen (*Person*), sich einfügen (*Sache*). **4.** fällig werden (*Wechsel etc*), ablaufen (*Pacht etc*). **5.** ~ with zufällig treffen (*acc*), stoßen auf (*acc*). **6.** ~ with a) beipflichten, zustimmen (*dat*), b) sich anpassen (*dat*), c) passen zu, entsprechen (*dat*). **7.** ~ for sich zuziehen, ,abbekommen'. ~ **off** *v/i* **1.** abfallen (*Blätter etc*). **2.** *fig.* (ab)fallen, sinken, abnehmen, nachlassen, sich verschlechtern. **3.** (from) *fig.* abfallen (von), abtrünnig werden (*dat*), verlassen (*acc*). **4.** *mar.* vom Strich abfallen. **5.** *aer.* abrutschen. ~ **on** *v/i* **1.** angreifen. **2.** → fall to 2. ~ **out** *v/i* **1.** her'aus-, hin'ausfallen. **2.** *fig.* ausfallen, -gehen, sich erweisen als: to ~ well. **3.** sich ereignen. **4.** *mil.* a) wegtreten, b) e-n Ausfall machen. **5.** (sich) zanken, sich entzweien. ~ **o·ver** *v/i* 'um-, 'überkippen: to ~ backwards *colloq.* ,sich beinahe umbringen' (to do zu tun). ~ **short** *v/i* **1.** knapp werden, ausgehen. **2.** *mil.* zu kurz gehen (*Geschoß*). **3.** es fehlen lassen (in an *dat*), (*den Erwartungen etc*) nicht entsprechen, (*das Ziel*) nicht erreichen. ~ **through** *v/i* **1.** 'durchfallen (*a. fig.*). **2.** *fig.* miß'glücken, ins Wasser fallen. ~ **to** *v/i* **1.** zufallen (*Tür*). **2.** ,einhauen', (tüchtig) zugreifen (*beim Essen*). **3.** handgemein werden.

fal·la·cious [fə'leiʃəs] *adj* (*adv* ~ly) trügerisch: a) irreführend, b) falsch, irrig. **fal'la·cious·ness** *s* Irrigkeit *f.*

fal·la·cy ['fæləsi] *s* **1.** Trugschluß *m*, Irrtum *m*: a popular ~ ein weitverbreiteter Irrtum. **2.** Unlogik *f.* **3.** Täuschung *f*, Irreführung *f.*

fal-lal [ˌfæl'læl] **I** *s* **1.** (*billiger* Kleider)Schmuck. **2.** *hist.* Schmuckband *n.* **II** *adj* **3.** ,affig'. ˌ**fal-'lal·er·y** [-əri] *s* Firlefanz *m*, Flitterkram *m.*

fall·en ['fɔːlən] **I** *adj* gefallen: a) gestürzt (*a. fig.*), b) entehrt, prostitu'iert (*Frau*), c) (im Kriege) getötet, d) erobert (*Stadt*). **II** *s* the ~ *collect.* die Gefallenen *pl.* ~ **arch·es** *s pl med.* Senkfüße *pl.*

fall guy *s Am. sl.* **1.** (*das*) (unschuldige) Opfer, (*der*) Dumme *od.* ,Lac'kierte'. **2.** *fig.* (*der*) Sündenbock.

fal·li·bil·i·ty [ˌfæli'biliti] *s* Fehlbarkeit *f.* '**fal·li·ble** *adj* (*adv* **fallibly**) fehlbar.

fall·ing ['fɔːliŋ] **I** *adj* fallend, sinkend, abnehmend: ~ pitch fallende Tonhöhe. **II** *s* Fall *m*, Sturz *m*, Fallen *n*, Sinken *n.* ~ **a·way,** ~ **off** *s* **1.** Ab-, Wegfall(en *n*) *m.* **2.** Abfall *m* (*von e-r Partei*). **3.** Rückgang *m*, Abnahme *f.* ~ **out** *s* Streit *m*, Entzweiung *f.* ~ **sick·ness** *s med. selten* Fallsucht *f*, Epilep'sie *f.* ~ **star** *s* Sternschnuppe *f.*

Fal·lo·pi·an tube [fə'loupiən] *s oft pl anat.* Fal'lopische Röhre, Eileiter *m*, 'Muttertromˌpete *f.*

'**fall-ˌout** *s phys.* radioak'tiver Niederschlag, radioaktive Ausschüttung.

fal·low[1] ['fælou] *agr.* **I** *adj* brach(liegend): to be (*od.* lie) ~ brachliegen (*a. fig.*). **II** *s* Brache *f*: a) Brachfeld *n*, b) Brachliegen *n*: ~ crop Brachernte *f*; ~ pasture Brachwiese *f.* **III** *v/t* brachen, stürzen.

fal·low[2] ['fælou] *adj* falb, fahl, braungelb: ~ buck, ~ deer *zo.* Damhirsch *m*, -wild *n.*

'**fall|-ˌplow** *v/t agr. Am.* im Herbst pflügen. '~-ˌ**trap** *s* (Klappen-, Gruben)Falle *f.* ~ **wind** *s meteor.* Fallwind *m.*

false [fɔːls] **I** *adj* (*adv* ~ly) falsch: a) unwahr: ~ evidence *jur.* falsche (Zeugen)Aussage; ~ oath, ~ swearing *jur.* Falsch-, Meineid *m*, b) unrichtig, fehlerhaft, irrig, c) treulos, unaufrichtig, trügerisch, 'hinterhältig: ~ to s.o. falsch gegen j-n *od.* gegenüber j-m, d) irreführend, vorgetäuscht: to give a ~ impression ein falsches Bild (von sich) geben, e) gefälscht, unecht: ~ coin falsches Geldstück; ~ hair (teeth) falsche *od.* künstliche Haare (Zähne), f) *biol. med.* (*in Namen*) *fälschlich so genannt*: ~ acacia falsche Akazie, Robinie *f*, g) *arch. tech.* Schein..., zusätzlich, verstärkend: ~ bottom falscher *od.* doppelter Boden; ~ door blinde Tür, h) unbegründet: ~ shame falsche Scham, i) *jur.* 'widerrechtlich: ~ accusation falsche Anschuldigung; ~ claim unberechtigter Anspruch; ~ imprisonment Freiheitsberaubung *f.* **II** *adv* falsch, treulos, unaufrichtig: to play s.o. ~ ein falsches Spiel mit j-m treiben.

false| a·larm *s bes. fig.* blinder A'larm. ~ **cap** *s mil.* Geschoßhaube *f.* ~ **card** *s Kartenspiel*: irreführende Karte. ~ **coin·er** *s* Falschmünzer *m.* ~ **col·o(u)rs** *s pl* falsche Flagge: → color 12. ~ **face** *s* falsches Gesicht, Maske *f.* ~ **floor** *s tech.* Zwischenboden *m*, Einschub *m.* ~ **front** *s Am.* **1.** *arch.* 'Hintersetzer *m*, falsche Fas'sade. **2.** *sl. fig.* bloße Fas'sade, ,Mache' *f.* ~ **ga·le·na** *s min.* Zinkblende *f.* '~'**heart·ed** *adj* falsch, treulos, verräterisch. ˌ~'**heart·ed·ness** *s* Falschheit *f*, Treulosigkeit *f.*

false·hood ['fɔːlshud] *s* **1.** Unwahrheit *f*, Lüge *f.* **2.** Falschheit *f*, Unehrlichkeit *f*, Lügenhaftigkeit *f.*

false| ho·ri·zon *s phys.* künstlicher Hori'zont. ~ **keel** *s mar.* Vor-, Loskiel *m.* ~ **key** *s tech.* Dietrich *m*, Nachschlüssel *m.*

false·ness ['fɔːlsnis] *s* **1.** Falschheit *f*, Unrichtigkeit *f*, Unwahrheit *f* (*e-r Behauptung etc*), Unechtheit *f* (*e-r Münze etc*). **2.** *fig.* Falschheit *f*, Unaufrichtigkeit *f*, 'Hinterhältigkeit *f.*

false| o·give *s mil.* Geschoßhaube *f.* ~ **preg·nan·cy** *s med.* Scheinschwangerschaft *f.* ~ **pre·tenc·es** *s pl jur.* Vorspiegelung *f* falscher Tatsachen, Arglist *f*: by ~ arglistig; obtaining by ~ Erschleichung *f*, Betrug *m.* ~ **quan·ti·ty** *s ling. metr.* falsche Vo'kal- *od.* Silbenlänge. ~ **rib** *s med.* fliegende Rippe, Fleischrippe *f.* ~ **start** *s sport* Fehl-, Frühstart *m.* ~ **step** *s* Fehltritt *m.* ~ **take-off** *s aer.* Fehlstart *m.* ~ **tears** *s pl fig.* falsche Tränen *pl*, ,Kroko'dilstränen' *pl.*

fal·set·to [fɔːl'setou] **I** *s* **1.** Fal'sett *n*, Kopf-, Fistelstimme *f.* **2.** Falset'tist(in). **II** *adj* **3.** Falsett..., Fistel... **4.** *fig.* gekünstelt.

false| um·bel *s bot.* Schein-, Trugdolde *f.* ~ **ver·dict** *s jur.* Fehlurteil *n.*

fals·ies ['fɔːlsiz] *s pl colloq.* Schaumgummieinlagen *pl* (*im Büstenhalter*).

fal·si·fi·ca·tion [ˌfɔːlsifi'keiʃən] *s* (Ver)Fälschung *f*: ~ of accounts Bücherfälschung.

fal·si·fy ['fɔːlsiˌfai] *v/t* **1.** fälschen. **2.** verfälschen, falsch *od.* irreführend darstellen. **3.** *Hoffnungen* (ent)täuschen, vereiteln, zu'nichte machen. **4.** *jur.* als falsch nachweisen. '**fal·si·ty** [-ti] *s* **1.** Falschheit *f*, Unrichtigkeit *f.* **2.** Lüge *f*, falsche Behauptung, Unwahrheit *f.*

Fal·staff·i·an [*Br.* fɔːl'stɑːfiən; *Am.* -'stæ(ː)f-] *adj* fal'staffisch.

falt·boat ['fɑːltˌbout] *s* Faltboot *n.*

fal·ter ['fɔːltər] **I** *v/i* **1.** schwanken: a) taumeln, b) zögern, zaudern, c) stocken (*a. Stimme*). **2.** versagen: his courage (memory) ~ed der Mut (das Gedächtnis) verließ ihn. **II** *v/t* **3.** *etwas* stammeln. '**fal·ter·ing** *adj* (*adv* ~ly) **1.** schwankend: a) taumelnd, b) zögernd. **2.** stammelnd, stockend.

fame [feim] *s* **1.** Ruhm *m*, (guter) Ruf, Berühmtheit *f*: literary ~ literarischer Ruhm; of ill (*od.* evil) ~ berüchtigt; house of ill ~ Freudenhaus *n.* **2.** *obs.* Gerücht *n.* **famed** *adj* berühmt, bekannt (for für, wegen *gen*).

fa·mil·ial [fə'miljəl] *adj* Familien...

fa·mil·iar [fə'miljər] **I** *adj* (*adv* ~ly) **1.** vertraut: a) gewohnt: a ~ sight, b) bekannt: a ~ face, c) geläufig: a ~ expression; ~ quotations geflügelte Worte. **2.** vertraut, (wohl)bekannt (with mit): to make o.s. ~ with a) sich mit *j-m* bekannt machen, b) sich mit *e-r Sache* vertraut machen; the name is quite ~ to me der Name ist mir völlig vertraut *od.* geläufig. **3.** famili'är, vertraulich, ungezwungen, frei: to be on ~ terms with s.o. mit j-m gut bekannt sein, mit j-m auf vertrautem Fuße stehen. **4.** in'tim, vertraut: a ~ friend. **5.** *a.* too ~, over~ *contp.* (all)zu in'tim *od.* famili'är *od.* frei, plump vertraulich. **6.** zutraulich (*Tier*). **7.** *obs.* leutselig. **8.** *obs.* Familien..., Haus(halt)...: ~ spirit → 10. **II** *s* **9.** Vertraute(r *m*) *f.* **10.** Schutzgeist *m.* **11.** *R.C.* Famili'aris *m*: a) *Inquisitionsbeamter*, b) *Hausgenosse hoher Prälaten.* **faˌmil·i'ar·i·ty** [-li'æriti] *s* **1.** Vertrautheit *f*, Bekanntschaft *f* (with mit). **2.** *a. pl* a) famili'ärer Ton, Ungezwungenheit *f*, Vertraulichkeit *f*, b) *contp.* plumpe Vertraulichkeit, Aufdringlichkeit *f*, Freiheit *f*, Intimi'tät *f.* **faˌmil·iar·i'za·tion** *s* (with) Bekanntmachen *n* (mit), Gewöhnen *n* (an *acc*). **fa'mil·iarˌize** *v/t* (with) vertraut *od.* bekannt machen (mit), gewöhnen (an *acc*).

fam·i·ly ['fæmili] **I** *s* **1.** Fa'milie *f* (*a. fig.*): a teacher's ~ e-e Lehrer(s)familie; have you a ~? haben Sie Familie (*Kinder*)?; to raise a ~ Kinder aufziehen; ~ of nations Völkerfamilie. **2.** Fa'milie *f*: a) Geschlecht *n*, Sippe *f*, b) *fig.* 'Her-, Abkunft *f*: of (good) ~ aus guter *od.* vornehmer Familie, aus gutem Haus. **3.** *biol.* Fa'milie *f.* **4.** *ling.* ('Sprach)Faˌmilie *f.* **5.** *math.* Schar *f*: ~ of characteristics Kennlinienfeld *n.* **II** *adj* **6.** Familien..., Haus...: in a ~ way zwanglos; to be in the ~ way in anderen Umständen sein; ~ doctor Hausarzt *m*; ~ environment häusliches Milieu; ~ likeness Familienähnlichkeit *f.* ~ **al·low·ance** *s* Kinderzulage *f*, Fa'milienbeihilfe *f.* ~ **cir·cle** *s* **1.** Fa'milienkreis *m.* **2.** *thea. Am.* oberer Rang. ~ **liv·ing** *s relig. Br.* Fa'milienpfründe *f.* ~ **man** *s irr* **1.** Mann *m* mit Fa'milie, Fa'milienvater *m.* **2.** häuslicher Mensch. ~ **meet·ing** *s Am.* Fa'milienrat *m.* ~ **name** *s* Fa'milien-, Zuname *m.* ~ **plan·ning** *s* Fa'milienplanung *f*, Ge'burtenkonˌtrolle *f.* ~ **skel·e·ton** *s* dunkler Punkt in der Fa'miliengeschichte. ~ **tree** *s* Stammbaum *m.*

fam·ine ['fæmin] *s* **1.** Hungersnot *f.* **2.** Not *f*, Mangel *m*: coal ~ Kohlenknappheit *f.* **3.** Hunger *m* (*a. fig.*): to die of ~ verhungern.

fam·ish ['fæmiʃ] **I** *v/i* **1.** (fast) verhungern, verschmachten (*a. fig.*): ~ed, ~ing *colloq.* ausgehungert; to be ~ing *colloq.* fast vor Hunger sterben. **2.** darben, große Not leiden. **II** *v/t* **3.** (ver)hungern *od.* (ver)schmachten lassen. **4.** *e-e Stadt etc* aushungern.

fa·mous ['feiməs] *adj* (*adv* ~ly) **1.** berühmt (for wegen *gen*, für). **2.** *colloq.* ausgezeichnet, fa'mos, prima: a ~ dinner. '**fa·mous·ness** *s* Berühmtheit *f.*

fam·u·lus ['fæmjuləs] *pl* **-li** [-ˌlai] (*Lat.*) *s* Famulus *m*, Gehilfe *m.*

fan[1] [fæn] **I** *s* **1.** Fächer *m.* **2.** *tech.* Venti'lator *m*, Lüfter *m*: ~ blade Ventilatorflügel *m.* **3.** *tech.* Gebläse *n*: a) → fan blower, b) Zy'klon *m*, Windfang *m.* **4.** *tech.* Flügel *m*: a) *e-r Windmühle*, b) *mar.* Schraubenblatt *n.* **5.** *agr.* a) *hist.* Wurfschaufel *f*, b) (Worfel)Schwinge *f.* **6.** *etwas Fächerartiges*: a) *a. poet.* Schwanz *m*, Schweif *m od.* Schwinge *f* (*e-s Vogels*), b) *geol.* Schwemmkegel *m*: ~ delta Schwemmdelta *n*, c) ~ aerial *electr.* 'Fächeranˌtenne *f.* **II** *v/t* **7.** *Luft* fächeln. **8.** um-

'fächeln, (an)wedeln, *j-m* zuwedeln, zufächeln. **9.** *Feuer* anfachen: to ~ the flame *fig.* Öl ins Feuer gießen. **10.** *fig.* entfachen, -flammen: to ~ s.o.'s passion. **11.** fächerförmig ausbreiten. **12.** *agr.* worfeln, schwingen. **13.** *Am. sl.* a) ‚vermöbeln', b) ‚filzen', durch'suchen. **III** *v/i* **14.** *oft* ~ out a) sich fächerförmig ausbreiten, b) *mil.* (fächerförmig) ausschwärmen.

fan² [fæn] *s colloq.* ('Sport- *etc*)Faˌnatiker(in), (-)Begeisterte(r *m*) *f*, (-)Liebhaber(in), (-)Narr *m*, (-)Fex *m*, begeisterter Anhänger, Fan *m*: ~ mail Verehrerpost *f*; ~ club Fanklub *m*.

fa·nat·ic [fə'nætik] **I** *s* Fa'natiker(in), Eiferer *m*, Schwärmer(in). **II** *adj* (*adv* ~ally) fa'natisch. **fa'nat·i·cal** *adj* (*adv* ~ly) fa'natisch. **fa'nat·iˌcism** [-ˌsizəm] *s* Fana'tismus *m*. **fa'nat·iˌcize** [-ˌsaiz] **I** *v/t* fanati'sieren, aufhetzen. **II** *v/i* fa'natisch werden.

fan| blow·er *s tech.* Flügel(rad)gebläse *n*. ~ **brake** *s tech.* Luftbremse *f*.

fan·ci·er ['fænsiər] *s* **1.** (*Tier-, Blumen- etc*)Liebhaber(in) *od.* (-)Züchter(in): a dog ~. **2.** Phan'tast(in).

fan·ci·ful ['fænsiful] *adj* (*adv* ~ly) **1.** (allzu) phanta'siereich, voller Phanta'sien, schrullig, wunderlich (*Person*). **2.** bi'zarr, kuri'os, ausgefallen (*Sache*). **3.** eingebildet, unwirklich. **4.** phan'tastisch, wirklichkeitsfremd. **'fan·ci·ful·ness** *s* **1.** Phantaste'rei *f*. **2.** Wunderlichkeit *f*.

fan·cy ['fænsi] **I** *s* **1.** Phanta'sie *f*: that's mere ~ das ist reine Phantasie. **2.** I'dee *f*, plötzlicher Einfall: it struck my ~ es kam mir plötzlich in den Sinn; I have a ~ that ich habe so e-e Idee, daß. **3.** Laune *f*, Grille *f*. **4.** (bloße) Einbildung, Wahn(gebilde *n*) *m*. **5.** (individu'eller) Geschmack. **6.** *Ästhetik*: Einbildungskraft *f* (*Ggs.* imagination). **7.** (for) Neigung *f* (zu), Vorliebe *f* (für), (plötzliches) Gefallen (an *dat*), (lebhaftes) Inter'esse (an *dat od.* für): to take a ~ to (*od.* for) Gefallen finden an (*dat*), eingenommen sein für; to catch s.o.'s ~ j-s Interesse erwecken, j-m gefallen. **8.** Tierzucht *f* (aus Liebhabe'rei). **9.** the ~ *collect.* die (*Sport- etc*)Liebhaberwelt, die Fans *pl*, *bes.* die Boxfans *pl*. **II** *adj* **10.** Phantasie..., phan'tastisch, ausgefallen, über'trieben: ~ name Phantasiename *m*; ~ price Phantasie-, Liebhaberpreis *m*. **11.** Phantasie..., Luxus..., Mode...: ~ article. **12.** Phantasie..., phanta'sievoll, ausgefallen, reich verziert, kunstvoll, bunt. **13.** Delikateß..., extrafein: ~ fruits; ~ cakes feines Gebäck, Konditoreiware *f*. **14.** aus e-r Liebhaberzucht: a ~ dog. **15.** *sport* Kunst...: ~ skating Eiskunstlauf *m*. **III** *v/t* **16.** sich *j-n od. etwas* vorstellen: ~ him to be here stell dir vor, er sei *od.* wäre hier; ~ that! a) stell dir vor!, denk nur!, b) sieh mal einer an!, nanu! **17.** annehmen, glauben. **18.** ~ o.s. sich einbilden (to be zu sein): to ~ o.s. (very important) sich sehr wichtig vorkommen. **19.** gern haben *od.* mögen: I don't ~ this picture dieses Bild gefällt mir nicht. **20.** Lust haben (auf *acc*; doing zu tun): I wouldn't ~ going there; I could ~ an ice-cream ich hätte Lust auf ein Eis. **21.** *Tiere, Pflanzen* (aus Liebhabe'rei) züchten. **22.** ~ up *Am. colloq.* aufputzen, ‚Pfiff geben' (*dat*).

fan·cy| ball *s* Ko'stümfest *n*, Maskenball *m*. ~ **dress** *s* 'Maskenkoˌstüm *n*. **'~-ˌdress** *adj* (Masken)Kostüm...: ~ ball → fancy ball. ~ **fair** *s* 'Wohltätigkeitsbaˌsar *m* (*auf dem Modeartikel verkauft werden*). **'~-'free** *adj* **1.** frei u. ungebunden. **2.** *obs.* nicht verliebt. ~ **goods** *s pl* Mode-, Luxus-, Galante'riewaren *pl*. ~ **man** *s irr* **1.** Ga'lan *m*, Liebhaber *m*. **2.** *sl.* ‚Louis' *m*, Zuhälter *m*. ~ **pants** *s Am. sl.* **1.** ‚Waschlappen' *m*, Weichling *m*. **2.** ‚feiner Pinkel', Geck *m*. ~ **stocks** *s pl econ. Am.* unsichere Spekulati'onspaˌpiere *pl*. ~ **wom·an** *s irr* Prostitu'ierte *f*. ~ **woods** *s pl* feine (Fur'nier-, Edel-) Hölzer *pl*. **'~ˌwork** *s* **1.** Zierwerk *n*. **2.** feine (Hand)Arbeit.

fan·dan·gle [fæn'dæŋgəl] *s colloq.* Kinkerlitzchen *pl*, Firlefanz *m*.

fan·dan·go [fæn'dæŋgou] *pl Br.* **-goes,** *Am.* **-gos** *s* **1.** Fan'dango *m* (*Tanz*). **2.** *Am. colloq.* a) Ball *m*, Tanz *m*, b) *fig. contp.* Bocksprünge *pl*.

fane [fein] *s poet.* Tempel *m*.

fan·fare ['fænfɛr] *s* **1.** *mus.* Fan'fare *f*, Tusch *m*. **2.** *fig. contp.* Tra'ra *n*, Tam'tam *n*.

fan·fa·ron·ade [ˌfænfərə'neid] *s* Aufschneide'rei *f*.

fang [fæŋ] **I** *s* **1.** Reiß-, Fangzahn *m*, Fang *m* (*des Raubtiers etc*), Hauer *m* (*des Ebers*), Giftzahn *m* (*der Schlange*). **2.** *anat.* Zahnwurzel *f*. **3.** spitz zulaufender Teil, *bes. tech.* a) Dorn *m* (*der Gürtelschnalle*), b) Heftzapfen *m*, c) Klaue *f* (*am Schloß*), d) Bolzen *m*. **II** *v/t* **4.** (mit den Fangzähnen) packen. **5.** *e-e Pumpe* anlassen. **fanged** *adj zo.* mit Reißzähnen *etc* (versehen).

fan·gle ['fæŋgl] *s meist* new ~ *contp.* läppische Neuheit *od.* Mode, neumodisches Zeug.

'fanˌlight *s arch.* (fächerförmiges) (Tür)Fenster, Lü'nette *f*, Oberlicht *n*.

fan·ner ['fænər] *s* → fan blower.

fan·ny ['fæni] *s Am. colloq.* Po'po *m*.

fan·on ['fænən] *s R.C.* **1.** Ma'nipel *f*. **2.** Fa'non *m* (*liturgischer Schulterkragen des Papstes*).

fan| palm *s bot.* (*e-e*) Fächerpalme. **'~-ˌshape(d)** *adj* fächerförmig. **'~ˌtail** *s* **1.** *orn.* Pfau(en)taube *f*. **2.** *ichth.* Schleierschwanzgoldfisch *m*.

fan-tan ['fænˌtæn] *s* **1.** *chinesisches Wettspiel mit Münzen etc.* **2.** *ein Kartenspiel.*

fan·ta·si·a [fæn'teiziə; -ʒiə] *s* Phanta'sie *f*: a) *mus. a.* Fanta'sia *f*, b) *literarisches etc Werk in freier Form.*

fan·tast ['fæntæst] *s* Phan'tast *m*.

fan·tas·tic [fæn'tæstik] *adj* (*adv* ~ally) phan'tastisch: a) wunderlich, närrisch, verstiegen, bi'zarr, gro'tesk, über'spannt, ex'zentrisch (*Person, Ideen etc*), b) ab'surd, aus der Luft gegriffen: a ~ charge. **fanˌtas·ti'cal·i·ty** [-'kæliti] *s* (*das*) Phan'tastische *od.* Gro'teske, Wunderlichkeit *f*. **fan'tas·ti·cal·ness** *s* **1.** Phantaste'rei *f*. **2.** → fantasticality.

fan·ta·sy ['fæntəsi; -zi] *s* **1.** Phanta'sie *f*: a) Einbildungskraft *f*, b) Phanta'siegebilde *n*, c) *psych.* Wachtraum *m*. **2.** Hirngespinst *n*, Wahnvorstellung *f*, Trugbild *n*. **3.** (*das*) Phanta'sieren, (*das*) Spinti'sieren. **4.** *mus.* Fanta'sia *f*.

fan·tom → phantom.

fan| trac·er·y *s arch.* Fächermaßwerk *n*. ~ **train·ing** *s Obstbau*: Spa'lierziehen *n* in Fächerform.

fan·um ['fænəm] → fanon.

fan| vault·ing *s arch.* Fächergewölbe *n*. ~ **ven·ti·la·tor** *s tech.* Flügelgebläse *n*. ~ **wheel** *s tech.* Flügelrad *n* (*des Ventilators*), Windrad *n* (*des Anemographen*). ~ **win·dow** *s arch.* Fächerfenster *n*.

far [fɑːr] *comp* **'far·ther** [-ðər], **fur·ther** ['fəːrðər], *sup* **far·thest** ['fɑːrðist], **fur·thest** ['fəːrðist] **I** *adj* **1.** fern, (weit) entfernt, weit, entlegen. **2.** (*vom Sprecher aus*) entfernter, abliegend: at the ~ end am anderen Ende; the ~ side die andere Seite. **3.** weit vorgerückt, fortgeschritten (in in *dat*). **II** *adv* **4.** fern, weit: ~ away, ~ off weit weg *od.* entfernt. **5.** *fig.* weit entfernt (from von): ~ from rich alles andere als reich; ~ from completed noch lange nicht fertig; I am ~ from believing it ich bin weit davon entfernt, es zu glauben; ~ be it from me (to deny it) es liegt mir fern, (es zu leugnen), ich möchte (es) keineswegs (abstreiten); ~ from it weit gefehlt!, keineswegs! **6.** weit(hin), fern(hin): ~ into weit *od.* hoch *od.* tief in (*acc*); ~ into the night bis spät *od.* in die Nacht (hinein); it went ~ to convince him das hat ihn beinahe überzeugt. **7.** *a.* ~ and away, by ~ weit(aus), bei weitem, um vieles, wesentlich (*bes. mit comp u. sup*): ~ better; (by) ~ the best a) weitaus *od.* mit Abstand der (die, das) beste, b) bei weitem am besten.

Besondere Redewendungen:

as ~ as a) soweit *od.* soviel (wie), insofern als, b) bis (nach *od.* zu *od.* an [*acc*]), nicht weiter als; ~ and near fern u. nah; ~ and wide weit u. breit; ~ back weit zurück *od.* hinten; as ~ back as 1800 schon (im Jahre) 1800; from ~ von weitem; to go ~ a) weit gehen *od.* reichen, b) *fig.* weit kommen, es weit bringen; as ~ as that goes was das (an)betrifft; I'll go so ~ as to say ich möchte *od.* würde sogar behaupten; in so ~ (as) insofern, -weit (als); so ~ bis hierher, bisher, bis jetzt; so ~ so good so weit, so gut; ~ out a) weit draußen, b) weit hinaus, c) weit gefehlt, d) → far-out; ~ up hoch oben.

far·ad ['færəd] *s electr.* Fa'rad *n*.

fa·rad·ic [fə'rædik] *adj* fa'radisch, Induktions... **'far·a·day** [-di; -ˌdei] *s electr.* Faraday *n* (*elektrolytische Konstante*).

Far·a·day's| cage *s electr. phys.* Faradayscher Käfig. ~ **law** *s electr.* Indukti'onsgesetz *n*.

'far|-aˌway *adj* **1.** → far 1. **2.** *fig.* entrückt, (geistes)abwesend, verträumt. **'~-be'tween** *adj* vereinzelt, sehr selten.

farce [fɑːrs] **I** *s* **1.** *thea.* Posse *f*, Schwank *m*, Farce *f*. **2.** *fig.* Farce *f*, Possenspiel *n*, ‚The'ater' *n*. **3.** *Kochkunst*: Farce *f*, Fülle *f*. **II** *v/t* **4.** *Kochkunst*: far'cieren, füllen. **5.** *fig.* würzen.

far·ceur [far'sœːr] (*Fr.*) *s* Far'ceur *m*: a) Farcendichter *m od.* -spieler *m*, b) Possenreißer *m*, Spaßvogel *m*.

far·ci·cal ['fɑːrsikəl] *adj* (*adv* ~ly) **1.** Farcen..., Possen..., farcen-, possenhaft. **2.** *fig.* ab'surd, lächerlich. **ˌfar·ci'cal·i·ty** [-'kæliti], **'far·ci·cal·ness** *s* Possenhaftigkeit *f*, Komik *f*.

far·cy ['fɑːrsi] *s vet.* Rotz *m*.

far·del ['fɑːrdl] *s obs.* **1.** Bündel *n*. **2.** Bürde *f*, Last *f* (*a. fig.*).

fare [fɛr] **I** *s* **1.** a) Fahrpreis *m*, -geld *n*, b) Flugpreis *m*: what's the ~? was kostet die Fahrt *od.* der Flug?; ~ stage *Br.* Fahrpreiszone *f*, Teilstrecke *f*. **2.** Fahrgast *m*, *oft collect.* Fahrgäste *pl*, Passa'giere *pl*. **3.** Kost *f* (*a. fig.*), Nahrung *f*, Verpflegung *f*: ordinary ~ Hausmannskost; slender ~ magere (*od.* schmale) Kost; literary ~ *fig.* literarische Kost; bill of ~ Speisekarte *f*. **4.** *mar. Am.* Fischfracht *f* (*e-s Bootes*). **II** *v/i* **5.** sich befinden, (er)gehen: we ~d well es ging uns gut;

how did you ~ in London? wie ist es dir in London ergangen?; he ~d ill, it ~d ill with him es ist ihm schlecht ergangen, er war schlecht d(a)ran; to ~ alike in gleicher Lage sein, Gleiches erleben. **6.** *poet.* reisen: to ~ forth sich aufmachen; ~ thee well! leb' wohl!, viel Glück!; to a ~-thee-well (*od.* ~-you-well) *Am. colloq.* a) aufs beste, b) mächtig, wie toll. **7.** essen, speisen.

Far East *s* (*der*) Ferne Osten.

fare·well [ˌfɛrˈwel] **I** *interj* **1.** lebe(n Sie) wohl!, lebt wohl! **II** *s* **2.** Lebe'wohl *n*, Abschiedsgruß *m*: to bid ~ to s.o., to bid s.o. ~ j-m Lebewohl sagen; to make one's ~s sich verabschieden. **3.** Abschied *m*: to take one's ~ of Abschied nehmen von (*a. fig.*); ~ to ... *fig.* adieu ...!, genug von ...!, nie wieder ...! **III** *adj* **4.** Abschieds...

'far|-'famed *adj* weithin berühmt. **'~'fetched** *adj fig.* (von) weit 'hergeholt, gesucht, an den Haaren her'beigezogen. **'~-'flung** *adj* (weit) ausgedehnt, *fig. a.* weitgespannt. **'~-'gone** *adj* weit fortgeschritten, schlimm d(a)ran: a) stark angetrunken, b) halb verrückt, c) sterblich verliebt, d) fast tot, e) (sehr) her'untergekommen.

fa·ri·na [fəˈrainə; *Am. a.* -ˈriːnə] *s* **1.** feines Mehl. **2.** *chem.* (Kar'toffel)Stärke *f.* **3.** *bot.* Blütenstaub *m.* **far·i·na·ceous** [ˌfæriˈneiʃəs] *adj* **1.** Mehl..., Stärke...: ~ food (*od.* products) Teigwaren. **2.** mehlig. **'far·iˌnose** [-ˌnous] *adj* **1.** (stärke)mehlhaltig. **2.** *bot. zo.* mehlig bestäubt.

farl(e) [fɑːrl] *s Scot. od. Ir.* kleiner (Hafermehl)Fladen.

farm [fɑːrm] **I** *s* **1.** Farm *f*, (Land-, Bauern-, *früher nur* Pacht)Gut *n*, Bauernhof *m*, landwirtschaftlicher Betrieb. **2.** Farm *f*, Zucht *f*: chicken ~ Hühnerfarm; oyster ~ Austernzucht. **3.** Guts-, Bauernhaus *n.* **4.** 'Landpacht(syˌstem *n*) *f.* **5.** verpachteter Bezirk zur Einziehung des Pacht- *od.* Steuergeldes. **6.** *a.* ~ club (*bes. Baseball*) *Am.* Nachwuchsspielerklub *m.* **7.** a) Pflegestätte *f* (*für Kinder etc*), b) *jur. Am.* Heil- u. Pflegeanstalt *f*, Entziehungsheim *n.* **II** *v/t* **8.** *Land* bebauen, bewirtschaften. **9.** pachten. **10.** *oft* ~ out verpachten, in Pacht geben (to s.o. j-m *od.* an j-n). **11.** *Kinder etc* (gegen Entgelt) betreuen, in Pflege nehmen. **12.** *meist* ~ out a) *Kinder etc* in Pflege geben, 'unterbringen, b) *Leute* verdingen, c) *sport Am. Baseballspieler* e-m Klub zum Training zuweisen, d) *econ. Am. Aufträge etc* (zur Erledigung) vergeben, weitergeben. **III** *v/i* **13.** (e-e) Landwirtschaft betreiben, Landwirt sein.

farm·er [ˈfɑːrmər] *s* **1.** (Groß)Bauer *m*, Landwirt *m*, Farmer *m.* **2.** Pächter *m.* **3.** Steuerpächter *m.* **4.** Züchter *m*, Bauer *m*: cattle ~ Viehzüchter; dairy ~ Milchproduzent *m*; fruit ~ Obstbauer. **5.** Betreuer(in) (*von Kindern, Armen etc*). **ˌfarm·er'ette** [-ˈret] *s Am. colloq.* Landarbeiterin *f*, Erntehelferin *f.*

farm·er·y [ˈfɑːrməri] *s collect. Br.* Wirtschaftsgebäude *pl*, Gehöft *n.*

farm| hand *s* Landarbeiter(in), Knecht *m*, Magd *f.* **'~ˌhouse** *s* Bauern-, Gutshaus *n*: ~ bread Landbrot *n*; ~ butter Landbutter *f.*

farm·ing [ˈfɑːrmiŋ] **I** *s* **1.** Landwirtschaft *f*, Acker-, Landbau *m.* **2.** Verpachtung *f.* **II** *adj* **3.** landwirtschaftlich, Acker(bau)..., Land...

farm| land *s* Ackerland *n*, landwirtschaftlich genutzte Fläche. **~ loan** *s* *econ.* 'Landwirtschaftskreˌdit *m.* **'~stead** *s* Bauernhof *m*, Gehöft *n.* **~ work·er** → farm hand. **'~ˌyard** *s* (Innen)Hof *m* e-s Bauernhofs, Wirtschaftshof *m.*

far·o [ˈfɛ(ə)rou] *s* Phar(a)o *n* (*Kartenglücksspiel*).

'far-'off *adj* **1.** weit entfernt, fern. **2.** *fig.* (geistes)abwesend.

fa·rouche [*Am.* faˈruʃ; *Br.* fəˈruːʃ] (*Fr.*) *adj* **1.** mürrisch. **2.** scheu.

'far-'out *adj Am. sl.* **1.** ‚toll', ‚super'. **2.** ‚ganz weg' (*verzückt*).

far·rag·i·nous [fəˈrædʒinəs] *adj* gemischt, kunterbunt. **far·ra·go** [fəˈreigou; -ˈrɑː-] *pl* **-goes,** *Br.* **-gos** *s* (buntes) Gemisch, Mischmasch *m.*

'far-'reach·ing *adj* **1.** weitreichend (*a. fig.*). **2.** *fig.* folgenschwer, schwerwiegend, tiefgreifend.

far·ri·er [ˈfæriər] *s Br.* **1.** Hufschmied *m.* **2.** *mil.* Beschlagmeister *m* (*Unteroffizier*). **3.** *obs.* Roßarzt *m.* **'far·ri·er·y** [-əri] *s* **1.** Hufschmiedehandwerk *n.* **2.** Hufschmiede *f.*

far·row[1] [ˈfærou] **I** *s agr.* Wurf *m* Ferkel: ten at one ~ zehn (Ferkel) mit 'einem Wurf; with ~ trächtig (*Sau*). **II** *v/i* ferkeln (*Sau*), frischen (*Wildsau*). **III** *v/t Ferkel* werfen.

far·row[2] [ˈfærou] *adj Scot. od. Am.* gelt, nicht tragend (*Kuh*).

'far|'see·ing *adj fig.* weitblickend, 'umsichtig. **'~'sight·ed** *adj* **1.** → farseeing. **2.** *med.* weitsichtig. **ˌ~'sight·ed·ness** *s* **1.** Weitblick *m*, 'Umsicht *f.* **2.** *med.* Weitsichtigkeit *f.*

fart [fɑːrt] *vulg.* **I** *s* ‚Furz' *m.* **II** *v/i* ‚furzen'.

far·ther [ˈfɑːrðər] **I** *adj* **1.** *comp von* far. **2.** → further II. **3.** weiter weg liegend, (*vom Sprecher*) abgewendet, entfernter: the ~ shore das gegenüberliegende Ufer. **II** *adv* **4.** weiter: so far and no ~ bis hierher u. nicht weiter. **5.** ferner, weiterhin. **'far·therˌmost** *adj* weitest(er, e, es), entferntest(er, e, es).

far·thest [ˈfɑːrðist] **I** *adj* **1.** *sup von* far. **2.** längst(er, e, es), ausgedehntest(er, e, es): at (the) ~ höchstens. **II** *adv* **3.** am weitesten, weitestens, spätestens.

far·thing [ˈfɑːrðiŋ] *s Br.* Farthing *m* (¼ *Penny*; *seit 1. 1. 1961 abgeschafft*): not worth a (brass) ~ *fig.* keinen (roten) Heller wert; it doesn't matter a ~ es macht gar nichts.

far·thin·gale [ˈfɑːrðiŋˌgeil] *s hist.* Reifrock *m*, Krino'line *f.*

Far West *s Am. Gebiet der Rocky Mountains u. der pazifischen Küste.*

fas·ces [ˈfæsiːz] *s pl antiq.* Lik'torenbündel *n.*

fas·ci·a [ˈfæʃiə] *pl* **-ae** [-ˌiː] *s* **1.** Binde *f*, (Quer)Band *n.* **2.** *zo.* Farbstreifen *m.* **3.** *anat.* Faszie *f*, Muskelhaut *f*, -hülle *f*: band of ~ Faszienband *n.* **4.** *arch.* a) Gurtsims *m* (*an Tragbalken*), b) Bund *m* (*von Säulenschäften*). **5.** *med.* (Bauch- *etc*)Binde *f*: abdominal ~. **6.** → facia.

fas·ci·ate [ˈfæʃiˌeit], *a.* **'fas·ciˌat·ed** [-tid] *adj* **1.** *bot.* verbändert, zs.-gewachsen. **2.** *zo.* bandförmig gestreift.

fas·ci·cle [ˈfæsikl] *s* **1.** Bündel *n.* **2.** Fas'zikel *m*: a) (Teil)Lieferung *f*, (Einzel)Heft *n* (*e-s Buches*), b) Aktenbündel *n.* **3.** *anat.* → fasciculus 1. **4.** *bot.* a) (dichtes) Büschel, b) Leitbündel *n.* **'fas·ci·cled** *adj bot.* in Bündeln *od.* Büscheln gewachsen, gebündelt, gebüschelt. **fas·cic·u·lar** [fəˈsikjulər] *adj* büschelförmig. **fas'cic·u·late** [-lit; -ˌleit], **fas'cic·uˌlat·ed** → fascicled. **'fas·ciˌcule** [-ˌkjuːl] → fascicle. **fas'cic·u·lus** [-ləs] *pl* **-ˌli** [-ˌlai] *s* **1.** *anat.* kleines (Nerven-, Muskelfaser)Bündel, Faserstrang *m.* **2.** → fascicle 2.

fas·ci·nate [ˈfæsiˌneit] *v/t* **1.** faszi'nieren: a) bezaubern, bestricken, b) fesseln, packen, gefangennehmen, in s-n Bann ziehen: ~d fasziniert, (wie) gebannt. **2.** hypnoti'sieren. **'fas·ciˌnat·ing** *adj* (*adv* ~ly) faszi'nierend: a) bezaubernd, 'hinreißend, b) fesselnd, spannend. **ˌfas·ci'na·tion** *s* **1.** Faszinati'on *f*, Bezauberung *f.* **2.** Zauber *m*, Reiz *m.* **'fas·ciˌna·tor** [-tər] *s* **1.** faszi'nierende Per'son *od.* Sache. **2.** (Häkel-, Spitzen)Kopftuch *n*, The'aterschal *m.*

fas·cine [fæˈsiːn] *s* **1.** Reisigbündel *n.* **2.** *arch. mil.* Fa'schine *f.*

fas·cism, *oft* **F~** [ˈfæʃizəm] *s pol.* Fa'schismus *m.* **'fas·cist I** *s a.* F~ Fa'schist *m.* **II** *adj* fa'schistisch.

fash[1] [fæʃ] *Scot.* **I** *v/i* sich ärgern *od.* aufregen. **II** *v/t* (o.s. sich) ärgern.

fash[2] [fæʃ] *s tech.* Gußnaht *f*, Bart *m.*

fash·ion [ˈfæʃən] *s* **1.** Mode *f*: the latest ~ die neueste Mode; it became the ~ es wurde große Mode; to bring (come) into ~ in Mode bringen (kommen); to set the ~ die Mode vorschreiben, *fig.* den Ton angeben; it is (all) the ~ es ist (große) Mode, es ist (hoch)modern; out of ~ aus der Mode, unmodern; to dress in the English ~ sich nach englischer Mode kleiden; ~ designer Modezeichner(in); ~ journal Modejournal *n*; ~ house Modegeschäft *n*, Mode(n)haus *n.* **2.** (feine) Lebensart, (gepflegter) Lebensstil, Vornehmheit *f*: a man of ~ ein Mann von Lebensart. **3.** Art *f* u. Weise *f*, Me'thode *f*, Ma'nier *f*, Stil *m*: after their ~ auf ihre Weise; after a ~ schlecht u. recht, nachlässig, soso lala; an artist after a ~ so etwas wie ein Künstler; after the ~ of im Stil *od.* nach Art von (*od. gen*); in summary ~ summarisch. **4.** Fas'son *f*, (Zu)Schnitt *m*, Form *f*, Mo'dell *n*, Machart *f.* **5.** Sorte *f*, Art *f*: men of all ~s. **II** *v/t* **6.** 'herstellen, machen. **7.** formen, bilden, gestalten, machen, arbeiten (according to, after nach; out of, from aus; to, into zu). **8.** (to) anpassen (*dat*, an *acc*), zu'rechtmachen (für). **III** *adv* **9.** wie, nach Art von (*od. gen*): horse-~ nach Pferdeart, wie ein Pferd.

fash·ion·a·ble [ˈfæʃənəbl] **I** *adj* (*adv* fashionably) **1.** modisch, mo'dern, ele'gant, fein. **2.** vornehm, ele'gant. **3.** in (der) Mode, Mode...: ~ complaint Modekrankheit *f*; ~ writer Modeschriftsteller(in). **II** *s* **4.** ele'ganter Herr, elegante Dame: the ~s die elegante Welt. **'fash·ion·a·ble·ness** *s* (*das*) Mo'derne *od.* Modische, Ele'ganz *f.* **'fash·ioned** *adj* geformt, ausgeführt: well ~ gut geformt.

'fash·ion|ˌmon·ger *s* Modeheld *m*, -narr *m.* **~ pa·rade** *s* Mode(n)schau *f.* **~ piece** *s mar.* Randsomholz *n.* **~ plate** *s* **1.** Modebild *n.* **2.** *fig.* Modepuppe *f*, -held *m.* **~ show** *s* Mode(n)schau *f.* **'~ˌwear** *s* 'Modearˌtikel *pl.*

fast[1] [*Br.* fɑːst; *Am.* fæ(ː)st] **I** *adj* **1.** schnell, geschwind, rasch: ~ train Schnell-, D-Zug *m*; to pull a ~ one on s.o. *sl.* j-m e-n Streich spielen, j-n ‚reinlegen'; my watch is ~ m-e Uhr geht vor; a ~ worker *colloq.* ‚ein fixer Kerl'. **2.** → fast-moving. **3.** ‚schnell' (*hohe Geschwindigkeit gestattend*): ~ road; ~ tennis-court. **4.** *fig.* flott, leichtlebig. **5.** *phot.* a) stark lichtempfindlich (*Film*), b) lichtstark (*Objektiv*). **II** *adv* **6.** schnell, rasch. **7.** zu schnell. **8.** stark: it's raining ~.

9. leichtsinnig: to live ~ ein flottes Leben führen.
fast² [*Br.* fɑːst; *Am.* fæ(ː)st] **I** *adj* **1.** fest, befestigt, sicher, festgemacht, unbeweglich: to make ~ festmachen, befestigen, *e-e Tür* verschließen. **2.** fest: a ~ grip; a ~ knot; ~ sleep fester *od.* tiefer Schlaf; to take ~ hold of fest packen. **3.** *fig.* fest: ~ friendship; ~ friends unzertrennliche *od.* treue Freunde. **4.** fest, 'widerstandsfähig (to gegen): ~ colo(u)r echte *od.* beständige Farbe; ~ to light lichtecht; acid-fast säurefest. **II** *adv* **5.** fest: to hold ~ festhalten; to be ~ asleep fest *od.* tief schlafen; to play ~ and loose *fig.* Schindluder treiben (with mit); stuck ~ a) fest eingeklemmt, b) festgefahren. **6.** *poet. od. obs.* nahe: ~ by, ~ beside ganz nahe bei; ~ upon dicht darauf(folgend).
fast³ [*Br.* fɑːst; *Am.* fæ(ː)st] *bes. relig.* **I** *v/i* **1.** fasten. **II** *s* **2.** Fasten *n*: to break one's ~ frühstücken. **3.** a) Fastenzeit *f*, b) *a.* ~ day Fast(en)tag *m*.
fas·ten [*Br.* 'fɑːsn; *Am.* 'fæ(ː)sn] **I** *v/t* **1.** befestigen, festmachen, fest-, anbinden (to, on an *acc*). **2.** *a.* ~ up *e-e Tür etc* (fest) zumachen, (ab-, ver)schließen, verriegeln, *e-e Jacke etc* zuknöpfen, *ein Paket etc* zu-, verschnüren: to ~ with nails zunageln; to ~ with plaster zugipsen; to ~ down befestigen, fest zumachen; to ~ off verknoten. **3.** ~ upon *fig.* a) *j-m e-n Spottnamen etc* anhängen, beilegen: to ~ a nickname upon s.o., b) *j-m e-e Straftat etc* anhängen *od.* in die Schuhe schieben: they ~ed the crime upon him. **4.** *fig. den Blick, s-e Gedanken* heften, *a. s-e Aufmerksamkeit* richten, *Erwartungen* setzen (on auf *acc*). **II** *v/i* **5.** ~ on, ~ upon a) sich heften *od.* klammern an (*acc*) (*a. fig.*), b) *fig.* sich stürzen auf (*acc*), aussersehen (*acc*), her'ausgreifen (*acc*), aufs Korn nehmen (*acc*). **6.** sich fest- *od.* zumachen *od.* schließen lassen. **'fas·ten·er** *s* **1.** Befestigungsmittel *n*. **2.** Schließer *m*, Halter *m*, Verschluß *m*. **3.** *Färberei*: Fi'xiermittel *n*. **'fas·ten·ing I** *s* **1.** Festmachen *n*, Befestigung *n*. **2.** *tech.* Befestigung(svorrichtung) *f*, Sicherung *f*, Halterung *f*, Verankerung *f*. **3.** → fastener 2. **II** *adj* **4.** *tech.* Befestigungs..., Schließ..., Verschluß...
fas·tid·i·ous [fæs'tidiəs] *adj* (*adv* ~ly) (sehr) anspruchsvoll, schwer zu befriedigen(d), wählerisch, verwöhnt, heikel. **fas'tid·i·ous·ness** *s* Verwöhntheit *f*, anspruchsvolles Wesen.
fast·ing [*Br.* 'fɑːstiŋ; *Am.* 'fæ(ː)stiŋ] **I** *adj* fastend, Fasten...: ~ cure Hunger-, Fastenkur *f*; ~-day Fast(en)tag *m*. **II** *s* Fasten *n*.
'fast-,mov·ing *adj* **1.** schnell. **2.** *fig.* tempogeladen, spannend: a ~ drama.
fast·ness [*Br.* 'fɑːstnis; *Am.* 'fæ(ː)st-] *s* **1.** Festigkeit *f*, Haltbarkeit *f*, Beständigkeit *f*, 'Widerstandsfähigkeit *f*, Echtheit *f* (*bes. Farben*). **2.** a) fester Platz, Feste *f*, Festung *f*, b) *fig.* Zufluchtsort *m*, Schlupfwinkel *m*. **3.** Schnelligkeit *f*, Raschheit *f*. **4.** *fig.* Leichtlebigkeit *f*.
'fast-,paced → fast-moving.
fas·tu·ous ['fæstjuəs] *adj* **1.** arro'gant. **2.** prunkvoll, protzig.
fat [fæt] **I** *adj* (*adv* → fatly) **1.** dick, beleibt, korpu'lent (*Person*), fett, feist (*bes. Tier*): ~ stock Mast-, Schlachtvieh *n*. **2.** fett, fettig, fett-, ölhaltig: ~ coal Fettkohle *f*, bituminöse Kohle. **3.** *fig.* dick: ~ letter; ~ purse; ~ type *print.* Fettdruck *m*. **4.** *fig.* fett, einträglich, ergiebig, reich(lich): a ~ job ein lukrativer Posten; ~ soil fetter *od.* fruchtbarer Boden; ~ wood harzreiches Holz; a ~ chance *Am. sl.* herzlich wenig Aussicht; a ~ lot *sl. iro.* herzlich wenig; to cut up ~ ein großes Vermögen hinterlassen. **5.** dumm. **II** *s* **6.** *a. biol. chem.* Fett *n*: vegetable ~ Pflanzenfett; ~s *chem.* einfache Fette; the ~ is in the fire der Teufel ist los. **7.** Fett(ansatz *m*) *n*: to run to ~ Fett ansetzen. **8.** the ~ das Beste: to live on (*Am. a.* off) the ~ of the land in Saus u. Braus leben. **9.** *thea.* Glanzstelle *f*, Pa'radestück *n* (*e-r Rolle*). **III** *v/t* **10.** *a.* ~ up mästen: to kill the ~ted calf *fig.* das gemästete Kalb schlachten.
fa·tal ['feitl] *adj* (*adv* ~ly) **1.** tödlich, todbringend, mit tödlichem Ausgang: a ~ accident ein tödlicher Unfall. **2.** vernichtend, unheilvoll, verhängnisvoll (to für). **3.** (über Wohl u. Wehe) entscheidend, schicksalhaft. **4.** unvermeidlich. **5.** Schicksal(s)...: the ~ thread der Schicksals-, Lebensfaden *m*; → sister 1. **'fa·tal,ism** [-tə,l-] *s* Fata'lismus *m*, Schicksalsglaube *m*. **'fa·tal·ist** *s* Fata'list(in). **,fa·tal'is·tic** *adj* fata'listisch.
fa·tal·i·ty [fə'tæliti] *s* **1.** Verhängnis *n*: a) Geschick *n*, b) Schicksalsschlag *m*, Unglück *n*. **2.** Schicksalhaftigkeit *f*. **3.** tödlicher Ausgang (*e-s Unglücks*). **4.** Todesfall *m*, -opfer *n*.
fa·tal·ize ['feitə,laiz] *v/t u. v/i* (sich) dem Schicksal unter'werfen.
fa·ta mor·ga·na ['fɑːtɑː mɔːr'gɑːnɑː] *s* Fata Mor'gana *f*, Luftspiegelung *f*.
fate [feit] *s* **1.** Schicksal(smacht *f*) *n*. **2.** Geschick *n*, Los *n*, Schicksal *n*: he met his ~ das Schicksal ereilte ihn; he met his ~ calmly er sah s-m Schicksal ruhig entgegen; to seal (decide) s.o.'s ~ j-s Schicksal besiegeln (entscheiden). **3.** Verhängnis *n*, Verderben *n*, 'Untergang *m*: to go to one's ~ untergehen, den Tod finden. **4.** F~ *myth.* a) Fatum *n*, b) *meist pl* Schicksalsgöttin *f*: the (three) Fates die Parzen. **'fat·ed** *adj* **1.** vom Schicksal verhängt. **2.** (vom Schicksal) dazu bestimmt (to do zu tun). **3.** dem 'Untergang geweiht. **'fate·ful** [-ful] *adj* (*adv* ~ly) **1.** verhängnisvoll. **2.** schicksalsschwer. **3.** schicksalhaft, Schicksals... **'fate·ful·ness** *s* (*das*) Schicksalhafte *od.* Verhängnisvolle.
'fat|,head *s colloq.* Dumm-, ‚Schafskopf' *m*. **'~'head·ed** *adj* dumm, ‚dämlich', ‚doof'.
fa·ther ['fɑːðər] **I** *s* **1.** Vater *m*: like ~ like son der Apfel fällt nicht weit vom Stamm; F~'s Day *bes. Am.* Vatertag *m* (*3. Sonntag im Juni*). **2.** *meist* F~ *relig.* Gott(vater) *m*: → our. **3.** *meist pl* Ahn *m*, Vorfahr *m*: to be gathered to one's ~s zu s-n Vätern versammelt werden; to rest with one's ~s bei s-n Vätern ruhen. **4.** *colloq.* Schwieger-, Stief-, Adop'tivvater *m*. **5.** *fig.* Vater *m*, Urheber *m*: the ~ of chemistry; the F~ of lies der Satan; the wish was ~ to the thought der Wunsch war der Vater des Gedankens. **6.** *pl* Stadt-, Landesväter *pl*: the F~s of the Constitution die Gründer der USA. **7.** Beschützer *m* (to *gen*). **8.** *oft* F~, *a.* F~ of the Church *relig. hist.* Kirchenvater *m*. **9.** *relig.* a) Vater *m* (*Bischofs- od. Abttitel*): The Holy F~ der Heilige Vater, b) → father-confessor, c) Pater *m*. **10.** F~ *poet.* Vater *m*: F~ Thames; F~ Time Chronos *m*. **11.** *Br.* (Dienst)Älteste(r) *m*. **II** *v/t* **12.** *ein Kind* zeugen. **13.** *etwas* ins Leben rufen, her'vorbringen. **14.** wie ein Vater sein zu *j-m*. **15.** sich als Vater *od.* Urheber (*gen*) ausgeben *od.* bekennen. **16.** *a. fig.* die Vaterschaft zuschreiben (on, upon *dat*). **17.** die Schuld für *etwas* zuschreiben (on, upon *dat*). **18.** *etwas* zuschreiben (on, upon *dat*).
Fa·ther Christ·mas *s Br.* Weihnachtsmann *m*.
'fa·ther|-con'fes·sor *s* Beichtvater *m*. **'~-,fig·ure** *s psych.* 'Vaterfi,gur *f*.
fa·ther·hood ['fɑːðər,hud] *s* Vaterschaft *f*.
'fa·ther|-in-,law *pl* **'fa·thers-in-,law** *s* Schwiegervater *m*. **'~,land** *s* Vaterland *n*: the F~ Deutschland *n*.
fa·ther·less ['fɑːðərlis] *adj* vaterlos.
'fa·ther·li·ness [-linis] *s* Väterlichkeit *f*. **'fa·ther·ly** *adj u. obs. adv* väterlich. **'fa·ther,ship** *s* Vaterschaft *f*.
fath·om ['fæðəm] **I** *s* (*nach Maßzahl pl oft* ~) **1.** *mar.* Faden *m*, Klafter *f*, *m*, *n* (*Längen- u. Tiefenmaß; 6 Fuß = 1,83 m*). **2.** Klafter *m*, *n* (*Holzmaß; 36 Quadratfuß im Querschnitt u. von unbestimmter Länge*). **II** *v/t* **3.** loten, son'dieren. **4.** *fig.* ergründen, (von Grund auf) erforschen *od.* verstehen. **'fath·om·a·ble** *adj* **1.** meßbar. **2.** *fig.* ergründbar. **fa·thom·e·ter** [fæ'ðɒmitər] *s mar.* Echo-, Behmlot *n*. **'fath·om·less** *adj* (*adv* ~ly) unergründlich, bodenlos (*a. fig.*).
'fath·om|-,line *s mar.* Lotleine *f*. **~ wood** *s* Klafterholz *n*.
fa·tigue [fə'tiːg] **I** *s* **1.** Ermüdung *f*, Ermattung *f*, Erschöpfung *f*. **2.** *bes. pl* mühselige Arbeit, Mühsal *f*, Stra'paze *f*. **3.** Über'müdung *f*, -'anstrengung *f*: ~ products *med.* Ermüdungsstoffe. **4.** *agr.* Erschöpfung *f* (*des Bodens*). **5.** *tech.* (Werkstoff)Ermüdung *f*: ~ crack Ermüdungs-, Dauerriß *m*; ~ limit Ermüdungsgrenze *f*; ~ strength Dauerfestigkeit *f*; ~ test Ermüdungsprobe *f*, Dauerprüfung *f*. **6.** *mil.* a) *a.* ~ duty Arbeitsdienst *m*: ~ detail, ~ party Arbeitskommando *n*, b) *pl a.* ~ clothes, ~ dress, ~ uniform Drillich-, Arbeitsanzug *m*. **II** *v/t* **7.** ermüden (*a. tech.*), erschöpfen. **III** *v/i* **8.** ermüden. **9.** *mil.* Arbeitsdienst machen. **fa'tigued** *adj* ermüdet, ermattet. **fa'ti·guing** *adj* (*adv* ~ly) ermüdend, anstrengend, strapazi'ös.
fat·less ['fætlis] *adj* ohne Fett, mager.
'fat·ling [-liŋ] *s* junges Masttier.
fat·ly ['fætli] *adv* reichlich, ausgiebig.
'fat·ness *s* **1.** Fettig-, Öligkeit *f*, Fette *f*. **2.** Fettheit *f*, Beleibtheit *f*. **3.** Fruchtbarkeit *f* (*des Bodens*). **4.** Ausgiebigkeit *f*.
'fat-'sol·u·ble *adj chem.* fettlöslich.
fat·ten ['fætn] **I** *v/t* **1.** fett *od.* dick machen. **2.** *Tiere* mästen. **3.** *Land* fruchtbar machen, düngen. **II** *v/i* **4.** fett *od.* dick werden. **5.** sich mästen (on von). **'fat·tish** *adj* etwas fett(ig) *od.* dick. **'fat·ty I** *adj* **1.** *a. chem.* fettig, fetthaltig, Fett...: ~ acid Fettsäure *f*. **2.** *med.* fett(bildend), Fett...: ~ degeneration Verfettung *f*; ~ heart Herzverfettung *f*, Fettherz *n*: ~ tissue Fettgewebe *n*; ~ tumo(u)r Fettgeschwulst *f* (*unter der Haut*). **II** *s* **3.** *colloq.* Dicke(r *m*) *f*, Dickerchen *n*.
fa·tu·i·tous [fə'tjuːitəs] → fatuous.
fa'tu·i·ty *s* Dummheit *f*, Einfältigkeit *f*, Albernheit *f*.
fat·u·ous ['fætjuəs; -tʃuəs] *adj* (*adv* ~ly) **1.** dumm, einfältig, albern. **2.** sinnlos.
'fat·u·ous·ness → fatuity.
'fat-,wit·ted → fatheaded.

fau·bourg [fo'bu:r; 'fouburg] (*Fr.*) *s* Vorort *m.*
fau·cal ['fɔ:kəl] **I** *adj anat.* Kehl..., Rachen... **II** *s ling.* Kehllaut *m.* '**fau·ces** [-si:z] *s pl* Rachen *m*, Schlund *m.*
fau·cet ['fɔ:sit] *s tech. Am.* **1.** (Wasser)-Hahn *m*, (Faß)Zapfen *m.* **2.** Muffe *f* (*e-r Röhrenleitung*).
faugh [fɔ:] *interj* pfui.
fault [fɔ:lt] **I** *s* **1.** Schuld *f*, Verschulden *n*: it's not her ~, the ~ is not hers, it's no ~ of hers sie hat *od.* trägt *od.* trifft keine Schuld, es ist nicht ihre Schuld; to be at (*od.* in) ~ schuldig sein, die Schuld tragen (→ 4 a, 8). **2.** Fehler *m*, (*jur. a.* Sach)Mangel *m*: sold with all ~s ohne Mängelgewähr (verkauft); to find ~ tadeln, nörgeln, kritisieren; to find ~ with etwas auszusetzen haben an (*dat*), herumnörgeln an (*dat*); to a ~ allzu, übertrieben. **3.** (Cha'rakter)Fehler *m*, (-)Mangel *m*: in spite of all his ~s. **4.** a) Fehler *m*, Irrtum *m*: to be at ~ sich irren (→ 1, 8); to commit a ~ e-n Fehler machen, b) Vergehen *n*, Fehltritt *m.* **5.** *geol.* (Schichten)Bruch *m*, Verwerfung *f.* **6.** *tech.* De'fekt *m*: a) Fehler *m*, Störung *f*, b) *electr.* Erd-, Leitungsfehler *m*, fehlerhafte Iso'lierung. **7.** *bes. Tennis*: Fehler *m.* **8.** *hunt.* a) Verlieren *n* der Spur, b) verlorene Fährte: to be at ~ auf der falschen Fährte sein (*a. fig.*) (→ 1, 4 a). **II** *v/t* **9.** bemängeln, tadeln. **10.** verpfuschen, verpatzen. **11.** *geol. Schichten* verwerfen. **III** *v/i* **12.** e-n Fehler machen. **13.** *geol.* sich verwerfen. '~,**find·er** *s* Besserwisser(in), Nörgler(in), Krittler(in). '~,**find·ing I** *s* Kritte'lei *f*, ,Besserwisse'rei *f*, Nörge'lei *f.* **II** *adj* (be)krittelnd, nörglerisch.
fault·i·ness ['fɔ:ltinis] *s* Fehlerhaftigkeit *f.* '**fault·ing** *s geol.* Verwerfung *f.* '**fault·less** *adj* (*adv* ~ly) fehlerfrei, -los, einwandfrei, untadelig. '**fault·less·ness** *s* Fehler-, Tadellosigkeit *f.*
faults·man ['fɔ:ltsmən] *s irr teleph.* Störungssucher *m.*
fault·y ['fɔ:lti] *adj* (*adv* faultily) fehler-, mangel-, schadhaft, schlecht, Fehl...: ~ design Fehlkonstruktion *f.*
faun [fɔ:n] *s antiq.* Faun *m.*
fau·na ['fɔ:nə] *pl* **-nas** *selten* **-nae** [-ni:] *s zo.* Fauna *f*, (*a.* syste'matische Darstellung e-r) Tierwelt. '**fau·nal** *adj* Fauna...
fau·teuil ['foutil; fo'tœ:j] (*Fr.*) *s* **1.** Armsessel *m.* **2.** *thea. Br.* Sperrsitz *m.*
faux pas [fou 'pɑ:; fo 'pɑ] *pl* **faux pas** (*Fr.*) *s* Faux'pas *m*, (gesellschaftlicher) Verstoß, 'Mißgriff *m*, Fehltritt *m.*
fa·ve·o·late [fə'vi:o,leit] *adj* bienenzellenförmig, wabenartig.
fa·vor, *bes. Br.* **fa·vour** ['feivər] **I** *v/t* **1.** *j-m, e-r Sache* günstig gesinnt sein, *j-m* gewogen sein, wohlwollen. **2.** begünstigen: a) bevorzugen, vorziehen, b) günstig sein für, fördern, c) eintreten *od.* sprechen für, unter'stützen, für *etwas* sein. **3.** einverstanden sein mit. **4.** bestätigen. **5.** *j-n* beehren (with mit): to ~ s.o. with s.th. j-m etwas schenken *od.* verehren, j-n mit etwas erfreuen. **6.** *j-m* ähnlich sehen: to ~ one's father. **7.** schonen: to ~ one's leg. **II** *s* **8.** Gunst *f*, Gnade *f*, Wohlwollen *n*: to be (*od.* stand) high in s.o.'s ~ bei j-m in besonderer Gunst stehen, bei j-m gut angeschrieben sein; to court (*od.* curry) ~ sich einschmeicheln (with s.o. bei j-m); to find ~ Gefallen *od.* Anklang finden; to find ~ with (*od.* in the eyes of) s.o. Gnade vor j-s Augen finden, j-m gefallen; to grant (s.o.) a ~ (j-m) e-e Gunst gewähren; to look with ~ on s.o. j-n mit Wohlwollen betrachten; to win s.o.'s ~ j-n für sich gewinnen; by ~ of a) mit gütiger Erlaubnis von, b) überreicht von (*Brief*); in ~ (with) beliebt (bei), gefragt, begehrt (von); in ~ of für, *a. econ.* zugunsten von (*od. gen*); in my ~ zu m-n Gunsten; to decide in ~ of s.th. sich für etwas entscheiden; to speak in ~ of für etwas sprechen *od.* eintreten; who is in ~ (of it)? wer ist dafür *od.* (damit) einverstanden?; out of ~ a) in Ungnade (gefallen), b) nicht mehr gefragt *od.* beliebt. **9.** Gefallen *m*, Gefälligkeit *f*: to ask s.o. a ~ (*od.* a ~ of s.o.) j-n um e-n Gefallen bitten; do me a ~ tu mir den Gefallen; we request the ~ of your company wir laden Sie höflich ein. **10.** Bevorzugung *f*, Begünstigung *f*, Vorteil *m*: to show ~ to s.o. j-n parteiisch bevorzugen; he doesn't ask for ~s er stellt keine besonderen Ansprüche; without fear or ~ unparteiisch. **11.** *pl* Liebesgunst *f*, Gunstbezeigung *f* (*e-r Frau*): to grant one's ~s to s.o. j-m s-e Gunst *od.* Liebe schenken, sich j-m hingeben. **12.** Schutz *m*: under ~ of night im Schutze der Nacht. **13.** a) (Fest)Geschenk *n*, Angebinde *n*, b) festlicher Schmuck, c) 'Scherzar,tikel *m.* **14.** (Par'tei- *etc*)Abzeichen *n.* **15.** *econ. obs.* Schreiben *n*: your ~ of the 3rd of the month Ihr Geehrtes vom 3. des Monats. **16.** *obs.* a) Anmut *f*, b) Aussehen *n*, Gesicht *n.*
fa·vor·a·ble, *bes. Br.* **fa·vour·a·ble** ['feivərəbl] *adj* (*adv* favo[u]rably) **1.** wohlgesinnt, gewogen, geneigt (to *dat*). **2.** *allg.* günstig: a) vorteilhaft (to, for für): ~ conditions; ~ balance of trade aktive Handelsbilanz, b) befriedigend, gut: ~ impression, c) positiv, zustimmend: ~ answer; ~ attitude, d) vielversprechend. '**fa·vor·a·ble·ness,** *bes. Br.* '**fa·vour·ab·le·ness** *s* Gunst *f*, günstiger Zustand.
fa·vored, *bes. Br.* **fa·voured** ['feivərd] *adj* **1.** begünstigt: highly ~ sehr begünstigt; most ~ meistbegünstigt; → most-favo(u)red-nation clause. **2.** beliebt. **3.** *in Zssgn* ...gestaltet, ...aussehend: well-~ wohlgestalt, schön; ill-~ häßlich.
fa·vor·ite, *bes. Br.* **fa·vour·ite** ['feivərit] **I** *s* **1.** Günstling *m*, Liebling *m* (*a. fig. Schriftsteller, Schallplatte etc*): to play ~s *Am.* parteiisch sein; to be the ~ of (*od.* a ~ with *od.* of) s.o. bei j-m beliebt sein *od.* in besonderer Gunst stehen, von j-m besonders bevorzugt werden; that book is a great ~ of mine dieses Buch liebe ich sehr. **2.** *sport* Favo'rit(in). **II** *adj* **3.** Lieblings...: my ~ composer; ~ dish Leibspeise *f.* '**fa·vor·it,ism,** *bes. Br.* '**fa·vour·it,ism** *s* Günstlingswirtschaft *f.*
fa·vour, fa·vour·a·ble, fa·vour·a·ble·ness, fa·voured, fa·vour·ite, fa·vour·it·ism *bes. Br. für* favor *etc.*
fa·vus ['feivəs] *pl* **-vi** [-vai] *s med.* Grindflechte *f.*
fawn[1] [fɔ:n] **I** *s* **1.** *zo.* (Dam)Kitz *n*, einjähriges Rehkalb: in ~ trächtig. **2.** Rehbraun *n.* **II** *adj* **3.** *a.* ~-colo(u)red rehfarben, -braun. **III** *v/t u. v/i* **4.** (Kitz) setzen (*Reh*).
fawn[2] [fɔ:n] *v/i* **1.** schwänzeln, wedeln (*Hund etc*). **2.** *fig.* (on, upon) sich einschmeicheln (bei), katzbuckeln (vor *dat*), scharwenzeln (um). '**fawn·ing** *adj* (*adv* ~ly) schmeichlerisch, kriecherisch.
fay[1] [fei] *v/t u. v/i Schiffbau*: zs.-fügen.
fay[2] [fei] *interj obs. nur in*: by my ~ m-r Treu!, traun!
fay[3] [fei] *s poet.* Fee *f.*
faze [feiz] *v/t Am. colloq. j-n* durchein'anderbringen: that won't ~ him das läßt ihn kalt.
feal [fi:l] *adj obs.* treu.
fe·al·ty ['fi:əlti] *s* **1.** Lehenstreue *f.* **2.** Treue *f*, Loyali'tät *f* (to zu).
fear [fir] **I** *s* **1.** Furcht *f*, Angst *f* (of vor *dat*; that [*od.* lest] daß): from ~, out of ~, through ~ aus Furcht; to be in ~ (of s.o.) sich (vor j-m) fürchten; ~ of death Todesangst; to go in ~ of one's life in ständiger Todesangst leben, Todesängste ausstehen; no ~! sei(en Sie) unbesorgt!, keine Bange!; → favor 10. **2.** *pl* Befürchtungen *pl*, Bedenken *pl*, Besorgnis *f*, Sorge *f*: for ~ of a) in der Befürchtung, daß, b) um nicht, damit nicht; um zu verhüten, daß; for ~ of hurting him um ihn nicht zu verletzen. **3.** Scheu *f*, Ehrfurcht *f* (of vor): ~ of God Gottesfurcht *f.* **4.** Gefahr *f*, Risiko *n*: there is not much ~ of that das ist kaum zu befürchten. **II** *v/t* **5.** fürchten, sich fürchten *od.* Angst haben vor (*dat*). **6.** *Gott* fürchten, Ehrfurcht haben vor (*dat*). **7.** (be)fürchten: to ~ the worst. **8.** ~ o.s. *obs.* sich fürchten. **III** *v/i* **9.** sich fürchten, Furcht *od.* Angst haben: never ~! keine Angst! **10.** bangen (for um).
fear·ful ['firful] *adj* (*adv* ~ly) **1.** furchtbar, fürchterlich, schrecklich (*alle a. intens = kolossal*). **2.** in großer Sorge, sich ängstigend (of um; that [*od.* lest] daß). **3.** furchtsam, angsterfüllt. **4.** ehrfürchtig. '**fear·ful·ness** *s* **1.** Furchtbarkeit *f.* **2.** Furchtsamkeit *f.* '**fear·less** *adj* (*adv* ~ly) furchtlos, unerschrocken. '**fear·less·ness** *s* Furchtlosigkeit *f.* '**fear,nought** *s* Flausch *m* (*dicker wollener Mantelstoff*). '**fear·some** [-səm] *adj* (*adv* ~ly) **1.** *meist humor.* schrecklich, gräßlich (anzusehen[d]). **2.** furchteinflößend. **3.** ängstlich.
fea·si·bil·i·ty [,fi:zi'biliti] *s* 'Durch-, Ausführbarkeit *f*, Tunlichkeit *f*, Möglichkeit *f*, Eignung *f.* '**fea·si·ble** *adj* (*adv* **feasibly**) **1.** aus-, 'durchführbar, möglich, tunlich, gangbar. **2.** passend, geeignet (to für). **3.** (*fälschlich*) plau'sibel, wahr'scheinlich, möglich.
feast [fi:st] **I** *s* **1.** (*religiöses od. jährlich wiederkehrendes*) Fest, Fest-, Feiertag *m*: (im)movable church ~s (un)bewegliche Kirchenfeste. **2.** Kirmes *f.* **3.** Festessen *n*, -mahl *n*, *obs.* Gastmahl *n.* **4.** *fig.* Fest *n*, (Hoch)Genuß *m*: a ~ for the eyes e-e Augenweide. **II** *v/t* **5.** (festlich) bewirten (on mit). **6.** ergötzen: to ~ one's eyes on s-e Augen weiden an (*dat*). **III** *v/i* **7.** (on, upon) schmausen (von *od. acc*), sich weiden *od.* ergötzen *od.* laben (an *dat*). **8.** schwelgen, schlemmen.
feat[1] [fi:t] *s* **1.** Helden-, Großtat *f*: ~ of arms Waffentat *f.* **2.** a) Kunst-, Meisterstück *n*, b) Kraft-, Bra'vourstück *n.* **3.** (*technische etc*) Großtat, große Leistung.
feat[2] [fi:t] *adj* (*adv* ~ly) *obs.* geschickt.
feath·er ['feðər] **I** *s* **1.** Feder *f*, *pl* Gefieder *n*: fur and ~ Wild *n u.* Federwild *n*; fine ~s make fine birds Kleider machen Leute; birds of a ~ (all) flock together gleich u. gleich gesellt sich gern; to crop s.o.'s ~s j-n demütigen; in full ~ a) ‚aufgedonnert', b) in gehobener Stimmung; in high ~ hochgestimmt; in fine ~ in bester Verfas-

sung; **men of the same ~** Leute vom selben Schlag; **with a ~** spielend, mit dem kleinen Finger; **you could have knocked me down with a ~** ich war einfach ‚platt'; → **white feather.** **2.** Schmuck-, Hutfeder *f*: **a ~ in one's cap** e-e Ehre *od.* Auszeichnung; **that is a ~ in his cap** darauf kann er stolz sein. **3.** hoch- *od.* abstehendes Haarbüschel. **4.** Pfeilfeder *f.* **5.** *Rudern*: Flachhalten *n* der Riemen. **6.** *tech.* (Strebe)Band *n.* **7.** *tech.* Feder(keil *m*) *f.* **8.** *mar.* Schaumkrone *f* (*U-Boot-Periskop*). **9.** (*etwas*) Federleichtes. **II** *v/t* **10.** mit Federn versehen *od.* schmücken, *e-n Pfeil* fiedern: **to ~ one's nest** sein Schäfchen ins trockene bringen, sich bereichern. **11.** *hunt. e-n Vogel* anschießen. **12.** *Rudern*: *die Riemen* flach drehen. **13.** *tech.* mit Nut u. Feder versehen. **14.** *aer. den Propeller* auf Segelstellung fahren. **III** *v/i* **15.** Federn bekommen, sich befiedern. **16.** federartig wachsen, sich federartig ausbreiten *od.* bewegen.

feath·er| bed *s* **1.** 'Unterbett *n.* **2.** *fig.* ‚gemütliche Sache', angenehmer Posten. '**~ˌbed** *econ. colloq.* **I** *v/t Arbeitsstelle* 'überbesetzen. **II** *v/i* unnötige Arbeitskräfte einstellen. '**~ˌbed·ding** *s econ. Am. colloq.* (*gewerkschaftlich geforderte*) 'Überbesetzung mit Arbeitskräften. '**~ˌbrain** *s* **1.** Schwachkopf *m.* **2.** leichtsinniger Mensch. '**~ˌbrained** *adj* **1.** schwachköpfig. **2.** leichtsinnig. **~ dust·er** *s* Staubwedel *m.*

feath·ered ['feðərd] *adj* be-, gefiedert: **~ tribe(s)** Vogelwelt *f.*

'**feath·er|ˌedge** *tech.* **I** *s* dünne *od.* scharfe Kante. **II** *adj* mit dünner Kante (versehen). **~ grass** *s bot.* Federgras *n.* '**~ˌhead** → **featherbrain.**

feath·er·ing ['feðəriŋ] *s* **1.** Gefieder *n, orn.* Befiederung *f.* **2.** *aer.* Segelstellung *f* (*des Propellers*).

feath·er| key *s tech.* Federkeil *m*, Paßfeder *f.* **~ moss** *s bot.* Ast-, Schlafmoos *n.* **~ ore** *s min.* Federerz *n.* **~ palm** *s bot.* Fiederpalme *f.* **~ shot** *s tech.* Federkupfer *n.* '**~ˌstitch I** *s* Hexenstich *m.* **II** *v/t* mit Hexenstich verzieren. '**~ˌweight I** *s* **1.** *sport* Federgewicht(ler *m*) *n.* **2.** *fig.* leichte *od.* belanglose Per'son *od.* Sache. **II** *adj* **3.** *sport* Federgewichts... **4.** federleicht. **5.** *fig.* sehr leicht, belanglos.

feath·er·y ['feðəri] *adj* **1.** ge-, befiedert. **2.** feder(n)artig, federleicht.

fea·ture ['fiːtʃər] **I** *s* **1.** (Gesichts)Zug *m, meist pl* Gesichtsbildung *f*, Gesicht(szüge *pl*) *n*, Züge *pl*, Aussehen *n.* **2.** charakte'ristischer *od.* wichtiger (Bestand)Teil, Grundzug *m.* **3.** Merkmal *n* (*a. jur. e-r Erfindung*), Charakte'ristikum *n*, (Haupt)Eigenschaft *f*, Hauptpunkt *m*, Besonderheit *f*: **~ of construction** *tech.* Konstruktionsmerkmal; **distinctive ~** Unterscheidungsmerkmal. **4.** *bes. Am.* ('Haupt)Attraktiˌon *f*, Darbietung *f.* **5.** *a.* **~ film** a) Spielfilm *m*, b) Hauptfilm *m.* **6.** *a.* **~ program(me)** *Radio*: (aktu'elles) Hörbild, Feature *n.* **7.** *a.* **~ article, ~ story** Spezi'alarˌtikel *m*, Feature *n* (*e-r Zeitung*). **II** *v/t* **8.** charakteri'sieren, in den Grundzügen schildern. **9.** als Hauptschlager zeigen *od.* bringen, groß her'ausbringen *od.* -stellen. **10.** in der Hauptrolle zeigen *od.* darstellen: **a film featuring X** ein Film mit X in der Hauptrolle. **11.** kennzeichnen, bezeichnend sein für. **12.** (als Besonderheit) haben *od.* aufweisen, sich auszeichnen durch. '**fea·tured** *adj* **1.** gebildet, geformt, gestaltet. **2.** *in Zssgn* mit ... (Gesichts)Zügen: **hard-~.** **3.** her'vorgehoben, her'ausgestellt. '**fea·ture·less** *adj* **1.** ohne bestimmte Merkmale. **2.** nichtssagend. **3.** *econ.* flau (*Börse*). ˌ**fea·tur'ette** [-'ret] *s Am.* Kurzfilm *m.*

feaze[1] [fiːz] *v/i* (sich aus)fasern.

feaze[2] [fiːz] → **faze.**

feb·ri·fa·cient [ˌfebri'feiʃənt] *adj u. s med.* fiebererregend(e Ursache). **fe·brif·ic** [fi'brifik] *adj med.* **1.** Fieber verursachend. **2.** fieberhaft. **fe'brif·u·gal** [-fjugəl] *adj med.* fiebermildernd, -vertreibend. **feb·ri·fuge** ['febriˌfjuːdʒ] *s med.* Fiebermittel *n.*

fe·brile ['fiːbril; *Br. a.* -brail] *adj med.* fiebrig, fiebernd, fieberhaft, Fieber...

fe'bril·i·ty [-'briliti] *s* Fieberhaftigkeit *f.*

Feb·ru·ar·y ['februəri] *s* Februar *m*: **in ~** im Februar.

fe·cal ['fiːkəl] *adj med.* fä'kal, kotig, Kot...: **~ matter** Kot(substanz *f*) *m.*

fe·ces ['fiːsiːz] *s* **1.** *physiol.* Exkre'mente *pl*, Fä'kalien *pl*, Kot *m.* **2.** Rückstände *pl*, (Boden)Satz *m.*

feck·less ['feklis] *adj* (*adv* **~ly**) **1.** schwach, kraftlos. **2.** hilflos, unfähig. **3.** wertlos. **4.** wirkungs-, zwecklos. **5.** leichtfertig.

fec·u·la ['fekjulə] *pl* **-lae** [-ˌliː] *s chem.* Stärke(mehl *n*) *f*, Satz-, Bodenmehl *n.* '**fec·u·lence** *s* **1.** Schlammig-, Schmutzigkeit *f.* **2.** Bodensatz *m*, Hefe *f.* **3.** Schmutz *m*, Unrat *m* (*a. fig.*). '**fec·u·lent** *adj* **1.** schlammig, trübe. **2.** *med.* fäku'lent, kotartig. **3.** *fig.* schmutzig.

fe·cund ['fiːkənd; 'fek-] *adj* fruchtbar, produk'tiv (*beide a. fig.* = *schöpferisch*). '**fe·cunˌdate** [-ˌdeit] *v/t* fruchtbar machen, befruchten (*a. biol.*). ˌ**fe·cun'da·tion** *s* Befruchtung *f.* **fe·cun·da·tive** [fi'kʌndətiv] *adj* befruchtend. **fe'cun·di·ty** *s* Fruchtbarkeit *f*, Produktivi'tät *f* (*beide a. fig.*).

fed [fed] *pret. u. pp von* **feed.**

fed·er·a·cy ['fedərəsi] *s* Föderati'on *f*, (Staaten)Bund *m.*

fed·er·al ['fedərəl] **I** *adj* (*adv* **~ly**) **1.** födera'tiv, bundesmäßig. **2.** *pol.* Bundes...: a) bundesstaatlich, den (Gesamt)Bund *od.* die 'Bundesreˌgierung betreffend, b) (*Schweiz*) eidgenössisch, c) (*USA*) zentra'listisch, Zentral..., Unions..., National...: **~ government** Bundesregierung *f*; **~ jurisdiction** *jur. Am.* Zuständigkeit *f* der Bundesgerichte, Bundesgerichtsbarkeit *f.* **3. F~** *Am. hist.* die Uni'onsgewalt *od.* die Zen'tralreˌgierung *od.* die Nordstaaten unter'stützend. **4.** *relig.* den (Alten u. Neuen) Bund Gottes mit dem Menschen betreffend: **~ theology.** **II** *s* **5.** Födera'list *m*, Befürworter *m* der 'Bundes(ˌstaats)iˌdee. **6. F~** *Am. hist.* Födera'list *m*: a) Unio'nist *m* im Bürgerkrieg, b) Sol'dat *m* der 'Bundesarˌmee. **F~ Bureau of In·ves·ti·ga·tion** *s pol.* amer. 'Bundesˌsicherheitspoliˌzei *f*, amer. 'Bundeskrimiˌnalamt *n* (*abbr.* **FBI**).

fed·er·al·ism ['fedərəˌlizəm] *s pol.* Födera'lismus *m*: a) *außer USA*: Selbständigkeitsbestrebung *f* der Gliedstaaten, Partikula'rismus *m*, b) *USA*: Unita'rismus *m*, Zentra'lismus *m.* '**fed·er·al·ist I** *adj* **1.** födera'listisch. **II** *s* **2.** Födera'list *m.* **3. F~** *Am. hist.* Mitglied *n* der zentra'listischen Par'tei (*etwa 1790 bis 1816*). ˌ**fed·er·al·i'za·tion** *s* Föderali'sierung *f.* '**fed·er·alˌize** → **federate I.**

fed·er·ate ['fedəˌreit] *bes. pol.* **I** *v/t* föderali'sieren, zu e-m (Staaten)Bund vereinigen. **II** *v/i* sich föde'rieren, sich zu e-m (Staaten)Bund zs.-schließen. **III** *adj* [-rit; -ˌreit] verbündet. ˌ**fed·er'a·tion** *s* **1.** (po'litischer) Zs.-schluß, Vereinigung *f.* **2.** *econ.* (Zen'tral-, Dach)Verband *m.* **3.** *pol.* a) Bundesstaat *m*, b) Staatenbund *m.* '**fed·erˌa·tive** → **federal 1.**

fe·do·ra [fi'dɔːrə] *s Am.* weicher Filzhut.

fee [fiː] **I** *s* **1.** Gebühr *f*: a) (*Anwalts- etc*)Hono'rar *n*, Bezahlung *f*, Vergütung *f*: **a doctor's ~** Arztrechnung *f*; **director's ~** *econ.* Vergütung *od.* Tantieme *f* (*e-s Vorstandmitglieds*), b) amtliche Gebühr, Taxe *f*: **licence ~s** Lizenzgebühr; **school ~(s)** Schulgeld *n*, c) (Mitglieds)Beitrag *m*: **club ~s** Vereinsbeitrag, d) (**admission** *od.* **entrance**) **~** Eintrittsgeld *n*, e) Trinkgeld *n.* **2.** *jur.* a) *hist.* Lehn(s)gut *n*, b) Eigentum(srecht) *n* (*an Grundbesitz*): **to hold land in ~** Land zu eigen haben, c) *Art des Landbesitzes*: (**estate in**) **~ simple** volles Eigengut; (**estate in**) **~ tail** erbrechtlich gebundenes Eigentum; **~ farm** Erbpacht *f.* **II** *v/t* **3.** *j-m* e-e Gebühr bezahlen *od.* entrichten, ein Trinkgeld geben, *den Arzt etc* bezahlen, hono'rieren. **4.** *bes. Scot. j-n* anstellen.

fee·ble ['fiːbl] *adj* (*adv* **feebly**) *allg.* schwach: a) (körperlich *od.* geistig *od.* mo'ralisch) schwach, schwächlich, b) kraftlos, *fig. a.* unwirksam: **~ attempts** schwache *od.* (lenden)lahme Versuche; **~ excuse** lahme Ausrede; **a ~ smile** ein schwaches Lächeln; **~ moan** schwaches *od.* leises Ächzen. '**~-'mind·ed** *adj* schwachsinnig, geistesschwach. ˌ**~-'mind·ed·ness** *s* Schwachsinn *m.*

fee·ble·ness ['fiblnis] *s* Schwäche *f*, Kraftlosigkeit *f.*

feed [fiːd] **I** *v/t pret u. pp* **fed** [fed] **1.** Nahrung zuführen (*dat*), *Tiere, a. Kinder, Kranke* füttern (**on, with** mit), *e-m Tier* zu fressen geben, *Kühe* weiden lassen: **to ~ up** (*od.* **off**) *Vieh* mästen; **to ~ the fishes** *sl.* a) seekrank sein, ‚die Fische füttern', b) ertrinken; **to be fed up with s.th.** genug *od.* ‚die Nase voll' haben von etwas, etwas satt haben. **2.** *j-n* (er)nähren, speisen, *j-m* zu essen geben: **to ~ at the breast** stillen; **he cannot ~ himself** er kann nicht ohne Hilfe essen; **to ~ a cold** tüchtig essen, wenn man erkältet ist. **3.** *ein Feuer* unter'halten. **4.** *tech.* a) *e-e Maschine* speisen, beschicken, (laufend) versorgen (**with** mit), b) *Material* zuführen, transpor'tieren, *ein Werkzeug* vorschieben. **5.** *fig.* a) *ein Gefühl* nähren, Nahrung geben (*dat*), unter'halten, b) befriedigen: **to ~ one's vanity**; **to ~ one's eyes** (**on s.th.**) die Augen (an etwas) weiden. **6.** *fig. j-n* 'hinhalten, (ver)trösten (**with** mit). **7.** *a.* **~ close, ~ down** *agr. e-e Wiese* abweiden lassen. **8.** Futter verabreichen, (ver)füttern, zu fressen geben (**to** *dat*), als Nahrung dienen für. **9.** *thea. sl. dem Komiker* Stichworte liefern. **10.** *sport e-n Spieler* mit Bällen versorgen, ‚beliefern'. **II** *v/i* **11.** a) Nahrung zu sich nehmen, fressen, weiden (*Tiere*), b) *colloq.* ‚futtern' (*Menschen*): **to ~ at the high table** tafeln; **to ~ out of s.o.'s hand** j-m aus der Hand fressen. **12.** sich (er)nähren, leben (**on, upon** von) (*a. fig.*). **III** *s* **13.** (Vieh)Futter *n*, Nahrung *f*: **out at ~** auf der Weide. **14.** ('Futter)Ratiˌon *f.* **15.** Füttern *n*, Fütterung *f.* **16.** *colloq.* Mahlzeit *f*: **to be off one's ~** keinen Appetit (mehr) haben. **17.** *tech.* a) Speisung *f*, Beschickung *f*, b) (Materi'al)Aufgabe *f*, Zuführung *f*, Trans'port *m*, c) Beschickungsmenge *f*, d) (Werkzeug)-Vorschub *m.* **18.** a) Beschickungsgut *n*, b) Ladung *f*, c) → feeder 6a. **19.** *thea. Br. colloq.* Stichwort *n* (*für den Witz e-s Komikers*).

'feed|ˌback *s* **1.** *electr.* Rückkoppelung *f.* **2.** *sociol.* Rückbeeinflussung *f.* **'~-ˌback** *adj electr.* Rückkoppelungs... **~ bag** *s Am.* Hafer-, Futtersack *m*: to put on the ~ *sl.* ‚futtern'. **~ belt** *s mil.* (Ma'schinengewehr)Paˌtronengurt *m.* **~ boil·er** *s tech.* Speisekessel(anlage *f*) *m.* **~ cock** *s tech.* Speisehahn *m.* **~ cur·rent** *s electr.* **1.** Speisestrom *m.* **2.** (An'oden)Ruhe-, Gleichstrom *m.*

feed·er ['fiːdər] *s* **1.** Fütterer *m.* **2.** a) Esser *m*, b) Fresser *m*: a large ~ ein starker Esser. **3.** *Am.* Viehmäster *m*, -züchter *m.* **4.** *a.* ~-in, ~-up *tech.* Aufgeber *m*, *Material* zuführende Per'son. **5.** *print.* Anleger(in). **6.** *tech.* a) Aufgabe-, Beschickungsvorrichtung *f*, b) *electr.* Speiseleitung *f*, c) *print.* 'An-, 'Einlegeappaˌrat *m*, d) *mil.* → feed mechanism. **7.** *Bergbau*: Kreuzkluft *f.* **8.** Zuflußgraben *m.* **9.** *rail.* Zubringerzug *m od.* -strecke *f.* **10.** → feeding bottle. **11.** *Br.* Kinderlatz *m.* **12.** *geogr.* Nebenfluß *m.* **13.** *thea.* 'Nebenfiˌgur *f.* **~ line** *s* **1.** *aer. rail.* Zubringerlinie *f.* **2.** *electr.* Speiseleitung *f.* **~ road** *s* Zubringerstraße *f.*

'feed|ˌhead *s tech.* **1.** Speisetank *m.* **2.** *Gießerei*: Anguß *m*, Gießkopf *m.* **~ heat·er** *s tech.* Vorwärmer *m* (*der Dampfmaschine*). **~ hop·per** *s tech.* Aufgabe-, Fülltrichter *m.*

feed·ing ['fiːdiŋ] **I** *s* **1.** Füttern *n*, Fütterung *f.* **2.** *biol. med.* (Er)Nähren *n*: bottle ~ Flaschennahrung *f*; mixed ~ Zwiemilchernährung *f.* **3.** *tech.* → feed 17. **4.** *agr.* Futter *n*, Weide *f.* **II** *adj* **5.** (sich) (er)nährend. **6.** *fig.* zunehmend: a ~ storm. **7.** weidend. **8.** *tech.* speisend, versorgend, Zufuhr..., *mil.* Lade... **~ bot·tle** *s* (Saug)Flasche *f.* **~ crane** *s rail.* Wasserkran *m.* **~ cup** *s* Schnabeltasse *f.*

feed| mech·a·nism *s mil.* Muniti'onszuführung *f*, Zuführer *m* (*am Maschinengewehr*). **~ pipe** *s tech.* Zuleitungsrohr *n.* **~ pump** *s tech.* Speise(wasser)pumpe *f.* **~ ta·ble** *s tech.* Einlegetisch *m.* **~ wa·ter** *s tech.* Speisewasser *n.*

feel [fiːl] **I** *v/t pret u. pp* **felt** [felt] **1.** betasten, (be)fühlen, anfühlen: to ~ one's way a) sich tasten(d zurechtfinden), b) vorsichtig vorgehen; → pulse¹ 1. **2.** fühlen, (ver)spüren, wahrnehmen, merken, zu spüren *od.* zu fühlen bekommen: to ~ the cold; to ~ the judge's wrath; to make itself felt spürbar werden, sich geltend machen; a (long-)felt want ein (längst) spürbarer Mangel, ein dringendes Bedürfnis. **3.** empfinden: to ~ pleasure; he felt the loss deeply der Verlust ging ihm sehr zu Herzen. **4.** a) ahnen, spüren, b) glauben, c) halten für: I ~ it (to be) my duty ich halte es für m-e Pflicht; it was felt to be unwise man erachtete es für unklug. **5.** *a.* ~ out son'dieren, *j-m* ‚auf den Zahn fühlen'.

II *v/i* **6.** fühlen, tasten. **7.** a) (nach)spüren, suchen (for, after nach), b) durch Fühlen festzustellen suchen *od.* feststellen (whether, if ob; how wie). **8.** fühlen, Gefühle haben, empfinden. **9.** sich fühlen, sich befinden, sich vorkommen, sein: to ~ cold frieren; to ~ ill sich krank fühlen; I ~ warm mir ist warm; I don't ~ quite myself ich bin nicht ganz auf dem Posten; to ~ up to s.th. sich e-r Sache gewachsen fühlen; to ~ like (doing) s.th. Lust haben zu e-r Sache (etwas zu tun); don't ~ compelled fühlen Sie sich nicht gezwungen. **10.** Mitgefühl *od.* Mitleid haben (for, with mit): we ~ with you wir fühlen mit euch. **11.** das Gefühl *od.* den Eindruck haben, finden, glauben (that daß): I ~ that ... ich finde, daß ...; es scheint mir, daß ...; to ~ strongly about a) entschiedene Ansichten haben über (*acc*), b) sich erregen über (*acc*); how do you ~ about it? was meinst du dazu?; it is felt in London in London ist man der Ansicht. **12.** sich anfühlen: velvet ~s soft. **13.** *impers* sich fühlen: they know how it ~s to be hungry sie wissen, was es heißt, hungrig zu sein.

III *s* **14.** Gefühl *n*, Art *f* u. Weise *f*, wie sich etwas anfühlt: a sticky ~. **15.** (An)Fühlen *n*: it is soft to the ~ es fühlt sich weich an. **16.** Gefühl *n*: a) Empfindung *f*, Eindruck *m*, b) Stimmung *f*, Atmo'sphäre *f*: a hom(e)y ~, c) Feingefühl *n*, (feiner) In'stinkt, ‚Riecher' *m* (for für): clutch ~ *mot.* Gefühl für richtiges Kuppeln.

feel·er ['fiːlər] *s* **1.** *zo.* Fühler *m.* **2.** *fig.* Fühler *m*, Ver'suchsbalˌlon *m*: to put (*od.* throw) out ~s die Fühler ausstrecken, sondieren. **3.** *tech.* a) Dorn *m*, Fühler *m*: ~ ga(u)ge Fühlerlehre *f*, b) Taster *m*: ~ pin Tasterstift *m*, c) Tasthebel *m* (*am Webstuhl*). **'feel·ing I** *s* **1.** Gefühl *n*, Gefühlssinn *m.* **2.** Gefühlszustand *m*, Stimmung *f*: bad (*od.* ill) ~ Groll *m*, Unwille *m*, Feindseligkeit *f*, böses Blut, Ressentiment *n*; good ~ Wohlwollen *n*; no hard ~s! a) nicht böse sein!, b) (das) macht nichts! **3.** Rührung *f*, Auf-, Erregung *f*: with ~ a) mit Gefühl, gefühlvoll, b) mit Nachdruck, c) erbittert; → high 25. **4.** (Gefühls)Eindruck *m*: I have a ~ that ich habe das Gefühl, daß. **5.** Gefühl *n*, Gesinnung *f*, Ansicht *f*, Einstellung *f*, Empfindung *f*: strong ~s a) starke Überzeugung, b) Erregung *f.* **6.** Fein-, Mitgefühl *n*, Empfindsamkeit *f*: to have a ~ for Gefühl haben für. **7.** (Vor)Gefühl *n*, Ahnung *f.* **8.** *pl* Empfindlichkeit *f*, Gefühle *pl*: to hurt s.o.'s ~s j-s Gefühle *od.* j-n verletzen. **II** *adj* (*adv* ~ly) **9.** fühlend, empfindend, Gefühls... **10.** gefühlvoll, mitfühlend. **11.** lebhaft (empfunden), voll Gefühl.

fee sim·ple → fee 2c.

feet [fiːt] *pl von* foot I.

fee tail → fee 2c.

feice [fais] → feist.

feign [fein] **I** *v/t* **1.** vortäuschen, vorgeben, (vor)heucheln, simu'lieren, so tun als ob: to ~ madness (*od.* o.s. mad *od.* to be mad) sich verrückt stellen. **2.** fin'gieren, frei erfinden, erdichten. **II** *v/i* **3.** sich verstellen, simu'lieren, heucheln. **feigned** *adj* **1.** verstellt, vorgeblich, simu'liert, falsch, Schein... **2.** frei erfunden. **'feign·ed·ly** [-idli] *adv* zum Schein. **'feign·er** *s* Heuchler(in).

feint¹ [feint] **I** *s* **1.** *fenc. etc* Finte *f.* **2.** *mil.* Ablenkungs-, Scheinangriff *m*, 'Täuschungsmaˌnöver *n* (*a. fig.*). **3.** Verstellung *f*, Vorwand *m.* **II** *v/i* **4.** fin'tieren: to ~ at (*od.* upon, against) *j-n* (durch e-e Finte) täuschen.

feint² [feint] *adj u. adv print. Br.* schwach: ~ lines.

feis [feʃ] *pl* **feis·ean·na** ['feʃənə] (*Ir.*) *s* **1.** *hist.* altirisches Parla'ment. **2.** irischer Sängerwettstreit.

feist [faist] *s Am. dial.* kleiner Hund.

feld·spar ['feldˌspɑːr] *s min.* Feldspat *m.* **ˌfeld'spath·ic** [-'spæθik] *adj* feldspathaltig, -artig, Feldspat...

fe·lic·i·tate [fi'lisiˌteit] *v/t* **1.** beglückwünschen, *j-m* gratu'lieren (on zu). **2.** *selten* beglücken. **feˌlic·i'ta·tion** *s meist pl* Glückwunsch *m.* **fe'lic·i·tous** *adj* (*adv* ~ly) glücklich (gewählt), treffend: a ~ phrase. **fe'lic·i·ty** *s* **1.** Glück(seligkeit *f*) *n.* **2.** Wohltat *f*, Segen *m.* **3.** Trefflichkeit *f.* **4.** a) glücklicher Einfall, b) glücklicher Griff, c) treffender Ausdruck.

fe·lid ['fiːlid] → feline 4. **'fe·line** [-lain] **I** *adj* **1.** *zo.* zur Fa'milie der Katzen gehörig, Katzen... **2.** katzenartig, -haft: ~ grace. **3.** *fig.* a) falsch, tükkisch, b) verstohlen. **II** *s* **4.** *zo.* Katze *f*, Katzentier *n.* **fe·lin·i·ty** [fi'liniti] *s* 'Katzennaˌtur *f*, -haftigkeit *f.*

fell¹ [fel] *pret von* fall.

fell² [fel] **I** *v/t* **1.** *e-n Baum* fällen. **2.** *e-n Gegner etc* fällen, niederstrecken. **3.** *e-e Kappnaht* (ein)säumen. **II** *s* **4.** a) gefällte Holzmenge, b) (Holz)Fällen *n.* **5.** Kappnaht *f*, Saum *m.*

fell³ [fel] *adj* (*adv* felly) *poet.* grausam, wild, mörderisch, grimmig.

fell⁴ [fel] *s* **1.** Balg *m*, (rohes Tier)Fell. **2.** a) *zo.* ('Unter-, Fett)Haut *f*, b) (Menschen)Haut *f.* **3.** Vlies *n*, dickes, zottiges Fell. **4.** struppiges Haar.

fell⁵ [fel] *s* (*Nordengland*) **1.** (*in Namen*) Hügel *m*, Berg *m.* **2.** Moorland *n.*

fel·lah ['felə] *pl* **-lahs, -la·heen** [ˌfelə'hiːn] *s* Fel'lache *m.*

fell·er ['felər] *colloq. od. humor. für* fellow 3.

fel·lic ['felik] *adj chem.* Gallen...

fell·ing ['feliŋ] *s* **1.** (Holz)Fällen *n.* **2.** Schlagfläche *f*, (Kahl)Schlag *m.*

fel·loe ['felou] *s tech.* Felge *f.*

fel·low ['felou] **I** *s* **1.** Gefährte *m*, Gefährtin *f*, Genosse *m*, Genossin *f*, Kame'rad(in): stone dead hath no ~ Tote plaudern nichts aus; ~s in misery Leidensgenossen. **2.** Mitmensch *m*, Zeitgenosse *m.* **3.** *colloq.* Kerl *m*, Geselle *m*, Bursche *m*, ‚Mensch' *m*, ‚Junge' *m*: good ~ guter Kerl, netter Mensch; a jolly ~ ‚ein fideles Haus'; my dear ~ mein lieber Freund!; old ~ alter Knabe; the ~ *contp.* der *od.* dieser Kerl; a ~ man, einer. **4.** Gegenstück *n*, (*der, die, das*) Da'zugehörige, (*der, die, das*) andere (*e-s Paares*): to be ~s zs.-gehören; where is the ~ to this glove? wo ist der andere Handschuh? **5.** Gleichgestellte(r *m*) *f*, Ebenbürtige(r *m*) *f*: he shall never find his ~ er wird nie seinesgleichen finden. **6.** Fellow *m*: a) *Br.* Mitglied *n* e-s College (*Dozent, der im College wohnt u. unterrichtet*), b) Stipendi'at *m* mit aka'demischem Titel (*Inhaber e-s Forschungsstipendiums*), c) Mitglied *n* des Verwaltungsrates. **7.** Mitglied *n* (*e-r gelehrten etc Gesellschaft*): a F~ of the British Academy. **II** *adj* (*nur attr*). **8.** Mit...: ~ being Mitmensch *m*; ~ citizen Mitbürger *m*; ~ passenger → fellow travel(l)er 1; ~ student Studienkollege *m*, Kommilitone *m*; ~ sufferer Leidensgefährte *m.* **~ Chris·tian** *s* Mitchrist *m*, Glaubensbruder *m.* **~ com·mon·er** *s univ. Br.* Stu'dent *m* mit dem Vorrecht, am Tisch der Fellows zu essen. **~ coun·try·man** *s irr* Landsmann *m.* **~ crea·ture** *s* Mitgeschöpf *n*, Mitmensch *m.* **~ feel·ing** *s* Zs.-gehörigkeitsgefühl *n.*

fel·low·ship ['felouˌʃip] *s* **1.** *oft* good ~ a) Kame'radschaft(lichkeit) *f*, b) Geselligkeit *f*. **2.** (*geistige etc*) Gemeinschaft, Zs.-gehörigkeit *f*, (gegenseitige) Verbundenheit. **3.** Religi'ons-, Glaubensgemeinschaft *f*. **4.** Gesellschaft *f*, Körperschaft *f*, Zunft *f*, Gilde *f*. **5.** *univ.* a) die Fellows *pl* e-s College *od.* e-r Universi'tät, b) Stellung *f* e-s Fellow, c) Sti'pendienfonds *m*, d) Sti'pendium *n* (*für Forschungsarbeit*).
fel·low| trav·el·(l)er *s* **1.** Mitreisende(r *m*) *f*, Reisegefährte *m*. **2.** *pol.* Mitläufer *m*, (*bes.* kommu'nistischer) Gesinnungsgenosse, Kommu'nistenfreund *m*. **'~-ˌtrav·el·(l)ing** *adj pol.* sympathi'sierend, kommu'nistenfreundlich.
fel·ly[1] ['feli] → felloe.
fel·ly[2] ['feli] *adv von* fell[3].
fe·lo-de-se ['fiːloudə'siː; 'fel-], *pl* **'fe·loˌnes-de-'se** ['felouˌniːz-], *a.* **'fe·los-de-'se** [-louz-] (*Lat.*) *s jur.* **1.** Selbstmörder *m*. **2.** (*kein pl*) Selbstmord *m*.
fel·on[1] ['felən] **I** *s* **1.** *jur.* (*bes.* Schwer)Verbrecher *m*. **2.** *selten* Schurke *m*. **II** *adj* → fell[3].
fel·on[2] ['felən] *s med.* Nagelbetteiterung *f*.
fe·lo·ni·ous [fi'louniəs; fe-] *adj jur.* verbrecherisch. **fe'lo·ni·ous·ly** *adv jur.* in verbrecherischer Absicht, vorsätzlich.
fel·on·ry ['felənri] *s collect.* (Schwer)Verbrecher *pl*. **'fel·o·ny** *s* **1.** *jur.* a) (Schwer)Verbrechen *n*, b) schweres Vergehen: ~ murder Mord *m* in Tateinheit mit e-m anderen Verbrechen. **2.** *hist.* Felo'nie *f* (*Bruch der Lehnstreue*).
fel·site ['felsait] *s min.* Fel'sit *m*. **'fel·ˌspar** [-ˌspɑːr] → feldspar. **'felˌstone** → felsite.
felt[1] [felt] *pret u. pp von* feel.
felt[2] [felt] **I** *s* **1.** Filz *m*. **2.** Filzhut *m*. **3.** *tech.* Pa'piertransˌporttuch *n*. **4.** *tech.* Dachpappe *f*. **5.** *electr.* Iso'lierpreßmasse *f*. **II** *adj* **6.** aus Filz, Filz... **III** *v/t* **7.** filzen, zu Filz machen. **8.** mit Filz über'ziehen. **9.** verfilzen. **IV** *v/i* **10.** sich verfilzen.
felt grain *s* Längsfaser *f* des Holzes.
felt·ing ['feltiŋ] *s* **1.** Filzen *n*. **2.** Filzstoff *m*.
felt-tipped pen·cil ['feltˌtipt] *s* Filzschreiber *m*, -stift *m*.
fe·male ['fiːmeil] **I** *s* **1.** a) weibliche Per'son, Frau *f*, Mädchen *n*, b) *vulg. contp.* Weibsbild *n*, -stück *n*. **2.** *zo.* Weibchen *n*. **3.** *bot.* weibliche Pflanze. **II** *adj* **4.** weiblich(en Geschlechts) (*Ggs* male): ~ child Mädchen *n*; ~ dog Hündin *f*; ~ student Studentin *f*. **5.** von *od.* für Frauen, Frauen..., weiblich: ~ dress Frauenkleid *n*; ~ labo(u)r a) Frauenarbeit *f*, b) weibliche Arbeitskräfte *pl*. **6.** schwächer, zarter: ~ sapphire. **7.** *tech.* Hohl..., Steck..., (Ein)Schraub...: ~ key Hohlschlüssel *m*; ~ mo(u)ld Matrize *f*; ~ screw Schraubenmutter *f*; ~ thread Innen-, Muttergewinde *n*. **8.** *bot.* fruchttragend. **'fe·male·ness** *s* Weiblichkeit *f*.
fe·male| rhyme → feminine rhyme. **~ suf·frage** *s pol.* Frauenwahlrecht *n*, Frauenstimmrecht *n*.
feme [fem] *s jur. hist.* (Ehe)Frau *f*. **~ cov·ert** *s jur.* verheiratete Frau. **~ sole** *s jur.* **1.** unverheiratete Frau. **2.** vermögensrechtlich selbständige Ehefrau: ~-sole trader (*od.* merchant) selbständige Geschäftsfrau.
fem·ic ['femik] *adj min.* femisch.
fem·i·nal·i·ty [ˌfemi'næliti] *s* **1.** weibliche Na'tur *od.* Eigenart. **2.** weiblicher Kram. **ˌfem·i'ne·i·ty** [-'niːiti] *s* **1.** Fraulichkeit *f*. **2.** weibische Art. **'fem·i·nie** [-ni] *s poet.* → femininity 3.
fem·i·nine ['feminin] **I** *adj* (*adv* ~ly) **1.** weiblich, Frauen...: ~ voice. **2.** *ling. metr.* weiblich, femi'nin: ~ noun. **3.** fraulich, sanft, zart. **4.** weibisch, femi'nin. **II** *s* **5.** *ling.* Femi'ninum *n*. **6.** a) Weib *n*, Frau *f*, b) → femininity 3. **7.** the ~ das Weibliche. **~ ca·dence** *s mus.* weibliche Ka'denz (*auf schwachem Taktteil*). **~ end·ing** *s* **1.** *ling.* Femi'ninendung *f*. **2.** *metr.* weiblicher Endreim *od.* Vers. **~ rhyme** *s* weiblicher (Paar)Reim.
fem·i·nin·i·ty [ˌfemi'niniti] *s* **1.** Fraulich-, Weiblichkeit *f*. **2.** weibische *od.* unmännliche Art. **3.** *collect.* (*die*) (holde) Weiblichkeit, (*die*) Frauen *pl*.
'fem·iˌnism *s* **1.** Frauenrechtlertum *n*. **2.** typisch weiblicher (Cha'rakter)Zug *od.* Ausdruck. **'fem·i·nist** *s* Frauenrechtler(in). **fe·min·i·ty** [fi'miniti] → femininity.
fem·i·nize ['femiˌnaiz] **I** *v/t* **1.** weiblich machen. **2.** e-e frauliche Note verleihen (*dat*). **3.** *zo.* femi'nieren. **4.** *fig.* verweiblichen. **II** *v/i* **5.** weiblich werden.
fem·o·ral ['femərəl] *adj anat.* Oberschenkel(knochen)...
fe·mur ['fiːmər] *pl* **-murs** *od.* **fem·o·ra** ['femərə] *s* **1.** *anat.* Oberschenkel(knochen) *m*. **2.** *zo.* drittes Beinglied (*von Insekten*).
fen [fen] *s* Fenn *n*: a) Sumpf-, Marschland *n*, b) (Nieder-, Flach)Moor *n*: the ~s *geogr.* die Niederungen in East Anglia. **'~ˌber·ry** *s bot.* Moosbeere *f*.
fence [fens] **I** *s* **1.** Zaun *m*, Einzäunung *f*, Um'zäunung *f*, Einfriedung *f*, Gehege *n*: to sit on the ~ sich neutral *od.* abwartend verhalten, abwarten, unentschlossen sein; to mend (*od.* look after) one's ~s *pol. Am. sl.* s-e politischen Interessen wahren. **2.** *sport* Hürde *f*, Hindernis *n*. **3.** a) *tech.* Regu'liervorrichtung *f*, Zuhaltung *f* (*am Türschloß*), Führung *f* (*der Hobelmaschine etc*), b) *jur.* Schutzvorrichtung *f*. **4.** a) Fechtkunst *f*, b) *fig.* Debat'tierkunst *f*: a master of ~ ein guter Fechter. **5.** *sl.* a) Hehler *m*, b) Hehlernest *n*. **II** *v/t* **6.** *a.* ~ in einzäunen, einfried(ig)en. **7.** *oft* ~ in, ~ about, ~ round, ~ up um'geben, um'zäunen (with mit). **8.** ~ in einsperren. **9.** verteidigen, schützen, sichern (*a. econ. jur.*) (from, against gegen). **10.** ~ off a) (ab)sperren, b) *a.* ~ out abhalten, abwehren. **11.** *hunt. Br.* zum Schongebiet erklären. **III** *v/i* **12.** a) fechten, pa'rieren, b) *fig.* Ausflüchte machen, sich nicht festlegen (wollen): to ~ with (a question) (e-r Frage) ausweichen. **13.** *sport* die Hürde nehmen. **14.** *sl.* Hehle'rei treiben. **'fence·less** *adj* **1.** offen, uneingezäunt. **2.** *poet.* wehrlos.
fence| liz·ard *s zo. e-e amer. Eidechse.* **~ month** *s hunt. Br.* Schonzeit *f*.
fenc·er ['fensər] *sport s* **1.** Fechter *m*. **2.** (*guter*) Springer (*Pferd*).
fence| sea·son, ~ time → fence month.
fen·ci·ble ['fensibl] **I** *adj Scot.* wehrfähig. **II** *s hist.* 'Landwehrsolˌdat *m*.
fenc·ing ['fensiŋ] **I** *s* **1.** Fechten *n*. **2.** *fig.* ˌSpiegelfechte'rei *f*, Ausflüchte *pl*. **3.** a) Zaun *m*, b) Einzäunung *f*, Zäune *pl*, c) 'Zaunmateriˌal *n*. **II** *adj* **4.** Fecht...: ~ loft Fechtboden *m*. **~ foil** *s* 'Stoßraˌpier *n*.
fend [fend] **I** *v/t* **1.** *oft* ~ off abwehren, fern-, abhalten, sich *j-n* vom Leibe halten. **II** *v/i* **2.** sich wehren. **3.** sorgen (for für): to ~ for o.s. für sich selbst sorgen, sich ganz allein durchs Leben schlagen.
fend·er ['fendər] *s* **1.** *tech.* Schutzvorrichtung *f*. **2.** *mot. Am.* Kotflügel *m*. **3.** *rail. bes. Br.* Stoßfänger *m*, Puffer *m*. **4.** *mar.* Fender *m*. **5.** Ka'minvorsetzer *m*, -gitter *n*.
fen·es·tel·la [ˌfenis'telə] *s arch.* **1.** Fensterchen *n*. **2.** fensterartige Wandnische (*an der Südseite des Altars*).
fe·nes·tra [fi'nestrə] *pl* **-trae** [-triː] *s* **1.** *anat.* Fenster *n* im Mittelohr. **2.** *med.* Fenster *n*, Fensterung *f* (*im Gipsverband*). **fe'nes·tral** *adj* fensterartig, Fenster... **fe'nes·trate** [-treit], **fe'nes·trat·ed** *adj arch. biol.* mit Fenster(n) *od.* kleinen Löchern (versehen), gefenstert. **fen·es'tra·tion** [ˌfenis'treiʃən] *s* Fensterwerk *n*, Fensterung *f* (*a. med.*).
fen fire *s* Irrlicht *n*.
Fe·ni·an ['fiːniən] **I** *s hist.* Fenier *m*: a) *Mitglied e-s irischen Geheimbunds zum Sturz der englischen Herrschaft* (*1858—80*), b) *schottisch-irischer Freiheitskämpfer gegen die Römer.* **II** *adj* fenisch. **'Fe·ni·anˌism** *s* Feniertum *n*.
'fen·man [-mən] *s irr* Bewohner *m* des Marschlandes.
fen·nel ['fenl] *s bot.* Fenchel *m*. **'~ˌflow·er** *s bot.* Schwarzkümmel *m*.
fen·ny ['feni] *adj* sumpfig, Moor...
'fen|-ˌreeve *s Br.* Mooraufseher *m*. **'~-ˌrun·ners** *s pl Br.* (*Art*) Moorschlittschuhe *pl*.
feod *etc* → feud[2] *etc*.
feoff [fef; fiːf] *jur.* **I** *s* → fief. **II** *v/t* → enfeoff. **feoff'ee** [-iː] *s jur.* Belehnte(r) *m*: ~ in (*od.* of) trust Treuhänder *m*. **'feof·fer** → feoffor. **'feoff·ment** *s jur.* Belehnung *f*. **'feof·for** [-ər] *s jur.* Lehnsherr *m*.
-fer [fər] *Wortelement mit der Bedeutung* tragend.
fe·ral ['fi(ə)rəl] *adj* **1.** wild(lebend). **2.** *fig.* wild, bar'barisch.
fere [fir] *s obs. od. dial.* Freund *m*.
fe·ri·al ['fi(ə)riəl] *adj relig.* Wochentags...: ~ day Wochentag *m*.
fe·rine ['fi(ə)rain] → feral.
Fe·rin·ghee [fə'riŋgi] *s Br. Ind.* **1.** Euro'päer(in). **2.** *contp.* Eu'rasier(in).
fer·ment [fər'ment] **I** *v/t* **1.** a) in Gärung bringen (*a. fig.*), b) *fig.* in Wallung bringen, erregen. **II** *v/i* **2.** gären, in Gärung sein (*a. fig.*). **III** *s* ['fəːrment] **3.** *chem.* Gärstoff *m*, Fer'ment *n*. **4.** a) Gärung *f* (*a. fig.*), b) *fig.* innere Unruhe, Wallung *f*, Aufruhr *m*: to be in a ~ → 2. **fer'ment·a·ble** *adj* gär(ungs)fähig.
fer·men·ta·tion [ˌfəːrmen'teiʃən] *s* **1.** *chem.* Gärung *f*, 'Gärungsproˌzeß *m*, Fermentati'on *f*. **2.** *fig.* Gärung *f*, innere Wallung *od.* Wandlung, Aufruhr *m*, Aufregung *f*. **fer'ment·a·tive** [fər'mentətiv] *adj chem.* **1.** Gärung bewirkend. **2.** gärend, Gärungs...
fer'ment·ing *adj* **1.** gärend. **2.** Gär..., Gärungs...
fern [fəːrn] *s bot.* Farn(kraut *n*) *m*. **'fern·er·y** [-əri] *s* Farn(kraut)pflanzung *f*. **'fern·y** *adj* farnartig, voller Farnkraut, Farn...
fe·ro·cious [fə'rouʃəs] *adj* (*adv* ~ly) **1.** wild, grausam, grimmig. **2.** *Am. colloq.* a) ‚wild', ‚toll': ~ activity, b) furchtbar: a ~ bore. **fe'ro·cious·ness, fe·roc·i·ty** [fə'rɒsiti] *s* Grausamkeit *f*, Wildheit *f*.
-ferous [fərəs] *Wortelement mit der Bedeutung* ...tragend, ...haltig, ...erzeugend.
fer·ox ['ferɒks] *s zo. Br.* Große 'Seefoˌrelle.

fer·rate ['fereit] *s chem.* eisensaures Salz.
fer·re·ous ['feriəs] *adj* eisenhaltig.
fer·ret[1] ['ferit] **I** *s* **1.** *zo.* Frettchen *n.* **2.** *fig.* ‚Spürhund' *m (Person).* **3.** *mil.* Spürfahrzeug *n (für elektromagnetische Strahlungen).* **II** *v/t* **4.** *meist* ~ **about,** ~ **away,** ~ **out** *hunt.* (mit Frettchen) (her)'ausjagen. **5.** *fig.* ~ **out** aufspüren, -stöbern, her'ausfinden. **III** *v/i* **6.** *hunt.* mit Frettchen jagen, fret'tieren. **7.** ~ **about** (her'um)suchen (**for** nach).
fer·ret[2] ['ferit] *s* schmales (Baum)-Woll- *od.* Seidenband.
fer·ri·age ['feriidʒ] *s* **1.** Fährgeld *n.* **2.** 'Überfahrt *f (mit e-r Fähre).*
fer·ric ['ferik] *adj chem.* Eisen..., Ferri...: ~ **acid** Eisensäure *f.*
fer·ri·cy·a·nide [ˌferi'saiəˌnaid] *s chem.* Cy'aneisenverbindung *f*: **potassium** ~ Ferricyankalium *n.* **fer'rif·er·ous** [-fərəs] *adj chem.* eisenhaltig.
Fer·ris wheel ['feris] *s* Riesenrad *n.*
fer·rite ['ferait] *s chem. min.* Fer'rit *m.*
ˌ**fer·ro'con·crete** *s* 'Eisenbeˌton *m.*
ˌ**fer·ro·cy'an·ic** *adj chem.* eisenblausauer. ˌ**fer·ro'man·gaˌnese** *s chem.* 'Eisenmanˌgan *n.*
'**fer·roˌtype** *phot.* **I** *s* **1.** Ferroty'pie *f.* **II** *v/t* **2.** *(auf Blech)* 'schnellphotograˌphieren. **3.** *e-e Kopie* auf Hochglanz glänzen.
fer·rous ['ferəs] *adj chem.* eisenhaltig, -artig, Eisen..., Ferro...: ~ **chloride** Eisenchlorür *n.*
fer·ru·gi·nous [fe'ruːdʒinəs] *adj* **1.** *chem. min.* eisenhaltig, Eisen... **2.** rostfarbig.
fer·rule[1] ['feruːl] *tech.* **I** *s* **1.** Stockzwinge *f,* Ringbeschlag *m.* **2.** a) Bundring *m (für Rohre),* b) Muffe *f.* **II** *v/t* **3.** mit e-r Stockzwinge *etc* versehen.
fer·rule[2] *fälschlich für* **ferule.**
fer·ry ['feri] **I** *s* **1.** Fähre *f,* Fährschiff *n,* -boot *n.* **2.** *jur.* Fährgerechtigkeit *f.* **3.** *aer.* a) Über'führungsdienst *m (von der Fabrik zum Benutzer),* b) Luftfähre *f.* **II** *v/t* **4.** 'übersetzen. **5.** befördern. **6.** a) *Fahrzeuge* abliefern, b) *ein Flugzeug* von der Fa'brik zum Flugplatz fliegen, über'führen. **III** *v/i* **7.** Fähr(en)dienst versehen. **8.** (in e-r Fähre) 'übersetzen *od.* fahren (**across** über *acc*). '~ˌ**boat** → **ferry** 1. ~ **bridge** *s* **1.** Tra'jekt *m, n,* Eisenbahnfähre *f.* **2.** Fähr-, Landungsbrücke *f.* '~**man** [-mən] *s irr* Fährmann *m.*
fer·tile [*Br.* 'fəːtail; *Am.* -til; -tl] *adj* (*adv* ~**ly**) **1.** fruchtbar, ergiebig, reich (**in, of** an *dat*). **2.** *fig.* fruchtbar, produk'tiv, schöpferisch. **3.** *biol.* a) befruchtet, b) fortpflanzungsfähig: ~ **shoot** *bot.* Blütensproß *m.* **fer'til·i·ty** [-'tiliti] *s* Fruchtbarkeit *f,* Ergiebigkeit *f,* Reichtum *m* (**of** an *dat*) (*a. fig.*): ~ **rate** *(Statistik)* Fruchtbarkeitsziffer *f.* **fer·ti·li·za·tion** [ˌfəːtilai'zeiʃən] *s* **1.** Fruchtbarmachen *n,* Befruchtung *f* (*a. biol.*): ~ **tube** *bot.* Pollenschlauch *m.* **2.** *agr.* Düngen *n,* Düngung *f.* '**fer·tiˌlize** *v/t* **1.** fruchtbar machen. **2.** *biol. u. fig.* befruchten. **3.** *agr.* düngen. '**fer·tiˌliz·er** *s* **1.** Befruchter *m* (*a. fig.*). **2.** *agr.* (*bes.* Kunst)Dünger *m,* Düngemittel *n*: **artificial** ~.
fer·u·la ['ferjulə; -ru-] *pl* **-lae** [-ˌliː] *s* **1.** *bot.* Steckenkraut *n.* **2.** → **ferule** I.
fer·ule ['feruːl] **I** *s* (flaches) Line'al *(zur Züchtigung),* Zuchtrute *f* (*a. fig.*). **II** *v/t* züchtigen.
fer·ven·cy ['fəːrvənsi] → **fervor** 1.
'**fer·vent** *adj* (*adv* ~**ly**) **1.** *fig.* glühend, feurig, leidenschaftlich, heiß, inbrünstig. **2.** (glühend) heiß.
fer·vid ['fəːrvid] *adj* (*adv* ~**ly**) → **fervent.** '**fer·vor,** *bes. Br.* '**fer·vour** [-vər] *s* **1.** *fig.* Feuer *n,* Glut *f,* Leidenschaft *f,* Inbrunst *f,* Eifer *m.* **2.** Glut *f.*
Fes·cen·nine ['fesəˌnain] *adj* feszen'ninisch, schlüpfrig, zotig.
fes·cue ['feskjuː] *s* **1.** *a.* ~ **grass** *bot.* Schwingelgras *n.* **2.** *ped.* Zeigestab *m.*
fess(e) [fes] *s her.* (horizon'taler Quer)-Balken. ~ **point** *s* Herzstelle *f (im Wappenschild).*
fes·tal ['festl] *adj* (*adv* ~**ly**) festlich, Fest...
fes·ter ['festər] **I** *v/i* **1.** schwären, eitern. **2.** Eiterung her'vorrufen. **3.** verwesen, verfaulen. **4.** *fig.* nagen, um sich fressen *(Gefühl).* **II** *v/t* **5.** zum Eitern *od.* Schwären bringen. **6.** *fig.* zerfressen. **III** *s* **7.** Schwäre *f.*
fes·ti·val ['festivəl] **I** *s* **1.** Fest(tag *m*) *n.* **2.** *mus. etc* Festspiele *pl*: **the Edinburgh** ~. **II** *adj* **3.** festlich, Fest..., Festspiel(wochen)... '**fes·tive** *adj* (*adv* ~**ly**) **1.** festlich, Fest... **2.** gesellig, fröhlich. '**fes·tive·ness** *s* Festlichkeit *f.* **fes'tiv·i·ty** *s* **1.** *oft pl* festlicher Anlaß, Fest(lichkeit *f*) *n.* **2.** festliche Stimmung.
fes·toon [fes'tuːn] **I** *s* **1.** Gir'lande *f,* (Blumen-, Frucht)Gehänge *n*: ~ **cloud** *meteor.* Mammatokumulus *m.* **II** *v/t* **2.** mit Gir'landen schmücken. **3.** zu Gir'landen (ver)binden. **fes'toon·er·y** [-əri] *s* Gir'landen(schmuck *m*) *pl.*
fe·tal ['fiːtl] *adj med.* fö'tal, Fötus...
fe'ta·tion *s med.* Schwangerschaft *f.*
fetch [fetʃ] **I** *v/t* **1.** (her'bei)holen, ('her)bringen: **to (go and)** ~ **a doctor** e-n Arzt holen; **to** ~ **back** zurückbringen; **to** ~ **down** *hunt.* ‚runterholen', abschießen; **to** ~ **s.o. round** *colloq.* j-n ‚rumkriegen'. **2.** abholen. **3.** *Atem* holen: **to** ~ **a breath. 4.** *e-n Seufzer etc* ausstoßen: **to** ~ **a sigh** (auf)seufzen. **5.** her'vorlocken (**from** von): **to** ~ **a laugh; to** ~ **tears** (ein paar) Tränen hervorlocken. **6.** *e-n Preis etc* erzielen, einbringen. **7.** *colloq.* für sich einnehmen, fesseln, anziehen, erfreuen. **8.** *colloq. j-m e-n Schlag* versetzen: **to** ~ **s.o. one** j-m ‚eine langen' *od.* ‚runterhauen'. **9.** *mar.* erreichen. **10.** appor'tieren *(Hund)*: ~**!** apport! **11.** ~ **up** a) *ein Kind* aufziehen, b) *verlorene Zeit* auf-, einholen, c) *etwas* ausspeien, (er)brechen. **II** *v/i* **12.** holen gehen: **to** ~ **and carry** (nur) Handlanger sein, niedrige Dienste verrichten, ‚rennen'. **13.** *mar.* Kurs nehmen: **to** ~ **about** vieren. **14.** *hunt.* appor'tieren. **15.** ~ **up** a) zum Stehen kommen, b) ankommen, ‚landen'. **16.** ~ **away** (*od.* **way**) *mar.* verrutschen, sich verlagern. **III** *s* **17.** (Ein-, Her'bei)Holen *n,* Bringen *n.* **18.** *bes. mar.* Strecke *f,* Weg *m.* **19.** Trick *m,* Kniff *m.* **20.** Geistererscheinung *f.* **21.** (**of**) Gegenstück *n* (zu), (genaues) Abbild (von *od. gen*).
fetch·ing ['fetʃiŋ] *adj colloq.* bezaubernd, fesselnd, einnehmend.
fête [feit; fɛːt] **I** *s* **1.** Fest(lichkeit *f*) *n.* **2.** → **fête day. II** *v/t* **3.** *j-n, ein Ereignis* feiern. **4.** *j-n* festlich bewirten. ~ **cham·pê·tre** [fɛːt ʃɑ̃'pɛːtr] *(Fr.) s* Gartenfest *n,* Fest *n* im Freien. ~ **day** *s* Namenstag *m.*
fe·tich *etc* → **fetish** *etc.*
fe·ti·cide ['fiːtiˌsaid] *s jur. med.* Tötung *f* der Leibesfrucht, Abtreibung *f.*
fet·id ['fetid; 'fiː-] *adj* stinkend. '**fet·id·ness** *s* Gestank *m.*
fe·tish ['fiːtiʃ; 'fetiʃ] *s* Fetisch *m.* '**fe·tishˌism** *s* **1.** Fetischverehrung *f.* **2.** *psych.* Feti'schismus *m.* '**fe·tish·ist** *s* Fetischanbeter *m,* Feti'schist *m.*
fet·lock ['fetlɒk] *s zo.* a) Behang *m,* Kötenhaar *n,* b) *a.* ~ **joint** Fessel(gelenk *n*) *f (des Pferdes).*
fe·tor ['fiːtər] *s* Gestank *m.*
fet·ter ['fetər] **I** *s* **1.** (Fuß)Fessel *f.* **2.** *pl fig.* Fesseln *pl,* Gefangenschaft *f.* **3.** *fig.* Fessel *f,* Zwang *m,* Hemmschuh *m,* Hindernis *n.* **II** *v/t* **4.** fesseln (*a. fig.*). **5.** *fig.* hemmen, zügeln. '**fet·ter·less** *adj* **1.** ohne Fesseln. **2.** zwanglos. '**fet·ter·lock** *s* **1.** (D-förmige) Pferdefußfessel (*a. her.*). **2.** → **fetlock.**
fet·tle ['fetl] *s* Verfassung *f,* Zustand *m*: **in good** ~ (gut) in Form.
fe·tus ['fiːtəs] *s med.* Fötus *m,* Leibesfrucht *f.*
feu [fjuː] *jur. Scot.* **I** *s* Lehen(sbesitz *m*) *n.* **II** *v/t* in Lehen geben *od.* nehmen. '**feu·ar** [-ər] *s jur. Scot.* Lehenspächter *m.*
feud[1] [fjuːd] *s* Fehde *f* (*a. fig.*): **to be at (deadly)** ~ **with s.o.** mit j-m in (tödlicher) Fehde liegen.
feud[2] [fjuːd] *s jur.* Lehen *n,* Lehn(s)-[gut *n*.]
feu·dal ['fjuːdl] *adj* (*adv* ~**ly**) feu'dal, Lehns...: ~ **system** → **feudalism;** ~ **tenure** Lehen *n.* '**feu·dalˌism** [-dəˌl-] *s* Feuda'lismus *m,* Feu'dal-, 'Lehenssyˌstem *n.* '**feu·dal·ist** *s* Anhänger(in) des Feu'dalsyˌstems. **feu·dal·i·ty** [fju'dæliti] *s* **1.** Lehnbarkeit *f.* **2.** Lehenswesen *n.* '**feu·dalˌize** *v/t* lehnbar machen. **feu·da·to·ry** ['fjuːdətəri] **I** *s* Lehnsmann *m,* Va'sall *m.* **II** *adj* lehnspflichtig, Lehns... **feud·ist** ['fjuːdist] *s jur.* Feu'dalrechtsgelehrte(r) *m.*
feuil·le·ton [fœj'tɔ̃] *(Fr.) s* Feuille'ton *n,* Unter'haltungsteil *m (e-r Zeitung).*
fe·ver ['fiːvər] **I** *s* **1.** *med.* Fieber *n*: **to have a** ~ Fieber haben; ~ **heat** a) Fieberhitze *f,* b) *fig.* fiebernde Erregung. **2.** *med.* Fieberzustand *m,* -krankheit *f*: **nervous** ~ Nervenfieber *n.* **3.** *fig.* Fieber *n*: a) fieberhafte Auf- *od.* Erregung: **in a** ~ in (heller) Aufregung; **at a** ~ **pitch** fieberhaft, wie toll, b) Sucht *f,* Rausch *m*: **gold** ~. **II** *v/i* **4.** fiebern. **III** *v/t* **5.** *j-n* in Fieber versetzen. '**fe·vered** *adj* **1.** fiebernd, fieb(e)rig. **2.** *fig.* fieberhaft, erregt.
'**fe·verˌfew** *s bot.* Mutterkraut *n.*
fe·ver·ish ['fiːvəriʃ] *adj* (*adv* ~**ly**) **1.** fieberkrank, fieb(e)rig, Fieber...: **she is** ~ sie hat Fieber; ~ **cold** Erkältung *f* mit Fieber. **2.** Fieber erzeugend. **3.** *fig.* fieberhaft, aufgeregt. '**fe·ver·ish·ness** *s* Fieberhaftigkeit *f.*
few [fjuː] **I** *adj u. pron (immer pl)* **1.** wenige (*Ggs* **many**): ~ **persons; a man of** ~ **words** ein Mann von wenig Worten; **some** ~ einige wenige; **his friends are** ~ er hat wenige Freunde; **the labo(u)rers are** ~ *Bibl.* der Arbeiter sind wenige; ~ **and far between** sehr vereinzelt, dünn gesät. **2. a** ~ einige, ein paar (*Ggs* **none**): **he told me a** ~ **things** er hat mir einiges erzählt; **a good** ~, **quite a** ~ ziemlich viele, e-e ganze Menge; **a faithful** ~ ein paar Getreue; **every** ~ **days** alle paar Tage; **not a** ~ nicht wenige, viele; **only a** ~ nur wenige. **3. the** ~ die wenigen *pl,* die Minderheit (*Ggs* **the many**): **the happy** ~ die wenigen Glücklichen; **the select** ~ die Auserwählten. **II** *adv* **4.** *sl.* **a** ~ sehr (viel), ganz bestimmt. '**few·er** *adj u. pron* weniger: ~ **persons; less production means** ~ **jobs; no** ~ **than** nicht weniger als. '**few·ness** *s* geringe (An)Zahl.
fey [fei] *adj obs. od. Scot.* **1.** todgeweiht. **2.** 'übermütig.
fez [fez] *pl* '**fez·zes** *s* Fes *m, n.*

fi·an·cé [fiˈɑ̃ːsei; ˌfiːɑːnˈsei] *s* Verlobte(r) *m.* **fi·an·cée** [fiˈɑ̃ːsei; ˌfiːɑːnˈsei] *s* Verlobte *f.*

Fi·an·na [ˈfiːənə], *a.* ~ **Eir·eann** [ˈɛ(ə)rən] (*Ir.*) *s pol.* Fenier *pl.* ~ **Fail** [fɔːl] *s* die Parˈtei de Vaˈleras.

fi·as·co [fiˈæskou] *pl* **-cos** *s* Fiˈasko *n*: a) ˈMißerfolg *m*, b) Blaˈmage *f.*

fi·at [ˈfaiæt] **I** *s* **1.** Fiat *n*, Befehl *m*, Machtwort *n.* **2.** *jur. Br.* richterliche Verfügung. **3.** Bestätigung *f*, Ermächtigung *f.* **II** *v/t* **4.** bestätigen, gutheißen. ~ **mon·ey** *s Am.* Paˈpiergeld *n* ohne Deckung.

fib[1] [fib] **I** *s* kleine Lüge, Schwindeˈlei *f*, Flunkeˈrei *f*: to tell a ~ → II. **II** *v/i* schwindeln, flunkern. [**II** *s* Schlag *m.*]

fib[2] [fib] **I** *v/t u. v/i sl.* ‚hauen', prügeln.

fib·ber [ˈfibər] → fibster.

fi·ber, *bes. Br.* **fi·bre** [ˈfaibər] *s* **1.** *biol. tech.* Faser *f*, Fiber *f*: glass~; ~ trunk (Vulkan)Fiberkoffer *m.* **2.** *collect.* Faserstoff *m*, -gefüge *n*, Texˈtur *f.* **3.** *fig.* a) Strukˈtur *f*, b) Schlag *m*, Chaˈrakter *m*: of coarse ~ grobschlächtig, c) (Chaˈrakter)Stärke *f*, Rückgrat *n*: to give ~ to Kraft verleihen (*dat*). **4.** Faserwurzel *f.* ˈ~ˌ**board** *s tech.* Faserstoff-, Holzfaserplatte *f.* ˈ~ˌ**glass** *s tech.* Fiberglas *n.*

fi·ber·less, *bes. Br.* **fi·bre·less** [ˈfaibərlis] *adj* **1.** faserlos. **2.** kraftlos.

fi·bre, ~**·board** *bes. Br. für* fiber, fiberboard.

fi·bre·less *bes. Br. für* fiberless.

fi·bri·form [ˈfaibriˌfɔːrm] *adj* faserförmig, -artig, faserig.

fi·bril [ˈfaibril] *s* **1.** Fäserchen *n*, kleine Faser. **2.** *bot.* Wurzelfaser *f.* ˈ**fi·bril·lar**, ˈ**fi·bril·lar·y** *adj* feinfaserig. ˈ**fi·brilˌlate** [-ˌleit] *adj* faserig. ˌ**fi·brilˈla·tion** *s* **1.** Faserbildung *f*, Faserung *f.* **2.** *med.* Flattern *n* (*der Herzkammern*). **fiˈbril·liˌform** [-liˌfɔːrm] *adj* faserförmig.

fi·brin [ˈfaibrin] *s* **1.** *chem.* Fiˈbrin *n*, Blutfaserstoff *m.* **2.** *a.* plant ~ *bot.* Pflanzenfaserstoff *m.* ˈ**fi·brin·ous** *adj* fibriˈnös, Fibrin...

fi·broid [ˈfaibrɔid] **I** *adj* faserartig, Faser... **II** *s* → fibroma.

fi·bro·ma [faiˈbroumə] *pl* **-ma·ta** [-mətə] *s med.* Fiˈbrom *n*, Fasergeschwulst *f.* **fiˈbro·sis** [-sis] *s med.* ˈübermäßige Entwicklung von Bindegewebsfasern, Fiˈbrosis *f.* ˌ**fi·broˈsi·tis** [-broˈsaitis] *s med.* Bindegewebsentzündung *f.*

fi·brous [ˈfaibrəs] *adj* **1.** faserig, fiˈbrös. **2.** *tech.* sehnig (*Metall*).

fib·ster [ˈfibstər] *s colloq.* Flunkerer *m.*

fib·u·la [ˈfibjulə] *pl* **-lae** [-ˌliː], **-las** *s* **1.** *anat.* Wadenbein *n.* **2.** *antiq.* Fibel *f*, Spange *f.*

fi·ce [fais] → feist.

fich·u [ˈfiʃuː] *s* Hals-, Schultertuch *n.*

fick·le [ˈfikl] *adj* unbeständig, wankelmütig, launisch. ˈ**fick·le·ness** *s* Unbeständigkeit *f*, Wankelmut *m.*

fic·tile [*bes. Br.* ˈfiktail; *Am.* -tl] *adj* **1.** formbar, plastisch. **2.** tönern, irden, Ton..., Töpferei...: ~ art Töpferei *f*, Keramik *f*; ~ ware Steingut *n.*

fic·tion [ˈfikʃən] *s* **1.** (freie) Erfindung, Dichtung *f.* **2.** *collect.* ˈProsa-, Roˈmanliteraˌtur *f*, Belleˈtristik *f*: work of ~ Roman *m.* **3.** *collect.* Roˈmane *pl*, Prosa *f* (*e-s Autors*). **4.** *jur. philos.* Fiktiˈon *f.* **5.** *contp.* ‚Märchen' *n.* ˈ**fic·tion·al** *adj* **1.** erdichtet, erfunden. **2.** Roman..., Erzähl(ungs)... ˈ**fic·tion·er**, ˈ**fic·tion·ist** *s* Roˈman-, Prosaschriftsteller(in).

fic·ti·tious [fikˈtiʃəs] *adj* (*adv* ~**ly**) **1.** (frei) erfunden, fikˈtiv. **2.** unwirklich, Phantasie... **3.** roˈmanhaft, Roman... **4.** *jur. etc* fikˈtiv: a) *a. philos.* (bloß) angenommen, b) *contp.* fingiert, falsch, unecht: ~ bill *econ.* Kellerwechsel *m*; ~ contract Scheinvertrag *m*; ~ name angenommener Name, Deckname *m.* **ficˈti·tious·ness** *s* Unechtheit *f*, (*das*) Fikˈtive.

fic·tive [ˈfiktiv] *adj* **1.** erdichtet, angenommen, fikˈtiv, imagiˈnär. **2.** schöpferisch begabt, Roman..., Erzähl(er)...

fid·dle [ˈfidl] **I** *s* **1.** *mus. colloq.* Fiedel *f*, Geige *f*: to play (on) the ~ Geige spielen; to play first (second) ~ *bes. fig.* die erste (zweite) Geige spielen; to hang up one's ~ when one comes home s-e gute Laune an den Nagel hängen, wenn man heimkommt; fit as a ~ a) kerngesund, b) ‚quietschvergnügt'. **2.** *mar.* Schlingerbord *n.* **3.** *sl.* Mogeˈlei *f*, Betrug *m.* **II** *v/i* **4.** *a.* ~ away *colloq.* fiedeln, geigen. **5.** *a.* ~ about (herˈum)tändeln, (-)trödeln. **6.** *a.* ~ about (with) a) herˈumfingern (an *dat*), spielen (mit), b) herˈumbasteln *od.* -pfuschen (an *dat*), sich zu schaffen machen (an *dat od.* mit). **III** *v/t* **7.** *colloq.* fiedeln: to ~ a tune. **8.** *meist* ~ away *sl. Zeit* vertrödeln. **9.** *sl.* a) ‚beschummeln', b) fälschen, ‚friˈsieren': to ~ accounts. **IV** *interj* **10.** Unsinn!, dummes Zeug! ˌ~**-de-ˈdee** [-diˈdiː] → fiddle 10. ˈ~-ˌ**fad·dle** [-ˌfædl] **I** *s* **1.** Lapˈpalie *f.* **2.** Unsinn *m.* **II** *v/i* **3.** (dummes Zeug) schwatzen. **4.** die Zeit vertrödeln. **III** *adj* **5.** läppisch. **IV** *interj* **6.** → fiddle 10.

fid·dler [ˈfidlər] *s* **1.** Fiedler *m*, Geiger *m*: to pay the ~ *bes. Am. sl.* ‚blechen'. **2.** *a.* ~ crab *zo.* Winkerkrabbe *f.*

ˈ**fid·dleˌstick** **I** *s* **1.** *mus.* Fiedel-, Geigenbogen *m.* **2.** *fig.* wertloses Zeug. **II** *interj* **3.** *pl* Unsinn!

fid·dling [ˈfidliŋ] *adj* läppisch, geringfügig.

Fi·de·i De·fen·sor [ˈfaidiˌai diˈfensɔːr] (*Lat.*) *s* Verteidiger *m* des Glaubens (*Titel der englischen Könige*).

fi·del·i·ty [faiˈdeliti; fiˈd-] *s* **1.** (*a. eheliche*) Treue (to gegenüber, zu). **2.** Genauigkeit *f*, genaue Überˈeinstimmung (*mit den Tatsachen*): with ~ wortgetreu. **3.** *electr.* Wiedergabe(güte) *f*, Klangtreue *f.* ~ **in·sur·ance** *s econ.* Kautiˈonsversicherung *f.*

fidg·et [ˈfidʒit] **I** *s* **1.** *oft pl* nerˈvöse Unruhe, Zappeˈlei *f*: to have the ~s → 4. **2.** ‚Zappelphilipp' *m*, unruhiger Mensch. **II** *v/t* **3.** nerˈvös machen. **II** *v/i* **4.** (herˈum)zappeln, unruhig *od.* nerˈvös sein, nicht stillsitzen können. **5.** ~ with (herˈum)spielen *od.* (-)fuchteln mit. ˈ**fidg·et·i·ness** *s* (nerˈvöse) Unruhe, (HerˌumZappeˈlei *f.* ˈ**fidg·et·y** *adj* unruhig, nerˈvös, kribbelig, zappelig: ~ Philip → fidget 2.

fid·i·bus [ˈfidibəs] *s Br.* Fidibus *m.*

Fi·do, FI·DO [ˈfaidou] *s aer. ein Verfahren zur Bodenentnebelung* (*abbr. für* Fog Investigation Dispersal Operations).

fi·du·cial [fiˈdjuːʃiəl; -ʃəl; -ˈduː-] *adj* **1.** *astr. phys.* Vergleichs... **2.** vertrauensvoll. **fiˈdu·ci·ar·y** *jur.* **I** *s* **1.** Treuhänder *m*, Vertrauensmann *m.* **II** *adj* **2.** treuhänderisch, Treuhand..., Treuhänder..., Vertrauens... **3.** *econ.* ungedeckt (*Noten*).

fie [fai] *interj oft* ~ upon you! pfui!, schäm dich!

fief [fiːf] *s jur.* Lehen *n*, Lehn(s)gut *n.*

field [fiːld] **I** *s* **1.** *agr.* Feld *n*: ~ of barley Gerstenfeld. **2.** *min.* a) (*Gold etc*)Feld *n*: diamond ~; oil ~, b) (Gruben)Feld *n*, Reˈvier *n*, (Kohlen)Flöz *n*: coal ~. **3.** *fig.* Bereich *m*, (Sach-, Fach)Gebiet *n*: in the ~ of art auf dem Gebiet der Kunst; in his ~ auf s-m Gebiet, in s-m Fach; ~ of activity Arbeitsgebiet, Tätigkeitsbereich; ~ of application Anwendungsbereich; ~ of law Rechtsgebiet. **4.** a) (weite) Fläche, b) *math. phys.* Feld *n*: ~ of force Kraftfeld; ~ of vision Blick- *od.* Gesichtsfeld, *fig.* Gesichtskreis *m*, Horizont *m*, c) (*elektrisches od. magnetisches*) Feld: ~ coil Feldspule *f.* **5.** *her.* Feld *n*, Grundfläche *f.* **6.** *sport* a) Sportfeld *n*, -platz *m*, Spielfeld *n*, -fläche *f*, b) Feld *n* (*Gesamtheit od. Hauptmasse der beteiligten Wettläufer od. Pferde etc*), c) Teilnehmer *pl*, Besetzung *f*, *fig.* (*die*) Wettbewerbsteilnehmer *pl*, d) *Baseball, Kricket*: ˈFängerparˌtei *f*: good ~ starke Besetzung; fair ~ and no favo(u)r gleiche Bedingungen für alle. **7.** *mil.* a) *meist poet.* Schlachtfeld *n*, (Feld)Schlacht *f*, b) Feld *n*, Front *f*: a hard-fought ~ e-e heiße Schlacht; in the ~ im Felde, an der Front; to keep the ~ sich behaupten; to take the ~ ins Feld rücken, den Kampf eröffnen; to hold the ~ das Feld behaupten; to win the ~ den Sieg davontragen; the ~ of hono(u)r das Feld der Ehre. **8.** *mil.* a) *aer.* Flugplatz *m*, b) Feld *n* (*im Geschützrohr*). **9.** *med.* Operatiˈonsfeld *n.* **10.** *TV* Feld *n*, Rasterbild *n.* **11.** *bes. psych. sociol.* Praxis *f*, Wirklichkeit *f* (*Ggs Theorie*). **12.** *econ.* Außendienst *m*, (praktischer) Einsatz: agents in the ~ Vertreter im Außendienst; ~ investigator → field worker 2; ~ staff im Außendienst tätiger Mitarbeiterstab. **II** *v/t* **13.** *Baseball, Kricket*: a) *den Ball* auffangen u. zuˈrückwerfen, b) *Spieler der Schlägerpartei* im Feld aufstellen. **III** *v/i* **14.** *Baseball, Kricket*: bei der ˈFängerparˌtei sein.

field| al·low·ance *s mil.* Kriegszulage *f* (*für Offiziere*). ~ **ar·til·ler·y** *s mil.* ˈFeldartilleˌrie *f.* ~ **bag** *s mil.* Brotbeutel *m.* ˈ~ˌ**ball** *s sport* Handball(spiel *n*) *m.* ~ **base** *s Baseball*: Laufmal *n.* ~ **corn** *s agr. Am.* Mais *m* (*als Viehfutter*). ~ **cur·rent** *s electr.* Feldstrom *m.* ~ **day** *s* **1.** *mil.* Felddienstübung *f*, Truppenbesichtigung *f.* **2.** *Am.* a) Sportfest *n*, b) Exkursiˈonstag *m.* **3.** *fig.* großer Tag: he had a ~. ~ **dress·ing** *s mil.* Notverband *m*, Verbandpäckchen *n.* ~ **en·gi·neers** *s pl mil. Br.* leichte Pioˈniertruppe(n *pl*). ~ **e·quip·ment** *s mil.* feldmarschmäßige Ausrüstung.

field·er [ˈfiːldər] *s Kricket, Baseball*: **1.** a) Fänger *m*, b) Feldspieler *m.* **2.** *pl* ˈFängerparˌtei *f.*

field| e·vents *s pl sport Br.* Sprung- u. Wurfwettkämpfe *pl*; → field sports 2. ~ **ex·ec·u·tive** *s econ.* leitender Angestellter e-r Außenstelle. ~ **ex·er·cise** *s mil.* Felddienst-, Truppenübung *f.* ~ **glass** *s* Feldstecher *m*, Fernglas *n.* ~ **gun** *s mil.* Feldgeschütz *n.* ~ **hock·ey** *s sport* (Rasen)Hockey *n.* ~ **hos·pi·tal** *s mil.* ˈKriegslazaˌrett *n.* ~ **ice** *s* Feldeis *n.* ~ **in·ten·si·ty** *s math. phys.* Feldstärke *f.* ~ **kitch·en** *s mil.* Feldküche *f.* ~ **lark** *s orn.* Feldlerche *f.* ~ **map** *s* Flurkarte *f.* ~ **mar·shal** *s mil.* ˈFeldmarˌschall *m.* ~ **mouse** *s irr zo.* Feldmaus *f.* ~ **mu·sic** *s mar. mil.* **1.** Spielmannszug *m* aus (Siˈgnal)HorˌnistenU. Trommlern. **2.** Geˈfechtssiˌgnale *pl*, ˈMarschmuˌsik *f* (*von* 1). ~ **night** *s pol. Br.* entscheidende Nachtsitzung. ~ **of·fice** *s* Außenstelle *f.* ~ **of·fi·cer** *s mil.* ˈStabsoffiˌzier *m* (*Major bis Oberst*). ~ **pack** *s mil.* Marschgepäck *n*, Torˈnister *m.*

'fields·man [-mən] *s irr* → fielder 1.
field| sports *s pl* **1.** Sport *m od.* Vergnügungen *pl* im Freien (*bes. Jagen, Fischen*). **2.** *Leichtathletik*: technische Diszi'plinen *pl* (→ **field events**). **~ test** *s* praktischer Versuch. **~ train·ing** *s mil.* Geländeausbildung *f*. **~ trip** *s ped.* Exkursi'on *f*. **~ wind·ing** *s electr.* Erreger-, Feldwicklung *f*. **'~ˌwork** *s* **1.** *mil.* Feldbefestigung *f*, -schanze *f*. **2.** praktische (wissenschaftliche) Arbeit, praktischer Einsatz. **3.** *bes. econ.* Außendienst *m*, -einsatz *m*. **4.** *Meinungsforschung*: Feldarbeit *f*. **~ work·er** *s* **1.** im Außendienst tätiger Mitarbeiter. **2.** *Meinungsforschung*: Befrager(in), Inter'viewer(in).
fiend [fiːnd] *s* **1.** a) Satan *m*, Teufel *m*, b) Dämon *m*, Unhold *m* (*alle a. fig. Person*). **2.** *colloq. bes. in Zssgn* a) Süchtige(r *m*) *f*: **an opium ~**, b) Fex *m*, Narr *m*, Fa'natiker *m*: **a golf ~**, **a ~ for golf** ein besessener *od.* leidenschaftlicher Golfspieler; → **fresh-air fiend**, c) *Am.* ‚Größe' *f*, ‚Ka'none' *f* (**at** in *dat*). **'fiend·ish** *adj* (*adv* **~ly**) **1.** teuflisch, unmenschlich. **2.** *colloq.* verteufelt, scheußlich, ‚mies': **a ~ job**. **'fiend·ish·ness** *s* teuflische Bosheit, Grausamkeit *f*.
fierce [firs] *adj* (*adv* **~ly**) **1.** wild, grimmig, wütend (*alle a. fig.*): **a ~ man**; **a ~ face**; **~ efforts**. **2.** *fig.* hitzig, heftig, leidenschaftlich, fa'natisch. **3.** a) heftig: **~ pains**, b) grell: **~ light**. **4.** *Am. sl.* ‚fies', widerlich. **'fierce·ness** *s* **1.** Wildheit *f*, Grimm *m*, Grimmigkeit *f*, Wut *f*. **2.** Ungestüm *n*, Heftigkeit *f*.
fi·e·ri fa·ci·as ['faiəˌrai 'feiʃiˌæs] (*Lat.*) *s jur.* 'Zwangsvollˌstreckungsbeˌfehl *m*.
fi·er·i·ness ['fai(ə)rinis] *s* Hitze *f*, Feuer *n*. **'fi·er·y** *adj* (*adv* **fierily**) **1.** brennend, glühend, heiß, feurig (*alle a. fig.*), Feuer... **2.** *fig.* feurig, heftig, hitzig, leidenschaftlich. **3.** feuergefährlich. **4.** *med.* entzündet: **~ throat**. **5.** *Bergbau*: schlagwetterführend.
fi·es·ta [fi'estə] *s* Fi'esta *f*, Feier-, Festtag *m*.
fife [faif] *mus.* **I** *s* **1.** (Quer)Pfeife *f*. **2.** → **fifer**. **II** *v/t u. v/i* **3.** (*auf der Querpfeife*) pfeifen. **'fif·er** *s* (Quer)Pfeifer *m*.
fif·teen ['fif'tiːn] **I** *adj* **1.** fünfzehn. **II** *s* **2.** (*die*) Fünfzehn. **3.** *colloq.* Rugby-Fußballmannschaft *f*. **4. the F~** *der jakobitische Aufstand des Jahres 1715*. **'fif'teenth** [-'tiːnθ] **I** *adj* **1.** fünfzehnt(er, e, es). **II** *s* **2.** (*der, die, das*) Fünfzehnte. **3.** *math.* Fünfzehntel *n*.
fifth [fifθ] **I** *adj* **1.** fünft(er, e, es): → **rib** 1. **II** *s* **2.** (*der, die, das*) Fünfte. **3.** *math.* Fünftel *n*. **4.** *mus.* Quinte *f*. **~ col·umn** *s pol.* Fünfte Ko'lonne. **ˌ~-'col·umn** *adj* die Fünfte Ko'lonne betreffend.
fifth·ly ['fifθli] *adv* fünftens.
Fifth| Mon·ar·chy *s hist.* Fünfte (univer'sale) Monar'chie: **~ Men** (*im 17. Jh.*) *fanatische Anhänger des Glaubens an den baldigen Anbruch des Reiches Christi*. **f~ wheel** *s* **1.** fünftes Rad, Ersatzrad *n*. **2.** a) Dreh(schemel)ring *m* der Vorderachse, b) Drehschemel *m* (*beim Sattelschlepper*). **3.** *fig.* ‚fünftes Rad am Wagen'.
fif·ti·eth ['fiftiiθ] **I** *adj* **1.** fünfzigst(er, e, es). **II** *s* **2.** (*der, die, das*) Fünfzigste. **3.** Fünfzigstel *n*.
fif·ty ['fifti] **I** *adj* fünfzig: **I have ~ things to tell you** ich habe dir hunderterlei zu erzählen. **II** *s* Fünfzig *f*: **the fifties** a) die fünfziger Jahre (*Zeitalter*), b) die Fünfziger(jahre) (*Lebensalter*). **'~-'fif·ty** *adj u. adv colloq.* halbpart, halb u. halb, fifty-fifty.
fig[1] [fig] *s* **1.** *bot.* a) Feige *f*, b) Feigenbaum *m*. **2.** *fig. verächtliche Geste*. **3.** *fig.* Deut *m*: **I don't care a ~ (for it)** ich mache mir nichts daraus, es ist mir (ganz) schnuppe *od.* Wurst; **a ~ for** zum Teufel mit.
fig[2] [fig] **I** *s colloq.* **1.** Kleidung *f*, Aufmachung *f*, Gala *f*: **in full ~** in vollem Wichs. **2.** Form *f*, Verfassung *f*: **in fine ~** gut in Form. **II** *v/t* **3.** *meist* **~ out, ~ up** her'ausputzen, ausstatten. **4. ~ out, ~ up** *Pferd* munter machen.
fight [fait] **I** *s* **1.** Kampf *m*: a) *mil.* Gefecht *n*, b) Kon'flikt *m*, Streit *m*, c) Ringen *n* (**for** um): **stand-up ~** offener u. regelrechter Kampf; **to have a ~** → 15; **to make (a) ~ (for s.th.)** (um etwas) kämpfen; **to put up a (good) ~** e-n (guten) Kampf liefern, sich tapfer schlagen. **2.** *sport* Boxkampf *m*. **3.** Schläge'rei *f*, Raufe'rei *f*. **4.** Kampffähigkeit *f*, Kampf(es)lust *f*: **to show ~** sich zur Wehr setzen, kampflustig sein; **there was no ~ left in him** er war kampfmüde *od.* ‚fertig'; **he still had a lot of ~ in him** er war noch lange nicht geschlagen.
II *v/t pret u. pp* **fought** [fɔːt] **5.** *j-n, etwas* bekämpfen, bekriegen, kämpfen gegen. **6.** *e-n Krieg, e-n Prozeß* führen, *e-e Schlacht* schlagen *od.* austragen, *e-e Sache* ausfechten: **to ~ a boxing match** e-n Boxkampf austragen; **to ~ an election** kandidieren; **to ~ it out** es ausfechten; → **battle** *Bes. Redew.*, **duel** 1. **7.** *etwas* verfechten, sich einsetzen für. **8.** kämpfen gegen *od.* mit, sich schlagen mit, *sport a.* boxen gegen *j-n*: **to ~ off** abwehren. **9.** raufen *od.* sich prügeln mit. **10.** erkämpfen: **to ~ one's way** s-n Weg machen, sich durchschlagen. **11.** *Hunde etc* kämpfen lassen, zum Kampf an- *od.* aufstacheln. **12.** *Truppen, Geschütze etc* komman'dieren, (im Kampf) führen.
III *v/i* **13.** kämpfen (**with** *od.* **against** mit *od.* gegen; **for** um *etwas*): **to ~ against s.th.** gegen etwas ankämpfen; **to ~ back** sich zur Wehr setzen, zurückschlagen; **to ~ shy of (s.o.)** (j-m) aus dem Weg gehen, (j-n) meiden. **14.** *sport* boxen. **15.** sich raufen *od.* schlagen *od.* prügeln.
fight·er ['faitər] *s* **1.** Kämpfer *m*, Fechter *m*, Streiter *m*. **2.** *sport* a) Boxer *m*, b) Fighter *m*, Offen'sivboxer *m*. **3.** Schläger *m*, Raufbold *m*. **4.** *a.* **~ plane** *aer. mil.* Jagdflugzeug *n*, Jäger *m*: **~ cover** (*od.* **escort**) Jagdschutz *m*; **~ group** *Br.* Jagdgeschwader *n*, *Am.* Jagdgruppe *f*; **~ pilot** Jagdflieger *m*; **~ wing** *Br.* Jagdgruppe *f*, *Am.* Jagdgeschwader *n*. **'~-'bomb·er** *s aer. mil.* Jagdbomber *m*, Jabo *m*.
fight·ing ['faitiŋ] **I** *s* **1.** Kampf *m*, Kämpfen *n*. **II** *adj* **2.** Kampf... **3.** kampf-, streitlustig, kämpferisch. **~ chance** *s* Erfolgs-, Gewinnchance *f* (*bei äußerster Anstrengung*). **~ cock** *s* Kampfhahn *m* (*a. fig.*): **to feel like a ~** in bester Form sein. **~ forc·es** *s pl mil.* Kampftruppe *f*.
fig leaf *s irr* Feigenblatt *n* (*a. fig.* Bemäntelung).
fig·ment ['figmənt] *s* **1.** *oft* **~ of the imagination** Phanta'sieproˌdukt *n*, reine Einbildung. **2.** *contp.* ‚Märchen' *n*, pure Erfindung.
'fig-ˌtree *s* Feigenbaum *m*.
fig·u·rant ['figjuˌrænt] *s* Figu'rant *m*: a) *thea.* Sta'tist *m*, b) *Ballett*: Chortänzer *m*. **ˌfig·u'rante** [-'rænt] *s* Figu'rantin *f*: a) *thea.* Sta'tistin *f*, b) *Ballett*: Chortänzerin *f*.
fig·u·rate ['figju(ə)rit] *adj math. mus.* figu'riert. **ˌfig·ur'a·tion** *s* **1.** Gestaltung *f*. **2.** Form *f*, Gestalt *f*. **3.** bildliche Darstellung. **4.** Verzierung *f* (*a. mus.*). **'fig·ur·a·tive** [-rətiv] *adj* (*adv* **~ly**) **1.** bildlich, über'tragen, fi'gürlich, meta'phorisch. **2.** bilderreich (*Stil*). **3.** sym'bolisch. **'fig·ur·a·tive·ness** *s* **1.** Bildlichkeit *f*, Fi'gürlichkeit *f*. **2.** Bilderreichtum *m*.
fig·ure [*Br.* 'figə; *Am.* 'figjər] **I** *s* **1.** Zahl(zeichen *n*) *f*, Ziffer *f*: **he is good at ~s** er ist ein guter Rechner; **the cost runs into three ~s** die Kosten gehen in die Hunderte. **2.** Preis *m*, Betrag *m*, Summe *f*: **at a low (high) ~** billig (teuer). **3.** Fi'gur *f*, Form *f*, Gestalt *f*, Aussehen *n*: **to keep one's ~** die Figur nicht verlieren, schlank bleiben. **4.** *fig.* Fi'gur *f*, bemerkenswerte Erscheinung, wichtige Per'son, Per'sönlichkeit *f*: **a public ~** e-e allgemein bekannte Persönlichkeit; **~ of fun** komische Figur; **to cut** (*od.* **make**) **a poor ~** e-e traurige Figur abgeben; **to make a brilliant ~** e-e hervorragende Rolle spielen. **5.** Darstellung *f* (*des menschlichen Körpers*), Bild *n*, Statue *f*. **6.** Sym'bol *n*, Typus *m*. **7.** *a.* **~ of speech** a) ('Rede-, 'Sprach)Fiˌgur *f*, Redewendung *f*, b) Me'tapher *f*, Bild *n*. **8.** (Stoff)Muster *n*. **9.** *Tanz, Eislauf*: ('Tanz)Fiˌgur *f*. **10.** *mus.* a) Fi'gur *f*, b) (Baß)Bezifferung *f*. **11.** Fi'gur *f*, Dia'gramm *n*, Zeichnung *f*. **12.** Illustrati'on *f* (*im Buch*). **13.** *Logik*: 'Schlußfiˌgur *f*. **14.** *phys.* Krümmung *f* e-r Linse, *bes.* Spiegel *m* e-s Tele'skops. **II** *v/t* **15.** formen, gestalten. **16.** abbilden, bildlich darstellen. **17.** *oft* **~ to o.s.** sich *etwas* (im Geist) vorstellen *od.* ausmalen. **18.** verzieren (*a. mus.*). **19.** *tech.* mustern, blümen. **20.** *mus.* beziffern. **21. ~ out** *Am. colloq.* a) ausrechnen, b) ausknobeln, ‚rauskriegen', c) ‚ka'pieren', verstehen: **that ~s** *sl.* das ist klar. **22. ~ up** zs.-zählen. **III** *v/i* **23.** rechnen: **to ~ out at** sich belaufen auf (*acc*). **24.** *Am. colloq.* meinen, glauben: **I ~ he will do it**. **25. ~ on** *Am.* a) zählen auf (*acc*), rechnen mit, b) beabsichtigen (*acc*; **doing** *etwas* zu tun). **26.** e-e Rolle spielen, erscheinen, auftreten, figu'rieren (**as** als): **to ~ large** e-e große Rolle spielen; **to ~ on a list** auf e-r Liste stehen.
fig·ured [*Br.* 'figəd; *Am.* -gjərd] *adj* **1.** geformt, gestaltet. **2.** verziert, gemustert, geblümt. **3.** *mus.* a) figu'riert, verziert, b) beziffert: **~ bass** Generalbaß *m*. **4.** bildlich, bilderreich: **~ language**. **5.** Figuren...: **~ dance**.
'fig·ure|-ˌdance *s* Fi'gurentanz *m*. **'~ˌhead** *s* **1.** *mar.* Gali'onsfiˌgur *f*. **2.** *fig.* (reine) Repräsentati'onsfiˌgur, Strohmann *m*, ‚Aushängeschild' *n*. **~ skat·ing** *s sport* Eiskunstlauf *m*.
fig·ur·ine [ˌfigju(ə)'riːn] *s* Statu'ette *f*, Figu'rine *f*, Fi'gürchen *n*.
'figˌwort *s bot.* Braunwurz *f*.
fil·a·ment ['filəmənt] *s* **1.** a) Faden *m* (*a. anat.*), Fädchen *n* (*a. fig.*), b) Faser *f*. **2.** *bot.* Staubfaden *m*. **3.** *electr.* (Glüh-, Heiz)Faden *m*: **~ battery** Heizbatterie *f*; **~ circuit** Heizkreis *m*; **~ lamp** Glühlampe *f*. **4.** *tech.* feiner Draht.
fil·a·men·tous [ˌfilə'mentəs] *adj* **1.** (*biol.* haar)faserig, faserartig. **2.** Fasern... **3.** *bot.* Staubfäden tragend, Faden...: **~ fungus** Fadenpilz *m*.
fi·lar·i·a [fi'lɛ(ə)riə] *pl* **-iae** [-iˌiː] *s zo.* Fadenwurm *m*.
fil·a·ture ['filətʃər] *s tech.* **1.** (Faden-)Spinnen *n*, Abhaspeln *n* der Seide.

2. (Seiden)Haspel f. 3. ˌSeidenspinne'rei f.

fil·bert ['filbərt] s bot. 1. Haselnußstrauch m. 2. Haselnuß f.

filch [filtʃ] v/t u. v/i ‚klauen'.

file¹ [fail] I s 1. (Brief-, Pa'pier-, Doku'menten)Ordner m, Sammelmappe f (für Akten), a. Zeitungshalter m: to place on ~ → 8. 2. a) Akte(nstück n) f: ~ number Aktenzeichen n, b) Akten(bündel n, -stoß m) pl, c) Akten pl, Ablage f, abgelegte Briefe pl od. Doku'mente pl od. Zeitungen pl: on ~ bei den Akten. 3. Aufreihfaden m, -draht m. 4. bes. mil. Reihe f: in (single) ~ hintereinander, im Gänsemarsch, mil. in Reihe. 5. mil. Rotte f. 6. Reihe f (Personen od. Sachen hintereinander). 7. Liste f, Verzeichnis n. II v/t 8. Briefe etc ablegen, (ein)ordnen, ab-, einheften, zu den Akten nehmen, regi'strieren: to be ~d! zu den Akten! 9. ~ off (in e-r Reihe od. im Gänsemarsch 'ab)marˌschieren lassen. 10. e-n Antrag etc einreichen, e-e Forderung anmelden, Berufung einlegen: to ~ an action (od. suit) Klage erheben od. einreichen. III v/i 11. in e-r Reihe od. hinterein'ander od. im Gänsemarsch od. mil. in Reihe (hin'ein-, hin'aus- etc)marˌschieren: to ~ in (out); to ~ past vorbeidefilieren.

file² [fail] I s 1. tech. Feile f: to bite (od. gnaw) a ~ fig. sich die Zähne ausbeißen. 2. meist a deep (od. old) ~ sl. ‚schlauer Fuchs', ganz geriebener Kunde. II v/t 3. tech. (zu-, be)feilen, glätten. 4. fig. Stil etc (zu'recht)feilen.

file| card s 1. tech. Feilenbürste f. 2. Kar'teikarte f. ~ **clerk** s Am. Regi'strator m. ~ **cop·y** s Ablagestück n.

fi·let [fi'lɛ; fi'lei; 'filei; Br. a. 'filit] (Fr.) s 1. Kochkunst: Am. Fi'let n: ~ mignon Rinderfilet. 2. a. ~ lace Fi'let n, Netz(arbeit f) n, ˌNetzsticke'rei f.

fil·i·al ['filiəl] adj 1. kindlich, Kindes..., Tochter..., Sohnes... 2. fig. Tochter...

'fil·iˌate [-ˌeit] → affiliate I. **ˌfil·i'a·tion** s 1. Kindschaft(sverhältnis n) f. 2. Abstammung f. 3. jur. Am. od. Scot. Feststellung f der (außerehelichen) Vaterschaft: ~ proceeding Vaterschaftsverfahren n. 4. Feststellung f der 'Herkunft od. Quelle: ~ of manuscripts. 5. Verzweigung f.

fil·i·beg ['filibeg] → kilt 1.

fil·i·bus·ter ['filiˌbʌstər] I s 1. hist. Freibeuter m. 2. parl. Am. a) Obstrukti'on f, Verschleppungstaktik f (durch Dauerreden zur Verhinderung e-r Abstimmung), b) Obstrukti'onspoˌlitiker m, Verschleppungstaktiker m. II v/i 3. parl. Am. Obstrukti'on od. Ver'schleppungspoliˌtik treiben.

fil·i·form ['filiˌfɔːrm; 'fai-] adj fadenförmig, fili'form: ~ gill ichth. Fadenkieme f.

fil·i·gree ['filiˌgriː] s 1. Fili'gran(arbeit f) n. 2. (etwas) sehr Zartes od. Gekünsteltes. **'fil·iˌgreed** adj mit Fili'gran geschmückt, Filigran...

fil·ing¹ ['failiŋ] s 1. Ablegen n von Akten: ~ cabinet Aktenschrank m; ~ card → file card 2; ~ clerk bes. Br. Registrator m. 2. Einreichung f, Anmeldung f (e-r Forderung etc): ~ of patent application Anmeldung zum Patent.

fil·ing² ['failiŋ] s tech. 1. Feilen n. 2. pl Feilspäne pl.

Fil·i·pi·no [ˌfili'piːnou] I s Fili'pino m (Bewohner der Philippinen). II adj philip'pinisch.

fill [fil] I s 1. Fülle f, Genüge f: to eat one's ~ sich satt essen; to have one's ~ of s.th. genug von etwas haben; to weep one's ~ sich ausweinen. 2. Füllung f, Schüttung f. 3. Am. Erd-, Steindamm m. II v/t 4. (an-, aus-, voll)füllen: to ~ a container. 5. Flüssigkeit etc ab-, einfüllen. 6. die Pfeife stopfen. 7. (mit Nahrung) sättigen. 8. zahlreich sein in (dat), bevölkern, die Straßen etc füllen. 9. a. fig. erfüllen (with mit): smoke ~ed the room; grief ~ed his heart; ~ed with fear angsterfüllt. 10. e-n Posten, ein Amt a) besetzen: to ~ a vacancy, b) ausfüllen, bekleiden: to ~ s.o.'s place j-s Stelle einnehmen, j-n ersetzen. 11. Am. e-n Auftrag ausführen. 12. erfüllen, gerecht werden: to ~ the bill a) Br. sl. e-e hervorragende Stelle einnehmen, b) colloq. allen Ansprüchen genügen, der richtige Mann sein. 13. med. e-n Zahn füllen, plom'bieren. 14. Seife etc durch Zusätze fälschen. III v/i 15. füllen. 16. sich füllen.

Verbindungen mit Adverbien:

fill| a·way v/i mar. vollbrassen. ~ **in** v/t 1. ein Loch an-, ausfüllen. 2. Br. ein Formular ausfüllen. 3. e-n Namen etc einsetzen. 4. Fehlendes ergänzen. 5. Am. j-n infor'mieren (on über acc). ~ **out** I v/t 1. Am. ein Formular etc ausfüllen. 2. aufblasen, ausdehnen. 3. rund machen, ausfüllen. II v/i 4. sich füllen, rund od. voll werden, schwellen. ~ **up** I v/t 1. vollfüllen, -gießen, -machen, mot. volltanken. 2. auffüllen. 3. → fill in 2. II v/i 4. sich anfüllen.

fill·er ['filər] s 1. Füller m. 2. tech. a) Füllvorrichtung f, b) 'Abfüllmaˌschine f, c) Trichter m. 3. arch. Füllung f. 4. Füllstoff m, Zusatz-, Füll-, Streckmittel n. 5. Sprengladung f. 6. paint. Spachtel m, Füller m. 7. (Zi'garren)Einlage f. 8. Füller m, Lückenbüßer m (Zeitungsartikel etc). 9. ling. Füll-, Flickwort n. 10. mil. a) Ersatzmann m, b) (Geschoß)Füllung f. **'~ˌcap** s tech. Füllschraube f.

fil·let ['filit] I s 1. Haar-, Stirnband n. 2. Leiste f, Band n, Streifen m. 3. a) Fi'let n, (Gold)Zierstreifen m (am Buchrücken), b) Fi'lete f (Gerät zum Anbringen von a). 4. arch. Leiste f, Reif m, Rippe f. 5. Kochkunst: a) Rou'lade f, b) ('Fisch)Fiˌlet n, c) Lendenstück n, Fi'let n (vom Rind): ~ steak Filetsteak n. 6. her. schmaler Saum des Wappenschildes. 7. tech. a) Hohlkehle f, b) Schweißnaht f: ~-welding Kehlschweißung f. II v/t 8. mit e-m Haarband od. e-r Leiste etc schmücken. 9. als Fi'let zubereiten.

fill·ing ['filiŋ] I s 1. Füllung f, Füllmasse f, Einlage f, Füllsel n. 2. tech. 'Füllmateriˌal n. 3. med. (Zahn)Plombe f, (-)Füllung f. 4. Voll-, Aus-, Anfüllen n, Füllung f: ~ machine Abfüllmaschine f. 5. mil. a) Füllung f (bei chemischer Munition), b) Filterfüllung f (Gasmaske). II adj 6. sättigend. ~ **sta·tion** s Am. Tankstelle f.

fil·lip ['filip] I s 1. Schnalzer m, Schnippchen n (mit Finger u. Daumen). 2. (Nasen)Stüber m, Klaps m. 3. fig. Ansporn m, Auftrieb m: to give a ~ to → 6. 4. Lap'palie f. II v/t 5. a) j-m e-n Klaps od. Nasenstüber geben, b) e-r Sache e-n Schubs geben. 6. fig. anspornen, in Schwung bringen. III v/i 7. schnippen, schnellen.

fil·lis·ter ['filistər] s tech. 1. Falz m. 2. a. ~ plane Falzhobel m.

fil·ly ['fili] s 1. (weibliches) Füllen. 2. sl. ‚wilde Hummel' (Mädchen).

film [film] I s 1. Mem'bran(e) f, dünnes Häutchen, Film m. 2. phot. Film(band n) m. 3. Film m, Kino n: the ~s a) die Filmindustrie, b) der Film, c) das Kino; ~goer Kinogänger(in), -besucher(in). 4. (hauch)dünne Schicht, 'Überzug m, (Zellophan- etc)Haut f, (-)Film m. 5. a) (hauch)dünnes Gewebe, b) Faser f. 6. med. Trübung f des Auges, Schleier m. II v/t 7. (mit e-m Häutchen etc) über'ziehen. 8. (ver)filmen. III v/i 9. sich mit e-m Häutchen über'ziehen. 10. a) sich verfilmen lassen, sich zum Verfilmen eignen: this story ~s well, b) e-n Film drehen, filmen. ~ **base** s chem. phot. Blankfilm m, Emulsi'onsträger m.

film·ic ['filmik] adj (adv ~ally) filmisch, Film...

film·i·ness ['filminis] s häutige Beschaffenheit.

film| li·brar·y s 'Lichtbilder-, ('Mikro)ˌFilmarˌchiv n. ~ **mag·a·zine** s phot. 'Filmkasˌsette f, -magaˌzin n. ~ **pack** s phot. Filmpack m. ~ **reel** s phot. Filmspule f. ~ **scan·ning** s TV Filmabtastung f. ~ **speed** s phot. 1. Lichtempfindlichkeit f (des Films). 2. Laufgeschwindigkeit f (des Films in der Kamera). **'~ˌstrip** s ped. phot. Bildstreifen m, Stehfilm m (mit einkopiertem Text für Lehrzwecke).

film·y ['filmi] adj 1. mit e-m Häutchen bedeckt. 2. häutchenartig. 3. trübe, verschleiert (Auge). 4. fig. zart, duftig, (hauch)dünn.

fil·ter ['filtər] I s 1. Filter m, Seihtuch n, Seiher m. 2. chem. phot. phys. tech. Filter n, m. 3. electr. Filter m, Sieb n. II v/t 4. filtern, ('durch)seihen, fil'trieren: to ~ off abfiltern. 5. mil. Nachrichten etc auswerten. III v/i 6. 'durchsickern. 7. fig. a) 'durchsickern (Nachrichten etc), b) ~ into einsickern od. langsam eindringen in (acc). 8. ~ in sich in (den Verkehrsstrom) einordnen. **ˌfil·ter·a'bil·i·ty** s Fil'trierbarkeit f. **'fil·ter·a·ble** adj fil'trierbar.

fil·ter| ba·sin s tech. Sickerbecken n. ~ **bed** s 1. Fil'trierbett n, Kläranlage f. 2. Filterschicht f. ~ **char·coal** s tech. Filterkohle f. ~ **choke** s electr. Filter-, Siebdrossel f. ~ **cir·cuit** s electr. Siebkreis m.

fil·ter·ing ['filtəriŋ] tech. I s Fil'trieren n. II adj Filtrier..., Filter...: ~ basin Klärbecken n; ~ paper Filterpapier n.

fil·ter tip s 1. Filtermundstück n. 2. 'Filterzigaˌrette f.

filth [filθ] s 1. Schmutz m, Dreck m, Kot m, Unrat m. 2. fig. Schmutz m, ‚Schweine'rei' f. 3. unflätige Sprache. **'filth·i·ness** s Schmutzigkeit f. **'filth·y** adj (adv filthily) 1. schmutzig, dreckig, kotig. 2. fig. schmutzig, schweinisch. 3. fig. ekelhaft, scheußlich. 4. colloq. ‚unheimlich', ‚furchtbar'.

fil·tra·ble ['filtrəbl] → filterable.

fil·trate ['filtreit] I v/t u. v/i fil'trieren. II s Fil'trat n. **fil'tra·tion** s Fil'trierung f, Filtern n, Filtrati'on f.

fim·bri·ate ['fimbriit; -ˌeit], a. **'fim·briˌat·ed** [-ˌeitid] adj bot. zo. befranst.

fin¹ [fin] s 1. zo. Flosse f, Finne f. 2. mar. Kiel-, Ruderflosse f. 3. aer. a) Gleit-, Steuerflosse f, Leitfläche f, b) Steuerschwanz m (e-r Bombe). 4. tech. a) Grat m, (Guß)Naht f, b) a. cooling ~ (Kühl)Rippe f. 5. sl. ‚Flosse' f (Hand).

fin² [fin] s Am. sl. Fünf'dollarschein m.

fin·a·ble ['fainəbl] adj e-r Geldstrafe unter'liegend.

fi·na·gle [fi'neigl] I v/t 1. etwas her'ausschinden, -schlagen. 2. ergaunern. II v/i 3. Tricks anwenden, mogeln. **fi'na·gler** [-glər] *s* raffi'nierter Kerl, Gauner *m*.

fi·nal ['fainl] **I** *adj* (*adv* → **finally**) **1.** letzt(er, e, es), schließlich(er, e, es). **2.** endgültig, End..., Schluß...: ~ **account** Schlußabrechnung *f*; ~ **assembly** *tech.* Endmontage *f*; ~ **date** Schlußtermin *m*, äußerster Termin; ~ **dividend** Schlußdividende *f*; ~ **examination** Abschlußprüfung *f*; ~ **quotation** *econ.* Schlußkurs *m*; ~ **result** Endresultat *n*; ~ **run** *sport* Endlauf *m*; ~ **score** *sport* Schlußstand *m*; ~ **velocity** Endgeschwindigkeit *f*. **3.** endgültig: a) 'unwider,ruflich, b) entscheidend, c) *jur.* rechtskräftig: ~ **judg(e)ment** Endurteil *n*; **after** ~ **judg(e)ment** nach Rechtskraft des Urteils; **to become** ~ rechtskräftig werden. **4.** per'fekt, voll'kommen. **5.** *ling.* a) auslautend, End...: ~ **s** Schluß-s *n*, b) Absichts..., Final...: ~ **clause**. **II** *s* **6.** *pl sport* a) Endspiel *n*, b) End-, Schlußrunde *f*, Fi'nale *n*. **7.** *oft pl* 'Schlußex,amen *n*, -prüfung *f*. **8.** *colloq.* Spätausgabe *f* (*e-r Zeitung*). ~ **cause** *s philos.* Urgrund *m* (u. Endzweck *m*) aller Dinge.

fi·na·le [fi'nɑːli] *s* Fi'nale *n*: a) *mus.* Schlußsatz *m*, b) *thea.* Schluß(szene *f*) *m* (*bes. e-r Oper*), c) *fig.* (dra'matisches) Ende.

fi·nal·ism ['fainə,lizəm] *s philos.* Fina'lismus *m*. '**fi·nal·ist** *s* **1.** *sport* Endrunden-, Schlußrunden-, Endspielteilnehmer(in), Fina'list(in). **2.** Ex'amenskandi,dat(in). **fi'nal·i·ty** [-'næliti] *s* **1.** Endgültigkeit *f*. **2.** Entschiedenheit *f*. **3.** abschließende Handlung *od.* Äußerung. **4.** *philos.* Finali'tät *f*, Teleolo'gie *f*. '**fi·nal,ize** *v/t* **1.** be-, voll'enden, (endgültig) erledigen, abschließen. **2.** endgültige Form geben (*dat*). '**fi·nal·ly** *adv* **1.** endlich, schließlich, zu'letzt. **2.** zum (Ab)Schluß. **3.** endgültig.

fi·nance [fi'næns; fai-] **I** *s* **1.** Fi'nanzwissen *n*, -wirtschaft *f*, -welt *f*, Fi'nanz *f*: **high** ~ Hochfinanz. **2.** *pl* Fi'nanzen *pl*: a) Vermögenslage *f*, b) Einkünfte *pl*: **public** ~**s** Staatsfinanzen. **II** *v/t* **3.** finan'zieren. **III** *v/i* **4.** Geldgeschäfte machen. ~ **act** *s Br.* Fi'nanz-, Steuergesetz *n*. ~ **bill** *s* **1.** *pol.* a) Steuervorlage *f*, b) Steuergesetz *n*. **2.** *econ.* Fi'nanzwechsel *m*. ~ **com·pa·ny** *s econ.* Finan'zierungsgesellschaft *f*.

fi·nan·cial [fi'nænʃəl; fai-] *adj* (*adv* ~**ly**) finanzi'ell, Finanz..., Geld..., Fiskal...: ~ **circles** Finanzkreise; ~ **columns** Handels-, Wirtschaftsteil *m*; ~ **condition**, ~ **situation** Vermögenslage *f*; ~ **institution** Kreditinstitut *n*; ~ **paper** Börsenblatt *n*; ~ **standing** Kreditfähigkeit *f*; ~ **year** a) Geschäftsjahr *n*, b) *parl. Br.* Etats-, Rechnungsjahr *n*.

fin·an·cier [,finən'siər; ,fai-] **I** *s* [*Br.* fi'nænsiə] **1.** Finanzi'er *m*, Geldmann *m*, -geber *m*. **2.** Fi'nanzfachmann *m*. **II** *v/t* **3.** finan'zieren. **4.** *bes. Am. j-n* betrügen: **to** ~ **s.o. out of his money** j-n um sein Geld bringen; **to** ~ **money away** Geld verschieben. **III** *v/i* **5.** (*bes. contp. skrupellose*) Geldgeschäfte machen.

fi·nanc·ing [fi'nænsiŋ; fai-] *s econ.* Finan'zieren *n*, Finan'zierung *f*.

'**fin,back (whale)** *s zo.* (*ein*) Finn-, Blau-, Furchenwal *m*.

finch [fintʃ] *s orn.* Fink *m*. ~ **creep·er** *s orn.* (*ein*) amer. Baumläufer *m*.

find [faind] **I** *s* **1.** Fund *m*, Entdeckung *f*. **2.** Finden *n*, Entdecken *n*. **II** *v/t pret u. pp* **found** [faund] **3.** finden. **4.** finden, (an)treffen, stoßen auf (*acc*): **we found him in** wir trafen ihn zu Hause an; **to** ~ **a good reception** e-e gute Aufnahme finden. **5.** sehen, bemerken, feststellen, entdecken, (her'aus)finden: **he found that ...** er stellte fest *od.* fand, daß ...; **I** ~ **it easy** ich finde es leicht; **to** ~ **one's way (in, to)** sich (zurecht)finden (in *dat*, nach), erreichen (*acc*); **to** ~ **o.s.** a) sich *gut etc, a. an e-m Ort* befinden, b) sich sehen, c) sich finden, s-e Fähigkeiten erkennen, sich voll entfalten (→ 9); **I found myself surrounded** ich sah *od.* fand mich umzingelt; **I found myself telling a lie** ich ertappte mich bei e-r Lüge. **6.** ('wieder)erlangen: **to make s.o.** ~ **his tongue** j-m die Zunge lösen, j-n zum Reden bringen. **7.** finden: a) beschaffen, auftreiben, b) erlangen, sich verschaffen, c) *Zeit etc* aufbringen. **8.** *jur.* erklären *od.* befinden für: **to** ~ **a person guilty**. **9.** *j-n* versorgen, ausstatten (in mit), *j-m etwas* verschaffen, stellen, liefern: **well-found in clothes** mit Kleidung gut ausgestattet; **all found** freie Station, volle Beköstigung; **to** ~ **o.s.** sich selbst versorgen (→ 5). **10.** ~ **out** a) *etwas* entdecken, her'ausfinden, -bekommen, b) *j-n* ertappen, entlarven, durch'schauen. **III** *v/i* **11.** *jur.* (be)finden, (für Recht) erkennen: **to** ~ **against the defendant** a) (*Zivilprozeß*) den Beklagten verurteilen, der Klage stattgeben, b) (*Strafprozeß*) den Angeklagten verurteilen; **to** ~ **for the defendant** a) (*Zivilprozeß*) zu Gunsten des Beklagten entscheiden, die Klage abweisen, b) (*Strafprozeß*) den Angeklagten freisprechen. **12.** *hunt. Br.* Wild aufspüren.

find·er ['faindər] *s* **1.** Finder(in), Entdecker(in). **2.** *phot.* Sucher *m*. **3.** *electr. phys.* Peil(funk)gerät *n*.

find·ing ['faindiŋ] *s* **1.** → find 1 *u.* 2: ~ **the means** *econ.* Geldbeschaffung *f*. **2.** *oft pl scient. etc* Befund *m* (*a. med.*), Feststellung(en *pl*) *f*, Erkenntnis(se *pl*) *f*. **3.** *oft pl jur.* a) *a.* ~**s of fact** tatsächliche Feststellungen *pl*, Befund *m*, b) (richterliche) Erkenntnis, Entscheidung *f*, c) (Wahr)Spruch *m* (*der Geschworenen*): ~ **of guilty** Schuldspruch. **4.** *pl Am.* Werkzeuge *pl od.* Materi'al *n*.

fine[1] [fain] **I** *adj* (*adv* ~**ly**) **1.** *allg.* fein: a) dünn, zart, zierlich: ~ **china**, b) scharf: **a** ~ **edge**, c) rein: ~ **silver** Feinsilber *n*; **gold 22 carats** ~ 22-karätiges Gold, d) *aus kleinsten Teilchen bestehend*: ~ **sand**, e) schön: ~ **music**; ~ **weather**; **one of these** ~ **days** e-s schönen Tages, f) ausgezeichnet, glänzend: **a** ~ **scholar**, g) *a. contp.* vornehm, h) edel, i) geschmackvoll, gepflegt, ele'gant, j) angenehm, lieblich: **a** ~ **scent**, k) scharf(sinnig), sub'til: ~ **distinction**, l) genau: ~ **measurement**. **2.** geziert, affek'tiert: ~ **sentences**. **3.** *colloq., a. iro.* fein, schön: **that's** ~**!**; **that's all very** ~ **but ...** das ist ja alles gut u. schön, aber ...; **a** ~ **fellow you are!** *contp.* du bist mir ein schöner Genosse! **4.** *econ.* erstklassig: ~ **bank bill**. **II** *adv* **5.** *colloq.* fein: a) vornehm (*a. contp.*): **to talk** ~, b) sehr gut, ‚bestens': **that will suit me** ~ das paßt mir ausgezeichnet. **6.** knapp: **to cut** (*od.* **run**) **it** ~ ins Gedränge (*bes.* in Zeitnot) kommen. **III** *v/t* **7.** ~ **away**, ~ **down** fein(er) machen, abschleifen, zuspitzen. **8.** *oft* ~ **down** *Wein etc* läutern, klären. **9.** *metall.* frischen. **IV** *v/i* **10.** ~ **away**, ~ **down**, ~ **off** fein(er) *od.* dünn(er) werden, abnehmen, sich abschleifen. **11.** sich klären.

fine[2] [fain] **I** *s* **1.** Geldstrafe *f*, -buße *f*. **2.** *jur. hist.* Abstandssumme *f*. **3.** *obs.* Ende *n* (*nur noch in*): **in** ~ endlich, kurz(um). **II** *v/t* **4.** mit e-r Geldstrafe belegen, zu e-r Geldstrafe verurteilen.

fi·ne[3] ['fiːne] (*Ital.*) *s mus.* Ende *n*.

fine| ad·just·ment [fain] *s tech.* Feineinstellung *f*: ~ **screw** Feinstellspindel *f*. ~ **arch** *s tech.* Frittofen *m*. ~ **arts** *s pl* (*die*) schönen Künste *pl*. '~-,**bore** *v/t tech.* präzisi'onsbohren. ~ **cast·ing** *s tech.* Edelguß *m*. ~ **chem·i·cals** *s pl* 'Feinchemi,kalien *pl*. ~ **cut** *s* Feinschnitt *m* (*Tabak*). ~ **darn·ing** *s* Kunststopfen *n*. '~-'**draw** *v/t* **1.** fein zs.-nähen, kunststopfen. **2.** *tech. Draht* fein ausziehen. '~-'**drawn** → fine-spun. ~ **gold** *s* Feingold *n*. '~-'**grained** *adj tech.* feinkörnig. ~ **grav·el** *s tech.* Splitt *m*. ~ **me·chan·ics** *s pl* 'Feinme,chanik *f*.

fine·ness ['fainnis] *s* **1.** Fein-, Zartheit *f*, Zierlichkeit *f*, Schönheit *f*, Ele'ganz *f*, Vor'trefflichkeit *f*. **2.** Feingehalt *m*, Reinheit *f* (*von Gold etc*). **3.** *tech.* Schlankheit *f*. **4.** Schärfe *f* (*a. fig.*). **5.** Genauigkeit *f*. '**fin·er** *s tech.* Frischer *m*. '**fin·er·y** [-əri] *s* **1.** Putz *m*, Staat *m*. **2.** Ele'ganz *f*. **3.** *tech.* Frischofen *m*, -herd *m*, Frische'rei *f*.

fines [fainz] *s pl tech.* feingesiebtes Materi'al, Abrieb *m*, Grus *m*.

fine| sight *s mil.* Feinkorn *n* (*Visier*). '~-'**spun** *adj* fein gesponnen; *fig. a.* sub'til.

fi·nesse [fi'nes] **I** *s* **1.** Fi'nesse *f*: a) Spitzfindigkeit *f*, b) (*kleiner*) Kunstgriff, Kniff *m*. **2.** Raffi'nesse *f*, Schlauheit *f*. **3.** *Kartenspiel*: Schneiden *n*, Im'paß *m*. **II** *v/t* **4.** *Kartenspiel*: schneiden *od.* impas'sieren mit. **5.** *etwas* ‚deichseln', ‚drehen'. **III** *v/i* **6.** schneiden, impas'sieren. **7.** Kniffe anwenden.

fine| thread *s tech.* Feingewinde *n*. '~-,**tooth(ed)** *adj* fein(gezahnt): **to go over s.th. with a** ~ **comb** etwas unter die Lupe nehmen. ~ **tun·ing** *s Radio*: Feinabstimmung *f*.

'**fin|,fish** → finback. '~-,**foot·ed** *adj zo.* mit Schwimmfüßen (versehen).

fin·ger ['fiŋgər] **I** *s* **1.** Finger *m*: **first (second, third)** ~ Zeige- (Mittel-, Ring)finger; **fourth** (*od.* **little**) ~ kleiner Finger; **to have a** ~ **in the pie** die Hand im Spiel haben; **to have at one's** ~**s' ends** *Kenntnisse* parat haben, *etwas* aus dem Effeff beherrschen; **to keep one's** ~**s crossed** die Daumen drücken; **to put one's** ~ **on s.th.** *fig.* den Finger auf etwas legen; **to put the** ~ **on s.o.** *Am. sl.* → 11 a; **not to lift** (*od.* **stir**) **a** ~ keinen Finger rühren; **to twist s.o. round one's (little)** ~ j-n um den (kleinen) Finger wickeln; → **itch** 5, **snap** 12; **his** ~**s are all thumbs** er hat zwei linke Hände; **with a wet** ~ mit dem kleinen Finger, mit Leichtigkeit. **2.** (Handschuh)Finger *m*. **3.** Fingerbreit *m*. **4.** schmaler Streifen, schmales Stück. **5.** (Uhr-)Zeiger *m*. **6.** *tech.* Daumen *m*, Greifer *m*. **7.** → **finger man**. **II** *v/t* **8.** betasten, befühlen, her'umfingern an (*dat*), spielen mit. **9.** *mus.* a) *ein Stück od. Instrument* mit den Fingern spielen, b) *Noten* mit Fingersatz versehen. **III** *v/i* **10.** her'umfingern (at an *dat*), spielen (with mit). **11.** *Am. sl.* a) *j-n* ‚verpfeifen', b) (to s.o. j-m) e-n Tip geben 'hinsichtlich (*gen*), c) *j-n* ‚beschatten'.

fin·ger| board *s* **1.** *mus.* a) Griffbrett *n*, b) Klavia'tur *f*, c) Manu'al *n* (*der Orgel*). **2.** *Am.* Wegweiser *m*. ~ **bowl** *s* Fingerschale *f*. '~,**breadth** *s* Fingerbreit *m*.

-fingered [fiŋgərd] *adj in Zssgn* mit ... Fingern, ...fing(e)rig.
'fin·ger|ˌflow·er *s bot.* Roter Fingerhut. **~ glass** *s* Fingerschale *f* (*bei Tisch*). **~ grass** *s bot.* Finger-, Bluthirse *f.* **~ hole** *s mus.* Griffloch *n* (*an e-r Flöte etc*).
fin·ger·ing¹ ['fiŋgəriŋ] *s* **1.** Betasten *n*, Befühlen *n*. **2.** *mus.* Fingersatz *m.*
fin·ger·ing² ['fiŋgəriŋ] *s* Strumpfwolle *f*, -garn *n.*
fin·ger lake *s geol.* Talsee *m.*
fin·ger·ling ['fiŋgərliŋ] *s* **1.** kleiner Fisch. **2.** (*etwas*) Winziges.
fin·ger| man *s irr Am. sl.* Spitzel *m* (*e-r Gangsterbande*). **~ mark** *s* (durch Finger verursachter) (Schmutz)Fleck. **'~ˌnail** *s* Fingernagel *m*: to the ~s *fig.* bis in die Fingerspitzen. **~ nut** *s tech.* Flügelmutter *f.* **'~-ˌpaint** *v/t u. v/i* mit den Fingern malen. **~ post** *s* Wegweiser *m* (*a. fig.*). **'~ˌprint I** *s* Fingerabdruck *m*: to take *s.o.'s* ~s → II. **II** *v/t j-s* Fingerabdrücke nehmen. **'~ˌstall** *s* Fingerling *m.* **~ tip** *s* Fingerspitze *f*: to have at one's ~s *Kenntnisse* parat haben, *etwas* aus dem Effeff beherrschen; to one's ~s bis in die Fingerspitzen, durch u. durch.
fin·i·al ['finiəl; 'fai-] *s arch.* Kreuzblume *f*, Blätterknauf *m.*
fin·i·cal ['finikəl] *adj* (*adv* ~ly), *a.* **'fin·ick·ing** [-kiŋ], **'fin·ick·y** *adj* **1.** pe'dantisch, über'trieben genau. **2.** knifflig. **3.** geziert, affek'tiert.
fin·ish ['finiʃ] **I** *v/t* **1.** (be)enden, aufhören mit: to ~ reading aufhören zu lesen. **2.** voll'enden, beendigen, fertigmachen, -stellen, zu Ende führen, erledigen: to ~ a task; to ~ a book ein Buch auslesen. **3.** a) *Vorräte* ver-, aufbrauchen, erschöpfen, b) aufessen, austrinken. **4.** *colloq. a.* ~ off *j-n* ‚erledigen', ‚fertigmachen', *j-m* den Rest geben (*alle a. töten*). **5.** a) *a.* ~ off, ~ up vervollkommnen, den letzten Schliff geben (*dat*), b) ausbilden. **6.** *tech.* nach-, fertigbearbeiten, *Papier* glätten, *Zeug* zurichten, appre'tieren, *Möbel etc* po'lieren. **II** *v/i* **7.** *a.* ~ off, ~ up end(ig)en, schließen, aufhören (with mit). **8.** *sport* einlaufen, durchs Ziel gehen: to ~ third Dritter werden. **III** *s* **9.** Ende *n*, Schluß *m.* **10.** *sport* a) Endspurt *m*, Finish *n*, b) Endkampf *m*, Entscheidung *f*: to be in at the ~ in die Endrunde kommen, *fig.* das Ende miterleben; to fight to a ~ bis zur Entscheidung kämpfen. **11.** Voll'endung *f*, Ele'ganz *f*, letzter Schliff, Finish *n.* **12.** gute Ausführung, feine Quali'tät. **13.** *tech.* a) äußerliche Ausführung, Oberflächenbeschaffenheit *f*, -güte *f*, Bearbeitung(sgüte) *f*, b) (Deck-)Anstrich *m*, (*Lack- etc*)'Überzug *m*, c) Poli'tur *f*, d) Appre'tur *f* (*von Stoffen*). **14.** *arch.* a) Ausbau(en *n*) *m*, b) Verputz *m.*
fin·ished ['finiʃt] *adj* **1.** beendet, fertig, abgeschlossen: ~ part Fertigteil *n*; half-~ products Halbfabrikate; ~ goods Fertigwaren, -erzeugnisse. **2.** *fig.* voll'endet, voll'kommen. **3.** *fig. colloq.* ‚erledigt' (*erschöpft, ruiniert od. todgeweiht*): he is ~. **'fin·ish·er** *s* **1.** *tech.* Fertigbearbeiter *m.* **2.** *tech.* Ma'schine *f* zur Fertigbearbeitung, *bes.* a) Fertigwalzwerk *n*, b) Feinzeugholländer *m*, c) Po'lierwalze *f.* **3.** *colloq.* vernichtender Schlag, Entscheidung *f.*
fin·ish·ing ['finiʃiŋ] **I** *s* **1.** Voll'enden *n*, Fertigmachen *n*, -stellen *n.* **2.** *arch.* Schlußzierat *m.* **3.** *tech.* a) Fertig-, Nachbearbeitung *f*, b) (abschließende) Oberflächenbehandlung, *z.B.* 'Hochglanzpoˌlieren *n*, c) Veredelung *f.* **4.** *Buchbinderei*: Verzieren *n* der Einbände. **5.** *Tuchfabrikation*: Appre'tur *f*, Zurichtung *f.* **II** *adj* **6.** voll'endend, abschließend. **~ a·gent** *s chem.* Appre'turmittel *n.* **~ bit** *s tech.* Schlichtbohrer *m.* **~ cut** *s tech.* Schlichtschnitt *m.* **~ in·dus·try** *s econ. tech.* Veredelungswirtschaft *f*, verarbeitende Indu'strie. **~ lathe** *s tech.* Fertigdrehbank *f.* **~ mill** *s tech.* **1.** Fertigstraße *f*, Feinwalzwerk *n.* **2.** Schlichtfräser *m.* **~ mor·tar** *s tech.* Putzmörtel *m.* **~ pro·cess** *s econ. tech.* Veredelungsverfahren *n.* **~ school** *s* 'Mädchenpensioˌnat *n.* **~ stroke** *s* Todes-, Gnadenstoß *m.* **~ tool** *s tech.* Schlichtstahl *m.*
fi·nite ['fainait] *adj* **1.** begrenzt, endlich (*a. math.*). **2.** ~ verb Verbum *n* finitum. **'fi·nite·ness, fin·i·tude** ['finiˌtju:d; 'fai-] *s* Endlichkeit *f*, Begrenztheit *f.*
fink [fiŋk] *s Am. sl.* **1.** Streikbrecher *m.* [2. Spitzel *m.*]
fin·let ['finlit] *s zo.* flossenähnlicher Fortsatz, falsche Flosse.
Fin·land·er ['finləndər], **Finn** *s* Finne *m*, Finnin *f.*
fin·nan had·die ['finən 'hædi], *a.* **finnan had·dock** *s* geräucherter Schellfisch.
finned [find] *adj* **1.** *ichth.* mit Flossen (versehen). **2.** *tech.* gerippt. **'fin·ner** *s zo.* Finnwal *m.*
Finn·ic ['finik] → Finnish II. **'Finn·ish I** *s ling.* Finnisch *n*, das Finnische. **II** *adj* finnisch. **Fin·no-U·gri·an** ['fino'u:griən], *a.* **ˌFin·no-'U·gric** [-grik] *ling.* **I** *adj* finno-ugrisch. **II** *s* Finno-Ugrisch *n*, das Finno-Ugrische.
fin·ny ['fini] *adj* **1.** → finned 1. **2.** Flossen... **3.** Fisch...
fin ray *s biol.* Flossenstachel *m.*
fiord [fjɔ:rd] *s geogr.* Fjord *m.*
fi·o·rin ['faiərin] *s bot. Br.* (*ein*) Fio'ran-, Straußgras *n.*
fir [fə:r] *s bot.* **1.** Tanne *f.* **2.** (*fälschlich*) Kiefer *f*, Föhre *f.* **3.** Tannenholz *n.* **~ cone** *s bot.* Tannenzapfen *m.*
fire [fair] **I** *s* **1.** Feuer *n*, Flamme *f*: no smoke without ~ wo Rauch ist, da ist auch Feuer; to be on ~ in Brand stehen, brennen (*a. fig.*), *fig.* Feuer u. Flamme sein; to catch (*od.* take) ~ a) Feuer fangen, b) in Hitze geraten, sich ereifern; to set ~ to s.th., to set s.th. on ~ etwas anzünden *od.* in Brand stecken; to go through ~ and water durchs Feuer gehen; to play with ~ *fig.* mit dem Feuer spielen; to strike ~ Funken schlagen; with ~ and sword mit Feuer u. Schwert; → Thames. **2.** Feuer *n* (*im Ofen etc*): on a slow ~ bei langsamem Feuer (*kochen*). **3.** Brand *m*, (Groß)Feuer *n*, Feuersbrunst *f*: where's the ~? *colloq.* wo brennt's? **4.** *Br.* (e'lektrischer *etc*) (Heiz)Ofen. **5.** Feuersglut *f.* **6.** Feuer *n*, Glanz *m* (*e-s Edelsteins*). **7.** *fig.* Feuer *n*, Glut *f*, Leidenschaft *f*, Begeisterung *f.* **8.** *med.* (Fieber)Hitze *f*, Entzündung *f.* **9.** harte Prüfung. **10.** *mil.* Feuer *n*, Beschuß *m*: between two ~s zwischen zwei Feuern (*a. fig.*); to come under ~ a) unter Beschuß geraten, b) *fig.* heftig angegriffen werden; to hang ~ a) schwer losgehen (*Schußwaffe*), b) *fig.* auf sich warten lassen, steckenbleiben (*Sache*); to open (cease) ~ das Feuer eröffnen (einstellen); to miss ~ a) versagen, b) *fig.* fehlschlagen.
II *v/t* **11.** anzünden, in Brand stecken. **12.** *e-n Kessel* heizen, *e-n Ofen* (be)feuern, beheizen: oil-~d mit Ölfeuerung, Öl... **13.** *Ziegel* brennen: ~d lime gebrannter Kalk. **14.** *Tabak* beizen. **15.** *fig.* entflammen, anfeuern, inspi'rieren. **16.** *a.* ~ off *mil.* a) abfeuern, abschießen, b) *e-e Sprengladung* zünden, c) *colloq.* schleudern, d) *fig. Fragen etc* vom Stapel lassen: to ~ questions at s.o. j-n mit Fragen bombardieren. **17.** *colloq.* entlassen, ‚rausschmeißen'. **18.** röten.
III *v/i* **19.** Feuer fangen, (an)brennen. **20.** *a.* ~ up *fig.*, ‚aufflammen', ‚hochgehen', ‚platzen'. **21.** *mil.* feuern, schießen (at, on auf *acc*). **22.** ~ away! schieß los!, fang an! **23.** *agr.* brandig werden (*Getreide*). **24.** erröten.
IV *interj* **25.** Feuer!, es brennt! **26.** *mil.* Feuer!
fire| a·larm *s* **1.** 'Feuera,larm *m.* **2.** Feuermelder *m* (*Gerät*). **'~ˌarm** *s* Feuer-, Schußwaffe *f*: ~ certificate *Br.* Waffenschein *m.* **'~ˌback** *s orn.* 'Glanzfaˌsan *m.* **'~ˌball** *s* **1.** *mil. hist.* Feuer-, Brandkugel *f.* **2.** Feuerball *m* (*Sonne etc; a. e-r Atombombenexplosion*). **3.** Mete'or *m.* **~ bal·loon** *s aer.* 'Heißluftbalˌlon *m.* **'~ˌbird** *s orn.* (*ein*) Feuervogel *m.* **~ blight** *s bot.* Feuerbrand *m.* **'~ˌboard** *s* Ka'minbrett *n.* **'~ˌboat** *s mar.* Feuerlöschboot *n.* **'~ˌbox** *s tech.* Feuerbuchse *f*, Feuerungsraum *m.* **'~ˌboy** *s* Heizer *m.* **'~ˌbrand** *s* **1.** brennendes Holzscheit. **2.** *fig.* Unruhestifter(in), Aufwiegler(in). **'~ˌbreak** *s Am.* Feuerschneise *f.* **'~ˌbrick** *s tech.* feuerfester Ziegel, Scha'mottestein *m.* **~ bridge** *s tech.* Feuerbrücke *f.* **~ bri·gade** *s* **1.** *Br.* Feuerwehr *f.* **2.** *Am.* örtliche freiwillige Feuerwehr. **'~ˌbug** *s Am. sl.* Brandstifter *m* (*aus krankhafter Veranlagung*). **~ clay** *s tech.* feuerfester Ton, Scha'motte *f.* **~ com·pa·ny** *s* **1.** *Am.* Feuerwehr *f.* **2.** *bes. Br.* → fire office. **~ con·trol** *s* **1.** *mil.* Feuerleitung *f*: ~ indicator Kommandotafel *f.* **2.** Brandbekämpfung *f.* **'~ˌcrack·er** *s Am.* Frosch *m* (*Feuerwerk*). **'~-ˌcure** *v/t tech. Tabak* trocknen, beizen (*durch offenes Feuer*). **'~ˌdamp** *s Bergbau*: schlagende Wetter *pl*, Grubengas *n.* **~ de·part·ment** *s* **1.** *Am.* Feuerwehr *f.* **2.** *Br.* 'Feuerversicherungsabˌteilung *f.* **~ di·rec·tion** → fire control 1. **~ di·rec·tor** *s mil.* **1.** Kom'mandogerät *n* (*der Flak*). **2.** *mar.* Zen'tralrichtgerät *n.* **'~ˌdog** *s* Feuerbock *m* (*vor e-m Kamin*). **~ door** *s* **1.** Ofen-, Heiztür *f.* **2.** *tech.* Schürloch *n.* **'~ˌdrag·on, '~-ˌdrake** *s* Feuerdrache *m*, feuerspeiender Drache. **~ drill** *s* **1.** Feuerlöschübung *f.* **2.** 'Probefeueraˌlarm *m.* **3.** *hist.* Reibholz *n* (*zum Feueranzünden*). **'~ˌeat·er** *s* **1.** Feuerschlucker *m.* **2.** *fig.* Raufbold *m*, ‚Eisenfresser' *m*, Kampfhahn *m.* **~ en·gine** *s* **1.** *tech.* Feuer-, Motorspritze *f.* **2.** *Am.* Feuerwehrfahrzeug *n.* **~ es·cape** *s* Feuerleiter *f*, Nottreppe *f.* **~ ex·tin·guish·er** *s tech.* 'Feuerlöscher *m*, -löschappaˌrat *m.* **~ fight·ing I** *s* Brandbekämpfung *f.* **II** *adj* Lösch..., Feuerwehr... **'~ˌfly** *s zo.* (*ein*) Leuchtkäfer *m*, (*ein*) Glühwurm *m.* **'~ˌguard** *s* **1.** Ka'mingitter *n.* **2.** Brandwache *f*, -wart *m.* **~ hose** *s* Feuerwehrschlauch *m.* **'~-ˌhouse** → fire station. **~ lane** *s* Feuerschneise *f.*
fire·less ['fairlis] *adj* **1.** feuerlos, ohne Feuer: ~ cooker *Am.* Kochkiste *f.* **2.** *fig.* ohne Feuer, tempera'mentlos.
'fire|-ˌlight·er *s Br.* Feueranzünder *m.* **'~ˌlock** *s mil. hist.* **1.** Zündschloß *n.* **2.** Mus'kete *f.* **~ main** *s* Wasserrohr *n.* **'~·man** [-mən] *s irr* **1.** Feuerwehrmann *m*, Feuerwache *f.* **2.** *pl* Lösch-

mannschaft *f.* **3.** *tech.* Heizer *m.* **4.** *Bergbau*: Wetterwart *m.* ~ **mar·shal** *s Am.* 'Branddiˌrektor *m.* '~-ˌ**new** → brand-new. ~ **of·fice** *s Br.* Feuerversicherung(sanstalt) *f.* ~ **o·pal** *s min.* 'Feueroˌpal *m.* '~ˌ**place** *s* **1.** (offener) Ka'min. **2.** *tech.* Herd *m.* **3.** *tech.* Feuer-, Heizraum *m.* '~ˌ**plug** *s tech.* Hy'drant *m.* ~ **point** *s phys.* Flammpunkt *m.* '~-'**pol·i·cy** *s Br.* 'Feuerversicherungspoˌlice *f.* '~ˌ**proof I** *adj* feuerfest, -sicher, -beständig. **II** *v/t* feuerfest machen. '~ˌ**proof·ing** *s* **1.** Feuerfestmachen *n.* **2.** Feuerschutzmittel *n od. pl.*

fir·er ['fai(ə)rər] *s* **1.** a) Schütze *m*, b) Heizer *m.* **2.** *mil.* Feuerwaffe *f.*

'**fire**|-ˌ**rais·er** *s Br.* Brandstifter(in). '~-ˌ**rais·ing** *s Br.* Brandstiftung *f.* ~ **ship** *s mar.* Brander *m.* '~ˌ**side** *s* **1.** Herd *m*, Ka'min *m*: ~ chat Plauderei *f* am Kamin. **2.** häuslicher Herd, Da'heim *n.* ~ **sta·tion** *s* Feuer(wehr)wache *f.* '~ˌ**stone** *s min.* **1.** Feuerstein *m*, Flint *m.* **2.** Py'rit *m.* **3.** Sandstein *m.* ~ **sup·port** *s mil.* 'Feuerschutz *m*, -unterˌstützung *f.* ~ **tongs** *s pl* Feuerzange *f.* '~ˌ**trap** *s* ‚Mausefalle' *f*, feuergefährdetes Gebäude ohne (genügende) Notausgänge. ~ **tube** *s tech.* **1.** 'Heizkaˌnal *m.* **2.** Flammröhre *f.* **3.** Heiz-, Siederohr *n.* '~-ˌ**walk·ing** *s hist.* Lauf *m* über glühende Kohlen. ~ **wall** *s* Brandmauer *f.* '~ˌ**ward·en** *s Am.* **1.** Brandmeister *m.* **2.** Brandwache *f.* '~-ˌ**watch·er** *s Br.* Brand-, Luftschutzwart *m.* '~ˌ**wa·ter** *s colloq.* Feuerwasser *n*, Branntwein *m.* '~ˌ**wood** *s* Brennholz *n.* '~ˌ**work** *s* **1.** Feuerwerkskörper *m.* **2.** *pl* Feuerwerk *n* (*a. fig.*). **3.** *fig.* a) (Bril'lant)Feuerwerk *n* (*des Geistes*), b) Knalle'rei *f*, c) heftiger Kon'flikt. ~ **wor·ship** *s* Feueranbetung *f.*

fir·ing ['fai(ə)riŋ] *s* **1.** Feuern *n.* **2.** Heizen *n.* **3.** Feuerung *f*: oil ~. **4.** 'Brennmateriˌal *n.* **5.** *mil.* (Ab)Feuern *n*, Schießen *n.* **6.** *tech.* Zünden *n.* ~ **bolt** *s mil.* Schlagbolzen *m* (*e-r Mine*). ~ **da·ta** *s pl mil.* Schußwerte *pl.* ~ **line** *s mil.* Feuerlinie *f*, -stellung *f*, Kampffront *f.* ~ **or·der** *s* **1.** *mot.* Zündfolge *f.* **2.** *mil.* Schießbefehl *m.* ~ **par·ty** *s mil.* **1.** 'Ehrensaˌlutkomˌmando *n.* **2.** Exeku'tionskomˌmando *n.* ~ **pin** *s tech.* Schlagbolzen *m.* ~ **po·si·tion** *s mil.* **1.** Anschlag(sart *f*) *m.* **2.** *Artillerie*: Feuerstellung *f.* ~ **range** *s mil.* **1.** Schuß-, Reichweite *f.* **2.** Feuerbereich *m.* **3.** Schießplatz *m*, -stand *m*, -anlage *f.* ~ **squad** → firing party. ~ **wire** *s electr.* Zünd-, Sprengkabel *n.*

fir·kin ['fəːrkin] *s* **1.** (Butter- *etc*)Fäßchen *n.* **2.** Viertelfaß *n* (*Hohlmaß = Br. 40,9 l, Am. 34,1 l*).

firm[1] [fəːrm] **I** *adj* (*adv* ~ly) **1.** fest, hart, steif: ~ ground fester Boden; ~ grip fester Griff. **2.** *bes. tech.* (stand)fest, sta'bil, gut *od.* sicher befestigt. **3.** ruhig, sicher: a ~ hand. **4.** *fig.* fest, beständig, standhaft: ~ friends enge Freunde. **5.** entschlossen, bestimmt, fest: a ~ attitude. **6.** *econ.* fest: ~ market; ~ offer; ~ prices feste *od.* stabile Preise. **II** *v/t* **7.** fest *od.* hart machen. **8.** *obs.* bestätigen. **III** *v/i* **9.** fest werden, sich festigen. **IV** *adv* **10.** fest: to sell ~; to stand ~ *fig.* fest bleiben, e-e feste Haltung einnehmen (on bezüglich *gen*).

firm[2] [fəːrm] *s* Firma *f*: a) *a.* ~ name Firmenname *m*, b) Betrieb *m*, Unter'nehmen *n*, Geschäft *n.*

fir·ma·ment ['fəːrməmənt] *s* Firma'ment *n*, Himmelsgewölbe *n.*

fir·man ['fəːrmæn; fər'mæn] *pl* **-mans** *s* Fer'man *m* (*Verfügung etc e-s östlichen Herrschers*).

fir moss *s bot.* Tannenbärlapp *m.*

firm·ness ['fəːrmnis] *s* **1.** Festigkeit *f*, feste Haltung, Entschlossenheit *f*, Beständigkeit *f.* **2.** *econ.* Festigkeit *f*, Stabili'tät *f.*

firn [fəːrn] *s a.* ~ snow Firn(schnee) *m.*

first [fəːrst] **I** *adj* (*adv* → firstly) **1.** erst(er, e, es), vorderst(er, e, es): at ~ hand aus erster Hand, direkt; at ~ sight (*od.* view *od.* blush) beim *od.* auf den ersten (An)Blick; ~ thing (in the morning) (morgens) als allererstes; in the ~ place zuerst, an erster Stelle, in erster Linie; to put ~ things ~ Dringendem den Vorrang geben; he does not know the ~ thing about it er hat keine blasse Ahnung davon. **2.** *fig.* erst(er, e, es), best(er, e, es), bedeutendst(er, e, es): the ~ men in the country die führenden Persönlichkeiten des Landes; ~ officer *mar.* Erster Offizier.

II *adv* **3.** (zu)'erst, zu'vorderst: head ~ mit dem Kopf voran; to go ~ vorangehen. **4.** zum erstenmal. **5.** eher, lieber; I'll be hanged ~. **6.** *a.* ~ off *Am.* erstens, in erster Linie, vor allen Dingen: ~ come, ~ served wer zuerst kommt, mahlt zuerst; ~ or last früher oder später, über kurz oder lang; ~ and last a) vor allen Dingen, b) im großen ganzen; ~ of all vor allen Dingen, zu allererst.

III *s* **7.** (*der, die, das*) Erste *od.* (*fig.*) Beste. **8.** Anfang *m*: from the ~ von Anfang an; from ~ to last durchweg, von A bis Z; at ~ im *od.* am Anfang, anfangs, zuerst. **9.** *mus.* erste Stimme. **10.** *mot.* erster Gang. **11.** (*der*) (Monats)Erste: the ~ of June der 1. Juni; the F~ *hunt. colloq.* der 1. September, der Anfang der Rebhuhnjagd. **12.** *econ.* Erstausgabe *f*: ~ of exchange Primawechsel *m.* **13.** *pl* erste *od.* beste Quali'tät (*Waren*). **14.** *univ. Br.* → first class 3.

first| **aid** *s* Erste Hilfe: ~ kit Verband(s)kasten *m*, -zeug *n*; ~ post Unfallstation *f*, Sanitätswache *f*; to render ~ Erste Hilfe leisten. ~ **bid** *s* Erstgebot *n* (*auf e-r Auktion*). '~-ˌ**born I** *adj* erstgeboren(er, e, es), ältest(er, e, es). **II** *s* (*der, die, das*) Erstgeborene. ~ **cause** *s philos.* Urgrund *m* aller Dinge, Gott *m.* '~-'**chop** *adj Br. Ind. od. colloq.* erstklassig, prima. ~ **class** *s* **1.** *rail. etc* erste Klasse. **2.** the ~ die höheren Gesellschaftsschichten *pl.* **3.** *univ. Br.* Eins *f*, höchste Note. **4.** *Am.* Briefpost *f.* '~-'**class I** *adj* **1.** erstklassig, ausgezeichnet. **2.** erster Klasse: ~ mail (*od.* matter) *Am.* Briefpost *f.* **II** *adv* **3.** erster Klasse: to travel ~. ~ **coat** *s tech.* **1.** Rohputz *m.* **2.** Grundanstrich *m.* ~ **cost** *s* Selbstkosten(preis *m*) *pl*, Gestehungskosten *pl*, Einkaufpreis *m.* ~ **day** *s* Sonntag *m* (*bes. der Quäker*). ~ **floor** *s* **1.** *Br.* erster Stock, erste E'tage. **2.** *Am.* Erdgeschoß *n.* '~-ˌ**foot** *s irr Scot.* erster Besucher am Neujahrsmorgen. ~ **fruits,** *a.* ~ **fruit** *s* **1.** *bot.* Erstlinge *pl.* **2.** *fig.* Erstlingswerk(e *pl*) *n*, erste Erfolge *pl.* ~ **grade** *s ped. Am.* unterste Volksschulklasse. '~'**hand I** *adv a.* at ~ aus erster Hand: to buy ~ *econ.* aus erster Hand beziehen. **II** *adj* aus erster Hand, unmittelbar, di'rekt. ~ **la·dy** *s Am.* Frau *f* des Präsi'denten der USA *od.* des Gouver'neurs e-s Staates. ~ **lieu·ten·ant** *s mil.* Oberleutnant *m.*

first·ling ['fəːrstliŋ] *s* Erstling *m.*

First Lord| **of the Ad·mi·ral·ty** *s* Erster Lord der Admirali'tät (*brit. Marineminister*). ~ **of the Treas·ur·y** *s* Erster Lord des Schatzamtes (*Ehrenamt des brit. Premiers*).

first·ly ['fəːrstli] *adv* erstens, zu'erst, zum ersten.

first| **me·rid·i·an** *s geogr.* 'Nullmeridiˌan *m.* ~ **mort·gage** *s econ. jur.* erste Hypo'thek. ~ **name** *s* Vorname *m.* ~ **night** *s* **1.** Premi'ere *f*, Uraufführung *f.* **2.** Premi'erenabend *m.* ˌ~-'**night·er** *s* (regelmäßiger) Premi'erenbesucher. ~ **of·fend·er** *s jur.* erstmalig Straffällige(r *m*) *f*, noch nicht Vorbestrafte(r *m*) *f.* ~ **pa·pers** *s pl Am. die ersten Dokumente, die zur Naturalisierung einzureichen sind.* ~ **per·son** *s* **1.** *ling.* erste Per'son. **2.** Ich-Form *f* (*in Romanen etc*). '~-'**rate I** *adj* erstklassig, vor'züglich, ersten Ranges: F~ Powers *pol.* Großmächte. **II** *adv colloq.* ausgezeichnet, großartig. **F~ Sea·lord** *s* Chef *m* des brit. Admi'ralstabs. ~ **ser·geant** *s mil. Am.* Haupt-, Kompa'niefeldwebel *m.*

firth [fəːrθ] *s* Meeresarm *m*, (weite) Mündung, Förde *f.*

fir tree *s* Tanne(nbaum *m*) *f.*

fisc [fisk] *s antiq. u. Scot.* Fiskus *m*, Staatskasse *f.* '**fis·cal I** *adj* fis'kalisch, steuerlich, Fiskal..., Finanz...: ~ year a) Geschäfts-, Rechnungsjahr *n*, b) *bes. pol. Am.* Steuer-, Etatsjahr. **II** *s jur. Scot.* Staatsanwalt *m.*

fish [fiʃ] **I** *pl* '**fish·es** *od. collect.* **fish** *s* **1.** Fisch *m*: there are as good ~ in the sea as ever came out of it es gibt noch mehr (davon) auf der Welt; all's ~ that comes to his net er nimmt (unbesehen) alles (mit); he drinks like a ~ er säuft wie ein Loch; he is like a ~ out of water er ist nicht in s-m Element; I have other ~ to fry ich habe Wichtigeres *od.* Besseres zu tun; neither ~, flesh nor good red herring, neither ~ nor fowl weder Fisch noch Fleisch, nichts Halbes u. nichts Ganzes; → feed 1; kettle 1. **2.** the F~(es) *astr.* die Fische *pl* (*Sternbild*). **3.** *colloq.* Bursche *m*, Kerl *m*: a loose ~ ein lockerer Vogel; a queer ~ ein komischer Kauz. **4.** *rail.* Lasche *f.* **II** *v/t* **5.** fischen, *Fische* fangen. **6.** *e-n Fluß etc* abfischen, absuchen: to ~ out aus-, leerfischen (→ 7); to ~ up *j-n* auffischen, retten. **7.** *fig.* fischen, holen, ziehen (out of aus): to ~ out heraus-, hervorholen *od.* -ziehen (→ 6). **8.** *rail.* verlaschen. **III** *v/i* **9.** fischen, Fische fangen, angeln: ~ or cut bait *Am. sl.* entschließ dich — so oder so; to ~ in troubled waters im trüben fischen. **10.** kramen (for nach): he ~ed in his pocket. **11.** *fig.* haschen, angeln (for nach). '**fish·a·ble** *adj* fischbar, zum Fischen geeignet.

fish| **and chips** *s Br.* Bratfisch *m* u. Pommes frites. ~ **ball** *s Kochkunst*: 'Fischklops *m*, -frikaˌdelle *f.* ~ **bas·ket** *s* (Fisch)Reuse *f.* '~ˌ**bed** *s geol.* Schicht *f* mit fos'silen Fischen. '~ˌ**bone** *s* (Fisch)Gräte *f.* ~ **bowl** *s* Goldfischglas *n.* ~ **cake** *s Kochkunst*: 'Fischklops *m*, -frikaˌdelle *f.*

fish·er ['fiʃər] *s* **1.** Fischer *m*, Angler *m* **2.** *zo.* Fischfänger *m.* **3.** *zo.* Fischermarder *m.* '~·**man** [-mən] *s irr* **1.** (*a.* Sport)Fischer *m*, Angler *m.* **2.** Fischdampfer *m.*

Fish·er's Seal *s R.C.* Fischerring *m* [(*des Papstes*).

fish·er·y ['fiʃəri] *s* **1.** Fische'rei *f*, Fischfang *m.* **2.** Fische'reigebiet *n*, Fischgrund *m*, Fangplatz *m.* **3.** Fische'reirecht *n*, Fischerlaubnis *f.*

fish| flour *s* Fischmehl *n.* ~ **globe** → fish bowl. ~ **glue** *s* Fischleim *m.* ~ **gua·no** *s* 'Fischgu,ano *m*, -dünger *m.* ~ **hawk** *s orn.* Fisch-, Flußadler *m.* '~,**hook** *s* **1.** Angelhaken *m.* **2.** *mar.* Penterhaken *m.*

fish·i·ness ['fiʃinis] *s* **1.** (*das*) Fischartige. **2.** *sl.* (*das*) Verdächtige, Zweifelhaftigkeit *f*, Anrüchigkeit *f.*

fish·ing ['fiʃiŋ] *s* **1.** Fischen *n*, Angeln *n.* **2.** → fishery 1 *u.* 2. **3.** *tech.* Laschenverbindung *f.* ~ **boat** *s* Fischerboot *n.* ~ **grounds** *s pl* → fishery 2. ~ **net** *s* Fischnetz *n.* ~ **pole,** ~ **rod** *s* Angelrute *f.* ~ **sto·ry** *s Br.* unglaubliche Geschichte, 'Jägerla,tein *n.* ~ **tack·le** *s* Fische'rei-, Angelgerät(e *pl*) *n.*

fish| joint *s rail. tech.* Laschen-, Stoßverbindung *f.* ~ **knife** *s irr* Fischmesser *n.* ~ **lad·der** *s* Fischtreppe *f.* ~ **line** *s* Angelschnur *f.* ~ **maw** *s* Schwimm-, Fischblase *f.* ~ **meal** *s* Fischmehl *n.* '~,**mon·ger** *s Br.* Fischhändler *m.* ~ **oil** *s* Fischtran *m.* '~,**plate** *s tech.* (Fuß-, Schienen)Lasche *f.* ~ **pole** *s Am.* Angelrute *f.* ~ **pom·ace** *s* Fischdünger *m.* '~,**pond** *s* Fischteich *m.* '~,**pot** *s* Fischreuse *f* (*zum Krebsfang*). ~ **slice** *s* Fischkelle *f.* ~ **sto·ry** *Am. colloq. für* **fishing story.** ~ **tack·le** *s mar.* Ankertalje *f.* '~,**tail I** *s* **1.** Fischschwanz *m.* **2.** *aer. colloq.* Abbremsen *n.* **II** *adj* **3.** fischschwanzartig: ~ **bit** *tech.* Fischschwanzmeißel *m*; ~ **burner** Fischschwanzbrenner *m.* **III** *v/i* **4.** *aer. colloq.* abbremsen. ~ **tor·pe·do** *s mil.* fischähnlicher Tor'pedo. '~-,**wife** *s irr* Fischhändlerin *f*, -weib *n*: **to swear like a** ~ keifen wie ein Marktweib. ~ **wire** *s tech.* Rohrdrahtleitung *f.* '~,**worm** *s* Angelwurm *m.*

fish·y ['fiʃi] *adj* (*adv* **fishily**) **1.** fischähnlich, -artig. **2.** Fisch... **3.** fischreich. **4.** *sl.* ‚faul', zweifelhaft, verdächtig. **5.** ausdruckslos, kalt: ~ **eyes.**

fisk → fisc.

fis·sile ['fisil; -sl; *Br. a.* -sail] *adj* spalt-, teilbar.

fis·sion ['fiʃən] **I** *s* **1.** *phys.* Spaltung *f*, Teilung *f*: **nuclear** ~ (Atom)Kernspaltung; ~ **bomb** Atombombe *f*; ~ **capture** Spaltungseinfang *m*; ~ **product** Spaltungsprodukt *n*; ~ **of uranium** Uranspaltung. **2.** *biol.* (Zell)Teilung *f.* **II** *v/t u. v/i* **3.** (sich) spalten. '**fis·sion·a·ble** *adj phys.* spaltbar.

fis·sip·a·rous [fi'sipərəs] *adj* (*adv* ~**ly**) *zo.* sich durch Teilung vermehrend, fissi'par.

fis·si·ped ['fisi,ped] *zo.* **I** *adj* spaltfüßig. **II** *s* Spaltfüßer *m.* ,**fis·si'ros·tral** [-'rɒstrəl] *adj orn.* **1.** zu den Spaltschnäblern gehörig. **2.** gespalten.

fis·sure ['fiʃər] **I** *s* **1.** Spalt(e *f*) *m*, Riß *m*, Ritz(e *f*) *m*, Sprung *m.* **2.** *anat.* (*Bauch-, Lid- etc*)Spalte *f*, (*Gehirn*)-Furche *f.* **3.** *med.* Fis'sur *f*, (*Knochen- etc*)Riß *m*, (-)Spalte *f*: ~ **of the lip** Hasenscharte *f.* **4.** *fig.* Spaltung *f.* **II** *v/t* **5.** spalten, sprengen. **III** *v/i* **6.** rissig werden, sich spalten. '**fissured** *adj* **1.** gespalten, rissig (*a. tech.*). **2.** *med.* aufgesprungen, schrundig.

fist [fist] **I** *s* **1.** Faust *f*: ~ **law** Faustrecht *n.* **2.** *humor.* a) ‚Pfote' *f* (*Hand*), b) ‚Klaue' *f* (*Handschrift*). **3.** *Am. colloq.* Versuch *m* (**at** mit). **II** *v/t* **4.** mit der Faust schlagen. **5.** anpacken.

fist·ed ['fistid] *adj* **1.** geballt: ~ **hands.** **2.** *in Zssgn* mit (e-r) ... Faust *od.* Hand, mit ... Fäusten.

fist·ic ['fistik], '**fist·i·cal** *adj humor.* Faustkampf..., Box... '**fist·i,cuff** [-,kʌf] *s* **1.** Faustschlag *m.* **2.** *pl* a) *sport* Faustkampf *m* (*ohne Handschuhe*), b) Schläge'rei *f.*

fis·tu·la ['fistjulə] *s* **1.** *med.* Fistel *f.* **2.** *mus.* Rohrflöte *f.* '**fis·tu·lous,** *a.* '**fis·tu·lar** *adj med.* fistelartig.

fit[1] [fit] **I** *adj* (*adv* ~**ly**) **1.** passend, geeignet. **2.** geeignet, fähig, tauglich: ~ **for service** dienstfähig, (-)tauglich; ~ **for transport** transportfähig; ~ **to drink** trinkbar; **to laugh (yell)** ~ **to burst** vor Lachen beinahe platzen (schreien wie am Spieß); ~ **to kill** *colloq.* wie verrückt; **dressed** ~ **to kill** *colloq.* ‚mächtig aufgedonnert'; **he was** ~ **to be tied** *Am. sl.* er hatte e-e Stinkwut (im Bauch). **3.** angemessen, angebracht: **to see** (*od.* **think**) ~ es für richtig *od.* angebracht halten (**to do** zu tun); **more than (is)** ~ über Gebühr. **4.** schicklich, geziemend: **it is not** ~ **for us to do so** es gehört sich *od.* ziemt sich nicht, daß wir dies tun. **5.** würdig, wert: **a dinner** ~ **for a king** ein königliches Mahl; **not** ~ **to be seen** nicht präsentabel. **6.** in guter (körperlicher) Verfassung, (gut) in Form, gut im Schuß, fit: **to keep** ~ sich gesund *od.* in Form halten; → fiddle 1.

II *s* **7.** a) Passen *n*, Sitz *m*, b) passendes Kleidungsstück: **it is a perfect** ~ es paßt genau, es sitzt tadellos; **it is a tight** ~ es sitzt stramm, *fig.* es ist sehr knapp bemessen. **8.** *tech.* Passung *f*, Sitz *m*: **fine (coarse)** ~ Fein-(Grob)-passung; **sliding** ~ Gleitsitz. **9.** Zs.-passen *n*, Über'einstimmung *f.*

III *v/t* **10.** passend *od.* geeignet machen (**for** für), anpassen (**to** an *acc*). **11.** *a. tech.* ausrüsten, -statten, einrichten, versehen (**with** mit). **12.** *j-m* passen, sitzen (*Kleid etc*). **13.** *fig.* passen für *od.* auf *j-n*, *e-r Sache* angemessen *od.* angepaßt sein: **the key** ~**s the lock** der Schlüssel paßt (ins Schloß); **the description** ~**s him** die Beschreibung trifft auf ihn zu; **the name** ~**s him** der Name paßt zu ihm; **to** ~ **the facts** (mit den Tatsachen über'ein)stimmen; **to** ~ **the occasion** (*Redew.*) dem Anlaß entsprechend. **14.** sich eignen für. **15.** *j-n* befähigen (**for** für; **to do** zu tun). **16.** *j-n* vorbereiten, ausbilden (**for** für). **17.** *tech.* a) einpassen, -bauen (**into** in *acc*), b) anbringen (**to** an *dat*), c) → **fit up.** **18.** a) an *j-m* Maß nehmen, b) *Kleid* 'anpro,bieren.

IV *v/i* **19.** passen: a) die richtige Größe haben, sitzen (*Kleidungsstück*), b) angemessen sein, c) sich eignen. **20.** ~ **into** passen in (*acc*), sich anpassen (*dat*), sich einfügen in (*acc*).

Verbindungen mit Adverbien:

fit| in I *v/t* einfügen, -schieben, -passen. **II** *v/i* (**with**) passen (in *acc*, zu), über'einstimmen (mit). ~ **on** *v/t* **1.** anpassen, 'anpro,bieren. **2.** anbringen, ('an)mon,tieren (**to** an *acc*). ~ **out** *v/t* → fit[1] 11. ~ **to·geth·er** *v/t u. v/i* inein'anderpassen. ~ **up** *v/t* **1.** → fit[1] 11. **2.** *tech.* aufstellen, mon'tieren.

fit[2] [fit] *s* **1.** *med.* Anfall *m*, Paro'xysmus *m*, Ausbruch *m*: **apoplectic** ~ Schlaganfall; ~ **of coughing** Hustenanfall; ~ **of anger** Wutanfall, -ausbruch; ~ **of laughter** Lachkrampf *m*; **to give s.o. a** ~ a) j-n furchtbar erschrecken, b) j-n ‚ganz aus dem Häuschen bringen'; **my aunt had a** ~ *colloq.* m-e Tante ‚bekam Zustände'; **to give s.o.** ~**s, to beat s.o. into** ~**s** *colloq.* j-n spielend leicht besiegen. **2.** *fig.* (plötzliche) Anwandlung *od.* Laune: ~ **of generosity** Anwandlung von Großzügigkeit, Spendierlaune; **by** ~**s (and starts)** stoß-, ruckweise, dann u. wann, sporadisch.

fit[3] [fit] *s obs.* Fitte *f*, Liedabschnitt *m.*

fitch [fitʃ] *s* **1.** Iltishaar(bürste *f*) *n.* **2.** → fitchew. '**fitch·ew** [-uː], *a.* '**fitch·et** [-it] *s zo.* Iltis *m.*

fit·ful ['fitful] *adj* (*adv* ~**ly**) **1.** unruhig: ~ **sleep.** **2.** unregelmäßig auftretend, veränderlich, vom Zufall abhängig. **3.** unstet, sprunghaft, launenhaft. '**fit·ful·ness** *s* Ungleichmäßigkeit *f*, Unbeständigkeit *f*, Launenhaftigkeit *f.*

fit·ment ['fitmənt] *s* **1.** Einrichtungsgegenstand *m.* **2.** *pl* Ausstattung *f*, Einrichtung *f.* **3.** *Am.* (Tropf- *etc*)Vorrichtung *f* (*an Arzneifläschchen etc*).

'**fit·ness** *s* **1.** Angemessenheit *f*, Schicklichkeit *f.* **2.** Tauglichkeit *f*, Eignung *f*, Tüchtigkeit *f*, Fähigkeit *f*, Befähigung *f*: ~ **to drive** Fahrtüchtigkeit; ~ **to work** Arbeitsfähigkeit; ~ **test** Eignungsprüfung *f.* **3.** a) Gesundheit *f*, b) gute körperliche Verfassung, ‚gute Form'. **4.** *bes. biol.* Zweckmäßigkeit *f.* '**fit,out** *s* Ausrüstung *f.* '**fit·ted** *adj* **1.** passend, geeignet. **2.** befähigt (**for** für). **3.** zugeschnitten, nach Maß (gearbeitet): ~ **carpet** Auslegeteppich *m*; ~ **coat** auf Taille gearbeiteter Mantel. '**fit·ter** *s* **1.** Ausrüster *m*, Einrichter *m.* **2.** (Anprobe)Schneider(in). **3.** *tech.* Mon'teur *m*, Me'chaniker *m*, (Ma'schinen)Schlosser *m*, Installa'teur *m.* '**fit·ting I** *adj* (*adv* ~**ly**) **1.** passend, geeignet. **2.** angemessen, schicklich. **II** *s* **3.** Einrichten *n*, Ein-, Anpassen *n.* **4.** (An)Probe *f.* **5.** *tech.* Mon'tieren *n*, Mon'tage *f*, Instal'lieren *n*, Installati'on *f*, Aufstellung *f*: ~ **shop** Montagehalle *f.* **6.** *pl* Beschläge *pl*, Zubehör *n*, Arma'turen *pl*, Ausstattungs-, Ausrüstungsgegenstände *pl.* **7.** *tech.* a) Paßarbeit *f*, b) Paßteil *n*, -stück *n*, c) Bau-, Zubehörteil *n*, d) (Rohr)Verbindung *f*, (-)Muffe *f*, e) (Schmier)Nippel *m*: **light-**~ Beleuchtungskörper *m.* '**fit·ting·ness** *s* Angemessenheit *f*, Schicklichkeit *f*, Eignung *f.* '**fit-,up** *s thea. Br. colloq.* **1.** provi'sorische Bühne u. Requi'siten *pl.* **2.** *a.* ~ **company** (kleine) Wandertruppe.

five [faiv] **I** *adj* **1.** fünf: ~**-day week** Fünftagewoche *f*; ~**-finger exercise** *mus.* Fünffingerübung *f*; ~**-unit code** *tech.* Fünferalphabet *n*; ~**-year plan** *pol.* Fünfjahresplan *m.* **II** *s* **2.** Fünf *f* (*Spielkarte etc*). **3.** Fünf *f*, Fünfer *m* (*Zahl*). **4.** Fünf *f*: a) Gruppe *f* von fünf Per'sonen, b) Satz *m* von fünf Dingen. **5.** a) *Br.* Fünf'pfundnote *f*, b) *Am. colloq.* Fünf'dollarnote *f.* **6.** *Kricket*: fünf Läufe einbringender Schlag. **7.** *pl*, *a.* ~**-percents** *econ. colloq.* 'fünfpro,zentige 'Wertpa,piere *pl.* **8.** *pl* Gegenstände *pl* der Größe *od.* Nummer 5 (*Schuhe etc*). '~**-and-'ten** *s Am.* billiges Kaufhaus. '~-,**fig·ure** *adj* fünfstellig: a ~ **income.** '~'**fold I** *adj* fünffach. **II** *adv* fünffach, um das Fünffache. '~-,**spot** *s Am.* → **five** 2 *u.* 5 b.

fiv·er ['faivər] *sl. für* **five** 5 *u.* 6.

fives [faivz] *s sport Br.* (*Art*) Wandball(spiel *n*) *m.*

fix [fiks] **I** *v/t* **1.** befestigen, festmachen, anheften, anbringen (**to** an *dat*): → **bayonet** 1. **2.** *fig.* a) festigen, verankern, b) einprägen. **3.** *e-n Preis etc* festsetzen, -legen, bestimmen, verabreden. **4.** *e-n Termin etc* festsetzen, anberaumen: **to** ~ **a date.** **5.** *den Blick*, *s-e Aufmerksamkeit etc* richten, heften (**upon, on** auf *acc*). **6.** *j-s Aufmerksamkeit etc* fesseln. **7.** *j-n* fi'xieren, anstarren. **8.** *aer. mar.* die Positi'on bestimmen von (*od. gen*). **9.** *chem. e-e Flüssigkeit* zum Erstarren bringen, fest werden lassen. **10.** *phot.* fi'xieren. **11.** zur mikro'skopischen Unter'suchung präpa'rieren. **12.** *tech. Werkstücke* a) feststellen, b) nor'mieren. **13.** *fig. die Schuld etc* zuschieben (upon *dat*). **14.** *bes. Am.* a) *etwas* 'herrichten, *ein Essen* zubereiten, b) *etwas* (wieder) richten, in Ordnung bringen, repa'rieren, c) arran'gieren, regeln. **15.** *Am. sl.* a) *e-n Wettkampf etc* vorher arran'gieren, b) *j-n* bestechen, c) es *j-m* ‚besorgen' *od.* ‚geben', *j-m* den Rest geben, *a.* es *j-m* heimzahlen. **16.** *Am. sl. e-m Rauschgiftsüchtigen* ‚e-e Spritze verpassen'. **17.** *meist* ~ up *bes. Am. colloq.* a) *j-m* zu essen geben, b) *j-n* versorgen, c) *j-m* e-e Stellung besorgen, *j-n* 'unterbringen. **18.** ~ up a) festsetzen, arran'gieren, b) *e-n Vertrag* abschließen, c) *e-n Streit* beilegen. **II** *v/i* **19.** *chem.* fest werden, erstarren. **20.** sich niederlassen *od.* festsetzen. **21.** ~ on a) sich entscheiden *od.* entschließen für *od.* zu, wählen, b) → 3. **22.** *Am. sl.* vorhaben, planen (to do zu tun). **III** *s* **23.** *colloq.* üble Lage, ‚Klemme' *f*, ‚Patsche' *f*. **24.** *Am. sl.* a) abgekartete Sache, Schiebung *f*, b) Bestechung *f*. **25.** *Am. sl.* (guter) Zustand: out of ~ kaputt, nicht in Ordnung. **26.** *Am. sl.* ‚Spritze' *f* (*Rauschgift*). **27.** *aer. mar.* a) Standort *m*, Positi'on *f*, b) Ortung *f*.

fix·ate ['fikseit] **I** *v/t* **1.** *Eindrücke etc* fi'xieren, festhalten. **2.** *etwas, j-n* dauernd im Auge behalten. **3.** *fig.* erstarren *od.* stag'nieren lassen: to become ~d with verharren bei, hängenbleiben an (*dat*). **II** *v/i* **4.** (*in e-m gewissen Stadium*) steckenbleiben, verharren, stag'nieren. **fix'a·tion** *s* **1.** Festsetzung *f*, -legung *f*, Fi'xierung *f*. **2.** *psych.* a) → fixed idea, b) Fi'xierung *f*, (*Mutter etc*)Bindung *f*.

fix·a·tive ['fiksətiv] *phot. tech.* **I** *s* Fixa'tiv *n*, Fi'xiermittel *n*. **II** *adj* Fixier...

fixed [fikst] *adj* (*adv* → fixedly) **1.** befestigt, fest angebracht. **2.** *tech.* fest (eingebaut), ortsfest, statio'när, Fest...: ~ aerial (*od.* antenna) Festantenne *f*; ~ gun *mil.* starres Geschütz; ~ coupling starre Kupplung; ~ landing gear *aer.* festes Fahrwerk. **3.** *chem.* gebunden, nicht flüchtig: ~ oil. **4.** starr: ~ gaze. **5.** fest, unverwandt: ~ attention. **6.** fest(gesetzt, -gelegt, -stehend), bestimmt, unveränderlich: ~ assets *econ.* feste Anlagen, Anlagevermögen *n*; ~ capital Anlagekapital *n*; ~ charges, ~ cost feste Kosten, Fixkosten, gleichbleibende Belastungen; ~ day (festgesetzter) Termin; ~ exchange direkte Notierung (*Devisenkurs*); ~ income festes (*a. gleichbleibendes*) Einkommen; ~ liability feste (langfristige) Verbindlichkeit; ~ price fester Preis, Festpreis *m*; ~ sum fest(gesetzt)er Betrag, Fixum *n*. **7.** *Am. sl.* arran'giert, abgekartet. **8.** *Am. sl.* (*gut etc*) versorgt *od.* versehen (for mit). ~ **fo·cus** *s phot.* Fixfokus *m*. ~ **i·de·a** *s psych.* fixe I'dee, Zwangsvorstellung *f*, Kom'plex *m*. '~-'**in·ter·est(-ˌbear·ing)** *adj econ.* festverzinslich.

fix·ed·ly ['fiksidli] *adv* starr, unverwandt. '**fix·ed·ness** → fixity.

fixed| point *s math.* Fest-, Fixpunkt *m*. ~ **sight** *s mil.* 'Standviˌsier *n*. ~ **star** *s astr.* Fixstern *m*.

fix·er ['fiksər] *s phot.* Fi'xiermittel *n*.

'**fix·ing** *s* **1.** Befestigen *n*, Mon'tieren *n*: ~ agent Befestigungs-, Fixier-, Bindemittel *n*; ~ bolt Haltebolzen *m*; ~ screw Stellschraube *f*. **2.** In'standsetzen *n*. **3.** *chem. phot.* Fi'xieren *n*. **4.** *pl Am. sl.* a) ‚Zeug' *n*, Geräte *pl*, b) Drum *n* u. Dran *n*, Zubehör *n*, c) Zutaten *pl* (*beim Kochen*). '**fix·i·ty** *s* Festigkeit *f*, Beständigkeit *f*: ~ of purpose Zielstrebigkeit *f*.

fixt [fikst] *obs. od. poet. pret u. pp von* fix.

fix·ture ['fikstʃər] *s* **1.** a) feste Anlage, Inven'tarstück *n* (*a. iro. Person*), Installati'onsteil *n*: lighting ~ Beleuchtungskörper *m od. pl*, b) *jur.* festes Inven'tar *od.* Zubehör: to be a ~ *fig. colloq.* zum Inventar gehören (*Angestellter*). **2.** *tech.* Spannvorrichtung *f*, -futter *n*; milling ~ Fräsvorrichtung. **3.** *Br.* (festgelegter Zeitpunkt für) sportliche Veranstaltungen *pl*.

fiz → fizz.

fiz·gig ['fizˌgig] **I** *s* **1.** flatterhaftes Mädchen, leichtfertiges ‚Ding'. **2.** Sprüh-, Knallfeuerwerk *n*, Schwärmer *m*. **II** *adj* **3.** flatterhaft, leichtfertig.

fizz [fiz] **I** *v/i* **1.** zischen, sprühen. **2.** brausen, sprudeln, mous'sieren (*Getränk*). **II** *s* **3.** Zischen *n*, Sprudeln *n*. **4.** *Am.* a) Sprudel *m*, b) Fizz *m*, Cocktail *m* mit Früchten. **5.** *Br. sl.* ‚Schampus' *m* (*Sekt*). **6.** *Am. colloq.* Schwung *m*, ‚Schmiß' *m*.

fiz·zle ['fizl] **I** *s* **1.** → fizz 3. **2.** *colloq.* Fi'asko *n*, ‚Pleite' *f*, 'Mißerfolg *m*. **II** *v/i* **3.** → fizz 1 *u.* 2. **4.** verpuffen (*a. fig.*). **5.** ~ out, *Am. a.* ~ a) mißglücken, 'durchfallen, b) enttäuschen(d enden), im Sand verlaufen.

fizz·y ['fizi] *adj* zischend, sprudelnd, sprühend, schäumend, mous'sierend.

fjord → fiord.

flab·ber·gast [*Br.* 'flæbərˌgɑːst; *Am.* -ˌgæ(ː)st] *v/t colloq.* verblüffen: I was ~ed ich war platt, mir blieb die Spucke weg.

flab·bi·ness ['flæbinis] *s* Schlaffheit *f*.

'**flab·by** *adj* (*adv* flabbily) schlaff, schlapp, matt (*alle a. fig.*).

fla·bel·late [flə'belit; -eit], **fla'bel·li·ˌform** [-liˌfɔːrm] *adj bot. zo.* fächerförmig, Fächer...

flac·cid ['flæksid] *adj* (*adv* ~ly) **1.** → flabby. **2.** welk. **flac'cid·i·ty, 'flac·cid·ness** *s* **1.** Schlaff-, Weichheit *f*. **2.** *fig.* Schwäche *f*. **3.** Welkheit *f*.

fla·con [fla'kɔ̃] (*Fr.*) *s* Fla'kon *m, n*, Flasche *f*, Fläschchen *n*.

flag[1] [flæg] **I** *s* **1.** Fahne *f*, Flagge *f*, Wimpel *m*: ~ of convenience *mar.* fremde Flagge (*unter der e-e Schiffahrtsgesellschaft ein Schiff fahren läßt, um Steuern zu umgehen*); yellow ~ Quarantäneflagge; to strike (*od.* lower) one's ~ die Flagge streichen (*als Gruß od. Zeichen der Übergabe*) (→ 2); to keep the ~ flying *fig.* die Fahne hochhalten. **2.** *mar.* (Admi'rals)Flagge *f*: to hoist (strike) one's ~ das Kommando übernehmen (abgeben). **3.** → flagship. **4.** *sport* Mar'kierungsfähnchen *n*. **5.** *Am.* a) (Kar'tei)Reiter *m*, b) *allg.* Mar'kierung(szeichen *n*) *f*. **6.** *orn.* Kielfeder *f* (*des Vogelschwanzes*). **7.** *hunt.* Fahne *f* (*Schwanz e-s Vorstehhundes od. Rehs*). **8.** *print.* Name *m od.* Titel *m* e-r Zeitung. **9.** *mus.* Fähnchen *n* (*e-r Note*). **10.** *TV* Gegenlichtblende *f*. **II** *v/t* **11.** beflaggen. **12.** *sport Rennstrecke* (mit Fähnchen) mar'kieren. **13.** *j-m* (mit Flaggen *od.* durch Winkzeichen) signali'sieren *od.* ein Si'gnal geben, *a. e-m Taxi etc* winken.

flag[2] [flæg] *s bot.* a) Gelbe Schwertlilie, b) (*e-e*) blaue Schwertlilie, c) Breitblättriger Rohrkolben.

flag[3] [flæg] *v/i* **1.** schlaff her'abhängen. **2.** *fig.* nachlassen, ermatten, erlahmen (*Interesse etc*). **3.** langweilig werden.

flag[4] [flæg] **I** *s* **1.** (Stein)Platte *f*, Fliese *f*. **2.** *pl* gepflasterter (Geh)Weg, Fliesen(pflaster *n*) *pl*. **II** *v/t* **3.** mit Fliesen belegen, pflastern.

'**flag|ˌboat** *s sport* Mar'kierboot *n*. ~ **cap·tain** *s Br.* Komman'dant *m* des Flaggschiffs. ~ **day** *s* **1.** *Br.* Opfertag *m* (*mit e-r Straßensammlung für wohltätige Zwecke*). **2.** Flag Day *Am.* Jahrestag *m* der Natio'nalflagge (*14. Juni*).

flag·el·lant ['flædʒilənt; flə'dʒelənt] **I** *s relig.* Geißler *m*, Flagel'lant *m*. **II** *adj* geißelnd.

flag·el·late ['flædʒiˌleit] **I** *v/t* **1.** geißeln. **II** *adj* **2.** *zo.* geißelförmig, Geißel... **3.** *bot.* Schößlinge treibend, Schößlings... **III** *s* **4.** *zo.* Geißeltierchen *n*. ˌ**flag·el'la·tion** *s* Geißelung *f*.

fla·gel·li·form [flə'dʒeliˌfɔːrm] *adj bot. zo.* geißel-, peitschenförmig. **fla'gel·lum** [-ləm] *pl* **-la** [-lə] *s* **1.** *zo.* Geißel *f*, Fla'gelle *f*. **2.** *bot.* Ausläufer *m*, Schößling *m*.

flag·eo·let[1] [ˌflædʒo'let] *s mus.* Fla-geo'lett *n*.

flag·eo·let[2] [ˌflædʒo'let] *s bot. e-e französische grüne Bohne*.

flag·ging[1] ['flægiŋ] *adj* erlahmend.

flag·ging[2] ['flægiŋ] *s* **1.** *collect.* Pflastersteine *pl*, Fliesen *pl*, (Stein)Platten *pl*. **2.** → flag[4] 2.

fla·gi·tious [flə'dʒiʃəs] *adj* (*adv* ~ly) **1.** verworfen, verderbt. **2.** ab'scheulich, schändlich.

flag| lieu·ten·ant *s* Flaggleutnant *m*. ~ **list** *s Br.* Liste *f* der 'Flaggoffiˌziere. '~**man** [-mən] *s irr* **1.** Winker *m*, Si'gnalgeber *m*. **2.** *sport* Starter *m*. ~ **of·fi·cer** *s mar.* 'Flaggoffiˌzier *m*.

flag·on ['flægən] *s* **1.** (*bauchige*) (Wein)Flasche (*bes. in Bocksbeutelform*). **2.** (Deckel)Krug *m*.

'**flagˌpole** → flagstaff.

fla·gran·cy ['fleigrənsi] *s* **1.** Ab'scheulichkeit *f*, Schändlichkeit *f*, (offenkundige) Schamlosigkeit. **2.** Ungeheuerlichkeit *f* (*Verbrechen*). '**fla·grant** *adj* (*adv* ~ly) **1.** schamlos, schändlich, ungeheuerlich. **2.** offenkundig, schreiend, fla'grant, kraß.

'**flag|ˌship** *s mar.* Flaggschiff *n*. '~ˌ**staff**, '~ˌ**stick** *s* Fahnenstange *f*, -mast *m*, Flaggenstock *m*. ~ **sta·tion** *s rail.* Bedarfshaltestelle *f*. '~ˌ**stone** → flag[4] 1. ~ **stop** *Am. für* flag station. '~-ˌ**wag·ging** *s sl.* **1.** Winken *n*, Signali'sieren *n*. **2.** → flag-waving 2. '~-ˌ**wav·er** *s* **1.** Agi'tator *m*. **2.** *colloq.* Chauvi'nist *m*. '~-ˌ**wav·ing** *s* **1.** Agitati'on *f*. **2.** Chauvi'nismus *m*, Hur'rapatrioˌtismus *m*.

flail [fleil] **I** *s* **1.** *agr.* Dreschflegel *m*. **2.** *mil. hist.* flegelähnliche Waffe, *z. B.* Morgenstern *m*. **II** *v/t* **3.** dreschen. **4.** wild einschlagen auf *j-n*. **5.** ~ one's arms mit den Armen schlegeln.

flair [flɛr] *s* **1.** Flair *n*, feiner In'stinkt, Spürsinn *m*, feine Nase, na'türliche Begabung (for für). **2.** *hunt.* Witterung *f*.

flak [flæk] *s mil.* **1.** Flak *f*: a) 'Fliegerabwehrkaˌnone *f*, b) Fla(k)truppe *f*. **2.** Fla(k) *f*, Fliegerabwehr *f*: ~ ship. **3.** Flakfeuer *n*.

flake[1] [fleik] **I** *s* **1.** (*Schnee-, Seifen-, Hafer- etc*)Flocke *f*. **2.** dünne Schicht, Lage *f*, Blättchen *n*: ~ white *paint. tech.* Schieferweiß *n*. **3.** Steinsplitter *m*: ~ tool Steinwerkzeug *n*. **4.** (Feuer)Funke *m*. **5.** (*Sortenname für e-e*) ge-

streifte Gartennelke. **6.** *metall.* Flokkenriß *m.* **II** *v/t* **7.** abblättern. **8.** flokkig machen. **9.** (wie) mit Flocken bedecken. **10.** *Fisch* zerlegen. **III** *v/i* **11.** *meist* ~ off abblättern, sich abschälen. **12.** in Flocken fallen. **13.** sich flocken. **14.** *metall.* verzundern.
flake² [fleik] *s* **1.** *tech.* Trockengestell *n.* **2.** *mar.* Stel'lage *f*, Stelling *f.*
flaked [fleikt] *adj* schuppig, flockig, Blättchen...: ~ **gunpowder** Blättchenpulver *n.*
flak·i·ness ['fleikinis] *s* flockige *od.* schuppige Beschaffenheit. **'flak·y** *adj* **1.** schuppig, schieferig. **2.** blätterig: ~ **pastry** Blätterteig *m.* **3.** *metall.* zunderig, flockenrissig.
flam¹ [flæm] **I** *s* **1.** Lüge *f.* **2.** Schwindel *m*, Betrug *m.* **3.** Unsinn *m.* **II** *v/t u. v/i* **4.** betrügen.
flam² [flæm] *s mus.* (kurzer) Trommelwirbel.
flam·beau ['flæmbou] *pl* **-beaux** *od.* **-beaus** [-bouz] *s* **1.** Fackel *f.* **2.** Leuchter *m*, Lüster *m.*
flam·boy·ance [flæm'bɔiəns], **flam'boy·an·cy** [-si] *s* über'ladener Schmuck, Grellheit *f.* **flam'boy·ant I** *adj* (*adv* ~ly) **1.** *arch.* wellenförmig, flammenähnlich, wellig: ~ **style** Flamboyant-, Flammenstil *m.* **2.** grell, leuchtend. **3.** farbenprächtig. **4.** *fig.* flammend. **5.** *fig.* auffallend. **6.** über'laden (*a. Stil*). **7.** pom'pös, bom'bastisch. **II** *s* **8.** *bot.* Flam'boyant *m.*
flame [fleim] **I** *s* **1.** Flamme *f*, Feuer *n*: **to burst into** ~(s) in Flammen aufgehen. **2.** *fig.* Flamme *f*, Glut *f*, Leidenschaft *f*, Heftigkeit *f.* **3.** *colloq.* ,Flamme' *f*, ,Angebetete' *f.* **4.** Leuchten *n*, Glanz *m.* **5.** grelle Färbung. **II** *v/t* **6.** *tech.* flammen. **III** *v/i* **7.** *a.* ~ **up** (auf)flammen, (-)lodern, züngeln. **8.** (rot) glühen, leuchten: **to** ~ **up** *fig.* a) feuerrot werden (*im Gesicht*), b) aufbrausen, in Wut geraten. **'~-ˌcol·o(u)red** *adj* feuerfarben, geflammt. ~ **cut·ting** *s tech.* auto'genes Schneiden.
flame·let ['fleimlit] *s* Flämmchen *n.*
flame| pro·jec·tor → **flamethrower.** **'~ˌproof** *adj tech.* **1.** feuersicher, -fest. **2.** schlagwetter-, explosi'onsgeschützt: ~ **motor.** **'~ˌthrow·er** *s bes. mil.* Flammenwerfer *m.*
flam·ing ['fleimiŋ] *adj* **1.** flammend, lodernd, brennend, glühend (*alle a. fig.*): ~ **passion.** **2.** *fig.* feurig, leidenschaftlich, heftig. **3.** *fig.* begeistert. **4.** a) leuchtend, b) feuerrot. **5.** über'trieben: **a** ~ **tale.**
fla·min·go [flə'miŋgou] *pl* **-goes,** *bes. Am.* **-gos** *s orn.* Fla'mingo *m.*
flam·ma·ble ['flæməbl] *Am. für* **inflammable.**
flam·y ['fleimi] *adj* **1.** glühend, flammend. **2.** flammenförmig.
flan¹ [flæn] *s* Obst-, Käsekuchen *m.*
flan² [flæn] *s tech.* **1.** Münzplatte *f.* **2.** ('Münz)Meˌtall *n.*
flâ·ne·rie [flan'ri] (*Fr.*) *s* Bummeln *n.*
flâ'neur [-'nœːr] (*Fr.*) *s* Fla'neur *m*, Bummler *m.*
flange [flændʒ] *tech.* **I** *s* **1.** Flansch *m*, Bördel *n*, Gurt(ung *f*) *m.* **2.** Spurkranz *m* (*des Rades*). **II** *v/t* **3.** a) flanschen, ('um)bördeln, b) anflanschen (**to** an *acc*): ~**d motor** Flanschmotor *m*; ~**d rim** umbördelter Rand. ~ **cou·pling** *s tech.* Scheibenkupplung *f.*
flang·ing ['flændʒiŋ] *s tech.* Kümpeln *n*, Bördeln *n*: ~ **machine** Bördelmaschine *f.*
flank [flæŋk] **I** *s* **1.** Flanke *f*, Weiche *f* (*e-s Tieres*). **2.** Seite *f* (*e-r Person*). **3.** Seite *f* (*e-s Gebäudes etc*). **4.** *mil.* Flanke *f*, Flügel *m*: **to turn the** ~ (**of**) die Flanke (*gen*) aufrollen. **5.** *tech.* Flanke *f*, Schenkel *m*: ~ **clearance** Flankenspiel *n.* **II** *v/t* **6.** flan'kieren, seitlich stehen von *od.* begrenzen, säumen, um'geben. **7.** *mil.* flan'kieren: a) die Flanke (*gen*) decken, b) *j-m* in die Flanke fallen. **8.** flan'kieren, (seitwärts) um'gehen. **III** *v/i* **9.** angrenzen, (-)stoßen (**on** an *acc*), seitlich liegen, die Flanke *od.* den Flügel bilden.
flank·ing ['flæŋkiŋ] *adj mil.* Flanken..., Flankierungs...: ~ **fire;** ~ **movement;** ~ **march** Flankenmarsch *m.*
flank| man *s irr mil.* Flügelmann *m.* ~ **vault** *s Turnen*: Flanke *f.*
flan·nel ['flænl] **I** *s* **1.** Fla'nell *m.* **2.** *pl* Kleidungsstück *n* aus Fla'nell, *bes.* Fla'nellhose *f.* **3.** *pl* Fla'nellˌunterwäsche *f.* **4.** *pl Br.* (Sport)Dreß *m.* **5.** *Br.* Waschlappen *m.* **II** *v/t* **6.** mit Fla'nell (be)kleiden.
flan·nel·et, *Br.* **flan·nel·ette** [ˌflænə'let] *s* 'Baumwollflaˌnell *m.* **'flan·nel·ly** *adj* fla'nellartig, Flanell...
'flan·nel-ˌmouthed *adj Am.* (aal)glatt, gerissen.
flap [flæp] **I** *s* **1.** Flattern *n*, (Flügel)Schlag *m.* **2.** Schlag *m*, Klaps *m.* **3.** a) Patte *f*, Klappe *f* (*an e-r Manteltasche etc*), b) (weiche) (Hut)Krempe. **4.** Klappe *f*, Falltür *f.* **5.** (Verschluß)Klappe *f* (*e-r Handtasche, e-s Briefumschlags, e-s Ventils etc*), Lasche *f* (*e-s Kartons*): ~ **valve** *tech.* Klappventil *n.* **6.** *aer.* (Lande)Klappe *f.* **7.** Klappe *f* (*e-s Buchumschlags*). **8.** Lasche *f* (*am Schuh*). **9.** (*etwas*) lose Her'abhängendes, *z. B.* a) Lappen *m*, b) (Tisch)Klappe *f*, c) *med.* (Haut)Lappen *m*: ~ **of the ear** Ohrläppchen *n.* **10.** Durchein'ander *n*, Aufregung *f*, Panik *f*: **to be (get) in a** ~ (ganz) aus dem Häus-chen sein (geraten). **II** *v/t* **11.** auf u. ab *od.* hin u. her bewegen, mit *den Flügeln etc* schlagen: **the bird** ~**ped its wings.** **12.** schlagen, klatschen: **to** ~ **against** klatschen gegen. **13.** *die Hutkrempe* her'unterklappen. **III** *v/i* **14.** flattern. **15.** lose her'unterhängen. **16.** mit den Flügeln schlagen, flattern. **17.** klatschen, schlagen. **18.** *Am. colloq.* ,quasseln'. **'~ˌdoo·dle** *s colloq.* Unsinn *m*, ,Quatsch' *m*, ,Mumpitz' *m.* **'~-ˌeared** *adj* schlappohrig. **'~ˌjack** *s* **1.** Pfannkuchen *m.* **2.** *Br.* (flache) Puderdose.
flap·per ['flæpər] *s* **1.** Fliegenklappe *f*, -klatsche *f.* **2.** Klappe *f*, breites, flaches, her'abhängendes Stück. **3.** *orn.* junge (noch nicht flügge) Wildente. **4.** *zo.* (breite) Flosse. **5.** *sl.* ,Flosse' *f* (*Hand*). **6.** *sl.* ,junges Ding' (*heranreifendes Mädchen*).
flare [flɛr] **I** *s* **1.** (auf)flackerndes *od.* grelles Licht, plötzlicher Lichtschein. **2.** (Auf)Flackern *n*, (-)Lodern *n*, (-)Leuchten *n.* **3.** *bes. mar.* Leuchtfeuer *n*, 'Licht-, 'Feuersiˌgnal *n.* **4.** *mil.* Leuchtkugel *f*, -bombe *f.* **5.** *fig.* → **flare-up** 2. **6.** Aufbauschen *n*, Ausbauchung *f.* **II** *v/t* **7.** *e-e brennende Kerze etc* hin u. her schwenken, flakkern lassen. **8.** zur Schau stellen, blenden mit. **9.** aufflammen lassen, mit Licht *od.* Feuer signali'sieren. **10.** ausdehnen, -weiten. **11.** glockenförmig bauschen: ~**d skirt** Glockenrock *m.* **III** *v/i* **12.** flackern. **13.** *meist* ~ **up** (auf)flammen, (-)lodern (*a. fig.*). **14.** *meist* ~ **up,** ~ **out** *fig.* aufbrausen, in Zorn ausbrechen. **15.** a) sich nach außen erweitern, b) sich (glockenförmig) bauschen (*Rock*). **16.** *mar.* 'überhängen (*Bug*). ~ **an·gle** *s phys.* Erweiterungswinkel *m.* **'~ˌback** *s* **1.** *tech.* Flammenrückschlag *m.* **2.** *fig.* a) 'Wiederausbruch *m*, b) heftige Reakti'on, scharfe Antwort. ~ **path** *s aer.* Leuchtpfad *m.* ~ **pis·tol** *s mil.* 'Leuchtpiˌstole *f.* **'~-ˌup** *s* **1.** Aufflackern *n*, -lodern *n* (*a. fig.*). **2.** *fig.* Aufbrausen *n*, (Wut)Ausbruch *m.* **3.** kurzer Erfolg, Strohfeuer *n.* **4.** *colloq.* ,Mordsulk' *m.*
flar·ing ['flɛ(ə)riŋ] *adj* (*adv* ~ly) **1.** (auf)flackernd, lodernd, flammend. **2.** *fig.* auffallend, grell, protzig. **3.** sich erweiternd *od.* ausbauchend.
fla·ser ['flɑːzər] *s geol.* Flaser *f.*
flash [flæʃ] **I** *s* **1.** Aufblitzen *n*, -leuchten *n*, Blitz *m*: ~ **of lightning** Blitzstrahl *m*; ~ **of fire** Feuergarbe *f*; **a** ~ **in the pan** ein Versager (nach blendendem Start), ein Schlag ins Wasser. **2.** *mil.* Mündungsfeuer *n.* **3.** *fig.* Aufflammen *n*, Ausbruch *m*, Einfall *m*: ~ **of wit** Geistesblitz *m.* **4.** *fig.* Augenblick *m*: **in a** ~ im Nu. **5.** Gepränge *n*, Glanz *m*, Prachtentfaltung *f.* **6.** *Zeitung, Radio*: Kurznachricht *f.* **7.** *tel.* Blitzmeldung *f.* **8.** *sl.* Gauner-, Vaga'bundensprache *f.* **9.** *chem.* Entflammung *f.* **10.** *tech.* a) Gußnaht *f*, b) 'Überlauf *m.* **11.** *mar.* Schleusenwassersturz *m.* **12.** *Br.* → **flashback** 1. **13.** *mil. Br.* Uni'formˌabzeichen *n*, Divisi'onszeichen *n.* **14.** *Am. colloq.* a) Taschenlampe *f*, b) *phot.* Blitzlicht(aufnahme *f*) *n.*
II *v/t* **15.** (blitzartig) aufleuchten *od.* (auf)blitzen lassen, (plötzlich) ausstrahlen: **he** ~**ed a light in my face** er leuchtete mir plötzlich ins Gesicht; **his eyes** ~**ed fire** s-e Augen blitzten *od.* sprühten Feuer. **16.** *a.* ~ **on** aufblitzen lassen. **17.** (*bes.* mit Licht) signali'sieren. **18.** *e-n Blick* werfen, schleudern. **19.** *colloq.* a) schnell her'vorziehen, sehen lassen: **to** ~ **a badge,** b) zur Schau tragen, protzen mit. **20.** *e-e Nachricht* 'durchgeben, telegra'phieren, funken: **to** ~ **a message.** **21.** mit Wasser füllen. **22.** *tech. Glas etc* über'fangen, mit e-r farbigen Glasschicht über'ziehen.
III *v/i* **23.** aufflammen, (auf)blitzen. **24.** zucken (*Blitz*). **25.** glänzen, leuchten. **26.** *fig.* plötzlich sichtbar *od.* bewußt werden, plötzlich erwachen: **it** ~**ed upon me** (*od.* **into my mind**) es fuhr mir plötzlich *od.* blitzartig durch den Sinn. **27.** sich blitzartig bewegen, rasen, ,flitzen', schießen (*a. Wasser*): **to** ~ **up a tree** blitzschnell e-n Baum hochklettern; **to** ~ **into action** blitzartig in Aktion treten *od.* handeln; **to** ~ **out** losbrechen (**against** gegen).
IV *adj* **28.** → **flashy.** **29.** geschniegelt, ,aufgedonnert' (*Person*). **30.** falsch, gefälscht, unecht. **31.** *in Zssgn* kurzzeitig, Schnell..., Blitz...: ~ **dryer** Schnelltrockner *m.*
'flash|ˌback *s* **1.** Rückblende *f*, -blick *m*, -schau *f* (*in e-m Film, Roman etc*). **2.** *tech.* Rückschlag *m* der Flamme. **'~ˌboard** *s tech.* Staubrett *n.* ~ **boil·er** *s tech.* Spritzdampfkessel *m.* ~ **bomb** *s mil. phot.* Blitzlichtbombe *f.* ~ **bulb** *s phot.* Blitzlicht(lampe *f*) *n.* ~ **card** *s* **1.** *ped.* Illustrati'onstafel *f.* **2.** *sport* Wertungstafel *f* (*des Preisrichters*). ~ **flood** *s geogr.* plötzliche Über'schwemmung, Wildbach *m.* ~ **gun** *s phot.* Blitzlichtgerät.
flash·i·ness ['flæʃinis] *s* **1.** auffälliger Prunk, oberflächlicher Glanz. **2.** Auffälligkeit *f.* **'flash·ing** *adj* blitzend, (auf)leuchtend: ~ **light** *mar.* Blinkfeuer *n*; ~ **point** Flammpunkt *m.*
flash| lamp *s phot.* Blitzlichtlampe *f.* **'~ˌlight** *s* **1.** Si'gnallampe *f.* **2.** *mar.*

Leuchtfeuer *n*. **3.** *bes. Am.* Taschenlampe *f*. **4.** *phot.* Blitzlicht *n*: ~ capsule Kapselblitz *m*; ~ photo(graph) Blitzlichtaufnahme *f*. ~ **mes·sage** *s Funk*: Blitzmeldung *f*. '~ˌ**o·ver** *s electr.* 'Überschlag *m*: ~ voltage Überschlagspannung *f*. ~ **point** *s phys.* Flammpunkt *m*. ~ **rang·ing** *s mil.* Lichtmessen *n*. ~ **tube** *s phot.* Blitzlichtröhre *f*. '~-ˌ**weld·ing** *s tech.* Brenn-, Abschmelzschweißen *n*.

flash·y ['flæʃi] *adj* (*adv* flashily) **1.** glitzernd, glänzend. **2.** *fig.* auffällig, grell, protzig, ,knallig'.

flask [*Br.* flɑːsk; *Am.* flæ(ː)sk] *s* **1.** *hist.* Pulverhorn *n*. **2.** (Taschen-, Reise-, Feld)Flasche *f*. **3.** *tech.* Kolben *m*, Flasche *f*: volumetric ~ Meßkolben. **4.** *tech.* Formkasten *m*.

flat[1] [flæt] **I** *s* **1.** Fläche *f*, Ebene *f*. **2.** flache Seite: ~ of the hand Handfläche *f*. **3.** Flachland *n*, Niederung *f*. **4.** Untiefe *f*, Flach *n*, Watt *n*, Sandbank *f*. **5.** *mus.* B *n* (b). **6.** *thea.* Ku'lisse *f*. **7.** *sl.* ,Platte(r)' *m*, ,Plattfuß' *m*, Reifenpanne *f*. **8.** *mar.* a) *Br.* Leichter *m*, b) Truppenlandungsboot *n*, c) Plattform *f*. **9.** *tech.* Flacheisen *n*. **10.** *rail.* → flatcar. **11.** *Am.* breitkrempiger Hut. **12.** *sport* Flachrennbahn *f*. **13.** *Am.* Fest-, 'Umzugswagen *m*. **14.** flacher Korb. **15.** *sl.* Dummkopf *m*, ,Knallkopf' *m*.

II *adj* (*adv* → flatly) **16.** flach, platt, eben: ~ shore Flachküste *f*; → flatfoot. **17.** *tech.* Flach...: ~ anvil (chisel, coil, rail, roof, wire, *etc*). **18.** *Ballistik*: ra'sant (*Flugbahn*). **19.** (aus-, 'hin)gestreckt, flach am Boden liegend. **20.** ~ on eng an (*dat*). **21.** dem Erdboden gleich. **22.** flach, offen: ~ hand. **23.** *mot.* platt (*Autoreifen*). **24.** stumpf, platt: ~ nose. **25.** entschieden, glatt: a ~ denial; that's ~! und damit basta! **26.** a) langweilig, fade, öd(e), b) seicht, platt, geistlos. **27.** schal, fade: ~ beer. **28.** *bes. econ.* flau, lustlos: ~ market. **29.** *econ.* a) einheitlich, Einheits..., b) Pauschal...: ~ fee Pauschalgebühr *f*; ~ sum Pauschalbetrag *m*, Pauschale *f*; → flat price; flat rate. **30.** *paint. phot.* a) kon'trastlos, b) matt, glanzlos. **31.** klanglos: ~ voice. **32.** *mus.* a) erniedrigt (*Note*), b) mit B-Vorzeichen (*Tonart*): A ~ as *n*.

III *adv* **33.** eben, flach, rundweg: ~ broke *Am. sl.* ,völlig pleite'; to fall ~ a) der Länge nach hinfallen, b) *fig. colloq.* ,danebengehen', mißglücken, c) s-e Wirkung verfehlen, ,danebengehen'. **34.** genau: in ten seconds ~. **35.** *mus.* a) um e-n halben Ton niedriger, b) zu tief: to sing ~. **36.** ohne (Berechnung der aufgelaufenen) Zinsen.

IV *v/t* **37.** *tech.* flach *od.* eben machen, glätten. **38.** *mus.* um e-n halben Ton erniedrigen.

flat[2] [flæt] *s* **1.** (E'tagen-, Miet)Wohnung *f*. **2.** *pl* E'tagen-, Mietshaus *n*. **3.** *Br. selten* Stockwerk *n*.

flat| arch *s arch.* Flachbogen *m*. '~-ˌ**base rim** *s tech.* Flachbettfelge *f*. '~ˌ**boat** *s mar.* Prahm *m*, Flachboot *n*. '~-ˌ**bot·tom flask** *s chem.* Stehkolben *m*. '~ˌ**car** *s rail. Am.* Plattformwagen *m*. ~ **cost** Selbstkosten(preis *m*) *pl*. '~ˌ**fish** *s* Plattfisch *m*. '~ˌ**foot** *s irr* **1.** *med.* a) Plattfüßigkeit *f*, b) *a.* flat foot Platt-, Senkfuß *m*. **2.** *Am. sl.* ,Po'lyp' *m*, Poli'zist *m*. '~-'**foot·ed** *adj* **1.** plattfüßig: to catch ~ *Am. colloq.* a) überrumpeln, b) (auf frischer Tat) ertappen. **2.** *tech.* standfest. **3.** *Am. sl.* entschieden, kompro'mißlos, ,eisern'. **4.** *Br. colloq.* schwerfällig, phanta'sielos. '~ˌ**ham·mer** *v/t tech.* glatt-, nachhämmern, richten. '~'**hat** *v/i Am. colloq.* **1.** *aer.* gefährlich niedrig fliegen. **2.** ,angeben'. '~ˌ**head** *s* **1.** 'Flachkopf-, 'Salishan-, 'Chinookindiˌaner *m*. **2.** *tech.* a) Flachkopf *m* (*Niet*), b) Flachkopfbolzen *m*. **3.** *Am. sl.* ,Schafskopf' *m*. '~ˌ**i·ron** *s* **1.** *tech.* Flacheisen *n*. **2.** Bügel-, Plätteisen *n*.

flat·let ['flætlit] *s Br.* Kleinwohnung *f*.

flat·ling ['flætliŋ] **I** *adj* **1.** *obs.* mit der flachen Seite (gegeben) (*Schlag etc*). **2.** *fig.* (er)drückend. **II** *adv* **3.** *obs.* flach, der Länge nach. '**flat·lings,** '**flat·long** → flatling II. '**flat·ly** *adv* **1.** flach, platt. **2.** schal, matt, geistlos. **3.** rundweg, glatt, offen her'aus.

flat·ness ['flætnis] *s* **1.** Flach-, Ebenheit *f*. **2.** Entschiedenheit *f*. **3.** Eintönigkeit *f*. **4.** *econ.* Matt-, Flauheit *f*, Lustlosigkeit *f*. **5.** *Ballistik*: Ra'sanz *f*.

'**flat|-ˌnosed** [-ˌnouzd] *adj* stumpf-, plattnasig: ~ pliers *tech.* Flachzange *f*. ~ **paint** *s tech.* Grun'dierfarbe *f*. ~ **price** *s econ.* Einheits-, Pau'schalpreis *m*. ~ **race** *s sport* Flachrennen *n*. ~ **rate** *s econ.* Pau'schal-, Einheitssatz *m*. ~ **spring** *s tech.* Blattfeder *f*.

flat·ten ['flætn] **I** *v/t* **1.** eben *od.* flach *od.* glatt machen, (ein)ebnen. **2.** dem Erdboden gleichmachen. **3.** *fig.* niederdrücken, entmutigen. **4.** *fig. Am.* a) *Gegner* niederringen, bezwingen, b) *Boxen*: *sl.* ,flachlegen', niederschlagen, c) *colloq.* (finanzi'ell) rui'nieren, d) plattwalzen. **5.** *mus.* *e-e Note* (um e-n Halbton) erniedrigen. **6.** *paint. Farben* dämpfen. **7.** *paint. tech.* grun'dieren. **8.** *tech.* flachschlagen, -drücken, abflachen. **9.** *tech.* nachhämmern, strecken. **II** *v/i* **10.** *a.* ~ out flach *od.* eben *od.* platt werden. **11.** *fig.* a) fade werden, b) verflachen, geistlos werden. **12.** *Am.* ,sich (mächtig) ins Zeug legen'. ~ **out** *aer.* **I** *v/i* ausschweben. **II** *v/t das Flugzeug* a) (*aus dem Gleitflug*) abfangen, b) (*vor der Landung*) aufrichten.

flat·tened ['flætnd] *adj a. math. tech.* abgeflacht, abgeplattet. '**flat·ten·er** *s tech.* **1.** Glätter *m*. **2.** *Glasfabrikation*: Strecker *m*. **3.** *metall.* 'Blechrichtmaˌschine *f*. '**flat·ten·ing** *s math. tech.* Abflachung *f*, Abplattung *f*, Strecken *n*: ~ furnace Streckofen *m*.

flat·ter[1] ['flætər] **I** *v/t* **1.** *j-m* schmeicheln, Kompli'mente *od.* den Hof machen: to ~ s.o. into doing s.th. j-n so lange umschmeicheln, bis er etwas tut. **2.** *fig.* *j-m* schmeicheln: the picture ~s him das Bild ist geschmeichelt. **3.** wohltun (*dat*), schmeicheln (*dat*): the breeze ~ed his skin; it ~ed his vanity. **4.** ~ o.s. sich schmeicheln *od.* einbilden (that daß). **5.** sich beglückwünschen (on zu). **II** *v/i* **6.** schmeicheln, Schmeiche'leien sagen.

flat·ter[2] ['flætər] *s tech.* **1.** Richt-, Streckhammer *m*. **2.** Plätt-, Streckwalze *f*.

flat·ter[3] ['flætər] *comp von* flat[1] II *u.* III.

flat·ter·er ['flætərər] *s* Schmeichler(in). '**flat·ter·ing** *adj* (*adv* ~ly) **1.** schmeichelhaft, schmeichlerisch. **2.** geschmeichelt, schmeichelhaft (to für): ~ portrait. **3.** verschönend. '**flat·ter·y** *s* Schmeiche'lei *f*.

flat·test ['flætist] *sup von* flat[1] II *u.* III.

flat·tie ['flæti] *s Am.* **1.** *colloq.* (Damen)Schuh *m* mit flachem Absatz. **2.** → flatboat. **3.** → flatfoot 2.

flat tile *s arch.* Biberschwanz *m* (*flacher Dachziegel*).

flat·ting ['flætiŋ] *s tech.* **1.** Platthämmern *n*. **2.** matter Ölanstrich. **3.** Über'fangen *n* (*von Glas*). ~ **mill** *s tech.* Streckwerk *n*.

flat| tire, *bes. Br.* ~ **tyre** *s* **1.** *tech.* Reifenpanne *f*. **2.** *Am. sl.* fader Kerl. '~ˌ**top**[1] *s bot.* **1.** Wollknöterich *m*. **2.** *Am.* Ver'nonie *f*. '~ˌ**top**[2] *s mar. Am. sl.* Flugzeugträger *m*. ~ **tra·jec·to·ry** *s aer. mil. tech.* ra'sante Flugbahn: ~ gun Flachbahngeschütz *n*. ~ **tun·ing** *s electr.* Grobabstimmung *f*.

flat·u·lence ['flætjuləns], *a.* '**flat·u·len·cy** [-si-] *s* **1.** *med.* Blähung(en *pl*) *f*, Blähsucht *f*. **2.** *fig.* Nichtigkeit *f*, Schwulst *m*. **3.** *fig.* Anmaßung *f*. '**flat·u·lent** *adj* (*adv* ~ly) **1.** *med.* a) blähend, b) blähsüchtig. **2.** *fig.* nichtig, leer, eitel, schwülstig. **3.** *fig.* anmaßend, aufgeblasen.

'**flat|ˌware** *s Am.* **1.** (Eß)Bestecke *pl*. **2.** *collect.* flache Teller *pl*, 'Untertassen *pl* u. Platten *pl* (*Ggs* hollow ware). '~ˌ**wise,** *a.* '~ˌ**ways** *adv* mit der flachen *od.* breiten Seite (nach) vorn *od.* oben, platt, der Länge nach. '~ˌ**work** *s bes. Am.* Mangelwäsche *f*. '~ˌ**worm** *s zo.* Plattwurm *m*.

flaunt [flɔːnt] **I** *v/t* **1.** prunken *od.* para'dieren mit, *etwas* stolz zur Schau tragen, offen zeigen, nicht verbergen: to ~ o.s. → 3. **2.** *Am.* *e-n Befehl etc* miß'achten. **II** *v/i* **3.** (her'um)stolˌzieren, para'dieren. **4.** a) stolz wehen, b) prangen.

flau·tist ['flɔːtist] *s mus.* Flö'tist(in).

fla·vone ['fleivoun] *s chem.* Fla'von *n*.

fla·vo·pro·te·in [ˌfleivou'proutiːin; -tiːn] *s chem.* Flavoprote'in *n*.

fla·vor, *bes. Br.* **fla·vour** ['fleivər] **I** *s* **1.** (Wohl)Geschmack *m*, A'roma *n*, Duft *m*, *a.* Blume *f* (*des Weins*). **2.** Würze *f*, A'roma *n* (*beide a. fig.*), aro'matischer Geschmackstoff, ('Würz)Esˌsenz *f*. **3.** *fig.* a) (besondere) Art, b) Beigeschmack *m*, Anflug *m*. **II** *v/t* **4.** würzen, schmackhaft machen (*beide a. fig.*), *e-r Sache* Geschmack geben. **III** *v/i* **5.** ~ of a) schmecken *od.* riechen nach (*beide a. fig. contp.*), b) *fig.* erinnern *od.* gemahnen an (*acc*). '**fla·vored,** *bes. Br.* '**fla·voured** *adj* schmackhaft, würzig, stark, schwer. '**fla·vor·ing,** *bes. Br.* '**fla·vour·ing** → flavor 2. '**fla·vor·less,** *bes. Br.* '**fla·vour·less** *adj* fade, schal, ohne Geschmack. '**fla·vor·ous,** *Am. a.* '**fla·vour·ous,** '**fla·vor·some,** *bes. Br.* '**fla·vour·some** [-səm] *adj* **1.** schmackhaft, wohlriechend. **2.** (stark) duftend, (sehr) würzig.

flaw[1] [flɔː] **I** *s* **1.** Fehler *m*: a) Mangel *m*, Makel *m*, b) *econ. tech.* fehlerhafte Stelle, De'fekt *m* (*a. fig.*), Fabrikati'onsfehler *m*. **2.** Sprung *m*, Riß *m*, Bruch *m*. **3.** Blase *f*, Wolke *f* (*im Edelstein*). **4.** *jur.* a) Formfehler *m*, b) Fehler *m* im Recht. **5.** *fig.* schwacher Punkt, Mangel *m*. **II** *v/t* **6.** brüchig *od.* rissig machen, brechen. **7.** *fig.* verunstalten, entstellen. **III** *v/i* **8.** brüchig *od.* rissig werden, brechen.

flaw[2] [flɔː] *s* Bö *f*, Windstoß *m*.

flaw·less ['flɔːlis] *adj* (*adv* ~ly) fehlerlos, -frei, makellos, tadellos, einwandfrei. '**flaw·less·ness** *s* Fehler-, Makellosigkeit *f*.

flax [flæks] **I** *s* **1.** *bot.* Flachs *m*. Lein(pflanze *f*) *m*. **2.** Flachs(faser *f*) *m*. **II** *adj* **3.** Flachs... ~ **brake,** ~ **break** *s tech.* Flachsbreche *f*. ~ **comb** *s tech.* Flachshechel *f*, -kamm *m*. ~ **cot·ton** *s* Flachs(baum)wolle *f*, Halbleinen *n*. ~ **dod·der** *s bot.* Flachsseide *f*.

flax·en ['flæksən] *adj* **1.** Flachs...

2. flachsartig. **3.** flachsen, flachsfarben: **~-haired** flachs-, strohblond.
flax| mill *s tech.* ˌFlachsspinne'rei *f.* **'~ˌseed** *s bot.* Flachs-, Leinsame(n) *m.* **'~ˌweed** *s bot.* Leinkraut *n.*
flax·y ['flæksi] → flaxen.
flay [flei] *v/t* **1.** schinden, *e-m Tier* die Haut abziehen. **2.** *Rinde etc* abschälen. **3.** *fig. j-n* her'untermachen, ‚verreißen'. **4.** *fig. j-n* ausplündern, -beuten, schinden.
flea [fliː] *s zo.* Floh *m*: to send s.o. away with a ~ in his ear ‚j-m gehörig den Kopf waschen', j-n ‚zs.-stauchen', j-n ‚abfahren' lassen; to put a ~ in s.o.'s ear ‚j-m e-n Floh ins Ohr setzen'. **~ bag** *s sl.* a) ‚Flohkiste' *f* (*Bett*), b) Schlafsack *m.* **'~ˌbane** *s bot.* (*ein*) Flohkraut *n.* **~ bee·tle** *s zo.* (*ein*) Erdfloh *m.* **'~ˌbite** *s* **1.** Flohstich *m.* **2.** *fig.* Kleinigkeit *f*, Baga'telle *f.* **'~-ˌbit·ten** *adj* **1.** von Flöhen zerstochen. **2.** rötlich gesprenkelt (*Pferd etc*). **~ louse** *s irr zo.* (*ein*) Blattfloh *m.*
flèche [fleiʃ] *s* **1.** *arch.* Spitzturm *m.* **2.** *Festungsbau*: Flesche *f*, Pfeilschanze *f.*
fleck [flek] **I** *s* **1.** Licht-, Farbfleck *m.* **2.** Sommersprosse *f*, (Haut)Fleck *m.* **3.** (*Staub- etc*)Teilchen *n*: ~ of dust. **II** *v/t* → flecker. **'fleck·er** *v/t* sprenkeln, tüpfeln.
flec·tion, *bes. Br.* **flex·ion** ['flekʃən] *s* **1.** Biegen *n*, Beugen *n.* **2.** Biegung *f*, Beugung *f.* **3.** Krümmung *f.* **4.** *ling.* Flexi'on *f*, Beugung *f.* **'flec·tion·al,** *bes. Br.* **'flex·ion·al** *adj ling.* Beugungs..., Flexions..., flek'tiert.
fled [fled] *pret u. pp von* flee.
fledge [fledʒ] **I** *v/t* **1.** *e-n Vogel* bis zum Flüggewerden aufziehen. **2.** befiedern, mit Federn versehen. **II** *v/i* **3.** Federn bekommen, flügge werden (*Vogel*). **'fledg(e)·ling** [-liŋ] *s* **1.** eben flügge gewordener Vogel. **2.** *fig.* Grünschnabel *m*, Anfänger *m.*
flee [fliː] *pret u. pp* **fled** [fled] *inf u. pres p meist* fly *u.* flying **I** *v/i* **1.** die Flucht ergreifen, fliehen, flüchten (before, from vor *dat*; from von, aus; to zu, nach): to ~ from justice sich der Strafverfolgung entziehen. **2.** *fig.* (da'hin)schwinden, enteilen. **3.** ~ from → 4. **II** *v/t* **4.** fliehen, meiden, aus dem Wege gehen (*dat*). **5.** fliehen aus.
fleece [fliːs] **I** *s* **1.** Vlies *n*, *bes.* Schaffell *n*: → Golden Fleece. **2.** Schur *f*, geschorene Wolle: ~ wool Schurwolle. **3.** dickes (Woll- *od.* Kunstfaser)Gewebe. **4.** (Haar)Pelz *m.* **5.** a) Schäfchenwolken *pl*, b) dicht fallender Schnee. **6.** *Am.* Rückenfleisch *n* e-s Büffels. **II** *v/t* **7.** *Schaf etc* scheren. **8.** ausplündern, -rauben, ‚rupfen', schröpfen (of um). **9.** bedecken, über'ziehen. **'fleec·y** *adj* **1.** wollig, weich. **2.** flockig: ~ clouds Schäfchenwolken.
fleet[1] [fliːt] *s* **1.** *mar.* (*bes.* Kriegs)Flotte *f*: Admiral of the ~ (*Am.* F~ Admiral) Großadmiral *m*; F~ Air Arm *Br.* Marineluftwaffe *f*, Flottenfliegerverbände *pl*; merchant ~ Handelsflotte. **2.** *Gruppe von Fahrzeugen od. Flugzeugen*: ~ of cars Wagenpark *m*, -kolonne *f*; ~ policy Kraftfahrzeugsammel-, Pauschalpolice *f.* **3.** *mar.* (Netz)Fleeth *n.*
fleet[2] [fliːt] **I** *adj* (*adv* ~ly) **1.** schnell, flink, geschwind: ~ of foot schnellfüßig. **2.** flüchtig, vergänglich. **II** *v/i* **3.** da'hineilen, schnell vergehen, fliehen. **4.** sausen, ‚flitzen'. **III** *v/t* **5.** *obs. die Zeit* vertreiben. **6.** *mar.* verschieben, Positi'on wechseln lassen.
fleet[3] [fliːt] **I** *s* Bai *f*, Bucht *f*, Schiffslände *f*, Fle(e)t *n*: the F~ a) der Fleetfluß (*in London*), b) *a.* F~ Prison *das alte Londoner Schuldgefängnis*; F~ marriage *hist.* heimliche Eheschließung. **II** *adj dial.* seicht. **III** *adv* nicht tief, an der Oberfläche: to plough ~.
'fleet-ˌfoot, 'fleet-'foot·ed *adj* schnellfüßig.
fleet·ing ['fliːtiŋ] *adj* (*adv* ~ly) (schnell) da'hineilend, flüchtig, vergänglich: ~ time; ~ glimpse flüchtiger (An)Blick *od.* Eindruck; ~ target *mil.* Augenblicksziel *n.* **'fleet·ness** *s* **1.** Schnelligkeit *f.* **2.** Flüchtigkeit *f.*
Fleet Street *s* **1.** das Londoner Presseviertel. **2.** *fig.* die (Londoner) Presse.
Flem·ing ['flemiŋ] *s* Flame *m.*
Flem·ish ['flemiʃ] **I** *s ling.* Flämisch *n*, das Flämische. **II** *adj* flämisch.
flench [flentʃ] → flense.
flense [flens] *v/t* **1.** a) *e-n Wal* flensen, aufschneiden (u. den Walspeck abziehen), b) *den Walspeck* abziehen: flensing deck Flensdeck *n.* **2.** *e-n Seehund* abhäuten.
flesh [fleʃ] **I** *s* **1.** Fleisch *n*: to lose ~ abmagern, abnehmen; to put on ~ Fett ansetzen, zunehmen; in ~ korpulent, wohlbeleibt, fett; it made my ~ creep es überlief mich kalt, ich bekam e-e Gänsehaut. **2.** Fleisch *n* (*Nahrungsmittel, Ggs Fisch*): ~ diet Fleischkost *f.* **3.** Körper *m*, Leib *m*, Fleisch *n*: my own ~ and blood mein eigen Fleisch u. Blut; ~ and fell a) der ganze Mensch, b) mit Haut u. Haar, ganz u. gar; in the ~ leibhaftig, höchstpersönlich; to become one ~ 'ein Leib u. 'eine Seele werden. **4.** a) (sündiges) Fleisch, b) Fleischeslust *f.* **5.** Menschengeschlecht *n*, menschliche Na'tur: after the ~ *Bibl.* nach dem Fleisch, nach Menschenart; to go the way of all ~ den Weg alles Fleisches gehen. **6.** (Frucht)Fleisch *n.* **II** *v/t* **7.** *e-e Waffe* ins Fleisch bohren: to ~ one's sword (pen) (zum erstenmal) das Schwert (die Feder) üben. **8.** a) *hunt. e-n Jagdhund* Fleisch kosten lassen, b) *fig. j-n* kampfgierig *od.* ‚scharf' *od.* lüstern machen. **9.** *j-s Verlangen* befriedigen. **10.** *ein Gerippe* mit Fleisch bedecken. **11.** *Tierhaut* ausfleischen.
'flesh|ˌbrush *s* Körper-, Frot'tierbürste *f.* **~ col·o(u)r** *s* Fleischfarbe *f.* **'~-ˌcol·o(u)red** *adj* fleischfarben.
flesh·er ['fleʃər] *s* **1.** *Scot.* Fleischer *m.* **2.** Ausfleischmesser *n.*
flesh| fly *s zo.* Fleischfliege *f.* **'~ˌhook** *s* **1.** Fleischhaken *m*, Hängestock *m.* **2.** Fleischgabel *f.* **~ hoop** *s* Spannreif *m* (*der Trommel*).
flesh·i·ness ['fleʃinis] *s* Fleischigkeit *f.* **'flesh·ings** [-iŋz] *s pl* fleischfarbenes Tri'kot. **'flesh·li·ness** *s* Fleischlichkeit *f*, Sinnlichkeit *f.* **'flesh·ly** *adj* **1.** fleischlich: a) leiblich, b) sinnlich. **2.** irdisch, menschlich.
'flesh|-ˌmeat → flesh 2. **'~ˌpot 1.** *s* Fleischtopf *m*: the ~s of Egypt *fig.* die Fleischtöpfe Ägyptens. **2.** *Am. colloq.* a) lu'kullisches Restau'rant, b) ‚Lasterhöhle' *f.* **~ side** *s* Fleisch-, Aasseite *f* (*vom Fell*). **~ tights** → fleshings. **~ tints** *s pl paint.* Fleischtöne *pl.* **~ wound** *s* Fleischwunde *f.*
flesh·y ['fleʃi] *adj* **1.** fleischig, fett, feist. **2.** fleischig (*a. Früchte etc*), fleischartig.
fletch [fletʃ] *v/t e-n Pfeil* befiedern.
fleur-de-lis [ˌflærdə'liː] *pl* **ˌfleurs-de-'lis** [-'liːz] *s* **1.** *her.* Lilie *f.* **2.** *sg od. pl königliches Wappen Frankreichs.* **3.** *bot.* Schwertlilie *f.*
fleu·ret ['flu(ə)rit] *s* kleines 'Blumen-ornaˌment.
fleu·ron [flœ'rɔ̃] (*Fr.*) *s* Fleu'ron *m*, 'Blumenornaˌment *n.*
flew [fluː] *pret von* fly[1].
flews [fluːz] *s pl zo.* Lefzen *pl.*
flex[1] [fleks] **I** *v/t bes. anat.* biegen, beugen: to ~ one's biceps *fig.* ‚in die Hände spucken'. **II** *v/i* sich biegen.
flex[2] [fleks] *s electr. bes. Br.* (Anschluß-, Verlängerungs)Kabel *n*, (-)Schnur *f.*
flex·i·bil·i·ty [ˌfleksi'biliti] *s* **1.** Biegsamkeit *f.* **2.** *a. fig.* Beweglichkeit *f*, Elastizi'tät *f.* **3.** *fig.* a) Wendigkeit *f*, b) Anpassungsfähigkeit *f*, c) Fügsamkeit *f.* **'flex·i·ble** *adj* (*adv* flexibly) **1.** biegsam, geschmeidig, beweglich, e'lastisch, fle'xibel (*alle a. tech. u. fig.*): ~ axle Vereinslenkachse *f*; ~ car *mot.* wendiger Wagen; ~ coupling Gelenkkupplung *f*, flexible Verbindung; ~ drive shaft Kardan(gelenk)welle *f*; ~ gun *mil.* schwenkbare Kanone; ~ hose, ~ metal tube Metallschlauch *m*; ~ policy wendige *od.* flexible Politik; ~ response *mil.* abgestufte Verteidigung; ~ shaft Gelenkwelle *f*, biegsame Welle. **2.** unzerbrechlich (*Schallplatte*). **3.** *fig.* anpassungsfähig. **4.** *fig.* fügsam, nachgiebig. **'flex·i·ble·ness** → flexibility.
'flex·ile [-il] → flexible 1, 3, 4.
flex·ion, flex·ion·al *bes. Br. für* flection *etc.* **'flex·or** [-ər] *s anat.* Beugemuskel *m*, Beuger *m*: ~ tendon Beugesehne *f.*
flex·u·ose ['fleksjuˌous], **'flex·u·ous** *adj* **1.** gekrümmt, sich schlängelnd, sich windend. **2.** *bot. zo.* geschlängelt.
flex·ur·al ['flekʃərəl] *adj tech.* Biege...: ~ stress Biegespannung *f.* **'flex·ure** [-ʃər] *s* **1.** Biegen *n*, Beugen *n.* **2.** Biegung *f*, Beugung *f*, Krümmung *f.*
flib·ber·ti·gib·bet ['flibərtiˌdʒibit] *s contp.* ‚Irrwisch' *m* (*flatterhafte Person*).
flick [flik] **I** *s* **1.** leichter *od.* schneller Schlag. **2.** scharfer, kurzer Laut, Knall *m*, Schnalzer *m.* **3.** schnellende Bewegung, Ruck *m.* **4.** *Br. sl.* a) Film *m*, b) *pl* ‚Kintopp' *m*, Kino *n.* **II** *v/t* **5.** leicht u. schnell schlagen, e-n Klaps geben (*dat*). **6.** (mit dem Finger) (weg)schnippen. **7.** *etwas* ruck- *od.* schlagartig bewegen. **8.** *den Ball* (mit schnellender Bewegung des Handgelenks) schlagen. **9.** schlagen mit. **III** *v/i* **10.** schnellen. **11.** schlagen (at nach).
flick·er[1] ['flikər] **I** *s* **1.** flackernde Flamme, unruhiges Licht. **2.** (Auf)Flackern *n*: ~ photometer *tech.* Flimmerphotometer *n.* **3.** Flattern *n* (*der Vögel*). **4.** a) Huschen *n*: ~ of shadows, b) Zucken *n*: ~ of an eyelash. **5.** *fig.* a) Aufflackern *n*: ~ of interest, b) Funke *m*: ~ of hope. **6.** *meist pl* → flick 4. **II** *v/i* **7.** flackern, unruhig brennen. **8.** flattern. **9.** *fig.* aufflackern. **10.** zucken, huschen. **III** *v/t* **11.** flackern *od.* flattern lassen. **12.** *fig.* andeuten, ‚signali'sieren'.
flick·er[2] ['flikər] *s orn.* (*ein*) nordamer. Goldspecht *m.*
flick knife *s irr* Schnappmesser *n.*
fli·er ['flaiər] *s* **1.** etwas, was fliegt (*Vogel, Insekt etc*): a high ~ ein hoch fliegender Vogel. **2.** *aer.* Flieger *m*: a) Pi'lot *m*, b) Flugzeug *n.* **3.** Tra'pezkünstler(in). **4.** (*etwas*) sehr Schnelles, *bes.* a) Ex'preß(zug) *m*, b) Schnell(auto)bus *m*, c) Rennpferd *n.* **5.** *tech.* Schwungrad *n*, Flügel *m.* **6.** *arch.* → flight[1] 9. **7.** Fliehende(r *m*) *f*, Flüchtling *m.* **8.** *Am. sl.* a) Sprung *m* mit Anlauf, b) ris'kantes Unter'fangen, *bes. econ.* gewagte Spekulati'on:

to take a ~ in politics sich (halsbrecherisch) in die Politik stürzen. **9.** *Am.* a) Flugblatt *n*, b) 'Nachtragskata,log *m.*

flight[1] [flait] **I** *s* **1.** Flug *m*, Fliegen *n*: to take one's (*od.* a) ~ fliegen. **2.** *aer.* Flug *m*, Luftreise *f.* **3.** Flug(strecke *f*) *m.* **4.** Schwarm *m* (*Vögel od. Insekten*), Flug *m*, Schar *f* (*Vögel*): in the first ~ *fig.* in vorderster Front. **5.** *aer. mil.* a) Schwarm *m* (*4 Flugzeuge*), b) Kette *f* (*3 Flugzeuge*). **6.** Flug *m*, Da'hinsausen *n* (*e-s Geschosses etc*). **7.** (*Geschoß-, Pfeil- etc*)Hagel *m*: a ~ of arrows. **8.** (*Gedanken- etc*)Flug *m*, Schwung *m*: soaring ~s of intellect Hochflug des Geistes. **9.** *arch.* a) Treppenlauf *m*, b) geradläufige Treppenflucht. **10.** (*Zimmer*)Flucht *f.* **11.** Flug *m*, Verfliegen *n*: the ~ of time. **12.** *Bogenschießen*: (leichter Pfeil zum) Weitschießen *n.* **13.** *sport Am.* Tur'niergruppe *f.*

flight[2] [flait] *s* Flucht *f*: to put to ~ in die Flucht schlagen, verjagen; to take (to) ~ die Flucht ergreifen.

flight| ar·row *s* Langbogenpfeil *m.* ~ **deck** *s mar.* Flugdeck *n* (*des Flugzeugträgers*). ~ **en·gi·neer** *s* 'Bordme,chaniker *m*, -wart *m.* ~ **feath·er** *s zo.* Schwung-, Flugfeder *f.* ~ **for·ma·tion** *s aer.* 'Flugformati,on *f*, fliegender Verband.

flight·i·ness ['flaitinis] *s* **1.** Flatterhaftigkeit *f*, Fahrigkeit *f.* **2.** Flüchtigkeit *f.* **3.** Leichtsinn(igkeit *f*) *m.* **4.** leichte Verrücktheit.

flight| in·struc·tor *s aer.* Fluglehrer *m.* ~ **lane** *s* Flugschneise *f.*

flight·less ['flaitlis] *adj orn.* flugunfähig.

'flight|-lieu'ten·ant *s aer. mil. Br.* (Flieger)Hauptmann *m.* ~ **me·chan·ic** → flight engineer. ~ **path** *s* **1.** *aer.* Flugweg *m.* **2.** *Ballistik*: Flugbahn *f.* ~ **pay** *s* Fliegerzulage *f.* ~ **per·son·nel** *s aer.* fliegendes Perso'nal. **'~-'ser·geant** *s aer. mil. Br.* Oberfeldwebel *m* (*der* R.A.F.). ~ **sim·u·la·tor** *s* 'Flugsimu,lator *m.* ~ **strip** *s* behelfsmäßige Start- u. Landebahn, Start- u. Landestreifen *m.* **'~-,test** *v/t* einfliegen.

flight·y ['flaiti] *adj* (*adv* flightily) **1.** flatterhaft, fahrig. **2.** leichtsinnig. **3.** schwärmerisch, voll blühender Phanta'sie. **4.** närrisch, verdreht.

flim·flam ['flim,flæm] **I** *s* **1.** Unsinn *m*, ‚Mumpitz' *m.* **2.** Trick *m*, fauler Zauber. **II** *v/t* **3.** *j-n* ‚reinlegen'.

flim·si·ness ['flimzinis] *s* **1.** Schwach-, Dünn-, Zartheit *f.* **2.** *fig.* Fadenscheinigkeit *f.* **3.** Oberflächlichkeit *f.* **4.** loses Gewebe *od.* Gefüge. **'flim·sy I** *adj* (*adv* flimsily) **1.** schwach, (hauch)dünn, zart, lose. **2.** *fig.* schwach, dürftig, fadenscheinig: a ~ excuse. **3.** oberflächlich. **II** *s* **4.** *pl colloq.* ‚Reizwäsche' *f*, zarte 'Damen,unterwäsche. **5.** a) dünnes 'Durchschlagpa,pier, b) 'Durchschlag *m*, Ko'pie *f*, c) Tele'gramm *n.* **6.** *Br. sl.* Banknote *f.*

flinch[1] [flintʃ] *v/i* **1.** (from, at) zu'rückweichen, -schrecken, ‚kneifen' (vor *dat*), ausweichen (*dat*). **2.** (zu'rück)zucken, zs.-fahren (*vor Schmerz etc*): without ~ing ohne mit der Wimper zu zucken.

flinch[2] [flintʃ] → flense.

flinch·ing ['flintʃiŋ] *adj* (*adv* ~ly) zaghaft, ängstlich.

flin·ders ['flindərz] *s pl* Splitter *pl.*

fling [fliŋ] **I** *s* **1.** Wurf *m*: to give s.th. a ~ etwas werfen; full ~ *fig.* mit aller Macht. **2.** Ausschlagen *n* (*des Pferdes*). **3.** Abenteuer *n*, Jux *m*: to have one's (*od.* a) ~ sich austoben, ‚auf die Pauke hauen', über die Stränge schlagen; he has had his ~ er hat s-e beste Zeit hinter sich. **4.** *colloq.* Versuch *m*: to have (*od.* take) a ~ at s.th. es mit etwas versuchen *od.* probieren. **5.** *fig.* Hieb *m*, Stiche'lei *f*: to have (*od.* take) a ~ at s.o. gegen j-n sticheln, über j-n herfallen. **6.** lebhafter (*schottischer*) Tanz: the Highland ~. **II** *v/t pret u. pp* **flung** [flʌŋ] **7.** werfen, schleudern: to ~ open (to) *e-e Tür etc* aufreißen (zuschlagen); to ~ one's clothes on rasch in s-e Kleider schlüpfen; to ~ s.th. in s.o.'s teeth *fig.* j-m etwas ins Gesicht schleudern; to ~ o.s. into s.o.'s arms sich j-m in die Arme werfen; to ~ o.s. on s.o. a) sich auf j-n stürzen, b) sich j-m anvertrauen; to ~ o.s. into s.th. *fig.* sich in e-e Sache stürzen. **8.** aussenden, -strahlen, -strömen. **9.** *a.* ~ down a) zu Boden werfen, b) *fig.* zu Fall bringen. **III** *v/i* **10.** eilen, stürzen (out of the room aus dem Zimmer). **11.** sich her'umwerfen. **12.** *oft* ~ out (hinten) ausschlagen (at nach) (*Pferd*). **13.** *meist* ~ out in Wut geraten, toben.

Verbindungen mit Adverbien:

fling| a·way *v/t* **1.** wegwerfen. **2.** *fig.* verschleudern. ~ **back** *v/t* **1.** zu'rückwerfen. **2.** heftig erwidern. ~ **off I** *v/t* **1.** abwerfen (*a. fig.*). **2.** *hunt.* von der Spur abbringen. **3.** *fig.* ‚loslassen', von sich geben: to ~ compliments. **II** *v/i* **4.** da'vonstürzen. ~ **out I** *v/t* **1.** hin'auswerfen. **2.** *die Arme* (plötzlich) ausbreiten. **3.** *fig. Worte* her'vorstoßen. **II** *v/i* → fling 12 *u.* 13. ~ **up** *v/t* **1.** in die Höhe werfen. **2.** *fig.* aufgeben.

flint [flint] *s* **1.** *min.* Kiesel *m*, Flint *m*, Feuerstein *m*: ~ and steel Feuerzeug *n*; a heart of ~ ein Herz von Stein; to set one's face like a ~ fest entschlossen sein; to skin a ~ geizig sein; to wring water from a ~ Wunder verrichten. **2.** *tech.* Feuerstein *m* (*aus Metall*). ~ **glass** *s tech.* Flintglas *n.*

flint·i·ness ['flintinis] *s* **1.** Kieselartigkeit *f.* **2.** *fig.* Härte *f*, Hartherzigkeit *f.*

'flint|,lock *s mil. hist.* Steinschloß(gewehr) *n.* ~ **mill** *s* Flintsteinmühle *f.* ~ **pa·per** *s tech.* 'Glas-, 'Flintpa,pier *n.*

flint·y ['flinti] *adj* **1.** aus Feuerstein *od.* Kiesel, Kiesel... **2.** kieselhaltig. **3.** kieselhart. **4.** *fig.* hart(herzig).

flip[1] [flip] **I** *v/t* **1.** schnipsen, leicht schlagen, klapsen. **2.** schnellen, mit e-m Ruck bewegen: to ~ a coin → 5. **II** *v/i* **3.** schnippen, schnipsen. **4.** sich flink bewegen. **5.** e-e Münze hochwerfen (*zum Losen*). **6.** *Am. sl.* 'überschnappen. **III** *s* **7.** Klaps *m*, leichter Schlag. **8.** Ruck *m.* **9.** *sport* Salto *m.* **10.** *Br. colloq.* kurzer Rundflug, Spritztour *f.*

flip[2] [flip] *s* Flip *m* (*Getränk aus Bier od. Wein mit Branntwein, Zucker, Ei u. Muskatnuß*): → eggflip.

flip-flap ['flip,flæp] *s* **1.** Plitsch-Platsch *n* (*Geräusch*). **2.** *sport* Flipflop *m*, 'Überschlag *m.* **3.** *Br.* Schwärmer *m* (*Feuerwerkskörper*). **4.** *Br.* Luftschaukel *f.*

flip-flop ['flip,flɒp] *s* **1.** → flip-flap. **2.** *electr.* 'Flipflop(-Schaltung *f*) *m.*

flip·pan·cy ['flipənsi] *s* **1.** Keckheit *f*, vorlaute Art. **2.** Leichtfertigkeit *f*, fri'voles *od.* re'spektloses Gerede. **'flip·pant** *adj* (*adv* ~ly) **1.** keck, frech, vorlaut. **2.** re'spektlos, leichtfertig.

flip·per ['flipər] *s* **1.** *zo.* a) (Schwimm)-Flosse *f*, b) Paddel *n* (*von Seeschildkröten*). **2.** *sport* Tauch-, Schwimmflosse *f.* **3.** *sl.* ‚Flosse' *f* (*Hand*).

flip·per·ty-flop·per·ty ['flipərti'flɒpərti] *adj* lose, baumelnd, schlotterig.

flip switch *s electr.* Kippschalter *m.*

flirt [flə:rt] **I** *v/t* **1.** schnellen, schnipsen, schleudern. **2.** schnell (hin u. her) bewegen, rasch auf- *od.* zumachen: to ~ a fan. **II** *v/i* **3.** her'umflattern, -flitzen. **4.** flirten, koket'tieren. **5.** spielen, liebäugeln (*mit e-r Idee etc*). **III** *s* **6.** Ruck *m*, Wurf *m.* **7.** j-d, der gern flirtet: a) ko'kette Frau, b) Schäker *m.*

flir'ta·tion *s* **1.** Koket'tieren *n*, Flirten *n.* **2.** Flirt *m*, Liebe'lei *f.* **3.** *fig.* Liebäugeln *n.* **flir'ta·tious** *adj* **1.** (gern) flirtend, ko'kett. **2.** Flirt... **flir'ta·tious·ness** *s* ko'kettes Wesen. **'flirt·y** → flirtatious.

flit [flit] **I** *v/i* **1.** flitzen, huschen. **2.** (um'her)flattern. **3.** verfliegen (*Zeit*). **4.** *Br.* 'um-, wegziehen. **5.** *Br.* sich entfernen. **II** *s* **6.** Flitzen *n.* **7.** Flattern *n.* **8.** *Br.* 'Umzug *m.*

flitch [flitʃ] **I** *s* **1.** gesalzene *od.* geräucherte Speckseite: the ~ of Dunmow *Speckseite, die jedes Jahr in Dunmow, Essex, an Ehepaare verteilt wird, die Jahr u. Tag nicht gestritten haben.* **2.** (*geräucherte*) Heilbuttschnitte. **3.** Walspeckstück *n.* **4.** *Zimmerei*: a) Beischale *f*, b) Schwarte *f*, c) Trumm *n*, d) Planke *f.* **II** *v/t* **5.** in Scheiben schneiden.

flite [flait] *v/i Scot.* (sich) zanken. **'flit·ing** *s* **1.** *obs.* Streit *m.* **2.** *hist.* Streit-, Spottgedicht *n.*

fliv·ver ['flivər] *sl.* **I** *s* **1.** kleine *od.* alte ‚Blechkiste' (*Auto od. Flugzeug*). **2.** *mar.* kleiner Zerstörer. **3.** ‚Pleite' *f* (*Mißerfolg*). **II** *v/i* **4.** *Am.* ‚da'nebengehen'.

float [flout] **I** *v/i* **1.** (oben'auf) schwimmen, (im Wasser) treiben. **2.** *mar.* flott sein *od.* werden. **3.** *fig.* (da'hin)treiben, (-)gleiten, schweben. **4.** *fig.* (*vor Augen*) schweben, (*geistig*) vorschweben. **5.** 'umgehen (*Gerücht etc*). **6.** *econ.* 'umlaufen, in 'Umlauf sein. **7.** *econ.* gegründet werden (*Gesellschaft*). **8.** lan'ciert *od.* in Gang gesetzt werden (*Plan etc*). **9.** *bes. pol.* nicht gebunden sein. **10.** *meist* ~ about, ~ around *Am.* sich (*ohne festen Wohnsitz*) her'umtreiben. **11.** *Weberei*: flotten. **12.** *sport Am.* verhalten laufen.

II *v/t* **13.** schwimmen *od.* treiben lassen, zum Schwimmen bringen. **14.** *mar.* flottmachen. **15.** schwemmen, tragen (*Wasser*) (*a. fig.*): to ~ s.o. into power j-n an die Macht bringen. **16.** unter Wasser setzen, über'fluten, -'schwemmen (*a. fig.*). **17.** bewässern. **18.** *econ.* a) *Wertpapiere etc* in 'Umlauf bringen, b) *e-e Anleihe* auflegen, ausgeben: to ~ a loan, c) *e-e Gesellschaft* gründen: to ~ a company. **19.** *e-e Sache* lan'cieren, in Gang bringen. **20.** *ein Gerücht etc* in 'Umlauf setzen: to ~ a rumo(u)r.

III *s* **21.** *mar.* a) Floß *n*, b) Prahm *m*, c) schwimmende Landebrücke. **22.** Angel-, Netzkork *m*, Korkschwimmer *m.* **23.** *Am.* Schwimm-, Rettungsgürtel *m.* **24.** *tech.* Schwimmer *m* (*zur Regulierung etc*). **25.** *aer.* Schwimmer *m.* **26.** *ichth.* Schwimmblase *f.* **27.** a) *bes. Br.* niedriger Trans'portwagen (*für schwere Güter*), b) flacher Plattformwagen, *bes.* Festwagen *m* (*bei Umzügen etc*). **28.** → floatboard. **29.** *meist pl thea.* Rampenlicht *n.* **30.** *tech.* a) einhiebige Feile, Raspel *f*, b) Pflasterkelle *f.*

float·a·ble ['floutəbl] *adj* **1.** schwimmfähig. **2.** flößbar (*Fluß etc*).

float·age, float·a·tion *bes. Br. für* flotage *etc.*

'float|,board *s tech.* (Rad)Schaufel *f.*

~ **bridge** *s* Floßbrücke *f*. ~ **cham·ber** *s tech.* **1.** Schwimmergehäuse *n*. **2.** Flutkammer *f*. '~-ˌ**cut file** → float 30 a.
float·er ['floutər] *s* **1.** j-d, der *od.* etwas, was auf dem Wasser *etc* schwimmt *od.* treibt. **2.** *Am. sl.* Wasserleiche *f*. **3.** *Am. colloq.* a) j-d, der oft s-n Wohnsitz *od.* s-e Arbeitsstelle wechselt, b) Gelegenheitsarbeiter *m*, c) Her'umtreiber *m*, Vaga'bund *m*. **4.** *Am.* par'teiloser (*bes. käuflicher*) Wähler. **5.** *Am.* (käuflicher) Wähler, der 'widerrechtlich in mehreren Wahlbezirken wählt, Wahlschwindler *m*. **6.** *econ.* Gründer *m* (*e-r Gesellschaft*). **7.** *econ.* a) erstklassiges Pa'pier, b) Pau'schalpoˌlice *f*. **8.** *tech.* Schwimmer *m*. **9.** *Br. sl.* ‚Schnitzer' *m* (*Fehler*).
'**float-ˌfeed** *adj tech.* mit e-r 'schwimmereguˌlierten Zuleitung.
float·ing ['floutiŋ] **I** *adj* (*adv* ~**ly**) **1.** schwimmend, treibend, Schwimm..., Treib...: ~ **hotel** schwimmendes Hotel; ~ **dredger** Schwimmbagger *m*. **2.** lose, beweglich. **3.** *fig.* schwebend, schwankend, unbestimmt. **4.** vari'abel, fluktu'ierend. **5.** ohne festen Wohnsitz. **6.** *med.* Wander... **7.** *econ.* a) 'umlaufend (*Geld etc*), b) schwebend (*Schuld*), c) flüssig (*Kapital*), d) fle'xibel (*Wechselkurs*). **II** *s* **8.** *econ.* Floating *n*. ~ **an·chor** *s mar.* Treibanker *m*. ~**as·sets** *s pl econ.* flüssige Anlagen *pl od.* Ak'tiva *pl*. ~ **ax·le** *s tech.* Schwingachse *f*. ~ **bat·ter·y** *s* **1.** *mil.* schwimmende Batte'rie. **2.** *electr.* 'Pufferbatteˌrie *f*. ~ **bridge** *s* **1.** Schiffs-, Floß-, Tonnenbrücke *f*. **2.** Kettenfähre *f*. ~ **cap·i·tal** *s econ.* 'Umlaufs-, Be'triebskapiˌtal *n*. ~ **car·go** *s econ.* schwimmende Fracht. ~ **charge** *s econ.* schwebende Belastung (*e-s in Betrieb befindlichen Unternehmens*). ~ **crane** *s tech.* Schwimmkran *m*. ~ **debt** *s* schwebende Schuld. ~ **(dry) dock** *s mar.* Schwimmdock *n*. ~ **ice** *s* Treibeis *n*. ~ **is·land** *s* **1.** schwimmende Insel. **2.** *Am. e-e Süßspeise aus Eiercreme u. Schlagsahne.* ~ **kid·ney** *s med.* Wanderniere *f*. ~ **light** *s mar.* **1.** Leuchtboje *f*. **2.** Leuchtschiff *n*. **3.** Warnungslicht *n*. ~ **mine** *s mar.* Treibmine *f*. ~ **pol·i·cy** *s econ. mar.* Pau'schalpoˌlice *f*. ~ **ribs** *s pl med.* fliegende *od.* falsche Rippen *pl*. ~ **trade** *s* Seefrachthandel *m*. ~ **vote** (*od.* **vot·ers** *s pl*) *s pol.* ˌnichtpar'teigebundene Wählerschaft, unsichere (Wahl)Stimmen *pl*.
'**float|ˌplane** *s aer.* Schwimmerflugzeug *n*. '~ˌ**stone** *s* **1.** *min.* Schwimmstein *m*. **2.** *tech.* Reibestein *m*. ~ **switch** *s electr.* Schwimmerschalter *m*. ~ **valve** *s tech.* 'Schwimmervenˌtil *n*.
floc [flɒk] *s chem.* Flöckchen *n*. '**floc·cose** [-kous] *adj bot. zo.* flockig.
floc·cu·lar ['flɒkjulər] *adj* flockig.
'**floc·cuˌlate** [-ˌleit] *v/t u. v/i bes. chem.* ausflocken. '**floc·cule** [-juːl] *s* Flöckchen *n*.
floc·cu·lence ['flɒkjuləns] *s* flockige *od.* wollige Beschaffenheit. '**floc·cu·lent** *adj* **1.** flockig. **2.** wollig. '**floc·cu·lus** [-ləs] *pl* **-li** [-ˌlai] *s* **1.** Flöckchen *n*. **2.** Büschel *n*. **3.** *astr.* (Sonnen)Flocke *f*. **4.** *med.* Flocculus *m*.
floc·cus ['flɒkəs] *pl* **floc·ci** ['flɒksai] *s* **1.** Flocke *f*. **2.** *zo.* a) Haarbüschel *n*, b) *orn.* Flaum *m*.
flock[1] [flɒk] **I** *s* **1.** Herde *f* (*bes. Schafe*): ~**s and herds** Schafe u. Rinder. **2.** Flug *m* (*Vögel*). **3.** Menge *f*, Schar *f*, Haufen *m*: **to come in** ~**s** in (hellen) Scharen herbeiströmen. **4.** *fig.* Menge *f* (*Bücher etc*). **5.** *relig.* Herde *f*, Gemeinde *f*. **II** *v/i* **6.** *fig.* strömen: **to** ~ **to a place** zu e-m Ort (hin)strömen; **to** ~ **to s.o.** j-m zuströmen, in Scharen zu j-m kommen; **to** ~ **together** zs.-strömen, sich versammeln.
flock[2] [flɒk] *s* **1.** (Woll)Flocke *f*. **2.** (Haar)Büschel *n*. **3.** *a. pl* a) Wollabfall *m*, (zerkleinerte) Stoffreste *pl* (*als Polstermaterial*), b) Wollpulver *n* (*für Tapeten etc*). **4.** *a. pl chem.* flockiger Niederschlag.
floe [flou] *s* **1.** treibendes Eis(feld). **2.** Eisscholle *f*.
flog [flɒg] *v/t* **1.** peitschen, schlagen: **to** ~ **a dead horse** a) offene Türen einrennen, b) sich unnötig mühen. **2.** züchtigen, prügeln. **3.** antreiben: **to** ~ **along** vorwärtstreiben. **4.** a) *etwas* einbleuen (**into s.o.** j-m), b) *etwas* austreiben (**out of s.o.** j-m). **5.** *Br. sl.* ‚abziehen', schlagen. **6.** *Gewässer* abangeln. **7.** *sl.* ‚verkloppen', ‚verscheuern' (*bes. widerrechtlich verkaufen*).
'**flog·ging** *s* **1.** (Aus)Peitschen *n*. **2.** Prügelstrafe *f*, Tracht *f* Prügel.
flong [flɒŋ] *s print.* Ma'trizenpaˌpier *n*.
flood [flʌd] **I** *s* **1.** Flut *f*, strömende Wassermasse. **2.** Über'schwemmung *f* (*a. fig.*), Hochwasser *n*: **the F**~ *Bibl.* die Sintflut. **3.** *mar.* Flut *f* (*Ggs. Ebbe*): **to be at the** ~ steigen. **4.** *poet.* Flut *f*, Fluten *pl* (*See, Strom etc*). **5.** *fig.* Flut *f*, Erguß *m*, Strom *m*, Schwall *m*: ~**s of ink** Tintenströme; **a** ~ **of letters** e-e Flut von Briefen; **a** ~ **of tears** ein Tränenstrom; **a** ~ **of words** ein Wortschwall. **II** *v/t* **6.** über'schwemmen, -'fluten (*a. fig.*). **7.** unter Wasser setzen. **8.** *mar.* fluten. **9.** *mot. den Vergaser* tupfen. **10.** *e-n Fluß etc* anschwellen lassen (*Regen etc*). **11.** mit Licht über'fluten. **12.** *fig.* strömen in (*acc*), sich ergießen über (*acc*). **III** *v/i* **13.** *a. fig.* fluten, strömen, sich ergießen: **to** ~ **in upon s.o.** *fig.* j-n überschwemmen. **14.** 'überfließen, -strömen. **15.** *med.* an Gebärmutterblutung *od.* 'übermäßigem Monatsfluß leiden.
'**flood|ˌcock** *s mar.* 'Flutvenˌtil *n*. ~ **dis·as·ter** *s* 'Hochwasserkataˌstrophe *f*. '~ˌ**gate** *s* **1.** Schleusentor *n*. **2.** Schleuse *f* (*a. fig.*).
flood·ing ['flʌdiŋ] *s* **1.** 'Überfließen *n*. **2.** Über'schwemmung *f*, -'flutung *f*. **3.** *med.* Gebärmutterblutung *f*.
'**flood|ˌlight I** *s* **1.** Scheinwerfer-, Flutlicht *n*. **2.** *a.* ~ **projector** Scheinwerfer *m*, Lichtstrahler *m*. **II** *v/t irr* **3.** (mit Scheinwerfern) beleuchten *od.* anstrahlen: **floodlit** in Flutlicht getaucht; **floodlit match** *sport* Flutlichtspiel *n*. '~ˌ**mark** *s* Hochwasserstandszeichen *n*.
flood tide *s mar.* Flut(zeit) *f*.
floo·ey ['fluːiː] *adj*: **to go** ~ *Am. sl.* futsch-, schiefgehen.
floor [flɔːr] **I** *s* **1.** (Fuß)Boden *m*: **to mop** (*od.* **wipe**) **the** ~ **with s.o.** *colloq.* mit j-m ‚Schlitten fahren', j-n ‚fertigmachen'. **2.** Tanzfläche *f*: **to take the** ~ tanzen (→ 9 c). **3.** Grund *m*, (*Meeres- etc*)Boden *m*, (*Graben-, Fluß-, Tal- etc*)Sohle *f*: ~ **of a valley**; ~ **of the pelvis** *anat.* Beckenboden. **4.** *Bergbau*: (Strecken)Sohle *f*. **5.** *tech.* Plattform *f*: ~ **of a bridge** Fahrbahn *f*, Brückenbelag *m*. **6.** *sport Am.* Spielfläche *f* (*in der Halle*). **7.** (Scheunen-, Dresch)Tenne *f*. **8.** Stock(werk *n*) *m*, Geschoß *n*: → **first** (*etc*) **floor**. **9.** *parl.* a) *Br. a.* ~ **of the House** Sitzungssaal *m*: **to cross the** ~ zur Gegenpartei übergehen, b) (*die*) Versammlung, (*die*) Anwesenden *pl*: **to hold the** ~ e-e Rede halten, die (Zu)Hörer fesseln, c) *Am.* (*das*) Wort (*das Recht zu sprechen*): **to get** (**have**) **the** ~ das Wort erhalten (haben); **to take** (**be on**) **the** ~ das Wort ergreifen (führen). **10.** *econ. Am.* Börsensaal *m*: → **floor broker** (**trader**). **11.** *econ. Am.* Minimum *n*: **a price** ~; **a wage** ~; **cost** ~ Mindestkosten *pl*. **II** *v/t* **12.** e-n (Fuß)Boden legen in (*dat*). **13.** pflastern. **14.** zu Boden strecken. **15.** *fig.* besiegen, über'winden: **to** ~ **a paper** *Br.* alle (Examens)Fragen beantworten. **16.** verblüffen, ‚'umhauen': ~**ed** sprachlos, ‚baff', ‚platt'. **17.** *fig. Schüler* in die Bank zu'rückschicken.
floor·age ['flɔːridʒ] → **floor space**.
floor| bro·ker *s econ. Am.* (Börsen)Makler *m*. '~ˌ**cloth** *s* **1.** Scheuer-, Wischtuch *n*. **2.** → **floor covering**. ~ **cov·er·ing** *s* Fußbodenbelag *m*.
floor·er ['flɔːrər] *s* **1.** *tech.* Fußboden-, *bes.* Par'kettleger *m*. **2.** a) vernichtender Schlag (*a. fig.*), b) *fig.* Schlag *m* (ins Kon'tor). **3.** *sl.* ‚harte Nuß', knifflige Frage.
floor·ing ['flɔːriŋ] *s* **1.** a) (Fuß)Boden *m*, b) Pflaster *n*. **2.** Fußbodenbelag *m*.
floor| lamp *s* Stehlampe *f*. ~ **lead·er** *s parl. Am.* Frakti'onsführer *m*. ~ **man·ag·er** *s Am.* **1.** a) Ab'teilungsleiter *m* (*im Warenhaus*), b) → **floorwalker**. **2.** *pol.* Geschäftsführer *m* (*e-r Partei*). **3.** *TV* Spielleiter *m*. ~ **plan** *s tech.* Grundriß *m*. ~ **plan·ning** *s econ. Am.* 'Einkaufsfinanˌzierung *f* für Einzelhändler. ~ **show** *s* Kaba'rett-, Nachtklubvorstellung *f*. ~ **space** *s* Bodenfläche *f*. ~ **tile** *s tech.* Fußbodenfliese *f*, -platte *f*. ~ **trad·er** *s Am.* Börsenmitglied, das für eigene Rechnung speku'liert. '~ˌ**walk·er** *s* Ab'teilungsaufseher *m*, Aufsicht *f* (*im Warenhaus*). ~ **wax** *s* Bohnerwachs *n*.
floo·zie ['fluːziː] *s Am. sl.* ‚Flittchen' *n*.
flop [flɒp] **I** *v/i* **1.** ('hin-, nieder)plumpsen. **2.** sich plumpsen(d fallen) lassen (**into** in *acc*). **3.** hin u. her *od.* auf u. nieder schlagen. **4.** lose hin u. her schwingen, schlagen, klatschen. **5.** (hilflos) zappeln. **6.** *oft* ~ **over** *Am.* 'umschwenken (**to** zu *e-r anderen Partei etc*). **7.** *sl.* a) ‚'durchfallen' (*Prüfling, Theaterstück*), b) *allg.* ‚da'nebengehen', e-e ‚Pleite' sein. **II** *v/t* **8.** ('hin)plumpsen lassen, 'hinwerfen. **III** *s* **9.** a) ('Hin)Plumpsen *n*, b) schwerfälliges Schlagen. **10.** Plumps(en *n*) *m*, Klatschen *n*. **11.** *Am.* 'Umschwenken *n*. **12.** *sl.* a) *thea.* ‚'Durchfall' *m*, 'Mißerfolg *m*, b) ‚Reinfall' *m*, ‚Pleite' *f*, c) *Am.* ‚Versager' *m*, ‚Niete' *f* (*Person*). **IV** *adv* **13.** plumpsend. **V** *interj* **14.** plumps.
'**flopˌhouse** *s Am. sl.* ‚Penne' *f* (*Herberge*).
flop·py ['flɒpi] *adj* (*adv* **floppily**) **1.** schlaff (her'ab)hängend, schlapp, schlotterig. **2.** nachlässig, schlampig.
flo·ra ['flɔːrə] *pl* **-ras**, *a.* **-rae** [-riː] *s* **1.** *bot.* Flora *f*: a) Pflanzenwelt *f*, b) *Abhandlung über die Flora e-s Landes*. **2.** *med.* (*Darm- etc*)Flora *f*.
flo·ral ['flɔːrəl] *adj* (*adv* ~**ly**) **1.** Blumen..., Blüten... **2.** Floren... ~ **em·blem** *s* Wappenblume *f*. ~ **en·ve·lope** *s bot.* Blütenhülle *f*, Peri'anth *n*. ~ **leaf** *s irr bot.* Peri'anthblatt *n*.
flo·re·at·ed → **floriated**.
Flor·en·tine ['flɒrənˌtain] **I** *s* **1.** Floren'tiner(in). **2.** Floren'tiner Atlas *m* (*Seidenstoff*). **II** *adj* **3.** floren'tinisch, Florentiner...
flo·res·cence [flɔː'resns] *s bot.* Blüte(zeit) *f* (*a. fig.*). **flo'res·cent** *adj* (auf)blühend.
flo·ret ['flɔːrit] *s bot.* Blümchen *n*.
flo·ri·at·ed ['flɔːriˌeitid] *adj* mit blumenartigen Verzierungen (versehen).

flo·ri·cul·tur·al [ˌflɔːriˈkʌltʃərəl] *adj* Blumen(zucht)... **ˈflo·riˌcul·ture** *s* Blumenzucht *f.* **ˌflo·riˈcul·tur·ist** *s* Blumenzüchter(in).

flor·id [ˈflɒrid] *adj* (*adv* **~ly**) **1.** a) blühend, rosig, b) rot, gerötet: **~ complexion. 2.** überˈladen: a) blumenreich (*Stil etc*), b) *arch. etc* ˈübermäßig verziert. **3.** *mus.* figuˈriert. **4.** *fig.* auffallend, grell.

Flor·i·dan [ˈflɒridən] → Floridian.

Flor·i·da wa·ter *s Art Kölnischwasser.*

Flo·rid·i·an [flɔːˈridiən] **I** *adj* von Florida, Florida... **II** *s* Bewohner(in) von Florida.

flo·rid·i·ty [flɔːˈriditi], **flor·id·ness** [ˈflɒridnis] *s* **1.** blühende *od.* rote (Gesichts)Farbe. **2.** Blumigkeit *f*, Überˈladenheit *f* (*Stil etc*).

flo·ri·le·gi·um [ˌflɔːriˈliːdʒiəm] *pl* **-gi·a** [-dʒiə] *s* Blütenlese *f*, Antholoˈgie *f.*

flor·in [ˈflɒrin] *s* **1.** *Br.* a) Zweiˈschillingstück *n*, b) *hist. goldenes Sechsschillingstück aus der Zeit Eduards III.* **2.** (*bes. holländischer*) Gulden.

flo·rist [ˈflɒrist] *s* Blumenhändler(in), -züchter(in).

flo·ris·tic [flɔːˈristik] *adj bot.* floˈristisch, Pflanzen(verbreitungs)... **floˈris·tics** *s pl* (*als sg konstruiert*) Floˈristik *f.*

flo·ru·it [ˈflɒrjuit; -ruit] (*Lat.*) *s* ˈSchaffensperiˌode *f*, Blütezeit *f.*

floss[1] [flɒs] *s* **1.** Koˈkon-, Seidenwolle *f*, Außenfäden *pl* des ˈSeidenkoˌkons. **2.** Schappe-, Floˈrettseide *f.* **3.** Floˈrettgarn *n.* **4.** *bot.* Seidenbaumwolle *f*, Kapok *m.* **5.** weiche, seidenartige Subˈstanz, Flaum *m.*

floss[2] [flɒs] *s tech.* **1.** Glasschlacke *f.* **2.** *a.* **~ hole** Abstich-, Schlackenloch *n.*

floss silk → floss[1] 2 *u.* 3.

floss·y [ˈflɒsi] *adj* **1.** floˈrettseiden. **2.** seidenweich, seidig. **3.** *Am. sl.* ‚superschick'.

flo·tage, *bes. Br.* **floa·tage** [ˈfloutidʒ] *s* **1.** Schwimmen *n*, Treiben *n.* **2.** Schwimmfähigkeit *f.* **3.** (*etwas*) Schwimmendes (*Holz, Wrack*), Strandgut *n.* **4.** *Am.* Autofährengebühr *f.*

flo·ta·tion, *bes. Br.* **floa·ta·tion** [flouˈteiʃən; flo-] *s* **1.** → flotage 1. 2. Schweben *n.* **3.** *econ.* a) Gründung *f* (*e-r Gesellschaft etc*), b) Inˈumlaufsetzung *f*, Begebung *f* (*e-s Wechsels etc*), c) Auflegung *f* (*e-r Anleihe*). **4.** *tech.* Schwimmaufbereitung *f*, Flotatiˈon *f.* **~ gear** *s aer.* Schwimmergestell *n.*

flo·til·la [floˈtilə] *s mar.* Floˈtille *f.*

flot·sam [ˈflɒtsəm] *s* **1.** *mar.* Treibgut *n*, treibendes Wrackgut: **~ and jetsam** a) Strand-, Wrackgut; b) *fig.* Überbleibsel *pl*, Reste *pl.* **2.** treibende Gegenstände *pl.* **3.** *fig.* Strandgut *n* (des Lebens). **4.** *fig.* Krimskrams *m.*

flounce[1] [flauns] **I** *v/i* **1.** erregt stürmen *od.* stürzen: to **~ off** davonstürzen. **2.** stolˈzieren. **3.** a) sich herˈumwerfen, b) (herˈum)springen, c) zappeln. **II** *s* **4.** krampfhafte Bewegung, Ruck *m.*

flounce[2] [flauns] **I** *s* Voˈlant *m*, Besatz *m*, Falbel *f.* **II** *v/t* mit Voˈlants besetzen. **ˈflounc·ing** *s* (Materiˈal *n* für) Voˈlants *pl.*

floun·der[1] [ˈflaundər] *v/i* **1.** zappeln (*a. fig.*), sich abquälen. **2.** umˈhertappen (*a. fig.*). **3.** *fig.* sich verhaspeln, nicht weiterwissen, *a. sport etc* ‚ins Schwimmen kommen'.

floun·der[2] [ˈflaundər] *pl* **-ders** *od. collect.* **-der** *s ichth.* Flunder *f.*

flour [flaur] **I** *s* **1.** feines (Weizen)Mehl. **2.** feines Pulver, Staub *m*, Mehl *n*: **~ of emery** Schmirgelpulver; **~ gold** Flitter-, Staubgold *n.* **II** *v/t* **3.** *Am.* (zu Mehl) mahlen, mahlen u. beuteln. **4.** mit Mehl bestreuen. **III** *v/i* **5.** *tech.* sich in kleine Kügelchen auflösen (*Quecksilber*). **~ box, ~ dredg·er** *s* ˈMehlstreumaˌschine *f.*

flour·ish [*Br.* ˈflʌriʃ; *Am.* ˈflɜːriʃ] **I** *v/i* **1.** blühen, gedeihen, floˈrieren. **2.** auf der Höhe der Macht *od.* des Ruhms stehen. **3.** tätig *od.* erfolgreich sein, wirken (*Künstler etc*). **4.** prahlen, aufschneiden. **5.** sich auffällig gebärden, stolˈzieren. **6.** sich geziert *od.* geschraubt ausdrücken. **7.** Schnörkel *od.* Floskeln machen. **8.** *mus.* a) phantaˈsieren, b) bravouˈrös spielen, c) e-n Tusch blasen *od.* spielen. **II** *v/t* **9.** *e-e Fahne etc* schwenken, *ein Schwert, e-n Stock etc* schwingen. **10.** zur Schau stellen, protzen mit. **11.** mit Schnörkeln verzieren. **12.** (aus)schmücken, verzieren. **13.** (*Waren im Schaufenster*) auslegen. **III** *s* **14.** Schwenken *n*, Schwingen *n.* **15.** schwungvolle Gebärde, Schwung *m.* **16.** Schnörkel *m*, Verzierung *f.* **17.** Floskel *f*, schwülstige Redewendung. **18.** *mus.* a) bravouˈröse Pasˈsage, b) Tusch *m*: **~ of trumpets** Trompetenstoß *m*, Fanfare *f*, *fig.* (großes) Trara. **19.** *obs.* Blüte *f*, Blühen *n.* **ˈflour·ish·ing** *adj* (*adv* **~ly**) **1.** blühend, gedeihend: a **~ industry. 2.** schwunghaft: a **~ trade. ˈflour·ish·y** *adj* schnörkelig, blumenreich.

flour| mill *s tech.* (*bes.* Getreide)-Mühle *f.* **~ mite** *s zo.* Mehlmilbe *f.*

flour·y [ˈflau(ə)ri] *adj* mehlig: a) mehlartig, b) mehlbestreut, -bedeckt.

flout [flaut] **I** *v/t* **1.** verspotten, -höhnen. **2.** *e-n Befehl etc* mißˈachten. **II** *v/i* **3.** spotten (at über *acc*), höhnen. **III** *s* **4.** Spott *m*, Hohn *m.*

flow [flou] **I** *v/i* **1.** fließen, strömen, rinnen: to **~** in herein-, hineinströmen. **2.** (from) entströmen (*dat*), entspringen (*dat*), fließen (aus). **3.** *fig.* (from) ˈherrühren (von), entspringen (*dat*), entstehen (aus). **4.** *oft fig.* fluten, quellen, strömen, sich ergießen. **5.** daˈhinfließen, -gleiten. **6.** wallen (*Haar, Kleid etc*), lose herˈabhängen. **7.** *fig.* ˈüberfließen, -quellen, -schäumen, voll sein (with von): a land **~ing with milk and honey** ein Land, wo Milch u. Honig fließt. **8.** *med.* heftig bluten. **9.** *mar.* steigen (*Flut*). **II** *v/t* **10.** überˈfluten, -ˈschwemmen (*a. fig.*). **11.** fließen lassen. **III** *s* **12.** (Daˈhin)Fließen *n*, Strömen *n.* **13.** *a. fig.* Fluß *m*, (*a. Geld-, Kredit-, Verkehrs- etc*)Strom *m*: **traffic ~. 14.** Zu-, Abfluß *m.* **15.** *mar.* Flut *f* (*a. fig.*). **16.** *fig.* (*Wort- etc*)-Schwall *m*, Erguß *m* (*von Gefühlen*). **17.** *fig.* ˈÜberfluß *m.* **18.** *bes. econ.* sich ergebende Menge, Produktiˈonsmenge *f*, Leistung *f.* **19.** *physiol.* Monatsfluß *m.* **20.** *tech.* a) Fluß *m*, Fließen *n*, Fließverhalten *n*, b) ˈDurchfluß *m*, c) *electr.* Stromfluß *m*, d) Flüssigkeit *f* (*e-r Farbe etc*). **21.** *phys.* Fließen *n* (*Bewegungsart*). **22.** Wogen *n.*

flow·age [ˈflouidʒ] *s* **1.** (ˈÜber)Fließen *n.* **2.** Überˈschwemmung *f.* **3.** (ˈüber)-fließende Flüssigkeit. **4.** *geol. tech.* Fließbewegung *f.*

flow chart → flow sheet.

flow·er [ˈflauər] **I** *s* **1.** Blume *f*: **cut ~** Schnittblume; **say it with ~s!** laßt Blumen sprechen! **2.** *bot.* Blüte *f.* **3.** Blütenpflanze *f.* **4.** Blüte(zeit) *f* (*a. fig.*): **in ~** in Blüte, blühend; **in the ~ of his life** in der Blüte der Jahre. **5.** (*das*) Beste *od.* Feinste, Auslese *f*, Eˈlite *f.* **6.** Blüte *f*, Zierde *f*, Schmuck *m.* **7.** (ˈBlumen)Ornaˌment *n*, (-)Verzierung *f*: **~s of speech** *fig.* Redeblüten, Floskeln. **8.** *print.* Viˈgnette *f.* **9.** *pl chem.* pulveriger Niederschlag, Blumen *pl*: **~s of sulphur** Schwefelblumen, -blüte *f.* **II** *v/i* **10.** blühen. **11.** *fig.* blühen, in höchster Blüte stehen. **12.** *oft* **~ out** *fig.* sich entfalten, sich voll entwickeln (into zu). **III** *v/t* **13.** mit Blumen(mustern) verzieren *od.* schmücken, blüme(l)n. **14.** *bot.* zur Blüte bringen.

flow·er·age [ˈflauəridʒ] *s* **1.** Blüten(pracht *f*) *pl*, Blumen(flor *m*) *pl.* **2.** (Auf)Blühen *n*, Blüte *f.*

flow·er| bed *s* Blumenbeet *n.* **ˈ~-de-ˈluce** [-dəˈljuːs; -ˈluːs] *Am. od. obs. für* fleur-de-lis 3.

flow·ered [ˈflauərd] *adj* **1.** blühend. **2.** mit Blumen geschmückt. **3.** geblümt. **4.** *in Zssgn* a) ...blütig, b) ...blühend. **ˈflow·er·er** *s* **1.** *bot.* Blüher *m*: **late ~** Spätblüher. **2.** ˈHerstellerr(in) von Blumenmustern. **ˈflow·er·et** [-rit] *s* Blümchen *n.*

flow·er| girl *s* **1.** *Br.* Blumenmädchen *n*, -verkäuferin *f.* **2.** *Am.* blumenstreuendes Mädchen (*bei e-r Hochzeit*).

flow·er·i·ness [ˈflauərinis] *s* **1.** Blumen-, Blütenreichtum *m.* **2.** *fig.* (*das*) Blumenreiche, Blumigkeit *f* (*des Stils*).

flow·er·ing [ˈflauəriŋ] **I** *adj bot.* **1.** blühend. **2.** Blüten tragend. **3.** Blumen..., Blüte... **II** *s* **4.** Blüte(zeit) *f*, (Auf)Blühen *n* (*a. fig.*).

flow·er·less [ˈflauərlis] *adj bot.* blütenlos.

flow·er| piece *s paint.* Blumenstück *n.* **ˈ~ˌpot** *s* **1.** Blumentopf *m.* **2.** *Am.* (*Art*) Feuerwerk *n.* **~ show** *s* Blumenausstellung *f.* **~ stalk** *s bot.* Blütenstiel *m.*

flow·er·y [ˈflauəri] *adj* **1.** blumig, blumenreich (*a. fig.*). **2.** geblümt.

flow·ing [ˈflouiŋ] *adj* (*adv* **~ly**) **1.** fließend, strömend. **2.** *fig.* geläufig, fließend, flüssig, glatt (*Stil etc*). **3.** schwungvoll. **4.** wallend (*Bart, Kleid*), wehend, flatternd (*Haar etc*). **5.** *mar.* steigend (*Flut*).

ˈflowˌme·ter *s tech.* ˈDurchflußmesser *m.*

flown[1] [floun] *pp von* fly[1].

flown[2] [floun] *adj* **1.** *tech.* mit flüssiger Farbe behandelt (*Porzellan etc*). **2.** *obs.* geschwollen, voll (with von).

flow| pat·tern *s phys.* Stromlinienbild *n.* **~ pro·duc·tion** → flow system. **~ sheet** *s* Arbeitsablauf-, Fließbild *n.* **~ sys·tem** *s tech.* Fließbandfertigung *f.*

flu [fluː] *s med. colloq.* Grippe *f.*

flub·dub [ˈflʌbˌdʌb] *s Am. sl.* Geschwafel *n*, ‚Blech' *n*, ‚Quatsch' *m.*

fluc·tu·ant [ˈflʌktʃuənt; *Br. a.* -tju-] *adj* schwankend, fluktuˈierend. **ˈfluc·tuˌate** [-ˌeit] *v/i* schwanken: a) fluktuˈieren (*a. econ.*), sich ständig (ver)ändern, b) *fig.* unschlüssig sein. **ˌfluc·tuˈa·tion** *s* **1.** Schwankung *f* (*a. phys.*), Fluktuatiˈon *f* (*a. biol. med.*): **~ in prices** *econ.* Preisschwankung; **~ of the market** *econ.* Markt-, Konjunkturschwankungen. **2.** *fig.* Schwanken *n.*

flue[1] [fluː] *s* **1.** *tech.* Rauchfang *m*, Esse *f.* **2.** *tech.* a) Fuchs *m*, ˈRauch-, ˈZugkaˌnal *m*: **~ ash** Flugasche *f*; **~ gas** Rauch-, Abgas *n*; **chimney ~** Schornsteinzug *m*, b) (Feuerungs)Zug *m* (*als Heizkanal*), c) Flammrohr *n*: **~ boiler** Flammrohrkessel *m.* **3.** *mus.* a) → **flue pipe**, b) Kernspalt *m* (*e-r Orgelpfeife*).

flue[2] [fluː] *s* Flaum *m*, Staubflocken *pl.*

flue[3] [fluː] *s mar.* Schleppnetz *n.*

flue[4] [fluː] *Br.* **I** *v/t* aus-, abschrägen. **II** *v/i* sich abschrägen.

flue[5] → flu.

flu·en·cy [ˈfluːənsi] *s* **1.** Geläufigkeit *f*, Fluß *m* (*der Rede etc*). **2.** *fig.* Flüssigkeit *f*. 3. Zungenfertigkeit *f*. **'flu·ent** *adj (adv* ~**ly)** 1. fließend. 2. *fig*. geläufig, fließend: **to speak ~ German; he is ~ in Japanese** er spricht fließend Japanisch. 3. *fig*. flüssig, leicht.

flue| pipe *s mus*. Lippenpfeife *f (der Orgel)*. **~ stop** *s mus*. 'Lippenre,gister *n (der Orgel)*. **'~,work** *s mus*. Flötenwerk *n (der Orgel)*.

fluff [flʌf] I *s* 1. Staub-, Federflocke *f*, Fussel(n *pl*) *f*. 2. Flaum *m (a. erster Bartwuchs)*. 3. *bes. sport u. thea. sl.* ,Patzer' *m (Fehler)*. 4. *Am*. Schaumspeise *f*, mit Eischnee gelockerte Speise. 5. *bes. thea. Am. colloq.* ,leichte Kost'. 6. *oft* **bit of ~** *sl*. Mädel *n*. II *v/t* 7. flaumig *od*. flockig machen. 8. **~ out, ~ up** *Federn* aufplustern. 9. *bes. sport thea. Br. sl.* ,verpatzen'. III *v/i* 10. flaumig *od*. flockig werden. 11. sanft da'hinschweben. 12. *bes. sport thea. sl.* ,patzen'. **'fluff·i·ness** *s* Flaumigkeit *f*, Flockigkeit *f*. **'fluff·y** *adj* 1. flaumig: a) flockig, locker, weich, b) mit Flaum bedeckt. 2. *Br. sl.* a) stümperhaft, b) ,besoffen', c) schlapp. 3. *bes. thea. Am. colloq.* leicht, anspruchslos.

flu·id ['flu:id] I *s* 1. *a. physiol.* Flüssigkeit *f*: **body ~s** Körpersäfte. 2. Gas *n*. II *adj* 3. a) flüssig, b) gasförmig. 4. *fig*. fließend: a) flüssig, geläufig *(Stil etc)*, b) leicht veränderlich. 5. beweglich. **'flu·id·al** *adj* 1. Flüssigkeits... 2. *geol*. Fluidal...

flu·id| cou·pling, ~ clutch *s tech.* hy'draulische Kupplung. **~ dram,** *a.* **~ drachm** *s* $^1/_8$ fluid ounce *(Am. = 3,69 ccm; Br. = 3,55 ccm)*. **~ drive** *s tech.* Flüssigkeitsgetriebe *n*.

flu·id·i·fy [flu:'idi,fai] *v/t* verflüssigen.

flu'id·i·ty *s* 1. *phys.* a) flüssiger Zustand, Flüssigkeit(sgrad *m*) *f*, b) Gasförmigkeit *f*. 2. *fig*. Veränderlichkeit *f*. 3. *fig*. Flüssigkeit *f (des Stils etc)*. 4. Beweglichkeit *f*. **,flu·id·i'za·tion** *s tech.* Wirbelschichttechnik *f*.

flu·id| me·chan·ics *s pl (als sg konstruiert) phys.* Strömungslehre *f*. **~ ounce** *s Hohlmaß*: a) *Am*. $^1/_{16}$ pint *(= 29,57 ccm)*, b) *Br*. $^1/_{20}$ imperial pint *(= 28,4 ccm)*. **~ pres·sure** *s phys. tech.* hy'draulischer Druck.

fluke[1] [flu:k] *s* 1. *mar*. Ankerhand *f*, -flügel *m*. 2. *tech*. Bohrlöffel *m*. 3. 'Widerhaken *m*. 4. *zo*. Schwanzflosse *f (des Wals)*. 5. *zo*. Saugwurm *m*, Leberegel *m*. 6. *ichth*. Plattfisch *m*.

fluke[2] [flu:k] *s sl.* 1. ,Dusel' *m*, ,Schwein' *n*, glücklicher Zufall: **~ hit** Zufallstreffer *m*. 2. *Billard*: glücklicher Stoß, Fuchs *m*.

fluk·(e)y ['flu:ki] *adj sl.* 1. glücklich, Glücks..., Zufalls... 2. unsicher.

flume [flu:m] *Am*. I *s* 1. Klamm *f*, enge Bergwasserschlucht. 2. künstlicher Wasserlauf, Ka'nal *m*. II *v/t* 3. durch e-n Ka'nal flößen. 4. *Wasser* durch e-n Ka'nal (ab)leiten. III *v/i* 5. e-n Ka'nal anlegen *od*. benutzen.

flum·mer·y ['flʌməri] *s* 1. a) Mehl- *od*. Haferbrei *m*, b) Flammeri *m*. 2. *fig*. leere Schmeiche'lei, Humbug *m*.

flum·mox ['flʌməks] *v/t sl.* verwirren, verblüffen, aus der Fassung bringen.

flump [flʌmp] *sl*. I *s* 1. Plumps *m*. II *v/t* 2. *a.* **~ down** ('hin)plumpsen lassen. III *v/i* 3. (nieder)plumpsen. 4. sich tolpatschig bewegen.

flung [flʌŋ] *pret u. pp von* fling.

flunk [flʌŋk] *ped. Am. sl.* I *v/t oft* **~ out** 1. *e-n Schüler* 'durchfallen lassen. 2. *(aus der Schule etc)* entfernen. 3. ,'durchrauschen' in *(e-r Prüfung, e-m Fach)*. II *v/i oft* **~ out** 4. ,'durchrauschen', 'durchfallen. 5. sich drükken, ,kneifen'. III *s* 6. Versagen *n*, 'Durchfallen *n*.

flunk·ey, *Am. a.* **flunk·y** ['flʌŋki] *s* 1. li'vrierter Diener, La'kai *m*. 2. Kriecher *m*, Speichellecker *m*, La'kaienseele *f*. 3. *Am*. Handlanger *m*. **'flunk ey·dom,** *Am. a.* **'flunk·y·dom** *s collect.* Dienerschaft *f*. **'flunk·ey,ism,** *Am. a.* **'flunk·y,ism** *s* ,Speichellecke'rei *f*.

flu·o·bo·rate [,flu:o'bɔ:reit] *s chem.* fluorborsaures Salz. **,flu·o'bo·ric** *adj chem.* fluorborsauer, Fluorbor...

flu·or ['flu:ɔ:r] → fluorite.

flu·o·resce [,flu:ə'res] *v/i chem. phys.* fluores'zieren, schillern. **,flu·o'res·cence** *s chem. phys.* Fluores'zenz *f*. **,flu·o'res·cent** *adj* fluores'zierend, schillernd: **~ lamp** Leuchtstofflampe *f*; **~ screen** Leuchtschirm *m*; **~ tube** Leucht(stoff)röhre *f*.

flu·or·hy·dric [,flu:ər'haidrik] *adj chem.* fluorwasserstoffsauer: **~ acid** Fluorwasserstoffsäure *f*. **flu'or·ic** [-'ɔ:rik; -'ɒrik] *adj chem.* Fluor...: **~ acid** Flußsäure *f*.

flu·o·ri·date ['flu:(ə)ri,deit] *v/t chem. Trinkwasser* mit e-m Fluo'rid versetzen.

flu·o·ride ['flu:ə,raid] *s chem.* Fluo'rid *n*. **'flu·o·ri,dize** [-ri,daiz] *v/t Zähne* mit e-m Fluo'rid behandeln. **'flu·o·,rine** [-,ri:n] *s chem.* Fluor *n*. **'flu·o·ri,nate** [-ri,neit] *v/t chem.* fluo'rieren. **'flu·o,rite** [-,rait] *s min.* Flußspat *m*.

flu·or·o·scope ['flu:ərə,skoup] *s phys.* Fluoro'skop *n*, Röntgenbildschirm *m*. **,flu·or·o'scop·ic** [-'skɒpik] *adj* Röntgen... **,flu·or'os·co·py** [-'rɒskəpi] *s* 'Röntgendurch,leuchtung *f*.

flu·or·spar ['flu:ɔ:r,spɑ:r] → fluorite.

flu·o·sil·i·cate [,flu:o'sili,keit; -kit] *s chem. min.* 'Fluorsili,kat *n*, Flu'at *n*: **to treat with ~** *tech.* fluatieren. **,flu·o·si'lic·ic** [-'lisik] *adj chem.* fluorkieselsauer.

flur·ry [*Br.* 'flʌri; *Am.* 'flə:ri] I *s* 1. Windstoß *m*. 2. a) kurzer (Regen)-Schauer, Guß *m*, b) kurzes (Schnee)-Gestöber. 3. Hagel *m*, Wirbel *m (von Schlägen)*. 4. *fig*. Aufregung *f*, Unruhe *f*: **in a ~** aufgeregt. 5. Hast *f*. 6. *Börse*: plötzliche, kurze Belebung. 7. Todeskampf *m (des Wals)*. II *v/t* 8. beunruhigen.

flush[1] [flʌʃ] I *s* 1. a) Erröten *n*, (Er)-Glühen *n*, b) Glut *f*, Röte *f*. 2. (Wasser)Schwall *m*, Strom *m*, gewaltiger Wassersturz *od*. -zufluß. 3. (Aus)-Spülung *f*: **to give s.th. a ~** → 9. 4. *(Gefühls)*Aufwallung *f*, Sturm *m*, Erregung *f*, Hochgefühl *n*: **~ of anger** Wutanfall *m*; **~ of success** Triumphgefühl *n*; **~ of victory** Siegesrausch *m*. 5. Glanz *m*, Blüte *f (der Jugend etc)*. 6. *med*. Wallung *f*, Fieberhitze *f*. 7. 'Überfluß *m*, -fülle *f*. II *v/t* 8. (plötzlich) röten. 9. *a.* **~ out** (aus)spülen, (-)waschen: **to ~ down** hinunterspülen. 10. über'schwemmen. 11. *Pflanzen* zum Sprießen bringen. 12. erregen, erhitzen: **~ed with anger** zornentbrannt; **~ed with joy** freudetrunken. III *v/i* 13. erröten. 14. erglühen. 15. strömen, schießen *(a. Blut)*. 16. *bot.* sprießen.

flush[2] [flʌʃ] I *adj* 1. eben, in gleicher Ebene *od*. Höhe. 2. *tech*. fluchtgerecht, glatt (anliegend), bündig (abschließend) **(with** mit): **~ joint** bündiger Stoß. 3. *tech*. versenkt, Senk...: **~ screw.** 4. *electr*. Unterputz...: **~ socket.** 5. *mar*. mit Glattdeck. 6. *print*. stumpf, ohne Einzug. 7. voll, di'rekt *(Schlag)*. 8. ('über)voll **(with** von). 9. a) (of) reich (an *dat*), reichlich versehen (mit): **~ (of money)** gut bei Kasse; **~ times** üppige Zeiten, b) verschwenderisch **(with** mit), c) reichlich (vor'handen) *(Geld)*. 10. frisch, blühend. II *adv* 11. → 1 *u*. 2. 12. genau, di'rekt: **~ on the chin.** III *v/t* 13. ebnen, bündig machen, gleichmachen. 14. *tech. Fugen etc* ausfüllen, -streichen.

flush[3] [flʌʃ] *hunt*. I *v/t Vögel* aufscheuchen. II *v/i* plötzlich auffliegen. III *s* aufgescheuchter Vogel(schwarm).

flush[4] [flʌʃ] *(Kartenspiel)* I *s* lange Farbe, Se'quenz *f*, ,Flöte' *f*: → **royal flush; straight** 24. II *adj* von 'einer Farbe: **~ hand** lange Farbe.

flush deck *s mar.* Glattdeck *n*.

flush·er ['flʌʃər] *s* 1. Ka'nalreiniger *m*. 2. Straßenreiniger *m*.

flush·ing[1] ['flʌʃiŋ] *s* Spülung *f*.

flush·ing[2] ['flʌʃiŋ] *s* Mästen *n*.

flus·ter ['flʌstər] I *v/t* 1. ner'vös machen, verwirren, aufregen, durchein'anderbringen. 2. ,benebeln': **~ed by drink** vom Alkohol erhitzt. II *v/i* 3. ner'vös werden, sich aufregen. 4. → flutter 2. III *s* → flutter 8.

flute [flu:t] I *s* 1. *mus*. a) Flöte *f*, b) *a.* **~ stop** 'Flötenre,gister *n (e-r Orgel)*, c) → flutist. 2. *arch. tech.* Rille *f*, Riefe *f*, Hohlkehle *f*, Kanne'lierung *f*. 3. *Tischlerei*: Rinnleiste *f*. 4. *tech*. (Span-)Nut *f*. 5. Rüsche *f*. 6. *a.* **~ glass** Flöte(nglas *n*) *f (Weinglas)*. 7. langes fran'zösisches Weißbrot. II *v/i* 8. flöten *(a. fig.)*, (auf der) Flöte spielen. III *v/t* 9. *etwas* flöten *(a. fig.)*, auf der Flöte spielen. 10. *tech*. auskehlen, riffeln, riefen, kanne'lieren. 11. *Stoff* kräuseln.

flut·ed ['flu:tid] *adj* 1. flötenartig, (klar u.) sanft. 2. *tech*. geriffelt, gerieft, gerillt, kanne'liert. **'flut·ing** *s* 1. *arch. tech.* Kanne'lierung *f*, Riefe *f*, Riffelung *f*. 2. Falten *pl*, Rüschen *pl*. 3. *mus*. Flöten(spiel) *n*. **'flu·tist** *s* Flö'tist(in), Flötenspieler(in).

flut·ter ['flʌtər] I *v/i* 1. flattern *(Fahne, Vogel etc, a. med. Herz, Puls)*. 2. aufgeregt hin u. her rennen. 3. zittern. 4. flackern *(Flamme)*. II *v/t* 5. (schnell) hin u. her bewegen, flattern lassen, schwenken: **to ~ its wings** mit den Flügeln schlagen. 6. → fluster 1. III *s* 7. Flattern *n (a. med. tech.)*. 8. Aufregung *f*, Verwirrung *f*, Tu'mult *m*: **all in a ~** ganz durcheinander. 9. Sensati'on *f*, Aufsehen *n*. 10. *sl*. (kleine) Spekulati'on. 11. *a.* **~ kick** Beinschlag *m (beim Kraulen etc)*. 12. *Radio, TV*: Ton-, Helligkeitsschwankung(en *pl*) *f*.

flut·y ['flu:ti] *adj* flötenartig.

flu·vi·al ['flu:viəl] *adj* 1. Fluß..., *geol*. Fluvial... 2. *bot. zo.* fluvi'al, in Flüssen vorkommend. **'flu·vi·a·tile** [-til; *Br. a.* -,tail] *adj* fluvi'al, Fluß...

flu·vi·o·gla·cial [,flu:vio'gleiʃəl] *adj geol.* ,fluvioglazi'al.

flux [flʌks] I *s* 1. Fließen *n*, Fluß *m (a. electr. phys.)*: **electrical ~** elektrischer Induktionsfluß. 2. Ausfluß *m (a. med.)*: **(bloody) ~** *med*. rote Ruhr. 3. Strom *m (a. fig.)*. 4. Flut *f (a. fig.)*: **~ and reflux** Flut u. Ebbe *(a. fig.)*; **~ of words** Wortschwall *m*. 5. *fig*. beständiger Wechsel, ständige Bewegung, Wandel *m*: **in (a state of) ~** im Fluß. 6. *tech*. Fluß-, Schmelzmittel *n*, Zuschlag *m*. II *v/t* 7. schmelzen, in Fluß bringen. III *v/i* 8. (aus)fließen, (-)strömen. 9. a) flüssig werden, b) (mitein'ander) verschmelzen. **~ den-**

si·ty *s* **1.** *phys.* (ma'gnetische) Flußdichte. **2.** *electr.* Stromdichte *f.*
flux·ion ['flʌkʃən] *s* **1.** Fließen *n*, Fluß *m*, Fluxi'on *f* (*a. med.*). **2.** *fig.* → flux 5. **3.** *math.* Fluxi'on *f*, Differenti'al *n*: method of ~s Differentialrechnung *f.* '**flux·ion·al,** '**flux·ion·ar·y** *adj* **1.** unbeständig, veränderlich, fließend. **2.** *math.* Differential...
'**flux,me·ter** *s* **1.** *phys.* Flußmesser *m.* **2.** *electr.* Strommesser *m.*
fly[1] [flai] **I** *s* **1.** Fliegen *n*, Flug *m*: on the ~ a) im Fluge, b) ständig auf den Beinen. **2.** *tech.* a) Unruh(e) *f* (*der Uhr*), b) Schwungstück *n*, -rad *n.* **3.** *print.* (Bogen)Ausleger *m.* **4.** → flyleaf. **5.** *Baseball, Kricket*: Flugball *m.* **6.** *Br.* Einspänner *m*, Droschke *f.* **7.** *pl. thea.* Sof'fitten *pl.* **8.** a) Klappe *f*, Patte *f* (*über e-r Knopfleiste etc*), b) Hosenklappe *f*, -latz *m*, c) Zeltklappe *f*, -tür *f*, d) äußeres, zweites Zeltdach.
II *v/i pret* **flew** [flu:] *pp* **flown** [floun] **9.** fliegen: to ~ high (*od.* at high game) *fig.* hoch hinauswollen, ehrgeizige Ziele haben; the bird is flown *fig.* der Vogel ist ausgeflogen; → let[1] *Bes. Redew.* **10.** fliegen (*mit dem Flugzeug*): to ~ blind (*od.* on instruments) blindfliegen; to ~ contact mit Bodensicht fliegen; to ~ by the seat of one's pants *sl.* ‚über den Daumen peilen'. **11.** fliegen, stieben (*Funken etc*): to send things ~ing Sachen herumwerfen. **12.** (*nur pres, inf u. pres p*) fliehen, flüchten. **13.** stürmen, stürzen, fliegen, springen: to ~ to arms zu den Waffen eilen; to ~ at (*od.* on) s.o. über j-n herfallen, auf j-n losgehen; to ~ at s.o.'s throat j-m an die Kehle gehen; to send s.o. ~ing j-n fortjagen. **14.** (ver)fliegen, enteilen (*Zeit*). **15.** zerrinnen (*Geld*). **16.** flattern, wehen. **17.** *hunt.* mit e-m Falken jagen. **18.** *a.* ~ to pieces, ~ apart zerspringen, bersten (*Glas etc*), reißen (*Saite, Segel etc*).
III *v/t* **19.** fliegen lassen: to ~ hawks *hunt.* mit Falken jagen; → kite 1. **20.** *e-e Fahne* a) führen, b) hissen, wehen lassen. **21.** *aer.* a) *ein Flugzeug* fliegen, führen, b) *j-n, etwas* 'hinfliegen, im Flugzeug befördern, c) *e-e Strecke* fliegen, d) *den Ozean etc* über'fliegen. **22.** *e-n Zaun etc* im Sprung nehmen. **23.** (*nur pres, inf u. pres p*) a) fliehen aus, b) fliehen (vor *dat*), meiden.
Verbindungen mit Adverbien:
fly| a·bout *v/i* **1.** her'umfliegen. **2.** sich verbreiten (*Gerücht etc*). ~ **in** *v/i* einfliegen. ~ **off** *v/i* **1.** fort-, wegfliegen. **2.** forteilen. ~ **o·pen** *v/i* auffliegen (*Tor*). ~ **out** *v/i* **1.** hin'ausfliegen. **2.** hin'ausstürzen. **3.** in Wut geraten: to ~ at s.o. auf j-n losgehen, gegen j-n ausfallend werden.
fly[2] [flai] *s* **1.** *zo.* Fliege *f*: a ~ in the ointment *fig.* ein Haar in der Suppe; a ~ in amber *fig.* e-e Rarität; (there's) no flies on him (it) *sl.* an ihm (daran) ist nicht zu ‚tippen'; they died like flies sie starben wie die Fliegen; to break a ~ on the wheel mit Kanonen nach Spatzen schießen. **2.** *Angeln*: künstliche Fliege: to cast a ~ e-e Angel auswerfen. **3.** *bot.* Fliege *f* (*Pflanzenkrankheit*).
fly[3] [flai] *adj sl.* gerissen, raffi'niert.
fly[4] [flai] *s Am.* **1.** Sumpf *m*, Marsch *f.* **2.** Bach *m.*
fly·a·ble ['flaiəbl] *adj aer.* **1.** flugtüchtig: ~ aircraft. **2.** zum Fliegen geeignet: ~ weather Flugwetter *n.*
fly| a·gar·ic, ~ **am·a·ni·ta** *s bot.* Fliegenschwamm *m*, -pilz *m.* ~ **ash** *s* Flugasche *f.* '**~·a,way I** *adj* **1.** flatternd, lose. **2.** flatterhaft. **3.** *Am.* flugbereit, fertig zum 'Lufttrans,port. **II** *s* **4.** flatterhafter Mensch. **5.** *sport* Salto *m* rückwärts (in den Stand). ~ **ball**[1] → fly[1] 5. ~ **ball**[2], '**~,ball** *s tech.* Reglerkugel *f*, Fliehgewicht *n*: flyball governor Fliehkraftregler *m.* '**~,bane** *s bot.* Leimkraut *n.* '**~,belt** *s* Tsetsefliegengürtel *m.* '**~,blow I** *s* **1.** Fliegenei *n*, -schmutz *m.* **II** *v/t* **2.** beschmeißen. **3.** *fig.* besudeln. '**~,blown** *adj* **1.** von Fliegen beschmutzt. **2.** *fig.* besudelt. '**~,boat** *s mar.* **1.** Flieboot *n.* **2.** schnelles Schiff. ~ **book** *s Angeln*: Büchse *f* für künstliche Fliegen. '**~-'by** *s aer.* Vor'beiflug *m.* '**~-by,night I** *adj* **1.** *econ. Am.* zweifelhaft, anrüchig. **2.** unbeständig. **II** *s* **3.** a) Schuldner, der in der Nacht 'durchbrennt, b) ‚unsicherer Kunde'. **4.** Nachtschwärmer *m.* ~ **cap** *s hist.* Flügelhaube *f.* '**~,catch·er** *s* **1.** Fliegenfänger *m.* **2.** *orn.* Fliegenschnäpper *m.*
fly·er → flier.
'**fly|-,fish** *v/i sport* mit (künstlichen) Fliegen angeln. '**~,flap** *s* Fliegenwedel *m*, -klatsche *f.* ~ **frame** *s* **1.** *Spinnerei*: Spindelbank *f*, 'Vorspinnma,schine *f.* **2.** 'Schleif-, Po'lierma,schine *f* (*für Glas*). '**~-,in** *s Am.* **1.** Einflug *m*, -fliegen *n.* **2.** Freilichtkino *n* für Flugzeugbesitzer.
fly·ing ['flaiiŋ] **I** *adj* **1.** fliegend, Flug... **2.** flatternd, wehend, fliegend, wallend. **3.** schnell, Schnell...: ~ coach. **4.** *sport* a) fliegend: ~ start, b) mit Anlauf: ~ jump. **5.** hastig, eilig. **6.** flüchtig, kurz: ~ impression; ~ visit Stippvisite *f.* **7.** fliehend, flüchtend. **II** *s* **8.** a) Fliegen *n*, b) Flug *m.* **9.** *aer.* Fliegen *n*, Fliege'rei *f*, Flugwesen *n.* ~ **boat** *s aer.* Flugboot *n.* ~ **bomb** *s mil.* fliegende Bombe, Ra'ketenbombe *f.* ~ **boom** *s aer.* Einfüllrohr *n* (*zum Auftanken in der Luft*). ~ **bridge** *s tech.* **1.** Rollfähre *f.* **2.** Schiffbrücke *f.* ~ **but·tress** *s arch.* Strebebogen *m.* ~ **cir·cus** *s aer.* **1.** ro'tierende 'Staffelformati,on (*im Kampfeinsatz*). **2.** Gruppe *f* von Schaufliegern. ~ **col·umn** *s mil.* fliegende *od.* schnelle Ko'lonne. ~ **disk** → flying saucer. ~ **dog** *s zo.* Fliegender Hund. **F~ Dutch·man** *s* Fliegender Holländer. ~ **ex·hi·bi·tion** *s* Wanderausstellung *f.* ~ **field** *s aer.* (kleiner) Flugplatz. ~ **fish** *s* Fliegender Fisch. ~ **fox** *s zo.* Flughund *m.* ~ **in·stru·ments** *s pl aer.* 'Flug(über,wachungs)instru,mente *pl.* ~ **jib** *s mar.* Flieger *m*, Außenklüver *m.* ~ **lane** *s aer.* (Ein)Flugschneise *f.* ~ **le·mur** *s zo.* Flattermaki *m.* ~ **ma·chine** *s aer.* 'Flugappa,rat *m.* ~ **man** *s irr* Flieger *m.* ~ **mare** *s Ringen*: Schulterwurf *m.* ~ **mile** *s sport* fliegende Meile. **F~ Of·fi·cer** *s aer. Br.* Oberleutnant *m* der R.A.F. ~ **range** *s aer.* Akti'onsradius *m.* ~ **sau·cer** *s* Fliegende 'Untertasse. ~ **school** *s aer.* Flieger-, Flugschule *f.* ~ **speed** *s* Fluggeschwindigkeit *f.* ~ **squad** *s Br.* 'Überfallkom,mando *n* (*der Polizei*). ~ **squad·ron** *s* **1.** *aer.* (Flieger)Staffel *f.* **2.** *Am.* a) fliegende Ko'lonne, b) 'Rollkom,mando *n.* ~ **squid** *s zo.* Seepfeil *m.* ~ **squir·rel** *s zo.* Flughörnchen *n.* ~ **u·nit** *s aer.* fliegender Verband. ~ **weight** *s aer.* Fluggewicht *n.* ~ **wing** *s aer.* Nurflügel(flugzeug) *n.*
'**fly|,leaf** *s irr Buchbinderei*: Vorsatz-, Deckblatt *n.* ~ **line** *s* **1.** *orn.* Zuglinie *f.* **2.** *sport* Angelschnur *f* mit (künstlicher) Fliege. ~ **loft** *s thea.* Sof'fitten *pl.* '**~·man** [-mən] *s irr* **1.** *thea.* Sof'fittenarbeiter *m.* **2.** Droschkenkutscher *m.* '**~-,o·ver** *s* **1.** *aer.* → fly-past. **2.** *Br.* ('Straßen-, 'Eisenbahn)Über,führung *f.* '**~,pa·per** *s* Fliegenfänger *m.* '**~-,past** *s aer.* 'Luftpa,rade *f.* ~ **press** *s tech.* Spindelpresse *f.* ~ **rod** *s* Angelrute *f* (*für künstliche Fliegen*). ~ **sheet** *s* **1.** Flug-, Re'klameblatt *n.* **2.** Gebrauchsanweisung *f.*
flyte → flite.
'**fly|,trap** *s* **1.** Fliegenfalle *f.* **2.** *bot.* Fliegenfänger *m.* '**~-,un·der** *s* ('Straßen-, 'Eisenbahn)Unter,führung *f.* '**~,way** → fly line 1. '**~,weight** *s sport* Fliegengewicht(ler *m*) *n.* '**~,wheel** *s tech.* Schwungrad *n.*
'**f-,num·ber** *s phot.* **1.** Blende *f* (*Einstellung*). **2.** Lichtstärke *f* (*vom Objektiv*).
foal [foul] *zo.* **I** *s* Fohlen *n*, Füllen *n*: in ~, with ~ trächtig. **II** *v/t Fohlen* werfen. **III** *v/i* fohlen, werfen. '**~,foot** *pl* '**~,foots** *s bot.* Huflattich *m.*
foam [foum] **I** *s* **1.** Schaum *m* (*a. tech.*). **II** *v/i* **2.** schäumen (with rage *fig.* vor Wut): he had ~ at the mouth der Schaum stand ihm vor dem Mund, *fig.* er schäumte (vor Wut). **3.** schäumend fließen. **III** *v/t* **4.** schäumen machen: ~(ed) plastics *tech.* Schaumstoffe. ~ **ex·tin·guish·er** *s* Schaum(feuer)löscher *m.* ~ **rub·ber** *s* Schaumgummi *m.*
foam·y ['foumi] *adj* **1.** schäumend, schaumig. **2.** Schaum...
fob[1] [fɒb] *s* **1.** Uhrtasche *f* (*in der Hose*). **2.** *a.* ~ chain a) Uhrkette *f*, -band *n*, b) Uhranhänger *m.*
fob[2] [fɒb] *pret u. pp* **fobbed** *v/t* **1.** ~ off s.th. on s.o. j-m etwas ‚andrehen' *od.* ‚aufhängen'. **2.** ~ off s.o. j-n abspeisen (with mit), j-n ‚abwimmeln'.
fo·cal ['foukəl] *adj* (*adv* ~ly) **1.** *math. phys.* im Brennpunkt stehend (*a. fig.*), fo'kal, Brenn(punkt)...: ~ distance Brennweite *f.* **2.** *med.* fo'kal, Herd...
fo·cal·i·za·tion [,foukəlai'zeiʃən] *s* **1.** Vereinigung *f* in e-m Brennpunkt. **2.** *opt.* Einstellung *f* (*e-s Geräts*). '**fo·cal,ize I** *v/t* **1.** → focus 4 *u.* 5. **2.** *med.* auf e-n bestimmten Teil des Körpers beschränken: to ~ an infection. **II** *v/i* **3.** → focus 7 *u.* 8. **4.** *med.* sich auf e-n bestimmten Teil des Körpers beschränken.
fo·cal| length *s phys.* Brennweite *f.* ~ **plane** *s phys.* Brennebene *f.* '**~-,plane shut·ter** *s phot.* Schlitzverschluß *m.* ~ **point** *s* **1.** *phys.* Brennpunkt *m.* **2.** *fig.* → focus 2. ~ **spot** *s phys.* Brennpunkt *n.* ['meter *n.*
fo·cim·e·ter [fo'simitər] *s phys.* Foko-
fo'c's'le ['fouksl] → forecastle.
fo·cus ['foukəs] *pl* **-cus·es, -ci** [-sai] **I** *s* **1.** a) *math. phys. tech.* Brennpunkt *m*, Fokus *m*, b) *TV* Lichtpunkt *m*, c) *phys.* Brennweite *f*, d) *opt.* Scharfeinstellung *f*: in ~ scharf *od.* richtig eingestellt, *fig.* klar u. richtig; out of ~ unscharf, verschwommen (*a. fig.*); to bring into ~ → 4 *u.* 5. **2.** *fig.* Brenn-, Mittelpunkt *m* (of attention des Interesses): to bring (in)to ~ in den Brennpunkt rücken. **3.** *med.* Herd *m* (*a. e-s Erdbebens, e-s Aufruhrs etc*). **II** *v/t pret u. pp* **-cused, -cussed** **4.** *opt.* fokus'sieren, scharf einstellen. **5.** *phys.* im Brennpunkt vereinigen, sammeln, *Strahlen* bündeln. **6.** *fig.* konzen'trieren, richten (on auf *acc*). **III** *v/i* **7.** *phys.* sich in e-m Brennpunkt vereinigen. **8.** *opt.* sich scharf einstellen. **9.** ~ on *fig.* sich konzentrieren *od.* richten auf (*acc*).

fo·cus·(s)ing| cam·er·a ['foukəsiŋ] *s phot.* Mattscheibenkamera *f.* ~ **lens** *s* Sammellinse *f.* ~ **scale** *s phot.* Entfernungsskala *f.* ~ **screen** *s phot.* Mattscheibe *f.*

fod·der ['fɒdər] **I** *s* (Trocken)Futter *n.* **II** *v/t Vieh* füttern.

foe [fou] *s* Feind *m* (*a. mil. u. fig.*), 'Widersacher *m, sport u. fig.* Gegner *m* (to, of *gen*).

foehn [fəːn; fein] *s* Föhn *m* (*Wind*).

'foe·man [-mən] *s irr obs.* Feind *m.*

foe·tal, foe·ta·tion, foe·ti·cide, foe·tus → fetal, fetation *etc.*

fog¹ [fɒg] **I** *s* **1.** (dichter) Nebel. **2.** a) Trübheit *f*, Dunkelheit *f*, b) Dunst *m.* **3.** *fig.* a) Nebel *m*, Verschwommenheit *f*, b) Verwirrung *f*, Ratlosigkeit *f*: to be in a ~ (völlig) ratlos sein *od.* im dunkeln tappen. **4.** *tech.* Nebel *m*, ausgesprühte Flüssigkeit. **5.** *phot.* Schleier *m.* **II** *v/t* **6.** in Nebel hüllen, um'nebeln, einnebeln. **7.** verdunkeln. **8.** *fig.* a) benommen machen, trüben, b) *e-e Sache* verworren *od.* unklar machen, c) *j-n* ratlos machen. **9.** *phot.* verschleiern. **10.** *tech.* besprühen: to ~ with insecticide. **III** *v/i* **11.** neb(e)lig werden. **12.** undeutlich werden, verschwimmen. **13.** (sich) beschlagen (*Glas*). **14.** *phot.* schleiern.

fog² [fɒg] **I** *s* **1.** Spätheu *n*, Grum(me)t *n.* **2.** Wintergras *n.* **3.** *Scot.* Moos *n.* **II** *v/t* **4.** Wintergras stehen lassen auf (*dat*). **5.** mit Wintergras füttern.

fog| bank *s* Nebelbank *f.* ~ **bell** *s* Nebelglocke *f.* '~,**bound** *adj* **1.** von dichtem Nebel eingehüllt. **2.** *mar. etc* durch Nebel festgehalten *od.* behindert. '~,**dog** *s* heller Fleck (in e-r Nebelbank).

fo·gey → fogy.

fog·gi·ness ['fɒginis] *s* **1.** Nebligkeit *f.* **2.** *fig.* Verschwommenheit *f*, Unklarheit *f.* **'fog·gy** *adj* (*adv* foggily) **1.** neb(e)lig. **2.** trüb, dunstig. **3.** *fig.* a) nebelhaft, verschwommen, unklar, b) benebelt, benommen (with vor *dat*). **4.** *phot.* verschleiert.

'fog|,horn *s* **1.** Nebelhorn *n.* **2.** *fig.* dröhnende (Baß)Stimme. ~ **lamp** *s*, ~ **light** *s mot.* Nebelscheinwerfer *m.*

fo·gram ['fougrəm] *adj* altmodisch.

fog sig·nal *s* 'Nebelsi,gnal *n.*

fo·gy ['fougi] *s meist* old ~ komischer (alter) Kauz, ‚alter Knopf', (alter) Spießer. **'fo·gy·ish** *adj* verknöchert, rückständig, altmodisch. **'fo·gy,ism** *s* Phi'listertum *n*, -haftigkeit *f.*

föhn → foehn.

foi·ble ['fɔibl] *s* **1.** *fig.* Faible *n*, Schwäche *f*, schwache Seite. **2.** Vorderteil *m, n* e-r (Degen)Klinge.

foil¹ [fɔil] *v/t* **1.** vereiteln, (*a. j-s Pläne*) durch'kreuzen *od.* zu'nichte machen. **2.** *hunt. Br. e-e Spur* verwischen. **3.** *obs.* über'winden. **II** *s* **4.** *obs.* Niederlage *f*, Fehlschlag *m.* **5.** *hunt. Br.* Fährte *f.*

foil² [fɔil] **I** *s* **1.** *tech.* (Me'tall- *od.* Kunststoff)Folie *f*, 'Blattme,tall *n*: aluminium ~ Aluminiumfolie. **2.** *tech.* (Spiegel)Belag *m*, Folie *f.* **3.** Folie *f*, 'Unterlage *f* (*für Edelsteine*). **4.** *fig.* Folie *f*, 'Hintergrund *m*: to serve as a ~ to als Folie dienen (*dat*). **5.** *arch.* a) Nasenschwung *m*, b) Blattverzierung *f.* **II** *v/t* **6.** *tech.* mit Me'tallfolie belegen. **7.** *arch.* mit Blätterwerk (ver)zieren. **8.** her'vorheben.

foil³ [fɔil] *s fenc.* **1.** Flo'rett *n.* **2.** *pl* Flo'rettfechten *n.*

foils·man ['fɔilzmən] *s irr* Flo'rettfechter *m.*

foi·son ['fɔizn] *s obs.* Fülle *f.*

foist [fɔist] *v/t* **1.** to ~ s.th. (up)on s.o. a) j-m etwas ‚andrehen' *od.* ‚aufhängen' *od.* ‚aufhalsen', b) j-m etwas (*a. ein Kind*) 'unterschieben. **2.** *etwas* einschmuggeln (into in *acc*).

fold¹ [fould] **I** *v/t* **1.** falten: to ~ a cloth; to ~ one's arms die Arme verschränken *od.* kreuzen; to ~ one's hands die Hände falten. **2.** *oft* ~ up zs.-legen, -falten, -klappen. **3.** *a.* ~ down her'unterklappen. **4.** 'umbiegen, kniffen. **5.** *tech.* falzen, bördeln. **6.** einhüllen, -wickeln, -schlagen: to ~ s.o. in one's arms j-n umarmen *od.* in die Arme schließen. **7.** *fig.* einschließen (into in *acc*). **8.** *Kochkunst*: einrühren, 'unterziehen. **II** *v/i* **9.** sich (zs.-)falten *od.* zs.-legen *od.* zs.-klappen (lassen). **10.** ~ up *Am.* a) zs.-brechen (*a. fig.*), b) *econ.* ‚eingehen', ‚den Laden zumachen (müssen)'. **III** *s* **11.** a) Falte *f*, b) Windung *f*, c) 'Umschlag *m.* **12.** Falz *m*, Kniff *m*, Bruch *m.* **13.** *print.* Bogen *m.* **14.** Falz *m*, Bördel *m.* **15.** Falte *f*, Plica *f*: vocal ~ Stimmfalte. **16.** *geol.* a) (Boden-)Falte *f*, b) Senkung *f.*

fold² [fould] **I** *s* **1.** (Schaf)Hürde *f*, Pferch *m.* **2.** Schafherde *f.* **3.** *relig.* a) (christliche) Gemeinde, Herde *f*, b) (Schoß *m* der) Kirche. **4.** *fig.* Schoß *m* der Fa'milie *od.* Par'tei. **II** *v/t* **5.** *Schafe* einpferchen. **6.** *Land* (durch Schafe in Hürden) düngen.

-fold [fould] *Suffix mit der Bedeutung* ...fach, ...fältig.

'fold,boat *s* Faltboot *n.*

fold·ed moun·tains ['fouldid] *s pl geol.* Faltengebirge *n.*

fold·er ['fouldər] *s* **1.** zs.-faltbare Druckschrift, *bes.* 'Faltpro,spekt *m*, -blatt *n*, Bro'schüre *f.* **2.** Aktendeckel *m*, Mappe *f.* **3.** Schnellhefter *m.* **4.** *tech.* 'Bördelma,schine *f.* **5.** *tech.* Falzbein *n*, (Pa'pier),Falzma,schine *f.* **6.** *pl* Klappkneifer *m.*

fol·de·rol ['fɒldə,rɒl] → falderal.

fold·ing ['fouldiŋ] *adj* **1.** zs.-legbar, -klappbar, Falt..., Klapp..., Flügel... **2.** Falz... ~ **bed** *s* Klapp-, Feldbett *n.* ~ **boat** → foldboat. ~ **box** → folding carton. ~ **cam·er·a** *s* Klappkamera *f.* ~ **car·ton** *s* 'Faltschachtel *f*, -kar,ton *m.* ~ **chair** *s* Klappstuhl *m*, -sessel *m.* ~ **doors** *s pl* Flügeltür *f.* ~ **gate** *s* zweiflügeliges Tor. ~ **hat** *s* Klapphut *m.* ~ **lad·der** *s* Klappleiter *f.* ~ **ma·chine** *s tech.* **1.** 'Bördelma,schine *f.* **2.** (Pa'pier),Falz-, 'Faltma,schine *f.* ~ **mon·ey** *s Am. humor.* Pa'piergeld *n.* ~ **press** *s tech.* 'Abkantma,schine *f.* ~ **rule** *s* (zs.-legbarer) Zollstock. ~ **screen** *s* spanische Wand. ~ **stool** *s* Klappstuhl *m.* ~ **ta·ble** *s* Klapptisch *m.* ~ **top** *s mot.* Rolldach *n.*

fo·li·a·ceous [,fouli'eiʃəs] *adj* **1.** blattähnlich, -artig. **2.** blätt(e)rig, Blatt..., Blätter...

fo·li·age ['fouliidʒ] *s* **1.** Laub(werk) *n*, Blätter(werk *n*) *pl*: ~ plant Blattpflanze *f.* **2.** *arch.* Blattverzierung *f.* **'fo·li·aged** *adj* **1.** *in Zssgn* ...blätt(e)rig. **2.** mit Laub(werk) verziert. **'fo·li·ar** *adj* Blatt..., Blätter...

fo·li·ate ['fouli,eit] **I** *v/t* **1.** zu Blättern *od.* Plättchen schlagen. **2.** *arch.* mit Blattverzierung(en) versehen: ~d capital Blätterkapitell *n.* **3.** *tech.* mit Folie *od.* 'Blattme,tall belegen. **4.** *ein Buch* pagi'nieren. **II** *v/i* **5.** *bot.* Blätter treiben. **6.** sich in Blättchen spalten. **III** *adj* ['fouliit; -,eit] **7.** *bot.* belaubt. **8.** blattartig, blätt(e)rig. **,fo·li'a·tion** *s* **1.** *bot.* a) Blattbildung *f*, Belaubung *f*, b) Blattstand *m*, -stellung *f.* **2.** Blattzählung *f*, Pagi'nierung *f* (*Buch*). **3.** *geol.* Schieferung *f.* **4.** *Kunst*: a) Laubwerk *n*, Blätterschmuck *m*, b) Verzierung *f* mit Laubwerk. **5.** *tech.* a) 'Herstellung *f* von (Me'tall)Folien, b) Belegen *n* mit Folie.

fo·li·o ['fouli,ou] **I** *s pl* **-os** **1.** Blatt *n.* **2.** *print.* a) Folioblatt *n* (*einmal gefalteter Druckbogen*, b) *a.* ~ volume Foli'ant *m*, c) *a.* ~ size 'Folio(for,mat) *n*, d) nur auf der Vorderseite nume'riertes Blatt, e) Seitenzahl *f* (*Buch*). **3.** *econ.* a) Kontobuchseite *f*, b) (*die*) zs.-gehörenden rechten u. linken Seiten des Kontobuchs. **4.** *jur.* Einheitswortzahl *f* (*für die Längenangabe von Dokumenten; in England 72 od. 90, in USA 100 Wörter*). **III** *v/t* **5.** *ein Buch etc* (nach Blättern) pagi'nieren, mit Seitenzahl(en) versehen.

fo·li·ole ['fouli,oul] *s bot.* Blättchen *n* (*e-s zs.-gesetzten Blatts*).

folk [fouk] **I** *s pl* **folk, folks** **1.** *pl* Leute *pl*: poor ~ arme Leute; rural ~ Landvolk *n*, Leute vom Lande; ~s say die Leute sagen, man sagt. **2.** *pl* (*nur* folks) *colloq. m-e etc* ‚Leute' *pl od.* Verwandten *pl od.* Angehörigen *pl.* **3.** Volk *n* (*Träger des Volkstums*). **4.** *obs.* Volk *n*, Nati'on *f.* **II** *adj* **5.** Volks...: ~ art (dance, etymology).

'folk,lore *s* **1.** Folklore *f*: a) Volkskunde *f*, b) Volkstum *n* (*Gebräuche, Sagen etc*). **'folk,lor·ist** *s* Folklo'rist *m*, Volkskundler *m.* **,folk·lor'is·tic** *adj* folklo'ristisch.

'folk|,moot [-,muːt] *s hist.* Volksversammlung *f* (*der Angelsachsen*). ~ **song** *s* Volkslied *n.* ~ **sto·ry** → folk tale.

folk·sy ['fouksi] *adj Am.* **1.** gesellig, 'umgänglich. **2.** *iro.* volkstümelnd.

folk| tale *s* Volkserzählung *f*, -sage *f.* ,~'**ways** *s pl* traditio'nelle Lebensart *od.* -form *od.* -weise.

fol·li·cle ['fɒlikl] *s* **1.** *bot.* Fruchtbalg *m.* **2.** *anat.* a) Fol'likel *m*, Drüsenbalg *m*, b) Haarbalg *m.*

fol·lic·u·lar [fə'likjulər], **fol'lic·u,lat·ed** [-,leitid] *adj* **1.** *bot.* balgfrüchtig. **2.** *anat.* folliku'lar, Follikel... **3.** *biol.* Balg... **fol'lic·u·lin** [-lin] *s chem. med.* Öst'ron *n*, α-Fol'likelhor,mon *n.*

fol·low ['fɒlou] **I** *s* **1.** *Billard*: Nachläufer *m.* **2.** (kleine) zweite Porti'on (*im Restaurant*).

II *v/t* **3.** *allg.* folgen (*dat*): a) (zeitlich) nachfolgen (*dat*), folgen auf (*acc*), sich anschließen (*dat*): a dinner ~ed by a dance ein Essen mit anschließendem Tanz; this story is ~ed by another auf diese Geschichte folgt noch eine (andere), b) nachfolgen, -laufen: to ~ s.o. close j-m auf dem Fuße folgen, c) *a. mil. j-n* verfolgen, d) sich *j-m* anschließen, *j-n* begleiten, e) *j-m im Amt etc* nachfolgen, *j-s* Nachfolger sein, f) *j-m als Führer od. Vorbild* (nach)folgen, sich *j-m, e-r Partei etc* anschließen, g) *j-m* gehorchen, h) sich anpassen (*dat*) (*a. Sache*), i) *e-e Mode etc* mitmachen, j) *e-n Rat, Befehl etc* befolgen, beachten: to ~ s.o.'s advice, k) sich *e-r Ansicht* anschließen, teilen (*acc*): I cannot ~ your views, l) *e-n Weg* verfolgen: to ~ a path, m) entlanggehen, -führen (*acc*): the road ~s the river, n) (*mit dem Auge od. geistig*) verfolgen, beobachten: to ~ a game; to ~ events, o) zuhören (*dat*). **4.** *ein Ziel, e-n Zweck* verfolgen, anstreben. **5.** *e-r Beschäftigung etc* nachgehen, sich widmen (*dat*), *ein Geschäft etc* betreiben, *e-n Beruf* ausüben: to ~ one's pleasure s-m Vergnügen nachgehen; to ~ the law Jurist sein; → sea 1. **6.** folgen (können) (*dat*), verstehen: do you ~ me? können Sie mir folgen? **7.** folgen aus, die Folge sein von (*od. gen*). **8.** ~ with auf *e-e Sache etwas* folgen lassen.

III *v/i* **9.** (*zeitlich u. räumlich*) (nach)folgen, sich anschließen (*dat*): to ~ after s.o. j-m nachfolgen; to ~ (up)on folgen auf (*acc*); letter to ~ Brief folgt (nach); as ~s wie folgt, folgendermaßen. **10.** *meist impers* folgen, sich ergeben (from aus): it ~s from this hieraus folgt (that daß); it does not ~ that dies besagt nicht, daß.

Verbindungen mit Adverbien:

fol·low| a·bout *v/t* überall('hin) folgen (*dat*). **~ on** *v/i* **1.** gleich weitermachen *od.* -gehen. **2.** *Kricket*: so'fort nochmals zum Schlagen antreten. **~ out** bis zum Ende 'durchführen, (beharrlich) ausführen *od.* weiter verfolgen. **~ through** *v/i sport e-n Schlag etc* ganz 'durchziehen. **~ up I** *v/t* **1.** (eifrig *od.* e'nergisch weiter) verfolgen. **2.** *e-r Sache* nachgehen. **3.** *e-n Vorteil etc* ausnutzen. **4.** (*auf e-n Schlag etc e-n anderen*) (so'fort) folgen lassen, nachstoßen (with mit). **II** *v/i* **5.** *mil.* nachstoßen, -drängen.

fol·low·er ['fɒləuər] *s* **1.** Verfolger(in). **2.** Nachfolger(in). **3.** Anhänger *m*, Schüler *m*, Jünger *m*. **4.** Diener *m*. **5.** *hist.* Gefolgsmann *m*. **6.** Begleiter *m*. **7.** *Br. colloq.* Verehrer *m* (*bes. e-s Dienstmädchens*). **8.** *pl* → following 1 *u.* 2. **9.** *pol.* Mitläufer *m*. **10.** *tech.* a) Nebenrad *n*, Kolbendeckel *m* (*e-r Dampfmaschine*), b) Stopfbüchsdeckel *m*, c) Kettenspanner *m*, d) Man'schette *f*, e) Kurvenrolle *f*, f) *mil.* Zubringer *m* (*am Magazin*). **'fol·low·ing I** *s* **1.** Gefolge *n*, Anhang *m*. **2.** Anhänger-, Gefolgschaft *f*, Anhänger *pl* (*a. e-s Sports, e-s Politikers etc*). **3.** the ~ a) das Folgende, b) die Folgenden *pl*. **II** *adj* **4.** folgend(er, e, es). **'fol·low|-ˌon** *s Kricket*: so'fortiges 'Wiederantreten. **'~ˌthrough** *s* **1.** *sport* 'Durchziehen *n* (*e-s Schlages*). **2.** (endgültige) 'Durchführung. **'~-ˌup I** *s* **1.** weitere Verfolgung *od.* Unter'suchung (*e-r Sache*). **2.** Nachstoßen *n*, -fassen *n*, Auswertung *f*. **3.** *mil.* fron'tales Nachdrängen. **4.** *med.* Nachbehandlung *f*, 'Nachunterˌsuchung *f*. **II** *adj* **5.** weiter(er, e, es), Nach...: ~ advertising Erinnerungswerbung *f*; ~ file Wiedervorlagemappe *f*; ~ letter Nachfaßschreiben *n*; ~ order *econ.* Anschlußauftrag *m*.

fol·ly ['fɒli] *s* **1.** Narr-, Torheit *f*: a) Verrücktheit *f*, b) Narre'tei *f*, törichte Handlung. **2.** Follies *pl* (*als sg konstruiert*) *thea.* Re'vue *f*.

fo·ment [fəu'ment] *v/t* **1.** *med.* bähen, (er)wärmen, warm baden. **2.** *fig.* pflegen, fördern. **3.** *fig.* anfachen, erregen, schüren, aufhetzen zu: to ~ riots. **ˌfo·men'ta·tion** *s* **1.** *med.* Bähung *f*. **2.** *med.* Bähmittel *n*. **3.** *fig.* Anstiftung *f*, Aufwiegelung *f*. **fo'ment·er** *s* Anstifter(in), Aufwiegler(in).

fo·mes ['fəumiːz] *pl* **'fo·mi·tes** [-miˌtiːz; *a.* 'fɒm-] *s med.* Ansteckungsträger *m*.

fond [fɒnd] *adj* (*adv* → fondly) **1.** to be ~ of s.o. (s.th.) j-n (etwas) lieben *od.* mögen *od.* gern haben: to be ~ of smoking gern rauchen. **2.** zärtlich, liebevoll, innig. **3.** *a.* ~ and foolish närrisch, vernarrt (of in *acc*). **4.** über'trieben zuversichtlich, töricht, (allzu) kühn: ~ hope; it went beyond my ~est dreams es übertraf m-e kühnsten Träume.

fon·dant ['fɒndənt] *s* Fon'dant *m*.

fon·dle ['fɒndl] **I** *v/t* **1.** liebkosen, herzen, hätscheln. **2.** (liebevoll) streicheln *od.* spielen mit. **3.** *obs.* verhätscheln. **II** *v/i* **4.** zärtlich sein. **fond·ly** ['fɒndli] *adv* **1.** liebevoll, herzlich. **2.** in törichtem Opti'mismus, allzu kühn: I ~ hoped (*od.* imagined) that ich war so töricht zu hoffen (*od.* anzunehmen), daß; ich schmeichelte mir, daß. **'fond·ness** *s* **1.** Zärtlichkeit *f*, Innigkeit *f*. **2.** (of) a) Liebe *f* (zu), (zärtliche) Neigung (für), b) Vernarrtheit *f* (in *acc*). **3.** Vorliebe *f* (for für).

font[1] [fɒnt] *s* **1.** *relig.* Taufstein *m*, -becken *n*. **2.** Ölbehälter *m* (*e-r Lampe*). **3.** *poet.* Quelle *f*, Brunnen *m*.

font[2] [fɒnt], *bes. Br.* **fount** [faunt] *s* **1.** *tech.* Gießen *n*, Guß *m*. **2.** *print.* Schrift(satz *m*, -guß *m*, -sorte *f*) *f*.

font·al ['fɒntl] *adj* **1.** ursprünglich, Ur... **2.** Quell... **3.** *relig.* Tauf(becken)...

fon·ta·nel(le) [ˌfɒntə'nel] *s anat.* Fonta'nelle *f*.

food [fuːd] *s* **1.** Essen *n*, Kost *f*, Nahrung *f*, Verpflegung *f*: ~ conditions Ernährungslage *f*; F~ Office *Br.* Ernährungsamt *n*; ~ plant Nahrungspflanze *f*. **2.** Nahrungs-, Lebensmittel *pl*: F~ and Drug Act Lebensmittelgesetz *n*; ~ store Lebensmittelhandlung *f*. **3.** Futter *n*. **4.** *bot.* Nährstoff(e *pl*) *m*. **5.** *fig.* Nahrung *f*, Stoff *m*: ~ for thought Stoff zum Nachdenken. **'~ˌstuff** → food 2.

fool[1] [fuːl] **I** *s* **1.** Narr *m*, Närrin *f*, Tor *m*, Dummkopf *m*: to make a ~ of → 8; to make a ~ of o.s. sich lächerlich machen; no ~ like an old ~ Alter schützt vor Torheit nicht; I am a ~ to him ich bin ein Waisenknabe gegen ihn; he is no ~ er ist nicht auf den Kopf gefallen. **2.** Narr *m*, Hanswurst *m*, Hofnarr *m*: to play the ~ → 11. **3.** Betrogene(r *m*) *f*, Gimpel *m*: he is nobody's ~ er läßt sich nichts vormachen. **4.** Schwachsinnige(r *m*) *f*, Idi'ot *m*. **5.** Närrchen *n*, dummes Ding. **6.** *Am. colloq.* a) Fex *m*: to be a ~ for verrückt sein auf (*acc*), b) ‚Ka'none' *f*, ‚toller Kerl': a ~ for luck ein Glückspilz *m*. **II** *adj* **7.** *Am. colloq.* blöd, ‚doof'. **III** *v/t* **8.** zum Narren halten. **9.** betrügen (out of um), täuschen, ‚reinlegen', verleiten (into doing zu tun). **10.** ~ away *Zeit etc* vergeuden. **IV** *v/i* **11.** Possen treiben, Unsinn *od.* Faxen machen, her'umalbern. **12.** *Am. oft* ~ about, ~ around a) (her'um)spielen (with mit), b) sich her'umtreiben. **13.** *Am.* nur so tun, als ob: he was only ~ing.

fool[2] [fuːl] *s Br.* (Frucht)Creme *f*, Mus *n*.

fool·er·y ['fuːləri] → folly 1.

'fool|ˌfish *s ichth.* **1.** (*e-e*) Scholle. **2.** Langflossiger Hornfisch. **'~ˌhar·di·ness** *s* Tollkühnheit *f*. **'~ˌhar·dy** *adj* tollkühn, verwegen.

fool·ing ['fuːliŋ] *s* **1.** Albernheit *f*, Dummheit(en *pl*) *f*. **2.** Spiele'rei *f*. **'fool·ish** *adj* (*adv* ~ly) **1.** dumm, töricht: a) albern, läppisch, b) unklug: to feel ~ sich albern vorkommen. **2.** lächerlich. **'fool·ish·ness** *s* Dumm-, Torheit *f*. **'foolˌproof** *adj* **1.** *tech.* narren-, betriebssicher. **2.** todsicher. **3.** kinderleicht, ‚idi'otensicher'.

fools·cap ['fuːlzˌkæp] *s* **1.** [*a.* 'fuːlsˌkæp] a) Pro'patriaˌpier *n* (*gefaltetes Schreibpapier*, 12×15 *bis* $12^1/_2 \times 16$ *Zoll*), b) Kanz'leiforˌmat *n* ($13^1/_2 \times 17$ *Zoll*). **2.** Narrenkappe *f*.

fool's| cap [fuːlz] *s* Narrenkappe *f*. **~ er·rand** *s* vergeblicher Gang, ‚Metzgergang' *m*, vergebliche Mühe. **~ gold** *s* Eisenkies *m*. **~ par·a·dise** *s* Wolken'kuckucksheim *n*: to live in a ~ sich Illusionen hingeben.

foot [fut] **I** *pl* **feet** [fiːt] *s* **1.** Fuß *m*: at s.o.'s feet zu j-s Füßen (*a. fig.*); on ~ a) zu Fuß, b) im Gange; to set ~ on (*od.* in) betreten; to set s.th. on ~ etwas in Gang bringen; to be on one's feet *fig.* (wieder) auf den Beinen sein (*a. fig.*); to put one's best ~ forward a) sein Bestes tun, b) sich von der besten Seite zeigen; to put one's ~ down energisch werden, ein Machtwort sprechen; to put one's ~ in it *colloq.* a) ‚ins Fettnäpfchen treten', b) *Am.* sich in e-e üble Lage bringen, ‚schön reinfallen'; to put s.o. (s.th.) on his (its) feet j-n (etwas) wieder auf die Beine bringen; to carry (*od.* sweep) s.o. off his feet a) j-n begeistern *od.* (mit) fortreißen, b) j-s Herz im Sturm erobern; to fall on one's feet immer wieder auf die Füße fallen, Glück haben; to find one's ~ a) gehen können *od.* lernen, b) ‚sich finden', sich voll entfalten, c) wissen, was man tun soll, d) festen Boden unter den Füßen haben; to know (*od.* find) the length of s.o.'s ~ j-n *od.* j-s Schwächen genau kennenlernen; to tread under ~ *fig.* mit Füßen treten; my ~ (*od.* feet)! *colloq.* Quatsch!; → grave[1] 1, underfoot. **2.** (*pl colloq. a.* foot) Fuß *m* (= *0,3048 m*): 6 feet tall 6 Fuß groß *od.* hoch; a ten-~ pole e-e 10 Fuß lange Stange. **3.** *mil.* a) Infante'rie *f*: the 4th F~ das Infanterieregiment Nr. 4, b) *hist.* Fußvolk *n*: 500 ~ 500 Fußsoldaten. **4.** Gang *m*, Schritt *m*. **5.** Fuß *m*, Füßling *m* (*am Strumpf*). **6.** Fuß *m* (*e-s Berges, e-s Glases, e-r Säule, e-r Treppe etc*), Fußende *n* (*des Bettes, Tisches etc*), unteres Ende: at the ~ of the page unten an *od.* am Fuß der Seite. **7.** (*pl* foots) Bodensatz *m*, Hefe *f*. **8.** *metr.* (Vers)Fuß *m*. **9.** *mus.* Re'frain *m*.

II *v/i* **10.** *meist* ~ it *selten* a) ‚tippeln', (zu Fuß) gehen, b) tanzen. **11.** *mar.* schnell fahren. **12.** ~ up sich belaufen (to auf *acc*).

III *v/t* **13.** treten auf (*acc*), betreten. **14.** *Strümpfe* anstricken. **15.** mit den Krallen fassen (*Raubvögel*). **16.** *meist* ~ up *econ.* zs.-zählen, ad'dieren. **17.** bezahlen, begleichen: to ~ the bill.

foot·age ['futidʒ] *s* **1.** Gesamtlänge *f od.* Ausmaß *n* (in Fuß). **2.** Filmmeter *pl*. **3.** *Bergbau*: Bezahlung *f* nach Fuß.

'foot-and-'mouth dis·ease *s vet.* Maul- u. Klauenseuche *f*.

'foot|ˌball *s sport* **1.** (*a. amer. etc*) Fußball(spiel *n*) *m*. **2.** Fußball *m* (*rund od. länglich*). **3.** *fig. contp.* Spielball *m*. **'~ˌball·er** *s* Fußballspieler *m*, Fußballer *m*. **'~ˌball game** *s bes. Am.*, **'~ˌball match** *s sport bes. Br.* Fußballspiel *n*. **'~-ˌbath** *s* Fußbad(ewanne *f*) *n*. **'~ˌboard** *s* **1.** Fuß-, Trittbrett *n* (*am Fahrzeug*). **2.** Fußbrett *n* (*am Bett*). **3.** Laufrahmen *m* (*Lokomotive*). **'~ˌboy** *s* **1.** Laufbursche *m*. **2.** Page *m*. **~ brake** *s tech.* Fußbremse *f*. **'~ˌbridge** *s* **1.** Fußgängerbrücke *f*, (Lauf)Steg *m*. **2.** *mil.* Laufbrücke *f*. **'~-'can·dle** *s phys.* Fußkerze *f* (*Maß für Lichtstärke*). **'~ˌcloth** *s hist.* Scha'bracke *f*. **~ con·trol** *s tech.* Fußsteuerung *f*, -schaltung *f*. **~ drop** *s med.* Spitzfuß(stellung *f*) *m*.

foot·ed ['futid] *adj meist in Zssgn* mit (...) Füßen, ...füßig: flat-~. **'foot·er** *s* **1.** *in Zssgn e-e ... Fuß große od. lange Person od. Sache*: a six-~. **2.** *Br. sl.* Fußball(spiel *n*) *m*.

'**foot|ˌfall** *s* Schritt *m*, Tritt *m* (*Geräusch*). **~ fault** *s Tennis*: Fußfehler *m*. '**~ˌgear** *s* Fußbekleidung *f*, Schuhwerk *n*. **~ guard** *s* **1.** Fußschutz *m* (*bes. für Pferde*). **2.** **F~ G~s** *pl mil. Br.* 'Gardeinfanteˌrie *f*, 'Garderegiˌmenter *pl* zu Fuß. '**~ˌhill** *s* **1.** Vorhügel *m*, -berg *m*. **2.** *pl* Ausläufer *pl* e-s Gebirges, Vorgebirge *n*. '**~ˌhold** *s* **1.** Stand *m*, Raum *m od.* Platz *m* zum Stehen: **safe ~** fester Stand, sicherer Halt. **2.** *fig.* a) sichere Stellung, Halt *m*, b) (Ausgangs)Basis *f*, ('Ausgangs)-Positiˌon *f*: **to gain a ~** (festen) Fuß fassen.

foot·ing ['futiŋ] *s* **1.** Stand *m* (*etc* → **foothold**): **to lose one's ~** ausgleiten, den Halt verlieren. **2.** Auftreten *n*, -setzen *n* der Füße. **3.** *arch.* Sockel *m*, Mauerfuß *m*. **4.** *tech.* Funda'ment *n*. **5.** *fig.* a) Basis *f*, Grundlage *f*, b) Zustand *m*: → **peace** 6, **war footing**, c) Stellung *f*, Positi'on *f*: **to place on a** (*od.* **on the same**) **~** gleichstellen (*dat*), d) Verhältnis *n*, (wechselseitige) Beziehung(en *pl*): **on a friendly ~** auf freundschaftlichem Fuße. **6.** a) Eintritt *m*, b) Einstand(sgeld *n*) *m*: **to pay (for) one's ~** s-n Einstand geben. **7.** Anstricken *n*. **8.** a) End-, Gesamtsumme *f*, b) Ad'dieren *n* einzelner Posten. **9.** Bauern-, Zwirnspitze *f*.

foot·le ['fu:tl] *sl.* **I** *v/i* **1.** ‚kälbern', her'umalbern. **2.** sich dumm anstellen. **II** *s* **3.** ‚Stuß' *m*, dummes Gewäsch.

foot·less ['futlis] *adj* **1.** ohne Füße. **2.** *fig.* halt-, grundlos. **3.** *Am. colloq.* a) tolpatschig, b) sinnlos.

'**foot|ˌlick·er** *s* Speichellecker *m*. '**~ˌlights** *s pl thea.* **1.** Rampenlicht(er *pl*) *n*: **to get across the ~** beim Publikum ‚ankommen'. **2.** *fig.* (*die*) Bühne.

foot·ling ['fu:tliŋ] *adj sl.* **1.** albern, läppisch. **2.** jämmerlich.

foot| lock·er *s mil. Am.* Feldkiste *f*. '**~-ˌloose** *adj* frei, ungebunden, unbeschwert. '**~·man** [-mən] *s irr* La'kai *m*, Bedienstete(r) *m*. '**~ˌmark** *s* Fußspur *f*. '**~ˌnote** *s* Fußnote *f* (*a. fig.*), Anmerkung *f*. '**~-'op·erˌat·ed** *adj* mit Fußantrieb, Tret..., Fuß...: **~ switch** Fußschalter *m*. '**~ˌpace** *s* **1.** Schritttempo *n*: **at a ~** im Schritt. **2.** *arch.* E'strade *f*. '**~ˌpad** *s* Straßenräuber *m*, Wegelagerer *m*. **~ page** *s* Page *m*. **~ pas·sen·ger** *s* Fußgänger(in). '**~ˌpath** *s* **1.** (Fuß)Pfad *m*. **2.** *Br.* Gehweg *m*, Bürgersteig *m*. '**~ˌplate** *s rail.* Stand *m* des Lokomo'tivführers u. Heizers. '**~-'pound** *s phys.* Fußpfund *n* (*Einheit der Energie u. Arbeit*). '**~-'pound·al** *s* 'Fußpounˌdal *n* (= $^1/_{32}$ *Fußpfund*). '**~ˌprint** *s* **1.** Fußspur *f*, -stapfe *f*. **2.** *med.* Fußabdruck *m*. **~ race** *s* Wettlauf *m*. '**~ˌrest** *s* **1.** → **footstool**. **2.** Fußraste *f*, -stütze *f*. **~ rot** *s* **1.** *vet.* Fußfäule *f* (*der Schafe*). **2.** *bot. Pflanzenkrankheit, die den Stengel in Bodennähe angreift.* **~ rule** *s tech.* Zollstab *m*, -stock *m*.

foot·sie ['futsi:] *s*: **to play ~** *Am. colloq.* (*unter dem Tisch*) ‚füßeln'.

'**foot|ˌslog** *v/i sl.* ‚latschen', mar'schieren. '**~ˌslog·ger** *s sl.* ‚Stoppelhopser' *m*, Infante'rist *m*. **~ sol·dier** *s mil.* Infante'rist *m*. '**~ˌsore** *adj* fußwund, wund an den Füßen, *mil.* fußkrank. '**~ˌsore·ness** *s* Wundsein *n* der Füße, wunde Füße *pl*. **~ spar** *s mar.* Stemmbrett *n*. '**~ˌstalk** *s bot. zo.* Stengel *m*, Stiel *m*. '**~ˌstall** *s* **1.** Damensteigbügel *m*. **2.** *arch.* Posta'ment *n*, Säulenfuß *m*. '**~ˌstep** *s* **1.** Tritt *m*, Schritt *m*. **2.** Fußstapfe *f*, -spur *f*: **to follow in s.o.'s ~s** *fig.* in j-s Fußstapfen treten. **3.** *fig.* Spur *f*, Zeichen *n*. **4.** Trittbrett *n*. **5.** *tech.* Zapfenlager *n*. '**~ˌstone** *s* **1.** Stein *m* am Fußende e-s Grabes. **2.** *arch.* Grundstein *m*. '**~ˌstool** *s* Schemel *m*, Fußbank *f*. **~ switch** *s tech.* Fußschalter *m*. '**~-'ton** *s phys.* Fußtonne *f* (*Einheit der Energie u. Arbeit*). **~ valve** *s tech.* 'Fußvenˌtil *n*. '**~ˌwall** *s Bergbau*: Liegendschicht *f*, Liegendes *n*. '**~ˌway** *s* **1.** Fußweg *m*. **2.** Laufsteg *m*. '**~ˌwear** → **footgear**. '**~ˌwork** *s* **1.** *sport* Beinarbeit *f*. **2.** Laufe'rei *f*. '**~ˌworn** *adj* **1.** aus-, abgetreten. **2.** → **footsore**.

foo·zle ['fu:zl] *bes. sport sl.* **I** *v/t* **1.** ‚verpatzen', ‚vermasseln'. **II** *v/i* **2.** ‚patzen', ‚Mist bauen'. **III** *s* **3.** ‚Murks' *m*, ‚Patzer' *m*, Stümpe'rei *f*. **4.** ‚Flasche' *f*, Stümper *m*.

fop [fɒp] *s* Stutzer *m*, Geck *m*, Fatzke *m*. '**fop·per·y** [-əri] *s* Stutzerhaftigkeit *f*, Affigkeit *f*. '**fop·pish** *adj* stutzer-, geckenhaft, affig. '**fop·pish·ness** → **foppery**.

for [fɔ:r] **I** *prep* **1.** *allg.* für: **it is good (bad) ~ him**; **it was very awkward ~ her** es war sehr peinlich für sie, es war ihr sehr unangenehm; **he spoilt their holidays ~ them** er verdarb ihnen die ganzen Ferien. **2.** für, zu'gunsten von: **a gift ~ him**; **that speaks ~ him** das spricht für ihn. **3.** für, (mit der Absicht) zu, um (...willen): **to apply ~ the post** sich um die Stellung bewerben; **to die ~ a cause** für e-e Sache sterben; **to go ~ a walk** spazierengehen; **to come ~ dinner** zum Essen kommen; **what ~** wozu?, wofür? **4.** (*Wunsch, Ziel*) nach, auf (*acc*): **a claim ~ s.th.** ein Anspruch auf e-e Sache; **the desire ~ s.th.** der Wunsch *od.* das Verlangen nach etwas; **to call ~ s.o.** nach j-m rufen; **to wait ~ s.th.** auf etwas warten; **oh, ~ a horse** ach, hätte ich doch ein Pferd. **5.** a) (*passend od. geeignet*) für, b) (*bestimmt*) für *od.* zu: **tools ~ cutting** Werkzeuge zum Schneiden, Schneidewerkzeuge; **the right man ~ the job** der richtige Mann für diesen Posten. **6.** (*Mittel*) für, gegen: **a remedy ~ lumbago**; **to treat s.o. ~ cancer** j-n gegen *od.* auf Krebs behandeln; **there is nothing ~ it but to give in** es bleibt nichts (anderes) übrig, als nachzugeben. **7.** (*als Belohnung*) für: **a medal ~ bravery**. **8.** (*als Entgelt*) für, gegen, um: **I sold it ~ £ 10** ich verkaufte es für 10 Pfund. **9.** (*im Tausch*) für, gegen: **I exchanged the knife ~ a pencil**. **10.** (*Betrag, Menge*) über (*acc*): **a postal order ~ £ 2**. **11.** (*Grund*) aus, vor (*dat*), wegen (*gen od. dat*): **~ this reason** aus diesem Grund; **~ fear of** aus Angst vor (*dat*); **~ fun** aus *od.* zum Spaß; **to die ~ grief** aus *od.* vor Gram sterben; **to weep ~ joy** aus *od.* vor Freude weinen; **I can't see ~ the fog** ich kann nichts sehen wegen des Nebels (*od.* vor lauter Nebel). **12.** (*als Strafe etc*) für, wegen: **punished ~ theft**. **13.** dank, wegen: **were it not ~ his energy** wenn er nicht so energisch wäre, dank s-r Energie. **14.** für, in Anbetracht (*gen*), im 'Hinblick auf (*acc*), im Verhältnis zu: **he is tall ~ his age** er ist groß für sein Alter; **it is rather cold ~ July** es ist ziemlich kalt für Juli; **~ a foreigner he speaks rather well** für e-n Ausländer spricht er recht gut. **15.** (*Begabung, Neigung*) für, (*Hang*) zu: **an eye ~ beauty** Sinn für das Schöne. **16.** (*zeitlich*) für, während (*gen*), auf (*acc*), für die Dauer von, seit: **~ a week** e-e Woche (lang); **come ~ a week** komme auf *od.* für e-e Woche; **~ hours** stundenlang; **~ some time past** seit längerer Zeit; **the first picture ~ two months** der erste Film in *od.* seit zwei Monaten. **17.** (*Strecke*) weit, lang: **to run ~ a mile** e-e Meile (weit) laufen. **18.** nach, auf (*acc*), in Richtung auf (*acc*): **the train ~ London** der Zug nach London; **the passengers ~ Rome** die nach Rom reisenden Passagiere; **to start ~ Paris** nach Paris abreisen; **it is getting on ~ two o'clock** *Br.* es geht auf zwei Uhr; **now ~ it!** *Br. colloq.* jetzt (nichts wie) los *od.* drauf!, jetzt gilt's! **19.** für, an Stelle von (*od. gen*), (an)'statt: **he appeared ~ his brother**. **20.** für, in Vertretung *od.* im Auftrage *od.* im Namen von (*od. gen*): **to act ~ s.o.**; **~** (*in amtlichen Schreiben*) im Auftrag (*abbr.* i. A.). **21.** für, als: **~ example** als *od.* zum Beispiel; **books ~ presents** Bücher als Geschenk; **they were sold ~ slaves** sie wurden als Sklaven verkauft; **take that ~ an answer** nimm das als Antwort. **22.** trotz (*gen od. dat*), ungeachtet (*gen*): **~ all that** trotz alledem; **~ all his wealth** trotz s-s ganzen Reichtums, bei allem Reichtum; **~ all you may say** sage, was du willst. **23.** was ... betrifft: **as ~ me** was mich betrifft *od.* an(be)langt; **as ~ that matter** was das betrifft; **~ all I know** soviel ich weiß. **24.** *nach adj u. vor inf*: **it is too heavy ~ me to lift** es ist zu schwer, als daß ich es heben könnte; **it is impossible ~ me to come** es ist mir unmöglich zu kommen; ich kann unmöglich kommen; **it seemed useless ~ him to continue** es erschien sinnlos, daß er noch weitermachen sollte. **25.** *mit s od. pron. u. inf*: **it is time ~ you to go home** es ist Zeit, daß du heimgehst; **it is ~ you to decide** es liegt bei *od.* an Ihnen (, dies zu entscheiden); **he called ~ the girl to bring him tea** er rief nach dem Mädchen, damit es ihm Tee bringe; **don't wait ~ him to turn up yet** wartet nicht darauf, daß er noch auftaucht; **there is no need ~ anyone to know** es braucht niemand zu wissen. **26.** (*ethischer Dativ*): **that's a wine ~ you** das ist vielleicht ein Weinchen, das nenne ich e-n Wein. **27.** *Am.* nach: **he was named ~ his father**.

II *conj* **28.** denn, weil.

III *s* **29.** Für *n*.

for·age ['fɒridʒ] **I** *s* **1.** (Vieh)Futter *n*. **2.** Nahrungs-, Futtersuche *f*. **3.** Streifzug *m*. **II** *v/i* **4.** (nach) Nahrung *od.* Futter suchen, *mil.* fura'gieren. **5.** *fig.* her'umsuchen, -stöbern. **6.** e-n Streifzug machen. **III** *v/t* **7.** (aus)plündern. **8.** mit Nahrung *od.* Futter versorgen. **~ cap** *s mil.* Feldmütze *f*. '**for·ag·er** *s mil.* Fu'rier *m*.

for·ag·ing ant ['fɒridʒiŋ] *s zo.* Treiberameise *f*.

fo·ra·men [fo'reimən] *pl* **-ram·i·na** [-'ræminə] *s biol.* Loch *n*, Fo'ramen *n*: **~ magnum** *anat.* Hinterhauptloch.

for·a·min·i·fer [ˌfɒrə'minifər] *s zo.* Foramini'fere *f*, Wurzelfüßer *m*.

for·as·much [ˌfɔ:rəz'mʌtʃ] *conj*: **~ as** insofern als.

for·ay ['fɒrei] **I** *s* **1.** Beute-, Raubzug *m*. **2.** Ein-, 'Überfall *m*. **II** *v/t* **3.** (aus)plündern. **III** *v/i* **4.** plündern. **5.** einfallen (into in *acc*).

for·bade [fər'bæd; *Br. a.* -'beid], *a.* **for'bad** [-'bæd] *pret von* **forbid**.

for·bear[1] [fɔ:r'bɛr] *pret* **-bore** [-'bɔ:r] *pp* **-borne** [-'bɔ:rn] **I** *v/t* **1.** unter'lassen, Abstand nehmen von, sich (*e-r Sache*) enthalten: **I cannot ~ doing** ich kann nicht umhin zu tun;

to ~ a suit *jur. Am.* Klageerhebung unterlassen. **2.** erdulden, nachsichtig behandeln. **3.** nicht erwähnen, für sich behalten. **II** *v/i* **4.** ablassen, Abstand nehmen (of von), es unter'lassen. **5.** geduldig *od.* nachsichtig sein.

for·bear[2] → forebear.

for·bear·ance [fɔːr'bɛ(ə)rəns] *s* **1.** Unter'lassung *f* (*a. jur.*): ~ to sue *Am.* Klagunterlassung. **2.** Geduld *f*, Nachsicht *f*. **for'bear·ing** *adj* nachsichtig, geduldig, langmütig.

for·bid [fər'bid; fɔːr-] *pret* **-bade** [-'bæd; *Br. a.* -'beid], *a.* **-bad** [-'bæd] *pp* **-bid·den** [-'bidn], *a.* **-bid** *v/t* **1.** verbieten, unter'sagen. **2.** ausschließen, unmöglich machen. **for'bid·dance** *s* Verbot *n*. **for'bid·den** *adj* verboten, unter'sagt: ~ fruit *fig.* verbotene Frucht. **for'bid·ding** *adj* (*adv* ~ly) *fig.* **1.** abstoßend, abschreckend, 'widerwärtig. **2.** gefährlich, bedrohlich. **3.** unerträglich, ‚unmöglich'.

for·bore [fɔːr'bɔːr] *pret von* forbear[1].

for'borne [-'bɔːrn] *pp von* forbear[1].

force [fɔːrs] **I** *s* **1.** Stärke *f*, Kraft *f*, Wucht *f* (*a. fig.*): ~ of gravity *phys.* Schwerkraft; by ~ of durch, kraft (*gen*), vermittels (*gen*); by ~ of arms mit Waffengewalt; to join ~s a) sich zs.-tun, b) *mil.* s-e Streitkräfte vereinigen (with mit). **2.** *fig.* (*a. politische etc*) Kraft: ~s of nature Naturkräfte, -gewalten. **3.** Macht *f*, Gewalt *f*: brute ~ rohe Gewalt; by ~ gewaltsam, zwangsweise. **4.** *a. jur.* Zwang *m*, Gewalt(anwendung) *f*, Druck *m*: the ~ of circumstances der Zwang der Verhältnisse; the ~ of habit die Macht der Gewohnheit. **5.** *jur.* (Rechts)Kraft *f*, (-)Gültigkeit *f*: to come (put) into ~ in Kraft treten (setzen); coming into ~ Inkrafttreten *n*; in ~ in Kraft, geltend (→ 9); legal ~ Rechtskraft, -wirksamkeit *f*. **6.** Einfluß *m*, Macht *f*, Wirkung *f*, ('Durchschlags-, Über'zeugungs)Kraft *f*, Nachdruck *m*: to lend ~ to Nachdruck verleihen (*dat*). **7.** (geistige *od.* mo'ralische) Kraft. **8.** *a. ling.* Bedeutung *f*, Gehalt *m*. **9.** *colloq.* Menge *f*: in ~ in großer Zahl *od.* Menge (→ 5). **10.** *mil.* a) *oft pl* Streit-, Kriegsmacht *f*, b) *a.* armed ~s *pl* Streitkräfte *pl*: naval ~s Seestreitkräfte, c) *pl* Truppe *f*, Verband *m*. **11.** Truppe *f*, Mannschaft *f*: a strong ~ of police ein starkes Polizeiaufgebot; the police ~, *Br. a.* the F~ die Polizei; labo(u)r ~ Arbeitskräfte, Belegschaft *f*.

II *v/t* **12.** zwingen, nötigen: to ~ s.o.'s hand j-n zwingen. **13.** *etwas* erzwingen, for'cieren, 'durchsetzen, -drükken: to ~ a smile gezwungen lächeln; to ~ s.th. from s.o. j-m etwas entreißen. **14.** zwängen, drängen, drücken, pressen: to ~ back (out, together) zurücktreiben (herausdrücken, zs.-pressen); to ~ one's way sich (durch)-zwängen *od.* (-)drängen (through durch). **15.** ~ down *aer.* zur Notlandung zwingen. **16.** *a.* ~ up *econ. Preise* hochtreiben. **17.** aufzwingen, -drängen (s.th. on *od.* upon s.o. j-m etwas). **18.** über'wältigen. **19.** *mil.* erstürmen, erobern. **20.** *a.* ~ open aufbrechen: to ~ a door. **21.** *j-m, a. e-r Frau, a. fig. dem Sinn etc* Gewalt antun. **22.** *fig. e-n Ausdruck etc* zu Tode hetzen. **23.** beschleunigen, for'cieren: to ~ the pace. **24.** *bot.* rasch hochzüchten *od.* zur Reife bringen. **25.** (an)treiben.

forced [fɔːrst] *adj* **1.** erzwungen, Zwangs...: ~ draught *tech.* künstlicher Zug; ~(-feed) lubrication → force feed; ~ heir *jur. Am.* pflichtteilsberechtigter Erbe; ~ labo(u)r Zwangsarbeit *f*; ~ landing Notlandung *f*; ~ loan Zwangsanleihe *f*; ~ march Gewaltmarsch *m*; ~ sale Zwangsverkauf *m*, -versteigerung *f*; ~ saving Zwangssparen *n*. **2.** gezwungen: a ~ smile. **3.** gekünstelt, manie'riert, for'ciert: ~ style. **'forc·ed·ly** [-sidli] *adv* gezwungenermaßen.

force| feed *s tech.* 'Druck(ˌumlauf)-schmierung *f*. **'~-ˌfeed** *v/t Am.* **1.** zwangsernähren, -füttern. **2.** *fig.* aufblähen. **~ fit** *s tech.* Preßsitz *m*.

force·ful ['fɔːrsfəl; -ful] *adj* (*adv* ~ly) **1.** stark, kräftig, wuchtig (*a. fig.*). **2.** eindrucksvoll, -dringlich, wirkungsvoll. **3.** ungestüm, mächtig. **'force·ful·ness** *s* Wucht *f*, Ungestüm *n*.

force ma·jeure [fɔrs ma'ʒœːr] (*Fr.*) *s jur.* höhere Gewalt.

'forceˌmeat *s* Farce *f*, (Fleisch)Füllung *f*.

for·ceps ['fɔːrseps] *s sg u. pl med. zo.* Zange *f*, Pin'zette *f*: ~ delivery *med.* Zangengeburt *f*.

force pump *s tech.* Druckpumpe *f*.

forc·er ['fɔːrsər] *s tech.* Kolben *m*.

for·ci·ble ['fɔːrsəbl] *adj* (*adv* forcibly) **1.** gewaltsam: ~ entry *jur.* gewaltsames Eindringen; ~ repatriation Zwangsrückführung *f*. **2.** → forceful 1 *u.* 2. **3.** über'zeugend, zwingend: ~ arguments. **'~-'fee·ble** *s* Maulheld *m*.

for·ci·ble·ness ['fɔːrsiblnis] *s* Stärke *f*, Wirksamkeit *f*, Gewaltsamkeit *f*.

forc·ing| bed, ~ frame ['fɔːrsiŋ] *s* Mistbeet *n*. **~ house** *s* Treibhaus *n*. **~ pump** → force pump.

for·ci·pate ['fɔːrsiˌpeit; -pit], *a.* **'for·ciˌpat·ed** [-ˌpeitid] *adj bot. zo.* zangen-, scherenförmig, gegabelt.

ford[1] [fɔːrd] **I** *s* **1.** Furt *f*. **2.** *poet.* Fluß *m*, Strom *m*. **II** *v/t* **3.** durch'waten, -'schreiten. **III** *v/i* **4.** 'durchwaten.

Ford[2] [fɔːrd] *s* **1.** *mot.* Ford(wagen) *m*. **2.** *Am. sl.* ‚schickes' Mo'dell (*Kleid*).

ford·a·ble ['fɔːrdəbl] *adj* durch'watbar, seicht.

for·do [fɔːr'duː] *v/t irr obs.* töten, vernichten. **for'done** [-'dʌn] *adj obs.* erschöpft.

fore [fɔːr] **I** *adj* **1.** vorder(er, e, es), Vorder..., Vor... **2.** früher(er, e, es), oberst(er, e, es). **II** *adv* **3.** *mar.* vorn. **III** *s* **4.** Vorderteil *m*, *n*, -seite *f*, Front *f*: to the ~ a) voran, (nach) vorn, b) bei der *od.* zur Hand, zur Stelle, c) am Leben, d) sichtbar, im Vordergrund, e) *fig.* an der Spitze; to come to the ~ hervortreten, in den Vordergrund *od.* an die Spitze treten. **5.** *mar.* Fockmast *m*. **IV** *prep* **6.** *colloq.* bei (*in Flüchen*): ~ George! bei Gott! **V** *interj* **7.** *Golf*: Achtung!

'fore|-and-'aft *adj mar.* in Kiellinie, längsschiffs: ~ sail Stag-, Schonersegel *n*. **'~-and-'aft·er** *s mar.* Gaffelschoner *m*.

'foreˌarm[1] *s* 'Unter-, Vorderarm *m*.

fore'arm[2] *v/t* im voraus bewaffnen, wappnen: forewarned is ~ed gewarnt sein heißt gewappnet sein.

'fore·bear *s meist pl* Vorfahr *m*, Ahn *m*.

fore·bode [fɔːr'boud] **I** *v/t* **1.** vor'hersagen, prophe'zeien. **2.** ankündigen. **3.** *Schlimmes* ahnen, vor'aussehen. **II** *v/i* **4.** weissagen. **fore'bod·ing** *s* **1.** Prophe'zeiung *f*. **2.** (*böse*) (Vor)-Ahnung. **3.** (böses) Vorzeichen *od.* Omen.

'fore|ˌbrace *s mar.* Fockbrasse *f*. **'~ˌbrain** *s anat.* **1.** Vorderhirn *n*. **2.** Telen'cephalon *n*. **'~ˌcab·in** *s mar. Br.* vordere Ka'jüte (*für II. Klasse*).

fore·cast [*Br.* fɔːr'kɑːst; 'fɔːr-; *Am.* -kæ(ː)st] **I** *v/t pret u. pp* **-cast** *od.* **-cast·ed** **1.** vor'aussagen, vor'hersehen. **2.** im voraus schätzen *od.* planen, vor'ausberechnen. **3.** *das Wetter etc* vor'hersagen. **4.** ankündigen, anzeigen. **II** *s* [*Br.* 'fɔːrˌkɑːst; *Am.* -ˌkæ(ː)st] **5.** Vor'aus-, Vor'hersage *f*. **6.** Vor'ausplanung *f*.

fore·cas·tle, *Br. a.* **fo'c's'le** ['fouksl] *s mar.* **1.** Vor(der)deck *n*, Back *f*. **2.** Lo'gis *n*.

fore|'close I *v/t* **1.** *jur.* a) (of von *e-m Rechtsanspruch etc*) ausschließen, b) *e-e Hypothek* für verfallen erklären, c) aus e-r Hypo'thek die 'Zwangsvollˌstreckung betreiben in *ein Grundstück*. **2.** ausschließen. **3.** (ver)hindern. **4.** *e-e Frage etc* vor'wegnehmen. **II** *v/i* **5.** e-e Hypo'thek für verfallen erklären. **~'clo·sure** *s jur.* a) Rechtsausschließung *f*, b) Verfallserklärung *f* (*e-r Hypothek*), c) *Am.* 'Zwangsvollˌstrekkung *f* (*in ein Grundstück*): ~ action Ausschlußklage *f* (*des Hypothekengläubigers*), *Am.* Zwangsvollstrekkungsklage *f*; ~ sale *Am.* Zwangsversteigerung *f*, Pfandverkauf *m*. **'~ˌcourse** *s mar.* Fock(segel *n*) *f*. **'~ˌcourt** *s* **1.** Vorhof *m*. **2.** *Tennis*: Aufschlagfeld *n*. **'~ˌdeck** *s mar.* Vor(der)deck *n*. **~'doom** *v/t* im voraus verurteilen (to zu): ~ed to failure von vornherein verfehlt, ‚totgeboren'. **~ edge** *s* Außensteg *m* (*am Buch*). **'~ˌfa·ther** *s* Ahn *m*, Vorfahr *m*. **~'feel** *v/t irr* vor'ausfühlen, -ahnen. **'~ˌfield** *s* **1.** Vorfeld *n*. **2.** *Bergbau*: *Br.* Ort(sstoß *m*) *n*. **'~ˌfin·ger** *s* Zeigefinger *m*. **'~ˌfoot** *s irr.* **1.** *zo.* Vorderfuß *m*. **2.** *mar.* Stevenanlauf *m*. **'~ˌfront** *s* Vorderseite *f*, vorderste Reihe (*a. fig.*): in the ~ *fig.* im Vordergrund *od.* an der Spitze (*stehen*); in the ~ of one's time s-r Zeit voraus. **~'gath·er** → forgather. **'~ˌgift** *s jur. Br.* Aufgeld *n* (*e-s Pächters*).

fore'go[1] *v/i irr* vor'her-, vor'angehen (*dat*).

fore'go[2] → forgo.

fore'go·er *s* Vorgänger(in), -läufer(in).

fore'go·ing *adj* vor'hergehend, vorerwähnt, vorstehend.

fore|gone [fɔːr'gɒn; 'fɔːrˌgɒn] *adj* **1.** vor'hergegangen *od.* -gehend. **2.** von vornherein feststehend, unvermeidlich: ~ conclusion ausgemachte Sache, Selbstverständlichkeit *f*. **'~ˌground** *s* Vordergrund *m* (*a. fig.*). **'~ˌham·mer** *s tech.* Vorschlaghammer *m*.

'foreˌhand I *adj* **1.** *Tennis*: Vorhand...: ~ stroke → 4 b. **2.** vor'weggenommen: ~ rent im voraus zahlbare Miete. **II** *s* **3.** Vorrang *m*, -zug *m*. **4.** *Tennis*: a) Vorhand *f*: on one's ~ mit Vorhand, b) Vorhandschlag *m*. **5.** Vor(der)hand *f* (*vom Pferd*). **'fore'hand·ed** *adj* **1.** *Tennis*: Vorhand..., mit Vorhand. **2.** *Am.* a) vorsorglich, sparsam, b) wohlhabend.

fore·head ['fɒrid; 'fɔːrˌhed] *s* Stirn *f*.

'foreˌhold *s mar.* vorderer Laderaum.

for·eign ['fɒrin] *adj* **1.** fremd, ausländisch, -wärtig, Auslands..., Außen...: ~ aid *pol.* Auslandshilfe *f*; ~-born im Ausland geboren; ~ control *econ.* Überfremdung *f*; ~ country, ~ countries Ausland *n*; ~ department Auslandsabteilung *f*; ~ domination Fremdherrschaft *f*; ~ language Fremdsprache *f*; ~-language a) fremdsprachig, b) fremdsprachlich, Fremdsprachen...; ~ loan Auslandsanleihe *f*; ~-owned in ausländischem Besitz (befindlich); ~ policy Außenpolitik *f*; ~ word *ling.* Fremdwort *n*; in ~ parts im Ausland.

2. *econ.* Devisen...: ~ **assets** Devisenwerte. **3.** (*Ggs eigen*) fremd (to *dat*): ~ **to his nature**; ~ **body** (*od.* **matter**) Fremdkörper *m.* **4.** nicht gehörig *od.* passend (to zu). **5.** seltsam, unbekannt, fremd. ~ **af·fairs** *s pl* 'Außenpoli,tik *f*, auswärtige Angelegenheiten *pl.* ~ **bill (of ex·change)** *s econ.* Auslandswechsel *m.* ~ **cor·po·ra·tion** *s econ. Am.* auswärtige Gesellschaft. ~ **cur·ren·cy** *s econ.* ausländische Währung, (fremde) Va'luta, De'visen *pl.*

for·eign·er ['fɒrinər] *s* **1.** Ausländer(in), Fremde(r *m*) *f.* **2.** *etwas Ausländisches, bes.* a) ausländisches Schiff, b) ausländisches Tier, c) *econ.* Auslandswechsel *m*: ~**s** Auslandswerte.

for·eign| ex·change I *s* **1.** De'visenkurs *m*, ausländischer Wechselkurs *od.* -verkehr. **2.** De'visen *pl.* **II** *adj* **3.** Devisen... '~-,**go·ing ves·sel** *s mar.* Schiff *n* auf großer Fahrt *od.* Auslandsfahrt.

for·eign·ism ['fɒri,nizəm] *s* **1.** fremde Spracheigentümlichkeit *od.* Sitte. **2.** Auslände'rei *f*, Nachahmung *f* des Fremden.

for·eign| le·gion *s mil. hist.* 'Fremdenlegi,on *f.* ~ **mis·sion·ar·y** *s relig.* Missio'nar *m* im Ausland.

for·eign·ness ['fɒrinis] *s* Fremdheit *f*, -artigkeit *f.*

For·eign| Of·fice *s pol. Br.* Auswärtiges Amt, 'Außenmini,sterium *n.* **f**~ **plea** *s jur.* Einrede *f* der Unzuständigkeit des Gerichts. ~ **Sec·re·tar·y** *s pol. Br.* 'Außenmi,nister *m.* **f**~ **trade** *s* **1.** *econ.* Außenhandel *m.* **2.** *mar.* große Fahrt: ~ **certificate** (Kapitäns-, Steuermanns)Patent *n* für große Fahrt.

fore|'judge *v/t* **1.** im voraus entscheiden. **2.** → forjudge. ~'**know** *v/t irr* vor'herwissen, -sehen. '~'**knowl·edge** *s* Vor'herwissen *n.*

for·el ['fɒrəl] *s tech.* (*Art*) Perga'ment *n* [(*für Buchdeckel*).]

'**fore|,la·dy** *Am.* → forewoman. '~**land** [-lənd] *s* **1.** Kap *n*, Vorgebirge *n*, Landspitze *f.* **2.** *geol.* Vorland *n.* '~,**leg,** '~,**limb** *s zo.* Vorderbein *n.*

'**fore,lock**¹ *s* Stirnlocke *f*, -haar *n*: **to take (time** *od.* **occasion) by the** ~ (die Gelegenheit) beim Schopf fassen.

'**fore,lock**² *s tech.* Splint *m*, Vorsteckkeil *m.*

fore|·man ['fɔːrmən] *s irr* **1.** Vorarbeiter *m*, Aufseher *m*, (Werk)Meister *m*, *arch.* Po'lier *m*, *Bergbau*: Steiger *m*: **mine** ~ Obersteiger. **2.** *jur.* Obmann *m* (*der Geschworenen*). '~·**mast** [*Br.* -,mɑːst; *Am.* -,mæ(ː)st] *s mar.* Fockmast *m.* ,~'**men·tioned** *adj* vorerwähnt.

fore·most ['fɔːr,moust] **I** *adj* vorderst(er, e, es), erst(er, e, es), vornehmst(er, e, es): **feet** ~ mit den Füßen zuvorderst. **II** *adv* zu'erst, an erster Stelle: **first and** ~ zu allererst.

'**fore|,name** *s bes. Am.* Vorname *m.* '~,**noon I** *s* Vormittag *m.* **II** *adj* Vormittags...

fo·ren·sic [fə'rensik] *adj jur.* gerichtlich, Gerichts...: ~ **medicine** Gerichtsmedizin *f.*

,**fore|·or'dain** *v/t* vor'herbestimmen (to zu). ,~·**or·di'na·tion** *s bes. relig.* Vor'herbestimmung *f*, ,Prädestinati'on *f.* '~,**part** *s* **1.** Vorderteil *m, n.* **2.** Anfang *m.* '~,**play** *s* (sexu,elles) Vor-, Reizspiel. '~,**quar·ter** *s* Vorderviertel *n* (*e-s Tieres*), Vor(der)hand *f* (*vom Pferd*). ~'**reach** *v/t u. v/i* über'holen. ~'**run** *v/t irr* **1.** vor'aus-, vor'angehen, der Vorläufer sein von (*od. gen*) (*a. fig.*). **2.** *fig.* über'holen, hinter sich lassen. '~,**run·ner** *s* **1.** Vorläufer *m*, -gänger *m*: **the F**~ *relig.* der Vorläufer (*Johannes der Täufer*). **2.** Vorfahr *m.* **3.** Vorbote *m*, Anzeichen *n.* **4.** Herold *m.* '**fore|,sail** *s mar.* **1.** Focksegel *n.* **2.** Stagfock *f.* ~'**see** *irr* **I** *v/t* vor'her-, vor'aussehen, -wissen. **II** *v/i* Vorsorge treffen. ~'**see·a·ble** *adj* vor'auszusehen(d), absehbar: **in the** ~ **future** in absehbarer Zeit. ~'**shad·ow** *v/t* ahnen lassen, (drohend) ankündigen. ~'**shad·ow·ing** *s* Vorahnung *f.* '~,**sheet** *s mar.* Fockschot *f.* '~,**ship** *s mar.* Vorderschiff *n.* '~,**shore** *s* Strand *m*, Uferland *n*, (Küsten)Vorland *n.* ~'**short·en** *v/t Figuren* verkürzen, in Verkürzung *od.* perspek'tivisch zeichnen. ~'**short·en·ing** *s* (*zeichnerische*) Verkürzung. ~'**show** *v/t irr* **1.** vorher zeigen. **2.** (vorher) anzeigen. **3.** vor'hersagen. '~,**sight** *s* **1.** Vorsorge *f.* **2.** Vor'hersehen *n.* **3.** a) (weise) Vor'aussicht, b) Blick *m* in die Zukunft. **4.** *mil.* (Vi'sier)Korn *n.* **5.** *tech.* 'Vorwärtsvi,sieren *n*, -ablesen *n.* ,~'**sight·ed** *adj* vor'ausschauend, vorsorglich. '~,**skin** *s anat.* Vorhaut *f.*

for·est ['fɒrist] *s* **1.** (großer) Wald, Forst *m.* **2.** *Br.* (teilweise bewaldetes) Heideland. **3.** *fig.* Wald *m*, Menge *f*: **a** ~ **of masts. II** *v/t* **4.** aufforsten. '**for·est·al** *adj* Wald..., Forst...

fore|'stall *v/t* **1.** *j-m* (*hindernd*) zu'vorkommen. **2.** *e-r Sache* vorbeugen. **3.** *etwas* vor'wegnehmen *od.* verhindern. **4.** *econ.* im voraus aufkaufen: **to** ~ **the market** durch Aufkauf den Markt beherrschen. '~,**stay** *s mar.* Fockstag *n.*

for·est·ed ['fɒristid] *adj* bewaldet. '**for·est·er** *s* **1.** Förster *m*, Forstmann *m.* **2.** Waldbewohner *m* (*a. Tier*).

for·est·ry ['fɒristri] *s* **1.** Forstwirtschaft *f*, -wesen *n.* **2.** Waldgebiet *n*, Wälder *pl.*

'**fore|,tack** *s mar.* Fockhals *m.* '~,**taste I** *s* Vorgeschmack *m.* **II** *v/t* [-'teist] e-n Vorgeschmack haben von. ~'**tell** *v/t irr* **1.** vor'her-, vor'aussagen. **2.** ankündigen. '~,**thought** *s* **1.** Vorsorge *f*, -bedacht *m.* **2.** (weise) Vor'aussicht. ~·**to·ken I** *s* ['-,toukən] Vorbote *m*, Vor-, Anzeichen *n.* **II** *v/t* [-'toukən] ein Vor- *od.* Anzeichen sein für. '~-,**tooth** *s irr anat.* Vorderzahn *m.* '**fore|,top** *s mar.* Fock-, Vormars *m.* ,~-**top'gal·lant** *s mar.* Vorbramsegel *n*: ~ **mast** Vorbramstenge *f.* ,~-'**top·mast** *s mar.* Fock-, Vormarsstenge *f.* ,~-'**top,sail** *s mar.* Vormarssegel *n.*

for'ev·er, *Br. meist* **for ev·er** *adv* **1.** für *od.* auf immer, immer(dar), ewig, für alle Zeit. **2.** ständig, (an)dauernd. **for,ev·er'more,** *Br. meist* **for ev·er more** *adv* für immer u. ewig.

fore|'warn *v/t* **1.** vorher warnen (of vor *dat*): → **forearm**². **2.** vorher benachrichtigen. '~,**wom·an** *s irr* **1.** Vorarbeiterin *f*, Aufseherin *f.* **2.** *jur.* Sprecherin *f* der Geschworenen. '~,**word** *s* Vorwort *n*, Einführung *f* (*zu e-m Buch*). '~,**yard** *s mar.* Fockrahe *f.*

for·far ['fɔːrfər] *s* grobes, ungebleichtes Leinen.

for·feit ['fɔːrfit] **I** *s* **1.** (Geld-, *a.* Vertrags)Strafe *f*, Buße *f*, Reugeld *n*: **to pay the** ~ **of one's life** sein Leben verwirkt haben. **2.** Einbuße *f*, Verlust *m.* **3.** verwirktes Pfand. **4.** Pfand *n*: **to pay a** ~ ein Pfand geben. **5.** *pl* Pfänderspiel *n*: **to play** ~**s** Pfänderspiele machen. **II** *v/t* **6.** *Eigentum, Rechte, sein Leben etc* verwirken, verlieren, *e-r Sache* verlustig gehen. **7.** *fig.* einbüßen, verlieren, verscherzen. **8.** einziehen. **III** *adj* **9.** verwirkt, verfallen.

'**for·feit·a·ble** *adj* verwirkbar, einziehbar. '**for·fei·ture** [-tʃər] *s* **1.** Verlust *m*, Verwirkung *f*, Einbuße *f*, Erlöschen *n* (*e-s Rechts*), Verfallen *n* (*e-r Summe*): ~ **of civil rights** Aberkennung *f* der bürgerlichen Ehrenrechte. **2.** Einziehung *f*, Entzug *m.* **3.** (*das*) Verwirkte. **4.** → forfeit 1.

for·fend [fɔːr'fend] *v/t* **1.** *bes. Am.* (be)schützen, sichern (from vor *dat*). **2.** *obs.* verhüten, *noch in*: **God** ~! Gott behüte!

for'gath·er *v/i* zs.-kommen, sich treffen: a) sich versammeln, b) zufällig zs.-treffen, c) verkehren (**with** mit).

for'gave *pret von* forgive.

forge¹ [fɔːrdʒ] **I** *s* **1.** Schmiede *f* (*a. fig.*). **2.** *tech.* Esse *f*, Schmiedeherd *m.* **3.** *tech.* Glühofen *m.* **4.** *tech.* Hammerwerk *n*, Puddelhütte *f*: ~ **iron** Schmiedeeisen *n*; ~ **scale** Hammerschlag *m* (*Zunder*). **II** *v/t* **5.** schmieden (*a. fig.*), hämmern. **6.** formen, schaffen. **7.** erfinden, sich ausdenken. **8.** *jur.* fälschen, nachmachen: **to** ~ **a document** (*od.* **signature**). **III** *v/i* **9.** fälschen. **10.** schmieden.

forge² [fɔːrdʒ] *v/i* mühsam vorwärtskommen, sich mit Gewalt Bahn brechen: **to** ~ **ahead** sich nach vorn drängen, sich an die Spitze setzen.

forge·a·ble ['fɔːrdʒəbl] *adj* schmiedbar. '**forged** *adj* **1.** geschmiedet, Schmiede... **2.** gefälscht, nachgemacht. '**forg·er** *s* **1.** (Grob-, Hammer)Schmied *m.* **2.** Erdichter *m*, Erfinder *m.* **3.** Fälscher *m*: ~ **(of coin)** Falschmünzer *m*; ~ **(of documents)** Urkundenfälscher. '**for·ger·y** *s* **1.** Fälschen *n.* **2.** Fälschung *f*, Falsifi'kat *n.*

for·get [fər'get] *pret* **for'got** [-'gɒt] *pp* **for'got·ten** [-tn] *od. poet.* **for'got I** *v/t* **1.** vergessen: a) nicht denken an (*acc*), b) sich nicht erinnern an (*acc*): **I** ~ **his name** sein Name ist mir entfallen; **never to be forgotten** unvergeßlich, c) verlernen: **I have forgotten my French,** d) (*aus Unachtsamkeit*) unter'lassen, vernachlässigen. **2.** unbeachtet lassen: ~ **it!** *sl.* denk nicht mehr dran!, schon gut!; **don't you** ~ **it!** merk dir das! **3.** *j-n* außer acht lassen, über'sehen, -'gehen. **4.** ~ **o.s.** a) sich vergessen, ‚aus der Rolle fallen', b) sich selbst vergessen, (nur) an andere denken. **II** *v/i* **5.** vergessen, sich nicht mehr erinnern: **I** ~ ich weiß (es) nicht mehr, ich habe (es) vergessen; ~ **about it!** denk nicht mehr dran!

for'get·ful [-fəl; -ful] *adj* (*adv* ~**ly**) vergeßlich: **to be** ~ **of s.th.** etwas (*achtlos*) vergessen. **for'get·ful·ness** *s* **1.** Vergessenheit *f*, -sein *n.* **2.** Vergeßlichkeit *f.* **3.** Achtlosigkeit *f.*

for'get-me-,not *s bot.* (*ein*) Vergißmeinnicht *n.*

for·get·ta·ble [fər'getəbl] *adj* (leicht) zu vergessen(d).

forge wa·ter *s tech.* Abschreck-, Löschwasser *n.*

forg·ing ['fɔːrdʒiŋ] *s* **1.** Schmieden *n* (*a. fig.*): ~ **die** Schmiedegesenk *n*; ~ **press** Schmiede-, Warmpresse *f.* **2.** Schmiedearbeit *f*, -stück *n.* **3.** Fälschen *n.*

for·giv·a·ble [fər'givəbl] *adj* verzeihlich, entschuldbar.

for·give [fər'giv] *irr* **I** *v/t* **1.** verzeihen, -geben: **to** ~ **s.o. (for doing) s.th.** j-m etwas verzeihen. **2.** *j-m e-e Schuld etc* erlassen: **to** ~ **s.o. a debt. II** *v/i* **3.** vergeben, -zeihen. **for'give·ness** *s* **1.** Verzeihung *f*, -gebung *f.* **2.** Versöhnlichkeit *f.* **for'giv·ing** *adj* (*adv* ~**ly**) **1.** versöhnlich, mild. **2.** verzeihend. **for'giv·ing·ness** *s* Versöhnlichkeit *f.*

for·go [fɔːr'gou] *v/t irr* **1.** Abstand nehmen von, verzichten auf (*acc*). **2.** *etwas* aufgeben, fahrenlassen.

for·got [fər'gɒt] *pret u. poet. pp von* forget. **for'got·ten** *pp von* forget.

fo·ris·fa·mil·i·ate [ˌfɔːrisfə'miliˌeit] *jur.* **I** *v/t e-n Erben* (bei Lebzeiten) abfinden. **II** *v/i* auf weitere Erbansprüche verzichten.

for'judge *v/t jur.* aberkennen (s.o. of *od.* from s.th. j-m etwas).

fork [fɔːrk] **I** *s* **1.** (Eß-, Fleisch-, Tisch)Gabel *f*. **2.** (Heu-, Mist)Gabel *f*, Forke *f*. **3.** *mus.* Stimmgabel *f*. **4.** Gabelstütze *f*. **5.** *tech.* Gabel *f*. **6.** Gabelung *f*, Abzweigung *f* (*e-r Straße*). **7.** *Am.* a) Zs.-fluß *m*, b) Flußarm *m*, c) *oft pl* Gebiet *n* an e-r Flußgabelung. **8.** gespaltener Blitz. **II** *v/t* **9.** gabelförmig machen, gabeln. **10.** mit e-r Gabel aufladen *od.* graben *od.* heben. **11.** *Schach: zwei Figuren* gleichzeitig angreifen. **12.** ~ out, ~ over, ~ up *sl. Geld* her'ausrücken, ‚blechen'. **III** *v/i* **13.** sich gabeln, abzweigen. **14.** sich gabelförmig teilen *od.* spalten.

forked [fɔːrkt] *adj* **1.** gegabelt, gabelförmig, gespalten: ~ **tongue** gespaltene Zunge. **2.** zickzackförmig (*Blitz*).

fork lift (truck) *s tech.* Gabel-, Hubstapler *m*.

fork·y ['fɔːrki] → forked.

for·lorn [fər'lɔːrn] *adj* **1.** verlassen, einsam. **2.** verzweifelt, hoffnungs-, hilflos. **3.** unglücklich, elend. **4.** fast aussichtslos. **5.** *poet.* (of) beraubt (*gen*), entblößt (von). ~ **hope** *s* **1.** aussichtsloses *od.* verzweifeltes Unter'nehmen. **2.** *mil.* a) *hist.* verlorener Haufen, b) verlorener Posten, c) 'Himmelfahrtskomˌmando *n*. **3.** letzte (verzweifelte) Hoffnung.

form [fɔːrm] **I** *s* **1.** Form *f*, Gestalt *f*, Fi'gur *f*: to take ~ Form *od.* Gestalt annehmen; in the ~ of in Form von (*od. gen*). **2.** *tech.* Form *f*: a) Fas'son *f*, b) Scha'blone *f*. **3.** Form *f*: a) Art *f*: ~ **of government** Regierungsform; ~**s of life** Lebewesen, b) Art *f* u. Weise *f*, Verfahrensweise *f*, c) Sy'stem *n*, Schema *n*: → due 10. **4.** *a.* **printed** ~ Formu'lar *n*, Formblatt *n*, Vordruck *m*: ~ **letter** Formularbrief *m*, Rundschreiben *n*. **5.** (*literarische etc*) Form. **6.** Form *f* (*a. ling.*), Fassung *f* (*e-s Textes etc*): **vice of** ~ *jur.* Formfehler *m*; ~ **class** *ling.* Klasse *f*, Redeteil *m*. **7.** *philos.* Form *f*: a) Wesen *n*, Na'tur *f*, b) Gestalt *f*, c) *Platonismus*: I'dee *f*. **8.** Erscheinungsform *f*, -weise *f*. **9.** Sitte *f*, Brauch *m*. **10.** ('herkömmliche) gesellschaftliche Form, Ma'nier *f*, Benehmen *n*: **good (bad)** ~ guter (schlechter) Ton; **it is good (bad)** ~ es gehört sich (nicht); **for** ~**'s sake** der Form halber. **11.** Formali'tät *f*: **a mere matter of** ~ e-e bloße Formsache *od.* Formalität. **12.** Zeremo'nie *f*. **13.** *math. tech.* Formel *f*. **14.** (körperliche *od.* geistige) Verfassung, Form *f*: in (out of *od.* off one's) ~ (nicht) in Form; **at the top of one's** ~, **in great** ~ in Hochform. **15.** a) Bank *f* ohne Lehne, b) *Br.* (Schul)Bank *f*. **16.** *Br.* (Schul)Klasse *f*: ~ **master (mistress)** Klassenlehrer(in). **17.** *Br. meist* forme *print.* (Druck)Form *f*.

II *v/t* **18.** formen, bilden, schaffen, entwickeln, gestalten (into zu; **after, upon** nach): to ~ **a cabinet** e-e Regierung bilden; to ~ **a company** *Br.* e-e Gesellschaft gründen. **19.** *den Charakter etc* formen, bilden. **20.** e-n Teil *etc* bilden, ausmachen, darstellen, dienen als. **21.** (an)ordnen, zs.-stellen. **22.** *mil.* (into) for'mieren (in *acc*), aufstellen (in *dat*). **23.** *e-n Plan* fassen, entwerfen, ersinnen. **24.** sich *e-e Meinung* bilden: to ~ **an opinion**. **25.** *e-e Freundschaft etc* schließen. **26.** *e-e Gewohnheit* annehmen: to ~ **a habit**. **27.** *ling. Wörter* bilden. **28.** *tech.* (ver)formen, fasso'nieren, for'mieren.

III *v/i* **29.** Form *od.* Gestalt annehmen, sich formen, sich gestalten, sich bilden, entstehen. **30.** *a.* ~ **up** *mil.* antreten, sich for'mieren (into in *acc*).

-form [fɔːrm] *Suffix mit der Bedeutung* ...förmig.

for·mal ['fɔːrməl] **I** *adj* (*adv* → formally) **1.** förmlich, for'mell: a) offizi'ell: ~ **call** Höflichkeitsbesuch *m*, b) feierlich: ~ **style**; ~ **dance** → 6; ~ **dress** → 7, c) steif, 'unperˌsönlich, d) (peinlich) genau, pe'dantisch (die Form wahrend), e) formgerecht, vorschriftsmäßig: ~ **contract** *jur.* förmlicher Vertrag. **2.** for'mal, for'mell: a) (rein) äußerlich, b) (rein) gewohnheitsmäßig, c) scheinbar, Schein... **3.** for'mal: a) 'herkömmlich, konventio'nell: ~ **style**; ~ **composition**, b) schulmäßig, streng me'thodisch: ~ **training** formale Ausbildung, c) Form...: ~ **defect** *jur.* Formfehler *m*. **4.** *philos.* a) for'mal, b) wesentlich. **5.** regelmäßig, sym'metrisch (angelegt): ~ **garden** architektonischer Garten. **II** *s Am. colloq.* **6.** Tanz, für den Gesellschaftskleidung vorgeschrieben ist. **7.** Gesellschafts-, Abendkleid *n od.* -anzug *m*.

for·mal·de·hyd(e) [fɔːr'mældiˌhaid] *s chem.* Formalde'hyd *n*. **'for·ma·lin** [-məlin] *s chem.* Forma'lin *n*.

for·ma·lism ['fɔːrməˌlizəm] *s* **1.** Förmlichkeit *f*. **2.** *bes. math. relig.* Forma'lismus *m*. **3.** (leeres) Formenwesen. **'for·mal·ist** *s* Forma'list *m*. **ˌfor·mal'is·tic** *adj* forma'listisch. **for'mal·i·ty** [-'mæliti] *s* **1.** Förmlichkeit *f*: a) 'Herkömmlichkeit *f*, Brauch *m*, b) Zeremo'nie *f*, c) (*das*) Offizi'elle, d) Pedante'rie *f*, e) Steifheit *f*, 'Umständlichkeit *f*: **without** ~ ohne (viel) Umstände (zu machen). **2.** Formali'tät *f*, Formsache *f*: **for the sake of** ~ aus formellen Gründen. **3.** Äußerlichkeit *f*, leere Geste. **'for·malˌize** [-məˌlaiz] **I** *v/t* **1.** zur Formsache machen, formali'sieren. **2.** feste Form geben (*dat*), in e-e feste Form bringen. **II** *v/i* **3.** förmlich sein. **'for·mal·ly** *adv* **1.** → formal I. **2.** for'mell, in aller Form.

for·mat ['fɔːrmæt] *s* For'mat *n* (*Buch*).

for·mate ['fɔːrmeit] *s chem.* Formi'at *n*.

for·ma·tion [fɔːr'meiʃən] *s* **1.** Bildung *f*: a) Formung *f*, Gestaltung *f*, b) Entstehung *f*, -wicklung *f*: ~ **of gas** Gasbildung, c) Gründung *f*: ~ **of a company**, d) Gebilde *n*: **new word** ~**s** neue Wortbildungen. **2.** Anordnung *f*, Struk'tur *f*, Zs.-setzung *f*, Bau *m*. **3.** *aer. mil. sport* Formati'on *f*, Aufstellung *f*, Gliederung *f*: ~ **in depth** Tiefengliederung. **4.** *aer. mil.* Verband *m*: ~ **flying** *aer.* Fliegen *n* im Verband. **5.** *geol.* Formati'on *f*.

form·a·tive ['fɔːrmətiv] **I** *adj* **1.** formend, gestaltend, bildend. **2.** Entwicklungs...: ~ **years of a child**. **3.** *ling.* formbildend, Ableitungs...: ~ **element** → 5. **4.** *bot. zo.* morpho'gen: ~ **growth**; ~ **stimulus** Neubildungsreiz *m*; ~ **tissue** Bildungsgewebe *n*. **II** *s* **5.** *ling.* 'Wortbildungseleˌment *n*.

forme *bes. Br. für* form 17.

form·er[1] ['fɔːrmər] *s* **1.** Former *m*, Gestalter *m*. **2.** *tech.* Former *m* (*Arbeiter*). **3.** *tech.* Form-, Drückwerkzeug *n*. **4.** *aer.* Spant *m*. **5.** *ped. Br. in Zssgn* Schüler(in) der ... Klasse.

for·mer[2] ['fɔːrmər] *adj* **1.** früher(er, e, es), vorig(er, e, es): **the** ~ **Mrs. Smith** die frühere Frau Smith; **he is his** ~ **self again** er ist wieder (ganz) der alte. **2.** vor'hergehend, vor'herig(er, e, es). **3.** vergangen, vormalig(er, e, es): **in** ~ **times** vormals, früher. **4.** erster-wähnt(er, e, es), erstgenannt(er, e, es): **the** ~ ... **the latter** der erstere ... der letztere. **5.** ehemalig(er, e, es): **a** ~ **president**.

for·mer·ly ['fɔːrmərli] *adv* früher, ehe-, vormals, ehedem: **Mrs. Smith,** ~ **Brown** a) Frau Smith, geborene Brown, b) Frau Smith, ehemalige Frau Brown.

for·mic ac·id ['fɔːrmik] *s chem.* Ameisensäure *f*.

for·mi·car·i·um [ˌfɔːrmi'kɛ(ə)riəm] *pl* **-'car·i·a** [-ə], **'for·mi·car·y** [-kəri] *s zo.* Ameisenhaufen *m*, -nest *n*. **ˌfor·mi'ca·tion** [-'keiʃən] *s med.* Ameisenkriechen *n*, -laufen *n*, Kribbelgefühl *n*.

for·mi·da·ble ['fɔːrmidəbl] *adj* (*adv* formidably) **1.** schrecklich, furchtbar. **2.** gewaltig, ungeheuer, e'norm.

form·ing ['fɔːrmiŋ] *s* **1.** Formen *n*. **2.** *tech.* Verformung *f*, Fasso'nierung *f*: ~ **property** Verformbarkeit *f*. **'~-'up** *s mil.* a) Bereit-, Aufstellung *f*, b) *aer.* Versammlung *f*.

form·less ['fɔːrmlis] *adj* (*adv* ~**ly**) formlos.

for·mu·la ['fɔːrmjulə] *pl* **-las, -lae** [-ˌliː] *s* **1.** *chem. math. u. fig.* Formel *f*: to seek a ~ *fig.* e-e gemeinsame Formel suchen. **2.** *pharm., a. Kochkunst*: Re'zept *n*. **3.** *relig.* (Glaubens-, Gebets)Formel *f*. **4.** Formel *f*, fester Wortlaut, wörtlich festgelegte Erklärung. **5.** *contp.* ‚Schema F', Scha'blone *f*. **6.** *mot.* Formel *f* (*für Rennwagen*). **'for·mu·larˌize** *v/t* **1.** → formulate 1. **2.** *fig.* schabloni'sieren. **'for·mu·lar·y I** *s* **1.** Formelsammlung *f*, -buch *n*. **2.** Formel *f*. **3.** Arz'neimittel-, Re'zeptbuch *n*. **4.** *relig.* Ritu'albuch *n*. **II** *adj* **5.** förmlich, formelhaft. **6.** vorschriftsmäßig. **7.** *relig.* ritu'ell. **8.** Formel... **'for·muˌlate** [-ˌleit] *v/t* **1.** formu'lieren: a) (ab)fassen, darlegen, b) in e-r Formel ausdrücken, auf e-e Formel bringen. **2.** *ein Programm etc* aufstellen, entwerfen, festlegen: to ~ **rules**. **ˌfor·mu'la·tion** *s* Formu'lierung *f*, Fassung *f*.

for·mu·lism ['fɔːrmjuˌlizəm] *s* Formelwesen *n*, -haftigkeit *f*, -kram *m*. **ˌfor·mu'lis·tic** *adj* formelhaft. **'for·muˌlize** → formulate.

for·myl ['fɔːrmil] *s chem.* For'myl *n*.

for·ni·cate ['fɔːrniˌkeit] *v/i* Unzucht treiben, huren. **ˌfor·ni'ca·tion** *s* **1.** Unzucht *f*, Hure'rei *f*. **2.** außerehelicher (Geschlechts)Verkehr. **'for·niˌca·tor** [-tər] *s* Wüstling *m*.

for·nix ['fɔːrniks] *pl* **-ni·ces** [-niˌsiːz] *s anat.* Hirngewölbe *n*.

for·rad·er ['fɒrədər] *adj colloq.* weiter: to get no ~ nicht vom Fleck kommen.

for·rel → forel.

for·sake [fər'seik] *pret* **for'sook** [-'suk] *pp* **for'sak·en** *v/t* **1.** *j-n* verlassen, im Stich lassen. **2.** *etwas* aufgeben, entsagen (*dat*). **for'sak·en I** *pp von* forsake. **II** *adj* (gott)verlassen, einsam. **for·'sook** *pret von* forsake.

for·sooth [fər'suːθ; fɔːr-] *adv iro.* wahrlich, für'wahr.

for·swear [fɔːr'swɛr] *v/t irr* **1.** eidlich bestreiten, unter Eid verneinen. **2.** unter Pro'test zu'rückweisen. **3.** abschwören (*dat*), unter Eid *od.* feierlich entsagen (*dat*). **4.** ~ o.s. falsch schwören, e-n Meineid leisten. **for'sworn** [-'swɔːrn] **I** *pp von* forswear. **II** *adj* meineidig.

for·syth·i·a [fɔːr'saiθiə; -'siθiə] *s bot.* For'sythie *f*.

fort [fɔːrt] *s* **1.** *mil.* Fort *n*, Feste *f*, Festung(swerk *n*) *f*: to hold the ~ *fig. colloq.* ,die Stellung halten'. **2.** *hist.* Handelsposten *m*.

for·ta·lice ['fɔːrtəlis] *s mil.* **1.** a) kleines Fort, b) Außenwerk *n*. **2.** *obs. od. poet.* Feste *f*.

forte[1] [fɔːrt] *s* **1.** *fenc.* Stärke *f* der Klinge. **2.** *fig.* *j-s* Stärke, starke Seite.

for·te[2] ['fɔːrti; -te] *mus.* **I** *s* Forte *n*. **II** *adj u. adv* forte, laut, kräftig.

forth [fɔːrθ] **I** *adv* **1.** her'vor, vor, her: back and ~ hin u. her, vor u. zurück; → bring forth *etc.* **2.** her'aus, hin'aus. **3.** (dr)außen. **4.** vor'an, vorwärts. **5.** weiter, fort(an): and so ~ und so fort *od.* weiter; from this time ~ von nun an, hinfort; from that day ~ von diesem Tage an; so far ~ (in)soweit. **6.** weg, fort. **II** *prep* **7.** ~ of *obs.* fort von *od.* aus. ˌ~'**com·ing** *adj* **1.** erscheinend: to be ~ erscheinen, zum Vorschein kommen. **2.** bevorstehend, kommend: ~ elections. **3.** in Kürze erscheinend (*Buch*): ~ books (angekündigte) Neuerscheinungen. **4.** bereit, verfügbar. **5.** zu'vor-, entgegenkommend (*Person*). '~ˌ**right I** *adj* **1.** di'rekt, gerade. **2.** *fig.* offen, ehrlich, gerade. **II** *s* **3.** *obs.* gerader Weg. **III** *adv* [ˌ-'rait] **4.** di'rekt, gerade('aus). ˌ~'**with** [-'wiθ; -'wið] *adv* so'fort, (so)'gleich, unverzüglich.

for·ti·eth ['fɔːrtiiθ] **I** *s* **1.** (*der, die, das*) Vierzigste. **2.** Vierzigstel *n*. **II** *adj* **3.** vierzigst(er, e, es).

for·ti·fi·a·ble ['fɔːrtiˌfaiəbl] *adj* zu befestigen(d). ˌ**for·ti·fi'ca·tion** *s* **1.** (Be)Festigung *f*. **2.** Verstärken *n* durch Alkoholzusatz (*Wein etc*). **3.** Schutz *m*, Sicherung *f*. **4.** *mil.* a) Festungsbauwesen *n*, b) Festung *f*, c) *meist pl* Festungswerk *n*, Befestigung(sanlage) *f*. '**for·tiˌfi·er** [-ˌfaiər] *s* Stärkungsmittel *n*.

for·ti·fy ['fɔːrtiˌfai] *v/t* **1.** *mil.* befestigen. **2.** *tech.* *Gewebe etc* verstärken. **3.** stärken, kräftigen. **4.** *fig.* geistig *od.* mo'ralisch stärken, ermutigen, bestärken: to ~ o.s. against s.th. sich gegen etwas wappnen. **5.** a) *Wein etc* (durch Alkoholzusatz) verstärken, b) *Nahrungsmittel mit Vitaminen etc* anreichern.

for·tis·si·mo [fɔːr'tisiˌmou] *adj u. adv mus.* sehr stark *od.* laut, for'tissimo.

for·ti·tude ['fɔːrtiˌtjuːd] *s* **1.** (seelische) Kraft, Seelenstärke *f*: to bear s.th. with ~ etwas mit Fassung *od.* tapfer ertragen. **2.** Mut *m*, Standhaftigkeit *f*.

fort·night ['fɔːrtˌnait; -nit] *s bes. Br.* vierzehn Tage: this day ~ a) heute in 14 Tagen, b) heute vor 14 Tagen; in a ~ in 14 Tagen; a ~'s holiday zwei Wochen Urlaub. '**fortˌnight·ly** *bes. Br.* **I** *adj* vierzehntägig, halbmonatlich, Halbmonats...: ~ settlement *econ.* Medioabrechnung *f*. **II** *adv* alle 14 Tage. **III** *s* Halbmonatsschrift *f*.

for·tress ['fɔːrtris] *s* **1.** *mil.* Festung *f*. **2.** *fig.* Bollwerk *n*, Hort *m*.

for·tu·i·tism [fɔːr'tjuːiˌtizəm] *s philos.* Zufallsglaube *m*. **for'tu·i·tist** *s* Anhänger(in) des Zufallsglaubens. **for'tu·i·tous** *adj* (*adv* ~ly) zufällig. **for'tu·i·ty,** *a.* **for'tu·i·tous·ness** *s* **1.** Zufall *m*. **2.** Zufälligkeit *f*.

for·tu·nate ['fɔːrtʃənit] *adj* **1.** glücklich: to be ~ in having s.th. (so) glücklich sein, etwas zu besitzen; how ~! welch ein Glück! **2.** vom Glück begünstigt: a ~ life; to be ~ Glück haben. **3.** glückverheißend, günstig. '**for·tu·nate·ly** *adv* glücklicherweise, zum Glück.

for·tune ['fɔːrtʃən] *s* **1.** a) Vermögen *n*, großer Reichtum, b) Wohlstand *m*, Erfolg *m*: to make one's ~ sein Glück machen; to make a ~ (sich) ein Vermögen erwerben; a man of ~ ein reicher Mann; to spend a (small) ~ on s.th. *colloq.* ein (kleines) Vermögen für etwas ausgeben; to come into a ~ ein Vermögen erben; to marry a ~ e-e gute Partie machen. **2.** Glück(sfall *m*) *n*, (glücklicher) Zufall. **3.** *oft pl* Geschick *n*, Schicksal *n*: good ~ Glück; bad (*od.* ill) ~ Unglück *n*; to tell ~s wahrsagen, *bes.* Karten legen; to read s.o.'s ~ j-m die Karten legen; to have one's ~ told sich wahrsagen lassen; by good ~ glücklicherweise. **4.** *oft* F~ For'tuna *f*, Glück(sgöttin *f*) *n*. ~ **hunt·er** *s* Glücks-, *bes.* Mitgiftjäger *m*. '~ˌ**tell·er,** *bes. Br.* '~-ˌ**tell·er** *s* Wahrsager(in). '~ˌ**tell·ing,** *bes. Br.* '~-ˌ**tell·ing** *s* Wahrsagen *n*, Wahrsage'rei *f*, *bes.* Kartenlegen *n*.

for·ty ['fɔːrti] **I** *s* **1.** Vierzig *f*. **2.** the forties a) die vierziger Jahre *pl* (*Zeitalter*), b) die Vierziger(jahre) *pl* (*Lebensalter*). **3.** the Forties die See zwischen Schottlands Nord'ost- u. Norwegens Süd'westküste. **4.** the roaring forties stürmischer Teil des Ozeans (zwischen dem 39. u. 50. Breitengrad). **5.** the F~-five Jako'bitische Erhebung im Jahre 1745. **II** *adj* **6.** vierzig: ~ winks *colloq.* Nickerchen *n*; the F~ Thieves die 40 Räuber (*1001 Nacht*). '~-''**lev·en** [-'levn] *adj Am. sl.* riesig viele: ~ times ...zigmal. ˌ~-'**nin·er** *s Am.* Goldgräber, der 1849 nach Kali'fornien ging.

fo·rum ['fɔːrəm] *s* **1.** *antiq. u. fig.* Forum *n*. **2.** *jur.* a) Gericht *n*, Tribu'nal *n* (*a. fig.*), b) *Br.* Gerichtsstand *m*, örtliche Zuständigkeit. **3.** *Am.* Forum *n*, (öffentliche) Diskussi'on(sveranstaltung).

for·ward ['fɔːrwərd] **I** *adv* **1.** vor, nach vorn, vorwärts, vor'an, vor'aus: from this day ~ von heute an; freight ~ Fracht bei Ankunft der Ware zu bezahlen; to buy ~ *econ.* auf Termin kaufen; to date ~ vorausdatieren; to go ~ *fig.* Fortschritte machen; to help ~ weiterhelfen (*dat*); → bring (carry, put, *etc*) forward. **II** *adj* (*adv* ~ly) **2.** vorwärts *od.* nach vorn gerichtet, Vorwärts...: a ~ motion; ~ planning Vorausplanung *f*; ~ speed *mot.* Vorwärtsgang *m*; ~ strategy *mil.* Vorwärtsstrategie *f*; ~ stroke *tech.* Vorlauf *m* (*e-s Kolbens*); ~ zone (*Eishockey*) Angriffsdrittel *n*; ~, march! *mil.* im Gleichschritt, marsch! **3.** vorder(er, e, es): ~ air controller *mil.* vorgeschobener Fliegerleitoffizier. **4.** *bot.* frühreif (*a. fig. Kind*), zeitig. **5.** vorgerückt (*a. an Jahren*), vorgeschritten. **6.** *fig.* fortschrittlich. **7.** *fig.* weitgekommen, fortgeschritten (in in *dat*). **8.** *fig.* vorlaut, dreist. **9.** *fig.* vorschnell, -eilig. **10.** *fig.* schnell bereit, eifrig. **11.** *econ.* auf Ziel *od.* Zeit, für spätere Lieferung *od.* Zahlung, Termin...: ~ business (market, sale, *etc*); ~ exchange Termindevisen *pl*; ~ exchange market Devisenterminmarkt *m*; ~ rate Terminkurs *m*, Kurs *m* für Termingeschäfte. **III** *s* **12.** *sport* Stürmer *m*: ~ line Stürmerreihe *f*. **IV** *v/t* **13.** beschleunigen. **14.** fördern, begünstigen. **15.** spe'dieren, versenden, schicken, befördern. **16.** *Brief etc* nachsenden.

for·ward·er ['fɔːrwərdər] *s* **1.** Absender *m*, Ver-, Über'sender *m*. **2.** Spedi'teur *m*. '**for·ward·ing** *s* **1.** Ab-, Versenden *n*, Versand *m*, Über'sendung *f*, Beförderung *f*: ~ agent Spediteur *m*; ~ charges Versandspesen; ~ clerk Expedient *m*; ~ note Speditionsauftrag *m*, Frachtbrief *m*. **2.** Nachsenden *n*, -sendung *f*. '**for·ward·ness** *s* **1.** Eifer *m*, Bereitwilligkeit *f*. **2.** 'Übereifer *m*, Voreiligkeit *f*. **3.** vorlaute Art, Dreistigkeit *f*, Keckheit *f*. **4.** *bot.* Frühzeitigkeit *f*. **5.** Frühreife *f*. '**for·ward-ˌlook·ing** *adj* vor'ausschauend, fortschrittlich.

for·wards ['fɔːrwərdz] → forward I.

for'wear·ied, for'worn *adj obs.* erschöpft.

fos·sa ['fɒsə] *pl* **-sae** [-siː] *s anat.* Fossa *f*, Grube *f*, Höhlung *f*.

fosse [fɒs] *s* **1.** Grube *f*, Graben *m*, Ka'nal *m*. **2.** *anat.* Grube *f*, Höhle *f*.

fos·sick ['fɒsik] **I** *v/i* **1.** *Austral.* (*in alten Minen etc*) (nach) Gold suchen. **2.** her'umstöbern, -suchen (for nach). **II** *v/t* **3.** *Austral.* krampfhaft suchen. '**fos·sick·er** *s Austral.* Goldgräber *m*.

fos·sil ['fɒsl] **I** *s* **1.** *geol. min.* Fos'sil *n*, Versteinerung *f*. **2.** *colloq.* a) ,Fos'sil' *n*, verknöcherter *od.* rückständiger Mensch, b) (*etwas*) ,Vorsintflutliches'. **II** *adj* **3.** fos'sil, versteinert: ~ meal Infusorienerde *f*; ~ oil Erd-, Steinöl *n*, Petroleum *n*. **4.** *colloq.* a) verknöchert, -kalkt, rückständig (*Person*), b) ,vorsintflutlich' (*Sache*). ˌ**fos·sil'if·er·ous** [-i'lifərəs] *adj* fos'silienhaltig, Fossil... '**fos·sil·ist** *s* Paläonto'loge *m*, Fos'silienkundige(r) *m*. ˌ**fos·sil·i'za·tion** *s* Versteinerung *f*. '**fos·silˌize I** *v/t* **1.** *geol.* versteinern. **2.** *fig.* starr *od.* leblos machen. **II** *v/i* **3.** versteinern. **4.** *fig.* verknöchern.

fos·so·ri·al [fɒ'sɔːriəl] *adj zo.* grabend, [Grab...]

fos·ter ['fɒstər] **I** *v/t* **1.** *ein Kind* aufziehen, nähren, pflegen. **2.** *fig.* *ein Gefühl* nähren, hegen, pflegen. **3.** fördern, begünstigen. **II** *adj* **4.** Pflege...: ~ brother Pflege-, Milchbruder *m*; ~ care *Am.* Anstaltspflege *f* (*für verwahrloste Kinder, Geisteskranke etc*); ~ child Pflegekind *n*; ~ father Pflegevater *m*. '**fos·ter·age** *s* **1.** Pflege *f*. **2.** *hist.* *der Brauch, die Kinder Pflegemüttern zu übergeben.* **3.** *fig.* Förderung *f*. '**fos·ter·er** *s* **1.** Pflegevater *m*. **2.** *fig.* Förderer *m*.

fos·ter·ling ['fɒstərliŋ] *s* **1.** Pflegekind *n*. **2.** *fig.* Schützling *m*.

fos·ter| **moth·er** *s* **1.** Pflegemutter *f*. **2.** 'Brutappaˌrat *m*. ~ **par·ents** *s pl* Pflegeeltern *pl*.

fos·tress ['fɒstris] *s* Pflegerin *f*, Erhalterin *f*.

fou·gasse [fuː'gæs] *s mil.* Fladder-[mine *f*.]

fought [fɔːt] *pret. u. pp von* fight.

foul [faul] **I** *adj* (*adv* ~ly) **1.** stinkend, widerlich. **2.** a) verpestet, schlecht (*Luft*), b) verdorben, faul (*Wasser etc*). **3.** übelriechend: ~ breath. **4.** schmutzig, verschmutzt (*a. Schußwaffe*), verrußt (*Schornstein*), verstopft (*Rohr etc, a. Straße*), voll Unkraut (*Garten*), über'wachsen (*Schiffsboden*), gefährlich (*Küste*). **5.** schlecht, stürmisch (*Wetter etc*), widrig (*Wind*). **6.** *mar.* a) unklar (*Taue etc*), b) in Kollisi'on (geratend) (of mit). **7.** *fig.* a) widerlich, ekelhaft, übel, b) ab'scheulich, gemein, c) gefährlich, schädlich, d) schmutzig, zotig, unflätig: ~ deed ruchlose Tat; the ~ fiend der böse Feind, der Teufel; ~ tongue böse

Zunge, Lästerzunge *f*; → fair[1] 11. **8.** *colloq.* scheußlich. **9.** *fig.* unehrlich, betrügerisch. **10.** *sport* foul, regelwidrig, unfair. **11.** *print.* a) unsauber (*Druck etc*): → copy 1, b) voller Fehler *od.* Änderungen: ~ proof unkorrigierter Abzug.

II *adv* **12.** auf gemeine Art, gemein (*etc*, → 7—10): to play s.o. ~ j-n hintergehen, j-m übel mitspielen. **13.** to fall ~ of *mar. u. fig.* zs.-stoßen mit.

III *s* **14.** (*etwas*) Widerliches *etc*: through ~ and fair durch dick u. dünn. **15.** Zs.-stoß *m.* **16.** *sport* a) Foul *n*, Regelverstoß *m*, b) → foul ball, c) → foul shot.

IV *v/t* **17.** *a.* ~ up beschmutzen (*a. fig.*), verschmutzen, verunreinigen. **18.** *a.* ~ up verstopfen, versperren. **19.** *sport* regelwidrig angreifen *od.* behindern, foulen. **20.** zs.-stoßen mit. **21.** *a.* ~ up sich verwickeln in (*dat*) *od.* mit. **22.** ~ up *colloq.* a) durcheinanderbringen, b) ,verpatzen', ,versauen': ~ed-up ,versaut'.

V *v/i* **23.** schmutzig werden. **24.** *mar.* a) sich verwickeln (*Taue etc*), b) e-n Zs.-stoß haben. **25.** *sport* regelwidrig *od.* unfair spielen, foulen, ein Foul begehen. **26.** ~ up *colloq.* ,Mist bauen'.

foul| ball *s Baseball*: ,Aus'-Schlag *m.* ~ **line** *s sport* **1.** *Baseball*: *Linie vom Ziel über das 1. bzw. 3. Mal bis zur Spielfeldgrenze.* **2.** *Basketball*: Freiwurflinie *f.* **3.** *Kegeln*: Abwurfgrenze *f.* '~-'**mouthed** *adj* unflätig.

foul·ness ['faulnis] *s* **1.** Schmutzigkeit *f*, Verdorbenheit *f.* **2.** Schmutz *m.* **3.** Gemeinheit *f*, Schändlichkeit *f.* **4.** *Bergbau*: schlagende Wetter *pl.*

foul| play *s* **1.** unfaires Spiel, Unsportlichkeit *f.* **2.** a) Verbrechen *n*, b) Verräte'rei *f*, c) Schwindel *m.* ~ **shot** *s Basketball*: Freiwurf *m.* '~ˌ**spo·ken**, '~-'**tongued** → foul-mouthed.

fou·mart ['fuːmaːrt] *s zo.* Iltis *m.*

found[1] [faund] *pret u. pp von* find.

found[2] [faund] **I** *v/t* **1.** bauen, errichten. **2.** gründen, errichten. **3.** begründen, einrichten, ins Leben rufen, *e-e Schule etc* stiften: F~ing Fathers *Am.* Staatsmänner aus der Zeit der Unabhängigkeitserklärung. **4.** *fig.* gründen, stützen (on, upon, in auf *acc*): ~ed on documents urkundlich; to be ~ed on beruhen *od.* sich gründen auf (*dat*); ~ed (up)on fact(s) auf Tatsachen beruhend, stichhaltig; well-~ed wohlbegründet. **II** *v/i* **5.** *fig.* (on, upon) sich stützen (auf *acc*), fußen (auf *dat*).

found[3] [faund] *v/t* **1.** *metall.* schmelzen u. in e-e Form gießen. **2.** gießen.

foun·da·tion [faun'deiʃən] *s* **1.** *arch.* Grundmauer *f*, Sockel *m*, Funda'ment *n*: ~ bed Baugrund *m*; to lay the ~s of *fig.* den Grund(stock) legen zu; shaken to the ~s *a. fig.* in den Grundfesten erschüttert. **2.** *tech.* 'Unterbau *m*, -lage *f* (*e-r Straße etc*), Bettung *f*: ~ plate Grundplatte *f.* **3.** Grundlegung *f.* **4.** *fig.* a) Gründung *f*, Stiftung *f*, Errichtung *f*, b) (An)Beginn *m*: F~ Day Gründungstag *m* (*26. Januar*; *australischer Feiertag*). **5.** Stiftung *f*: a) (*gemeinnützige*) Schenkung, b) (gestiftete) Anstalt, c) Stift(s-schule *f*) *n*: ~ scholar Freischüler *m*; to be on the ~ of Stipendiat sein (*gen*). **6.** a) 'Unterlage *f*, b) steifes (Zwischen)Futter, c) *a.* ~ muslin Steifleinen *n.* **7.** *paint.* Grundanstrich *m.* **8.** *Kosmetik*: 'Unterlage *f* (*Creme*) für Make-up. **9.** → foundation garment. **10.** *fig.* Grund(lage *f*) *m*, Basis *f*, Funda'ment *n*: to be without any ~ jeder Grundlage entbehren. **foun'da·tion·er** *s ped. Br.* Stipendi'at *m.*

foun·da·tion| gar·ment *s* **1.** a) Hüftformer *m*, b) Mieder *n*, Korse'lett *n.* **2.** *pl* Mieder(waren) *pl.* ~ **stone** *s* **1.** *arch. u. fig.* Grundstein *m*: to lay the ~ of den Grundstein legen zu. **2.** *fig.* → foundation 10.

found·er[1] ['faundər] *s* Gründer *m*, Stifter *m*: ~'s preference rights *econ.* Gründerrechte.

found·er[2] ['faundər] *s tech.* Gießer *m.*

foun·der[3] ['faundər] **I** *v/i* **1.** *mar.* sinken, 'untergehen. **2.** a) einfallen, nachgeben (*Boden*), b) einstürzen (*Gebäude*). **3.** *fig.* scheitern. **4.** a) *vet.* lahmen, steif werden, b) zs.-brechen (*Pferd*). **5.** steckenbleiben (*Tier*). **II** *v/t* **6.** *ein Schiff* zum Sinken bringen. **7.** *ein Pferd* lahm *od.* zu'schanden reiten. **8.** *Golf*: *den Ball* in den Boden schlagen. **III** *s* **9.** *vet.* a) Hufentzündung *f*, b) Engbrüstigkeit *f.*

found·ling ['faundliŋ] *s* Findling *m*, Findelkind *n*: ~ hospital Findelhaus *n.*

found·ress ['faundris] *s* Gründerin *f.*

found·ry ['faundri] *s* **1.** *metall.* a) Gieße'rei *f*, b) Gußstücke *pl*, c) Gießen *n.* **2.** *print.* ˌSchriftgieße'rei *f.* ~ **i·ron** *s* Gieße'reiroheisen *n.* '~·**man** [-mən] *s irr tech.* Gießer *m.* ~ **pig** → foundry iron. ~ **proof** *s print.* Revisi'onsabzug *m* (*vor dem Matern*).

fount[1] [faunt] → font[2].

fount[2] [faunt] *s* **1.** a) Ölbehälter *m* (*e-r Lampe*), b) Tintenraum *m* (*e-s Füllhalters*). **2.** *poet.* Quelle *f*, Born *m* (*beide a. fig. Ursprung*).

foun·tain ['fauntin] *s* **1.** Quelle *f.* **2.** *fig.* Quelle *f*, Ursprung *m*: F~ of Youth Jungbrunnen *m.* **3.** künstlicher Brunnen, *bes.* Fon'täne *f*, Springbrunnen *m.* **4.** *Am.* a) Trinkbrunnen *m*, b) → soda fountain 2. **5.** *tech.* a) Reser'voir *n*, b) → fount[2] 1. '~ˌ**head** *s* **1.** Quelle *f* (*a. fig.*). **2.** *fig.* Urquell *m.* ~ **pen** *s* Füll(feder)halter *m.* ~ **syr·inge** *s med.* Irri'gator *m.*

four [fɔːr] **I** *adj* **1.** vier: within the ~ seas in Großbritannien; ~ figures vierstellige Zahl; at ~ (o'clock) um vier (Uhr). **II** *s* **2.** Vier *f.* **3.** *mar.* a) Vierer(boot *n*) *m*, b) Vierermannschaft *f*, c) *pl* Viererrennen *n od. pl.* **4.** Vier *f* (*Spielkarte*). **5.** *oft pl* vier *pl* (*Personen od. Dinge*): in ~s a) zu vieren, b) *mil.* in Viererreihen; on all ~s auf allen vieren; to be on all ~s (with s.th.) *fig.* (mit etwas) übereinstimmen *od.* analog sein, (e-r Sache) genau entsprechen. '~-'**bar·rel(l)ed** *adj mil.* Vierlings...: ~ gun Vierling *m.* '~-ˌ**blade** *adj* Vierblatt...: ~ propeller *aer.* Vierblattschraube *f.*

four·chette [fur'ʃet] *s* **1.** *anat.* hinteres Scheidenhäutchen. **2.** *zo.* a) Gabelbein *n* (*e-s Vogels*), b) Strahl *m* (*am Huf*).

'**four|-'cor·nered** *adj* viereckig. '~-ˌ**col·o(u)r** *adj* **1.** vierfarbig. **2.** *print.* Vierfarben... '~-ˌ**cy·cle** *s mot.* Viertakt *m*: ~ engine Viertaktmotor *m.* '~-**di'men·sion·al** *adj math.* 'vierdimensioˌnal. '~-ˌ**door** *adj mot.* viertürig. ~ **flush** *s Poker*: unvollständige Hand (*4 Karten e-r Farbe*). '~-'**flush** *v/i Am. sl.* großtun, angeben. '~'**flush·er** *s Am. sl.* ,Hochstapler' *m*, Bluffer *m*, Angeber *m.* '~ˌ**fold I** *adj* vierfach. **II** *s* (*das*) Vierfache. **III** *adv* vierfach, um das Vierfache. '~-'**foot·ed** *adj* vierfüßig. '~-'**four (time)** *s mus.* Viervierteltakt *m.* '~-'**hand·ed** *adj* **1.** *zo.* vierhändig (*Affe*). **2.** *mus.* vierhändig, für 4 Hände. **3.** für 4 Per'sonen: ~ game Viererspiel *n.* '~-ˌ**horse(d)** *adj* vierspännig: ~ coach Vierspänner *m.* ~ **hun·dred** *s*: the ~ *Am.* die Hautevolee, ,die oberen Zehntausend'. '~-**-in-**ˌ**hand I** *s* **1.** Vierspänner *m*, Viererzug *m.* **2.** Viergespann *n.* **3.** lange Kra'watte. **II** *adv* **4.** mit e-m Vierspänner: to drive ~. '~-ˌ**leaf(ed) clo·ver** *s bot.* vierblätt(e)riger Klee. '~-ˌ**legged** *adj* vierbeinig. '~-ˌ**let·ter word** *s colloq.* unanständiges Wort. '~-ˌ**mast·ed** *adj mar.* mit 4 Masten, viermastig: ~ ship Viermastervollschiff *n.* '~-'**oar** *s* Vierer *m* (*Boot*). '~-ˌ**part** *adj mus.* vierstimmig, für 4 Stimmen. '~·**pence** [-pəns] *s Br.* **1.** (Betrag *m* von) 4 Pence. **2.** *hist.* Vier-Pence-Münze *f.* '~·**pen·ny** [-pəni] *Br.* **I** *adj* **1.** Vierpence..., im Wert von 4 Pence. **II** *s* **2.** etwas, was 4 Pence kostet. **3.** *hist.* Vier-Pence-Münze *f.* '~-ˌ**point bear·ing** *s mar.* Vierstrichpeilung *f.* '~-**-'post·er** *s* **1.** Himmelbett *n.* **2.** *mar. sl.* Viermastschiff *n.* '~'**pound·er** *s mil.* Vierpfünder *m.* '~'**score** *adj* achtzig. '~-ˌ**seat·er** *s mot.* Viersitzer *m.* '~·**some** [-səm] *s* **1.** *Golf*: Viererspiel *n.* **2.** Satz *m* von vier (Dingen). **3.** *humor.* ,Quar'tett' *n* (*4 Personen, 2 Paare*). '~-ˌ**speed gear** *s tech.* Vierganggetriebe *n.* '~'**square** *adj u. adv* **1.** vierseitig, -eckig, qua'dratisch. **2.** *fig.* a) fest, standhaft, b) barsch, grob, 'unumˌwunden. '~-ˌ**stroke** *adj mot.* Viertakt...: ~ engine.

four·teen ['fɔːr'tiːn] **I** *s* Vierzehn *f.* **II** *adj* vierzehn. '**four'teenth** [-θ] **I** *adj* **1.** vierzehnt(er, e, es). **II** *s* **2.** (*der, die, das*) Vierzehnte. **3.** Vierzehntel *n.*

fourth [fɔːrθ] **I** *adj* **1.** viert(er, e, es). **II** *s* **2.** (*der, die, das*) Vierte. **3.** Viertel *n.* **4.** *mus.* Quart(e) *f.* **5.** the F~ of June *Br.* der Vierte, Jahresschlußfeier *f* in Eton College (*mit Bootsparade*). **6.** the F~ (of July) *Am.* der Vierte (Juli), der Jahrestag der Unabhängigkeitserklärung. '~-ˌ**class mat·ter** *s mail Am.* Pa'ket *n*, Warensendungen *pl.*

fourth·ly ['fɔːrθli] *adv* viertens.

'**four|-**ˌ**way** *adj tech.* Vierwege...: ~ switch *electr.* Vierfach-, Vierwegeschalter *m.* '~-ˌ**wheel** *adj* **1.** vierräd(e)rig. **2.** Vierrad... (*-antrieb, -bremse etc*): ~ drive.

fo·ve·a ['fouviə] *pl* **-ve·ae** [-viˌiː] *s anat. bot.* Grübchen *n*, Grube *f.*

fowl [faul] **I** *pl* **fowls,** *bes. collect.* **fowl** *s* **1.** Haushuhn *n*, -ente *f*, Truthahn *m.* **2.** *collect.* Geflügel *n*, Federvieh *n*, Hühner *pl*: ~ run Auslauf *m*, Hühnerhof *m.* **3.** *selten* Vogel *m*, Vögel *pl*: the ~(s) of the air *Bibl.* die Vögel unter dem Himmel; → wild fowl. **4.** Geflügel(fleisch) *n.* **II** *v/i* **5.** Vögel fangen *od.* schießen. ~ **chol·er·a** *s vet.* Geflügelcholera *f*, -tod *m.*

fowl·er ['faulər] *s* Vogelsteller *m.*

fowl·ing ['fauliŋ] *s* Vogelfang *m*, -jagd *f.* ~ **piece** *s hunt.* Vogelflinte *f.* ~ **shot** *s hunt.* Hühnerschrot *m od. n.*

fowl| pest *s vet.* Hühnerpest *f.* ~ **pox** *s vet.* Geflügelpocken *pl.*

fox [fɒks] **I** *s* **1.** *zo.* Fuchs *m*: she-~ a) Füchsin *f*, b) *hunt.* Fähe *f*; ~ and geese ,Wolf u. Schafe' *n* (*ein Brettspiel*); to follow the ~ auf die Fuchsjagd gehen; to set the ~ to keep the geese *fig.* den Bock zum Gärtner machen. **2.** *fig.* (schlauer) Fuchs, Schlaukopf *m*, (arg)listiger Mensch. **3.** Fuchspelz(kragen) *m.* **4.** *mar.* Nitzel *m.* **5.** 'Fox(indiˌaner) *m od. pl* (*nordamer. Indianerstamm*). **II** *v/t* **6.** *sl.* täuschen, über'listen, ,reinlegen'. **7.** a) *Schuhe* vorschuhen, b) Oberleder mit e-r Zierleiste versehen. **III** *v/i* **8.** *sl.*

finas'sieren. **9.** (stock)fleckig werden (*Papier*).
'fox|,bane *s bot.* Wolfs-Eisenhut *m.* **'~-,brush** *s* Lunte *f*, Fuchsschwanz *m.* **~ earth** *s* Fuchsbau *m.* **'~,glove** *s bot.* (*ein*) Fingerhut *m.* **'~,hole** *s* **1.** Fuchsbau *m.* **2.** *mil.* Schützenloch *n.* **~ hunt(·ing)** *s* Fuchsjagd *f.*
fox·i·ness ['fɒksinis] *s* Gerissenheit *f*, Verschlagenheit *f.*
'fox|,tail *s* **1.** Fuchsschwanz *m.* **2.** *bot.* (*ein*) Fuchsschwanz(gras *n*) *m.* **~ ter·ri·er** *s zo.* Foxterrier *m.* **'~-,trot I** *s* Foxtrott *m* (*Tanz*). **II** *v/i* Foxtrott tanzen.
fox·y ['fɒksi] *adj* **1.** schlau, gerissen, listig. **2.** fuchsrot, fuchsig. **3.** stockfleckig (*Papier*). **4.** moderig, faul. **5.** *Am.* sauer.
foy [fɔi] *s dial.* **1.** Abschiedsfest *n*, -geschenk *n.* **2.** (Ernte)Fest *n.*
foy·er ['foiei; *Am. a.* -ər] *s* Fo'yer *n*: a) Halle *f* (*im Hotel*), b) Wandelgang *m* (*im Theater*).
Fra [frɑː] *s relig.* Fra *m* (*Bruder*; *vor Mönchsnamen*).
fra·cas [*Br.* 'frækɑː; *Am.* 'freikəs] *s sg u. pl* Aufruhr *m*, Spek'takel *m.*
frac·tion ['frækʃən] *s* **1.** *math.* Bruch *m*: **simple ~, vulgar ~** gemeiner Bruch; **~ bar** (*od.* **line, stroke**) Bruchstrich *m.* **2.** Bruchteil *m* (*a. fig.*): **~ of a share** *econ.* Teilaktie *f.* **3.** Stückchen *n*, (*ein*) bißchen: **by a ~ of an inch.** *fig.* um ein Haar; **not (by) a ~** nicht im geringsten. **4.** *selten* (Zer)Brechen *n.* **5.** **F~** *relig.* Brechen *n* (*des Brotes*).
'frac·tion·al *adj* **1.** *math.* Bruch..., gebrochen: **~ amount** Teilbetrag *m*; **~ currency** *Am. od. Canad. hist.* a) Scheidemünze *f*, b) Papiergeld *n* (*kleine Beträge*); **~ part** Bruchstück *n.* **2.** *fig.* unbedeutend, mini'mal. **3.** *chem.* fraktio'niert, teilweise: **~ distillation.** **'frac·tion·al·ist** *s pol.* (Par'tei)Spalter *m.* **'frac·tion·al,ize** *v/t* in Bruchteile zerlegen. **'frac·tion·ar·y** *adj* Bruch(stück)..., Teil... **'frac·tion,ate** [-,neit] *v/t chem.* fraktio'nieren. **'frac·tion,ize** *v/t u. v/i* (sich) teilen.
frac·tious ['frækʃəs] *adj* (*adv* **~ly**) **1.** mürrisch, zänkisch, reizbar. **2.** 'widerspenstig, störrisch. **'frac·tious·ness** *s* **1.** mürrisches Wesen, Reizbarkeit *f.* **2.** 'Widerspenstigkeit *f.*
frac·ture ['fræktʃər] **I** *s* **1.** *med.* (Knochen)Bruch *m*, Frak'tur *f.* **2.** *min.* Bruch(fläche *f*) *m.* **3.** *chem. tech.* Bruchgefüge *n.* **4.** *ling.* Brechung *f.* **5.** *fig.* Bruch *m*, Zerwürfnis *n.* **II** *v/t* **6.** (zer)brechen: **to ~ one's arm** sich den Arm brechen. **7.** *geol.* zerklüften. **III** *v/i* **8.** (zer)brechen.
frae [frei] *Scot. für* **from.**
frag·ile [*Br.* 'frædʒail; *Am.* -dʒəl] *adj* **1.** zerbrechlich. **2.** *tech.* brüchig. **3.** schwach, zart. **'frag·ile·ness, fra·gil·i·ty** [frə'dʒiliti] *s* **1.** Zerbrechlichkeit *f.* **2.** Brüchigkeit *f.* **3.** Schwäche *f*, Zartheit *f.*
frag·ment ['frægmənt] *s* **1.** (*literarisches etc*) Frag'ment. **2.** Bruchstück *n*, -teil *m.* **3.** 'Überrest *m*, Stück *n.* **4.** Fetzen *m*, Brocken *m.* **5.** *mil.* Sprengstück *n*, Splitter *m.* **frag'men·tal** [-'mentl] *adj* **1.** → **fragmentary** 2. **2.** *geol.* aus Trümmergestein bestehend: **~ rock** Trümmergestein *n.* **'frag·men·tar·i·ness** *s* (*das*) Fragmen'tarische, 'Unvoll,ständigkeit *f.* **'frag·men·tar·y** *adj* (*adv* **fragmentarily**) **1.** aus Stücken bestehend, zerstückelt. **2.** fragmen'tarisch, 'unvoll,ständig, bruchstückhaft. **,frag·men'ta·tion** *s* **1.** *biol.* Fragmentati'on *f*, Spaltung *f.* **2.** Zerstückelung *f*, -trümmerung *f*, -splitterung *f.* **3.** *mil.* Splitterwirkung *f*: **~ bomb** Splitterbombe *f.*
fra·grance ['freigrəns], *a.* **'fra·gran·cy** *s* Wohlgeruch *m*, (süßer) Duft, A'roma *n.* **'fra·grant** *adj* (*adv* **~ly**) **1.** wohlriechend, (süß) duftend, duftig: **to be ~ with** duften von *od.* nach. **2.** *fig.* angenehm, köstlich.
frail[1] [freil] **I** *adj* **1.** zerbrechlich, schwach. **2.** *fig.* a) zart, schwach: **~ constitution**; **~ voice**, b) vergänglich: **~ life**, c) (*moralisch*) schwach: **a ~ woman**, d) schwach, seicht: **~ lyrics.** **II** *s* **3.** *Am. sl.* Mädel *n.*
frail[2] [freil] *s Br.* **1.** Binsenkorb *m.* **2.** Korb(voll) *m* Ro'sinen (*etwa 75 Pfund*).
frail·ty ['freilti] *s* **1.** Zerbrechlichkeit *f.* **2.** *fig.* Gebrechlichkeit *f*, zarte Gesundheit. **3.** *fig.* a) Schwachheit *f*, mo'ralische Schwäche, b) Fehltritt *m.*
fraise[1] [freiz] *mil.* **I** *s* Pali'sade *f.* **II** *v/t* durch Pali'saden schützen.
fraise[2] [freiz] *tech.* **I** *s* Bohrfräse *f.* **II** *v/t* fräsen.
fram·b(o)e·si·a [fræm'biːʒiə; -ziə] *s med.* Frambö'sie *f*, Himbeerpocken *pl.*
frame [freim] **I** *s* **1.** (*Bilder, Fenster- etc*)Rahmen *m* (*a. mot. tech.*). **2.** (*a. Brillen-, Schirm-, Wagen*)Gestell *n*, Gerüst *n.* **3.** Einfassung *f.* **4.** *arch.* a) Balkenwerk *n*, b) Gerippe *n*, Ske'lett *n*: **steel ~**, c) (*Tür- etc*)Zarge *f.* **5.** *print.* ('Setz)Re,gal *n.* **6.** *electr.* Stator *m.* **7.** *aer. mar.* a) Spant *n*, b) Gerippe *n.* **8.** *TV* a) Abtast-, Bildfeld *n*, b) Raster(bild *n*) *m.* **9.** *Film*: Einzel-, Teilbild *n.* **10.** *agr.* verglastes Treibbeet, Frühbeetkasten *m.* **11.** *Weberei*: ('Spinn-, 'Web)Ma,schine *f.* **12.** a) Rahmen(erzählung *f*) *m*, b) 'Hintergrund *m.* **13.** Körper(bau) *m*, Gestalt *f*, Fi'gur *f*: **the mortal ~** die sterbliche Hülle. **14.** Einrichtung *f*, Gebäude *n*, Gefüge *n*, Sy'stem *n*: **~ of reference** a) *math.* Bezugssystem, b) *fig.* Gesichtspunkt *m.* **15.** *fig.* (*bes.* Gemüts)Verfassung *f*, (-)Zustand *m*: **~ of mind.** **16.** *Baseball*: *sl.* Spielabschnitt *m.* **17.** *Bowling*: *Am.* Kegelrunde *f.* **18.** → **frame-up.**
II *v/t* **19.** verfertigen, machen, (auf)bauen. **20.** zs.-passen, -setzen, -fügen. **21.** a) *ein Bild etc* (ein)rahmen, (-)fassen (*a. fig.*), b) *fig.* um'rahmen. **22.** *print. den Satz* einfassen. **23.** *etwas* ersinnen, entwerfen, *e-n Plan* schmieden, *ein Gedicht etc* machen, verfertigen. **24.** gestalten, formen, bilden. **25.** anpassen (**to** *dat*). **26.** *Worte* formen, ausdrücken, sprechen. **27.** *a.* **~ up** *Am. sl.* a) *e-e Sache* ‚drehen', ‚schaukeln', b) *e-n Unschuldigen* ‚reinhängen': **to ~ a charge** e-e falsche Beschuldigung erheben; **to ~ a match** e-n Wettkampf ‚vorher arrangieren'.
III *v/i* **28.** sich anschicken. **29.** sich entwickeln, Form annehmen: **to ~ well** sich gut anlassen (*Sache*).
frame a·e·ri·al *s electr.* 'Rahmenan,tenne *f.*
framed [freimd] *adj* **1.** gerahmt. **2.** Fachwerk... **3.** *aer. mar.* in Spanten (stehend).
frame house *s tech. Am.* **1.** Holzhaus *n.* **2.** Fachwerkhaus *n.*
fram·er ['freimər] *s* **1.** (Bilder)Rahmer *m.* **2.** Gestalter *m*, Schöpfer *m.* **3.** Verfasser *m*, Entwerfer *m.*
frame| saw *s tech.* **1.** Spannsäge *f.* **2.** Gattersäge *f.* **'~-,up** *s Am. sl.* **1.** Kom'plott *n*, In'trige *f.* **2.** abgekartetes Spiel, Schwindel *m.* **'~,work I** *s* **1.** *tech., a. aer. u. biol.* Gerüst *n*, Gerippe *n.* **2.** *arch.* Fach-, Bindewerk *n*, Gebälk *n.* **3.** Gestell *n* (*von Eisenbahnwagen*). **4.** *Bergbau*: Ausschalung *f.* **5.** *Handarbeit*: Rahmenarbeit *f.* **6.** *fig.* Rahmen *m*, Gefüge *n*, Sy'stem *n*: **the ~ of society**; **within the ~ of** im Rahmen (*gen*). **II** *adj* **7.** Fachwerk..., Gerüst..., Rahmen...: **~ body** *aer.* Fachwerkrumpf *m*; **~ fiber** (*Br.* **fibre**) *biol.* Gerüstfaser *f.*
fram·ing ['freimiŋ] *s* **1.** Bilden *n*, Formen *n*, Bauen *n.* **2.** (Ein)Rahmen *n.* **3.** *tech.* Gestell *n*, Einfassung *f*, -rahmung *f*, Rahmen *m.* **4.** *arch.* a) Holzverbindung *f*, b) Holz-, Rahmen-, Zimmerwerk *n.* **5.** *TV* a) Einrahmung *f*, b) Bildeinstellung *f.*
franc [fræŋk] *s* **1.** Franc *m* (*Währungseinheit Frankreichs u. Belgiens*). **2.** Franken *m* (*Währungseinheit der Schweiz*).
fran·chise ['fræntʃaiz] *s* **1.** *pol.* a) Wahl-, Stimmrecht *n*, b) Bürgerrecht *n.* **2.** *Am.* Vorrecht *n*, Privi'leg *n.* **3.** *hist.* Gerechtsame *f*, Vorrecht *n.* **4.** *Am.* a) *econ., a. sport* Konzessi'on *f*, b) Al'leinverkaufsrecht *n*, -vertretung *f*, c) *econ.* (Verleihung *f* der) 'Rechtsper,sönlichkeit *f*: **~ of a corporation.** **5.** *Versicherung*: Fran'chise *f*, Selbstbehalt *m.*
Fran·cis·can [fræn'siskən] *relig.* **I** *s* Franzis'kaner(mönch) *m.* **II** *adj* franzis'kanisch, Franziskaner...
Franco- [fræŋko] *Wortelement mit der Bedeutung* Franko..., französisch.
Fran·co·phile ['fræŋko,fail], **'Fran·co·phil** [-fil] **I** *s* Franko'phile *m*, Fran'zosenfreund *m.* **II** *adj* franko'phil, fran'zosenfreundlich. **'Fran·co,phobe** [-,foub] **I** *s* Fran'zosenhasser *m*, -feind *m.* **II** *adj* fran'zosenfeindlich.
fran·gi·bil·i·ty [,frændʒi'biliti] *s* Zerbrechlichkeit *f.* **'fran·gi·ble** *adj* zerbrechlich.
fran·gi·pane ['frændʒi,pein] *s* **1.** (*Art*) Mandelcreme *f.* **2.** → **frangipani.**
'fran·gi'pan·i [-'pæni; -'pɑːni] *s* **1.** Jas'min(blüten)par,füm *n.* **2.** *bot.* Roter Jas'minbaum.
Frank[1] [fræŋk] *s* **1.** Franke *m.* **2.** ('West)Euro,päer *m* (*in der Levante*).
frank[2] [fræŋk] **I** *adj* (*adv* → **frankly**) **1.** offen(herzig), aufrichtig, frei(mütig). **II** *s mail hist.* **2.** Franko-, Freivermerk *m.* **3.** Portofreiheit *f.* **III** *v/t* **4.** *mail* a) *hist. e-n Brief* fran'kieren, b) *Briefe* mit der Ma'schine frankieren: **~ing machine** Frankiermaschine *f*, Freistempler *m.* **5.** a) *j-m* freie Fahrt gewähren, b) *j-m* Zutritt verschaffen. **6.** *etwas* (amtlich) freigeben, befreien (**from** *od.* **against** von).
frank·furt·er ['fræŋkfərtər], *a.* **'frank·furt** *s bes. Am.* Frankfurter (Würstchen *n*) *f.*
frank·in·cense ['fræŋkin,sens] *s bot. relig.* Weihrauch *m.*
Frank·ish ['fræŋkiʃ] **I** *adj* **1.** fränkisch. **2.** euro'päisch (*in der Levante*). **II** *s* **3.** *ling.* Fränkisch *n.*
frank·lin ['fræŋklin] *s hist.* **1.** Freisasse *m.* **2.** kleiner Landbesitzer.
Frank·lin stove *s Am.* freistehender eiserner Ka'min.
frank·ly ['fræŋkli] *adv* a) → **frank**[2] 1, b) frei her'aus, frank u. frei, c) *a.* **~ speaking** offen gestanden *od.* gesagt. **'frank·ness** *s* Offenheit *f*, Freimütigkeit *f.*
frank·pledge ['fræŋk,pledʒ] *s* **1.** *jur. Br. hist.* a) Bürgschaft *f* (innerhalb e-r Zehnerschaft), b) (Mitglied *n* e-r) Zehnerschaft *f.* **2.** *fig.* gegenseitige Verantwortung.
fran·tic ['fræntik] *adj* **1.** wild, außer sich, rasend (**with** vor *dat*). **2.** krampf-

haft, verzweifelt, (wie) toll: ~ efforts. 3. *colloq.* schrecklich, wahnsinnig. 'fran·ti·cal·ly, 'fran·tic·ly *adv.*

frap [fræp] *v/t mar.* zurren.

frap·pé [fræ'pei] *Am.* **I** *s* **1.** eisgekühltes Frucht-Mischgetränk. **2.** Gefrorenes *n* mit Schoko'laden- *od.* Fruchtsoße. **II** *adj* **3.** eisgekühlt.

frass [fræs] *s zo.* **1.** Kot *m* von In'sektenlarven. **2.** Fraßmehl *n.*

frat [fræt] *Am. sl.* → fraternity 4.

fra·te ['fra:te] *pl* **-ti** [-ti] (*Ital.*) *s relig.* **1.** Mönch *m.* **2.** F~ Frater *m* (*als Anrede*).

fra·ter[1] ['freitər] *s relig.* Frater *m*, Mönch *m.*

fra·ter[2] ['freitər] *s relig. hist.* Speisesaal *m* (*im Kloster*).

fra·ter·nal [frə'tə:rnl] **I** *adj* (*adv* ~ly) **1.** brüderlich, Bruder..., Brüder... **2.** Bruderschafts... **3.** *biol.* geschwisterlich: ~ twins zweieiige Zwillinge. **II** *s* **4.** *a.* ~ association, ~ order, ~ society *Am.* Verein *m* zur Förderung gemeinsamer Inter'essen: ~ insurance *Am.* mit e-m Unterstützungsverein auf Gegenseitigkeit abgeschlossene Versicherung. **fra'ter·nal,ism** *s* Brüderlichkeit *f.*

fra·ter·ni·ty [frə'tə:rniti] *s* **1.** Bruderschaft *f.* **2.** Vereinigung *f*, Zunft *f*, Gilde *f*: the angling ~ die Zunft der Angler; the legal ~ die Juristen. **3.** (geistliche *od.* weltliche) Bruderschaft, Orden *m.* **4.** *Am.* Stu'dentenverbindung *f.*

frat·er·ni·za·tion [,frætərnai'zeiʃən; -ni-] *s* Verbrüderung *f*, Fraterni'sieren *n.* **'frat·er,nize** *v/i* **1.** sich verbrüdern, brüderlich verkehren. **2.** (*bes. mit der feindlichen Zivilbevölkerung*) fraterni'sieren. **3.** sich anfreunden *od.* anbiedern.

frat·ri·cid·al [,frætri'saidəl; ,frei-] *adj* **1.** brudermörderisch: ~ war Bruderkrieg *m.* **2.** *fig.* sich gegenseitig vernichtend. **'frat·ri,cide** *s* **1.** Bruder-, Geschwistermord *m.* **2.** Bruder-, Geschwistermörder *m.*

fraud [frɔ:d] *s* **1.** *jur.* a) Betrug *m* (on s.o. an j-m), b) arglistige Täuschung: to obtain s.th. by ~ sich etwas erschleichen. **2.** Schwindel *m*, Trick *m*, List *f.* **3.** *sl.* Schwindler *m*, ‚Hochstapler' *m*, ‚falscher Fuffziger'. **'fraud·u·lence** [*Br.* -djuləns; *Am.* -dʒə-] *s* Betrüge'rei *f.* **'fraud·u·lent** *adj* (*adv* ~ly) betrügerisch, arglistig: ~ bankruptcy betrügerischer Bankrott; ~ conversion Unterschlagung *f*, Veruntreuung *f*; ~ preference Gläubigerbegünstigung *f*; ~ representation Vorspiegelung *f* falscher Tatsachen.

fraught [frɔ:t] **I** *adj* **1.** *fig.* voll: ~ with danger gefahrvoll; ~ with meaning bedeutungsschwer, -schwanger; ~ with sorrow kummerbeladen. **2.** *obs. od. poet.* beladen. **II** *s* **3.** *Scot. od. obs.* Fracht *f*, Ladung *f.*

fray[1] [frei] **I** *s* Schläge'rei *f*, Kampf *m*, Streit *m*: eager for the ~ kampflustig. **II** *v/t obs.* erschrecken. **III** *v/i obs.* kämpfen.

fray[2] [frei] **I** *v/t* **1.** *a.* ~ out *e-n Stoff etc* abtragen, 'durchscheuern, ausfransen, *a. fig.* abnutzen: ~ed nerves mitgenommene Nerven; ~ed temper gereizte Stimmung. **2.** *das Geweih* fegen (*Hirsch etc*). **II** *v/i* **3.** *a.* ~ out sich abnutzen (*a. fig.*), sich ausfransen *od.* ausfasern, sich 'durchscheuern: tempers began to ~ *fig.* die Gemüter erhitzten sich.

fra·zil ['freizil] *s Am. od. Canad.* Grundeis *n.*

fraz·zle ['fræzl] *bes. Am.* **I** *v/t* **1.** zerfetzen, -reißen, ausfransen. **2.** *oft* ~ out *fig.* erschöpfen, zermürben. **II** *v/i* **3.** sich ausfransen. **4.** *oft* ~ out *fig.* ermüden. **III** *s* **5.** Franse *f*, Fetzen *m.* **6.** *fig.* Erschöpfung *f*: to a ~ bis zur Erschöpfung, total; to beat to a ~ *j-n* ‚in Fetzen hauen'; beaten to a ~ völlig ‚kaputt' *od.* ‚erledigt'.

freak[1] [fri:k] **I** *s* **1.** (verrückter) Einfall, Grille *f*, Laune *f*: ~ of nature a) Laune der Natur, Phänomen *n*, b) → 2 a. **2.** a) Monstrum *n*, 'Mißgeburt *f*, b) gro'teske Per'son, verrückter Kerl. **3.** ‚verrückte' Sache. **II** *adj* → freakish.

freak[2] [fri:k] **I** *s* Fleck *m.* **II** *v/t poet.* sprenkeln.

freak·ish ['fri:kiʃ] *adj* (*adv* ~ly) **1.** wunderlich, grillenhaft. **2.** launisch, kapri-zi'ös. **3.** gro'tesk, phan'tastisch, ‚verrückt'. **'freak·ish·ness** *s* Launenhaftigkeit *f*, Wunderlichkeit *f.*

freck·le ['frekl] **I** *s* **1.** Sommersprosse *f.* **2.** Fleck(chen *n*) *m.* **3.** *phys.* Sonnenfleck *m.* **II** *v/t* **4.** tüpfeln, sprenkeln. **5.** mit Sommersprossen bedecken. **III** *v/i* **6.** Sommersprossen bekommen. **'freck·led** [-kld], **'freck·ly** [-li] *adj* sommersprossig.

free [fri:] **I** *adj* (*adv* ~ly) **1.** *allg.* frei: a) unabhängig, b) selbständig, c) ungebunden, d) ungehindert, e) uneingeschränkt, f) in Freiheit (befindlich): a ~ man; a ~ people; the ~ world; ~ choice; ~ elections; ~ trade; ~ movement Freizügigkeit *f*; of my own ~ will aus freien Stücken; he is ~ to go, it is ~ for him to go es steht ihm frei zu gehen; to give s.o. a ~ hand j-m freie Hand lassen. **2.** frei: a) unbeschäftigt: he is ~ after 5 o'clock, b) ohne Verpflichtungen: a ~ evening, c) nicht besetzt: this room is ~. **3.** frei: a) *nicht wörtlich*: a ~ translation, b) *nicht an Regeln gebunden*: ~ verse; ~ skating *sport* Kür(laufen *n*) *f*, c) frei gestaltet: a ~ version. **4.** (from, of) frei (von), ohne (*acc*): ~ from error fehlerfrei; ~ from infection *med.* frei von ansteckenden Krankheiten. **5.** frei, befreit (from, of von): ~ from pain schmerzfrei; ~ of debt schuldenfrei; ~ and unencumbered *jur.* unbelastet, hypothekenfrei; ~ of taxes steuerfrei. **6.** gefeit, im'mun, gesichert (from gegen). **7.** *chem.* nicht gebunden, frei. **8.** los(e), frei: to get one's arm ~ s-n Arm freibekommen. **9.** frei(stehend, -schwebend). **10.** ungezwungen, zwanglos, frei: ~ manner. **11.** a) offen(herzig), freimütig, b) unverblümt, c) dreist, unverschämt, allzu frei: to make ~ with s.o. sich Freiheiten gegen j-n herausnehmen. **12.** allzu frei, unanständig: ~ talk. **13.** freigebig, großzügig. **14.** reichlich. **15.** leicht, flott, zügig. **16.** (kosten-, gebühren)frei, kostenlos, unentgeltlich, gratis; ~ admission freier Eintritt; ~ copy Freiexemplar *n*; ~ gift *econ.* Zugabe *f*, Gratispackung *f*, -probe *f*; for ~ *Am.* umsonst. **17.** *econ.* frei (*Handelsklausel*): ~ on board frei an Bord; ~ on rail frei Waggon; ~ domicile frei Haus. **18.** *econ.* zoll- *od.* genehmigungsfrei: ~ imports. **19.** *econ.* frei verfügbar: ~ assets; ~ bonds. **20.** öffentlich, allen zugänglich, frei: ~ library Volksbibliothek *f*; to be (made) ~ of s.th. freien Zutritt zu etwas haben. **21.** willig, bereit: I am ~ to confess. **22.** *Turnen*: ohne Geräte, frei: ~ gymnastics Freiübungen. **23.** (frei) beweglich: to be ~ of the harbo(u)r aus dem Hafen heraus sein. **24.** *tech.* leer (*Maschine*): to run ~ leer laufen. **25.** *ling.* a) in e-r offenen Silbe stehend (*Vokal*), b) frei, nicht fest (*Wortakzent*).

II *v/t* **26.** befreien, frei machen (*a. fig.*). **27.** freilassen, entlassen. **28.** entlasten (of von).

III *adv* **29.** frei, kostenlos, gratis. **30.** to go ~ *mar.* raumschots segeln.

free| a·long·side ship *adv econ.* frei Längsseite (See- *od.* Binnen)Schiff. ~ **and eas·y I** *adj* unbeschwert, 'unge,niert, zwanglos: he is ~ er benimmt sich ganz zwanglos. **II** *s* geselliger Abend. ~ **as·so·ci·a·tion** *s psych.* freie Assoziati'on. **'~,board** *s mar.* Freibord *m* (*senkrechte Höhe*): ~ depth Freibordhöhe *f.* **'~,boot·er** *s* Freibeuter *m.* **'~,born** *adj* freigeboren. ~ **church** *s* Freikirche *f.* ~ **cit·y** *s* Freistadt *f*, freie Stadt. ~ **com·pan·ion** *s mil. hist.* Söldner *m.* ~ **com·pe·ti·tion** *s econ.* freier Wettbewerb. **'~-'cur·ren·cy coun·try** *s econ.* nichtde'visenbewirtschaftetes Land. **'~-,cut·ting** *adj tech.* gut spanabhebend: ~ steel Automatenstahl *m.*

freed·man ['fri:dmən] *s irr* Freigelassene(r) *m.*

free·dom ['fri:dəm] *s* **1.** Freiheit *f*: ~ of speech (trade, worship) Rede(Gewerbe-, Religions)Freiheit; ~ of the press Pressefreiheit; ~ of the seas Freiheit der Meere; ~ of the will → 4. **2.** Unabhängigkeit *f.* **3.** Vorrecht *n*, Privi'leg *n*: ~ of a city (Ehren)Bürgerrecht *n*; ~ of a company Meisterrecht *n.* **4.** *philos.* Willensfreiheit *f*, Selbstbestimmung *f.* **5.** Ungebundenheit *f*: ~ of movement Freizügigkeit *f.* **6.** Freiheit *f*, Frei-, Befreitsein *n*: ~ from contradiction Widerspruchsfreiheit; ~ from distortion *tech.* Verzerrungsfreiheit; ~ from taxation Steuerfreiheit. **7.** Offenheit *f*, Freimütigkeit *f.* **8.** a) Zwanglosigkeit *f*, b) Dreistigkeit *f*, (plumpe) Vertraulichkeit: to take ~s with s.o. sich Freiheiten gegen j-n herausnehmen. **9.** Kühnheit *f* (*e-s Entwurfs etc*). **10.** (of) freier Zutritt (zu), freie Benutzung (*gen*), Nutznießungsrecht *n* (über *acc*).

freed·wom·an ['fri:d,wumən] *s irr* Freigelassene *f.*

free| en·er·gy *s phys.* freie *od.* ungebundene Ener'gie. ~ **en·ter·prise** *s* freie Wirtschaft. ~ **en·ter·pris·er** *s* Befürworter *m* der freien Wirtschaft. ~ **fall** *s aer. phys.* freier Fall. ~ **fight** *s* (allgemeine) Raufe'rei, (,Massen)-Schläge'rei *f.* **'~-for-'all** *s colloq.* **1.** allgemein zugänglicher Wettbewerb *od.* -kampf, offenes Spiel. **2.** → free fight. **'~,hand I** *adj* **1.** freihändig, Freihand...: ~ drawing. **2.** *fig.* frei: a ~ adaptation. **II** *s* **3.** Freihandzeichnen *n.* **4.** Freihandzeichnung *f.* **'~'hand·ed** *adj* **1.** → freehand 1. **2.** freigebig, großzügig. **'~-'heart·ed** *adj* **1.** freimütig, offenherzig. **2.** → freehanded 2. **'~,hold** *s* **1.** freier Grundbesitz: ~ (estate) Eigentumsrecht *n* an Land; ~ flat Eigentumswohnung *f.* **2.** *hist.* Al'lod *n*, Freisassengut *n.* **'~,hold·er** *s* **1.** (freier) Grundeigentümer *od.* -besitzer. **2.** *hist.* Freisasse *m.* ~ **house** *s Br. Wirtshaus, das an keinen Lieferanten gebunden ist.* ~ **kick** *s sport* Freistoß *m.* ~ **la·bo(u)r** *s* 'nichtorgani,sierte Arbeiter(schaft *f*) *pl.* ~ **lance** *s* **1.** freier Schriftsteller *od.* Journa'list *od.* Dol'metscher, Freischaffende(r *m*) *f.* **2.** Unabhängige(r *m*) *f*, Par'teilose(r *m*) *f.* **3.** *mil.* Söldner *m.* **'~-'lance I** *adj* frei(beruflich tätig), unabhängig, freischaffend. **II** *v/i* freiberuflich tätig sein. ~ **list** *s* **1.** (Zoll)Freiliste *f.* **2.** Liste *f* der Empfänger von 'Freikarten *od.* -exem,plaren. ~ **liv·er** *s* Schlemmer *m*, Genießer *m.* '~-'**liv·ing** *adj* **1.** schlemmerisch. **2.** *zo.* frei lebend. '~,**load·er** *s Am. sl.* ‚Schnorrer' *m*, ‚Nassauer' *m.* ~ **love** *s* freie Liebe. '~·**man** [-mən] *s irr* **1.** freier Mann. **2.** (Ehren)Bürger *m* (*e-r Stadt*). **3.** Wahlberechtigte(r) *m.* **4.** Meister *m* (*e-r Gilde*). ~ **mar·ket** *s econ.* **1.** freier Markt. **2.** *a.* ~ **economy** freie Marktwirtschaft. **3.** *Börse*: Freiverkehr(smarkt) *m.* '~,**mar·tin** *s* Zwitterrind *n*, *bes.* unfruchtbares Kuhkalb. '**F~,ma·son** *s* Freimaurer *m*: ~'**s lodge** Freimaurerloge *f.* ,**F~·ma'son·ic** *adj* freimaurerisch. '**F~,ma·son·ry** *s* **1.** ,Freimaure'rei *f.* **2.** f~ *fig.* instink'tives Zs.-gehörigkeitsgefühl. ~ **pass** *s* Freikarte *f.* ~ **place** *s ped.* Freistelle *f.* ~ **play** *s* **1.** *tech.* Spiel(raum *m*) *n.* **2.** *fig.* freie Hand. ~ **port** *s* Freihafen *m.* ~ **rid·er** *s Am.* **1.** → **freeloader.** **2.** ‚Wilde(r)' *m* (*Arbeiter, der, selbst der Gewerkschaft nicht angehörend, deren Vorteile genießt*). ~ **rock·et** *s mil.* bal'listische Ra'kete. ~ **school** *s* Freischule *f.* ~ **share** *s econ.* Freiaktie *f.*

free·si·a ['fri:ʒiə; -ziə] *s bot.* Freesie *f.*

free| sil·ver *s econ.* freie Silberprägung. ~ **soil** *s Am. hist.* Freiland *n* (*in dem Sklaverei verboten war*). '~-'**soil** *adj Am.* gegen die Sklave'rei gerichtet, Freiland... ~ **space** *s* **1.** *mar.* Freiraum *m.* **2.** *tech.* Spiel(raum *m*) *n.* '~-'**spo·ken** *adj* freimütig, offen. '~-'**spo·ken·ness** *s* Offenheit *f.* '~-,**stand·ing** *adj* freistehend: ~ **wall**; ~ **exercises** *sport* Freiübungen; ~ **furniture** Stückmöbel *pl*; ~ **sculpture** Freiplastik *f.* ~ **state** *s* **1.** *Am. hist.* Staat *m*, in dem es vor dem Bürgerkrieg keine Sklave'rei gab. **2.** Freistaat *m.* '~,**stone** *s* **1.** *tech.* Mauer-, Haustein *m*, Quader *m.* **2.** *bot.* Freistein-Obst *n.* ~ **style** *s Sport*: Freistil *m.* '~,**style I** *s* **1.** Freistilschwimmen *n*, -wettkampf *m.* **II** *adj* **2.** Freistil... **3.** Kür...: ~ **skating** Kür(laufen *n*) *f.* '~'**think·er** *s* Freidenker *m*, -geist *m.* '~'**think·ing I** *s* → **free thought.** **II** *adj* freidenkerisch, -geistig. ~ **thought** *s* ,Freigeiste'rei *f*, -denke'rei *f.* ~ **throw** *s Basketball*: Freiwurf *m.* ~ **time** *s econ.* gebührenfreie Ladezeit. ~ **trade** *s* Freihandel *m*: ~ **area** Freihandelszone *f.* ~ **trad·er** *s* Anhänger *m* des Freihandels. ~ **verse** *s* freier Vers. ~ **vote** *s pol.* Abstimmung *f* ohne Frakti'onszwang. '~,**way** *s Am.* Autobahn *f* (*plankreuzungsfreie Fernverkehrsstraße*). '~'**wheel** *tech.* **I** *s* Freilauf *m.* **II** *v/i* mit Freilauf fahren. ~ **will** *s* **1.** freier Wille. **2.** Willensfreiheit *f.*

freez·a·ble ['fri:zəbl] *adj* gefrierbar.

freeze [fri:z] **I** *v/i pret* **froze** [frouz] *pp* **froz·en** ['frouzn] **1.** *impers* frieren: **it is freezing hard** es friert stark, es herrscht starker Frost; **it made my blood** ~ *fig.* mir erstarrte das Blut in den Adern. **2.** frieren: **to** ~ **to death** erfrieren; **I am freezing** mir ist eiskalt. **3.** (ge)frieren, zu Eis werden. **4.** hart *od.* fest werden, erstarren. **5.** *a.* ~ **up** zu-, einfrieren: **to** ~ **up** *aer.* vereisen. **6.** fest-, anfrieren (to an *dat*). **7.** haften (to an *dat*), *tech.* sich festfressen: **to** ~ **on to** *sl.* a) sich krampfhaft festhalten an (*dat*), b) sich wie e-e Klette an *j-n* hängen. **8.** *fig.* a) (*vor Schreck etc*) erstarren (*Person, Gesicht, Lächeln*), eisig werden, b) erstarren, bewegungslos stehen(bleiben). **II** *v/t* **9.** zum Gefrieren bringen: **I was frozen** mir war eiskalt. **10.** einfrieren lassen. **11.** *meist* ~ **in**, ~ **up** in Eis einschließen. **12.** erfrieren lassen. **13.** *Fleisch etc* gefrieren, tiefkühlen. **14.** *med.* vereisen. **15.** erstarren lassen. **16.** *fig.* erstarren *od.* erschaudern machen, (durch Furcht) lähmen. **17.** *fig. j-n* kalt behandeln, *j-m* e-n Dämpfer aufsetzen. **18.** *bes.* ~ **out** *sl. j-n* ausschließen, kaltstellen, hin'ausekeln. **19.** *econ. Guthaben etc* einfrieren (lassen), sperren, bloc'kieren, lahmlegen. **20.** *Am. colloq. Preise etc* stoppen: **to** ~ **prices (wages)** e-n Preis-(Lohn)stopp durchführen. **21.** *Am. colloq. e-n Zustand* ‚verewigen'. **22.** *sport Am. den Ball* ‚halten'. **III** *s* **23.** (Ge)Frieren *n.* **24.** gefrorener Zustand. **25.** Frost *m*, Kälte *f.* **26.** *Am. colloq.* Stopp *m*, Verbot *n*: ~ **on wages** Lohnstopp. **27.** *Am. sl.* ‚kalte' Behandlung.

freeze| dry·er *s tech.* Gefriertrockner *m.* '~-,**out** *s Am. Abart des Pokerspiels, in dem jeder ausscheidet, der sein Spielkapital verloren hat.*

freez·er ['fri:zər] *s* **1.** Ge'friermaschine *f.* **2.** a) Gefrierkammer *f*, b) Tiefkühltruhe *f.*

'**freeze-,up** *s* starker Frost.

freez·ing ['fri:ziŋ] **I** *adj* **1.** *tech.* Gefrier..., Kälte...: ~ **mixture** Kältemischung *f*; ~ **point** Gefrierpunkt *m*; ~ **process** Tiefkühlverfahren *n.* **2.** eisig, kalt (*beide a. fig. colloq.*). **II** *s* **3.** Einfrieren *n.* **4.** *econ.* Einfrierung *f*: ~ **of foreign property.** **5.** *med.* Vereisung *f.* **6.** *tech.* Erstarrung *f*: ~-**up** *aer.* Vereisen *n.*

freight [freit] **I** *s* **1.** Fracht *f*, Beförderung *f* als Frachtgut. **2.** Fracht(gebühr) *f*, -kosten *pl.* **3.** *mar.* (*Am. a. aer. mot. rail.*) Fracht *f*, Ladung *f*: ~ **and carriage** *Br.* See- u. Landfracht; **dead** ~ Faut-, Fehlfracht; ~ **forward** Fracht gegen Nachnahme. **4.** Schiffsmiete *f.* **5.** *rail. Am.* Güterzug *m.* **II** *v/t* **6.** *Schiffe, Am. a. Güterwagen etc* befrachten, beladen. **7.** *Güter* verfrachten. **8.** *Am.* (als Frachtgut) befördern. **9.** (*für den Transport*) vermieten. **10.** *fig.* beladen. **III** *v/i* **11.** *Am.* Frachtgut befördern. '**freight·age** *s* **1.** Trans'port *m.* **2.** → **freight** 2 *u.* 3.

freight| bill *s Am.* Frachtbrief *m.* ~ **car** *s Am.* Güterwagen *m.* ~ **en·gine** *s Am.* 'Güterzuglokomo,tive *f.*

freight·er ['freitər] *s* **1.** *mar.* Frachter *m*, Frachtschiff *n.* **2.** *Am.* Fracht-, Trans'portflugzeug *n.* **3.** *econ.* a) Befrachter *m*, Reeder *m*, b) Ab-, Verlader *m.*

freight| house *s Am.* Lagerhaus *n.* ~ **rate** *s econ. mar.* Frachtsatz *m.* ~ **ship** → **freighter** 1. ~ **ton** → **ton**[1] 2. ~ **ton·nage** *s mar.* Frachtraum *m.* ~ **train** *s Am.* Güterzug *m.*

French [frentʃ] **I** *adj* **1.** fran'zösisch: ~ **master** Französischlehrer *m*; **to take** ~ **leave** *fig.* sich französisch empfehlen, (heimlich) verschwinden. **II** *s* **2. the** ~ die Fran'zosen *pl.* **3.** *ling.* Fran'zösisch *n*, das Französische: **in** ~ auf französisch. ~ **bean** *s bot. Br.* **1.** Feuerbohne *f.* **2.** Gartenbohne *f.* **3.** *pl* grüne Bohnen *pl.* ~ **bread** *s* Pa'riserbrot *n.* ~ **Ca·na·di·an** *s* **1.** 'Frankoka,nadier(in), Ka'nadier(in) fran'zösischer Abstammung. **2.** *ling.* ka'nadisches Fran'zösisch. '~-**Ca'na·di·an** *adj* 'frankoka,nadisch, ka'nadisch-fran'zösisch. ~ **chalk** *s* Schneiderkreide *f.* ~ **clean·er** → **dry cleaner.** ~ **curve** *s tech.* 'Kurvenline,al *n.* ~ **dis·ease** *s med.* Fran'zosenkrankheit *f*, Syphilis *f.* ~ **door** *s* Glastür *f.* ~ **dress·ing** *s* Sa'latsoße *f* aus Öl, Essig, Salz, Senf u. Gewürzen. ~ **fried po·tatoes** *s pl* Pommes frites *pl.* ~ **heel** *s* Louis-XV-Absatz (*am Damenschuh*). ~ **horn** *s mus.* (Wald)Horn *n.*

French·i·fy ['frentʃi,fai] **I** *v/t* französieren, fran'zösisch machen. **II** *v/i* fran'zösisch werden.

French| let·ter *s* Kon'dom *n*, *m*, Präserva'tiv *n.* ~ **lock** *s tech.* fran'zösisches Zuhaltungsschloß. '~·**man** [-mən] *s irr* **1.** Fran'zose *m.* **2.** *Br.* fran'zösisches Rebhuhn. ~ **mar·i·gold** *s bot.* Samt-, Stu'dentenblume *f.* ~ **pas·try** *s* gefülltes Gebäckstück. ~ **pol·ish** *s* 'Möbelpoli,tur *f.* ~ **roll** *s* Semmel *f*, Weißbrötchen *n.* ~ **roof** *s arch.* Man'sardendach *n.* ~ **rose** *s bot.* Essigrose *f.* ~ **toast** *s Kochkunst*: arme Ritter *pl.* ~ **win·dow** *s* (*bis zum Fußboden reichendes*) Flügelfenster, Ve'randatür *f.* '~,**wom·an** *s irr* Fran'zösin *f.*

French·y ['frentʃi] *colloq.* **I** *adj* (betont *od.* typisch) fran'zösisch. **II** *s contp.* Fran'zose *m.*

fre·net·ic [fri'netik] *adj* (*adv* ~**ally**) fre'netisch, rasend, toll.

fren·zied ['frenzid] *adj* wahnsinnig, rasend, tobend, toll, wild. '**fren·zy** [-zi] **I** *s* **1.** a) wilde Aufregung, (lodernde) Begeisterung, b) Ek'stase *f*, Verzückung *f*, c) Besessenheit *f*, Ma'nie *f.* **2.** wildes *od.* hektisches Treiben, Wirbel *m.* **3.** Wahnsinn *m*, Rase'rei *f*, Tobsucht *f.* **II** *v/t* **4.** toll *od.* rasend machen, zur Rase'rei bringen.

fre·quen·cy ['fri:kwənsi] *s* **1.** Häufigkeit *f* (*a. biol. math.*), häufiges Vorkommen. **2.** *electr. phys.* Fre'quenz *f*, Schwingungszahl *f*: **high** ~ Hochfrequenz. ~ **band** *s electr.* Fre'quenzband *n.* ~ **chang·er,** ~ **con·vert·er** *s electr. phys.* Fre'quenzwandler *m.* ~ **curve** *s* **1.** *biol. math.* Häufigkeitskurve *f.* **2.** *biol.* Variati'onskurve *f.* ~ **de·vi·a·tion** *s electr.* Fre'quenzhub *m.* ~ **dis·tri·bu·tion** *s* **1.** Häufigkeitsverteilung *f.* **2.** Variati'onsreihe *f.* ~ **me·ter** *s electr.* Fre'quenz-, Wellenmesser *m.* ~ **mod·u·la·tion** *s phys.* Fre'quenzmodulati,on *f* (*abbr.* FM): ~ **range** Bereich *m* der Frequenzmodulation. ~ **mul·ti·pli·er** *s electr.* Fre'quenzvervielfacher *m.* ~ **range** *s electr.* Fre'quenzbereich *m.*

fre·quent I *adj* ['fri:kwənt] (*adv* → **frequently**) **1.** häufig ('wiederkehrend), öfter (vorkommend), (häufig) wieder'holt. **2.** regelmäßig, gewohnt, beständig (*Person*). **3.** *med.* fre'quent. **II** *v/t* [fri'kwent] **4.** oft *od.* fleißig be- *od.* aufsuchen, frequen'tieren. ,**fre·quen'ta·tion** *s* häufiger Besuch, 'Umgang *m*, Verkehr *m.* **fre'quen·ta·tive** [-'kwentətiv] *ling.* **I** *adj* frequenta'tiv. **II** *s* Frequenta'tivum *n.* **fre'quent·er** *s* (fleißiger) Besucher, Stammgast *m.* **fre·quent·ly** ['fri:kwəntli] *adv* häufig, oft.

fres·co ['freskou] **I** *s pl* **-cos, -coes** **1.** ,Freskomale'rei *f.* **2.** Fresko(gemälde) *n.* **II** *v/t pret u. pp* **-coed** **3.** in Fresko malen.

fresh [freʃ] **I** *adj* (*adv* ~**ly**) **1.** *allg.* frisch, neu. **2.** neu: ~ **evidence**; ~ **news**; **a** ~ **novel.** **3.** kürzlich *od.* erst angekommen: ~ **arrival** Neuankömmling *m*; ~ **from the assembly line** direkt vom Fließband. **4.** neu, anders, verschieden: **a** ~ **chapter** ein neues Kapitel. **5.** frisch: a) zusätzlich, weiter: ~ **supplies**, b) süß, trinkbar: ~ **water** Frischwasser *n*, c) nicht alt, unverdorben: ~ **eggs**, d) nicht eingemacht *od.* künstlich: ~ **vegetables** frisches Gemüse, Frischgemüse *n*; ~ **meat** Frischfleisch *n*; ~ **butter** ungesalzene Butter; ~ **herrings** grüne Heringe, e) sauber, rein: ~ **shirt. 6.** frisch: a) unverbraucht, b) erfrischend: ~ **air. 7.** frisch, kräftig: **a ~ wind. 8.** *fig.* frisch: a) blühend, gesund: ~ **complexion**, b) lebhaft, munter: **a ~ youth**, c) spannkräftig. **9.** *colloq.* angeheitert, ‚beschwipst'. **10.** *fig.* ‚grün', unerfahren. **11.** *Am. sl.* frech, ‚pampig'. **II** *s* **12.** Flut *f*, Strömung *f* (*in e-m Fluß*). **13.** Anfang *m*: ~ **of the day. 14.** Frische *f*, Kühle *f*: ~ **of the morning. III** *adv* **15.** *colloq.* frisch, neu, kürzlich. '~-ˌ**air fiend** *s* 'Frischluftaˌpostel *m*. ~ **breeze** *s* frische Brise (*Windstärke 5*).

fresh·en ['freʃn] **I** *v/t* **1.** *a.* ~ **up** frisch machen, auf-, erfrischen, ('wieder)beleben, erneuern. **2.** *Fleisch* entsalzen. **3.** *mar.* auffieren. **II** *v/i a.* ~ **up 4.** frisch werden, aufleben. **5.** kalben (*Kuh*). **6.** *mar.* auffrischen (*Wind*). '**fresh·er** *Br. sl. für* **freshman 1.**

fresh·et ['freʃit] *s* Hochwasser *n*, Über'schwemmung *f*, Flut *f* (*a. fig.*).

fresh| gale *s* stürmischer Wind (*Windstärke 8*). '~**·man** *s irr* **1.** Stu'dent(in) im ersten Se'mester: **the freshmen** die ersten Semester. **2.** Neuling *m*, Anfänger *m*. '**fresh·ness** *s* **1.** Frische *f*. **2.** Neuheit *f*. **3.** Unerfahrenheit *f*. '**fresh-ˌwa·ter** *adj* **1.** Süßwasser...: ~ **fish. 2.** *fig.* unerfahren. **3.** *Am. colloq.* Provinz...: **a ~ college.**

fret[1] [fret] **I** *v/t pret u. pp* '**fret·ted 1.** *fig.* ärgern, reizen, kränken, aufregen. **2.** an-, zerfressen, an-, zernagen, auf-, abreiben, anrosten, aushöhlen. **3.** *Wasser* aufrühren, kräuseln. **II** *v/i* **4.** *fig.* a) sich kränken *od.* ärgern: **to ~ and fume** vor Wut schäumen, b) sich quälen *od.* grämen, sich Sorgen machen. **5.** sich abreiben *od.* abscheuern *od.* abnutzen. **III** *s* **6.** *fig.* Aufregung *f*, Verdruß *m*, Ärger *m*: **to be on the ~** → 4; **the ~ and fume of life** die Widerwärtigkeiten des Lebens. **7.** Gärung *f*.

fret[2] [fret] **I** *s* **1.** verflochtene, durch'brochene Verzierung. **2.** geflochtenes Gitterwerk. **3.** *her.* gekreuzte Bänder *pl.* **II** *v/t* **4.** gitterförmig *od.* durch'brochen verzieren. **5.** streifen, mit Streifen schmücken.

fret[3] [fret] *s mus.* Bund *m*, Griffleiste *f* (*an Zupfinstrumenten*).

fret·ful ['fretful] *adj* (*adv* ~**ly**) ärgerlich, verdrießlich, gereizt. '**fret·ful·ness** *s* Reizbarkeit *f*, Verdrießlichkeit *f*.

fret| saw *s tech.* Schweif-, Laubsäge *f*. ~ **work** *s* **1.** Gitterwerk *n*. **2.** durch'brochene Arbeit. **3.** Laubsägearbeit *f*.

Freud·i·an ['frɔidiən] **I** *adj* Freudsch(er, e, es). **II** *s* Freudi'aner *m*.

fri·a·bil·i·ty [ˌfraiə'biliti] *s* Zerreibbarkeit *f*, Bröckligkeit *f*. '**fri·a·ble** *adj* **1.** zerreibbar. **2.** bröcklig, krümelig, mürbe: ~ **ore** mulmiges Erz. '**fri·a·ble·ness** → **friability.**

fri·ar ['fraiər] *s* **1.** *relig.* (*bes.* Bettel-) Mönch *m*, (Kloster)Bruder *m*: **Black Friar** *etc.* **2.** *print.* Mönch *m* (*blaßgedruckte Stelle*).

'**fri·ar's|-'cap** *s bot.* Blauer Eisenhut. '~**-'cowl** *s bot.* **1.** Kohlaron *m*. **2.** → **friar's-cap. 3.** Gefleckter Aronstab. ~ **lan·tern** *s* Irrlicht *n*.

fri·ar·y ['fraiəri] *s relig.* (Mönchs-) Kloster *n*.

frib·ble ['fribl] **I** *v/t* vertändeln, -trödeln. **II** *v/i* trödeln, in den Tag hin'einleben.

fric·an·deau [ˌfrikən'dou] *s Kochkunst*: Frikan'deau *n*. ˌ**fric·as'see** [-kə'siː] **I** *s* Frikas'see *n*. **II** *v/t* frikas'sieren.

fric·a·tive ['frikətiv] *ling.* **I** *adj* Reibe... **II** *s* Reibelaut *m*.

fric·tion ['frikʃən] *s* **1.** *phys. tech.* Reibung *f*, Frikti'on *f*. **2.** *med.* Abreibung *f*, Frot'tieren *n*. **3.** *fig.* Reibung *f*, Reibe'rei *f*, Spannung(en *pl*) *f*, 'Mißhelligkeit(en *pl*) *f*. '**fric·tion·al** *adj* Reibungs..., Friktions...: ~ **unemployment** *econ.* friktionelle (*od.* temporäre) Arbeitslosigkeit.

fric·tion| brake *s* Reibungsbremse *f*. ~ **change gear** *s* Reibungswendegetriebe *n*. ~ **clutch** *s* Reibungs-, Frikti'onskupplung *f*. ~ **disk** *s* Reibscheibe *f*. ~ **drive** *s* Frikti'onsantrieb *m*. ~ **force** *s* **1.** 'Reibungsˌwiderstand *m*. **2.** zur Über'windung der (Haft)Reibung nötige Kraft. ~ **gear(·ing)** *s* Reib(rad)-, Frikti'onsgetriebe *n*.

fric·tion·less ['frikʃənlis] *adj tech.* reibungsfrei, -arm.

fric·tion| match *s* Streichholz *n*. ~ **sur·face** *s tech.* Lauffläche *f*. ~ **tape** *s electr.* Iso'lierband *n*. ~ **wheel** *s tech.* Reib-, Frikti'onsrad *n*.

Fri·day ['fraidi] *s* **1.** Freitag *m*: **on ~** am Freitag; **on ~s** freitags. **2.** treu ergebener Diener.

fridge [fridʒ] *s Br. colloq.* Kühl-, Eisschrank *m*.

fried [fraid] **I** *pret u. pp von* **fry**[1]. **II** *adj* **1.** gebraten, Brat... **2.** *Am. sl.* ‚blau' (*betrunken*). '~ˌ**cake** *s Am.* in Fett Gebackenes *n*, *bes.* Krapfen *m*.

friend [frend] **I** *s* **1.** Freund(in): ~ **at court** einflußreicher Freund, ‚Vetter' *m*; ~ **of the court** *jur.* sachverständiger Beistand (*des Gerichts*); **to be ~s with s.o.** mit j-m befreundet sein; **to make a ~** e-n Freund gewinnen; **to make ~s with** sich befreunden mit. **2.** Bekannte(r *m*) *f*. **3.** Helfer(in), Hilfe *f*, Freund(in), Förderer *m*, Befürworter *m*. **4.** (Herr *m*) Kol'lege *m* (*als Anrede*): **my honourable ~** *parl. Br.* mein Herr Kollege *od.* Vorredner; **my learned ~** *jur. Br.* (mein) verehrter Herr Kollege. **5.** *jur.* → **next friend. 6.** F~ Quäker *m*: **the Society of F~s** die Quäker, die Gesellschaft der Freunde. **7.** *colloq.* Freund(in), ‚Schatz' *m*. **II** *v/t poet.* **8.** *j-m* helfen. '**friend·less** *adj* freundlos, verlassen. '**friend·less·ness** *s* Verlassenheit *f*.

friend·li·ness ['frendlinis] *s* Freundlichkeit *f*, Wohlwollen *n*, freundschaftliche Gesinnung.

friend·ly ['frendli] **I** *adj* (*adv* **friendlily**) **1.** freundlich (*a. fig. Zimmer etc*). **2.** freundschaftlich: ~ **match** *sport* Freundschaftsspiel *n*; **to be on ~ terms with s.o.** mit j-m auf freundschaftlichem Fuß stehen. **3.** wohlwollend, freundlich gesinnt (**to s.o.** j-m): ~ **neutrality** wohlwollende Neutralität; ~ **troops** *mil.* eigene Truppen. **4.** befreundet: **a ~ nation. 5.** günstig. **II** *adv* **6.** freundlich, freundschaftlich. **F~ So·ci·e·ty** *s Br.* Versicherungsverein *m* auf Gegenseitigkeit.

friend·ship ['frendʃip] *s* **1.** Freundschaft *f*. **2.** freundschaftliche Gesinnung. **3.** Freundschaftlichkeit *f*.

fri·er → **fryer.**

Frie·sian ['friːʒən], *a.* '**Fries·ic** [-zik] [→ **Frisian.**]

frieze[1] [friːz] **I** *s* **1.** *arch.* Fries *m*. **2.** Zierstreifen *m* (*e-r Tapete etc*). **II** *v/t* **3.** mit e-m Fries versehen.

frieze[2] [friːz] *s* Fries *m* (*Wollzeug*).

frig → **fridge.**

frig·ate ['frigit] *s mar.* **1.** Fre'gatte *f*. **2.** *hist.* 'Kreuzer(freˌgatte *f*) *m*. ~ **bird** *s orn.* Fre'gattvogel *m*.

frige → **fridge.**

fright [frait] **I** *s* **1.** Schreck(en) *m*, Entsetzen *n*: **to get** (*od.* **have**) **a ~** e-n Schreck bekommen; **to get off with a ~** mit dem Schrecken davonkommen; **to take ~** a) erschrecken, b) scheuen (*Pferd*). **2.** *fig.* Scheusal *n*, Schreckbild *n*, ‚Vogelscheuche' *f*: **he looked a ~** *colloq.* er sah einfach scheußlich *od.* ‚verboten' aus. **II** *v/t poet.* **3.** erschrecken.

fright·en ['fraitn] *v/t* **1.** erschrecken, in Schrecken versetzen, einschüchtern: **to ~ s.o. into doing s.th.** j-n so einschüchtern, daß er etwas tut; **to ~ s.o. out of his wits** j-n furchtbar erschrecken *od.* ängstigen; **to ~ s.o. to death** j-n zu Tode erschrecken; j-n in Todesangst versetzen; **I was ~ed** ich erschrak *od.* bekam Angst (**at, of** vor *dat*). **2.** *meist* ~ **away**, ~ **off** vertreiben, -scheuchen. '**fright·ened** *adj* erschreckt, erschrocken, eingeschüchtert: **to be ~ of s.th.** sich vor etwas fürchten. '**fright·en·ing** *adj* (*adv* ~**ly**) erschreckend, schreckerregend.

fright·ful ['fraitful] *adj* schrecklich, furchtbar, gräßlich, entsetzlich, scheußlich (*alle a. colloq.*). '**fright·ful·ly** *adv* schrecklich, furchtbar (*beide a. colloq. sehr*). '**fright·ful·ness** *s* **1.** Schrecklichkeit *f*. **2.** Schreckensherrschaft *f*, Terror *m*.

frig·id ['fridʒid] *adj* (*adv* ~**ly**) **1.** kalt, frostig, eisig, kühl (*alle a. fig.*): ~ **zone** *geogr.* kalte Zone. **2.** *fig.* förmlich, steif. **3.** ausdrucks-, schwunglos. **4.** *psych.* fri'gid.

fri·gid·i·ty [fri'dʒiditi], '**frig·id·ness** *s* **1.** Kälte *f* (*a. fig.*). **2.** *fig.* Frostigkeit *f*, Steifheit *f*. **3.** *psych.* Frigidi'tät *f*.

frig·o·rif·ic [ˌfrigə'rifik] *adj* Kälte erzeugend: ~ **mixture** *chem.* Kältemischung *f*.

frill [fril] **I** *s* **1.** (Hals-, Hand)Krause *f*, Rüsche *f*. **2.** Pa'pierkrause *f*. **3.** a) *zo.* Haarkrause *f*, b) *orn.* Kragen *m*, Halsfedern *pl*, c) *bot.* Haarkranz *m*, d) *bot.* Man'schette *f* (*am Hutpilz*). **4.** *zo.* Gekröse *n*, Hautfalte *f*. **5.** *phot.* Kräuseln *n*. **6.** *meist pl contp.* ‚Verzierungen' *pl*, ‚Kinkerlitzchen' *pl*: **without ~s**; **to put on ~s** sich aufplustern, ‚auf vornehm machen'. **II** *v/t* **7.** mit e-r Krause besetzen *od.* schmücken. **8.** kräuseln. **III** *v/i* **9.** *phot.* sich kräuseln. '**frill·er·y** [-əri] *s* Krausen *pl*, Rüschen *pl*, Vo'lantbesatz *m*. '**frill·ies** [-liz] *s pl colloq.* 'Spitzenˌunterwäsche *f*, ‚Reizwäsche' *f*. '**frill·ing** *s* **1.** → **frillery. 2.** Stoff *m* für Krausen. '**frill·y** *adj* **1.** mit Krausen besetzt. **2.** gekräuselt.

fringe [frindʒ] **I** *s* **1.** Franse *f*, Besatz *m*. **2.** Rand *m*, Saum *m*, Einfassung *f*, Um'randung *f*. **3.** 'Ponyfriˌsur *f*. **4.** a) Randbezirk *m*, äußerer Bezirk, b) *fig.* Rand(zone *f*) *m*, Grenze *f*: **the ~s of civilization** die Randzonen der Zivilisation; → **lunatic I. II** *v/t* **5.** mit Fransen besetzen. **6.** als Rand dienen für. **7.** um'säumen. ~ **ben·e·fits** *s pl econ. Am.* Sozi'alleistungen *pl*.

fringed [frindʒd] *adj* gefranst. '**fring·y** *adj* fransig, zottig.

frip·per·y ['fripəri] **I** *s* **1.** Putz *m*, Flitterkram *m*. **2.** Tand *m*, Plunder *m*. **3.** *fig.* ‚Kinkerlitzchen' *pl*, ‚Tinnef' *m*, *n*, Blendwerk *n*. **II** *adj* **4.** wertlos, leer, Flitter...

fri·sette [fri'zet] *s* Fri'sett *n* (*bes. künstlicher Haaransatz für Frauen*).

Fri·sian ['fri:ʒən; -ziən] **I** *s* **1.** Friese *m*, Friesin *f*. **2.** *ling*. Friesisch *n*, das Friesische. **3.** *meist* **Friesian** friesisches Rindvieh. **II** *adj* **4.** friesisch.

frisk [frisk] **I** *v/i* **1.** hüpfen u. springen, her'umtollen. **II** *v/t* **2.** lebhaft (hin u. her) bewegen, schütteln: **the dog** ~**s its tail** der Hund wedelt mit dem Schwanz. **3.** *Am. sl.* a) *j-n* ‚filzen', durch'suchen, b) *j-m etwas* ‚klauen' (*stehlen*). **III** *s* **4.** Ausgelassenheit *f*. **5.** *Am. sl.* ‚Filzen' *n*, Durch'suchung *f*. **6.** *obs.* Luft-, Freudensprung *m*.

fris·ket ['friskit] *s print.* Maske *f*.

frisk·i·ness ['friskinis] *s* Lustigkeit *f*, Ausgelassenheit *f*. '**frisk·y** *adj* (*adv* **friskily**) **1.** lebhaft, munter. **2.** lustig, ausgelassen.

frit [frit] *tech.* **I** *s* **1.** Fritt-, Weich-, 'Knochenporzel,lanmasse *f*. **2.** Fritte *f*, Glasmasse *f*. **II** *v/t* **3.** fritten, schmelzen.

frit fly *s zo.* Frit-, Haferfliege *f*.

frith [friθ] → **firth**.

frit·ter ['fritər] **I** *v/t* **1.** *meist* ~ **away** vergeuden, ‚verplempern', *Zeit* vertrödeln, *s-e Kräfte etc* verzetteln. **2.** zerschneiden, -stückeln. **II** *s* **3.** Stückchen *n*, Fetzen *m*. **4.** Bei'gnet *m*, in Teig gebackene Obstschnitte.

Fritz [frits] *s sl.* Deutsche(r) *m*.

friv·ol ['frivəl] *colloq.* **I** *v/i* (her'um)tändeln. **II** *v/t meist* ~ **away** ‚verplempern', vertändeln.

fri·vol·i·ty [fri'vɒliti] *s* **1.** Frivoli'tät *f*: a) Leichtsinnigkeit *f*, -fertigkeit *f*, Oberflächlichkeit *f*, b) leichtfertige Rede *od.* Handlung. **2.** Wertlosigkeit *f*, Nichtigkeit *f*. '**friv·o·lous** [-vələs] *adj* (*adv* ~**ly**) **1.** fri'vol, leichtfertig, -sinnig, oberflächlich. **2.** geringfügig, wertlos, nichtig. **3.** unbegründet, nicht stichhaltig (*Argument etc*), *jur.* schika'nös: ~ **plea** *jur.* Verschleppungsantrag *m*. '**friv·o·lous·ness** → **frivolity**.

friz [friz] **I** *v/t* **1.** *Haare* kräuseln. **2.** *Tuch* fri'sieren. **3.** *Leder mit Bimsstein* abreiben. **II** *v/i* **4.** sich kräuseln (*Haar*). **III** *s* **5.** gekräuseltes Haar. **6.** (*etwas*) Krauses.

frizz[1] → **friz**.

frizz[2] [friz] → **frizzle**[2] I.

friz·zle[1] ['frizl] → **friz** 1, 4, 5.

friz·zle[2] ['frizl] **I** *v/i* zischen, brutzeln, schmoren (*a. fig.*). **II** *v/t* (braun) rösten, (knusprig) braten.

friz·zly ['frizli], *a.* **friz·zy** ['frizi] *adj* gekräuselt, kraus.

fro [frou] *adv* weg, zu'rück (*nur in*): **to and** ~ hin u. her, auf u. ab.

frock [frɒk] **I** *s* **1.** (Mönchs)Kutte *f*. **2.** *fig.* Priesterstand *m*, -amt *n*. **3.** wollene Seemannsjacke. **4.** (Kinder)Kittel *m*, (-)Kleid *n*. **5.** (Arbeits)Kittel *m*. **6.** (Damen)Kleid *n*: **summer** ~. **7.** Gehrock *m*. **8.** *Br.* (außerdienstlicher) Uni'formrock. **9.** Po'litiker *m*. **II** *v/t* **10.** mit e-m geistlichen Amt bekleiden. **11.** in e-n Rock kleiden. ~ **coat** → **frock** 7.

froe [frou] *s Am.* Spaltmesser *n*.

Froe·bel·i·an [frəː'beliən] *ped.* **I** *adj* Fröbelsch(er, e, es). **II** *s* Fröbel-Lehrer(in), -Kindergärtner(in).

frog[1] [frɒg] *s* **1.** *zo.* Frosch *m*: **to have a** ~ **in the throat** *fig.* e-n Frosch im Hals haben, heiser sein. **2.** F~ *sl. contp.* ‚Franzmann' *m*, Fran'zose *m*. **3.** *Am. sl.* Bizeps *m*. **4.** *mus.* Frosch (*am Bogen*).

frog[2] [frɒg] **I** *s* **1.** Schnurverschluß *m*, Verschnürung *f* (*am Rock etc*). **2.** *pl* Schnurbesatz *m*. **3.** *mil.* Bajo'nettschlaufe *f*, Säbeltasche *f*. **II** *v/t* **4.** mit Verschnürung befestigen.

frog[3] [frɒg] *s* **1.** *rail.* Herz-, Kreuzungsstück *n*. **2.** *electr.* Oberleitungsweiche *f*.

frog[4] [frɒg] *s zo.* Strahl *m*, Gabel *f* (*am Pferdehuf*).

'**frog**|,**bit** *s bot.* Froschbiß *m*. '~,**eat·er** *s* **1.** Froschesser *m*. **2.** F~ → **frog**[1] 2.

frogged [frɒgd] *adj* mit Schnurbesatz *od.* -verschluß (*Rock*).

frog·gish ['frɒgiʃ] *adj* froschartig.

frog·gy ['frɒgi] **I** *adj* **1.** froschreich. **2.** froschartig, Frosch... **II** *s* **3.** Fröschlein *n*. **4.** F~ → **frog**[1] 2.

'**frog**|,**hop·per** *s zo.* Schaumzirpe *f*. ~ **kick** *s Schwimmen*: Grätschstoß *m*. '~**·man** [-mən] *s irr mil.* Kampfschwimmer *m*, Froschmann *m*. '~-,**march** *v/t j-n* (mit dem Kopf nach unten) fortschleppen. ~**'s legs** *s pl Kochkunst*: Froschschenkel *pl*. ~ **spawn** *s* **1.** *zo.* Froschlaich *m*. **2.** *bot.* a) (*e-e*) Grünalge, b) Froschlaichalge *f*. ~ **spit(·tle)** → **frog spawn** 2a.

frol·ic ['frɒlik] **I** *s* **1.** Scherz *m*, Spaß *m*, Posse *f*, lustiger Streich, Ausgelassenheit *f*. **2.** Lustbarkeit *f*. **II** *v/i pret u. pp* '**frol·icked** **3.** ausgelassen *od.* 'übermütig sein, Possen treiben, um'hertollen. **III** *adj* **4.** *obs. od. Am.* → **frolicsome**. '**frol·ic·some** [-səm] *adj* ausgelassen, 'übermütig, lustig, vergnügt. '**frol·ic·some·ness** *s* Ausgelassenheit *f*.

from [frɒm] *prep* **1.** von, aus, von ... aus *od.* her, aus ... her'aus, von *od.* aus ... her'ab: ~ **the well** aus dem Brunnen; ~ **the sky** vom Himmel; **he is** (*od.* **comes**) ~ **London** er ist *od.* kommt von *od.* aus London. **2.** von, vom, von ... an, seit: ~ **2 to 4 o'clock** von 2 bis 4 Uhr; ~ **day to day** von Tag zu Tag; ~ **now** von jetzt an; ~ **a child** von Kindheit an. **3.** von ... bis, bis, zwischen: **I saw** ~ **10 to 20 boats** ich sah 10 bis 20 Boote; **good wines** ~ **7 shillings** gute Weine von 7 Schilling an (aufwärts). **4.** (weg *od.* entfernt) von: **ten miles** ~ **Rome** 10 Meilen von Rom (weg *od.* entfernt). **5.** von, vom, aus, weg, aus ... her'aus: **he took it** ~ **me** er nahm es mir weg; **stolen** ~ **the shop (the table)** aus dem Laden (vom Tisch) gestohlen; **they released him** ~ **prison** sie entließen ihn aus dem Gefängnis. **6.** von, aus (*Wandlung*): **to change** ~ **red to green** von rot zu grün übergehen; ~ **bad to worse** immer schlimmer. **7.** von, von ... auseinander (*Unterscheidung*): **he does not know black** ~ **white** er kann Schwarz u. Weiß nicht auseinanderhalten *od.* unterscheiden. **8.** von, aus, aus ... her'aus (*Quelle*): **to draw a conclusion** ~ **the evidence** e-n Schluß aus dem Beweismaterial ziehen; ~ **what he said** nach dem, was er sagte; **a quotation** ~ **Shakespeare** ein Zitat aus Shakespeare. **9.** von, von ... aus (*Stellung*): ~ **his point of view** von s-m Standpunkt (aus). **10.** von (*Geben etc*): **a gift** ~ **his son** ein Geschenk s-s Sohnes *od.* von s-m Sohn. **11.** nach: **painted** ~ **nature** nach der Natur gemalt. **12.** aus, vor, wegen, in'folge von, an (*Grund*): **he died** ~ **fatigue** er starb vor Erschöpfung. **13.** *siehe die Verbindungen mit den einzelnen Verben etc.*

from| **a·bove** *adv* von oben (her'ab). ~ **a·cross** *adv u. prep* von jenseits (*gen*), von der anderen Seite (*gen*). ~ **a·mong** *prep* aus ...(her'aus). ~ **be·fore** *prep* aus der Zeit vor. ~ **be·neath** *adv u. prep* unter ... (*dat*) her'vor *od.* her'aus. ~ **be·tween** *adv u. prep* zwischen ... (*dat*) her'vor. ~ **be·yond** → **from across**. ~ **in·side** → **from within**. ~ **on high** *adv* aus der Höhe, von oben. ~ **out of** *prep* aus ... her'aus. ~ **un·der** → **from beneath**. ~ **with·in** *adv u. prep* von innen (her *od.* her'aus), aus ... heraus. ~ **with·out** *adv u. prep* von außen (her).

frond [frɒnd] *s* **1.** *bot.* a) (Farn)Wedel *m*, b) blattähnlicher Thallus. **2.** *zo.* blattähnliche Struk'tur. '**frond·age** *s* Blattwerk *n*.

Fronde [frɔ̃:d; frəːnd] (*Fr.*) *s hist.* Fronde *f* (*a. fig. pol. Oppostion*).

fron·des·cence [frɒn'desns] *s bot.* **1.** Frondes'zenz *f*, (Zeit *f* der) Blattbildung *f*. **2.** Laub *n*. **fron'des·cent** *adj* blattbildend, sich belaubend.

front [frʌnt] **I** *s* **1.** *allg.* Vorder-, Stirnseite *f*, Front *f*. **2.** *arch.* (Vorder-)Front *f*, Fas'sade *f*. **3.** Vorderteil *n*. **4.** *mil.* a) Front *f*, Kampf-, Frontlinie *f*, b) Frontbreite *f*: **at the** ~ an der Front; **to go to the** ~ an die Front gehen; **change of** ~ *fig.* Frontenwechsel *m*. **5.** Vordergrund *m*: **in** ~ an der *od.* die Spitze, vorn, davor; **in** ~ **of** vor (*dat*); **to the** ~ nach vorn, voraus, voran; **to come to the** ~ *fig.* in den Vordergrund treten; **eyes** ~!, *Am.* **ready,** ~! *mil.* Augen geradeaus! **6.** a) (Straßen-, Wasser)Front *f*, b) **the** ~ *Br.* die 'Strandprome,nade. **7.** *fig.* Front *f*: a) (*bes. politische*) *Organisation*, b) Sektor *m*, Bereich *m*: **the educational** ~. **8.** a) Strohmann *m*, nomi'neller Vertreter, b) ‚Aushängeschild' *n* (*e-r Interessengruppe od. subversiven Organisation etc*). **9.** *colloq.* Fas'sade *f*, äußerer Schein: **to put up a** ~ *Am.* a) ‚auf vornehm machen', sich Allüren geben, b) ‚Theater spielen'; **to show a bold** ~ kühn auftreten. **10.** a) *poet.* Stirn *f*, b) Antlitz *n*, Gesicht *n*. **11.** Frechheit *f*, Unverschämtheit *f*: **to have the** ~ **to do s.th.** die Stirn haben, etwas zu tun. **12.** Hemdbrust *f*, Einsatz *m*. **13.** (falsche) Stirnlocken *pl*. **14.** *meteor.* Front *f*: **cold** ~ Kalt(luft)front. **15.** *thea.* a) Zuschauerraum *m*, b) Pro'szenium *n*.

II *adj* **16.** Front..., Vorder...: ~ **row** vorder(st)e Reihe; ~ **surface** Stirnfläche *f*; ~ **tooth** Vorderzahn *m*. **17.** *ling.* Vorderzungen...

III *v/t* **18.** gegen'überstehen, -liegen (*dat*), mit der Front liegen an (*dat*) *od.* nach ... (zu). **19.** *j-m* entgegen-, gegen'übertreten, *j-m* die Stirn bieten. **20.** mit e-r Front *od.* Vorderseite versehen. **21.** als Front *od.* Vorderseite dienen für. **22.** *ling.* palatali'sieren. **23.** *mil.* Front machen lassen.

IV *v/i* **24.** ~ **on** (*od.* **to, toward[s]**) mit der Front liegen *od.* die Front haben nach (... zu).

V *interj* **25.** *Am.* Hausdiener!

front·age ['frʌntidʒ] *s* **1.** (Vorder-)Front *f* (*e-s Hauses*): ~ **line** *arch.* Baufluchtlinie *f*. **2.** Land *n* an der Straßen- *od.* Wasserfront. **3.** Grundstück *n* zwischen der Vorderfront e-s Hauses u. der Straße. **4.** *mil.* a) Frontbreite *f*, b) *a.* ~ **in attack** Angriffsbreite *f*. '**front·ag·er** *s* **1.** Vorderhausbewohner *m*. **2.** (Straßen- *etc*)Anlieger *m*.

front·age road *s Am.* 'Autobahn-Paral,lelstraße *f* (*mit Tankstellen etc*).

fron·tal ['frʌntl] **I** *adj* **1.** fron'tal, Vorder...: ~ **attack** Frontalangriff *m*. **2.** *anat.* a) Stirn...: ~ **artery**; ~ **vein**, b) Stirn(bein)...: ~ **arch** Stirnbogen *m*. **3.** *tech.* Stirn... **II** *s* **4.** *relig.* Ante'pendium *n*, Fron'tale *n* (*Altardecke, -ver-*

kleidung). **5.** *anat.* Stirnbein *n.* **6.** *arch.* a) Fas'sade *f,* b) Ziergiebel *m.* **7.** Stirnband *n.* ~ **bone** *s anat.* Stirnbein *n.* ~ **drag** *s aer.* 'Stirnˌwiderstand *m.* ~ **lobe** *s anat.* Stirnlappen *m.* ~ **si·nus** *s anat.* Stirn(bein)höhle *f.* ~ **soar·ing** *s aer.* (Gewitter)Frontensegeln *n.*

front| ax·le *s tech.* Vorderachse *f.* ~ **bench** *s parl. Br.* Vordersitze *pl* (*für Regierung u. Oppositionsführer*). '~-'**bench·er** *s Br.* führendes Frakti'onsmitglied. ~ **door** *s* Haustür *f* (*a. fig.*), Haupteingang *m.* ~ **foot** *s irr Am. Flächenmaß für Grundstücke* (*6 Fuß breit × Länge*).

fron·tier ['frʌntiṛ; 'frɒn-; *bes. Am.* frʌn'tir] **I** *s* **1.** (Landes)Grenze *f.* **2.** *bes. Am.* Grenzland *n,* Gebiet *n* an der Siedlungsgrenze, Grenze *f* (zum Wilden Westen). **3.** *fig.* a) Grenze *f,* Grenzbereich *m,* b) Neuland *n:* new ~s neue Ziele *od.* Fronten. **II** *adj* **4.** Grenz...: ~ town a) Grenzstadt *f,* b) *Am.* (neugegründete) Stadt an der Siedlungsgrenze. **5.** *fig. Am.* bahnbrechend, Pionier...: ~ research. ~ **guard** *s* **1.** Grenzschutz *m.* **2.** Grenzwache *f.*

fron'tiers·man [-mən] *s irr Am.* Grenzer *m,* Grenzbewohner *m.*

fron·tis·piece ['frʌntisˌpiːs; 'frɒn-] *s* Fronti'spiz *n:* a) Titelbild *n* (*Buch*), b) *arch.* Giebelseite *f od.* -feld *n.*

front·less ['frʌntlis] *adj* **1.** ohne Front *od.* Fas'sade. **2.** *obs.* dreist. '**front·let** [-lit] *s* **1.** *zo.* Stirn *f.* **2.** Stirnband *n.* **3.** Tuch *n* über der Al'tardecke.

front| line *s mil.* Kampffront *f,* Front(linie) *f,* vorderste Linie *od.* Front (*a. fig.*). '~-ˌ**line** *adj mil.* Front...: ~ officer; ~ trench vorderster Schützengraben (*a. fig.*). ~ **mat·ter** *s print. Am.* Tite'lei *f.*

fronto- [frɒnto] *Wortelement mit der Bedeutung* Stirn(bein).

front| page *s* erste Seite, Titelseite *f* (*e-r Zeitung*). '~-'**page I** *adj* wichtig, aktu'ell: ~ news. **II** *v/t* auf der Titelseite bringen, groß her'ausstellen. ~ **plate** *s tech.* Stirnblech *n,* -wand *f.* '~-'**rank** *adj* e-r (e-e, e-s) der ersten *od.* besten, Spitzen... '~-ˌ**run·ner** *s sport u. fig.* Spitzenreiter *m, pol.* 'Spitzenkandiˌdat *m.* ~ **sight** *s mil.* Korn *n.*

'**fronts·man** [-mən] *s irr Br.* Straßenverkäufer *m.*

front| view *s tech.* Vorderansicht *f,* Aufriß *m.* ~ **wave** *s Ballistik:* Kopfwelle *f.* '~-ˌ**wheel** *adj tech.* Vorderrad...: ~ brake; ~ drive.

frosh [frɒʃ] *s sg u. pl Am. sl.* Stu'dent(in) im ersten Studienjahr.

frost [frɒst; frɔːst] **I** *s* **1.** Frost *m:* ten degrees of ~ *Br.* 10 Grad Kälte. **2.** Reif *m:* → black (white) frost, Jack Frost. **3.** Eisblumen *pl.* **4.** *fig.* Kühle *f,* Kälte *f,* Frostigkeit *f.* **5.** ,Pleite' *f,* ,Reinfall' *m,* 'Mißerfolg *m.* **II** *v/t* **6.** mit Reif *od.* Eis über'ziehen. **7.** *tech. Glas* mat'tieren. **8.** *Kochkunst:* a) gla'sieren, mit Zuckerguß über'ziehen, b) mit (Puder)Zucker bestreuen. **9.** a) durch Frost schädigen *od.* töten, b) *fig. j-n* sehr kühl behandeln. **10.** *poet. die Haare* grau werden lassen. **11.** *Hufeisen* schärfen. **III** *v/i* **12.** *meist* ~ over sich bereifen, sich mit Eis(blumen) über'ziehen.

'**frost|ˌbite** *s* Erfrierung(serscheinung) *f,* Frostschaden *m.* '~ˌ**bit·ten** *adj* erfroren. ~ **can·ker** *s biol.* Frostkrebs *m.*

frost·ed ['frɒstid; 'frɔːstid] **I** *adj* **1.** bereift, über'froren. **2.** *tech.* mat'tiert, matt: ~ glass Matt-, Milchglas *n.* **3.** gla'siert, mit Zuckerguß (über'zogen). **4.** *Am.* (schnell)tiefgekühlt: ~ vegetables. **5.** *Am. colloq.* arro'gant. **II** *s* **6.** *Am.* Eis-Shake *m:* chocolate ~.

frost| heave, ~ **heav·ing** *s* Frostaufbruch *m.*

frost·i·ness ['frɒstinis; 'frɔːst-] *s* **1.** Frost *m,* Eiseskälte *f.* **2.** *fig.* Frostigkeit *f.* '**frost·ing** *s* **1.** 'Zucker(ˌüber)guß *m,* -glaˌsur *f.* **2.** *tech.* a) Mat'tieren *n,* b) matte Oberfläche (*Glas etc*).

frost| in·ju·ry *s* Frostschaden *m.* ~ **shake** *s tech.* Frostriß *m.* ~ **smoke** *s geogr.* Rauhfrost *m.* ~ **valve** *s tech.* 'Frost(schutz)venˌtil *n.* '~ˌ**work** *s* Eisblumen *pl.*

frost·y ['frɒsti; 'frɔːsti] *adj* (*adv* frostily) **1.** *a. fig.* eisig, frostig. **2.** mit Reif *od.* Eis bedeckt. **3.** (eis)grau: ~ hair.

froth [frɒθ; frɔːθ] **I** *s* **1.** Schaum *m* (*von Bier etc*): ~-blower *Br. humor.* Biertrinker *m.* **2.** *physiol.* Schaum *m,* Speichel *m.* **3.** *fig.* a) Seichtheit *f,* b) ˌSchaumschläge'rei *f,* leeres Gerede, c) wertloses Zeug. **4.** Abschaum *m* (*a. fig.*). **II** *v/t* **5.** mit Schaum bedecken. **6.** zum Schäumen bringen, zu Schaum schlagen. **III** *v/i* **7.** schäumen (*a. fig. wüten*). '**froth·i·ness** *s* **1.** Schäumen *n,* Schaum *m.* **2.** *fig.* Seicht-, Hohlheit *f.* '**froth·ing** *s* Schaumbildung *f.* '**froth·y** *adj* (*adv* frothily) **1.** schaumig, schäumend. **2.** *fig.* hohl, schaumschlägerisch.

frou·frou ['fruːˌfruː] *s* **1.** Knistern *n,* Rascheln *n* (*bes. von Seide*). **2.** *fig.* Flitter *m,* Tand *m.*

frounce [frauns] **I** *s* (geschmackloser) Zierat. **II** *v/t obs. Haar* kräuseln.

frow[1] → froe.

frow[2] [frau] *s Br.* Holländerin *f.*

fro·ward ['frouərd; -wərd] *adj* (*adv* ~ly) *selten* eigensinnig, trotzig.

frown [fraun] **I** *v/i* **1.** die Stirn runzeln. **2.** finster (drein)schauen: to ~ at (*od.* on *od.* upon) *j-n od. etwas* stirnrunzelnd *od.* finster *od.* mißbilligend betrachten, *fig. etwas* mißbilligen. **II** *v/t* **3.** ~ down *j-n* (durch finstere Blicke) einschüchtern. **III** *s* **4.** Stirnrunzeln *n,* finsterer Blick. **5.** Ausdruck *m* des 'Mißfallens. '**frown·ing** *adj* (*adv* ~ly) **1.** stirnrunzelnd. **2.** miß'billigend, finster: ~ look.

frowst [fraust] *colloq.* **I** *s* ,Mief' *m,* stickige *od.* muffige (Zimmer)Luft. **II** *v/i Br.* ein Stubenhocker sein, (faul) ,her'umhängen', ,vermuffeln'. '**frowst·y** *adj colloq.* muffig u. heiß.

frowz·i·ness ['frauzinis] *s* **1.** Schlampigkeit *f,* ungepflegtes Äußeres. **2.** muffiger Geruch. '**frowz·y** *adj* **1.** schmutzig, schlampig, ungepflegt, unordentlich. **2.** muffig, ranzig.

froze [frouz] *pret von* freeze.

fro·zen ['frouzn] **I** *pp von* freeze. **II** *adj* **1.** (ein-, zu)gefroren: a ~ brook. **2.** erfroren: ~ plants. **3.** gefroren, Gefrier...: ~ food tiefgekühlte Lebensmittel *pl;* ~ meat Gefrierfleisch *n.* **4.** (eis)kalt: ~ zone kalte Zone. **5.** *fig.* a) kalt, frostig, b) gefühl-, teilnahmslos. **6.** *econ.* eingefroren: ~ assets; ~ capital festliegendes Kapital; ~ debts Stillhalteschulden. **7.** *econ.* gestoppt: ~ prices; ~ wages. **8.** *bes. Am.* hart, kalt, 'unumˌstößlich: ~ facts.

fruc·ted ['frʌktid] *adj her.* mit Früchten. **fruc'tif·er·ous** [-'tifərəs] *adj bot.* fruchttragend. ˌ**fruc·ti·fi'ca·tion** *s bot.* **1.** Fruchtbildung *f.* **2.** Fruchtstand *m.* **3.** Be'fruchtungsorˌgane *pl.* '**fruc·tiˌfy** [-ˌfai] *bot. u. fig.* **I** *v/i* Früchte tragen. **II** *v/t* befruchten.

fruc·tose ['frʌktous] *s chem.* Fruchtzucker *m.*

fruc·tu·ous ['frʌktʃuəs; *Br. a.* -tjuəs] *adj bot. u. fig.* fruchtbar.

fru·gal ['fruːgəl] *adj* (*adv* ~ly) **1.** sparsam, haushälterisch (of mit, in *dat*). **2.** genügsam, bescheiden. **3.** einfach, spärlich, fru'gal: a ~ meal. **fru'gal·i·ty** [-'gæliti] *s* Genügsamkeit *f,* Einfachheit *f.*

fru·giv·o·rous [fruː'dʒivərəs] *adj zo.* [fruchtfressend.]

fruit [fruːt] **I** *s* **1.** *bot.* a) Frucht *f,* b) Samenkapsel *f.* **2.** *collect.* a) Früchte *pl:* to bear ~ Früchte tragen (*a. fig.*); to reap the ~s die Früchte ernten (*a. fig.*), b) Obst *n:* dried ~ Back-, Dörrobst; tropical ~ Südfrüchte; to grow ~ Obst züchten. **3.** *Bibl.* Kind *n,* Nachkommenschaft *f:* ~ of the body (*od.* loins *od.* womb) Leibesfrucht *f.* **4.** *fig.* Frucht *f,* Früchte *pl:* a) Resul'tat *n,* Ergebnis *n,* b) Erfolg *m,* c) Gewinn *m,* Nutzen *m:* ~s of crime. **5.** *Am. sl.* ,Homo' *m.* **II** *v/i* **6.** (Früchte) tragen. **III** *v/t* **7.** zur Reife bringen.

fruit·age ['fruːtidʒ] *s* **1.** (Frucht)Tragen *n.* **2.** *collect.* Früchte *pl,* Obsternte *f.* **3.** *fig.* Ertrag *m,* Früchte *pl.*

fruit'ar·i·an [-'tɛ(ə)riən] *s* (Frucht)Rohköstler(in).

fruit| bod·y *s biol.* **1.** Fruchtkörper *m.* **2.** Fruchtboden *m.* '~ˌ**cake** *s* englischer Kuchen (*mit viel Korinthen etc*). ~ **cock·tail,** ~ **cup** *s* Früchtecocktail *m,* -becher *m.*

fruit·er ['fruːtər] *s* **1.** *mar.* Obstschiff *n.* **2.** *Br.* Obstzüchter *m.* **3.** (a good ~ ein gut) tragender Obstbaum. '**fruit·er·er** *s bes. Br.* Obsthändler *m.*

fruit·ful ['fruːtful] *adj* **1.** fruchtbar (*a. fig.*). **2.** *fig.* (ertrag-, erfolg)reich. '**fruit·ful·ness** *s* Fruchtbarkeit *f,* Ergiebigkeit *f.*

fru·i·tion [fruː'iʃən] *s* **1.** Erfüllung *f,* Verwirklichung *f:* ~ of hopes; to bring (*od.* carry) to ~ verwirklichen; to come to ~ sich verwirklichen, Früchte tragen. **2.** Früchte *pl,* Ergebnis *n,* Erfolg *m:* the ~ of one's labo(u)rs. **3.** (Voll)Genuß *m* (*e-s Besitzes etc*).

fruit| jar *s* Einweck-, Einmachglas *n.* ~ **juice** *s* Frucht-, Obstsaft *m.* ~ **knife** *s irr* Obstmesser *n.*

fruit·less ['fruːtlis] *adj* (*adv* ~ly) **1.** unfruchtbar. **2.** *fig.* fruchtlos, vergeblich. '**fruit·less·ness** *s* Fruchtlosigkeit *f.*

fruit| pulp *s biol.* Fruchtfleisch *n.* ~ **ranch** *s Am.* Obstfarm *f.* ~ **sal·ad** *s* **1.** 'Obstsaˌlat *m.* **2.** *sl.* ,La'metta' *n,* Ordenspracht *f.* ~ **sug·ar** *s chem.* Fruchtzucker *m.* ~ **tree** *s* Obstbaum *m.*

fruit·y ['fruːti] *adj* **1.** frucht-, obstartig. **2.** fruchtig (*Wein*). **3.** *Br. colloq.* ,saftig', ,gepfeffert', derb: a ~ joke. **4.** klangvoll, so'nor: a ~ voice. **5.** *Am. fig.* a) würzig, b) *colloq.* ,schmalzig', c) *sl.* verrückt.

fru·men·ta·ceous [ˌfruːmən'teiʃəs] *adj* getreideartig, Getreide...

fru·men·ty ['fruːmənti] *s Br. od. Am. dial. Brei aus Weizen, Milch, Rosinen, Eidotter, Zucker.*

frump [frʌmp] *s* ,Vogelscheuche' *f,* altmodisch *od.* 'uneleˌgant gekleidete Frau: old ~ ,alte Schachtel'. '**frump·ish,** '**frump·y** *adj* **1.** a) altmodisch, b) ungepflegt, 'uneleˌgant, c) abgedroschen (*Sache*). **2.** *Br.* verdrossen.

frus·trate ['frʌstreit; frʌs'treit] *v/t* **1.** *etwas* vereiteln, verhindern, durch'kreuzen: to ~ a plan. **2.** zu'nichte machen: to ~ hopes. **3.** *etwas* hemmen, hindern. **4.** *j-n* hemmen, (*a.* am Fortkommen) hindern, einengen. **5.** *j-m* die *od.* alle Hoffnung *od.* Aussicht nehmen, *j-n* (*in s-n Ambitionen*) zu'rückwerfen. **6.** *j-n* entmutigen, depri'mieren, fru'strieren, enttäuschen, *j-n* mit Minderwertigkeitsgefühlen erfüllen. '**frus·trat·ed** *adj* **1.** vereitelt, gescheitert: ~ **plans**. **2.** gescheitert (*Person*): a ~ **painter** ein ‚verhinderter' Maler. **3.** enttäuscht, (in s-n Hoffnungen) betrogen. **4.** entmutigt, depri'miert, verzweifelt, hoffnungslos, fru'striert. **5.** zwecklos, nichtig. '**frus·trat·ing** *adj* **1.** hemmend. **2.** entmutigend, enttäuschend, fru'strierend. **3.** aussichtslos.

frus·tra·tion [frʌs'treiʃən] *s* **1.** Vereitelung *f*, Durch'kreuzung *f*: ~ **of a plan**. **2.** Behinderung *f*, Hemmung *f*. **3.** Zu'rücksetzung *f*. **4.** Enttäuschung *f*, Rückschlag *m*, 'Mißerfolg *m*. **5.** *psych.* a) Frustrati'on *f* (*verhinderte Bedürfnisbefriedigung u. daraus entspringendes Ohnmachts- u. Unlustgefühl*), b) *a.* **sense of** ~ *weitS.* Hoffnungslosigkeit *f*, Enttäuschung *f*, (Gefühl *n* der) Ohnmacht *f*, Niedergeschlagenheit *f*, c) *a.* **sense of** ~ das Gefühl, ein Versager zu sein; Minderwertigkeitsgefühle *pl*. **6.** a) Hindernis *n*, b) aussichtslose Sache (to für). **7.** *jur.* (objektive) Unmöglichkeit (*der Vertragserfüllung*).

frus·tum ['frʌstəm] *pl* **-tums** *od.* **-ta** [-tə] *s math.* Stumpf *m*: ~ **of a cone** Kegelstumpf.

fry[1] [frai] **I** *v/t* **1.** braten, (in der Pfanne) backen: **fried eggs** Spiegel-, Setzeier; **fried potatoes** Bratkartoffeln. **II** *v/i* **2.** braten, schmoren (*a. fig.*). **III** *s* **3.** Gebratenes *n*. **4.** *Br. od. Am. dial.* Gekröse *n*. **5.** *Am.* ‚Bratfest' *n*, Picknick *n*, bei dem gebraten wird. **6.** *a.* ~ **meat** a) Fleisch *n* zum Braten, b) Braten *m*.

fry[2] [frai] *s sg u. pl* **1.** Fischrogen *m*, -brut *f*. **2.** junge Fische *pl*. **3. small** ~ *fig.* a) ‚junges Gemüse', junges Volk, b) kleine (unbedeutende) Leute *pl*, ‚Kroppzeug' *n*, c) ‚kleine Fische' *pl*, Lap'palien *pl*.

fry·er ['fraiər] *s* **1.** j-d, der (*etwas*) brät: **he is a fish** ~ er hat ein Fischrestaurant. **2.** *Br.* (Fisch)Bratpfanne *f*. **3.** *Am.* zum Braten Geeignetes, *bes.* Brat-, Backhühnchen *n*.

fry·ing pan ['fraiiŋ] *s* Bratpfanne *f*: (to leap) out of the ~ **into the fire** vom Regen in die Traufe (kommen).

fub·sy ['fʌbzi] *adj Br.* dicklich, pummelig, unter'setzt.

fuch·sia ['fju:ʃə] *s bot.* Fuchsie *f*.

fuch·sine ['fuksin] *s chem.* Fuch'sin *n*.

fuchs·ite ['fuksait] *s min.* Fuch'sit *m*.

fuck [fʌk] *vulg. v/t u. v/i* ficken, vögeln, ‚bumsen'.

fu·cus ['fju:kəs] *pl* **-ci** [-sai], **-cus·es** *s bot.* Blasentang *m*.

fud·dle ['fʌdl] *colloq.* **I** *v/t* **1.** berauschen: **to** ~ **o.s.** → 3; ~**d** ‚angesäuselt', ‚benebelt'. **2.** verwirren. **II** *v/i* **3.** saufen, sich besaufen. **III** *s* **4.** Saufe'rei *f*: **on the** ~ beim Saufen. **5.** Rausch *m*. **6.** Verwirrung *f*.

fud·dy-dud·dy ['fʌdi,dʌdi] *colloq.* **I** *s* **1.** altmodischer Mensch, ‚komischer alter Knopf'. **II** *adj* **2.** altmodisch, konserva'tiv. **3.** ‚nörglerisch'.

fudge [fʌdʒ] **I** *v/t* **1.** *oft* ~ **up** zu'rechtpfuschen, zs.-stoppeln. **2.** ‚fri'sieren', fälschen. **II** *v/i* **3.** *Am. sl.* a) ‚mogeln', ‚bescheißen', b) ‚sich drücken' (on von). **III** *s* **4.** ‚Stuß' *m*, Blödsinn *m*. **5.** *Zeitung:* a) letzte Meldungen *pl*, b) *Platte zum Einrücken letzter Meldungen*, c) *Maschine zum Druck letzter Meldungen*. **6.** weiches Zuckerwerk (*Art Fondant*). **IV** *interj* **7.** ‚Quatsch'!

Fu·e·gi·an [fju:'i:dʒiən; 'fweidʒ-] **I** *s* Feuerländer(in). **II** *adj* feuerländisch.

fu·el ['fju:əl] **I** *v/t* **1.** mit Brennstoff versehen, *aer. a.* betanken. **II** *v/i* **2.** Brennstoff nehmen. **3.** *a.* ~ **up** *aer. mot.* (auf)tanken, *mar.* *Öl* bunkern. **III** *s* **4.** Brennstoff *m*: a) 'Heiz-, 'Brennmateri,al *n*, 'Feuerung(smateri,al *n*) *f*, b) *mot. etc* Betriebs-, Treib-, Kraftstoff *m*: ~**-air mixture** Kraftstoff-Luft-Gemisch *n*; ~ **feed** Brennstoffzuleitung *f*; ~ **filter** Kraftstoff-Filter *n*, *m*; ~ **gas** Heiz- *od.* Treibgas *n*; ~ **ga(u)ge** Benzinuhr *f*, Kraftstoffmesser *m*; ~ **injection engine** Einspritzmotor *m*; ~ **jet**, ~ **nozzle** Kraftstoffdüse *f*; ~ **oil** Heizöl *n*; ~ **pump** Kraftstoffpumpe *f*. **5.** *fig.* Nahrung *f*, Ansporn *m*: **to add** ~ **to s.th.** etwas schüren; **to add** ~ **to the flames** Öl ins Feuer gießen. '**fu·el(l)ed** *adj*: ~ **by** (*od.* **with**) be- *od.* getrieben mit.

fug [fʌg] *Br. colloq.* **I** *s* **1.** ‚Mief' *m*, stickige Luft, muffiger Geruch. **2.** Staub(flocken *pl*) *m*, Schmutz *m*. **II** *v/i* **3.** ein Stubenhocker sein, (gern) im warmen *od.* muffigen Zimmer hocken.

fu·ga·cious [fju:'geiʃəs] *adj* **1.** *bot.* kurzlebig (*a. fig.*). **2.** *fig.* flüchtig, vergänglich. **fu'gac·i·ty** [-'gæsiti] *s* **1.** Flüchtigkeit *f*, Vergänglichkeit *f*. **2.** *biol. chem.* Fugazi'tät *f*.

fu·gal ['fju:gəl] *adj* (*adv* ~**ly**) *mus.* fu'giert, fugenartig, im Fugenstil.

-fuge [fju:dʒ] *Wortelement mit den Bedeutungen* a) fliehend, b) vertreibend.

fug·gy ['fʌgi] *adj colloq.* stickig, muffig.

fu·gi·tive ['fju:dʒitiv] **I** *s* **1.** Flüchtling *m*, Ausreißer *m*: ~ **from justice** flüchtiger Rechtsbrecher, j-d, der sich der Justiz entzieht. **II** *adj* **2.** flüchtig: a) entflohen, b) *fig.* vergänglich, kurzlebig. **3.** unbeständig, unecht: ~ **dye** unechte Färbung. **4.** um'herziehend.

fu·gle ['fju:gl] *v/i colloq.* als Wortführer auftreten. '~**,man** [-mən] *s irr* (An-, Wort)Führer *m*, Sprecher *m*.

fugue [fju:g] **I** *s* **1.** *mus.* Fuge *f*. **2.** *psych.* Fugue *f* (*Verlassen der gewohnten Umgebung im Dämmerzustand*). **II** *v/t u. v/i* **3.** *mus.* fu'gieren.

-ful [ful] *Suffix mit der Bedeutung* voll.

ful·crum ['fʌlkrəm] *pl* **-crums** *od.* **-cra** [-krə] *s* **1.** *phys.* Dreh-, Hebe-, Gelenk-, Stützpunkt *m*: ~ **of moments** *phys.* Momentendrehpunkt; ~ **pin** Drehbolzen *m*, -zapfen *m*. **2.** *fig.* Angelpunkt *m*, Hebel *m*. **3.** *biol.* Beuge *f*.

ful·fil, *Am.* **ful·fill** [ful'fil] *v/t* **1.** *ein Versprechen, e-n Wunsch, e-e Bedingung etc* erfüllen: **to** ~ **an order** e-n Befehl ausführen; **to** ~ **o.s.** sich selbst verwirklichen. **2.** voll'bringen, -'ziehen. **3.** beenden, abschließen. **ful'fil·ment,** *Am.* **ful'fill·ment** *s* Erfüllung *f*, Ausführung *f*: **in the** ~ **of** bei der (*od.* zur) Erfüllung (*gen*).

ful·gent ['fʌldʒənt] *adj poet.* strahlend.

ful·gu·rant ['fʌlgju(ə)rənt] *adj* (auf)blitzend. '**ful·gu,rate** [-,reit] *v/i* (auf)blitzen.

ful·ham ['fuləm] *s sl.* falscher Würfel.

fu·lig·i·nous [fju:'lidʒinəs] *adj* **1.** rußig, rauchig, Ruß... **2.** dunkel (*a. fig.*).

full[1] [ful] **I** *adj* (*adv* → **fully**) **1.** *allg.* voll: ~ **of** voll von, voller *Fische etc*, angefüllt mit, reich an (*dat*). **2.** voll, ganz: **a** ~ **hour**; **a** ~ **mile**; **to pay the** ~ **amount**; **in** ~ **court** *jur.* vor dem vollbesetzten Gericht; **3.** weit, voll, groß: **a** ~ **garment**. **4.** voll, rund, dick, plump: ~ **body**. **5.** voll, kräftig: ~ **colo(u)r**; ~ **voice**. **6.** stark, schwer: ~ **wine**. **7.** voll, besetzt: ~ **up!** (voll) besetzt (*Bus etc*); **house** ~! *thea.* ausverkauft!; **to have one's hands** ~ alle Hände voll zu tun haben. **8.** ausführlich, genau, voll: ~ **details**; ~ **statement** umfassende Erklärung, vollständige Darlegung. **9.** *fig.* (ganz) erfüllt (of von): ~ **of the news**; ~ **of plans** voller Pläne; ~ **of himself** (ganz) von sich eingenommen. **10.** reichlich, voll(ständig): **a** ~ **meal**. **11.** voll, unbeschränkt; ~ **power of attorney** Generalvollmacht *f*; ~ **membership** volle Mitgliedschaft. **12.** voll(berechtigt): ~ **member**; ~ **citizen** Vollbürger *m*. **13.** rein, echt: **a** ~ **sister** e-e leibliche Schwester. **14.** *colloq.* ‚voll': a) satt, b) betrunken.

II *adv* **15.** völlig, gänzlich, ganz: ~ **automatic** vollautomatisch; ~**-bosomed** vollbusig. **16.** gerade, di'rekt, genau: ~ **in the face**. **17.** *bes. poet.* sehr, gar: ~ **well** sehr wohl *od.* gut.

III *v/t* **18.** *Stoff* raffen.

IV *v/i* **19.** *Am.* voll werden (*Mond*).

V *s* **20.** (*das*) Ganze: **in** ~ vollständig, nicht abgekürzt; **to spell** (*od.* **write**) **in** ~ ausschreiben; **to the** ~ vollständig, vollkommen, durchaus, bis ins letzte *od.* kleinste, in vollem Maße; **to pay in** ~ voll bezahlen; **I cannot tell you the** ~ **of it** ich kann Ihnen nicht alles ausführlich erzählen. **21.** Fülle *f*, Höhepunkt *m*: **at** ~ auf dem Höhepunkt *od.* Höchststand; **at the** ~ **of the tide** beim höchsten Wasserstand. **22.** *Poker: Am.* Full(hand) *f* (*2 u. 3 gleichwertige Karten*).

full[2] [ful] *v/t tech. Tuch etc* walken.

full age *s jur.* Mündigkeit *f*, Volljährigkeit *f*: **of** ~ mündig, volljährig.

ful·lam → fulham.

full| and by *adv mar.* voll u. bei, scharf beim Wind. '~**,back** *s sport* Verteidiger *m* (*Fußball, Hockey*), Schlußmann *m* (*Rugby*). ~ **bind·ing** *s* Ganzleder-, Ganzleinenband *m*. ~ **blood** *s* **1.** Vollblut *n*, Mensch *m* reiner Abstammung. **2.** Vollblut(pferd) *n*. '~-'**blood·ed** *adj* **1.** reinblütig, -rassig, Vollblut... **2.** *fig.* a) vollblütig, Vollblut...: ~ **socialist**, b) wuchtig, eindringlich, kräftig. '~-'**blown** *adj* **1.** *bot.* ganz aufgeblüht. **2.** *fig.* voll entwickelt. **3.** *colloq.* ‚richtig(gehend)', ‚ausgewachsen'. '~-'**bod·ied** *adj* **1.** schwer, korpu'lent. **2.** schwer, stark (*Wein etc*). **3.** *fig.* dicht, plastisch. '~-'**bot·tomed** *adj* **1.** breit, mit großem Boden: ~ **wig** Allongeperücke *f*. **2.** *mar.* voll gebaut, mit großem Laderaum. '~-**,bound** *adj* Ganzleder..., Ganzleinen...: ~ **book**. ~ **dress** *s* **1.** Gesellschaftsanzug *m*. **2.** *mil.* Pa'radeanzug *m*. '~-**,dress** *adj* **1.** for'mell, Gala...: ~ **debate** *parl. Br.* wichtige Debatte; ~ **rehearsal** *thea.* Generalprobe *f*. **2.** *fig.* um'fassend, groß angelegt.

full·er[1] ['fulər] *s tech.* **1.** (Tuch)Walker *m*. **2.** Stampfe *f* (*e-r Walkmaschine*).

full·er[2] ['fulər] *s tech.* (halb)runder Setzhammer.

'**full|-,eyed** *adj* großäugig. '~'**face** *s* **1.** En-'face-Bild *n*, Vorderansicht *f*. **2.** *print.* fette Schrift, Fettdruck *m*. '~-'**faced** *adj* **1.** pausbackig, mit vollem Gesicht. **2.** *print.* fett. '~-'**fashioned** → fully-fashioned. '~-'**fledged** *adj* **1.** flügge (*Vögel*). **2.** *fig.* fertig, selbständig, ‚richtig(gehend)', ‚ausgewachsen'. ~ **gal·lop** *s*: **at** ~ in vollem *od.* gestrecktem Galopp. '~-'**grown** *adj* **1.** ausgewachsen. **2.** voll entwikkelt, reif. '~'**heart·ed** *adj* **1.** tief bewegt. **2.** eifrig, mutig, entschlossen. '~-'**length** *adj* in voller Größe *od.* Länge, in Lebensgröße, lebensgroß:

~ portrait; ~ film abendfüllender Film. ~ **load** *s* 1. *electr.* Vollast *f.* 2. *tech.* Gesamtgewicht *n.* 3. *aer.* Gesamtfluggewicht *n.* ~ **moon** *s* Vollmond *m.* '~ˌ**mouthed** *adj* 1. *zo.* mit vollem Gebiß (*Vieh*). 2. *fig.* lautstark. ~ **nel·son** *s Ringen*: Doppelnelson *m.*

full·ness ['fulnis] *s* 1. Fülle *f*: in the ~ of time a) *Bibl.* da die Zeit erfüllet war(d), b) zur gegebenen Zeit. 2. *fig.* ('Über)Fülle *f* (*des Herzens*). 3. Rundlichkeit *f*, Körperfülle *f*, Dicke *f.* 4. Sattheit *f* (*a. von Farben etc*). 5. *mus.* Klangfülle *f.* 6. Weite *f*, Ausdehnung *f.*

'**full**|-ˌ**page** *adj* ganzseitig. ~ **pay** *s econ.* volles Gehalt, voller Lohn: to be retired on ~ mit vollem Gehalt pensioniert werden. ~ **pro·fes·sor** *s univ. Am.* Ordi'narius *m.* '~-'**rigged** *adj* 1. *mar.* vollgetakelt. 2. voll ausgerüstet. ~ **scale** *s tech.* na'türliche Größe. '~-ˌ**scale** *adj* 1. in na'türlicher Größe. 2. *fig.* vollständig, regelrecht, gründlich, groß angelegt, um'fassend: ~ attack Großangriff *m*; ~ test Großversuch *m.* ~ **sight** *s mil.* Vollkorn *n.* ~ **stop** *s* Punkt *m.* '~-'**time** *adj* hauptamtlich, -beruflich, Voll...: ~ job ganztägige Beschäftigung. '~-'**track** *adj*: ~ vehicle *tech.* Vollketten-, Raupenfahrzeug *n.* '~-'**view**, '~-'**vi·sion** *adj tech.* Vollsicht... '~-ˌ**wave** *adj*: ~ rectifier *electr.* Doppelweggleichrichter *m.*

ful·ly ['fuli] *adv* voll, völlig, gänzlich: ~ automatic vollautomatisch; ~ entitled vollberechtigt; ~ paid (up) *econ.* voll eingezahlt (*Aktien*); ~ ten minutes volle zehn Minuten. '~-'**fash·ioned** *adj* mit (voller) Paßform.

ful·mar ['fulmər] *s orn.* Fulmar *m*, Eissturmvogel *m.*

ful·mi·nant ['fʌlminənt] *adj* 1. donnernd, krachend, wetternd. 2. *med.* plötzlich ausbrechend: ~ plague. '**ful·miˌnate** [-ˌneit] I *v/i* 1. donnern, explo'dieren (*a. fig.*). 2. *fig.* (los)donnern, wettern (against gegen). II *v/t* 3. zur Explosi'on bringen. 4. *fig. Befehle etc, R.C. den Bannstrahl* schleudern. III *s* 5. *chem.* Fulmi'nat *n*, knallsaures Salz: ~ of mercury Knallquecksilber *n.* '**ful·miˌnat·ing** *adj* 1. *chem.* Knall...: ~ gold (mercury, powder, silver); ~ cotton Schießbaumwolle *f.* 2. *fig.* donnernd, wetternd. 3. *med.* → fulminant 2. ˌ**ful·mi'na·tion** *s* 1. Explosi'on *f*, Knall *m.* 2. *fig.* a) Wettern *n*, b) schwere Drohung. 3. *R.C.* Bannstrahl *m.*

ful·min·ic ac·id [fʌl'minik] *s chem.* Knallsäure *f.*

ful·mi·nous ['fʌlminəs] *adj* donnernd, [Gewitter...]

ful·ness → fullness.

ful·some ['fulsəm; *Am. a.* 'fʌl-] *adj* 1. 'übermäßig, über'trieben. 2. widerlich, ekelhaft. '**ful·some·ness** *s* Widerlichkeit *f.*

ful·ves·cent [fʌl'vesnt] *adj* ins Rötlichgelbe gehend. '**ful·vous** *adj* rötlichgelb, lohfarben.

fum·ble ['fʌmbl] I *v/i* 1. a) um'hertappen, -tasten, b) (her'um)fummeln (at an *dat*), c) ungeschickt 'umgehen, täppisch spielen (with mit), d) tappen, tastend suchen (for, after nach). 2. *sport* ‚patzen' (*a. fig.*): a) den Ball fallen lassen, b) den Ball ‚verhauen'. II *v/t* 3. tolpatschig handhaben, ‚verpatzen', verpfuschen. 4. *sport* ‚verpatzen', *den Ball* fallen lassen *od.* ‚verhauen'. 5. ~ out *Worte* mühsam (her'vor)stammeln. III *s* 6. Her'umtasten *n*, ungeschickter *od.* stümperhafter Versuch. 7. *sport u. fig.* ‚Patzer' *m.* '**fum·bler** *s* Stümper *m*, Tölpel *m*, ‚Dilet'tant' *m.* '**fum·bling** *adj* (*adv* ~ly) tappend, täppisch, ungeschickt.

fume [fjuːm] I *s* 1. *oft pl* (*unangenehmer*) Dampf, Schwaden *m*, Dunst *m*, Rauch(gas *n*) *m.* 2. (*zu Kopf steigender*) Dunst, Nebel *m* (*des Weins etc*). 3. *fig.* Aufwallung *f*, Erregung *f*, Koller *m*: in a ~ in Wut, aufgebracht. II *v/t* 4. *Dämpfe etc* von sich geben, ausstoßen. 5. *Holz, Film* räuchern, beizen: ~d oak dunkles Eichenholz. 6. (mit Weihrauch) beräuchern. III *v/i* 7. rauchen, dunsten, dampfen: to ~ away verrauchen (*a. fig. Zorn etc*). 8. *fig.* (at) wüten (gegen), wütend sein (über *acc*, auf *acc*), (vor Wut) schäumen: fuming with anger kochend vor Wut.

fu·mi·gant ['fjuːmigənt] *s* Ausräucherungs-, Desinfekti'onsmittel *n.*

fu·mi·gate ['fjuːmiˌgeit] *v/t* ausräuchern, desinfi'zieren, entwesen: to ~ with sulphur ausschwefeln. ˌ**fu·mi'ga·tion** *s* (Aus)Räucherung *f*, Desinfekti'on *f.* '**fu·miˌga·tor** [-tər] *s* 'Räucherappaˌrat *m.* '**fu·mi·ga·to·ry** [-gətəri] *s* Räucherkammer *f.*

fum·y ['fjuːmi] *adj* rauchig, dunstig.

fun [fʌn] *s* Scherz *m*, Spaß *m*, Ulk *m*, Kurzweil *f*: for ~ aus *od.* zum Spaß; in ~ im *od.* zum Scherz; for the ~ of it spaßeshalber; it is ~ es macht Spaß; it (he) is great ~ es (er) ist sehr amüsant *od.* lustig; there is no ~ like ... es geht nichts über (*acc*); to make ~ of s.o. j-n zum besten haben, sich über j-n lustig machen; I don't see the ~ of it ich finde das (gar) nicht komisch.

fu·nam·bu·list [fjuː'næmbjulist] *s* Seiltänzer *m.*

func·tion ['fʌŋkʃən] I *s* 1. Funkti'on *f* (*a. biol. ling. math. phys. tech.*): a) Aufgabe *f*, b) Zweck *m*, c) Tätigkeit *f*, d) Arbeits-, Wirkungsweise *f*, e) Amt *n*, f) (Amts)Pflicht *f*, Obliegenheit *f*: scope of ~s Aufgabenkreis *m*, Tätigkeitsbereich *m*; out of ~ *tech.* außer Betrieb, kaputt; to have (*od.* serve) an important ~ e-e wichtige Funktion *od.* Aufgabe haben, e-e wichtige Rolle spielen. 2. a) Feier *f*, Zeremo'nie *f*, feierlicher *od.* festlicher Anlaß, b) (gesellschaftliches) Fest, Veranstaltung *f.* II *v/i* 3. (as) tätig sein, fun'gieren (als), das Amt *od.* die Tätigkeit (*e-s Direktors etc*) ausüben. 4. *physiol. tech. etc* funktio'nieren, arbeiten.

func·tion·al ['fʌŋkʃənl] *adj* (*adv* → functionally) 1. *allg., a. math. physiol.* funktio'nell, Funktions...: ~ disorder *med.* Funktionsstörung *f*; ~ psychology → functionalism 2. 2. amtlich, dienstlich. 3. zweckbetont, -mäßig, sachlich, praktisch: ~ building Zweckbau *m*; ~ style → functionalism 1. '**func·tion·alˌism** *s* 1. *arch.* Funktiona'lismus *m*, Funktio'nal-, Zweckstil *m*, (Stil *m* der neuen) Sachlichkeit *f.* 2. *psych.* Funkti'onspsycholoˌgie *f.* '**func·tion·alˌize** *v/t* 1. funkti'onstüchtig machen, wirksam gestalten. 2. in Funkti'ons-Gruppen gliedern. '**func·tion·al·ly** *adv* in funktio'neller 'Hinsicht. '**func·tion·ar·y** *s* 1. Beamte(r) *m.* 2. *bes. econ. pol.* Funktio'när *m.* '**func·tionˌate** [-ˌneit] → function II.

fund [fʌnd] *econ.* I *s* 1. a) Kapi'tal *n*, Vermögen *n*, Geldsumme *f*, b) Fonds *m* (*zweckgebundene Vermögensmasse*): pension ~ Pensionskasse *f*; relief ~ Hilfsfonds; strike ~ Streikfonds, -kasse *f.* 2. *pl* (Geld)Mittel *pl*, Gelder *pl*: public ~s öffentliche Mittel, Staatsgelder; sufficient ~s genügende Deckung; for lack of ~s mangels Barmittel *od.* Deckung; no ~s (*Scheck*) keine Deckung; to be in (out of) ~s (nicht) bei Kasse sein, zahlungsfähig (zahlungsunfähig) sein. 3. *pl* a) *Br.* (fun'dierte) 'Staatspaˌpiere *pl*, Kon'sols *pl*, b) *Am.* Ef'fekten *pl.* 4. *fig.* Vorrat *m*, Schatz *m*, Fülle *f*, Grundstock *m* (of von, an *dat*). II *v/t* 5. *Br. Gelder* in 'Staatspaˌpieren anlegen. 6. *e-e Schuld* fun'dieren, konsoli'dieren, kapitali'sieren: ~ed debt fundierte Schuld, Anleiheschuld *f.*

fun·da·ment ['fʌndəmənt] *s* Gesäß *n.*

fun·da·men·tal [ˌfʌndə'mentl] I *adj* (*adv* → fundamentally) 1. als Grundlage dienend, grundlegend, wesentlich, fundamen'tal (to für), Haupt... 2. ursprünglich, grundsätzlich, elemen'tar. 3. Grund..., Fundamental...: ~ bass → 5 b; ~ colo(u)r Grundfarbe *f*; ~ data grundlegende Tatsachen; ~ frequency *electr.* Grundfrequenz *f*; ~ idea Grundbegriff *m*; ~ law *math. phys.* Hauptsatz *m*; ~ tone → 5 a; ~ type *biol.* Grundform *f.* II *s* 4. 'Grundlage *f*, -prinˌzip *n*, -begriff *m*, Funda'ment *n.* 5. *mus.* a) Grundton *m*, b) Fundamen'talbaß *m.* 6. *phys.* Fundamen'taleinheit *f.* 7. *electr.* Grundwelle *f.* ˌ**fun·da'men·talˌism** *s relig.* Fundamenta'lismus *m*, streng wörtliche Bibelgläubigkeit. ˌ**fun·da'men·tal·ist** *s* Fundamenta'list *m.* ˌ**fun·da'men·tal·ly** *adv* im Grunde, im wesentlichen.

'**fundˌhold·er** *s econ. Br.* Fondsbesitzer *m*, Inhaber *m* von 'Staatspaˌpieren.

fun·dus ['fʌndəs] *s anat.* (*Augen- etc*)'Hintergrund *m.*

fu·ne·bri·al [fjuː'niːbriəl; fju-] → [funereal.]

fu·ner·al ['fjuːnərəl] I *s* 1. Begräbnis *n*, Beerdigung *f*, Bestattung *f*, Beisetzung *f*, Leichenbegängnis *n.* 2. *a.* ~ procession Leichenzug *m*, -gefolge *n.* 3. *Am.* Trauerfeier *f.* 4. *colloq.* Sorge *f*, Sache *f*: that's your ~ das ist deine Sache; it wasn't my ~ es ging mich nichts an. II *adj* 5. Begräbnis..., Leichen..., Trauer..., Grab...: ~ allowance Sterbegeld *n*; ~ director Bestattungsunternehmer *m*; ~ home (*od.* parlor) *Am.* Leichenhalle *f*; ~ march *mus.* Trauermarsch *m*; ~ pile (*od.* pyre) Scheiterhaufen *m*; ~ service Trauergottesdienst *m*; ~ urn Totenurne *f.*

fu·ner·ar·y ['fjuːnərəri] *adj* Begräbnis..., Bestattungs..., Beerdigungs...

fu'ne·re·al [-'ni(ə)riəl] *adj* (*adv* ~ly) 1. Trauer..., Leichen..., Beerdigungs... 2. traurig, düster, trübe. 3. (bedrückend) feierlich, traurig.

'**fun-ˌfair** *s Br.* Vergnügungspark *m*, Rummelplatz *m.*

fun·gal ['fʌŋgəl] *adj bot.* pilzartig, [Pilz...]

fun·gi ['fʌndʒai] *pl von* fungus.

fun·gi·ble ['fʌndʒibl] *jur.* I *adj* vertretbar (*Sache*). II *s* Gattungsware *f.*

fun·gi·cid·al [ˌfʌndʒi'saidl] *adj* pilztötend. '**fun·giˌcide** *s* pilztötendes Mittel, Fungi'cid *n.* '**fun·giˌform** *adj* pilz-, schwammförmig.

fun·goid ['fʌŋgɔid], '**fun·gous** *adj* 1. pilz-, schwammartig, schwammig. 2. *med.* schwammig, fun'gös.

fun·gus ['fʌŋgəs] *pl* **fun·gi** ['fʌndʒai] *od.* **-gus·es** *s* 1. *bot.* Pilz *m*, Schwamm *m.* 2. *med.* Fungus *m*, schwammige Geschwulst.

fu·nic·u·lar [fjuː'nikjulər] I *adj* 1. Seil..., Ketten...: ~ polygon Seileck *n*, -polygon *n*; ~ railway → 3. 2. *biol.* faserig, funiku'lär: ~ cell Strangzelle *f.* II *s* 3. (Draht)Seilbahn *f.* **fuˌnic·u'li-**

tis [-'laitis] *s med.* Samenstrangentzündung *f.* **fu'nic·u·lus** [-ləs] *pl* **-li** [-ˌlai] *s* Fu'niculus *m:* a) *anat. biol.* Faser *f,* (Gewebe)Strang *m, bes.* Samenstrang *m (a. bot.) od.* Nabelstrang *m,* b) *biol.* Keimgang *m.*

funk [fʌŋk] *Am. colloq. od. Br. sl.* **I** *s* **1.** ,Schiß' *m,* ,Bammel' *m,* riesige Angst: **blue ~** Mordsangst, -schiß; **to be in a blue ~ of** ,mächtigen Bammel' *od.* ,Schiß' haben vor *(dat);* **~ hole** a) *mil.* ,Heldenkeller' *m,* Unterstand *m,* b) *fig.* Druckposten *m.* **2.** Feigling *m,* Angsthase *m,* Drückeberger *m.* **II** *v/i* **3.** ,Schiß' *(etc)* haben *od.* bekommen, ,kneifen': **to ~ out** *Am.* sich drücken. **III** *v/t* **4.** Angst *od.* ,Schiß' haben vor *(dat).* **5.** sich drükken von *od.* um. **'funk·er** → **funk** 2. **'funk·y** *adj* ängstlich, bange, feige.

fun·nel ['fʌnl] **I** *s* **1.** Trichter *m.* **2.** *mar. rail.* Schornstein *m.* **3.** *tech.* (Luft- *etc*)Schacht *m,* Abzugsröhre *f,* Rauchfang *m,* Ka'min *m.* **4.** *geol.* Vul'kanschlot *m.* **II** *v/t Am.* **5.** eintrichtern, -füllen. **6.** zu e-m Trichter formen. **7.** *fig.* a) *Personen, Nachrichten, Verkehr etc* schleusen, b) konzen'trieren. **'~-ˌshaped** *adj* trichterförmig.

fun·nies ['fʌniz] *s pl bes. Am. sl.* **1.** → **comic strips.** **2.** Witzseite *f.* **'fun·ni·ment** *s humor.* Spaß *m,* Witz *m.* **'fun·ni·ness** *s* Spaßhaftigkeit *f.*

fun·ny[1] ['fʌni] *adj (adv* **funnily)** **1.** spaßhaft, komisch, drollig, lustig, ulkig. **2.** ,komisch': a) sonderbar, merkwürdig: **the ~ thing is** das Merkwürdige (dabei) ist; **funnily enough** merkwürdigerweise, b) unbehaglich, unwohl: **to feel ~,** c) zweifelhaft, ,faul': **~ business** ,faule Sache', ,krumme Tour'.

fun·ny[2] ['fʌni] *s Br.* schmales Ruderboot mit e-m Paar Riemen.

'fun·ny|ˌbone *s* Musi'kantenknochen *m.* **'~ˌman** [-mən] *s irr* Clown *m,* Hanswurst *m.* **~ pa·per** *s Am.* Comic-Heftchen *n.*

fur [fəːr] **I** *s* **1.** Pelz *m,* Fell *n:* **to make the ~ fly** ,Stunk machen'. **2.** a) Pelzfutter *n,* -besatz *m,* -verbrämung *f,* b) *a.* **~ coat** Pelzmantel *m,* c) *pl* Pelzwerk *n,* -kleidung *f,* Rauchwaren *pl.* **3.** *collect.* Pelztiere *pl:* → **feather** 1. **4.** *med.* (Zungen)Belag *m.* **5.** Belag *m, bes.* a) Kesselstein *m,* b) Schimmel *m (auf Nahrungsmitteln etc).* **II** *v/t* **6.** mit Pelz füttern *od.* besetzen *od.* verbrämen. **7.** *j-n* in Pelz kleiden. **8.** mit e-m Belag *od.* mit Kesselstein über'ziehen. **9.** *tech.* mit Futterholz bekleiden. **III** *v/i* **10.** sich (mit Belag) über'ziehen. **11.** Kesselstein ansetzen.

fur·be·low ['fəːrbiˌlou] **I** *s* **1.** Faltensaum *m,* -besatz *m,* Falbel *f.* **2.** *pl fig.* Putz *m,* Staat *m, contp.* Firlefanz *m.* **II** *v/t* **3.** mit e-r Falbel besetzen.

fur·bish ['fəːrbiʃ] *v/t* **1.** *meist* **~ up** aufputzen, -frischen, 'herrichten *(a. fig.).* **2.** blank putzen, po'lieren.

fur·cate I *adj* ['fəːrkeit; -kit] gabelförmig, gegabelt, gespalten. **II** *v/i* [-keit] sich gabeln *od.* teilen. **fur'ca·tion** *s* Gabelung *f.*

fu·ri·bund ['fju(ə)riˌbʌnd] *adj* tobsüchtig.

fu·ri·ous ['fju(ə)riəs] *adj (adv* **~ly)** **1.** wütend, rasend, wild *(alle a. fig.).* **2.** *fig.* heftig, ungestüm. **3.** *jur. Scot.* geisteskrank. **'fu·ri·ous·ness** → **fury** 2.

furl [fəːrl] **I** *v/t* **1.** *Fahne, Segel* auf-, zs.-rollen, *Fächer* zs.-legen, *Schirm etc* zumachen, schließen, *Flügel* falten, *den Vorhang* aufziehen. **2.** *fig. Hoffnungen* begraben. **II** *v/i* **3.** aufgerollt *etc* werden. **4.** sich zs.-rollen. **5.** sich verziehen *(Wolken etc).*

fur·long ['fəːrlɒŋ] *s* Achtelmeile *f (220 Yards = 201,168 m).*

fur·lough ['fəːrlou] *mil.* **I** *s* Urlaub *m.* **II** *v/t* beurlauben.

fur·me(n)·ty ['fəːrmə(n)ti] → **frumenty.**

fur·nace ['fəːrnis] **I** *s* **1.** *tech.* (Schmelz-, Hoch)Ofen *m:* **enameling ~** Farbenschmelzofen. **2.** *tech.* (Heiz)Kessel *m,* Feuerung *f.* **3.** ,Backofen' *m,* glühend heißer Raum *od.* Ort. **4.** *fig.* Feuerprobe *f,* harte Prüfung: **tried in the ~** gründlich erprobt. **II** *v/t* **5.** in e-m Ofen erhitzen. **~ coke** *s tech.* Hochofenkoks *m.* **~ gas** *s tech.* Gichtgas *n.* **~ mouth** *s tech.* (Ofen)Gicht *f.* **~ steel** *s tech.* Schmelzstahl *m,* Mock *m.*

fur·nish ['fəːrniʃ] *v/t* **1.** versehen, ausstatten, -rüsten (**with** mit). **2.** *e-e Wohnung etc* ausstatten, einrichten, möblieren: **~ed rooms** möblierte Zimmer. **3.** liefern, ver-, beschaffen, gewähren, bieten: **to ~ documents** Urkunden beibringen; **to ~ proof** den Beweis liefern *od.* erbringen. **'fur·nish·er** *s* **1.** Liefe'rant *m.* **2.** Möbelhändler *m.* **'fur·nish·ing** *s* **1.** Ausrüstung *f,* Ausstattung *f.* **2.** *pl* Einrichtung(sgegenstände *pl) f,* Mobili'ar *n.* **3.** *pl Am.* Be'kleidungsarˌtikel *pl.* **4.** *pl tech.* a) Zubehör *n,* b) Beschlag *m,* Beschläge *pl.*

fur·ni·ture ['fəːrnitʃər] *s* **1.** Möbel *pl,* Einrichtung *f,* Hausrat *m,* Mobili'ar *n:* **piece of ~** Möbel(stück) *n;* **~ remover** Möbelspediteur *m;* **~ van** Möbelwagen *m.* **2.** Ausrüstung *f,* -stattung *f.* **3.** (Pferde)Geschirr *n.* **4.** Inhalt *m,* Bestand *m.* **5.** *fig.* Wissen *n,* (geistiges) Rüstzeug. **6.** → **furnishing** 4.

fu·ror ['fju(ə)rɔːr] *Am.* **fu'rore** [-'rɔːri; *a.* -rɔːr] *s* **1.** Ek'stase *f,* Begeisterungstaumel *m.* **2.** Wut *f,* Rase'rei *f.* **3.** Fu'rore *f, n,* Aufsehen *n:* **to create a ~** Furore machen.

furred [fəːrd] *adj* **1.** mit Pelz versehen, Pelz... **2.** mit Pelz besetzt. **3.** mit (e-m) Pelz bekleidet. **4.** *med.* belegt *(Zunge).* **5.** *tech.* mit Kesselstein belegt.

fur·ri·er [*Br.* 'fʌriər; *Am.* 'fəːr-] *s* Kürschner *m,* Pelzhändler *m.* **'fur·ri·er·y** *s* **1.** Pelzwerk *n.* **2.** Kürschne'rei *f.*

fur·row [*Br.* 'fʌrou; *Am.* 'fəːrou] **I** *s* **1.** (Acker)Furche *f.* **2.** Bodenfalte *f.* **3.** Graben *m,* Rinne *f.* **4.** *tech.* Rille *f,* Rinne *f.* **5.** *biol.* Falz *m.* **6.** *geol.* Dislokati'onsˌlinie *f.* **7.** Runzel *f,* Furche *f (a. anat.).* **8.** *mar.* Spur *f,* Bahn *f.* **II** *v/t* **9.** *Land* pflügen. **10.** *das Wasser* durch'furchen. **11.** *tech.* riefen, auskehlen. **12.** *das Gesicht, die Stirn* furchen, runzeln. **III** *v/i* **13.** sich furchen *(Stirn etc).* **'fur·rowed, 'fur·row·y** *adj* runz(e)lig, gefurcht, durch'furcht.

fur·ry ['fəːri] *adj* aus Pelz, pelzartig.

Fur·ry Dance *s dial. Tanz durch die Straßen von Helston, Cornwall, am 8. Mai.*

fur seal *s zo.* (ein) Seebär *m,* (e-e) **Bärenrobbe.**

fur·ther ['fəːrðər] **I** *adv* **1.** weiter, ferner, entfernter; **no ~** nicht weiter; **~ off** weiter weg; **I'll see you ~ first** *colloq.* ,das fällt mir nicht im Traum ein', ,ich werde dir was husten'. **2.** mehr, weiter. **3.** ferner, weiterhin, über'dies, außerdem: **~ to our letter of yesterday** im Anschluß an unser gestriges Schreiben. **II** *adj* **4.** weiter, ferner, entfernter. **5.** weiter(er, e, es), zusätzlich(er, e, es): **~ education** Fortbildung *f;* **~ particulars** Näheres, nähere Einzelheiten; **anything ~?** (sonst) noch etwas? **III** *v/t* **6.** fördern, unter'stützen. **'fur·ther·ance** *s* Förderung *f,* Unter'stützung *f:* **in ~ of s.th.** zur Förderung e-r Sache. **'fur·ther·er** *s* Förderer *m.* **'fur·therˌmore** [-ˌmɔːr] *adv* → **further** 3. **'fur·therˌmost** [-ˌmoust] *adj* weitest(er, e, es), fernst(er, e, es). **'fur·thest** [-ðist] **I** *adj* fernst(er, e, es), weitest(er, e, es). **II** *adv* am fernsten, am weitesten.

fur·tive ['fəːrtiv] *adj (adv* **~ly)** **1.** heimlich, verstohlen. **2.** 'hinterhältig, heimlichtuerisch. **3.** diebisch. **'fur·tive·ness** *s* Verstohlenheit *f.*

fu·run·cle ['fju(ə)rʌŋkl] *s med.* Fu'runkel *m.* **fu'run·cu·lar** [-kjulər] *adj* furunku'lös, Furunkel... **fuˌrun·cu'lo·sis** [-'lousis] *s med.* Furunku'lose *f.* **fu'run·cu·lous** → **furuncular.**

fu·ry ['fju(ə)ri] *s* **1.** (rasende) Wut, (wilder) Zorn, Rase'rei *f:* **~ against s.o. (at s.th.)** Wut gegen *od.* über j-n (über etwas); **in a ~** wütend, zornig. **2.** Heftigkeit *f,* Ungestüm *n,* Wut *f:* **like ~** wild, wie toll. **3. F~** *antiq.* Furie *f,* Rachegöttin *f.* **4.** Furie *f (böses Weib).* **5.** *fig.* Dämon *m,* Teufel *m.*

furze [fəːrz] *s bot. (bes.* Stech)Ginster *m.* **'fur·zy** *adj* Stechginster...

fu·sain ['fjuːzein; fjuː'zein] *s* **1.** Holzkohlenstift *m.* **2.** Kohlezeichnung *f.*

fus·cous ['fʌskəs] *adj* dunkel(farbig).

fuse [fjuːz] **I** *s* **1.** Zünder *m:* **~ cap** a) Zünderkappe *f,* b) Zündhütchen *n;* → **time-fuse.** **2.** Leitfeuer *n,* Zündschnur *f,* Lunte *f:* **~ cord** Abreißschnur *f.* **3.** *electr.* (Schmelz)Sicherung *f:* **~ cartridge** Sicherungspatrone *f;* **~ link** Schmelzeinsatz *m;* **~ strip** Sicherungsschmelzstreifen *m;* **~ wire** Sicherungs-, Abschmelzdraht *m.* **II** *v/t* **4.** Zünder anbringen an *(dat) od.* einsetzen in *(acc).* **5.** *tech.* absichern. **6.** *metall.* ab-, aus-, verschmelzen. **7.** *fig.* vereinigen, -schmelzen, *econ. a.* fusio'nieren. **8.** *fig.* durch'tränken. **III** *v/i* **9.** *electr. bes. Br.* 'durchbrennen. **10.** *tech.* schmelzen. **11.** *fig.* sich vereinigen, verschmelzen.

fu·see [fjuː'ziː] *s* **1.** Windstreichholz *n.* **2.** *rail. Am.* 'Warnungs-, 'Lichtsiˌgnal *n.* **3.** Schnecke(nkegel *m) f (der Uhr).*

fu·se·lage ['fjuːziˌlɑːʒ; -lidʒ] *s aer.* (Flugzeug)Rumpf *m.*

fu·sel oil ['fjuːzl; -sl] *s chem.* Fuselöl *n.*

fu·si·bil·i·ty [ˌfjuːzi'biliti] *s phys. tech.* Schmelzbarkeit *f.* **'fu·si·ble** *adj chem. tech.* schmelzbar, -flüssig, Schmelz...: **~ metal** Schnell-Lot *n;* **~ cone** Schmelz-, Segerkegel *m;* **~ wire** Abschmelzdraht *m.*

fu·sil[1] ['fjuːzil; -zl] *s her.* Raute *f.*

fu·sil[2] ['fjuːzil; -zl] *s mil. hist.* Steinschloßflinte *f,* Mus'kete *f.*

fu·sil[3] ['fjuːzil; -sil; -l], *a.* **'fu·sile** [-zil; -sil; -sail] *adj* **1.** geschmolzen, gegossen. **2.** *selten* schmelzbar.

fu·sil·ier, *Am. a.* **fu·sil·eer** [ˌfjuːzi'liːr] *s mil.* Füsi'lier *m.* **ˌfu·sil'lade** [-'leid] **I** *s* **1.** *mil.* a) (Feuer)Salve *f,* b) Salvenfeuer *n.* **2.** Füsi'lierung *f,* Massenerschießung *f.* **3.** *fig.* Hagel *m.* **II** *v/t* **4.** *mil.* beschießen. **5.** erschießen, füsi'lieren.

fus·ing ['fjuːziŋ] *s tech.* Schmelzen *n:* **~ burner** Schneidbrenner *m;* **~ current** Abschmelzstromstärke *f (e-r Sicherung);* **~ point** Schmelzpunkt *m.*

fu·sion ['fjuːʒən] *s* **1.** *tech.* Schmelzen *n:* **~ bomb** *mil.* Wasserstoffbombe *f;* **~ electrolysis** *electr.* Schmelzflußelektrolyse *f;* **~ welding** Schmelzschweißung *f.* **2.** *tech.* Schmelzmasse *f,* Fluß *m.* **3.** *fig.* Verschmelzung *f,* Vereinigung *f,* Fusi'on *f:* **~ nucleus** *biol.* Verschmelzungskern *m.* **4.** *pol.* Fusi'on *f,* Koaliti'on *f.* **'fu·sionˌism** *s* *pol.* Fusio'nismus *m.* **'fu·sion·ist I** *s* Fusio'nist *m.* **II** *adj* fusio'nistisch.

fuss [fʌs] **I** *s* **1.** Aufregung *f*: a) Tu'mult *m*, b) Getriebe *n*, ‚Wirbel' *m*, c) Getue *n*, ‚The'ater' *n*, ‚Klim'bim' *m*: **to make a ~ of** → 3; **to make a ~ about s.th.** ein ‚Tamtam' um etwas machen; **to make a ~ of** (*od.* **over**) **s.o.** viel Wesens um j-n machen. **2.** *Am.* → **fusspot. II** *v/i* **3.** a) viel Aufhebens *od.* ein ‚The'ater' machen (**about** um, von), sich aufregen: **to ~ about** herumfuhrwerken, b) (*e-m Gast etc gegenüber*) 'Umstände machen. **III** *v/t* **4.** *colloq. j-n* aufregen, ner'vös machen. **'~-ˌbudg·et** *s Am. colloq. für* fusspot.

fuss·i·ness ['fʌsinis] *s* **1.** Aufregung *f*, Nervosi'tät *f*. **2.** (hektische) Betriebsamkeit. **3.** Pedante'rie *f*, 'Umständlichkeit *f*.

'fussˌpot *s colloq.* 'Umstandskrämer *m*, Pe'dant *m*, Wichtigtuer *m*.

fuss·y ['fʌsi] *adj* (*adv* **fussily**) **1.** (grundlos) aufgeregt, (über'trieben) geschäftig, hektisch. **2.** kleinlich, 'umständlich, pe'dantisch. **3.** heikel, wählerisch (**about** mit). **4.** affek'tiert.

fust [fʌst] *s Br. dial.* muffiger Geruch.

fus·tian [*Br.* 'fʌstiən; *Am.* -tʃən] **I** *s* **1.** Barchent *m*. **2.** *fig.* Schwulst *m*, hohles Pathos. **II** *adj* **3.** Barchent... **4.** *fig.* bom'bastisch, schwülstig. **5.** *fig.* nichtsnutzig.

fus·ti·gate ['fʌstiˌgeit] *v/t humor.* (ver)prügeln. **ˌfus·ti'ga·tion** *s* Tracht *f* Prügel.

fust·i·ness ['fʌstinis] *s* **1.** Moder(geruch) *m*. **2.** *fig.* Rückständigkeit *f*.

'fust·y *adj* **1.** mod(e)rig, muffig, dumpfig. **2.** *fig.* a) verstaubt, veraltet, b) rückständig.

fut → **phut.**

fu·thark ['fu:θɑ:rk], *a.* **'fu·thorc, 'fu·thork** [-θɔ:rk] *s* Futhark *n*, 'Runenalphaˌbet *n*.

fu·tile [*Br.* 'fju:tail; *Am.* -til; -tl] *adj* (*adv* **~ly**) **1.** nutz-, zweck-, aussichts-, wirkungslos, vergeblich. **2.** nichtig, leer. **3.** oberflächlich. **fuˌtil·i'tar·i·an** [-ˌtili'tɛ(ə)riən] *adj u. s* menschliches Hoffen u. Streben als nichtig betrachtend(er Mensch). **fu'til·i·ty** *s* **1.** Zweck-, Nutz-, Sinnlosigkeit *f*. **2.** Nichtigkeit *f*. **3.** Oberflächlichkeit *f*. **4.** zwecklose Handlung.

fut·tock ['fʌtək] *s mar.* Auflanger *m*, Sitzer *m* (*der Spanten*). **~ plate** *s mar.* Marspütting *f*.

fu·ture ['fju:tʃər] **I** *s* **1.** Zukunft *f*: **in ~** in Zukunft, künftig(hin); **in the near ~** in der nahen Zukunft, bald; **for the ~** für die Zukunft, künftig(hin); **to have a great ~** e-e große Zukunft haben. **2.** *ling.* Fu'turum *n*, Zukunft *f*. **3.** *meist pl econ.* a) Ter'mingeschäfte *pl*, b) Ter'minwaren *pl*, c) *a.* **~ contract** Ter'minvertrag *m*. **II** *adj* **4.** (zu)künftig, Zukunfts... **5.** *ling.* fu'turisch: **~ tense** → 2. **6.** *econ.* Termin..., (*Preis, Verkauf etc*) auf spätere Lieferung. **'fu·ture·less** *adj* ohne Zukunft, zukunftslos.

fu·ture| life *s* Leben *n* im Jenseits *od.* nach dem Tode. **~ per·fect** *s ling.* Fu'turum *n* ex'actum.

fu·tur·ism ['fju:tʃəˌrizəm] *s* Futu'rismus *m*. **'fu·tur·ist I** *adj* **1.** futu'ristisch. **II** *s* **2.** Futu'rist *m*. **3.** *relig. j-d, der an die Erfüllung der Prophezeiungen Christi in der Zukunft glaubt.*

fu·tu·ri·ty [fju:'tju(ə)riti] *s* **1.** Zukunft *f*. **2.** zukünftiges Ereignis. **3.** Zukünftigkeit *f*. **4.** → **future life. 5.** → **futurity race. ~ race** *s sport Am.* (Pferde- *etc*)-Rennen, das lange nach den Nennungen stattfindet. **~ stakes** *s pl sport* **1.** (Wett)Einsätze *pl* für ein **futurity race. 2.** → **futurity race.**

fu·tur·ol·o·gy *s* Futurolo'gie *f* (*Zukunftsforschung*).

fuze *bes. Am. für* **fuse** 1—4.

fuzz [fʌz] **I** *s* **1.** feiner Flaum. **2.** ‚Fusseln' *pl*, Fäserchen *pl*. **3.** 'Überzug *m od.* Masse *f* aus feinem Flaum. **II** *v/t* **4.** (zer)fasern. **5.** *fig.* a) verworren machen, b) (*bes. durch Alkohol*) benebeln. **III** *v/i* **6.** zerfasern. **'fuzz·i·ness** *s* **1.** flaumige *od.* flockige Beschaffenheit. **2.** Struppigkeit *f*. **3.** Verschwommenheit *f*.

fuzz·y ['fʌzi] *adj* (*adv* **fuzzily**) **1.** flockig, flaumig. **2.** faserig, fusselig. **3.** a) kraus, wuschelig, b) struppig (*Haar*). **4.** verwischt, verschwommen. **5.** benommen. **'F~-'Wuzz·y** [-'wʌzi] *s* **1.** Suda'nesischer Krieger. **2.** **fuzzy-wuzzy** ‚Wuschelkopf' *m*.

-fy [fai] *Suffix mit der Bedeutung* ...machen, zu ... machen: **Frenchify.**

fyl·fot ['filfɒt] *s* Hakenkreuz *n*.

G

G, g [dʒi:] **I** *pl* **G's, Gs, g's, gs** [dʒi:z] *s* **1.** G, g *n* (*Buchstabe*). **2.** *mus.* G, g *n* (*Tonbezeichnung*): **G flat** Ges, ges *n*; **G sharp** Gis, gis *n*; **G double flat** Geses, geses *n*; **G double sharp** Gisis, gisis *n*. **3.** G *ped. bes. Am.* Gut *n*. **4.** G *Am. sl.* 1000 Dollar *pl*. **II** *adj* **5.** siebent(er, e, es), siebt(er, e, es): **Company G** die 7. Kompanie.

gab [gæb] *colloq.* **I** *s* Geplauder *n*, Geplapper *n*, Geschwätz *n*: **stop your ~!** halt den Mund!; **~fest, ~ session** *Am.* ‚Quasselei' *f*; **the gift of the ~** (*Am.* **of ~**) ‚ein gutes Mundwerk'. **II** *v/i* plaudern, schwatzen.

gab·ar·dine → **gaberdine** *bes.* 3.

gab·ble ['gæbl] **I** *v/i* plappern, schwatzen, ‚quasseln'. **II** *v/t a.* **~ over** her'unter-, da'herplappern. **III** *s* Geschwätz *n*, Geplapper *n*, Geschnatter *n*. **'gab·bler** *s* Schwätzer(in).

gab·by ['gæbi] *adj colloq.* geschwätzig.

ga·belle [gə'bel] *s hist.* (Salz)Steuer *f*.

gab·er·dine ['gæbərˌdi:n; ˌgæbər'di:n] *s* **1.** *hist.* Kittel *m*. **2.** Kaftan *m* (*der Juden*). **3.** Gabardine *m* (*Stoff*).

ga·bi·on ['geibiən] *s mil. tech.* Schanzkorb *m*.

ga·ble ['geibl] *s arch.* **1.** Giebel *m*. **2.** *a.* **~ end** Giebelwand *f*. **3.** → **gablet.** **'ga·bled** [-bld] *adj* giebelig, Giebel... **'ga·blet** [-blit] *s* giebelförmiger Aufsatz (*über Fenstern etc*), (Zier)Giebel *m*.

gad¹ [gæd] **I** *v/i* **1.** *meist* **~ about, ~ abroad** sich her'umtreiben, ‚her'umsausen'. **2.** *bot.* wuchern. **II** *s* **3. to be (up)on the ~** → 1.

gad² [gæd] *s* **1.** Peitschen-, Stachelstock *m* (*des Viehtreibers*). **2.** *Bergbau*: Berg-, Setzeisen *n*.

gad³ [gæd] *interj* Gott!: **by ~** *od.* **be~!** bei Gott!

'gad·aˌbout *colloq.* **I** *s* Her'umtreiber(in), Bummler(in). **II** *adj* flatterhaft, unstet, ziellos.

'gadˌfly *s* **1.** *zo.* Viehbremse *f*. **2.** *fig.* Störenfried *m*, lästiger Mensch.

gadg·et ['gædʒit] *colloq.* **I** *s* **1.** *tech.* a) (raffi'nierte) Vorrichtung, (*bes.* Zusatz)Gerät *n*, Appa'rat *m*, b) *iro.* ‚Appa'rätchen' *n*, ‚Kinkerlitzchen' *pl*, technische Spiele'rei. **2.** ‚Dingsbums' *n*. **3.** *fig.* ‚Dreh' *m*, ‚Masche' *f*, Kniff *m*. **II** *v/t* **4.** *Am.* mit Appa'raten *etc* ausstatten.

gad·ge·teer [ˌgædʒi'ti:r] *s Am. colloq.* Liebhaber *m* von technischen Neuerungen, ‚Bastelfex' *m*. **'gad·get·ry** [-tri] *s Am.* **1.** Appa'ratebau *m*. **2.** *collect.* (mo'derne) Appa'rate *pl od.* ‚Appa'rätchen' *pl*. **'gad·gety** *adj Am. colloq.* **1.** raffi'niert, zweckvoll (konstru'iert). **2.** Apparate... **3.** versessen auf technische Neuerungen *od.* ‚Appa'rätchen', technisch verspielt.

Ga·dhel·ic [gə'delik] → **Gaelic.**

gad·wall ['gædwɔ:l] *s orn.* Schnatterente *f*.

Gael [geil] *s* Gäle *m*, *bes.* schottischer Kelte. **Gael·ic** ['geilik; 'gælik] **I** *s* **1.** *ling.* Gälisch *n*, die gälische Sprache. **2.** Goi'delisch *n*. **II** *adj* **3.** gälisch: **~ coffee** *Mokka mit irischem Whisky.* **'Gael·i·cist** *s ling.* Gäli'zist *m*.

gaff¹ [gæf] **I** *s* **1.** Fisch-, Landungshaken *m*. **2.** *mar.* Gaffel *f*. **3.** Stahlsporn *m*. **4.** *Am. sl.* a) ‚Schlauch' *m*, b) Schläge *pl*: **to give s.o. the ~** → 7; **to stand the ~** durchhalten, die Sache durchstehen. **5.** *Am. sl.* a) Schwindel *m*, b) betrügerische Vorrichtung (*an Spieltischen etc*). **II** *v/t* **6.** mit (e-m) Fischhaken fangen. **7.** *Am. sl.* über *j-n* 'herfallen.

gaff² [gæf] *s meist* **penny ~** *Br. sl.* **1.** ‚Schmiere' *f*, billiges The'ater *od.* Varie'té. **2.** ‚'BumsloˌkaI' *n*.

gaff³ [gæf] *s sl. nur in*: **to blow the ~** alles verraten, ‚plaudern'.

gaffe [gæf] *s* **1.** Faux'pas *m*, (grobe) Taktlosigkeit. **2.** ‚böser Schnitzer', ‚Panne' *f*, Fehler *m*.

gaf·fer ['gæfər] *s* **1.** Alte(r) *m*, Alterchen *n*. **2.** *Br.* a) Chef *m*, b) Vorarbeiter *m*.

ˌgaff-'top·sail *s* Gaffeltoppsegel *n*.

gag [gæg] **I** *v/t* **1.** knebeln (*a. fig.*). **2.** *fig.* mundtot machen. **3.** *med.* den Mund offenhalten. **4.** zum Würgen *od.* Brechen reizen. **5.** verstopfen. **6.** *thea.* mit (humo'ristischen) Pointen *od.* Gags spicken. **II** *v/i* **7.** würgen, sich erbrechen wollen. **8.** *thea.* Gags machen, improvi'sieren. **9.** *Am.* witzeln. **III** *s* **10.** Knebel *m* (*a. fig.*): **~-bit** Zaumgebiß *n* (für unbändige Pferde). **11.** *fig.* Knebelung *f*, Hemmung *f*. **12.** *pol.* Schluß *m* der De'batte. **13.** *med.* Knebel *m*, Mundsperre *f*. **14.** *thea.* Gag *m*: a) witziger Einfall, ‚Knüller' *m*, Pointe *f*, b) Trick *m*. **15.** *colloq.* a) Witz *m*, Ulk *m*, b) Trick *m*, Schwindel *m*, c) faule Ausrede.

gag·a ['gægə; 'gɑ:gɑ:] *adj sl.* verblödet, ‚weich', ‚plem'plem': **to go ~ over** in Verzückung geraten über (*acc*).

gage¹ [geidʒ] **I** *s* **1.** Her'ausforderung *f*, Fehdehandschuh *m*. **2.** ('Unter)Pfand *n*, Bürgschaft *f*. **II** *v/t* **3.** *fig.* zum Pfand geben.

gage[2], **gag·er, gag·ing** → gauge, gauger, gauging.

gag·gle ['gægl] **I** *v/i* schnattern, gakkern. **II** *s* Geschnatter *n* (*a. fig.*).

'**gag**| ˌ**man** [-ˌmæn] *s irr thea.* Gagman *m*, Pointenmacher *m*. ~ **rein** *s* Zaum *m* zum strafferen Anziehen des Pferdegebisses.

gai·e·ty ['geiəti] *s* **1.** Frohsinn *m*, Fröhlich-, Lustigkeit *f*. **2.** *oft pl* Lustbarkeit(en *pl*) *f*, Fest(e *pl*) *n*, Festlichkeit(en *pl*) *f*. **3.** *fig.* a) Auffälligkeit *f*, Pracht *f*, b) Putz *m*, Schmuck *m*.

gai·ly ['geili] *adv von* gay.

gain [gein] **I** *v/t* **1.** *s-n Lebensunterhalt etc* verdienen: to ~ one's living. **2.** gewinnen: to ~ time; to ~ the upper hand die Oberhand gewinnen. **3.** erreichen: to ~ the shore. **4.** *fig.* erreichen, erlangen, erhalten, erringen: to ~ an advantage e-n Vorteil erlangen (over s.o. über j-n); to ~ experience Erfahrung(en) sammeln; to ~ wealth Reichtümer erwerben; to ~ admission Einlaß finden. **5.** einbringen (s.o. s.th. j-m etwas): it ~ed him a reputation. **6.** zunehmen an (*dat*): to ~ speed (strength) schneller (stärker) werden; he ~ed 10 pounds er nahm 10 Pfund zu. **7.** *meist* ~ over *j-n* für sich gewinnen. **II** *v/i* **8.** (on, upon) a) näherkommen (*dat*), (an) Boden gewinnen, aufholen (gegen'über), b) s-n Vorsprung vergrößern (vor *dat*). **9.** Einfluß *od.* Boden gewinnen. **10.** besser *od.* kräftiger werden: he ~ed daily er kam täglich mehr zu Kräften. **11.** Vorteil haben, profi'tieren, gewinnen. **12.** (an Wert) gewinnen, besser zur Geltung kommen, im Ansehen steigen. **13.** zunehmen (in an *dat*): to ~ in weight (an Gewicht) zunehmen. **14.** (on, upon) 'übergreifen (auf *acc*), sich ausbreiten (über *acc*): the sea ~s (up)on the land. **15.** vorgehen (*Uhr*). **III** *s* **16.** Gewinn *m*, Vorteil *m*, Nutzen *m* (to für). **17.** Zunahme *f*, Steigerung *f*. **18.** *pl econ.* Einnahmen *pl*, -künfte *pl*, Pro'fit *m*, Gewinn *m*: clear ~ Reingewinn; extra ~ Überverdienst *m*; for ~ *jur.* gewerbsmäßig, in gewinnsüchtiger Absicht. **19.** Wertzuwachs *m*: capital ~ Kapitalgewinn *m*, -zuwachs. **20.** *phys.* Verstärkung *f*: ~ control Lautstärkeregelung *f*.

gain·er ['geinər] *s* **1.** Gewinner *m*: to be the ~(s) by s.th. durch etwas gewinnen. **2.** *sport Am.* Auerbach(sprung) *m*: full ~ Auerbachsalto *m*.

gain·ful ['geinful] *adj* (*adv* ~ly) **1.** einträglich, gewinnbringend, vorteilhaft: ~ employment (*od.* occupation) Erwerbstätigkeit *f*. **2.** *meist* ~ly employed erwerbstätig. '**gain**ˌ**giv·ing** *s obs.* schlimme Ahnung. '**gain·ings** *s pl* Einkünfte *pl*, Gewinn(e *pl*) *m*, Pro'fit *m*. '**gain·less** [-lis] *adj* **1.** unvorteilhaft, ohne Gewinn. **2.** nutzlos.

gain·ly ['geinli] *adj* nett, hübsch, einnehmend.

gain·say [ˌgein'sei] *v/t irr obs. od. poet.* **1.** *etwas* bestreiten, leugnen. **2.** *j-m* wider'sprechen.

gainst, 'gainst [geinst; genst] *poet. abbr. für* against.

gait [geit] *s* **1.** Gang(art *f*) *m*. **2.** *a. pl* Gangart *f* (*des Pferdes*). **3.** *Am.* Tempo *n*.

gai·ter ['geitər] *s* **1.** Ga'masche *f*. **2.** *Am.* Stoff- *od.* Lederschuh *m* mit Gummizügen, Zugstiefel *m*.

gal [gæl] *s sl.* ‚Mädel' *n*.

ga·la ['geilə; *Br. a.* 'gɑːlə; *Am. a.* 'gæ(ː)lə] **I** *adj* **1.** festlich, feierlich, glänzend, Gala... **II** *s* **2.** Festlichkeit *f*. **3.** Gala *f*, Festkleidung *f*.

ga·lac·ta·gogue [gə'læktəˌgɒg] *adj u. s med.* milchtreibend(es Mittel). **ga·'lac·tic** *adj* **1.** *astr.* Milchstraßen... **2.** *med.* milchig, 'milchproduˌzierend. **ga·lac·to·cele** [gə'læktoˌsiːl] *s med.* Milchgeschwulst *f*, -zyste *f*. **gal·ac·tom·e·ter** [ˌgælæk'tɒmitər] *s* Milchmesser *m*, -waage *f*. **ga'lac·to**ˌ**phore** [-toˌfɔːr] *s anat.* Milchgang *m*. **ga'lac·tose** [-tous] *s chem.* Galak'tose *f*.

Gal·a·had, Sir ['gæləˌhæd] **I** *npr* Galahad *m* (*Ritter der Tafelrunde*). **II** *s* reiner, ide'al denkender Mensch.

gal·an·tine ['gælənˌtiːn; ˌgælən'tiːn] *s Gericht aus Huhn, Fisch, Wild od. Fleisch in Gelee.*

ga·lan·ty show [gə'lænti] *s* Schattenspiel *n*.

gal·a·te·a [ˌgælə'tiːə] *s* gestreifter Kattun.

Ga·la·tians [gə'leiʃiəns; -ʃəns] *s pl Bibl.* (Brief *m* des Paulus an die) Galater *pl*.

gal·ax·y ['gæləksi] *s* **1.** *astr.* Milchstraße *f*, Gala'xie *f*. **2.** *fig.* glänzende Versammlung, strahlende Schar.

gal·ba·num ['gælbənəm] *s* Galbanum *n* (*ein Gummiharz*).

gale[1] [geil] *s* **1.** frischer Wind. **2.** *mar.* Sturm *m*, steife Brise: →fresh (strong, whole) gale. **3.** *meteor.* Sturmwind *m* (*45 bis 100 km/h*). **4.** *poet.* sanfter Wind. **5.** *colloq.* Sturm *m*, Ausbruch *m*: a ~ of laughter e-e Lachsalve.

gale[2] [geil] *s bot.* Heidemyrte *f*.

gale[3] [geil] *s Br.* peri'odische Pachtzahlung.

ga·le·a ['geiliə] *pl* **-le·ae** [-liˌiː] *s* **1.** *bot. zo.* Helm *m*. **2.** *anat.* Kopfschwarte *f*. **3.** *med.* Kopfverband *m*. '**ga·le**ˌ**ate** [-ˌeit], *a.* '**ga·le**ˌ**at·ed** *adj bot.* gehelmt.

Ga·len ['geilin] *s humor.* ‚Äsku'lapjünger' *m* (*Arzt*).

ga·le·na [gə'liːnə] *s min.* Gale'nit *m*.

Ga·li·cian [gə'liʃən] **I** *adj* ga'lizisch. **II** *s* Ga'lizier(in).

Gal·i·le·an[1] [ˌgæli'liːən] **I** *adj* **1.** gali'läisch: ~ Lake See *m* Genezareth. **II** *s* **2.** Gali'läer(in). **3.** the ~ der Gali'läer (*Christus*). **4.** Christ(in).

Gal·i·le·an[2] [ˌgæli'liːən] *adj* gali'leisch: ~ telescope.

gal·i·lee ['gæliˌliː] *s* Vorhalle *f* (*mancher Kirchen*).

gal·i·ma·ti·as [ˌgæli'meiʃiəs; -'mætiəs] *s* ‚Quatsch' *m*, Galima'thias *m*, *n*.

gal·in·gale ['gæliŋˌgeil] *s* **1.** *pharm.* Ga'langawurzel *f*. **2.** *bot.* a) *a.* English ~ Langes Zypergras, b) Gal'gant *m*.

gal·i·pot ['gæliˌpɒt] *s* Gali'pot(harz *n*) *m*.

gall[1] [gɔːl] *s* **1.** *anat. bes. zo.* a) Gallenblase *f*, b) Galle *f*. **2.** *fig.* Galle *f*: a) Bitterkeit *f*, Erbitterung *f*, beißende Schärfe, b) Bosheit *f*: to dip one's pen in ~ Galle verspritzen, s-e Feder in Galle tauchen; ~ and wormwood *Bibl.* Galle u. Wermut; to turn to ~ and wormwood *fig.* sich in Gift u. Galle verwandeln, vergiftet werden. **3.** *Am. sl.* Frechheit *f*.

gall[2] [gɔːl] **I** *s* **1.** wundgeriebene Stelle, Wolf *m*. **2.** (Eiter)Pustel *f*, schmerzhafte Schwellung (*bes. am Pferderücken*). **3.** *fig.* a) Erbitterung *f*, Ärger *m*, Qual *f*, b) Ärgernis *n*, (*etwas*) Quälendes. **4.** fehlerhafte Stelle, Fehler *m* (*im Garn*). **5.** kahle Stelle. **II** *v/t* **6.** wundreiben, abreiben. **7.** *fig.* ärgern, reizen, plagen, quälen. **III** *v/i* **8.** scheuern. **9.** sich wund reiben. **10.** *fig.* sich ärgern.

gall[3] [gɔːl] *s bot.* Gallapfel *m*, 'Mißbildung *f*, Wucherung *f*.

gal·lant I *adj* ['gælənt] (*adv* ~ly) **1.** tapfer, mutig, ritterlich. **2.** prächtig, stattlich, schön. **3.** [*a.* gə'lænt] ga'lant: a) höflich, zu'vorkommend, ritterlich, b) amou'rös, Liebes... **II** *s* ['gælənt; gə'lænt] **4.** Kava'lier *m*. **5.** Ga'lan *m*, Verehrer *m*. **6.** Geliebte(r) *m*. **III** *v/t* [gə'lænt] **7.** *e-e Dame* a) ga'lant behandeln, b) eskor'tieren. **IV** *v/i* **8.** den Kava'lier spielen.

gal·lant·ry ['gæləntri] *s* **1.** Tapferkeit *f*. **2.** Ritterlichkeit *f*. **3.** Galante'rie *f*, Artigkeit *f* (*gegen Damen*). **4.** edle *od.* heldenhafte Tat. **5.** Liebe'lei *f*.

gall| **blad·der** *s anat.* Gallenblase *f*. ~ **duct** *s anat.* Gallengang *m*.

gal·le·ass ['gæliˌæs] *s mar.* Ga'leere *f*.

'**gal·le·on** [-iən] *s mar. hist.* Gale'one *f*.

gal·ler·y ['gæləri] *s* **1.** *arch.* Gale'rie *f*, langer, gedeckter Gang, Säulenhalle *f*, Korridor *m*. **2.** *arch.* Em'pore *f* (*in Kirchen*). **3.** *Am.* a) Ve'randa *f*, b) Bal'kon *m*. **4.** a) *thea.* Gale'rie *f* (*a. die Zuschauer auf der Galerie od. der am wenigsten gebildete Teil des Publikums*), b) *sport u. allg.* Publikum *n*: to play to the ~ für die Galerie spielen, nach Effekt haschen. **5.** ('Kunst-, Ge'mälde)Galeˌrie *f*. **6.** *mar.* Gale'rie *f*, Laufgang *m*. **7.** *tech.* Laufsteg *m*. **8.** *mil.* a) Minengang *m*, Stollen *m*, b) gedeckter Gang, c) → shooting gallery 1. **9.** *Bergbau:* Stollen *m*, Strekke *f*. **10.** *zo.* 'unterirdischer Gang. **11.** *Am.* 'Photoateliˌer *n*. **12.** *fig.* Gale'rie *f*, Reihe *f*, Schar *f* (*von Personen*). ~ **car** *s rail. Am.* Doppeldeckerwagen *m* (*im Vorortverkehr*).

gal·ler·y·ite ['gæləriˌait] *s thea.* Gale'riebesucher(in).

gal·ley ['gæli] *s* **1.** *mar.* a) Ga'leere *f*, b) Langboot *n*. **2.** *mar.* Kom'büse *f*, Küche *f*. **3.** *print.* (Setz)Schiff *n*. **4.** *print.* Fahnen-, Bürstenabzug *m*, Fahne *f*. ~ **proof** → galley 4. ~ **slave** *s* **1.** Ga'leerensklave *m*. **2.** *fig.* Sklave *m*, ‚Kuli' *m*. ˌ~-'**west** *adv*: to knock ~ *Am. sl.* ‚erledigen' (*kampfunfähig od. kaputt machen*). '~ˌ**worm** → millepede.

'**gall**ˌ**fly** *s zo.* Gallwespe *f*.

gal·li·ass → galleass.

Gal·lic[1] ['gælik] *adj* **1.** gallisch. **2.** *bes. humor.* fran'zösisch, gallisch.

gal·lic[2] ['gælik] *adj chem.* galliumhaltig, Gallium...

gal·lic[3] ['gælik] *adj chem.* Gallus...

Gal·li·can ['gælikən] *adj relig.* galli'kanisch, fran'zösisch-ka'tholisch.

Gal·li·cism, g~ ['gæliˌsizəm] *s ling.* Galli'zismus *m*, fran'zösische Spracheigenheit. '**Gal·li**ˌ**cize, g~ I** *v/t* franzö'sieren. **II** *v/i* franzö'siert werden.

gal·li·gas·kins [ˌgæli'gæskinz] *s pl* **1.** *hist.* Pluderhosen *pl*. **2.** *humor.* weite Hosen *pl*.

gal·li·mau·fry [ˌgæli'mɔːfri] *s* Mischmasch *m*, Durchein'ander *n*.

gal·li·na·ceous [ˌgæli'neiʃəs] *adj* hühnerartig.

gall·ing ['gɔːliŋ] *adj* (*adv* ~ly) *fig.* ärgerlich, em'pörend, kränkend: it is ~ es wurmt einen.

gal·li·nule ['gæliˌnjuːl] *s orn.* Teichhuhn *n*.

Gal·li·o ['gæliˌou] *s* gleichgültiger Mensch *od.* Beamter.

gal·li·pot[1] → galipot.

gal·li·pot[2] ['gæliˌpɒt] *s* Salben-, Medika'mententopf *m*.

gal·li·vant ['gæliˌvænt; ˌgæli'vænt] *v/i* **1.** schäkern, flirten. **2.** sich her'umtreiben (with mit).

gall| **midge** *s zo.* Gallmücke *f*. '~ˌ**nut** *s bot.* Gallapfel *m*.

Gallo- [gælo] *Wortelement mit der Bedeutung* Gallo..., französisch.

gall| **oak** *s bot.* Galleiche *f*. ~ **of the earth** *s bot. Am.* Hasenlattich *m*.

Gal·lo·ma·ni·a [ˌgælo'meiniə] *s* Galloma'nie *f*.

gal·lon ['gælən] *s* Gal'lone *f* (*Hohlmaß; 3,7853 l in USA, 4,5459 l in Großbritannien*).

gal·loon [gə'luːn] *s* Ga'lon *m*, Borte *f*, Tresse *f*.

gal·lop ['gæləp] **I** *v/i* **1.** galop'pieren (*a. fig. hasten*), (im) Ga'lopp reiten. **2.** galop'pieren (*Pferd*). **3.** *meist* ~ **through**, ~ **over** *etwas* ,im Ga'lopp' erledigen, her'unterrasseln. **4.** schnell fortschreiten: **~ing consumption** galoppierende Schwindsucht. **II** *v/t* **5.** *das Pferd* in Ga'lopp setzen, galop'pieren lassen. **III** *s* **6.** Ga'lopp *m* (*a. fig.*): **at a** ~ im Galopp; → **full gallop**. ˌ**gal·lo'pade** [-'peid] *s mus.* Galop'pade *f* (*Tanz*). '**gal·lop·er** *s mil. Br.* a) Adju'tant *m*, Meldereiter *m*, b) leichtes Feldgeschütz.

Gal·lo·phile ['gæloˌfail; -fil], *a.* '**Gal·lo·phil** [-fil] *s* Gallo'phile *m*, Fran'zosenfreund *m*. '**Gal·loˌphobe** [-ˌfoub] *s* Fran'zosenhasser *m*. ˌ**Gal·lo'pho·bi·a** [-biə] *s* Fran'zosenhaß *m*.

Gal·lo-Ro·mance [ˌgælourou'mæns] *s ling.* Galloro'manisch *n*.

gal·lous ['gæləs] *adj chem.* Gallium...

gal·lows ['gælouz] (*gewöhnlich als sg verwendet*) *s* **1.** Galgen *m*: **to come to the** ~ an den Galgen kommen; **a** ~ **look** ein Galgengesicht; **to cheat the** ~ dem Galgen entrinnen. **2.** galgenähnliches Gestell, Galgen *m*. ~ **bird** *s colloq.* Galgenvogel *m*. ~ **tree, gallow tree** → **gallows** 1.

gall| sick·ness *s vet.* Gallsucht *f*. '~ˌ**stone** *s med.* Gallenstein *m*.

Gal·lup poll ['gæləp] *s* ('Gallup-)Meinungsforschung *f*, (-)ˌUmfrage *f*.

gall wasp *s zo.* Gallwespe *f*.

gal·op ['gæləp] *mus.* **I** *s* Ga'lopp *m* (*Tanz*). **II** *v/i* e-n Ga'lopp tanzen.

ga·lore [gə'lɔːr] *adv colloq.* ,in rauhen Mengen': **money** ~ Geld wie Heu; **whisk(e)y** ~ jede Menge Whisky.

ga·losh(e) [gə'lɒʃ] *s meist pl* Ga'losche *f*, 'Überschuh *m*.

ga·lumph [gə'lʌmf] *v/i* ein'herstolˌzieren.

ga·lump·tious [gə'lʌmʃəs] *adj sl.* erstklassig, ,tipp'topp'.

gal·van·ic [gæl'vænik] *adj* (*adv* **~ally**) *electr. phys.* gal'vanisch: ~ **cell** galvanisches Element; ~ **electricity** Berührungselektrizität *f*.

gal·va·nism ['gælvəˌnizəm] *s* Galva'nismus *m*: a) *med.* Gal'vanotheraˌpie *f*, b) *phys.* Be'rührungselektriziˌtät *f*. ˌ**gal·va·ni'za·tion** *s chem. med. phys.* Galvani'sierung *f*. '**gal·vaˌnize** *v/t* **1.** *med.* galvani'sieren. **2.** *fig.* beleben, anspornen (**into** zu): **to** ~ **into action** *j-n* in Schwung bringen; **to** ~ **into life** zu neuem Leben (er)wecken. **3.** *metall.* (feuer)verzinken: **~d iron** verzinktes Eisen(blech). '**gal·vaˌniz·er** *s* Galvani'seur *m*.

gal·va·nom·e·ter [ˌgælvə'nɒmitər] *s phys.* Galvano'meter *n*. ˌ**gal·va·no'met·ric** [-no'metrik] *adj* galvano'metrisch.

gal·va·no·plas·tic [ˌgælvəno'plæstik] *adj tech.* galvano'plastisch. ˌ**gal·va·no'plas·ty,** *a.* ˌ**gal·va·no'plas·tics** *s* Galvano'plastik *f*, Eˌlektroty'pie *f*. '**gal·va·noˌscope** [-ˌskoup] *s phys.* Galvano'skop *n*. ˌ**gal·va·no'scop·ic** [-'skɒpik] *adj* galvano'skopisch.

Gal·ways ['gɔːlweiz] *s pl Am. sl.* Bakkenbart *m*.

gam [gæm] **I** *s* **1.** Walherde *f*. **2.** *mar.* (gegenseitiger) Besuch. **II** *v/i* **3.** sich versammeln (*Wale*). **4.** *mar.* sich gegenseitig (*bes. auf See*) besuchen.

gamb [gæmb] *s her.* Vorderbein *n*.

gam·ba·do[1] [gæm'beidou] *pl* **-does** *s* **1.** am Sattel befestigter Stiefel (*statt des Steigbügels*). **2.** lange Ga'masche.

gam·ba·do[2] [gæm'beidou] *pl* **-does** *s* **1.** (Luft)Sprung *m* e-s Pferdes. **2.** Sprung *m*, Kapri'ole *f*.

gam·be·son ['gæmbisn] *s mil. hist.* gefüttertes Wams.

gam·bit ['gæmbit] *s* **1.** *Schachspiel*: Gam'bit *n*. **2.** *fig.* Einleitung *f*, erster Schritt.

gam·ble ['gæmbl] **I** *v/i* **1.** (Ha'sard *od.* um Geld) spielen: **to** ~ **with s.th.** *fig.* etwas aufs Spiel setzen; **you can** ~ **on that** darauf kannst du wetten. **2.** *Börse*: (waghalsig) speku'lieren. **II** *v/t* **3.** *meist* ~ **away** verspielen. **4.** (als Einsatz) setzen. **III** *s* **5.** Ha'sardspiel *n* (*a. fig.*), Glücksspiel *n*. **6.** *fig.* Wagnis *n*, gewagtes *od.* ris'kantes Unter'nehmen. '**gam·bler** [-blər] *s* **1.** Spieler *m*. **2.** *fig.* Hasar'deur *m*. '**gam·bling** *s* Spielen *n*, Wetten *n*: ~ **debt** Spielschuld *f*; ~ **house** Spielkasino *n*, -hölle *f*.

gam·boge [gæm'boudʒ; -'buːʒ] *s chem.* Gummi'gutt *n*.

gam·bol ['gæmbəl] **I** *v/i* (her'um)tanzen, (-)hüpfen, Luftsprünge machen. **II** *s* Freuden-, Luftsprung *m*.

gam·brel ['gæmbrəl] *s* **1.** (Sprung)-Gelenk *n* (*des Pferdes*). **2.** Spriegel *m* (*zum Aufhängen von geschlachtetem Vieh*). **3.** *a.* ~ **roof** *arch.* Walmdach *n*.

gam·broon [gæm'bruːn] *s* geköperter Stoff (*für Herrenkleidung*).

game[1] [geim] **I** *s* **1.** Scherz *m*, Ulk *m*: **to make** ~ **of s.o.** j-n zum besten haben, sich über j-n lustig machen; **to make** ~ **of s.th.** etwas ins Lächerliche ziehen. **2.** Spiel *n*, Sport *m*, Zeitvertreib *m*. **3.** (Karten-, Ball- *etc*)Spiel *n*: **a** ~ **of chance** ein Glücksspiel; **a** ~ **of skill** ein Geschicklichkeitsspiel; **the** ~ **of golf** das Golf(spiel); **to be on (off) one's** ~ (nicht) in Form sein; **to play the** ~ sich an die Spielregeln halten (*a. fig. fair sein*); **to play a good (poor)** ~ gut (schlecht) spielen; **to play a losing** ~ auf der Verliererstraße sein; **to play a waiting** ~ a) verhalten spielen, b) *fig.* e-e abwartende Haltung einnehmen; **the** ~ **is four all** das Spiel steht 4 beide. **4.** (einzelnes) Spiel, Par'tie *f* (*Schach etc*), Satz *m* (*Tennis*). **5.** *pl ped.* Turnspiele *pl*, Sport *m*. **6.** *fig.* Spiel *n*, Plan *m*, (geheime) Absicht, Unter'nehmen *n*: **I know his (little)** ~ ich weiß, was er im Schilde führt; **to give the** ~ **away** ,die Stellung verraten'; **to give** (*od.* **throw**) **up the** ~ das Spiel aufgeben; **the** ~ **is up** das Spiel ist aus *od.* vorbei; **to play a double** ~ ein doppeltes Spiel treiben; **to beat s.o. at his own** ~ j-n mit s-n eigenen Waffen schlagen; **he is in the advertising** ~ er macht in Reklame; → **candle** 1, → **two** 2. **7.** *pl fig.* Schliche *pl*, Tricks *pl*, Kniffe *pl*: **none of your** **~s!** keine Dummheiten *od.* Tricks! **8.** Spiel *n* (*Geräte*): **a** ~ **of table-tennis** ein Tischtennis(spiel). **9.** *hunt.* Wild *n*, jagdbare Tiere *pl*: **big** ~ Großwild; **to fly at higher** ~ höher hinauswollen; → **fair**[1] 8. **10.** Wildbret *n*: ~ **pie** Wildpastete *f*. **11.** (Zucht)Herde *f* von Schwänen. **12.** *fig. Am.* Kampfgeist *m*, Schneid *m*. **II** *adj* (*adv* **~ly**) **13.** Jagd..., Wild... **14.** schneidig, mutig: **a** ~ **fighter**; → **die**[1] 1. **15.** bereit, aufgelegt (**for, to** zu): **I'm** ~ *sl.* ich mache mit. **III** *v/i* **16.** (um Geld *od.* hoch) spielen. **IV** *v/t* **17.** *meist* ~ **away** verspielen, verlieren.

game[2] [geim] *adj colloq.* lahm: **a** ~ **leg**.

game| act *s meist pl jur.* Jagdgesetz *n*. '~ˌ**bag** *s* Jagdtasche *f*. '~ˌ**ball** *s Tennis*: Satz-, Match-Ball *m*. ~ **bird** *s* Jagdvogel *m*. '~ˌ**cock** *s* Kampfhahn *m* (*a. fig.*). ~ **fish** *s* Sportfisch *m*. ~ **fowl** *s* **1.** Federwild *n*. **2.** Kampfhahn *m*. ~ **hawk** *s orn.* Wanderfalke *m*. ~ **hog** *s Am.* Jagdfrevler *m*. '~ˌ**keep·er** *s bes. Br.* Wildhüter *m*, Heger *m*. ~ **law** *s meist pl* Jagdgesetz *n*. ~ **li·cence,** *bes. Am.* ~ **li·cense** *s* Jagdschein *m*.

game·ness ['geimnis] *s* Mut *m*, Schneid *m*.

game| pre·serve *s* Wildpark *m*. ~ **pre·serv·er** *s* Heger *m* e-s Wildstandes.

games| mas·ter *s ped.* Sportlehrer *m*. ~ **mis·tress** *s ped.* Sportlehrerin *f*.

game·some ['geimsəm] *adj* (*adv* **~ly**) lustig, ausgelassen. '**game·some·ness** *s* Lustigkeit *f*.

game·ster ['geimstər] *s* Spieler *m* (*um Geld*).

gam·ete [gæ'miːt; 'gæmiːt] *s bot. zo.* Ga'met *m*, Keimzelle *f*.

'**game-ˌten·ant** *s* Jagdpächter *m*.

ga·met·ic [gə'metik] *adj* Gameten...

gam·e·to·gen·e·sis [ˌgæmito'dʒenisis] *s biol.* Gaˌmetoge'nese *f*. **ga·me·to·phore** [gə'miːtoˌfɔːr] *s bot.* Gameto'phor *m*. **ga·me·to·phyte** [gə'miːtoˌfait] *s bot.* Gameto'phyt *m*.

game ward·en *s* Jagdaufseher *m*.

gam·ic ['gæmik] *adj biol.* geschlechtlich.

gam·in [*Br.* ga'mɛ̃; *Am.* 'gæmin] *s* Gassenjunge *m*.

gam·ing ['geimiŋ] **I** *s* Spiel(en) *n*. **II** *adj* Spiel...: ~ **debt**; ~ **table**; ~ **house** Spielkasino *n*, -hölle *f*; ~ **laws** Gesetze über Glücksspiele u. Wetten.

gam·ma ['gæmə] *s* **1.** Gamma *n* (*griechischer Buchstabe*). **2.** *phot.* Kon'trastgrad *m*. **3.** *pl* ~ *phys.* Gamma *n*, Mikrogramm *n* ($^{1}/_{1000}$ *mg*): ~ **rays** Gammastrahlen. **4.** *a.* ~ **moth** *zo.* Gamma-Eule *f*.

gam·mer ['gæmər] *s Br.* Mütterchen *n*, Gevatterin *f*.

gam·mon[1] ['gæmən] **I** *s* **1.** geräucherter Schinken. **2.** unteres Stück e-r Speckseite. **II** *v/t* **3.** *Schinken* räuchern.

gam·mon[2] ['gæmən] (*Puffspiel*) **I** *s* doppelter Sieg. **II** *v/t* doppelt schlagen.

gam·mon[3] ['gæmən] *mar.* **I** *s* Bugsprietzurring *f*. **II** *v/t das Bugspriet* am Vordersteven befestigen.

gam·mon[4] ['gæmən] *bes. Br. colloq.* **I** *s* **1.** Humbug *m*, Schwindel *m*. **2.** ,Quatsch' *m*. **II** *v/i* **3.** (Unsinn) ,quatschen'. **4.** sich verstellen, so tun als ob. **III** *v/t* **5.** *j-n* ,reinlegen'.

gam·o·gen·e·sis [ˌgæmo'dʒenisis] *s biol.* geschlechtliche Fortpflanzung, Gamoge'nese *f*. ˌ**gam·o'pet·al·ous** [-'petələs] *adj bot.* gamope'tal. ˌ**gam·o'phyl·lous** [-'filəs] *adj bot.* verwachsenblättrig. ˌ**gam·o'sep·al·ous** [-'sepələs] *adj bot.* synse'pal.

gamp [gæmp] *s Br. colloq.* ,Fa'miliendach' *n* (*großer Regenschirm*).

gam·ut ['gæmət] *s* **1.** *mus.* a) *hist.* erste, tiefste Note (*in Guidos Tonleiter*), b) Tonleiter *f*, Skala *f*. **2.** *fig.* Skala *f*, Stufenleiter *f*: **to run the whole** ~ **of emotion** von e-m Gefühl ins andere taumeln.

gam·y ['geimi] *adj* **1.** wildreich. **2.** nach Wild riechend *od.* schmeckend. **3.** *fig.* mutig, schneidig.

gan [gæn] *obs. od. poet. für* **began**.

gan·der[1] ['gændər] *s* **1.** Gänserich *m*: → **sauce** 1. **2.** *fig.* ,Esel' *m*.

gan·der[2] ['gændər] *s Am. sl.* Blick *m*: **to take a** ~ **at s.th.** etwas angucken.

gang [gæŋ] **I** *s* **1.** Gruppe *f*, Schar *f*, Trupp *m*, Ab'teilung *f*. **2.** ('Arbeiter)-Koˌlonne *f*, Rotte *f*: ~ **boss** → **ganger**. **3.** *contp.* (*engS.* Verbrecher)Bande *f*,

Horde *f*, Rotte *f*. **4.** *tech.* Satz *m*: ~ of tools. **5.** *Weberei*: Gang *m*. **II** *v/t* **6.** zu e-r Gruppe zs.-schließen. **7.** *Am. sl.* in e-r Bande angreifen. **III** *v/i* **8.** ~ up *sl.* sich zs.-rotten (on gegen). **9.** *Scot.* gehen. '~ˌ**board** *s mar.* Laufplanke *f*, Landungssteg *m*. ~ **con·dens·er** *s electr.* 'Mehrfach(ˌdreh)kondenˌsator *m*. ~ **cut·ter** *s tech.* Satz-, Mehrfachfräser *m*.

gange [gændʒ] *v/t den Angelhaken* mit Draht um'wickeln.

ganged [gæŋd] *adj electr.* in Gleichlauf, Einknopf...

gang·er ['gæŋər] *s* Vorarbeiter *m*, Rottenführer *m*.

'**gangˌland** *s Am.* 'Unterwelt *f*.

gan·gli·a ['gæŋgliə] *pl von* ganglion.

gan·gli·ar ['gæŋgliər] *adj anat.* Ganglien... '**gan·gliˌat·ed** [-ˌeitid], *a.* '**gan·gli·ate** [-it; -ˌeit] *adj anat.* mit Ganglien (versehen): ~ cord *zo.* Grenzstrang *m*.

gan·gling ['gæŋgliŋ] *adj colloq.* schlaksig, (hoch) aufgeschossen.

gan·gli·on ['gæŋgliən] *pl* **-gli·a** [-gliə] *od.* **-gli·ons** *s* **1.** *anat.* Ganglion *n*, Nervenknoten *m*: ~ cell Ganglienzelle *f*. **2.** *med.* 'Überbein *n*. **3.** *fig.* Knoten-, Mittelpunkt *m*, Kraftquelle *f*. ˌ**gan·gli·on'ec·to·my** [-'nektəmi] *s med.* opera'tive Entfernung e-s 'Überbeins, ˌGanglionekto'mie *f*.

'**gang|ˌplank** → gangboard. '~**ˌplough,** *Am.* '~ˌ**plow** *s agr.* Mehrfachpflug *m*.

gan·grene ['gæŋgriːn] **I** *s* **1.** *biol. med.* Brand *m*, Gan'grän *n*: dry (hot *od.* moist) ~ trockener (feuchter) Brand. **2.** *fig.* Fäulnis *f*, Verfall *m*, Verderbtheit *f*. **II** *v/t u. v/i* **3.** *med.* brandig machen (werden). '**gan·gre·nous** *adj* brandig, gangrä'nös.

gang saw *s tech.* Spalt-, Trenngatter *n*.

gang·ster ['gæŋstər] *s bes. Am. colloq.* Gangster *m*, Verbrecher *m*. '**gang·sterˌism** *s* Gangstertum *n*.

gangue [gæŋ] *s tech.* 'Gangmineˌral *n*, -gestein *n*: the ~ changes das Gestein setzt ab; ~ minerals Gangarten.

'**gangˌway I** *s* **1.** 'Durchgang *m*, Pas'sage *f*. **2.** *mar.* a) Fallreep *n*, b) Fallreepstreppe *f*, c) → gangboard. **3.** *Br.* a) *thea. etc* (Zwischen)Gang *m*, b) (schmaler) Quergang im House of Commons: members above the ~ linientreue Abgeordnete; the members below the ~ die ‚Wilden'. **4.** *Bergbau*: Strecke *f*: main ~ Sohlenstrecke. **5.** *tech.* a) Schräge *f*, Rutsche *f*, b) Laufbühne *f*, -brücke *f*. **II** *interj* **6.** Platz (machen) (bitte)!

gan·net ['gænit] *s orn.* Tölpel *m*.

gant·let ['gɔːntlit; 'gænt-] gauntlet[1] *u.*[2].

gan·try ['gæntri] *s* **1.** Faßstützblock *m*. **2.** *tech.* Bock *m*, Gerüst *n*, Por'tal *n*: ~ crane Portalkran *m*. **3.** *rail.* Si'gnalbrücke *f*.

Gan·y·mede ['gæniˌmiːd] *s* **1.** *humor.* Mundschenk *m*. **2.** *astr.* Gany'med *m*.

gaol [dʒeil] → jail.

gap [gæp] *s* **1.** Lücke *f*. **2.** Loch *n*, Riß *m*, Öffnung *f*, Spalt *m*. **3.** *mil.* a) Bresche *f*, b) Gasse *f* (*im Minenfeld*). **4.** (Berg)Schlucht *f*, Kluft *f*. **5.** *geol.* 'Durchbruch *m*: → water gap. **6.** *fig.* a) Lücke *f*, Leere *f*, b) Unter'brechung *f*, c) Zwischenraum *m*, -zeit *f*: to close the ~ *fig.* die Lücke schließen; to fill (*od.* stop) a ~ e-e Lücke (aus)füllen (*a. fig.*); to leave a ~ e-e Lücke hinterlassen; dollar ~ *econ.* Dollarlücke; rocket ~ *mil. pol.* Raketenlücke. **7.** *fig.* Kluft *f*, 'Unterschied *m*: ~ between rich and poor. **8.** *aer.* Tragflächenabstand *m*.

gap·a ['gæpə] *s aer.* ferngelenkter Boden-'Luft-Flugkörper (*aus* ground-to-air pilotless aircraft).

gape [geip; *Am. a.* gæp] **I** *v/i* **1.** den Mund aufreißen (*vor Erstaunen etc*). **2.** gaffen, starren, glotzen: to ~ at angaffen, anstarren, anglotzen; to stand gaping Maulaffen feilhalten. **3.** gähnen. **4.** *orn.* den Schnabel aufsperren. **5.** klaffen (*Wunden*), gähnen (*Kluft*), offen stehen. **6.** sich öffnen *od.* auftun. **II** *s* **7.** Gaffen *n*, Starren *n*. **8.** Gähnen *n*. **9.** Staunen *n*. **10.** → gap 2. **11.** the ~s *pl* a) *vet.* Schnabelsperre *f*, b) *humor.* Gähnkrampf *m*. '**gap·er** *s* **1.** Gaffer *m*. **2.** *ichth.* Gemeiner Sägebarsch. **3.** *zo.* Klaffmuschel *f*. '**gap·ing** *adj* (*adv* ~ly) **1.** klaffend. **2.** starrend. **3.** den Mund aufsperrend. **4.** gähnend.

gapped [gæpt] *adj* gespalten, zerklüftet, unter'brochen. '**gap·py** *adj* (viele) Lücken aufweisend, lückenhaft.

gar [gɑːr] *s ichth.* Hornhecht *m*.

ga·rage [*Br.* 'gærɑːʒ; -ridʒ; *Am.* gə'rɑːʒ; -'rɑːdʒ] **I** *s* **1.** Ga'rage *f*. **2.** Repara'turwerkstätte *f* u. Tankstelle *f*, Autohof *m*. **3.** *aer.* Flugzeugschuppen *m*, Hangar *m*. **II** *v/t* **4.** *das Auto* einstellen.

Gar·a·mond ['gærəˌmɒnd] *s print.* Gar(a)mond *f* (*Schriftart*).

garb [gɑːrb] **I** *s* **1.** Kleidung *f*, Gewand *n*, Tracht *f*, Aufmachung *f* (*a. fig.*). **2.** *fig.* a) (äußere) Form, b) Mantel *m*, Anschein *m*. **3.** *obs.* a) Haltung *f*, b) Sitte *f*. **II** *v/t* **4.** *meist pass* kleiden.

gar·bage ['gɑːrbidʒ] *s* **1.** *bes. Am.* Abfall *m*, Müll *m*, *bes.* Küchenabfälle *pl*: ~ can *Am.* Mülleimer *m*, -tonne *f*; ~ chute Müllschlucker *m*. **2.** *fig.* Schund *m*.

gar·ble ['gɑːrbl] *v/t* **1.** *e-n Text* entstellen, verstümmeln, zustutzen, ‚fri'sieren'. **2.** *obs.* aussuchen.

gar·boil *s obs.* Lärm *m*, Tu'mult *m*.

gar·den ['gɑːrdn] **I** *s* **1.** Garten *m*: to lead s.o. up the ~ (path) j-n nasführen. **2.** *fig.* Garten *m*, fruchtbare Gegend: the ~ of England *die Grafschaft Kent*. **3.** *pl* Garten(anlagen *pl*) *m*: the botanical ~s der botanische Garten. **4.** the G~ *philos.* Epiku'reische Philoso'phie *od.* Schule. **II** *v/i* **5.** im Garten arbeiten. **6.** Gartenbau treiben. ~ **cit·y** *s* Gartenstadt *f*. ~ **cress** *s bot.* Gartenkresse *f*.

gar·den·er ['gɑːrdnər] *s* Gärtner(in).

gar·den| frame *s* Mistbeet(fenster) *n*. ~ **glass** *s* Glasglocke *f* (*für Pflanzen*).

gar·de·ni·a [gɑːr'diːniə; -njə] *s bot.* Gar'denie *f*.

gar·den·ing ['gɑːrdniŋ] *s* **1.** Gartenbau *m*. **2.** Gartenarbeit *f*.

gar·den| mint *s bot.* Gartenminze *f*. ~ **mo(u)ld** *s* Blumen(topf)erde *f*. ~ **par·ty** *s* Gartenfest *n*, -gesellschaft *f*. ~ **patch** *s Am.*, ~ **plot** *s* Stück *n* Garten, Gartenland *n*. ~ **sage** *s bot.* Echter Sal'bei. ~ **sor·rel** *s bot.* **1.** Gartenampfer *m*. **2.** Großer Sauerampfer. **G~ State** *s Am.* (*Beiname für*) New Jersey *n* (*USA*). ~ **stuff** *s* Gartengewächse *pl*, -erzeugnisse *pl*. ~ **sub·urb** *s Br.* Gartenvorstadt *f*, Villenvorort *m*. ~ **truck** *Am. für* garden stuff. ~ **war·bler** *s orn.* Gartengrasmücke *f*. ~ **white** *s zo.* Weißling *m*.

garde·robe ['gɑːrdroub] *s hist.* **1.** Kleiderschrank *m*. **2.** (eigenes) Zimmer.

gare·fowl ['gɛrˌfaul] → great auk.

gar·fish ['gɑːrˌfiʃ] → gar.

gar·ga·ney ['gɑːrgəni] *s orn.* Knäkente *f*.

gar·gan·tu·an [gɑːr'gæntjuən; -tʃuən] *adj* riesig, gewaltig, ungeheuer.

gar·get ['gɑːrgit] *s vet.* **1.** Blutfleckenkrankheit *f*. **2.** Milchdrüsenentzündung *f* (*der Kühe*).

gar·gle ['gɑːrgl] **I** *v/t* **1.** *den Mund* ausspülen. **2.** *Worte* (her'vor)gurgeln. **II** *v/i* **3.** gurgeln. **III** *s* **4.** Mundwasser *n*, Gurgelmittel *n*.

gar·goyle ['gɑːrgɔil] *s* **1.** *arch.* Wasserspeier *m*. **2.** *fig.* Scheusal *n* (*Mensch*).

gar·i·bal·di [ˌgæri'bɔːldi] *s* **1.** (weite) Bluse. **2.** *Br.* Ro'sinenkeks *m*.

gar·ish ['gɛ(ə)riʃ] *adj* (*adv* ~ly) grell, schreiend, auffallend, prunkhaft. '**gar·ish·ness** *s* Grellheit *f*, Prunkhaftigkeit *f*.

gar·land ['gɑːrlənd] **I** *s* **1.** Gir'lande *f* (*a. arch.*), Blumengewinde *n*, -gehänge *n*, Kranz *m*. **2.** *fig.* Blumenlese *f*, Auswahl *f*. **3.** *fig.* Siegespreis *m*, -palme *f*. **II** *v/t* **4.** *j-n* bekränzen.

gar·lic ['gɑːrlik] *s bot.* Knoblauch *m*: ~ mustard Lauchhederich *m*. '**gar·lick·y** *adj* knoblauchartig, nach Knoblauch riechend.

gar·ment ['gɑːrmənt] **I** *s* Kleid(ungsstück) *n*, Gewand *n* (*a. fig.*). **II** *v/t* (be)kleiden, (ein)hüllen (in in *acc*).

gar·ner ['gɑːrnər] **I** *s* **1.** Getreidespeicher *m*, Kornkammer *f* (*a. fig.*). **2.** Speicher *m* (*a. fig.*). **3.** *fig.* Vorrat *m*, Sammlung *f*. **II** *v/t* **4.** *a. fig.* (auf)speichern.

gar·net[1] ['gɑːrnit] **I** *s* **1.** *min.* Gra'nat *m*. **2.** Gra'nat(farbe *f*) *n*. **II** *adj* **3.** gra'natrot.

gar·net[2] ['gɑːrnit] *s mar.* (Stag)Garnat *n*.

gar·nish ['gɑːrniʃ] **I** *v/t* **1.** schmücken, (ver)zieren. **2.** *Kochkunst*: gar'nieren (*a. fig. iro.*). **3.** *jur.* a) *e-e Forderung beim Drittschuldner* pfänden, b) *dem Drittschuldner* ein Zahlungsverbot zustellen. **II** *s* **4.** Verzierung *f*, Zierat *m*, Orna'ment *n*. **5.** *Kochkunst*: Gar'nierung *f* (*a. fig. iro.*). ˌ**gar·nish'ee** [-'ʃiː] *jur.* **I** *s* Drittschuldner *m* (*bei Forderungspfändungen*): ~ order *Br.* a) (Forderungs)Pfändungsbeschluß *m*, b) → garnishment 2b. **II** *v/t* → garnish 3. '**gar·nish·ment** *s* **1.** → garnish 4. **2.** *jur.* a) Forderungspfändung *f*, b) Zahlungsverbot *n* an den Drittschuldner, c) *Br.* Mitteilung *f* an den Pro'zeßgegner.

gar·ni·ture ['gɑːrnitʃər] *s* **1.** → garnish 4. **2.** Zubehör *n*, Ausstattung *f*.

ga·rotte → garrot(t)e.

gar·ret[1] ['gærit] *s arch.* Dachstube *f*, Dach-, Bodenkammer *f*, Man'sarde *f*: wrong in the ~ *sl.* ‚nicht richtig im Oberstübchen'.

gar·ret[2] ['gærit] *v/t arch. Mauerlücken* durch Steinsplitter ausfüllen.

gar·ret·eer [ˌgæri'tir] *s* **1.** Man'sardenbewohner(in). **2.** *fig.* armer Poet.

gar·ri·son ['gærisn] *mil.* **I** *s* **1.** *Am.* Fort *n*, Festung *f*. **2.** Garni'son *f*, Besatzung *f* (*e-s Ortes*), Standort *m*: ~ town Garnisonstadt *f*. **II** *v/t* **3.** mit e-r Garni'son *od.* mit Truppen belegen, besetzen. **4.** durch (bemannte) Festungen schützen. **5.** *Truppen* in Garni'son legen: to be ~ed (in Garnison) liegen. **6.** besetzen, bewachen, mit Truppen belegen. ~ **cap** *s* Feldmütze *f*, ‚Schiffchen' *n*. ~ **com·mand·er** *s* 'Standortkommanˌdant *m*. ~ **head·quar·ters** *s pl* 'Orts-, 'Standortkommandanˌtur *f*. ~ **house** *s hist. Am.* (befestigtes) Blockhaus (*der Siedler*).

gar·ron ['gærən] *s* Klepper *m*, (minderwertiges) Pferd.

gar·rot ['gærət] → goldeneye.

gar·rot(t)e [gə'rɒt; *Am. a.* -'rout] **I** *s* Gar'rotte *f*: a) Halseisen *n*, b) Erdrosselung *f*. **II** *v/t* garrot'tieren.

gar·ru·li·ty [gəˈruːliti] *s* Geschwätzigkeit *f*. **gar·ru·lous** [ˈgæruləs; -rj-] *adj* (*adv* ~ly) **1.** geschwätzig: a) gesprächig, b) *fig.* wortreich, weitschweifig: a ~ speech. **2.** schnatternd (*Vögel*). **3.** plätschernd (*Flüsse*). ˈ**gar·ru·lous·ness** → garrulity.

gar·ter [ˈgɑːrtər] **I** *s* **1.** a) Strumpfband *n*, b) *Am.* Sockenhalter *m*: ~ belt *Am.* Strumpfhalter *m*; ~ girdle Hüfthalter *m*, -gürtel *m*. **2.** the G~ a) Hosenbandorden *m* (*Abzeichen*), b) → Order of the Garter, c) Mitgliedschaft *f* des Hosenbandordens. **3.** G~ (King of Arms) erster Wappenherold Englands. **II** *v/t* **4.** mit e-m Strumpfband *etc* befestigen *od.* versehen. ~ **snake** *s zo.* Nordamer. Vipernatter *f*.

garth [gɑːrθ] *s Br. obs. od. dial.* (Kloster)Hof *m*.

gas [gæs] **I** *s* **1.** *chem.* Gas *n*. **2.** *Bergbau*: Grubengas *n*. **3.** (Leucht)Gas *n*, Gaslicht *n*, -flamme *f*: to turn on (off) the ~ das Gas aufdrehen (abdrehen). **4.** *mil.* (Gift)Gas *n*, Kampfstoff *m*: ~ attack Gasangriff *m*. **5.** *bes. Am. colloq.* a) Benˈzin *n*, Kraftstoff *m* (*abbr. für* gasoline), b) ˈGaspeˌdal *n*: to step on the ~ Gas geben, ‚auf die Tube drücken' (*beide a. fig.*). **6.** *sl.* Gewäsch *n*, leeres Geschwätz, ‚Blech' *n*. **II** *v/t* **7.** mit Gas versorgen *od.* beleuchten *od.* füllen. **8.** *tech.* mit Gas behandeln, begasen. **9.** *mil.* vergasen, mit Gas töten *od.* vergiften. **III** *v/i* **10.** *a.* ~ up *mot. Am. colloq.* (auf)tanken. **11.** *sl.* faseln, ‚quatschen'.

ˈ**gas|-abˈsorb·ing** *adj* ˈgasabsorˌbierend: ~ coal Aktivkohle *f*. ˈ~-ˌ**air mix·ture** *s tech.* Brennstoffluftgemisch *n*. ˈ~ˌ**bag** *s* **1.** *tech.* Gassack *m*, -zelle *f*. **2.** *colloq.* Schwätzer *m*. ~ **bomb** *s mil.* Kampfstoffbombe *f*. ~ **bot·tle** *s* Gasflasche *f*. ~ **burn·er** *s* Gasbrenner *m*. ~ **burn·ing** *s* Gasfeuerung *f*. ~ **car·bon** *s chem.* Reˈtortengraˌphit *m*, -kohle *f*. ~ **cell** *s chem. phys.* Gaskette *f*. ~ **cham·ber** *s* **1.** Gaskammer *f* (*zur Hinrichtung*). **2.** *mil.* Gas(prüf)raum *m*. ~ **coke** *s tech.* (Gas)Koks *m*.

Gas·con [ˈgæskən] **I** *s* **1.** Gasˈkogner *m*. **2.** *fig.* Aufschneider *m*. **II** *adj* **3.** gasˈkonisch. ˌ**gas·conˈade** [-ˈneid] **I** *s* Prahleˈrei *f*. **II** *v/i* prahlen.

gas| cook·er *s* Gaskocher *m*. ~ **cut·ting** *s tech.* Autoˈgen-, Brennschneiden *n*. ~ **cyl·in·der** *s tech.* Gasflasche *f*. ~ **de·tec·tor** *s* **1.** *chem.* ˈGasdeˌtektor *m*, -reaˌgens *n*. **2.** *mil.* Gasspürgerät *n*. ˈ~-**disˌcharge tube** *s electr. phys.* Kaltlichtröhre *f*.

gas·e·i·ty [gæˈsiːəti] → gaseousness.

gas·e·lier [ˌgæsəˈliər] → gas fixture 2.

gas| en·gine *s tech.* ˈGasmotor *m*, -maˌschine *f*. ~ **en·gi·neer·ing** *s chem.* Gastechnik *f*, -fach *n*.

gas·e·ous [ˈgæsiəs; *Br. a.* ˈgeiz-] *adj chem.* **1.** gasartig, -förmig. **2.** Gas... **3.** *fig.* inhalts-, gehaltlos. ˈ**gas·e·ous·ness** *s* Gaszustand *m*, -förmigkeit *f*.

ˈ**gas|-ˌfilled** *adj* gasgefüllt. ~ **fire** *s* Gasofen *m*, -heizung *f*. ˈ~-ˌ**fired** *adj* mit Gasfeuerung, gasbeheizt. ~ **fit·ter** *s* ˈGasinstallaˌteur *m*. ~ **fit·ting** *s* **1.** ˈGasinstallatiˌon *f*. **2.** *pl* ˈGasarmaˌturen *pl*. ~ **fix·ture** *s* **1.** Gasarm *m*. **2.** Gasarm-, Gaskronleuchter *m*. ~ **gan·grene** *s med.* Gasbrand *m*.

gash[1] [gæʃ] **I** *s* **1.** klaffende Wunde, tiefer Riß *od.* Schnitt. **2.** Spalte *f*, Einschnitt *m*. **II** *v/t* **3.** *j-m* e-e klaffende Wunde beibringen, *die Haut* aufreißen, aufschlitzen.

gash[2] [gæʃ] *Scot.* **I** *adj* **1.** geschwätzig. **2.** schlau. **3.** schmuck. **II** *v/i* **4.** schwatzen.

gas| heat·er *s* Gasofen *m*. ~ **heat·ing** *s* Gasheizung *f*. ~ **hel·met** → gas mask. ˈ~ˌ**hold·er** *s tech.* **1.** Gasoˈmeter *m*. **2.** Gasbehälter *m*. ˈ~ˌ**house** *s tech. Am.* Gaswerk *n*.

gas·i·fi·ca·tion [ˌgæsifiˈkeiʃən] *s* Vergasung *f*: ~ of coal. ˈ**gas·iˌfi·er** [-ˌfaiər] *s tech.* Vergaser *m*. ˈ**gas·iˌform** [-ˌfɔːrm] *adj chem.* gasförmig. ˈ**gas·iˌfy** [-ˌfai] **I** *v/t* vergasen, in Gas verwandeln. **II** *v/i* zu Gas werden.

gas jet *s* **1.** Gasflamme *f*. **2.** Gasbrenner *m*.

gas·ket [ˈgæskit], *a.* ˈ**gas·kin** [-kin] *s tech.* ˈDichtung(smanˌschette *f*, -sring *m*) *f*, Packung *f*.

ˈ**gas|ˌlight** *s* **1.** Gaslicht *n*: ~ paper *phot.* Gaslichtpapier *n*. **2.** Gasbrenner *m*. **3.** Gaslampe *f*. ˈ~ˌ**light·er** *s* Gasanzünder *m*. ~ **liq·uor** *s chem.* Gas-, Ammoniˈakwasser *n*. ~ **log** *s Am.* holzstückförmiger Gasbrenner. ~ **main** *s tech.* (Haupt)Gasleitung *f*, Gas(haupt)rohr *n*. ˈ~ˌ**man** [-ˌmæn] *s irr* **1.** ˈGasinstallaˌteur *m*. **2.** ˈGasmann *m*, -kasˌsierer *m*. **3.** *Bergbau*: Wettersteiger *m*. ~ **man·tle** *s* Gasglühstrumpf *m*. ~ **mask** *s mil.* Gasmaske *f*. ~ **me·ter** *s tech.* Gasuhr *f*, -messer *m*, -zähler *m*. ~ **mo·tor** → gas engine.

gas·o·line [ˈgæsəˌliːn; *Am. a.* ˌgæsəˈliːn] *s* **1.** *chem.* Gasoˈlin *n*, Gasäther *m*. **2.** *Am.* Benˈzin *n*: ~ attendant Tankwart *m*; ~ container Benzinkanister *m*; ~ engine Vergaser-, Benzinmotor *m*; ~ ga(u)ge Benzinstandsanzeiger *m*; ~ pump Tank-, Zapfsäule *f*; ~ station Tankstelle *f*.

gas·om·e·ter [gæˈsɒmitər] *s tech.* Gasoˈmeter *m*, Gasbehälter *m*. **gas·o·met·ric** [ˌgæsoˈmetrik] *adj* gasoˈmetrisch.

ˈ**gas|-ˌop·er·at·ed** *adj*: ~ gun *mil.* Gasdrucklader *m*. ˈ~-ˈ**ov·en** *s* Gasbackofen *m*, Gasherd *m*.

gasp [*Br.* gɑːsp; *Am.* gæ(ː)sp] **I** *v/i* **1.** keuchen (*a. Maschine etc*), schwer atmen: to ~ for breath nach Luft schnappen *od.* ringen; to ~ for s.th. *fig.* nach etwas lechzen. **2.** (*vor Schreck etc*) ‚nach Luft schnappen': it made him ~, he ~ed (with surprise) ihm stockte der Atem (vor Erstaunen). **II** *v/t* **3.** *meist* ~ out *Worte* (herˈvor)keuchen, herˈvorstoßen, seufzend äußern: to ~ one's life out sein Leben aushauchen. **III** *s* **4.** Keuchen *n*, schweres Atmen: at one's last ~ in den letzten Zügen (liegend). **5.** Laut *m* des Erstaunens *od.* Erschreckens. ˈ**gasp·er** *s Br. sl.* billige Zigaˈrette, ‚Sargnagel' *m*. ˈ**gasp·ing** *adj* (*adv* ~ly) **1.** keuchend, schwer atmend. **2.** *fig.* (an)gespannt, ˈhingerissen.

gas| pipe *s tech.* Gasrohr *n*. ~ **plant**[1] *s bot.* Diptam *m*. ~ **plant**[2] → gasworks. ~ **pli·ers** *s pl tech.* Gasrohrzange *f*. ~ **pock·et** *s* **1.** *tech.* Gaseinschluß *m* (*in Glas, Gußstücken*). **2.** *mil.* Gassumpf *m*. ~ **pro·jec·tor** *s mil.* Gaswerfer *m*. ˈ~ˈ**proof** *adj* gasdicht. ~ **range** *s Am.* Gasherd *m*. ~ **ring** *s* **1.** Gasbrenner *m*, -ring *m*. **2.** Dichtungsring *m*. ~ **seal** *s chem.* Gasverschluß *m*.

gassed [gæst] *adj med.* vergast, gaskrank, -vergiftet. ˈ**gas·ser** *s* **1.** *tech.* Gas freigebende Ölquelle. **2.** *tech.* Tuch-, Garngaser *m*. **3.** *fig.* Schwätzer *m*, Aufschneider *m*. **4.** *Am. sl.* ‚Knüller' *m*, ‚tolle Sache'. ˈ**gas·sing** *s* **1.** *tech.* Behandlung *f* mit Gas, (Be)Gasen *n*. **2.** *mil. etc* Vergasen *n*, -gasung *f*. **3.** *electr.* Gasentwicklung *f*, ‚Kochen' *n*. **4.** *colloq.* Geschwätz *n*.

gas| sta·tion *s Am.* Tankstelle *f*. ~ **stove** *s* Gasofen *m*, -herd *m*.

gas·sy [ˈgæsi] *adj* **1.** gashaltig, -artig, voll Gas. **2.** *fig.* großsprecherisch, schwadroˈnierend, geschwätzig.

gas| tank *s* **1.** Gasbehälter *m*. **2.** *Am.* Benˈzinbehälter *m*. ~ **tar** *s tech.* Gas-, Steinkohlenteer *m*.

gas·ter·o·pod [ˈgæstəroˌpɒd] → gastropod.

ˈ**gas|ˈtight** *adj* gasdicht. ~ **torch** *s tech.* Gasschweißbrenner *m*.

gas·tral·gi·a [gæsˈtrældʒiə] *s med.* Magenschmerz(en *pl*) *m*. **gasˈtrec·to·my** [-ˈtrektəmi] *s med.* ˈMagenresektiˌon *f*.

gas·tric [ˈgæstrik] *adj med.* gastrisch, Magen(gegend)...: ~ acid Magensäure *f*; ~ gland Magendrüse *f*; ~ juice Magensaft *m*; ~ ulcer Magengeschwür *n*. ˈ**gas·trin** [-trin] *s physiol.* Gaˈstrin *n* (*Hormon*). **gasˈtri·tis** [-ˈtraitis] *s med.* Gaˈstritis *f*, ˈMagenkaˌtarrh *m*, -schleimhautentzündung *f*.

gas·tro·en·ter·i·tis [ˌgæstroˌentəˈraitis] *s med.* ˌMagen-ˈDarm-Kaˌtarrh *m*, Gastroenteˈritis *f*.

gas·tro·en·ter·ol·o·gy [ˌgæstroˌentəˈrɒlədʒi] *s med.* (Fachgebiet *n* der) Magen- u. Darmleiden *pl*.

gas·trol·o·gist [gæsˈtrɒlədʒist] *s* **1.** *med.* ˈMagenspeziaˌlist *m*. **2.** *humor.* Kochkünstler *m*. **gasˈtrol·o·gy** *s* **1.** *med.* (Fachgebiet *n* der) Magenkrankheiten *pl*. **2.** *humor.* Kochkunst *f*.

gas·tro·nome [ˈgæstrəˌnoum], *a.* **gasˈtron·o·mer** [-ˈtrɒnəmər] *s* Feinschmecker *m*, Gourˈmet *m*. ˌ**gas·troˈnom·ic** [-ˈnɒmik], ˌ**gas·troˈnom·i·cal** *adj* feinschmeckerisch, Schlemmer... **gasˈtron·o·mist** → gastronome. **gasˈtron·o·my** *s* ˌFeinschmekkeˈrei *f*, höhere Kochkunst, Gastronoˈmie *f*.

gas·tro·pod [ˈgæstrəˌpɒd] *pl* **-trop·o·da** [-ˈtrɒpədə] *s zo.* Gastroˈpode *m*, Bauchfüßer *m*.

gas·tro·scope [ˈgæstrəˌskoup] *s med.* Magenspiegel *m*.

gas| tube *s phys.* Gasentladungsröhre *f*. ~ **tur·bine** *s tech.* ˈGasturˌbine *f*. ~ **wash·er** *s tech.* ˈGaswaschappaˌrat *m*. ~ **weld·ing** *s tech.* autoˈgenes Schweißen, Gasschweißen *n*. ~ **well** *s tech.* Gasbohrloch *n*, Gasquelle *f*. ˈ~ˌ**works** *s pl* (*meist als sg konstruiert*) *tech.* Gasanstalt *f*, -werk *n*.

gat[1] [gæt] *obs. od. dial. pret von* get.

gat[2] [gæt] *s mar.* Pasˈsage *f*, ˈDurchfahrt *f*, Fahrwasser *n*, Seegat(t) *n*.

gat[3] [gæt] *s Am. sl.* ‚Schießeisen' *n*.

gate[1] [geit] **I** *s* **1.** (*Stadt-, Garten- etc*)Tor *n*, Pforte *f* (*beide a. fig.*): to crash the ~ → gate-crash I. **2.** *fig.* Zugang *m*, Weg *m* (to zu). **3.** a) *rail.* Sperre *f*, Schranke *f*, b) *aer.* Flugsteig *m*. **4.** (enger) Eingang, (schmale) ˈDurchfahrt. **5.** *Bibl.* Gerichtsstätte *f*. **6.** (Gebirgs)Paß *m*. **7.** *Wasserbau*: Schleusentor *n*. **8.** *sport* a) Slalom-Tor *n*, b) → starting gate. **9.** *sport* a) Besucher(zahl *f*) *pl*, b) (eingenommenes) Eintrittsgeld, (Gesamt)Einnahmen *pl*. **10.** *tech.* Venˈtil *n*, Schieber *m*. **11.** *Gießerei*: (Einguß)Trichter *m*, Anschnitt *m*. **12.** *phot.* Bild-, Filmfenster *n*. **13.** *TV* Ausblendstufe *f*. **14.** *electr.* ˈTorimˌpuls *m*. **15.** *Am. colloq.* a) Entlassung *f*, Hinˈauswurf *m*, b) ‚Korb' *m*: to get the ~ entlassen *od.* ‚hinausgeschmissen' werden; to give s.o. the ~ a) j-n hinauswerfen, b) j-m e-n Korb geben. **II** *v/t* **16.** *Br. univ.* *j-m* den

Ausgang sperren: he was ~d er erhielt Ausgangsverbot.
gate[2] [geit] *s* **1.** *dial.* Brauch *m.* **2.** *obs. od. dial.* Gasse *f*, Straße *f.*
gate| bill *s Br. univ.* **1.** *Protokoll über überschrittene Ausgangszeit.* **2.** *Geldstrafe wegen Überschreitens der Ausgangszeit.* '**~-ˌcrash** *sl.* **I** *v/i* uneingeladen zu e-r Gesellschaft *etc* kommen, sich eindrängen. **II** *v/t* sich eindrängen *od.* einschmuggeln bei *e-r Veranstaltung.* **~ crash·er** *s sl.* Eindringling *m*, ungeladener Gast. '**~ˌhouse** *s* **1.** Pförtnerhaus *n.* **2.** *hist.* Pförtner-, Wachzimmer *n*, *a.* Gefängnis *n* (*über e-m Stadttor*). **3.** *tech.* Schleusenhaus *n.* '**~ˌkeep·er** *s* **1.** Pförtner *m*, Torhüter *m.* **2.** *Am.* → gateman 2. '**~-ˌleg(ged) ta·ble** *s* Klapptisch *m.* '**~·man** [-mən] *s Am.* **1.** Mann *m* an der (Eintritts)Kasse. **2.** *rail.* Bahn-, Schrankenwärter *m.* **~ mon·ey** → gate[1] 9b. '**~ˌpost** *s* Tor-, Türpfosten *m*: between you and me and the ~ im Vertrauen *od.* unter uns (gesagt). **~ saw** *s tech.* Gattersäge *f.* '**~-ˌtype gear shift** *s mot.* Ku'lissenschaltung *f.* '**~ˌway** *s* **1.** Torweg *m*, Einfahrt *f.* **2.** 'Torrahmen *m*, -ˌüberbau *m.* **3.** *fig.* Tor *n*, Zugang *m.*
gath·er ['gæðər] **I** *v/t* **1.** *etwas* (an)sammeln, anhäufen: to ~ wealth Reichtümer aufhäufen *od.* sammeln; to ~ experience Erfahrung(en) sammeln; to ~ facts (*od.* information) Tatsachen zs.-tragen, Erkundigungen einziehen, Material sammeln; to ~ strength Kräfte sammeln, zu Kräften kommen. **2.** *Personen* versammeln: → father 3. **3.** a) *Blumen etc* pflücken, b) ernten, sammeln. **4.** *a.* ~ up auflesen, (-)sammeln, (*vom Boden*) aufheben, -nehmen: to ~ together zs.-suchen, zs.-raffen; to ~ o.s. together *fig.* sich zs.-raffen; to ~ s.o. in one's arms j-n in s-e Arme schließen. **5.** erwerben, gewinnen, ansetzen: to ~ dust staubig werden, verstauben; to ~ way a) *mar.* Fahrt aufnehmen, in Fahrt kommen (*a. fig.*), b) *fig.* sich durchsetzen; to ~ speed Geschwindigkeit aufnehmen, schneller werden; → head *Bes. Redew.* **6.** *Näherei*: raffen, kräuseln, zs.-ziehen. **7.** *meist* ~ up *Kleid etc* aufnehmen, zs.-raffen. **8.** *die Stirn* in Falten ziehen. **9.** *meist* ~ up *die Beine* einziehen. **10.** *fig.* folgern (*a. math.*), schließen, sich zs.-reimen (from aus). **II** *v/i* **11.** sich (ver)sammeln *od.* scharen (round s.o. um j-n). **12.** sich häufen, sich (an)sammeln. **13.** sich zs.-ziehen *od.* zs.-ballen (*Wolken, Gewitter, a. fig.*). **14.** anwachsen, zunehmen, sich entwickeln. **15.** *med.* reifen, eitern.
gath·er·er ['gæðərər] *s* **1.** (Ein)Sammler *m.* **2.** *agr.* a) Schnitter *m*, b) Winzer *m.* **3.** Steuer-, Geldeinnehmer *m.* **4.** *Buchbinderei*: a) Zs.-träger *m*, b) Zu'sammentragmaˌschine *f.* **5.** *Glasfabrikation*: Ausheber *m.* '**gath·er·ing** *s* **1.** Sammeln *n.* **2.** Sammlung *f.* **3.** a) (Menschen)Ansammlung *f*, b) Versammlung *f*, Zs.-kunft *f.* **4.** *Buchbinderei*: Lage *f.* **5.** *med.* Eitern *n*, Eiterung *f.* **6.** Kräuseln *n.*
gat·ing ['geitiŋ] *s* **1.** *electr.* a) Austastung *f*, Ausblendstufe *f* (*Kathodenstrahlröhre*), b) (Si'gnal)Auswertung *f* (*Radar*). **2.** *univ. Br.* Ausgangsverbot *n.*
gauche [gouʃ] *adj* **1.** linkisch. **2.** taktlos. '**gauche·ness, gau·che·rie** [ˌgouʃə'riː; 'gouʃəˌriː] *s* **1.** Plumpheit *f.* **2.** Taktlosigkeit *f.*

Gau·cho ['gautʃou] *pl* **-chos** *s* Gaucho *m* (*Viehhirt*).
gaud [gɔːd] *s* **1.** Putz *m*, Flitterkram *m*, -staat *m*, Tand *m.* **2.** *pl* Prunk *m*, Pomp *m.* '**gaud·i·ness** *s* geschmackloser Prunk, Flitterstaat *m.* '**gaud·y I** *adj* (*adv* gaudily) **1.** (farben)prächtig. **2.** aufgeputzt, über'laden, protzig, auffällig: ~ colo(u)rs grelle Farben. **3.** geschmacklos. **II** *s* **4.** *univ. Br.* (jährliches) Festmahl (*e-s College*): ~-day.
gauf·fer ['gɔːfər] → gof(f)er.
gauge [geidʒ] **I** *v/t* **1.** *tech.* (ab-, aus)messen, ablehren, prüfen. **2.** *tech.* eichen, ju'stieren, kali'brieren. **3.** *fig.* (ab)schätzen, ta'xieren, beurteilen. **II** *s* **4.** *tech.* Nor'mal-, Eichmaß *n.* **5.** 'Umfang *m*, Inhalt *m*: to take the ~ of *fig.* → 3. **6.** *fig.* Maßstab *m*, Norm *f.* **7.** *tech.* Meßgerät *n*, Anzeiger *m*, Messer *m*: a) Pegel *m*, Wasserstandsmesser *m*, b) Mano'meter *n*, c) Lehre *f*, d) Maß-, Zollstab *m*, e) *print.* Zeilenmaß *n.* **8.** *tech.* (*bes.* Blech-, Draht)Stärke *f*, (-)Dicke *f.* **9.** gg-Zahl *f*, Gauge *n* (*Maschenstrümpfe*). **10.** *mil.* Ka'liber *n* (*bei nichtgezogenen Läufen*). **11.** *rail.* Spurweite *f.* **12.** *oft* gage *mar.* Abstand *m od.* Lage *f* (*e-s Schiffes*): she has the lee (weather *od.* windward) ~ es liegt zu Lee (Luv). **~ door** *s Bergbau*: Wettertür *f*, Ventilati'onsreguˌlier(ungs)tür *f.* **~ glass** *s tech.* Wasserstandsglas *n*, Ableseröhre *f.* **~ lathe** *s tech.* Präzisi'onsdrehbank *f.* **~ point** *s tech.* Körner *m.*
gaug·er ['geidʒər] *s* **1.** (Aus)Messer *m*, Eicher *m*, Eichmeister *m.* **2.** *hist.* Steuerbeamte(r) *m.*
gauge| ring *s electr.* Paßring *m.* **~ rod** *s tech.* Spurstange *f.*
gaug·ing ['geidʒiŋ] *s tech.* Eichung *f*, Messung *f*: ~ office Eichamt *n*; ~ rod Eichmaß *n*, -stab *m.*
Gaul [gɔːl] *s* **1.** Gallier *m.* **2.** *humor.* Fran'zose *m.* '**Gaul·ish I** *adj* gallisch (*a. humor. französisch*). **II** *s ling.* Gallisch *n*, das Gallische.
gault [gɔːlt] *s geol.* Gault *m*, Flammenmergel *m.*
gaunt [gɔːnt] *adj* (*adv* ~ly) **1.** hager, mager, dünn. **2.** verlassen, öde, unheimlich, schauerlich.
gaunt·let[1] ['gɔːntlit], *Am. a.* '**gant·let** ['gænt-; 'gɔːnt-] *s* **1.** Panzerhandschuh *m.* **2.** *fig.* Fehdehandschuh *m*: to fling (*od.* throw) down the ~ (to s.o.) (j-m) den Fehdehandschuh hinwerfen, (j-n) herausfordern; to pick (*od.* take) up the ~ den Fehdehandschuh aufnehmen, die Herausforderung annehmen. **3.** Reit-, Fechthandschuh *m.* **4.** *pl Eishockey*: Handschuhe *pl* des Torwarts.
gaunt·let[2] ['gɔːntlit] *s*: to run the ~ Spießruten laufen (*a. fig.*); to run the ~ of s.th. *fig.* etwas (*Unangenehmes*) durchstehen müssen.
gaunt·ness ['gɔːntnis] *s* Hagerkeit *f.*
gaun·try ['gɔːntri] → gantry.
gaur [gaur] *s zo.* Gaur *m* (*indischer Büffel*).
gauss [gaus] *s phys.* Gauß *n* (*Einheit der magnetischen Feldstärke*). '**Gauss·i·an** *adj math.* Gaußsch(er, e, es).
gauze [gɔːz] *s* **1.** Gaze *f*, Flor *m*, (Verband)Mull *m*: ~ bandage *med.* Gaze-, Mullbinde *f*; ~ pack *med.* Gazetupfer *m.* **2.** feines Drahtgeflecht. **3.** Dunst *m*, (Nebel)Schleier *pl.* '**gauz·y** *adj* gazeartig, hauchdünn.
gave [geiv] *pret von* give.
gav·el[1] ['gævl] *s bes. Am.* Hammer *m* (*des Auktionators, Vorsitzenden etc*).
gav·el[2] ['gævl] *s jur. hist.* Steuer *f*, Tri'but *m.* '**gav·elˌkind** [-ˌkaind] *s jur. hist.* **1.** Erbrecht *n* an Lehns- *od.* Grundbesitz der ehelichen Abkömmlinge zu gleichen Teilen. **2.** (*e-e solche*) Lehnbesitzteilung.
ga·vot(te) [gə'vɒt] *s mus.* Ga'votte *f.*
gawk [gɔːk] **I** *s* **1.** Tölpel *m*, Trottel *m.* **2.** Schlaks *m.* **II** *v/i* **3.** *Am. colloq.* dumm glotzen. '**gawk·y** *adj* **1.** einfältig, tölpelhaft, unbeholfen. **2.** schlaksig.
gay [gei] *adj* (*adv* gaily) **1.** lustig, fröhlich, munter. **2.** a) bunt, (farben)prächtig, glänzend, strahlend, b) lebhaft: ~ colo(u)rs; ~ with belebt von, strahlend vor, geschmückt mit, *a.* widerhallend von (*Klängen*). **3.** auffällig. **4.** flott, lebenslustig: a ~ bird (*od.* dog) *colloq.* ein lustiger Bursche, ein lockerer Zeisig. **5.** *euphem.* liederlich, dirnenhaft (*Frau*). **6.** *Am. sl.* a) frech, ‚pampig', b) ‚schwul', homosexu'ell.
ga·za·bo [gə'zeibou] *s Am. sl.* ‚Knülch' *m*, Kerl *m.*
gaze [geiz] **I** *v/i* (at, on, upon) starren (auf *acc*), anstarren, be-, anstaunen, scharf *od.* lange ansehen (*acc*). **II** *s* (fester, starrer) Blick, (An)Starren *n*: to stand at ~ gaffen, starren.
ga·ze·bo [gə'ziːbou] *pl* **-bos** *od.* **-boes** *s* **1.** 'Aussichtsturm *m*, -terˌrasse *f.* **2.** → gazabo.
'**gazeˌhound** *s hunt. hist.* Jagdhund *m* (*der mehr Augen- als Nasentier ist*).
ga·zelle [gə'zel] *s zo.* Ga'zelle *f.*
gaz·er ['geizər] *s* Gaffer *m.*
ga·zette [gə'zet] **I** *s* **1.** Zeitung *f.* **2.** *Br.* Amtsblatt *n*, Staatsanzeiger *m.* **II** *v/t* **3.** *Br.* im Amtsblatt bekanntgeben *od.* veröffentlichen: he was ~d general s-e Beförderung zum General wurde bekanntgegeben. **gaz·et·teer** [ˌgæzə'tir] *s* **1.** Mitarbeiter *m* e-r (amtlichen) Zeitung. **2.** geo'graphisches Lexikon *od.* Namensverzeichnis.
gear [gir] **I** *s* **1.** *tech.* a) Zahn-, Getrieberad *n*, b) Getriebe *n*, Triebwerk *n.* **2.** *tech.* Eingriff *m*: in ~ eingerückt, -geschaltet, in Gang; to be in ~ with im Eingriff stehen mit (*Zahnräder*); out of ~ a) ausgerückt, außer Eingriff, ausgeschaltet, b) *fig.* in Unordnung, außer Betrieb; to throw out of ~ a) ausrücken, -schalten, b) *fig.* durcheinander bringen. **3.** *tech.* a) Über'setzung *f*, b) *mot.* Gang *m*: second ~ zweiter Gang; in high ~ in e-m schnellen *od.* hohen Gang; in low (*od.* bottom) ~ im ersten Gang; (in) top ~ im höchsten Gang, mit höchster Geschwindigkeit (*a. fig.*); to change (*Am.* shift) ~s schalten, den Gang wechseln. **4.** *aer. mar. etc* (*meist in Zssgn*) Vorrichtung *f*, Gerät *n*: → landing gear; steering gear. **5.** Ausrüstung *f*, Gerät *n*, Werkzeug(e *pl*) *n*, Zubehör *n*: fishing ~ Angelgerät, -zeug *n.* **6.** Hausrat *m.* **7.** Habseligkeiten *pl*, Sachen *pl.* **8.** (Be)Kleidung *f*, Aufzug *m.* **9.** (Pferde- *etc*)Geschirr *n.* **II** *v/t* **10.** *tech.* a) mit e-m Getriebe versehen, b) über'setzen, c) in Gang setzen (*a. fig.*), einschalten: to ~ up (down) den Gang *od.* die Geschwindigkeit (*gen*) herauf-(herab)setzen, über-(unter)setzen; to ~ up *fig.* heraufsetzen, beschleunigen, verstärken, steigern. **11.** *fig.* (to, for) einstellen (auf *acc*), anpassen (*dat od.* an *acc*), abstimmen (auf *acc*): to ~ production to demand die Produktion der Nachfrage anpassen. **12.** ausrüsten. **13.** *oft* ~ up *Zugtiere* anschirren. **III** *v/i* **14.** *tech.* a) inein'andergreifen (*Zahnräder*), b) eingreifen (into, with in *acc*). **15.** in Gang kommen *od.* sein. **16.** *fig.*

(with) abgestimmt sein (auf *acc*), eingerichtet sein (für), passen (zu).

'gear|ˌbox, ~ case *s tech.* **1.** Getriebe(gehäuse) *n.* **2.** Zahnrad-, Kettenschutz(blech *n*) *m.* **~ cut·ter** *s tech.* 'Zahnradˌfräsmaˌschine *f.* **~ change** *s mot. Br.* (Gang)Schaltung *f.* **~ drive** → **gearing** 1.

geared [gird] *adj* verzahnt, Getriebe...

gear·ing ['gi(ə)riŋ] *s tech.* **1.** (Zahnrad)Getriebe *n*, (-)Antrieb *m*, Vorgelege *n*, Triebwerk *n.* **2.** Über'setzung *f* (*e-s Getriebes*). **3.** Verzahnung *f.*

gear·less ['girlis] *adj tech.* räder-, getriebelos.

gear| le·ver *s tech.* Schalthebel *m.* **~ ra·tio** *s* Über'setzung(sverhältnis *n*) *f.* **~ rim** *s* Zahn(rad)kranz *m.* **~ shaft** *s* Getriebewelle *f.* **'~ˌshift** *s mot. Am.* **1.** (Gang)Schaltung *f.* **2.** *a.* **~ lever** Schalthebel *m.* **~ wheel, '~ˌwheel** *s* Getriebe-, Zahnrad *n.*

geck·o ['gekou] *pl* **-os, -oes** *s zo.* Gecko *m* (*Echse*).

gee[1] [dʒiː] *s* G, g *n* (*Buchstabe*).

gee[2] [dʒiː] **I** *s* **1.** *Kindersprache*: ‚Hotte'hü' *n* (*Pferd*). **2.** Hü *n*, Hott *n.* **II** *interj* **3.** *meist* **~ up** hüh!, hott! **4.** hott! (*schneller*). **III** *v/t u. v/i* **5.** nach rechts lenken (gehen).

gee[3] [dʒiː] *v/i sl.* (über'ein)stimmen, passen: **it won't ~** es wird nicht gehen.

gee[4] [dʒiː] *interj Am. sl.* na so was!, Mann!, ‚Donnerwetter'!

gee-gee ['dʒiː'dʒiː] → **gee**[2] 1.

gee-ho ['dʒiː'hou], **'gee-'hup** [-'hʌp] → **gee**[2] II.

geese [giːs] *pl von* **goose**.

gee-up ['dʒiː'ʌp] → **gee**[2] II.

gee whiz ['dʒiː '*h*wiz] → **gee**[4].

gee·zer ['giːzər] *s sl.* **1.** wunderlicher Kauz. **2.** a) (komischer) ‚alter Knopf', b) (komische) ‚alte Schachtel'.

Ge·hen·na [gi'henə] *s relig.* Ge'henna *f*, Hölle *f.*

Gei·ger count·er ['gaigər] *s phys.* Geigerzähler *m.*

gei·sha ['geiʃə] *s* Geisha *f.*

gel [dʒel] **I** *s* Gela'tine *f*, Gel *n.* **II** *v/i* ge'lieren, gelati'nieren.

gel·a·tin ['dʒelətin] *s* **1.** Gela'tine *f*, reiner Knochenleim. **2.** Gal'lerte *f.* **3.** mit Gela'tine 'hergestellte Masse. **4.** *a.* **blasting ~** 'Sprenggelaˌtine *f.* **ge·lat·i·nate** [dʒi'lætiˌneit] → **gelatinize**.

gel·a·tine → **gelatin**.

ge·lat·i·nize [dʒi'lætiˌnaiz] *v/i u. v/t* gelati'nieren *od.* ge'lieren (lassen). **ge'lat·iˌnoid** *adj u. s* gallertartig(e Sub'stanz). **ge'lat·i·nous** *adj* gallertartig, gelati'nös.

ge·la·tion [dʒi'leiʃən] *s* Erstarren *n*, Ge'lierung *f.*

geld[1] [geld] *pret u. pp* **'geld·ed** *od.* **gelt** [gelt] *v/t bes. Tier* ka'strieren, verschneiden.

geld[2] [geld] *s Br. hist.* Kronsteuer *f.*

geld·ing ['geldiŋ] *s* **1.** ka'striertes Tier, *bes.* Wallach *m.* **2.** Verschneiden *n*, Ka'strieren *n.*

gel·id ['dʒelid] *adj* (*adv* **~ly**) kalt, eisig.

gel·se·mi·um [dʒel'siːmiəm] *s* **1.** *bot.* Dufttrichter *m.* **2.** *pharm.* Gel'semium(wurzel *f*) *n.*

gelt[1] [gelt] *s obs. od. humor.* Geld *n.*

gelt[2] [gelt] *pret u. pp von* **geld**[1].

gem [dʒem] **I** *s* **1.** Edelstein *m.* **2.** Gemme *f.* **3.** *fig.* Perle *f*, Ju'wel *n*, Prachtstück *n*, Glanzstück *n.* **4.** *Am.* Brötchen *n*: **graham ~.** **5.** *print. e-e* $3^1/_2$-*Punkt-Schrift.* **6.** *bot. obs.* Knospe *f.* **II** *v/t* **7.** mit Edelsteinen schmücken.

gem·i·nate I *adj* ['dʒeminit; -ˌneit] gepaart, paarweise, Doppel... **II** *v/t u. v/i* [-ˌneit] (sich) verdoppeln. **ˌgem·i'na·tion** *s* **1.** Verdopp(e)lung *f.* **2.** *ling.* Geminati'on *f*, Konso'nantenverdopp(e)lung *f.*

Gem·i·ni ['dʒemiˌnai] **I** *s pl astr.* Zwillinge *pl.* **II** *interj obs. od. vulg.* jemine!

gem·ma ['dʒemə] *pl* **-mae** [-miː] *s* **1.** *bot.* a) Gemme *f*, Brutkörper *m*, b) Blattknospe *f.* **2.** *biol.* Knospe *f*, Gemme *f.* **'gem·mate** [-meit] *biol.* **I** *adj* **1.** sich durch Knospung fortpflanzend. **2.** knospentragend. **II** *v/i* **3.** sich durch Knospung fortpflanzen. **4.** Knospen tragen. **gem'ma·tion** *s biol. bot.* **1.** Knospenbildung *f.* **2.** Fortpflanzung *f* durch Knospen.

gem·mif·er·ous [dʒe'mifərəs] *adj* **1.** edelsteinhaltig. **2.** *biol.* → **gemmate** I.

gem·mip·a·rous [dʒe'mipərəs] → **gemmate** I.

gem·mol·o·gy [dʒe'mɒlədʒi] *s* Edelsteinkunde *f.*

gem·mu·la·tion [ˌdʒemju'leiʃən] *s biol.* Fortpflanzung *f* durch Gemmulae.

gem·mule ['dʒemjuːl] *s* **1.** *bot.* kleine Blattknospe. **2.** *biol.* Gemmula *f*: a) Keimchen *n* (*in Darwins Pangenesistheorie*), b) Brutknospe *f.*

gem·my ['dʒemi] *adj* **1.** voller Edelsteine. **2.** glänzend, funkelnd.

ge·mot(e) [gi'mout] *s hist.* Versammlung *f* (*der Angelsachsen*).

gems·bok ['gemzˌbɒk] *s zo.* 'Gemsantiˌlope *f.*

gen [dʒen] *s mil. Br. sl.* (allgemeine) Anweisungen *pl od.* Nachrichten *pl.*

gen·darme ['ʒɑːndɑːrm; ʒɑ̃'dɑrm] *s* **1.** Gen'darm *m.* **2.** Felsspitze *f.* **gen·dar·me·rie** [ʒɑ̃darmə'ri] (*Fr.*) *s* Gendarme'rie *f.*

gen·der[1] ['dʒendər] *s* **1.** *ling.* Genus *n*, Geschlecht *n.* **2.** *colloq. u. humor.* Geschlecht *n* (*von Personen*).

gen·der[2] ['dʒendər] *obs. für* **engender**.

gene [dʒiːn] *s biol.* Gen *n*, Erbeinheit *f.*

gen·e·a·log·ic [ˌdʒiːniə'lɒdʒik; ˌdʒen-] → **genealogical**. **ˌgen·e·a'log·i·cal** [-kəl] *adj* (*adv* **~ly**) genea'logisch, Abstammungs...: **~ research** Stammbaumforschung *f*; **~ tree** Stammbaum *m.* **ˌgen·e'al·o·gist** [-'ælədʒist] *s* Genea'loge *m*, Sippenforscher *m.* **ˌgen·e'al·oˌgize I** *v/i* Ahnenforschung (be)treiben. **II** *v/t* den Stammbaum erforschen von (*od. gen*). **ˌgen·e'al·o·gy** *s* Genealo'gie *f*: a) Geschlechterforschung *f*, b) Abstammung *f*, c) Stammbaum *m.*

gen·er·a ['dʒenərə] *pl von* **genus**.

gen·er·al ['dʒenərəl] **I** *adj* (*adv* → **generally**) **1.** allgemein, gemeinschaftlich, Gemeinschafts... **2.** allgemein (gebräuchlich *od.* verbreitet), üblich, gängig: **the ~ practice** das übliche Verfahren; **as a ~ rule** meistens, üblicherweise. **3.** allgemein, Allgemein..., gene'rell, um'fassend: **~ knowledge** Allgemeinbildung *f*; **the ~ public** die breite Öffentlichkeit; **~ term** Allgemeinbegriff *m*; **of ~ interest** von allgemeinem Interesse. **4.** allgemein, nicht speziali'siert: **the ~ reader** der Durchschnittsleser; **~ store** Gemischtwarenhandlung *f.* **5.** allgemein (gehalten): **a ~ study**; **in ~ terms** allgemein (ausgedrückt). **6.** ganz, gesamt: **the ~ body of citizens** die gesamte Bürgerschaft. **7.** ungefähr, unbestimmt: **a ~ idea** e-e ungefähre Vorstellung. **8.** Haupt..., General...: **~ agent** a) Generalbevollmächtigte(r) *m*, b) *econ.* Generalvertreter *m*; **~ manager** Generaldirektor *m.* **9.** (*Amtstiteln nachgestellt*) *meist* General...: **consul ~** Generalkonsul *m.* **10.** *mil.* Generals...

II *s* **11.** *mil.* a) Gene'ral *m*, b) Heerführer *m*, Feldherr *m*, Stra'tege *m*, c) → **general officer**. **12.** *mil. Am.* a) (Vier-'Sterne-)Geneˌral *m* (*zweithöchster Generalsrang*), b) **G~ of the Army** Fünf-'Sterne-Geneˌral *m* (*höchster Generalsrang*): **G~ Winter** *fig.* General Winter. **13.** *relig.* ('Ordens-)Geneˌral *m*, (Gene'ral)Obere(r) *m.* **14.** **the ~** *meist pl* (*das*) Allge'meine: **G~** (*als Überschrift*) Allgemeines; **in ~** im allgemeinen, im großen u. ganzen. **15.** *colloq.* → **general servant**. **16.** *obs.* a) Gesamtheit *f*, b) Masse *f*, Volk *n.*

gen·er·al| ac·cept·ance *s econ.* reines Ak'zept. **G~ As·sem·bly** *s* **1.** Voll-, Gene'ralversammlung *f.* **2.** *pol. Am.* gesetzgebende Körperschaft (*bestimmter Staaten*). **3.** *relig.* gesetzgebende Jahresversammlung der schottischen Kirche. **~ av·er·age** *s jur. mar.* gemeinschaftliche *od.* große Hava'rie. **~ car·go** *s econ. mar.* gemischte Ladung, Stückgut *n.* **G~ Court** → **General Assembly** 2. **~ deal·er** *s Br.* Gemischtwarenhändler *m.* **~ de·liv·er·y** *s mail Am.* a) (Ausgabestelle *f* für) postlagernde Sendungen *pl*, b) (*als Vermerk*) ‚postlagernd'. **~ e·lec·tion** *s pol.* allgemeine (*Parlaments*)-Wahlen *pl.* **G~ E·lec·tion Day** *s* Wahltag *m*, Tag *m* der allgemeinen Wahlen. **~ ex·pense** *s econ.* Gemeinkosten *pl.* **~ head·quar·ters** *s pl* (*als sg konstruiert*) Großes 'Hauptquarˌtier. **~ hos·pi·tal** *s* **1.** *mil.* 'KriegslazaˌRett *n.* **2.** allgemeines Krankenhaus.

gen·er·al·is·si·mo [ˌdʒenərə'lisiˌmou] *pl* **-mos** *s mil.* Genera'lissimus *m.*

gen·er·al·i·ty [ˌdʒenə'ræliti] *s* **1.** *meist pl* allgemeine Redensart, Gemeinplatz *m*: **to speak in generalities** sich in allgemeinen Redensarten ergehen. **2.** allgemeines Prin'zip, Regel *f.* **3.** Mehrzahl *f*, größter Teil, (*die*) große Masse. **4.** Allge'meingültigkeit *f.* **5.** Unbestimmtheit *f.* **ˌgen·er·al·i'za·tion** *s* **1.** Verallge'meinerung *f.* **2.** *Logik*: Indukti'on *f.* **'gen·er·alˌize I** *v/t* **1.** verallge'meinern. **2.** *Logik*: a) indu'zieren, b) generali'sieren. **3.** auf e-e allgemeine Formel bringen. **4.** der Allge'meinheit zugänglich machen. **5.** *paint.* in großen Zügen darstellen. **II** *v/i* **6.** verallge'meinern: a) allgemeine Schlüsse ziehen, b) allgemeine Feststellungen machen. **7.** *bes. med.* sich generali'sieren. **'gen·er·al·ly** *adv* **1.** *oft* **~ speaking** im allgemeinen, allgemein, gene'rell, im großen u. ganzen. **2.** allgemein. **3.** gewöhnlich, meistens, üblicherweise.

gen·er·al| meet·ing *s econ.* Gene'ral-, Hauptversammlung *f.* **~ of·fi·cer** *s mil.* Offi'zier *m* im Gene'ralsrang, Gene'ral *m.* **~ pa·ral·y·sis** *s med.* progres'sive Para'lyse. **~ par·don** *s* Amne'stie *f.* **~ part·ner** → **partner** 2. **~ pause** *s mus.* Gene'ralpause *f.* **~ post** *s* **1.** *mail Br.* allgemeine Postzustellung. **2.** (*Art*) Blindekuhspiel *n.* **G~ Post Of·fice** *s Br.* Hauptpostamt *n.* **~ prac·ti·tion·er** *s* praktischer Arzt. **~ prop·er·ty tax** *s Am.* Vermögenssteuer *f.* **'~-'pur·pose** *adj tech.* Mehrzweck..., Universal... **~ sci·ence** *s ped. univ.* allgemeine Na'turwissenschaften *pl.* **~ serv·ant** *s Br.* Mädchen *n* für alles.

gen·er·al·ship ['dʒenərəlˌʃip] *s mil.* **1.** Gene'ralsrang *m.* **2.** Strate'gie *f*: a) Feldherrnkunst *f*, b) *fig.* geschickte Leitung *od.* Taktik.

gen·er·al| staff *s mil.* Gene'ralstab *m*: **chief of ~** Generalstabschef *m.* **~ strike** *s* Gene'ralstreik *m.*

gen·er·ate ['dʒenəˌreit] *v/t* **1.** *Elektrizität etc* erzeugen, *Gas, Rauch* entwickeln: **to ~ electricity**; **to be ~d**

entstehen. **2.** *fig.*, *a. math. e-e Figur etc* erzeugen, bilden. **3.** *fig.* bewirken, verursachen, her'vorrufen. **4.** *biol.* zeugen. **5.** *tech.* (*im Abwälzverfahren*) verzahnen.

gen·er·at·ing ['dʒenəˌreitiŋ] *adj* erzeugend. ~ **mill cut·ter** → generator 4. ~ **sta·tion** *s electr.* Kraftwerk *n.*

gen·er·a·tion [ˌdʒenə'reiʃən] *s* **1.** Generati'on *f*: the rising ~ die junge *od.* heranwachsende Generation; the war of the ~s der Generationskonflikt. **2.** Menschen-, Zeitalter *n* (*etwa 33 Jahre*): ~s *colloq.* e-e Ewigkeit; for two ~s 2 Menschenalter lang. **3.** *biol.* Entwicklungsstufe *f.* **4.** Zeugung *f*, Fortpflanzung *f*: → spontaneous 4. **5.** *bes. chem. electr. phys.* Erzeugung *f* (*a. math.*), Entwicklung *f.* **6.** Entstehung *f.* '**gen·er**ˌ**a·tive** *adj biol.* **1.** Zeugungs..., Fortpflanzungs..., genera'tiv: ~ power Zeugungskraft *f*; ~ cell generative Zelle, Geschlechtszelle *f.* **2.** fruchtbar.

gen·er·a·tor ['dʒenəˌreitər] *s* **1.** *electr.* Gene'rator *m*, Stromerzeuger *m*, Dy'namomaˌschine *f.* **2.** *tech.* a) 'Gaserzeuger *m*, -geneˌrator *m*: ~ gas Generatorgas *n*, b) Dampferzeuger *m*, -kessel *m.* **3.** *chem.* Entwickler *m.* **4.** *tech.* Abwälzfräser *m.* **5.** *biol.* (Er-)Zeuger *m.* **6.** *mus.* Grundton *m.*

ˌ**gen·er'a·trix** [-'reitriks] *pl* **-tri·ces** [*Br.* -'reitriˌsiːz; *Am.* -rə'traisiːz] *s* **1.** Erzeugerin *f.* **2.** *math.* Erzeugende *f.*

ge·ner·ic [dʒi'nerik] *adj* (*adv* ~ally) **1.** ge'nerisch, Gattungs...: ~ character Gattungsmerkmal *n*; ~ term Gattungsname *m*, Oberbegriff *m.* **2.** allgemein, gene'rell, typisch.

gen·er·os·i·ty [ˌdʒenə'rɒsiti] *s* **1.** Freigebigkeit *f*, Großzügigkeit *f.* **2.** Großmut *f*, Edelmut *m.* **3.** edle Tat. **4.** Fülle *f.* '**gen·er·ous** *adj* (*adv* ~ly) **1.** großzügig: a) freigebig, b) edel(mütig), hochherzig. **2.** reichlich, üppig: a ~ portion; a ~ mouth volle Lippen *pl.* **3.** gehaltvoll, vollmundig (*Wein*). **4.** reich, fruchtbar: ~ soil. '**gen·er·ous·ness** → generosity.

gen·e·sis ['dʒenisis] *pl* **-e·ses** [-ˌsiːz] **1.** G~ *Bibl.* Genesis *f*, 1. Buch Mose. **2.** Ge'nese *f*, Genesis *f*, Entstehung *f*, Entwicklung *f*, Werden *n.* **3.** Ursprung *m.*

-genesis [dʒenisis] *Wortelement mit der Bedeutung* Erzeugung, Entstehung.

gen·et[1] ['dʒenit; dʒi'net] *s* **1.** *zo.* Ge'nette *f*, Ginsterkatze *f.* **2.** Ge'nettepelz *m.*

gen·et[2] → jennet.

ge·net·ic [dʒi'netik] *adj*; **ge'net·i·cal** [-kəl] *adj* (*adv* ~ly) *bes. biol.* ge'netisch: a) entwicklungsgeschichtlich, Entstehungs..., Entwicklungs..., b) Vererbungs..., Erb... **ge'net·i·cist** [-təsist] *s biol.* Ge'netiker *m.* **ge'net·ics** [-tiks] *s pl biol.* **1.** (*als sg konstruiert*) Ge'netik *f*, Vererbungslehre *f.* **2.** ge'netische Formen *pl* u. Erscheinungen *pl.*

ge·nette [dʒi'net] → genet[1].

ge·ne·va[1] [dʒi'niːvə] *s* Ge'never *m*, holländischer Wa'cholderschnaps.

Ge·ne·va[2] [dʒi'niːvə] **I** *npr* Genf *n.* **II** *adj* Genfer(...).

Ge·ne·va| bands *s pl relig.* Beffchen *n.* ~ **Con·ven·tion** *s mil.* Genfer Konventi'on *f.* ~ **cross** → red cross 2 a. ~ **drive** *s tech.* Mal'teserkreuzantrieb *m.* ~ **gown** *s relig.* Ta'lar *m.*

Ge·ne·van [dʒi'niːvən] **I** *adj* **1.** Genfer(...). **2.** *relig.* kalvi'nistisch. **II** *s* **3.** Genfer(in). **4.** *relig.* Kalvi'nist(in).

Ge·ne·va stop *s tech.* Mal'teserkreuz *n.*

Gen·e·vese [ˌdʒeni'viːz] **I** *adj* Genfer(...). **II** *s sg u. pl* Genfer(in), Genfer(innen) *pl.*

gen·ial[1] ['dʒiːnjəl] *adj* (*adv* ~ly) **1.** freundlich (*a. fig. Klima etc*), jovi'al, herzlich. **2.** belebend, anregend, wohltuend. **3.** mild, warm: ~ weather. **4.** *obs.* Zeugungs..., Ehe...

ge·ni·al[2] [dʒi'naiəl] **I** *adj anat. zo.* Kinn... **II** *s zo.* Kinnschuppe *f.*

ge·ni·al·i·ty [ˌdʒiːni'æliti], **gen·ial·ness** ['dʒiːnjəlnis] *s* **1.** Freundlichkeit *f*, Herzlichkeit *f.* **2.** Milde *f* (*des Klimas etc*). **3.** *selten* Geniali'tät *f.*

-genic [dʒenik] *Wortelement mit der Bedeutung* erzeugend.

ge·nie ['dʒiːni] *s* (Feuer-, Wasser-, Erd-, Luft)Geist *m*, Kobold *m* (*der mohammedanischen Mythologie*).

ge·ni·i ['dʒiːniˌai] *pl von* genius 5 *u.* genie.

genio- [dʒinaio] *Wortelement mit der Bedeutung* Kinn.

gen·i·pap ['dʒeniˌpæp] *s bot.* (eßbare Frucht vom) Genipbaum *m.*

ge·nis·ta [dʒi'nistə] *s bot.* Ginster *m.*

gen·i·tal ['dʒenitl] *adj anat. zo.* **1.** Zeugungs..., Fortpflanzungs... **2.** geni'tal, Geschlechts...: ~ gland Keimdrüse *f*; ~ tract Geschlechts-, Geburtswege *pl.* '**gen·i·tals**, *a.* ˌ**gen·i'ta·lia** [-'teiljə] *s pl* Geni'talien *pl*, Ge'schlechtsteile *pl.*

gen·i·ti·val [ˌdʒeni'taivəl] *adj* Genitiv..., genitivisch. '**gen·i·tive** [-tiv] *s ling.* Genitiv *m*, zweiter Fall.

gen·i·to·u·ri·nar·y [ˌdʒenito'ju(ə)rinəri] *adj med.* die Ge'schlechtsorˌgane u. Harnwege betreffend.

gen·ius ['dʒiːnjəs] *pl* '**gen·ius·es** *s* **1.** Ge'nie *n*: a) geni'aler Mensch, b) (*ohne pl*) Geniali'tät *f*, geni'ale Schöpferkraft. **2.** (na'türliche) Begabung *od.* Gabe, (Na'tur)Anlage *f.* **3.** Geist *m*, Genius *m*, eigener Cha'rakter, (*das*) Eigentümliche (*e-r Nation, Epoche etc*): ~ of a period Zeitgeist. **4.** → genius loci. **5.** *pl* **ge·ni·i** ['dʒiːniˌai] *oft* G~ *antiq. relig.* Genius *m*, Schutzgeist *m* (*a. fig.*): good (evil) ~ guter (böser) Geist (*a. fig.*), Dämon *m.* ~ **lo·ci** ['lousai] (*Lat.*) *s* Genius *m* loci, Schutzgeist *m od.* Atmo'sphäre *f* e-s Ortes.

gen·o·blast [*Br.* 'dʒenoˌblaːst; *Am.* -ˌblæ(ː)st] *s biol.* reife Geschlechtszelle.

gen·o·cid·al [ˌdʒeno'saidl] *adj* völkermörderisch. '**gen·o**ˌ**cide** [-ˌsaid] *s* Völker-, Gruppenmord *m.*

Gen·o·ese [ˌdʒeno'iːz] **I** *s sg u. pl* Genu'eser(in), Genu'eser(innen) *pl.* **II** *adj* genu'esisch, Genueser(...).

gen·ome ['dʒenoum], *a.* '**gen·om** [-nɒm] *s biol.* Ge'nom *n*, Chromo'somensatz *m* (*des Zellkerns*).

gen·o·type ['dʒenoˌtaip] *s biol.* Geno-, Erbtypus *m.*

gen·re [ʒɑːr; 'ʒɑːnrə] *s* **1.** Genre *n*, (*a.* Litera'tur)Gattung *f*, Art *f*: ~ painting Genremalerei *f.* **2.** Form *f*, Stil *m.*

gen·ro ['gen'rou] *s* Genro *pl*, die alten Staatsmänner *pl* (*Berater des Kaisers von Japan*).

gent[1] [dʒent] *adj obs.* **1.** adelig. **2.** elegant.

gent[2] [dʒent] *humor. od. vulg. für* gentleman.

gen·teel [dʒen'tiːl] *adj* (*adv* ~ly) **1.** vornehm, artig, wohlerzogen. **2.** ele'gant, fein. **3.** vornehm tuend, geziert, affek'tiert.

gen·tian ['dʒenʃən; -ʃiən] *s* **1.** *bot.* Enzian *m.* **2.** *pharm.* a) *a.* ~ root Enzianwurzel *f*, b) → gentian bitter. ~ **bit·ter** *s pharm.* 'Enziantinkˌtur *f.* ~ **blue** *s* Enzianblau *n* (*Farbe*).

gen·tile ['dʒentail] **I** *s* **1.** Nichtjude *m*, *bes.* Christ(in). **2.** Heide *m*, Heidin *f.* **3.** 'Nichtmorˌmone *m.* **II** *adj* **4.** nichtjüdisch, *bes.* christlich. **5.** heidnisch. **6.** 'nichtmorˌmonisch. **7.** [-til; -tail] zu e-m Stamm *od.* Volk gehörig. **8.** [-til; -tail] *ling.* Völker..., e-e Gegend bezeichnend (*Wort*).

gen·til·ism ['dʒentaiˌlizəm; -ti-] *s* Heidentum *n.*

gen·ti·li·tial [ˌdʒenti'liʃəl] *adj* **1.** einheimisch, natio'nal. **2.** Volks..., Familien... **gen'til·i·ty** *s* **1.** vornehme 'Herkunft. **2.** a) Vornehmheit *f*, b) *contp.* ˌVornehmtue'rei *f.*

gen·tle ['dʒentl] **I** *adj* (*adv* gently) **1.** freundlich, sanft, gütig, liebenswürdig: ~ reader geneigter Leser. **2.** sanft, leise, leicht, zart, mild, sacht, gelinde, schonungsvoll: ~ blow leichter *od.* sanfter Schlag; ~ hint zarter Wink; ~ medicine mildes Medikament; ~ rebuke sanfter *od.* milder Tadel; ~ voice sanfte Stimme. **3.** zahm, fromm (*Tier*). **4.** edel, vornehm: of ~ birth von vornehmer Herkunft; ~ and simple Vornehm u. Gering; → self-defence 1. **5.** *obs.* ritterlich. **II** *v/t* **6.** *colloq.* a) *Tier* zähmen, b) *Pferd* zureiten. **7.** besänftigen, mildern. **III** *s* **8.** *Angeln*: Fleischmade *f* (*Köder*). **9.** weiblicher Wanderfalke. **10.** *obs.* a) → gentleman, b) *pl* → gentlefolk(s). ~ **breeze** *s* schwache Brise (*Windstärke 3 der Beaufortskala*). ~ **craft** *s* Angelsport *m*, Angeln *n.* '~ˌ**folk(s)** *s pl* vornehme Leute *pl.*

gen·tle·hood ['dʒentlˌhud] *s* Vornehmheit *f* (der 'Herkunft).

gen·tle·man ['dʒentlmən] *pl* **-men** [-mən] *s* **1.** Gentleman *m*, Ehrenmann *m*, vornehmer Mann, Mann *m* von Bildung u. guter Erziehung. **2.** Herr *m*: gentlemen! (*als Anrede*) m-e Herren!; the old ~ *humor.* der Teufel; ~ of fortune Glücksritter *m*; ~ friend Freund *m* (*e-r Dame*); ~ of the road Wegelagerer *m*; ~ driver *mot.* Herrenfahrer *m*; ~ rider Herrenreiter *m.* **3.** *Titel von Hofbeamten*: ~ in waiting Kämmerer *m.* **4.** *pl* (*als sg konstruiert*) Herrenabort *m.* **5.** *hist.* a) Mann *m* von Stand, b) Edelmann *m*: country ~ Landedelmann *m.* '~-**at-'arms** *pl* '**gen·tle·men-at-'arms** *s* (*königlicher od. fürstlicher*) 'Leibgarˌdist. '~-'**com·mon·er** *pl* '**gen·tle·men-'com·mon·ers** *s univ. hist.* privile'gierter Stu'dent. '~-'**farm·er** *pl* '**gen·tle·men-'farm·ers** *s* (vornehmer) Gutsbesitzer. '~ˌ**like** → gentlemanly. '~ˌ**like·ness**, **gen·tle·man·li·ness** ['dʒentlmənlinis] *s* vornehme Haltung *od.* (Lebens)Art, feines Wesen, Vornehmheit *f*, Bildung *f.* '**gen·tle·man·ly** *adj* gentlemanlike, vornehm, fein, ehrenhaft, anständig.

gen·tle·man's| (*od.* **gen·tle·men's**) **a·gree·ment** *s* Gentleman's Agreement *n*, Vereinbarung *f* auf Treu u. Glauben. ~ (**gen·tle·**)**man** *s* (Kammer)Diener *m.*

gen·tle·ness ['dʒentlnis] *s* **1.** Freundlichkeit *f*, Güte *f*, Liebenswürdigkeit *f*, Milde *f.* **2.** Sanftheit *f.* **3.** Vornehmheit *f.*

'**gen·tle|**ˌ**wom·an** *pl* '~ˌ**wom·en** *s* Dame *f* (von Stand *od.* Bildung). '~ˌ**wom·an**ˌ**like**, '~ˌ**wom·an·ly** *adj* vornehm, fein, damenhaft.

Gen·too [dʒen'tuː] *pl* **-toos** *s* **1.** Hindu *m.* **2.** *ling.* Te'lugu *n*, Te'linga *n.*

gen·try ['dʒentri] *s* **1.** gebildete u. besitzende Stände *pl.* **2.** *Br.* Gentry *f*, niederer Adel. **3.** (*a. als pl konstruiert*) *colloq.* Leute *pl*, Sippschaft *f*, Pack *n.* **4.** *obs.* Wohlerzogenheit *f.*

gen·u·al ['dʒenjuəl] *adj anat. zo.* Knie...

gen·u·flect ['dʒenjuˌflekt] *v/i bes. relig.* die Knie beugen. ˌ**gen·u'flec·tion,** *Br. a.* ˌ**gen·u'flex·ion** [-'flekʃən] *s* **1.** Kniebeuge *f.* **2.** *fig.* Kniefall *m.*
gen·u·ine ['dʒenjuin] *adj (adv* ~**ly)** **1.** echt: a) unverfälscht, b) wahr, wirklich, c) rein. **2.** aufrichtig, lauter. '**gen·u·ine·ness** *s* Echt-, Wahrheit *f*, Unverfälschtheit *f.*
ge·nus ['dʒiːnəs] *pl* **gen·er·a** ['dʒenərə] *s* **1.** *bot. philos. zo.* Gattung *f.* **2.** Klasse *f*, Art *f.*
geo·bot·a·ny [ˌdʒiːo'bɒtəni] *s* Geobo'tanik *f.* ˌ**ge·o'cen·tric** [-'sentrik] *adj;* ˌ**ge·o'cen·tri·cal** [-kəl] *adj (adv* ~**ly)** *astr.* geo'zentrisch. ˌ**ge·o'chem·i·cal** [-'kemikəl] *adj* geo'chemisch. ˌ**ge·o-'chem·is·try** [-istri] *s chem.* Geoche'mie *f.* ˌ**ge·o'cy·clic** [-'saiklik] *adj astr.* geo'zyklisch. [Druse *f.*]
ge·ode ['dʒiːoud] *s min.* Ge'ode *f,*
ge·o·des·ic [ˌdʒiːo'desik; -'diːsik] *adj;* ˌ**ge·o'des·i·cal** [-kəl] *adj (adv* ~**ly)** geo'dätisch, Geodäsie... **ge'od·e·sist** [-'ɒdisist] *s* Geo'dät *m*, Landmesser *m.* **ge'od·e·sy** *s* Geodä'sie *f*, (Lehre *f* von der) Erdvermessung *f.*
ge·o·det·ic [ˌdʒiːo'detik], *a.* ˌ**ge·o'det·i·cal** [-kəl] *adj* geo'dätisch.
ge·o·dy·nam·ics [ˌdʒiːodai'næmiks] *s pl (oft als sg konstruiert)* Geody'namik *f.*
ge·og·no·sy [dʒi'ɒgnəsi] *s* Geogno'sie *f.*
ge·og·o·ny [dʒi'ɒgəni] *s geol.* Geoge'nie *f*, Lehre *f* von der Entstehung der Erde.
ge·og·ra·pher [dʒi'ɒgrəfər] *s* Geo'graph(in). **ge·o·graph·ic** [ˌdʒiːo'græfik] *adj;* ˌ**ge·o'graph·i·cal** [-kəl] *adj (adv* ~**ly)** geo'graphisch.
ge·og·ra·phy [dʒi'ɒgrəfi] *s* **1.** Geogra'phie *f*, Erdkunde *f.* **2.** Geogra'phie(buch *n*) *f*, geo'graphische Abhandlung. **3.** geo'graphische Beschaffenheit.
ge·o·log·ic [ˌdʒiːo'lɒdʒik] *adj;* ˌ**ge·o'log·i·cal** [-kəl] *adj (adv* ~**ly)** geo'logisch.
ge·o·log·i·cal sur·vey *s geol. Am.* **1.** geo'logische Aufnahme *(e-s Gebiets).* **2.** G~ S~ Amt *n* für geo'logische Aufnahmen.
ge·ol·o·gist [dʒi'ɒlədʒist] *s* Geo'loge *m.* **ge'ol·oˌgize I** *v/i* geo'logische Studien machen, Geolo'gie stu'dieren. **II** *v/t* geo'logisch unter'suchen. **ge'ol·o·gy** [-dʒi] *s* **1.** Geolo'gie *f.* **2.** Geolo'gie *f:* a) geo'logische Abhandlung, b) geo'logische Beschaffenheit.
ge·o·mag·net·ic [ˌdʒiːomæg'netik] *adj phys.* 'erdmaˌgnetisch.
ge·o·man·cer ['dʒiːoˌmænsər] *s* Geo'mant(in), Erdwahrsager(in). '**ge·o-ˌman·cy** *s* Geoman'tie *f.*
ge·om·e·ter [dʒi'ɒmitər] *s* **1.** *obs.* Geo'meter *m.* **2.** Ex'perte *m* auf dem Gebiet der Geome'trie. **3.** *zo.* Spannerraupe *f.*
ge·o·met·ric [ˌdʒiːo'metrik] *adj;* ˌ**ge·o'met·ri·cal** [-kəl] *adj (adv* ~**ly)** geo'metrisch.
ge·om·e·tri·cian [ˌdʒiːome'triʃən; dʒiˌɒm-] *s* Geo'meter *m.*
ge·o·met·ric| mean *s math.* geo'metrisches Mittel, mittlere Proportio'nale. ~ **pro·gres·sion,** ~ **se·ries** *s math.* geo'metrische Reihe.
ge·om·e·trid [dʒi'ɒmitrid] *s zo.* Spanner *m (Schmetterling).*
ge·om·e·trize [dʒi'ɒmiˌtraiz] **I** *v/i* nach geo'metrischen Me'thoden arbeiten. **II** *v/t* geometri'sieren. **ge'om·e·try** [-tri] *s* **1.** Geome'trie *f.* **2.** Geome'trie(buch *n*) *f.*
ge·o·phys·i·cal [ˌdʒiːo'fizikəl] *adj* geophysi'kalisch. ˌ**ge·o'phys·ics** *s pl (oft als sg konstruiert)* Geophy'sik *f.*
ge·o·phyte ['dʒiːoˌfait] *s bot.* Geo'phyt *m (im Boden wachsende od. überwinternde Pflanze).*
ge·o·po·lit·i·cal [ˌdʒiːopə'litikəl] *adj* geopo'litisch. ˌ**ge·oˌpol·i'ti·cian** [-'tiʃən] *s* Geopo'litiker *m.* ˌ**ge·o'pol·i·tics** *s pl (oft als sg konstruiert)* Geopoli'tik *f.*
ge·o·pon·ic [ˌdʒiːo'pɒnik] *adj* **1.** landwirtschaftlich. **2.** ländlich. ˌ**ge·o'pon·ics** *s pl (oft als sg konstruiert)* Landwirtschaft(skunde) *f.*
George [dʒɔːrdʒ] *s* **1.** St. ~ der heilige Georg *(Schutzpatron Englands):* **St.** ~**'s day** Sankt-Georgs-Tag *m (23. April);* **St.** ~**'s cross** Georgskreuz *n;* **G**~ **Cross, G**~ **Medal** *mil. Br.* Georgskreuz *n*, -medaille *f (Orden);* **by** ~**!** Donnerwetter! *(Fluch od. Ausruf);* **let** ~ **do it** *Am. fig.* mag es tun, wer Lust hat! **2.** Kleinod *n* mit dem Bild des heiligen Georg *(am Halsband des Hosenbandordens).* **3.** *aer. sl.* Kurssteuerung *f*, Auto'matik *f.* **4.** brauner irdener Krug.
geor·gette [dʒɔːr'dʒet], *a.* ~ **crepe** *s* Geor'gette *m*, dünner Seidenkrepp.
Geor·gi·an ['dʒɔːrdʒən; -dʒiən] **I** *adj* **1.** *hist. Br.* georgi'anisch: a) *aus der Zeit der Könige Georg I.—IV. (1714 bis 1830),* b) *aus der Zeit der Könige Georg V. u. VI. (1910—52).* **2.** georgi'nisch *(den Staat Georgia der USA betreffend).* **3.** ge'orgisch *(die Sowjetrepublik Georgien betreffend).* **II** *s* **4.** Ge'orgier(in). **5.** *bes. arch. (das)* Georgi'anische, georgi'anischer Stil.
ge·o·stat·ic [ˌdʒiːo'stætik] *adj phys.* geo'statisch. ˌ**ge·o'stat·ics** *s pl (oft als sg konstruiert)* Geo'statik *f.* ˌ**ge·o-'tax·is** [-'tæksis] *s biol.* Geo'taxis *f (Bewegung in Beziehung zur Schwerkraftrichtung).* ˌ**ge·o·tec'ton·ic** [-tek'tɒnik] *adj geol.* geotek'tonisch.
ge·ra·ni·um [dʒi'reiniəm; -njəm] *s bot.* **1.** Storchschnabel *m.* **2.** *(e-e)* Pelar'gonie, Ge'ranie *f.*
ger·fal·con → gyrfalcon.
ger·i·a·tri·cian [ˌdʒeriə'triʃən] *s med.* Facharzt *m* für Alterskrankheiten. ˌ**ger·i'at·rics** [-'ætriks] *s pl (oft als sg konstruiert) med.* Geria'trie *f (Lehre von Alterskrankheiten u. -erscheinungen).* ˌ**ger·i'at·rist** → geriatrician.
germ [dʒɔːrm] **I** *s* **1.** *biol. bot.* Keim *m (a. fig. Ansatz, Ursprung):* **in** ~ *fig.* im Keim, im Werden. **2.** *biol.* Mi'krobe *f.* **3.** *med.* Keim *m*, Ba'zillus *m*, Bak'terie *f*, (Krankheits)Erreger *m:* → **germ carrier** *etc.* **II** *v/i u. v/t* **4.** keimen (lassen).
ger·man[1] ['dʒɔːrmən] *adj (nachgestellt)* leiblich, ersten Grades: **brother-**~ leiblicher Bruder.
Ger·man[2] ['dʒɔːrmən] **I** *adj* **1.** deutsch. **II** *s* **2.** Deutsche(r *m*) *f.* **3.** *ling.* Deutsch *n*, das Deutsche: **in** ~ a) auf deutsch, b) im Deutschen; **into** ~ ins Deutsche; **from the** ~ aus dem Deutschen.
'**Ger·man|-A'mer·i·can I** *adj* 'deutschameriˌkanisch. **II** *s* 'Deutsch-ameriˌkaner(in). ~ **band** *s* (Gruppe *f* von) 'Straßenmusiˌkanten *pl.* ~ **Bap·tist Breth·ren** → Dunker. ~ **Con·fed·er·a·tion** *s hist.* Deutscher Bund.
ger·man·der [dʒər'mændər] *s bot.* **1.** Ga'mander *m.* **2.** *a.* ~ **speedwell** Ga'manderehrenpreis *m.*
ger·mane [dʒɔːr'mein] *adj* **1.** (to) gehörig (zu), in Zs.-hang *od.* Beziehung stehend (mit), verwandt *(dat)*, betreffend *(acc):* **a question** ~ **to the issue** e-e zur Sache gehörige Frage. **2.** (to) passend (zu), angemessen *(dat).* **3.** einschlägig. **4.** *selten für* german[1].
Ger·man·ic[1] [dʒɔːr'mænik] **I** *adj* **1.** ger'manisch. **2.** deutsch. **II** *s* **3.** *ling.* das Ger'manische, die ger'manische Sprachgruppe: **Primitive** ~ das Urgermanische. **4.** *pl (oft als sg konstruiert)* Germa'nistik *f.*
ger·man·ic[2] [dʒɔːr'mænik] *adj chem.* Germanium...: ~ **acid.**
Ger·man·ism ['dʒɔːrməˌnizəm] *s* **1.** *ling.* Germa'nismus *m*, deutsche Spracheigenheit. **2.** *(etwas)* typisch Deutsches. **3.** (typisch) deutsche Art, Deutschtum *n.* **4.** Deutschfreundlichkeit *f.* '**Ger·man·ist** *s* Germa'nist(in).
Ger·man·i·ty [dʒɔːr'mæniti] → Germanism 3. [*chem.* Ger'manium *n.*]
ger·ma·ni·um [dʒɔːr'meiniəm] *s*
Ger·man·i·za·tion [ˌdʒɔːrmənai'zeiʃən; -ni-] *s* Germani'sierung *f*, Eindeutschung *f.* '**Ger·manˌize I** *v/t* germani'sieren, eindeutschen. **II** *v/i* sich germani'sieren, deutsch werden.
Ger·man| mea·sles *s pl med.* Röteln *pl.* ~ **O·cean** *s geogr.* Nordsee *f.*
Ger·ma·no·ma·ni·a [ˌdʒɔːrməno'meiniə] *s* über'triebene Deutschfreundlichkeit.
Ger·man·o·phil [dʒɔːr'mænofil], **Ger-'man·o·phile** [-ˌfail; -fil] **I** *adj* deutschfreundlich. **II** *s* Deutschfreundliche(r *m*) *f.* **Ger'man·oˌphobe** [-ˌfoub] *s* Deutschenhasser(in). ˌ**Ger·ma·no-'pho·bi·a** [-məno'foubiə] *s* Deutschenhaß *m od.* -angst *f.*
ger·man·ous [dʒɔːr'mænəs] *adj chem.* Germanium-(II)-...
Ger·man| po·lice dog, ~ **shep·herd (dog)** *s* Deutscher Schäferhund. ~ **sil·ver** *s* Neusilber *n.* ~ **steel** *s tech.* Schmelzstahl *m.* ~ **text,** ~ **type** *s print.* Frak'tur(schrift) *f.*
germ| car·ri·er *s med.* Keim-, Ba'zillenträger *m.* ~ **cell** *s biol.* Keim-, Geschlechtszelle *f.* [knoten *m.*]
ger·men ['dʒɔːrmin] *s bot.* Frucht-
'**germ|'free** *adj med.* keimfrei, ste'ril. ~ **gland** *s zo.* Keimdrüse *f.*
ger·mi·cid·al [ˌdʒɔːrmi'saidl] *adj* keimtötend. '**ger·miˌcide** [-ˌsaid] *adj u. s* keimtötend(es Mittel).
ger·mi·nal ['dʒɔːrminl] *adj (adv* ~**ly)** **1.** *biol.* Keim(zellen)... **2.** *med.* Keim..., Bakterien... **3.** *fig.* im Keim befindlich, unentwickelt, Anfangs..., Ur...: ~ **ideas.** ~ **disk** *s biol.* Keimscheibe *f.* ~ **lay·er** *s* **1.** *anat.* Keimschicht *f (bes. der Oberhaut).* **2.** *biol.* → **germ layer.** ~ **ves·i·cle** *s Embryologie:* Keimbläs-chen *n.*
ger·mi·nant ['dʒɔːrminənt] *adj* keimend, sprossend *(a. fig.).*
ger·mi·nate ['dʒɔːrmiˌneit] **I** *v/i* **1.** *bot.* keimen *(a. fig. sich entwickeln)*, sprossen, knospen, ausschlagen. **II** *v/t* **2.** *bot.* zum Keimen bringen. **3.** *fig.* her'vorrufen, entwickeln. ˌ**ger·mi'na·tion** *s* **1.** *bot.* Keimen *n.* **2.** Sprießen *n*, Sprossen *n.* **3.** *fig.* Keimen *n*, Entwicklung *f.* '**ger·miˌna·tive** *adj bot.* **1.** Keim... **2.** (keim)entwicklungsfähig. [*n*, -schicht *f.*]
germ lay·er *s Embryologie:* Keimblatt
germ| plasm, ~ **plas·ma** *s biol.* Keimplasma *n.* '~ˌ**proof** *adj* keimsicher, -frei. ~ **the·o·ry** *s* **1.** *biol.* 'Fortpflanzungstheoˌrie *f.* **2.** *med.* Infekti'onstheoˌrie *f.* ~ **tube** *s bot.* Keimschlauch *m.* ~ **war·fare** *s mil.* Bak'terienkrieg *m*, bio'logische Kriegführung.
ge·ron·toc·ra·cy [ˌdʒerɒn'tɒkrəsi] *s pol.* Gerontokra'tie *f*, Greisenherrschaft *f.*
ger·on·tol·o·gist [ˌdʒerɒn'tɒlədʒist] →

geriatrician. ˌ**ger·on'tol·o·gy** → geriatrics.

ger·ry·man·der ['geriˌmændər; 'dʒer-] **I** *v/t* **1.** *pol. Am. ein Gebiet* willkürlich in Wahlbezirke einteilen (*bes. um e-r Partei etc Vorteile zu verschaffen*), *weitS. e-e Wahl etc* manipu'lieren. **2.** *Tatsachen etc* (zum eigenen Vorteil) verdrehen. **II** *s* **3.** *pol. Am.* willkürliche Einteilung in Wahlbezirke, Wahlschiebung *f.*

ger·und ['dʒerənd] *s ling.* Ge'rundium *n*: ~ **grinder** *colloq.* ‚Lateinpauker' *m.*

ge·run·di·al [dʒi'rʌndiəl] *adj* Gerundial...

ger·un·di·val [ˌdʒerən'daivəl] *adj ling.* Gerundiv..., gerun'divisch. **ge·run·dive** [dʒi'rʌndiv] *s ling.* Gerun'div(um) *n.*

ges·so ['dʒesou] *s* **1.** *paint. etc* Gips *m.* **2.** Gips-, Kreidegrund *m.*

gest [dʒest] *s obs.* **1.** (Helden)Tat *f.* **2.** Verserzählung *f*, -epos *n.* **3.** Posse *f.*

Ge·stalt psy·chol·o·gy [gə'ʃtalt] *s* Ge'staltpsycholoˌgie *f.*

ges·ta·tion [dʒes'teiʃən] *s* **1.** Schwangerschaft *f*: **period of** ~ Schwangerschaftsperiode *f.* **2.** *zo.* Trächtigkeit *f.* **ges'ta·tion·al** *adj* Schwangerschafts-..., Trächtigkeits...

ges·ta·to·ri·al chair [ˌdʒestə'tɔːriəl] *s* Tragsessel *m* (*des Papstes*).

geste → gest.

ges·tic ['dʒestik], '**ges·ti·cal** [-kəl] *adj* Gesten..., Gebärden..., Bewegungs...

ges·tic·u·late [dʒes'tikjuˌleit] **I** *v/i* gestiku'lieren, Gebärden machen, (her'um)fuchteln. **II** *v/t* (durch Gebärden) ausdrücken. **gesˌtic·u'la·tion** *s* **1.** Gestikulati'on *f*, Gebärdenspiel *n*, Gestik *f*, Gesten *pl.* **2.** lebhafte Geste. **ges'tic·uˌla·to·ry**, *a.* **ges'tic·uˌla·tive** *adj* gestiku'lierend.

ges·ture ['dʒestʃər] **I** *s* **1.** Geste *f* (*a. fig.*), Gebärde *f*: **a** ~ **of friendship** e-e freundschaftliche Geste; **a mere** ~ e-e bloße Geste. **2.** Gebärdenspiel *n.* **II** *v/t u. v/i* → **gesticulate.**

get [get] **I** *s* **1.** *Tennis*: Rückschlag *m.* **2.** *zo.* Nachkomme(n *pl*) *m.* **3.** *Br.* Fördermenge *f.*

II *v/t pret* **got** [gɒt] *obs.* **gat** [gæt], *pp* **got** [gɒt] *bes. Am. od. obs.* **got·ten** ['gɒtn] **4.** bekommen, erhalten, ‚kriegen': **to** ~ **a letter; to** ~ **no answer; to** ~ **an illness; to** ~ **it** *colloq.* ‚sein Fett kriegen', ‚e-e aufs Dach kriegen'; **to** ~ **a good start** e-n guten Start haben; **to** ~ **a station** (*Radio*) e-n Sender ('rein)bekommen; **to** ~ **a good view of s.th.** etwas gut zu sehen bekommen; **to** ~ **it into one's head** es sich in den Kopf setzen; **we could** ~ **no leave** wir konnten keinen Urlaub bekommen. **5.** sich verschaffen *od.* besorgen: **to** ~ **a car. 6.** erwerben, gewinnen, verdienen, erringen, erzielen: **to** ~ **wealth; to** ~ **fame (a victory)** Ruhm (e-n Sieg) erringen. **7.** *Wissen, Erfahrung etc* erwerben, sich aneignen, (er)lernen: **to** ~ **by heart** auswendig lernen. **8.** *Kohle etc* gewinnen, fördern. **9.** erwischen: a) (zu fassen) kriegen, fassen, packen, fangen, b) ertappen, c) treffen: **he'll** ~ **you in the end** er kriegt dich doch; **you've got me there!** *colloq.* da hast du mich drangekriegt!; **that** ~**s me** *colloq.* a) das kapiere ich nicht, b) das geht mir auf die Nerven, c) das packt mich, das geht mir unter die Haut. **10.** a) holen: **to** ~ **help,** b) ('hin)bringen: **to** ~ **s.o. to bed;** ~ **me a chair!** bring *od.* hole mir e-n Stuhl!, c) schaffen, bringen, befördern: ~ **it out of the house!** schaffe es außer Haus!; **to** ~ **o.s. home** sich nach Hause begeben. **11.** verschaffen, besorgen (for s.o. j-m): **I can** ~ **it for you. 12.** (*a. telephonisch*) erreichen. **13. to have got** a) haben: **I've got no money; she's got a pretty face; got a knife?** *sl.* hast du ein Messer?, b) müssen: **we have got to do it. 14.** machen, werden lassen, in e-n (*bestimmten*) Zustand versetzen *od.* bringen: **to** ~ **one's feet wet** nasse Füße bekommen; **to** ~ **s.th. ready** etwas fertigmachen *od.* -bringen; **to** ~ **s.o. nervous** j-n nervös machen; **I got my arm broken** ich habe mir den Arm gebrochen. **15.** (*mit pp*) lassen: **to** ~ **one's hair cut** sich die Haare schneiden lassen; **to** ~ **s.th. done** etwas erledigen (lassen); **to** ~ **things done** etwas zuwege bringen. **16.** (*mit inf*) dazu *od.* dahin bringen, bewegen, veranlassen: **to** ~ **s.o. to speak** j-n zum Sprechen bringen *od.* bewegen; **to** ~ **s.th. to burn** etwas zum Brennen bringen. **17.** *meist zo.* zeugen. **18.** zu-, vorbereiten, 'herrichten: **to** ~ **dinner. 19.** *Br. colloq.* zu sich nehmen, einnehmen: ~ **your dinner! 20.** *colloq.* verstehen, ‚ka'pieren': **I don't** ~ **him** ich verstehe nicht, was er will; **I don't** ~ **that** das kapiere ich nicht; **got it?** kapiert?; **don't** ~ **me wrong!** versteh' mich nicht falsch! **21.** *Am. colloq.* ‚erledigen' (*töten*). **22.** *colloq.* nicht mehr loslassen, über'wältigen. **23.** *sport Spieler* ausschalten.

III *v/i* **24.** kommen, gelangen: **to** ~ **as far as Munich; to** ~ **home** nach Hause kommen, zu Hause ankommen; **where has it got to?** wo ist es hingekommen?; **to** ~ **into debt** in Schulden geraten; **to** ~ **into a rage** e-n Wutanfall kriegen; **to** ~ **there** *colloq.* a) ‚es schaffen', sein Ziel erreichen, b) es verstehen; **to** ~ **nowhere, not to** ~ **anywhere** nicht weit kommen, keinerlei Erfolg haben. **25.** (*mit inf*) dahin gelangen *od.* kommen, dazu 'übergehen: **he got to like it** er hat es liebgewonnen; **to** ~ **to be friends** Freunde werden; **to** ~ **to know it** es erfahren *od.* kennenlernen. **26.** (*mit adj od. pp*) werden, in (*e-n bestimmten Zustand etc*) geraten: ~ **busy!** *colloq.* mach dich an die Arbeit!; **to** ~ **caught** gefangen *od.* erwischt werden; **to** ~ **dressed** sich anziehen; **to** ~ **tired** müde werden, ermüden; **to** ~ **better** a) besser werden, b) sich erholen; **to** ~ **drunk** sich betrinken; **to** ~ **married** (sich ver)heiraten; **to** ~ **used to it** sich daran gewöhnen. **27.** (*mit pres p*) beginnen, anfangen: **they got quarrel(l)ing; to** ~ **going** in Gang bringen *od.* kommen; **to** ~ **talking** a) zu reden anfangen, b) ins Gespräch kommen. **28.** profi'tieren. **29.** *sl. od. vulg.* ‚verduften', ‚abhauen': ~ (*oft* git)! hau ab!

Verbindungen mit Präpositionen:

get| aft·er *v/t Am. colloq. j-m* zu Leibe rücken, sich *j-n* ‚vorknöpfen'. ~ **a·round** *v/t colloq.* **1.** um'gehen, her'umkommen um (*a. fig.*). **2.** *j-n* ‚reinlegen', über'listen. ~ **at** *v/t* **1.** her'ankommen an (*acc*), erreichen. **2.** habhaft werden (*gen*), ‚kriegen', ‚auftreiben'. **3.** an *j-n* ‚rankommen', *j-m* beikommen. **4.** *j-n* angreifen. **5.** *etwas* her'ausbekommen, *e-r Sache* auf den Grund kommen. **6.** sagen wollen: **what is he getting at?** worauf will er hinaus? **7.** *sl. j-n* bestechen, ‚schmieren'. ~ **be·hind** *v/t sl.* unter'stützen. ~ **in·to** *v/t* **1.** (hin'ein)kommen *od.* (-)gelangen *od.* (-)geraten in (*acc*): **what's got into you?** *colloq.* was ist in dich gefahren?, was ist mit dir los? **2.** *colloq. Kleider* anziehen. **3.** steigen in (*acc*). ~ **off** *v/t* **1.** absteigen von. **2.** aussteigen aus. **3.** her'untergehen *od.* -kommen von. **4.** sich losmachen von, freikommen von. ~ **on** *v/t* **1.** *ein Pferd, e-n Wagen etc* besteigen, aufsteigen auf (*acc*). **2.** einsteigen in (*acc*). **3.** sich stellen auf (*acc*): **to** ~ **one's feet** (*od.* **legs**) sich erheben. ~ **out of** *v/t* **1.** her'aussteigen aus. **2.** her'aus- *od.* hin'auskommen *od.* -gelangen aus. **3.** sich *das Rauchen etc* abgewöhnen. **4.** *econ. colloq.* ‚aussteigen' aus (*e-r Transaktion*). **5.** sich drücken vor (*dat*). **6.** *Geld etc* aus *j-m* ‚her'ausholen' *od.* her'auslocken. **7.** *etwas* bei *e-r Sache* gewinnen, erhalten: **I got nothing out of it** ich ging leer aus. ~ **o·ver** *v/t* **1.** hin'wegkommen über (*acc*): a) (hin'über)kommen, (-)gelangen über (*acc*), b) *fig.* sich hin'wegsetzen über (*acc*), über'winden. **2.** sich erholen von, über'stehen. ~ **round** → **get around.** ~ **through** *v/t* **1.** *Zeit* verbringen. **2.** *Geld* 'durchbringen. **3.** *etwas* erledigen. **4.** (hin)'durchkommen, hin'durchgelangen durch. ~ **to** *v/t* **1.** kommen nach, erreichen. **2.** a) sich machen an (*acc*), b) (zufällig) dazu kommen: **we got to talking about it** wir kamen darauf zu sprechen.

Verbindungen mit Adverbien:

get| a·bout *v/i* **1.** her'umgehen. **2.** her'umkommen. **3.** sich verbreiten (*Gerücht etc*). ~ **a·cross I** *v/t* **1.** verständlich machen, klarmachen. **2.** *e-r Sache* Wirkung *od.* Erfolg verschaffen, *etwas* ‚an den Mann bringen': **to get the idea across. II** *v/i* **3.** *sl.* a) ‚ankommen', ‚einschlagen', Anklang finden, b) ‚klappen', c) klarwerden (to *j-m*). ~ **a·long I** *v/t* **1.** vorwärts-, weiterbringen. **II** *v/i* **2.** vorwärts-, weiterkommen (*a. fig.*). **3.** auskommen, sich vertragen (with s.o. mit j-m): **they** ~ **well together** sie kommen gut miteinander aus. **4.** zu'recht-, auskommen (with s.th. mit etwas): **to** ~ **on little money. 5.** weitergehen: ~! verschwinde!; ~ **with you!** *colloq.* a) verschwinde!, b) quatsch doch nicht! **6.** älter werden. ~ **a·round** → **get about.** ~ **a·way I** *v/t* **1.** fortschaffen, wegbringen. **II** *v/i* **2.** loskommen, sich losmachen: **you can't** ~ **from that** a) darüber kannst du dich nicht hinwegsetzen, b) das mußt du doch einsehen. **3.** entkommen, -wischen: **he got away with it this time** *colloq.* a) diesmal kam er ungestraft davon, b) diesmal gelang es ihm *od.* hatte er Glück; **he gets away with everything** (*od.* **with murder**) *colloq.* er kann sich alles erlauben *od.* leisten. **4.** *bes. sport* starten, losziehen. **5.** ~ **with** ‚wegputzen', aufessen, austrinken. **6.** → **get along** 5. ~ **back I** *v/t* **1.** zu'rückbekommen, -erhalten. **2.** zu'rückholen: **to get one's own back** *sl.* sich rächen. **II** *v/i* **3.** zu'rückkommen. **4.** *Am. sl.* (at) sich rächen (an *dat*), abrechnen (mit). ~ **be·hind** *v/i* **1.** zu'rückbleiben. **2.** in Rückstand kommen. ~ **by** *v/i* **1.** unbemerkt vor'beigelangen. **2.** ungeschoren da'vonkommen. **3.** zu'recht-, 'durch-, auskommen, ‚es schaffen'. ~ **down I** *v/t* **1.** hin'unterbringen. **2.** her'unterholen. **3.** *Essen etc* ‚runterkriegen'. **4.** aufschreiben. **5.** *fig. j-n* ‚fertigmachen' (*aufreiben*). **II** *v/i* **6.** her'unterkommen, -steigen. **7.** aus-, absteigen. **8.** ~ to s.th. sich an etwas (her'an)machen: to ~ to business zur Sache kommen; → brass tacks. ~ **in I** *v/t* **1.** hin'einbringen, -schaffen, -bekommen. **2.** *die Ernte* einbringen. **3.** einfügen. **4.** *e-e Bemerkung, e-n Schlag etc* anbringen. **II** *v/i* **5.** hin'ein-, her'eingelangen, -kommen, -gehen. **6.** einsteigen. **7.** *pol.* (ins Parla'ment *etc*) gewählt werden. **8.** ~ with sich anfreunden *od.* einlassen mit. ~ **off I** *v/t* **1.** losbekommen, -kriegen: his counsel got him off sein Anwalt erwirkte s-n Freispruch. **2.** *Waren* loswerden. **3.** *e-n Witz etc* vom Stapel lassen. **4.** *ein Telegramm etc* ,loslassen', absenden. **II** *v/i* **5.** abreisen, aufbrechen. **6.** *aer.* aufsteigen, (vom Boden) frei- *od.* loskommen. **7.** (from) absteigen (von), aussteigen (aus): to tell s.o. where to ~ *sl.* ,j-m Bescheid stoßen'. **8.** da'vonkommen (with a caution mit e-r Verwarnung), frei ausgehen: to ~ cheaply *colloq.* a) billig wegkommen, b) mit e-m blauen Auge davonkommen. **9.** entkommen. **10.** (*von der Arbeit*) wegkommen: he got off early. ~ **on I** *v/i* **1.** vorwärts-, vor'ankommen (*a. fig.*): to ~ in life a) es zu etwas bringen, b) *a.* to ~ (in years) älter werden; to be getting on for sixty sich den Sechzigern nähern; to ~ without s.th. ohne etwas auskommen; I must be getting on ich muß weiter; it is getting on for 5 o'clock es geht auf 5 Uhr (zu); it was getting on es wurde spät; let's ~ with our work! machen wir weiter! **2.** → get along 3 *u.* 4. **3.** ~ to a) *Br.* sich in Verbindung setzen mit, *teleph. j-n* anrufen, b) *Am. colloq. etwas* ,spitzkriegen', hinter *e-e Sache* kommen, c) *Am. colloq. j-m* auf die Schliche kommen. **II** *v/t* **4.** *Kleider* anziehen. **5.** weiterbringen, vor'antreiben. ~ **out I** *v/t* **1.** her'ausbekommen, -kriegen (*a. fig.*): to ~ a secret. **2.** her'ausholen. **3.** hin'ausschaffen, -befördern. **4.** *Worte etc* her'ausbringen. **II** *v/i* **5.** aussteigen, her'auskommen (of aus). **6.** hin'ausgehen: ~! raus! **7.** entkommen: to ~ from under *Am. colloq.* mit heiler Haut davonkommen. **8.** (of) sich her'auswinden (aus), *econ. colloq.* ,aussteigen' (aus *e-m Unternehmen*). **9.** *fig.* 'durchsickern, her'auskommen (*Geheimnis etc*). ~ **o·ver I** *v/t* **1.** hinter sich bringen, erledigen. **2.** *j-n* auf s-e Seite bringen. **3.** → get across 1. **II** *v/i* **4.** hin'über-, her'überkommen, -gelangen. **5.** → get across 3c. ~ **round I** *v/t j-n* ,her'umkriegen', beschwatzen. **II** *v/i* dazu kommen: I never got round to doing it ich kam nie dazu (, es zu tun). ~ **through I** *v/t* **1.** 'durchbringen, -bekommen (*a. fig.*). **2.** → get over 1. **3.** *etwas* klarmachen (to s.o. j-m). **II** *v/i* **4.** 'durchkommen: a) das Ziel erreichen, b) (*beim Examen*) bestehen, c) 'durchgehen (*Gesetzesvorlage*), d) *teleph.* Anschluß bekommen. **5.** fertig werden (with mit). **6.** klarwerden (to s.o. j-m). ~ **to·geth·er I** *v/t* **1.** *Menschen etc* zs.-bringen. **2.** zs.-tragen, ansammeln. **II** *v/i* **3.** zs.-kommen. **4.** *Am. colloq.* einig werden. ~ **up I** *v/t* **1.** hin'aufbringen, -schaffen, -kriegen. **2.** ins Werk setzen. **3.** veranstalten, organi'sieren. **4.** ein-, 'herrichten, vorbereiten. **5.** konstru'ieren, zs.-basteln. **6.** her'ausputzen, 'ausstaf,fieren: to get o.s. up. **7.** *ein Buch etc* ausstatten, *Waren* (hübsch) aufmachen. **8.** *thea.* 'einstu,dieren, insze'nieren. **9.** *Am. colloq.* lernen, ,büffeln'. **10.** *Am. colloq. ein Gefühl* aufbringen. **II** *v/i* **11.** *vom Bett, Stuhl etc* aufstehen, sich erheben. **12.** (hin)'aufsteigen, steigen (on auf *acc*). **13.** hin'aufkommen. **14.** sich nähern. **15.** *im imp*: hü!, vorwärts!

get|-at-a·ble [ˌget'ætəbl] *adj* **1.** erreichbar (*Ort od. Sache*): it's not ~ man kommt nicht ,ran'. **2.** zugänglich (*Ort od. Person*). **3.** zu erfahren(d). **'~·aˌway** *s* **1.** *colloq.* Flucht *f*, Entkommen *n*: to make one's ~ entkommen, sich aus dem Staub machen, ,Leine ziehen'. **2.** *sport* Start *m*. **3.** *aer.* Abheben *n*, Start *m*. **4.** *mot.* Anzugsvermögen *n*. **'~-ˌoff** → getaway 3.

get·ta·ble ['getəbl] *adj* erreichbar, zu bekommen(d), zu erlangen(d).

get·ter ['getər] *s* **1.** *Bergbau*: Hauer *m*. **2.** *electr.* Getter-, Fangstoff *m*.

'get|-toˌgeth·er *s Am. colloq.* (zwangloses) Treffen *od.* Bei'sammensein, (zwanglose) Zs.-kunft. **ˌ~-'tough** *adj Am. colloq.* aggres'siv, entschlossen: ~ policy. **'~ˌup** *s colloq.* **1.** Aufbau *m*, Anordnung *f*, Struk'tur *f*. **2.** Aufmachung *f*: a) Ausstattung *f*, b) ,Aufzug' *m*, Kleidung *f*. **3.** *thea.* Insze'nierung *f*. **4.** *Am.* Unter'nehmungsgeist *m*, Initia'tive *f*, ,Mumm' *m*.

gew·gaw ['gju:gɔ:] *s* **1.** Spielzeug *n*, Tand *m*, *pl* Kinkerlitzchen *pl*. **2.** *fig.* Lap'palie *f*, Kleinigkeit *f*.

gey·ser *s* **1.** ['gaizər; -sər] Geysir *m*, heiße (Spring)Quelle. **2.** ['gi:zər] *Br.* Boiler *m*, Heißwasserbereiter *m*, *engS.* (Gas)Badeofen *m*.

ghast·li·ness [*Br.* 'gɑ:stlinis; *Am.* 'gæ(:)st-] *s* **1.** Gräßlichkeit *f*. **2.** gräßliches Aussehen. **3.** Totenblässe *f*.

'ghast·ly I *adj* **1.** gräßlich, greulich, entsetzlich, schrecklich (*alle a. fig. colloq.*). **2.** gespenstisch. **3.** totenbleich. **4.** verzerrt: a ~ smile. **5.** *colloq.* schauderhaft, haarsträubend. **II** *adv* **6.** gräßlich *etc*: ~ pale totenblaß.

gha(u)t [gɔ:t] *s Br. Ind.* **1.** (Gebirgs)-Paß *m*. **2.** Gebirgszug *m*. **3.** Lande- u. Badeplatz *m* mit Ufertreppe. **4.** *meist* burning ~ Totenverbrennungsplatz *m* (*der Hindus*) an e-r Ufertreppe.

gher·kin ['gɔ:rkin] *s* Gewürzgurke *f*.

ghet·to ['getou] *pl* **-tos** *s* **1.** *hist.* Getto *n*. **2.** Juden-, Farbigenviertel *n*.

ghost [goust] **I** *s* **1.** Geist *m*, Gespenst *n*: to lay (raise) a ~ e-n Geist bannen (heraufbeschwören); the ~ walks *thea. sl.* es gibt Geld. **2.** abgeschiedene Seele. **3.** *obs. für* Holy Ghost. **4.** Geist *m*, Seele *f* (*nur noch in*): to give (*od.* yield) up the ~ den Geist aufgeben, sterben. **5.** *fig.* Spur *f*, Schatten *m*: not the ~ of a chance *colloq.* nicht die geringste Aussicht. **6.** *fig.* Gespenst *n*, Ske'lett *n*, Schatten *m* (*abgemagerter Mensch*). **7.** → ghost writer. **8.** *opt. TV* Doppelbild *n*. **II** *v/t* **9.** *j-n* (geisterhaft) verfolgen. **10.** den Ghostwriter machen für, *etwas* (ano'nym) schreiben für. **III** *v/i* **11.** spuken. **12.** sich geisterhaft bewegen, her'umgeistern. **13.** Ghostwriter sein. **'~ˌlike** → ghostly.

ghost·li·ness ['goustlinis] *s* Geisterhaftigkeit *f*. **'ghost·ly** *adj* geister-, gespensterhaft, Geister...: our ~ enemy *obs.* der Teufel.

ghost| sto·ry *s* Geister-, Gespenstergeschichte *f*. ~ **town** *s Am.* Geisterstadt *f*, verödete Stadt. ~ **word** *s* falsche Wortbildung, Ghostword *n*. **'~ˌwrite** *v/t u. v/i irr* → ghost 10 *u.* 13. ~ **writ·er** *s* Ghostwriter *m*, ,Neger' *m* (*Schriftsteller, der für e-n anderen anonym schreibt*).

ghoul [gu:l] *s* **1.** Ghul *m* (*leichenfressender Dämon*). **2.** *Am. fig.* Unhold *m* (*Person mit makabren Gelüsten*), *z. B.* Leichen-, Grabschänder *m*. **'ghoul·ish** *adj* (*adv* ~ly) **1.** ghulenhaft. **2.** *fig.* teuflisch, greulich.

ghyll → gill[2].

GI, G.I. ['dʒi:'ai] *pl* **GIs, GI's** (*von* Government Issue) *mil. Am. colloq.* **I** *s* **1.** *a.* ~ Joe ,Landser' *m*, Sol'dat *m* (*der US-Streitkräfte*). **II** *adj* **2.** a) Kommiß...: ~ shoes, b) Landser... **3.** vorschriftsmäßig.

gi·ant ['dʒaiənt] **I** *s* **1.** *myth.* Riese *m*, Gi'gant *m*. **2.** Riese *m*, Ko'loß *m*. **3.** riesiges Exem'plar (*Tier etc*). **4.** *fig.* (geistiger) Riese. **5.** *astr.* Riesenstern *m*. **6.** *Bergbau*: Monitor *m*, Strahlrohr *n*. **II** *adj* **7.** riesenhaft, riesig, ungeheuer (groß), *a. bot. zo.* Riesen...: ~ slalom *sport* Riesenslalom *m*; ~ star → 5; ~ stride Riesenschritt *m* (*a. fig.*); ~('s) stride Rundlauf *m* (*Turngerät*); ~ swing *sport* Riesenschwung *m*, -welle *f*.

gi·ant·ess ['dʒaiəntis] *s* Riesin *f*.

gi·ant·ism ['dʒaiənˌtizəm] *s* **1.** ungeheure Größe. **2.** *med.* Riesenwuchs *m*.

giaour [dʒaur] *s contp.* Giaur *m* (*Nichtmohammedaner, bes. Christ*).

gib [gib] *tech.* **I** *s* **1.** Bolzen *m*, (*a.* Haken-, Nasen)Keil *m*: ~ and cotter Keil u. Lösekeil; ~ and key Längs- u. Querkeil. **2.** a) 'Führungslineˌal *n* (*e-r Werkzeugmaschine*), b) (Stell)Leiste *f* (*e-r Drehbank*). **3.** Ausleger *m* (*e-s Krans*). **II** *v/t* **4.** verkeilen.

gib·ber ['dʒibər; 'gibər] **I** *v/i* schnattern, ,quatschen', Kauderwelsch *od.* unverständliches Zeug reden. **II** *s* → gibberish. **'gib·ber·ish** *s* **1.** Kauderwelsch *n*, Geschnatter *n*. **2.** dummes Geschwätz, ,Quatsch' *m*.

gib·bet ['dʒibit] **I** *s* **1.** Galgen *m*. **2.** *tech.* a) Kranbalken *m*, b) *Zimmerei*: Querbalken *m*, -holz *n*. **II** *v/t* **3.** hängen, henken. **4.** anprangern, bloßstellen.

gib·bon ['gibən] *s zo.* Gibbon *m*.

gib·bos·i·ty [gi'bɒsiti] *s* **1.** Buckligkeit *f*. **2.** Wölbung *f*. **3.** Buckel *m*, Höcker *m*. **'gib·bous** *adj* (*adv* ~ly) **1.** gewölbt. **2.** *astr.* auf beiden Seiten kon'vex (*Mondscheibe zwischen Halb- u. Vollmond*). **3.** buck(e)lig, höckerig.

gibe[1] [dʒaib] **I** *v/t* verhöhnen, verspotten. **II** *v/i* spotten (at über *acc*). **III** *s* Spott *m*, Stiche'lei *f*, Seitenhieb *m*.

gibe[2] → jibe[2].

gib·let ['dʒiblit] *s meist pl* Inne'reien *pl*, *bes.* Hühner-, Gänseklein *n*.

gi·bus ['dʒaibəs], ~ **hat** *s* Zy'linder *m*, Klapphut *m*.

gid·di·ness ['gidinis] *s* **1.** Schwindel(gefühl *n*) *m*, Schwindeligkeit *f*. **2.** *fig.* Unbesonnenheit *f*, Leichtsinn *m*, Flatterhaftigkeit *f*. **3.** *fig.* Wankelmütigkeit *f*.

gid·dy ['gidi] **I** *adj* (*adv* giddily) **1.** schwind(e)lig: I am (*od.* feel) ~ mir ist schwind(e)lig. **2.** *a. fig.* schwindelerregend, schwindelnd. **3.** *fig.* a) unbesonnen, flatterhaft, leichtsinnig, b) albern, ,verrückt', c) trunken (with vor *dat*). **II** *v/t u. v/i* **4.** schwind(e)lig machen *od.* werden. **'~-go-ˌround** *Br. für* merry-go-round.

gie [gi:] *Scot. od. dial. für* give.

'gier-ˌea·gle [dʒir] *s Bibl. od. obs.* Geieradler *m*.

gift [gift] **I** *s* **1.** Gabe *f*, Geschenk *n*: to make a ~ of s.th. etwas schenken; I wouldn't have it as a ~ das nähme ich nicht (mal) geschenkt. **2.** *jur.* Schenkung *f*: deed of ~ Schenkungsurkunde *f*; ~ (by will) Vermächtnis *n*;

~ **mortis causa** Schenkung für den Todesfall. **3.** *jur.* Verleihungsrecht *n*: **the office is not in his** ~ **er** kann dieses Amt nicht verleihen *od.* vergeben. **4.** *fig.* Begabung *f*, Gabe *f*, Ta'lent *n* (**for, of** für): → **gab** I, **tongue** 3. **II** *v/t* **5.** beschenken (**with** mit). **6.** schenken, geben (**s.th. to s.o.** j-m etwas). **III** *adj* **7.** geschenkt, Geschenk...: ~ **shop** Geschenkartikelladen *m*; **better not look a** ~ **horse in the mouth** e-m geschenkten Gaul sieht man nicht ins Maul.

gift·ed ['giftid] *adj* begabt, talen'tiert.

'**gift·ie** [-ti] *Scot. für* gift 4.

'**gift|-,loan** *v/t* als zinsloses Darlehen geben. '**~-,wrap** *v/t* geschenkmäßig verpacken.

gig[1] [gig] *s* **1.** *mar.* Gig(boot) *n*. **2.** *sport* Gig *n* (*Ruderboot*). **3.** Gig *n* (*zweirädiger offener Einspänner*).

gig[2] [gig] *s* Fischrechen *m*.

gig[3] [gig] *s a.* ~ **machine**, ~ **mill** *tech.* ('Tuch),Rauhma,schine *f*.

gig[4] [gig] *s Am.* Verbindung *f* von (*meist*) drei Nummern beim Losspiel.

gi·gan·tic [dʒai'gæntik] *adj* (*adv* ~**ally**), *a.* ,**gi·gan'tesque** [-'tesk] *adj* gi'gantisch: a) riesenhaft, Riesen..., b) riesig, ungeheuer (groß).

gi·gan·tism ['dʒaigæn,tizəm; dʒai'gæn-] *s* **1.** *bot. med.* Riesenwuchs *m*. **2.** → **giantism** 1.

gi·gan·tom·a·chy [,dʒaigæn'tɒməki] *s* Gigantoma'chie *f*, (Darstellung *f* e-r) Gi'gantenschlacht *f*.

gig·gle ['gigl] **I** *v/i* kichern. **II** *s* Kichern *n*, Gekicher *n*. '**gig·gler** [-lər] *s* Kichernde(r *m*) *f*. '**gig·gly** *adj* zum Kichern neigend, ständig kichernd.

gig·man ['gigmən] *s irr* **1.** Besitzer *m* e-s Gigs. **2.** *fig.* Phi'lister *m*, Spießbürger *m*. **gig'man·i·ty** [-'mæniti] *s* Spießbürgertum *n*.

gig mill *s Tuchherstellung*: 'Rauhma,schine *f*.

gig·o·lo ['dʒigə,lou] *pl* **-los** *s* Gigolo *m*, Eintänzer *m*.

gig·ot ['dʒigət] *s* **1.** *a.* ~ **sleeve** Gi'got *m*, Keulenärmel *m*. **2.** (gekochte) Hammelkeule.

gigue [ʒiːg] *s mus.* Gigue *f*.

gil·bert ['gilbərt] *s electr.* Gilbert *n* (*Einheit der magnetomotorischen Kraft*).

Gil·ber·ti·an [gil'bəːrtiən] *adj* **1.** in der Art (des Hu'mors) von W. S. Gilbert. **2.** *fig.* komisch, possenhaft.

gild[1] [gild] *v/t pret u. pp* '**gild·ed** *od.* **gilt** [gilt] **1.** vergolden. **2.** *fig.* a) verschöne(r)n, (aus)schmücken, verbrämen, b) über'tünchen, c) versüßen (**the pill** die bittere Pille). **3.** *fig.* beschönigen: **to** ~ **a lie.**

gild[2] → **guild.**

gild·ed ['gildid] *adj* vergoldet, golden (*a. fig.*): **G~ Chamber** *parl. Br.* (*das*) Oberhaus; ~ **youth** Jeunesse *f* dorée.

'**gild·ing** *s* **1.** Vergolden *n*. **2.** Vergoldung *f*. **3.** Vergoldermasse *f*. **4.** *fig.* a) Verschönerung *f*, Ausschmückung *f*, Verbrämung *f*, b) Beschönigung *f*.

gilds·man → **guildsman.**

gill[1] [gil] **I** *s* **1.** *ichth.* Kieme *f*: ~ **arch (cleft, cover)** Kiemenbogen *m* (-spalte *f*, -deckel *m*); ~ **net** Wandnetz *n*. **2.** *orn.* Kehllappen *m*. **3.** *bot.* La'melle *f*: ~ **fungus** Blätterpilz *m*. **4.** Doppel-, 'Unterkinn *n*: **rosy (green) about the** ~**s** gesundaussehend (grün im Gesicht). **5.** *pl Br. sl.* (Ecken *pl* vom) ,Vatermörder' *m*. **6.** *Spinnerei*: Hechelkamm *m*. **7.** *tech.* (Heiz-, Kühl-) Rippe *f*. **II** *v/t* **8.** *Fische* a) ausnehmen, b) mit e-m Wandnetz fangen. **9.** die La'mellen entfernen von (*Pilzen*).

gill[2] [gil] *s bes. Scot.* **1.** (waldige) Schlucht. **2.** Gebirgs-, Wildbach *m*.

gill[3] [dʒil] *s* Viertelpint *n* (*Br. 0,14 l; Am. 0,12 l*).

gill[4] [dʒil] *s obs.* Liebste *f* (*jetzt nur noch in*): **Jack and G~** Hans u. Grete.

gilled [gild] *adj* **1.** *ichth.* mit Kiemen (versehen). **2.** *tech.* gerippt: ~ **tube** Kühlrippenrohr *n*.

gil·lie ['gili] *s* **1.** *hist.* Diener *m*, Page *m* (*e-s schottischen Hochlandhäuptlings*). **2.** Jagdgehilfe *m*.

gil·ly·flow·er ['dʒili,flauər] *s bot.* **1.** (*bes.* 'Winter)Lev,koje *f*. **2.** Goldlack *m*. **3.** Gartennelke *f*.

gilt[1] [gilt] **I** *adj* **1.** → **gilded. II** *s* **2.** Vergoldung *f*. **3.** *fig.* Reiz *m*: **to take the** ~ **off the gingerbread** der Sache den Reiz nehmen.

gilt[2] [gilt] *s* junge Sau.

'**gilt|,cup** → **buttercup.** ~ **edge** *s oft pl* Goldschnitt *m*. '**~-'edge(d)** *adj* **1.** mit Goldschnitt (versehen). **2.** *econ. colloq.* erstklassig, prima: ~ **securities** mündelsichere (Wert)Papiere.

gim·bals ['dʒimbəlz] *s pl mar. tech.* Kar'danringe *pl*, kar'danische Aufhängung (*Kompaß etc*).

gim·crack ['dʒim,kræk] **I** *s* **1.** a) Tand *m*, wertloser *od.* kitschiger Gegenstand, (*a.* technische) Spiele'rei, ,Mätzchen' *n*, b) *pl* → **gimcrackery** 1. **II** *adj* **2.** a) wertlos, b) kitschig. **3.** wack(e)lig, 'unso,lide gebaut. '**gim,crack·er·y** [-əri] *s* Flitterkram *m*, Plunder *m*, ,Firlefanz' *m*, ,Kinkerlitzchen' *pl*.

gim·let ['gimlit] *s tech.* Hand-, Nagelbohrer *m* (*mit Griff*): ~ **eyes** *fig.* stechende Augen.

gim·mick ['gimik] *s sl.* **1.** → **gadget** 1. **2.** *fig.* a) ,Dreh' *m*, (*bes.* Re'klame-) Trick *m*, ,(-)Masche' *f*, b) ,Aufhänger' *m*, ,(eingebauter) Knüller' (*im Film*).

gimp [gimp] *s* **1.** Gimpe *f*, Korde(l) *f*, Besatzschnur *f*. **2.** mit Draht verstärkte (seidene) Angelschnur.

gin[1] [dʒin] *s* Wa'cholderschnaps *m*, Gin *m*: ~ **and it** Gin u. italienischer Wermut (*Cocktail*); ~**-fizz** Gin-Fizz *m* (*gespritzter Gin*).

gin[2] [dʒin] **I** *s* **1.** *a.* **cotton** ~ Ent'körnungsma,schine *f* (*für Baumwolle*). **2.** a) *tech.* Hebezeug *n*, Winde *f*, b) *mar.* Spill *n*. **3.** *tech.* Göpel *m*, 'Förderma,schine *f*. **4.** *tech.* Rammgerüst *n*. **5.** *hunt.* Falle *f*, Schlinge *f*. **II** *v/t* **6.** in *od.* mit e-r Schlinge fangen. **7.** *Baumwolle* entkörnen, egre'nieren.

gin[3] [gin] *pret u. pp* **gan** [gæn] *od.* **gun** [gʌn] *obs. od. poet. für* **begin.**

gin[4] [dʒin] *s* (*Art*) Rommé *n*.

gin[5] [gin] *Scot.* **I** *conj* wenn, ob. **II** *prep* (*zeitlich*) gegen.

gin[6] [dʒin] *s Austral.* Eingeborene *f*.

gin·ger ['dʒindʒər] **I** *s* **1.** *bot.* Ingwer *m*. **2.** Ingwer *m* (*getrockneter Wurzelstock*): ~ **shall be hot in the mouth** der Ingwer soll Euch noch im Munde brennen. **3.** Ingwerfarbe *f*, Rötlichgelb *n*. **4.** *colloq.* a) ,Mumm' *m*, Schneid *m* (*e-r Person*), b) Schwung *m*, ,Schmiß' *m* (*e-r Person od. Sache*), c) ,Pfeffer' *m*, ,Pfiff' *m* (*e-s Theaterstücks etc*). **II** *adj* **5.** ingwerfarben, rötlich(gelb). **6.** *fig. colloq.* a) schneidig, b) schwungvoll, schmissig. **III** *v/t* **7.** mit Ingwer würzen. **8.** *a.* ~ **up** *fig.* a) *j-n* anfeuern, ,scharfmachen', b) *j-n* ,aufmöbeln', aufmuntern, c) *etwas* ,ankurbeln', in Schwung bringen: **to** ~ **the tourist trade**, d) *e-m Film etc* ,Pfiff' geben.

gin·ger·ade [,dʒindʒə'reid] → **ginger ale.**

gin·ger| ale, ~ **beer** *s* (*alkoholfreies*) Ingwerbier. ~ **bran·dy** *s* 'Ingwerli,kör *m*. '**~,bread I** *s* **1.** Ingwer-, Pfefferkuchen *m*: ~ **nut** Pfeffernuß *f*; → **gilt**[1] 3. **2.** *fig. contp.* Kitsch *m*, Flitterkram *m*. **II** *adj* **3.** flitterhaft, über'laden, kitschig: ~ **Gothic** ,Zuckerbäckergotik' *f*. ~ **group** *s parl. Br.* Gruppe *f* von Scharfmachern.

gin·ger·ly ['dʒindʒərli] *adv u. adj* **1.** (ganz) behutsam, sacht. **2.** zimperlich.

'**gin·ger|,nut** *s* Pfeffernuß *f*. ~ **pop** *colloq. für* **ginger ale.** '**~-,race** *s* Ingwerwurzel *f*. '**~,snap** *s* Ingwerkeks *m*, *n*. ~ **wine** *s* Ingwerwein *m*. '**~,work** → gingerbread 2.

gin·ger·y ['dʒindʒəri] *adj* **1.** ingwerartig *od.* -farben. **2.** mit Ingwer gewürzt, Ingwer... **3.** scharf (gewürzt).

ging·ham ['giŋəm] *s* **1.** Gingham *m*, Gingan(g) *m* (*Baumwollstoff*). **2.** *colloq.* (*bes.* billiger) Regenschirm.

gin·gi·li ['dʒindʒili] *s* **1.** → **sesame** 1. **2.** Sesamsamen *m*, -öl *n*.

gin·gi·val [dʒin'dʒaivəl; 'dʒindʒivəl] *adj anat.* Zahnfleisch... ,**gin·gi'vi·tis** [-dʒi'vaitis] *s med.* Zahnfleischentzündung *f*.

ging·ko ['giŋkou; 'dʒ-] → **ginkgo.**

gin·gly·mus ['giŋgliməs] *pl* **-mi** [-,mai] *s anat.* Schar'niergelenk *n*.

gink [giŋk] *s Am. sl.* komischer ,Knülch'.

gink·go ['giŋkgou; 'dʒ-] *pl* **-go(e)s** *s bot.* Ginkgo *m*, Fächerblattbaum *m*.

gin mill [dʒin] *s Am. colloq.* Kneipe *f*.

gin·ner·y ['dʒinəri] *s* Egre'nierwerk *n* (*zur Baumwollentkörnung*).

gin| pal·ace [dʒin] *s* bunt *od.* auffällig deko'riertes Wirtshaus. ~ **rick·ey** *s Am. Getränk aus Gin, Zitronensaft u. Sodawasser.* ~ **rum·my** → **gin**[4].

gin·seng ['dʒinseŋ] *s* **1.** *bot.* Ginseng *m*. **2.** *pharm.* Ginsengwurzel *f*.

gin| shop [dʒin] *s* → **gin mill.** ~ **sling** *s Getränk aus Gin u. Zuckerwasser.*

gip [dʒip] *v/t Fische* ausnehmen.

gip·po ['dʒipou] *s mil. Br. sl.* a) Suppe *f*, b) Soße *f*, Bratenfett *n*, c) Eintopf *m*.

'**gip·py** *s mil. sl.* ä'gyptischer Sol'dat.

gip·sy, *bes. Am.* **gyp·sy** ['dʒipsi] **I** *s* **1.** Zi'geuner(in) (*a. fig.*). **2.** Zi'geunersprache *f*. **3.** *Br. humor.* Zi'geunerin *f*, Hexe *f* (*bes. brünette Frau*). **II** *adj* **4.** Zigeuner... **5.** zi'geunerhaft. **III** *v/i* **6.** ein Zi'geunerleben führen. ~ **bonnet** *s* breitrandiger Damenhut.

gip·sy·dom ['dʒipsidəm], '**gip·sy,hood** *s* **1.** Zi'geunertum *n*. **2.** *collect.* Zi'geuner *pl*.

gi·raffe [*Br.* dʒi'rɑːf; -'ræf; *Am.* dʒə'ræ(ː)f] *s zo.* Gi'raffe *f*.

gir·an·dole ['dʒirən,doul] *s* Giran'dole *f*, Geran'dola *f*: a) *springbrunnenartige Raketengarbe* (*Feuerwerk*), b) *reichverzierter Armleuchter*, c) *mit Edelsteinen besetztes Ohrgehänge.*

gird[1] [gəːrd] *v/t pret u. pp* '**gird·ed, girt** [gəːrt] **1.** *j-n* (um)'gürten. **2.** *Kleid etc* gürten, mit e-m Gürtel halten. **3.** *oft* ~ **on** *das Schwert etc* 'umgürten, an-, 'umlegen: **to** ~ **s.th. on s.o.** j-m etwas umgürten. **4.** *j-m, sich* ein Schwert 'umgürten: **to** ~ **o.s. (up), to** ~ **(up) one's loins** *fig.* sich rüsten *od.* wappnen. **5.** *Seil etc* binden, legen (**round** um). **6.** *fig. j-n* ausstatten, -rüsten (**with** mit). **7.** um'geben, um'schließen (*meist pass*): **sea-girt** meerumschlungen.

gird[2] [gəːrd] **I** *v/i* höhnen, spotten (**at** über *acc*). **II** *v/t obs.* verhöhnen, verspotten. **III** *s obs.* Stiche'lei *f*, Spott *m*.

gird·er ['gəːrdər] *s tech.* **1.** (Eisen-) Träger *m*, 'Durchzug *m*, Tragbalken *m*. **2.** *Bergbau*: 'Unterzug *m*. ~ **bridge** *s* Balkenbrücke *f*.

gir·dle[1] ['gəːrdl] **I** *s* **1.** Gürtel *m*, Gurt *m*. **2.** Hüfthalter *m*, -gürtel *m*. **3.** *anat. in Zssgn* (Knochen)Gürtel *m*: **shoulder ~** Schultergürtel; **~ bone** Gürtelknochen *m*. **4.** Gürtel *m*, (*etwas*) Um'gebendes *od.* Einschließendes, 'Umkreis *m*, Um'gebung *f*. **5.** *tech.* Fassungskante *f* (*geschliffener Edelsteine etc*). **6.** Gürtelring *m* (*ringförmig ausgeschnittene Baumrinde*). **II** *v/t* **7.** um'gürten. **8.** *oft* **~ about, ~ in, ~ round** um'geben, einschließen (**with** mit). **9.** *e-n Baum* ringeln.

gir·dle[2] ['gəːrdl] *s Scot.* → **griddle.**

girl [gəːrl] **I** *s* **1.** Mädchen *n*, ‚Mädel' *n*: **a German ~** e-e junge Deutsche; **shop ~** Ladenmädchen *n*, Verkäuferin *f*; **my eldest ~** m-e älteste Tochter; **the ~s** die Töchter des Hauses; **~'s name** weiblicher Vorname. **2.** (Dienst-)Mädchen *n*. **3.** *oft* **best ~** ‚Mädel' *n*, ‚Schatz' *m*, ‚Kleine' *f* (*Liebste*). **II** *adj* **4.** weiblich: **~ friend** Freundin *f*. **~ guide** *s* Pfadfinderin *f* (*in England*). **G~ Guides** *s pl* (englische) Pfadfinderinnen(bewegung) *pl*.

girl·hood ['gəːrlhud] *s* **1.** Mädchenzeit *f*, -jahre *pl*. **2.** Mädchenhaftigkeit *f*. **3.** *collect.* Mädchen *pl*.

girl·ie ['gəːrli] *s* kleines Mädchen. **'girl·ish** *adj* (*adv* **~ly**) mädchenhaft, Mädchen... **'girl·ish·ness** *s* (*das*) Mädchenhafte.

girl| scout *s* Pfadfinderin *f* (*in den USA*). **G~ Scouts** *s pl* Pfadfinderinnen(bewegung *f*) *pl* (*in den USA*).

gi·ro[1] ['dʒai(ə)rou] *pl* **-ros** *abbr. für* **autogiro.**

Gi·ro[2] ['dʒai(ə)rou] *s* (*der*) Postscheckdienst (*in England*).

girt[1] [gəːrt] **I** *pret u. pp von* **gird**[1]. **II** *adj* **~ up** *fig.* a) gerüstet, bereit, b) eifrig, bestrebt. **III** *v/t* → **gird**[1].

girt[2] [gəːrt] **I** *s* 'Umfang *m*. **II** *v/t* → **girth** 6.

girth [gəːrθ] **I** *s* **1.** (*a.* 'Körper)ˌUmfang *m*. **2.** (Sattel-, Pack)Gurt *m*. **II** *v/t* **3.** *ein Pferd* gürten. **4.** fest-, an-, aufschnallen. **5.** um'geben, um'schließen. **6.** den 'Umfang messen von.

gist [dʒist] *s* **1.** *jur.* Grundlage *f*: **~ of action** Klagegrund *m*. **2.** (*das*) Wesentliche, Hauptpunkt(e *pl*) *m*, Kern *m*.

git·tern ['gitərn] → **cittern.**

give [giv] **I** *s* **1.** Nachgeben *n*. **2.** Elastizi'tät *f*, Biegsamkeit *f*: → **give and take.**

II *v/t pret* **gave** [geiv] *pp* **giv·en** ['givn] **3.** geben, schenken, über'reichen: **he gave his son a watch, he gave a watch to his son** er gab s-m Sohn e-e Uhr; **to ~ s.o. the name of William** j-m den Namen Wilhelm geben. **4.** geben, reichen, (dar)bieten: **to ~ s.o. one's hand. 5.** *e-n Brief etc* (über)'geben. **6.** (*als Gegenwert*) geben, (be)zahlen: **how much did you ~ for that coat?**; **to ~ as good as one gets** (*od.* **takes**) mit gleicher Münze zurückzahlen. **7.** *e-e Auskunft, e-n Rat etc* geben, erteilen: **to ~ a description of** e-e Beschreibung geben von. **8.** *sein Wort etc* geben, verpfänden. **9.** widmen: **to ~ one's attention (energies) to s.th.** s-e Aufmerksamkeit (Kraft) e-r Sache widmen; **to ~ one's life** sein Leben hingeben *od.* opfern (**for** für). **10.** *ein Recht, e-n Titel, ein Amt etc* verleihen, geben, über'tragen: **to ~ s.o. a part in a play** j-m e-e Rolle in e-m Stück geben. **11.** geben, gewähren, gönnen, zugestehen: **to ~ s.o. a favo(u)r** j-m e-e Gunst gewähren; **just ~ me 24 hours** geben Sie mir (nur) vierundzwanzig Stunden (Zeit); **I ~ you that point** in diesem Punkt gebe ich Ihnen recht; **~ me the good old times!** da lobe ich mir die gute alte Zeit!; **~ me Mozart any time** Mozart geht mir über alles; **it was not ~n to him to do it** es war ihm nicht gegeben *od.* vergönnt, es zu tun. **12.** *e-n Befehl, Auftrag etc* geben, erteilen: **to ~ an order. 13.** *Hilfe* gewähren, leisten. **14.** *e-n Preis* zuerkennen, zusprechen. **15.** *e-e Arznei* (ein)geben, verabreichen. **16.** *j-m ein Zimmer etc* geben, zuteilen, zuweisen. **17.** *e-e Nachricht etc* weitergeben an (*acc*), *j-m* über'mitteln: **~ him my love** bestelle ihm herzliche Grüße von mir. **18.** (über)'geben, 'einliefern: **to ~ s.o. into custody** j-n der Polizei übergeben, j-n verhaften lassen. **19.** *e-n Schlag etc* geben, versetzen. **20.** *j-m e-n Blick* zuwerfen: **to ~ s.o. a look. 21.** von sich geben, äußern: **to ~ a cry** e-n Schrei ausstoßen, aufschreien; **to ~ a laugh** auflachen; **to ~ a smile** lächeln; **to ~ a start** zs.-fahren, -zucken; **he gave no sign of life** er gab kein Lebenszeichen von sich. **22.** (an)geben, mitteilen: **~ us the facts**; **to ~ one's name** s-n Namen nennen *od.* angeben; **to ~ a reason** e-n Grund angeben. **23.** *ein Lied etc* zum besten geben, vortragen. **24.** geben, veranstalten: **to ~ a concert (a party, a dinner)**; **to ~ a play** ein (Theater)Stück geben *od.* aufführen; **to ~ a lecture** e-n Vortrag halten. **25.** bereiten, verursachen: **to ~ pleasure** Vergnügen bereiten *od.* machen; **to ~ pain** Schmerzen bereiten, weh tun. **26.** (er)geben: **to ~ no result** kein Resultat zeitigen; **cows ~ milk** Kühe geben Milch; **the lamp ~s a good light** die Lampe gibt gutes Licht. **27.** e-n Trinkspruch ausbringen auf (*acc*): **I ~ you the ladies** ich trinke auf das Wohl der Damen. **28.** geben, zuschreiben: **I ~ him 50 years** ich schätze ihn auf 50 Jahre. **29.** *j-m zu tun, zu trinken etc* geben: **she gave me her bag to carry**; **I was ~n to understand** man gab mir zu verstehen. **30.** (*in Redewendungen meist*) geben: **to ~ attention** achtgeben (**to** auf *acc*); **~ it (to) him (hot)!** gib's ihm!; **to ~ s.o. what for** *sl.* es j-m ‚geben' *od.* ‚besorgen'; (*siehe die Verbindungen mit den entsprechenden Substantiven*).

III *v/i* **31.** geben, spenden, schenken (**to** *dat*): **to ~ generously. 32.** nachgeben: **to ~ under great pressure**; **the foundations are giving** das Fundament senkt sich; **the chair ~s comfortably** der Stuhl federt angenehm; **his knees gave under him** s-e Knie versagten; **something's got to ~** *fig.* es muß etwas passieren; **what ~s?** *Am. colloq.* was gibt's? **33.** nachlassen, schwächer werden. **34.** versagen (*Nerven etc*). **35.** sich lockern. **36.** sich anpassen (**to** *dat od.* **an** *acc*). **37.** a) führen (**into** in *acc*; **on** auf *acc*, nach) (*Straße etc*), b) gehen (**on [to]** nach) (*Fenster etc*). **38.** *Am. colloq.* a) sprechen: **come on, ~!** los, raus mit der Sprache!, b) aus sich her'ausgehen.

Verbindungen mit Adverbien:

give| a·way *v/t* **1.** 'her-, fortgeben, verschenken: → **bride. 2.** *Preise* verteilen. **3.** auf-, preisgeben, opfern. **4.** *colloq. j-n od. etwas* verraten: **to ~ a secret**; **to give o.s. away** sich verraten *od.* verplappern; → **show** 15. **~ back I** *v/t* zu'rückgeben (*a. fig. erwidern*). **II** *v/i* sich zu'rückziehen. **~ forth** *v/t* **1.** → **give off** 1. **2.** *e-e Ansicht etc* äußern. **3.** veröffentlichen, bekanntgeben. **~ in I** *v/t* **1.** *ein Gesuch etc* einreichen. **2.** (offizi'ell) erklären. **II** *v/i* **3.** (**to**) a) nachgeben (*dat*), b) sich anschließen (*dat*): **to ~ to s.o.'s opinion. 4.** aufgeben, sich geschlagen geben. **~ off** *v/t* **1.** *Gas, Geruch etc* ausströmen, von sich geben, abgeben. **2.** *Zweige* treiben. **~ out I** *v/t* **1.** ausgeben, verteilen. **2.** her'aus-, bekanntgeben: **to give it out that** verkünden *od.* behaupten, daß. **3.** *relig. Kirchenlied* vorlesen. **4.** → **give off** 1. **II** *v/i* **5.** zu Ende gehen, erschöpft sein (*Kräfte, Vorräte*). **6.** versagen (*Kräfte, Maschine, Stimme etc*). **7.** zs.-brechen, nicht mehr (weiter) können. **8.** *Am. colloq.* loslegen (**with** mit). **~ o·ver I** *v/t* **1.** über'geben, -'weisen, -'lassen (**to** *dat*). **2.** *etwas* aufgeben, ablassen von. **3. give o.s. over to s.th.** sich e-r Sache ergeben, e-r Sache verfallen: **to give o.s. over to drinking. II** *v/i* **4.** aufhören. **~ up I** *v/t* **1.** aufgeben, aufhören mit, *etwas* sein lassen: **to ~ smoking** das Rauchen aufgeben. **2.** (*als aussichtslos*) aufgeben: **to ~ a plan**; **he was given up by the doctors. 3.** *j-n* ausliefern: **to give o.s. up** sich (freiwillig) stellen (**to the police** der Polizei). **4. give o.s. up to** a) sich 'hin- *od.* ergeben, sich über'lassen (*dat*): **to give o.s. up to despair** sich der Verzweiflung überlassen, b) sich *e-r Sache* widmen. **II** *v/i* **5.** (es) aufgeben, sich geschlagen geben.

'give|-and-'take I *s* **1.** (*ein*) Geben u. Nehmen, beiderseitiges Entgegenkommen *od.* Nachgeben, Kompro'miß *m, n*. **2.** (Meinungs-, Gedanken-)Austausch *m*. **3.** Wortgefecht *n*. **II** *adj* **4.** Ausgleichs..., Kompromiß... **'~·aˌway** *colloq.* **I** *s* **1.** (ungewolltes) Verraten, Verplappern *n*. **2.** (*bes.* Re'klame)Geschenk *n*, Preis *m*. **3.** *Radio, TV Am.* Quizsendung *f*, Preisraten *n*. **II** *adj* **4.** Preis...: **~ show**, *Am.* **~ program** → 3.

giv·en ['givn] **I** *pp von* **give. II** *adj* **1.** gegeben, bestimmt, festgelegt: **at a ~ time** zur festgesetzten Zeit; **under the ~ conditions** unter den gegebenen Bedingungen, unter den obwaltenden Umständen. **2.** *nur pred* ergeben, verfallen (**to** *dat*): **~ to drink. 3.** *math. philos.* gegeben, bekannt. **4.** vor'ausgesetzt: **~ health** Gesundheit vorausgesetzt. **5.** in Anbetracht (*gen*): **~ his temperament. 6.** *auf Dokumenten*: gegeben, ausgefertigt: **~ this 10th day of January** gegeben am 10. Januar. **III** *s* **7.** *Am.* gegebene Tatsache. **~ name** *s Am.* Vor-, Taufname *m*.

giv·er ['givər] *s* **1.** Geber(in), Spender(in). **2.** *econ.* a) Abgeber *m*, Verkäufer *m*, b) (*Wechsel*)Aussteller *m*.

giz·zard ['gizərd] *s* **1.** a) *ichth. orn.* Muskelmagen *m*, b) Vor-, Kaumagen *m* (*von Insekten*). **2.** *colloq. humor.* Magen *m*: **that sticks in my ~** *fig.* das ist mir zuwider; **to fret one's ~** sich Sorgen machen.

gla·brous ['gleibrəs] *adj bot. zo.* kahl.

gla·cé [*Br.* 'glæsei; *Am.* glæ'sei; gla'se] (*Fr.*) *adj* **1.** gla'siert, mit Gla'sur *od.* Zuckerguß. **2.** kan'diert (*Früchte etc*). **3.** Glacé..., Glanz... (*Leder, Stoff*).

gla·cial ['gleiʃəl; -ʃiəl; -siəl] *adj* (*adv* **~ly**) **1.** *geol.* Eis..., *bes.* Gletscher...: **~ detritus** Glazialschutt *m*. **2.** eiszeitlich: **~ boulder** Findling *m*; **~ epoch** (*od.* **period**) Eiszeit *f*; **~ man** Eiszeitmensch *m*. **3.** *chem.* Eis...

gla·ci·ate ['gleiʃiˌeit] *v/t* **1.** vereisen. **2.** *geol.* vergletschern (*nur im pp*).

ˌgla·ci'a·tion [-ʃi'eiʃən; -si-] *s* Vereisung *f*, Vergletscherung *f*.
gla·cier ['gleiʃər; *Br. a.* 'glæsiə] *s* Gletscher *m*: **~ table** *geol.* Gletschertisch *m*; **~ theory** Gletschertheorie *f*.
gla·cis ['gleisis; 'glæsis] *s* **1.** flache Abdachung. **2.** *mil.* Gla'cis *n*.
glad [glæd] **I** *adj* (*adv* → **gladly**) **1.** *pred* froh, erfreut (of, at über *acc*): **I am ~ (that) he has gone** ich bin froh, daß er gegangen ist; **to be ~ of** (*od.* at) **s.th.** sich über etwas freuen; **I am ~ of it** ich freue mich darüber, es freut mich; **I am ~ to hear (to say)** zu m-r Freude höre ich (darf ich sagen); es freut mich zu hören (‚sagen zu dürfen); **I am ~ to go** ich gehe gern; **I should be ~ to know** ich möchte gern wissen. **2.** freudig, froh, fröhlich, heiter (*Gesicht, Ereignis etc*): **to give s.o. the ~ hand** *colloq.* j-n herzlich willkommen heißen; **~ rags** *sl.* ‚Sonntagsstaat' *m*; → **eye** 5. **3.** froh, erfreulich: **~ tidings** frohe Botschaft. **II** *v/t u. v/i* **4.** *obs. für* **gladden**.
glad·den ['glædn] **I** *v/t* erfreuen, froh machen *od.* stimmen. **II** *v/i obs.* sich freuen.
glade [gleid] *s* Lichtung *f*, Schneise *f*.
'glad-'hand·er *s Am.* leutseliger, auf Populari'tät bedachter Mensch.
glad·i·ate ['gleidiit; -ˌeit; 'glæd-] *adj bot.* schwertförmig.
glad·i·a·tor ['glædiˌeitər] *s* **1.** *antiq.* Gladi'ator *m*. **2.** *fig.* Kämpfer *m*, Streiter *m*, *bes.* (streitbarer) De'battenredner. **ˌglad·i·a'to·ri·al** [-diə'tɔːriəl] *adj* **1.** Gladiatoren... **2.** Kampf-... **3.** streitbar.
glad·i·o·lus [ˌglædi'ouləs; glə'daiələs] *pl* **-li** [-lai] *od.* **-lus·es** *s bot.* Gladi'ole *f*.
glad·ly ['glædli] *adv* mit Freuden, gern(e), freudig. **'glad·ness** *s* Freude *f*, Fröhlichkeit *f*. **'glad·some** [-səm] *adj* (*adv* **~ly**) *poet.* → **glad I**.
Glad·stone| (bag) ['glædstən] *s* zweiteilige leichte Reisetasche. **~ clar·et** *s Br. humor.* billiger fran'zösischer Rotwein.
glair [glɛr] **I** *s* **1.** Eiweiß *n*. **2.** Eiweißleim *m*. **3.** eiweißartige Sub'stanz. **II** *v/t* **4.** mit Eiweiß(leim) bestreichen.
glair·e·ous ['glɛ(ə)riəs], **'glair·y** *adj* **1.** Eiweiß... **2.** zähflüssig, schleimig.
glaive [gleiv] *s* **1.** *poet. od. obs.* (Breit-)Schwert *n*. **2.** *hist.* a) Speer *m*, b) Gleve *f* (*Art Hellebarde*).
glam·or *Am. Nebenform von* **glamour**.
glam·or·ize ['glæməˌraiz] *v/t* **1.** (mit viel Re'klame) verherrlichen. **2.** *fig.* verherrlichen, romanti'sieren: **to ~ war**. **3.** e-n besonderen Zauber verleihen (*dat*), verschöne(r)n. **'glam·or·ous** *adj* bezaubernd (schön).
glam·our ['glæmər] **I** *s* **1.** Zauber *m*, Glanz *m*, bezaubernde Schönheit: **~ boy** *colloq.* toller Kerl; **~ girl** berückend schönes Mädchen, *bes.* Reklameschönheit. **2.** Zauber *m*, Bann *m*: **to cast a ~ over s.o.** j-n bezaubern, j-n in s-n Bann schlagen. **3.** *contp.* falscher Glanz. **II** *v/t* **4.** bezaubern.
glam·our·ous *Am. Nebenform von* **glamorous**. **'glam·our·y** → **glamour I**.
glance[1] [*Br.* glɑːns; *Am.* glæ(ː)ns] **I** *v/i* **1.** e-n schnellen Blick werfen, (rasch *od.* flüchtig) blicken (at auf *acc*): **to ~ over a letter** e-n Brief überfliegen. **2.** (auf)blitzen, (-)leuchten. **3.** *oft* **~ aside, ~ off** abgleiten, abprallen. **4.** (at) (*Thema*) flüchtig berühren, streifen, *bes.* anspielen (auf *acc*). **5.** abschweifen (off, from von *e-m Thema*). **II** *v/t* **6. ~ one's eye at** das Auge werfen auf (*acc*). **III** *s* **7.** (schneller *od.* flüchtiger) Blick (at auf *acc*; **over** über *acc* ... hin): **at a ~, at first ~** auf den ersten Blick; **to take a ~ at** → 1. **8.** (Auf)Blitzen *n*, (-)Leuchten *n*, Zucken *n*. **9.** Abprallen *n*, Abgleiten *n*. **10.** *Kricket*: Streifschlag *m*. **11.** (at) flüchtige Anspielung (auf *acc*) *od.* Erwähnung (*gen*), Streifen *n* (*gen*).
glance[2] [*Br.* glɑːns; *Am.* glæ(ː)ns] *s min.* Blende *f*, Glanz *m*: **lead ~** Bleiglanz; **~ coal** Glanzkohle *f*.
gland[1] [glænd] *s physiol.* Drüse *f*.
gland[2] [glænd] *s tech.* **1.** Dichtung(sstutzen *m*) *f*. **2.** (*bes.* Stopfbüchsen)-Deckel *m od.* (-)Brille *f*.
glan·dered ['glændərd] *adj vet.* rotzkrank. **'glan·der·ous** *adj* **1.** Rotz... **2.** rotzkrank. **'glan·ders** *s pl* (*als sg konstruiert*) Rotz(krankheit *f*) *m*.
gland·i·form ['glændiˌfɔːrm] *adj* **1.** drüsenförmig. **2.** eichelförmig.
glan·du·lar [*Br.* 'glændjulər; *Am.* -dʒə-], **'glan·du·lous** *adj biol. med.* drüsig, drüsenartig, Drüsen...
glans [glænz] *pl* **'glan·des** [-diːz] *s anat. bot.* Eichel *f*.
glare[1] [glɛr] **I** *v/i* **1.** glänzen, funkeln, strahlen, (grell) leuchten. **2.** grell *od.* schreiend sein (*Farbe etc*). **3.** auffallen, ins Auge springen. **4.** blenden. **5.** starren, stieren: **to ~ at** (*od.* **upon**) **s.th.** (**s.o.**) etwas (j-n) (wild) anstarren *od.* anfunkeln. **II** *v/t* **6.** *haßerfüllte etc Blicke* schleudern: **she ~d defiance** ihre Augen funkelten vor Trotz. **III** *s* **7.** blendendes Licht, greller Glanz (*a. fig.*). **8.** *fig.* (*das*) Schreiende *od.* Grelle. **9.** wilder *od.* funkelnder Blick.
glare[2] [glɛr] *Am.* **I** *s* spiegelglatte Fläche: **a ~ of ice**. **II** *adj* spiegelglatt, glitschig: **~ ice** Glatteis *n*.
glar·ing ['glɛ(ə)riŋ] *adj* (*adv* **~ly**) **1.** grell, blendend. **2.** *fig.* grell, aufdringlich, schreiend: **~ colo(u)rs**. **3.** ekla'tant, offenkundig, schreiend, kraß: **~ mistake**. **4.** funkelnd, wild (*Blick*).
glar·y[1] ['glɛ(ə)ri] → **glaring** 1 *u.* 2.
glar·y[2] ['glɛ(ə)ri] → **glare**[2] II.
glass [*Br.* glɑːs; *Am.* glæ(ː)s] **I** *s* **1.** Glas *n*. **2.** *collect.* → **glassware**. **3.** a) (Trink)Glas *n*, b) Glas(gefäß) *n*. **4.** Glas(voll) *n*: **a ~ of milk** ein Glas Milch; **he has had a ~ too much** er hat ein Gläs-chen zuviel *od.* eins über den Durst getrunken. **5.** Glas(scheibe *f*) *n*. **6.** Spiegel *m*. **7.** Stundenglas *n*, Sanduhr *f*. **8.** (*bes.* Wagen)Fenster *n*. **9.** *opt.* a) Lupe *f*, Vergrößerungsglas *n*, b) Linse *f*, Augenglas *n*, c) *pl*, *a.* **pair of ~es** Brille *f*, (Augen)Gläser *pl*, d) (Fern-, Opern)Glas *n*, e) Mikro'skop *n*. **10.** a) Glas(dach) *n*, b) Glas(kasten *m*) *n*. **11.** Uhrglas *n*. **12.** Wetterglas *n*, *bes.* Baro'meter *n*. **13.** Thermo'meter *n*. **II** *v/t* **14.** (*meist* **o.s.** sich) ('wider)spiegeln. **15.** *econ.* in Glasbehälter verpacken.
glass| blow·er *s* Glasbläser *m*. **~ blow·ing** *s tech.* Glasblasen *n*, ˌGlasbläse'rei *f*. **~ case** *s* Glaskasten *m*, Vi'trine *f*. **~ ce·ment** *s tech.* Glaskitt *m*. **~ cloth** *s* **1.** Gläsertuch *n*. **2.** *tech.* a) Glasleinen *n*, b) Glas(faser)gewebe *n*. **~ cul·ture** *s* 'Treibhauskulˌtur *f*. **~ cut·ter** *s* **1.** Glasschleifer *m*. **2.** *tech.* Glasschneider *m* (*Werkzeug*). **~ cut·ting** *s tech.* Glasschneiden *n*, -schleifen *n*. **~ eel** *s ichth.* junger Aal. **~ eye** *s* **1.** Glasauge *n*. **2.** *vet. e-e Augenkrankheit der Pferde*. **~ fi·ber**, *bes. Br.* **~ fi·bre** *s* Glasfaser *f*, -fiber *f*.
glass·ful [*Br.* 'glɑːsful; *Am.* 'glæ(ː)s-] *pl* **-fuls** *s* (*ein*) Glas(voll) *n*.
'glass|-ˌglazed *adj tech.* gla'siert. **~ har·mon·i·ca** *s mus.* 'Glasharˌmonika *f*. **'~ˌhouse** *s* **1.** *tech.* Glashütte *f*. **2.** Glas-, Treibhaus *n*: **they who live in ~s should not throw stones** wer im Glashaus sitzt, soll nicht mit Steinen werfen. **3.** *mil. Br. sl.* ‚Bau' *m* (*Gefängnis*).
glass·ine [*Br.* glɑː'siːn; *Am.* glæ(ː)-] *s* Glas'sin *n*, Perga'min *n*, Glashaut *f*.
glass·i·ness [*Br.* 'glɑːsinis; *Am.* 'glæ(ː)s-] *s* **1.** glasiges Aussehen. **2.** *fig.* 'Durchsichtigkeit *f*. **3.** Glasigkeit *f* (*der Augen*). **4.** Spiegelglätte *f*.
glass| jaw *s Boxen*: ‚Glaskinn' *n*. **'~ˌmak·er** *s* Glasmacher *m*. **'~man** [-mən] *s irr* **1.** Glashändler *m*. **2.** Glaser *m*. **3.** Glasmacher *m*. **~ paint·er** *s* Glasmaler *m*. **~ pa·per** *s tech.* 'GlaspaˌPier *m*. **'~-ˌpa·per** *v/t* mit 'Glaspaˌpier abreiben *od.* po'lieren. **'~ˌware** *s* Glas(waren *pl*) *n*, Glasgeschirr *n*, -sachen *pl*. **~ wool** *s tech.* Glaswolle *f*. **'~ˌwork** *s tech.* **1.** Glas(waren)erzeugung *f*. **2.** Glase'rei *f*. **3.** Glaswaren *pl*. **4.** Glasarbeit *f*. **5.** *pl* (*oft als sg konstruiert*) 'Glashütte *f*, -faˌbrik *f*.
glass·y [*Br.* 'glɑːsi; *Am.* 'glæ(ː)si] *adj* (*adv* **glassily**) **1.** gläsern, glasig, glasartig. **2.** glasig (*Augen*).
Glas·we·gian [glæs'wiːdʒən; -dʒiən] **I** *adj* Glasgower(...), aus Glasgow. **II** *s* Glasgower(in).
glau·ber·ite ['glɔːbəˌrait; 'glau-] *s min.* Glaube'rit *m*.
Glau·ber's salt(s) ['glaubərz; 'glɔː-] *s* Glaubersalz *n*.
glau·co·ma [glɔː'koumə] *s med.* Glau'kom *n*, grüner Star. **glau'co·ma·tous** [-'koumətəs; -'kɒm-] *adj* klaukoma'tös.
glau·co·nite ['glɔːkəˌnait] *s min.* Glaukoˈnit *m*.
glau·cous ['glɔːkəs] *adj* **1.** graugrün, bläulichgrün. **2.** *bot.* mit weißlichem Schmelz über'zogen. **'~-ˌwinged gull** *s orn. Am.* Grauflügelmöwe *f*.
glaze [gleiz] **I** *v/t* **1.** verglasen, Glasscheiben einsetzen in (*acc.*): **to ~ in** einglasen. **2.** po'lieren, glätten. **3.** *tech.*, *a. Kochkunst*: gla'sieren, mit Gla'sur über'ziehen. **4.** *paint.* la'sieren. **5.** *tech. Papier* sati'nieren. **6.** *Augen* verschleiern, trüben, glasig machen. **II** *v/i* **7.** e-e Gla'sur *od.* Poli'tur annehmen, blank werden. **8.** glasig *od.* trübe werden (*Augen*). **III** *s* **9.** Poli'tur *f*, Glätte *f*, Glanz *m*: **~ kiln** (*Keramik*) Glattbrennofen *m*. **10.** a) Gla'sur *f*, b) Gla'sur(masse) *f*. **11.** *paint.* La'sur *f*. **12.** Sati'nierung *f*. **13.** Glasigkeit *f*, Schleier *m* (*Augen*). **14.** *Am.* a) Glatteis *n*, b) (dünne) Eisschicht. **15.** *aer.* Vereisung *f*.
glazed [gleizd] *adj* **1.** verglast, Glas...: **~ veranda**. **2.** *tech.* glatt, blank, geglättet, po'liert, Glanz...: **~ brick** Glasurziegel *m*; **~ cardboard** Preßpappe *f*; **~ paper** satiniertes Papier, Glanzpapier; **~ tile** Kachel *f*. **3.** gla'siert. **4.** la'siert. **5.** sati'niert. **6.** glasig (*Augen, Blick*). **7.** vereist: **~ frost** *Br.* Glatteis *n*. **'glaz·er** *s tech.* **1.** Gla'sierer *m*. **2.** Po'lierer *m*. **3.** Sati'nierer *m*. **4.** Po'lier-, Schmirgelscheibe *f*.
gla·zier [*Br.* 'gleiziə; *Am.* -ʒər] *s* Glaser *m*.
glaz·ing ['gleiziŋ] *s tech.* **1.** a) Verglasen *n*, b) Glaserarbeit *f*. **2.** *collect.* Fenster(scheiben) *pl*. **3.** a) Gla'sur *f*, b) Gla'sieren *n*. **4.** a) Poli'tur *f*, b) Po'lieren *n*, Schmirgeln *n*, c) Sati'nieren *n*. **5.** a) La'sur *f*, b) La'sieren *n*.
glaz·y ['gleizi] *adj* **1.** glänzend, blank. **2.** gla'siert. **3.** po'liert. **4.** glasig, glanzlos (*Augen*).
gleam [gliːm] **I** *s* **1.** schwacher Schein,

Schimmer *m* (*a. fig.*): ~ of hope Hoffnungsschimmer, -strahl *m.* **II** *v/i* **2.** glänzen, leuchten, schimmern, scheinen. **3.** aufleuchten (*Augen etc*). **'gleam·y** *adj* glänzend, funkelnd.

glean [gliːn] **I** *v/t* **1.** *Ähren* auf-, nachlesen, (ein)sammeln. **2.** *das Feld* sauber lesen. **3.** *fig.* a) sammeln, auflesen, zs.-tragen, b) her'ausfinden, in Erfahrung bringen: to ~ from schließen aus. **II** *v/i* **4.** Ähren lesen. **'glean·er** *s* **1.** *agr.* a) Ährenleser *m*, b) Zugrechen *m.* **2.** *fig.* Sammler(in). **'glean·ings** [-iŋz] *s pl* **1.** *agr.* Nachlese *f.* **2.** *fig.* (*das*) Gesammelte.

glebe [gliːb] *s* **1.** *jur. relig.* Pfarrland *n.* **2.** *poet.* a) (Erd)Scholle *f*, b) Feld *n.*

glede [gliːd] *s orn.* Gabelweihe *f.*

glee [gliː] *s* **1.** Ausgelassenheit *f*, 'übermütige Stimmung, Fröhlichkeit *f.* **2.** a) Froh'locken *n*, b) Schadenfreude *f.* **3.** *mus.* Chorlied *n* ~ club Gesangverein *m.* **'glee·ful** [-ful] *adj* (*adv* ~ly) **1.** ausgelassen, fröhlich, lustig. **2.** a) froh'lockend, b) schadenfroh. **'glee·man** [-mən] *s irr hist.* Spielmann *m*, fahrender Sänger. **'glee·some** [-səm] → gleeful.

gleep [gliːp] *s phys.* (*Art*) A'tomsäule *f* (*aus* graphite low energy experimental pile).

gleet [gliːt] *s med.* **1.** Nachtripper *m.* **2.** Harnröhrenausfluß *m.*

gleg [gleg] *adj Scot.* gewandt.

glen [glen] *s* enges Tal, Bergschlucht *f.*

glen·gar·ry [glen'gæri] *s* Mütze *f* (*der Hochlandschotten*).

gle·noid ['gliːnɔid] *adj anat.* flachschalig: ~ cavity Gelenkpfanne *f.*

gli·a·din ['glaiədin] *s biol. chem.* Glia'din *m*, Pflanzenleim *m.*

glib [glib] *adj* (*adv* ~ly) **1.** a) zungen-, schlagfertig, b) gewandt, ‚fix'. **2.** ungezwungen. **3.** oberflächlich. **4.** glatt, glitschig. **'glib·ness** *s* **1.** Gewandtheit *f*, Schlag-, Zungenfertigkeit *f.* **2.** Ungezwungenheit *f.* **3.** Oberflächlichkeit *f.* **4.** Glätte *f.*

glide [glaid] **I** *v/i* **1.** (leicht) gleiten (*a. fig.*): to ~ along dahingleiten, -fliegen (*a. Zeit*). **2.** (hin'aus- *etc*)schlüpfen, (-)gleiten: to ~ out. **3.** *fig.* unmerklich 'übergehen (into in *acc*). **4.** *aer.* a) gleiten, e-n Gleitflug machen, b) segeln. **5.** *mus.* binden. **II** *v/t.* **6.** gleiten lassen. **III** *s* **7.** (Da'hin)Gleiten *n.* **8.** *aer.* Gleitflug *m.* **9.** Glis'sade *f*: a) Schleifschritt *m* (*beim Tanzen*), b) *fenc.* Gleitstoß *m.* **10.** *mus.* (Ver)Binden *n.* **11.** *ling.* Gleitlaut *m.* **'~-ˌbomb** *v/i u. v/t mil.* im Gleitflug Bomben werfen (auf *acc*). **~ path** *s aer.* Gleitweg *m.*

glid·er ['glaidər] *s* **1.** *mar.* Gleitboot *n.* **2.** *aer.* Segelflugzeug *n.* **3.** Schaukelbett *n.* **~ bomb** *s mil.* Gleitbombe *f.* **~ tug** *s aer.* Schleppflugzeug *n.*

glid·ing ['glaidiŋ] **I** *adj* (*adv* ~ly) **1.** gleitend. **2.** *aer.* Gleit-, Segelflug... **II** *s* **3.** Gleiten *n.* **4.** *aer.* a) Segel-, Gleitflug *m*, b) (*das*) Segelfliegen.

glim [glim] *s sl.* **1.** Licht *n*: → douse 2. **2.** Auge *n.*

glim·mer ['glimər] **I** *v/i* **1.** glimmen, schimmern. **2.** flackern. **II** *s* **3.** a) Glimmen *n*, b) *a. fig.* Schimmer *m*, (schwacher) Schein: a ~ of hope ein Hoffnungsschimmer, c) → glimpse 4. **4.** *min.* Glimmer *m.* **'glim·mer·ing I** *adj* (*adv* ~ly) schimmernd. **II** *s a. fig.* Schimmer *m.*

glimpse [glimps] **I** *s* **1.** flüchtiger (An)Blick: to catch a ~ of → 6. **2.** (of) flüchtiger Eindruck (von), kurzer Einblick (in *acc*): to afford a ~ of s.th. e-n (kurzen) Einblick in etwas gewähren. **3.** kurzes Sichtbarwerden *od.* Auftauchen. **4.** *fig.* Schimmer *m*, schwache Ahnung. **II** *v/i* **5.** flüchtig blicken (at auf *acc*). **III** *v/t* **6.** *j-n, etwas* (nur) flüchtig zu sehen bekommen, e-n flüchtigen Blick erhaschen von.

glint [glint] **I** *s* **1.** Schimmer *m*, Schein *m.* **2.** Glanz *m*, Glitzern *n.* **II** *v/i* **3.** glitzern, glänzen, funkeln, blinken. **4.** *Am.* flitzen. **III** *v/t* **5.** glitzern lassen: to ~ back zurückstrahlen, -werfen.

gli·o·ma [glai'oumə] *pl* **-ma·ta** [-mətə], **-mas** *s med.* Gli'om *n* (*Geschwulst*).

glis·sade [gli'sɑːd; -'seid] **I** *s* **1.** *mount.* Abfahrt *f*, 'Rutschparˌtie *f.* **2.** *Tanz*: Schleifschritt *m*, Glis'sade *f.* **II** *v/i* **3.** gleiten, rutschen, abfahren. **4.** *Tanz*: Schleifschritte machen. **glis'san·do** [-'sɑːndou] *pl* **-di** [-diː] *mus.* **I** *s* Glis'sando *n.* **II** *adj u. adv* gleitend.

glis·ten ['glisn] **I** *v/i* glitzern, glänzen, *rhet.* gleißen. **II** *s* Gleißen *n*, Glitzern *n*, Glanz *m.*

glit·ter ['glitər] **I** *v/i* **1.** glitzern, funkeln, glänzen: all that ~s is not gold es ist nicht alles Gold, was glänzt. **2.** *fig.* strahlen, glänzen. **II** *s* **3.** Glitzern *n*, Glanz *m*, Funkeln *n.* **4.** *fig.* Glanz *m*, Pracht *f*, Prunk *m.* **'glit·ter·ing** *adj* (*adv* ~ly) glitzernd, glanzvoll, prächtig.

gloam·ing ['gloumiŋ] *s* (Abend)Dämmerung *f.*

gloat [glout] *v/i* (over, on, upon) sich weiden (an *dat*): a) verzückt betrachten (*acc*), b) *contp.* sich hämisch *od.* diebisch freuen, froh'locken (über *acc*). **'gloat·ing** *adj* (*adv* ~ly) hämisch, schadenfroh.

glob·al ['gloubl] *adj* glo'bal: a) 'weltumˌspannend, Welt..., b) um'fassend, Gesamt..., pau'schal: ~ sum Gesamt-, Pauschalbetrag *m.* **'glo·bate** [-beit] *adj* kugelförmig, -rund.

globe [gloub] **I** *s* **1.** Kugel *f*: ~ of the eye Augapfel *m.* **2.** the ~ die Erde, der Erdball, die Erdkugel. **3.** *geogr.* Globus *m*: celestial ~ Himmelsglobus; terrestrial ~ (Erd)Globus. **4.** Pla'net *m*, Himmelskörper *m.* **5.** *hist.* Reichsapfel *m.* **6.** kugelförmiger Gegenstand, *bes.* a) Lampenglocke *f*, b) Fischglas *n.* **II** *v/t u. v/i* **7.** (sich) zs.-ballen, kugelförmig machen (werden). **~ ar·ti·choke** → artichoke 1. **'~ˌfish** *s* Kugelfisch *m.* **'~ˌflow·er** *s bot.* Trollblume *f.* **~ sight** *s mil.* 'Ringviˌsier *n.* **~ this·tle** *s bot.* Kugeldistel *f.* **'~-ˌtrot·ter** *s colloq.* Weltenbummler(in), Globetrotter(in). **'~-ˌtrot·ting** *colloq.* **I** *s* Weltenbummeln *n.* **II** *adj* Weltenbummler..., weltenbummelnd.

glo·boid ['gloubɔid] **I** *s* Globo'id *n.* **II** *adj* kugelartig.

glo·bose ['gloubous; glou'bous] → globular 1. **glo'bos·i·ty** [-'bɒsiti] *s* Kugelform *f*, -gestalt *f.*

glob·u·lar ['glɒbjulər] *adj* (*adv* ~ly) **1.** kugelförmig, kugelig, Kugel...: ~ lightning Kugelblitz *m.* **2.** aus Kügelchen bestehend. **'glob·ule** [-juːl] *s* Kügelchen *n.* **'glob·u·lin** [-julin] *s chem.* Globu'lin *n.*

glom·er·ate ['glɒmərit] *adj* (zs.-)geballt, knäuelförmig. **ˌglom·er'a·tion** *s* (Zs.-)Ballung *f*, Knäuel *m, n.*

glom·er·ule ['glɒməˌruːl] *s* **1.** *bot.* Blütenknäuel *m, n.* **2.** *med.* feiner (feines) Gefäßknäuel.

gloom [gluːm] **I** *s* **1.** *a. fig.* Düsternis *f*, Dunkel *n.* **2.** *fig.* düstere *od.* gedrückte Stimmung, Düsterkeit *f*, Trübsinn *m*, Schwermut *f*: to throw a ~ over e-n Schatten werfen über (*acc*), verdüstern. **3.** *Am. colloq.* ‚Miesepeter' *m.* **II** *v/i* **4.** düster *od.* traurig blicken *od.* aussehen. **5.** (finster) vor sich hin brüten. **6.** sich verdüstern. **III** *v/t* **7.** verdüstern, verfinstern. **'gloom·i·ness** *s* **1.** → gloom 1 *u.* 2. **2.** *fig.* Hoffnungslosigkeit *f.* **'gloom·y** *adj* (*adv* gloomily) **1.** *a. fig.* dunkel, finster, düster, trübe. **2.** schwermütig, trübsinnig, düster, traurig. **3.** hoffnungslos.

glo·ri·fi·ca·tion [ˌglɔːrifi'keiʃən] *s* **1.** Verherrlichung *f.* **2.** *relig.* a) Verklärung *f*, b) Lobpreisung *f.* **3.** *colloq.* lautes Fest, fröhlicher Ra'dau. **4.** a ~ of *colloq.* → glorified. **'glo·riˌfied** [-ˌfaid] *adj colloq.* ‚besser(er, e, es)': a ~ barn; a ~ office boy. **'glo·riˌfi·er** *s* Verherrlicher *m.* **'glo·riˌfy** [-ˌfai] *v/t* **1.** preisen, rühmen, verherrlichen. **2.** *relig.* a) (lob)preisen, b) verklären. **3.** erstrahlen lassen. **4.** e-e Zierde sein (*gen*). **5.** *colloq.* her'ausputzen, aufmöbeln: → glorified.

glo·ri·ole ['glɔːriˌoul] *s* Heiligen-, Glorienschein *m*, Strahlenkrone *f*, Glori'ole *f.*

glo·ri·ous ['glɔːriəs] *adj* (*adv* ~ly) **1.** ruhmvoll, -reich, glorreich. **2.** herrlich, prächtig, wunderbar (*alle a. colloq.*): a ~ sunset; ~ fun. **3.** *iro.* ‚schön', gehörig: a ~ mess ein schönes Durcheinander.

glo·ry ['glɔːri] **I** *s* **1.** Ruhm *m*, Ehre *f*: to the ~ of God zum Ruhme *od.* zur Ehre Gottes; → Old Glory. **2.** Zier(de) *f*, Stolz *m*, Glanz(punkt) *m.* **3.** *relig.* Verehrung *f*, Lobpreisung *f*, Preis *m*: ~ to God in the highest Ehre sei Gott in der Höhe; ~ (be)! *vulg.* a) (*überrascht*) Donnerwetter!, b) (*erfreut*) juchhu! **4.** Herrlichkeit *f*, Glanz *m*, Pracht *f*, Glorie *f.* **5.** voller Glanz, höchste Blüte: Spain in her ~. **6.** *relig.* a) himmlische Herrlichkeit, b) Himmel *m*: to go to ~ *colloq.* in die ewigen Jagdgründe eingehen (*sterben*); to send to ~ *colloq.* *j-n* ins Jenseits befördern. **7.** → gloriole. **8.** Ek'stase *f*, Verzückung *f.* **II** *v/i* **9.** sich freuen, froh'locken (in über *acc*). **10.** (in) sich rühmen (*gen*), sich sonnen (in *dat*). **~ hole** *s colloq.* Rumpelkammer *f*, Kramlade *f*, -ecke *f.* **~ pea** *s bot.* Prachtwicke *f.* **~ tree** *s bot.* Losbaum *m.*

gloss[1] [glɒs] **I** *s* **1.** Glanz *m*: ~-board *tech.* Preßspan *m.* **2.** *fig.* äußerer Glanz, Anstrich *m*, Firnis *m.* **II** *v/t* **3.** po'lieren, glänzend machen. **4.** *meist* ~ over *fig.* beschönigen, bemänteln, über'tünchen, vertuschen (→ gloss[2] 9).

gloss[2] [glɒs] **I** *s* **1.** (Interline'ar-, Rand)Glosse *f*, Erläuterung *f*, Anmerkung *f.* **2.** (Interline'ar)Überˌsetzung *f.* **3.** Erklärung *f*, Erläuterung *f*, Kommen'tar *m*, Auslegung *f.* **4.** (absichtlich) irreführende Deutung *od.* Erklärung. **5.** → glossary. **II** *v/t* **6.** *e-n Text* glos'sieren. **7.** (*bes.* boshaft) kommen'tieren *od.* auslegen. **8.** irreführend deuten. **9.** *oft* ~ over (hin)'wegdeuten (→ gloss[1] 4).

glos·sal ['glɒsəl] *adj anat.* Zungen...

glos·sar·i·al [glɒ'sɛ(ə)riəl] *adj* Glossar..., glos'sarartig.

glos·sa·rist ['glɒsərist] *s* Glos'sator *m*, Verfasser *m* e-s Glos'sars, Kommen'tator *m.* **'glos·sa·ry** *s* Glos'sar *n*, (Spezi'al)Wörterbuch *n.*

gloss·er ['glɒsər] → glossarist.

gloss·i·ness ['glɒsinis] *s* Glanz *m*, Glätte *f*, Poli'tur *f.*

glos·si·tis [glɒ'saitis] *s med.* Zungenentzündung *f*, Glos'sitis *f.*

glosso- [glɒso] *Wortelement mit den Bedeutungen* a) *anat.* Zunge, b) Glosse, Glossar, c) *bot. zo.* zungenförmige Bildung. [gu'istik *f.*]
glos·sol·o·gy [glɒ'sɒlədʒi] *s obs.* Lin-
gloss·y ['glɒsi] **I** *adj* (*adv* **glossily**) **1.** glänzend, glatt: ~ **paper** Glanzpapier *n.* **2.** blank, po'liert. **3.** auf 'Glanzpaˌpier gedruckt. **4.** *fig.* a) glatt, raffi'niert, b) prächtig (aufgemacht). **II** *s* **5.** *a.* ~ **magazine** *colloq.* (bunte) Illu'strierte, *bes.* 'Frauenmagaˌzin *n.*
glost [glɒst] *s Keramik* **1.** Gla'surwaren *pl.* **2.** 'Bleiglaˌsur *f.*
glot·tal ['glɒtl] *adj anat.* Glottis..., Stimmritzen...: ~ **chink** Stimmritze *f*; ~ **stop**, *a.* ~ **plosive** *ling.* Knacklaut *m*, Kehlkopfverschlußlaut *m.*
glot·tic ['glɒtik] → glottal.
glot·tis ['glɒtis] *s anat.* Glottis *f*, Stimmritze *f.*
glotto- [glɒto] *Wortelement mit der Bedeutung* Sprache. [ogy.]
glot·tol·o·gy [glɒ'tɒlədʒi] → glossol-
glove [glʌv] **I** *s* **1.** (Finger)Handschuh *m*: **to fit like a** ~ wie angegossen sitzen; **to take the** ~**s off** ernst machen, vom Leder ziehen, ‚massiv werden'; **with the** ~**s off, without** ~**s** unsanft, rücksichtslos, erbarmungslos; →**hand** *Bes. Redew.* **2.** *sport* Box-, Fecht-, Reit-, Stulpenhandschuh *m.* **3.** Fehdehandschuh *m*: **to throw down the** ~ **(to s.o.)** (j-n) herausfordern, (j-m) den Fehdehandschuh hinwerfen; **to pick** (*od.* **take) up the** ~ den Fehdehandschuh aufnehmen, die Herausforderung annehmen. **II** *v/t* **4.** mit Handschuhen bekleiden. **'glov·er** *s* Handschuhmacher(in).
glow [glou] **I** *v/i* **1.** glühen. **2.** *fig.* glühen: a) leuchten, strahlen, b) brennen (*Gesicht etc*). **3.** *fig.* (er)glühen, brennen (**with** vor *dat*): ~**ing with anger (enthusiasm,** *etc*). **II** *s* **4.** Glühen *n*, Glut *f*: **in a** ~ glühend. **5.** *fig.* Glut *f*: a) Glühen *n*, Leuchten *n*, b) Hitze *f*, Röte *f* (*im Gesicht etc*): **in a** ~, **all of a** ~ glühend, ganz gerötet, c) Feuer *n*, Leidenschaft *f*, Brennen *n.* ~ **discharge** *s electr.* Glimmentladung *f.*
glow·er ['glauər] **I** *v/i* finster blicken: **to** ~ **at s.o.** j-n finster anblicken, j-n anfunkeln *od.* anstieren, **II** *s* finsterer Blick. **'glow·er·ing** *adj* (*adv* ~**ly**) finster, funkelnd: ~ **look.**
glow·ing ['glouiŋ] *adj* (*adv* ~**ly**) **1.** glühend, leuchtend, brennend (*alle a. fig.*): **in** ~ **colo(u)rs** *fig.* in glühenden *od.* leuchtenden Farben (*schildern etc*). **2.** *fig.* warm, inbrünstig. **3.** *fig.* feurig, le'bendig, begeistert: **a** ~ **account.**
glow| lamp *s electr.* Glühlampe *f.* ~ **plug** *s mot.* Glühkerze *f.* '~ˌ**worm** *s* Glühwürmchen *n.*
gloze [glouz] **I** *v/t* a) *oft* ~ **over** hin'weggleiten über (*acc*), bemänteln, vertuschen, b) beschönigen. **II** *v/i* schmeicheln, kriechen.
glu·cic ac·id ['glu:sik] *s chem.* Glu'cinsäure *f.* ['ryllium *n.*]
glu·ci·num [glu:'sainəm] *s chem.* Be-
glu·cose ['glu:kous] *s chem.* Glu'kose *f*, Gly'kose *f*, Dex'trose *f*, Traubenzucker *m.*
glue [glu:] **I** *s* **1.** Leim *m*: **vegetable** ~ Pflanzenleim; ~ **stock** Leimrohstoff *m.* **2.** Klebstoff *m.* **II** *v/t pres p* **'glu·ing** **3.** leimen, kleben (**on** auf *acc*; **to** an *acc*). **4.** *a.* ~ **together** (zs.-)kleben. **5.** *fig. die Augen etc* heften (**to** auf *acc*): ~**d to his TV set** *er saß* wie angewachsen vor dem Bildschirm; **she remained** ~**d to her mother** sie ‚klebte' an ihrer Mutter.
glue·y ['glu:i] *comp* **'glu·i·er** *sup* **'glu·i·est** *adj* klebrig: a) zähflüssig (*Masse*), b) voller Leim.
glum [glʌm] *adj* (*adv* ~**ly**) verdrießlich, mürrisch, finster.
glu·ma·ceous [glu:'meiʃəs] *adj bot.* spelzblütig, spelzig: ~ **plants** Spelzengewächse, Glumifloren.
glume [glu:m] *s bot.* Spelze *f.*
glum·ness ['glʌmnis] *s* Verdrießlichkeit *f*, mürrisches Wesen. [Spelzen...]
glu·mose ['glu:mous] *adj bot.* spelzig,
glump·y ['glʌmpi] → glum.
glut [glʌt] **I** *v/t* **1.** sättigen. **2.** *s-n Hunger etc, a. s-e Rache* stillen, *Bedürfnis* befriedigen. **3.** über'sättigen, -'laden (*a. fig.*). **4.** *econ. den Markt* über'sättigen, -'schwemmen. **5.** verstopfen. **II** *s* **6.** Über'sättigung *f*, -'ladung *f* (*a. fig.*). **7.** (**of**) Fülle *f* (von), 'Überfluß *m* (an *dat*). **8.** *econ.* 'Überangebot *n*, Schwemme *f*: **a** ~ **in the market** e-e Übersättigung *od.* Überschwemmung des Marktes; ~ **of money** Geldüberhang *m*, -schwemme.
glu·tam·ic ac·id [glu:'tæmik] *s chem.* Gluta'minsäure *f.* [Gluta'min *n.*]
glu·ta·mine ['glu:təˌmi:n] *s chem.*
glu·te·al [glu:'ti:əl; 'glu:tiəl] *adj anat.* Glutäal..., Gesäß(muskel)...
glu·ten ['glu:tən] *s chem.* Glu'ten *n*, Kleber *m*: ~ **bread** Kleberbrot *n*; ~ **flour** Gluten-, Klebermehl *n.*
glu·te·us [glu:'ti:əs] *pl* **-te·i** [-'ti:ai] *s anat.* Glu'täus *m*, Gesäßmuskel *m.*
glu·ti·nos·i·ty [ˌglu:ti'nɒsiti] *s* Klebrigkeit *f.* **'glu·ti·nous** *adj* (*adv* ~**ly**) klebrig (*a. bot.*), leimartig, gluti'nös.
glut·ton ['glʌtn] *s* **1.** Vielfraß *m*, unersättlicher Esser. **2.** Schlemmer *m*, Schwelger *m.* **3.** *fig.* Unersättliche(r *m*) *f*: **a** ~ **for books** e-e Leseratte, ein Bücherwurm *m*; **a** ~ **for work** ein Arbeitstier *n.* **4.** *zo.* Vielfraß *m.* **'glut·tonˌize** *v/t u. v/i* gierig essen, ‚fressen'. **'glut·ton·ous** *adj* (*adv* ~**ly**) **1.** gefräßig, unersättlich, gierig. **2.** *fig.* gierig (**of** nach), unersättlich. **'glut·ton·y** *s* **1.** Gefräßigkeit *f*, Unersättlichkeit *f.* **2.** Schlemme'rei *f*, Völle'rei *f.*
gly·cer·ic [gli'serik; 'glisərik] *adj chem.* Glycerin...: ~ **acid.**
glyc·er·in(e) ['glisərin], **'glyc·erˌol** [-ˌroul; -ˌrɒl] *s chem.* Glyce'rin *n.* **'glyc·er·olˌate** [-rəˌleit] *v/t med.* mit Glyce'rin versetzen *od.* behandeln. **'glyc·er·yl** [-ril] *s chem.* dreiwertiges Glyce'rinradiˌkal: ~ **trinitrate** Nitroglycerin *n.*
gly·co·gen ['glaikodʒen] *s chem.* Glyko'gen *n*, Leberstärke *f.* ˌ**gly·co'gen·e·sis** [-'dʒenisis] *s biol. chem.* Glyko'genbildung *f.* ˌ**gly·co'gen·ic** *adj biol. chem.* **1.** Glykogen... **2.** die Zuckerbildung betreffend.
gly·col ['glaikɒl; -koul] *s chem.* Gly'kol *n*: a) *Äthylenglykol*, b) *zweiwertiger Alkohol.* **gly'col·ic** [-'kɒlik] *adj chem.* Glykol...
Gly·con·ic [glai'kɒnik] *adj u. s metr.* glyko'neisch(er Vers).
glyph [glif] *s* **1.** *arch.* Glyphe *f*, (verti'kale) Furche *od.* Rille. **2.** Skulp'tur *f*, Reli'effiˌgur *f.*
glyph·o·graph ['glifəˌgræ(:)f; *Br. a.* -ˌgra:f] *s print.* **1.** glypho'graphisch 'hergestellte Kupferdruckplatte. **2.** glypho'graphisch 'hergestellter Druck.
gly'phog·ra·phy [-'fɒgrəfi] *s* Glyphogra'phie *f* (*galvanoplastische Herstellung von Relief-Druckplatten*).
glyp·tic ['gliptik] **I** *adj* glyptisch, Steinschneide... **II** *s meist pl* (*als sg konstruiert*) Glyptik *f*, Steinschneidekunst *f.*
glyp·tog·ra·phy [glip'tɒgrəfi] *s* Glyptogra'phie *f*: a) *Steinschneidekunst*, b) *Gemmenkunde.*
'G-ˌman [-ˌmæn] *s irr* G-Mann *m* (*Sonderbeamter der amer. Bundessicherheitspolizei*), FB'I-Aˌgent *m.*
gnarled [na:rld], *a.* **'gnarl·y** *adj* **1.** knorrig (*Baum*; *a. fig. Hand, Mensch etc*). **2.** *fig.* ruppig, bärbeißig.
gnash [næʃ] **I** *v/i* **1.** (mit den Zähnen) knirschen *od.* klappern. **2.** knirschen, klappern (*Zähne*): **wailing and** ~**ing of teeth** Heulen *n* u. Zähneklappern *n.* **II** *v/t* **3.** knirschen mit (*den Zähnen*): **to** ~ **one's teeth. 4.** mit knirschenden Zähnen beißen.
gnat [næt] *s* **1.** *zo. Br.* (Stech)Mücke *f*: **to strain at a** ~ *fig.* Haarspalterei betreiben, sich an e-r Kleinigkeit stoßen; **to strain at a** ~ **and swallow a camel** *Bibl.* Mücken seihen u. Kamele verschlucken. **2.** *zo. Am.* Kriebel-, Kribbelmücke *f.*
gnath·ic ['næθik] *adj anat.* Kiefer...
gnaw [nɔ:] *pret* **gnawed** *pp* **gnawed** *od.* **gnawn** [nɔ:n] **I** *v/t* **1.** nagen an (*dat*) (*a. fig.*), ab-, zernagen. **2.** zerfressen (*Säure etc*). **3.** *fig.* quälen, aufreiben, zermürben. **II** *v/i* **4.** nagen: **to** ~ **at** → 1. **5.** sich einfressen (**into** in *acc*). **6.** *fig.* nagen, zermürben. **'gnaw·er** *s zo.* Nager *m*, Nagetier *n.* **'gnaw·ing I** *adj* (*adv* ~**ly**) **1.** nagend (*a. fig.*). **II** *s* **2.** Nagen *n* (*a. fig.*). **3.** nagender Schmerz, Qual *f.*
gneiss [nais] *s geol.* Gneis *m.* **'gneiss·ic** *adj* Gneis..., gneisig.
gnome[1] [noum] *s* Gnom *m*: a) Troll *m*, Kobold *m*, Zwerg *m*, b) *fig.* (komischer) Zwerg (*Person*).
gnome[2] [noum; 'noumi] *s* Gnome *f*, Sinnspruch *m*, Apho'rismus *m.*
gno·mic ['noumik] *adj* gnomisch, apho'ristisch.
gnom·ish ['noumiʃ] *adj* gnomenhaft.
gno·mon ['noumɒn] *s* Gnomon *m*: a) *astr. Sonnenhöhenzeiger*, b) *Sonnenuhrzeiger*, c) *math. Restparallelogramm.*
gno·sis ['nousis] *s* Gnosis *f*, (*bes.* 'mystisch-religi'öse) Erkenntnis.
gnos·tic ['nɒstik] **I** *adj* **1.** Erkenntnis... **2.** (eso'terisches) Wissen habend. **3.** mystisch, ok'kult. **4.** **G**~ gnostisch. **II** *s* **5.** **G**~ Gnostiker(in).
Gnos·ti·cism ['nɒstiˌsizəm] *s* Gnosti'zismus *m.* **'Gnos·tiˌcize I** *v/i* gnostische Anschauungen vertreten. **II** *v/t* gnostisch auslegen.
gnu [nu:; nju:] *pl* **gnus** *od. bes. collect.* **gnu** *s zo.* Gnu *n.*
go [gou] **I** *pl* **goes** [gouz] *s* **1.** Gehen *n*: **the come and** ~ **of the years** das Kommen u. Gehen der Jahre; **on the** ~ *colloq.* a) (ständig) in Bewegung *od.* ‚auf Achse', b) im Verfall begriffen, ‚am Absterben', c) im Abflauen; **from the word** ~ *Am. colloq.* von Anfang an. **2.** Gang *m*, (Ver)Lauf *m.* **3.** *colloq.* Schwung *m*, ‚Schmiß' *m*: **this song has no** ~; **he is full of** ~ er hat Schwung, er ist voller Leben. **4.** *colloq.* Mode *f*: **it is all the** ~ **now** es ist jetzt große Mode. **5.** *colloq.* Erfolg *m*: **to make a** ~ **of s.th.** etwas zu e-m Erfolg machen; **no** ~ a) kein Erfolg, b) aussichts-, zwecklos; **it is no** ~ es geht nicht, nichts zu machen. **6.** *colloq.* Abmachung *f*: **it's a** ~! abgemacht! **7.** *colloq.* Versuch *m*: **to have a** ~ **at s.th.** etwas probieren *od.* versuchen; **at one** ~ auf 'einen Schlag, auf Anhieb; **in one** ~ auf 'einen Sitz; **at the first** ~ gleich beim ersten Versuch; **it's your** ~! du bist an der Reihe *od.*

dran! **8.** *colloq.* (*bes.* unangenehme) Sache, ‚Geschichte' *f*: **what a ~!** 'ne schöne Geschichte *od.* Bescherung!, so etwas Dummes!; **it was a near ~** das ging gerade noch gut. **9.** *colloq.* a) Porti'on *f* (*e-r Speise*), b) Glas *n*: **his third ~ of brandy.** **10.** Anfall *m* (*e-r Krankheit*): **my second ~ of influenza.** **11.** *colloq.* (*bes.* Box)-Kampf *m*, Treffen *n*.

II *v/i pret* **went** [went] *pp* **gone** [gɒn; gɔːn] *3. sg pres* **goes** [gouz] *u. obs.* **go·eth** ['gouiθ] *2. sg pres obs.* **go·est** ['gouist] **12.** gehen, fahren, reisen, sich begeben (to nach), sich (fort)bewegen: **to ~ on foot** zu Fuß gehen; **to ~ on horseback** reiten; **to ~ by train** mit dem Zug fahren; **to ~ by plane** (*od.* **air**) mit dem Flugzeug reisen, fliegen; **to ~ to Paris** nach Paris reisen *od.* gehen *od.* sich begeben. **13.** (fort)gehen, abfahren, sich fortbegeben, abreisen (to nach): **people were coming and ~ing** Leute kamen u. gingen; **let me ~!** laß mich los!; **who ~es there?** *mil.* wer da? **14.** verkehren, fahren (*Fahrzeuge*). **15.** anfangen, loslegen, -gehen: **~!** *sport* los!; **~ to it!** mach dich dran!, ran!; **there you ~ again!** da fängst du schon wieder an!; **still one minute to ~** noch e-e Minute; **just ~ and try!** versuch's doch mal!; **here ~es!** also los!, jetzt geht's los! **16.** gehen, führen (to nach): **this road ~es to York.** **17.** sich erstrecken, reichen, gehen (to bis): **the belt does not ~ round her waist** der Gürtel geht *od.* reicht nicht um ihre Taille; **as far as it ~es** bis zu e-m gewissen Grade; **it ~es a long way** es reicht lange (aus). **18.** *fig.* gehen: **to ~ so far as to say** so weit gehen zu sagen; **to ~ to court** vor Gericht gehen; **to ~ to great expense** sich in große Unkosten stürzen; **to ~ better** (*beim Glücksspiel*) höher gehen, den Wetteinsatz erhöhen; **to ~ all out** sich ganz einsetzen, alles daransetzen; **it ~es to my heart** es geht mir zu Herzen; **let it ~ at that** laß es dabei bewenden. **19.** *math.* (into) gehen (in *acc*), enthalten sein (in *dat*): **5 into 10 ~es twice.** **20.** gehen, passen (into, in in *acc*), fallen (to auf *acc*): **it does not ~ into my pocket** es geht *od.* paßt nicht in m-e Tasche; **12 inches ~ to the foot** 12 Zoll gehen auf *od.* bilden e-n Fuß. **21.** gehören (in, into in *acc*; on auf *acc*): **the books ~ on the shelf** die Bücher gehören *od.* kommen auf das Regal. **22.** (to) fallen (an *acc*), zufallen (*dat*), 'übergehen (an *od.* auf *acc*): **the inheritance ~es to the eldest son.** **23.** *tech. u. fig.* gehen, laufen, funktio'nieren: **the engine is ~ing; to keep** (**set**) **s.th. ~ing** etwas in Gang halten (bringen); **to make things ~** die Sache in Schwung bringen; → **concern** 6. **24.** werden, in e-n (*bestimmten*) Zustand 'übergehen *od.* verfallen: **to ~ bad** schlecht werden (*Speisen*); **to ~ blind** erblinden; **to ~ Conservative** zu den Konservativen übergehen; **he went hot and cold** ihm wurde heiß u. kalt; **to ~ mad** rasend *od.* verrückt werden; **to ~ sick** *mil.* sich krank melden. **25.** (gewöhnlich) (*in e-m Zustand*) sein, sich ständig befinden: **to ~ armed** bewaffnet sein; **to ~ in rags** ständig in Lumpen herumlaufen; **to ~ in fear** in ständiger Angst leben; **to ~ hungry** hungern; **~ing sixteen** im 16. Lebensjahr; **to ~ unheeded** unbeachtet bleiben. **26.** *meist* **~ with child** schwanger sein: **to ~ with young** trächtig sein. **27.** (with) gehen (mit), sich halten *od.* anschließen (an *acc*): **to ~ with the tide** (*od.* **the times**) mit der Zeit gehen, mit dem Strom schwimmen. **28.** sich halten (by, upon an *acc*), gehen, handeln, sich richten, urteilen (upon, on nach): **to have nothing to ~ upon** keine Anhaltspunkte haben. **29.** (e-e Bewegung) machen. **30.** 'umgehen, kur'sieren, im 'Umlauf sein (*Gerüchte etc*): **the story ~es** es heißt, man erzählt sich. **31.** gelten (for für): **what he says ~es** *colloq.* was er sagt, gilt; **that ~es for all of you** das gilt für euch alle; **it ~es without saying** es versteht sich von selbst, (es ist) selbstverständlich. **32.** gehen, laufen, bekannt sein: **it ~es by** (*od.* **under**) **the name of** es läuft unter dem Namen. **33.** im allgemeinen sein, eben (so) sein: **as hotels ~** wie Hotels eben sind; **as men ~** wie die Männer nun einmal sind. **34.** vergehen, -streichen: **how time ~es!** wie (doch) die Zeit vergeht! **35.** *econ.* abgehen, abgesetzt *od.* verkauft werden: **to ~ cheap** billig abgehen; → **going** 5. **36.** (on, in) aufgehen (in *dat*), ausgegeben werden (für). **37.** dazu beitragen *od.* dienen (to do zu tun), dienen (to zu), verwendet werden (to, towards für, zu): **it ~es to show** dies zeigt, daran erkennt man; **this only ~es to show you the truth** dies dient nur dazu, Ihnen die Wahrheit zu zeigen. **38.** a) verlaufen, sich entwickeln *od.* gestalten: **how does the play ~?** wie geht *od.* welchen Erfolg hat das Stück?; **things have gone badly with me** es ist mir schlecht ergangen, b) ausgehen, -fallen: **the decision went against him** die Entscheidung fiel zu s-n Ungunsten aus; **it went well** es ging gut (aus). **39.** Erfolg haben: **to ~ big** *sl.* ein Riesenerfolg sein; **the play ~es** das Stück hat Erfolg. **40.** (with) gehen, sich vertragen, harmo'nieren (mit), passen (zu): **black ~es well with yellow**; → **go together** 1. **41.** ertönen, erklingen, läuten (*Glokke*), schlagen (*Uhr*): **the clock went five** die Uhr schlug fünf; **the door-bell went** es klingelte. **42.** losgehen mit (*e-m Knall etc*): **bang went the gun** die Kanone machte bumm. **43.** lauten (*Worte etc*): **I forget how the words ~; this is how the tune ~es** so geht die Melodie; **this song ~es to the tune of** dieses Lied geht nach der Melodie von. **44.** gehen, verschwinden, abgeschafft werden: **he must ~** er muß weg; **these laws must ~** diese Gesetze müssen verschwinden. **45.** (da'hin)schwinden: **his strength is ~ing.** **46.** zum Erliegen kommen, zs.-brechen: **trade is ~ing.** **47.** ka'puttgehen: **the soles are ~ing.** **48.** sterben: **he is** (**dead and**) **gone** er ist tot. **49.** (*im pres p mit inf*) *zum Ausdruck* a) *e-r Zukunft*, b) *der Absicht*, c) *des Sollens od. Müssens*: **it is ~ing to rain** es wird (bald *od.* gleich) regnen; **he is ~ing to read it** er wird *od.* will es (bald) lesen; **he is ~ing to do it** er ist im Begriff, es zu tun; **what was ~ing to be done?** was sollte nun geschehen? **50.** (*mit nachfolgendem ger*) *meist* gehen: **to ~ swimming** schwimmen gehen; **you must not ~ telling him** du darfst es ihm ja nicht sagen; **he ~es frightening people** er erschreckt die Leute immer. **51.** (dar-'an)gehen, sich aufmachen *od.* anschicken: **he went to find him** er ging ihn suchen; **~ fetch!** bring es!, hol es!; **he went and sold it** *colloq.* er hat es tatsächlich verkauft; er war so dumm, es zu verkaufen.

III *v/t* **52.** *colloq.* wetten, setzen: **I'll ~ you a pound** ich setze e-in Pfund. **53.** *Kartenspiel*: ansagen. **54.** *Am. colloq.* e-e Einladung *od.* Wette annehmen von: **I'll ~ you!** ich nehme an!, ‚gemacht'! **55.** **~ it** *colloq.* a) sich d(a)ranmachen, (mächtig) 'rangehen, b) es toll treiben, ‚auf die Pauke hauen', c) handeln: **he's ~ing it alone** er macht es ganz allein(e); **~ it!** drauf!, ran!, (immer) feste! **56.** **~ s.o. better** j-n über'trumpfen.

Verbindungen mit Präpositionen:

go| a·bout *v/i* in Angriff nehmen, sich machen an (*acc*). **~ aft·er** *v/i* **1.** nachlaufen (*dat*). **2.** sich bemühen um. **~ a·gainst** *v/i* wider'streben (*dat*). **~ at** *v/i* **1.** losgehen auf (*acc*), angreifen. **2.** anpacken, (e'nergisch) in Angriff nehmen. **~ be·hind** *v/i* die 'Hintergründe unter'suchen von (*od. gen*), auf den Grund gehen (*dat*). **~ be·tween** *v/i* vermitteln zwischen (*dat*). **~ be·yond** *v/i* über'schreiten, hin'ausgehen über (*acc*). **~ by** → **go** 28 *u.* 32. **~ for** *v/i* **1.** holen (gehen). **2.** *e-n Spaziergang etc* machen. **3.** a) gelten als *od.* für, betrachtet werden als, b) → **go** 31. **4.** streben nach, sich bemühen um, nachjagen (*dat*). **5.** *Am. colloq.* a) schwärmen für, begeistert sein *od.* sich erwärmen für, b) ‚verknallt' sein in (*j-n*). **6.** *sl.* losgehen auf (*acc*), sich stürzen auf (*acc*). **~ in** → **go** 36. **~ in·to** *v/i* **1.** hin'eingehen in (*acc*). **2.** *e-n Beruf* ergreifen, eintreten in (*ein Geschäft etc*): **to ~ business** Kaufmann werden. **3.** geraten in (*acc*): **to ~ hysterics**; **to ~ a faint** ohnmächtig werden. **4.** (genau) unter'suchen *od.* prüfen, (*e-r Sache*) auf den Grund gehen. **5.** → **go** 19. **~ o·ver** *v/i* **1.** (über)'prüfen, unter'suchen. **2.** → **go through** 1. **3.** (nochmals) 'durchgehen, über'arbeiten. **4.** 'durchgehen, -lesen, -sehen. **~ through** *v/i* **1.** 'durchgehen, -nehmen, -sprechen, (ausführlich) erörtern. **2.** durch'suchen. **3.** → **go over** 1 *u.* 4. **4.** a) 'durchmachen, erleiden, b) erleben. **5.** *sein Vermögen* 'durchbringen. **~ to** → **go** 12, 13, 16, 18, 22, 43. **~ up** *v/i* hin'aufgehen: **to ~ the road.** **~ with** *v/i* **1.** *j-n od. etwas* begleiten. **2.** gehören zu. **3.** ‚gehen' mit (*j-m*), verkehren mit. **4.** über'einstimmen mit. **5.** → **go** 26, 27, 40. **~ with·out** *v/i* **1.** auskommen *od.* sich behelfen ohne. **2.** entbehren (*acc*).

Verbindungen mit Adverbien:

go| a·bout *v/i* **1.** her'um-, um'hergehen, -fahren, -reisen. **2.** sich bemühen (to do zu tun). **3.** *mar.* la'vieren, wenden. **4.** → **go** 30. **~ a·head** *v/i* **1.** vorwärts-, vor'angehen: **to ~ with** a) weitermachen *od.* fortfahren mit, b) Ernst machen mit, durchführen. **2.** (*erfolgreich*) vor'ankommen. **3.** *sport* nach vorn stoßen. **~ a·long** *v/i* **1.** weitergehen. **2.** *fig.* weitermachen, fortfahren. **3.** (da'hin)gehen, (-)fahren. **4.** mitgehen, -kommen (**with** mit). **5.** **~ with** einverstanden sein mit, mitmachen bei. **~ a·round** *v/i Am.* **1.** → **go about** 1. **2.** → **go round.** **~ back** *v/i* **1.** zu'rückgehen. **2.** (to) *fig.* zu'rückgehen (auf *acc*), zu'rückreichen (bis) **3.** **~ on** *colloq.* a) *j-n* im Stich lassen, b) *sein Wort etc* nicht halten, zu'rücknehmen. **~ by** *v/i* vor'bei-, vor'übergehen (*a. fig. Zeit*): **to let s.th. ~** e-r Sache keine Beachtung schenken;

times gone by vergangene Zeiten. ~ **down** *v/i* **1.** hin'untergehen. **2.** 'untergehen, sinken (*Schiff, Sonne etc*). **3.** zu Boden gehen (*Boxer etc*). **4.** *fig.* a) (hin'ab)reichen (to bis), b) → go back 2. **5.** ‚(hin'unter)rutschen' (*Essen*). **6.** *fig.* (with) Glauben *od.* Anklang finden, ankommen (bei), ‚geschluckt' werden (von): it went down well with him es kam gut bei ihm an; that won't ~ with me das nehme ich dir nicht ab, das kannst du e-m anderen weismachen. **7.** zu'rückgehen, sinken (*Fieber, Preise etc*). **8.** in der Erinnerung bleiben: to ~ in history in die Geschichte eingehen. **9.** a) sich im Niedergang befinden, b) zu'grunde gehen. **10.** *univ. Br.* a) die Universi'tät verlassen, b) in die Ferien gehen. ~ **in** *v/i* **1.** hin'eingehen: ~ and win! auf in den Kampf! **2.** ~ for a) sich befassen mit, betreiben, *Sport etc* treiben, b) mitmachen, *ein Examen* machen, c) anstreben, 'hinarbeiten auf (*acc*), d) sich einsetzen für, befürworten, e) sich begeistern für. ~ **off** *v/i* **1.** weg-, fortgehen, -laufen. **2.** abgehen (*Zug etc, a. thea. Schauspieler*). **3.** losgehen (*Gewehr, Sprengladung etc*): the bomb went off. **4.** (into) los-, her'ausplatzen (mit), ausbrechen (in *acc*). **5.** verfallen, geraten (in, into in *acc*): to ~ in a fit e-n Anfall bekommen. **6.** nachlassen (*Schmerz etc*). **7.** sich verschlechtern. **8.** a) sterben, b) eingehen (*Pflanze, Tier*). **9.** *econ.* ‚weggehen', Absatz finden. **10.** von'statten gehen, gelingen: it went off well. ~ **on** *v/i* **1.** weitergehen, -fahren. **2.** weitermachen, fortfahren (doing zu tun; with mit): ~! a) (mach) weiter!, b) *iro.* hör auf!, ach komm!; ~ reading! lies weiter! **3.** darauf'hin anfangen (to do zu tun): he went on to say darauf sagte er; to ~ to s.th. zu e-r Sache übergehen. **4.** fortdauern, weitergehen. **5.** vor sich gehen, vorgehen, pas'sieren. **6.** sich benehmen *od.* aufführen: don't ~ like that hör auf damit! **7.** *colloq.* a) unaufhörlich reden *od.* schwatzen (about über *acc*, von), b) schimpfen, toben: to ~ at s.o. j-n anschnauzen. **8.** angehen (*Licht etc*). **9.** *thea.* auftreten. **10.** *Kricket*: zum Werfen kommen. **11.** ~ for gehen auf (*acc*), bald sein: it's going on for 5 o'clock; he is going on for 60 er nähert sich den Sechzigern. ~ **out** *v/i* **1.** hin'ausgehen. **2.** ausgehen: a) spa'zierengehen, b) zu Veranstaltungen *od.* in Gesellschaft gehen. **3.** (*mit ger*) sich aufmachen zu: to ~ fishing fischen *od.* zum Fischen gehen. **4.** e-e Stellung (außer Haus) annehmen: to ~ as governess; to ~ washing als Wäscherin gehen. **5.** ausgehen, erlöschen (*Licht, Feuer*). **6.** zu Ende gehen. **7.** sterben. **8.** streiken. **9.** *Am.* zs.-brechen (*Brücke etc*). **10.** aus der Mode kommen. **11.** sich duel'lieren. **12.** ausscheiden, ab-, zu'rücktreten. **13.** ~ to sich *j-m* zuwenden (*Sympathie*), entgegenschlagen (*Herz*). ~ **o·ver** *v/i* **1.** hin'übergehen (to zu). **2.** 'übergehen (into in *acc*). **3.** (*zu e-r anderen Partei etc*) 'übertreten, -gehen. **4.** zu'rückgestellt *od.* vertagt werden. **5.** *colloq.* Erfolg haben: to ~ big ein Bombenerfolg sein. ~ **round** *v/i* **1.** her'umgehen. **2.** (für alle) (aus)reichen. **3.** ~ to vor'beikommen bei, *j-n* besuchen. ~ **through** *v/i* **1.** 'durchgehen, angenommen werden (*Antrag*). **2.** ~ with 'durchführen, zu Ende führen. ~ **to·geth·er** *v/i* **1.** sich miteinander vertragen, zs.-passen (*Farben etc*). **2.** *colloq.* mitein'ander gehen (*Liebespaar*). ~ **un·der** *v/i* **1.** 'untergehen (*a. fig.*). **2.** *fig.* zu'grunde gehen, unter'liegen. ~ **up** *v/i* **1.** hin'aufgehen, -fahren. **2.** *econ.* hin'aufgehen, steigen, anziehen (*Preise*). **3.** steigen, zunehmen. **4.** (*auf der Bühne*) nach hinten gehen. **5.** *Am. colloq.* ‚ka'puttgehen'. **6.** *Br.* (zum Se'mesteranfang) zur Universi'tät gehen.

goad [goud] **I** *s* **1.** Stachelstock *m* (*des Viehtreibers*). **2.** *fig.* Stachel *m.* **3.** *fig.* Ansporn *m.* **II** *v/t* **4.** (*mit dem Stachelstock*) antreiben. **5.** *oft* ~ on *fig.* *j-n* an-, aufstacheln, (an)treiben, (auf)reizen (to do *od.* into doing s.th. dazu, etwas zu tun).

'go-aˌhead *colloq.* **I** *adj* **1.** vorwärts-, aufstrebend. **2.** unter'nehmungslustig, zielstrebig, rührig, ener'giegeladen. **II** *s Am.* **3.** Mensch *m* mit Initia'tive, Draufgänger *m.* **4.** Unter'nehmungsgeist *m*, Schwung *m*, E'lan *m*, Tatendrang *m.* **5.** ('Start)SiˌgnaI *n*: to get the ~ on a project ‚grünes Licht' erhalten für ein Projekt.

goal [goul] *s* **1.** Ziel *n* (*a. fig.*). **2.** *sport* a) Ziel *n*, b) Zielpfosten *pl*, c) (*Fußball- etc*)Tor *n*, d) Tor(schuß *m*) *n*; consolation ~ Ehrentor; ~-scorer Torschütze *m*, -jäger *m*; to make (*od.* score, shoot) a ~ ein Tor schießen.

goal·ie, *a.* **goal·ee** ['gouli] *colloq. für* goalkeeper.

'goal|ˌkeep·er *s sport* Torwart *m*, -hüter *m.* ~ **line** *s* Torlinie *f.* **'~ˌmouth** *s* Torraum *m.* ~ **post** *s* Torpfosten *m.*

'go-as-you-'please *adj* **1.** ungeregelt, ungebunden, willkürlich. **2.** zwanglos: ~ ticket *rail. etc* (Tages)Netzkarte *f.*

goat [gout] *s* **1.** Ziege *f*: he-~ Ziegenbock *m*; the sheep and the ~s *Bibl.* die Schafe u. die Böcke; to play the (giddy) ~ *fig.* sich närrisch benehmen, herumkaspern; to get s.o.'s ~ *sl.* ‚j-n auf die Palme bringen', j-n ‚fuchsteufelswild' machen. **2.** G~ → Capricorn. **3.** *fig.* (geiler) Bock. **4.** *Am. sl.* a) Sündenbock *m*, b) Zielscheibe *f* (*e-s Spaßes etc*).

goat·ee [gou'tiː] *s* Spitzbart *m.*

'goat|ˌfish *s ichth.* Meerbarbe *f.* ~ **god** *s myth.* Pan *m.* **'~ˌherd** *s* Ziegenhirt *m.*

goat·ish ['goutiʃ] *adj* **1.** bockig. **2.** *fig.* geil.

goat·ling ['goutliŋ] *s* Zicklein *n.*

'goatsˌbeard *s bot.* **1.** Bocksbart *m.* **2.** Geißbart *m.* **3.** Ziegenbart *m.*

goatˌskin *s* **1.** Ziegenfell *n.* **2.** (*a.* Kleidungsstück *n* aus) Ziegenleder *n.* **3.** Ziegenlederflasche *f.*

'goatˌsuck·er *s orn.* Ziegenmelker *m.*

goat's wool *s humor.* ‚Mückenfett' *n* (*etwas, was es nicht gibt*).

gob[1] [gɒb] *vulg.* **I** *s* (Schleim)Klumpen *m.* **II** *v/i* (aus)spucken.

gob[2] [gɒb] *s mar. Am. sl.* ‚Blaujacke' *f*, Ma'trose *m* (*der amer. Kriegsmarine*).

go·bang [gou'bæŋ] *s* Gobang *n* (*japanisches Brettspiel*).

gob·bet ['gɒbit] *s* **1.** Brocken *m*, Stück *n* (*Fleisch etc*). **2.** Textstelle *f.*

gob·ble[1] ['gɒbl] **I** *v/t* **1.** *meist* ~ up a) (gierig) verschlingen, hin'unterschlingen, b) *Getränk* hin'unterstürzen. **2.** *Am. colloq.* gierig packen. **II** *v/i* **3.** schlingen, gierig essen.

gob·ble[2] ['gɒbl] **I** *v/i* kollern (*Truthahn u. fig.*). **II** *s* Kollern *n.*

gob·ble[3] ['gɒbl] *s Golf*: schneller, gerader Schlag ins Loch.

gob·ble·dy·gook ['gɒbldiˌguk] *s Am. sl.* **1.** ‚Be'amtenchiˌnesisch' *n.* **2.** (Be'rufs)JarˌgOn *m.* **3.** ‚Geschwafel' *n.*

gob·bler[1] ['gɒblər] *s* Fresser(in).

gob·bler[2] ['gɒblər] *s* Truthahn *m*, Puter *m.*

Gob·e·lin ['gɒbəlin; 'gou-] **I** *adj* Gobelin... **II** *s meist* g~ Gobe'lin *m.*

'go-beˌtween *s* **1.** Vermittler(in), Mittelsmann *m.* **2.** Makler *m.* **3.** Kuppler(in). **4.** Verbindungsglied *n.*

gob·let ['gɒblit] *s* **1.** Kelchglas *n.* **2.** *obs. od. poet.* Becher *m*, Po'kal *m.*

gob·lin ['gɒblin] *s* Kobold *m*, Elf *m.*

go·bo ['goubou] *s tech.* **1.** *Film, TV*: Linsenschirm *m.* **2.** Schallschirm *m* (*an Mikrophonen*).

go·by ['goubi] *s ichth.* Meergrundel *f.*

go-by ['gouˌbai] *s*: to give s.o. the ~ *colloq.* j-n ‚schneiden' *od.* ignorieren.

'goˌcart *s* **1.** Laufstuhl *m* (*Gehhilfe für Kinder*). **2.** (Falt)Sportwagen *m* (*für Kinder*). **3.** Sänfte *f.* **4.** Handwagen *m.*

god [gɒd] **I** *s* **1.** *relig. bes. antiq.* Gott *m*, Gottheit *f*: the ~ of heaven Jupiter *m*; the ~ of love, the blind ~ der Liebesgott (*Amor*); the ~ of war der Kriegsgott (*Mars*); the ~ from the machine *fig.* Deus *m* ex machina (*e-e plötzliche Lösung*); ye ~s! *od.* ye ~s and little fishes! *sl.* heiliger Strohsack!; a sight for the ~s (*meist iro.*) ein Anblick für (die) Götter. **2.** G~ Gott *m*: the Lord G~ Gott der Herr; Almighty G~, G~ Almighty Gott der Allmächtige; the good G~ der liebe Gott; G~'s truth die reine Wahrheit; oh G~!, my G~!, good G~! (ach) du lieber Gott!, lieber Himmel!; by G~! bei Gott!; G~ bless you! a) Gott segne dich!, b) (*zu j-m, der niest*) Gesundheit!; G~ help him! Gott steh ihm bei!; so help me G~! so wahr mir Gott helfe!; G~ forbid! Gott bewahre *od.* behüte!; G~ grant it! Gott gebe es!; would to G~ wolle Gott, Gott gebe; thank G~! Gott sei Dank! G~ knows weiß Gott; G~ knows if it's true wer weiß, ob es wahr ist!; for G~'s sake um Gottes willen; → act 1. **3.** Götze(nbild *n*) *m*, Abgott *m.* **4.** *fig.* (Ab)Gott *m.* **5.** *pl thea.* ‚O'lymp' *m*, (Publikum *n* auf der) Gale'rie *f.*

ˌGod-'aw·ful *adj sl.* scheußlich.

'god|ˌchild *s irr* Patenkind *n.* **'~ˌdaugh·ter** *s* Patentochter *f.*

god·dess ['gɒdis] *s* Göttin *f* (*a. fig.*).

go·det [gə'dɛ] (*Fr.*) *s* Zwickel *m.*

'go-ˌdev·il *s tech. Am.* **1.** Sprengvorrichtung *f* für verstopfte Bohrlöcher. **2.** Rohrreiniger *m.* **3.** *rail.* Materi'alwagen *m.* **4.** Holz- *od.* Steinschleife *f.* **5.** *agr.* (*Art*) Egge *f.*

'god|ˌfa·ther **I** *s* **1.** Pate *m* (*a. fig.*), Taufzeuge *m*: to stand ~ to → 2. **II** *v/t* **2.** *a. fig.* Pate stehen bei, aus der Taufe heben. **3.** *fig.* verantwortlich zeichnen für. **'G~-ˌfear·ing** *adj* gottesfürchtig. **'~forˌsak·en** *adj contp.* gottverlassen. **'godˌhead** *s* Gottheit *f*: a) Göttlichkeit *f*, b) Gott *m.*

god·less ['gɒdlis] *adj* gottlos: a) ohne Gott, b) verworfen. **'god·less·ness** *s* Gottlosigkeit *f.*

'godˌlike *adj* **1.** gottähnlich, göttergleich, göttlich. **2.** erhaben.

god·li·ness ['gɒdlinis] *s* Frömmigkeit *f*, Gottesfurcht *f.*

god·ling ['gɒdliŋ] *s* 'untergeordnete Gottheit, Lo'kalgott(heit *f*) *m.*

god·ly ['gɒdli] *adj* fromm, gottesfürchtig: the ~ die ‚Frömmler'.

'god|·mamˌma *s colloq.* Patentante *f.* **'G~ˌman** [-mæn] *s irr.* **1.** *relig.* Gottmensch *m* (*Christus*). **2.** Halbgott *m.* **'G~-ˌman·hood** *s* Gottmenschentum *n.* **'~ˌmoth·er** *s* (Tauf)Patin *f.*

'god|·paˌpa *s colloq.* Patenonkel *m.*

'~ˌpar·ent s (Tauf)Pate m od. (-)Patin f.

God's| a·cre s Gottesacker m, Friedhof m. ~ ad·vo·cate s R.C. Advo'catus m Dei. ~ coun·try s Gottes eigenes Land.

'godˌsend s Geschenk n des Himmels, Glück(sfall m) n, Segen m.

god·ship ['gɒdʃip] s Göttlichkeit f.

'god|ˌson s Patensohn m. '~ˌspeed s Erfolg m, gute Reise: to bid s.o. ~ j-m viel Glück od. glückliche Reise wünschen. G~ tree s bot. Kapokbaum m.

go·er ['gouər] s 1. Geher m, Läufer m: comers and ~s die Kommenden u. Gehenden; he is a good ~ er geht gut (bes. Pferd). 2. in Zssgn meist Besucher(in).

goes [gouz] I 3. sg pres von go II u. III. II s pl von go I.

Goe·thi·an, a. Goe·the·an ['gøtiən; 'gəː-] I adj Goethe..., goethisch, goethesch. II s Goetheverehrer(in).

go·fer ['goufər] s Waffel f.

gof·(f)er ['gɒfər] tech. I v/t 1. kräuseln, gau'frieren. 2. plis'sieren. 3. Buchschnitt deko'rieren. II s 4. Gau'friermaˌschine f. 5. Plis'see n.

'go-'get·ter s Am. colloq. 1. j-d, der weiß, was er will od. der ,'rangeht', Draufgänger m. 2. contp. ,Raffke' m, Raffer m.

gog·gle ['gɒgl] I v/i 1. a) die Augen rollen, b) starren, stieren, glotzen. 2. glotzen, rollen (Augen). II v/t 3. die Augen rollen, verdrehen. III s 4. Glotzen n, stierer Blick. 5. pl Schutz-, Sonnenbrille f. 6. vet. Drehkrankheit f (der Schafe). IV adj 7. glotzend: ~ eyes Glotzaugen. '~-ˌeyed adj glotzäugig.

Goid·el ['gɔidəl] s Goi'dele m, Gäle m. Goid'el·ic [-'delik] I adj goi'delisch, gälisch. II s ling. das Goi'delische, das Gälische.

go-in [gou'in] s colloq. Go-'in n (Eindringen; Protestaktion).

go·ing ['gouiŋ] I s 1. (Weg)Gehen n, Abreise f, Abfahrt f. 2. Boden-, Straßenzustand m, Bahn f, Strecke f: good ~ e-e gute Leistung, ein schönes Tempo; rough (od. heavy) ~ e-e Schinderei, ein ,Schlauch'; while the ~ is good a) solange noch Zeit ist, rechtzeitig, b) solange die Sache (noch) gut läuft. II adj 3. gehend, fahrend, im Gange: to set ~ in Gang bringen. 4. in Betrieb, arbeitend: → concern 6. 5. vor'handen: still ~ noch zu haben; ~, ~, gone! (bei Versteigerungen) zum ersten, zum zweiten, zum dritten (u. letzten Male); one of the best fellows ~ e-r der besten Kerle, die es (nur) gibt. 6. → go 49. ~ bar·rel s tech. Federhaus n (der Uhr). ~ o·ver s Am. 1. Standpauke f, Rüffel m, engS. Tracht f Prügel: to give s.o. a ~ a) j-n ,zs.-stauchen', b) j-n ,vermöbeln'. 2. (gründliche) Über'prüfung.

'go·ings-'on s pl bes. contp. Treiben n, Vorgänge pl.

goi·ter, bes. Br. goi·tre ['gɔitər] s med. Kropf m: German ~ humor. (Schmer-)Bauch m. 'goi·tered, bes. Br. 'goi·tred adj mit e-m Kropf (behaftet). 'goi·trous [-trəs] adj 1. kropfartig, Kropf... 2. → goitered.

go·kart ['gouˌkaːrt] s Go-Kart m (Kleinstrennwagen).

Gol·con·da, oft g~ [gɒl'kɒndə] s fig. Goldgrube f.

gold [gould] I s 1. Gold n: as good as ~ fig. kreuzbrav, musterhaft; a heart of ~ fig. ein goldenes Herz; he has a voice of ~ er hat Gold in der Kehle; it is worth its weight in ~ es ist unbezahlbar od. unschätzbar od. nicht mit Gold aufzuwiegen; to go off ~ econ. den Goldstandard aufgeben; → glitter 1. 2. Goldmünze(n pl) f. 3. fig. Geld n, Reichtum m, Gold n. 4. Goldfarbe f, Vergoldungsmasse f. 5. Goldgelb n (Farbe). 6. (goldfarbiges) Scheibenzentrum (beim Bogenschießen). II adj 7. aus Gold, golden, Gold...: ~ bar Goldbarren m; ~ watch goldene Uhr. 8. goldfarben, Gold...

'~-and-'sil·ver cur·ren·cy s econ. Doppelwährung f, Gold- u. Silberwährung f. ~ back·ing s econ. Golddeckung f. '~ˌbeat·er s tech. Goldschläger m. '~ˌbeat·er's skin s tech. Goldschlägerhaut f. ~ bloc s econ. Goldblock(länder pl) m. '~ˌbrick Am. colloq. I s 1. falscher Goldbarren. 2. fig. a) wertlose Sache, Talmi n, (etwas) Unechtes, b) ,Beschiß' m, Schwindel m: to sell s.o. a ~ → 6. 3. mil. Sol'dat, der e-n Druckposten hat. 4. bes. mil. Drückeberger m. II v/i 5. sich drücken. III v/t 6. j-n ,anschmieren' od. ,übers Ohr hauen'. '~ˌbrick·er → goldbrick 3 u. 4. ~ bul·lion s Gold n in Barren: ~ standard econ. Goldkernwährung f. ~ cer·tif·i·cate s econ. Am. 'Goldzertifiˌkat n (des Schatzamtes). ~ coast s 1. G~ C~ geogr. Goldküste f. 2. Am. colloq. vornehmes Viertel (e-r Stadt). '~ˌcrest s orn. Goldhähnchen n. ~ dig·ger s 1. Goldgräber m. 2. fig. sl. Weibsbild, das nur hinter dem Geld der Männer her ist. ~ dig·gings s pl Goldfundgebiet n. ~ dust s Goldstaub m.

gold·en ['gouldən] adj 1. golden, Gold... 2. golden, goldfarben, -gelb. 3. fig. golden: a) kostbar, wertvoll, b) glücklich: ~ hours. 4. fig. günstig: ~ opportunity; ~ opinions hohe Anerkennung. ~ age s (das) Goldene Zeitalter. ~ balls s pl (drei) goldene Bälle pl (als Zeichen e-s Pfandhauses). ~ buck s Am. Welsh Rabbit n mit Ei (Käsetoast). ~ calf s Bibl. u. fig. (das) Goldene Kalb. ~ ea·gle s zo. Goldadler m. '~ˌeye s orn. Schellente f. G~ Fleece s antiq. (das) Goldene Vlies. ~ mean s (die) goldene Mitte, (der) goldene Mittelweg. ~ o·ri·ole s orn. Pi'rol m. ~ pheas·ant s orn. 'Goldfaˌsan m. ~ plov·er s orn. Goldregenpfeifer m. '~ˌrod s bot. Goldrute f. ~ rule s 1. Bibl. goldene Sittenregel. 2. math. u. fig. goldene Regel. ~ sec·tion s math. paint. Goldener Schnitt. G~ State s (Spitzname für) Kali'fornien n. ~ this·tle s bot. Golddistel f. ~ wed·ding s goldene Hochzeit. ~ wil·low s bot. Dotterweide f.

'gold|-ex·change stand·ard s econ. 'Golddeˌvisenwährung f. ~ fe·ver s Goldfieber n, -rausch m. ~ field s Goldfeld n. '~-'filled adj tech. vergoldet (Schmuck). '~ˌfinch s orn. Stieglitz m, Distelfink m. '~ˌfin·ny s ichth. Lippfisch m. '~ˌfish s Goldfisch m. '~ˌham·mer s orn. Goldammer f.

gold·i·locks ['gouldiˌlɒks] s 1. bot. Goldhaariger Hahnenfuß. 2. obs. goldhaariger Mensch.

gold| lace s Goldtresse f, -spitze f. ~ leaf s irr Blattgold n. ~ med·al s 'Goldmeˌdaille f. ~ mine s Goldgrube f (a. fig.), Goldmine f, -bergwerk n. ~ plate s goldenes Tafelgeschirr, Tafelgold n. '~-'plat·ed adj vergoldet. ~ point s econ. Goldpunkt m: export ~ Goldausfuhrpunkt. ~ rush → gold fever. G~ Set·tle·ment Fund s econ. Goldausgleichsfonds m (der 12 Federal Reserve Banks der USA). ~ size s tech. Goldgrund m, -leim m. '~ˌsmith s Goldschmied m. ~ stand·ard s Goldwährung f, -standard m. G~ Stick s Br. Oberst m der königlichen Leibgarde od. Hauptmann m der Leibwache.

golf [gɒlf] sport I s Golf(spiel) n. II v/i Golf spielen. ~ club s sport 1. Golfschläger m. 2. Golfklub m.

golf·er ['gɒlfər] s sport Golfspieler(in).

golf| hose s Sport-, Kniestrümpfe pl. ~ links s pl (a. als sg konstruiert) sport Golfplatz m.

gol·iard ['gouljərd] s hist. Goli'arde m, Va'gant m.

Go·li·ath [gə'laiəθ] s fig. Goliath m, Riese m.

gol·li·wog(g), Br. gol·ly·wog ['gɒliˌwɒg] s 1. gro'teske schwarze Puppe. 2. fig. komischer Knirps.

gol·ly ['gɒli] interj a. by ~! colloq. Donnerwetter!, ,Mann'!

go·lop·tious [gə'lɒpʃəs], go'lup·tious [-'lʌp-] adj Br. humor. wunderbar.

go·losh → galosh.

gom·been [gɒm'biːn] s (Ir.) Wucher m: ~ man Wucherer m.

gom·broon (ware) [gɒm'bruːn] s (ein) persisches Porzel'lan.

Go·mor·rah, Go·mor·rha [gə'mɒrə] s fig. Go'morr(h)a n, Sündenpfuhl m.

gon·ad ['gɒnæd] s physiol. Go'nade f, Geschlechts-, Keimdrüse f.

gon·do·la ['gɒndələ] s 1. a. aer. Gondel f. 2. Am. (flaches) Flußboot. 3. a. ~ car Am. offener Güterwagen. ˌgon·do'lier [-'lir] s Gondoli'ere m.

gone [gɒn; gɔːn] I pp von go. II adj 1. (weg)gegangen, fort, weg: be ~! fort mit dir!, geh!; I must be ~ ich muß weg od. fort. 2. verloren, verschwunden, da'hin. 3. ,hin', ,futsch': a) ka'putt, b) rui'niert, c) verbraucht, weg, d) tot: a ~ man → goner; a ~ feeling ein Schwächegefühl n; all his money is ~ sein ganzes Geld ist weg od. ,futsch'. 4. hoffnungslos: a ~ case. 5. vor'bei, vor'über, vergangen, da'hin, zu Ende. 6. mehr als, älter als, über: he is ~ twenty-one. 7. colloq. (on) verliebt, ,verknallt' (in acc), ,weg' (von). 8. Jazz: sl. ,weg', in Ek'stase. 9. → far-gone. 'gon·er s sl. 'Todeskandiˌdat m: he is a ~ er ist ein Mann des Todes od. (a. weitS.) ,erledigt'.

gon·fa·lon ['gɒnfələn] s Banner n. ˌgon·fa·lon'ier [-'nir] s Bannerträger m.

gong [gɒŋ] I s 1. Gong m. 2. (bes. e'lektrische) Klingel. 3. mil. Br. sl. Orden m. II v/t 4. Br. e-n Wagen durch 'Gongsiˌgnal stoppen (Polizei).

go·ni·om·e·ter [ˌgouni'ɒmitər] s Gonio'meter n: a) math. Winkelmesser m, b) Radio: Peilungswinkelmesser m. ˌgo·ni'om·e·try [-tri] s Goniome'trie f.

go·ni·tis [go'naitis] s med. Kniegelenkentzündung f, Go'nitis f.

gon·o·coc·cus [ˌgɒno'kɒkəs] pl ˌgon·o'coc·ci [-ksai] s med. Gono'kokkus m.

gon·o·cyte ['gɒnoˌsait] s biol. Keimzelle f, Gono'zyte f.

gon·or·rh(o)e·a [ˌgɒnə'riːə] s med. Gonor'rhöe f, Tripper m. ˌgon·or'rh(o)e·al adj gonor'rhoisch.

goo [guː] s Am. sl. 1. Schmiere f, klebriges Zeug. 2. fig. sentimen'taler Kitsch, ,Schmus' m.

goo·ber (pea) ['guːbər] s Am. dial. Erdnuß f.

good [gud] I s 1. Nutzen m, Wert m, Vorteil m: for his own ~ zu s-m eigenen Vorteil; what ~ will it do?, what is the ~ of it?, what ~ is it? was hat es für e-n Wert?, was nützt es?, wozu soll das gut sein?; it is no (not much) ~ trying es hat keinen (wenig) Sinn *od.* Zweck, es zu versuchen; to the ~ a) *bes. econ.* als Gewinn- *od.* Kreditsaldo, b) gut, obendrein, extra (→ 2); for ~ (and all) für immer, endgültig, ein für allemal. **2.** (*das*) Gute, Gutes *n*, Wohl *n*: to do s.o. ~ a) j-m Gutes tun, b) j-m gut- *od.* wohltun; much ~ may it do you (*oft iro.*) wohl bekomm's!; the common ~ das Gemeinwohl; to be to the ~, to come to ~ zum Guten ausschlagen; it's all to the ~ es ist nur zu *s-m etc* Besten (→1); it comes to no ~ es führt zu nichts Gutem; to be up to no ~ nichts Gutes im Schilde führen. **3.** the ~ *collect.* die Guten *pl*, die Rechtschaffenen *pl.* **4.** *philos.* (*das*) Gute. **5.** *pl* bewegliches Vermögen: ~s and chattels a) Hab *n* u. Gut *n*, bewegliche Sachen, Mobiliargut *n*, b) *colloq.* Siebensachen. **6.** *pl bes. econ.* a) Güter *pl*, Fracht(gut *n*) *f*, b) (Handels)Güter *pl*, (Handels)Ware(n *pl*) *f*: ~s of the first order, ~s for consumption Verbrauchs-, Konsumgüter; ~s in process Halbfabrikate; ~s account Warenkonto *n*, -rechnung *f*; a piece of ~s *humor.* e-e Person, ein Kerl *m*; → deliver 2. **7.** *pl Am.* Stoffe *pl*, Tex'tilien *pl.* **8.** *pl Br.* Güterzug *m*: by ~s mit dem Güterzug, per Fracht. **9.** the ~s *sl.* das Richtige, das Wahre: that's the ~s!

II *adj comp* **bet·ter** ['betər] *sup* **best** [best] **10.** (*moralisch*) gut, redlich, rechtschaffen, ehrbar, anständig: ~ men and true redliche u. treue Männer; a ~ father and husband ein guter *od.* treusorgender Vater u. Gatte. **11.** gut (*Qualität*): ~ teeth; in ~ health bei guter Gesundheit; to be in ~ spirits (bei) guter Laune sein. **12.** gut, frisch, genießbar: a ~ egg; is this meat still ~? **13.** gut, lieb, gütig, freundlich: ~ to the poor gut zu den Armen; be so ~ as (*od.* be ~ enough) to fetch it sei so gut u. hol es; be ~ enough to hold your tongue halt gefälligst d-n Mund. **14.** gut, lieb, artig, brav (*Kind*): be a ~ boy!; → gold 1. **15.** verehrt, lieb: his ~ lady (*oft iro.*) s-e liebe Frau; my ~ man (*oft iro.*) mein Lieber!, mein lieber Freund *od.* Mann! **16.** gut, geachtet: of ~ family aus guter Familie. **17.** gut, einwandfrei: ~ behavio(u)r; ~ conduct certificate Führungs-, Leumundszeugnis *n.* **18.** gut, erfreulich, angenehm: ~ afternoon (*nachmittags*) guten Tag; ~ morning (evening, day *etc*) guten Morgen (Abend, Tag); ~ night a) gute Nacht, b) guten Abend; to have a ~ time sich amüsieren; to be ~ eating gut *od.* angenehm schmecken; → news 1. **19.** gut: a) geeignet, vorteilhaft, günstig, nützlich, b) gesund, zuträglich, c) heilsam: a man ~ for the post ein geeigneter *od.* guter Mann für den Posten; ~ for colds gut für *od.* gegen Erkältungen; milk is ~ for children Milch ist gut *od.* gesund für Kinder; what is it ~ for? wofür ist es gut?, wozu dient es?; it is a ~ thing that es ist gut *od.* günstig, daß. **20.** gut, richtig, recht, angebracht, empfehlenswert, zweckmäßig: in ~ time zur rechten Zeit. **21.** gut, angemessen, ausreichend, zu'friedenstellend. **22.** gut, reichlich: a ~ measure: a ~ hour e-e gute Stunde. **23.** gut, ziemlich (weit, groß), beträchtlich, bedeutend, erheblich, ansehnlich: a ~ way off ziemlich weit entfernt; a ~ many e-e beträchtliche Anzahl, ziemlich viele; a ~ while ziemlich lange; a ~ beating e-e tüchtige *od.* ordentliche Tracht Prügel. **24.** (*vor adj*) *verstärkend*: a ~ long time sehr lange Zeit; ~ old age hohes Alter; ~ and ... *colloq. intens.* sehr, ‚mordsmäßig' (*z.B.* ~ and tired hundemüde). **25.** gültig: a) begründet, berechtigt: a ~ claim, b) triftig, gut: a ~ reason; a ~ argument ein stichhaltiges Argument, c) echt: ~ money echtes Geld; a ~ Republican ein guter *od.* überzeugter Republikaner. **26.** gut, fähig, tüchtig: he is ~ at arithmetic er ist gut im Rechnen; he is ~ at golf er spielt gut Golf. **27.** *a. econ.* gut, zuverlässig, sicher, so'lide: a ~ firm e-e gute *od.* solide *od.* zahlungsfähige *od.* kreditfähige Firma; a ~ man *econ. colloq.* ein sicherer Mann (*Kunde etc*); ~ debts *econ.* sichere Schulden; to be ~ for any amount *econ.* für jeden Betrag gut sein; ~ for *econ.* (*auf e-m Wechsel*) über den Betrag von (→ 31). **28.** *econ.* in Ordnung (*Scheck*). **29.** *jur.* (rechts)gültig. **30.** wirklich, aufrichtig, ehrlich, echt; → faith 3. **31.** ~ for fähig *od.* geneigt zu: I am ~ for a walk ich habe Lust zu e-m Spaziergang; I am ~ for another mile ich könnte noch e-e Meile weitermarschieren (→ 27).

III *adv* **32.** *colloq.* gut: as ~ as finished praktisch *od.* so gut wie fertig; he has as ~ as promised er hat (es) so gut wie versprochen. **33.** → make good.

IV *interj* **34.** gut!, schön!, fein!: ~ for you! *colloq.* (ich) gratuliere!

good| book, *oft* **G~ Book** *s* (*die*) Bibel. **~ breed·ing** *s* gute Ma'nieren *pl*, Bildung *f*, feine Lebensart. **,~-'by(e) I** *s* Lebe'wohl *n.* **II** *interj* leb(e) wohl!, auf 'Wiedersehen!, a'dieu! **~ fel·low** *s* guter Kame'rad, netter Kerl. **,~-'fel·low,ship** *s* gute Kame'radschaft, Kame'radschaftlichkeit *f.* **'~-for-'noth·ing,** *a.* **'~-for-'nought I** *adj* nichtsnutzig, nichts wert. **II** *s* Taugenichts *m*, Nichtsnutz *m.* **~ Fri·day** *s relig.* Kar'freitag *m.* **,~'heart·ed** *adj* gutherzig, gutmütig. **,~'heart·ed·ness** *s* Gutherzigkeit *f*, Gutmütigkeit *f.* **~ hu·mo(u)r** *s* gute Laune. **,~-'hu·mo(u)red** *adj* (*adv* ~ly) **1.** bei guter Laune, gut aufgelegt, aufgeräumt. **2.** gutmütig. **,~-'hu·mo(u)red·ness** *s* **1.** gute Laune. **2.** Gutmütigkeit *f.*

good·ish ['gudiʃ] *adj* **1.** ziemlich gut, annehmbar. **2.** ziemlich (groß).

good·li·ness ['gudlinis] *s* **1.** Güte *f*, Wert *m.* **2.** Anmut *f.* **3.** gutes Aussehen, Stattlichkeit *f.* **4.** Beträchtlichkeit *f.*

'good|-'look·ing *adj* gutaussehend, hübsch, stattlich. **~ looks** *s pl* gutes Aussehen.

good·ly ['gudli] *adj* **1.** angenehm, gefällig. **2.** anmutig. **3.** → good-looking. **4.** beträchtlich, ansehnlich. **5.** *oft iro.* prächtig, glänzend.

'good|·man [-mən] *s irr obs.* Hausvater *m*, Ehemann *m*: G~ Death Freund Hein. **~ na·ture** *s* **1.** freundliches Wesen. **2.** Gutmütigkeit *f*, Gefälligkeit *f.* **,~-'na·tured** *adj* (*adv* ~ly) gutmütig, freundlich, gefällig. **~-neigh·bo(u)r·li·ness** *s* gute Nachbarschaft, gutnachbarliches Verhältnis. **G~ Neigh·bo(u)r Pol·i·cy** *s pol.* Poli'tik *f* der guten Nachbarschaft.

good·ness ['gudnis] *s* **1.** Tugend *f*, Redlichkeit *f*, Rechtschaffenheit *f.* **2.** Güte *f*, Gefälligkeit *f*: please, have the ~ to come haben Sie bitte die Freundlichkeit *od.* seien Sie bitte so gut zu kommen. **3.** (*das*) Gute *od.* Wertvolle. **4.** Güte *f*, Quali'tät *f*, Wert *m.* **5.** *euphem.* Gott *m*: thank ~! Gott sei Dank!; (my) ~!, ~ gracious! du meine Güte!, du lieber Himmel!; for ~' sake um Himmels willen; ~ knows weiß der Himmel.

good| of·fic·es *s pl bes. Völkerrecht*: gute Dienste *pl*, Vermittlung(sdienste *pl*) *f.* **~ peo·ple** *s* the ~ *pl* die Feen *pl*, die Heinzelmännchen *pl.*

goods a·gent *s econ.* ('Bahn)Spedi,teur *m.*

goods| en·gine *s tech. Br.* 'Güterzuglokomo,tive *f.* **~ of·fice** *s Br.* Frachtannahmestelle *f.*

Good| Shep·herd *s Bibl.* Guter Hirte (*Christus*). **g~ speed** → godspeed.

goods| sta·tion *s Br.* Güterbahnhof *m.* **~ traf·fic** *s Br.* Güterverkehr *m.* **~ train** *s Br.* Güterzug *m.* **~ wag·on** *s Br.* Güterwagen *m.*

good| tem·per *s* Gutmütigkeit *f*, ausgeglichenes Wesen. **,~-'tem·pered** *adj* (*adv* ~ly) gutartig, -mütig, ausgeglichen. **'~-'time char·lie** *s Am. colloq.* lebenslustiger *od.* vergnügungssüchtiger Mensch. **'~'will** *s* **1.** Wohlwollen *n*, Freundlichkeit *f*, Gunst *f.* **2.** Bereitwilligkeit *f*, Gefälligkeit *f.* **3.** gute Absicht, guter Wille: ~ mission *pol.* Mission *f* des guten Willens; ~ visit *pol.* Freundschaftsbesuch *m.* **4.** *econ.* a) (*ideeller*) Firmen- *od.* Geschäftswert (*guter Ruf, gute Lage, Kundenkreis*), Firmenansehen *n* u. Kre'dit *m*, Goodwill *m*, b) Kundschaft *f*, Kundenkreis *m*, c) *Urheberrecht*: Ruf *m* (*e-s Werkes*).

Good·wood ['gud,wud] *s* Goodwood-Rennen *n* (*jährliches Pferderennen bei Goodwood Park, Sussex*).

good·y[1] ['gudi] *colloq.* **I** *s* **1.** a) Bon'bon *m, n*, b) *pl* Süßigkeiten *pl.* **2.** *Am.* schöne Sache. **3.** *Am. contp.* Tugendbold *m*, Mucker *m*, Betbruder *m.* **II** *adj* **4.** *contp.* (affek'tiert) tugendhaft, frömmlerisch: to talk ~. **III** *interj* **5.** prima!, Klasse!

good·y[2] ['gudi] *s* **1.** *obs.* Mütterchen *n.* **2.** *univ. Am.* Aufwartefrau *f.*

'good·y-'good·y → goody[1] 3—5.

goo·ey ['gu:i] *adj sl.* klebrig, schmierig.

goof [gu:f] *s sl.* Trottel *m*, Idi'ot *m.*

'go-,off *s colloq.* Anfang *m*, Start *m*: at the first ~ (gleich) beim ersten Mal, auf Anhieb.

goof·y ['gu:fi] *adj sl.* blöd, ‚doof'.

goon [gu:n] *s sl.* **1.** *Am.* gedungener Schläger, ‚Go'rilla' *m.* **2.** → goof. **3.** *mil. Br.* a) Re'krut *m*, b) deutscher Kriegsgefangener.

goop [gu:p] *s sl.* Lümmel *m.*

goos·an·der [gu:'sændər] → merganser.

goose [gu:s] *pl* **geese** [gi:s] *s* **1.** *orn.* Gans *f*: all his geese are swans er übertreibt immer, bei ihm ist immer alles besser als bei anderen; don't kill the ~ that lays the golden eggs *fig.* töte nicht die Gans, die die goldenen Eier legt; to cook s.o.'s ~ *colloq.* es j-m ‚besorgen', j-n ‚fertigmachen'; → bo[1]; fox 1; sauce 1. **2.** Gans *f*, Gänsebraten *m.* **3.** *fig.* a) Esel *m*, Dummkopf *m*, b) (dumme) Gans (*Frau*). **4.** (*pl* gooses) Schneiderbügeleisen *n.*

goose·ber·ry [*Br.* 'guzbəri; *Am.* 'gu:sberi; 'gu:z-; -bəri] *s* **1.** *bot.* Stachelbeere *f.* **2.** Stachelbeerwein *m.* **3.** to play ~ *fig.* den Anstandswauwau spielen. **~ fool** *s* Stachelbeercreme *f* (*Speise*). **~ wine** → gooseberry 2.

goose| eggs *s sport sl.* Null *f* (*null Tore etc*). **~ flesh** *s fig.* Gänsehaut *f.* **'~-**

ˌfoot *pl* -foots *s bot.* Gänsefuß *m.* ~ **grass** *s bot.* **1.** Labkraut *n, bes.* Klebkraut *n.* **2.** Vogelknöterich *m.* 'ˌ~ˌ**herd** *s* Gänsehirt(in). 'ˌ~ˌ**neck** *s tech.* Schwanenhals *m*: ~ lamp Schwanenhalslampe *f.* 'ˌ~-ˌ**pim·ples** *s pl Am.* → goose flesh. ~ **quill** *s* Gänsekiel *m.* ~ **skin** → goose flesh. ~ **step** *s mil.* Pa'rade-, Stechschritt *m.*

goos·ey ['guːsi] **I** → goose 3. **II** *adj* → goosy.

goos·y ['guːsi] *adj Am. colloq.* **1.** blöd, ‚doof'. **2.** a) schreckhaft, b) ner'vös: I felt ~ ich bekam e-e Gänsehaut.

go·pher[1] ['goufər] *Am.* **I** *s* **1.** *zo.* a) Goffer *m,* Taschenratte *f,* b) Amerikanischer Ziesel, c) Gopherschildkröte *f,* d) *a.* ~ snake Indigo-, Schildkrötenschlange *f.* **2.** G~ (*Spitzname für e-n*) Bewohner von Minne'sota. **II** *v/i* **3.** *Bergbau*: aufs Geratewohl schürfen *od.* bohren.

go·pher[2] ['goufər] → gof(f)er.

go·pher[3] ['goufər] *s Bibl. Baum, aus dessen Holz Noah die Arche baute.*

'**go·pher**ˌ**wood** *s bot. Am.* Gelbholz *n.*

go·ral ['gɔːrəl] *s zo.* Goral *m,* 'Ziegen-antiˌlope *f.*

gor·cock ['gɔːrˌkɒk] → moor cock.

Gor·di·an ['gɔːrdiən] *adj* gordisch, verwickelt: to cut the ~ knot den gordischen Knoten durchhauen.

gore[1] [gɔːr] *s* (*bes.* geronnenes) Blut.

gore[2] [gɔːr] **I** *s* **1.** Zwickel *m,* Keil(stück *n*) *m,* Gehre *f.* **2.** dreieckiges Stück, Keilstück *n.* **II** *v/t* **3.** keilförmig zuschneiden. **4.** e-n Zwickel *etc* einsetzen in (*acc*).

gore[3] [gɔːr] *v/t* (*mit den Hörnern*) durch'bohren, aufspießen.

gorge [gɔːrdʒ] **I** *s* **1.** Paß *m,* enge (Fels)Schlucht. **2.** *rhet.* Kehle *f.* **3.** a) reiches Mahl, b) Fresse'rei *f,* Völle'rei *f.* **4.** (*das*) Verschlungene, Mageninhalt *m*: to cast the ~ at s.th. *fig.* etwas angeekelt zurückweisen; my ~ rises at it *fig.* mir wird übel davon *od.* dabei. **5.** *arch.* Hohlkehle *f.* **6.** *mil.* Kehle *f,* Rückseite *f* (*e-r Bastion*). **7.** fester (Fisch)Köder. **II** *v/i* **8.** (on) fressen (*acc*), sich vollfressen (an *dat*). **III** *v/t* **9.** gierig verschlingen. **10.** vollstopfen, -pfropfen: to ~ o.s. → 8.

gor·geous ['gɔːrdʒəs] *adj* (*adv* ~ly) **1.** prächtig, glänzend, prachtvoll (*alle a. fig. colloq.*). **2.** *colloq.* großartig, wunderbar, blendend. '**gor·geous·ness** *s* Pracht *f.*

gor·get ['gɔːrdʒit] *s* **1.** *hist.* a) *mil.* Halsberge *f,* b) (Ring)Kragen *m,* c) Hals-, Brusttuch *n.* **2.** Halsband *n,* -kette *f.* **3.** *orn.* Kehlfleck *m.* ~ **patch** *s mil.* Kragenspiegel *m.*

Gor·gon ['gɔːrgən] *s* **1.** *myth.* Gorgo *f, bes.* Me'duse *f.* **2.** g~ häßliches *od.* abstoßendes Weib. ˌ**gor·go'ne·ion** [-'niːjən] *pl* **-ne·ia** [-'niːjə; -'niːə] *s antiq.* Gor'gonen-, Me'dusenhaupt *n* (*in der Kunst*). **gor'go·ni·an** [-'gouniən] *adj* **1.** gor'gonenhaft, Gorgonen... **2.** schauerlich. '**gor·gon**ˌ**ize** [-gəˌnaiz] *v/t* **1.** versteinern. **2.** mit e-m Gor'gonenblick ansehen.

Gor·gon·zo·la (cheese) [ˌgɔːrgən'zoulə] *s* Gorgon'zola(käse) *m.*

gor·hen ['gɔːrˌhen] → moorhen 1.

go·ril·la [gə'rilə] *s* **1.** *zo.* Go'rilla *m.* **2.** *Am. sl.* a) Unmensch *m,* Scheusal *n,* b) (Tot)Schläger *m,* Leibwächter *m* (*e-s Gangsters*), ‚Go'rilla' *m.*

gor·mand·ize ['gɔːrmənˌdaiz] **I** *v/t* gierig verschlingen, fressen. **II** *v/i* schlemmen, prassen, fressen. '**gor·mand**ˌ**iz·er** *s* Schlemmer(in).

gorse [gɔːrs] *s bot. Br.* Stechginster *m.*

Gor·sedd ['gɔːrseð] *s walisisches Sänger- u. Dichtertreffen.*

gorse duck → corn crake.

gors·y ['gɔːrsi] *adj bot.* **1.** stechginsterartig. **2.** voll (von) Stechginster.

gor·y ['gɔːri] *adj* **1.** blutbefleckt, voll Blut. **2.** *fig.* blutig, blutrünstig.

gosh [gɒʃ] *interj a.* by ~ *colloq.* Mensch!, Donnerwetter!, bei Gott!

gos·hawk ['gɒsˌhɔːk] *s orn.* Hühnerhabicht *m.*

Go·shen ['gouʃən] *s Bibl.* Land *n* des 'Überflusses.

gos·ling ['gɒzliŋ] *s* junge Gans, Gänschen *n.*

ˌ**go-'slow** *s* Langsamtreten *n* (bei der Arbeit): ~ strike Bummelstreik *m.*

gos·pel ['gɒspəl] *s a.* G~ *relig.* Evan'gelium *n* (*a. fig.*): to take s.th. for ~ etwas für bare Münze nehmen. '**gos·pel·(l)er** *s relig.* Verleser *m* des Evan'geliums, (*a.* Erweckungs-, Wander)Prediger *m*: hot ~ a) religiöser Eiferer, b) ‚Apostel' *m,* eifriger Befürworter.

gos·pel oath *s* Eid *m* auf die Bibel. 'ˌ~-ˌ**push·er** *s humor.* ‚Pfaffe' *m.* ~ **shop** *s Br. colloq.* ‚Betladen' *m* (*Methodistenkirche*). ~ **side** *s relig.* Evan'gelienseite *f* (*des Altars*). ~ **truth** *s* **1.** *relig.* Wahrheit *f* der Evan'gelien. **2.** *fig.* abso'lute Wahrheit.

gos·port ['gɒspɔːrt] *s aer.* Sprachrohr *n* (*bes. des Fluglehrers*).

gos·sa·mer ['gɒsəmər] **I** *s* **1.** Alt'weibersommer *m,* Sommerfäden *pl.* **2.** a) feine Gaze, b) (hauch)dünner Stoff. **3.** (*etwas*) sehr Zartes *od.* Dünnes. **II** *adj* **4.** leicht u. zart, hauchdünn. **5.** *fig.* fadenscheinig, dürftig. '**gos·sa·mer·y** → gossamer II.

gos·san ['gɒsən; 'gɒzən] *s geol.* eisenschüssiger ockerhaltiger Letten.

gos·sip ['gɒsip] **I** *s* **1.** Klatsch *m,* Tratsch *m,* Geschwätz *n.* **2.** Plaude'rei *f,* Geplauder *n*: ~ column Plauderecke *f, bes.* Klatschspalte *f* (*e-r Zeitung*); ~ writer Klatschspaltenschreiber(in). **3.** Klatschbase *f,* Schwätzer(in). **4.** *obs.* Pate *m.* **II** *v/i* **5.** klatschen, tratschen. **6.** plaudern. '**gos·sip·er**, '**gos·sip**ˌ**mon·ger** [-ˌmʌŋgər] → gossip 3. '**gos·sip·ry** [-ri] → gossip 1. '**gos·sip·y** *adj* **1.** geschwätzig, tratschsüchtig. **2.** flach, seicht. **3.** im Plauderstil.

gos·soon [gɒ'suːn] *s* (*Ir.*) Bursche *m.*

got [gɒt] *pret u. pp von* get.

Goth [gɒθ] *s* **1.** Gote *m.* **2.** Bar'bar *m,* Wan'dale *m.*

Go·tham *npr* **1.** ['gɒtəm] (*Dorf in England, sprichwörtlich wegen der Torheit s-r Bewohner, deutsch etwa*) Schilda *n*: wise man of ~ → Gothamite 1. **2.** ['gouθəm; 'gɒ-] *Am.* (*Spitzname für*) New York (City). **Go·tham·ite** *s* **1.** ['gɒtəˌmait] Schildbürger *m,* Narr *m.* **2.** ['gouθəˌmait; 'gɒ-] *humor.* New Yorker(in).

Goth·ic ['gɒθik] **I** *adj* **1.** gotisch: ~ arch *arch.* gotischer Spitzbogen. **2.** *a.* g~ a) bar'barisch, roh, b) ro'mantisch, ba'rock: ~ novel Schreckensroman *m.* **3.** *print.* a) *Br.* gotisch, b) *Am.* Grotesk... **II** *s* **4.** *ling.* Gotisch *n,* das Gotische. **5.** *arch.* Gotik *f,* gotischer (Bau)Stil. **6.** *print.* a) *Br.* Frak'tur *f,* gotische Schrift, b) *Am.* Gro'tesk *f.*

Goth·i·cism ['gɒθiˌsizəm] *s* **1.** Gotik *f.* **2.** *ling.* gotische Spracheigenheit. **3.** *a.* g~ Barba'rei *f.* '**Goth·i**ˌ**cize** *v/t* **1.** gotisch machen. **2.** mittelalterlichen Cha'rakter geben (*dat*).

'**go-to-'meet·ing** *adj colloq.* Sonntags..., Ausgeh... (*Kleidung*).

got·ten ['gɒtn] *obs. od. Am. pp von* get.

gouache [gwaʃ] (*Fr.*) *s* GouˌGouache(male'rei) *f.*

Gou·da (cheese) ['gaudə] *s* Gouda(käse) *m.*

gouge [gaudʒ] **I** *s* **1.** *tech.* Gutsche *f,* Hohleisen *n,* -meißel *m.* **2.** *Am. colloq.* Aushöhlung *f,* Vertiefung *f.* **3.** *Am. sl.* a) Gaune'rei *f,* Erpressung *f,* b) ergaunerter *od.* erpreßter Betrag. **II** *v/t* **4.** *a.* ~ out *tech.* ausmeißeln, -höhlen, -stechen. **5.** *oft* ~ out *ein Auge* (*a. j-m ein Auge*) ausquetschen. **6.** *Am. colloq.* begaunern, über'vorteilen, erpressen.

gou·lash ['guːlæʃ; -lɑːʃ] *s* **1.** Gulasch *n.* **2.** *Kontrakt-Bridge*: Zu'rückdoppeln *n.*

gourd [gurd; gɔːrd] *s* **1.** *bot.* a) (*bes.* Garten)Kürbis *m,* b) Flaschenkürbis *m.* **2.** Gurde *f,* Kürbisflasche *f.*

gour·mand ['gurmənd] **I** *s* **1.** starker Esser, Vielfraß *m,* Schlemmer *m.* **2.** Feinschmecker *m.* **II** *adj* **3.** gefräßig, gierig. **4.** feinschmeckerisch. **gour·man·dise** [gurmɑ̃'diːz] (*Fr.*) *s* **1.** Fresse'rei *f.* **2.** ˌFeinschmecke'rei *f.* **gour·mand·ism** ['gurmənˌdizəm] *s* **1.** Gefräßigkeit *f.* **2.** ˌFeinschmecke'rei *f.*

gour·met ['gurmei] → gourmand 2.

gout [gaut] *s* **1.** *med.* Gicht *f*: poor (rich) man's ~ Gicht infolge Unterernährung (zu guten Essens). **2.** *agr.* Gicht *f* (*Weizenkrankheit*).

gout·ies ['gautiz] *s pl* 'Überschuhe *pl.*

'**gout·i·ness** *s med.* Neigung *f* zur Gicht. '**gout·y** *adj* (*adv* goutily) *med.* **1.** gichtkrank. **2.** zur Gicht neigend. **3.** gichtisch, Gicht...: → concretion 6.

gov·ern ['gʌvərn] **I** *v/t* **1.** re'gieren, beherrschen. **2.** leiten, lenken, führen, verwalten. **3.** *fig.* bestimmen, beherrschen, regeln, maßgebend sein für, leiten: ~ed by circumstances durch die Umstände bestimmt; he was ~ed by considerations of safety er ließ sich von Sicherheitserwägungen leiten. **4.** *tech.* regeln, regu'lieren, steuern. **5.** *fig.* zügeln, beherrschen, im Zaum halten: to ~ o.s.; to ~ one's temper s-r Erregung Herr werden. **6.** *ling.* re'gieren, erfordern. **II** *v/i* **7.** re'gieren, herrschen (*a. fig.*). '**gov·ern·a·ble** *adj* **1.** re'gier-, leit-, lenkbar. **2.** *tech.* steuer-, regu'lierbar. **3.** *fig.* folg-, lenksam. '**gov·ern·ance** *s* **1.** a) Re'gierungsgewalt *f,* b) Re'gierungsform *f.* **2.** *fig.* Herrschaft *f,* Gewalt *f,* Kon'trolle *f* (of über *acc*).

gov·ern·ess ['gʌvərnis] **I** *s* Gouver'nante *f,* Erzieherin *f,* Hauslehrerin *f.* **II** *v/i* Erzieherin sein.

gov·ern·ing ['gʌvərniŋ] *adj* **1.** leitend, Vorstands...: ~ body Leitung *f,* leitendes Organ, Verwaltungsrat *m*; ~ director Geschäftsführer *m,* Generaldirektor *m.* **2.** *fig.* leitend, bestimmend: ~ principle Leitsatz *m.*

gov·ern·ment ['gʌvərnmənt] *s* **1.** a) Re'gierung *f,* Herrschaft *f,* Kon'trolle *f* (of, over über *acc*), b) Re'gierungsgewalt *f,* c) Verwaltung *f,* Leitung *f.* **2.** Re'gierung(sform *f,* -ssyˌstem *n*) *f*: parliamentary ~ Parlamentsregierung. **3.** (*Br. meist* G~ *u. als pl konstruiert*) (*die*) Re'gierung, (*das*) Kabi'nett: ~-in-exile Exilregierung; ~ bill Regierungsvorlage *f*; G~ Department Ministerium *n.* **4.** Staat *m*: ~ annuity *Br.* Staatsrente *f*; ~ bonds, ~ securities Staatspapiere; ~ depository *Am.* Bank *f* für Staatsgelder; ~ employee Angestellte(r *m*) *f* des öffentlichen Dienstes; ~ grant staatlicher Zuschuß; ~ issue *mil. Am.* Staatslieferung *f,* vom Staat gelieferte Ausrüstung. **5.** Gouverne'ment *n,* Re'gierungsbezirk *m,* Statthalterschaft *f,* Pro'vinz *f*: G~ house *Br.* Gouverneursgebäude *n.* **6.** *ling.* Rekti'on *f.* ˌ**gov·ern'men·tal** [-'mentl]

adj Regierungs..., Staats..., staatlich. **ˌgov·ern'ment·alˌize** *v/t* von der Re'gierung abhängig machen, reglemen'tieren.
gov·er·nor ['gʌvərnər] *s* **1.** Gouver'neur *m* (*a. e-s Staates der USA*), Statthalter *m*. **2.** *mil.* Komman'dant *m* (*e-r Festung*). **3.** a) *allg.* Di'rektor *m*, Leiter *m*, Vorsitzende(r) *m*, b) Präsi'dent *m* (*e-r Bank*), c) *Br.* Ge'fängnisdiˌrektor *m*, d) *pl* Vorstand *m*, Direk'torium *n*. **4.** *sl.* (*der*) ‚Alte': a) alter Herr (*Vater, Vormund*), b) Chef *m* (*a. als Anrede*). **5.** *tech.* Regler *m*. **'~-e'lect** *s pol. Am.* desi'gnierter Gouver'neur. **~ gen·er·al** *pl* **gov·er·nors gen·er·al** *s* a) Gene'ralgouverˌneur *m* (*bes. e-s brit. Dominions*), b) Vertreter *m* der Krone (*in einigen Commonwealth-Ländern*).
gov·er·nor·ship ['gʌvərnərˌʃip] *s* Statthalterschaft *f*, Gouver'neursamt *n*.
gown [gaun] **I** *s* **1.** (Damen)Kleid *n*. **2.** *antiq.* Toga *f*: **arms and ~** *fig.* Krieg u. Frieden. **3.** *bes. jur. univ.* Ta'lar *m*, Robe *f*, Amtstracht *f*: **town and ~** Stadt *f* u. Universität *f*. **II** *v/t* **4.** mit e-m Ta'lar *etc* bekleiden.
gowns·man ['gaunzmən] *s irr* Robenträger *m*, *bes.* Anwalt *m*, Richter *m*, Geistliche(r) *m*, Stu'dent *m*, Hochschullehrer *m*.
goy [gɔi] *s* (*jiddisch für*) Nichtjude *m*.
Graaf·i·an| fol·li·cle ['grɑːfiən], **~ ves·i·cle** *s anat.* Graafscher Fol'likel, Graafsches Bläs-chen.
grab [græb] **I** *v/t* **1.** (hastig *od.* gierig) ergreifen, packen, fassen, (sich) ‚schnappen', ‚graps(ch)en'. **2.** *fig.* an sich reißen, sich (rücksichtslos) aneignen, einheimsen. **II** *v/i* **3.** (gierig *od.* hastig) greifen *od.* schnappen (at nach). **III** *s* **4.** plötzlicher *od.* gieriger Griff: **to make a ~ (at)** → 1 *u.* 3. **5.** *fig.* Griff *m* (**for** nach): **the ~ for power** der Griff nach der Macht. **6.** *fig.* a) Ansichreißen *n*, b) Beute *f*. **7.** *tech.* (Bagger-, Kran)Greifer *m*: **~ crane** Greiferkran *m*; **~ dredger** Greifer(naß)bagger *m*. **~ bag** *s Am.* **1.** Glücksbeutel *m*. **2.** *fig.* a) Lotte'riespiel *n*, b) Sammel'surium *n*.
grab·ber ['græbər] *s* Habgierige(r *m*) *f*, ‚Raffke' *m*.
grab·ble '[græbl] *v/i* her'umtasten, tappen (for nach).
gra·ben ['grɑːbən] *s geol.* Graben(bruch *m*, -senke *f*) *m*.
'grab|ˌhook *s tech.* Greifhaken *m*. **~ raid** *s* 'Raubˌüberfall *m*.
grace[1] [greis] **I** *s* **1.** Anmut *f*, Grazie *f*, (Lieb)Reiz *m*, Charme *m*: **the three G~s** *myth.* die drei Grazien. **2.** Anstand *m*, Schicklichkeit *f*, Takt *m*: **to have the ~ to do s.th.** den Anstand haben, etwas zu tun. **3.** Bereitwilligkeit *f*: **with a good ~** gern, bereitwillig; **with a bad ~** (nur) ungern *od.* widerwillig. **4.** *meist pl* gute Eigenschaft, Reiz *m*, schöner Zug, Zierde *f*: **social ~s** feine Lebensart; **to do ~ to** → 15. **5.** *a.* **~ note** *mus.* Verzierung *f*, Ma'nier *f*, Orna'ment *n*. **6.** Gunst *f*, Wohlwollen *n*, Huld *f*, Gnade *f*: **to be in s.o.'s good ~s** in j-s Gunst stehen; **to be in s.o.'s bad ~s** bei j-m in Ungnade sein. **7.** (*a. göttliche*) Gnade, Barm'herzigkeit *f*: **act of ~** *jur.* Gnadenakt *m*; **by the ~ of God** von Gottes Gnaden; **by way of ~** *jur.* auf dem Gnadenweg; **in the year of ~** im Jahr des Heils, A.D. **8.** *relig.* a) *a.* **state of ~** Stand *m* der Gnade, b) Tugend *f*: **~ of charity** (Tugend der) Nächstenliebe *f*. **9.** **G~** (*Eure, Seine, Ihre*) Gnaden *pl* (*Titel*): **Your G~** a) Eure Hoheit (*Herzogin*), b) Eure Exzellenz (*Erzbischof*). **10.** *econ. jur.* Aufschub *m*, (Zahlungs-, Nach)Frist *f*: **days of ~** Respekttage; **to give s.o. a week's ~** j-m e-e Nachfrist von e-r Woche gewähren. **11.** Tischgebet *n*: **to say ~** das Tischgebet sprechen. **12.** *univ. Br.* a) Vergünstigung *f*, Befreiung *f*, b) Zulassung *f* zu e-r Promoti'on, c) Erlaß *m*, Beschluß *m*: **by ~ of the senate** durch Senatsbeschluß. **II** *v/t* **13.** zieren, schmücken. **14.** ehren, auszeichnen. **15.** *j-m* Ehre machen.
Grace[2] [greis] *s teleph. Br.* 'Selbstwählsyˌstem *n* (*aus* **group routing and charging equipment**).
grace cup *s* **1.** (Becher *m* für den) Danksagungstrunk (*nach dem Tischgebet*). **2.** Abschiedstrunk *m*.
grace·ful ['greisfəl; -ful] *adj* (*adv* **~ly**) **1.** anmutig, grazi'ös, ele'gant, reizvoll. **2.** geziemend, würde-, taktvoll. **'grace·ful·ness** *s* Anmut *f*, Grazie *f*. **'grace·less** (*adj adv* **~ly**) **1.** 'ungraziˌös, reizlos, 'uneleˌgant. **2.** *obs.* verworfen, lasterhaft.
grace note → **grace**[1] 5.
grac·ile ['græsil; *Br. a.* -sail] *adj* **1.** gra'zil, zierlich, zart. **2.** schlank, dünn. **gra'cil·i·ty** [-'siliti] *s* **1.** Zierlichkeit *f*, Zartheit *f*, Zartgliedrigkeit *f*, Grazili'tät *f*. **2.** Fein-, Schlichtheit *f* (*Stil*).
gra·cious ['greiʃəs] **I** *adj* (*adv* **~ly**) **1.** gnädig, huldvoll, wohlwollend. **2.** *poet.* gütig, freundlich. **3.** *relig.* gnädig, barm'herzig (*Gott*). **4.** → **graceful** 1. **5.** a) angenehm, köstlich, b) geschmackvoll, schön: **~ living** angenehmes Leben, kultivierter Luxus. **II** *interj* **6.** **good** (*od.* **my**) **~!**, **~ me!**, **~ goodness!** du m-e Güte!, lieber Himmel! **'gra·cious·ness** *s* **1.** Gnade *f*: a) Huld *f*, b) Barm'herzigkeit *f*. **2.** Güte *f*, Freundlichkeit *f*. **3.** Anmut *f*.
grack·le ['grækl] *s orn.* (*ein*) Star.
gra·date [*Br.* grə'deit; *Am.* 'greideit] **I** *v/t* **1.** *Farben* abstufen, abtönen, gegenein'ander absetzen, inein'ander 'übergehen lassen. **2.** abstufen. **II** *v/i* **3.** sich abstufen, stufenweise (inein'ander) 'übergehen. **4.** stufenweise 'übergehen (into in *acc*). **gra'da·tion** *s* **1.** Abstufung *f*: a) Abtönung *f* (*von Farben*), b) stufenweise Anordnung, Staffelung *f*. **2.** Stufengang *m*, -folge *f*, -leiter *f*. **3.** *ling.* Ablaut *m*. **gra'da·tion·al,** *a.* **gra'da·tive** *adj* **1.** stufenweise, abgestuft. **2.** stufenweise fortschreitend.
grade [greid] **I** *s* **1.** Grad *m*, Stufe *f*, Rang *m*, Klasse *f*. **2.** (*unterer, mittlerer, höherer*) Dienst, Beamtenlaufbahn *f*: **lower (intermediate, senior) ~.** **3.** *mil. Am.* (Dienst)Grad *m*. **4.** Art *f*, Gattung *f*, Sorte *f*. **5.** Phase *f*, Stufe *f*. **6.** Quali'tät *f*, Güte(grad *m*, -klasse *f*) *f*, (*Kohlen- etc*)Sorte *f*: **G~ A** a) *econ.* erste (Güte)Klasse, b) *a. weitS.* erstklassig (→ 9); **~ label(l)ing** Güteklassenbezeichnung *f* (*durch Aufklebezettel*). **7.** Steigung *f od.* Gefälle *n*, Neigung *f*, Ni'veau *n* (*des Geländes etc*; *alle a. fig.*): **~ crossing** *Am.* schienengleicher (Bahn)Übergang; **at ~** *Am.* auf gleicher Höhe (*bes. Bahnübergang*); **on the up ~** *a. fig.* aufwärts(gehend), steigend, im Aufstieg; **on the down ~** abwärts(gehend), fallend, im Abstieg; **to make the ~** *Am.* ‚es schaffen', Erfolg haben. **8.** *biol.* Kreuzung *f*, Mischling *m*: **~ cattle** aufgekreuztes Vieh. **9.** *ped. Am.* a) (Schul)Stufe *f*, (Schüler *pl* e-r) Klasse, b) Note *f*, Zen'sur *f*: **~ A** sehr gut, beste Note (→ 6); **the ~s** die Grundschule; **~ teacher** Grundschullehrer(in). **10.** *ling.* Stufe *f* (*des Ablauts*). **II** *v/t* **11.** sor'tieren, einteilen, klas'sieren, (*nach Güte od. Fähigkeiten*) einstufen. **12.** a) abstufen, staffeln, b) → **gradate** 1: **to ~ down** (proportional) senken; **to ~ up** verbessern (→ 14). **13.** *tech. Gelände* a) pla'nieren, (ein)ebnen, b) e-e (*bestimmte*) Neigung geben (*dat*). **14.** *Vieh* kreuzen: **to ~ up** aufkreuzen (→ 12). **15.** *ling.* ablauten (*meist pass*). **III** *v/i* **16.** ran'gieren, zu e-r (*bestimmten*) Klasse gehören. **17.** → **gradate** 3 *u.* 4.
grad·er ['greidər] *s* **1.** a) Sor'tierer(in), b) Sor'tiermaˌschine *f*. **2.** *tech.* Pla'niermaˌschine *f*, Straßenhobel *m*. **3.** *ped. Am. in Zssgn* ...kläßler *m*: **a fourth ~** ein Viertkläßler.
grade school *s Am.* Grundschule *f*.
gra·di·ent ['greidiənt] **I** *s* **1.** Neigung(sverhältnis *n*) *f*, Steigung *f od.* Gefälle *n* (*des Geländes*). **2.** schiefe Ebene, Gefällstrecke *f*. **3.** *math. phys.* Gradi'ent *m*, Gefälle *n*. **4.** *meteor.* ('Luftdruck-, Tempera'tur)Gradiˌent *m*. **II** *adj* **5.** stufenweise steigend *od.* fallend. **6.** gehend, schreitend. **7.** *bes. zo.* Geh..., Lauf...
gra·din ['greidin], **gra·dine** [grə'diːn] *s* **1.** (*e-e*) Stufe *od.* Sitzreihe (*von mehreren übereinanderliegenden*). **2.** Al'tarsims *m*.
gra·di·om·e·ter [ˌgreidi'ɒmitər], **grad'om·e·ter** [-'dɒm-] *s tech.* Neigungsmesser *m*.
grad·u·al ['grædʒuəl; *Br. a.* -djuəl] **I** *adj* **1.** all'mählich, stufen-, schrittweise, langsam (fortschreitend), gradu'ell. **2.** all'mählich (an)steigend *od.* (ab)fallend. **II** *s* **3.** *relig.* Gradu'ale *n*. **'grad·u·al·ly** *adv* a) nach u. nach, b) → **gradual** 1. **'grad·u·al·ness** *s* **1.** All'mählichkeit *f*. **2.** stufenweises Fortschreiten.
grad·u·al psalms *s pl relig.* Gradu'al-, Stufenpsalmen *pl*.
grad·u·ate [*Br.* 'grædjuit; *Am.* -dʒuit; -ˌeit] **I** *adj* **1.** a) *univ.* gradu'iert: **a ~ student**, b) *Am.* ausgebildet, geprüft, Diplom...: **~ nurse**. **2.** Graduierten..., für Gradu'ierte: **a ~ course**. **3.** → **graduated** 1. **II** *s* **4.** *univ.* Gradu'ierte(r *m*) *f*, Promo'vierte(r *m*) *f*. **5.** *Am.* a) *ped.* Abituri'ent(in), Absol'vent(in) (*a. e-s Instituts*), b) *fig.* Pro'dukt *n* (*e-r Besserungsanstalt etc*). **6.** *chem.* Meßglas *n*. **III** *v/t* [-ˌeit] **7.** gradu'ieren, promo'vieren, *j-m* e-n aka'demischen Grad verleihen. **8.** *ped. Am.* a) *j-m* die Reife zuerkennen, b) (*in die nächsthöhere Schulstufe*) weiterversetzen. **9.** *tech.* mit e-r Maßeinteilung versehen, gradu'ieren, in Grade einteilen. **10.** abstufen, staffeln, gradu'ieren. **11.** *chem. tech.* gra'dieren. **IV** *v/i* **12.** a) *univ.* promo'vieren, e-n aka'demischen Grad erlangen (from an *e-r Universität etc*), b) *Am.* das Abi'tur *od. allg.* die Abschlußprüfung bestehen, ein Di'plom erwerben: **to ~ from a school (College)** e-e Schule (ein College) absolvieren. **13.** sich entwickeln, aufsteigen (into zu). **14.** sich staffeln, sich abstufen. **15.** all'mählich 'übergehen (into in *acc*). **'grad·uˌat·ed** *adj* **1.** abgestuft, gestaffelt: **~ tax**; **~ arc** *math.* Gradbogen *m*. **2.** gradu'iert, mit e-r Gradeinteilung (versehen): **~ pipette** Meßpipette *f*; **~ dial** Skalenscheibe *f*, Teilung *f*. **ˌgrad·u'a·tion** *s* **1.** Abstufung *f*, Staffelung *f*.

2. *tech.* a) Grad-, Teilstrich *m*, b) Gradeinteilung *f*, Skala *f*. 3. *chem.* Gra'dierung *f*. 4. *univ.* Promoti'on *f*, Erteilung *f od.* Erlangung *f* e-s aka'demischen Grades. 5. *Am.* Absol'vieren *n* (*e-r Schule*). 6. *Am.* Schluß-, Verleihungsfeier *f*. 7. *fig. Am.* Aufstieg *m*.

gra·dus ['greidəs] *s* Proso'dielexikon *n* (*für lateinische od. griechische Verse*).

Grae·cism ['gri:ˌsizəm] *s* Grä'zismus *m*: a) griechisches Wesen, b) Nachahmung *f* griechischen Wesens, c) griechische Spracheigentümlichkeit.

'Grae·cise, g~ [-saiz] *v/t* gräzi'sieren, nach griechischem Vorbild gestalten.

Graeco- [gri:ko] *Wortelement mit der Bedeutung* griechisch, gräko-.

graf·fi·to [grə'fi:tou] *pl* **-ti** [-ti:] *s* (S)Graf'fito *n*, ˌKratzmale'rei *f*, Kratzinschrift *f*.

graft¹ [*Br.* grɑ:ft; *Am.* græ(:)ft] **I** *s* 1. *bot.* a) Pfropfreis *n*, b) veredelte Pflanze, c) Pfropfstelle *f*. 2. *fig.* (*etwas*) Aufgepfropftes. 3. *med.* a) Transplan'tat *n*, verpflanztes Gewebe, b) Transplantati'on *f*. 4. *Am. colloq.* a) Schmier-, Korrupti'onsgelder *pl*, b) ergaunertes *od.* erschobenes Gut, c) Korrupti'on *f*, Schiebung *f*, Bestechung *f*. **II** *v/t* 5. *bot.* a) *e-n Zweig* pfropfen (in in *acc*; on auf *acc*), b) *e-e Pflanze* oku'lieren, durch Pfropfen kreuzen *od.* veredeln. 6. *med. Gewebe* verpflanzen, transplan'tieren. 7. *fig.* (in, on, upon) a) *etwas* auf-, einpfropfen (*dat*), b) *Ideen etc* einimpfen (*dat*), c) über'tragen (auf *acc*). **III** *v/i* 8. *Am. colloq.* Korrupti'onsgelder einstecken, sich bereichern, ‚schieben'.

graft² [*Br.* grɑ:ft; *Am.* græ(:)ft] *s Br.* (*ein*) Spatenstich *m* Erde.

graft·age [*Br.* 'grɑ:ftidʒ; *Am.* 'græ(:)f-] → grafting 1. **'graft·er** *s* 1. Pfropfer *m*. 2. Pfropfmesser *n*. 3. *Am. colloq.* Schieber *m*, kor'rupter Beamter.

graft·ing [*Br.* 'grɑ:ftiŋ; *Am.* 'græ(:)f-] *s* 1. *bot.* a) Pfropfen *n*, Veredeln *n*, b) Pfropfung *f*. 2. *med.* Transplantati'on *f*. **~ wax** *s* Pfropf-, Baumwachs *n*.

Grail¹ [greil] *s relig.* Gral *m*.

grail² [greil] → gradual 3.

grail³ [greil] *s* Kammacherfeile *f*.

grain [grein] **I** *s* 1. *bot.* (Samen-, *bes.* Getreide)Korn *n*. 2. *collect.* Getreide *n*, Korn *n* (*Pflanzen od. Frucht*). 3. (*Sand- etc*)Körnchen *n*, Korn *n*: of fine ~ feinkörnig; → salt¹ 1. 4. *fig.* Spur *f*, (*das*) bißchen: not a ~ of hope kein Funke Hoffnung. 5. *econ.* Gran *n* (*Gewichtseinheit*). 6. *tech.* a) (Längs)-Faser *f*, Faserung *f*, b) Maserung *f* (*vom Holz*). 7. *tech.* Narbe *f* (*bei Leder*): ~ (side) Narben-, Haarseite *f*. 8. *tech.* a) Korn *n*, Narbe *f* (*von Papier*), b) *metall.* Korn *n*, Körnung *f*. 9. *tech.* a) Strich *m* (*Tuch*), b) Faser *f*, c) *hist.* Kosche'nille *f* (*karminroter Farbstoff*): dyed in the ~ im Rohzustand gefärbt, *fig.* waschecht, eingefleischt. 10. *min.* Korn *n*, Gefüge *n*. 11. *phot.* a) Korn *n*, b) Körnigkeit *f* (*Film*). 12. *pl Brauerei*: Treber *pl*, Trester *pl*. 13. *fig.* Wesen *n*, Na'tur *f*: it goes against my ~ es geht mir gegen den Strich. **II** *v/t* 14. körnen, granu'lieren. 15. *tech. Leder* a) enthaaren, b) körnen, narben. 16. *tech.* a) *Papier* narben, b) *Textilien* in der Wolle färben. 17. *künstlich* masern, ädern.

grain| al·co·hol *s chem.* Ä'thyl-, Gärungsalkohol *m*. **~ bind·er** *s agr.* Garbenbinder *m*. **~ leath·er** *s tech.* genarbtes Leder.

grains [greinz] *s pl* (*oft als sg konstruiert*) Fischspeer *m*, Har'pune *f*.

gral·la·to·ri·al [ˌgrælə'tɔ:riəl] *adj orn.* stelzbeinig, Stelz(vogel)...

gral·loch ['grælǝx] *hunt.* **I** *s* Aufbruch *m*, Eingeweide *n od. pl* (*des Rotwildes*). **II** *v/t* aufbrechen.

gram¹ [græm] *s bot.* 1. Kichererbse *f*. 2. (*e-e*) Hülsenfrucht (*als Pferdefutter*).

gram², *bes. Br.* **gramme** [græm] *s* Gramm *n*.

gram·a·ry(e) ['græməri] *s obs.* Zaube'rei *f*, schwarze Kunst.

gram| at·om, '~-a'tom·ic weight *s phys.* 'Gramma,tom(gewicht) *n*. **~ cal·o·rie** *s phys.* 'Grammkaloˌrie *f*.

gra·mer·cy [grə'mə:rsi] *interj obs.* tausend Dank!

gram·i·na·ceous [ˌgræmi'neiʃəs; *Br. a.* ˌgrei-], **gra·min·e·ous** [grə'miniəs] *adj bot.* 1. grasartig. 2. Gras... ˌ**gram·i'niv·o·rous** [-'nivərəs] *adj zo.* grasfressend.

gram·ma (grass) ['græmə] *s bot.* [Grammagras *n*.]

gram·ma·logue ['græməˌlɒg] *s Stenographie*: Kürzel *n*.

gram·mar ['græmər] *s* 1. Gram'matik *f*: a) *als Wissenschaft*, b) Sprachlehrbuch *n*: bad ~ schlechter Sprachgebrauch, ungrammatisch; he knows his ~ er beherrscht s-e Sprache. 2. *fig.* (Werk *n* über die) Grundbegriffe *pl*.

gram·mar·i·an [grə'mɛ(ə)riən] *s* Gram'matiker(in).

gram·mar school *s* 1. *Br.* a) *hist.* La'teinschule *f*, b) höhere Schule, *etwa* Gym'nasium *n*. 2. *Am. Schulstufe zwischen Volksschule u. höherer Schule.*

gram·mat·i·cal [grə'mætikəl] *adj* (*adv* ~ly) 1. gram'matisch. 2. gram'matisch (richtig): not ~ grammatisch falsch. 3. *fig.* richtig.

gramme *bes. Br. für* gram².

gram| mol·e·cule, *a.* ˌ**~-mo'lec·u·lar weight** *s phys.* 'Grammoleˌkül *n*, 'Grammolekuˌlargewicht *n*, Mol *n*.

gram·o·phone ['græməˌfoun] *s* Grammo'phon *n*, Plattenspieler *m*. **~ pick-up** *s electr.* Tonabnehmer *m*. **~ record** *s* Schallplatte *f*.

gram·pus ['græmpəs] *s zo.* a) 'Rissosdelˌphin *m*, b) Schwertwal *m*: to blow like a ~ *fig.* wie ein Nilpferd schnaufen.

gran·a·ry ['grænəri] *s* Kornkammer *f* (*a. fig.*), Getreide-, Kornspeicher *m*: ~ weevil *zo.* Kornkäfer *m*.

grand [grænd] **I** *adj* (*adv* ~ly) 1. großartig, gewaltig, grandi'os, impo'sant, eindrucksvoll, prächtig. 2. (*geistig etc*) groß, grandi'os, über'ragend: the G~ Old Man *Beiname von Gladstone u. Churchill*. 3. erhaben, würdevoll, sub'lim: ~ style. 4. (*gesellschaftlich*) groß, hochstehend, vornehm, distin'guiert: ~ air Vornehmheit *f*, Würde *f*, *bes. iro.* Grandezza *f*; to do the ~ vornehm tun, den vornehmen Herrn spielen. 5. *colloq.* großartig, herrlich, glänzend, prächtig: what a ~ idea!; to have a ~ time sich glänzend amüsieren. 6. groß, bedeutend, wichtig. 7. groß: the G~ Army *hist.* die ‚Grande Armée', die ‚Große Armee' (*Napoleons I.*); the G~ Fleet *die im 1. Weltkrieg in der Nordsee operierende englische Flotte*. 8. Haupt...: ~ entrance Haupteingang *m*; ~ staircase Haupttreppe *f*; ~ question Hauptfrage *f*; ~ total Gesamt-, Endsumme *f*. 9. Groß...: ~ commander Großkomtur *m* (*e-s Ordens*); G~ Turk *hist.* Großtürke *m*. 10. *mus.* groß (*in Anlage, Besetzung etc*). **II** *s* 11. *mus.* Flügel *m*. 12. *Am. sl.* tausend Dollar *pl*. [*etc.*]

gran·dad, gran·dad·dy → granddad

gran·dam ['grændæm] *s* alte Dame, *bes.* Großmutter *f* (*a. zo.*).

'grand|'aunt *s* Großtante *f*. **'~ˌchild** *s irr* Enkel(in), Enkelkind *n*. **~·dad** ['grænˌdæd], **'~ˌdad·dy** [-di] *s* ‚Opa' *m*, 'Großpaˌpa *m*. **'~ˌdaugh·ter** *s* Enkelin *f*. ˌ**~'du·cal** *adj* großherzoglich. **~ duch·ess** *s* Großherzogin *f*. **~ duch·y** *s* Großherzogtum *n*. **~ duke** *s* 1. Großherzog *m*. 2. *hist.* (*russischer*) Großfürst.

gran·dee [græn'di:] *s* Grande *m*.

gran·deur ['grændʒər] *s* 1. Großartigkeit *f*. 2. Größe *f*, Erhabenheit *f*. 3. Vornehmheit *f*, Adel *m*, Hoheit *f*, Würde *f*. 4. Pracht *f*, Herrlichkeit *f*.

grand·fa·ther ['grændˌfɑ:ðər; 'grænˌf-] *s* Großvater *m*: ~('s) chair Großvaterstuhl *m*, Ohrensessel *m*; ~('s) clock Standuhr *f*. **'grandˌfa·ther·ly** *adj* großväterlich (*a. fig.*).

gran·dil·o·quence [græn'diləkwəns] *s* 1. (Rede)Schwulst *m*, Bom'bast *m*. 2. ˌGroßspreche'rei *f*. **gran'dil·o·quent** *adj* 1. schwülstig, hochtrabend, ‚geschwollen'. 2. großsprecherisch.

grand in·quest *s hist.* 1. → grand jury. 2. G~ I~ *Königliche Kommission, die 1085—86 das* Domesday Book *aufstellte*.

gran·di·ose ['grændiˌous] *adj* (*adv* ~ly) 1. großartig, grandi'os. 2. pom'pös, prunkvoll. 3. schwülstig, hochtrabend, bom'bastisch. ˌ**gran·di'os·i·ty** [-'ɒsiti] *s* 1. Großartigkeit *f*. 2. Pomp(haftigkeit *f*) *m*. 3. Schwülstigkeit *f*.

Gran·di·so·ni·an [ˌgrændi'souniən] *adj* ritterlich, großherzig.

grand| ju·ry [grænd] *s jur.* Anklagekammer *f* (*Geschworenenbank, die über die Eröffnung des Hauptverfahrens entscheidet; in Großbritannien seit 1933 abgeschafft*). **G~ La·ma** *s* Dalai-Lama *m*. **~ lar·ce·ny** *s jur.* schwerer Diebstahl. **~ lodge** *s* Großloge *f* (*der Freimaurer*). **~·ma** ['grænˌmɑ:; 'grænd-], **'~·mamˌma** *s* 'Großmaˌma *f*, ‚Oma' *f*. **G~ Mas·ter** *s* Großmeister *m* (*vieler Orden*). **'~ˌmoth·er** ['grænˌm-; 'grændˌm-] **I** *s* Großmutter *f*: → egg¹ 1. **II** *v/t* verhätscheln. **'~ˌmoth·er·ly** *adj* 1. großmütterlich (*a. fig.*). 2. *fig.* kleinlich. **G~ Muf·ti** [grænd] *s hist.* Großmufti *m* (*der Mohammedaner*). **G~ Na·tion·al** *s Pferdesport*: *das größte klassische Hindernisrennen des Jahres* (*im März in Aintree*). **'~ˌneph·ew** ['græn(d)ˌn-; *Am. a.* 'grænd'n-] *s* Großneffe *m*.

grand·ness ['grændnis] → grandeur.

'grand|ˌniece ['græn(d)ˌn-; *Am. a.* 'grænd'n-] *s* Großnichte *f*. **G~ Old Par·ty** [grænd], *meist* **G.O.P.** *s pol. Am.* (*Bezeichnung für die*) Republi'kanische Par'tei (*der USA*). **~ op·er·a** *s mus.* große Oper. **~·pa** ['grænˌpɑ:; 'grænd-], **'~·paˌpa** → granddad. **'~ˌpar·ent** *s* 1. Großvater *m od.* -mutter *f*. 2. *pl* Großeltern *pl*. **~ pi·an·o** [grænd] *s mus.* (Kon'zert)Flügel *m*. **'~ˌsir(e)** ['grænˌs-; 'grænd-] *s* 1. *obs.* a) Ahn *m*, b) Großvater *m* (*a. zo.*). 2. *e-e Form des* change ringing. **'~ˌson** *s* Enkel(sohn) *m*. **'~ˌstand** ['grænd-] *s sport* 'Haupttriˌbüne *f*: ~ finish packender Endkampf; ~ play *Am. colloq.* Effekthascherei *f*; to play to the ~ *Am. colloq.* sich in Szene setzen, nach Effekt haschen. **~ tour** *s hist.* Bildungs-, Kava'liersreise *f*. **'~'un·cle** *s* Großonkel *m*. **~ vi·zier** *s* 'Großweˌsir *m*.

grange [greindʒ] *s* **1.** Farm *f.* **2.** *hist.* a) Landsitz *m* (*e-s Edelmanns*), b) Gutshof *m.* **3.** a) G~ *die amer. Farmervereinigung* Patrons of Husbandry, b) *e-e Loge dieser Vereinigung.* **4.** *obs.* Scheune *f.* **'grang·er** *s* **1.** Farmer *m.* **2.** *Mitglied* (*e-r Loge*) *der* Grange (→ grange 3 a).

grang·er·ism ['greindʒəˌrizəm] *s* Über'laden *n* von Büchern mit Bildern. **'grang·erˌize** *v/t* **1.** *ein Buch* mit (aus anderen Büchern genommenen) Bildern über'laden. **2.** Bilder her'ausschneiden aus.

gra·nif·er·ous [grə'nifərəs] *adj bot.* Körner tragend. **gran·i·form** ['græniˌfɔːrm] *adj* kornartig, -förmig.

gran·ite ['grænit] **I** *s* **1.** *min.* Gra'nit *m* (*a. fig. Härte*): to bite on ~ auf Granit beißen. **2.** → graniteware. **II** *adj* **3.** Granit... **4.** *fig.* hart, eisern, unbeugsam. ~ **pa·per** *s* Gra'nitpaˌpier *n* (*meliert*). **G~ State** *s* (*Spitzname für*) New Hampshire *n.* **'~ˌware** *s tech.* **1.** weißes, gla'siertes Steingut. **2.** gesprenkelt email'liertes Geschirr.

gra·nit·ic [græ'nitik] *adj* **1.** gra'nitartig. **2.** → granite 3 *u.* 4.

gran·i·vore ['græniˌvɔːr] *s zo.* Körnerfresser *m.* **gra'niv·o·rous** [-'nivərəs] *adj* körnerfressend.

gran·nie → granny.

gran·nom ['grænəm] *s* **1.** *zo.* Köcherfliege *f.* **2.** *e-e Angelfliege.*

gran·ny ['græni] *s colloq.* **1.** ‚Oma' *f,* Großmutter *f* (*a. fig. alte Frau*). **2.** *a.* ~('s) knot *mar.* Alt'weiberknoten *m.* **3.** *Am.* Hebamme *f.*

gran·o·lith ['grænoliθ] *s tech.* Grano'lith *m* (*Art Beton*).

grant [*Br.* grɑːnt; *Am.* græ(ː)nt] **I** *v/t* **1.** bewilligen, gewähren (s.o. a credit *etc* j-m e-n Kredit *etc*): God ~ that gebe Gott, daß; it was not ~ed to her es war ihr nicht vergönnt. **2.** *e-e Erlaubnis etc* geben, erteilen. **3.** *e-e Bitte etc* erfüllen, (*a. jur. e-m Antrag, e-r Berufung etc*) stattgeben. **4.** *jur.* (*bes.* for'mell) über'tragen, -'eignen, verleihen, *ein Patent* erteilen. **5.** zugeben, zugestehen, einräumen: I ~ you that ich gebe zu, daß; to ~ s.th. to be true etwas als wahr anerkennen; ~ed that a) zugegeben, daß, b) angenommen, daß; to take for ~ed a) als erwiesen *od.* gegeben annehmen, b) als selbstverständlich betrachten *od.* hinnehmen. **II** *s* **6.** a) Bewilligung *f,* Gewährung *f,* b) bewilligte Sache, *bes.* Unter'stützung *f,* Zuschuß *m,* Subventi'on *f.* **7.** Sti'pendium *n,* (Ausbildungs-, Studien)Beihilfe *f.* **8.** *jur.* a) Verleihung *f* (*e-s Rechts*), Erteilung *f* (*e-s Patents etc*), b) (urkundliche) Über'tragung *od.* Über'eignung (to auf *acc*). **9.** *Am.* (*e-r Person od. Körperschaft*) zugewiesenes Land.

grant·a·ble [*Br.* 'grɑːntəbl; *Am.* 'græ(ː)nt-] *adj* **1.** (to) verleihbar (*dat*), über'tragbar (auf *acc*). **2.** zu bewilligen(d). **gran'tee** [-'tiː] *s* **1.** Begünstigte(r *m*) *f.* **2.** *jur.* a) Zessio'nar(in), Rechtsnachfolger(in), b) Konzessio'när(in), Privile'gierte(r *m*) *f.*

Granth [grʌnt] *s relig.* Granth *m* (*heilige Schrift der Sikhs*).

'grant-in-'aid *pl* **'grants-in-'aid** *s* Subventi'on *f,* Zuschuß *m,* Beihilfe *f.*

grant·or [*Br.* grɑːn'tɔː; *Am.* 'græ(ː)ntər] *s* **1.** Verleiher(in), Erteiler(in). **2.** *jur.* a) Ze'dent(in), Aussteller(in) e-r Über'eignungsurkunde, (Grundstücks)Verkäufer(in), b) Li'zenzgeber *m,* Verleiher *m* e-r Konzessi'on.

gran·u·lar ['grænjulər] *adj* **1.** gekörnt, körnig. **2.** granu'liert.

gran·u·late ['grænjuˌleit] **I** *v/t* **1.** körnen, granu'lieren. **2.** *Leder etc* rauhen. **II** *v/i* **3.** körnig werden. **4.** *med.* Granulati'onsgewebe bilden. **'gran·uˌlat·ed** *adj* **1.** gekörnt, körnig, granu'liert (*a. med.*): ~ **sugar** Kristall-, Streuzucker *m.* **2.** gerauht.

gran·u·la·tion [ˌgrænju'leiʃən] *s* **1.** *tech.* Körnen *n,* Granu'lieren *n.* **2.** Körnigkeit *f.* **3.** *med.* a) Granulati'on *f,* Wärzchenbildung *f,* b) *pl, a.* ~ **tissue** Granulati'onsgewebe *n.* **4.** *astr.* ('Sonnen)Granulatiˌon *f.* **'gran·uˌla·tor** [-tər] *s* Granu'lierappaˌrat *m,* Feinbrecher *m,* (Sand-, Grieß)Mühle *f.*

'gran·ule [-juːl] *s* Körnchen *n.* **'gran·uˌlite** [-ˌlait] *s min.* Granu'lit *m.*

ˌgran·u'lo·ma [-'loumə] *pl* **-ma·ta** [-mətə] *od.* **-mas** *s med.* Granu'lom *n.*

gran·u·lose[1] ['grænjuˌlous] *s chem.* Granu'lose *f.*

gran·u·lose[2] ['grænjuˌlous], **'gran·u·lous** [-ləs] → granular.

grape [greip] *s* **1.** Weintraube *f,* -beere *f:* the ~s are sour *fig.* die Trauben sind sauer; the (juice of the) ~ der Saft der Reben (*Wein*); → bunch 1. **2.** dunkles Blaurot (*Farbe*). **3.** *pl vet.* a) Mauke *f,* b) *colloq.* 'Rindertuberkuˌlose *f.* **4.** → grapeshot. ~ **bran·dy** *s* Traubenschnaps *m.* ~ **cure** *s med.* Traubenkur *f.* **'~ˌfruit** *s bot.* Grapefruit *f,* Pampel'muse *f.* ~ **house** *s* Weintreibhaus *n.* ~ **hy·a·cinth** *s bot.* 'Traubenhyaˌzinthe *f.* ~ **juice** *s* Traubensaft *m.* ~ **louse** *s irr* Reblaus *f.* ~ **pear** *s bot.* Ka'nadische Felsenbirne.

grap·er·y ['greipəri] *s* **1.** Weintreibhaus *n.* **2.** Weinberg *m,* -garten *m.*

grape| **scis·sors** *s pl* Traubenschere *f.* **'~ˌshot** *s mil.* Kar'tätsche *f,* Hagelgeschoß *n.* **'~ˌstone** *s* (Wein)Traubenkern *m.* ~ **sug·ar** *s* Traubenzucker *m.*

grape·vine ['greipˌvain] *bes. Am. u. Austral.* **I** *s* **1.** *bot.* Weinstock *m.* **2.** a) *colloq.* ‚Ente' *f,* Gerücht *n,* b) (*a.* 'unterirdisches) 'Nachrichtensyˌstem, ‚'Flüsterpaˌrolen' *pl.* **3.** *sport e-e Eiskunstlauffigur.*

graph [græ(ː)f; *Br. a.* grɑːf] *s* **1.** Dia'gramm *n,* Schaubild *n,* graphische Darstellung, Kurvenblatt *n,* -bild *n.* **2.** *bes. math.* Kurve *f:* ~ **paper** Millimeterpapier *n.* **3.** *colloq.* → hectograph I.

graph·ic ['græfik] **I** *adj* (*adv* ~ally) **1.** anschaulich *od.* le'bendig (geschildert *od.* schildernd), plastisch. **2.** graphisch, diagram'matisch, zeichnerisch: ~ **arts** → 5; ~ **artist** Graphiker(in); ~ **recorder** *tech.* Schaulinienzeichner *m* (*Instrument*); ~ **formula** *chem.* Konstruktionsformel *f.* **3.** Schrift..., Schreib...: ~ **accent** *ling.* a) Akzent(zeichen *n*), *m,* b) diakritisches Zeichen; ~ **symbol** Schriftzeichen *n.* **4.** *min.* Schrift...: ~ **granite.** **II** *s pl* (*als sg konstruiert*) **5.** Graphik *f,* graphische Kunst. **6.** technisches Zeichen. **7.** graphische Darstellung (*als Fach*). **'graph·i·cal** [-kəl] *adj* (*adv* ~ly) → graphic I: ~ **statics** → graphostatic.

graph·ite ['græfait] *s min.* Gra'phit *m,* Reißblei *n.* **gra·phit·ic** [grə'fitik] *adj* gra'phitisch, Graphit... **graph·i·tize** ['græfiˌtaiz] *v/t* **1.** in Gra'phit verwandeln. **2.** *tech.* mit Gra'phit über'ziehen.

graph·o·log·ic [ˌgræfə'lɒdʒik], **ˌgraph·o'log·i·cal** [-kəl] *adj* grapho'logisch. **graph·ol·o·gist** [græ'fɒlədʒist] *s* Grapho'loge *m.* **graph'ol·o·gy** *s* Grapholo'gie *f,* Handschriftendeutung *f.*

graph·om·e·ter [græ'fɒmitər] *s math. tech.* Grapho'meter *m,* Winkelmesser *m.* **graph·o·stat·ic** [ˌgræfo'stætik] *s math. phys.* Grapho'statik *f.* **'graph·oˌtype** [-ˌtaip] *s print.* Graphoty'pie *f.*

grap·nel ['græpnəl] *s* **1.** *mar.* a) Dregganker *m,* Dregge *f,* b) Enterhaken *m.* **2.** *arch. tech.* a) Anker(eisen *n*) *m,* b) Greifer *m,* Greifklaue *f,* -haken *m.*

grap·ple ['græpl] **I** *s* **1.** → grapnel 1b *u.* 2b. **2.** fester Griff. **3.** Handgemenge *n,* Ringen *n,* Kampf *m.* **II** *v/t* **4.** *mar.* a) entern, b) verankern. **5.** *arch. tech.* verankern, verklammern: to ~ to befestigen an (*dat*). **6.** packen, fassen. **7.** festhalten an (*dat*). **8.** handgemein werden mit. **III** *v/i* **9.** e-n (Enter)Haken *od.* Greifer *etc* gebrauchen. **10.** handgemein werden, raufen, ringen, kämpfen (*a. fig.*): to ~ **with s.th.** *fig.* e-r Sache zu Leibe gehen, etwas anpacken *od.* in Angriff nehmen.

grap·pling ['græpliŋ], ~ **hook,** ~ **i·ron** → grapnel.

grasp [*Br.* grɑːsp; *Am.* græ(ː)sp] **I** *v/t* **1.** packen, fassen, (er)greifen: → nettle 1. **2.** an sich reißen. **3.** *fig.* verstehen, begreifen, (er)fassen. **II** *v/i* **4.** (fest) zugreifen *od.* zupacken. **5.** greifen (at nach) (*a. fig.*): → shadow 5, straw 1. **6.** *fig.* streben, trachten (at nach). **III** *s* **7.** Griff *m.* **8.** a) Reichweite *f,* b) *fig.* Macht *f,* Gewalt *f,* Zugriff *m:* within one's ~ in Reichweite; within the ~ of in der Gewalt (von *od. gen*). **9.** Auffassungsgabe *f,* Fassungskraft *f,* Verständnis *n:* it is beyond his ~ es geht über s-n Verstand; it is within his ~ das kann er begreifen; to have a good ~ of a subject ein Fach gut beherrschen. **'grasp·ing** *adj* (*adv* ~ly) *fig.* habgierig.

grass [*Br.* grɑːs; *Am.* græ(ː)s] **I** *v/t* **1.** mit Gras besäen, mit Rasen bedecken. **2.** *Vieh* weiden *od.* grasen lassen, weiden. **3.** *Wäsche etc* auf dem Rasen bleichen. **4.** *sport den Gegner* niederstrecken. **5.** *hunt. e-n Vogel* abschießen. **6.** *e-n Fisch* an Land ziehen. **II** *s* **7.** *bot.* Gras *n.* **8.** *pl* Gras(halme *pl*) *n.* **9.** Gras(land) *n,* Weide(land *n*) *f.* **10.** Gras *n,* Rasen *m,* Wiese *f.* **11.** *Bergbau:* Erdoberfläche *f* (*oberhalb e-r Grube*). **12.** *collect. sl.* Spargel *pl.*

Besondere Redewendungen:

to be (out) at ~ a) auf der Weide sein, weiden, grasen (*Vieh*), b) *fig.* Ferien machen, zurückgezogen leben; to go to ~ a) auf die Weide gehen (*Vieh*), b) *fig.* sich von der Arbeit zurückziehen, in die Ferien gehen; to hear the ~ grow *fig.* das Gras wachsen hören; not to let ~ grow under one's feet nicht lange fackeln, keine Zeit verschwenden, frisch ans Werk gehen; to put (*od.* turn out, send) to ~ a) *Vieh* auf die Weide treiben, b) *fig. j-n* entlassen, ‚abschieben'; keep off the ~! Betreten des Rasens verboten!

'grass|**-ˌblade** *s* Grashalm *m.* ~ **cloth** *s* Grasleinen *n,* Nesseltuch *n.* ~ **court** *s Tennis:* Rasenplatz *m.* **'~-'green** *adj* grasgrün. ~ **green** *s* Grasgrün *n* (*Farbe*). **'~-ˌgrown** *adj* mit Gras bewachsen.

grass·hop·per [*Br.* 'grɑːsˌhɒpər; *Am.* 'græ(ː)-] *s* **1.** *zo.* (Feld)Heuschrecke *f,* Grashüpfer *m.* **2.** *aer. mil.* Leichtflugzeug *n.* **3.** *a.* ~ **beam** *tech.* einseitig *od.* endseitig gelagerter Hebel.

'grass|**ˌland** *s agr.* Wiese *f,* Weide(land *n*) *f,* Grasland *n.* **'~-of-Par'nas·sus** *s bot.* Herzblatt *n.* ~ **par·a·keet** *s orn.* (*ein*) Grassittich *m.* **'~ˌplot,** *a.* **'~ˌplat**

s Rasenplatz *m.* ~ **roots** *s pl* **1.** Graswurzeln *pl.* **2.** *fig.* a) Wurzel *f*, b) Basis *f*: at the ~ an der Wurzel; down to the ~ bis zur Wurzel. **3.** *pol. Am.* a) landwirtschaftliche *od.* ländliche Bezirke *pl*, b) Landbevölkerung *f.* '~-,**roots** *adj pol. Am.* **1.** landwirtschaftlich, ländlich, provinzi'ell. **2.** eingewurzelt, bodenständig: ~ democracy. ~ **snake** *s zo.* **1.** Ringelnatter *f.* **2.** *e-e nordamer. grüne Natter.* ~ **wid·ow** *s* Strohwitwe *f.* ~ **wid·ow·er** *s* Strohwitwer *m.*

grass·y [*Br.* 'grɑːsi; *Am.* 'græ(ː)si] *adj* **1.** grasbedeckt, grasig, Gras... **2.** grasartig.

grate[1] [greit] **I** *v/t* **1.** (zer)reiben, (zer)mahlen. **2.** knirschen mit: to ~ the teeth. **3.** knirschend reiben (on auf *dat*; against gegen). **4.** *fig.* krächzen(d sagen). **II** *v/i* **5.** knirschen, kratzen, knarren. **6.** *fig.* (on, upon) verletzen (*acc*), zu'wider sein, weh tun (*dat*): to ~ on the ear dem Ohr weh tun; to ~ on one's nerves an den Nerven zerren.

grate[2] [greit] **I** *s* **1.** Gitter *n.* **2.** (Feuer)Rost *m.* **3.** Ka'min *m.* **4.** *tech.* (Kessel)Rost *m*, Rätter *m.* **5.** *Wasserbau*: Fangrechen *m.* **II** *v/t* **6.** vergittern. **7.** mit e-m Rost versehen.

grate·ful ['greitfəl; -ful] *adj* (*adv* ~ly) **1.** dankbar (to s.o. for s.th. j-m für etwas); a ~ letter ein Dankbrief. **2.** angenehm, will'kommen, zusagend (to s.o. j-m), wohltuend. '**grate·ful·ness** *s* **1.** Dankbarkeit *f.* **2.** Annehmlichkeit *f.*

grat·er ['greitər] *s* Reibe *f*, Reibeisen *n*, Raspel *f.*

gra·tic·u·la·tion [grə,tikju'leiʃən] *s tech.* Netz *n* (*zur Vergrößerung etc*).

grat·i·cule ['græti,kjuːl] *s tech.* **1.** mit e-m Netz versehene Zeichnung. **2.** Fadenkreuz *n.* **3.** (Grad)Netz *n*, Gitter *n*, Koordi'natensy,stem *n.*

grat·i·fi·ca·tion [,grætifi'keiʃən] *s* **1.** Befriedigung *f*: a) Zu'friedenstellung *f*, b) Genugtuung *f* (at über *acc*). **2.** Freude *f*, Vergnügen *n*, Genuß *m.* **3.** Gratifikati'on *f*, Belohnung *f.*

'**grat·i,fy** [-,fai] *v/t* **1.** *j-n od. e-n Trieb etc* befriedigen: to ~ one's thirst for knowledge s-n Wissensdurst stillen. **2.** erfreuen: to be gratified (at, with) sich freuen (über *acc*); I am gratified to hear ich höre mit Genugtuung *od.* Befriedigung. **3.** *j-m* entgegenkommen *od.* gefällig sein. **4.** *Br.* a) be-, entlohnen, b) *j-m* ein (Geld)Geschenk machen, c) *j-n* bestechen. '**grat·i,fy·ing** *adj* (*adv* ~ly) erfreulich, befriedigend (to für).

gra·tin [gra'tɛ̃] (*Fr.*) *s* **1.** Gra'tin *m*, Bratkruste *f*: au ~ überbacken, -krustet. **2.** grati'nierte Speise.

grat·ing[1] ['greitiŋ] *adj* (*adv* ~ly) **1.** kratzend, knirschend. **2.** rauh, 'mißtönend, heiser. **3.** unangenehm.

grat·ing[2] ['greitiŋ] *s* **1.** Vergitterung *f*, Gitter(werk) *n.* **2.** (Balken-, Lauf)Rost *m.* **3.** *mar.* Gräting *f.* **4.** *phys.* (Beugungs)Gitter *n*: ~ spectrum Gitterspektrum *n.*

gra·tis ['greitis; 'grætis] **I** *adv* gratis, um'sonst, unentgeltlich. **II** *adj* unentgeltlich, frei, Gratis...

grat·i·tude ['græti,tjuːd] *s* Dankbarkeit *f*: in ~ for aus Dankbarkeit für.

gra·tu·i·tant [grə'tjuːitənt] *s* Empfänger(in) e-r Zuwendung.

gra·tu·i·tous [grə'tjuːitəs] *adj* (*adv* ~ly) **1.** unentgeltlich, frei, gratis. **2.** freiwillig, unaufgefordert, unverlangt. **3.** grundlos, unbegründet, unberechtigt: a ~ suspicion. **4.** unverdient: a ~ insult. **5.** *jur.* ohne Gegenleistung. **gra'tu·i·tous·ness** *s* **1.** Unentgeltlichkeit *f.* **2.** Freiwilligkeit *f.* **3.** Grundlosigkeit *f.* **gra'tu·i·ty** *s* **1.** (*kleines*) (Geld)Geschenk, Zuwendung *f*, Sondervergütung *f*, Gratifikati'on *f.* **2.** Trinkgeld *n.*

grat·u·late [*Br.* 'grætju,leit; *Am.* -tʃə-] *obs.* **I** *v/t* → congratulate. **II** *v/i* Freude zeigen. '**grat·u,la·to·ry** *adj Br.* glückwünschend, Glückwunsch...

gra·va·men [grə'veimən] *pl* **-min·a** [-minə], **-mens** *s* **1.** *jur.* a) Beschwerde(grund *m*) *f*, b) (*das*) Belastende (*e-r Anklage*). **2.** *bes. relig.* Beschwerde *f.*

grave[1] [greiv] *s* **1.** Grab *n*, Begräbnisstätte *f*, Gruft *f*: to turn in one's ~ sich im Grabe umdrehen; to have one foot in the ~ mit e-m Fuß *od.* Bein im Grabe stehen; s.o. is walking on my ~ mich überläuft (*unerklärlicherweise*) e-e Gänsehaut; as secret as the ~ verschwiegen wie das Grab; ~ of reputations *fig.* Lasterhöhle *f*, Sündenpfuhl *m.* **2.** Grabmal *n*, -hügel *m.* **3.** *fig.* Grab *n*, Tod *m.*

grave[2] [greiv] *pp* '**grav·en, graved** *v/t* **1.** (ein)schnitzen, (-)schneiden, (-)meißeln. **2.** *fig.* eingraben, -prägen (s.th. on *od.* in s.o.'s mind j-m etwas ins Gedächtnis).

grave[3] [greiv] **I** *adj* (*adv* ~ly) **1.** ernst: a) feierlich, b) bedenklich: ~ voice (crisis, risk, *etc*), c) gesetzt, würdevoll, d) schwer, tief: ~ thoughts. **2.** gewichtig, schwer(wiegend). **3.** dunkel, gedämpft (*Farbe*). **4.** *ling.* tieftonig, fallend: ~ accent → 6. **5.** *mus.* tief (*Ton*). **II** *s* **6.** *ling.* Gravis *m*, fallender Ak'zent.

grave[4] [greiv] *v/t mar. den Schiffsboden* reinigen u. teeren.

'**grave|,clothes** *s pl* Totengewand *n.* '~,**dig·ger** *s* Totengräber *m* (*a. zo.*).

grav·el ['grævəl] **I** *s* **1.** Kies *m*: concrete ~ Betonkies; ~ pit Kiesgrube *f.* **2.** *geol.* a) Kies *m*, Geröll *n*, b) (*bes. goldhaltige*) Kieselschicht. **3.** *med.* Harngrieß *m.* **II** *v/t* **4.** mit Kies bestreuen, *Straße* beschottern. **5.** *fig.* verblüffen, verwirren. '~-,**blind** *adj med.* sehr schwachsichtig.

grav·el·ly ['grævəli] *adj* **1.** kiesig. **2.** *med.* grießig, Grieß...

grav·en ['greivən] **I** *pp* von grave[2]. **II** *adj* geschnitzt, gra'viert: ~ image Götzenbild *n.*

grav·er ['greivər] *s* (Grab)Stichel *m.*

Graves' dis·ease [greivz] *s med.* Basedowsche Krankheit.

'**grave|,stone** *s* Grabstein *m.* '~,**yard** *s* Fried-, Kirchhof *m*: ~ **shift** *Am. sl.* zweite Nachtschicht.

grav·id ['grævid] *adj* a) schwanger, b) *zo.* trächtig. **gra·vid·i·ty** [grə'viditi] *s* Schwangerschaft *f*, Trächtigkeit *f.*

gra·vim·e·ter [grə'vimitər] *s phys.* Dichte- *od.* Schweremesser *m.*

grav·i·met·ric [,grævi'metrik], *a.* ,**grav·i'met·ri·cal** [-kəl] *adj phys.* gravi'metrisch, Gewichts(messungs)...

grav·ing| dock ['greiviŋ] *s mar.* Trokkendock *n.* ~ **tool** *s tech.* (Grab)Stichel *m.*

grav·i·tate ['grævi,teit] **I** *v/i* **1.** (durch Schwerkraft) sich fortbewegen, durch die eigene Schwere fließen *etc.* **2.** *a. fig.* gravi'tieren, ('hin)streben (toward[s] zu, auf *acc*). **3.** sinken, fallen. **4.** *fig.* (to, toward[s]) angezogen werden (von), sich 'hingezogen fühlen, ('hin)neigen, ten'dieren (zu). **II** *v/t* **5.** gravi'tieren lassen. **6.** *Diamantwäscherei*: *den Sand* schütteln (, so daß die schwereren Teile zu Boden sinken). ,**grav·i'ta·tion** *s* **1.** *phys.* Gravitati'on *f*: a) Schwerkraft *f*, b) Gravi'tieren *n.* **2.** *fig.* Neigung *f*, Hang *m*, Ten'denz *f.* ,**grav·i'ta·tion·al** *adj phys.* Gravitations...: ~ constant Gravitationskonstante *f*; ~ field Gravitations-, Schwerefeld *n*; ~ force Schwerkraft *f*; ~ pull Anziehungskraft *f.* '**grav·i,ta·tive** *adj* **1.** *phys.* Gravitations... **2.** gravi'tierend.

grav·i·ty ['græviti] **I** *s* **1.** Ernst *m*: a) Ernsthaftigkeit *f*, b) Feierlichkeit *f*, c) Bedenklichkeit *f*, Bedrohlichkeit *f*, Schwere *f*: the ~ of the situation. **2.** *mus.* Tiefe *f* (*Ton*). **3.** *phys.* a) Gravitati'on *f*, Schwerkraft *f*, b) (Erd)Schwere *f*: centre (*Am.* center) of ~ Schwerpunkt *m*; force of ~ Schwerkraft *f*; → specific gravity. **II** *adj* **4.** nach dem Gesetz der Schwerkraft arbeitend: ~ drive *tech.* Schwerkraftantrieb *m*; ~ feed Gefällezuführung *f*; ~-operated durch Schwerkraft betrieben, Schwerkraft...

gra·vure [grə'vjur; 'greivjər] → photogravure.

gra·vy ['greivi] *s* **1.** Braten-, Fleischsaft *m.* **2.** (Fleisch-, Braten)Soße *f.* **3.** *Am. sl.* a) ‚dufte Masche', ‚schlaue Tour', lukra'tive Sache, b) unverhoffter Gewinn, c) Schiebung(sgelder *pl*) *f.* ~ **beef** *s* Saftbraten *m*, -fleisch *n.* ~ **boat** *s* **1.** Sauci'ere *f*, Soßenschüssel *f.* **2.** → gravy train. ~ **train** *s Am. sl.* a) → gravy 3a, b) ‚schlauer Posten', ‚ruhige Sache', c) *pol.* Futterkrippe *f.*

gray, *bes. Br.* **grey** [grei] **I** *adj* (*adv* ~ly) **1.** grau: → mare[1]. **2.** trübe, düster, grau: a ~ day; ~ prospects *fig.* trübe Aussichten. **3.** *tech.* neu'tral, farblos, na'turfarben: ~ cloth ungebleichter Baumwollstoff. **4.** grau(haarig), ergraut. **5.** *fig.* a) alt, erfahren, b) altersgrau. **6.** *econ.* grau, halb le'gal: the ~ market der graue Markt. **II** *s* **7.** Grau *n*, graue Farbe: dressed in ~ in Grau gekleidet. **8.** Grauschimmel *m.* **9.** the (Scots) G~s das 2. (schottische) Dragonerregiment. **10.** Na'turfarbigkeit *f* (*Stoff*): in the ~ ungebleicht. **III** *v/t* **11.** grau machen. **12.** *phot.* mat'tieren. **IV** *v/i* **13.** grau werden, ergrauen: ~ing angegraut (*Haare*).

'**gray|,back** *s* **1.** *zo.* a) → gray whale, b) Knutt *m.* **2.** *Am. colloq.* ‚Graurock' *m* (*Soldat der Südstaaten im Bürgerkrieg*). '~,**beard** *s* **1.** Graubart *m*, alter Mann. **2.** irdener Krug. **3.** *bot.* → clematis. ~ **bod·y** *s phys.* Graustrahler *m.* '~,**coat** *s* → grayback 2. ~ **co·balt** *s min.* Speiskobalt *m.* ~ **crow** *s orn.* Nebelkrähe *f.* ~ **drake** *s zo. Br.* Gemeine Eintagsfliege. '~,**fish** *s ichth.* (*ein*) Haifisch *m*, *bes.* a) Gemeiner Dornhai, b) Marderhai *m*, c) Hundshai *m.* ~ **fox** *s zo.* Grau-, Grisfuchs *m.* **G~ Fri·ar** *s relig.* Franzis'kaner(mönch) *m.* ~ **goose** *s irr* → graylag. '~-,**head·ed** **1.** grauköpfig, -haarig. **2.** *fig.* altgedient, -erfahren (in in *dat*). ~ **hen** *s orn.* Birk-, Haselhuhn *n.* '~,**hound** → greyhound.

gray·ish, *bes. Br.* **grey·ish** ['greiiʃ] *adj* graulich, Grau...

'**gray,lag,** *bes. Br.* '**grey,lag** *s orn.* Grau-, Wildgans *f.*

gray·ling ['greiliŋ] *s* **1.** *ichth.* Äsche *f.* **2.** (*ein*) Augenfalter *m.*

gray| man·ga·nese ore → manganite 1. ~ **mat·ter** *s* **1.** *anat.* graue Sub'stanz (*im Zentralnervensystem*). **2.** *colloq.* Verstand *m*, ‚Grütze' *f*, ‚Grips' *m.* **G~ Monk** *s* Zisterzi'enser(mönch) *m.* ~ **mul·let** *s ichth.* Meeräsche *f.*

gray·ness, *bes. Br.* **grey·ness** ['greinis] *s* Grau *n*: a) graue Farbe, b) trübes Licht, c) *fig.* Trübheit *f*, Düsterkeit *f*.
gray| owl *s orn.* Waldkauz *m.* ~ **par·rot** *s orn.* 'Graupapa,gei *m.* [Court.]
Gray's Inn [greiz] *s e-s der* Inns of
gray| squir·rel *s zo.* Grauhörnchen *n.* ~ **stone** *s geol.* Graustein *m.* '~,**wacke** *s geol.* Grauwacke *f.* ~ **whale** *s zo.* Grauwal *m.*
graze[1] [greiz] **I** *v/t* **1.** *Vieh* weiden (lassen). **2.** *oft* ~ down *Gras etc* fressen (*Vieh*). **3.** abweiden, abgrasen. **II** *v/i* **4.** weiden, grasen (*Vieh*).
graze[2] [greiz] **I** *v/t* **1.** streifen: a) leicht berühren, b) schrammen. **2.** *med.* (ab)schürfen. **II** *v/i* **3.** streifen. **III** *s* **4.** Streifen *n*, flüchtige Berührung. **5.** *med.* Abschürfung *f*, Schramme *f*. **6.** *mil.* a) *a.* grazing shot Streifschuß *m*, b) 'Aufschlagdetonati,on *f*: ~ fuse empfindlicher Aufschlagzünder.
gra·zier ['greiʒər; *Br. a.* -ziə] *s* Viehzüchter *m.* [2. Weide(land *n*) *f*.]
graz·ing ['greiziŋ] *s* **1.** Weiden *n.*
grease I *s* [gri:s] **1.** (*zerlassenes*) Fett, Schmalz *n*. **2.** *tech.* Schmiermittel *n*, -fett *n*, Schmiere *f*. **3.** a) *a.* ~ wool, wool in the ~ Schmutz-, Schweißwolle *f*, b) Wollfett *n*. **4.** *vet.* → grease-heels. **5.** *hunt.* Feist *n*: in ~, in pride (*od.* prime) of ~ feist, fett (*Wild*). **II** *v/t* [gri:s; gri:z] **6.** *tech.* (ein)fetten, (ab)schmieren, ölen: like ~d lightning *sl.* wie ein geölter Blitz. **7.** *a.* ~ the palm of *j-n* ‚schmieren' (*bestechen*). **8.** beschmieren. **9.** *vet.* *Pferd* mit Schmutzmauke infi'zieren. ~ **box,** ~ **cup** *s tech.* Schmierbüchse *f*. ~ **gun** *s tech.* Druckschmier-, Fettpresse *f*. '~-,**heels** *s vet.* Schmutz-, Flechtenmauke *f* (*der Pferde*). ~ **mon·key** *s Am. sl.* ‚Schmiermax' *m*, ('Auto-, 'Flugzeug)Me,chaniker *m.* ~ **paint** *s thea.* (Fett)Schminke *f*. '~-'**proof** *adj* fettabstoßend.
greas·er ['gri:sər; -zər] *s* **1.** Schmierer *m*. **2.** *tech.* Schmiervorrichtung *f*. **3.** *mar.* Schmierer *m* (*Dienstgrad*). **4.** *Am. contp.* Mexi'kaner *m.*
greas·i·ness ['gri:sinis; -zi-] *s* **1.** Schmierigkeit *f*. **2.** Fettigkeit *f*, Öligkeit *f*. **3.** Glitschigkeit *f*, Schlüpfrigkeit *f*. **4.** *fig.* Aalglätte *f*.
greas·y ['gri:si; -zi] *adj* (*adv* greasily) **1.** schmierig, beschmiert. **2.** fett(ig), ölig: ~ stain Fettfleck *m*. **3.** glitschig, schlüpfrig. **4.** ungewaschen (*Wolle*): ~ wool → grease 3a. **5.** *fig.* a) ölig, schmierig, b) aalglatt.
great [greit] **I** *adj* (*adv* → greatly) **1.** groß, beträchtlich (*a. Anzahl*): of ~ popularity sehr beliebt; a ~ many sehr viele, e-e große Anzahl; the ~ majority die große *od.* überwiegende Mehrheit; in ~ detail in allen Einzelheiten. **2.** lang (*Zeit*): a ~ while ago. **3.** hoch (*Alter*): to live to a ~ age ein hohes Alter erreichen. **4.** groß: what a ~ wasp! was für e-e große Wespe!; a ~ big lump *colloq.* ein Mordsklumpen. **5.** groß (*Buchstabe*): a ~ Z. **6.** groß, Groß...: G~ Britain Großbritannien *n*: Greater London Groß-London *n*. **7.** groß, bedeutend, wichtig: ~ problems. **8.** groß, wichtigst(er, e, es), Haupt...: the ~ attraction die Hauptattraktion. **9.** (geistig) groß, über'ragend, berühmt, bedeutend: a ~ poet ein großer Dichter; a ~ city e-e bedeutende Stadt; the G~ Duke *Beiname des Herzogs von Wellington* (*1769—1852*); the G~ Elector der Große Kurfürst; Frederick the G~ Friedrich der Große. **10.** (gesellschaftlich) hoch(stehend), groß: the ~ world die vornehme Welt; a ~ family e-e vornehme *od.* berühmte Familie. **11.** groß, erhaben: ~ thoughts. **12.** groß, beliebt, oft gebraucht: it is a ~ word with modern artists es ist ein Schlagwort der modernen Künstler. **13.** groß (*in hohem Maße*): a ~ friend of mine ein guter *od.* enger Freund von mir; a ~ landowner ein Großgrundbesitzer. **14.** ausgezeichnet, großartig, wertvoll: a ~ opportunity e-e vorzügliche Gelegenheit; it is a ~ thing to be healthy es ist sehr viel wert, gesund zu sein. **15.** (*nur pred*) *colloq.* a) gut, sehr geschickt (at, in in *dat*): he is ~ at chess er spielt sehr gut Schach, er ist ein großer Schachspieler ‚vor dem Herrn', b) interes'siert *od.* bewandert (on in *dat*). **16.** *colloq.* eifrig, begeistert: a ~ reader. **17.** *colloq.* großartig, herrlich, wunderbar, fa'mos: we had a ~ time wir amüsierten uns großartig; wouldn't that be ~? wäre das nicht herrlich? **18.** (*in Verwandtschaftsbezeichnungen*) a) Groß..., b) (*vor* grand...) Ur...
II *s* **19.** the ~ die Großen *pl*, die Promi'nenten *pl*. **20.** ~ and small groß u. klein, die Großen u. die Kleinen. **21.** (*das*) Große. **22.** *pl univ.* a) 'Schlußex,amen *n* für den Grad des B. A. (*in Oxford*), b) → great go.
III *adv* **23.** *colloq.* gut, tadellos, ‚bestens'.
great| al·ba·core → tuna. ~ **as·size** *s relig.* Jüngstes Gericht. ~ **auk** *s orn.* Riesenalk *m*. '~-'**aunt** *s* Großtante *f*. **G~ Bear** *s astr.* Großer Bär. **G~ Bi·ble** *s* Coverdales 'Bibelüber,setzung *f*. **G~ Brit·ain** *s* Großbri'tannien *n*. ~ **cal·o·rie** *s phys.* große Kalo'rie, 'Kilokalo,rie *f*. **G~ Char·ter** → Magna Charta. ~ **cir·cle** *s math.* Großkreis *m* (*e-r Kugel*). '~-,**cir·cle sail·ing** *s mar.* Großkreissegelung *f*. '~,**coat** *s* (Herren)Mantel *m*. ~ **Dane** → Dane 2. **G~ Di·vide** *s* **1.** *geogr.* Hauptwasserscheide *f* (*bes. die Rocky Mountains*). **2.** *fig.* Krise *f*, entscheidende Phase. **3.** *fig.* Tod *m*: across the ~ im *od.* ins Jenseits. **G~ Dog** *s astr.* Großer Hund (*Sternbild*).
great·en ['greitn] *v/t u. v/i obs.* größer machen *od.* werden.
great| go *s Br. sl.* 'Haupt-, 'Schlußex,amen *n* (*für den Grad des* B. A. *in Cambridge*). ,~-'**grand,child** *s irr* Urenkel(in). ,~-'**grand,daugh·ter** *s* Urenkelin *f*. ,~-'**grand,fa·ther** *s* Urgroßvater *m*. ,~-'**grand,moth·er** *s* Urgroßmutter *f*. ,~-'**grand,par·ents** *s pl* Urgroßeltern *pl*. ,~-'**grand,son** *s* Urenkel *m*. '~-'~-'**grand,fa·ther** *s* Ururgroßvater *m*. ~ **gross** *s* zwölf Gros *pl*. '~,**heart·ed** *adj* **1.** beherzt, furchtlos. **2.** edelmütig, hochherzig.
great·ly ['greitli] *adv* **1.** sehr, höchst, überaus, außerordentlich, ‚mächtig'. **2.** weitaus, bei weitem.
Great| Mo·gul *s* Großmogul *m*. **g~ mo·rel** → belladonna 1. '**g~-'neph·ew** *s* Großneffe *m*.
great·ness ['greitnis] *s* **1.** (geistige) Größe, Erhabenheit *f*: ~ of mind Großmütigkeit *f*. **2.** Größe *f*, Bedeutung *f*, Rang *m*, Macht *f*. **3.** (gesellschaftlich) hoher Rang. **4.** Ausmaß *n*.
'**great|-'niece** *s* Großnichte *f*. ~ **north·ern div·er** *s orn.* Eistaucher *m*. ~ **or·gan** *s mus.* erstes 'Hauptmanu,al. **G~ Plains** *s pl Am. Präriegebiete im Westen der USA.* **G~ Pow·ers** *s pl pol.* Großmächte *pl*. **G~ Re·bel·lion** *s hist.* **1.** *Am.* Auflehnung *f* der Südstaaten im Bürgerkrieg. **2.** *Br. der Kampf des Parlaments gegen Karl I.* (*1642—49*). **G~ Rus·sian** *s* Großrusse *m*, -russin *f*. ~ **seal** *s* **1.** Großsiegel *n*. **2.** G~ S~ *Br.* a) Großsiegelbewahrer *m*, b) Amt *n* des Großsiegelbewahrers. ~ **tit·mouse** *s irr orn.* Kohlmeise *f*. '~-'**un·cle** *s* Großonkel *m*. **G~ Wall (of Chi·na)** *s* chi'nesische Mauer. **G~ War** *s* (*der Erste*) Weltkrieg. **G~ Week** *s relig.* Karwoche *f*. **G~ White Way** *s Am.* New Yorker The'aterviertel *n* (*am Broadway*).
greave [gri:v] *s hist.* Beinschiene *f*.
greaves [gri:vz] *s pl* Grieben *pl*.
grebe [gri:b] *s orn.* (See)Taucher *m*.
Gre·cian ['gri:ʃən] **I** *adj* **1.** (*bes.* klassisch) griechisch: ~ architecture; ~ nose; ~ gift → Greek gift. **II** *s* **2.** Grieche *m*, Griechin *f*. **3.** Helle'nist *m*, Grä'zist *m*. **4.** Schüler *m* der obersten Klasse (*in Christ's Hospital, London*). [Graecism *etc.*]
Gre·cism, Gre·cize, Greco- →
gree[1] [gri:] *s obs.* Gunst *f*.
gree[2] [gri:] *obs. für* agree.
gree[3] [gri:] *s* **1.** *Scot.* a) Über'legenheit *f*, b) Preis *m*. **2.** *obs.* Grad *m*.
greed [gri:d] *s* **1.** Gier *f* (of nach). **2.** Habgier *f*, -sucht *f*. '**greed·i·ness** *s* **1.** → greed 1 *u.* 2. **2.** Gierigkeit *f*, Gefräßigkeit *f*. '**greed·y** *adj* (*adv* greedily) **1.** gierig: a) gefräßig, unbescheiden, b) habsüchtig, -gierig. **2.** (of) (be)gierig (auf *acc*), lechzend *od.* dürstend *od.* lüstern (nach).
Greek [gri:k] **I** *s* **1.** Grieche *m*, Griechin *f*: when ~ meets ~ *fig.* wenn zwei Ebenbürtige sich miteinander messen. **2.** *ling.* Griechisch *n*, das Griechische: that's ~ to me *fig.* das sind mir böhmische Dörfer, das ist alles wie Chinesisch für mich. **3.** *relig.* → Greek Catholic I. **4.** g~ *sl.* a) Spitzbube *m*, b) Kum'pan *m*. **5.** *univ. Am. sl.* Mitglied *n* e-r greek-letter society. **II** *adj* **6.** griechisch: ~ cross; → calends. **7.** *relig.* → Greek Catholic II. ~ **Cath·o·lic** *relig.* **I** *s* **1.** ,Griechisch-Ka'tholische(r *m*) *f*. **2.** ,Griechisch-Ortho'doxe(r *m*) *f*. **II** *adj* **3.** ,griechisch-ka'tholisch. **4.** ,griechisch-ortho'dox. ~ **Church** *s relig.* ,Griechisch-ka'tholische *od.* -ortho'doxe Kirche. ~ **Fa·thers** *s pl relig* griechische Kirchenväter *pl*. ~ **fire** *s mil. hist.* griechisches Feuer, Seefeuer *n*. ~ **fret** *s* Mä'ander *m* (*Ornament*). ~ **gift** *s fig.* Danaergeschenk *n*. '~-'**let·ter** *adj univ. Am. e-e der mit griechischen Buchstaben bezeichneten Studentenverbindungen betreffend*: ~ society (fraternity, sorority). ~ **Or·tho·dox Church** → Greek Church.
green [gri:n] **I** *adj* (*adv* ~ly) **1.** grün: a) von grüner Farbe, b) grünend: ~ trees, c) grün bewachsen: ~ fields, d) schneefrei: a ~ Christmas, e) unreif: ~ apples. **2.** grün (*Gemüse*): ~ food → 15. **3.** frisch: a) neu: a ~ wound, b) le'bendig: ~ memories. **4.** *fig.* grün, unerfahren, unreif, na'iv: a ~ youth; ~ in years jung an Jahren. **5.** jugendfrisch, rüstig: ~ old age rüstiges Alter. **6.** grün, bleich: ~ (with envy) blaß *od.* gelb (vor Neid); ~ with fear schreckensbleich. **7.** roh, frisch, Frisch...: ~ meat. **8.** grün, frisch: a) ungetrocknet: ~ wood, b) ungeräuchert: ~ fish, c) ungebrannt: ~ coffee. **9.** neu: ~ wine. **10.** *tech.* nicht fertig verarbeitet: ~ ceramics ungebrannte Töpferwaren; ~ clay grüner *od.* feuchter Ton; ~ hide ungegerbtes Fell; ~ metal powder grünes (nicht

gesintertes) Pulvermetall; ~ ore Roherz *n.* **11.** *tech.* fa'brikneu: ~ assembly Erstmontage *f*; ~ gears nicht eingelaufenes Getriebe; ~ run Einfahren *n*, erster Lauf (*e-r Maschine etc*).

II *s* **12.** Grün *n*, grüne Farbe: do you see any ~ in my eye? *colloq.* hältst du mich für so dumm? **13.** Grünfläche *f*, Rasen(platz) *m*, Wiese *f*: village ~ Dorfanger *m.* **14.** *pl* Grün *n*, grünes Laub. **15.** grünes Gemüse, Blattgemüse *n.* **16.** Golfplatz *m.* **17.** *fig.* (Jugend)Frische *f*, Lebenskraft *f*: in the ~ in voller Frische.

III *v/t* **18.** grün machen *od.* färben. **19.** *sl.* *j-n* ,her'einlegen'.

IV *v/i* **20.** grün werden, grünen: to ~ out ausschlagen.

green| al·gae *s pl bot.* Grünalgen *pl.* '~,**back** *s* **1.** Banknote *f*, 'Staatspa,piergeld *n* (*der USA*). **2.** grünes Tier, *bes.* Laubfrosch *m.* '**G~,back par·ty** *s hist.* Greenback-Bewegung *f* (*erreichte 1879 die Gleichstellung der* greenbacks *mit den Noten der Staatsbanken*). ~ **belt** *s* Grüngürtel *m* (*um e-e Stadt*). '~-'**blind** *adj med.* grünblind. ~ **book** *s pol.* Grünbuch *n.* '~,**bri·er** *s bot.* Stechwinde *f.* ~ **cheese** *s* **1.** unreifer Käse. **2.** Molken- *od.* Magermilchkäse *m.* **3.** Kräuterkäse *m.* **G~ Cloth** *s* **1.** *a.* Board of ~ *jur.* Hofmarschallsgericht *n* (*in England*). **2.** g~ c~ Spieltisch *m.* ~ **crab** *s zo.* Strandkrabbe *f.* ~ **crop** *s agr.* Grünfutter *n.*

green·er ['gri:nər] *s sl.* Neuling *m*, *bes.* unerfahrener Ausländer. '**green·er·y** *s* **1.** Grün *n*, Laub *n.* **2.** → greenhouse 1.

'**green|-'eyed** *adj* **1.** grünäugig. **2.** *fig.* eifersüchtig, neidisch: the ~ monster die Eifersucht. '~,**finch** *s orn.* Grünfink *m.* ~ **fin·gers** *s pl colloq.* gärtnerische Begabung: he has ~ bei ihm gedeihen alle Pflanzen. ~ **fly** *s zo. Br.* grüne Blattlaus. '~'**gage** *s* Reine'claude *f.* '~,**gill** *s zo.* grüne Auster. ~ **goose** *s irr* junge (Mast)Gans. '~-,**gro·cer** *s* Obst- u. Gemüsehändler *m.* '~,**gro·cer·y** *s* **1.** Obst- u. Gemüsehandlung *f.* **2.** Obst- u. Gemüsewaren *pl*, Grünkram *m.* '~,**heart** *s* Grün(harz)holz *n.* '~,**horn** *s colloq.* **1.** Grünschnabel *m.* **2.** (unerfahrener) Neuling. **3.** Gimpel *m.* '~,**house** *s* **1.** Gewächs-, Treibhaus *n.* **2.** *aer. sl.* Vollsichtkanzel *f.*

green·ing ['gri:niŋ] *s* grünschaliger Apfel. '**green·ish** *adj* grünlich.

Green·land·er ['gri:nləndər] *s* Grönländer(in). **Green'lan·dic** [-'lændik] **I** *adj* grönländisch. **II** *s ling.* Grönländisch *n*, das Grönländische.

'**Green·land|·man** [-mən] *s irr mar.* Grönlandfahrer *m* (*Schiff*). ~ **shark** *s ichth.* Grönland-, Eishai *m.* ~ **whale** *s zo.* Grönland-, Nordwal *m.*

green light *s* grünes Licht (*der Verkehrsampel*; *a. colloq. Genehmigung*): he gave (got) the ~ er gab (bekam) grünes Licht (to a project für ein Projekt).

green·ling ['gri:nliŋ] *s ichth.* Grünling *m.*

green| liz·ard *s zo.* Sma'ragdeidechse *f.* '~·**man** [-mən] *s irr* Platzmeister *m* (*Golfplatz*). ~ **ma·nure** *s agr.* **1.** Grün-, Pflanzendünger *m.* **2.** frischer Stalldünger. ~ **mon·key** *s zo.* Grüne Meerkatze. **G~ Moun·tain State** *s Am.* (*Spitzname für*) Vermont *n.*

green·ness ['gri:nnis] *s* **1.** Grün *n*, (*das*) Grüne. **2.** grüne Farbe. **3.** *fig.* Frische *f*, Munterkeit *f*, Kraft *f.* **4.** *fig.* Unreife *f*, Unerfahrenheit *f.*

green| oil *s chem.* Grünöl *n*, *bes.* Anthra'cenöl *n.* ~ **peak** *Br. für* green woodpecker. '~,**room** *s thea.* Künstlerzimmer *n*, Aufenthaltsraum *m.* '~-,**salt·ed** *adj tech.* ungegerbt gesalzen (*Häute*). '~,**sand** *s geol.* Grünsand *m.* '~,**shank** *s orn.* Grünschenkel *m.* '~,**sick·ness** *s med.* Bleichsucht *f.* ~ **smalt** *s min.* Kobaltgrün *n.* '~,**stick** (**frac·ture**) *s med.* Grünholz-, Knickbruch *m.* '~,**stone** *s min.* **1.** Grünstein *m.* **2.** Ne'phrit *m.* '~,**stuff** *s* **1.** Grünfutter *n.* **2.** grünes Gemüse. '~,**sward** *s* Rasen *m.* ~ **ta·ble** *s* Spieltisch *m.* ~ **tea** *s* grüner Tee. ~ **thumb** *Am.* → green fingers. ~ **tur·tle** *s zo.* Suppenschildkröte *f.* ~ **vit·ri·ol** *s chem.* 'Eisenvitri,ol *n.*

Green·wich time ['grinidʒ; 'gren-; -itʃ] *s* Greenwicher (mittlere Sonnen)-Zeit.

'**green| ,wood** *s* **1.** grüner Wald. **2.** *bot.* Färberginster *m.* ~ **wood·peck·er** *s orn.* Grünspecht *m.*

green·y ['gri:ni] *adj* grünlich.

greet[1] [gri:t] **I** *v/t* **1.** grüßen. **2.** begrüßen, empfangen. **3.** *dem Auge* begegnen, *ans Ohr* dringen. **II** *v/i* **4.** grüßen. **5.** sich begrüßen.

greet[2] [gri:t] *v/i u. v/t Scot.* (be)weinen.

greet·ing ['gri:tiŋ] *s* **1.** Gruß *m*, Begrüßung *f.* **2.** *pl* Grüße *pl*, Empfehlungen *pl*: ~ card Glückwunschkarte *f.*

gre·gar·i·ous [gri'gɛ(ə)riəs] *adj* (*adv* ~ly) **1.** gesellig, in Herden *od.* Scharen lebend, Herden...: ~ animal. **2.** *bot.* trauben- *od.* büschelartig wachsend. **gre'gar·i·ous·ness** *s* **1.** Zs.-Leben *n* in Herden. **2.** Geselligkeit *f.*

gre·go ['gri:gou; 'grei-] *s* kurze grobe Jacke mit Ka'puze.

Gre·go·ri·an [gri'gɔ:riən] *relig.* **I** *adj* **1.** Gregori'anisch: ~ calendar; ~ Church. **II** *s* **2.** Gregori'aner *m* (*Mitglied e-s Geheimbundes in England im 18. Jh.*). **3.** → Gregorian chant. ~ **chant** *s mus.* Gregori'anischer Gesang. ~ **ep·och** *s* Zeit *f* seit der Einführung des Gregori'anischen Ka'lenders (*1582*). ~ **mode** *s mus.* Gregori'anische (Kirchen)Tonart. ~ **style** *s* Gregori'anische *od.* neue Zeitrechnung. ~ **tone** *s mus.* Gregori'anischer (Psalm)Ton.

greige [greiʒ] *adj u. s tech.* na'turfarben(e Stoffe *pl*).

grem·lin ['gremlin] *s aer. sl.* böser Geist, Kobold *m* (*der Maschinenschaden etc verursacht*).

gre·nade [gri'neid] *s* **1.** *mil.* 'Hand- *od.* Ge'wehrgra,nate *f*: ~ launcher Schießbecher *m.* **2.** gläserne Feuerlöschflasche.

gren·a·dier [,grenə'dir] *s mil.* Grena'dier *m*: G~s, G~ Guards *Br.* Grenadiergarde *f.*

gren·a·dine[1] [,grenə'di:n; 'grenə,di:n] *s* Gra'natapfelsirup *m.*

gren·a·dine[2] [,grenə'di:n; 'grenə,di:n] *s* Grena'dine *f*: a) *leichter Woll- od. Seidenstoff*, b) *rotbrauner Farbstoff.*

gren·a·dine[3] [,grenə'di:n; 'grenə,di:n] *s* Grena'din *m* (*gespickte u. glasierte Fisch- od. Fleischschnitte*).

gres·so·ri·al [gre'sɔ:riəl] *adj zo.* Schreit..., Stelz...

Gret·na Green mar·riage ['gretnə] *s* Heirat *f* in Gretna Green (*Schottland*).

grew [gru:] *pret von* grow.

grew·some → gruesome.

grey [grei] *bes. Br. für* gray. '~,**coat** *s bes. Br.* kumbrischer Freisasse.

grey·cing ['greisiŋ] *s Br. colloq. für* greyhound racing.

,**greyhound** *s* **1.** *zo.* Windhund *m* -spiel *n.* **2.** ocean ~ *mar.* Ozean-, Schnelldampfer *m.* ~ **rac·ing** *s* Windhundrennen *n.*

grey·ish, grey·lag, grey·ness, grey·wacke *etc bes. Br. für* grayish *etc.*

grid [grid] **I** *s* **1.** Gitter *n*, (Eisen)Rost *m.* **2.** *electr.* a) Bleiplatte *f*, b) Gitter *n* (*Elektronenröhre*): suppressor ~ Fang-, Bremsgitter, c) *Br.* Fernleitungsnetz *n.* **3.** *geogr.* Gitter(netz) *n* (*auf Karten*). **4.** (Straßen- *etc*)Netz *n.* **5.** → gridiron 1, 4, 7. **II** *adj* **6.** *electr.* Gitter...: ~ circuit; ~ condenser; ~ current; ~ bias Gittervorspannung *f*; → grid leak. **7.** *Am. colloq.* Fußball...

grid·der ['gridər] *s Am. colloq.* Fußballer *m.*

grid·dle ['gridl] **I** *s* **1.** (rundes) Backblech: to be on the ~ *colloq.* ins Kreuzverhör genommen werden, ,schwitzen müssen'. **2.** *Bergbau*: Drahtsieb *n*, Rätter *m.* **II** *v/t* **3.** auf e-m (Back)Blech backen. **4.** *tech.* sieben. '~,**cake** *s* (*Art*) Pfannkuchen *m.*

gride [graid] **I** *v/i* knirschen, scheuern, reiben. **II** *v/t* knirschend (zer)schneiden. **III** *s* Knirschen *n.*

grid·i·ron ['grid,aiərn] *s* **1.** Bratrost *m.* **2.** Gitter(rost *m*, -werk *n*) *n.* **3.** Netz(werk) *n* (*von Leitungen, Bahnlinien etc*). **4.** *mar.* Balkenroste *f.* **5.** *thea.* Schnürboden *m.* **6.** *a.* ~ pendulum Kompensati'onspendel *n.* **7.** *colloq.* Spielfeld *n* (*amer. Fußball*).

grid| leak *s electr.* 'Gitter(ableit),widerstand *m.* ~ **line** *s* Gitternetzlinie *f* (*auf e-r Landkarte*). ~ **ref·er·ence** *s mil.* 'Planqua,dratangabe *f.* ~ **square** *s* 'Planqua,drat *n.*

grief [gri:f] *s* **1.** Gram *m*, Kummer *m*, Leid *n*, Schmerz *m*: to my great ~ zu m-m großen Kummer; to bring to ~ zu Fall bringen, zugrunde richten; to come to ~ a) Schaden nehmen, in Schwierigkeiten geraten, verunglükken, b) fehlschlagen, scheitern, ein schlimmes Ende nehmen, c) zu Fall kommen. **2.** *obs.* a) Leiden *n*, b) Wunde *f.* '~-,**strick·en** *adj* kummervoll.

griev·ance ['gri:vəns] *s* **1.** Beschwerde(grund *m*) *f*, (Grund *m* zur) Klage *f*, 'Mißstand *m*: ~ committee *Am.* Schlichtungsausschuß *m* (*bei Arbeitsstreitigkeiten*); ~ procedure *Am.* Beschwerdeverfahren *n.* **2.** Unzufriedenheit *f.* **3.** Groll *m*: to have a ~ against s.o. e-n Groll gegen j-n hegen.

grieve[1] [gri:v] **I** *v/t* betrüben, bekümmern, kränken, *j-m* weh tun, *j-m* Kummer bereiten. **II** *v/i* bekümmert sein, sich grämen *od.* härmen *od.* kränken (at, about, over über *acc*, wegen): to ~ for sich grämen *od.* härmen um.

grieve[2] [gri:v] *s Scot.* (Guts)Aufseher *m.*

griev·ous ['gri:vəs] *adj* (*adv* ~ly) **1.** schmerzlich, bitter. **2.** schwer, schlimm: ~ error; ~ loss; ~ wound; ~ bodily harm *jur.* schwere Körperverletzung. **3.** schmerzhaft, quälend. **4.** drückend. **5.** bedauerlich. **6.** schmerzerfüllt, Schmerzens...: ~ cry. '**griev·ous·ness** *s* (*das*) Schmerzliche, Bitterkeit *f*, Schwere *f.*

griffe [grif] *s Am. dial.* **1.** a) Griffe *m*, *f* (*Abkömmling e-s Negers u. e-r Mulattin*), b) Mu'lattin *f*, Mu'latte *m.* **2.** Sambo *m*, *f* (*Mischling von Negern mit Indianern*).

grif·fin[1] ['grifin] *s* **1.** *antiq. her.* Greif *m.* **2.** → griffon[1].

grif·fin[2] ['grifin] *s Br. Ind.* Neuling *m*, Neuankömmling *m.*

grif·fon[1] ['grifən], *a.* ~ **vul·ture** *s orn.* Weißköpfiger Geier.

grif·fon[2] ['grifən] *s* 1. → griffin[1] 1. 2. Griffon *m* (*Vorstehhund*).
grift·er ['griftər] *s Am. sl.* 1. (Schau)-Budenbesitzer *m*, *bes.* Besitzer *m* e-s Glücksrades. 2. Gauner *m*.
grig [grig] *s* 1. *meist* merry ~ fi'deler Kerl: as merry as a ~ kreuzfidel. 2. *dial.* a) Grille *f*, b) kleiner Aal.
grill[1] [gril] I *s* 1. Bratrost *m*, Grill *m*. 2. Grillen *n*, Rösten *n*. 3. Fleisch *n* vom Grill, Röstfleisch *n*. 4. → grill-room. 5. Waffelung *f*, Gau'frage *f* (*der Briefmarken*). II *v/t* 6. grillen, (auf dem Rost) braten. 7. *fig.* a) *j-n* ‚rösten' (*Sonne etc*), b) quälen, ‚schlauchen', c) *Am.* *j-n* ‚ausquetschen', e-m strengen Verhör unter'ziehen. 8. *Briefmarken* waffeln, gau'frieren. 9. *Austern etc* in e-r Kammuschelschale braten. III *v/i* 10. rösten, schmoren, gegrillt werden.
grill[2] → grille.
gril·lage ['grilidʒ] *s arch.* Pfahlrost *m*, 'Unterbau *m*.
grille [gril] *s* 1. Tür-, Fenstergitter *n*. 2. Gitterfenster *n*, Schalter-, Sprechgitter *n*. 3. *hist.* Gitter *n* (*vor der Damengalerie im brit. Parlament*). 4. *Fischzucht*: Laich-Brutkasten *m*. 5. *mot.* Kühlerschutzgitter *n*.
grilled [grild] *adj* 1. vergittert. 2. gegrillt: ~ meat. '**grill·er** → grill[1] 1.
'**grill,room** *s* Grill(room) *m*, Rostbratstube *f*.
grilse [grils] *pl* **grilse** *s ichth.* junger Lachs.
grim [grim] *adj* (*adv* ~ly) grimmig: a) wütend, wild, b) schrecklich, schlimm, c) erbarmungslos, grausam, hart: a ~ truth e-e grausame Wahrheit; ~ humo(u)r Galgenhumor *m*, d) unbeugsam, eisern, verbissen: ~ opposition; → death 1, reaper 1.
gri·mace [gri'meis; *Am. a.* 'griməs] I *s* Gri'masse *f*, Fratze *f*: to make ~s → II. II *v/i* Gri'massen schneiden. **gri'mac·er** *s* Gri'massenschneider-(in).
gri·mal·kin [gri'mælkin; -'mɔːl-] *s* 1. (alte) Katze. 2. alte Hexe (*Frau*).
grime [graim] I *s* (zäher) Schmutz *od.* Ruß. II *v/t* beschmutzen.
grim·i·ness ['graiminis] *s* Schmutzigkeit *f*, Beschmiertheit *f*.
Grimm's law [grimz] *s ling.* Lautverschiebung(sgesetz *n*) *f*.
grim·ness ['grimnis] *s* 1. Grimmigkeit *f*: a) Wildheit *f*, b) Schrecklichkeit *f*, c) Härte *f*, Grausamkeit *f*, d) Verbissenheit *f*, Unnachgiebigkeit *f*. 2. Düsterkeit *f*, Grimm *m*, (*das*) Schlimme.
grim·y ['graimi] *adj* (*adv* grimily) schmutzig, rußig, beschmiert.
grin [grin] I *v/i* 1. grinsen, feixen, *oft nur* (verschmitzt) lächeln: to ~ at s.o. j-n angrinsen *od.* anlächeln; to ~ and bear it gute Miene zum bösen Spiel machen; → Cheshire cat. 2. die Zähne fletschen. II *v/t* 3. grinsend sagen. III *s* 4. Grinsen *n*, (verschmitztes) Lächeln.
grind [graind] I *v/t pret u. pp* **ground** [graund] 1. *Glas etc* schleifen. 2. *Messer etc* schleifen, wetzen, schärfen: to ~ in *tech.* *Ventile etc* einschleifen; → ax 1. 3. *a.* ~ down (zer)mahlen, zerreiben, -stoßen, -stampfen, -kleinern, schroten: to ~ small (into dust) fein (zu Staub) zermahlen; to ~ with emery (ab)schmirgeln, glätten. 4. *Kaffee, Korn etc* mahlen. 5. *a.* ~ down abwetzen. 6. to ~ one's teeth mit den Zähnen knirschen. 7. knirschend reiben *od.* bohren. 8. ~ down *fig.* (unter)'drücken, schinden, quälen: to ~ the faces of the poor die Armen aussaugen. 9. *e-n Leierkasten* drehen. 10. *oft* ~ out (*auf der Drehorgel*) spielen, (her'unter)leiern. 11. ~ out mühsam her'vorbringen, ausstoßen. 12. *colloq.* a) ‚pauken', ‚büffeln' (*eifrig lernen*): to ~ Latin, b) *j-n* ‚drillen': to ~ s.o. in Latin ‚j-m Latein einpauken'. II *v/i* 13. mahlen, reiben. 14. sich mahlen *od.* schleifen lassen. 15. knirschen(d reiben): to ~ to a stop knirschend zum Stehen kommen. 16. sich plagen *od.* abschinden. 17. *ped. colloq.* ‚pauken', ‚büffeln', ‚ochsen'. III *s* 18. *colloq.* a) Schinde'rei *f*, Placke'rei *f*: the daily ~, b) *ped.* ‚Pauken' *n*, ‚Büffeln' *n*. 19. *Am. sl.* Streber(in), ‚Büffler(in)'. 20. *Br. sl.* a) *sport* Hindernisrennen *n*, b) Ge'sundheitsspa,ziergang *m*, -marsch *m*. 21. Fähre *f* (*in Cambridge, England*).
grind·er ['graindər] *s* 1. (Scheren-, Messer-, Glas)Schleifer *m*. 2. Schleifstein *m*. 3. oberer Mühlstein. 4. *tech.* a) 'Schleifma,schine *f*, b) Mahlwerk *n*, Mühle *f*, c) Walzenmahl-, Quetschwerk *n*. 5. *anat.* Backen-, Mahlzahn *m*. 6. *pl sl.* Zähne *pl*. 7. *Am.* großes Sandwich (*mit Fleisch, Käse u. Salat*). 8. *Br. colloq.* a) ‚(Ein)Pauker' *m*, b) → grind 19. '**grind·er·y** *s Br.* 'Schusterwerkzeug *n* u. -materi,al *n*. '**grind·ing** I *s* 1. Mahlen *n*. 2. Schleifen *n*, Schärfen *n*. 3. Knirschen *n*. II *adj* 4. mahlend (*etc* → grind I *u.* II). 5. Mahl..., Schleif...: ~ mill a) Mühle *f*, Mahlwerk *n*, b) Schleif-, Reibmühle *f*; ~ powder Schleifpulver *n*; ~ wheel Schleif-, Schmirgelscheibe *f*. 6. *fig.* a) mühsam, schwer: ~ work, b) bedrückend, quälend, zermürbend.
'**grind,stone** *s* 1. Schleifstein *m*: to keep one's nose to the ~ *fig.* sich abschinden, ‚sich ranhalten'; to keep s.o.'s nose to the ~ *fig.* j-n schwer arbeiten lassen, j-n schinden. 2. Mühlstein *m*.
grin·go ['griŋgou] *pl* **-gos** *s* Gringo *m* (*in Südamerika verächtlich für Ausländer, bes. Angelsachsen*).
grip [grip] I *s* 1. Griff *m*, (An)Packen *n*, (Er)Greifen *n*: to come to ~s with a) aneinandergeraten mit, b) *fig.* sich auseinandersetzen mit, *e-r Sache* zu Leibe rücken; to be at ~s with a) im Kampf liegen *od.* stehen mit, b) *fig.* sich auseinandersetzen mit. 2. *fig.* a) Griff *m*, Halt *m*, b) Herrschaft *f*, Gewalt *f*, Zugriff *m*, c) Verständnis *n*: in the ~ of in den Klauen *od.* im Bann (*gen*); to get a ~ on in s-e Gewalt *od.* (*geistig*) in den Griff bekommen; to have a ~ on *etwas* in der Gewalt haben, *Zuhörer etc* fesseln, gepackt halten; to have a (good) ~ on *die Lage, e-e Materie etc* (sicher) beherrschen, *die Situation etc* (klar) erfassen; to lose one's ~ die Herrschaft verlieren (of über *acc*), *fig.* (*bes. geistig*) nachlassen. 3. Stich *m*, plötzlicher Schmerz(anfall). 4. (*bestimmter*) Händedruck: the masonic ~ der (Freimaurer)Griff. 5. (Hand)Griff *m* (*Schwert, Koffer etc*). 6. Haarspange *f*. 7. *tech.* Klemme *f*, Greifer *m*, Spanner *m*. 8. *tech.* Griffigkeit *f* (*a. von Autoreifen*). 9. *thea. Am.* Ku'lissenschieber *m*. 10. *Am. für* gripsack. II *v/t* 11. ergreifen, packen, (fest)halten, um'klammern. 12. *fig.* *j-n* packen: a) ergreifen (*Furcht, Spannung*), b) *Leser, Zuhörer etc* fesseln, in Spannung halten. 13. *fig.* begreifen, verstehen. 14. *tech.* festmachen, -klemmen. III *v/i* 15. Halt finden, halten, fassen. 16. *fig.* packen, fesseln.
grip brake *s tech.* Handbremse *f*.
gripe [graip] I *v/t* 1. → grip 11. 2. *fig.* quälen, (be)drücken. 3. *mar.* *ein Boot etc* sichern. 4. drücken, zwicken, *bes.* *j-m* Bauchschmerzen verursachen: to be ~d Bauchschmerzen *od.* e-e Kolik haben. II *v/i* 5. *mar.* luvgierig sein (*Schiff*). 6. Bauchschmerzen haben *od.* verursachen. 7. *Am. sl.* ‚meckern', nörgeln, schimpfen. III *s* 8. → grip 1 *u.* 2 a *u.* b. 9. *meist pl* Bauchschmerzen *pl*, Kolik *f*. 10. Griff *m* (*e-s Werkzeuges etc*). 11. *mar.* a) Anlauf *m* (*des Kiels*), b) *pl* Seile *pl* zum Festmachen. 12. *Am. sl.* ‚Mecke'rei' *f*. '**grip·er** *s Am. sl.* ‚Meckerfritze' *m*. '**grip·ing** I *s* → gripe 9. II *adj* drückend, zwickend.
grip·pal ['gripəl] *adj med.* Grippe..., grip'pös, grip'pal.
grippe [grip] *s med.* Grippe *f*.
grip·per ['gripər] *s tech.* Greifer *m*, Halter *m*. '**grip·ping** *adj* 1. *fig.* packend, fesselnd, spannend. 2. *tech.* (Ein)Spann..., Klemm..., Greif(er)...: ~ jaw Klemm-, Spannbacke *f*; ~ tool Spannwerkzeug *n*.
'**grip,sack** *s Am.* Reisetasche *f*.
gri·saille [gri'zeil] *s* Gri'saille *f*, ,Grau-in-'Grau-Male,rei *f*.
gris·e·ous ['grisiəs; 'griz-] *adj* perl-, bläulichgrau.
gris·kin ['griskin] *s Br.* Rippenstück *n*, Karbo'nade *f* (*des Schweins*).
gris·li·ness ['grizlinis] *s* Gräßlichkeit *f*, (*das*) Schauerliche.
gris·ly ['grizli] *adj* gräßlich, schauerlich.
grist[1] [grist] *s* 1. Mahlgut *n*, -korn *n*: that's ~ to his mill *fig.* das ist Wasser auf s-e Mühle; all is ~ that comes to his mill er weiß aus allem Kapital zu schlagen; to bring ~ to the mill Vorteil *od.* Gewinn bringen, einträglich sein. 2. *Brauerei*: Malzschrot *n*. 3. *Am. colloq.* Menge *f*.
grist[2] [grist] *s* Stärke *f*, Dicke *f* (*von Garn od. Tau*).
gris·tle ['grisl] *s anat.* Knorpel *m*: in the ~ unentwickelt. '**gris·tly** *adj* knorpelig.
grit [grit] I *s* 1. *geol.* a) (grober) Sand, Kies *m*, Grus *m*, b) *a.* ~stone Grit *m*, flözleerer Sandstein. 2. *min.* Korn *n*, Struk'tur *f*. 3. *fig.* Mut *m*, ‚Mumm' *m*, Rückgrat *n*. 4. *pl* a) Haferkorn *n*, b) Haferschrot *n*, -grütze *f*, c) *Am.* grobes Maismehl. II *v/t* 5. knirschen mit: to ~ the teeth. III *v/i* 6. knirschen, mahlen.
grit·ti·ness ['gritinis] *s* 1. Sandigkeit *f*, Kiesigkeit *f*. 2. *fig.* → grit 3. '**grit·ty** *adj* 1. sandig, kiesig. 2. *fig.* mutig, entschlossen, fest.
griz·zle[1] ['grizl] *v/i Br.* 1. quengeln, nörgeln. 2. wimmern. 3. sich aufregen.
griz·zle[2] ['grizl] *s* 1. Grau *n*, graue Farbe. 2. graues Haar.
griz·zled ['grizld] *adj* grau(haarig).
griz·zly ['grizli] I *adj* grau(haarig), Grau... II *s* → grizzly bear. ~ **bear** *s zo.* Grizzly(bär) *m*, Graubär *m*.
groan [groun] I *v/i* 1. stöhnen, ächzen, seufzen (*alle a. fig. leiden*). 2. ächzen, knarren (*Tür etc*): a ~ing board ein überladener Tisch. 3. ächzen, sich sehnen (for nach). 4. knurren. II *v/t* 5. unter Stöhnen äußern, ächzen. 6. ~ down *j-n* durch miß'billigendes Knurren zum Schweigen bringen. III *s* 7. Stöhnen *n*, Ächzen *n*. 8. Knurren *n*.
groat [grout] *s* Grot *m* (*alte englische Silbermünze*).
groats [grouts] *s pl* Hafergrütze *f*.
gro·cer ['grousər] *s* Lebensmittel-, Koloni'alwarenhändler *m*, Krämer *m*. '**gro·cer·y** *s* 1. *Am.* Lebensmittelgeschäft *n*, Koloni'alwarenhandlung *f*.

2. *meist pl* Lebensmittel *pl*, Koloniˈalwaren *pl*. **3.** Koloniˈalwarenhandel *m*. **4.** *Am. hist.* Schenke *f*. ˌ**gro·ceˈte·ri·a** [-ˈti(ə)riə] *s Am.* Lebensmittelgeschäft *n* mit Selbstbedienung.

grog [grɒg] **I** *s* Grog *m*: ~ **blossom** *colloq.* Säufernase *f*. **II** *v/i* Grog trinken. ˈ**grog·ger·y** [-əri] *s Am.* ‚Schnapsbude' *f*, Kneipe *f*.

grog·gi·ness [ˈgrɒginis] *s colloq.* **1.** Betrunkenheit *f*, ‚Schwips' *m*. **2.** Wackligkeit *f*. **3.** *a. Boxen*: Benommenheit *f*, (halbe) Betäubung. ˈ**grog·gy** *adj* **1.** *colloq.* a) betrunken, ‚angesäuselt', b) wack(e)lig (*a. Sache*), schwach auf den Beinen, kränklich, c) *Boxen*: groggy, angeschlagen, halb betäubt. **2.** steif (in den Beinen) (*Pferd*). **3.** morsch: a ~ **tooth**; a ~ **house**.

groin [grɔin] **I** *s* **1.** *anat.* Leiste(ngegend) *f*. **2.** *arch.* Grat(bogen) *m*, Rippe *f*. **3.** *tech.* Buhne *f*. **II** *v/t* **4.** *arch. Gewölbe* mit Kreuzgewölbe bauen. **groined** *adj arch.* gerippt: ~ **vault** Kreuzgewölbe *n*.

grom·met [ˈgrɒmit] *s bes. Am.* **1.** *mar.* Taukranz *m*. **2.** *tech.* (Meˈtall)Öse *f*.

grom·well [ˈgrɒmwəl] *s bot.* (*bes.* Echter) Steinsame.

groom [gruːm; grum] **I** *s* **1.** Pferde-, Reit-, Stallknecht *m*. **2.** *bes. Am.* Bräutigam *m*. **3.** *Br.* Diener *m*, königlicher Beamter: ~ **of the (Great)Chamber** königlicher Kammerdiener; ~ **of the stole** Oberkammerherr *m*. **II** *v/t* **4.** *Person, Kleidung* pflegen: **well-~ed** gepflegt. **5.** *Pferde* versorgen, pflegen, striegeln. **6.** *fig.* a) *pol. Am.* vorbereiten, lanˈcieren: to ~ **a candidate for office**, b) *a. Br. e-n Nachfolger etc* ‚herˈanziehen', einarbeiten.

grooms·man [ˈgruːmzmən; ˈgrumz-] *s irr* Brautführer *m*.

groove [gruːv] **I** *s* **1.** Rinne *f*, Furche *f* (*beide a. anat. tech.*): **in the** ~ *sl. fig.* a) im richtigen Fahrwasser, b) schwungvoll gespielt (*Jazz*) *od.* spielend (*Jazzmusiker*), c) beliebt, in Mode, d) in (bester) Form. **2.** *tech.* a) Nut *f*, Rille *f*, Hohlkehle *f*, Kerbe *f*: **tongue and** ~ Spund *m* u. Nut, b) Falz *m*, Fuge *f*. **3.** Rille *f* (*e-r Schallplatte*). **4.** *print.* Signaˈtur *f* (*Drucktype*). **5.** *tech.* Zug *m* (*in Gewehren etc*). **6.** *fig.* a) gewohntes Geleise, b) *contp.* altes Geleise, alter Trott, Rouˈtine *f*, Schaˈblone *f*: **to get** (*od.* **fall**) **into a** ~ in e-e Gewohnheit *od.* in e-n (immer gleichen) Trott verfallen; **to run** (*od.* **work**) **in a** ~ sich in e-m ausgefahrenen Geleise bewegen, stagnieren.

II *v/t* **7.** *tech.* a) (aus)kehlen, rillen, riefeln, falzen, nuten, (ein)kerben, b) ziehen. **grooved** *adj tech.* gerillt, geriffelt, genutet: ~ **pin** Kerbstift *m*; ~ **wire** hohlkantiger Draht.

groov·er [ˈgruːvər] *s tech.* ˈKehl-, ˈNut-, ˈFalzmaˌschine *f od.* -werkzeug *n od.* -stahl *m*. ˈ**groov·y** *adj* **1.** *colloq.* schaˈblonenhaft. **2.** *sl.* ‚toll', ‚schick'.

grope [group] **I** *v/i* tappen, tasten, greifen (**for, after** nach): **to** ~ **about** herumtappen, -tasten, -suchen; **to** ~ **in the dark** *bes. fig.* im dunkeln tappen. **II** *v/t* tastend suchen: **to** ~ **one's way** sich vorwärtstasten. ˈ**grop·ing·ly** *adv* tastend: a) tappend, b) *fig.* vorsichtig, unsicher.

gros·beak [ˈgrousˌbiːk] *s ein Fink mit starkem Schnabel, bes.* Kernbeißer *m*.

gros·grain [ˈgrouˌgrein] *adj u. s* grob gerippt(es Seidentuch *od.* -band).

gross [grous] **I** *adj* (*adv* → **grossly**) **1.** brutto, Brutto..., gesamt, Gesamt..., Roh...: ~ **adventure** Bodmerei *f*; ~ **amount** Bruttobetrag *m*; ~ **average** *mar.* allgemeine Havarie; ~ **national income** Bruttovolkseinkommen *n*; ~ **national product** Bruttosozialprodukt *n*; ~ **profits** Brutto-, Rohgewinn *m*; ~ **weight** Bruttogewicht *n*. **2.** ungeheuerlich, schwer, grob: **a** ~ **error**; **a** ~ **injustice** e-e schreiende Ungerechtigkeit; ~ **negligence** *jur.* grobe Fahrlässigkeit; ~ **breach of duty** *jur.* schwere Pflichtverletzung. **3.** a) unfein, derb, grob, roh, b) unanständig, anstößig. **4.** *fig.* schwerfällig, stumpf. **5.** dick, feist, plump, schwer. **6.** üppig, stark, dicht: ~ **vegetation**. **7.** grob(körnig): ~ **powder**. **II** *s* **8.** (*das*) Ganze, (*die*) Masse: **in** ~ *jur.* an der Person haftend, unabhängig; **in the** ~ im ganzen, in Bausch u. Bogen. **9.** *pl* **gross** Gros *n* (*12 Dutzend*): **by the** ~ grosweise. **III** *v/t* **10.** e-n Bruttogewinn *od.* -verdienst haben von. ˈ**gross·ly** *adv* ungeheuerlich, äußerst: ~ **exaggerated** stark *od.* maßlos übertrieben; ~ **negligent** grob fahrlässig. ˈ**gross·ness** *s* **1.** Ungeheuerlichkeit *f*, Schwere *f*. **2.** Grobheit *f*, Roheit *f*, Derbheit *f*. **3.** Unanständigkeit *f*, Anstößigkeit *f*. **4.** Stumpfheit *f*, Schwerfälligkeit *f*. **5.** Dicke *f*: a) Plumpheit *f*, b) Stärke *f*.

gross| reg·is·ter(ed) ton *s mar.* ˈBruttoreˌgisterˌtonne *f*. ~ **ton** *s econ. e-e englische Gewichtseinheit* (= *1,016 t*). ~ **ton·nage** *s econ.* Bruttotonnengehalt *m*.

grot [grɒt] *s poet.* Grotte *f*.

gro·tesque [groˈtesk] **I** *adj* (*adv* ~**ly**) **1.** groˈtesk: a) *Kunst*: verzerrt, phanˈtastisch, b) seltsam, biˈzarr, c) abˈsurd, lächerlich. **II** *s* **2.** *Kunst*: Groˈteske *f*, groˈteske Fiˈgur. **3. the** ~ das Groˈteske. **groˈtesque·ness** *s* **1.** (*das*) Groˈteske *od.* Biˈzarre *od.* Abˈsurde. **2.** Absurdiˈtät *f*. **groˈtes·quer·ie** [-kəri] *s* **1.** (*etwas*) Groˈteskes *od.* Abˈsurdes. **2.** → **grotesqueness**.

grot·to [ˈgrɒtou] *pl* **-toes** *od.* **-tos** *s* Höhle *f*, Grotte *f*.

grouch [grautʃ] *Am. colloq.* **I** *v/i* **1.** nörgeln, ‚meckern', quengeln. **II** *s* **2.** schlechte Laune, Verdrießlichkeit *f*. **3.** Griesgram *m*, ‚Miesepeter' *m*. ˈ**grouch·y** *adj Am. colloq.* griesgrämig, mürrisch, ‚miesepet(e)rig'.

ground[1] [graund] **I** *s* **1.** (Erd)Boden *m*, Erde *f*, Grund *m*: **above** ~ a) oberirdisch, b) *Bergbau*: über Tage, c) am Leben; **below** ~ a) *Bergbau*: unter Tage, b) tot, unter dem grünen Rasen; → **down**[1] 1; **into the** ~ *Am.* zu Tode, kaputt; **from the** ~ **up** *Am. colloq.* von Grund auf, ganz u. gar; **on the** ~ an Ort u. Stelle; **to break new** (*od.* **fresh**) ~ Land urbar machen, *a. fig.* Neuland erschließen; **to cut the** ~ **from under s.o.'s feet** *fig.* j-m den Boden unter den Füßen wegziehen; **to fall** (*od.* **be dashed**) **to the** ~ *fig.* scheitern, zunichte werden, ins Wasser fallen. **2.** Boden *m*, Grund *m*, Strecke *f*, Gebiet *n* (*a. fig.*), Gelände *n*: **on German** ~ auf deutschem Boden; **to cover much** ~ a) e-e große Strecke zurücklegen, b) *fig.* viel umfassen, weit gehen *od.* reichen; **to gain** ~ a) (an) Boden gewinnen (*a. fig.*), b) *fig.* um sich greifen, Fuß fassen; **to give** (*od.* **lose**) ~ (an) Boden verlieren (*a. fig.*); **to go over the** ~ die Sache durchsprechen *od.* ‚durchackern', alles (gründlich) prüfen. **3.** Grundbesitz *m*, Grund *m* u. Boden *m*. **4.** *pl* a) Garten-, Parkanlagen *pl*: **standing in its own** ~**s** von Anlagen umgeben (*Haus*), b) Ländeˈreien *pl*, Felder *pl*. **5.** Gebiet *n*, Grund *m*: **hunting** ~ Jagdgebiet *n*. **6.** *pl bes. sport* Platz *m*: **cricket** ~**s** Kricketplatz; **parade** ~**s** Paradeplatz. **7.** a) Standort *m*, Stellung *f*, b) *fig.* Standpunkt *m*, Ansicht *f*: **to hold** (*od.* **stand**) **one's** ~ standhalten, nicht weichen, sich *od.* s-n Standpunkt behaupten; **to shift one's** ~ s-n Standpunkt ändern, umschwenken. **8.** Meeresboden *m*, (Meeres)Grund *m*: **to take** ~ *mar.* auflaufen, stranden; **to touch** ~ *fig.* zur Sache kommen. **9.** *a. pl* Grundlage *f*, Basis *f* (*bes. fig.*). **10.** *fig.* (Beweg)Grund *m*, Ursache *f*: ~ **for divorce** *jur.* Scheidungsgrund; **on medical (religious)** ~**s** aus gesundheitlichen (religiösen) Gründen; **on the** ~**(s) of** auf Grund von (*od. gen*), wegen (*gen*); **on the** ~**(s) that** mit der Begründung, daß; **to have no** ~**(s) for** keinen Grund *od.* keine Veranlassung haben für (*od.* zu *inf*). **11.** *pl* (Boden)Satz *m*: **coffee** ~**s** Kaffeesatz *m*. **12.** ˈHinter-, ˈUntergrund *m*. **13.** *Kunst*: a) Grundfläche *f* (*Relief*), b) Ätzgrund *m* (*Stich*), c) *paint.* Grund(farbe *f*) *m*, Grunˈdierung *f*. **14.** *Bergbau*: a) Grubenfeld *n*, b) (Neben)Gestein *n*. **15.** *electr.* Erde *f*, Masse *f*, Erdschluß *m*. **16.** *mus.* → **ground bass**. **17.** *thea.* Parˈterre *n*. **18.** *Kricket*: a) (ebenes) Spielfeld, b) → **ground staff** 1.

II *v/t* **19.** niederlegen, -setzen: **to** ~ **arms** *mil.* die Waffen strecken. **20.** *mar. das Schiff* auf Strand setzen. **21.** *fig.* (**on, in**) gründen, stützen (auf *acc*), aufbauen (auf *dat*), begründen (in *dat*): ~**ed in fact** auf Tatsachen beruhend; **to be** ~**ed in** sich gründen auf (*acc*), verankert sein *od.* wurzeln in (*dat*). **22.** (**in**) *j-n* einführen (in *acc*), *j-m* die Anfangsgründe beibringen (*gen*): (**well**) ~**ed in** mit guten (Vor)Kenntnissen in (*dat*) (*od. gen*). **23.** *electr.* erden, an Masse legen. **24.** *paint. tech.* grunˈdieren. **25.** a) *e-m Flugzeug od. Piloten* Startverbot erteilen: **to be** ~**ed** Startverbot erhalten, am Abflug gehindert sein, b) *Am. e-m Jockey* Startverbot erteilen, c) *mot. Am. j-m* die Fahrerlaubnis entziehen.

III *v/i* **26.** *mar.* stranden, auflaufen. **27.** (**in, upon**) beruhen (auf *dat*), sich gründen (auf *acc*).

ground[2] [graund] **I** *pret u. pp von* **grind** I *u.* II. **II** *adj* **1.** gemahlen: ~ **coffee**. **2.** matt(geschliffen): → **ground glass**.

ground·age [ˈgraundidʒ] *s mar. Br.* Hafengebühr *f*, Ankergeld *n*.

ˈ**ground|-ˈair** *adj aer.* Boden-Bord... ~ **a·lert** *s aer. mil.* Aˈlarm-, Startbereitschaft *f*. ~ **ang·ling** *s* Grundangeln *n*. ~ **at·tack** *s aer. mil.* Angriff *m* auf Erdziele, Tiefangriff *m*: ~ **fighter** Erdkampfflugzeug *n*. ~ **bait** *s* Grundköder *m*. ~ **ball** → **grounder** 2. ~ **bass** [beis] *s mus.* Grundbaß *m*. ~ **bee·tle** *s zo.* Laufkäfer *m*. ~ **box** *s bot.* Zwergbuchsbaum *m*. ~ **clear·ance** *s mot.* Bodenfreiheit *f*. ~ **coat** *s tech.* Grundanstrich *m*. ~ **col·o(u)r** → **ground**[1] 13 c. ~ **con·nec·tion** → **ground**[1] 15. ~ **con·trolled ap·proach** *s aer.* GCˈA-Anflug *m* (*vom Boden geleiteter Radaranflug*). ~ **con·trolled in·ter·cep·tion** *s aer. mil.* Jäger-Bodenradarleitverfahren *n*. ~ **crew** *s aer.* ˈBodenpersoˌnal *n*. ~ **de·tec·tor** *s electr.* Erd(schluß)prüfer *m*.

ground·er [ˈgraundər] *s* **1.** Grunˈdierer(in). **2.** *sport* ‚Roller' *m*, ‚Flitzer' *m*.

ground| fir *s bot.* (*ein*) Bärlapp *m*. ~ **fish** *s* Grundfisch *m*. ~ **fish·ing** *s* Grundangeln *n*. ~ **floor** *s* Erdgeschoß *n*: to get in on the ~ a) *econ. Am.* sich zu den Gründerbedingungen beteiligen, b) von Anfang an mit dabeisein, c) e-e günstige Ausgangsposition haben. ~ **fog** *s* Bodennebel *m.* ~ **forc·es** *s pl mil.* Bodentruppen *pl*, Landstreitkräfte *pl.* ~ **form** *s ling.* a) Grundform *f*, b) Wurzel *f*, c) Stamm *m.* ~ **frost** *s* Bodenfrost *m.* ~ **game** *s hunt. Br.* Niederwild *n.* ~ **glass** *s* **1.** Mattglas *n.* **2.** *phot.* Mattscheibe *f.* ~ **hog** *s* **1.** *zo.* Amer. (Wald)Murmeltier *n.* **2.** *Bergbau*: Cais'sonarbeiter *m.* '~-ˌ**hog day** *s Am.* Lichtmeß *f* (*2. Februar*). ~ **ice** *s geol.* Grundeis *n.*

ground·ing ['graundiŋ] *s* **1.** 'Unterbau *m*, Funda'ment *n.* **2.** Grun'dierung *f*: a) Grun'dieren *n*, b) Grund(farbe *f*) *m.* **3.** *electr.* Erdung *f.* **4.** *mar.* Stranden *n.* **5.** a) 'Anfangsˌunterricht *m*, Einführung *f*, b) (Vor)Kenntnisse *pl.*

ground·less ['graundlis] *adj* (*adv* ~**ly**) **1.** grundlos. **2.** *fig.* grundlos, unbegründet.

ground| lev·el *s phys.* Bodennähe *f.* ~ **line** *s math.* Grundlinie *f.*

ground·ling ['graundliŋ] *s* **1.** *ichth.* Grundfisch *m*, *bes.* a) Steinbeißer *m*, b) Schmerle *f*, c) Gründling *m.* **2.** *bot.* a) kriechende Pflanze, b) Zwergpflanze *f.* **3.** *fig.* a) *thea. obs.* Zuschauer *m* im Par'terre, ‚Gründling' *m*, b) geistig Unbedarfte(r *m*) *f.*

ground| loop *s aer.* Ausbrechen *n* (*beim Landen u. Starten*), ‚Ringelpietz' *m.* '~·**man** [-mən] *s irr sport* Platzwart *m.* '~ˌ**mass** *s geol.* Grundmasse *f.* ~ **note** *s mus.* Grundton *m.* '~ˌ**nut** *s bot.* **1.** Erdnuß *f.* **2.** Erdbirne *f.* ~ **ob·serv·er** *s aer. mil.* Bodenbeobachter *m.* ~ **pan·el** *s aer.* Fliegertuch *n*, Auslegezeichen *n.* ~ **plan** *s* **1.** *arch.* Grundriß *m.* **2.** *fig.* (erster) Entwurf, Kon'zept *n.* ~ **plane** *s tech.* Horizon'talebene *f.* ~ **plate** *s* **1.** *arch. tech.* Grundplatte *f.* **2.** *electr.* Erdplatte *f.* ~ **rat·tler** *s zo.* Zwergklapperschlange *f.* ~ **rent** *s econ.* Grundpacht *f*, -zins *m.* ~ **rob·in** *s orn.* Amer. Erdfink *m.* ~ **rule** *s Am.* **1.** *sport* (besondere) Platzvorschrift. **2.** *fig.* Grundregel *f.* ~ **return** *s Radar*: Bodenecho *n.* ~ **sea** *s mar.* Grundsee *f.*

ground·sel ['graundsl] *s bot.* (*bes.* Vogel)Kreuzkraut *n.*

ground| shark *s ichth.* (*ein*) Grundhai *m.* ~ **sheet** *s mil. Br.* 'Unterlegplane *f*, Zeltbahn *f.*

grounds·man ['graundzmən] *s irr* → groundman.

ground| speed *s aer.* Geschwindigkeit *f* über Grund. ~ **squir·rel** *s zo.* **1.** (*ein*) Backenhörnchen *n.* **2.** Afri'kanisches Borstenhörnchen. ~ **staff** *s* **1.** *Kricket*: 'Klub-, 'Platzpersoˌnal *n.* **2.** *aer.* 'Bodenpersoˌnal *n.* '~-ˌ**strafe** → strafe. ~ **swell** *s* **1.** *mar.* Grunddünung *f.* **2.** *fig.* 'Unterströmung *f.* '~-**to-'air** *adj aer. mil.* Boden-Bord...: ~ communication; ~ firing (*Flak*) Schießen *n* auf Luftziele; ~ missile Fla-Flugkörper *m.* '~-**to-'ground** *adj mil.* Erdkampf..., Boden-Boden...: ~ rocket. ~ **troops** *s mil.* Bodentruppen *pl.* ~ **wa·ter** *s* Grundwasser *n.* '~-ˌ**wa·ter lev·el** *s geol.* Grundwasserspiegel *m.* ~ **wave** *s electr. phys.* Bodenwelle *f.* ~ **ways** *s pl mar.* Ablaufbahn *f* (*für Stapelläufe*). ~ **wire** *s electr.* Erdleitung *f.* '~ˌ**work** *s* **1.** *arch.* a) Erdarbeit *f*, b) Grundmauern *pl*, 'Unterbau *m*, Funda'ment *n.* **2.** *paint. etc* Grund *m.* ~ **ze·ro** *s* Bodennullpunkt *m* (*bei Atombombenexplosion*).

group [gru:p] **I** *s* **1.** *allg., a. biol. chem. math. u. Kunst*: Gruppe *f*: ~ of bystanders; ~ of buildings Gebäudekomplex *m*; ~ of islands Inselgruppe; ~ of trees Baumgruppe. **2.** *fig.* Gruppe *f*, Kreis *m.* **3.** *pol.* a) Gruppe *f* (*Partei mit zuwenig Mitgliedern für e-e Fraktion*), b) Gruppe *f* von kleinen Par'teien. **4.** *econ.* Gruppe *f*, Kon'zern *m.* **5.** *ling.* Sprachengruppe *f.* **6.** *geol.* Formati'onsgruppe *f.* **7.** *mil.* a) Gruppe *f*, b) Kampfgruppe *f* (*2 od. mehr Bataillone*), c) *Artillerie*: Regi'ment *n*, d) *aer. Am.* Gruppe *f*, *Br.* Geschwader *n.* **8.** *mus.* a) Instru'menten- *od.* Stimmgruppe *f*, b) Notengruppe *f.* **II** *v/t* **9.** grup'pieren, anordnen. **10.** klassifi'zieren: to ~ with in dieselbe Gruppe einordnen wie. **11.** zu e-r Gruppe zs.-stellen. **III** *v/i* **12.** sich grup'pieren. **13.** passen (with zu).

group| cap·tain *s* Oberst *m* (*der R.A.F.*). ~ **drive** *s tech.* Gruppenantrieb *m.*

group·er ['gru:pər] *s ichth.* (*ein*) Barsch *m.* '**group·ing** *s* Grup'pierung *f*, Anordnung *f.*

group| in·sur·ance *s* Gruppen-, Kollek'tivversicherung *f.* ~ **mar·riage** *s* Gruppen-, Gemeinschaftsehe *f.* ~ **rate** *s econ.* Pau'schalsatz *m.* ~ **sex** *s* Gruppensex *m.* '~-**spe'cif·ic** *adj med.* ('blut)gruppenspeˌzifisch.

grouse[1] [graus] *s sg u. pl orn.* **1.** Rauhfuß-, Waldhuhn *n.* **2.** Schottisches Moorhuhn.

grouse[2] [graus] *sl.* **I** *v/i* ‚meckern', nörgeln. **II** *s* Nörge'lei *f*, Gemecker *n.* '**grous·er** *s sl.* Nörgler(in), Queru'lant(in), ‚Meckerfritze' *m.*

grout[1] [graut] **I** *s* **1.** *tech.* dünner Mörtel, Mörtelschlamm *m*, Ze'mentmilch *f.* **2.** *meist pl* Schrotmehl *n*, grobes Mehl. **II** *v/t* **3.** (mit Mörtel) ausfüllen *od.* über'ziehen, verstreichen.

grout[2] [graut] *Br.* **I** *v/i* (in der Erde) wühlen (*Schwein*). **II** *v/t* aufwühlen.

grout·y ['grauti] *adj Am. sl.* mürrisch.

grove [grouv] *s* Hain *m*, Gehölz *n.*

grov·el ['grɒvl; 'grʌvl] *v/i* **1.** am Boden kriechen. **2.** *fig.* kriechen (before, to vor *dat*). **3.** *fig.* (gern) im Dreck wühlen. '**grov·el·(l)er** *s fig.* Kriecher *m*, Speichellecker *m.* '**grov·el·(l)ing** *adj* (*adv* ~**ly**) *fig.* **1.** kriecherisch, unter'würfig. **2.** gemein, niedrig.

grow [grou] *pret* **grew** [gru:] *pp* **grown** [groun] **I** *v/i* **1.** wachsen: to ~ together zs.-wachsen, (miteinander) verwachsen. **2.** *bot.* wachsen, vorkommen. **3.** wachsen, größer *od.* stärker werden. **4.** *fig.* zunehmen (in an *dat*). **5.** *fig.* (from, out of) erwachsen, entstehen (aus), e-e Folge sein, kommen (von). **6.** *fig.* (*bes.* langsam *od.* all'mählich) werden: to ~ rich; to ~ less sich vermindern; to ~ warm warm werden, sich erwärmen; to ~ into s.th. zu etwas werden, sich zu etwas entwickeln. **7.** verwachsen (to mit) (*a. fig.*). **II** *v/t* **8.** pflanzen, anbauen, züchten, ziehen, kulti'vieren. **9.** (sich) wachsen lassen: to ~ a beard sich e-n Bart stehen lassen.

Verbindungen mit Präpositionen:

grow| on *v/i* **1.** Einfluß *od.* Macht gewinnen über (*acc*): the habit grows on one man gewöhnt sich immer mehr daran. **2.** *j-m* lieb werden *od.* ans Herz wachsen. ~ **out of** *v/i* **1.** her'auswachsen aus: to ~ one's clothes s-e Kleider auswachsen. **2.** *fig.* → grow 5. **3.** *fig.* entwachsen (*dat*), über'winden, abstreifen: to ~ a habit. ~ **up·on** → grow on.

Verbindungen mit Adverbien:

grow| down *v/i Br. fig.* abnehmen, kleiner werden. ~ **up** *v/i* **1.** aufwachsen, her'anwachsen, -reifen: to ~ (into) a beauty sich zu e-r Schönheit entwickeln. **2.** *fig.* sich einbürgern (*Brauch etc*). **3.** sich entwickeln, entstehen.

grow·a·ble ['grouəbl] *adj* kulti'vierbar, ziehbar. '**grow·er** *s* **1.** (*schnell etc*) wachsende Pflanze: a fast ~. **2.** Züchter *m*, Pflanzer *m*, Erzeuger *m*, *in Zssgn* ..bauer *m.*

grow·ing ['grouiŋ] **I** *s* **1.** Wachsen *n*, Wachstum *n.* **2.** *agr.* Zucht *f*, Anbau *m.* **II** *adj* (*adv* ~**ly**) **3.** wachsend (*a. fig. zunehmend*). **4.** Wachstums...: ~ pains a) *med.* Wachstumsschmerzen, b) *fig.* Anfangsschwierigkeiten, ‚Kinderkrankheiten'; ~ point *bot.* Vegetati'onspunkt *m*; ~ weather Saat-, Wachswetter *n.*

growl [graul] **I** *v/i* **1.** knurren (*Hund etc*), brummen (*Bär*) (*beide a. fig. Person*). **2.** (g)rollen (*Donner*). **3.** *fig.* grollen. **II** *v/t* **4.** *Worte* knurren. **III** *s* **5.** Knurren *n*, Brummen *n.* **6.** (G)Rollen *n* (*Donner*). '**growl·er** *s* **1.** knurriger *od.* knurrender Hund. **2.** *fig.* Brummbär *m.* **3.** *ichth.* a) (*ein*) Schwarzbarsch *m*, b) (*ein*) Knurrfisch *m.* **4.** *Br. sl.* vierrädrige Droschke. **5.** *Am. sl.* Bierkrug *m.* **6.** *electr.* Prüfspule *f.* **7.** kleiner Eisberg.

grown [groun] **I** *pp von* grow. **II** *adj* **1.** gewachsen: → full-grown. **2.** groß, erwachsen: a ~ man ein Erwachsener. **3.** *a.* ~ over 'über-, bewachsen. ˌ~-'**up** *adj* erwachsen. '~ˌ**up** *pl* '~ˌ**ups** *s colloq.* Erwachsene(r *m*) *f*, Große(r *m*) *f.*

growth [grouθ] *s* **1.** Wachsen *n*, Wachstum *n* (*beide a. fig.*). **2.** Wuchs *m*, Größe *f.* **3.** *fig.* Anwachsen *n*, Zunahme *f*, Zuwachs *m*: rate of ~ Wachstums-, Zuwachsrate *f*, -quote *f.* **4.** *fig.* Entwicklung *f.* **5.** *bot.* Schößling *m*, Trieb *m.* **6.** Erzeugnis *n*, Pro'dukt *n.* **7.** Zucht *f*, Anbau *m*, Erzeugung *f*: of foreign ~ ausländisch; of one's own ~ selbstgezogen, eigenes Gewächs. **8.** *med.* Gewächs *n*, Wucherung *f.*

groyne [grɔin] *bes. Br. für* groin 3 *u.* 5.

grub [grʌb] **I** *v/i* **1.** a) graben, wühlen, b) *agr.* jäten, roden. **2.** *oft* ~ on, ~ along, ~ away sich abplagen, sich schinden, schwer arbeiten. **3.** stöbern, wühlen, kramen, eifrig forschen. **4.** *sl.* ‚futtern', essen. **II** *v/t* **5.** a) 'umgraben, b) roden. **6.** *oft* ~ up *Wurzeln* (aus)roden, (-)jäten. **7.** *oft* ~ up, ~ out a) (*mit den Wurzeln*) ausgraben, b) *fig.* aufstöbern, ausgraben, her'ausfinden. **8.** *sl. j-n* ‚füttern'. **III** *s* **9.** *zo.* Made *f*, Larve *f*, Raupe *f.* **10.** *fig.* a) Arbeitstier *n*, b) Lohnschreiber *m*, c) Pro'let *m*, ‚Schlot' *m.* **11.** *Am.* Baumstumpf *m*: ~ ax(e) Rodeaxt *f.* **12.** *Kricket*: Bodenball *m.* **13.** *sl.* ‚Futter' *n*, ‚Fraß' *m* (*Essen*). '**grub·ber** *s* **1.** Gräber *m.* **2.** → grub 10 a. **3.** Jät-, Rodewerkzeug *n*, *bes.* Rodehacke *f.* **4.** *agr. Br.* Grubber *m* (*Kultivator*). '**grub·by** *adj* **1.** schmuddelig, schmierig. **2.** schlampig, verwahrlost. **3.** madig.

grub| hoe *s agr.* Rodehacke *f.* ~ **hook** *s agr.* Grubber *m.* ~ **screw** *s tech.* Stiftschraube *f.* '~ˌ**stake** *Bergbau*: *Am. colloq.* (*e-m Schürfer gegen Gewinnbeteiligung gegebene*) Ausrüstung u. Verpflegung. **G~-Street I** *s* **1.** *hist. die jetzige Milton Street in London, in der schlechte Literaten wohnten.* **2.** *fig.* armselige Lite'raten *pl*, lite'rarisches Proletari'at. **II** *adj* **3.** (lite'rarisch) minderwertig, ‚dritter Garni'tur'.

grudge [grʌdʒ] **I** *v/t* **1.** to ~ s.o. s.th., to ~ s.th. to s.o. j-m etwas neiden *od.* miß'gönnen, j-n um etwas beneiden. **2.** to ~ to do s.th. etwas ungern *od.* 'widerwillig tun; not to ~ doing s.th. etwas nicht ungern tun. **3.** ungern *od.* 'widerwillig gewähren: to ~ no pains keine Mühe scheuen. **II** *v/i obs.* **4.** murren. **III** *s* **5.** 'Widerwille *m*, Groll *m*: to bear (*od.* owe) s.o. a ~, to have a ~ against s.o. e-n Groll gegen j-n hegen, j-m grollen. **'grudg·er** *s* Neider *m*. **'grudg·ing** *adj* (*adv* ~ly) **1.** neidisch, 'mißgünstig. **2.** 'widerwillig, ungern (gegeben *od.* getan).

gru·el ['gruːəl] **I** *s* Haferschleim *m*, Schleimsuppe *f*: to get (*od.* take, have) one's ~ *Br. colloq.* ‚sein Fett *od.* sein(en) Teil bekommen' (*bestraft werden od. umkommen*); to give s.o. his ~ → II. **II** *v/t* ‚es *j-m* besorgen'. **'gru·el·(l)ing** *colloq.* **I** *adj fig.* mörderisch, tödlich, zermürbend: ~ race; ~ test. **II** *s Br.* a) harte Strafe *od.* Behandlung, b) Stra'paze *f*, ‚Schlauch' *m*.

grue·some ['gruːsəm] *adj* (*adv* ~ly) grausig, grauenhaft, schauerlich. **'grue·some·ness** *s* Grausigkeit *f*.

gruff [grʌf] *adj* (*adv* ~ly) **1.** schroff, barsch, ruppig, rauh (*a. Stimme*). **2.** mürrisch, bärbeißig. **'gruff·ness** *s* **1.** Barsch-, Schroffheit *f*. **2.** Verdrießlichkeit *f*. **3.** Rauheit *f* (*der Stimme*).

grum [grʌm] *adj* (*adv* ~ly) mürrisch.

grum·ble ['grʌmbl] **I** *v/i* **1.** brummen, murren, nörgeln (at, about, over über *acc*, wegen). **2.** → growl 1 *u.* 2. **II** *v/t* **3.** *oft* ~ out *etwas* murren, brummen. **III** *s* **4.** Murren *n*, Brummen *n*, Nörgeln *n*. **5.** → growl 5 *u.* 6. **'grum·bler** [-blər] *s* Nörgler *m*, Brummbär *m*, Queru'lant *m*. **'grum·bling** *adj* (*adv* ~ly) **1.** brummig, nörglerisch. **2.** brummend, murrend.

grume [gruːm] *s* **1.** Schleim *m*. **2.** (*bes.* Blut)Klümpchen *n*.

grum·met ['grʌmit] *bes. Br. für* grommet.

gru·mous ['gruːməs] *adj* geronnen, dick, klumpig (*Blut etc*).

grump·i·ness ['grʌmpinis] *s* Verdrießlichkeit *f*. **'grump·ish** → grumpy. **'grump·y** *adj* (*adv* grumpily) mürrisch, verdrießlich, bärbeißig, reizbar.

Grun·dy ['grʌndi] *s* Mrs. ~ ‚die Leute' *pl* (*die gefürchtete öffentliche Meinung*): what will Mrs. ~ say? **'Grun·dyˌism** *s* Muckertum *n*, Prüde'rie *f*, über'triebene Sittenstrenge.

grunt [grʌnt] **I** *v/i* **1.** grunzen. **2.** *fig.* murren, brummen (at über *acc*). **II** *v/t* **3.** *etwas* grunzen. **III** *s* **4.** Grunzen *n*. **5.** *ichth.* (*ein*) Knurrfisch *m*. **'grunt·er** *s* **1.** Grunzer *m*, *bes.* Schwein *n*. **2.** → grunt 5.

Gru·yère [gruː'jɛr; 'gruːjɛr; griː-], *a.* g~, ~ **cheese** *s* Schweizer Käse *m*.

gryph·on ['grifən] → griffin¹.

grys·bok ['graisbɒk] *s zo.* 'Graubock *m*, -antiˌlope *f*.

G string *s* **1.** *mus.* G-Saite *f*. **2.** a) (*Art*) Lendenschurz *m* (*der Wilden*), b) ‚letzte Hülle' (*e-r Entkleidungskünstlerin*).

G suit *s aer.* G-Anzug *m* (*Schutzanzug für Piloten gegen Erdbeschleunigungskräfte*).

guan [gwɑːn] *s orn.* Gu'anhuhn *n*.

gua·na ['gwɑːnɑː] *s* **1.** → iguana. **2.** (*volkstümlich*) große Eidechse.

gua·no ['gwɑːnou] **I** *s* Gu'ano *m* (*Düngemittel*). **II** *v/t* mit Gu'ano düngen.

guar·an·tee [ˌgærən'tiː] **I** *s* **1.** Garan'tie *f*: a) Bürgschaft *f*, Sicherheit *f*, b) Gewähr *f*, Zusicherung *f*: ~ contract Garantie-, Bürgschaftsvertrag *m*; ~ fund *econ.* Garantiefonds *m*; ~ insurance Garantieversicherung *f*; deficit ~ Ausfallbürgschaft *f*; treaty of ~ (*Völkerrecht*) Garantievertrag *m*; without ~ ohne Gewähr *od.* Garantie. **2.** Kauti'on *f*, Sicherheit(sleistung) *f*, Pfand(summe *f*) *n*: ~ deposit a) Sicherheitshinterlegung *f*, b) (*Versicherungsrecht*) Kaution(sdepot *n*); ~ society *Br.* Kautionsversicherungsgesellschaft *f*. **3.** Bürge *m*, Bürgin *f*, Ga'rant(in), Gewährsmann *m*. **4.** (*Ggs* guarantor) Sicherheitsempfänger(in), Kauti'onsnehmer(in). **II** *v/t* **5.** (sich ver)bürgen für, Garan'tie leisten für: ~d bill *econ.* avalierter Wechsel; ~d bonds Obligationen mit Kapital- *od.* Zinsgarantie; ~d stock gesicherte Werte *pl*, Aktien *pl* mit Dividendengarantie; ~d wage garantierter (Mindest)Lohn; to ~ that sich dafür verbürgen, daß. **6.** *etwas* garan'tieren, gewährleisten, verbürgen, sicherstellen. **7.** sichern, schützen (from, against vor *dat*, gegen).

guar·an·tor [*Br.* ˌgærən'tɔː; *Am.* 'gærənˌtɔːr] *s bes. jur.* Ga'rant *m* (*a. fig.*), Bürge *m*, Gewährsmann *m*: G~ Power *pol.* Garantiemacht *f*.

guar·an·ty ['gærənti] **I** *s* → guarantee 1, 2, 3: ~ of collection *Am.* Ausfallbürgschaft *f*. **II** *v/t* → guarantee II.

guard [gɑːrd] **I** *v/t* **1.** (be)hüten, (be)schützen, bewachen, wachen über (*acc*), bewahren, sichern (against, from gegen, vor *dat*). **2.** bewachen, beaufsichtigen. **3.** *gegen Mißbrauch, Mißverständnisse etc* sichern: to ~ against abuse; to ~ s.o.'s interests j-s Interessen wahren *od.* wahrnehmen. **4.** beherrschen, im Zaum halten: ~ your tongue! hüte d-e Zunge! **5.** *tech.* (ab)sichern.

II *v/i* **6.** (against) auf der Hut sein, sich hüten *od.* schützen, sich in acht nehmen (vor *dat*), Vorkehrungen treffen (gegen), vorbeugen (*dat*).

III *s* **7.** a) *mil. etc* Wache *f*, (Wach)Posten *m*, b) Wächter *m*, c) Aufseher *m*, Wärter *m*. **8.** *mil.* Wachmannschaft *f*, Wache *f*: advance ~ Vorhut *f*. **9.** Wache *f*, Bewachung *f*, Aufsicht *f*: to keep under close ~ scharf bewachen; to mount (relieve, keep, stand) ~ *mil.* Wache beziehen (ablösen, halten, stehen). **10.** *fig.* Wachsamkeit *f*: to put s.o. on his ~ j-n warnen; to be on one's ~ auf der Hut sein, sich vorsehen; to be off one's ~ nicht auf der Hut sein, unachtsam sein; to throw s.o. off his ~ j-n überrumpeln. **11.** Garde *f*, (Leib)Wache *f*: ~ of hono(u)r Ehrenwache. **12.** G~s *pl Br.* 'Garde(korps *n*, -regiˌment *n*) *f*, (*die*) Wache. **13.** *rail.* a) *Br.* (Zug)Schaffner *m*, b) *Am.* Bahnwärter *m*. **14.** a) *fenc.*, *Boxen etc*: Deckung *f* (*a. Schach*), Abwehrstellung *f*: to lower one's ~ s-e Deckung vernachlässigen, *fig.* sich e-e Blöße geben, nicht aufpassen, b) *Fußball etc*: Verteidiger *m*, c) *Kricket*: Abwehrhaltung *f* (des Schlagholzes). **15.** Schutzvorrichtung *f*, -gitter *n*, -blech *n*. **16.** *Buchbinderei*: Falz *m*. **17.** a) Stichblatt *n* (*am Degen*), b) Bügel *m* (*am Gewehr*). **18.** Vorsichtsmaßnahme *f*, Sicherung *f*.

guard| boat *s mar.* Wachboot *n*. ~ **book** *s* **1.** Sammelbuch *n* mit Falzen. **2.** *mil.* Wachbuch *n*. ~ **brush** *s electr.* Stromabnehmer *m*. ~ **cell** *s bot.* Schließzelle *f*. ~ **chain** *s* Sicherheitskette *f*. ~ **du·ty** *s mil.* Wachdienst *m*.

guard·ed ['gɑːrdid] *adj* (*adv* ~ly) *fig.* vorsichtig, zu'rückhaltend: a ~ answer; ~ hope gewisse Hoffnung; to express s.th. in ~ terms etwas vorsichtig ausdrücken. **'guard·ed·ness** *s* Vorsicht *f*.

'guardˌhouse *s mil.* **1.** 'Wachhaus *n*, -loˌkal *n*. **2.** Ar'restloˌkal *n*.

guard·i·an ['gɑːrdiən] **I** *s* **1.** Hüter *m*, Wächter *m*: ~s of order Hüter der Ordnung (*Polizei*). **2.** *jur.* a) Vormund *m*: ~ ad litem (*vom Gericht für minderjährigen od. geschäftsunfähigen Beklagten bestellter*) Prozeßvertreter, b) Pfleger *m*: ~ of the poor Armenpfleger. **3.** *R.C.* Guardi'an *m* (*e-s Franziskanerklosters*). **II** *adj* **4.** behütend, Schutz...: ~ angel Schutzengel *m*. **'guard·i·anˌship** *s* **1.** *jur.* a) Vormundschaft *f*, b) Pflegschaft *f*. **2.** *fig.* Schutz *m*, Obhut *f*.

guards·man ['gɑːrdzmən] *s irr mil.* **1.** 'Gardeoffiˌzier *m*. **2.** Gar'dist *m*.

Gua·te·ma·lan [ˌgwɑːti'mɑːlən] **I** *adj* guatemal'tekisch. **II** *s* Guatemal'teke *m*, Guatemal'tekin *f*.

gua·va ['gwɑːvə] *s bot.* **1.** Gu'avenbaum *m*. **2.** Gua'java *f* (*Frucht von* 1).

gu·ber·nac·u·lum [ˌgjuːbər'nækjuləm] *pl* **-la** [-lə] *s* **1.** *med.* Leitband *n*. **2.** *zo.* Schleppgeißel *f*.

gu·ber·na·to·ri·al [ˌgjuːbərnə'tɔːriəl] *adj* Regierungs..., Gouverneurs...

gudg·eon¹ ['gʌdʒən] **I** *s* **1.** *ichth.* Gründling *m*, Greßling *m*. **2.** *fig.* Gimpel *m*, Einfaltspinsel *m*. **3.** *fig.* Köder *m*. **4.** leichter *od.* wertloser Fang. **II** *v/t* **5.** betrügen, ‚her'einlegen'.

gudg·eon² ['gʌdʒən] *s* **1.** *tech.* (Dreh)Zapfen *m*, Bolzen *m*: ~ (pin) (Kolben)Bolzen. **2.** *arch.* Haken *m*. **3.** *mar.* Ruderöse *f*.

'guel·der-ˌrose ['geldər] *s bot.* Schneeball *m*.

gue·non [gə'nɔ̃] *s zo.* Meerkatze *f*.

guer·don ['gəːrdən] *poet.* **I** *s* Lohn *m*, Sold *m*. **II** *v/t* belohnen.

gue·ril·la → guerrilla.

Guern·sey ['gəːrnzi] *s* **1.** Guernsey(rind) *n*. **2.** g~, *a.* g~ coat, g~ shirt Wollhemd *n*, -jacke *f*.

guer·ril·la [gə'rilə] *s mil.* **1.** Gue'rilla-, Bandenkämpfer *m*, Parti'san *m*. **2.** *meist* ~ war(fare) Gue'rilla(krieg) *m*, Banden-, Parti'sanenkrieg *m*.

guess [ges] **I** *v/t* **1.** (ab)schätzen: to ~ s.o.'s age at 40 j-s Alter *od.* j-n auf 40 schätzen. **2.** erraten: to ~ a riddle; to ~ s.o.'s thoughts. **3.** ahnen, vermuten: I ~ed how it would be ich habe mir gedacht, wie es kommen würde. **4.** *bes. Am.* glauben, denken, meinen, annehmen. **II** *v/i* **5.** schätzen (at s.th. etwas). **6.** a) raten, b) her'umraten (at, about an *dat*): ~ed wrong falsch geraten; to keep s.o. ~ing *colloq.* j-m (ein) Rätsel aufgeben, j-n im unklaren lassen; ~ing game Ratespiel *n*. **III** *s* **7.** Schätzung *f*, Vermutung *f*, Mutmaßung *f*, Annahme *f*: anybody's ~ reine Vermutung; at a ~ bei bloßer Schätzung; a good ~ gut geraten *od.* geschätzt; by ~ schätzungsweise; by ~ and by god ‚über den Daumen (gepeilt)', bloß geschätzt; to make a ~ raten, schätzen.

'guess|-ˌrope → guest rope. ~ **stick** *s Am. sl.* **1.** Rechenschieber *m*. **2.** Maßstab *m*.

guess·ti·mate *Am. sl.* **I** *s* ['gestimit] grobe Schätzung, bloße Rate'rei. **II** *v/t* [-ˌmeit] ‚über den Daumen peilen', grob schätzen.

'guess|-ˌwarp → guest rope. **'~ˌwork** *s* (reine) Vermutung(en *pl*), (bloße) Rate'rei, ‚Her'umgerate' *n*.

guest [gest] *s* **1.** Gast *m*. **2.** *bot. zo.*

Inqui'line *m*, Einmieter *m* (*e-e Art Parasit*). '~ˌ**cham·ber** *s* Gast-, Gäste-, Fremdenzimmer *n*. '~ˌ**house** *s* Pen-si'on *f*, Fremdenheim *n*. ~ **night** *s* Gästeabend *m*. ~ **room** → guestchamber. ~ **rope** *s mar*. **1.** Schlepptrosse *f*. **2.** Bootstau *n*.

guff [gʌf] *s Am. sl.* Quatsch *m*.

guf·faw [gʌ'fɔː] **I** *s* schallendes Gelächter. **II** *v/i* schallend lachen.

gug·gle ['gʌgl] *v/i* glucksen.

guhr [gur] *s geol.* Gur *f*.

guid·a·ble ['gaidəbl] *adj* lenksam, lenk-, leitbar. '**guid·ance** *s* **1.** Leitung *f*, Führung *f*. **2.** Anleitung *f*, Unter'weisung *f*, Belehrung *f*: for your ~ zu Ihrer Orientierung; to afford ~ on Hinweise geben für. **3.** *ped. etc* Beratung *f*, Führung *f*: vocational ~ Berufsberatung; ~ counselor (*od.* specialist) *Am.* a) Berufs-, Studienberater *m*, b) psychologischer Betreuer, Heilpädagoge *m*.

guide [gaid] **I** *v/t* **1.** *j-n* führen, (ge)leiten, *j-m* den Weg zeigen. **2.** *tech. u. fig.* lenken, leiten, führen, steuern. **3.** *etwas, a. j-n* bestimmen: to ~ s.o.'s actions (judg[e]ment, life); to be ~d by sich leiten lassen von, sich richten nach, bestimmt sein von. **4.** *fig.* anleiten, belehren, beraten(d zur Seite stehen *dat.*) **II** *s* **5.** Führer(in), Leiter(in). **6.** (Reise-, Fremden-, Berg-*etc*)Führer *m*. **7.** (Reise- *etc*)Führer *m* (*Buch*): a ~ to London ein Führer durch London; a ~ to a museum ein Museumsführer. **8.** (to) Leitfaden *m* (*gen*), Einführung *f* (in *acc*), Handbuch *n* (*gen*). **9.** *fig.* Berater(in). **10.** *fig.* Richtschnur *f*, Anhaltspunkt *m*, 'Hinweis *m*: if it (he) is any ~ wenn man sich danach (nach ihm) überhaupt richten kann. **11.** a) Wegweiser *m* (*a. fig.*), b) 'Weg(marˌkierungs)zeichen *n*. **12.** *a.* G~ a) Pfadfinderin *f*, b) *Am. Pfadfinderinnenabteilung für Mädchen zwischen 11 u. 16 Jahren*. **13.** *mil.* Richtungsmann *m*. **14.** *mar.* Spitzenschiff *n*. **15.** *tech.* Führung *f*, *z.B.* a) Führungsbahn *f* (*e-r Drehbank*), b) Führungsrolle *f* (*Seilbahn etc*), c) Führungsöse *f*, d) 'Leitschaufel *f*, -rohr *n*, -graben *m*, -kaˌnal *m*, e) *Spinnerei etc*: Fadenführer *m*. **16.** *med.* Leitungssonde *f*.

guide| bar *s tech.* Führungsschiene *f*. ~ **beam** *s aer.* (Funk)Leitstrahl *m*. ~ **blade** *s tech.* Leitschaufel *f* (*der Turbine*). ~ **block** *s tech.* (Gerad)Führungsbacke(n *m*) *f*, Führungsschlitten *m*. '~ˌ**board** *s* Wegweisertafel *f*. '~ˌ**book** → guide 7. ~ **card** *s* Leitkarte *f* (*e-r Kartei*).

guid·ed ['gaidid] *adj* **1.** geführt: ~ tour Gesellschaftsreise *f*. **2.** *mil. tech.* (fern)gelenkt, (-)gesteuert: ~ missile Fernlenkkörper *m*, ferngelenktes Geschoß.

guide dog *s* Blindenhund *m*.

guide·less ['gaidlis] *adj* führerlos.

'**guide|ˌline** *s* **1.** → guide rope. **2.** *print.* Korrek'turzeichen *n*, -linie *f*. **3.** *fig.* Richtlinie *f*. ~ **pin** *s tech.* Führungsstift *m*. '~ˌ**post** *s* Wegweiser *m*. ~ **pul·ley** *s tech.* Leit-, Führungs-, 'Umlenkrolle *f*. ~ **rail** *s tech.* Führungsschiene *f*. ~ **rod** *s* Führungsstange *f*. ~ **rope** *s aer.* Schlepptau *n*, Leitseil *n*. '~ˌ**way** *s tech.* Führungsbahn *f*.

guid·ing ['gaidiŋ] *adj* führend, leitend, Lenk...: ~ principle Leitprinzip *n*, Richtschnur *f*; ~ rule Richtlinie *f*. ~ **star** *s* Leitstern *m*. ~ **stick** *s paint.* Mal(er)stock *m*.

gui·don ['gaidən] *s* **1.** Wimpel *m*, Fähnchen *n*, Stan'darte *f*. **2.** Stan'dartenträger *m*.

guild [gild] *s* **1.** Gilde *f*, Zunft *f*, Innung *f*: ~ socialism *pol.* Gilden-, Innungssozialismus *m*. **2.** Verein(igung *f*) *m*, Bruderschaft *f*, Gesellschaft *f*. **3.** *bot.* Lebensgemeinschaft *f*.

guil·der ['gildər] *s* Gulden *m*.

'**guild'hall** *s* **1.** Zunft-, Innungshaus *n*. **2.** Rathaus *n*: the G~ *das Rathaus der City von London*.

guile [gail] *s* **1.** (Arg)List *f*, Tücke *f*. **2.** *obs.* Betrug *m*. '**guile·ful** [-ful] *adj* (*adv* ~ly) (arg)listig, (be)trügerisch, falsch. '**guile·less** *adj* (*adv* ~ly) arglos, offen, treuherzig, unschuldig, harmlos, ohne Falsch. '**guile·less·ness** *s* Harm-, Arglosigkeit *f*.

guil·loche [gi'louʃ] *s* Guil'loche *f*, verschlungene Zierlinie.

guil·lo·tine I *s* ['giləˌtiːn; ˌgilə'tiːn] **1.** Guillo'tine *f*: a) Fallbeil *n*, b) *med.* Tonsillo'tom *n*: ~ amputation Ganzamputation *f* (ohne Lappen). **2.** *tech.* Pa'pierˌschneidemaˌschine *f*: ~ shears Tafel-, Parallelschere *f*. **3.** *parl. Br.* Befristung *f* der De'batte (*bezüglich der einzelnen Teile e-s Gesetzentwurfs*). **II** *v/t* [ˌgilə'tiːn] **4.** guilloti'nieren, (mit dem Fallbeil) 'hinrichten.

guilt [gilt] *s* **1.** Schuld *f* (*a. jur.*): joint ~ Mitschuld; ~ complex Schuldkomplex *m*, -gefühle *pl*. **2.** *jur.* Strafbarkeit *f*, Straffälligkeit *f*. **3.** Missetat *f*. **guilt·i·ness** ['giltinis] *s* **1.** Schuld *f*. **2.** Schuldbewußtsein *n*, -gefühl *n*. '**guilt·less** *adj* (*adv* ~ly) **1.** schuldlos, unschuldig (of an *dat*). **2.** (of) a) frei (von), ohne (*acc*), b) unkundig (*gen*), unerfahren, unwissend (in *dat*), c) *fig.* nichts wissend *od.* unberührt (von): to be ~ of s.th. etwas nicht kennen. '**guilt·less·ness** *s* Schuldlosigkeit *f*.

guilt·y ['gilti] *adj* (*adv* guiltily) **1.** *bes. jur.* schuldig (of *gen*): ~ of murder des Mordes schuldig; to find (not) ~ für (un)schuldig erklären (on a charge e-r Anklage); to be found ~ on a charge e-r Anklage für schuldig befunden werden; → plead 1. **2.** strafbar, verbrecherisch: ~ intent, ~ mind Mens *f* rea, Vorsatz *m*. **3.** schuldbewußt, -beladen: a ~ conscience ein schlechtes Gewissen.

guin·ea ['gini] *s* **1.** Gui'nee *f* (*Goldmünze 1663—1816, a. Rechnungsgeld = 21 Schilling alter Währung*). **2.** → guinea fowl. ~ **fowl** *s orn.* Perlhuhn *n*. ~ **goose** *s irr zo.* Schwanengans *f*. ~ **grains** *s* Gui'neakörner *pl*, Mala'gettapfeffer *m*. ~ **grass** *s bot.* Gui'neagras *n*. ~ **hen** *s* (*bes. weibliches*) Perlhuhn. **G~ pep·per** *s bot.* Gui'neapfeffer *m*. ~ **pig** *s* **1.** *zo.* Meerschweinchen *n*. **2.** *fig.* ‚Ver'suchskaˌninchen' *n*. **3.** *Br. sl. j-d, der e-e Guinee als Honorar erhält* (*z.B. Arzt*).

guise [gaiz] *s* **1.** Aufmachung *f*, Gestalt *f*, Erscheinung *f*: in the ~ of als ... (verkleidet). **2.** *fig.* Maske *f*, (Deck)Mantel *m*, Vorwand *m*: under (*od.* in) the ~ of in der Maske (*gen*). **3.** *obs.* Kleidung *f*.

gui·tar [gi'tɑːr] *s mus.* Gi'tarre *f*. **gui'tar·ist** *s* Gi'tarrist(in).

Gu·ja·ra·ti [ˌgudʒə'rɑːti] *s ling.* Gudscha'rati *n* (*neuindische Sprache*).

gulch [gʌltʃ] *s Am.* (Berg)Schlucht *f*.

gul·den ['guldən] *s* Gulden *m*.

gules [gjuːlz] *s her.* Rot *n*.

gulf [gʌlf] **I** *s* **1.** Golf *m*, Meerbusen *m*, Bucht *f*. **2.** Abgrund *m*, Schlund *m* (*beide a. fig.*). **3.** *fig.* Kluft *f*, großer 'Unterschied. **4.** Strudel *m*, Wirbel *m* (*a. fig.*). **5.** *univ. Br. sl.* niedrigstes Prädi'kat (*der Honours-Prüfung in Oxford u. Cambridge*). **II** *v/t* **6.** *a. fig.* a) in e-n Abgrund stürzen, b) verschlingen. **7.** *univ. Br. sl. e-m Honours-Kandidaten* das niedrigste Prädi'kat geben. **G~ Stream** *s geogr.* Golfstrom *m*.

gulf·y ['gʌlfi] *adj* **1.** abgrundtief. **2.** voller Strudel.

gull[1] [gʌl] *s orn.* Möwe *f*.

gull[2] [gʌl] **I** *v/t* über'tölpeln, hinters Licht führen, prellen. **II** *s* Gimpel *m*.

gul·let ['gʌlit] *s* **1.** *anat.* Schlund *m*, Speiseröhre *f*. **2.** Gurgel *f*, Kehle *f*. **3.** Wasserrinne *f*. **4.** *tech.* (Ein)Schweifung *f* (*der Sägezähne*), Zahnlücke *f*. **5.** *tech.* 'Förderkaˌnal *m*.

gul·li·bil·i·ty [ˌgʌli'biliti] *s* Leichtgläubigkeit *f*, Einfältigkeit *f*. '**gul·li·ble** *adj* leichtgläubig, einfältig, na'iv.

gul·ly[1] ['gʌli] **I** *s* **1.** tief eingeschnittener Wasserlauf, (Wasser)Rinne *f*. **2.** *tech.* a) Gully *m* (*a. mar.*), Sinkkasten *m*, Senkloch *n*, Absturzschacht *m*, b) *a.* ~ drain 'Abzugskaˌnal *m*: ~ hole Schlammfang *m*, Senkloch; ~ trap Geruchverschluß *m*. **II** *v/t* **3.** mit (Wasser)Rinnen durch'ziehen, zerfurchen. **4.** *tech.* mit Sinkkästen *etc* versehen.

gul·ly[2] ['gʌli; 'guli] *s bes. Scot.* großes Messer.

gu·los·i·ty [gju'lɒsiti] *s* Gier *f*.

gulp [gʌlp] **I** *v/t oft* ~ down **1.** (ver)schlucken, hin'unterschlucken, -schlingen. **2.** *fig.* (ver)schlucken, verschlingen. **3.** *fig. Tränen etc* hin'unterschlucken, unter'drücken. **II** *v/i* **4.** (*a. vor Rührung etc*) schlucken. **5.** würgen. **III** *s* **6.** (großer) Schluck: at one ~ auf 'einen Zug. '**gulp·y** *adj* würgend.

gum[1] [gʌm] *s oft pl anat.* Zahnfleisch *n*.

gum[2] [gʌm] **I** *s* **1.** *bot. tech.* a) Gummi *n*, b) Gummiharz *n*. **2.** Gummi *n*, Kautschuk *m*. **3.** Klebstoff *m*, *bes.* Gummilösung *f*. **4.** Gum'mierung *f* (*von Briefmarken etc*). **5.** Appre'tur(mittel *n*) *f*. **6.** *abbr. für* a) chewing gum, b) gum arabic, c) gum elastic, d) gum tree, e) gum wood. **7.** *bot.* Gummifluß *m*, Gum'mosis *f* (*Baumkrankheit*). **8.** *med.* Augenbutter *f*. **9.** 'Gummibonˌbon *m*, *n*. **10.** *pl Am.* 'Gummigaˌloschen *pl*. **II** *v/t* **11.** gum'mieren. **12.** mit Gummi appre'tieren. **13.** (an-, ver)kleben: to ~ down aufkleben; to ~ together zs.-kleben. **14.** *meist* ~ up a) verkleben, verstopfen, b) *fig. Am. sl.* ‚vermasseln', hemmen. **III** *v/i* **15.** Gummi absondern *od.* bilden. **16.** gummiartig werden.

Gum[3], *a.* **g~** [gʌm] *s*: my ~!, by ~! *vulg.* heiliger Strohsack!

gum| ac·id *s chem.* Harzsäure *f*. ~ **am·mo·ni·ac** *s chem. med.* Ammoni'akgummi *n*. ~ **ar·a·bic** *s med. tech.* Gummia'rabikum *n*. ~ **ben·zoin** *s bot.* Benzoëharz *n*.

gum·bo ['gʌmbou] *Am.* **I** *pl* **-bos** *s* **1.** mit Gumboschoten eingedickte Suppe. **2.** a) *bot.* → okra 1, b) Gumboschote *f*. **3.** *a.* ~ soil Boden *m* aus feinem Schlamm. **II** *adj* **4.** *bot.* Eibisch...

'**gumˌboil** *s med.* Zahngeschwür *n*.

gum| boot *s* Gummistiefel *m*. ~ **drag·on** → tragacanth. '~ˌ**drop** *s Am.* 'Gummibonˌbon *m*, *n*. ~ **e·las·tic** *s* Gummie'lastikum *n*, Kautschuk *m*. ~ **ju·ni·per** *s* Sandarak *m* (*Harz*).

gum·ma ['gʌmə] *pl* **-mas,** '**gum·ma·ta** [-tə] *s med.* Syphilisgeschwulst *f*.

gum·mite ['gʌmait] *s min.* Gummierz *n*.

gum·mo·sis [gʌ'mousis] → gum[2] 7. '**gum·mous** → gummy 1 *u.* 2. '**gum-**

my *adj* **1.** gummiartig, zäh(flüssig), klebrig. **2.** aus Gummi, Gummi... **3.** gummihaltig. **4.** gummiabsondernd. **5.** mit Gummi über'zogen. **6.** a) spekkig (*Gelenke etc*), b) *med.* gum'mös.

gump·tion ['gʌmpʃən] *s colloq.* **1.** Mutterwitz *m*, gesunder Menschenverstand, ‚Grütze' *f*, ‚Grips' *m*. **2.** ‚Mumm' *m*, Schneid *m*. **3.** *paint.* Quellstärke *f*.

gum| res·in *s* **1.** *bot.* 'Gummireˌsina *f*, Schleimharz *n*. **2.** *tech.* (*bei Normaltemperatur*) plastisches *od.* e'lastisches (Kunst)Harz. ~ **sen·e·gal** *s bot. tech.* Senegalgummi *n*. '~ˌ**shoe** *Am.* **I** *s* **1.** *colloq.* a) Ga'losche *f*, 'Gummiˌüberschuh *m*, b) Tennis-, Turnschuh *m*. **2.** *sl.* a) ‚Schnüffler' *m* (*Detektiv*), b) Spitzel *m*. **II** *v/i* **3.** *sl.* schleichen. **III** *adj* **4.** *sl.* geheim, heimlich. ~ **tree** *s bot.* **1.** (*in Amerika*) a) Tu'pelobaum *m*, b) Amer. Amberbaum *m*. **2.** (*in Australien*) Euka'lyptus *m*. **3.** (*in Westindien*) a) (*ein*) Klebebaum *m*, b) *e-e Anacardiacee*. **4.** (*Gummi liefernder*) Gummibaum: **up a** ~ *sl.* ‚in der Klemme', am Ende s-r Weisheit. '~ˌ**wood** *s* **1.** Euka'lyptusholz *n*. **2.** Holz *n* des Amer. Amberbaums.

gun [gʌn] **I** *s* **1.** *mil.* Geschütz *n*, Ka'none *f* (*a. fig.*): **to bring up one's big ~s** schweres Geschütz auffahren (*a. fig.*); **a great** (*od.* **big**) ~ *sl.* ‚ein großes Tier' (*wichtige Person*); **to blow great ~s** *mar.* heulen (*Sturm*); **son of a** ~ *colloq.* a) *contp.* ‚Hund' *m*, Mistkerl *m*, b) ‚Mordskerl' *m*; **to stand** (*od.* **stick**) **to one's ~s** fest bleiben, nicht nachgeben, sich nicht beirren lassen. **2.** Feuerwaffe *f*, (*engS.* Jagd)Gewehr *n*, Büchse *f*, Flinte *f*. **3.** *Am. colloq.* ‚Ka'none' *f*, Pi'stole *f*, Re'volver *m*. **4.** *sport* a) 'Startpiˌstole *f*, b) Startschuß *m*: **to jump** (*od.* **beat**) **the** ~ e-n Fehlstart verursachen, *fig.* zu früh *od.* vorzeitig handeln; **opening** ~ *fig.* Startschuß, -signal *n*, Eröffnung *f*. **5.** (Ka'nonen-, Si'gnal-, Sa'lut)Schuß *m*. **6.** Schütze *m*, Jäger *m*, Jagdgast *m*. **7.** *mil.* Kano'nier *m*. **8.** *tech.* Spritze *f*, Presse *f*: → **grease gun**. **9.** *aer. mot.* a) Drossel(klappe) *f*, b) Gashebel *m*: **give her the** ~! *colloq.* gib Gas!, ‚drück auf die Tube'! **II** *v/i* **10.** auf die Jagd gehen, jagen. **11.** schießen. **12.** ~ **for** suchen, verfolgen (*acc*). **13.** *bes. Am. fig.* (**for**) sich bemühen (um), es abgesehen haben (auf *acc*). **III** *v/t* **14.** *Am. colloq.* a) *j-n* ‚umlegen', erschießen, b) schießen auf (*acc*). **15.** *oft* ~ **up** *bes. mot. Am.* ‚auf Touren bringen': **to** ~ **the car up** ‚aufdrehen', Gas geben.

gun| bar·rel *s mil.* **1.** Geschützrohr *n*. **2.** Gewehrlauf *m*. '~ˌ**boat** *s mar.* Ka'nonenboot *n*. ~ **cam·er·a** *s aer. mil.* 'Photo-MˌG *n*. ~ **car·riage** *s mil.* ('Fahr)Laˌfette *f*. ~ **case** *s* **1.** *hunt. sport* Ge'wehrfutteˌral *n*. **2.** *Br. sl.* (*Art*) Stola *f* (*der Richter*). '~ˌ**cot·ton** *s chem.* Schieß(baum)wolle *f*. ~ **di·rec·tor** *s mil.* Feuerleitgerät *n*. ~ **dis·place·ment** *s mil.* Stellungswechsel *m*. ~ **dog** *s* Jagdhund *m*. ~ **drill** *s mil.* Ge'schützexerˌzieren *n*. '~ˌ**fire** *s* **1.** *mar. mil.* Ka'nonenschuß *m*. **2.** *bes. mil.* Geschützfeuer *n*. ~ **har·poon** *s mar.* Ge'schützharˌpune *f*. ~ **lay·er** *s mil.* 'Höhenˌrichtkanoˌnier *m*. ~ **li·cence**, *bes. Am.* ~ **li·cense** *s* Waffenschein *m*. '~ˌ**lock** *s tech.* Gewehrschloß *n*. '~**·man** [-mən] *s irr bes. Am.* bewaffneter Ban'dit, Re'volverheld *m*. ~ **met·al** *s tech.* a) Ge'schützleˌgierung *f*, b) Ka'nonenmeˌtall *n*, Rotguß *m*. ~ **moll** *s Am. sl.* Re'volver-, Gangsterbraut *f*. ~ **mount** *s mil.* (Ge'schütz)Laˌfette *f*.

gun·ned *adj* bewaffnet, bestückt: [**heavily** ~.]

gun·nel[1] ['gʌnl] *s* Butterfisch *m*.

gun·nel[2] → **gunwale**.

gun·ner ['gʌnər] *s* **1.** *mil.* a) Kano'nier *m*, Artille'rist *m*, b) Richtschütze *m* (*Panzer etc*), c) M'G-Schütze *m*, Gewehrführer *m*, d) *mar.* erster Ge'schützoffiˌzier, e) *aer.* Bordschütze *m*: → **master gunner**; **to kiss** (*od.* **marry**) **the ~'s daughter** *mar. hist. sl.* (*auf e-e Kanone gebunden u.*) ausgepeitscht werden. **2.** Jäger *m*.

gun·ner·y ['gʌnəri] *s mil.* **1.** Geschützwesen *n*. **2.** Schießwesen *n*, -lehre *f*. **3.** a) Schießen *n*, b) Artille'rieeinsatz *m*. ~ **lieu·ten·ant**, *Br. sl. a.* ~ **jack** *s mar.* Artille'rieleutnant *m*.

gun·ning ['gʌniŋ] *s hunt.* Jagen *n*, Jagd *f*: **to go** ~ auf die Jagd gehen.

gun·ny ['gʌni] *s* **1.** grobes Sacktuch, Juteleinwand *f*. **2.** *a.* ~ **bag** Jutesack *m*.

'**gun|ˌpa·per** *s chem.* 'Schießpaˌpier *n*. ~ **pit** *s* **1.** *mil.* Geschützstellung *f*, -stand *m*. **2.** *aer. mil.* Kanzel *f*. '~ˌ**play** *s Am. sl.* Schieße'rei *f*. '~ˌ**pow·der** *s* Schießpulver *n*: G~ **Plot** *hist.* Pulververschwörung *f* (*1605 in London*). ~ **room** *s mar. mil.* Ka'dettenmesse *f*. '~ˌ**run·ner** *s* Waffenschmuggler *m*. '~ˌ**run·ning** *s* Waffenschmuggel *m*. '~ˌ**shot** *s* **1.** (Ka'nonen-, Gewehr)Schuß *m*. **2.** *a.* ~ **wound** Schußwunde *f*. **3.** Reich-, Schußweite *f*: **within** (**out of**) ~ in (außer) Schußweite (*a. fig.*). '~-ˌ**shy** *adj* **1.** schußscheu (*Hund, Pferd*). **2.** *Am. colloq.* ängstlich (**of** gegen'über). '~ˌ**smith** *s* Büchsenmacher *m*. '~ˌ**stock** *s* Gewehrschaft *m*.

gun·ter ['gʌntər] *s* **1.** *math.* (Gunterscher) Rechenschieber. **2.** *a.* ~ **rig** *mar.* Schiebe- *od.* Gleittakelung *f*.

gun tur·ret *s mil.* **1.** Geschützturm *m*. **2.** Waffendrehstand *m*.

gun·wale ['gʌnl] *s mar.* **1.** Schandeckel *m*. **2.** Dollbord *n* (*vom Ruderboot*).

gun·yah ['gʌnjə] *s Austral.* Eingeborenenhütte *f*.

gup·py ['gʌpi] *s mil. sl.* U-Boot *n* mit Schnorchel.

gur·gi·ta·tion [ˌgəːrdʒi'teiʃən] *s* (Auf)Wallen *n*, Strudeln *n*.

gur·gle ['gəːrgl] **I** *v/i* gurgeln: a) kluckern (*Wasser*), b) glucksen (*Person, Stimme, a. Wasser*). **II** *v/t* (her'vor)gurgeln, glucksen(d äußern). **III** *s* Glucksen *n*, Gurgeln *n*.

Gur·kha ['gurkə; 'gəːrkə] *s* Gurkha *m*, *f* (*Mitglied e-s indischen Stamms in Nepal*).

gur·nard ['gəːrnərd], *a.* '**gur·net** [-nit] *s ichth.* See-, *bes.* Knurrhahn *m*.

gur·ry [*Br.* 'gʌri; *Am.* 'gəːri] *s* Fischabfälle *pl*.

gu·ru ['guːruː; gu'ruː] *s Br. Ind.* Guru *m*, (*bes.* geistlicher) Lehrer.

gush [gʌʃ] **I** *v/i* **1.** *oft* ~ **forth** (*od.* **out**) (her'vor)strömen, (-)brechen, (-)schießen, stürzen, sich ergießen (**from** aus). **2.** *fig.* 'überströmen. **3.** *fig.* ausbrechen: **to** ~ **into tears** in Tränen ausbrechen. **4.** *colloq.* schwärmen, sich 'überschwenglich *od.* verzückt äußern. **II** *v/t* **5.** ausströmen, -speien. **6.** *fig.* her'vorsprudeln, schwärmerisch sagen. **III** *s* **7.** Schwall *m*, Strom *m*, Erguß *m* (*alle a. fig.*). **8.** *colloq.* 'Überschwenglichkeit *f*, Schwärme'rei *f*, (Gefühls)Erguß *m*. '**gush·er** *s* **1.** Schwärmer(in). **2.** *Am.* Springquelle *f* (*Erdöl*). '**gush·ing** *adj* (*adv* ~**ly**) **1.** ('über)strömend, (-)sprudelnd. **2.** *colloq.* 'überschwenglich, schwärmerisch. '**gush·y** → **gushing** 2.

gus·set ['gʌsit] **I** *s* **1.** *Näherei*: Zwickel *m*, Keil *m*. **2.** *tech.* Winkelstück *n*, Eckblech *n*: ~ **plate** Knotenblech. **3.** *allg.* Keil *m*, keilförmiges Stück. **II** *v/t* **4.** e-n Zwickel *etc* einsetzen in (*acc*).

gust[1] [gʌst] *s* **1.** Windstoß *m*, Bö *f*. **2.** Schwall *m*, Strahl *m*. **3.** *fig.* (Gefühls)Ausbruch *m*, Sturm *m* (*der Leidenschaft etc*).

gust[2] [gʌst] *s obs.* **1.** Geschmack *m*. **2.** Genuß *m*. **gus'ta·tion** *s* **1.** Geschmack(svermögen *n*) *m*, Geschmackssinn *m*. **2.** Schmecken *n*. '**gus·ta·tive** [-tətiv], '**gus·ta·to·ry** *adj* Geschmacks...: ~ **cell**; ~ **nerve**.

gust·i·ness ['gʌstinis] *s* **1.** Böigkeit *f*. **2.** *fig.* Ungestüm *n*.

gus·to ['gʌstou] *s* **1.** Gusto *m*: a) Vorliebe *f* (**for** für), b) Genuß *m*, (Wohl)Behagen *n*, Lust *f*. **2.** Schwung *m*.

gust·y ['gʌsti] *adj* (*adv* **gustily**) **1.** böig. **2.** stürmisch (*a. fig.*). **3.** *fig.* ungestüm.

gut [gʌt] **I** *s* **1.** *pl bes. zo.* Eingeweide *pl*, Gedärme *pl*. **2.** *anat.* a) 'Darm(kaˌnal) *m*, b) (*bestimmter*) Darm: **blind** ~ Blinddarm. **3.** *vulg.* Bauch *m*. **4.** a) (*präparierter*) Darm, b) Seidendarm *m* (*für Angelleinen*). **5.** *Am. sl.* Wurst *f*. **6.** a) Engpaß *m*, enger 'Durchgang, b) (*Oxford u. Cambridge*) enge Flußschleife (*auf der Rennstrecke*). **7.** *pl sl.* a) (*das*) Innere: **the ~s of the machinery**; **I hate his ~s** ich hasse ihn wie die Pest, b) (*das*) Wesentliche, c) wahrer Inhalt, innerer Wert, Gehalt *m*: **it has no ~s in it** es steckt nichts dahinter. **8.** *pl sl.* Schneid *m*, ‚Mumm' *m*, Cou'rage *f*: **to have the ~s to do s.th.** den Schneid haben, etwas zu tun. **II** *v/t* **9.** *Fisch etc* ausweiden, -nehmen. **10.** *Haus etc* a) ausrauben, -räumen, b) das Innere (*gen*) zerstören, ausbrennen: ~**ted by fire** völlig ausgebrannt. **11.** *fig. ein Buch* ‚ausschlachten', Auszüge machen aus. **12.** *fig.* zerstören, aushöhlen. '**gut·less** *adj sl.* **1.** feig(e). **2.** schlapp, ‚müde': **a** ~ **enterprise**. '**gut·sy** [-si] *adj sl.* mutig, draufgängerisch.

gut·ta[1] ['gʌtə] *pl* '**gut·tae** [-tiː] *s arch.* Gutta *f*, Tropfen *m* (*Verzierung*).

gut·ta[2] ['gʌtə] *s* **1.** *chem.* Gutta *n*. **2.** *bot. tech.* Gutta'percha *f*. **3.** → **gutty**.

gut·ta-per·cha ['gʌtə'pəːrtʃə] *s bot. tech.* Gutta'percha *f*.

gut·tate ['gʌteit], *a.* '**gut·tat·ed** [-tid] *adj bes. bot. zo.* gesprenkelt.

gut·ter ['gʌtər] **I** *s* **1.** Gosse *f* (*a. fig.*), Rinnstein *m*: **to take s.o. out of the** ~ *fig.* j-n aus der Gosse auflesen; **language of the** ~ (*die*) Sprache der Gosse, vulgäre Ausdrucksweise. **2.** (Abfluß-, Wasser)Rinne *f*, Graben *m*. **3.** Dachrinne *f*. **4.** *tech.* Rinne *f*, Hohlkehlfuge *f*, Furche *f*. **5.** *print.* Bundsteg *m*. **6.** Kugelfangrinne *f* (*der Kegelbahn*). **II** *v/t* **7.** furchen, riefen. **III** *v/i* **8.** rinnen, strömen. **9.** tropfen (*Kerze*). **IV** *adj* **10.** vul'gär, Schmutz... ~ **child** *s irr* Gassenkind *n*. '~**-man** [-mən] *s irr* Straßenhändler *m*. ~ **press** *s* Skan'dal-, Schmutzpresse *f*. '~ˌ**snipe** *s sl.* Straßenjunge *m*.

gut·ti·form ['gʌtiˌfɔːrm] *adj* tropfen-[förmig.]

gut·tur·al ['gʌtərəl] **I** *adj* (*adv* ~**ly**) **1.** Kehl..., guttu'ral (*beide a. ling.*), kehlig. **2.** rauh, heiser. **II** *s* **3.** *ling.* Guttu'ral *m*, Kehllaut *m*. '**gut·tur·alˌize** *v/t* **1.** guttu'ral aussprechen. **2.** velari'sieren.

gut·tur·o·max·il·lar·y ['gʌtəromæk'siləri] *adj* Kehl- u. Kiefer...

gut·ty ['gʌti] *s Golf: sl.* Gutta'perchaball *m.*

guy[1] [gai] **I** *s* **1.** *Am. sl.* Bursche *m,* Kerl *m,* ‚Knülch' *m.* **2.** Popanz *m,* Vogelscheuche *f* (*Person*). **3.** *Spottfigur des Guy Fawkes* (*die am* Guy Fawkes Day *öffentlich verbrannt wird*). **4.** *Br. sl.* Ausreißen *n*: to do a ~ → 6; to give s.o. the ~ j-m entwischen. **II** *v/t* **5.** *colloq. j-n* lächerlich machen, verulken. **III** *v/i* **6.** *Br. sl.* ‚türmen', ‚verduften'.

guy[2] [gai] **I** *s* Halteseil *n,* Führungskette *f*: a) *arch.* Rüstseil *n,* b) *tech.* (Ab)Spannseil *n* (*e-s Mastes*): ~ wire Spanndraht *m,* c) Spannschnur *f* (*Zelt*), d) *mar.* Gei(tau *n*) *f.* **II** *v/t* mit e-m Tau *etc* sichern, verspannen.

Guy Fawkes Day ['gai 'fɔːks] *s der Jahrestag des* Gunpowder Plot (*5. November*).

guz·zle ['gʌzl] *v/t* **1.** (*a. v/i*) a) ‚saufen', ‚picheln', b) ‚fressen', gierig essen. **2.** *oft* ~ away *Geld* verprassen, *bes.* ‚versaufen'. **'guz·zler** *s* a) ‚Säufer' *m,* b) ‚Fresser' *m.*

gwyn·i·ad ['gwiniˌæd] *s ichth.* Gwyniadrenk *m* (*Art Lachs*).

gy·as·cu·tus [ˌdʒaiəs'kjuːtəs] *s Am.* Untier *n,* Ungetüm *n* (*a. fig.*).

gybe → jibe[1].

gyle [gail] *s* **1.** Gebräu *n,* Brau *m,* Sud *m* (*auf einmal gebraute Biermenge*). **2.** Gärbottich *m.* **3.** (Malz)Würze *f* in e-m frühen Gärungsstadium.

gym [dʒim] *sl. abbr. für* gymnasium *u.* gymnastics: ~ shoes Turnschuhe.

gym·kha·na [dʒim'kɑːnə] *s bes. Br. Ind.* **1.** sportliche Veranstaltung, Sportfest *n.* **2.** *Am.* Moto'cross *n,* Hindernisrennen *n.* **3.** öffentlicher Sportplatz.

gym·na·si·um [dʒim'neiziəm] *pl* **-si·ums, -si·a** [-ziə] *s* **1.** a) Turn-, Sporthalle *f,* b) Gym'nastik-, Sportschule *f.* **2.** G~ [gim'nɑːzium; gym-] *ped.* Gym'nasium *n* (*bes. in Deutschland*).

gym·nast ['dʒimnæst] *s* a) Sportlehrer(in), b) Sportler(in). **gym'nas·tic** **I** *adj* (*adv* ~ally) **1.** turnerisch, Turn..., gym'nastisch, Gymnastik... **2.** *selten* denksportlich. **II** *s* **3.** *pl* (*als Fach meist sg konstruiert*) Gym'nastik *f,* Leibesübungen *pl.* **4.** *colloq.* ‚Verrenkung' *f,* akro'batische Leistung. **5.** *fig.* Übung *f*: mental ~s Denkübung, -sport *m.*

gym·no·plast ['dʒimnoˌplæst] *s biol.* hüllenlose Proto'plasmazelle.

gym·nos·o·phist [dʒim'nɒsəfist] *s* Gymnoso'phist *m* (*asketischer indischer Philosoph*). **gym'nos·o·phy** *s* Gymnoso'phie *f.*

gym·no·sperm ['dʒimnoˌspəːrm] *s bot.* Gymno'sperme *f,* nacktsamige Pflanze.

gym·nos·po·rous [dʒim'nɒspərəs; ˌdʒimno'spɔːrəs] *adj* nacktsporig.

gym·no·tus [dʒim'noutəs] *s ichth.* Zitteraal *m.*

gyn·ae·ce·um [ˌdʒaini'siːəm; ˌgain-; ˌdʒin-] *pl* **-ce·a** [-'siːə] *s* Gynä'zeum *n*: a) *antiq. Frauenräume,* b) *bot. weibliche Organe e-r Blüte.*

gyn·ae·coc·ra·cy [ˌdʒaini'kɒkrəsi; gain-; dʒin-] *s* Frauenherrschaft *f.*

gyn·ae·co·log·ic [ˌdʒainikə'lɒdʒik; ˌgain-; ˌdʒin-], **gyn·ae·co'log·i·cal** [-kəl] *adj med.* gynäko'logisch. **ˌgyn·ae'col·o·gist** [-'kɒlədʒist] *s* Gynäko'loge *m,* Frauenarzt *m,* -ärztin *f.* **ˌgyn·ae'col·o·gy** *s med.* Gynäkolo'gie *f,* Frauenheilkunde *f.*

gy·nan·drous [dʒai'nændrəs; gai-; dʒi-] *adj bot.* gy'nandrisch.

gyn·e·coc·ra·cy, gyn·e·co·log·ic *etc bes. Am. für* gynaecocracy *etc.*

gyn·o·base ['dʒainoˌbeis; 'gain-; 'dʒin-] *s bot.* Fruchtknotenwulst *m.*

gyn·o·gen·ic [ˌdʒaino'dʒenik; ˌgai-; ˌdʒi-] *adj biol.* weibchenbestimmend.

'gyn·oˌphore [-ˌfɔːr] *s* **1.** *bot.* Gyno'phor *n,* Stempelträger *m.* **2.** *zo.* Träger *m* weiblicher Sprossen.

gyp[1] [dʒip] *s* (*bes. in Cambridge u. Durham*) Stu'dentendiener *m.*

gyp[2] [dʒip] *Am. sl.* **I** *v/t u. v/i* **1.** (j-n) ‚übers Ohr hauen', ‚bescheißen'. **II** *s* **2.** Gauner(in), Betrüger(in). **3.** Gaune'rei *f,* ‚Beschiß' *m.*

gyp[3] [dʒip] *s*: to give s.o. ~ j-n ‚fertigmachen', j-m die Hölle heiß machen.

gyp[4] [dʒip] *s Am.* Hündin *f.*

gyps [dʒips] → gypsum. **'gyp·se·ous** [-siəs], **'gyp·sous** [-səs] *adj min.* gipsartig, Gips...

gyp·sum ['dʒipsəm] *s min.* Gips *m.*

gyp·sy *etc bes. Am. für* gipsy *etc.*

gy·ral ['dʒai(ə)rəl] *adj* **1.** sich im Kreis drehend, (her'um)wirbelnd. **2.** *med.* Gehirnwindungs...

gy·rate **I** *v/i* [dʒai(ə)'reit; 'dʒai(ə)reit] kreisen, sich drehen, (her'um)wirbeln. **II** *adj* ['dʒai(ə)reit; -rit] gewunden, kreisförmig (angeordnet). **gy'ra·tion** *s* **1.** Kreis(el)bewegung *f,* Drehung *f.* **2.** *anat.* (Gehirn)Windung *f.* **3.** *zo.* Windung *f* (*e-r Muschel*). **'gy·ra·to·ry** [-rətəri] *adj* **1.** sich drehend, wirbelnd. **2.** sich spi'ralig windend. **3.** *Br.* Kreis..., Rund... (*Verkehr*).

gyre [dʒaiər] *poet.* **I** *s* **1.** Kreisbewegung *f,* ('Um)Drehung *f.* **2.** Windung *f.* **3.** Kreis *m.* **II** *v/i* **4.** → gyrate I.

gyr·fal·con ['dʒəːrˌfɔːlkən; -ˌfɔːkən] *s orn.* Geierfalk *m,* G(i)erfalke *m.*

gy·ro ['dʒai(ə)rou] *pl* **-ros** *colloq. für* gyroscope, gyrocompass.

gy·ro·com·pass ['dʒai(ə)roˌkʌmpəs] *s mar. phys.* Kreiselkompaß *m*: master ~ Mutterkompaß. **'gy·roˌgraph** [-ˌgræ(ː)f; *Br. a.* -ˌgrɑːf] *s tech.* Touren-, Um'drehungszähler *m.*

gy·ro ho·ri·zon *s aer. ast.* künstlicher Hori'zont.

gy·roi·dal [dʒai(ə)'rɔidl] *adj* kreis- *od.* spi'ralförmig angeordnet *od.* wirkend.

gy·ro·mag·net·ic [ˌdʒai(ə)romæg'netik] *adj phys.* gyroma'gnetisch.

gy·ron ['dʒai(ə)rən] *s her.* Ständer *m.*

gy·ro·pi·lot ['dʒai(ə)roˌpailət] *s aer.* Selbststeuergerät *n,* Kurssteuerung *f.*

'gy·roˌplane [-roˌplein] *s aer.* Tragschrauber *m.*

gy·ro·scope ['dʒai(ə)roˌskoup] *s* **1.** *phys.* Gyro'skop *n,* Kreisel *m.* **2.** *mar. mil.* Ge'radlaufappaˌrat *m* (*Torpedo*). **ˌgy·ro'scop·ic** [-'skɒpik] *adj* (*adv* ~ally) gyro'skopisch: ~ compass → gyrocompass; ~ (ship) stabilizer Schiffskreisel *m.*

gy·rose ['dʒai(ə)rous] *adj bot.* gewunden, gewellt.

gy·ro·sta·bi·liz·er [ˌdʒai(ə)ro'steibilaizər] *s aer. mar.* (Stabili'sier-, Lage)-Kreisel *m.* **'gy·roˌstat** [-ˌstæt] *s phys.* Gyro'stat *m,* Kreiselvorrichtung *f.* **ˌgy·ro'stat·ic** *adj* (*adv* ~ally) gyro'statisch: ~ compass → gyrocompass.

gyve [dʒaiv] *poet.* **I** *s meist pl* Fessel *f.* **II** *v/t* fesseln.

H

H, h [eitʃ] **I** *pl* **H's, Hs, h's, hs** ['eitʃiz] *s* **1.** H, h *n* (*Buchstabe*). **2.** H H *n,* H-förmiger Gegenstand. **II** *adj* **3.** acht(er, e, es): Company H die 8. Kompanie. **4.** H H-..., H-förmig.

ha [hɑː] *interj* **1.** ha!, ah! **2.** was?

haaf [hɑːf] *s* ˌTiefseefische'reigrund *m.*

haar [hɑːr] *s Scot.* (*bes.* kalter) Nebel.

Hab·ak·kuk ['hæbəkək; hə'bækək] *npr u. s Bibl.* (das Buch) Habakuk *m.*

ha·be·as cor·pus ['heibiəs 'kɔːrpəs] (*Lat.*) *s jur. a.* writ of ~ Vorführungsbefehl *m* nebst Anordnung der Haftprüfung: H~ C~ Act Habeas-Corpus-Akte *f* (*1679*).

hab·er·dash·er ['hæbərˌdæʃər] *s* **1.** Weiß- u. Kurzwarenhändler *m.* **2.** *Am.* Inhaber *m* e-s Herrenmodengeschäfts, Herrenausstatter *m.* **'hab·erˌdash·er·y** *s* **1.** a) Weiß- u. Kurzwarengeschäft *n,* b) Kurzwaren *pl.* **2.** *Am.* a) Herren(moden)geschäft *n,* b) 'Herrenbeˌkleidungsarˌtikel *pl.*

hab·er·geon ['hæbərdʒən] *s hist.* Halsberge *f,* Panzer(hemd *n*) *m.*

hab·ile ['hæbil] *adj* geschickt.

ha·bil·i·ments [hə'bilimənts] *s pl* **1.** (Amts-, Fest)Kleidung *f.* **2.** *humor.* (Alltags)Kleider *pl.*

ha·bil·i·tate [hə'biliˌteit] **I** *v/t ein Bergbauunternehmen* finan'zieren. **II** *v/i* sich (*für ein Amt etc*) qualifi'zieren.

hab·it ['hæbit] *s* **1.** (An)Gewohnheit *f*: ~s of life Lebensgewohnheiten; eating ~s Art *f* zu essen, Benehmen *n* bei Tisch; from ~ aus Gewohnheit; to act from force of ~ der Macht der Gewohnheit nachgeben; to get (*od.* fall) into a ~ e-e Gewohnheit annehmen; to get into the ~ of smoking sich das Rauchen angewöhnen; to be in the ~ of doing s.th. pflegen *od.* die (An)-Gewohnheit haben, etwas zu tun; to break o.s. (s.o.) of a ~ sich (j-m) etwas abgewöhnen; it is the ~ with him es ist bei ihm so üblich; to make a ~ of it es zur Gewohnheit werden lassen. **2.** *oft* ~ of mind Geistesverfassung *f,* geistiger Habitus. **3.** *a.* ~ of body Habitus *m,* (körperliche) Verfassung, Konstituti'on *f.* **4.** *bot.* Habitus *m,* Wachstumsart *f.* **5.** *zo.* Lebensweise *f.* **6.** (Amts-, Berufs-, *bes.* Ordens)Kleidung *f,* Tracht *f,* Ha'bit *n, m*: → riding[1] 4. **7.** *med.* Sucht *f,* Gewöhnung *f.*

hab·it·a·ble ['hæbitəbl] *adj* (*adv* **habitably**) bewohnbar.

ha·bi·tan → habitant 2.

hab·i·tant *s* **1.** ['hæbitənt] Einwohner(in), Bewohner(in). **2.** [abi'tɑ̃] a) Fran'zösisch-Kaˌnadier *m,* b) Einwohner *m* fran'zösischer Abkunft (*in Louisiana*).

hab·i·tat ['hæbiˌtæt] *s bot. zo.* Standort *m*, Heimat *f*, Fundort *m*, *zo. a.* Habi'tat *n.* ˌ**hab·i'ta·tion** [-'teiʃən] *s* **1.** Wohnen *n.* **2.** Wohnung *f*, Aufenthalt *m*, Wohnort *m.* **3.** *Zweigniederlassung der englischen Primelliga.*

'**hab·it-ˌform·ing** *adj* Sucht *od.* Gewöhnung erzeugend.

ha·bit·u·al [hə'bitʃuəl; *Br. a.* -tjuəl] *adj* (*adv* ~**ly**) **1.** gewohnheitsmäßig, Gewohnheits...: ~ **criminal** Gewohnheitsverbrecher *m.* **2.** gewohnt, ständig, üblich. **ha'bit·u·al·ness** *s* Gewohnheitsmäßigkeit *f.* **ha'bit·uˌate** [-ˌeit] *v/t* **1.** (o.s. sich) gewöhnen (to an *acc*). **2.** *colloq.* frequen'tieren, häufig besuchen. **haˌbit·u'a·tion** *s* Gewöhnung *f* (to an *acc*).

hab·i·tude ['hæbiˌtjuːd] *s* **1.** Wesen *n*, Neigung *f*, Ten'denz *f*, Veranlagung *f.* **2.** → **habit** 1, 2, 3.

ha·bit·u·é [hə'bitʃuˌei; *Br. a.* -tju-] *s* ständiger Besucher, Stammgast *m.*

ha·chure [hæ'ʃur; 'hæʃur] **I** *s* **1.** Schraffe *f*, Bergstrich *m* (*auf Landkarten*). **2.** *pl* Schraf'fierung *f.* **II** *v/t* **3.** schraf'fieren.

ha·cien·da [ˌhæsi'endə] *s* **1.** Hazi'enda *f*, (Land)Gut *n.* **2.** (Fa'brik-, Bergwerks)Anlage *f.*

hack[1] [hæk] **I** *v/t* **1.** (zer)hacken: to ~ off abhacken; to ~ out *fig.* grob darstellen, ‚hinhauen'; to ~ **to pieces** in Stücke hacken. **2.** (ein)kerben. **3.** *agr. den Boden* (auf-, los)hacken: to ~ **in** *Samen* unterhacken. **4.** *tech. Steine* behauen. **5.** *Fußball etc*: (ans Schienbein) treten. **6.** *Am. colloq.* a) ‚vertragen', dulden, b) ‚schaffen', bewältigen. **II** *v/i* **7.** (at) a) hacken (nach), b) einhauen (auf *acc*). **8.** trokken u. stoßweise husten: ~**ing cough** → 16. **9.** *sport* treten, ‚holzen'. **10.** ~ **around** *Am. sl.* ‚her'umhängen', -lungern. **III** *s* **11.** a) Hacke *f*, b) Haue *f*, Pickel *m.* **12.** Kerbe *f.* **13.** *Am.* Schalm *m* (*an Bäumen*). **14.** *sport* a) Tritt *m* (ans Schienbein), b) Trittwunde *f*, c) *Basketball*: per'sönliches Foul. **15.** Hieb *m*: to **take a** ~ **at** *Am. colloq.* es (mal) probieren mit. **16.** trockener Husten.

hack[2] [hæk] **I** *s* **1.** a) Mietpferd *n*, b) Gebrauchspferd *n*, c) Gaul *m*, d) alter Klepper. **2.** *Am.* a) Droschke *f*, Miet(s)kutsche *f*, b) *colloq.* Taxi *n*, c) → **hackie**, d) Gefängniswärter *m.* **3.** a) Lohnschreiber *m*, lite'rarischer Tagelöhner, b) Schreiberling *m*, c) → **hackney** 2. **II** *v/t* **4.** als Lohnschreiber anstellen. **5.** *bes. Pferd* vermieten. **6.** *fig.* abnutzen. **III** *v/i* **7.** im Schritt *od.* auf der Landstraße reiten. **8.** ein Mietpferd reiten. **9.** in e-r Droschke fahren. **10.** als Lohnschreiber *etc* arbeiten. **IV** *adj* **11.** Miet(s)... **12.** Lohn...: ~ **attorney** Winkeladvokat *m*; ~ **writer** → 3 a *u.* b. **13.** → **hackneyed.**

hack[3] [hæk] **I** *s* **1.** *Falknerei*: Futterbrett *n*: to **keep at** ~ → 3. **2.** a) Trokkengestell *n*, b) Futtergestell *n.* **II** *v/t* **3.** *Falken* in teilweiser Freiheit halten. **4.** auf e-m Gestell trocknen.

'**hack|ˌber·ry** *s* **1.** *bot.* Zürgelbaum *m.* **2.** *beerenartige Frucht von* 1. '~·**but** *s mil. hist.* Arke'buse *f.*

hack·ie ['hæki] *s Am. sl.* 'Taxichauf[ˌfeur *m.*]

hack·le[1] ['hækl] **I** *s* **1.** *tech.* Hechel *f.* **2.** a) *orn.* (lange) Nackenfeder(n *pl*), b) *pl* (aufstellbare) Rücken- u. Halshaare *pl* (*Hund*): **with one's** ~**s up** *fig.* gereizt, angriffslustig, mit gesträubtem Haar. **3.** *Angelsport*: a) Federfüße *pl*, b) → **hackle fly. II** *v/t* **4.** *Flachs etc* hecheln. **5.** *künstliche (Angel)Fliege* mit Federfüßen versehen.

hack·le[2] ['hækl] *v/t* zerhacken.

hack·le fly *s* (künstliche) Angelfliege ohne Federflügel.

hack·ma·tack ['hækməˌtæk] *s* **1.** *bot.* a) Amer. Lärche *f*, b) Echter Wa'cholder. **2.** Tamarak *n* (*Holz von* 1 a).

hack·ney ['hækni] **I** *s* **1.** → **hack**[2] 1 a *u.* b. **2.** a) Tagelöhner *m*, Lohnarbeiter *m*, b) *contp.* Mietling *m.* **II** *adj* **3.** Miet(s)... **III** *v/t* **4.** *fig.* abnutzen, banali'sieren. ~ **car·riage,** ~ **coach** *s* Miet(s)kutsche *f*, Droschke *f.*

hack·neyed ['hæknid] *adj* **1.** all'täglich, gewöhnlich. **2.** abgedroschen.

'**hack|ˌsaw** *s tech.* Bügel-, Me'tall-, Eisensäge *f.*

had [hæd] *pret u. pp von* **have.**

had·dock ['hædək] *s* Schellfisch *m.*

hade [heid] *geol.* **I** *s* Neigungswinkel *m.* **II** *v/i* von der Verti'kallinie abweichen.

Ha·des ['heidiːz] *s* **1.** *antiq.* Hades *m*, 'Unterwelt *f.* **2.** *colloq.* Hölle *f.*

hadj [hædʒ] *s relig.* Pilgerfahrt *f*, *bes.* Had(d)sch *m* (*der Mohammedaner nach Mekka*). '**hadj·i** [-i] *s relig.* Had(d)schi *m* (*Ehrentitel der Mekkapilger*).

haem-, haema- → **hem-, hema-.**

hae·mal *etc* → **hemal** *etc.*

hae·res → **heres.**

haet [heit] *s Scot.* Stückchen *n.*

haf·fet ['hæfit] *s Scot. od. Ir.* Wange *f*, Schläfe *f.*

ha·fiz ['hɑːfiz] *s relig.* Hafis *m.*

haft [*Br.* hɑːft; *Am.* hæ(ː)ft] **I** *s* Griff *m*, Heft *n*, Stiel *m.* **II** *v/t* e-n Griff *etc* einsetzen in (*acc*).

hag[1] [hæg] *s* **1.** *fig.* häßliches altes Weib, Hexe *f.* **2.** *ichth.* Schleimaal *m.*

hag[2] [hæg; hɑːg] *s Scot.* **1.** zum Fällen bestimmter Wald. **2.** (feste Stelle im) Sumpf *m.*

Hag·ga·i ['hægiˌai; 'hægai] *npr u. s Bibl.* (das Buch) Hag'gai *m od.* Ag'gäus *m.*

hag·gard ['hægərd] **I** *adj* (*adv* ~**ly**) **1.** wild, verstört: ~ **look. 2.** a) abgehärmt, sorgenvoll, b) abgezehrt, hager. **3.** ~ **falcon** → 4. **II** *s* **4.** wilder *od.* ungezähmter Falke. '**hag·gard·ness** *s* **1.** Verstörtheit *f.* **2.** Hagerkeit *f.*

hag·gish ['hægiʃ] *adj* hexenhaft.

hag·gle ['hægl] **I** *v/i* **1.** (**about, over**) a) (sich) zanken (um), b) feilschen, handeln, schachern (um). **II** *v/t* **2.** her'umzanken mit. **3.** her'umnörgeln an (*dat*). **4.** → **hack**[1] 1. '**hag·gler** *s* **1.** Zänker(in). **2.** Feilscher(in).

hag·i·oc·ra·cy [ˌhægi'ɒkrəsi] *s* Heiligenherrschaft *f.* ˌ**Hag·i'og·ra·pha** [-'ɒgrəfə] *s pl Bibl.* Hagio'graphen *pl.* ˌ**hag·i'og·ra·pher** *s* **1.** *Bibl.* Hagio'graph *m.* **2.** Verfasser *m* von Heiligenleben. ˌ**hag·i·o'graph·ic** [-gio'græfik], ˌ**hag·i·o'graph·i·cal** *adj* hagio'graphisch. ˌ**hag·i'og·ra·phy** *s* Hagiogra'phie *f*, Heiligenleben *n.*

hag·i·ol·a·ter [ˌhægi'ɒlətər] *s relig.* Heiligenverehrer *m.* ˌ**hag·i'ol·a·try** [-tri] *s* Heiligenverehrung *f.* ˌ**hag·i'ol·o·gist** [-'ɒlədʒist] → **hagiographer** 2. ˌ**hag·i'ol·o·gy** *s* **1.** Hagiolo'gie *f*, (Litera'tur *f* über) Heiligenleben *pl* u. Le'genden *pl.* **2.** Hagio'logion *n*, Heiligenverzeichnis *n.*

'**hagˌrid·den** *adj* **1.** vom Alpdruck gequält. **2.** *fig.* gepeinigt, verfolgt.

Hague| Con·ven·tions [heig] *s pl pol.* (*die*) Haager Abkommen *pl.* ~ **Tri·bu·nal** *s pol.* (*der*) Haager Schiedshof.

hah → **ha.**

ha-ha[1] ['hɑːˌhɑː] *s* (*in e-m Graben*) versenkter Grenzzaun.

ha-ha[2] [hɑː'hɑː] **I** *interj* haha! **II** *s* Haha *n.* **III** *v/i* ‚haha' rufen.

hail[1] [heil] **I** *s* **1.** Hagel *m* (*a. fig. von Flüchen, Fragen, Steinen etc*): ~ **of bullets** Geschoßhagel. **II** *v/i* **2.** *impers* hageln: **it is** ~**ing** es hagelt. **3.** (*a. v/t*) *fig.* (nieder)hageln *od.* (-)prasseln (lassen) (**down upon** auf *acc*).

hail[2] [heil] **I** *v/t* **1.** (*mit Rufen*) (be)grüßen, zujubeln (*dat*): **they** ~**ed him (as) king** sie grüßten ihn als König. **2.** anrufen, *j-m* zurufen. **3.** *j-n, ein Taxi etc* her'beirufen. **4.** *fig. etwas* begrüßen, begeistert aufnehmen. **II** *v/i* **5.** *bes. mar.* rufen, sich melden. **6.** ('her)stammen, kommen (**from** von *od.* aus). **III** *interj* **7.** *bes. poet.* heil! **IV** *s* **8.** Heil *n*, Gruß *m*, (Zu)Ruf *m.* **9.** Ruf-, Hörweite *f*: **within** ~ in Rufweite.

'**hail|-'fel·low-'well-'met I** *s* a) (sehr) vertrauter Freund, Intimus *m*, ‚Kumpel' *m*, b) aufdringlicher Mensch. **II** *adj u. adv* (sehr) vertraut, in'tim, auf du u. du (**with** mit). '~ˌ**stone** *s* Hagelkorn *n*, (Hagel)Schloße *f.* '~ˌ**storm** *s* Hagelwetter *n*, -schauer *m.*

hain't [heint] *vulg. für* **have not, has not.**

hair [hɛr] *s* **1.** (*einzelnes*) Haar. **2.** *collect.* Haar *n*, Haare *pl.* **3.** *bot.* Haar *n*, Tri'chom *n.* **4.** Härchen *n*, Fäserchen *n.* **5.** Haartuch *n.*

Besondere Redewendungen:

against the ~ *fig.* gegen den Strich; **by a** ~ *fig.* um ein Haar; **to comb s.o.'s** ~ **for him** *colloq.* j-m gehörig den Kopf waschen; **to do one's** ~ sich die Haare machen, sich frisieren; **to get s.o. by the short** ~ j-n ‚unter die Fuchtel bekommen'; **to get in s.o.'s** ~ *colloq.* j-m auf die Nerven fallen; **to have s.o. in one's** ~ *Am. colloq.* j-n auf dem Halse haben; **keep your** ~ **on!** *sl.* immer mit der Ruhe!, nur nicht aufregen!; **to let one's** ~ **down** *colloq.* a) sich ungeniert benehmen, sich gehenlassen, b) mitteilsam werden, sein Herz ausschütten; **to lose one's** ~ *colloq.* in Rage kommen; **to split** ~**s** *fig.* Haarspalterei treiben; **to a** ~ aufs Haar, haargenau; **not to turn a** ~ nicht mit der Wimper zucken; **without turning a** ~ ohne mit der Wimper zu zucken.

'**hair|ˌbreadth I** *s fig.* Haaresbreite *f*: **by a** ~ um Haaresbreite. **II** *adj* äußerst knapp: **to have a** ~ **escape** mit knapper Not entkommen. '~ˌ**brush** *s* **1.** Haarbürste *f.* **2.** Haarpinsel *m.* '~ˌ**check** → **hair crack.** '~ˌ**cloth** *s* Haartuch *n.* ~ **com·pass·es** *s pl tech.* Haar(strich)zirkel *m.* ~ **crack** *s tech.* Haarriß *m.* '~ˌ**cut** *s* Haarschnitt *m*: **to give s.o. a** ~ j-m die Haare schneiden. '~ˌ**cut·ting I** *s* Haarschneiden *n.* **II** *adj* Haarschneide... ~ **di·vid·ers** → **hair compasses.** '~ˌ**do** *pl* **-dos** *s colloq.* Fri'sur *f.* '~-ˌ**drawn** → **hairsplitting** II. '~ˌ**dress·er** *s* Fri'seur *m*, Fri'seuse *f.* '~ˌ**dress·ing I** *s* Fri'sieren *n.* **II** *adj* Frisier... '~-ˌ**dry·er** *s* Haartrockner *m*, Fön *m.*

haired [hɛrd] *adj* **1.** behaart. **2.** *in Zssgn* ...haarig.

hair·i·ness ['hɛ(ə)rinis] *s* Haarigkeit *f*, [Behaartheit *f.*]

hair·less ['hɛrlis] *adj* haarlos, unbehaart, ohne Haar(e), kahl.

'**hair|ˌline** *s* **1.** Haaransatz *m.* **2.** Haarstrich *m* (*Buchstabe*). **3.** a) feiner Streifen (*Stoffmuster*), b) fein gestreifter Stoff. **4.** Haarseil *n.* **5.** *a.* ~ **crack** *tech.* Haarriß *m.* ~ **mat·tress** *s* 'Roßhaarmaˌtratze *f.* ~ **net** *s* Haarnetz *n.* '~ˌ**pin** *s* **1.** Haarnadel *f.* **2.** *a.* ~ **bend** Haarnadelkurve *f.* '~-ˌ**rais·er** *s colloq.* (*etwas*) Schauerliches, *bes.* Schauergeschichte *f.* '~-ˌ**rais·ing** *adj colloq.* **1.** haarsträubend, schauerlich. **2.** auf-

regend, schrecklich spannend. ~ **re·stor·er** *s* Haarwuchsmittel *n*.
hair's breadth, 'hairs,breadth → hairbreadth I.
hair| seal *s* Haarseehund *m*. ~ **shirt** *s* härenes Hemd. ~ **sieve** *s* Haarsieb *n*. ~ **slide** *s* Haarspange *f*. ~ **space** *s print*. Haarspatium *n*. '~,**split·ter** *s fig*. Haarspalter(in). '~,**split·ting I** *s* ,Haarspalte'rei *f*. **II** *adj* haarspalterisch, spitzfindig. '~,**spring** *s tech*. Haar-, Unruhfeder *f*. '~,**streak** *s zo*. (*ein*) Bläuling *m*. ~ **stroke** *s* Haarstrich *m* (*Schrift*). '~,**style** *s* Fri'sur *f*. ~ **styl·ist** *s* 'Damenfri,seur *m*. ~ **trig·ger** *s tech*. Stecher *m* (*am Gewehr*). '~-,**trig·ger** *adj colloq*. **1.** hochempfindlich. **2.** prompt: ~ service. '~-,**worm** *s zo*. Haar-, Fadenwurm *m*.
hair·y ['hɛ(ə)ri] *adj* **1.** haarig, behaart. **2.** Haar... **3.** haarartig. **4.** *Am. colloq*. ,böse', unangenehm.
haj·i, haj·ji → hadji.
hake[1] [heik] *s ichth*. Seehecht *m*.
hake[2] [heik] *s* Trockengestell *n*.
ha·keem [hɑː'kiːm] → hakim 1.
ha·kim ['hɑːkiːm] *s* (*in Indien u. mohammedanischen Ländern*) **1.** Ha'kim *m* (*Arzt*). **2.** Richter *m*. **3.** Herrscher *m*.
ha·la·tion [hæ'leiʃən; hei-] *s phot*. Lichtfleck *m*, Lichthofbildung *f*.
hal·berd ['hælbərd] *s mil. hist*. Helle'barde *f*. ,**hal·berd'ier** [-'dir] *s* Hellebar'dier *m*.
hal·bert ['hælbərt] → halberd.
hal·cy·on ['hælsiən] **I** *s* **1.** *myth*. Eisvogel *m*. **2.** *poet. für* kingfisher. **II** *adj* **3.** halky'onisch, friedlich. ~ **days** *s pl* halky'onische Tage *pl*: a) ruhige Schönwettertage *pl*, b) *fig*. Tage *pl* glücklicher Ruhe.
hale[1] [heil] *v/t* schleppen, zerren.
hale[2] [heil] *adj* gesund, kräftig, rüstig: ~ and hearty gesund u. munter.
half [*Br*. hɑːf; *Am*. hæ(ː)f] **I** *adj* **1.** halb: a ~ mile, *meist* ~ a mile e-e halbe Meile; a ~ share ein halber Anteil, e-e Hälfte; ~ an hour, a ~ hour e-e halbe Stunde; at ~ the price zum halben Preis; two pounds and a ~, two and a ~ pounds zweieinhalb Pfund. **2.** halb, oberflächlich: ~ knowledge Halbwissen *n*. **3.** *zo. Br*. (*bes. bei Vogel- u. Fischnamen*) klein. **II** *adv* **4.** halb, zur Hälfte: ~ cooked; ~ full; my work is ~ done; ~ as long halb so lang; ~ as much halb soviel; ~ as much (*od*. as many) again um die Hälfte mehr. **5.** halb(wegs), fast, nahezu: ~ dead halbtot; he ~ wished (suspected) er wünschte (vermutete) halb *od*. fast. **6.** not ~ a) bei weitem nicht, lange nicht: not ~ big enough, b) *colloq*. (ganz u.) gar nicht: not ~ bad gar nicht übel, c) *sl*. gehörig, ,mordsmäßig': he didn't ~ swear er fluchte nicht schlecht. **7.** (*in Zeitangaben*) halb: ~ past two zwei Uhr dreißig, halb drei. **8.** *mar*. ...einhalb: ~ three dreieinhalb (*Faden*); east ~-south 5 $^5/_8$° Südost. **III** *pl* **halves** [*Br*. hɑːvz; *Am*. hæ(ː)vz] *s* **9.** Hälfte *f*: one ~ of it die e-e Hälfte davon; ~ of the girls die Hälfte der Mädchen; to waste ~ of one's time die halbe Zeit verschwenden. **10.** Hälfte *f*, Teil *m*. **11.** *sport* a) Halbzeit *f*, Spielhälfte *f*, b) *Golf*: Gleichstand *m*. **12.** *ped. colloq*. Halbjahr *n*: summer ~.
Besondere Redewendungen:
~ of it is (*aber* ~ of them are) rotten die Hälfte (davon) ist faul; this is ~ the battle *fig*. damit ist es *od*. die Sache schon halb gewonnen; ~ the amount die halbe Menge *od*. Summe, halb soviel; to cut in(to) halves (*od*. in ~) etwas halbieren *od*. in zwei Hälften teilen; to cut in ~ *colloq*. entzweischneiden; to do s.th. by halves etwas nur halb tun; too clever by ~ überschlau; to go halves with s.o. in s.th. etwas mit j-m teilen, mit j-m bei etwas halbpart machen; to have ~ a mind to do s.th. nicht übel Lust haben, etwas zu tun; etwas fast tun wollen; not good enough by ~ lange nicht gut genug.
'half|-and-'half I *s* Halb-u.-halb-Mischung *f*, *bes*. Mischung *f* (*zu gleichen Teilen*) aus Ale u. Porter. **II** *adj* halb-u.-halb. **III** *adv* halb u. halb. '~,**back** *s Fußball etc*: Läufer *m*. '~-'**baked** *adj* **1.** nicht durch, halbgar. **2.** *colloq*. a) nicht durch'dacht, halbfertig, unausgegoren (*Plan etc*), b) unerfahren, halbfertig, ,grün' (*Person*), c) → half-witted. ~ **bind·ing** *s* Halbfranz-, Halblederband *m* (*Buch*). '~,**blood** *s* **1.** Halbbürtigkeit *f* (*von Geschwistern*): brother of the ~ Halbbruder *m*. **2.** → half-breed 1 *u*. 3. '~-,**blood·ed** → half-bred I. ~ **boot** *s* Stiefel *m*. '~-,**bound** *adj* in Halbfranz gebunden. '~-,**bred I** *adj* halbblütig, Halbblut... **II** *s* Halbblut(tier) *n*. '~-,**breed I** *s* **1.** Mischling *m*, Halbblut *n*. **2.** *Am*. Me'stize *m*. **3.** Halbblut *n* (*Tier*). **4.** *bot*. Kreuzung *f*. **II** *adj* **5.** halbblütig, Halbblut... ~ **broth·er** *s* Halbbruder *m*. '~-,**calf** *s irr* Halbfranzband *m*. '~-,**caste** → half-breed 1 *u*. 5. '~-,**cloth** *adj* Halbleinen..., in Halbleinen gebunden. ~ **cock** *s* Vorderrast *f* (*des Gewehrhahns*): → cock[1] 7 b. '~-'**cocked** *adj* **1.** in Vorderraststellung (*Gewehrhahn*). **2.** *fig. Am. colloq*. nicht ganz vorbereitet *od*. fertig. ~ **crown** *s Br*. (*alte Währungseinheit*) Halbkronenstück *n* (*Wert*: 2 *s*. 6 *d*.). ~ **deck** *s mar*. Halbdeck *n*. ~ **ea·gle** *s Am*. Fünf'dollar(gold)stück *n*. ~ **face** *s paint. phot*. Pro'fil *n*. '~-,**faced** *adj* **1.** Profil... **2.** nach vorne offen: ~ tent. ~ **gain·er** *s Kunstspringen*: Auerbach(kopfsprung) *m*. '~-'**heart·ed** *adj* (*adv* ~ly) **1.** lau, lustlos, ,müde', mit halbem Herzen: ~ effort. **2.** zaghaft. ~ **hol·i·day** *s* halber Feiertag, freier Nachmittag. ~ **hose** *s collect*. (*als pl konstruiert*) **1.** Halb-, Kniestrümpfe *pl*. **2.** Socken *pl*. '~-,**hour** *adj* halbstündig. '~-'**hour·ly I** *adj* halbstündig. **II** *adv* jede *od*. alle halbe Stunde, halbstündlich. '~-'**length I** *adj* in 'Halbfi,gur (*Porträt*): ~ life, '~-,**life pe·ri·od** *s chem. phys*. Halbwertzeit *f* (*beim Atomzerfall*). '~-,**long** *adj bes. ling*. halblang. '~-'**mast I** *s* Halbmast *m*: at ~, ~ high a) halbmast, auf Halbmast (*Flagge*), b) *mar*. halbstocks. **II** *v/t* auf Halbmast *od*. *mar*. halbstocks setzen. ~ **meas·ure** *s* Halbheit *f*, halbe Sache, Kompro'miß *m*, *n*. ~ **moon** *s* **1.** Halbmond *m*. **2.** (*etwas*) Halbmondförmiges. ~ **mourn·ing** *s* Halbtrauer *f*. ~ **nel·son** *s Ringen*: Halbnelson *m*. ~ **note** *s mus*. halbe Note. '~-'**or·phan** *s* Halbwaise *f*. ~ **pay** *s* **1.** halbes Gehalt. **2.** *mil*. Halbsold *m*, Wartegeld *n*, Ruhegehalt *n*: on ~ außer Dienst.
half·pen·ny ['heipəni; -pni] *s* **1.** *pl* **half·pence** ['heipəns] halber Penny (= *1/200 Pfund*): three halfpence, a penny ~ eineinhalb Pennies. **2.** *pl* **'half·pen·nies** Halbpennystück *n*: to turn up again like a bad ~ immer wieder auftauchen.
half| prin·ci·pal *s arch*. Halbbinder *m*. ~ **re·lief** *s* 'Halbreli,ef *n*. '~-,**seas o·ver** *pred adj sl*. ,angesäuselt', ,blau'. ~ **sis·ter** *s* Halbschwester *f*. ~ **sov·er·eign** *s Br. hist*. (goldenes) Zehn'schillingstück. ~ **speed** *s mar*. halbe Kraft: ~ ahead halbe Kraft voraus. '~-,**staff** → half-mast. ~ **step** *s* **1.** *mil. Am*. Kurzschritt *m* (*15 Zoll*). **2.** *mus*. Halbton(schritt) *m*. ~ **tide** *s mar*. Gezeitenmitte *f*. '~-,**tim·bered** *adj arch*. Fachwerk... ~ **time** *s* **1.** halbe Arbeitszeit. **2.** *sport* Halbzeit *f*. '~-'**time** *adj* Halbzeit...: ~ job Halbtagsstellung *f*. '~-'**tim·er** *s* **1.** Halbtagsarbeiter(in). **2.** *Br*. Werkschüler(in). ~ **ti·tle** *s* Schmutztitel *m*. '~-,**tone** *s Graphik*: a) Halbton *m* (*a. paint*.), b) *a*. ~ process Halbtonverfahren *n*, c) Halbtonbild *n*, d) *a*. ~ block Autoty'piekli,schee *n*: ~ etching Autotypie *f*. '~-,**track I** *s* **1.** *tech*. Halbkettenantrieb *m*. **2.** Halbketten-, Räderraupenfahrzeug *n*. **3.** *mil*. (Halbketten-)Schützenpanzer(wagen) *m*, SPW *m*. **II** *adj a*. half-tracked **4.** mit Halbkettenantrieb, Halbketten... '~-,**truth** *s* Halbwahrheit *f*. ~ **vol·ley** *s sport* Halbflugball *m*. '~-,**vol·ley** *sport* **I** *v/t den Ball* halbflug nehmen *od*. schlagen. **II** *v/i* Halbflugbälle spielen. '~'**way I** *adj* **1.** auf halbem Weg *od*. in der Mitte (liegend). **2.** halb, teilweise: ~ measures halbe Maßnahmen. **II** *adv* **3.** auf halbem Weg, in der Mitte: to meet s.o. ~ *fig*. j-m auf halbem Wege entgegenkommen. **4.** bis zur Hälfte *od*. Mitte. **5.** teilweise, halb(wegs). '~'**way house** *s* **1.** auf halbem Weg *od*. auf halber Höhe gelegenes Gasthaus. **2.** *fig*. 'Zwischenstufe *f*, -stati,on *f*. **3.** *fig*. Kompro'miß *m*, *n*. '~-,**wit** *s* 'Halbidi,ot *m*, Schwachkopf *m*, Trottel *m*. '~-,**wit·ted** *adj* schwachsinnig, blöd. ,~-'**year·ly** *adj u. adv* halbjährlich.
hal·i·but ['hælibət] *s ichth*. Heilbutt *m*.
hal·ide ['hælaid; 'hei-] *chem*. **I** *s* Haloge'nid *n*. **II** *adj* salzähnlich.
hal·i·eu·tic [,hæli'juːtik] **I** *adj* Fischerei... **II** *s pl* Fische'reiwesen *n*.
hal·i·to·sis [,hæli'tousis] *s med*. übler Mundgeruch.
hall [hɔːl] *s* **1.** Halle *f*, Saal *m*: lecture ~ Vortragssaal. **2.** a) Diele *f*, Flur *m*, b) (Empfangs-, Vor)Halle *f*, Vesti'bül *n*. **3.** a) (Versammlungs)Halle *f*, b) *meist in Zssgn* großes (öffentliches) Gebäude: town ~ Rathaus *n*; the H~ of Fame *Am*. die Ruhmeshalle; to earn o.s. a place in the H~ of Fame *fig*. sich unsterblich machen. **4.** Gilden-, Zunfthaus *n*. **5.** *bes. Br*. Herrenhaus *n* (*e-s Landgutes*). **6.** *univ*. a) *Br*. 'Studienhaus *n*, -inter,nat *n*, b) *a*. ~ of residence Stu'dentenheim *n*, c) *Br*. (*in Colleges etc*) (*gemeinsames* Essen im) Speisesaal *m*. **7.** *Am*. Insti'tut *n*: Science H~ naturwissenschaftliches Institut. **8.** *hist*. a) Schloß *n*, Stammsitz *m*, b) Fürsten-, Königssaal *m*, c) Festsaal *m*. ~ **bed·room** *s Am*. kleines Schlafzimmer (*am Ende e-s Flurs*); '~,**boy** *s Am*. Boy *m*, Laufbursche *m* (*im Hotel*). ~ **clock** *s* Standuhr *f*.
hal·le·lu·jah, *a*. **hal·le·lu·iah** [,hæli'luːjə] **I** *s* Halle'luja *n*. **II** *interj* halle'luja!
hal·liard → halyard.
'hall,mark I *s* **1.** Feingehaltsstempel *m* (*der Londoner Goldschmiedeinnung*). **2.** *fig*. Stempel *m* (der Echtheit), Gepräge *n*, (Kenn)Zeichen *n*, Merkmal *n*. **II** *v/t* **3.** *Gold od. Silber* stempeln, mit e-m Feingehaltsstempel versehen. **4.** *fig*. kennzeichnen, stempeln.
hal·lo(a) [hə'lou] → halloo 1 *u*. 2.
hal·loo [hə'luː] **I** *interj* **1.** hallo!, he!,

heda! II *s* 2. Hallo *n.* III *v/i* 3. (‚hallo') rufen *od.* schreien: don't ~ till you are out of the woods! freue dich nicht zu früh!, man soll den Tag nicht vor dem Abend loben. IV *v/t* 4. *den Hund* durch (Hallo)Rufe anhetzen. 5. schreien, (aus)rufen.

hal·low¹ ['hælou] I *v/t* heiligen: a) heilig machen, weihen, b) als heilig verehren. II *s obs.* Heilige(r) *m.*

hal·low² ['hælou] → halloo.

Hal·low·een, *a.* **Hal·low·e'en** [ˌhælou'i:n] *s* Abend *m* vor Aller'heiligen.

'Hal·lowˌmas [-ˌmæs] *s* Aller'heiligen(fest) *n* (*1. Nov.*).

hall| por·ter *s* Ho'teldiener *m.* ~ **room** → hall bedroom. **'~ˌstand** *s* Garde'robenständer *m,* 'Flurgardeˌrobe *f.*

hall tree *s Am.* → hallstand.

hal·lu·ci·nate [hə'lu:siˌneit] I *v/i* an Halluzinati'onen *od.* Sinnestäuschungen leiden. II *v/t* Halluzinati'onen auslösen bei *j-m.* **halˌlu·ci'na·tion** *s* Halluzinati'on *f,* Sinnestäuschung *f,* Wahnvorstellung *f.* **hal'lu·ci·na·to·ry** [-nətəri] *adj* halluzina'torisch. **halˌlu·ci'no·sis** [-'nousis] *s med.* Halluzi'nose *f.*

'hallˌway *s Am.* 1. (Eingangs)Halle *f,* Diele *f.* 2. Korridor *m.*

halm [hɑ:m] → haulm.

hal·ma ['hælmə] *s* Halma(spiel) *n.*

ha·lo ['heilou] I *pl* **ha·lo(e)s** *s* 1. Heiligen-, Glorienschein *m,* Nimbus *m* (*a. fig.*). 2. *astr.* Halo *m,* Ring *m,* Hof *m.* 3. *allg.* Ring *m,* (*a. phot.* Licht-)Hof *m.* II *v/t 3. sg* **'ha·loes** 4. mit e-m Heiligenschein *etc* um'geben.

hal·o·gen ['hælədʒən; 'hei-] *s chem.* Halo'gen *n,* Salzbildner *m.* **ha·log·e·nous** [hə'lɒdʒinəs] *adj* halo'gen, salzbildend.

hal·o·gen·ate ['hælədʒəˌneit] *v/t chem.* haloge'nieren.

hal·oid ['hæləid; 'hei-] *chem.* I *adj* salz-, halo'genähnlich. II *s* Halo'gensalz *n.*

ha·lom·e·ter [hə'lɒmitər] *s phys.* Halo'meter *n,* Salzwaage *f.*

hal·o·phyte ['hæloˌfait] *s bot.* Salzpflanze *f,* Halo'phyt *m.*

halt¹ [hɔ:lt] I *s* 1. a) Halt *m,* Rast *f,* Aufenthalt *m,* Pause *f,* b) *a. fig.* Stillstand *m:* to bring to a ~ → 3; to call a ~ (*fig.* Ein)Halt gebieten (to *dat*); to come to a ~ → 4; to make a ~ → 4 a. 2. *rail. Br.* (Bedarfs)Haltestelle *f.* II *v/t* 3. anhalten (lassen), haltmachen lassen, *a. fig.* zum Halten *od.* Stehen bringen. III *v/i* 4. a) anhalten, haltmachen, b) *a. fig.* zum Stehen *od.* Stillstand kommen.

halt² [hɔ:lt] *v/i* 1. *obs.* hinken. 2. *fig.* a) hinken (*Argument, Vergleich etc*), b) holpern, hinken (*Vers, Übersetzung etc*). 3. stocken, zögern, schwanken.

hal·ter ['hɔ:ltər] I *s* 1. Halfter *m, n.* 2. Strick *m:* a) Schlinge *f* (*zum Hängen*), b) *fig.* Henkerstod *m.* 3. *Am.* rückenfreies Oberteil mit Halsträger. II *v/t* 4. *oft* ~ up *Pferd* (an)halftern. 5. *j-n* erhängen, aufknüpfen. 6. *fig.* zügeln. **'~ˌbreak** *v/t Pferd* an den Halfter gewöhnen.

halt·ing ['hɔ:ltiŋ] *adj* (*adv* ~ly) 1. hinkend. 2. lahm. 3. *fig.* zögernd, schwankend, unsicher. 4. *fig.* stockend. 5. *fig.* hinkend.

halve [*Br.* hɑ:v; *Am.* hæ(:)v] *v/t* 1. a) hal'bieren, b) zu gleichen Hälften teilen, c) auf die Hälfte redu'zieren. 2. *Golf:* a) *ein Loch* mit der gleichen Anzahl von Schlägen erreichen (with wie), b) *e-e Runde* mit der gleichen Anzahl von Schlägen spielen (with wie): to ~ a match with s.o. 3. *Tischlerei:* ab-, verblatten.

halves [*Br.* hɑ:vz; *Am.* hæ(:)vz] *pl von* half.

hal·yard ['hæljərd] *s mar.* Fall *n:* to settle ~s die Falleinen wegfieren.

ham¹ [hæm] I *s* 1. Schinken *m:* ~ and eggs Ham and Eggs, Schinken mit Ei. 2. *anat.* a) 'Hinterbacke *f,* Gesäß *n,* b) 'Hinterschenkel *m.* 3. *sl.* a) *a.* ~ actor 'Schmierenkomödi'ant *m,* b) *Am. fig. contp.* ‚Schauspieler(in)', c) Stümper(in), d) *Am.* ‚Schmalz' *n,* senti-men'taler Kitsch. 4. *sl.* (*bes.* 'Radio-)Amaˌteur *m,* Ama'teurfunker *m.* II *adj* 5. *Am. sl.* a) kitschig, b) stümperhaft. III *v/t* 6. *Am. sl.* a) *e-e Rolle* über'trieben spielen: to ~ it up → 7, b) verkitschen. IV *v/i* 7. *Am. sl.* s-e Rolle über'treiben, wie ein 'Schmierenkomödiˌant auftreten.

ham² [hæm] *s hist.* 1. Weiler *m,* Dörfchen *n.* 2. Stadt *f.*

ham·a·dry·ad [ˌhæmə'draiæd] *pl* **-ads, -aˌdes** [-əˌdi:z] *s* 1. *myth.* (Hama-)Dry'ade *f,* Baumnymphe *f.* 2. *zo.* a) → king cobra, b) Mantelpavian *m.*

Ham·burg ['hæmbə:rg] *s* 1. Hamburger Huhn *n* (*Rasse*). 2. (*e-e*) dunkelblaue Weintraube. 3. h~ → hamburger. **'hamˌburg·er** *s Am.* 1. Hackfleisch *n.* 2. Frika'delle *f,* ‚deutsches Beefsteak'. 3. mit e-r Frika'delle belegtes Brötchen.

Ham·burgh ['hæmbə:rg] *Br. für* Hamburg 1 *u.* 2.

Ham·burg steak → hamburger 1 *u.* 2.

hames [heimz] *s pl* Kummet *n.*

'ham|-ˌfist·ed, '~-ˌhand·ed *adj sl.* tolpatschig, ungeschickt.

Ham·ite¹ ['hæmait] *s* Ha'mit(in).

ha·mite² ['heimait] *s zo.* Ammo'nit *m.*

Ham·it·ic [hæ'mitik] *adj* ha'mitisch.

ham·let ['hæmlit] *s* 1. Weiler *m,* Flecken *m.* 2. Dörfchen *n.*

ham·mer ['hæmər] I *s* 1. Hammer *m:* knight of the ~ (*Beiname für*) Grobschmied *m;* to come (*od.* go) under the ~ unter den Hammer kommen, versteigert werden; ~ and tongs *colloq.* mit aller Gewalt; ~ and sickle Hammer u. Sichel. 2. *mus.* Hammer *m* (*Klavier etc*). 3. *anat.* Hammer *m.* 4. *sport* (Wurf)Hammer *m:* throwing the ~ Hammerwerfen *n.* 5. *tech.* a) Hammer(werk *n*) *m,* b) Hahn *m,* Spannstück *n* (*e-r Feuerwaffe*). II *v/t* 6. hämmern, (*mit e-m Hammer*) schlagen *od.* treiben: to ~ in einhämmern (*a. fig.*); to ~ an idea into s.o.'s head *fig.* j-m e-e Idee einhämmern *od.* einbleuen. 7. *oft* ~ out a) *Metall* hämmern, (durch Hämmern) formen *od.* bearbeiten, b) *fig.* ausarbeiten, ersinnen, schmieden: to ~ out a policy, c) *Differenzen* ‚ausbügeln'. 8. *a.* ~ together zs.-hämmern, -schmieden, -zimmern. 9. (mit den Fäusten) bearbeiten, einhämmern auf (*acc*): to ~ a typewriter. 10. *colloq.* a) verdreschen, b) vernichtend schlagen. 11. *Börse:* a) *j-n* (*durch drei Hammerschläge*) für zahlungsunfähig erklären, b) ~ down *Am. die Kurse* durch Leerverkauf drücken. III *v/i* 12. hämmern (*a. Puls etc*), schlagen: to ~ at einhämmern auf (*acc*); to ~ away draufloshämmern *od.* -arbeiten. 13. (at) eifrig arbeiten (an *dat*), sich abmühen (mit).

ham·mer| beam *s arch.* Stichbalken *m.* ~ **blow** *s* Hammerschlag *m.*

ham·mered ['hæmərd] *adj tech.* gehämmert, getrieben, Treib...

ham·mer| face *s tech.* Hammerbahn *f.* ~ **forg·ing** *s metall.* Reckschmieden *n.* **'~-ˌhard·en** *v/t tech.* kalthämmern. **'~ˌhead** *s* 1. *tech.* Hammerkopf *m.* 2. *sl.* Trottel *m.* 3. *ichth.* Hammerhai *m.*

ham·mer·less ['hæmərlis] *adj* mit verdecktem Schlaghammer (*Gewehr*).

ham·mer| lock *s Ringen:* Hammergriff *m.* ~ **mill** *s tech.* Hammerwerk *n.* ~ **scale** *s tech.* Hammerschlag *m,* Zunder *m.* ~ **sedge** *s bot.* Rauhhaarige Segge. **'~ˌsmith** *s* Hammerschmied *m.* ~ **throw** *s sport* Hammerwerfen *n.* **'~ˌtoe** *s med.* Hammerzehe *f.*

ham·mock¹ ['hæmək] *s* Hängematte *f:* ~ chair Liegestuhl *m.*

ham·mock² ['hæmək] *s Am.* humusreiches Laubwaldgebiet.

Ham·mond or·gan ['hæmənd] *s mus.* Hammond-Orgel *f.*

ham·per¹ ['hæmpər] *v/t* 1. (be)hindern, hemmen. 2. stören. 3. verstrikken, -wickeln.

ham·per² ['hæmpər] *s* 1. (Pack-, Trag)Korb *m* (*meist mit Deckel*). 2. Geschenk-, ‚Freßkorb' *m.*

ham·shack·le ['hæmˌʃækl] *v/t* 1. *Pferd etc* fesseln (*um Kopf u. Vorderbein*). 2. *fig.* zu'rückhalten, zügeln.

ham·ster ['hæmstər] *s zo.* Hamster *m.*

'hamˌstring I *s* 1. *anat.* Kniesehne *f.* 2. *zo.* A'chillessehne *f.* II *v/t irr* 3. (durch Zerschneiden der Kniesehnen) lähmen. 4. *fig.* lähmen.

ham·u·lus ['hæmjuləs] *pl* **-li** [-ˌlai] *s anat. bot. zo.* Häkchen *n.*

hance [hæns; hɑ:ns] *s arch.* a) Auslauf *m* (*von elliptischen Bogen*), b) (Bogen-)Schenkel *m.*

hand [hænd] I *s* 1. Hand *f:* ~s off! Hände weg!; ~s-off policy Nichteinmischungspolitik *f;* ~s up! Hände hoch!; a helping ~ *fig.* e-e hilfreiche Hand; to give (*od.* lend) a ~ mit zugreifen, *j-m* helfen; he asked for her ~ er hielt um ihre Hand an. 2. a) Hand *f* (*Affe*), b) Vorderfuß *m* (*Pferd etc*), c) Fuß *m* (*Falke*), d) Schere *f* (*Krebs*). 3. Urheber *m,* Verfasser *m,* Künstler *m.* 4. *oft pl* Hand *f,* Macht *f,* Gewalt *f:* I am entirely in your ~s ich bin ganz in Ihrer Hand; to fall into s.o.'s ~s j-m in die Hände fallen. 5. *pl* Hände *pl,* Obhut *f:* the child is in good ~s. 6. *pl* Hände *pl,* Besitz *m:* to change ~s → *Bes. Redew.* 7. Hand *f* (*Handlungs-, bes. Regierungsweise*): iron ~ harte Hand, eiserne Zucht; with a high ~ selbstherrlich, anmaßend, willkürlich; with (a) heavy ~ hart, streng, mit harter Hand. 8. Hand *f,* Quelle *f:* at first ~ aus erster Quelle. 9. Hand *f,* Fügung *f,* Einfluß *m,* Wirken *n:* the ~ of God die Hand Gottes; hidden ~ (geheime) Machenschaften, Hand. 10. Seite *f,* Richtung *f* (*a. fig.*): on every ~ überall, ringsum; on all ~s a) überall, b) von allen Seiten; on the right ~ rechter Hand, rechts; on the one ~ ..., on the other ~ *fig.* einerseits ..., andererseits. 11. *oft in Zssgn* Arbeiter *m,* Mann *m* (*a. pl*), *pl* Leute *pl, mar.* Ma'trose *m:* → deck 1. 12. Fachmann *m,* Routini'er *m:* an old ~ ein alter Fachmann *od.* Praktikus *od.* ‚Hase'; a good ~ at sehr geschickt *od.* geübt in (*dat*); I am a poor ~ at golf ich bin ein schlechter Golfspieler. 13. (gute) Hand, Geschick *n:* he has a ~ for horses er versteht es, mit Pferden umzugehen; my ~ is out ich bin außer Übung. 14. Handschrift *f:* a legible ~. 15. 'Unterschrift *f:* to set one's ~ to s-e Unterschrift setzen unter (*acc*), unterschreiben; under the ~ of unterzeichnet von; contract under ~ einfacher (nicht besiegelter) Vertrag. 16. Hand *f,* Fertigkeit *f:* it shows a master's ~ es verrät die Hand e-s Meisters. 17. Ap'plaus *m,*

Beifall *m*: **to get a big ~** stürmischen Beifall hervorrufen, starken Applaus bekommen. **18.** Zeiger *m* (*der Uhr etc*): → **second**¹ 1. **19.** Büschel *n*, Bündel *n* (*Früchte*), Hand *f* (*Bananen*). **20.** Handbreit *f* (= *4 Zoll, 10,16 cm*). **21.** *Kartenspiel*: a) Spieler *m*, b) Blatt *n*, Karte *f*, Karten *pl*, c) Spiel *n*, Runde *f*: **to show one's ~** → *Bes. Redew.*

Besondere Redewendungen:

~ and foot a) an Händen u. Füßen (*fesseln*), b) *fig.* eifrig, ergeben (*dienen*); **~ in glove (with)** a) auf vertrautem Fuße stehend, ein Herz u. e-e Seele (mit), b) unter 'einer Decke steckend (mit); **~s down** spielend, mühelos (*gewinnen etc*); **~ in ~** Hand in Hand (*a. fig.*); **~ on heart** Hand aufs Herz; **~ over fist** a) Hand über Hand (*klettern etc*), b) *fig.* Zug um Zug, schnell, spielend; **~ to ~** Mann gegen Mann (*Kampf*); **at ~** a) nahe, bei der Hand, b) nahe (bevorstehend), c) zur Hand, bereit; **at the ~(s) of s.o.** von seiten j-s, seitens j-s, durch j-n; **by ~** a) mit der Hand, b) durch Boten, c) mit der Flasche (*ein Kind ernähren*); **by the ~ of** durch; **from ~ to ~** von Hand zu Hand; **from ~ to mouth** von der Hand in den Mund (*leben*); **in ~** a) in der Hand, b) zur (freien) Verfügung, c) vorrätig, vorhanden, d) *fig.* in der Hand *od.* Gewalt, e) in Bearbeitung, f) im Gange; **the letter (matter) in ~** der vorliegende Brief (die vorliegende Sache); **to take in ~** in die Hand *od.* in Angriff nehmen; **on ~** a) verfügbar, vorrätig, b) bevorstehend, c) *Am.* zur Stelle; **on one's ~s** a) auf dem Halse, zur Last, b) zur Verfügung; **to be on s.o.'s ~s** j-m zur Last fallen; **out of ~** a) kurzerhand, sofort, b) vorbei, erledigt, c) *fig.* aus der Hand, außer Kontrolle, nicht mehr zu bändigen; **to let one's temper get out of ~** die Selbstbeherrschung verlieren; **to ~** zur Hand; **to come to ~** eingehen, -laufen, -treffen (*Brief etc*); **your letter to ~** *econ. obs.* im Besitz Ihres werten Schreibens; **under ~** a) unter Kontrolle, b) unter der Hand, heimlich; **under the ~ and seal of Mr. X.** von Mr. X. eigenhändig unterschrieben *od.* geschrieben u. gesiegelt; **with one's own ~** eigenhändig; **to change ~s** in andere Hände übergehen, den Besitzer wechseln; **to get one's ~ in** ‚in Schwung kommen', sich einarbeiten; **to have one's ~ in** in Übung sein, ‚gut in Schuß sein'; **to have a ~ in s.th.** s-e Hand im Spiel haben bei etwas; **to get s.th. off one's ~s** etwas loswerden; **to have one's ~s full** alle Hände voll zu tun haben; **to hold ~s** Händchen halten (*wie Verliebte*); **to hold one's ~** sich zurückhalten; **to join ~s** sich die Hände reichen, sich verbünden *od.* zs.-tun; **to keep one's ~ in** in Übung bleiben; **to keep a firm ~ on** unter strenger Zucht halten; **to lay (one's) ~s on** a) anfassen, b) ergreifen, packen, habhaft werden (*gen*), c) (*gewaltsam*) Hand an *j-n* legen, d) *relig.* ordinieren; **I can't lay my ~s on it** ich kann es nicht finden; **to lay ~s on o.s.** Hand an sich legen; **not to lift** (*od.* **raise**) **a ~** keinen Finger rühren; **to live by one's ~s** von s-r Hände Arbeit leben; **to play into each other's ~s** einander in die Hände spielen; **to put one's ~ on** *fig.* a) finden, b) sich erinnern an (*acc*); **to put** (*od.* **set**) **the ~ to** a) ergreifen, b) *fig.* in Angriff nehmen, anpacken; **to shake ~s** sich die Hände schütteln; **to shake ~s with s.o., to shake s.o. by the ~** j-m die Hand schütteln *od.* geben; **to show one's ~** *fig.* s-e Karten aufdecken; **to take a ~ at a game** bei e-m Spiel mitmachen; **to take s.o. by the ~** a) j-n bei der Hand nehmen, b) *fig.* j-n unter s-e Fittiche nehmen; **to try one's ~ at s.th.** etwas versuchen, es mit etwas probieren; **to wash one's ~s of it** a) (in dieser Sache) s-e Hände in Unschuld waschen, b) nichts mit der Sache zu tun haben wollen; **I wash my ~s of him** mit ihm will ich nichts mehr zu tun haben; → **off hand, sit** 1.

II *v/t* **22.** ein-, aushändigen, (über)'geben, (-)'reichen (s.o. s.th., s.th. to s.o. j-m etwas): **to ~ it to s.o.** *Am. sl.* es j-m sagen, j-n informieren; **you must ~ it to him** *Am. sl.* das muß man ihm lassen (*anerkennend*). **23.** *j-m* helfen, *j-n* geleiten: **to ~ s.o. into (out of) the car** j-m ins (aus dem) Auto helfen. **24.** *mar. Segel* festmachen.

Verbindungen mit Adverbien:

hand| down *v/t* **1.** her'unterreichen, -langen (from von). **2.** *j-n* hin'untergeleiten (to zu). **3.** vererben, (als Erbe) hinter'lassen (to *dat*). **4.** über'liefern (to *dat*). **5.** *jur. Am.* a) *die Entscheidung e-s höheren Gerichtshofes* e-m 'untergeordneten Gericht über'mitteln, b) *das Urteil etc* verkünden. **~ in** *v/t* **1.** *etwas* hin'einreichen. **2.** *e-n Bericht, ein Gesuch etc* einreichen (to bei). **3.** *e-e Sendung etc* aufgeben. **~ off** *v/t Rugby etc*: *den Gegner* mit der Hand wegstoßen. **~ on** *v/t* **1.** weiterreichen, -geben (to *dat*, an *acc*). **2.** über'liefern (to *dat*). **~ out** *v/t* **1.** austeilen (to an *acc*). **2.** verschenken. **3.** *sl.* von sich geben, ‚auftischen'. **~ o·ver** *v/t* (to *dat*) **1.** über'geben. **2.** über'lassen. **3.** ('her)geben, aushändigen. **~ round** *v/t* her'umreichen. **~ up** *v/t* hin'aufreichen, -langen (to *dat*).

'hand|ˌbag *s* **1.** (Damen)Handtasche *f*. **2.** Handtasche *f*, -köfferchen *n*, Reisetasche *f*. **'~ˌball** *s sport* **1.** Handball *m*. **2.** amer. Handballspiel *n* (*auf e-m von Mauern umgebenen Spielplatz gespielt*). **'~ˌbar·row** *s* **1.** Trage *f*. **2.** → **handcart. ~ bell** *s* Tisch-, Handglocke *f*. **'~ˌbill** *s* Re'klame-, Handzettel *m*, Flugblatt *n*. **'~ˌbook** *s* **1.** Handbuch *n*. **2.** Reiseführer *m* (to für). **3.** Wettbuch *n* (*des Buchmachers*). **~ brake** *s tech.* Handbremse *f*. **'~ˌbreadth** *s* Handbreit *f*. **'~-ˌcan·ter** *s* 'Handgaˌlopp *m*. **'~ˌcar** *s tech. Am.* Drai'sine *f* mit Handantrieb. **'~ˌcart** *s* Handkarre(n *m*) *f*. **'~ˌclasp** *s* Händedruck *m*. **'~ˌcraft** → **handicraft. '~ˌcuff I** *s meist pl* Handschellen *pl*. **II** *v/t j-m* Handschellen anlegen. **~ drill** *s tech.* 'Handˌbohrmaˌschine *f*.

-handed [hændid] *Wortelement mit der Bedeutung* …händig, mit … Händen.

'hand|ˌfast *s obs.* **1.** fester Griff. **2.** a) (Heirats)Vertrag *m*, b) Verlobung *f*. **'~-ˌfeed** *v/t* **1.** *agr.* von Hand füttern. **2.** *tech.* von Hand beschicken: **hand-fed** handbeschickt. **~ flag** *s mar.* Winkerflagge *f*.

hand·ful ['hændfəl; -ful] *s* **1.** (*e-e*) Handvoll (*a. fig. Personen*). **2.** *colloq.* Plage *f* (*lästige Person od. Sache*), ‚Nervensäge' *f*: **to be a ~ for s.o.** j-m sehr zu schaffen machen.

'hand|-ˌgal·lop *s* 'Handgaˌlopp *m*. **~ gen·er·a·tor** *s electr.* 'Kurbelinˌduktor *m*. **~ glass** *s* **1.** Handspiegel *m*. **2.** (Lese)Lupe *f*. **~ gre·nade** *s mil.* 'Handgraˌnate *f*. **'~ˌgrip** *s* **1.** a) Händedruck *m*, b) Griff *m*. **2.** *tech.* Griff *m*. **3.** *pl* Handgemenge *n*: **they came to ~s** sie wurden handgemein. **'~ˌhold** *s* Halt *m*, Handhabe *f*.

hand·i·cap ['hændiˌkæp] **I** *s* **1.** Handikap *n*: a) *sport* Vorgabe *f* (*für leistungsschwächere Teilnehmer*), b) Vorgaberennen *n od.* -spiel *n od.* -kampf *m*, c) *fig.* Behinderung *f*, Benachteiligung *f*, Nachteil *m*, Erschwerung *f*, Hindernis *n* (to für). **II** *v/t* **2.** (be)hindern, benachteiligen, belasten. **3.** *sport* mit Handikaps belegen: **to ~ the horses** durch Vorgaben *od.* Gewichtsbelastung die Chancen der Pferde ausgleichen. **'hand·iˌcapped** *adj* gehandikapt, behindert, benachteiligt (with durch). **'hand·iˌcap·per** *s sport* Handikapper *m* (*Kampfrichter*).

hand·i·craft [*Br.* 'hændiˌkrɑːft; *Am.* -ˌkræ(ː)ft] *s* **1.** Handfertigkeit *f*. **2.** (*bes.* Kunst)Handwerk *n*. **'hand·iˌcrafts·man** [-tsmən] *s irr* Handwerker *m*.

hand·ie-talk·ie ['hændiˌtɔːki] *s Am.* Funksprechkleingerät *n*.

hand·i·ness ['hændinis] *s* **1.** Geschicktheit *f*, Gewandtheit *f*. **2.** Handlichkeit *f*. **3.** Nützlichkeit *f*, Bequemlichkeit *f*.

'hand·iˌwork *s* **1.** Handarbeit *f*. **2.** (per'sönliches) Werk, Schöpfung *f*.

hand·ker·chief ['hæŋkərtʃif; -ˌtʃiːf] *s* **1.** *a.* **pocket ~** Taschentuch *n*. **2.** *a.* **neck ~** Halstuch *n*.

'hand-'knit(·ted) *adj* handgestrickt.

han·dle ['hændl] **I** *s* **1.** a) (Hand)Griff *m*, b) Stiel *m*, Heft *n*, c) Henkel *m* (*am Topf etc*), d) Klinke *f*, Drücker *m* (*e-r Tür*), e) Kurbel *f*, f) Schwengel *m* (*e-r Pumpe*): **~ of the face** *humor.* Nase *f*; **~ to one's name** *sl.* Titel *m*; **to fly off the ~** *colloq.* ‚hochgehen', in Wut geraten. **2.** *fig.* Handhabe *f*, Anhalts-, Angriffspunkt *m*. **3.** *fig.* Vorwand *m*, Gelegenheit *f*. **II** *v/t* **4.** berühren, befühlen, anfassen. **5.** *Werkzeuge etc* handhaben, (geschickt) gebrauchen, han'tieren *od.* 'umgehen mit, *Maschine* bedienen. **6.** a) *ein Thema etc* behandeln, *e-e Sache a.* handhaben, b) *etwas* erledigen, 'durchführen, abwickeln, c) mit *etwas od. j-m* fertigwerden, *etwas* ‚deichseln': **I can ~ it (him)** damit (mit ihm) werde ich fertig. **7.** *j-n* behandeln, 'umgehen mit, ‚anfassen'. **8.** a) *e-n Boxer* betreuen, trai'nieren, b) *ein Tier* dres'sieren (u. vorführen). **9.** sich beschäftigen mit. **10.** *Güter* befördern, weiterleiten: **~ with care! glass!** Vorsicht Glas! **11.** *econ.* Handel treiben mit, handeln mit. **III** *v/i* **12.** sich handhaben lassen: **to ~ easily. 13.** sich anfühlen: **to ~ smooth.**

han·dle bar *s oft pl* Lenkstange *f*.

han·dler ['hændlər] *s* **1.** Handhaber *m*. **2.** Lenker *m*, Leiter *m*. **3.** *Boxen*: Betreuer *m*, Trainer *m*. **4.** Abrichter *m* (*von Hunden etc*). **5.** Töpfer *m*.

han·dling ['hændliŋ] *s* **1.** Berührung *f*. **2.** Handhabung *f*, Gebrauch *m*. **3.** Führung *f*, Leitung *f*. **4.** Aus-, 'Durchführung *f*, Erledigung *f*. **5.** *econ.* Beförderung *f*, Weiterleitung *f*. **6.** (*a.* künstlerische) Behandlung. **~ charg·es** *s pl econ.* 'Umschlagspesen *pl*.

hand| loom *s tech.* Handwebstuhl *m*. **'~'made** *adj* handgearbeitet: **~ paper** Büttenpapier *n*, handgeschöpftes Papier. **'~ˌmaid(·en)** *s obs. od. fig.* Dienerin *f*, Magd *f*, *fig. a.* Gehilfe *m*, Gehilfin *f*, Handlanger(in). **'~-me-ˌdown** *Am. colloq.* **I** *adj.* **1.** fertig *od.* von der Stange gekauft, Konfektions… **2.** billig, 'uneleˌgant. **3.** alt, getragen, gebraucht. **II** *s* **4.** von der Stange gekauftes *od.* über'nommenes Kleidungsstück. '~-ˌ**op·er·at·ed** *adj* mit Handbetrieb, handbedient, Hand... ~ **or·gan** *s mus.* Drehorgel *f.* '~ˌ**out** *s Am. sl.* **1.** Almosen *n*, milde Gabe. **2.** Pro'spekt *m*, Hand-, Werbezettel *m.* **3.** (*zur Veröffentlichung*) freigegebenes Materi'al, Presseerklärung *f.* '~-ˌ**pick** *v/t* **1.** mit der Hand pflücken *od.* auslesen. **2.** *colloq.* sorgsam auswählen. ~ **plough,** *Am.* ~ **plow** *s* Gartenpflug *m.* '~-ˌ**post** *s* Wegweiser *m.* ~ **press** *s tech.* Handpresse *f.* '~ˌ**rail** *s* Geländer(stange *f*) *n*, Handlauf *m* (*a. mar.*). '~ˌ**saw** *s tech.* Handsäge *f.*

'**hand's-ˌbreadth** → handbreadth.

hand·sel ['hænsəl; -nd-] **I** *s* **1.** Einstands- *od.* Neujahrsgeschenk *n.* **2.** Morgengabe *f.* **3.** erste Einnahme (*in e-m Geschäft*). **4.** Hand-, Angeld *n.* **5.** *fig.* Vorgeschmack *m.* **II** *v/t* **6.** *j-m* ein Einstandsgeschenk *etc* geben. **7.** einweihen (*a. fig.*).

'**hand**|ˌ**set** *s teleph.* Hörer *m.* '~-ˌ**set** *adj print.* handgesetzt. '~-ˌ**sewn** *adj* handgenäht. '~ˌ**shake** *s* Händedruck *m*, -schütteln *n.* '~-ˌ**sign** *v/t* eigenhändig unter'zeichnen: ~**ed** handsigniert.

hand·some ['hænsəm] *adj* (*adv* ~**ly**) **1.** hübsch, schön, stattlich (*alle a. fig.*), gutaussehend: a ~ man; a ~ house. **2.** *fig.* beträchtlich, ansehnlich: a ~ inheritance; a ~ sum. **3.** großzügig, nobel, ‚anständig': to come down ~**ly** sich großzügig zeigen; ~ is as ~ does edel ist, wer edel handelt. **4.** reichlich. **5.** *Am. colloq.* ausgezeichnet. '**hand·some·ness** *s* **1.** Schönheit *f*, Stattlichkeit *f*, gutes Aussehen. **2.** Beträchtlichkeit *f.* **3.** Großzügigkeit *f.*

'**hand**|ˌ**spike** *s mar. tech.* Handspake *f*, Hebestange *f.* '~ˌ**spring** *s sport* 'Handstandˌüberschlag *m.* '~ˌ**stand** *s sport* Handstand *m.* '~-**to-'hand** *adj* Mann gegen Mann: ~ combat Nahkampf *m.* '~-**to-'mouth** *adj* unsicher, ungesichert. '~ˌ**wheel** *s tech.* Hand-, Stellrad *n.* '~ˌ**work** *s* Handarbeit *f.* '~ˌ**write** *v/t u. v/i irr* mit der Hand schreiben. '~ˌ**writ·ing** *s* **1.** (Hand)Schrift *f*: ~ expert *jur.* Schriftsachverständige(r) *m*; the ~ on the wall *fig.* die Schrift an der Wand, das Menetekel. **2.** Manu'skript *n.*

hand·y ['hændi] *adj* (*adv* **handily**) **1.** zur Hand, bei der Hand, greifbar, leicht erreichbar: to have s.th. ~ etwas zur Hand haben. **2.** geschickt, gewandt. **3.** handlich, praktisch, leicht zu handhaben(d). **4.** *mar.* wendig. **5.** nützlich, bequem: to come in ~ (sehr) gelegen kommen. ~ **man** *s irr* ‚Mädchen *n* für alles', Fak'totum *n.*

hang [hæŋ] **I** *s* **1.** Hängen *n*, Fall *m*, Sitz *m* (*e-s Kleids etc*). **2.** *colloq.* a) Bedeutung *f*, Sinn *m*, b) (richtige) Handhabung: to get the ~ of s.th. etwas kapieren, hinter etwas kommen, den ‚Dreh rauskriegen' bei etwas. **3.** *colloq.* I don't care a ~! das ist mir völlig ‚schnuppe'! **4.** (kurze) Pause, Stillstand *m.* **5.** Abhang *m*, Neigung *f.*

II *v/t pret u. pp* **hung** [hʌŋ] *od.* (*bes. für* 9 *u.* 10) **hanged 6.** (from, to, on) aufhängen (an *dat*), hängen (an *acc*): to ~ s.th. on a hook; to be hung to (*od.* from) aufgehängt sein *od.* hängen an (*dat*), herabhängen von. **7.** (*zum Trocknen etc*) aufhängen: to be well hung gut abgehangen sein (*Wildbret*); hung beef gedörrtes Rindfleisch. **8.** *tech. e-e Tür, e-e Karosserie etc* einhängen. **9.** (auf-, er)hängen, henken: to ~ o.s. sich erhängen; I'll be ~**ed** first! *colloq.* eher lasse ich mich hängen!; I'll be ~**ed** if *colloq.* ‚ich will mich hängen lassen', wenn; ~ it (all)! zum Henker damit!; **10.** a) *j-n* an den Galgen bringen, b) *fig. j-m* ‚das Genick brechen'. **11.** *den Kopf* hängenlassen *od.* senken. **12.** behängen: to ~ a wall with pictures. **13.** *Tapeten* anbringen, ankleben. **14.** *jur. Am. die Geschworenen* an der Entscheidung hindern (*durch Nichtzustimmung*): it was a hung jury die Geschworenen konnten sich (*über die Schuldfrage*) nicht einigen. **15.** → fire 9.

III *v/i* **16.** hängen, baumeln (by, on an *dat*): to ~ by a rope; to ~ by a thread *fig.* an e-m Faden hängen; to ~ in the air *bes. fig.* in der Luft hängen; to ~ in the balance in der Schwebe sein; to ~ on s.o.'s lips (words) an j-s Lippen (Worten) hängen. **17.** hängen, ein- *od.* aufgehängt sein. **18.** hängen, gehängt *od.* gehenkt werden: he will ~ for it dafür wird er hängen; to let s.th. go ~ sich den Teufel um etwas scheren; let it go ~! *colloq.* zum Henker damit! **19.** (her'ab)hängen, fallen (*Kleid, Vorhang etc*). **20.** sich senken, sich neigen, abfallen. **21.** ~ on hängen an (*dat*), abhängen von. **22.** ~ on hängen *od.* sich festhalten an (*dat*), sich klammern an (*acc*). **23.** unentschlossen sein, zögern. **24.** *Tennis etc*: hängenbleiben, unerwartet langsam zu'rückkommen (*Ball*). **25.** to ~ heavy langsam vergehen, da'hinschleichen (*Zeit*).

Verbindungen mit Präpositionen:

hang| **a·bout,** ~ **a·round** *v/t* her'umlungern *od.* sich her'umtreiben in (*dat*) *od.* bei. ~ **on** *v/t* **1.** sich hängen an (*acc*). **2.** → hang 16, 21, 22. ~ **o·ver** *v/t* **1.** *fig.* hängen *od.* schweben über (*dat*), drohen (*dat*). **2.** sich neigen über (*acc*). **3.** aufragen über (*acc*).

Verbindungen mit Adverbien:

hang| **a·bout,** ~ **a·round** *v/i* her'umlungern, sich her'umtreiben. ~ **back** *v/i* **1.** zögern, verweilen. **2.** → hang behind. ~ **be·hind** *v/i* zu'rückhängen, -bleiben. ~ **down** *v/i* her'abher'unterhängen (from von). ~ **on** *v/i* **1.** (to) sich festklammern (an *dat*), festhalten (*acc*), nicht loslassen *od.* aufgeben (*acc*). **2.** ausharren, nicht auf- *od.* nachgeben. **3.** *teleph.* am Appa'rat bleiben. **4.** nicht nachlassen (*Krankheit etc*). ~ **out I** *v/t* **1.** (her)'aushängen. **II** *v/i* **2.** her'aushängen. **3.** ausgehängt sein. **4.** *sl.* a) hausen, sich aufhalten, b) sich her'umtreiben. ~ **to·geth·er** *v/i* **1.** zs.-halten (*Personen*). **2.** Zs.-hang haben, zs.-hängen. ~ **up I** *v/t* **1.** aufhängen. **2.** aufschieben, hin'ausziehen: to be hung up verzögert *od.* aufgehalten werden. **II** *v/i* **3.** (den Tele'phonhörer) einhängen, auflegen.

hang·ar ['hæŋər] *s aer.* Hangar *m*, Flugzeughalle *f*, -schuppen *m.*

'**hang**ˌ**dog I** *s* **1.** Galgenvogel *m*, -strick *m.* **II** *adj* **2.** gemein, schurkisch. **3.** a) schuldbewußt, b) jämmerlich: ~ look Armesündermiene *f.*

hang·er[1] ['hæŋər] *s* **1.** (Auf)Hänger *m.* **2.** → paper hanger. **3.** Aufhänger *m*, Aufhängevorrichtung *f*, *bes.* a) Kleiderbügel *m*, b) Schlaufe *f*, Aufhänger *m* (*am Rock etc*), c) Gehenk *n* (*Degen*), d) (Topf)Haken *m.* **4.** *tech.* a) Hängeeisen *n*, b) Hängebock *m*, c) 'Unterlitze *f*, d) Tra'versenträger *m.* **5.** a) Hirschfänger *m*, b) kurzer Säbel. **6.** Haken *m*, Kurvenlinie *f* (*bei Schreibversuchen*).

hang·er[2] ['hæŋər] *s* steiler bewaldeter Abhang.

hang·er| **bear·ing** *s tech.* Hängelager *n.* '~-'**on** *pl* '**hang·ers-'on** *s contp.* **1.** Anhänger *m*, Nachläufer *m.* **2.** ‚Klette' *f*, Schma'rotzer *m*, (lästiges) Anhängsel.

'**hang**ˌ**fire** *s mil.* Nachbrennen *n*, -zündung *f.*

hang·ing ['hæŋiŋ] **I** *s* **1.** (Auf)Hängen *n.* **2.** (Er)Hängen *n*, Henken *n*: execution by ~ Hinrichtung *f* durch den Strang. **3.** *meist pl* Wandbehang *m*, -bekleidung *f*, Ta'pete *f*, Vorhang *m.* **II** *adj* **4.** (her'ab)hängend. **5.** hängend, abschüssig, ter'rassenförmig: ~ gardens. **6.** todeswürdig: a ~ crime ein Verbrechen, auf das die Todesstrafe durch Erhängen steht; a ~ matter e-e Sache, die an den Galgen bringt. **7.** a ~ judge ein Richter, der mit dem Todesurteil rasch bei der Hand ist. **8.** Hänge... **9.** *tech.* Aufhänge..., Halte..., Stütz... ~ **com·mit·tee** *s* Hängeausschuß *m* (*bei Gemäldeausstellungen*). ~ **in·den·tion** *s print.* Einzug *m* nach 'überstehender Kopfzeile. ~ **wall** *s Bergbau*: Hangendes *n.*

'**hang**|·**man** [-mən] *s irr* Henker *m.* '~ˌ**nail** *s med.* Niednagel *m.* '~ˌ**out** *s Am. sl.* **1.** ‚Bude' *f*, Wohnung *f.* **2.** 'Stammloˌkal *n*, Treffpunkt *m.* '~-ˌ**o·ver** *s* **1.** *Am.* 'Überbleibsel *n*, -rest *m.* **2.** *sl.* ‚Katzenjammer' *m* (*a. fig.*), ‚Kater' *m.*

hank [hæŋk] *s* **1.** Strang *m*, Docke *f*, Wickel *m* (*Garn etc*). **2.** Hank *n* (*ein Garnmaß*). **3.** *mar.* Legel *m.*

han·ker ['hæŋkər] *v/i* sich sehnen, verlangen (after, for nach). '**han·ker·ing** *s* Sehnsucht *f*, Verlangen *n* (after, for nach).

han·ky, *a.* **han·kie** ['hæŋki] *colloq. für* handkerchief.

han·ky-pan·ky ['hæŋki'pæŋki] *s sl.* **1.** Hokus'pokus *m* (*a. fig.*). **2.** Schwindel *m*, fauler Zauber.

Han·o·ve·ri·an [ˌhæno'vi(ə)riən] **I** *adj.* **1.** han'nover(i)sch. **2.** *pol. hist.* hannove'ranisch. **II** *s* **3.** Hannove'raner(in).

Han·sard ['hænsərd] *s Br.* amtliches Parla'mentsprotoˌkoll. '**Han·sard·ˌize** *v/t pol. Br. j-m* frühere (laut Proto'koll) anderslautende Äußerungen entgegenhalten.

hanse [hæns] *s hist.* **1.** Kaufmannsgilde *f.* **2.** H~ Hanse *f*, Hansa *f*: H~ town Hansestadt *f.* ˌ**Han·se'at·ic** [-si'ætik] *adj* hanse'atisch, Hanse...: the ~ League die Hanse.

han·sel ['hænsəl] → handsel.

Han·sen's dis·ease ['hɑːnsənz; 'hæn-] *s med.* Lepra *f*, Aussatz *m.*

han·som (cab) ['hænsəm] *s* Hansom *m* (*zweirädrige Droschke*).

hap [hæp] *obs.* **I** *s* a) Zufall *m*, b) (zufälliges) Ereignis, c) Glück(sfall *m*) *n.* **II** *v/i* sich ereignen.

hap·haz·ard I *adj u. adv* [ˌhæp'hæzərd] a) zufällig, b) ziel-, wahllos. **II** *s* ['hæpˌhæzərd] Zufall *m*: at (*od.* by) ~ aufs Geratewohl.

hap·less ['hæplis] *adj* (*adv* ~**ly**) unglücklich, glücklos, unselig.

hap·loid ['hæplɔid] *biol.* **I** *adj* haplo'id (*mit einfacher Chromosomenzahl*). **II** *s* haplo'ide Zelle *od.* Generati'on. '**hap·loid·y** *s biol.* Haploi'die *f.*

hap·ly ['hæpli] *adv obs.* **1.** von ungefähr. **2.** vielleicht.

hap·pen ['hæpən] *v/i* **1.** geschehen, sich ereignen, vorfallen, pas'sieren, sich zutragen, vor sich gehen, vorkommen, eintreten: what has ~**ed**? was ist geschehen *od.* passiert?; ... and nothing ~**ed** u. nichts geschah. **2.** zufällig geschehen, sich zufällig ergeben, sich (gerade) treffen: it ~**ed** that es traf *od.* ergab sich, daß; as it ~**s** a) wie es sich (so *od.* gerade) trifft, b) wie es nun (einmal) so geht. **3.** *zum Ausdruck e-s Zufalls*: **if you ~ to see it** wenn du es zufällig siehst *od.* sehen solltest; **it ~ed to be cold** zufällig war es kalt. **4. ~ to** geschehen mit (*od. dat*), pas'sieren (*dat*), zustoßen (*dat*), werden aus: **what is going to ~ to our plans?** was wird aus unseren Plänen?; **if anything should ~ to me** wenn mir etwas zustoßen sollte. **5.** auftreten, erscheinen. **6. ~ (up)on** zufällig begegnen (*dat*) *od.* treffen (*acc*) *od.* stoßen auf (*acc*) *od.* finden (*acc*). **7.** *colloq.* zufällig kommen *od.* geraten, ‚her'eingeschneit kommen' (in, into in *acc*).

hap·pen·ing ['hæpəniŋ; 'hæpniŋ] *s* **1.** Ereignis *n*, Vorkommnis *n*. **2.** *thea. u. humor.* Happening *n*.

hap·pi·ly ['hæpili] *adv* **1.** glücklich. **2.** glücklicherweise, zum Glück.

'hap·pi·ness *s* **1.** Glück *n*, Glück'seligkeit *f*. **2.** *fig.* glückliche Wahl (*e-s Ausdrucks etc*).

hap·py ['hæpi] *adj* (*adv* → **happily**) **1.** *allg.* glücklich: a) Glück empfindend, b) beglückt, erfreut, froh (at, about über *acc*): **I am ~ to see you** es freut mich (sehr), Sie zu sehen, c) voll von Glück, vom Glück begünstigt: **~ days**, d) erfreulich: **a ~ event** ein freudiges Ereignis, e) glückverheißend: **~ news**, f) gut, trefflich: **a ~ idea**, g) passend, treffend, geglückt: **a ~ phrase**. **2.** gewandt, geschickt. **3.** *colloq.* leicht ‚beschwipst', ‚angesäuselt'. **4.** *sl. in Zssgn* a) betäubt, wirr (im Kopf): → **slaphappy**, b) begeistert, verrückt: **ski-~** schisportbegeistert; → **trigger-happy**. **~ dis·patch** *s euphem.* Hara'kiri *n*. **'~-go-'luck·y** *adj u. adv* unbekümmert, sorglos, leichtfertig.

har·a·kir·i ['hɑːrə'ki(ə)ri; 'hæ-] *s* [Hara'kiri *n*.]

ha·rangue [hə'ræŋ] **I** *s* **1.** Ansprache *f*, Rede *f*. **2.** bom'bastische *od.* flammende Rede. **3.** Ti'rade *f*, Wortschwall *m*. **II** *v/i* **4.** e-e Ansprache halten, ‚e-e Rede schwingen'. **III** *v/t* **5.** e-e Ansprache halten an (*acc*), e-e (bom'bastische) Rede halten vor (*dat*).

har·ass ['hærəs; *Am. a.* hə'ræs] *v/t* **1.** ständig belästigen, quälen, beunruhigen. **2.** aufreiben, zermürben. **3.** *mil.* stören: **~ing fire** Störfeuer *n*.

har·bin·ger ['hɑːrbindʒər] **I** *s* **1.** *bes. fig.* a) Vorläufer *m*, b) Vorbote *m*, Herold *m*. **2.** *obs.* Quar'tiermacher *m*. **II** *v/t* **3.** ankünd(ig)en.

har·bor, *bes. Br.* **har·bour** ['hɑːrbər] **I** *s* **1.** Hafen *m*. **2.** Zufluchtsort *m*, 'Unterschlupf *m*, sicherer Hafen. **II** *v/t* **3.** beherbergen, *j-m* Schutz *od.* Zuflucht *od.* Obdach gewähren. **4.** verbergen, -stecken: **to ~ criminals**. **5.** *Gedanken, e-n Groll etc* hegen: **to ~ ill designs** Böses sinnen. **III** *v/i* **6.** (im Hafen) vor Anker gehen. **7.** *obs.* lagern. **'har·bor·age,** *bes. Br.* **'har·bour·age** *s* **1.** → harbor 2. **2.** Obdach *n*, 'Unterkunft *f*. **'har·bor·less,** *bes. Br.* **'har·bour·less** *adj* **1.** ohne Hafen, hafenlos. **2.** obdachlos.

har·bo(u)r| bar *s* Sandbank *f* vor dem Hafen. **~ dues** *s pl* Hafengebühren *pl*. **~ mas·ter** *s mar.* 'Hafenmeister *m*. **~ seal** *s zo.* Gemeiner Seehund.

hard [hɑːrd] **I** *adj* **1.** hart. **2.** fest: **a ~ knot**. **3.** schwer, schwierig: a) mühsam, anstrengend: **~ work**; **~ to believe** kaum zu glauben; **~ to please** schwer zu befriedigen(d); **~ to imagine** schwer vorstellbar, b) schwer verständlich *od.* zu bewältigen(d): **~ problems** schwierige Probleme. **4.** hart, zäh, 'widerstandsfähig: **in ~ condition** *sport* konditionsstark, fit; → **nail** *Bes. Redew.* **5.** hart, inten'siv, angestrengt: **~ study**. **6.** fleißig, tüchtig, hart arbeitend: **a ~ worker**; **to try one's ~est** sich alle Mühe geben. **7.** heftig, stark: **~ rain**; **~ blow harter** *od.* schwerer Schlag (*a. fig.*). **8.** hart, streng, rauh: **~ climate**; **~ winter**. **9.** hart, gefühllos, streng: **~ words** harte Worte; **to be ~ on s.o.** a) j-n hart *od.* ungerecht behandeln, b) j-m hart zusetzen (→ 10). **10.** hart, drükkend: **it is ~ on him** es ist hart für ihn, es trifft ihn schwer; **~ lines**, **~ luck** *colloq.* ‚Pech' *n*, Unglück *n*; **~ times** schwere Zeiten; → **way**[1] *Bes. Redew.* **11.** *econ.* mit harten Bedingungen, scharf: **~ selling**. **12.** hart: **the ~ facts** die unumstößlichen *od.* nackten Tatsachen. **13.** nüchtern, kühl (über'legend), 'unsentimen,tal: **a ~ businessman**; **he has a ~ head** er denkt nüchtern. **14.** sauer, herb (*Getränk*). **15.** *Am.* 'hochpro,zentig, stark: **~ drinks**. **16.** *phys.* hart: **~ water**; **~ X-rays**; **~ tube** Hochvakuumröhre *f*. **17.** *agr.* hart: **~ wheat**. **18.** *econ.* hoch u. starr: **~ prices**. **19.** hart: **~ colo(u)rs**; **a ~ voice**. **20.** *Phonetik*: a) hart, stimmlos, b) nicht palatali'siert. **21. ~ of hearing** schwerhörig. **22. ~ up** *colloq.* a) in (Geld-)Schwierigkeiten, schlecht bei Kasse, b) in Verlegenheit (for um).

II *adv* **23.** hart, fest: **frozen ~** hartgefroren. **24.** *fig.* hart, schwer, heftig: **to work ~**; **to hit ~**; **to bear ~ (up)on** *j-n* hart treffen *od.* mitnehmen; **to drink ~** stark *od.* tüchtig *od.* übermäßig trinken; **to look ~ at** scharf ansehen; **to be ~ pressed, to be ~ put to it** in schwerer Bedrängnis sein; **to try ~** sich die äußerste Mühe geben; **it will go ~ with him** es wird ihm schlecht ergehen. **25.** schwer, mühsam: **~-earned**, **~-got** sauer verdient, mühsam erworben; → **die**[1] 1. **26.** nahe, dicht: **~ by** ganz in der Nähe, dicht dabei; **~ on** (*od.* **after**) gleich nach. **27. ~ aport** *mar.* hart Backbord.

III *s* **28.** *Br.* festes Uferland. **29.** *sl.* Zwangsarbeit *f*. **30.** *a.* **~ on** *vulg.* Erekti'on *f*.

hard| and fast *adj* abso'lut bindend, strikt, fest(stehend), 'unum,stößlich: **a ~ rule**. **'~,back** *s Am.* Buch *n* mit festem Einband. **'~-'bit·ten** *adj* **1.** verbissen, hartnäckig, zäh. **2.** ‚ausgekocht', erfahren. **3.** *Am.* → **hard-boiled** 2. **'~,board** *s* Hartfaserplatte *f*. **'~-'boiled** *adj* **1.** hart(gekocht): **a ~ egg**. **2.** *colloq.* a) hartgesotten, kaltschnäuzig, stur, b) ‚ausgekocht', ‚abgebrüht', kühl berechnend, gerissen, c) ‚(knall)hart', (schonungslos) rea'listisch: **~ fiction**. **3.** *colloq.* grob. **'~,bought** *adj Am.* schwer errungen. **~ case** *s Am.* unverbesserlicher Verbrecher. **~ cash** *s econ.* **1.** Hart-, Me'tallgeld *n*. **2.** klingende Münze. **3.** Bargeld *n*. **~ ci·der** *s* Apfelwein *m*. **~ coal** *s* Anthra'zit *m*, Steinkohle *f*. **~ core** *s* **1.** *Br.* Schotter *m*. **2.** *fig.* fester Kern, tonangebende Minderheit. **~ court** *s Tennis*: Hartplatz *m*. **~ cur·ren·cy** *s* harte Währung.

hard·en ['hɑːrdn] **I** *v/t* **1.** härten (*a. tech.*), hart *od.* härter machen. **2.** *fig.* hart *od.* gefühllos machen, verhärten: **~ed** verstockt, ‚abgebrüht'; **a ~ed sinner** ein verstockter Sünder. **3.** bestärken. **4.** abhärten. **II** *v/i* **5.** hart werden, erhärten. **6.** *tech.* erhärten, abbinden (*Zement etc*). **7.** *fig.* hart *od.* gefühllos werden, sich verhärten. **8.** *fig.* abgehärtet werden, sich abhärten. **9.** a) *econ. u. fig.* sich festigen, b) *econ.* anziehen, steigen (*Preise*). **'hard·en·er** *s* Härtemittel *n*, Härter *m*. **'hard·en·ing I** *s* **1.** Härten *n*, Härtung *f*. **2.** *tech.* a) Härtung *f*, b) Härtemittel *n*. **II** *adj* **3.** Härte...

'hard|-,face *v/t tech.* verstählen, panzern. **'~-'fa·vo(u)red, '~-'fea·tured** *adj* mit harten *od.* groben Gesichtszügen. **'~,fern** *s bot.* Rippenfarn *m*. **~ fi·ber,** *bes. Br.* **~ fi·bre** *s tech.* Hartfaser *f*, Vul'kanfiber *f*. **~ fin·ish** *s arch.* Feinputz *m*. **'~'fist·ed** *adj* **1.** *fig.* geizig, knauserig. **2.** ro'bust, kräftig. **3.** *fig.* hart, streng, ty'rannisch. **~ goods** *s pl econ. Am.* Gebrauchsgüter *pl*. **~ grass** *s bot.* Hartgras *n*. **'~'hand·ed** → **hardfisted** 2 *u.* 3. **'~'head·ed** *adj* **1.** praktisch, nüchtern, rea'listisch. **2.** starr-, dickköpfig, hartnäckig. **'~'heart·ed** *adj* (*adv* **~ly**) hart(herzig). **'~-,hit·ting** *adj Am. colloq.* e'nergisch, aggres'siv, schlagkräftig.

har·di·hood ['hɑːrdi,hud], **'har·di·ness** *s* **1.** Ausdauer *f*, Zähigkeit *f*, 'Widerstandsfähigkeit *f*. **2.** Kühnheit *f*, Tapferkeit *f*, Mut *m*. **3.** Verwegenheit *f*. **4.** Dreistigkeit *f*.

hard| la·bo(u)r *s jur.* Zwangsarbeit *f*. **'~-,luck sto·ry** *s contp.* ‚Jammergeschichte' *f*.

hard·ly ['hɑːrdli] *adv* **1.** kaum, fast nicht: **I can ~ believe it**; **~ ever** fast nie. **2.** (wohl) kaum, schwerlich: **it will ~ be possible**; **this is ~ the time to do it**. **3.** (*zeitlich*) kaum: **~ had he entered the room, when**. **4.** mit Mühe, mühsam. **5.** hart, streng.

hard| ma·ple *s bot. Am.* Zucker-Ahorn *m*. **~ met·al** *s tech.* 'Hartme,tall *n*. **~ mon·ey** → **hard cash**. **'~'mouthed** *adj* **1.** hartmäulig (*Pferd*). **2.** *fig.* hartnäckig, 'widerspenstig.

hard·ness ['hɑːrdnis] *s* **1.** Härte *f*: a) Festigkeit *f*, b) Zähigkeit *f*, 'Widerstandsfähigkeit *f*, c) Strenge *f*, d) Hartherzigkeit *f*, Gefühllosigkeit *f*, e) Unbeugsamkeit *f*, Hartnäckigkeit *f*. **2.** Starrheit *f* (*des Stils etc*). **3.** Herbheit *f* (*von Getränken*). **4.** Schwierigkeit *f*. **5.** *mus.* Härte *f* (*von Tönen etc.*).

'hard|,pan *s Am.* **1.** *geol.* Ortstein *m* (*verhärteter Untergrund*). **2.** harter, verkrusteter Boden. **3.** *fig.* Grundlage *f*, Kern *m*. **~ rub·ber** *s* Hartgummi *m*. **~ sauce** *s* steife Creme. **'~-'set** *adj* **1.** hart bedrängt, in schwieriger Lage. **2.** streng, starr. **3.** angebrütet (*Ei*). **'~-,shell** *adj* **1.** *zo.* hartschalig. **2.** *Am. colloq.* eisern: a) unnachgiebig, kompro'mißlos, b) eingefleischt, streng.

hard·ship ['hɑːrdʃip] *s* **1.** Härte *f*, Not *f*, Bedrängnis *f*. **2.** *jur.* (unbillige) Härte: **case of ~** Härtefall *m*; **to work ~ on s.o.** e-e Härte bedeuten für j-n. **3.** Mühsal *f*, Ungemach *n*.

hard| sol·der *s tech.* Hart-, Schlaglot *n*. **'~-,sol·der** *v/t u. v/i* hartlöten. **'~-,spun** *adj* fest gezwirnt. **'~,stand(·ing)** *s bes. aer.* Be'tonabstellplatz *m*. **'~-,sur·face(d)** *adj* mit fester Decke, befestigt: **~ parking area**. **'~,tack** *s* Schiffszwieback *m*. **'~,top** *s mot.* Limou'sine *f* mit festem Dach. **'~,ware** *s* **1.** Me'tall-, Eisenwaren *pl*. **2.** *Am. sl.* ‚Schießeisen' *pl*. **3.** *econ.* technische (*bes.* Com'puter)Ausrüstung *f*. **'~,ware·man** [-mən] *s irr.* Eisen(waren)händler *m*. **'~,wood** *s* Hartholz *n*, *bes.* Laubbaumholz *n*. **'~,work·ing** *adj* fleißig, hart arbeitend.

har·dy ['hɑːrdi] *adj* (*adv* **hardily**) **1.** abgehärtet, ausdauernd, ro'bust. **2.** *bot.* winterfest: ~ **annual** a) winterfeste Pflanze, b) *fig. humor.* Frage, die jedes Jahr wieder akut wird. **3.** kühn: a) tapfer, b) verwegen, c) dreist.

hare [hɛr] *s* **1.** *zo.* Hase *m*: to run (*od.* hold) with the ~ and hunt (*od.* run) with the hounds es mit beiden Seiten halten; first catch your ~ (then cook him) *fig.* man soll das Fell nicht verkaufen, ehe man den Bären hat; mad as a March ~ *colloq.* total verrückt, toll; ~ and hounds Schnitzeljagd *f.* **2.** Hasenfell *n.* **3.** Hase *m*, Hasenfleisch *n.* '~ˌ**bell** *s bot.* **1.** (Rundblättrige) Glockenblume. **2.** Wilde Hya'zinthe. '~ˌ**brained** *adj* **1.** zerfahren, gedankenlos. **2.** flatterhaft. **3.** verrückt. '~ˌ**foot** *s irr bot.* **1.** Ackerklee *m.* **2.** Balsabaum *m.* '~'**lip** *s med.* Hasenscharte *f.*

ha·rem ['hɛ(ə)rəm] *s* **1.** Harem *m.* **2.** *relig.* Ha'ram *m* (*geweihter Ort bei den Mohammedanern*).

'**hare's**|-ˌ**ear** ['hɛrz-] *s bot.* **1.** Hasenöhrchen *n.* **2.** Ackerkohl *m.* '~-ˌ**foot** *s irr* **1.** → harefoot. **2.** *Kosmetik*: Hasenpfote *f* (*zum Schminken etc*).

har·i·cot ['hæriˌkou] *s* **1.** (*bes.* 'Hammel)Ra,gout *n.* **2.** *a.* ~ **bean** *bot.* Garten-, Schminkbohne *f.*

hark [hɑːrk] **I** *v/i* **1.** *obs. od. poet.* horchen. **2.** ~ **back** a) *hunt.* zu'rückgehen, um die Fährte neu aufzunehmen (*Hund*), b) *fig.* zu'rückgreifen, -kommen, *a. zeitlich* zu'rückgehen (to auf *acc*). **II** *v/t* **3.** *obs.* lauschen (*dat*). **4.** *hunt. Hunde* rufen. **III** *s* **5.** *hunt.* (Hetz)Ruf *m.* '~-ˌ**back** *s fig.* (to) Zu'rückgehen *n* (auf *acc*), Rückkehr *f* (zu).

hark·en → hearken.

harl[1] [hɑːrl] *Scot. v/t* **1.** ziehen, schleifen. **2.** *arch.* mit Rohputz bewerfen.

harl[2] [hɑːrl] *s* Faser *f*, Faden *m.*

har·le·quin ['hɑːrlikwin; -kin] **I** *s* **1.** *thea.* Harlekin *m*, Hanswurst *m* (*a. fig.*). **2.** *a.* ~ **duck** *orn.* Kragenente *f.* **II** *adj* **3.** bunt, scheckig. ˌ**har·le·quin'ade** [-'neid] *s* Harleki'nade *f*, Possenspiel *n.*

Har·ley Street ['hɑːrli] *s* **1.** *Londoner Ärzteviertel.* **2.** *fig.* die ärztliche Fachwelt.

har·lot ['hɑːrlət] **I** *s* Dirne *f*, Hure *f.* **II** *adj* unzüchtig, lüstern. '**har·lot·ry** [-ri] *s* **1.** Hure'rei *f.* **2.** *obs.* → harlot I.

harm [hɑːrm] **I** *s* **1.** Schaden *m*: **bodily** ~ körperlicher Schaden, *jur.* Körperverletzung *f*; **to do** ~ **to s.o.** j-m schaden, j-m etwas antun; **it does more** ~ **than good** es schadet mehr, als daß es nützt; **there is no** ~ **in doing (s.th.)** es schadet nicht(s) (, etwas) zu tun; **he meant no** ~ er meinte es nicht böse; **out of** ~**'s way** in Sicherheit, in sicherer Entfernung; **to keep out of** ~**'s way** die Gefahr meiden. **2.** Unrecht *n*, Übel *n.* **II** *v/t* **3.** schädigen, schaden (*dat*), verletzen.

harm·ful ['hɑːrmfəl; -ful] *adj* (*adv* ~**ly**) nachteilig, schädlich (to für): ~ **publications** *jur.* jugendgefährdende Schriften. '**harm·ful·ness** *s* Schädlichkeit *f.*

'**harm·less** *adj* (*adv* ~**ly**) **1.** harmlos: a) ungefährlich, unschädlich, b) unschuldig, arglos. **2.** to hold (*od.* save) s.o. ~ *econ. jur.* j-n schadlos halten. '**harm·less·ness** *s* Harmlosigkeit *f.*

har·mon·ic [hɑːr'mɒnik] **I** *adj* (*adv* ~**ally**) **1.** *math. mus. phys.* har'monisch: ~ **minor (scale)** harmonische Molltonleiter; ~ **motion** *phys.* sinusförmige Bewegung; ~ **progression** *math.* harmonische Reihe; ~ **series** Obertonreihe *f*; ~ **tone** Oberton *m.* **2.** *fig.* → harmonious. **II** *s* **3.** *mus. phys.* Har'monische *f*: a) Oberton *m*, b) Oberwelle *f.* **4.** *pl* (*oft als sg konstruiert*) Har'monik *f.* **har'mon·i·ca** [-ə] *s mus.* **1.** 'Glas- *od.* 'Hammerharˌmonika *f.* **2.** *Am.* 'Mundharˌmonika *f.*

har·mon·i·con [hɑːr'mɒnikən] *pl* **-ca** [-kə] *s mus.* **1.** → harmonica. **2.** Or'chestrion *n.*

har·mo·ni·ous [hɑːr'mouniəs] *adj* (*adv* ~**ly**) har'monisch: a) ebenmäßig, b) über'einstimmend, zs.-stimmend, c) wohlklingend, d) einträchtig. **har'mo·ni·ous·ness** *s* Harmo'nie *f.*

har·mo·nist ['hɑːrmənist] *s* **1.** *mus.* a) Har'moniker *m* (*Komponist od. Lehrer*), b) Musiker *m.* **2.** Kol'lator *m* (*von Paralleltexten, bes. der Bibel*).

har·mo·ni·um [hɑːr'mouniəm] *s mus.* Har'monium *n.*

har·mo·nize ['hɑːrməˌnaiz] **I** *v/i* **1.** harmo'nieren (*a. mus.*), in Einklang sein, zs.-passen (**with** mit). **II** *v/t* **2.** har'monisch machen, in Einklang bringen. **3.** versöhnen. **4.** *mus.* harmoni'sieren, mehrstimmig setzen.

har·mo·ny ['hɑːrməni] *s* **1.** Harmo'nie *f*: a) Wohlklang *m*, b) Eben-, Gleichmaß *n*, Ordnung *f*, c) Einklang *m*, Über'einstimmung *f*, d) Eintracht *f*, -klang *m.* **2.** Zs.-stellung *f* von Paral'leltexten, (Evan'gelien)Harmoˌnie *f.* **3.** *mus.* Harmo'nie *f*: a) Har'monik *f*, Zs.-klang *m*, b) Ak'kord *m*, c) schöner Zs.-klang. **4.** *mus.* Harmo'nielehre *f.* **5.** *mus.* (homo'phoner) Satz: **open (close)** ~ weiter (enger) Satz; **two-part** ~ zweistimmiger Satz; **to sing in** ~ mehrstimmig singen.

har·ness ['hɑːrnis] **I** *s* **1.** (Pferde- *etc*)-Geschirr *n*: **in** ~ *fig.* im täglichen Trott; **to die in** ~ *fig.* in den Sielen sterben; → **double harness. 2.** *Weberei*: Harnisch *m* (*des Zugstuhls*). **3.** a) (Anschnall)Gurt *m*, b) (Fallschirm)Gurtwerk *n*, c) (Kopfhörer)-Bügel *m.* **4.** *hist.* Harnisch *m.* **II** *v/t* **5.** *Pferde etc* a) anschirren, b) anspannen (**to** an *acc*). **6.** *fig. Naturkräfte etc* nutzbar machen, ,einspannen'. ~ **bull,** ~ **cop** *s Am. sl.* Poli'zist *m* in Uni'form. ~ **horse** *s Am.* **1.** Traber(pferd *n*) *m.* **2.** Zugpferd *n.* ~ **mak·er** *s* Sattler *m.* ~ **race** *s Am.* Trabrennen *n.*

harp [hɑːrp] **I** *s* **1.** *mus.* Harfe *f.* **II** *v/i* **2.** (die) Harfe spielen. **3.** *fig.* (on, upon) her'umreiten (auf *dat*), dauernd reden (von): **to** ~ **on one string** immer auf derselben Sache herumreiten. '**harp·er,** '**harp·ist** *s* Harfe'nist(in).

har·poon [hɑːr'puːn] **I** *s* Har'pune *f*: ~**-gun** Harpunenkanone *f.* **II** *v/t* harpu'nieren. **har'poon·er** *s* Harpu'nierer *m.*

harp seal *s zo.* Sattelrobbe *f.*

harp·si·chord ['hɑːrpsiˌkɔːrd] *s mus.* (Clavi)'Cembalo *n.*

har·py ['hɑːrpi] *s* **1.** *antiq.* Har'pyie *f.* **2.** *fig.* a) ,Geier' *m*, Blutsauger *m*, b) ,Vam'pyr' *m* (*Frau*). **3.** *a.* ~ **eagle** *orn.* Har'pyie *f.*

har·que·bus ['hɑːrkwibəs] *s mil. hist.* Hakenbüchse *f*, Arke'buse *f.* ˌ**har·que·bus'ier** [-'sir] *s* Arkebu'sier *m.*

har·ri·dan ['hæridən] *s* alte Vettel.

har·ri·er[1] ['hæriər] *s* **1.** Verwüster *m.* **2.** Plünderer *m.* **3.** *orn.* Weihe *f.*

har·ri·er[2] ['hæriər] *s* **1.** *hunt.* a) Hasenhund *m*, Harrier *m*, b) *pl* Harrier-Meute *f* mit Jägern. **2.** *sport* Wald-, Geländeläufer *m.*

Har·ro·vi·an [hə'rouviən] **I** *s* Schüler *m* von Harrow. **II** *adj* Harrow...

har·row[1] ['hærou] **I** *s* **1.** *agr.* Egge *f*: **under the** ~ *fig.* in großer Not, unter Druck. **II** *v/t* **2.** *agr.* eggen. **3.** *fig.* a) quälen, foltern, b) *Gefühl* verletzen.

har·row[2] ['hærou] → **harry.**

har·row·ing ['hærouiŋ] *adj* (*adv* ~**ly**) quälend, qualvoll, schrecklich.

har·rumph [hə'rʌm(p)f] *v/i* **1.** sich (gewichtig) räuspern. **2.** *fig.* sich 'mißbilligend äußern.

har·ry ['hæri] *v/t* **1.** verwüsten. **2.** (aus)-plündern, be-, ausrauben. **3.** quälen, verfolgen. **4.** to ~ **hell** *relig.* zur Hölle niederfahren (*Christus*).

harsh [hɑːrʃ] *adj* (*adv* ~**ly**) **1.** *allg.* hart: a) rauh: ~ **cloth,** b) rauh, scharf: ~ **voice;** ~ **note,** c) grell: ~ **colo(u)r,** d) barsch, grob, schroff: ~ **manner;** ~ **words,** e) streng: ~ **discipline;** ~ **penalty. 2.** herb, scharf, sauer: ~ **taste.** '**harsh·ness** *s* Härte *f.*

hart [hɑːrt] *s* Hirsch *m* (*bes. nach dem 5. Jahr*): ~ **of ten** Zehnender *m.*

har·tal [*Br.* 'hɑːtɑːl; *Am.* hɑːr'tɑːl] *s* (*in Indien*) natio'naler Trauertag (*mit Schließung aller Geschäfte; bes. als politischer Protest*).

hart·beest ['hɑːrtˌbiːst], **har·te·beest** ['hɑːrtiˌbiːst] *s zo.* 'Kuhantiˌlope *f.*

'**hart's-**ˌ**clo·ver** → melilot.

'**harts**ˌ**horn** *s* **1.** Hirschgeweih *n*, -horn *n.* **2.** *chem. obs.* a) *a.* **spirit of** ~ Hirschhorngeist *m*, b) *a.* **salt of** ~ Hirschhornsalz *n.*

'**hart's-**ˌ**tongue** *s bot.* Hirschzunge *f.*

har·um-scar·um ['hɛ(ə)rəm'skɛ(ə)rəm] **I** *adj colloq.* **1.** wild, leichtsinnig, ,verrückt'. **2.** zerfahren, fahrig, gedankenlos, flatterhaft. **II** *adv* **3.** wie verrückt. **III** *s* **4.** a) Wirrkopf *m*, b) Irrwisch *m*, Wildfang *m.*

ha·rus·pex [hə'rʌspeks; 'hærəˌspeks] *pl* **ha'rus·piˌces** [-piˌsiːz] *s antiq.* Ha'ruspex *m* (*Wahrsager, bes. aus den Eingeweiden der Opfertiere*).

har·vest ['hɑːrvist] **I** *s* **1.** Ernte *f*: a) Erntezeit *f*, b) Ernten *n*, c) (Ernte)-Ertrag *m*, d) Gewinn *m*, Ertrag *m*, Erfolg *m.* **II** *v/t* **2.** *a. fig.* ernten, einheimsen. **3.** *die Ernte* einbringen. **4.** a) aufspeichern, -sparen, zu'rücklegen, b) haushalten mit. **III** *v/i* **5.** die Ernte einbringen. ~ **bug** → **chigger** 1.

har·vest·er ['hɑːrvistər] *s* **1.** Schnitter-(in), Erntearbeiter(in). **2.** *agr. tech.* 'Mäh-, 'Erntemaˌschine *f* (mit Binder): **combine** ~, ~**-thresher** Mähdrescher *m.* **3.** *fig.* Sammler(in). **4.** → chigger 1. ~ **ant** *s zo.* Ernteameise *f.*

har·vest| **fes·ti·val** *s* Ernte'dankfest *n.* ~ **fly** *s zo.* (*e-e*) Zi'kade. ~ **home** *s* **1.** Ernte(zeit) *f.* **2.** Erntefest *n.* **3.** Erntelied *n.* '~**·man** [-mən] *s irr* **1.** → harvester 1. **2.** *zo. Am.* Kanker *m*, Weberknecht *m.* ~ **mite** → **chigger** 1. ~ **moon** *s* Erntemond *m* (*Vollmond um den 23. September*).

has [hæz] *3. sg pres von* **have.** '~-ˌ**been** *s colloq.* **1.** *etwas* Über'holtes. **2.** 'ausranˌgierte Per'son, j-d, der s-e Glanzzeit über'lebt hat.

hash [hæʃ] **I** *v/t* **1.** *a.* ~ **up** *Fleisch* zerhacken. **2.** *a.* ~ **up** *fig.* verpfuschen, -patzen, -masseln. **3.** *Am. colloq.* ~ **out** (gründlich) erörtern; ~ **over** besprechen, ,bequatschen'. **II** *s* **4.** *Kochkunst*: Ha'schee *n*, Gehackte(s) *n.* **5.** *fig. etwas* (Wieder)'Aufgewärmtes, ,alter Kohl'. **6.** *fig.* Mischmasch *m*: **to make a** ~ **of** *colloq.* → 2; **to settle s.o.'s** ~ *colloq.* ,es j-m besorgen', j-n ,fertigmachen'.

hash·eesh → hashish.

hash house *s Am. sl.* billiges Restau'rant.

hash·ish ['hæʃiːʃ; -iʃ] *s* Haschisch *n.*
has·let ['heizlit; 'hæs-] *s* Geschlinge *n,* Inne'reien *pl.*
has·n't ['hæznt] *colloq. für* **has not.**
hasp [*Br.* hɑːsp; *Am.* hæ(ː)sp] **I** *s* **1.** *tech.* a) Haspe *f,* Spange *f,* b) 'Überwurf *m,* Schließband *n.* **2.** Haspel *f,* Spule *f* (*für Garn*). **II** *v/t* **3.** mit e-r Haspe *etc* verschließen, zuhaken.
has·sock ['hæsək] *s* **1.** Knie-, *bes.* Betkissen *n.* **2.** Grasbüschel *n.* **3.** *min. Br.* kentischer Tuff- *od.* Sandstein.
hast [hæst] *obs. 2. sg pres von* **have.**
has·tate ['hæsteit] *adj bot.* spießförmig.
haste [heist] **I** *s* **1.** Eile *f,* Schnelligkeit *f.* **2.** Hast *f,* Eile *f,* Über'eilung *f*: **in ~** in Eile, eilends; **to make ~** sich beeilen; **~ makes waste** in der Eile geht alles schief; **more ~, less speed** eile mit Weile. **II** *v/i* **3.** (sich be)eilen.
has·ten ['heisn] **I** *v/t* (*zur Eile*) antreiben, beschleunigen. **II** *v/i* (sich be)eilen.
hast·i·ness ['heistinis] *s* **1.** Eile *f,* Hastigkeit *f,* Über'eilung *f.* **2.** Eilfertigkeit *f,* Voreiligkeit *f.* **3.** Heftigkeit *f,* Hitze *f,* Ungestüm *n.*
hast·y ['heisti] *adj* (*adv* **hastily**) **1.** eilig, hastig. **2.** voreilig, -schnell, über'eilt, eilfertig, unbesonnen. **3.** heftig, hitzig, ungestüm. **~ bridge** *s mil.* Behelfs-, Schnellbrücke *f.* **~ ob·sta·cle** *s mil.* Schnellsperre *f.* **~ pud·ding** *s* (*Am.* Mais)Mehlbrei *m.*
hat [hæt] **I** *v/t* **1.** mit e-m Hut bekleiden *od.* bedecken. **II** *s* **2.** Hut *m.* **3.** *relig.* a) Kardi'nalshut *m,* b) *fig.* Kardi'nalswürde *f.*
Besondere Redewendungen:
my ~! *sl.* na, ich danke!; **a bad ~** *Br. sl.* ein ‚übler Kunde'; **as black as my ~** pechschwarz; **to pass** (*od.* **send**) **round the ~** den Hut herumgehen lassen, e-e Sammlung veranstalten (**for** für); **to take one's ~ off to s.o.** s-n Hut vor j-m ziehen; **~s off to him!** Hut ab vor ihm!; **to talk through one's ~** *colloq.* a) übertreiben, aufschneiden, b) faseln, ‚Kohl reden'; **to throw one's ~ in the ring** *colloq.* sich zum Kampf stellen; **under one's ~** *sl.* a) im Kopf, b) geheim, für sich; **keep it under your ~!** behalte es für dich!, sprich nicht darüber!; **~ in hand** demütig, unterwürfig; **to hang up one's ~** sich häuslich niederlassen; → **drop** 7.
hat·a·ble ['heitəbl] *adj* hassenswert, ab'scheulich.
'hat|,band *s* Hutband *n.* **'~,box** *s* Hutschachtel *f.*
hatch[1] [hætʃ] *s* **1.** *aer. mar.* Luke *f.* **2.** *mar.* Lukendeckel *m*: **under (the) ~es** a) unter Deck, b) *colloq.* ‚in der Klemme', c) ‚im Bunker' (*eingesperrt*), d) *sl.* ‚erledigt' (*tot*). **3.** Luke *f,* Bodentür *f,* -öffnung *f.* **4.** Halbtür *f.* **5.** 'Durchreiche *f.* **6.** *tech.* Schütz *n.*
hatch[2] [hætʃ] **I** *v/t* **1.** *Eier, Junge* ausbrüten. **2.** *fig.* ausbrüten, -hecken, -denken. **3.** her'vorbringen. **II** *v/i* **4.** Junge ausbrüten. **5.** (*aus dem Ei*) ausschlüpfen. **6.** *fig.* sich entwickeln. **III** *s* **7.** → **hatching**[1] 1—3. **8.** *pl colloq.* Geburten *pl* (*in Zeitungsanzeigen*): **~es, catches, matches, and dispatches** Geburts-, Verlobungs-, Heirats- u. Todesanzeigen.
hatch[3] [hætʃ] **I** *v/t* schraf'fieren, stricheln, schat'tieren. **II** *s* (Schraf'fier)Linie *f,* Schraf'fur *f.*
'hat,check girl *s Am.* Garde'robenfräulein *n.*
hatch·el ['hætʃəl] **I** *s* **1.** (Flachs-, Hanf)Hechel *f.* **II** *v/t* **2.** hecheln. **3.** *fig.* *j-n* ‚piesacken', quälen.
hatch·er ['hætʃər] *s* **1.** Bruthenne *f*: **a good ~** ein guter Brüter. **2.** 'Brutappa,rat *m.* **3.** *fig.* Planer(in), Ersinner(in), Urheber(in). **'hatch·er·y** *s* Brutplatz *m.*
hatch·et ['hætʃit] *s* **1.** Beil *n.* **2.** Tomahawk *m,* Kriegsbeil *n*: **to bury (take up) the ~** *fig.* das Kriegsbeil begraben (ausgraben); **to throw the ~** *fig.* übertreiben, aufschneiden; → **helve** I. **~ face** *s* scharfgeschnittenes Gesicht.
hatch·ing[1] ['hætʃiŋ] *s* **1.** (Aus)Brüten *n.* **2.** Ausschlüpfen *n.* **3.** Brut *f.* **4.** *fig.* Aushecken *n.*
hatch·ing[2] ['hætʃiŋ] *s* **1.** Schraf'fierung *f.* **2.** Schraf'fieren *n.*
hatch·ment ['hætʃmənt] *s her.* Totenschild *n.*
'hatch,way → **hatch**[1] 1—3.
hate [heit] **I** *v/t* **1.** hassen. **2.** verabscheuen, nicht ausstehen können. **3.** nicht wollen, nicht mögen, sehr ungern tun *od.* haben, sehr bedauern: **I ~ to do it** ich tue es äußerst ungern. **II** *v/i* **4.** hassen. **III** *s* **5.** *bes. poet.* Haß *m*: **~ tunes** *fig.* Haßgesänge. **6.** (*etwas*) Verhaßtes. **7.** *mil. Br. sl.* ‚Zunder' *m,* 'Feuer,überfall *m,* Feindbeschuß *m.*
hate·a·ble → **hatable.**
hate·ful ['heitfəl; -ful] *adj* (*adv* **~ly**) **1.** hassenswert, ab'scheulich, verhaßt. **2.** *obs.* haßerfüllt. **'hate·ful·ness** *s* Verhaßtheit *f.* **'hat·er** *s* Hasser(in).
hat·ful ['hætful] *s* (*ein*) Hutvoll *m.*
hath [hæθ] *obs. 3. sg pres von* **have.**
hat·less ['hætlis] *adj* ohne Hut, barhäuptig.
'hat|,pin *s* Hutnadel *f.* **'~,rack** *s* Hutablage *f.*
ha·tred ['heitrid] *s* (**of, against, toward[s]**) a) Haß *m* (gegen, auf *acc*), b) Abscheu *m* (vor *dat*).
hat stand *s* Hutständer *m.*
hat·ter ['hætər] *s* Hutmacher *m*: **as mad as a ~** a) völlig übergeschnappt, total verrückt, b) fuchsteufelswild.
hat| tree *s bes. Am.* Hutständer *m.* **~ trick** *s sport* Hattrick *m* (*drei Erfolge, Tore etc hintereinander durch denselben Wettkämpfer etc*).
hau·berk ['hɔːbəːrk] *s mil. hist.* Halsberge *f.*
haugh [hɑːx; hɑːf] *s Scot.* flaches (Fluß)Uferland.
haugh·ti·ness ['hɔːtinis] *s* Hochmut *m,* Stolz *m,* Arro'ganz *f.* **'haugh·ty** *adj* (*adv* **haughtily**) **1.** hochmütig, -näsig, über'heblich, arro'gant. **2.** *obs.* edel.
haul [hɔːl] **I** *s* **1.** Ziehen *n,* Zerren *n,* Schleppen *n.* **2.** kräftiger Zug. **3.** (Fisch)Zug *m.* **4.** *fig.* Fischzug *m,* Fang *m,* Beute *f*: **to make a big ~** e-n guten Fang machen. **5.** a) Beförderung *f,* Trans'port *m,* b) Trans'portweg *m,* -strecke *f,* c) Ladung *f,* Transport *m*: **a ~ of coal** e-e Ladung Kohlen. **II** *v/t* **6.** ziehen, zerren, schleppen: → **coal** 4. **7.** befördern, transpor'tieren. **8.** *Bergbau*: fördern. **9.** her'aufholen, (mit e-m Netz) fangen. **10.** *mar.* a) *Brassen* anholen, b) her'umholen, *bes.* anluven. **11. to ~ the wind** a) *mar.* an den Wind gehen, b) *fig.* sich zu'rückziehen. **III** *v/i* **12.** ziehen, zerren (**on, at** an *dat*). **13.** mit dem Schleppnetz fischen. **14.** 'umspringen (*Wind*). **15.** *mar.* a) den Kurs ändern, b) → **haul up** 3, c) e-n Kurs segeln.
Verbindungen mit Adverbien:
haul| down *v/t die Flagge etc* niederholen. **~ for·ward** *v/i mar.* schralen (*Wind*). **~ home** *v/t mar.* beiholen. **~ in** *v/t mar. das Tau* einholen. **~ off** *v/i mar.* **1.** abdrehen. **2.** sich zu'rückziehen. **~ round** → **haul** 14. **~ up I** *v/t* **1.** zur Rechenschaft ziehen, sich *j-n* ‚vorknöpfen', *j-n* abkanzeln. **2.** → **haul** 10 b. **II** *v/i* **3.** *mar.* an den Wind gehen.
haul·age ['hɔːlidʒ] *s* **1.** a) Ziehen *n,* Schleppen *n,* b) *mar.* Verholen *n,* c) *mar.* Treideln *n.* **2.** a) Beförderung *f,* Trans'port *m*: **~ contractor** → **hauler** 2, b) Trans'portkosten *pl.* **3.** *Bergbau*: Förderung *f.* **'haul·er,** *bes. Br.* **'haul·ier** [-jər] *s* **1.** *bes. Bergbau*: Schlepper *m.* **2.** Trans'portunter,nehmer *m,* Frachtführer *m.* **'haul·ing** *s* → **haulage** 1 a, 2 a, 3: **~ cable** *tech.* Zugseil *n*; **~ rope** Förderseil *n.*
haulm [hɔːm] *s* **1.** Halm *m,* Stengel *m.* **2.** *collect. Br.* Halme *pl,* Stengel *pl,* (*Bohnen- etc*)Stroh *n.*
haunch [hɔːntʃ; hɑːntʃ] *s* **1.** Hüfte *f,* Lende *f.* **2.** *pl* Gesäß *n.* **3.** *zo.* Keule *f.* **4.** Lendenstück *n,* Keule *f*: **~ of beef** Rindslende *f.* **5.** *arch.* Schenkel *m.*
haunt [hɔːnt; hɑːnt] **I** *v/t* **1.** als Geist erscheinen (*dat*), spuken in (*dat*): **this room is ~ed** in diesem Zimmer spukt es; **to ~ a castle** in e-m Schloß spuken *od.* umgehen. **2.** verfolgen, quälen: **he was a ~ed man** er fand keine Ruhe (mehr); **~ed eyes** gehetzter Blick. **3.** heimsuchen, ständig belästigen. **4.** häufig besuchen, frequen'tieren. **II** *v/i* **5.** spuken, 'umgehen. **6.** häufig erscheinen. **7.** ständig zu'sammen sein (**with s.o.** mit j-m). **III** *s* **8.** häufig besuchter Ort *od.* Aufenthalt, *bes.* Lieblingsplatz *m*: **holiday ~** beliebter Ferienort. **9.** Schlupfwinkel *m.* **10.** *zo.* a) Lager *n,* Versteck *n,* b) Futterplatz *m.* **11.** [*a.* hænt] *Am. dial.* Gespenst *n.* **'haunting** *adj* (*adv* **~ly**) **1.** *fig.* quälend, beklemmend. **2.** unvergeßlich: **~ beauty** betörende Schönheit; **a ~ melody** e-e Melodie, die e-n verfolgt.
haut·boy ['houbɔi; 'ou-] → **oboe.**
hau·teur [hou'təːr; ou-] *s* Hochmut *m,* Arro'ganz *f.*
Ha·van·a [hə'vænə] *s* Ha'vanna(zi,garre) *f.*
have [hæv] **I** *s* **1. the ~s and the ~-nots** die Besitzenden u. die Habenichtse, die Reichen u. die Armen. **2.** *Br. sl.* Schwindel *m,* Betrug *m.*
II *v/t pret u. pp* **had** [hæd], *2. sg pres obs.* **hast** [hæst], *3. sg pres* a) **has** [hæz], b) *obs.* **hath** [hæθ], *2. sg pret obs.* **hadst** [hædst] **3.** *allg.* haben, besitzen: **he has a house (a friend, a good memory)**; **you ~ my word for it** ich gebe Ihnen mein Wort darauf. **4.** haben, erleben: **we had a fine time** wir hatten viel Spaß, wir hatten es schön. **5.** a) *ein Kind* bekommen: **she had a baby in March,** b) *zo. Junge* werfen. **6.** behalten: **may I ~ it?**; **to ~ s.o. in hono(u)r** j-n in Ehren halten; **~ this in mind** behalte dies im Gedächtnis. **7.** *Gefühle, e-n Verdacht etc* haben, hegen: **to ~ a suspicion**; **to ~ no doubt** keinen Zweifel haben. **8.** erhalten, erlangen, bekommen: **we had no news**; **(not) to be had** (nicht) zu haben, (nicht) erhältlich. **9.** (erfahren) haben: **I ~ it from reliable sources** ich habe es aus verläßlicher Quelle (erfahren); **I ~ it from my friend** ich habe *od.* weiß es von m-m Freund. **10.** *Speisen etc* zu sich nehmen, einnehmen, essen *od.* trinken *etc*: **we ~ breakfast at 8** wir frühstücken um 8 Uhr; **I had a glass of sherry** ich trank ein Glas Sherry; **~ another sandwich!** nehmen Sie noch ein Sandwich!; **what will you ~?** was nehmen Sie?; **to ~ a cigar** e-e Zigarre rauchen. **11.** haben, ausführen, (mit)machen: **to ~ a discussion** e-e Diskussion haben *od.* abhalten; **to ~ a walk** e-n Spaziergang machen;

to ~ **a wash** sich waschen; → **look** 1; **try** 1. **12.** können, beherrschen: **she has no French** sie kann nicht *od.* kein Französisch; **to ~ s.th. by heart** etwas auswendig können. **13.** (be)sagen, behaupten: **rumo(u)r has it that** man sagt *od.* munkelt, daß; es geht das Gerücht, daß; **he will ~ it that** er behauptet fest, daß. **14.** sagen, (es) ausdrücken: **as Byron has it** wie Byron sagt. **15.** *colloq.* erwischt haben: **he had me there** da hatte er mich (an m-r schwachen Stelle) erwischt. **16.** *Br. sl. j-n* ,reinlegen', ,beschummeln': **you ~ been had** man hat Sie reingelegt *od.* ,übers Ohr gehauen'. **17.** haben, dulden: **I will not** (*od.* **won't**) **~ it** ich dulde es nicht, ich will es nicht (haben); **I won't ~ it mentioned** ich will nicht, daß es erwähnt wird; **I will ~ none of it** das lasse ich keinesfalls zu; **he wasn't having any** *colloq.* er ließ sich auf nichts ein. **18.** (*vor inf*) müssen: **I ~ to go now; he will ~ to do it** er wird es tun müssen; **we ~ to obey** wir haben zu *od.* müssen gehorchen; **it has to be done** es muß getan werden. **19.** (*mit Objekt u. pp*) lassen: **I had a suit made** ich ließ mir e-n Anzug machen; **they had him shot** sie ließen ihn erschießen. **20.** *mit Objekt u. pp zum Ausdruck des Passivs*: **I had my arm broken** ich brach mir den Arm; **he had a son born to him** ihm wurde ein Sohn geboren. **21.** (*mit Objekt u. inf*) (veran)lassen: **~ them come here at once** laß sie sofort hierherkommen; **I had him sit down** ich ließ ihn Platz nehmen. **22.** (*mit Objekt u. inf*) es erleben, daß: **I had all my friends turn against me** ich erlebte es *od.* ich mußte es erleben, daß sich alle m-e Freunde gegen mich wandten. **23.** (*nach* **will** *od.* **would** *mit acc u. inf*): **I would ~ you to know it** ich möchte, daß Sie es wissen.

III *v/i* **24.** eilen: **to ~ after s.o.** j-m nacheilen. **25. ~ at** zu Leibe rücken (*dat*), sich 'hermachen über (*acc*). **26.** würde, täte (*mit* **as well, as lief, rather, better, liefer, best** *etc*): **I had rather go than stay** ich möchte lieber gehen als bleiben; **you had best go** du tätest am besten daran zu gehen; **he better had** das wäre das beste (,was er tun könnte).

IV *v/aux* **27.** haben: **I ~ seen** ich habe gesehen. **28.** (*bei vielen v/i*) sein: **I ~ been** ich bin gewesen.

Besondere Redewendungen:

to ~ and to hold *jur. Am.* innehaben, besitzen; **I ~ done with it** a) ich bin fertig damit, b) ich habe nichts mehr damit zu schaffen; **~ done!** hör auf!; **I ~ it!** ich hab's! (*ich habe die Lösung gefunden*); **he has had it** *sl.* a) er ist ,reingefallen', b) er hat ,sein Fett' (*s-e Strafe*) weg, c) er ist ,erledigt' (*a. tot*); **to let s.o. ~ it** ,es j-m (tüchtig) geben *od.* besorgen', j-n ,fertigmachen'; **to ~ it in for s.o.** *colloq.* j-n auf dem ,Kieker' haben, es auf j-n abgesehen haben; **I didn't know he had it in him** ich wußte gar nicht, daß er dazu fähig ist *od.* daß er das Zeug dazu hat; **to ~ it out with s.o.** die Sache mit j-m endgültig bereinigen; **to ~ nothing on s.o.** *Am. colloq.* a) j-m in keiner Weise überlegen sein, b) gegen j-n nicht ankönnen, gegen j-n keine Handhabe haben, j-m nichts anhaben können; **to ~ it (all) over s.o.** *Am. colloq.* j-m (haushoch) überlegen sein; **to ~ what it takes** das Zeug dazu haben.

Verbindungen mit Adverbien:

have| back *v/t* zu'rückbekommen, -erhalten. **~ in** *v/t* **1.** *j-n* her'einbitten. **2.** her'einholen. **3.** *j-n* im Hause *od.* zu Gast haben. **~ on** *v/t* **1.** a) *Kleid etc* anhaben, tragen, b) *Hut* aufhaben. **2.** *colloq. j-n* zum besten haben: **to have s.o. on. 3.** *etwas* vorhaben: **I have nothing on tomorrow. ~ up** *v/t* **1.** her'aufkommen lassen, her'aufholen. **2.** a) sich *j-n* ,vorknöpfen', *j-n* ,rankriegen', b) vor Gericht bringen (**for** wegen).

have·lock ['hævlɒk] *s Am.* über den Nacken her'abhängender 'Mützen-,überzug (*Sonnenschutz*).

ha·ven ['heivn] *s* **1.** *meist fig.* (sicherer) Hafen. **2.** *oft* **~ of rest** *fig.* Zufluchtsort *m*, -stätte *f*, A'syl *n*.

'have-,not *s colloq.* Habenichts *m*.

have·n't ['hævnt] *colloq. für* **have not**.

hav·er·sack ['hævər,sæk] *s bes. mil.* Brotbeutel *m*, Provi'anttasche *f*: **~ ration** *Br.* Marschverpflegung *f*.

hav·il·dar ['hævil,dɑːr] *s Br. Ind. hist.* eingeborener Ser'geant.

hav·ing ['hæviŋ] **I** *pres p von* **have**. **II** *s meist pl* Besitz *m*, Habe *f*, Eigentum *n*.

hav·ior, *bes. Br.* **hav·iour** ['heiviər] [*obs. für* **behavio(u)r**.]

hav·oc ['hævək] **I** *s* Verwüstung *f*, -heerung *f*, Zerstörung *f*: **to cause ~** schwere Zerstörungen *od.* (*a. fig.*) ein Chaos verursachen; **to play ~ with** (*od.* **among**), **to make ~ of** a) → II, b) *fig.* verheerend wirken auf (*acc*), übel mitspielen (*dat*); **to cry ~** *fig.* zur Vernichtung aufrufen. **II** *v/t u. v/i pret u. pp* **'hav·ocked** verwüsten -heeren, -nichten.

haw[1] [hɔː] *s* **1.** *bot.* Mehlbeere *f* (*Weißdornfrucht*). **2.** → **hawthorn**.

haw[2] [hɔː] **I** *interj* äh!, hm! **II** *s* Äh *n*, Hm *n*. **III** *v/i* äh *od.* hm machen, sich räuspern, stockend sprechen: → **hem**[2] III, **hum**[1] 4.

haw[3] [hɔː] **I** *interj* hü(st)! (*Zuruf an Pferde*). **II** *s* Hü(st) *n*. **III** *v/t* nach links lenken. **IV** *v/i* nach links gehen.

Ha·wai·ian [hə'waijən] **I** *adj* **1.** ha'waiisch. **II** *s* **2.** Ha'waiier(in). **3.** *ling.* Ha'waiisch *n*, das Hawaiische.

'haw,finch *s orn.* Kernbeißer *m*.

haw-haw[1] ['hɔː,hɔː] **I** *interj* ha'ha! **II** *s* Ha'ha *n*, lautes Lachen. **III** *v/i* laut lachen.

haw-haw[2] ['hɔː,hɔː] → **ha-ha**[1].

hawk[1] [hɔːk] **I** *s* **1.** *orn.* (*ein*) Falke *m*, Bussard *m*, Habicht *m*, Weihe *f*. **2.** *fig.* Halsabschneider *m*, Gauner *m*, Wucherer *m*. **3.** *pol.* ,Falke' *m* (*Befürworter des bewaffneten Konflikts*): **~s and doves** Falken u. Tauben. **II** *v/i* **4.** im Flug jagen, Jagd machen (**at** auf *acc*). **5.** Beizjagd betreiben. **III** *v/t* **6.** jagen.

hawk[2] [hɔːk] *v/t* feilbieten, verhökern, hau'sieren (gehen) mit (*a. fig.*).

hawk[3] [hɔːk] **I** *v/i* sich räuspern. **II** *v/t oft* **~ up** aushusten. **III** *s* Räuspern *n*.

hawk[4] [hɔːk] *s* Mörtelbrett *n*.

'hawk,bit *s bot.* Herbstlöwenzahn *m*.

hawk·er[1] ['hɔːkər] → **falconer**.

hawk·er[2] ['hɔːkər] *s* **1.** Höker(in), Straßenhändler(in). **2.** Hau'sierer(in).

'Hawk,eye State *s Am.* (*Spitzname für den Staat*) Iowa *n*. **'hawk-,eyed** *adj* scharfsichtig, mit Falkenaugen.

hawk·ing ['hɔːkiŋ] → **falconry**.

hawk| moth *s zo.* Schwärmer *m*. **~ nose** *s* Adlernase *f*. **~ swal·low** *s orn.* Mauersegler *m*. **'~,weed** *s bot.* Habichtskraut *n*.

hawse [hɔːz] *s mar.* **1.** *a.* **~hole** (Anker-)Klüse *f*: **~pipe** Klüsenrohr *n*. **2.** *Raum zwischen dem Schiffsbug u. den Ankern.* **3.** Lage *f* der Ankertaue vor den Klüsen.

haw·ser ['hɔːzər] *s mar.* Kabeltau *n*, [Trosse *f*.]

'haw·thorn *s bot.* Weißdorn *m*.

hay[1] [hei] **I** *s* **1.** Heu *n*: **to make ~** → 5; **to make ~ of s.th.** *fig.* etwas durcheinanderbringen *od.* zunichte machen; **to make ~ while the sun shines** *fig.* das Eisen schmieden, solange es heiß ist; **to hit the ~** *sl.* in die Klappe (*zu Bett*) gehen; → **needle** 1. **II** *v/t* **2.** *Gras* zu Heu machen. **3.** mit Heu füttern. **4.** *Land* zur Heuerzeugung verwenden. **III** *v/i* **5.** heuen, Heu machen.

hay[2] [hei] *s* ländlicher Reigen.

hay| ba·cil·lus *s med.* 'Heuba,zillus *m*. **'~,bote** [-,bout] *s hist.* **1.** Zaunruten *pl* u. Dornenreisig *n* zum Ausbessern von Zäunen u. Hecken. **2.** Zaunrecht *n* (*Recht des Pächters, Zaunruten etc vom Grundstück des Lehnsherrn zu nehmen*). **'~,cock** *s* Heuschober *m*, -haufen *m*. **~ fe·ver** *s med.* Heufieber *n*, -schnupfen *m*. **'~,fork** *s* Heugabel *f*. **'~,lift** *s Am.* Heu-Luftbrücke *f* (*zur Viehversorgung*). **'~,loft** *s* Heuboden *m*. **'~,mak·er** *s* **1.** Heumacher *m*. **2.** *agr. tech.* Heuwender *m*. **3.** *Boxen*: *sl.* heftiger *od.* wilder Schwinger. **'~-,rack** *s* Heuraufe *f*, -leiter *f*. **'~,rick** → **haycock**. **'~,seed** *s* **1.** Grassame *m*. **2.** Heublumen *pl*. **3.** *Am. sl.* Bauerntölpel *m*. **'~,stack** → **haycock**. **'~,wire** **I** *s* Ballendraht *m*. **II** *adj Am. sl.* a) wack(e)lig, b) mise'rabel, c) (hoffnungslos) durchein'ander, d) verrückt (*Person*): **to go ~** ,kaputtgehen' (*Sache*), ,schiefgehen', durcheinandergeraten (*Sache*), ,überschnappen', verrückt *od.* wild werden (*Person*).

haz·ard ['hæzərd] **I** *s* **1.** Gefahr *f*, Wagnis *n*, Risiko *n*: **~ not covered** (*Versicherung*) ausgeschlossenes Risiko; **~ bonus** Gefahrenzulage *f*; **at all ~s** unter allen Umständen; **at the ~ of one's life** unter Lebensgefahr; **to run a ~** etwas riskieren. **2.** Zufall *m*: (**game of**) **~** Glücks-, Hasardspiel *n*. **3.** *pl* Launen *pl* (*des Wetters*). **4.** *hist.* (*ein*) Würfelspiel *n*. **5.** (Wett)Einsatz *m*. **6.** *Golf*: Hindernis *n*. **7.** *Tennis*: *Feld, in das der Ball gespielt wird.* **8.** *Billard*: *Br.* a) **losing ~** Verläufer *m*, b) **winning ~** Treffer *m*. **9.** *Ir.* Taxistandplatz *m*. **II** *v/t* **10.** ris'kieren, wagen, aufs Spiel setzen. **11.** zu sagen wagen, ris'kieren: **to ~ a remark. 12.** sich (*e-r Gefahr etc*) aussetzen. **'haz·ard·ous** *adj* (*adv* **~ly**) **1.** gewagt, gefährlich, ris'kant. **2.** unsicher, vom Zufall abhängig: **~ contract** *jur.* aleatorischer Vertrag.

haze[1] [heiz] **I** *s* **1.** Dunst(schleier) *m*, feiner Nebel. **2.** Schleier *m*, Trübung *f*. **3.** *fig.* Nebel *m*, Unklarheit *f*, Verwirrtheit *f*. **II** *v/t* **4.** dunstig machen.

haze[2] [heiz] *v/t* **1.** *Am.* ,piesacken', schika'nieren. **2.** *bes. mar.* schinden.

ha·zel ['heizl] **I** *s* **1.** *bot.* Haselnuß *f*, Hasel(nuß)strauch *m*. **2.** a) Haselholz *n*, b) Haselstock *m*. **3.** Haselnußbraun *n*. **II** *adj* **4.** (hasel)nußbraun. **~ grouse** *s orn.* Haselhuhn *n*. **'~,nut** *s bot.* Haselnuß *f*.

ha·zi·ness ['heizinis] *s* **1.** Dunstigkeit *f*. **2.** *fig.* Unklarheit *f*, Verschwommenheit *f*, Nebelhaftigkeit *f*.

ha·zy ['heizi] *adj* (*adv* **hazily**) **1.** dunstig, diesig, leicht nebelig. **2.** unscharf, verschwommen. **3.** *fig.* verschwommen, nebelhaft, unklar. **4.** *colloq.* ,benebelt', beschwipst.

H-bomb ['eitʃ,bɒm] *s mil.* H-Bombe *f* (*Wasserstoffbombe*).

he [hiː; iː; hi; i] **I** *pron* **1.** er: **~ who**

wer; derjenige, welcher. **2.** es: **who is this man?** ~ **is John** wer ist dieser Mann? Es ist Hans. **II** *s* **3.** Mann *m*, männliches Wesen. **4.** *zo.* Männchen *n*. **III** *adj* **5.** *in Zssgn* männlich, ...männchen *n* (*bes. Tiere*): ~**-goat** Ziegenbock *m*.

head [hed] **I** *v/t* **1.** anführen, an der Spitze *od.* an erster Stelle stehen von (*od. gen*): **to** ~ **a company**; **to** ~ **a list** an der Spitze e-r Liste stehen. **2.** vor'an-, vor'ausgehen (*dat*). **3.** (an)führen, leiten. **4.** lenken, steuern, treiben. **5.** über'treffen. **6.** *e-n Fluß etc* (an der Quelle) um'gehen. **7.** mit e-m Kopf *etc* versehen. **8.** e-n Titel geben (*dat*), betiteln. **9.** die Spitze bilden von (*od. gen*). **10.** *a. fig.* entgegentreten (*dat*): **to** ~ **off** a) abdrängen, abwehren, b) um-, ablenken, c) *fig.* ‚abbiegen', verhindern. **11.** *bes. Pflanzen* köpfen, *Bäume* kappen, *Schößlinge* zu'rückstutzen. **12.** *sport den Ball* köpfen. **13.** ~ **up** a) *ein Faß* ausböden, b) *Wasser* aufstauen.
II *v/i* **14.** (**for**) sich bewegen (auf *acc* ... zu), lossteuern, -gehen (auf *acc*): **to** ~ **for trouble** (*od.* **a fall**) ins Unglück rennen, das Unheil herausfordern. **15.** *mar.* (**for**) Kurs halten (auf *acc*), zusteuern *od.* liegen (auf *acc*). **16.** (mit der Front) liegen nach: **the house** ~**s south.** **17.** (e-n Kopf) ansetzen (*Gemüse etc*). **18.** sich entwickeln. **19.** *Am.* entspringen (*Fluß*).
III *adj* **20.** Kopf... **21.** Spitzen..., Vorder..., an der Spitze stehend *od.* gehend. **22.** Chef..., Haupt..., Ober..., Spitzen..., führend, oberst(er, e, es), erst(er, e, es): ~ **cook** Chefkoch *m*; ~ **nurse** Oberschwester *f*.
IV *s* **23.** Kopf *m*: **to have a** ~ *colloq.* e-n ‚Brummschädel' *od.* e-n ‚Kater' haben; **to win by a** ~ (*Pferderennen*) um e-e Kopflänge gewinnen; **by a short** ~ um e-e Nasenlänge (*a. fig.*); → **stand** 15. **24.** *poet. u. fig.* Haupt *n*: **crowned** ~**s** gekrönte Häupter; ~ **of the family** Haupt der Familie, Familienvorstand *m*; ~**s of state** Staatsoberhäupter. **25.** Kopf *m*, Verstand *m*, *a.* Begabung *f*: **he has a (good)** ~ **for languages** er ist für Sprachen sehr begabt; **two** ~**s are better than one** zwei Köpfe wissen mehr als einer. **26.** Spitze *f*, höchste Stelle, führende Stellung: **at the** ~ **of** an der Spitze (*gen*). **27.** a) (An)Führer *m*, Leiter *m*, b) Vorstand *m*, -steher *m*, c) Chef *m*: ~ **of the Government** Regierungschef, d) (*an Schulen*) Di'rektor *m*, Direk'torin *f*. **28.** Kopf(ende *n*) *m*, oberes Ende, oberer Teil *od.* Rand, Spitze *f*, *z. B.* a) oberer Absatz (*e-r Treppe*), b) Kopfende *n* (*des Bettes*), c) Kopf *m* (*e-r Buchseite, e-s Briefes, e-s Nagels, e-r Stecknadel, e-s Hammers, e-s Golfschlägers etc*), d) *mar.* Topp *m* (*Mast*). **29.** Kopf *m* (*e-r Brücke od. Mole*), oberes *od.* unteres Ende (*e-s Sees etc*), Boden *m* (*e-s Fasses*). **30.** a) Kopf *m*, Spitze *f*, vorderes Ende, Vorderteil *m, n*, b) *mar.* Bug *m*, c) *mar. sl.* Pis'soir *n* (*im Bug*). **31.** Kopf *m*, (einzelne) Per'son: **one shilling a** ~ ein Schilling pro Kopf *od.* Person. **32.** (*pl* ~) Stück *n*: **50** ~ **of cattle** 50 Stück Vieh. **33.** *Br.* Anzahl *f*, Herde *f*, Ansammlung *f* (*bes. Wild*). **34.** Höhepunkt *m*, Krise *f*. **35.** (Haupt)Haar *n*: **a beautiful** ~ **of hair** schönes volles Haar. **36.** *bot.* a) (*Salat- etc*)Kopf *m*, b) Köpfchen *n* (*kopfig gedrängter Blütenstand*), c) (*Baum*)Krone *f*, Wipfel *m*. **37.** *anat.* Kopf *m* (*vom Knochen od. Muskel*). **38.** *med.* 'Durchbruchsstelle *f* (*e-s Geschwürs etc*). **39.** Vorgebirge *n*, Landspitze *f*, Kap *n*. **40.** Kopf *m* (*auf e-r Münze*): ~**s or tails** Kopf oder Adler, Kopf oder Wappen. **41.** *hunt.* Geweih *n*: **a deer of the first** ~ ein fünfjähriger Hirsch. **42.** Schaum(krone *f*) *m* (*vom Bier etc*). **43.** *Br.* Rahm *m*, Sahne *f*. **44.** Quelle *f* (*e-s Flusses*). **45.** a) 'Überschrift *f*, Titelkopf *m*, b) Abschnitt *m*, Ka'pitel *n*, c) (Haupt)Punkt *m* (*e-r Rede etc*): **the** ~ **and front** das Wesentliche. **46.** Ab'teilung *f*, Ru'brik *f*, Katego'rie *f*. **47.** *print.* (Titel)Kopf *m*. **48.** *ling.* Oberbegriff *m*. **49.** → **heading. 50.** *tech.* a) Stauwasser *n*, b) Staudamm *m*, -mauer *f*. **51.** *phys. tech.* a) Gefälle *n*, Gefällhöhe *f*, b) Druckhöhe *f*, c) (Dampf-, Luft-, Gas)Druck *m*, d) Säule *f*, Säulenhöhe *f* (*zur Druckmessung*): ~ **of water** Wassersäule. **52.** *tech.* a) Spindelkopf *m* (*e-r Fräsmaschine*), b) Spindelbank *f* (*e-r Drehbank*), c) Sup'port *m* (*e-r Bohrbank*), d) (Gewinde)Schneidkopf *m*, e) Saugmassel *f* (*Gießerei*), f) Kopf-, Deckplatte *f*, Haube *f*. **53.** *mus.* a) (*Trommel*)Fell *n*, b) (*Noten*)Kopf *m*, c) Kopf *m* (*e-r Violine etc*). **54.** Verdeck *n*, Dach *n* (*e-r Kutsche etc*).
Besondere Redewendungen:
by the ~ **and ears, by** ~ **and shoulders** an den Haaren (*etwas herbeiziehen*), gewaltsam; (**by**) ~ **and shoulders** um Haupteslänge (*größer etc*), weitaus; ~ **and shoulders above the rest** den anderen turm- *od.* haushoch überlegen; **from** ~ **to foot** von Kopf bis Fuß; **off one's** ~ verrückt, ‚übergeschnappt'; **on one's** ~ auf dem Kopf stehend; **I can do it on my** ~ *sl.* das kann ich im Schlaf (machen); **on this** ~ in diesem Punkt; **out of one's own** ~ von sich aus, allein, aus eigener Erfindung; **over** ~ oben, darüber; **over my** ~ a) über m-m Kopf (schwebend) (*Gefahr etc*), b) über m-n Verstand *od.* Horizont, zu hoch für mich; **over s.o.'s** ~ über j-s Kopf hinweg; ~ **over heels** Hals über Kopf; ~ **first** (*od.* **foremost**) kopfüber (*a. fig.*); **to beat s.o.'s** ~ **off** ‚es j-m zeigen', j-n bei weitem übertreffen; **to bite** (*od.* **snap**) **s.o.'s** ~ **off** *colloq.* j-m den Kopf abreißen, j-n ‚fressen'; **to bring to a** ~ zum Ausbruch *od.* zur Entscheidung *od.* ‚zum Klappen' bringen; **to come to a** ~ a) *med.* eitern, aufbrechen (*Geschwür*), b) *fig.* zur Entscheidung *od.* Krise *od.* ‚zum Klappen' kommen, sich zuspitzen; **it entered my** ~ es fiel mir ein; **to gather** ~ überhandnehmen; **to give a horse his** ~ e-m Pferd die Zügel schießen lassen; **to give s.o. his** ~ *fig.* j-n gewähren lassen; **to go over s.o.'s** ~ *fig.* über j-s Horizont gehen; **to go to s.o.'s** ~ *fig.* j-m zu Kopfe steigen; **to keep one's** ~ die Ruhe bewahren; **to keep one's** ~ **above water** sich über Wasser halten (*a. fig.*); **to knock s.th. on the** ~ *colloq.* etwas vereiteln; **to lay** (*od.* **put**) ~**s together** die Köpfe zs.-stecken, sich beraten; **to let children have their** ~ Kindern ihren Willen lassen; **it lies on my** ~ es wird mir zur Last gelegt; **to lose one's** ~ den Kopf (*a. fig. die Ruhe*) verlieren; **to make** ~ vordringen, vorankommen; **to make** ~ **against** die Stirn bieten (*dat*), sich entgegenstemmen (*dat*); **I cannot make** ~ **or tail of it** ich kann daraus nicht schlau werden; **to put s.th. into s.o.'s** ~ j-m etwas in den Kopf setzen; **to put s.th. out of one's** ~ sich etwas aus dem Kopf schlagen; **to run in s.o.'s** ~ j-m im Kopf herumgehen; **to suffer from swelled** ~ an Größenwahn leiden; **to take the** ~ die Führung übernehmen; **to take s.th. into one's** ~ sich etwas in den Kopf setzen; **to talk one's** ~ **off** reden wie ein Wasserfall; **to talk s.o.'s** ~ **off** *colloq.* ‚j-m ein Loch in den Bauch reden'; **to turn s.o.'s** ~ j-m den Kopf verdrehen.

'**head**|ˌ**ache** *s* **1.** Kopfschmerz(en *pl*) *m*, -weh *n*: **I have a** ~ ich habe Kopfweh. **2.** *colloq.* etwas, was e-m Kopfschmerzen bereitet *od.* Sorgen macht, schwieriges Pro'blem, Sorge *f*. '~ˌ**ach·y** *adj colloq.* **1.** an Kopfschmerzen leidend. **2.** Kopfschmerzen verursachend. '~ˌ**band** *s* **1.** Kopf-, Stirnband *n*. **2.** *arch.* Kopf(zier)leiste *f*. **3.** *Buchbinderei*: Kap'talband *n*. ~ **boy** *s Br.* Klassenerste(r) *m*, Primus *m*. '~ˌ**board** *s* Kopfbrett *n* (*am Bett etc*). '~ˌ**bor·ough** *s hist.* 'Dorfpoliˌzist *m*. ~ **clerk** *s* Bü'rovorsteher *m*. '~ˌ**dress** *s* **1.** Kopfputz *m*. **2.** Fri'sur *f*, Haarputz *m*.

-headed [hedid] *in Zssgn* ...köpfig.

head·ed ['hedid] *adj* **1.** mit e-m Kopf *od.* e-r Spitze (versehen). **2.** mit e-r 'Überschrift (versehen), betitelt, über'schrieben. **3.** reif, voll: **a** ~ **cabbage.**

head·er ['hedər] *s* **1.** *tech.* a) Kopfmacher *m* (*für Nägel*), b) Stauchstempel *m* (*für Schrauben*), c) Sammelrohr *n*, d) Wasserkammer *f*. **2.** *agr.* 'Ährenköpfmaˌschine *f*. **3.** *arch. tech.* a) Schlußstein) *m*, b) Binder *m*. **4.** *colloq.* Kopf-, Hechtsprung *m*.

head| **fast** *s mar.* Bugleine *f*. ~ **fire** *s Am.* Lauffeuer *n*. '~'**first,** '~'**foremost** → **headlong I.** ~ **gate** *s tech.* Flut-, Schleusentor *n*. '~ˌ**gear** *s* **1.** Kopfbedeckung *f*. **2.** Kopfgestell *n*, Zaumzeug *n* (*vom Pferd*). **3.** *Bergbau*: Kopfgestell *n*, Fördergerüst *n*. '~-ˌ**hunt·er** *s* Kopfjäger *m*.

head·i·ness ['hedinis] *s* **1.** a) Unbesonnenheit *f*, Ungestüm *n*, b) Starrsinn *m*. **2.** (*das*) Berauschende (*a. fig.*), Stärke *f* (*von Alkohol*), Schwere *f*: ~ **of wine.**

head·ing ['hediŋ] *s* **1.** Kopfstück *n*, -ende *n*, -teil *n*. **2.** Vorderende *n*, -teil *n*. **3.** 'Überschrift *f*, Titel(zeile *f*) *m*. **4.** (Brief)Kopf *m*. **5.** (Rechnungs)-Posten *m*. **6.** Thema *n*, (*Gesprächs*)-Punkt *m*. **7.** a) Bodmung *f* (*von Fässern*), b) (Faß)Boden *m*. **8.** *Bergbau*: a) Stollen *m*, b) Richtstrecke *f*, c) Orts-, Abbaustoß *m*. **9.** Quertrieb *m* (*beim Tunnelbau*). **10.** a) *aer.* Steuerkurs *m*, b) *mar.* Kompaßkurs *m*. **11.** *sport* a) Kopfball *m*, b) Kopf(ball)-spiel *n*. ~ **course** *s arch.* Binderschicht *f*. ~ **stone** *s arch.* Schlußstein *m*.

head| **lamp** → **headlight.** '~-ˌ**lamp flash·er** *s mot.* Lichthupe *f*. '~ˌ**land** *s* **1.** *agr.* Rain *m*. **2.** [-lənd] Landspitze *f*, -zunge *f*.

head·less ['hedlis] *adj* **1.** kopflos, ohne Kopf: ~ **rivet** *tech.* kopfloser Niet. **2.** *fig.* führerlos.

'**head**|ˌ**light** *s* **1.** *mot. etc* Scheinwerfer *m*: **to turn on the** ~**s** aufblenden; ~ **mask** Abblendkappe *f*. **2.** *mar.* Mast-, Topplicht *n*. '~ˌ**line I** *s* **1.** a) *Zeitung*: Schlagzeile *f*, b) *pl*, *a.* ~ **news** (*Radio*) das Wichtigste in Schlagzeilen: **he makes the** ~**s** er liefert (die) Schlagzeilen. **2.** 'Überschrift *f*. **3.** *mar.* Rahseil *n*. **4.** Kopfseil *n* (*e-r Kuh etc*). **II** *v/t* **5.** mit e-r Schlagzeile *od.* 'Überschrift versehen. '~ˌ**lin·er** *s* **1.** Schlagzeilenverfasser(in). **2.** *thea.* Hauptdarsteller(in), Star *m*. '~ˌ**lock** *s Ringen*: Kopfzange *f*. '~ˌ**long I** *adv* **1.**

kopf'über, mit dem Kopf vor'an. **2.** *fig.* a) Hals über Kopf, b) ungestüm, stürmisch. **II** *adj* **3.** mit dem Kopf vor'an: a ~ **fall. 4.** *fig.* a) über'stürzt, 'unüber,legt, b) → 2 b. '~**·man** [-mən] *s irr* **1.** Führer *m.* **2.** (Stammes)-Häuptling *m.* **3.** Aufseher *m,* Vorarbeiter *m.* **4.** Henker *m.* '~'**mas·ter** *s ped.* Di'rektor *m,* Schulvorstand *m,* Rektor *m.* '~'**mis·tress** *s ped.* Direk'torin *f,* (Schul)Vorsteherin *f.* ~ **mon·ey** *s* Kopfgeld *n*: a) Kopfsteuer *f,* b) *ausgesetzte Belohnung.* '~,**most** [-,moust] *adj* vorderst(er, e, es). ~ **of·fice** *s* 'Hauptbü,ro *n,* -geschäftsstelle *f,* -sitz *m,* Zen'trale *f.* ,~-'**on** *adj u. adv* di'rekt von vorn, fron'tal: ~ **collision** frontaler Zs.-stoß. '~,**phone** *s electr.* Kopfhörer *m.* '~,**piece** *s* **1.** Kopfbedeckung *f.* **2.** *mil. hist.* Helm *m.* **3.** *colloq.* a) Verstand *m,* ‚Köpfchen' *n,* b) kluger Kopf (*Person*). **4.** Oberteil *m, n, bes.* a) Türsturz *m,* b) Kopfbrett *n* (*am Bett*). **5.** *print.* 'Titelvi,gnette *f.* **6.** Stirnriemen *m* (*am Pferdehalfter*). '~,**pin** *s* König *m* (*Kegel*). '~'**quar·ters** *s pl* (*oft als sg konstruiert*) **1.** *mil.* a) 'Hauptquar,tier *n,* b) Stab *m,* c) Kom'mandostelle *f,* d) 'Oberkom,mando *n*: ~ **company** Stabskompanie *f.* **2.** Poli'zeidirekti,on *f.* **3.** 'Feuerwehrkom,mando *n.* **4.** a) Standort *m,* b) → **head office.** '~,**race** *s tech.* Obergerinne *n,* 'Speiseka,nal *m.* '~,**rest** *s* Kopfstütze *f.* '~,**room** *s* lichte Höhe. '~,**sail** *s mar.* Fockmast-, Vorsegel *n.* ~ **sea** *s mar.* Gegensee *f.* '~,**set** *s tech.* Kopfhörer-(spange *f,* -halter *m*) *pl.*

'**head,shrink·er** *s Am. sl.* ‚Seelendoktor' *m,* Psychi'ater *m.*

heads·man ['hedzmən] *s irr* **1.** Scharfrichter *m.* **2.** *Bergbau*: *Br.* Schlepper *m.* **3.** *mar. Br.* Walbootvormann *m.*

'**head|,spring** *s* **1.** Hauptquelle *f.* **2.** *fig.* Quelle *f,* Ursprung *m.* **3.** *sport* 'Kopfstand,überschlag *m.* '~,**stall** → **headgear** 2. '~,**stand** *s sport* Kopfstand *m.* ~ **start** *s* **1.** *sport* a) Vorgabe *f,* b) Vorsprung *m* (*a. fig.*). **2.** *fig.* guter Start. '~,**stock** *s tech.* **1.** (Werkzeug)Halter *m, bes.* Spindelstock *m,* -kasten *m.* **2.** Triebwerkgestell *n.* '~,**stone** *s* **1.** *arch.* a) Eck-, Grundstein *m* (*a. fig.*), b) Schlußstein *m.* **2.** Grabstein *m.* '~,**stream** *s* Quellfluß *m.* '~,**strong** *adj* eigensinnig, halsstarrig. ~ **tax** *s* Kopf-, *bes.* Einwanderungssteuer *f* (*in den USA*). ~ **voice** *s* Kopfstimme *f.* '~'**wait·er** *s* Ober(kellner) *m.* '~,**wa·ter** *s meist pl* Oberlauf *m,* Quellgebiet *n* (*e-s Flusses*). '~,**way** *s* **1.** *bes. mar.* a) Fahrt *f,* Geschwindigkeit *f,* b) Fahrt *f* vor'aus. **2.** *fig.* Fortschritt(e *pl*) *m*: **to make** ~ (gut) vorankommen, Fortschritte machen. **3.** *arch.* lichte Höhe. **4.** *Bergbau*: *Br.* Hauptstollen *m,* Vortriebstrecke *f.* **5.** *rail.* (Zeit-, Zug)Abstand *m,* Zugfolge *f.* ~ **wind** *s mar.* Gegenwind *m.* '~,**work** *s* **1.** geistige Arbeit, Denk-, Kopfarbeit *f.* **2.** *arch.* Köpfe *pl.* **3.** *tech.* 'Wasserkon,troll,anlage *f.* '~,**work·er** *s* Geistesarbeiter *m.*

head·y ['hedi] *adj* (*adv* **headily**) **1.** ungestüm, hitzig. **2.** berauschend (*a. fig. Parfüm, Triumph etc*), zu Kopfe steigend, stark: ~ **drinks. 3.** erhitzt, berauscht (**with** von). **4.** *Am. colloq.* ‚gewitzt', ‚schlau'.

heal [hiːl] **I** *v/t* **1.** *a. fig.* heilen, ku'rieren (**s.o. of s.th.** j-n von e-r Sache). **2.** *fig.* a) *Gegensätze* versöhnen, b) *e-n Streit* beilegen. **II** *v/i* **3.** *oft* ~ **up,** ~ **over** (zu)heilen. **4.** e-e Heilung bewirken. '~,**all** *s* **1.** All'heilmittel *n.* **2.** *bot.* a) (*e-e*) nordamer. Collin'sonie, b) Braunwurz *f,* c) *e-e grüne Orchidee.*

heal·er ['hiːlər] *s* Heilende(r *m*) *f,* Heiler(in), *bes.* Gesundbeter(in): **time is a great** ~ die Zeit heilt alle Wunden.

'**heal·ing I** *s* **1.** Heilen *n,* Heilung *f.* **2.** Genesung *f,* Gesundung *f.* **II** *adj* **3.** heilsam, heilend, Heil(ungs)... (*a. fig.*). **4.** genesend, gesundend.

health [helθ] *s* **1.** Gesundheit *f*: **Ministry of H**~ Gesundheitsministerium *n*; ~ **certificate** Gesundheitszeugnis *n,* ärztliches Attest; ~ **food shop** (*Am.* **store**) Reformhaus *n*; ~**-giving** gesundheitsfördernd. **2.** *a.* **state of** ~ Gesundheitszustand *m*: **in good (poor)** ~ gesund (kränklich); **in the best of** ~ bei bester Gesundheit. **3.** Gesundheit *f,* Wohl *n*: **to drink** (*od.* **pledge, propose**) **s.o.'s** ~ auf j-s Wohl trinken; **your** ~! auf Ihr Wohl!; **here is to the** ~ **of the host!** ein Prosit dem Gastgeber! **4.** Heilkraft *f.*

health·ful ['helθfəl; -ful] *adj* (*adv* ~**ly**) gesund (*a. fig.*): a) heilsam, bekömmlich, gesundheitsfördernd (**to** für), b) frisch, kräftig. '**health·ful·ness** *s* Gesundheit *f,* Heilsamkeit *f.* '**health·i·ness** [-inis] *s* Gesundheit *f.*

health| in·sur·ance *s* Krankenversicherung *f.* ~ **of·fi·cer** *s* **1.** Beamte(r) *m* des Gesundheitsamtes, Amtsarzt *m.* **2.** *mar.* Hafen-, Quaran'tänearzt *m.* ~ **re·sort** *s* Kurort *m,* Bad *n.*

health·y ['helθi] *adj* (*adv* **healthily**) **1.** *allg.* gesund (*a. fig.*): ~ **body (boy, climate, competition, vulgarity,** *etc*). **2.** gesund(heitsfördernd), heilsam, bekömmlich. **3.** *colloq.* gesund, kräftig: ~ **appetite. 4. not** ~ *colloq.* ‚nicht gesund', unsicher, gefährlich.

heap [hiːp] **I** *s* **1.** Haufe(n) *m*: **in** ~**s** haufenweise. **2.** *colloq.* Haufen *m,* Menge *f*: ~**s of time** e-e Menge Zeit; ~**s of times** unzählige Male; ~**s better** sehr viel besser; **to be struck all of a** ~ ganz ‚platt' *od.* sprachlos sein. **3.** *Bergbau*: (Berge)Halde *f*: ~ **of charcoals** Kohlenmeiler *m.* **4.** *Am. sl.* ‚Karre' *f* (*Auto*). **II** *v/t* **5.** häufen: **a** ~**ed spoonful** ein gehäufter Löffel(voll); **to** ~ **insults upon s.o.** j-n mit Schmähungen überschütten; → **coal** 4. **6.** *meist* ~ **up** an-, aufhäufen. **7.** beladen, (*a.* zum 'Überfließen) anfüllen. **8.** *fig.* über'häufen, -'schütten.

hear [hir] *pret u. pp* **heard** [həːrd] **I** *v/t* **1.** hören: **I** ~ **him laugh(ing)** ich höre ihn lachen; **to make o.s.** ~**d** sich Gehör verschaffen. **2.** hören, erfahren (**about, of** über *acc*). **3.** *j-n* anhören, *j-m* zuhören: **to** ~ **s.o. out** j-n bis zum Ende anhören, j-n ausreden lassen. **4.** (an)hören: **to** ~ **a concert** sich ein Konzert anhören; **to** ~ **mass** die Messe hören. **5.** *e-e Bitte etc* erhören. **6.** hören auf (*acc*), *j-s* Rat folgen. **7.** *jur.* a) *j-n* vernehmen, -hören: **to** ~ **a witness,** b) (über) *e-n Fall* verhandeln: **to** ~ **and decide a case** über e-e Sache befinden; → **evidence** 2 b. **8.** *e-n Schüler od. das Gelernte* abhören. **II** *v/i* **9.** hören: **to** ~ **say** sagen hören; **I have** ~**d tell of it** *colloq.* ich habe davon sprechen hören; **he would not** ~ **of it** er wollte nichts davon hören *od.* wissen; ~! ~! *bes. Br.* hört! hört! **10.** hören (**of** von), erfahren, Nachricht(en) erhalten (**from** von): **so I have** ~**d** (*od.* **so I** ~) das habe ich gehört; **you will** ~ **of this!** *colloq.* das wirst du mir büßen! '**hear·a·ble** *adj* hörbar. '**hear·er** *s* (Zu)Hörer(in).

hear·ing ['hi(ə)riŋ] *s* **1.** Hören *n.* **2.** Gehör(sinn *m*) *n*: → **hard** 21. **3.** Anhören *n.* **4.** Gehör *n*: **to gain a** ~ sich Gehör verschaffen; **to give** (*od.* **grant**) **s.o. a** ~ j-n anhören. **5.** Audi'enz *f.* **6.** *thea. etc* Hörprobe *f.* **7.** *jur.* a) Vernehmung *f,* b) 'Vorunter,suchung *f,* c) (mündliche) Verhandlung, (*a.* **day** *od.* **date of** ~) (Ver'handlungs)Ter,min *m*: **to fix (a day for) a** ~ e-n Termin anberaumen; → **evidence** 2 b. **8.** *parl.* Hearing *n,* Anhörung *f* (*von Experten etc*). ~ **aid** *s* 'Hörappa,rat *m,* -gerät *n.* ~ **spec·ta·cles** *s pl* Hörbrille *f.*

heark·en ['hɑːrkən] *v/i poet.* **1.** horchen (**to** auf *acc*). **2.** (**to**) hören (auf *acc*), Beachtung schenken (*dat*).

hear·say ['hir,sei] *s* (**by** ~ vom) Hörensagen *n*: **it is mere** ~ es ist bloßes Gerede. ~ **ev·i·dence** *s jur.* Beweis *m* vom Hörensagen, mittelbarer Beweis. ~ **rule** *s jur.* grundsätzlicher Ausschluß aller Aussagen, die auf bloßem Hörensagen beruhen.

hearse [həːrs] **I** *s* **1.** Leichenwagen *m.* **2.** *hist.* Kata'falk *m.* **3.** *obs.* Bahre *f.* **II** *v/t* **4.** a) aufbahren, b) zum Friedhof fahren. '~,**cloth** *s* Leichentuch *n.*

heart [hɑːrt] *s* **1.** *anat.* a) Herz *n*: **disordered** ~ *med.* Herzneurose *f,* b) Herz(hälfte *f*) *n,* Kammer *f*: **left** ~. **2.** *fig.* Herz *n*: a) Seele *f,* Gemüt *n,* (*das*) Inner(st)e, b) Liebe *f,* Zuneigung *f,* c) (Mit)Gefühl *n,* d) Mut *m,* e) (mo'ralisches) Empfinden, Gewissen *n*: **a mother's** ~ ein Mutterherz; **he has no** ~ er hat kein Herz, er ist herzlos; **to clasp s.o. to one's** ~ j-n ans Herz drücken; → *Bes. Redew.* **3.** Herz *n,* (*das*) Innere, Kern *m,* Mitte *f*: **in the** ~ **of the country. 4.** a) Kern(holz *n*) *m* (*vom Baum*), b) Herz *n* (*Kopfsalat*): ~ **of oak** Eichenkernholz, *fig.* Standhaftigkeit *f.* **5.** Kern *m,* (*das*) Wesentliche: **the very** ~ **of the matter** der eigentliche Kern der Sache, des Pudels Kern; **to go to the** ~ **of the matter** zum Kern der Sache vorstoßen, e-r Sache auf den Grund gehen. **6.** Herz(chen) *n,* Liebling *m,* Schatz *m.* **7.** Kerl *m,* Mann *m*: **my** ~**s!** *bes. mar.* Kameraden! **8.** *herzförmiger Gegenstand.* **9.** *Kartenspiel*: a) Herz(karte *f*) *n,* Cœur *n,* b) *pl* Herz *n,* Cœur *n* (*Farbe*), c) *pl* (*als sg konstruiert*) *ein Kartenspiel, bei dem es darauf ankommt, möglichst wenige Herzen im Stich zu haben*: **king (queen) of** ~**s** Herzkönig *m* (-dame *f*). **10.** Fruchtbarkeit *f* (*des Bodens*): **in good** ~ in gutem Zustand.

Besondere Redewendungen:

~ **and soul** mit Leib u. Seele; ~**'s desire** Herzenswunsch *m*; **after my (own)** ~ ganz nach m-m Herzen *od.* Geschmack *od.* Wunsch; **at** ~ im Grunde (m-s *etc* Herzens), im Innersten; **by** ~ auswendig; **for one's** ~ ums Leben gern; **from one's** ~ a) von Herzen, b) offen, aufrichtig, ‚frisch von der Leber weg'; **in one's** ~ (**of** ~**s**) a) insgeheim, b) im Grunde (s-s Herzens); **in** ~ guten Mutes; **out of** ~ a) mutlos, b) unfruchtbar, in schlechtem Zustand (*Land*); **to one's** ~**'s content** nach Herzenslust; **with all my** ~ mit *od.* von ganzem Herzen, mit Leib u. Seele; **with a heavy** ~ schweren Herzens; **his** ~ **is in his work** er ist mit Leib u. Seele bei s-r Arbeit; **it breaks my** ~ es bricht mir das Herz; **to cry one's** ~ **out** sich die Augen ausweinen; **it does my** ~ **good** es tut m-m Herzen wohl; **to eat one's**

~ out sich vor Gram verzehren; **I could not find it in my ~** ich brachte es nicht über mich *od.* übers Herz; **to give one's ~ to s.o.** j-m sein Herz schenken; **to go to s.o.'s ~** j-m zu Herzen gehen; **my ~ goes out to him** ich empfinde tiefes Mitleid mit ihm; **to have a ~** *colloq.* Erbarmen *od.* ein Herz haben; **to have s.th. at ~** a) etwas von Herzen wünschen, b) etwas hegen; **I had my ~ in my mouth** das Herz schlug mir bis zum Halse, ich war zu Tode erschrokken; **to lose ~** den Mut verlieren; **to lose one's ~ to s.o.** sein Herz an j-n verlieren; **to open one's ~** a) (to s.o. j-m) sein Herz ausschütten, b) großmütig sein; **to put one's ~ into s.th.** mit Leib u. Seele bei e-r Sache sein; **to set one's ~ on** sein Herz hängen an (*acc*); **to take ~ (of grace)** Mut *od.* sich ein Herz fassen; **to take s.th. to ~** sich etwas zu Herzen nehmen; **to wear one's ~ upon one's sleeve** das Herz auf der Zunge tragen; **to win s.o.'s ~** j-s Herz gewinnen; **what the ~ thinketh, the mouth speaketh** wes das Herz voll ist, des gehet der Mund über; → **bless** *Bes. Redew.*, **boot**[1] 1.

heart|,ache *s* Kummer *m*, Gram *m*, Herzeleid *n*, Herzweh *n* (*a. med.*). **~ at·tack** *s med.* Herzanfall *m*. **'~,beat** *s* **1.** *physiol.* Herzschlag *m* (*Pulsieren*). **2.** *fig.* Gefühlsaufwallung *f*. **3.** *fig. Am.* Kraftzentrum *n*. **'~,blood** *s* a) Herzblut *n* (*bes. fig.*), b) Leben *n*. **~ bond** *s arch.* Streckenverband *m*. **'~,break** *s* Herzeleid *n*, Herzenskummer *m*. **'~,break·er** *s* Herzensbrecher *m*. **'~,break·ing** *adj* herzzerreißend, -zerbrechend. **'~,bro·ken** *adj* (ganz) gebrochen, untröstlich. **'~,burn** *s med.* Sodbrennen *n*. **'~,burn·ing** *s* Groll *m*, Neid *m*, Eifersucht *f*. **~ com·plaint, ~ con·di·tion, ~ dis·ease** *s med.* Herzleiden *n*.

-hearted [hɑːrtid] *Wortelement mit der Bedeutung* a) ...herzig, b) ...mütig.

heart·en ['hɑːrtn] **I** *v/t* ermutigen, ermuntern. **II** *v/i oft* **~ up** Mut fassen.

'heart·en·ing *adj* (*adv* **~ly**) ermutigend, herzerquickend.

heart| fail·ure *s med.* Herzschlag *m*, -versagen *n*. **'~,felt** *adj* tiefempfunden, herzlich, innig, aufrichtig. **'~-,free** *adj* frei, ungebunden.

hearth [hɑːrθ] *s* **1.** Herd(platte *f*) *m*, Feuerstelle *f*. **2.** Ka'min(platte *f*, -sohle *f*) *m*. **3.** *a.* **~ and home** *fig.* häuslicher Herd, Heim *n*. **4.** *tech.* a) Herd *m*, Hochofengestell *n*, Schmelzraum *m*, b) Schmiedeherd *m*. **'~,rug** *s* Ka'minvorleger *m*. **'~,stone** *s* **1.** Ka'minplatte *f*. **2.** *fig.* → **hearth** 3. **3.** Scheuerstein *m*.

heart·i·ly ['hɑːrtili] *adv* **1.** herzlich: a) von Herzen, innig, aufrichtig, b) *iro.* sehr, gründlich: **to dislike s.o. ~**. **2.** herzhaft, kräftig, tüchtig: **to eat ~**.

'heart·i·ness *s* **1.** Herzlichkeit *f*, Innigkeit *f*. **2.** Aufrichtigkeit *f*. **3.** Herzhaftigkeit *f*, Kräftigkeit *f*, Ausgiebigkeit *f*. **4.** Frische *f*, Kraft *f*.

'heart,land *s* Herz-, Kernland *n*.

heart·less ['hɑːrtlis] *adj* (*adv* **~ly**) herzlos, grausam, gefühllos. **'heart·less·ness** *s* Herzlosigkeit *f*.

'heart|-'lung ma·chine *s med.* 'Herz-'Lungen-Ma,schine *f*. **'~,quake** *s* Herzklopfen *n*. **'~-,rend·ing** *adj* herzzerreißend. **~ rot** *s* Kernfäule *f* (*im Baum*). **~ sac** *s anat.* Herzbeutel *m*.

'heart's-,blood → **heartblood**.

'heart-,search·ing *s* Gewissenserforschung *f*.

'heart's-,ease *s bot.* Wildes Stiefmütterchen.

'heart|,seed → **balloon vine**. **~ shake** *s* Kernriß *m*. **'~-,shaped** *adj* herzförmig. **'~,sick** *adj fig.* verzweifelt, tief betrübt, schwermütig.

heart·some ['hɑːrtsəm] *adj Scot.* **1.** belebend. **2.** fröhlich.

'heart|,sore → **heartsick**. **'~,strings** *s pl* Herz(fasern *pl*) *n*, (*das*) Innerste: **to pull at s.o.'s ~** j-m ans Herz greifen, j-m das Herz zerreißen. **'~-,struck** *adj* tief getroffen. **'~,throb** *s* **1.** Herzschlag *m*. **2.** *fig. colloq.* a) Herzensregung *f*, b) ‚Schatz' *m*, Liebste(r *m*) *f*, c) ‚Herzensbrecher' *m*. **'~-to-'~** *adj* frei, offen, aufrichtig. **~ trans·plant** *s med.* Herzverpflanzung *f*. **~-,whole** *adj* **1.** von Liebe unberührt, (noch) ungebunden *od.* frei. **2.** aufrichtig. **3.** unerschrocken. **'~,wood** *s* Kernholz *n*.

heart·y ['hɑːrti] **I** *adj* (*adv* → **heartily**) **1.** herzlich: a) von Herzen kommend, warm, innig, b) aufrichtig, tiefempfunden, c) *iro.* ‚gründlich': **~ dislike**. **2.** a) munter, b) e'nergisch, c) begeistert, d) herzlich, jovi'al. **3.** herzhaft, kräftig: **~ appetite**; **~ curses**; **a ~ kick**; **~ meal**; **a ~ eater**. **4.** gesund, kräftig, stark. **5.** fruchtbar: **~ soil**. **II** *s* **6.** a) Kame'rad *m*, b) Draufgänger *m*, tapferer Bursche, c) Ma'trose *m*: **my hearties!** Kameraden!, Jungs! **7.** *univ. Br. sl.* Sportler *m*.

heat [hiːt] **I** *s* **1.** Hitze *f*: a) große Wärme, b) heißes Wetter, 'Hitzeperi,ode *f*. **2.** *phys.* Wärme *f*: **~ of combustion** Verbrennungswärme. **3.** a) Erhitztheit *f* (*des Körpers*), b) (*bes.* Fieber)Hitze *f*. **4.** *fig.* Hitze *f*: a) Ungestüm *m*, *n*, b) Zorn *m*, Wut *f*, c) Leidenschaftlichkeit *f*, Erregtheit *f*, d) Eifer *m*: **in the ~ of the moment** im Eifer *od.* in der Hitze des Gefechts; **in the ~ of passion** *jur.* im Affekt. **5.** Höhepunkt *m*, größte Intensi'tät. **6.** einmalige Kraftanstrengung: **at one** (*od.* **a**) **~** in 'einem Zug. **7.** *sport* a) Lauf *m*, Einzelrennen *n*, 'Durchgang *m*, Runde *f*, b) *a.* **trial ~** Ausscheidungsrennen *n*, Vorlauf *m*: **final ~** Schluß-, Endlauf, Entscheidungsrennen *n*, -kampf *m*. **8.** *metall.* a) Schmelz-, Chargengang *m*, b) Charge *f*, Einsatz *m*. **9.** (Glüh)Hitze *f*, Glut *f*. **10.** *zo.* Brunst *f*, *bes.* a) Läufigkeit *f* (*der Hündin*), b) Rossen *n* (*der Stute*), c) Stieren *n* (*der Kuh*): **in** (*od.* **on, at**) **~** brünstig; **a bitch in ~** e-e läufige Hündin. **11.** *Am. sl.* a) Großeinsatz *m*, scharfes 'Durchgreifen, b) Druck *m*, Gewalt(maßnahmen *pl*) *f*: **to turn on the ~** scharf durchgreifen, ‚Dampf dahinter machen'; **to turn the ~ on s.o.** j-n unter Druck setzen, j-m die Hölle heiß machen; **the ~ is on** jetzt weht ein scharfer Wind, es ist ‚dicke Luft'; **the ~ is off** man hat sich wieder beruhigt. **12.** Schärfe *f* (*von Gewürzen etc*).

II *v/t* **13.** erhitzen, heiß machen. **14.** heizen. **15.** *fig.* erhitzen, heftig erregen: **~ed with** erhitzt *od.* erregt von.

III *v/i* **16.** sich erhitzen (*a. fig.*).

heat·a·ble ['hiːtəbl] *adj* **1.** erhitzbar. **2.** heizbar.

heat| ap·o·plex·y *s med.* Hitzschlag *m*. **~ bal·ance** *s phys.* 'Wärmebi,lanz *f*, -haushalt *m*. **~ bar·ri·er** *s aer.* Hitzemauer *f*, -grenze *f*.

heat·ed ['hiːtid] *adj* erhitzt: a) heiß geworden, b) *fig.* erregt (**with** von).

heat en·gine *s tech.* 'Wärmekraftma,schine *f*.

heat·er ['hiːtər] *s* **1.** Heizgerät *n*, -körper *m*, (Heiz)Ofen *m*. **2.** *electr.* Heizfaden *m*. **3.** (Plätt)Bolzen *m*. **4.** Heizer *m*, Glüher *m* (*Person*). **~ plug** *s tech.* Glühkerze *f*.

heat| ex·chang·er *s tech.* Wärmetauscher *m*. **~ ex·haust·ion** *s med.* Hitzschlag *m*. **~ flash** *s* Hitzeblitz *m* (*bei Atombombenexplosionen*).

heath [hiːθ] *s* **1.** *bes. Br.* Heide(land *n*) *f*: **one's native ~** *fig.* die Heimat. **2.** *bot.* a) Erika *f*, (Glocken)Heide *f*, b) Heidekrautgewächs *n*. **3.** → **heather** 1. **~ bell** *s bot.* **1.** Erika-, Heideblüte *f*. **2.** a) → **bell heather**, b) → **harebell** 1. **'~,ber·ry** *s* **1.** → **crowberry**. **2.** → **bilberry**. **~ cock** → **blackcock**.

hea·then ['hiːðən] **I** *s* **1.** Heide *m*, Heidin *f*: **the ~** *collect.* die Heiden. **2.** (Neu)Heide *m*. **3.** Bar'bar *m*. **II** *adj* **4.** heidnisch, Heiden... **5.** 'unzivili,siert, bar'barisch. **'hea·then·dom** *s* **1.** → **heathenism**. **2.** (die) Heiden *pl*. **3.** die heidnischen Länder *pl*. **'hea·then·ish** → **heathen** 4 *u.* 5. **'hea·then,ism** *s* **1.** Heidentum *n*. **2.** Götzenanbetung *f*. **3.** Barba'rei *f*. **'hea·then,ize** *v/t u. v/i* heidnisch machen (werden).

heath·er ['heðər] **I** *s bot.* **1.** Heidekraut *n*: **to take to the ~** *Scot.* Bandit werden; **to set the ~ on fire** *fig.* Furore machen. **2.** (*e-e*) Erika. **II** *adj* **3.** gesprenkelt (*Stoff*). **~ bell** *s bot.* Glokkenheide *f*. **'~-,mix·ture** *adj u. s* gesprenkelt(er Stoff).

heat·ing ['hiːtiŋ] **I** *s* **1.** Heizung *f*. **2.** *tech.* a) Beheizung *f*, b) Heißwerden *n*, -laufen *n*. **3.** *phys.* Erwärmung *f*. **4.** Erhitzung *f* (*a. fig.*). **II** *adj* **5.** heizend, erwärmend. **6.** Heiz...: **~ battery**; **~ surface**; **~ system** Heizsystem *n*, Heizung *f*. **~ fur·nace** *s tech.* Glühofen *m*. **~ jack·et** *s tech.* Heizmantel *m*. **~ pad** *s* Heizkissen *n*.

heat| light·ning *s* Wetterleuchten *n*. **'~,proof** *adj* hitze-, wärmebeständig. **'~-,seal** *v/t Kunststoffe* (ver)schweißen, heißkleben, -versiegeln. **~ pros·tra·tion** *s med.* Hitzschlag *m*. **~ rash** *s med.* Hitzeausschlag *m*, -bläs-chen *pl*. **'~-re,sist·ing** → **heatproof**. **~ spot** *s med.* Hitzebläs-chen *n*. **'~,stroke** *s med.* Hitzschlag *m*. **'~-,treat** *v/t tech.* **1.** warmbearbeiten. **2.** *Stahl* vergüten. **~ u·nit** *s phys.* Wärmeeinheit *f*. **~ wave** *s* Hitzewelle *f*.

heaume [houm] *s mil. hist.* Topfhelm *m*.

heave [hiːv] **I** *s* **1.** Heben *n*, Hub *m*, (mächtiger) Ruck. **2.** Hochziehen *n*, Aufwinden *n*. **3.** Wurf *m*. **4.** *Ringen*: Hebegriff *m*. **5.** a) (rhythmisches) Anschwellen, Sich'heben *n*, b) Wogen *n*: **~ of the sea** *mar.* Seegang *m*. **6.** Schwellen *n* (*der Brust*). **7.** *geol.* Verwerfung *f*, (horizon'tale) Verschiebung. **8.** *pl* (*als sg konstruiert*) *vet.* Dämpfigkeit *f*.

II *v/t pret u. pp* **heaved** *od.* (*bes. mar.*) **hove** [houv] **9.** (hoch)heben, (-)wuchten, (-)stemmen, ‚(-)hieven'. **10.** hochziehen, -winden. **11.** schleudern. **12.** *mar.* hieven: **to ~ the anchor** den Anker lichten; **to ~ the lead** (**log**) loten (loggen). **13.** ausstoßen: **to ~ a sigh**. **14.** erbrechen: **to ~ one's meal**. **15.** aufschwellen, dehnen. **16.** heben u. senken. **17.** *geol.* (horizon'tal) verschieben, verdrängen.

III *v/i* **18.** sich heben u. senken, wogen, (an)schwellen: **to ~ and set** *mar.* stampfen (*Schiff*). **19.** keuchen. **20.** a) sich erbrechen *od.* über'geben, b) würgen, Brechreiz haben: **his stomach ~d** ihm hob sich der Magen. **21.** sich werfen *od.* verschieben (*durch Frost* *etc*). **22.** *mar*. a) hieven, ziehen (at an *dat*): ~ **ho**! holt auf!, b) treiben: **to** ~ **in sight** in Sicht kommen, *fig. colloq*. ‚aufkreuzen'.

Verbindungen mit Adverbien:

heave| a·head *mar*. **I** *v/t* vorholen, vorwärts winden. **II** *v/i* vorwärts auf den Anker treiben. ~ **a·stern** *mar*. **I** *v/t* rückwärts winden. **II** *v/i* von hinten auf den Anker treiben. ~ **down** *v/t mar. das Schiff* kielholen. ~ **in** *v/t mar*. einhieven. ~ **out** *v/t mar. das Segel* losmachen. ~ **to** *v/t u. v/i mar*. stoppen, beidrehen.

'heave-'ho *s Am. colloq*. ‚Rausschmiß' *m*, ‚Laufpaß' *m*: **to give s.o. the (old)** ~ j-n an die Luft setzen.

heav·en ['hevn] *s* **1.** Himmel(reich *n*) *m*: **in** ~ **and earth** im Himmel u. auf Erden; **to go to** ~ in den Himmel eingehen *od*. kommen; **to move** ~ **and earth** *fig*. Himmel u. Hölle in Bewegung setzen; **the H**~ **of** ~**s, the seventh** ~ der siebente Himmel; **in the seventh** ~ **(of delight)** *fig*. im siebenten Himmel. **2. H**~ Himmel *m*, Gott *m*: **the H**~**s** die himmlischen Mächte. **3.** (*in Ausrufen*) Himmel *m*, Gott *m*: **by** ~!, **(good)** ~**s**! du lieber Himmel!; **for** ~**'s sake**! um (des) Himmels willen!; ~ **forbid**! Gott behüte!; ~ **knows**! weiß Gott!; **thank** ~! Gott sei Dank!; **what in** ~ ...? was in aller Welt ...? **4.** *meist pl* Himmel(sgewölbe *n*) *m*, Firma'ment *n*: **the northern** ~**s** der nördliche (Stern)Himmel; **to** ~, **to high** ~**s** *fig. colloq*. zum Himmel (*stinken etc*), unerhört, maßlos. **5.** Himmel *m*, Klima *n*, Zone *f*. **6.** *fig*. Himmel *m*, Para'dies *n*: **a** ~ **on earth**; **it was** ~ es war himmlisch. **7.** (Bühnen)Himmel *m*.

heav·en·ly ['hevnli] *adj* himmlisch: a) Himmels...: ~ **body** Himmelskörper *m*, b) göttlich, 'überirdisch, c) herrlich, wunderbar. **H**~ **Cit·y** *s* Heilige Stadt, Neues Je'rusalem, Para'dies *n*. ~ **host** *s* himmlische Heerscharen *pl*. **H**~ **Twins** → Gemini I.

'heav·en-,sent *adj* vom Himmel gesandt, himmlisch.

heav·en·ward ['hevnwərd] **I** *adv* himmelwärts, gen Himmel. **II** *adj* gen Himmel gerichtet. **'heav·en·wards** [-dz] → **heavenward I**.

heav·er ['hiːvər] *s* **1.** Heber *m*: **coal** ~ Kohlentrimmer *m*. **2.** *tech*. Heber *m*, Hebebaum *m*, -zeug *n*, Winde *f*.

'heav·i·er-than-'air ['heviər-] *adj* schwerer als Luft (*Flugzeug*).

heav·i·ly ['hevili] *adv* **1.** schwer (*etc* → **heavy**): ~ **loaded** schwerbeladen; **it weighs** ~ **upon me** es bedrückt mich schwer; **to punish s.o.** ~ j-n schwer bestrafen; **to suffer** ~ schwere (finanzielle) Verluste erleiden. **2.** mit schwerer Stimme.

heav·i·ness ['hevinis] *s* **1.** Schwere *f* (*a. fig*.). **2.** Gewicht *n*, Druck *m*, Last *f*. **3.** Massigkeit *f*, Wuchtigkeit *f*. **4.** Stärke *f*, Heftigkeit *f*. **5.** Bedrücktheit *f*, Schwermut *f*. **6.** Schwerfälligkeit *f*. **7.** Langweiligkeit *f*. **8.** Schläfrigkeit *f*.

heav·y ['hevi] **I** *adj* (*adv* → **heavily**) **1.** schwer (*a. chem. phys*.): ~ **load**; ~ **hydrocarbons**; ~ **benzene** Schwerbenzin *n*; ~ **industries** Schwerindustrie *f*. **2.** *mil*. schwer: ~ **artillery (bomber, cruiser,** *etc*); ~ **guns** schwere Geschütze, *fig*. schweres Geschütz (*drastische Mittel*). **3.** schwer: a) heftig, stark: ~ **fall** schwerer Sturz; ~ **losses** schwere Verluste; ~ **rain** starker Regen; ~ **sea** schwere See; ~ **traffic** starker Verkehr, b) massig: ~ **body**, c) wuchtig: **a** ~ **blow**, d) drückend, hart: ~ **fine** hohe Geldstrafe; ~ **taxes** drückende *od*. hohe Steuern. **4.** beträchtlich, groß: ~ **buyer** Großabnehmer *m*; ~ **consumer**, ~ **user** Großverbraucher *m*; ~ **orders** große Aufträge. **5.** schwer, stark, 'übermäßig: **a** ~ **drinker** ein starker Trinker; **a** ~ **loser** j-d, der schwere Verluste erleidet. **6.** ergiebig, reich: ~ **crops**. **7.** schwer: a) stark (alkoholhaltig): ~ **beer** Starkbier *n*, b) stark, betäubend: ~ **perfume**, c) schwerverdaulich: ~ **food**. **8.** pappig, klitschig: ~ **bread**. **9.** dröhnend, dumpf: ~ **roll of thunder**; ~ **steps** schwere Schritte. **10.** drückend, lastend: **a** ~ **silence**. **11.** *meteor*. a) schwer: ~ **clouds**, b) trübe, finster: ~ **sky**, c) drückend, dick: ~ **air**. **12. (with)** a) (schwer)beladen (mit), b) *fig*. über'laden, voll (von): ~ **with meaning** bedeutungsvoll, -schwer. **13.** schwer: a) schwierig, mühsam, hart: ~ **task**; ~ **worker** Schwerarbeiter *m*, b) schwer verständlich: ~ **book**, c) plump, unbeholfen, schwerfällig: ~ **style**. **14.** *a*. ~ **in** (*od*. **on**) **hand** stumpfsinnig, langweilig: ~ **book**. **15.** begriffsstutzig, dumm (*Person*). **16.** träge, langsam, schleppend: **time hangs** ~ **(on my hands)** die Zeit wird mir lang. **17.** schläfrig, benommen **(with** von): ~ **with sleep** schlaftrunken. **18.** folgenschwer: **of** ~ **consequence** mit weitreichenden Folgen. **19.** ernst, betrüblich: ~ **news**. **20.** *thea*. a) ernst, düster: ~ **scene**, b) würdevoll: ~ **husband**. **21.** bedrückt, niedergeschlagen: **with a** ~ **heart** schweren Herzens. **22.** *econ*. flau, schleppend: ~ **market** gedrückter Markt; ~ **sale** schlechter Absatz. **23.** unwegsam, aufgeweicht, lehmig: ~ **road**. **24.** steil, stark: ~ **grade**. **25.** breit, grob: ~ **scar** breite Narbe; ~ **features** grobe Züge. **26.** *a*. ~ **with young** *zo*. trächtig. **27.** *print*. fett(gedruckt).

II *s* **28.** *thea*. a) Schurke *m*, b) würdiger älterer Herr. **29.** *mil*. a) schweres Geschütz, b) *pl* schwere Artille'rie, c) **the Heavies** *pl Br*. die 'Gardedra,goner *pl*. **30.** *sport colloq*. Schwergewichtler *m*. **31.** *Br. sl*. Starkbier *n*. **32.** *Am. sl*. ‚schwerer Junge' (*Verbrecher*). **33.** *pl Am. sl*. warme 'Unterkleidung.

III *adv* **34.** schwer (*bes. in Zssgn*): **to lie** ~ **on s.o.** (schwer) auf j-m lasten.

'heav·y|-'armed *adj mil*. schwerbewaffnet. ~ **chem·i·cals** *s pl* 'Schwerchemi,kalien *pl*. ~ **cur·rent** *s electr*. Starkstrom *m*. **'**~**-'du·ty** *adj tech*. Hochleistungs...: ~ **machine**; ~ **truck** Schwerlastkraftwagen *m*; ~ **gloves** sehr strapazierfähige Handschuhe. ~ **earth** *s min*. Ba'ryt *m*, Schwerspat *m*. ~ **gym·nas·tics** *s pl* (*als sg konstruiert*) Geräteturnen *n*. **'**~**-'hand·ed** *adj* **1.** plump, unbeholfen. **2.** a) streng, hart, b) drückend. **'**~**-'heart·ed** *adj* niedergeschlagen. ~ **hy·dro·gen** *s chem*. schwerer Wasserstoff, Deu'terium *n*. **'**~**-'lad·en** *adj* **1.** schwerbeladen. **2.** *fig*. **(with)** belastet (mit), zu Boden gedrückt (von). ~ **liq·uid** *s tech*. Schwerflüssigkeit *f*. ~ **met·al** *s* **1.** 'Schwerme,tall *n*. **2.** *Br. fig*. a) mächtiger Einfluß, b) kraftvolle Per'sönlichkeit. ~ **oil** *s tech*. Schweröl *n*. ~ **plate** *s tech*. Grobblech *n*. ~ **spar** *s min*. Schwerspat *m*. ~ **type** *s print*. Fettdruck *m*. ~ **wa·ter** *s chem*. schweres Wasser. **'**~**,weight I** *s* **1.** 'übernor,mal schwere Per'son *od*. Sache, ‚Schwergewicht' *n*. **2.** *sport* Schwergewicht(ler *m*) *n*. **3.** *Am. colloq*. ‚Promi'nente(r)' *m*, ‚großes Tier' **II** *adj* **4.** *sport* Schwergewichts... **5.** schwer (*a. fig*.).

heb·do·mad ['hebdo,mæd] *s* **1.** Sieben(zahl) *f*. **2.** Woche *f*. **heb'dom·a·dal** [-'dɒmədl] *adj* (*adv* ~**ly**) wöchentlich: **H**~ **Council** *wöchentlich zs.-tretender Rat der Universität Oxford*. **heb'dom·a·dar·y** → **hebdomadal**.

He·be ['hiːbi] *npr u. s* **1.** *myth*. Hebe *f* (*Jugendgöttin*). **2.** *Br. humor*. Hebe *f*, Kellnerin *f*.

he·be·phre·ni·a [,hiːbi'friːniə] *s psych*. Hebephre'nie *f*, Jugendirresein *n*.

heb·e·tate ['hebi,teit] *v/i u. v/t* abstumpfen.

heb·e·tude ['hebi,tjuːd] *s* (geistige) Stumpfheit.

He·bra·ic [hi'breiik] *adj* (*adv* ~**ally**) he'bräisch.

He·bra·ism ['hiːbrei,izəm] *s* Hebra'ismus *m*: a) *ling*. he'bräische Spracheigenheit, b) *relig. die ältere hebräische Religion*, c) hebräische Gedankenwelt. **'He·bra·ist** *s* **1.** Hebra'ist *m*. **2.** *relig*. Juda'ist *m*. **'He·bra,ize** *v/t u. v/i* he'bräisch machen (werden).

He·brew ['hiːbruː] **I** *s* **1.** He'bräer(in), Israe'lit(in), Jude *m*, Jüdin *f*. **2.** *ling*. He'bräisch *n*, das Hebräische. **3.** *colloq*. Kauderwelsch *n*. **4.** *pl* (*als sg konstruiert*) (Brief *m* an die) He'bräer *pl*. **II** *adj* **5.** he'bräisch. **'He·brew,ism** → **Hebraism**.

Heb·ri·de·an, *a*. **Heb·ri·di·an** [,hebri'diːən] **I** *adj* he'bridisch. **II** *s* Bewohner(in) der He'briden.

Hec·a·te ['hekəti] **I** *npr myth*. Hekate *f*. **II** *s* Oberhexe *f*.

hec·a·tomb ['hekə,toum; -,tuːm] *s* Heka'tombe *f*: a) *antiq. Opfer von 100 Rindern*, b) *fig. gewaltige Menschenverluste*.

heck [hek] *colloq*. **I** *s* Hölle *f*: **a** ~ **of a row** ein Höllenlärm; **what the** ~ was zum Teufel. **II** *interj* verdammt!

heck·le ['hekl] **I** *v/t* **1.** *Flachs* hecheln. **2.** *fig*. a) *j-n* ‚piesacken', quälen, b) *e-m Redner* mit Zwischenfragen zusetzen, *j-n* aus dem Kon'zept zu bringen suchen, ‚in die Zange nehmen'. **II** *s* **3.** Hechel *f*. **'heck·ler** *s* (boshafter) Zwischenrufer.

hec·tare ['hektɛr] *s* Hektar *n*, *m*.

hec·tic ['hektik] **I** *adj* (*adv* ~**ally**) **1.** *med*. hektisch: a) auszehrend (*Krankheit*), b) schwindsüchtig (*Patient*): ~ **fever** → 3 a; ~ **flush** → 3 c. **2.** *colloq*. fieberhaft, aufgeregt, hektisch: **I had a** ~ **time** ich hatte keinen Augenblick Ruhe. **II** *s* **3.** *med*. a) hektisches Fieber, Schwindsucht *f*, b) Schwindsüchtige(r *m*) *f*, c) hektische Röte.

hec·to·gram(me) ['hekto,græm] *s* Hekto'gramm *n*.

hec·to·graph ['hekto,græ(ː)f; *Br. a*. -,grɑːf] **I** *s* Hekto'graph *m*. **II** *v/t* hektogra'phieren, vervielfältigen.

hec·to·li·ter, *Br*. **hec·to·li·tre** ['hekto,liːtər] *s* Hektoliter *n*, *m*.

hec·tor ['hektər] **I** *s* **1.** Prahler *m*, Bra'marbas *m*. **2.** Ty'rann *m*, bru'taler Kerl. **II** *v/t* **3.** tyranni'sieren, einschüchtern, schika'nieren, ‚piesacken'. **III** *v/i* **4.** prahlen, renom'mieren, bramarba'sieren. **5.** her'umkomman,dieren.

he'd [hiːd] *colloq. für* a) **he had**, b) **he would**.

hed·dle ['hedl] *tech*. **I** *s* **1.** Litze *f*, Helfe *f* (*zur Lenkung der Kettfäden*). **2.** Einziehhaken *m*. **II** *v/t* **3.** *Kettfäden* einziehen.

hedge [hedʒ] **I** *s* **1.** Hecke *f*, *bes*. Hekkenzaun *m*: **that doesn't grow on**

every ~ das findet man nicht alle Tage. **2.** Einzäunung *f*: **stone** ~ Mauer *f*. **3.** *fig.* a) Mauer *f*, Barri'ere *f*, b) Absperrung *f*, Kette *f*: **a** ~ **of police**, c) (Ab)Sicherung *f*, Sicherheit(sklausel) *f*. **4.** *econ.* Sicherung(sgeschäft *n*) *f*, (Geschäft *n* mit) Gegendeckung *f*. **II** *adj* **5.** Hecken...: ~ **plants. 6.** *fig.* a) minderwertig, Winkel..., ‚dritter Klasse', b) anrüchig, zweifelhaft. **III** *v/t* **7.** *a.* ~ **in,** ~ **off,** ~ **about** einhegen, -zäunen, mit e-r Hecke um'geben. **8.** ~ **off** (durch e-e Hecke *etc*) absperren. **9.** *meist* ~ **in,** ~ **up** a) schützend um'geben, b) einengen, behindern, c) einsperren. **10.** a) *a. econ.* (ab)sichern, decken: ~**d in by clauses** verklausuliert, b) sich gegen den Verlust (*e-r Wette etc*) sichern: **to** ~ **a bet. IV** *v/i* **11.** ausweichen, sich nicht festlegen (wollen), sich winden, ‚kneifen'. **12.** sich vorsichtig ausdrücken. **13.** a) sich decken *od.* sichern (*a. econ.*), b) *econ.* Sicherungsgeschäft(e) abschließen. **14.** e-e Hecke anlegen.

hedge·hog ['hedʒ,hɒg] *s* **1.** *zo.* a) Igel *m*, b) *Am.* Stachelschwein *n*. **2.** *bot.* stachlige Frucht *od.* Samenkapsel. **3.** *fig.* Griesgram *m*, ‚Kratzbürste' *f*. **4.** *mil.* a) Igelstellung *f*, b) Drahtigel *m*, c) *mar.* Wasserbombenwerfer *m*. ~ **cac·tus** *s bot.* Igelkaktus *m*.

'**hedge|,hop** *v/i aer. sl.* ‚heckenhüpfen' (*dicht über dem Boden fliegen*). '~,**hop·per** *s aer. sl.* Tiefflieger *m*. ~ **hys·sop** *s bot.* **1.** Gnadenkraut *n*. **2.** Kleines Helmkraut. ~ **law·yer** *s* 'Winkeladvo,kat *m*. ~ **mar·riage** *s* heimliche Trauung. '~-,**priest** *s Br.* (ungebildeter) Priester von niederem Rang.

hedg·er ['hedʒər] *s* **1.** Heckengärtner *m*. **2.** j-d, der sich nicht festlegen will, Drückeberger(in).

hedge|·row ['hedʒ,rou] *s* (Baum-, Rain)Hecke *f*. '~-,**school** *s* **1.** *hist.* im Freien gehaltene Schule. **2.** minderwertige Schule. ~ **spar·row,** ~ **war·bler** *s orn.* 'Heckenbrau,nelle *f*. ~ **writ·er** *s* Schreiberling *m*.

hedg·y ['hedʒi] *adj* voller Hecken.

he·don·ic [hiː'dɒnik] *adj philos.* hedo'nistisch. **he'don·ics** *s pl* (*oft als sg konstruiert*) *philos.* He'donik *f* (*Zweig der Ethik u. Psychologie, der vom Lustempfinden handelt*). **he·don·ism** ['hiːdə,nizəm] *s philos.* Hedo'nismus *m* (*Lehre u. Lebensweise*). **he·don·ist** *s philos.* Hedo'nist *m*. ,**he·do'nis·tic** *adj philos.* hedo'nistisch.

-hedral [hiːdrəl; hed-] *Wortelement mit der Bedeutung* e-e bestimmte Anzahl von Flächen habend, ...flächig.

-hedron [hiːdrən; hed-] *Wortelement mit der Bedeutung* Figur mit e-r bestimmten Anzahl von Flächen, ...flächner.

hee·bie-jee·bies ['hiːbi'dʒiːbiz] *s sl.* **1.** ‚Zustände' *pl*: a) ‚Tatterich' *m*, ‚Rappel' *m* (*Nervenkrise*), b) ‚Bammel' *m* (*Angst*), c) Trübsinn *m*. **2.** Säuferwahnsinn *m*.

heed [hiːd] **I** *v/t* **1.** beachten, achten *od.* achtgeben auf (*acc*). **II** *v/i* **2.** achtgeben, aufpassen. **III** *s* **3.** Aufmerksamkeit *f*, Beachtung *f*, Acht *f*: **to give** (*od.* **pay**) ~ **to, to take** ~ **of** → 1; **to take** ~ → 2; **she took no** ~ **of his warnings** sie schlug s-e Mahnungen in den Wind. **4.** Vorsicht *f*. '**heed·ful** [-fəl; -ful] *adj* (*adv* ~**ly**) **1.** achtsam, aufmerksam (**of** auf *acc*). **2.** vorsichtig. '**heed·ful·ness** *s* Achtsamkeit *f*, Vorsicht *f*. '**heed·less** *adj* (*adv* ~**ly**) achtlos, unachtsam, gedankenlos: ~ **of s.th.** unbekümmert um etwas, ungeachtet e-r Sache. '**heed·less·ness** *s* Unachtsamkeit *f*.

hee·haw ['hiː,hɔː] **I** *s* **1.** Iah *n* (*Eselschrei*). **2.** *fig.* wieherndes Gelächter, ‚Gewieher' *n*. **II** *v/i* **3.** i'ahen. **4.** *fig.* wiehern(d lachen).

heel[1] [hiːl] **I** *v/t* **1.** Absätze machen auf (*acc*). **2.** e-e Ferse anstricken an *Strümpfe*. **3.** a) *Golf*: *den Ball* mit der Ferse des Golfschlägers treiben, b) *Rugby*: *den Ball* mit dem Absatz stoßen: **to** ~ **out** *den Ball aus e-m Gedränge* ausfersen. **4.** *Kampfhähne* mit Sporen bewaffnen. **5.** *Am. sl.* a) (*bes.* mit Geld) ausstatten, b) bewaffnen, c) arbeiten für *e-e Zeitung*. **6.** ~ **in** *agr. Wurzeln* einschlagen. **II** *v/i* **7.** bei Fuß gehen *od.* bleiben (*Hund*). **8.** *Am. sl.* rennen, ‚flitzen'. **III** *s* **9.** Ferse *f*: ~ **of the hand** *Am.* Handballen *m*. **10.** *zo. colloq.* a) hinterer Teil des Hufs, b) *pl* 'Hinterfüße *pl*, c) Fuß *m*. **11.** Absatz *m*, Hacken *m* (*vom Schuh*). **12.** Ferse *f* (*vom Strumpf etc, a. vom Golfschläger*). **13.** vorspringender Teil, Ende *n*, *bes.* (Brot)Kanten *m*. **14.** *mar.* Hiel(ing) *f*. **15.** *bot.* Achselsteckling *m*. **16.** Rest *m*. **17.** *Am. sl.* ‚Scheißkerl' *m*.

Besondere Redewendungen:

~ **of Achilles, Achilles** ~ Achillesferse *f*, wunder Punkt; **on the** ~**s of** *fig.* unmittelbar (folgend) auf (*acc*), gleich nach *e-r Sache*; **to follow** (*od.* **be**) **at s.o.'s** ~**s, to follow s.o. at** ~, **to follow s.o. at** (*od.* [**up**]**on**) **his** ~**s** j-m auf den Fersen folgen, sich j-m an die Fersen heften; **to be carried with the** ~**s foremost** tot weggetragen werden; **down at (the)** ~ a) mit schiefen Absätzen, b) *a.* **out at** ~**s** *fig.* heruntergekommen, abgerissen, schäbig; **to have s.o. by the** ~**s** j-n in s-r Gewalt haben; **to kick** (*od.* **cool**) **one's** ~**s** ‚sich die Beine in den Bauch stehen', warten müssen; **to kick** (*od.* **tip, turn**) **up one's** ~**s** a) *colloq.* ‚abkratzen' (*sterben*), b) *Am. sl.* ‚auf die Pauke hauen'; **to lay** (*od.* **clap**) **by the** ~**s** *j-n* dingfest machen, zur Strecke bringen, erwischen; **to show a clean pair of** ~**s, to take to one's** ~**s** die Beine in die Hand nehmen, Fersengeld geben; **to** ~ a) bei Fuß (*Hund*), b) *fig.* gefügig, gehorsam; **to bring to** ~ *j-n* gefügig *od.* ‚kirre' machen; **to come to** ~ a) bei Fuß gehen (*Hund*), b) gehorchen, ‚spuren'; **to tread on s.o.'s** ~**s** a) j-m auf die Hacken treten, b) j-m auf dem Fuß folgen; **to turn on one's** ~ auf dem Absatz kehrtmachen; **under the** ~ **of** *fig.* unter *j-s* Knute.

heel[2] [hiːl] *mar.* **I** *v/t u. v/i* (sich) auf die Seite legen, krängen. **II** *s* Krängung *f*.

'**heel|-and-'toe walk** *s sport* Geherrennen *n*. '~,**ball** *s* Po'lierwachs *n*.

heeled [hiːld] *adj* **1.** mit e-r Ferse *od.* e-m Absatz versehen. **2.** *Am. colloq.* a) (gut) bei Kasse, mit dicker Brieftasche, b) bewaffnet. '**heel·er** *s pol. Am. colloq.* **1.** Handlanger *m*. **2.** ‚La'kai' (*e-s Parteibonzen*).

'**heel|,piece** *s* Absatzfleck *m*. '~,**tap** *s* **1.** Absatzfleck *m*. **2.** Neige *f*, letzter Rest (*im Glas*): **no** ~**s!** ex! (*ausgetrunken*).

heft [heft] *Am.* **I** *s* **1.** a) Gewicht *n* (*a. fig.*), b) *fig.* Einfluß *m*, Bedeutung *f*. **2.** Hauptmasse *f*, -teil *m*. **II** *v/t colloq.* **3.** hochheben, -wuchten. **4.** (mit der Hand) abwägen, abschätzen. '**heft·y** *adj colloq.* **1.** kräftig, stämmig. **2.** ‚mächtig', gewaltig: **a** ~ **blow.**

He·ge·li·an [hei'geiliən; hi'dʒiː-] *philos.* **I** *adj* hegeli'anisch, Hegelsch(er, e, es). **II** *s* Hegeli'aner *m*.

heg·e·mon·ic [,hedʒi'mɒnik; ,hiː-] *adj* hege'monisch, vorherrschend. **he·gem·o·ny** [hi'dʒeməni; *Br.* 'hedʒi-; *Am.* 'hedʒə,mouni] *s* Hegemo'nie *f*, Vormachtstellung *f*, Oberherrschaft *f*.

heif·er ['hefər] *s* Färse *f*, junge Kuh.

height [hait] *s* **1.** Höhe *f*: **barometric** ~ Barometerhöhe; ~ **of burst** *mil.* Sprengpunkthöhe; ~ **of fall** Fallhöhe; **ten feet in** ~ zehn Fuß hoch; ~ **to paper** *print.* Standardhöhe der Druckschrift (*in USA 0,9186 Zoll*). **2.** (Körper)Größe *f*. **3.** (An)Höhe *f*, Erhebung *f*. **4.** *fig.* Höhe(punkt *m*) *f*, Gipfel *m*, höchster Grad: **at its** ~ auf dem Höhepunkt; **at the** ~ **of summer** im Hochsommer; **in the** ~ **of fashion** nach der neuesten Mode; **the** ~ **of folly** der Gipfel der Torheit. **5.** *arch.* Pfeilhöhe *f*, Bogenstich *m*. '**height·en I** *v/t* **1.** erhöhen (*a. fig.*). **2.** *fig.* vergrößern, heben, steigern, verstärken, -tiefen. **3.** her'vorheben, betonen. **4.** ausschmücken, über'treiben. **II** *v/i* **5.** wachsen, (an)steigen, zunehmen.

height| find·er *s aer. mil.* (Radar)-Höhensuchgerät *n*. ~ **ga(u)ge,** ~ **in·di·ca·tor** *s aer.* Höhenmesser *m*.

hei·nous ['heinəs] *adj* (*adv* ~**ly**) ab'scheulich, scheußlich, gräßlich. '**hei·nous·ness** *s* Ab'scheulichkeit *f*.

heir [ɛr] *s jur. u. fig.* Erbe *m* (**to** *od.* **of s.o.** j-s): ~ **apparent** a) gesetzlicher Erbe, b) *a.* ~ **to the throne** Thronfolger *m*, -erbe; ~ **at law,** ~ **general** gesetzlicher Erbe; ~ **collateral** aus der Seitenlinie stammender Erbe; ~ **presumptive** mutmaßlicher Erbe; ~ **of the body** leiblicher Erbe; ~ **in tail** Vorerbe; **to appoint s.o. one's** ~ j-n als Erben einsetzen.

heir·dom ['ɛrdəm] → **heirship.**

heir·ess ['ɛ(ə)ris] *s* (*bes.* reiche) Erbin.

'**heir|'loom** *s* (Fa'milien)Erbstück *n*. '~**ship** *s jur.* **1.** Erbrecht *n*. **2.** Erbschaft *f*, Erbe *n*.

held [held] *pret u. pp von* **hold**[1].

he·li·an·thus [,hiːli'ænθəs] *s bot.* Sonnenblume *f*.

hel·i·bus ['heli,bʌs] *s aer.* Hubschrauber *m* für Per'sonenbeförderung, Lufttaxi *n*.

hel·i·cal ['helikəl] *adj* (*adv* ~**ly**) schrauben-, schnecken-, spi'ralförmig: ~ **blower** Propellergebläse *n*; ~ **gear** Schneckenrad *n*; ~ **gearing** Schrägverzahnung *f*; ~ **spring** (Drehungs)-Schraubenfeder *f*.

hel·i·ces ['heli,siːz] *pl von* **helix.**

helico- [heliko] *Wortelement mit der Bedeutung* Spirale, Schraube.

hel·i·coid ['heli,kɔid] **I** *adj* spi'ralig, spi'ralförmig. **II** *s math.* Schraubenfläche *f*, Heliko'ide *f*. ,**hel·i'coi·dal** → **helicoid I.**

Hel·i·con ['heli,kɒn] *s* **1.** *fig.* Helikon *m*, Sitz *m* der Musen. **2.** h~ *mus.* Helikon *n* (*Kontrabaßtuba*).

hel·i·cop·ter ['heli,kɒptər] *s aer.* Hubschrauber *m*, Heli'kopter *m*: ~ **terminal** → **helidrome.** '**hel·i,drome** [-,droum] *s* Hubschrauber-Landeplatz *m*.

helio- [hiːlio] *Wortelement mit der Bedeutung* Sonne.

he·li·o ['hiːliou] *colloq. abbr. für* **heliogram, heliograph.**

he·li·o·cen·tric [,hiːlio'sentrik] *adj astr.* helio'zentrisch.

he·li·o·chro·my ['hiːlio,kroumi] *s phot.* 'Farbphotogra,phie *f*.

he·li·o·gram ['hiːlio,græm] *s* Helio'gramm *n*. '**he·li·o,graph** [-,græ(ː)f;

Br. a. -ˌgrɑːf] **I** *s* **1.** Helio'graph *m*: a) *astr. phot. Instrument für Aufnahmen der Sonne*, b) *tech.* 'Spiegeltele-ˌgraph *m.* **2.** → **heliogravure. II** *v/t u. v/i* **3.** heliogra'phieren. ˌ**he·li·o·'graph·ic** [-'græfik] *adj* helio'graphisch. ˌ**he·li'og·ra·phy** [-'ɒgrəfi] *s* Heliogra'phie *f*: a) Sonnenbeschreibung *f*, b) *Anwendung des Heliographen*, c) *phot. Verfahren zur Herstellung von Tiefdruckformen.* ˌ**he·li·o·gra'vure** [-grə'vjuər] *s phot.* Helio-, Photogra'vüre *f*, Kupferlichtdruck *m.*

he·li·ol·a·try [ˌhiːli'ɒlətri] *s* Sonnenanbetung *f.*

he·li·o·scope ['hiːliəˌskoup] *s astr.* [Helio'skop *n.*]

he·li·o·sis [ˌhiːli'ousis] *s bot.* Sonnenbrand *m* (*auf Blättern*).

he·li·o·trope ['hiːljəˌtroup; -liə-; *Br. a.* 'hel-] *s* **1.** Helio'trop *m*: a) *bot.* Sonnenwende *f*, b) *min. jaspisartiger grüner Quarz mit roten Flecken*, c) Sonnenspiegel *m* (*zur Erdvermessung*), d) *bläulich-rote Farbe.* **2.** *mil.* 'Spiegeltele-ˌgraph *m.* ˌ**he·li'ot·roˌpism** [-'ɒtrəˌpizəm] *s biol.* Heliotro'pismus *m*, Sonnen-, Lichtwendigkeit *f.*

he·li·o·type ['hiːliəˌtaip] *s phot.* Helioty'pie *f*, Lichtdruck *m* (*Bild*). ˌ**he·li·o·ty'pog·ra·phy** [-tai'pɒgrəfi] *s phot.* ˌHeliotypogra'phie *f* (*Lichtdruckverfahren*). '**he·li·oˌtyp·y** [-ˌtaipi] *s phot.* Helioty'pie *f* (*Lichtdruckverfahren*).

hel·i·pi·lot ['heliˌpailət] *s aer.* 'Hubschrauberpiˌlot *m.* '**hel·iˌport** [-ˌpɔːrt] → **helidrome.** '**hel·iˌscoop** [-ˌskuːp] *s* (*vom Hubschrauber herabgelassenes*) Bergungs-, Rettungsnetz.

he·li·um ['hiːliəm] *s chem.* Helium *n.*

he·lix ['hiːliks] *pl meist* **hel·i·ces** ['heliˌsiːz] *s* **1.** Spi'rale *f.* **2.** *anat.* Helix *f*, Ohrleiste *f.* **3.** *arch.* Schnecke *f.* **4.** *math.* Schneckenlinie *f*: ~ **angle** Schrägungswinkel *m.*

hell [hel] *s* **1.** Hölle *f*: **a ~ on earth** e-e Hölle auf Erden; ~ **on wheels** *Am. colloq.* a) ‚wüster Rabauke', b) ‚toller Kerl'; **to catch** (*od.* **get**) ~ *colloq.* ‚eins aufs Dach kriegen'; **there's ~ to pay!** *colloq.* der Teufel ist los!; **to give s.o.** ~ *colloq.* ‚j-m die Hölle heiß machen'; **to raise** ~ *colloq.* ‚e-n Mordskrach schlagen'. **2.** *intens colloq.* Teufel *m*, Hölle *f*: **a ~ of a noise** ein Höllenlärm; **to be in a ~ of a temper** e-e Mordswut haben; **what the ~ ...?** was zum Teufel ...?; **like ~, ~ for leather** wie wild *od.* toll, wie der Teufel; **go to ~!** ‚scher dich zum Teufel!'; **oh ~!** verdammt!; **~'s bells!** verflixt nochmal! **3.** Spielhölle *f.* **4.** Gefängnis *n* (*a. bei Kinderspielen*). **5.** *print.* De'fektenkasten *m.*

he'll [hiːl; hil] *colloq. für* **he will.**

'**hell|ˌbend·er** *s* **1.** *zo.* Schlammteufel *m* (*Riesensalamander*). **2.** *Am. sl.* Orgie *f.* '**~-ˌbent** *adj Am. sl.* **1.** erpicht, ganz versessen *od.* ‚scharf' (**for, on** auf *acc*). **2.** wild, ‚toll'. **3.** rücksichtslos: ~ **driver.** '**~-ˌbomb** *sl. für* **hydrogen bomb.** '**~ˌbox** → **hell** 5. '**~ˌbroth** *s* Hexen-, Zaubertrank *m.* '**~ˌcat** *s fig.* ‚(wilde) Hexe' (*Frau*).

hel·le·bore ['heliˌbɔːr] *s bot.* **1.** Nieswurz *f* (*a. pharm.*). **2.** Germer *m.*

hel·le·bo·rine ['heliboˌrain] *s bot.* **1.** Sumpfwurz *f.* **2.** Waldvögelein *n.*

Hel·lene ['heliːn] *s* Hel'lene *m*, Grieche *m.*

Hel·len·ic [he'liːnik; -'lenik] *adj* hel['lenisch, griechisch.]

Hel·len·ism ['heliˌnizəm] *s* Helle'nismus *m.* '**Hel·len·ist** *s* Helle'nist *m.* ˌ**Hel·len'is·tic** *adj hist.* helle'nistisch. '**Hel·lenˌize** *v/t u. v/i* (sich) helleni'sieren.

'**hell|-'fire** *s* Höllenfeuer *n.* '**~ˌhag** → **hellcat.** '**~ˌhound** *s* **1.** Höllenhund *m.* **2.** *fig.* Teufel *m*, Dämon *m.*

hel·lier ['heljər] *s Br.* Dachdecker *m.*

hel·lion ['heljən] *s Am. colloq.* Range *m, f*, Bengel *m.*

hell·ish ['heliʃ] *adj* (*adv* **~ly**) höllisch, teuflisch, ab'scheulich.

'**hellˌkite** *s* Unmensch *m*, Teufel *m.*

hel·lo [he'lou; 'hʌlou; 'helou] **I** *interj* **1.** hal'lo! **II** *s* **2.** Hal'lo *n.* **3.** Gruß *m*: **to say** ~ *colloq.* guten Tag sagen. **III** *v/i pret u. pp* **hel·loed 4.** *colloq.* hal'lo rufen.

helm[1] [helm] *s* **1.** *mar.* a) Helm *m*, (Ruder)Pinne *f*, b) Ruder *n*, Steuer *n*: ~ **a-lee!** (*beim Segeln* ~ **down**) Ruder in Lee!; ~ **up** Ruder nach Luv! (*beim Segeln*). **2.** *fig.* Ruder *n*, Führung *f*, Herrschaft *f*: ~ **of State** Staatsruder; **to be at the** ~ am Ruder *od.* an der Macht sein; **to take the** ~ das Ruder übernehmen.

helm[2] [helm] *s* **1.** *obs.* Helm *m.* **2.** *a.* **~-cloud** Wolkenhaube *f* (*e-s Berges*).

helmed [helmd] *adj* behelmt.

hel·met ['helmit] *s* **1.** *mil.* Helm *m.* **2.** (Schutz-, Sturz-, Tropen-, Taucher)Helm *m.* **3.** *sport* Fechtmaske *f.* **4.** *bot.* Kelch *m.* '**hel·met·ed** *adj* behelmt.

hel·minth ['helminθ] *s zo.* Eingeweidewurm *m.*

helms·man ['helmzmən] *s irr mar.* Steuermann *m* (*a. fig.*).

Hel·ot ['helət] *s* **1.** *hist.* He'lot *m.* **2.** *oft* **h~** *fig.* Sklave *m.* '**hel·otˌism** *s* **1.** *hist.* Helo'tismus *m*, ˌSklavenhalte'rei *f.* **2.** Sklave'rei *f.* '**hel·ot·ry** [-tri] *s* **1.** He'lotentum *n*, Sklave'rei *f.* **2.** *collect.* He'loten *pl*, Sklaven *pl.*

help [help] **I** *s* **1.** (Mit)Hilfe *f*, Beistand *m*, Unter'stützung *f*: **by** (*od.* **with**) **the ~ of** mit Hilfe von; **he came to my ~** er kam mir zu Hilfe; **it (she) is a great ~** es (sie) ist e-e große Hilfe. **2.** Abhilfe *f*: **there's no ~ for it** da kann man nichts machen, es läßt sich nicht ändern. **3.** Hilfe *f*, Stütze *f*, Gehilfe *m*, Gehilfin *f*: **domestic** ~ Hausgehilfin. **4.** *Am.* a) Dienstbote *m*, Knecht *m*, Magd *f*, (Land)Arbeiter(in), b) *collect.* 'Dienstpersoˌnal *n.* **5.** Hilfsmittel *n.* **6.** Porti'on *f* (*Essen*). **II** *v/t pret* **helped** [helpt], *obs.* **holp** [houlp], *pp* **helped**, *obs.* **hol·pen** ['houlpən] **7.** *j-m* helfen *od.* beistehen, *j-n* unter'stützen: **to ~ s.o. (to) do s.th.** j-m helfen, etwas zu tun; **to ~ s.o. in** (*od.* **with**) **s.th.** j-m bei etwas helfen; **to ~ s.o. on (off) with his coat** j-m in s-n (aus s-m) Mantel helfen; **to ~ s.o. out of a difficulty** j-m aus e-r Schwierigkeit helfen; → **God** 2. **8.** fördern, beitragen zu, *e-r Sache* nachhelfen: **to ~ s.o.'s downfall. 9.** lindern, (*dat*) abhelfen, helfen bei: **to ~ a cold. 10. to ~ s.o. to s.th.** a) j-m zu etwas verhelfen, b) *bes.* (*bei Tisch*) j-m etwas reichen *od.* geben; **to ~ o.s.** sich bedienen, zugreifen; **to ~ o.s. to** a) sich bedienen mit, sich *etwas* nehmen, b) sich *etwas* aneignen *od.* nehmen (*a. stehlen*). **11.** (*mit* **can**) (*dat*) abhelfen, ändern, verhindern, -meiden: **I cannot ~ it** a) ich kann es nicht ändern, b) ich kann nichts dafür; **it cannot be ~ed** da kann man nichts machen, es ist nicht zu ändern; **if I can ~ it** wenn ich es vermeiden kann; **don't be late if you can ~ it!** komm möglichst nicht zu spät!; **don't be longer than you can ~!** bleibe nicht länger als nötig!; **how could I ~ it?** a) was konnte ich dagegen tun?, b) was konnte ich dafür?; **she can't ~ her freckles** für ihre Sommersprossen kann sie nichts; **I cannot ~ laughing, I cannot ~ but laugh** ich muß einfach lachen; **I cannot ~ myself** ich kann nicht anders. **III** *v/i* **12.** helfen, Hilfe leisten: **every little ~s** jede Kleinigkeit hilft; **nothing will ~ now** jetzt hilft nichts mehr.

Verbindungen mit Adverbien:

help| down *v/t* **1.** *j-m* her'unter-, hin'unterhelfen. **2.** *fig.* zum 'Untergang (*gen*) beitragen. **~ in** *v/t j-m* hin'einhelfen. **~ off** *v/t* **1.** → **help on. 2.** *die Zeit* vertreiben. **~ on** *v/t* weiter-, forthelfen (*dat*). **~ out** *v/t* **1.** *j-m* her'aushelfen *od.* aus der Not helfen. **2.** *j-m* aushelfen, *j-n* unter'stützen. **~ up** *v/t j-m* hin'aufhelfen.

help·er ['helpər] *s* **1.** Helfer(in). **2.** → **help** 3. '**help·ful** [-fəl; -ful] *adj* (*adv* **~ly**) **1.** behilflich, hilfreich, hilfsbereit. **2.** dienlich, nützlich (**to** *dat*). '**help·ful·ness** *s* **1.** Hilfsbereitschaft *f.* **2.** Nützlichkeit *f.* '**help·ing I** *adj* **1.** helfend, hilfreich. **II** *s* **2.** Helfen *n*, Hilfe *f.* **3.** Porti'on *f* (*e-r Speise*): **do you want a second ~?** '**help·less** *adj* (*adv* **~ly**) hilflos: a) ohne Hilfe, ausgeliefert, b) ratlos, c) unbeholfen, unselbständig. '**help·less·ness** *s* Hilflosigkeit *f.*

'**helpˌmate,** *a.* '**helpˌmeet** *s* **1.** Gehilfe *m*, Gehilfin *f.* **2.** (Ehe)Gefährte *m*, *bes.* (-)Gefährtin *f.*

hel·ter-skel·ter ['heltər'skeltər] **I** *adv* 'holterdieˌpolter, Hals über Kopf. **II** *adj* hastig, über'stürzt, ungestüm, wild. **III** *s* (wirres) Durchein'ander, (wilde) Hast.

helve [helv] **I** *s* Griff *m*, Stiel *m*: **to throw the ~ after the hatchet** *fig.* das Kind mit dem Bade ausschütten. **II** *v/t* mit e-m Stiel versehen.

Hel·ve·tian [hel'viːʃən] **I** *adj* **1.** hel'vetisch, schweizerisch. **II** *s* **2.** Hel'vetier(in), Schweizer(in). **3.** *geol.* hel'vetische Peri'ode. **Hel'vet·ic** [-'vetik] **I** *adj* → **Helvetian** I. **II** *s relig.* schweizerischer Refor'mierter.

hem[1] [hem] **I** *s* **1.** (Kleider)Saum *m.* **2.** Rand *m*, Kante *f.* **3.** *fig.* Saum *m*, Rand *m*, Einfassung *f.* **II** *v/t* **4.** *Kleid etc* säumen. **5.** *meist* **~ in, ~ about, ~ around** *fig.* um'geben, um'schließen, einschließen. **6.** *meist* **~ in** einengen.

hem[2] [hem; hm] **I** *interj* hm!, hem! **II** *s* H(e)m *n* (*Ausruf, Verlegenheitslaut*). **III** *v/i* ‚hm' machen, sich räuspern, stocken (*im Reden*): **to ~ and haw** herumstottern, nicht recht mit der Sprache herauswollen.

he·mal ['hiːməl] *adj anat.* Blut(gefäß)...

'**he-'man** [-'mæn] *s irr colloq.* ‚richtiger' Mann *od.* Kerl.

he·ma·tal ['hiːmətl; 'hem-] → **hemal.**

he·mat·ic [hi(ː)'mætik] **I** *adj physiol.* **1.** blutfarbig, Blutfarben... **2.** Blut..., im Blut enthalten. **3.** bluterfüllt. **4.** blutbildend. **5.** auf das Blut wirkend. **II** *s med.* **6.** blutbildendes Mittel. **7.** Hä'matikum *n*, auf das Blut wirkendes Mittel.

hem·a·tin(e) ['hemətin; 'hiː-] *s physiol.* Häma'tin *n*, Oxyhä'min *n.* '**hem·aˌtite** [-ˌtait] *s min.* Häma'tit *m.*

hem·a·to·blast ['hemətoˌblæst; 'hiː-] *s physiol.* Hämato'blast *m*, Blutplättchen *n.* '**hem·a·toˌcele** [-ˌsiːl] *s med.* Blutbruch *m.* '**hem·a·toˌcrit** [-ˌkrit] *s med.* 'Blutzentriˌfuge *f.* ˌ**hem·a'tog·e·nous** [-'tɒdʒənəs] *adj physiol.* **1.** blutbildend. **2.** aus dem Blut kommend, hämato'gen. ˌ**hem·a'tol·o·gist** [-'tɒlədʒist] *med.* Hämato'loge *m.* ˌ**hem·a'tol·o·gy** *s med.* Hämatolo'gie *f.* ˌ**he-**

ma'to·ma [-'toumə] *pl* **-'to·ma·ta** [-mətə] *od.* **-'to·mas** *s med.* Blutbeule *f*, -erguß *m*, Häma'tom *n*. ˌ**hem·a·to·poi'e·sis** [-topɔi'iːsis] *s physiol.* Blutbildung *f*. ˌ**he·ma'to·sis** [-'tousis] *s physiol.* **1.** Häma'tose *f*, Blutbildung *f*. **2.** 'Umwandlung *f* von ve'nösem in arteri'elles Blut (*in der Lunge*). ˌ**hem·a·to'zo·on** [-'zouɒn] *pl* **-'zo·a** [-ə] *s med. zo.* 'Blutparaˌsit *m*.

hem·a·tu·ri·a [ˌhemə'tju(ə)riə; ˌhiː-] *s med.* Hämatu'rie *f*, Blutharnen *n*.

hemi- [hemi] *Wortelement mit der Bedeutung* halb.

hem·i·dem·i·sem·i·qua·ver [ˌhemiˌdemi'semiˌkweivər] *s mus.* Vierundsechzigstel(note *f*) *n*.

hem·i·he·dral [ˌhemi'hiːdrəl] *adj math.* hemi'edrisch, halbflächig. ˌ**hem·i'he·dron** [-drən] *s math.* Hemi'eder *n*.

hem·i·ple·gi·a [ˌhemi'pliːdʒiə] *s med.* halbseitige Lähmung, Hemiple'gie *f*.

he·mip·ter·on [hi'miptəˌrɒn] *pl* **-ter·a** [-rə] *s zo.* Halbflügler *m*.

hem·i·sphere ['hemiˌsfir] *s* **1.** *bes. geogr.* Halbkugel *f*, Hemi'sphäre *f*. **2.** *anat.* Hemi'sphäre *f* (*des Großhirns*). ˌ**hem·i'spher·i·cal** [-'sferikəl], *a.* ˌ**hem·i'spher·ic** *adj* hemi'sphärisch, halbkug(e)lig.

hem·i·stich ['hemiˌstik] *s metr.* Hemi'stichion *n*, Halbvers *m*.

hem·i·trope ['hemiˌtroup] *min.* **I** *adj* hemi'tropisch, halb gewendet. **II** *s* hemi'tropischer Kri'stall.

hem·lock ['hemlɒk] *s* **1.** *bot.* Schierling *m*. **2.** *fig.* Schierlings-, Giftbecher *m*. **3.** *a.* ~ **fir**, ~ **pine**, ~ **spruce** *bot.* Hemlock-, Schierlingstanne *f*.

he·mo·glo·bin [ˌhiːmo'gloubin; ˌhem-] *s physiol.* Hämoglo'bin *n*, Blutfarbstoff *m*.

he·mo·phil·i·a [ˌhiːmo'filiə; ˌhem-] *s med.* Bluterkrankheit *f*. ˌ**he·mo'phil·i·ac** [-liˌæk] *s* Bluter(in). ˌ**he·mo'phil·ic** [-'filik] *adj* **1.** *med.* hämo'phil, an Bluterkrankheit leidend. **2.** *biol.* im Blut gedeihend.

hem·or·rhage ['hemərid͡ʒ] *s med.* Blutung *f*, Blutsturz *m*. '**hem·orˌrhoid** *s med.* Hämorrho'ide *f*. ˌ**hem·or'rhoi·dal** *adj med.* hämorrhoi'dal. ˌ**hem·or·rhoid'ec·to·my** [-rɔi'dektəmi] *s med.* Hämorrho'idenentfernung *f*.

he·mo·stat ['hiːmoˌstæt; 'hem-] *s med.* **1.** (Gefäß-, Ar'terien)Klemme *f*. **2.** blutstillendes Mittel. ˌ**he·mo'stat·ic** *med.* **I** *adj* blutstillend. **II** *s* → **hemostat**.

hemp [hemp] *s* **1.** *bot.* Hanf *m*: ~ **agrimony** Wasserhanf; ~ **nettle** (gemeine) Hanfnessel; ~ **seed** a) Hanfsame *m*, b) *obs. fig.* Galgenvogel *m*; to steep (*od.* water) the ~ den Hanf rösten. **2.** Hanf(faser *f*) *m*: ~ **comb** Hanfhechel *f*. **3.** *aus Hanf gewonnenes Narkotikum, bes.* Haschisch *n*. **4.** *colloq.* Henkerseil *n*, Strick *m*. '**hemp·en** *adj* hänfen, Hanf...

'**hemˌstitch** *s* Hohlsaum(stich) *m*.

hen [hen] *s* **1.** *orn.* Henne *f*, Huhn *n*: ~'s egg Hühnerei *n*; there's a ~ on *Am. sl.* ‚es tut sich was' (*im Geheimen*). **2.** *zo.* Weibchen *n*: a) *von Vögeln*, b) *von Hummern, Krebsen etc.* **3.** *humor.* (alte) ‚Spi'natwachtel' (*Frau*). ~ **and chick·ens** *s bot.* Pflanze *f* mit zahlreichen Ablegern und Sprößlingen, *bes.* a) (*e-e*) Hauswurz, b) Gundermann *m*, c) Gänseblümchen *n*. '~ˌ**bane** *s bot. pharm.* Bilsenkraut *n*.

hence [hens] *adv* **1.** *oft pleonastisch* from ~ (*räumlich*) von hier, von hinnen, fort, hin'weg: ~ **with it!** fort damit!; to go ~ von hinnen gehen, sterben. **2.** (*zeitlich*) von jetzt an, binnen: a week ~ in *od.* nach e-r Woche. **3.** (*begründend*) folglich, daher, deshalb. **4.** hieraus, daraus: ~ it follows that daraus folgt, daß. ˌ~'**forth**, ˌ~'**for·ward** *adv* von nun an, fort'an, hin'fort, künftig.

hench·man ['hentʃmən] *s irr* **1.** *obs.* a) Knappe *m*, Page *m*, b) Diener *m*. **2.** *pol.* a) Anhänger *m*, Gefolgsmann *m*, b) *contp.* Handlanger *m*, Helfershelfer *m*, *j-s* Krea'tur *f*.

'**henˌcoop** *s* Hühnerstall *m*.

hen·dec·a·gon [hen'dekəgɒn] *s math.* Elfeck *n*.

hen·dec·a·syl·lab·ic [ˌhendekəsi'læbik] *adj u. s metr.* elfsilbig(er Vers). ˌ**hen·dec·a'syl·la·ble** [-'siləbl] *s metr.* Elfsilb(l)er *m*, elfsilbiger Vers.

hen·di·a·dys [hen'daiədis] *s Rhetorik*: Hendiady'oin *n*.

hen| har·ri·er *s orn.* Kornweihe *f*. ~ **hawk** *s orn. Am.* (*ein*) Hühnerbussard *m*. '~ˌ**heart·ed** *adj* feig(e), verzagt.

Hen·ley ['henli] *s sport jährliche Regatta in Henley-on-Thames.*

hen·na ['henə] **I** *s* **1.** *bot.* Hennastrauch *m*. **2.** Henna *f* (*Färbemittel*). **II** *v/t pret u. pp* '**hen·naed** [-nəd] **3.** mit Henna färben.

hen·ner·y ['henəri] *s* **1.** Hühnerfarm *f*. **2.** Hühnerstall *m*.

'**hen|-ˌpar·ty** *s colloq.* Damengesellschaft *f*, Kaffeekränzchen *n*. '~ˌ**peck** *v/t colloq. den Ehemann* unter dem Pan'toffel haben. '~ˌ**pecked** *adj colloq.* unter dem Pan'toffel stehend: a ~ husband ein ‚Pantoffelheld'. '~ˌ**roost** *s* Hühnerstange *f*, -stall *m*.

hen·ry ['henri] *pl* **-rys**, **-ries** *s electr. phys.* Henry *n* (*Einheit der Selbstinduktion*).

hent [hent] *pret u. pp* **hent** *v/t obs.* **1.** ergreifen. **2.** erreichen.

hep[1] [hep] *adj Am. sl.* **1.** (to) eingeweiht (in *acc*), Bescheid wissend, im Bilde (über *acc*): to get ~ to *etwas* ‚spitzkriegen'; to put s.o. ~ to s.th. j-m etwas ‚stecken'. **2.** ‚auf Draht', gewitzt.

hep[2] [hep] *interj mil. meist* ~! ~! einszwei!, links! (*beim Marschieren*).

he·pat·ic [hi'pætik] *adj* **1.** *med.* he'patisch, Leber... **2.** leberfarben. **he'pat·i·ca** [-kə] *pl* **-cas** *od.* **-cae** [-ˌsiː] *s bot.* **1.** Leberblümchen *n*. **2.** Lebermoos *n*.

hepatico- [hipætiko] *Wortelement mit der Bedeutung* Leber.

hep·a·tite ['hepəˌtait] *s min.* Leberstein *m*. ˌ**hep·a'ti·tis** [-'taitis] *s med.* Leberentzündung *f*, Hepa'titis *f*. '**hep·aˌtize** *v/t med. Gewebe, bes. Lunge* hepati'sieren.

hepato- [hepəto] → **hepatico-**.

'**hepˌcat** *s Am. sl.* **1.** j-d, der ‚auf Draht' ist, gewitzter Bursche. **2.** a) Jazzmusiker *m*, b) 'Jazzfaˌnatiker(in).

hep·tad ['heptæd] *s* **1.** Siebenzahl *f*. **2.** *chem.* siebenwertiges A'tom *od.* Radi'kal.

hep·ta·gon ['heptəˌgɒn] *s math.* Siebeneck *n*, Hepta'gon *n*. **hep'tag·o·nal** [-'tægənl] *adj math.* siebeneckig.

hep·ta·he·dral [ˌheptə'hiːdrəl] *adj math.* siebenflächig. ˌ**hep·ta'he·dron** [-drən] *pl* **-drons** *od.* **-dra** [-drə] *s math.* Hepta'eder *n*.

hep·tam·e·ter [hep'tæmitər] *s metr.* Hep'tameter *m*.

hep·tarch·y ['heptɑːrki] *s* **1.** Heptar'chie *f*, Siebenherrschaft *f*. **2.** the Anglo-Saxon ~ *hist. die 7 angelsächsischen Reiche in England* (*Kent, Sussex, Wessex, Essex, Northumbria, East Anglia, Mercia*).

Hep·ta·teuch ['heptəˌtjuːk] *s Bibl.* Hepta'teuch *m*.

hep·ta·tom·ic [ˌheptə'tɒmik] *adj chem.* **1.** 'siebenaˌtomig. **2.** siebenwertig.

her [həːr; hər] **I** *personal pron* **1.** sie (*acc von* she). **2.** ihr (*dat von* she): give ~ the book. **3.** *colloq.* sie (*nom*): it's ~, not him sie ist es, nicht er. **II** *possessive adj* **4.** ihr, ihre. **III** *reflex pron selten* **5.** sich: she looked about ~ sie sah um sich.

her·ald ['herəld] **I** *s* **1.** *hist.* a) Herold *m*, b) Wappenherold *m*. **2.** *fig.* Verkünder *m*. **3.** *fig.* Vorbote *m*, Vorläufer *m*. **II** *v/t* **4.** verkünden, ankündigen (*a. fig.*). **5.** *a.* ~ in a) feierlich einführen, b) *fig.* einleiten.

he·ral·dic [he'rældik] *adj* **1.** he'raldisch, Wappen... **2.** Herolds...

her·ald·ry ['herəldri] *s* **1.** Amt *n* e-s Herolds. **2.** He'raldik *f*, Wappenkunde *f*. **3.** a) Wappen *n*, b) *collect.* he'raldische Sym'bole *pl*. **4.** *poet.* Pomp *m*.

Her·alds' Col·lege *s Br.* Wappenamt *n*.

herb [həːrb; *Am. a.* əːrb] *s* **1.** *bot.* Kraut *n* (*Pflanze od. Ggs Wurzel*). **2.** *pharm.* (Heil)Kraut *n*. **3.** (Gewürz-, Küchen)Kraut *n*. **4.** Gras *n*, Laub *n*.

her·ba·ceous [həːr'beiʃəs] *adj bot.* krautartig, krautig: ~ **border** (Stauden)Rabatte *f*; ~ **layer** Krautschicht *f* (*des Waldes*).

herb·age ['həːrbidʒ; *Am. a.* 'əːrb-] *s* **1.** *collect.* Kräuter *pl*, Gras *n*, Laub *n*. **2.** *jur.* Weiderecht *n*.

herb·al ['həːrbəl; *Am. a.* 'əːrbəl] **I** *adj* Kräuter..., Pflanzen... **II** *s* Pflanzenbuch *n*. '**herb·al·ist** *s* **1.** Kräuter-, Pflanzenkenner(in). **2.** Kräutersammler(in), -händler(in).

her·bar·i·um [həːr'bɛ(ə)riəm] *s* Her'barium *n*. '**herb·a·ry** [-bəri] *s* Kräutergarten *m*.

herb| ben·net *s bot.* (Echte) Nelkenwurz. ~ **Chris·to·pher** *s bot.* (*ein*) Christophskraut *n*. ~ **doc·tor** *s colloq.* ‚Kräuterdoktor' *m*.

her·bi·vore ['həːrbiˌvɔːr] *s zo.* Pflanzenfresser *m*. **her'biv·o·rous** [-'bivərəs] *adj zo.* pflanzenfressend.

her·bo·rist ['həːrbərist] → **herbalist**. '**her·boˌrize** *v/i* Pflanzen sammeln, botani'sieren.

herb| Par·is *s bot.* Vierblättrige Einbeere. ~ **Pe·ter** *s bot.* Himmel(s)schlüssel *m*. ~ **Rob·ert** ['rɒbərt] *s bot.* Ruprechtskraut *n*. ~ **tea** *s* Kräutertee *m*. ~ **trin·i·ty** *s bot.* Stiefmütterchen *n*.

Her·cu·le·an [ˌhəːrkju'liːən; həːr'kjuːliən] *adj* **1.** Herkules... (*a. fig. übermenschlich, schwierig*): the ~ labo(u)rs *myth.* die Arbeiten des Herkules; a ~ labo(u)r *fig.* e-e Herkulesarbeit. **2.** *fig.* her'kulisch, riesenstark, mächtig: a ~ man; ~ strength Riesenkräfte *pl*. '**Her·cuˌles** [-ˌliːz] *npr antiq.* Herkules *m* (*a. fig. riesenstarker Mann*).

herd [həːrd] **I** *s* **1.** Herde *f*, Rudel *n* (*großer Tiere*): ~ **instinct** *psych.* Herdentrieb *m*, -instinkt *m*. **2.** Flug *m*, Schar *f*, Kette *f* (*von Vögeln*). **3.** *contp.* Herde *f*, Masse *f* (*Menschen*): the (common *od.* vulgar) ~ die große Masse, der Pöbel. **4.** *bes. in Zssgn* Hirt(in). **II** *v/i* **5.** *a.* ~ together a) in Herden gehen *od.* leben, b) *fig.* zs.-leben, -hausen (*Menschen*). **6.** (among, with) sich gesellen (zu), sich zs.-tun (mit). **III** *v/t* **7.** zs.-treiben, -pferchen (*a. fig.*). **8.** *Vieh* hüten. '~ˌ**book** *s agr.* Herd-, Stammbuch *n*.

herd·er ['həːrdər] *s bes. Am.* Hirt *m*.

herd·ing ['həːrdiŋ] *s* **1.** Viehhüten *n*. **2.** *Am.* Rinderzucht *f*.

herds·man ['hɜːrdzmən] *s irr* **1.** *bes. Br.* Hirt *m.* **2.** Herdenbesitzer *m.*

here [hir] *pred adj u. adv* **1.** hier: ~ **and there** a) hier u. da, da u. dort, hierhin u. dorthin, b) hin u. her, c) (*zeitlich*) hin u. wieder, hie u. da; ~ **below** hienieden; **in** ~ hier drinnen; **near** ~ nicht weit von hier; ~ **goes!** *colloq.* also los!, ,ran (an den Speck)'!; ~**'s to you!** (*beim Trinken*) auf dein Wohl!; ~ **you** (*od.* **we**) **are!** *colloq.* hier (bitte)! (*da hast du es*); **that's neither** ~ **nor there** a) das gehört nicht zur Sache, b) das besagt nichts; ~ **today and gone tomorrow** flüchtig u. vergänglich; **this man** ~ (*sl.* **this** ~ **man**) dieser Mann hier; **we are leaving** ~ **today** wir reisen heute (von hier) ab. **2.** (hier)her, hierhin: **come** ~ komm her; **bring it** ~ bring es hierher; **this belongs** ~ das gehört hierher. **3.** *fig.* hier, an dieser Stelle.

'here|·a'bout(s) *adv* hier her'um, in dieser Gegend. ~**'aft·er I** *adv* **1.** her'nach, nachher. **2.** künftig, in Zukunft. **II** *s* **3.** Zukunft *f.* **4.** (*das*) Jenseits. ~**'at** *adv obs.* hierüber, dadurch. ~**'by** *adv* hier-, dadurch, hiermit.

he·red·i·ta·ble [hi'reditəbl] → **heritable.**

her·e·dit·a·ment [ˌheri'ditəmənt] *s jur.* a) *Br.* (vererblicher) Grundbesitz u. Immo'bilienrechte *pl*, b) *Am.* vererblicher Vermögensgegenstand.

he·red·i·tar·i·an [hiˌredi'tɛ(ə)riən] *s biol. psych.* Anhänger(in) der Ver'erbungstheoˌrie.

he·red·i·tar·y [hi'reditəri] *adj* (*adv* **hereditarily**) **1.** er-, vererbt, erblich, Erb...: ~ **disease** angeborene Krankheit, Erbkrankheit *f*; ~ **monarchy** Erbmonarchie *f*; ~ **proprietor** Besitzer *m* durch Erbschaft; ~ **succession** *jur. Am.* Erbfolge *f*; ~ **taint** erbliche Belastung. **2.** *fig.* alt'hergebracht, Erb...: ~ **enemy** Erbfeind *m.*

he·red·i·tism [hi'rediˌtizəm] *s biol.* Theo'rie *f od.* Prin'zip *n* der Vererbung. **he'red·i·ty** *s biol.* **1.** Vererbung *f.* **2.** Erblichkeit *f.* **3.** ererbte Anlagen *pl*, Erbmasse *f.*

here|'from *adv* hieraus. ~**'in** *adv* hierin. ~**ˌin·a'bove** *adv* vorstehend, im vorstehenden, oben (*erwähnt*). ~**ˌin·'aft·er** *adv* nachstehend, im folgenden (*erwähnt*), unten (*angeführt*). ~**ˌin·be·'fore** → **hereinabove.** ~**'of** *adv* hiervon, dessen.

he·re·si·arch [he'riːziˌɑːrk; hi-] *s relig.* Erzketzer *m*, Häresi'arch *m.*

her·e·sy ['herəsi] *s bes. relig.* Ketze'rei *f*, Irrlehre *f*, Häre'sie *f.* **'her·e·tic** [-tik] *bes. relig.* **I** *s* Ketzer(in). **II** *adj* → **heretical.**

he·ret·i·cal [hi'retikəl] *adj* (*adv* ~**ally**) ketzerisch.

here|'to *adv* **1.** hierzu: **attached** ~ hier angefügt. **2.** bisher. ˌ~**·to'fore I** *adv* vordem, ehemals. **II** *adj* früher. ~**'un·der** *adv* **1.** → **hereinafter. 2.** *jur.* kraft dieses (*Vertrages etc*). ˌ~**·un'to** → **hereto.** ˌ~**·up'on** *adv* hierauf, darauf(hin). ~**'with** *adv* hiermit, -durch.

her·i·ot ['heriət] *s jur. hist.* Hauptfall *m* (*bestes Stück der Hinterlassenschaft, das dem Lehnsherrn zufiel*).

her·it·a·ble ['heritəbl] *adj* (*adv* **heritably**) **1.** Erb..., erblich, vererbbar: ~ **property** *Scot.* Grundbesitz *m*; ~ **security** *Scot.* Hypothek *f.* **2.** erbfähig.

her·it·age ['heritidʒ] *s* **1.** Erbe *n*: a) Erbschaft *f*, Erbgut *n*, b) *ererbtes Recht etc.* **2.** *jur. Scot.* Grundbesitz *m.* **3.** *Bibl.* (*das*) Volk *n* Israel.

her·i·tance ['heritəns] *obs. für* a) **heritage,** b) **inheritance.** **'her·i·tor** [-tər] *s* **1.** Erbe *m.* **2.** *jur. Scot.* Grundbesitzer *m.*

her·maph·ro·dite [hɜːr'mæfrəˌdait] **I** *s* **1.** *biol.* Hermaphro'dit *m*, Zwitter *m.* **2.** *fig.* Zwitterwesen *n*, -ding *n.* **3.** *a.* ~ **brig** *mar. hist.* Briggschoner *m.* **II** *adj* **4.** Zwitter..., zwitterhaft. **herˌmaph·ro'dit·ic** [-'ditik], **herˌmaph·ro'dit·i·cal** → **hermaphrodite II.** **her'maph·ro·ditˌism** [-daiˌtizəm] *s biol.* Hermaphrodi'tismus *m*: a) Zwittertum *n*, b) Zwitterbildung *f.*

her·me·neu·tic [ˌhɜːrmə'njuːtik] **I** *adj* herme'neutisch, auslegend. **II** *s pl* (*oft als sg konstruiert*) Herme'neutik *f*, Kunst *f* der Auslegung.

her·met·ic [hɜːr'metik] *adj* (*adv* ~**ally**) **1.** her'metisch, dicht (*verschlossen*), *tech.* luftdicht: ~**ally sealed** luftdicht verschlossen. **2.** *oft* **H**~ magisch, alchi'mistisch, okkul'tistisch.

her·mit ['hɜːrmit] *s* **1.** *relig.* Einsiedler *m* (*a. fig.*), Ere'mit *m*, Klausner *m.* **2.** *obs.* Betbruder *m.* **3.** *orn.* (*ein*) Kolibri *m.* **4.** *Am.* Sirupgebäck *n.* **'her·mit·age** *s* **1.** Einsiede'lei *f*, Klause *f* (*a. fig.*). **2.** Einsiedlerleben *n.*

her·mit crab *s zo.* Einsiedlerkrebs *m.*

her·ni·a ['hɜːrniə] *pl* **-ni·as, -ni·ae** [-niˌiː] *s med.* Bruch *m*, Hernie *f.* **'her·ni·al** *adj med.* Bruch...: ~ **truss** Bruchband *n.* **'her·niˌat·ed** [-ˌeitid] *adj med.* **1.** bruchleidend. **2.** in e-n Bruchsack eingeschlossen.

her·ni·ot·o·my [ˌhɜːrni'ɒtəmi] *s med.* Bruchschnitt *m.*

he·ro ['hi(ə)rou] *pl* **-roes** *s* **1.** Held *m*: ~ **worship** Heldenverehrung *f.* **2.** *antiq.* Heros *m*, Halbgott *m.* **3.** *thea. etc* Held *m*, 'Hauptperˌson *f.*

he·ro·ic [hi'rouik] **I** *adj* (*adv* ~**ally**) **1.** he'roisch (*a. paint. etc*), heldenmütig, -haft, Helden...: ~ **action** Heldentat *f*; ~ **age** Heldenzeitalter *n*; ~ **couplet** *metr.* heroisches Reimpaar; ~ **poem** → 4 b; ~ **tenor** *mus.* Heldentenor *m*; ~ **verse** → 4 a. **2.** a) grandi'os, erhaben, b) hochtrabend, bom'bastisch (*Sprache, Stil*). **3.** *med.* he'roisch, drastisch: ~ **dose. II** *s* **4.** a) he'roisches Versmaß, b) heroisches Gedicht. **5.** *pl* a) (hohles) Pathos, b) 'Überschwenglichkeiten *pl.* **he'ro·i·cal·ness, he'ro·ic·ness** *s* (*das*) He'roische, Heldenhaftigkeit *f.*

he·ro·i·com·ic [hiˌroui'kɒmik], *a.* **heˌro·i'com·i·cal** [-kəl] *adj* he'roischkomisch.

her·o·in ['herouin] *s pharm.* Hero'in *n.*

her·o·ine ['herouin] *s* **1.** Heldin *f* (*a. im Drama etc*). **2.** *antiq.* Halbgöttin *f.*

'her·oˌism *s* Hero'ismus *m*, Heldentum *n.*

he·ro·ize ['hi(ə)rouˌaiz] **I** *v/t* heroi'sieren, zum Helden machen. **II** *v/i* den Helden spielen.

her·on ['herən] *pl* **'her·ons** *od. collect.* **'her·on** *s orn.* Reiher *m.* **'her·on·ry** [-ri] *s orn.* Reiherstand *m.*

her·pes ['hɜːrpiːz] *s med.* Herpes *m*, Bläs-chenausschlag *m.* ~ **zos·ter** ['zɒstər] (*Lat.*) *s med.* Gürtelrose *f.*

her·pe·tol·o·gist [ˌhɜːrpi'tɒlədʒist] *s* Herpeto'loge *m*, Rep'tilienkenner *m.* **ˌher·pe'tol·o·gy** *s* Herpetolo'gie *f*, Rep'tilienkunde *f.*

her·ring ['heriŋ] *s ichth.* Hering *m*: → **red herring** 2. **'**~**ˌbone I** *s* **1.** *a.* ~ **design,** ~ **pattern** Fischgrätenmuster *n.* **2.** fischgrätenartige Anordnung. **3.** *a.* ~ **stitch** (*Stickerei*) Fischgrätenstich *m.* **4.** *Skilauf*: Grätenschritt *m.* **II** *v/t* **5.** mit e-m Fischgrätenmuster versehen. **III** *v/i* **6.** *Skilauf*: im Grätenschritt steigen. ~ **drift·er** *s mar.* Heringslogger *m.* ~ **gull** *s orn.* Silbermöwe *f.* ~ **king** *s ichth.* Falscher Heringskönig. ~ **pond** *s humor.* (*bes.* At'lantischer) Ozean.

hers [hɜːrz] *possessive pron* ihr, der (die, das) ihr(ig)e (*prädikativ u. substantivisch gebraucht*): **this house is** ~ dieses Haus gehört ihr; **a friend of** ~ ein(e) Freund(in) von ihr; **my mother and** ~ m-e u. ihre Mutter.

herse [hɜːrs] *s* **1.** Fachwerk *n*, Gitter *n.* **2.** *mil.* Fallgatter *n.*

her·self [hər'self] *pron* **1.** (*verstärkend*) sie (*nom od. acc*) selbst, ihr (*dat*) selbst: **she did it** ~, **she** ~ **did it** sie hat es selbst getan, sie selbst hat es getan; **by** ~ von selbst, allein, ohne Hilfe; **she is not quite** ~ a) sie ist nicht ganz auf der Höhe, b) sie ist nicht ganz normal *od.* ,bei Trost'; **she is** ~ **again** sie ist wieder die alte. **2.** *reflex* sich (selbst): **she hurt** ~. **3.** sich (selbst): **she wants it for** ~.

hertz·i·an ['hertsiən] *adj phys.* Hertzsch(er, e, es): ~ **waves** Hertzsche *od.* elektromagnetische Wellen.

he's [hiːz; hiz] *colloq. für* a) **he is,** b) **he has.**

hes·i·tan·cy ['hezitənsi], *a.* **'hes·i·tance** *s* Unschlüssigkeit *f*, Zaudern *n.* **'hes·i·tant** *adj* **1.** zaudernd, zögernd, unschlüssig. **2.** (*beim Sprechen*) stokkend.

hes·i·tate ['heziˌteit] **I** *v/i* **1.** zögern, zaudern, unschlüssig sein, Bedenken tragen (**to do** zu tun): **to make s.o.** ~ j-n unschlüssig *od.* stutzig machen; **not to** ~ **at** nicht zurückschrecken vor (*dat*). **2.** (*beim Sprechen*) stocken. **II** *v/t* **3.** zögernd äußern. **'hes·iˌtat·ing** *adj* (*adv* ~**ly**) zögernd, stockend. **ˌhes·i'ta·tion** *s* **1.** Zögern *n*, Unschlüssigkeit *f*, Schwanken *n*, Bedenken *n.* **2.** Stocken *n* (*beim Sprechen*). **3.** *a.* ~ **waltz** *mus.* Schleifer *m*, (*ein*) langsamer Walzer. **'hes·iˌta·tive** [-ˌteitiv] → **hesitant 1.**

Hes·pe·ri·an [hes'pi(ə)riən] *poet.* **I** *adj* westlich, abendländisch. **II** *s* Abendländer *m.*

Hes·per·i·des [hes'periˌdiːz] *s pl* **1.** *myth.* Hespe'riden *pl* (*Nymphen*). **2.** *poet.* Garten *m* der Hespe'riden.

Hes·per·us ['hespərəs] *s poet.* Hesperos *m* (*Abendstern*).

Hes·sian [*Br.* 'hesiən; *Am.* 'heʃən] **I** *adj* **1.** hessisch. **II** *s* **2.** Hesse *m*, Hessin *f.* **3.** *Am.* Söldling *m.* **4.** **h**~ Juteleinen *n* (*für Säcke etc*). ~ **boots** *s pl* Schaftstiefel *pl.* ~ **fly** *s zo.* Hessenfliege *f.*

hess·ite ['hesait] *s min.* Hes'sit *m*, Tel'lursilber *n.* **'hes·soˌnite** [-əˌnait] *s min.* Hesso'nit *m.*

hest [hest] *s obs.* Geheiß *n.*

het [het] *adj Am. colloq.* ~ **up** ,fuchtig', ,wild', aufgeregt.

he·tae·ra [hi'ti(ə)rə] *pl* **-rae** [-riː] *s antiq.* He'täre *f.*

he·tai·ra [hi'tai(ə)rə] *pl* **-rai** [-rai] → **hetaera.**

hetero- [hetəro] *Wortelement mit der Bedeutung* anders, verschieden, fremd.

het·er·o·chro·mo·some [ˌhetəro'krouməˌsoum] *s biol.* Ge'schlechtschromoˌsom *n.* **ˌhet·er·o'chro·mous** [-'krouməs] *adj* verschiedenfarbig, hetero'chrom. **'het·er·oˌclite** [-ˌklait] **I** *adj* **1.** ab'norm, sonderbar. **2.** *bes. ling.* hetero'klitisch, unregelmäßig. **II** *s* **3.** a) Sonderling *m*, b) ausgefallene Sache. **4.** *ling.* unregelmäßiges Wort.

ˌhet·er·o'cy·clic [-'saiklik; -'sik-] *adj chem.* hetero'zyklisch.

het·er·o·dox ['hetəroˌdɒks] *adj bes.*

relig. hetero'dox, anders-, irrgläubig, anderer Meinung. **'het·er·o‚dox·y** *s bes. relig.* Heterodo'xie *f*, Andersgläubigkeit *f*, Irrglaube *m*.
het·er·o·dyne ['hetərə‚dain] *tech.* **I** *adj* Überlagerungs...: ~ **receiver** Überlagerungsempfänger *m*, Super(het) *m*. **II** *v/t u. v/i* über'lagern.
het·er·og·a·mous [‚hetə'rɒgəməs] *adj biol.* mit geno'typisch ungleichen Ga'meten. **‚het·er'og·a·my** *s* Heteroga'mie *f*.
het·er·o·ge·ne·i·ty [‚hetərodʒə'niːiti] *s* Ungleichartigkeit *f*, Verschiedenartigkeit *f*. **‚het·er·o'ge·ne·ous** [-'dʒiːniəs] *adj (adv* ~**ly)** hetero'gen, ungleichartig, verschiedenartig: ~ **number** *math.* gemischte Zahl. **‚het·er·o'gen·e·sis** [-'dʒenisis], **‚het·er'og·e·ny** [-'rɒdʒəni] *s biol.* a) hetero'gene Zeugung, b) Heterogo'nie *f* (*Art des Generationswechsels*).
het·er·o·mor·phic [‚hetəro'mɔːrfik], **‚het·er·o'mor·phous** *adj biol.* hetero'morph, verschiedengestaltig.
het·er·on·o·mous [‚hetə'rɒnəməs] *adj* hetero'nom: a) e-m fremden Gesetz unter'worfen, b) *biol.* anders gegliedert, ungleichwertig. **‚het·er'on·o·my** *s* Heterono'mie *f*.
het·er·o·phyl·lous [‚hetəro'filəs] *adj bot.* hetero'phyll (*quantitativ ungleichblättrig*). **'het·er·o‚phyl·ly** *s bot.* Heterophyl'lie *f*.
het·er·o·sex·u·al [‚hetəro'sekʃuəl] **I** *adj* ‚heterosexu'ell, geschlechtlich nor'mal empfindend. **II** *s* ‚Heterosexu'elle(r *m*) *f*. **‚het·er·o‚sex·u'al·i·ty** [-'æliti] *s* ‚Heterosexuali'tät *f*.
het·er·o·tac·tic [‚hetəro'tæktik] *adj* **1.** *bot.* hetero'taktisch (*aus verschiedenen Blütenständen zs.-gesetzt*). **2.** verlagert.
het·er·o·troph·ic [‚hetəro'trɒfik] *adj biol.* hetero'troph (*sich durch Aufnahme organischer Stoffe ernährend*).
het·er·o·zy·gote [‚hetəro'zaigout; -'zig-] *s biol.* Heterozy'got *m*. **‚het·er·o'zy·gous** *adj* heterozy'got, gemischterbig.
het·man ['hetmən] *pl* **-mans** *s hist.* Hetman *m*: a) *Oberbefehlshaber in Polen*, b) *Oberhaupt der Kosaken*.
heugh, heuch [hjuːx] *s Scot.* **1.** Klippe *f*. **2.** Schlucht *f*.
heu·ris·tic [hju(ə)'ristik] *adj* heu'ristisch: a) *zu neuen Erkenntnissen führend*, b) *zum eigenen Forschen anleitend.*
he·ve·a ['hiːviə] *s bot.* Kautschukbaum *m*.
hew [hjuː] *pret* **hewed,** *pp* **hewed** *od.* **hewn** [hjuːn] *v/t* **1.** hauen, hacken: to ~ **to pieces** in Stücke hauen; to ~ **one's way** sich e-n Weg bahnen. **2.** *Bäume* fällen. **3.** *Steine etc* behauen.
Verbindungen mit Adverbien:
hew| down *v/t* nieder-, 'umhauen, fällen. ~ **off** *v/t* abhauen. ~ **out** *v/t* **1.** aushauen. **2.** *fig.* mühsam schaffen: to ~ **a career for o.s.** sich s-n Weg bahnen, sich emporarbeiten. ~ **up** *v/t* zerhauen, zerhacken.
hew·er ['hjuːər] *s* **1.** (*Holz-, Stein-*) Hauer *m*: ~**s of wood and drawers of water** a) *Bibl.* Holzhauer u. Wasserträger, b) Arbeitssklaven. **2.** *Bergbau*: (Schräm)Hauer *m*.
hewn [hjuːn] *pp von* hew.
hex [heks] *Am. colloq.* **I** *s* **1.** Hexe *f*. **2.** Zauber *m*: to put the ~ on → II. **II** *v/t* **3.** behexen, verzaubern. **4.** *e-e Sache* ‚verhexen'.
hex·a·bas·ic [‚heksə'beisik] *adj chem.* sechsbasisch. **'hex·a‚chord** [-‚kɔːrd] *s antiq. mus.* Hexa'chord *n*.
hex·ad ['heksæd] *s* Sechszahl *f*, Sechsergruppe *f*.
hex·a·gon ['heksə‚gɒn] *s math.* Sechseck *n*, Hexa'gon *n*: ~ **voltage** *electr.* Sechseckspannung *f*. **hex'ag·o·nal** -'sægənl] *adj* sechseckig, hexago'nal.
'hex·a‚gram [-‚græm] *s* Hexa'gramm *n*, Sechsstern *m*. **‚hex·a'he·dral** [-'hiːdrəl] *adj math.* hexa'edrisch, sechsflächig. **‚hex·a'he·dron** [-'hiːdrən] *pl* **-drons** *od.* **-dra** [-drə] *s math.* Hexa'eder *n*, Sechsflach *n*.
hex·am·e·ter [hek'sæmitər] *metr.* **I** *s* He'xameter *m*. **II** *adj* hexa'metrisch.
hex·a·pod ['heksə‚pɒd] *zo.* **I** *adj* sechsfüßig. **II** *s* Sechsfüßer *m*.
Hex·a·teuch ['heksə‚tjuːk] *s Bibl.* Hexa'teuch *m*.
hex·a·tom·ic [‚heksə'tɒmik] *adj chem.* **1.** 'sechsa‚tomig. **2.** sechswertig.
hex·a·va·lent [‚heksə'veilənt; -'sævəl-] *adj chem.* sechswertig.
hex·one ['heksoun] *s chem.* He'xon *n* (*organisches Keton mit 6 Kohlenstoffatomen im Molekül*).
hey [hei] *interj* **1.** hei!, ei!; → **presto** 2. **2.** he!, heda!
'hey‚day[1] *interj* **1.** heisa!, juch'he!, hur'ra! **2.** o'ho!?, na'nu!?
'hey-‚day[2] *s* **1.** a) Höhe-, Gipfelpunkt *m*: **in the ~ of his power** auf dem Gipfel der Macht, b) Blüte(zeit) *f*: **the ~ of Hollywood. 2.** *obs.* 'Überschwang *m*, Sturm *m* (*der Leidenschaft*).
H hour *s mil. Am.* X-Zeit *f*, Zeitpunkt *m* für den Beginn des Angriffs.
hi [hai] *interj* he!, heda!, hal'lo!
hi·a·tus [hai'eitəs] *pl* **hi·a·tus·es** *s* **1.** Lücke *f*, Spalt *m*, Kluft *f*. **2.** *ling.* Hi'atus *m*.
hi·ber·nate ['haibər‚neit] *v/i* **1.** über'wintern, Winterschlaf halten (*a. fig.*). **2.** *fig.* abgeschlossen *od.* untätig leben, sich vergraben. **‚hi·ber'na·tion** *s* Winterschlaf *m*, Über'winterung *f*.
Hi·ber·ni·an [hai'bəːrniən] **I** *adj* irisch. **II** *s* Irländer(in). **Hi'ber·ni‚cism** [-‚sizəm] *s* irische (Sprach)Eigenheit.
hi·bis·cus [hai'biskəs; hi-] *s bot.* Eibisch *m*.
hic·cup, hic·cough ['hikʌp] **I** *s med.* **1.** Schlucken *m*, Schluckauf *m*. **2.** *pl* Schluckauf(anfall) *m*: **to have the ~s** → 3. **II** *v/i* **3.** den Schluckauf haben. **III** *v/t* **4.** abgehackt her'vorbringen.
hick [hik] *Am. sl.* **I** *s* ‚Bauernlackel' *m*, ‚-trampel' *m*. **II** *adj* ländlich, provinzi'ell, Bauern...: ~ **town** ‚(Provinz)-Nest' *n*, ‚(Bauern)Kaff' *n*.
hick·ey ['hiki] *s tech. Am.* kleine Vorrichtung, *bes.* a) Gewindestück *n* (*für e-e Steckdose*), b) Biegezange *f* für Iso'lierrohre.
hick·o·ry ['hikəri] *s bot.* **1.** Hickory(baum) *m*, Nordamer. Walnußbaum *m*. **2.** Hickory(holz) *n*. **3.** Hickorystock *m*.
hid [hid] *pret u. pp von* hide[1].
hid·den ['hidn] **I** *pp von* hide[1]. **II** *adj* versteckt, verborgen, geheim.
hide[1] [haid] *pret* **hid** [hid] *pp* **hid·den** ['hidn] *od.* **hid I** *v/t* (from) verbergen (*dat od.* vor *dat*): a) verstecken (vor *dat*), b) verheimlichen (*dat od.* vor *dat*), c) verhüllen: **to ~ s.th. from view** etwas den Blicken entziehen. **II** *v/i colloq. a.* ~ **out** sich verbergen *od.* verstecken.
hide[2] [haid] **I** *s* **1.** Haut *f*, Fell *n* (*beide a. fig.*): **to save one's own ~** die eigene Haut retten; **to tan s.o.'s ~** → 3. **II** *v/t pret u. pp* **'hid·ed 2.** abhäuten. **3.** *colloq. j-n* 'durchbleuen, -prügeln.
hide[3] [haid] *s altes englisches Feldmaß (etwa 40,469 ha).*
'hide-and-'seek *s* Versteckspiel *n*: **to play ~** Versteck spielen (*a. fig.*).
'hide‚bound *adj* **1.** mit enganliegender Haut *od.* Rinde. **2.** *fig.* engherzig, -stirnig, beschränkt, bor'niert.
hid·e·ous ['hidiəs] *adj (adv* ~**ly)** scheußlich, gräßlich, schrecklich, ab'scheulich: ~ **crime**; ~ **monster. 'hid·e·ous·ness** *s* Scheußlichkeit *f*.
'hide-‚out *s colloq.* Versteck *n*, Schlupfwinkel *m*.
hid·ing[1] ['haidiŋ] *s* **1.** Verstecken *n*, Verbergen *n*. **2.** Versteck *n*: **to be in ~** sich versteckt halten.
hid·ing[2] ['haidiŋ] *s sl.* Tracht *f* Prügel, ‚Dresche'.
hi·dro·sis [hi'drousis] *s med.* **1.** Schwitzen *n*. **2.** Hi'drose *f*, 'übermäßiges Schwitzen. **hi·drot·ic** [hi'drɒtik] *adj u. s med.* schweißtreibend(es Mittel).
['hie·ing *v/i poet.* eilen.
hie [hai] *pret u. pp* **hied,** *pres p*
hi·er·arch ['haiə‚rɑːrk] *s relig.* Hier'arch *m*, Oberpriester *m*. **‚hi·er'ar·chal, ‚hi·er'ar·chic, ‚hi·er'ar·chi·cal** *adj (adv* ~**ly)** hier'archisch. **'hi·er‚ar·chism** *s* hier'archische Grundsätze *pl od.* Macht *f*. **'hi·er‚arch·y** *s* Hierar'chie *f*: a) Priesterherrschaft *f*, b) Priesterschaft *f*, c) Rangordnung *f*.
hi·er·at·ic [‚haiə'rætik], *a.* **‚hi·er'at·i·cal** [-kəl] *adj* **1.** hie'ratisch (*Stil, Schrift*). **2.** Priester...
hiero- [haiəro] *Wortelement mit der Bedeutung* heilig.
hi·er·oc·ra·cy [‚haiə'rɒkrəsi] *s* Priesterherrschaft *f*.
hi·er·o·glyph ['haiərə‚glif; -ro-] → hieroglyphic II. **‚hi·er·o'glyph·ic I** *adj (adv* ~**ally) 1.** Hieroglyphen... **2.** hiero'glyphisch, sinnbildlich, rätselhaft. **3.** unleserlich. **II** *s* **4.** Hiero'glyphe *f*. **5.** *pl humor.* ‚Hiero'glyphen' *pl*, unleserliches Gekritzel. **‚hi·er·o'glyph·i·cal** → hieroglyphic I. **‚hi·er'og·ly·phist** [-'rɒglifist] *s* Hiero'glyphenkundige(r *m*) *f*.
hi·er·o·phant ['haiərə‚fænt; -ro-] *s antiq. relig.* Hiero'phant *m*, (Ober-)Priester *m*.
hi·fa·lu·tin → highfalutin.
hi-fi ['hai'fai] *abbr. von* high-fidelity.
hig·gle ['higl] → haggle.
hig·gle·dy-pig·gle·dy ['higldi'pigldi] **I** *adv* drunter u. drüber, (wie Kraut u. Rüben) durchein'ander. **II** *adj* kunterbunt. **III** *s* Durchein'ander *n*.
hig·gler ['higlər] *s* **1.** Feilscher(in). **2.** Hau'sierer(in), Höker(in).
high [hai] **I** *adj (adv* → **highly)** (→ **higher, highest) 1.** hoch: **ten feet ~** zehn Fuß hoch; → **horse** 1. **2.** hoch(gelegen): **H~ Asia** Hochasien *n*. **3.** *geogr.* hoch (*nahe den Polen*): ~ **latitude** hohe Breite. **4.** hoch (*Grad*): ~ **prices**; ~ **temperature**; ~ **favo(u)r** hohe Gunst; ~ **praise** großes Lob; ~ **speed** a) hohe Geschwindigkeit, b) *mar.* hohe Fahrt, äußerste Kraft; → **gear** 3. **5.** stark, heftig: ~ **passion** wilde Leidenschaft; ~ **wind** starker Wind; ~ **words** heftige *od.* scharfe Worte. **6.** hoch (*im Rang*), Hoch..., Ober..., Haupt...: **a ~ official** ein hoher Beamter; ~ **commissioner** Hoher Kommissar; **the Most H~** der (Aller)Höchste (*Gott*). **7.** bedeutend, hoch, wichtig: ~ **aims** hohe Ziele; ~ **politics** hohe Politik; ~ **tragedy** hohe Tragödie. **8.** hoch (*Stellung*), vornehm, edel: **of ~ birth** von hoher *od.* edler Geburt; **of ~ standing** a) von hohem Stand (*Person*), b) von hohem Niveau, c) hochangesehen; ~ **society**

die vornehme Gesellschaft *od.* Welt; ~ and low hoch u. niedrig, vornehm u. gemein. **9.** hoch, erhaben, edel: ~ merit hohes Verdienst; ~ spirit erhabener Geist. **10.** hoch, gut, erstklassig: ~ quality; ~ performance hohe Leistung. **11.** hoch, Hoch... (*auf dem Höhepunkt stehend*): H~ Middle Ages Hochmittelalter *n*; ~ period Glanzzeit *f* (*e-s Künstlers etc*). **12.** hoch, vorgeschritten (*Zeit*): ~ summer Hochsommer *m*; it is ~ day es ist heller Tag; it is ~ noon es ist hoch am Mittag; → high time 1. **13.** (*zeitlich*) fern, tief: ~ antiquity tiefes Altertum. **14.** *ling.* a) Hoch... (*Sprache*), b) hoch (*Laut*). **15.** hoch (*im Kurs*), teuer: land is ~ Land steht hoch im Kurs. **16.** → high and mighty. **17.** ex'trem, eifrig: a H~ Tory. **18.** a) hoch, hell, b) schrill, laut: ~ note; ~ voice. **19.** lebhaft: ~ colo(u)r; ~ complexion rosiger Teint. **20.** erregend, spannend: ~ adventure. **21.** a) gehoben, heiter: in ~ spirits (in) gehobener Stimmung, b) *colloq.* beschwipst, angeheitert, c) erregt, d) *sl.* ‚high', im Drogenrausch. **22.** *Am. colloq.* erpicht, ‚scharf' (on auf *acc*). **23.** *Kochkunst*: angegangen, mit Haut'gout (*Fleisch, bes. Wild*). **24.** *mar.* hoch am Wind.

II *adv* **25.** hoch: to run ~ a) hochgehen (*See, Wellen*), b) *fig.* toben (*Gefühle*); feeling ran ~ die Gemüter erhitzten sich; to fly ~ hoch fliegen; to lift ~ in die Höhe heben, hochheben; to search ~ and low überall suchen. **26.** stark, heftig, in hohem Grad *od.* Maß. **27.** teuer: to pay ~ teuer bezahlen. **28.** hoch, mit hohem Einsatz: to play ~. **29.** üppig: to live ~. **30.** *mar.* hoch am Wind.

III *s* **31.** (An)Höhe *f*, hochgelegener Ort: on ~ a) hoch oben, droben, hoch hinauf, b) im *od.* zum Himmel; from on ~ a) von oben, b) vom Himmel. **32.** *meteor.* Hoch(druckgebiet) *n.* **33.** *tech.* a) 'hochüber,setztes *od.* 'hochunter,setztes Getriebe (*an Fahrzeugen*), *bes.* Geländegang *m*, b) höchster *od.* schnellster Gang: to shift into ~ den höchsten Gang einschalten. **34.** *fig.* Höchststand *m*, Re'kord *m.* **35.** *Kartenspiel*: höchste Karte. **36.** *Am. colloq. für* high school 1. **37.** *Am. sl.* (*Kokain- etc*)Rausch *m.*

high| al·tar *s relig.* 'Hochal,tar *m.* '~-'**al·ti·tude** *adj aer.* Höhen...: ~ flight; ~ nausea Höhenkrankheit *f.* ~ **and dry** *adj mar. u. fig.* auf dem trockenen (sitzend), gestrandet: to leave s.o. ~ j-n im Stich lassen. ~ **and might·y** *adj* anmaßend, arro'gant, hochmütig, -fahrend. '~-,**an·gle fire** *s mil.* Steilfeuer *n.* '~,**ball** *Am.* **I** *s* **1.** Highball *m* (*Whisky-Cocktail*). **2.** *rail.* a) Freie-'Fahrt-Si,gnal *n*, b) Schnellzug *m.* **II** *v/t u. v/i* **3.** mit voller Geschwindigkeit fahren. '~,**bind·er** *s Am.* **1.** (*bes.* chi'nesischer) Gangster. **2.** *sl.* Rowdy *m.* **3.** Schwindler *m.* '~-,**blown** *adj fig.* aufgeblasen, großspurig. '~,**born** *adj* hochgeboren, von hoher Geburt. '~,**boy** *s Am.* hochbeinige Kom'mode. '~,**bred** *adj* **1.** von edlem Blut. **2.** vornehm, wohlerzogen. '~-,**brow** *colloq. oft contp.* **I** *s* Intellektu'elle(r *m*) *f.* **II** *adj* (betont) intellektu'ell, ‚hochgestochen', (geistig) anspruchsvoll. '~-,**browed** → high-brow II. '~-,**brow·ism** *s colloq.* Schöngeistlertum *n*, intellektu'eller Dünkel. **H~ Church** *relig.* **I** *s* Hochkirche *f* (*orthodoxe Richtung der anglikanischen Kirche*). **II** *adj* hochkirchlich. ,**H~-'Church·man** *s irr* Hochkirchler *m.* '~-,**class** *adj* erstklassig. ~ **cock·a·lo·rum** [,kɒkə'lɔːrəm] *s* **1.** *Br.* Bockspringen *n.* **2.** *Am. sl.* a) ‚Angeber' *m*, b) ‚hohes Tier'. '~-'**col·o(u)red** *adj* **1.** von lebhafter Farbe, gerötet (*Gesicht*). **2.** lebhaft. ~ **com·e·dy** *s* hohe Ko'mödie. ~ **com·mand** *s mil.* 'Oberkom,mando *n.* **H~ Court (of Jus·tice)** *s jur.* Hoher Gerichtshof (*erster u. zweiter Instanz in London, bildet mit dem* Court of Appeal *zusammen den* Supreme Court of Judicature). ~ **day** *s Bibl.* Feier-, Festtag *m.* ~ **div·ing** *s sport* Turmspringen *n.*

high·er ['haiər] *comp von* high **I** *adj* **1.** höher(er, e, es) (*a. fig.*), Ober...: ~ authority höhere Instanz, übergeordnete Stelle, vorgesetzte Behörde; ~ school certificate *Br.* Abiturzeugnis *n*; the ~ grades of the civil service der höhere Staatsdienst; ~ learning → higher education; ~ mathematics höhere Mathematik; the ~ things das Höhere. **2.** *bes. biol.* höher(entwikkelt): the ~ animals die höheren (Säuge)Tiere. **II** *adv* **3.** höher, mehr: to bid ~. ~ **crit·i·cism** *s* hi'storische 'Bibelkri,tik. ~ **ed·u·ca·tion** *s* höhere Bildung, Hochschul(aus)bildung *f.* '~-'**up** *s colloq.* ‚hohes Tier'.

high·est ['haiist] *sup von* high **I** *adj* **1.** höchst(er, e, es), Höchst...: ~ amount; ~ bid Höchstgebot *n*; ~ bidder Meistbietende(r *m*) *f.* **II** *adv* **2.** am höchsten. **III** *s* **3.** das Höchste: at its ~ auf dem Höhepunkt. **4.** the H~ *Bibl.* der Höchste (*Gott*).

high| ex·plo·sive *s* 'hochexplo,siver *od.* 'hochbri,santer Sprengstoff. ',~-**ex·'plo·sive** *adj* 'hochexplo,siv, -bri,sant: ~ bomb Sprengbombe *f.* ,~-**fa'lu·tin** [-fə'luːtin], *a.* ,~-**fa'lu·ting** [-tiŋ] *adj u. s sl.* hochtrabend(es Geschwätz). ~ **farm·ing** *s agr.* inten'sive Bodenbewirtschaftung. '~-,**fed** *adj* wohlgenährt. '~-**fi'del·i·ty** *electr.* **I** *adj* Hi-Fi, mit höchster 'Wiedergabetreue (*Radio etc*). **II** *s* höchste 'Wiedergabetreue. ~ **fi·nance** *s* 'Hochfi,nanz *f.* '~,**fli·er** *s* **1.** hochfliegender Vogel. **2.** extrava'gante *od.* über'spannte Per'son. **3.** H~ *relig. hist.* → High-Churchman. '~-'**flown** *adj fig.* **1.** erhaben. **2.** bom'bastisch, hochtrabend. **3.** über'spannt, extrava'gant. '~,**fly·er** → highflier. '~'**fly·ing** → high-flown. ~ **fre·quen·cy** *s* 'Hochfre,quenz *f.* '~-'**fre·quen·cy** *adj electr.* 'hochfre,quent, Hochfrequenz... **H~ Ger·man** *s ling.* Hochdeutsch *n.* '~-'**grade** *adj* **1.** hochwertig: ~ ore; ~ steel Edel-, Qualitätsstahl *m.* **2.** *a. econ.* erstklassig: ~ securities. **3.** *biol.* reinrassig, Edel... **4.** *Am.* hochgradig: ~ moron. '~'**hand·ed** *adj* anmaßend, selbstherrlich, willkürlich, eigenmächtig. ,~'**hand·ed·ness** *s* Anmaßung *f*, Willkür *f.* ~ **hat** *s* Zy'linder *m* (*Hut*). '~-'**hat** *Am. sl.* **I** *s* Snob *m*, hochnäsiger Mensch. **II** *adj* sno'bistisch, hochnäsig. **III** *v/t j-n* von oben her'ab behandeln. '~-'**heeled** *adj* hochhackig (*Schuhe*). ~ **jump** *s sport* Hochsprung *m.* '~**land** [-lənd] **I** *s* Hoch-, Bergland *n*: the H~s of Scotland das schottische Hochland. **II** *adj* hochländisch, Hochland...: → fling 6. '~**land·er** *s* **1.** Hochländer(in). **2.** H~ schottischer Hochländer. '~-'**lev·el** *adj* Hoch...: ~ bombing Bombenwurf *m* aus großer Flughöhe; ~ officials hohe Beamte; ~ railway Hochbahn *f*; ~ talks *pol.* Gespräche auf hoher Ebene; ~ tank Hochbehälter *m.* ~ **life** *s* **1.** ele'gantes Leben. **2.** die vornehme Welt. '~,**light I** *s* **1.** a) *phot.* Spitz(en)-, Glanzlicht *n*, b) *paint.* (Schlag)Licht *n.* **2.** *fig.* Höhe-, Glanzpunkt *m.* **II** *v/t* **3.** (scharf) beleuchten (*a. fig.*). **4.** groß her'ausstellen, her'vorheben, betonen. **5.** (schlaglichtartig) kennzeichnen. ~ **liv·ing** *s* Wohlleben *n.*

high·ly ['haili] *adv* **1.** hoch, in hohem Grade, höchst, äußerst, sehr: ~ interesting; ~ gifted hochbegabt; ~ inflammable leicht entzündlich; ~ placed hochgestellt; ~ strung → high-strung. **2.** lobend, anerkennend: to speak ~ of s.o.; to think ~ of e-e hohe Meinung haben von, viel halten von. **3.** teuer: ~ paid a) teuer bezahlt, b) hochbezahlt.

high| mal·low *s bot.* Roßmalve *f.* **H~ Mass** *s R.C.* Hochamt *n.* '~-'**mind·ed** *adj* **1.** hochherzig, -gesinnt. **2.** *obs.* hochmütig. ,~-'**mind·ed·ness** *s* Hochherzigkeit *f.* '~-,**muck-a-'muck** *s Am. sl.* einflußreiche u. arro'gante Per'son, ‚hohes Tier'. '~-'**necked** *adj* hochgeschlossen (*Kleid*).

high·ness ['hainis] *s* **1.** *meist fig.* Höhe *f.* **2.** Erhabenheit *f.* **3.** Stich *m*, Haut'gout *m* (*von Wildbret*). **4.** H~ Hoheit *f* (*Titel*): His (Her) Royal H~ Seine (Ihre) Königliche Hoheit.

'**high|-'oc·tane gas·o·line** (*Br.* **pet·rol**) *s chem.* Ben'zin *n* mit hoher Ok'tanzahl, klopffestes Benzin. '~-,**pass fil·ter** *s electr.* Hochpaß(filter) *m.* '~-'**pitched** *adj* **1.** hoch (*Ton etc*). **2.** steil (*Dach etc*). **3.** hochgesinnt. **4.** exal'tiert: intellectually ~ ‚hochgestochen'. **5.** ‚über'dreht', ner'vös, erregt. '~-'**pow·er(ed)** *adj* **1.** *tech.* Hochleistungs..., Groß..., stark. **2.** → high-pressure 3. '~-'**pres·sure I** *v/t* **1.** *Kunden etc* ‚bearbeiten', ‚beknien', nötigen (into buying s.th. dazu, etwas zu kaufen). **II** *adj* **2.** *meteor. tech.* Hochdruck...: ~ area Hoch(druckgebiet) *n*; ~ engine Hochdruckmaschine *f.* **3.** *fig.* e'nergisch, dy'namisch, wuchtig, aggres'siv, mit Hochdruck arbeitend (*etc*): ~ salesmanship aggressive Verkaufsmethoden *pl.* '~-'**priced** *adj* teuer. ~ **priest** *s relig. u. fig.* Hohepriester *m.* '~-'**prin·ci·pled** *adj* von hohen Grundsätzen, durch u. durch anständig. '~-'**proof** *adj chem.* in hohem Grade rektifi'ziert, stark alko'holisch: ~ spirits. '~-'**qual·i·ty** → high-grade 1. '~-,**rank·ing** *adj*: ~ officer hoher Offi'zier. ~ **re·lief** *s* 'Hochreli,ef *n.* '~,**rise** *s Am.* (Wohn)Hochhaus *n.* '~,**road** *s* Hauptstraße *f*: the ~ to success *fig.* der (sichere) Weg zum Erfolg. ~ **school** *s* **1.** *Am.* (*Art*) Mittelschule *f* (*bereitet vor zum Eintritt in ein College, zur weiteren Ausbildung in Handel u. Gewerbe etc*). **2.** *Br.* höhere Schule. ~ **sea** *s* hohe See, offenes Meer. '~-'**sea** *adj* Hochsee... '~-'**sea·soned** *adj* scharf gewürzt. ~ **sign** *s Am.* (*bes.* warnendes) Zeichen. '~-'**sound·ing** *adj* hochtönend, -trabend: ~ titles. '~-'**speed** *adj* **1.** *tech.* a) schnellaufend: ~ bearing; ~ motor, b) Schnell..., Hochleistungs...: ~ regulator Schnellregler *m*; ~ steel Schnell(dreh)stahl *m.* **2.** *phot.* hochempfindlich: ~ film. '~-'**spir·it·ed** *adj* schneidig, stolz, kühn, feurig, lebhaft. ~ **spot** *s Am.* Hauptpunkt *m*, -sache *f*, Clou *m.* '~-'**step·per** *s* **1.** hochtrabendes Pferd. **2.** *fig.* Laffe *m*, ‚Fatzke' *m.* '~-'**step·ping** *adj* hochtrabend (*a. fig.*). ~ **street** *s* Hauptstraße *f.*

'~-'strung *adj* reizbar, ('über)empfindlich, ner'vös.
hight [hait] *pret u. pp* **hight,** *pp a.* **hote** [hout] *obs.* **I** *v/t (meist pp)* nennen. **II** *v/i* sich nennen.
high| ta·ble *s Br.* erhöhte (Speise-) Tafel (*bes. für die Fellows im College*). **'~-ˌtail** *v/i a.* ~ it *Am. sl.* (da'hin-, da'von)rasen, (-)flitzen. **~ ta·per** *s bot.* Königskerze *f.* **~ tea** *s bes. Br.* kalte Abendmahlzeit mit Tee. **'~-'tem·per·a·ture** *adj tech.* Hochtemperatur...: ~ steel warmfester Stahl. **'~-'ten·sion** *adj electr.* Hochspannungs... **'~-'test** *adj* **1.** in harter Probe bewährt. **2.** *chem.* bei niederer Tempera'tur siedend (*Benzin*). **~ tide** *s* **1.** Hochwasser *n* (*höchster Flutwasserstand*). **2.** *fig.* Höhe-, Gipfelpunkt *m.* **~ time** *s* **1.** höchste Zeit: it was ~. **2.** *sl.* a) großes Vergnügen, ‚Heidenspaß' *m,* b) Gelage *n,* ‚Orgie' *f.* **'~-'toned** *adj* **1.** *mus.* von hoher Tonlage. **2.** *fig.* erhaben. **3.** *Am. colloq.* vornehm (*a. iro.*). **~ trea·son** *s* Hochverrat *m.*
high·ty-tigh·ty ['haiti'taiti] → hoity-toity I *u.* II.
'high|-ˌup *s colloq.* ‚hohes Tier' (*hochgestellte Person*). **~ wa·ter** *s* Hochwasser *n* (*höchster Wasserstand*). **'~-'wa·ter** *adj* Hochwasser...: ~ mark a) Hochwasserstandzeichen *n,* b) *fig.* Höhepunkt *m,* Höchststand *m;* ~ pants *Am. sl.* ‚Hochwasserhosen'. **'~ˌway** *s* **1.** öffentlicher Verkehrsweg, *bes.* Landstraße *f,* Fern(verkehrs)straße *f:* Federal ~ *Am.* Bundesstraße *f;* ~ code Straßenverkehrsordnung *f;* ~ robbery Straßenraub *m.* **2.** *fig.* bester *od.* gerader Weg: the ~s and byways a) alle Wege (*a. fig.*), b) *fig.* sämtliche Spielarten. **'~ˌway·man** [-mən] *s irr* Straßenräuber *m.* **'~-'wing** *adj:* ~ aircraft Hochdecker *m.*
hi·jack ['haiˌdʒæk] *v/t Am. sl.* **1.** *Schmugglerware, bes. Spirituosen* (auf dem Weg von den Schmugglern) rauben. **2.** *Schmuggler* (auf dem Weg) über'fallen u. ihrer Ware berauben. **3.** *j-n* ausplündern, berauben. **4.** *etwas* rauben, *Flugzeug, a. j-n* entführen. **'hiˌjack·er** *s* **1.** Straßenräuber *m.* **2.** (Flugzeug)Entführer *m.*
hike [haik] **I** *v/i* **1.** wandern, mar'schieren, reisen. **2.** → hitchhike. **3.** *Am. colloq.* ‚hochklettern': a) sich nach oben verschieben (*Kleidungsstück etc*), b) steigen (*Preise etc*). **II** *v/t* **4.** *colloq.* mar'schieren lassen. **5.** zerren, reißen. **6.** *fig.* (stark) erhöhen: to ~ rents. **III** *s* **7.** Wanderung *f,* (Fuß)Marsch *m.* **8.** *Am. colloq.* Erhöhung *f:* wage ~. **'hik·er** *s* Wanderer *m.*
hi·lar·i·ous [hi'lɛ(ə)riəs; hai-] *adj* (*adv* ~ly) vergnügt, ausgelassen, 'übermütig. **hi'lar·i·ous·ness, hi'lar·i·ty** [-'læriti] *s* Heiterkeit *f,* Fröhlichkeit *f,* Ausgelassenheit *f.*
Hil·a·ry term ['hiləri] *s Br.* **1.** *jur. im Januar beginnender Gerichtstermin.* **2.** *univ.* 'Frühjahrsseˌmester *n.*
hill [hil] **I** *s* **1.** Hügel *m,* Anhöhe *f,* kleiner Berg: up ~ and down dale bergauf u. bergab; as old as the ~s ur-, steinalt; over the ~ *fig.* über den Berg; the ~s *Br. Ind.* → hill station. **2.** (Erd)Haufen *m;* ~ of potatoes *agr.* gehäufelte Reihe von Kartoffeln; not worth a ~ of beans *Am. colloq.* keinen Heller wert. **II** *v/t* **3.** *a.* ~ up *agr. Pflanzen* häufeln.
'hill|ˌbil·ly *s Am. colloq.* 'Hinterwäldler *m:* ~ music Hillbilly-Musik *f.* **~ climb** *s mot.* Bergrennen *n,* -fahrt *f.* **'~-ˌclimb·ing a·bil·i·ty** *s mot.* Steigfähigkeit *f,* Bergfreudigkeit *f.*
hill·i·ness ['hilinis] *s* Hügeligkeit *f.*
hill·ock ['hilək] *s* kleiner Hügel.
'hill|ˌside *s* Hang *m,* (Berg)Abhang *m.* **'~ˌsite** *s* erhöhte Lage. **~ sta·tion** *s im (indischen) Bergland gelegener Erholungsort für Europäer.* **'~ˌtop** *s* Hügel-, Bergspitze *f.*
hill·y ['hili] *adj* hügelig.
hilt [hilt] **I** *s* Heft *n,* Griff *m* (*Schwert, Dolch*): up to the ~ a) bis ans Heft, b) durch u. durch, ganz u. gar; mortgaged (up) to the ~ total verschuldet; to prove up to the ~ unwiderleglich beweisen. **II** *v/t* mit e-m Heft versehen.
hi·lum ['hailəm] *pl* **'hi·la** [-lə] *s* **1.** *bot.* a) Samennabel *m,* b) Kern *m* (*e-s Stärkekorns*). **2.** *anat.* Hilus *m,* Pforte *f.*
him [him; im] **I** *personal pron* **1.** *acc von* he ihn: I know ~; I saw ~ who did it ich sah den(jenigen), der es tat; ich sah, wer es tat. **2.** *dat von* he ihm: I gave ~ the book. **3.** *colloq. für* he: it's ~ er ist's. **II** *reflex pron* **4.** sich: he looks about ~.
Hi·ma·la·yan [hi'mɑːləjən; -ljən; ˌhimə'leiən] *adj* Himalaja...
him·self [him'self; im-] *pron* **1.** *reflex* sich: he cut ~; he thought ~ wise er hielt sich für klug. **2.** sich selbst: he needs it for ~. **3.** (er *od.* ihn *od.* ihm) selbst: he ~ said it, he said it ~ er selbst sagte es, er sagte es selbst; it is for ~ es ist für ihn selbst; it is by ~ es ist von ihm selbst; he did it by ~ er tat es allein *od.* ohne Hilfe. **4.** sein nor'males Selbst: he is not quite ~ a) er ist nicht ganz auf der Höhe, b) er ist nicht ganz normal *od.* ‚bei Trost'; he is quite ~ again er ist wieder ganz der alte; he is beside ~ er ist außer sich. [kuh *f.*]
hind[1] [haind] *s zo.* Hindin *f,* Hirsch-
hind[2] [haind] *comp* **'hind·er,** *sup* **'hindˌmost** [-ˌmoust] *od.* **'hind·er·ˌmost** *adj* hinter(er, e, es), Hinter...: ~ leg Hinterbein *n;* ~ wheel Hinterrad *n.* [*Scot.* Landarbeiter *m.*]
hind[3] [haind] *s* **1.** *Br.* Bauer *m.* **2.** *bes.*
'hindˌbrain *s anat.* Rautenhirn *n.*
hin·der[1] ['hindər] **I** *v/t* **1.** aufhalten. **2.** (from) hindern (an *dat*), abhalten (von), zu'rückhalten (vor *dat*): to ~ s.o. from doing s.th. j-n daran hindern, etwas zu tun. **II** *v/i* **3.** hinderlich *od.* im Weg sein, hindern.
hind·er[2] ['haindər] *comp von* hind[2].
Hin·di ['hindiː] *s ling.* Hindi *n:* a) *Sammelname nordindischer Dialekte,* b) *e-e schriftsprachliche Form des Hindostani.*
'hindˌmost *sup von* hind[2] hinterst(er, e, es), letzt(er, e, es): → devil 1.
'hind'quar·ter *s* **1.** 'Hinterviertel *n* (*vom Schlachttier*). **2.** *oft pl* a) 'Hinterhand *f* (*vom Pferd*), b) 'Hinterteil *n.*
hin·drance ['hindrəns] *s* **1.** (Be)Hinderung *f.* **2.** Hindernis *n* (to s.o. für j-n; to *od.* of s.th. für etwas).
'hindˌsight *s* **1.** *mil.* → rearsight. **2.** *humor.* zu späte Einsicht, ‚Nachsicht' *f:* by ~ ‚im Nachhinein'; ~ is easier than foresight hinterher ist man immer klüger als vorher.
Hin·du ['hinduː] **I** *s* **1.** *relig.* Hindu *m.* **2.** Inder *m.* **II** *adj* **3.** Hindu..., indisch.
'Hin·duˌism *s relig.* Hindu'ismus *m.*
Hin·du·sta·ni [ˌhindu'stɑːni; -'stæni] *ling.* **I** *adj* hindo'stanisch, Hindostani... **II** *s* Hindo'stani *n.*
hinge [hindʒ] **I** *s* **1.** *a.* ~ joint *tech.* Schar'nier *n,* Gelenk *n,* (Tür)Angel *f:* ~ band Scharnierband *n;* off the ~s *fig.* aus den Angeln *od.* Fugen, zerrüttet. **2.** *a.* ~ joint *anat.* Schar'niergelenk *n.* **3.** *fig.* Angelpunkt *m,* springender Punkt. **4.** *geogr. obs.* Kardi'nalpunkt *m.* **II** *v/t* **5.** mit Schar'nieren *etc* versehen: ~d auf-, herunter-, zs.-klappbar, (um ein Gelenk) drehbar, Scharnier..., Gelenk... **6.** *e-e Tür etc* einhängen. **III** *v/i* **7.** (on) *meist fig.* abhängen (von), ankommen (auf *acc*), sich drehen (um).
hin·ny ['hini] *s zo.* Maulesel *m.*
hint [hint] **I** *s* **1.** Wink *m,* Andeutung *f:* to drop a ~ e-e Andeutung machen, e-e Bemerkung fallenlassen; to give a ~ e-n Wink geben; to take a ~ e-n Wink verstehen, es sich gesagt sein lassen; broad ~ Wink mit dem Zaunpfahl. **2.** Wink *m,* Fingerzeig *m,* Hinweis *m,* ‚Tip' *m* (on für): ~s for housewives. **3.** Anspielung *f* (at auf *acc*). **4.** *fig.* Anflug *m,* Spur *f* (of von). **5.** (leichter) Beigeschmack. **6.** *obs.* (günstige) Gelegenheit. **II** *v/t* **7.** andeuten. **III** *v/i* **8.** (at) andeuten (*acc*), e-e Andeutung machen (von), anspielen (auf *acc*): he ~ed that er deutete an *od.* gab zu verstehen, daß.
hin·ter·land ['hintərˌlænd] *s* 'Hinterland *n.*
hip[1] [hip] *s* **1.** Hüfte *f:* to have s.o. on the ~ j-n in der Gewalt haben; to take (*od.* catch) s.o. on the ~ j-n an e-r schwachen Stelle angreifen; to smite s.o. ~ and thigh j-n erbarmungslos vernichten. **2.** → hip joint. **3.** *arch.* a) Gratanfall *m,* Walm *m* (*vom Walmdach*), b) Walmsparren *m.*
hip[2] [hip] *s bot.* Hagebutte *f.*
hip[3] [hip] **I** *s meist pl* Trübsinn *m.* **II** *v/t pret u. pp* **hipped, hipt** trübsinnig machen.
hip[4] [hip] *interj* hipp!: ~, ~, hurrah! hipp, hipp, hurra!
hip[5] [hip] *adj Am. sl.* **1.** → hep[1]. **2.** 'antikonforˌmistisch, illusi'onslos.
'hip|ˌbath *s* Sitzbad *n.* **'~'bone** *s anat.* Hüftbein *n,* -knochen *m.* **~ boot** *s* Wasserstiefel *m.*
hipe [haip] (*Ringen*) **I** *s* Ausheber *m.* **II** *v/t* mit e-m Ausheber werfen.
hip| flask *s* Taschen-, Reiseflasche *f.* **~ gout** *s med.* Hüftweh *n.* **~ joint** *s anat.* Hüftgelenk *n.*
hipped[1] [hipt] *adj* **1.** mit ... Hüften, ...hüftig. **2.** hüftlahm. **3.** *arch.* Walm...
hipped[2] [hipt] *adj colloq.* **1.** *bes. Br.* trübsinnig. **2.** ärgerlich. **3.** *Am.* versessen, ‚scharf' (on auf *acc*).
hip·pie ['hipi] *s Am. sl.* Hippie *m,* ‚Gammler' *m.* [hippopotamus.]
hip·po ['hipou] *pl* **-pos** *s colloq. für*
hip·po·cam·pus [ˌhipo'kæmpəs] *pl* **-'cam·pi** [-pai] *s* **1.** *myth.* Hippo'kamp *m,* Meerpferd *n.* **2.** *zo.* Seepferdchen *n.* **3.** *anat.* Ammonshorn *n* (*des Gehirns*).
Hip·po·crat·ic [ˌhipo'krætik] *adj* hippo'kratisch: ~ face; ~ oath.
hip·po·drome ['hipəˌdroum] *s* **1.** a) *antiq.* Hippo'drom *m,n,* b) Reit-, Rennbahn *f.* **2.** Zirkus *m.* **3.** *sport Am. sl.* abgekartete Sache, ‚Schiebung' *f.* **4.** H~ Varie'tétheˌater *n.* **'hip·poˌgriff,** *a.* **'hip·poˌgryph** [-ˌgrif] *s* Flügelroß *n.*
hip·pol·o·gy [hi'pɒlədʒi] *s* Hippolo'gie *f,* Pferdekunde *f.*
hip·poph·a·gy [hi'pɒfədʒi] *s* Essen *n* von Pferdefleisch.
hip·po·pot·a·mus [ˌhipə'pɒtəməs] *pl* **-'pot·a·mus·es, -'pot·aˌmi** [-ˌmai] *s zo.* Fluß-, Nilpferd *n.*
hip·pu·ric [hi'pju(ə)rik] *adj chem.* Hippur...: ~ acid.

hip| raft·er *s arch.* Gratsparren *m.* **~ roof** *s arch.* Walmdach *n.* **'~,shot** *adj* **1.** mit verrenkter Hüfte. **2.** *fig.* (lenden)lahm.

hip·ster ['hipstər] *s Am. sl.* **1.** → **hepcat. 2.** → **beatnik.**

hir·a·ble ['hai(ə)rəbl] *adj* mietbar.

hir·die-gir·die ['hirdi'girdi] *adv Scot. od. dial.* durchein'ander.

hire [hair] **I** *v/t* **1.** mieten: to ~ **a car;** to ~ **a plane** ein Flugzeug chartern; **~d car** Mietwagen *m;* **~d airplane** Charterflugzeug *n.* **2.** *a.* ~ **on** *j-n* ein-, anstellen, in Dienst nehmen, *mar.* (an)heuern, *bes. contp.* dingen: **~d assassin** gedungener Mörder; **~d girl** *Am.* (Aus)Hilfe *f,* Magd *f;* **~d man** Lohnarbeiter *m.* **3.** *meist* ~ **out** vermieten: to ~ **o.s. (out) to** sich verdingen bei. **II** *v/i* **4.** *meist* ~ **out** *colloq.* sich verdingen (to bei): to ~ **in** (*od.* **on**) *Am.* e-e Beschäftigung annehmen, den Dienst antreten. **III** *s* **5.** Miete *f* (*von beweglichen Sachen*): ~ **car** Mietwagen *m;* ~ **service** *mot.* Selbstfahrerdienst *m,* Autoverleih *m;* **on** ~ a) mietweise, b) zu vermieten; **to take (let) a car on** ~ ein Auto (ver)mieten; **for** ~ a) zu vermieten, b) frei (*Taxi*). **6.** (Arbeits)-Lohn *m,* Entgelt *n.*

hire·ling ['hairliŋ] *bes. contp.* **I** *s* **1.** Mietling *m,* Söldling *m,* Handlanger *m.* **2.** Mietpferd *n.* **II** *adj* **3.** käuflich, feil. **4.** gedungen.

hire pur·chase *s econ.* Abzahlungs-, Ratenkauf *m,* Kauf *m* auf Raten- *od.* Teilzahlung: ~ **agreement** Abzahlungsvertrag *m;* ~ **system** Teilzahlungssystem *n;* **to buy on** ~ (*od.* **on the** ~ **system**) auf Abzahlung kaufen.

hir·er ['hai(ə)rər] *s* **1.** Mieter(in). **2.** Vermieter(in).

hir·sute ['hə:rsju:t] *adj* **1.** haarig, zottig, struppig. **2.** *bot. zo.* rauhhaarig, borstig. **'hir·sute·ness** *s* Haarigkeit *f.*

his [hiz; iz] **I** *adj* sein, seine: ~ **family. II** *pron* seiner (seine, seines), der (die, das) seine *od.* seinige: **this hat is** ~ das ist sein Hut, dieser Hut gehört ihm; **a book of** ~ eines seiner Bücher, ein Buch von ihm; **my father and** ~ mein Vater u. sein Vater.

His·pan·ic [his'pænik] *adj* (*adv* **~ally**) spanisch. **His'pan·i,cism** [-,sizəm] *s ling.* Hispa'nismus *m.*

His·pan·i·o·lize [his'pænio,laiz] *v/t* spanisch machen, hispani'sieren.

his·pid ['hispid] → **hirsute 2. his'pid·u·lous** [-djuləs] *adj bot. zo.* kurzborstig.

hiss [his] **I** *v/i* **1.** zischen. **II** *v/t* **2.** auszischen, -pfeifen: **he was ~ed off the stage** er wurde ausgepfiffen. **3.** zischeln, zischen(d sprechen). **III** *s* **4.** Zischen *n.* **5.** *ling.* Zischlaut *m.* **'hiss·ing** *s* Zischen *n,* Gezisch *n.*

hist [hist; *a.* s:t] *interj* sch!, pst!, still!

his·to·chem·is·try [,histo'kemistri] *s* Ge'webeche,mie *f,* Histoche'mie *f.*

his·to·gram ['histo,græm] *s Statistik:* Histo'gramm *n,* Staffelbild *n.*

his·tol·o·gist [his'tɒlədʒist] *s med.* Histo'loge *m.* **his'tol·o·gy** *s med.* **1.** Histolo'gie *f,* Gewebelehre *f.* **2.** Ge'webstruk,tur *f.*

his·tol·y·sis [his'tɒlisis] *s biol.* Histo'lyse *f,* Gewebszerfall *m.*

his·to·pa·thol·o·gy [,histopæ'θɒlədʒi] *s med.* **1.** ,Histopatholo'gie *f.* **2.** Gewebserkrankung *f.*

his·to·ri·an [his'tɔ:riən] *s* Hi'storiker *m,* Geschichtsforscher *m,* -schreiber *m.* **his'to·ri,at·ed** [-,eitid] *adj* mit bedeutungsvollen Fi'guren (*Initialen, Symbolen etc*) verziert.

his·tor·ic [his'tɒrik] *adj* (*adv* **~ally**) **1.** hi'storisch, geschichtlich (berühmt *od.* bedeutsam): ~ **battlefield;** ~ **building;** a(n) ~ **occasion;** a ~ **speech. 2.** → **historical. his'tor·i·cal I** *adj* (*adv* **~ly**) **1.** → **historic** 1. **2.** hi'storisch: a) geschichtlich (belegt *od.* über'liefert): a(n) ~ **event,** b) *mit Geschichte befaßt,* Geschichts...: ~ **geography** historische Geographie; ~ **science** Geschichtswissenschaft *f,* c) *geschichtlich orientiert:* ~ **geology** historische Geologie; ~ **materialism** historischer Materialismus; ~ **method** historische Methode; ~ **school** *econ.* historische Schule, d) geschichtlich(en Inhalts): ~ **novel** historischer Roman. **3.** *ling.* hi'storisch: ~ **grammar;** ~ **present** historisches Präsens. **II** *s* **4.** *Am.* hi'storischer Film *od.* Ro'man, historisches Drama.

his·tor·i·cal·ness [his'tɒrikəlnis] *s* (*das*) Hi'storische.

his·tor·i·cism [his'tɒri,sizəm] *s* Histo'rismus *m.*

his·to·ric·i·ty [,histə'risiti] *s* Geschichtlichkeit *f.*

his·to·ried ['histərid] *adj* geschichtlich berühmt, hi'storisch.

his·to·ri·ette [,histouri'et] *s* kurze Erzählung.

his·tor·i·fy [his'tɔ:ri,fai] *v/t* geschichtlich machen, aufzeichnen.

his·to·ri·og·ra·pher [his,tɔ:ri'ɒgrəfər] *s* Historio'graph *m,* (*amtlicher*) Geschichtsschreiber. **his,to·ri'og·ra·phy** *s* Geschichtsschreibung *f.*

his·to·ry ['histəri; -tri] *s* **1.** Hi'storie *f,* Geschichte *f,* Erzählung *f.* **2.** Geschichte *f:* a) geschichtliche Vergangenheit *od.* Entwicklung, b) (*ohne art*) Geschichtswissenschaft *f,* Hi'storik *f:* **ancient (medieval, modern)** ~ alte (mittlere, neuere) Geschichte; ~ **of art** Kunstgeschichte; ~ **of literature** Literaturgeschichte; ~ **of religions** Religionsgeschichte; **to make** ~ Geschichte machen; **the chair has a** ~ der Stuhl hat e-e (interessante) Vergangenheit; **that's all** ~ **now** *fig.* das ist alles längst vorbei. **3.** (Entwicklungs)Geschichte *f,* Werdegang *m* (*a. tech.*). **4.** *tech.* Bearbeitungsvorgang *m.* **5.** *allg., a. med.* Vorgeschichte *f:* **(case)** ~ Krankengeschichte *f,* Anamnese *f.* **6.** Lebensbeschreibung *f,* -lauf *m.* **7.** (zs.-hängende) Darstellung *od.* Beschreibung, Geschichte *f:* → **natural history. 8.** hi'storisches Drama. **~ piece** *s* hi'storisches Gemälde.

his·tri·on·ic [,histri'ɒnik] **I** *adj* (*adv* **~ally**) **1.** Schauspiel(er)..., schauspielerisch. **2.** *contp.* thea'tralisch, affek'tiert, ,schauspielerhaft'. **II** *s* **3.** *pl* (*a. als sg konstruiert*) a) schauspielerische Darstellung, b) Schauspielkunst *f,* c) *fig.* thea'tralische ,Mätzchen' *pl,* ,Schauspielern' *n,* Ef,fekthasche'rei *f.* **,his·tri'on·i·cal** → **histrionic** I. **,his·tri'on·i,cism** [-,sizəm], **'his·tri·o-,nism** [-triə,nizəm] → **histrionic** 3.

hit [hit] **I** *s* **1.** Schlag *m,* Stoß *m,* Streich *m,* Hieb *m.* **2.** *a. sport u. fig.* Treffer *m:* **to make a** ~ e-n Treffer erzielen, Erfolg haben. **3.** Glücksfall *m,* -treffer *m.* **4.** a) Schlager *m* (*Buch, Musikstück etc*): **stage** ~ Bühnenschlager; **it (he) was a big** ~ es (er) war ein großer Erfolg (**with** bei), b) *a.* **song** ~ Schlager(lied *n*) *m.* **5.** a) treffende Bemerkung, guter Einfall, b) Hieb *m,* sar'kastische Bemerkung (**at** gegen). **6.** *print. Am.* (Ab)Druck *m.*

II *v/t pret u. pp* **hit 7.** schlagen, stoßen, e-n Schlag *od.* Stoß versetzen (*dat*). **8.** (*a. fig. seelisch, finanziell etc*) treffen: **to** ~ **the target; to be** ~ **by a bullet; to** ~ **the nail on the head** *fig.* den Nagel auf den Kopf treffen; **to be** ~ **hard** *fig.* schwer getroffen sein (**by** durch); **he's badly** ~ ihn hat es schlimm erwischt; **to** ~ **the books** *Am. colloq.* (mächtig) ,büffeln'; **to** ~ **the bottle** *colloq.* ,saufen', mächtig trinken; **to** ~ **the sack** sich ,hinhauen' (*zum Schlafen*). **9.** *mot. etc j-n od. etwas* anfahren, *etwas* rammen: **to** ~ **a mine** *mar.* auf e-e Mine laufen. **10.** (an)stoßen, (an)schlagen, knallen (**against** an *acc,* gegen): **to** ~ **one's head against** (*od.* **upon**) **s.th.** mit dem Kopf gegen etwas stoßen. **11.** *e-n Schlag* austeilen: **to** ~ **s.o. a blow** j-m e-n Schlag versetzen. **12.** *bes. fig.* stoßen *od.* kommen auf (*acc*), treffen, finden: **to** ~ **oil** auf Öl stoßen; **to** ~ **the right road** auf die richtige Straße kommen; **to** ~ **the right solution** die richtige Lösung finden; **you have** ~ **it** du hast es getroffen (*ganz recht*). **13.** passen (*dat*), zusagen (*dat*): **to** ~ **s.o.'s fancy** (*od.* **taste**) j-s Geschmack *od.* j-m zusagen. **14.** *fig.* geißeln, scharf kriti'sieren. **15.** erreichen, *etwas* ,schaffen': **the car ~s 100 mph; prices** ~ **an all-time high** die Preise erreichten e-e Rekordhöhe; **to** ~ **the front pages** auf den Titelseiten der Zeitungen erscheinen; **to** ~ **the numbers pool** *Am.* im Lotto gewinnen. **16.** *a.* ~ **off** genau treffen *od.* 'wiedergeben, treffend nachahmen, über'zeugend darstellen *od.* schildern. **17.** *a.* ~ **up** *Am. colloq. j-n* ,anhauen', anpumpen (**for** um). **18.** *Am. colloq.* ankommen in (*dat*): **to** ~ **the town.**

III *v/i* **19.** treffen. **20.** *a.* ~ **out** (dreinzu)schlagen, um sich schlagen: **to** ~ **(out) at s.o.** auf j-n einschlagen. **21.** stoßen, treffen, schlagen, knallen (**against** gegen; **on, upon** auf *acc*). **22.** ~ **(up)on** *fig.* → 12. **23.** *mot. Am. colloq.* zünden, laufen: **to** ~ **on all four cylinders** gut laufen (*a. fig.*).

Verbindungen mit Adverbien:

hit| back *v/i* zu'rückschlagen (*a. fig.*). ~ **off I** *v/t* **1.** improvi'sieren. **2.** → **hit** 16. **3. to hit it off (with s.o.)** glänzend (mit j-m) auskommen, sich prächtig (mit j-m) vertragen. **II** *v/i* **4.** (**with**) passen (zu), harmo'nieren (mit). ~ **out** *v/i* **1.** → **hit** 20. **2.** *fig.* losziehen (**at** über *acc*). ~ **up** *v/t* **1.** *Krikket: Läufe* erzielen. **2. to hit it up** *colloq.* sich mächtig ins Zeug legen. **3.** → **hit** 17.

'hit|-and-'miss *adj* **1.** mit wechselndem Glück. **2.** → **hit-or-miss. '~-and-'run** *adj* **1.** flüchtig: ~ **driver;** ~ **driving** Fahrerflucht *f;* ~ **accident** Unfall *m* mit Fahrerflucht. **2.** kurz, rasch: ~ **merchandising** kurzlebige Verkaufsaktion; ~ **raid** *mil.* Stippangriff *m.*

hitch [hitʃ] **I** *s* **1.** *bes. mar.* Stich *m,* Knoten *m.* **2.** a) Stockung *f,* Halt *m,* Störung *f,* b) Hindernis *n,* ,Haken' *m:* **there is a** ~ **(somewhere)** die Sache hat (irgendwo) e-n Haken, irgend etwas stimmt da nicht; **without a** ~ glatt, reibungslos. **3.** Ruck *m,* Zug *m:* **to give one's trousers a** ~ s-e Hosen hochziehen. **4.** *tech.* Verbindungshaken *m,* -glied *n.* **5.** *Am. sl.* Zeit(spanne) *f, bes.* a) Sol'datenzeit *f,* b) ,Knast' *m* (*Gefängnisstrafe*). **II** *v/t* **6.** (ruckartig) ziehen, rücken. **7.** befestigen, festmachen, -haken, anbinden, ankoppeln. **8.** *a.* ~ **in** *fig.* hin'einbringen (**into** in *acc*). **9.** *Am. sl.* verheiraten: **to get ~ed** → 14. **III** *v/i* **10.** rücken, sich ruckweise (fort)bewegen, hoppeln: to ~ along. **11.** stocken. **12.** sich festhaken, sich verfangen, hängenbleiben (on an *dat*). **13.** *colloq.* sich vertragen, über'einstimmen. **14.** *a.* ~ up *Am. sl.* heiraten. **15.** *Am. sl.* → hitchhike.

'hitch|,hike *v/i colloq.* ‚per Anhalter' fahren, ‚trampen'. **'~,hik·er** *s colloq.* ‚Anhalter' *m.*

hith·er ['hiðər] **I** *adv* 'hierher: ~ and thither hierhin u. dorthin. **II** *adj* diesseitig, näher (gelegen): the ~ side of the hill; H~ India Vorderindien *n.* **,~'to I** *adv* **1.** bisher, bis jetzt. **2.** *obs.* bis 'hierher (*örtlich*). **II** *adj* **3.** bis'herig.

Hit·ler·ism ['hitlə,rizəm] *s* Hitle'rismus *m*, Na'zismus *m.* **'Hit·ler,ite I** *s* Nazi *m.* **II** *adj* na'zistisch.

'hit|-,off *s sl.* geschickte Darstellung *od.* Nachahmung. **~ or miss** *adv* aufs Gerate'wohl, auf gut Glück. **'~-or--'miss** *adj* **1.** unbekümmert, sorglos. **2.** aufs Gerate'wohl getan. **3.** unsicher. **~ pa·rade** *s* 'Schlagerpa,rade *f.*

Hit·tite ['hitait] **I** *s* He'thiter(in). **II** *adj* he'thitisch.

hive [haiv] **I** *s* **1.** Bienenkorb *m*, -stock *m.* **2.** Bienenvolk *n*, -schwarm *m.* **3.** *fig.* a) Bienenhaus *n*, b) Sammelpunkt *m*, c) Schwarm *m* (*von Menschen*). **II** *v/t* **4.** *Bienen* in e-n Stock bringen. **5.** *Honig* im Bienenstock sammeln. **6.** *fig.* aufspeichern, sammeln. **7.** *fig.* beherbergen. **III** *v/i* **8.** in den Stock fliegen (*Bienen*): to ~ off *fig.* abschwenken, abzweigen. **9.** *fig.* zs.-wohnen, hausen (with mit).

hives [haivz] *s pl med.* **1.** Nesselausschlag *m.* **2.** Halsbräune *f*, Krupp *m.*

ho[1] [hou] *interj* halt!, ho!, brr!

ho[2] [hou] *interj* **1.** (*überrascht*) o'ha!, na'nu! **2.** (*erfreut*) ah!, oh! **3.** (*triumphierend*) ha! **4.** ~ ~! *contp.* haha! **5.** hallo!, holla!, heda! **6.** auf nach ...: westward ~! auf nach Westen!

hoar [hɔːr] *adj* **1.** weiß(grau). **2.** → hoary 2. **3.** (*vom Frost*) weiß, bereift. **4.** *obs.* schimm(e)lig.

hoard [hɔːrd] **I** *s* Hort *m*, Schatz *m*, Vorrat *m.* **II** *v/t a.* ~ up horten, sammeln, aufhäufen, hamstern. **III** *v/i* hamstern, Vorräte sammeln. **'hoard·er** *s* Hamsterer *m.*

hoard·ing[1] ['hɔːrdiŋ] *s* **1.** Horten *n*, Sammeln *n*, Hamste'rei *f.* **2.** gehortete Vorräte *pl.*

hoard·ing[2] ['hɔːrdiŋ] *s* **1.** Bau-, Bretterzaun *m.* **2.** Re'klamewand *f.*

'hoar,frost *s* (Rauh)Reif *m.*

hoar·i·ness ['hɔːrinis] *s* **1.** Weiß *n* (*bes. der Haare*). **2.** Ehrwürdigkeit *f* (*des Alters*). **3.** Grauhaarigkeit *f.*

hoarse [hɔːrs] *adj* (*adv* ~ly) heiser, rauh, krächzend. **'hoars·en** [-ən] *v/t u. v/i* heiser machen (werden). **'hoarse·ness** *s* Heiserkeit *f.*

hoar·y ['hɔːri] *adj* (*adv* hoarily) **1.** weiß(lich). **2.** a) (alters)grau, ergraut, silberhaarig, b) *fig.* altersgrau, ehrwürdig, (ur)alt. **3.** *bot. zo.* mit weißen Härchen bedeckt.

hoax [houks] **I** *s* **1.** Falschmeldung *f*, (Zeitungs)Ente *f*, Schwindel *m.* **2.** Schabernack *m*, Streich *m*, Foppe'rei *f.* **II** *v/t* **3.** *j-m* e-n Bären aufbinden, *j-n* foppen, anführen, zum besten haben.

hob[1] [hɒb] **I** *s* **1.** Ka'mineinsatz *m*, -vorsprung *m* (*für Teekessel etc*). **2.** Zielpflock *m* (*beim Wurfspiel*). **3.** → hobnail. **4.** *tech.* a) Gewinde-, (Ab-)Wälzfräser *m*, b) Strehlbohrer *m*: ~ arbor Fräsdorn *m.* **II** *v/t* **5.** *tech. Gewinde* verzahnen, (ab)wälzen: ~bing machine → 4 a.

hob[2] [hɒb] *s* **1.** *obs. od. dial.* Bauer(nlümmel) *m.* **2.** *dial.* Elf *m*, Kobold *m.* **3.** *colloq.* Unfug *m*: to play (*od.* raise) ~ with Schindluder treiben mit; to raise ~ Krach schlagen.

hob·ba·de·hoy, hob·be·de·hoy ['hɒbədi,hɔi] → hobbledehoy.

Hob·bism ['hɒbizəm] *s philos.* der Hob'bismus, die Philoso'phie Thomas Hobbes'.

hob·ble ['hɒbl] **I** *v/i* **1.** hinken, humpeln, hoppeln. **2.** *fig.* holpern, hinken (*Vers, Rede etc*). **II** *v/t* **3.** *e-m Pferd* die Vorderbeine fesseln. **4.** hindern. **III** *s* **5.** Humpeln *n*: ~ skirt Humpelrock *m.* **6.** Fessel *f.* **7.** *colloq.* Klemme *f*, ‚Patsche' *f.*

hob·ble·de·hoy ['hɒbldi,hɔi] *s colloq.* (junger) ‚Taps' *od.* Flegel.

hob·by[1] ['hɒbi] **I** *s* **1.** *fig.* Steckenpferd *n*, Hobby *n*, Liebhabe'rei *f.* **2.** *dial. ein starkes, mittelgroßes Pferd.* **3.** *hist. e-e frühe Form des Fahrrads.* **II** *v/i* **4.** *Am.* ein Hobby betreiben: to ~ at (*od.* in) s.th. etwas als Hobby betreiben.

hob·by[2] ['hɒbi] *s orn.* Baumfalke *m.*

'hob·by,horse *s* **1.** a) Steckenpferd *n*, b) Schaukelpferd *n*, c) Karus'sellpferd *n.* **2.** *fig.* → hobby[1] 1. **3.** Pferdekopfmaske *f.*

hob·by·ist ['hɒbiist] *s* Hobby'ist *m*, j-d, der ein Hobby *od.* Steckenpferd hat.

'hob,gob·lin *s* **1.** Kobold *m* (*a. fig.*). **2.** Popanz *m*, Schreckgespenst *n.*

'hob,nail *s* grober Schuhnagel. **'hob,nailed** *adj* **1.** genagelt, mit groben Nägeln beschlagen. **2.** *fig.* bäurisch, tölpelhaft.

hob·nail(ed) liv·er *s med.* Knoten-, Schrumpfleber *f.*

'hob,nob *v/i* **1.** zu'sammen eins trinken. **2.** in'tim sein, freundschaftlich verkehren, auf du u. du sein (with mit).

ho·bo ['houbou] *pl* **-bos, -boes** *s Am.* **1.** Wanderarbeiter *m.* **2.** Landstreicher *m*, Tippelbruder *m.* **'ho·bo,ism** *s Am.* Landstreichertum *n.*

Hob·son's choice ['hɒbsnz] *s* Wahl *f* zwischen zwei Übeln: it is (a) ~ man hat keine andere Wahl.

hock[1] [hɒk] **I** *s zo.* a) Sprung-, Fesselgelenk *n* (*der Huftiere*), b) Mittelfußgelenk *n* (*der Vögel*), c) Hachse *f* (*beim Schlachttier*). **II** *v/t* → hamstring 3.

hock[2] [hɒk] *s* weißer Rheinwein.

hock[3] [hɒk] *Am. sl.* **I** *s* Pfand *n*: in ~ a) versetzt, -pfändet, b) verschuldet (to bei), c) im ‚Kittchen' (*Gefängnis*); to put into ~ → II. **II** *v/t* versetzen, -pfänden, ins Pfandhaus tragen.

hock·ey ['hɒki] *s sport* Hockey *n*: ~ (stick) Hockeyschläger *m.*

'hock,shop *s Am. sl.* Pfandhaus *n.*

'Hock,tide *s hist. am zweiten Montag u. Dienstag nach Ostern eingehaltene Feiertage.*

ho·cus ['houkəs] *v/t* **1.** betrügen, ‚übers Ohr hauen'. **2.** *j-n* berauschen, betäuben. **3.** *Wein etc* mischen, verschneiden, fälschen. **'~-'po·cus** [-'poukəs] **I** *s* Hokus'pokus *m*: a) *Zauberformel*, b) Gauklertrick *m*, Schwindel *m*, fauler Zauber. **II** *v/i colloq.* faulen Zauber machen. **III** *v/t colloq.* → hocus 1.

hod [hɒd] *s* **1.** a) Mörteltrog *m*, Tragmulde *f*, b) Steinbrett *n*: ~ carrier → hodman 1. **2.** Kohleneimer *m.* **3.** *Br. Zinngießerei*: (*ein*) Holzkohlenofen *m.*

hod·den ['hɒdn] *s Scot.* grober ungefärbter Wollstoff.

Hodge [hɒdʒ] *s Br.* Bauer *m.*

hodge·podge ['hɒdʒ,pɒdʒ] → hotchpotch 1 *u.* 2.

ho·di·er·nal [,houdi'əːrnəl] *adj* heutig.

'hod·man [-mən] *s irr* **1.** Mörtel-, Ziegelträger *m.* **2.** Handlanger *m* (*a. fig.*). **3.** Lohnschreiber *m.*

hod·o·graph ['hɒdə,græ(ː)f; *Br. a.* -,grɑːf] *s math.* Hodo'graph *m*, Wegkurve *f.*

ho·dom·e·ter [*Br.* hɒ'dɒmitər; *Am.* hou-] *s* Hodo'meter *n*, Wegmesser *m*, Schrittzähler *m.*

hoe [hou] **I** *s* Hacke *f.* **II** *v/t* a) *den Boden* hacken, b) *Pflanzen* behacken, c) *a.* ~ up *Unkraut* aushacken: to ~ down um-, niederhacken; a long row to ~ e-e schwere Aufgabe. **'~,cake** *s Am.* Maiskuchen *m.*

hog [hɒg] **I** *s* **1.** (Haus)Schwein *n*: → whole hog. **2.** *econ.* Schlachtschwein *n* (*über 120 Pfund*). **3.** *zo.* Keiler *m*, Eber *m.* **4.** *colloq.* Schwein *n*: a) Schmutzfink *m*, b) Lümmel *m*, Flegel *m*, c) Vielfraß *m*, gieriger Kerl: ~ in armo(u)r Bauer *m* in Samt u. Seide; on the ~ *Am. sl.* ‚pleite'; → road hog. **5.** *mar.* Scheuerbesen *m.* **6.** *Papierfabrikation*: Rührwerk *n.* **7.** *tech. Am.* (Zerreiß)Wolf *m.* **8.** *Curling*: Fehlschub *m.* **9.** → hogget. **II** *v/t* **10.** nach oben krümmen: to ~ one's back → 15. **11.** *Mähne* kurzscheren, stutzen. **12.** *a.* ~ down *Am. colloq.* (gierig) verschlingen, ‚fressen'. **13.** *Am. sl.* (gierig) an sich reißen, mit Beschlag belegen: to ~ the road *mot.* sich auf der Straße breitmachen, rücksichtslos in der Mitte der Fahrbahn fahren. **III** *v/i* **14.** *mar.* sich in der Mitte nach oben krümmen (*Kiel-Längsachse*). **15.** den Rücken krümmen, e-n Buckel machen. **16.** *Am. sl.* gierig *od.* unverschämt sein. **17.** *colloq.* rücksichtslos fahren.

'hog|,back *s geol.* langer u. scharfer Gebirgskamm. **~ chol·er·a** *s vet.* 'Schweinepest *f*, -,cholera *f.* **~ deer** *s zo.* Schweinshirsch *m.*

hogg → hog.

hogged [hɒgd] *adj* **1.** (hoch)gekrümmt, aufgebuchtet. **2.** nach beiden Seiten steil abfallend. **'hog·ger** *s tech.* Schnellstahlfräser *m*, S'S-Fräser *m.* **'hog·ger·y** [-əri] *s* **1.** Schweine(herde *f*) *pl.* **2.** → hoggishness.

hog·get ['hɒgit] *s* Jährling *m* (*einjähriges Schaf od. Füllen*).

hog·gin ['hɒgin] *s* gesiebter Kies.

hog·gish ['hɒgiʃ] *adj* (*adv* ~ly) **1.** schweinisch, schmutzig. **2.** gierig, gefräßig. **3.** gemein. **'hog·gish·ness** *s* **1.** Schweine'rei *f*, Schmutz *m.* **2.** Gefräßigkeit *f.* **3.** Gemeinheit *f.*

hog·ma·nay ['hɒgmə'nei] *s Scot.* **1.** Sil'vester *m*, *n.* **2.** Sil'vestergabe *f.*

hog| mane *s* gestutzte Pferdemähne. **'~,nut** *s bot.* **1.** a) Hickorynuß *f* (*Frucht von b*), b) Brauner Hickorybaum. **2.** *Am. für* pignut 2. **3.** Euro'päische Erdnuß. **'~-,round** *adj u. adv Am. colloq.* pau'schal, zu e-m Einheitspreis.

'hog's-,back [hɒgz] → hogback.

'hogs,head *s* **1.** Oxhoft *n* (*altes Flüssigkeitsmaß*: *Am. 238 l, Br. 286 l*). **2.** Oxhoftfaß *n* (*etwa 300 bis 600 l*).

'hog,skin *s* Schweinsleder *n.*

'hog's-,pud·ding *s* (*Art*) Preßkopf *m* (*Wurst*).

'hog|-,sty *s* Schweinestall *m.* **'~-,tie** *pres p* **'~-,ty·ing** *v/t* **1.** *e-m Tier* alle vier Füße zs.-binden. **2.** *Am. colloq.* lähmen, lahmlegen: to ~ an industry. **~ wal·low** *s Am.* **1.** Schweinepfuhl *m.* **2.** Mulde *f.* **'~,wash** *s* **1.** Schweinetrank *m*, Spülicht *n.* **2.** *fig. contp.* a) ‚Spülwasser' *n* (*schlechtes Getränk*), b) Gewäsch *n*, ‚Quatsch' *m.* **'~-,wild** *adj Am. sl.* ‚wild', verrückt.

hoick [hɔik] *v/t* **1.** reißen, zerren. **2.** *das Flugzeug* hochreißen.

hoicks [hɔiks] *hunt.* **I** *interj* hussa!, heda! (*Hetzruf an Hunde*). **II** *v/t Hunde* antreiben. **III** *v/i* ,hussa' rufen.

hoi·den → hoyden.

hoi pol·loi [ˌhɔi pɔˈlɔi] (*Greek*) *s pl* die (breite) Masse, der Pöbel.

hoise [hɔiz] *pret u. pp* **hoised** *od.* **hoist** *obs. für* hoist[1] I.

hoist[1] [hɔist] **I** *v/t* **1.** hochziehen, -winden, heben, hieven: to ~ out a boat *mar.* ein Boot aussetzen. **2.** *Flagge, Segel* hissen, heißen. **3.** *Am. sl.* ,klauen' (*stehlen*). **II** *v/i* **4.** hochsteigen, hochgezogen werden. **III** *s* **5.** Hochziehen *n.* **6.** *tech.* (Lasten)Aufzug *m*, Hebezeug *n*, Winde *f.* **7.** *mar.* a) Tiefe *f* (*der Flagge od. des Segels*), b) Heiß *m* (*als Signal gehißte Flaggen*).

hoist[2] [hɔist] *pret u. pp von* hoise: ~ with one's own petard *fig.* in der eigenen Falle gefangen.

hoist·ing [ˈhɔistiŋ] *adj tech.* a) Hebe..., Hub..., b) *Bergbau*: Förder...: ~ cage Förderkorb *m*; ~ tackle Flaschenzug *m.* ~ **en·gine** *s tech.* **1.** Hebewerk *n*, Ladekran *m.* **2.** *Bergbau*: ˈFörderma,schine *f.*

hoi·ty-toi·ty [ˈhɔitiˈtɔiti] **I** *interj* **1.** ei, ei!, alle Wetter! **II** *adj* **2.** ausgelassen, ˈübermütig. **3.** hochnäsig, eingebildet. **4.** leicht gekränkt, ,etepeˈtete'. **III** *s* **5.** *obs.* ˈÜbermut *m.* **6.** mutwillige *od.* eingebildete Perˈson.

ho·key-po·key [ˈhoukiˈpouki] *s sl.* **1.** → hocus-pocus. **2.** (*von Straßenhändlern verkauftes*) Speiseeis.

ho·kum [ˈhoukəm] *s sl.* **1.** *thea.* ,Mätzchen' *n od. pl*, (*bes.* sentimenˈtaler) Kitsch. **2.** ,Krampf' *m*, ,Quatsch' *m.*

hold[1] [hould] *s aer. mar.* Lade-, Frachtraum *m.*

hold[2] [hould] **I** *s* **1.** Halt *m*, Griff *m*: to catch (*od.* get, lay, seize, take) ~ of s.th. etwas ergreifen *od.* in die Hand bekommen *od.* zu fassen kriegen *od.* erwischen; to get ~ of s.o. j-n erwischen; to get ~ of o.s. sich in die Gewalt bekommen; to keep ~ of festhalten; to let go (*od.* to quit) one's ~ of s.th. etwas loslassen; to miss one's ~ fehlgreifen. **2.** Halt *m*, Griff *m*, Stütze *f*: to afford no ~ keinen Halt bieten. **3.** *Ringen*: Griff *m*: in politics no ~s are barred *fig.* in der Politik geht es rauh zu *od.* ist alles erlaubt. **4.** (on, over, of) Gewalt *f*, Macht *f* (über *acc*), Einfluß *m* (auf *acc*): to get a ~ on s.o. j-n unter s-n Einfluß *od.* in s-e Macht bekommen; to have a (firm) ~ on s.o. j-n in s-r Gewalt haben, j-n beherrschen. **5.** *Am.* (Ein)Halt *m*: to put a ~ on s.th. etwas stoppen. **6.** Haft *f*, Gewahrsam *m.* **7.** *mus.* Ferˈmate *f.* **8.** *obs.* Festung *f.*

II *v/t pret u. pp* **held** [held], *pp jur. od. obs. a.* **hold·en** [ˈhouldən] **9.** (fest)halten. **10.** sich *die Nase, die Ohren* zuhalten: to ~ one's nose (ears). **11.** *ein Gewicht etc* tragen, (aus)halten. **12.** (*in e-m Zustand etc*) halten: to ~ o.s. erect sich gerade halten; to ~ (o.s.) ready (sich) bereit halten; the way he ~s himself (so) wie er sich benimmt. **13.** (zuˈrück-, ein)behalten: to ~ the shipment die Sendung zurück(be)halten; ~ everything! *colloq.* sofort aufhören! **14.** (zuˈrück-, ab)halten (from von), an-, aufhalten, im Zaume halten, zügeln: there is no ~ing him er ist nicht zu halten *od.* zu bändigen; to ~ the enemy den Feind aufhalten; to ~ one's hand sich (*von Tätlichkeiten*) zurückhalten; to ~ one's tongue (*od.* noise *od.* peace) den Mund halten. **15.** *Am.* a) festnehmen: 12 persons were held, b) in Haft halten. **16.** *sport* sich erfolgreich verteidigen gegen *e-n Gegner.* **17.** *j-n* binden (to an *acc*): to ~ s.o. to his word j-n beim Wort nehmen. **18.** a) *e-e Versammlung etc* abhalten: to ~ a meeting; to ~ an election, b) *ein Fest etc* veranstalten: to ~ a feast. **19.** beibehalten: to ~ the course; to ~ prices at the same level die Preise (auf dem gleichen Niveau) halten. **20.** *Alkohol* vertragen: to ~ one's liquor well. **21.** *mil. u. fig. e-e Stellung* halten, behaupten: to ~ a position; to ~ one's own sich behaupten; to ~ the boards (*od.* the stage) sich halten (*Theaterstück*); to ~ the stage *fig.* die Szene beherrschen, im Mittelpunkt stehen (*Person*); → fort 1. **22.** innehaben: a) besitzen: to ~ land (shares, rights *etc*), b) bekleiden: to ~ an office. **23.** *e-n Platz etc* einnehmen, (inne)haben, *e-n Rekord* halten: to ~ an important place; to ~ a record; to ~ an academic degree e-n akademischen Titel führen. **24.** fassen: a) enthalten: the tank ~s ten gallons, b) Platz bieten für, ˈunterbringen: the hotel ~s 300 guests. **25.** *a. fig.* enthalten, zum Inhalt haben, bergen: the room ~s period furniture das Zimmer ist mit Stilmöbeln eingerichtet; the place ~s many memories der Ort ist voll von Erinnerungen; it ~s no pleasure for him er findet kein Vergnügen daran. **26.** *Bewunderung, Sympathie etc* hegen, haben (for für): to ~ no prejudice kein Vorurteil haben. **27.** behaupten: to ~ (the view) that die Ansicht vertreten *od.* der Ansicht sein, daß. **28.** halten für, betrachten als: I ~ him to be a fool ich halte ihn für e-n Narren; it is held to be wise man hält es für klug (to do zu tun). **29.** halten: to ~ s.o. in contempt j-n verachten; to ~ s.o. dear j-n liebhaben; to ~ s.o. responsible j-n verantwortlich machen; → esteem 3. **30.** *bes. jur.* entscheiden (that daß). **31.** fesseln, in Spannung halten: to ~ the audience; to ~ s.o.'s attention j-s Aufmerksamkeit fesseln. **32.** *Am. Hotelzimmer etc* reserˈvieren. **33.** ~ to *Am.* beschränken auf (*acc*). **34.** ~ against *j-m etwas* vorhalten, -werfen: don't ~ it against me! **35.** *Am. j-m* (aus)reichen: food to ~ him for a week. **36.** *mus. e-n Ton* (aus)halten. **37.** *obs.* ertragen.

III *v/i* **38.** halten, nicht (zer)reißen *od.* (zer)brechen. **39.** stand-, aushalten, sich halten. **40.** (sich) festhalten (by, to an *dat*). **41.** bleiben: to ~ on one's course s-n Kurs weiterverfolgen; to ~ on one's way s-n Weg weitergehen. **42.** sich verhalten: to ~ still stillhalten. **43.** sein Recht ableiten (of, from von). **44.** *a.* ~ good (weiterhin) gelten, gültig sein *od.* bleiben: the rule ~s of (*od.* in) all cases die Regel gilt in allen Fällen. **45.** a) dauern, b) anhalten, andauern: the fine weather held; my luck held. **46.** einhalten: ~! halt (ein)! **47.** ~ by (*od.* to) *j-m od. e-r Sache* treu bleiben. **48.** ~ with a) es halten mit, überˈeinstimmen mit, b) einverstanden sein mit. **49.** stattfinden.

Verbindungen mit Adverbien:

hold| a·loof *v/i* sich abseits halten. ~ **back I** *v/t* **1.** zuˈrückhalten. **2.** → hold in 1. **3.** *fig.* zuˈrückhalten mit, verschweigen. **II** *v/i* **4.** sich zuˈrückhalten (*a. fig.*). ~ **down** *v/t* **1.** niederhalten, unterˈdrücken. **2.** *Am. sl.* a) *e-n Posten* innehaben, b) sich in *e-r Stellung, e-m Amt* halten. **3.** *Am. sl.* sich kümmern um. ~ **forth I** *v/t* **1.** ˈherzeigen. **2.** in Aussicht stellen, bieten. **II** *v/i* **3.** ,e-e Rede schwingen', sich auslassen, doˈzieren (on über *acc*). ~ **good** *v/i* **1.** → hold[2] 44. **2.** anhalten, andauern. ~ **hard** *v/i* warten: ~! halt!, warte mal! ~ **in I** *v/t* **1.** im Zaum halten, zügeln, zuˈrückhalten. **II** *v/i* **2.** sich zuˈrückhalten. **3.** ~ with s.o. sich j-n ,halten', sich j-s Freundschaft bewahren. ~ **off I** *v/t* **1.** ab-, fernhalten, abwehren. **2.** *etwas* aufschieben. **3.** *aer.* abfangen. **II** *v/i* **4.** sich zuˈrückhalten. **5.** zögern. **6.** ausbleiben. ~ **on** *v/i* **1.** *a. fig.* festhalten (to an *dat*). **2.** sich festhalten (to an *dat*). **3.** aushalten, -harren, weitermachen: → hold[2] 41. **4.** *teleph.* am Appaˈrat bleiben. **5.** *colloq.* aufhören: ~! warte mal!, halt!, immer langsam! ~ **out I** *v/t* **1.** *die Hand etc* ausstrecken, ˈhinhalten, bieten. **2.** → hold forth 2. **3.** to hold o.s. out *a doctor etc* sich ausgeben als *Doktor etc.* **II** *v/i* **4.** aus-, standhalten, sich halten. **5.** sich behaupten (against gegen). **6.** ~ on s.o. *Am. colloq.* a) j-m etwas verheimlichen, b) j-m etwas vorenthalten. **7.** ~ for bestehen auf (*dat*). ~ **o·ver I** *v/t* **1.** auf-, verschieben, zuˈrückstellen, -halten. **2.** *econ.* prolonˈgieren. **3.** *mus. e-n Ton* hinˈüberhalten. **4.** *ein Amt etc* (über die festgesetzte Zeit hinˈaus) behalten. **5.** *die Spielzeit e-s Films etc, das Engagement e-s Künstlers etc* verlängern. **II** *v/i* **6.** über die festgesetzte Zeit hinˈaus dauern *od.* (*im Amt etc*) bleiben. ~ **to·geth·er** *v/t u. v/i* zs.-halten. ~ **true** *v/i* **1.** sich bewahrheiten. **2.** sich bewähren. **3.** → hold[2] 44. ~ **up I** *v/t* **1.** (hoch)heben. **2.** hochhalten, in die Höhe halten: to ~ to view den Blicken darbieten; to ~ to ridicule *fig.* dem Spott preisgeben, lächerlich machen. **3.** halten, stützen, tragen. **4.** aufrechterhalten. **5.** ˈhinstellen (as als): to ~ as an example. **6.** an-, aufhalten, behindern: to ~ traffic; held up by the fog. **7.** *colloq.* überˈfallen (u. ausrauben). **II** *v/i* **8.** sich aufrecht halten. **9.** → hold out 4 *u.* 5. **10.** sich halten (*Preise, Wetter etc*). **11.** → hold true. **12.** ~ on → hold over 1. **13.** nicht zuˈrückbleiben.

ˈhold|ˌall *s* Reisetasche *f.* **ˈ~ˌback** *s* **1.** Hindernis *n.* **2.** *Am* a) Abwarten *n*, b) Einbehaltung *f*: ~ pay zurückbehaltener Lohn. **3.** *tech.* a) (Rücklauf)Sperre *f*, b) (Tür)Stopper *m.*

hold·er[1] [ˈhouldər] *s* **1.** a) Haltende(r *m*) *f*, b) Halter *m*: cigar ~ Zigarrenhalter, -spitze *f.* **2.** *tech.* a) Halter(ung *f*) *m*, b) Zwinge *f*, c) *electr.* (Lampen)Fassung *f.* **3.** (Grund)Pächter *m.* **4.** *a. econ. jur.* Inhaber(in) (*e-r Lizenz, e-s Patents, e-s Schecks, e-r Vollmacht etc, a. e-s Rekords, e-s Titels etc*), Besitzer(in): previous (*od.* prior) ~ Vorbesitzer; ~ in due course gutgläubiger Besitzer; ~ of a bill Wechselinhaber; ~ of a share Aktieninhaber, Aktionär *m.*

hold·er[2] [ˈhouldər] *s mar.* Schauermann *m.*

ˈhold·er-ˈup, *pl* **ˈhold·ers-ˈup** *s tech.* **1.** (Niet)Vor-, Gegenhalter *m.* **2.** Nietstock *m*, -kloben *m.*

ˈholdˌfast *s* **1.** *tech.* a) Klammer *f*, Zwinge *f*, Klemmhaken *m*, b) Schließhaken *m*, c) flachköpfiger Nagel, Spannkluppe *f.* **2.** *bot.* ˈHaftorˌgan *n*, -scheibe *f.*

hold·ing ['houldiŋ] *s* **1.** (Fest)Halten *n.* **2.** Pachtung *f,* Pachtgut *n.* **3.** *oft pl* a) Besitz *m,* Bestand *m* (*an Effekten etc*), b) (Aktien)Anteil *m,* (-)Beteiligung *f,* c) Vorrat *m,* Lager *n.* **4.** *econ.* Tochtergesellschaft *f.* **5.** *jur.* (gerichtliche) Entscheidung. ~ **at·tack** *s mil.* Fesselungsangriff *m.* ~ **com·pa·ny** *s econ.* Holding-, Dachgesellschaft *f.*

'hold|-ˌout *s* **1.** *Am.* a) 'Hinhalten *n* (*bei Verhandlungen*), b) j-d, der nicht mitmachen will. **2.** Schlupfwinkel *m.* **'~ˌo·ver** *s* **1.** 'Überbleibsel *n, bes.* a) *ped.* sitzengebliebener Schüler, Repe'tent *m,* b) j-d, der (*über die festgesetzte Amtszeit hinaus*) im Amt geblieben ist. **2.** *thea. Am.* a) Verlängerung *f* (*der Spielzeit, des Engagements*), b) verlängerter Film *etc.* **'~ˌup** *s* **1.** Verzögerung *f,* (*a.* Verkehrs)Stockung *f.* **2.** *Am.* a) ('Raub)ˌÜberfall *m:* ~ **man** (Straßen)Räuber *m,* b) Erpressung *f,* Gewaltakt *m.*

hole [houl] **I** *s* **1.** Loch *n:* **a ~ in a contract** *fig.* ein Schlupfloch *od.* e-e Lücke in e-m Vertrag; **full of ~s** a) durchlöchert, b) *fig.* fehlerhaft, ,wack(e)lig' (*Theorie etc*); **to make a ~ in** *fig.* ein Loch reißen in (*acc*) (*Vorräte etc*); **to pick ~s in** *fig.* a) an *e-r Sache* herumkritteln, *ein Argument etc* zerpflücken, b) *j-m* am Zeug flicken; **a ~ in one's coat** *fig.* ein Fleck auf der Weste; → **peg** 1. **2.** Loch *n,* Grube *f,* Höhlung *f.* **3.** Höhle *f,* Bau *m* (*e-s Tieres*). **4.** *tech.* Loch *n,* Bohrung *f,* Öffnung *f.* **5.** *fig.* ,Loch' *n:* a) ,(Bruch)Bude' *f,* b) ,Kaff' *n,* ,Nest' *n* (*Ort*), c) Gefängnis(zelle *f*) *n,* d) Schlupfwinkel *m,* Versteck *n.* **6.** *sl.* ,Klemme' *f:* **to be in a ~** in der Klemme *od.* ,Patsche' sitzen; **to put in (get out of) a ~** *j-n* ,bös hineinreiten' (*j-m* aus der Patsche helfen); **in the ~** *econ.* a) verschuldet, b) ,pleite'. **7.** *Am.* kleine Bucht. **8.** *Golf:* Hole *n:* a) Loch *n,* b) Bahn *f,* c) Punkt *m.* **9.** *print.* leere *od.* unbedruckte Stelle. **II** *v/t* **10.** durch'löchern, -'bohren. **11.** *Bergbau:* schrämen. **12.** *ein Tier* in s-e Höhle treiben. **13.** *oft* ~ **out** *sport den Ball* ins Loch spielen, einlochen. **14.** ~ **up** *Am colloq.* a) einsperren, b) *fig. e-n Antrag etc* ,auf Eis legen'. **III** *v/i* **15.** ~ **out** (*Golf*) einlochen. **16.** *meist* ~ **up** a) sich in s-e Höhle verkriechen (*Tier*), b) *Am. sl.* sich verkriechen.

'hole|-and-'cor·ner *adj* **1.** heimlich, versteckt. **2.** zweifelhaft, anrüchig: **a ~ business. 3.** armselig: **a ~ life. '~-in-the-'wall** *Am. colloq.* **I** *s* ,Bruchbude' *f.* **II** *adj* armselig, ,mickrig'. **'~ˌproof** *adj Am.* **1.** zerreißfest. **2.** *fig.* unangreifbar, ,bombensicher'.

hol·i·day ['hɒliˌdei] **I** *s* **1.** Feiertag *m.* **2.** freier Tag, Ruhetag *m:* **to take a** (*od.* **make**) ~ feiern, (sich) e-n Tag frei machen; **to have a ~** a) e-n freien Tag haben, b) Ferien haben; **to have a ~ from s.th.** *fig.* befreit sein von etwas, sich von etwas erholen können. **3.** *meist pl* Ferien *pl,* Urlaub *m:* **the Easter ~s** die Osterferien; ~ **with pay** bezahlter Urlaub; **to be on ~** in den Ferien *od.* auf Urlaub *od.* verreist sein, Ferien haben; **to go on ~** in die Ferien gehen. **4.** *tech. Am.* (*beim Anstreichen*) über'sehene u. freigelassene Stelle. **II** *adj* **5.** Ferien..., Fest(tags)...: ~ **camp** Ferienlager *n;* ~ **clothes** Fest(tags)kleider; ~ **course** Ferienkurs *m;* **in a ~ mood** in Ferienstimmung. **III** *v/i* **6.** Ferien machen. ~ **mak·er** *s* Ferienreisende(r *m*) *f,* Sommerfrischler(in), Urlauber(in), Ferien-, Kurgast *m,* Ausflügler(in).

'ho·li·er-than-'thou ['houliər-] *Am. colloq.* **I** *s* Phari'säer *m.* **II** *adj* phari'säisch, selbstgerecht.

ho·li·ness ['houlinis] *s* **1.** Heiligkeit *f.* **2.** Frömmigkeit *f,* Sündlosigkeit *f.* **3. His H~** Seine Heiligkeit (*der Papst*).

ho·lism ['houlizəm] *s philos.* Ho'lismus *m* (*Ganzheitstheorie*). **ho'lis·tic** *adj* ho'listisch, ganzheitlich.

hol·la ['hɒlə] → **halloo** 1 *u.* 2.

Hol·land·er ['hɒləndər] *s* **1.** Holländer(in). **2.** *a.* **h~** *Papierherstellung:* Holländer *m.*

Hol·lands ['hɒləndz], *a.* **Hol·land gin** *s* Ge'never *m,* Wa'cholderschnaps *m.*

hol·ler ['hɒlər] *Am.* **I** *v/t u. v/i* schreien, brüllen. **II** *s* Geschrei *n,* Gebrüll *n.*

hol·lo, *a.* **hol·loa** ['hɒlou; hə'lou] → **halloo** 1. *u.* 2.

hol·low ['hɒlou] **I** *s* **1.** Höhle *f,* (Aus)Höhlung *f,* Hohlraum *m:* ~ **of the hand** hohle Hand; **to have s.o. in the ~ of one's hand** j-n völlig in s-r Gewalt haben; ~ **of the knee** Kniekehle *f.* **2.** Loch *n,* Grube *f,* Einsenkung *f,* Tal *n,* Vertiefung *f,* Mulde *f.* **3.** *tech.* a) Hohlkehle *f,* b) Gußblase *f.* **II** *adj* (*adv* **~ly**) **4.** hohl, Hohl... **5.** hohl, dumpf: ~ **sound;** ~ **voice. 6.** *fig.* hohl, leer, nichtig: ~ **ceremony;** ~ **promise. 7.** falsch: **a ~ heart; a ~ truce. 8.** hohl: a) eingefallen: ~ **cheeks,** b) tiefliegend: ~ **eyes. 9.** leer, hungrig. **III** *adv* **10.** *bes. in Zssgn* hohl: **~-sounding** hohlklingend; **to beat s.o. ~** *colloq.* j-n vernichtend schlagen, j-n ,auseinandernehmen'. **IV** *v/t oft* ~ **out 11.** aushöhlen. **12.** *tech.* (aus)kehlen, ausstemmen, hohlbohren. **V** *v/i oft* ~ **out 13.** hohl werden.

hol·low| bit *s tech.* Hohlmeißel *m,* -bohrer *m.* ~ **charge** *s mil.* Haft-Hohlladung *f.* **'~-'cheeked** *adj* hohlwangig. **'~-'eyed** *adj* hohläugig. **'~-'ground** *adj tech.* hohlgeschliffen. **'~'heart·ed** *adj fig.* falsch, treulos.

hol·low·ness ['hɒlounis] *s* **1.** Hohlheit *f.* **2.** Dumpfheit *f.* **3.** *fig.* Hohlheit *f,* Leere *f.* **4.** Falschheit *f.*

hol·low| square *s mil.* Kar'ree *n.* ~ **tile** *s tech.* Hohlziegel *m.* ~ **ware** *s* tiefes (Küchen)Geschirr (*Töpfe etc*).

hol·ly ['hɒli] *s* **1.** *bot.* Stechpalme *f.* **2.** Stechpalmenzweige *pl od.* -blätter *pl.* **3.** → **holm oak.** ~ **fern** *s bot.* Lanzenförmiger Schildfarn.

'hol·lyˌhock *s bot.* Stockrose *f.* ~ **rose** *s bot.* Falsche Jericho-Rose. ~ **tree** *s bot.* (*ein*) austral. Eibisch *m.*

hol·ly oak → **holm oak.**

holm[1] [houm] *s* **1.** Holm *m,* Werder *m.* **2.** flaches, üppiges Uferland.

holm[2] [houm] *s* → **holm oak.**

holme → **holm**[1].

holm oak *s bot.* Steineiche *f.*

hol·o·blas·tic [ˌhɒlo'blæstik] *adj Embryologie:* holo'blastisch, mit vollständiger Furchung.

hol·o·caust ['hɒloˌkɔːst] *s* **1.** Massenvernichtung *f,* -sterben *n,* (*bes.* 'Brand)Kataˌstrophe *f.* **2.** Brandopfer *n.*

Hol·o·cene ['hɒloˌsiːn] *s geol.* Holo'zän *n,* Al'luvium *n.*

hol·o·crine ['hɒloˌkrain] *adj physiol.* holo'krin, nur sekre'torisch (*Drüse*).

'hol·oˌgraph [-ˌgræ(ː)f; *Br. a.* -ˌgrɑːf] *adj u. s* ganz eigenhändig geschriebe(e Urkunde). **ˌhol·o'graph·ic** [-'græfik] *adj jur.* (ganz) eigenhändig geschrieben: ~ **will.**

ho·lom·e·ter [ho'lɒmitər] *s math.* Holo'meter *n* (*Art Winkelmesser*).

hol·o·mor·phic [ˌhɒlo'mɔːrfik] *adj* **1.** *math.* holo'morph (*Funktion*). **2.** *min.* holo'morphisch. **ˌhol·o'phras·tic** [-'fræstik] *adj* e-n ganzen Ge'dankenkomˌplex 'wiedergebend (*Wort*). **'hol·o'phyt·ic** [-'fitik] *adj zo.* holo'phytisch, rein pflanzlich (*Ernährungsweise*). **ˌhol·o'thu·ri·an** [-'θju(ə)riən] *s zo.* Seewalze *f,* -gurke *f.*

holp [houlp] *obs. pret. u. pp von* **help.**

'hol·pen [-pən] *obs. pp von* **help.**

Hol·stein ['hɒlstain; -stiːn], **'~-'Frie·sian** *s agr.* Holstein-Friesen *pl.* (*Rinderrasse*).

hol·ster ['houlstər] *s* Pi'stolenhalfter *f.*

holt[1] [hoult] *s Am. od. dial.* (Tier-, *bes.* Otter)Bau *m.*

holt[2] [hoult] *s poet.* **1.** Gehölz *n.* **2.** bewaldeter Hügel.

ho·ly ['houli] **I** *adj* heilig: a) geheiligt, b) anbetungswürdig, c) fromm, tugendhaft. **II** *s* Heiligtum *n:* **the ~ of holies** *Bibl.* das Allerheiligste. **H~ Al·li·ance** *s hist.* (*die*) Heilige Alli'anz. ~ **bread** *s relig.* Abendmahlsbrot *n,* Hostie *f.* **H~ Cit·y** *s relig.* (*die*) Heilige Stadt. **H~ Com·mun·ion** → **communion** 6. **'H~-'Cross Day** *s relig.* Fest *n* der Kreuzeserhöhung (*14. September*). ~ **day** *s relig.* kirchlicher Festtag. **H~ Fa·ther** *s R.C.* (*der*) Heilige Vater. **H~ Ghost** *s relig.* (*der*) Heilige Geist. ~ **grass** *s bot.* (*ein*) Ma'riengras *n.* ~ **herb** *s bot.* **1.** Eisenkraut *n.* **2.** Ba'silienkraut *n.* **H~ Joe** *s mar. sl.* Pfaffe *m.* **H~ Land** *s relig.* (*das*) Heilige Land. **H~ Of·fice** *s R.C.* a) (*das*) Heilige Of'fizium, b) (*die*) Inquisiti'on. ~ **or·ders** *s pl relig.* (heilige) Weihen *pl,* Priesterweihe *f:* **to take ~** die heiligen Weihen empfangen, in den geistlichen Stand treten. **H~ Roll·er** *s relig. Mitglied e-r nordamer. Sekte, deren Gottesdienst oft zu körperlicher Ekstase führt.* **H~ Ro·man Em·pire** *s hist.* (*das*) Heilige Römische Reich (Deutscher Nati'on). **H~ Rood** *s relig.* Kreuz *n* (Christi). **H~ Sat·ur·day** *s relig.* Kar'samstag *m.* **H~ Scrip·ture** *s relig.* (*die*) Heilige Schrift. **H~ See** *s R.C.* (*der*) Heilige Stuhl. **H~ Spir·it** → **Holy Ghost.** **'~ˌstone** *mar.* **I** *s* Scheuerstein *m.* **II** *v/t u. v/i* (mit dem Scheuerstein) scheuern. ~ **ter·ror** *s colloq.* Quälgeist *m,* ,Brechmittel' *n,* (kleines) Scheusal. **H~ Thurs·day** *s relig.* **1.** Grün'donnerstag *m.* **2.** *anglikanische Kirche:* Himmelfahrtstag *m.* **'~ˌtide** *s relig.* heilige Zeit, religi'öse Festzeit. **H~ Trin·i·ty** *s relig.* (*die*) Heilige Drei'faltigkeit *od.* Drei'einigkeit. ~ **wa·ter** *s relig.* Weihwasser *n.* **H~ Week** *s relig.* Karwoche *f.* **H~ Writ** *s relig.* (*die*) Heilige Schrift.

hom·age ['hɒmidʒ] *s* **1.** *hist. u. fig.* Huldigung *f:* **to do** (*od.* **render**) ~ huldigen (**to** *dat*). **2.** *fig.* Reve'renz *f,* Anerkennung *f:* **to pay ~ to** Anerkennung zollen (*dat*), Hochachtung bezeigen (*dat*), Reverenz erweisen (*dat*). **3.** *jur. hist.* a) Lehnspflicht *f,* b) Lehnseid *m.* **'hom·ag·er** *s hist.* Lehnsmann *m,* Va'sall *m.*

Hom·burg (hat) ['hɒmbəːrg] *s* Homburg *m* (*Herrenfilzhut*).

home [houm] **I** *s* **1.** Heim *n:* a) Haus *n,* (*eigene*) Wohnung, b) Zu'hause *n,* Da'heim *n,* Haushalt *m,* Fa'milie *f,* c) Elternhaus *n:* **at ~** zu Hause, daheim (→ 2), *weitS.* Empfangstag habend (→ **at-home**); **at ~ in** (*od.* **on, with**) zu Hause in (*e-m Fachgebiet etc*), bewandert in (*dat*), vertraut mit; **not at ~ (to s.o.)** nicht zu sprechen (für j-n); **to feel at ~** sich wie zu Hause fühlen; to make o.s. at ~ es sich bequem machen; tun, als ob man zu Hause wäre; he made his ~ at er schlug s-n Wohnsitz auf in (*dat*); to leave ~ von zu Hause fortgehen; away from ~ abwesend, auswärts, verreist; pleasures of ~ häusliche Freuden. **2.** Heimat *f* (*a. bot., zo. u. fig.*), Geburts-, Vaterland *n*: at ~ a) im Lande, in der Heimat, b) im Inland, daheim, c) im (englischen) Mutterland (→ 1); Paris is his second ~ Paris ist s-e zweite Heimat; a letter from ~ ein Brief aus der Heimat *od.* von zu Hause. **3.** (ständiger *od.* jetziger) Wohnort, Heimatort *m*. **4.** Zufluchtsort *m*: last (*od.* long) ~ letzte Ruhestätte. **5.** Heim *n*, (Heil-, Pflege)Anstalt *f*: ~ for the aged Altersheim; ~ for the blind Blindenanstalt. **6.** *sport* a) Ziel *n*, b) *Baseball*: Schlagmal *n*.

II *adj* **7.** Heim...: a) häuslich, Familien..., b) zu Hause ausgeübt: ~ circle Familienkreis *m*; ~ mechanic Bastler *m*; ~ remedy Hausmittel *n*. **8.** Heimat...: ~ port; ~ academy heimatliche Hochschule; ~ address Heimat- *od.* Privatanschrift *f*; ~ fleet *mar.* Flotte *f* in Heimatgewässern; ~ forces *mil.* im Heimatland stationierte Streitkräfte. **9.** einheimisch, inländisch, Inlands..., Binnen...: ~ affairs *pol.* innere Angelegenheiten, Innenpolitik *f*; ~ demand *econ.* Inlandsbedarf *m*; ~ market Inlands-, Binnenmarkt *m*. **10.** *sport* a) Heim...: ~ game; ~ team Platzmannschaft *f*, ‚Gastgeber' *pl*, b) Ziel...: → homestretch. **11.** *tech.* Normal...: ~ position. **12.** Rück...: ~ freight. **13.** *fig.* a) wohlgezielt, gutsitzend, wirkungsvoll (*Schlag etc*), b) treffend, beißend (*Bemerkung etc*): ~ question wohlgezielte *od.* peinliche Frage; → home thrust, home truth.

III *adv.* **14.** heim, nach Hause: the way ~ der Heimweg; to go ~ heimgehen, nach Hause gehen (→ 16); that's nothing to write ~ about *colloq.* das ist nichts Besonderes *od.* ‚nicht so toll', darauf brauchst du dir (braucht er sich *etc*) nichts einzubilden. **15.** zu Hause, da'heim: welcome ~! **16.** *fig.* a) ins Ziel *od.* Schwarze, b) im Ziel, im Schwarzen, c) bis zum Ausgangspunkt, d) soweit wie möglich, ganz: to bring (*od.* drive) s.th. ~ to s.o. j-m etwas klarmachen *od.* beibringen *od.* zum Bewußtsein bringen; to bring a charge ~ to s.o. j-n überführen; to drive a nail ~ e-n Nagel fest einschlagen; to go (*od.* get, strike) ~ ‚sitzen', treffen, s-e Wirkung tun (→ 14); the thrust went ~ *fig.* der Hieb saß.

IV *v/i* **17.** zu'rückkehren. **18.** *aer.* a) (*mittels Leitstrahl*) das Ziel anfliegen: to ~ on (*od.* in) a beam e-m Leitstrahl folgen, b) auto'matisch auf ein Ziel zusteuern (*Rakete*).

V *v/t* **19.** *Flugzeug* (*mittels Radar*) einweisen, ‚her'unterholen'.

'home|-and-'home match *s sport Am.* Vor- u. Rückspiel *n*. **'~,bod·y** *s Am. colloq.* häuslicher Mensch, Stubenhocker(in). **'~,born** *adj* einheimisch. **'~,bound** → homeward-bound. **'~,bred** *adj* **1.** einheimisch. **2.** hausbacken, schlicht, einfach. **'~-'brew** *s* selbstgebrautes Getränk, *bes.* Bier *n*. **'~-,com·ing** *s* Heimkehr *f*. **H~ Coun·ties** *s pl die Grafschaften um London* (*bes. Middlesex, Surrey, Kent, Essex*). **'~,croft** *s econ.* kleines (Arbeiter)Eigenheim mit kleinem Akkergrundstück. **H~ De·part·ment** → home office 1. **~ e·co·nom·ics** *s pl* (*oft als sg konstruiert*) *Am.* Hauswirtschaft(slehre) *f*. **'~,felt** *adj* tiefempfunden. **~ freez·er** *s* Tiefkühltruhe *f*. **~ front** *s* Heimatfront *f* (*im Krieg*). **'~,grown** *adj* einheimisch. **H~ Guard** *s mil.* **1.** *Br.* (Sol'dat *m* der) Bürgerwehr *f*. **2.** h~ g~s *pl* Bürgerwehr *f*. **~ in·dus·try** *s* 'Heimarbeit *f*, -indu,strie *f*. **'~,keep·ing** *adj* häuslich, stubenhockerisch. **'~,land** *s* Heimat-, Vaterland *n*: the H~ das Mutterland (*England*).

home·less ['houmlis] *adj* **1.** heimatlos. **2.** obdachlos.

'home|,life *s* häusliches Leben, Fa'milienleben *n*. **'~,like** *adj* wie zu Hause, heimisch, gemütlich, anheimelnd.

home·li·ness ['houmlinis] *s* **1.** Einfachheit *f*, Schlichtheit *f*, Hausbackenheit *f*. **2.** *Am.* Reizlosigkeit *f*. **3.** Behaglichkeit *f*, Gemütlichkeit *f*. **'home·ly** *adj* **1.** einfach, schlicht, hausbacken. **2.** *Am.* unschön, reizlos. **3.** (wohl)vertraut. **4.** *Am.* freundlich. **5.** → homelike.

'home|'made *adj* **1.** haus-, selbstgemacht, Hausmacher...: ~ bread hausbackenes Brot. **2.** inländisch, einheimisch, im Inland 'hergestellt. **3.** einfach, schlicht. **'~,mak·er** *s* **1.** Hauswirtschaftsleiterin *f*, *bes.* Hausfrau *f*. **2.** *Am.* Fa'milienpflegerin *f*. **'~,mak·ing** *s* Haushaltsführung *f*. **~ match** *s sport* Heimspiel *n*. **~ mis·sion** *s relig.* Innere Missi'on.

homeo- → homoeo-.

home| of·fice *s* **1.** H~ O~ *pol. Br.* 'Innenmini,sterium *n*. **2.** *bes. econ. Am.* Stammhaus *n*. **~ per·ma·nent**, *colloq.* **~ perm** *s* Heim-Dauerwelle *f*. **~ plate** *s Baseball*: Schlagmal *n*.

hom·er ['houmər] *s* **1.** *colloq. für* home run. **2.** Brieftaube *f*.

home rails *s pl econ. Br.* Eisenbahnaktien *pl*. [~ laughter.]

Ho·mer·ic [ho'merik] *adj* ho'merisch:

home| rule, *a.* **H~ R~** *s pol.* 'Selbstre,gierung *f*, Autono'mie *f*. **~ rul·er** *s* Vorkämpfer *m* e-r Autono'mie (*bes. in Irland*). **~ run** *s Baseball*: *Lauf um sämtliche Male auf 'einen Schlag*. **H~ Sec·re·tar·y** *s pol. Br.* 'Innenmi,nister *m*. **'~,sick** *adj* heimwehkrank: to be ~ Heimweh haben. **'~,sick·ness** *s* Heimweh *n*. **~ sig·nal** *s rail.* 'Hauptsi,gnal *n*. **'~,spun I** *adj* **1.** zu Hause gesponnen. **2.** *fig.* a) schlicht, einfach, simpel, hausbacken, b) grob, c) gemütlich. **3.** Homespun...: ~ garments. **II** *s* **4.** Homespun *n* (*rauhhaariges tweedähnliches Wollgewebe*). **~stead** ['houmsted; -stid] **I** *s* **1.** Heimstätte *f*, Gehöft *n*. **2.** *jur.* (*in USA*) Heimstätte *f*: a) *160 acres große, vom Staat den Siedlern verkaufte Grundparzelle*, b) *gegen den Zugriff von Gläubigern geschützte Heimstätte*: ~ law Heimstättengesetz *n*. **II** *v/t* **3.** *jur.* (*in USA*) *e-e Parzelle* als Heimstätte erwerben. **'~,stead·er** *s* Heimstättenbesitzer(in). **'~'stretch** *s sport* Zielgerade *f*. **~ thrust** *s fig.* wohlgezielter Hieb, beißende Bemerkung: that was a ~ das hat ‚gesessen'. **'~,town** *s* Heimatstadt *f*. **~ trade** *s* **1.** *econ.* Binnenhandel *m*. **2.** *mar.* kleine Fahrt. **~ truth** *s* harte *od.* peinliche Wahrheit, unbequeme Tatsache. **~ vis·i·tor** *s* Hauspflegerin *f* (*Fürsorgerin*).

home·ward ['houmwərd] **I** *adv* heimwärts, nach Hause. **II** *adj* heimwärts (gerichtet), Heim..., Rück...: ~ journey; ~ freight Rückfracht *f*. **'~-'bound** *adj* auf der Heimreise (befindlich), *aer.* auf dem Rückflug.

'home·wards → homeward I.

'home|,work *s* **1.** *econ.* Heimarbeit *f*. **2.** *ped.* Hausaufgabe *f*, -arbeit *f*. **'~,work·er** *s econ.* Heimarbeiter(in). **'~,wreck·er** *s colloq.* Ehezerstörer(in).

home·y ['houmi] *adj colloq.* gemütlich, traulich.

hom·i·cid·al [,hɒmi'saidl] *adj* **1.** mörderisch, mordlustig. **2.** Mord..., Totschlags...: ~ attempt versuchte Tötung. **'hom·i,cide** *s* **1.** *jur.* Tötung *f*, *engS.* a) Mord *m*, b) Totschlag *m*: ~ by misadventure *Am.* Unfall *m* mit Todesfolge; justifiable ~ rechtmäßige Tötung (*im Strafvollzug etc*); ~ squad Mordkommission *f*. **2.** Mörder(in), Totschläger(in).

hom·i·let·ic [,hɒmi'letik] *adj relig.* homi'letisch. **,hom·i'let·ics** *s pl* (*oft als sg konstruiert*) *relig.* Homi'letik *f*, Predigtlehre *f*.

hom·i·list ['hɒmilist] *s relig.* **1.** Kanzelredner *m*, Prediger *m*. **2.** Verfasser *m* von Predigten.

hom·i·ly ['hɒmili] *s* **1.** *relig.* Kanzelrede *f*, Predigt *f*. **2.** *fig.* Mo'ralpredigt *f*, Standpauke *f*.

hom·ing ['houmiŋ] **I** *adj* **1.** zu'rückheimkehrend: ~ pigeon Brieftaube *f*; ~ instinct *zo.* Heimkehrvermögen *n*. **2.** *mil.* zielansteuernd (*Rakete, Torpedo*). **II** *s* **3.** *aer.* a) Zielflug *m*, Senderanflug *m*, b) Zielpeilung *f*, c) Rückflug *m*: ~ beacon Anflugfeuer *n*; ~ device Zielfluggerät *n*.

hom·i·nid ['hɒminid] *zo.* **I** *adj* menschenartig. **II** *s* Homi'nid *m*, menschenartiges Wesen. **'hom·i,noid** *adj u. s zo.* menschenähnlich(es Tier).

hom·i·ny ['hɒmini] *s Am.* **1.** Maismehl *n*. **2.** Maisbrei *m*.

ho·mo ['houmou] (*Lat.*) *s* **1.** *pl* **hom·i·nes** ['hɒmi,ni:z] Mensch *m*. **2.** *pl* **-mos** *sl.* ‚Homo' *m* (*Homosexueller*).

homo- [houmo; hɒmo; homɒ] → homoeo-.

ho·mo·chro·mat·ic [,houmokro'mætik; ,hɒm-], **,ho·mo'chro·mous** *adj* gleich-, einfarbig.

homoeo- [houmio; hɒm-] *Wortelement mit der Bedeutung* gleich(artig).

ho·moe·o·mor·phic [,houmio'mɔ:rfik; ,hɒm-], **,ho·moe·o'mor·phous** *adj* **1.** *med. min.* homöo'morph. **2.** *math.* iso'morph.

ho·moe·o·path ['houmio,pæθ; 'hɒm-] *s med.* Homöo'path(in). **,ho·moe·o'path·ic** *adj* (*adv* ~ally) *med.* homöo'pathisch. **,ho·moe'op·a·thist** [-'ɒpəθist] → homoeopath. **,ho·moe'op·a·thy** *s med.* Homöopa'thie *f*.

ho·mo·e·rot·ic [,houmoi'rɒtik; ,hɒm-] *adj psych.* homosexu'ell.

ho·mog·a·mous [ho'mɒgəməs; hɒ'm-] *adj bot.* homo'gam. **ho'mog·a·my** *s* Homoga'mie *f*.

ho·mo·ge·ne·i·ty [,houmodʒi'ni:iti; ,hɒm-] *s* Homogeni'tät *f*, Gleichartigkeit *f*. **,ho·mo'ge·ne·ous** [-'dʒi:niəs] *adj* homo'gen, gleichartig.

ho·mog·e·nize [ho'mɒdʒə,naiz] *v/t* homogeni'sieren. **ho'mog·e,niz·er** *s tech.* Homogeni'sierma,schine *f*.

ho·mog·e·nous [ho'mɒdʒənəs; hɒ'm-] *adj biol.* homo'log, gleichartig. **ho'mog·e·ny** *s biol.* **1.** Homogeni'tät *f*, Gleichartigkeit *f*. **2.** gleichartige embryo'logische Entwicklung, Homolo'gie *f*.

hom·o·graph ['hɒmə,græ(:)f; *Br. a.* -,grɑ:f] *s ling.* Homo'graph *n*.

homoio- [homɔio; hɒm-] → homoeo-.

ho·mol·o·gate [ho'mɒlə,geit; hɒ'm-] *v/t* **1.** a) genehmigen, b) beglaubigen, c) *jur. Scot. fehlerhafte Urkunde* bestätigen, ratifi'zieren. **2.** *aer. Abschuß, Fluggeschwindigkeit etc* amtlich anerkennen.

ho·mo·log·i·cal [ˌhoumo'lɒdʒikəl; ˌhɒm], **ho'mol·o·gous** [-'mɒləgəs] *adj* homo'log, *bes.* a) *math.* entsprechend, über'einstimmend, b) *biol.* morpho'logisch gleichwertig, c) *chem.* struktu'rell ähnlich: ~ series homologe Reihe. **hom·o·logue** ['hɒməˌlɒg] *s* homo'loger Teil.

hom·o·nym(e) ['hɒmənim] *s* **1.** Homo'nym *n.* **2.** → homophone 1. **3.** Namensvetter(in). **4.** *biol.* Homo'nym *n* (*gleichlautende Benennung für verschiedene Gattungen etc*). **ho·mo·nym·ic** [ˌhoumo'nimik; ˌhɒm-] *adj*; **ho·mon·y·mous** [ho'mɒniməs; hɒ'm-] *adj* (*adv* ~ly) homo'nym(isch), gleichlautend, -namig.

hom·o·phone ['hɒməˌfoun; 'hou-] *s ling.* **1.** (verschiedenes) Schriftzeichen für den gleichen Laut. **2.** → homonym(e) 1. ˌ**hom·o'phon·ic** [-'fɒnik] *adj* **1.** gleichklingend. **2.** *mus.* homo'phon (*einmelodienhaft*). **ho·moph·o·nous** [ho'mɒfənəs] *adj* **1.** → homophonic. **2.** *ling.* a) homo'phon, den'selben Laut bezeichnend, b) → homonymic. **ho'moph·o·ny** *s* **1.** *ling.* gleiche Aussprache. **2.** *mus.* Homopho'nie *f*, U'nisono *n.*

ho·mo·plas·tic [ˌhoumo'plæstik; ˌhɒm-] *adj biol.* über'einstimmend. **ho·mop·la·sy** [ho'mɒpləsi; hɒ'm-] *s biol.* Über'einstimmung *f od.* Ähnlichkeit *f* zwischen Or'ganen.

ho·mop·ter·a [ho'mɒptərə; hɒ'm-] *s pl zo.* Gleichflügler *pl* (*Insekten*).

ho·mo·sex·u·al [ˌhoumo'sekʃuəl; ˌhɒm-; -sjuəl] *adj* homosexu'ell. '**ho·moˌsex·u'al·i·ty** [-'æliti] *s* ˌHomosexuali'tät *f.*

ho·mo·typ·al ['houmoˌtaipəl; 'hɒm-] → homotypic. '**hom·oˌtype** [-ˌtaip] *s biol.* Homo'typus *m.* ˌ**ho·mo'typ·ic** [-'tipik] *adj biol.* homo'typ(isch), gleichartig.

ho·mo·zy·gote [ˌhoumou'zaigout; ˌhɒm-] *s biol.* Homozy'got *m.* ˌ**ho·mo'zy·gous** *adj biol.* homozy'got, reinerbig.

ho·mun·cle [ho'mʌŋkl] → homuncule. **ho'mun·cu·lar** [-kjulər] *adj* ho'munkulusähnlich. **ho'mun·cule** [-kju:l] *s* Ho'munkulus *m*, Menschlein *n*, Knirps *m.* **ho'mun·cu·lus** [-kjuləs] *pl* **-cu·li** [-ˌlai] *s* Ho'munkulus *m*: a) *chemisch erzeugter Mensch*, b) → homuncule.

hom·y → homey.

hone[1] [houn] *tech.* **I** *s* (feiner) Schleifstein. **II** *v/t* honen, fein-, ziehschleifen, abziehen.

hone[2] [houn] *v/i Am. od. dial.* sich sehnen, jammern.

hon·est ['ɒnist] **I** *adj* **1.** ehrlich: a) redlich, rechtschaffen: an ~ man, b) offen, aufrichtig: an ~ face; → Injun. **2.** *humor.* wacker, bieder. **3.** ehrlich verdient: ~ wealth; to earn (*od.* turn) an ~ penny ehrlich sein Brot verdienen. **4.** echt, re'ell: ~ goods. **5.** *obs.* ehrbar, tugendhaft: to make an ~ woman of (durch Heirat) zur ehrbaren Frau machen. **II** *adv* → honestly I. '**hon·est·ly I** *adv zu* honest. **II** *interj colloq.* **1.** (*empört od. überrascht*) (nein also) wirklich! **2.** (*beteuernd*) ganz bestimmt!, ehrlich! **3.** offen gesagt!

'**hon·est|-to-'God,** '~**-to-'good·ness** *adj Am. colloq.* ‚richtig', wirklich.

hon·es·ty ['ɒnisti] *s* **1.** Ehrlichkeit *f*: a) Redlichkeit *f*, Rechtschaffenheit *f*: ~ is the best policy ehrlich währt am längsten, b) Offenheit *f*, Aufrichtigkeit *f.* **2.** *obs.* Sittsamkeit *f.* **3.** *bot.* 'Mondviˌole *f.*

hon·ey ['hʌni] **I** *s* **1.** Honig *m.* **2.** *fig.* Süßigkeit *f*, Lieblichkeit *f.* **3.** *fig.* a) *bes. Ir. od. Am.* Liebling *m*, Schatz *m*, Süße(r *m*) *f*, b) *Am. colloq.* ‚goldige' Sache, ‚prima' Ding. **II** *adj* **4.** (honig)süß. **5.** honigfarben. **III** *v/t pret u. pp* '**hon·eyed** *od.* '**hon·ied 6.** *Am. od. obs.* versüßen. **7.** *Am.* j-m schmeicheln. ~ **badg·er** → ratel. ~ **bag** → honey sac. '~ˌ**bee** *s zo.* Honigbiene *f.* ~ **bird** *s orn.* **1.** → honey guide. **2.** → honey eater. ~ **buz·zard** *s orn.* Wespenbussard *m.*

hon·ey·comb ['hʌniˌkoum] **I** *s* **1.** Honigwabe *f*, -scheibe *f.* **2.** *etwas Wabenförmiges, z. B.* a) Waffelmuster *n* (*Gewebe*): ~ (quilt) Waffeldecke *f*, b) *metall.* Lunker *m*, (Guß)Blase *f.* **3.** *a.* ~ stomach *zo.* Netzmagen *m.* **II** *v/t* **4.** (wabenartig) durch'löchern. **5.** *fig.* durch'setzen (with mit). **III** *adj* **6.** *a. tech.* Waben...: ~ radiator; ~ winding; ~ coil *electr.* (Honig)Wabenspule *f.* '**hon·eyˌcombed** [-ˌkoumd] *adj* **1.** (wabenartig) durch'löchert, löcherig, zellig. **2.** *metall.* blasig. **3.** wabenartig gemustert. **4.** *fig.* (with) a) durch'setzt (mit), b) unter'graben (durch).

hon·ey|·dew ['hʌniˌdju:] *s* **1.** *bot.* Honigtau *m*, Blatthonig *m*: ~ melon sehr süße Melone. **2.** mit Me'lasse gesüßter Tabak. ~ **eat·er** *s orn.* Honigsauger *m.*

hon·eyed ['hʌnid] *adj* **1.** voller Honig. **2.** (honig)süß (*a. fig.*).

hon·ey| ex·trac·tor *s* Honigschleuder *f.* '~ˌ**flow** *s* (Bienen)Tracht *f.* ~ **guide** *s orn.* Honiganzeiger *m*, -kuckuck *m.* '~ˌ**moon I** *s* **1.** Flitterwochen *pl.* Honigmond *m* (*a. fig. iro.*). **2.** Hochzeitsreise *f.* **II** *v/i* **3.** a) die Flitterwochen verbringen, b) s-e Hochzeitsreise machen. '~ˌ**moon·ers** *s pl* Hochzeitsreisende *pl.* ~ **sac** *s zo.* Honigmagen *m* (*der Bienen*). ~ **sep·a·ra·tor** → honey extractor. '~ˌ**stone** *s min.* Honigstein *m*, Mel'lit *m.* '~ˌ**suck·er** → honey eater. '~ˌ**suck·le** *s bot.* Geißblatt *n.* '~ˌ**sweet** *adj* (honig)süß, lieblich.

hong [hɒŋ] *s econ.* **1.** Warenlager *n* (*in China*). **2.** euro'päische Handelsniederlassung (*in China od. Japan*).

hon·ied → honeyed.

honk [hɒŋk] **I** *s* **1.** Schrei *m* der Wildgans. **2.** 'Hupensiˌgnal *n*, Hupen *n.* **II** *v/i* **3.** schreien (*wie e-e Wildgans*). **4.** hupen, tuten.

honk·y-tonk ['hɒŋkiˌtɒŋk] *s Am. sl.* Spe'lunke *f*, ‚'BumsloˌkaI' *n.*

hon·or, *bes. Br.* **hon·our** ['ɒnər] **I** *v/t* **1.** (ver)ehren, in Ehren halten, j-m Ehre erweisen, respek'tieren. **2.** ehren, auszeichnen. **3.** beehren (with mit). **4.** *etwas* (höflich) beachten, respek'tieren, *e-r Einladung etc* Folge leisten. **5.** *econ.* a) *e-n Wechsel, Scheck* hono'rieren, einlösen, b) *e-e Schuld* bezahlen, c) *e-n Vertrag* erfüllen. **6.** *fig. ein Versprechen* einlösen, erfüllen.

II *s* **7.** Ehre *f*: (sense of) ~ Ehrgefühl *n*; affair of ~ Ehrenhandel *m*; court of ~ Ehrengericht *n*; bound in ~, on one's ~ moralisch verpflichtet; to do ~ to s.o. j-m zur Ehre gereichen; man of ~ Ehrenmann *m*; point of ~ Ehrensache *f*; to put s.o. on his ~ j-n bei s-r Ehre packen; (up)on my ~!, *colloq.* ~ bright! Ehrenwort!; I have the ~ ich habe die Ehre (to do zu tun); with ~s even von gleichem Rang; ~ to whom ~ is due Ehre, wem Ehre gebührt. **8.** Ehrung *f*, Ehre(n *pl*) *f*: a) Ehrerbietung *f*, Ehrenbezeigung *f*, b) Hochachtung *f*, Ehrfurcht *f*, c) Auszeichnung *f*, (Ehren)Titel *m*, Ehrenamt *n*, -zeichen *n*: to be held in ~ in Ehren gehalten werden; in ~ of s.o., to s.o.'s ~ zu j-s Ehren; last (*od.* funeral) ~s letzte Ehre; military ~s, militärische Ehren; ~s of war ehrenvoller Abzug. **9.** Ehre *f*, Ansehen *n*, guter Ruf. **10.** Ehre *f*, Zierde *f*: he is an ~ to his school er ist e-e Zierde s-r Schule. **11.** *Golf*: *das Recht, als erster zu schlagen*: it is his ~ er darf als erster schlagen. **12.** *pl ped.* besondere Auszeichnung: → honors degree. **13.** *Kartenspiel*: Bild *n.* **14.** *pl* Hon'neurs *pl*: to do the ~s die Honneurs machen. **15.** *als Ehrentitel*: Your (His) ~ Euer (Seine) Gnaden.

hon·or·a·ble, *bes. Br.* **hon·our·a·ble** ['ɒnərəbl] *adj* (*adv* honorably) **1.** achtbar, ehrenwert. **2.** rühmlich, ehrenvoll, -haft: an ~ peace treaty. **3.** angesehen. **4.** redlich, rechtschaffen: ~ intentions ehrliche Absichten. **5.** H~ (*abbr.* Hon.) (*der od. die*) Ehrenwerte (*als Titel der jüngeren Kinder der Earls u. aller Kinder der Viscounts u. Barone; der Ehrendamen des Hofes; der Mitglieder des Unterhauses; gewisser höherer Richter; der Bürgermeister; in USA: der Mitglieder des Kongresses, hoher Regierungsbeamter, Richter, Bürgermeister*): the H~ Adam Smith; the H~ gentleman, my H~ friend *parl.* der Herr Kollege *od.* Vorredner; Right H~ (*der*) Sehr Ehrenwerte (*Titel der Earls, Viscounts, Barone; der Mitglieder des Privy Council; des Lord Mayor von London etc*).

hon·o·rar·i·um [ˌɒnə'rɛ(ə)riəm] *pl* **-rar·i·a** [-riə], **-rar·i·ums** *s* Hono'rar *n.*

hon·or·ar·y ['ɒnərəri] *adj* **1.** ehrend. **2.** Ehren...: ~ debt; ~ member; ~ title; ~ degree Doktorgrad *m od.* Titel *m* ehrenhalber; ~ freeman Ehrenbürger *m.* **3.** ehrenamtlich: ~ president; ~ secretary.

hon·or·if·ic [ˌɒnə'rifik] **I** *adj* (*adv* ~ally) **1.** Ehren..., ehrend. **II** *s* **2.** ehrendes Wort, (Ehren)Titel *m*, Ehrung *f.* **3.** *ling.* Höflichkeitssilbe *f.* ˌ**hon·or'if·i·cal** *adj* (*adv* ~ly) → honorific I.

hon·ors| de·gree, *bes. Br.* **hon·ours| de·gree** ['ɒnərz] *s ped. akademischer Grad mit Auszeichnung, verliehen für bes. gute Leistungen u. e-e spezialisierte Prüfung in e-m Fach.* ~ **list** *s ped. Liste bes. guter Studenten, die auf e-n* honors degree *hinarbeiten.*

hon·or stu·dent *bes. Am. für* honours man.

hon·our, hon·our·a·ble *bes. Br. für* honor *etc.*

hon·ours man *s irr ped. bes. Br. Student, der e-n* honours degree *anstrebt, od. Graduierter, der e-n solchen innehat.*

hooch [hu:tʃ] *s Am. sl.* (*bes.* geschmuggelter *od.* 'illeˌgal gebrannter) Schnaps, ‚Fusel' *m.*

hood [hud] **I** *s* **1.** Ka'puze *f.* **2.** a) 'Mönchskaˌpuze *f*, b) *univ.* ka'puzenartiger 'Überwurf (*am Talar als Abzeichen der akademischen Würde*). **3.** *bot.* Helm *m.* **4.** *mot.* a) *Br.* Verdeck *n*, b) *Am.* (Motor)Haube *f.* **5.** *tech.* a) (Schutz)Haube *f* (*a. für Arbeiter*), Kappe *f*, b) (Rauch-, Gas)Abzug *m.* **6.** *orn.* Haube *f*, Schopf *m.* **7.** *zo.* Brillenzeichnung *f* (*der Kobra*). **8.** → hoodlum. **II** *v/t* **9.** mit e-r Ka'puze *etc* versehen. **10.** *fig.* ver-, bedecken.

-hood [hud] *Wortelement zur Bezeichnung des Zustandes od. der Eigenschaft*: childhood; likelihood.

hood·ed ['hudid] *adj* **1.** mit e-r Ka'puze bekleidet. **2.** verhüllt, -mummt. **3.** *bot.* ka'puzen-, helmförmig. **4.** a) *orn.* mit e-r Haube, b) *zo.* mit ausdehnbarem Hals (*Kobra etc*). ~ **crow** *s orn.* Nebelkrähe *f.* ~ **seal** *s zo.* Mützenrobbe *f.* ~ **snake** *s zo.* Kobra *f.*

hood·lum ['hu:dləm] *s bes. Am. sl.* **1.** (*bes.* jugendlicher) Strolch, Rowdy *m*, ‚Schläger' *m.* **2.** Ga'nove *m*, Gangster *m.* '**hood·lumˌism** *s* Rowdy-, Gangstertum *n.*

'**hood·man-ˌblind** ['hudmən-] *obs. für* [blindman's buff.]

hoo·doo ['hu:du:] *pl* **-doos** *bes. Am.* **I** *s* **1.** → voodoo I. **2.** *colloq.* a) Unglücksbringer *m*, b) Unglück *n*, Pech *n.* **II** *v/t* **3.** a) verhexen, b) *colloq. j-m* Unglück bringen. **III** *adj* **4.** *colloq.* unheilvoll, Unglücks...

'**hoodˌwink** *v/t* **1.** *j-m* die Augen verbinden. **2.** *fig. j-n* täuschen, hinter'gehen, hinters Licht führen, ‚reinlegen'.

hoo·ey ['hu:i] *s u. interj Am. sl.* Quatsch *m* (!), Blödsinn *m* (!).

hoof [hu:f] **I** *pl* **hoofs,** *selten* **hooves** [-vz] *s* **1.** *zo.* a) Huf *m*, b) Fuß *m* (*vom Huftier*): **on the ~** lebend, ungeschlachtet (*Vieh*), c) Pferdefuß *m* (*a. fig.*): → **cloven hoof. 2.** Huftier *n.* **3.** *humor.* ‚Pe'dal' *n*, (Menschen)Fuß *m*: **to beat** (*od.* **pad**) **the ~** → 6; **to be under the ~** unterdrückt werden. **II** *v/t* **4.** *e-e Strecke* (zu Fuß) gehen, ‚tippeln': **to ~ it** → 6. **5.** ~ **out** *sl. j-n* ‚rausschmeißen'. **III** *v/i colloq.* **6.** zu Fuß gehen, ‚tippeln', auf Schusters Rappen reisen. **7.** tanzen. '**~ˌbeat** *s* Hufschlag *m.*

hoofed [hu:ft] *adj* **1.** gehuft, Huf...: ~ **animal** Huftier *n.* **2.** hufförmig.

'**hoof·er** *s Am. sl.* Berufstänzer(in), *bes.* Re'vuegirl *n.*

hook [huk] **I** *s* **1.** Haken *m*: ~ **and eye** Haken u. Öse; **by ~ or by crook** unter allen Umständen, mit allen Mitteln, so oder so; **on one's own ~** *sl.* auf eigene Faust, auf eigene Gefahr *od.* Rechnung; **to sling** (*od.* **take**) **one's ~** *sl.* → 19. **2.** *tech.* a) Klammer-, Drehhaken *m*, b) Nase *f* (*am Dachziegel*), c) Türangel *f*, Haspe *f*: **off the ~s** *colloq.* ‚übergeschnappt', verrückt; **to drop off the ~s** *sl.* ‚abkratzen' (*sterben*). **3.** Angelhaken *m*: ~, **line, and sinker** *fig.* mit allem Drum u. Dran, vollständig. **4.** *med.* a) (*Knochen-, Wund- etc*)Haken *m*, b) Greifhaken *m* (*e-r Armprothese*). **5.** *agr.* Sichel *f.* **6.** *fig.* Schlinge *f*, Falle *f.* **7.** Haken *m*, *bes.* a) scharfe Krümmung, b) gekrümmte Landspitze, c) *bes. anat.* hakenförmiger Fortsatz. **8.** *pl sl.* ‚Klauen' *pl*, Finger *pl.* **9.** *mus.* Notenfähnchen *n.* **10.** *sport* a) *Baseball*: Kurvball *m*, b) *Golf*: Hook *m* (*Schlag, der den Ball stark nach links verzieht*), c) *Boxen*: Haken *m.*

II *v/t* **11.** an-, ein-, fest-, zuhaken. **12.** fangen, angeln (*a. fig.*): **he is ~ed** *colloq.* er zappelt im Netz, er ist ‚geliefert'. **13.** sich *e-n Ehemann* angeln. **14.** *colloq.* ‚klauen', stehlen. **15.** biegen, krümmen. **16.** (*mit den Hörnern*) aufspießen. **17.** tambu'rieren, mit Kettenstich besticken. **18.** a) *Boxen*: *j-m* e-n Haken versetzen, b) *Golf*: *den Ball* nach links verziehen. **19.** ~ **it** *sl.* ‚abhauen', ‚verduften'.

III *v/i* **20.** sich krümmen. **21.** sich (zu)haken lassen. **22.** sich festhaken (to an *dat*). **23.** → 19.

Verbindungen mit Adverbien:

hook| in *v/t* einhaken. ~ **on I** *v/t* **1.** mit e-m Haken befestigen, ein-, anhaken. **II** *v/i* **2.** → hook 22. **3.** (sich) einhängen (to bei *j-m*). ~ **up** *v/t* **1.** → hook on 1. **2.** zuhaken. **3.** *tech. ein Gerät* a) zs.-bauen, b) anschließen. **4.** *Pferde* anspannen.

hook·a(h) ['hukə] *s* Huka *f* (*indische Wasserpfeife*).

hook| and lad·der, '~**-and-'lad·der truck** *s Am.* Rettungswagen *m* (*der Feuerwehr*).

hooked [hukt; 'hukid] *adj* **1.** krumm, hakenförmig, Haken...: ~ **nose. 2.** mit (e-m) Haken (versehen). **3.** tambu'riert, mit Kettenstich bestickt. **4.** *Am. sl.* rauschgiftsüchtig.

hook·er[1] ['hukər] *s* **1.** *Rugby*: Hooker *m* (*Stürmer, der beim Gedränge in der vorderen Reihe steht*). **2.** *Am. sl.* a) Taschendieb *m*, b) ‚Nutte' *f*, Hure *f*, c) Drink *m*, Glas *n.*

hook·er[2] ['hukər] *s mar.* **1.** Huker *m* (*Hochseefischereifahrzeug*). **2.** Fischerboot *n.* **3.** *contp.* ‚alter Kahn'.

Hooke's| joint, ~ **cou·pling** [huks] *s tech.* Kar'dangelenk *n.* ~ **law** *s* Hookesches (ˌProportionali'täts)Gesetz.

hook·ey → hooky.

'**hook|-ˌnosed** *adj* hakennasig, mit e-r Hakennase. ~ **pin** *s tech.* Hakenbolzen *m*, -stift *m.* ~ **span·ner** → **hook wrench.**

hook·um ['hukəm] *s Br. Ind.* (amtlicher) Befehl.

'**hookˌup** *s* **1.** *electr. tech.* a) Sy'stem *n*, Schaltung *f*, b) Schaltbild *n*, -schema *n*, c) Blockschaltung *f*, d) Zs.-, Gemeinschaftsschaltung *f* (*mehrerer Radiosender*), Ringsendung *f*, e) *mot.* 'Brems(en)überˌsetzung *f.* **2.** *tech.* Zs.-bau *m.* **3.** *colloq.* a) Zs.-schluß *m*, Bündnis *n*, b) Absprache *f*, Verständigung *f.*

'**hook|ˌworm** *s zo.* (*ein*) Hakenwurm *m.* ~ **wrench** *s tech.* Hakenschlüssel *m.*

hook·y ['huki] *s*: **to play ~** *Am. sl.* (*bes.* die Schule) schwänzen, sich drücken.

hoo·li·gan ['hu:ligən] *s colloq.* Rowdy *m*, ‚Schläger' *m*, Straßenlümmel *m.* '**hoo·li·ganˌism** *s* Rowdytum *n.*

hoop[1] [hu:p] **I** *s* **1.** *allg.* Reif(en) *m* (*als Schmuck, im Reifrock, bei Kinderspielen, im Zirkus etc*): ~ (**skirt**) Reifrock *m*; **to go through the ~(s)** *fig.* Schlimmes durchmachen. **2.** *tech.* a) (Faß)Reif(en) *m*, (-)Band *n*, b) (Stahl)-Band *n*, Ring *m*: ~ **iron** Bandeisen *n*, c) Öse *f*, d) Bügel *m*: ~ **drop relay** *electr.* Fallbügelrelais *n.* **3.** (Finger)-Ring *m.* **4.** *Basketball*: Korbring *m.* **5.** *Krocket*: Tor *n.* **II** *v/t* **6.** *Fässer* binden, Reifen aufziehen auf (*acc*). **7.** (reifenförmig) runden. **8.** um'geben, um'fassen. **9.** *Basketball*: *Punkte* erzielen: **to ~ 2 points. III** *v/i* **10.** sich runden, e-n Reifen bilden.

hoop[2] → **whoop.**

hoop·er[1] ['hu:pər] *s* Küfer *m*, Böttcher [*m.*]

hoop·er[2] ['hu:pər], ~ **swan** *s orn.* Singschwan *m.*

'**hoop·ing|-ˌcough** *s med.* Keuchhusten *m.* ~ **swan** → hooper[2].

hoop·la ['hu:plɑ:] *s* **1.** Ringwerfen *n* (*auf Jahrmärkten etc*). **2.** *Am. sl.* Rummel *m.*

hoo·poe ['hu:pu:] *s orn.* Wiedehopf *m.*

hoop·ster ['hu:pstər] *s colloq.* Basketballspieler *m.*

hoo·ray [hu'rei] → **hurrah.**

hoos(e)·gow, *a.* **hoose-gaw** ['hu:sgau] *s Am. sl.* ‚Kittchen' *n* (*Gefängnis*).

hoo·sier ['hu:ʒər] *s Am.* **1.** *contp.* (Bauern)Trottel *m.* **2.** H~ (*Spitzname für e-n*) Bewohner von Indi'ana. **H~ State** *s Am.* (*Beiname für*) Indi'ana *n.*

hoot[1] [hu:t] **I** *v/i* **1.** heulen, (*höhnisch*) johlen, schreien: **to ~ at s.o.** *j-n* verhöhnen. **2.** schreien (*Eule*). **3.** *Br.* a) hupen, tuten (*Auto*), b) pfeifen, heulen (*Dampfpfeife etc*). **II** *v/t* **4.** *j-n* auszischen, -pfeifen, mit Pfuirufen über'schütten: **to ~ down** niederschreien. **5.** ~ **out,** ~ **away,** ~ **off** durch Gejohle vertreiben. **6.** *etwas* johlen. **III** *s* **7.** (*höhnischer, johlender*) Schrei: **it's not worth a ~** *colloq.* es ist keinen Pfifferling wert; **I don't care a ~** (*od.* **two ~s**) *colloq.* ‚das ist mir völlig piepe'. **8.** Schrei *m* (*der Eule*). **9.** *bes. Br.* a) Hupen *n* (*vom Auto*), b) (Si'renen)Geheul *n*, c) → hooter 2.

hoot[2] [hu:t] *interj Scot. Ir. od. dial.* ach was!, dummes Zeug!

hoot·er ['hu:tər] *s* **1.** Johler(in). **2.** Si'rene *f*, Dampfpfeife *f.* **3.** *mot.* Hupe *f.*

hoots [hu:ts] → hoot[2].

hoove [hu:v] *s vet.* Blähsucht *f*, Ko-[lik *f.*]

Hoo·ver ['hu:vər] (*TM*) **I** *s* Staubsauger *m.* **II** *v/t* mit dem Staubsauger reinigen, (ab)saugen.

hooves [hu:vz] *pl von* hoof.

hop[1] [hɒp] **I** *v/i* **1.** (hoch)hüpfen, hopsen. **2.** *colloq.* tanzen. **3.** *colloq.* a) sausen, ‚flitzen', b) reisen, ‚gondeln', c) *aer.* e-n kurzen Flug machen. **4.** *meist* ~ **it** *sl.* verschwinden, ‚sich verziehen'. **5.** *meist* ~ **off** *aer. colloq.* starten. **II** *v/t* **6.** hüpfen *od.* springen über (*acc*): **to ~ the twig** (*od.* **stick**) *sl.* a) → 4, b) ‚hops gehen' (*sterben*); **~ to it!** mach (mal) fix! **7.** *Am. colloq.* (auf)springen auf (*acc*): **to ~ a train. 8.** *sl.* über'fliegen, -'queren: **to ~ the ocean. 9.** *e-n Ball etc* hüpfen lassen. **10.** *Am. sl.* (*als Kellner etc*) bedienen. **11.** *Am. sl.* angreifen. **III** *s* **12.** Hopser *m*, Sprung *m*: ~, **step** (*od.* **skip**), **and jump** *sport* Dreisprung; **to be on the ~** *colloq.* sehr in Trab sein; **to catch s.o. on the ~** *j-n* (in flagranti) erwischen. **13.** *colloq.* Tanz *m*, ‚Schwof' *m.* **14.** *aer. colloq.* a) kurzer Flug, b) Teilstrecke *f*, E'tappe *f.* **15.** *colloq.* (kurze) Reise, Abstecher *m.*

hop[2] [hɒp] **I** *s* **1.** *bot.* a) Hopfen *m*, b) *pl* Hopfen(blüten *pl*) *m*: **to pick** (*od.* **gather**) **~s** → 5. **2.** *Am. sl.* Rauschgift *n*, *bes.* Opium *n.* **II** *v/t* **3.** *Bier* hopfen. **4.** *oft* ~ **up** *Am. sl.* a) mit Rauschgift aufputschen, b) *fig.* aufputschen, c) *ein Auto* ‚fri'sieren'. **III** *v/i* **5.** Hopfen zupfen *od.* ernten.

hop| back *s Brauerei*: Hopfenseiher *m.* '**~ˌbine,** *a.* '**~ˌbind** *s bot.* Hopfenranke *f.*

hope [houp] **I** *s* **1.** Hoffnung *f* (of auf *acc*): **in ~s** in Erwartung, hoffend; **past all ~** hoffnungs-, aussichtslos; **he is past all ~** er ist ein hoffnungsloser Fall, für ihn gibt es keine Hoffnung mehr; **there is no ~ that** es besteht keine Hoffnung, daß; **in the ~ of doing** in der Hoffnung zu tun. **2.** Hoffnung *f*: a) Vertrauen *n*, Zuversicht *f*, b) Aussicht *f*: **no ~ of success** keine Aussicht auf Erfolg. **3.** Hoffnung *f* (*Person od. Sache*): **she is our only ~**; → **white hope. 4.** → **forlorn hope. II** *v/i* **5.** hoffen: **to ~ for** hoffen auf (*acc*), erhoffen; **to ~ against ~** verzweifelt hoffen; hoffen, wo es nichts mehr zu hoffen gibt; **to ~ for the best** das Beste hoffen; **I ~ so** hoffentlich, ich hoffe (es); **the ~d-for result** das erhoffte Ergebnis. **III** *v/t* **6.** *etwas* hoffen: **I ~ to meet her soon; it is much to be ~d** es ist sehr zu hoffen. ~ **chest** *s Am. colloq.* Aussteuertruhe *f.*

hope·ful ['houpfəl; -ful] **I** *adj* (*adv* **~ly**) **1.** a) hoffnungs-, erwartungsvoll, b) hoffend: to be (*od.* feel) ~ voller Hoffnung sein, hoffen. **2.** *a. iro.* vielversprechend. **II** *s* **3.** *bes. iro.* a) vielversprechender (junger) Mensch: a young ~, b) Opti'mist(in), hoffnungsvoller Mensch. **'hope·ful·ness** *s* Hoffnungsfreudigkeit *f*, frohe Erwartung.

hope·less ['houplis] *adj* (*adv* ~ly) hoffnungslos: a) verzweifelt, mutlos, b) aussichtslos: a ~ situation, c) unheilbar: a ~ patient, d) mise'rabel, ‚unmöglich': as an actor he is ~, e) unverbesserlich, heillos: a ~ drunkard; he is a ~ case er ist ein hoffnungsloser Fall. **'hope·less·ness** *s* Hoffnungslosigkeit *f*.

'hop-,gar·den *s* Hopfengarten *m*.

Ho·pi ['houpi] *s* Hopi *m, f*, 'Hopi-, 'Moquiindi,aner(in).

hop kiln *s agr.* Hopfendarre *f*.

hop·lite ['hɒplait] *s antiq. mil.* Ho'plit *m* (*schwerbewaffneter Fußsoldat*).

hop-o'-my-thumb [*Br.* 'hɒpəmi'θʌm; *Am.* -mai-] *s* Knirps *m*, Zwerg *m*, Drei'käsehoch *m*.

hopped-up ['hɒpt,ʌp] *adj Am. sl.* **1.** (von Rauschgift) aufgeputscht. **2.** *fig.* a) (ganz) ‚aus dem Häus-chen' (*aufgeregt, begeistert*), b) über'trieben, c) *mot.* ‚fri'siert': ~ car.

hop·per¹ ['hɒpər] *s* **1.** Hüpfende(r *m*) *f*. **2.** Tänzer(in). **3.** *zo.* Hüpfer *m*, *bes.* hüpfendes In'sekt, *z. B.* Käsemade *f*. **4.** *tech.* a) (Füll)Trichter *m*, b) Schüttgut-, Vorratsbehälter *m*, c) Gichtverschluß *m* (*bei Hochöfen*), d) *a.* ~(-bottom) car *rail.* Fallboden-, Selbstentladewagen *m*, e) *mar.* Baggerprahm *m*, f) Spülkasten *m*: ~ closet Klosett *n* mit Spülkasten; it's in the ~ *Am. colloq.* die Sache läuft.

hop·per² ['hɒpər] *s* **1.** Hopfenpflükker(in). **2.** *Brauerei*: a) *Arbeiter, der den Hopfen zusetzt*, b) Gosse *f*, Malztrichter *m*.

hop·ping ['hɒpiŋ] *adj Am. colloq.* **1.** mit Hochdruck arbeitend: to keep s.o. ~ j-n in Trab halten. **2.** be ~ mad vor Zorn beben, ‚e-e Stinkwut (im Bauch) haben'.

hop·ple ['hɒpl] → hobble 3.

hop| pock·et *s* Hopfenballen *m* (*etwa* $1^1/_2$ *Zentner*). ~ **pole** *s agr.* Hopfenstange *f*. ~ **sack** *s* **1.** Hopfensack *m*. **2.** → hop sacking. ~ **sack·ing** *s* **1.** grobe Sackleinwand. **2.** grober Wollstoff. **'~,scotch** *s* Himmel-und-Hölle-Spiel *n* (*Hüpfspiel*). **'~,vine** *s bot.* **1.** Hopfenranke *f*. **2.** Hopfenpflanze *f*.

Ho·rae ['hɔːriː] *s pl myth.* Horen *pl*.

ho·ral ['hɔːrəl], **ho·ra·ry** ['hɔːrəri] *adj* **1.** Stunden... **2.** stündlich.

Ho·ra·tian [ho'reiʃiən; -ʃən] *adj* Ho'razisch, horazisch: ~ ode.

horde [hɔːrd] **I** *s* Horde *f*: a) (*asiatische*) *Nomadengruppe*, b) *contp.* (wilder) Haufen, Bande *f*. **II** *v/i* e-e Horde bilden: to ~ together in Horden zs.-leben.

ho·ri·zon [ho'raizən] *s* **1.** *astr.* (*a. fig. geistiger*) Hori'zont, Gesichtskreis *m*: on the ~ *a. fig.* am Horizont (auftauchend *od.* sichtbar); apparent (*od.* sensible, visible) ~ scheinbarer Horizont; celestial (*od.* astronomical, geometrical, rational, true) ~ wahrer *od.* geozentrischer Horizont; visual ~ *mar.* Seehorizont, Kimm *f*; → artificial 1. **2.** *geol.* Hori'zont *m*, Zone *f*. **3.** *Anthropologie*: Hori'zont *m*, Kul'turschicht *f*. **4.** *paint.* Hori'zontlinie *f*.

hor·i·zon·tal [,hɒri'zɒntl] **I** *adj* (*adv* ~ly) **1.** horizon'tal: a) *math.* waag(e)recht: ~ line → 4, b) *tech.* liegend: ~ engine; ~ valve, c) in der Horizon'talebene liegend, d) *mar.* in Kimmlinie liegend: ~ distance. **2.** *tech.* Seiten... (*bes. Steuerung*). **3.** a) gleich, auf der gleichen Ebene (*Alter etc*), b) *econ.* horizon'tal: ~ combination Horizontalverflechtung *f*. **II** *s* **4.** *math.* Horizon'tale *f*, Waag(e)rechte *f*. ~ **bar** *s sport* Reck *n*. ~ **par·al·lax** *s astr.* Horizon'talparal,laxe *f*. ~ **plane** *s math.* Horizon'talebene *f*. ~ **pro·jec·tion** *s math.* Horizon'talprojekti,on *f*. ~ **pro·jec·tion plane** *s math.* Grundrißebene *f*. ~ **rud·der** *s mar.* Horizon'tal(steuer)ruder *n*, Tiefenruder *n*. ~ **sec·tion** *s tech.* Horizon'talschnitt *m*, Grundriß *m*.

hor·mo·nal [hɔːr'mounl] *adj biol.* Hormon..., hormo'nal. **'hor·mone** [-moun] *s* Hor'mon *n*.

horn [hɔːrn] **I** *s* **1.** *zo.* a) Horn *n*, b) *pl* (*Hirsch*)Geweih *n*, c) *pl fig.* Hörner *pl* (*des betrogenen Ehemanns*): → bull¹ 1, dilemma, lock¹ 15. **2.** *hornähnliches Organ, bes.* a) Stoßzahn *m* (*Narwal*), b) Horn *n* (*Nashorn*), c) *orn.* Ohrbüschel *n*, d) Fühler *m*, (Fühl)Horn *n* (*Insekt, Schnecke etc*): to draw (*od.* pull) in one's ~s *fig.* die Hörner einziehen, ‚zurückstecken'. **3.** *chem.* Horn(stoff *m*) *n*, Kera'tin *n*. **4.** hornartige Sub'stanz: ~ spectacles Hornbrille *f*. **5.** Gegenstand *m* aus Horn, *bes.* a) Schuhlöffel *m*, b) Horngefäß *n*, -dose *f*, c) Hornlöffel *m*. **6.** Horn *n* (*hornförmiger Gegenstand*), *bes.* a) *tech. seitlicher Ansatz am Amboß*, b) *Stütze am Damensattel*, c) *hornförmige Bergspitze*, d) (*e-e*) Spitze (*der Mondsichel*), e) (Pulver-, Trink)Horn *n*: ~ of plenty Füllhorn; the H~ (das) Kap Hoorn. **7.** *mus.* Horn *n*: → English horn *etc*; to put to the ~ *Scot. hist.* in Acht u. Bann erklären. **8.** *tech.* Schalltrichter *m*: ~ loudspeaker Trichterlautsprecher *m*. **9.** Si'gnalhorn *n*, Hupe *f*. **10.** *aer.* Leitflächenhebel *m*: rudder ~ Rudernase *f*. **11.** *electr.* Hornstrahler *m*. **12.** Sattelknopf *m*. **13.** *Bibl.* Horn *n* (*als Symbol der Stärke od. des Stolzes*). **14.** *Am. colloq.* Drink *m*, Schluck *m*. **15.** *vulg.* steifer Penis.

II *v/t* **16.** mit den Hörnern stoßen. **17.** *obs. e-m Ehemann* Hörner aufsetzen.

III *v/i* **18.** ~ in *Am. sl.* sich eindrängen *od.* einmischen (on in *acc*).

'horn|,beam *s bot.* Hain-, Weißbuche *f*. **'~,bill** *s orn.* (Nas)Hornvogel *m*. **'~,blende** *s min.* Hornblende *f*. **'~,book** *s ped.* **1.** *hist.* (*Art*) Ab'c-Buch *n*. **2.** *fig.* Fibel *f*, Elemen'tarbuch *n*. **'~-,break switch** *s electr.* Streckenschalter *m* mit 'Hornkon,takten. ~ **bug** *s zo. Am.* Hirschkäfer *m*.

horned [hɔːrnd] *adj* gehörnt, Horn...: ~ cattle Hornvieh *n*. ~ **owl** *s orn.* (*e-e*) Ohreule. ~ **rat·tle·snake** *s zo.* Seitenwinder *m*.

hor·net ['hɔːrnit] *s zo.* Hor'nisse *f*: to bring a ~s' nest about one's ears *fig.* in ein Wespennest stechen.

horn fly *s zo. Am.* Hornfliege *f*.

Horn·ie ['hɔːrni] *s Scot.* der Teufel.

horn·ist ['hɔːrnist] *s mus.* Hor'nist *m*, Hornbläser *m*.

horn·less ['hɔːrnlis] *adj* hornlos, ohne Hörner.

'horn|-'mad *adj obs.* rasend vor Wut. **'~,pipe** *s mus.* **1.** Hornpfeife *f*. **2.** Hornpipe *f* (*alter englischer Matrosentanz*). ~ **plate** *s tech.* Achs(en)halter *m*. ~ **quick·sil·ver** *s min.* Hornquecksilber *n*. **'~-,rimmed** *adj* Horn... (*mit Hornfassung*): ~ spectacles Hornbrille *f*. ~ **shav·ings** *s pl agr.* Hornspäne *pl* (*Dünger*). ~ **sil·ver** *s min.* Horn-, Chlorsilber *n*. ~ **snake** *s zo. Am.* Hornnatter *f*. **'~,stone** *s min.* Hornstein *m*. **'~,swog·gle** [-,swɒgl] *v/t Am. sl.* j-n ‚übers Ohr hauen', ‚reinlegen', ‚beschummeln'. **'~,tail** *s zo.* Holzwespe *f*.

horn·y ['hɔːrni] *adj* **1.** hornig, schwielig: ~-handed mit schwieligen Händen. **2.** aus Horn, Horn... **3.** gehörnt, Horn... **4.** *Am. vulg.* geil.

hor·o·loge ['hɔːrə,lɒdʒ; 'hɒr-; -,loudʒ] *s* Zeit-, Stundenmesser *m*, (Sonnen-, Sand- *etc*)Uhr *f*. **ho·rol·o·ger** [ho'rɒlədʒər], **ho'rol·o·gist** *s* Uhrmacher *m*. **ho'rol·o·gy** [-dʒi] *s* **1.** Horolo'gie *f*, Lehre *f* von der Zeitmessung. **2.** Uhrmacherkunst *f*.

ho·rom·e·try [ho'rɒmitri; hɒ'r-] *s* Horome'trie *f*, Zeitmessung *f*.

ho·rop·ter [ho'rɒptər; hɒ'r-] *s phys.* Ho'ropter *m* (*Punkt, wo die Sehachsen beider Augen zs.-treffen*).

hor·o·scope ['hɒrə,skoup] *s* Horo'skop *n*: to cast a ~ ein Horoskop stellen. **ho·ros·co·pist** [ho'rɒskəpist; hɒ'r-] *s* Horo'skopsteller *m*, Astro'loge *m*. **ho'ros·co·py** *s astr.* **1.** Horosko'pie *f*, Stellen *n* von Horo'skopen. **2.** Horo'skop *n*.

hor·rent ['hɒrənt] *adj bes. poet.* **1.** borstig. **2.** starrend (with von).

hor·ri·ble ['hɒrəbl] *adj* (*adv* horribly) schrecklich, grausig, grauenvoll, fürchterlich, entsetzlich, gräßlich, schauerlich, scheußlich, ab'scheulich (*alle a. colloq. fig.*). **'hor·ri·ble·ness** *s* Schrecklichkeit *f*, Furchtbarkeit *f*, Ab'scheulichkeit *f*.

hor·rid ['hɒrid] *adj* (*adv* ~ly) **1.** → horrible. **2.** *obs.* rauh, borstig. **'hor·rid·ness** → horribleness.

hor·rif·ic [hɒ'rifik] *adj* schreckenerregend, schrecklich, entsetzlich.

hor·ri·fy ['hɒri,fai] *v/t* entsetzen: a) mit Schrecken erfüllen, *j-m* Grauen einflößen, b) mit Abscheu erfüllen, em'pören: ~ing → horrible.

hor·rip·i·la·tion [hɒ,ripi'leiʃən] *s physiol.* Gänsehaut *f*.

hor·ror ['hɒrər] **I** *s* **1.** Entsetzen *n*, Grau(s)en *n*, Schrecken *m*: to my ~ zu m-m Entsetzen; seized with ~ von Grauen gepackt. **2.** (of) Abscheu *m*, Ekel *m* (vor *dat*), 'Widerwille *m* (gegen): to have a ~ of scheuen. **3.** a) Schrecken *m*, Greuel *m*: the ~s of war; scene of ~ Schreckensszene *f*, b) Greueltat *f*. **4.** Grausigkeit *f*, Entsetzlichkeit *f*, (*das*) Schauerliche. **5.** *colloq.* (*etwas*) Scheußliches, Greuel *m* (*Person od. Sache*), Scheusal *n*, Ekel *n* (*Person*). **6.** the ~s *pl* a) Depressi'on *f*, ‚Zustände' *pl*, b) *colloq.* kaltes Grausen: it gave me the ~s mich packte das *od.* ein kaltes Grausen, c) *colloq.* De'lirium *n*. **II** *adj* **7.** Grusel...: ~ novel; ~ play; ~ film Horror-Film *m*. **'~-,strick·en, '~-,struck** *adj* von Schrecken *od.* Grauen gepackt.

horse [hɔːrs] **I** *s* **1.** Pferd *n*, Roß *n*, Gaul *m* (*a. fig.*): hold your ~s *Am. colloq.* immer sachte *od.* mit der Ruhe!; to back the wrong ~ *fig.* aufs falsche Pferd setzen; to mount (*od.* ride) the high ~ *colloq.* sich aufs hohe Roß setzen; do not spur a willing ~ *fig.* ein willig Pferd soll man nicht spornen; to work (breathe, eat) like a ~ arbeiten (schnaufen, essen) wie ein Pferd; to ~! *mil.* Aufgesessen!; a ~ of another colo(u)r *fig.* etwas (ganz) anderes; straight from

the ~'s mouth *colloq.* aus erster Hand *od.* Quelle; wild ~s will not drag me there keine zehn Pferde kriegen mich dort hin; → cart 1, dark horse, flog 1, gift 7, head *Bes. Redew.* **2.** a) Hengst *m*, b) Wallach *m*. **3.** *collect. mil.* Kavalle'rie *f*, Reite'rei *f*: regiment of ~ Kavallerieregiment *n*; a thousand ~ tausend Reiter; ~ and foot Kavallerie u. Infanterie, die ganze Armee. **4.** *tech.* (Säge- *etc*)-Bock *m*, Gestell *n*, Ständer *m*. **5.** *print.* Anlegetisch *m*. **6.** *Bergbau*: a) Bühne *f*, b) Gebirgskeil *m*. **7.** *sport* (Längs)-Pferd *n* (*Turngerät*). **8.** *ped. sl.* a) ‚Klatsche' *f*, ‚Schlauch' *m*, Eselsbrücke *f*, b) *Am.* Schabernack *m*, Streich *m*.
II *v/t* **9.** mit Pferden versehen: a) *Truppen etc* beritten machen, b) *Wagen* bespannen. **10.** *Am. sl. j-n* ‚veräppeln', ‚aufziehen'. **11.** *e-e Stute* decken, beschälen.
III *v/i* **12.** aufsitzen, aufs Pferd steigen. **13.** rossen (*Stute*). **14.** *oft* ~ around *Am. colloq.* a) Unfug treiben, b) sich her'umtreiben.

'horse|-and-'bug·gy *adj Am.* ‚vorsintflutlich', altmodisch. **~ ar·til·ler·y** *s mil.* reitende *od.* berittene Artille'rie. **'~,back I** *s* Pferderücken *m*: on ~ zu Pferd, beritten: to go (*od.* ride) on ~ reiten; → devil 1. **II** *adv* zu Pferde: to ride ~ reiten. **'~,break·er** *s* Zureiter *m*, Bereiter *m*. **~ chest·nut** *s bot.* 'Roßka,stanie *f*. **'~,cloth** *s* Pferdedecke *f*, Scha'bracke *f*. **~ col·lar** *s* Kum(me)t *n*: to grin through a ~ *fig.* primitive Witze reißen. **~ cop·er** → horse dealer.

horsed [hɔːrst] *adj* **1.** beritten (*Person*). **2.** (mit Pferden) bespannt (*Wagen*).

horse| deal·er *s* Pferdehändler *m*. **~ doc·tor** *s* **1.** Roßarzt *m*. **2.** *colloq. contp.* ‚Viehdoktor' *m*. **'~-,drawn** *adj* von Pferden gezogen, Pferde... **'~-,flesh** *s* **1.** Pferdefleisch *n*. **2.** *collect. colloq.* Pferde *pl*. **'~,fly** *s zo.* (Pferde)-Bremse *f*. **~ gow·an** *s bot.* Marge'rite *f*. **H~ Guards** *s pl mil.* **1.** berittene Garde. **2.** *Br.* 'Gardekavalle,riebri,gade *f* (*bes. das 2. Regiment, die Royal* ~). **3.** a) *Gebäude in Whitehall, London, vormals Quartier der* Horse Guards, *später Sitz des Oberbefehlshabers der brit. Armee*, b) *fig.* 'Oberkom,mando *n* (*der brit. Armee*). **'~-,hair I** *s* **1.** *sg u. pl* Roß-, Pferdehaar *n*. **2.** → haircloth. **II** *adj* **3.** Roßhaar... **'~,hide** *s* Pferdehaut *f*, -leder *n*. **~ lat·i·tudes** *s pl geogr.* Roßbreiten *pl* (*windstille Zonen, bes. im Atlantik*). **'~-,laugh** *s* wieherndes Gelächter. **'~-,leech,** *obs. a.* **'~,leach** *s* **1.** *zo.* Pferdeegel *m*. **2.** *fig.* Blutsauger *m*. **3.** *obs.* Tierarzt *m*.

horse·less ['hɔːrslis] *adj* ohne Pferd(e).

horse| lit·ter *s* Pferdesänfte *f*. **~ mack·er·el** *s ichth.* **1.** Thunfisch *m*. **2.** 'Roßma,krele *f*. **3.** Bo'nito *m*. **'~·man** [-mən] *s irr.* **1.** (geübter) Reiter. **2.** Pferdekenner *m od.* -pfleger *m*. **3.** *obs.* Kavalle'rist *m*. **4.** *zo.* Sandkrabbe *f*. **'~·man,ship** *s* Reitkunst *f*. **~ ma·rines** *s pl humor.* ‚reitende Ge'birgsma,rine': tell that to the ~s! mach das e-m anderen weis! **~ mas·ter·ship** *s* Reitkunst *f*. **~ meat** *s* **1.** Pferdefutter *n*. **2.** Pferdefleisch *n*. **'~,mint** *s bot.* **1.** a) Wald- *od.* Pferdeminze *f*, b) Roßminze *f*, c) Wasserminze *f*. **2.** *Am.* (*e-e*) Mo'narde. **~ nail** *s* Hufnagel *m*. **~ op·er·a** *s Am. colloq.* Wild'westfilm *m*. **~ pis·tol** *s* große 'Sattelpi,stole. **'~,play** *s* derber Spaß, (grober) Unfug, ‚Blödsinn' *m*. **'~,pond** *s* Pferdeschwemme *f*. **'~,pow·er** *s* (*abbr.* H.P., HP, h.p., hp) *phys.* Pferdestärke *f*, HP *f* (*in Großbritannien u. USA = 550 Pfund-Fuß pro Sekunde = 1,0139 PS od. metrische Pferdestärken*). **'~,pow·er--'hour** *s phys.* Pferdestärkenstunde *f*, HP-Stunde *f* (*= 1,0139 PS-Stunden*). **~ race** *s sport* Pferderennen *n*. **~ rac·er** *s* **1.** Rennstallbesitzer *m*. **2.** Jockei *m*. **3.** Anhänger *m* des Pferderennsports. **~ rac·ing** *s* Pferderennen *n od. pl*, Rennsport *m*. **'~-'rad·ish** *s bot.* Meerrettich *m*. **~ sense** *s colloq.* gesunder Menschenverstand. **'~,shoe I** *s* **1.** Hufeisen *n*. **2.** *pl* (*als sg konstruiert*) *Am.* Hufeisenwerfen *n* (*Spiel*). **II** *adj* **3.** Hufeisen..., hufeisenförmig: ~ bend (*od.* curve) (*Straßen- etc*)Schleife *f*; ~ magnet Hufeisenmagnet *m*; ~ nail Hufnagel *m*; ~ table Tisch(e *pl*) *m* in Hufeisenform (*aufgestellt*). **~ show** *s* Pferdeschau *f*. **'~,tail** *s* **1.** Pferdeschwanz *m* (*a. als Mädchenfrisur*), Roßschweif *m* (*a. als türkisches Feldzeichen u. Rangabzeichen*). **2.** *bot.* a) Schachtelhalm *m*, b) Tann(en)wedel *m*. **~ tick** *s zo.* Pferdelausfliege *f*. **~ trade** *s Am.* **1.** Pferdehandel *m*. **2.** → horse trading. **~ trad·er** *s Am.* Pferdehändler *m*. **~ trad·ing** *s pol. Am. colloq.* ‚Kuhhandel' *m*. **~ train·er** *s sport* Pferdetrainer *m*. **'~,whip I** *s* Reitpeitsche *f*. **II** *v/t* mit der Reitpeitsche schlagen, peitschen. **'~,wom·an** *s irr* Reiterin *f*.

hors·y, *Am. a.* **hors·ey** *adj* **1.** dem Rennsport ergeben, pferdenärrisch. **2.** Pferde betreffend: ~ talk Gespräch *n* über Pferde. **3.** Pferde..., Reit..., Jockei...: ~ dress Reitanzug *m*. **4.** grobschlächtig, pferdeartig.

hor·ta·to·ry ['hɔːrtətəri], *a.* **'hor·ta·tive** [-tiv] *adj* (er)mahnend.

hor·ti·cul·tur·al [,hɔːrti'kʌltʃərəl] *adj* gartenbaulich, Garten(bau)..., gärtnerisch. **'hor·ti,cul·ture** *s* Gartenbau(kunst *f*) *m*, Gärtne'rei *f*. **,hor·ti'cul·tur·ist** *s* Garten(bau)künstler(in), Gärtner(in).

hor·tus sic·cus ['hɔːrtəs 'sikəs] (*Lat.*) *s* **1.** Her'barium *n*. **2.** *fig. contp.* Sammel'surium *n*.

ho·san·na [ho'zænə] **I** *interj* hosi'anna! **II** *s* Hosi'anna *n*, Lobgesang *m*.

hose [houz] **I** *pl* **hose** *s* **1.** langer Strumpf. **2.** *collect. pl* Strümpfe *pl*. **3.** *hist.* (Knie)Hose *f*. **4.** *pl. a.* hoses Schlauch *m*: garden ~. **5.** *tech.* Dille *f*, Tülle *f*. **II** *v/t* **6.** (mit e-m Schlauch) ab- *od.* bespritzen.

Ho·se·a [ho'ziːə] *npr u. s Bibl.* (das Buch) Ho'sea *m od.* O'see *m*.

'hose|·man [-mən] *s irr* Schlauchführer *m* (*der Feuerwehr*). **~ pipe** *s* Schlauchleitung *f*. **'~-,proof** *adj tech. Br.* strahlwassergeschützt.

ho·sier ['houʒər] *s* Triko'tagen-, Wirkwaren-, *bes.* Strumpfhändler(in). **'ho·sier·y** *s econ.* **1.** *collect.* Wirk-, *bes.* Strumpfwaren *pl*. **2.** Strumpfwarenhandlung *f*. **3.** 'Strumpffa,brik *f*.

hos·pice ['hɒspis] *s* Ho'spiz *n*, Herberge *f*.

hos·pi·ta·ble ['hɒspitəbl; *Br. a.* hos'pit-] *adj* (*adv* hospitably) **1.** a) gast(freund)lich: a ~ man, b) gastlich, gastfrei: a ~ house. **2.** *fig.* freundlich: ~ climate. **3.** (to) empfänglich (für), aufgeschlossen (*dat*): ~ to new ideas. **'hos·pi·ta·ble·ness** → hospitality 1.

hos·pi·tal ['hɒspitl] *s* **1.** Krankenhaus *n*, Klinik *f*, Hospi'tal *n*: ~ fever *med.* Flecktyphus *m*; ~ gangrene *med.* Hospital-, Wundbrand *m*; ~ nurse Krankenschwester *f*; H~ Saturday (Sunday) *Br. Samstag (Sonntag), an dem auf der Straße (in der Kirche) für die Krankenhäuser gesammelt wird*; to walk the ~ s-e klinischen Semester absolvieren (*Medizinstudent*). **2.** *mil.* Laza'rett *n*: ~ ship Lazarettschiff *n*; ~ tent Sanitätszelt *n od.* -baracke *f*; ~ train Lazarettzug *m*. **3.** Tierklinik *f*. **4.** *hist.* Spi'tal *n*, *bes.* a) Armenhaus *n*, b) Altersheim *n*, c) Erziehungsheim *n*. **5.** *hist.* Herberge *f*, Ho'spiz *n*. **6.** *humor.* Repara'turwerkstätte *f*: dolls ~ Puppenklinik *f*. **'hos·pi·tal·er** [-pitlər] *s* **1.** H~ *hist.* Hospita'liter *m*, Johan'niter *m*. **2.** Mitglied *n* e-s Krankenpflegeordens, *z.B.* Barm'herziger Bruder. **3.** *Br.* Krankenhausgeistliche(r) *m*.

hos·pi·tal·ism ['hɒspit,lizəm] *s* **1.** 'Krankenhaussy,stem *n*. **2.** hygi'enische 'Mißstände *pl* (*in e-m Krankenhaus*).

hos·pi·tal·i·ty [,hɒspi'tæliti] *s* **1.** Gastfreundschaft *f*, Gastlichkeit *f*. **2.** Akt *m* der Gastfreundschaft. **3.** *fig.* Aufgeschlossenheit *f* (to für).

hos·pi·tal·i·za·tion [,hɒspitlai'zeiʃən] *s Am.* **1.** Aufnahme *f od.* Einweisung *f od.* Einlieferung *f* ins Krankenhaus. **2.** Krankenhausaufenthalt *m*, Behandlung *f* im Krankenhaus. **~ in·sur·ance** *s Am.* (*private*) Krankenhauskostenversicherung.

hos·pi·tal·ize ['hɒspit,laiz] *v/t* in ein Krankenhaus einliefern, in e-m Krankenhaus 'unterbringen *od.* behandeln.

hos·pi·tal·ler → hospitaler.

host[1] [houst] *s* **1.** (Un)Menge *f*, Unzahl *f*, Masse *f*, Schwarm *m*: a ~ of questions e-e Unmenge Fragen; to be a ~ in o.s. e-e ganze Schar ersetzen. **2.** *obs. od. poet.* (Kriegs)Heer *n*: the ~(s) of heaven a) die Gestirne, b) die himmlischen Heerscharen; the Lord of ~s *Bibl.* der Herr der Heerscharen.

host[2] [houst] **I** *s* **1.** Gastgeber *m*, Hausherr *m*: ~ country Gastland *n*. **2.** (Gast)Wirt *m*: to reckon without one's ~ *fig.* die Rechnung ohne den Wirt machen. **3.** *biol.* Wirt *m*, Wirtspflanze *f od.* -tier *n*. **II** *v/t* **4.** *Am.* a) als Gastgeber fun'gieren bei, b) bewirten, c) veranstalten, leiten.

host[3], *oft* **H~** [houst] *s relig.* Hostie *f*.

hos·tage ['hɒstidʒ] *s* **1.** Geisel *m*, *f*: to hold s.o. ~ j-n als Geisel behalten; ~s to fortune a) verlierbare Dinge, b) Weib u. Kind; to give ~s to fortune sich Verlusten *od.* Gefahren aussetzen. **2.** 'Unterpfand *n*.

hos·tel ['hɒstəl] *s* **1.** Herberge *f*. **2.** *meist* youth ~ Jugendherberge *f*. **3.** *Br.* Stu'dentenheim *n*. **4.** *obs.* Wirtshaus *n*. **'hos·tel·er** *s* **1.** *obs.* Gastwirt *m*. **2.** *Br.* a) *univ.* im Stu'dentenheim Wohnende(r *m*) *f*, b) *meist* youth ~ Mitglied *n* des Jugendherbergsverbands. **'hos·tel·ry** [-ri] *s obs.* Wirtshaus *n*.

host·ess ['houstis] *s* **1.** Gastgeberin *f*, Hausfrau *f*: ~ cart Teewagen *m*. **2.** (Gast)Wirtin *f*. **3.** Empfangsdame *f*, Hos'tess *f*. **4.** Taxigirl *n*. **5.** *a.* air ~ (Luft)Stewardeß *f*.

hos·tile [*Br.* 'hɒstail; *Am.* -tl; -til] *adj* (*adv* ~ly) **1.** feindlich, Feind(es)...: ~ act feindliche Handlung; ~ territory Feindgebiet *n*. **2.** (to) feindselig (gegen), feindlich gesinnt (*dat*).

hos·til·i·ty [hɒs'tiliti] *s* **1.** Feindschaft *f*, Feindseligkeit *f* (to, against gegen). **2.** Feindseligkeit *f*, feindselige Handlung. **3.** *pl mil.* Feindseligkeiten *pl*, Kriegs-, Kampfhandlungen *pl*: hostilities only nur für den Kriegsfall.

hos·tler ['ɒslər; *Am. meist* 'hɑs-] → ostler.

hot [hɒt] **I** *adj* (*adv* ~ly) **1.** heiß (*a. fig.*): ~ climate; ~ stove; ~ tears; → iron 1. **2.** warm, heiß (*Speisen*): ~ meal; ~ and ~ ganz heiß, direkt vom Feuer. **3.** erhitzt, heiß: I am ~ mir ist heiß; I went ~ and cold es überlief mich heiß u. kalt. **4.** a) scharf: ~ spices, b) scharf gewürzt: a ~ dish, c) *fig.* grell: ~ colo(u)r. **5.** heiß, hitzig, heftig, erbittert: a ~ fight; ~ words heftige Worte; ~ work harte Arbeit; in ~ pursuit, ~ on the track dicht auf den Fersen *od.* auf der Spur (of *dat*); ~ and strong *colloq.* ‚tüchtig', ‚gehörig', heftig. **6.** leidenschaftlich, feurig: a ~ temper ein hitziges Temperament; a ~ patriot ein glühender Patriot; to be ~ for (*od.* on) ‚scharf' *od.* ‚wild' *od.* erpicht sein auf (*acc*), brennen auf (*acc*). **7.** erregt, erbost, hitzig. **8.** ‚heiß': a) *fig.* geil, b) heißblütig, c) brünstig (*Tier*). **9.** *fig.* ‚heiß' (*der gesuchten Sache od. Antwort nahe*). **10.** ganz neu *od.* frisch, ‚noch warm': news ~ from the press Nachrichten frisch aus der Presse; a ~ scent (*od.* trail) e-e warme *od.* frische Fährte. **11.** *sl.* ‚toll' (*großartig*): it (he) is not so ~ es (er) ist nicht so toll; ~ news sensationelle Nachrichten; a ~ favo(u)rite ein hoher Favorit; to be ~ in (*od.* on) ‚ganz groß' sein in (*e-m Fach*); → hot stuff. **12.** *sl.* ‚heiß', ‚hot', ‚schräg': ~ jazz; ~ music. **13.** *colloq.* heiß, ‚ungemütlich', gefährlich: to make it ~ for s.o. j-m die Hölle heiß machen, j-m gründlich ‚einheizen'; the place was getting too ~ for him ihm wurde der Boden zu heiß (unter den Füßen); to get into ~ water in des Teufels Küche geraten (for wegen); to get into ~ water with s.o. *colloq.* es mit j-m zu tun kriegen; ~ under the collar *colloq.* aufgebracht, wütend. **14.** *Am. sl.* ‚heiß': a) gestohlen *od.* geschmuggelt: ~ goods, b) poli'zeilich verfolgt: he's ~, c) *phys.* radioak'tiv. **15.** *electr.* ‚heiß', stromführend: → hot wire 1. **16.** *tech.* Heiß..., Warm..., Glüh...
II *adv* **17.** heiß: the sun shines ~; to get it ~ *colloq.* ‚sein Fett bekommen'; to give it s.o. ~ j-m gründlich ‚einheizen', j-m die Hölle heiß machen.
III *v/t* **18.** *bes. Br.* heiß machen. **19.** *Am. sl.* a) Schwung bringen in (*acc*), *etwas* ‚aufmöbeln', b) *e-n Motor od. Wagen* ‚fri'sieren'.

hot| air *s* **1.** *tech.* Heißluft *f.* **2.** *sl.* leeres Geschwätz, ˌSchaumschläge'rei *f.* **'~-'air** *adj* Heißluft...: ~ blast → hot blast 2; ~ artist *colloq.* Schaumschläger *m.* **'~ˌbed** *s* **1.** *agr.* Mist-, Frühbeet *n.* **2.** *fig.* Brutstätte *f*; a ~ of vice. **3.** *tech.* Kühlbett *n.* **~ blast** *s tech.* **1.** Heißluftgebläse *n.* **2.** heiße Gebläseluft, Heißwind *m.* **'~-'blast** *adj tech.* Heißwind...: ~ furnace Heißwindofen *m*; ~ stove Winderhitzer *m.* **'~-'blood·ed** *adj* **1.** heißblütig, tempera'mentvoll, hitzig. **2.** reinrassig (*bes. Pferd*). **'~ˌbox** *s tech.* heißgelaufene Lagerbüchse. **'~-ˌbrained** → hotheaded. **~ bulb** *s tech.* Glühkopf *m.* **~ cath·ode** *s electr.* 'Glühkaˌthode *f*: ~ tube Glühkathodenröhre *f.* **~ cell** *s phys.* heiße Zelle (*abgeschirmter Raum für hochaktives Material*). **~ chair** → hot seat 2.

'hotchˌpot ['hɒtʃ-] *s* **1.** *jur.* Vereinigung *f* des Nachlasses zwecks gleicher Verteilung (*unter Berücksichtigung der Vorausempfänge*). **2.** → hotchpotch 1 *u.* 2.

hotch·potch ['hɒtʃˌpɒtʃ] *s* **1.** Eintopfgericht *n*, *bes.* Gemüsesuppe *f* mit Hammelfleisch. **2.** *fig.* Mischmasch *m.* **3.** *jur.* → hotchpot 1.

hot| cock·les *s pl* Schinkenklopfen *n* (*Kinderspiel*). **~ dog** *Am.* **I** *s colloq.* Hot Dog *m* (*heißes Würstchen in Brötchen*). **II** *interj sl.* Donnerwetter!

ho·tel [hou'tel; *Br. a.* ou-] *s* **1.** Ho'tel *n*: ~ register Fremdenbuch *n*; to book a ~ *Br.* ein Hotelzimmer bestellen. **2.** Gasthof *m.*

ho'telˌkeep·er, *a.* **ho·tel·ier** [ˌhoutə'lir] *s* Hoteli'er *m*, Ho'telbesitzer(in), -diˌrektor *m*, -direkˌtorin *f.*

'hot|ˌfoot *colloq.* **I** *adv* schleunigst, ‚haste was kannste'. **II** *v/i meist* to ~ it schleunigst eilen *od.* laufen. **III** *v/t Am.* a) *j-n* verhöhnen, b) *j-n* anstacheln. **'~-ˌgal·va·nize** *v/t tech.* feuerverzinken. **'~-ˌgos·pel·(l)er** → gospel(l)er. **'~ˌhead** *s* Heißsporn *m*, Hitzkopf *m.* **'~'head·ed** *adj* hitzköpfig, hitzig, ungestüm. **ˌ~-'head·ed·ness** *s* hitzköpfige Art, Ungestüm *n.* **'~-ˌhouse** *s* **1.** Treib-, Gewächs-, Glashaus *n*: ~ lamb im Spätherbst geborenes Lamm. **2.** Trockenhaus *n*, -raum *m.* **3.** *obs.* a) Badehaus *n*, b) Bor'dell *n.* **~ line** *s pol. teleph.* ‚heißer Draht' (*Direktverbindung*).

hot·ness ['hɒtnis] *s* Hitze *f* (*a. fig.*).

'hot| plate *s* **1.** a) Koch-, Heizplatte *f*, b) (Gas-, E'lektro)Kocher *m.* **2.** Warmhalteplatte *f.* **~ pot** *s* 'Fleischraˌgout *n* mit Kar'toffeln. **'~-ˌpress** *tech.* **I** *s* **1.** Warm- *od.* Heißpresse *f.* **2.** Deka'tierpresse *f.* **II** *v/t* **3.** warm *od.* heiß pressen. **4.** *Tuch* deka'tieren. **5.** *Papier* sati'nieren. **'~-ˌquench·ing** *s metall.* Warmbadhärten *n.* **~ rock** *s aer. Am. sl.* verwegener Pi'lot. **~ rod** *s bes. Am. sl.* **1.** Bastel-Rennwagen *m*, alter Wagen mit ‚fri'siertem' Motor. **2.** a) jugendlicher ‚Rennfahrer' (*auf e-m* hot rod), b) (motori'sierter) Halbstarker. **~ rod·der** → hot rod 2. **~ saw** *s tech.* Warmsäge *f.* **~ seat** *s sl.* **1.** *aer.* Schleudersitz *m.* **2.** *Am.* a) e'lektrischer Stuhl, b) *fig.* kitzlige Positi'on. **'~-'short** *adj tech.* rotbrüchig. **~ shot** *s Am. sl.* **1.** ‚großes Tier'. **2.** ‚toller Bursche', Teufelskerl *m*, ‚Ka'none' *f.* **~ spring** *s* heiße Quelle, Ther'malquelle *f.* **'~ˌspur I** *s* Heißsporn *m*, Hitzkopf *m*, Draufgänger *m.* **II** *adj* hitzig, ungestüm. **~ stuff** *s colloq.* **1.** ‚toller' Kerl. **2.** ‚tolle' Sache.

Hot·ten·tot ['hɒtənˌtɒt] **I** *s* **1.** Hotten'totte *m*, Hotten'tottin *f* (*a. fig. contp. ungebildete Person*). **2.** *ling.* Hotten'tottisch *n.* **II** *adj* **3.** Hottentotten...

hot·ter ['hɒtər] *comp von* hot.

hot·test ['hɒtist] *sup von* hot.

hot| tube *s electr.* Heiz-, Glührohr *n.* **~ war** *s* heißer Krieg. **'~-'wa·ter bot·tle** *s* Wärmflasche *f*: electric ~ *Br.* Heizkissen *n.* **'~-'wa·ter heat·er** *s* Heißwasserbereiter *m.* **~ well** → hot spring. **~ wire** *s* **1.** *electr.* a) ‚heißer' *od.* stromführender Draht, b) Hitzdraht *m* (*in Meßinstrumenten*). **2.** *pol.* ‚heißer Draht' (*Direktverbindung*).

hound[1] [haund] **I** *s* **1.** Jagdhund *m*: to ride to (*od.* to follow) the ~s an e-r Parforcejagd (*bes. Fuchsjagd*) teilnehmen; pack of ~s Meute *f.* **2.** *sl.* ‚Hund' *m*, Schurke *m.* **3.** *Am. sl.* Fa'natiker(in), Besessene(r *m*) *f*, ‚Fex' *m*: movie ~ Kinonarr *m.* **4.** Verfolger *m* (*Schnitzeljagd*). **II** *v/t* **5.** (*bes. mit Hunden, a. fig. j-n*) jagen, hetzen, verfolgen. **6.** *Hunde* hetzen (at auf *acc*). **7.** *oft* ~ on *j-n* hetzen, (an)treiben.

hound[2] [haund] *s* **1.** *mar.* Mastbacke *f.* **2.** *pl tech.* Seiten-, Diago'nalstreben *pl* (*an Fahrzeugen*).

'houndˌfish → dogfish.

hour [aur] *s* **1.** Stunde *f*: by the ~ stundenweise; for ~s (and ~s) stundenlang; per ~ pro Stunde; 15 miles per ~ (*abbr.* 15 m.p.h.) 24 Stundenkilometer; at 14.20 ~s um 14 Uhr 20; it strikes the ~ (the half-~) es schlägt voll (halb); *trains leave* on the ~ zur vollen Stunde, ‚um voll'; 10 minutes past the ~ 10 Minuten nach voll; an ~ from here e-e Stunde (Wegs) von hier. **2.** (Tages)Zeit *f*: what's the ~? wieviel Uhr ist es?; at what ~? um wieviel Uhr?; at an early ~ früh; to keep early (*od.* good) ~s früh schlafen gehen u. früh aufstehen; I don't like late ~s ich liebe es nicht, spät zu Bett zu gehen *od.* heimzukommen *od.* zu arbeiten; to keep regular ~s regelmäßige Zeiten einhalten; the small ~s die Stunden nach Mitternacht, die frühen Morgenstunden; → eleventh 1. **3.** Stunde *f* (*bestimmter Zeitpunkt*): the ~ of death die Todesstunde; his ~ has come (*od.* struck) s-e Stunde *od.* sein Stündlein hat geschlagen. **4.** Stunde *f*, Tag *m*, Gegenwart *f*: the man of the ~ der Mann des Tages; the question of the ~ die nun akute Frage. **5.** *pl* (Arbeits)Zeit *f*, (Arbeits-, Dienst-, Geschäfts)Stunden *pl*: after ~s nach Geschäftsschluß; → manhour, office hours. **6.** *ped.* a) (Schul-, 'Unterrichts)Stunde *f*, b) *univ.* anrechenbare Stunde. **7.** *astr. mar.* Stunde *f* (*15 Längengrade*). **8.** *pl relig.* a) Gebetsstunden *pl*, b) Stundengebete *pl*, c) Stundenbuch *n.* **9.** H~s *pl antiq.* Horen *pl.*

hour| an·gle *s astr.* Zeit-, Stundenwinkel *m.* **~ cir·cle** *s astr.* Stundenkreis *m.* **'~ˌglass** *s* Stundenglas *n*, *bes.* Sanduhr *f.* **~ hand** *s* Stundenzeiger *m.*

hou·ri ['hu(ə)ri; 'hau(ə)ri] *s* **1.** Huri *f* (*mohammedanische Paradiesjungfrau*). **2.** *fig.* üppig schöne Frau.

hour·ly ['aurli] *adv u. adj* **1.** stündlich: ~ service; ~ performance *tech.* Stundenleistung *f.* **2.** ständig, (an)dauernd.

house I *s* [haus] *pl* **hous·es** ['hauziz] **1.** Haus *n* (*auch die Hausbewohner*): the whole ~ knew it das ganze Haus wußte es; ~ and home Haus u. Hof; to keep the ~ das Haus hüten; like a ~ on fire blitzschnell, mit rasender Geschwindigkeit. **2.** (Wohn)Haus *n*, Heim *n*, Wohnung *f* (*a. e-s Tieres*). **3.** Haus(halt *m*, -haltung *f*) *n*: to keep ~ a) den Haushalt führen (for s.o. j-m), b) zs.-leben (with mit); to keep open ~ ein offenes *od.* gastfreies Haus führen; to put (*od.* set) one's ~ in order *fig.* sein Haus bestellen, s-e Angelegenheiten ordnen. **4.** Haus *n*, (*bes. Fürsten*)Geschlecht *n*, Fa'milie *f*, Dyna'stie *f*: the H~ of Hanover das Haus Hannover. **5.** *econ.* a) (Handels-)Haus *n*, Firma *f*, b) the H~ die Londoner Börse (→ 6). **6.** *meist* H~ *parl.* Haus *n*, Kammer *f*, Parla'ment *n*: the H~ a) → House of Commons, b) → House of Lords, c) → House of Representatives, d) *collect.* das Haus (*die Abgeordneten*) (→ 5); the H~s of Parliament die Parlamentsgebäude (*in London*); to enter the H~ Mitglied des Parlaments werden; there is a H~ es ist Parlamentssitzung; the H~ rose at 5 o'clock die Sitzung endete um 5 Uhr; to make a H~ die zur Beschlußfähigkeit nötige Anzahl von Parlamentsmitgliedern zs.-bringen; no H~ das Haus ist nicht beschlußfähig. **7.** Ratsversammlung *f*, Rat *m*: the H~ of Bishops (*anglikani-*

sche Kirche) das Haus der Bischöfe. **8.** *thea.* a) (Schauspiel)Haus *n*: a full (scant) ~ ein volles (schwach besetztes) Haus, b) *das* Publikum, *die* Zuschauer *pl*: → bring down 8, c) (The'ater-)Vorstellung *f*: the second ~ die zweite Vorstellung (*des Tages*). **9.** *univ. Br.* Haus *n*: a) Wohngebäude *n* der Stu'denten (*e-s englischen College*), b) College *n*: the H~ Christ Church (*College in Oxford*). **10.** *ped.* Inter'nat *n*, (Wohn)Heim *n*. **11.** *colloq.* Armenhaus *n*. **12.** *colloq.* Wirtshaus *n*: on the ~ auf Kosten des Wirts *od.* Gastgebers. **13.** *astr.* a) (Himmels)Haus *n*, b) (*e-m Planeten zugeordnetes*) Tierkreiszeichen.

II *v/t* [hauz] **14.** (in e-m Haus *od.* e-r Wohnung) 'unterbringen. **15.** (in ein Haus) aufnehmen, beherbergen (*a. fig. enthalten*). **16.** unter Dach u. Fach bringen, verwahren. **17.** *tech.* (in e-m Gehäuse) 'unterbringen. **18.** *mar.* a) bergen, b) *die Bramstengen* streichen, c) in sichere Lage bringen, befestigen. **19.** *Zimmerei*: verzapfen.

III *v/i* **20.** hausen, wohnen.

house| a·gent *s econ. Br.* Häusermakler *m.* ~ **ar·rest** *s* 'Hausar,rest *m.* ~ **bill** *s* **1.** *econ.* eigenes Ak'zept. **2.** *parl. Am.* Gesetzesvorlage *f* des House of Representatives. '~,**boat** *s* Haus-, Wohnboot *n.* '~,**break** *v/t Am.* **1.** *e-n Hund etc* stubenrein machen, ans Haus gewöhnen. **2.** *fig. colloq.* a) *j-m* Ma'nieren beibringen, b) *j-n* ,kirre' machen. '~,**break·er** *s* **1.** *jur.* Einbrecher *m.* **2.** ('Haus),Abbruchunter,nehmer *m.* '~,**break·ing** *s* **1.** Einbruch(diebstahl) *m* (*bes. bei Tag*). **2.** Abbruch(arbeiten *pl*) *m.* '~,**broke,** '~,**bro·ken** *adj* stubenrein, an das Haus gewöhnt (*Hund etc*). '~,**carl** *s hist.* Leibwächter *m.* ~ **clean·ing** *s* **1.** Hausputz *m*, Groß'reinemachen *n.* **2.** *fig.* 'Säuberungsakti,on *f.* '~,**coat** *s* Hauskleid *n*, Morgenrock *m.* '~,**crafts** *s pl Br.* Hauswirtschaft *f*, Tätigkeiten *pl* im Haushalt. ~ **de·tec·tive** *s* 'Hausdetek,tiv *m* (*im Hotel etc*). ~ **dog** *s* Haushund *m.* ~ **dress** *s* Hauskleid *n.* ~ **du·ty** → house tax. '~-,**fa·ther** *s* **1.** Vater *m* des Hauses, Fa'milienvater *m.* **2.** Hausvater *m* (*e-s Heimes etc*). '~,**fly** *s zo.* Stubenfliege *f.*

house·ful ['haus,ful] *s* Hausvoll *n*: a ~ of guests ein Hausvoll Gäste.

house·hold ['haus,hould; -,ould] **I** *s* **1.** Haushalt *m.* **2.** the H~ *Br.* die königliche Hofhaltung: H~ Brigade, H~ Troops (Leib)Garde *f*, Gardetruppen. **3.** *pl econ.* Wirtschaftsmehl *n.* **II** *adj* **4.** Haushalts..., häuslich: ~ arts → housecrafts; ~ effects Hausrat *m*; ~ gods a) *antiq.* Hausgötter (*Laren u. Penaten*), b) *fig.* liebgewordene Dinge, Götzen; ~ remedy Hausmittel *n*; ~ soap Haushaltsseife *f*, einfache Seife. **5.** all'täglich, Alltags...: a ~ word ein Alltagswort, ein fester *od.* geläufiger Begriff.

house·hold·er ['haus,houldər; -,ouldər] *s* **1.** Haushaltsvorstand *m.* **2.** Haus- *od.* Wohnungsinhaber *m.*

'house|-,hunt·ing *s colloq.* Wohnungssuche *f.* '~,**keep** *v/i irr colloq.* den Haushalt führen. '~,**keep·er** *s* **1.** Haushälterin *f*, Wirtschafterin *f.* **2.** Hausmeister(in). '~,**keep·ing** *s* **1.** Haushaltung *f*, Haushaltsführung *f*, Hauswirtschaft *f*: ~ money Wirtschaftsgeld *n.* **2.** *fig.* Verwaltung *f.*

hou·sel ['hauzl] *R.C. obs* **I** *s.* heilige Kommuni'on. **II** *v/t j-m* die Kommuni'on spenden.

'house,leek *s bot.* Hauslaub *n*, -wurz *f.*

house·less ['hauslis] *adj* **1.** obdachlos. **2.** hauslos, unbewohnt: a ~ desert.

'house|,lights *s pl thea.* Beleuchtung *f* im Zuschauerraum. '~,**maid** *s* Hausgehilfin *f.* '~,**maid's knee** *s med.* Knieschleimbeutelentzündung *f.* ~ **mar·tin** → martin 1. '~,**mas·ter** *s ped. Br.* Hausvater *m*, Heimleiter *m.* '~,**mate** *s* Hausgenosse *m*, -genossin *f.* '~,**mis·tress** *s ped. Br.* Hausmutter *f*, Heimleiterin *f.* '~,**moth·er** *s* **1.** Haus-, Fa'milienmutter *f.* **2.** → housemistress. **H~ of As·sem·bly** *s pol.* 'Unterhaus *n* (*z. B. des südafrikanischen Parlaments*). **H~ of Com·mons** *s pol.* 'Unterhaus *n* (*in Großbritannien u. Kanada*). ~ **of cor·rec·tion** → correction 3 c. **H~ of Del·e·gates** *s pol.* Abgeordnetenhaus *n* (*in einigen Staaten der USA*). ~ **of de·ten·tion** *s jur.* **1.** Unter'suchungsgefängnis *n.* **2.** Jugendstrafanstalt *f.* ~ **of ill fame** *s* Bor'dell *n*, Freudenhaus *n.* **H~ of Keys** → key 19 a. **H~ of Lords** *s pol.* Oberhaus *n* (*in Großbritannien*). ~ **of ref·uge** *s* 'Obdachlosena,syl *m.* **H~ of Rep·re·sent·a·tives** *s pol.* Repräsen'tantenhaus *n*, Abgeordnetenhaus *n* (*Unterhaus des US-Kongresses etc*). ~ **or·gan** *s econ.* Hauszeitung *f*, Werkzeitschrift *f.* ~ **paint·er** *s* Maler *m*, Anstreicher *m.* ~ **par·ty** *s* **1.** geselliges Bei'sammensein über mehrere Tage (*bes. in e-m Landhaus*). **2.** *collect.* (*die dabei anwesenden*) Gäste *pl.* '~,**phone** *s Am.* Haustelephon *n.* ~ **phy·si·cian** *s* **1.** Hausarzt *m* (*im Hotel etc*). **2.** Krankenhaus-, Anstaltsarzt *m.* ~ **plant** *s bot.* Zimmerpflanze *f.* '~-,**proud** *adj* über'trieben sorgfältig, pe'nibel (*Hausfrau*). '~-,**rais·ing** *s Am.* gemeinsamer Hausbau (*durch mehrere Nachbarn*). '~,**room** *s* Haus-, Wohnraum *m*: to give s.o. ~ j-n (ins Haus) aufnehmen; he wouldn't give it ~ er nahm *od.* nähme es nicht geschenkt. ~ **sur·geon** *s* 'Haus-, 'Anstaltschir,urg *m.* ~ **tax** *s econ.* Haus-, Gebäudesteuer *f.* '~-**to-'house** *adj* von Haus zu Haus: ~ advertising *econ.* Werbung *f* von Haus zu Haus; ~ collection Haussammlung *f.* '~,**top** *s* Dach *n*: to proclaim from the ~s öffentlich verkünden. '~-,**trained** → house-broke. '~,**warm·ing** *s* Einzugsfest *n* (*im neuen Haus*).

house·wife ['haus,waif] *s irr* **1.** Hausfrau *f.* **2.** ['hʌzif] *bes. Br.* Nähkasten *m*, Nähzeug *n.* **'house,wife·ly** *adj* **1.** Hausfrauen..., hausfraulich. **2.** haushälterisch, sparsam. **house·wif·er·y** [*Br.* 'hauswifəri; -fri; *Am.* -,waif-] *s* **1.** → housekeeping 1. **2.** Hausfrauenarbeit *f*, -pflichten *pl.*

'house,work *s* Hausfrauenarbeit(en *pl*) *f.*

hous·ing[1] ['hauziŋ] *s* **1.** 'Unterbringung *f.* **2.** Obdach *n*, 'Unterkunft *f.* **3.** a) Wohnung *f*: ~ development, ~ estate Wohnsiedlung *f*; ~ development scheme Wohnungsbauprojekt *n*; ~ shortage Wohnungsnot *f*, b) *collect.* Häuser *pl.* **4.** a) Wohnungsbeschaffung *f*, -wesen *n*, b) Wohnungsbau *m*: Minister of H~ and Local Government *Br.* Minister *m* für Wohnungsbau u. Kommunalverwaltung. **5.** Wohnen *n*, Hausen *n.* **6.** *econ.* a) Lagerung *f*, b) Lagergeld *n.* **7.** Nische *f.* **8.** *tech.* a) Gehäuse *n*, b) *Zimmerei*: Nut *f*, c) Gerüst *n*, d) Achshalter *m.* **9.** *mar.* Hüsing *f.*

hous·ing[2] ['hauziŋ] *s* Satteldecke *f.*

Hou·yhn·hnm ['hwinəm; hu'inəm] *s vernünftiges u. charakterlich edles Wesen in Pferdegestalt* (*in Swifts „Gulliver's Travels"*).

hove [houv] *pret u. pp von* heave.

hov·el ['hɒvəl; 'hʌvəl] *s* **1.** offener (*bes.* Vieh)Schuppen. **2.** elende Hütte, ,Loch' *n.* **3.** *tech.* (kegelförmiger) Backsteinmantel (*für Porzellanöfen*).

hov·el·(l)er ['hɒvələr; 'hʌv-] *s mar.* **1.** Berger *m.* **2.** Bergungsboot *n.*

hov·er ['hɒvər; 'hʌvər] **I** *v/i* **1.** schweben: ~ing accent *metr.* schwebender Akzent. **2.** sich her'umtreiben *od.* aufhalten (about in der Nähe von). **3.** zögern, schwanken. **II** *s* **4.** Schweben *n.* **5.** Ungewißheit *f*, Spannung *f.* **'H~,craft** (*TM*) *s* Schwebe-, Luftkissenfahrzeug *n.* ~ **hawk** → kestrel. '~,**plane** *s colloq.* Hubschrauber *m.*

how [hau] **I** *adv* **1.** (*fragend*) wie: ~ are you? wie geht es Ihnen?; → do[1] 31; ~ about ...? wie steht's mit ...?; ~ about a cup of tea? wie wäre es mit e-r Tasse Tee?; ~ do you know? woher wissen Sie das?; ~ ever do you do it? wie machen Sie das nur?; ~ is (*od.* comes) it that? wie kommt es, daß?; ~ so?, *Am. colloq.* ~ come? wieso?, wie das?; ~ now? was soll das heißen?, wie denn?, was denn? **2.** (*ausrufend u. relativ*) wie: ~ large it is! wie groß es ist!; ~ absurd! wie absurd!; he knows ~ to ride er kann reiten; I know ~ to do it ich weiß, wie man es macht; and ~! *sl.* und wie!; here's ~! *colloq.* auf Ihr Wohl!, Prosit! **3.** wie (teuer), zu welchem Preis: ~ do you sell your potatoes? **4.** *poet. od. obs.* (*bes. Bibl. oft* ~ that) daß, wie. **II** *s* **5.** Wie *n*, Art *f* u. Weise *f*: the ~ and the why das Wie u. Warum.

how·be·it [hau'biːit] *obs.* **I** *adv* 'nichtsdesto,weniger. **II** *cj* ob'gleich.

how·dah ['haudə] *s* (*meist gedeckter*) Sitz auf dem Rücken e-s Ele'fanten.

how·die ['haudi] *s Scot. od. dial.* Hebamme *f.*

how-do-you-do ['haudju'duː; -di'duː], *a. colloq.* **'how-do-'ye** [-'dji] *od.* **'how-d'ye-'do** [-dji'duː] *s colloq.*: a nice ~ e-e schöne ,Bescherung'.

how·e'er [hau'ɛr] → however.

how·ev·er [hau'evər] **I** *adv* **1.** wie auch (immer), wenn auch noch so: ~ good; ~ it (may) be wie dem auch sei; ~ you do it wie du es auch machst. **2.** *colloq.* wie (denn) nur?: ~ did you manage that? **II** *cj* **3.** dennoch, (je)'doch, in'des, aber.

how·itz·er ['hauitsər] *s mil.* Haubitze *f.*

howl [haul] **I** *v/i* **1.** heulen (*a. Wind*), jaulen. **2.** schreien, wehklagen, lamen'tieren (at, over über *acc*). **3.** *colloq.* ,heulen', weinen. **4.** pfeifen (*Radio, Wind etc*). **II** *v/t* **5.** heulen, brüllen, schreien: to ~ s.o. down j-n niederschreien *od.* -brüllen. **III** *s* **6.** Heulen *n*, Geheul *n*, Gebrüll *n.* **7.** *Radio*: Heulen *n*, Pfeifen *n.* **'howl·er** *s* **1.** Heuler(in). **2.** *zo.* Brüllaffe *m.* **3.** *sl.* grober ,Schnitzer'. **4.** *electr. sl.* Summer *m.*

howl·ing ['hauliŋ] *adj* **1.** heulend. **2.** schaurig, wüst. **3.** *sl.* a) fürchterlich, schrecklich: a ~ shame, b) e'norm, gewaltig, kolos'sal: a ~ success. ~ **mon·key** *s zo.* Brüllaffe *m.*

how·so·ev·er [,hauso'evər] *adv* **1.** wie sehr auch immer. **2.** wie (*auf welche Art*) auch immer.

hoy[1] [hɔi] *s mar.* Leichter *m*, Prahm *m.*

hoy[2] [hɔi] **I** *interj* **1.** hoi!, holla! **2.** *mar.* a'hoi! **II** *s* **3.** Hoi(ruf *m*) *n.*

hoy·a ['hɔiə] *s bot.* Wachsblume *f.*

hoy·den ['hɔidn] *s* (wilde) Range,

Wildfang *m* (*Mädchen*). **ˈhoy·den·ish** *adj* wild, ausgelassen.

Hoyle [hɔil] *npr*: **according to ~** genau nach den (Spiel)Regeln.

hub[1] [hʌb] *s* **1.** *tech.* (Rad)Nabe *f*: **~ cap** *mot.* Radkappe *f*. **2.** *fig.* Mittel-, Angelpunkt *m*: **~ of the Universe** Mittelpunkt der Welt; **the H~** *Am.* (*Spitzname für*) Boston *n*. **3.** *tech.* a) Paˈtrize *f* (*für Münzprägungen*), b) Verbindungsstück *n* (*von Röhren*).

hub[2] [hʌb] → **hubby.**

hub·ba-hub·ba [ˈhʌbəˈhʌbə] *interj Am. sl.* prima!, hurˈra!

Hub·bite [ˈhʌbait] *s Am. colloq.* Bewohner(in) von Boston.

hub·ble-bub·ble [ˈhʌblˌbʌbl] *s* **1.** Plätschern *n*, Rauschen *n*. **2.** *fig.* Gemurmel *n*, Stimmengewirr *n*. **3.** *fig.* Wirrwarr *m*. **4.** orienˈtalische Wasserpfeife.

hub·bub [ˈhʌbʌb] *s* **1.** Stimmengewirr *n*, Geschrei *n*. **2.** Lärm *m*, Tuˈmult *m*, Durcheinˈander *n*.

hub·by [ˈhʌbi] *s colloq.* ‚Männe' *m*, (Ehe)Mann *m*.

hu·bris [ˈhjuːbris] (*Greek*) *s* Hybris *f*, frevelhafte ˈSelbstüberˌhebung. **huˈbris·tic** *adj* (*adv* **~ally**) überˈheblich, frevelhaft.

huck·a·back [ˈhʌkəˌbæk], *a.* **huck** *s* Gerstenkornleinen *n*, Drell *m*.

huck·le [ˈhʌkl] *s* **1.** Hüfte *f*. **2.** Buckel *m*, Wulst *m, f*. **ˈ~ˌbacked** *adj* bucklig.

ˈhuck·leˌber·ry *s bot.* Amer. Heidelbeere *f*.

ˈhuck·leˌbone *s* **1.** Hüftknochen *m*. **2.** (Fuß)Knöchel *m*.

huck·ster [ˈhʌkstər] **I** *s* **1.** Höker(in), Hauˈsierer(in). **2.** Straßenhändler(in). **3.** *contp.* Krämer(seele *f*) *m*. **4.** *Am. sl.* a) ‚Reˈklamefritze' *m* (*Werbefachmann*), b) ‚Verˈkaufskaˌnone' *f*: **political ~** Propagandist *m*. **II** *v/i* **5.** hökern, hauˈsieren. **6.** schachern, feilschen. **III** *v/t* **7.** hauˈsieren mit. **8.** verschachern, -hökern. **9.** *Am. Ware* mit allerlei Verkaufstricks anbieten. **ˈhuck·ster·ess** *s* Hökerin *f*, Hauˈsiererin *f*. **ˈhuck·sterˌism** *a Am. sl.* (aufdringliche) Reˈklame *od.* Propaˈganda, aggresˈsive Verˈkaufsmeˌthoden *pl*; *pol. contp.* ‚Meinungsmache' *f*. **ˈhuck·ster·y** *s* **1.** Hökerladen *m*. **2.** Schacheˈrei *f*.

hud·dle [ˈhʌdl] **I** *v/t* **1.** *oft* **~ together, ~ up** unordentlich zs.-werfen *od.* zs.-drängen: **to ~ out (of)** hinausdrängen (aus). **2.** *oft* **~ up** (*od.* **through**) zs.-pfuschen, zs.-stoppeln, ‚ˈhinhauen', flüchtig erledigen. **3. ~ on** *Kleider* schnell ˈüberwerfen. **4.** *fig. etwas* vertuschen. **5. ~ o.s. (up)** sich zs.-kauern: **~d up** zs.-gekauert. **II** *v/i* **6.** sich (zs.-)drängen. **7.** a) sich zs.-kauern *od.* zs.-rollen, b) sich schmiegen (**to** an *acc*). **8.** *sport Am.* sich um den Mannschaftsführer drängen (*um Spielanweisungen zu bekommen*). **III** *s* **9.** a) dichte Masse, wirrer Haufen, b) Gewirr *n*, Wirrwarr *m*. **10.** *sl.* Beratung *f*: **to go into a ~** a) die Köpfe zs.-stecken, ‚Kriegsrat' halten, sich beraten (**with** mit), b) (**with o.s.**) mit sich zu Rate gehen, ‚mal nachdenken'.

Hu·di·bras·tic [ˌhjuːdiˈbræstik] *adj* hudiˈbrastisch (*nach S. Butlers satirischem Epos „Hudibras"*): a) burˈlesk, saˈtirisch, b) in Knittelversen.

hue[1] [hjuː] *s* **1.** Farbe *f*. **2.** (Farb)Ton *m*, Tönung *f*, Färbung *f* (*a. fig.*).

hue[2] [hjuː] *s* Geschrei *n*: **~ and cry** a) *jur.* (mit Geschrei verbundene) Verfolgung e-s Verbrechers, b) *fig.* großes Geschrei, Zetergeschrei; **to raise a ~ and cry against** a) *j-n* mit lautem Geschrei verfolgen, b) *obs.* e-n Steckbrief gegen *j-n* erlassen, c) *fig.* ein Zetergeschrei gegen *j-n od. etwas* erheben.

hued [hjuːd] *adj bes. in Zssgn* gefärbt, farbig: **golden-~** goldfarben.

hue·less [ˈhjuːlis] *adj* farblos, grau.

huff [hʌf] **I** *v/t* **1.** ärgern, verstimmen, beleidigen: **to be ~ed with** aufgebracht sein über (*acc*); **easily ~ed** sehr übelnehmerisch. **2.** a) *j-n* grob anfahren, b) tyranniˈsieren, ‚piesakken': **to ~ s.o. into s.th.** j-n zu etwas zwingen. **3.** *Damespiel*: *e-n Stein* blasen, pusten, wegnehmen. **II** *v/i* **4.** beleidigt *od.* verstimmt *od.* ‚eingeschnappt' *od.* ‚verschnupft' sein, sich beleidigt fühlen, schmollen. **5.** *a.* **~ and puff** *obs. u. Am.* a) schnaufen, pusten, b) (vor Wut) schnauben, poltern, c) sich aufblähen. **III** *s* **6.** Verärgerung *f*, Ärger *m*, Verstimmung *f*: **to be in a ~** → 4.

huff·i·ness [ˈhʌfinis] *s* **1.** übelnehmerisches Wesen. **2.** Verärgerung *f*, Gereiztheit *f*. **ˈhuff·ish** *adj* (*adv* **~ly**), **ˈhuff·y** *adj* (*adv* huffily) **1.** übelnehmerisch. **2.** gereizt, verärgert.

hug [hʌg] **I** *v/t* **1.** (innig) umˈarmen, an sich drücken. **2.** liebˈkosen: **to ~ o.s.** *fig.* sich beglückwünschen (**on** zu; **for** wegen); **to ~ one's chains** *fig.* sich in der Knechtschaft wohlfühlen. **3.** umˈfassen, -ˈklammern. **4.** *fig.* (zäh) festhalten an (*dat*): **to ~ an opinion.** **5.** sich dicht halten an (*acc*): **to ~ the coast (the side of the road)** sich nahe an der Küste (am Straßenrand) halten; **the car ~s the road well** *mot.* der Wagen hat e-e gute Straßenlage. **6.** sich anschmiegen an (*acc*). **II** *v/i* **7.** einˈander *od.* sich umˈarmen. **III** *s* **8.** (innige *od.* tödliche) Umˈarmung. **9.** *Ringen*: fester Griff.

huge [hjuːdʒ] *adj* riesig, riesengroß, gewaltig, mächtig, eˈnorm (*alle a. fig.*). **ˈhuge·ly** *adv* ungeheuer, ungemein, gewaltig. **ˈhuge·ness** *s* ungeheure *od.* gewaltige Größe, Riesenhaftigkeit *f*.

huge·ous [ˈhjuːdʒəs] *colloq. für* **huge.**

hug·ger-mug·ger [ˈhʌgərˌmʌgər] **I** *s* **1.** ‚Kuddelmuddel' *m, n*, Durcheinˈander *n*. **2.** Heimlichtueˈrei *f*. **II** *adj u. adv* **3.** heimlich, verstohlen. **4.** unordentlich. **III** *v/t* **5.** vertuschen, -bergen. **IV** *v/i* **6.** heimlich tun, Geheimnisse haben.

hug·ger·y [ˈhʌgəri] *s Br.* ‚Buhlen' *n* (*um Aufträge etc*).

ˈhug-me-ˌtight *s* ‚Seelenwärmer' *m* (*Wolljacke*).

Hu·gue·not [ˈhjuːgəˌnɒt] *s hist.* Hugeˈnotte *m*, Hugeˈnottin *f*. **ˌHu·gueˈnot·ic** *adj* hugeˈnottisch.

hu·la [ˈhuːlə] → **hula-hula.** **ˈ~-ˌhoop** *s* Hula-ˈHoop *m* (*Reifen*). **ˈ~-ˈhu·la** *s* Hula *m*, Hula-ˈHula *m* (*hawaiischer Mädchentanz*).

hulk [hʌlk] **I** *s* **1.** *mar.* Hulk *m, n*: a) *Rumpf e-s abgetakelten Schiffs*, b) Wrack *n* (*a. fig.*), c) *seeuntüchtiges Schiff*: **the ~s** *pl* (*abgetakeltes Schiff als*) Schiffsgefängnis *n*. **2.** Koˈloß *m*: a) *ungeschlachtes Schiff od. Gebäude etc*, b) *mächtiger Berg etc*, c) ungeschlachter Kerl, schwerfälliger Riese: **a ~ of a man.** **II** *v/i* **3.** *oft* **~ up** sich auftürmen, aufragen. **ˈhulk·ing, ˈhulk·y** *adj* ungeschlacht.

hull[1] [hʌl] **I** *s bot.* **1.** Schale *f*, Hülle *f* (*beide a. weitS.*), Hülse *f*. **2.** Außenkelch *m*. **II** *v/t* **3.** schälen, enthülsen: **~ed barley** Graupen *pl*.

hull[2] [hʌl] **I** *s* **1.** *mar.* Rumpf *m*, Schiffskasko *n*, -körper *m*: **~ insurance** (Schiffs-, *a.* Flugzeug)Kaskoversicherung *f*; **~ down** a) weit entfernt (*Schiff*), b) *mil.* in verdeckter Stellung (*Panzer*). **2.** *aer.* a) Rumpf *m* (*e-s Flugboots*), b) Rumpf *m*, Hülle *f* (*e-s Starrluftschiffs*). **3.** *mil.* (Panzer)Wanne *f*. **II** *v/t* **4.** *mar.* den Rumpf treffen *od.* durchˈschießen.

hul·la·ba(l)·loo [ˈhʌləbəˌluː] *s* Lärm *m*, Tuˈmult *m*, Trubel *m*, (Propaˈganda-*etc*)Rummel *m*.

hull·er [ˈhʌlər] *s agr.* ˈSchälmaˌschine *f*.

hul·lo, *a.* **hul·loa** [ˈhʌlou; həˈlou] *interj* **1.** halˈlo! **2.** (*überrascht*) he!, naˈnu!

hum[1] [hʌm] **I** *v/i* **1.** summen (*Bienen, Draht, Geschoß etc*): **the bees are ~ming; my head ~s** mir brummt der Kopf. **2.** brummen: a) dröhnen, brausen, b) murmeln: **~ frequency** *electr.* Brummfrequenz *f*. **3.** (vor sich hin) summen. **4.** stocken, zögern: **to ~ and ha(w)** a) verlegen ‚hm' machen, ‚herumdrucksen', b) unschlüssig sein, (hin u. her) schwanken. **5.** *colloq.* voller Leben *od.* Aktiviˈtät sein: **to make things ~** die Sache in Schwung bringen, ‚Leben in die Bude bringen'. **6.** *sl.* stinken. **II** *v/t* **7.** *ein Lied* summen. **III** *s* **8.** Summen *n*, Brummen *n*, Gesumm(e) *n*. **9.** Brausen *n*, Dröhnen *n*. **10.** Gemurmel *n*. **11.** Hm *n*: **~s and ha's** verlegenes Geräusper. **12.** *sl.* Gestank *m*. **IV** *interj* **13.** hm!

hum[2] [hʌm] *sl.* → **humbug.**

hu·man [ˈhjuːmən] **I** *adj* (*adv* → **humanly**) **1.** menschlich, Menschen...: **~ nature** menschliche Natur; **the ~ race** das Menschengeschlecht; **~ comedy** menschliche Komödie; **~ engineering** a) *econ.* angewandte Betriebspsychologie, Arbeitsplatzgestaltung *f*, b) *tech.* technische Gestaltung (*von Maschinen etc*) unter Berücksichtigung des menschlichen Faktors (*zur Erreichung des optimalen Wirkungsgrades*); **~ interest** (*das*) menschlich Ansprechende; **~-interest story** ergreifende *od.* ein menschliches Schicksal behandelnde Geschichte; **~ relations** *econ.* zwischenmenschliche Beziehungen, (innerbetriebliche) Kontaktpflege; **~ rights** Menschenrechte: **to err is ~** Irren ist menschlich. **2.** → **humane** 1. **II** *s colloq.* **3.** Mensch *m*.

hu·mane [hjuːˈmein] *adj* **1.** huˈman, menschlich, menschenfreundlich: **~ killer** Schlachtmaske *f* (*zum schmerzlosen Töten von Schlachtvieh*); **H~ Society** a) *Br.* Lebensrettungsgesellschaft *f*, b) Wohltätigkeitsverein *m*. **2.** humaˈnistisch: **~ learning** humanistische Bildung. **huˈmane·ness** *s* Humaniˈtät *f*, Menschlichkeit *f*, Menschenfreundlichkeit *f*.

hu·man·ism [ˈhjuːməˌnizəm] *s* **1.** menschliche Naˈtur. **2.** *oft* **H~** Humaˈnismus *m*. **3.** Beschäftigung *f* mit rein menschlichen Dingen. **4. H~** Humaniˈtätsglaube *m*. **ˈhu·man·ist I** *s* **1.** Menschenkenner(in). **2.** Humaˈnist(in). **II** *adj* → **humanistic.** **ˌhu·manˈis·tic** *adj* humaˈnistisch.

hu·man·i·tar·i·an [hjuːˌmæniˈtɛ(ə)riən] **I** *adj* **1.** humaniˈtär, menschenfreundlich, Humanitäts... **2.** *philos. relig.* humaniˈtarisch. **II** *s* **3.** Menschenfreund *m*. **4.** Humaniˈtarier *m*. **5.** *contp.* Menschheitsbeglücker *m*, Humaniˈtätsaˌpostel *m*. **huˌman·iˈtar·i·anˌism** *s* Menschenfreundlichkeit *f*, humaniˈtäre Gesinnung.

hu·man·i·ty [hjuːˈmæniti] *s* **1.** Menschheit *f*, Menschengeschlecht *n*. **2.**

Menschsein *n*, menschliche Na'tur. **3.** Humani'tät *f*, Menschlichkeit *f*. **4.** *pl* a) klassische Litera'tur (*Latein u. Griechisch*), b) 'Altphilolo,gie *f*, huma'nistische Bildung, c) Geisteswissenschaften *pl*.

hu·man·i·za·tion [,hjuːmənai'zeiʃən; -ni-] *s* Humani'sierung *f*, Vermenschlichung *f*. **'hu·man,ize** *v/t* vermenschlichen: a) humani'sieren, gesittet machen, zivili'sieren, b) der menschlichen Na'tur anpassen, c) *e-m Tier etc* menschliche Eigenart verleihen.

hu·man·kind ['hjuːmən'kaind] → humanity 1.

hu·man·ly ['hjuːmənli] *adv* **1.** menschlich. **2.** nach menschlichen Begriffen: ~ **possible** menschenmöglich; ~ **speaking** menschlich gesehen. **3.** hu'man, menschenfreundlich.

hu·mate ['hjuːmeit] *s chem.* Salz *n od.* Ester *m* e-r Humussäure.

hum·ble ['hʌmbl; *Am. a.* 'ʌmbl] **I** *adj* (*adv* **humbly**) bescheiden: a) demütig: **in my ~ opinion** nach m-r unmaßgeblichen Meinung; **my ~ self** m-e Wenigkeit; **Your ~ servant** Ihr ergebener Diener; **to eat ~ pie** *fig.* sich demütigen, Abbitte leisten, zu Kreuze kriechen, b) anspruchslos, einfach, c) niedrig, dürftig, ärmlich: **of ~ birth** von niedriger Geburt. **II** *v/t* demütigen, erniedrigen.

'hum·ble,bee → **bumblebee.**

hum·ble·ness ['hʌmblnis; *Am. a.* 'ʌm-] *s* Demut *f*, Bescheidenheit *f*.

hum·bug ['hʌmbʌg] **I** *s* **1.** Humbug *m*: a) Schwindel *m*, Täuschung *f*, Betrug *m*, b) Unsinn *m*, dummes Zeug, ‚Mumpitz' *m*. **2.** Schwindler(in), Aufschneider(in), ‚Schauspieler(in)'. **3.** *Br.* ('Pfefferminz)Bon,bon *m*, *n*. **II** *v/t* **4.** beschwindeln, täuschen, nasführen, foppen: **to ~ s.o. into doing s.th.** j-n dazu kriegen, etwas zu tun. **III** *v/i* **5.** schwindeln. **'hum,bug·ger·y** [-əri] → humbug 1 a.

hum·ding·er [,hʌm'diŋər] *s Am. sl.* **1.** ‚Mordskerl' *m*, ‚toller' Bursche. **2.** ‚tolles Ding'.

hum·drum ['hʌm,drʌm] **I** *adj* eintönig, langweilig, fade. **II** *s* Langweiligkeit *f*, Eintönigkeit *f*.

Hum·e·an ['hjuːmiən] *adj philos.* Humesch(er, e, es) (*David Hume betreffend*).

hu·mer·al ['hjuːmərəl] *adj anat.* **1.** hume'ral, Oberarmknochen... **2.** Schulter...

hu·mer·us ['hjuːmərəs] *pl* **'hu·mer,i** [-,rai] *s anat.* **1.** Humerus *m*, Oberarmknochen *m*. **2.** Oberarm *m*.

hu·mid ['hjuːmid] *adj* feucht: ~ **air.** **hu'mid·i,fi·er** [-i,faiər] *s* Befeuchter *m* (*Person od. Gerät*). **hu'mid·i,fy** *v/t* feucht machen, befeuchten. **hu'mid·i,stat** [-i,stæt] *s tech.* Feuchtigkeitsregler *m*. **hu'mid·i·ty** *s* Feuchtigkeit(sgehalt *m*) *f*.

hu·mi·dor ['hjuːmi,dɔːr] *s* **1.** Feuchthaltebehälter *m* (*für Zigarren etc*). **2.** *tech.* Luftfeuchtigkeitsregler *m*.

hu·mil·i·ate [hjuː'mili,eit] *v/t* demütigen, erniedrigen. **hu'mil·i,at·ing** *adj* erniedrigend, demütigend. **hu,mil·i'a·tion** *s* Erniedrigung *f*, Demütigung *f*. **hu'mil·i,a·to·ry** → **humiliating.**

hu·mil·i·ty [hjuː'militi] *s* Demut *f*, Bescheidenheit *f*.

Hum·ism ['hjuːmizəm] *s philos.* Humesche Philoso'phie.

hum·mer ['hʌmər] *s* **1.** Summer *m*, Brummer *m*. **2.** *sl.* a) dy'namischer Bursche, Betriebmacher *m*, b) ‚tolles Ding'. **3.** → **hummingbird.**

hum·ming ['hʌmiŋ] *adj* **1.** summend, brummend. **2.** *colloq.* a) geschäftig, b) lebhaft, schwungvoll: ~ **trade,** c) stark: ~ **ale.** **'~,bird** *s orn.* Kolibri *m*. **~ top** *s* Brummkreisel *m*.

hum·mock ['hʌmək] *s* **1.** Hügel *m*. **2.** Eishügel *m*. **3.** → **hammock**[2].

hu·mor, *bes. Br.* **hu·mour** ['hjuːmər; 'juː-] **I** *s* **1.** Gemütsart *f*, Tempera'ment *n*. **2.** (Gemüts)Verfassung *f*, Stimmung *f*, Laune *f*: **in a good (bad) ~** (bei) guter (schlechter) Laune; **out of ~** schlecht gelaunt; **in the ~ for s.th.** zu etwas aufgelegt; **when the ~ takes him** wenn ihn die Lust dazu packt. **2.** Komik *f*, (*das*) Komische: **the ~ of the situation.** **3.** Hu'mor *m*: **sense of ~** (Sinn *m* für) Humor. **4.** *pl* Verrücktheiten *pl*. **5.** Spaß *m*, Scherz *m*. **6.** *physiol.* a) Körpersaft *m*, -flüssigkeit *f*, b) *obs.* Körpersaft *m*: **the cardinal ~s** die Hauptsäfte des Körpers (*Blut, Schleim, Galle, schwarze Galle*). **7.** *pl obs.* feuchte Dämpfe *pl*. **II** *v/t* **8.** a) *j-m* s-n Willen tun *od.* lassen, b) *j-n od. etwas* 'hinnehmen, mit Geduld ertragen. **9.** sich anpassen (*dat od.* an *acc*). **'hu·mor·al** *adj physiol.* humo'ral: ~ **pathology** Humoralpathologie *f*.

hu·mor·esque [,hjuːmə'resk] *s mus.* [Humo'reske *f*.]

hu·mor·ist ['hjuːmərist; 'juː-] *s* **1.** Humo'rist(in). **2.** Spaßvogel *m*. **3.** Sonderling *m*. **,hu·mor'is·tic** *adj* humo'ristisch.

hu·mor·ous ['hjuːmərəs; 'juː-] *adj* (*adv* **~ly**) humo'ristisch, hu'morvoll, hu'morig, spaßhaft, heiter, lustig, komisch: ~ **paper** Witzblatt *n*. **'hu·mor·ous·ness** *s* humo'ristische Art, (*das*) Hu'morvolle *od.* Spaßige, Komik *f*.

hu·mour, hu·mour·al, hu·mour·ist, hu·mour·is·tic, hu·mour·ous, hu·mour·ous·ness → **humor** *etc.*

hu·mous ['hjuːməs] *adj* Humus...

hump [hʌmp] **I** *s* **1.** Buckel *m*, Höcker *m* (*a. zo.*). **2.** kleiner Hügel: **the H~** *humor.* a) das Himalajagebirge, b) die Alpen; **to be over the ~** *fig.* über den Berg sein. **3.** *rail.* Ablaufberg *m*. **4.** *Br. sl.* a) Trübsinn *m*, b) ‚Stinklaune' *f*: **that gives me the ~** ‚das fällt mir auf den Wecker'. **5.** *Am. sl.* Tempo *n*: **to get a ~ on** a) ‚auf die Tube drücken', b) → 8. **II** *v/t* **6.** *oft* ~ **up** (zu e-m Buckel) krümmen: **to ~ one's back** e-n Buckel machen. **7.** *Austral. sl.* a) auf den Rücken *od.* auf die Schulter nehmen, b) tragen. **8.** ~ **it,** ~ **o.s.** *Am. sl.* sich mächtig ins Zeug legen, ‚sich (d)ranhalten'. **9.** *Br. sl.* a) depri'mieren, b) ärgern. **10.** *Am. sl.* koi'tieren mit. **III** *v/i* **11.** sich buckelartig erheben. **12.** *Am. sl.* → 8. **13.** *Am. sl.* rasen, sausen. **'~,back** *s* **1.** → hump 1. **2.** Bucklige(r *m*) *f*. **3.** *zo.* Buckelwal *m*. **4.** *ichth.* (*ein*) Lachs *m*. **'~,backed** *adj* bucklig.

humped [hʌmpt] *adj* bucklig.

humph [(h)mmm; mm; hʌmf] **I** *interj* hm! **II** *v/i* ‚hm' machen.

hump·ty-dump·ty ['hʌmpti'dʌmpti] *s* **1.** Dickerchen *n*, ‚Stöpsel' *m*. **2.** H~-D~ *Hauptfigur in e-m englischen Kinderrätsel* (*das Ei*). **3.** *fig.* (*etwas*) Zerbrechliches.

hump·y ['hʌmpi] *adj* bucklig.

hu·mus ['hjuːməs] *s* Humus *m*.

Hun [hʌn] *s* **1.** Hunne *m*, Hunnin *f*. **2.** *fig.* Wan'dale *m*, Bar'bar *m*. **3.** (*als Schimpfwort*) Deutsche(r) *m*.

hunch [hʌntʃ] **I** *s* **1.** Buckel *m*, Höcker *m*. **2.** dickes Stück. **3.** *Am. colloq.* (Vor)Ahnung *f*, (intui'tives) Gefühl, (vage) I'dee, Verdacht *m*. **II** *v/t* **4.** *a.* ~ **up** → hump 6. **III** *v/i* **5.** sich (zs.)-krümmen, (sich) kauern. **6.** rücken. **7.** → hump 11. **'~,back** *s* **1.** → hunch 1. **2.** Bucklige(r *m*) *f*. **'~,backed** *adj* bucklig.

hun·dred ['hʌndrəd; -drid] **I** *adj* **1.** hundert: **a** (*od.* **one**) ~ (ein)hundert; **several ~ men** mehrere hundert Mann. **2.** *oft* **a ~ and one** hunderterlei, zahllose. **II** *s* **3.** Hundert *n*: **~s and ~s** Hunderte u. aber Hunderte; **by the ~, by ~s** hundertweise; **several ~** mehrere Hundert; **~s of thousands** Hunderttausende; **~s of times** hundertmal; **a great** (*od.* **long**) ~ hundertzwanzig. **4.** Hundert *f*, Hunderterzeichen *n* (C, 100 *etc*). **5.** *pl Br.* Hunderter *pl* (*e-r mehrstelligen Zahl*). **6.** *Br. hist.* Hundertschaft *f*, Bezirk *m* (*Teil e-r Grafschaft*). **7.** *Am. hist.* Bezirk *m*, Kreis *m* (*nur noch in Delaware*). **8.** **~s and thousands** *pl* Zucker- *od.* Schoko'ladenstreusel *pl* (*bes. zur Tortenverzierung*). **'~,fold I** *adj u. adv* hundertfach. **II** *s* (*das*) Hundertfache. **'~-per'cent** *adj* 'hundertpro,zentig, abso'lut. **'~-per'cent·er** *s pol.* Hur'rapatri,ot *m*, 'Ultranationa,list *m*. **'~-per'cent·ism** *s pol.* Hur'rapatrio,tismus *m*.

hun·dredth ['hʌndrədθ; -dridθ] **I** *adj* **1.** hundertst(er, e, es). **II** *s* **2.** Hundertste(r *m*) *f*. **3.** Hundertstel *n*.

'hun·dred,weight *s* (*etwa*) Zentner *m*: a) *a.* **short ~** (*in USA*) *100 lbs. = 45,36 kg*, b) *a.* **long ~** (*in England*) *112 lbs. = 50,80 kg*, c) **metric ~** (*genauer*) Zentner (*= 50 kg*).

hung [hʌŋ] *pret u. pp von* hang: ~ **jury** → hang 14.

Hun·gar·i·an [hʌŋ'gɛ(ə)riən] **I** *adj* **1.** ungarisch. **II** *s* **2.** Ungar(in). **3.** *ling.* Ungarisch *n*, das Ungarische.

hun·ger ['hʌŋgər] **I** *s* **1.** Hunger *m*: **to die of ~** Hungers sterben, verhungern; **~ is the best sauce** Hunger ist der beste Koch. **2.** *fig.* Hunger *m*, (heftiges) Verlangen, Durst *m* (**for, after** nach): ~ **for knowledge** Wissensdurst. **II** *v/i* **3.** Hunger haben. **4.** *fig.* lechzen, hungern (**for, after** nach). **III** *v/t* **5.** hungern lassen, aushungern. **6.** durch Hunger zwingen (**into** zu). **~ march** *s* Hungermarsch *m*. **~ strike** *s* Hungerstreik *m*.

hun·gry ['hʌŋgri] *adj* (*adv* **hungrily**) **1.** hungrig: **to be** (*od.* **feel**) ~ hungrig sein, Hunger haben; ~ **as a hunter** (*od.* **bear**) hungrig wie ein Wolf; **the H~ Forties** *hist.* die Hungerjahre (*1840 bis 1846 in England*). **2.** *fig.* lechzend, dürstend, hungrig (**for** nach). **3.** *agr.* mager (*Boden*). **4.** appe'titanregend.

hunk[1] [hʌŋk] *s colloq.* großes Stück, dicker Brocken: **a ~ of bread.**

hunk[2] [hʌŋk] *adj Am. sl.* **1.** → **hunky-dory.** **2.** quitt: **to get ~ on s.o.** mit j-m quitt werden, es j-m heimzahlen.

Hunk·er ['hʌŋkər] *s pol. Am. sl.* 'Stockkonserva,tive(r) *m*.

hun·kers ['hʌŋkərz] *s pl* 'Hinterbak-[ken *pl*.]

hunk·y[1] ['hʌŋki] → **hunky-dory.**

hunk·y[2] ['hʌŋki] *s Am. sl. contp.* eingewanderter (Hilfs)Arbeiter (*bes. Ungar od. Südslawe*).

hunk·y-do·ry [,hʌŋki'dɔːri] *adj sl.* **1.** ‚prima', erstklassig. **2.** in Ordnung, ‚in Butter', ‚bestens'.

Hun·nish ['hʌniʃ] *adj* **1.** hunnisch. **2.** *fig.* bar'barisch.

hunt [hʌnt] **I** *s* **1.** Jagd *f*, Jagen *n*: **the ~ is up** die Jagd hat begonnen. **2.** 'Jagd(gebiet *n*, -re,vier *n*) *f*. **3.** Jagd(gesellschaft) *f*. **4.** *fig.* Jagd *f*: a) Verfolgung *f*, b) eifrige Suche (**for, after**

nach). **5.** *tech.* Flattern *n*, ‚Tanzen' *n* (*von Reglern etc*). **6.** *Wechselläuten*: regelmäßige 'Umstellung der Reihenfolge. **II** *v/t* **7.** (*a. fig. j-n*) jagen, Jagd machen auf (*acc*), hetzen: to ~ to death zu Tode hetzen; to ~ down erlegen, niederhetzen, zur Strecke bringen (*a. fig.*); to ~ the hare (*od.* slipper, squirrel) den Pantoffel suchen (*Suchspiel*). **8.** *j-n od. e-e Spur* verfolgen. **9.** jagen, treiben: to ~ away (*od.* off) wegjagen, vertreiben; to ~ out hinausjagen. **10.** *oft* ~ out, ~ up a) eifrig suchen, eifrig nachspüren (*dat*), b) aufstöbern, -spüren. **11.** *Revier* durch'jagen, -'stöbern, -'suchen (*a. fig.*) (for nach). **12.** jagen mit (*Pferd, Hunden etc*). **13.** *Radar, TV*: abtasten. **III** *v/i* **14.** jagen. **15.** (after, for) a) eifrig suchen (nach), b) *fig.* jagen, streben (nach). **16.** *tech.* flattern, ‚tanzen' (*Regler etc*). **17.** *Wechselläuten*: die Reihenfolge der Glocken ändern.

hunt·er ['hʌntər] *s* **1.** Jäger *m* (*a. zo. u. fig.*): autograph ~; ~'s moon Vollmond *m* nach dem Herbstvollmond. **2.** Jagdhund *m od.* -pferd *n*. **3.** Sprungdeckeluhr *f*. **4.** *a.* ~ green Jagdgrün *n*.

hunt·ing ['hʌntiŋ] **I** *s* **1.** (Hetz)Jagd *f*, Jagen *n*. **2.** → hunt 4. **3.** *tech.* a) → hunt 5, b) Pendelschwingung *f* (*Radar*), c) *TV* Abtastvorrichtung *f*. **II** *adj* **4.** Jagd... ~ **box** *s* Jagdhütte *f*. ~ **case** *s* Sprungdeckelgehäuse *n* (*Uhr*). ~ **cat** → cheetah. ~ **crop** *s* Jagdpeitsche *f*. ~ **ground** *s* 'Jagdre,vier *n*, -gebiet *n* (*a. fig.*): the happy ~s die ewigen Jagdgründe. ~ **horn** *s* Jagd-, Hifthorn *n*. ~ **knife** *s irr* Jagdmesser *n*. ~ **leop·ard** → cheetah. ~ **lodge** *s* Jagdhütte *f*. ~ **sea·son** *s* Jagdzeit *f*. ~ **seat** *s* Jagdsitz *m*, -schlößchen *n*. ~ **watch** → hunter 3.

hunt·ress ['hʌntris] *s* Jägerin *f*.

hunts·man ['hʌntsmən] *s irr* **1.** Jäger *m*, Weidmann *m*. **2.** Leiter *m* e-r Hetzjagd. **3.** Rüdemann *m* (*Aufseher der Jagdhunde*). '**hunts·man,ship** *s* Jäge'rei *f*, Weidwerk *n*.

hunt's-up [,hʌnts'ʌp] *s* **1.** Aufbruch *m* zur Jagd (*Jagdsignal*). **2.** Weckruf *m*.

hur·dle ['hə:rdl] **I** *s* **1.** *sport* Hürde *f*: the ~s → hurdle race 1. **2.** *fig.* Hürde *f*, Hindernis *n*. **3.** Hürde *f*, (Weiden-, Draht)Geflecht *n* (*für Zäune etc*). **4.** *tech.* a) Fa'schine *f*, b) *Bergbau*: Gitter *n*, Rätter *m*. **II** *v/t* **5.** *a.* ~ off mit Hürden um'geben, um'zäunen. **6.** *sport e-e Hürde* nehmen. **7.** *fig. e-e Schwierigkeit etc* über'winden. **III** *v/i* **8.** Hürden *od.* Hindernisse nehmen (*a. fig*). **9.** Hürdenlauf *od.* -rennen betreiben. '**hur·dler** *s* **1.** Hürdenmacher *m*. **2.** *sport* Hürdenläufer(in).

hur·dle race *s* **1.** *Leichtathletik*: Hürdenlauf *m*. **2.** *Reitsport*: Hürden-, Hindernisrennen *n*.

hurds [hə:rdz] *s pl* Werg *n*.

hur·dy-gur·dy ['hə:rdi,gə:rdi] *s mus.* **1.** Drehleier *f*. **2.** Leierkasten *m*.

hurl [hə:rl] **I** *v/t* **1.** schleudern (*a. fig.*): to ~ down zu Boden schleudern; to ~ o.s. sich stürzen (on auf *acc*); to ~ abuse at s.o. j-m e-e Beleidigung ins Gesicht schleudern; to ~ invectives Beschimpfungen ausstoßen. **II** *v/i* **2.** *sport* Hurling spielen. **3.** *Baseball*: *sl. für* pitch² 9 a. **4.** *obs.* stürzen. **III** *s* **5.** Schleudern *n*. **6.** *sport* Treibstock *m* (*beim Hurling*). '**hurl·er** *s* **1.** Schleuderer *m*, Werfer *m*. **2.** (Hurling)Spieler *m*. '**hurl·ey** [-li] *s sport* **1.** → hurling. **2.** Hurlingstock *m*. '**hurl·ing** *s sport Ir.* Hurling(spiel) *n* (*e-e Art Hockey*).

hurl·y¹ ['hə:rli] → hurly-burly I.

hurl·y² ['hə:rli] → hurley.

hurl·y-burl·y ['hə:rli,bə:rli] **I** *s* Tu'mult *m*, Aufruhr *m*, Wirrwarr *m*. **II** *adj u. adv* wild, verworren.

hur·rah [hu'rɑ:; *Am. a.* hə'rɑ:] **I** *interj* hur'ra!: ~ for ...! hoch ...!, es lebe ...! **II** *s* Hur'ra(ruf *m*) *n*. **III** *v/t* mit Hur'ra empfangen, *j-n* hochleben lassen, *j-m* zujubeln. **IV** *v/i* Hur'ra rufen.

hur·ray [hu'rei] → hurrah.

hur·ri·cane [*Br.* 'hʌrikən; *Am.* 'hə:ri,kein] *s* **1.** Hurrikan *m*, Or'kan *m*, Wirbelsturm *m*. **2.** *fig.* Or'kan *m*, Sturm *m*. ~ **deck** *s mar.* Sturmdeck *n*. ~ **lamp** *s* 'Sturmla,terne *f*. ~ **roof** *Am. für* hurricane deck.

hur·ried [*Br.* 'hʌrid; *Am.* 'hə:rid] *adj* (*adv* ~ly) eilig, hastig, schnell, über'eilt. '**hur·ri·er** *s* **1.** Antreiber *m*. **2.** *Bergbau*: *Br.* Fördermann *m*.

hur·ry [*Br.* 'hʌri; *Am.* 'hə:ri] **I** *s* **1.** Hast *f*, Eile *f*: in a ~ in großer Eile, eilig, hastig; to be in a ~ es eilig haben; you will not beat that in a ~ *colloq.* das machst du nicht so schnell *od.* so leicht nach; in the ~ of business im Drang der Geschäfte; there is no ~ es hat keine Eile, es eilt nicht. **2.** Hetze *f*, ‚Wirbel' *m*. **3.** *mus.* (*Trommel- etc*)-Wirbel *m*. **II** *v/t* **4.** schnell *od.* eilig befördern *od.* bringen. **5.** *oft* ~ up an-, vorwärtstreiben, drängen, beschleunigen. **6.** treiben, drängen (into zu). **7.** *etwas* über'eilen. **8.** *Kohlenwagen* schleppen. **III** *v/i* **9.** *oft* ~ up (sich be)eilen, hasten: ~ up! beeile dich!, (mach) schnell!; to ~ away (*od.* off) forteilen; to ~ over s.th. etwas flüchtig *od.* hastig erledigen. '~-'**scur·ry**, '~-'**skur·ry** [*Br.* -'skʌri; *Am.* -'skə:ri] **I** *s* Hast *f*, Über'stürzung *f*, Verwirrung *f*. **II** *adj u. adv* über'stürzt, hastig, (*nur adv*) Hals über Kopf. **III** *v/t u. v/i* über'stürzt tun *od.* eilen. '~-'**up** *adj Am.* **1.** eilig, Eil...: ~ job; ~ call Notruf *m*. **2.** hastig: ~ breakfast.

hurst [hə:rst] *s* **1.** (*bes. in Ortsnamen*) Forst *m*, Hain *m*. **2.** Sandbank *f*. **3.** bewaldeter Hügel.

hurt¹ [hə:rt] **I** *v/t pret u. pp* **hurt** **1.** verletzen, -wunden (*beide a. fig. kränken*). **2.** schmerzen, *j-m* weh tun (*beide a. fig.*): the wound still ~s me; it ~s her to think of it; to ~ s.o.'s feelings j-s Gefühle verletzen. **3.** *j-m* schaden, *j-m* Schaden zufügen, *j-n* schädigen. **4.** *etwas* beschädigen. **II** *v/i* **5.** (*seelisch od. körperlich*) schmerzen, weh tun: my finger ~s. **6.** Schaden anrichten, schaden: that won't ~ das schadet nichts. **7.** *colloq.* Schmerzen *od.* Schaden erleiden. **III** *s* **8.** *a. fig.* Verletzung *f*, Schmerz *m*. **9.** *fig.* Kränkung *f*. **10.** Schaden *m*, Nachteil *m* (to für).

hurt² [hə:rt] *s her.* blauer Kreis (*im Schilde*).

hurt·er ['hə:rtər] *s tech.* **1.** (Achsen)-Stoßring *m*, Achsring *m*, -stoß *m*. **2.** (Land)Stoßbalken *m* (*bei Brücken*).

hurt·ful ['hə:rtfəl; -ful] *adj* (*adv* ~ly) schädlich, nachteilig (to für).

hur·tle ['hə:rtl] **I** *v/i* **1.** (against) zs.-prallen (mit), prallen *od.* krachen (gegen). **2.** sausen, rasen, wirbeln, stürzen. **3.** rasseln, prasseln, poltern. **II** *v/t* **4.** schleudern, wirbeln, werfen.

'**hur·tle,ber·ry** *s bot.* Heidelbeere *f*.

hus·band ['hʌzbənd] **I** *s* **1.** Ehemann *m*, Gatte *m*, Gemahl *m*: ~ and wife Mann u. Frau; my ~ mein Mann. **2.** *obs.* a) → husbandman, b) Verwalter *m*, c) *a.* ship's ~ *mar.* 'Schiffsin,spektor *m*. **II** *v/t* **3.** haushälterisch *od.* sparsam 'umgehen mit, haushalten mit. **4.** *selten* heiraten. **5.** *poet. od. humor. Mädchen* verheiraten. **6.** *obs.* a) *Land* bebauen, b) *Pflanzen* anbauen. '**hus·band·less** *adj* ohne Ehemann, unverheiratet. '**hus·band·ly** *adj* Gatten..., Ehemanns..., e-m (guten) Ehemann geziemend. '**hus·band·man** [-mən] *s irr* Bauer *m*, Landwirt *m*. '**hus·band·ry** [-ri] *s* **1.** *agr.* Landwirtschaft *f*, Ackerbau *m*. **2.** *fig.* Haushalten *n*, sorgsames Verwalten. **3.** Sparsamkeit *f*.

hush [hʌʃ] **I** *interj* **1.** still!, pst!, scht! **II** *v/t* **2.** zum Schweigen *od.* zur Ruhe bringen. **3.** *fig.* besänftigen, beruhigen. **4.** ~ up vertuschen. **III** *v/i* **5.** still sein *od.* werden. **IV** *s* **6.** Stille *f*, Ruhe *f*, Schweigen *n*: policy of ~ (Politik *f* der) Geheimhaltung *f*.

hush·a·by ['hʌʃə,bai] **I** *interj* eiapo'peia! **II** *v/t ein Kind* einschläfern.

'**hush**|-,**hush** *adj* geheim(gehalten), heimlich, Geheim... ~ **mon·ey** *s* Schweigegeld *n*.

husk [hʌsk] **I** *s* **1.** *bot.* a) Hülse *f*, Schale *f*, Schote *f*, b) *Am. bes.* Maishülse *f*. **2.** *fig.* (leere) Schale. **3.** *pl oft fig.* Spreu *f*, Abfall *m*. **4.** *tech.* Rahmen *m*, Bügel *m*. **5.** *Am. sl.* Kerl *m*. **II** *v/t* **6.** enthülsen, schälen. '**husk·er** *s* **1.** Enthülser(in). **2.** 'Schälma,schine *f*. '**husk·i·ness** *s* Heiserkeit *f*, Rauheit *f* (*der Stimme*). '**husk·ing** *s* **1.** Enthülsen *n*, Schälen *n*. **2.** *a.* ~ bee *Am.* geselliges Maisschälen.

husk·y¹ ['hʌski] **I** *adj* (*adv* huskily) **1.** hülsig. **2.** ausgedörrt. **3.** heiser, rauh (*Stimme*). **4.** *colloq.* stämmig, kräftig. **II** *s colloq.* **5.** stämmiger Kerl.

Hus·ky² ['hʌski] *s* **1.** Eskimo *m*. **2.** h~ Eskimohund *m*. **3.** Eskimosprache *f*.

hus·sar [hu'zɑ:r] *s mil.* Hu'sar *m*.

Huss·ite ['hʌsait] *s hist.* Hus'sit *m*.

hus·sy ['hʌsi; -zi] *s* **1.** keckes Mädchen, Range *f*, ‚Fratz' *m*. **2.** ‚leichtes Mädchen', ‚Flittchen' *n*.

hus·tings ['hʌstiŋs] *s pl* (*meist als sg konstruiert*) **1.** Redner-, Wahlbühne *f*. **2.** Wahlkampf *m*. **3.** *jur.* (*nur noch selten in der Londoner Guildhall abgehaltenes*) Gericht.

hus·tle ['hʌsl] **I** *v/t* **1.** drängen: a) stoßen, b) *fig.* (an)treiben, hetzen. **2.** *j-n* (an)rempeln. **3.** (unsanft *od.* schnell) befördern, ‚expe'dieren'. **4.** schütteln. **5.** *colloq. etwas* a) schnell erledigen, b) (e'nergisch) vor'antreiben. **6.** *Am. sl.* a) *etwas od j-n* auftreiben, b) *j-n* (be)drängen, ‚in die Mache nehmen', c) *j-n* ‚ausnehmen', ausplündern. **II** *v/i* **7.** sich drängen. **8.** hasten. **9.** sich 'durchdrängen. **10.** *Am. colloq.* a) mit Hochdruck arbeiten, b) ‚rangehen', Dampf da'hinter machen. **11.** *Am. sl.* a) ‚klauen', b) Betrüge'reien begehen, c) betteln, d) auf Kundschaft ausgehen (*a. Dirne etc*), e) ‚mächtig hinterm Geld her sein'. **III** *s* **12.** a) Gedränge *n*, b) *a.* ~ and bustle Getriebe *n*, Gehetze *n*. **13.** *colloq.* ‚Betrieb' *m*, ‚Wirbel' *m*. **14.** *Am. sl.* ‚Masche' *f*: a) lukra'tive Tätigkeit, b) Schwindelgeschäft *n*. '**hus·tler** *s* **1.** *colloq.* rühriger Mensch, ‚Wühler' *m*. **2.** *Am. sl.* a) (kleiner) Gauner, b) Prostitu'ierte *f*.

hut [hʌt] **I** *s* **1.** Hütte *f*: ~ circle (*prähistorischer*) Steinring. **2.** *mil.* Ba'racke *f*. **3.** *Austral.* Arbeiterhaus *n* (*bes. für Schafscherer*). **II** *v/t u. v/i* **4.** in Ba'racken *od.* Hütten'unterbringen (hausen): ~ted camp Barackenlager *n*.

hutch [hʌtʃ] **I** *s* **1.** Kiste *f*, Kasten *m*. **2.** (kleiner) Stall, Verschlag *m*, Käfig *m*. **3.** Trog *m*. **4.** *Am.* (kleiner) Geschirrschrank. **5.** *colloq.* Hütte *f*. **6.**

Bergbau: a) Schachtfördergefäß *n*, b) Hund *m*, c) Setzfaß *n*. **II** *v/t* **7.** aufsparen, horten. **8.** *Erz* in e-m Sieb waschen.

hut·ment ['hʌtmənt] *s* **1.** 'Unterbringung *f* in Ba'racken. **2.** Hütten-, Ba'rackenlager *n*.

huz·za [hə'zɑː; hu-] **I** *interj* hussa!, juch'he!, hur'ra! **II** *s* Hur'ra(ruf *m*) *n*. **III** *v/i pret u. pp* **huz'zaed** jauchzen, hur'ra rufen. **IV** *v/t j-m* zujauchzen.

hy·a·cinth ['haiəsinθ] *s* **1.** *bot*. Hya'zinthe *f*. **2.** *min*. Hya'zinth *m*, roter Zir'kon (*Edelstein*). **3.** Hya'zinthrot *n*. **4.** *her*. Pome'ranzengelb *n*.

Hy·a·des ['haiəˌdiːz], '**Hy·ads** [-ædz] *s pl astr*. Hy'aden *pl*.

hy·ae·na → **hyena**.

hy·a·line ['haiəˌlain] **I** *adj* **1.** hya'lin, glasklar, 'durchsichtig. **II** *s* **2.** [-liːn] *med*. hya'line Sub'stanz. **3.** *poet*. a) Meer *n*, b) klarer Himmel.

hy·a·loid ['haiəˌlɔid] **I** *adj* → **hyaline** 1. **II** *s a*. ~ **membrane** *anat*. Glashaut *f* (*des Auges*).

hy·brid ['haibrid] **I** *s* **1.** *biol*. Hy'bride *f*, *m*, Bastard *m*, Mischling *m*, Kreuzung *f*. **2.** *ling*. hy'bride Bildung, Mischwort *n*. **II** *adj* **3.** *biol*. hy'brid, mischerbig, Misch..., Bastard..., Zwitter... **4.** ungleichartig, gemischt. ~ **bill** *s parl. Br*. gemischte Gesetzesvorlage (*mit Merkmalen e-r öffentlichen u. e-r privaten Vorlage*). ~ **com·mit·tee** *s parl. Br*. Ausschuß *m* für gemischte Gesetzesvorlagen.

hy·brid·ism ['haibriˌdizəm] *s* **1.** → **hybridity**. **2.** *biol*. Kreuzung *f*, Bastar'dierung *f*. **hy'brid·i·ty** *s* Mischbildung *f*. ˌ**hy·brid·i'za·tion** → **hybridism** 2. '**hy·bridˌize** [-ˌdaiz] **I** *v/t* bastar'dieren, kreuzen. **II** *v/i* sich kreuzen.

Hy·dra ['haidrə] *pl* **-dras** *s* **1.** Hydra *f*: a) *vielköpfige Schlange*, b) *astr*. Wasserschlange *f*. **2.** h~ *fig*. Hydra *f* (*kaum auszurottendes Übel*). **3.** h~ *zo*. Hydra *f*, 'Süßwasserpoˌlyp *m*.

hy·drac·id [hai'dræsid] *s chem*. Wasserstoffsäure *f*.

hy·dran·ge·a [hai'dreindʒə] *s bot*. Hor'tensie *f*.

hy·drant ['haidrənt] *s* Hy'drant *m*.

hy·drar·gy·rism [hai'drɑːrdʒiˌrizəm] *s med*. Quecksilbervergiftung *f*. **hy'drar·gy·rum** [-dʒirəm] *s chem*. Quecksilber *n*.

hy·drate ['haidreit] *chem*. **I** *s* Hy'drat *n*. **II** *v/t* hydrati'sieren. '**hy·drat·ed** *adj chem. min*. mit Wasser chemisch verbunden, hy'drathaltig. **hy'dra·tion** *s chem*. Hydratati'on *f*.

hy·drau·lic [hai'drɔːlik] **I** *adj* (*adv* ~**ally**) *phys. tech*. hy'draulisch: a) (Druck)Wasser...: ~ **clutch** (**jack, press**) hydraulische Kupplung (Winde, Presse); ~ **power** Wasserdruckkraft *f*; ~ **pressure** Wasserdruck *m*, b) unter Wasser erhärtend: ~ **cement** (*od*. **mortar**) hydraulischer Mörtel, (Unter)Wassermörtel *m*. **II** *s pl* (*als sg konstruiert*) *phys*. Hy'draulik *f*. **III** *v/t pret u. pp* **-licked** *Bergbau*: hy'draulisch abbauen, druckstrahlbaggern. ~ **brake** *s tech*. hy'draulische Bremse, Flüssigkeits-, *bes*. Öldruckbremse *f*. ~ **dock** *s mar*. Schwimmdock *n*. ~ **en·gi·neer** *s* 'Wasserbauingeniˌeur *m*. ~ **en·gi·neer·ing** *s tech*. Wasserbau *m*. ~ **min·ing** *s Bergbau*: hy'draulischer Abbau. ~ **or·gan** *s mus*. Wasserorgel *f*.

hy·dra·zo·ic [ˌhaidrə'zouik] *adj chem*. Stickstoffwasserstoff...

hy·dric ['haidrik] *adj chem*. Wasserstoff...: ~ **oxide** Wasser *n*.

hy·dride ['haidraid], *a*. '**hy·drid** [-drid] *s chem*. Hy'drid *n*.

hy·dri·od·ic ac·id [ˌhaidri'ɒdik] *s chem*. Jodwasserstoffsäure *f*.

hy·dro ['haidrou] *pl* **-dros** *s* **1.** *aer. colloq. für* **hydroplane** 1. **2.** *med. Br. colloq. für* **hydropathic** I.

hy·dro·air·plane [ˌhaidro'ɛrˌplein] → **hydroplane** 1. '**hy·droˌbomb** *s mil*. 'Lufttorˌpedo *m*.

hy·dro·bro·mic ac·id [ˌhaidro'broumik] *s chem*. Bromwasserstoffsäure *f*.

hy·dro·bro·mide [ˌhaidro'broumaid] *s chem*. hydro'bromsaures Salz. ˌ**hy·dro'car·bon** [-'kɑːrbən] *s chem*. Kohlenwasserstoff *m*. '**hy·droˌcele** [-ˌsiːl] *s med*. Hydro'cele *f*, (Hoden)Wasserbruch *m*. ˌ**hy·dro'cel·luˌlose** [-'selju-ˌlous] *s chem*. 'Hydrozelluˌlose *f*.

hy·dro·ce·phal·ic [ˌhaidrose'fælik], ˌ**hy·dro'ceph·a·lous** [-'sefələs] *adj* mit e-m Wasserkopf. ˌ**hy·dro'ceph·a·lus** [-ləs] *s* Wasserkopf *m*.

hy·dro·chlo·ric [ˌhaidro'klɔːrik] *adj chem*. salzsauer: ~ **acid** Salzsäure *f*, Chlorwasserstoff *m*. ˌ**hy·dro·cy'an·ic** [-sai'ænik] *adj chem*. blausauer: ~ **acid** Blausäure *f*, Zyanwasserstoffsäure *f*. ˌ**hy·dro'cy·aˌnide** [-'saiəˌnaid] *s chem*. zy'anwasserstoffsaures Salz. ˌ**hy·dro·dy'nam·ic** [-dai'næmik] *adj phys*. hydrody'namisch. ˌ**hy·dro·dy'nam·ics** *s pl* (*meist als sg konstruiert*) *phys*. Hydrody'namik *f*. ˌ**hy·dro·e'lec·tric** [-i'lektrik] *adj tech*. hydroe'lektrisch: ~ **power station** Wasserkraftwerk *n*. ˌ**hy·dro·ex'trac·tor** [-eks'træktər] *s tech*. Zentri'fuge *f*, Zentrifu'gal-Trockenschleuder *f*. ˌ**hy·dro·flu'or·ic** [-fluː'ɒrik] *adj chem*. flußsauer: ~ **acid** Flußsäure *f*.

hy·dro·foil ['haidroˌfɔil] *s aer. mar*. Trag-, Gleitfläche *f*.

hy·dro·gen ['haidrədʒən] *s chem*. Wasserstoff *m*. '**hy·dro·genˌate** [-ˌneit] *v/t chem*. **1.** hy'drieren. **2.** *Öle, Fette* härten. ˌ**hy·dro·gen'a·tion** *s chem*. Hy'drierung *f*.

hy·dro·gen| bomb *s mil*. Wasserstoffbombe *f*. ~ **i·on** *s chem*. (positives) 'Wasserstoffiˌon.

hy·dro·gen·ize ['haidrədʒəˌnaiz] → **hydrogenate**. **hy'drog·e·nous** [-'drɒdʒənəs] *adj chem*. wasserstoffhaltig, Wasserstoff...

hy·dro·gen| per·ox·ide *s chem*. ˌWasserstoff'superoˌxyd *n*. ~ **sul·phide** *s chem*. Schwefel'wasserstoff *m*.

hy·dro·graph·ic [ˌhaidro'græfik] *adj* hydro'graphisch: ~ **map** a) hydrographische Karte, b) *mar*. Seekarte *f*; ~ **office** (*od*. **department**) Seewarte *f*. **hy'drog·ra·phy** [-'drɒgrəfi] *s* **1.** Hydrogra'phie *f*, Gewässerkunde *f*. **2.** Gewässer *pl* (*e-r Landkarte*).

hy·dro·log·ic [ˌhaidro'lɒdʒik], ˌ**hy·dro'log·i·cal** [-kəl] *adj* hydro'logisch. **hy'drol·o·gy** [-'drɒlədʒi] *s* Hydrolo'gie *f*, Gewässerkunde *f*.

hy·drol·y·sis [hai'drɒlisis] *pl* **-ses** [-ˌsiːz] *s chem*. Hydro'lyse *f*. '**hy·droˌlyte** [-drəˌlait] *s chem*. Hydro'lyt *m*. ˌ**hy·dro'lyt·ic** [-'litik] *adj chem*. hydro'lytisch. '**hy·droˌlyze** [-ˌlaiz] *v/t u. v/i chem*. hydroly'sieren.

hy·dro·mel ['haidroˌmel] *s* Honigwasser *n*: **vinous** ~ Met *m*.

hy·dro·met·al·lur·gy [ˌhaidro'metəˌləːrdʒi] *s tech*. ˌHydrometallur'gie *f*.

hy·drom·e·ter [hai'drɒmitər] *s phys*. Hydro'meter *n*. ˌ**hy·dro'met·ric** [-dro'metrik], ˌ**hy·dro'met·ri·cal** *adj phys*. hydro'metrisch. **hy'drom·e·try** [-tri] *s phys*. Hydrome'trie *f*.

hy·dro·path·ic [ˌhaidro'pæθik] *med*. **I** *s Br*. Wasserheilanstalt *f*. **II** *adj* hydro'pathisch: ~ **establishment** → I. **hy'drop·a·thist** [-'drɒpəθist] *s med*. **1.** Hydrothera'peut *m*, Kneipparzt *m*. **2.** Anhänger(in) der 'Wasserheilmeˌthode. **hy'drop·a·thy** *s med*. **1.** Hydrothera'pie *f*, Wasserheilkunde *f*. **2.** Wasser-, Kneippkur *f*.

hy·dro·pho·bi·a [ˌhaidro'foubiə] *s med*. **1.** Tollwut *f*. **2.** krankhafte Wasserscheu.

hy·dro·phone ['haidrəˌfoun] *s tech*. Hydro'phon *n*: a) 'Unterwasser-Horchgerät *n*, b) *Gerät zum Überprüfen des Wasserdurchflusses durch Röhren*, c) *Verstärkungsgerät für Auskultation*. '**hy·droˌphyte** [-ˌfait] *s bot*. Hydro'phyt *m*, Wasserpflanze *f*.

hy·drop·ic [hai'drɒpik] *adj. med*. hy'dropisch, wassersüchtig.

hy·dro·plane ['haidrəˌplein] *s* **1.** *aer*. a) Wasserflugzeug *n*, b) Gleitfläche *f* (*e-s Wasserflugzeugs*). **2.** *mar*. Gleitboot *n*. **3.** *mar*. Tiefenruder *n* (*e-s U-Boots*).

hy·dro·pon·ic [ˌhaidrə'pɒnik] *adj* hydro'ponisch. ˌ**hy·dro'pon·ics** *s pl* (*als sg konstruiert*) Hydro'ponik *f*, 'Hydrokulˌtur *f* (*Anbau ohne Erde in Nährlösungen*). **hy'drop·o·nist** [-'drɒpənist] *s* 'Hydrokulˌtur-Pflanzenzüchter *m*.

hy·drops ['haidrɒps], '**hy·drop·sy** [-si] *s med*. Hydrop'sie *f*, Wassersucht *f*.

hy·dro·qui·none [ˌhaidrokwi'noun], *a*. ˌ**hy·dro'quin·ol** [-'kwinoul; -nɒl] *s phot*. Hydrochi'non *n*. ˌ**hy·dro'rub·ber** [-'rʌbər] *s chem*. Hydrokautschuk *m*. '**hy·droˌsalt** [-ˌsɔːlt] *s chem*. **1.** saures Salz. **2.** wasserhaltiges Salz.

hy·dro·scope ['haidrəˌskoup] *s tech*. 'Unterwasser-Sichtgerät *n*. ˌ**hy·dro'scop·ic** [-'skɒpik] *adj* hydro'skopisch. '**hy·droˌsphere** [-ˌsfir] *s geogr*. Hydro'sphäre *f*: a) *Wasserhülle der Erde*, b) *Wasserdampf der Atmosphäre*.

hy·dro·stat ['haidrəˌstæt] *s* **1.** *tech*. Hydro'stat *m*. **2.** *electr*. Wassermelder *m*. ˌ**hy·dro'stat·ic** *adj phys*. hydro'statisch: ~ **press** hydraulische Presse; ~ **pressure** Wasserdruck *m*. ˌ**hy·dro'stat·ics** [-iks] *s pl* (*als sg konstruiert*) *phys*. Hydro'statik *f*.

hy·dro·sul·fate, hy·dro·sul·fide *etc* → **hydrosulphate, hydrosulphide** *etc*.

hy·dro·sul·phate [ˌhaidro'sʌlfeit] *s chem*. Hydro'gen-, 'Bisulˌfat *n*. ˌ**hy·dro'sul·phide** [-faid] *s chem*. Hydrosul'fid *n*. ˌ**hy·dro'sul·phite** [-fait] *s chem*. **1.** Hydrosul'fit *n*. **2.** 'Natriumhydrosulˌfit *n*.

hy·dro·tel·lu·ric ac·id [ˌhaidrote'lju(ə)rik] *s chem*. Telˌlur'wasserstoffsäure *f*.

hy·dro·ther·a·peu·tics [ˌhaidroˌθerə'pjuːtiks] *s pl* (*als sg konstruiert*) *med*. Wasserheilkunde *f*. ˌ**hy·dro'ther·a·pist** *s med*. Hydrothera'peut *m*, Kneipparzt *m*. ˌ**hy·dro'ther·a·py** *s med*. Hydrothera'pie *f*, Wasserbehandlung *f*.

hy·drous ['haidrəs] *adj bes. chem.* [wasserhaltig.]

hy·drox·ide [hai'drɒksaid] *s* Hydro'xyd *n*: ~ **of sodium** Ätznatron *n*.

hy·drox·y [hai'drɒksi] *adj chem*. Hydroxyl...: ~ **acid**; ~ **aldehyde** Oxyaldehyd *n*. **hy'drox·yl** [-sil] *s chem*. Hydro'xyl *n*.

hy·dro·zinc·ite [ˌhaidrə'ziŋkait] *s min*. Hydrozin'kit *m*, Zinkblüte *f*.

hy·e·na [hai'iːnə] *s zo*. Hy'äne *f* (*a. fig*.): **brown** (**spotted, striped**) ~ Schabracken-(Flecken-, Streifen)hyäne; ~ **dog** Hyänenhund *m*.

hy·e·to·graph ['haiitəˌgræ(ː)f; *Br. a*. -ˌgrɑːf] *s* **1.** *geogr*. Regenkarte *f*. **2.**

phys. Hyeto'graph *m* (*selbstregistrierender Regenmesser*). ˌ**hy·e'tog·ra·phy** [-'tɒgrəfi] *s geogr.* Hyetogra'phie *f.* ˌ**hy·e'tom·e·ter** [-'tɒmitər] *s phys.* Hyeto'meter *n*, Regenmesser *m.*

hy·giene ['haidʒiːn; -dʒiˌiːn] *s med.* Hygi'ene *f*, Gesundheitspflege *f*, -lehre *f*: **dental** (**food, sex**) ~ Zahn-(Nahrungs-, Sexual)hygiene; **industrial** ~ Gesundheitsschutz *m* bei der Arbeit; **mental** ~ Psychohygiene; **personal** ~ Körperpflege *f*; **tropical** ~ Tropenhygiene. ˌ**hy·gi·en·ic** [*Br.* -'dʒiːnik; *Am.* -dʒi'enik] *adj*; ˌ**hy·gi'en·i·cal** *adj* (*adv* ~**ly**) *med.* hygi'enisch. ˌ**hy·gi'en·ics** *s pl* (*als sg konstruiert*) *med.* Hygi'ene *f*, Gesundheitslehre *f.* '**hy·gi·en·ist** [*Br.* -dʒiːnist; *Am.* -dʒienist] *s med.* Hygi'eniker(in).

hy·gro·graph ['haigrəˌgræ(ː)f; *Br. a.* -ˌgrɑːf] *s phys.* Hygro'graph *m*, 'selbstregiˌstrierender Luftfeuchtigkeitsmesser.

hy·grom·e·ter [hai'grɒmitər] *s phys.* Hygro'meter *n*, Luftfeuchtigkeitsmesser *m.* **hy·gro·met·ric** [ˌhaigrə'metrik] *adj.* **1.** hygro'metrisch. **2.** hygro'skopisch. **hy'grom·e·try** [-tri] *s phys.* Hygrome'trie *f*, (Luft)Feuchtigkeitsmessung *f.*

hy·gro·phyte ['haigrəˌfait] *s bot.* Hygro'phyt *m*, Feuchtpflanze *f.*

hy·gro·scope ['haigrəˌskoup] *s phys.* Hygro'skop *n*, Feuchtigkeitsanzeiger *m.* ˌ**hy·gro'scop·ic** [-'skɒpik] *adj phys.* hygro'skopisch: a) *Feuchtigkeit anziehend*, b) *Feuchtigkeit anzeigend.*

hy·lic ['hailik] *adj philos.* körperlich, materi'ell, hylisch.

hy·men[1] ['haimən] *s anat.* Hymen *n*, Jungfernhäutchen *n.*

hy·men[2] ['haimən] *s* **1.** Hochzeit *f*, Ehe *f.* **2.** H~ *myth.* Hymen *m*, Gott *m* der Ehe.

hy·me·ne·al [ˌhaimə'niːəl] **I** *adj* hochzeitlich, Hochzeits... **II** *s* Hochzeitslied *n.*

hy·me·nop·ter·a [ˌhaimə'nɒptərə] *s pl zo.* Hautflügler *pl.* ˌ**hy·me'nop·ter·ous** *adj* zu den Hautflüglern gehörig.

hymn [him] **I** *s* **1.** Hymne *f*, Loblied *n*, -gesang *m.* **2.** Kirchenlied *n.* **II** *v/t* **3.** (lob)preisen. **III** *v/i* **4.** Hymnen singen. '**hym·nal** [-nəl] **I** *adj* hymnisch, Hymnen... **II** *s* Gesangbuch *n.* '**hymnˌbook** → hymnal II. '**hym·nic** [-nik] *adj* hymnenartig.

hym·no·dist ['himnədist] *s* Hymnensänger *m*, -dichter *m.* '**hym·no·dy** *s* **1.** Hymnensingen *n.* **2.** Hymno'die *f* Hymnendichtung *f.* **3.** *collect.* Hymnen *pl.* **hym'nog·ra·pher** [-'nɒgrəfər], **hym'nol·o·gist** [-'nɒlədʒist] *s* **1.** 'Hymnendichter *m*, -kompoˌnist *m.* **2.** Hymno'loge *m.* **hym'nol·o·gy** *s* **1.** Hymnolo'gie *f*, Hymnenkunde *f.* **2.** → hymnody 2 *u.* 3.

hy·oid bone ['haiɔid] *s anat.* Zungenbein *n.*

hy·pan·thi·um [hi'pænθiəm; hai-] *pl* **-thi·a** [-θiə] *s bot.* Hy'panthium *n*, Blütenbecher *m.*

hyper- [haipər] *Wortelement mit den Bedeutungen*: hyper..., Hyper...: a) über..., b) höher, größer (als normal), c) übermäßig, d) übertrieben, e) *math. bes.* vierdimensional f) *chem.* per...

hy·per·a·cid·i·ty [ˌhaipərə'siditi] *s bes. med.* ˌHyperazidi'tät *f*, Über'säuerung *f.*

hy·per·ae·mi·a, hy·per·aes·the·sia *etc* → hyperemia *etc.*

hy·per·al·ge·si·a [ˌhaipəræl'dʒiːziə; -siə] *s med.* Hyperalge'sie *f.* ˌ**hy·per·al'ge·sic** *adj med.* schmerz'überempfindlich, hyperal'getisch.

hy·per·ba·ton [hai'pəːrbətən] *pl* **-ba·ta** [-bətə] *s metr.* Hy'perbaton *n* (*außergewöhnliche Wortstellung*).

hy·per·bo·la [hai'pəːrbələ] *s math.* Hy'perbel *f* (*Kegelschnitt*). **hy'per·bo·le** [-li; -ˌliː] *s rhet.* Hy'perbel *f*, Über'treibung *f.*

hy·per·bol·ic [ˌhaipər'bɒlik] *adj*; ˌ**hy·per'bol·i·cal** [-kəl] *adj* (*adv* ~**ly**) hyper'bolisch: a) *math.* Hyperbel..., b) (im Ausdruck) über'treibend.

hy·per·bo·lism [hai'pəːrbəˌlizəm] *s* Gebrauch *m* von Hy'perbeln, über'treibende Ausdrucksweise. **hy'per·bo·list** *s* Hyper'boliker(in). **hy'per·boˌloid** *s math.* Hyperbolo'id *n.*

Hy·per·bo·re·an [ˌhaipər'bɔːriən] **I** *s* **1.** Hyperbo'reer *m.* **II** *adj* **2.** *antiq.* hyperbo'reisch. **3.** h~ hyperbo'reisch, arktisch, nördlich.

hy·per·crit·ic [ˌhaipər'kritik] *s* 'überstrenger Kritiker. ˌ**hy·per'crit·i·cal** *adj* (*adv* ~**ly**) **1.** hyperkritisch, allzu kritisch. **2.** 'übergenau.

hy·per·e·mi·a [ˌhaipə'riːmiə] *s med.* Hyperä'mie *f*, 'Blutüberˌfüllung *f*: **active** ~ Blutandrang *m*; **passive** ~ Blutstauung *f.* ˌ**hy·per'e·mic** [-'riːmik; -'remik] *adj* hyper'ämisch.

hy·per·es·the·si·a [ˌhaipəres'θiːziə; -ʒiə] *s med.* Hyperästhe'sie *f*, 'Überempfindlichkeit *f.* ˌ**hy·per·es'thet·ic** [-'θetik] *adj* **1.** *med.* an Hyperästhe'sie leidend, 'überempfindlich. **2.** über'trieben äs'thetisch.

hy·per·me·tro·pi·a [ˌhaipərmi'troupiə], ˌ**hy·per'met·ro·py** [-'metrəpi] → hyperopia.

hy·per·on ['haipərɒn] *s phys.* Hyperon *n* (*Elementarteilchen*).

hy·per·o·pi·a [ˌhaipə'roupiə] *s med.* Weitsichtigkeit *f*, Hypero'pie *f.* **hy·per'op·ic** [-'rɒpik] *adj med.* weit-, 'übersichtig.

hy·per·phys·i·cal [ˌhaipər'fizikəl] *adj* hyper'physisch, 'übernaˌtürlich.

hy·per·pi·tu·i·ta·rism [ˌhaipərpi'tjuːitəˌrizəm] *s med.* ˌHyperpituita'rismus *m* (*Überfunktion der Hypophyse*).

hy·per·sen·si·tive [ˌhaipər'sensitiv] *adj* 'überempfindlich (to gegen). ˌ**hy·per'son·ic** [-'sɒnik] *adj phys.* mit fünf- *od.* noch mehrfacher Schallgeschwindigkeit. '**hy·perˌspace** [-ˌspeis] *s math.* Hyperraum *m*, 'vierdimensioˌnaler Raum. '**hy·perˌsphere** [-ˌsfir] *s math.* Hypersphäre *f.*

hy·per·ten·sion [ˌhaipər'tenʃən] *s med.* erhöhter Blutdruck, Hyperto'nie *f.* ˌ**hy·per'thy·roidˌism** [-'θairɔiˌdizəm] *s med.* Hyperthyre'ose *f* (*Überfunktion der Schilddrüse*). ˌ**hy·per'to·ni·a** [-'touniə] *s med.* Hyperto'nie *f.*

hy·per·troph·ic [ˌhaipər'trɒfik] *adj* **1.** *biol. med.* hyper'trophisch, 'überentwickelt. **2.** *fig.* aufgebläht, unmäßig. **hy'per·tro·phy** [-'pəːrtrəfi] *biol. med.* **I** *s* Hypertro'phie *f*, 'Überentwicklung *f*, 'übermäßige Vergrößerung (*a. fig.*). **II** *v/i u. v/t* 'übermäßig wachsen (vergrößern).

hy·phen ['haifən] **I** *s* Bindestrich *m*, Trennungszeichen *n.* **II** *v/t* → hyphenate I.

hy·phen·ate ['haifəˌneit] **I** *v/t* mit Bindestrich schreiben: ~**d American** → II. **II** *s meist contp.* ,'Bindestrichameriˌkaner' *m*, 'Halbameriˌkaner *m.* ˌ**hy·phen'a·tion,** ˌ**hy·phen·i'za·tion** *s* Schreibung *f* mit Bindestrich. '**hy·phenˌize** → hyphenate I.

hyp·no·a·nal·y·sis [ˌhipnoə'næləsis] *s psych.* Hypnoana'lyse *f.* ˌ**hyp·no·ge'net·ic** [-dʒə'netik] *adj med.* **1.** Schlaf erzeugend. **2.** Hyp'nose bewirkend.

hyp·noid ['hipnɔid] *adj psych.* **1.** hyp'noseähnlich. **2.** schlafähnlich, hypno'id.

hyp·no·sis [hip'nousis] *pl* **-ses** [-siːz] *s med.* Hyp'nose *f.* **hyp'not·ic** [-'nɒtik] *med.* **I** *adj* (*adv* ~**ally**) **1.** hyp'notisch. **II** *s* **2.** Einschläferungsmittel *n.* **3.** Hypnoti'sierte(r *m*) *f.*

hyp·no·tism ['hipnəˌtizəm] *s med.* **1.** Hyp'notik *f* (*Lehre von der Hypnose*). **2.** Hypno'tismus *m.* **3.** Hyp'nose *f.* **4.** *fig.* Suggesti'onskraft *f.* '**hyp·no·tist** *s* Hypnoti'seur *m.* ˌ**hyp·no·ti'za·tion** *s* Hypnoti'sierung *f.* '**hyp·noˌtize** *v/t med.* hypnoti'sieren (*a. fig. fesseln, faszinieren*). '**hyp·noˌtiz·er** → hypnotist.

hy·po[1] ['haipou] *s chem. phot.* Natrium'thiosulˌfat *n*, Fi'xiersalz *n* (*abbr. für* **hyposulphite**).

hy·po[2] ['haipou] *pl* **-pos** *colloq. für* a) **hypodermic injection**, b) **hypodermic syringe.**

hypo- [haipo; hipo; -pə; -pɒ] *Wortelement mit den Bedeutungen* a) unter-(halb), tiefer, b) geringer, abnorm gering, c) Unter..., Hypo..., Sub...

hy·po·blast ['haipəˌblæst; 'hip-] *s anat.* Ento'blast *n*, untere Keimhaut. ˌ**hy·po'bro·mous ac·id** [-'broumǝs] *s chem.* 'unterbromige Säure. '**hy·poˌcaust** [-ˌkɔːst] *s antiq. arch.* Hypo'kaustum *n* (*Heizgewölbe*). **hy·po·chlo·rite** [ˌhaipo'klɔːrait] *s chem.* 'unterchlorigsaures Salz.

hy·po·chon·dri·a [ˌhaipə'kɒndriə; ˌhip-] *s med.* Hypochon'drie *f.* ˌ**hy·po'chon·driˌac** [-driˌæk] *med.* **I** *adj* hypo'chondrisch. **II** *s* Hypo'chonder *m.* ˌ**hy·po·chon'dri·a·cal** [-'draiəkəl] → hypochondriac I. ˌ**hy·po·chon'dri·a·sis** [-'draiəsis] → hypochondria.

hy·po·cot·yl [ˌhaipə'kɒtil; -tl; ˌhip-] *s bot.* Hypoko'tyl *n*, Wurzelhals *m.*

hy·poc·ri·sy [hi'pɒkrəsi] *s* Heuche'lei *f*, Scheinheiligkeit *f.* **hyp·o·crite** ['hipəˌkrit] *s* Heuchler(in), Scheinheilige(r *m*) *f*, Hypo'krit *m.* ˌ**hyp·o'crit·i·cal** *adj* (*adv* ~**ly**) heuchlerisch, scheinheilig.

hy·po·cy·cloid [ˌhaipə'saiklɔid; ˌhip-] *s math.* Hypozyklo'ide *f.*

hy·po·der·ma [ˌhaipə'dəːrmə; ˌhip-], *a.* '**hy·poˌderm** *s bot.* Hypo'derm *n* (*a. zo.*), 'Unterhautgewebe *n.*

hy·po·der·mic [ˌhaipə'dəːrmik; ˌhip-] **I** *adj* (*adv* ~**ally**) **1.** *med.* subku'tan, hypoder'matisch. **2.** *zo.* Hypoderm... **II** *s med.* **3.** → hypodermic injection. **4.** → hypodermic syringe. **5.** subku'tan angewandtes Mittel. ~ **in·jec·tion** *s med.* subku'tane Injekti'on *od.* Einspritzung. ~ **med·i·ca·tion** *s med.* Verabreichung *f* von Heilmitteln durch subku'tane Injekti'on. ~ **syr·inge** *s med.* Spritze *f* zur subku'tanen Injekti'on, Pravaz-Spritze *f.*

hy·po·der·mis [ˌhaipə'dəːrmis; ˌhip-] *s* → hypoderma.

hy·po·gas·tric [ˌhaipo'gæstrik; ˌhip-] *adj med.* hypo'gastrisch, Unterbauch... ˌ**hy·po'gas·tri·um** [-triəm] *pl* **-tri·a** [-triə] *s med.* Hypo'gastrium *n*, 'Unterbauchgegend *f.*

hy·po·ge·al [ˌhaipə'dʒiːəl; ˌhip-], ˌ**hy·po'ge·an** *adj* **1.** 'unterirdisch. **2.** → hypogeous. '**hyp·oˌgene** [-ˌdʒiːn] *adj geol.* hypo'gen. **hy'pog·e·nous** [-'pɒdʒənəs] *adj bot.* auf der 'Unterseite (*von Blättern etc*) wachsend. ˌ**hy·po'ge·ous** [-'dʒiːəs] *adj* **1.** *bot.* hypo'gäisch, 'unterirdisch wachsend. **2.** *zo.* 'unterirdisch lebend. **3.** 'unterirdisch.

hy·po·ma·ni·a [ˌhaipə'meiniə; ˌhip-] *s med.* Hypoma'nie *f*, leichte Ma'nie.

hy·po·phos·phate [ˌhaipəˈfɒsfeit] *s chem.* ˈHypophosˌphat *n.* ˌ**hy·po·phosˈphor·ic ac·id** [-ˈfɒrik] *s chem.* ˈUnterphosphorsäure *f.*

hy·poph·y·sis [haiˈpɒfisis] *pl* **-ses** [-ˌsiːz] *s* Hypoˈphyse *f*: a) *anat.* Hirnanhangdrüse *f*, b) *bot.* Anschlußzelle *f.*

hy·po·pi·tu·i·ta·rism [ˌhaipopiˈtjuːitəˌrizəm] *s med.* ˌHypopituitaˈrismus *m* (*Unterfunktion der Hypophyse*).

hy·po·pla·si·a [ˌhaipəˈpleiʒiə; -ziə] *s biol. med.* Hypoplaˈsie *f*, ˈUnterentwicklung *f.*

hy·pos·ta·sis [haiˈpɒstəsis; hiˈp-] *pl* **-ses** [-ˌsiːz] *s* **1.** Hypoˈstase *f*: a) *philos.* Grundlage *f*, Subˈstanz *f*, (*das*) Zuˈgrundeliegende, b) Vergegenständlichung *f* (*e-s Begriffs*). **2.** *relig.* Hypoˈstase *f.* **3.** *med.* Hypoˈstase *f*, Senkungsblutfülle *f.* **4.** Sediˈment *n*, Bodensatz *m.* **5.** *biol.* Hypostaˈsie *f.* ˌ**hy·poˈstat·ic** [-pəˈstætik] *adj*; ˌ**hy·poˈstat·i·cal** *adj* (*adv* ~**ly**) *biol. med. philos. relig.* hypoˈstatisch: ~ **union** hypostatische Union (*bes. die Vereinigung der göttlichen u. der menschlichen Natur Jesu in ˈeiner Person*).

hy·po·sul·phite, *a.* **hy·po·sul·fite** [ˌhaipəˈsʌlfait] *s chem.* **1.** Hyposulˈfit *n*, ˈunterschwefligsaures Salz. **2.** Hypoˈdisulˌfit *n.* **3.** → hypo[1]. ˌ**hy·po·sul·phu·rous ac·id** [-sʌlˈfju(ə)rəs; -ˈsʌlfərəs] *s chem.* ˈunterschweflige Säure.

hy·po·tac·tic [ˌhaipəˈtæktik; ˌhip-] *adj ling.* hypoˈtaktisch, ˈunterordnend. ˌ**hy·poˈtax·is** [-ˈtæksis] *s ling.* Hypoˈtaxe *f*, ˈUnterordnung *f.*

hy·pot·e·nuse [haiˈpɒtiˌnjuːz; -ˌnjuːs] *s math.* Hypoteˈnuse *f.*

hy·poth·ec [haiˈpɒθik; hiˈp-] *s jur. Scot.* Hypoˈthek *f*: **the whole** ~ *colloq.* die ganze Angelegenheit. **hyˈpoth·e·car·y** *adj jur.* hypotheˈkarisch: ~ **debt** Hypothekenschuld *f*; ~ **value** Beleihungswert *m.* **hyˈpoth·eˌcate** [-ˌkeit] *v/t* **1.** *jur.* verpfänden, mit e-r Hypoˈthek belasten. **2.** *Schiff* verbodmen. **3.** *econ. Effekten* lombarˈdieren. **4.** *econ.* als Pfand geben. **hyˌpoth·eˈca·tion** *s* **1.** *jur.* Verpfändung *f*, Beleihung *f.* **2.** Verbodmung *f* (*e-s Schiffes*). **3.** *econ.* Lombarˈdierung *f.*

hy·poth·e·nuse [haiˈpɒθiˌnjuːz; -ˌnjuːs] *fälschlich für* **hypotenuse.**

hy·poth·e·sis [haiˈpɒθisis; hiˈp-] *pl* **-ses** [-ˌsiːz] *s* **1.** Hypoˈthese *f*, Annahme *f*, Vorˈaussetzung *f*: **working** ~ Arbeitshypothese. **2.** (bloße) Vermutung. **hyˈpoth·e·sist** *s* Urheber *m* e-r Hypoˈthese. **hyˈpoth·eˌsize I** *v/i* e-e Hypoˈthese aufstellen. **II** *v/t* vorˈaussetzen, annehmen.

hy·po·thet·ic [ˌhaipəˈθetik] *adj*; ˌ**hy·poˈthet·i·cal** *adj* (*adv* ~**ly**) **1.** hypoˈthetisch, angenommen. **2.** mutmaßlich. **3.** vorˈaussetzend. **4.** bedingt.

hy·po·thy·roid·ism [ˌhaipoˈθairəiˌdizəm] *s med.* Hypothyreˈose *f*, ˈUnterfunktiˌon *f* der Schilddrüse.

hy·pot·ro·phy [haiˈpɒtrəfi; hiˈp-] *s biol.* Hypotroˈphie *f*, ˈUnterentwicklung *f.*

hyp·sog·ra·phy [hipˈsɒgrəfi] *s geogr.* **1.** Hypsograˈphie *f*: a) *Höhen-, Gebirgsbeschreibung*, b) *Gebirgsdarstellung.* **2.** Höhenmessung *f.* **hypˈsom·e·ter** [-ˈsɒmitər] *s* **1.** *phys.* Hypsoˈmeter *n*, ˈSiedethermoˌmeter *n.* **2.** (Baum)Höhenmesser *m.* **hypˈsom·e·try** [-tri] *s geogr.* Hypsomeˈtrie *f*, Höhenmessung *f.*

hy·son [ˈhaisn] *s econ.* Hyson *m*, Haisan *m* (*ein grüner chinesischer Tee*).

hy-spy [ˈhaiˌspai] *s ein Versteckspiel.*

hys·sop [ˈhisəp] *s* **1.** *bot.* Ysop *m.* **2.** *R.C.* Weihwedel *m.*

hys·ter·al·gi·a [ˌhistəˈrældʒiə] *s med.* Hysteralˈgie *f*, Gebärmutterschmerz *m.* ˌ**hys·terˈec·to·my** [-ˈrektəmi] *s med.* Hysterektoˈmie *f.*

hys·ter·e·sis [ˌhistəˈriːsis] *s phys.* Hyˈsteresis *f*, Hysteˈrese *f* (*Ummagnetisierung*): ~ **loop** Hysteresisschleife *f*; ~ **motor** Hysteresismotor *m.* ˌ**hys·terˈet·ic** [-ˈretik] *adj phys.* hysteˈretisch, Hysteresis...

hys·te·ri·a [hisˈti(ə)riə] *s med. u. fig.* Hysteˈrie *f.* **hysˈter·ic** [-ˈterik] *med.* **I** *s* **1.** Hyˈsteriker(in). **2.** *pl* Hysteˈrie *f*, hyˈsterischer Anfall: **to go (off) into** ~**s** e-n hysterischen Anfall bekommen, hysterisch werden; **laughing** ~**s** hysterischer Lachkrampf. **II** *adj* → **hysterical. hysˈter·i·cal** *adj* (*adv* ~**ly**) *med. u. fig.* hyˈsterisch.

hys·ter·o·cele [ˈhistəroˌsiːl] *s med.* Hysteroˈzele *f*, Gebärmutterbruch *m.*

hys·ter·ol·o·gy [ˌhistəˈrɒlədʒi] *s med.* Hysteroloˈgie *f* (*Lehre von den Gebärmutterkrankheiten*).

hys·ter·on prot·er·on [ˈhistəˌrɒn ˈprɒtəˌrɒn] *s ling. u. rhet.* Hysteron-Proteron *n* (*Umkehrung der logischen Ordnung*).

hys·ter·ot·o·my [ˌhistəˈrɒtəmi] *s med.* a) Hysterotoˈmie *f*, Gebärmutterschnitt *m*, b) Kaiserschnitt *m.*

hy·zone [ˈhaizoun] *s chem.* ˈdreiaˌtomiger Wasserstoff.

I

I[1], **i** [ai] **I** *pl* **I's, Is, i's, is** [aiz] *s* **1.** I, i *n* (*Buchstabe*). **2.** i *math.* i (= $\sqrt{-1}$; *imaginäre Einheit*). **3.** I I *n*, I-förmiger Gegenstand. **II** *adj* **4.** neunt(er, e, es). **5.** I I-..., I-förmig.

I[2] [ai] **I** *pron* ich: **it is I** ich bin es; **I say** hören Sie mal!, sagen Sie mal! **II** *pl* **I's** *s* (*das*) Ich.

i·amb [ˈaiæmb] *pl* **iˈam·bi** [-bai] *s metr.* Jambus *m.* **iˈam·bic I** *adj* **1.** *metr.* jambisch. **II** *s* **2.** *metr.* a) Jambus *m*, jambischer Versfuß, b) jambischer Vers. **3.** jambisches (*satirisches*) Gedicht. **iˈam·bus** [-bəs] *pl* **-bi** [-bai], **-bus·es** → **iamb.**

I beam *s tech.* a) I-Träger *m*, Doppel-T-Träger *m*, b) I-Eisen *n*, Doppel-T-Eisen *n*: ~ **girder** (*zs.-genieteter*) I-Träger; ~ **section** I-Profil *n.*

I·be·ri·an [aiˈbi(ə)riən] **I** *s* **1.** Iˈberer(in). **2.** *ling.* Iˈberisch *n*, das Iberische (*Sprache der Ureinwohner Spaniens*). **II** *adj* **3.** iˈberisch.

i·bex [ˈaibeks] *s zo.* Steinbock *m.*

i·bi·dem [iˈbaidem] (*Lat.*) *adv* ebenda.

i·bis [ˈaibis] *s orn.* Ibis *m.*

ice [ais] **I** *s* **1.** Eis(decke *f*, -schicht *f*) *n*: **breaking-up of the** ~ Eisgang *m*; **broken** ~ Eisstücke *pl*; **dry** ~ Trockeneis (*feste Kohlensäure*); **floating** (*od.* **loose, drifting, moving**) ~ Treibeis; **to break the** ~ *fig.* das Eis brechen; **to cut no** ~ *Am. colloq.* keinen Eindruck machen, ‚nicht ziehen'; **that cuts no** ~ **with me** das ‚zieht' bei mir nicht; **to have s.th. on** ~ *Am. sl.* etwas ‚in der Tasche' haben; **to put** (*od.* **keep**) **on** ~ *Am. colloq.* etwas *od.* j-n ‚auf Eis legen'; **to skate on thin** ~ a) ein gefährliches Spiel treiben, b) ein heikles Thema berühren; **on thin** ~ in prekärer Lage. **2.** a) *Am.* Gefrorenes *n* (*aus Fruchtsaft u. Zuckerwasser*), b) *Br.* → **ice-cream,** c) → **icing** 4. **3.** *fig.* Kälte *f* (*im Benehmen*). **4.** *Am. sl.* a) Diaˈmant(en *pl*) *m*, b) Bestechungsgeld *n.* **II** *v/t* **5.** mit Eis bedecken *od.* überˈziehen. **6.** in Eis verwandeln, gefrieren lassen. **7.** *Getränke etc* mit *od.* in Eis kühlen. **8.** überˈzuckern, glaˈsieren. **9.** *Am. sl.* ‚auf Eis legen'. **III** *v/i* **10.** gefrieren. **11.** *a.* ~ **up** vereisen.

ice| age *s geol.* Eiszeit *f.* ~ **a·pron** *s arch.* Eisbrecher *m* (*an Brücken*). ~ **ax(e)** *s* Eispickel *m.* ~ **bag** *s med.* Eisbeutel *m.* ~ **belt** → **ice foot.** ˈ~**ˌberg** *s* Eisberg *m* (*a. fig. Person*). ~ **bird** *s orn.* **1.** Kleiner Krabbentaucher. **2.** Nachtschwalbe *f.* ˈ~**ˌblink** *s* Eisblink *m*, -blick *m.* ˈ~**ˌboat** *s mar.* **1.** Eissegler *m*, Segelschlitten *m.* **2.** Eisbrecher *m.* ˈ~**ˌboat·ing** *s sport* Eissegeln *n.* ˈ~**ˌbound** *adj* a) eingefroren (*Schiff*), b) zugefroren (*Hafen*). ˈ~**ˌbox** *s Am.* Eis-, Kühlschrank *m.* ˈ~**ˌbreak·er** *s* **1.** *mar.* Eisbrecher *m.* **2.** → **ice apron. 3.** *tech.* Eiszerkleinerer *m.* ˈ~**ˌcap** *s geol.* a) Gletscher *m*, b) (*bes. arktische*) Eisdecke. ~ **chest** *s tech.* Eisschrank *m.* ˈ~-ˈ**cold** *adj* eiskalt (*a. fig.*).

ˈice-ˈcream *s* (Speise)Eis *n*, Eiscreme *f*, Gefrorenes *n.* ~ **bar** *s* Eisdiele *f.* ~ **cone** *s* Eistüte *f.* ~ **freez·er** *s tech.* ˈEismaˌschine *f.* ~ **par·lo(u)r** *s* Eisdiele *f.* ~ **so·da** *s Am.* Sodawasser *n* mit Speiseeis.

iced [aist] *adj* **1.** eisbedeckt. **2.** eisgekühlt. **3.** gefroren. **4.** überˈzuckert, glaˈsiert, mit ˈZuckerglaˌsur überˈzogen.

ice| e·lim·i·nat·ing *s aer.* Enteisung *f.* ˈ~**ˌfall** *s* Eisfall *m* (*gefrorener Wasserfall*). ~ **feath·ers** *s pl meteor.* rauhreifähnliche Eisbildungen *pl.* ~ **fern** *s* Eisblume(n *pl*) *f.* ~ **field** *s* Eisfeld *n.* ~ **floe** *s* (Treib)Eisscholle *f.* ~ **foot** *s irr* (*arktischer*) Eisgürtel. ~ **fox** *s zo.* Poˈlarfuchs *m.* ˈ~-ˈ**free** *adj aer. mar.* eis-, vereisungsfrei. ~ **hock·ey** *s sport* Eishockey *n.*

Ice·land·er [ˈaisləndər; -ˌlændər] *s* **1.** Isländer(in). **2.** *orn.* G(i)erfalke *m.*

Ice·lan·dic [aisˈlændik] **I** *adj* isländisch. **II** *s ling.* Isländisch *n*, das Isländische.

ice| ma·chine *s tech.* ˈEis-, ˈKältemaˌschine *f.* ˈ~**ˌman** [-ˌmæn] *s irr.* **1.** Eishändler *m*, -verkäufer *m.* **2.** erfahrener Eisgänger. **3.** Eisbahnaufseher *m.* ~ **pack** *s* **1.** Packeis *n.* **2.** *med.* ˈEisˌumschlag *m.* ~ **pa·per** *s tech.* sehr dünnes, ˈdurchsichtiges Gelaˈtinepaˌpier. **I**~ **Pa·trol** *s mar.* (*internationaler*) Eismeldedienst (*im Nordatlantik*). ~ **pick** *s tech.* Eispfriem *m.* ~ **pi·lot** *s mar.* Eislotse *m.* ~ **plant** *s bot.* Eiskraut *n.* ˈ~**ˌquake** *s* Krachen *n* beim Bersten von Eismassen. ˈ~-ˌ**rink** *s* (Kunst)Eisbahn *f.* ~ **run** *s* Eisbahn *f*, Rodelpiste *f.* ~ **sheet** *s geol.* Eisdecke *f*, Kontinenˈtalgletscher *m.* ~ **skate** *s*

→ skate[2] 1. '~-ˌ**skate** *v/i* Schlittschuh laufen, eislaufen. ~ **spar** *s min.* Eisspat *m*, glasiger Feldspat. ~ **wa·ter** *s* Eiswasser *n*: a) *eisgekühltes Wasser*, b) *Schmelzwasser*. ~ **wool** → eis wool. ~ **yacht** → ice boat.

ich·neu·mon [ik'nju:mən] *s zo.* **1.** Ich'neumon *n, m*, Mungo *m*. **2.** *a.* ~ **fly** Schlupfwespe *f*.

ich·nog·ra·phy [ik'nɒgrəfi] *s* **1.** Grundriß *m*. **2.** Zeichnen *n* von Grundrissen.

ich·no·lite ['iknəˌlait] *s geol.* fos'sile Fußspur.

i·chor ['aikɔːr] *s* I'chor *n*: a) *antiq.* Götterblut *n*, b) *med.* Blutwasser *n*, Jauche *f*, (eitriges) 'Wundseˌkret.

ich·thy·oid ['ikθiˌɔid] *adj u. s zo.* fischartig(es Wirbeltier).

ich·thy·o·lite ['ikθiəˌlait] *s geol.* Ichthyo'lith *m*, fos'siler Fisch.

ich·thy·o·log·i·cal [ˌikθiə'lɒdʒikəl] *adj* ichthyo'logisch. ˌ**ich·thy'ol·o·gist** [-'ɒlədʒist] *s* Ichthyo'loge *m*. ˌ**ich·thy'ol·o·gy** *s* **1.** Ichthyolo'gie *f*, Fischkunde *f*. **2.** ichthyo'logische Abhandlung.

ich·thy·oph·a·gous [ˌikθi'ɒfəgəs] *adj* fisch(fr)essend.

ich·thy·o·saur ['ikθiəˌsɔːr], ˌ**ich·thy·o'sau·rus** [-rəs] *pl* **-ri** [-rai] *s zo.* Ichthyo'saurus *m*.

i·ci·cle ['aisikl] *s* Eiszapfen *m*.

i·ci·ness ['aisinis] *s* **1.** Eisigkeit *f*, eisige Kälte. **2.** *fig.* (eisige) Kälte (*im Benehmen*).

ic·ing ['aisiŋ] *s* **1.** Eisschicht *f*. **2.** Vereisen *n*. **3.** *a.* ~**-up** *tech.* Vereisung *f*. **4.** 'Zuckerguß *m*, (-)Glaˌsur *f*: ~ **sugar** *Br.* Puder-, Staubzucker *m*.

i·con ['aikɒn] *s* **1.** (Ab)Bild *n*, Statue *f*. **2.** I'kone *f*, Heiligenbild *n*.

i·con·o·clasm [ai'kɒnoˌklæzəm] *s* **1.** *hist.* Ikono'klasmus *m*, Bildersturm *m*. **2.** *fig.* ˌBilderstürme'rei *f*. **i'con·o·ˌclast** [-ˌklæst] *s* Bilderstürmer *m* (*a. fig.*). **iˌcon·o'clas·tic** *adj* bilderstürmerisch.

i·co·nog·ra·pher [ˌaikə'nɒgrəfər] *s* Ikono'graph *m*. **i·con·o·graph·ic** [aiˌkɒnə'græfik], *a.* **iˌcon·o'graph·i·cal** *adj* **1.** ikono'graphisch. **2.** bildlich darstellend, durch Bilder beschreibend. ˌ**i·co'nog·ra·phy** [ˌaikə'nɒgrəfi] *s* Ikonogra'phie *f*: a) *bildliche Darstellung*, b) *Kunst der bildlichen Darstellung*, c) *Sammlung von Bildwerken*, d) *Beschreibung von Bildwerken*.

i·co·nol·a·ter [ˌaikə'nɒlətər] *s* Bilderanbeter *m*. ˌ**i·co'nol·a·try** [-tri] *s* Bilderanbetung *f*, -verehrung *f*.

i·co·nol·o·gy [ˌaikə'nɒlədʒi] *s* **1.** Ikonolo'gie *f*, Bilderkunde *f*. **2.** sym'bolische Darstellungen *pl*.

i·co·nom·a·chy [ˌaikə'nɒməki] *s* Bekämpfung *f* der Bilderverehrung.

i·co·nom·e·ter [ˌaikə'nɒmitər] *s* Ikono'meter *n*: a) *phys. tech. Gerät zur Messung der Entfernung u. Größe entfernter Gegenstände*, b) *phot.* Rahmensucher *m*.

I·con·o·scope, *a.* **i**~ [ai'kɒnəˌskoup] (*TM*) *s TV* Ikono'skop *n*, Bildwandlerröhre *f*.

i·co·nos·ta·sis [ˌaikə'nɒstəsis] *pl* **-ses** [-ˌsiːz] *s arch. relig.* Ikono'stasis *f*, Bilderwand *f*.

i·co·sa·he·dral [ˌaikosə'hiːdrəl] *adj math.* ikosa'edrisch, zwanzigflächig.

ic·tus ['iktəs] *s metr.* Iktus *m*, 'Versakˌzent *m*, -ton *m*.

i·cy ['aisi] *adj* (*adv* **icily**) **1.** eisig: a) vereist, b) eiskalt. **2.** *fig.* eisig, (eis)kalt.

id [id] *s* **1.** *psych.* Es *n* (*Gesamtheit der im Unterbewußtsein liegenden Instinkte*). **2.** *biol.* Id *n* (*Erbeinheit*).

I'd [aid] *colloq. für* a) I would, b) I should, c) I had.

I·da·ho·an [ˌaidə'houən] **I** *adj* Idaho... **II** *s* Bewohner(in) von Idaho (*USA*).

ide [aid] *s ichth.* Kühling *m*, Aland *m*.

i·de·a [ai'diːə; -'diə] *s* **1.** I'dee *f*, Vorstellung *f*, Begriff *m*: to form an ~ of sich (*etwas*) vorstellen, sich e-n Begriff machen von; he has no ~ (of it) er hat keine Ahnung (davon); the ~ of such a thing!, the (very) ~! man stelle sich vor!; na, so was!; so ein Unsinn! **2.** Gedanke *m*, Meinung *f*, Ansicht *f*: it is my ~ that ich bin der Ansicht, daß; the ~ entered my mind mir kam der Gedanke. **3.** Absicht *f*, Plan *m*, Gedanke *m*, I'dee *f*: that's not a bad ~ das ist keine schlechte Idee, das ist gar nicht schlecht; the ~ is der Zweck der Sache ist; that's the ~! darum dreht es sich!, so ist es!; what's the (big) ~? was soll das (heißen)? **4.** unbestimmtes Gefühl: I have an ~ that ich habe so das Gefühl, daß; es kommt mir (so) vor, als ob; ~ of reference *psych.* Beachtungswahn *m*. **5.** *philos.* I'dee *f*: a) geistige Vorstellung, b) Ide'al(vorstellung *f*) *n*, c) Urbild *n* (*Plato*), d) unmittelbares Ob'jekt des Denkens (*Locke, Descartes*), e) transzenden'taler Vernunftbegriff (*Kant*), f) (*das*) Abso'lute (*Hegel*). **6.** *bes. mus.* I'dee *f*, Thema *n*.

i·de·aed, *a.* **i·de·a'd** [ai'diːəd; -'diəd] *adj* i'deenreich.

i·de·al [ai'diːəl; -'diəl] **I** *adj* (*adv* → **ideally**) **1.** ide'al, voll'endet, vollkommen, vorbildlich, Muster... **2.** ide'ell: a) Ideen..., b) auf Ide'alen beruhend, c) (nur) eingebildet. **3.** *philos.* a) ide'al, als Urbild exi'stierend (*Plato*), b) ideal, wünschenswert, c) idea'listisch: ~ **realism** Ideal-Realismus *m*. **4.** *math.* ide'ell, uneigentlich: ~ **number** ideelle Zahl. **II** *s* **5.** Ide'al *n*, Wunsch-, Vorbild *n*. **6.** (*das*) Ide'elle (*Ggs. das Wirkliche*). **7.** *math.* Ide'al *n*.

i·de·al·ism [ai'diːəˌlizəm; -'diə-] *s* **1.** *philos. u. fig.* Idea'lismus *m*. **2.** Ideali'sierung *f*. **3.** (*das*) Ide'ale, Ide'alfall *m*. **i'de·al·ist** *s* Idea'list(in). **iˌde·al'is·tic** *adj* (*adv* ~**ally**) idea'listisch.

i·de·al·i·ty [ˌaidi'æliti] *s* **1.** ide'aler Zustand. **2.** *philos.* Ideali'tät *f*. **3.** Vorstellungskraft *f*.

i·de·al·i·za·tion [aiˌdiːəlai'zeiʃən; -ˌdiə-] *s* Ideali'sierung *f*. **i'de·alˌize** *v/t u. v/i* ideali'sieren.

i·de·al·ly [ai'diːəli; -'diəli] *adv* **1.** ide'al(erweise), am besten, vollkommen. **2.** geistig, ide'ell. **3.** im Geiste.

i·de·ate [ai'diːeit] **I** *v/t* sich vorstellen, denken an (*acc*). **II** *v/i* I'deen bilden, denken. **III** [-it; -eit] *s philos.* Abbild *n* der I'dee in der Erscheinungswelt. ˌ**i·de'a·tion** *s* **1.** Vorstellungsvermögen *n*. **2.** I'deenbildung *f*.

i·dée fixe [i'de fiks] (*Fr.*) *s* fixe I'dee.

i·dem ['aidəm] **I** *pron od. adj* der'selbe (*Verfasser*), das'selbe (*Buch, Wort etc*). **II** *adv* beim selben Verfasser.

i·den·tic [ai'dentik] *adj* (*adv* ~**ally**) → identical: ~ **note** *pol.* gleichlautende *od.* identische Note. **i'den·ti·cal** *adj* (*adv* ~**ly**) **1.** (with) a) i'dentisch (mit), (genau) gleich (*dat*): ~ **twins** eineiige Zwillinge, b) (der-, die-, das)'selbe (wie), c) gleichbedeutend (mit), d) identisch (mit), gleichlautend (wie). **2.** *math.* i'dentisch: ~ **equation**; ~ **proposition** (*Logik*) identischer Satz.

i·den·ti·fi·a·ble [ai'dentiˌfaiəbl] *adj* identifi'zier-, feststell-, erkennbar.

i·den·ti·fi·ca·tion [aiˌdentifi'keiʃən] *s* **1.** Identifi'zierung *f*: a) Gleichsetzung *f*, b) Erkennung *f*, Feststellung *f*: ~ **papers**, ~ **card** → **identity card**; ~ **disk**, *Am.* ~ **tag** *mil.* Erkennungsmarke *f*. **2.** völlige Über'einstimmung (with mit). **3.** Legitimati'on *f*, Ausweis *m*. **4.** *Funk, Radar*: Kennung *f*: ~ **friend/foe** Freund-Feind-Kennung; ~ **letter** Kennbuchstabe *m*.

i·den·ti·fy [ai'dentiˌfai] *v/t* **1.** identifi'zieren, gleichsetzen, als i'dentisch betrachten (with mit): to ~ o.s. with a) sich identifizieren *od.* solidarisch erklären mit, b) sich anschließen (*dat od.* an *acc*). **2.** identifi'zieren, erkennen, die Identi'tät feststellen von (*od. gen*). **3.** *biol.* die Art feststellen von (*od. gen*). **4.** ausweisen, legiti'mieren. **i'den·tism** *s philos.* Identi'tätslehre *f*.

i·den·ti·ty [ai'dentiti] *s* **1.** Identi'tät *f*: a) (völlige) Gleichheit, b) Per'sönlichkeit *f*, ˌIndividuali'tät *f*: to **prove one's** ~ sich ausweisen, sich legitimieren; to **establish s.o.'s** ~ j-s Identität feststellen. **2.** *math.* a) i'dentischer Satz, b) identische Gleichung. **3.** *biol.* Artgleichheit *f*. ~ **card** *s* (Perso'nal)-Ausweis *m*, Kenn-, Ausweiskarte *f*.

id·e·o·gram ['idiəˌgræm; 'ai-], '**id·e·oˌgraph** [-ˌgræ(ː)f; *Br. a.* -ˌgrɑːf] *s* Ideo'gramm *n*, Begriffszeichen *n*, graphisches Sym'bol.

id·e·o·log·ic [ˌaidiə'lɒdʒik; ˌid-], ˌ**id·e·o'log·i·cal** [-kəl] *adj* ideo'logisch. ˌ**id·e'ol·o·gist** [-'ɒlədʒist] *s* **1.** Ideo'loge *m*. **2.** Theo'retiker *m*, Schwärmer *m*, Phan'tast *m*, Träumer *m*. '**id·e·oˌlogue** [-ˌlɒg] *s* von e-r I'dee Besessene(r *m*) *f*. ˌ**id·e'ol·o·gy** *s* Ideolo'gie *f*: a) Vorstellungswelt *f*, Denkweise *f*: **bourgeois** ~, b) *philos.* I'deen-, Begriffslehre *f*, c) (*unechte*) Weltanschauung, d) reine Theo'rie, Phantaste'rei *f*.

ides [aidz] *s pl* Iden *pl*.

id est [id est] (*Lat.*) das heißt.

id·i·o·blast ['idiəˌblæst] *s* Idio'blast *m*: a) *bot. von dem umgebenden Gewebe stark verschiedene Zelle*, b) *biol. hypothetische strukturelle Einheit der Zelle*.

id·i·o·cy ['idiəsi] *s* Idio'tie *f*: a) *med.* hochgradiger Schwachsinn, b) *colloq.* Dummheit *f*, Blödsinn *m*.

id·i·om ['idiəm] *s ling.* **1.** Idi'om *n*, Sondersprache *f*, Mundart *f*, Dia'lekt *m*. **2.** charakte'ristische Sprachform. **3.** Spracheigentümlichkeit *f*, idio'matische Wendung, Redewendung *f*. **4.** Sprache *f*, charakte'ristische Ausdrucksweise, per'sönlicher Stil (*a. mus. etc*). ˌ**id·i·o'mat·ic** [-'mætik] *adj* (*adv* ~**ally**) *ling.* **1.** idio'matisch, spracheigentümlich. **2.** sprachrichtig, -üblich, kor'rekt. ˌ**id·i·o'mat·i·cal·ness** *s* (*das*) Idio'matische.

id·i·o·plasm ['idiəˌplæzəm] *s biol.* Idio'plasma *n*, Erbmasse *f*.

id·i·o·syn·cra·sy [ˌidiə'siŋkrəsi] *s* **1.** Idiosynkra'sie *f*, charakte'ristische Eigenart, Exzentrizi'tät *f*. **2.** (*e-r Person etc*) eigene Na'turanlage *od.* Neigung. **3.** *med.* Idiosynkra'sie *f*, Aller'gie *f*, krankhafte Abneigung. ˌ**id·i·o·syn'crat·ic** [-sin'krætik] *adj* **1.** charakte'ristisch, (*j-m*) eigentümlich. **2.** *med.* idiosyn'kratisch.

id·i·ot ['idiət] *s* **1.** *med.* Idi'ot(in), Schwachsinnige(r *m*) *f*. **2.** *contp.* Idi'ot *m*, (dummer) Esel. ~ **board** → teleprompter.

id·i·o·ther·mous [ˌidiə'θəːrməs] *adj* *zo.* warmblütig.

id·i·ot·ic [ˌidi'ɒtik] *adj* (*adv* ~**ally**) idi'otisch: a) *med.* verblödet, geistesschwach, b) *contp.* blödsinnig, dumm. ˌ**id·i'ot·iˌcon** [-ˌkɒn] *s* Idi'otikon *n* (*Dialektwörterbuch*).

id·i·ot·ism ['idiəˌtizəm] *s* **1.** *med.* Idio'tie *f* (*a. fig. contp.*). **2.** *obs.* Idi'om *n.*
i·dle ['aidl] **I** *adj* (*adv* **idly**) **1.** untätig, müßig: the ~ **rich** die reichen Müßiggänger. **2.** unbeschäftigt, arbeitslos: ~ **workmen**. **3.** ungenutzt, ruhig, still, Muße...: ~ **hours**; ~ **time** *econ.* Verlust-, Totzeit *f*. **4.** faul, träge, arbeitsscheu: an ~ **fellow**. **5.** *tech.* a) stillstehend, außer Betrieb, b) leer laufend, im Leerlauf: to lie ~ stilliegen; to run ~ leer laufen; ~ **current** a) Leerlaufstrom *m*, b) Blindstrom *m*; ~ **motion** Leergang *m*; ~ **pulley** → idler 2 b; ~ **speed** Leerlaufdrehzahl *f*; ~ **stroke** *mot.* Leertakt *m*. **6.** *agr.* brachliegend (*a. fig.*). **7.** *econ.* 'unproduk,tiv, tot: ~ **capital**. **8.** (nach)lässig, beiläufig: ~ **glance**; ~ **remark**; ~ **curiosity** bloße Neugier. **9.** zwecklos, vergeblich, eitel, müßig: ~ **attempt**; ~ **hope**. **10.** leer, hohl, seicht: ~ **talk** leeres *od.* müßiges Geschwätz; ~ **threats** leere Drohungen. **II** *v/i* **11.** nichts tun, faulenzen: to ~ **about** herumtrödeln. **12.** *tech.* leer laufen. **III** *v/t* **13.** *meist* ~ **away** müßig zubringen, vertrödeln. **14.** zum Nichtstun verurteilen: ~d → 2. **15.** *tech.* leer laufen lassen. '**i·dle·ness** *s* **1.** Untätigkeit *f*, Muße *f*. **2.** Faul-, Trägheit *f*, Müßiggang *m*. **3.** Zwecklosigkeit *f*. **4.** Nichtigkeit *f*, Hohl-, Seichtheit *f*. '**i·dler** *s* **1.** Müßiggänger(in), Faulenzer(in). **2.** *tech.* a) *a.* ~ **wheel** → **idle wheel** 1, b) *a.* ~ **pulley** 'Umlenkrolle *f*, Leitscheibe *f*. **3.** *rail.* 'Leerwagˌgon *m*. **4.** *mar.* Freiwächter *m*.
i·dle wheel *s tech.* **1.** Zwischen(zahn)rad *n*. **2.** → idler 2 b.
i·dling ['aidliŋ] *s* **1.** Nichtstun *n*, Müßiggang *m*. **2.** *tech.* Leerlauf *m*.
i·dol ['aidl] *s* **1.** I'dol *n*, Abgott *m* (*beide a. fig.*), Götze(nbild *n*) *m*: to make an ~ of → idolize I. **2.** Trugschluß *m*.
i·dol·a·ter [ai'dɒlətər] *s* **1.** Götzendiener *m*. **2.** *fig.* Anbeter *m*, Verehrer *m*. **i'dol·a·tress** [-tris] *s* Götzendienerin *f*. **i'dol·aˌtrize** → idolize. **i'dol·a·trous** *adj* **1.** götzendienerisch, Götzen... **2.** *fig.* abgöttisch. **i'dol·a·try** [-tri] *s* **1.** Abgötte'rei *f*, Götzendienst *m*, Idola'trie *f*. **2.** *fig.* Vergötterung *f*, Anbetung *f*.
i·dol·ism ['aidəˌlizəm] *s* **1.** → idolatry 1. **2.** Trugschluß *m*. '**i·dol·ist** → idolater. ˌ**i·dol·i'za·tion** → idolatry. '**i·dolˌize** **I** *v/t fig.* abgöttisch verehren, vergöttern. **II** *v/i* Abgötte'rei treiben. '**i·dolˌiz·er** *s* Anbeter(in).
i·do·lum [ai'douləm] *pl* **i'do·la** [-lə] *s* **1.** I'dee *f*, Begriff *m*. **2.** *philos.* Trugschluß *m*.
i·dyl(l) ['aidil; -dl; 'idil] *s* **1.** I'dylle *f*, *bes.* Schäfer-, Hirtengedicht *n*. **2.** I'dyll *n* (*a. mus.*), i'dyllische Szene.
i·dyl·lic [ai'dilik; i'd-] *adj* (*adv* ~**ally**) i'dyllisch. '**i·dyl(l)·ist** *s* I'dyllendichter *m od.* -kompoˌnist *m*.
if [if] **I** *cj* **1.** wenn, falls: ~ **I were you** wenn ich du wäre, (ich) an d-r Stelle; **as** ~ als wenn, als ob; **even** ~ wenn auch, selbst wenn; ~ **any** wenn überhaupt (e-r, e-e, e-s *od.* etwas *od.* welche[s]); **she's thirty years** ~ **she's a day** (*od.* **an hour**) sie ist mindestens 30 Jahre alt; ~ **not** wo *od.* wenn nicht; ~ **so** gegebenenfalls, in diesem Fall, wenn ja. **2.** wenn auch, wie'wohl, ob'schon: ~ **I am wrong, you are not right** wenn ich auch unrecht habe, so hast du doch nicht recht; **I will do it,** ~ **I die for it** ich werde es tun, und wenn ich dafür sterben sollte; **it is interesting,** ~ **a little long** es ist interessant, wenn auch ein bißchen lang; ~ **he be ever so rich** mag er noch so reich sein. **3.** (*indirekt fragend*) ob: **try** ~ **you can do it!** **4.** *in Ausrufen*: ~ **that is not a shame!** das ist doch e-e Schande!, wenn das keine Schande ist!; ~ **I only had known** hätte ich (es) nur gewußt. **II** *s* **5.** Wenn *n*: **without** ~**s or ans** (*od.* **buts**) ohne Wenn u. Aber.
ig·loo, *a.* **ig·lu** ['iglu:] *s* **1.** Iglu *m*, Schneehütte *f* (*der Eskimos*). **2.** kuppelförmige Hütte *etc*, *a. mil.* Muniti'onsbunker *m*. **3.** Schneehöhle *f* (*der Seehunde*).
ig·ne·ous ['igniəs] *adj geol.* vul'kanisch, Eruptiv...: ~ **rock** Eruptivgestein *n*.
ig·nis fat·u·us ['ignis 'fætjuəs; -tʃuəs] *pl* '**ig·nes** '**fat·uˌi** [-ni:z; -ˌai] (*Lat.*) *s* **1.** Irrlicht *n*. **2.** *fig.* Trugbild *n*, Blendwerk *n*.
ig·nit·a·ble → ignitible.
ig·nite [ig'nait] **I** *v/t* **1.** an-, entzünden. **2.** *tech.* (ent)zünden. **3.** *chem.* bis zur Verbrennung erhitzen. **4.** *fig.* entzünden, -flammen. **II** *v/i* **5.** sich entzünden, Feuer fangen. **6.** *electr.* zünden.
ig'nit·er *s tech.* **1.** Zündvorrichtung *f*, Zünder *m*. **2.** Zündladung *f*, -satz *m*.
ig'nit·i·ble *adj* entzündbar.
ig·ni·tion [ig'niʃən] **I** *s* **1.** An-, Entzünden *n*. **2.** Verbrennung *f*. **3.** *mot. tech.* Zündung *f*: **advanced** (**retarded**) ~ Früh-(Spät)zündung. **4.** *chem.* Erhitzung *f*. **II** *adj* **5.** *tech.* Zünd...: ~ **battery** (**cable, distributor, key, lock, switch, voltage**). ~ **charge** → igniter 2. ~ **coil** *s electr.* Zündspule *f*. ~ **de·lay** *s* Zündverzögerung *f*. ~ **point** *s* Zünd-, Flammpunkt *m*. ~ **tim·ing** *s* Zündeinstellung *f*: ~ **adjuster** Zündfolgeeinstellung *f* (*Vorrichtung*). ~ **tube** *s chem.* Glührohr *n*.
ig·ni·tor → igniter.
ig·ni·tron ['igniˌtrɒn] *s phys.* Igni'tron *n*, Quecksilberdampfröhre *f*.
ig·no·bil·i·ty [ˌigno'biliti] *s* Niedrigkeit *f*, Gemeinheit *f*, Unwürdigkeit *f*.
ig·no·ble [ig'noubl] *adj* (*adv* **ignobly**) **1.** gemein, unedel, unwürdig, niedrig, schändlich. **2.** von niedriger Geburt, unadelig. **ig'no·ble·ness** → ignobility.
ig·no·min·i·ous [ˌignə'miniəs] *adj* (*adv* ~**ly**) schändlich, schimpflich.
ig·no·min·y ['ignəˌmini] *s* **1.** Schmach *f*, Schande *f*, Schimpf *m*. **2.** Schändlichkeit *f*, Gemeinheit *f*.
ig·no·ra·mus [ˌignə'reiməs] *pl* **-mus·es** *s* Igno'rant(in), ‚Nichtwisser(in)'.
ig·no·rance ['ignərəns] *s* Unwissenheit *f*: a) Unkenntnis *f*: ~ **of law** Unkenntnis des Gesetzes, b) *contp.* Igno'ranz *f*, Beschränktheit *f*. '**ig·no·rant** **I** *adj* **1.** unkundig, nicht kennend *od.* wissend: **to be** ~ **of s.th.** etwas nicht wissen *od.* kennen, nichts wissen von; **he is not** ~ **of what happened** er weiß sehr wohl, was sich zutrug. **2.** arglos. **3.** unwissend, ungebildet. **4.** von Unwissen zeugend: **an** ~ **remark**. **5.** unwissentlich: **an** ~ **sin**. **II** *s* **6.** Igno'rant(in). '**ig·no·rant·ly** *adv* unwissentlich.
ig·nore [ig'nɔ:r] *v/t* **1.** igno'rieren, nicht beachten, keine No'tiz nehmen von. **2.** *jur. Am. e-e Anklage* verwerfen, als unbegründet abweisen.
i·gua·na [i'gwɑ:nə] *s* **1.** *zo.* (*ein*) Legu'an *m*. **2.** *allg.* große Eidechse.
i·kon → icon.
i·lang-i·lang ['i:lɑ:ŋ 'i:lɑ:ŋ] *s* **1.** *bot.* Ilang-Ilang *n*. **2.** 'Ilang-'Ilang-Öl *n*, -Parˌfüm *n*.
il·e·um ['iliəm] *s anat.* Ileum *n*, Krummdarm *m*. '**il·e·us** [-əs] *s med.* Ileus *m*, Darmverschluß *m*.
i·lex ['aileks] *s bot.* **1.** Stecheiche *f*. **2.** Stechpalme *f*.
il·i·a ['iliə] *pl von* **ilium**.
il·i·ac ['iliˌæk] *adj anat.* Darmbein...
Il·i·ad ['iliəd] *s* Ilias *f*, Ili'ade *f*: **an** ~ **of woes** e-e endlose Leidensgeschichte, e-e Kette von Unglücksfällen.
il·i·um ['iliəm] *pl* **il·i·a** ['iliə] *s anat.* **1.** Darmbein *n*. **2.** Hüfte *f*.
ilk[1] [ilk] *adj nur in*: **of that** ~ a) *Scot.* gleichnamigen Ortes: **Kinloch of that** ~ = **Kinloch of Kinloch**, b) (*fälschlich*) derselben Art.
ilk[2] [ilk], **il·ka** ['ilkə] *adj u. pron Scot.* jeder, jede, jedes.
ill [il] **I** *adj comp* **worse** [wə:rs], *sup* **worst** [wə:rst] **1.** schlimm, schlecht, übel, unheilvoll, verderblich, widrig, nachteilig, ungünstig, schädlich: ~ **effects**; ~ **moment** ungünstiger Augenblick; **to do s.o. an** ~ **service** j-m e-n schlechten Dienst *od.* e-n ‚Bärendienst' erweisen; ~ **wind** widriger *od.* ungünstiger Wind; **it's an** ~ **wind that blows nobody good** etwas Gutes ist an allem; → **fortune** 3; **luck** 1; **omen** I; **weed**[1] 1. **2.** (*moralisch*) schlecht, schlimm, übel, böse: ~ **deed** Missetat *f*; ~ **repute** schlechter Ruf; → **fame** 1. **3.** bösartig, böse, feindselig, schlimm: ~ **blood** böses Blut, Feindschaft *f*; ~ **humo(u)r** (*od.* **temper**) üble *od.* schlechte Laune, Verdrießlichkeit *f*; ~ **nature** a) Unfreundlichkeit *f*, ruppiges Wesen, b) Bösartigkeit *f*; ~ **treatment** a) schlechte Behandlung, b) Mißhandlung *f*; ~ **will** Feindschaft *f*, Groll *m*, Mißgunst *f*; **with an** ~ **grace** widerwillig, ungern; → **feeling** 2. **4.** schlecht, übel, 'widerwärtig: ~ **smells**. **5.** schlecht, mangelhaft: ~ **breeding** a) schlechte Erziehung, b) Ungezogenheit *f*; ~ **health** schlechter Gesundheitszustand, Kränklichkeit *f*. **6.** *nur pred* krank: **to be taken** (*od.* **to fall, become**) ~ krank werden, erkranken (**of, with** an *dat*).
II *adv* **7.** (*oft in Zssgn*) schlecht, schlimm, übel (*etc* → 1—5): ~(-)**equipped** schlecht *od.* ungenügend *od.* mangelhaft ausgerüstet; ~**-spent youth** vergeudete Jugend; **to be** ~ **off** schlimm *od.* übel d(a)ran sein; **to speak** (**think**) ~ **of s.o.** schlecht von j-m reden (denken); **to turn out** ~ schlecht ausgehen; **it went** ~ **with him** es erging ihm übel; **it** ~ **becomes you** es steht dir schlecht an; → **ease** 2, **fare** 5. **8.** schwerlich, kaum, schlecht, nicht gut: **I can** ~ **afford it**.
III *s* **9.** Übel *n*, Unglück *n*, 'Mißgeschick *n*, Ungemach *n*. **10.** *a. fig.* Krankheit *f*, Leiden *n*. **11.** (*das*) Böse, Übel *n*.
I'll [ail] *colloq. für* a) I will, b) I shall.
ˌ**ill|-ad'vised** *adj* **1.** schlecht beraten. **2.** unbesonnen, unklug, unbedacht. ˌ**~-af'fect·ed** *adj* übelgesinnt (**to** *dat*). ˌ**~-as'sort·ed** *adj* zs.-gewürfelt.
il·la·tion [i'leiʃən] *s* **1.** Folgern *n*. **2.** Schluß *m*, Folgerung *f*.
'**ill|-'bod·ing** *adj* unheil(ver)kündend. '**~-'bred** *adj* **1.** schlecht erzogen, ungebildet. **2.** ungezogen, unhöflich. '**~-con'di·tioned** *adj* **1.** in schlechtem Zustand. **2.** bösartig. ˌ**~-con'sid·ered** → ill-advised 2. '**~-de'fined** *adj* undeutlich, unklar. '**~-dis'posed** *adj* **1.** übelgesinnt (**towards** *dat*). **2.** bösartig, böse.
il·le·gal [i'li:gəl] *adj* (*adv* ~**ly**) 'illeˌgal, ungesetzlich, gesetz-, rechtswidrig, 'widerrechtlich, unerlaubt, verboten.
il·le·gal·i·ty [ˌili'gæliti] *s* Gesetz-

widrigkeit *f*: a) Ungesetzlichkeit *f*, Illegali'tät *f*, b) gesetzwidrige Handlung. **il·le·gal·ize** [i'liːgəˌlaiz] *v/t* als gesetzwidrig erklären, verbieten.
il·leg·i·bil·i·ty [iˌledʒi'biliti] *s* Unleserlichkeit *f*. **il'leg·i·ble** *adj* (*adv* **illegibly**) unleserlich.
il·le·git·i·ma·cy [ˌili'dʒitiməsi] *s* **1.** Unrechtmäßigkeit *f*, Gesetzwidrigkeit *f*. **2.** uneheliche Geburt, Unehelichkeit *f*. **ˌil·le'git·i·mate I** *adj* (*adv* **~ly**) [-mit] **1.** unrechtmäßig, 'widerrechtlich, rechtswidrig. **2.** un-, außerehelich, illegi'tim: an **~ child**. **3.** fehlerhaft, 'inkorˌrekt: an **~ word**. **4.** unlogisch. **II** *v/t* [-ˌmeit] **5.** für ungesetzlich *od.* unehelich erklären. **ˌil·le'git·i·maˌtize** [-məˌtaiz] → **illegitimate** 5.
'ill|-'fat·ed *adj* unselig: a) unglücklich, Unglücks..., b) ungünstig. **'~-'fa·vo(u)red** *adj* (*adv* **~ly**) **1.** unschön, häßlich. **2.** anstößig. **'~-'found·ed** *adj* unbegründet. **'~-'got·ten** *adj* unrechtmäßig erworben. **'~-'hu·mo(u)red** *adj* übelgelaunt.
il·lib·er·al [i'libərəl] *adj* (*adv* **~ly**) **1.** knauserig. **2.** engherzig, -stirnig. **3.** *pol.* 'illibeˌral. **4.** unfein, gewöhnlich. **il'lib·er·alˌism** *s pol.* 'illibeˌraler Standpunkt. **ilˌlib·er'al·i·ty** [-'ræliti] *s* **1.** Knause'rei *f*. **2.** Engherzigkeit *f*. **3.** Unfeinheit *f*.
il·lic·it [i'lisit] *adj* (*adv* **~ly**) unerlaubt, unzulässig, verboten, gesetzwidrig: **~ trade** Schleich-, Schwarzhandel *m*; **~ work** Schwarzarbeit *f*.
Il·li·noi·an [ˌili'nɔiən] **ˌIl·li'nois·an** [-'nɔiən; -zən], **ˌIl·li'nois·i·an** [-'nɔijən; -'nɔiziən] **I** *adj* aus Illi'nois, Illinois... **II** *s* Bewohner(in) von Illi'nois (*in USA*).
il·liq·uid [i'likwid] *adj econ. Am.* **1.** nicht flüssig. **2.** zahlungsunfähig.
il·lit·er·a·cy [i'litərəsi] *s* **1.** Unbildung *f*, Unwissenheit *f*. **2.** Analpha'betentum *n*. **3.** grober (gram'matischer *etc*) Verstoß, ‚Schnitzer' *m*. **il'lit·er·ate** [-rit] **I** *adj* (*adv* **~ly**) **1.** unwissend, ungebildet. **2.** analpha'betisch. **3.** ungebildet, 'unkultiˌviert, primi'tiv: an **~ speaker**; **~ style**. **II** *s* **4.** Ungebildete(r *m*) *f*. **5.** Analpha'bet(in). **il'lit·er·ate·ness** → **illiteracy** 1 *u.* 2.
'ill|-'judged *adj* unklug, unbedacht. **'~-'look·ing** *adj* unschön. **'~-'man·nered** *adj* von schlechten 'Umgangsformen, ungehobelt, 'unmaˌnierlich, unhöflich. **'~-'matched** *adj* schlecht (zs.-)passend. **'~-'na·tured** *adj* **1.** unfreundlich, bösartig, boshaft. **2.** → **ill-tempered**.
ill·ness ['ilnis] *s* Krankheit *f*: **~ frequency rate** Krankheitshäufigkeitsziffer *f*.
il·log·i·cal [i'lɒdʒikəl] *adj* (*adv* **~ly**) unlogisch. **ilˌlog·i'cal·i·ty** [-'kæliti] *s* (*das*) Unlogische, Unlogik *f*, Ungereimtheit *f*.
'ill|-'o·mened *adj* von schlechter Vorbedeutung, Unglücks..., omi'nös. **'~-'starred** *adj* unglücklich, unselig, vom Unglück verfolgt. **'~-'tem·pered** *adj* schlecht gelaunt, verdrießlich, verärgert, mürrisch. **'~-'timed** *adj* ungelegen, unpassend, 'inopporˌtun. **ˌ~-'treat** *v/t* miß'handeln, schlecht behandeln.
il·lume [i'ljuːm; i'luːm] *v/t* **1.** *poet. u. fig.* erleuchten, auf-, erhellen. **2.** *fig.* aufklären. **il'lu·mi·nant** [-minənt] **I** *adj* (er)leuchtend, aufhellend. **II** *s* a) Beleuchtungs-, Leuchtmittel *n*, b) Beleuchtungskörper *m*, Leuchte *f*.
il·lu·mi·nate [i'ljuːmiˌneit; i'luː-] **I** *v/t* **1.** be-, erleuchten, erhellen. **2.** illumi'nieren, festlich beleuchten. **3.** *fig.* a) *etwas* aufhellen, erläutern, erklären, b) *j-n* erleuchten. **4.** *a. fig.* (Licht u.) Glanz verleihen (*dat*). **5.** *Bücher etc* kolo'rieren, illumi'nieren, bunt ausmalen. **II** *v/i* **6.** sich erhellen. **il'lu·miˌnat·ed** *adj* beleuchtet, leuchtend, Leucht..., Licht...: **~ advertising** Leuchtreklame *f*. **il'lu·miˌnat·ing** *adj* **1.** leuchtend, Leucht...: **~ engineer** Beleuchtungsingenieur *m*; **~ gas** Leuchtgas *n*; **~ power** Leuchtkraft *f*; **~ projectile** *mil.* Leuchtgeschoß *n*. **2.** *fig.* aufschlußreich, erleuchtend.
il·lu·mi·na·tion [iˌljuːmi'neiʃən; iˌluː-] *s* **1.** Be-, Erleuchtung *f*. **2.** a) Illuminati'on *f*, Festbeleuchtung *f*, b) *pl* Beleuchtungskörper *pl*, -anlage *f*. **3.** *fig.* Erleuchtung *f*, Aufklärung *f*. **4.** *a. fig.* Licht *n u.* Glanz *m*. **5.** Kolo'rierung *f*, Verzierung *f*, Illuminati'on *f* (*von Büchern etc*). **il'lu·miˌna·tive** [-ˌneitiv] → **illuminating**. **il'lu·miˌna·tor** [-ˌneitər] *s* **1.** Erleuchter(in), Aufklärer(in). **2.** Illumi'nator *m*, Kolo'rierer *m*. **3.** *opt.* Illumi'nator *m*, Beleuchtungsgerät *n*, -quelle *f*.
il·lu·mine [i'ljuːmin; i'luː-] → **illuminate** 1—3.
'ill-'use → **ill-treat**.
il·lu·sion [i'luːʒən; i'ljuː-] *s* **1.** Illusi'on *f*: a) Sinnestäuschung *f*: **optical ~** optische Täuschung, b) *psych.* Trugwahrnehmung *f*, c) Trugbild *n*, d) Wahn *m*, falsche Vorstellung, Einbildung *f*, Selbsttäuschung *f*. **2.** Blendwerk *n*. **3.** (*ein*) zarter Tüll. **il'lu·sion·al, il'lu·sion·ar·y** *adj* illu'sorisch. **il'lu·sionˌism** *s bes. philos.* Illusio'nismus *m*. **il'lu·sion·ist** *s* Illusio'nist *m* (*a. philos.*): a) Schwärmer(in), Träumer(in), b) Zauberkünstler *m*.
il·lu·sive [i'luːsiv; i'ljuː-] *adj* (*adv* **~ly**) illu'sorisch, trügerisch: to be **~** trügen. **il'lu·sive·ness, il'lu·so·ri·ness** [-səri-nis] *s* **1.** Unwirklichkeit *f*, Schein *m*, (*das*) Illu'sorische. **2.** Täuschung *f*. **il'lu·so·ry** *adj* (*adv* **illusorily**) → **illusive**.
il·lus·trate ['iləˌstreit; *Am. a.* i'lʌs-] *v/t* **1.** erläutern, erklären, veranschaulichen. **2.** illu'strieren, bebildern.
il·lus·tra·tion [ˌilə'streiʃən] *s* Illustrati'on *f*: a) Erläuterung *f*, Erklärung *f*, Veranschaulichung *f*: in **~ of** zur Erläuterung von (*od. gen*), b) Beispiel *n*, c) Illu'strieren *n*, Bebilderung *f*, d) Bild(beigabe *f*) *n*, Abbildung *f*.
il·lus·tra·tive [i'lʌstrətiv; 'iləˌstreitiv] *adj* erläuternd, veranschaulichend, illustra'tiv: **~ material** Anschauungsmaterial *n*; to be **~ of** → **illustrate** 1.
il·lus·tra·tor ['iləˌstreitər; *Am. a.* i'lʌs-] *s* Illu'strator *m*: a) Erläuterer *m*, b) *illustrierender Künstler*.
il·lus·tri·ous [i'lʌstriəs] *adj* (*adv* **~ly**) il'luster, (hoch)berühmt, erhaben, glänzend. **il'lus·tri·ous·ness** *s* **1.** Glanz *m*, Erlauchtheit *f*. **2.** Berühmtheit *f*.
il·ly ['ili; 'illi] *bes. Am. adv zu* **ill**.
Il·lyr·i·an [i'li(ə)riən] **I** *adj* **1.** il'lyrisch. **II** *s* **2.** Il'lyrier(in). **3.** *ling.* Il'lyrisch *n*, das Illyrische.
im- [im] → **in-**.
I'm [aim] *colloq. für* **I am**.
im·age ['imidʒ] **I** *s* **1.** Bild(nis) *n*. **2.** a) Bildsäule *f*, Statue *f*, b) *relig.* Heiligenbild *n*, c) Götzenbild *n*: **~ worship** Bilderanbetung *f*, *fig.* Götzendienst *m*; → **graven** II. **3.** (*abstrakt*) Bild *n*, Erscheinungsform *f*, Gestalt *f*. **4.** Ab-, Ebenbild *n*: **he is the very ~ of his father** er ist ganz der Vater, er ist s-m Vater wie aus dem Gesicht geschnitten. **5.** *math. opt. phys.* Bild *n*: **~ carrier** *TV* Bildträger *m*; **~ converter tube** *TV* Bildwandlerröhre *f*; **~ orthicon** Imageorthikon *n* (*speichernde Aufnahmeröhre*); **virtual ~** *opt.* scheinbares Bild. **6.** a) (geistiges) Bild, Vorstellung(sbild *n*) *f*, b) ‚Image' *n* (*Eindruck e-r Persönlichkeit auf die Öffentlichkeit etc*). **7.** (Leit)Bild *n*, I'dee *f*. **8.** *psych.* 'Wiedererleben *n*. **9.** Verkörperung *f*: **he is the ~ of loyalty** er ist die Treue selbst. **10.** Sym'bol *n*. **11.** (sprachliches) Bild, bildlicher Ausdruck, Me'tapher *f*. **II** *v/t* **12.** abbilden, bildlich darstellen. **13.** 'widerspiegeln. **14.** sich (*etwas*) vorstellen. **15.** verkörpern.
im·age·ry ['imidʒri; -dʒəri] *s* **1.** *collect.* Bilder *pl*, Bildwerk(e *pl*) *n*. **2.** *collect.* Vorstellungen *pl*, geistige Bilder *pl*. **3.** bildliche Darstellung. **4.** Bilder(sprache *f*) *pl*, Meta'phorik *f*.
im·ag·i·na·ble [i'mædʒinəbl] *adj* (*adv* **imaginably**) vorstellbar, erdenklich, denkbar.
im·ag·i·nar·i·ly [i'mædʒinərili] *adv* imagi'när, in der Einbildung. **im'ag·i·nar·y I** *adj* **1.** imagi'när (*a. math.*), nur in der Einbildung *od.* Vorstellung vor'handen, eingebildet, (nur) gedacht, Schein..., Phantasie... **2.** *econ.* fin'giert. **II** *s* **3.** *math.* imagi'näre Größe.
im·ag·i·na·tion [iˌmædʒi'neiʃən] *s* **1.** (*schöpferische*) Phanta'sie, Vorstellungs-, Einbildungs-, Erfindungskraft *f*, Phanta'sie-, Einfalls-, I'deenreichtum *m*: **he has no ~** er hat keine Phantasie, er ist phantasielos; **use your ~!** laß dir etwas einfallen! **2.** Vorstellen *n*, Vorstellung *f*: in **~** in der Vorstellung, im Geiste. **3.** Vorstellung *f*: a) Einbildung *f*: **pure ~** reine Einbildung, b) I'dee *f*, Gedanke *m*, Einfall *m*. **4.** *collect.* Einfälle *pl*, I'deen(reichtum *m*) *pl*. **5.** Schöpfergeist *m* (*Person*).
im·ag·i·na·tive [i'mædʒinətiv; -ˌneitiv] *adj* (*adv* **~ly**) **1.** phanta'sie-, einfallsreich, erfinderisch: an **~ writer**; **~ faculty**, **~ power** → **imagination** 1. **2.** phanta'sievoll, phan'tastisch: an **~ story**. **3.** *contp.* ‚erdichtet', aus der Luft gegriffen. **im'ag·i·na·tive·ness** → **imagination** 1.
im·ag·ine [i'mædʒin] **I** *v/t* **1.** sich vorstellen, sich denken: **you can't ~ my joy**; **I ~ him as a tall man**; **it is not to be ~d** man kann es sich nicht vorstellen, es ist nicht auszudenken. **2.** ersinnen, sich ausdenken. **3.** sich (*etwas Unwirkliches*) einbilden: **you are imagining things!** du bildest *od.* redest dir (et)was ein! **II** *v/i* **4.** sich vorstellen: **just ~!** *colloq.* stell dir vor!, denk dir nur! **5.** *colloq.* glauben, denken, sich einbilden: **don't ~ that I am satisfied**; to **~** to be halten für.
i·mag·i·nes *pl von* **imago**.
im·ag·ism ['imiˌdʒizəm] *s hist.* Ima'gismus *m* (*literarische Bewegung*).
i·ma·go [i'meigou] *pl* **-goes** *od.* **i·mag·i·nes** [i'meidʒiˌniːz; i'mædʒ-] *s* **1.** *zo.* I'mago *f*, vollentwickeltes In'sekt. **2.** *psych.* I'mago *f* (*aus der Kindheit bewahrtes, unbewußtes Idealbild*).
im·bal·ance [im'bæləns] *s* **1.** Unausgewogenheit *f*, Unausgeglichenheit *f*. **2.** *med.* gestörtes Gleichgewicht (*im Körperhaushalt etc*): **glandular ~** Störung *f* im hormonalen Gleichgewicht.
im·be·cile ['imbəsil] **I** *adj* **1.** *med.* geistesschwach, imbe'zil. **2.** *fig.* dumm, blöd(e), idi'otisch. **II** *s* **3.** *med.* Schwachsinnige(r *m*) *f*, Geistesschwache(r *m*) *f*. **4.** *contp.* Idi'ot *m*, Dummkopf *m*. **ˌim·be'cil·i·ty** *s* **1.** *med.*

Geistesschwäche *f.* **2.** *contp.* Idio'tie *f*, Dummheit *f*, Blödsinn *m.*

im·bed [im'bed] → embed.

im·bibe [im'baib] *v/t* **1.** ein-, aufsaugen (*a. fig.*). **2.** *colloq.* trinken, schlürfen. **3.** *fig.* (geistig) aufnehmen, sich zu eigen machen. **4.** durch'tränken.

im·bri·cate I *adj* ['imbrikit; -ˌkeit] **1.** dachziegel- *od.* schuppenartig angeordnet *od.* verziert, geschuppt. **II** *v/t* [-ˌkeit] **2.** dachziegelartig anordnen. **3.** schuppenartig verzieren. **III** *v/i* **4.** dachziegelartig überein'anderliegen. **'im·briˌcat·ed** → imbricate I.

im·bro·glio [im'brouljou] *pl* **-glios** *s* **1.** Verwicklung *f*, -wirrung *f*, Komplikati'on *f*, verwickelte Lage. **2.** a) ernstes 'Mißverständnis, b) heftige Ausein'andersetzung. **3.** *mus.* Im'broglio *n*, Taktartmischung *f.*

im·brue [im'bruː] *v/t* (with, in) a) baden (in *dat*), tränken, benetzen (mit), b) beflecken, färben (mit).

im·bue [im'bjuː] *v/t* **1.** durch'tränken, eintauchen. **2.** tief färben. **3.** *fig.* durch'tränken, -'dringen, erfüllen (with mit): ~d with erfüllt *od.* durchdrungen von.

i·mid·o·gen [i'midodʒen; i'miː-] *s chem.* NH-Gruppe *f*, I'midogruppe *f.*

im·i·ta·ble ['imitəbl] *adj* nachahmbar.

im·i·tate ['imiˌteit] *v/t* **1.** *etwas od. j-n* nachahmen, -machen, imi'tieren, ko'pieren: not to be ~d unnachahmlich. **2.** *j-m* nacheifern. **3.** ähneln (*dat*), aussehen wie. **4.** *biol.* sich anpassen an (*acc*). **'im·iˌtat·ed** *adj* nachgeahmt, unecht, künstlich, imi'tiert.

im·i·ta·tion [ˌimi'teiʃən] **I** *s* **1.** Nachahmung *f*, -ahmen *n*, Imi'tieren *n*: for ~ zur Nachahmung; in ~ of als Nachahmung *od.* nach dem Muster von (*od. gen*). **2.** Imitati'on *f*, Nachahmung *f* (*beide a. mus. psych.*), Ko'pie *f.* **3.** Fälschung *f.* **4.** freie Über'setzung. **5.** *biol.* Anpassung *f.* **II** *adj* **6.** nachgemacht, unecht, künstlich, Kunst..., Imitations...: ~ leather Kunstleder *n.*

im·i·ta·tive ['imiˌteitiv] *adj* (*adv* ~ly) **1.** nachahmend, -bildend, auf Nachahmung (*fremder Vorbilder*) beruhend: to be ~ of nachahmen. **2.** zur Nachahmung geneigt, nachahmend. **3.** nachgemacht, -gebildet, -geahmt (of *dat*). **4.** *biol.* sich anpassend. **5.** *ling.* lautmalend. **'im·iˌta·tor** [-ˌteitər] *s* Nachahmer *m*, Imi'tator *m.*

im·mac·u·la·cy [i'mækjuləsi] *s* Unbeflecktheit *f.* **im'mac·u·late** [-lit] *adj* (*adv* ~ly) **1.** *fig.* unbefleckt, makellos, rein, lauter: I~ Conception *R.C.* Unbefleckte Empfängnis. **2.** tadel-, fehlerlos, einwandfrei. **3.** fleckenlos, sauber. **4.** *bot. zo.* ungefleckt. **im'mac·u·late·ness** *s* Unbeflecktheit *f*, Reinheit *f.*

im·ma·nence ['imənəns], **'im·ma·nen·cy** [-si] *s* **1.** Innewohnen *n.* **2.** *philos. relig.* Imma'nenz *f.* **'im·ma·nent** *adj* **1.** innewohnend. **2.** *philos. psych.* imma'nent.

im·ma·te·ri·al [ˌimə'ti(ə)riəl] *adj* (*adv* ~ly) **1.** immateri'ell, unkörperlich, unstofflich. **2.** unwesentlich, belanglos, unerheblich (*a. jur.*). **ˌim·ma'te·ri·alˌism** *s philos.* Immateria'lismus *m.* **ˌim·maˌte·ri'al·i·ty** [-'æliti] *s* **1.** *philos.* a) Unkörperlichkeit *f*, b) immateri'elles Wesen. **2.** Unwesentlichkeit *f.* **ˌim·ma'te·ri·alˌize** *v/t* unkörperlich *od.* unstofflich machen, vergeistigen.

im·ma·ture [ˌimə'tjur] *adj* (*adv* ~ly) unreif, unausgereift, unentwickelt (*a. fig.*). **ˌim·ma'tu·ri·ty** s Unreife *f.*

im·meas·ur·a·bil·i·ty [iˌmeʒərə'biliti] *s* Unermeßlichkeit *f.* **im'meas·ur·a·ble** *adj* (*adv* immeasurably) unermeßlich, grenzenlos.

im·me·di·a·cy [i'miːdiəsi] *s* **1.** Unmittelbarkeit *f*, Di'rektheit *f.* **2.** Unverzüglichkeit *f.* **3.** *philos.* a) unmittelbar gegebener Bewußtseinsinhalt, b) unmittelbare Gegebenheit.

im·me·di·ate [i'miːdiit; -djət] *adj* **1.** unmittelbar: a) nächst(gelegen): in the ~ vicinity in der nächsten Umgebung; ~ constituent *ling.* (größeres) Satzglied, Wortgruppe *f*, b) di'rekt: ~ contact unmittelbare Berührung; ~ cause unmittelbare Ursache. **2.** (*zeitlich*) unmittelbar (be'vorstehend), nächst(er, e, es): ~ future. **3.** unverzüglich, so'fortig, 'umgehend: ~ answer; ~ annuity *econ.* sofort fällige Rente; ~ matter *jur.* Sofortsache *f*; ~ objective *mil.* Nahziel *n*; ~ steps Sofortmaßnahmen; ~! (*auf Briefen*) Eilt! **4.** derzeitig, augenblicklich: my ~ plans. **5.** nächst(er, e, es) (*in der Verwandtschaftslinie*): my ~ family m-e nächsten Angehörigen. **6.** *philos.* intui'tiv, di'rekt, unmittelbar. **7.** di'rekt betreffend, unmittelbar berührend. **im'me·di·ate·ly I** *adv* **1.** unmittelbar, di'rekt. **2.** so'fort, unverzüglich: effective ~ mit sofortiger Wirkung, ab sofort. **II** *cj* **3.** *bes. Br.* so'bald als. **im'me·di·ate·ness** → immediacy 1 *u.* 2. **im'me·di·atˌism** *s Am. hist. die Forderung der sofortigen Abschaffung der Sklaverei.*

Im·mel·mann turn ['iməlˌmaːn] *s aer.* 'Immelmann-ˌÜberschlag *m*, hochgezogene Kehrtkurve.

im·me·mo·ri·al [ˌimi'mɔːriəl] *adj* un(vor)denklich, uralt: from time ~ seit unvordenklichen Zeiten.

im·mense [i'mens] *adj* (*adv* ~ly) **1.** unermeßlich, grenzenlos, ungeheuer, riesig, im'mens (*alle a. fig.*): ~ joy (number, ocean, task, *etc*). **2.** *sl.* großartig, ‚phan'tastisch'. **im'mense·ness, im'men·si·ty** *s* Unermeßlichkeit *f.*

im·men·su·ra·ble [i'menʃurəbl] *adj* unermeßlich, unermeßbar.

im·merse [i'məːrs] *v/t* **1.** (ein-, 'unter)tauchen (*a. tech.*), versenken. **2.** *relig.* (*bei der Taufe*) 'untertauchen. **3.** einbetten, -graben. **4.** *fig.* (o.s. sich) vertiefen *od.* versenken (in in *acc*). **5.** *fig.* verwickeln, -stricken (in in *acc*). **im·mersed** [i'məːrst] *adj* **1.** eingetaucht, versenkt: ~ compass *tech.* Flüssigkeitskompaß *m.* **2.** *fig.* versunken, -tieft (in in *acc*): ~ in a book. **3.** *biol.* in benachbarte Teile eingebettet. **4.** *bot.* ganz unter Wasser wachsend.

im·mer·sion [i'məːrʃən] *s* **1.** Immersi'on *f*, Ein-, 'Untertauchen *n*: ~ heater Tauchsieder *m*; ~ lens (*od.* objective) *opt.* Immersionsobjektiv *n.* **2.** *fig.* Versunkenheit *f*, Vertiefung *f.* **3.** *relig.* Immersi'onstaufe *f.* **4.** *astr.* Immersi'on *f* (*Eintreten e-s Gestirns in den Schatten e-s anderen*).

im·mi·grant ['imigrənt] **I** *s* Einwanderer *m*, Einwanderin *f*, Immi'grant(in). **II** *adj* einwandernd (*a. biol. med.*).

im·mi·grate ['imiˌgreit] **I** *v/i* einwandern (into in *acc*) (*a. biol. med.*). **II** *v/t* ansiedeln (into in *dat*). **ˌim·mi'gra·tion** *s* **1.** Einwanderung *f*, Immigrati'on *f.* **2.** Einwandererzahl *f.*

im·mi·nence ['iminəns], **'im·mi·nen·cy** [-si] *s* **1.** nahes Bevorstehen. **2.** drohende Gefahr, Drohen *n.* **'im·mi·nent** *adj* (*adv* ~ly) unmittelbar *od.* drohend bevorstehend, drohend: ~ danger drohende Gefahr.

im·min·gle [im'miŋgl] *v/t u. v/i* (sich) vermischen.

im·mis·ci·bil·i·ty [iˌmisi'biliti] *s* Unvermischbarkeit *f.* **im'mis·ci·ble** *adj* unvermischbar.

im·mit·i·ga·ble [i'mitigəbl] *adj* (*adv* immitigably) **1.** nicht zu besänftigen(d). **2.** nicht zu lindern(d), unstillbar.

im·mix [im'miks] *v/t* (in) hin'einmischen (in *acc*), mischen (mit). **im'mixture** [-tʃər] *s* **1.** (Ver)Mischung *f.* **2.** *fig.* Verwicklung *f*, Einmengung *f.*

im·mo·bile [*Br.* i'moubail; *Am.* -bil; -biːl] *adj* unbeweglich: a) bewegungslos, b) starr, fest. **im·mo·bil·i·ty** [ˌimo'biliti] *s* **1.** Unbeweglichkeit *f.* **2.** Bewegungslosigkeit *f.*

im·mo·bi·li·za·tion [iˌmoubilai'zeiʃən] *s* **1.** Unbeweglichmachen *n.* **2.** *econ.* Einziehung *f* (*von Münzen*). **3.** *med.* Ruhigstellung *f*, Immobili'sierung *f.* **im'mo·biˌlize** *v/t* **1.** unbeweglich machen: ~d bewegungsunfähig (*a. Fahrzeug etc*). **2.** *econ. Geld* aus dem Verkehr ziehen. **3.** *med.* ruhigstellen. **4.** *mil. Truppen* lähmen, fesseln.

im·mod·er·a·cy [i'mɒdərəsi] *s* 'Übermaß *n*, Unmäßigkeit *f*, Maßlosigkeit *f.* **im'mod·er·ate** [-rit] *adj* (*adv* ~ly) 'über-, unmäßig, über'trieben, maßlos. **im'mod·er·ate·ness, imˌmod·er'a·tion** → immoderacy.

im·mod·est [i'mɒdist] *adj* (*adv* ~ly) **1.** unbescheiden, aufdringlich, anmaßend, vorlaut. **2.** unanständig, schamlos, unzüchtig. **im'mod·es·ty** *s* **1.** Unbescheidenheit *f*, Aufdringlichkeit *f*, Frechheit *f.* **2.** Unanständigkeit *f*, Schamlosigkeit *f*, Unzüchtigkeit *f.*

im·mo·late ['iməˌleit] *v/t a. fig.* opfern, als Opfer darbringen *od.* schlachten. **ˌim·mo'la·tion** *s a. fig.* **1.** Opfern *n*, Opferung *f.* **2.** Opfer *n.*

im·mor·al [i'mɒrəl] *adj* (*adv* ~ly) **1.** 'unmoˌralisch, unsittlich (*a. jur.*): ~ life. **2.** *jur.* unsittlich, sittenwidrig: ~ contract. **im·mo·ral·i·ty** [ˌimə'ræliti; -mo-] *s* Unsittlichkeit *f*: a) (*das*) 'UnmoˌralIsche, b) 'Unmoˌral *f*, Sittenlosigkeit *f*, Verderbtheit *f*, c) unsittliche *od.* unzüchtige Handlung (*a. jur.*), d) unsittlicher Lebenswandel, e) *jur.* Sittenwidrigkeit *f*: ~ of a transaction.

im·mor·tal [i'mɔːrtl] **I** *adj* (*adv* ~ly) **1.** unsterblich (*a. fig.*). **2.** *fig.* ewig, unvergänglich, unsterblich. **II** *s* **3.** Unsterbliche(r *m*) *f* (*a. fig.*). **ˌim·mor'tal·i·ty** [-'tæliti] *s* **1.** Unsterblichkeit *f* (*a. fig.*). **2.** Unvergänglichkeit *f.* **im·ˌmor·tal·i'za·tion** [-tə-] *s* Unsterblichmachen *n*, Verewigen *n.* **im'mor·talˌize** *v/t* unsterblich machen, verewigen.

im·mor·telle [ˌimɔːr'tel] *s bot.* Immor'telle *f*, Strohblume *f.*

im·mo·tile [i'moutil; *Br. a.* -tail] *adj* feststehend, unbeweglich.

im·mov·a·bil·i·ty [iˌmuːvə'biliti] *s* **1.** Unbeweglichkeit *f.* **2.** *fig.* Unerschütterlichkeit *f.* **im'mov·a·ble I** *adj* (*adv* immovably) **1.** unbeweglich: a) fest(stehend), ortsfest: ~ property *jur.* → 5, b) unbewegt, bewegungslos. **2.** unabänderlich. **3.** *fig.* fest, unerschütterlich, unbeugsam, unnachgiebig. **4.** (*zeitlich*) unveränderlich: → feast 1. **II** *s* **5.** *pl jur.* Liegenschaften *pl*, Immo'bilien *pl*, unbewegliches Eigentum.

im·mune [i'mjuːn] **I** *adj* **1.** *med. u. fig.* (from) im'mun (gegen), unempfänglich (für): ~ body (serum) Immunkörper *m* (-serum *n*). **2.** (from, against, to, of) geschützt *od.* gefeit (gegen), frei (von): ~ **to corrosion** *tech.* korrosionsbeständig. **3.** befreit (from von): ~ **from taxation. II** *s* **4.** im'mune Per'son. **im'mu·ni·ty** *s* **1.** Immuni'tät *f*: a) *med. u. fig.* Unempfänglichkeit *f* (from gegen[über]): ~ **to heat** *tech.* Wärmebeständigkeit *f*, b) *jur.* Freiheit *f*, Befreiung *f* (from von): ~ **from criminal prosecution (from suit)** strafrechtliche (zivilrechtliche) Immunität; ~ **from punishment** Straflosigkeit *f*; ~ **from taxes** Steuer-, Abgabefreiheit *f*; ~ **of witness** Zeugnisverweigerungsrecht *n* (*bei Gefahr der Selbstbeschuldigung*). **2.** *jur.* Privi'leg *n*, Sonderrecht *n*. **3.** Freisein *n* (from von): ~ **from error** Unfehlbarkeit *f*.

im·mu·ni·za·tion [ˌimjunai'zeiʃən] *s med.* Immuni'sierung *f* (against gegen). **'im·muˌnize** *v/t* (against) immuni'sieren, im'mun machen (gegen).

im·mu·no·gen [i'mjuːnodʒen] *s med.* Anti'gen *n*. **imˌmu·no·ge'net·ics** [-dʒi'netiks] *s pl* (*als sg konstruiert*) *med.* **1.** *Wissenschaft vom Verhältnis zwischen Immunität u. genetischer Veranlagung des Individuums.* **2.** Serolo'gie *f*, Immuni'tätsforschung *f*. **imˌmu·no'gen·ic** [-'dʒenik] *adj* immuni'sierend.

im·mu·nol·o·gist [ˌimju'nɒlədʒist] *med.* **I** *s* Immuni'tätsforscher *m*. **II** *adj* immuno'logisch. **ˌim·mu'nol·o·gy** *s med.* Immuni'tätsforschung *f*, -lehre *f*.

im·mure [i'mjur] *v/t* **1.** einsperren, -kerkern: to ~ o.s. sich vergraben, sich abschließen. **2.** einmauern.

im·mu·ta·bil·i·ty [iˌmjuːtə'biliti] *s* Unveränderlichkeit *f*. **im'mu·ta·ble** *adj* (*adv* **immutably**) unveränderlich, unwandelbar.

imp [imp] *s* **1.** Teufelchen *n*, Kobold *m*. **2.** *humor.* Knirps *m*, Schlingel *m*.

im·pact I *s* ['impækt] **1.** Stoß *m*, Zs.-, Anprall *m*. **2.** Auftreffen *n*. **3.** *mil.* Auf-, Einschlag *m*: ~ **fire** Aufschlagschießen *n*; ~ **fuse** Aufschlagzünder *m*. **4.** *phys. tech.* a) Stoß *m*, Schlag *m*, b) Wucht *f*: ~ **crusher** Schlagbrecher *m*: ~ **extrusion** Schlagstrang-, Fließpressen *n*; ~ **pressure** Staudruck *m*; ~ **strength** (Kerb)-Schlagfestigkeit *f*. **5.** *fig.* (on auf *acc*) a) (heftige) (Ein)Wirkung, Auswirkungen *pl*, (starker) Einfluß, b) (starker) Eindruck, c) Wucht *f*, Gewalt *f*, d) Belastung *f*, Druck *m*: **to make an** ~ **(on)** ‚einschlagen' *od.* e-n starken Eindruck hinterlassen (bei), sich mächtig auswirken (auf *acc*). **II** *v/t* [im'pækt] **6.** zs.-pressen, -drücken. **7.** voll-, verstopfen. **8.** *a. med.* ein-, festklemmen, einkeilen: ~**ed fracture** eingekeilter Bruch. **im'pac·tion** *s bes. med.* Einkeilung *f*.

im·pair [im'pɛr] **I** *v/t* **1.** verschlechtern. **2.** beeinträchtigen: a) schädigen, nachteilig beeinflussen, schwächen, b) (ver)mindern, schmälern. **II** *s obs. für* **impairment. im'pair·ment** *s* **1.** Verschlechterung *f*. **2.** Beeinträchtigung *f*, Schädigung *f*, Verminderung *f*.

im·pale [im'peil] *v/t* **1.** aufspießen, durch'bohren. **2.** *hist.* pfählen. **3.** *her. zwei Wappen auf e-m Schild* durch e-n senkrechten Pfahl getrennt nebenein'ander anbringen. **4.** *fig.* festnageln, -halten. **im'pale·ment** *s* **1.** *hist.* Pfählung *f*. **2.** Aufspießung *f*, Durch'bohrung *f*. **3.** *her.* Vereinigung *f* zweier pfahlweise getrennter Wappen.

im·pal·pa·ble [im'pælpəbl] *adj* (*adv* **impalpably**) **1.** unfühlbar, ungreifbar. **2.** äußerst fein. **3.** kaum (er)faßbar *od.* feststellbar, unbestimmbar, unmerklich.

im·pa·nate [im'peinit; -neit], *a.* **im'pa·nat·ed** [-tid] *adj relig.* im Brot verkörpert. **im·pa·na·tion** [ˌimpə'neiʃən] *s relig.* Impanati'on *f* (*Verkörperung Christi im Abendmahl ohne Transsubstantiation*).

im·pan·el [im'pænl] *v/t* **1.** in e-e Liste eintragen. **2.** *jur.* a) in die Geschworenenliste eintragen, b) *Am. die Geschworenen* aus der Liste auswählen.

im·par·i·pin·nate [imˌpæri'pineit] *adj bot.* unpaarig gefiedert. **imˌpar·i·syl'lab·ic** [-si'læbik] *adj u. s ling.* ungleichsilbig(es Wort).

im·par·i·ty [im'pæriti] *s* Ungleichheit *f*, Verschiedenheit *f*.

im·part [im'pɑːrt] *v/t* **1.** (to *dat*) geben: a) gewähren, zukommen lassen, b) *e-e Eigenschaft etc* verleihen. **2.** mitteilen: a) kundtun (to *dat*): to ~ **news**, b) vermitteln (to *dat*): to ~ **knowledge**, c) *a. phys.* über'tragen (to auf *acc*): to ~ **a motion**; to be ~**ed to** sich mitteilen (*dat*), sich übertragen auf (*acc*).

im·par·tial [im'pɑːrʃəl] *adj* (*adv* ~**ly**) 'unparˌteiisch, gerecht, unvoreingenommen, unbefangen. **ˌim·par·ti'al·i·ty** [-ʃi'æliti], **im'par·tial·ness** *s* 'UnparˌteilichKeit *f*, Unvoreingenommenheit *f*.

im·pass·a·bil·i·ty [*Br.* imˌpɑːsə'biliti; *Am.* -ˌpæ(ː)s-] *s* Unwegsamkeit *f*, Ungangbarkeit *f*. **im'pass·a·ble** *adj* (*adv* **impassably**) **1.** 'unpasˌsierbar, unwegsam, unbefahrbar, ungangbar. **2.** 'unüberˌschreitbar, 'undurchˌquerbar. **3.** nicht 'umlauffähig: an ~ **coin.**

im·passe [*Br.* im'pɑːs; *Am.* -'pæ(ː)s; 'im-] *s* **1.** Sackgasse *f* (*a. fig.*). **2.** *fig.* ausweglose Situati'on, völliger Stillstand, toter Punkt: **to reach an** ~ in e-e Sackgasse geraten, sich festfahren.

im·pas·si·bil·i·ty [imˌpæsi'biliti] *s* (to) Gefühllosigkeit *f* (gegen), Unempfindlichkeit *f* (für). **im'pas·si·ble** *adj* (*adv* **impassibly**) **1.** (to) gefühllos (gegen), unempfindlich (für) (*a. fig.*). **2.** ungerührt, mitleidlos.

im·pas·sion [im'pæʃən] *v/t* leidenschaftlich bewegen *od.* erregen, aufwühlen: ~**ed** leidenschaftlich, feurig.

im·pas·sive [im'pæsiv] *adj* (*adv* ~**ly**) **1.** teilnahms-, leidenschaftslos, ungerührt. **2.** gleichmütig, gelassen. **3.** heiter. **4.** unbewegt, ausdruckslos: ~ **face. im'pas·sive·ness, ˌim·pas'siv·i·ty** *s* Gefühl-, Leidenschaftslosigkeit *f*, Ungerührtheit *f*.

im·paste [im'peist] *v/t* **1.** zu e-m Teig kneten. **2.** *paint.* dick auftragend *od.* pa'stos malen.

im·pas·to [im'pæstou; -'pɑːs-] *s paint.* Im'pasto *n*, dickes Auftragen.

im·pa·tience [im'peiʃəns] *s* **1.** Ungeduld *f*, (ner'vöse) Unruhe. **2.** ungeduldiges Verlangen (to do zu tun). **3.** (of) Unduldsamkeit *f* (gegen), Unwille *m* (über *acc*), Abneigung *f* (gegen), Empfindlichkeit *f* (gegen[über]).

im·pa·tient [im'peiʃənt] *adj* (*adv* ~**ly**) **1.** ungeduldig, unruhig, (ner'vös) erregt (at, of über *acc*). **2.** begierig (for nach; to do zu tun): to be ~ **for s.th.** etwas nicht erwarten können; to be ~ **to do it** darauf brennen, es zu tun. **3.** (of) unduldsam (gegen), unzufrieden (mit), ärgerlich, ungehalten (über *acc*): to be ~ **of** nicht (v)ertragen können, nichts übrig haben für. **4.** ungeduldig, unwillig: an ~ **answer. 5.** empfindlich (of gegen).

im·peach [im'piːtʃ] *v/t* **1.** *j-n* anklagen, beschuldigen (of, with *gen*). **2.** *jur. e-n Staatsbeamten, Minister etc* wegen Amtsmißbrauchs *od.* Hochverrats *etc* (öffentlich) anklagen (→ **impeachment**). **3.** *jur.* anfechten: to ~ **a document** die Gültigkeit e-s Schriftstücks anfechten *od.* in Zweifel ziehen; to ~ **a witness** die Glaubwürdigkeit e-s Zeugen anzweifeln. **4.** *j-n* zur Verantwortung ziehen. **5.** *etwas* angreifen, in Zweifel ziehen, her'absetzen: to ~ **s.o.'s motives. 6.** tadeln, bemängeln. **im'peach·a·ble** *adj* **1.** *jur.* anklagbar. **2.** zur Verantwortung zu ziehen(d). **3.** *jur.* anfechtbar. **4.** tadelnswert.

im·peach·ment [im'piːtʃmənt] *s* **1.** Anklage *f*, Beschuldigung *f*. **2.** *jur.* öffentliche Anklage (*e-s höheren Staatsbeamten, Ministers etc wegen Amtsmißbrauchs, Hochverrats etc; in England vom Unterhaus an das Oberhaus, in den USA vom Repräsentantenhaus an den Senat eingebracht*). **3.** *jur.* Anfechtung *f*, Bestreitung *f* der Glaubwürdigkeit *od.* Gültigkeit: ~ **of a witness** Zurückweisung *f* e-s Zeugen wegen Unglaubwürdigkeit. **4.** In'fragestellung *f*. **5.** Vorwurf *m*, Tadel *m*, Bemängelung *f*. ~ **of waste** *s jur.* Pächterhaftung *f* für Wertminderung des Pachtlandes.

im·pec·ca·bil·i·ty [imˌpekə'biliti] *s* **1.** Sündlosigkeit *f*. **2.** Tadel-, Fehlerlosigkeit *f*. **im'pec·ca·ble** *adj* (*adv* **impeccably**) **1.** sünd(en)los. **2.** tadellos, untadelig, einwandfrei. **im'pec·cant** *adj* sünd(en)los.

im·pe·cu·ni·os·i·ty [ˌimpiˌkjuːni'ɒsiti] *s* Geldmangel *m*, Mittellosigkeit *f*, Armut *f*. **ˌim·pe'cu·ni·ous** *adj* ohne Geld, mittellos, arm.

im·ped·ance [im'piːdəns] *s electr.* Impe'danz *f*, 'Scheinˌwiderstand *m*: **characteristic** ~ Wellenwiderstand; ~ **coil** Drosselspule *f*.

im·pede [im'piːd] *v/t* **1.** *j-n od. etwas* (be)hindern, aufhalten, hemmen. **2.** *etwas* erschweren, verhindern. **im'pe·di·ent** [-diənt] *adj* hindernd, hinderlich: ~ **impediment** *jur.* aufschiebendes Ehehindernis.

im·ped·i·ment [im'pedimənt] *s* **1.** Be-, Verhinderung *f*. **2.** Hindernis *n* (to für). **3.** *med.* Funkti'onsstörung *f*: ~ **(in one's speech)** Sprachfehler *m*. **4.** *jur.* Hinderungsgrund *m*: ~ **(to marriage)** Ehehindernis *n*. **5.** *pl mil.* Gepäck *n*, Troß *m*. **imˌped·i'men·ta** [-'mentə] *s pl* **1.** *mil.* Gepäck *n*, Troß *m*. **2.** (hinderliches) Gepäck, (*j-s*) Siebensachen *pl*.

im·pel [im'pel] *v/t* **1.** *a. fig.* (an-, vorwärts)treiben, drängen. **2.** zwingen, nötigen, bewegen: **I felt** ~**led** ich sah mich gezwungen *od.* fühlte mich genötigt (to do zu tun). **3.** führen zu, verursachen. **im'pel·lent I** *adj* (an)-treibend, Trieb... **II** *s* Triebkraft *f*, Antrieb *m*. **im'pel·ler** *s* **1.** Antreibende(r *m*) *f*. **2.** *tech.* a) Flügel-, Laufrad *n*, b) Kreisel *m* (*e-r Pumpe*), c) *aer.* Laderlaufrad *n*.

im·pend [im'pend] *v/i* **1.** hängen, schweben (over über *dat*). **2.** *fig.* a) (over) drohend schweben (über *dat*), drohen (*dat*), b) unmittelbar bevorstehen. **im'pen·dent, im'pen·ding** *adj* **1.** 'überhängend. **2.** *fig.* nahe bevorstehend, drohend.

im·pen·e·tra·bil·i·ty [imˌpenitrə'biliti] *s* **1.** 'Undurchˌdringlichkeit *f* (*a. fig.*). **2.** *fig.* Unergründlichkeit *f*, Unerforschlichkeit *f*. **im'pen·e·tra·ble** *adj* (*adv* **impenetrably**) **1.** *a. phys. u. fig.* 'undurchˌdringlich (by für). **2.** *fig.* unergründlich, unerforschlich: an ~

mystery. 3. *fig.* (to, by) unempfänglich (für), unzugänglich (*dat*).

im·pen·i·tence [im'penitəns], *a.* **im'pen·i·ten·cy** [-si] *s* Unbußfertigkeit *f*, Verstocktheit *f*. **im'pen·i·tent** *adj* (*adv* ~ly) unbußfertig, verstockt.

im·per·a·ti·val [imˌperə'taivəl] *adj ling.* impera'tivisch.

im·per·a·tive [im'perətiv] **I** *adj* (*adv* ~ly) **1.** befehlend, gebieterisch, herrisch, Befehls... **2.** 'unumˌgänglich, zwingend, dringend (notwendig), unbedingt erforderlich. **3.** *ling.* Imperativ..., Befehls...: ~ **mood** → 5. **II** *s* **4.** Befehl *m*, Geheiß *n*, Gebot *n*. **5.** *ling.* Imperativ *m*, Befehlsform *f*. **6.** a) 'unumˌgängliche Pflicht, b) dringendes Erfordernis, Notwendigkeit *f*.

im·per·a·to·ri·al [imˌperə'tɔːriəl] *adj* **1.** kaiserlich, Feldherrn... **2.** gebieterisch.

im·per·cep·ti·bil·i·ty [ˌimpərˌseptə'biliti] *s* **1.** Unwahrnehmbarkeit *f*. **2.** Unmerklichkeit *f*. **ˌim·per'cep·ti·ble** *adj* (*adv* **imperceptibly**) **1.** nicht wahrnehmbar, unbemerkbar (to für). **2.** unmerklich. **3.** verschwindend klein. **ˌim·per'cep·tive** → **impercipient**. **ˌim·per'cip·i·ent** [-'sipiənt] *adj* ohne Wahrnehmung, nicht wahrnehmend.

im·per·ence ['impərəns] *s vulg.* Unverschämtheit *f*.

im·per·fect [im'pəːrfikt] **I** *adj* (*adv* ~ly) **1.** unvollkommen (*a. mus.*): a) unvollständig (*a. bot.*), 'unvollˌendet, b) mangel-, fehlerhaft, schwach: ~ **number** *math.* unvollkommene Zahl; ~ **rhyme** unreiner Reim; ~ **title** fehlerhafter Eigentumstitel. **2.** *ling.* Imperfekt...: ~ **tense** → 4. **3.** *jur.* nicht einklagbar. **II** *s* **4.** *ling.* Imperfekt(um) *n*, 'unvollˌendete Vergangenheit. **'im·per'fec·tion** *s* **1.** Unvollkommenheit *f*, Mangelhaftigkeit *f*. **2.** Mangel *m*, Fehler *m*, Schwäche *f*. **3.** *print.* De'fekt(buchstabe) *m*.

im·per·fo·rate [im'pəːrfərit; -ˌreit] **I** *adj* **1.** *bes. med.* ohne Öffnung. **2.** nicht perfo'riert, ungezähnt (*Briefmarke etc*). **II** *s* **3.** ungezähnte Briefmarke.

im·pe·ri·al [im'pi(ə)riəl] **I** *adj* (*adv* ~ly) **1.** kaiserlich, Kaiser... **2.** Reichs...: **I~ Diet** Reichstag *m*. **3.** des Brit. Weltreichs, Reichs..., Empire... **4.** *fig.* a) souve'rän, b) gebieterisch. **5.** *fig.* a) königlich, fürstlich, prächtig, großartig, b) her'vorragend, exqui'sit, c) impo'sant, mächtig, riesig. **6.** *Br.* gesetzlich (*Maße u. Gewichte*): ~ **gallon** (= *4,55 Liter*). **II** *s* **7.** Kaiserliche(r) *m* (*Anhänger od. Soldat*). **8.** Knebelbart *m*. **9.** Imperi'al(paˌpier) *n* (*Format: in USA 23 × 31 in., in England 22 × 30 in.*). **10.** dunkles Purpurrot. **11.** Impéri'ale *n* (*Kartenspiel*). ~ **blue** *s chem.* in Spiritus lösliches Ani'linblau. ~ **cit·y** *s hist.* **1.** freie Reichsstadt. **2. I~ C~** Kaiserstadt *f* (*bes. Rom*). **I~ Con·fer·ence** *s pol.* 'Empirekonfeˌrenz *f*. ~ **dome** *s arch.* Spitzkuppel *f*. ~ **ea·gle** *s orn.* Kaiseradler *m*. **I~ Fed·er·a·tion** *s pol. geplanter Aufbau des brit. Empire auf bundesstaatlicher Grundlage.* **I~ In·sti·tute** *s econ.* 'Reichsinstiˌtut *n* (*in London; zur Förderung des Handels innerhalb des brit. Weltreichs*).

im·pe·ri·al·ism [im'pi(ə)riəˌlizəm] *s pol.* **1.** Imperia'lismus *m*, 'Weltmachtpoliˌtik *f*. **2.** 'Reichspoliˌtik *f*. **3.** Kaiserherrschaft *f*. **im'pe·ri·al·ist I** *s* **1.** *pol.* Imperia'list *m*. **2.** kaiserlich Gesinnte(r) *m*, Kaiserliche(r) *m*. **II** *adj* **3.** imperia'listisch. **4.** kaiserlich, -treu. **imˌpe·ri·al'is·tic** *adj* (*adv* ~ally) → imperialist II. **im'pe·ri·alˌize** *v/t* **1.** kaiserlich machen, mit kaiserlicher Würde ausstatten. **2.** zu e-m Kaiserreich machen.

im·pe·ri·al| moth *s zo.* Kaiserspinner *m*. ~ **pref·er·ence** *s econ.* Zollbegünstigung *f*, Vorzugszoll *m* (*für den Handel zwischen Großbritannien u. s-n Dominions*). **I~ Wiz·ard** *s Am. das Oberhaupt des Ku-Klux-Klan.*

im·per·il [im'peril] *v/t* gefährden.

im·pe·ri·ous [im'pi(ə)riəs] *adj* (*adv* ~ly) **1.** herrisch, herrschsüchtig, anmaßend, gebieterisch. **2.** dringend, zwingend: an ~ **necessity**. **im'pe·ri·ous·ness** *s* **1.** Herrschsucht *f*, Anmaßung *f*, herrisches Wesen. **2.** Dringlichkeit *f*.

im·per·ish·a·ble [im'periʃəbl] *adj* (*adv* **imperishably**) unvergänglich, unzerstörbar, ewig. **im'per·ish·a·ble·ness** *s* Unvergänglichkeit *f*.

im·per·ma·nence [im'pəːrmənəns], **im'per·ma·nen·cy** [-si] *s* Unbeständigkeit *f*, Vergänglichkeit *f*. **im'per·ma·nent** *adj* unbeständig, vor'übergehend, nicht von Dauer.

im·per·me·a·bil·i·ty [imˌpəːrmiə'biliti] *s* 'Undurchˌdringlichkeit *f*, 'Unˌdurchlässigkeit *f*. **im'per·me·a·ble** *adj* (*adv* **impermeably**) 'undurchˌdringlich, 'unˌdurchlässig (to für): ~ **to gas** gasundurchlässig; ~ **to water** wasserdicht.

im·per·mis·si·ble [ˌimpər'misəbl] *adj* unzulässig, unstatthaft.

im·per·son·al [im'pəːrsənl] **I** *adj* (*adv* ~ly) **1.** 'unperˌsönlich: an ~ **agency**; an ~ **deity**; ~ **account** *econ.* Sachkonto *n*. **2.** *ling.* a) 'unperˌsönlich: ~ **verb**, b) unbestimmt: ~ **pronoun**. **II** *s* **3.** (*das*) 'Unperˌsönliche. **4.** *ling.* 'unperˌsönliches Zeitwort. **imˌper·son'al·i·ty** [-'næliti] *s* 'Unperˌsönlichkeit *f*. **im'per·son·alˌize** *v/t* 'unperˌsönlich machen.

im·per·son·ate [im'pəːrsəˌneit] *v/t* **1.** verkörpern: a) personifi'zieren, b) *thea.* darstellen. **2.** sich ausgeben als *od.* für. **imˌper·son'a·tion** *s* **1.** Perˌsonifikati'on *f*, Verkörperung *f*. **2.** *thea.* Darstellung *f*. **3.** (betrügerisches *od.* scherzhaftes) Auftreten (of als). **im'per·sonˌa·tive** *adj* Darstellungs..., darstellend. **im'per·sonˌa·tor** [-tər] *s* **1.** a) Darsteller(in), b) Imi'tator *m*. **2.** Betrüger(in), Hochstapler(in).

im·per·ti·nence [im'pəːrtinəns] *s* **1.** Unverschämtheit *f*, Ungehörigkeit *f*, Frechheit *f*. **2.** Zudringlichkeit *f*. **3.** Belanglosigkeit *f*. **4.** Nebensache *f*. **im'per·ti·nent** *adj* (*adv* ~ly) **1.** unverschämt. **2.** *bes. jur.* nicht zur Sache gehörig, unerheblich, belanglos. **3.** nebensächlich. **4.** unangebracht.

im·per·turb·a·bil·i·ty [ˌimpəːrˌtəːrbə'biliti] *s* Unerschütterlichkeit *f*, Gelassenheit *f*, Gleichmut *m*. **ˌim·per'turb·a·ble** *adj* (*adv* **imperturbably**) unerschütterlich, gelassen.

im·per·vi·ous [im'pəːrviəs] *adj* (*adv* ~ly) **1.** → **impermeable**. **2.** *a. fig.* unempfindlich (to gegen). **3.** *fig.* (to) a) unzugänglich (für *od. dat*), taub (gegen): ~ **to advice**, b) nicht zu erschüttern(d) (durch): **he is** ~ **to criticism** an ihm prallt jede Kritik wirkungslos ab, c) ungerührt (von): ~ **to her tears**. **im'per·vi·ous·ness** *s* **1.** 'Undurchˌdringlichkeit *f*, Unwegsamkeit *f*. **2.** *a. fig.* Unempfindlichkeit *f*. **3.** *fig.* Unzugänglichkeit *f*.

im·pe·tig·i·nous [ˌimpi'tidʒinəs] *adj med.* pustelartig. **ˌim·pe'ti·go** [-'taigou] *s* Impe'tigo *m* (*Ausschlag*).

im·pet·u·os·i·ty [*Br.* imˌpetju'ɒsiti; *Am.* -tʃu-] *s* **1.** Heftigkeit *f*, Ungestüm *n*. **2.** ungestüme Tat, impul'sive Handlung. **im'pet·u·ous** *adj* (*adv* ~ly) **1.** heftig, wild, tobend. **2.** ungestüm: a) heftig, hitzig, impul'siv, b) jäh, sprunghaft: ~ **development**.

im·pe·tus ['impitəs] *pl* **-tus·es** *s* **1.** *phys.* Stoß-, Triebkraft *f*, Antrieb *m*, Schwung *m*. **2.** *fig.* Antrieb *m*, Anstoß *m*, Schwung *m*: **to give a fresh** ~ **to** Auftrieb *od.* Schwung verleihen (*dat*).

im·pi·e·ty [im'paiəti] *s* **1.** Gottlosigkeit *f*, Unglaube *m*. **2.** Pie'tätlosigkeit *f*.

im·pinge [im'pindʒ] *v/i* **1.** (on, upon, against) auftreffen (auf *acc*), (an)prallen, stoßen (an *acc*, gegen), zs.-stoßen (mit). **2.** fallen, einwirken (on, upon auf *acc*): **rays of light** ~ **on the eye**; **to** ~ **on the ear** ans Ohr schlagen. **3.** (on) ('widerrechtlich) eingreifen (in *acc*), 'übergreifen (auf *acc*), verstoßen (gegen), eindringen (in *acc*). **im'pinge·ment** *s* **1.** (against) Zs.-stoß *m* (mit), Stoß *m* (gegen). **2.** Einwirkung *f*, Auftreffen *n* (on, upon auf *acc*). **3.** 'Über-, Eingriff *m* (on in *acc*).

im·pi·ous ['impiəs] *adj* (*adv* ~ly) **1.** gottlos, ruchlos. **2.** pie'tätlos.

imp·ish ['impiʃ] *adj* (*adv* ~ly) schelmisch, boshaft, spitzbübisch.

im·pla·ca·bil·i·ty [imˌplækə'biliti; -ˌplei-] *s* Unversöhnlichkeit *f*, Unerbittlichkeit *f*. **im'pla·ca·ble** *adj* (*adv* **implacably**) unversöhnlich, unerbittlich.

im·plant I *v/t* [*Br.* im'plɑːnt; *Am.* -'plæ(ː)nt] **1.** *fig.* einimpfen, einprägen (in *dat*). **2.** *meist fig. od. med.* einpflanzen. **II** *s* ['imp-; im'p-] *med.* **3.** Implan'tat *n*. **4.** Radiumträger *m* (*zur Krebsbehandlung*). **ˌim·plan'ta·tion** *s* **1.** *fig.* Einimpfung *f*. **2.** *fig. u. med.* Einpflanzung *f*.

im·plau·si·bil·i·ty [imˌplɔːzi'biliti] *s* Unwahrscheinlichkeit *f*. **im'plau·si·ble** *adj* (*adv* **implausibly**) unwahrscheinlich, unglaubwürdig, nicht plau'sibel *od.* einleuchtend.

im·plead [im'pliːd] *v/t jur.* **1.** *bes. Am.* Klage erheben gegen. **2.** *Am. e-r dritten Partei* den Streit verkünden.

im·ple·ment I *s* ['implimənt] **1.** Werkzeug *n* (*a. fig.*), (Arbeits)Gerät *n*. **2.** *pl* Uten'silien *pl*, Gerät *n*, Zubehör *n*, Handwerkszeug *n*. **3.** Hilfsmittel *n*. **4.** *jur. Scot.* Erfüllung *f* (*e-s Vertrags*). **II** *v/t* [-ˌment] **5.** aus-, 'durchführen. **6.** *jur. Scot. e-n Vertrag* erfüllen. **'im·pleˌment·ing, ˌim·ple'men·ta·ry** *adj* ausführend: ~ **order** Ausführungsverordnung *f*; ~ **regulations** Ausführungsbestimmungen. **ˌim·ple·men'ta·tion** *s* Aus-, 'Durchführung *f*.

im·pli·cate ['impliˌkeit] *v/t* **1.** *fig.* verwickeln, hin'einziehen (in in *acc*), in Zs.-hang *od.* Verbindung bringen (with mit): ~**d in a crime** in ein Verbrechen verwickelt. **2.** *fig.* mit sich bringen, zur Folge haben. **3.** → **imply** 1.

im·pli·ca·tion [ˌimpli'keiʃən] *s* **1.** Verwicklung *f*. **2.** Einbegreifen *n*. **3.** Einbegriffensein *n*. **4.** (stillschweigende *od.* selbstverständliche) Folgerung: **by** ~ a) als natürliche Folgerung *od.* Folge, b) stillschweigend, ohne weiteres, durch sinngemäße Auslegung. **5.** Begleiterscheinung *f*, Folge *f*, Auswirkung *f*, *pl a.* Weiterungen *pl*: **a war and all its** ~**s** ein Krieg u. alles, was er mit sich bringt. **6.** (enger) Zs.-hang, Verflechtung *f*, *pl a.* 'Hintergründe *pl*. **7.** tieferer Sinn, eigentliche Bedeutung. **8.** (versteckte) Andeutung (of von). **9.** *math.* Implikati'on *f*. **'im·pliˌca-**

tive [-tiv] *adj* (*adv* ~ly) in sich schließend, impli'zierend: to be ~ of s.th. → imply 1.

im·plic·it [im'plisit] *adj* **1.** → implied. **2.** *math.* impli'zit: ~ function implizite *od.* nicht entwickelte Funktion. **3.** verborgen, 'hintergründig. **4.** abso'lut, vorbehalt-, bedingungslos: ~ faith (obedience) blinder Glaube (Gehorsam). **im'plic·it·ly** *adv* **1.** im'plizite, stillschweigend, ohne weiteres. **2.** → implicit 4. **im'plic·it·ness** *s* **1.** Mit'inbegriffensein *n.* **2.** stillschweigende Folgerung. **3.** Unbedingtheit *f.*

im·plied [im'plaid] *adj* (stillschweigend *od.* mit) inbegriffen, mitverstanden, -enthalten, einbezogen, sinngemäß (dar'in) enthalten *od.* (dar'aus) her'vorgehend, impli'ziert: ~ condition; ~ contract stillschweigend geschlossener Vertrag; ~ powers stillschweigend zuerkannte Befugnisse, mit inbegriffene Zuständigkeiten. **im·pli·ed·ly** [im'plaiidli] → implicitly 1. [plosive II.]

im·plod·ent [im'ploudənt] → im-

im·plo·ra·tion [ˌimplo'reiʃən] *s* Flehen *n*, dringende Bitte (for um). **im·plore** [im'plɔːr] **I** *v/t* **1.** dringend bitten, anflehen, beschwören. **2.** erflehen, erbitten, flehen um. **II** *v/i* **3.** flehen, bitten (for um). **im'plor·ing** *adj* (*adv* ~ly) flehentlich (bittend), flehend.

im·plo·sion [im'plouʒən] *s phys.* Implosi'on *f* (*a. ling. Bildung des Verschlusses bei Verschlußlauten*). **im'plo·sive** [-siv] *ling.* **I** *adj* implo'siv. **II** *s* Implosi'onslaut *m.*

im·ply [im'plai] *v/t* **1.** impli'zieren, (stillschweigend *od.* mit) einbegreifen, einbeziehen, mit enthalten, (sinngemäß *od.* stillschweigend) be-inhalten, in sich schließen: this implies daraus ergibt sich, dies bedeutet. **2.** bedeuten, besagen (*Wort*). **3.** andeuten, 'durchblicken lassen, zu verstehen geben. **4.** mit sich bringen, bedeuten.

im·pol·der [im'pouldər] *v/t* eindeichen, trockenlegen.

im·pol·i·cy [im'pɒlisi] *s* Unklugheit *f*, unkluges Vorgehen.

im·po·lite [ˌimpo'lait] *adj* (*adv* ~ly) unhöflich, ungehobelt. ˌ**im·po'lite·ness** *s* Unhöflichkeit *f.*

im·pol·i·tic [im'pɒlitik] *adj* (*adv* ~ly) unklug, 'unpoˌlitisch.

im·pon·der·a·bil·i·ty [imˌpɒndərə'biliti] *s* Unwägbarkeit *f.* **im'pon·der·a·ble I** *adj* **1.** unwägbar, gewichtslos. **2.** *fig.* unwägbar. **II** *s* **3.** *pl bes. fig.* Impondera'bilien *pl*, Unwägbares *n.*

im·port [im'pɔːrt] **I** *v/t* **1.** *econ.* impor'tieren, einführen: ~ing country Einfuhrland *n*; ~ firm Importfirma *f*; ~ed articles (*od.* commodities) → 7 b. **2.** *fig.* (into) einführen *od.* hin'einbringen (in *acc*), über'tragen (auf *acc*). **3.** bedeuten, besagen. **4.** mit enthalten, einbegreifen. **5.** betreffen, angehen, interes'sieren, Bedeutung haben für. **II** *v/i* **6.** von Wichtigkeit sein, Bedeutung haben. **III** *s* ['imp-] **7.** *econ.* a) Einfuhr *f*, Im'port *m*, b) *pl* Einfuhrwaren *pl*, Im'portarˌtikel *pl*: bounty on ~s Einfuhrprämie *f*; non-quota ~s nicht kontingentierte Einfuhrwaren; scale of ~s Einfuhrquoten. **8.** Bedeutung *f*: a) Sinn *m*, b) Wichtigkeit *f*, Tragweite *f*, Gewicht *n.* **IV** *adj* **9.** *econ.* Einfuhr..., Import...: ~ certificate Einfuhrschein *m*; ~ duty Einfuhrzoll *m*; ~ licence (*Am.* -se) Einfuhrgenehmigung *f*, Importlizenz *f*; ~ permit Einfuhrbewilligung *f*; ~ tariffs Einfuhrzölle; ~ trade Einfuhrhandel *m*, Importgeschäft *n.* **im'port·a·ble** *adj* *econ.* einführbar, einzuführen(d), impor'tierbar.

im·por·tance [im'pɔːrtəns] *s* **1.** Bedeutung *f*: a) Wichtigkeit *f*, Bedeutsamkeit *f*: to attach ~ to s.th. e-r Sache Bedeutung beimessen; conscious of one's ~ (äußerst) selbstbewußt, wichtigtuerisch, eingebildet, b) Einfluß *m*, Gewicht *n*, Ansehen *n*: a person of ~ e-e bedeutende *od.* gewichtige Persönlichkeit. **2.** wichtigtuerisches Gehabe, ˌWichtigtue'rei *f.* **im'por·tant** *adj* (*adv* ~ly) **1.** bedeutend: a) wichtig, bedeutsam, wesentlich (to für), b) her'vorragend, c) einflußreich, angesehen. **2.** wichtig(tuerisch), eingebildet.

im·por·ta·tion [ˌimpɔːr'teiʃən] *s econ.* **1.** Im'port *m*, Einfuhr *f*: article of ~ → 2; duty on ~ Einfuhrzoll *m.* **2.** *meist pl* Einfuhrware *f*, 'Einfuhr-, Im'portarˌtikel *m.* **3.** *humor.* Eingewanderte(r *m*) *f*, Zugezogene(r *m*) *f.*

im·port·er [im'pɔːrtər] *s econ.* Impor'teur *m*, Einfuhr-, Im'porthändler *m.*

im·por·tu·nate [*Br.* im'pɔːrtjunit; *Am.* -tʃə-] *adj* (*adv* ~ly) lästig, zu-, aufdringlich, hartnäckig. **im'por·tu·nate·ness** *s* Lästigkeit *f*, Aufdringlichkeit *f.*

im·por·tune [ˌimpɔːr'tjuːn; im'pɔːrtjuːn; *Am. a.* -tʃən] *v/t* **1.** *j-n* bedrängen, (*a.* unsittlich) belästigen, bestürmen, dauernd (*bes.* mit Bitten) behelligen. **2.** *obs. etwas* hartnäckig fordern, anhaltend bitten um. ˌ**im·por'tu·ni·ty** *s* beharrliches Bitten, Auf-, Zudringlichkeit *f*, Lästigkeit *f.*

im·pose [im'pouz] **I** *v/t* **1.** *e-e Pflicht, Steuer etc* auferlegen, -bürden (on, upon *dat*): to ~ a tax; to ~ a penalty on s.o. e-e Strafe verhängen gegen j-n, j-n mit e-r Strafe belegen; to ~ law and order Recht u. Ordnung schaffen. **2.** *e-n Namen etc* beilegen (on, upon *dat*). **3.** (o.s. sich) aufdrängen (on, upon *dat*). **4.** *econ.* aufdrängen, -schwatzen, ‚andrehen' (on s.o. j-m). **5.** *relig. die Hände* segnend auflegen. **6.** *print. Kolumnen* ausschießen: to ~ anew umschießen; to ~ wrong verschießen. **7.** (*als Pflicht*) vorschreiben. **II** *v/i* **8.** impo'nieren. **9.** (upon) beeindrucken (*acc*), impo'nieren (*dat*): he is not to be ~d upon er läßt sich nichts vormachen. **10.** (über Gebühr) in Anspruch nehmen, zu sehr beanspruchen, miß'brauchen (upon *acc*): to ~ upon s.o.'s good nature. **11.** sich aufdrängen (on, upon *dat*). **12.** täuschen, betrügen, hinter'gehen (upon *acc*).

im·pos·ing [im'pouziŋ] *adj* (*adv* ~ly) eindrucksvoll, impo'nierend, impo'sant, großartig. **im'pos·ing·ness** *s* impo'nierende Wirkung.

im·po·si·tion [ˌimpə'ziʃən] *s* **1.** Auferlegung *f*, Aufbürdung *f* (*von Steuern, Pflichten etc*): ~ of a penalty Verhängung *f* e-r Strafe; ~ of taxes *econ.* Besteuerung *f.* **2.** (auferlegte) Last *od.* Pflicht, Auflage *f*, Steuer *f*, Abgabe *f.* **3.** *ped. Br.* Strafarbeit *f.* **4.** Beilegung *f* (*e-s Namens*). **5.** Sich'aufdrängen *n.* **6.** (on) (schamlose) Ausnutzung (*gen*), 'Mißbrauch *m* (*gen*), (große) Zumutung (für). **7.** Über'vorteilung *f*, Täuschung *f*, Betrug *m*, Schwindel *m.* **8.** *relig.* Auflegung *f* (*der Hände*). **9.** *print.* Ausschießen *n*, For'matmachen *n.*

im·pos·si·bi·list [im'pɒsəbəlist] *s* j-d, der nach Unmöglichem strebt. **im**ˌ**pos·si'bil·i·ty** [-'biliti] *s* **1.** Unmöglichkeit *f.* **2.** (*das*) Unmögliche.

im·pos·si·ble [im'pɒsəbl] **I** *adj* (*adv* impossibly) unmöglich: a) undenkbar, ausgeschlossen, b) unaus-, 'undurchˌführbar: ~ of conquest unmöglich zu erobern; it is ~ for him to return es ist unmöglich, daß er zurückkehrt, c) *colloq.* unglaublich, unerträglich: an ~ fellow ein unmöglicher Kerl. **II** *s* Unmöglichkeit *f*, (*das*) Unmögliche.

im·post[1] ['impoust] **I** *s* **1.** *econ.* Auflage *f*, Abgabe *f*, Steuer *f*, *bes.* Einfuhrzoll *m.* **2.** *sport sl.* (Handicap)-Ausgleichsgewicht *n* (*für Rennpferde*). **II** *v/t* **3.** *econ. Am. Importwaren* zur Zollfestsetzung klassifi'zieren.

im·post[2] ['impoust] *s arch.* Im'post *m*, Kämpfer(gesims *n*) *m.*

im·pos·tor [im'pɒstər] *s* Betrüger(in), Schwindler(in), Hochstapler(in).

im·pos·ture [im'pɒstʃər] *s* Betrug *m*, Schwindel *m*, ˌHochstape'lei *f.*

im·pot ['impɒt] *s ped. Br. colloq.* Strafarbeit *f.*

im·po·tence ['impətəns], *a.* '**im·po·ten·cy** [-si] *s* **1.** a) Unvermögen *n*, Unfähigkeit *f*: intellectual ~ geistige Impotenz, b) Hilf-, Machtlosigkeit *f*, Ohnmacht *f*, Schwäche *f.* **2.** Schwäche *f*, Kraftlosigkeit *f.* **3.** *med.* Impotenz *f.* **4.** *poet.* Unbeherrschtheit *f.* '**im·po·tent** *adj* (*adv* ~ly) **1.** a) unfähig, b) macht-, hilflos, ohnmächtig. **2.** schwach, kraftlos. **3.** *med.* impotent.

im·pound [im'paund] *v/t* **1.** *bes. Tiere* einsperren, -pferchen. **2.** *Wasser* sammeln. **3.** *jur.* a) in Besitz nehmen, b) beschlagnahmen, sicherstellen. **4.** *fig.* an sich reißen.

im·pov·er·ish [im'pɒvəriʃ; -vriʃ] *v/t* **1.** arm *od.* ärmer machen: to be ~ed verarmen *od.* verarmt sein. **2.** *ein Land etc* auspowern, *den Boden etc* auslaugen. **3.** *fig.* a) ärmer machen, berauben (of um), b) verarmen lassen, reizlos machen. **im'pov·er·ish·ment** *s* **1.** Aussaugung *f*, -laugung *f*, Erschöpfung *f.* **2.** Verarmung *f* (*a. fig.*).

imp-pole ['impˌpoul] *s tech.* (Ge)Rüststange *f.*

im·prac·ti·ca·bil·i·ty [imˌpræktikə'biliti] *s* **1.** 'Undurchˌführbarkeit *f*, Unmöglichkeit *f.* **2.** Unbrauchbarkeit *f.* **3.** Ungangbarkeit *f* (*e-r Straße*). **4.** Unlenksamkeit *f.* **im'prac·ti·ca·ble** *adj* (*adv* impracticably) **1.** 'undurchˌführbar, unausführbar, unmöglich. **2.** unbrauchbar. **3.** 'unpasˌsierbar, unbefahrbar, unwegsam (*Straße*). **4.** unlenksam, 'widerspenstig, störrisch (*Person*). **im'prac·ti·ca·ble·ness** → impracticability.

im·prac·ti·cal [im'præktikəl] *adj Am.* **1.** unpraktisch. **2.** verstiegen, (rein) theo'retisch, sinnlos. **3.** unklug. **4.** → impracticable 1. **im**ˌ**prac·ti'cal·i·ty** [-'kæliti], **im'prac·ti·cal·ness** *s* **1.** unpraktisches Wesen. **2.** → impracticability 1 *u.* 2.

im·pre·cate ['impriˌkeit] *v/t* **1.** *Unglück etc* her'abwünschen (on, upon auf *acc*): to ~ curses on s.o. j-n verfluchen. **2.** *obs.* verfluchen. ˌ**im·pre'ca·tion** *s* Verwünschung *f*, Fluch *m.* '**im·preˌca·to·ry** *adj* verwünschend, Verwünschungs...

im·pre·cise [ˌimpri'saiz] *adj* ungenau. ˌ**im·pre'ci·sion** [-'siʒən] *s* **1.** Ungenauigkeit *f.* **2.** Unbestimmtheit *f.*

im·preg ['impreg] *s Am.* harzbehandeltes Holz.

im·pregn [im'priːn] *poet. für* impregnate.

im·preg·na·bil·i·ty [imˌpregnə'biliti] *s* 'Unüberˌwindlichkeit *f*, Unbezwinglichkeit *f.*

im·preg·na·ble [im'pregnəbl] *adj* (*adv* impregnably) **1.** uneinnehmbar, unbezwinglich, 'unüberˌwindlich: ~ fortress. 2. *fig.* a) unerschütterlich (to gegenüber), b) unangreifbar.

im·preg·nate I *v/t* [im'pregneit] **1.** *biol.* a) schwängern, b) befruchten (*a. fig.*). **2.** a) *bes. chem.* sättigen, durch'dringen, b) *tech.* imprä'gnieren, tränken. **3.** *fig.* (durch)'tränken, durch'dringen, erfüllen (with mit). **4.** *paint.* grun'dieren. **II** *adj* [-nit; -neit] **5.** *biol.* a) geschwängert, schwanger, b) befruchtet. **6.** *fig.* (with) voll (von), durch'tränkt (mit). ,**im·preg'na·tion** *s* **1.** *biol.* a) Schwängerung *f*, b) Befruchtung *f* (*a. fig.*). **2.** *chem. tech.* Imprä'gnierung *f*, (Durch)'Tränkung *f*, Sättigung *f*. **3.** *fig.* Durch'dringung *f*, Erfüllung *f*. **4.** *geol.* Mine'ralablagerung *f*. **im'preg·na·tor** [-tər] *s* **1.** *tech.* Imprä'gnierer *m*. **2.** Appa'rat *m* zur künstlichen Befruchtung.

im·pre·sa [im'preizɑː] *s hist.* **1.** Em'blem *n*, Sinnbild *n*. **2.** De'vise *f*, Wahlspruch *m*.

im·pre·sa·ri·o [ˌimpre'sɑːriˌou] *pl* **-sa·ri·os** *s* Impre'sario *m*.

im·pre·scrip·ti·ble [ˌimpri'skriptibl] *adj jur.* a) unverjährbar, b) *a. fig.* unveräußerlich: ~ **rights.**

im·press[1] [im'pres] **I** *v/t* **1.** beeindrukken, Eindruck machen auf (*acc*), impo'nieren (*dat*): **to be favo(u)rably ~ed by s.th.** von e-r Sache e-n guten Eindruck erhalten *od.* haben. **2.** *j-n* erfüllen, durch'dringen (**with** mit): **~ed with** durchdrungen von. **3.** tief einprägen, einschärfen (**on, upon** *dat*): **to ~ itself on s.o.** j-n beeindrukken. **4.** (auf)drücken (**on** auf *acc*), ein-, abdrücken. **5.** *ein Zeichen etc* aufprägen, -drucken (**on** auf *acc*): **~ed stamp** Prägestempel *m*. **6.** *fig. e-e Eigenschaft* aufdrücken, verleihen (**upon** *dat*). **7.** *electr. Spannung od. Strom* aufdrükken, einprägen: **~ed source** eingeprägte (Spannungs-, Strom)Quelle; **~ed voltage** eingeprägte Spannung. **II** *v/i* **8.** Eindruck machen, impo'nieren. **III** *s* ['impres] **9.** Prägung *f*, Kennzeichnung *f*. **10.** Abdruck *m*, Stempel *m*. **11.** *fig.* Gepräge *n*.

im·press[2] **I** *v/t* [im'pres] **1.** requi'rieren, beschlagnahmen. **2.** *bes. mar.* (zum Dienst) pressen. **II** *s* ['impres] → **impressment.**

im·press·i·bil·i·ty [imˌpresə'biliti] *s* Empfänglichkeit *f*. **im'press·i·ble** *adj* (to) beeinflußbar, leicht zu beeindrucken(d) (durch), empfänglich (für).

im·pres·sion [im'preʃən] *s* **1.** Eindruck *m*, Wirkung *f*: **to give s.o. a wrong ~** bei j-m e-n falschen Eindruck erwekken (**of** von); **to leave an ~ on s.o., to leave s.o. with an ~** e-n Eindruck bei j-m hinterlassen. **2.** Einwirkung *f* (**on** auf *acc*): **the ~ of light. 3.** *psych.* a) unmittelbarer Sinneseindruck, b) vermittelter Sinneseindruck, c) sinnlicher Reiz. **4.** Eindruck *m*, (dunkles) Gefühl, Vermutung *f*: **I have an ~** (*od.* **I am under the ~**) **that** ich habe den Eindruck, daß. **5.** Ab-, Aufdruck *m*, Prägung *f*. **6.** Vertiefung *f*. **7.** *a. fig.* Gepräge *n*, Stempel *m*. **8.** *print.* a) Abzug *m*, (Ab)Druck *m*, b) gedrucktes Exem'plar, c) (*bes.* unveränderte) Auflage: **new ~** Neudruck *m*, -auflage (*e-s Buches*). **9.** *tech.* Holzschnitt *m*, Kupfer-, Stahlstich *m*. **10.** *paint.* Grun'dierung *f*. **11.** Ab-, Aufdrücken *n* (**on** auf *acc*). **im'pres·sion·a·ble** *adj* **1.** für Eindrücke empfänglich. **2.** → **impressible. im'pres·sionˌism** *s* Impressio'nismus *m*. **im'pres·sion·ist I** *s* Impressio'nist(in). **II** *adj* impressio'nistisch. **imˌpres·sion'is·tic** *adj* (*adv* **~ally**) → **impressionist** II.

im·pres·sive [im'presiv] *adj* (*adv* **~ly**) **1.** eindrucksvoll, impo'nierend, impo'sant. **2.** wirkungsvoll, packend: **an ~ scene. im'pres·sive·ness** *s* (*das*) Eindrucksvolle.

im·press·ment [im'presmənt] *s* **1.** Beschlagnahme *f*, Requi'rierung *f*. **2.** *bes. mar.* Pressen *n* (*zum Dienst*).

im·prest ['imprest] *s* **1.** *bes. Br.* Vorschuß *m* aus öffentlichen Mitteln, Spesenvorschuß *m*: **~ accountant** Empfänger(in) von Geldvorschüssen aus e-r Staatskasse; **~ office** *mar. Br.* Vorschußamt *n*. **2.** Darlehen *n*.

im·pri·ma·tur [ˌimpri'meitər; -prai-] *s* **1.** Impri'matur *n*, Druckerlaubnis *f*. **2.** *fig.* Zustimmung *f*.

im·print I *s* ['imprint] **1.** Ab-, Eindruck *m*. **2.** Aufdruck *m*, Stempel *m*. **3.** *fig.* Stempel *m*, Gepräge *n*. **4.** *fig.* Eindruck *m*. **5.** *print.* Im'pressum *n*, Erscheinungs-, Druckvermerk *m*. **II** *v/t* [im'print] **6.** (auf)drücken, aufprägen (**on** auf *acc*). **7.** *print.* (auf-, ab)drukken. **8.** *e-n Kuß* aufdrücken. **9.** *Gedanken etc* einprägen: **to ~ s.th. on** (*od.* **in**) **s.o.'s memory** j-m etwas ins Gedächtnis einprägen.

im·pris·on [im'prizn] *v/t* **1.** einkerkern, -sperren (*beide a. fig.*), ins Gefängnis stecken, inhaf'tieren. **2.** *fig.* einschließen, beschränken. **im'pris·on·ment** *s* **1.** a) Einkerkerung *f*, Gefangenschaft *f*, b) *jur.* Gefängnis(strafe *f*) *n*, (Straf)Haft *f*: **~ for three months** 3 Monate Gefängnis; **~ with hard labo(u)r** *Am.* Zuchthausstrafe; **false ~** Freiheitsberaubung *f*. **2.** Inhaf'tierung *f*. **3.** *fig.* Einsperrung *f*, Festhalten *n*.

im·prob·a·bil·i·ty [imˌprɒbə'biliti] *s* **1.** Unwahrscheinlichkeit *f*. **2.** Unglaubwürdigkeit *f*. **im'prob·a·ble** *adj* (*adv* **improbably**) **1.** unwahrscheinlich. **2.** unglaubwürdig.

im·pro·bi·ty [im'proubiti] *s* Unredlichkeit *f*, Unehrlichkeit *f*.

im·promp·tu [im'prɒmptjuː] **I** *s* Im'promp'tu *n*, Improvisati'on *f* (*beide a. mus.*), (*etwas*) Improvi'siertes. **II** *adj u. adv* aus dem Stegreif, improvi'siert, Stegreif...

im·prop·er [im'prɒpər] *adj* (*adv* **~ly**) **1.** ungeeignet, unpassend, untauglich (**to** für). **2.** unschicklich, ungehörig, unsittlich: **~ conduct. 3.** unzulässig. **4.** unrichtig, falsch. **5.** *math.* unecht: **~ fraction; ~ integral** uneigentliches Integral.

im·pro·pri·ate I *v/t* [im'proupriˌeit] *jur. relig. Br. ein Kirchengut* (an Laien) über'tragen. **II** *adj* [-it; -ˌeit] (e-m Laien) über'tragen. **imˌpro·pri'a·tion** *s* a) Über'tragung *f* an Laien, b) an Laien über'tragenes Kirchengut. **im'pro·priˌa·tor** [-ˌeitər] *s* weltlicher Besitzer von Kirchengut *od.* e-r Pfründe.

im·pro·pri·e·ty [ˌimpro'praiəti] *s* **1.** Ungeeignetheit *f*, Untauglichkeit *f*. **2.** Unschicklichkeit *f*, Ungehörigkeit *f*. **3.** Unrichtigkeit *f*. **4.** *ling.* falscher Gebrauch.

im·prov·a·ble [im'pruːvəbl] *adj* (*adv* **improvably**) **1.** verbesserungsfähig. **2.** *agr.* kulti'vierbar, anbaufähig.

im·prove [im'pruːv] **I** *v/t* **1.** *allg., a. tech.* verbessern. **2.** *bes. Am. Land* a) kulti'vieren, melio'rieren, b) erschließen u. im Wert steigern. **3.** vorteilhaft *od.* nutzbringend verwenden, ausnützen: → **occasion** 2. **4.** (**into**) veredeln (zu), verwandeln (in *acc*). **5.** vermehren, erhöhen, steigern: **to ~ the value. 6. ~ away, ~ off, ~ out** (durch Verbesserungsversuche) verderben, zerstören, beseitigen. **II** *v/i* **7.** sich (ver)bessern, besser werden, sich vervollkommnen, Fortschritte machen (*a. Patient*), sich erholen (*gesundheitlich od. econ. Markt, Preise*): **to ~ in strength** an Kräften zunehmen, kräftiger werden; **to ~ on acquaintance** bei näherer Bekanntschaft gewinnen. **8.** *econ.* steigen, anziehen (*Preise*). **9.** Verbesserungen vornehmen (**on, upon** an *dat*): **not to be ~d upon** unübertrefflich.

im·prove·ment [im'pruːvmənt] *s* **1.** (Ver)Besserung *f*, Vervollkommnung *f*: **~ in health** Besserung der Gesundheit. **2.** a) *agr.* Meliorati'on *f*, Bodenverbesserung *f*, b) *Am.* bauliche Verbesserung, Wertsteigerung *f*. **3.** Verschönerung *f*. **4.** Ausnutzung *f*. **5.** Verfeinerung *f*, -edelung *f*: **~ industry** *econ.* Veredelungswirtschaft *f*. **6.** *econ.* Erhöhung *f*, Vermehrung *f*, Steigen *n*: **~ in prices** Preisbesserung *f*; **~ in value** Werterhöhung *f*; **~ factor** (*vereinbarte*) jährliche Lohnangleichung an die Produktivitätssteigerung. **7.** Verbesserung *f*, Fortschritt *m* (*beide a. Patentrecht*), Gewinn *m* (**in s.th.** in e-r Sache; **on, upon s.th.** gegenüber e-r Sache).

im·prov·er [im'pruːvər] *s* **1.** Verbesserer *m*. **2.** *econ.* Volon'tär(in). **3.** *Br. für* **dress improver. 4.** Verbesserungsmittel *n*.

im·prov·i·dence [im'prɒvidəns] *s* **1.** Unbedachtsamkeit *f*. **2.** Unvorsichtigkeit *f*, Leichtsinn *m*. **im'prov·i·dent** *adj* (*adv* **~ly**) **1.** unbedacht(sam). **2.** unvorsichtig, leichtsinnig (**of** mit).

im·prov·ing [im'pruːviŋ] *adj* (*adv* **~ly**) **1.** (sich) bessernd. **2.** heilsam, förderlich, gedeihlich, (Ver)Besserungs...

im·pro·vi·sa·tion [ˌimprovai'zeiʃən; -vi-] *s* Improvisati'on *f*: a) unvorbereitete Veranstaltung, aus dem Stegreif Dargebotenes, 'Stegreifkompositiˌon *f*, -rede *f*, b) Behelfsmaßnahme *f*, c) behelfsmäßige Vorrichtung.

im·prov·i·sa·tor [im'prɒviˌzeitər] *s* Improvi'sator *m*, Stegreifdichter *m*, -musiker *m*, -redner *m*. **imˌprov·i·sa'to·ri·al** [-zə'tɔːriəl], **im·pro·vi·sa·to·ry** [ˌimprə'vaizətəri] *adj* **1.** improvisa'torisch. **2.** improvi'siert, Stegreif...

im·pro·vise ['improˌvaiz] **I** *v/t* improvi'sieren: a) extempo'rieren, aus dem Stegreif dichten *od.* kompo'nieren *od.* sprechen *od.* spielen, b) rasch *od.* behelfsmäßig 'herstellen, aus dem Boden stampfen. **II** *v/i* improvi'sieren. **'im·proˌvised** *adj* improvi'siert: a) unvorbereitet, Stegreif..., b) behelfsmäßig. **'im·proˌvis·er** *s* Improvi'sator *m*.

im·pru·dence [im'pruːdəns] *s* Unklugheit *f*, Unvorsichtigkeit *f*. **im'pru·dent** *adj* (*adv* **~ly**) unklug, unbedachtsam, unvorsichtig, 'unüberˌlegt.

im·pu·bic [im'pjuːbik] *adj med.* nicht geschlechtsreif, geschlechtsunreif.

im·pu·dence ['impjudəns] *s* Unverschämtheit *f*. **'im·pu·dent** *adj* (*adv* **~ly**) unverschämt.

im·pugn [im'pjuːn] *v/t* bestreiten, anfechten, angreifen, in Zweifel ziehen. **im'pugn·a·ble** *adj* bestreitbar, anfechtbar. **im'pugn·ment** *s* Bestreitung *f*, Anfechtung *f*, Einwand *m*.

im·pulse ['impʌls] *s* **1.** Antrieb *m*, Stoß *m*, Triebkraft *f*. **2.** *fig.* Im'puls *m*: a) Antrieb *m*, Anstoß *m*, Anreiz *m*, b) Anregung *f*, c) plötzliche Regung *od.* Eingebung: **to act on ~** impulsiv handeln; **on the ~ of the moment** e-r augenblicklichen Regung folgend; ~ **buying** *econ. Am.* spontaner Kauf; ~ **goods** *econ. Am.* Waren, die spontan (auf Grund ihrer Aufmachung *etc*) gekauft werden. **3.** Im'puls *m*: a) *math. phys.* Bewegungsgröße *f*, line'ares Mo'ment, b) *med.* (An)Reiz *m*, c) *electr.* (Spannungs-, Strom)Stoß *m*: ~ **circuit** Stoßkreis *m*; ~ **modulation** Impulsmodulation *f*; ~ **relais** Stromstoßrelais *n*; ~ **voltage** Stoßspannung *f*, d) *tech.* (An)Stoß *m*: ~ **load** stoßweise Belastung; ~ **turbine** (Gleich)-Druck-, Aktionsturbine *f*.

im·pul·sion [im'pʌlʃən] *s* **1.** Stoß *m*, Antrieb *m*. **2.** Triebkraft *f*. **3.** → impulse 2 a *u.* b.

im·pul·sive [im'pʌlsiv] *adj* (*adv* ~**ly**) **1.** (an-, vorwärts)treibend, Trieb... **2.** *fig.* impul'siv: a) leidenschaftlich, gefühlsbeherrscht, b) spon'tan: an ~ **gesture**. **3.** *phys.* plötzlich *od.* momen'tan wirkend: ~ **force** Stoßkraft *f*. **im'pul·sive·ness,** ˌ**im·pul'siv·i·ty** *s* Impulsivi'tät *f*, Erregbarkeit *f*, Leidenschaftlichkeit *f*, impul'sives Wesen.

im·pu·ni·ty [im'pjuːniti] *s* Straflosigkeit *f*: **with** ~ ungestraft, straflos.

im·pure [im'pjuər] *adj* (*adv* ~**ly**) **1.** unrein: a) schmutzig, unsauber, b) verfälscht, mit Beimischungen, c) *fig.* gemischt, nicht einheitlich (*Stil etc*), d) *fig.* fehlerhaft, ungenau. **2.** *fig.* unrein (*a. relig.*), schmutzig, unanständig. **im'pure·ness, im'pu·ri·ty** *s* **1.** Unreinheit *f*, Unsauberkeit *f*. **2.** Unanständigkeit *f*. **3.** Schmutz(teilchen *n*) *m*, Verunreinigung *f* (*a. chem.*).

im·put·a·ble [im'pjuːtəbl] *adj* zuschreibbar, zuzuschreiben(d), zuzurechnen(d), beizumessen(d) (**to** *dat*).

im·pu·ta·tion [ˌimpju'teiʃən] *s* **1.** Zuschreibung *f*, Unter'stellung *f*. **2.** An-, Beschuldigung *f*, Bezichtigung *f*, Vorwurf *m*: **to be under an** ~ bezichtigt werden. **3.** *relig.* stellvertretende Zurechnung der Sünden *od.* Verdienste. **4.** Makel *m*, Schandfleck *m*. **im·put·a·tive** [im'pjuːtətiv] *adj* (*adv* ~**ly**) **1.** zuschreibend, zurechnend. **2.** beschuldigend. **3.** zuschreibbar. **4.** zugeschrieben, unter'stellt.

im·pute [im'pjuːt] *v/t* **1.** zuschreiben, beimessen (**to** *dat*): ~**d value** *econ.* veranschlagter *od.* abgeleiteter Wert. **2.** zuschreiben, zur Last legen, anlasten (**to s.o.** j-m): ~**d negligence** *jur.* zurechenbare Fahrlässigkeit.

in [in] **I** *prep* **1.** (*räumlich, auf die Frage: wo?*) in (*dat*), innerhalb (*gen*), an (*dat*), auf (*dat*): ~ **England** in England; ~ **the country (field)** auf dem Land (Feld); **blind** ~ **one eye** auf e-m Auge blind; ~ **here (there)** hier (da) drinnen; ~ **London** in London (**in** *steht bei größeren Städten u. bei dem Ort, in dem sich der Sprecher befindet*); ~ **my room** in *od.* auf m-m Zimmer; ~ **the sky** am Himmel; ~ **the street** auf der Straße. **2.** *fig.* in (*dat*), bei, auf (*dat*), an (*dat*): ~ **the army** bei der Armee; **shares** ~ **a company** *econ.* Aktien e-r Gesellschaft; ~ **politics** in der Politik. **3.** (*bei Schriftstellern*) bei, in (*dat*): ~ **Shakespeare** bei Shakespeare. **4.** (*auf die Frage: wohin?; jetzt meist durch* **into** *ersetzt*) in (*acc*): **put it** ~ **your pocket** steck(e) es in die (*od.* deine) Tasche. **5.** (*Zustand, Beschaffenheit, Art u. Weise*) in (*dat*), auf (*acc*), mit: ~ **arms** in *od.* unter Waffen; **cow** ~ **calf** trächtige Kuh; ~ **any case** auf jeden Fall; ~ **cash** a) in bar, b) bei Kasse; ~ **doubt** im Zweifel; ~ **dozens** dutzendweise; ~ **English** auf englisch; ~ **groups** gruppenweise; ~ **G major** *mus.* in G-Dur; ~ **liquor** unter Alkohol, betrunken; ~ **this manner** auf diese Weise; ~ **ruins** in Ruinen, zerstört; ~ **short** kurz (gesagt); ~ **tears** in Tränen (aufgelöst), unter Tränen; ~ **a word** mit 'einem Wort; ~ **other words** mit *od.* in anderen Worten; ~ **writing** schriftlich; ~ **years** bei Jahren. **6.** (*Beteiligung*) in (*dat*), an (*dat*), bei: **to be** ~ **it** beteiligt sein, teilnehmen; **he isn't** ~ **it** er gehört nicht dazu; **there is nothing** ~ **it** a) es ist nichts (Wahres, Gutes) daran, b) es lohnt sich nicht, c) es ist nichts dabei, es ist ganz einfach, d) *Rennsport*: es ist noch unentschieden. **7.** (*Tätigkeit, Beschäftigung*) in (*dat*), bei, mit, auf (*dat*): ~ **an accident** bei e-m Unfall; ~ **crossing the river** beim Überqueren des Flusses; ~ **search of** auf der Suche nach. **8.** (*im Besitz, in der Macht*) in (*dat*), bei, an (*dat*): **it is not** ~ **her to** es liegt nicht in ihrer Art zu; **he has (not) got it** ~ **him** er hat (nicht) das Zeug dazu. **9.** (*zeitlich*) in (*dat*), an (*dat*), bei, binnen, unter (*dat*), während, zu: ~ **the beginning** am Anfang; ~ **the day,** ~ **daytime** bei Tage, während des Tages; ~ **the evening** abends, am Abend; ~ **his flight** auf s-r Flucht; ~ **two hours** a) in *od.* binnen zwei Stunden, b) während zweier Stunden; ~ **October** im Oktober; ~ **one** zu gleicher Zeit; ~ **the reign of Henry VIII** unter der Regierung Heinrichs VIII.; ~ **his sleep** während er schlief; ~ **time** a) zur rechten Zeit, rechtzeitig, b) mit der Zeit; ~ **winter** im Winter; ~ **(the year) 1950** (im Jahre) 1950. **10.** (*Richtung*) in (*acc, dat*), auf (*acc*), zu: **the confidence** ~ **him** das Vertrauen auf ihn; ~ **God we trust** wir vertrauen auf Gott. **11.** (*Zweck*) in (*dat*), zu, als: ~ **answer to** in Beantwortung (*gen*), als Antwort auf (*acc*); ~ **my defence** (*Am.* -se) zu m-r Verteidigung. **12.** (*Grund*) in (*dat*), aus, wegen, zu: ~ **contempt** aus Verachtung; ~ **his hono(u)r** ihm zu Ehren; ~ **sport** zum Scherz. **13.** (*Hinsicht, Beziehung*) in (*dat*), an (*dat*), in bezug auf (*acc*): ~ **as** (*od.* **so**) **far as** insoweit als; ~ **that** weil, insofern als; **well** ~ **body, but ill** ~ **mind** gesund am Körper, aber krank im Gemüt; ~ **itself** an sich; ~ **number** an Zahl; ~ **size** an Größe; **equal** ~ **strength** gleich stark; **the latest thing** ~ **telephones** das Neueste auf dem Gebiet des Fernsprechwesens; **ten feet** ~ **width** zehn Fuß breit. **14.** nach, gemäß: ~ **my opinion** m-r Meinung nach, m-s Erachtens; ~ **all probability** aller Wahrscheinlichkeit nach. **15.** (*Mittel, Material, Stoff*) in (*dat*), aus, mit, durch: ~ **black boots** in *od.* mit schwarzen Stiefeln; **a statue** ~ **bronze** e-e Statue aus Bronze; **written** ~ **pencil** mit Bleistift geschrieben; **a picture** ~ **oils** ein Ölgemälde *n*; **dressed** ~ **white** weißgekleidet. **16.** (*Zahl, Betrag*) in (*dat*), aus, von, zu: **seven** ~ **all** im ganzen sieben; **there are 60 minutes** ~ **an hour** e-e Stunde hat 60 Minuten; **five** ~ **the hundred** 5 von Hundert, 5%; **one** ~ **ten** ein(er, e, es) von *od.* unter zehn; ~ **twos** (je) zwei u. zwei, zu zweien, paarweise.

II *adv* **17.** innen, drinnen: ~ **among** mitten unter; **to be** ~ **for s.th.** etwas zu erwarten *od.* zu gewärtigen haben; **now you are** ~ **for it** *sl.* jetzt bist du ‚dran': a) jetzt kannst du nicht mehr zurück, b) jetzt ‚sitzt du in der Patsche', jetzt ‚geht's dir an den Kragen'; **he is** ~ **for a shock** er wird nicht schlecht erschrecken; **I am** ~ **for an examination** mir steht e-e Prüfung bevor; **to be** ~ **for it** *sl.* a) sich festgelegt haben, nicht mehr zurück können, b) ‚in der Klemme sitzen'; ~ **for a penny,** ~ **for a pound** wer A sagt, muß auch B sagen; **to be** (*od.* **keep**) ~ **with s.o.** mit j-m gut stehen (sich mit j-m gut stellen); **the harvest is** ~ die Ernte ist eingebracht. **18.** her'ein: **to come** ~ hereinkommen; **show him** ~! führen Sie ihn herein! **19.** hin'ein: **to walk** ~ hineingehen; **the way** ~ der Eingang, der Weg nach innen; ~ **and** ~ immer wieder, in demselben Kreis; → in-and-in; in-and-out: **20.** hin'ein, dar'unter. **21.** da, (an)gekommen: **the train is** ~. **22.** zu Hause, im Zimmer *etc*: **Mrs. Brown is not** ~ Mrs. Brown ist nicht zu Hause. **23.** *pol.* am Ruder, an der Macht: **the Conservatives are** ~. **24.** *sport* d(a)ran, am Spiel, an der Reihe: **to be** ~ am Schlagen sein, d(a)ran sein. **25.** ‚in': a) in Mode, b) ‚mit dabei'. **26.** *mar.* a) im Hafen, b) beschlagen, festgemacht (*Segel*), c) zum Hafen: **on the way** ~. **27.** da'zu, zusätzlich, als Zugabe: **to throw** ~ als Zugabe geben.

III *adj* **28.** im Innern *od.* im Hause *od.* am Spiel *od.* an der Macht befindlich, Innen...: ~ **party** *pol.* Regierungspartei *f*; **the** ~ **side** die schlagende Partei (*bes. Kricket*). **29.** nach Hause kommend: **the** ~ **train** der ankommende Zug.

IV *s* **30.** *pl* Re'gierungsparˌtei *f*. **31. the** ~**s** *pl sport* die Par'tei, die am Spiel ist. **32.** Winkel *m*, Ecke *f*: **the** ~**s and outs** a) alle Winkel u. Ecken, b) *fig.* (alle) Einzelheiten *od.* Schwierigkeiten *od.* Feinheiten.

in-[1] [in] *Vorsilbe mit den Bedeutungen* in..., innen, ein..., hinein..., hin...

in-[2] [in] *Vorsilbe mit der Bedeutung* un..., nicht.

in·a·bil·i·ty [ˌinə'biliti] *s* Unfähigkeit *f*, Unvermögen *n*: ~ **to pay** *econ.* Zahlungsunfähigkeit.

in·ac·ces·si·bil·i·ty [ˌinækˌsesə'biliti] *s* Unzugänglichkeit *f*: a) Unerreichbarkeit *f*, b) *fig.* Unnahbarkeit *f*. ˌ**in·ac'ces·si·ble** *adj* (*adv* **inaccessibly**) unzugänglich (**to** für *od. dat*): a) unerreichbar, b) unnahbar (*Person*).

in·ac·cu·ra·cy [in'ækjurəsi] *s* **1.** Ungenauigkeit *f*. **2.** Fehler *m*, Irrtum *m*. **in'ac·cu·rate** [-rit] *adj* (*adv* ~**ly**) **1.** ungenau. **2.** irrig, falsch. **in'ac·cu·rate·ness** *s* Ungenauigkeit *f*.

in·ac·tion [in'ækʃən] *s* **1.** Untätigkeit *f*. **2.** Trägheit *f*, Faulheit *f*. **3.** Ruhe *f*.

in·ac·ti·vate [in'æktiˌveit] *v/t* **1.** *bes. med.* inakti'vieren. **2.** *mil.* außer Dienst stellen.

in·ac·tive [in'æktiv] *adj* (*adv* ~**ly**) **1.** untätig. **2.** träge, faul, müßig. **3.** *econ.* lustlos, flau, unbelebt: ~ **account** umsatzloses Konto. **4.** *chem.* unwirksam, träge, nicht ak'tiv. **5.** *phys.* a) träge, b) optisch neu'tral. **6.** *med.* 'inakˌtiv. **7.** *mil.* nicht ak'tiv, außer Dienst. ˌ**in·ac'tiv·i·ty** *s* **1.** Untätigkeit *f*. **2.** Trägheit *f*, Faulheit *f*. **3.** *chem. phys.* Trägheit *f*, Unwirksamkeit *f*. **4.** *econ.* Lustlosigkeit *f*, Unbelebtheit *f*. **5.** *med.* Inaktivi'tät *f*.

in·a·dapt·a·bil·i·ty [ˌinəˌdæptə'biliti] *s* **1.** Mangel *m* an Anpassungsfähigkeit (**to** an *acc*). **2.** Unanwendbarkeit *f* (**to** auf *acc*, für). ˌ**in·a'dapt·a·ble** *adj* **1.** nicht anpassungsfähig (**to** an *acc*).

2. (to) unanwendbar (auf *acc*), untauglich (für).
in·ad·e·qua·cy [inˈædikwəsi] *s* **1.** Unzulänglichkeit *f*. **2.** Unangemessenheit *f*. **3.** Mangelhaftigkeit *f*. **inˈad·e·quate** [-kwit] *adj* (*adv* ~ly) **1.** unzulänglich, ungenügend. **2.** unangemessen. **3.** mangelhaft, unzureichend.
in·ad·mis·si·bil·i·ty [ˌinədmisəˈbiliti] *s* Unzulässigkeit *f*. ˌ**in·adˈmis·si·ble** *adj* unzulässig, unstatthaft.
in·ad·vert·ence [ˌinədˈvəːrtəns], *a*. ˌ**in·adˈvert·en·cy** [-si] *s* **1.** Unachtsamkeit *f*. **2.** Unabsichtlichkeit *f*. **3.** Versehen *n*. ˌ**in·adˈvert·ent** *adj* (*adv* ~ly) **1.** unachtsam, unvorsichtig, nachlässig. **2.** unbeabsichtigt, unabsichtlich, versehentlich.
in·ad·vis·a·bil·i·ty [ˌinədˌvaizəˈbiliti] *s* Unratsamkeit *f*. ˌ**in·adˈvis·a·ble** *adj* unratsam, nicht ratsam, nicht empfehlenswert.
in·al·ien·a·bil·i·ty [inˌeiljənəˈbiliti; -liən-] *s* Unveräußerlichkeit *f*. **inˈal·ien·a·ble** *adj* (*adv* **inalienably**) *jur. u. fig.* unveräußerlich: ~ **rights.**
in·al·ter·a·ble [inˈɔːltərəbl] *adj* (*adv* **inalterably**) unveränderlich, ˈunabˌänderlich.
in·am·o·ra·ta [inˌæmoˈrɑːtə] *s* Geliebte *f*. **inˌam·oˈra·to** [-tou] *pl* **-tos** *s* Geliebte(r) *m*.
ˈin-and-ˈin *adj u. adv* Inzucht...: ~ **breeding** Inzucht *f*; **to breed** ~ Inzucht treiben.
ˈin-and-ˈout *adj u. adv* **1.** ein u. aus; bald drinnen, bald draußen. **2.** hin u. her. **3.** *sport* bald siegend u. bald verlierend.
in·ane [iˈnein] **I** *adj* (*adv* ~ly) **1.** leer, nichtig. **2.** *fig.* geistlos, albern, sinnlos. **3.** *fig.* fade. **II** *s* **4.** Leere *f*, Nichts *n*, *bes.* leerer (Welten)Raum.
in·an·i·mate [inˈænimit] *adj* (*adv* ~ly) **1.** leblos, unbelebt. **2.** unbeseelt. **3.** *fig.* leb-, schwunglos, langweilig, fade. **4.** *econ.* flau, unbelebt. **inˈan·i·mate·ness,** *a*. **inˌan·iˈma·tion** *s* Leblosigkeit *f*: a) Unbelebt-, Unbeseeltheit *f*, b) *fig.* Schwunglosigkeit *f*, c) *econ.* Flauheit *f*.
in·a·ni·tion [ˌinəˈniʃən] *s med.* Entkräftung *f*, Erschöpfung *f*.
in·an·i·ty [iˈnæniti] *s* **1.** Geistlosigkeit *f*, Albernheit *f*: a) geistige Leere, Hohlheit *f*, b) dumme Bemerkung: **inanities** albernes Geschwätz. **2.** Nichtigkeit *f*, Triviaḷiˈtät *f*.
in·an·ther·ate [inˈænθərit; -ˌreit] *adj bot.* staubbeutellos.
in·ap·peas·a·ble [ˌinəˈpiːzəbl] *adj* nicht zu beschwichtigen(d), unversöhnlich.
in·ap·pe·tence [inˈæpitəns], *a*. **inˈap·pe·ten·cy** [-si] *s* **1.** *med.* Appeˈtitlosigkeit *f*. **2.** Unlust *f*. **inˈap·pe·tent** *adj* **1.** appeˈtitlos. **2.** lustlos.
in·ap·pli·ca·bil·i·ty [inˌæplikəˈbiliti] *s* Un-, Nichtanwendbarkeit *f*. **inˈap·pli·ca·ble** *adj* (*adv* **inapplicably**) **1.** unanwendbar, nicht anwendbar *od.* zutreffend (to auf *acc*). **2.** ungeeignet (to für).
in·ap·po·site [inˈæpəzit] *adj* (*adv* ~ly) unangebracht, unpassend.
in·ap·pre·ci·a·ble [ˌinəˈpriːʃiəbl] *adj* (*adv* **inappreciably**) unmerklich, unbedeutend: **an** ~ **difference.** ˌ**in·apˌpre·ciˈa·tion** *s* Mangel *m* an Würdigung *od.* Anerkennung. ˌ**in·apˈpre·ci·a·tive** [-ətiv] *adj* **1.** nicht (richtig) würdigend. **2.** achtlos, gleichgültig (of gegen).
in·ap·pro·pri·ate [ˌinəˈproupriit] *adj* (*adv* ~ly) **1.** unpassend: a) ungeeignet (to, for für), b) unangebracht, ungehörig. **2.** (to) nicht passend (zu), unangemessen (*dat*). ˌ**in·apˈpro·pri·ate·ness** *s* **1.** Ungeeignetheit *f*. **2.** Ungehörigkeit *f*. **3.** Unangemessenheit *f*.
in·apt [inˈæpt] *adj* (*adv* ~ly) **1.** unpassend, ungeeignet. **2.** ungeschickt, untauglich. **3.** unfähig, außerˈstande (to do zu tun). **inˈapt·iˌtude** [-tiˌtjuːd], *a*. **inˈapt·ness** *s* **1.** Ungeeignetheit *f*. **2.** Ungeschicklichkeit *f*, Untauglichkeit *f*. **3.** Unfähigkeit *f*.
in·arch [inˈɑːrtʃ] *v/t bot.* absäugeln (*durch Annäherung veredeln*).
in·arm [inˈɑːrm] *v/t poet.* umˈarmen.
in·ar·tic·u·late [ˌinɑːrˈtikjulit] *adj* (*adv* ~ly) **1.** ˈunartikuˌliert, undeutlich (ausgesprochen), unverständlich: ~ **sounds. 2.** undeutlich sprechend. **3.** unfähig, sich (deutlich) auszudrücken: **he is** ~ a) er kann sich nicht ausdrücken, b) er macht *od.* ‚kriegt' den Mund nicht auf; ~ **with rage** sprachlos vor Wut. **4.** *zo.* ungegliedert. ˌ**in·arˈtic·uˌlat·ed** [-ˌleitid] *adj* → **inarticulate** 1 *u.* 4. ˌ**in·arˈtic·u·late·ness** *s* **1.** Undeutlichkeit *f*, Unverständlichkeit *f*. **2.** Unfähigkeit *f*, deutlich zu sprechen.
in·ar·ti·fi·cial [inˌɑːrtiˈfiʃəl] *adj* (*adv* ~ly) **1.** naˈtürlich, ungekünstelt, einfach. **2.** unkünstlerisch, kunstlos, plump. **inˌar·tiˌfi·ciˈal·i·ty** [-ˈæliti] *s* **1.** Naˈtürlichkeit *f*, Einfachheit *f*. **2.** Kunstlosigkeit *f*.
in·ar·tis·tic [ˌinɑːrˈtistik] *adj* (*adv* ~ally) unkünstlerisch: a) kunstlos, b) ohne Kunstverständnis.
in·as·much as [ˌinəzˈmʌtʃ] *cj* **1.** in Anbetracht der Tatsache, daß; da (ja), weil. **2.** *obs.* inˈsofern als.
in·at·ten·tion [ˌinəˈtenʃən] *s* **1.** Unaufmerksamkeit *f*, Unachtsamkeit *f* (to gegenüber). **2.** (to) Gleichgültigkeit *f* (gegen), Nichtbeachtung *f* (von *od. gen*). ˌ**in·atˈten·tive** [-tiv] *adj* (*adv* ~ly) **1.** unaufmerksam, unachtsam (to gegenüber). **2.** gleichgültig (to gegen), nachlässig. ˌ**in·atˈten·tive·ness** *s* Unaufmerksamkeit *f*.
in·au·di·bil·i·ty [inˌɔːdəˈbiliti] *s* Unhörbarkeit *f*. **inˈau·di·ble** *adj* (*adv* **inaudibly**) unhörbar.
in·au·gu·ral [inˈɔːgjurəl] **I** *adj* Einführungs..., Einweihungs..., Antritts..., Eröffnungs...: ~ **speech** → II. **II** *s Am.* Antrittsrede *f*. **inˈau·guˌrate** [-ˌreit] *v/t* **1.** (feierlich) (in ein Amt) einführen, einsetzen. **2.** einweihen, eröffnen. **3.** *ein Denkmal* enthüllen. **4.** beginnen, einleiten: **to** ~ **a new era.** **inˌau·guˈra·tion** *s* **1.** (feierliche) Amtseinsetzung, Amtseinführung *f*: **I**~ **Day** *pol. Am.* Tag *m* des Amtsantritts des Präsidenten. **2.** Einweihung *f*, Eröffnung *f*. **3.** Beginn *m*. **inˈau·guˌra·tor** [-ˌreitər] *s* Einführende(r *m*) *f*. **inˈau·guˌra·to·ry** → **inaugural** I.
in·aus·pi·cious [ˌinɔːsˈpiʃəs] *adj* (*adv* ~ly) **1.** ungünstig, unheilvoll, -drohend, von übler Vorbedeutung. **2.** unglücklich: **an** ~ **start.** ˌ**in·ausˈpi·cious·ness** *s* üble Vorbedeutung, Ungünstigkeit *f*.
in·be·ing [ˈinˌbiːiŋ] *s* **1.** *philos.* Innewohnen *n*, Immaˈnenz *f*. **2.** Wesen(heit *f*) *n*.
ˌ**in-beˈtween I** *s* **1.** a) Mittelsmann *m*, b) *econ.* Zwischenhändler(in). **2.** Mittelding *n*. **II** *adj* **3.** daˈzwischenliegend, Zwischen...
in·board [ˈinˌbɔːrd] *adj u. adv* **1.** *mar.* (b)innenbords. **2.** *mar.* im Schiffsraum (befindlich). **3.** *tech.* nach innen zu.
in·born [ˈinˌbɔːrn] *adj* angeboren.
in·bound [ˈinˌbaund] *adj bes. mar.* auf der Heimfahrt befindlich.
in·breathe [inˈbriːð] *v/t* einatmen.
in·bred *adj* **1.** [ˈinˌbred] angeboren, ererbt. **2.** [ˈinˈbred] durch Inzucht erzeugt.
in·breed [inˈbriːd] *v/t irr Tiere* durch Inzucht herˈvorbringen.
in·ca·pac·i·tate [ˌinkəˈpæsiˌteit] *v/t* **1.** unfähig *od.* untauglich machen (for s.th. für etwas; for *od.* **from doing** zu tun). **2.** (ver)hindern (**from** an *dat*; **from doing** zu tun). **3.** *e-n Gegner* kampfunfähig machen, außer Gefecht setzen. **4.** *jur.* für rechts- *od.* geschäftsunfähig erklären, disqualifiˈzieren. ˌ**in·caˈpac·iˌtat·ed** *adj* **1.** arbeits-, erwerbsunfähig. **2.** *jur.* geschäftsunfähig. ˌ**in·caˌpac·iˈta·tion** *s* **1.** Unfähigmachen *n*. **2.** Unfähigkeit *f*. ˌ**in·caˈpac·i·ty** *s* **1.** Unfähigkeit *f*, Untauglichkeit *f* (of, for zu; for doing zu tun): ~ (**for work**) Arbeits-, Erwerbsunfähigkeit *f*. **2.** *jur.* Rechts- *od.* Geschäftsunfähigkeit *f*: ~ **to sue** Prozeßunfähigkeit *f*.
in·cap·su·late [inˈkæpsjuˌleit] *v/t* **1.** einkapseln. **2.** *ling.* einschachteln.
in·car·cer·ate [inˈkɑːrsəˌreit] *v/t* **1.** einkerkern, -sperren (*a. fig.*). **2.** *med. e-n Bruch* einklemmen: ~**d hernia.** **inˌcar·cerˈa·tion** *s* **1.** Einkerkerung *f*, -sperrung *f*. **2.** *med.* Einklemmung *f*.
in·car·nate I *v/t* [inˈkɑːrneit] **1.** konˈkrete *od.* feste Form geben (*dat*), verwirklichen: **to** ~ **an ideal; to be** ~**d** *relig.* Fleisch werden. **2.** verkörpern, darstellen: **he** ~**s the spirit of revolt. II** *adj* [-nit; -neit] **3.** *relig.* inkarˈniert, fleischgeworden: **God** ~ Gott *m* in Menschengestalt. **4.** *fig.* leibˈhaftig: **a devil** ~ ein Teufel in Menschengestalt. **5.** personifiˈziert, verkörpert: **innocence** ~ die personifizierte Unschuld. **6.** fleischfarben. ˌ**in·carˈna·tion** *s* Inkarnatiˈon *f*: a) *relig.* Fleisch-, Menschwerdung *f*, b) *fig.* Verkörperung *f*, Inbegriff *m*.
in·cen·di·a·rism [inˈsendiəˌrizəm] *s* **1.** Brandstiftung *f*. **2.** *fig.* Aufwiegelung *f*, -reizung *f*. **3.** → **pyromania.** **inˈcen·di·ar·y I** *adj* **1.** Brandstiftungs..., durch Brandstiftung verursacht. **2.** Brand..., Feuer... **3.** *mil.* Brand...: ~ **agent** → 8 c; ~ **bomb** → 8 a; ~ **bullet** (*od.* **projectile, shell**) → 8 b. **4.** *jur.* brandstifterisch, Brandstiftungs... **5.** *fig.* aufwiegelnd, -hetzend. **6.** *fig.* erregend, ˈhinreißend: **an** ~ **woman. II** *s* **7.** Brandstifter(in). **8.** *mil.* a) Brandbombe *f*, b) Brandgeschoß *n*, c) Brand-, Zündstoff *m*. **9.** *fig.* Aufwiegler(in), Hetzer(in), Agiˈtator *m*.
in·cense[1] [ˈinsens] **I** *s* **1.** Weihrauch *m*, Räucherwerk *n*: ~ **boat** *relig.* Weihrauchgefäß *n*; ~ **burner** *relig.* Räucherfaß *n*, -vase *f*. **2.** Weihrauch(wolke *f*, -duft *m*) *m*. **3.** Duft *m*. **4.** *fig.* ˌLobhudeˈlei *f*: **to burn** (*od.* **offer**) ~ **to** → 7. **II** *v/t* **5.** (mit Weihrauch) beräuchern. **6.** durchˈduften. **7.** *fig. j-n* beweihräuchern, *j-m* lobhudeln.
in·cense[2] [inˈsens] *v/t* erzürnen, erbosen, in Rage bringen: ~**d** zornig, wütend.
in·cen·so·ry [inˈsensəri] *s relig.* Weihrauchgefäß *n*.
in·cen·ter [ˈinˌsentər] *s math.* Inkreismittelpunkt *m*: ~ **of triangle** Mittelpunkt e-s in ein Dreieck einbeschriebenen Kreises.
in·cen·tive [inˈsentiv] **I** *adj* **1.** anspornend, antreibend, anreizend (to zu): **to be** ~ **to** anspornen zu; ~ **bonus** *econ.* Leistungsprämie *f*; ~ **pay** (*od.* **wage**) höherer Lohn für höhere Leistung. **II** *s* **2.** Ansporn *m*, Antrieb *m*,

Anreiz *m* (to zu). **3.** *econ.* Leistungsanreiz *m*, Anspornmittel *n*.

in·cen·tre *bes. Br. für* incenter.

in·cept [in'sept] **I** *v/t bes. biol.* in sich aufnehmen. **II** *v/i univ.* (*Cambridge*) a) sich für den Grad e-s **Master** *od.* Doctor qualifi'zieren, b) sich habili'tieren. **in'cep·tion** *s* **1.** Beginn *m*, Anfang *m*, *bes.* Gründung *f* (*e-r Institution*). **2.** *univ.* (*Cambridge*) a) Promoti'on *f* zum **Master** *od.* Doctor, b) Habilitati'on *f*. **in'cep·tive I** *adj* **1.** Anfangs...: a) beginnend, anfangend, b) anfänglich. **2.** *ling.* → inchoative 3. **II** *s* **3.** *ling.* inchoa'tives Wort. **in'cep·tor** [-tər] *s univ.* (*Cambridge*) Promo'vent *m* für den Grad e-s Master *od.* Doctor.

in·cer·ti·tude [in'sə:rti͵tju:d] *s* Unsicherheit *f*: a) Unschlüssigkeit *f*, b) Ungewißheit *f*.

in·ces·san·cy [in'sesənsi] *s* Unablässigkeit *f*. **in'ces·sant** *adj* (*adv* ~**ly**) unaufhörlich, unablässig, ständig.

in·cest ['insest] *s* Blutschande *f*, In'zest *m*: (**spiritual**) ~ *relig.* geistlicher Inzest. **in'ces·tu·ous** [*Br.* -tjuəs; *Am.* -tʃuəs] *adj* (*adv* ~**ly**) blutschänderisch.

inch[1] [intʃ] **I** *s* **1.** Zoll *m* (= *2,54 cm*): **two** ~**es of rain** *meteor.* zwei Zoll Regen; **by** ~**es**, ~ **by** ~ a) Zoll für Zoll, zollweise, b) allmählich, ganz langsam, Schritt für Schritt; **a man of your** ~ ein Mann von Ihrer Statur; **every** ~ *fig.* jeder Zoll, durch u. durch; **every** ~ **a king** ein König vom Scheitel bis zur Sohle; **not to yield an** ~ *fig.* nicht e-n Zoll weichen *od.* nachgeben; → ell². **2.** *fig.* Kleinigkeit *f*, (*das, ein*) bißchen: **within an** ~ um ein Haar, fast; **to be beaten within an** ~ **of one's life** fast zu Tode geprügelt werden. **II** *adj* **3.** ...zöllig: **a three-**~ **rope**. **III** *v/t u. v/i* **4.** (sich) zollweise *od.* sehr langsam fortbewegen.

inch[2] [intʃ] *s Scot. od. Ir.* (kleine) Insel.

inched [intʃt] *adj* **1.** *in Zssgn* ...zöllig: **four-**~. **2.** mit Zolleinteilung versehen, Zoll...: ~ **staff** Zollstock *m*.

-incher [intʃər] *s in Zssgn wie* **four-incher** Gegenstand *m* von 4 Zoll Dicke *od.* Länge.

'inch͵meal *adv* Schritt für Schritt, zollweise.

in·cho·ate I *adj* [*Br.* 'inko͵eit; *Am.* in'kouit] **1.** eben angefangen. **2.** beginnend, anfangend, Anfangs...: **3.** unvollständig, rudimen'tär. **II** *v/t u. v/i* ['inko͵eit] **4.** beginnen, anfangen. **in·cho·a·tive** [in'kouətiv; *Br. a.* 'inko͵eitiv] **I** *adj* **1.** → inchoate 1. **2.** *ling.* inchoa'tiv, den Beginn bezeichnend. **II** *s* **3.** *ling.* Inchoa'tiv *n*, inchoa'tives Verb.

'inch-'pound *s phys.* Zollpfund *n* (*Arbeit, die geleistet wird, wenn* 1 pound *e-n Zoll gehoben wird*).

in·ci·dence ['insidəns] *s* **1.** Ein-, Auftreten *n*, Vorkommen *n*. **2.** Häufigkeit *f*, Verbreitung *f*, Ausdehnung *f*. **3.** a) Auftreffen *n* (upon auf *acc*) (*a. phys.*), b) *phys.* Einfall(en *n*) *m* (*von Strahlen*): → **angle**[1] 1. **4.** *econ.* Anfall *m* (*e-r Steuer*): ~ **of taxation** Verteilung *f* der Steuerlast, Steuerbelastung *f*.

in·ci·dent ['insidənt] **I** *adj* **1.** (to) vorkommend (bei *od.* in *dat*), verbunden (mit), eigen (*dat*). **2.** *bes. phys.* ein-, auffallend, auftreffend (*Strahlen etc*). **II** *s* **3.** Vorfall *m*, Ereignis *n*, Vorkommnis *n*, *a. pol.* Zwischenfall *m*: **full of** ~ ereignisreich. **4.** 'Neben͵umstand *m*, -sache *f*. **5.** Epi'sode *f*, Zwischenhandlung *f* (*im Drama etc*). **6.** *jur.* a) (Neben)Folge *f* (of aus), b) Nebensache *f*, c) (*mit e-m Amt etc verbundene*) Verpflichtung.

in·ci·den·tal [͵insi'dentl] **I** *adj* **1.** beiläufig, nebensächlich, Neben...: ~ **earnings** Nebenverdienst *m*; ~ **expenses** → 7; ~ **music** Begleit-, Bühnen-, Filmmusik *f*, musikalischer Hintergrund. **2.** gelegentlich. **3.** zufällig. **4.** (to) gehörig (zu), verbunden *od.* zs.-hängend (mit): **to be** ~ **to** gehören zu, verbunden sein mit; **the expenses** ~ **thereto** die dabei entstehenden *od.* damit verbundenen Unkosten. **5.** folgend (upon auf *acc*), nachher auftretend: ~ **images** *psych.* Nachbilder. **II** *s* **6.** 'Neben͵umstand *m*, -sächlichkeit *f*. **7.** *pl econ.* Nebenausgaben *pl*, -spesen *pl*. ͵**in·ci'den·tal·ly** *adv* **1.** beiläufig, neben'bei. **2.** zufällig. **3.** gelegentlich. **4.** neben'bei bemerkt, übrigens.

in·cin·er·ate [in'sinə͵reit] *v/t u. v/i* einäschern, (zu Asche) verbrennen. **in͵cin·er'a·tion** *s* Einäscherung *f*, Verbrennung *f*. **in'cin·er͵a·tor** [-tər] *s* Verbrennungsofen *m*.

in·cip·i·ence [in'sipiəns], *a.* **in'cip·i·en·cy** [-si] *s* **1.** Beginn *m*, Anfang *m*. **2.** Anfangsstadium *n*. **in'cip·i·ent** *adj* beginnend, anfangend, einleitend, anfänglich, Anfangs...: ~ **stage** Anfangsstadium *n*. **in'cip·i·ent·ly** *adv* anfänglich, anfangs, zu Anfang.

in·cise [in'saiz] *v/t* **1.** einschneiden in (*acc*), aufschneiden (*a. med.*). **2.** einritzen, -schnitzen, -kerben. **in'cised** *adj* **1.** *a. bot. zo.* eingeschnitten. **2.** Schnitt...: ~ **wound**.

in·ci·sion [in'siʒən] *s* **1.** *a. med.* (Ein)-Schnitt *m*. **2.** *bot. zo.* Einschnitt *m*.

in·ci·sive [in'saisiv] *adj* (*adv* ~**ly**) **1.** (ein)schneidend. **2.** *fig.* scharf: a) 'durchdringend: ~ **intellect**, b) beißend: ~ **irony**. **3.** *anat.* Schneide(zahn)...: ~ **bone** Zwischenkieferknochen *m*; ~ **tooth** → incisor. **in'ci·sive·ness** *s* Schärfe *f*.

in·ci·sor [in'saizər] *s anat.* Schneidezahn *m*.

in·cit·ant [in'saitənt] **I** *adj* anreizend. **II** *s* Reiz-, Anregungsmittel *n*. ͵**in·ci'ta·tion** [-sai-; -si-] *s* **1.** Anregung *f*. **2.** Anreiz *m*, Ansporn *m*, Antrieb *m*. **3.** → incitement 2.

in·cite [in'sait] *v/t* **1.** anregen (*a. med.*), anspornen, anstacheln, antreiben (to zu). **2.** aufwiegeln, -hetzen, *jur.* anstiften (to zu). **in'cite·ment** *s* **1.** → incitation 1 *u.* 2. **2.** Aufwiegelung *f*, -hetzung *f*, *jur.* Anstiftung *f* (to commit a crime zu e-m Verbrechen). **in'cit·er** *s* **1.** Ansporner(in), Antreiber(in). **2.** Aufwiegler(in).

in·ci·vil·i·ty [͵insi'viliti] *s* Unhöflichkeit *f*, Grobheit *f*.

in·ci·vism ['insi͵vizəm] *s* Mangel *m* an Bürgersinn *od.* Patrio'tismus.

'in-͵clear·ing *s econ. Br.* Gesamtbetrag *m* der auf ein Bankhaus laufenden Schecks, Abrechnungsbetrag *m*.

in·clem·en·cy [in'klemənsi] *s* **1.** Rauheit *f*, Unfreundlichkeit *f*: **inclemencies of the weather** Unbilden der Witterung. **2.** Grausamkeit *f*, Härte *f*. **in'clem·ent** *adj* (*adv* ~**ly**) **1.** rauh, unfreundlich, streng (*Klima*). **2.** hart, grausam.

in·clin·a·ble [in'klainəbl] *adj* **1.** geneigt, ('hin)neigend, ten'dierend (to zu). **2.** zugetan, günstig (gesinnt) (to *dat*). **3.** *tech.* schrägstellbar.

in·cli·na·tion [͵inkli'neiʃən] *s* **1.** *fig.* Neigung *f*, Vorliebe *f*, Hang *m* (to, for zu): ~ **to buy** *econ.* Kauflust *f*; ~ **to sell** *econ.* Verkaufsneigung; ~ **to stoutness** Anlage *f* zur Korpulenz. **2.** *fig.* Zuneigung *f*, Liebe *f* (for zu). **3.** Neigen *n*, Beugen *n*, Neigung *f*. **4.** *math. phys.* a) Neigung *f*, Schrägstellung *f*, Schräge *f*, Senkung *f*, b) geneigte Fläche, Abhang *m*, c) Neigungswinkel *m*: **the** ~ **of two planes** der Winkel zwischen zwei Ebenen. **5.** *astr. phys.* Inklinati'on *f*.

in·cline [in'klain] **I** *v/i* **1.** 'hinneigen, geneigt sein, (dazu) neigen (to, toward zu; to do zu tun). **2.** Anlage haben, neigen (to zu): **to** ~ **to stoutness**; **to** ~ **to red** ins Rötliche spielen. **3.** sich neigen (to, **toward[s]** nach), (schräg) abfallen: **the roof** ~**s sharply** das Dach fällt steil ab. **4.** *Bergbau:* einfallen. **5.** sich neigen, zu Ende gehen (*Tag*). **6.** (to) geneigt *od.* gewogen sein (*dat*), begünstigen (*acc*). **II** *v/t* **7.** geneigt machen, veranlassen, bewegen (to zu): **this** ~**s me to doubt** dies läßt mich zweifeln; **this** ~**s me to the view** dies bringt mich zu der Ansicht. **8.** neigen, beugen, senken: **to** ~ **the head**; **to** ~ **one's ear to s.o.** *fig.* j-m sein Ohr leihen. **9.** Neigung geben (*dat*), neigen, schräg (ver)stellen, beugen. **10.** (to, **toward[s]**) richten (auf *acc*), lenken (nach ... hin). **III** *s* [*a.* 'inklain] **11.** Neigung *f*, Abdachung *f*, Abhang *m*, schiefe Ebene. **12.** *Bergbau:* tonnlägiger Schacht, einfallende Strecke. **13. double** ~ *rail.* Ablaufberg *m*.

in·clined [in'klaind] *adj* **1.** geneigt, aufgelegt (to, for zu): **to be** ~ (dazu) neigen, (dazu) geneigt *od.* aufgelegt sein. **2.** (dazu) neigend *od.* veranlagt (to zu). **3.** geneigt, gewogen, wohlgesinnt (to *dat*). **4.** geneigt, schräg, schief, abschüssig: **to be** ~ sich neigen; ~ **plane** *phys.* schiefe Ebene.

in·cli·nom·e·ter [͵inkli'nɒmitər] *s tech.* **1.** Inklinati'onskompaß *m*, -nadel *f*. **2.** *aer.* Neigungsmesser *m*. **3.** → clinometer.

in·clude [in'klu:d] *v/t* **1.** einschließen, um'geben. **2.** in sich einschließen, um'fassen, enthalten. **3.** einschließen, -beziehen, -rechnen (in in *acc*), rechnen (among unter *acc*, zu). **4.** erfassen, aufnehmen. **5.** *jur.* j-n (*in s-m Testament*) bedenken.

in·clud·ed [in'klu:did] *adj* **1.** um'schlossen, eingeschlossen (*a. math.*). **2.** mit inbegriffen, mit eingeschlossen: **tax** ~ einschließlich Steuer. **in'clud·i·ble** *adj* einschließbar. **in'clud·ing** *prep* einschließlich (*gen*): ~ **all charges** *econ.* einschließlich aller Kosten.

in·clu·sion [in'klu:ʒən] *s* **1.** Einschluß *m*, Einbeziehung *f* (in in *acc*): **with the** ~ **of** mit Einschluß von (*od. gen*). **2.** *min. tech.* Einschluß *m*. **3.** *biol.* Zelleinschluß *m*: ~ **body** *med.* Einschlußkörperchen *n*.

in·clu·sive [in'klu:siv] *adj* (*adv* ~**ly**) **1.** einschließlich, inklu'sive (of *gen*): **to be** ~ **of** einschließen (*acc*); (to) **Friday** ~ (bis) Freitag einschließlich. **2.** alles einschließend *od.* enthaltend: ~ **terms** *econ.* Pauschalpreis *m*, ‚alles inbegriffen'.

in·cog·ni·to [in'kɒgni͵tou] **I** *adv* **1.** in'kognito, unerkannt, unter fremdem Namen: **to travel** ~. **II** *pl* -͵**tos** *s* **2.** In'kognito *n*. **3.** Unbekannte(r) *m*, j-d, der in'kognito auftritt.

in·cog·ni·za·ble [in'kɒgnizəbl] *adj* nicht erkennbar. **in'cog·ni·zant** *adj* (of) nicht erkennend *od.* wissend (*acc*), nicht bewußt (*gen*): **to be** ~ **of s.th.** etwas nicht (er)kennen *od.* wissen.

in·co·her·ence [͵inko'hi(ə)rəns] *s* **1.** Zs.-hang(s)losigkeit *f*. **2.** Unlogik *f*, 'Inkonse͵quenz *f*. **3.** Unvereinbarkeit *f*, 'Widerspruch *m*. **4.** *phys.* Inkohä'renz *f*. **ˌin·co'her·ent** *adj* (*adv* ~**ly**) **1.** zs.-hang(s)los, 'unzuˌsammenhängend. **2.** 'inkonseˌquent, unlogisch. **3.** zs.-hang(s)los sprechend *od.* denkend. **4.** nicht über'einstimmend, unvereinbar, 'widerspruchsvoll. **5.** *phys.* inkohä'rent. **6.** lose, locker.

in·com·bus·ti·ble [ˌinkəm'bʌstibl] *adj u. s* unverbrennbar(e Sub'stanz).

in·come ['inkʌm] *s econ.* Einkommen *n*, Einkünfte *pl* (from aus): **earned** ~ Einkommen aus Erwerbstätigkeit, Arbeitseinkommen; **unearned** ~ Einkommen aus Kapitalvermögen, Kapitaleinkommen; **excess of** ~ Mehreinkommen; **small** ~**s relief** *Br.* Steuervergünstigung *f* für niedrige Einkommen; ~ **account** a) Einnahmekonto *n*, b) → **income statement**; ~ **bond** Schuldverschreibung *f* mit vom Gewinn (der Gesellschaft) abhängiger Verzinsung; ~ **bracket** Einkommensstufe *f*; ~ **group** Einkommensgruppe *f*.

in·com·er ['inˌkʌmər] *s* **1.** Her'einkommende(r *m*) *f*, Ankömmling *m*. **2.** Einwanderer *m*, Einwanderin *f*. **3.** Zugezogene(r *m*) *f*. **4.** *econ. jur.* (Rechts)Nachfolger(in).

in·come| re·turn *s econ. Am.* Ren'dite *f*. ~ **split·ting** *s Am.* Einkommensaufteilung *f* zur getrennten Veranlagung. ~ **state·ment** *s econ. Am.* Gewinn- u. Verlustrechnung *f*. ~ **sur·tax** *s econ.* Mehreinkommensteuer *f*. ~ **tax** *s econ.* Einkommensteuer *f*: ~ **return** Einkommensteuererklärung *f*.

in·com·ing ['inˌkʌmiŋ] **I** *adj* **1.** her'einkommend: **the** ~ **tide**. **2.** ankommend (*Telephongespräch*, *Verkehr*, *electr. Strom etc*), nachfolgend, neu eintretend (*Beamter etc*): ~ **tenant** neuer Pächter *od.* Mieter. **3.** *econ.* a) erwachsend (*Nutzen*, *Gewinn*), b) eingehend, -laufend: ~ **orders**; ~ **mail** eingehende Post, Posteingang *m*; ~ **stocks** Warenzugänge. **4.** beginnend: **the** ~ **year**. **5.** ein-, zuwandernd. **II** *s* **6.** Kommen *n*, Eintritt *m*, Eintreffen *n*, Ankunft *f*. **7.** *meist pl econ.* a) Eingänge *pl*, b) Einkünfte *pl*.

in·com·men·su·ra·bil·i·ty [ˌinkəˌmenʃərə'biliti] *s* **1.** *math.* ˌInkommensurabili'tät *f*. **2.** Unvergleichbarkeit *f* (*zweier Dinge*). **ˌin·com'men·su·ra·ble I** *adj* **1.** *math.* a) inkommensu'rabel, ohne gemeinsames Verhältnis, b) irratio'nal. **2.** nicht vergleichbar. **3.** völlig unverhältnismäßig. **II** *s* **4.** *math.* inkommensu'rable Größe.

in·com·men·su·rate [ˌinkə'menʃərit] *adj* (*adv* ~**ly**) **1.** unangemessen, nicht entsprechend (to *dat*). **2.** → **incommensurable I**.

in·com·mode [ˌinkə'moud] *v/t* **1.** *j-m* lästig fallen *od.* Unbequemlichkeiten verursachen, *j-n* belästigen *od.* stören. **2.** behindern. **ˌin·com'mo·di·ous** [-diəs] *adj* (*adv* ~**ly**) unbequem: a) lästig, beschwerlich (to *dat od.* für), b) beengt, eng.

in·com·mu·ni·ca·bil·i·ty [ˌinkəˌmjuːnikə'biliti] *s* Unmitteilbarkeit *f*. **ˌin·com'mu·ni·ca·ble** *adj* (*adv* **incommunicably**) nicht mitteilbar, nicht auszudrücken(d), unsagbar. **ˌin·comˌmu·ni'ca·do** [-'kɑːdou] *adj bes. jur. Am.* vom Verkehr mit der Außenwelt abgeschnitten, *jur. a.* in Einzelhaft: **to keep** ~ *e-m Häftling* keinerlei Verbindung mit der Außenwelt gestatten, *j-n* in Isolierhaft halten. **ˌin·com'mu·ni·ca·tive** [*Br.* -nikətiv; *Am.* -nəˌkeitiv] *adj* (*adv* ~**ly**) nicht mitteilsam, verschlossen, zu'rückhaltend.

in·com·mut·a·ble [ˌinkə'mjuːtəbl] *adj* (*adv* **incommutably**) **1.** unvertauschbar. **2.** unwandelbar, 'unabˌänderlich.

in·com·pa·ra·ble [in'kɒmpərəbl] **I** *adj* **1.** unvergleichlich, einzigartig. **2.** nicht zu vergleichen(d) (with, to mit). **II** *s* **3.** *orn.* Papstfink *m*. **in'com·pa·ra·bly** *adv* unvergleichlich.

in·com·pat·i·bil·i·ty [ˌinkəmˌpæti'biliti] *s* Unverträglichkeit *f*: a) Unvereinbarkeit *f*, 'Widersprüchlichkeit *f*, 'Widerspruch *m*, b) (*charakterliche*) Gegensätzlichkeit: ~ **of temperament** *jur. Am.* unüberwindliche Abneigung (*als Scheidungsgrund*), c) *med.* Unmischbarkeit *f* (*von Blutgruppen etc*). **ˌin·com'pat·i·ble I** *adj* **1.** unvereinbar: a) 'widersprüchlich, ein'ander wider'sprechend, b) nicht gleichzeitig bekleidbar (*Ämter*). **2.** unverträglich: a) nicht zs.-passend (*a. Personen*), b) *med.* inkompa'tibel (*Blutgruppen, Arzneimittel etc*). **II** *s* **3.** unverträgliche Per'son *od.* Sache.

in·com·pe·tence [in'kɒmpitəns], *a.* **in'com·pe·ten·cy** [-si] *s* **1.** Unfähigkeit *f*, Untüchtigkeit *f*. **2.** *jur.* a) Unbefugtheit *f*, Nichtbefugnis *f*, b) Nichtzuständigkeit *f*, 'Inkompeˌtenz *f* (*e-s Gerichts etc*), c) Unzulässigkeit *f* (*e-r Aussage, e-s Zeugen etc*), d) *Am.* Unzurechnungsfähigkeit *f*, Geschäftsunfähigkeit *f*. **3.** Unzulänglichkeit *f*. **in'com·pe·tent I** *adj* (*adv* ~**ly**) **1.** unfähig, untauglich, ungeeignet (to do zu tun). **2.** *jur.* a) unbefugt, b) unzuständig, 'inkompeˌtent (*Richter, Gericht*), c) unzulässig: ~ **evidence**; ~ **witness**, d) *Am.* unzurechnungsfähig, geschäftsunfähig. **3.** unzulänglich, mangelhaft. **II** *s* **4.** unfähige Per'son, Nichtskönner(in). **5.** *jur. Am.* geschäftsunfähige Per'son.

in·com·plete [ˌinkəm'pliːt] *adj* (*adv* ~**ly**) **1.** unvollständig, 'unvollˌendet. **2.** unvollkommen, lücken-, mangelhaft: ~ **shadow** *math. phys.* Halbschatten *m*. **ˌin·com'plete·ness, ˌin·com'ple·tion** [-'pliːʃən] *s* Unvollständigkeit *f*, Unvollkommenheit *f*.

in·com·pre·hen·ding [ˌinkɒmpri'hendiŋ] *adj* (*adv* ~**ly**) verständnislos. **ˌin·com·preˌhen·si'bil·i·ty** [-sə'biliti] *s* Unbegreiflichkeit *f*. **ˌin·com·pre'hen·si·ble** *adj* (*adv* **incomprehensibly**) unbegreiflich, unfaßbar, unverständlich. **ˌin·com·pre'hen·sion** *s* Nichtbegreifen *n*.

in·con·ceiv·a·bil·i·ty [ˌinkənˌsiːvə'biliti] *s* Unfaßbarkeit *f*, Unbegreiflichkeit *f*. **ˌin·con'ceiv·a·ble** *adj* (*adv* **inconceivably**) **1.** unbegreiflich, unfaßbar. **2.** undenkbar, unvorstellbar (to für). **ˌin·con'ceiv·a·ble·ness** → **inconceivability**.

in·con·clu·sive [ˌinkən'kluːsiv] *adj* (*adv* ~**ly**) **1.** nicht über'zeugend *od.* schlüssig, ohne Beweiskraft. **2.** ergebnis-, erfolglos. **ˌin·con'clu·sive·ness** *s* **1.** Mangel *m* an Beweiskraft. **2.** Ergebnislosigkeit *f*.

in·con·dite [in'kɒndit] *adj* **1.** schlecht zs.-gestellt *od.* gemacht, mangelhaft. **2.** roh, ungeformt. **3.** grob, unfein.

in·con·gru·ent [in'kɒŋgruənt] → **incongruous**.

in·con·gru·i·ty [ˌinkɒŋ'gruːiti] *s* **1.** ˌNichtüber'einstimmung *f*: a) 'Mißverhältnis *n*, b) Unvereinbarkeit *f*. **2.** Ungereimtheit *f*, 'Widersinnigkeit *f*. **3.** Unangemessenheit *f*. **4.** *math.* 'Inkongruˌenz *f*. **in'con·gru·ous** [-gruəs] *adj* (*adv* ~**ly**) **1.** nicht über'einstimmend: a) nicht zuein'ander passend, b) unvereinbar (to, with mit): **conduct** ~ **with his principles**. **2.** ungereimt, 'widersinnig: **an** ~ **story**. **3.** unangemessen, unpassend, ungehörig. **4.** *math.* 'inkongruˌent, nicht deckungsgleich. **in'con·gru·ous·ness** → **incongruity**.

in·con·se·quence [in'kɒnsiˌkwens] *s* **1.** 'Inkonseˌquenz *f*, Unlogik *f*, Folgewidrigkeit *f*. **2.** Belanglosigkeit *f*. **in'con·seˌquent** [-ˌkwent] *adj* (*adv* ~**ly**) **1.** 'inkonseˌquent, folgewidrig, unlogisch. **2.** 'unzuˌsammenhängend. **3.** nicht zur Sache gehörig, irrele'vant. **4.** belanglos, unwichtig.

in·con·se·quen·tial [inˌkɒnsi'kwenʃəl; ˌinkɒn-] → **inconsequent**.

in·con·sid·er·a·ble [ˌinkən'sidərəbl] *adj* (*adv* **inconsiderably**) unbedeutend, unerheblich, gering(fügig).

in·con·sid·er·ate [ˌinkən'sidərit] *adj* (*adv* ~**ly**) **1.** rücksichts-, taktlos (to gegen). **2.** unbedacht, 'unüberˌlegt. **ˌin·con'sid·er·ate·ness, ˌin·conˌsid·er'a·tion** *s* **1.** Rücksichtslosigkeit *f*. **2.** Unbesonnenheit *f*.

in·con·sist·ence [ˌinkən'sistəns], **ˌin·con'sist·en·cy** [-si] *s* **1.** (innerer) 'Widerspruch, Unvereinbarkeit *f*. **2.** 'Inkonseˌquenz *f*, Folgewidrigkeit *f*, Unlogik *f*. **3.** Unbeständigkeit *f*, Wankelmut *m*, Unstetigkeit *f*. **ˌin·con'sist·ent** *adj* (*adv* ~**ly**) **1.** (ein'ander) wider'sprechend, unvereinbar, unverträglich, gegensätzlich. **2.** 'inkonseˌquent, folgewidrig, ungereimt. **3.** unbeständig, wankelmütig, unstet. **4.** (with) unvereinbar (mit), im 'Widerspruch *od.* Gegensatz stehend (zu).

in·con·sol·a·ble [ˌinkən'souləbl] *adj* (*adv* **inconsolably**) untröstlich.

in·con·spic·u·ous [ˌinkən'spikjuəs] *adj* (*adv* ~**ly**) **1.** unauffällig. **2.** *bot.* klein, grün (*Blüten*). **ˌin·con'spic·u·ous·ness** *s* Unauffälligkeit *f*.

in·con·stan·cy [in'kɒnstənsi] *s* **1.** Unbeständigkeit *f*, Veränderlichkeit *f*. **2.** Wankelmut *m*, Unstetigkeit *f*. **3.** Ungleichförmigkeit *f*. **in'con·stant** *adj* (*adv* ~**ly**) **1.** unbeständig, veränderlich. **2.** wankelmütig, unstet. **3.** ungleichförmig.

in·con·test·a·ble [ˌinkən'testəbl] *adj* (*adv* **incontestably**) **1.** unbestreitbar, unstreitig, unanfechtbar. **2.** 'unumˌstößlich, 'unwiderˌleglich: ~ **proof**.

in·con·ti·nence [in'kɒntinəns] *s* **1.** (*bes.* sexu'elle) Unmäßigkeit *f*, Zügellosigkeit *f*, Unkeuschheit *f*. **2.** *med.* 'Inkontiˌnenz *f*, ˌNicht(zu'rück)haltenkönnen *n*: ~ **of the feces** Stuhlinkontinenz; ~ **of urine** Harnfluß *m*; ~ **of speech** *fig.* Geschwätzigkeit *f*.

in·con·ti·nent[1] [in'kɒntinənt] *adj* (*adv* ~**ly**) **1.** ausschweifend, zügellos, unmäßig, unkeusch. **2.** 'unaufˌhörlich: ~ **flow of talk** pausenloser Redestrom. **3.** nicht im'stande zu'rückzuhalten: **to be** ~ **of a secret** ein Geheimnis nicht für sich behalten können. **4.** *med.* 'inkontiˌnent.

in·con·ti·nent[2] [in'kɒntinənt], *a.* **in'con·ti·nent·ly** [-li] *adv obs.* so'fort.

in·con·tro·vert·i·ble [ˌinkɒntrə'vəːtəbl; inˌkɒn-] *adj* (*adv* **incontrovertibly**) unbestreitbar, unstreitig.

in·con·ven·ience [ˌinkən'viːnjəns] **I** *s* **1.** a) Unbequemlichkeit *f*, b) Ungelegenheit *f*, Lästigkeit *f*, c) Unannehmlichkeit *f*, Schwierigkeit *f*: **to put s.o. to** ~ → 3. **II** *v/t* **2.** *j-n* belästigen, stören, *j-m* lästig sein *od.* zur Last fallen. **3.** *j-m* Unannehmlichkeiten *od.* Ungelegenheiten bereiten. **ˌin·con'ven·ient** *adj* (*adv* ~**ly**) **1.** unbequem (to für). **2.** ungelegen, lästig, störend (to für): at a most ~ time zu sehr ungelegener Zeit.

in·con·vert·i·bil·i·ty [ˌinkənˌvəːrtəˈbiliti] *s* **1.** Un(ver)wandelbarkeit *f*. **2.** Unaustauschbarkeit *f*. **3.** *econ.* a) ˌNichtkonverˈtierbarkeit *f*, ˌNichtˈumwandelbarkeit *f*: ~ **of a currency,** b) ˌNichtˈeinlösbarkeit *f*: ~ **of paper money,** c) ˌNichtˈumsetzbarkeit *f*: ~ **of merchandise.** ˌ**in·conˈvert·i·ble** *adj* (*adv* **inconvertibly**) **1.** un(ver)wandelbar. **2.** nicht austauschbar. **3.** *econ.* a) nicht konverˈtierbar: ~ **currency,** b) nicht einlösbar: ~ **paper money,** c) nicht ˈumsetzbar (**into** in *acc*).

in·con·vin·ci·ble [ˌinkənˈvinsəbl] *adj* [nicht zu überˈzeugen(d).]

in·co·or·di·na·tion [ˌinkoˌɔːrdəˈneiʃən] *s* **1.** Mangel *m* an Gleichordnung, mangelnde Abstimmung (aufeinˈander). **2.** *med.* ˌInkoordinatiˈon *f*, mangelndes Zs.-spiel (*bes. der Muskeln*).

in·cor·po·rate [inˈkɔːrpəˌreit] **I** *v/t* **1.** vereinigen, verbinden, zs.-schließen (**with, into, in** mit). **2.** (**in, into**) *Idee etc* einverleiben (*dat*), aufnehmen (in *acc*), *Staatsgebiet a.* eingliedern (in *acc*). **3.** *e-e Stadt* eingemeinden. **4.** (zu e-r Körperschaft) vereinigen, zs.-schließen (**into, in** zu). **5.** *econ. jur.* a) als Körperschaft *od.* (*Am.*) als Aktiengesellschaft (amtlich) eintragen, inkorpoˈrieren, ˈRechtsperˌsönlichkeit verleihen (*dat*), b) (als Körperschaft *etc*) gründen, errichten, inkorporieren lassen. **6.** (*als Mitglied*) aufnehmen (**into** in *acc*). **7.** in sich schließen, enthalten. **8.** *chem. tech.* (ver)mischen (**into** zu). **9.** *tech. u. fig.* einbauen (**into** in *acc*). **10.** verkörpern. **II** *v/i* **11.** sich (eng) verbinden *od.* vereinigen *od.* zs.-schließen (**with** mit). **12.** *econ. jur.* e-e Körperschaft *od.* (*Am.*) e-e Aktiengesellschaft bilden *od.* werden. **III** *adj* [-rit] → **incorporated:** ~ **body** Körperschaft *f*.

in·cor·po·rat·ed [inˈkɔːrpəˌreitid] *adj* **1.** *econ. jur.* a) amtlich (als Körperschaft) eingetragen, inkorpoˈriert, b) *Am.* als Aktiengesellschaft eingetragen: ~ **bank** *Am.* Aktienbank *f*; ~ **company** *Br.* rechtsfähige (Handels)Gesellschaft, *Am.* Aktiengesellschaft *f*; ~ **society** *Am.* eingetragene Gesellschaft. **2.** (eng) verbunden, zs.-geschlossen (**in, into** mit). **3.** einverleibt (**in, into** *dat*): **to become** ~ **in(to)** einverleibt werden (*dat*), aufgehen in (*dat*); ~ **territories** eingegliederte Staatsgebiete. **4.** eingemeinden: ~ **municipality** Stadtgemeinde *f*. **inˈcor·poˌrat·ing** *adj ling.* inkorpoˈrierend, ˈpolysynˌthetisch. **inˌcor·poˈra·tion** *s* **1.** Vereinigung *f*, Verbindung *f*. **2.** Einverleibung *f*, Eingliederung *f*, Aufnahme *f* (**into** in *acc*). **3.** *econ. jur.* a) Gründung *f od.* Errichtung *f* e-r Körperschaft *od.* (*Am.*) e-r Aktiengesellschaft, b) amtliche Eintragung (*als Körperschaft etc*): **articles of** ~ → **article** 6; **certificate of** ~ Korporationsurkunde *f*, Eintragungsbescheinigung *f*, *Am.* Gründungsurkunde *f* e-r Aktiengesellschaft. **4.** *jur.* Eingemeindung *f* (**into** in *acc*). **inˈcor·po·ra·tive** [*Br.* -rətiv; *Am.* -ˌreitiv] *adj* **1.** einverleibend, vereinigend. **2.** *econ.* körperschaftlich. **inˈcor·poˌra·tor** [-ˌreitər] *s* **1.** *econ. Am.* Gründungsmitglied *n*. **2.** *Br. Mitglied e-r Universität, das in e-r anderen inkorporiert ist.*

in·cor·po·re·al [ˌinkɔːrˈpɔːriəl] *adj* unkörperlich, immateriˈell, geistig: ~ **chattels** *jur.* Forderungen; ~ **hereditaments** vererbliche Rechte; ~ **rights** Immaterialgüterrechte (*z. B. Patente*). **inˌcor·poˈre·i·ty** [-pəˈriːiti] *s* Unkörperlichkeit *f*.

in·cor·rect [ˌinkəˈrekt] *adj* (*adv* ~**ly**) **1.** unrichtig, ungenau, fehlerhaft, falsch, irrig, ˈinkorˌrekt. **2.** unschicklich, ungehörig, ˈinkorˌrekt: ~ **conduct.** ˌ**in·corˈrect·ness** *s* **1.** Unrichtigkeit *f*, Fehlerhaftigkeit *f*. **2.** Unschicklichkeit *f*, Ungehörigkeit *f*.

in·cor·ri·gi·bil·i·ty [inˌkɒridʒəˈbiliti] *s* Unverbesserlichkeit *f*. **inˈcor·ri·gi·ble I** *adj* (*adv* **incorrigibly**) **1.** unverbesserlich: **an** ~ **alcoholic; an** ~ **habit.** **2.** nicht zu bändigen(d): **an** ~ **child.** **II** *s* **3.** unverbesserlicher Mensch.

in·cor·rupt [ˌinkəˈrʌpt], *a.* ˌ**in·corˈrupt·ed** [-tid] *adj selten* **1.** unverdorben, lauter, redlich. **2.** unbestechlich. ˌ**in·corˌrupt·iˈbil·i·ty** *s* **1.** Unbestechlichkeit *f*, Lauterkeit *f*. **2.** Unzerstörbarkeit *f*, Unvergänglichkeit *f*. ˌ**in·corˈrupt·i·ble** *adj* (*adv* **incorruptibly**) **1.** sittlich *od.* moˈralisch gefestigt, unverführbar, redlich, *bes.* unbestechlich. **2.** unzerstörbar, unvergänglich. ˌ**in·corˈrup·tion** *s obs.* **1.** Unverderbtheit *f*. **2.** → **incorruptibility** 2.

in·crease [inˈkriːs] **I** *v/i* **1.** zunehmen, größer werden, (an)wachsen, (an)steigen, sich vergrößern *od.* vermehren *od.* erhöhen *od.* steigern *od.* verstärken: **to** ~ **in size (value)** an Größe (Wert) zunehmen; **to** ~ **in price** im Preise steigen, teurer werden; ~**d production** Produktionssteigerung *f*. **2.** steigen (*Preise*). **3.** sich (*durch Fortpflanzung*) vermehren. **II** *v/t* **4.** vergrößern, -stärken, -mehren, erhöhen, steigern: **to** ~ **tenfold** verzehnfachen; **to** ~ **the salary** das Gehalt erhöhen; **to** ~ **a sentence** e-e Strafe erhöhen *od.* verschärfen; **to** ~ **the speed** die Geschwindigkeit steigern *od.* erhöhen *od.* heraufsetzen. **III** *s* [ˈinkriːs] **5.** Vergrößerung *f*, -mehrung *f*, -stärkung *f*, Zunahme *f*, (An)Wachsen *n*, Zuwachs *m*, Wachstum *n*, Steigen *n*, Steigerung *f*, Erhöhung *f*: **on the** ~ im Zunehmen; **to be on the** ~ zunehmen; ~ **in the bank rate** *econ.* Heraufsetzung *f od.* Erhöhung *f* des Diskontsatzes; ~ **of capital** *econ.* Kapitalerhöhung; ~ **of a function** *math.* Zunahme e-r Funktion; ~ **of salary** *econ.* Gehaltserhöhung, -zulage *f*; ~ **of trade** Aufschwung *m od.* Zunahme des Handels; ~ **twist** *tech.* Progressivdrall *m*. **6.** Vermehrung *f* (*durch Fortpflanzung*). **7.** Zuwachs *m* (*e-s Betrages*), Mehrbetrag *m*. **8.** Nutzen *m*, Ertrag *m*, Gewinn *m*.

in·creas·er [inˈkriːsər] *s* **1.** (*der, die, das*) Vergrößernde *od.* Vermehrende. **2.** *tech.* Verstärker *m*, Regler *m*: **power** ~ Leistungsregler *m*. **inˈcreas·ing·ly** *adv* immer mehr, in zunehmendem Maße: ~ **clear** immer klarer.

in·cred·i·bil·i·ty [inˌkredəˈbiliti] *s* **1.** Unglaublichkeit *f*. **2.** Unglaubhaftigkeit *f*. **inˈcred·i·ble** *adj* (*adv* **incredibly**) **1.** unglaublich (*a. colloq. unerhört, äußerst, riesig*). **2.** unglaubhaft, unwahrscheinlich.

in·cre·du·li·ty [ˌinkriˈdjuːliti] *s* **1.** Ungläubigkeit *f*. **2.** *relig.* Unglaube *m*.

in·cred·u·lous [*Br.* inˈkredjuləs; *Am.* -dʒə-] *adj* (*adv* ~**ly**) ungläubig.

in·cre·mate [ˈinkriˌmeit] → **cremate.**

in·cre·ment [ˈinkrimənt; ˈiŋk-] *s* **1.** Zuwachs *m*, Zunahme *f*. **2.** *econ.* (Gewinn)Zuwachs *m*, (Mehr)Ertrag *m*: ~ **income tax** Gewinnzuwachssteuer *f*; **unearned** ~, ~ **value** Wertzuwachs. **3.** *math.* Inkreˈment *n*, Zuwachs *m*, *bes.* positives Differentiˈal. ˌ**in·creˈmen·tal** [-ˈmentl] *adj* Zuwachs...

in·cre·tion [inˈkriːʃən] *s physiol.* **1.** innere Sekretiˈon. **2.** Inˈkret *n*, Horˈmon *n*.

in·crim·i·nate [inˈkrimiˌneit] *v/t j-n* (*e-s Verbrechens od. Vergehens*) beschuldigen, *j-n* belasten: **to** ~ **o.s.** sich (selbst) belasten. **inˌcrim·iˈna·tion** *s* Beschuldigung *f*, Belastung *f*. **inˈcrim·iˌnat·ing** *adj* belastend: ~ **evidence** *jur.* Belastungsmaterial *n*. **inˈcrim·iˌna·tor** [-tər] *s* Beschuldiger *m*. **inˈcrim·iˌna·to·ry** → **incriminating.**

in·crust [inˈkrʌst] **I** *v/t* **1.** mit e-r Kruste überˈziehen, ver-, überˈkrusten. **2.** *tech.* inkruˈstieren, überˈsintern. **3.** *Wände etc* verkleiden, belegen. **II** *v/i* **4.** sich ver- *od.* überˈkrusten. **5.** e-e Kruste bilden. ˌ**in·crusˈta·tion** *s* **1.** Krustenbildung *f*. **2.** *tech.* a) Inkrustatiˈon *f* (*a. geol. med.*), Kruste *f*, b) Kesselstein(bildung *f*) *m*. **3.** a) Belegen *n*, Verkleiden *n*, b) Verkleidung *f*, Belag *m* (*e-r Wand*). **4.** Einlegearbeit *f*. **5.** *fig.* Festsetzung *f*: ~ **of habits.**

in·cu·bate [ˈinkjuˌbeit; ˈiŋk-] *v/t* **1.** *Eier* ausbrüten (*a. künstlich*). **2.** *Embryos, Bakterien etc* im Brutschrank halten. **3.** *fig.* ausbrüten, aushecken. ˌ**in·cuˈba·tion** *s* **1.** Ausbrütung *f*, Brüten *n*: ~ **apparatus** → **incubator.** **2.** *med.* Inkubatˈion *f*: ~ **period** Inkubationszeit *f*. **3.** *antiq.* Tempelschlaf *m*. ˈ**in·cuˌba·tive** *adj* **1.** Brüt..., Brut... **2.** *med.* Inkubations... ˈ**in·cuˌba·tor** [-tər] *s* **1.** *med.* Brutschrank *m*, -kasten *m* (*für Frühgeburten*). **2.** ˈBrutappaˌrat *m*, -schrank *m* (*für Eier, Bakterienkulturen etc*). ˈ**in·cuˌba·to·ry** → **incubative.**

in·cu·bus [ˈinkjubəs; ˈiŋk-] *pl* **-bi** [-ˌbai] *od.* **-bus·es** *s* **1.** Inkubus *m*. **2.** *med.* Alp(drücken *n*) *m*. **3.** *fig.* a) Alpdruck *m*, b) Schreckgespenst *n*.

in·cul·cate [ˈinkʌlˌkeit; inˈkʌl-] *v/t* einprägen, -schärfen, -impfen (**on, upon, in s.o.** j-m). ˌ**in·culˈca·tion** *s* Einschärfung *f*.

in·cul·pate [ˈinkʌlˌpeit; inˈkʌl-] *v/t* **1.** beschuldigen (*a. jur.*), tadeln. **2.** *jur.* belasten. ˌ**in·culˈpa·tion** *s* **1.** An-, Beschuldigung *f*. **2.** Vorwurf *m*. **inˈcul·pa·to·ry** [-pətəri] *adj* **1.** beschuldigend, belastend. **2.** tadelnd.

in·cum·ben·cy [inˈkʌmbənsi] *s* **1.** a) Innehaben *n* e-s Amtes, b) Amtsbereich *m*, c) Amtszeit *f*. **2.** *relig. Br.* a) Pfründenbesitz *m*, b) Pfründe *f*. **3.** Obliegenheit *f*, Pflicht *f*. **inˈcum·bent I** *adj* (*adv* ~**ly**) **1.** obliegend: **it is** ~ **(up)on him** es ist s-e Pflicht, es obliegt ihm. **2.** amˈtierend. **3.** lastend (**on, upon** auf *dat*). **4.** *bot. zo.* aufliegend. **5.** liegend, (sich zuˈrück)lehnend. **II** *s* **6.** Amtsinhaber *m*. **7.** *relig. Br.* Pfründeninhaber *m*, -besitzer *m*. **inˈcum·ber** → **encumber.** **inˈcum·brance** [-brəns] → **encumbrance.**

in·cu·nab·u·lum [ˌinkjuˈnæbjuləm] *pl* **-la** [-lə] *s* **1.** Inkuˈnabel *f*, Wiegen-, Frühdruck *m*. **2.** *pl* früheste Anfänge *pl*, Anfangsstadium *n*.

in·cur [inˈkəːr] *pret u. pp* **inˈcurred** *v/t* **1.** sich *etwas* zuziehen, auf sich laden, geraten in (*acc*): **to** ~ **a fine** sich e-e Geldstrafe zuziehen; **to** ~ **debts** *econ.* Schulden machen; **to** ~ **liabilities** *econ.* Verpflichtungen eingehen; **to** ~ **losses** *econ.* Verluste erleiden. **2.** sich (*e-r Gefahr etc*) aussetzen: **to** ~ **a danger.**

in·cur·a·bil·i·ty [inˌkju(ə)rəˈbiliti] *s*

Unheilbarkeit *f*. **in'cur·a·ble I** *adj* (*adv* **incurably**) **1.** *med.* unheilbar. **2.** *fig.* unheilbar, unverbesserlich. **II** *s* **3.** *med.* unheilbar Kranke(r *m*) *f*. **4.** *fig.* Unverbesserliche(r *m*) *f*.

in·cu·ri·os·i·ty [inˌkju(ə)ri'ɒsiti] *s* **1.** Inter'esselosigkeit *f*, Gleichgültigkeit *f*. **2.** 'Uninteresˌsantheit *f*. **in'cu·ri·ous** *adj* (*adv* ~**ly**) **1.** nicht neugierig, 'uninteresˌsiert, gleichgültig. **2.** 'uninteresˌsant.

in·cur·sion [in'kəːrʃən; -ʒən] *s* **1.** (feindlicher) Einfall, Streif-, Raubzug *m*. **2.** Eindringen *n* (*a. fig.*). **3.** *fig.* Einbruch *m*, Ein-, 'Übergriff *m*. **in'cur·sive** [-siv] *adj* eindringend, angreifend, Angriffs...

in·cur·va·tion [ˌinkəːr'veiʃən] *s* **1.** Krümmen *n*. **2.** (Einwärts)Krümmung *f*. **3.** *med.* Verkrümmung *f*. **4.** Beugung *f* (*des Körpers*).

in·curve I *v/t* [in'kəːrv] **1.** (nach innen) krümmen, (ein)biegen. **II** *s* ['inˌkəːrv] **2.** Einwärtskrümmung *f*. **3.** *Baseball*: sich nach innen drehender Ball.

in·cus ['iŋkəs] *pl* **in·cu·des** [in'kjuːdiːz] *s anat.* Amboß *m*, Incus *f*.

in·cuse [in'kjuːz] **I** *adj* **1.** (ein-, auf)geprägt. **II** *s* **2.** (Auf)Prägung *f* (*bes. e-r Münze*). **III** *v/t* **3.** *e-e Münze* prägen. **4.** *e-e Zeichnung* prägen (on auf *acc*).

in·debt·ed [in'detid] *adj* **1.** *econ.* verschuldet: to be ~ to Schulden haben bei, *j-m* Geld schulden. **2.** (zu Dank) verpflichtet, verbunden (to s.o. j-m): I am ~ to you for ich habe Ihnen zu danken für. **in'debt·ed·ness** *s* **1.** *econ.* a) Verschuldung *f*, b) Schulden(last *f*) *pl*, Verbindlichkeiten *pl*: **certificate of** ~ Schuldschein *m*, *Am.* Schatzanweisung *f*; **excessive** ~ Überschuldung *f*. **2.** Dankesschuld *f*, Verpflichtung *f* (to gegenüber).

in·de·cen·cy [in'diːsənsi] *s* **1.** Unanständigkeit *f*, Anstößigkeit *f*, *bes. jur.* Unzucht *f*. **2.** Zote *f*. **3.** Unschicklichkeit *f*. **in'de·cent** *adj* (*adv* ~**ly**) **1.** unanständig, anstößig, *a. jur.* unzüchtig: **to commit an** ~ **assault upon s.o.** (mit Gewalt) e-e unzüchtige Handlung an j-m vornehmen; → **exposure** 4a. **2.** unschicklich, ungehörig. **3.** ungebührlich: ~ **haste**.

in·de·cid·u·ate [*Br.* ˌindi'sidjuit; -ˌeit; *Am.* -dʒu-] *adj* **1.** *zo.* ohne De'zidua. **2.** *Am. für* **indeciduous**. ˌ**in·de'cid·u·ous** *adj bot.* **1.** immergrün (*Bäume*). **2.** nicht abfallend (*Blätter*).

in·de·ci·pher·a·ble [ˌindi'saifərəbl] *adj* unentzifferbar, nicht zu entziffern(d).

in·de·ci·sion [ˌindi'siʒən] *s* Unentschlossenheit *f*, Unschlüssigkeit *f*.

in·de·ci·sive [ˌindi'saisiv] *adj* (*adv* ~**ly**) **1.** a) nicht entscheidend, b) unentschieden: an ~ **battle**. **2.** unentschlossen, unschlüssig, schwankend. **3.** unbestimmt, ungewiß. ˌ**in·de'ci·sive·ness** *s* **1.** Unentschiedenheit *f*. **2.** Unentschlossenheit *f*. **3.** Unbestimmtheit *f*.

in·de·clin·a·ble [ˌindi'klainəbl] *adj* (*adv* **indeclinably**) *ling.* 'undekliˌnierbar.

in·dec·o·rous [in'dekərəs] *adj* (*adv* ~**ly**) unschicklich, unanständig, ungehörig. **in'dec·o·rous·ness, in·de·co·rum** [ˌindi'kɔːrəm] *s* Unschicklichkeit *f*, Ungehörigkeit *f*.

in·deed [in'diːd] **I** *adv* **1.** in der Tat, tatsächlich, wirklich: **he is very strong** ~ er ist wirklich sehr stark; **yes,** ~! ja, tatsächlich!; **thank you very much** ~! vielen herzlichen Dank!; **who is she,** ~! Sie fragen noch, wer sie ist? **2.** (*fragend*) wirklich?, tatsächlich? **3.** aller'dings, freilich: **there are** ~ **some difficulties**; **if** ~ wenn überhaupt. **II** *interj* **4.** ach wirklich!, was Sie nicht sagen!

in'deed·y *Am. humor. für* **indeed** I.

in·de·fat·i·ga·bil·i·ty [ˌindiˌfætigə'biliti] *s* Unermüdlichkeit *f*. ˌ**in·de'fat·i·ga·ble** *adj* (*adv* **indefatigably**) unermüdlich.

in·de·fea·si·bil·i·ty [ˌindiˌfiːzə'biliti] *s* **1.** Unverletzlichkeit *f*, Unantastbarkeit *f*. **2.** Unveräußerlichkeit *f*. ˌ**in·de'fea·si·ble** *adj* (*adv* **indefeasibly**) **1.** *jur.* unverletzlich, unantastbar. **2.** unveräußerlich.

in·de·fect·i·ble [ˌindi'fektəbl] *adj* **1.** unvergänglich. **2.** unfehlbar, verläßlich. **3.** fehlerfrei.

in·de·fen·si·bil·i·ty [ˌindiˌfensə'biliti] *s* **1.** Unhaltbarkeit *f*. **2.** Unentschuldbarkeit *f*. ˌ**in·de'fen·si·ble** *adj* (*adv* **indefensibly**) unhaltbar: a) *mil.* nicht zu verteidigen(d) *od.* halten(d): **an** ~ **city**, b) *fig.* nicht aufrechtzuerhalten(d): ~ **argument**, c) *fig.* nicht zu rechtfertigen(d), unentschuldbar.

in·de·fin·a·ble [ˌindi'fainəbl] *adj* (*adv* **indefinably**) 'undefiˌnierbar: a) unbestimmbar, b) unbestimmt.

in·def·i·nite [in'definit] **I** *adj* **1.** unbestimmt (*a. ling.*): **an** ~ **number**; ~ **article** *ling.* unbestimmter Artikel; ~ **declension** *ling.* starke Deklination. **2.** unbegrenzt, unbeschränkt. **3.** unklar, undeutlich, vage. **II** *s* **4.** *ling.* unbestimmtes (Für)Wort. **in'def·i·nite·ly** *adv* unbegrenzt, auf unbestimmte Zeit. **in'def·i·nite·ness** *s* **1.** Unbestimmtheit *f*. **2.** Unbegrenztheit *f*.

in·de·lib·er·ate [ˌindi'libərit] *adj* (*adv* ~**ly**) **1.** 'unüberˌlegt. **2.** unabsichtlich.

in·del·i·bil·i·ty [inˌdeli'biliti] *s* Unauslöschlichkeit *f*. **in'del·i·ble** *adj* (*adv* **indelibly**) unauslöschlich: a) untilgbar: ~ **ink** Zeichen-, Kopiertinte *f*; ~ **pencil** Tintenstift *m*, b) *fig.* unvergeßlich: **an** ~ **impression**.

in·del·i·ca·cy [in'delikəsi] *s* **1.** Taktlosigkeit *f*, Mangel *m* an Zartgefühl. **2.** Unanständigkeit *f*, Unfeinheit *f*. **in'del·i·cate** [-kit] *adj* (*adv* ~**ly**) **1.** taktlos. **2.** unanständig, unfein, derb, 'indeliˌkat.

in·dem·ni·fi·ca·tion [inˌdemnifi'keiʃən] *s* **1.** *econ.* a) → **indemnity** 1a, b) Entschädigung *f*, Schadloshaltung *f*, Vergütung *f*, Ersatzleistung *f*, c) Abfindung *f*. **2.** *jur.* Sicherstellung *f* (*gegen Strafe*).

in·dem·ni·fy [in'demniˌfai] *v/t* **1.** sicherstellen, sichern (from, against gegen). **2.** *j-n* entschädigen, schadlos halten (for für). **3.** entschädigen für, vergüten: **to** ~ **a loss**. **4.** *jur. parl.* a) *j-m* Indemni'tät *od.* Entlastung erteilen (for für), b) *j-m* Straflosigkeit zusichern. **inˌdem·ni'tee** [-'tiː] *s Am.* Entschädigungsberechtigte(r *m*) *f*.

in·dem·ni·ty [in'demniti] *s* **1.** *econ.* a) Sicherstellung *f* (*gegen Verlust od. Schaden*), Garan'tie(versprechen *n*) *f*: **contract of** ~ Garantievertrag *m*; ~ **against liability** Haftungsausschluß *m*; ~ **bond, letter of** ~ Ausfallbürgschaft *f*; ~ **insurance** Schadensversicherung *f*; → **double indemnity**, b) → **indemnification** 1b, c) Entschädigung(ssumme) *f*, Vergütung *f*, Abfindung(sbetrag *m*) *f*. **2.** *jur. parl.* Indemni'tät *f*: a) Straflosigkeit *f*, Sicherstellung *f* (*gegen Strafe*), b) nachträgliche Billigung, Entlastung *f*: **act of** ~ Indemnitätsbeschluß *m*.

in·dene ['indiːn] *s chem.* In'den *n*.

in·dent[1] [in'dent] **I** *v/t* **1.** einzähnen, (ein-, aus)kerben, auszacken. **2.** *Balken* verzahnen, verzapfen. **3.** zerklüften. **4.** *print. Zeile* einrücken. **5.** *e-n Vertrag* in doppelter *od.* mehrfacher Ausfertigung aufzeichnen. **6.** *econ. Waren* (*bes. aus Übersee*) bestellen. **II** *v/i.* **7.** *jur. obs.* e-n Vertrag abschließen. **8.** ~ **upon** *econ.* an *j-n* e-e Forderung stellen; **to** ~ **upon s.o. for s.th.** etwas von j-m anfordern, etwas bei j-m bestellen. **9.** *mil. Br.* requi'rieren. **III** *s* [*a.* 'indent] **10.** Kerbe *f*, Einschnitt *m*, Auszackung *f*. **11.** *print.* Einzug *m*, Einrückung *f* (*e-r Zeile*). **12.** *jur.* Vertrag(surkunde *f*) *m*. **13.** *bes. mil. Br.* (amtliche) Aufforderung *od.* Requisiti'on (*von Vorräten*). **14.** *econ.* Warenbestellung *f* (*aus dem Ausland*), Auslandsauftrag *m*. **15.** *econ. Am. hist.* Staatsschuldschein *m*.

in·dent[2] [in'dent] **I** *v/t* eindrücken: a) einprägen (in in *acc*), b) einbeulen. **II** *s* [*a.* 'indent] Einbeulung *f*, Vertiefung *f*, Delle *f*.

in·den·ta·tion [ˌinden'teiʃən] *s* **1.** Einkerben *n*, Auszacken *n*. **2.** Einschnitt *m*, Kerbe *f*, Einkerbung *f*, Auszakkung *f*, Zacke *f*. **3.** *tech.* Zahnung *f*. **4.** Einbuchtung *f*, Bucht *f*. **5.** Zickzacklinie *f*. **6.** → **indent**[2] II. **7.** *print.* a) → **indent**[1] 11, b) Abschnitt *m*, Absatz *m*. **in'dent·ed** *adj* **1.** (aus)gezackt, gezahnt. **2.** *econ.* vertraglich verpflichtet. **3.** *print.* eingerückt, -gezogen. **in'den·tion** → **indentation** 2, 5, 7.

in·den·ture [in'dentʃər] **I** *s* **1.** *jur.* a) Vertrag *m* (in doppelter Ausfertigung), b) (Vertrags)Urkunde *f*: ~ **of lease** Pachtvertrag; **trust** ~ *Am.* Treuhandvertrag. **2.** *econ. jur.* Dienstverpflichtungs-, *bes.* Lehrvertrag *m*: **to bind by** ~ → 5; **to take up one's** ~**s** ausgelernt haben. **3.** *jur.* amtliches Verzeichnis. **4.** → **indentation** 2, 3, 5. **II** *v/t* **5.** *econ. jur.* durch (*bes.* Lehr)Vertrag binden, vertraglich verpflichten.

in·de·pend·ence [ˌindi'pendəns] *s* **1.** Unabhängigkeit *f* (on, of von), Selbständigkeit *f*: I~ **Day** *Am.* Unabhängigkeitstag *m* (*am 4. Juli zur Erinnerung an die Unabhängigkeitserklärung vom 4. 7. 1776*). **2.** 'hinreichendes Ein- *od.* Auskommen.

in·de·pend·en·cy [ˌindi'pendənsi] *s* **1.** → **independence**. **2.** *pol.* unabhängiger Staat. **3.** I~ *relig.* → **Congregationalism**.

in·de·pend·ent [ˌindi'pendənt] **I** *adj* (*adv* ~**ly**) **1.** unabhängig (of von), selbständig, frei. **2.** unbeeinflußt: **an** ~ **observer**. **3.** finanzi'ell unabhängig: ~ **gentleman** Privatier *m*; **to be** ~ auf eigenen Füßen stehen. **4.** finanzi'ell unabhängig machend: **an** ~ **fortune**; ~ **means** (*od.* **income**) eigenes Vermögen. **5.** ~(**ly**) **of** ungeachtet (*gen*). **6.** freiheitsliebend. **7.** selbstbewußt, -sicher. **8.** *pol.* unabhängig, par'teilos, ‚wild'. **9.** *math.* unabhängig: ~ **variable** unabhängige Veränderliche. **10.** *ling.* unabhängig, Haupt...: ~ **clause** Hauptsatz *m*. **11.** *tech.* unabhängig, eigen, Einzel...: ~ **axle** Schwingachse *f*; ~ **fire** *mil.* Einzel-, Schützenfeuer *n*; ~ **suspension** *mot.* Einzelaufhängung *f*. **12.** I~ *relig.* indepen'dent. **II** *s* **13.** Unabhängige(r *m*) *f*, *pol. a.* Par'teilose(r *m*) *f*, *parl.* frakti'onslose(r) Abgeordnete(r *m*) *f*, ‚Wilde(r' *m*) *f*. **14.** I~**s** *pl relig.* → **Congregationalist**.

in·de·scrib·a·ble [ˌindi'skraibəbl] *adj*

(*adv* **indescribably**) **1.** unbeschreiblich. **2.** unbestimmt, 'undefi,nierbar.

in·de·struct·i·bil·i·ty [,indi,strʌktə'biliti] *s* Unzerstörbarkeit *f*. ,**in·de'struct·i·ble** *adj* (*adv* **indestructibly**) **1.** unzerstörbar. **2.** *a. econ.* unverwüstlich.

in·de·ter·mi·na·ble [,indi'tə:rminəbl] *adj* (*adv* **indeterminably**) **1.** unbestimmbar. **2.** 'undefi,nierbar. **3.** nicht zu entscheiden(d).

in·de·ter·mi·nate [,indi'tə:rminit] *adj* (*adv* ~**ly**) **1.** unbestimmt (*a. math.*). **2.** unklar, ungewiß, unsicher. **3.** nicht defi'niert, nicht genau festgelegt: ~ **sentence** *jur.* Rahmenstrafe *f*, Strafe *f* von unbestimmter Dauer. **4.** unentschieden, ergebnislos. **5.** dem freien Willen folgend. **6.** *bot.* unbegrenzt: ~ **inflorescence** unbegrenzter Blütenstand. **7.** *ling.* unbetont u. von unbestimmter 'Lautquali,tät. ,**in·de'ter·mi·nate·ness**, ,**in·de,ter·mi'na·tion** *s* **1.** Unbestimmtheit *f*. **2.** Ungewißheit *f*. **3.** Unentschlossenheit *f*.

in·de·ter·min·ism [,indi'tə:rmi,nizəm] *s philos.* Indetermi'nismus *m*, Lehre *f* von der Willensfreiheit. ,**in·de'ter·min·ist I** *s* Indetermi'nist(in). **II** *adj* indetermi'nistisch.

in·dex ['indeks] **I** *pl* '**in·dex·es**, '**in·di,ces** [-di,si:z] *s* **1.** (Inhalts-, Namens-, Sach-, Stichwort)Verzeichnis *n*, Ta'belle *f*, ('Sach)Re,gister *n*, Index *m*. **2.** *a.* ~ **file** Kar'tei *f*: ~ **card** Karteikarte *f*. **3.** (An)Zeichen *n* (of für, von *od. gen*): **to be the** ~ **of** anzeigen, nachweisen. **4.** *fig.* (to) Fingerzeig *m* (für), 'Hinweis *m* (auf *acc*). **5.** *Statistik*: Index-, Meßziffer *f*, Vergleichs-, Meßzahl *f*, *econ.* Index *m*: **cost of living** ~ Lebenshaltungskosten-Index; ~ **of general business activity** Konjunkturindex; **share price** ~ *Br.*, ~ **of stocks** *Am.* Aktienindex. **6.** *tech.* a) (Uhr- *etc*)Zeiger *m*, b) Zunge *f* (*e-r Waage*), c) (Einstell)Marke *f*, Strich *m*. **7.** *anat.* Zeigefinger *m*. **8.** Wegweiser *m*. **9.** *print.* Hand(zeichen *n*) *f*. **10.** *physiol.* (Schädel)Index *m*. **11.** (*pl nur* **indices**) *math.* a) Expo'nent *m*, b) Index *m*, Kennziffer *f*: ~ **of a logarithm**; ~ **of refraction** *phys.* Brechungsindex *od.* -exponent. **12.** **I**~ *R.C.* Index *m* (*der verbotenen Bücher*). **II** *v/t* **13.** mit e-m Inhaltsverzeichnis versehen: **to** ~ **a book. 14.** a) in ein Verzeichnis aufnehmen, b) in e-m Verzeichnis anführen: **to** ~ **a word. 15.** *R.C.* auf den Index setzen. **16.** *tech.* a) *Revolverkopf etc* schalten, b) einteilen (*in Maßeinheiten*): ~**ing disc** Schaltscheibe *f*. **17.** anzeigen, 'hinweisen auf (*acc*). '**in·dex·er** *s* Indexverfasser *m*.

in·dex| fin·ger *s* Zeigefinger *m*. ~ **fos·sils** *s pl geol.* 'Leitfos,silien *pl*. ~ **let·ter** *s* Anfangsbuchstabe *m*. ~ **num·ber** → **index** 5.

In·di·a| ink ['indiə; -djə] *s* (chi'nesische) Tusche, Ausziehtusche *f*. '~**man** [-mən] *s irr mar.* Ostindienfahrer *m* (*Schiff*).

In·di·an ['indiən; -djən] **I** *adj* **1.** (ost)indisch. **2.** indi'anisch, Indianer... **3.** westindisch. **4.** *Am.* Mais...: ~ **pudding. II** *s* **5.** a) Inder(in), b) Ostindier(in). **6.** *a.* **American** ~, **Red** ~ Indi'aner(in). **7.** Euro'päer(in), *bes.* Engländer(in), der (die) in Ostindien lebt *od.* gelebt hat. **8.** *ling.* Indi'anisch *n*. **9.** (*Australasien*) ma'laiisch-poly'nesische(r) Eingeborene(r). ~ **a·gent** *s Am.* Re'gierungsbeamter, der die Regierung e-m Indi'anerstamm gegen'über vertritt. ~ **bread** *s* **1.** Mani'ok *m*. **2.** Maisbrot *n*. ~ **club** *s sport* (Schwing)Keule *f*. ~ **corn** *s* Mais *m*. ~ **cress** *s bot.* Kapu'zinerkresse *f*. ~ **Em·pire** *s pol.* Britisch-Indisches Reich (*bis 1947*). ~ **file** *s*: **in** ~ im Gänsemarsch. ~ **gift** *s Am. colloq.* Indi'anergeschenk *n* (*Geschenk in Erwartung e-s Gegengeschenks*). ~ **giv·er** *s Am. colloq.* j-d, der auf ein (reiches) Gegengeschenk speku'liert *od.* der sein Geschenk 'wiederhaben will. ~ **hemp** *s bot.* **1.** Hanfartiges Hundsgift (*Nordamerika*). **2.** (*bes.* Ostindischer) Hanf.

In·di·an·i·an [,indi'æniən] **I** *adj* aus (dem Staat) Indi'ana (*USA*), Indiana... **II** *s* Bewohner(in) von Indi'ana.

In·di·an ink → **India ink**.

In·di·an| lad·der *s Am.* Papa'geileiter *f* (*mit nur 'einem Holm u. seitlichen Sprossen*). ~ **lic·o·rice**, ~ **liq·uo·rice** *s bot.* Pater'noster-Erbse *f*. ~ **meal** *s* Maismehl *n*. ~ **mil·let** *s bot.* **1.** Indi'anerhirse *f*. **2.** Negerhirse *f*. ~ **nut** *s bot.* Betelnuß *f*. ~ **pa·per** → **India paper**. ~ **poke** *s bot.* Grüner Germer. ~ **pud·ding** *s* Maismehlpudding *m*. ~ **red** *s* Indisch-, Bergrot *n*. ~ **rice** *s bot.* Indi'aner-, Wildreis *m*, Wasserhafer *m*. ~ **sum·mer** *s* Spät-, Alt'weiber-, Nachsommer *m*. ~ **to·bac·co** *s bot.* Amer. Lo'belie *f*. ~ **tur·nip** *s bot.* **1.** Feuerkolben *m*. **2.** Wurzel *f* des Feuerkolbens.

In·di·a| Of·fice *s pol. Br.* Reichsamt *n* für Indien (*bis 1947*). ~ **pa·per** *s* **1.** 'Chinapa,pier *n*. **2.** 'Dünndruckpa,pier *n*. ~ **proof** *s print.* Kupferdruck *m*. ,~-'**rub·ber**, ,**i**~'**rub·ber I** *s* **1.** Kautschuk *m*, Gummi *n*. **2.** Gummigegenstand *m*, *bes.* Ra'diergummi *m*. **II** *adj* **3.** Gummi...: ~ **ball**. ~ **shawl** *s* Kaschmirschal *m*.

In·dic[1] ['indik] *adj ling.* indisch (*die indischen Sprachen der indogermanischen Sprachfamilie betreffend*).

in·dic[2] ['indik] *adj chem.* Indium...

in·di·cant ['indikənt] **I** *adj* → **indicative** 1. **II** *s* → **indication**.

in·di·cate ['indi,keit] *v/t* **1.** anzeigen, angeben, bezeichnen. **2.** a) andeuten, zeigen, erkennen lassen, verraten, b) 'hinweisen *od.* -deuten auf (*acc*). **3.** (kurz) andeuten: **to** ~ **one's plans**. **4.** *med.* a) *e-e Krankheit* anzeigen, b) indi'zieren, *a. fig.* erfordern, anzeigen, *fig.* (es) angezeigt erscheinen lassen: **to be** ~**d** indiziert *od.* (*a. fig.*) angezeigt *od.* angebracht sein. **5.** *tech.* a) anzeigen (*Meß- od. Prüfgerät*), b) (*mit e-m Meß- od. Prüfgerät*) nachweisen: ~**d airspeed** *aer.* angezeigte Eigengeschwindigkeit; ~**d horsepower** indizierte Pferdestärke (*abbr. PSi*); **indicating range** Anzeigebereich *m*. ,**in·di'ca·tion** *s* **1.** Anzeige *f*, Angabe *f*, Bezeichnung *f*, Vermerk *m*. **2.** (of) a) (An)Zeichen *n* (für), b) 'Hinweis *m* (auf *acc*), c) (kurze) Andeutung (*gen*): **to give** ~ **of s.th.** etwas anzeigen; **there is every** ~ alles deutet darauf hin (that daß). **3.** *med.* a) Indikati'on *f*, Heilanzeige *f*, b) Sym'ptom *n* (*a. fig.*). **4.** *tech.* Grad *m*, Stand *m*, Ablesezahl *f*.

in·dic·a·tive [in'dikətiv] **I** *adj* (*adv* ~**ly**) **1.** (of) anzeigend, andeutend (*acc*), 'hinweisend (auf *acc*): **to be** ~ **of s.th.** → **indicate** 2. **2.** *ling.* indikativisch, Indikativ...: ~ **mood** → 3. **II** *s* **3.** *ling.* Indikativ *m*, Wirklichkeitsform *f*.

in·di·ca·tor ['indi,keitər] *s* **1.** Anzeiger *m*. **2.** *tech.* a) Zeiger *m*, b) Anzeiger *m*, Anzeige- *od.* Ablesegerät *n*, (Leistungs)Messer *m*, Zähler *m*: ~ **board** Anzeigetafel *f*; ~ **card**, ~ **diagram** Indikatordiagramm *n*, c) Si'gnallampe *f*, Schauzeichen *n*, d) *mot.* Richtungsanzeiger *m*, e) *Telegraphie*: 'Zeigerappa,rat *m*: ~ **telegraph** Zeigertelegraph *m*. **3.** *chem.* Indi'kator *m*.

in·di·ca·to·ry ['indikətəri] → **indicative** 1.

in·di·ca·trix [,indi'keitriks] *s math.* [Indi'katrix *f*.]

in·di·ces ['indi,si:z] *pl von* **index**.

in·di·ci·um [in'diʃiəm] *pl* **-ci·a** *od.* **-ci·as** *s Am.* (*statt e-r Briefmarke*) aufgedruckter Freimachungsvermerk.

in·dict [in'dait] *v/t jur.* (öffentlich) anklagen (for, of wegen). **in'dict·a·ble** *adj jur.* strafrechtlich verfolgbar, der Anklage (durch e-e Anklagejury) unter'worfen: ~ **offence** schwurgerichtlich abzuurteilende Straftat, Verbrechen *n*. **in'dict·er** *s* (An)Kläger(in).

in·dic·tion [in'dikʃən] *s* **1.** *hist.* a) E'dikt *n* (*e-s römischen Kaisers*) über die Steuerfestsetzung, b) Steuer *f*. **2.** Indikti'onsperi,ode *f* (*15jährige Steuerperiode*). **3.** Römerzinszahl *f*. **4.** *obs.* Verkündigung *f*.

in·dict·ment [in'daitmənt] *s jur.* **1.** (for'melle) Anklage (*vor e-m Geschworenengericht*): **to bring in** (*od.* **lay, find**) **an** ~ **against s.o.** (e-e) Anklage gegen j-n erheben. **2.** a) Anklagebeschluß *m* (*der* **grand jury**), b) (*Am. a.* **bill of** ~) Anklageschrift *f*.

in·dict·or [in'daitər] *Am. für* **indicter**.

in·dif·fer·ence [in'difrəns; -fər-] *s* **1.** (to) Gleichgültigkeit *f* (gegen), Inter'esselosigkeit *f*, Teilnahmslosigkeit *f* (gegenüber). **2.** Mittelmäßigkeit *f*. **3.** Bedeutungslosigkeit *f*, Unwichtigkeit *f*: **it is a matter of** ~ es ist belanglos. **4.** 'Unpar,teilichkeit *f*, Neutrali'tät *f*.

in·dif·fer·ent [in'difrənt; -fər-] **I** *adj* (*adv* ~**ly**) **1.** (to) gleichgültig (gegen), inter'esselos (gegenüber): **she is** ~ **to it** es ist ihr gleichgültig. **2.** 'unpar,teiisch: ~ **critic**. **3.** a) 'durchschnittlich, mittelmäßig, leidlich: ~ **quality**, b) mäßig, nicht besonders gut: **an** ~ **cook**. **4.** unwesentlich, unwichtig (to für). **5.** *chem. med. phys.* neu'tral, indiffe'rent. **6.** *biol.* nicht differen'ziert *od.* speziali'siert. **II** *s* **7.** Neu'trale(r *m*) *f*. **8.** Gleichgültige(r *m*) *f*. **in'dif·fer·ent,ism** *s* **1.** (Neigung *f* zur) Gleichgültigkeit *f*. **2.** *relig.* Indifferen'tismus *m*.

in·di·gence ['indidʒəns] *s* Armut *f*, Bedürftigkeit *f*, Mittellosigkeit *f*.

in·di·gene ['indi,dʒi:n] *s* **1.** Eingeborene(r *m*) *f*. **2.** a) einheimisches Tier, b) einheimische Pflanze.

in·dig·e·nize [in'didʒi,naiz] *v/t Am.* **1.** *a. fig.* heimisch machen, einbürgern. **2.** (nur) mit einheimischem Perso'nal besetzen.

in·dig·e·nous [in'didʒinəs] *adj* (*adv* ~**ly**) **1.** *a. bot. zo.* eingeboren, einheimisch (to in *dat*). **2.** *fig.* angeboren (to *dat*). **3.** Eingeborenen...

in·di·gent ['indidʒənt] *adj* arm, bedürftig, mittellos.

in·di·gest·ed [,indi'dʒestid; -dai'dʒ-] *adj* **1.** *bes. fig.* unverdaut. **2.** *fig.* ungeordnet, wirr. **3.** *fig.* 'undurch,dacht. ,**in·di,gest·i'bil·i·ty** [-ə'biliti] *s* Unverdaulichkeit *f*. ,**in·di'gest·i·ble** *adj* (*adv* **indigestibly**) un-, schwerverdaulich (*a. fig.*). ,**in·di'ges·tion** [-tʃən] *s* **1.** *med.* Verdauungsstörung *f*, Magenverstimmung *f*, verdorbener Magen. **2.** *fig.* a) Unordnung *f*, b) Unreife *f*. ,**in·di'ges·tive** *adj* schwerverdaulich.

in·dig·nant [in'dignənt] *adj* (*adv* ~**ly**) entrüstet, ungehalten, empört, aufgebracht (at über *acc*). ,**in·dig'na·tion**

s Entrüstung *f*, Unwille *m*, Empörung *f*, Ungehaltenheit *f* (at über *acc*): ~-meeting Protestversammlung *f*.

in·dig·ni·ty [in'digniti] *s* schimpfliche *od.* unwürdige Behandlung, Schmach *f*, Demütigung *f*, Kränkung *f*.

in·di·go ['indi,gou] *pl* **-gos** *s* **1.** Indigo *m* (*Farbstoff*). **2.** → **indigotin**. **3.** Indigopflanze *f*. **4.** → **indigo blue** 1. ~ **blue** *s* **1.** Indigoblau *n* (*Farbe*). **2.** → **indigotin**. '~-'**blue** *adj* indigoblau. ~ **car·mine** *s chem.* 'Indigokar,min *n*. ~ **cop·per** *s min.* Kupferindigo *m*.

in·di·got·ic [,indi'gɒtik] *adj* **1.** Indigo... **2.** indigofarben.

in·dig·o·tin [in'digətin; ,indi'goutin] *s chem.* Indigo'tin *n*, Indigoblau *n*.

in·di·rect [,indi'rekt; -dai-] *adj* (*adv* ~**ly**) **1.** *allg.* 'indi,rekt: ~ **election**; ~ **method**; ~ **lighting**; ~ **tax**. **2.** 'indi,rekt, mittelbar: ~ **evidence**; ~ **expense** *econ.* Gemeinkosten *pl*, allgemeine (Geschäfts)Unkosten; ~ **labo(u)r** *econ.* Gemeinkostenlöhner *pl*, ,unproduktive' Arbeitskräfte *pl*; ~ **material** *econ.* Gemeinkostenmaterial *n*. **3.** nicht di'rekt *od.* gerade: ~ **means** Umwege, Umschweife; ~ **route** Umweg *m*. **4.** *fig.* ,krumm', unredlich. **5.** zweideutig, so'phistisch. **6.** *ling.* 'indi,rekt: ~ **passive**; ~ **question**; ~ **object** indirektes Objekt, *bes.* Dativobjekt *n*; ~ **speech** indirekte Rede. ~ **in·i·ti·a·tive** *s pol. Am. von Wählern ausgehender Gesetzesantrag, über den bei Ablehnung durch die gesetzgebende Versammlung ein Volksentscheid herbeigeführt wird.*

in·di·rec·tion [,indi'rekʃən; -dai-] *s* **1.** 'indi,rektes Vorgehen. **2.** *fig.* 'Umweg *m* (*a. contp. unlautere Methode*): **by** ~ a) auf Umwegen, indirekt, b) hinten herum, auf unehrliche Weise. **3.** Unehrlichkeit *f*, Schliche *pl*. **4.** Anspielung *f*. **5.** Ziellosigkeit *f*.

in·di·rect·ness [,indi'rektnis; -dai-] *s* **1.** 'indi,rekte Art u. Weise. **2.** → **indirection**.

in·di·ru·bin [,indi'ruːbin] *s chem.* Indigorot *n*, Indiru'bin *n*.

in·dis·cern·i·ble [,indi'səːrnəbl; -'zəːr-] *adj* (*adv* **indiscernibly**) **1.** nicht wahrnehmbar, unmerklich. **2.** nicht unter'scheidbar (from von).

in·dis·cov·er·a·ble [,indis'kʌvərəbl] *adj* (*adv* **indiscoverably**) unentdeckbar, nicht zu entdecken(d).

in·dis·creet [,indis'kriːt] *adj* (*adv* ~**ly**) **1.** unklug, unbesonnen, unbedacht. **2.** taktlos, 'indis,kret.

in·dis·crete [,indis'kriːt] *adj* (*adv* ~**ly**) kom'pakt, zs.-hängend, homo'gen.

in·dis·cre·tion [,indis'kreʃən] *s* **1.** Unklugheit *f*, Unbesonnenheit *f*, 'Unüber,legtheit *f*. **2.** Indiskreti'on *f*, Vertrauensbruch *m*. **3.** Taktlosigkeit *f*.

in·dis·crim·i·nate [,indis'kriminit] *adj* wahllos, blind, 'unterschiedslos, keinen 'Unterschied machend, kri'tiklos. ,**in·dis'crim·i·nate·ly** *adv* ohne 'Unterschied, aufs Geratewohl (*etc*, → **indiscriminate**). ,**in·dis'crim·i·nate·ness** *s* Wahllosigkeit *f*, Blindheit *f*. ,**in·dis'crim·i,nat·ing** [-,neitiŋ] → **indiscriminate**. ,**in·dis,crim·i'na·tion** *s* **1.** Wahl-, Kri'tiklosigkeit *f*, Mangel *m* an Urteilskraft. **2.** 'Unterschiedslosigkeit *f*. ,**in·dis'crim·i·na·tive** [-nətiv; -,nei-] → **indiscriminate**.

in·dis·pen·sa·bil·i·ty [,indis,pensə'biliti] *s* **1.** Unerläßlichkeit *f*, Unentbehrlichkeit *f*. **2.** *mil.* Unabkömmlichkeit *f*. ,**in·dis'pen·sa·ble I** *adj* (*adv* **indispensably**) **1.** unerläßlich, unentbehrlich (for, to für). **2.** unbedingt zu erfüllen(d) *od.* einzuhalten(d): **an** ~ **duty**. **3.** *mil.* unabkömmlich. **II** *s* **4.** unentbehrliche Per'son *od.* Sache. **5.** *pl humor.* Hose *f*. ,**in·dis'pen·sa·ble·ness** → **indispensability**.

in·dis·pose [,indis'pouz] *v/t* **1.** untauglich machen (for zu). **2.** unpäßlich *od.* unwohl machen. **3.** abgeneigt machen (to do zu tun), einnehmen (towards gegen). ,**in·dis'posed** *adj* **1.** 'indispo,niert: a) unpäßlich, unwohl, b) verstimmt, nicht aufgelegt. **2.** (to, towards, with) eingenommen (gegen), abgeneigt (*dat*).

in·dis·po·si·tion [,indispə'ziʃən] *s* **1.** Indispositi'on *f*: a) Unpäßlichkeit *f*, Unwohlsein *n*, b) Verstimmung *f*. **2.** Abneigung *f*, 'Widerwille *m* (to, towards gegen).

in·dis·pu·ta·bil·i·ty [,indis,pjuːtə'biliti] *s* Unbestreitbarkeit *f*, Unstreitigkeit *f*. ,**in·dis'pu·ta·ble** *adj* **1.** unbestreitbar, unstreitig. **2.** unbestritten.

in·dis·so·lu·bil·i·ty [,indi,sɒlju'biliti] *s* **1.** Unauflösbarkeit *f*. **2.** Unzerstörbarkeit *f*. ,**in·dis'so·lu·ble** *adj* (*adv* **indissolubly**) **1.** unauflöslich: ~ **contract**. **2.** unzertrennlich. **3.** unzerstörbar. **4.** *chem.* unlöslich.

in·dis·tinct [,indis'tiŋkt] *adj* (*adv* ~**ly**) **1.** undeutlich: ~ **murmur**; ~ **outlines**. **2.** unklar, verworren, dunkel, verschwommen: ~ **ideas**. ,**in·dis'tinc·tive** *adj* (*adv* ~**ly**) ohne besondere Eigenart, nichtssagend: ~ **features** ausdruckslose Züge. ,**in·dis'tinct·ness** *s* **1.** Undeutlichkeit *f*. **2.** Unklarheit *f*, Verschwommenheit *f*. **3.** ,Nichtunter'scheidung *f*.

in·dis·tin·guish·a·ble [,indis'tiŋgwiʃəbl] *adj* (*adv* **indistinguishably**) **1.** 'ununter,scheidbar, nicht zu 'unterscheiden(d). **2.** nicht wahrnehmbar.

in·dite [in'dait] *v/t* **1.** *e-n Text* abfassen, (nieder)schreiben. **2.** *obs.* dik'tieren.

in·di·vid·u·al [*Br.* ,indi'vidjuəl; *Am.* -də'vidʒ-] **I** *adj* (*adv* → **individually**) **1.** einzeln, individu'ell, Einzel...: ~ **assets**, ~ **property** *econ.* Privatvermögen *n*; ~ **banker** *econ. Am.* Privatbankier *m*; ~ **bargaining** *econ.* Einzel(tarif)verhandlung(en *pl*) *f*; ~ **case** Einzelfall *m*; ~ **credit** *econ.* Personalkredit *m*; ~ **earnings** *econ.* Pro-Kopf-Einkommen *n*; ~ **insurance** Einzelversicherung *f*; ~ **liberty** (*die*) Freiheit des Einzelnen; ~ **psychology** Individualpsychologie *f*; **to give** ~ **attention to** individuell behandeln. **2.** für 'eine (einzelne) Per'son bestimmt, Einzel...: ~ **policy of life insurance**. **3.** individu'ell, per'sönlich, eigentümlich, -willig, besonder(er, e, es), charakte'ristisch: **an** ~ **style**. **4.** verschieden: **five** ~ **cups**. **5.** *tech.* Einzel...: ~ **drive**. **II** *s* **6.** Indi'viduum *n*, 'Einzelmensch *m*, -wesen *n*, -per,son *f*, Einzelne(r *m*) *f*. **7.** *meist contp.* Indi'viduum *n*, Per'son *f*. **8.** Einzelding *n*. **9.** untrennbares Ganzes. **10.** Einzelgruppe *f*. **11.** *biol.* 'Einzelorga,nismus *m*, -wesen *n*. ,**in·di'vid·u·al,ism** *s* **1.** ,Individua'lismus *m*. **2.** Eigenwilligkeit *f*. **3.** Ego'ismus *m*. **4.** → **individuality**. ,**in·di'vid·u·al·ist I** *s* **1.** ,Individua'list(in). **2.** Ego'ist(in). **II** *adj* **3.** ,individua'listisch. ,**in·di,vid·u·al'is·tic** *adj* (*adv* ~**ally**) ,individua'listisch.

in·di·vid·u·al·i·ty [*Br.* ,indi,vidju'æliti; *Am.* -də'vidʒ-] *s* **1.** ,Individuali'tät *f*, (per'sönliche) Eigenart *od.* Note, Besonderheit *f*. **2.** Einzelwesen *n*, -mensch *m*. **3.** individu'elle Exi'stenz.

in·di·vid·u·al·i·za·tion [*Br.* ,indi,vidjuəlai'zeiʃən; -li-; *Am.* -də'vidʒ-] *s* **1.** ,Individuali'sierung *f*. **2.** Einzelbetrachtung *f*. **3.** individu'elle Behandlung. ,**in·di'vid·u·al,ize** *v/t* **1.** ,individuali'sieren, individu'ell machen. **2.** individu'ell behandeln. **3.** einzeln betrachten. **4.** kennzeichnen, charakteri'sieren. ,**in·di'vid·u·al·ly** *adv* **1.** einzeln, jed(er, e, es) für sich. **2.** einzeln betrachtet, für sich genommen. **3.** per'sönlich: **this affects me** ~.

in·di·vid·u·ate [*Br.* ,indi'vidju,eit; *Am.* -də'vidʒ-] *v/t* **1.** ,individuali'sieren. **2.** charakteri'sieren. **3.** unter'scheiden (from von). ,**in·di,vid·u'a·tion** *s* **1.** Ausbildung *f* der individu'ellen Eigenart. **2.** ,Individuali'sierung *f*. **3.** *philos.* ,Individuati'on *f*.

in·di·vis·i·bil·i·ty [,indi,vizə'biliti] *s* Unteilbarkeit *f*. ,**in·di'vis·i·ble I** *adj* (*adv* **indivisibly**) unteilbar. **II** *s math.* unteilbare Größe.

indo-[1] [indo] *chem. Wortelement mit der Bedeutung* Indigo.

Indo-[2] [indo] *Wortelement mit der Bedeutung* indisch, indo-, Indo-.

'**In·do|-'Ar·yan I** *adj* indisch-arisch. **II** *s* arischer *od.* indogermanischer Inder. '~-'**Brit·on** *s* 'Indo,brite *m*, -,britin *f*. '~-**Chi'nese** *adj* 'indochi,nesisch, 'hinterindisch.

in·doc·ile [*Br.* in'dousail; *Am.* -'dɑsil] *adj* **1.** ungelehrig. **2.** unlenksam, störrisch. ,**in·do'cil·i·ty** [-do'siliti] *s* **1.** Ungelehrigkeit *f*. **2.** Unlenksamkeit *f*.

in·doc·tri·nate [in'dɒktri,neit] *v/t* **1.** unter'weisen, schulen (in in *dat*). **2.** *j-m etwas* einprägen, -impfen, -bleuen. **3.** erfüllen, durch'dringen (with mit). **in,doc·tri'na·tion** *s* **1.** Unter'weisung *f*, Belehrung *f*, Schulung *f*. **2.** po'litische Schulung, ideo'logischer Drill. **3.** Erfüllung *f*, Durch'dringung *f* (with mit). **in'doc·tri,na·tor** [-tər] *s* Lehrer *m*, Instruk'teur *m*.

'**In·do|-,Eu·ro'pe·an** *ling.* **I** *adj* **1.** indogermanisch. **II** *s* **2.** Indogermanisch *n*, das Indogermanische. **3.** Indogermane *m*, -germanin *f*. '~-**Ger'man·ic** → **Indo-European** 1 *u.* 2. '~-**I'ra·ni·an** *ling.* **I** *adj* indo-i'ranisch, arisch. **II** *s* Indo-I'ranisch *n*, Arisch *n*.

in·dole ['indoul] *s chem.* In'dol *n*.

in·do·lence ['indələns] *s* Indo'lenz *f*: a) Trägheit *f*, b) Lässigkeit *f*, c) *med.* Schmerzlosigkeit *f*. '**in·do·lent** *adj* (*adv* ~**ly**) indo'lent: a) träge, b) lässig, gleichgültig, c) *med.* schmerzlos.

in·dom·i·ta·ble [in'dɒmitəbl] *adj* (*adv* **indomitably**) **1.** unbezähmbar, nicht 'unterzukriegen(d). **2.** unbeugsam. **in'dom·i·ta·ble·ness** *s* Unbezähmbarkeit *f*.

In·do·ne·sian [,indo'niːʃən] **I** *s* **1.** Indo'nesier(in). **2.** *ling.* Indo'nesisch *n*. **II** *adj* **3.** indo'nesisch.

in·door ['indɔːr] **I** *adj* zu *od.* im Hause, Haus..., Zimmer..., *sport* Hallen...: ~ **aerial**, ~ **antenna** Zimmer-, Innenantenne *f*; ~ **dress** Hauskleidung *f*; ~ **relief** Anstaltspflege *f* (*für Arme*); ~ **swimming pool** Hallenbad *n*. **II** *adv* → **indoors**.

in·doors ['in'dɔːrz] *adv* **1.** im *od.* zu Hause, im Zimmer. **2.** ins Haus (hin'ein).

in·dorse [in'dɔːrs] *etc* → **endorse** *etc*.

in·draft, *bes. Br.* **in·draught** [*Br.* 'in,drɑːft; *Am.* -,dræ(ː)ft] *s* **1.** (Her)'Einziehen *n*, Ansaugen *n*, Sog *m*. **2.** Einwärtsströmung *f*. **3.** Zu-, Einströmen *n* (*a. fig.*).

in·drawn ['in'drɔːn] *adj* **1.** (hin)'eingezogen. **2.** *fig.* zu'rückhaltend.

in·du·bi·ta·ble [in'djuːbitəbl] *adj* (*adv*

indubitably) unzweifelhaft, zweifel-, fraglos.

in·duce [in'dju:s] *v/t* **1.** *j-n* veranlassen, bewegen, bestimmen (to do zu tun). **2.** (*künstlich*) her'beiführen (*a. med.*), her'vorrufen, bewirken, verursachen, auslösen, führen zu, fördern. **3.** *electr.*, *Atomphysik*, *a. Logik*: indu'zieren: **~d** *electr.* induziert, sekundär; **~d current** *electr.* Induktionsstrom *m*; **~d draft**, *bes. Br.* **~d draught** Saugzug *m*, künstlicher Zug; **~d transformation** (*Atomphysik*) künstliche Umwandlung. **in'duce·ment** *s* **1.** Anlaß *m*, Beweggrund *m*. **2.** a) Veranlassung *f*, b) Verleitung *f* (to zu). **3.** *a. econ.* Anreiz *m* (to zu). **in'duc·er** *s* **1.** Veranlasser(in). **2.** *tech.* Vorverdichter *m*.

in·duct [in'dʌkt] *v/t* **1.** (*in ein Amt etc*) einführen, -setzen. **2.** *j-n* einweihen (to in *acc*). **3.** geleiten (into in *acc*, zu). **4.** *Am.* (*zum Militärdienst*) einziehen, -berufen. **in'duct·ance** *s electr.* **1.** Induk'tanz *f*, induk'tiver ('Schein)ˌWiderstand. **2.** 'Selbstindukti,on *f*, Induktivi'tät *f*: **~ coil** Selbstinduktionsspule *f*. ˌ**in·duc'tee** [-'ti:] *s mil. Am.* Einberufene(r) *m*, Re'krut *m*.

in·duc·tile [in'dʌktail; *Am.* -til] *adj* **1.** un(aus)dehnbar. **2.** unbiegsam (*Metall*).

in·duc·tion [in'dʌkʃən] **I** *s* **1.** *biol., electr., math., phys.* Indukti'on *f*. **2.** *mot. tech.* a) Ansaugung *f*, b) Zuführung *f*: **~ pipe** Einlaßröhre *f*. **3.** *Logik*: a) Indukti'on *f*, b) Indukti'onsschluß *m*. **4.** Einführung *f*: a) Einsetzung *f* (*in ein Amt*), b) *j-s* Einweihung *f* (*in e-e Kunst etc*). **5.** (künstliche) Her'beiführung, Auslösung *f*. **6.** Einleitung *f*, Beginn *m* (*a. med. der Narkose*). **7.** *Am.* Einberufung *f* (zum Wehrdienst): **~ order** Einberufungsbefehl *m*. **II** *adj* **8.** *electr. phys.* Induktions...: **~ balance (bridge, coil, current)**; **~ accelerator** *phys.* Elektronenbeschleuniger *m*; **~ motor** Induktions-, Drehstrommotor *m*.

in·duc·tive [in'dʌktiv] *adj* (*adv* **~ly**) **1.** *electr. phys.* induk'tiv, Induktions...: **~ resistance** induktiver Widerstand. **2.** *Logik*: induk'tiv, 'hergeleitet. **3.** *med.* e-e Reakti'on her'vorrufend.

in·duc·tor [in'dʌktər] *s* **1.** In'duktor *m*: a) *electr.* Indukti'ons-, Impe'danz-, Drosselspule *f*, b) *biol.* Organi'satorsub,stanz *f*. **2.** (*in ein Amt etc*) Einführende(r *m*) *f*.

in·dulge [in'dʌldʒ] **I** *v/t* **1.** nachsichtig sein gegen, gewähren lassen, *j-m* nachgeben: to **~ s.o. in s.th.** a) j-m etwas nachsehen, b) j-m in e-r Sache nachgeben *od.* willfahren; to **~ o.s. in s.th.** sich etwas erlauben *od.* gönnen. **2.** *Kinder* verwöhnen. **3.** *e-r Neigung etc* nachgeben, frönen, sich 'hin- *od.* ergeben: to **~ a passion**. **4.** *econ. j-m* (Zahlungs)Aufschub gewähren: to **~ a debtor**. **5.** sich gütlich tun an (*dat*), genießen. **6.** *j-n* zu'friedenstellen, befriedigen (with mit). **II** *v/i* **7.** (in) schwelgen (in *dat*), sich 'hingeben (*dat od.* an *acc*), frönen (*dat*), freien Lauf lassen (*dat*). **8.** (in) sich gütlich tun (an *dat*), genießen (*acc*): to **~ in s.th.** sich etwas gönnen *od.* leisten *od.* zukommen lassen. **9.** sich (gern *od.* oft) ‚einen genehmigen' (*trinken*).

in·dul·gence [in'dʌldʒəns] *s* **1.** Nachsicht *f*, Milde *f* (to, of gegenüber), Duldung *f* (of s.th. e-r Sache): **to ask s.o.'s ~** j-n um Nachsicht bitten. **2.** Gunst(bezeigung) *f*, Vergünstigung *f*, Entgegenkommen *n*, Gefälligkeit *f*. **3.** Verwöhnung *f* (*von Kindern*). **4.** Befriedigung *f* (*e-r Begierde etc*). **5.** (in) Frönen *n* (*dat*), Schwelgen *n* (in *dat*). **6.** Wohlleben *n*, Genußsucht *f*. **7.** Schwäche *f*, Leidenschaft *f* (for für). **8.** *econ.* Stundung *f*, (Zahlungs)Aufschub *m*. **9.** Vorrecht *n*, Privi'leg *n*. **10.** *hist.* Gewährung *f* größerer religi'öser Freiheiten an Dissi'denten u. Katho'liken. **11.** *R.C.* Ablaß *m*: **sale of ~s** Ablaßhandel *m*. **in'dul·genced** *adj relig.* Ablaß...: **~ prayer**. **in'dul·gent** *adj* (*adv* **~ly**) (to) nachsichtig, mild (gegen), schonend, sanft (mit).

in·du·men·tum [ˌindju'mentəm] *s* **1.** *zo.* Federkleid *n*, Gefieder *n*. **2.** *bot.* (Haar)Kleid *n*, Flaum *m*.

in·du·rate ['indju(ə)ˌreit] **I** *v/t* **1.** härten, hart machen. **2.** *fig.* a) verhärten, abstumpfen, b) abhärten (against, to gegen). **II** *v/i* **3.** sich verhärten: a) hart werden, b) *fig.* gefühllos werden, abstumpfen. **4.** *fig.* abgehärtet werden, sich abhärten. **III** *adj* [-rit] *selten* **5.** verhärtet. ˌ**in·du'ra·tion** *s* **1.** (*a. med.* Ver)Härtung *f*. **2.** *fig.* a) Verhärtung *f*, Abstumpfung *f*, b) Härte *f*, Gefühllosigkeit *f*, c) Verstocktheit *f*.

in·dus·tri·al [in'dʌstriəl] **I** *adj* (*adv* **~ly**) **1.** industri'ell, gewerblich, Industrie..., Fabrik..., Gewerbe..., Wirtschafts...: **~ art** a) Kunstgewerbe *n*, b) *ped.* Werkunterricht *m*; **~ association** *Am.* Industrie-, Fachverband *m*; **~ bonds** → 8; **~ chemistry** Industriechemie *f*; **~ disease** Berufskrankheit *f*. **2.** ˌindustriali'siert, Industrie...: **an ~ nation** ein Industriestaat *m*. **3.** in der Indu'strie beschäftigt, Industrie...: **~ workers** Industriearbeiter. **4.** Betriebs...: **~ accident** Betriebsunfall *m*; **~ medicine** Betriebsmedizin *f*; **~ administration**, **~ management** Betriebswirtschaft *f*. **5.** industri'ell erzeugt: **~ products** Industrieprodukte. **6.** nur für industri'ellen Gebrauch bestimmt: **~ alcohol** Industriealkohol *m*, denaturierter Alkohol.
II *s* **7.** Industri'elle(r *m*) *f*. **8.** *pl econ.* Indu'striepa,piere *pl*. **~ and prov·i·dent so·ci·e·ty** *s econ.* Erwerbs- u. Wirtschaftsgenossenschaft *f*. **~ as·sur·ance** *s Br.* Kleinlebensversicherung *f*. **~ code** *s econ.* Gewerbeordnung *f*. **~ court** *s Br.* Schiedsgericht *n* für Arbeitssachen. **~ de·sign** *s* Indu'strieform *f*, industrielle Formgebung. **~ de·sign·er** *s* Formgestalter *m*, industri'eller Formgeber. **~ di·vi·sion** *s econ.* Indu'striezweig *m*, Fachgruppe *f*. **~ en·gi·neer·ing** *s* industri'elle Organisati'onsplanung, *engS.* Arbeitsplanung *f*.

in·dus·tri·al·ism [in'dʌstriəˌlizəm] *s econ.* Industria'lismus *m*. **in'dus·tri·al·ist** *s econ.* Industri'elle(r *m*) *f*. **in'dus·tri·al,ize** *v/t econ.* ˌindustriali'sieren. **in,dus·tri·al·i'za·tion** *s* ˌIndustriali'sierung *f*.

in·dus·tri·al| (life) in·sur·ance → **industrial assurance**. **~ park** *s Am.* Indu'striegebiet *n* (*e-r Stadt*). **~ part·ner·ship** *s econ. Am.* Gewinnbeteiligung *f* der Arbeiter. **~ prop·er·ty** *s jur.* gewerbliches Eigentum (*Patente etc*): **~ rights** gewerbliche Schutzrechte. **~ psy·chol·o·gy** *s* Be'triebspsycholo,gie *f*. **~ re·la·tions** *s pl econ.* (Pflege *f* der) Beziehungen *pl* zwischen Arbeitgeber u. Arbeitnehmer. **~ rev·o·lu·tion** *s hist.* industri'elle Revoluti'on. **~ school** *s ped.* **1.** Gewerbeschule *f*. **2.** a) *Br.* (Fürsorge)Erziehungsanstalt *f*, b) *Am.* Besserungsanstalt *f*. **~ trust** *s Am.* Finan'zierungsgesellschaft *f* für Indu'striebedarf. **~ un·ion** *s econ.* allgemeine Indu'striegewerkschaft.

in·dus·tri·ous [in'dʌstriəs] *adj* (*adv* **~ly**) fleißig: a) arbeitsam, b) eifrig, emsig. **in'dus·tri·ous·ness** *s* Fleiß *m*.

in·dus·try ['indəstri] *s* **1.** *econ.* a) Indu'strie *f* (*e-s Landes etc*), b) Indu'strie(zweig *m*) *f*, Gewerbe(zweig *m*) *n*: **the steel ~** die Stahlindustrie; **secondary industries** weiterverarbeitende Industrien; → **heavy** 1. **2.** *econ.* Unter'nehmer(schaft *f*) *pl*: **labo(u)r and ~**. **3.** *econ.* Arbeit *f* (*als volkswirtschaftlicher Wert*). **4.** Fleiß *m*, (Arbeits)Eifer *m*, Emsigkeit *f*.

in·dwell [ˌin'dwel] *irr* **I** *v/t* **1.** bewohnen. **2.** *fig.* innewohnen (*dat*). **II** *v/i* **3.** (in) a) wohnen (in *dat*), b) *fig.* innewohnen (*dat*). **'in,dwell·er** *s poet.* Bewohner(in). **'in,dwell·ing** *adj* **1.** innewohnend. **2.** *med.* liegenbleibend: **~ catheter** Dauerkatheter *m*.

in·earth [in'ə:rθ] *v/t poet.* beerdigen.

in·e·bri·ant [i'ni:briənt] *adj u. s* berauschend(es Mittel).

in·e·bri·ate I *v/t* [i'ni:briˌeit] **1.** berauschen: a) betrunken machen, b) *fig.* trunken machen. **2.** *fig.* betäuben. **II** *s* [-it] **3.** Betrunkene(r *m*) *f*. **4.** (Gewohnheits)Trinker(in), Alko'holiker(in). **in,e·bri'a·tion, in·e·bri·e·ty** [ˌini'braiəti] *s* Trunkenheit *f*, Rausch *m*.

in·ed·i·bil·i·ty [inˌedi'biliti] *s* Ungenießbarkeit *f*. **in'ed·i·ble** *adj* ungenießbar, nicht eßbar.

in·ed·it·ed [in'editid] *adj* **1.** unveröffentlicht. **2.** ohne Veränderungen her'ausgegeben, nicht redi'giert.

in·ef·fa·ble [in'efəbl] *adj* (*adv* ineffably) **1.** unaussprechlich, unbeschreiblich, unsäglich: **~ joy**. **2.** (unsagbar) erhaben.

in·ef·face·a·ble [ˌini'feisəbl] *adj* (*adv* ineffaceably) unauslöschlich.

in·ef·fec·tive [ˌini'fektiv] **I** *adj* (*adv* **~ly**) **1.** unwirksam, wirkungslos: **to become ~** *jur.* unwirksam werden, außer Kraft treten. **2.** frucht-, erfolglos. **3.** unfähig, untauglich. **4.** (*bes. künstlerisch*) nicht wirkungsvoll. **II** *s* **5.** Unfähige(r *m*) *f*. ˌ**in·ef'fec·tive·ness** *s* **1.** Unwirksamkeit *f*, Wirkungslosigkeit *f*. **2.** Erfolglosigkeit *f*.

in·ef·fec·tu·al [ˌini'fektʃuəl; *Br. a.* -tjuəl] *adj* (*adv* **~ly**) **1.** → **ineffective** 1 *u.* 2. **2.** kraftlos, schwach. ˌ**in·ef,fec·tu'al·i·ty** [-'æliti], ˌ**in·ef'fec·tu·al·ness** *s* **1.** → **ineffectiveness**. **2.** Nutzlosigkeit *f*. **3.** Kraftlosigkeit *f*.

in·ef·fi·ca·cious [ˌinefi'keiʃəs] *adj* (*adv* **~ly**) → **ineffective** 1 *u.* 2. ˌ**in·ef·fi'ca·cious·ness, in'ef·fi·ca·cy** [-kəsi] → **ineffectiveness**.

in·ef·fi·cien·cy [ˌini'fiʃənsi] *s* **1.** → **ineffectiveness**. **2.** Unfähigkeit *f*, Untauglichkeit *f*. **3.** mangelnde Leistungsfähigkeit, schwache Leistung (*a. tech.*), *econ. a.* 'unratioˌnelles Arbeiten. ˌ**in·ef'fi·cient** *adj* (*adv* **~ly**) **1.** → **ineffective** 1 *u.* 2. **2.** unfähig, untauglich, untüchtig. **3.** minderwertig, unbrauchbar. **4.** *bes. econ. tech.* a) leistungsschwach, b) 'unratioˌnell.

in·e·las·tic [ˌini'læstik] *adj* **1.** 'uneˌlastisch (*a. fig.*): **~ demand** *econ.* unelastische Nachfrage; **~ scattering** *phys.* unelastisches Abgestoßenwerden (*von Elektronen*). **2.** *fig.* a) starr: **~ policy**, b) nicht wendig *od.* anpassungsfähig. ˌ**in·e·las'tic·i·ty** [-'tisiti] *s* **1.** Mangel *m* an Elastizi'tät. **2.** *fig.* Starrheit *f*, Mangel *m* an Anpassungsfähigkeit.

in·el·e·gance [in'eligəns], **in'el·e·gan-**

cy [-si] *s* **1.** 'Uneleˌganz *f*, Unfeinheit *f*. **2.** Form-, Geschmacklosigkeit *f*. **in'el·e·gant** *adj* (*adv* ~ly) **1.** 'uneleˌgant, unfein. **2.** form-, geschmacklos.

in·el·i·gi·bil·i·ty [inˌelidʒə'biliti] *s* **1.** Untauglichkeit *f*. **2.** Unwählbarkeit *f*. **in'el·i·gi·ble I** *adj* (*adv* **ineligibly**) **1.** ungeeignet, untauglich, nicht in Frage kommend (**for** für). **2.** unwählbar. **3.** *jur.* unfähig, nicht qualifi'ziert: ~ **to hold an office**. **4.** *mil.* untauglich. **5.** a) unerwünscht, b) unpassend, ungeeignet: **at an** ~ **moment**. **II** *s* **6.** ungeeignete Per'son, *bes.* nicht in Frage kommender Freier.

in·el·o·quence [in'elokwəns] *s* Mangel *m* an Beredsamkeit. **in'el·o·quent** *adj* (*adv* ~ly) nicht beredsam.

in·e·luc·ta·ble [ˌini'lʌktəbl] *adj* (*adv* **ineluctably**) unausweichbar, unvermeidlich, unentrinnbar.

in·ept [i'nept] *adj* (*adv* ~ly) **1.** unpassend: a) ungeeignet, b) verfehlt: **an** ~ **comparison**. **2.** albern, töricht. **3.** a) ungeschickt, b) unfähig. **4.** *jur. Scot.* ungültig. **in'ept·iˌtude** [-iˌtjuːd], **in'ept·ness** *s* **1.** Ungeeignetheit *f* (**for** für). **2.** Verfehltheit *f*. **3.** Ungeschicktheit *f*, Albernheit *f*, Dummheit *f*.

in·e·qual·i·ty [ˌini'kwɒliti] *s* **1.** Ungleichheit *f* (*a. math. u. sociol.*), Verschiedenheit *f*. **2.** Unebenheit *f*. **3.** Unzulänglichkeit *f* (**to** für). **4.** Veränderlichkeit *f*, Unbeständigkeit *f*. **5.** *astr.* Abweichung *f*.

in·eq·ui·ta·ble [in'ekwitəbl] *adj* (*adv* **inequitably**) ungerecht, unbillig. **in'eq·ui·ty** [-witi] *s* Ungerechtigkeit *f*, Unbilligkeit *f*.

in·e·rad·i·ca·ble [ˌini'rædikəbl] *adj* (*adv* **ineradicably**) *fig.* unausrottbar.

in·e·ras·a·ble [ˌini'reisəbl; -z-] *adj* (*adv* **inerasably**) unauslöschbar.

in·erm [in'əːrm] *adj bot.* unbewaffnet.

in·er·ran·cy [in'eransi] *s* Unfehlbarkeit *f*. **in'er·rant** *adj* unfehlbar.

in·ert [i'nəːrt] *adj* (*adv* ~ly) **1.** *phys.* träge: ~ **mass**; ~ **gas** Edelgas *n*. **2.** *chem.* 'inakˌtiv. **3.** *mil.* unentzündbar, unscharf: ~ **ammunition**. **4.** wirkungslos, unwirksam. **5.** *fig.* träge, faul, untätig, schwerfällig, schlaff.

in·er·tia [i'nəːrʃə; -ʃiə] *s* **1.** *phys.* (Massen)Trägheit *f*, Beharrungsvermögen *n*: **law of** ~ Trägheitsgesetz *n*; **momentum of** ~ Trägheitsmoment *n*; ~ **starter** *mot.* Schwungkraftanlasser *m*. **2.** *chem.* Iner'tie *f*, Reakti'onsträgheit *f*. **3.** *fig.* Faul-, Trägheit *f*, Untätigkeit *f*. **in'er·tial** [-ʃəl; -ʃiəl] *adj phys.* Trägheits...: ~ **force** Trägheitskraft *f*.

in·ert·ness [i'nəːrtnis] → **inertia**.

in·es·cap·a·ble [ˌinis'keipəbl] *adj* (*adv* **inescapably**) unvermeidlich: a) unentrinnbar, unabwendbar, b) zwangsläufig, unweigerlich.

in·es·cutch·eon [ˌinis'kʌtʃən] *s her.* Herzschild *m*.

in·es·sen·tial [ˌini'senʃəl] **I** *adj* unwesentlich, unerheblich, unwichtig. **II** *s* (*etwas*) Unwesentliches, Nebensache *f*.

in·es·ti·ma·ble [in'estiməbl] *adj* (*adv* **inestimably**) unschätzbar.

in·ev·i·ta·bil·i·ty [inˌevitə'biliti] *s* Unvermeidlichkeit *f*. **in'ev·i·ta·ble I** *adj* (*adv* **inevitably**) **1.** unvermeidlich: a) unentrinnbar: ~ **fate**; ~ **accident** *jur.* unvermeidliches Ereignis, b) 'unumˌgänglich, zwangsläufig, c) *iro.* obli'gat. **2.** na'turgemäß gehörend (**to** zu). **II** *s* **3. the** ~ das Unvermeidliche: → **bow**[1] 5. **in'ev·i·ta·ble·ness** → **inevitability**.

in·ex·act [ˌinig'zækt] *adj* (*adv* ~ly) ungenau. **ˌin·ex'act·iˌtude** [-tiˌtjuːd], **ˌin·ex'act·ness** *s* Ungenauigkeit *f*.

in·ex·cus·a·ble [ˌiniks'kjuːzəbl] *adj* **1.** unverzeihlich, unentschuldbar. **2.** unverantwortlich. **ˌin·ex'cus·a·bly** *adv* unverzeihlich(erweise).

in·ex·haust·i·ble [ˌinig'zɔːstəbl] *adj* (*adv* **inexhaustibly**) **1.** unerschöpflich. **2.** unermüdlich. **ˌin·ex'haus·tive** *adj* **1.** unerschöpflich. **2.** nicht erschöpfend.

in·ex·o·ra·bil·i·ty [inˌeksərə'biliti] *s* Unerbittlichkeit *f*. **in'ex·o·ra·ble** *adj* (*adv* **inexorably**) unerbittlich.

in·ex·pe·di·en·cy [ˌiniks'piːdiənsi] *s* **1.** Unzweckmäßigkeit *f*. **2.** Unklugheit *f*. **ˌin·ex'pe·di·ent** *adj* (*adv* ~ly) **1.** ungeeignet, unzweckmäßig. **2.** nicht ratsam, unklug.

in·ex·pen·sive [ˌiniks'pensiv] *adj* (*adv* ~ly) billig, nicht teuer. **ˌin·ex'pen·sive·ness** *s* Billigkeit *f*.

in·ex·pe·ri·ence [ˌiniks'pi(ə)riəns] *s* Unerfahrenheit *f*. **ˌin·ex'pe·ri·enced** *adj* unerfahren.

in·ex·pert [ˌiniks'pəːrt; in'eks-] *adj* (*adv* ~ly) **1.** ungeübt, unerfahren (in in *dat*). **2.** ungeschickt, unsachgemäß.

in·ex·pi·a·ble [in'ekspiəbl] *adj* (*adv* **inexpiably**) **1.** unsühnbar. **2.** unversöhnlich, unerbittlich.

in·ex·pli·ca·bil·i·ty [inˌeksplikə'biliti] *s* Unerklärlichkeit *f*. **in'ex·pli·ca·ble** *adj* unerklärlich. **in'ex·pli·ca·bly** *adv* unerklärlich(erweise).

in·ex·plic·it [ˌiniks'plisit] *adj* nicht deutlich ausgedrückt, nur angedeutet, unklar.

in·ex·plo·sive [ˌiniks'plousiv] *adj* nicht explo'siv, explosi'onssicher.

in·ex·press·i·ble [ˌiniks'presəbl] **I** *adj* (*adv* **inexpressibly**) unaussprechlich, unsäglich, unbeschreiblich. **II** *s pl humor. obs.* (*die*) Unaussprechlichen *pl* (*Hose*).

in·ex·pres·sive [ˌiniks'presiv] *adj* **1.** ausdruckslos, nichtssagend: **an** ~ **face**; ~ **style**; **to be** ~ **of s.th.** etwas nicht ausdrücken *od.* zum Ausdruck bringen. **2.** inhaltslos. **ˌin·ex'pres·sive·ness** *s* **1.** Ausdruckslosigkeit *f*. **2.** Inhaltslosigkeit *f*.

in·ex·pug·na·ble [ˌiniks'pʌgnəbl] *adj* (*adv* **inexpugnably**) *a. fig.* 'unüberˌwindlich.

in·ex·ten·si·ble [ˌiniks'tensəbl] *adj* unausdehnbar, nicht (aus)dehnbar.

in ex·ten·so [in iks'tensou] (*Lat.*) *adv* **1.** vollständig, ungekürzt. **2.** ausführlich.

in·ex·tin·guish·a·ble [ˌiniks'tiŋgwiʃəbl] *adj* (*adv* **inextinguishably**) **1.** un(aus)löschbar. **2.** *fig.* unauslöschlich.

in ex·tre·mis [in iks'triːmis] (*Lat.*) *adv* **1.** in äußerster Not. **2.** im Sterben.

in·ex·tri·ca·ble [in'ekstrikəbl] *adj* (*adv* **inextricably**) **1.** unentwirrbar (*a. fig.*): **an** ~ **knot**. **2.** äußerst verwickelt, (gänzlich) verworren. **3.** kunstvoll verschlungen: **an** ~ **design**.

in·fal·li·bi·lism [in'fæləbiˌlizəm] *s R.C.* 'Unfehlbarkeit(sprinˌzip *n*) *f*. **in'fal·li·bi·list** *s R.C.* Infallibi'list(in). **inˌfal·li'bil·i·ty** *s* Unfehlbarkeit *f* (*a. R.C.*). **in'fal·li·ble** *adj* (*adv* **infallibly**) unfehlbar (*a. R.C.*), verläßlich, todsicher, untrüglich.

in·fa·mize ['infəˌmaiz] *v/t* **1.** entehren. **2.** verleumden.

in·fa·mous ['infəməs] *adj* (*adv* ~ly) **1.** verrufen, berüchtigt (**for** wegen). **2.** schändlich, niederträchtig, gemein, in'fam. **3.** *jur.* ehrlos: a) der bürgerlichen Ehrenrechte verlustig, b) entehrend, ehrenrührig: ~ **conduct**; ~ **crime** *Am.* mit Zuchthaus *od.* Gefängnis zu ahndende Straftat (, die den Verlust der bürgerlichen Ehrenrechte nach sich zieht). **4.** *colloq.* mise'rabel, ‚saumäßig': **an** ~ **meal**. **'in·fa·mous·ness** → **infamy** 2 *u.* 3.

in·fa·my ['infəmi] *s* **1.** Ehrlosigkeit *f*, Schande *f*. **2.** Verrufenheit *f*. **3.** Schändlichkeit *f*, Niedertracht *f*. **4.** *jur.* Verlust *m* der bürgerlichen Ehrenrechte.

in·fan·cy ['infənsi] *s* **1.** frühe Kindheit, frühes Kindesalter, *bes.* Säuglingsalter *n*. **2.** *jur.* Minderjährigkeit *f*. **3.** *fig.* Anfang(sstadium *n*) *m*: **in its** ~ in den Anfängen *od.* ‚Kinderschuhen' steckend.

in·fant ['infənt] **I** *s* **1.** Säugling *m*. **2.** (kleines) Kind (*unter 7 Jahren*). **3.** *jur.* Minderjährige(r *m*) *f* (*unter 21 Jahren*). **II** *adj* **4.** Säuglings...: ~ **mortality** Säuglingssterblichkeit *f*; ~ **welfare** Säuglingsfürsorge *f*. **5.** (noch) klein, im Kindesalter (stehend): **his** ~ **son** sein kleiner Sohn; ~ **Jesus** das Jesuskind. **6.** Kinder..., Kindes...: ~ **school** *Br.* Kleinkinderschule *f*, Kindergarten *m*. **7.** *jur.* minderjährig. **8.** *fig.* in den Anfängen *od.* ‚Kinderschuhen' steckend, jung: **an** ~ **industry**.

in·fan·ta [in'fæntə] *s* In'fantin *f*. **in'fan·te** [-tei] *s* In'fant *m*.

in·fan·ti·cid·al [inˌfænti'saidl] *adj* kindesmörderisch. **in'fan·tiˌcide** *s* **1.** Kindestötung *f*. **2.** Kind(e)s-, Kindermörder(in).

in·fan·tic·i·pate [ˌinfən'tisiˌpeit] *v/i Am. sl.* ein Kind erwarten.

in·fan·tile ['infənˌtail; -til] *adj* **1.** infan'til, kindisch. **2.** kindlich. **3.** Kinder..., Kindes...: ~ **diseases** Kinderkrankheiten. **4.** jugendlich. **5.** *fig.* → **infant** 8. ~ **(spi·nal) pa·ral·y·sis** *s med.* (spi'nale) Kinderlähmung.

in·fan·ti·lism [in'fæntiˌlizəm] *s* **1.** *med.* Infanti'lismus *m*. **2.** Infantili'tät *f*, Kindlichkeit *f*.

in·fan·tine ['infənˌtain; -tin] → **infantile**.

in·fan·try ['infəntri] *s mil.* Infante'rie *f*, Fußtruppen *pl*. **'~·man** [-mən] *s irr mil.* Infante'rist *m*, 'Fußsolˌdat *m*.

in·farct [in'fɑːrkt] *s med.* In'farkt *m*. **in'farc·tion** [-kʃən] *s med.* **1.** In'farktbildung *f*. **2.** In'farkt *m*.

in·fare ['inˌfɛr] *s Scot. od. dial. od. Am. dial.* Einzugsfest *n*, -schmaus *m*.

in·fat·u·ate [*Br.* in'fætjuˌeit; *Am.* -tʃu-] *v/t* **1.** betören, verblenden (**with** durch). **2.** *j-m* völlig den Kopf verdrehen. **in'fat·uˌat·ed** *adj* **1.** betört, verblendet (**with** durch). **2.** vernarrt, sinnlos verliebt (**with** in *acc*).

in·fat·u·a·tion [*Br.* inˌfætju'eiʃən; *Am.* -tʃu-] *s* **1.** Betörung *f*, Verblendung *f*. **2.** (**for**) blinde Leidenschaft (für), Verliebt-, Vernarrtheit *f* (in *acc*).

in·fect [in'fekt] *v/t* **1.** *med. j-n od. etwas* infi'zieren, *j-n* anstecken (**with** mit; **by** durch): **to become** ~**ed** sich infizieren *od.* anstecken; ~**ed area** verseuchtes Gebiet. **2.** verderben, verpesten: **to** ~ **the air**. **3.** *fig. j-n* anstecken (**with** mit): a) mitreißen, b) (*moralisch*) verderben, (ungünstig) beeinflussen.

in·fec·tion [in'fekʃən] *s* **1.** *med.* a) Infekti'on *f*, Ansteckung *f*: **to catch** (*od.* **take**) **an** ~ angesteckt werden, sich infizieren, b) Infekti'onskrankheit *f*, In'fekt *m*, c) Ansteckungskeim *m*, Infekti'onsstoff *m*. **2.** *bot.* Befall *m*. **3.** *fig.* Ansteckung *f*: a) (*moralische*) Vergiftung, b) (*a.* schlechter) Einfluß, Beeinflussung *f*. **4.** *ling.* Infekti'on *f*, Färbung *f* (*Änderung der Lautqualität* *e-s Vokals durch den Einfluß e-s Vokals in e-r Nachbarsilbe).*

in·fec·tious [inˈfekʃəs] *adj* (*adv* ~ly) **1.** *med.* ansteckend, infektiˈös, überˈtragbar: ~ disease Infektionskrankheit *f*. **2.** *fig.* ansteckend: ~ enthusiasm. **inˈfec·tious·ness** *s med.* (*das*) Ansteckende (*a. fig.*), ˌInfektuosiˈtät *f*, Überˈtragbarkeit *f*.

in·fec·tive [inˈfektiv] *adj med.* ansteckend (*a. fig.*), infektiˈös: ~ agent Erreger *m*. **inˈfec·tive·ness** → infectiousness.

in·fe·cun·di·ty [ˌinfiˈkʌnditi] *s* Unfruchtbarkeit *f*.

in·feed [ˈinˈfiːd] *tech.* **I** *s* **1.** Vorschub *m* (*Werkzeugmaschine*). **2.** Aufgabe *f*, Zuführung *f* (*von Füllgut etc*): ~ side Beschickungsseite *f*; ~ table Aufgabetisch *m*. **II** *v/t* **3.** zuführen, aufgeben.

in·fe·lic·i·tous [ˌinfiˈlisitəs] *adj* **1.** unglücklich. **2.** *fig.* unglücklich (gewählt), ungeschickt: an ~ remark. ˌ**in·feˈlic·i·ty** *s* **1.** Unglücklichkeit *f*. **2.** Unglück *n*, Elend *n*. **3.** unglücklicher ˈUmstand. **4.** Unangemessenheit *f*. **5.** unglücklicher Ausdruck.

in·felt [ˈinˌfelt] → heartfelt.

in·fer [inˈfəːr] **I** *v/t* **1.** schließen, folgern, ab-, ˈherleiten (from aus). **2.** schließen lassen auf (*acc*), erkennen lassen, andeuten, zeigen. **3.** in sich schließen. **4.** *colloq.* vermuten. **II** *v/i* **5.** Schlüsse ziehen, schließen, folgern. **inˈfer·a·ble** *adj* zu schließen(d), zu folgern(d), ableitbar (from aus).

in·fer·ence [ˈinfərəns] *s* **1.** Folgern *n*. **2.** (Schluß)Folgerung *f*, (Rück)Schluß *m*: to make ~s Schlüsse ziehen.

in·fer·en·tial [ˌinfəˈrenʃəl] *adj* **1.** Schluß..., Folgerungs... **2.** gefolgert. **3.** zu folgern(d). **4.** folgernd. ˌ**in·ferˈen·tial·ly** *adv* durch (Schluß)-Folgerung(en).

in·fe·ri·or [inˈfi(ə)riər] **I** *adj* **1.** (to) ˈuntergeordnet (*dat*), (*im Rang*) tieferstehend, niedriger, geringer (als): an ~ caste e-e niedrige *od.* untere Kaste; ~ court *jur.* niederes *od.* unteres Gericht; in an ~ position in untergeordneter Stellung; to be ~ to s.o. a) j-m untergeordnet sein, b) j-m nachstehen; he is ~ to none er nimmt es mit jedem auf. **2.** tieferstehend, geringer, schwächer (to als). **3.** minderwertig, zweitklassig, -rangig, mittelmäßig: ~ quality; ~ goods *econ.* minderwertige Waren. **4.** (*räumlich*) unter, tiefer, Unter...: ~ maxilla *anat.* Unterkiefer *m*. **5.** *bot.* a) ˈunterständig: an ~ ovary, b) dem Deckblatt nahegelegen. **6.** *astr.* unter: a) *der Sonne näher als die Erde*: an ~ planet, b) *der Erde näher als die Sonne*: an ~ conjunction, c) *unter dem Horizont liegend.* **7.** *print.* tiefstehend, unter der Schriftlinie. **II** *s* **8.** ˈUntergeordnete(r *m*) *f*, Unterˈgebene(r *m*) *f*. **9.** Unterˈlegene(r *m*) *f*, Geringere(r *m*) *f*, Schwächere(r *m*) *f*: to be s.o.'s ~ in s.th. j-m in e-r Sache nachstehen *od.* unterlegen sein. **10.** *print.* unter der Schriftlinie stehendes Zeichen.

in·fe·ri·or·i·ty [inˌfi(ə)riˈɒriti] *s* **1.** ˈUntergeordnetheit *f*. **2.** (*a. zahlen- u. mengenmäßige*) Unterˈlegenheit. **3.** Minderwertigkeit *f*, ˌInferioriˈtät *f*, geringerer Wert *od.* Stand. **4.** *a.* ~ feeling Minderwertigkeitsgefühl *n*: ~ complex *psych.* Minderwertigkeitskomplex *m*.

in·fer·nal [inˈfəːrnl] *adj* (*adv* ~ly) **1.** ˈunterirdisch, stygisch: the ~ regions die Unterwelt. **2.** höllisch, inferˈnal(isch), Höllen...: ~ machine Höllenmaschine *f*. **3.** *fig.* teuflisch: an ~ deed. **4.** *colloq.* gräßlich, schrecklich, höllisch, inferˈnalisch. ˌ**in·ferˈnal·i·ty** [-ˈnæliti] *s* **1.** teuflisches Wesen. **2.** Teufeˈlei *f*.

in·fer·no [inˈfəːrnou] *pl* **-nos** *s* Inˈferno *n*, Hölle *f* (*a. fig.*).

in·fe·ro·an·te·ri·or [ˌinfəroænˈti(ə)riər] *adj anat. zo.* unten u. vorn (befindlich). ˌ**in·fe·roˈbran·chi·ate** [-ˈbræŋkiit; -kiˌeit] *adj zo.* Unterkiemer...

in·fer·ri·ble, *Br. a.* **in·fer·ra·ble** [inˈfəːrəbl] → inferable.

in·fer·tile [*Br.* inˈfəːrtail; *Am.* -til] *adj med.* unfruchtbar. ˌ**in·ferˈtil·i·ty** [-ˈtiliti] *s* Unfruchtbarkeit *f*.

in·fest [inˈfest] *v/t* **1.** *bes. e-n Ort* heimsuchen, unsicher machen. **2.** plagen, verseuchen, befallen (*Parasiten etc*): ~ed with geplagt von, verseucht durch; ~ed with bugs verwanzt. **3.** *fig.* überˈschwemmen, -ˈlaufen, -ˈfallen: ~ed with wimmelnd von. **inˈfest·ant** [-tənt] *s* Ungeziefer *n*. ˌ**in·fesˈta·tion** *s* **1.** Heimsuchung *f*, ˈÜberfall *m*. **2.** (Land)Plage *f*, Belästigung *f*. **3.** verheerender ˈÜberfall, massenhaftes Eindringen (*von Insekten etc*). **4.** *fig.* Überˈschwemmung *f*.

in·feu·da·tion [ˌinfjuˈdeiʃən] *s jur. hist.* **1.** Belehnung *f*. **2.** Zehntverleihung *f* an Laien.

in·fi·del [ˈinfidəl] **I** *s* Ungläubige(r *m*)*f*. **II** *adj* ungläubig. ˌ**in·fiˈdel·i·ty** [-ˈdeliti] *s* **1.** *relig.* Ungläubigkeit *f*. **2.** Treulosigkeit *f*, (*bes.* eheliche) Untreue, ‚Seitensprung' *m*.

in·field [ˈinˌfiːld] *s* **1.** *agr.* a) dem Hof nahes Feld, b) Ackerland *n*. **2.** *Baseball*: a) Innenfeld *n*, b) Spieler *pl* im Innenfeld. **3.** *Kricket*: a) *Teil des Spielfelds um den Dreistab*, b) *die dort aufgestellten Fänger.* ˈ**inˌfield·er** *s sport* Innenfeldspieler *m*.

in·fight·ing [ˈinˌfaitiŋ] *s Boxen*: Nahkampf *m*, Infight *m*.

in·fil·trate [inˈfiltreit] **I** *v/t* **1.** *a. mil.* einsickern in (*acc*), ˈdurchsickern durch. **2.** durchˈsetzen, -ˈdringen, -ˈtränken (with mit). **3.** einschleusen, -schmuggeln (into in *acc*). **4.** *pol.* unterˈwandern, sich einschmuggeln in (*acc*). **II** *v/i* **5.** ˈdurch-, einsickern (*a. mil.*), allˈmählich eindringen (through durch; into in *acc*): to ~ into *pol.* → 4. **III** *s* **6.** *med.* Infilˈtrat *n*. ˌ**in·filˈtra·tion** *s* **1.** Ein-, ˈDurchsickern *n* (*a. mil.*), (allˈmähliches) Eindringen. **2.** Infiltratiˈon *f*: a) Durchˈdringung *f*, -ˈtränkung *f*, b) *pol.* Unterˈwanderung *f*. **3.** *med.* a) Infiltratiˈon *f*, b) Infilˈtrat *n*: ~ an(a)esthesia Infiltrationsanästhesie *f*.

in·fin·i·tant [inˈfinitənt] *adj Logik*: negativ modifiˈzierend. **inˈfin·i·tar·y** *adj math.* infiniˈtär. **inˈfin·iˌtate** [-ˌteit] *v/t Logik*: negativ modifiˈzieren.

in·fi·nite [ˈinfənit; -fi-] **I** *adj* **1.** unendlich, grenzenlos, unermeßlich (*alle a. fig.*): ~ space; ~ pleasure; ~ wisdom. **2.** endlos. **3.** gewaltig, ungeheuer. **4.** *mit s pl* unzählige: ~ stars. **5.** *math., a. mus.* unendlich: ~ integral; ~ series unendliche Reihe. **6.** *ling.* nicht durch Perˈson u. Zahl bestimmt: ~ verb Verbum *n* infinitum. **7.** *Logik*: negativ modifiˈziert. **II** *s* **8.** (*das*) Unendliche. **9.** the I~ (Being) der Unendliche, Gott *m*. **10.** *math.* unendliche Größe *od.* Zahl. ˈ**in·fi·nite·ly** *adv* unendlich (*etc*, → infinite): ~ variable *tech.* stufenlos (regelbar). ˈ**in·fi·nite·ness** → infinity 1.

in·fin·i·tes·i·mal [ˌinfiniˈtesiməl] **I** *adj* (*adv* ~ly) **1.** unendlich *od.* verschwindend klein, winzig. **2.** *math.* ˌinfinitesiˈmal: ~ calculus Infinitesimalrechnung *f*. **II** *s* **3.** unendlich kleine Menge. **4.** *math.* ˌinfinitesiˈmale Größe.

in·fin·i·ti·val [inˌfiniˈtaivəl] *adj ling.* infinitivisch, Infinitiv...

in·fin·i·tive [inˈfinitiv] *ling.* **I** *s* Infinitiv *m*, Nennform *f*. **II** *adj* infinitivisch, Infinitiv...: ~ mood → I.

in·fin·i·tude [inˈfiniˌtjuːd] → infinity 1 *u.* 2.

in·fin·i·ty [inˈfiniti] *s* **1.** Unendlichkeit *f*, Grenzenlosigkeit *f*, Unermeßlichkeit *f*. **2.** unendlicher Raum, unendliche Menge *od.* Zahl *od.* Zeit *od.* Größe: an ~ of people unendlich viele Leute. **3.** *math.* unendliche Menge *od.* Größe, das Unendliche: to ~ bis ins Unendliche, ad infinitum. ~ **plug** *s electr.* **1.** erster *od.* letzter Stöpsel im Rheoˈstaten. **2.** Dosenstecker *m*.

in·firm [inˈfəːrm] *adj* (*adv* ~ly) **1.** *med.* schwach, gebrechlich. **2.** *a.* ~ of purpose (willens-, chaˈrakter)schwach, wankelmütig, schwankend. **3.** *fig.* schwach, kraftlos. **inˈfir·ma·ry** [-əri] *s* **1.** Krankenhaus *n*. **2.** Krankenstube *f* (*in Internaten etc*). **3.** *mil.* (ˈKranken)ReˌVier *n*: ~ case Revierkranke(r) *m*. **inˈfir·mi·ty, inˈfirm·ness** *s* **1.** *med.* Schwäche *f*, Gebrechlichkeit *f*, Krankheit *f*. **2.** *fig.* (menschliche) Schwäche, (Chaˈrakter)Schwäche *f*: ~ of purpose Willensschwäche, Unentschlossenheit *f*.

in·fix I *v/t* [inˈfiks] **1.** hinˈeintreiben, befestigen, einrammen. **2.** *fig.* einprägen, -pflanzen, -impfen (in *dat*). **3.** *ling.* einfügen. **II** *s* [ˈinˌfiks] **4.** *ling.* Inˈfix *n* (*Wortbildungsteil im Wortinnern*).

in·flame [inˈfleim] **I** *v/t* **1.** *a. med.* entzünden. **2.** *fig.* a) *j-s Blut* in Wallung bringen, b) *Gefühle etc* entfachen, c) *j-n* entflammen, erregen: ~d with love in Liebe entbrannt; ~d with rage wutentbrannt. **II** *v/i* **3.** sich entzünden (*a. med.*), Feuer fangen. **4.** *fig.* a) entbrennen (with vor *dat*), b) sich erhitzen, in Wut geraten. **inˈflamed** *adj* **1.** entzündet (*a. med.*), entflammt (*a. fig.*). **2.** *her.* a) brennend, b) mit Flämmchen verziert.

in·flam·ma·bil·i·ty [inˌflæməˈbiliti] *s* **1.** Entflammbarkeit *f*, Entzündlichkeit *f*. **2.** *fig.* Erregbarkeit *f*. **inˈflam·ma·ble I** *adj* (*adv* inflammably) **1.** entflammbar, leicht entzündlich: ~ gas. **2.** feuergefährlich. **3.** *fig.* reizbar, leicht erregbar, hitzig, jähzornig. **II** *s* **4.** *pl* Zündstoffe *pl*.

in·flam·ma·tion [ˌinfləˈmeiʃən] *s* **1.** *med.* Entzündung *f*. **2.** Entflammung *f* (*a. fig.*). **3.** *fig.* Erregung *f*.

in·flam·ma·to·ry [inˈflæmətəri] *adj* **1.** *med.* entzündlich, Entzündungs... **2.** *fig.* aufrührerisch, aufhetzend, Hetz...: an ~ speech.

in·flat·a·ble [inˈfleitəbl] *adj* aufblasbar: ~ boat Schlauchboot *n*.

in·flate [inˈfleit] **I** *v/t* **1.** aufblasen, -blähen, mit Luft *od.* Gas füllen, *Reifen etc* aufpumpen. **2.** *med.* aufblähen, -treiben. **3.** ausdehnen, anschwellen lassen. **4.** *econ. den Geldumlauf, die Preise etc* in die Höhe treiben, aufblähen, *Geld* über die Dekkung hinˈaus in ˈUmlauf setzen. **5.** *fig.* aufgeblasen machen (with durch): ~d with pride vor Stolz geschwellt; to be ~d sich aufblasen *od.* -blähen. **II** *v/i* **6.** sich aufblähen, anschwellen. **7.** sich ausdehnen. **in'flat·ed** *adj* **1.** aufgebläht, -geblasen (*beide a. fig. dünkelhaft*). **2.** *med.* aufgetrieben, -gedunsen. **3.** *fig.* schwülstig, bom'bastisch: ~ **style. 4.** *econ.* infla'torisch, über'höht: ~ **prices. in'flat·er** *s* **1.** *tech.* Luftpumpe *f.* **2.** *econ.* a) Preistreiber *m*, b) Haussi'er *m.*

in·fla·tion [in'fleiʃən] *s* **1.** Aufblähung *f.* **2.** Aufgeblähtheit *f* (*a. fig.*). **3.** *fig.* a) Aufgeblasenheit *f*, b) Schwülstigkeit *f*, Schwulst *m.* **4.** *econ.* Inflati'on *f.* **in'fla·tion·ar·y** *adj econ.* inflatio'nistisch, infla'torisch, inflatio'när, Inflations...: ~ **period** Inflationszeit *f.* **in'fla·tion,ism** *s econ.* Inflatio'nismus *m*, infla'torische 'Wirtschaftspoli,tik. **in'fla·tion·ist** *econ.* **I** *s* Inflatio'nist *m.* **II** *adj* → **inflationary.**

in·fla·tor → **inflater.**

in·flect [in'flekt] *v/t* **1.** beugen, (nach innen) biegen. **2.** *mus.* (*melodisch*) modu'lieren, *die Tonhöhe* verändern. **3.** *ling.* beugen, flek'tieren, abwandeln.

in·flec·tion, *bes. Br.* **in·flex·ion** [in'flekʃən] *s* **1.** Beugung *f*, Biegung *f*, Krümmung *f.* **2.** *mus.* (me'lodische) Modulati'on. **3.** (Ton)Veränderung *f* (*der Stimme etc*), *weitS.* feine Nu'ance. **4.** *ling.* a) Beugung *f*, Flexi'on *f*, b) Flexi'onsform *f*, -endung *f.* **5.** *math.* a) Wendung *f*, b) *a.* ~ **point** Knick-, Wendepunkt *m* (*e-r Kurve*). **in'flec·tion·al,** *bes. Br.* **in'flex·ion·al** *adj* **1.** Beugungs... **2.** *ling.* Flexions..., flek'tierend.

in·flec·tive [in'flektiv] → **inflectional.**

in·flex·i·bil·i·ty [in,fleksə'biliti] *s* **1.** Unbiegsamkeit *f.* **2.** Unbeugsamkeit *f.* **in'flex·i·ble** *adj* (*adv* **inflexibly**) **1.** 'une,lastisch, unbiegsam, starr. **2.** *fig.* a) starr, b) unbeugsam, unerschütterlich, c) unerbittlich. **3.** *fig.* 'unab,änderlich.

in·flex·ion *etc bes. Br. für* **inflection** [*etc.*]

in·flict [in'flikt] *v/t* (on, upon) **1.** *Leid, Schaden etc* zufügen (*dat*), *e-e Niederlage, e-e Wunde, Verluste* beibringen (*dat*), *e-n Schlag* versetzen (*dat*). **2.** *e-e Strafe* auferlegen (*dat*), verhängen (über *acc*): **to ~ punishment on s.o. 3.** aufbürden (*dat*): **to ~ o.s. upon s.o.** sich j-m aufdrängen, j-n belästigen. **in'flic·tion** *s* **1.** Zufügung *f.* **2.** Auferlegung *f*, Verhängung *f* (*e-r Strafe*). **3.** Plage *f*, Last *f.* **4.** Übel *n*, Heimsuchung *f.*

in·flo·res·cence [,inflo'resns] *s* **1.** *bot.* a) Blütenstand *m*, b) Blüten *pl.* **2.** Aufblühen *n* (*a. fig.*). **3.** *fig.* Blüte *f.*

in·flow ['in,flou] → **influx.**

in·flu·ence ['influəns] **I** *s* **1.** Einfluß *m*, Einwirkung *f* (on, upon, over auf *acc*; with bei): **undue ~** *jur.* unzulässige Beeinflussung; **to be under the ~ of s.o.** unter j-s Einfluß stehen; **under the ~ of drink** unter Alkoholeinfluß (stehend); **to exercise** (*od.* **exert**) **a great ~** großen Einfluß ausüben; **to have ~ with** Einfluß haben bei. **2.** Einfluß *m*, Macht *f*: **sphere of ~** *pol.* Interessensphäre *f*, Machtbereich *m.* **3.** einflußreiche Per'sönlichkeit *od.* Kraft: **he is an ~ in politics. 4.** *electr.* Indukti'on *f*, Influ'enz *f.* **5.** *astr.* Einfluß *m* der Gestirne. **II** *v/t* **6.** beeinflussen, einwirken *od.* (e-n) Einfluß ausüben auf (*acc*). **7.** bewegen, bestimmen (for s.th. zu etwas). **'in·flu·ent I** *adj* **1.** (her)'einströmend, -fließend. **II** *s* **2.** Zustrom *m.* **3.** *geogr.* Nebenfluß *m.* **4.** bestimmender Faktor (*Tier od. Pflanze, die für die Ökologie e-s Landes von Bedeutung ist*).

in·flu·en·tial [,influ'enʃəl] *adj* (*adv* **~ly**) **1.** einflußreich. **2.** von (großem) Einfluß (on auf *acc*; in in *dat*).

in·flu·en·za [,influ'enzə] *s* **1.** *med.* Influ'enza *f*, Grippe *f*: ~ **cold** starke Erkältung. **2.** *fig.* Fieber *n*, Seuche *f.* **,in·flu'en·zal** *adj* grip'pös.

in·flux ['in,flʌks] *s* **1.** Einströmen *n*, Zustrom *m*, Zufluß *m.* **2.** *econ.* (*Kapital- etc*)Zufluß *m*, (*Waren*)Zufuhr *f*: ~ **of gold** Goldzufluß. **3.** *geogr.* (*Fluß*)Mündung *f.* **4.** *fig.* Einströmen *n*, Zustrom *m.*

in·fold [in'fould] → **enfold.**

in·form [in'fɔːrm] **I** *v/t* **1.** (of) benachrichtigen, verständigen, in Kenntnis setzen, unter'richten (von), infor'mieren (über *acc*), *j-m* Mitteilung machen (von), *j-m* mitteilen (*acc*): **to keep s.o. ~ed** j-n auf dem laufenden halten; **to ~ o.s. of s.th.** sich über etwas informieren; **to ~ s.o. that** j-n davon in Kenntnis setzen, daß. **2.** durch'dringen, erfüllen, beseelen (with mit). **3.** Gestalt geben (*dat*), formen, bilden. **II** *v/i* **4.** *jur.* Anzeige erstatten: **to ~ against s.o.** a) j-n anzeigen, (Straf)Anzeige erstatten gegen j-n, b) *contp.* j-n denunzieren.

in·for·mal [in'fɔːrməl] *adj* (*adv* **~ly**) **1.** formlos: a) formwidrig: ~ **test** *ped. psych.* ungeeichter Test, b) *jur.* formfrei: ~ **contract. 2.** zwanglos, 'unzeremoni,ell, nicht for'mell *od.* förmlich, 'inoffizi,ell: **an ~ visit. ,in·for'mal·i·ty** [-'mæliti] *s* **1.** Formlosigkeit *f.* **2.** *bes. jur.* Formfehler *m.* **3.** Zwanglosigkeit *f*, Ungezwungenheit *f.*

in·form·ant [in'fɔːrmənt] *s* **1.** *a. econ.* Gewährsmann *m*, 'Auskunftsper,son *f*, (Informati'ons)Quelle *f.* **2.** → **informer.**

in·for·ma·tion [,infər'meiʃən] *s* **1.** Benachrichtigung *f*, Nachricht *f*, Mitteilung *f*, Unter'richtung *f*, Bescheid *m*, Meldung *f.* **2.** Auskünfte *pl*, Auskunft *f*: **to give ~** Auskunft geben; **for your ~** zu Ihrer Orientierung *od.* Kenntnisnahme; **~ desk** Auskunftsschalter *m.* **3.** *collect.* Nachrichten *pl*, Informati'onen *pl*: **we have no ~** wir sind nicht unterrichtet (as to über *acc*); **further ~** nähere Einzelheiten *pl*, Näheres *n.* **4.** *collect.* Erkundigungen *pl*: **to gather ~** Erkundigungen einziehen, Auskünfte einholen, sich erkundigen. **5.** Wissen *n*, Kenntnisse *pl.* **6.** (wissenswerte) Tatsachen *pl*: **full of ~** inhalts-, aufschlußreich. **7.** *jur.* a) Anklage *f* (*durch den Staatsanwalt*), b) (Straf)Anzeige *f*: **to lodge ~ against s.o.** Klage erheben *od.* (Straf)Anzeige erstatten gegen j-n. **,in·for'ma·tion·al** *adj* informa'torisch, Informations..., Auskunfts...

in·for·ma·tion| bu·reau, ~ of·fice *s* Auskunftsstelle *f*, Auskunf'tei *f.*

in·form·a·tive [in'fɔːrmətiv] *adj* **1.** belehrend, aufschluß-, lehrreich, instruk'tiv. **2.** mitteilsam. **3.** → **informational. in'form·a·to·ry** → a) informational, b) informative 1.

in·formed [in'fɔːrmd] *adj* **1.** unter'richtet, infor'miert: ~ **quarters** unterrichtete Kreise. **2.** a) sachkundig, b) sachlich begründet *od.* einwandfrei: **an ~ estimate. 3.** gebildet, kulti'viert, von hohem (geistigen) Ni'veau.

in'form·er *s* **1.** Angeber(in), Denunzi'ant(in). **2.** *a.* **common ~** Spitzel *m.* **3.** *jur.* Erstatter(in) e-r Strafanzeige.

in·fra ['infrə] *adv* 'unterhalb, unten: **vide ~** siehe unten (*in Büchern*).

infra- [infrə] *Wortelement mit der Bedeutung*: a) unter(halb), b) innerhalb. **,in·fra'cos·tal** *adj anat.* infrako'stal.

in·fract [in'frækt] *v/t bes. Am., meist fig. ein Gesetz etc* verletzen, verstoßen gegen. **in'frac·tion** *s* **1.** → **infringement. 2.** *med.* Infrakti'on *f*, Knickbruch *m.* **in'frac·tor** [-tər] *s* Über'treter(in).

in·fra| dig ['infrə'dig] (*Lat. abbr.*) *adv u. pred adj* unter der Würde, unwürdig. **,~'hu·man** *adj* 'untermenschlich.

in·fran·gi·bil·i·ty [in,frændʒi'biliti] *s* **1.** Unzerbrechlichkeit *f.* **2.** Unverletzlichkeit *f.* **in'fran·gi·ble** *adj* **1.** unzerbrechlich. **2.** *fig.* unverletzlich.

,in·fra|'red *adj phys.* infrarot. **,~'re·nal** *adj anat.* 'unterhalb der Nieren (gelegen), infrare'nal. **,~'son·ic** *adj* Infraschall..., infrato'nal, unter der Schallgrenze liegend. **,~'struc·ture** *s* 'Infrastruk,tur a) *econ. Unterbau e-r hochentwickelten Wirtschaft* (*z. B. Verkehrsnetz, Arbeitskräfte etc*), b) militärische Anlagen *pl* (*z. B. Flugplätze, Hafen- u. Fernmeldeanlagen*).

in·fre·quence [in'friːkwəns], **in'fre·quen·cy** [-si] *s* **1.** Seltenheit *f.* **2.** Spärlichkeit *f.* **in'fre·quent** *adj* (*adv* **~ly**) **1.** selten. **2.** spärlich, dünn gesät.

in·fringe [in'frindʒ] **I** *v/t Gesetze, Verträge etc* brechen, verletzen, verstoßen gegen: **to ~ a patent** ein Patent verletzen. **II** *v/i* (on, upon) (*Rechte, Verträge etc*) verletzen, eingreifen (in *acc*), 'übergreifen (auf *acc*). **in'fringe·ment** *s* **1.** (*Rechts- etc, a. Patent*)Verletzung *f.* **2.** (of) Über'tretung *f* (*gen*), Zu'widerhandlung *f*, Verstoß *m* (gegen). **3.** (of) Eingriff *m* (in *acc*), 'Übergriff *m* (auf *acc*).

in·fruc·tu·ous [*Br.* in'frʌktjuəs; *Am.* -tʃuəs] *adj* (*adv* **~ly**) **1.** unfruchtbar. **2.** *fig.* frucht-, zwecklos.

in·fun·dib·u·lar [,infʌn'dibjələr], *a.* **,in·fun'dib·u,late** [-,leit] *adj biol.* **1.** trichterförmig. **2.** Trichter... **3.** mit e-m trichterförmigen Or'gan (versehen).

in·fu·ri·ate [in'fju(ə)ri,eit] *v/t* in Wut versetzen, wütend machen, erbosen. **in'fu·ri,at·ing** *adj* aufreizend, ärgerlich, rasend machend.

in·fus·cate [in'fʌskeit] *adj zo.* braun- [gewölkt.]

in·fuse [in'fjuːz] *v/t* **1.** (ein-, hin'ein)gießen (into in *acc*). **2.** *meist fig.* einflößen, -geben (into *dat*). **3.** *fig.* erfüllen (with mit). **4.** a) *pharm. etc bes. Kräuter* einweichen, aufgießen, b) *Tee* aufgießen, ziehen lassen. **in'fu·si·ble** *adj bes. chem.* unschmelzbar.

in·fu·sion [in'fjuːʒən] *s* **1.** Eingießen *n*, -flößen *n.* **2.** *pharm.* a) Einweichen *n*, b) Aufguß *m*, Infusi'on *f*, Tee *m*: ~ **of herbs** Kräutertee(aufguß) *m.* **3.** *med.* Injekti'on *f.* **4.** *relig.* Über'gießung *f* (*bei der Taufe*). **5.** *fig.* Eingebung *f*, -flößung *f.* **6.** *fig.* a) Beimischung *f*, b) Zufluß *m*, -strom *m.* **in'fu·sion,ism** *s relig. Lehre, daß die Seele schon vor dem Körper existiert u. diesem bei der Empfängnis oder Geburt eingegeben wird.*

In·fu·so·ri·a [,infju'sɔːriə] *s pl zo.* Infu'sorien *pl*, Wimpertierchen *pl.* **,in·fu'so·ri·al** *adj zo.* infu'sorienartig, Infusorien...: ~ **earth** *min.* Infusorienerde *f*, Kieselgur *f.* **,in·fu'so·ri·an** *zo.* **I** *s* Wimpertierchen *n*, Infu'sorium *n.* **II** *adj* → **infusorial. in'fu·so·ry** [-'fjuːsəri] *zo.* **I** *s* → **infusorian** I. **II** *adj* → **infusorial.**

in·gath·er [in'gæðər] *v/t u. v/i* einsammeln, *bes.* ernten: **feast of ~ing** *Bibl.* Fest *n* der Einsammlung.

in·gen·er·ate [in'dʒenərit] *adj bes. relig.* nicht erschaffen, durch sich selbst exi'stierend: God is ~.

in·gen·ious [in'dʒiːnjəs] *adj* (*adv* ~ly) geni'al: a) erfinderisch, findig, b) klug, geistreich, c) sinnreich, kunstvoll, raffi'niert: ~ design. **in'gen·ious·ness** → ingenuity.

in·gé·nue [ɛ̃ʒe'ny] *s* **1.** na'ives Mädchen, ‚Unschuld' *f.* **2.** *thea.* Na'ive *f.*

in·ge·nu·i·ty [ˌindʒə'njuːiti] *s* **1.** Erfindungsgabe *f*, Findigkeit *f*, Geschicklichkeit *f*, Klugheit *f*, Geniali'tät *f.* **2.** (*das*) Sinnreiche *od.* Geni'ale. **3.** sinnreiche Konstrukti'on *od.* Ausführung *od.* Erfindung.

in·gen·u·ous [in'dʒenjuəs] *adj* (*adv* ~ly) **1.** offen(herzig), treuherzig, bieder, aufrichtig. **2.** schlicht, arglos, unschuldig, na'iv, einfältig. **3.** *hist.* freigeboren. **in'gen·u·ous·ness** *s* **1.** Offenheit *f*, Treuherzigkeit *f*, Biederkeit *f.* **2.** Schlichtheit *f*, Naivi'tät *f.*

in·gest [in'dʒest] *v/t Nahrung* aufnehmen, zu sich nehmen, *Medikament* einnehmen. **in'ges·ta** [-ə] *s pl biol.* aufgenommene Nahrung, In'gesta *pl.* **in'ges·tion** [-tʃən] *s* **1.** *biol.* Nahrungsaufnahme *f.* **2.** *med.* Einnahme *f* (*von Medikamenten etc*). **in'ges·tive** *adj biol.* die Nahrungsaufnahme betreffend, zur Nahrungsaufnahme dienend.

in·gle ['iŋgl] *s* **1.** Herd-, Ka'minfeuer *n.* **2.** Ka'min *m*, Herd *m.* **'~-ˌnook** *s Br.* Ka'minecke *f.*

in·glo·ri·ous [in'glɔːriəs] *adj* (*adv* ~ly) **1.** unrühmlich, schimpflich, schmählich. **2.** *obs.* unbekannt.

in·glu·vi·es [in'gluːviˌiːz] *s orn.* Kropf *m.*

in·go·ing ['inˌgouiŋ] **I** *adj* **1.** eintretend. **2.** ein Amt antretend, neu. **3.** *fig.* eingehend, gründlich. **II** *s* **4.** Eintreten *n.* **5.** Amtsantritt *m.*

in·got ['iŋgət] *metall.* **I** *s* Barren *m*, (Roh)Block *m*, Massel *f*, Stange *f*, Zain *m*: ~ of gold Goldbarren; ~ of steel Stahlblock. **II** *v/t* in Barren gießen, zu Barren *od.* Blöcken verarbeiten. **~ i·ron** *s* Flußeisen *n.* **~ mill** *s* Blockwalzwerk *n.* **~ mo(u)ld** *s* Blockform *f*, Ko'kille(ngußform) *f.* **~ slab** *s* Rohbramme *f.* **~ steel** *s* (härtbarer) Flußstahl.

in·graft [*Br.* in'grɑːft; *Am.* -'græ(ː)ft] → engraft.

in·grain I *v/t* [in'grein] **1.** tief verwurzeln, einwurzeln. **2.** → engrain. **II** *adj* ['inˌgrein] **3.** → engrained. **III** *s* ['inˌgrein] **4.** in der Wolle gefärbtes Garn *od.* Zeug. **5.** *a.* ~ carpet *Am.* Teppich *m* aus vor dem Weben gefärbter Wolle (*u. mit durchgewebtem Muster*). **6.** eingewurzelte Eigenschaft. **in·grained** [in'greind; 'inˌgreind] → engrained.

in·grate ['ingreit; in'greit] **I** *adj obs.* undankbar. **II** *s* Undankbare(r *m*) *f.*

in·gra·ti·ate [in'greiʃiˌeit] *v/t*: to ~ o.s. (with s.o.) sich (bei j-m) beliebt *od.* lieb 'Kind machen *od.* einschmeicheln. **in'gra·tiˌat·ing** *adj* (*adv* ~ly) **1.** einnehmend, gewinnend. **2.** schmeichlerisch, einschmeichelnd.

in·grat·i·tude [in'grætiˌtjuːd] *s* Undank(barkeit *f*) *m.*

in·gra·ves·cence [ˌingrə'vesns] *s* Verschlimmerung *f.* **ˌin·gra'ves·cent** *adj med.* sich verschlimmernd.

in·gre·di·ent [in'griːdiənt] *s* Bestandteil *m*, Zutat *f*: primary ~ Grundbestandteil.

in·gress ['ingres] *s* **1.** Eintritt *m* (*a. astr.*), Eintreten *n* (into in *acc*). **2.** Zutritt *m*, Zugang *m*, Eintrittsrecht *n* (into zu). **3.** Zustrom *m*: ~ of visitors. **4.** Eingang(stür *f*) *m.*

'in-ˌgroup *s sociol.* Eigengruppe *f* (*sich abschließende Gesellschaftsklasse*).

in·grow·ing ['inˌgrouiŋ] *adj* **1.** einwärts wachsend, *bes. med.* einwachsend, eingewachsen: an ~ nail. **2.** *fig.* nach innen gewandt, sich abschließend. **'inˌgrown** *adj* **1.** *bes. med.* eingewachsen. **2.** *fig.* (in sich selbst) zu'rückgezogen. **'inˌgrowth** *s* **1.** Einwachsen *n.* **2.** Einwuchs *m.*

in·gui·nal ['iŋgwinl] *adj anat.* ingui'nal, Leisten...: ~ gland; ~ hernia *med.* Leistenbruch *m.*

in·gur·gi·tate [in'gəːrdʒiˌteit] *v/t* **1.** (gierig) hin'unterschlingen, verschlingen (*a. fig.*). **2.** *Getränke* hin'unterstürzen.

in·hab·it [in'hæbit] *v/t* **1.** *a. fig.* bewohnen, wohnen *od.* leben in (*dat*). **2.** *fig.* innewohnen (*dat*). **in'hab·it·a·ble** *adj* bewohnbar.

in·hab·it·an·cy [in'hæbitənsi] *s* **1.** Wohnen *n*, ständiger Aufenthalt. **2.** Bewohnen *n.* **3.** Bewohntsein *n.* **4.** Wohnrecht *n.* **5.** (*bes.* Gesellschafts)Sitz *m*, Wohnort *m.* **in'hab·it·ant** *s* **1.** Einwohner(in) (*e-s Ortes od. Landes*), Bewohner(in) (*bes. e-s Hauses*). **2.** *jur.* Ansässige(r *m*) *f.* **in'hab·i·tive·ness** *s* Sässigkeitstrieb *m.*

in·hal·ant [in'heilənt] **I** *adj* **1.** einatmend, ein-, aufsaugend. **2.** zum Einsaugen dienend. **II** *s* **3.** *med.* a) → inhaler 2, b) Inhalati'onsmittel *n*, -präpaˌrat *n.*

in·ha·la·tion [ˌinhə'leiʃən] *s* **1.** Einatmung *f.* **2.** *med.* a) Inhalati'on *f*, b) → inhalant 3 b. **'in·haˌla·tor** [-tər] → inhaler 2.

in·hale [in'heil] **I** *v/t* **1.** einatmen, *med. a.* inha'lieren. **2.** *Am. colloq. Essen* ‚verdrücken', ‚sich zu Gemüte führen'. **II** *v/i* **3.** einatmen. **4.** inha'lieren (*bes. beim Rauchen*), Lungenzüge machen. **in'hal·er** *s* **1.** Luftreiniger *m.* **2.** *med.* Inhalati'onsappaˌrat *m*, Inha'lator *m.*

in·har·mon·ic [ˌinhɑːr'mɒnik] *adj* 'unharˌmonisch, disso'nant.

in·har·mo·ni·ous [ˌinhɑːr'mouniəs] *adj* (*adv* ~ly) 'unharˌmonisch: a) 'mißtönend, b) *fig.* uneinig.

in·haust [in'hɔːst] *v/t humor.* → inhale 2.

in·here [in'hir] *v/i* **1.** innewohnen, anhaften (in s.o. j-m). **2.** innewohnen, eigen sein (in s.th. e-r Sache *dat*). **3.** enthalten sein, stecken (in in *dat*).

in·her·ence [in'hi(ə)rəns] *s* **1.** Innewohnen *n*, Anhaften *n.* **2.** *philos.* Inhä'renz *f.*

in'her·en·cy [-si] *s* **1.** → inherence. **2.** anhaftende Eigenschaft, innewohnender Cha'rakterzug.

in·her·ent [in'hi(ə)rənt] *adj* **1.** innewohnend, zugehörend, eigen, anhaftend, angeboren (*alle* in *dat*): ~ defect (*od.* vice) *econ. jur.* innerer Fehler; ~ right angeborenes *od.* natürliches Recht. **2.** eigen, rechtmäßig gehörend (*in dat*). **3.** eingewurzelt. **4.** *philos.* inhä'rent. **in'her·ent·ly** *adv* von Na'tur aus, dem Wesen (der Sache) nach, schon an sich.

in·her·it [in'herit] **I** *v/t* **1.** *jur., a. biol. u. fig.* erben (of, from, through von). **2.** *biol. u. fig.* ererben. **3.** *obs.* als Erben einsetzen. **II** *v/i* **4.** *jur.* a) erben: to ~ from s.o. j-n beerben, b) Erbe *od.* erbberechtigt sein. **5.** *biol.* 'herstammen (from von). **in'her·it·a·ble** *adj* **1.** *jur., a. biol. u. fig.* vererbbar, erblich, Erb... **2.** *jur.* erbfähig, -berechtigt (*Person*).

in·her·it·ance [in'heritəns] *s* **1.** *jur.* a) Erbe *n*, Erbschaft *f* (*beide a. fig.*), Nachlaß *m*: ~ tax *Am.* Erbschaftssteuer *f*; accrual of an ~ Anfall *m* e-r Erbschaft, Erbfall *m*, b) Vererbung *f* (*a. biol.*): by ~ erblich, durch Vererbung (*beide a. biol.*), im Erbgange; right of ~ (*subjektives*) Erbrecht, Erbberechtigung *f*; law of ~ (*objektives*) Erbrecht, c) (gesetzliche) Erbfolge. **2.** *biol.* Erbgut *n*, **in'her·it·ed** *adj* ererbt, Erb... (*a. ling.*). **in'her·i·tor** [-tər] *s* Erbe *m.* **in'her·i·tress** [-tris], **in'her·i·trix** [-triks] *s* Erbin *f.*

in·he·sion [in'hiːʒən] → inherence.

in·hib·it [in'hibit] *v/t* **1.** hemmen (*a. psych.*), hindern. **2.** (from) *j-n* zu'rückhalten (von), hindern (an *dat*). **3.** *obs.* verbieten (from doing zu tun).

in·hi·bi·tion [ˌinhi'biʃən; ˌini'b-] *s* **1.** Hemmung *f*, (Be)Hinderung *f.* **2.** a) *a. jur.* Unter'sagung *f*, Verbot *n*, b) *jur.* Unter'sagungsbefehl *m* (*an e-n Richter, e-e Sache nicht weiter zu verfolgen*). **3.** *psych.* Hemmung *f*, Inhibiti'on *f.*

in·hib·i·tive [in'hibitiv] → inhibitory. **in'hib·i·tor** [-tər] *s* **1.** *chem.* In'hibitor *m*, Hemmstoff *m.* **2.** *metall.* a) (Oxydati'ons)Katalyˌsator *m*, b) Sparbeize *f.* **in'hib·i·to·ry** [-təri] *adj* **1.** *a. med. u. psych.* hemmend, Hemmungs... **2.** verbietend, unter'sagend.

in·hos·pi·ta·ble [in'hɒspitəbl; ˌinhɒs'pit-] *adj* (*adv* inhospitably) ungastlich: a) nicht gastfreundlich, unfreundlich, b) unwirtlich: ~ country. **in'hos·pi·ta·ble·ness, ˌin·hos·pi'tal·i·ty** [-pi'tæliti; inˌhɒs-] *s* **1.** Ungast(freund)lichkeit *f.* **2.** Ungastlichkeit *f*, Unwirtlichkeit *f.*

in·hu·man [in'hjuːmən] *adj* (*adv* ~ly) **1.** unmenschlich, grausam. **2.** menschen'unähnlich. **3.** kalt, 'unperˌsönlich. **4.** 'übermenschlich. **ˌin·hu'mane** [-'mein] → inhuman 1. **ˌin·hu'man·i·ty** [-'mæniti] *s* Unmenschlichkeit *f.*

in·hu·ma·tion [ˌinhjuː'meiʃən] *s* Beerdigung *f*, Bestattung *f.* **in·hume** [in'hjuːm] *v/t* beerdigen, begraben.

in·im·i·cal [i'nimikəl] *adj* (*adv* ~ly) **1.** (to) feindselig (gegen), feindlich gesinnt (*dat od.* gegen). **2.** (to) nachteilig (für), schädlich (*dat od.* für).

in·im·i·ta·ble [i'nimitəbl] *adj* (*adv* inimitably) unnachahmlich, einzigartig. **in'im·i·ta·ble·ness** *s* Unnachahmlichkeit *f.*

in·iq·ui·tous [i'nikwitəs] *adj* (*adv* ~ly) **1.** ungerecht. **2.** frevelhaft. **3.** schädlich, böse, lasterhaft, sündig. **4.** niederträchtig, gemein.

in·iq·ui·ty [i'nikwiti] *s* **1.** (schreiende) Ungerechtigkeit. **2.** Frevelhaftigkeit *f.* **3.** Schändlichkeit *f*, Schlechtigkeit *f.* **4.** Schandtat *f*, Frevel *m.* **5.** Sünde *f*, Laster *n.*

in·i·tial [i'niʃəl] **I** *adj* **1.** anfänglich, Anfangs..., Ausgangs..., erst(er, e, es): ~ capital *econ.* Anfangskapital *n*; ~ capital expenditure Anlagekosten *pl*; ~ dividend *econ.* Abschlagsdividende *f*; ~ position *mil. tech. etc* Ausgangsstellung *f*; ~ material *econ.* Ausgangsmaterial *n*; ~ salary Anfangsgehalt *n*; ~ stage(s) Anfangsstadium *n*; ~ subscription *econ.* Erstzeichnung *f*; ~ symptoms erste Symptome, Anfangssymptome. **2.** *tech.* a) Null...: ~ adjustment, b) Anfangs..., Vor...: ~ tension. **3.** *ling.* anlautend: ~ word Initialwort *n.* **II** *s* **4.** Initi'ale *f*, (großer) Anfangsbuchstabe. **5.** *pl* Mono'gramm *n.* **6.** *bot.* Meri'stemzelle *f.* **III** *v/t* **7.** mit s-n Initi'alen versehen *od.* unter'zeichnen, para'phieren. **8.** mit e-m Mono'gramm versehen: ~(l)ed paper Monogrammpapier *n.* **in'i-**

tial·ly *adv* am *od.* zu Anfang, zu'erst, anfänglich, ursprünglich.

in·i·ti·ate I *v/t* [i'niʃiˌeit] **1.** *etwas* beginnen, anfangen, einleiten, in die Wege leiten, in Gang setzen, ins Leben rufen. **2.** *jur. e-n Prozeß* einleiten, anstrengen, anhängig machen: to ~ legal proceedings. **3.** (into, in) *j-n* einführen: a) einweihen (in *acc*), b) aufnehmen (in *e-e exklusive Gesellschaft etc*), c) einarbeiten (in *acc*). **4.** *parl.* als erster beantragen, *ein Gesetz* einbringen. **5.** *chem. e-e Reaktion etc* initi'ieren. **II** *adj* [-it; -ˌeit] **6.** → initiated. **III** *s* [-it; -ˌeit] **7.** Eingeweihte(r *m*) *f*, Kenner(in). **8.** Eingeführte(r *m*) *f*. **9.** Neuling *m*, Anfänger(in). **in'i·tiˌat·ed** [-ˌeitid] *adj* eingeweiht, eingeführt: the ~ die Eingeweihten.

in·i·ti·a·tion [iˌniʃi'eiʃən] *s* **1.** Einführung *f*. **2.** (feierliche) Einführung, Aufnahme *f* (into in *acc*): ~ fee *Am.* Aufnahmegebühr *f*. **3.** 'Einführungszeremoˌnien *pl*. **4.** Initiati'on *f*, Jünglingsweihe *f*. **5.** Einleitung *f*, Beginn *m*.

in·i·ti·a·tive [i'niʃiətiv; *Am. a.* -ˌeitiv] **I** *s* **1.** Initia'tive *f*: a) erster Schritt: to take the ~ die Initiative ergreifen, den ersten Schritt tun, b) Anstoß *m*, Anregung *f*: on the ~ of s.o. auf j-s Initiative hin; on one's own ~ aus eigener Initiative, c) Unter'nehmungsgeist *m*, Entschlußkraft *f*. **2.** *pol.* (Ge'setzes)InitiaˌTive *f*, Initia'tivrecht *n* des Volkes. **II** *adj* **3.** einführend, Einführungs... **4.** beginnend, anfänglich. **5.** einleitend.

in·i·ti·a·tor [i'niʃiˌeitər] *s* **1.** Initi'ator *m*, Urheber *m*. **2.** *mil.* (Initi'al)Zündladung *f*. **3.** *chem.* reakti'onsauslösende Sub'stanz. **in'i·ti·a·to·ry** [-ətəri] *adj* **1.** einleitend: ~ steps. **2.** einführend, -weihend: ~ ceremonies Einweihungszeremonien.

in·ject [in'dʒekt] *v/t* **1.** *med.* a) inji'zieren, einspritzen, b) *Gefäße, Wunden etc* ausspritzen (with mit), c) e-e Einspritzung machen in (*acc*): to ~ the thigh. **2.** *tech.* einspritzen. **3.** *fig.* einflößen, -impfen (into *dat*): to ~ fear into s.o. j-m Furcht einflößen. **4.** *fig. etwas* (hin'ein)bringen (into in *acc*): to ~ humo(u)r into the subject. **5.** *e-e Bemerkung* einwerfen. **in'ject·a·ble** *adj med.* inji'zierbar.

in·jec·tion [in'dʒekʃən] *s* **1.** Einspritzen *n*, -pumpen *n*. **2.** *med.* Injekti'on *f*: a) Einspritzung *f*, Spritze *f*: ~ of money *fig.* Geldzuschuß *m*, ‚Spritze', b) eingespritztes Medika'ment, c) Einlauf *m*, d) Ausspritzung *f* (*von Wunden etc*). **3.** *med.* (Blut)Andrang *m*, Stauung *f*. **4.** *tech.* Einspritzung *f*. **5.** *geol.* Injekti'on *f*, Eindringen *n* von geschmolzenem Magma. ~ **cock** *s tech.* Einspritzhahn *m*. ~ **die** *s tech.* Spritzform *f*. ~ **mo(u)ld·ing** *s tech.* Spritzguß(verfahren *n*) *m*. ~ **noz·zle** *s* Einspritzdüse *f*. ~ **pres·sure** *s aer.* Einspritz'überdruck *m* (*Differenz zwischen Einspritzdruck u. Druck in der Brennkammer e-s Düsentriebwerks*). ~ **syr·inge** *s med.* **1.** Injekti'onsspritze *f*. **2.** Kli'stierspritze *f*.

in·jec·tor [in'dʒektər] *s tech.* In'jektor *m*, Dampfstrahlpumpe *f*.

in·ju·di·cious [ˌindʒuː'diʃəs] *adj* (*adv* ~ly) unklug, unbesonnen, unvernünftig, 'unüberˌlegt. ˌ**in·ju'di·cious·ness** *s* Unklugheit *f* (*etc*).

In·jun ['indʒən] *s Am. humor.* Indi'aner *m*: honest ~! (mein) Ehrenwort!

in·junct [in'dʒʌŋkt] *v/t colloq.* (*gerichtlich*) verbieten.

inˌjunc·tion [in'dʒʌŋkʃən] *s* **1.** *jur.* (gerichtliche) Verfügung, *bes.* Unter'lassungsbefehl *m*: interim ~ einstweilige Verfügung. **2.** ausdrücklicher Befehl: to give strict ~s to s.o. j-m dringend einschärfen.

in·jur·ant ['indʒərənt] *s* (gesundheits)schädliche Sub'stanz.

in·jure ['indʒər] *v/t* **1.** verletzen, -wunden: to ~ one's leg sich am Bein verletzen. **2.** *fig.* a) *Gefühle, a. j-n* kränken, verletzen, b) *j-m* weh *od.* unrecht tun. **3.** *etwas* beschädigen, verletzen. **4.** schaden (*dat*), schädigen, beeinträchtigen: to ~ one's health; to ~ s.o.'s interests. '**in·jured** *adj* **1.** verletzt, -wundet: the ~ die Verletzten. **2.** schadhaft, beschädigt. **3.** geschädigt: ~ party *jur.* Geschädigte(r *m*) *f*. **4.** beleidigt, gekränkt, verletzt: ~ innocence gekränkte Unschuld.

in·ju·ri·ous [in'dʒu(ə)riəs] *adj* (*adv* ~ly) **1.** schädlich, nachteilig (to für): ~ to health gesundheitsschädlich; to be ~ (to) schaden (*dat*). **2.** beleidigend, verletzend, Schimpf...: ~ words; ~ falsehood *jur.* beleidigende Unwahrheit, unwahre (*bes.* geschäftsschädigende) Äußerung. **3.** ungerecht.

in·ju·ry ['indʒəri] *s* **1.** *med.* Verletzung *f*, Wunde *f* (to an *dat*): ~ to the head Kopfverletzung, -wunde; personal ~ Körperbeschädigung *f*, Personenschaden *m*; ~ benefit *Br.* (Arbeiter)-Unfallrente *f*. **2.** (to) (Be)Schädigung *f* (*gen*), *a. jur.* Schaden *m* (an *dat*). **3.** Kränkung *f*. **4.** Unrecht *n*.

in·jus·tice [in'dʒʌstis] *s* Unrecht *n*, Ungerechtigkeit *f*: to do s.o. an ~ j-m ein Unrecht zufügen, j-m unrecht tun.

ink [iŋk] **I** *s* **1.** Tinte *f*: as black as ~ pechschwarz; copying ~ Kopiertinte. **2.** Tusche *f*: → India ink. **3.** *print.* Druckfarbe *f*: (printer's) ~ Druckerschwärze *f*. **4.** *zo.* Tinte *f*, Sepia *f*. **II** *v/t* **5.** mit Tinte schwärzen *od.* beschmieren. **6.** *print. Druckwalzen etc* einfärben. **7.** ~ in, ~ over tu'schieren, mit Tusche ausziehen. **8.** mit Tinte schreiben. **9.** *Am. sl.* a) unter'schreiben, b) *j-n* unter Vertrag nehmen. ~ **bag** → ink sac. ~ **ball** *s print.* Anschwärzballen *m*. ~ **block** *s print.* Reiber *m*, Farbläufer *m*.

ink·er ['iŋkər] *s* **1.** *print.* → inking-roller. **2.** *tel.* Farb-, Morseschreiber *m*.

ink| e·ras·er *s* 'Tintenraˌdiergummi *m*. ~ **foun·tain** → fount[2] 1 b. '~ˌ**horn I** *s* tragbares Tintenfaß. **II** *adj* pe'dantisch, gelehrtenhaft.

ink·ing ['iŋkiŋ] *s print.* Einfärben *n*. '~-ˌ**pad** *s* Einschwärzballen *m*. '~-ˌ**roll·er** *s* Auftrag-, Farbwalze *f*. '~ˌ**ta·ble** *s tech.* Farbtisch *m*.

in·kle ['iŋkl] *v/t Br. dial.* dunkel ahnen.

'**ink·ling** *s* **1.** Andeutung *f*, Wink *m*. **2.** dunkle Ahnung: to get an ~ of s.th. etwas merken, ‚Wind von etwas bekommen'; to have an ~ of s.th. a) etwas dunkel ahnen, b) e-e leise Idee von etwas haben; not the least ~ keine blasse Ahnung.

in-knees ['inˌniːz] *s pl* X-Beine *pl*.

ink| nut *s bot.* Tintennuß *f*. ~ **pad** *s* Farb-, Stempelkissen *n*. ~ **pen·cil** *s* Tinten-, Ko'pierstift *m*. '~ˌ**pot** *s* **1.** Tintenfaß *n*. **2.** *print.* Farbentopf *m*. ~ **sac** *s zo.* Tintenbeutel *m* (*der Tintenfische*). '~ˌ**sling·er** *s colloq.* Tintenkleckser *m*, Schreiberling *m*. '~ˌ**stand** *s* **1.** Tintenfaß *n*. **2.** Schreibzeug *n*. '~ˌ**well** *s* (eingelassenes) Tintenfaß. '~ˌ**writ·er** → inker 2.

ink·y ['iŋki] *adj* **1.** tinten-, pechschwarz. **2.** tintenartig. **3.** mit Tinte beschmiert, voll Tinte, tintig, Tinten... ~ **cap** *s bot.* Tintling *m*, Tintenpilz *m*.

in·laid ['inˌleid; in'leid] *adj* eingelegt, Einlege..., Mosaik...: ~ floor Parkett(fußboden *m*) *n*; ~ table Tisch *m* mit Einlegearbeit; ~ work Einlegearbeit *f*.

in·land I *s* ['inˌlænd] **1.** In-, Binnenland *n*. **2.** (*das*) Landesinnere. **II** *adj* ['inlənd] **3.** binnenländisch, Binnen...: ~ duty (market, town, trade) Binnenzoll *m* (-markt *m*, -stadt *f*, -handel *m*); ~ marine insurance Binnentransportversicherung *f*. **4.** inländisch, einheimisch, Inland..., Landes...: ~ commodities einheimische Waren; ~ produce Landeserzeugnisse *pl*. **5.** nur für das Inland bestimmt, Inlands...: ~ air traffic Inlands-Luftverkehr *m*. **III** *adv* ['inˌlænd; in'lænd] **6.** land'einwärts: a) im Landesinnern, b) ins Innere des Landes. ~ **bill (of exchange)** ['inlənd] *s econ.* Inlandwechsel *m*.

in·land·er ['inləndər] *s* Binnenländer(in), im Landesinnern Lebende(r *m*) *f*.

in·land| mail *s Br.* Inlandspost *f*. ~ **nav·i·ga·tion** *s* Binnenschiffahrt *f*. ~ **pay·ments** *s pl econ.* Inlandszahlungen *pl*. ~ **rev·e·nue** *s econ. Br.* Steuereinnahmen *pl*: I~ R~ Finanzverwaltung *f*; Board of I~ R~ oberste Steuerbehörde; I~ R~ Office Finanzamt *n*. ~ **wa·ters** *s pl jur.* Binnengewässer *pl*.

in-law ['inˌlɔː] *s colloq.* angeheiratete(r) Verwandte(r).

in·lay I *v/t irr* [in'lei] **1.** einlegen: to ~ wood with ivory. **2.** fur'nieren. **3.** täfeln, auslegen, parket'tieren: to ~ a floor. **4.** einbetten (in in *acc*). **5.** *Buchdeckel etc* mit eingelegten Illustrati'onen versehen. **II** *s* ['inˌlei] **6.** Einlegearbeit *f*, In'tarsia *f*. **7.** Einlegestück *n*. **8.** Einsatz(stück *n*) *m* (*am Kleid*). **9.** *med.* (gegossene) (Zahn)-Füllung. **10.** *a.* ~ graft *bot.* (In)Okulati'on *f*. '**inˌlay·er** *s* innere Schicht.

in·lay·ing [in'leiiŋ; 'inˌleiiŋ] *s* **1.** Aus-, Einlegen *n*, Täfelung *f*: ~ of floors Parkettierung *f*; ~-saw Laub-, Schweifsäge *f*. **2.** → inlay 6 *u.* 7.

in·let ['inlet] *s* **1.** Eingang *m* (*a. anat.*): pelvic ~ Beckeneingang. **2.** Einlaß *m* (*a. tech.*): ~ valve Einlaßventil *n*. **3.** *tech.* a) Eintritt *m* (*von Luft etc*), b) *electr.* Zuführung *f*, c) *electr.* Zuluftstutzen *m*. **4.** a) schmale Bucht, b) schmaler Wasserlauf, c) Meeresarm *m*, d) *mar.* (*Hafen*)Einfahrt *f*. **5.** eingelegtes Stück, Einsatz *m*.

in·li·er ['inˌlaiər] *s geol.* Einschluß *m*.

'**in-ˌline en·gine** *s tech.* Reihenmotor *m*.

in·ly ['inli] *adv u. adj poet.* innerlich, tief, innig.

in·ly·ing ['inˌlaiiŋ] *adj* innen (*od.* im Innern) liegend, Innen..., inner(er, e, es).

in·mate ['inˌmeit] *s* **1.** Insasse *m*, Insassin *f* (*bes. e-r Anstalt, e-s Gefängnisses etc*). **2.** Bewohner(in) (*a. fig.*). **3.** Hausgenosse *m*, -genossin *f*, Mitbewohner(in).

'**in-'mi·grant** *s* Zugewanderte(r *m*) *f*.

'**in-'mi·grate** *v/i* zuwandern.

in·most ['inˌmoust] *adj* **1.** innerst(er, e, es) (*a. fig.*). **2.** *fig.* tiefst(er, e, es), geheimst(er, e, es).

inn [in] *s* **1.** Gasthaus *n*, -hof *m*. **2.** Wirtshaus *n*. **3.** → Inns of Court.

in·nards ['inərdz] *s pl colloq.* (*das*) Innere, *bes.* a) (*die*) Eingeweide *pl* (*a. fig.*), b) *Kochkunst*: (*die*) Inne'reien *pl*.

in·nate ['inneit; i'neit] *adj* **1.** angeboren (in *dat*). **2.** → inherent 1. **3.** *bot.* a) angewachsen, b) im Innern (*e-r*

Pflanze) entstanden, endo'gen. **in·'nate·ly** *adv* von Na'tur (aus).

in·nav·i·ga·ble [i'nævigəbl; in'n-] *adj mar.* nicht schiffbar (*Fluß*).

in·ner ['inər] **I** *adj* **1.** inner, inwendig, Innen...: ~ **conductor** *electr.* Innenleiter *m*; ~ **ear** *anat.* Innenohr *n*; ~ **door** Innentür *f.* **2.** *fig.* inner(er, e, es), vertraut, enger(er, e, es): **the** ~ **circle of his friends.** **3.** geistig, seelisch, innerlich. **4.** verborgen, geheim, dunkel: **an** ~ **meaning.** **5.** *mus.* Mittel...: ~ **voice** → **inner part.** **6.** *chem.* ˌintramoleku'lar. **II** *s* **7.** (Treffer *m* in das) Schwarze (e-r Schießscheibe). '~**-diˌrect·ed** *adj Am.* nach eigenen Wertmaßstäben denkend u. handelnd, nonkonfor'mistisch. **I**~ **House** *s Sitzungssäle der 1. u. 2. Abteilung des* Court of Session *in Edinburgh*; ~ **man** *s irr* innerer Mensch: a) Seele *f*, Geist *m*, b) *humor.* Magen *m*: **to refresh the** ~ sich stärken.

in·ner·most ['inərˌmoust] → **inmost.**

in·ner| part *s mus.* Mittelstimme *f*, mittlere Stimme (*Alt u. Tenor*). ~ **span** *s arch.* lichte Weite. ~ **square** *s tech.* innerer rechter Winkel (*Winkelmaß*). ~ **sur·face** *s* Innenseite *f*, -fläche *f*. **I**~ **Tem·ple** *s Name e-s der Gebäude der* Inns of Court. ~ **tube** *s tech.* Schlauch *m* (*e-s Reifens*).

in·ner·vate [i'nəːrveit; 'inərˌveit] *v/t physiol.* **1.** inner'vieren, mit Nerven versorgen. **2.** anregen, beleben. ˌ**inner'va·tion** *s physiol.* **1.** a) Innerva'tion *f*, Versorgung *f* mit Nerven, b) Nervenverteilung *f*. **2.** Anregung *f*, Belebung *f*. **3.** Weiterleitung *f* e-s Nervenreizes.

in·ning ['iniŋ] *s* **1.** *Br. meist pl* (*als sg konstruiert*) *Kricket, Baseball*: Am-'Schlagen-Sein *n*, Spiel(zeit *f*) *n*: **to have one's** ~**s** a) an der Reihe *od.* am Schlagen *od.* dran sein, b) *fig.* an der Macht *od.* am Ruder sein. **2.** *Br. nur pl fig.* Gelegenheit *f*, Chance *f*. **3.** a) Zu'rückgewinnung *f* (*überfluteten Landes*). b) *pl* dem Meere abgewonnenes Land. **4.** Einbringung *f* (*der Ernte etc*).

'**innˌkeep·er** *s* Gastwirt(in).

in·no·cence ['inəsns; -no-] *s* **1.** Unschuld *f*: a) *jur. etc* Schuldlosigkeit *f* (of an *dat*), b) Keuschheit *f*: **to lose one's** ~ s-e Unschuld verlieren (*Mädchen*), c) Harmlosigkeit *f*, d) Arglosigkeit *f*, Naivi'tät *f*, Einfalt *f*. **2.** Unkenntnis *f*, Unwissenheit *f*.

in·no·cent ['inəsnt; -no-] **I** *adj* (*adv* ~**ly**) **1.** unschuldig: a) schuldlos (of an *dat*), b) rein, keusch, c) harmlos: ~ **air** Unschuldsmiene *f*, d) arglos, na'iv, einfältig. **2.** harmlos: **an** ~ **sport.** **3.** unbeabsichtigt: **an** ~ **deception.** **4.** *jur.* a) → 1 a, b) gutgläubig: ~ **purchaser,** c) (gesetzlich) zulässig, le'gal: ~ **trade,** d) unverdächtig, nicht geschmuggelt: ~ **goods,** e) *Völkerrecht*: friedlich: ~ **passage** friedliche Durchfahrt (*von Handelsschiffen*). **5.** ~ **of** *colloq.* frei von, bar (*gen*), ohne: ~ **of self-respect** ohne jede Selbstachtung; **he is** ~ **of Latin** er kann kein Wort Latein; **he is** ~ **of such things** er hat noch nie etwas von diesen Dingen gehört. **II** *s* **6.** Unschuldige(r *m*) *f*: **the massacre** (*od.* **slaughter**) **of the I**~**s** a) *Bibl.* der bethlehemitische Kindermord, b) *pol. sl.* das Überbordwerfen von Vorlagen am Sessionsende. **7.** ‚Unschuld' *f*, na'iver Mensch, Einfaltspinsel *m*. **8.** Igno'rant(in), Nichtswisser(in), -könner(in).

in·no·cu·i·ty [ˌinɒ'kjuːiti] *s* Unschädlichkeit *f*. **in'noc·u·ous** [-kjuəs] *adj* (*adv* ~**ly**) harmlos, unschädlich.

in·no·vate ['inoˌveit] *v/i* Neuerungen einführen *od.* vornehmen (in an *dat*, bei, in *dat*).

in·no·va·tion [ˌino'veiʃən] *s* **1.** Neuerung *f*. **2.** *bot.* Neubildung *f*, junger Jahrestrieb. ˌ**in·no'va·tion·ist,** '**in·noˌva·tor** [-tər] *s* Neuerer *m*, Neuerin *f*. '**in·noˌva·to·ry** [-təri] *adj* neuernd, Neuerungs...

in·nox·ious [i'nɒkʃəs] *adj* (*adv* ~**ly**) → innocuous.

Inns| of Chan·cer·y [inz] *s pl jur. hist.* Innungsgebäude *pl* (*in London, in denen früher Jurastudenten wohnten u. studierten; jetzt als Geschäftsräume von Advokaten benützt*). ~ **of Court** *s pl jur. die* (*Gebäude der*) *vier englischen Advokateninnungen bzw. Rechtsschulen in London* (Inner Temple, Middle Temple, Lincoln's Inn, Gray's Inn), *die allein das Privileg haben*, **barristers** *auszubilden u. zur Praxis zuzulassen.*

in·nu·en·do [ˌinju'endou] **I** *pl* **-does** *s* **1.** (versteckte *od.* boshafte) Andeutung *od.* Anspielung (at auf *acc*) (*a. jur. Formalbeleidigung*; → 5). **2.** Stiche'lei *f*. **3.** Anzüglichkeit *f*. **4.** Bezichtigung *f*, Unter'stellung *f*. **5.** *jur.* a) erklärender Zusatz, b) Auslegung *f* von (*bes.* angeblich verleumderischen) Ausdrücken. **II** *v/i* **6.** versteckte Anspielungen machen.

in·nu·mer·a·ble [i'njuːmərəbl] *adj* (*adv* **innumerably**) unzählig, zahllos.

in·ob·serv·ance [ˌinəb'zəːrvəns] *s* **1.** Unaufmerksamkeit *f*, Unachtsamkeit *f* (of auf *acc*). **2.** Nichteinhaltung *f*, -beachtung *f* (of *von od. gen*). ˌ**in·ob'serv·ant** *adj* **1.** unaufmerksam, unachtsam (of auf *acc*). **2.** nicht beachtend (of *acc*).

in·oc·cu·pa·tion [ˌinɒkju'peiʃən] *s* Beschäftigungslosigkeit *f*.

in·oc·u·la·ble [i'nɒkjuləbl] *adj med.* **1.** nicht im'mun. **2.** über'impfbar.

in·oc·u·late [i'nɒkjuˌleit] *v/t* **1.** *med. e-e Krankheit, ein Serum etc* einimpfen (on, into s.o. j-m). **2.** *med. j-n* impfen (for gegen). **3.** ~ **with** *fig. j-m etwas* einimpfen, *j-n* erfüllen mit: **to** ~ **s.o. with new ideas.** **4.** *bot. Br.* oku'lieren. **inˌoc·u'la·tion** *s* **1.** *med.* Impfung *f*: **preventive** ~ Schutzimpfung. **2.** Einimpfung *f* (*von Bakterien, e-s Serums etc*). **3.** *fig.* Einimpfung *f*, Durch'dringung *f* (**with** mit). **4.** *agr.* Einführung *f* von Bak'terien (*in den Boden*). **in'oc·uˌla·tive** *adj med.* Impf..., Impfungs... **in'oc·uˌla·tor** [-tər] *s med.* Impfarzt *m*. **in'oc·u·lum** [-ləm] *s* Impfstoff *m*.

in·o·cyte ['inoˌsait; 'ai-] *s anat.* Fibro'blast *m*, Bindegewebszelle *f*.

in·o·dor·ous [in'oudərəs] *adj* geruchlos.

in·of·fen·sive [ˌinə'fensiv] *adj* (*adv* ~**ly**) **1.** harmlos, unschädlich. **2.** gutartig, friedfertig. **3.** nicht unangenehm. ˌ**in·of'fen·sive·ness** *s* Harmlosigkeit *f*.

in·of·fi·cious [ˌinə'fiʃəs] *adj jur.* pflichtwidrig: ~ **testament** unwirksames Testament (*weil es die Pflichterben nicht berücksichtigt*).

in·op·er·a·ble [in'ɒpərəbl] *adj med.* inope'rabel, nicht ope'rierbar.

in·op·er·a·tive [in'ɒpərətiv; -prə-; *Am. a.* -pəˌreitiv] *adj* **1.** unwirksam: a) wirkungslos, b) *jur.* ungültig: **to become** ~ unwirksam werden, außer Kraft treten. **2.** a) außer Betrieb, b) nicht einsatzfähig.

in·o·per·cu·late [ˌino'pəːrkjulit; -ˌleit] *adj bot. zo.* deckellos.

in·op·por·tune [inˌɒpər'tjuːn; 'inɒpərˌtjuːn] *adj* (*adv* ~**ly**) 'inopporˌtun, zur Unzeit (geschehen *etc*), unzeitgemäß, unangebracht, ungelegen. **inˌop·por'tune·ness** *s* Ungelegenheit *f*, Unzweckmäßigkeit *f*. **in·op·por·tun·ist** [inˌɒpər'tjuːnist] *s* j-d, der etwas für unangebracht hält.

in·or·di·nate [in'ɔːrdinit] *adj* (*adv* ~**ly**) **1.** un-, 'übermäßig. **2.** ungeordnet, regellos. **3.** zügellos, unbeherrscht. **in'or·di·nate·ness** *s* **1.** Un-, 'Übermäßigkeit *f*. **2.** Regellosigkeit *f*. **3.** Zügellosigkeit *f*.

in·or·gan·ic [ˌinɔːr'gænik] *adj* (*adv* ~**ally**) **1.** 'unorˌganisch. **2.** *chem.* 'anorˌganisch: ~ **chemistry.** **3.** *fig.* nicht or'ganisch (entstanden), 'unorˌganisch.

in·or·gan·i·za·tion [inˌɔːrgənai'zeiʃən; -ni'z-] *s* Mangel *m* an Organisati'on.

in·or·nate [ˌinɔːr'neit; in'ɔːr-] *adj* schmucklos, einfach.

in·os·cu·late [in'ɒskjuˌleit] **I** *v/t* **1.** *meist med. Adern, Gefäße* verbinden, -einigen (with mit), einmünden lassen (into in *acc*). **II** *v/i* **2.** *med.* sich vereinigen (*Adern, Gefäße*). **3.** eng verbunden sein, verschmelzen (*a. fig.*). **inˌos·cu'la·tion** *s* **1.** *bes. med.* Vereinigung *f*. **2.** Verschmelzung *f*, enge Verbindung (*a. fig.*).

in·pa·tient, *Br.* **in-pa·tient** ['inˌpeiʃənt] *s* 'Anstaltspatiˌent(in), statio'närer Pati'ent: ~ **treatment** stationäre Behandlung.

in·pay·ment ['inˌpeimənt] *s econ.* Einzahlung *f*.

in·phase ['inˌfeiz] *adj electr.* gleichphasig. ~ **com·po·nent** *s electr.* 'WirkkompoˌnenteJ *f*.

in-plant ['inˌplaːnt] *adj bes. Am.* innerbetrieblich, (be'triebs)inˌtern.

in·pour·ing ['inˌpɔːriŋ] **I** *adj* her'einströmend. **II** *s* (Her)'Einströmen *n*.

in·put ['inˌput] *s* **1.** zu- *od.* eingeführte *od.* (*tech.*) eingespeiste Menge: ~ **shaft** *tech.* treibende Welle (*e-s Getriebes*); ~ **speed** antriebseitige Geschwindigkeit, *bes.* Motordrehzahl *f* (*bei Getrieben*). **2.** *electr.* aufgenommene *od.* zugeführte Spannung *od.* Leistung, (Leistungs)Aufnahme *f*, ('Eingangs)-EnerˌgieJ *f*: ~ **amplifier** Vorverstärker *m*; ~ **circuit** Eingangs(strom)kreis *m*; ~ **impedance** Eingangsscheinwiderstand *m*; ~ **terminal** Eingangsklemme *f*. **3.** *Datenverarbeitung*: Eingabe *f*: ~ **factor storage** Faktorenspeicherung *f*. **4.** *econ.* a) Einsatz *m* (*e-r Industrie*), b) Produkti'onsmittel *n*: ~**-output analysis** Input-Output-Analyse *f*.

in·quest ['inkwest] *s* **1.** *jur.* a) gerichtliche Unter'suchung, b) *a.* **coroner's** ~ gerichtliche Verhandlung zur Feststellung der Todesursache (*bei ungeklärten Todesfällen*), c) *a.* **coroner's** ~ Jury (*die e-n* **coroner's** ~ *durchführt*), d) Unter'suchungsergebnis *n*, Befund *m*: ~ **of office** amtliche Untersuchung. **2.** Unter'suchung *f*, Nachforschung *f* (of über *acc*).

in·qui·e·tude [in'kwaiəˌtjuːd] *s* Unruhe *f*, Beunruhigung *f*, Besorgnis *f*.

in·qui·line ['inkwiˌlain] *zo.* **I** *s* Inqui'lin *m*, Einmieter *m*. **II** *adj* mitbewohnend.

in·quire [in'kwair] **I** *v/t* **1.** sich erkundigen nach, fragen nach, erfragen. **II** *v/i* **2.** (of s.o. bei j-m) (nach)fragen, sich erkundigen (**after, for** nach; **about** wegen): Erkundigungen einziehen (**about** über *acc*, wegen): **to** ~ **after s.o.** sich nach j-m *od.* j-s Befinden erkundigen; **much** ~**d after** (*od.* **for**) sehr gefragt *od.* begehrt; ~ **within**

Näheres im Hause (zu erfragen). **3.** Unter'suchungen anstellen, nachforschen: to ~ into s.th. etwas untersuchen *od.* prüfen *od.* erforschen. **in'quir·er** *s* **1.** Fragesteller(in), (An)Fragende(r *m*) *f.* **2.** Unter'suchende(r *m*) *f.* **in'quir·ing** *adj* (*adv* ~ly) **1.** forschend, fragend: ~ looks. **2.** wißbegierig, forschend, neugierig.

in·quir·y [in'kwai(ə)ri; *Am. a.* 'inkwəri] *s* **1.** Erkundigung *f*, (An-, Nach)Frage *f*: on ~ auf Nach- *od.* Anfrage; to make inquiries Erkundigungen einziehen (of s.o. bei j-m; about, after über *acc*, wegen). **2.** Unter'suchung *f*, Prüfung *f* (of, into *gen*), Nachforschung *f*, Ermittlung *f*: board (*mil.* court) of ~ Untersuchungsausschuß *m*; writ of ~ *jur.* Gerichtsbefehl *m*, die Höhe des Schadenersatzes festzustellen. ~ **a·gent** *s Br.* Pri'vatdetek,tiv *m.* ~ **of·fice** *s* 'Auskunftsbü,ro *n*, *rail. etc* Auskunft *f.*

in·qui·si·tion [,inkwi'ziʃən] *s* **1.** Unter'suchung *f* (into *gen*). **2.** *jur.* a) gerichtliche *od.* amtliche Unter'suchung: ~ in lunacy *Br.* Untersuchung des Geisteszustandes (*e-r Person*), b) Gutachten *n*, c) Unter'suchungsproto,koll *n.* **3.** I~ *R.C.* a) *hist.* Inquisiti'on *f*, Ketzergericht *n*, b) Kongregati'on *f* des heiligen Of'fiziums. **4.** *fig.* strenges Verhör. ,**in·qui'si·tion·al** *adj* **1.** Untersuchungs... **2.** *R.C.* Inquisitions... **3.** → inquisitorial 3.

in·quis·i·tive [in'kwizitiv] *adj* (*adv* ~ly) **1.** wißbegierig: to be ~ about s.th. etwas gern wissen wollen. **2.** neugierig, naseweis. **in'quis·i·tive·ness** *s* **1.** Wißbegier(de) *f.* **2.** Neugier(de) *f.* **in'quis·i·tor** [-tər] *s* **1.** → inquirer. **2.** *jur.* Unter'suchungsbe,amte(r) *m*, -richter *m.* **3.** *R.C.* Inqui'sitor *m*: Grand I~ Großinquisitor. **in,quis·i'to·ri·al** [-'tɔːriəl] *adj* (*adv* ~ly) **1.** *jur.* Untersuchungs...: ~ trial *Prozeß, bei dem der Richter gleichzeitig staatsanwaltliche Funktionen ausübt, od. Prozeß mit geheimem Verfahren.* **2.** *R.C.* Inquisitions... **3.** inquisi'torisch, streng unter'suchend *od.* verhörend. **4.** aufdringlich fragend *od.* forschend. **5.** neugierig.

in re [in riː] (*Lat.*) *prep jur.* in Sachen, betrifft. ~ **rem** [rem] (*Lat.*) *prep jur.* dinglich: ~ action; rights ~.

in·road ['in,roud] *s* **1.** 'Überfall *m*, Angriff *m* (on, upon auf *acc*), Einfall *m* (in, on in *acc*). **2.** *fig.* (on, into) Eingriff *m* (in *acc*), 'Übergriff *m* (auf *acc*). **3.** *fig.* 'übermäßige In'anspruchnahme (on *gen*). **4.** Eindringen *n*: to make an ~ into *fig.* e-n Einbruch erzielen in (*dat*).

in·rush ['in,rʌʃ] *s* **1.** (Her)'Einströmen *n.* **2.** Flut *f*, (Zu)Strom *m.*

in·sal·i·vate [in'sæli,veit] *v/t med.* *Nahrung* einspeicheln.

in·sa·lu·bri·ous [,insə'luːbriəs] *adj* ungesund, gesundheitsschädlich. ,**in·sa'lu·bri·ty** [-briti] *s* Gesundheitsschädlichkeit *f.*

in·sane [in'sein] *adj* (*adv* ~ly) wahnirrsinnig: a) *med.* geisteskrank, b) *fig.* verrückt, toll: ~ ideas; ~ asylum Irrenanstalt *f.* **in'sane·ness** → insanity.

in·san·i·tar·y [in'sænitəri] *adj* nicht sani'tär, 'unhygi,enisch, gesundheitsschädlich. **in,san·i'ta·tion** *s* 'unhygi,enischer Zustand.

in·san·i·ty [in'sæniti] *s* Irr-, Wahnsinn *m*: a) *med., a. jur.* Geisteskrankheit *f*, b) *fig.* Verrücktheit *f*, Unsinnigkeit *f.*

in·sa·ti·a·bil·i·ty [in,seiʃiə'biliti] *s* Unersättlichkeit *f.* **in'sa·ti·a·ble** *adj* (*adv* insatiably) unersättlich (*a. fig.*). **in'sa·ti·a·ble·ness** → insatiability.

in·sa·ti·ate [in'seiʃiit] *adj* **1.** unersättlich: ~ thirst unstillbarer Durst. **2.** ungesättigt, ungestillt.

in·scribe [in'skraib] *v/t* **1.** (ein-, auf)schreiben. **2.** beschriften: to ~ a paper. **3.** mit e-r Inschrift versehen: to ~ a monument. **4.** *ein Buch etc* zueignen, widmen (to s.o. j-m). **5.** *a. econ.* (in) eintragen, -schreiben (in *acc*), regi'strieren (in *dat*): ~d stock *econ. Br.* Namensaktien *pl* (*nur bei den Emissionsstellen eingetragene Aktien ohne Besitzerzertifikate*). **6.** *math.* einbeschreiben, -zeichnen (in in *acc*): ~d angle einbeschriebener Winkel. **7.** *fig.* tief einprägen (in *dat*).

in·scrip·tion [in'skripʃən] *s* **1.** Eintragung *f*, Regi'strierung *f.* **2.** Beschriftung *f.* **3.** In-, Aufschrift *f.* **4.** Zueignung *f*, Widmung *f* (*e-s Buches etc*). **5.** *econ. Br.* a) Ausgabe *f* von Namensaktien, b) *pl* Namensaktien *pl*, regi'strierte Aktien *pl.* **6.** *math.* Einbeschreibung *f.* **in'scrip·tion·al, in'scrip·tive** [-tiv] *adj* **1.** Inschriften... **2.** inschriftartig.

in·scru·ta·bil·i·ty [in,skruːtə'biliti] *s* Unerforschlichkeit *f*, Unergründlichkeit *f.* **in'scru·ta·ble** *adj* (*adv* inscrutably) unerforschlich, unergründlich.

in·sect ['insekt] *s* **1.** *zo.* In'sekt *n*, Kerbtier *n*: ~ bite Insektenstich *m*; ~ pest Schädling(sbefall) *m.* **2.** *fig. contp.* ,Wurm' *m*, ,Giftzwerg' *m* (*Person*). ,**in·sec'tar·i·um** [-'tɛ(ə)riəm] *pl* **-i·a** [-iə] *od.* **-i·ums,** '**in·sec·tar·y** *s* Insek'tarium *n* (*Behälter für lebende Insekten*). **in'sec·ti,cide** [-,said] *s* In'sektenvertilgungsmittel *n*, Insekti'zid *n.* **in'sec·ti,fuge** [-,fjuːdʒ] *s* In'sektenvertreibungsmittel *n.*

in·sec·tion [in'sekʃən] *s* Einschnitt *m.*

in·sec·ti·vore [in'sekti,vɔːr] *s* **1.** *zo.* In'sektenfresser *m*: a) *insektenfressendes Tier*, b) *Säugetier der Ordnung Insectivora.* **2.** *bot.* fleischfressende Pflanze. ,**in·sec'tiv·o·rous** [-'tivərəs] *adj* **1.** *zo.* in'sektenfressend. **2.** *bot.* fleischfressend.

in·se·cure [,insi'kjur] *adj* (*adv* ~ly) **1.** ungesichert, nicht fest. **2.** *fig.* unsicher: a) ungesichert, pre'kär: ~ investment; ~ position, b) ungewiß.

in·se·cu·ri·ty [,insi'kju(ə)riti] *s* **1.** Unsicherheit *f.* **2.** Ungewißheit *f.*

in·sem·i·nate [in'semi,neit] *v/t* **1.** *agr.* a) *den Boden* einsäen, b) *Samen* (aus)säen. **2.** einpflanzen. **3.** *biol.* (*bes.* künstlich) befruchten. **4.** *fig.* einprägen: to ~ s.th. in s.o.'s mind j-m etwas einimpfen. **in,sem·i'na·tion** *s* **1.** (Ein)Säen *n*, (Ein)Pflanzen *n*, Befruchtung *f* (*a. fig.*). **2.** *fig.* Einimpfung *f.*

in·sen·sate [in'senseit; -sit] *adj* **1.** gefühllos: a) empfindungs-, leblos: ~ stone, b) hart, bru'tal. **2.** unsinnig, töricht, unvernünftig. **3.** → insensible 3.

in·sen·si·bil·i·ty [in,sensə'biliti] *s* **1.** (to) Gefühllosigkeit *f* (gegen): a) Empfindungslosigkeit *f*, Unempfindlichkeit *f* (gegen, für): ~ to pain, b) *fig.* Gleichgültigkeit *f* (gegen), Unempfänglichkeit *f* (für), c) *fig.* Stumpfheit *f.* **2.** Bewußtlosigkeit *f.*

in·sen·si·ble [in'sensəbl] *adj* (*adv* insensibly) **1.** empfindungs-, gefühllos, unempfindlich (to gegen): ~ to pain. **2.** bewußtlos: to knock s.o. ~; to fall ~ in Ohnmacht fallen. **3.** *fig.* (of, to) unempfänglich (für), unempfindlich, gefühllos, gleichgültig (gegen), stumpf. **4.** sich nicht bewußt (of *dat*): to be ~ of s.th. etwas nicht (an)erkennen wollen; not to be ~ of s.th. sich e-r Sache durchaus bewußt sein. **5.** unmerklich.

in·sen·si·tive [in'sensətiv; -sitiv] *adj* (*adv* ~ly) **1.** *a. phys. tech.* unempfindlich (to gegen): an ~ skin; ~ to light. **2.** → insensible 1 *u.* 3. **in'sen·si·tive·ness, in,sen·si'tiv·i·ty** *s* Empfindungslosigkeit *f*, Unempfindlichkeit *f*, Unempfänglichkeit *f.* [insensible 1.]

in·sen·ti·ent [in'senʃiənt; -ʃənt] →

in·sep·a·ra·bil·i·ty [in,sepərə'biliti] *s* Untrennbarkeit *f*, Unzertrennlichkeit *f.* **in'sep·a·ra·ble I** *adj* (*adv* inseparably) **1.** untrennbar (*a. ling.*). **2.** unzertrennlich (from von). **II** *s* **3.** *pl* unzertrennliche Dinge *pl.* **4.** *pl* Unzertrennliche *pl*, unzertrennliche Freunde *pl.*

in·sert I *v/t* [in'səːrt] **1.** einfügen, -setzen, -schieben, *Worte a.* einschalten, *Instrument etc* einführen, *Schlüssel etc* (hin'ein)stecken (in, into in *acc*; between zwischen). **2.** *electr.* ein-, zwischenschalten. **3.** (*in e-e Zeitung*) einrücken (lassen), *ein Inserat* aufgeben. **4.** *e-e Münze* einwerfen. **II** *s* ['insəːrt] **5.** → insertion 2-4. **6.** *bes. Am.* Bei-, Einlage *f* (*e-r Zeitung od. e-s Buches*).

in·ser·tion [in'səːrʃən] *s* **1.** Einfügen *n*, -setzen *n.* **2.** Einfügung *f*, Ein-, Zusatz *m*, Einschaltung *f.* **3.** Einsatz(stück *n*) *m*: ~ of lace Spitzeneinsatz. **4.** (Zeitungs)Anzeige *f*, Inse'rat *n.* **5.** (Zeitungs)Beilage *f.* **6.** *electr.* Ein-, Zwischenschaltung *f.* **7.** *anat. bot.* a) Einfügung *f* (*e-s Organs*), b) Ansatz(stelle *f*) *m*: muscular ~ *anat.* Muskelansatz. **8.** *med.* Einführung *f* (*e-s Instruments etc*). **9.** Einwurf *m* (*e-r Münze*).

'**in-,serv·ice** *adj Am.* während der Dienstzeit vor sich gehend: ~ training betriebliche Berufsförderung.

in·ses·so·ri·al [,inse'sɔːriəl] *adj orn.* **1.** hockend: ~ birds. **2.** zum Hocken geeignet (*Fuß*).

in·set I *s* ['in,set] **1.** → insertion 2, 3, 5. **2.** Eckeinsatz *m*, Nebenbild *n*, -karte *f.* **3.** Einsetzen *n* (*der Flut*), Her'einströmen *n.* **II** *v/t irr* [in'set] *pret u. pp Br. a.* **in'set·ted 4.** einfügen, -setzen, -schieben, -schalten.

in·shore ['in'ʃɔːr] **I** *adj* **1.** an *od.* nahe der Küste: ~ fishing Küstenfischerei *f*; ~ navigation Nahfahrt *f.* **2.** sich auf die Küste zu bewegend: ~ currents. **II** *adv* **3.** zur Küste hin. **4.** nahe der Küste. **5.** ~ of näher der Küste als: ~ of the ship zwischen Schiff u. Küste.

in·shrine [in'ʃrain] → enshrine.

in·side ['in'said] **I** *s* **1.** Innenseite *f*, -fläche *f*, innere Seite. **2.** (*das*) Innere: from the ~ von innen; ~ out das Innere *od.* die Innenseite nach außen (gekehrt), verkehrt, umgestülpt; to turn s.th. ~ out etwas (völlig) umkrempeln *od.* ,auf den Kopf stellen'; to know s.th. ~ out etwas in- u. auswendig kennen; on the ~ *Am. sl.* a) eingeweiht, b) (mit) dabei, beteiligt. **3.** *fig.* inneres Wesen, (*das*) Innerste *od.* Wesentliche: to look into the ~ of s.th. etwas gründlich untersuchen. **4.** *oft pl colloq.* Eingeweide *pl*, *bes.* Magen *m.* **5.** *colloq.* a) 'Innenpassa,gier *m*, b) Innenplatz *m* (*im Wagen*). **6.** *colloq.* Mitte *f*: the ~ of a week. **7.** *Am. sl.* vertrauliche Informati'on(en pl), Geheimtip(s pl) m. **II** adj **8.** im Innern (befindlich), inner, Innen..., inwendig: ~ **cal(l)iper** tech. Lochzirkel m; ~ **diameter** Innendurchmesser m, lichte Weite; ~ **broker** econ. Br. (amtlich) zugelassener Makler; ~ **director** econ. Am. Vorstandsmitglied n; ~ **finish** arch. Am. Ausbau m (Ggs Rohbau); ~ **left** sport Halblinke(r) m; ~ **track** a) sport Innenbahn f, b) colloq. Vorteil m, günstige Position. **9.** im Hause beschäftigt: **an** ~ **man** (→ 11). **10.** im Hause getan: ~ **work. 11.** colloq. in'tern, vertraulich, di'rekt, aus erster Quelle: ~ **information** → 7; ~ **ball** sport Am. ‚gekonntes' (Baseball)Spiel; ~ **job** (die) Tat e-s Eingeweihten od. Mitgliedes; ~ **man** Am. (in e-e Organisation) ‚eingeschleuster' Mann, Spitzel m (→ 9); → **dope** 7 a. **III** adv [ˌin'said] **12.** im Innern, (dr)innen. **13.** ins Innere, nach innen, hin'ein, her'ein. **14.** Am. (räumlich u. zeitlich) innerhalb (of von): ~ **of a week** innerhalb e-r Woche, in weniger als e-r Woche. **IV** prep [ˌin'said] **15.** innerhalb, im Innern (gen): ~ **the house** im Hause.

in·sid·er [ˌin'saidər] s **1.** Eingeweihte(r m) f. **2.** Zugehörige(r m) f, Mitglied n. **3.** econ. Am. zu 10 u. mehr Pro'zent an e-m Divi'dendenpaˌpier beteiligtes Vorstandsmitglied.

in·sid·i·ous [in'sidiəs] adj (adv ~ly) **1.** heimtückisch, 'hinterhältig, -listig. **2.** med. (heim)tückisch, schleichend: ~ **disease. in'sid·i·ous·ness** s Heimtücke f, 'Hinterlist f.

in·sight ['inˌsait] s **1.** (into) a) Einblick m (in acc), b) Verständnis n (gen). **2.** Einsicht f. **3.** Scharfblick m. **4.** psych. a) plötzliche Einsicht, b) Selbsterkenntnis f, c) Krankheitseinsicht f.

in·sig·ni·a [in'signiə] s pl, sg **in'sig·ne** [-niː] **1.** In'signien pl, Amts-, Ehrenzeichen pl. **2.** mil. Abzeichen pl. **3.** (Kenn)Zeichen pl.

in·sig·nif·i·cance [ˌinsig'nifikəns] s **1.** Bedeutungslosigkeit f, Unwichtigkeit f. **2.** Belanglosigkeit f, Geringfügigkeit f. **ˌin·sig'nif·i·can·cy** s **1.** → **insignificance. 2.** (etwas) Belangloses, Lap'palie f. **3.** unbedeutender Mensch, ‚Null' f.

in·sig·nif·i·cant [ˌinsig'nifikənt] adj (adv ~ly) **1.** bedeutungslos, unwichtig, belanglos. **2.** geringfügig, unerheblich: **an** ~ **sum. 3.** unbedeutend: **an** ~ **person. 4.** verächtlich, gemein: **an** ~ **fellow** ein gemeiner Kerl. **5.** nichtssagend: ~ **words.**

in·sin·cere [ˌinsin'sir] adj (adv ~ly) unaufrichtig, falsch. **ˌin·sin'cer·i·ty** [-'seriti] s Unaufrichtigkeit f, Falschheit f, Heuche'lei f.

in·sin·u·ate [in'sinjuˌeit] **I** v/t **1.** andeuten, anspielen auf (acc), zu verstehen geben: **to** ~ s.th. **into the mind of** s.o. j-m etwas einflüstern od. geschickt beibringen od. einimpfen, j-m Furcht einflößen, j-s Argwohn, Zweifel etc wecken. **2.** einschmuggeln (into in acc). **3.** ~ **o.s.** a) sich hin'einwinden (into in acc), b) sich einstellen (Sache), c) sich einschleichen od. -schmuggeln, (unbemerkt od. allmählich) eindringen (into in acc). **4.** ~ **o.s.** sich eindrängen (into in acc): **to** ~ **o.s. into the favo(u)r of s.o.** sich bei j-m einschmeicheln. **II** v/i **5.** Andeutungen machen. **in'sin·uˌat·ing** adj (adv ~ly) **1.** einschmeichelnd, schmeichlerisch. **2.** einnehmend. **3.** → **insinuative** 1.

in·sin·ua·tion [inˌsinju'eiʃən] s **1.** Anspielung f, versteckte Andeutung. **2.** Einflüsterung f. **3.** Schmeiche'lei(en pl) f, Einschmeicheln n. **4.** Einschleichen n, -dringen n. **in'sin·uˌa·tive** [-ˌeitiv], **in'sin·uˌa·to·ry** [-ˌeitəri] adj **1.** andeutend: **an** ~ **remark** → **insinuation** 1. **2.** → **insinuating** 1.

in·sip·id [in'sipid] adj (adv ~ly) **1.** unschmackhaft, fad(e), schal: ~ **drink. 2.** fig. fad(e), abgeschmackt, schal: **an** ~ **tale. ˌin·si'pid·i·ty, in'sip·id·ness** s **1.** Geschmacklosigkeit f, Fadheit f (beide a. fig.). **2.** Abgeschmacktheit f.

in·sist [in'sist] v/i **1.** (on, upon) dringen (auf acc), bestehen (auf dat), verlangen (acc): **I** ~ **on (doing) it** ich bestehe darauf (, es zu tun), ich lasse es mir nicht nehmen (, es zu tun). **2.** (on) beharren (auf dat, bei), beharrlich beteuern od. behaupten (acc), bleiben bei (e-r Behauptung). **3.** (on, upon) Gewicht legen (auf acc), her'vorheben, (nachdrücklich) betonen (acc): **to** ~ **on a point. 4.** beharrlich fortfahren (in in dat): **his tie** ~**ed on coming out** s-e Krawatte rutschte immer wieder heraus. **in'sist·ence,** a. **in'sist·en·cy** s **1.** Bestehen n, Beharren n (on, upon auf dat). **2.** beharrliche Beteuerung (on gen). **3.** (on, upon) Betonung f (gen), Nachdruck m (auf dat): **with great** ~ mit großem Nachdruck, sehr nachdrücklich od. eindringlich. **4.** Beharrlichkeit f, Hartnäckigkeit f. **5.** pl nachdrückliche 'Hinweise pl (on auf acc). **in'sist·ent** adj (adv ~ly) **1.** beharrlich, hartnäckig: **to be** ~ **(on)** → **insist** 1-3; **to be** ~ **on s.th.** a) auf e-r Sache bestehen, b) etwas betonen. **2.** drängend. **3.** eindringlich, nachdrücklich. **4.** dringend: ~ **demands. 5.** aufdringlich, grell: ~ **colo(u)rs;** ~ **sounds.**

in si·tu [in 'saitjuː] (Lat.) adv in der ursprünglichen, na'türlichen Lage.

in·so·bri·e·ty [ˌinso'braiəti] s Unmäßigkeit f (engS. im Trinken).

ˌin·so'far, a. **in so far** adv insoweit, insofern (as als).

in·so·late ['insoˌleit] v/t den Sonnenstrahlen aussetzen. **ˌin·so'la·tion** s **1.** Sonnenbestrahlung f: **artificial** ~ med. Höhensonnenbestrahlung. **2.** Sonnenbad n, -bäder pl. **3.** med. Sonnenstich m.

in·sole ['inˌsoul] s **1.** Brandsohle f. **2.** Einlegesohle f.

in·so·lence ['insələns] s **1.** Anmaßung f, Über'heblichkeit f. **2.** Unverschämtheit f, Frechheit f. **'in·so·lent** adj (adv ~ly) **1.** anmaßend, über'heblich. **2.** unverschämt, frech.

in·sol·u·bil·i·ty [inˌsɒlju'biliti] s **1.** Un(auf)löslichkeit f. **2.** fig. Unlösbarkeit f. **in'sol·u·ble I** adj (adv insolubly) **1.** un(auf)löslich: ~ **salts. 2.** unlösbar: **an** ~ **problem. II** s **3.** unlösbares Pro'blem. **4.** chem. unlösliche Sub'stanz.

in·sol·ven·cy [in'sɒlvənsi] s econ. jur. **1.** Zahlungsunfähigkeit f, -einstellung f, Insol'venz f: → **declare** 1. **2.** Kon'kurs m, Bank'rott m. **3.** Über'schuldung f. **in'sol·vent** econ. jur. **I** adj **1.** zahlungsunfähig, insol'vent: → **declare** 1. **2.** kon'kursreif, bank'rott: ~ **law** Bankrottgesetz n. **3.** über'schuldet: ~ **estate** überschuldeter Nachlaß. **4.** fig. (moralisch etc) bank'rott. **II** s **5.** zahlungsunfähiger Schuldner.

in·som·ni·a [in'sɒmniə] s med. Schlaflosigkeit f. **in'som·niˌac** [-ˌæk] s med. an Schlaflosigkeit Leidende(r m) f.

ˌin·so'much adv **1.** so sehr, dermaßen, so (that daß). **2.** → **inasmuch as.**

in·sou·ci·ance [in'suːsiəns] s Sorglosigkeit f. **in'sou·ci·ant** adj unbekümmert, sorglos, gleichgültig.

in·spect [in'spekt] v/t **1.** unter'suchen, prüfen, sich genau ansehen, nachsehen. **2.** jur. Akten etc einsehen, Einsicht nehmen in (acc). **3.** besichtigen, inspi'zieren: **to** ~ **troops. 4.** beaufsichtigen.

in·spec·tion [in'spekʃən] s **1.** Besichtigung f, Unter'suchung f, Prüfung f, (bes. amtliche) Kon'trolle, tech. a. Abnahme f: **for (your kind)** ~ econ. zur (gefälligen) Ansicht; **free** ~ **(invited)** Besichtigung ohne Kaufzwang; ~ **hole** tech. Schauloch n; ~ **lamp** tech. Ableuchtlampe f; ~ **test** tech. Abnahmeprüfung; ~ **window** tech. Ablesefenster n, Schauglas n. **2.** jur. Einsicht(nahme) f: ~ **of the books and accounts** Buchprüfung f, Einsichtnahme in die (Geschäfts)-Bücher; **to be (laid) open to** ~ zur Einsicht ausliegen. **3.** (offizi'elle) Besichtigung, Inspi'zierung f, Inspekti'on f: ~ **of the troops** Truppenbesichtigung. **4.** mil. (Waffen- etc)Ap'pell m. **5.** Aufsicht f (of, over über acc): **under sanitary** ~ unter gesundheitspolizeilicher Aufsicht; **committee of** ~ jur. Gläubigerausschuß m (zur Unterstützung des Konkursverwalters).

in·spec·tor [in'spektər] s **1.** In'spektor m, Aufsichtsbeamte(r) m, Aufseher m, Prüfer m, Kontrol'leur m (a. rail. etc): ~ **of schools** Schulinspektor. **2.** Zollaufseher m, -beamte(r) m. **3.** Poli'zeiinˌspektor m, -kommisˌsar m: **Chief I**~ Br. höherer Polizeibeamter (als Ankläger in einfachen Fällen). **4.** mil. Inspek'teur m: **I**~ **General** Generalinspekteur. **in'spec·to·ral** adj **1.** Inspektor(en)... **2.** Aufsichts...: ~ **staff** Aufsichtspersonal n, Inspektionsstab m. **in'spec·tor·ate** [-rit] s **1.** Inspekto'rat n: a) Aufseheramt n, b) Aufsichtsbezirk m. **2.** Inspekti'on(sbehörde) f.

in·spec·to·ri·al [ˌinspek'tɔːriəl] → **inspectoral.**

in·spec·tor·ship [in'spektərˌʃip] s **1.** Inspekto'rat n, In'spektoramt n. **2.** Aufsicht f (of über acc).

in·spec·to·scope [in'spektəˌskoup] s Am. Röntgenapparat zur Untersuchung von Gepäckstücken etc.

in·spi·ra·tion [ˌinspə'reiʃən] s **1.** Inspirati'on f: a) physiol. Einatmung f, b) relig. göttliche Eingebung, Erleuchtung f, c) fig. Eingebung f, plötzlicher Einfall. **2.** (das) Inspi'rierende. **3.** Begeisterung f (Zustand od. Vorgang). **4.** Veranlassung f: **at the** ~ **of s.o.** auf j-s Veranlassung (hin). **ˌin·spi'ra·tion·al** adj **1.** eingegeben, inspi'riert. **2.** Inspirations... **ˌin·spi'ra·tion·ist** s relig. j-d, der glaubt, daß die Heilige Schrift unter göttlicher Eingebung geschrieben wurde.

in·spi·ra·tor ['inspəˌreitər] s med. Inha'lator m. **in·spir·a·to·ry** [in'spai(ə)rətəri] adj (Ein)Atmungs...

in·spire [in'spair] **I** v/t **1.** einatmen. **2.** inspi'rieren: a) j-n erleuchten, b) j-n anregen, begeistern, anfeuern, c) etwas veranlassen, anregen, anstiften. **3.** ein Gefühl etc erwecken, auslösen (in in dat): **to** ~ **confidence in s.o.** j-m Vertrauen einflößen. **4.** fig. erfüllen, beseelen (with mit). **5.** her'vorbringen, verursachen. **6.** obs. einhauchen (into dat). **II** v/i **7.** inspi'rieren, begeistern. **8.** einatmen. **in'spired** adj **1.** relig u. fig. erleuchtet. **2.** begeistert. **3.** glänzend, her'vorragend. **4.** schwungvoll, zündend. **5.** von ‚oben' (von der Re-

gierung etc) veranlaßt. **in'spir·er** *s* Anreger *m*, Inspi'rator *m*. **in'spir·ing** *adj* (*adv* ~ly) **1.** inspi'rierend. **2.** anregend, begeisternd. **3.** → inspired 4.

in·spir·it [in'spirit] *v/t* beleben, beseelen, anfeuern, ermutigen (to zu; to do zu tun).

in·spis·sate [in'spiseit] **I** *v/t* eindicken, -dampfen: ~d *fig.* dicht, undurchsichtig, undurchdringlich. **II** *v/i* dick *od.* zäh werden. ˌ**in·spis'sa·tion** *s* Eindickung *f*, *bes.* Eindampfung *f*.

in·sta·bil·i·ty [ˌinstə'biliti] *s* **1.** Instabili'tät *f*, Unsicherheit *f*. **2.** Labili'tät *f*, Unbeständigkeit *f*, Schwanken *n*.

in·stall [in'stɔːl] *v/t* **1.** *tech. e-e Maschine etc* instal'lieren, einrichten, aufstellen, mon'tieren, einbauen, *e-e Leitung etc* legen, anbringen: ~ed power installierte Leitung. **2.** *in ein Amt etc* einsetzen, -führen, bestallen. **3.** *j-m* e-n Platz *od.* Sitz anweisen, *a. fig. j-n* 'unterbringen: to ~ o.s. *colloq.* sich niederlassen *od.* einrichten.

in·stal·la·tion [ˌinstə'leiʃən] *s* **1.** *tech.* Instal'lierung *f*, Aufstellung *f*, Mon'tage *f*, Einrichtung *f*, -bau *m*. **2.** *tech.* (*fertige*) Anlage, (Betriebs)Einrichtung *f*. **3.** *pl* Inven'tar *n*. **4.** (Amts)-Einsetzung *f*, Bestallung *f*.

in·stall·ment[1], *bes. Br.* **in·stal·ment** [in'stɔːlmənt] *s* **1.** *econ.* Rate *f*, Abschlags-, Teil-, Ratenzahlung *f*: by ~s in Raten (→ 2); first ~ Anzahlung *f*. **2.** (Teil)Lieferung *f* (*e-s Buches etc*): by ~s in (Teil)Lieferungen (→ 1). **3.** Fortsetzung *f*: a novel in (*od.* by) ~s ein Fortsetzungsroman.

in·stall·ment[2], *bes. Br.* **in·stal·ment** [in'stɔːlmənt] → installation.

in·stall·ment| busi·ness *s econ.* Abzahlungsgeschäft *n*. ~ **buy·ing** *s* Kauf *m* auf Abzahlung. ~ **con·tract** *s* Teilzahlungsvertrag *m*. ~ **cred·it** *s* 'Teilzahlungskreˌdit *m*. ~ **plan**, ~ **sys·tem** *s* 'Teilzahlungssysˌstem *n*: to buy on the ~ auf Abzahlung kaufen.

in·stal·ment *bes. Br. für* installment.

in·stance ['instəns] **I** *s* **1.** (*einzelner*) Fall: in this ~ in diesem (besonderen) Fall. **2.** Beispiel *n*: for ~ zum Beispiel; an ~ of s.th. ein Beispiel für etwas. **3.** dringende Bitte, An-, Ersuchen *n*: at his ~ auf s-e Veranlassung (hin), auf sein Betreiben *od.* Drängen. **4.** *jur.* In'stanz *f*: a court of the first ~ ein Gericht erster Instanz; in the last ~ a) in letzter Instanz, b) *fig.* letztlich; in the first ~ a) *fig.* in erster Linie, b) zu'erst. **II** *v/t* **5.** als Beispiel anführen. **6.** mit Beispielen belegen. '**in·stan·cy** [-si] *s* **1.** Dringlichkeit *f*. **2.** Augenblicklichkeit *f*.

in·stant ['instənt] **I** *s* **1.** Mo'ment *m*: a) (kurzer) Augenblick: in an ~, on the ~ sofort, augenblicklich, im Nu, b) (*genauer*) Zeitpunkt, Augenblick *m*: at this ~ in diesem Augenblick; this ~ sofort, auf der Stelle; the ~ I saw her in dem Augenblick, wo ich sie sah. **II** *adj* (*adv* → instantly) **2.** so'fortig, unverzüglich, augenblicklich. **3.** di'rekt, unmittelbar. **4.** *econ.* Fertig...: ~ meal Fertiggericht *n*; ~ coffee Pulverkaffee *m*. **5.** gegenwärtig, laufend: the 10th inst. *ellipt.* der 10. dieses *od.* des (laufenden) Monats. **6.** dringend.

in·stan·ta·ne·ous [ˌinstən'teiniəs] *adj* **1.** so'fortig, unverzüglich, augenblicklich: ~ action; death was ~ der Tod trat auf der Stelle ein. **2.** *a. phys. tech.* momen'tan, Moment..., Augenblicks...: ~ heater Durchlauferhitzer *m*; ~ photo(graph) Momentaufnahme *f*; ~ shutter Momentverschluß *m*; ~ value Augenblickswert *m*. **3.** gleichzeitig: ~ events. **4.** augenblicklich, momen'tan. **5.** *phys.* momen'tan, Momentan... ˌ**in·stan'ta·ne·ous·ly** *adv* augenblicklich, so'fort, unverzüglich, auf der Stelle. ˌ**in·stan'ta·ne·ous·ness** *s* Augenblicklichkeit *f*, Blitzesschnelle *f*, Unverzüglichkeit *f*.

in·stan·ter [in'stæntər] *adv* so'fort, unverzüglich, augenblicklich.

in·stant·ly ['instəntli] *adv* augenblicklich, so'fort, unverzüglich.

in·state [in'steit] *v/t in ein Amt etc* einsetzen.

in·stead [in'sted] *adv* **1.** ~ of an Stelle von (*od. gen*), (an)statt (*gen*): ~ of me statt meiner, an m-r Statt *od.* Stelle; ~ of going anstatt zu gehen; ~ of at work statt bei der Arbeit; worse ~ of better schlechter statt besser. **2.** statt dessen, da'für: take this ~.

in·step ['inˌstep] *s anat.* Rist *m*, Spann *m*: ~-raiser Senkfußeinlage *f*; to be high in the ~ *colloq.* hochnäsig sein.

in·sti·gate ['instiˌgeit] *v/t* **1.** *j-n* antreiben, aufreizen, -hetzen, *a. jur.* anstiften (to zu; to do zu tun). **2.** *etwas Böses* anstiften. ˌ**in·sti'ga·tion** *s* **1.** Anstiftung *f*, Aufhetzung *f*, -reizung *f* (to zu). **2.** Anregung *f*: at (*od.* on) the ~ of auf Betreiben *od.* Veranlassung von (*od. gen.*). **3.** Ansporn *m*, Antrieb *m*. '**in·stiˌga·tor** [-tər] *s* Anstifter(in), (Auf)Hetzer(in): ~ of a crime Anstifter(in) e-s Verbrechens (*od.* zu e-m Verbrechen).

in·stil(l) [in'stil] *v/t* **1.** einträufeln (into *dat*). **2.** *fig.* (into) a) (*j-m*) einflößen, -impfen, beibringen, b) (*etwas*) durch'dringen mit, einfließen lassen (in *acc*). ˌ**in·stil'la·tion, in'stil(l)·ment** *s* **1.** Einträufelung *f*, -flößung *f*. **2.** *fig.* Einflößung *f*, -prägung *f*.

in·stinct[1] ['instiŋkt] *s* **1.** In'stinkt *m*, (Na'tur)Trieb *m*: the ~ of self-preservation der Selbsterhaltungstrieb; by ~, on ~ instinktiv. **2.** (sicherer) In'stinkt, Flair *n*, na'türliche Begabung (for für). **3.** instink'tives Gefühl (for für), Ahnung *f*.

in·stinct[2] [in'stiŋkt] *adj* erfüllt, durch'drungen (with von).

in·stinc·tive [in'stiŋktiv] *adj* (*adv* ~ly) instinkt'tiv: a) in'stinkt-, triebmäßig, b) unwillkürlich, c) angeboren.

in·sti·tute ['instiˌtjuːt] **I** *v/t* **1.** er-, einrichten, gründen, ins Leben rufen: to ~ a society. **2.** einsetzen: to ~ a government. **3.** einführen: to ~ laws. **4.** in Gang setzen, einleiten: to ~ an action (*od.* legal proceedings) *jur.* Klage erheben *od.* das Verfahren einleiten (against gegen); to ~ bankruptcy proceedings *econ.* das Konkursverfahren eröffnen; to ~ an inquiry e-e Untersuchung einleiten; to ~ inquiries Nachforschungen anstellen. **5.** *bes. relig.* einführen, -setzen ([in]to an office in ein Amt): to ~ into a benefice in e-e Pfründe einsetzen. **6.** *jur.* einsetzen (s.o. as heir j-n zum Erben). **II** *s* **7.** Insti'tut *n*, Anstalt *f*, Akade'mie *f*, (*literarische etc*) Gesellschaft: ~ for business cycle research *econ.* Konjunkturinstitut. **8.** Insti'tut(sgebäude) *n*. **9.** *bes. ped. Am.* a) höhere technische Schule: ~ of technology Technische Hochschule; textile ~ Textilfachschule *f*, b) Universi'tätsinstiˌtut *n*, c) *a.* teachers' ~ 'Lehrersemiˌnar *n*. **10.** *pl* a) *jur.* Instituti'onen *pl*, Sammlung *f* grundlegender Gesetze, ('Rechts)Kommenˌtar *m*, b) Grundlehren *pl* (*e-r Wissenschaft*).

in·sti·tu·tion [ˌinsti'tjuːʃən] *s* **1.** Insti'tut *n*, Anstalt *f*, (*öffentliche*) Einrichtung, Stiftung *f*, Gesellschaft *f*: charitable ~ Wohltätigkeitseinrichtung; educational ~ Bildungs-, Lehranstalt; penal ~ Straf(vollzugs)anstalt. **2.** Insti'tut *n*, Anstaltsgebäude *n*. **3.** *sociol.* a) Instituti'on *f*, Einrichtung *f*: the ~ of marriage, b) (über'kommene) Sitte, (fester) Brauch. **4.** → institute 10 a. **5.** *colloq.* a) eingefleischte Gewohnheit, b) vertraute Sache, feste Einrichtung, c) allbekannte Per'son. **6.** Er-, Einrichtung *f*, Gründung *f*. **7.** Einführung *f*, (*bes. relig.* Abendmahls)Einsetzung *f*. **8.** *relig.* Einführung *f* (*bes. in die Pfründe*). **9.** *jur.* (Erb)Einsetzung *f*.

in·sti·tu·tion·al [ˌinsti'tjuːʃənl] *adj* **1.** institutio'nell, Institutions...: ~ investors *econ. Am.* institutionelle Anleger (*Banken etc*). **2.** Instituts..., Anstalts...: ~ care Anstaltsfürsorge *f*. **3.** angeordnet, verordnet. **4.** *econ.* auf weite Sicht abgestimmt: ~ advertising Firmen-, Repräsentationswerbung *f*. ˌ**in·sti'tu·tion·alˌism** *s* **1.** *bes. relig.* Aufrechterhaltung *f* über'kommener Einrichtungen u. Gebräuche. **2.** ˌInstitutiona'lismus *m*: a) *Eintreten für starken Ausbau gemeinnütziger Einrichtungen*, b) *auf Einrichtungen, Verordnungen etc beruhendes System.* ˌ**in·sti'tu·tion·alˌize** *v/t* **1.** ˌinstitutionali'sieren. **2.** in e-e (Heil- *od.* Pflege)Anstalt einweisen.

in·struct [in'strʌkt] *v/t* **1.** belehren, unter'weisen, -'richten, anleiten, ausbilden, schulen (in in *dat*). **2.** (o.s. sich) infor'mieren, unter'richten. **3.** *j-n* instru'ieren, anweisen, beauftragen (to do zu tun), *j-m* Verhaltungsmaßregeln geben. **4.** *jur. Am. den Geschworenen* Rechtsbelehrung erteilen.

in·struc·tion [in'strʌkʃən] *s* **1.** Belehrung *f*, Anleitung *f*, Unter'weisung *f*, Schulung *f*, Ausbildung *f*, 'Unterricht *m*: private ~ Privatunterricht; course of ~ Lehrgang *m*, Kursus *m*. **2.** *meist pl* (An)Weisung *f*, Instrukti'on *f*, Auftrag *m*, Vorschrift *f*, Anordnung *f*, Verhaltungsmaßregel *f*, Richtlinie *f*, Anleitung *f*: according to ~s auftrags-, weisungsgemäß, vorschriftsmäßig; operating ~s Bedienungsanleitung; ~s for use Gebrauchsanweisung. **3.** *mil.* Dienstanweisung *f*, Instrukti'on *f*. **4.** *meist pl jur. Am.* Rechtsbelehrung *f* (*der Geschworenen durch den Richter*). **in'struc·tion·al** *adj* **1.** Unterrichts..., Schulungs..., Ausbildungs..., Lehr...: ~ film Lehrfilm *m*. **2.** → instructive.

in·struc·tive [in'strʌktiv] *adj* (*adv* ~ly) instruk'tiv, aufschluß-, lehrreich, belehrend. **in'struc·tive·ness** *s* (*das*) Belehrende. **in'struc·tor** [-tər] *s* **1.** Lehrer *m*. **2.** *mil. etc* Ausbilder *m*, In'struktor *m*. **3.** *univ. Am.* Do'zent *m*. **in'struc·tress** [-tris] *s* Lehrerin *f*.

in·stru·ment ['instrumənt] **I** *s* **1.** Instru'ment *n*: a) (feines) Werkzeug, b) Appa'rat *m*, (technische) Vorrichtung, (*bes.* Meß)Gerät *n*: to fly on ~s *aer.* im Blind- *od.* Instrumentenflug fliegen. **2.** *pl med.* Besteck *n*, Instrumente(nsatz *m*) *pl*. **3.** musical ~ (Mu'sik)-Instruˌment *n*. **4.** *econ. jur.* Doku'ment *n*, Urkunde *f*, *econ. a.* ('Wert)-Paˌpier *n*: ~ of payment Zahlungsmittel *n*; ~ of title Eigentums-, Besitztitel *m*; ~ payable to bearer *econ.* Inhaberpapier; ~ to order Orderpapier. **5.** *fig.* Werkzeug *n*: a) (Hilfs)-Mittel *n*, Instru'ment *n*, b) Handlanger(in). **II** *v/t* [*a.* ˌinstru'ment] **6.** *mus.*

instrumen'tieren. **III** *adj* **7.** *tech.* Instrumenten..., Geräte...: ~ **board** (*od.* **panel**) a) Schalt-, Armaturenbrett *n*, b) *aer.* Instrumentenbrett *n*; ~ **maker** Apparate-, Instrumentenbauer *m*, Feinmechaniker *m*. **8.** *aer.* Blind..., Instrumenten...: ~ **flying**; ~ **landing**; ~ **landing system** Instrumentenlandesystem *n*, ILS-Anlage *f*; ~ **rating** Instrumentenflugschein *m*.

in·stru·men·tal [ˌinstru'mentl] **I** *adj* (*adv* → **instrumentally**) **1.** behilflich, dienlich, förderlich, mitwirkend: **to be ~ in doing s.th.** behilflich sein *od.* dazu verhelfen, etwas zu tun; **to be ~ to(ward[s]) s.th.** beitragen zu etwas, mitwirken bei etwas. **2.** *mus.* instrumen'tal, Instrumental... **3.** *tech.* Instrumenten... **4.** mit Instru'menten ausgeführt: **an ~ operation. 5.** durch Instru'mente *od.* Appa'rate bewirkt: **an ~ error** Instrumentenfehler *m*. **6.** *ling.* instrumen'tal: ~ **case** → 7. **II** *s* **7.** *ling.* Instrumen'tal(is) *m*. ˌ**in·stru'men·talˌism** [-təˌl-] *s philos.* Instrumenta'lismus *m*. ˌ**in·stru'men·tal·ist** *s* Instrumenta'list *m*: a) *mus. Spieler e-s Instruments*, b) *philos. Anhänger des Instrumentalismus*. ˌ**in·stru·men'tal·i·ty** [-'tæliti] *s* **1.** Vermittlung *f*: **through his ~. 2.** Mitwirkung *f*, -hilfe *f*. **3.** a) (Hilfs)Mittel *n*, b) Einrichtung *f*, Or'gan *n*: **by the ~ of** (ver)mittels (*gen*). ˌ**in·stru'men·tal·ly** *adv* **1.** durch Instru'mente. **2.** *mus.* mit Instru'menten. **3.** → **instrumental** 1. ˌ**in·stru·men'ta·tion** *s* **1.** *mus.* a) Instrumentati'on *f*, b) Vortrag *m*, Spiel *n*. **2.** Anwendung *f* von Instru'menten. **3.** *tech.* Instrumen'tierung *f*, Ausrüstung *f* von (*od.* mit) Meßgeräten *od.* Instru'menten. **4.** → **instrumentality**.

in·sub·or·di·nate [ˌinsə'bɔːrdənit; -di-] *adj* unbotmäßig, wider'setzlich, aufsässig, ungehorsam: ~ **conduct** Widersetzlichkeit *f*. ˌ**in·subˌor·di'na·tion** [-'neiʃən] *s* **1.** Unbotmäßigkeit *f*, Wider'setzlichkeit *f*, Ungehorsam *m*. **2.** ˌInsubordinati'on *f*, Auflehnung *f*.

in·sub·stan·tial [ˌinsəb'stænʃəl] *adj* **1.** nicht stofflich, unkörperlich, immateri'ell. **2.** unwirklich. ˌ**in·subˌstan·ti'al·i·ty** [-ʃi'æliti] *s* **1.** Unkörperlichkeit *f*. **2.** Unwirklichkeit *f*.

in·suf·fer·a·ble [in'sʌfərəbl] *adj* (*adv* **insufferably**) unerträglich, unausstehlich.

in·suf·fi·cien·cy [ˌinsə'fiʃənsi] *s* **1.** 'UnzuˌlänglichkeIt *f*, Unangemessenheit *f*. **2.** Untauglichkeit *f*, Unfähigkeit *f*. **3.** *med.* Insuffizi'enz *f*. ˌ**in·suf'fi·cient** *adj* (*adv* ~**ly**) **1.** 'unzuˌlänglich, 'unzuˌreichend, ungenügend, nicht ausreichend: ~ **funds** *econ.* (*Wechselvermerk*) ungenügende Deckung. **2.** mangelhaft. **3.** untauglich, unfähig.

in·suf·flate [in'sʌfleit; 'insəˌfleit] *v/t* **1.** *a. med. tech.* einblasen. **2.** hin'einblasen in (*acc*), ausblasen: **to ~ a room with an insecticide. 3.** *R.C.* anhauchen. **in·suf·fla·tion** [ˌinsə'fleiʃən] *s* **1.** *med. tech.* Einblasung *f*. **2.** *R.C.* Anhauchung *f*. '**in·sufˌfla·tor** [-tər] *s med. tech.* 'EinblaseappaˌRat *m*.

in·su·lant ['insjulənt] *s electr.* Iso'lierstoff *m*, -materiˌal *n*.

in·su·lar ['insjulər] *adj* (*adv* ~**ly**) **1.** inselartig, -förmig. **2.** insu'lar, Insel...: **I~ Celtic** *ling.* das Inselkeltische **3.** iso'liert, abgeschlossen. **4.** *fig.* engstirnig, -herzig, beschränkt, bor'niert, ‚stur'. **5.** *physiol.* Gewebsinseln betreffend. '**in·su·larˌism** → **insularity** 2. ˌ**in·su'lar·i·ty** [-'læriti] *s* **1.** insu'lare Lage. **2.** *fig.* a) iso'lierte Lage, Abgeschlossenheit *f*, b) Engstirnigkeit *f*, Bor'niertheit *f*, Beschränktheit *f*.

in·su·late ['insjuˌleit; *Am. a.* -sə-] *v/t electr.* iso'lieren (*a. fig. absondern*).

in·su·lat·ing ['insjuˌleitiŋ; *Am. a.* -sə-] *adj electr.* iso'lierend, Isolier...: ~ **board** *s* Iso'lierplatte *f*. ~ **com·pound** *s* Iso'liermasse *f*. ~ **joint** *s* Iso'lierverbindung *f*, -kupplung *f*. ~ **switch** *s* Trennschalter *m*. ~ **tape** *s* Iso'lierband *n*.

in·su·la·tion [ˌinsju'leiʃən; *Am. a.* -sə-] *s electr.* a) Iso'lierung *f*, (*a. fig.*), Isolati'on *f*, b) → **insulant**: ~ **resistance** Isolationswiderstand *m*. '**in·suˌla·tor** [-tər] *s* **1.** *electr.* Iso'lator *m*: a) Nichtleiter *m*, Iso'lierstoff *m*, b) Iso'liervorrichtung *f*: ~ **chain** Isolator(en)kette *f*. **2.** Iso'lierer *m* (*Arbeiter*).

in·su·lin ['insjulin; *Am. a.* -sə-] *s med.* Insu'lin *n*: ~ **shock** Insulinschock *m*. '**in·su·linˌize** *v/t* mit Insu'lin behandeln.

in·sult I *v/t* [in'sʌlt] beleidigen, beschimpfen. **II** *s* ['insʌlt] (to) Beleidigung *f* (für), Ehrenkränkung *f*, Beschimpfung *f* (*gen*): **to offer an ~ to s.o.** j-n beleidigen. **in'sult·ing** *adj* (*adv* ~**ly**) **1.** beleidigend, beschimpfend, Schmäh... **2.** unverschämt, frech.

in·su·per·a·bil·i·ty [inˌsjuːpərə'biliti] *s* 'Unüberˌwindlichkeit *f*. **in'su·per·a·ble** *adj* (*adv* **insuperably**) 'unüberˌwindlich.

in·sup·port·a·ble [ˌinsə'pɔːrtəbl] *adj* (*adv* **insupportably**) unerträglich, 'unausˌstehlich.

in·sur·a·bil·i·ty [inˌʃu(ə)rə'biliti] *s econ.* Versicherungsfähigkeit *f*. **in'sur·a·ble** *adj econ.* versicherbar, versicherungsfähig: ~ **interest** versicherbares Interesse; ~ **value** Versicherungswert *m*.

in·sur·ance [in'ʃu(ə)rəns] *econ.* **I** *s* **1.** Versicherung *f*: **to buy ~** sich versichern (lassen); **to effect** (*od.* **take out**) **an ~** e-e Versicherung abschließen; → **carry** 20 d. **2.** a) Ver'sicherungsvertrag *m*, -poˌlice *f*, b) Versicherungssumme *f*, c) Versicherungsprämie *f*. **II** *adj* **3.** Versicherungs...: ~ **agent** (**benefit, broker, clause, claim, company, premium, share, value**) Versicherungsvertreter *m* (-leistung *f*, -makler *m*, -klausel *f*, -anspruch *m*, -gesellschaft *f*, -prämie *f*, -aktie *f*, -wert *m*). ~ **cer·tif·i·cate** *s* Ver'sicherungszertifiˌkat *n*. ~ **of·fice** *s* Versicherungsanstalt *f*. ~ **pol·i·cy** *s* Ver'sicherungspoˌlice *f*, -schein *m*: **to take out an ~** e-e Versicherung abschließen, sich versichern lassen. ~ **trust** *s Am.* (Vertrag *m* über die) treuhänderische Verwaltung von Lebensversicherungsbezügen.

in·sur·ant [in'ʃu(ə)rənt] → **insured** II.

in·sure [in'ʃur] **I** *v/t* **1.** *econ.* versichern (**against** gegen; **for** mit *e-r Summe*). **2.** → **ensure. II** *v/i* **3.** Versicherungen abschließen. **4.** sich versichern lassen.

in·sured [in'ʃurd] *econ.* **I** *adj* versichert: **the ~ party** → II. **II** *s* (*der od. die*) Versicherte, Versicherungsnehmer(in).

in·sur·er [in'ʃu(ə)rər] *s econ.* Versicherer *m*, Versicherungsträger *m*: **the ~s** die Versicherungsgesellschaft.

in·sur·gence [in'səːrdʒəns], **in'sur·gen·cy** [-si] *s* Aufruhr *m*, -stand *m*, Rebelli'on *f*, Re'volte *f*. **in'sur·gent I** *adj* **1.** aufrührerisch, -ständisch, re'bellisch (*a. fig.*). **II** *s* **2.** Aufrührer *m*, Re'bell *m*, Insur'gent *m*, Aufständische(r) *m*. **3.** *pol. Am.* Re'bell *m* (*gegen die Parteilinie*).

in·sur·mount·a·ble [ˌinsər'mauntəbl] *adj* (*adv* **insurmountably**) **1.** 'unüberˌsteigbar. **2.** *fig.* 'unüberˌwindlich.

in·sur·rec·tion [ˌinsə'rekʃən] *s* Aufruhr *m*, -stand *m*, Empörung *f*, Re'volte *f*, Re'belli'on *f*. ˌ**in·sur'rec·tion·al**, ˌ**in·sur'rec·tion·ar·y** *adj* aufrührerisch, -ständisch. ˌ**in·sur'rec·tion·ist** → **insurgent** 2.

in·sus·cep·ti·bil·i·ty [ˌinsəˌseptə'biliti] *s* (to) **1.** Unempfänglichkeit *f*, 'UnzuˌGänglichkeit *f* (für). **2.** Unempfindlichkeit *f* (gegen). ˌ**in·sus'cep·ti·ble** *adj* **1.** (of) nicht fähig (zu), ungeeignet (für, zu), nicht zulassend (*acc*). **2.** (of, to) unempfänglich (für), 'unzuˌgänglich (*dat*): ~ **to flattery**; ~ **of pity** mitleid(s)los. **3.** unempfindlich (**to** gegen).

in·tact [in'tækt] *adj* **1.** unberührt, unangetastet. **2.** unversehrt, unverletzt, in'takt.

in·tagl·iat·ed [in'tæljeitid] *adj tech.* eingeschnitten, in In'taglio gearbeitet, tiefgeätzt.

in·tagl·io [in'tɑːljou; -'tæl-] **I** *pl* **in'tagl·ios** *s* **1.** In'taglio *n* (*Gemme mit eingeschnittenen Figuren*). **2.** 'eingraˌviertes Bild, eingeschnittene Verzierung. **3.** In'taglioverfahren *n*, -arbeit *f*, -kunst *f*. **4.** tiefgeschnittener Druckstempel. **5.** *a.* ~ **printing** *Am.* Tiefdruckverfahren *n*. **II** *v/t* **6.** einschneiden, 'eingraˌvieren.

in·take ['inˌteik] *s* **1.** *tech.* Einlaß(öffnung *f*) *m*: ~ **valve** Einlaßventil *n*. **2.** Ein-, Ansaugen *n*: ~ **of breath** Atemholen *n*; ~ **stroke** *mot.* Saughub *m*. **3.** (Neu)Aufnahme *f*, Zustrom *m*, Zufuhr *f*, aufgenommene Menge: ~ **of food** Nahrungsaufnahme *f*. **4.** *tech.* aufgenommene Ener'gie. **5.** *Bergbau*: a) Einziehstrecke *f*, 'Luftˌzufuhrkaˌnal *m*, b) Einziehstrom *m*. **6.** *bes. mil. Br.* Re'krut *m*.

in·tan·gi·bil·i·ty [inˌtændʒə'biliti] *s* Nicht'greifbarkeit *f*, Unkörperlichkeit *f*. **in'tan·gi·ble I** *adj* (*adv* **intangibly**) **1.** nicht greifbar, immateri'ell, unkörperlich. **2.** *fig.* a) unklar, unbestimmt, vage, b) unfaßbar, nicht greifbar. **3.** *econ.* immateri'ell: ~ **assets**, ~ **property** → 5 a. **II** *s* **4.** (*etwas*) nicht Greifbares. **5.** *econ.* a) immateri'elles Ak'tivum, b) *pl* immaterielle Werte (*Patentrechte etc*), immaterielles Vermögen.

in·tar·si·a [in'tɑːrsiə], **in'tar·siˌo** [-ˌou] *s* In'tarsia *f*, Einlegearbeit *f*.

in·te·ger ['intidʒər] *s* **1.** *math.* ganze Zahl. **2.** → **integral** 7.

in·te·gral ['intigrəl] **I** *adj* (*adv* ~**ly**) **1.** ein Ganzes bildend, (zur Vollständigkeit) unerläßlich, inte'grierend: **an ~ part** ein wesentlicher Bestandteil. **2.** a) aus inte'grierenden Teilen bestehend, inte'griert, zs.-gefaßt, einheitlich, geschlossen, b) ganz, vollständig: **an ~ whole** ein einheitliches *od.* vollständiges Ganzes. **3.** *tech.* a) (fest) eingebaut, b) e-e Einheit bildend (**with** mit). **4.** unversehrt, unverletzt. **5.** voll'kommen. **6.** *math.* a) ganz(zahlig): ~ **multiple**, b) e-e ganze Zahl *od.* ein Ganzes betreffend, c) Integral...: ~ **sign** Integralzeichen *n*; ~ **theorem** Integralsatz *m*. **II** *s* **7.** (*ein*) vollständiges Ganzes, Ganzheit *f*. **8.** *math.* Inte'gral *n*: ~ **with respect to x from a to b** Integral nach x von a bis b. ~ **cal·cu·lus** *s math.* Inte'gralrechnung *f*. ~ **e·qua·tion** *s* Inte'gralgleichung *f*.

in·te·grand ['intiˌgrænd] *s math.* Inte'grand *m*. '**in·te·grant** [-grənt] → **integral** 1.

in·te·grate ['intiˌgreit] **I** *v/t* **1.** zu e-m Ganzen zs.-fassen, zs.-schließen, vereinigen, vereinheitlichen. **2.** vervollständigen, ergänzen, vervollkommnen. **3.** einbeziehen, -gliedern (into, with in *acc*). **4.** die Gesamtsumme *od.* den 'Durchschnittswert berechnen von. **5.** *math.* inte'grieren. **6.** *electr.* zählen (*Meßgerät*). **7.** *Am.* die Rassenschranken aufheben zwischen. **II** *v/i* **8.** sich (zu e-m Ganzen) zs.-schließen, inte'griert werden. **III** *adj* [-grit; -ˌgreit] **9.** vollständig, ganz. **'in·teˌgrat·ed** *adj* **1.** einheitlich, geschlossen, zs.-gefaßt. **2.** *econ.* Verbund...: ~ economy; ~ store *Am.* Filialgeschäft *n.* **3.** *tech.* eingebaut. **4.** ohne Rassentrennung: ~ school. **'in·teˌgrat·ing** *adj a. math. tech.* inte'grierend: ~ factor; ~ meter; ~ device *electr.* Zählwerk *n.*

in·te·gra·tion [ˌinti'greiʃən] *s* **1.** Integrati'on *f*: a) Zs.-schluß *m*, Vereinigung *f*, b) Vereinheitlichung *f*, c) Eingliederung *f* (into, within in *acc*), d) sozi'ale Integrati'on, *bes.* Aufhebung *f* der Rassenschranken. **2.** Vervollständigung *f.* **3.** *math.* Integrati'on *f*: constant of ~ Integrationskonstante *f.* **4.** *psych.* Integrati'on *f*: a) *einheitliches Zs.-wirken der seelischen Grundtätigkeiten, Sinnesempfindungen etc*, b) *harmonische Übereinstimmung von Individuum u. Umgebung.* **ˌin·te'gra·tion·ist** *s Am.* Verfechter(in) der rassischen Gleichberechtigung.

in·te·gra·tive ['intiˌgreitiv] *adj* ergänzend, vervollständigend. **'in·teˌgra·tor** [-ˌgreitər] *s* **1.** *Person od. Sache, die integriert, ergänzt, vervollständigt.* **2.** *phys. tech.* a) Inte'grator *m*, inte'grierendes Instru'ment, b) Sum'mierungsgerät *n.* **3.** *electr.* inte'grierende Schaltung.

in·teg·ri·ty [in'tegriti] *s* **1.** (mo'ralische) Integri'tät, Rechtschaffenheit *f*, (cha'rakterliche) Sauberkeit, Unbescholtenheit *f.* **2.** Vollständigkeit *f*, Unversehrtheit *f.* **3.** Unverfälschtheit *f*, Reinheit *f.*

in·teg·u·ment [in'tegjumənt] *s* **1.** Hülle *f.* **2.** *zo.* (Deck)Haut *f*, Decke *f.* **3.** *bot.* Integu'ment *n.* **4.** *anat.* Haut *f*, Integu'ment *n*: common ~ äußere Körperdecke.

in·tel·lect ['intilekt] *s* **1.** Intel'lekt *m*, Verstand *m*, Denk-, Erkenntnisvermögen *n*, Urteilskraft *f.* **2.** a) kluger Kopf, her'vorragender Geist, b) *collect.* große Geister *pl*, hervorragende Köpfe *pl*, Intelli'genz *f.* **ˌin·tel'lec·tion** *s* **1.** Denken *n*, Verstandes-, Denktätigkeit *f.* **2.** Gedanke *m*, I'dee *f.* **ˌin·tel'lec·tive** *adj* **1.** denkend. **2.** Verstandes... **3.** intelli'gent.

in·tel·lec·tu·al [ˌinti'lektʃuəl; *Br. a.* -tjuəl] **I** *adj* (*adv* → intellectually) **1.** intellektu'ell, verstandesmäßig, Verstandes..., geistig, Geistes...: ~ history Geistesgeschichte *f*; ~ power Geisteskraft *f*; ~ worker Geistesarbeiter *m.* **2.** klug, vernünftig, intelli'gent: an ~ being ein vernunftbegabtes Wesen. **3.** intellektu'ell, verstandesbetont, (geistig) anspruchsvoll. **II** *s* **4.** Intellektu'elle(r *m*) *f*, Verstandesmensch *m*: the ~s die Intellektuellen, die Intelligenz. **ˌin·tel'lec·tu·alˌism** *s* ˌIntellektua'lismus *m* (*a. philos.*). **ˌin·tel'lec·tu·al·ist** *s* **1.** → intellectual 4. **2.** *philos.* ˌIntellektua'list *m.* **ˌin·telˌlec·tu'al·i·ty** [-'æliti] *s* **1.** ˌIntellektuali'tät *f*, Verstandesmäßigkeit *f.* **2.** Geistigkeit *f.* **3.** Verstandes-, Geisteskraft *f.* **ˌin·tel'lec·tu·alˌize** *v/t* **1.** verstandesmäßig behandeln *od.* ergründen. **2.** vergeistigen. **ˌin·tel'lec·tu·al·ly** *adv* **1.** verstandesmäßig, intellektu'ell. **2.** mit dem *od.* durch den Verstand.

in·tel·li·gence [in'telidʒəns] *s* **1.** Intelli'genz *f*: a) Klugheit *f*, Verstand *m*, b) scharfer Verstand, rasche Auffassungsgabe, Scharfsinn *m*, c) → intellect 2: ~ quotient Intelligenzquotient *m*; ~ test Intelligenzprüfung *f*, -test *m.* **2.** Einsicht *f*, Verständnis *n.* **3.** Nachricht(en *pl*) *f*, Mitteilung(en *pl*) *f*, Informati'on(en *pl*) *f*, Auskunft *f.* **4.** Nachrichtenaustausch *m*: ~ with the enemy (verräterische) Beziehungen *pl* zum Feinde. **5.** *mil.* (geheimer) Nachrichtendienst. **6.** *Christian Science*: die ewige Eigenschaft des unendlichen Geistes. ~ **bu·reau** *s Am.*, ~ **de·part·ment** *s mil. Br.* → intelligence 5. ~ **of·fice** *s* **1.** Auskunftsstelle *f.* **2.** *Am.* Arbeitsnachweis(stelle *f*) *m.* **3.** → intelligence 5. ~ **of·fi·cer** *s* 'Abwehr-, 'Nachrichtenoffiˌzier *m.*

in·tel·li·genc·er [in'telidʒənsər] *s* **1.** Berichterstatter(in). **2.** Spi'on(in), A'gent(in).

in·tel·li·gent [in'telidʒənt] *adj* (*adv* ~ly) **1.** intelli'gent, klug, gescheit. **2.** vernünftig: a) verständig, einsichtsvoll, b) vernunftbegabt. **inˌtel·li'gen·tial** [-'dʒenʃəl] → intellectual 1 *u.* 2. **inˌtel·li'gent·si·a,** *Br. a.* **inˌtel·li'gent·zi·a** [-'dʒentsiə; -'gent-] *s* (*als pl konstruiert*) *collect.* (*die*) Intelli'genz, (*die*) Intellektu'ellen *pl.*

in·tel·li·gi·bil·i·ty [inˌtelidʒə'biliti] *s* Verständlichkeit *f*, Deutlichkeit *f.* **in'tel·li·gi·ble** *adj* (*adv* intelligibly) verständlich, klar (to für *od. dat*).

in·tem·per·ance [in'tempərəns; -prəns] *s* **1.** Unmäßigkeit *f*, Ausschweifung *f*, *bes.* Trunksucht *f.* **2.** Zügellosigkeit *f.* **3.** Rauheit *f* (*des Klimas*). **in'tem·per·ate** [-pərit; -prit] *adj* (*adv* ~ly) **1.** unmäßig: a) ausschweifend, zügellos, b) maßlos. **2.** unbeherrscht. **3.** trunksüchtig. **4.** rauh (*Klima*).

in·tend [in'tend] *v/t* **1.** beabsichtigen, vorhaben, planen, im Sinn haben (s.th. etwas; to do *od.* doing zu tun; that daß): we ~ no harm wir haben nichts Böses im Sinne; was this ~ed? war das Absicht? **2.** bezwecken, im Auge haben, 'hinzielen auf (*acc*). **3.** bestimmen (for für, zu): what is it ~ed for? was ist der Zweck der Sache?, wozu soll es dienen?; our son is ~ed for the navy unser Sohn soll (einmal) zur Marine gehen; it is not ~ed for sale es ist nicht verkäuflich *od.* zum Verkauf bestimmt. **4.** sagen wollen, meinen: what do you ~ by this? was wollen Sie damit sagen? **5.** bedeuten, sein sollen: it was ~ed for a compliment es sollte ein Kompliment sein. **6.** wollen, wünschen: we ~ him to go wir wünschen, daß er geht.

in·tend·ant [in'tendənt] *s* Inten'dant [*m*, Verwalter *m*.]

in·tend·ed [in'tendid] **I** *adj* (*adv* ~ly) **1.** beabsichtigt, geplant, gewünscht. **2.** absichtlich. **3.** *colloq.* zukünftig: her ~ husband. **II** *s* **4.** *colloq.* Verlobte(r *m*) *f*: her ~ ihr ‚Zukünftiger'; his ~ s-e ‚Zukünftige'. **in'tend·ing** *adj* angehend, zukünftig, ...willig, ...lustig: ~ buyer *econ.* (Kauf)Interessent *m*, Reflektant *m.* **in'tend·ment** *s jur.* wahre Bedeutung: ~ of the law gesetzgeberische Absicht.

in·tense [in'tens] *adj* **1.** inten'siv: a) stark, heftig: ~ heat starke Hitze; ~ longing heftige Sehnsucht, b) hell, grell: ~ light, c) tief, satt: ~ colo(u)rs, d) 'durchdringend (*Geräusch, Geruch*), e) angespannt, angestrengt: ~ study, f) (an)gespannt, konzen'triert: ~ look, g) eifrig, h) sehnlich, dringend, i) eindringlich: ~ style. **2.** leidenschaftlich, stark gefühlsbetont. **3.** *phot.* dicht (*Negativ*). **in'tense·ly** *adv* **1.** äußerst, höchst. **2.** → intense. **in'tense·ness** *s* Intensi'tät *f*: a) Stärke *f*, Heftigkeit *f*, b) Anspannung *f*, Angestrengtheit *f*, c) Leidenschaftlichkeit *f*, d) Feuereifer *m*, e) Eindringlichkeit *f.*

in·ten·si·fi·ca·tion [inˌtensifi'keiʃən] *s a. phot.* Verstärkung *f*, Intensi'vierung *f.* **in'ten·siˌfi·er** [-ˌfaiər] *s phot. tech.* Verstärker *m.* **in'ten·siˌfy** [-ˌfai] **I** *v/t* intensi'vieren, verstärken. **II** *v/i* sich verstärken.

in·ten·sion [in'tenʃən] *s* **1.** → intensification. **2.** → intenseness a *u.* b. **3.** a) (Begriffs)Inhalt *m*, b) → intensional meaning. **in'ten·sion·al mean·ing** *s ling.* Bedeutungsinhalt *m.*

in·ten·si·ty [in'tensiti] *s* Intensi'tät *f*: a) (hoher) Grad, Stärke *f*, Heftigkeit *f*, b) *electr. phys. tech.* (*Laut-, Licht-, Strom- etc*)Stärke *f*, (Stärke)Grad *m*: ~ of radiation Strahlungsintensität, c) → intenseness.

in·ten·sive [in'tensiv] **I** *adj* (*adv* ~ly) **1.** inten'siv: a) stark, heftig, b) gründlich, erschöpfend: ~ study; ~ research. **2.** verstärkend (*a. ling.*): ~ adverb; ~ pronoun. **3.** sich verstärkend. **4.** *med.* stark wirkend. **5.** a) *econ.* inten'siv, ertragsteigernd: ~ cultivation of land intensive Bodenbewirtschaftung, b) (*arbeits-, lohn- etc*) inten'siv: wage ~. **II** *s* **6.** *bes. ling.* verstärkendes Ele'ment.

in·tent[1] [in'tent] *s* **1.** Absicht *f*, Vorhaben *n*, -satz *m*: criminal ~ *jur.* (strafrechtlicher) Vorsatz, (verbrecherische) Absicht; with ~ to defraud in betrügerischer Absicht; to all ~s and purposes a) in jeder Hinsicht, durchaus, b) im Grunde, eigentlich, c) praktisch, fast völlig, sozusagen. **2.** Ziel *n*, Zweck *m*, Plan *m.*

in·tent[2] [in'tent] *adj* (*adv* ~ly) **1.** erpicht, versessen (on, upon auf *acc*). **2.** (on, upon) eifrig bedacht (auf *acc*), eifrig beschäftigt (mit). **3.** aufmerksam, gespannt, eifrig, konzen'triert.

in·ten·tion [in'tenʃən] *s* **1.** Absicht *f*, Vorhaben *n*, -satz *m*, Plan *m* (to do *od.* of doing zu tun): with the best (of) ~s in bester Absicht; with the ~ of going in der Absicht zu gehen; (declaration of) ~ Willens-, Absichtserklärung *f.* **2.** *jur.* Vorsatz *m*, Absicht *f.* **3.** Zweck *m*, Ziel *n.* **4.** Sinn *m*, Bedeutung *f.* **5.** *pl colloq.* Heiratsabsichten *pl.* **6.** *philos.* Intenti'on *f.* **7.** *med.* 'Heilproˌzeß *m*: (healing by) first ~ eiterlose Heilung; (healing by) second ~ Heilung *f* mit Eiterung. **8.** *relig.* Zweck *m* (*e-s Gebetes etc*).

in'ten·tion·al *adj* (*adv* ~ly) **1.** absichtlich, vorsätzlich. **2.** beabsichtigt. **3.** *philos.* Vorstellungs..., Erscheinungs...

in·tent·ness [in'tentnis] *s* **1.** gespannte Aufmerksamkeit. **2.** Eifer *m*: ~ of purpose Zielstrebigkeit *f.* **3.** Erpichtheit *f.*

in·ter[1] [in'təːr] *v/t* beerdigen, begraben.

in·ter[2] ['intər] (*Lat.*) *prep* zwischen, unter: ~ alia unter anderem.

inter- [intər] *Wortelement mit der Bedeutung* a) (da)zwischen, Zwischen..., b) (dar)unter, c) gegen-, wechselseitig, einander, Wechsel...

ˌin·ter'act[1] *v/i* aufein'ander (ein)wirken, sich gegenseitig beeinflussen.

ˌin·ter'act[2] *s thea.* Zwischenakt *m.*

ˌin·ter'ac·tion *s* Wechselwirkung *f.*

ˌin·ter'ac·tive *adj* aufein'ander einwirkend, wechselwirkend.

ˌin·ter'al·lied *adj mil. pol.* 'interalliˌiert.

ˌin·ter'blend *v/t u. v/i irr* (sich) (innig) vermischen.

'in·terˌbourse *adj econ.* von Börse zu Börse (gehandelt *etc*): ~ **securities** international gehandelte Effekten.

'in·terˌbrain *s anat.* Zwischenhirn *n.*

ˌin·ter'breed *irr biol.* **I** *v/t* **1.** durch Kreuzung züchten, kreuzen. **II** *v/i* **2.** sich kreuzen. **3.** Inzucht treiben.

in·ter·ca·lar·y [in'tə:rkələri] *adj* **1.** eingeschaltet, -geschoben. **2.** Schalt...: ~ **day**; ~ **year.** **in'ter·caˌlate** [-ˌleit] *v/t* **1.** einschieben, -schalten. **2.** *geol.* einschließen. **inˌter·ca'la·tion** *s* **1.** Einschiebung *f*, -schaltung *f.* **2.** Einlage *f.* **3.** *geol.* Einschließung *f.*

in·ter·cede [ˌintər'si:d] *v/i* sich verwenden, sich ins Mittel legen, Fürsprache einlegen, interve'nieren, bitten (**with** bei; **for** für). **ˌin·ter'ced·er** *s* Fürsprecher(in).

ˌin·ter'cel·lu·lar *adj biol.* interzellu'lär, zwischenzellig.

in·ter·cept **I** *v/t* [ˌintər'sept] **1.** *e-n Brief, e-n Boten, e-n Funkspruch, ein Flugzeug etc* abfangen. **2.** *e-e Meldung* mit-, abhören, auffangen. **3.** aufhalten, hemmen, (be)hindern: **to ~ trade** *econ.* den Handel behindern. **4.** unter'brechen, abschneiden. **5.** *die Sicht* versperren. **6.** den Weg abschneiden zu. **7.** *math.* a) abschneiden, b) einschließen (**between** zwischen *dat*). **II** *s* ['intərˌsept] **8.** *math.* Abschnitt *m*: ~ **on axis of coordinates** Achsenabschnitt. **9.** aufgefangene Funkmeldung. **ˌin·ter'cept·er** → **interceptor.**

in·ter·cep·tion [ˌintər'sepʃən] *s* **1.** Ab-, Auffangen *n* (*von Briefen etc*). **2.** Abhören *n* (*von Funksprüchen, Telephongesprächen*): ~ **service** Abhördienst *m.* **3.** *aer.* Abfangen *n* (*e-s Feindflugzeuges*): ~ **flight** Sperrflug *m*; ~ **plane** → **interceptor** 2. **4.** Aufhalten *n*, Hinderung *f.* **5.** Unter'brechung *f*, Abschneiden *n* (*des Weges etc*), Versperrung *f.* **6.** *math.* a) Abschneidung *f*, b) Einschließung *f.* **ˌin·ter'cep·tive** *adj* **1.** abfangend, aufhaltend. **2.** hemmend, hindernd, (ver)sperrend. **ˌin·ter'cep·tor** [-tər] *s* **1.** Auffänger *m.* **2.** *a.* ~ **plane** *aer.* Abfangjäger *m.* **3.** *tech.* 'Auffangkaˌnal *m.*

in·ter·ces·sion [ˌintər'seʃən] *s* Fürbitte *f* (*a. relig.*), Fürsprache *f*, Vermittlung *f*, Interventi'on *f* (**for s.o.** zu j-s Gunsten): **to make ~ to s.o. for** bei j-m Fürsprache einlegen für, sich bei j-m verwenden für; (**service of**) ~ *relig.* Bittgottesdienst *m.* **ˌin·ter'ces·sor** [-sər] *s* **1.** Fürsprecher(in) (**with** bei). **2.** Vermittler(in). **3.** *relig.* Bistumsverweser *m.* **ˌin·ter'ces·so·ry** [-səri] *adj* fürsprechend, Fürsprech...

in·ter·change [ˌintər'tʃeindʒ] **I** *v/t* **1.** *etwas* mit- *od.* unterein'ander austauschen, auswechseln. **2.** auswechseln (**with** mit). **3.** vertauschen, auswechseln (*a. tech.*). **4.** ein'ander abwechseln lassen. **II** *v/i* **5.** abwechseln (**with** mit), aufein'anderfolgen. **III** *s* ['intərˌtʃeindʒ] **6.** Auswechslung *f.* **7.** Austausch *m*: ~ **of civilities** Austausch von Höflichkeiten; **holiday ~** Ferienaustausch. **8.** Abwechslung *f*, Wechsel *m*, Aufein'anderfolge *f.* **9.** *econ.* Tauschhandel *m.* **10.** *Am.* planfreie (Straßen)Kreuzung. **ˌin·ter'change·a·ble** *adj* (*adv* **interchangeably**) **1.** austausch-, vertauschbar. **2.** *a. econ. tech.* auswechselbar. **3.** (mitein'ander) abwechselnd. **ˌin·ter'chang·er** *s tech.* (*Luft-, Wärme*)Austauscher *m.*

ˌin·ter'cit·i·zenˌship *s jur. pol.* gleichzeitiges Bürgerrecht, doppelte *od.* mehrfache Staatsbürgerschaft.

ˌin·ter'clav·i·cle *s zo.* Zwischenschlüsselbein *n.*

ˌin·ter·col'le·gi·ate *adj* zwischen verschiedenen Colleges *od.* Universi'täten (bestehend *od.* stattfindend).

in·ter·com ['intərˌkɒm] *s* **1.** *aer. mar.* Eigen-, Bordverständigung *f.* **2.** Gegen-, Wechsel-, Haussprechanlage *f.*

ˌin·ter·com'mu·niˌcate **I** *v/t* **1.** mitein'ander in Verbindung bringen. **2.** ein'ander mitteilen. **II** *v/i* **3.** mitein'ander in Verbindung stehen *od.* verkehren. **ˌin·ter·comˌmu·ni'ca·tion** *s* gegenseitige Verbindung, gegenseitiger Verkehr: ~ **system** → **intercom.**

ˌin·ter·com'mun·ion *s* wechselseitiger Verkehr.

ˌin·ter·con'nect **I** *v/t* mit- *od.* unterein'ander verbinden, *electr. a.* verketten, zwischenschalten. **II** *v/i* sich unterein'ander verbinden, mitein'ander verbunden werden *od.* sein. **ˌin·ter·con'nect·ed** *adj* **1.** mitein'ander verbunden. **2.** *electr.* verkettet, -mascht. **ˌin·ter·con'nec·tion** *s* **1.** gegenseitige Verbindung. **2.** *electr.* verkettete Schaltung.

'in·terˌcon·ti'nen·tal *adj* ˌinterkontinen'tal, zwischen Konti'nenten.

ˌin·ter'cos·tal **I** *adj* **1.** *anat.* interko'stal, Zwischenrippen... **2.** *bot.* zwischen den Blattrippen. **3.** *mar.* zwischen den Schiffsrippen. **II** *s* **4.** *anat.* Zwischenrippenmuskel *m od.* -raum *m.* **5.** *tech.* Zwischenblech *n.*

'in·terˌcourse *s* **1.** 'Umgang *m*, Verkehr *m* (**with** mit), Verbindung *f* (**between** zwischen *dat*). **2.** *econ.* (Geschäfts)Verkehr *m*, (-)Verbindung *f.* **3.** *a.* **sexual ~** (Geschlechts)Verkehr *m.*

ˌin·ter'cross **I** *v/t* **1.** ein'ander kreuzen lassen. **2.** *bot. zo.* (mitein'ander) kreuzen. **II** *v/i* **3.** *a. bot. zo.* sich kreuzen. **III** *s* **4.** *bot. zo.* a) Kreuzung *f*, b) 'Kreuzung(sproˌdukt *n*) *f.*

ˌin·ter'cur·rent *adj* **1.** da'zwischenkommend. **2.** *med.* hin'zutretend.

'in·ter·deˌnom·i'na·tion·al *adj* ˌinterkonfessio'nell.

ˌin·ter'den·tal *adj anat. ling.* interden'tal.

ˌin·ter·de'pend *v/i* vonein'ander abhängen. **ˌin·ter·de'pend·ence, ˌin·ter·de'pend·en·cy** *s* gegenseitige Abhängigkeit. **ˌin·ter·de'pend·ent** *adj* vonein'ander abhängig, eng zs.-hängend, inein'andergreifend.

in·ter·dict **I** *s* ['intərˌdikt] **1.** Verbot *n*: **to put an ~ upon** → 4. **2.** *jur. Scot.* gerichtliches Verbot. **3.** *relig.* Inter'dikt *n*, Kirchensperre *f*: **to lay** (*od.* **put**) **under an ~** → 6. **II** *v/t* [ˌintər'dikt] **4.** (amtlich) unter'sagen, verbieten (**to s.o.** j-m). **5.** *j-n* ausschließen: **to ~ s.o. from s.th., to ~ s.o. a thing** j-n von etwas ausschließen, j-m etwas entziehen; **to ~ s.o. from doing s.th.** j-m verbieten, etwas zu tun. **6.** *relig.* mit dem Inter'dikt belegen. **ˌin·ter'dic·tion** *s* **1.** → **interdict** 1 *u.* 3. **2.** *jur.* Entmündigung *f.* **ˌin·ter'dic·tive, ˌin·ter'dic·to·ry** [-təri] *adj* unter'sagend, Verbots...

in·ter·dig·i·tate [ˌintər'didʒiˌteit] **I** *v/i* **1.** verflochten sein (**with** mit). **2.** inein'andergreifen. **II** *v/t* **3.** mitein'ander verflechten.

in·ter·est ['intərist; -trist] **I** *s* **1.** (in) Inter'esse *n* (an *dat*, für), (An)Teilnahme *f* (an *dat*): **to lose ~** das Interesse verlieren; **to take an ~ in s.th.** sich für etwas interessieren. **2.** Reiz *m*, Inter'esse *n*: **to be of ~ (to)** interessieren (*acc*), reizvoll sein (für); → **human** 1. **3.** Wichtigkeit *f*, Bedeutung *f*, Inter'esse *n*: **of great (little) ~** von großer Wichtigkeit (von geringer Bedeutung). **4.** *bes. econ.* Beteiligung *f*, Anteil *m* (in an *dat*): **controlling ~** ausschlaggebender Kapitalanteil, Mehrheitsbeteiligung; **to have an ~ in s.th.** an *od.* bei e-r Sache beteiligt sein. **5.** *meist pl bes. econ.* Geschäfte *pl*, Inter'essen *pl*, Belange *pl*: **shipping ~(s)** Reedereigeschäfte, -betrieb *m.* **6.** *econ.* Interes'senten *pl*, Inter'essengruppe(n *pl*) *f*, (*die*) beteiligten Kreise: **the banking ~** die Bankkreise; **the business ~s** die Geschäftswelt; **the landed ~** die Großgrundbesitzer *pl*; **the shipping ~** die Reeder *pl*; **the ~s** die Interessenten. **7.** Inter'esse *n*, Vorteil *m*, Nutzen *m*, Gewinn *m*: **to be in** (*od.* **to**) **s.o.'s ~** in j-s Interesse liegen; **in your ~** zu Ihrem Vorteil, in Ihrem Interesse; **to look after** (*od.* **protect, safeguard**) **s.o.'s ~s** j-s Interessen wahrnehmen *od.* wahren; **to study the ~ of s.o.** j-s Vorteil im Auge haben. **8.** Eigennutz *m.* **9.** Einfluß *m*, Macht *f*: **to have ~ with** Einfluß haben bei; **sphere of ~** *pol.* Interessensphäre *f.* **10.** *jur.* (An)Recht *n*, Anspruch *m* (in auf *acc*): **vested in ~** dem Anrechte nach übertragen; **life ~** Recht auf Lebenszeit. **11.** (*nie pl*) *econ.* Zins *m*, Zinsen *pl*: ~ **due** fällige Zinsen, Passivzinsen; ~ **from** (*od.* **on**) **capital** Kapitalzinsen; **compound ~** Zinseszinsen; ~ **charged** franko Zinsen; **and** (*od.* **plus**) ~ zuzüglich Zinsen; **as ~** zinsweise; **ex ~** ohne Zinsen; **free of ~** zinslos; **to bear** (*od.* **carry, pay, yield**) ~ Zinsen tragen, sich verzinsen (**at** 4% mit 4%); ~ **for default** (*od.* **delay**), ~ **on arrears** Verzugszinsen; ~ **on debit balances** Debet-, Sollzinsen; ~ **on deposit** Depositenzinsen; ~ **on shares** Stückzinsen; ~ **rate** → 12; **to invest money at ~** Geld verzinslich anlegen; **to return a blow** (**an insult**) **with ~** *fig.* e-n Schlag mit Zinsen *od.* mit Zins u. Zinseszins zurückgeben. **12.** *econ.* Zinsfuß *m*, -satz *m.*

II *v/t* **13.** interes'sieren (in für), *j-s* Inter'esse *od.* Teilnahme erwecken (**in s.th.** an e-r Sache; **for s.o.** für j-n): **to ~ o.s. in** sich interessieren für. **14.** angehen, betreffen: **every citizen is ~ed in this law** dieses Gesetz geht jeden Bürger an. **15.** interes'sieren, fesseln, anziehen, reizen. **16.** *bes. econ.* (in) a) beteiligen (an *dat*), b) gewinnen (für).

in·ter·est| ac·count *s econ.* **1.** Zinsrechnung *f*: **equated ~** Staffelrechnung. **2.** Zinsenkonto *n.* **'~-ˌbear·ing** *adj* verzinslich, zinstragend. **~ cer·tif·i·cate** *s econ.* Zinsvergütungsschein *m.* **~ cou·pon** *s econ.* Zinsabschnitt *m*, -schein *m*, 'Zinscouˌpon *m.*

in·ter·est·ed ['intəristid; -tris-; -təˌrestid] *adj* **1.** interes'siert (in an *dat*): **to be ~ in s.th.** sich für etwas interessieren; **I was ~ to know** es interessierte mich zu wissen. **2.** *bes. econ.* beteiligt (in an *dat*, bei): **the parties ~** a) die Beteiligten, b) die Interessenten. **3.** voreingenommen, befangen: **an ~ witness.** **4.** eigennützig. **'in·ter·est·ed·ly** *adv* **1.** mit Inter'esse, aufmerksam. **2.** in interes'santer Weise. **'in·ter·est·ed·ness** *s* **1.** Interes'siertheit *f.* **2.** Voreingenommenheit *f.* **3.** Eigennutz *m.*

in·ter·est·ing ['intəristiŋ; -tris-; -təˌrestiŋ] *adj* interes'sant: **in an ~ con-**

dition *colloq.* in anderen Umständen (*schwanger*). **'in·ter·est·ing·ly** *adv* interes,santer'weise.

in·ter·est| in·stal(l)·ment *s econ.* Zinsrate *f.* ~ **lot·ter·y** *s econ.* 'Prämienlotte,rie *f.* ~ **pro and con·tra** *s econ.* Soll- u. Habenzinsen *pl.* ~ **state·ment** *s econ.* Zinsenaufstellung *f.* ~ **tick·et,** ~ **war·rant** → **interest coupon.**

'in·ter,face *s math.* **1.** Zwischenfläche *f.* **2.** *a. phys.* Grenzfläche *f*, -ebene *f.* **,in·ter'fa·cial** *adj math.* **1.** (Zwischen)Flächen... **2.** *a. phys.* Grenzflächen...

in·ter·fere [,intər'fir] *v/i* **1.** (with) stören (*acc*): a) (*j-n*) belästigen, behindern, unter'brechen, b) (*etwas*) beeinträchtigen, störend einwirken (auf *acc*). **2.** eingreifen (in in *acc*). **3.** sich ins Mittel legen, da'zwischentreten, *bes. pol.* interve'nieren. **4.** sich einmischen (with in *acc*). **5.** sich befassen (with mit). **6.** da'zwischenkommen. **7.** *a. fig.* zs.-stoßen, kolli'dieren, aufein'anderprallen. **8.** *jur. Am.* das Priori'tätsrecht (für e-e Erfindung) geltend machen: to ~ **with an application** mit e-r (Patent)Anmeldung kollidieren. **9.** (*beim Gehen*) die Füße *od.* Beine gegenein'ander schlagen (*bes. Pferd*). **10.** *electr.* stören, interfe'rieren, (sich) über'lagern. **11.** *sport* a) den Gegner regelwidrig behindern, b) sperren.

in·ter·fer·ence [,intər'fi(ə)rəns] *s* **1.** Zs.-stoß *m*, Kollisi'on *f* (*a. fig.*). **2.** 'Widerstreit *m*, Kon'flikt *m.* **3.** *amer. Patentrecht*: a) Kollisi'on *f* (*zweier Anmeldungen*), b) Geltendmachung *f* des Priori'tätsrechtes. **4.** Störung *f*, Beeinträchtigung *f* (with *gen*). **5.** Einmischung *f* (in in *acc*). **6.** Eingriff *m*, -greifen *n* (with in *acc*). **7.** Da'zwischentreten *n*, Vermitteln *n*, *bes. pol.* Interventi'on *f.* **8.** Gegenein'anderschlagen *n* der Füße *od.* Beine. **9.** *electr. phys.* a) Interfe'renz *f*, Über'lagerung *f*, b) Störung *f*: **reception** ~ Empfangsstörung *f*; ~ **inverter** *TV* Entstördiode *f*; ~ **suppression** Entstörung *f*, Störschutz *m.* **10.** *amer. Fußball*: Abschirmen *n*: **to run** ~ a) den balltragenden Stürmer abschirmen, b) (**for s.o.**) *fig.* (j-m) Schützenhilfe leisten. ~ **col·o(u)r** *s phys.* Interfe'renzfarbe *f.* ~ **drag** *s aer.* 'Wechsel,wirkungs,widerstand *m.*

in·ter·fe·ren·tial [,intərfə'renʃəl] *adj phys.* Interferenz...

in·ter·fer·ing [,intər'fi(ə)riŋ] *adj* (*adv* ~**ly**) **1.** störend, lästig. **2.** sich einmischend: **he is always** ~ *colloq.* ständig mischt er sich ein. **3.** kolli'dierend, entgegenstehend: ~ **claim. 4.** *electr.* störend, (sich) über'lagernd.

in·ter·flow I *s* ['intər,flou] Inein'anderfließen *n.* **II** *v/i* [,intər'flou] inein'anderfließen, sich vermischen.

in·ter·flu·ent [in'tə:rfluənt; ,intər'flu:ənt] *adj* inein'anderfließend, sich vermischend. [blattständig.]

'in·ter,fo·li'a·ceous *adj bot.* zwischen-}

,in·ter'fuse I *v/t* **1.** hin'eingießen. **2.** durch'dringen. **3.** (ver)mischen, durch'setzen (with mit). **4.** (eng) verbinden. **II** *v/i* **5.** sich (mitein'ander) vermischen. **,in·ter'fu·sion** *s* **1.** Durch'dringung *f*, Vermischung *f*, Durch'setzung *f* (with mit). **2.** (enge) Verbindung.

,in·ter'gla·cial *adj geol.* zwischeneiszeitlich, interglazi'al.

,in·ter·gra'da·tion *s* all'mähliches Inein,ander'übergehen. **in·ter·grade I** *v/i* [,intər'greid] *bes. biol.* all'mählich inein'ander 'übergehen. **II** *s* ['intər,greid] Zwischenstufe *f.*

'in·ter,growth *s* **1.** Inein'ander-, Zs.-wachsen *n.* **2.** *geol.* Durch'wachsung *f.*

in·ter·im ['intərim] **I** *s* **1.** Zwischenzeit *f*: **in the** ~, **ad** ~ *bes. jur.* in der Zwischenzeit, einstweilen, vorläufig; **dividend ad** ~, ~ **dividend** *econ.* Zwischen-, Abschlagsdividende *f.* **2.** Interim *n*, einstweilige Regelung. **3.** I~ *hist.* Interim *n.* **II** *adj* **4.** interi'mistisch, einstweilig, vorläufig, Interims..., Zwischen...: ~ **balance sheet** *econ.* Zwischenbilanz *f*; ~ **certificate** *econ.* Interimsschein *m*; ~ **credit** Zwischenkredit *m*; ~ **report** Zwischenbericht *m*; → **injunction** 1. [terim 4.]

in·ter·im·is·tic [,intəri'mistik] → in-}

in·te·ri·or [in'ti(ə)riər] **I** *adj* (*adv* ~**ly**) **1.** inner(er, e, es), Innen...: ~ **angle** *math.* Innenwinkel *m*; ~ **decoration,** ~ **design** a) Innendekoration *f*, b) Innenarchitektur *f*; ~ **planet** *astr.* innerer Planet. **2.** *geogr.* binnenländisch, Binnen... **3.** inländisch, Inlands... **4.** inner(er, e, es): a) pri'vat, in'tern, b) verborgen, geheim. **5.** innerlich, geistig. **II** *s* **6.** *oft pl* (*das*) Innere. **7.** Innenraum *m*, -seite *f.* **8.** *paint.* Interi'eur *n.* **9.** *phot.* Innenaufnahme *f.* **10.** *geogr.* Binnenland *n*, (*das*) Innere. **11.** *pol.* innere Angelegenheiten *pl*, (*das*) Innere: **Department of the** I~ *Am. od. Canad.* Innenministerium *n.* **12.** inneres *od.* wahres Wesen. ~ **dec·o·ra·tor** *s* 'Innenarchi,tekt(in).

in·ter·ja·cent [,intər'dʒeisnt] *adj* da'zwischenliegend.

in·ter·ject [,intər'dʒekt] *v/t* **1.** da'zwischen-, einwerfen: **to** ~ **a remark. 2.** einschieben, -schalten, -flechten. **,in·ter'jec·tion** *s* **1.** Da'zwischenwerfen *n*, Einwurf *m* (*von Bemerkungen etc*). **2.** Aus-, Zwischenruf *m.* **3.** *ling.* Interjekti'on *f.* **,in·ter'jec·tion·al** *adj* **1.** da'zwischengeworfen, eingeschoben, -geschaltet: **an** ~ **remark. 2.** ausrufartig, Ausruf..., *ling.* Interjektions... [zwischen den Lippen.]

,in·ter'la·bi·al *adj anat.* interlabi'al,}

,in·ter'lace I *v/t* **1.** (mitein'ander) verflechten, verschlingen. **2.** (ver)mischen (with mit). **3.** durch'flechten, -'weben (*a. fig.*): ~**d scanning** *TV* Zeilensprungverfahren *n.* **4.** einflechten. **II** *v/i* **5.** sich verflechten, sich kreuzen: **interlacing arches** *arch.* verschränkte Bogen; **interlacing boughs** verschlungene Zweige. **,in·ter'lace·ment** *s* **1.** Verflechtung *f.* **2.** Verflochtenheit *f.* **3.** Vermischung *f.*

,in·ter'lam·i·nar *adj* **1.** *tech.* interlami'nar: ~ **bonding** Schichtverband *m.* **2.** *anat.* zwischen Laminae gelegen. **,in·ter'lam·i,nate** *v/t bes. tech.* zwischen Schichten einfügen.

,in·ter'lard *v/t* **1.** *fig.* spicken, durch'setzen (with mit). **2.** einschieben, -schalten, -flechten (into in *acc*).

'in·ter,leaf *s irr* leeres Zwischenblatt. **,in·ter'leave** *v/t Bücher* durch'schießen.

in·ter·line¹ [,intər'lain] *v/t* **1.** *Text* zwischenzeilig schreiben, zwischen die Zeilen schreiben *od.* setzen, einfügen. **2.** *Schriftstücke* interlini'ieren: ~**d manuscript** Interlinearmanuskript *n.* **3.** *print.* durch'schießen.

,in·ter'line² *v/t Kleidungsstück* mit e-m Zwischenfutter versehen.

,in·ter'lin·e·ar *adj* **1.** zwischengeschrieben, zwischenzeilig (geschrieben), interline'ar: ~ **translation** *ling.* Interlinearübersetzung *f.* **2.** *print.* blank: ~ **space** Durchschuß *m.* **,in·ter,lin·e'a·tion** *s* (*das*) Da'zwischengeschriebene, interline'arer Text.

,in·ter·lin'guis·tics *s pl* (*als sg konstruiert*) Interlin'guistik *f.*

'in·ter,lin·ing¹ → **interlineation.**

'in·ter,lin·ing² *s* Zwischenfutter(stoff *m*) *n.*

in·ter·link I *v/t* [,intər'liŋk] verketten: ~**ed voltage** *electr.* verkettete Spannung. **II** *s* ['intər,liŋk] Binde-, Zwischenglied *n.*

,in·ter'lock I *v/i* **1.** inein'andergreifen (*a. fig.*): ~**ing** *econ.* Verflechtung *f*, -schachtelung *f*; ~**ing directorate** *econ. Am.* Schachtelaufsichtsrat *m.* **2.** *rail.* verriegelt *od.* verblockt sein: ~**ing signals** verriegelte Signale. **II** *v/t* **3.** eng zs.-schließen, inein'anderschachteln. **4.** inein'anderhaken, (mitein'ander) verzahnen. **5.** *Eisenbahnsignale* verriegeln, -blocken.

in·ter·lo·cu·tion [,intərlo'kju:ʃən] *s* Gespräch *n*, Unter'redung *f.* **,in·ter'loc·u·tor** [-'lɒkjutər] *s* **1.** Gesprächspartner(in). **2.** *thea.* Sprecher *m.* **,in·ter'loc·u·to·ry** *adj* **1.** gesprächsweise, in Gesprächsform. **2.** ins Gespräch eingeflochten. **3.** Gesprächs..., Unterhaltungs... **4.** *jur.* einstweilig, vorläufig, Zwischen...: ~ **decree,** ~ **judg(e)ment** Zwischenurteil *n*; ~ **decree of divorce** vorläufiges Scheidungsurteil (*das nach e-r Übergangszeit wirksam wird*); ~ **injunction** einstweilige Verfügung.

,in·ter'lope *v/i* **1.** sich eindrängen *od.* einmischen. **2.** *econ.* wilden Handel treiben. **'in·ter,lop·er** *s* **1.** Eindringling *m.* **2.** *econ.* Schleich-, Schwarzhändler *m.*

in·ter·lude ['intər,lu:d; -,lju:d] *s* **1.** *thea. hist.* a) Inter'ludium *n*, Zwischenspiel *n* (*a. fig.*), b) Posse *f.* **2.** *mus.* Zwischenspiel *n*, Inter'mezzo *n.* **3.** *fig.* a) Pause *f*, b) Zwischenzeit *f.* **4.** *fig.* Epi'sode *f.*

,in·ter'mar·riage *s* **1.** Mischehe *f* (*zwischen Angehörigen verschiedener Stämme, Rassen od. Konfessionen*). **2.** Heirat *f* innerhalb der Fa'milie *od.* zwischen Blutsverwandten, Inzucht *f.* **,in·ter'mar·ry** *v/i* **1.** unterein'ander heiraten (*Stämme etc*). **2.** innerhalb der Fa'milie heiraten.

,in·ter'max·il·lar·y *anat.* **I** *adj* intermaxil'lar: ~ **bone** Zwischenkiefer *m*; ~ **teeth** obere Schneidezähne. **II** *s* Zwischenkiefer(bein *n*) *m.*

,in·ter'med·dle *v/i* sich einmischen (with, in in *acc*).

,in·ter'me·di·a·cy *s* **1.** Vermittlung *f.* **2.** Da'zwischenkunft *f.* **3.** Da'zwischenliegen *n.*

in·ter·me·di·ar·y [,intər'mi:diəri] **I** *adj* **1.** → **intermediate¹** 1 u. 2. **2.** *med.* intermedi'är. **II** *s* **3.** Vermittler(in). **4.** *econ.* Zwischenhändler *m.* **5.** Vermittlung *f.* **6.** Zwischenform *f*, -stadium *n.*

in·ter·me·di·ate¹ [,intər'mi:diit] **I** *adj* (*adv* ~**ly**) **1.** da'zwischenliegend, da'zwischen befindlich, eingeschaltet, Zwischen..., Mittel...: ~ **between** liegend zwischen; ~ **colo(u)r** (**credit, examination, frequency, seller, stage, trade**) Zwischenfarbe *f* (-kredit *m*, -prüfung *f*, -frequenz *f*, -verkäufer *m*, -stadium *n*, -handel *m*); ~ **school** *Am.* Mittelschule *f*; ~ **terms** *math.* innere Glieder, Mittelglieder. **2.** vermittelnd, Verbindungs..., Zwischen..., Mittel(s)...: ~ **agent** → 6. **3.** mittelbar, 'indi,rekt. **II** *s* **4.** Zwischenglied *n*, -gruppe *f*, -form *f.* **5.** *chem.* 'Zwischenpro,dukt *n.* **6.** Vermittler *m*, Verbindungsmann *m.* **7.** Zwischenprüfung *f.*

in·ter·me·di·ate[2] [ˌintərˈmiːdiˌeit] *v/i* **1.** daˈzwischentreten, interveˈnieren. **2.** vermitteln. ˌ**in·terˈme·di·ate·ness** → intermediacy. ˌ**in·terˌme·diˈa·tion** *s* **1.** Vermittlung *f.* **2.** Daˈzwischentreten *n.* **3.** Einfügen *n.* ˌ**in·terˈme·diˌa·tor** [-tər] *s* Vermittler *m.*

in·ter·ment [inˈtəːrmənt] *s* Beerdigung *f*, Bestattung *f*, Beisetzung *f.*

in·ter·mez·zo [ˌintərˈmetsou; -ˈmedzou] *pl* **-ˈmez·zi** [-tsiː; -dziː] *od.* **-ˈmez·zos** *s* Interˈmezzo *n*, Zwischenspiel *n.*

in·ter·mi·na·ble [inˈtəːrminəbl] *adj* (*adv* **interminably**) **1.** grenzen-, endlos. **2.** langwierig. **inˈter·mi·na·ble·ness** *s* Grenzen-, Endlosigkeit *f.*

ˌ**in·terˈmin·gle** *v/t u. v/i* (sich) vermischen.

ˌ**in·terˈmis·sion** *s* **1.** Unterˈbrechung *f.* **2.** Pause *f.* **3.** Aussetzen *n*: without ~ ohne Unterlaß, pausenlos, unaufhörlich. **4.** *med.* Intermissiˈon *f*, zeitweiliges Aussetzen.

in·ter·mit [ˌintərˈmit] **I** *v/t* (zeitweilig) unterˈbrechen, aussetzen mit. **II** *v/i* (zeitweilig) aussetzen, vorˈübergehend aufhören. ˌ**in·terˈmit·tence,** ˌ**in·terˈmit·ten·cy** [-si] *s* **1.** (zeitweiliges) Aussetzen. **2.** Versagen *n.* **3.** Unterˈbrechung *f.* **4.** *med.* Intermissiˈon *f.*

in·ter·mit·tent [ˌintərˈmitənt] *adj* (*adv* ~**ly**) mit Unterˈbrechungen, (zeitweilig) aussetzend, stoßweise, periˈodisch, intermitˈtierend: ~ **current** *electr.* intermittierender *od.* pulsierender Strom; ~ **fever** *med.* Wechselfieber *n*; ~ **light** *mar.* Blinklicht *n*; ~ **load** *electr.* aussetzende Belastung; ~ **movement** *tech.* intermittierende Bewegung.

ˌ**in·terˈmix** *irr* **I** *v/t* ver-, unterˈmischen (with mit). **II** *v/i* sich vermischen. ˌ**in·terˈmix·ture** *s* **1.** Mischung *f*, Gemisch *n.* **2.** Beimischung *f*, Zusatz *m.*

in·tern[1] **I** *v/t* [inˈtəːrn] interˈnieren. **II** *s* [ˈintəːrn] *Am.* Interˈnierte(r *m*) *f.*

in·tern[2] [ˈintəːrn] *med. Am.* **I** *s* im Krankenhaus wohnender Arzt, *bes.* ˈPflichtassiˌstent(in). Praktiˈkant(in). **II** *v/i* als Praktiˈkant *od.* Assiˈstenzarzt (an e-r Klinik) tätig sein.

in·tern[3] [inˈtəːrn] **I** *adj obs.* innerlich. **II** *s poet.* innere Naˈtur.

in·ter·nal [inˈtəːrnl] **I** *adj* (*adv* ~**ly**) **1.** inner(er, e, es), inwendig: ~ **angle** *math.* Innenwinkel *m*; ~ **diameter** Innendurchmesser *m*; ~ **ear** *anat.* Innenohr *n*; ~ **evidence** *jur.* innerer Beweis; ~ **injury** innere Verletzung; ~ **organs** innere Organe. **2.** *pharm.* innerlich anzuwenden(d), einzunehmen(d): an ~ **remedy.** **3.** inner(lich), geistig: the ~ **law** das innere Gesetz. **4.** einheimisch, in-, binnenländisch, Inlands..., Innen..., Binnen...: ~ **loan** *econ.* Inlandsanleihe *f*; ~ **trade** Binnenhandel *m.* **5.** *pol.* inner(er, e, es), ˈinnenpoˌlitisch, Innen...: ~ **affairs** innere Angelegenheiten. **6.** a) inˈtern, b) *econ.* (beˈtriebs)inˌtern, innerbetrieblich: ~ **audit**; ~ **control.** **7.** *ped.* inˈtern, im College *od.* Interˈnat wohnend. **II** *s* **8.** *pl anat.* innere Orˈgane *pl.* **9.** innere Naˈtur, wesentliche Eigenschaft.

inˈter·nal|-comˈbus·tion en·gine *s* Verbrennungs-, Exploiˈonsmotor *m.* ~ **med·i·cine** *s* innere Mediˈzin. ~ **rev·e·nue** *s econ. bes. Am.* Staatseinkünfte *pl*, Steueraufkommen *n*: I~ R~ Office *Am.* Finanzamt *n*; **Commissioner of** I~ R~ *Am.* Bundesfinanzbehörde *f.* ~ **rhyme** *s metr.* Binnenreim *m.* ~ **spe·cial·ist** *s med.* Interˈnist *m*, Facharzt *m* für innere Krankheiten. ~ **tax·es** *s pl econ.* Landesabgaben *pl.* ~ **thread** *s tech.* Innengewinde *n.*

in·ter·na·tion·al [ˌintərˈnæʃənl] **I** *adj* (*adv* ~**ly**) **1.** internatioˈnal, zwischenstaatlich, Welt..., Völker... **II** *s* **2.** *bes. sport* Internatioˈnale(r *m*) *f* (*Teilnehmer an internationalen Wettkämpfen*). **3.** *sport colloq.* internatioˈnaler Vergleichskampf. **4.** I~ a) *pol.* (Mitglied *n* e-r) Internatioˈnale, b) Internationale *f* (*kommunistisches Kampflied*). **5.** *pl econ.* internatioˈnal gehandelte ˈWertpaˌpiere *pl.* ~ **can·dle** *s phys.* Internatioˈnale Kerze. ~ **cop·y·right** *s econ.* internatioˈnales Urheber- *od.* Verlagsrecht.

In·ter·na·tio·nale [*Br.* ˌintənæʃəˈnɑːl; *Am.* ɛ̃tɛrnasjəˈnal] (*Fr.*) → **international** 4.

ˌ**in·terˈna·tion·alˌism** *s* **1.** ˌInternatioˈnaˈlismus *m.* **2.** internatioˈnale Zs.-arbeit. **3.** I~ *pol.* Grundsätze *pl od.* Bestrebungen *pl* e-r ˈArbeiterinternatioˌnale. ˌ**in·terˈna·tion·al·ist** *s* **1.** ˌInternationaˈlist(in), Anhänger(in) des ˌInternationaˈlismus. **2.** Völkerrechtler *m.* **3.** → **international** 2. ˌ**in·terˌna·tionˈal·i·ty** *s* internatioˈnaler Chaˈrakter. ˌ**in·terˈna·tion·alˌize** *v/t* **1.** internatioˈnal machen, ˌinternationaliˈsieren. **2.** internatioˈnaler Konˈtrolle unterˈwerfen.

In·ter·na·tion·al| La·bo(u)r Of·fice *s pol.* Internatioˈnales Arbeitsamt. i~ **law** *s jur.* **1.** Völkerrecht *n.* **2.** internatioˈnales Recht. ~ **Mon·e·tar·y Fund** *s econ.* Internatioˈnaler Währungsfonds (*seit 1945*). i~ **mon·ey or·der** *s econ.* Auslandspostanweisung *f.* i~ **nau·ti·cal mile** *s mar.* internatioˈnale Seemeile (*1852 m*).

in·terne [ˈintəːrn] → **intern**[2] I *u.* [3].

in·ter·ne·cine [ˌintərˈniːsain; -sin] *adj* **1.** gegenseitige Tötung bewirkend: an ~ **duel.** **2.** mörderisch, vernichtend, Vernichtungs...

in·tern·ee [ˌinteːrˈniː] *s* Interˈnierte(r *m*) *f.*

in·ter·nist [inˈtəːrnist] → **internal specialist.**

in·tern·ment [inˈtəːrnmənt] *s* Interˈnierung *f*: ~ **camp** Internierungslager *n.*

in·ter·nod·al [ˌintərˈnoudl] *adj anat. bot. zo.* zwischenknotig. ˈ**in·terˌnode** [-ˌnoud], *a.* ˌ**in·terˈno·di·um** [-diəm] *pl* **-di·a** [-diə] *s* **1.** *bot.* Sproß-, Achsenglied *n.* **2.** *anat.* Knochenteil *m* zwischen zwei Gelenken.

ˌ**in·terˈnu·cle·ar** *adj biol.* zwischen (Zell)Kernen gelegen.

ˌ**in·terˌo·ce·ˈan·ic** *adj* interozeˈanisch, zwischen Weltmeeren (gelegen), (zwei) Weltmeere verbindend.

ˌ**in·terˈoc·u·lar** *adj* zwischen den Augen (befindlich): ~ **distance** Augenabstand *m.*

ˌ**in·terˈos·cuˌlate** *v/i* **1.** ineinˈander ˈübergehen. **2.** sich gegenseitig durchˈdringen. **3.** *bes. biol.* ein Verbindungsglied bilden.

ˌ**in·terˈpage** *v/t* zwischen die Blattseiten einschieben.

ˌ**in·ter·paˈri·e·tal** *adj anat.* interparieˈtal: ~ **bone** Zwischenscheitelbein *n.*

in·ter·pel·late [ˌintərˈpeleit; inˈtəːrpəˌleit] *v/t parl.* (*bes. in Europa*) e-e Anfrage richten an (*acc*). ˌ**in·ter·pelˈla·tion** [ˌintər-; inˈtəːr-] *s* **1.** *pol.* Interpellatiˈon *f*, Anfrage *f.* **2.** Unterˈbrechung *f.* **3.** Einspruch *m.* **4.** *Br.* Vorladung *f.*

ˈ**in·terˈpen·eˌtrate I** *v/t* (vollständig) durchˈdringen. **II** *v/i* sich gegenseitig durchˈdringen. ˈ**in·terˌpen·eˈtra·tion** *s* gegenseitige Durchˈdringung.

in·ter·phone [ˈintərˌfoun] → **intercom.**

ˌ**in·terˈplan·e·tar·y** *adj* interplaneˈtarisch.

in·ter·play [ˈintərˌplei] *s* Wechselwirkung *f*, -spiel *n*: the ~ **of forces** das wechselseitige Spiel der Kräfte.

ˌ**in·terˈplead** *v/i jur.* s-e Gläubiger zum Rechtsstreit über ihre Forderungsberechtigung zwingen. ˌ**in·terˈplead·er** *s jur.* Verfahren *n* zur Erzwingung des Gläubigerstreites.

ˌ**in·terˈpo·lar** *adj bes. electr.* die Pole verbindend, zwischen den Polen (liegend).

in·ter·po·late [inˈtəːrpəˌleit] *v/t* **1.** interpoˈlieren: a) *etwas* einschalten, -fügen, b) *e-n Text* (durch Einschiebungen) ändern, *bes.* verfälschen. **2.** *math.* interpoˈlieren. **inˌter·poˈla·tion** *s* **1.** Interpolatiˈon *f*, Einschaltung *f*, -schiebung *f* (*in e-n Text*). **2.** Interpoˈlieren *n*, Einschalten *n.* **3.** *math.* Interpolatiˈon *f*: **calculus of** ~ Interpolationsrechnung *f.* **4.** *med.* Geˈwebeüberˌtragung *f.*

ˈ**in·terˌpole** *s electr.* Zwischenpol *m.*

in·ter·pose [ˌintərˈpouz] **I** *v/t* **1.** daˈzwischenstellen, -legen, -bringen. **2.** *ein Hindernis* in den Weg legen. **3.** *e-e Bemerkung* einwerfen, -flechten. **4.** *e-n Einwand* vorbringen, *Einspruch* erheben, *ein Veto* einlegen. **5.** *geol.* einlagern. **6.** *tech.* zwischen-, einschalten. **7.** *med.* zwischenpflanzen. **II** *v/i* **8.** daˈzwischenkommen, -treten. **9.** sich ins Mittel legen, vermitteln, interveˈnieren. **10.** (sich) unterˈbrechen. ˌ**in·ter·poˈsi·tion** [-pəˈziʃən] *s* **1.** Eingreifen *n*, Daˈzwischentreten *n.* **2.** Vermittlung *f.* **3.** Einfügung *f.* **4.** *tech.* Zwischen-, Einschaltung *f.*

in·ter·pret [inˈtəːrprit] **I** *v/t* **1.** auslegen, erklären, deuten, interpreˈtieren. **2.** verdolmetschen. **3.** *mus. thea. etc* interpreˈtieren, (ˈwieder)geben. **4.** *bes. mil.* auswerten. **II** *v/i* **5.** dolmetschen, als Dolmetscher(in) funˈgieren. **inˌter·preˈta·tion** *s* **1.** Erklärung *f*, Auslegung *f*, Deutung *f*, Interpretatiˈon *f*: ~ **clause** Auslegungsbestimmung *f.* **2.** Verdolmetschung *f*, (mündliche) ˈWiedergabe *od.* Überˈsetzung. **3.** Auffassung *f*, Darstellung *f*, ˈWiedergabe *f*, Interpretatiˈon *f* (*e-r Rolle etc*). **4.** *mil.* Auswertung *f.* **inˈter·preˌta·tive** [-ˌteitiv] *adj* auslegend: to be ~ **of** s.th. etwas auslegen *od.* deuten. **inˈter·pret·er** *s* **1.** Erklärer(in), Ausleger(in), Interˈpret(in). **2.** Dolmetscher(in). **3.** *tech.* ˈLochschriftüberˌsetzer *m.*

in·ter·punc·tion [ˌintərˈpʌŋkʃən], ˌ**in·terˌpunc·tuˈa·tion** → **punctuation** 1.

ˌ**in·terˈra·cial** *adj* **1.** zwischen verschiedenen Rassen (vorkommend *od.* bestehend). **2.** für verschiedene Rassen: an ~ **school.** **3.** verschiedenen Rassen gemein(sam), interˈrassisch.

ˌ**in·ter·reˈact** *v/i* aufeinˈander *od.* wechselseitig reaˈgieren, sich gegenseitig beeinflussen.

in·ter·reg·num [ˌintərˈregnəm] *pl* **-na** [-nə], **-nums** *s* **1.** Interˈregnum *n*: a) herrscherlose Zeit, b) ˈZwischen-, ˈÜbergangsreˌgierung *f.* **2.** Unterˈbrechung *f*, Pause *f.*

ˌ**in·ter·reˈlate I** *v/t* in gegenseitige Beziehung bringen. **II** *v/i* in gegenseitiger Beziehung stehen. ˌ**in·ter·reˈlat·ed** *adj* untereinˈander zs.-hängend, in Wechselbeziehung stehend. ˌ**in·ter·reˈla·tion** *s* Wechselbeziehung *f.*

in·ter·ro·gate [inˈterəˌgeit; -ro-] *v/t* **1.** (be)fragen. **2.** ausfragen, verhören, -nehmen. **3.** *tech.* abfragen. **4.** *fig.* (zu) ergründen (suchen). **inˌter·roˈga·tion** *s* **1.** Befragung *f*, Frage(n *pl*) *f*. **2.** *jur. etc* Verhör *n*, -nehmung *f*: ~ **officer** → **interrogator** 3. **3.** *ling.* Frage(satz *m*) *f*: **note** (*od.* **mark, point**) **of** ~, ~ **mark**, ~ **point** → 4. **4.** *ling.* Fragezeichen *n*.

in·ter·rog·a·tive [ˌintəˈrɒgətiv] **I** *adj* (*adv* ~**ly**) **1.** fragend, Frage... **2.** *ling.* interrogaˈtiv, Frage...: ~ **pronoun** Interrogativpronomen *n*, Fragefürwort *n*. **II** *s* **3.** *ling.* Fragewort *n*, Interrogaˈtiv(um) *n*.

in·ter·ro·ga·tor [inˈterəˌgeitər; -ro-] *s* **1.** Frager(in), Fragesteller(in). **2.** *pol.* Interpelˈlant *m*. **3.** Verˈnehmungsbeˌamte(r) *m*, -offiˌzier *m*. **4.** *mil. tech.* Abfragegerät *n*, -anlage *f*. **in·ter·rog·a·to·ry** [ˌintəˈrɒgətəri] **I** *adj* **1.** fragend, Frage... **II** *s* **2.** Frage *f*. **3.** *jur.* Beweisfrage *f* (*vor der Verhandlung*).

in·ter·rupt [ˌintəˈrʌpt] **I** *v/t* **1.** *j-n od. etwas* unterˈbrechen, *j-m* ins Wort fallen. **2.** aufhalten, stören, hindern. **II** *v/i* **3.** unterˈbrechen, stören: **don't** ~**!** unterbrich (mich *etc*) nicht! **ˌin·terˈrupt·ed** *adj* (*adv* ~**ly**) unterˈbrochen (*a. bot. electr. tech.*). **ˌin·terˈrupt·ed·ly** *adv* mit Unterˈbrechungen. **ˌin·terˈrupt·er** *s* **1.** Unterˈbrecher(in), Störer(in), Zwischenrufer(in). **2.** *electr.* Unterˈbrecher *m*, Ausschalter *m*. **ˌin·terˈrup·tion** *s* **1.** Unterˈbrechung *f*, Stockung *f*: **without** ~ ununterbrochen. **2.** Störung *f*, Hemmung *f*. **3.** *electr.* (*bes.* periˈodische) Unterˈbrechung. **4.** *tech.* (Betriebs)Störung *f*. **ˌin·terˈrup·tive** *adj* (*adv* ~**ly**) unterˈbrechend, störend. **ˌin·terˈrup·tor** → **interrupter**.

ˌin·ter·schoˈlas·tic *adj ped. Am.* zwischen Schulen (bestehend *etc*).

in·ter·sect [ˌintərˈsekt] **I** *v/t* **1.** durchˈschneiden, -ˈkreuzen. **II** *v/i* **2.** sich (durch-, über)ˈschneiden, sich kreuzen: ~**ing roads**; ~**ing line** → **intersection** 3 c; ~**ing point** → **intersection** 3 b. **3.** *fig.* sich überˈschneiden. **III** *s* [ˈintərˌsekt] → **intersection** 3 b *u.* c, 4.

in·ter·sec·tion [ˌintərˈsekʃən] *s* **1.** Durchˈschneiden *n*. **2.** Schnitt-, Kreuzungspunkt *m*. **3.** *math.* a) Schnitt *m*, b) *a.* **point of** ~ Schnittpunkt *m*, c) *a.* **line of** ~ Schnittlinie *f*; **angle of** ~ Schnittwinkel *m*; ~ **of the axes** Nullpunkt *m* e-s Koordinatensystems. **4.** *bes. Am.* (Straßen- *etc*)Kreuzung *f*. **5.** *arch.* Vierung *f*. **6.** *Bergbau*: Durchˈörterung *f*. **ˌin·terˈsec·tion·al** *adj* Kreuzungs..., Schnitt...

ˈin·terˌsex *s biol.* Interˈsex *n* (*geschlechtliche Zwischenform*). **ˌin·terˈsex·u·al** *adj* zwischengeschlechtlich.

ˌin·ter·siˈde·re·al → **interstellar**.

in·ter·space I *s* [ˈintərˌspeis] **1.** Zwischenraum *m*. **2.** Zwischenzeit *f*. **3.** interplaneˈtarischer *od.* interstelˈlarer Raum. **II** *v/t* [ˌintərˈspeis] **4.** Raum lassen zwischen (*dat*). **5.** trennen, unterˈbrechen. **ˌin·terˈspa·tial** [-ʃəl] *adj* Zwischenraum...

in·ter·sperse [ˌintərˈspəːrs] *v/t* **1.** einstreuen, hier u. da einfügen. **2.** durchˈsetzen (**with** mit). **ˌinterˈspers·ed·ly** [-idli] *adv* vereinzelt eingestreut. **ˌin·terˈsper·sion** *s* Einstreuung *f*, -fügung *f*.

ˈin·terˌstate *adj* **1.** zwischenstaatlich. **2.** *Am.* zwischen den einzelnen Bundesstaaten (bestehend *etc*): ~ **commerce** Handel *m* zwischen den Einzelstaaten.

ˌin·terˈstel·lar *adj* interstelˈlar, zwischen den Sternen (befindlich).

in·ter·stice [inˈtəːrstis] *s* **1.** Zwischenraum *m* (*a. anat.*). **2.** Lücke *f*, Spalt *m*. **ˌin·terˈsti·tial** [-ˈstiʃəl] *adj* **1.** zwischenräumlich. **2.** in Zwischenräumen gelegen. **3.** *anat.* interstitiˈell.

ˌin·terˈtwine *v/t u. v/i* (sich) verflechten *od.* verschlingen. **ˌin·terˈtwine·ment** *s* Verflechtung *f*.

ˌin·terˈtwist → **intertwine**.

ˌin·terˈur·ban I *adj* zwischen Städten (verkehrend), Überland...: ~ **bus**; ~ **traffic**. **II** *s* zwischen Städten verkehrendes Fahrzeug, *bes. rail.* Städteschnellverkehrszug *m*.

in·ter·val [ˈintərvəl] *s* **1.** Zwischenraum *m*, -zeit *f*, Abstand *m*: **at** ~**s** dann u. wann, ab u. zu, periodisch; **at regular** ~**s** in regelmäßigen Zeitabständen; **at** ~**s of fifty feet** in Abständen von 50 Fuß; → **lucid** 1. **2.** Pause *f*: ~ **signal** (*Radio*) Pausenzeichen *n*. **3.** *thea.* a) Pause *f*, b) Zwischenakt *m*. **4.** *mus.* Interˈvall *n* (*a. math.*), Tonabstand *m*. **5.** *Bergbau*: Getriebsfeld *n*, Fach *n*. **6.** *a.* ~ **land** → **intervale**.

in·ter·vale [ˈintərˌveil] *s Am. od. Canad.* (Fluß)Tal *n*, Niederung *f*.

in·ter·vene [ˌintərˈviːn] *v/i* **1.** (*helfend*) eingreifen (*a. med.*). **2.** vermitteln, sich ins Mittel legen, *bes. econ. jur. pol.* interveˈnieren. **3.** sich einmischen (in in *acc*): **to** ~ **in proceedings** *jur.* e-m Rechtsstreit beitreten; **intervening party** → **intervener** 2. **4.** daˈzwischenliegen, -kommen, -treten, liegen zwischen (*dat*). **5.** sich inˈzwischen *od.* in der Zwischenzeit ereignen: **nothing interesting has** ~**d**. **6.** (plötzlich) eintreten, (unerwartet) daˈzwischenkommen: **if nothing** ~**s** wenn nichts dazwischenkommt. **ˌin·terˈven·er** *s* **1.** Vermittler(in). **2.** *jur.* ˈNebenintervenıˌent *m*.

in·ter·ven·tion [ˌintərˈvenʃən] *s* **1.** Eingreifen *n*, -schreiten *n*, -griff *m* (in in *acc*). **2.** Vermittlung *f*. **3.** Interventiˈon *f*: a) *pol.* Einmischung *f* (in in *acc*), b) *econ.* Eingriff *m* ins Wirtschaftsleben, c) *econ. Ehreneintritt e-s Dritten bei Nichteinlösung e-s Wechsels*. **4.** *jur.* ˈNebeninterventiˌon *f*. **5.** Daˈzwischenliegen *n*, -treten *n*, -kommen *n*. **ˌin·terˈven·tionˌism** *s pol.* Interventioˈnismus *m*. **ˌin·terˈven·tion·ist** *s pol.* Befürworter *m* e-r Interventiˈon, Interventioˈnist *m*.

ˌin·terˈver·te·bral *adj anat.* interverteˈbral, Zwischenwirbel...

in·ter·view [ˈintərˌvjuː] **I** *s* **1.** Interˈview *n*, Befragung *f*. **2.** Unterˈredung *f*, Zs.-kunft *f*: **hours for** ~**s** Sprechzeiten, -stunden. **II** *v/t* **3.** *j-n* interˈviewen, befragen, ein Interˈview *od.* e-e Unterˈredung haben mit. **ˌin·ter·viewˈee** [-ˈiː] *s* Interˈviewte(r *m*) *f*, Befragte(r *m*) *f*. **ˈin·terˌview·er** *s* Interˈviewer(in), Befrager(in).

ˌin·ter·voˈcal·ic *adj ling.* ˈinter-, ˈzwischenvoˌkalisch.

in·ter·vo·lu·tion [ˌintərvoˈljuːʃən; -ˈluː-] *s* Verschlingung *f*.

ˈin·terˌwar *adj*: **the** ~ **period** die Zeit zwischen den (Welt)Kriegen.

ˌin·terˈweave *irr* **I** *v/t* **1.** (miteinˈander) verweben, verflechten (*a. fig.*). **2.** vermengen. **3.** durchˈweben, -ˈflechten, -ˈwirken: **to** ~ **truth with fiction**. **II** *v/i* **4.** sich verweben, sich verflechten: **interwoven** verflochten.

in·ter·wind [ˌintərˈwaind] *v/t u. v/i irr* (sich) verflechten.

ˌin·terˈzon·al *adj* interzoˈnal, Interzonen...

in·tes·ta·cy [inˈtestəsi] *s jur.* Fehlen *n* e-s Testaˈments: **succession on** ~ gesetzliche Erbfolge; ~ **decedent** *Am.* → **intestate** 3; **the property goes by** ~ der Nachlaß fällt an die gesetzlichen Erben. **inˈtes·tate** [-teit; -tit] *jur.* **I** *adj* **1.** ohne Hinterˈlassung e-s Testaˈments: **to die** ~. **2.** nicht testamenˈtarisch geregelt: ~ **estate**; ~ **succession** gesetzliche Erbfolge. **II** *s* **3.** Erblasser(in), der (die) kein Testaˈment hinterˈlassen hat.

in·tes·ti·nal [inˈtestinl; *Br. a.* ˌintesˈtainl] *adj anat.* Darm..., Eingeweide...: ~ **flora** Darmflora *f*.

in·tes·tine [inˈtestin] **I** *s anat.* Darm *m*: ~**s** Gedärme, Eingeweide; **large** ~ Dickdarm; **small** ~ Dünndarm. **II** *adj fig.* inner(er, e, es): ~ **strife**; ~ **war** Bürgerkrieg *m*.

in·thral(l) [inˈθrɔːl], **in·throne** [inˈθroun] → **enthral(l)**, **enthrone**.

in·ti·ma·cy [ˈintiməsi] *s* **1.** Intimiˈtät *f*: a) Vertrautheit *f*, vertrauter ˈUmgang, b) (*a. contp. plumpe*) Vertraulichkeit. **2.** inˈtime (*sexuelle*) Beziehungen *pl*.

in·ti·mate[1] [ˈintimit] **I** *adj* (*adv* ~**ly**) **1.** vertraut, inˈtim: **on** ~ **terms** auf vertrautem Fuß. **2.** eng, nah, vertraulich. **3.** perˈsönlich, priˈvat. **4.** inˈtim, in geschlechtlichen Beziehungen stehend (**with** mit): ~ **relations** → **intimacy** 2. **5.** inˈtim, gemütlich: **an** ~ **bar**. **6.** *chem.* innig: ~ **mixture**. **7.** *tech.* eng, innig: ~ **contact**; ~ **wrapper**. **8.** gründlich, genau: **an** ~ **knowledge**. **9.** innerst(er, e, es). **II** *s* **10.** Vertraute(r *m*) *f*, Intimus *m*.

in·ti·mate[2] [ˈintiˌmeit] *v/t* **1.** andeuten, zu verstehen geben. **2.** nahelegen. **3.** ankündigen, wissen lassen.

in·ti·ma·tion [ˌintiˈmeiʃən] *s* **1.** Andeutung *f*, Wink *m*. **2.** Ankündigung *f*, Mitteilung *f*. **3.** Anzeichen *n*. **4.** Bezeigung *f*: ~ **of gratitude** Dankesbezeigung.

in·tim·i·date [inˈtimiˌdeit] *v/t* **1.** einschüchtern, bange machen. **2.** *jur.* nötigen. **inˌtim·iˈda·tion** *s* **1.** Einschüchterung *f*. **2.** *jur.* Nötigung *f*. **inˈtim·iˌda·tor** [-tər] *s* Einschüchterer *m*. **inˈtim·iˌda·to·ry** *adj* einschüchternd.

in·ti·tle [inˈtaitl], **in·ti·tule** [inˈtitjuːl] → **entitle**.

in·to [ˈintu; -tuː] *prep* **1.** in (*acc*), in (*acc*) ... hinˈein, zu, nach. **2.** *math.* in (*acc*): **7** ~ **49 gives 7** 7 in 49 ist 7; **4** ~ **20 goes five times** 4 geht in 20 fünfmal. **3.** *Scot. od. dial.* in (*dat*). **4.** *obs. für* **among, to, toward(s), until, upon**.

Besondere Redewendungen:

he came ~ **his inheritance** er kam zu s-m Erbe; **to develop** ~ **a butterfly** zu e-m Schmetterling werden; **to divide** ~ **ten parts** in 10 Teile teilen; **to flatter s.o.** ~ **s.th.** j-n durch Schmeichelei zu etwas bewegen; **to get** ~ **debt** in Schulden geraten; **to grow** ~ **a man** ein Mann werden; **the house looks** ~ **my garden** das Haus hat Aussicht auf m-n Garten; **to marry** ~ **a rich family** in e-e reiche Familie einheiraten; **to translate** ~ **English** ins Englische übersetzen; **to turn** ~ **cash** zu Geld machen; **to turn** ~ **stone** zu Stein werden (*od.* in Stein verwandeln); **far** ~ **the night** tief in die Nacht hinein.

in·toed [ˈinˌtoud] *adj* mit einwärts gekehrten Fußspitzen.

in·tol·er·a·ble [inˈtɒlərəbl] *adj* unerträglich, unausstehlich. **inˈtol·er·a-**

ble·ness s Unerträglichkeit *f*. **in'tol·er·a·bly** [-bli] *adv* unerträglich, in unerträglicher Weise.

in·tol·er·ance [in'tɒlərəns] *s* **1.** Unduldsamkeit *f*, Intoleranz *f* (of gegen). **2.** 'Überemp,findlichkeit *f* (of gegen): ~ of heat. **in'tol·er·ant I** *adj* (*adv* ~ly) **1.** unduldsam, intolerant (of gegen). **2.** to be ~ of s.th. etwas nicht (v)ertragen können. **II** *s* **3.** unduldsamer Mensch.

in·tomb [in'tu:m] → **entomb.**

in·to·nate ['into,neit] → **intone.** **,in·to'na·tion** *s* **1.** *ling.* Intonati'on *f*, Tonfall *m*. **2.** *mus.* Intonati'on *f*: a) Anstimmen *n*, b) li'turgisches Singen, Psalmo'dieren *n*, c) Klanggebung *f*, -bildung *f*, d) Tongebung *f*, -bildung *f*.

in·tone [in'toun] **I** *v/t* **1.** (mit *e-m bestimmten* Tonfall) aussprechen, modu'lieren. **2.** anstimmen, into'nieren. **3.** (*musikalisch*) rezi'tieren, psalmo'dieren. **II** *v/i* **4.** (*mit besonderem Tonfall*) sprechen. **5.** (*musikalisch*) rezi'tieren, psalmo'dieren. **6.** *mus.* into'nieren, anstimmen.

in·tor·sion [in'tɔ:rʃən] *s* Drehung *f*, Windung *f*.

in to·to [in 'toutou] (*Lat.*) *adv* **1.** im ganzen, im gesamten. **2.** vollständig.

in·tox·i·cant [in'tɒksikənt] **I** *adj* berauschend. **II** *s* Rauschmittel *n*, -gift *n*, *bes.* berauschendes Getränk.

in·tox·i·cate [in'tɒksi,keit] **I** *v/t* berauschen: a) betrunken machen, b) *fig.* trunken machen: ~d with betrunken von, *fig.* trunken vor (*Freude etc*); ~d with love liebestrunken; driving while ~d *Am.* Fahren *n* in betrunkenem Zustand. **II** *v/i* berauschen, berauschend wirken: intoxicating drinks berauschende Getränke. **in,tox·i'ca·tion** *s* **1.** Rausch *m*, (Be)Trunkenheit *f* (*a. fig.*). **2.** *med.* Vergiftung *f*. **3.** Berauschung *f* (*a. fig.*). **in'tox·i,ca·tive** *adj* berauschend, Rausch... **in'tox·i,ca·tor** [-tər] *s* Berauschende(r) *m*.

intra- [intrə] *Wortelement mit der Bedeutung*: innerhalb, inner...

,in·tra'car·di,ac *adj anat.* intrakardi'al, im Herzinnern.

,in·tra'cel·lu·lar *adj biol.* intrazellu['lär.

,in·tra·col'le·gi·ate *adj* innerhalb e-s College *od.* e-r Universi'tät.

in·trac·ta·bil·i·ty [in,træktə'biliti] *s* Unlenksamkeit *f*, 'Widerspenstigkeit *f*. **in'trac·ta·ble** *adj* (*adv* **intractably**) **1.** unlenksam, unbändig, störrisch, eigensinnig. **2.** schwer zu bearbeiten(d) *od.* zu handhaben(d), ,widerspenstig'. **in'trac·ta·ble·ness** → **intractability.**

,in·tra·cu'ta·ne·ous *adj med.* intraku'tan, -der'mal.

in·tra·dos [in'treidɒs] *s arch.* Lai[bung *f*.

,in·tra·mo'lec·u·lar *adj phys.* ,intramoleku'lar.

,in·tra'mun·dane *adj* intramun'dan, innerhalb der (materi'ellen) Welt befindlich.

,in·tra'mu·ral *adj* **1.** innerhalb der Mauern (*e-r Stadt, e-s Hauses etc*) befindlich *od.* vorkommend. **2.** *ped.* auf 'eine Universi'tät *od.* deren Stu'denten beschränkt, innerhalb e-r Universität: ~ games. **3.** *anat.* intramu'ral: ~ gland Zwischenwanddrüse *f*.

'in·tra'plant *adj econ.* (be'triebs)in,tern, innerbetrieblich.

'in·tra'par·ty *adj pol.* 'innerpar,teilich, par'teiin,tern.

in·tran·si·gence [in'trænsidʒəns] *s* Unversöhnlichkeit *f*, Unnachgiebigkeit *f*, Kompro'mißlosigkeit *f*, Intransi'genz *f*. **in'tran·si,gent** *bes. pol.* **I** *adj* (*adv* ~ly) unnachgiebig, unversöhnlich, kompro'mißlos, intransi'gent. **II** *s* Unnachgiebige(r *m*) *f*, Intransi'gent(in), starrer Par'teimann.

in·tran·si·tive [in'trænsitiv; *Br. a.* -'trɑ:n-] **I** *adj* (*adv* ~ly) **1.** *ling.* 'intransi,tiv, nichtzielend. **2.** *math.* 'intransi,tiv. **II** *s* **3.** *ling.* 'Intransi,tiv(um) *n*, 'intransi,tives Zeitwort.

in·trant ['intrənt] *s* Neueintretende(r *m*) *f*, neues Mitglied, (*ein Amt*) Antretende(r *m*) *f*.

,in·tra'state *adj* **1.** innerstaatlich. **2.** *Am.* innerhalb e-s Bundesstaates.

,in·tra-'u·ter·ine *adj anat.* intra-ute'rin, innerhalb der Gebärmutter.

in·trav·a·sa·tion [in,trævə'seiʃən] *s physiol.* Eintritt *m* (*von Flüssigkeiten etc*) in die Gefäße.

,in·tra've·nous *adj med.* intrave'nös.

in·treat [in'tri:t] → **entreat.**

in·trench [in'trentʃ] → **entrench.**

in·trep·id [in'trepid] *adj* (*adv* ~ly) unerschrocken. **in·tre·pid·i·ty** [,intri'piditi] *s* Unerschrockenheit *f*.

in·tri·ca·cy ['intrikəsi] *s* **1.** Kompli'ziertheit *f*. **2.** Feinheit *f*, Kniff(e)ligkeit *f*. **3.** Verworrenheit *f*. **4.** Schwierigkeit *f*, Komplikati'on *f*. **'in·tri·cate** [-kit] *adj* (*adv* ~ly) **1.** verwickelt, kompli'ziert. **2.** ausgeklügelt, kniff(e)lig. **3.** verworren, schwierig. **4.** verzweigt, -schlungen. **'in·tri·cate·ness** → **intricacy.**

in·trigue [in'tri:g] **I** *v/t* **1.** *j-n* fesseln, faszi'nieren, interes'sieren: to ~ s.o.'s interest j-s Interesse *od.* j-n gefangen nehmen. **2.** verwirren, -blüffen. **II** *v/i* **3.** intri'gieren, Ränke schmieden. **4.** e-e Liebschaft haben (with mit). **III** *s* [*a.* 'intri:g] **5.** Intrige *f*: a) Ränkespiel *n*, Machenschaft *f*, b) Verwicklung *f* (*im Drama etc*). **6.** (geheimes) Liebesverhältnis. **in'tri·guer** *s* Intri'gant(in). **in'tri·guing** *adj* (*adv* ~ly) **1.** fesselnd, interes'sant, faszi'nierend. **2.** verblüffend. **3.** intri'gierend, ränkevoll.

in·trin·sic [in'trinsik] *adj* **1.** wirklich, wahr, eigentlich: ~ value innerer *od.* wirklicher Wert. **2.** wesentlich. **3.** inner(lich). **4.** *anat.* innerhalb e-s Or'gans (*etc*) gelegen. **in'trin·si·cal·ly** *adv* **1.** wirklich, eigentlich, an sich: ~ safe *electr.* eigensicher. **2.** innerlich.

intro- [intro] *Wortelement mit der Bedeutung* hinein, nach innen.

in·tro·con·ver·sion [,introkən'vɜ:rʃən] *s chem.* gegenseitige 'Umwandlung.

in·tro·duce [,intrə'dju:s] *v/t* **1.** einführen: to ~ a new fashion (method *etc*). **2.** (to) *j-n* bekannt machen (mit), vorstellen (*dat*). **3.** *j-n* einführen (at bei). **4.** (to) *j-n* einführen (in *e-e Wissenschaft etc*), bekannt machen (mit *e-r Sache*). **5.** *ein Thema* anschneiden, zur Sprache bringen. **6.** einleiten, eröffnen: to ~ a new epoch. **7.** anfangen, einleiten: to ~ a business. **8.** *e-e Krankheit* einschleppen (into in *acc*). **9.** *parl.* *e-n Gesetzesantrag* einbringen (into in *acc*). **10.** (into) a) einfügen (in *acc*), neu hin'zufügen (zu), b) her'ein-, hin'einbringen (in *acc*), c) hin'einstecken, einführen: to ~ a probe e-e Sonde einführen. **11.** hin'einführen, -geleiten.

,in·tro'duc·er *s* **1.** Einführer(in). **2.** Vorstellende(r *m*) *f*. **3.** *med.* Intu'bator *m*, 'Einführungsinstru,ment *n*.

in·tro·duc·tion [,intrə'dʌkʃən] *s* **1.** Einführung *f*. **2.** Einschleppung *f* (*e-r Krankheit*). **3.** Bekanntmachen *n*, Vorstellung *f*. **4.** Empfehlung *f*, Einführung *f*: letter of ~ Einführungs-, Empfehlungsschreiben *n*. **5.** Einleitung *f*, Vorrede *f*, -wort *n*. **6.** *mus.* Introdukti'on *f*. **7.** Leitfaden *m*, Anleitung *f*, Lehrbuch *n*: an ~ to botany ein Leitfaden der Botanik. **8.** Einleitung *f*, Anbahnung *f*: ~ of a business. **9.** *parl.* Einbringung *f*: ~ of a bill. **,in·tro'duc·to·ry** *adj* einleitend, Einleitungs..., Vor...

in·tro·it, *a.* **I~** [in'trouit; *Br. a.* 'intrɔit] *s relig.* In'troitus *m*, Eingangslied *n*.

in·tro·mis·sion [,intrə'miʃən; -tro-] *s* **1.** Einführung *f*. **2.** Zulassung *f* (into zu, für). **3.** *jur.* verbotene Eigenmacht.

in·tro·mit·tent [,intrə'mitənt; -tro-] *adj zo.* Begattungs...: ~ organ.

in·trorse [in'trɔ:rs] *adj* (*adv* ~ly) *bot.* **1.** in'trors, einwärts gekehrt (*Staubbeutel*). **2.** nach innen aufspringend (*Fruchtkapsel*).

in·tro·spect [,intrə'spekt; -tro-] *v/i* sich selbst beobachten, sich (innerlich) prüfen, Innenschau halten. **,in·tro'spec·tion** *s* **1.** Introspekti'on *f*, Selbstbeobachtung *f*, Innenschau *f*. **2.** sympathetic ~ *sociol.* *Untersuchung menschlichen Verhaltens durch persönliche Einfühlung in die entsprechenden Bedingungen.* **,in·tro'spec·tive** *adj* introspek'tiv, nach innen gewandt, selbstprüfend.

in·tro·ver·si·ble [,intrə'vɜ:rsəbl; -tro-] *adj* einstülpbar.

in·tro·ver·sion [,intrə'vɜ:rʃən; -tro-] *s* **1.** Einwärtskehren *n*. **2.** Wendung *f* nach innen. **3.** Nach'innengekehrtsein *n*. **4.** *psych.* Introversi'on *f*, Introver'tiertheit *f*. **,in·tro'ver·sive** [-siv] *adj* einwärtsgekehrt, nach innen gerichtet.

in·tro·vert ['intrə,vɜ:rt; -tro-] **I** *s* **1.** *psych.* introver'tierter Mensch. **2.** *bes. zo.* Or'gan, das eingestülpt ist *od.* werden kann. **II** *adj* **3.** introver'tiert, nach innen gewandt. **III** *v/t* [,intrə'vɜ:rt; -tro-] **4.** nach innen richten, einwärtskehren, *psych.* introver'tieren. **5.** *Gedanken etc* nach innen richten. **6.** *bes. zo.* einstülpen.

in·trude [in'tru:d] **I** *v/t* **1.** hin'eindrängen, -zwängen (into in *acc*). **2.** aufdrängen (s.th. upon s.o. j-m etwas; o.s. upon s.o. sich j-m). **II** *v/i* **3.** sich eindrängen (into in *acc*), sich aufdrängen (on, upon *dat*). **4.** stören; to ~ (up)on s.o. j-n belästigen *od.* stören; am I intruding? störe ich? **in'trud·er** *s* **1.** Eindringling *m*. **2.** Auf-, Zudringliche(r *m*) *f*, ungebetener Gast, Störenfried *m*. **3.** *mil.* Störflugzeug *n*.

in·tru·sion [in'tru:ʒən] *s* **1.** Hin'eindrängen *n*. **2.** Aufdrängen *n*. **3.** Eindringen *n*. **4.** Einmischung *f*, Zu-, Aufdringlichkeit *f*. **5.** Belästigung *f*, Störung *f* (upon *gen*). **6.** *jur.* Besitzstörung *f*, verbotene Eigenmacht. **7.** ungebührliche In'anspruchnahme (upon *gen*): ~ upon s.o.'s time. **8.** *geol.* a) Intrusi'on *f*, b) Intru'sivgestein *n*.

in·tru·sive [in'tru:siv] *adj* (*adv* ~ly) **1.** auf-, zudringlich, lästig. **2.** eingedrungen. **3.** *geol.* a) intru'siv, b) plu'tonisch. **4.** *ling.* 'unetymo,logisch (eingedrungen): an ~ sound. **in'tru·sive·ness** *s* Auf-, Zudringlichkeit *f*.

in·trust [in'trʌst] → **entrust.**

in·tu·bate ['intju,beit] *v/t med.* intu'bieren, e-e Ka'nüle einführen in (*acc*). **,in·tu'ba·tion** *s* Intubati'on *f*: ~ of the larynx Einführung *f* e-r Röhre in den Kehlkopf. **'in·tu,ba·tor** [-tər] *s* Intu'bator *m*.

in·tu·it ['intjuit; in'tju:it] **I** *v/t* intui'tiv erkennen. **II** *v/i* intui'tiv wissen.

in·tu·i·tion [,intju'iʃən] *s* **1.** Intuiti'on *f*: a) unmittelbares Erkennen *od.* Wahrnehmen, b) (plötzliche) Eingebung *od.* Erkenntnis. **2.** intui'tives Wissen. **,in·tu'i·tion·al** *adj* intui'tiv,

Intuitions... ˌ**in·tuˈi·tion(·al)ˌism** *s philos.* Intuitioˈnismus *m.*

in·tu·i·tive [inˈtjuːitiv] *adj* (*adv* ~ly) intuiˈtiv, Intuitions... **inˈtu·i·tive·ness** *s* unmittelbare Erkenntnisfähigkeit, Intuitiˈon *f.* **inˈtu·i·tivˌism** *s* **1.** *philos.* (ethischer) Intuitioˈnismus. **2.** intuiˈtive Erkenntnis. **3.** Intuitiˈonsgabe *f.*

in·tu·mes·cence [ˌintjuˈmesns] *s* **1.** Anschwellen *n.* **2.** *med.* Intumesˈzenz *f,* Anschwellung *f,* Geschwulst *f.* **3.** *fig.* Schwulst *m.* ˌ**in·tuˈmes·cent** *adj* anschwellend.

in·twine [inˈtwain], **inˈtwist** [-ˈtwist] → **entwine, entwist.**

in·u·lase [ˈinjuˌleis] *s biol. chem.* Inuˈlase *f.*

in·unc·tion [inˈʌŋkʃən] *s* **1.** Salbung *f.* **2.** *med.* a) Einsalbung *f,* b) Einreibung *f.*

in·un·dant [inˈʌndənt] *adj poet.* ˈüberfließend. ˈ**in·unˌdate** [-ˌdeit] *v/t* **1.** überˈschwemmen, -ˈfluten (*a. fig.*). **2.** *Wasserbau:* fluten. ˌ**in·unˈda·tion** *s* Überˈschwemmung *f* (*a. fig.*).

in·ure [inˈjuər] **I** *v/t* **1.** *meist pass* abhärten (to gegen), gewöhnen (to an *acc;* to do zu tun): to be ~d to heat gegen Hitze abgehärtet sein. **II** *v/i* **2.** *bes. jur.* wirksam *od.* gültig werden, in Kraft treten. **3.** dienen, zuˈgute kommen (to *dat*). **4.** angewendet werden. **inˈure·ment** *s* (to) Abhärtung *f* (gegen), Gewöhnung *f* (an *acc*).

in·urn [inˈəːrn] *v/t* **1.** in e-e Urne tun. **2.** bestatten.

in·u·til·i·ty [ˌinjuˈtiliti] *s* **1.** Nutz-, Zwecklosigkeit *f.* **2.** unnütze Sache.

in·vade [inˈveid] **I** *v/t* **1.** einfallen *od.* eindringen in (*acc*). **2.** überˈfallen, angreifen. **3.** sich ausbreiten über (*acc*), erfüllen, ergreifen, befallen: fear ~d all. **4.** eindringen *od.* sich eindrängen in (*acc*). **5.** *fig.* überˈlaufen, -ˈschwemmen: the village was ~d by tourists. **6.** *fig.* ˈübergreifen auf (*acc*), eingreifen in (*acc*), antasten (*acc*), verletzen (*acc*), verstoßen gegen: to ~ s.o.'s rights. **II** *v/i* **7.** einfallen, -dringen (on in *acc*). **inˈvad·er** *s* Eindringling *m.*

in·vag·i·na·tion [inˌvædʒiˈneiʃən] *s* **1.** *biol.* Invaginatiˈon *f,* Einstülpung *f.* **2.** *med.* (ˈDarm)Invaginatiˌon *f.*

in·va·lid[1] [ˈinvəlid; *Br. a.* -ˌliːd] **I** *adj* **1.** kränklich, krank, leidend. **2.** *mil.* dienstunfähig. **3.** Kranken...: ~ chair Rollstuhl *m;* ~ diet Krankenkost *f.* **II** *s* **4.** Kranke(r *m*) *f,* Gebrechliche(r *m*) *f.* **5.** Invaˈlide *m,* Dienst-, Arbeitsunfähige(r *m*) *f.* **III** *v/t* [*a.* ˌinvəˈliːd] **6.** zum Invaˈliden machen, versehren. **7.** *bes. mil.* a) dienstuntauglich erklären, b) als dienstuntauglich entlassen: to be ~ed out of the army als Invalide aus dem Heer entlassen werden.

in·val·id[2] [inˈvælid] *adj* (*adv* ~ly) **1.** (rechts)ungültig, unwirksam, (null u.) nichtig. **2.** nichtig: ~ arguments.

in·val·i·date [inˈvæliˌdeit] *v/t* **1.** außer Kraft setzen: a) (für) ungültig erklären, ˈumstoßen, b) ungültig *od.* ˈhinfällig *od.* unwirksam machen. **2.** *Argumente etc* entkräften. **inˌval·iˈda·tion** *s* **1.** Außerˈkraftsetzung *f,* Ungültigkeitserklärung *f.* **2.** Entkräftung *f.*

in·va·lid·ism [ˈinvəliˌdizəm; *Br. a.* -liːˌd-] *s med.* Invalidiˈtät *f.*

in·va·lid·i·ty[1] [ˌinvəˈliditi] *s* Invalidiˈtät *f,* Arbeits-, Dienstunfähigkeit *f.*

in·va·lid·i·ty[2] [ˌinvəˈliditi] *s bes. jur.* Ungültigkeit *f,* Nichtigkeit *f.*

in·val·u·a·ble [inˈvæljuəbl] *adj* (*adv* invaluably) unschätzbar.

in·var·i·a·bil·i·ty [inˌvɛ(ə)riəˈbiliti] *s* Unveränderlichkeit *f.* **inˈvar·i·a·ble** **I** *adj* (*adv* → invariably) **1.** unveränderlich, konˈstant: a) (stets) gleichbleibend, unwandelbar, b) *math.* invariˈabel. **II** *s* **2.** (*etwas*) Unveränderliches. **3.** *math.* Konˈstante *f,* invariˈable Größe. **inˈvar·i·a·ble·ness** → invariability. **inˈvar·i·a·bly** [-bli] *adv* beständig, unveränderlich, stets.

in·va·sion [inˈveiʒən] *s* **1.** (of) Invasiˈon *f* (*gen*): a) *mil. u. fig.* Einfall *m* (in *acc*), ˈÜberfall *m* (auf *acc*): the ~ of France; an ~ of tourists e-e Fremdeninvasion, b) Eindringen *n,* -bruch *m* (in *acc*): an ~ of cold air (of parasites, *etc*). **2.** *fig.* (of) Eingriff *m* (in *acc*), ˈÜbergriff *m* (auf *acc*), Verletzung *f* (*gen*). **3.** *fig.* Andrang *m* (of zu). **inˈva·sive** [-siv] *adj* **1.** (gewaltsam) eindringend. **2.** *mil.* Invasions..., Angriffs..., angreifend. **3.** (gewaltsam) eingreifend (of in *acc*).

in·vec·tive [inˈvektiv] **I** *s* Schmähung(en *pl*) *f,* Beschimpfung *f,* Ausfall *m, pl* Schimpfworte *pl.* **II** *adj* schmähend, schimpfend (against über *acc*), ausfallend, Schmäh...

in·veigh [inˈvei] *v/i* (against) schimpfen (über *od.* auf *acc*), ˈherziehen (über *acc*).

in·vei·gle [inˈviːgl; -ˈveigl] *v/t* **1.** verlocken, -leiten, -führen (into zu). **2.** locken (into in *acc*), umˈgarnen. **inˈvei·gle·ment** *s* Verlockung *f,* -leitung *f.*

in·vent [inˈvent] **I** *v/t* **1.** erfinden. **2.** ersinnen. **3.** *etwas Unwahres* erfinden, erdichten. **4.** *obs.* (auf)finden. **II** *v/i* **5.** erfinden, Erfindungen machen.

in·ven·tion [inˈvenʃən] *s* **1.** Erfindung *f,* Erfinden *n.* **2.** (Gegenstand *m* der) Erfindung *f.* **3.** Erfindungsgabe *f,* Phantaˈsie *f.* **4.** Erfindung *f,* Erdichtung *f,* Fiktiˈon *f,* Märchen *n:* it is pure ~ es ist reine Erfindung. **5.** *Rhetorik:* Stoffsammlung *f.* **6.** *mus.* Inventiˈon *f.* **7.** I~ of the Cross *relig.* Kreuzauffindung *f.*

in·ven·tive [inˈventiv] *adj* (*adv* ~ly) **1.** erfinderisch (of in *dat*): ~ merit *jur.* erfinderische Leistung, Erfindungshöhe *f.* **2.** schöpferisch, origiˈnell, einfallsreich. **3.** Erfindungs...: ~ faculty → invention 3. **inˈven·tive·ness** → invention 3. **inˈven·tor** [-tər] *s* Erfinder(in).

in·ven·to·ry [*Br.* ˈinvəntri; *Am.* -ˌtɔːri] **I** *s* **1.** Bestandsverzeichnis *n,* Liste *f* der Vermögensgegenstände: ~ of property *jur.* (*bes.* Konkurs)Masseverzeichnis *n.* **2.** *econ.* Invenˈtar *n,* Lager(bestands)verzeichnis *n,* Bestandsliste *f:* to take ~ Inventur *od.* Bestandsaufnahme machen, inventarisieren; taking of an ~ → 4; ~ sheet Inventarverzeichnis *n;* ~ value Inventarwert *m.* **3.** *bes. econ.* Invenˈtar *n,* (Waren-, Lager)Bestand *m.* **4.** *econ. Am.* Invenˈtur *f,* Bestandsaufnahme *f.* **5.** *Atomphysik:* Einsatz *m.* **II** *v/t* **6.** inventariˈsieren: a) ein Invenˈtar *od.* e-e Bestandsaufnahme machen von, b) in e-m Inventar verzeichnen.

In·ver·ness [ˌinvərˈnes] *s* Mantel *m* mit abnehmbarem Cape.

in·ver·se [inˈvəːrs; ˈinvəːrs] **I** *adj* (*adv* ~ly) **1.** ˈumgekehrt, entgegengesetzt. **2.** verkehrt. **3.** *math.* inˈvers, reziˈprok, ˈumgekehrt, entgegengesetzt: ~ function inverse *od.* reziproke Funktion, Umkehrfunktion *f;* ~ly proportional umgekehrt proportional. **4.** *math.* Arkus...: ~ sine Arkussinus *m.* **II** *s* **5.** ˈUmkehrung *f,* Gegenteil *n.* **6.** *math.* Inˈverse *f,* (*das*) Reziˈproke. ~ **cur·rent** *s electr.* Gegenstrom *m.* ~ **feed·back** *s electr.* negative Rückkopplung. ~ **hy·per·bol·ic** *adj math.* inˈvers hyperˈbolisch: ~ function inverse Hyperbelfunktion.

in·ver·sion [inˈvəːrʃən; -ʒən] *s* **1.** ˈUmkehrung *f* (*a.* mus.). **2.** *ling.* Inversiˈon *f* (*Umkehrung der normalen Satzstellung*). **3.** *chem. math.* Inversiˈon *f.* **4.** *med.* ˈUmstülpung *f.* **5.** *psych.* a) Inversiˈon *f* (*Umkehrung e-r Triebrichtung etc*), b) ˌHomosexualiˈtät *f.* **6.** *meteor.* Inversiˈon *f,* Temperaˈturˌumkehr *f.*

in·vert **I** *v/t* [inˈvəːrt] **1.** ˈumkehren (*a. mus.*). **2.** ˈumwenden (*a. electr.*), ˈumstülpen. **3.** *ling. den Satz etc* ˈumstellen. **4.** *chem.* inverˈtieren, e-r Inversiˈon unterˈziehen. **II** *s* [ˈinvəːrt] **5.** (*etwas*) ˈUmgekehrtes, *z. B. arch.* ˈumgekehrter Bogen. **6.** *psych.* a) Homosexuˈelle(r) *m,* b) Lesbierin *f.* **7.** *tech.* Sohle *f* (*e-r Schleuse etc*).

in·vert·ase [inˈvəːrteis] *s biol. chem.* Inverˈtase *f.*

in·ver·te·brate [inˈvəːrtəbrit; -ˌbreit] **I** *adj* **1.** *zo.* wirbellos. **2.** *fig.* ohne Rückgrat, rückgratlos. **II** *s* **3.** *zo.* wirbelloses Tier. **4.** *fig.* Mensch *m* ‚ohne Rückgrat', haltloser Mensch.

in·vert·ed [inˈvəːrtid] *adj* **1.** ˈumgekehrt (*a. ling.*). **2.** *geol.* überˈkippt. **3.** *psych.* inverˈtiert, perverˈtiert, homosexuˈell. **4.** *tech.* hängend: ~ cylinders; ~ engine Hängemotor *m.* ~ **com·mas** *s pl* Anführungszeichen *pl.* ~ **flight** *s aer.* Rückenflug *m.* ~ **im·age** *s phys.* Kehrbild *n.* ~ **loop** *s aer.* Looping *m, n* aus der Rückenlage. ~ **mor·dent** *s mus.* Pralltriller *m.*

in·vert·er [inˈvəːrtər] *s electr.* a) Wechselrichter *m,* b) (Freˈquenz)Inˌverter *m.* **inˈvert·i·ble** *adj* **1.** ˈumkehrbar (*a. mus.*). **2.** *chem. math.* inverˈtierbar.

in·vert| **soap** *s chem.* Inˈvertseife *f,* katiˈonenakˌtive Seife. ~ **sug·ar** *s chem.* Inˈvertzucker *m.*

in·vest [inˈvest] **I** *v/t* **1.** *econ. Kapital* inveˈstieren, anlegen (in in *dat*). **2.** bekleiden (with, in mit) (*a. fig.*). **3.** umˈhüllen, umˈgeben. **4.** schmücken (*a. fig.*). **5.** *fig.* (ein)kleiden (with in *acc*). **6.** *mil.* belagern, einschließen. **7.** *fig.* ausstatten (with mit *Befugnissen etc*). **8.** mit den Zeichen der Amtswürde bekleiden. **9.** (in Amt u. Würden) einsetzen. **II** *v/i* **10.** *econ.* inveˈstieren, Kapiˈtal anlegen (in in *dat*). **11.** *colloq.* ‚sein Geld inveˈstieren' (in in *dat*).

in·ves·ti·gate [inˈvestiˌgeit] **I** *v/t* unterˈsuchen. **II** *v/i* (into) Unterˈsuchungen *od.* Ermittlungen anstellen (über *acc*), nachforschen (nach), erforschen (*acc*). **inˌves·tiˈga·tion** *s* **1.** Unterˈsuchung *f* (of *od.* into s.th. e-r Sache), Nachforschung *f, pl a.* Ermittlungen *pl,* Erhebungen *pl.* **2.** (*wissenschaftliche*) (Er)Forschung. **inˈves·tiˌga·tive** *adj* erforschend, Untersuchungs... **inˈves·tiˌga·tor** [-tər] *s* **1.** Unterˈsuchende(r *m*) *f,* (Er-, Nach)Forscher(in). **2.** Unterˈsuchungs-, Ermittlungsbeamte(r) *m.* **3.** Prüfer(in). **inˈves·ti·ga·to·ry** → investigative.

in·ves·ti·ture [inˈvestitʃər] *s* **1.** Invesˈtiˈtur *f,* (feierliche) Amtseinsetzung. **2.** Belehnung *f.* **3.** Ausstattung *f.*

in·vest·ment [inˈvestmənt] *s* **1.** *econ.* Inveˈstierung *f,* Anlage *f:* terms of ~ Anlagebedingungen. **2.** *econ.* a) Investiˈtiˈon *f,* (Kapiˈtals)Anlage *f,* b) ˈAnlagekapiˌtal *n, pl* Anlagewerte *pl,* Investitionen *pl.* **3.** *econ.* Einlage *f,* Beteiligung *f* (*e-s Gesellschafters*). **4.** Bekleidung *f,* Umˈhüllung *f.* **5.** *biol.* (Außen-, Schutz)Haut *f.* **6.** Ausstattung *f* (with mit). **7.** *mil.* Belagerung *f*, Einschließung *f*, Bloc'kade *f*. ~ **account** *s econ.* Anlagekonto *n*. ~ **bank** *s* Investiti'onsbank *f*, (Ef'fekten)Emissiˌonshaus *n*. ~ **bonds** *s pl* festverzinsliche 'Anlagepaˌpiere *pl*. ~ **com·pan·y** → **investment trust.** ~ **cred·it** *s* Investiti'onskreˌdit *m*, langfristiger 'Anlagekreˌdit. ~ **fail·ure** *s* 'Fehlinvestitiˌon *f*. ~ **mar·ket** *s* Markt *m* für Anlagewerte. ~ **se·cu·ri·ties** *s pl* 'Anlagepaˌpiere *pl*, -werte *pl*. ~ **stocks** *s pl* Anlageaktien *pl*. ~ **trust** *s* Kapi'talanlage-, In'vestmentgesellschaft *f*: ~ **certificate** Investmentzertifikat *n*.

in·ves·tor [in'vestər] *s econ.* Geld-, Kapi'talanleger *m*, In'vestor *m*.

in·vet·er·a·cy [in'vetərəsi] *s* **1.** Unausrottbarkeit *f*. **2.** *med.* Hartnäckigkeit *f*. **in'vet·er·ate** [-rit] *adj* (*adv* ~**ly**) **1.** eingewurzelt, unausrottbar. **2.** *med.* hartnäckig, chronisch. **3.** eingefleischt, unverbesserlich.

in·vid·i·ous [in'vidiəs] *adj* (*adv* ~**ly**) **1.** Ärgernis *od.* Neid erregend, verhaßt. **2.** gehässig, boshaft, gemein. **in'vid·i·ous·ness** *s* **1.** (*das*) Ärgerliche. **2.** Gehässigkeit *f*.

in·vig·i·late [in'vidʒiˌleit] *v/i* **1.** *ped. Br.* (*bei Prüfungen*) die Aufsicht führen. **2.** *obs.* wachen. **inˌvig·i'la·tion** *s ped. Br.* Aufsicht *f*.

in·vig·or·ant [in'vigərənt] *s med.* Kräftigungsmittel *n*. **in'vig·orˌate** [-ˌreit] *v/t* stärken, kräftigen, beleben. **inˌvig·or'a·tion** *s* Kräftigung *f*, Belebung *f*. **in'vig·orˌa·tive** *adj* stärkend, kräftigend, belebend.

in·vin·ci·bil·i·ty [inˌvinsi'biliti] *s* **1.** Unbesiegbarkeit *f*. **2.** 'Unüberˌwindlichkeit *f*. **in'vin·ci·ble** *adj* (*adv* **invincibly**) **1.** unbesiegbar. **2.** 'unüberˌwindlich: ~ **difficulties.**

in·vi·o·la·bil·i·ty [inˌvaiələ'biliti] *s* Unverletzlichkeit *f*, Unantastbarkeit *f*. **in'vi·o·la·ble** *adj* unverletzlich, unantastbar, heilig.

in·vi·o·la·cy [in'vaiələsi] *s* **1.** Unversehrtheit *f*. **2.** Unberührtheit *f*. **in'vi·o·late** [-lit; -ˌleit] *adj* (*adv* ~**ly**) **1.** unverletzt, nicht verletzt *od.* gebrochen (*Gesetz etc*). **2.** nicht entweiht, unberührt. **3.** unversehrt.

in·vis·i·bil·i·ty [inˌvizə'biliti] *s* Unsichtbarkeit *f*. **in'vis·i·ble I** *adj* (*adv* **invisibly**) **1.** *a. fig.* unsichtbar (to für): ~ **ink**; **he was** ~ er war nicht zu sehen, er ließ sich nicht sehen; ~ **exports** *econ.* unsichtbare Exporte (*passive Dienstleistungen*); **the I**~ **Empire** der Ku-Klux-Klan. **II** *s* **2. the** ~ das Unsichtbare, die nicht sichtbare Welt. **3. the I**~ der Unsichtbare, Gott *m*. **in'vis·i·ble·ness** → **invisibility.**

in·vi·ta·tion [ˌinvi'teiʃən] *s* **1.** Einladung *f* (to s.o. an j-n; **to dinner** zum Essen): **at the** ~ **of** auf Einladung von (*od. gen*); ~ **card** Einladungskarte *f*; ~ **performance** Privatvorstellung *f*. **2.** Aufforderung *f*. **3.** Verlockung *f*, (*etwas*) Verlockendes. **4.** *a.* ~ **for tenders,** ~ **to bid** *econ.* Ausschreibung *f*.

in·vi·ta·to·ry [in'vaitətəri] *adj* einladend, Einladungs...

in·vite [in'vait] **I** *v/t* **1.** einladen (to zu): **to** ~ **s.o. in** j-n hereinbitten. **2.** (höflich *od.* freundlich) auffordern, bitten (to do zu tun). **3.** höflich bitten *od.* ersuchen um. **4.** *Fragen* erbitten. **5.** *Kritik, Gefahr etc* her'ausfordern, her'vorrufen, sich aussetzen (*dat*). **6.** auffordern zu (*etwas*). **7.** *econ.* ausschreiben: **to** ~ **applications for a post** e-e Stelle ausschreiben; **to** ~ **subscription for shares** Aktien zur Zeichnung auflegen. **8.** a) (ein)laden zu, ermutigen zu, b) (ver)locken (to do zu tun). **II** *v/i* **9.** einladen. **III** *s* ['invait] **10.** *colloq.* Einladung *f*. **in'vit·ing** *adj* (*adv* ~**ly**) einladend, (ver)lockend, anziehend. **in'vit·ing·ness** *s* (*das*) Verlockende.

in·vo·ca·tion [ˌinvo'keiʃən] *s* **1.** Anrufung *f*. **2.** *relig.* Invokati'on *f*, Bittgebet *n*. **3.** Anrufung *f* der Muse *od.* der Götter. **4.** a) Beschwörung *f*, b) Beschwörungsformel *f*. **5.** *jur.* (*bes.* gerichtliche) Anforderung (*von Akten etc*). **in·voc·a·to·ry** [in'vɒkətəri] *adj* anrufend, anflehend: ~ **prayer** Bittgebet *n*.

in·voice ['invɔis] *econ.* **I** *s* Fak'tura *f*, (Begleit-, Waren)Rechnung *f*: **as per** ~ laut Faktura; **consular** ~ Konsulatsfaktura; ~ **amount** Rechnungsbetrag *m*; ~ **clerk** Fakturist(in). **II** *v/t* faktu'rieren, in Rechnung stellen: **as** ~**d** laut Faktura.

in·voke [in'vouk] *v/t* **1.** flehen um, her'ab-, erflehen. **2.** *Gott etc* anrufen, flehen zu. **3.** *fig.* anflehen, appel'lieren an (*acc*). **4.** *fig.* (*als Autorität*) zu Hilfe rufen, (*zur Bestätigung*) anführen *od.* zi'tieren *od.* her'anziehen, sich berufen auf (*acc*). **5.** *e-n Geist* beschwören, zi'tieren.

in·vo·lu·cre ['invəˌluːkər], *a.* ˌ**in·vo'lu·crum** [-krəm] *pl* **-cra** [-krə] *s* **1.** *bot.* Invo'lucrum *n*, Hüll-, Außenkelch *m*. **2.** *anat.* Hülle *f*.

in·vol·un·tar·i·ness [in'vɒləntərinis] *s* **1.** Unfreiwilligkeit *f*. **2.** Unwillkürlichkeit *f*. **in'vol·un·tar·y** *adj* (*adv* **involuntarily**) **1.** unfreiwillig: ~ **bankrupt** Zwangsgemeinschuldner *m*. **2.** unabsichtlich: ~ **manslaughter** *jur.* fahrlässige Tötung. **3.** unwillkürlich: ~ **laughter**; ~ **nervous system** *physiol.* vegetatives Nervensystem.

in·vo·lute ['invəˌluːt; -ˌljuːt] **I** *adj* **1.** *fig.* verwickelt. **2.** *bot.* eingerollt (*Blatt*). **3.** *zo.* mit engen Windungen (*Muschel*). **II** *s* **4.** *math.* Evol'vente *f*, Invo'lute *f*, Abwick(e)lungskurve *f*: ~ **gear** *tech.* Evolventenrad *n*; ~ **gear tooth** *tech.* Kammzahn *m*.

in·vo·lu·tion [ˌinvə'luːʃən; -'ljuː-] *s* **1.** *fig.* Verwick(e)lung *f*, -wirrung *f*. **2.** *fig.* tieferer Sinn. **3.** *bot.* Einrollung *f* (*Blatt*). **4.** *biol.* Involuti'on *f*, Rückbildung *f*, Einschrumpfung *f*: **senile** ~ Altersrückbildung. **5.** *ling.* Einschiebung *f* (*e-s Satzteils etc*). **6.** *math.* Involuti'on *f*, Poten'zierung *f*.

in·volve [in'vɒlv] *v/t* **1.** *obs.* einwickeln, -hüllen (in in *acc*). **2.** in sich schließen, einschließen, (mit) enthalten, um'fassen. **3.** nach sich ziehen, zur Folge haben, mit sich bringen, bedeuten, verbunden sein mit: **to** ~ **great expense.** **4.** nötig machen, erfordern: **to** ~ **hard work**; **to** ~ **hospitalization.** **5.** betreffen: a) angehen: **the scheme** ~**s all employees,** b) beteiligen (in, with an *dat*): **the number of persons** ~**d**, c) zum Gegenstand haben: **the case** ~**d some grave offences,** d) in Mitleidenschaft ziehen: **diseases that** ~ **the nervous system.** **6.** verwickeln, -stricken, hin'einziehen (in in *acc*): ~**d in a lawsuit** in e-n Rechtsstreit verwickelt. **7.** *j-n* (*seelisch, persönlich*) enga'gieren (in in *dat*): **to** ~ **o.s. with s.o.** sich mit j-m einlassen; **to feel personally** ~**d** sich persönlich beteiligt fühlen. **8.** verknüpfen (in, with mit). **9.** in Schwierigkeiten bringen (with mit). **10.** etwas kompli'zieren, verwirren. **11.** *math.* poten'zieren. **in'volved** *adj* **1.** spi'ralig, gewunden. **2.** a) kompli'ziert, b) verworren: **an** ~ **sentence.** **3.** einbegriffen. **4.** betroffen: **the persons** ~. **5. to be** ~ a) auf dem Spiele stehen, gehen um: **the national prestige was** ~, b) in Frage kommen. **6.** (in, with) a) stark beschäftigt (mit), versunken (in *acc*), b) interes'siert, beteiligt (an *dat*). **in'volve·ment** *s* **1.** Verwick(e)lung *f*. **2.** Beteiligung *f*. **3.** Betroffensein *n*. **4.** Verworrenheit *f*, Kompli'ziertheit *f*. **5.** verwickelte Sache, Schwierigkeit *f*. **6.** (Geld)Verlegenheit *f*.

in·vul·ner·a·bil·i·ty [inˌvʌlnərə'biliti; 'invʌl-] *s* **1.** Unverwundbarkeit *f*. **2.** *fig.* Unanfechtbarkeit *f*. **in'vul·ner·a·ble** *adj* (*adv* **invulnerably**) **1.** unverwundbar (*a. fig.*), gefeit (to gegen). **2.** *fig.* unanfechtbar, hieb- u. stichfest.

in·ward ['inwərd] **I** *adv* **1.** einwärts, nach innen. **2.** im Inner(e)n. **II** *adj* **3.** inner(er, e, es), innerlich, Innen...: ~ **convulsions** innere Krämpfe. **4.** *fig.* inner(lich), seelisch, geistig. **5.** *fig.* inner(er, e, es), eigentlich: **the** ~ **meaning** die eigentliche Bedeutung. **6.** *econ.* in die Heimat gehend: ~ **bound** auf der Heimfahrt (befindlich); ~ **duty** *Br.* Eingangszoll *m*; ~ **mail** eingehende Post; ~ **trade** *Br.* Einfuhrhandel *m*. **III** *s* **7.** (*das*) Innere (*a. fig.*). **8.** ['inərdz] *pl colloq.* Eingeweide *pl*. **'in·ward·ly** *adv* **1.** innerlich, im Innern (*a. fig.*). **2.** *fig.* im stillen, insgeheim: **to laugh** ~. **3.** leise, gedämpft, für sich. **4.** → **inward** 1. **'in·ward·ness** *s* **1.** Innerlichkeit *f*. **2.** innere Na'tur, (innere *od.* wahre) Bedeutung, Tiefe *f*. **'in·wards** [-wərdz] → **inward** I.

in·weave [in'wiːv] *v/t irr* **1.** einweben (into, in in *acc*). **2.** *a. fig.* einflechten (into, in in *acc*), verflechten (with mit).

in·wrap [in'ræp] → **enwrap.**

in·wrought [in'rɔːt; 'in-] *adj* **1.** (ein)gewirkt, eingewoben, (hin)'eingearbeitet (in, into in *acc*). **2.** verziert (with mit). **3.** *fig.* (eng) verflochten.

i·o·date ['aiəˌdeit] *s chem.* Jo'dat *n*, jodsaures Salz.

i·od·ic [ai'ɒdik] *adj chem.* jodhaltig, Jod(o)...: ~ **acid** Jodsäure *f*.

i·o·dide ['aiəˌdaid; -did] *s chem.* Jo'did *n*: ~ **of nitrogen** Jodstickstoff *m*; ~ **of potassium** Kaliumjodid *n*.

i·o·dine ['aiədain; -din; -ˌdiːn] *s chem.* Jod *n*: **tincture of** ~ Jodtinktur *f*. **'i·oˌdism** *s med.* Jodvergiftung *f*. **'i·oˌdize** *v/t med. phot.* mit Jod behandeln, jo'dieren.

i·o·do·form [ai'oudoˌfɔːrm; 'aiəd-] *s pharm.* Jodo'form *n*. **i·o·dol** ['aiəˌdoul; -ˌdɒl] *s chem.* Jo'dol *n*. [jodig: ~ **acid.**]

i·o·dous [ai'oudəs; ai'ɒdəs] *adj chem.*

i·on ['aiən; 'aiɒn] *s phys.* I'on *n*. ~ **ac·cel·er·a·tor** *s phys.* I'onenbeschleuniger *m*.

I·o·ni·an [ai'ouniən] **I** *adj* i'onisch. **II** *s* I'onier(in).

I·on·ic[1] [ai'ɒnik] **I** *adj* **1.** *bes. arch.* i'onisch: ~ **order** ionische Säulenanordnung; ~ **school** ionische Philosophenschule. **II** *s* **2.** i'onischer Dia'lekt. **3.** i'onischer Versfuß, I'onikus *m*. **4.** *print.* Egypti'enne *f*.

i·on·ic[2] [ai'ɒnik] *adj phys.* i'onisch, Ionen...

i·on·ic at·mos·phere *s phys.* I'onenwolke *f*. ~ **cen·tri·fuge** *s phys.* I'onenschleuder *f*. ~ **cur·rent** *s phys.* Ionisati'ons-, Elek'tronenstrom *m*. ~ **mi·gra·tion** *s phys.* I'onenwanderung *f*. ~ **valve** *s phys.* I'onen-, Elek'tronenröhre *f*.

i·o·ni·um [ai'ouniəm] *s chem.* I'onium *n*.

i·on·i·za·tion [ˌaiənai'zeiʃən; -ni'z-] *s*

phys. Ioni'sierung *f*, Ionisati'on *f*: ~ chamber Ionisationskammer *f*; ~ by collision Stoßionisation *f*; ~ ga(u)ge Ionisationsmanometer *n*. **'i·on,ize** *phys.* **I** *v/t* ioni'sieren. **II** *v/i* in I'onen zerfallen. **'i·on,iz·er** *s phys.* Ioni'sator *m*.

i·on jet *s* I'onenstrahlantrieb *m*.

i·o·nom·e·ter [,aiə'nɒmitər] *s* **1.** *phys.* I'ono,meter *n*. **2.** *med.* Ionisati'onsdosi,meter *n*.

i·on·o·sphere [ai'ɒnə,sfir] *s phys.* Iono'sphäre *f* (*zwischen 50 u. 500 km Höhe*).

i·o·no·ther·a·py [,aiəno'θerəpi] *s med.* Ionto-, Elektropho'rese *f*.

i·o·ta [ai'outə] *s* I'ota *n*: a) *ling. griechischer Buchstabe*, b) *fig.* Tüttelchen *n*: not an ~ kein Jota, kein bißchen.

I O U ['ai,ou'juː] *s* Schuldschein *m* (= I owe you).

I·o·wan ['aiəwən] **I** *s* Io'waner(in), Einwohner(in) von Iowa (*USA*). **II** *adj* Iowa..., von Iowa.

ip·e·cac ['ipi,kæk], **,ip·e,cac·u'an·ha** [-kju'ænə] *s bot.* Brechwurz(el) *f*.

ip·so| fac·to ['ipsou 'fæktou] (*Lat.*) *adv* al'lein *od.* gerade durch diese Tatsache, eo ipso. ~ **ju·re** ['dʒu(ə)riː] (*Lat.*) *adv* von Rechts wegen.

I·ra·ni·an [ai(ə)'reiniən; -njən; i'r-] **I** *adj* **1.** i'ranisch, persisch. **II** *s* **2.** I'ranier(in), Perser(in). **3.** *ling.* a) I'ranisch *n*, das Iranische (*Untergruppe der indo-europäischen Sprachenfamilie*), b) Persisch *n*, das Persische.

I·ra·qi [i'rɑːki; iː'r-] **I** *s* **1.** I'raker(in). **2.** *ling.* I'rakisch *n*, das Irakische. **II** *adj* **3.** i'rakisch, Irak... **I'ra·qi·an** → Iraqi II.

i·ras·ci·bil·i·ty [i,ræsi'biliti; ai,r-] *s* Jähzorn *m*, Reizbarkeit *f*. **i'ras·ci·ble** *adj* (*adv* **irascibly**) jähzornig, reizbar.

i·rate [ai'reit; 'ai(ə)reit] *adj* zornig, wütend, gereizt.

ire [air] *s poet.* Zorn *m*, Wut *f*. **'ire·ful** [-fəl; -ful] *adj poet.* zornig.

i·ren·ic [ai'renik; -'riː-], *a.* **i'ren·i·cal** [-kəl] *adj relig.* friedlich, vermittelnd. **i'ren·ics** *s pl* (*als sg konstruiert*) *relig.* I'renik *f*, i'renische Theolo'gie.

ir·i·des·cence [,iri'desns] *s* Schillern *n*, Iri(di)'sieren *n*. **,ir·i'des·cent** *adj* (*in den Regenbogenfarben*) schillernd, iri'sierend: ~ colo(u)r Schillerfarbe *f*.

i·rid·i·um [ai'ridiəm; i'r-] *s chem.* I'ridium *n*.

ir·i·dous ['iridəs; 'ai(ə)r-] *adj chem.* Iridium...

i·ris ['ai(ə)ris] *pl* **'i·ris·es** [-risiz] *s* **1.** *phys.* Regenbogenglanz *m*, -farben *pl*. **2.** *anat.* Iris *f*, Regenbogenhaut *f*. **3.** *bot.* Schwertlilie *f*. **4.** *min.* Regenbogenquarz *m*. ~ **di·a·phragm** *s med. phot. phys.* Irisblende *f*.

I·rish ['ai(ə)riʃ] **I** *s* **1.** the ~ *pl* die Iren *pl*, die Irländer *pl*. **2.** *ling.* Irisch *n*, das Irische: ~ (English) (Anglo-)Irisch *n*. **II** *adj* **3.** irisch, irländisch: the ~ Free State der Irische Freistaat; ~ bull → bull³. **'I·rish,ism** *s* irische (Sprach)Eigentümlichkeit.

I·rish|·man ['ai(ə)riʃmən] *s irr* Ire *m*, Irländer *m*. ~ **Pale** *s hist. östlicher Teil Irlands, der unter englischer Gerichtsbarkeit stand.* ~ **po·ta·to** *pl* **-toes** *s* (weiße) Kar'toffel.

I·rish·ry ['ai(ə)riʃri] *s* (*das*) Irentum, (*die*) Iren *pl*.

I·rish| set·ter *s* Irischer Setter (*Jagdhund*). ~ **stew** *s* Irish-Stew *n*, Eintopfgericht *n* (*gedämpftes Hammelfleisch mit Kartoffeln, Zwiebeln etc*). ~ **ter·ri·er** *s* Irischer Terrier. **'~,wom·an** *s irr* Irin *f*, Irländerin *f*.

i·ri·tis [ai'raitis] *s med.* I'ritis *f*, Regenbogenhautentzündung *f*.

irk [əːrk] *v/t* ermüden, ärgern, verdrießen, langweilen: it ~s me es ärgert *od.* stört mich (that daß).

irk·some ['əːrksəm] *adj* (*adv* ~**ly**) **1.** ärgerlich, verdrießlich, lästig. **2.** beschwerlich, ermüdend, langweilig. **'irk·some·ness** *s* Ärgerlichkeit *f*, Verdrießlichkeit *f*.

i·ron ['aiərn] **I** *s* **1.** Eisen *n*: bulb ~ Wulsteisen; to have (too) many ~s in the fire (zu) viele Eisen im Feuer haben; to rule with a rod of ~ mit eiserner Hand regieren; to strike while the ~ is hot das Eisen schmieden, solange es heiß ist; a man of ~ ein unnachgiebiger *od.* harter Mann; he is made of ~ er hat e-e eiserne Gesundheit; a heart of ~ ein Herz von Stein; a will of ~ ein eiserner Wille; in(to) ~s *mar.* im Wind, nicht wendefähig. **2.** *Gegenstand aus Eisen, z. B.* a) Brandeisen *n*, -stempel *m*, b) (Bügel)Eisen *n*, c) Har'pune *f*, d) Steigbügel *m*. **3.** Eisen *n* (*Schneide e-s Werkzeugs*). **4.** *Golf*: Eisen *n* (*Golfschläger mit eisernem Kopf*). **5.** *a.* shooting ~ *sl.* ‚Schießeisen' *n* (*Pistole etc*). **6.** *med.* 'Eisen(präpa,rat) *n*: to take ~ Eisen einnehmen. **7.** *pl* Hand-, Fußschellen *pl*, Eisen *pl*: to put in ~s → 17; the ~ entered into his soul *Bibl.* Pein u. Trübsal beschlichen s-e Seele. **8.** *pl med.* Beinschiene *f* (*Stützapparat*): to put s.o.'s leg in ~s j-m das Bein schienen. **9.** Eisengrau *n*.

II *adj* **10.** eisern, Eisen..., aus Eisen: an ~ bar. **11.** eisenfarben. **12.** *fig.* eisern: a) hart, ro'bust: an ~ constitution e-e eiserne Gesundheit, b) unerbittlich, grausam, hart, c) ehern, unbeugsam, unerschütterlich: the I~ Chancellor der Eiserne Kanzler (*Bismarck*); the I~ Duke der Eiserne Herzog (*Wellington*); ~ discipline eiserne Disziplin; an ~ will ein eiserner Wille. **13.** *Archäologie*: Eisenzeit...

III *v/t* **14.** bügeln, plätten. **15.** ~ out a) glätten, glattwalzen, b) *meist fig.* *Mängel, Meinungsverschiedenheiten etc* ‚ausbügeln', in Ordnung bringen, *Schwierigkeiten* beseitigen. **16.** mit Eisen beschlagen. **17.** *j-n* in Eisen legen.

IV *v/i* **18.** bügeln.

I·ron Age *s hist.* Eisenzeit *f*.

'i·ron|,bark (tree) *s bot.* (*ein*) Eisenrinden-, Euka'lyptusbaum *m*. **'~,bound** *adj* **1.** in Eisen gefaßt, eisenbeschlagen. **2.** *fig.* zerklüftet, felsig: an ~ coast. **3.** *fig.* eisern, hart, starr. ~ **cast·ing** *s tech.* Eisenguß(stück *n*) *m*. ~ **ce·ment** *s tech.* Eisenkitt *m*. **'~,clad** **I** *adj* **1.** gepanzert (*Schiff*), eisenverkleidet, -bewehrt, gußgekapselt (*Elektromotor etc*). **2.** *fig. bes. Am.* eisern, ehern, starr, streng: an ~ rule. **II** *s* **3.** *mar. hist.* Panzerschiff *n*. ~ **con·crete** *s tech.* 'Eisenbe,ton *m*. ~ **core** *s tech.* Eisenkern *m*. **I~ Cross** *s mil.* Eisernes Kreuz. ~ **cur·tain** *s pol.* ‚eiserner Vorhang'. ~ **dross** *s tech.* Hochofenschlacke *f*.

i·ron·er ['aiərnər] *s* Bügler(in), Plätter(in).

i·ron| found·ry *s tech.* ,Eisengieße'rei *f*. ~ **gird·er** *s tech.* (genieteter) Eisenträger. ~ **glance** → hematite. ~ **grass** *s bot.* **1.** Frühlings-Segge *f*. **2.** Vogelknöterich *m*. **'~-'gray,** *bes. Br.* **'~-'grey** *adj* eisengrau. **'~'hand·ed** *adj* mit eiserner Hand, streng, unerbittlich. ~ **horse** *s colloq.* **1.** ‚Dampfroß' *n* (*Lokomotive*). **2.** ‚Stahlroß' *n* (*Fahrrad*).

i·ron·i·cal [ai'rɒnikəl], *a.* **i'ron·ic** *adj* i'ronisch, spöttisch. **i'ron·i·cal·ly** *adv* **1.** i'ronisch. **2.** i'ronischerweise. **i'ron·i·cal·ness** *s* Iro'nie *f*.

i·ron·ing board ['aiərniŋ] *s* Bügel-, Plättbrett *n*.

i·ron| lung *s med.* eiserne Lunge. ~ **man** *s irr Am. sl.* **1.** Dollar *m*. **2.** *sport* ausdauernder Spieler. **3.** Roboter *m*. **4.** → ironmaster. **5.** → ironworker. **'~,mas·ter** *s bes. Br.* Eisenhüttenbesitzer *m*, 'Eisenfabri,kant *m*. ~ **mike** *s aer. mar. sl.* auto'matische (Kurs)Steuerung. ~ **mold,** *bes. Br.* ~ **mould** *s* Eisen-, Rostfleck *m*, alter Tintenfleck. **'~,mon·ger** *s bes. Br.* Eisenwaren-, Me'tallwarenhändler(in). **'~,mon·ger·y** *s bes. Br.* **1.** Eisen-, Me'tallwaren *pl*. **2.** Eisen(waren)-, Me'tallwarenhandlung *f*. ~ **ore** *s min.* Eisenerz *n*. ~ **py·ri·tes** *s* **1.** Eisen-, Schwefelkies *m*, Py'rit *m*. **2.** Pyrrho'tin *n*, Ma'gnetkies *m*. ~ **ra·tion** *s mil.* eiserne Rati'on. ~ **scale** *s chem. tech.* (Eisen)Hammerschlag *m*. ~ **scrap** *s tech.* Eisenschrott *m*. **'~,side** *s* **1.** Mann *m* von großer per'sönlicher Tapferkeit. **2.** I~s *pl* (*als sg konstruiert*) *hist. Beiname von* a) Oliver Cromwell, b) Edmund II. von England. **3.** I~s *pl hist.* Cromwells Reite'rei. **4.** *pl* (*als sg konstruiert*) → ironclad 3. **'~,stone** *s min.* Eisenstein *m*: ~ china Hartsteingut *n*. ~ **sul·phate** *s chem.* 'Eisenvitri,ol *n*, 'Ferrosul,fat *n*. ~ **sul·phide** *s chem.* 'Eisensul,fid *n*. **'~,ware** *s* Eisen-, Me'tallwaren *pl*. **'~,wood** *s* **1.** *bot.* Eisenbaum *m*. **2.** Eisenholz *n*. **'~,work** *s tech.* **1.** 'Eisenarbeit *f*, -beschlag *m*, -konstrukti,on *f*: ornamental ~ Eisenverzierung *f*. **2.** *pl* (*oft als sg konstruiert*) Eisenhütte *f*, -werk *n*. **'~,work·er** *s tech.* **1.** Eisen-, Hüttenarbeiter *m*. **2.** ('Stahlbau)Mon,teur *m*.

i·ron·y¹ ['aiərni] *adj* **1.** eisern. **2.** eisenhaltig (*Erde*). **3.** eisenartig.

i·ro·ny² ['ai(ə)rəni] *s* **1.** Iro'nie *f*: the ~ of fate die Ironie des Schicksals; tragic ~ *thea.* tragische Ironie. **2.** i'ronische Bemerkung, Spötte'lei *f*.

Ir·o·quoi·an [,irə'kwɔiən] *adj* iro'kesisch. **Ir·o·quois** ['irə,kwɔi; -z] **I** *s* a) Iro'kese *m*, Iro'kesin *f*, b) *pl* Iro'kesen *pl*. **II** *adj* iro'kesisch.

ir·ra·di·ance [i'reidiəns], *a.* **ir'ra·di·an·cy** [-si] *s* **1.** (An-, Aus-, Be)Strahlen *n*. **2.** Strahlenglanz *m*. **ir'ra·di·ant** *adj* *a. fig.* strahlend (with vor *dat*).

ir·ra·di·ate [i'reidi,eit] *v/t* **1.** bestrahlen (*a. med.*), erleuchten, anstrahlen. **2.** *Licht etc* ausstrahlen, -gießen, verbreiten. **3.** *fig. Gesicht etc* aufheitern, verklären. **4.** *fig.* a) *j-n* erleuchten, aufklären, b) *etwas* erhellen, Licht werfen auf (*acc*).

ir·ra·di·a·tion [i,reidi'eiʃən] *s* **1.** (Aus)Strahlen *n*, Leuchten *n*. **2.** Lichthofbildung *f*. **3.** *fig.* Erleuchtung *f*, Aufklärung *f*. **4.** *phys.* a) 'Strahlungsintensi,tät *f*, b) spe'zifische 'Strahlungsener,gie, c) Größererscheinen *n*. **5.** Irradiati'on *f*: a) *phot.* Belichtung *f*, b) *med.* Bestrahlung *f*, Durch'leuchtung *f*, c) *med.* (Schmerz)Ausstrahlung *f*.

ir·ra·tion·al [i'ræʃənl] **I** *adj* (*adv* ~**ly**) **1.** unvernünftig: a) vernunftlos: ~ animals, b) vernunftwidrig, unlogisch, unsinnig. **2.** *math. philos.* irratio'nal. **3.** *metr.* unregelmäßig. **II** *s* **4.** *math.* Irratio'nalzahl *f*. **ir'ra·tion·al,ism** *s* **1.** *philos.* Irrationa'lismus *m*. **2.** → irrationality. **ir,ra·tion'al·i·ty** [-'næliti] *s* **1.** Vernunftlosigkeit *f*. **2.** Vernunftwidrigkeit *f*, Unvernunft *f*, Unvernünftigkeit *f*. **3.** *math. philos.* ,Irrationali'tät *f*.

ir·re·al·i·ty [,iri'æliti] *s* Irreali'tät *f*, Unwirklichkeit *f*.

ir·re·but·ta·ble [,iri'bʌtəbl] *adj* 'unwider'legbar: ~ **presumption** *jur.* unwiderlegbare Rechtsvermutung.

ir·re·claim·a·ble [ˌiri'kleiməbl] *adj* (*adv* **irreclaimably**) **1.** unverbesserlich, ‚hoffnungslos'. **2.** *agr.* nicht kul'turfähig, unbebaubar. **3.** 'unwiederˌbringlich.

ir·rec·og·niz·a·ble [i'rekəgˌnaizəbl] *adj* (*adv* **irrecognizably**) nicht 'wiederzuerˌkennen(d), nicht ('wieder)erˌkennbar.

ir·rec·on·cil·a·bil·i·ty [iˌrekənˌsailə'biliti] *s* **1.** Unvereinbarkeit *f* (to, with mit). **2.** Unversöhnlichkeit *f.* **ir'rec·onˌcil·a·ble I** *adj* (*adv* **irreconcilably**) **1.** unvereinbar (to, with mit). **2.** unversöhnlich: ~ **enemies. II** *s* **3.** unversöhnlicher (*politischer*) Gegner.

ir·re·cov·er·a·ble [ˌiri'kʌvərəbl] *adj* (*adv* **irrecoverably**) **1.** *a. econ.* 'unwiederˌbringlich, unrettbar (verloren), unersetzlich: an ~ **debt** e-e nicht beitreibbare (Schuld)Forderung. **2.** unheilbar, hoffnungslos: ~ **illness. 3.** nicht wieder'gutzumachen(d).

ir·re·cu·sa·ble [ˌiri'kju:zəbl] *adj* unabweisbar, unablehnbar.

ir·re·deem·a·ble [ˌiri'di:məbl] *adj* (*adv* **irredeemably**) **1.** nicht rückkaufbar. **2.** *econ.* nicht (in Gold) einlösbar: ~ **paper money. 3.** *econ.* a) untilgbar: ~ **loan,** b) nicht ablösbar, unkündbar: ~ **bond** (*vor dem Fälligkeitstermin*) unkündbare Schuldverschreibung. **4.** *fig.* a) unverbesserlich, unrettbar (verloren): ~ **sinners,** b) hoffnungslos.

ir·re·den·ta [ˌiri'dentə] *s pol.* Irre'denta *f* (*völkische Minderheit, die zum Stammland zurückstrebt od. vom Stammland beansprucht wird*). **ˌIr·re'den·tism,** *a.* **i~** *s pol.* Irreden'tismus *m.* **ˌIr·re'den·tist,** *a.* **i~** *pol.* **I** *s* Irreden'tist(in). **II** *adj* irreden'tistisch.

ir·re·duc·i·ble [ˌiri'dju:səbl] *adj* (*adv* **irreducibly**) **1.** nicht zu'rückführbar (to auf *acc*), nicht zu vereinfachen(d): **to be ~ to a simpler form** sich nicht vereinfachen lassen. **2.** nicht redu'zierbar: a) *chem. math.* 'irreduzibel, b) nicht zu vermindern(d): **the ~ minimum** das absolute Minimum, das Mindestmaß (of an *dat*). **3.** *med.* 'irreponibel: **an ~ hernia. 4.** nicht verwandelbar (into, to in *acc*).

ir·ref·ra·ga·ble [i'refrəgəbl] *adj* (*adv* **irrefragably**) **1.** 'unwiderˌlegbar, 'unumˌstößlich. **2.** unzerstörbar.

ir·re·fran·gi·ble [ˌiri'frændʒəbl] *adj* **1.** unverletzlich, 'unüberˌtretbar, 'unumˌstößlich: an ~ **rule. 2.** *phys.* unbrechbar: ~ **rays.**

ir·ref·u·ta·bil·i·ty [iˌrefjutə'biliti; ˌiriˌfju:t-] *s* 'Unwiderˌlegbarkeit *f.* **ir'ref·u·ta·ble** *adj* (*adv* **irrefutably**) 'unwiderˌlegbar, 'unwiderˌleglich, nicht zu wider'legen(d).

ir·re·gard·less [ˌiri'gɑ:rdlis] *adj Am. colloq.*: ~ **of** ohne sich zu kümmern um.

ir·reg·u·lar [i'regjulər] **I** *adj* (*adv* **~ly**) **1.** unregelmäßig: a) regellos, b) *a. bot.* ungleichmäßig, -förmig, c) *a. econ.* uneinheitlich, schwankend, d) ungeordnet, 'unsysteˌmatisch, e) unpünktlich: **at ~ intervals** in unregelmäßigen Abständen; ~ **teeth** unregelmäßige Zähne. **2.** uneben: ~ **terrain. 3.** a) regelwidrig, b) vorschriftswidrig, nicht ordnungsgemäß, nicht in Ordnung: ~ **papers,** c) ungesetzlich, ungültig: ~ **procedure. 4.** a) ungeregelt, unordentlich: **an ~ life,** b) ungehörig, ungebührlich: ~ **conduct,** c) unstet, ausschweifend: **an ~ man. 5.** nicht regu'lär, nicht voll gültig *od.* anerkannt: **an ~ physician** kein richtiger Arzt, ein Kurpfuscher. **6.** *ling.* unregelmäßig: ~ **verbs. 7.** *mil.* 'ireguˌlär. **II** *s* **8.** 'irreguˌlärer Sol'dat, Freischärler *m,* Parti'san *m.* **irˌreg·u'lar·i·ty** [-'læriti, *s* **1.** Unregelmäßigkeit *f* (*a. ling.*): a) Regellosigkeit *f,* b) Ungleichmäßigkeit *f.* **2.** a) Vorschrifts-, Regelwidrigkeit *f,* b) *jur.* Formfehler *m,* Verfahrensmangel *m,* c) Verstoß *m,* -gehen *n,* Unregelmäßigkeit *f.* **3.** Ungehörigkeit *f.* **4.** Unordnung *f.* **5.** Unebenheit *f.*

ir·rel·a·tive [i'relətiv] *adj* (*adv* **~ly**) **1.** (to) in keinem Zs.-hang stehend (mit), ohne Beziehung (auf *acc*, zu). **2.** beziehungslos, abso'lut.

ir·rel·e·vance [i'reliv∂ns], **ir'rel·e·van·cy** [-si] *s* **1.** 'IrreleˌVanz *f,* Unerheblichkeit *f,* Belanglosigkeit *f.* **2.** Unanwendbarkeit *f* (to auf *acc*). **ir'rel·e·vant** *adj* (*adv* **~ly**) **1.** 'irreleˌvant, nicht zur Sache gehörig, ohne Beziehung (to zu). **2.** unerheblich, belanglos (to für). **3.** unanwendbar (to auf *acc*).

ir·re·li·gion [ˌiri'lidʒən] *s* **1.** Religi'onslosigkeit *f,* Unglaube *m.* **2.** Religi'onsfeindlichkeit *f,* Gottlosigkeit *f.* **ˌir·re'li·gious** [-dʒəs] *adj* (*adv* **~ly**) **1.** glaubens-, religi'onslos, irreligi'ös. **2.** gottlos. **3.** religi'onsfeindlich.

ir·rem·e·a·ble [i'remiəbl; i'ri:-] *adj poet.* ohne 'Wiederkehr.

ir·re·me·di·a·ble [ˌiri'mi:diəbl] *adj* (*adv* **irremediably**) **1.** unheilbar. **2.** nicht wieder'gutzumachen(d). **3.** 'unabˌänderlich.

ir·re·mis·si·ble [ˌiri'misəbl] *adj* (*adv* **irremissibly**) **1.** unverzeihlich: **an ~ offence. 2.** unerläßlich: **an ~ duty.**

ir·re·mov·a·ble [ˌiri'mu:vəbl] *adj* (*adv* **irremovably**) **1.** nicht zu entfernen(d), nicht entfernbar, unbeweglich. **2.** unabsetzbar: ~ **judges.**

ir·rep·a·ra·ble [i'repərəbl] *adj* (*adv* **irreparably**) **1.** 'irrepaˌrabel, nicht wieder'gutzumachen(d). **2.** unersetzlich. **3.** unheilbar.

ir·re·place·a·ble [ˌiri'pleisəbl] *adj* unersetzlich.

ir·re·press·i·ble [ˌiri'presibl] *adj* (*adv* **irrepressibly**) **1.** 'ununterˌdrückbar, nicht zu unter'drücken(d): ~ **laughter. 2.** un(be)zähmbar (*Person*).

ir·re·proach·a·ble [ˌiri'proutʃəbl] *adj* (*adv* **irreproachably**) untadelig, tadellos, einwandfrei: ~ **conduct. ˌirre'proach·a·ble·ness** *s* **1.** Untadeligkeit *f.* **2.** einwandfreies Benehmen.

ir·re·sist·i·bil·i·ty [ˌiriˌzistə'biliti] *s* 'Unwiderˌstehlichkeit *f.* **ˌir·re'sist·i·ble** *adj* (*adv* **irresistibly**) 'unwiderˌstehlich.

ir·res·o·lute [i'rezəˌlu:t; -ˌlju:t] *adj* (*adv* **~ly**) unentschlossen, unschlüssig, schwankend. **ir'res·o·lute·ness, irˌres·o'lu·tion** *s* Unentschlossenheit *f.*

ir·re·spec·tive [ˌiri'spektiv] *adj* (*adv* **~ly**): ~ **of** ohne Rücksicht auf (*acc*), ungeachtet (*gen*), unabhängig von.

ir·re·spon·si·bil·i·ty [ˌiriˌspɒnsə'biliti] *s* **1.** Unverantwortlichkeit *f.* **2.** Verantwortungslosigkeit *f.* **3.** Unzurechnungsfähigkeit *f.* **ˌir·re'spon·si·ble I** *adj* (*adv* **irresponsibly**) **1.** nicht verantwortlich (zu machend) (for für). **2.** unverantwortlich, verantwortungslos: **an ~ act. 3.** verantwortungslos: **an ~ man. 4.** unzurechnungsfähig. **II** *s* **5.** Unverantwortliche(r *m*) *f,* verantwortungslose Person. **6.** Unzurechnungsfähige(r *m*) *f.*

ir·re·spon·sive [ˌiri'spɒnsiv] *adj* **1.** teilnahms-, verständnislos, gleichgültig (to gegenüber): **to be ~ to s.th.** auf etwas nicht reagieren. **2.** unempfänglich (to für).

ir·re·ten·tive [ˌiri'tentiv] *adj* **1.** unfähig (*etwas*) zu behalten, gedächtnisschwach. **2.** schwach (*Gedächtnis*).

ir·re·triev·a·ble [ˌiri'tri:vəbl] *adj* (*adv* **irretrievably**) **1.** 'unwiederˌbringlich, unrettbar verloren. **2.** unersetzlich. **3.** nicht wieder'gutzumachen(d).

ir·rev·er·ence [i'revərəns] *s* **1.** Pie'tät-, Re'spektlosigkeit *f,* Unehrerbietigkeit *f.* **2.** Geringschätzung *f,* 'Mißachtung *f.* **ir'rev·er·ent** *adj* (*adv* **~ly**), **irˌrev·er'en·tial** [-'renʃəl] *adj* unehrerbietig, re'spektlos (towards gegenüber).

ir·re·vers·i·bil·i·ty [ˌiriˌvə:rsə'biliti] *s* **1.** *chem. math. phys.* ˌIrreversibili'tät *f.* **2.** Nicht'umkehrbarkeit *f.* **3.** 'Unwiderˌruflichkeit *f.* **ˌir·re'vers·i·ble** *adj* (*adv* **irreversibly**) **1.** *chem. math. phys.* irrever'sibel. **2.** nicht 'umkehrbar. **3.** *tech.* nur in 'einer Richtung laufend. **4.** *electr.* selbstsperrend. **5.** → **irrevocable.**

ir·rev·o·ca·bil·i·ty [iˌrevəkə'biliti] *s* 'Unwiderˌruflichkeit *f.* **ir'rev·o·ca·ble** *adj* (*adv* **irrevocably**) 'unwiderˌruflich, 'unabˌänderlich, 'unumˌstößlich, endgültig: ~ **letter of credit** *econ.* unwiderrufliches Akkreditiv.

ir·ri·gate ['iriˌgeit] *v/t* **1.** *agr.* (künstlich) bewässern, berieseln: **~d fields** Rieselfelder. **2.** *med. e-e Wunde* spülen. **ˌir·ri'ga·tion** *s* **1.** *agr.* (künstliche) Bewässerung *od.* Berieselung: ~ **canal** (*od.* **channel**) Bewässerungskanal *m.* **2.** *med.* Spülung *f*: **gastric ~** Magenspülung. **ˌir·ri'ga·tion·al, 'ir·riˌga·tive** *adj* Bewässerungs..., Riesel... **'ir·riˌga·tor** [-tər] *s* **1.** Bewässerungsgerät *n,* -anlage *f.* **2.** *med.* Irri'gator *m,* 'SpülappaˌRat *m.*

ir·ri·ta·bil·i·ty [ˌiritə'biliti] *s a. med. physiol.* Reizbarkeit *f.* **'ir·ri·ta·ble** *adj* (*adv* **irritably**) **1.** reizbar. **2.** *med.* a) gereizt, ner'vös, b) Reiz..., c) leicht entzündlich, d) empfindlich (*Wunde etc*): ~ **cough** Reizhusten *m*; ~ **heart** nervöses Herz, Herzneurose *f.*

ir·ri·tan·cy[1] ['iritənsi] *s* Ärgernis *n,* (*das*) Ärgerliche.

ir·ri·tan·cy[2] ['iritənsi] *s jur. Scot.* Annul'lierung *f.*

ir·ri·tant[1] ['iritənt] **I** *adj* Reiz erzeugend, Reiz...: ~ **agent** → II a. **II** *s* a) Reizmittel *n* (*a. fig.*), b) *mil.* Reiz(kampf)stoff *m.*

ir·ri·tant[2] ['iritənt] *adj jur. Scot.* an- [nul'lierend.]

ir·ri·tate[1] ['iriˌteit] *v/t* reizen (*a. biol. med.*), (ver)ärgern, irri'tieren: **~d at** (*od.* **by, with**) verärgert *od.* ärgerlich über (*acc*).

ir·ri·tate[2] ['iriˌteit] *v/t jur.* für null u. [nichtig erklären.]

ir·ri·tat·ing ['iriˌteitiŋ] *adj* (*adv* **~ly**) **1.** aufreizend, irri'tierend. **2.** lästig, ärgerlich. **3.** *med.* Reiz...

ir·ri·ta·tion [ˌiri'teiʃən] *s* **1.** Verärgerung *f,* Reizung *f.* **2.** Ärger *m* (at über *acc*). **3.** *biol. med.* Reizung *f*: a) Reiz *m,* b) Reizzustand *m*: ~ **of the kidney** Nierenreizung. **'ir·riˌta·tive** [-tiv] *adj a. med.* Reiz..., reizend.

ir·rup·tion [i'rʌpʃən] *s* Einbruch *m*: a) (gewaltsames) Eindringen, (plötzliches) Her'einbrechen, b) (feindlicher) Einfall, 'Überfall *m.* **ir'rup·tive** [-tiv] *adj* (*adv* **~ly**) **1.** her'einbrechend. **2.** *geol.* intru'siv.

is [iz; z] a) (*3. sg pres ind von* **be**) ist, b) *dial. in allen Personen des pres ind gebraucht*: **I ~, you ~** *etc.*

Is·a·bel·la [ˌizə'belə], *a.* **'IsˌA·bel** *s* Isa'bellfarbe *f.* **ˌis·a'bel·line** [-lin; -lain] *adj* isa'bellfarben, schmutziggrau.

is·a·cous·tic [ˌaisəˈkuːstik; -ˈkaus-] *adj* von gleicher Schallstärke: ~ line Isakuste *f*.
i·sa·gog·ic [ˌaisəˈgɒdʒik] *bes. relig.* **I** *adj* einleitend, -führend, Einführungs... **II** *s pl* (*oft als sg konstruiert*) Isaˈgogik *f*, Einführungswissenschaft *f*.
I·sa·iah [aiˈzaiə; aiˈzeiə], *a.* **Iˈsa·ias** [-əs] *npr u. s Bibl.* (das Buch) Jeˈsaja(s) *od.* Iˈsaias *m*.
i·sa·tin [ˈaisətin] *s chem.* Isaˈtin *n*.
is·chi·ad·ic [ˌiskiˈædik], *a.* **is·chi·al** [ˈiskiəl], *a.* ˌ**is·chiˈat·ic** [-ˈætik] *adj anat.* Hüft-, Sitzbein...
is·chi·um [ˈiskiəm] *pl* **-chi·a** [-ə] *s anat.* Sitz-, Gesäßbein *n*.
Ish·ma·el [ˈiʃmiəl; *Br. a.* -meil] **I** *npr Bibl.* Ismael *m*. **II** *s* → Ishmaelite. ˈ**Ish·ma·elˌite** *s fig.* Verstoßene(r) *m*, Ausgestoßene(r) *m*, Paria *m*.
i·sin·glass [*Br.* ˈaiziŋˌglɑːs; *Am.* -ˌglæ(ː)s] *s* Hausenblase *f*, Fischleim *m*.
Is·lam [ˈislɑːm; ˈiz-; isˈlɑːm] *s relig.* Isˈlam *m*. **Isˈlam·ic** [-ˈlæmik; -ˈlɑː-] *adj* isˈlamisch, islaˈmitisch, mohammeˈdanisch, Islam... ˈ**Is·lamˌism** [-ləˌmizəm] *s* Islaˈmismus *m*. ˈ**Is·lamˌite** *s* Islaˈmit(in), Mohammeˈdaner(in).
is·land [ˈailənd] **I** *s* **1.** Insel *f* (*a. weitS. u. fig.*): ~ arc *geogr.* Inselbogen *m*; ~ chain Inselkette *f*; ~ universe *astr.* Milchstraßensystem *n*; I~s of the Blessed Inseln der Seligen; ~ of resistance *mil.* Widerstandsnest *n*. **2.** Verkehrsinsel *f*. **3.** *anat.* Zellinsel *f*: ~s of Langerhans Langerhanssche Inseln. **4.** *mar.* Insel *f*, Aufbau *m* (*bes. auf Flugzeugträgern, mit Kommandobrücke etc*): three-~ ship Dreiinselschiff *n*. **II** *v/t* **5.** zur Insel machen. **6.** inselartig gestalten. **7.** punkˈtieren, mit Inseln bedecken. **8.** isoˈlieren. ˈ**is·land·er** *s* Inselbewohner(in), Insuˈlaner(in).
isle [ail] *s poet. u. in npr* kleine Insel, Eiland *n*.
is·let [ˈailit] *s* **1.** Inselchen *n*. **2.** → island 3.
ism [ˈizəm] *s* Ismus *m* (*Theorie, System*).
is·n't [ˈiznt] *colloq. für* is not.
iso- [aiso; -sɒ] *Wortelement mit der Bedeutung* gleich, iso..., Iso...
i·so·bar [ˈaisoˌbɑːr] *s* **1.** *meteor.* Isoˈbare *f*. **2.** *phys.* Isoˈbar *n*: nuclear ~ Kernisobar. ˌ**i·soˈbar·ic** [-ˈbærik] *adj* **1.** *meteor.* isoˈbar(isch), von gleichem Luftdruck. **2.** *phys.* isoˈbar.
i·so·base [ˈaisoˌbeis] *s geol.* Isoˈbase *f*.
ˈ**i·soˌbath** [-ˌbæθ] *s geogr.* Isoˈbathe *f*, Tiefenlinie *f*.
i·so·chro·mat·ic [ˌaisokroˈmætik] *adj phys.* isochroˈmatisch, gleichfarbig.
i·so·chron [ˈaisoˌkrɒn] *s phys.* Isoˈchrone *f*. **i·soch·ro·nism** [aiˈsɒkrəˌnizəm] *s phys.* Isochroˈnismus *m*.
i·so·cli·nal [ˌaisoˈklainl] **I** *adj geol. phys.* isoˈklin: ~ line → II. **II** *s phys.* Isoˈkline *f*, isoˈklinische Linie.
i·so·dy·nam·ic [ˌaisodaiˈnæmik; -diˈn-] *adj* **1.** *chem.* isodyˈnam, enerˈgetisch gleichwertig. **2.** *phys.* isodyˈnamisch, von gleicher maˈgnetischer Feldstärke.
i·so·e·lec·tric [ˌaisoiˈlektrik] *adj electr.* isoeˈlektrisch.
i·sog·a·my [aiˈsɒgəmi] *s biol.* Isogaˈmie *f*.
i·sog·e·nous [aiˈsɒdʒinəs] *adj biol.* isoˈgen: a) *von gleichem od. ähnlichem Ursprung od. Erbbild*, b) *aus dem gleichen Zellgewebe*. **iˈsog·e·ny** *s* Isogeˈnie *f*.
i·so·gloss [ˈaisoˌglɒs] *s ling.* Isoˈglosse *f* (*Linie, die Gebiete gleicher Wörter umgrenzt*).
i·so·gon·ic [ˌaisoˈgɒnik] **I** *adj* **1.** *math.* isogoˈnal, gleichwinklig. **2.** winkeltreu. **3.** *phys.* von gleicher maˈgnetischer Deklinatiˈon. **II** *s* **4.** *meist* ~ line Isoˈgone *f*.
i·so·gram [ˈaisoˌgræm] *s geol. meteor.* Isoˈgramm *n*.
i·so·late [ˈaisəˌleit] *v/t* **1.** *a. med.* isoˈlieren, absondern, abschließen (from von): isolating languages isolierende Sprachen (*ohne Formenbildung*). **2.** *chem. electr. phys.* isoˈlieren. ˈ**i·soˌlat·ed** *adj* **1.** isoˈliert, (ab)gesondert, alˈleinstehend, vereinzelt: an ~ case ein Einzelfall *m*. **2.** einsam, abgeschieden. **3.** *chem. electr. med. phys.* isoˈliert.
i·so·la·tion [ˌaisəˈleiʃən] *s med. pol. tech. u. fig.* Isoˈlierung *f*, Isolatiˈon *f*: ~ hospital Klinik *f* für ansteckende Krankheiten, *mil.* Seuchenlazarett *n*; ~ ward *med.* Isolierstation *f*. ˌ**i·soˈla·tionˌism** *s pol.* Isolatioˈnismus *m*. ˌ**i·soˈla·tion·ist** *pol.* **I** *s* Isolatioˈnist *m*. **II** *adj* isolatioˈnistisch.
i·so·mer [ˈaisomər] *s chem.* Isoˈmer *n*. ˌ**i·soˈmer·ic** [-ˈmerik] *adj chem. phys.* isoˈmer. **i·som·er·ism** [aiˈsɒməˌrizəm] *s chem. phys.* Isomeˈrie *f*. **iˈsom·erˌize** *v/t* isomeriˈsieren.
i·so·met·ric [ˌaisoˈmetrik] **I** *adj* **1.** isoˈmetrisch. **2.** *math.* reguˈlär, maßgleich. **3.** *metr.* gleichfüßig. **II** *s* **4.** *meist* ~ line isoˈmetrische Linie.
i·som·e·try [aiˈsɒmitri] *s math.* Isomeˈtrie *f*, Maßgleichheit *f*.
i·so·morph [ˈaisoˌmɔːrf] *s* **1.** *biol.* isoˈmorpher Orgaˈnismus. **2.** *chem.* isoˈmorphe Subˈstanz. **3.** *ling.* Isoˈmorphe *f* (*Grenzlinie e-s Sprachgebiets, in dem bestimmte grammatische Formen vorherrschen*). ˌ**i·soˈmor·phic** *adj* isoˈmorph, gleichgestaltig.
i·so·pleth [ˈaisoˌpleθ] *s math. phys.* Isoˈplethe *f*.
i·so·pod [ˈaisoˌpɒd] *s zo.* Isoˈpode *m*, Gleichfüßer *m*, Assel *f*.
i·so·prene [ˈaisoˌpriːn] *s chem.* Isoˈpren *n*.
i·sos·ce·les [aiˈsɒsiˌliːz] *adj* gleichschenk(e)lig (*Dreieck*).
i·sos·ta·sy [aiˈsɒstəsi] *s geol.* Isostaˈsie *f* (*Gleichgewichtszustand der Erdkruste*).
i·so·therm [ˈaisoˌθəːrm] *s* **1.** *meteor.* Isoˈtherme *f*. **2.** *chem. phys.* → isothermal line.
i·so·ther·mal [ˌaisoˈθəːrməl] **I** *adj chem. phys.* isoˈtherm(isch), von gleicher Temperaˈtur: ~ line → II. **II** *s chem. meteor. phys.* Isoˈtherme *f*.
i·so·tope [ˈaisoˌtoup] *s chem. phys.* Isoˈtop *n*. ˌ**i·soˈtop·ic** [-ˈtɒpik] *adj chem. phys.* isoˈtopisch: ~ number Neutronenüberschuß *m*. **i·sot·o·py** [aiˈsɒtəpi] *s chem. phys.* Isotoˈpie *f*.
i·so·trop·ic [ˌaisoˈtrɒpik; -ˈtrou-], **i·sot·ro·pous** [aiˈsɒtrəpəs] *adj* **1.** *phys.* isoˈtrop. **2.** *biol.* isoˈtrop(isch).
i·so·type [ˈaisoˌtaip] *s Statistik*: Schaubild *n*.
Is·ra·el [ˈizriəl; *Br. a.* -reiəl] *s Bibl.* (das Volk) Israel *n*.
Is·rae·li [izˈreili] **I** *adj* israˈelisch. **II** *s* Israˈeli *m*, Bewohner(in) des Staates Israel.
Is·ra·el·ite [ˈizriəˌlait] **I** *s* Israeˈlit(in), Jude *m*, Jüdin *f*. **II** *adj* israeˈlitisch.
Is·sei [ˈiːsˈsei] *pl* ˈ**Isˈsei** *s japanischer Einwanderer in den USA* (*ohne Anrecht auf Staatsangehörigkeit*).
is·su·a·ble [ˈiʃuəbl; *Br. a.* ˈisju-] *adj* **1.** auszugeben(d), zu erlassen(d). **2.** *econ.* emissiˈonsfähig.
is·su·ance [ˈiʃuəns; *Br. a.* ˈisju-] *s bes. Am.* **1.** Ausgabe *f*, Aus-, Verteilung *f*: ~ of orders *mil.* Befehlsausgabe. **2.** *econ.* Emissiˈon *f* (*von Aktien etc*).
is·sue [ˈiʃuː; *Br. a.* ˈisjuː] **I** *s* **1.** Ausgabe *f*, Erlaß *m*, Erteilung *f* (*von Befehlen etc*). **2.** *econ.* Ausgabe *f* (*von Banknoten, Wertpapieren etc*), Emissiˈon *f* (*von Wertpapieren*), Begebung *f*, Auflegung *f* (*e-r Anleihe*), Ausstellung *f* (*e-s Dokuments, Schecks, Wechsels etc*): ~ of securities Effektenemission; ~ of shares Aktienausgabe; bank of ~, ~ bank Noten-, Emissionsbank *f*. **3.** *print.* a) Herˈaus-, Ausgabe *f*, Veröffentlichung *f*, Auflage *f* (*e-s Buches*), b) Ausgabe *f*, Nummer *f* (*e-r Zeitung*). **4.** *bes. jur.* Streitfall *m*, -frage *f*, -punkt *m*, (strittiger *od.* wesentlicher) Punkt: ~ of fact (law) Tatsachen-(Rechts)frage *f*; at ~ strittig, streitig, zur Debatte stehend; point at ~ umstrittener Punkt, strittige Frage; → matter 3; to be at ~ with s.o. mit j-m im Streit liegen *od.* uneinig sein; to evade the ~ ausweichen; to take ~ with s.o. sich auf e-e Auseinandersetzung einlassen mit j-m, j-s Ansicht bestreiten; to join ~ with s.o. sich mit j-m auf e-n Streit einlassen. **5.** *bes. pol.* Kernfrage *f*, (aˈkutes) Proˈblem, Angelpunkt *m*: this question raises the whole ~ diese Frage schneidet den ganzen Sachverhalt an. **6.** Ausgang *m*, Ergebnis *n*, Resulˈtat *n*, (An)Schluß *m*: in the ~ schließlich; to bring s.th. to an ~ etwas zur Entscheidung bringen; to force an ~ e-e Entscheidung erzwingen. **7.** *mil.* Ausgabe *f*, Zu-, Verteilung *f*. **8.** *jur.* Nachkommen(schaft *f*) *pl*, (Leibes)Erben *pl*, Abkömmlinge *pl*: to die without ~ ohne Nachkommen *od.* kinderlos sterben. **9.** Abfluß *m*, Abzug *m*, Öffnung *f*, Mündung *f*. **10.** *med.* a) Ausfluß *m*, Abgang *m* (*von Eiter, Blut etc*), b) eiterndes Geschwür. **11.** *econ.* Erlös *m*, Ertrag *m*, Einkünfte *pl* (*aus Landbesitz etc*). **12.** Herˈausgehen *n*, -kommen *n*: free ~ and entry freies Kommen u. Gehen.
II *v/t* **13.** *Befehle etc* ausgeben, erlassen, erteilen, ergehen lassen. **14.** *econ. Banknoten, Wertpapiere etc* ausgeben, in ˈUmlauf setzen, emitˈtieren, *e-e Anleihe* begeben, auflegen, *ein Dokument, e-n Wechsel, Scheck etc* ausstellen: ~d capital effektiv ausgegebenes Kapital. **15.** *ein Buch, e-e Zeitschrift* herˈausgeben, veröffentlichen, auflegen, publiˈzieren. **16.** *mil.* a) *Essen, Munition etc* ausgeben, zu-, verteilen, b) ausrüsten, beliefern (with mit).
III *v/i* **17.** herˈaus-, herˈvorkommen. **18.** herˈvorstürzen, -brechen. **19.** herˈausfließen, -strömen. **20.** a) entspringen, ˈherkommen, -rühren, b) abstammen (from von). **21.** herˈauskommen, herˈausgegeben werden (*Schriften etc*). **22.** ergehen, erteilt werden (*Befehl etc*). **23.** end(ig)en (in in *dat*).
is·sue·less [ˈiʃuːlis; *Br. a.* ˈisjuː-] *adj* ohne Nachkommen, kinderlos. ˈ**is·su·er** *s econ.* **1.** Aussteller(in). **2.** Emitˈtent(in), Ausgeber(in).
isth·mi·an [ˈismiən; ˈisθ-] *adj* isthmisch. ˈ**isth·mus** [-məs] *s* **1.** *geogr.* Isthmus *m*, Landenge *f*: the I~ der Isthmus (*von Korinth od. Panama od. Suez*). **2.** *med.* Isthmus *m*, Veremg(er)ung *f*.
it [it] **I** *pron.* **1.** es (*nom od. acc*): what is it? was ist es?; do you understand it? verstehen Sie es? **2.** (*wenn auf schon Genanntes bezogen*) es, er, ihn, sie: (pencil) ... it writes well (Bleistift) ... er schreibt gut. **3.** (*als Subjekt bei unpersönlichen Verben u. Konstruk-*

tionen) es: **it rains; it is cold; what time is it?** wieviel Uhr ist es?; **how is it with your promise?** wie steht es mit Ihrem Versprechen?; **it is 6 miles to** es sind 6 Meilen (bis) nach; **it follows from what you have told me that** aus Ihren Worten folgt, daß; **it is pointed out** es wird darauf hingewiesen. **4.** (*als grammatisches Subjekt*) es: **who is it? It is I** wer ist es? **Ich bin's; oh, it was you** oh, Sie waren es. **5.** (*verstärkend*) es: **it is to him that you should turn** 'er ist es, an den du dich wenden solltest. **6.** (*als unbestimmtes Objekt*) es: **to go it** es wagen *od.* anpacken; **to foot it** zu Fuß gehen; **to cab it** mit e-m Taxi fahren; **we had a fine time of it** wir hatten unseren Spaß; **I take it that** ich nehme an, daß. **7.** *nach Präpositionen*: **at it** daran, dazu, darüber; **by it** dadurch, dabei; **for it** dafür, deswegen; **in it** darin; **of it** davon, darüber; **little was left of it** wenig blieb davon übrig. **8.** *reflex* sich: **the development brought with it** die Entwicklung brachte (es) mit sich. **II** *s* **9.** *Am. colloq.* a) ‚der Gipfel', ‚das Nonplus'ultra': **for bargaining he is really 'it** im Feilschen ist er unübertroffen, b) ‚'die Sache', ‚'die Masche': **that's really 'it. 10.** *Am. sl.* das gewisse Etwas, *bes.* Sex-Appeal *m.* **11.** Spieler *m* (*in bestimmten Spielen*): **now you are it** jetzt bist du dran.

I·tal·ian [i'tæljən] **I** *adj* **1.** itali'enisch: ~ **cloth** Baumwollsatin *m*; ~ **hand(writing)** lateinische Schreibschrift; ~ **warehouse** Südfrüchtehandlung *f*, Kolonialwarenladen *m.* **II** *s* **2.** Itali'ener(in). **3.** *ling.* Itali'enisch *n*, das Italienische. **I'tal·ian·ate I** *adj* [-ˌneit; -nit] italieni'siert. **II** *v/t* [-ˌneit] italieni'sieren. **I'tal·ianˌism** *s* Italia'nismus *m*, itali'enische (Sprach- *etc*)Eigenheit. **I'tal·ianˌize I** *v/i* itali'enische Art annehmen, italienisch werden. **II** *v/t* italiani'sieren.

i·tal·ic [i'tælik] **I** *adj* **1.** *print.* kur'siv: ~ **type** → 3. **2.** I~ *ling.* i'talisch. **II** *s* **3.** *print.* Kur'siv-, Schrägschrift *f*: **in** ~**s** kursiv (gedruckt). **4.** I~ *ling.* I'talisch *n*, das Italische. **I'tal·iˌcism** [-ˌsizəm] → **Italianism. i'tal·iˌcize** [-ˌsaiz] *v/t print.* **1.** kur'siv drucken. **2.** durch Kur'sivschrift her'vorheben.

itch [itʃ] **I** *s* **1.** (Haut)Jucken *n.* **2.** *med.* Krätze *f.* **3.** *fig.* brennendes Verlangen, Gelüst *n*, Sucht *f* (**for** nach): **an** ~ **for praise** Ehr-, Ruhmsucht *f.* **II** *v/i* **4.** jucken: **I** ~ **all over** es juckt mich überall; **my hand** ~**es** m-e Hand juckt (mich). **5.** *fig.* dürsten (**for, after** nach): **to** ~ **after hono(u)r; my fingers** ~ **to do it** es juckt mir (*od.* mich) in den Fingern, es zu tun; **he was** ~**ing to come** er brannte darauf zu kommen. **itch·i·ness** ['itʃinis] *s* **1.** Juckreiz *m.* **2.** heftiges Jucken. **'itch·ing I** *adj* **1.** juckend, Juck... **2.** *fig.* a) begierig, ‚scharf', b) lüstern, geil, c) ner'vös, rastlos. **II** *s* → **itch** 1 *u.* 3. **'itch·y** *adj Br. colloq. od. Am.* **1.** juckend. **2.** *med.* krätzig. **3.** *fig.* → **itching** 2.

i·tem ['aitem] **I** *s* **1.** Punkt *m*, Gegenstand *m* (*der Tagesordnung etc*), Ziffer *f* (*in e-m Vertrag etc*), (Bi'lanz-, Buchungs-, Rechnungs)Posten *m*, Ar'tikel *m*: **an important** ~ ein wesentlicher Punkt; **credit** ~ *econ.* Gutschriftsposten. **2.** Einzelheit *f*, De'tail *n.* **3.** Gegenstand *m*, Ding *n*, Sache *f*, Stück *n.* **4.** (Post)Sendung *f.* **5.** ('Waren)Arˌtikel *m.* **6.** ('Presse-, 'Zeitungs-)Noˌtiz *f*, (kurzer) Ar'tikel. **7.** *mus. thea. etc* Stück *n.* **II** *adv obs.* **8.** des'gleichen, ebenso, ferner. **ˌi·tem·i'za·tion** *s bes. Am.* Spezifikati'on *f*, Einzelaufzählung *f*, Aufgliederung *f.* **'i·temˌize** *v/t bes. Am.* (einzeln) verzeichnen *od.* aufführen, detail'lieren, spezifi'zieren, aufgliedern.

it·er·ance ['itərəns] → **iteration. 'it·er·ant** *adj* sich wieder'holend. **'it·erˌate** [-ˌreit] *v/t* wieder'holen. **ˌit·er'a·tion** *s* **1.** Wieder'holung *f.* **2.** *math.* Iterati'on *f.* **'it·er·a·tive** [-ˌreitiv; *Br. a.* -rə-] *adj* **1.** (sich) wieder'holend. **2.** *ling.* itera'tiv.

I'thu·ri·el's-'spear [i'θju(ə)riəlz] *s untrügliches Mittel zur Prüfung der Echtheit e-r Sache* (*nach Miltons "Paradise Lost"*).

i·tin·er·an·cy [ai'tinərənsi; i't-], *a.* **i'tin·er·a·cy** [-rəsi] *s* **1.** Um'herreisen *n*, -wandern *n*, -ziehen *n.* **2.** reisende Kommissi'on, Beamte *pl etc* auf e-r Dienstreise. **3.** *relig.* festgelegtes Wechseln von Pfarrstellen (*bes. der Methodisten*). **i'tin·er·ant** *adj* (*adv* ~**ly**) (*beruflich*) reisend, um'herziehend, Reise..., Wander...: ~ **preacher** Wanderprediger *m*; ~ **trade** *econ.* Wandergewerbe *n*; ~**trophy** *sport* Wanderpreis *m.* **i'tin·er·ar·y I** *s* **1.** a) Reiseweg *m*, -route *f*, b) Reiseplan *m.* **2.** Reisebericht *m*, -beschreibung *f.* **3.** Reiseführer *m* (*Buch*). **II** *adj* **4.** Reise... **i'tin·erˌate** [-ˌreit] *v/i* (um'her)reisen.

its [its] *pron* sein, ihr, dessen, deren: **the house and** ~ **roof** das Haus u. sein (*od.* dessen) Dach.

it's [its] *colloq. für* **it is.**

it·self [it'self] *pron.* **1.** *reflex* sich: **the animal hides** ~. **2.** sich selbst: **the kitten wants it for** ~. **3.** (*verstärkend*) selbst: **like innocense** ~ wie die Unschuld selbst; **by** ~ a) (für sich) allein, b) von allein, von selbst; **in** ~ an sich (betrachtet).

I've [aiv] *colloq. für* **I have.**

i·vied ['aivid] *adj* 'efeuumˌrankt, mit Efeu bewachsen.

i·vo·ry ['aivəri] **I** *s* **1.** Elfenbein *n*: **black** ~ *sl.* ‚schwarzes Elfenbein' (*Negersklaven*). **2.** Stoßzahn *m* (*bes. des Elefanten*). **3.** Zahnbein *n*, Den'tin *n.* **4.** *sg u. pl sl.* a) Zahn *m*, Zähne *pl*, Gebiß *n*, b) Würfel *pl*, c) Billardkugeln *pl*, d) (Kla'vier- *etc*)Tasten *pl.* **5.** Elfenbeinfarbe *f*, -weiß *n.* **II** *adj* **6.** elfenbeinern, Elfenbein... **7.** elfenbeinfarben. ~ **black** *s* Elfenbeinschwarz *n* (*Farbstoff*). ~ **nut** *s bot.* Elfenbein-, Steinnuß *f.* ~ **palm** *s bot.* Elfenbeinpalme *f.* ~ **tow·er** *s fig.* Elfenbeinturm *m.* **'~-ˌtow·er(·ed)** *adj fig.* a) wirklichkeits-, weltfremd, b) wirklichkeitsfliehend, von der Welt abgeschlossen, weltabgeschieden. **'~'yel·low** *adj* elfenbeinfarben.

i·vy ['aivi] *s bot.* Efeu *m*: **American** ~ Wilder Wein, Jungfernrebe *f.* ~ **bush** *s bot.* Efeubusch *m.* **'~-ˌleaved** *adj* efeublätt(e)rig.

i·wis [i'wis] *adv obs.* gewiß.

iz·zard ['izərd] *s* Z, z *n* (*Buchstabe*), *obs. od. dial. außer in*: **from A to** ~ von A bis Z, vollkommen.

J

J, j [dʒei] **I** *pl* **J's, Js, j's, js** [dʒeiz] *s* J, j *n*, Jot *n* (*Buchstabe*). **II** *adj* zehnt(er, e, es).

jab [dʒæb] **I** *v/t* **1.** *etwas* (hin'ein)stechen, (-)stoßen (**into** in *acc*). **II** *v/i* **2.** stechen, stoßen (**with** mit). **III** *s* **3.** Stich *m*, Stoß *m.* **4.** *Boxen*: kurze *od.* gestochene (*bes.* linke) Gerade.

jab·ber ['dʒæbər] **I** *v/t u. v/i* schnattern, schwatzen, quasseln. **II** *s* Geplapper *n*, Geschnatter *n.*

ja·bot [*Br.* 'ʒæbou; *Am.* ʒæ'bou] *s* Ja'bot *n*, Brustkrause *f.*

ja·cal [hɑː'kɑːl] *s* mexi'kanische Hütte.

ja·cinth ['dʒæsinθ; 'dʒei-] *s min.* Hya'zinth *m.*

jack¹ [dʒæk] **I** *s* **1.** J~ *colloq.* für **John: before you could say J~ Robinson** im Nu, ehe man sich's versah. **2.** (einfacher) Mann, Kerl *m*: **every man** ~ jedermann. **3.** Gelegenheitsarbeiter *m*, Handlanger *m.* **4.** Diener *m*, Johann *m.* **5.** Ma'trose *m*, Seemann *m.* **6.** *Kartenspiel*: Bube *m.* **7.** *a.* **lifting** ~ *tech.* Hebevorrichtung *f*, (Hebe)Winde *f*, (-)Bock *m*: **car** ~ Wagenheber *m.* **8.** *a.* **roasting** ~ Bratenwender *m.* **9.** *Br.* (kleine weiße) Mar'kierungskugel (*beim Bowls-Spiel*). **10.** *mar.* Gösch *f*, (kleine) Flagge: **pilot's** ~ Lotsenflagge. **11.** *electr.* a) Klinke *f*: ~ **panel** Klinkenfeld *n*, b) Steckdose *f*, Buchse *f.* **12.** *mar.* Oberbramsaling *f.* **13.** *zo.* a) Männchen *n* (*gewisser Tiere*), b) *Am.* Esel *m*, c) *ichth.* Grashecht *m.* **14.** *Am.* Kohlen-, Pechpfanne *f* (*zum nächtlichen Jagen u. Fischen*). **15.** *sl.* ‚Zaster' *m*, Geld *n.* **II** *v/t* **16.** *meist* ~ **up** hochheben, hoch-, aufwinden, *Auto* aufbocken. **17.** ~ **up** *Am. colloq.* hochtreiben: **to** ~ **prices; to** ~ **s.o.'s morale** j-s Moral heben; **to** ~ **up s.o.** ‚j-n auf Touren bringen'. **18.** *Br. sl. etwas* ‚aufstecken', ‚'hinschmeißen'. **19.** *hunt. Am.* mit e-r Fackel fischen *od.* jagen.

jack² [dʒæk] *s bot.* Jackbaum *m.*

jack³ [dʒæk] *s mil. hist.* (ledernes) Koller.

ˌjack-a-'dan·dy *s* **1.** Geck *m*, Laffe *m.* **2.** Frechdachs *m.*

jack·al ['dʒækɔːl] **I** *s* **1.** *zo.* Scha'kal *m.* **2.** *contp.* Handlanger *m*, Helfershelfer *m.* **II** *v/i* **3.** Handlangerdienste leisten (**for** für).

jack·a·napes ['dʒækəˌneips] *s* **1.** Geck *m*, Laffe *m.* **2.** Naseweis *m*, (kleiner) Frechdachs. **3.** *obs.* Affe *m.*

Jack and Gill (*od.* **Jill**) *npr* Hans u. Grete *pl*, Junge u. Mädel *pl.*

jack·ass ['dʒækˌæs] *s* **1.** (männlicher) Esel. **2.** *fig.* Esel *m*, Dummkopf *m.*

jack| boot, '~ˌboot *s* **1.** *mil hist.* Reiter-, Ka'nonenstiefel *m.* **2.** hoher Wasserstiefel. ~ **cross·tree** → **jack¹** 12. ~ **cur·lew** *s orn.* Regenbrachvogel *m.* **'~ˌdaw** *s orn.* Dohle *f.*

jack·et ['dʒækit] **I** *s* **1.** Jacke *f*, Jac'kett *n*: → **dust** 11. **2.** *tech.* Mantel *m*, Um'mantelung *f*, Um'hüllung *f*, Um'wicklung *f*, Hülle *f*: **cylinder** ~ Zylindermantel; ~ **pipe,** ~ **tube** Mantelrohr *n.* **3.** Hülle *f*, Hülse *f* (*des spaltbaren Ma-*

terials im Reaktor). **4.** *mil.* (Geschoß-, *a.* Rohr)Mantel *m.* **5.** 'Schutz,umschlag *m*, Buchhülle *f.* **6.** *Am.* 'Umschlag *m* (*e-r amtlichen Urkunde*). **7.** *zo.* a) Fell *n*, Pelz *m*, b) Haut *f.* **8.** Schale *f*: potatoes (boiled) in their ~s Pellkartoffeln. **II** *v/t* **9.** mit e-r Jacke bekleiden. **10.** *tech.* um'manteln, verkleiden: ~ed barrel *mil.* Mantelrohr *n.* **11.** *colloq.* 'durchprügeln. ~ **crown** *s med.* Jacketkrone *f* (*Zahnersatz*).

jack·et·ing ['dʒækitiŋ] *s* **1.** *tech.* a) Um'mantelung *f*, Um'kleidung *f*, b) 'Mantelmateri,al *n.* **2.** *colloq.* ‚Dresche' *f.*

jack| flag *s mar.* Gösch *f.* ~ **frame** *s tech.* 'Feinspulma,schine *f*, Spindelbank *f.* **J~ Frost** *s* der (Herr) Winter (*personifiziert*). '~,**ham·mer** *s tech.* Bohr-, Preßlufthammer *m.* '**J~-in-'of·fice** *s* wichtigtuerischer Beamter. '~**-in-the-'box** *pl* '~**-in-the-'box·es** *s* Schachtelmännchen *n* (*Kinderspielzeug*). '**J~-in-the-'green** *s Tänzer in e-m mit Maiengrün bedeckten Lattengerüst* (*bei Maifeiern in England*). **J~ Ketch** [ketʃ] *s Br.* der Henker. '~,**knife I** *s irr* **1.** Klappmesser *n.* **2.** *a.* ~ dive Hechtbeuge *f* (*Kopfsprung*). **II** *v/t u. v/i* **3.** (wie ein Taschenmesser) zs.-klappen, zs.-knicken. **4.** *sport* (an)hechten. **III** *adj* **5.** *tech.* Scheren... ,**J~-of-'all-,trades** *s* Aller'weltskerl *m*, Alleskönner *m*, Hans Dampf *m* in allen Gassen. '~**-o'-,lan·tern** *pl* '~**-o'-,lan·terns** *n* **1.** Irrlicht *n* (*a. fig.*). **2.** Elmsfeuer *n.* **3.** *Am.* ('Kürbis- *etc*)La,terne *f.* ~ **pine** *s bot.* Banks-, Strauchkiefer *f.* ~ **plane** *s tech.* Schrupphobel *m.* '~,**pot** *s Poker*: Jackpot *m*, *weitS. u. fig.* Haupttreffer *m*, *fig.* ‚Schlager' *m*, Bombenerfolg *m*: to hit the ~ *colloq.* a) den Jackpot gewinnen, b) den Haupttreffer machen, c) den ersten Preis gewinnen, d) *fig.* großen Erfolg haben, den Vogel abschießen, e) mühelos e-e Menge Geld verdienen. '~'**pud·ding** *s obs.* Hanswurst *m.* ~ **rab·bit** *s zo.* (*ein*) Eselhase *m.* '~,**screw** *s tech.* Schraubenwinde *f*, Hebespindel *f.*

Jack·son Day ['dʒæksn] *s* Jacksontag *m* (*8. Januar; von der Demokratischen Partei in USA gefeiert*).

jack| staff *s mar.* Göschstock *m.* '~-,**stay** *s mar.* Jackstag *m.* '~,**straw** *s* **1.** Strohpuppe *f* (*a. fig.*). **2.** *pl* a) (*als sg konstruiert*) (*Art*) Mi'kadospiel *n*, b) Mi'kadostäbchen *pl.* ~ **switch** *s electr.* Knebelschalter *m.* ~ **tar** *s mar. colloq.* Teerjacke *f*, Ma'trose *m.* ~ **tow·el** *s* Rollhandtuch *n.* ~ **tree** → jack².

jack·y ['dʒæki] *s Br. sl.* Gin *m.*

jack yard *s mar.* Schotrah *f.*

Ja·cob ['dʒeikəb] *npr Bibl.* Jakob *m.*

Jac·o·be·an [,dʒækə'biːən] *adj* Jakob I. *od.* die Re'gierungszeit Jakobs I. (*1603 bis 1625*) betreffend: ~ architecture Bauweise *f* der Zeit Jakobs I.

Jac·o·bin ['dʒækəbin] *s* **1.** *hist.* Jako'biner *m* (*Französische Revolution*). **2.** *pol.* Jako'biner *m*, radi'kaler 'Umstürzler, Revolutio'när *m.* **3.** Jako'biner *m* (*Dominikaner in Frankreich*). **4.** j~ *orn.* Jako'binertaube *f.* ,**Jac·o-'bin·ic**, ,**Jac·o'bin·i·cal** *adj* **1.** *hist.* jako'binisch. **2.** *fig. pol.* radi'kal. '**Jac·o·bin,ism** *s hist. u. fig. pol.* Jako'binertum *n.*

Jac·o·bite ['dʒækə,bait] *s hist.* Jako'bit *m* (*Anhänger Jakobs II. od. s-r Nachkommen*).

Ja·cob's| lad·der ['dʒeikəbz] *s* **1.** *Bibl.*, *a. bot.* Jakobs-, Himmelsleiter *f.* **2.** *mar.* Jakobsleiter *f*, Lotsentreppe *f.* '~-'**staff** *s bot.* Echte Königskerze.

jac·o·net ['dʒækənit] *s* Jaco(n)'net *m*, Jako'nett *m* (*Baumwollfutterstoff*).

Jac·quard loom [dʒə'kaːrd; *Br. a.* 'dʒækəd] *s tech.* Jac'quardwebstuhl *m.*

jac·ta·tion [dʒæk'teiʃən] *s* **1.** Prahle'rei *f.* **2.** *med.* Jaktati'on *f*, Sich,hinund'herwerfen *n* (*bes. der Fiebernden*).

jac·ti·ta·tion [,dʒækti'teiʃən] *s* **1.** *jur.* Vorspiegelung *f* (of marriage des Bestehens e-r Ehe). **2.** *med.* → jactation 2.

jade¹ [dʒeid] *s* **1.** Jade *f*, *m* (*Schmuckstein*). **2.** *a.* ~ green Jadegrün *n.*

jade² [dʒeid] **I** *s* **1.** (Schind)Mähre *f*, Klepper *m.* **2.** Weibsbild *n*, -stück *n*: the lying ~ das Gerücht (*personifiziert*) **3.** Wildfang *m* (*Mädchen*). **4.** Dirne *f.* **II** *v/t* **5.** abschinden, abhetzen. **6.** erschöpfen, ermüden. **III** *v/i* **7.** ermatten, ermüden.

jad·ed ['dʒeidid] *adj* (*adv* ~ly) **1.** erschöpft, ermattet. **2.** abgestumpft, über'sättigt. **3.** schal (geworden): ~ pleasures.

Jae·ger ['jeigər] *s* Jägerwollware *f*: ~ underclothes Jäger(unter)wäsche *f.*

jag¹ [dʒæg] **I** *s* **1.** Zacke *f*, Zahn *m.* **2.** Auszackung *f*, Kerbe *f*, Zacke *f* (*a. am Kleidsaum*). **3.** Schlitz *m* (*im Kleid*). **II** *v/t* **4.** (aus)zacken. **5.** (ein)kerben. **6.** zackig schneiden *od.* reißen.

jag² [dʒæg] *s* **1.** *dial.* kleine Ladung. **2.** *Am. sl.* a) gehöriges Quantum (*Alkohol*), b) Rausch *m*, Schwips *m*: to have a ~ on ‚einen sitzen haben'; crying ~ heulendes Elend, c) Sauftour *f*, Saufe'rei *f*, d) *bes. fig.* Orgie *f.*

Jag·an·nath ['dʒʌgə,naːt], ,**Jag·an'na·tha** [-'naːthə] *s Hinduismus*: Dschagannath *m*, Jagan'natha *m.*

jagg → a) jag¹ I, b) jag².

jag·ged ['dʒægid] *adj* (*adv* ~ly) **1.** gezackt. **2.** ausgezackt. **3.** zackig: a) schartig, b) schroff, zerklüftet (*Felsen*). **4.** rauh, grob, schroff (*Worte etc*). **5.** *Am. sl.* ‚blau', besoffen.

jag·gy ['dʒægi] *adj* **1.** (aus)gezackt. **2.** gekerbt. **3.** zackig.

jag·uar ['dʒægjuaːr; -waːr] *s zo.* Jaguar *m.*

Jah [dʒaː], **Jah·ve(h)** ['jaːve] *s relig.* Je'hova *m.*

jail [dʒeil] **I** *s* **1.** Gefängnis *n.* **2.** Gefängnis(haft *f*) *n.* **II** *v/t* **3.** ins Gefängnis bringen *od.* werfen, einsperren. '~,**bait** *s Am. sl.* ‚Galgenstrick' *m*, ‚Luder' *n* (*a. Mädchen*). '~,**bird** *s colloq.* ‚Zuchthäusler' *m*, Galgenvogel *m* (*Sträfling, Gewohnheitsverbrecher, Taugenichts*). '~,**break** *s* Ausbruch *m* aus dem Gefängnis. '~,**break·er** *s* Ausbrecher *m* (*aus e-m Gefängnis*). ~ **de·liv·er·y** *s* **1.** *Am.* (gewaltsame) Gefangenenbefreiung. **2.** *jur. Br.* Gefängnisleerung *f* (*durch Aburteilung*).

jail·er ['dʒeilər] *s* Gefängnisaufseher *m*, Kerkermeister *m.*

jail fe·ver *s med.* Flecktyphus *m.*

jail·or → jailer.

jake¹ [dʒeik] *s Am. colloq.* **1.** Bauernlümmel *m.* **2.** Kerl *m*, ‚Knülch' *m.*

jake² [dʒeik] *adj bes. Am. sl.* in Ordnung: everything is ~.

jake³ [dʒeik], '**jake·y** [-ki] *s Am. sl.* Ingwerschnaps *m.*

jal·ap ['dʒæləp] *s* **1.** *med.* a) Ja'lapenwurzel *f* (*Abführ- u. Wurmmittel*), b) Ja'lapenharz *n.* **2.** *bot.* Ja'lape *f*, Pur'gierwinde *f.*

ja·lop·(p)y [dʒə'lɒpi] *s bes. Am. colloq.* ‚alte Kiste' (*Auto, Flugzeug*).

jal·ou·sie [*Br.* 'ʒælu,ziː; *Am.* ,ʒælu'ziː] *s* Jalou'sie *f.*

jam¹ [dʒæm] **I** *v/t* **1.** *etwas* (hin'ein)drücken, (-)zwängen, quetschen (between zwischen *acc*). **2.** einklemmen, -keilen. **3.** (zs.-, zer)quetschen: to ~ a finger in the door (sich) e-n Finger in der Tür quetschen *od.* einklemmen. **4.** (heftig) drücken, pressen, quetschen, stoßen (against gegen; into in *acc*): to ~ one's brakes on, to ~ on the brakes heftig auf die Bremse treten. **5.** verstopfen, -sperren, bloc'kieren. **6.** *Maschine etc* (ver)klemmen, blok'kieren. **7.** *Radio*: (*durch Störsender*) stören. **II** *v/i* **8.** festsitzen, eingeklemmt sein. **9.** (sich) drücken, sich (hin'ein)quetschen. **10.** *tech.* (sich ver)klemmen. **11.** *mil.* Ladehemmung haben. **12.** *Jazz*: *colloq.* frei improvi'sieren. **III** *s* **13.** Pressen *n*, Quetschen *n*, (Ein)Klemmen *n.* **14.** Gedränge *n*, Gewühl *n.* **15.** Verstopfung *f*, Stauung *f*, Stockung *f*: traffic ~ Verkehrsstockung. **16.** *tech.* Klemmen *n*, Bloc'kierung *f.* **17.** *mil.* Ladehemmung *f.* **18.** *colloq.* ‚Klemme' *f.*

jam² [dʒæm] **I** *s* **1.** Marme'lade *f.* **2.** *Br. sl.* ‚feine Sache': real ~ ‚Mordsspaß' *m*; that's ~ for him das ist ein Kinderspiel für ihn. **II** *v/t* **3.** zu Marme'lade verarbeiten. **4.** mit Marme'lade bestreichen.

Ja·mai·ca [dʒə'meikə] → Jamaica rum. ~ **bark** *s bot.* Fieberrinde *f.*

Ja·mai·can [dʒə'meikən] **I** *adj* jamai'kanisch, Jamaika... **II** *s* Jamai'kaner(in).

Ja·mai·ca| pep·per → allspice. ~ **rum** *s* Ja'maika-Rum *m.*

jamb [dʒæm] *s* **1.** (Tür-, Fenster)Pfosten *m.* **2.** seitliche Einfassung (*bes. e-s Kamins*). **3.** *hist.* Beinschiene *f.*

jambe → jamb 3.

jam·beau ['dʒæmbou] *pl* **-beaux** [-bouz] → jamb 3.

jam·bo·ree [,dʒæmbə'riː] *s* **1.** Jambo'ree *n*, Pfadfindertreffen *n.* **2.** große Veranstaltung. **3.** *sl.* a) ‚rauschendes' Fest, ‚Gaudi' *n*, b) Saufe'rei *f*, Orgie *f.*

James [dʒeimz] *npr u. s Bibl.* Jakob *m*, Ja'kobus *m*: (the Epistle of) ~ der Jakobusbrief; → St. James's.

jam·mer ['dʒæmər] *s Radio*: Störsender *m.*

jam·ming ['dʒæmiŋ] *s* **1.** *tech.* (Ver)Klemmung *f*, Hemmung *f.* **2.** *Radio*: Störung *f*: ~ station, ~ transmitter Störsender *m.*

jam| nut *s tech.* Gegenmutter *f.* '~-,**packed** *adj* gequetscht voll, vollgestopft. ~ **ses·sion** *s mus.* Jam Session *f* (*Jazzimprovisation*).

Jane [dʒein] **I** *npr* Hanne *f* (*Mädchenname*). **II** *s a.* j~ *sl.* Mädel *n*, Weibsbild *n.*

jan·gle ['dʒæŋgl] **I** *v/i* **1.** häßlich *od.* 'mißtönend (er)klingen, schrillen: jangling noise schrilles Geräusch. **2.** zanken, keifen. **3.** schwatzen, schnattern. **II** *v/t* **4.** schrill *od.* 'mißtönend erklingen lassen. **5.** *Worte etc* kreischen. **III** *s* **6.** Kreischen *n*, Schrillen *n*, 'Mißklang *m.* **7.** Gekeife *n.* **8.** Lärm *m.*

Jan·is·sar·y, j~ ['dʒænisəri] → Janizary.

jan·i·tor ['dʒænitər] *s* **1.** Pförtner *m.* **2.** *Am.* Hausmeister *m.* '**jan·i·tress** [-tris] *s* **1.** Pförtnerin *f.* **2.** *Am.* Hausmeisterin *f.*

Jan·i·zar·y, j~ ['dʒænizəri] *s* **1.** Jani'tschar *m.* **2.** *fig.* Handlanger *m* der Tyran'nei.

Jan·sen·ism ['dʒænsə,nizəm] *s relig. hist.* Janse'nismus *m.*

Jan·u·ar·y ['dʒænjuəri] *s* Januar *m*: in ~ im Januar.

Ja·nus ['dʒeinəs] *s myth.* Janus *m* (*römischer Gott*). '~-'**faced** *adj* janusköpfig, doppelgesichtig.

Jap [dʒæp] *colloq.* **I** *s* ‚Japs' *m* (*Japaner*). **II** *adj* ja'panisch.

ja·pan [dʒə'pæn] **I** *s* **1.** Japanlack *m.* **2.** lac'kierte Arbeit (*in japanischer Art*). **II** *adj* **3.** j~ ja'panisch, Japan... **4.** lac'kiert, Lack... **III** *v/t* **5.** (*auf japanische Weise*) lac'kieren: ~ning Lackierverfahren *n* durch Einbrennen des Lackes bei hohen Temperaturen. **6.** *Leder etc* po'lieren. **J~ Cur·rent** *s* Kuro Schio *m* (*Warmwasserströmung von Formosa zum Nordpazifik*).

Jap·a·nese [ˌdʒæpə'niːz] **I** *s* **1.** Ja'paner(in): the ~ *pl* die Japaner *pl.* **2.** *ling.* Ja'panisch *n*, das Japanische. **II** *adj* **3.** ja'panisch.

ja·pan·ner [dʒə'pænər] *s* Lac'kierer *m.*

jape [dʒeip] **I** *v/t* **1.** verspotten, foppen. **II** *v/i* **2.** scherzen, spotten. **III** *s* **3.** Scherz *m*, Spaß *m.* **4.** Spott *m.* **'jap·er·y** [-əri] *s* Gespött *n.*

Ja·pon·ic [dʒə'pɒnik] *adj* ja'panisch, Japon...: ~ **acid** *chem.* Japonsäure *f*; ~ **earth** Katechu *n.* **ja'pon·i·ca** [-kə] *s bot.* **1.** Ka'mel(l)ie *f.* **2.** ja'panische Quitte.

jar[1] [dʒɑːr] *s* **1.** (*irdenes od. gläsernes*) Gefäß, Krug *m*, Topf *m*, Kruke *f.* **2.** (Marme'lade-, Einmach)Glas *n.*

jar[2] [dʒɑːr] **I** *v/i pret u. pp* **jarred** **1.** kreischen, knarren, kratzen. **2.** rasseln. **3.** schwirren, klirren(d vi'brieren). **4.** (er)beben. **5.** *mus.* disso'nieren. **6.** (on, upon) *das Ohr, ein Gefühl* beleidigen, verletzen, weh tun (*dat*): **to ~ on the ear**; **to ~ on the nerves** auf die Nerven gehen. **7.** nicht harmo'nieren, sich beißen (*Farben*). **8.** im 'Widerspruch stehen (**with** zu). **9.** sich wider'sprechen: ~**ring opinions** widerstreitende Meinungen. **10.** streiten, zanken. **II** *v/t* **11.** knarren *od.* kratzen *od.* klirren lassen. **12.** *a. fig.* erschüttern, rütteln, erbeben lassen. **13.** *sl. ein Gefühl, das Ohr* beleidigen, verletzen: **to ~ the nerves** auf die Nerven gehen. **III** *s* **14.** Knarren *n*, Kratzen *n*, Kreischen *n*, Knirschen *n.* **15.** Klirren *n*, Rasseln *n.* **16.** Rütteln *n*, Stoß *m*, Erschütterung *f* (*a. fig.*). **17.** *mus. u. fig.* 'Mißton *m*, Disso'nanz *f.* **18.** 'Widerstreit *m.* **19.** Streit *m*, Zank *m.* **20.** *bes. fig.* Schlag *m*, Schock *m.*

jar[3] [dʒɑːr] *s* Drehung *f* (*nur in*): **on the ~, on a ~, on ~** halboffen, angelehnt.

jar·di·nière [ˌʒɑːrdi'njɛr], *Am.* **jar·di·niere** [ˌdʒɑːrdə'nir] *s* **1.** Jardini'ere *f*, Blumenschale *f od.* -ständer *m.* **2.** Um'lage *f* e-s Bratens mit frischen Gemüsen.

'jar,fly → **cicada.**

jar·ful ['dʒɑːrˌful] *s* Krug(voll) *m.*

jar·gon[1] ['dʒɑːrgən] **I** *s* **1.** Jar'gon *m*: a) Kauderwelsch *n*, b) Fach-, Zunft-, Berufssprache *f*, c) Mischsprache *f*, d) verderbte Mundart. **2.** hochtrabende Sprache. **3.** *orn. zo.* Zwitschern *n*, Schnattern *n.* **II** *v/i* **4.** zwitschern, schnattern. **5.** → **jargonize** I.

jar·gon[2] ['dʒɑːrgɒn] *s min.* Jar'gon *m.*

jar·gon·ize ['dʒɑːrgəˌnaiz] **I** *v/i* **1.** im Jar'gon sprechen. **2.** kauderwelschen. **II** *v/t* **3.** *etwas* im Jar'gon aussprechen. **4.** in Jar'gon über'tragen.

jar·goon [dʒɑːr'guːn] → **jargon**[2].

jarl [jɑːrl] *s hist.* Jarl *m*, Kleinkönig *m* (*im skandinavischen Mittelalter*).

jar·ring ['dʒɑːriŋ] *adj* (*adv* ~**ly**) **1.** 'mißtönend, schrill, unangenehm: ~ **note** Mißton *m* (*a. fig.*). **2.** kreischend, quietschend. **3.** wider'streitend. **4.** nervtötend.

jas·min(e) ['dʒæsmin; 'dʒæz-] *s bot.* (Echter) Jas'min.

jas·per ['dʒæspər; *Br. a.* 'dʒɑːs-] *s min.* Jaspis *m.*

ja·to u·nit ['dʒeitou] *s aer.* 'Startraˌkete *f*, Düsenstarthilfe *f* (*aus* **jet-assisted take-off**).

jaun·dice ['dʒɔːndis; 'dʒɑːn-] **I** *s* **1.** *med.* Gelbsucht *f.* **2.** a) Voreingenommenheit *f*, b) Neid *m*, Eifersucht *f*, c) Feindseligkeit *f.* **II** *v/t* **3.** gelbsüchtig machen. **4.** mit Neid *od.* Vorurteil erfüllen: ~**d** voreingenommen, neidisch, scheel, feindselig.

jaunt [dʒɔːnt; dʒɑːnt] **I** *v/i* **1.** e-e Spritztour *od.* e-n Ausflug machen. **2.** bummeln, um'herstreifen. **3.** *obs.* sich fortschleppen. **II** *s* **4.** Ausflug *m*, Spritztour *f.*

jaun·tie → **jaunty** II.

jaun·ti·ness ['dʒɔːntinis; 'dʒɑːn-] *s* **1.** Ele'ganz *f*, Feschheit *f*, flottes Wesen. **2.** Lebhaftigkeit *f*, Munterkeit *f.*

jaunt·ing car ['dʒɔːntiŋ; 'dʒɑːn-] *s leichter, zweirädriger Wagen mit Längssitzen.*

jaun·ty ['dʒɔːnti; 'dʒɑːnti] **I** *adj* (*adv* **jauntily**) **1.** fesch, flott: **a ~ hat**; **a ~ person.** **2.** munter, spritzig, keck, unbeschwert. **II** *s* **3.** *mar. Br. sl.* Ma'rinepoliˌzei-, Exer'ziermeister *m.*

Ja·va ['dʒɑːvə] *s Am. sl.* Kaffee *m.* ~ **man** *s hist.* Ja'vanthropus *m.*

Jav·a·nese [*Br.* ˌdʒɑːvə'niːz; *Am.* ˌdʒæv-] **I** *s* **1.** Ja'vaner(in): the ~ *pl* die Javaner *pl.* **2.** *ling.* Ja'vanisch *n*, das Javanische. **II** *adj* **3.** ja'vanisch.

jave·lin ['dʒævlin] *s* **1.** Wurfspieß *m.* **2.** *sport* Speer *m*: **throwing the ~** Speerwerfen *n.*

jaw [dʒɔː] **I** *s* **1.** *anat.* Kiefer *m*, Kinnbacken *m*, -lade *f*: **lower ~** Unterkiefer; **upper ~** Oberkiefer. **2.** → **jawbone** 1. **3.** *meist pl* Mund *m*, Maul *n*: a) Mundhöhle *f*, b) *zo. u. fig.* Schlund *m*, Rachen *m*: ~**s of death** Rachen des Todes; **hold your ~** *colloq.* halt den Mund! **4.** *zo.* Mundöffnung *f*, Kauwerkzeuge *pl* (*bei Wirbellosen*). **5.** *tech.* a) (Klemm)Backe *f*, Backen *m*, b) Klaue *f*: ~ **clutch** Klauenkupplung *f.* **6.** *mar.* Gaffelklaue *f.* **7.** *sl.* a) Geschwätz *n*, Tratsch *m*, b) Geschimpfe *n*, c) ‚Standpauke' *f*, Strafpredigt *f*: **none of your ~!** halt's Maul! **II** *v/i sl.* **8.** schwatzen, tratschen. **9.** schimpfen. **III** *v/t* **10.** *sl.* ‚anschnauzen', beschimpfen.

'jaw|'bone *s* **1.** *anat.* Kiefer(knochen) *m*, Kinnbacken(knochen) *m*, Kinnlade *f.* **2.** *Am. sl.* Kre'dit *m*, Darlehen *n*: **on ~** auf Kredit. **'~ˌbreak·er** *s* **1.** *tech.* Zer'kleinerungsmaˌschine *f.* **2.** *colloq.* Zungenbrecher *m* (*Wort*). **'~ˌbreak·ing** *adj colloq.* zungenbrecherisch. ~ **chuck** *s tech.* Backenfutter *n.* ~ **crush·er** → **jawbreaker** 1.

jawed [dʒɔːd] *adj in Zssgn* mit ... (Kinn)Backen: **broad-~.** **'jaw·ing** *s sl.* Quatschen *n*, Geschwätz *n.*

jay[1] [dʒei] **I** *s* **1.** *orn.* Eichelhäher *m.* **2.** Lästermaul *n*, Klatschtante *f.* **3.** *sl.* a) Bauernlackel *m*, b) Einfaltspinsel *m*, Trottel *m*, c) Geck *m*, d) Flittchen *n.* **II** *adj Am.* **4.** blöd(e), beschränkt.

jay[2] [dʒei] *s* Jot *n* (*Buchstabe*).

'jay|ˌhawk·er *s Am.* **1.** J~ (*Spitzname für e-n*) Bewohner von Kansas. **2.** *sl. hist. Mitglied e-r Bande in Kansas während des amer. Bürgerkrieges.* **'~ˌwalk** *v/i colloq.* unvorsichtig *od.* verkehrswidrig über die Straße gehen. **'~ˌwalk·er** *s colloq.* unvorsichtiger Fußgänger (*im Straßenverkehr*).

jazz [dʒæz] **I** *s* **1.** *mus.* 'Jazz(muˌsik *f*) *m*: ~ **band** Jazzkapelle *f.* **2.** 'Jazzmaˌnier *f* (*Stil*). **3.** *sl.* a) ‚Schmiß' *m*, Schwung *m*, b) *contp.* über'triebenes *od.* verrücktes Zeug, c) ‚Krampf' *m*, Blödsinn *m.* **4.** *Am. sl.* Geschlechtsverkehr *m.* **II** *adj* **5.** Jazz...: ~ **music.** **6.** grell, schreiend, ‚knallig' (*Farben*). **III** *v/t* **7.** *oft* ~ **up** a) *mus.* verjazzen, b) *sl.* Schwung bringen in (*acc*), ‚aufmöbeln'. **IV** *v/i* **8.** Jazz spielen *od.* tanzen. **9.** *colloq.* her'umhopsen. **10.** *Am. sl.* koi'tieren. **'jazz·er** *s mus. sl.* **1.** 'Jazzkompoˌnist *m.* **2.** Jazzmusiker *m.* **'jazz·y** *adj* (*adv* **jazzily**) *sl.* **1.** jazzartig, Jazz... **2.** ‚wild', ‚toll'. **3.** → **jazz** 6.

jeal·ous ['dʒeləs] *adj* (*adv* ~**ly**) **1.** eifersüchtig (**of** auf *acc*): **a ~ husband.** **2.** (**of**) neidisch (auf *acc*), 'mißgünstig (gegen): **to be ~ of s.o.** auf j-n neidisch sein; **she is ~ of his success** sie mißgönnt ihm s-n Erfolg. **3.** (**of**) (ängstlich) besorgt (um), sehr bedacht (auf *acc*), wachsam. **4.** argwöhnisch, 'mißtrauisch (**of** gegenüber). **5.** streng, genau, eifrig.

jeal·ous·y ['dʒeləsi] *s* **1.** Eifersucht *f* (**of** auf *acc*): **jealousies** Eifersüchteleien. **2.** (**of**) Neid *m* (auf *acc*), 'Mißgunst *f* (gegen). **3.** *dial.* Argwohn *m*, 'Mißtrauen *n.* **4.** Wachsamkeit *f.*

jean [dʒiːn; dʒein] *s* **1.** geköperter Baumwollstoff. **2.** *pl* Jeans *pl*, Niethose *f.*

jeep [dʒiːp] *s Am.* **1.** *mot.* Jeep *m*: a) *geländegängiges Mehrzweckfahrzeug*, b) *mil.* Kübel-, Geländewagen *m.* **2.** *mil.* Re'krut *m.* **3.** *mil.* kleiner Am'phibienlastwagen. **4.** kleines Nahaufklärungsflugzeug. **5.** *mar. sl.* Geleitflugzeugträger *m.*

jeer[1] [dʒir] **I** *v/i* spotten, höhnen (**at** über *acc*). **II** *v/t* verspotten, -höhnen. **III** *s* Spott *m*, Hohn *m*, Stiche'lei *f.*

jeer[2] [dʒir] *s meist pl mar.* Rahtakel *f.*

jeer·ing ['dʒi(ə)riŋ] *adj* (*adv* ~**ly**) höhnisch, spöttisch.

Je·ho·vah [dʒi'houvə] *s Bibl.* Je'hovah *m.* ~**'s Wit·ness·es** *s pl* Zeugen *pl* Je'hovas (*religiöse Gemeinschaft*).

Je·hu ['dʒiːhjuː] **I** *npr Bibl.* Jehu *m* (*König von Jerusalem*). **II** *s* j~ *humor.* a) ‚Raser' *m*, ‚Rennfahrer' *m*, b) Kutscher *m.*

je·june [dʒi'dʒuːn] *adj* (*adv* ~**ly**) **1.** mager, ohne Nährwert: ~ **food.** **2.** trocken: a) dürr (*Land*), b) *fig.* fad(e), nüchtern. **3.** *fig.* unreif. **je'june·ness** *s* **1.** Magerkeit *f.* **2.** *fig.* Fadheit *f*, Nüchternheit *f*, Trockenheit *f.*

je·ju·num [dʒi'dʒuːnəm] *s anat.* Je'junum *n*, Leerdarm *m.*

jell [dʒel] *Am. colloq.* **I** *s* **1.** → **jelly** I. **II** *v/i* **2.** → **jelly** 5. **3.** *fig.* sich (her'aus)kristalliˌsieren, feste Gestalt annehmen. **4.** ‚zum Klappen kommen' (*Geschäft etc*). **III** *v/t* **5.** kristalli'sieren, verdichten. **6.** ‚zum Klappen bringen'.

jel·lied ['dʒelid] *adj* **1.** gallertartig, geronnen, dick, eingedickt (*Obst etc*). **2.** in Ge'lee: ~ **tongue.**

jel·ly ['dʒeli] **I** *s* **1.** Gal'lerte *f*, Gallert *n*, Sülze *f.* **2.** Ge'lee *n.* **3.** Brei *m*, ‚schwabbelige' Masse: **to beat s.o. into a ~** *colloq.* ‚j-n zu Brei schlagen'. **II** *v/i* **4.** ge'lieren, Ge'lee bilden. **5.** sich verdicken, erstarren. **III** *v/t* **6.** zum Ge'lieren *od.* Erstarren bringen. **7.** in Sülze *etc* legen. ~ **bag** *s* Seihtuch *n* (*für Gelee*). **'~ˌfish** *s* **1.** *zo.* (*e-e*) Qualle. **2.** *fig.* ‚Waschlappen' *m*, Kerl *m* ohne Rückgrat.

jem·my ['dʒemi] *s* Brecheisen *n.*

jen·net ['dʒenit] *s* (spanisches) Pony.

jen·ny ['dʒeni] *s* **1.** → **spinning jenny.**

2. *zo.* Weibchen *n*: ~ ass Eselin *f*; ~ wren Zaunkönigweibchen *n*. 3. *tech.* Laufkran *m*.

jeop·ard·ize ['dʒepər,daiz] *v/t* gefährden, aufs Spiel setzen. '**jeop·ard·y** *s* Gefahr *f*, Gefährdung *f*, Wagnis *n*, Risiko *n*: **no one shall be put twice in ~ for the same offence** *jur.* niemand darf wegen derselben Straftat zweimal vor Gericht gestellt werden.

jer·bo·a ['dʒər'bouə] *s zo.* Wüstenspringmaus *f*, Jer'boa *m*.

jer·e·mi·ad [,dʒeri'maiəd; -æd] *s* Jeremi'ade *f*, Klagelied *n*.

Jer·e·mi·ah [,dʒeri'maiə] *npr u. s* 1. *Bibl.* (das Buch) Jere'mia(s) *m*. 2. *fig.* 'Unglückspro,phet *m*, Schwarzseher *m*. ,**Jer·e'mi·as** [-əs] → Jeremiah 1.

Jer·i·cho ['dʒeri,kou] *npr Bibl.* Jericho *n*: **go to ~!** *colloq.* scher dich zum Teufel!; **to wish s.o. to ~** *colloq.* j-n dahin wünschen, wo der Pfeffer wächst.

jerk[1] [dʒəːrk] **I** *s* 1. a) plötzlicher Ruck *od.* Schlag *od.* Stoß, b) ruckartige Bewegung, c) Sprung *m*, Satz *m*: **by ~s** sprung-, ruckweise; **at one ~** auf einmal; **with a ~** plötzlich, mit e-m Ruck; **to give s.th. a ~** e-r Sache e-n Ruck geben, ruckweise an etwas ziehen; **to put a ~ in it** *sl.* tüchtig ‚rangehen'. 2. *med.* Zuckung *f*, Krampf *m*, (*bes.* 'Knie)Re,flex *m*. 3. **the ~s** *relig. Am.* ek'statische Zuckungen *pl*. 4. → **soda jerk(er)**. 5. *meist* **physical ~s** *pl Br. sl.* Turnen *n*, Gym'nastik *f*. 6. *Am. sl.* blöder Kerl, ‚Heini' *m*. **II** *v/t* 7. (*plötzlich*) stoßen, ziehen (an *dat*), reißen (an *dat*), rücken, ruckweise ziehen (an *dat*). 8. schleudern, schnellen: **to ~ o.s. free** sich losreißen. 9. *a.* **~ out** *Worte* her'vorstoßen. **III** *v/i* 10. sich ruckweise bewegen: a) (zs.-)zucken, b) (hoch)schnellen. 11. **~ off** *Am. vulg.* ona'nieren.

jerk[2] [dʒəːrk] **I** *v/t Fleisch* in Streifen schneiden u. dörren. **II** *s* Charque *f* (*an der Luft getrocknetes Fleisch*).

jerk·er ['dʒəːrkər] → **soda jerk(er)**.

jer·kin[1] ['dʒəːrkin] *s* (Leder)Wams *n*.

jer·kin[2] ['dʒəːrkin] *s orn.* männlicher Gerfalke.

'**jerk,wa·ter** *Am. colloq.* **I** *s rail.* Nebenbahn *f*. **II** *adj fig.* unbedeutend, armselig: **~ college**; **~ town** ‚Nest' *n*, ‚Kaff' *n*.

jerk·y[1] ['dʒəːrki] *adj* (*adv* **jerkily**) 1. ruckartig, sprunghaft, stoß-, ruckweise. 2. krampfhaft. 3. *Am. colloq.* blöd(e), albern.

jerk·y[2] ['dʒəːrki] → **jerk**[2] II.

jer·o·bo·am [,dʒerə'bouəm] *s Br.* Riesenweinflasche *f od.* -glas *n*.

jerque [dʒəːrk] *v/t Br.* zollamtlich über'prüfen.

jer·ry ['dʒeri] *s sl.* 1. a) Deutsche(r) *m*, *bes.* deutscher Sol'dat, b) die Deutschen *pl*. 2. *Br.* a) ‚Spe'lunke' *f*, Kneipe *f*, b) Nachttopf *m*. '**~-,build·er** *s Br. colloq.* Erbauer *m* von minderwertigen Häusern, Bauschwindler *m*. '**~-,built** *adj Br. colloq.* 'unso,lide gebaut: **~ house** ‚Bruchbude' *f*. **~ can** *s Br. colloq.* Ben'zinka,nister *m*. **~ shop** *obs. für* jerry 2a.

jer·sey ['dʒəːrzi] *s* 1. wollene Strickjacke. 2. 'Unterjacke *f*. 3. **J~** Jerseyrind *n*. 4. *a.* **J~ cloth** Jersey *m* (*wollener Trikotstoff*).

jes·sa·mine ['dʒesəmin] → **jasmin(e)**.

jes·sant ['dʒesənt] *adj her.* 1. aufschießend. 2. her'vorspringend.

Jes·se win·dow ['dʒesi] *s gemaltes Fenster mit dem Stammbaum Christi*.

jest [dʒest] **I** *s* 1. Witz *m*, Scherz *m*, Spaß *m*, Ulk *m*: **in ~** im Spaß, scherzweise; **full of ~** voll witziger Einfälle; **to make a ~ of** scherzen *od.* witzeln über (*acc*). 2. Spott *m*, Necke'rei *f*. 3. Zielscheibe *f* des Scherzes *od.* Gelächters: **standing ~** Zielscheibe ständigen Gelächters. **II** *v/i* 4. scherzen, spaßen, ulken. '**jest·er** *s* 1. Spaßmacher *m*, -vogel *m*. 2. Possenreißer *m*, Hanswurst *m*. 3. (Hof)Narr *m*. '**jest·ing I** *adj* 1. scherzend. 2. scherz-, spaßhaft: **no ~ matter** nicht zum Spaßen. **II** *s* 3. Scherz(en *n*) *m*. '**jest·ing·ly** *adv* im *od.* zum Spaß.

Jes·u·it ['dʒezjuit; -zu-; *Am. a.* -ʒu-] *s R.C. u. fig. contp.* Jesu'it *m*. ,**Jes·u'it·i·cal** *adj* (*adv* **~ly**) *R.C.* jesu'itisch (*a. fig. contp.*), Jesuiten... '**Jes·u·it·,ism** *s* 1. Jesui'tismus *m*, Jesu'itenlehre *f*. 2. *fig.* a) Jesui'tismus *m*, b) **j~** Spitzfindigkeit *f*. '**Jes·u·it·ry** [-ri] → Jesuitism 2.

jet[1] [dʒet] **I** *s* 1. *min.* Ga'gat *m*, Pechkohle *f*, Jett *m*. 2. Tiefschwarz *n*. **II** *adj* 3. aus Ga'gat. 4. tief-, pech-, kohlschwarz.

jet[2] [dʒet] **I** *s* 1. (Wasser-, Dampf-, Gas- *etc*)Strahl *m*, Strom *m*: **~ of flame** Feuerstrahl, Stichflamme *f*. 2. *tech.* Düse *f*, Strahlrohr *n*. 3. → a) **jet engine**, b) **jet plane**. **II** *v/i* 4. her'vorschießen, (her)'ausströmen. **III** *v/t* 5. ausstrahlen, -stoßen, spritzen.

jet| air lin·er → **jet liner**. '**~-'black** → jet[1] 4. **~ bomb·er** *s aer.* Düsenbomber *m*. **~ car·bu·re(t)·tor** *s tech.* Einspritz-, Düsenvergaser *m*. **~ en·gine** *s tech.* Düsenmotor *m*, Strahltriebwerk *n*. **~ fight·er** *s aer.* Düsenjäger *m*. **~ flame** *s* Stichflamme *f*. **~ jock·ey** *s aer. Am. sl.* 'Düsenpi,lot *m*. **~ lin·er** *s* Düsenverkehrsflugzeug *n*. **~ plane** *s* Düsenflugzeug *n*. '**~-pro,pelled**, *abbr.* '**~'prop** *adj aer.* düsengetrieben, mit Düsen- *od.* Strahlantrieb, Düsen... **~ pro·pel·ler** *s aer.* 'Turbopro,peller *m*. **~ pro·pul·sion** *tech.* **I** *s* Düsen-, Rückstoß-, Strahlantrieb *m*. **II** *adj* → **jet-propelled**.

jet·sam ['dʒetsəm] *s mar.* 1. Seewurfgut *n* (*in Seenot über Bord geworfene Ladung*). 2. Strandgut *n*: → **flotsam** 1.

jet·ti·son ['dʒetisn; -zn] **I** *s* 1. *mar.* Über'bordwerfen *n* (*e-r Ladung*), Seewurf *m*. 2. *aer.* Notwurf *m*. 3. → jetsam. **II** *v/t* 4. *mar.* über Bord werfen (*a. fig.*). 5. *aer.* (im Notwurf) abwerfen, *Kraftstoff* schnell ablassen. '**jet·ti·son·a·ble** *adj* abwerfbar, Abwurf...: **~ tank**; **~ seat** Schleuder-, Katapultsitz *m*.

jet·on ['dʒetn] *s* Je'ton *m*.

jet·ty ['dʒeti] *s mar.* 1. Hafendamm *m*, Mole *f*, Außenpier *m*. 2. Landungsplatz *m*, Anlegestelle *f*. 3. Strombrecher *m* (*an Brücken*).

Jew [dʒuː] **I** *s* 1. Jude *m*, Jüdin *f*. 2. *fig. colloq.* (gerissener) Geschäftemacher, Gauner *m*. **II** *v/t* **j~** 3. *colloq.* ‚übers Ohr hauen', betrügen: **to ~ down** herunterhandeln (**to** auf *acc*). **III** *adj* → **Jewish**. '**~-,bait·er** *s* Judenhetzer *m*, -verfolger *m*. '**~-,bait·ing** *s* Judenverfolgung *f*, -hetze *f*.

jew·el ['dʒuːəl] **I** *s* 1. Ju'wel *m*, *n*, Edelstein *m*: **the ~-house** die Schatzkammer (*im Tower*). 2. *fig.* Ju'wel *m*, *n*, Kleinod *n*, Perle *f*. 3. *tech.* Stein *m* (*e-r Uhr*). **II** *v/t* 4. mit Ju'welen schmücken *od.* besetzen. 5. *tech. e-e Uhr* mit Steinen versehen. '**jew·el·er**, *bes. Br.* '**jew·el·ler** *s* Juwe'lier *m*. '**jew·el·ry**, *bes. Br.* '**jew·el·ler·y** [-ri] *s* 1. Ju'welen *pl*. 2. Schmuck(sachen *pl*) *m*.

Jew·ess ['dʒuːis] *s* Jüdin *f*.

jew·ing ['dʒuːiŋ] *s orn.* Kehllappen *m*.

Jew·ish ['dʒuːiʃ] *adj* jüdisch, Juden...

Jew·ry ['dʒuːri] *s* 1. (*das*) Judentum, (*die*) Juden *pl*: **world ~** Weltjudentum. 2. *hist.* Judenviertel *n*, G(h)etto *n*.

'**Jew's|-,ear** *s bot.* 1. Judasohr *n*, Ho'lunderschwamm *m*. 2. Becherling *m*. '**j~-,harp** *s mus.* Maultrommel *f*. **~ mal·low** *s bot.* Jutepflanze *f*, Indischer Flachs. **~ myr·tle** *s bot.* Echte Myrte.

Jews' thorn *s bot.* Christusdorn *m*.

Jez·e·bel ['dʒezəbl] **I** *npr* Isebel *f*, Jezabel *f* (*jüdische Königin*). **II** *s fig.* Dirne *f*.

jib[1] [dʒib] **I** *s mar.* Klüver *m*: **flying** (*od.* **outer**) **~** Außenklüver; **the cut of his ~** *colloq.* sein Aussehen, s-e äußere Erscheinung. **II** *v/i u. v/t* → **jibe**[1].

jib[2] [dʒib] *v/i* 1. scheuen, bocken (**at** vor *dat*). 2. *Br. fig.* (**at**) a) scheuen, zu'rückweichen (vor *dat*), b) sich sträuben (gegen), wider'streben (*dat*), c) störrisch *od.* bockig sein.

jib[3] [dʒib] → **jibboom** 2.

'**jib|'boom** *s* 1. *mar.* Klüverbaum *m*. 2. *tech.* Ausleger *m* (*e-s Krans etc*). **~ door** *s* Ta'petentür *f*.

jibe[1] [dʒaib] *mar.* **I** *v/i* 1. giepen, sich 'umlegen (*Segel*). 2. drehen, den Kurs ändern. **II** *v/t* 3. *Segel* 'übergehen lassen (*beim Segeln vor dem Wind*). 4. *Segel* 'durchkaien.

jibe[2] [dʒaib] *v/i Am. colloq.* über'einstimmen, sich entsprechen.

jibe[3] → **gibe**[1].

jif·fy ['dʒifi], *a.* **jiff** *s colloq.* Augenblick *m*: **in a ~** im Nu; (**wait**) **half a ~** (warte) e-n Augenblick.

jig[1] [dʒig] **I** *s* 1. *tech.* a) (Auf-, Ein-) Spannvorrichtung *f*, Bohrvorrichtung *f*, -futter *n*, b) ('Bohr)Scha,blone *f*. 2. *Angeln*: Heintzblinker *m*. 3. *Bergbau*: a) Kohlenwippe *f*, b) 'Setzma,schine *f*. **II** *v/t* 4. *tech.* mit e-r Einstellvorrichtung *od.* e-r Scha'blone 'herstellen. 5. *Bergbau*: *Erze* setzen, scheiden.

jig[2] [dʒig] **I** *s* 1. *mus.* Gigue *f* (*Musik u. Tanz*): **the ~ is up** das Spiel ist aus. 2. *Am. sl.* ‚Schwof' *m*, Tanzparty *f*. **II** *v/t* 3. *e-e Gigue* tanzen. 4. ruckweise (auf u. ab) bewegen, hüpfen lassen, schütteln. **III** *v/i* 5. hüpfen, hopsen.

jig[3] [dʒig] *s Am. sl.* ‚Nigger' *m*.

jig·ger[1] ['dʒigər] **I** *s* 1. Giguetänzer *m*. 2. *mar.* a) Be'san *m*, b) *a.* **~ mast** Be'sanmast *m*, c) Jigger *m*, Handtalje *f*, d) Jollentau *n*, e) kleines Boot mit Jollentakelung. 3. *tech.* Erzscheider *m*, Siebsetzer *m*. 4. *tech.* Rüttelvorrichtung *f*: a) *Bergbau*: Setzsieb *n*, 'Sieb,setzma,schine *f*, b) 'Schleifma,schine *f* (*für lithographische Steine*), c) Dreh-, Töpferscheibe *f*, d) Speicherkran *m*, e) *electr.* Kopplungsspule *f*. 5. → **jig**[1] 2. 6. Mischbecher *m*. 7. *Am. sl.* a) Schnapsglas *n*, b) ‚Schnäps-chen' *n*, Schluck *m*. 8. *Golf*: Jigger *m* (*eiserner Schläger*). 9. *Billard*: (Holz)Bock *m* (*für das Queue*). 10. *Am. sl.* ‚Ding(sbums)' *n*, ‚Appa'rat' *m*. **II** *v/t* 11. *Am. sl.* ‚fri'sieren', manipu'lieren.

jig·ger[2] ['dʒigər] *s* 1. → **chigoe**. 2. → **chigger** 1.

jig·gered ['dʒigərd] *adj* verdammt: **I'm ~ if** hol mich der Teufel, wenn.

jig·ger·y-pok·er·y ['dʒigəri 'poukəri] *s Br. colloq.* Hokus'pokus *m*, fauler Zauber.

jig·gle ['dʒigl] **I** *v/t* leicht rütteln. **II** *v/i* wippen, hüpfen, wackeln.

jig| saw *s tech.* **1.** Laubsäge *f.* **2.** 'Wippsäge(ma͵schine) *f.* '**~͵saw puz·zle** *s* Zs.-setzspiel *n*, Geduld-, Puzzlespiel *n.*
Jill → Gill⁴.
jilt [dʒilt] **I** *v/t* a) *ein Mädchen* sitzenlassen, b) *e-m Liebhaber* den Laufpaß geben. **II** *s* untreues Mädchen.
Jim| Crow [dʒim 'krou] *s Am. sl.* **1.** *contp.* ‚Nigger' *m*, Neger *m.* **2.** → Jim Crowism. **~ Crow car** *s Am. colloq.* Eisenbahnwagen *m* für Farbige. **~ Crow·ism** *s Am. sl.* 'Rassentrennung *f*, -diskrimi͵nierung *f.*
jim·i·ny ['dʒimini] → Gemini II.
jim·jams ['dʒim͵dʒæmz] *s pl sl.* **1.** De'lirium *n* tremens. **2.** Gänsehaut *f.*
jim·my ['dʒimi] **I** *s* Brecheisen *n.* **II** *v/t* mit dem Brecheisen öffnen.
jin·gle ['dʒiŋgl] **I** *v/i* **1.** klingeln, klimpern (*Münzen etc*), klirren (*Ketten, Schlüssel*). **2.** klingeln (*Vers, Reim*): **jingling rhymes** Reimgeklingel *n.* **II** *v/t* **3.** klinge(l)n lassen, klimpern *od.* klirren mit. **III** *s* **4.** Geklingel *n*, Klirren *n*, Klimpern *n*: **~ bell** a) → 5, b) Schlittenglocke *f*, c) *tech.* Si'gnalglocke *f.* **5.** Klingel *f*, Glöckchen *n.* **6.** a) Reim-, Wortgeklingel *n*, (Gedicht *n* mit) Versgeklingel *n.* **7.** (zweirädriger, bedeckter) Wagen (*in Irland u. Australien*).
jin·go ['dʒiŋgou] **I** *pl* **-goes** *s* Jingo *m*, Chauvi'nist *m*, Hur'rapatri͵ot *m*, Säbelraßler *m.* **II** *adj* chauvi'nistisch. **III** *interj* **by ~!** bei Gott!, beim Zeus!
'**jin·go͵ism** *s pol.* Chauvi'nismus *m*, Hur'rapatrio͵tismus *m.* '**jin·go·ist** → jingo I. ͵**jin·go'is·tic** *adj* chauvi'nistisch.
jink [dʒiŋk] **I** *s* **1.** *bes. Scot.* geschickte (Ausweich)Bewegung, *weitS.* Trick *m.* **2.** *bes. pl, a.* **high ~s** *pl* lärmendes Vergnügen, Ausgelassenheit *f.* **II** *v/i* **3.** entschlüpfen. **4.** *aer. sl.* ausweichen (*im Luftkampf*). **III** *v/t* **5.** (*a. aer. sl. im Luftkampf*) ausweichen (*dat*).
jinn [dʒin] *pl von* jinnee.
jin·nee [dʒi'niː] *pl* **jinn** *s* Dschin *m.*
jin·rik·i·sha [dʒin'rikʃə; -ʃɔː], *a.* **jin'rick·sha** *s* Rikscha *f.*
jinx [dʒiŋks] *Am. sl.* **I** *s* **1.** Unglücksbringer *m.* **2.** Pech *n*, Unheil *n*, Unglück *n* (for für): **to break the ~** den (bösen) Bann brechen; **to put a ~ on** → 3. **II** *v/t* **3.** a) Unglück bringen (*dat*), b) ‚verhexen'. **4.** ‚zur Sau machen'.
jit·ney ['dʒitni] *s Am. sl.* **1.** billiger Autobus. **2.** *rail.* E'lektrokarren *m.* **3.** Fünf'centstück *n.*
jit·ter ['dʒitər] *sl.* **I** *s* **the ~s** *pl* a) ‚Bammel' *m*, e-e ‚Heidenangst', b) ‚Zustände' *pl*, das ‚Bibbern', der ‚Tatterich' (*Nervosität*). **II** *v/i* (e-n) ‚Bammel' haben, ‚bibbern', ner'vös sein.
jit·ter·bug ['dʒitər͵bʌg] *Br. sl. od. Am.* **I** *s* **1.** Jitterbug *m* (*Jazztanz*). **2.** 'Jazzenthusi͵ast(in), -tänzer(in). **3.** *fig.* Nervenbündel *n*, Zappelphilipp *m.* **II** *v/i* **4.** Jitterbug tanzen.
jit·ter·y ['dʒitəri] *adj sl.* ‚'durchgedreht', ‚ganz aus dem Häus-chen'.
jiu·jit·su [dʒuː'dʒitsuː], **jiu'jut·su** [-'dʒutsuː] → jujitsu.
jive [dʒaiv] **I** *s* **1.** *mus.* a) Jive *m*, (*Art*) 'Swing(mu͵sik *f*) *m*, b) Swingschritt *m.* **2.** *Am.* 'Swing-, 'Jazzjar͵gon *m.* **3.** *Am. sl.* ‚Gequatsche' *n.* **II** *v/i Am.* **4.** Swing spielen *od.* tanzen.
jo [dʒou] *pl* **joes** *s Scot.* Liebchen *n.*
job¹ [dʒɒb] **I** *s* **1.** (*ein Stück*) Arbeit *f*: **a ~ of work** *Br.* e-e Arbeit; **odd ~s** Gelegenheitsarbeiten; **~ card, ~ ticket** *econ. Am.* a) Arbeitslaufzettel *m*, b) Stundenzettel *m*; **~ order** *Am.* Arbeitsauftrag *m*; **~ production** *Am.* Einzelfertigung *f*; **~ simplification** *Am.* Arbeitsvereinfachung *f*; **~ specification** *Am.* Arbeitsbeschreibung *f*; **it was quite a ~** es war e-e Mordsarbeit *od.* e-e schwierige Sache; **to make a good ~ of it** es ordentlich erledigen *od.* machen, gute Arbeit leisten; **to make a thorough ~ of it** *colloq.* ganze Arbeit leisten; **to make the best of a bad ~** *colloq.* a) retten was zu retten ist, b) gute Miene zum bösen Spiel machen; **bad ~** a) Pfuscherei *f*, b) ‚böse Sache'; **I gave it up as a bad ~** ich steckte es (als aussichtslos) auf; **a good ~ (too)!** ein (wahres) Glück! **2.** *econ.* Stück-, Ak'kordarbeit *f*: **by the ~** im Akkord; **~ time** Akkordzeit *f*; **~ wage** Akkordlohn *m.* **3.** Beruf *m*, Beschäftigung *f*, Stellung *f*, Stelle *f*, Arbeit *f*, ‚Job' *m*: **~s for the boys** Ämter für die Anhänger (*e-r siegreichen Partei*); **out of a ~** arbeits-, stellungslos; **~ analysis** *econ. Am.* Arbeits-, Berufsanalyse *f*; **~ classification** *Am.* Berufsklassifizierung *f*; **~ control** *Am.* gewerkschaftliche Einflußnahme auf die Personalpolitik (*e-r Firma*); **~ evaluation** (*od.* **rating**) *Am.* Arbeitsbewertung *f*; **~ rotation** *Am.* turnusmäßiger Arbeitsplatztausch; **on the ~ training** *Am.* Ausbildung *f* am Arbeitsplatz; **to know one's ~** s-e Sache verstehen (*a. fig.*). **4.** Aufgabe *f*, Pflicht *f*, Sache *f*: **it is your ~ to do it**; **to be on the ~** *colloq.* a) bei der Arbeit sein, b) *fig.* auf dem Posten *od.* ‚auf Draht' sein; **this is not everybody's ~** das ist nicht jedermanns Sache, das liegt nicht jedem. **5.** *sl.* a) ‚Schiebung' *f*, ‚krumme Tour', Pro'fitgeschäft *n*, b) ‚Ding' *n*, ‚krumme Sache' (*Verbrechen*): **bank ~** Bankraub *m*; **to pull a ~** ‚ein Ding drehen'; **to do s.o.'s ~** (**for him**), **to do a ~ on s.o.** j-n ‚kaputtmachen', j-n ‚erledigen'. **6.** *bes. Am. colloq.* a) ‚Ding' *n*, ‚Appa'rat' *m* (*Auto etc*), b) ‚Nummer' *f*, ‚Type' *f* (*Person*): **she is a tough ~.** **7.** *pl Am.* a) beschädigte Ware(n *pl*), *bes.* Remit'tenden *pl* (*Bücher*), b) Ladenhüter *pl.*
II *v/i* **8.** Gelegenheitsarbeiten machen. **9.** (im) Ak'kord arbeiten. **10.** a) Zwischen-, *Am. a.* Großhandel treiben, b) Vermittlergeschäfte machen. **11.** *Br.* mit 'Wertpa͵pieren handeln. **12.** ‚schieben', Schiebungen machen.
III *v/t* **13.** als Zwischenhändler verkaufen. **14.** *a.* **~ out** a) *Arbeit* im Ak'kord vergeben, b) *Aufträge* weitervergeben. **15.** ‚schieben' mit, veruntreuen: **to ~ s.o. into a post** j-m e-n Posten ‚zuschanzen'. **16.** speku'lieren mit. **17.** *Am. sl.* a) prellen (**out of** um), b) *j-n* ‚fertigmachen'. **18.** *Br. Pferde, Wagen* a) mieten, b) vermieten.
job² [dʒɒb] *bes. Br.* **I** *v/t* **1.** (hin'ein)stechen, (-)stoßen. **2.** *ein Pferd* reißen (*mit dem Gebiß*). **II** *v/i* **3.** stoßen *od.* stechen (**at** nach). **III** *s* **4.** Stich *m*, Stoß *m.* **5.** Reißen *n* (*am Pferdegebiß*).
Job³ [dʒoub] *npr Bibl.* Hiob *m*, Job *m*: (**the Book of**) **~** (das Buch) Hiob *m od.* Job *m*; **patience of ~** Engelsgeduld *f*; **that would try the patience of ~** das würde selbst e-n Engel zur Verzweiflung treiben; **~'s comforter** schlechter Tröster; **~'s news, ~'s post** Hiobsbotschaft *f*, -post *f.*
jo·ba·tion [dʒo'beiʃən] *s colloq.* ‚Standpauke' *f*, Strafpredigt *f.*
job·ber ['dʒɒbər] *s* **1.** a) Zwischenhändler *m*, b) *Am.* Großhändler *m.* **2.** Gelegenheitsarbeiter *m.* **3.** Ak'kordarbeiter *m.* **4.** *Br.* 'Wertpa͵pierhändler *m*, 'Börsenspeku͵lant *m* (*Ggs. Makler*). **5.** ‚Schieber' *m*, Geschäftemacher *m*, *a.* kor'rupter Beamter.
job·ber·y ['dʒɒbəri] *s* **1.** ‚Schiebung' *f*, Veruntreuung *f*, 'Amts͵mißbrauch *m.* **2.** Korrupti'on *f.* **3.** *contp.* ('Börsen)-Spekulati͵on *f.*
job·bing ['dʒɒbiŋ] **I** *adj* **1.** im Ak'kord arbeitend. **2.** Gelegenheitsarbeiten verrichtend: **~ man** Gelegenheitsarbeiter *m*; **~ tailor** Flickschneider *m*; **~ work** *print.* Akzidenzarbeit *f.* **II** *s* **3.** Ak'kordarbeit *f.* **4.** Gelegenheitsarbeit *f.* **5.** a) Zwischenhandel *m*, b) *Am.* Großhandel *m.* **6.** *Br.* Ef'fektenhandel *m.* **7.** Schiebung *f*, Spekulati'onsgeschäfte *pl.*
'**job|͵hold·er** *s* **1.** Stelleninhaber(in). **2.** *Am.* Angestellte(r *m*) *f* des öffentlichen Dienstes, Staatsbedienstete(r *m*) *f.* **~ hunt·er** *s* Stellenjäger(in).
job·less ['dʒɒblis] *adj Am.* arbeits-, stellenlos.
job| lot *s econ.* **1.** Gelegenheitskauf *m.* **2.** Ramsch-, Par'tieware(n *pl*) *f*: **to sell as a ~** im Ramsch verkaufen. '**~͵mas·ter** *s Br.* Wagen- u. Pferdeverleiher *m.* **~ print·ing** *s* Akzi'denzdruck *m.* **~ work** *s* **1.** → job printing. **2.** Ak'kordarbeit *f.*
Jock¹ [dʒɒk] *s* **1.** *colloq.* Bube *m* (*Spielkarte*). **2.** *sl.* schottischer Sol'dat.
jock² [dʒɒk] *colloq.* → jockey 1.
jock³ [dʒɒk] *colloq.* → jock strap.
jock·ey ['dʒɒki] **I** *s* **1.** Jockei *m*: **~ club.** **2.** *Br.* a) Bursche *m*, b) Handlanger *m.* **3.** *Am. colloq.* Fahrer *m*, Bedienungsmann *m*: **elevator ~** Liftboy *m.* **II** *v/t* **4.** *Pferd* (als Jockei) reiten. **5.** *colloq.* manö'vrieren, manipu'lieren, ‚deichseln': **to ~ s.o. away** j-n ‚weglotsen'; **to ~ s.o. into s.th.** j-n in etwas hineinmanövrieren; **to ~ s.o. into a position** j-m durch Protektion e-e Stellung verschaffen. **6.** *colloq.* betrügen (**out of** um), ‚übers Ohr hauen'. **7.** *Am. sl.* ‚kut'schieren' (mit), fahren, manipu'lieren. **III** *v/i* **8.** ‚manö'vrieren': **to ~ for position** a) *sport* sich e-e gute (Ausgangs)Position zu schaffen suchen (*a. fig.*), b) *fig. contp.* finassieren. **~ pul·ley, ~ wheel** *s tech.* Spann-, Leitrolle *f.* **~ weight** *s tech.* Laufgewicht *n* (*e-r Waage*).
jock·o ['dʒɒkou] *pl* **-os** *s zo.* Schim['panse *m.*]
Jock| Scott ['dʒɒk 'skɒt] *s künstliche Fliege für Forellen- u. Lachsfang.*
j~ strap *s* 'Sportsuspen͵sorium *n.*
jo·cose [dʒo'kous] *adj* (*adv* **~ly**) **1.** spaß-, scherzhaft, komisch. **2.** heiter, ausgelassen. **jo'cos·i·ty** [-'kɒsiti], *a.* **jo'cose·ness** [-'kousnis] *s* **1.** Scherzhaftigkeit *f.* **2.** Ausgelassenheit *f.* **3.** Spaß *m*, Scherz *m.*
joc·u·lar ['dʒɒkjulər] *adj* (*adv* **~ly**) **1.** scherz-, spaßhaft, witzig. **2.** lustig. ͵**joc·u'lar·i·ty** [-'læriti] → jocosity.
joc·und ['dʒɒkənd; 'dʒou-] *adj* (*adv* **~ly**) lustig, fröhlich, heiter, munter.
jo·cun·di·ty [dʒo'kʌnditi] *s* **1.** Lustigkeit *f*, Munterkeit *f.* **2.** Scherz *m.*
jodh·pur breech·es ['dʒɒdpuːr; -pə(ː)r], '**jodh·purs** *s pl* Reithose *f.*
Joe¹ [dʒou] *s* **1.** *Am. colloq.* a) Bursche *m*, Kerl *m*: **a good ~**; **~ College** unseriöser Student, b) → GI 1, c) Kaffee *m.* **2.** **not for ~** *Br. sl.* um keinen Preis.
joe² → jo.
Jo·el ['dʒouel] *npr u. s Bibl.* (das Buch) [Joel *m.*]
Joe Mil·ler [dʒou 'milər] *s Br.* Kalauer *m*, ‚fauler' *od.* alter Witz.
jog¹ [dʒɒg] **I** *v/t* **1.** (an)stoßen, schubsen, ‚stupsen'. **2.** rütteln. **3.** *fig.* aufrütteln, erinnern: **to ~ his memory** s-m Gedächtnis nachhelfen. **4.** *Papier-*

bogen etc geradestoßen, ausrichten. **5.** *Maschine etc* kurzfristig (an)laufen lassen. **II** *v/i* **6.** klapsen, schlagen (against gegen). **7.** *a.* ~ on, ~ along (da'hin)trotten, ‚(-)zuckeln'. **8.** *a.* ~ on sich auf den Weg machen, ‚loszukkeln'. **9.** *fig.* a) weitergehen, b) weitermachen, ‚weiterwursteln': matters ~ along die Dinge nehmen ihren Lauf. **III** *s* **10.** (leichter) Stoß, ‚Stups' *m.* **11.** Rütteln *n.* **12.** → jogtrot I.

jog² [dʒɒg] *s bes. Am.* a) Vorsprung *m*, b) Einbuchtung *f*, c) Kurve *f*.

jog·gle ['dʒɒgl] **I** *v/t* **1.** (leicht) schütteln, rütteln (an *dat*), erschüttern. **2.** *tech.* verschränken, -zahnen, (ver)kröpfen. **II** *v/i* **3.** sich schütteln, wakkeln. **4.** → jogtrot 4. **III** *s* **5.** (leichter) Stoß, Rütteln *n.* **6.** → jogtrot I. **7.** *tech.* a) Verzahnung *f*, b) Zapfen *m*, c) Kerbe *f*, d) Falz *m*, Nut *f*.

'jog,trot I *s* **1.** (gemächlicher) Trab, Trott *m.* **2.** *fig.* Trott *m*: a) Schlendrian *m*, b) Eintönigkeit *f*. **II** *adj* **3.** *fig.* eintönig. **III** *v/i* **4.** (gemächlich) (da'hin)trotten, traben, ‚zuckeln'.

John [dʒɒn] *npr u. s* **1.** *Bibl.* a) Jo'hannes *m*, b) Jo'hannesevan,gelium *n*: ~ the Baptist Johannes der Täufer; (the Epistles of) ~ die Johannesbriefe. **2.** Jo'hannes *m*, Hans *m.* **3.** *Am. sl.* a) ‚Knülch' *m*, Kerl *m*, b) Chi'nese *m*, c) *mil.* Re'krut *m*, d) ‚Schatz' *m*, Liebhaber *m.* **4.** *Am. sl.* ‚Klo' *n*, Toi'lette *f*. ~ **Bull** *s* John Bull: a) *England*, b) *der (typische) Engländer*. ~ **Chi·na·man** *s* der (typische) Chi'nese. ~ **Com·pa·ny** *s Br. hist. colloq.* Ostindische Kompa'nie. ~ **Doe** [dou] *s* **1.** ~ and Richard Roe *jur.* A. u. B. (*fiktive Parteien*). **2.** *Am. colloq.* kleiner Mann *m*, ‚Würstchen' *n.* ~ **Do·ry** ['dɔːri] *s ichth.* Heringskönig *m.* ~ **Han·cock** ['hænkɒk], ~ **Hen·ry** ['henri] *s Am. colloq.* ‚Friedrich Wilhelm' *m* (*Unterschrift*).

john·ny ['dʒɒni] *s* **1.** *colloq.* a) *Br.* Stutzer *m*, Bummler *m*, b) Kerl *m*, Bursche *m*, ‚Knülch' *m.* **2.** *Am. sl.* ‚Klo(sitz *m*, -schüssel *f*)' *n.* **'~,cake** *s Am.* (*Art*) Maiskuchen *m.* **'J~-,come-'late·ly** *s Am. colloq.* **1.** Neuankömmling *m*, Neuling *m.* **2.** Nachzügler *m*, ‚Spätzünder' *m.* **J~ on the spot** *s Am. colloq.* a) j-d, der ‚auf Draht' ist, b) Retter *m* in der Not.

'John-o'-'Groat's(-House) [-ə'grouts] *s* (*Ort an der*) Nordspitze *f* Schottlands: from John-o'-Groat's to Land's End (quer) durch ganz England (u. Schottland).

John·son·ese [,dʒɒnsə'niːz] *s* **1.** Stil *m* von Samuel Johnson. **2.** pom'pöser Stil.

John·so·ni·an [dʒɒn'souniən; -njən] *adj* **1.** Johnsonsch(er, e, es) (*Samuel Johnson od. s-n Stil betreffend*). **2.** pom'pös, hochtrabend.

join [dʒɔin] **I** *v/t* **1.** *etwas* verbinden, -einigen, zs.-fügen (to, on to mit): to ~ hands a) die Hände falten, b) sich die Hand *od.* die Hände reichen, c) *fig.* gemeinsame Sache machen, sich zs.-tun. **2.** *Personen* vereinigen, zs.-gesellen, -bringen (with, to mit): to ~ in marriage verheiraten; to ~ in friendship freundschaftlich verbinden. **3.** *fig.* verbinden, -ein(ig)en: to ~ prayers gemeinsam beten; → force 1. **4.** sich anschließen (*dat od.* an *acc*), stoßen *od.* sich gesellen zu: I'll ~ you later; to ~ s.o. in (doing) s.th. etwas zusammen mit j-m tun; to ~ s.o. in a walk (gemeinsam) mit j-m e-n Spaziergang machen, sich j-m auf e-m Spaziergang anschließen; to ~ one's regiment zu s-m Regiment stoßen; to ~ one's ship an Bord s-s Schiffes gehen; → majority 2. **5.** *e-m Klub, e-r Partei etc* beitreten, eintreten in (*acc*): to ~ the army ins Heer eintreten, Soldat werden; to ~ a firm as a partner in e-e Firma als Teilhaber eintreten. **6.** a) teilnehmen *od.* sich beteiligen an (*dat*), mitmachen bei, b) sich einlassen auf (*acc*), *den Kampf* aufnehmen: to ~ an action *jur.* e-m Prozeß beitreten; to ~ a treaty e-m (Staats)Vertrag beitreten; → battle *Bes. Redew.*, issue 4. **7.** sich vereinigen mit, zs.-kommen mit, (ein)münden in (*acc*) (*Fluß, Straße*). **8.** *math.* *Punkte* verbinden. **9.** *colloq.* (an)grenzen an (*acc*).

II *v/i* **10.** sich vereinigen *od.* verbinden, zs.-kommen, sich treffen (with mit). **11.** in Verbindung stehen. **12.** a) ~ in (*s.th.*) → 6 a, b) (with s.o. in s.th.) sich (j-m bei etwas) anschließen, (etwas) gemeinsam tun (mit j-m). **13.** anein'andergrenzen, sich berühren. **14.** ~ up Sol'dat werden.

III *s* **15.** Verbindungsstelle *f*, -linie *f*, Naht *f*, Fuge *f*.

join·der ['dʒɔindər] *s* **1.** Verbindung *f*. **2.** *jur.* a) *a.* ~ of actions (objek'tive) Klagehäufung, b) *a.* ~ of parties Streitgenossenschaft *f*, c) ~ of issue Einlassung *f* (auf die Klage).

join·er ['dʒɔinər] *s* **1.** Tischler *m*, Schreiner *m*: ~'s bench Hobelbank *f*; ~'s clamp Leim-, Schraubzwinge *f*. **2.** *j-d, der zs.-fügt*: film ~ (Film)Kleber(in). **3.** 'Schreinerma,schine *f*. **4.** *Am. colloq.* Vereinsmeier *m.* **'join·er·y** [-əri] *s* **1.** Tischlerhandwerk *n*, Schreine'rei *f*. **2.** Tischlerarbeit *f*.

joint [dʒɔint] **I** *s* **1.** Verbindung(sstelle) *f*, *bes.* a) *Tischlerei etc*: Fuge *f*, Stoß *m*, b) *rail.* Schienenstoß *m*, c) (Löt)Naht *f*, Nahtstelle *f*, d) *anat. biol. tech.* Gelenk *n*: universal ~ Kardangelenk; out of ~ ausgerenkt, *bes. fig.* aus den Fugen; → nose *Bes. Redew.* **2.** *bot.* a) (Sproß)Glied *n*, b) (Blatt)Gelenk *n*, c) Gelenk(knoten *m*) *n.* **3.** Verbindungsstück *n*, Bindeglied *n.* **4.** Hauptstück *n* (*e-s Schlachttiers*), Braten(stück *n*) *m*, Keule *f*. **5.** *Buchbinderei*: Falz *m* (*der Buchdecke*). **6.** *sl.* ‚Bude' *f*: a) Lo'kal *n*, *contp.* ‚'Bumslo,kal' *n*, Spe'lunke *f*, b) ‚Laden' *m*, Gebäude *n*.

II *adj* (*adv* → jointly) **7.** gemeinsam, gemeinschaftlich (*a. jur*): ~ effort; ~ invention; ~ liability; ~ action gemeinsames Vorgehen; ~ and several *jur.* gesamtschuldnerisch, solidarisch, zur gesamten Hand (→ jointly); ~ and several liability gesamtschuldnerische Haftung; ~ and several note gesamtschuldnerisches Zahlungsversprechen; for their ~ lives solange sie beide *od.* alle leben. **8.** *bes. jur.* Mit..., Neben...: ~ heir Miterbe *m*; ~ offender Mittäter *m*; ~ plaintiff Mitkläger *m.* **9.** vereint, zs.-hängend.

III *v/t* **10.** verbinden, zs.-fügen. **11.** *tech.* a) fugen, stoßen, verbinden, -zapfen, b) *Fugen* verstreichen.

joint| ac·count *s econ.* Gemeinschaftskonto *n*: on (*od.* for) ~ auf *od.* für gemeinsame Rechnung. ~ **ad·ven·ture** → joint venture. ~ **cap·i·tal** *s econ.* Ge'sellschaftskapi,tal *n.* ~ **com·mit·tee** *s pol.* gemischter Ausschuß. ~ **cred·it** *s econ.* Konsorti'alkre,dit *m.* ~ **cred·i·tor** *s jur.* Gesamthandgläubiger *m.* ~ **debt** *s jur.* gemeinsame Verbindlichkeit, Gesamthandschuld *f*. ~**-debt·or** *s jur.* Mitschuldner *m*, Gesamthandschuldner *m*.

joint·ed ['dʒɔintid] *adj* **1.** verbunden. **2.** gegliedert, mit Gelenken versehen: ~ doll Gliederpuppe *f*. **'joint·er** *s tech.* **1.** Schlichthobel *m.* **2.** Fügebank *f*. **3.** *Maurerei*: Fugkelle *f*.

joint| e·vil *s vet.* Lähme *f*. ~ **fam·i·ly** *s* 'Großfa,milie *f*.

joint·ly ['dʒɔintli] *adv* gemeinschaftlich: ~ and severally a) gemeinsam u. jeder für sich, b) solidarisch, zur gesamten Hand, gesamtschuldnerisch.

joint| own·er *s econ.* Miteigentümer(in), Mitinhaber(in), Teilhaber(in). ~ **own·er·ship** *s* **1.** *econ.* Miteigentum *n.* **2.** *mar.* ,Mit-, ,Partnerreede'rei *f*. ~ **res·o·lu·tion** *s pol.* gemeinsame Resoluti'on. ~ **stock** *s econ.* Ge'sellschafts-, 'Aktienkapi,tal *n.* **'~-'stock bank** *s econ.* Genossenschafts-, Aktienbank *f*. **'~-'stock com·pa·ny** *s econ.* **1.** *Br.* Aktiengesellschaft *f*. **2.** *Am.* offene Handelsgesellschaft auf Aktien. **'~-'stock cor·po·ra·tion** *s econ. Am.* Aktiengesellschaft *f*. ~ **ten·an·cy** *s econ.* Mitbesitz *m*, -pacht *f*. ~ **ten·ant** *s econ.* Mitpächter *m*, -besitzer *m.* ~ **un·der·tak·ing** → joint venture.

join·ture ['dʒɔintʃər] **I** *s jur.* Wittum *n*, (Witwen)Leibgedinge *n.* **II** *v/t der Ehefrau* ein Wittum aussetzen.

joint ven·ture *s econ.* **1.** Ge'meinschaftsunter,nehmen *n*, **2.** Gelegenheitsgesellschaft *f*.

joist [dʒɔist] *arch.* **I** *s* **1.** (kleiner) (Quer)Balken, Dielenbalken *m.* **2.** (Pro'fil-, Quer)Träger *m.* **II** *v/t* **3.** mit (Pro'fil)Trägern belegen.

joke [dʒouk] **I** *s* **1.** Witz *m*: practical ~ Schabernack *m*, Streich *m*; to crack ~s Witze reißen; to play a practical ~ on s.o. j-m e-n Streich spielen. **2.** Scherz *m*, Spaß *m*: in ~ zum Spaß *od.* Scherz; he cannot take (*od.* see) a ~ er versteht keinen Spaß; no ~! kein Witz!; it was no ~ *fig.* es war keine Kleinigkeit *od.* kein Spaß. **3.** Witz *m* (*lächerliche Person od. Sache*): he is a ~. **II** *v/i* **4.** scherzen, Witze machen: joking apart! Scherz beiseite! **III** *v/t* **5.** *j-n* hänseln, necken. **'jok·er** *s* **1.** Spaßvogel *m*, Witzbold *m.* **2.** *sl.* Kerl *m*, Bursche *m*, ‚Heini' *m.* **3.** Joker *m* (*Spielkarte*). **4.** *Am. sl. meist pol.* ‚'Hintertürklausel' *f*.

jol·li·fi·ca·tion [,dʒɒlifi'keiʃən] *s colloq.* (feucht)fröhliches Fest, Festivi'tät *f*.

'jol·li,fy [-,fai] *v/t colloq.* lustig machen, in fröhliche Stimmung versetzen, *bes.* beschwipst machen. **'jol·li·ty** [-ti], *a.* **'jol·li·ness** *s* **1.** Lustigkeit *f*, Fröhlichkeit *f*. **2.** Fest *n*.

jol·ly¹ ['dʒɒli] **I** *adj* (*adv* jollily) **1.** lustig, fi'del, vergnügt: the ~ god der heitere Gott (*Bacchus*). **2.** freundlich, nett. **3.** *Br. colloq.* (*alle a. iro.*) a) fa'mos, großartig, herrlich, b) schön, nett, hübsch: he must be a ~ fool er muß (ja) ganz schön blöd sein. **4.** angeheitert, beschwipst. **II** *adv* **5.** *Br. colloq.* ‚ganz schön', ‚mächtig', sehr: ~ late; ~ good! *iro.* ‚ist ja prima'!; a ~ good fellow ein prima Kerl; you'll ~ well have to do it du mußt (es tun), ob du willst oder nicht; you ~ well know du weißt ganz gut. **III** *v/t colloq.* **6.** *meist* ~ along *j-m* schmeicheln *od.* schöntun. **7.** *j-n* ‚aufziehen', necken. **IV** *s* **8.** *Br. sl.* Ma'rinesol,dat *m.* **9.** → jollification.

jol·ly² ['dʒɒli], ~ **boat** *s mar.* Jolle *f*.

Jol·ly Rog·er ['rɒdʒər] *s* Totenkopf-, Seeräuberflagge *f*.

jolt [dʒoult] **I** *v/t* **1.** (auf)rütteln, schütteln, stoßen. **2.** *tech.* *Metallstäbe* stauchen. **3.** *Passagiere etc* ('durch)-

schütteln, beuteln. **4.** *Am.* a) *Boxen*: empfindlich treffen, erschüttern (*a. fig.*), b) *fig.* aufrütteln, e-n Schock versetzen (*dat*). **II** *v/i* **5.** rütteln, holpern (*bes. Fahrzeug*): to ~ along dahinholpern. **III** *s* **6.** Ruck *m*, Stoß *m*. **7.** Rütteln *n*, Holpern *n*. **8.** *Boxen*: *Am.* harter Schlag. **9.** *fig.* Schock *m*, Schlag *m*: **a healthy** ~ ein heilsamer *od.* aufrüttelnder Schock. **10.** *fig.* Rückschlag *m*. **11.** *Am. sl.* a) ‚Schuß' *m* (*Kognak etc*), b) ‚Spritze' *f* (*Rauschgift*).

jolt·y ['dʒoulti] *adj colloq.* **1.** holperig. **2.** ruckartig.

Jo·nah ['dʒounə] *npr u. s* **1.** *Bibl.* (das Buch) Jona(s) *m*. **2.** *fig.* Unglücksbringer *m*.

Jo·nas ['dʒounəs] → **Jonah** 1.

Jon·a·than ['dʒɒnəθən] *s* **1.** Jonathan *m* (*ein Tafelapfel*). **2.** → **Brother Jonathan.**

jon·gleur [*Br.* ʒɔ̃:(ŋ)'glə:; *Am.* 'dʒɑŋglər; ʒɔ̃'glœ:r] *s hist.* fahrender Sänger, Spielmann *m*.

jon·quil ['dʒɒŋkwil] *s* **1.** *bot.* Jon'quille *f* (*e-e Narzisse*). **2.** *a.* ~ **yellow** helles Rötlichgelb.

jook joint → **juke joint.**

jor·dan ['dʒɔ:rdn] *s obs. od. vulg.* Nachttopf *m*.

jo·rum ['dʒɔ:rəm] *s* **1.** großer Humpen. **2.** Punsch *m*, Bowle *f* (*Getränk*).

josh [dʒɒʃ] *sl.* **I** *v/t j-n* ‚aufziehen', ‚veräppeln', necken. **II** *v/i* ulken, schäkern (**with** mit). **III** *s* ‚Veräppelung' *f*.

Josh·u·a ['dʒɒʃjuə; -ʃuə] *npr. u. s Bibl.* (das Buch) Josua *m od.* Josue *m*.

jos·kin ['dʒɒskin] *s sl.* Bauernlackel *m*.

joss [dʒɒs] *s* chi'nesischer (Haus)-Götze.

joss·er ['dʒɒsər] *s sl.* **1.** Kerl *m*. **2.** Schafskopf *m*.

joss| house *s* chi'nesischer Tempel. ~ **stick** *s* Räucherstock *m*, -stab *m* (*im chinesischen Tempel*).

jos·tle ['dʒɒsl] **I** *v/t* **1.** anrempeln, (an)stoßen, puffen, dränge(l)n: **to** ~ **each other** gegeneinanderstoßen. **II** *v/i* **2.** rempeln, stoßen, puffen (**against** gegen). **3.** zs.-stoßen (**with** mit). **4.** sich dränge(l)n (**for s.th.** um etwas). **III** *s* **5.** Zs.-prall *m*, -stoß *m* (*a. fig.*). **6.** Dränge'lei *f*, Gedränge *n*.

Jos·u·e ['dʒɒsju,i:] → **Joshua.**

jot [dʒɒt] **I** *s* Jota *n*, Deut *m*: **not a** ~ kein Jota, nicht ein bißchen. **II** *v/t meist* ~ **down** flüchtig *od.* schnell 'hinschreiben *od.* no'tieren *od.* ,'hinwerfen'. **'jot·ter** *s* No'tizbuch *n*. **'jot·ting** *s* (kurze) No'tiz.

joule [dʒu:l; dʒaul] *s electr.* Joule *n* (*1 Wattsekunde*).

jounce [dʒauns] **I** *v/t* **1.** ('durch)schütteln, beuteln. **II** *v/i* **2.** rattern, holpern. **3.** geschüttelt werden. **III** *s* **4.** Stoß *m*, Ruck *m*.

jour·nal ['dʒə:rnl] *s* **1.** Tagebuch *n*. **2.** *Buchhaltung*: Jour'nal *n*: **cash** ~ Kassenbuch *n*; **sales** ~ Warenausgangsbuch *n*. **3. the J~s** *pl parl. Br.* das Proto'kollbuch. **4.** Zeitschrift *f*, Zeitung *f*, Jour'nal *n*, *bes.* a) Tageszeitung *f*, b) Fachzeitschrift *f*. **5.** *mar.* Logbuch *n*. **6.** *tech.* (Lager-, Wellen)Zapfen *m*, Achsschenkel *m*: ~ **bearing** Achs-, Zapfenlager *n*; ~ **box** Lagerbüchse *f*. **,jour·nal'ese** [-nə'li:z] *s colloq.* Zeitungsstil *m*. **'jour·nal,ism** *s* Zeitungswesen *n*, Journa'lismus *m*. **'jour·nal·ist** *s* Journa'list(in). **,jour·nal'is·tic** *adj* journa'listisch. **'jour·nal,ize I** *v/t* **1.** in ein Tagebuch *od.* (*econ.*) in das Jour'nal eintragen. **II** *v/i* **2.** ein Tagebuch *od.* (*econ.*) ein Jour'nal führen. **3.** Journa'list sein.

jour·ney ['dʒə:rni] **I** *s* **1.** Reise *f*: **to go on a** ~ verreisen. **2.** Reise *f*, Entfernung *f*, Weg *m*: **a two days'** ~ zwei Tagereisen (**to** nach). **3.** Route *f*, Strecke *f*. **4.** *obs.* Tagereise *f*. **II** *v/i* **5.** reisen. **6.** wandern. **'~·man** [-mən] *s irr* **1.** (Handwerks)Geselle *m*: ~ **tailor** Schneidergeselle. **2.** *fig.* Handlanger *m*. **3.** *a.* ~ **clock** *astr.* Kon'trolluhr *f* (*e-r Sternwarte*). **'~,work** *s* **1.** Gesellenarbeit *f*. **2.** Rou'tinearbeit *f*. **3.** *fig.* Tagelöhnerarbeit *f*.

joust [dʒaust; dʒu:st; dʒʌst] *hist.* **I** *v/i* **1.** tur'nieren. **II** *s* **2.** Lanzenbrechen *n*, Zweikampf *m*. **3.** *pl* Tur'nier(spiel) *n*. **'joust·er** *s hist.* Tur'nierkämpfer *m*.

Jove [dʒouv] *npr* Jupiter *m*: **by** ~! (Himmel)Donnerwetter!

jo·vi·al ['dʒouvjəl; -viəl] *adj* (*adv* **~ly**) heiter, aufgeräumt, vergnügt, lustig, jovi'al. **,jo·vi'al·i·ty** [-'æliti], **'jo·vi·al·ness** *s* **1.** Joviali'tät *f*, Heiterkeit *f*. **2.** Lustigkeit *f*.

Jo·vi·an ['dʒouviən] *adj astr. u. myth.* des Jupiter.

jowl [dʒaul] *s* **1.** ('Unter)Kiefer *m*. **2.** Wange *f*, Backe *f*: → **cheek** 1. **3.** *zo.* Wamme *f*. **4.** *orn.* Kehllappen *m*. **5.** *ichth.* Kopf(stück *n*) *m*.

joy [dʒɔi] **I** *s* **1.** Freude *f* (**at** über *acc*; **in** an *dat*): **to leap for** ~ vor Freude hüpfen; **tears of** ~ Freudentränen; **this gives me great** ~ das bereitet mir große Freude; **to wish s.o.** ~ j-m Glück wünschen (of zu); **I wish you** ~! *iro.* viel Spaß!; **no** ~ **without annoy** keine Rose ohne Dornen. **2.** Glück'seligkeit *f*, Wonne *f*. **II** *v/i* **3.** *poet.* sich freuen (**in** über *acc*). **III** *v/t* **4.** *poet.* erfreuen.

joy·ful ['dʒɔifəl; -ful] *adj* (*adv* **~ly**) **1.** freudig, erfreut: **to be** ~ sich freuen, erfreut sein. **2.** erfreulich, froh, freudig: ~ **tidings.** **'joy·ful·ness** *s* Freudigkeit *f*, Fröhlichkeit *f*, Freude *f*. **'joy·less** *adj* (*adv* **~ly**) **1.** freudlos. **2.** unerfreulich. **'joy·less·ness** *s* **1.** Freudlosigkeit *f*. **2.** Unerfreulichkeit *f*. **'joy·ous** *adj* (*adv* **~ly**) → **joyful.** **'joy·ous·ness** → **joyfulness.**

joy| ride *s colloq.* **1.** ('übermütige) Vergnügungsfahrt. **2.** Schwarzfahrt *f* (*mit e-m Auto*). ~ **stick** *s aer. colloq.* Steuerknüppel *m*.

ju·be ['dʒu:bi:] *s arch.* **1.** Lettner *m*. **2.** 'Lettnerem,pore *f*.

ju·bi·lant ['dʒu:bilənt] *adj* (*adv* **~ly**) jubelnd, froh'lockend.

ju·bi·late[1] ['dʒu:bi,leit] *v/i* jubeln, jubi'lieren, jauchzen.

Ju·bi·la·te[2] [,dʒu'bi'leiti; -'lɑ:ti] *s relig.* **1.** (Sonntag *m*) Jubi'late (*3. Sonntag nach Ostern*). **2.** Jubi'latepsalm *m*.

ju·bi·la·tion [,dʒu:bi'leiʃən] *s* Jubel *m*, Froh'locken *n*.

ju·bi·lee ['dʒu:bi,li:] **I** *s* **1.** Jubi'läum *n*: **silver** ~ fünfundzwanzigjähriges Jubiläum. **2.** fünfzigjähriges Jubi'läum. **3.** *R.C.* Jubel-, Ablaßjahr *n*. **4.** Halljahr *n* (*der Israeliten*). **5.** a) Jubel-, Freudenfest *n*, b) Festzeit *f*. **6.** Jubel *m*. **II** *adj* **7.** Jubiläums...: ~ **stamp.**

Ju·dae·an → **Judean.**

Ju·dah ['dʒu:də] *Bibl.* **I** *npr* Juda *m*. **II** *s* (Stamm *m*) Juda *n*.

Ju·da·ic [dʒu:'deiik], *a.* **Ju'da·i·cal** *adj* jüdisch.

Ju·da·ism ['dʒu:də,izəm] *s* Juda'ismus *m* (*jüdische Religion u. Sitten*). **,Ju·da'is·tic** *adj* juda'istisch. **'Ju·da,ize I** *v/i* dem Juda'ismus anhängen. **II** *v/t* zum Juda'ismus bekehren, jüdisch machen.

Ju·das ['dʒu:dəs] **I** *npr Bibl.* **1.** Judas *m*. **II** *s* **2.** Judas *m* (*Verräter*). **3.** Guckloch *n*, Spi'on *m*. **'~-,col·o(u)red** *adj* rothaarig. ~ **kiss** *s* Judaskuß *m*. ~ **tree** *s bot.* Judasbaum *m*.

jud·der ['dʒʌdər] *s* **1.** *mus.* Vi'brato *n*. **2.** *aer.* Vi'brieren *n*.

Jude [dʒu:d] *npr u. s Bibl.* Judas *m*: (**the Epistle of**) ~ der Judasbrief.

Ju·de·an [dʒu:'di:ən; -'diən] **I** *adj* **1.** ju'däisch. **2.** jüdisch. **II** *s* **3.** Ju'däer *m*. **4.** Jude *m*.

judge [dʒʌdʒ] **I** *s* **1.** *jur.* Richter *m*: **associate** ~ Beisitzer *m*, beisitzender Richter; **body of ~s** Richterkollegium *n*; **as God's my** ~! so wahr mir Gott helfe! **2.** *fig.* Richter *m* (**of** über *acc*). **3.** Preis-, Schieds-, *sport a.* Kampfrichter *m*. **4.** Kenner *m*, Sachverständige(r) *m*: **a** ~ **of wine** ein Weinkenner; **a good** ~ **of character** ein guter Menschenkenner; **I am no** ~ **of it** ich kann es nicht beurteilen; **let me be the** ~ **of that** überlasse das *od.* die Entscheidung darüber ruhig mir. **5.** *Bibl.* a) Richter *m*, b) **J~s** *pl* (*als sg konstruiert*) (*das* Buch der) Richter. **II** *v/t* **6.** *jur.* ein Urteil fällen *od.* Recht sprechen über (*acc*). **7.** entscheiden (**s.th.** etwas; **that** daß). **8.** beurteilen, einschätzen (**by** nach). **9.** betrachten als, halten für. **10.** schätzen: **to** ~ **the distance.** **III** *v/i* **11.** *jur.* urteilen, Recht sprechen. **12.** *fig.* richten, zu Gericht sitzen. **13.** urteilen, sich ein Urteil bilden (**by, from** nach; **of** über *acc*): ~ **for yourself** urteilen Sie selbst; **judging by his words** s-n Worten nach zu urteilen. **14.** schließen, folgern (**from, by** aus). **15.** a) vermuten, annehmen, b) sich vorstellen (**of** *acc*).

judge| ad·vo·cate *pl* ~ **ad·vo·cates** *s mar. mil.* 'Rechtsoffi,zier *m*, Kriegsgerichtsrat *m*: ~ **general** Chef *m* der Militärjustiz. **'~-,made law** *s jur.* auf richterlicher Entscheidung beruhendes Recht.

judge·mat·ic, judge·mat·i·cal, judge·ment → **judgmatic, judgmatical, judgment.**

judge·ship *s jur.* Richteramt *n*.

judg·mat·ic [dʒʌdʒ'mætik] *adj*; **judg'mat·i·cal** [-kəl] *adj* (*adv* **~ly**) *colloq.* gescheit, vernünftig, schlau.

judg·ment ['dʒʌdʒmənt] *s* **1.** *jur.* (Gerichts)Urteil *n*, gerichtliche Entscheidung: **to deliver** (*od.* **give, pronounce, render**) ~ (**on**) ein Urteil erlassen *od.* verkünden (über *acc*); **to pass** ~ (**on**) ein Urteil fällen (über *acc*); **to sit in** ~ (**up)on s.o.** über j-n zu Gericht sitzen; → **default** 3, **error** 1. **2.** *jur.* a) Urteil(surkunde *f*) *n*, b) *Br.* Urteilsbegründung *f*. **3.** *allg.* Urteil *n*, Beurteilung *f*. **4.** Urteilsvermögen *n*, -kraft *f*, Verständnis *n*, Einsicht *f*: **a man of sound** ~ ein sehr urteilsfähiger Mensch; **use your best** ~ handeln Sie nach Ihrem besten Ermessen. **5.** Meinung *f*, Ansicht *f*, Urteil *n* (**on** über *acc*): **to form a** ~ (**up)on s.th.** sich ein Urteil über etwas bilden; **to give one's** ~ (**up)on** sein Urteil abgeben über (*acc*); **in my** ~ m-s Erachtens. **6.** a) Strafe *f* (Gottes) (**on s.o.** für j-n), b) göttliches (Straf)Gericht: **the Last J~, the Day of J~** das Jüngste Gericht. **7.** göttlicher Ratschluß. **8.** Glaube *m*: **the Calvinist** ~. ~ **cred·i·tor** *s jur.* Urteilsgläubiger *m*. ~ **day** *s relig.* Tag *m* des Gerichts, Jüngster Tag. ~ **debt** *s jur.* Urteilsschuld *f*, voll'streckbare Forderung. ~ **debt·or** *s jur.* Urteilsschuldner *m*. ~ **note** *s econ. jur.* Schuldanerkenntnisschein *m*. **'~-'proof** *adj jur. Am.* nicht pfändbar, zahlungsunfähig. ~ **seat** *s* Richterstuhl *m*.

ju·di·ca·ble ['dʒu:dikəbl] *adj jur.* a) verhandlungsfähig (*Fall*), b) rechts-

fähig (*Person*). 'ju·di·ca·tive [-kətiv] *adj* Urteils...: ~ faculty Urteilskraft *f*.
'ju·di·ca·to·ry [-təri] *jur.* I *adj* → judicial. II *s* → judicature 1 *u*. 5.
ju·di·ca·ture ['dʒuːdikətʃər] *s jur.* 1. Rechtsprechung *f*, Rechtspflege *f*, Ju'stiz(verwaltung) *f*: Supreme Court of J~ Oberster Gerichtshof (*für England u. Wales, bestehend aus* High Court of justice *u.* Court of Appeal). 2. Ge'richtswesen *n*, -syˌstem *n*: J~ Act *Br.* Gerichtsverfassungsgesetz *n*. 3. a) Richteramt *n*, b) Amtszeit *f* e-s Richters, c) richterliche Gewalt. 4. → judiciary 4. 5. Gerichtshof *m*.
ju·di·cial [dʒuː'diʃəl] *adj* (*adv* ~ly) 1. *jur.* gerichtlich, Gerichts...: ~ circuit, ~ district *Am.* Gerichtsbezirk *m*; J~ Committee of the Privy Council Rechtsausschuß *m* des Geheimen Staatsrats (*Oberste Berufungsinstanz für Rechtsstreitigkeiten aus Commonwealth-Ländern u. Kolonien*); ~ error Justizirrtum *m*; ~ murder Justizmord *m*; ~ proceedings Gerichtsverfahren *n*, gerichtliches Verfahren; ~ separation (Ehe)Trennung *f*, Aufhebung *f* der ehelichen Gemeinschaft. 2. *jur.* richterlich: ~ discretion; ~ oath vom Richter abgenommener Eid; ~ office Richteramt *n*, richterliches Amt; ~ power → judiciary 2. 3. *jur.* gerichtlich (angeordnet *od.* gebilligt). 4. scharf urteilend, kritisch. 5. 'unparˌteiisch. 6. als göttliche Strafe verhängt: ~ pestilence.
ju·di·ci·ar·y [dʒuː'diʃiəri] *jur.* I *adj* 1. → judicial 1 *u*. 2. II *s* 2. richterliche Gewalt, Ju'stizgewalt *f*. 3. → judicature 2. 4. *collect.* Richter(schaft *f*, -stand *m*) *pl*.
ju·di·cious [dʒuː'diʃəs] *adj* (*adv* ~ly) 1. vernünftig, klug, weise. 2. 'wohlüberˌlegt, verständnisvoll. ju'dicious·ness *s* Vernünftigkeit *f*, Klugheit *f*, Einsicht *f*.
Ju·dith ['dʒuːdiθ] *npr u. s Bibl.* (das Buch) Judith *f*.
ju·do ['dʒuːdou] *s sport* Judo *n*.
Ju·dy ['dʒuːdi] I *s* 1. → Punch[4] 1. 2. *Am. colloq.* ‚Puppe' *f*, ‚Mädel' *n*. II *interj Am. sl.* 3. j~ *aer.* erkannt!, gesichtet! 4. in Ordnung!
jug[1] [dʒʌg] I *s* 1. a) Krug *m*, b) Kanne *f*, c) Humpen *m*. 2. *bes. Am.* große Kruke. 3. *sl.* ‚Kittchen' *n*, ‚Loch' *n*. II *v/t* 4. in e-n Krug *od.* in Krüge füllen. 5. *Hasen* schmoren *od.* dämpfen: ~ged hare Hasenpfeffer *m*. 6. *sl.* ins ‚Kittchen' stecken.
jug[2] [dʒʌg] I *v/i* schlagen (*Nachtigall*). II *s* Nachtigallenschlag *m*.
ju·gal ['dʒuːgəl] *anat. zo.* I *adj* Jochbein... II *s a.* ~ bone Jochbein *n*.
ju·gate ['dʒuːgeit] *adj* 1. *biol.* paarig, gepaart. 2. *bot.* ...paarig.
jug·ful ['dʒʌgful] *s ein* Krug(voll) *m*.
Jug·ger·naut ['dʒʌgərˌnɔːt] *s* 1. → jagannath. 2. *a.* j~ (car) *fig.* Moloch *m*, (blutrünstiger) Götze.
jug·gins ['dʒʌginz] *s sl.* Trottel *m*.
jug·gle ['dʒʌgl] I *v/t* 1. jon'glieren mit, Kunststücke machen mit. 2. schwindelhaft manipu'lieren, ‚jon'glieren' mit, verfälschen: to ~ the accounts die Bücher ‚frisieren'. 3. *j-n* betrügen (out of um), ‚reinlegen'. II *v/i* 4. jon'glieren, Kunststücke machen. 5. ~ with *fig.* a) → 2, b) ‚jon'glieren' *od.* spielen mit: to ~ with words. 6. ein falsches (*od.* sein) Spiel treiben (with s.o. mit j-m). III *s* 7. ˌTaschenspiele'rei *f*. 8. Gauke'lei *f*, Hokus'pokus *m*, Schwindel *m*. 'jug·gler *s* 1. a) Jon'gleur *m*, b) Taschenspieler *m*, c) Zauberkünstler *m*. 2. Gaukler *m*. 3. Schwindler *m*. 'jug·gler·y [-ləri] *s* 1. Jon'glieren *n*. 2. → juggle III.
Ju·go·slav *etc* → Yugoslav *etc*.
jug·u·lar ['dʒʌgjulər; 'dʒuː-] I *adj* 1. *anat.* Kehl..., Gurgel... II *s* 2. *a.* ~ vein *anat.* Hals-, Drosselader *f*. 3. *ichth.* Kehlflosser *m*.
ju·gu·late ['dʒuːgjuˌleit] *v/t fig.* abwürgen, (gewaltsam) unter'drücken.
juice [dʒuːs] I *s* 1. (Obst-, Fleisch-*etc*)Saft *m*: the (body) ~s *physiol.* die Körpersäfte; gastric ~ *physiol.* Magensaft; let him stew in his own ~ *colloq.* er soll im eigenen Saft schmoren. 2. *fig.* Saft *m* (u. Kraft *f*), Vitali'tät *f*. 3. *fig.* (*das*) Wesentliche, Kern *m*, Inhalt *m*. 4. *sl.* a) ‚Saft' *m*, (e'lektrischer) Strom, b) Sprit *m* (*Benzin*), *allg.* Treibstoff *m*: to step on the ~ Gas geben, c) *Am.* ‚Zeug' *n*, Whisky *m*. II *v/t Am.* 5. entsaften. 6. mit Saft über'gießen. 7. ~ up *sl.* Schwung bringen in (*acc*), ‚aufmöbeln'. 'juice·less *adj* 1. saftlos. 2. *fig.* fad(e), ohne Saft u. Kraft. 'juic·er *s* 1. Entsafter *m* (*Gerät*). 2. *thea. u. TV Am. sl.* Beleuchter *m*.
juic·i·ness ['dʒuːsinis] *s* 1. Saftigkeit *f*, Saft *m* (*a. fig.*). 2. Würzigkeit *f*. 3. *colloq.* Nässe *f*. 'juic·y *adj* 1. saftig (*a. fig.*). 2. *colloq.* a) pi'kant, ‚gepfeffert', ‚saftig': a ~ story, b) interes'sant, farbig. 3. *Am. sl.* lukra'tiv, lohnend.
ju·jit·su [dʒuː'dʒitsuː] *s sport* Jiu-Jitsu *n*.
ju·ju ['dʒuːdʒuː] *s* Juju *n*, Yuyu *n*: a) Fetisch *m*, b) Zauber *m*: to put a ~ on s.th. etwas für tabu erklären.
ju·jube ['dʒuːdʒuːb] *s* 1. *bot.* a) Ju'jube *f*, Brustbeere *f*, b) Brustbeerenbaum *m*. 2. *pharm.* 'BrustbonˌBon *m*, *n*.
ju·jut·su [dʒuː'dʒutsuː] → jujitsu.
juke| box [dʒuːk; dʒuk] *s sl.* Juke-Box *f*, Mu'sikautoˌmat *m*. ~ **joint** *s Am. sl.* ‚Juke-Box-Bude' *f*, ‚'BumsloˌKal' *n*.
ju·lep ['dʒuːlip] *s* 1. süßliches (*bes.* Arz'nei)Getränk. 2. *Am.* Julep *m* (*alkoholisches Eisgetränk*).
Jul·ian ['dʒuːljən] *adj* juli'anisch: the ~ calendar der Julianische Kalender.
ju·li·enne [ˌdʒuːli'en] I *s* Juli'ennesuppe *f*. II *adj* feingeschnitten.
Ju·ly [dʒuː'lai] *s* Juli *m*: in ~ im Juli.
jum·bal → jumble 5.
jum·ble ['dʒʌmbl] I *v/t* 1. *a.* ~ together, ~ up durchein'anderbringen, -werfen, -würfeln, in Unordnung bringen, zs.-werfen, (wahllos) vermischen. II *v/i* 2. *a.* ~ together, ~ up durchein'andergeraten, -gerüttelt werden, durchein'andergebracht werden. III *s* 3. Durchein'ander *n*, Mischmasch *m*, Wirrwarr *m*. 4. Ramsch *m*: ~ sale *Br.* a) Ramschverkauf *m*, b) Wohltätigkeitsbasar *m*; ~ shop Ramschladen *m*. 5. Zuckerkringel *m*. 'jum·bly [-bli] *adj* durchein'ander, wirr.
jum·bo ['dʒʌmbou] *colloq.* I *s* 1. Ko'loß *m*: a) ‚Ele'fantenbaby' *n* (*Person*), b) ‚'MordsappaˌRat' *m* (*Sache*). 2. ‚Ka'none' *f*, ‚Leuchte' *f* (*großer Könner*). II *adj* 3. *Am.* riesig.
jump [dʒʌmp] I *s* 1. Sprung *m*, Satz *m*: to make (*od.* take) a ~ e-n Sprung machen; by ~s *fig.* sprungweise; (always) on the ~ *colloq.* (immer) auf den Beinen; to keep s.o. on the ~ j-n in Atem halten. 2. (Fallschirm)Absprung *m*: ~ area (Ab)Sprunggebiet *n*. 3. *sport* (Hoch- *od.* Weit)Sprung *m*: high ~ (long *od.* broad ~). 4. Hindernis *n*: to take the ~. 5. *fig.* sprunghaftes Anwachsen, Em'porschnellen *n* (*der Preise etc*): ~ in production rapider Produktionsanstieg. 6. (plötzlicher) Ruck *od.* Stoß. 7. Über'springen *n*, -'gehen *n* (*a. fig.*). 8. *Damespiel*: Schlagen *n*. 9. *Film*: Sprung *m* (*Umstellung von Nah- auf Fernaufnahme etc*). 10. (ner'vöses) (Zs.-)Zucken, Auf-, Zs.-fahren *n*: to give a ~ → 11. 11. the ~s *sl.* a) Veitstanz *m*, b) Säuferwahnsinn *m*: it gives me the ~s es macht mich verrückt. 12. *colloq.* ‚Sprung' *m*, ‚Spritztour' *f*. 13. *Am. colloq.* Vorsprung *m*, -teil *m*: to get the ~ on s.o. j-m zuvorkommen, j-m den Rang ablaufen. 14. a) Rückstoß *m* (*e-r Feuerwaffe*), b) *mil.* Abgangsfehler *m* (*beim Schießen*). 15. *Am. sl.* a) 'Swing(muˌsik *f*) *m*, b) ‚Schwoof' *m*. 16. *vulg.* Koitus *m*.
II *v/i* 17. springen: to ~ clear of s.th. von etwas wegspringen; to ~ at (*od.* to) *fig.* sich stürzen auf (*acc*); to ~ at the chance mit beiden Händen zugreifen, sofort zupacken; to ~ at the idea den Gedanken sofort aufgreifen; → conclusion 3; to ~ down s.o.'s throat *colloq.* j-n ‚anfahren' *od.* ‚anschnauzen'; to ~ off a) abspringen, b) *Am. colloq.* anfangen, ‚losgehen'; to ~ off the deep end *Am.* sich hinreißen lassen; to ~ on s.o. *colloq.* a) über j-n herfallen, b) j-m ‚aufs Dach steigen'; to ~ out of one's skin aus der Haut fahren; to ~ all over s.o. *Am. colloq.* j-n ‚zur Schnecke' machen; to ~ to it *sl.* mit Schwung ‚(d)rangehen', zupacken. 18. hüpfen, hopsen: to ~ for joy vor Freude hüpfen. 19. zs.-zucken, -fahren, hochfahren, -schrecken (at bei). 20. *fig.* ab'rupt 'übergehen, 'überspringen, -wechseln (to zu): to ~ from one topic to another. 21. a) rütteln, stoßen (*Wagen etc*), b) gerüttelt werden, schaukeln, wackeln. 22. *Damespiel*: schlagen. 23. sprunghaft (an)steigen, em'porschnellen (*Preise etc*). 24. *tech.* springen (*Filmstreifen, Schreibmaschine etc*). 25. *Bridge*: unvermittelt (*od.* unnötig) hoch reizen. 26. pochen, pul'sieren. 27. *Am. colloq.* mit brausendem Leben erfüllt sein (*Stadt etc*): the place is ~ing dort ist ‚schwer was los'. 28. *Am. colloq.* ‚abhauen', ‚Leine ziehen'. 29. *selten* (with) über'einstimmen (mit), passen (zu).
III *v/t* 30. (hin'weg)springen über (*acc*). 31. *fig.* über'springen, auslassen: to ~ channels *Am.* den Instanzenweg nicht einhalten; to ~ the queue *Br.* sich vordränge(l)n, aus der Reihe tanzen (*beim Schlangestehen u. fig.*); → gun 4. 32. springen lassen: he ~ed his horse across the ditch er setzte mit dem Pferd über den Graben. 33. *Damespiel*: schlagen. 34. *Bridge*: zu hoch reizen, über'reizen. 35. *sl.* ‚abhauen von': to ~ town; to ~ bail die Kaution verfallen lassen u. verschwinden. 36. 'widerrechtlich Besitz ergreifen von, sich einnisten in (*fremdem Besitztum etc*). 37. her'unterspringen von: to ~ the rails entgleisen. 38. *Am. colloq.* a) aufspringen auf (*acc*), b) abspringen von (*e-m fahrenden Zug etc*). 39. schaukeln: to ~ a baby on one's knee. 40. *a.* ~ out *Am. colloq.* ‚anschnauzen': to ~ s.o. into s.th. j-n in e-e Sache hineinstoßen. 41. *j-n* über'fallen, über *j-n* 'herfallen. 42. em'porschnellen lassen, hochtreiben: to ~ prices. 43. *vulg.* koi'tieren mit.
jump·a·ble ['dʒʌmpəbl] *adj* über'springbar, zu über'springen(d).
jumped-up ['dʒʌmpt'ʌp] *adj colloq.* 1. (parve'nühaft) hochnäsig, ‚hochgestochen'. 2. improvi'siert.

jump·er[1] ['dʒʌmpər] *s* **1.** Springer(in). **2.** *tech.* a) Stoß-, Steinbohrer *m*, b) Bohrmeißel *m*, c) Stauchhammer *m*. **3.** *electr.* Kurzschlußbrücke *f*. **4.** *zo.* a) Floh *m*, b) Käsemade *f*. **5.** *relig. hist.* (ek'statisch verzückter) Metho'dist. **6.** *Am.* (*Art*) Schlitten *m*.

jump·er[2] ['dʒʌmpər] *s* **1.** a) Jumper *m*, Schlupfbluse *f*, b) Trägerrock *m*, -kleid *n*. **2.** Arbeitsbluse *f*. **3.** *meist pl* Spielhose *f* (*für kleine Kinder*). **4.** (weiter) Pull'over. **5.** Ma'trosenbluse *f*.

jump·i·ness ['dʒʌmpinis] *s* Nervosi'tät *f*.

jump·ing ['dʒʌmpiŋ] *s* **1.** Springen *n*: ~ **pole** Sprungstange *f*; ~ **test** (*Reitsport*) (Jagd)Springen. **2.** *Skisport*: Sprunglauf *m*, Springen *n*. ~ **bean** *s bot.* Springende Bohne. ~ **jack** *s* Hampelmann *m* (*Spielzeug*). ~ **mouse** *s irr zo.* Hüpfmaus *f*. '~-'**off-ˌplace** *s* **1.** 'Endstatiˌon *f*. **2.** *Am. colloq.* Ende *n* der Welt. **3.** *fig.* Sprungbrett *n*, Ausgangspunkt *m*. '~-'**off point** *s aer.* Absprungs-, Abflugpunkt *m*.

jump| mas·ter *s aer.* Absetzer *m* (*e-r Fallschirmtruppe*). '~-ˌ**off** *s* **1.** *Reitsport*: Stechen *n*. **2.** *Am. colloq.* a) Absprung *m*, b) Start *m*. ~ **seat** *s Am.* **1.** beweglicher Sitz. **2.** Klappsitz *m*. ~ **spark** *s electr.* 'Überschlagfunken *m*. ~ **turn** *s Skisport*: 'Umsprung *m*.

jump·y ['dʒʌmpi] *adj* **1.** sprunghaft. **2.** ner'vös, zerfahren.

junc·tion ['dʒʌŋkʃən] **I** *s* **1.** Verbindung *f*, -einigung *f*. **2.** *rail.* a) Knotenpunkt *m*, b) 'Anschlußstatiˌon *f*. **3.** (Straßen)Kreuzung *f*, (-)Einmündung *f*: **traffic** ~ Verkehrsknotenpunkt *m*. **4.** Verbindungspunkt *m*. **5.** Treffpunkt *m*. **6.** *math.* Berührung(spunkt *m*) *f*. **7.** *Bergbau*: 'Durchschlag *m*. **8.** *tech.* Anschluß *m*. **II** *adj* **9.** Verbindungs..., Anschluß...: ~ **piece**; ~ **box** *electr.* Abzweig-, Anschlußdose *f*; ~ **line** *rail.* Verbindungs-, Nebenbahn *f*.

junc·ture ['dʒʌŋktʃər] *s* **1.** (kritischer) Augenblick *od.* Zeitpunkt: **at this** ~ in diesem Augenblick, an dieser Stelle. **2.** *fig.* (Sach)Lage *f*, Stand *m* der Dinge. **3.** Zs.-treffen *n* (*von Ereignissen*). **4.** a) Verbindung(sstelle) *f*, b) Verbindungsstück *n*, Gelenk *n*, c) Fuge *f*, d) Naht *f*.

June [dʒuːn] *s* Juni *m*: **in** ~ im Juni. ~ **bee·tle,** ~ **bug** *s zo. Am.* Junikäfer *m*.

jun·gle ['dʒʌŋgl] *s* **1.** Dschungel *m*, *f*, *n* (*a. fig.*): **law of the** ~ Faustrecht *n*, nackte Gewalt. **2.** ('undurchˌdringliches) Dickicht (*a. fig.*). **3.** *fig.* verworrene Masse, Gewirr *n*. **4.** *Am. sl.* Landstreicherlager *n*. ~ **bear** *zo.* Lippenbär *m*. ~ **cat** *s* Sumpfluchs *m*.

jun·gled ['dʒʌŋgld] *adj* mit Dschungel(n) bedeckt, verdschungelt.

jun·gle| fe·ver *s med.* Dschungelfieber *n*. ~ **gym** *s* Klettergerüst *n* (*für Kinder*).

jun·gly ['dʒʌŋgli] *adj* **1.** dschungelartig, Dschungel... **2.** → **jungled**.

jun·ior ['dʒuːnjər] **I** *adj* **1.** junior (*meist nach Familiennamen u. abgekürzt zu Jr., jr., Jun., jun.*): **George Smith jr.**; **Smith** ~ Smith II (*von Schülern*). **2.** jünger (*im Amt*), 'untergeordnet, zweiter: ~ **clerk** a) untere(r) Büroangestellte(r), b) zweiter Buchhalter, c) *jur. Br.* Anwaltspraktikant *m*; ~ **counsel** (*od.* **barrister**) *jur. Br.* → **barrister** (*als Vorstufe zum* **King's Counsel**); ~ **partner** jüngerer Teilhaber; ~ **staff** untere Angestellte *pl*. **3.** später, jünger, nachfolgend: ~ **forms** *ped. Br. die* Unterklassen, *die* Unterstufe. **4.** *jur.* rangjünger, (im Rang) nachstehend: ~ **lien**; ~ **mortgage**. **5.** *sport* Junioren..., Jugend...: ~ **championship**. **6.** *Am.* Kinder..., Jugend...: ~ **books**; ~ **library**. **7.** *Am.* jugendlich, jung: ~ **skin**. **8.** *Am. colloq.* kleiner(er, e, es): a ~ **hurricane**. **II** *s* **9.** Jüngere(r *m*) *f*: **he is my** ~ **by 2 years, he is 2 years my** ~ er ist (um) 2 Jahre jünger als ich; **my** ~**s** Leute, die jünger sind als ich. **10.** *univ. Am.* Stu'dent *m* a) *im vorletzten Jahr vor s-r Graduierung*, b) *im 3. Jahr an e-m* **Senior College**, c) *im 1. Jahr an e-m* **Junior College**. **11.** *a.* **J**~ (*ohne art*) a) Junior *m* (*Sohn mit dem Vornamen des Vaters*), b) *allg.* der Sohn, der Junge, c) *Am. colloq.* Kleine(r) *m*. **12.** Jugendliche(r *m*) *f*, Her'anwachsende(r *m*) *f*: → **junior miss**. **13.** 'Untergeordnete(r *m*) *f* (im Amt), jüngere(r) Angestellte(r): **he is my** ~ **in this office** a) er untersteht mir in diesem Amt, b) er ist in dieses Amt nach mir eingetreten. **14.** *Bridge*: Junior *m* (*Spieler, der rechts vom Alleinspieler sitzt*). ~ **bond·hold·er** *s econ.* Neubesitzer *m od.* -inhaber *m* (*von Schuldverschreibungen*). ~ **col·lege** *s Am.* Juni'orencollege *n* (*umfaßt die untersten Hochschuljahrgänge, etwa 16 — 18jährige Studenten*). ~ **high (school)** *s Am.* (*Art*) Aufbauschule *f* (*für die* **high school**) (*dritt- u. viertletzte Klasse der Grundschule u. erste Klasse der* **High School**).

jun·ior·i·ty [dʒuːn'jɒriti] *s* **1.** geringeres Alter *od.* Dienstalter. **2.** 'untergeordnete Stellung, niedrigerer Rang.

jun·ior| law·yer *s* Ge'richtsreferenˌdar *m*, 'Rechtspraktiˌkant *m*. ~ **miss** *s Am.* ‚junge Dame', her'anwachsendes Mädchen. ~ **right** → **ultimogeniture**. ~ **school** *s ped. Br.* Grundschule *f*. ~ **serv·ice** *s Br.* Ar'mee *f*, Heer *n*. ~ **soph** *s univ. Br. Student(in) im 2. Jahr (in Cambridge)*.

ju·ni·per ['dʒuːnipər] *s bot.* **1.** Wa'cholder(busch *od.* -baum) *m*. **2.** *Am.* 'Zederzyˌpresse *f*. **3.** Amer. Lärche *f*.

junk[1] [dʒʌŋk] **I** *s* **1.** a) Ausschuß(ware *f*) *m*, Trödel *m*, Kram *m*, b) 'Altmateriˌal *n*, Altwaren *pl*: ~-**dealer**, ~ **man** Trödler *m*, Altwarenhändler *m*; ~ **shop** Ramsch-, Trödelladen *m*; ~ **yard** Schrottplatz *m*, ‚Autofriedhof' *m*. **2.** Plunder *m*, Gerümpel *n*, Abfall *m*. **3.** *contp.* Schund *m*, Kitsch *m*, ‚Mist' *m*. **4.** *mar.* altes zerkleinertes Tauwerk. **5.** *mar.* zähes Pökelfleisch. **6.** Klumpen *m*. **7.** *zo.* Walrat *m*, *n*. **8.** *Am. sl.* Rauschgift *n*. **II** *v/t* **9.** *sl.* zum alten Eisen *od.* über Bord werfen.

junk[2] [dʒʌŋk] *s* Dschunke *f*.

Jun·ker, j~ ['juŋkər] (*Ger.*) *s.* Junker *m*. '**Jun·ker·dom, j**~, *a.* '**Jun·kerˌism, j**~ *s* Junkertum *n*.

jun·ket ['dʒʌŋkit] **I** *s* **1.** Quark *m*, dicke Milch. **2.** a) Sahnequark *m*, b) Quarkspeise *f* mit Sahne. **3.** Fest *n*, Schmause'rei *f*. **4.** Picknick *n*, 'Landparˌtie *f*. **5.** *Am.* sogenannte Dienstreise, Vergnügungsreise *f* auf öffentliche Kosten. **II** *v/i* **6.** feiern, es sich wohl sein lassen. **7.** picknicken.

Ju·no ['dʒuːnou] *s astr. myth. u. fig.* Juno *f*. ˌ**Ju·no'esque** [-'esk], **Ju'no·ni·an** [-niən] *adj* ju'nonisch.

jun·ta ['dʒʌntə] *s* **1.** Rat(sversammlung *f*) *m*. **2.** (spanische) Junta. **3.** → **junto**.

jun·to ['dʒʌntou] *pl* **-tos** *s bes. pol.* Clique *f*, Klüngel *m*.

Ju·pi·ter ['dʒuːpitər] *s astr.* Jupiter *m*.

Ju·ras·sic [dʒu(ə)'ræsik] *geol.* **I** *adj* Jura..., ju'rassisch: ~ **period**. **II** *s* 'Juraformatiˌon *f*.

ju·rat ['dʒu(ə)ræt] *s jur.* **1.** Bekräftigungsformel *f* unter eidesstattlichen Erklärungen. **2.** Stadtrat *m* (*Person*) *in den* **Cinque Ports**. **3.** Richter *m* (*auf den Kanalinseln*).

ju·rid·i·cal [dʒu(ə)'ridikəl], *a.* **ju'rid·ic** *adj* (*adv* ~**ally**) **1.** gerichtlich, Gerichts... **2.** ju'ristisch, Rechts...

ju·ris·con·sult [ˌdʒu(ə)riskən'sʌlt; -'kɒnsʌlt] → **jurist 1**.

ju·ris·dic·tion [ˌdʒu(ə)ris'dikʃən] *s* **1.** Rechtsprechung *f*. **2.** a) Gerichtsbarkeit *f*, b) (*örtliche u. sachliche*) Zuständigkeit (**of, over** für): **to come under the** ~ **of** unter die Zuständigkeit fallen von (*od. gen*); **to have** ~ **over** zuständig sein für; **to confer** ~ **on a court** die Zuständigkeit e-s Gerichts(hofes) begründen. **3.** Gerichtshoheit *f*. **4.** a) Gerichts-, Verwaltungsbezirk *m*, b) Zuständigkeitsbereich *m*. ˌ**ju·ris'dic·tion·al** *adj* Gerichtsbarkeits..., Zuständigkeits...: ~ **amount** *Am.* Streitwert *m*; ~ **dispute** Kompetenzstreitigkeit *f*.

ju·ris·pru·dence [ˌdʒu(ə)ris'pruːdəns] *s* **1.** 'Rechtswissenschaft *f*, -philosoˌphie *f*, Jurispru'denz *f*: **medical** ~ Gerichtsmedizin *f*. **2.** Rechtsgelehrsamkeit *f*. ˌ**ju·ris'pru·dent I** *s* → **jurist 1**. **II** *adj* rechtskundig. ˌ**ju·ris·pru'den·tial** [-'denʃəl] *adj* rechtswissenschaftlich. **ju·rist** ['dʒu(ə)rist] *s* **1.** Rechtsgelehrte(r) *m*, Ju'rist *m*. **2.** *Br.* 'Rechtsstuˌdent *m*, Stu'dent *m* der Rechte. **3.** *bes. Am.* Rechtsanwalt *m*. **ju'ris·tic** *adj* (*adv* ~**ally**) ju'ristisch, rechtlich: ~ **act** Rechtsgeschäft *n*; ~ **person** juristische Person. **ju'ris·ti·cal** *adj* (*adv* ~**ly**) → **juristic**.

ju·ror ['dʒu(ə)rər] *s* **1.** *jur.* Geschworene(r *m*) *f*. **2.** (*vereidigter*) Preisrichter. **3.** *hist.* Vereidigte(r *m*) *f*.

ju·ry[1] ['dʒu(ə)ri] *s* **1.** *jur.* (*die*) Geschworenen *pl*, Jury *f*: **trial by** ~, ~ **trial** Schwurgerichtsverfahren *n*; **to sit on the** ~ Geschworener sein; **Gentlemen of the** ~! Meine Herren Geschworenen!; → **grand jury, petty jury**. **2.** Sachverständigenausschuß *m*. **3.** Jury *f*, Preisrichter(ausschuß *m*) *pl*, *sport a.* Kampfgericht *n*.

ju·ry[2] ['dʒu(ə)ri] *adj mar.* Hilfs..., Not...: ~ **rudder** Notruder *n*.

ju·ry| box *s jur.* Geschworenenbank *f*. ~ **fix·ing** *s Am. colloq.* Geschworenenbestechung *f*. ~ **list** *s jur.* Geschworenenliste *f*. '~·**man** [-mən] *s irr jur.* Geschworene(r) *m*. ~ **pan·el** → **jury list**.

jus [dʒʌs] *pl* **ju·ra** ['dʒu(ə)rə] (*Lat.*) *s jur.* Recht *n*. ~ **ca·no·ni·cum** [kə'nɒnikəm] (*Lat.*) *s jur.* ka'nonisches Recht, Kirchenrecht *n*. ~ **di·vi·num** [di'vainəm] (*Lat.*) *s* göttliches Recht.

jus·sive ['dʒʌsiv] *ling.* **I** *adj* (*in milder Form*) befehlend, Befehls... **II** *s* (milde) Befehlsform.

just [dʒʌst] **I** *adj* (*adv* → **justly**) **1.** gerecht (**to** gegen): **to be** ~ **to s.o.** j-n gerecht behandeln. **2.** gerecht, angemessen, gehörig, (wohl)verdient: **it was only** ~ es war nur recht u. billig; ~ **reward** gerechter *od.* wohlverdienter Lohn. **3.** rechtmäßig, zu Recht bestehend, wohlbegründet: a ~ **claim**. **4.** berechtigt, gerechtfertigt, (wohl)begründet: ~ **indignation**. **5.** richtig, gehörig. **6.** a) genau, kor'rekt, b) wahr, richtig: a ~ **statement**. **7.** *Bibl.* gerecht, rechtschaffen. **8.** *mus.* rein. **II** *adv* **9.** gerade, (so)'eben: **they**

have ~ gone sie sind gerade (fort)gegangen; ~ now eben erst, soeben (→ 10). **10.** gerade, genau, eben: ~ there eben dort; ~ then a) gerade damals, b) gerade in diesem Augenblick; ~ now a) gerade jetzt, b) jetzt gleich (→ 9); ~ five o'clock genau fünf Uhr; ~ as a) ebenso wie, b) (*zeitlich*) gerade als; ~ as well genau so gut; ~ so! ganz recht!; that is ~ it das ist es (ja) gerade *od.* eben; that is ~ like you! das sieht dir (ganz) ähnlich! **11.** gerade (noch), ganz knapp, mit knapper Not: we ~ managed wir schafften es gerade noch; the bullet ~ missed him die Kugel ging ganz knapp an ihm vorbei; ~ possible immerhin möglich, im Bereich des Möglichen; ~ too late gerade zu spät. **12.** nur, lediglich, bloß: ~ for the fun of it nur zum Spaß; ~ a moment, please! nur e-n Augenblick bitte!; ~ an ordinary man nur ein Mann wie alle anderen. **13.** *vor imp* a) doch, mal, b) nur: ~ tell me sag mir mal, sag mir nur *od.* bloß; ~ sit down, please! setzen Sie sich doch bitte! **14.** *colloq.* einfach, wirklich: ~ wonderful. **15.** eigentlich: ~ how many are there?

jus·tice [ˈdʒʌstis] *s* **1.** Gerechtigkeit *f* (to gegen, gegenüber). **2.** Rechtmäßigkeit *f*, Berechtigung *f*: the ~ of a claim. **3.** Berechtigung *f*, Recht *n*: to complain with ~ sich mit *od.* zu Recht beschweren. **4.** Gerechtigkeit *f*, gerechter Lohn: to do ~ to a) *j-m od. e-r Sache* Gerechtigkeit widerfahren lassen, gerecht werden (*dat*), b) *etwas* recht zu würdigen wissen, c) *e-r Speise, dem Wein etc* tüchtig zusprechen; to do o.s. ~ a) sein wahres Können zeigen, b) sich selbst gerecht werden; in ~ to him um ihm gerecht zu werden. **5.** *jur.* Gerechtigkeit *f*, Recht *n*: to administer ~ Recht sprechen; to flee from ~ sich der verdienten Strafe (durch die Flucht) entziehen; ~ was done der Gerechtigkeit wurde Genüge getan; in ~ von Rechts wegen. **6.** Rechtsprechung *f*, Rechtspflege *f*, Juˈstiz *f*: to bring to ~ vor den Richter bringen. **7.** *jur.* Richter *m* (*in England bes. des* Supreme Court of Judicature, *in den USA bes. e-s höheren Gerichtshofes; aber auch Bezeichnung für Friedens- od. Polizeirichter*): Mr. J~ X. *als Anrede in England*; ~ of the peace Friedensrichter (*Laienrichter für Bagatellsachen*); → chief justice. **ˈjus·tice**ˌ**ship** *s* Richteramt *n*.

jus·ti·ci·a·ble [dʒʌsˈtiʃiəbl] *adj* gerichtlicher Entscheidung unterˈworfen, abzuurteilen(d).

jus·ti·ci·ar [dʒʌsˈtiʃiər] *s Br. hist.* Justitiˈar(ius) *m* (*höchster Gerichts- u. Regierungsbeamter*). **jusˈti·ci·ar·y I** *s* **1.** Justitiˈar *m*, Richter *m*. **2.** *Scot.* Rechtsprechung *f*, Gerichtsbarkeit *f*. **II** *adj* **3.** Justiz..., gerichtlich.

jus·ti·fi·a·bil·i·ty [ˌdʒʌstiˌfaiəˈbiliti] *s* Rechtmäßigkeit *f*, Entschuldbarkeit *f*. **ˈjus·ti**ˌ**fi·a·ble** *adj* zu rechtfertigen(d), berechtigt, vertretbar, entschuldbar: → homicide 1. **ˈjus·ti**ˌ**fi·a·bly** [-bli] *adv* berechtigterweise.

jus·ti·fi·ca·tion [ˌdʒʌstifiˈkeiʃən] *s* **1.** Rechtfertigung *f* (*a. jur. u. relig.*): in ~ of zur Rechtfertigung von (*od. gen*); to plead ~ *jur.* (*im Beleidigungsprozeß*) geltend machen, daß die angegriffene Behauptung wahr ist. **2.** Berechtigung *f*: with ~ berechtigterweise, mit gutem Grund, mit Recht. **3.** *print.* Juˈstierung *f*, Ausschluß *m*. **ˈjus·ti·fi**ˌ**ca·to·ry** [-təri; *Am. a.* dʒʌsˈtifəkəˌtɔːri], *a.* **ˈjus·ti·fi**ˌ**ca·tive** *adj* rechtfertigend, Rechtfertigungs...

jus·ti·fy [ˈdʒʌstiˌfai] **I** *v/t* **1.** rechtfertigen (before *od.* to s.o. vor j-m, j-m gegenüber): to be justified in doing s.th. etwas mit gutem Recht tun; berechtigt sein, etwas zu tun; → end 18. **2.** a) gutheißen, b) entschuldigen, c) *j-m* Recht geben. **3.** *relig.* rechtfertigen, von Sündenschuld freisprechen. **4.** *tech.* richtigstellen, richten, *e-e Waage etc* juˈstieren. **5.** *print.* juˈstieren, ausschließen. **II** *v/i* **6.** *jur.* sich rechtfertigen (können). **7.** *jur.* sich als Bürge qualifiˈzieren.

just·ly [ˈdʒʌstli] *adv* **1.** richtig. **2.** mit *od.* zu Recht: ~ indignant. **3.** gerechterweise, verdientermaßen.

just·ness [ˈdʒʌstnis] *s* **1.** Gerechtigkeit *f*, Billigkeit *f*. **2.** Rechtmäßigkeit *f*. **3.** Richtigkeit *f*. **4.** Genauigkeit *f*.

jut [dʒʌt] **I** *v/i a.* ~ out vorspringen, herˈausragen: to ~ into s.th. in etwas hineinragen. **II** *s* Vorsprung *m*.

jute[1] [dʒuːt] **I** *s* **1.** Jute(faser) *f*. **2.** *bot.* Jutepflanze *f*. **II** *adj* **3.** Jute...

Jute[2] [dʒuːt] *s* Jüte *m*.

Jut·land [ˈdʒʌtlənd] *npr* Jütland *n*: the Battle of ~ die Skagerrakschlacht (*1916*). **ˈJut·land·er** *s* Jüte *m*.

jut·ty [ˈdʒʌti] *s obs.* **1.** *arch.* Vorsprung *m*. **2.** Mole *f*, Pier *m*.

ju·ve·nes·cence [ˌdʒuːviˈnesns] *s* **1.** Verjüngung *f*, Jungwerden *n*: well of ~ Jungbrunnen *m*. **2.** Jugend *f*. ˌ**ju·veˈnes·cent** *adj* **1.** sich verjüngend. **2.** jugendlich.

ju·ve·nile [ˈdʒuːviˌnail; *Am. a.* -nl; -nil] **I** *adj* **1.** jugendlich, jung. **2.** Jugend...: ~ books; ~ adult *jur. Br.* Jugendliche(r *m*) *f* zwischen 16 u. 21 Jahren; ~ court *jur.* Jugendgericht *n*; ~ delinquency Jugendkriminalität *f*; ~ delinquent, ~ offender jugendlicher Täter; ~ offence (*Am.* -se) Straftat *f* e-s Jugendlichen. **3.** a) unreif, Entwicklungs...: ~ stage Entwicklungsstadium *n*, b) *contp.* kindisch, infanˈtil. **II** *s* **4.** Jugendliche(r *m*) *f*. **5.** *thea.* jugendlicher Liebhaber. **6.** Jugendbuch *n*. **7.** eben flügge gewordener Vogel.

ju·ve·nil·i·a [ˌdʒuːviˈniliə] (*Lat.*) *s pl* **1.** Jugendwerke *pl* (*e-s Autors etc*). **2.** Werke *pl* für die Jugend.

ju·ve·nil·i·ty [ˌdʒuːviˈniliti] *s* **1.** Jugendlichkeit *f*. **2.** a) jugendliche Torheit, jugendlicher Leichtsinn, b) *pl* Kindeˈreien *pl*. **3.** *collect.* (*die*) Jugendlichen *pl*, (*die*) Jugend.

jux·ta·pose [ˌdʒʌkstəˈpouz] *v/t* nebeneinˈanderstellen: ~d to angrenzend an (*acc*). ˌ**jux·ta·po**ˈ**si·tion** *s* **1.** Nebeneinˈanderstellung *f*. **2.** Nebeneinˈanderliegen *n*. ˌ**jux·ta·po**ˈ**si·tion·al** *adj* **1.** nebeneinˈanderstellend. **2.** vergleichend.

K

K, k [kei] **I** *pl* **K's, Ks, k's, ks** [keiz] *s* **1.** K, k *n* (*Buchstabe*). **2.** K K *n*, K-förmiger Gegenstand. **II** *adj* **3.** elft(er, e, es). **4.** K K-..., K-förmig: a K frame.

kab·(b)a·la [ˈkæbələ; kəˈbɑːlə] → cabala.

ka·di → cadi.

Kaf·fir [ˈkæfər] *s* **1.** Kaffer(in) (*Bantuneger*). **2.** *ling.* Kaffernsprache *f*. **3.** *pl econ. Br.* ˈsüdafriˌkanische Bergwerksaktien *pl*.

kai·ak → kayak.

kail, kail·yard → kale, kaleyard.

ka·i·nite [ˈkeiəˌnait; ˈkainait], *a.* **ˈka·i·nit** [-nit] *s min.* Kaiˈnit *m*.

Kai·ser, k~ [ˈkaizər] *s hist.* Kaiser *m* (*bes. von Deutschland*).

ka·ke·mo·no [ˌkɑːkiˈmounou; ˌkæ-] *s* Kakeˈmono *n* (*japanisches Hänge- od. Rollbild*).

ka·ki [ˈkɑːkiː] *s bot.* **1.** Kaki *m*. **2.** Kakipflaume *f*.

kale [keil] *s* **1.** *bot.* (*ein*) Kohl *m*, *bes.* Blatt-, Staudenwinter-, Stengel-, Grünkohl *m*. **2.** Kohl-, Gemüsesuppe *f*. **3.** *Scot.* Essen *n*. **4.** *Am. sl.* ‚Zaster' *m*, Geld *n*.

ka·lei·do·scope [kəˈlaidəˌskoup] *s* Kaleidoˈskop *n* (*a. fig.*). **ka**ˌ**lei·doˈscop·ic** [-ˈskɒpik] *adj*; **ka**ˌ**lei·doˈscop·i·cal** *adj* (*adv* ~ly) kaleidoˈskopisch.

ˈkaleˌ**yard I** *s Scot.* Gemüsegarten *m*. **II** *adj* im Stile der Kaleyard School. ~ **school** *s* Kaleyard School *f* (*schottische Heimatdichtung*).

kal·i [ˈkæli; ˈkeili] *s bot.* Salzkraut *n*.

ka·lif, ka·liph → caliph.

kal·mi·a [ˈkælmiə] *s bot.* Lorbeerrose *f*.

Kal·mu(c)k [ˈkælmʌk], **ˈKal·myk** [-mik] *s* **1.** Kalˈmück(e) *m*, Kalˈmückin *f*. **2.** *ling.* Kalˈmückisch *n*. **3.** k~ Kalˈmuck *m* (*Gewebe*).

kame [keim] *s geogr.* (langgestreckter) Geschiebehügel.

ka·mi·ka·ze [ˌkɑːmiˈkɑːzi] *s mil.* **1.** Kamiˈkazeflieger *m* (*japanischer Selbstmordflieger*). **2.** Kamiˈkazeflugzeug *n*.

ka·na [ˈkɑːnɑː] *s* Kana *n* (*japanische Silbenschrift*).

Kan·a·ka [ˈkænəkə; kəˈnækə] *s* Kaˈnake *m* (*Südseeinsulaner*).

kan·ga·roo [ˌkæŋgəˈruː] *pl* **-roos,** *bes. collect.* **-roo** *s* **1.** *zo.* Känguruh *n*. **2.** *Br. colloq.* Auˈstralier(in). **3.** *pl econ. Br. sl.* ˈwestauˌstralische Bergwerksaktien *pl*. ~ **clo·sure** *s pol. Br. Verkürzung e-r Debatte dadurch, daß nur bestimmte Punkte e-r Vorlage zur Diskussion gestellt werden.* ~ **court** *s Am. sl.* **1.** ˈilleˌgales Gericht (*z.B. unter Sträflingen*). **2.** korˈruptes Gericht. ~ **rat** *s zo.* Känguruhratte *f*.

Kant·i·an [ˈkæntiən] *philos.* **I** *adj* kantisch. **II** *s* Kantiˈaner(in), Anhänger(in) Kants. **ˈKant·i·an**ˌ**ism,** *a.* **ˈKant·ism** *s* kantische Philosoˈphie.

ka·o·lin(e) [ˈkeiəlin] *s min.* Kaoˈlin *n*, Porzelˈlanerde *f*. **ˈka·o·lin**ˌ**ite** *s* reiner Kaoliˈnit.

kap·pa [ˈkæpə] *s* Kappa *n* (*griechischer Buchstabe*).

kar·ma [ˈkɑːrmə] *s* **1.** *Hinduismus u. Buddhismus*: Karma *n*. **2.** *allg.* Schicksal *n*.

ka(r)·roo [kəˈruː] *pl* **-roos** *s* Karˈru *f* (*Trockensteppe in Südafrika*).

karst [kɑːrst] *s geol.* Karst *m*.

kar·tell [kɑːrˈtel] → cartel.

kar·y·og·a·my [ˌkæriˈɒgəmi] *s biol. med.* Karyogaˈmie *f*, ˈKernfusiˌon *f*. **kar·y·o·ki·ne·sis** [ˌkærioki'niːsis; -kaiˈn-] *s* **1.** Karyokiˈnese *f*, Miˈtose *f* (*indirekte Kernteilung*). **2.** Zellkernspaltung *f*. ˌ**kar·yˈol·y·sis** [-ˈɒlisis] *s* Karyoˈlyse *f*, Kernauflösung *f*. ˈ**kar·y·oˌplasm** [-oˌplæzəm] *s* Karyoˈplasma *n*, ˈKernprotoˌplasma *n*. ˈ**kar·y·oˌsome** [-oˌsoum] *s* **1.** Karyoˈsom *n*. **2.** Zellkern *m*. **3.** Chromoˈsom *n*. ˌ**kar·yˈo·tin** [-ˈoutin] *s* Chromaˈtin *n*.

kash·mir → cashmere.

Kash·mi·ri [kæʃˈmi(ə)ri] *s ling.* Kaschˈmiri *n*. **Kashˈmir·i·an I** *adj* kaschˈmirisch. **II** *s* Einwohner(in) Kaschmirs.

kat·a·bat·ic [ˌkætəˈbætik] *adj meteor.* fallend: ~ wind Fallwind *m*.

ka·tab·o·lism → catabolism.

ka·thar·sis → catharsis.

kau·ri, kau·ry [ˈkauri] *s* **1.** *bot.* Kauri-, Damˈmarafichte *f*. **2.** *a.* ~ gum, ~ resin Dammarharz *n*.

ka·va [ˈkɑːvə] *s* **1.** *bot.* Kavapfeffer *m*. **2.** Kavabier *n*.

kay·ak [ˈkaiæk] *s* Kajak *n*, *m*: a) Eskimoboot *n*, b) Sportpaddelboot *n*: two-seater ~ Kajak-Zweier *m*.

kay·o [ˈkeiˈou] *sl. für* knock out *od.* knockout.

ke·a [ˈkeiə] *s orn.* ˈKeapapaˌgei *m*.

keat [kiːt] *s Am.* junges Perlhuhn.

keck [kek] *v/i* **1.** würgen, (sich) erbrechen (müssen). **2.** *fig.* sich ekeln (at vor *dat*).

ked·dah [ˈkedə] *s* Eleˈfantenfalle *f* (*in Indien*).

kedge [kedʒ] *mar.* **I** *v/t Schiff* warpen, verholen. **II** *v/i* sich verwarpen. **III** *s a.* ~ anchor Wurf-, Warpanker *m*.

kedg·er·ee [ˌkedʒəˈriː; ˈkedʒəˌriː] *s Br. Ind.* Kedgeˈree *n* (*Reisgericht mit Fisch, Erbsen, Zwiebeln, Eiern etc*).

keek [kiːk] *Scot. od. dial.* **I** *v/i* gucken, kieken. **II** *s* Kieken *n*, kurzer Blick: to take a ~ at s.th. etwas angucken.

keel[1] [kiːl] **I** *s* **1.** *mar.* Kiel *m*: on an even ~ a) auf ebenem Kiel, gleichlastig, b) *fig.* gleichmäßig, ausgeglichen, ruhig; to lay down the ~ den Kiel legen. **2.** *poet.* Schiff *n*. **3.** *aer.* Kiel *m*, Längsträger *m*. **4.** Kiel *m*: a) *bot.* Längsrippe *f* (*vom Blatt*), b) *zo.* scharfkantige Erhebung. **5.** a) L(e)ichter *m*, Schute *f*, b) flaches Kohlenschiff. **II** *v/t* **6.** ~ over, ~ up *Boot etc* kielˈobenlegen, ˈumkippen, kentern lassen. **III** *v/i* ~ over, ~ up **7.** ˈumschlagen, kentern. **8.** kielˈobenliegen. **9.** *colloq.* ,ˈumkippen'.

keel[2] [kiːl] *s Br. ein Kohlenmaß* (= *21,54 Tonnen*).

keel[3] [kiːl] *Scot.* **I** *s* Rötel *m*. **II** *v/t Schafe* mit Rötel zeichnen.

keel·age [ˈkiːlidʒ] *s mar. Br.* Kielgeld *n*, Hafengebühren *pl*.

ˈ**keel|ˌboat** *s Am.* Kielboot *n* (*Art Leichter*). ˈ**~-ˌbul·ly** *s Br. sl.* L(e)ichterführer *m*.

keeled [kiːld] *adj* **1.** gekielt, mit e-m Kiel. **2.** kielförmig.

ˈ**keelˌhaul** *v/t* **1.** *j-n* kielholen (lassen). **2.** *fig.* abkanzeln, ,zs.-stauchen'.

keel·son [ˈkelsn; ˈkiːlsn] *s mar.* Kielschwein *n*, Binnenkiel *m*.

keen[1] [kiːn] *adj* (*adv* → keenly) **1.** scharf (geschliffen), mit scharfer Schneide *od.* Kante: ~ edge scharfe Schneide. **2.** schneidend (*Kälte*), scharf (*Wind*). **3.** beißend: ~ sarcasm. **4.** a) scharf (*Augen*), b) fein (*Sinne*): to be ~-eyed (~-eared) scharfe Augen (ein feines Gehör) haben. **5.** *a.* ~-witted scharfsinnig: to have a ~ mind e-n scharfen Verstand haben, scharfsinnig sein. **6.** durchˈdringend, stechend: ~ glance; ~ smell. **7.** grell (*Licht*), schrill (*Ton*). **8.** scharf, heftig: ~ competition. **9.** heftig, stark, groß (*Gefühl*): ~ desire heftiges Verlangen, heißer Wunsch; ~ interest starkes *od.* lebhaftes Interesse. **10.** fein, scharf (*Unterscheidungsvermögen*). **11.** begeistert, eifrig, leidenschaftlich: a ~ sportsman. **12.** *Am. sl.* ,prima', ,tadellos': a ~ boy; ~ stuff prima Sache. **13.** erpicht, versessen, ,scharf' ([up]on, about auf *acc*): ~ on doing (*od.* to do) s.th. *colloq.* erpicht *od.* darauf aus *od.* scharf darauf, etwas zu tun; as ~ as mustard *colloq.* ganz versessen, Feuer u. Flamme; I am not ~ on it ich bin nicht scharf darauf, ich mache mir nichts daraus, ich habe keine Lust dazu. **14.** ~ on begeistert von, sehr interesˈsiert an (*dat*): ~ on music. **15.** *Br. colloq.* niedrig, ,gut': ~ prices.

keen[2] [kiːn] *Ir.* **I** *s* Totenklage *f*. **II** *v/i* wehklagen. **III** *v/t* beklagen.

ˈ**keen-ˌedged** *adj* **1.** → keen[1] 1. **2.** *fig.* messerscharf.

keen·er [ˈkiːnər] *s Ir.* Wehklagende(r *m*) *f*, Klageweib *n*.

keen·ly [ˈkiːnli] *adv* **1.** scharf (*etc*; → keen[1]). **2.** ungemein, äußerst, sehr.

keen·ness [ˈkiːnnis] *s* **1.** Schärfe *f*. **2.** Heftigkeit *f*. **3.** Eifer *m*. **4.** Scharfsinn *m*. **5.** Feinheit *f*. **6.** Bitterkeit *f*.

ˈ**keen-ˌset** → keen[1] 13.

keep [kiːp] **I** *s* **1.** (ˈLebens)ˌUnterhalt *m*. **2.** (ˈUnterkunft *f* u.) Verpflegung *f*. **3.** a) Bergfried *m*, Hauptturm *m*, b) Burgverlies *n*. **4.** ˈUnterhaltskosten *pl*: the ~ of a horse. **5.** *agr. Br.* a) Weideland *n*, b) Futter(gras) *n*. **6.** for ~s *colloq.* a) auf *od.* für immer, für alle Zeiten, endgültig, b) auf Biegen oder Brechen: to play for ~s mit zurückbehaltenem Gewinn spielen. **7.** Obhut *f*, Verwahrung *f*. **8.** *obs.* Bewachung *f*, Wache *f*.

II *v/t pret u. pp* **kept** [kept] **9.** (be)halten, haben: ~ the ticket in your hand! behalte die Karte in der Hand! **10.** *j-n od. etwas* lassen, (*in e-m gewissen Zustand*) (er)halten: to ~ apart getrennt halten, auseinanderhalten; to ~ a door closed e-e Tür geschlossen halten; to ~ s.th. dry etwas trocken halten *od.* vor Nässe schützen; to ~ s.o. from doing s.th. j-n davon abhalten, etwas zu tun; to ~ s.th. to o.s. etwas für sich behalten; to ~ s.o. advised j-n ständig beraten, j-n auf dem laufenden halten; to ~ s.o. waiting j-n warten lassen; to ~ s.th. going etwas in Gang halten; to ~ s.o. going a) j-n finanziell unterstützen, b) j-n am Leben erhalten; to ~ s.th. a secret etwas geheimhalten (from s.o. vor j-m). **11.** *fig.* (er)halten, (be)wahren: to ~ one's balance das *od.* sein Gleichgewicht (be)halten *od.* wahren; to ~ one's distance Abstand halten *od.* bewahren. **12.** (*im Besitz*) behalten: you may ~ the book; ~ the change! behalten Sie den Rest (*des Geldes*)!; ~ your seat! bleiben Sie (doch) sitzen! **13.** *fig.* halten, sich halten *od.* behaupten in *od.* auf (*dat*): to ~ the field das Feld behaupten; to ~ the stage sich auf der Bühne behaupten. **14.** *j-n* auf-, ˈhinhalten: don't let me ~ you! laß dich nicht aufhalten! **15.** (fest)halten, bewachen: to ~ s.o. (a) prisoner (*od.* in prison) j-n gefangenhalten; to ~ s.o. for lunch j-n zum Mittagessen dabehalten; she ~s him here sie hält ihn hier fest, er bleibt ihretwegen hier; to ~ (the) goal *sport* das Tor hüten. **16.** aufheben, (auf)bewahren: I ~ all my old letters; to ~ a secret ein Geheimnis bewahren; to ~ for a later date für später *od.* für e-n späteren Zeitpunkt aufheben; **17.** (aufrechter)halten, unterˈhalten: to ~ an eye on s.o. j-n im Auge behalten; to ~ (a) guard over s.o. über j-n wachen, j-n bewachen; to ~ good relations with s.o. zu j-m gute Beziehungen unterhalten. **18.** pflegen, (er)halten: to ~ in (good) repair in gutem Zustand erhalten; a well-kept garden ein gutgepflegter Garten. **19.** *e-e Ware* führen, auf Lager haben: we don't ~ this article diesen Artikel führen wir nicht. **20.** *Schriftstücke* führen, halten: to ~ a diary; to ~ books Buch *od.* Bücher führen; to ~ a record of s.th. über (*acc*) etwas Buch führen *od.* Aufzeichnungen machen. **21.** *ein Geschäft etc* führen, verwalten, vorstehen (*dat*): to ~ a shop ein (Laden)Geschäft führen *od.* betreiben; → house[1] 3. **22.** *ein Amt etc* innehaben: to ~ a post. **23.** *Am. e-e Versammlung etc* (ab)halten: to ~ an assembly; to ~ school Schule halten. **24.** *ein Versprechen etc* (ein)halten, einlösen: to ~ a promise; to ~ an appointment e-e Verabredung einhalten. **25.** *das Bett, Haus, Zimmer* hüten, bleiben in (*dat*): to ~ one's bed (house, room). **26.** *Vorschriften etc* be(ob)achten, (ein)halten, befolgen: to ~ the rules; to ~ Sundays die Sonntage einhalten. **27.** *ein Fest* begehen, feiern: to ~ Christmas. **28.** ernähren, er-, unterˈhalten, sorgen für: to have a family to ~. **29.** (*bei sich*) haben, halten, beherbergen: to ~ boarders. **30.** sich halten *od.* zulegen: to ~ a maid ein Hausmädchen haben *od.* (sich) halten; a kept woman e-e Mätresse; to ~ a car sich e-n Wagen halten, e-n Wagen haben. **31.** (be)schützen: God ~ you!

III *v/i* **32.** bleiben: to ~ in bed; to ~ at home; to ~ clear of s.o. sich von j-m fernhalten, j-n meiden; to ~ in sight in Sicht(weite) bleiben; to ~ out of danger sich außer Gefahr halten; to ~ (to the) left sich links halten, links fahren *od.* gehen; to ~ straight on (immer) geradeaus gehen; → *Verbindungen mit Adv.* **33.** sich halten, (*in e-m gewissen Zustand*) bleiben: to ~ cool kühl bleiben (*a. fig.*); to ~ friends (weiterhin) Freunde bleiben; to ~ in good health gesund bleiben; the milk (weather) will ~ die Milch (das Wetter) wird sich halten; the weather ~s fine das Wetter bleibt schön; this matter will ~ diese Sache hat Zeit *od.* eilt nicht; the secret will ~ das Geheimnis bleibt gewahrt. **34.** weiter… (*Handlung beibehalten*): to ~ going a) weitergehen, b) weitermachen; to ~ (on) laughing weiterlachen, nicht aufhören zu lachen, dauernd *od.* ständig *od.* unaufhörlich lachen; ~ smiling! immer nur lächeln!, laß (doch) den Mut nicht sinken!, (immer) Kopf hoch! **35.** *colloq.* wohnen: where do you ~?

Verbindungen mit Präpositionen:

keep| at *v/i* festhalten an (*dat*), weitermachen mit: ~ it! nur nicht aufgeben!, ,immer feste'!; to ~ s.o. j-n nicht in Ruhe lassen, j-m ständig zusetzen. **~ from I** *v/t* **1.** ab-, zuˈrück-, fernhalten von, hindern an (*dat*): he kept me from work er hielt mich von der Arbeit ab; I kept him from knowing too much ich sorgte dafür, daß er nicht zuviel erfuhr. **2.** bewahren vor (*dat*): he kept me from danger. **3.** *j-m etwas* vorenthalten, verschweigen: you are keeping s.th. from me. **II** *v/i* **4.** sich fernhalten von. **5.** sich enthalten (*gen*). **~ to I** *v/i* **1.** bleiben in (*dat*): to ~ the house; to ~ one's bed das Bett hüten; to ~ the left sich (*beim Fahren etc*) links halten; to ~ o.s. für sich bleiben. **2.** *fig.* festhalten an (*dat*), bleiben bei: to ~ the rules of the game sich an die Spielregeln halten; to ~ the agreed time die vereinbarte Zeit einhalten. **II** *v/t* **3.** *j-n* zwingen, bei *e-r Sache* zu bleiben: I kept him to his promise ich nagelte ihn auf sein Versprechen fest. **4.** to keep s.th. to o.s. etwas für sich behalten.

Verbindungen mit Adverbien:

keep| a·way I *v/t* fernhalten. **II** *v/i* weg-, fernbleiben, sich fernhalten (from von). **~ back I** *v/t* **1.** zu'rückhalten (*a. fig.*): to keep s.o. back from doing j-n davon abhalten, zu tun. **2.** *fig.* zu'rückhalten: a) *etwas* einbehalten: to ~ s.o.'s pay, b) *etwas* verschweigen, hinterm Berg halten mit. **3.** *etwas* verzögern, aufhalten. **II** *v/i* **4.** im 'Hintergrund bleiben. **~ down I** *v/t* **1.** niedrig halten, be-, einschränken. **2.** nicht hoch- *od.* aufkommen lassen, unter'drücken. **II** *v/i* **3.** sich geduckt halten. **~ in I** *v/t* **1.** (dr)innen lassen, im Zimmer *etc* halten. **2.** *ped.* nachsitzen lassen. **3.** *den Atem* anhalten. **4.** *a. Gefühle etc* im Zaume halten. **II** *v/i* **5.** (dr)innen bleiben, sich nicht blicken lassen. **6.** ~ with sich mit *j-m* gut stellen, mit *j-m* gut Freund bleiben. **~ off I** *v/t j-n od. etwas* fernhalten, *j-n* abweisen. **II** *v/i* → keep away II. **~ on I** *v/t* **1.** *Kleider* anbehalten, anlassen, *den Hut* aufbehalten. **2.** *das Licht* brennen lassen, anlassen. **II** *v/i* **3.** leben *od.* sich ernähren von: to ~ rice. **4.** (*mit ger*) → keep 34. **5.** to ~ at s.o. *colloq.* ständig auf j-m herumhacken, j-m zusetzen. **~ out I** *v/t* **1.** draußen halten *od.* lassen, nicht her'einlassen, ausschließen. **2.** ~ of bewahren vor (*dat*), her'aushalten aus. **II** *v/i* **3.** draußen bleiben. **4.** ~ of sich her'aushalten aus: to ~ of sight sich nicht blicken lassen; ~ of mischief! mach keine Dummheiten! **~ un·der** *v/t* **1.** unter'jochen, -'drücken. **2.** *ein Feuer etc* unter Kon'trolle halten. **~ up I** *v/t* **1.** fortsetzen, in Gang halten, *Feuer etc* unter'halten. **2.** aufrechterhalten, beibehalten, bewahren, weitermachen mit, nicht nachlassen: keep it up! nicht aufgeben!, nur weiter so! **3.** *fig.* hochhalten, *den Mut etc* nicht sinken lassen: to ~ one's spirits. **4.** *j-n* (*abends*) lange aufbleiben lassen. **II** *v/i* **5.** sich halten, nicht nachlassen: prices are keeping up die Preise behaupten sich; the rain kept up es regnete weiter, der Regen dauerte an. **6.** ~ with Schritt halten mit (*a. fig.*): to ~ with the Jones's (*od.* Joneses) es den Nachbarn *od.* Bekannten (*hinsichtlich des Lebensstandards*) gleichtun (wollen), mit den anderen Schritt halten. **7.** ~ with *Am.* sich ständig infor'mieren über (*acc*), auf dem laufenden bleiben 'hinsichtlich (*gen*). **8.** (*abends*) aufbleiben.

keep·er ['ki:pər] *s* **1.** Wächter *m*, Aufseher *m*, (Gefangenen-, Irren-, Tier-, Park-, Leuchtturm)Wärter *m*: am I my brother's ~? *Bibl.* soll ich m-s Bruders Hüter sein? **2.** Verwahrer *m* (*als Titel*), Verwalter *m*: Lord K~ of the Great Seal Großsiegelbewahrer *m*; K~ of Manuscripts Direktor *m* der Handschriftenabteilung. **3.** *meist in Zssgn* a) Inhaber *m*, Besitzer *m*: → innkeeper, b) Halter *m*, Züchter *m*: bee~ Imker *m*. **4.** Erhalter *m*. **5.** j-d, der etwas besorgt, betreut, verteidigt, in Ordnung hält *od.* führt: box~ Logenschließer *m*; → gamekeeper, goalkeeper. **6.** *tech.* Halter *m*, *bes.* a) Schutzring *m*, b) Schieber *m*, c) Gegenmutter *f*, d) Sperrung *f* (*Haken*), e) Ma'gnetanker *m*. **7.** was sich (gut) hält (*Obst, Fisch etc*): this apple is a good ~ dieser Apfel hält sich gut.

keep·ing ['ki:piŋ] **I** *s* **1.** Verwahrung *f*, Aufsicht *f*, Pflege *f*, Obhut *f*: for ~ zur Aufbewahrung; in safe ~ in guter Obhut, in sicherer Hut; to have s.th. in one's ~ a) etwas in Verwahrung *od.* in Händen haben, b) etwas unterhalten. **2.** Gewahrsam *m*, Haft *f*. **3.** 'Unterhalt *m*, Nahrung *f*. **4.** Über'einstimmung *f*, Einklang *m*: to be in (out of) ~ with s.th. mit etwas (nicht) in Einklang stehen *od.* (nicht) übereinstimmen; in ~ with the times zeitgemäß. **II** *adj* **5.** haltbar, dauerhaft: ~ apples Winter-, Daueräpfel.

keep·sake ['ki:pˌseik] **I** *s* **1.** (*Geschenk zum*) Andenken *n*: as a ~ als *od.* zum Andenken. **2.** K~ *Br. hist.* Musenalmanach *m*. **II** *adj* **3.** kitschig, im Gartenlaubenstil.

keeve [ki:v] *s* Kufe *f*, Faß *n*, Bottich *m*.

kef [keif] *s* **1.** (*Art*) (Haschisch)Rausch *m*. **2.** süßes Nichtstun. **3.** Rauschmittel *n*, *bes.* indischer Hanf.

kef·ir ['kefər] *s* Kefir *m* (*Getränk aus gegorener Milch*).

keg [keg] *s* **1.** kleines Faß, Fäßchen *n*. **2.** *Am.* Keg *n* (*Gewichtseinheit für Nägel = 45,36 kg*).

keif → kef.

keis·ter ['kistər] *s Am.* **1.** Koffer *m*. **2.** *sl.* ,Hintern' *m*.

ke·loid ['ki:lɔid] *s med.* Kelo'id *n*.

kelp [kelp] *s* **1.** Kelp *n*, Riementangasche *f*. **2.** *bot.* (*ein*) Riementang *m*, *bes.* giant ~ Birntang *m*.

kel·pie ['kelpi] *s Scot.* Nix *m*, Wassergeist *m* in Pferdegestalt.

kel·son ['kelsn] → keelson.

kelt[1] [kelt] → celt[1].

kelt[2] [kelt] *s Scot.* 'Lachs(foˌrelle *f*) *m* (*nach der Laichzeit*).

kelt[3] [kelt] *s Scot. od. dial.* (*Art*) ungefärbter Wollfries.

Kelt·ic ['keltik] → Celtic.

Kel·vin scale ['kelvin] *s chem. phys.* Kelvinskala *f*.

kemp[1] [kemp] *s* **1.** *obs.* Kämpe *m*, Recke *m*. **2.** *Scot.* Wettstreit *m*.

kemp[2] [kemp] *s* rauhes (Woll)Haar.

ken[1] [ken] **I** *s* **1.** Gesichtskreis *m* (*a. fig.*): (with)in (beyond, out of) one's ~. **2.** Wissen(sbereich *m*) *n*. **3.** *fig.* Hori'zont *m*. **II** *v/t* **4.** *bes. Scot.* kennen, verstehen, wissen.

ken[2] [ken] *s Br. sl.* Diebeshöhle *f*.

ken·nel[1] ['kenl] **I** *s* **1.** Hundehütte *f*. **2.** *oft pl* Hundezwinger *m*. **3.** *a. fig.* Meute *f*, Pack *n*. **4.** *fig.* ,Loch' *n*, armselige Behausung. **II** *v/t* **5.** in e-r Hundehütte halten *od.* 'unterbringen. **III** *v/i* **6.** in e-r Hundehütte liegen. **7.** (in e-m ,Loch') hausen.

ken·nel[2] ['kenl] *s* Gosse *f*, Rinnstein *m*.

ken·ning ['keniŋ] *s* Kenning *f*, bildhafter Ausdruck (*in der altgermanischen, bes. nordischen Literatur*).

ke·no ['ki:nou] *s Am.* Lottospiel *n*.

ke·no·sis [ki'nousis] *s relig.* Ke'nose *f*, Selbstentäußerung *f* Christi (*durch s-e Menschwerdung*).

Kent·ish ['kentiʃ] *adj* kentisch, aus *od.* von (*der englischen Grafschaft*) Kent. **~ fire** *s Br.* lärmende Beifalls- *od.* 'Mißfallenskundgebung(en *pl*). **~ man** *s irr Br.* Einwohner *m* von Kent westlich des Medway. **~ rag** *s geol.* dunkelgrauer Kiesel-Sandstein.

Ken·tuck·i·an [ken'tʌkiən] **I** *adj* (*den Staat*) Ken'tucky betreffend, ken'tuckisch. **II** *s* Ken'tuckier(in).

kep·i ['kepi] *s* Käppi *n* (*Militärmütze*).

Kep·le·ri·an [kep'li(ə)riən] *adj* Keplersch(er, e, es): ~ telescope. **Kepler's laws** ['keplərz] *s pl astr.* die Keplerschen Gesetze *pl*.

kept [kept] *pret u. pp von* keep II *u.* III.

ke·ram·ic [ki'ræmik], **ke'ram·ics** → ceramic, ceramics.

ker·a·tin ['kerətin] *s chem.* Kera'tin *n*, Hornstoff *m*. **'ker·a·tinˌize** *v/i* verhornen, hornig werden. **ˌker·a'ti·tis** [-rə'taitis] *s med.* Kera'titis *f*, Hornhautentzündung *f*.

kerb [kə:rb] *s bes. Br.* **1.** Bordschwelle *f*, Bord-, Randstein *m*, Straßenkante *f*: ~ drill Verkehrserziehung *f* für Fußgänger. **2.** (steinerne) Einfassung. **3.** *a.* ~ market *econ.* Freiverkehrsbörse *f*: ~ prices Freiverkehrskurse. **'~ˌstone** → kerb 1.

ker·chief ['kə:rtʃif] *s* **1.** (Hals-, Kopf-)Tuch *n*. **2.** *meist poet.* Taschentuch *n*.

kerf [kə:rf] *s* Kerbe *f*, Einschnitt *m*.

ker·mes ['kə:rmi:z] *s* **1.** (roter) Kermesfarbstoff. **2.** *zo.* a) Kermes(schildlaus *f*) *m*, b) Kermeskörner *pl* (*getrocknete Weibchen der Laus*). **3.** *a.* ~ oak *bot.* Kermeseiche *f*.

ker·mis ['kə:rmis], *a.* **'ker·mess** [-mes] *s* **1.** Kirmes *f*, Kirchweih *f*. **2.** *Am.* (*Art*) Wohltätigkeitsfest *n*.

kern[1] [kə:rn] *print.* **I** *s* 'überhangendes Bild. **II** *v/t* unter'schneiden.

kern[2], *a.* **kerne** [kə:rn] *s* **1.** *hist.* Kern *m* (*leichtbewaffneter irischer od. schottischer Fußsoldat*). **2.** Bauernlümmel *m*.

ker·nel ['kə:rnl] *s* **1.** (*Nuß- etc*)Kern *m*. **2.** (Hafer-, Mais- *etc*)Korn *n*. **3.** *fig.* Kern *m*, (*das*) Innerste, Wesen *n*. **4.** *tech.* (Guß- *etc*)Kern *m*.

ker·o·sene ['kerəˌsi:n; ˌkerə'si:n], *a. tech.* **ker·o·sine** [-ˌsi:n; -'si:n] *s chem.* Kero'sin *n*.

ker·sey ['kə:rzi] *s* **1.** Kersey *m* (*grobes Wollzeug*). **2.** Kerseyware *f*. **'ker·seyˌmere** [-ˌmir] *s* Kaschmir *m*.

kes·trel ['kestrəl] *s orn.* Turmfalke *m*.

ketch [ketʃ] *s mar.* Ketsch *f* (*anderthalbmastiger Küstensegler*).

ketch·up ['ketʃəp] *s* Ketschup *m, n*, pi'kante Soße.

ke·tene ['ki:ti:n], *a.* **'ke·ten** [-ten] *s chem.* Ke'ten *n*.

ke·to| ac·id ['ki:tou] *s chem.* Ketosäure *f*. **~ form** *s* Keto-Form *f*.

ke·tone ['ki:toun] *s chem.* Ke'ton *n*.

ke·tose ['ki:tous] *s chem.* Ketozucker *m*, Ke'tose *f*.

ket·tle ['ketl] *s* **1.** (Koch)Kessel *m*: a pretty (*od.* nice) ~ of fish *colloq.* e-e schöne Bescherung. **2.** *geol.* a) Gletschertopf *m*, -mühle *f*, b) Soll *n*. **'~ˌdrum** *s* **1.** *mus.* (Kessel)Pauke *f*. **2.** *colloq. obs.* große Teegesellschaft. **'~ˌdrum·mer** *s* (Kessel)Pauker *m*.

Keu·per ['kɔipər] *s geol.* Keuper *m*.

kew·pie ['kju:pi] *s Am.* **1.** *pausbäckiger Engel mit hohem Haarknoten.* **2.** *a.* ~ doll *e-e Puppe dieser Art.*

key [ki:] **I** *s* **1.** Schlüssel *m*: to have (get) the ~ of the street ausgesperrt sein (werden); to turn the ~ abschließen; golden (*od.* silver) ~ Bestechungs-, Schmiergeld *n*; power of the ~s *R.C.* Schlüsselgewalt *f*. **2.** *fig.* Schlüssel *m*, Lösung *f* (to zu): the ~ to a problem (riddle, *etc*). **3.** *mil.*

Schlüsselstellung *f*, Macht *f* (to über *acc*). **4.** *fig.* Schlüssel *m*: a) *Buch mit Lösungen*, b) Zeichenerklärung *f* (*auf e-r Landkarte etc*), c) Über'setzung(s-schlüssel *m*) *f*, d) Code(schlüssel) *m*. **5.** *bot. zo.* (Klassifikati'ons)Taˌbelle *f*. **6.** Kennwort *n*, -ziffer *f*, Chiffre *f* (*in Inseraten etc*). **7.** *tech.* a) Keil *m*, Splint *m*, Bolzen *m*, Paßfeder *f*, b) Schraubenschlüssel *m*, c) Taste *f* (*der Schreibmaschine etc*). **8.** *electr.* a) Taste *f*, Druckknopf *m*, b) Taster *m*, 'Tastkonˌtakt *m*, -schalter *m*. **9.** *tel.* Taster *m*, Geber *m*. **10.** *print.* Setz-, Schließkeil *m*. **11.** *Tischlerei*: Dübel *m*, Band *n*. **12.** *arch.* Schlußstein *m*, Keil *m*. **13.** *mus.* a) Taste *f* (*bei Tasteninstrumenten*): **black (upper,** *a.* **chromatic)** ~ schwarze (Ober)Taste, b) Klappe *f* (*bei Blasinstrumenten*): **closed (open)** ~ Klappe zum Öffnen (Schließen). **14.** *mus.* Tonart *f*: **major (minor)** ~ Dur *n* (Moll *n*); ~ **of C (major)** C-Dur; ~ **of C minor** c-Moll; **to be in** ~ **with s.th.** *fig.* mit etwas in Einklang stehen. **15.** → **key signature. 16.** *fig.* Ton(art *f*) *m*: **all in the same** ~ im selben Ton(fall), monoton. **17.** *paint. phot.* Tönung *f*, Ton *m*: **painted in a low** ~ in matten Farben gehalten. **18.** → **keymove. 19.** *parl.* a) **House of K**~**s** Unterhaus *n* der Insel Man, b) **the K**~**s** *pl die Mitglieder von* a.

II *v/t* **20.** ~ **in,** ~ **on** *tech.* ver-, festkeilen. **21.** *print.* füttern, unter'legen. **22.** *tel.* tasten, geben. **23.** *mus.* stimmen: **to** ~ **the strings. 24.** (to) anpassen (an *acc*), abstimmen (auf *acc*). **25.** ~ **up** *j-n* in ner'vöse Spannung versetzen: ~**ed up** angespannt, überreizt, ‚überdreht'. **26.** ~ **up** steigern, erhöhen. **27.** mit e-m Kennwort versehen. **28.** *Elektronik*: (ein- *od.* aus)schalten.

III *adj* **29.** *fig.* Schlüssel..., maßgebend, Haupt...: ~ **position** Schlüsselstellung *f*; ~ **official** Beamte(r) in e-r Schlüsselstellung.

key| bit *s tech.* Schlüsselbart *m*. '~**ˌboard I** *s* **1.** *mus.* a) Klavia'tur *f*, Tasta'tur *f* (*am Klavier*), b) Manu'al *n* (*der Orgel*). **2.** *tech.* Tastenfeld *n*, Tasta'tur *f* (*der Schreibmaschine etc*). **II** *v/t u. v/i* **3.** mit Mono- *od.* Linotype setzen. ~ **bu·gle** *s mus.* Klappenhorn *n*. ~ **chord** *s mus.* Grunddreiklang *m* (*e-r Tonart*). ~ **desk** *s mus.* Orgelpult *n*.

keyed [kiːd] *adj* **1.** *mus.* a) Tasten...: ~ **instrument,** b) Klappen...: ~ **horn** Klappenhorn *n*. **2.** *mus.* a) in e-r (*bestimmten*) Tonart gesetzt, b) gestimmt (to auf *e-n Ton*). **3.** *tech.* a) versplintet, b) festgekeilt. **4.** durch e-n Schlußstein verstärkt. **5.** chif'friert: ~ **advertisement. 6.** ~ **up** → **key** 25.

key| fos·sil *s geol.* 'Leitfosˌsil *n*. ~ **harp** *s mus.* Tastenharfe *f*. '~**ˌhole** *s* **1.** Schlüsselloch *n*: ~ **report** *fig.* Bericht *m* mit intimen Einzelheiten. **2.** *tech.* Dübelloch *n*. **3.** *Basketball*: Freiwurfraum *m*. '~**ˌhole saw** *s tech.* Stichsäge *f*. ~ **in·dus·try** *s econ.* 'Schlüsselinduˌstrie *f*. ~ **man,** *a.* '~**ˌman** [-ˌmæn] *s irr* **1.** 'Schlüsselfiˌgur *f*. **2.** Mann *m* in e-r Schlüsselstellung, Schlüsselkraft *f*. ~ **mon·ey** *s Br.* Ablösung *f*, Abstand(szahlung *f*) *m* (*für e-e Wohnung*). '~**ˌmove** *s Schach*: Schlüsselzug *m*. '~**ˌnote I** *s* **1.** *mus.* Grundton *m*. **2.** *fig.* Grundton *m*, -gedanke *m*, Hauptthema *n*: **to strike the** ~ **of s.th.** das Wesentliche e-r Sache treffen. **3.** *pol. Am.* Par'teilinie *f*, -proˌgramm *n*: ~ **address** (*od.* **speech**) programmatische Rede; ~ **speaker** → **keynoter. II** *v/t* **4.** *pol. Am.* a) e-e program'matische Rede halten auf (*e-m Parteitag etc*), b) (programmatisch) verkünden, c) als Grundgedanken enthalten. **5.** *fig.* kennzeichnen, beherrschen. '~**ˌnot·er** *s Am.* Verkünder *m* der Par'teilinie, (po'litischer) Pro'grammredner. ~ **punch** *s* (Karten)Locher *m* (mit Tasta'tur), Kartenstanzer *m*. ~ **ring** *s* Schlüsselring *m*. ~ **seat** → **keyway.** '~**ˌseat·er** *s tech.* 'Keilnutenˌziehmaˌschine *f*. ~ **sig·na·ture** *s mus.* Vorzeichen *n u. pl.* ~ **sta·tion** *s Radio*: *Am.* Hauptsender *m*. '~**ˌstone** *s* **1.** *arch.* Schlußstein *m* (*a. fig.*), Keilstein *m*. **2.** *fig.* (Haupt)Stütze *f*, Funda'ment *n*, tragende Säule. **3.** *tech.* Füllsplitt *m* (*bei asphaltierten Straßen*). **4.** *a.* ~ **sack** *Baseball*: zweites Mal. **'K**~**ˌstone State** *s* (*Beiname für*) Pennsyl'vanien *n*. ~ **tone** *s mus.* Grundton *m*. '~**ˌway** *s tech.* Keilnut *f*, -bahn *f*. ~ **word** *s* Schlüssel-, Stichwort *n*.

kha·ki ['kɑːki; *Am. a.* 'kæki] **I** *s* **1.** Khaki *n*. **2.** a) Khakistoff *m*, b) 'Khakiuniˌform *f*. **II** *adj* **3.** khaki, staubfarben. ~ **e·lec·tion** *s Br. hist. Wahl, bei der Stimmenmehrheit durch Ausnützung von Kriegsbegeisterung erreicht wurde.*

kham·sin ['kæmsin] *s* Cham'sin *m* (*heißer Wüstenwind in Ägypten*).

khan[1] [kɑːn; kæn] *s* Khan *m* (*orientalischer Herrschertitel*).

khan[2] [kɑːn; kæn] → **caravansary.**

khan·ate ['kɑːneit; 'kæn-] *s* Kha'nat *n* (*Land e-s Khans*).

khe·di·val [ki'diːvəl] *adj* Khediven...

khe'dive [-'diːv] *s* Khe'dive *m*.

khi [kai] *s* Chi *n* (*griechischer Buchstabe*).

kib·ble[1] ['kibl] *s Bergbau*: *Br.* Förderkorb *m*.

kib·ble[2] ['kibl] *v/t* schroten.

kib·butz [ki'buːts] *pl* **kibˌbutz'im** [-iːm] *s* Kib'buz *m* (*Gemeinschaftssiedlung in Israel*).

kibe [kaib] *s* aufgesprungene (Frost)-Beule: **to tread on s.o.'s** ~ *fig.* j-m auf die Hühneraugen treten.

ki·bei ['kiː'bei] *pl* **-bei** *od.* **-beis** *s in USA geborener, aber in Japan erzogener Japaner.*

kib·itz ['kibits] *v/i colloq.* kiebitzen.

'kib·itz·er *s colloq.* **1.** Kiebitz *m* (*Zuschauer, bes. beim Kartenspiel*). **2.** *fig.* Besserwisser *m*, aufdringlicher Kerl.

ki·bosh ['kaibɒʃ; 'kibɒʃ] *sl.* **I** *s* Mumpitz *m*, Quatsch *m*: **to put the** ~ **on** a) *j-m* den Garaus machen, *j-n* ‚fertigmachen', b) → II. **II** *v/t Am.* e-r Sache ein Ende *od.* ‚den Garaus' machen.

kick [kik] **I** *s* **1.** (Fuß)Tritt *m* (*a. fig.*), Stoß *m* (mit dem Fuß): **to get more** ~**s than halfpence** mehr Prügel als Lob ernten; **to get the** ~ *Br. colloq.* ‚(raus)fliegen' (*entlassen werden*). **2.** *Fußball*: a) Schuß *m*: **free** ~ Freistoß *m*, b) → **kicker** 2. **3.** *Schwimmsport*: Beinschlag *m*. **4.** *Laufsport*: *Am.* Spurt(kraft *f*) *m*. **5.** Stoß *m*, Ruck *m*, ruckweise Fahrt. **6.** Rückstoß *m* (*e-r Schußwaffe*). **7.** *electr. Am.* a) (Strom)-Stoß *m*, Im'puls *m*, b) Ausschlag *m* (*e-s Zeigers etc*). **8.** Stoßkraft *f*. **9.** *bes. Am. sl.* a) (berauschende) Wirkung, ‚Feuer' *n*: **that cocktail has got a** ~ **in it** der Cocktail ‚hat es (aber) in sich', b) Schwips *m*: **he's got a** ~ ‚er hat einen sitzen'. **10.** *colloq.* (Stoß)-Kraft *f*, Schwung *m*, E'lan *m*, ‚Pfiff' *m*: **he has no** ~ **left** er hat keinen Schwung mehr; **to give a** ~ **to** *etwas* in Schwung bringen, *e-m Theaterstück etc* Pfiff verleihen; **a novel with a** ~ ein Roman mit Pfiff. **11.** (Nerven)-Kitzel *m*: **to get a** ~ **out of s.th.** an etwas mächtig Spaß haben, sehr angeregt werden durch etwas; **for** ~**s** (nur) zum Spaß. **12.** *Am. sl.* a) Einwand *m*, b) Groll *m*, c) (Grund *m* zur) Beschwerde *f*. **13.** *mot. sl.* Kicken *n* (*Brennstoff*). **14.** *sl.* (Brief)Tasche *f*. **15.** *Br. sl.* Sechs'pencestück *n*: **ten and a** ~ zehn Schillinge u. sechs Pence. **16.** *Br. obs. sl.* (*der*) neu(e)ste Modefimmel.

II *v/t* **17.** (mit dem Fuß) stoßen *od.* treten: **to** ~ **s.o.'s shin** j-n gegen das Schienbein treten; **to** ~ **s.o. downstairs** j-n die Treppe hinunterwerfen; **to** ~ **s.o. upstairs** j-n durch Beförderung ‚kaltstellen'; **I could have** ~**ed myself** ich hätte mich ohrfeigen können. **18.** *Fußball*: schießen: **to** ~ **a goal. 19.** zu'rückprallen *od.* -stoßen gegen *od.* auf (*acc*). **20.** (an)treiben.

III *v/i* **21.** (mit dem Fuß) treten *od.* stoßen. **22.** das Bein hochwerfen. **23.** (nach hinten) ausschlagen (*Pferd*). **24.** *colloq.* a) ‚meutern', ‚bocken', sich (mit Händen u. Füßen) wehren, sich auflehnen (**at, against** gegen), b) nörgeln, sich beschweren (**about** über *acc*). **25.** zu'rückprallen, -stoßen, e-n Rückstoß geben, stoßen (*Gewehr etc*). **26.** hochfliegen (*Ball*). **27.** → **kick off** 2.

Verbindungen mit Adverbien:

kick| a·bout *v/i* (planlos) um'herwandern. ~ **a·round** *v/t Am. colloq.* **1.** *etwas* ‚beschwatzen', (eingehend) disku'tieren. **2.** sich flüchtig befassen mit. **3.** *j-n* schika'nieren. ~ **back I** *v/i* **1.** rückwärts starten. **2.** *Am. sl.* Schmiergeld *od.* e-e Provisi'on zahlen. **II** *v/t* **3.** *Am. sl.* zu'rückgeben, -zahlen. ~ **in** *Am. sl.* **I** *v/t* **1.** beisteuern. **II** *v/i* **2.** beisteuern, sein Teil beitragen: **to** ~ **with** → 1. **3.** → **kick off** 2. ~ **off I** *v/i* **1.** *Fußball*: anstoßen, den Anstoß ausführen. **2.** *sl.* ‚abkratzen' (*sterben*). **3.** *Am. sl.* ‚loslegen', anfangen. **II** *v/t* **4.** wegschleudern. **5.** *Am. sl. etwas* starten, in Gang setzen. ~ **out** *v/t* **1.** *den Fußball* ins Aus schießen. **2.** *sl.* ‚rausschmeißen'. ~ **o·ver** *v/i mot. Am.* zünden. ~ **up** *v/t* hochschleudern.

'kickˌback *s* **1.** Rückstoß *m*. **2.** *colloq.* heftige Reakti'on (*a. fig.*). **3.** *colloq.* scharfe Antwort. **4.** *Am. sl.* a) *allg.* Provisi'on *f*, Anteil *m*, b) (geheime) Rückvergütung, c) Schmiergeld *n*.

kick·er ['kikər] *s* **1.** (Aus)Schläger *m* (*Pferd*). **2.** *Br.* Fußballspieler *m*. **3.** *Am. colloq.* Nörgler *m*, Meckerer *m*, Queru'lant *m*. **4.** *mar. sl.* Hilfsmotor *m*.

'kickˌoff *s* **1.** *sport* Anstoß *m*. **2.** *Am. colloq.* Start *m* (*Anfang*).

kick·shaw ['kikˌʃɔː], **'kickˌshaws** [-ˌʃɔːz] *s* **1.** Delika'tesse *f*, Schlecke'rei *f*. **2.** Kinkerlitzchen *pl*, Lap'palie *f*.

kick| start·er *s mot.* Kickstarter *m*. ~ **turn** (*Skisport*) **I** *s* Spitzkehre *f*. **II** *v/i* (*mit Spitzkehre*) wenden. '~**ˌup** *s sl.* Krach *m*.

kid[1] [kid] **I** *s* **1.** *zo.* a) Zicklein *n*, Kitz(e *f*) *n*, b) *obs.* (Reh)Kitz *n*. **2.** *a.* ~ **leather** Ziegen-, Gla'céleder *n*: ~ **gloves** Glacéhandschuhe. **3.** *sl.* Kind *n*, Junge *m*, Mädel *n*: **some** ~! *Am.* ein Prachtbursche!; **my** ~ **brother** mein kleiner Bruder; **that's** ~ **stuff** das ist was für (kleine) Kinder. **II** *v/i* **4.** Junge werfen, zickeln (*von Ziegen*).

kid[2] [kid] *sl.* **I** *v/t* **1.** foppen, ‚anpflaumen', aufziehen. **2.** ‚verkohlen'. **II** *v/i* **3.** Ulk treiben, albern. **4.** schwindeln: **he was only** ~**ding** er machte (ja) nur Spaß; **no** ~**ding!** im Ernst!, Scherz

beiseite!; are you ~ding? meinst du das im Ernst? **III** *s* **5.** Ulk *m.*
kid³ [kid] *s* **1.** Fäßchen *n*, Bütte *f.* **2.** *mar. obs.* Eßschüssel *f.*
kid·dle ['kidl] *s* Fischreuse *f.*
kid·dy ['kidi] *s* **1.** Kindchen *n.* **2.** Zicklein *n.* **3.** *sl.* ('hochele,ganter) Dieb.
kid| glove *s* Gla'céhandschuh *m*: to handle s.o. with ~s *fig.* j-n mit Samthandschuhen anfassen. **'~-'glove** *adj fig.* **1.** wählerisch, anspruchsvoll. **2.** heikel, ‚etepe'tete', zimperlich. **3.** sanft, schonungsvoll.
kid·nap ['kidnæp] *v/t Kinder, Menschen* rauben, stehlen, (gewaltsam) entführen, *Br. a.* (ins Ausland) verschleppen. **'kid·nap·(p)er** *s* Kindes-, Menschenräuber *m*, -entführer *m*, Kidnapper *m.* **'kid·nap·(p)ing** *s* Menschen-, *bes. Am.* Kindesraub *m*, *Br. a.* Verschleppung *f* (ins Ausland).
kid·ney ['kidni] *s* **1.** *anat.* Niere *f* (*a. als Speise*). **2.** *fig.* Art *f*, Sorte *f*, Schlag *m*: a man of that ~ ein Mann dieser Art; he is of the right ~ er ist vom richtigen Schlag. **~ bean** *s bot. Br.* Weiße Bohne. **~ ore** *s min.* nierenförmiger Häma'tit. **~ po·ta·to** *pl* **-toes** *s agr.* 'Nierenkar,toffel *f.* **'~-,shaped** *adj* nierenförmig. **~ stone** *s* **1.** *min.* Ne'phrit *m.* **2.** *med.* Nierenstein *m.*
'kid,skin I *s* Ziegenfell *n*, -leder *n.* **II** *adj* Ziegenleder...
kie·sel·guhr, kie·sel·gur ['ki:zəl,gur] *s min.* Kieselgur *f.*
kike [kaik] *s Am. sl. contp.* ‚Itzig' *m*, [Jude *m.*]
kil·der·kin ['kildərkin] *s* **1.** Fäßchen *n.* **2.** *altes englisches Flüssigkeitsmaß von 18 Gallonen = 82 l.*
kil·erg ['kil,ə:rg] *s phys.* Kiloerg *n.*
Kil·ken·ny cats [kil'keni] *s pl*: to fight like ~ sich mörderisch bekämpfen.
kill [kil] **I** *v/t* **1.** (o.s. sich) töten, 'umbringen: to ~ off abschlachten, ausrotten, vertilgen, beseitigen, ‚abmurksen'; to ~ two birds with one stone zwei Fliegen mit e-r Klappe schlagen; to be ~ed getötet werden, ums Leben kommen, umkommen; to be ~ed in action *mil.* (im Krieg *od.* im Kampf) fallen. **2.** *Tiere* schlachten: → fat 10. **3.** *hunt.* erlegen, schießen. **4.** *mil.* abschießen, zerstören, vernichten, *Schiff* versenken. **5.** töten, *j-s* Tod verursachen: his reckless driving will ~ him one day sein leichtsinniges Fahren wird ihm noch das Leben kosten; the job is ~ing me die Arbeit bringt mich (noch) um; the sight nearly ~ed me der Anblick war zum Totlachen. **6.** a) zu'grunde richten, rui'nieren, b) *Knospen etc* vernichten, zerstören. **7.** *fig.* wider'rufen, stor'nieren, ungültig machen, streichen. **8.** *fig.* a) *Gefühle* (ab)töten, ersticken, unter'drücken, b) *j-n* (*durch Gefühle*) über'wältigen, fast 'umbringen: to ~ s.o. with kindness. **9.** *Schmerzen* stillen. **10.** *Farben etc* unwirksam machen, aufheben, *a. chem.* neutrali'sieren. **11.** *Geräusche* (ver)schlucken, unhörbar machen. **12.** *fig. ein Gesetz* zu Fall bringen, *e-e Eingabe etc* unter'drücken, *e-n Plan* durch'kreuzen. **13.** durch Kri'tik vernichten. **14.** *sport den Ball* (ab)töten. **15.** *Zeit* totschlagen: to ~ time. **16.** a) *e-e Maschine etc* abstellen, abschalten, *den Motor a.* ‚abwürgen', b) *Lichter* ausschalten, c) *electr.* abschalten, *e-e Leitung* spannungslos machen. **17.** *print.* zu Streichsatz erklären, einschmelzen lassen. **18.** *Am. colloq.* a) *e-e Flasche etc* austrinken, b) *e-e Zigarette* ausdrücken.
II *v/i* **19.** töten: a) den Tod verursachen *od.* her'beiführen, b) morden. **20.** *colloq.* 'unwider,stehlich *od.* 'hinreißend sein, e-n ‚tollen' Eindruck machen: dressed to ~ todschick gekleidet, *contp.* ‚aufgedonnert'.
III *s* **21.** a) Tötung *f*, b) Mord *m*, Totschlag *m*: on the ~ auf Beute aus (*Raubtier*), *fig.* aufs Ganze gehend. **22.** *hunt.* a) Tötung *f* (*e-s Wildes*), Abschuß *m*: to be in at (*od.* for) the ~ *fig.* am Schluß dabei sein, b) Jagdbeute *f*, Strecke *f.* **23.** *mil.* Abschuß *m*, Zerstörung *f*, Vernichtung *f*, *mar. a.* Versenkung *f.*
kill·a·ble ['kiləbl] *adj* **1.** vernichtbar. **2.** schlachtreif (*Tier*).
'kill,deer *s orn.* (*ein*) *amer.* Regenpfeifer *m.*
kill·er ['kilər] *s* **1.** Mörder *m*, Totschläger *m.* **2.** *a. fig.* Schlächter *m.* **3.** *chem. bes. in Zssgn* Vertilgungs- *od.* Vernichtungsmittel *n.* **4.** wirksamer Köder. **5.** → killer whale. **6.** *Am. sl.* a) schicke *od.* ‚tolle' Frau, b) ‚toller' Bursche, c) ‚tolle' Sache, d) mörderischer Schlag. **~ whale** *s zo.* Schwertwal *m.*
kil·lick ['kilik] *s mar.* **1.** (kleiner) Bootsanker. **2.** Ankerstein *m.*
kill·ing ['kiliŋ] **I** *s* **1.** a) Tötung *f*, b) Morden *n*, c) Mord *m*, Totschlag *m.* **2.** → kill 22 b. **3.** Schlachten *n*: ~ time Schlachtzeit *f.* **4.** *econ. colloq.* ‚Schnitt' *m*, Spekulati'onserfolg *m.* **II** *adj* (*adv* ~ly) **5.** tödlich, vernichtend, mörderisch (*a. fig.*): a ~ glance; a ~ pace ein mörderisches Tempo. **6.** *colloq.* 'umwerfend, 'hinreißend, ‚toll'. **7.** *colloq.* köstlich, zum Totlachen.
'kill-,joy I *s* Spielverderber(in), Störenfried *m*, Miesmacher(in). **II** *adj* spielverderberisch.
kil·lock ['kilək] → killick.
'kill-,time I *s* Zeitvertreib *m.* **II** *adj* als Zeitvertreib dienend, zum Zeitvertreib getan.
kiln [kil; kiln] **I** *s* **1.** Brenn-, Trocken-, Röst-, Darrofen *m*, Darre *f*: cement ~ Zementofen. **2.** *Glasfabrikation*: Kühl-, Glasofen *m.* **II** *v/t* → kiln-dry. **'~-,dry** *v/t* im Ofen dörren *od.* darren.
ki·lo ['ki:lou; 'kilou] *abbr. für* kilogram(me).
kil·o·am·pere ['kilo,æmpər; *Am.* -pir] *s electr.* 'Kiloam,pere *n.* **'kil·o,cal·o·rie** *s phys.* 'Kilokalo,rie *f.* **'kil·o,cu·rie** *s phys.* 'Kilocu,rie *n.* **'kil·o,cy·cle** *s electr. phys.* Kilo'hertz *n.* **'kil·o,dyne** *s phys.* Kilo'dyn *n.* **'kil·o-e,lec·tron-,volt** *s phys.* 'Kiloelek,tronenvolt *n.* **'kil·o,gauss** *s phys.* Kilo'gauß *n.* **'kil·o,gram(me)** *s* Kilo('gramm) *n.* **'kil·o,gram-'me·ter,** *bes. Br.* **'kil·o,gram-'me·tre** *s* 'Meterkilo,gramm *n.* **'kil·o,joule** *s* Kilo'joule *n.* **'kil·o,li·ter,** *bes. Br.* **'kil·o,li·tre** *s* Kilo'liter *n.* **'kil·o·me·ter,** *bes. Br.* **kil·o·me·tre** ['kilo,mi:tər; ki'lɒmitər] *s* Kilo'meter *m.* **,kil·o'met·ric** [-'metrik], **,kil·o'met·ri·cal** *adj* kilo'metrisch. **'kil·o,ton** *s* **1.** 1000 Tonnen *pl.* **2.** *Sprengkraft, die 1000 Tonnen TNT entspricht.* **'kil·o,volt** *s electr.* Kilo'volt *n.* **'kil·o,watt** *s electr.* Kilo'watt *n*: ~ hour Kilowattstunde *f.*
kilt [kilt] **I** *s* **1.** Kilt *m*, Schottenrock *m.* **II** *v/t* **2.** aufschürzen. **3.** fälteln, plis'sieren. **'kilt·ed** *adj* **1.** mit e-m Kilt (bekleidet). **2.** plis'siert.
kilt·er ['kiltər] *s colloq.* Ordnung *f*: out of ~ a) nicht in Ordnung, kaputt, b) aus dem Gleichgewicht.
kilt·ing ['kiltiŋ] *s* Plis'see *n.*
ki·mo·no [ki'mounou] *pl* **-nos** *s* Ki'mono *m*: a) *japanisches Kleidungsstück*, b) (Damen)Morgenrock *m.*
kin [kin] **I** *s* **1.** Sippe *f*, Geschlecht *n*, Fa'milie *f*: of good ~ aus guter Familie. **2.** *collect.* (*als pl konstruiert*) (Bluts)Verwandtschaft *f*, (*die*) Verwandten *pl*: → kith; to be of ~ to s.o. mit j-m verwandt sein; of the same ~ as *fig.* von derselben Art wie; near of ~ nahe verwandt (*a. fig.*); his next of ~ s-e nächsten Angehörigen. **II** *adj* **3.** verwandt (to mit): we are ~ wir sind (miteinander) verwandt. **4.** (to) verwandt (mit), ähnlich (*dat*).
kin·aes·the·si·a [*Br.* ,kainis'θi:ziə; *Am.* ,kin-; -ʒə], **,kin·aes'the·sis** [-sis] → kinesthesia, kinesthesis.
kind¹ [kaind] *s* **1.** Art *f*, Sorte *f*: all ~(s) of alle möglichen, alle Arten von; all of a ~ (with) von der gleichen Art (wie); two of a ~ zwei von derselben Sorte; nothing of the ~ a) nichts dergleichen, b) keineswegs; s.th. of the ~, this ~ of thing etwas Derartiges, so etwas; the literary ~ die Leute, die sich mit Literatur befassen. **2.** Geschlecht *n*, Klasse *f*, Art *f*, Gattung *f*: → humankind; what ~ of a man is he? was für ein Mann *od.* Mensch ist er? **3.** Art *f* (*Beschaffenheit*): a ~ of e-e Art (von); he felt a ~ of compunction er empfand so etwas wie Reue; these ~ of people *colloq.* diese Art Menschen; he is ~ of queer *colloq.* er ist etwas wunderlich; I ~ of expected it *colloq.* ich hatte es irgendwie *od.* halb erwartet; I ~ of promised it *colloq.* ich versprach es so halb u. halb. **4.** *relig.* Gestalt *f* (*von Brot u. Wein beim Abendmahl*). **5.** Natu'ralien *pl*, Waren *pl*: to pay in ~ a) in Naturalien zahlen, b) *fig.* mit gleicher Münze heimzahlen. **6.** *obs.* Na'tur *f.*
kind² [kaind] *adj* (*adv* → kindly II) **1.** gütig, freundlich, liebenswürdig, gut (to s.o. zu j-m): ~ words; to be ~ to animals tierlieb sein; will you be so ~ as to write haben *od.* hätten Sie die Güte zu schreiben, seien *od.* wären Sie so gut *od.* freundlich zu schreiben. **2.** gutartig, fromm (*Pferd*).
kin·der·gar·ten ['kindər,ga:rtn] *s* Kindergarten *m.* **'kin·der,gart·ner** [-nər], *a.* **'kin·der,gar·ten·er** *s* **1.** Kindergärtnerin *f.* **2.** *Am.* Kind, das e-n Kindergarten besucht.
'kind'heart·ed *adj* gütig, wohlwollend, gutherzig. **,kind'heart·ed·ness** *s* Gutherzigkeit *f*, Herzensgüte *f.*
kin·dle ['kindl] **I** *v/t* **1.** an-, entzünden. **2.** *fig.* entflammen, -zünden, anfeuern, anreizen, wecken. **3.** erleuchten. **II** *v/i* **4.** sich entzünden, Feuer fangen, aufflammen (*a. fig.*). **5.** *fig.* (at) a) entbrennen, -flammen, sich erregen (über *acc*), b) sich begeistern (an *dat*, für). **6.** *fig.* (er)glühen (with vor). **'kin·dler** *s* **1.** Feueranzünder *m.* **2.** *fig.* Unheilstifter(in).
kind·li·ness ['kaindlinis] → kindness.
kind·ling ['kindliŋ] *s* 'Anzündmateri'al *n*, Anmachholz *n*, Kien(späne *pl*) *m.*
kind·ly ['kaindli] **I** *adj* **1.** gütig, freundlich, liebenswürdig. **2.** milde, gnädig (*Regierung*). **3.** angenehm, günstig: a ~ climate; a ~ soil ein fruchtbarer Boden. **II** *adv* **4.** gütig, freundlich. **5.** *colloq.* freundlich(erweise), liebenswürdig(erweise), gütig(st): ~ tell me sagen Sie mir bitte; to take ~ to sich befreunden mit, sich hingezogen fühlen zu, liebgewinnen; I would take it ~ if you would come es wäre sehr freundlich, wenn Sie kämen; would you ~ shut up! *iro.* willst du gefälligst

den Mund halten!; we thank you ~ wir danken Ihnen herzlich.

kind·ness ['kaindnis] *s* **1.** Güte *f*, Freundlichkeit *f*, Wohlwollen *n*. **2.** Gefälligkeit *f*, Freundlichkeit *f*, Wohltat *f*.

kin·dred ['kindrid] **I** *s* **1.** (Bluts)Verwandtschaft *f*. **2.** *fig.* Verwandtschaft *f*. **3.** *collect.* (*als pl konstruiert*) Verwandte *pl*, Verwandtschaft *f*. **4.** Stamm *m*, Fa'milie *f*. **II** *adj* **5.** (bluts)verwandt: of ~ blood blutsverwandt. **6.** *fig.* verwandt, ähnlich, gleichartig.

kin·e·mat·ic [ˌkini'mætik; *Br. a.* ˌkai-], ˌ**kin·e'mat·i·cal** [-kəl] *adj phys.* kine'matisch. ˌ**kin·e'mat·ics** *s pl* (*als sg konstruiert*) *phys.* Kine'matik *f*, Bewegungslehre *f*.

kin·e·mat·o·graph [ˌkinə'mætəˌgræ(ː)f *Br. a.* ˌkain- u. -ˌgrɑːf] → cinematograph.

kin·es·the·si·a [ˌkinis'θiːʒə; -ziə; *Br.* ˌkai-], ˌ**kin·es'the·sis** [-sis] *s med.* Kinästhe'sie *f*, Muskelsinn *m*.

ki·net·ic [ki'netik; kai-] *adj phys.* ki'netisch: ~ energy; ~ pressure Staudruck *m*. **ki'net·ics** *s pl* (*als sg konstruiert*) *phys.* Ki'netik *f*, Bewegungslehre *f*.

ki·ne·to·graph [ki'niːtoˌgræ(ː)f; *Br. a.* kai- *u.* -ˌgrɑːf] *s phot. tech.* Kineto'graph *m* (*zur Aufnahme verschiedener Bewegungsphasen*).

king [kiŋ] **I** *s* **1.** König *m*: ~ of beasts König der Tiere (*Löwe*); → English 3, evidence 2c. **2.** *relig.* a) K~ of K~s König *m* der Könige (*Gott, Christus*), b) (Book of) K~s *Bibl.* (*das* Buch der) Könige *pl*. **3.** *Schach*: König *m*: ~'s knight Königsspringer *m*. **4.** *Damespiel*: Dame *f*. **5.** *Kartenspiel*: König *m*. **6.** *fig.* König *m*, Ma'gnat *m*: oil ~. **7.** *zo.* zeugungsfähige männliche Ameise *od.* Ter'mite. **II** *v/i* **8.** *meist* ~ it den König spielen, herrschen (over über *acc*). **III** *v/t* **9.** zum König machen.

'**king|ˌbird** *s orn.* Ty'rann *m*, *bes.* Königsvogel *m*. '~ˌ**bolt** *s tech.* Drehbolzen *m*, Achs(schenkel)bolzen *m*. ~ **co·bra** *s zo.* Königskobra *f*, -hutschlange *f*. ~ **crab** *s zo.* Teufelskrabbe *f*, Meerspinne *f*.

king·dom ['kiŋdəm] *s* **1.** Königreich *n*: United K~ Vereinigtes Königreich (*Großbritannien u. Nordirland*). **2.** *fig.* Reich *n*, Gebiet *n*: ~ of thought Reich der Gedanken. **3.** *a.* K~, ~ of heaven *relig.* Reich *n* (Gottes): thy ~ come (*im Vaterunser*) dein Reich komme; to send s.o. to ~ come *sl.* j-n ins Jenseits befördern. **4.** (Na'tur)-Reich *n*: animal (mineral, vegetable) ~ Tier- (Mineral-, Pflanzen)reich. **5.** *obs.* Königtum *n*.

king| duck, *a.* ~ **ei·der** *s orn.* Königseiderente *f*. **K~ Em·per·or** *s hist.* König *m* u. Kaiser *m* (*Titel des Herrschers über das Vereinigte Königreich u. Indien*). ~ **fern** *s bot.* Königsfarn *m*. '~ˌ**fish** *s* **1.** a) Königsdorsch *m*, b) Opah *m*, Getupfter Sonnenfisch, c) 'Königsmaˌkrele *f*. **2.** *Am. colloq.* ‚König' *m*, ‚Herrscher' *m*, ‚Mogul' *m*. '~ˌ**fish·er** *s* Eisvogel *m*.

King James Bi·ble *od.* **Ver·sion** *s autorisierte englische Bibelübersetzung.*

king·let ['kiŋlit] *s* **1.** unbedeutender *od.* schwacher König, kleiner Poten'tat. **2.** *orn.* (*ein*) Goldhähnchen *n*.

'**kingˌlike** → kingly.

king·li·ness ['kiŋlinis] *s* (*das*) Maje'stätische *od.* Königliche.

king·ly ['kiŋli] *adj u. adv* königlich.

ˌ**King|-of-'Arms** *pl* ˌ**~s-of-'Arms** *s her.* Wappenkönig *m*. '**k~ˌpin** *s* **1.** *Kegelspiel*: König *m*. **2.** *colloq.* a) ‚Herrscher' *m*, ‚Hauptmacher' *m*, b) Hauptsache *f*, Angelpunkt *m*. **3.** *tech.* → kingbolt. **k~ post** *s arch.* Dachstuhl-, Giebel-, First-, Hängesäule *f*. **k~ salm·on** *s ichth.* Königslachs *m*. **~'s Bench (Di·vi·sion)** *s jur. Br.* Erste Kammer (für Zi'vil- u. Strafsachen) des High Court (of Justice). **~'s Coun·sel** *s jur. Br.* Kronanwalt *m*, höherer Anwalt (*ein* barrister, *der die Krone in Strafsachen vertritt*). **k~'s e·vil** *s med.* Skrofu'lose *f*.

king·ship ['kiŋˌʃip] *s* **1.** Königtum *n*, Königswürde *f*. **2.** Monar'chie *f*. **3.** Maje'stät *f*: his ~ Seine Majestät.

'**king-ˌsize** *adj Am. colloq.* 'überˌdurchschnittlich groß, Riesen...

king's| peg *s Mischgetränk aus Branntwein u. Sekt.* **K~ Proc·tor** → proctor 3. **K~ Speech** *s Br.* Thronrede *f*.

king vul·ture *s orn.* Königsgeier *m*.

kink [kiŋk] **I** *s* **1.** Kink *f*, (*schlingenförmiger*) Knick, Schleife *f*, Knoten *m* (*in e-m Draht, Tau etc*). **2.** *fig. colloq.* a) Tick *m*, Spleen *m*, ‚Klaps' *m*, b) Mangel *m*, Fehler *m*, c) Trick *m*, Kniff *m*, ‚Dreh' *m*. **3.** Steifheit *f*, Krampf *m* (*im Genick etc*). **II** *v/i* **4.** e-e Kink *etc* haben (*Tau etc*). **III** *v/t* **5.** knicken, knoten, verknäueln.

kin·kle ['kiŋkl] *s* **1.** kleiner Knick (*etc*, → kink 1). **2.** → kink 2c.

kink·y ['kiŋki], *a.* '**kin·kled** [-kld] *adj* **1.** voller Kinken *od.* Knicke, verdreht (*Tau etc*). **2.** verfilzt, wirr, kraus (*Haar*). **3.** *colloq.* schrullenhaft.

ki·no ['kiːnou], *a.* ~ **gum** *s* Kinoharz *n*, -gummi *n*.

kin·o·plasm ['kinoˌplæzəm; 'kai-] *s* [*biol.* Kino'plasma *n*.]

kins·folk ['kinzˌfouk] *s pl* Verwandtschaft *f*, (*die*) (Bluts)Verwandten *pl*.

kin·ship ['kinʃip] *s* **1.** (Bluts)Verwandtschaft *f*. **2.** *fig.* Verwandtschaft *f*.

kins·man ['kinzmən] *s irr* (Bluts)Verwandte(r) *m*, Angehörige(r) *m*. '**kins·ˌwom·an** *s irr* (Bluts)Verwandte *f*.

ki·osk [ki'ɒsk] *s* Ki'osk *m*: a) Pavillon *m*, b) Verkaufsstand *m*, c) Mu'sikpavillon *m*, d) Tele'phonzelle *f*.

kip[1] [kip] *s* **1.** (*ungegerbtes*) Fell, Haut *f*. **2.** Bündel *n* Felle.

kip[2] [kip] *sl.* **I** *s* **1.** ‚Penne' *f* (*einfache Herberge od. Schlafstelle*). **2.** ‚Falle' *f*, ‚Klappe' *f* (*Bett*). **II** *v/i* **3.** ‚pennen'.

kip[3] [kip] *sport Am.* **I** *s* Kippe *f* (*Geräteturnübung*). **II** *v/i* e-e Kippe machen.

kip[4] [kip] *s Am.* tausend englische Pfund *pl* (= *453,59 kg*).

kip·per ['kipər] **I** *s* **1.** Kipper *m*, Räucherhering *m*, -lachs *m*. **2.** männlicher Lachs, Hakenlachs *m* (*während od. nach der Laichzeit*). **3.** *Br. sl.* Kerl *m*, Bursche *m*. **II** *v/t* **4.** einsalzen u. räuchern: ~ed herring gesalzener Räucherhering.

Kir·ghiz [kir'giːz] **I** *s* **1.** Kir'gise *m*, Kir'gisin *f*. **2.** *ling.* Kir'gisisch *n*, das Kirgisische. **II** *adj* **3.** kir'gisisch.

kirk [kəːrk] *s* **1.** *Scot. od. dial.* Kirche *f*. **2.** the K~ (of Scotland) die Schottische Natio'nalkirche (*in England so genannt*). '**~·man** [-mən] *s irr* **1.** Mitglied *n* der Schottischen Natio'nalkirche. **2.** *Scot.* Geistliche(r) *m*.

kir·mess → kermis.

kirn [kəːrn] *s Scot.* **1.** Erntefest *n*. **2.** letztes Garbenbündel (*e-r Ernte*).

kirsch(·was·ser) ['kəːrʃ(ˌvɑːsər)] (*Ger.*) *s* Kirsch(wasser *n*) *m*.

kir·tle ['kəːrtl] *s Br.* **1.** kurzer (Frauen)Rock. **2.** Wams *n*, Jacke *f*.

kish [kiʃ] *s min.* Gra'phit *m*.

kis·met ['kizmet; 'kis-] *s* Kismet *n*, Schicksal *n*.

kiss [kis] **I** *s* **1.** Kuß *m*: treacherous ~ Judaskuß; to blow (*od.* throw) a ~ to s.o. j-m e-e Kußhand zuwerfen. **2.** leichte Berührung (*z. B. zweier Billardbälle*). **3.** *Am.* Bai'ser *n* (*Zukkergebäck*). **4.** Zuckerplätzchen *n*. **II** *v/t* **5.** küssen: to ~ away s.o.'s tears j-s Tränen wegküssen; to ~ s.o. good night j-m e-n Gutenachtkuß geben; to ~ the Book die Bibel küssen (*beim Eid*); to ~ one's hand to s.o. j-m e-e Kußhand zuwerfen; → rod 3. **6.** *fig.* leicht berühren. **III** *v/i* **7.** sich *od.* ein'ander küssen. **8.** *fig.* sich leicht berühren. '**kiss·a·ble** *adj* küssenswert, zum Küssen. '**kiss·er** *s sl.* ‚Fresse' *f*.

kiss·ing ['kisiŋ] *s* Küssen *n*. ~ **crust** *s colloq.* weiche Krustenstelle (*Stelle, an der sich Brote beim Backen berühren*). ~ **gate** *s* kleines Schwingtor (*das Personen nur einzeln durchläßt*).

'**kiss|-in-the-'ring** *s ein Gesellschaftsspiel für junge Leute, bei dem e-r den andern fängt u. küßt.* '**~-ˌme** *s bot.* Wildes Stiefmütterchen. '**~-me-'quick** *s obs.* **1.** Häubchen *n*. **2.** Schmachtlocke *f*. '**~-ˌoff** *s Am. sl.* **1.** Ende *n* (*a. Tod*). **2.** ‚Rausschmiß' *m*. '**~ˌproof** *adj* kußecht.

kit[1] [kit] **I** *s* **1.** (*Jagd-, Reise-, Reit-etc*)Ausrüstung *f*, Ausstattung *f*. **2.** *mil.* a) Mon'tur *f*, b) Gepäck *n*. **3.** a) Arbeitsgerät *n*, Werkzeug(e *pl*) *n*, b) Werkzeugtasche *f od.* -kasten *m*, c) *allg.* Behälter *m*: plastic ~ for medical supplies, d) (abgepackter) Satz (Zubehör- *etc*)Teile: first-aid ~ Verbandskasten *m*. **4.** a) Bütte *f*, Zuber *m*, Wanne *f*, b) Eimer *m*. **5.** *colloq.* a) Zeug *n*, Kram *m*, b) ‚Verein' *m*, ‚Blase' *f*, Sippschaft *f*: the whole ~. **6.** *Zeitungswesen*: Pressemappe *f*. **II** *v/t* **7.** *oft* ~ up ausstatten (with mit).

kit[2] [kit] → kitten.

kit bag *s* **1.** *mil.* Kleider-, Seesack *m*. **2.** Reisetasche *f*.

'**Kit-ˌcat** *s* **1.** *meist* ~ Club Kit-cat Club *m* (*in London von den Whigs gegründeter Politiker- u. Gelehrtenklub, 1703—20*). **2.** *a.* ~ portrait verkürztes Brustbild mit Darstellung der Hände.

kitch·en ['kitʃin] *s* **1.** Küche *f*. **2.** *chem tech.* Dampfraum *m*. **3.** *Scot. od. dial.* Zu-, Beikost *f*. ~ **cab·i·net** *s* **1.** Küchenschrank *m*. **2.** *Am. colloq.* Gruppe *f* pri'vater Berater.

kitch·en·er ['kitʃinər] *s* **1.** Küchenmeister *m* (*in Klöstern*). **2.** *Br.* Pa'tentkochherd *m*.

kitch·en·et(te) [ˌkitʃi'net] *s* Kleinküche *f*, Kochnische *f*.

kitch·en| gar·den *s* Küchen-, Gemüsegarten *m*. ~ **gar·den·er** *s* Gemüsegärtner(in). '~ˌ**maid** *s* Küchenmädchen *n*. ~ **mid·den** *s* Kjökkenmöddinger *pl*, Muschelhaufen *m* (*vorgeschichtliche Speiseabfallhaufen*). ~ **po·lice** *s mil.* Küchendienst *m*. ~ **stuff** *s* **1.** Küchenbedarf *m* (*bes. Gemüse*). **2.** Küchenabfälle *pl*. **3.** abgetropftes Bratenfett. ~ **u·nit** *s* Einbauküche *f*. '~ˌ**ware** *s* Küchengeschirr *n*.

kite [kait] **I** *s* **1.** (Pa'pier-, Stoff)-Drache(n) *m*: to fly a ~ a) e-n Drachen steigen lassen, b) *fig.* e-n Versuchsballon loslassen, c) → 6; go and fly a ~! *sl.* rutsch mir den Buckel runter! **2.** *orn.* (*ein*) Falke *m*, *bes.* Gabelweihe *f*, Roter Milan. **3.** *fig.* Gauner *m*, ‚Geier' *m*. **4.** *mar.* a) hohes, leichtes Segel, b) (*Art*) Gewicht *n* an Schleppseilen (*zum Minensuchen*). **5.** *aer. sl.*

,Kiste' *f*, ,Mühle' *f* (*Flugzeug*). **6.** *econ. colloq.* Keller-, Gefälligkeitswechsel *m*: to fly a ~ Wechselreiterei betreiben (→ 1). **II** *v/i* **7.** *colloq.* (wie ein Drachen) steigen *od.* (da'hin)gleiten. **8.** *Am. colloq.* a) hochschnellen (*Preise*), b) sausen, flitzen, c) abhauen. **9.** *econ. colloq.* ˌWechselreite'rei betreiben. **III** *v/t* **10.** steigen *od.* fliegen lassen. **11.** *econ. colloq.* a) sich *Geld od. Kredit* durch ˌWechselreite'rei beschaffen, b) *e-n Wechsel* fälschen. ~ **bal·loon** *s aer.* 'Fesselbalˌlon *m.* ~ **fli·er** *s* **1.** *j-d, der Drachen steigen läßt.* **2.** *econ. colloq.* Wechselreiter *m.* '~ˌ**fly·ing** *s* **1.** Steigenlassen *n* e-s Drachens. **2.** *fig.* Loslassen *n* e-s Ver'suchsbalˌlons, Son'dieren *n.* **3.** *econ. colloq.* ˌWechselreite'rei *f.* '~-ˌ**mark** *s drachenförmiges Zeichen auf brit. Waren als Hinweis, daß deren Qualität, Größe etc den Bestimmungen der British Standards Institution entspricht.* ~ **track** *s* (*Art*) Achterrennbahn *f.*

kit fox *s zo.* Prä'riefuchs *m.*

kith [kiθ] *s*: ~ and kin Bekannte u. Verwandte; with ~ and kin mit Kind u. Kegel.

kitsch [kitʃ] (*Ger.*) *s* Kitsch *m.*

kit·ten ['kitn] **I** *s* **1.** Kätzchen *n*, junge Katze: to have (a litter of) ~s *colloq.* ganz aus dem Häus-chen geraten. **2.** Junges *n* (*von Kaninchen etc*). **II** *v/i* **3.** Junge werfen. '**kit·ten·ish** *adj* **1.** kätzchenartig, wie ein Kätzchen (geartet). **2.** (kindlich) verspielt *od.* ausgelassen.

kit·tle ['kitl] **I** *v/t Scot.* **1.** kitzeln. **2.** ermuntern, (an)reizen. **3.** verwirren. **II** *adj* **4.** kitzlig, heikel, schwierig (zu behandeln *od.* handhaben): ~-cattle heikel, unberechenbar, unsicher.

kit·ty[1] ['kiti] *s* Kätzchen *n*, Mieze *f.*

kit·ty[2] ['kiti] *s* **1.** *Kartenspiel*: gemeinsame Kasse, ,Pinke' *f.* **2.** *fig.* Kasse *f.*

kit·ty wren *s orn. Br.* Zaunkönig *m.*

ki·wi ['ki:wi] *s* **1.** *orn.* Kiwi *m*, Schnepfenstrauß *m.* **2.** *aer. sl.* a) nicht zum fliegenden Perso'nal gehöriger 'Luftwaffenoffiˌzier, b) Flugschüler *m.* **3.** *colloq.* Neu'seeländer *m.*

Klan [klæn] *s* Ku Klux Klan *m*: ~sman Mitglied *n* des Ku Klux Klan.

Klax·on, k~ ['klæksn] (*TM*) *s* Horn *n*, (Auto)Hupe *f.*

Kleen·ex, k~ ['kli:neks] (*TM*) *s bes. Am.* Zellstoff-, Pa'piertaschentuch *n.*

klep·to·ma·ni·a [ˌklepto'meiniə; -njə] *s psych.* Kleptoma'nie *f*, (krankhafter) Stehltrieb. ˌ**klep·to'ma·niˌac** [-ˌæk] **I** *s* Klepto'mane *m*, Klepto'manin *f.* **II** *adj* klepto'manisch.

klieg| eyes [kli:g] *s pl* entzündete Augen *pl* (*durch Einwirkung grellen Scheinwerferlichts*). ~ **light** *s* Jupiterlampe *f.*

kloof [klu:f] *s S.Afr.* (Berg)Schlucht *f.*

klys·tron ['klistrɒn] *s electr.* Klystron *n* (*Höchstfrequenzverstärkerröhre*).

knack[1] [næk] *s* Knacken *n*, Schnalzen *n* (*mit den Fingern*).

knack[2] [næk] *s* **1.** Kunstgriff *m*, Kniff *m*, Trick *m*, ,Dreh' *m.* **2.** Geschick *n*, Kunst *f*: to have the ~ of s.th. etwas weg- *od.* loshaben; to have the ~ of it ,den Kniff *od.* Bogen 'raushaben', die Sache kapiert haben; wissen, wie man es macht; the ~ of writing die Kunst des Schreibens. **3.** praktische Vorrichtung. **4.** *obs.* Schmuckgegenstand *m.*

knack·er[1] ['nækər] *s* **1.** *Br.* Abdecker *m*, Pferdeschlächter *m*, Schinder *m.* **2.** 'Abbruchunterˌnehmer *m.*

knack·er[2] ['nækər] *s meist pl mus.* Kasta'gnette *f*, (Hand)Klapper *f.*

knack·er·y ['nækəri] *s Br.* Abdecke'rei *f.*

knack·y ['næki] *adj* geschickt, klug, [i'deenreich.]

knag [næg] *s* **1.** Knorren *m od.* Ast *m* (*im Holz*). **2.** Aststumpf *m.* '**knag·gy** *adj* knorrig.

knap[1] [næp] *s* Kuppe *f od.* Gipfel *m* (*e-s Hügels*).

knap[2] [næp] *v/t* **1.** zerschlagen. **2.** zerbrechen. **3.** (be)knabbern.

knap·per ['næpər] *s* Steinschläger *m.*

'**knapˌsack I** *s* **1.** *mil.* Tor'nister *m.* **2.** Rucksack *m*, Ranzen *m.* **3.** *a.* ~ tank *tech. Am.* Tragbehälter *m.* **II** *v/i* **4.** *Am. colloq.* mit dem Rucksack wandern.

'**knapˌweed** *s bot.* Flockenblume *f.*

knar [nɑ:r] *s* Knorren *m.*

knave [neiv] *s* **1.** Schurke *m*, Schuft *m*, (Spitz)Bube *m.* **2.** *obs.* Page *m*, Knappe *m.* **3.** *Kartenspiel*: Bube *m.* '**knav·er·y** [-əri] *s* **1.** Schurke'rei *f*, Schurkenstreich *m.* **2.** Gaune'rei *f.* '**knav·ish** *adj* (*adv* ~ly) (spitz)bübisch, schurkisch, niederträchtig.

knead [ni:d] *v/t* **1.** a) *den Teig* ('durch)kneten, b) *Zutaten* verkneten. **2.** *Muskeln* ('durch)kneten, mas'sieren. **3.** *fig.* formen, bilden (into zu). '**knead·a·ble** *adj* knetbar. '**knead·er** *s* 'Knetmaˌschine *f.* '**knead·ing** *s* Kneten *n*: ~ trough Backtrog *m.*

knee [ni:] **I** *s* **1.** Knie *n*: on one's (bended) ~s kniefällig, auf Knien; on the ~s of the gods im Schoße der Götter; to bend (*od.* bow) the ~s to niederknien vor; to bring s.o. to his ~s j-n auf *od.* in die Knie zwingen; to give a ~ to s.o. j-n unterstützen, j-m sekundieren; to go on one's ~s to a) auf die Knie sinken *od.* niederknien vor (*dat*), b) *fig. j-n* kniefällig bitten. **2.** a) *zo.* Vorderknie *n*, b) *orn.* Fußwurzelgelenk *n.* **3.** *tech.* Knie(stück) *n*, Winkel *m.* **4.** *tech.* a) Knierohr *n*, Rohrknie *n*, (Rohr)Krümmer *m*, b) Winkeltisch *m*, c) Kröpfung *f.* **5.** *bot.* Knoten *m*, Knick *m.* **II** *v/t* **6.** mit dem Knie stoßen *od.* berühren. **7.** *colloq. die Hose* (an den Knien) ausbeulen. ~ **ac·tion (sus·pen·sion)** *s mot.* Kniegelenkfederung *f.* ~ **bend(·ing)** *s* Kniebeuge *f.* ~ **boots** *s pl* Schaftstiefel *pl.* ~ **breech·es** *s pl* Kniehose(n *pl*) *f.* ~ **cap** *s* **1.** *anat.* Kniescheibe *f.* **2.** Knieleder *n*, -schützer *m.* '~-'**deep** *adj u. adv* knietief: the snow lay ~; the water was ~ das Wasser reichte bis an die Knie; ~ in water bis an die Knie im Wasser. ~ **guard** → knee cap 2. '~-'**high** *adj* **1.** → knee-deep. **2.** kniehoch: ~ stockings Kniestrümpfe. '~ˌ**hole** *s* freier Raum für die Knie: a ~ desk Schreibtisch *m* mit Öffnung für die Knie. ~ **jerk** *s med.* 'Knie(ˌsehnen)reˌflex *m.* ~ **joint** *s anat.* Kniegelenk *n* (*a. tech.*).

kneel [ni:l] *v/i pret u. pp* **knelt** [nelt] *od.* **kneeled 1.** *a.* ~ down 'hin- *od.* niederknien (to s.o. vor j-m). **2.** a) knien, auf den Knien liegen, b) *mil.* (*im Anschlag*) knien.

'**knee-'length** *adj* knielang: ~ skirt kniefreier Rock.

kneel·er ['ni:lər] *s* Kniestuhl *m*, -kissen [*n.*]

'**knee|ˌpad** *s* Knieschützer *m.* '~ˌ**pan** → knee cap 1. '~ˌ**piece** *s* **1.** *mil. hist.* Kniestück *n od.* -buckel *m* (*e-r Rüstung*). **2.** *tech.* Kniestück *n.* ~ **pine** *s bot.* Legföhre *f.* '~-ˌ**pipe** *s tech.* Knierohr *n.* ~ **raft·er** *s arch.* Kniesparren *m.* '~-ˌ**sprung** *adj vet.* mit nach vorn gebeugten Knien (*durch krankhafte Sehnenverkürzung bei Pferden*). ~ **stop,** ~ **swell** *s mus.* Knieschweller *m.* ~ **tim·ber** *s* Knie-, Krummholz *n.*

Kneipp·ism ['naiˌpizəm], *a.* **Kneipp's cure** [naips] *s med.* Kneippkur *f.*

knell [nel] **I** *s* **1.** Totenglocke *f*, Grabgeläut(e) *n* (*a. fig.*): to sound the ~ of zu Grabe läuten. **2.** *fig.* Vorbote *m*, Ankündigung *f.* **II** *v/i* **3.** läuten (*bes. Totenglocke*). **III** *v/t* **4.** (*bes. durch Läuten*) a) bekanntmachen, verkünden, b) zs.-rufen.

knelt [nelt] *pret u. pp von* **kneel**.

knew [nju:] *pret von* **know**.

Knick·er·bock·er ['nikərˌbɒkər] *s* **1.** Knickerbocker *m* (*Spitzname für den New Yorker*). **2.** k~s *pl* Knickerbocker *pl* (*Kniehose*).

knick·ers ['nikərz] *s pl* **1.** *abbr. für* knickerbocker 2. **2.** (Damen)Schlüpfer *m.*

knick·knack ['nikˌnæk] *s* **1.** Schnickschnack *m*, Tand *m*, Kleinigkeit *f.* **2.** a) kleines Schmuckstück, b) Nippsache *f.* **3.** Drum u. Dran *n* (*Zutat, Verzierung*). '**knickˌknack·er·y** [-əri] *s* **1.** Krimskrams *m.* **2.** Nippes *pl.*

knick·point ['nikˌpɔint] *s geol.* Gefällsstufe *f*, Knick(punkt) *m.*

knife [naif] **I** *pl* **knives** [naivz] *s* **1.** Messer *n* (*a. tech.*): before you can say ~ im Handumdrehen; war to the ~ Krieg bis aufs Messer; to have one's ~ into s.o. j-n anfeinden, j-n ,gefressen haben'; to play a good ~ and fork ein starker Esser sein. **2.** *med.* (Se'zier-, Operati'ons)Messer *n*: under the ~ unterm Messer (des Chirurgen); to go under the ~ operiert werden. **II** *v/t* **3.** (be)schneiden, mit e-m Messer bearbeiten, *Farbe* mit dem Messer auftragen. **4.** a) mit e-m Messer stechen *od.* verletzen, b) erstechen, erdolchen. **5.** *Am. sl. j-m* in den Rücken fallen, *j-m* e-n Dolchstoß versetzen, *j-n* ,abschießen'.

knife| and fork *s* Messer *n* u. Gabel *f*, Eßbesteck *n*: a good (poor) ~ *fig.* ein starker (schwacher) Esser. '~-ˌ**blade con·tact** *s electr.* 'Messerkonˌtakt *m.* '~ˌ**board** *s* Messerputzbrett *n.* '~-ˌ**edge** *s* **1.** Messerschneide *f.* **2.** *tech.* Waageschneide *f*: ~ relay *electr.* Relais *n* mit Schneidenlagerung. **3.** *fig.* Grat(schneide *f*) *m* (*am Berg*). '~-ˌ**edged** *adj* messerscharf (*a. fig.*). ~ **grind·er** *s* **1.** Scheren-, Messerschleifer *m.* **2.** Schleifstein *m*, Schmirgelrad *n.* ~ **rest** *s* **1.** Messerbänkchen *n* (*bei Tisch*). **2.** *mil.* Spanischer Reiter (*Hindernis*). ~ **switch** *s electr.* Messerschalter *m.*

knif·ing ['naifiŋ] *s* ˌMesserstecheˈrei *f.*

knight [nait] **I** *s* **1.** *hist.* Ritter *m.* **2.** Ritter *m* (*unterste u. nicht erbliche Stufe des englischen Adels; Anrede Sir u. Vorname*). **3.** ~ of the shire *Br. hist.* Vertreter *m* e-r Grafschaft im Parla'ment. **4.** *fig. od. poet.* Ritter *m*, Kava'lier *m.* **5.** Ritter *m* (*Mitglied e-s Ritterordens*): K~ of the Garter Ritter des Hosenbandordens; K~ of St. John of Jerusalem → Hospitaler 1. **6.** *humor.* Ritter *m*: ~ of the pen Ritter der Feder (*Schriftsteller*); ~ of the pestle *obs.* Apotheker *m*; ~ of the road a) Straßenräuber *m*, b) Handelsreisende(r) *m.* **7.** *Schach*: Springer *m*, Pferd *n.* **II** *v/t* **8.** zum Ritter schlagen. **9.** mit Sir (*u. Vornamen*) anreden. '**knight·age** *s* **1.** *collect.* Ritterschaft *f.* **2.** Ritterstand *m.* **3.** Ritterliste *f.*

knight| bach·e·lor *pl* **knights bach·e·lors** *s Br.* Ritter *m* (*Mitglied des niedersten englischen Ritterordens*). ~ **ban·ner·et** *pl* **knights ban·ner·ets**

→ banneret[1]. ~ **com·mand·er** *pl* **knights com·mand·ers** *s* Kom'tur *m* (*e-s Ritterordens*). ~ **com·pan·ion** → companion[1] 6. '~-'**er·rant** *pl* '**knights-'er·rant** *s* **1.** fahrender Ritter (*a. fig.*). **2.** *fig.* ‚Don Qui'chotte' *m.* '~-'**er·rant·ry** [-ri] *s* **1.** fahrendes Rittertum. **2.** *fig.* Abenteuerlust *f*, unstetes Leben. **3.** Donquichotte'rie *f.*

knight·hood ['naithud] *s* **1.** Rittertum *n*, -würde *f.* **2.** Ritter(stand *m*) *pl*: order of ~ Ritterorden *m.* **3.** *collect.* Ritterschaft *f.* **4.** *fig.* Ritterlichkeit *f.*

Knight Hos·pi·tal·(l)er *pl* **Knights Hos·pi·tal·(l)ers** → Hospitaler 1.

knight·li·ness ['naitlinis] *s* Ritterlichkeit *f.* '**knight·ly** *adj u. adv* ritterlich.

knight| of the post *s jur.* Zeuge, der gegen Entgelt falsche Aussagen (*vor Gericht*) macht. ~ **serv·ice** *s hist.* (Ritter)Lehen *n*, Ritterdienst *m* (*a. fig.*). **K~ Tem·plar** *pl* **Knights Tem·plars** → Templar 1 *u.* 2.

knit [nit] **I** *v/t pret u. pp* **knit** *od.* '**knit·ted 1.** a) stricken, b) *tech.* wirken: to ~ stockings; ~ goods Strick- *od.* Wirkwaren; ~ two, purl two zwei rechts, zwei links (stricken). **2.** *a.* ~ together zs.-fügen, verbinden, -einigen (*alle a. fig.*): to ~ the hands die Hände falten; → close-knit, well-knit. **3.** *fig.* an-, verknüpfen: to ~ up a) fest verbinden, b) ab-, beschließen. **4.** a) *die Stirn* runzeln: to ~ one's brow, b) *die Augenbrauen* zs.-ziehen: to ~ one's eyebrows. **II** *v/i* **5.** a) stricken, b) *tech.* wirken. **6.** *a.* ~ up *a. fig.* sich vereinigen, sich (eng) verbinden *od.* zs.-fügen, zs.-wachsen (*gebrochene Knochen etc*). **7.** sich zs.-ziehen *od.* runzeln. **III** *s* **8.** Strickart *f.*

knit·ted ['nitid] *adj* gestrickt, Strick..., Wirk...

knit·ter ['nitər] *s* **1.** Stricker(in). **2.** *tech.* 'Strick-, 'Wirkma,schine *f.*

knit·ting ['nitiŋ] *s* **1.** Stricken *n.* **2.** *tech.* Wirken *n.* **3.** Strickarbeit *f*, -zeug *n*, Stricke'rei *f.* ~ **ma·chine** *s tech.* 'Strickma,schine *f.* ~ **nee·dle** *s* Stricknadel *f.*

'**knit,wear** *s* Strick-, Wirkwaren *pl.*

knives [naivz] *pl von* knife I.

knob [nɒb] *s* **1.** (*runder*) Griff, Knopf *m*, Knauf *m*: door~ Türknauf, -griff; with ~s on *sl.* (na) und wie *od.* ob! **2.** Buckel *m*, Knopf *m*, Beule *f*, Hökker *m*, Knoten *m*, Verdickung *f.* **3.** Knorren *m*, Ast *m* (*im Holz*). **4.** Stück(chen) *n* (*Zucker etc*). **5.** *arch.* Knauf *m* (*an Kapitellen etc*). **6.** *sl.* ‚Birne' *f*, ‚Kürbis' *m* (*Kopf*). **knobbed** *adj* **1.** mit e-m Knauf *od.* Griff (versehen). **2.** → knobby 1.

knob·bi·ness ['nɒbinis] *s* Knotigkeit *f*, Knorrigkeit *f.*

knob·ble ['nɒbl] *s* kleiner Knopf, [Knötchen *n.*]

knob·by ['nɒbi] *adj* **1.** knorrig, wulstig. **2.** knauf-, knotenartig.

knob·ker·rie ['nɒb,keri] *s* Knüppel *m* mit Knauf (*Waffe*).

'**knob|,like** → knobby 2. '~,**stick** *s* **1.** Stock *m* mit Knauf. **2.** *Br.* Streikbrecher *m.*

knock [nɒk] **I** *s* **1.** Schlag *m*, Stoß *m*: to take the ~ *sl.* e-n schweren (*bes.* finanziellen) Schlag abkriegen. **2.** Klopfen *n*, Pochen *n*: there is a ~ es klopft (*an der Tür*); to give a double ~ zweimal klopfen. **3.** *mot.* Klopfen *n.* **4.** *Am. sl.* spitzfindige Kri'tik.

II *v/t* **5.** schlagen, stoßen: to ~ cold umhauen (*a. fig.*); to ~ on the head a) bewußtlos schlagen, b) totschlagen, ‚erledigen', c) *fig. e-r Sache* ein Ende machen, *etwas* zunichte machen; to ~ one's head against a) mit dem Kopf stoßen gegen, b) *fig.* zs.-stoßen mit; to ~ s.o. into the middle of next week *colloq.* j-n ‚fertigmachen'; to ~ s.th. into s.o. j-m etwas einhämmern *od.* einbleuen. **6.** schlagen, klopfen. **7.** *Am. sl.* scharf kriti'sieren, her'untermachen, verreißen. **8.** *sl. j-n* sprachlos machen *od.* verblüffen.

III *v/i* **9.** schlagen, pochen, klopfen: to ~ at the door an die Tür klopfen; to ~ at an open door *fig.* offene Türen einrennen. **10.** schlagen, prallen, stoßen (against, into gegen *od.* auf *acc*). **11.** zufällig treffen *od.* stoßen (against auf *acc*). **12.** *tech.* a) rattern, rütteln (*Maschine*), b) klopfen (*Motor, Brennstoff*). **13.** *Am. colloq.* sausen, flitzen.

Verbindungen mit Adverbien:

knock| a·bout, *bes. Am.* ~ **a·round I** *v/t* **1.** her'umstoßen (*a. fig. schikanieren*). **2.** übel mitnehmen *od.* zurichten. **II** *v/i* **3.** *colloq.* sich her'umtreiben. **4.** *colloq.* ein unstetes Leben führen, her'umzi,geunern. ~ **back** *v/t Br. sl.* ‚hinter die Binde gießen', schlucken. ~ **down** *v/t* **1.** niederschlagen, zu Boden schlagen (*a. fig.*). **2.** *fig.* über'wältigen, *e-n Einwand etc* entkräften, *e-n Gegner* ausschalten. **3.** *e-n Nagel etc* einschlagen, -treiben. **4.** *econ.* (*bei Auktionen*) *etwas* zuschlagen, zusprechen (to s.o. j-m). **5.** *econ. colloq.* a) *den Preis* senken *od.* her'absetzen, b) *Ware* (im Preis) her'absetzen. **6.** *tech.* zerlegen, ausein'andernehmen. **7.** *ein Haus* abreißen. **8.** *mil.* abschießen, vernichten. **9.** *Am. colloq.* a) *Geld* unter'schlagen, b) *e-e Bank etc* ausrauben. **10.** *Am. colloq. Geld, ein Gehalt etc* ‚einstreichen'. **11.** → knock back. ~ **off I** *v/t* **1.** her'unter-, abschlagen, weghauen: to knock s.o.'s head off *fig.* j-m haushoch überlegen sein. **2.** aufhören mit: to ~ work → 7. **3.** *colloq.* a) *etwas* rasch erledigen, b) *etwas* ‚'hinhauen', aus dem Ärmel schütteln. **4.** *econ. vom Preis* abziehen. **5.** *Am. sl.* a) *j-n* ‚erledigen', ‚'umlegen' (*töten*), b) ka'puttmachen, zerstören. **6.** *sl.* a) ‚mitgehen heißen', stehlen, b) ausrauben. **II** *v/i* **7.** die Arbeit einstellen, Feierabend machen. ~ **out** *v/t* **1.** (her)'ausschlagen, -klopfen. **2.** *sport* a) *a.* ~ of time (*Boxen*) k. o. schlagen, b) *a.* ~ of the box (*Baseball*) zum Abtreten vom Wurfplatz zwingen. **3.** *fig.* besiegen, schlagen. **4.** *fig. colloq. j-n* ‚'umhauen', ‚fertigmachen' (*a. erschöpfen*): to knock o.s. out ‚sich umbringen', sich abrackern. **5.** → knock off 3 *u.* 5. **6.** → knock down 8. **7.** *colloq. e-r Sache* ein Ende machen. ~ **o·ver** *v/t* **1.** 'umwerfen (*a. fig.*), 'umstoßen. **2.** über'fahren. ~ **sideways** *v/t* aus der Bahn werfen. ~ **to·geth·er** *v/t* rasch zu'rechtmachen, schnell zs.-bauen *od.* -basteln. ~ **under** *v/i* klein beigeben. ~ **up I** *v/t* **1.** (*durch Klopfen*) wecken. **2.** hochschlagen, in die Höhe schlagen. **3.** schnell improvi'sieren *od.* arran'gieren, rasch ‚auf die Beine stellen'. **4.** *Kricket*: *Läufe* machen. **5.** *colloq.* erschöpfen, ermüden, ‚fertigmachen'. **6.** *Am. sl.* schwängern. **II** *v/i* **7.** *Am. colloq.* sich warm- *od.* einspielen (*beim Tennis etc*). **8.** ermüden, ‚fertig sein'.

'**knock|·a,bout I** *adj* **1.** lärmend, laut. **2.** *thea. sl.* Radau..., Klamauk...: ~ comedy → 8. **3.** unstet, unruhig, zi'geunerhaft. **4.** Gebrauchs..., Alltags..., strapa'zierfähig: ~ clothes; ~ car → 6. **II** *s* **5.** *mar. Am.* kleine Segeljacht. **6.** *mot. Am.* Gebrauchswagen *m.* **7.** *Am.* wilde Raufe'rei. **8.** *thea. sl.* Ra'dauko,mödie *f*, Kla'maukstück *n.* '~,**down I** *adj* **1.** betäubend, niederschmetternd (*a. fig.*): a ~ blow. **2.** *tech.* zerlegbar, zs.-legbar. **3.** *econ.* äußerst(er, e, es), niedrigst(er, e, es): ~ price. **II** *s* **4.** niederschmetternder Schlag (*a. fig.*). **5.** *fig.* Schlag *m* ins Kon'tor. **6.** Schläge'rei *f.* **7.** *econ.* Preissenkung *f.* **8.** *colloq.* zerlegbares Möbelstück *od.* Gerät. **9.** *Am. colloq.* Wirkung *f* (*e-s Insektengiftes etc*). **10.** *Am. sl.* Vorstellung *f*: to give s.o. a ~ to s.o. j-n e-r Person vorstellen. **11.** *Boxen*: Niederschlag *m.*

knock·er ['nɒkər] *s* **1.** Klopfende(r *m*) *f.* **2.** (Tür)Klopfer *m*: up to the ~ *Br. colloq.* a) bis aufs I-Tüpfelchen (genau), b) tadellos, bestens, c) in jeder Hinsicht; not to feel up to the ~ *Br. colloq.* nicht auf dem Damm sein. **3.** *Am. colloq.* a) Nörgler *m*, Krittler *m*, b) Bursche *m*, ‚Knülch' *m.*

'**knock|-,kneed** *adj* **1.** X-beinig. **2.** *fig.* (lenden)lahm, jämmerlich. '~-**me-,down** *adj Am. colloq.* bru'tal, aggres'siv. '~-,**off** *s Am. colloq.* **1.** *tech.* a) (auto'matisches) Abschalten, b) Ausschalter *m.* **2.** Feierabend *m.* '~,**out I** *s* **1.** *Boxen*: Knockout *m*, K. o. *m.* **2.** *fig.* niederschmetternder *od.* tödlicher Schlag, vernichtende Niederlage. **3.** *econ. Br.* (*bei Auktionen*) Käuferring *m*, (*betrügerische*) Käuferabsprache. **4.** *tech.* Auswerfer *m.* **5.** *sl.* ‚tolle' Per'son *od.* Sache. **II** *adj* **6.** *Boxen*: K.-o..., k. o., entscheidend: ~ blow (*od.* punch) K.-o.-Schlag *m*; ~ system *sport* K.-o.-System *n*, Ausscheidungssystem *n*; ~ match Ausscheidungsspiel *n.* **7.** *Am.* Betäubungs...: ~ pill. **8.** *fig.* vernichtend: ~ air attack. '~,**proof** *adj tech.* klopffest: ~ petrol. '~,**up** *s sport* Warm-, Einspielen *n.*

knoll[1] [noul] → knell.

knoll[2] [noul] *s* (runder) Hügel, Kuppe [*f.*]

knop [nɒp] *s* **1.** Noppe *f*: ~ yarn Noppengarn *n.* **2.** a) (Zier)Knauf *m*, Knopf *m*, b) (Blüten)Knospe *f.*

knot [nɒt] **I** *s* **1.** Knoten *m*: to make (*od.* tie) a ~ e-n Knoten machen. **2.** Schleife *f*, Schlinge *f* (*als Verzierung*), *bes.* a) Achselstück *n*, Epau'lette *f*, b) Ko'karde *f.* **3.** *mar.* Knoten *m*: a) Stich *m* (*im Tau*), b) *Marke an der Logleine*, c) Seemeile *f* (*1,853 km/h*). **4.** *fig.* a) Knoten *m*, Pro'blem *n*, Schwierigkeit *f*, Verwicklung *f*: to cut the ~ den Knoten durchhauen, b) Verbindung *f*, Band *n*: marriage ~ Band der Ehe. **5.** *bot.* a) Knoten *m* (*Blattansatzstelle*), b) Astknorren *m*, -knoten *m*, c) Knötchen *n*, knoten- *od.* knötchenartiger Auswuchs, d) Knospe *f*, Auge *n.* **6.** *med.* (*Gicht- etc*)Knoten *m.* **7.** Gruppe *f*, Knäuel *m, n*, Haufen *m*, Traube *f* (*Menschen etc*). **II** *v/t* **8.** (ver)knoten, (-)knüpfen: to ~ together zs.-knoten, miteinander verknüpfen. **9.** verwickeln, -heddern, -wirren. **III** *v/i* **10.** (e-n) Knoten bilden. **11.** sich verwickeln.

'**knot|,grass** *s bot.* Knöterich *m.* '~,**hole** *s* Astloch *n* (*im Holz*). ~ **stitch** *s Stickerei*: Knotenstich *m.*

knot·ted ['nɒtid] *adj* **1.** ver-, geknotet, geknüpft. **2.** → knotty.

knot·ter ['nɒtər] *s tech.* 'Knüpf-, 'Knotma,schine *f.*

knot·ty ['nɒti] *adj* **1.** ge-, verknotet. **2.** knotig, voller Knoten. **3.** knorrig, astig (*Holz*). **4.** *fig.* verwickelt, schwierig, kompli'ziert, verzwickt.

knout [naut] **I** *s* Knute *f*. **II** *v/t* mit der Knute schlagen, *j-m* die Knute geben.
know [nou] **I** *v/t pret* **knew** [nju:] *pp* **known** [noun] **1.** *allg.* wissen: to come to ~ erfahren; he ~s what to do er weiß, was zu tun ist; to ~ what's what, to ~ all about it genau Bescheid wissen; don't I ~ it! und ob ich das weiß!; he wouldn't ~ (that) er kann das nicht *od.* kaum wissen; I would have you ~ that ich möchte Ihnen klarmachen, daß; I have never ~n him to lie m-s Wissens hat er nie gelogen. **2.** (es) können *od.* verstehen (how to do zu tun): he ~s how to treat children er versteht mit Kindern umzugehen; do you ~ how to drive a car? können Sie Auto fahren?; he ~s (some) German er kann (etwas) Deutsch. **3.** kennen, vertraut sein mit: I have ~n him for years ich kenne ihn (schon) seit Jahren; he ~s a thing or two *colloq.* ‚er ist nicht von gestern', er weiß ganz gut Bescheid; to get to ~ kennenlernen; after I first knew him nachdem ich s-e Bekanntschaft gemacht hatte. **4.** erfahren, erleben: he has ~n better days er hat bessere Tage gesehen; I have ~n it to happen ich habe das schon erlebt. **5.** (ˈwieder)erkennen, unterˈscheiden: I should ~ him anywhere ich würde ihn überall erkennen; to ~ one from the other e-n vom anderen unterscheiden (können), die beiden auseinanderhalten können; before you ~ where you are im Handumdrehen; I don't ~ whether I shall ~ him again ich weiß nicht, ob ich ihn wiedererkennen werde. **6.** *Bibl.* (*geschlechtlich*) erkennen.
II *v/i* **7.** wissen (of von, um), im Bilde sein *od.* Bescheid wissen (about über *acc*): I ~ of s.o. who ich weiß *od.* kenne j-n, der; I ~ better! so dumm bin ich nicht!; you ought to ~ better (than that) das sollten Sie besser wissen, so dumm werden Sie doch nicht sein; he ought to ~ better than to go swimming after a big meal er sollte so viel Verstand haben zu wissen, daß man nach e-m reichlichen Mahl nicht baden geht; not that I ~ of *colloq.* nicht daß ich wüßte; do (*od.* don't) you ~? *colloq.* nicht wahr?; you ~ wissen Sie.
III *s* **8.** to be in the ~ Bescheid wissen, im Bilde *od.* eingeweiht sein.
know·a·ble [ˈnouəbl] *adj* erkennbar.
ˈ**know|-ˌall** *s* Alles-, Besserwisser *m*, ‚Klugscheißer' *m*. ˈ**~-ˌhow** *s* (Sach-, Fach-, Speziˈal)Kenntnis(se *pl*) *f*, praktisches Wissen, (praktische, *bes.* technische) Erfahrung: industrial ~ a) praktische Betriebserfahrung, Produktionskenntnisse, b) Herstellungsverfahren.
know·ing [ˈnouiŋ] **I** *adj* **1.** intelliˈgent, klug, gescheit, geschickt. **2.** schlau, durchˈtrieben: a ~ one ein Schlauberger. **3.** verständnisvoll, wissend: a ~ glance. **4.** *Am. sl.* ‚schick', ‚fesch', raffiˈniert. **II** *s* **5.** Wissen *n*, Kenntnis *f*: there is no ~ man kann nie wissen. ˈ**know·ing·ly** *adv* wissentlich, absichtlich, bewußt. ˈ**know·ing·ness** *s* Klugheit *f*, Schlauheit *f*.
knowl·edge [ˈnɒlidʒ] *s* (*nur sg*) **1.** Kenntnis *f*: the ~ of the victory die Kunde von dem Siege; it has come to my ~ es ist mir zur Kenntnis gelangt, ich habe erfahren (that daß); it is common (*od.* public) ~ es ist allgemein bekannt; from personal (*od.* one's own) ~ aus eigener Kenntnis; (not) to my ~ m-s Wissens (nicht); to the best of my ~ and belief *jur.* nach bestem Wissen u. Gewissen; my ~ of Mr. X m-e Bekanntschaft mit Mr. X; without my ~ ohne mein Wissen; ~ of life Lebenserfahrung *f*; → carnal 2, tree 1. **2.** Wissen *n*, Kenntnisse *pl*: ~ of the law Rechtskenntnisse; general ~ Allgemeinbildung *f*.
ˈ**knowl·edge·a·ble** *adj colloq.* **1.** gescheit, klug. **2.** (gut) unterˈrichtet. **3.** kenntnisreich.
known [noun] **I** *pp von* know I *u.* II. **II** *adj* bekannt: to make ~ bekanntmachen; the ~ facts die anerkannten Tatsachen. **III** *s Am.* a) *math.* bekannte Größe, b) *chem.* bekannte Subˈstanz.
ˈ**know-ˌnoth·ing** *s* **1.** Nicht(s)wisser(in), Ignoˈrant(in). **2.** Aˈgnostiker(in). **3.** K~-N~ *pol. hist. Mitglied der American Party (1853—56).*
knuck·le [ˈnʌkl] **I** *s* **1.** Knöchel *m*, (Finger)Gelenk *n*: near the ~ *colloq.* ‚reichlich gewagt' (*Witz etc*); a rap on (*od.* over) the ~s *Am. colloq. od. Br.* ein Verweis, e-e Rüge. **2.** Knie- *od.* Bugstück *n*, (Kalbs-, Schweins)-Haxe *f od.* (-)Hachse *f*: ~ of ham Eisbein *n*. **3.** *tech.* Gelenk *n*. **4.** *pl* → knuckle-duster. **II** *v/i* **5.** ~ down (mit Eifer) ‚rangehen', sich ‚ranmachen' (to an *e-e Sache*). **6.** ~ down, ~ under sich unterˈwerfen *od.* beugen (to *dat*), klein beigeben. ˈ**~ˌbone** *s* **1.** *anat.* Knöchelbein *n*. **2.** *pl* Knöchelspiel *n*. **~ bow** *s* Schutzbogen *m* (*am Schwertgriff*). ˈ**~-ˌdust·er** *s* Schlagring *m*. **~ joint** *s* **1.** *anat.* Knöchel-, Fingergelenk *n*. **2.** *tech.* Gelenk(stück) *n*.
knur, *Br. a.* **knurr** [nəːr] *s* **1.** Knorren *m*, Knoten *m*. **2.** Holzball *m*, -kugel *f* (*im Spiel* knur and spell *od. beim Hockey*). **~ and spell** *s ein Ballspiel (in Nordengland).*
knurl [nəːrl] **I** *s* **1.** Knoten *m*, Buckel *m*. **2.** Knorren *m*. **3.** *tech.* Rändelrad *n*. **II** *v/t* **4.** *tech.* rändeln, kordeln: ~ed screw Rändelschraube *f*.
knurr *Br. für* knur.
knut [nʌt; knʌt] *s Br. sl.* Stutzer *m*, Geck *m*.
ko·a·la [koˈɑːlə] *s zo.* Koˈala *m*, Auˈstralischer Beutelbär.
Ko·dak [ˈkoudæk] (*TM*) **I** *s phot.* a) Kodak(-Kamera *f*) *m*, b) k~ *colloq. allg.* Kamera *f*. **II** *v/t* k~ *phot.* (mit e-r Kodak-Kamera) aufnehmen.
kohl·ra·bi [ˈkoulˈrɑːbi] *s bot.* Kohlˈrabi *m*.
ko·la [ˈkoulə] *s* **1.** *a.* ~ nut Kolanuß *f*. **2.** ˈKolanuß-Exˌtrakt *m*. **3.** *bot.* Kolabaum *m*.
kol·khoz, *a.* **kol·khos** [kɒlˈxɔːz] (*Russ.*) *s* Kolchos *m*, *n*, Kolˈchose *f*.
koo·doo → kudu.
koo·lah [ˈkuːlə] → koala.
kop [kɒp] *s S.Afr.* Hügel *m*, Berg *m*.
ko·pe(c)k [ˈkoupek] *s* Koˈpeke *f*.
kop·je [ˈkɒpi] *s S.Afr.* kleiner Hügel.
Ko·ran [kɔːˈrɑːn] *s relig.* Koˈran *m*.
Ko·re·an [koˈriːən] **I** *s* **1.** Koreˈaner(in). **2.** *ling.* Koreˈanisch *n*, das Koreanische. **II** *adj* **3.** koreˈanisch.
ko·ru·na [ˈkɔːrunɑ] *s* Koˈruna *f*, Tschechenkrone *f*.
ko·sher [ˈkouʃər] *adj* **1.** *relig.* koscher, rein (*nach jüdischen Speisegesetzen*). **2.** *Am. sl.* in Ordnung, ‚koscher'.
ko·tow [kouˈtau] → kowtow.
kot·wal [ˈkɒtwɑːl] *s Br. Ind.* hoher Poliˈzeibeˌamter.
kou·lan [ˈkuːlən] *s zo.* Kuˈlan *m*, Monˈgolischer Halbesel.
kou·mis(s), kou·myss → kumiss.
kour·bash → kurbash.
kow·tow [ˈkauˈtau; ˈkou-] **I** *v/i* **1.** *a. fig.* Koˈtau machen, sich demütig *od.* unterˈwürfig verbeugen (to vor *j-m*). **2.** *fig.* (auf dem Boden) kriechen (to vor *j-m*). **II** *s* **3.** Koˈtau *m*, unterˈwürfige Ehrenbezeigung.
kraal [krɑːl] *s S.Afr.* Kral *m*: a) *Eingeborenendorf*, b) *umzäunter Viehhof.*
kraft [*Br.* krɑːft; *Am.* kræ(ː)ft], *a.* **~ pa·per** *s Am.* braunes ˈPackpaˌpier.
krans [kræns; krɑːns], *a.* **krantz** [-ts] *s S.Afr.* steile Klippe.
Kraut *s colloq.* Deutsche(r) *m*.
Krem·lin [ˈkremlin] *npr* Kreml *m*.
krieg·spiel [ˈkriːgˌspiːl] *s mil.* Kriegs-Planspiel *n*.
Krish·na [ˈkriʃnə] *npr Hinduismus*: Krischna *m* (*Gott*). ˈ**Krish·naˌism** [-ˌizəm] *s* Krischnaˈismus *m*, Krischnaverehrung *f*.
kro·na [ˈkrounə] *pl* **-nor** [-nɔːr] *s* Krone *f* (*Münzeinheit u. Silbermünze in Schweden*).
kro·ne[1] [ˈkroune] *pl* **-ner** [-ner] *s* Krone *f* (*Münzeinheit u. Silbermünze in Dänemark u. Norwegen*).
kro·ne[2] [ˈkrounə] *pl* **-nen** [-nən] *s* Krone *f* (*ehemalige Münze in Österreich u. Deutschland*).
kryp·ton [ˈkriptɒn] *s chem.* Krypˈton *n*.
ku·chen [ˈkuːxən] *s Am.* Hefekuchen *m*.
ku·dos [ˈkjuːdɒs] *s colloq.* Ruhm *m*.
ku·du [ˈkuːduː] *s zo.* Kudu *m*, ˈSchraubenantiˌlope *f*.
Ku·fic [ˈkjuːfik] *adj* kufisch, ˈaltaˌrabisch (*Schrift*).
Ku Klux, *a.* **Ku-klux** [ˈkjuːˌklʌks; ˈkuː-] *pol. Am.* **I** *s* **1.** Ku-Klux-Klan *m* (*negerfeindlicher amer. Geheimbund*). **2.** → Ku Kluxer. **II** *v/t* k~ **3.** mißˈhandeln. **Ku Klux·er** *s* Mitglied *n* des Ku-Klux-Klan. **Ku Klux Klan** [klæn] → Ku Klux 1.
kuk·ri [ˈkukri] *s* krummer Dolch (*der Gurkhas*).
ku·lak [kuːˈlɑːk; ˈkuːlæk] (*Russ.*) *s* Kuˈlak *m*, Großbauer *m*.
ku·mis(s) [ˈkuːmis] *s* Kumyß *m* (*vergorene Stutenmilch*).
küm·mel [ˈkiməl] *s* Kümmel *m* (*Schnapssorte*).
kum·quat [ˈkʌmkwɒt] *s bot.* Kumquat *f*, Kleinfrüchtige ˈGoldoˌrange.
kur·bash [ˈkurbæʃ] **I** *s* Karˈbatsche *f*. **II** *v/t* auspeitschen.
Kurd [kəːrd] *s* Kurde *m*, Kurdin *f*.
ˈ**Kurd·ish I** *adj* kurdisch. **II** *s ling.* Kurdisch *n*, das Kurdische.
Kur·saal [ˈkuːrzaːl] (*Ger.*) *s* Kursaal *m*.
kur·to·sis [kəːrˈtousis] *s Statistik*: Häufungs-, Häufigkeitsgrad *m*.
kvas(s) [kvɑːs; kvæs] *s* Kwaß *m* (*Art Bier*).
ky·ack [ˈkaiæk] *s Am.* (*Pferde*)*Packtaschen.*
ky·a·nite [ˈkaiəˌnait] → cyanite.
ky·an·ize [ˈkaiəˌnaiz] *v/t tech. Holz* kyaniˈsieren (*mit Quecksilbersublimat gegen Fäulnis tränken*).
kyle [kail] *s Scot.* Meerenge *f*, Sund *m*.
ky·mo·graph [ˈkaiməˌgræ(ː)f; *Br. a.* -ˌgrɑːf] *s* **1.** *tech.* Kymoˈgraph *m* (*elektromagnetisches Schwingungsregistriergerät*). **2.** *aer. mar.* Wendezeiger *m*.
Kyr·i·e [ˈkiriˌiː], **~ e·le·i·son** [iˈleiiˌsɒn] *s relig.* Kyrie (eˈleison) *n*.
kyte [kait] *s Scot. od. dial.* Bauch *m*.

L

L, l [el] **I** *pl* **L's, Ls, l's, ls** [elz] *s* **1.** L, l *n* (*Buchstabe*). **2.** *phys.* L (*Selbstinduktionskoeffizient*). **3.** L *arch.* (Seiten)Flügel *m.* **4.** L L *n*, L-förmiger Gegenstand, *bes. tech.* Rohrbogen *m.* **II** *adj* **5.** zwölft(er, e, es). **6.** L L-..., L-förmig: L iron *tech.* Winkeleisen *n.*

la [lɑː] *s mus.* la *n* (*Solmisationssilbe*).

laa·ger ['lɑːgər] *S.Afr.* **I** *s* **1.** (befestigtes) Lager, *bes.* Wagenburg *f.* **2.** *mil.* Ringstellung *f* von Panzerfahrzeugen. **II** *v/i* **3.** sich lagern. **III** *v/t* **4.** zu e-r Wagenburg zs.-stellen.

lab [læb] *s colloq.* La'bor *n.*

lab·e·fac·tion [ˌlæbi'fækʃən], *a.* **ˌlab·e·fac'ta·tion** [-'teiʃən] *s* **1.** Schwächung *f*, Erschütterung *f.* **2.** Sturz *m*, 'Untergang *m.*

la·bel ['leibl] **I** *s* **1.** Eti'kett *n*, (Klebe-, Anhänge)Zettel *m od.* (-)Schild(chen) *n.* **2.** *fig.* (*kurze, kategorische*) Bezeichnung, Benennung *f*, (Bei)Name *m.* **3.** *fig.* (Kenn)Zeichen *n*, Signa'tur *f.* **4.** Aufschrift *f*, Beschriftung *f.* **5.** Aufklebemarke *f.* **6.** Band *n*, Schnur *f.* **7.** *arch.* Kranzleiste *f.* **8.** *Am.* Schallplatte(nmarke) *f.* **II** *v/t* **9.** etiket'tieren, mit e-m Zettel *od.* Schild(chen) *od.* e-r Aufschrift versehen, beschriften: **the bottle was ~(l)ed 'poison'** die Flasche trug die Aufschrift ‚Gift'. **10.** kennzeichnen. **11.** *fig.* (be)nennen, als ... bezeichnen, zu ... stempeln: **to be ~(l)ed a criminal** zum Verbrecher gestempelt werden. **'la·bel·(l)er** *s tech.* Etiket'tiermaˌschine *f.*

la·bel·lum [lə'beləm] *pl* **la'bel·la** [-'belə] *s bot.* Lippe *f* (*e-r Blüte*).

la·bi·a ['leibiə] *pl von* **labium.**

la·bi·al ['leibiəl] **I** *adj* (*adv* **~ly**) **1.** Lippen... **2.** *ling. mus.* Lippen..., labi'al: **~ consonant; ~ vowel** gerundeter Vokal; **~ pipe** → 3. **II** *s* **3.** *mus.* Lippen-, Labi'alpfeife *f* (*der Orgel*). **4.** Labi'al *m*, Lippenlaut *m.* **'la·bi·alˌism, la·bi·al·i'za·tion** *s ling.* Labiali'sierung *f.* **'la·bi·alˌize** *v/t ling.* labiali'sieren.

la·bi·ate ['leibiˌeit; -biit] **I** *adj* **1.** lippenförmig. **2.** *bot.* lippenblütig: **~ plant** → 3. **II** *s* **3.** *bot.* Lippenblüter *m.*

la·bile ['leibil] *adj* **1.** *phys. psych. fig.* la'bil. **2.** unsicher, unbeständig. **3.** *chem.* unbeständig, zersetzlich. **la·bil·i·ty** [lə'biliti] *s* Labili'tät *f.*

ˌla·bi·o'den·tal (*Phonetik*) **I** *adj* labioden'tal. **II** *s* Labioden'tal *m*, Lippenzahnlaut *m.* **ˌla·bi·o'na·sal I** *adj* labiona'sal. **II** *s* Labiona'sal *m.* **ˌla·bi·o've·lar I** *adj* labiove'lar. **II** *s* Labiove'lar *m.*

la·bi·um ['leibiəm] *pl* **'la·bi·a** [-biə] *s* Labium *n*, Lippe *f*, *bes.* a) *anat.* (Scham)Lippe *f*, b) *zo.* 'Unterlippe *f.*

la·bor, *bes. Br.* **la·bour** ['leibər] **I** *s* **1.** (schwere) Arbeit: **~ of Hercules** Herkulesarbeit; **a ~ of love** e-e gern *od.* unentgeltlich getane Arbeit, ein Liebesdienst; → **hard labo(u)r. 2.** Mühe *f*, Plage *f*, Anstrengung *f*: **lost ~** vergebliche Mühe. **3.** *econ.* a) Arbeiter(klasse *f*) *pl*, Arbeiterschaft *f*, b) Arbeiter *pl*, Arbeitskräfte *pl*: **cheap ~** billige Arbeitskräfte; **~ force** Arbeitskräfte, Belegschaft *f*; **shortage of ~** Mangel *m* an Arbeitskräften; → **skilled** 2. **4. Labour** (*ohne Artikel*) *pol.* die Labour Party (*Großbritanniens etc*). **5.** *med.* Wehen *pl*: **to be in ~** in den Wehen liegen. **6.** Schlingern *n*, Stampfen *n* (*e-s Schiffs*). **II** *v/i* **7.** (schwer) arbeiten (**at** an *dat*), sich be- *od.* abmühen (**for s.th.** um etwas), sich anstrengen (**to do** zu tun). **8.** *a.* **~ along** sich mühsam fortbewegen *od.* fortschleppen, nur schwer vor'ankommen: **to ~ through** sich schwer arbeiten durch, sich kämpfen durch (*Schlamm etc, a. ein Buch etc*). **9.** stampfen, schlingern (*Schiff*). **10.** (**under**) zu leiden haben (unter *dat*), zu kämpfen haben (mit), kranken (an *dat*): **to ~ under difficulties** mit Schwierigkeiten zu kämpfen haben; → **delusion** 2. **11.** *med.* in den Wehen liegen. **III** *v/t* **12.** ausführlich *od.* 'umständlich behandeln, bis ins einzelne ausarbeiten *od.* ausführen, ‚breitwalzen': **to ~ a point** auf e-n (strittigen) Punkt ausführlich eingehen. **13.** *obs. od. poet. den Boden* bearbeiten, bebauen. **IV** *adj* **14.** Arbeits...: **~ camp; ~ cost; ~ court. 15.** Arbeiter...: **~ relations** Beziehungen zwischen Arbeitgeber(n) u. Arbeitnehmer(n); **~ trouble(s)** Schwierigkeiten mit der Arbeiterschaft. **16. Labour** *pol.* Labour..., der (*brit. etc*) 'Arbeiterparˌtei: **~ majority.**

lab·o·ra·to·ry [*Br.* lə'bɒrətəri; 'læbə-; *Am.* 'læbrəˌtɔːri; -bərə-] *s* **1.** Labora'torium *n*, La'bor *n*: **~ assistant** Laborant(in); **~ test** Laborversuch *m.* **2.** *weitS.* a) Versuchsanstalt *f*, b) (*Sprach- etc*)Labor *n.* **3.** *fig.* Werkstätte *f*, -statt *f*: **the ~ of the mind.**

La·bor Day, *bes. Br.* **La·bour Day** *s* Tag *m* der Arbeit (*der 1. Mai in einigen europäischen Ländern, der 1. Montag im September in den USA*).

la·bored, *bes. Br.* **la·boured** ['leibərd] *adj* **1.** schwerfällig, 'umständlich, bemüht: **a ~ style. 2.** mühsam, schwer: **~ breathing.**

la·bor·er, *bes. Br.* **la·bour·er** ['leibərər] *s* (*bes. ungelernter*) Arbeiter.

la·bor ex·change, *bes. Br.* **la·bour ex·change** *s* Arbeitsamt *n.*

la·bor·ing, *bes. Br.* **la·bour·ing** ['leibəriŋ] *adj* **1.** arbeitend, werktätig: **the ~ classes** die Arbeiterbevölkerung. **2.** mühsam, schwer: **~ breath.**

la·bo·ri·ous [lə'bɔːriəs] *adj* (*adv* **~ly**) **1.** mühsam, mühselig, schwer, schwierig. **2.** schwer(fällig): **a ~ style. 3.** arbeitsam, fleißig. **la'bo·ri·ous·ness** *s* **1.** Mühseligkeit *f.* **2.** Schwerfälligkeit *f.* **3.** Arbeitsamkeit *f*, Fleiß *m.*

la·bor·ite, *bes. Br.* **la·bour·ite** ['leibəˌrait] *s* **1.** Anhänger(in) der Arbeiterbewegung. **2.** *oft* **L~** Mitglied *n* der Labour Party.

la·bor|lead·er, *bes. Br.* **la·bour|lead·er** *s* Arbeiter-, Gewerkschaftsführer *m.* **~ mar·ket** *s* Arbeitsmarkt *m.* **'~ˌsav·ing I** *adj* arbeitsparend: **~ device. II** *s* Arbeitsersparnis *f.* **~ un·ion** *s pol. Am.* Gewerkschaft *f.*

la·bour, la·boured, la·bour·er *etc bes. Br. für* **labor, labored, laborer** *etc.*

La·bour Par·ty *s pol.* Labour Party *f* (*die britische od. australische etc Arbeiterpartei*).

Lab·ra·dor (dog) ['læbrəˌdɔːr] *s* Neu'fundländer *m* (*Hund*).

la·brum ['leibrəm] *pl* **'la·bra** [-brə] *s* **1.** Lippe *f*, Rand *m.* **2.** *zo.* a) Labrum *n*, Oberlippe *f* (*der Insekten*), b) Außenrand *m* (*e-r Schneckenschale*).

la·bur·num [lə'bɜːrnəm] *s bot.* Goldregen *m.*

lab·y·rinth ['læbəˌrinθ] *s* **1.** *a. fig.* Laby'rinth *n*, Irrgarten *m.* **2.** *fig.* Gewirr *n.* **3.** *fig.* Verwirrung *f*, Wirrwarr *m.* **4.** *anat.* Laby'rinth *n*, inneres Ohr. **ˌlab·y'rin·thine** [*Br.* -θain; *Am.* -θin; -θiːn], *a.* **ˌlab·y'rin·thal, ˌlab·y'rin·thi·an, ˌlab·y'rin·thic** *adj* laby'rinthisch.

lac[1] [læk] *s* Gummilack *m*, Lackharz *n.*

lac[2] [læk] *s Br. Ind.* Lak *n* (*100 000, meist Rupien*).

lace [leis] **I** *s* **1.** Spitze *f* (*durchbrochene Handarbeit*). **2.** Litze *f*, Tresse *f*, Borte *f*, Schnur *f*: **gold ~. 3.** Schnürband *n*, -senkel *m*: **~-boot** Schnürstiefel *m.* **4.** Band *n*, Schnur *f.* **5.** *obs.* Schuß *m* Branntwein (*in Getränken*). **II** *v/t* **6.** (zu-, zs.-)schnüren. **7.** *j-n od. j-s Taille* (*durch ein Schnürkorsett*) (zs.-, ein)schnüren: **her waist was ~d tight. 8.** *Schnürsenkel etc* ein-, 'durchziehen. **9.** *Kleid etc* mit Spitzen *od.* Litzen besetzen, verbrämen, einfassen. **10.** mit e-m Netz- *od.* Streifenmuster verzieren. **11.** *fig.* durch'setzen (**with** mit): **a story ~d with jokes. 12.** schlagen, (ver)prügeln. **13.** e-n Schuß Branntwein zugeben (*dat*). **14.** *Am. colloq. e-n Ball* werfen. **III** *v/i* **15.** sich schnüren (lassen). **16.** sich (*mit e-m Korsett*) schnüren. **17.** *Am. colloq.* 'herfallen (**into s.o.** über j-n). **'~-ˌcur·tain** *adj fig. iro.* ‚vornehm'.

laced [leist] *adj* **1.** geschnürt, Schnür...: **~ boot** Schnürstiefel *m.* **2.** bunt gestreift. **3.** *zo.* andersfarbig gerändert (*Feder*). **4.** mit e-m Schuß Branntwein (versetzt): **~ coffee.**.

lace| glass *s* Venezi'anisches Fadenglas. **~ pa·per** *s* Pa'pierspitzen *pl*, 'Spitzenpaˌpier *n.* **~ pil·low** *s* Klöppelkissen *n.*

lac·er·ate I *v/t* ['læsəˌreit] **1.** zerfleischen, auf-, zerreißen. **2.** quälen, *j-n od. j-s Gefühle* verletzen. **II** *adj* [-rit; -ˌreit] → **lacerated. 'lac·erˌat·ed** *adj* **1.** zerfleischt, -fetzt, aufgerissen: **~ wound** → **laceration** 2. **2.** *bot. zo.* (*ungleichmäßig*) geschlitzt, gefranst. **ˌlac·er'a·tion** *s* **1.** Zerreißung *f*, -fleischung *f*, Riß *m* (*a. med.*): **~ of intestine** Darmriß. **2.** *med.* Riß-, Fleischwunde *f.*

lac·er·y ['leisəri] → **lacework** 2.

lac·et [lei'set] *s Spitze aus mit Stegen verbundenen Bändern od. Litzen.*

'lace|ˌwing *s zo.* (*ein*) Netzflügler *m*, *bes.* Florfliege *f*, Goldauge *n.* **'~ˌwork** *s* **1.** Spitzenarbeit *f*, -muster *n.* **2.** *weitS.* Fili'gran(muster) *n.*

lach·es ['lætʃiz] *s* **1.** Laxheit *f*, (Nach)Lässigkeit *f.* **2.** *jur.* a) fahrlässige Versäumnis, b) Verzug *m.*

lach·ry·mal ['lækriməl] **I** *adj* **1.** Tränen...: **~ gland. 2.** → **lachrymose** 1 *u.* 2. **II** *s* **3.** *pl anat.* 'Tränenappaˌrat *m.* **4.** *hist.* Tränenkrug *m.*

lach·ry·ma·tor ['lækriˌmeitər] *s chem. mil.* Tränengas *n.*

lach·ry·ma·to·ry ['lækrimətəri] **I** *adj* Tränen her'vorrufend, Tränen...: **~ gas** Tränengas *n.* **II** *s hist.* Tränenkrug *m.*

lach·ry·mose ['lækri,mous] *adj* **1.** tränenreich. **2.** weinerlich. **3.** traurig.

lac·ing ['leisiŋ] *s* **1.** (Ver)Schnüren *n*. **2.** Schnürriemen *m*, -band *n*, -senkel *m*, Litze *f*. **3.** *tech.* Riemenverbinder *m*. **4.** Litzen *pl*, Tressen *pl*, Borten *pl* (*e-r Uniform*). **5.** Tracht *f* Prügel. **6.** → lace 5. **7.** *fig.* Beimischung *f*.

lack [læk] **I** *s* **1.** (of) Mangel *m* (an *dat*), Fehlen *n* (von): for ~ of time aus Zeitmangel; no ~ of kein Mangel an (*dat*); ~ of money Geldmangel; there was no ~ of es fehlte nicht an (*dat*); water is the chief ~ hauptsächlich fehlt es an Wasser. **II** *v/t* **2.** nicht haben, Mangel haben *od.* leiden an (*dat*): we ~ coal es fehlt uns (an) Kohle. **3.** es fehlen lassen an (*dat*). **III** *v/i* **4.** (*nur im pres p*) fehlen: wine was not ~ing (an) Wein fehlte (es) nicht. **5.** Mangel leiden: to ~ in, to be ~ing in → 2 *u.* 3; he is ~ing in courage ihm fehlt der Mut, er hat keinen Mut.

lack·a·dai·si·cal [,lækə'deizikəl] *adj* (*adv* ~ly) **1.** schmachtend, affek'tiert. **2.** gleichgültig, schlapp, träge.

lack·a·dai·sy ['lækə,deizi], **'lack·a,day** [-,dei] *interj obs.* ach!, o weh!

lack·ey ['læki] **I** *pl* **-eys, -ies** *s* **1.** La'kai *m* (*a. fig. contp.*). **2.** *fig. contp.* a) Kriecher *m*, Speichellecker *m*, b) Schma'rotzer *m*. **II** *v/t* **3.** *j-n* bedienen. **4.** *j-m* unter'würfig folgen, um *j-n* schar'wenzeln.

'lack|,land *adj* landlos, besitzlos: John L~ Johann ohne Land (*englischer König, 1167—1216*). **'~,lus·ter,** *bes. Br.* **'~,lus·tre** *adj* glanzlos, matt.

lac·moid ['lækmɔid] *s chem.* La(c)kmo'id *n*, Resor'cinblau *n*.

lac·mus ['lækməs] → litmus.

la·con·ic [lə'kɒnik] **I** *adj* (*adv* ~ally) **1.** la'konisch, kurz u. treffend. **2.** wortkarg. **II** *s* **3.** Lako'nismus *m*, la'konische Kürze. **4.** la'konischer Ausspruch. **lac·o·nism** ['lækə,nizəm] → laconic 3.

lac·quer ['lækər] **I** *s* **1.** *tech.* Lack(firnis) *m*, Firnis *m*, Farblack *m*. **2.** a) Lackarbeit *f*, b) *a.* ~ ware *collect.* Lackarbeiten *pl*, -waren *pl*. **II** *v/t* **3.** lac'kieren. **'lac·quer·ing** *s* Lac'kierung *f*: a) Lac'kieren *n*, b) 'Lack,überzug *m*.

lac·quey → lackey.

lac·ri·mal *etc* → lachrymal *etc.*

la·crosse [lə'krɒs] *s sport* La'crosse *n* (*ein Ballspiel*). **~ stick** *s* La'crosseschläger *m*.

lac·tase ['lækteis] *s chem.* Lak'tase *f*.

lac·tate ['lækteit] **I** *v/i* **1.** Milch absondern. **2.** Junge säugen. **II** *s* **3.** *chem.* Lac'tat *n*, Salz *n* der Milchsäure. **lac'ta·tion** *s* **1.** Milchbildung *f*, -absonderung *f*. **2.** Säugen *n*, Stillen *n*.

lac·te·al ['læktiəl] **I** *adj* **1.** milchig, Milch...: ~ gland *anat.* Milchdrüse *f*. **2.** *physiol.* Lymph... **II** *s* **3.** Lymphgefäß *n*.

lac·te·ous ['læktiəs] *adj* milchig. **lac·tes·cent** [læk'tesnt] *adj* **1.** milchartig, milchig. **2.** *physiol.* Milch absondernd.

lac·tic ['læktik] *adj chem. physiol.* Milch...: ~ acid.

lac·tif·er·ous [læk'tifərəs] *adj* **1.** *anat.* milchführend: ~ duct Milchgang *m*. **2.** *bot.* Milchsaft führend.

lac·to·ba·cil·lus [,læktobə'siləs] *s med.* 'Milchsäureba,zillus *m*.

lac·to·fla·vin [,lækto'fleivin] *s chem.* Laktofla'vin *n* (*Vitamin* B_2).

lac·tom·e·ter [læk'tɒmitər] *s* Lakto'meter *n*, Milchwaage *f*.

lac·tose ['læktous] *s chem.* Lak'tose *f*, Milchzucker *m*.

la·cu·na [lə'kjuːnə] *pl* **-nae** [-niː] *od.* **-nas** *s* La'kune *f*: a) Grube *f*, Vertiefung *f*, b) *bes. anat. bot.* Spalt *m*, Hohlraum *m*, c) Lücke *f* (*in e-m Text*).

la'cu·nal *adj.* Lakunen..., lückenhaft.

la·cu·nar [lə'kjuːnər] *pl* **-nars,** *a.* **-na·ri·a** [,lækju'nɛ(ə)riə] *s arch.* **1.** Kas'sette *f*, (Decken)Feld *n*. **2.** Kas'settendecke *f*.

la·cus·trine [lə'kʌstrin] *adj* (Binnen)See...: ~ plants *bot.* Seepflanzen. **~ age** *s* (Zeit *f* der) 'Pfahlbaukul,tur *f*. **~ dwell·ings** *s pl* Pfahlbauten *pl*.

lac·y ['leisi] *adj* spitzenartig, Spitzen...

lad [læd] *s* **1.** junger Kerl *od.* Bursche. **2.** *humor.* Bursche *m*, Junge *m*, ‚(alter) Knabe'.

lad·der ['lædər] **I** *s* **1.** Leiter *f* (*a. fig.*): the social ~ die gesellschaftliche Stufenleiter; the ~ of fame die (Stufen)Leiter des Ruhms; at the bottom of the ~ *fig.* ganz unten; to get one's foot on the ~ *fig.* die erste Sprosse (der Leiter) erklimmen; to kick down the ~ die Leute loswerden wollen, die e-m beim Aufstieg geholfen haben; to see through a ~ das Offensichtliche erkennen; he can't see a hole in a ~ er ist total betrunken. **2.** Laufmasche *f* (*im Strumpf etc*). **II** *v/i* **3.** Laufmaschen bekommen (*Strumpf etc*). **~ dredge** *s tech.* Eimerleiterbagger *m*. **'~-,proof** *adj* (lauf)maschenfest (*Strumpf*). **~ stitch** *s Stickerei*: Leiterstich *m*. **~ truck** *s Am.* Feuerwehrauto *n*. **'~,way** *s Bergbau*: Fahrschacht *m*.

lad·die ['lædi] *s* Bürschchen *n*, Kleine(r) *m*.

lade [leid] *pret* **'lad·ed** *pp* **'lad·en** *od.* **'lad·ed** *v/t* **1.** beladen, befrachten: to ~ a vessel. **2.** *Güter* auf-, verladen, verfrachten: to ~ goods on a vessel. **3.** *Wasser* schöpfen.

lad·en ['leidn] **I** *pp von* lade. **II** *adj* **1.** (with) (schwer) beladen (mit), voll (von), voller: trees ~ with fruit; ~ tables reichbeladene Tische; germ-~ voller Bazillen. **2.** *fig.* belastet, bedrückt (with von): ~ with sorrow; ~ with guilt schuldbeladen.

la-di-da [,lɑːdi'dɑː] *sl.* **I** *s* **1.** Stutzer *m*, ‚Affe' *m*, ‚Fatzke' *m*. **2.** ‚Vornehmtue'rei *f*, Affek'tiertheit *f*. **II** *adj* **3.** affek'tiert, geckenhaft, ‚affig'.

La·dies'| Aid *s Am. kirchlicher Frauenverein zu wohltätigen Zwecken.* **l~ choice** *s* Damenwahl *f* (*beim Tanz*). **l~ man** *s irr* Frauenheld *m*.

lad·ing ['leidiŋ] *s* **1.** Laden *n*, Befrachten *n*. **2.** Ladung *f*, Fracht *f*.

la·dle ['leidl] **I** *s* **1.** Schöpflöffel *m*, -kelle *f*. **2.** *tech.* a) Gieß-, Schöpfkelle *f*, Gießlöffel *m*, -pfanne *f*, b) Schaufel *f* (*am Wasserrad*). **II** *v/t* **3.** *a.* ~ out (aus)schöpfen. **4.** *a.* ~ out *fig.* a) austeilen, b) *colloq.* ‚auftischen'.

la·dy ['leidi] **I** *s* **1.** Dame *f* (*allg. für Frau von Bildung*): a perfect ~; young ~ junge Dame; his young ~ *colloq.* s-e (kleine) Freundin; ladies singles (*Tennis*) Dameneinzel *n*. **2.** Dame *f* (*ohne Zusatz als Anrede für Frauen im allgemeinen nur im pl üblich, im sg poet. od. vulg.*): ladies and gentlemen m-e Damen u. Herren!; my dear (*od.* good) ~ (verehrte) gnädige Frau. **3.** L~ Lady *f* (*als Titel*): a) (*als weibliches Gegenstück zu* Lord) *für die Gattin e-s Peers unter dem Duke*, b) *für die Peeress im eigenen Recht unter der Duchess*, c) (*vor dem Vornamen*) *für die Tochter e-s Duke, Marquis od. Earl*, d) (*vor dem Familiennamen*) *als Höflichkeitstitel für die Frau e-s Baronet od. Knight*, e) (*vor dem Vornamen des Ehemannes*) *für die Frau e-s Inhabers des Höflichkeitstitels* Lord. **4.** Herrin *f*, Gebieterin *f* (*poet. außer in*): ~ of the house Hausherrin, Dame *f od.* Frau *f* des Hauses; ~ of the manor Grundherrin (*unter dem Feudalsystem*); our sovereign ~ die Königin. **5.** Geliebte *f*. **6.** *obs. od. vulg.* (*außer wenn auf e-e Inhaberin des Titels* Lady *angewandt*) Gattin *f*, Frau *f*, Gemahlin *f*: your good ~ Ihre Frau Gemahlin; the old ~ *humor.* m-e ‚Alte'. **7.** Our L~ Unsere Liebe Frau, die Mutter Gottes: Church of Our L~ Marien-, Frauenkirche *f*. **8.** Ladies *pl* (*als sg konstruiert*) 'Damentoi,lette *f*, ‚Damen' *n*. **9.** *zo. humor.* (*e-e*) ‚Sie', Weibchen *n*.

II *adj* **10.** weiblich: ~ doctor Ärztin *f*; ~ friend Freundin *f*; ~ president Präsidentin *f*; ~ dog *humor.* Hündin *f*, ‚Hundedame' *f*.

III *v/i* **11.** ~ it die Lady *od.* die große Dame spielen.

La·dy| al·tar *s R.C.* Ma'rienal,tar *m*. **'l~,bird** *s zo.* Ma'rien-, Sonnenkäfer(chen *n*) *m*. **~ Boun·ti·ful** *s* gute Fee. **'l~,bug** *bes. Am. für* ladybird. **l~ chair** *s* Vierhändesitz *m* (*Tragesitz für Verletzte, durch die verschlungenen Hände zweier Personen gebildet*). **~ Chap·el** *s arch.* Ma'rien-, 'Scheitelka,pelle *f*. **l~ clock, l~ cow** → ladybird. **l~ crab** *s zo.* Schwimmkrabbe *f*. **~ Day** *s relig.* Ma'riä Verkündigung *f* (*25. März*). **l~ fern** *s bot.* Weiblicher Streifenfarn.

la·dy·fied ['leidi,faid] *adj colloq.* damenhaft.

'la·dy|,fin·ger *s* **1.** Löffelbiskuit *m*, *n*. **2.** → lady's-finger 1. **'~,fly** → ladybird.

la·dy| help *s Br.* Stütze *f* der Hausfrau, Haustochter *f*. **'~-in-'wait·ing** *s* Hofdame *f*. **'~-,kill·er** *s colloq.* Herzensbrecher *m*, Schwerenöter *m*.

'la·dy|,like *adj* **1.** damenhaft, vornehm, fein. **2.** *iro.* ‚typisch weiblich'. **3.** *contp.* weibisch. **'~,love, '~-,love** *s* Geliebte *f*. **~ of the bed·cham·ber** *s* königliche Kammerfrau, Hofdame *f*.

'la·dy's|-'bed,straw ['leidiz] *s bot.* Echtes Labkraut. **~ com·pan·ion** *s* Reise-Nähzeug *n*. **'~-'cush·ion** *s bot.* Moossteinbrech *m*. **'~-de'light** *s bot.* Wildes Stiefmütterchen. **'~-,fin·ger** *s* **1.** *bot.* Gemeiner Wundklee. **2.** → ladyfinger 1.

la·dy·ship ['leidi,ʃip] *s* Ladyschaft *f* (*Stand u. Anredetitel e-r Lady*): her (your) ~ ihre (Eure) Ladyschaft.

la·dy's| lac·es *s bot.* Ma'riengras *n*. **~-maid** *s* Kammerzofe *f*. **~ man** → ladies' man. **'~-'man·tle** *s bot.* Wiesen-Frauenmantel *m*. **~ slip·per** *s bot.* **1.** Frauenschuh *m*. **2.** *Am.* 'Gartenbalsa,mine *f*. **~ smock** *s bot.* Wiesenschaumkraut *n*.

Lae·ta·re Sun·day [li'tɛ(ə)ri] *s* Sonntag *m* Lä'tare (*4. Fastensonntag*).

lag[1] [læg] **I** *v/i* **1.** *meist* ~ behind zu'rückbleiben, nicht mitkommen, nachhinken (*a. fig.*): to ~ behind s.o. hinter j-m zurückbleiben. **2.** *meist* ~ behind a) sich verzögern, b) langsam gehen, zögern, zaudern, c) *electr.* nacheilen (*Strom*). **II** *s* **3.** Zu'rückbleiben *n*, Verzögerung *f*, Rückstand *m*, Nachhinken *n*. **4.** *phys. tech.* a) Verzögerung *f*, Verzugszeit *f*, Zeitabstand *m*, b) Laufzeit *f* (*der Bewegung*), c) *electr.* negative Phasenverschiebung, (Phasen-)Nacheilung *f*. **5.** *aer.* Rücktrift *f*.

lag[2] [læg] *sl.* **I** *v/t* **1.** *j-n* ‚schnappen' (*verhaften*). **2.** a) ‚einlochen', einsperren, b) depor'tieren. **II** *s* **3.** ‚Knastschieber' *m*, Zuchthäusler *m*. **4.** ‚Knast' *m*, Strafzeit *f*.

lag[3] [læg] **I** *s* **1.** (Faß)Daube *f.* **2.** *tech.* Schalbrett *n.* **II** *v/t* **3.** mit Dauben versehen. **4.** *tech.* verschalen.
lag·an ['lægən] *s jur. mar.* (*freiwillig*) versenktes (Wrack)Gut, Seewurf *m.*
la·ger (beer) ['lɑːgər] *s* Lagerbier *n.*
lag·gard ['lægərd] **I** *adj* langsam, bummelig, träge. **II** *s* träger Mensch, Bummler(in), ‚Schlappschwanz' *m.*
lag·ger ['lægər] *s* **1.** → laggard II. **2.** Nachzügler(in).
lag·ging[1] ['lægiŋ] *s* Zu'rückbleiben *n*, Zögern *n*, Verzögerung *f.*
lag·ging[2] ['lægiŋ] *s* **1.** *tech.* Verkleidung *f*, -schalung *f.* **2.** *arch.* Blendboden *m.*
la·goon [lə'guːn] *s* La'gune *f.*
lag screw *s tech.* Gewindeschraube *f* mit Vier- *od.* Sechskantkopf.
la·ic ['leiik] **I** *adj* weltlich, Laien... **II** *s* Laie *m*, Nichtgeistliche(r) *m.* **'la·i·cal** → laic I. **'la·i,cize** [-ˌsaiz] *v/t* verweltlichen, säkulari'sieren.
laid [leid] *pret. u. pp von* lay[1]. ~ **pa·per** *s* geripptes Pa'pier. ~ **up** *adj colloq.* bettlägerig (with mit, wegen).
laigh [leix] *Scot.* **I** *adj u. adv* tief, niedrig. **II** *s* Niederung *f.*
lain [lein] *pp von* lie[2].
lair [lɛr] **I** *s* **1.** Lager *n* (*des Wildes*). **2.** *allg.* Lager(statt *f*) *n.* **II** *v/i* **3.** (sich) lagern.
laird [lɛrd] *s Scot.* Gutsherr *m.*
lais·sez|-faire [lɛsə'fɛːr; *bes. Br.* 'leisei'fɛə] (*Fr.*) **I** *s* **1.** Laissez-'faire *n*: a) *econ.* wirtschaftlicher Libera'lismus, b) *allg.* 'übermäßige Tole'ranz. **II** *adj* **2.** gleichgültig, 'übermäßig tole'rant. **3.** ˌindividua'listisch.
la·i·ty ['leiiti] *s* **1.** Laienstand *m*, Laien *pl* (*Ggs. Geistlichkeit*). **2.** Laien *pl*, Nichtfachleute *pl.*
lake[1] [leik] *s* rote Pig'mentfarbe.
lake[2] [leik] *s* (Binnen)See *m*: the Great L~ der große Teich (*der Atlantische Ozean*); the Great L~s die Großen Seen (*an der Grenze zwischen den USA u. Kanada*); the L~s → Lake District.
Lake| Dis·trict, *a.* ~ **Coun·try** *s* Seengebiet *n* (*im Nordwesten Englands*). **l~ dwell·er** *s* Pfahlbaubewohner(in). **l~ dwell·ing** *s* Pfahlbau *m.* **'l~,land** *s* Seengebiet *n*, *bes.* L~ → Lake District. ~ **po·et** *s* Lakist *m*, Seendichter *m* (*e-r der 3 Dichter der* Lake school).
lak·er ['leikər] *s* **1.** L~ → Lake poet. **2.** *Am.* a) Binnenschiffer *m*, b) Binnenseedampfer *m*, c) Binnenseebewohner(in).
Lake| school *s* Seeschule *f* (*Dichtergruppe der englischen Hochromantik*: *Southey, Coleridge u. Wordsworth*). **l~ trout** *s ichth.* 'Seefoˌrelle *f.*
lakh → lac[2].
lak·ist ['leikist] → Lake poet.
lak·y ['leiki] *adj* **1.** aus Pig'mentfarbe. **2.** kokkusrot.
Lal·lan ['lælən] *Scot.* **I** *adj* Tieflands... **II** *s ling.* das Tieflandschottische.
lal·la·tion [læ'leiʃən] *s* **1.** Lallen *n.* **2.** Lallati'on *f* (*unrichtige Aussprache des r wie l*).
lam[1] [læm] *sl.* **I** *v/t* ‚verdreschen', ‚vermöbeln'. **II** *v/i* drauf'losschlagen (into auf *acc*).
lam[2] [læm] *Am. sl.* **I** *s* (schleuniges) ‚Verduften': on the ~ im ‚Abhauen' begriffen, auf der Flucht (*vor der Polizei*); to take it on the ~ → II. **II** *v/i* ‚abhauen', ‚verduften'.
la·ma ['lɑːmə] *s relig.* Lama *m.*
La·ma·ism ['lɑːməˌizəm] *s relig.* Lama'ismus *m.* **'La·ma·ist I** *s* Lama'ist(in). **II** *adj* lama'istisch.
la·ma·ser·y ['lɑːməsəri] *s* Lamakloster *n.*
lamb [læm] **I** *s* **1.** Lamm *n* (*a. fig. Person*): in (*od.* with) ~ trächtig (*Schaf*); like a ~ (sanft) wie ein Lamm, lammfromm; a wolf (*od.* fox) in ~'s skin *fig.* ein Wolf im Schafspelz. **2.** Lamm *n*: a) Lammfleisch *n*, b) → lambskin. **3.** *econ. sl.* unerfahrener Speku'lant. **4.** *fig.* Schäflein *n* (*junges Mitglied e-r geistlichen Gemeinde*). **5.** the L~ (of God) das Lamm (Gottes) (*Christus*). **II** *v/i* **6.** lammen. **III** *v/t* **7.** *Junge od. ein Junges* werfen: to be ~ed geboren werden (*Lamm*).
lam·baste [læm'beist] *v/t sl.* **1.** ‚vermöbeln', ‚verdreschen'. **2.** *fig.* ‚her'unterputzen', ‚zs.-stauchen'.
lamb·da ['læmdə] *s* Lambda *n* (*griechischer Buchstabe*).
lam·ben·cy ['læmbənsi] *s* **1.** Züngeln *n*, Tanzen *n* (*e-r Flamme etc*). **2.** (geistreiches) Funkeln, Sprühen *n.* **'lam·bent** *adj* (*adv* ~ly) **1.** züngelnd, flakkernd, tanzend: ~ flames. **2.** sanft strahlend. **3.** funkelnd, sprühend, leicht (*Witz, Stil etc*).
lam·bert ['læmbərt] *s* Lambert *n* (*Helligkeitswert*).
Lam·beth (pal·ace) ['læmbəθ] *s* **1.** *der Amtssitz des Erzbischofs von Canterbury im Süden von London.* **2.** *fig.* der Erzbischof von Canterbury (*als Vertreter der anglikanischen Kirche*).
lamb·kin ['læmkin] *s* **1.** Lämmchen *n.* **2.** *fig.* Häs-chen *n* (*Kosename*).
'lamb,like *adj* lammfromm, sanft (wie ein Lamm).
lam·boys ['læmbɔiz] *s hist.* Panzerrock *m.*
'lamb,skin *s* **1.** Lammfell *n.* **2.** Schafleder *n.* **3.** (weiße) Lederschürze (*der Freimaurer*).
'lamb's|-,let·tuce *s bot.* Ra'pünzchen *n*, 'Feldsaˌlat *m.* **'~-,tails** *s pl bot.* **1.** *Br.* Haselkätzchen *pl.* **2.** *Am.* Weidenkätzchen *pl.* ~ **wool** *s* Lammwolle *f.*
lame[1] [leim] **I** *adj* (*adv* ~ly) **1.** lahm, hinkend: ~ of (*od.* in) a leg auf 'einem Bein lahm. **2.** *fig.* lahm, ‚müde', armselig, unbefriedigend: ~ efforts lahme Bemühungen; a ~ excuse e-e faule Ausrede. **3.** hinkend (*Verse*). **4.** stokkend (*Sprache*). **II** *v/t* **5.** lahm machen, lähmen (*a. fig.*).
lame[2] [leim] *s* **1.** *hist.* Schuppe *f* (*e-s Panzers*). **2.** dünnes Me'tallplättchen.
la·mé [lɑː'mei] *s* La'mé *m.*
lame duck *s* **1.** Versager *m*, Niete *f* (*Person od. Sache*). **2.** *econ.* a) fauler Kunde, b) rui'nierter ('Börsen)Spekuˌlant. **3.** Körperbehinderte(r *m*) *f.* **4.** *pol. Am.* ‚lahme Ente' (*nicht wiedergewählter Amtsinhaber, bes. Kongreßmitglied, bis zum Ablauf s-r Amtszeit*).
la·mel·la [lə'melə] *pl* **-lae** [-liː] *od.* **-las** *s* La'melle *f*, (dünnes) Plättchen.
la'mel·lar, lam·el·late ['læməˌleit; -lit], **'lam·el,lat·ed** *adj* la'mellen-, plättchenartig, Lamellen...
lame·ness ['leimnis] *s* **1.** Lahmheit *f* (*a. fig.*). **2.** *fig.* Schwäche *f.* **3.** *fig.* Mangelhaftigkeit *f.* **4.** Hinken *n* (*von Versen*).
la·ment [lə'ment] **I** *v/i* jammern, (weh)klagen, trauern, *iro.* lamen'tieren (for *od.* over um). **II** *v/t* beklagen: a) bejammern, bedauern, b) betrauern: → late 5 b. **III** *s* Jammer *m*, (Weh)Klage *f*, Klage(lied *n*) *f.*
lam·en·ta·ble ['læməntəbl] *adj* (*adv* lamentably) **1.** beklagenswert, bedauerlich. **2.** *contp.* elend, erbärmlich, kläglich.
lam·en·ta·tion [ˌlæmən'teiʃən] *s* **1.** (Weh)Klage *f.* **2.** *iro.* La'mento *n*, Lamen'tieren *n.* **3.** the L~s (of Jeremiah) *pl* (*meist als sg konstruiert*) *Bibl.* die Klagelieder *pl* Jere'miae.
la·mi·a ['leimiə] *s myth.* Lamia *f* (*blutsaugendes Fabelwesen*).
lam·i·na ['læminə] *pl* **-nae** [-niː] *od.* **-nas** *s* **1.** Plättchen *n*, Blättchen *n.* **2.** (dünne) Schicht. **3.** 'Überzug *m.* **4.** *bot.* Blattspreite *f.* **5.** *zo.* blattförmiges Or'gan.
lam·i·na·ble ['læminəbl] *adj tech.* streckbar, (aus)walzbar.
lam·i·nal ['læminl] → laminar.
lam·i·nar ['læminər] *adj* **1.** blätt(e)rig. **2.** (blättchenartig) geschichtet, schichtförmig. **3.** *phys.* lami'nar: ~ flow Laminarströmung *f.*
lam·i·nate ['læmiˌneit] **I** *v/t* **1.** *tech.* a) (aus)walzen, strecken, b) in Blättchen aufspalten, c) schichten. **2.** mit Plättchen belegen, mit Folie über'ziehen: laminating sheet Schichtfolie *f.* **II** *v/i* **3.** sich in Schichten *od.* Plättchen spalten. **III** *s* [-nit; -ˌneit] **4.** *tech.* (Plastik-, Verbund)Folie *f*, Schichtstoff *m.* **IV** *adj* [-nit; -ˌneit] → laminated. **'lam·i,nat·ed** *adj* **1.** la'mellenförmig angeordnet, Lamellen... **2.** *bes. tech.* a) blätt(e)rig, b) geschichtet: ~ brush *electr.* geblätterte Bürste; ~ brush switch *electr.* Bürstenschalter *m*; ~ fabric Hartgewebe *n*: ~ glass Verbundglas *n*; ~ material Schichtstoff *m*; ~ paper Hartpapier *n*; ~ sheet Schichtplatte *f*; ~ spring Blattfeder *f*; ~ wood Preßholz *n.* **ˌlam·i'na·tion** *s* **1.** *tech.* a) Lamel'lierung *f*, Blätterung *f*, b) Streckung *f*, Strecken *n*, c) Schichtung *f*, d) Schicht *f*, Lage *f.* **2.** 'Blätterstrukˌtur *f*, Schieferung *f.*
Lam·mas ['læməs] *s* **1.** *relig.* Petri Kettenfeier *f*: at later ~ *humor.* am Nimmerleinstag. **2.** *Br. hist.* Erntefest *n* am 1. Au'gust.
lam·mer·gei·er, lam·mer·gey·er ['læmərˌgaiər] *s orn.* Lämmergeier *m.*
lamp [læmp] *s* **1.** Lampe *f*: to smell of the ~ nach harter Arbeit ‚riechen', mehr Fleiß als Talent verraten. **2.** *electr.* Lampe *f*: a) Glühbirne *f*, b) Leuchte *f*, Beleuchtungskörper *m*: ~ holder Lampenfassung *f.* **3.** *fig.* Leuchte *f*, Licht *n*: to pass (*od.* hand) on the ~ *fig.* die Fackel (*des Fortschritts etc*) weitergeben. **4.** *poet.* a) Fackel *f*, b) Gestirn *n.*
lam·pas[1] ['læmpəs] *s* Lam'pas *m* (*Möbelstoff aus Seidengewebe*).
lam·pas[2] ['læmpəs] *s vet.* Frosch *m* (*Gaumenschwellung bei Pferden*).
'lamp|,black *s* Lampenruß *m*, -schwarz *n.* ~ **chim·ney** *s* 'Lampenzyˌlinder *m.*
lam·pern ['læmpərn] *s ichth.* Flußneunauge *n.*
lam·poon [læm'puːn] **I** *s* Schmähschrift *f*, Pam'phlet *n*, Sa'tire *f.* **II** *v/i* (in e-r Schmähschrift) verspotten *od.* verunglimpfen. **lam'poon·er** *s* Schmähschreiber(in), Pamphle'tist(in). **lam'poon·er·y** [-əri] *s* (*schriftliche*) Verunglimpfung, Schmähung *f.* **lam'poon·ist** → lampooner.
'lamp,post *s* La'ternenpfahl *m*: between you and me and the ~ *colloq.* (ganz) unter uns *od.* im Vertrauen (gesagt).
lam·prey ['læmpri] *s ichth.* Neunauge *n.*
lamp| shade *s* Lampenschirm *m.* ~ **shell** *s zo.* (ein) Armfüßer *m.*
la·nate ['leineit] *adj* wollig, Woll...
Lan·cas·tri·an [læŋ'kæstriən] **I** *adj* **1.** Lancaster... **II** *s* **2.** Bewohner(in) der (*englischen*) Stadt *od.* Grafschaft Lancaster. **3.** Angehörige(r *m*) *f od.* Anhänger(in) des Hauses Lancaster.

lance [*Br.* lɑːns; *Am.* læ(ː)ns] **I** *s* **1.** Lanze *f*, Speer *m*: to break a ~ for (*od.* on behalf) of s.o. e-e Lanze für j-n einlegen *od.* brechen. **2.** Fischspeer *m.* **3.** *mil.* U'lan *m.* **4.** → lancet 1. **II** *v/t* **5.** aufspießen, mit e-r Lanze durch'bohren. **6.** *med.* mit e-r Lan'zette öffnen: to ~ a boil ein Geschwür (*fig.* e-e Eiterbeule) aufstechen. ~ **buck·et** *s mil. hist.* Lanzenschuh *m.* ~ **cor·po·ral,** *colloq.* ~ **jack** *s mil. Br.* Ober-, Hauptgefreite(r) *m.*

lance·let [*Br.* 'lɑːnslit; *Am.* 'læ(ː)ns-] *s ichth.* (*ein*) Lan'zettfischchen *n.*

lan·ce·o·late [*Br.* 'lɑːnsiəlit; -ˌleit; *Am.* 'læ(ː)n-] *adj bes. bot.* lan'zettlich.

lanc·er [*Br.* 'lɑːnsə; *Am.* 'læ(ː)nsər] *s* **1.** *mil.* a) *hist.* Lanzenträger *m*, b) U'lan *m*, leichter Kavalle'rist, c) *Soldat e-s brit. Lancer-Regiments* (*jetzt leichte Panzerverbände*). **2.** *pl* Lanci'ers *pl* (*Quadrille à la cour*).

lance| rest *s mil. hist.* Stechtasche *f* (*zum Einlegen der Lanze*). ~ **ser·geant** *s Br.* Gefreite(r) *m* in der Dienststellung e-s 'Unteroffiˌziers.

lan·cet [*Br.* 'lɑːnsit; *Am.* 'læ(ː)n-] *s* **1.** *med.* Lan'zette *f.* **2.** *arch.* a) *a.* ~ arch Spitzbogen *m*, b) *a.* ~ window Spitzbogenfenster *n.* '**lan·cet·ed** *adj arch.* **1.** spitzbogig (*Fenster*). **2.** mit Spitzbogenfenstern.

lan·ci·nate [*Br.* 'lɑːnsiˌneit; *Am.* 'læ(ː)n-] *v/t* durch'bohren: lancinating pain stechender Schmerz.

land [lænd] **I** *s* **1.** Land *n* (*Ggs Meer, Wasser*): by ~ zu Land(e), auf dem Landweg(e); by ~ and sea zu Wasser u. zu Lande; to see how the ~ lies *fig.* sehen, wie der Hase läuft, ‚die Lage peilen'; to make ~ *mar.* Land sichten. **2.** Land *n*, Boden *m*: wet ~ nasser Boden; ploughed ~ bebautes Ackerland. **3.** Land *n* (*Ggs Stadt*): back to the ~ zurück aufs Land. **4.** *jur.* a) Land-, Grundbesitz *m*, Grund *m* u. Boden *m*, b) *pl* Lände'reien *pl*, Güter *pl.* **5.** Land *n*, Staat *m*, Volk *n*, Nati'on *f.* **6.** *econ.* na'türliche Reichtümer *pl* (*e-s Landes*). **7.** *fig.* Land *n*, Gebiet *n*, Reich *n*: the ~ of dreams das Reich der Träume; the ~ of the living das Diesseits. **8.** Feld *n* (*zwischen den Zügen des Gewehrlaufs*).

II *v/i* **9.** landen: a) anlegen (*Schiff*), b) an Land gehen (*Passagiere*), c) ankommen: to ~ in a ditch in e-m Graben landen; to ~ on one's feet auf die Füße fallen (*a. fig.*); to ~ in prison im Gefängnis landen. **10.** (e-n Schlag *od.* Schläge) landen: to ~ on s.o. a) j-n (mit e-m Schlag) treffen, b) *fig.* es j-m ‚geben'. **11.** landen (*Flugzeug*). **12.** *sport colloq.* durchs Ziel gehen: to ~ second als zweiter durchs Ziel gehen, an zweiter Stelle landen.

III *v/t* **13.** *Personen, Güter* landen, ausschiffen, an Land bringen: to ~ goods Güter löschen. **14.** *e-n Fisch etc* an Land ziehen, fangen. **15.** *bes. Fahrgäste* absetzen: the cab ~ed him at the station; he was ~ed in the mud er landete im Schlamm. **16.** *j-n in Schwierigkeiten etc* bringen, verwikkeln: to ~ s.o. in difficulties; to ~ s.o. with s.th. j-m etwas aufhalsen *od.* einbrocken; to be ~ed in s.th., to ~ o.s. in s.th. in etwas (hinein)geraten. **17.** *colloq. e-n Schlag od. Treffer* landen, anbringen: he ~ed him one er ‚knallte' *od.* ‚verpaßte' ihm eins. **18.** *colloq. j-n od. etwas* erwischen, ‚schnappen', ‚kriegen', ‚an Land ziehen': to ~ a criminal; to ~ a husband; to ~ a prize sich e-n Preis ‚holen'.

land a·gent *s* **1.** Grundstücks-, Gütermakler *m.* **2.** *Br.* Gutsverwalter *m.*

lan·dau ['lændɔː] *s* **1.** Landauer *m* (*Kutsche*). **2.** *mot.* Limou'sine *f* mit aufklappbarem Hinterverdeck.

lan·dau·let(te) [ˌlændɔː'let] *s* Landau'let *n*, Halblandauer *m* (*a. mot.*).

land| bank *s* **1.** 'Grundkreˌdit-, Hypo'thekenbank *f.* **2.** *Am.* (staatliche) Landwirtschaftsbank. ~ **breeze** *s* Landbrise *f.* ~ **car·riage** *s* 'Landtransˌport *m*, -fracht *f.*

land·ed ['lændid] *adj* Land…, Grund…: the ~ interest *collect.* die Grundbesitzer (*als Klasse*); ~ property, ~ estate Grundbesitz *m*, -eigentum *n*; ~ proprietor Grundbesitzer *m.*

'**land|ˌfall** *s* **1.** *aer. mar.* Landkennung *f*, Sichten *n* von Land. **2.** *aer.* Landen *n*, Landung *f.* **3.** Erdrutsch *m.* ~ **force** *s meist pl mil.* Landstreitkräfte *pl.* ~ **girl** *s* Landarbeiterin *f*, -helferin *f* (*bes. im Kriegseinsatz*). '~-ˌ**grab·ber** *s* ‚Landraffer' *m* (*j-d, der auf ungesetzliche Weise Land in Besitz nimmt*). '~-ˌ**grant u·ni·ver·si·ty** *s Am. durch staatliche* (*ursprünglich aus Land bestehende*) *Subventionen unterstützte Hochschule.* '~ˌ**grave** *s hist.* (deutscher) Landgraf. ˌ~'**gra·vi·ate** [-'greiviˌeit; -it] *s* Landgrafschaft *f.* '~-**gra**ˌ**vine** [-grəˌviːn] *s* Landgräfin *f.* '~ˌ**hold·er** *s* **1.** Grundpächter *m.* **2.** Grundbesitzer *m.* ~ **hun·ger** *s* Landhunger *m.*

land·ing ['lændiŋ] *s* **1.** *mar.* Landen *n*, Landung *f*: a) Anlegen *n* (*e-s Schiffes*), b) Ausschiffung *f* (*von Passagieren, Truppen etc*), c) Ausladen *n*, Löschen *n* (*von Waren*). **2.** *aer.* Landung *f*: → forced 1. **3.** *mar.* Lande-, Anlegeplatz *m.* **4.** Ab-, Ausladestelle *f.* **5.** (Treppen)Absatz *m.* **6.** *tech.* a) Gichtbühne *f* (*e-s Hochofens*), b) *Bergbau*: Füllort *m.* ~ **an·gle** *s aer.* Ausrollwinkel *m.* ~ **barge** *s mar. mil.* (großes) Landungsfahrzeug. ~ **beam** *s aer.* Landeleitstrahl *m.* ~ **craft** *s mar. mil.* Landungsboot *n.* ~ **field** *s aer.* Landeplatz *m*, -bahn *f.* ~ **flap** *s aer.* Landeklappe *f.* ~ **force** *s mil.* Landungstruppe *f*, am'phibischer Kampfverband. ~ **gear** *s aer.* Fahrgestell *n*, -werk *n.* ~ **ground** → landing field. ~ **light** *s aer.* **1.** Lande-, Bordscheinwerfer *m.* **2.** Landefeuer *n* (*am Flugplatz*). ~ **par·ty** *s mil. bes. Br.* 'Landungstrupp *m*, -komˌmando *n.* ~ **stage** *s mar.* Landungsbrücke *f*, -steg *m.* ~ **strip,** ~ **track** → airstrip.

land| job·ber *s* 'Grundbesitzspekuˌlant *m.* '~ˌ**la·dy** *s* **1.** (Haus-, Gast-, Pensi'ons)Wirtin *f.* **2.** Grundeigentümerin *f.* **3.** *Scot.* Hausherrin *f.* ~ **law** *s jur.* Bodenrecht *n.*

land·less ['lændlis] *adj* ohne Grundbesitz, grundbesitzlos.

'**land|ˌlocked** *adj* 'landumˌschlossen: ~ country Binnenstaat *m*; ~ salmon *ichth.* im Süßwasser verbleibender Lachs. '~ˌ**lop·er** *s* Landstreicher *m.* '~ˌ**lord** *s* **1.** Grundeigentümer *m*, -besitzer *m.* **2.** Hausherr *m*, -eigentümer *m.* **3.** Hauswirt *m*, *jur. a.* Hauswirtin *f.* **4.** Gastwirt *m.* '~·**lord**ˌ**ism** *s* Grundherrentum *n.* '~ˌ**lub·ber** *s mar.* Landratte *f* (*Nichtseemann*). '~ˌ**mark** *s* **1.** Grenzstein *m*, -zeichen *n.* **2.** *mar.* Landmarke *f*, Seezeichen *n.* **3.** *mil.* Gelände-, Orien'tierungspunkt *m.* **4.** Kennzeichen *n*: anatomical ~ *med.* anatomischer Merkpunkt. **5.** Wahrzeichen *n* (*e-r Stadt etc*). **6.** *fig.* Markstein *m*, Wendepunkt *m*: a ~ in history. ~ **mine** *s mil.* Landmine *f.*

land| of·fice *s Am.* Grundbuchamt *n.* '~-ˌ**of·fice busi·ness** *s Am. colloq.* ‚Bombengeschäft' *n.* '~ˌ**own·er** *s* Land-, Grundbesitzer(in). '~ˌ**own·ing** *adj* grundbesitzend, Land-, Grundbesitz(er)… '~ˌ**plane** *s* Landflugzeug *n.* '~-'**poor** *adj* über 'unrenˌtablen Grundbesitz verfügend. ~ **pow·er** *s pol.* Landmacht *f* (*Ggs Seemacht*). ~ **rail** → corn crake. ~ **re·form** *s* 'Bodenreˌform *f.* ~ **reg·is·ter** *s* Grundbuch *n.* '~-ˌ**rov·er** *s Br. kleiner geländegängiger Kraftwagen.*

land·scape ['lænskeip; 'lænd-] **I** *s* **1.** Landschaft *f.* **2.** *paint.* a) Landschaft(sbild *n*) *f*, b) ˌLandschaftsmale'rei *f.* **II** *v/t* **3.** landschaftlich verschönern *od.* gestalten. ~ **ar·chi·tect** *s* 'Landschaftsarchiˌtekt *m.* ~ **ar·chi·tec·ture** *s arch.* 'Landschaftsarchitekˌtur *f.* ~ **gar·den·er** *s* Landschaftsgärtner *m*, 'Gartenarchiˌtekt *m.* ~ **gar·den·ing** *s* ˌLandschaftsgärtne'rei *f.* ~ **mar·ble** *s* landschaftartig gezeichneter Marmor. ~ **paint·er** → landscapist.

land·scap·ist ['lænskeipist; 'lænd-] *s* Landschaftsmaler(in).

land| scrip *s Am.* Landzuweisungsschein *m.* ~ **shark** *s* **1.** ‚Halsabschneider' (*der Matrosen an Land ausbeutet*). **2.** → land-grabber. '~ˌ**sick** *adj mar.* wegen Landnähe schwer manö'vrierbar (*Schiff*). '~ˌ**slide** *s bes. Am.* **1.** Erdrutsch *m.* **2.** *pol. fig.* ‚Erdrutsch' *m* (*überwältigender Wahlsieg*). '~ˌ**slip** *bes. Br. für* landslide 1.

lands·man ['lændzmən] *s irr* Landratte *f*, -bewohner *m.*

land| sur·vey·or *s* Landvermesser *m*, Geo'meter *m.* ~ **swell** *s mar.* Landschwell *f*, einlaufende Dünung. ~ **tax** *s* Grundsteuer *f.* ~ **tie** *s arch.* Mauerstütze *f.* ~ **tor·toise,** ~ **tur·tle** *s zo.* Landschildkröte *f.* '~-ˌ**wait·er** *s Br.* 'Zollinˌspektor *m.*

land·ward ['lændwərd] **I** *adj* land(ein)wärts gelegen. **II** *adv* land(ein)wärts, (nach) dem Lande zu '**landwards** [-dz] → landward II.

lane [lein] *s* **1.** (Feld)Weg *m*, (Hecken-)Pfad *m*: it is a long ~ that has no turning alles muß sich einmal ändern. **2.** Gasse *f*: a) Gäßchen *n*, Sträßchen *n*, b) 'Durchgang *m* (*zwischen Menschenreihen etc*): to form a ~ Spalier stehen, e-e Gasse bilden. **3.** Schneise *f.* **4.** *a.* ~ route *mar.* (Fahrt)Route *f*, Fahrrinne *f.* **5.** *aer.* Flugschneise *f.* **6.** *mot.* Fahrbahn *f*, Spur *f.* **7.** *sport* (einzelne) Bahn (*e-r Aschenbahn etc*). **8.** *meist* red ~ *sl.* Gurgel *f.* **9.** the L~ *abbr. für* Drury Lane Theatre (*in London*).

lang·lauf ['laŋˌlauf] (*Ger.*) *s Skisport*: Langlauf *m.*

lan·grage ['læŋgridʒ], *a.* '**lan·gridge** [-gridʒ] *s mar. hist.* Kar'tätschengeschoß *n.*

lang syne [ˌlæŋ'sain] *Scot.* **I** *adv* einst, vor alters, in längst vergangener Zeit. **II** *s* längst vergangene Zeit: → auld lang syne.

lan·guage ['læŋgwidʒ] *s* **1.** Sprache *f*: derivative ~ Tochtersprache; foreign ~s Fremdsprachen; ~ of flowers *fig.* Blumensprache; ~ barrier Sprachschranke *f*; living ~ lebende Sprache; to speak the same ~ dieselbe Sprache sprechen (*a. fig.*). **2.** Sprache *f*, Rede-, Ausdrucksweise *f*, Worte *pl*: bad ~ Schimpfworte *pl.*, ordinäre Ausdrücke *pl*: strong ~ Kraftausdrücke *pl.* **3.** Sprache *f*, Stil *m.* **4.** (Fach)Sprache *f*, Terminolo'gie *f*: in medical ~ in der medizinischen Fachsprache. **5.** a) Sprachwissenschaft *f*, b) *Am. a.* ~ arts 'Sprach,unterricht *m*: ~ master *Br.* Sprachlehrer *m*. **6.** *sl.* ordi'näre Sprache: ~, Sir! ich verbitte mir solche (unflätigen) Ausdrücke! **'lan·guaged** *adj* **1.** *in Zssgn* ...sprachig: many~ vielsprachig. **2.** sprachkundig, -gewandt. **3.** (*gut etc*) formu'liert.

langued [læŋd] *adj her.* mit her'ausgestreckter Zunge.

lan·guet(te) ['læŋgwet] *s* **1.** Zunge *f*, zungenähnlicher Gegenstand. **2.** Landzunge *f*. **3.** *mus.* Zunge *f* (*e-r Orgelpfeife*).

lan·guid ['læŋgwid] *adj* (*adv* ~ly) **1.** schwach, matt, schlaff. **2.** träge, schleppend. **3.** *fig.* lau, inter'esselos. **4.** *econ.* flau, lustlos. **'lan·guid·ness** *s* **1.** Mattigkeit *f*, Schlaffheit *f*. **2.** Trägheit *f*, Flauheit *f*. **3.** Lauheit *f*.

lan·guish ['læŋgwiʃ] *v/i* **1.** ermatten, erschlaffen, erlahmen. **2.** *fig.* erlahmen (*Interesse, Konversation*). **3.** (ver)schmachten, da'hinsiechen, -welken: to ~ in a dungeon in e-m Kerker schmachten. **4.** da'niederliegen (*Handel, Industrie etc*). **5.** schmachtend blicken. **6.** schmachten (for nach). **7.** sich härmen (for nach, um). **'lan·guish·ing** *adj* (*adv* ~ly) **1.** ermattend, erlahmend (*a. fig. Interesse etc*). **2.** (da'hin)siechend, (ver)schmachtend, leidend. **3.** sehnsuchtsvoll, schmachtend: a ~ look. **4.** langsam, zögernd: a ~ death; a ~ illness e-e schleichende Krankheit. **5.** → languid 3 *u.* 4.

lan·guor ['læŋgər] *s* **1.** Schwäche *f*, Mattigkeit *f*, Abgespanntheit *f*, Schlaffheit *f*. **2.** Trägheit *f*, Schlaffheit *f*. **3.** Stumpfheit *f*, Gleichgültigkeit *f*, Lauheit *f*. **4.** Sehnen *n*, Schmachten *n*. **5.** Stille *f*, Schwüle *f*. **'lan·guor·ous** *adj* (*adv* ~ly) **1.** matt, schlaff. **2.** träge, schlaff. **3.** stumpf, gleichgültig. **4.** schmachtend. **5.** schwül.

lan·gur [lʌŋ'guːr] *s zo.* (*ein*) Schlankaffe *m*, *bes.* Langur *m*.

la·ni·ar·y [*Br.* 'læniəri; *Am.* 'leini,eri; 'læn-] *anat. zo.* **I** *s* Eck-, Reißzahn *m*. **II** *adj* Eck..., Reiß...: ~ tooth.

la·nif·er·ous [lei'nifərəs], **la'nig·er·ous** [-'nidʒərəs] *adj* wollig, Woll...

lan·i·tal ['læni,tæl] *s chem.* Lani'tal *n* (*Kunstfaser aus Casein*).

lank [læŋk] *adj* (*adv* ~ly) **1.** lang u. dünn, schlank, mager. **2.** hoch aufgeschossen (*Pflanze*). **3.** glatt, schlicht (*Haar*).

lank·i·ness ['læŋkinis] *s* Schlaksigkeit *f*.

lank·ness ['læŋknis] *s* Schlankheit *f*, Magerkeit *f*.

lank·y ['læŋki] *adj* schlaksig, hoch aufgeschossen, lang u. dünn (*Person*).

lan·ner ['lænər] *s orn.* (*bes.* weiblicher) Feldeggsfalke. **'lan·ner,et** [-,ret] *s* männlicher Feldeggsfalke.

lan·o·lin(e) ['lænəlin] *s chem.* Lano'lin *n*, Wollfett *n*.

lans·que·net ['lænskə,net] *s hist.* Landsknecht *m* (*a. ein Kartenspiel*).

lan·tern ['læntərn] *s* **1.** La'terne *f*. **2.** *abbr. für* magic lantern. **3.** *mar.* Leuchtkammer *f* (*e-s Leuchtturms*). **4.** *arch.* La'terne *f* (*durchbrochener Dachaufsatz*). **5.** *tech.* a) → lantern pinion, b) *Gießerei*: 'Kernske,lett *n*. **6.** *fig.* Leuchte *f*, Licht *n*: he was a ~ of science.

lan·tern·ist ['læntərnist] *s* Lichtbildervorführer *m*.

'lan·tern|-,jawed *adj* hohlwangig. ~ **jaws** *s pl* eingefallene Wangen *pl*. ~ **lec·ture** *s* Lichtbildervortrag *m*. ~ **light** *s* **1.** La'ternenlicht *n*. **2.** 'durchscheinende Scheibe (*e-r Laterne*). **3.** *arch.* Oberlichtfenster *n*. ~ **pin·ion** *s tech.* Drehling *m*, Stockgetriebe *n*. ~ **slide** *s phot.* Dia(posi'tiv) *n*, Lichtbild *n*: ~ lecture Lichtbildervortrag *m*.

la·nu·go [lə'njuːgou] *s physiol. zo.* La'nugo *f*, Wollhaar *n*.

lan·yard ['lænjərd] *s* **1.** *mar.* Taljereep *n*. **2.** *mil.* a) Abzugsleine *f* (*e-r Kanone*), b) Traggurt *m* (*für e-e Pistole*), c) (Achsel)Schnur *f*. **3.** Schleife *f*.

lap[1] [læp] *s* **1.** Schoß *m* (*e-s Kleides od. des Körpers; a. fig.*): to sit on s.o.'s ~; in the ~ of the Church; in the ~ of the gods im Schoße der Götter; in Fortune's ~ im Schoße des Glücks; in the ~ of luxury von Luxus umgeben. **2.** (*Kleider- etc*)Zipfel *m*, (Ohr)Läppchen *n*.

lap[2] [læp] **I** *v/t* **1.** wickeln, falten (about, round um). **2.** einhüllen, -schlagen, -wickeln (in in *acc*). **3.** *fig.* einhüllen, um'hüllen: ~ped in luxury in Luxus eingehüllt, von Luxus umgeben. **4.** *fig.* hegen, pflegen. **5.** a) sich über'lappend legen über (*acc*), b) über'lappt anordnen: to ~ tiles. **6.** hin'ausragen über (*acc*). **7.** *Zimmerei*: über'lappen. **8.** po'lieren, schleifen. **9.** *sport* a) *e-n Gegner* über'runden, b) *e-e Runde* zu'rücklegen: to ~ the course in 6 minutes. **II** *v/i* **10.** sich winden, sich legen (round um). **11.** 'überstehen, hin'ausragen (*a. fig.*): to ~ over → 6. **12.** sich über'lappen. **III** *s* **13.** (einzelne) Windung, Lage *f*, Wick(e)lung *f* (*e-r Spule etc*). **14.** Über'lappung *f*. **15.** 'übergreifende Kante, 'überstehender Teil, *bes.* a) Vorstoß *m*, b) *Buchbinderei*: Falz *m*. **16.** Über'lappungsbreite *f od.* -länge *f*. **18.** *tech.* Po'lier-, Schleifscheibe *f*. **18.** *tech.* a) über'walzte Naht, b) Falte *f* (*Oberflächenfehler*). **19.** *sport* Runde *f*; two ~s *colloq.* 800m-Lauf *m od.* -Strecke *f*; bell (*od.* final) ~ letzte Runde; ~ time Rundenzeit *f*. **20.** E'tappe *f* (*e-r Reise*).

lap[3] [læp] **I** *v/t* **1.** plätschern(d schlagen) gegen *od.* an (*acc*). **2.** (auf)lecken. **3.** *meist* ~ up a) *a.* ~ down gierig (hin'unter)schlürfen, b) *colloq.* ‚fressen', leichthin glauben, c) *colloq.* gierig in sich aufnehmen. **II** *v/i* **4.** plätschern. **5.** schlürfen, schlecken, schlappern. **III** *s* **6.** Lecken *n*. **7.** Plätschern *n*. **8.** *sl.* ‚Gesöff' *n*, labberiges Zeug.

lap·a·ro·cele ['læpəro,siːl] *s med.* Bauchwandbruch *m*.

lap·a·rot·o·my [,læpə'rɒtəmi] *s med.* Laparoto'mie *f*, Bauchschnitt *m*.

'lap|,board *s* Schoßbrett *n*. ~ **dog** *s* Schoßhund *m*.

la·pel [lə'pel] *s* Rockaufschlag *m*, Revers *m*.

lap·i·dar·y ['læpidəri] **I** *s* **1.** Edelsteinschneider *m*. **2.** *obs.* a) Buch *n* über Edelsteine, b) Edelsteinkenner *m*. **II** *adj* **3.** Stein... **4.** Steinschleiferei... **5.** (Stein)Inschriften... **6.** in Stein gehauen. **7.** *fig.* lapi'dar, wuchtig.

lap·i·date ['læpi,deit] *v/t* steinigen. **,lap·i'da·tion** *s* Steinigung *f*.

lap·is laz·u·li ['læpis 'læzju,lai; -li] *s* **1.** *min.* La'surstein *m*, Lapis'lazuli *m*. **2.** A'zur(blau *n*) *m*.

lap| joint *s tech.* Über'lappung(sverbindung) *f*. **'~-,joint** *v/t* über'lappen.

Lap·land·er ['læp,lændər] → Lapp 1.

Lapp [læp] **I** *s* **1.** Lappe *m*, Lappländer(in). **2.** *ling.* Lappisch *n*, das Lappische. **II** *adj* **3.** lappisch.

lap·pet ['læpit] *s* **1.** Zipfel *m*. **2.** (Rock)Schoß *m*. **3.** *anat.* (Fleisch-, Haut)Lappen *m*.

Lapp·ish ['læpiʃ], **Lap'po·ni·an** [-'pounien] → Lapp 2 *u.* 3.

lap| riv·et·ing *s tech.* Über'lappungsnietung *f*. ~ **robe** *s Am.* Reisedecke *f*.

lapse [læps] **I** *s* **1.** Lapsus *m*, Versehen *n*, (kleiner) Fehler *od.* Irrtum: ~ of the pen Schreibfehler; ~ of justice Justizirrtum; ~ of taste Geschmacksverirrung *f*. **2.** Vergehen *n*, Entgleisung *f*, Fehltritt *m*, Sünde *f*: ~ from duty Pflichtversäumnis *n*; ~ from faith Abfall *m* vom Glauben; moral ~, ~ from virtue Abweichen *n* von der Tugend, moralische Entgleisung; ~ into heresy Verfallen *n* in Ketzerei. **3.** a) Ab-, Verlauf *m*, Vergehen *n* (*der Zeit*), b) *jur.* (Frist)Ablauf *m*: ~ of time, c) Zeitspanne *f*. **4.** *jur.* a) Verfall *m*, Erlöschen *n* (*von Rechten etc*), b) Heimfall *m* (*von Erbteilen etc*). **5.** Verfall *m*, Absinken *n*, Niedergang *m*. **6.** Aufhören *n*, Verschwinden *n*, Aussterben *n*. **7.** *a.* ~ rate *meteor.* vertikaler (Tempera'tur)Gradi,ent. **II** *v/i* **8.** a) verstreichen (*Zeit*), b) ablaufen (*Frist*). **9.** verfallen (into in *acc*): to ~ into silence. **10.** absinken, abgleiten, verfallen (into in *acc*): to ~ into barbarism. **11.** (mo'ralisch) entgleisen, e-n Fehltritt tun, sündigen. **12.** abfallen (from faith vom Glauben). **13.** versäumen (from duty s-e Pflicht). **14.** aufhören, ‚einschlafen' (*Beziehungen, Unterhaltung etc*). **15.** verschwinden, aussterben. **16.** *jur.* a) verfallen, erlöschen (*Anspruch, Recht etc*), b) heimfallen (to an *acc*).

lap·sus ['læpsəs] (*Lat.*) → lapse 1.

La·pu·tan [lə'pjuːtən] **I** *s* **1.** La'puter(in) (*Bewohner der fliegenden Insel Laputa in Swifts „Gulliver's Travels"*). **2.** *fig.* Phan'tast(in). **II** *adj* **3.** phan'tastisch, ab'surd.

'lap|-,weld *v/t tech.* über'lapptschweißen. ~ **weld** *s tech.* Über'lapptschweißung *f*. ~ **wind·ing** *s electr.* Schleifenwicklung *f*. **'~,wing** *s orn.* Kiebitz *m*.

lar·board ['laːrbərd; -,bɔːrd] *mar. obs.* **I** *s* Backbord *n*. **II** *adj* Backbord...

lar·ce·ner ['laːrsənər], *a.* **'lar·ce·nist** [-nist] *s* Dieb *m*. **'lar·ce·nous** *adj* diebisch, Diebstahls... **'lar·ce·ny** [-ni] *s jur.* **1.** Diebstahl *m*. **2.** Unter'schlagung *f*.

larch [laːrtʃ] *s* **1.** *bot.* Lärche *f*. **2.** Lärchenholz *n*.

lard [laːrd] **I** *s* **1.** Schweinefett *n*, -schmalz *n*: ~ oil Schmalzöl *n*. **II** *v/t* **2.** *Fleisch* spicken: ~ing needle (*od.* pin) Spicknadel *f*. **3.** *fig.* spicken, schmücken (with mit).

lard·er ['laːrdər] *s* Speisekammer *f od.* -schrank *m*.

lar·don ['laːrdən], *a.* **lar'doon** [-'duːn] *s* Speckstreifen *m* (*zum Spicken*).

lar·dy-dar·dy ['laːrdi'daːrdi] *adj sl.* affek'tiert, ‚affig'.

la·res ['lɛ(ə)riːz; *Am. a.* 'lei-] (*Lat.*) *s pl antiq. relig.* Laren *pl* (*Schutzgeister von Haus u. Familie*): ~ and penates *fig.* häuslicher Herd, Heim *n*.

large [laːrdʒ] **I** *adj* (*adv* → largely) **1.** groß: a ~ horse (house, rock, room, *etc*); as ~ as life in Lebensgröße; ~r than life überlebensgroß; ~ of limb schwergliedrig. **2.** groß (*beträchtlich*): a ~ business (family, income, sum, *etc*); a ~ meal e-e reichliche Mahlzeit. **3.** um'fassend, weitgehend, ausgedehnt: ~ discretion weitgehende Ermessensfreiheit; ~ powers umfassende Vollmachten. **4.** Groß...: ~ farmer Großbauer *m*; ~ producer Großerzeuger *m*. **5.** *colloq.* großspurig. **6.** großzügig, -mütig (*obs. außer in Wendungen*): ~ tolerance;

a ~ attitude e-e vorurteilsfreie Einstellung; ~ views weitherzige Ansichten. **II** *s* **7.** Freiheit *f* (*obs. außer in*): at ~ a) in Freiheit, auf freiem Fuße; to set at ~ auf freien Fuß setzen, b) frei, ungebunden, c) (sehr) ausführlich: to discuss s.th. at ~, d) ganz allgemein, nicht präzise, e) in der Gesamtheit: the nation at ~ die Nation in ihrer Gesamtheit, die ganze Nation, f) *pol. Am.* e-n gesamten Staat *etc* vertretend (*u. nicht nur e-n bestimmten Wahlbezirk*), g) planlos, aufs Geratewohl: to talk at ~ ins Blaue hinein reden; gentleman at ~ Hofdienst leistender Herr ohne bestimmtes Hofamt, *weitS.* Herr ohne Beruf, Privatier *m.* **8.** in (the) ~ a) im großen, in großem Maßstabe, b) im ganzen. **III** *adv* **9.** (sehr) groß: to write ~. **10.** *colloq.* großspurig: to talk ~ ‚große Töne spucken'.

large| cal·o·rie *s phys.* 'Kilokalo,rie *f*, große Kalo'rie. **'~-'hand·ed** *adj fig.* freigebig. **'~'heart·ed** *adj* großherzig.

large·ly ['lɑːrdʒli] *adv* **1.** in hohem Maße, großen-, größtenteils. **2.** weitgehend, in großem 'Umfange, im wesentlichen. **3.** reichlich. **4.** allgemein.

'large|-'mind·ed *adj* vorurteilslos, aufgeschlossen, tole'rant, weitherzig. **,~-'mind·ed·ness** *s* Aufgeschlossenheit *f.* Weitherzigkeit *f.*

large·ness ['lɑːrdʒnis] *s* **1.** Größe *f.* **2.** Ausgedehntheit *f*, Weite *f*, 'Umfang *m.* **3.** Großzügigkeit *f*, Freigebigkeit *f.* **4.** Großmütigkeit *f.* **5.** Großspurigkeit *f.*

'large-'scale *adj* **1.** groß(angelegt), 'umfangreich, ausgedehnt, Groß..., Massen...: ~ attack Großangriff *m*; ~ experiment Großversuch *m*; ~ manufacture Massenherstellung *f.* **2.** in großem Maßstab (gezeichnet *etc*).

lar·gess(e) ['lɑːrdʒis; -dʒes] *s* **1.** Großzügigkeit *f*, Freigebigkeit *f.* **2.** a) Gabe *f*, reiches Geschenk, b) reiche *od.* protzige Geschenke *pl.*

lar·ghet·to [lɑːr'getou] *mus.* **I** *adj u. adv* lar'ghetto, ziemlich langsam. **II** *pl* **-tos** *s* Lar'ghetto *n.*

larg·ish ['lɑːrdʒiʃ] *adj* ziemlich groß.

lar·go ['lɑːrgou] *mus.* **I** *adj u. adv* largo, breit, sehr langsam. **II** *pl* **-gos** *s* Largo *n.*

lar·i·at ['læriət] *s* Lasso *m, n.*

la·rith·mics [lə'riðmiks] *s pl* (*als sg konstruiert*) Be'völkerungssta,tistik *f.*

lark¹ [lɑːrk] *s orn.* Lerche *f*: to rise with the ~ mit den Hühnern aufstehen.

lark² [lɑːrk] *colloq.* **I** *s* Jux *m*, Ulk *m*, Spaß *m*, lustiger Streich: to have a ~ s-n Spaß haben *od.* treiben; what a ~! was für ein Spaß! **II** *v/i* Possen treiben, spaßen, tollen.

lark·ing ['lɑːrkiŋ] → larksome.

lark·some ['lɑːrksəm] *adj colloq.* ausgelassen.

'lark,spur *s bot.* Rittersporn *m.*

lar·ri·kin ['lærikin] *s Austral.* (jugendlicher) Rowdy, Straßenlümmel *m.*

lar·rup ['lærəp] *v/t colloq.* ‚verdreschen', verprügeln.

lar·um ['lærəm] *abbr. für* alarum.

lar·va ['lɑːrvə] *pl* **-vae** [-viː] *s* **1.** *zo.* Larve *f.* **2.** *antiq.* Larve *f* (*Gespenst*).

'lar·val *adj* **1.** *zo.* lar'val, Larven... **2.** *med.* lar'viert, versteckt. **'lar·vate** [-veit] *adj* **1.** mas'kiert, versteckt. **2.** → larval 2. **'lar·vi,cide** *s* Larven-, *bes.* Raupenvertilgungsmittel *n.* **'lar·vi,form** [-,fɔːrm] *adj zo.* larvenförmig.

la·ryn·gal [lə'riŋgəl] *adj* Kehlkopf...

la'ryn·ge·al [-'rindʒiəl] **I** *adj med.* Kehlkopf..., larynge'al: ~ mirror Kehlkopfspiegel *m.* **II** *s ling.* Kehl(kopf)laut *m.* **lar·yn·gis·mus** [,lærin'dʒizməs] *s med.* Stimmritzenkrampf *m.* **,lar·yn'gi·tis** [-'dʒaitis] *s med.* Laryn'gitis *f*, Kehlkopfentzündung *f.*

lar·yn·gol·o·gist [,læriŋ'gɒlədʒist] *s med.* 'Kehlkopfspezia,list *m.*

la·ryn·go·pha·ryn·ge·al [lə,riŋgofə'rindʒiəl] *adj med.* la,ryngopha,rynge'al (*Kehlkopf u. Rachen betreffend*).

la·ryn·go·phone [lə'riŋgə,foun] *s electr.* 'Kehlkopfmikro,phon *n.*

la·ryn·go·scope [lə'riŋgə,skoup] *s med.* Kehlkopfspiegel *m.*

lar·yn·got·o·my [,læriŋ'gɒtəmi] *s med.* Kehlkopferöffnung *f*, -schnitt *m.*

lar·ynx ['læriŋks] *pl* **la·ryn·ges** [lə'rindʒiːz] *od.* **'lar·ynx·es** *s anat.* Kehlkopf *m*, Larynx *m.*

las·car ['læskər] *s mar.* Laskar *m* (*ostindischer Matrose*).

las·civ·i·ous [lə'siviəs] *adj* (*adv* ~ly) **1.** geil, wollüstig, lüstern. **2.** las'ziv, schlüpfrig. **las'civ·i·ous·ness** *s* **1.** Geilheit *f.* **2.** Schlüpfrigkeit *f*, Laszivi'tät *f.*

lash¹ [læʃ] **I** *s* **1.** Peitschenschnur *f*, -riemen *m.* **2.** Peitschen-, Rutenhieb *m.* **3.** the ~ die Prügelstrafe. **4.** *fig.* (at) (Peitschen)Hieb *m* (gegen), Geißelung *f* (*gen*). **5.** *a. fig.* Peitschen *n*: the ~ of the lion's tail; the ~ of the rain. **6.** *fig.* aufpeitschender Einfluß: the ~ of public opinion. **7.** (Augen-)Wimper *f.* **II** *v/t* **8.** peitschen, schlagen. **9.** *fig.* a) peitschen: the storm ~es the sea, b) peitschen(d schlagen) an (*acc*) *od.* gegen: the waves ~ the rocks. **10.** peitschen mit: to ~ the tail mit dem Schwanz um sich schlagen. **11.** *fig.* heftig (an)treiben, hetzen: to ~ o.s. into a fury sich in Wut hineinsteigern. **12.** *fig.* geißeln, scharf tadeln. **III** *v/i* **13.** peitschen, schlagen (*a. fig. Wind, Wellen etc*): to ~ down niederprasseln (*Regen, Hagel*). **14.** (at) a) heftig schlagen (nach), b) *fig.* heftig angreifen (*acc*), geißeln (*acc*), vom Leder ziehen (gegen). **15.** ~ out a) (wild) um sich schlagen, b) ausschlagen (*Pferd*), c) *fig.* ausbrechen (into in *acc*), d) → 14.

lash² [læʃ] *v/t* **1.** (fest)binden (to, on an *dat*). **2.** *mar.* (fest)zurren.

lash·er ['læʃər] *s* a) durch ein Wehr fließendes Wasser, b) Wehr *n*, c) Bekken *n* 'unterhalb des Wehrs.

lash·ing¹ ['læʃiŋ] *s* **1.** Peitschen *n.* **2.** Auspeitschung *f*, Züchtigung *f.* **3.** *fig.* Geißelung *f.* **4.** *pl Br. colloq.* Massen *pl*, ‚jede Menge' (*Whisky etc*).

lash·ing² ['læʃiŋ] *s* **1.** Anbinden *n*, Festmachen *n.* **2.** Leine *f*, Schnur *f.* **3.** *mar.* Lasching *f*, Tau *n.*

lash·less ['læʃlis] *adj* wimpernlos.

las·pring ['læspriŋ] *s ichth. Br.* Jährling *m*, junger Lachs.

lasque [*Br.* lɑːsk; *Am.* læ(ː)sk] *s* dünner flacher Dia'mant.

lass [læs] *s* **1.** Mädchen *n.* **2.** Liebste *f.*

las·sie ['læsi] *s bes. Scot.* Mädel *n.*

las·si·tude ['læsi,tjuːd] *s* Mattigkeit *f.*

las·so ['læsou; læ'suː] **I** *pl* **-sos** *s* Lasso *m, n.* **II** *v/t pret u. pp* **-soed** mit e-m Lasso fangen.

last¹ [*Br.* lɑːst; *Am.* læ(ː)st] **I** *adj* **1.** letzt(er, e, es): the ~ two die beiden letzten; ~ but one vorletzt(er, e, es); ~ but two drittletzt(er, e, es); for the ~ time zum letzten Male; to the ~ man bis auf den letzten Mann; the ~ day *relig.* der Jüngste Tag. **2.** letzt(er, e, es), vorig(er, e, es): ~ Monday, Monday ~ (am) letzten *od.* vorigen Montag; ~ night a) gestern abend, b) in der vergangenen Nacht; ~ week in der letzten *od.* vorigen Woche. **3.** neuest(er, e, es), letzt(er, e, es): the ~ news; the ~ thing in jazz das Neueste im Jazz; → word *Bes. Redew.* **4.** letzt(er, e, es), al'lein noch übrigbleibend: my ~ shilling mein letzter Schilling. **5.** letzt(er, e, es), endgültig, entscheidend: → word *Bes. Redew.* **6.** äußerst(er, e, es): of the ~ importance von höchster Bedeutung; my ~ price mein äußerster *od.* niedrigster Preis. **7.** letzt(er, e, es), am wenigsten erwartet *od.* geeignet: the ~ man I would choose der letzte, den ich wählen würde; he was the ~ person I expected to see mit ihm *od.* mit s-r Gegenwart hatte ich keinesfalls gerechnet; this is the ~ thing to happen es ist sehr unwahrscheinlich, daß dies geschehen wird. **8.** ‚letzt(er, e, es)', mise'rabelst(er, e, es), scheußlichst(er, e, es): the ~ form of vice.

II *adv.* **9.** zu'letzt, als letzt(er, e, es), an letzter Stelle: he came ~ er kam als letzter; ~ (but) not least nicht zuletzt, nicht zu vergessen; ~ of all ganz zuletzt. **10.** zu'letzt, zum letzten Male: I ~ met her in Berlin. **11.** schließlich, zuguter'letzt. **12.** letzt...: ~-mentioned letztgenannt, -erwähnt.

III *s* **13.** (*der, die, das*) Letzte: the ~ of the Mohicans der letzte Mohikaner; he would be the ~ to say such a thing er wäre der letzte, der so etwas sagen würde. **14.** (*der, die, das*) Letzte *od.* Letztgenannte. **15.** *ellipt. colloq. für* ~ baby, ~ joke, ~ letter *etc*: I wrote in my ~ ich schrieb in m-m letzten Brief; this is our ~ das ist unser Jüngstes. **16.** *colloq.* a) letzte Erwähnung, b) letztmaliger Anblick, c) letztes Mal: → *Bes. Redew.* **17.** *poet. od. Am.* Ende *n*: a) Schluß *m*, b) Tod *m*: → *Bes. Redew.*

Besondere Redewendungen:

at ~ a) endlich, b) schließlich, zuletzt; at long ~ schließlich (doch noch), nach langem Warten; to the ~ a) bis zum äußersten, b) bis zum Ende *od.* Schluß, c) bis zum Tode; to breathe one's ~ s-n letzten Atemzug tun; to hear the ~ of s.th. a) zum letzten Male von etwas hören, b) nichts mehr von etwas hören; to look one's ~ on zum letzten Male blicken auf (*acc*); we shall never see the ~ of that fellow den (Kerl) werden wir nie mehr los.

last² [*Br.* lɑːst; *Am.* læ(ː)st] **I** *v/i* **1.** (an-, fort)dauern, währen: too good to ~ zu schön, um lange zu währen. **2.** bestehen: as long as the world ~s. **3.** 'durch-, aus-, standhalten, sich halten: he won't ~ much longer er wird es nicht mehr lange machen (*a. Kranker*). **4.** (sich) halten: the paint will ~; the book will ~ das Buch wird sich (lange) halten; to ~ well (sehr) haltbar sein. **5.** (aus)reichen, genügen: while the money ~s solange das Geld reicht; we must make our supplies ~ wir müssen mit unseren Vorräten auskommen. **II** *v/t* **6.** *j-m* reichen: it will ~ us a week; **7.** *meist* ~ out a) über'dauern, -'leben, b) (es mindestens) ebenso lange aushalten wie. **III** *s* **8.** Ausdauer *f.*

last³ [*Br.* lɑːst; *Am.* læ(ː)st] *s* Leisten *m* (*des Schuhmachers*): to put s.th. on the ~ etwas über den Leisten schlagen;

to stick to one's ~ *fig.* bei s-m Leisten bleiben.

last[4] [*Br.* lɑːst; *Am.* læ(ː)st] *s* Last *f* (*Gewicht od. Hohlmaß, verschieden nach Ware u. Ort, meist etwa 4000 englische Pfund od. 30 hl*).

'last|-ˌditch *adj* verzweifelt: ~ fight Kampf *m* bis zum Äußersten. **'~-'ditch·er** *s* Unentwegte(r *m*) *f*.

last·ing [*Br.* 'lɑːstiŋ; *Am.* 'læ(ː)s-] **I** *adj* (*adv* ~**ly**) **1.** dauerhaft: a) (an)dauernd, anhaltend, beständig: ~ peace; ~ effect anhaltende Wirkung, b) haltbar. **2.** nachhaltig. **II** *s* **3.** Lasting *n*, 'Wollsaˌtin *m* (*Gewebe aus Hartkammgarn*). **'last·ing·ness** *s* **1.** Dauer(haftigkeit) *f*, Beständigkeit *f*, Haltbarkeit *f*. **2.** Nachhaltigkeit *f*.

last·ly [*Br.* 'lɑːstli; *Am.* 'læ(ː)s-] *adv* [zu'letzt, am Ende.]

latch [lætʃ] **I** *s* **1.** Klinke *f*, Schnäpper *m*, Falle *f*, Schnappriegel *m*: on the ~ (nur) eingeklinkt (*Tür*). **2.** Druck-, Schnappschloß *n*. **II** *v/t* **3.** ein-, zuklinken. **III** *v/i* **4.** (sich) einklinken, einschnappen. **5.** ~ on(to) *Am. colloq.* a) festhalten, b) sich festhalten an (*dat*), packen, c) ‚in die Finger kriegen', d) sich an *j-n* ‚ranmachen' *od.* halten. **6.** ~ onto *Am. colloq. etwas* ‚spitzkriegen', ‚ka'pieren'. ~ **bolt** *s* Falle *f* (*e-s Schnappschlosses*).

'latchˌkey *s* **1.** Drücker *m*, Schlüssel *m* (für ein Schnappschloß). **2.** Hausschlüssel *m*: ~ kid Schlüsselkind *n*; ~ vote *Br. hist.* Wahlrecht *n* der Untermieter.

late [leit] **I** *adj* (*adv* → lately) **1.** spät: at a ~ hour spät, zu später Stunde (*a. fig.*); → hour 2; on Monday at the ~st spätestens am Montag; ~ fee a) *mail Br.* Spät(einlieferungs)gebühr *f*, b) *Am.* Strafgebühr *f* für Verspätung; ~ fruits Spätobst *n*; see you ~r! auf bald!, bis später! **2.** vorgerückt, spät, Spät...: ~ summer Spätsommer *m*; L~ Latin Spätlatein *n*; the ~ 18th century das späte 18. Jh. **3.** verspätet, zu spät: to be ~ a) zu spät kommen, sich verspäten, spät dran sein, b) Verspätung haben (*Zug etc*), c) im Rückstand sein; to be ~ for dinner zu spät zu Tisch kommen; it is too ~ es ist zu spät. **4.** letzt(er, e, es), jüngst(er, e, es), neu: the ~ war der letzte Krieg; our ~ enemy unser ehemaliger Feind; the ~st fashion die neueste Mode; the ~st news die neuesten Nachrichten; of ~ years in den letzten Jahren; that's the ~st! *colloq.* das ist (doch) die Höhe! **5.** a) letzt(er, e, es), früher(er, e, es), ehemalig, vormalig, b) verstorben: the ~ lamented der *od.* die jüngst Entschlafene; the ~ prime minister der letzte *od.* der verstorbene Premierminister; the ~ government die letzte Regierung; my ~ residence m-e frühere Wohnung; ~ of Oxford früher in Oxford (wohnhaft). **II** *adv* **6.** spät: as ~ as last year erst *od.* noch letztes Jahr; better ~ than never lieber spät als gar nicht; ~r on später(hin); of ~ → lately; to sit up ~ bis spät in die Nacht aufbleiben; ~ in the day *colloq.* reichlich spät, ‚ein bißchen' spät. **7.** zu spät: to come ~. **'~-ˌcom·er** *s* Zu'spätkommende(r *m*) *f od.* Zu'spätgekommene(r *m*) *f*, Nachzügler(in).

lat·ed ['leitid] *adj poet.* verspätet.

la·teen [lə'tiːn] *mar.* **I** *adj* **1.** Latein...: ~-rigged Lateinsegel führend. **II** *s* **2.** *a.* ~ sail La'teinsegel *n*. **3.** La'teinsegelboot *n*.

late·ly ['leitli] *adv* **1.** vor kurzem, kürzlich, neulich, unlängst. **2.** in letzter Zeit, seit einiger Zeit, neuerdings.

la·ten·cy ['leitənsi] *s* La'tenz *f*, Verborgenheit *f*: ~ period *psych.* Latenzperiode *f* (*der Sexualität des Kindes*).

La Tène [la'tɛːn] *adj* Latène... (*die Latènezeit betreffend*).

late·ness ['leitnis] *s* **1.** späte Zeit, spätes Stadium: the ~ of the hour die vorgerückte Stunde. **2.** Verspätung *f*, Zu'spätkommen *n*.

la·tent ['leitənt] *adj* (*adv* ~**ly**) **1.** la'tent, verborgen: ~ abilities; ~ defect; ~ hatred. **2.** *med. phys. psych.* la'tent: ~ infection; ~ heat latente *od.* gebundene Wärme; ~ period Latenzstadium *n*, -zeit *f*. **3.** *bot.* unentwickelt.

lat·er·al ['lætərəl] **I** *adj* **1.** seitlich, Seiten...: ~ angle Seitenwinkel *m*; ~ axis Querachse *f*; ~ branch Seitenlinie *f* (*e-s Stammbaums*); a ~ deviation e-e seitliche Abweichung; ~ fin *ichth.* Seitenflosse *f*; ~ motion Seitwärtsbewegung *f*; ~ pass → 7; ~ stability *tech.* Querstabilität *f*; ~ thrust *tech.* Axialverschiebung *f*; ~ view Seitenansicht *f*; ~ wind Seitenwind *m*. **2.** *ling.* late'ral (*Laut*). **3.** *anat.* late'ral, seitenständig, seitlich (gelegen). **II** *s* **4.** Seitenteil *m*, *n*, -stück *n*. **5.** *bot.* Seitenzweig *m*. **6.** *ling.* Late'ral *m*. **7.** *sport* Querpaß *m*. **'lat·er·al·ly** *adv* **1.** seitlich, seitwärts. **2.** von der Seite.

Lat·er·an ['lætərən] **I** *s* **1.** Late'ran *m* (*Palast des Papstes in Rom*). **2.** Late'rankirche *f*. **II** *adj* **3.** late'ranisch.

lat·er·ite ['lætəˌrait] *s geol.* Late'rit *m*.

la·tex ['leiteks] *s bot.* Milchsaft *m*, Latex *m*.

lath [*Br.* lɑːθ; *Am.* læ(ː)θ] *pl* **laths** [-θs; -ðz] **I** *s* **1.** Latte *f*, Leiste *f*: as thin as a ~ spindeldürr (*Person*). **2.** *collect.* Latten *pl*, Leisten *pl*. **3.** *arch.* a) Lattenwerk *n*, b) Putzträger *m*: ~ and plaster *tech.* Putzträger u. Putz. **4.** *Bergbau*: (Getriebe)Pfahl *m*. **II** *v/t* **5.** mit Latten *od.* Leisten verschalen.

lathe[1] [leið] *tech.* **I** *s* **1.** Drehbank *f*: automatic ~ Automat *m*; ~ carriage Drehbanksupport *m*; ~ tool Drehstahl *m*; ~ tooling Bearbeitung *f* auf der Drehbank. **2.** Töpferscheibe *f*. **3.** Lade *f* (*am Webstuhl*). **II** *v/t* **4.** auf der Drehbank bearbeiten.

lathe[2] [leið] *s* Grafschaftsbezirk *m* (*jetzt nur noch in Kent*).

lath·er ['læðər; *Br. a.* 'lɑː-] **I** *s* **1.** (Seifen)Schaum *m*. **2.** schäumender Schweiß (*bes. e-s Pferdes*): in a ~ about s.th. *Am.* ganz ‚aus dem Häuschen' wegen e-r Sache. **II** *v/t* **3.** einseifen. **4.** *colloq.* verprügeln. **III** *v/i* **5.** schäumen. **'lath·er·y** *adj* schäumend, schaumig, mit Schaum bedeckt.

lath·ing [*Br.* 'lɑːθiŋ; *Am.* 'læ(ː)-] *s* Lattenwerk *n*, *bes.* -verschalung *f*.

'lathˌwork → lathing.

lath·y [*Br.* 'lɑːθi; *Am.* 'læ(')θi] *adj* lang [u. dünn.]

lath·y·rus ['læθirəs] *s bot.* Platterbse *f*.

lat·i·cif·er·ous [ˌlæti'sifərəs] *adj bot.* Milchsaft führend.

lat·i·fun·di·um [ˌlæti'fʌndiəm; ˌlei-] *pl* **-di·a** [-diə] *s* Lati'fundium *n*, Lati'fundienbesitz *m*.

Lat·in ['lætin; -tn] **I** *s* **1.** *ling.* La'tein(isch) *n*, das Lateinische. **2.** Ro'manisch *n*, das Romanische. **3.** *antiq.* a) La'tiner *m*, b) Römer *m*. **4.** Ro'mane *m*. **II** *adj* **5.** *ling.* la'teinisch, Latein... **6.** ro'manisch: the ~ peoples. **7.** *relig.* 'römisch-ka'tholisch: the ~ Church. **8.** la'tinisch. **'~-A'mer·i·can I** *adj* la'teinameriˌkanisch. **II** *s* La'teinameriˌkaner(in).

Lat·in·er ['lætinər] *s colloq.* ‚La'teiner' *m*.

Lat·in·ism ['lætiˌnizəm] *s ling.* Lati['nismus *m*.]

Lat·in·ist ['lætinist] *s ling.* Lati'nist(in).

La·tin·i·ty [lə'tiniti] *s* Latini'tät *f*, *j-s* Kenntnisse *pl* im La'teinischen.

Lat·in·i·za·tion [ˌlætinai'zeiʃən; -təni-] *s* Latini'sierung *f*.

Lat·in·ize ['lætiˌnaiz], *a.* **l~ I** *v/t* **1.** *e-e Sprache, ein Wort etc* latini'sieren. **2.** ins La'teinische über'tragen. **3.** *relig.* der 'römisch-ka'tholischen Kirche annähern *od.* ihrem Einfluß öffnen. **II** *v/i* **4.** Lati'nismen verwenden. **5.** *relig.* sich der 'römisch-ka'tholischen Kirche annähern.

lat·ish ['leitiʃ] *adj* etwas spät.

lat·i·tude ['lætiˌtjuːd] *s* **1.** *astr. geogr.* Breite *f*: degree of ~ Breitengrad *m*; in ~ 40 N. auf dem 40. Grad nördlicher Breite; high (low) ~s hohe (niedere) Breiten; in these ~s in diesen Breiten *od.* Gegenden. **2.** *Geodäsie*: Breite *f*. **3.** *fig.* a) Spielraum *m*, (Bewegungs)-Freiheit *f*: to allow s.o. great ~ j-m große Freiheit gewähren, b) großzügige Auslegung (*e-s Wortes*). **4.** *phot.* Belichtungsspielraum *m*. **ˌlat·i'tu·di·nal** [-dinl] *adj geogr.* latitudi'nal, Breiten...

lat·i·tu·di·nar·i·an [ˌlætiˌtjuːdi'nɛ(ə)riən] **I** *adj* **1.** weitherzig, libe'ral, tole'rant. **2.** *bes. relig.* freisinnig, freidenkerisch. **II** *s* **3.** *bes. relig.* Freigeist *m*, Freidenker(in). **4.** *relig. hist.* Latitudi'narier(in). **ˌlat·iˌtu·di'nar·i·anˌism** *s relig.* Duldsamkeit *f*, Tole'ranz *f*.

lat·i·tu·di·nous [ˌlæti'tjuːdinəs] *adj fig.* weit, großzügig: ~ interpretation.

la·trine [lə'triːn] *s* **1.** La'trine *f*. **2.** Abort *m*, Klo'sett *n*.

-latry [lətri] *Wortelement mit der Bedeutung* Anbetung, Verehrung.

lat·ten ['lætn] *s* **1.** *a.* ~ brass *obs.* Messingblech *n*. **2.** (*bes.* Zinn)Blech *n*.

lat·ter ['lætər] *adj* (*adv* → latterly) **1.** letzter(er, e, es) (*von zweien*), letztgenannt(er, e, es): → former[2] 4. **2.** neuer, jünger, mo'dern: in these ~ days in der jüngsten Zeit. **3.** letzt(er, e, es), später: the ~ half of June die zweite Junihälfte; the ~ years of one's life die letzten *od.* späteren Lebensjahre; the ~ end das Ende, der Tod. **4.** *poet.* letzt(er, e, es), Schluß... **~-'day** *adj* aus neuester Zeit, der Gegenwart, mo'dern. **'L~-'day Saints** *s pl* (*die*) Heiligen *pl* der letzten Tage (*Mormonen*).

lat·ter·ly ['lætərli] *adv* **1.** in letzter Zeit, neuerdings. **2.** am Ende.

lat·ter·most ['lætərˌmoust] *adj* letzt(er, e, es).

lat·tice ['lætis] **I** *s* **1.** Gitter(werk) *n*. **2.** Gitterfenster *n od.* -tür *f*. **3.** Gitter(muster *n*, -anordnung *f*) *n*. **II** *v/t* **4.** vergittern. **5.** ein gitterartiges Aussehen verleihen (*dat*). ~ **bridge** *s tech.* Gitterbrücke *f*. ~ **con·stant** *s phys.* 'Gitterkonˌstante *f*. ~ **frame,** ~ **gird·er** *s tech.* Gitter-, Fachwerkträger *m*. ~ **win·dow** *s* Gitter-, Rautenfenster *n*. **'~ˌwork** → lattice 1.

Lat·vi·an ['lætviən] **I** *adj* **1.** lettisch. **II** *s* **2.** Lette *m*, Lettin *f*. **3.** *ling.* Lettisch *n*, das Lettische.

laud [lɔːd] **I** *s* **1.** Lobeshymne *f*, Lobgesang *m*. **2.** *pl R.C.* Laudes *pl* (*Gebet*). **II** *v/t* **3.** loben, preisen, rühmen. **ˌlaud·a'bil·i·ty** *s* Löblichkeit *f*. **'laud·a·ble** *adj* (*adv* laudably) löblich, lobenswert.

lau·da·num [*Br.* 'lɔdnəm; *Am.* 'lɔːd-; -də-] *s pharm.* Laudanum *n*, 'Opiumpräpaˌrat *n*.

lau·da·tion [lɔːˈdeiʃən] *s* Lob *n.*
laud·a·to·ry [ˈlɔːdətəri] *adj* lobend, Lob..., Belobigungs..., preisend.
laud·er [ˈlɔːdər] *s* Lobpreiser(in).
laugh [*Br.* lɑːf; *Am.* læ(ː)f] **I** *s* **1.** Lachen *n*, Gelächter *n*: **to have a good ~ at s.th.** herzlich über e-e Sache lachen; **to have the ~ of s.o.** über j-n (am Ende) triumphieren, j-n auslachen können; **to have the ~ on one's side** die Lacher auf s-r Seite haben; **the ~ is against him** die Lacher sind auf der andern Seite; **to raise a ~** Gelächter erregen. **2.** Lachen *n*, Lache *f*: **a vicious ~** e-e böse Lache. **3.** *Am. colloq.* Witz *m*: **it's (he is) a ~** es (er) ist zum Lachen; **for ~s** (nur) zum Spaß, ‚aus Blödsinn'. **II** *v/i* **4.** lachen: **to ~ at** über *j-n od. etwas* lachen, sich über *j-n od. etwas* lustig machen, *j-n* auslachen; **to make s.o. ~** j-n zum Lachen bringen; **don't make me ~!** *colloq.* daß ich nicht lache!; **he ~s best who ~s last** wer zuletzt lacht, lacht am besten; → **sleeve** 1, **wrong** 2. **5.** *fig.* lachen, lächeln, strahlen (*Himmel etc*). **III** *v/t* **6.** lachend äußern: **he ~ed his thanks** er dankte lachend. **7.** lachen: **to ~ a bitter ~** bitter lachen; **to ~ s.o. out of s.th.** j-n durch Lachen von etwas abbringen; → **scorn** 2.
Verbindungen mit Adverbien:
laugh| a·way I *v/t* **1.** *Sorgen etc* durch Lachen verscheuchen: **to ~ one's sorrows.** **2.** → **laugh off.** **3.** *die Zeit* mit Scherzen verbringen. **II** *v/i* **4.** drauf'loslachen: **~!** lache (du) nur! **~ down** *v/t* **1.** *j-n* durch Gelächter zum Schweigen bringen. **2.** *etwas* durch Gelächter vereiteln *od.* unmöglich machen. **~ off** *v/t etwas* lachend *od.* mit e-m Scherz abtun, sich lachend hin'wegsetzen über (*acc*).
laugh·a·ble [*Br.* ˈlɑːfəbl; *Am.* ˈlæ(ː)f-] *adj* (*adv* **laughably**) **1.** ulkig, komisch. **2.** lachhaft, lächerlich.
laugh·er [*Br.* ˈlɑːfə; *Am.* ˈlæ(ː)fər] *s* Lacher(in).
laugh·ing [*Br.* ˈlɑːfiŋ; *Am.* ˈlæ(ː)fiŋ] **I** *s* **1.** Lachen *n*, Gelächter *n*. **II** *adj* (*adv* **~ly**) **2.** lachend. **3.** lustig: **a ~ mood; it is no ~ matter** es ist nicht(s) zum Lachen. **4.** *fig.* lachend, lächelnd, strahlend: **~ sky.** **~ gas** *s chem.* Lachgas *n.* **~ gull** *s orn.* Lachmöve *f.* **~ hy·e·na** *s zo.* 'Tüpfel-, 'Fleckenhy,äne *f.* **~ jack·ass** *s orn.* Rieseneisvogel *m.* **~ mus·cle** *s anat.* Lachmuskel *m.* **'~,stock** *s* Gegenstand *m* des Gelächters, Zielscheibe *f* des Spottes: **to make a ~ of o.s.** sich lächerlich machen.
laugh·ter [*Br.* ˈlɑːftər; *Am.* ˈlæ(ː)f-] *s* **1.** Lachen *n*, Gelächter *n*. **2.** Gegenstand *m* des Gelächters.
launce [*Br.* lɑːns; *Am.* læ(ː)ns] *s ichth.* Sandaal *m.*
launch¹ [lɔːntʃ; lɑːntʃ] **I** *v/t* **1.** *ein Boot* aussetzen, ins Wasser lassen. **2.** *ein Schiff* vom Stapel (laufen) lassen: **to be ~ed** vom Stapel laufen. **3.** *ein Flugzeug etc* (mit Kata'pult) starten, katapul'tieren, abschießen. **4.** *Geschoß, Torpedo* abschießen, *e-e Rakete a.* starten. **5.** *e-n Speer etc* schleudern. **6.** a) *e-e Rede, Kritik, e-n Protest etc, a. e-n Schlag* vom Stapel lassen, loslassen, b) *Drohungen etc* ausstoßen, c) *mil. Truppen* einsetzen, schicken (**against** gegen). **7.** *etwas* in Gang setzen, starten, beginnen, lan'cieren: **to ~ a business; to ~ a campaign; to be well ~ed on a project** e-e Sache schon weit vorangetrieben haben. **8.** *j-n* lan'cieren, *j-m* ‚Starthilfe' geben, *j-n* (gut) einführen: **to ~ o.s. on a project** ein Projekt in Angriff nehmen. **II** *v/i* **9.** *oft* **~ out** *fig.* sich stürzen (**into** in *acc*): **to ~ into a discussion; to ~ into eulogy** in e-e Lobrede ausbrechen. **10.** *a.* **~ out** a) ausschweifen (**into** in *acc*), b) großzügig Geld ausgeben, c) e-n Wortschwall von sich geben. **11.** *oft* **~ out, ~ forth** a) losfahren, aufbrechen, b) *fig.* loslegen, beginnen: **to ~ out into the sea** in See gehen; **to ~ out on a voyage of discovery** auf e-e Entdeckungsreise gehen. **III** *s* → **launching** 1—3.
launch² [lɔːntʃ; lɑːntʃ] *s mar.* Bar'kasse *f*: **(pleasure) ~** Vergnügungsboot *n.*
launch·er [ˈlɔːntʃər; ˈlɑːntʃər] *s* **1.** j-d, der (*etwas*) vom Stapel läßt *od.* in Gang setzt, Initi'ator *m.* **2.** *mil.* a) Schießbecher *m*, b) (Ra'keten)Werfer *m*, c) Abschußvorrichtung *f* (*für Fernlenkgeschosse*). **3.** *aer.* Kata'pult *m, n*, Startschleuder *f.*
launch·ing [ˈlɔːntʃiŋ; ˈlɑːntʃiŋ] **I** *s* **1.** *mar.* Stapellauf *m* (*a. fig.*). **2.** Abschuß *m*, Abschießen *n*. **3.** *aer.* Kata'pultstart *m.* **4.** *fig.* a) Starten *n*, In-'Gang-Setzen *n*, b) Start *m*, c) Einsatz *m.* **II** *adj* **5.** Start..., Schleuder..., Abschuß...: **~ pad, ~ platform** Abschußrampe *f* (*für Raketen*); **~ rocket** Startrakete *f.* **~ rail** *s tech.* Schleuderschiene *f* (*zum Raketenstart*). **~ rope** *s aer.* Startseil *n.* **~ site** *s* Abschußbasis *f* (*für Raketen*). **~ tube** *s mar. mil.* Tor'pedo(ausstoß)rohr *n.* **~ ways** *s pl* (*a. als sg konstruiert*) *mar.* Helling *f*, Ablaufbahn *f.*
laun·der [ˈlɔːndər; ˈlɑːndər] **I** *v/t* **1.** *Wäsche* waschen (u. bügeln). **II** *v/i* **2.** Wäsche waschen (u. bügeln). **3.** sich waschen (lassen): **to ~ well.** **III** *s* **4.** Trog *m.*
laun·der·ette [,lɔːndəˈret; ,lɑːn-] *s* [,Schnellwäsche'rei *f.*]
laun·dress [ˈlɔːndris; ˈlɑːn-] *s* **1.** Wäscherin *f.* **2.** *Br.* Aufwärterin *f* (*in den* Inns of Court).
laun·dry [ˈlɔːndri; ˈlɑːn-] *s* **1.** Wäsche'rei *f*, Waschanstalt *f*: **car ~** Autowäscherei *f.* **2.** Waschhaus *n*, -küche *f.* **3.** (*schmutzige*) Wäsche. **~ chute** *s* Wäscheschacht *m* (*e-s Wohnhochhauses*). **'~·man** [-mən] *s irr* Wäsche'reiangestellte(r) *m.* **'~,wom·an** *s irr* Wäsche'reiangestellte *f*, Wäscherin *f.*
lau·re·ate [ˈlɔːriit; -ri,eit] **I** *adj* **1.** lorbeergekrönt, -bekränzt, -geschmückt. **II** *s* **2.** Lorbeergekrönte(r) *m.* **3.** Laure'at *m*, Hofdichter *m.* **4.** Preisträger *m*: **Nobel ~.** **'lau·re·ate,ship** *s* Hofdichteramt *n*, -würde *f.* **,lau·re'a·tion** *s hist.* (Be)Krönung *f* mit Lorbeer (*z.B. bei Verleihung e-s akademischen Grades*).
lau·rel [ˈlɒrəl] *s* **1.** *bot.* Lorbeer(baum) *m.* **2.** *bot. Am. e-e lorbeerähnliche Pflanze, bes.* a) Kalmie *f*, b) Rhodo'dendron *n, m*: **great ~** Große Amer. Alpenrose. **3.** Lorbeer(laub *n*) *m* (*als Ehrenzeichen*). **4.** a) Lorbeerkranz *m*, b) Lorbeerzweig *m.* **5.** *pl fig.* Lorbeeren *pl*, Ehren *pl*, Ruhm *m*: **to look to one's ~s** eifersüchtig auf s-n Ruhm bedacht sein; **to reap** (*od.* **win, gain**) **~s** Lorbeeren ernten; **to rest on one's ~s** auf s-n Lorbeeren ausruhen. **'lau·reled,** *bes. Br.* **'lau·relled** *adj* **1.** lorbeergekrönt, -geschmückt. **2.** preisgekrönt.
Lau·ren·ti·an [lɒˈrenʃiən] **I** *adj* **1.** St. Lorenz..., den St. Lorenzstrom betreffend. **2.** *geol.* lau'rentisch. **II** *s* **3.** *geol.* Lau'rentium *n.*
la·va [ˈlɑːvə; *Am. a.* ˈlæ(ː)və] *s* Lava *f*: **~ flow** Lavastrom *m od.* -decke *f.*
la·va·bo [ləˈveibou] *pl* **-boes** *s* **1.** *relig.* La'vabo *n*: a) *Handwaschung des Priesters*, b) *dabei verwendetes Becken.* **2.** *oft* L~ *relig.* La'vabo *n* (*Psalm 25, 6—12*). **3.** großes steinernes Wasserbecken (*in Klöstern*). **4.** Waschbecken *n.*
lav·age [ˈlævidʒ] *s* **1.** Waschung *f.* **2.** *med.* (Aus)Spülung *f.*
la·va·tion [læˈveiʃən] *s* Waschung *f.*
lav·a·to·ry [ˈlævətəri] *s* **1.** Waschraum *m.* **2.** Toi'lette *f*, Klo'sett *n*: **public ~** Bedürfnisanstalt *f.* **3.** Waschbecken *n.* **4.** *relig.* Handwaschung *f.*
lave¹ [leiv] *poet.* **I** *v/t* **1.** waschen, baden. **2.** bespülen (*Meer etc*). **II** *v/i* **3.** sich baden. **4.** spülen (**against** an *acc*).
lave² [leiv] *s obs. od. dial.* Rest *m.*
lave·ment [ˈleivmənt] *s* **1.** Waschung *f.* **2.** *med.* Kli'stier *n*, Einlauf *m.*
lav·en·der [ˈlævəndər] **I** *s* **1.** *bot.* La'vendel *m*: **oil of ~, ~ oil** Lavendelöl *n*; **~ cotton** Heiligenkraut *n*; **~ water** Lavendel(wasser *n*) *m*; **to lay up in ~** *fig.* sorgsam aufbewahren. **2.** La'vendelfarbe *f*, Blaßlila *n.* **II** *adj* **3.** la'vendelfarben, blaßlila.
la·ver¹ [ˈleivər] *s* **1.** *poet.* Waschgefäß *n.* **2.** *poet.* (Brunnen)Becken *n*, Wasserschale *f.* **3.** *Bibl.* Waschbecken *n* (*im jüdischen Heiligtum*).
la·ver² [ˈleivər] *s bot.* **1.** *a.* **red ~** (*ein*) Purpurtang *m.* **2.** *a.* **green ~** 'Meersa,lat *m.*
lav·er·ock [ˈlævərək] *s orn. Scot.* [Lerche *f.*]
lav·ish [ˈlæviʃ] **I** *adj* **1.** sehr freigebig, verschwenderisch (**of** mit; **in** in *dat*): **to be ~ of** um sich werfen mit, nicht geizen mit, mit vollen Händen schenken, verschwenderisch umgehen mit. **2.** verschwenderisch, ('über)reichlich: **~ hospitality.** **II** *v/t* **3.** verschwenden, verschwenderisch (aus)geben: **to ~ s.th. on s.o.** j-n mit etwas überhäufen. **'lav·ish·ly** *adv* **1.** verschwenderisch. **2.** reichlich. **3.** reich: **~ illustrated.** **4.** in Hülle u. Fülle, mit vollen Händen (*schenken etc*). **'lav·ish·ness** *s* ('Über)Reichlichkeit *f*, verschwenderische Freigebigkeit.
lav·rock [ˈlævrək] → **laverock.**
law¹ [lɔː] *s* **1.** (*objektives*) Recht, Gesetz *n*, Gesetze *pl*: **according to ~, by ~, in ~, under the ~** nach dem Gesetz, von Rechts wegen, gesetzlich; **contrary to ~** gesetz-, rechtswidrig; **under German ~** nach deutschem Recht; **~ and order** Recht (*od.* Ruhe) u. Ordnung; **to take the ~ into one's own hands** sich selbst Recht verschaffen, zur Selbsthilfe greifen. **2.** (*einzelnes*) Gesetz: **the bill has become** (*od.* **passed into**) **~** die Gesetzesvorlage ist (zum) Gesetz geworden. **3.** → **common law.** **4.** Recht *n*: a) 'Rechtssy,stem *n*: **the English ~,** b) (einzelnes) Rechtsgebiet: **commercial ~** Handelsrecht; **~ of nations** Völkerrecht *od.* internationales Recht. **5.** Rechtswissenschaft *f*, Jura *pl*: **comparative ~** vergleichende Rechtswissenschaft; **to read** (*od.* **study, take**) **~** Jura studieren; **learned in the ~** rechtsgelehrt; **Doctor of L~s** (*abbr.* LL. D.) Doktor der Rechte. **6.** Ju'ristenberuf *m*, ju'ristische Laufbahn: **to be in the ~** Jurist sein. **7.** Rechtskenntnisse *pl*: **he has but little ~.** **8.** Gericht *n*, Rechtsweg *m*: **at ~** vor Gericht, gerichtlich; **to go to ~** vor Gericht gehen, den Rechtsweg beschreiten, prozessieren; **to go to ~ with s.o., to have** (*od.* **take**) **the ~ of**

(*od.* on) s.o. j-n verklagen *od.* belangen. **9.** *Am. sl.* (*die*) Poli'zei: to call in the ~. **10.** *allg.* Gesetz *n*, Vorschrift *f*, Gebot *n*, Befehl *m*: to be a ~ unto o.s. sich über jegliche Konvention hinwegsetzen; to lay down the ~ (alles) bestimmen, den Ton angeben, gebieterisch auftreten, selbstherrlich handeln. **11.** a) Gesetz *n*, Grundsatz *m*, Prin'zip *n*: the ~s of poetry die Gesetze der Dichtkunst, b) (Spiel)Regel *f*: the ~s of the game die Spielregeln. **12.** a) (Na'tur)Gesetz *n*, b) (wissenschaftliches) Gesetz, c) (Lehr)-Satz *m*: ~ of causality Kausalgesetz; ~ of sines Sinussatz. **13.** Gesetzmäßigkeit *f*, Ordnung *f* (*in der Natur*): not chance, but ~ nicht Zufall, sondern Gesetzmäßigkeit. **14.** *relig.* a) (göttliches) Gesetz *od.* Gebot, b) *oft* L~ *collect.* (göttliches) Gesetz, Gebote *pl* Gottes. **15.** *relig.* a) the L~ (of Moses) das Gesetz (des Moses), der Penta'teuch, b) das Alte Testa'ment. **16.** *hunt. sport* Vorgabe *f.* **17.** *fig.* (Gnaden)Frist *f.*

law² [lɔː] *interj vulg.* herr'je!

'law|-a,bid·ing *adj* gesetzestreu, friedlich, ordnungsliebend: ~ citizens. **'~,break·er** *s* Ge'setzesüber,treter(in). **~ calf** *s* helles feines Kalbsleder (*als Bucheinband für juristische Werke*). **~ court** *s* Gerichtshof *m.*

law·ful ['lɔːfəl; -ful] *adj* (*adv* ~ly) **1.** gesetzlich, gesetzmäßig, le'gal: ~ age gesetzliches Mindestalter, *bes.* Volljährigkeit *f*; ~ money gesetzliches Zahlungsmittel. **2.** rechtmäßig, legi'tim: ~ ruler; ~ son ehelicher *od.* legitimer Sohn. **3.** gesetzlich anerkannt, rechtsgültig: ~ marriage gültige Heirat. **'law·ful·ness** *s* Gesetzmäßigkeit *f*, Legali'tät *f*, Rechtsgültigkeit *f.*

'law|,giv·er *s* Gesetzgeber *m.* **'~,giv·ing I** *s* Gesetzgebung *f.* **II** *adj* gesetzgebend. **'~-,hand** *s Br. in Rechtsurkunden verwendete* Handschrift.

lawk [lɔːk], **lawks** [-s] → law².

law Lat·in *s* Ju'ristenla,tein *n.*

law·less ['lɔːlis] *adj* (*adv* ~ly) **1.** gesetzlos (*Land od. Person*). **2.** rechts-, gesetzwidrig, unrechtmäßig. **3.** zügellos: ~ passions. **'law·less·ness** *s* **1.** Gesetzlosigkeit *f.* **2.** Gesetzwidrigkeit *f.* **3.** Zügellosigkeit *f.*

law| lord *s* Mitglied *n* des brit. Oberhauses mit richterlicher Funkti'on. **'~,mak·er, '~,mak·ing** → lawgiver, lawgiving. **~ mer·chant** *s jur.* Handelsrecht *n.*

lawn¹ [lɔːn] *s* **1.** Rasen *m.* **2.** *obs.* Lichtung *f.*

lawn² [lɔːn] *s* Li'non *n*, Ba'tist *m.*

lawn|chair *s Am.* Liegestuhl *m.* **~ mow·er** *s* 'Rasen,mähma,schine *f.* **~ par·ty** *s Am.* **1.** → garden party. **2.** (Wohltätigkeits- *etc*) Veranstaltung *f* (unter freiem Himmel). **~ sieve** *s* Haarsieb *n.* **~ sprink·ler** *s* Rasensprenger *m.* **~ ten·nis** *s sport* Lawn-Tennis *n*, (Rasen)Tennis *n.*

law| of·fice *s* ('Rechts)Anwaltsbü,ro *n*, -praxis *f.* **~ of·fi·cer** *s jur.* **1.** Ju'stizbeamte(r) *m.* **2.** *Br. für* a) attorney general, b) solicitor general. **~ re·port** *s jur.* **1.** Bericht *m* über e-e richterliche Entscheidung. **2.** *pl* Sammlung *f* von Entscheidungen. **~ school** *s* 'Rechtsakade,mie *f.* **'~,suit** *s jur.* a) Pro'zeß *m*, (Gerichts)Verfahren *n*, b) Klage *f*: to bring a ~ e-n Prozeß anstrengen, Klage einreichen *od.* erheben (against gegen). **~ term** *s* **1.** ju'ristischer Ausdruck. **2.** Ge'richtsperi,ode *f.*

law·yer ['lɔːjər] *s* **1.** (Rechts)Anwalt *m.* **2.** Rechtsberater *m* (*e-r Firma etc*). **3.** Ju'rist *m*, Rechtsgelehrte(r) *m.* **4.** *Bibl.* Schriftgelehrte(r) *m.* **5.** *zo.* a) (*ein*) Stelzenläufer *m*, b) Amer. Quappe *f.* **6.** Schlammfisch *m.*

lax [læks] *adj* (*adv* ~ly) **1.** lax, locker, (nach)lässig: ~ morals lockere Sitten. **2.** unklar, verschwommen: ~ ideas. **3.** schlaff, lose, locker: a ~ rope ein schlaffes Seil; a ~ tissue ein lockeres Gewebe. **4.** *med.* a) offen, gut arbeitend: ~ bowels, b) an 'Durchfall leidend. **5.** *ling.* schlaff artiku'liert, offen: ~ vowel.

lax·a·tive ['læksətiv] *med.* **I** *s* Abführmittel *n.* **II** *adj* (leicht) abführend, stuhl(gang)fördernd.

lax·i·ty ['læksiti], **'lax·ness** [-nis] *s* **1.** Laxheit *f*, Lässigkeit *f.* **2.** Ungenauigkeit *f*, Verschwommenheit *f.* **3.** Lockerheit *f*, Schlaffheit *f.*

lay¹ [lei] **I** *s* **1.** (*bes.* geo'graphische) Lage: the ~ of the land *fig.* die Lage. **2.** Schicht *f*, Lage *f.* **3.** Schlag *m* (*beim Tauwerk*). **4.** Plan *m.* **5.** Gewinnanteil *m.* **6.** *sl.* ‚Job' *m*, Beschäftigung *f*, Tätigkeit *f.* **7.** *Am.* Preis *m*, (Verkaufs)-Bedingungen *pl.*

II *v/t pret u. pp* **laid** [leid] **8.** legen: to ~ s.o. in the grave; to ~ s.th. on the table; to ~ to sleep (*od.* rest) zur Ruhe legen; to ~ bricks Backsteine legen; to ~ a bridge e-e Brücke schlagen; to ~ a cable ein Kabel (ver)legen; to ~ troops Truppen (in Quartier) legen, einquartieren (on bei); → *Verbindungen mit den entsprechenden Substantiven etc.* **9.** *Eier* legen. **10.** *fig.* legen, setzen: to ~ an ambush e-n Hinterhalt legen; to ~ one's hopes on s-e Hoffnungen setzen auf (*acc*); to ~ stress on Nachdruck legen auf (*acc*); to ~ the ax(e) to a tree die Axt an e-n Baum legen; to ~ the whip to s.o.'s back j-n (aus)peitschen; the scene is laid in Rome der Schauplatz *od.* Ort der Handlung ist Rom, das Stück *etc* spielt in Rom. **11.** ('her)richten, anordnen: to ~ the fire das Feuer (*im Kamin*) anlegen; to ~ the table (*od.* cloth) den Tisch decken; to ~ lunch den Tisch zum Mittagessen decken. **12.** (*mit e-m Belag etc*) belegen, bedecken: to ~ the floor with linoleum. **13.** *Farbe etc* auftragen. **14.** (before) vorlegen (*dat*), bringen (vor *acc*): to ~ one's case before a commission; → table 2. **15.** geltend machen, erheben, vorbringen: to ~ claim to s.th. Anspruch erheben auf e-e Sache, etwas beanspruchen; to ~ an information against s.o. Klage erheben *od.* (Straf)Anzeige erstatten gegen j-n. **16.** *Schaden etc* festsetzen (at auf *acc*). **17.** *Schuld etc* zuschreiben, zur Last legen (to dat): to ~ a mistake to s.o. (*od.* to s.o.'s charge) j-m e-n Fehler zur Last legen. **18.** a) *e-e Steuer* auferlegen (on, upon *dat*), b) *e-e Strafe, ein Embargo etc* verhängen (on über *acc*). **19.** *e-n Plan* schmieden, ersinnen. **20.** a) *etwas* wetten, b) setzen auf (*acc*). **21.** *a.* ~ low, ~ in the dust niederwerfen, -strecken, zu Boden strekken. **22.** *Getreide etc* zu Boden drükken, 'umlegen. **23.** *den Wind, die Wogen etc* beruhigen, besänftigen: the wind is laid der Wind hat sich gelegt. **24.** *Staub* löschen. **25.** *e-n Geist* bannen. **26.** *Stoff etc* glätten, glattpressen. **27.** *mar.* Kurs nehmen auf (*acc*), ansteuern. **28.** *mil. ein Geschütz* richten. **29.** *vulg.* ‚'umlegen' (*koitieren mit*).

III *v/i* **30.** (Eier) legen. **31.** wetten. **32.** zuschlagen, Schläge austeilen: to ~ about one um sich schlagen; to ~ into s.o. *sl.* auf j-n einhauen. **33.** ~ to (e'nergisch) ‚rangehen' an *e-e Sache*: to ~ to one's oars sich in die Riemen legen. **34.** ~ for *j-m* auflauern. **35.** *mar.* sich begeben (*nur in Verbindung mit Adverbien*): ~ aft! alle Mann nach achtern! **36.** *vulg. od. mar.* liegen.

Verbindungen mit Adverbien:

lay| a·board *v/t mar.* sich längsseits legen von (*od. gen*). **~ a·bout** *v/i* **1.** heftig um sich schlagen. **2.** e'nergisch handeln. **~ a·side, ~ by** *v/t* **1.** bei'seite legen. **2.** ablegen, aufgeben. **3.** (*für die Zukunft*) bei'seite legen, zu'rücklegen, sparen. **~ down** *v/t* **1.** 'hinlegen. **2.** *ein Amt, die Waffen etc* niederlegen: to ~ one's arms; to ~ an office; to ~ one's tools streiken. **3.** *e-e Hoffnung* aufgeben. **4.** *sein Leben* 'hingeben, opfern. **5.** *Geld etc* a) 'hinlegen, b) hinter'legen, einsetzen. **6.** a) die Grundlagen legen für, b) planen, entwerfen, c) bauen. **7.** *e-n Grundsatz etc* aufstellen, *Regeln etc* festlegen, -setzen, vorschreiben, *Bedingungen* (*in e-m Vertrag*) niederlegen, verankern: → law¹ 10. **8.** *Wein etc* einlagern, *Eier* einlegen. **9.** *agr.* besäen, bepflanzen (in, to, under, with mit). **~ in** *v/t* sich eindecken mit, einlagern. **~ off I** *v/t* **1.** *Arbeiter* (vor'übergehend) entlassen. **2.** *die Arbeit* einstellen. **3.** *colloq. das Rauchen etc* aufgeben: to ~ smoking. **4.** *Am. sl.* in Ruhe lassen: ~! hör' auf (damit)! **II** *v/i* **5.** *Am.* a) Feierabend machen, b) Ferien machen, ausspannen, c) aufhören. **~ on I** *v/t* **1.** *e-e Steuer etc* auferlegen. **2.** *die Peitsche etc* schwingen, gebrauchen. **3.** *Farbe etc* auftragen: to lay it on a) ‚scharf rangehen', b) (thick) ‚dick auftragen', übertreiben; → trowel 1. **4.** *Fleisch, Fett* ansetzen. **5.** *Br. Gas etc* instal'lieren, (*Wasser- etc*)Leitung legen: to ~ gas to a house ein Haus ans Gasversorgungsnetz anschließen. **6.** *Hund* auf die Fährte setzen. **II** *v/i* **7.** zuschlagen, angreifen. **~ o·pen** *v/t* **1.** bloßlegen. **2.** a) offen darlegen, b) aufdecken, enthüllen. **~ out** *v/t* **1.** ausbreiten. **2.** ausstellen. **3.** *e-n Toten* aufbahren. **4.** *Geld* ausgeben. **5.** *e-n Garten etc* anlegen. **6.** a) *e-n Plan* entwerfen, b) *etwas* planen, entwerfen. **7.** 'herrichten, vorbereiten. **8.** *print.* aufmachen, gestalten. **9.** *sl.* a) zs.-schlagen, k.o. schlagen, b) ‚'umlegen', ‚kaltmachen'. **10.** to lay o.s. out *colloq.* sich sehr anstrengen *od.* bemühen, ‚sich am Riemen reißen'. **~ o·ver** *v/t* **1.** über'ziehen, belegen (with mit). **2.** auf-, verschieben. **~ to I** *v/t* **1.** *mar.* a) beidrehen mit (*dem Schiff*), b) *in e-n Hafen, ein Dock etc* einbringen. **II** *v/i* **2.** *mar.* → lie to. **3.** *colloq.* a) ‚sich ranmachen', b) zuschlagen. **~ up** *v/t* **1.** aufspeichern, zu'rücklegen, (an)sammeln. **2.** *ein Schiff* auflegen, außer Dienst stellen. **3.** *mot.* stillegen. **4.** to be laid up das Bett hüten müssen, bettlägerig sein (with wegen).

lay² [lei] *pret von* **lie²**.

lay³ [lei] *adj* Laien...: a) *relig.* weltlich, b) laienhaft, nicht fachmännisch: to the ~ mind für den Laien(verstand).

lay⁴ [lei] *s poet.* Lied *n.*

'lay|-a,bout *s colloq.* ‚Gammler' *m*, Faulenzer *m*, Tagedieb *m.* **~ broth·er** *s relig.* Laienbruder *m.* **'~-,by** *s mot.* Parkstreifen *m.* **~ com·mun·ion** *s relig.* **1.** Laiengemeinschaft *f* (*mit der*

Kirche). **2.** 'Laienkommuniˌon *f.* ~ **day** *s mar.* **1.** Liegetag *m.* **2.** *pl* Liegetage *pl*, -zeit *f.* '~-ˌ**down** *adj colloq.* Umlege...: ~ collar Umlegekragen *m.*
lay·er ['leiər] **I** *s* **1.** Schicht *f*, Lage *f*: in ~s lagen-, schichtweise; ~ of fat *physiol.* Fettschicht. **2.** *geol.* Schicht *f*, Lager *n*, Flöz *n.* **3.** j-d, der *od.* etwas, was legt, Leger *m*, (*in Zssgn*) ...leger *m*: pipe~ Rohrleger. **4.** Leg(e)henne *f*: this hen is a good ~ diese Henne legt gut. **5.** *agr. bot.* Ableger *m.* **6.** *mil.* 'Höhenˌrichtkanoˌnier *m.* **II** *v/t* **7.** *e-e Pflanze* durch Ableger vermehren. **8.** schichtweise legen, über'lagern. **III** *v/i* **9.** *agr. bot.* ablegen, absenken. **10.** sich lagern, 'umgesunken sein.
'lay·er·age *s agr. bot.* Ablegen *n.*
lay·er| cake *s* Schichttorte *f.* '~-**'on** *s* **1.** *tech.* Zubringer *m.* **2.** *print. Br.* Anleger(in).
lay·ette [lei'et] *s* Babyausstattung *f.*
lay fig·ure *s* **1.** *paint. etc* Gliederpuppe *f* (*als Modell*). **2.** *fig.* a) Mario'nette *f*, Null *f*, b) Strohmann *m.*
lay·ing ['leiiŋ] *s* **1.** Legen *n*: ~ on of hands *bes. relig.* Handauflegung *f.* **2.** *tech.* (Ver)Legen *n* (*von Leitungen etc*). **3.** (*Eier*)Legen *n*: a hen past ~ e-e Henne, die nicht mehr legt. **4.** Gelege *n* (*Eier*). **5.** *arch.* Bewurf *m.*
lay| judge *s jur.* Laienrichter *m.* ~ **lord** *s Br. Mitglied des Oberhauses, das nicht ein* law lord *ist.* '~·**man** [-mən] *s irr* **1.** Laie *m* (*Ggs. Geistlicher*). **2.** Laie *m*, Nichtfachmann *m.* '~ˌ**off** *s* **1.** (vor'übergehende) Entlassung *od.* Arbeitseinstellung *od.* Arbeitslosigkeit. **2.** Pause *f*, Pau'sieren *n.* '~ˌ**out** *s* **1.** Ausbreiten *n*, -legen *n.* **2.** Grundriß *m*, Lageplan *m.* **3.** Plan *m*, Entwurf *m.* **4.** Anlage *f*, Planung *f*, Anordnung *f*, Gestaltung *f.* **5.** *print.* Layout *n*, Gestaltung(sskizze) *f*, Satzspiegel *m.* **6.** Aufmachung *f* (*e-r Zeitschrift etc*). **7.** Ausrüstung *f*, -stattung *f*, Gerät *n.* **8.** *Am. sl.* a) Anwesen *n*, Haus *n*, b) ‚Verein' *m* (*Organisation*). '~ˌ**o·ver** *s Am.* (kurzer) Aufenthalt, 'Fahrtunterˌbrechung *f.* ~ **sis·ter** *s* Laienschwester *f.* '~ˌ**stall** *s Br.* Müllablagerungsstelle *f.* '~ˌ**wom·an** *s irr* (weiblicher) Laie, Laiin *f.*
la·zar ['leizər; 'læzər] *s* **1.** Bettler *m* mit ekelerregender Krankheit. **2.** Aussätzige(r) *m.*
laz·a·ret(te) [ˌlæzə'ret], ˌ**laz·a'ret·to** [-tou] *pl* **-tos** *s* **1.** Iso'lier- *od.* 'Aussätzigenspiˌtal *n* (*für Arme*). **2.** Ge'fängnisspiˌtal *n.* **3.** Quaran'tänestatiˌon *f*, -schiff *n.*
Laz·a·rus ['læzərəs] **I** *npr Bibl.* Lazarus *m.* **II** *s a.* l~ (*bes.* aussätziger) Bettler: Dives and ~ der Reiche u. der arme Lazarus.
laze [leiz] **I** *v/i* faulenzen. **II** *v/t* ~ away *Zeit* vertrödeln, mit Nichtstun verbringen. **III** *s colloq.* Nichtstun *n.*
la·zi·ness ['leizinis] *s* **1.** Faulheit *f*, Trägheit *f.* **2.** Langsamkeit *f.*
laz·u·li ['læzjuˌlai; -li] → lapis lazuli.
laz·u·lite ['læzjuˌlait] *s min.* Lazu'lith *m*, Blauspat *m.*
laz·u·rite ['læzjuˌrait] *s min.* Lasu'rit *m.*
la·zy ['leizi] **I** *adj* (*adv* lazily) **1.** faul, träg(e). **2.** träg(e), langsam, sich langsam bewegend. **3.** müde *od.* faul machend, ‚faul': ~ weather. **4.** *Am.* liegend (*Brandzeichen etc*). **II** *v/t u. v/i* → laze I *u.* II. '~-ˌ**bed** *s Br. Kartoffelbeet, in dem die Kartoffeln obenauf gelegt u. mit Erde, Sägemehl etc überschüttet werden.* '~ˌ**bones** *s colloq.* Faulpelz *m.* ~ **eight** *s aer.* Langsame Acht (*im Kunstflug*). ~ **pin·ion** *s tech.* Zwischenrad *n* (*im Zahnradgetriebe*). **L~ Su·san** *s Am.* drehbares Ta'blett.
'ld [d] *colloq. für* would *od.* should.
lea[1] [liː] *s poet.* Flur *f*, Aue *f*, Wiese *f.*
lea[2] [liː] *s* Lea *n* (*ein Garnmaß; für Wolle meist 80 Yard, Baumwolle u. Seide 120 Yard, Leinen 300 Yard*).
leach [liːtʃ] **I** *v/t* **1.** 'durchsickern lassen. **2.** (aus)laugen. **3.** *meist* ~ out (her)'auslaugen, extra'hieren. **II** *v/i* **4.** ausgelaugt werden. **5.** 'durchsickern.
lead[1] [liːd] **I** *s* **1.** Führung *f*: a) Leitung *f*: under s.o.'s ~, b) führende Stelle, Spitze *f*: to be in the ~ an der Spitze stehen, führend sein; to have the ~ die Führung innehaben, *sport etc* in Führung *od.* vorn(e) liegen; to take the ~ a) *a. sport* die Führung übernehmen, sich an die Spitze setzen, b) die Initiative ergreifen, c) vorangehen, neue Wege weisen; to give a ~ *hunt.* vorangehen, -reiten. **2.** *sport u. fig.* a) Führung *f*, b) Vorsprung *m*: one minute's ~ 'eine Minute Vorsprung; to have a two-goal ~ mit zwei Toren führen; to have the ~ over *fig.* e-n Vorsprung haben vor (*der Konkurrenz etc*). **3.** *Boxen*: (*e-e Schlagserie*) einleitender Schlag. **4.** Vorbild *n*, Beispiel *n*: to follow s.o.'s ~ j-s Beispiel folgen; to give s.o. a ~ j-m ein gutes Beispiel geben, j-m mit gutem Beispiel vorangehen. **5.** 'Hinweis *m*, Fingerzeig *m*, Anhaltspunkt *m.* **6.** a) führende Rolle, Hauptrolle *f*, b) Hauptdarsteller(in). **7.** *Kartenspiel*: a) Vorhand *f*, b) zu'erst ausgespielte Karte *od.* Farbe: your ~! Sie spielen aus! **8.** a) (zs.-fassende) Einleitung (*zu e-m Zeitungsartikel*), b) *Am.* 'Hauptarˌtikel *m.* **9.** *tech.* Steigung *f*, Ganghöhe *f* (*e-s Gewindes*). **10.** *electr.* a) (Zu)Leitung *f*, b) Leiter *m*, Leitungsdraht *m*, c) *a.* phase ~ Voreilung *f.* **11.** ('Mühl)Kaˌnal *m.* **12.** Wasserrinne *f* (*in e-m Eisfeld*). **13.** (Hunde)Leine *f.* **14.** *mil.* Vorhalt *m.*
II *adj* **15.** Leit..., Führungs..., Haupt...
III *v/t pret u. pp* **led** [led] **16.** führen, leiten, *j-m* den Weg zeigen: to ~ the way vorangehen, den Weg zeigen; → garden 1, nose *Bes. Redew.* **17.** führen, bringen: this road will ~ you to town; → temptation. **18.** *a. fig.* lenken, führen, leiten. **19.** bewegen, verleiten, -führen (to zu), dahin bringen, veranlassen (to do zu tun): this led me to believe dies veranlaßte mich zu glauben. **20.** (an)führen, leiten, an der Spitze stehen von: to ~ an army e-e Armee führen *od.* befehligen; to ~ the field *sport* das Feld anführen. **21.** *ein Orchester* leiten, diri'gieren. **22.** *ein behagliches etc Leben* führen. **23.** *j-m etwas* bereiten: to ~ s.o. a (dog's) life j-m das Leben zur Hölle machen; → dance 8. **24.** *e-n Zeugen* durch Sugge'stivfragen lenken. **25.** *e-e Karte, Farbe etc* aus-, anspielen. **26.** *Boxen*: *e-n Schlag* führen.
IV *v/i* **27.** führen: a) vor'angehen, den Weg weisen (*a. fig.*), b) die erste *od.* leitende Stelle einnehmen, Führer sein, c) *sport* an der Spitze *od.* in Führung liegen: to ~ by points nach Punkten führen. **28.** führen (*Straße, Gang etc*): all roads ~ to Rome alle Wege führen nach Rom; to ~ to *fig.* führen zu, *etwas* zeitigen. **29.** *Boxen*: (zu schlagen) beginnen: to ~ with the left; to ~ with the chin *fig.* das Schicksal herausfordern.

Verbindungen mit Adverbien:
lead| a·stray *v/t* in die Irre führen, *fig. a.* irre-, verführen. ~ **a·way** *v/t* verleiten (*meist pass*): to be led away sich verleiten lassen. ~ **off I** *v/t* einleiten, eröffnen, beginnen. **II** *v/i* den Anfang machen. ~ **on I** *v/t* **1.** verführen, verlocken (to zu). **2.** *j-n* ‚anführen'. **II** *v/i* **3.** weiterführen (to zu). ~ **up** *v/i* (to) (all'mählich) führen (zu), 'überleiten (zu), einleiten (*acc*).
lead[2] [led] **I** *s* **1.** *chem.* Blei *n.* **2.** *mar.* Senkblei *n*, Lot *n*: to cast (*od.* heave) the ~ das Lot auswerfen, loten; to swing the ~ *mar. mil. Br. sl.* sich drücken, *bes.* krank spielen. **3.** Blei *n*, Kugeln *pl* (*Geschosse*). **4.** *chem.* Gra'phit *m*, Reißblei *n.* **5.** (Bleistift)-Mine *f.* **6.** *print.* 'Durchschuß *m.* **7.** Fensterblei *n*, Bleifassung *f.* **8.** *pl Br.* a) bleierne Dachplatten *pl*, b) (flaches) Bleidach. **9.** → white lead. **II** *v/t* **10.** verbleien. **11.** mit Blei beschweren. **12.** *Fensterglas* in Blei fassen. **13.** *print.* durch'schießen. **III** *v/i* **14.** *mar.* loten.
lead| ac·e·tate [led] *s chem.* 'Bleiaceˌtat *n*, -zucker *m.* ~ **ar·se·nate** *s chem.* 'Bleiarseniˌat *n.* '~-ˌ**cham·ber proc·ess** *s chem.* Bleikammerverfahren *n.* ~ **col·ic** *s med.* Bleikolik *f.*
lead·en ['ledn] *adj* (*adv* ~ly) **1.** bleiern, Blei...: ~ cable. **2.** *fig.* bleiern, schwer: ~ limbs; ~ silence; ~ sleep. **3.** bleiern, bleigrau: ~ sky. **4.** schwerfällig, hölzern: ~ witticisms.
lead·er ['liːdər] *s* **1.** Führer(in), Erste(r *m*) *f*: follow my ~ *Spiel, bei dem jeder das tun muß, was der erste tut.* **2.** (An)Führer *m*, (*pol. Partei-, Fraktions-, Oppositions*)Führer *m*, *mil.* (*bes.* Zug- *od.* Gruppen)Führer *m*: L~ of the House (of Commons) Führer des Unterhauses. **3.** *mus.* a) Leiter *m*, Diri'gent *m*, b) wichtigster Spieler *od.* Sänger, *bes.* Kon'zertmeister *m od.* erster So'pran. **4.** *jur. Br.* a) erster Anwalt: ~ for the defence Hauptverteidiger *m*, b) Kronanwalt *m.* **5.** Leitpferd *n.* **6.** *Br.* 'Leitarˌtikel *m* (*e-r Zeitung*): ~ writer Leitartikler *m.* **7.** *allg. fig.* ‚Spitzenreiter' *m.* **8.** *econ.* a) 'Zug-, 'Lockarˌtikel *m*, b) 'Spitzenarˌtikel *m*, führende Marke, c) *pl* (*Börse*) führende Marktwerte *pl.* **9.** *tech.* a) Leitungs-, *bes.* Fallrohr *n*, b) Hauptantriebsrad *n.* **10.** Leitschnur *f* (*e-r Angel*). **11.** *pl print.* Leit-, Ta'bellenpunkte *pl.* **12.** *bot.* Leit-, Haupttrieb *m.* **13.** *anat.* Sehne *f.* **14.** Sugge'stivfrage *f.* **15.** Startband *n* (*e-s Films*). ['Leitarˌtikel.
lead·er·ette [ˌliːdə'ret] *s Br.* kurzer
lead·er·ship ['liːdərˌʃip] *s* **1.** Führung *f*, Leitung *f.* **2.** Führerschaft *f.* **3.** (gute) Führereigenschaften *pl.*
'lead|-ˌin ['liːd-] *adj electr.* Zuleitungs..., Einführungs...: ~ cable. '~ˌ**in** *s* **1.** *electr.* (*a.* An'tennen)Zuleitung *f.* **2.** *Am. fig.* Einführung *f.*
lead·ing[1] ['liːdiŋ] **I** *s* **1.** Leitung *f*, Führung *f.* **II** *adj* **2.** Leit..., leitend, führend: → leading motive. **3.** Haupt..., führend, erst(er, e, es), (be)herrschend, maßgebend, tonangebend: ~ citizen prominenter Bürger; ~ fashion herrschende Mode.
lead·ing[2] ['lediŋ] *s* **1.** Bleiwaren *pl.* **2.** Verbleiung *f.* **3.** a) 'Bleiˌüberzug *m*, b) Bleifassung *f.* **4.** → lead[2] 6.
lead·ing| ar·ti·cle ['liːdiŋ] → leader 6 *u.* 8 a *u.* b. ~ **busi·ness** *s thea.* Hauptrollen *pl.* ~ **case** *s jur.* Präze'denzfall *m.* ~ **coun·sel** → leader 4 a. ~ **edge** *s* **1.** *aer.* a) Leitkante *f*, Flügelnase *f*

(*an der Tragfläche*), b) Blattvorderkante *f* (*der Luftschraube*), Blattnase *f* (*am Rotor*). **2.** *allg.* Vorderkante *f.* ~ **la·dy** *s thea.* Hauptdarstellerin *f*, erste Liebhaberin. ~ **light** *s* **1.** *mar.* Leitfeuer *n.* **2.** *colloq.* führende Per'sönlichkeit. ~ **man** *s irr* Hauptdarsteller *m.* ~ **mark** *s mar.* Leit-, Richtungsmarke *f.* ~ **mo·tive** *s* **1.** 'Hauptmo,tiv *n.* **2.** *mus.* 'Leitmo,tiv *n.* ~ **note** *s mus.* Leitton *m.* ~ **ques·tion** *s jur.* Sugge'stivfrage *f.* ~ **rein** *s* Leitzügel *m.* ~ **strings** *s pl* Gängelband *n* (*a. fig.*): in ~ *fig.* a) in den Kinderschuhen (steckend), b) am Gängelband. ~ **tone** → leading note.

lead line [led] *s mar.* Lotleine *f.*

'lead|-,off ['li:d-] *adj* Eröffnungs..., erst(er, e, es). '~,**off** *s* **1.** Eröffnung *f*, Einleitung *f.* **2.** *sport* a) Anspieler *m*, b) → lead¹ 3.

lead| pen·cil [led] *s* Bleistift *m.* '~-,**pipe cinch** *s Am. sl.* todsichere Sache. ~ **poi·son·ing** *s med.* Bleivergiftung *f.*

lead| soap [led] *s chem.* Bleiseife *f.* ~ **tree** *s bot., a. chem.* Bleibaum *m.* ~ **wool** *s chem. tech.* Bleiwolle *f.* '~-,**work** *s* **1.** Bleiarbeit *f.* **2.** *pl* (*oft als sg konstruiert*) Bleihütte *f.*

lead·y ['ledi] *adj* **1.** bleiern, bleiartig. **2.** bleihaltig.

leaf [li:f] **I** *pl* **leaves** [li:vz] *s* **1.** *bot.* Blatt *n*: ~ **blade** Blattspreite *f*; ~ **bud** Blattknospe *f*; in ~ belaubt; to come into ~ ausschlagen; fall of the ~ Herbst *m.* **2.** *bot.* (Blumen)Blatt *n*: rose ~. **3.** *collect.* a) Teeblätter *pl*, b) Tabakblätter *pl.* **4.** Blatt *n* (*im Buch*): to take a ~ out of s.o.'s book sich ein Beispiel nehmen an j-m; to turn over a ~ umblättern; to turn over a new ~ *fig.* ein neues Leben beginnen. **5.** *tech.* a) (*Fenster-, Tür*)Flügel *m*, b) (*Tisch*)Klappe *f*, c) Einlegbrett *n* (*im Ausziehtisch*), d) Aufziehklappe *f* (*e-r Klappbrücke*), e) (Vi'sier)Klappe *f* (*am Gewehr*). **6.** *tech.* Blatt *n*, (dünne) Folie, La'melle *f*: gold ~ Blattgold *n*; ~ brass Messingfolie. **7.** *tech.* a) Blatt *n* (*e-r Feder*), b) Zahn *m* (*am Triebrad*). **II** *v/i* **8.** Blätter treiben. **III** *v/t* **9.** *a.* ~ through *Am.* 'durchblättern.

leaf·age ['li:fidʒ] *s* Laub(werk) *n.*

leafed [li:ft] *adj* **1.** belaubt. **2.** *in Zssgn* ...blätt(e)rig.

leaf| fat *s* Nierenfett *n.* ~ **green** *s bot. chem.* Blattgrün *n* (*a. Farbe*).

leaf·less ['li:flis] *adj* blätterlos, entblättert, kahl: ~ in winter winterkahl.

leaf·let ['li:flit] *s* **1.** *bot.* Blättchen *n.* **2.** a) Flugblatt *n*, b) Merkblatt *n*, c) Pro'spekt *m.*

leaf| met·al *s tech.* 'Blattme,tall *n.* ~ **mo(u)ld** *s agr.* Lauberde *f.* ~ **sight** *s* 'Klappvi,sier *n* (*des Gewehrs*). ~ **spring** *s tech.* Blattfeder *f.* '~,**stalk** *s bot.* Blattstiel *m.* ~ **to·bac·co** *s* **1.** Rohtabak *m.* **2.** Blättertabak *m.* '~,**work** *s Kunst*: Blatt-, Laubwerk *n.*

leaf·y ['li:fi] *adj* **1.** belaubt. **2.** Laub... **3.** blattartig, Blatt...

league¹ [li:g] **I** *s* **1.** Liga *f*, Bund *m*: the Catholic L~ *hist.* die Katholische Liga (*1609*); L~ of Nations *hist.* Völkerbund. **2.** Bündnis *n*, Bund *m*: to be in ~ with im Bunde sein mit, unter 'einer Decke stecken mit *j-m.* **3.** *sport* Liga *f*: ~ match Ligaspiel *n.* **4.** *Am. colloq.* Klasse *f*: they are not in the same ~ with me an mich kommen sie nicht 'ran. **II** *v/t u. v/i pres p* **'lea·guing 5.** (sich) verbünden.

league² [li:g] *s* Meile *f* (*4,83 km*; *meist poet.*).

lea·guer¹ ['li:gər] *v/t* belagern.

lea·guer² ['li:gər] *s* Verbündete(r) *m.*

leak [li:k] **I** *s* **1.** a) *mar.* Leck *n*, b) Loch *n*, undichte Stelle (*a. fig. in e-m Amt etc*): to spring a ~ ein Leck *od.* Loch bekommen; to take a ~ *Am. vulg.* urinieren. **2.** Auslaufen *n*, 'Durchsickern *n* (*a. fig. e-r Nachricht etc*). **3.** → leakage. **4.** *electr.* a) Verluststrom *m*, Streuung(sverluste *pl*) *f*, b) Fehlerstelle *f.* **II** *v/i* **5.** lecken, leck sein. **6.** tropfen (*Wasserhahn*). **7.** *electr.* lecken, streuen. **8.** ~ out a) auslaufen, -strömen, -treten, entweichen, b) *fig.* 'durchsickern. **9.** ~ in eindringen, -strömen. **III** *v/t* **10.** 'durchlassen. **11.** *fig.* 'durchsickern lassen.

leak·age ['li:kidʒ] *s* **1.** Lecken *n*, Auslaufen *n*, -strömen *n.* **2.** → leak 2 *u.* 4. **3.** Versickern *n*, unerklärtes Verschwinden (*von Geldern etc*). **4.** *a. fig.* Schwund *m*, Verlust *m.* **5.** *econ.* Lec'kage *f.* ~ **con·duct·ance** *s electr.* Ableitung *f.* ~ **cur·rent** *s electr.* Leck-, Ableitstrom *m.* ~ **flux** *s electr.* Streufluß *m.* ~ **path** *s electr.* Kriechstrecke *f.* ~ **re·sist·ance** *s electr.* 'Streu-, 'Ableit,widerstand *m.*

leak·y ['li:ki] *adj* leck, undicht (*a. fig.*).

leal [li:l] *adj Scot. od. poet.* treu: the Land of the L~ *Scot.* das Paradies.

lean¹ [li:n] **I** *v/i pret u. pp* **leaned** [li:nd] *od.* **leant** [lent] **1.** sich neigen, schief sein. **2.** sich neigen, sich lehnen, sich beugen: to ~ back sich zurücklehnen; to ~ out sich hinauslehnen; to ~ over backward(s) *colloq.* sich ‚fast umbringen', sich alle Mühe geben. **3.** sich lehnen (against gegen), sich stützen (on auf *acc*). **4.** lehnen (against an *dat*): the ladder ~s against the wall. **5.** ~ (up)on *fig.* a) sich stützen auf (*acc*), sich anlehnen an (*acc*), b) bauen *od.* sich verlassen auf (*acc*). **6.** ~ to(ward) *fig.* a) zu *etwas* ('hin)neigen, *e-r Sache* zuneigen, b) *etwas* bevorzugen. **II** *v/t* **7.** neigen, beugen. **8.** lehnen (against gegen, an *acc*), stützen (on, upon auf *acc*). **III** *s* **9.** Neigung *f* (to nach).

lean² [li:n] **I** *adj* (*adv* ~ly) **1.** mager (*a. fig.*): ~ man (cattle, meat, crop, soil, wages, years, *etc*); a ~ face ein hageres *od.* mageres Gesicht; ~ in (*od.* on) s.th. *fig.* arm an e-r Sache. **2.** *fig.* prä'gnant, knapp: ~ prose. **3.** *tech.* mager, arm, Mager..., Spar...: ~ coal Magerkohle *f*; ~ concrete Sparbeton *m*; ~ gas Schwachgas *n*; ~ mixture Spargemisch *n.* **II** *s* **4.** (*das*) Magere (*bes. des Fleisches*). '~-,**faced** *adj* hager (im Gesicht).

lean·ing ['li:niŋ] **I** *adj* sich neigend, geneigt, schief: ~ tower schiefer Turm. **II** *s* Neigung *f*, Ten'denz *f* (towards zu). [*fig.*).]

lean·ness ['li:nnis] *s* Magerkeit *f* (*a.*

leant [lent] *bes. Br. pret u. pp von* lean¹ I *u.* II.

'lean-,to I *pl* **-,tos** *s* Anbau *m od.* Schuppen *m* (mit Pultdach). **II** *adj* Anbau...: ~ roof Pultdach *n.*

leap [li:p] **I** *v/i pret u. pp* **leaped** [li:pt; lept] *od.* **leapt** [lept; li:pt] **1.** springen: to ~ aside auf die *od.* zur Seite springen; look before you ~ erst wägen, dann wagen; ready to ~ and strike sprungbereit. **2.** hüpfen (*Herz*): my heart ~s for joy das Herz hüpft mir vor Freude. **3.** *fig.* a) springen, e-n Ruck geben, b) sich stürzen, c) (auf)lodern (*Flammen*), d) hoch-, em'porschießen (*Rakete etc*), e) hochschnellen (*Kosten, Preise*): to ~ at sich auf *e-e Gelegenheit etc* stürzen; to ~ into fame mit 'einem Schlag berühmt werden; to ~ to a conclusion voreilig e-n Schluß ziehen; to ~ to the eye ins Auge springen. **4.** *fig.* springen, sprunghaft 'übergehen: to ~ from one topic to another von e-m Thema zum anderen springen. **II** *v/t* **5.** über'springen (*a. fig.*), springen über (*acc*). **6.** *Pferd etc* springen lassen. **7.** *e-e Stute etc* bespringen, decken. **III** *s* **8.** Sprung *m* (*a. fig.*): a great ~ forward; to take a ~ e-n Sprung machen; a ~ in the dark *fig.* ein Sprung ins Ungewisse; by ~s (and bounds) *fig.* sprunghaft, außerordentlich rasch. ~ **day** *s* Schalttag *m.* '~,**frog I** *s* **1.** Bockspringen *n.* **II** *v/i* **2.** bockspringen. **3.** *fig.* a) sich sprungweise bewegen, b) ein'ander immer wieder über'holen. **III** *v/t* **4.** bockspringen über (*acc*): to ~ each other → 3 b. **5.** *mil. zwei Einheiten* im über'schlagenden Einsatz vorgehen lassen. [*u.* II.]

leapt [lept; li:pt] *pret u. pp von* leap I

leap| year *s* Schaltjahr *n.* '~-,**year pro·pos·al** *s humor.* Heiratsantrag *m* e-r Dame an e-n Herrn.

learn [lə:rn] *pret u. pp* **learned** [-nd; -nt] *od.* **learnt** [-nt] **I** *v/t* **1.** (er)lernen: to ~ a language; to ~ a trade e-n Beruf erlernen; to ~ the piano Klavier spielen lernen; to ~ to swim schwimmen lernen; to ~ by heart auswendig lernen. **2.** (from) a) erfahren, hören (von): to ~ the truth die Wahrheit erfahren; I am (*od.* have) yet to ~ that es ist mir nicht bekannt, daß; it was ~ed yesterday gestern erfuhr man, b) ersehen, entnehmen (aus *e-m Brief etc*). **3.** *obs. od. vulg.* ‚lernen' (*lehren*). **II** *v/i* **4.** lernen. **5.** hören, erfahren (of von). **'learn·a·ble** *adj* erlernbar.

learn·ed ['lə:rnid] *adj* (*adv* ~ly) **1.** gelehrt: a ~ man; a ~ treatise; my ~ friend *jur. parl. Br.* mein gelehrter Herr Kollege; the ~ professions die gelehrten Berufe (*Theologie, Rechtswissenschaft u. Medizin*). **2.** erfahren, gründlich bewandert (in in *dat*). **3.** angelernt: ~ skills.

learn·er ['lə:rnər] *s* **1.** Anfänger(in). **2.** (*a. mot.* Fahr)Schüler(in). **3.** *econ.* Anlernling *m.*

learn·ing ['lə:rniŋ] *s* **1.** Gelehrsamkeit *f*, gelehrtes Wissen, Bildung *f*: the new ~ *hist.* der Humanismus. **2.** (Er)Lernen *n.* **3.** *meist pl Am.* Lehrstoff *m.*

lease¹ [li:s] **I** *s* **1.** Pacht-, Mietvertrag *m.* **2.** a) Verpachtung *f* (to an *acc*), b) Pacht *f*, Miete *f*: ~ of life Pacht auf Lebenszeit, *fig.* Lebensfrist *f*; a new ~ of life *fig.* ein neues Leben (*nach Krankheit etc*); to put out to (*od.* to let out on) ~ → 5; to take *s.th.* on ~, to take a ~ of *s.th.* → 6; by (*od.* on) ~ auf Pacht. **3.** Pachtbesitz *m*, -gegenstand *m*, *bes.* Pachtgrundstück *n.* **4.** Pacht-, Mietzeit *f*: put out to a ~ of 5 years auf 5 Jahre verpachtet. **II** *v/t* **5.** ~ out verpachten, -mieten (to an *acc*). **6.** pachten, mieten.

lease² [li:s] *s Weberei*: **1.** (Faden)Kreuz *n*, Schrank *m.* **2.** Latze *f.*

'lease|,back *s* Rückverpachtung *f* (an den Verkäufer). '~,**hold I** *s* **1.** Pacht(ung) *f.* **2.** Pachtbesitz *m*, -grundstück *n.* **II** *adj* **3.** Pacht...: ~ estate Pachtgut *n*; ~ insurance Pachtgutversicherung *f.* '~,**hold·er** *s* Pächter(in). '~-'**lend** → Lend-Lease. [(in).]

leas·er ['li:sər] *s* Pächter(in), Mieter-

leash [li:ʃ] **I** *s* **1.** Koppelleine *f*, -riemen

m: to hold in ~ → 5. **2.** a) *hunt. sport* Koppel *f* (*Hunde, Füchse etc*), b) *fig.* ‚Dreigespann' *n*: a ~ of drei. **3.** → lease[2] 2. **II** *v/t* **4.** zs.-koppeln. **5.** a) an der Leine halten *od.* führen, b) *fig.* im Zaume halten.

leas·ing ['li:siŋ] *s Bibl.* **1.** Lügen *n.* **2.** Lüge(n *pl*) *f.*

least [li:st] **I** *adj* (*sup von* little) **1.** geringst(er, e, es), kleinst(er, e, es), mindest(er, e, es), wenigst(er, e, es): → resistance 1. **2.** geringst(er, e, es), unbedeutendst(er, e, es). **II** *s* **3.** (*das*) Kleinste, (*das*) Mindeste, (*das*) Geringste, (*das*) Wenigste: at (the) ~ mindestens, wenigstens, zumindest, zum mindesten; at the very ~ allermindestens; not in the ~ nicht im geringsten *od.* mindesten; to say the ~ (of it) gelinde gesagt. **III** *adv* **4.** am wenigsten: he worked ~; ~ of all am allerwenigsten. ~ **com·mon mul·ti·ple** *s math.* kleinstes gemeinsames Vielfaches. ~ **squares (meth·od)** *s math.* Me'thode *f* der kleinsten Qua'drate. ~ **tern** *s orn.* Zwergseeschwalbe *f.*

'least,ways *adv dial. od. vulg.* mindestens, wenigstens.

'least,wise *adv colloq.* wenigstens, mindestens.

leat [li:t] *s* ('Mühl)Ka,nal *m.*

leath·er ['leðər] **I** *s* **1.** Leder *n* (*a. humor. Haut; a. sport sl. Ball*): American ~ *Br.* (*Art*) Wachstuch *n*; there is nothing like ~ das Eigene ist immer das Beste; ~ and prunella nur ein rein äußerlicher Unterschied. **2.** Ledergegenstand *m*, *bes.* Lederball *m od.* -riemen *m od.* -lappen *m.* **3.** *pl* a) Lederhose(n *pl*) *f*, b) 'Lederga,maschen *pl.* **II** *v/t* **4.** mit Leder über'ziehen. **5.** *colloq.* ‚versohlen', verprügeln. '~,**back** *s zo.* Lederschildkröte *f.* '~-,**board** *s* Lederpappe *f.* '~-,**bound** *adj* ledergebunden.

leath·er·ette [,leðə'ret] *s* Kunstleder *n.*

leath·ern ['leðərn] *adj* ledern.

'leath·er,neck *s mil. sl.* Ma'rineinfante,rist *m* (*des U.S. Marine Corps*).

leath·er·y ['leðəri] *adj* lederartig, zäh.

leave[1] [li:v] *pret u. pp* **left** [left] **I** *v/t* **1.** verlassen: a) von *j-m od. e-m Ort etc* fort-, weggehen, b) abreisen von (for nach), c) von *der Schule* abgehen, d) *j-n od. etwas* im Stich lassen, *etwas* aufgeben: to get left *colloq.* im Stich gelassen werden; → lurch[2] 3. **2.** lassen: it ~s me cold *colloq.* es läßt mich kalt; to ~ it at that *colloq.* es dabei belassen *od.* (bewenden) lassen; to ~ things as they are die Dinge so lassen, wie sie sind. **3.** (übrig)lassen: 6 from 8 leaves 2 8 minus 6 ist 2; to be left übrigbleiben *od.* übrig sein; there is plenty of wine left es ist noch viel Wein übrig; there's nothing left for us but to go uns bleibt nichts übrig, als zu gehen; to be left till called for postlagernd; → desire 1, stone *Bes. Redew.*, undone 1. **4.** *e-e Narbe etc* zu'rücklassen, *e-n Eindruck, e-e Nachricht, e-e Spur etc* hinter'lassen: to ~ a scar (an impression, a trace); to ~ s.o. wondering whether j-n im Zweifel darüber lassen, ob. **5.** *s-n Schirm etc* stehen *od.* liegen lassen, vergessen. **6.** über'lassen, an'heimstellen (to s.o. j-m): I ~ it to you (to decide); to ~ nothing to accident nichts dem Zufall überlassen. **7.** (*nach dem Tode*) hinter'lassen, zu'rücklassen: he ~s a widow and five children; to be well left in gesicherten Verhältnissen zurückgelassen werden. **8.** vermachen, -erben ([to] s.o. j-m). **9.** (*auf der Fahrt*) *links od. rechts* (liegen) lassen: ~ the mill on the left. **10.** aufhören mit, einstellen, (unter)'lassen. **II** *v/i* **11.** (fort-, weg)gehen, abreisen, abfahren (for nach): the train ~s at six der Zug fährt um 6 (Uhr) ab *od.* geht um 6. **12.** gehen, die Stellung aufgeben: our cook threatened to ~.

Verbindungen mit Adverbien:

leave| a·bout *v/t* her'umliegen lassen. ~ **a·lone** *v/t* **1.** al'lein lassen. **2.** *j-n od. etwas* in Ruhe lassen: → severely 1. ~ **be·hind** *v/t* **1.** zu'rücklassen. **2.** → leave[1] 4 *u.* 5. **3.** *e-n Gegner etc* hinter sich lassen. ~ **in** *v/t Bridge*: *j-n* mit s-m Gebot sitzenlassen. ~ **off I** *v/t* **1.** einstellen, aufhören mit: to ~ work die Arbeit einstellen; to ~ crying zu weinen aufhören. **2.** *e-e Gewohnheit etc* aufgeben. **3.** *Kleidungsstück* ablegen, nicht mehr tragen. **II** *v/i* **4.** aufhören. ~ **on** *v/t* **1.** *Kleidungsstück* anbehalten. **2.** dar'auf lassen: to leave the lid on. ~ **out** *v/t* **1.** aus-, weglassen. **2.** über'sehen, vergessen. ~ **o·ver** *v/t Br.* (*als Rest*) übriglassen.

leave[2] [li:v] *s* **1.** Erlaubnis *f*, Genehmigung *f*: to ask ~ of s.o. j-n um Erlaubnis bitten; to take ~ to say sich zu sagen erlauben; by ~ of mit Genehmigung (*gen*); by your ~! mit Verlaub!; without a 'with (*od.* by) your ~' *colloq.* ohne auch nur zu fragen. **2.** *a.* ~ of absence Urlaub *m*: (to go) on ~ auf Urlaub (gehen); a man on ~ ein Urlauber; ~ pay Urlaubsgeld *n.* **3.** Abschied *m*: to take (one's) ~ sich verabschieden, Abschied nehmen (of s.o. von j-m); to take ~ of one's senses wahnsinnig werden, ‚überschnappen'.

leave[3] [li:v] → leaf 8.

leaved [li:vd] *adj* (*bes. in Zssgn*) **1.** *bot.* ...blätt(e)rig. **2.** ...flügelig: two-~ door Flügeltür *f.*

leav·en ['levn] **I** *s* **1.** a) Sauerteig *m*, b) Hefe *f*, c) → leavening. **2.** *fig.* Sauerteig *m*, Gärstoff *m*: the old ~ der alte Sauerteig. **II** *v/t* **3.** *Teig* a) säuern, b) (auf)gehen lassen. **4.** *fig.* durch'setzen, -'dringen. **'leav·en·ing** *s* Treibmittel *n*, Gär(ungs)stoff *m.*

leaves [li:vz] *pl von* leaf I.

'leave|-,tak·ing *s* Abschied(nehmen *n*) *m.* ~ **train** *s* Urlauberzug *m.*

leav·ing ['li:viŋ] *s* **1.** *meist pl* 'Überbleibsel *pl*, Reste *pl.* **2.** *pl* Abfall *m.* ~ **cer·tif·i·cate** *s Br.* Abgangszeugnis *n.*

Leb·a·nese [,lebə'ni:z] **I** *adj* liba'nesisch. **II** *s* a) Liba'nese *m*, Liba'nesin *f*, b) Liba'nesen *pl.*

Le·bens·raum ['le:bəns,raum] (*Ger.*) *s* Lebensraum *m.*

lech·er ['letʃər] *s* Wüstling *m*, ‚Lustmolch' *m.* **'lech·er·ous** *adj* (*adv* ~ly) wollüstig, geil, lüstern. **'lech·er·ous·ness** *s* Geilheit *f*, Wollust *f.* **'lech·er·y** *s* Wollust *f*, Geilheit *f*, Unzüchtigkeit *f.*

lec·i·thin ['lesiθin] *s chem.* Lezi'thin *n.*

lec·tern ['lektərn] *s* Lese-, Chorpult *n.*

lec·tion ['lekʃən] *s relig.* Lesung *f.* **'lec·tion·ar·y** *s relig.* Lektio'nar *n.*

lec·tor ['lektɔ:r] *s* **1.** *relig.* a) Vorleser *m*, b) *R.C.* Lektor *m.* **2.** *bes. univ. Am.* Lektor *m.*

lec·ture ['lektʃər] **I** *s* **1.** a) Vortrag *m*, b) *univ.* Vorlesung *f*, Kol'leg *n* (on über *acc*; to vor *dat*): ~ room Vortrags-, *univ.* Hörsaal *m*; to give a ~ e-e Vorlesung halten. **2.** ('Unterrichts)-Lekti,on *f.* **3.** Strafpredigt *f*: to read s.o. a ~ → 6. **II** *v/i* **4.** a) e-n Vortrag *od.* Vorträge halten, b) *univ.* e-e Vorlesung *od.* Vorlesungen halten, lesen (on über *acc*; to vor *dat*). **III** *v/t* **5.** *j-m* e-n Vortrag halten, e-e Vorlesung halten vor (*dat*). **6.** *j-m* e-e Strafpredigt *od.* ‚Standpauke' halten.

lec·tur·er ['lektʃərər] *s* **1.** Vortragende(r *m*) *f*: he is an excellent ~ er trägt ausgezeichnet vor. **2.** *univ.* a) Do'zent(in), b) außerordentlicher Pro'fessor. **3.** *Church of England*: Hilfsprediger *m.*

lec·ture·ship ['lektʃər,ʃip] *s* **1.** Dozen'tur *f.* **2.** Vorlesung(sreihe) *f.* **3.** *relig.* Hilfspredigeramt *n.*

led [led] *pret u. pp von* lead[1] III *u.* IV.

led cap·tain *s* Speichellecker *m.*

ledge [ledʒ] *s* **1.** Sims *m*, *n*, Leiste *f*, vorstehender Rand. **2.** (Fels)Gesims *n.* **3.** Felsbank *f*, Riff *n.* **4.** *Bergbau*: a) Lager *n*, b) Ader *f.*

ledg·er ['ledʒər] *s* **1.** *econ.* Hauptbuch *n.* **2.** *arch.* Querbalken *m*, Sturz *m* (*e-s Gerüsts*). **3.** große Steinplatte. ~ **board** *s* Handleiste *f* (*e-s Geländers etc*). ~ **line** *s* **1.** Angelleine *f* mit festliegendem Köder. **2.** *mus.* Hilfslinie *f.* ~ **pa·per** *s* gutes 'Schreibpa,pier (*für Hauptbücher*). ~ **tack·le** *s* Grundangel *f.*

lee [li:] *s* **1.** Schutz *m*: under the ~ of im Schutz von (*od. gen*). **2.** (wind)geschützte Stelle. **3.** a) Windschattenseite *f*, b) *mar.* Lee(seite) *f.* '~,**board** *s mar.* (Seiten)Schwert *n.*

leech[1] [li:tʃ] **I** *s* **1.** *zo.* Blutegel *m*: to apply ~es to → 4; to stick like a ~ to s.o. wie e-e Klette hängen an j-m. **2.** *fig.* Blutsauger *m*, Schma'rotzer *m.* **3.** *obs. od. humor.* Arzt *m.* **II** *v/t* **4.** *j-m* Blutegel setzen.

leech[2] [li:tʃ] *s mar.* Leick *n*, Liek *n.*

leek [li:k] *s* **1.** *bot.* (Breit)Lauch *m*, Porree *m*: to eat the ~ die Beleidigung einstecken. **2.** Lauch *m* (*Emblem von Wales*).

leer[1] [lir] **I** *s* (lüsterner *od.* gehässiger *od.* boshafter) Seitenblick. **II** *v/i* (lüstern *etc*) schielen (at nach).

leer[2] → lehr.

leer·y ['li(ə)ri] *adj sl.* **1.** schlau, gerissen. **2.** *Am.* argwöhnisch.

lees [li:z] *s pl* (*a. als sg konstruiert*) **1.** Bodensatz *m*, Hefe *f*: to drink (*od.* drain) to the ~ *bes. fig.* bis zur Neige leeren. **2.** *fig.* Hefe *f*, Abschaum *m.*

lee| shore *s mar.* Leeküste *f.* ~ **side** *s mar.* Leeseite *f.*

leet[1] [li:t] *s hist.* **1.** Lehngericht *n.* **2.** (Lehn)Gerichtstag *m.*

leet[2] [li:t] *s Scot.* (Bewerber-, Kandi'daten)Liste *f*: short ~ Liste der zur engeren Wahl Stehenden.

lee tide *s* Leetide *f.*

lee·ward ['li:wərd; 'lu:ərd] *bes. mar.* **I** *adj* Lee..., leewärts gelegen, nach Lee zu liegend *od.* sich bewegend. **II** *s* Lee(seite) *f*: to ~ → III; to drive to ~ abtreiben; to fall to ~ abfallen. **III** *adv* leewärts, nach Lee.

'lee,way *s* **1.** *mar.* Leeweg *m*, Abtrift *f*: to make ~ (*vom Kurs*) abtreiben. **2.** *aer.* Abtrift *f.* **3.** *fig.* Rückstand *m*: to make up ~ (Rückstand) aufholen, (Versäumtes) nachholen. **4.** *Am. fig.* Spielraum *m.*

left[1] [left] **I** *adj* **1.** link(er, e, es): on the ~ hand of linker Hand von; a wife of the ~ hand e-e morganatische Gattin. **II** *s* **2.** Linke *f*, linke Seite: on (*od.* to) the ~ (of) links (von), auf der linken Seite (von), linker Hand (von); to go out on the ~ (*von der Bühne*) (nach) links abgehen; on our ~ zu unserer Linken, uns zur Linken; to the ~ nach links; the second turn to the ~ die zweite Querstraße links; to keep to the ~ a) sich links halten, b) *mot.*

links fahren. **3.** *Boxen*: Linke *f* (*Hand od. Schlag*). **4.** linker Flügel (*e-r Armee etc*). **5.** the ~, *a.* the L~ *pol.* die Linke. **6.** the ~ der fortschrittliche *od.* linke Flügel. **III** *adv* **7.** links: ~ **of** links von. **8.** (nach) links: ~ **turn** (*Am.* **face**)! *mil.* links um!

left² [left] *pret u. pp von* **leave¹**.

'left-'hand *adj* **1.** link(er, e, es), linksseitig. **2.** → **left-handed** 1—4. ~ **action** *s tech.* Linksgang *m.*

'left-'hand·ed *adj* (*adv* ~**ly**) **1.** linkshändig: a ~ **person** ein Linkshänder. **2.** linkshändig, mit der linken Hand: a ~ **blow**. **3.** link(er, e, es), linksseitig, Links... **4.** *bes. tech.* linksgängig, -läufig, Links...: ~ **rotation** Linksdrehung *f*; ~ **screw** linksgängige Schraube; ~ **thread** linksgängiges Gewinde. **5.** zweifelhaft, fragwürdig: ~ **compliments**. **6.** linkisch, ungeschickt. **7.** morga'natisch, zur linken Hand (*Ehe*). ˌ**left-'hand·ed·ness** *s* **1.** Linkshändigkeit *f.* **2.** Linksseitigkeit *f.* **3.** Zweifelhaftigkeit *f.* **4.** Ungeschicktheit *f.*

'left-'hand·er *s* **1.** Linkshänder(in). **2.** *Boxen*: Linke *f* (*Schlag*).

left·ism ['leftizəm] *s pol.* 'Linkspoliˌtik *f*, -orienˌtierung *f.* '**left·ist** *pol.* **I** *s* 'Linkspoˌlitiker *m*, -stehende(r *m*) *f*, Angehörige(r *m*) *f* e-r 'Linksparˌtei, 'Linksparˌteiler *m.* **II** *adj* 'linksgerichtet, -stehend, -radiˌkal, Links...

'left|-'lug·gage of·fice *s Br.* Gepäckaufbewahrung(sstelle) *f.* '~-ˌ**off** *adj* abgelegt, 'ausranˌgiert. '~-ˌ**o·ver I** *adj* **1.** übriggeblieben. **II** *s* **2.** 'Überbleibsel *n*, ('Über-, *a.* Speise)Rest *m.* **3.** *Am.* Gericht *n* aus Resten. '~ˌ**wing** *adj pol.* dem linken Flügel angehörend, Links...

leg [leg] **I** *v/i* **1.** *meist* ~ **it** die Beine gebrauchen, zu Fuß gehen, (kräftig) mar'schieren. **II** *s* **2.** Bein *n.* **3.** 'Unterschenkel *m.* **4.** (*Hammel- etc*)Keule *f*: ~ **of mutton**. **5.** a) (*Hosen-, Strumpf*)Bein *n*, b) (*Stiefel*)Schaft *m.* **6.** a) (Stuhl-, Tisch- *etc*)Bein *n*, b) Stütze *f*, Strebe *f*, Stützpfosten *m*, c) Schenkel *m* (*vom Zirkel etc*). **7.** *math.* Ka'thete *f*, Schenkel *m* (*vom Dreieck*). **8.** E'tappe *f*, Abschnitt *m* (*e-r Reise etc*), *a. aer. sport* (Teil)Strecke *f.* **9.** *mar.* Schlag *m* (*Strecke, die ein kreuzendes Schiff zurücklegt, ohne zu wenden*). **10.** *sport* erster gewonnener 'Durchgang *od.* Lauf. **11.** *Kricket*: *Seite des Spielfelds, die links vom Schläger* (*u. rechts vom Werfer*) *liegt*. **12.** *obs.* Kratzfuß *m*: **to make a** ~.

Besondere Redewendungen:

on one's ~**s** a) stehend, auf den Beinen (*bes. um e-e Rede zu halten*), b) auf den Beinen (*Ggs bettlägerig*); **to be all** ~**s** *colloq.* nur aus Beinen bestehen; **to be on one's last** ~**s** auf dem letzten Loch pfeifen; **to find one's** ~**s** s-e Beine gebrauchen lernen; **to get on one's hind** ~**s** *colloq.* sich auf die Hinterbeine stellen, sich zur Wehr setzen; **to give s.o. a** ~ **up** a) j-m hinaufhelfen, b) *fig.* j-m unter die Arme greifen; **to have** ~**s** *colloq.* sehr schnell sein (*bes. Schiff*); **to have not a** ~ **to stand on** keinerlei Beweise haben, sich auf nichts stützen können; **to pull s.o.'s** ~ *colloq.* j-n ‚auf den Arm nehmen' *od.* ‚aufziehen'; **to shake a** ~ a) das Tanzbein schwingen, b) *sl.* ‚Tempo machen', ‚Gas geben'; **to show a** ~ aufstehen, aus dem Bett steigen; **to stand on one's own** ~**s** auf eigenen Füßen stehen; **to stretch one's** ~**s** sich die Beine vertreten; **to take to one's** ~**s** Fersengeld geben.

leg·a·cy ['legəsi] *s* **1.** *jur.* Le'gat *n*, Vermächtnis *n.* **2.** *fig.* Vermächtnis *n*, Erbe *n*: **a** ~ **of hatred** überkommener Haß. ~ **du·ty** *s* Erbanteils-, Erbschaftssteuer *f.* ~ **hunt·er** *s* Erbschleicher *m.*

le·gal ['li:gəl] *adj* (*adv* ~**ly**) **1.** gesetzlich, rechtlich: ~ **holiday** gesetzlicher Feiertag. **2.** le'gal, gesetzmäßig, rechtsgültig. **3.** Rechts..., ju'ristisch: ~ **adviser** Rechtsberater *m*; ~ **age** Volljährigkeit *f*; ~ **aid** Rechtshilfe *f* (*für bedürftige Personen*); ~ **capacity** Geschäftsfähigkeit *f*; ~ **capacity to sue** Prozeßfähigkeit *f*; ~ **position** Rechtslage *f*; ~ **protection** Rechtsschutz *m*; → **entity** 2, **force** 5. **4.** gerichtlich: a ~ **decision**; **to take** ~ **action** den Rechtsweg beschreiten; **to take** ~ **steps against s.o.** gerichtlich gegen j-n vorgehen. **5.** streng rechtlich denkend: a ~ **mind**. **6.** *relig.* a) dem Gesetz des Moses entsprechend, b) auf die seligmachende Kraft der guten Werke (*u. nicht der Gnade*) bauend.

le·gal·ese [ˌli:gə'li:z] *s colloq.* ‚juristisches Kauderwelsch'.

le·gal·ism ['li:gəˌlizəm] *s* **1.** strikte Einhaltung des Gesetzes. **2.** *contp.* Paraˌgraphenreite'rei *f.*

le·gal·i·ty [li'gæliti] *s* **1.** Legali'tät *f*, Gesetzlichkeit *f*, Gesetzmäßigkeit *f.* **2.** → **legalism** 1. **3.** *relig.* (äußere) Werkgerechtigkeit.

le·gal·i·za·tion [ˌli:gəlai'zeiʃən] *s* Legali'sierung *f.* '**le·galˌize** *v/t* legali'sieren, rechtskräftig machen, *bes.* amtlich beglaubigen *od.* bestätigen.

leg·ate¹ ['legit] *s* (päpstlicher) Le'gat.

le·gate² [li'geit] *v/t* (testamen'tarisch) vermachen.

leg·a·tee [ˌlegə'ti:] *s jur.* Lega'tar(in), Vermächtnisnehmer(in).

le·ga·tion [li'geiʃən] *s pol.* **1.** Gesandtschaft *f.* **2.** a) Entsendung *f* (*e-s bevollmächtigten Vertreters*), b) Auftrag *m*, Missi'on *f.* **3.** Delegati'on *f.*

le·ga·to [li'gɑ:tou] *mus.* **I** *adj u. adv* le'gato, gebunden. **II** *s* Le'gato *n.*

le·ga·tor [li'geitər; ˌlegə'tɔ:r] *s jur.* Vermächtnisgeber(in), Erb-lasser(in).

leg| bail *s*: **to give** ~ *sl.* Fersengeld geben. ~ **bye** *s Kricket*: **1.** *geworfener Ball, der vom Körper des Schlagmanns abprallt u. am Torwächter vorbeigeht.* **2.** *so erzielter Punkt.*

leg·end ['ledʒənd] *s* **1.** Sage *f*, Le'gende *f* (*a. fig.*). **2.** *collect.* Sage *f*, Sagen(schatz *m*) *pl*: **in** ~ in der Sage. **3.** ('Heiligen)Leˌgende *f.* **4.** *hist.* Le'gende(nsammlung) *f*: **the (Golden) L**~ die Goldene Legende. **5.** *hist.* Lebensbeschreibung *f.* **6.** *fig.* legen'däre Gestalt *od.* Sache, Mythus *m.* **7.** Le'gende *f*: a) erläuternder Text, Beschriftung *f*, 'Bildˌunterschrift *f*, b) Zeichenerklärung *f* (*auf Karten*), c) Inschrift *f.*

leg·end·ar·y ['ledʒəndəri] **I** *adj* **1.** sagenhaft, legen'där, Sagen... **2.** le'gendenartig, Legenden... **II** *s* **3.** Sagen-, Le'gendensammlung *f.* **4.** Sagen-, Le'gendendichter *m.*

leg·end·ry ['ledʒəndri] *s collect.* **1.** Sagen *pl.* **2.** Le'genden *pl.*

leg·er·de·main [ˌledʒərdə'mein] *s* **1.** ˌTaschenspiele'rei *f*, (Zauber)Trick *m* (*a. fig.*). **2.** Kniff *m.* **3.** Schwindel *m.*

legged [legd; *bes. Am.* 'legid] *adj* (*bes. in Zssgn*) mit (...)Beinen, ...beinig.

leg·gings ['legiŋz], *Am. a.* **leg·gins** ['leginz] *s pl* **1.** (hohe) Ga'maschen *pl.* **2.** *Am.* Steghose(n *pl*) *f.*

leg·gy ['legi] *adj* **1.** (allzu) langbeinig. **2.** *sl.* freigebig Beine zur Schau stellend.

leg·horn ['legˌhɔ:rn; *Br. a.* lə'gɔ:n] *s* **1.** (*Art*) feines Strohgeflecht. **2.** itali'enischer Strohhut. **3.** L~ [*Am. a.* 'legərn] Leghorn *n* (*Hühnerrasse*).

leg·i·bil·i·ty [ˌledʒə'biliti] *s* Leserlichkeit *f.* '**leg·i·ble** *adj* (*adv* **legibly**) **1.** (gut) leserlich. **2.** deutlich, kenntlich, '**leg·i·ble·ness** → **legibility**.

le·gion ['li:dʒən] *s* **1.** *antiq. mil.* Legi'on *f.* **2.** Legi'on *f*, (*bes.* Frontkämpfer)-Verband *m*: **the American (the British) L**~; **the (Foreign) L**~ die (*französische*) Fremdenlegion; **L**~ **of Hono(u)r** (*französische*) Ehrenlegion; **L**~ **of Merit** *mil. Am.* Verdienstlegion (*Orden*). **3.** *fig.* Legi'on *f*: a) Heer *n*, b) Unzahl *f*: **their name is** ~ ihre Zahl ist Legion.

le·gion·ar·y ['li:dʒənəri] **I** *adj* **1.** Legions... **2.** aus Legi'onen bestehend. **II** *s* **3.** Legio'när *m.* **4.** *Br.* Angehörige(r) *m* des Brit. Frontkämpferverbands. ~ **ant** → **driver ant**.

le·gion·naire [ˌli:dʒə'nεr] *s* **1.** Legio'när *m.* **2.** *oft* L~ *Am.* Angehörige(r) *m* des Amer. Frontkämpferverbands.

leg·is·late ['ledʒisˌleit] **I** *v/i* Gesetze geben *od.* machen. **II** *v/t* durch Gesetzgebung bewirken *od.* schaffen.

leg·is·la·tion [ˌledʒis'leiʃən] *s* Gesetzgebung *f* (*a. weitS. gegebene Gesetze*).

leg·is·la·tive ['ledʒislətiv] **I** *adj* (*adv* ~**ly**) **1.** gesetzgebend, legisla'tiv: ~ **body** → 5 b; ~ **power** → 5 a. **2.** Legislatur..., Gesetzgebungs... **3.** legisla'torisch. **4.** gesetzlich, durch die Gesetzgebung festgelegt. **II** *s* **5.** Legisla'tive *f*: a) gesetzgebende Gewalt, b) gesetzgebende Körperschaft.

leg·is·la·tor ['ledʒisˌleitər] *s* Gesetzgeber *m.* ˌ**leg·is·la'to·ri·al** [-lə'tɔ:riəl] *adj* gesetzgeberisch, legisla'torisch.

leg·is·la·tress ['ledʒisˌleitris], *a.* ˌ**leg·is'la·trix** [-triks] *s* Gesetzgeberin *f.*

leg·is·la·ture ['ledʒisˌleitʃər] *s* **1.** → **legislative** 5 b. **2.** *obs.* → **legislative** 5 a.

le·gist ['li:dʒist] *s* Rechtskundige(r) *m*, [Ju'rist *m.*]

le·git [le'dʒit] *sl.* **I** *adj* echt; ~ **stage** (*die*) Bühne (*Ggs Film etc*). **II** *s abbr. für* **legitimate drama**.

leg·i·tim ['ledʒitim] *s jur. Scot.* gesetzliches Erbteil.

le·git·i·ma·cy [li'dʒitiməsi] *s* **1.** Legitimi'tät *f*: a) Rechtmäßigkeit *f*, b) Ehelichkeit *f*, c) Berechtigung *f.* **2.** Richtigkeit *f*, Gültigkeit *f.* **3.** Folgerichtigkeit *f.*

le·git·i·mate [li'dʒitimit] **I** *adj* (*adv* ~**ly**) **1.** legi'tim: a) gesetzmäßig, gesetzlich, b) rechtmäßig, berechtigt: ~ **claims**; **the** ~ **ruler** der legitime Herrscher, c) ehelich: ~ **birth**; ~ **son**. **2.** richtig, kor'rekt. **3.** einwandfrei, folgerichtig, logisch. **4.** echt. **II** *s* **5.** **the** ~ *sl. für* **legitimate drama** 2. **III** *v/t* [-ˌmeit] **6.** legiti'mieren: a) für gesetzmäßig erklären, b) ehelichen Status verleihen (*dat*), für ehelich erklären. **7.** als (rechts)gültig anerkennen, sanktio'nieren. **8.** rechtfertigen. ~ **dra·ma** *s* **1.** lite'rarisch wertvolles Drama. **2.** echtes Drama (*Ggs. Film etc*).

le·git·i·mate·ness [li'dʒitimitnis] → **legitimacy**.

le·git·i·ma·tion [liˌdʒiti'meiʃən] *s* Legitimati'on *f*: a) Legiti'mierung *f*, *a.* Ehelichkeitserklärung *f*, b) Ausweis *m.*

le'git·i·maˌtize [-məˌtaiz] → **legitimate III**.

le·git·i·mism [li'dʒitiˌmizəm] *s pol.* Legiti'mismus *m.* **le'git·i·mist I** *s* Legiti'mist(in). **II** *adj* legiti'mistisch.

le·git·i·mi·za·tion [liˌdʒitimai'zeiʃən] → **legitimation**. **le'git·iˌmize** → **legitimate III**.

leg·less ['leglis] *adj* ohne Beine, beinlos.

leg·man *s irr Am. colloq.* **1.** Re'porter *m* (*im Außendienst*). **2.** Gehilfe *m*, ‚Laufbursche' *m* (for *gen*).

ˌ**leg|-of-'mut·ton** *adj* Keulen...: ~ **sail** *mar.* Schafschenkel *m*, Schratsegel *n*; ~ **sleeves** Keulenärmel. '~ˌ**pull(·ing)** *s colloq.* Foppe'rei *f*, Necke'rei *f*. ~ **room** *s bes. mot.* Beinfreiheit *f*. '~-ˌ**show** *s colloq.* ‚Bein-', ‚Fleischschau' *f* (*Revue*).

leg·ume ['legjuːm; li'gjuːm] *s* **1.** *bot.* a) Legumi'nose *f*, Hülsenfrucht *f*, b) Le'gumen *n*, Hülse *f* (*Frucht der Leguminosen*). **2.** *meist pl* a) Hülsenfrüchte *pl* (*als Gemüse*), b) Gemüse *n*.

le·gu·men [li'gjuːmen] → legume 2.

le'gu·min [-min] *s chem.* Legu'min *n*, 'Pflanzenkaseˌin *n*. **le'gu·mi·nous** [-minəs] *adj* **1.** a) Hülsen..., b) hülsenartig, c) hülsentragend. **2.** erbsen- *od.* bohnenartig. **3.** *bot.* zu den Hülsenfrüchten gehörig.

leg work *s Am. colloq.* **1.** ‚Laufe'rei' *f*, ‚Beinarbeit' *f*. **2.** Kleinarbeit *f*.

lehr [lir] *s* (Aus)Glüh-, Kühlofen *m* (*für Glas*).

le·hu·a [lei'huːɑː] *s* **1.** *bot.* (*ein*) Eisenholzbaum *m*. **2.** *Blüte dieses Baums* (*Emblem von Hawaii*).

le·i[1] ['leii; lei] *s* Blumen-, Blütenkranz *m* (*auf Hawaii*).

lei[2] [lei] *s pl* Lei *pl* (*rumänische Münzeinheit*).

Leices·ter ['lestər] *s* Leicester-Schaf *n* (*langwolliges englisches Schaf*).

leis·ter ['liːstər] *s* (mehrzackiger) Fischspeer.

lei·sure ['leʒər; *Am. a.* 'liːʒər] **I** *s* **1.** Muße *f*, freie Zeit: **at** ~ a) mit Muße, ohne Hast, ‚gemütlich', b) frei, unbeschäftigt; **at your** ~ wenn es Ihnen (gerade) paßt, bei Gelegenheit. **2.** → leisureliness. **II** *adj* **3.** Muße..., frei: ~ **hours**; ~ **time** Freizeit *f*. '**lei·sured** *adj* frei, nicht zum Arbeiten genötigt, müßig: **the** ~ **classes** die begüterten Klassen. '**lei·sure·li·ness** *s* Gemächlichkeit *f*, Gemütlichkeit *f*. '**lei·sure·ly** *adj u. adv* gemächlich, gemütlich.

leit·mo·tiv, *a.* **leit·mo·tif** ['laitmo(u)-ˌtiːf] *s bes. mus.* 'Leitmoˌtiv *n*.

lem·an ['lemən] *s obs.* Buhle *m, f*, Geliebte(r *m*) *f*.

lem·ma[1] ['lemə] *pl* **-mas** *od.* **-ma·ta** [-mətə] *s* Lemma *n*: a) Hilfssatz *m* (*bei e-m Beweis*), b) (*lexikographisches*) Stichwort, c) 'Überschrift *f*, d) (als 'Überschrift vor'angestelltes) Thema.

lem·ma[2] ['lemə] *pl* **-mas** *s bot.* Deckspelze *f* (*der Gräser*).

lem·ming ['lemiŋ] *s zo.* Lemming *m*.

lem·nis·cate [lem'niskeit] *s math.* Lemnis'kate *f*, Schleifenlinie *f*.

lem·on[1] ['lemən] **I** *s* **1.** Zi'trone *f*. **2.** *bot.* Li'mone *f*, Zi'tronenbaum *m*. **3.** Zi'tronengelb *n*. **4.** *sl.* a) ‚Besen' *m* (*reizloses Mädchen*), b) *Am.* ‚Niete' *f* (*Sache od. Person*): **to hand s.o. a** ~ *Am. sl.* j-n ‚schwer drankriegen', j-n ‚bös aufsitzen lassen'. **II** *adj* **5.** zi'tronengelb.

lem·on[2] ['lemən] *s* **1.** → lemon dab. **2.** → lemon sole.

lem·on·ade [ˌlemə'neid] *s* Zi'tronenlimoˌnade *f*.

lem·on| dab *s ichth.* Rotzunge *f*. ~ **drop** *s* Zi'tronenbonˌbon *m, n*. ~ **juice** *s* Zi'tronensaft *m*. ~ **kal·i** *s Br.* 'Brauselimoˌnade *f*. ~ **sole** *s ichth.* (*bes.* Fran'zösische) Seezunge. ~ **squash** *s Br.* Zi'tronenlimoˌnade *f* (mit Soda). ~ **squeez·er** *s* Zi'tronenpresse *f*.

le·mur ['liːmər] *s zo.* Halbaffe *m*, *bes.* a) Maki *m*, b) Gemeiner Le'mur(e).

lem·u·res ['lemjəˌriːz] *s pl myth.* Le'muren *pl* (*Gespenster*).

lem·u·roid ['lemjəˌrɔid] *zo.* **I** *adj* halbaffenartig. **II** *s* Halbaffe *m*.

lend [lend] *pret u. pp* **lent** [lent] *v/t* **1.** (ver-, aus)leihen: **to** ~ **s.o. money, to** ~ **money to s.o.** j-m Geld leihen, an j-n Geld verleihen. **2.** *fig.* *Würde, Nachdruck etc* verleihen (to *dat*): **to** ~ **dignity to s.th.** **3.** *fig.* leihen, gewähren, schenken: **to** ~ **one's aid to s.th.** e-r Sache Unterstützung gewähren; **to** ~ **one's name to s.th.** s-n Namen hergeben für etwas; **to** ~ **o.s. to s.th.** a) sich hergeben zu etwas, b) sich e-r Sache hingeben; **to** ~ **s.o. a hand with** j-m helfen bei; **to** ~ **itself to s.th.** sich eignen für *od.* zu etwas; → **ear**[1] 3. '**lend·er** *s* Aus-, Verleiher(in), Geld-, Kre'dit-, Darlehensgeber(in).

lend·ing ['lendiŋ] *s* Aus-, Verleihen *n*, *econ.* Kre'dit-, Darlehensgewährung *f*: **international** ~ internationaler Kreditverkehr. ~ **li·brar·y** *s* ˌLeihbüche'rei *f*.

'**Lend-'Lease I** *adj a.* L~-L~ Leih-Pacht... **II** *v/t* L~-L~ auf Grund *od.* nach Art des Leih-Pacht-Gesetzes verleihen u. verpachten. ~ **Act** *s* Leih-Pacht-Gesetz *n* (*von 1941*).

length [leŋθ; leŋkθ] *s* **1.** Länge *f* (*a. als Maß od. Stück*): ~ **and breadth**; **an arm's** ~ e-e Armlänge; **two feet in** ~ 2 Fuß lang. **2.** Länge *f*: a) Strecke *f*: **a** ~ **of three feet**, b) lange Strecke. **3.** Länge *f*, 'Umfang *m* (*e-s Buches, e-r Liste etc*). **4.** (*zeitliche*) Länge: a) Dauer *f* (*a. ling. e-s Lautes*), b) lange Dauer. **5.** *sport* Länge *f*: **the horse won by a** ~ das Pferd gewann mit e-r Länge Vorsprung. **6.** *metr.* Quanti'tät *f*. **7.** *thea.* Abschnitt *m* von 42 Versen.

Besondere Redewendungen:

at ~ a) ausführlich, b) endlich, schließlich; **at full** ~ a) in allen Einzelheiten, b) der Länge nach; **at great (some)** ~ sehr (ziemlich) ausführlich; **to go to great** ~**s** a) sehr weit gehen, b) sich sehr bemühen; **he went (to) the** ~ **of asserting** er ging so weit zu behaupten; **to go to all** ~**s** aufs Ganze gehen; **to go any** ~ **for s.o.** alles tun für j-n; **I cannot go that** ~ **with you** darin gehen Sie mir zu weit; **to know the** ~ **of s.o.'s foot** j-s Schwächen *od.* Grenzen kennen; → **arm**[1] *Bes. Redew.*, **measure** 18.

length·en ['leŋθən; 'leŋkθən] **I** *v/t* **1.** verlängern, länger machen. **2.** ausdehnen. **3.** *metr.* lang machen. **4.** *Wein etc* strecken. **II** *v/i* **5.** sich verlängern, länger werden: **the shadows** ~ a) die Schatten werden länger, es wird Abend, b) *fig.* man wird älter. **6.** ~ **out** sich in die Länge ziehen. '**length·en·ing I** *s* Verlängerung *f*. **II** *adj* Verlängerungs...

length·i·ness ['leŋθinis; 'leŋkθ-] *s* Langatmigkeit *f*, Weitschweifigkeit *f*.

'**lengthˌways,** '**lengthˌwise** *adv* der Länge nach, längs.

length·y ['leŋθi; 'leŋkθi] *adj* (*adv* lengthily) **1.** sehr lang. **2.** 'übermäßig *od.* ermüdend lang, langatmig. **3.** *colloq.* ‚lang': **a** ~ **fellow**.

le·ni·en·cy ['liːniənsi], *a.* '**le·ni·ence** *s* Milde *f*, Nachsicht *f*. '**le·ni·ent** *adj* (*adv* ~**ly**) mild(e), nachsichtig (towards] gegenüber).

Len·in·ism ['leniˌnizəm] *s pol.* Leni'nismus *m*. '**Len·in·ist,** '**Len·inˌite I** *s* Leni'nist(in). **II** *adj* leni'nistisch.

le·nis ['liːnis] *ling.* **I** *pl* **-nes** [-niːz] *s* Lenis *f*. **II** *adj* le'niert.

le·ni·tion [li'niʃən] *s ling.* Le'nierung *f*, Konso'nantenschwächung *f*.

len·i·tive ['lenitiv] **I** *adj* **1.** *bes. med.* lindernd. **2.** *med.* leicht abführend. **II** *s* **3.** *med.* Linderungsmittel *n*. **4.** *med.* lindes Abführmittel.

len·i·ty ['leniti] *s* Nachsicht *f*, Milde *f*.

le·no ['liːnou] **I** *pl* **-nos** *s* Li'non *m* (*Baumwollgewebe*). **II** *adj* Linon...

lens [lenz] *s* **1.** *anat., a. phot. phys.* Linse *f*: ~ **aperture** *phot.* Blende *f*. **supplementary** ~ Vorsatzlinse. **2.** *phot. phys.* Objek'tiv *n*. **3.** *zo.* Sehkeil *m* (*e-s Facettenauges*). **4.** *pl med.* Gläser *pl*. ~ **hood** → **lens screen**. ~ **mount** *s phot.* Objek'tivfassung *f*. ~ **screen** *s phot.* Gegenlichtblende *f*. ~ **tur·ret** *s phot.* Objek'tivreˌvolver *m*.

lent[1] [lent] *pret u. pp von* **lend**.

Lent[2] [lent] *s* **1.** Fasten(zeit *f*) *pl*. **2.** *pl* Frühjahrsbootsrennen *pl* (*der Universität Cambridge*).

Lent·en, l~ ['lentən] *adj* **1.** Fasten... **2.** *fig.* fastenmäßig, karg, mager: ~ **fare** fleischlose Kost.

len·tic·u·lar [len'tikjulər] *adj* **1.** linsenförmig. **2.** *phys.* bikon'vex. **3.** *anat.* Linsen...

len·ti·form ['lentiˌfɔːrm] *adj* linsenförmig.

len·til ['lentil; -tl] *s* **1.** *bot.* Linse *f*. **2.** *geol.* (Gesteins)Linse *f*.

Lent| lil·y *od.* **rose** *s bot. Br.* Nar'zisse *f*. ~ **term** *s univ. Br.* 'Frühjahrstriˌmester *n*.

l'en·voi, *a.* **l'en·voy** ['lenvɔi; len'vɔi] → **envoy**[1].

Le·o ['liːou] *s astr.* Löwe *m*.

Le·o·nid ['liːənid] *s astr.* Leo'niden-Sternschnuppe *f*: **the** ~**s** die Leoniden.

le·o·nine[1] ['liːəˌnain] *adj* **1.** Löwen...: ~ **head** Löwenhaupt *n*. **2.** *jur.* leo'ninisch: ~ **partnership** leoninischer Vertrag (*wobei ein Partner alle Nachteile hat*).

Le·o·nine[2] ['liːəˌnain] *adj* leo'ninisch: ~ **verse**; ~ **city** Leostadt *f* (*Teil von Rom, in dem die Vatikanstadt liegt*).

leop·ard ['lepərd] *s* **1.** *zo.* Leo'pard *m*, Panther *m*: **American** ~ Jaguar *m*; **black** ~ Schwarzer Panther; **can the** ~ **change his spots?** *fig.* kann man denn aus s-r Haut heraus? **2.** Leo'pardenfell *n*, -pelz *m*. ~ **cat** *s zo.* Ben'galkatze *f*. '~'**s-ˌbane** *s bot.* Gemswurz *f*.

lep·er ['lepər] *s* Aussätzige(r *m*) *f*, Leprakranke(r *m*) *f*. ~ **house** *s* Lepraheim *n*, Le'prosenhaus *n*.

lep·i·dop·ter·ist [ˌlepi'dɒptərist] *s* Schmetterlingskenner(in). ˌ**lep·i'dop·ter·on** [-rən] *pl* **-ter·a** [-rə] *s zo.* Schmetterling *m*. ˌ**lep·i'dop·ter·ous** *adj* Schmetterlings...

lep·i·dote ['lepiˌdout] *adj bot.* schuppig.

lep·o·rine ['lepəˌrain; -rin] *adj zo.* **1.** Hasen... **2.** hasenartig.

lep·re·chaun ['leprəˌkɔːn] *Ir.* *s* Heinzelmännchen *n*, Kobold *m*.

lep·ro·sar·i·um [ˌleprə'sɛ(ə)riəm] *s* Lepro'sorium *n*, Lepraheim *n*.

lep·rose ['leprous] *adj bes. bot.* schuppig, schorfig.

lep·ro·sy ['leprəsi] *s* **1.** *med.* Lepra *f*, Aussatz *m*. **2.** *fig.* Gift *n*, Krebsgeschwür *n*. '**lep·rous** *adj* **1.** *med.* leprakrank, aussätzig. **2.** *med.* le'prös, Lepra... **3.** *fig.* vergiftet.

lep·to·dac·ty·lous [ˌlepto'dæktiləs] *adj zo.* schmalzehig.

lep·ton[1] ['leptɒn] *pl* **-ta** [-tə] *s* Lep'ton *n* (*griechische Münze*).

lep·ton[2] ['leptɒn] *s phys.* Lep'ton *n* (*Sammelname für Elektronen, Positronen, Neutrinos u. μ-Mesonen*).

lep·tor·rhine ['leptərin] *adj* schmalnasig.

Le·pus ['li:pəs] *s astr.* Hase *m* (*Sternbild*).

Les·bi·an ['lezbiən] **I** *adj* **1.** lesbisch, von Lesbos. **2.** lesbisch: ~ **love. 3.** e'rotisch: ~ **novels. II** *s* **4.** Lesbier(in). **'Les·bi·an,ism** *s* lesbische Liebe, weibliche ,Homosexuali'tät.

lese maj·es·ty ['li:z 'mædʒisti], *a.* (*Fr.*) **lèse-ma·jes·té** [lɛ:zmaʒɛs'te] *s* **1.** Maje'stätsbeleidigung *f* (*a. fig.*). **2.** Hochverrat *m.*

le·sion ['li:ʒən] *s* **1.** *med.* Verletzung *f*, Wunde *f.* **2.** *bot. med.* krankhafte Veränderung (*e-s Organs*). **3.** *jur.* Schädigung *f.*

less [les] **I** *adv* (*comp von* **little**) **1.** weniger, in geringerem Maße *od.* Grade: a ~ **known** (*od.* ~**-known**) **author** ein weniger bekannter Verfasser; ~ **and** ~ immer weniger; **still** (*od.* **much**) ~ noch viel weniger, geschweige denn; **the** ~ **so as** (dies) um so weniger, als; ~ **than smooth** alles andere als glatt; **we expected nothing** ~ **than** wir erwarteten alles eher als. **II** *adj* (*comp von* **little**) **2.** geringer, kleiner, weniger: **in a** ~ **degree** in geringerem Grade; **of** ~ **value** von geringerem Wert; **he has** ~ **money** er hat weniger Geld; **in** ~ **time** in kürzerer Zeit; **no** ~ **a man than Churchill** kein Geringerer als Churchill; → **evil** 5. **3.** jünger (*obs. außer in*): **James the L~** *Bibl.* Jakobus der Jüngere. **III** *s* **4.** weniger, eine kleinere Menge *od.* Zahl, ein geringeres (Aus-)Maß: **it was** ~ **than five dollars** es kostete weniger als 5 Dollar; **in** ~ **than no time** im Nu; **to do with** ~ mit weniger auskommen; **for** ~ billiger; **little** ~ **than robbery** so gut wie *od.* schon fast Raub; **nothing** ~ **than** zumindest. **5.** (*der, die, das*) Geringere *od.* Kleinere. **IV** *prep* **6.** weniger, minus: **five** ~ **two**; ~ **interest** abzüglich (der) Zinsen. **7.** ausgenommen.

-less [lis] *Wortelement mit der Bedeutung* **1.** ...los, ohne: **childless** kinderlos. **2.** nicht zu ...: **countless** unzählbar.

les·see [le'si:] *s jur.* Pächter(in), Mieter(in).

less·en ['lesn] **I** *v/i* **1.** sich vermindern *od.* verringern, abnehmen, geringer *od.* kleiner werden. **II** *v/t* **2.** vermindern, -ringern, her'absetzen, verkleinern. **3.** *fig.* her'absetzen, schmälern. **4.** bagatelli'sieren.

less·er ['lesər] *adj* (*nur attr*) **1.** kleiner, geringer: **the** ~ **evil** das kleinere Übel. **2.** unbedeutender (*von zweien*), klein. **L~ Bear** *s astr.* Kleiner Bär. **L~ Dog** *s astr.* Kleiner Hund.

les·son ['lesn] **I** *s* **1.** Lekti'on *f*, Übungsstück *n.* **2.** (Haus)Aufgabe *f.* **3.** a) (Lehr-, 'Unterrichts)Stunde *f*: **an English** ~ e-e Englischstunde, b) *pl* 'Unterricht *m*, Stunden *pl*: **to give** ~**s** Unterricht erteilen; **to take** ~**s from s.o.** Stunden *od.* Unterricht bei j-m nehmen; ~**s in French** Französischunterricht. **4.** *fig.* Lehre *f*: **this was a** ~ **to me** das war mir e-e Lehre; **let this be a** ~ **to you** laß dir das zur Lehre *od.* Warnung dienen. **5.** *fig.* Lekti'on *f*, Denkzettel *m*, Strafe *f.* **6.** *relig.* (zu verlesender) (Bibel)Text. **II** *v/t* **7.** *j-m* 'Unterricht erteilen, *j-n* unter'weisen. **8.** *fig. j-m* e-n Denkzettel geben.

les·sor [le'sɔ:r; 'lesɔ:r] *s jur.* Verpächter(in), Vermieter(in).

lest [lest] *conj* **1.** (*meist mit folgendem* **should** *konstruiert*) daß *od.* da'mit nicht; aus Furcht, daß: **he ran away** ~ **he should be seen** er lief davon, damit er nicht gesehen werde *od.* um nicht gesehen zu werden. **2.** (*nach Ausdrücken des Befürchtens*) daß: **there is danger** ~ **the plan become known.**

let[1] [let] **I** *s* **1.** *Br. colloq.* Vermieten *n*, Vermietung *f*: **to get a** ~ **for** e-n Mieter finden für.

II *v/t pret u. pp* **let 2.** lassen, *j-m* erlauben: ~ **him talk** laß ihn reden; ~ **me help you** lassen Sie mich Ihnen helfen; ~ **me see!** Moment mal!; **he** ~ **himself be deceived** er ließ sich täuschen; **to** ~ **s.o. know** j-n wissen lassen. **3.** (eintreten *od.* 'durchgehen *od.* fortgehen) lassen, ein-, 'durch-, fortlassen: **to** ~ **into** a) (her')einlassen in (*acc*), b) *j-n* einweihen in *ein Geheimnis*, c) *ein Stück Stoff etc* einsetzen in (*acc*); **to** ~ **s.o. into the house** j-n in das Haus (ein)lassen; **to** ~ **s.o. off a penalty** j-m e-e Strafe erlassen. **4.** vermieten, -pachten (**to** an *acc*; **for** auf *ein Jahr etc*). **5.** *e-e Arbeit etc* vergeben (**to** an *acc*).

III *v/aux* **6.** lassen, mögen, sollen (*zur Umschreibung des Imperativs der 1. u. 3. Person, von Befehlen etc*): ~ **us go! Yes,** ~**'s!** gehen wir! Ja, gehen wir! (*od.* Ja, einverstanden!); ~ **us pray** lasset uns beten; ~ **him go there at once!** er soll sofort hingehen!; (**just**) ~ **them try** sie sollen es nur versuchen; ~ **A be equal to B** nehmen wir an, A ist gleich B.

IV *v/i* **7.** vermietet *od.* verpachtet werden (**at, for** für). **8.** sich *gut etc* vermieten *od.* verpachten lassen. **9.** ~ **into** 'herfallen über *j-n.*

Besondere Redewendungen:

~ **alone** a) geschweige denn, ganz zu schweigen von, b) → **let alone**; **to** ~ **loose** loslassen; **to** ~ **be** a) *etwas* sein lassen, die Finger lassen von, b) *j-n* in Ruhe lassen; **to** ~ **drive at s.o.** auf j-n losschlagen *od.* -feuern; **to** ~ **fall** a) (*fig. e-e Bemerkung etc*) fallenlassen, b) *math. e-e Senkrechte* fällen (**on, upon** auf *acc*); **to** ~ **fly** a) *etwas* abschießen, b) *fig. etwas* loslassen, vom Stapel lassen, c) schießen (**at** auf *acc*), d) *fig.* grob werden, vom Leder ziehen (**at** gegen), e) es (*bergab etc*) sausen lassen; **to** ~ **go** a) loslassen, fahren lassen, b) (ab)laufen lassen, es sausen lassen, *a.* drauf'los *schießen, rasen etc* (**with** mit), c) loslegen; **to** ~ **o.s. go** sich gehenlassen; **to** ~ **go of s.th.** etwas loslassen; ~ **it go at that** laß es dabei bewenden.

Verbindungen mit Adverbien:

let| a·lone *v/t* **1.** al'lein lassen, verlassen. **2.** *j-n* in Ruhe lassen. **3.** *etwas* sein lassen, in Ruhe lassen, die Finger von *etwas* lassen: **let well alone!** laß gut sein!, laß die Finger davon!; → **let**[1] *Bes. Redew.*, **severely** 1. ~ **down I** *v/t* **1.** her'ab-, her'unterlassen: **to let s.o. down gently** *fig.* mit j-m glimpflich verfahren. **2.** a) *j-n* im Stich lassen, b) enttäuschen. **3.** verdünnen. **II** *v/i* **4.** *Am.* nachlassen. **5.** *aer. Am.* her'untergehen, zur Landung ansetzen. ~ **in** *v/t* **1.** (her)'einlassen: **to let s.o. in**; **to** ~ **light**; **it would** ~ **all sorts of evils** es würde allen möglichen Übeln Tür u. Tor öffnen. **2.** *ein Stück etc* einlassen, -setzen. **3.** *j-n* einweihen (**on** in *acc*). **4.** ,'reinlegen', betrügen (**for** um). **5.** in Schwierigkeiten bringen: **to let s.o. in for s.th.** j-m etwas aufhalsen *od.* einbrocken; **to let o.s. in for s.th.** sich etwas aufhalsen lassen *od.* einbrocken, sich auf etwas einlassen. ~ **off** *v/t* **1.** *ein Feuerwerk, e-e Dynamitladung etc* loslassen, *ein Gewehr etc* abfeuern. **2.** *Gase etc* ablassen: → **steam** 1. **3.** *fig. e-n Witz etc* vom Stapel lassen. **4.** *j-n* laufenlassen, *mit e-r Geldstrafe etc* da'vonkommen lassen: **to let s.o. off with a fine. 5.** *bes. sport* entwischen lassen. **6.** *j-n* gehen lassen, entlassen. ~ **on** *colloq.* **I** *v/i* **1.** ,schwatzen', ,plaudern' (*ein Geheimnis verraten*). **2.** vorgeben, so tun als ob. **II** *v/t* **3.** zugeben. **4.** ,ausplaudern', verraten. **5.** sich *etwas* anmerken lassen. ~ **out I** *v/t* **1.** her'auslassen. **2.** entwischen lassen. **3.** ,ausplaudern', verraten. **4.** *Kleid etc* auslassen. **5.** → **let**[1] 4 *u.* 5. **6.** *Am. j-n* von weiterer Verantwortung befreien. **II** *v/i* **7.** (um sich) schlagen: **to** ~ **at s.o.** über j-n herfallen (*a. fig.*). **8.** *Am. colloq.* enden, aufhören. ~ **up** *v/i colloq.* **1.** a) nachlassen, b) aufhören. **2.** *Am.* (**on**) a) ablassen (von), b) lokkern (*acc*), c) kürzer treten (mit).

let[2] [let] *s* **1.** *Tennis*: Let *n*, ungültiger Ball. **2.** Hindernis *n* (*obs. außer in*): **without** ~ **or hindrance** völlig unbehindert.

'let|-a'lone *adj* (die Dinge) laufen lassend: **the** ~ **principle** *econ.* das Prinzip des Laissez-faire. **'~,down** *s* **1.** Nachlassen *n*, Absinken *n*, Rückgang *m.* **2.** *colloq.* Enttäuschung *f.* **3.** *aer.* Her'untergehen *n.*

le·thal ['li:θəl] **I** *adj* **1.** tödlich, todbringend, le'tal. **2.** Todes...: ~ **chamber** Todeskammer *f.* **II** *s* → **lethal factor.** ~ **fac·tor,** ~ **gene** *s biol.* Le'talfaktor *m.*

le·thar·gic [li'θɑ:rdʒik] *adj*; **le'thar·gi·cal** [-kəl] *adj* (*adv* ~**ly**) le'thargisch: a) teilnahmslos, träg(e), stumpf, b) *med.* schlafsüchtig. **leth·ar·gize** ['leθər,dʒaiz] *v/t* le'thargisch machen. **'leth·ar·gy** [-dʒi] *s* Lethar'gie *f*: a) Teilnahmslosigkeit *f*, Stumpfheit *f*, b) *med.* Schlafsucht *f.*

Le·the ['li:θi; -θi:] *s* **1.** Lethe *f* (*Fluß des Vergessens im Hades*). **2.** *poet.* Vergessen(heit *f*) *n.*

Le·the·an [li'θi:ən] *adj poet.* Vergessen(heit) bringend.

'let,off *s* **1.** *tech.* Auslaß *m.* **2.** *colloq.* Fest *n*, ,Rummel' *m.* **3.** *colloq.* a) Entwischenlassen *n*, b) verpaßte Gelegenheit, c) ,Dusel' *m*, (glückliches) Entwischen.

let's [lets] *colloq. für* **let us.**

Lett [let] *s* **1.** Lette *m*, Lettin *f.* **2.** *ling.* Lettisch *n*, das Lettische.

let·ter[1] ['letər] **I** *s* **1.** Buchstabe *m* (*a. fig. buchstäblicher Sinn*): **to the** ~ *fig.* buchstäblich, peinlich genau; **the** ~ **of the law** der Buchstabe des Gesetzes; **in** ~ **and in spirit** dem Buchstaben u. dem Sinne nach. **2.** Brief *m*, Schreiben *n* (**to** an *acc*): **business** ~ Geschäftsbrief; **by** ~ brieflich, schriftlich; **stamped** (*od.* **prepaid**) ~ frankierter Brief; **unpaid** ~ unfrankierter Brief; ~ **of application** Bewerbungsschreiben. **3.** *pl* (amtlicher) Brief, Urkunde *f*: ~**s of administration** *jur.* Nachlaßverwalter-Zeugnis *n*; ~ **of attorney** *jur.* Vollmacht(surkunde) *f*; ~**s** (*od.* ~) **of credence,** ~**s credential** *pol.* Beglaubigungsschreiben *n*; ~ **of credit** *econ.* Akkreditiv *n*; ~**s patent** (*als sg od. pl konstruiert*) *jur.* Patenturkunde; ~**s testamentary** *jur.* Testamentsvollstrecker-Zeugnis *n.* **4.** *print.* a) Letter *f*, Type *f*, b) *collect.* Lettern *pl*, Typen *pl*, c) Schrift(art) *f.* **5.** *pl* a) (schöne) Litera'tur, b) Bildung *f*, c) Wissenschaft *f*: **man of** ~**s** a) Literat

m, b) Gelehrte(r) *m*. **6.** *ein Papierformat* (*10 × 16 Zoll*).
II *v/t* **8.** beschriften. **9.** mit Buchstaben bezeichnen. **10.** *ein Buch* a) (mit der Hand) betiteln, b) am Rand mit den Buchstaben (*des Alphabets als Daumenindex*) versehen.

let·ter[2] ['letər] *s* Vermieter(in).

let·ter| bag *s* Briefbeutel *m*, -sack *m*. **~ bal·ance** *s Br.* Briefwaage *f*. **~ book** *s* Briefordner *m* (*für Kopien*). **~ box** *s bes. Br.* Briefkasten *m*. **~ card** *s Br.* Kartenbrief *m*. **~ car·rier** *s* **1.** *Am.* Briefträger *m*. **2.** *Br.* 'Briefsor,tierer *m*. **~ case** *s* **1.** Briefmappe *f*. **2.** *print.* Setzkasten *m*. **~ clip** *s* Bü'ro-, Briefklammer *f*.

let·tered ['letərd] *adj* **1.** (lite'rarisch) gebildet. **2.** gelehrt: a) stu'diert, b) wissenschaftlich. **3.** lite'rarisch. **4.** beschriftet, bedruckt.

let·ter| file *s* Briefordner *m*. **~ found·er** *s print.* Schriftgießer *m*. **~ found·ry** *s* ,Schriftgieße'rei *f*.

let·ter·gram ['letər,græm] *s Am.* 'Brieftele,gramm *n*.

let·ter head *s* **1.** (gedruckter) Briefkopf. **2.** 'Kopfpa,pier *n*, -bogen *m*.

let·ter·ing ['letəriŋ] *s* **1.** Beschriften *n*: ~ pen Tuschfeder *f*. **2.** Aufdruck *m*, Beschriftung *f*. **3.** Buchstaben *pl*.

let·ter| lock *s* Buchstabenschloß *n*. **~ man** *s irr Am. Schüler od. Student, der als Auszeichnung für sportliche Leistungen die Initialen s-r Schule etc tragen darf*. **~ pa·per** *s* 'Briefpa,pier *n* (*im Format 10 × 16 Zoll*). **'~-'per·fect** *adj* **1.** *thea.* rollensicher, -fest. **2.** *allg.* buchstabengetreu, ganz ex'akt. **'~,press** *s* **1.** 'Briefko,pierpresse *f*. **2.** Briefbeschwerer *m*. **3.** *print.* (Druck)Text *m*. **4.** *print.* Hoch-, Buchdruck *m*. **'~,weight** *s* **1.** Briefwaage *f*. **2.** Briefbeschwerer *m*. **~ wood** *s bot.* Buchstabenholz *n*. **~ wor·ship** *s* Buchstabengläubigkeit *f*. **~ writ·er** *s* **1.** Briefschreiber(in). **2.** Briefsteller *m*.

Let·tic ['letik] **I** *adj* baltisch (*bes. die baltischen Sprachen Lettisch, Litauisch u. Altpreußisch betreffend*). **II** *s ling.* Baltisch *n*, das Baltische.

let·ting ['letiŋ] *s bes. Br.* **1.** Vermieten *n*. **2.** Mietwohnung *f*.

Let·tish ['letiʃ] **I** *adj* lettisch. **II** *s ling.* Lettisch *n*, das Lettische.

let·tuce ['letis] *s bot.* (*bes.* Garten-) Lattich *m*, (*bes.* 'Kopf)Sa,lat *m*. **~ bird** *s orn. Am.* Goldzeisig *m*.

'let,up *s colloq.* Nachlassen *n*, Aufhören *n*, Unter'brechung *f*, Pause *f*.

leu·ce·mi·a [lju:'si:miə; lu:-] → leuk(a)emia.

leu·co·base ['lju:kou; 'lu:-] *s chem.* Leukobase *f*, -verbindung *f*.

leu·co·cyte ['lju:ko,sait; 'lu:-] *s med.* Leuko'zyte *f*, weißes Blutkörperchen.

leu·co·cy·to·sis [,lju:kosai'tousis; ,lu:-] *s med.* Leukozy'tose *f*.

leu·co·ma [lju:'koumə; lu:-] *s med.* Leu'kom *n* (*Hornhauttrübung*).

leu·co·plast ['lju:ko,plæst; 'lu:-] *s bot.* Leuko'plast *m*, Stärkebildner *m*.

leu·cor·rh(o)e·a [,lju:kə'ri:ə; ,lu:-] *s med.* Leukor'rhöe *f*, Weißfluß *m*. **,leu·cor'rh(o)e·al** *adj* leukor'rhöisch.

leu·co·sis [lju:'kousis; lu:-] *s* **1.** *med.* Leukä'mie *f*. **2.** *vet.* Ge'flügelleukä,mie *f*.

leu·co·tome ['lju:ko,toum; 'lu:-] *s med.* Leuko'tom *n* (*Messer*). **leu'cot·o·my** [-'kɒtəmi] *s* Leukoto'mie *f*, Loboto'mie *f* (*Gehirnoperation*).

leu·k(a)e·mi·a [lju:'ki:miə; lu:-] *s med.* Leukä'mie *f*, Weißblütigkeit *f*.

Le·vant[1] [li'vænt] *s* **1.** Le'vante *f* (*die Länder um das östliche Mittelmeer*). **2.** *obs.* Morgenland *n*, Orient *m*. **3.** L~ → Levanter 2. **4.** L~, *a.* ~ morocco feines Saffianleder.

le·vant[2] [li'vænt] *v/i Br.* 'durchbrennen.

Le·vant·er [li'væntər] *s* **1.** Levan'tiner(in). **2.** *meist* L~ starker Süd'ostwind (*im Mittelmeer*).

Le·van·tine [li'væntin; -tain; 'levən-] **I** *s* Levan'tiner(in). **II** *adj* levan'tinisch.

lev·ee[1] ['levi] *Am.* **I** *s* **1.** (Ufer-, Schutz)Damm *m*, (Fluß)Deich *m*. **2.** Lande-, Anlegeplatz *m*. **3.** Laster-, Vergnügungsviertel *n* (*bes. in Chicago*). **II** *v/t* **4.** eindämmen.

lev·ee[2], *a.* **lev·ée** ['levi; le'vi:] *s* **1.** *hist.* Le'ver *n*, Morgenempfang *m* (*e-s Fürsten*). **2.** Le'vee *n*: a) (*in England*) *Nachmittags-Audienz am Hof für Männer*, b) (*in USA*) *Empfang beim Präsidenten*. **3.** *allg.* Gesellschaft *f*, Empfang *m*.

lev·el ['levl] **I** *s* **1.** *tech.* Li'belle *f*, Wasserwaage *f*. **2.** *surv. tech.* a) Nivel'lierinstru,ment *n*, b) Höhen-, Ni'veaumessung *f*. **3.** Ebene *f* (*a. geogr.*), ebene Fläche. **4.** Horizon'talebene *f*, Horizon'tale *f* Waag(e)rechte *f*. **5.** Höhe *f* (*a. geogr.*), (*Wasser- etc*)Spiegel *m*, (-)Stand *m*, (-)Pegel *m*: sea ~ Meeresspiegel; ~ of sound Geräuschpegel, Tonstärke *f*; blood-calcium ~ *physiol.* Blutkalkspiegel; on the ~ *Am. colloq.* ‚in Ordnung', ehrlich, anständig. **6.** gleiche Höhe: on a ~ with auf gleicher Höhe mit. **7.** *fig.* (*a. geistiges*) Ni'veau, Stand *m*, Grad *m*, Stufe *f*: high ~ of technical skill hohes technisches Niveau; low production ~ niedriger Produktionsstand; price ~ Preisniveau; to put o.s. on the ~ of others sich auf das Niveau anderer Leute begeben; to sink to the ~ of cut-throat practices auf das Niveau von Halsabschneidern absinken; to find one's ~ den Platz einnehmen, der e-m zukommt; on the same ~ a) auf gleichem Niveau, b) auf gleichem Fuße. **8.** (*politische etc*) Ebene: a conference on the highest ~ e-e Konferenz auf höchster Ebene; on a ministerial ~ auf Ministerebene. **9.** *Bergbau*: a) Sohle *f*, b) Sohlenstrecke *f*.
II *adj* **10.** eben: a ~ road. **11.** waag(e)recht, horizon'tal. **12.** gleich (*a. fig.*): ~ crossing *Br.* schienengleicher Übergang, höhengleiche Kreuzung; to make ~ with the ground dem Erdboden gleichmachen; ~ with auf gleicher Höhe *od.* Stufe mit; to draw ~ with s.o. j-n einholen. **13.** gleichmäßig, ausgeglichen: a ~ race ein ausgeglichenes Rennen, ein Kopf-an-Kopf-Rennen; ~ stress *ling.* schwebende Betonung; to do one's ~ best sein möglichstes tun. **14.** gleichbleibend: ~ temperature. **15.** a) vernünftig, verständig, b) kalt, hart (*Blick etc*). **16.** *phys.* äquipotenti'al. **17.** *Am. sl.* ehrlich, fair. **18.** *econ. Am.* Teilzahlungs...
III *v/t* **19.** ebnen, pla'nieren. **20.** *a.* ~ to *od.* with the ground einebnen, dem Erdboden gleichmachen: to ~ a city. **21.** *j-n* zu Boden schlagen. **22.** *fig.* gleichmachen, nivel'lieren. **23.** *Unterschiede* aufheben, beseitigen. **24.** ausgleichen. **25.** in horizon'tale Lage bringen, (aus)richten. **26.** *e-e Waffe, e-n Blick, a. fig. Kritik etc* richten (at, against auf *acc*). **27.** *surv.* nivel'lieren.
IV *v/i* **28.** die Waffe richten, zielen (at auf *acc*). **29.** *fig.* abzielen (at auf *acc*).
Verbindungen mit Adverbien:
lev·el| down *v/t* **1.** nach unten ausgleichen. **2.** auf ein tieferes Ni'veau her'abdrücken. **3.** *Preise, Löhne* drücken, her'absetzen. **~ off I** *v/t* **1.** → level 19. **II** *v/i* **2.** das Flugzeug abfangen *od.* aufrichten. **3.** *fig.* sich stabili'sieren, sich einpendeln (at bei). **~ up** *v/t* **1.** nach oben ausgleichen. **2.** auf ein höheres Ni'veau heben. **3.** *Preise, Löhne* hin'aufschrauben.

lev·el·er, *bes. Br.* **lev·el·ler** ['levlər] *s* **1.** a) Pla'nierer *m*, b) Pla'niergerät *n*. **2.** *pol.* a) Gleichmacher *m*, b) L~ *hist.* Leveller *m* (*Angehöriger e-r radikalen demokratischen Gruppe der Cromwellzeit*). **3.** ‚Gleichmacher' *m* (*Faktor, der soziale Unterschiede ausgleicht*).

'lev·el'head·ed *adj* vernünftig.

lev·el·ing, *bes. Br.* **lev·el·ling** ['levliŋ] *s* **1.** Pla'nieren *n*. **2.** *surv.* Nivel'lierung *f*. **3.** *ling.* Analo'gie(bildung) *f*, Angleichung *f*. **4.** *econ. Am.* Bestimmung *f* der 'Durchschnittszeit für e-n Arbeitsvorgang (*als Basis für Arbeitsbewertung etc*). **~ rod** *s tech.* Nivel'lierlatte *f*, -stab *m*. **~ screw** *s tech.* (Ein)Stell-, Nivel'lierschraube *f*.

lev·el·ler, lev·el·ling *bes. Br. für* leveler *etc.*

le·ver ['li:vər; *Am. a.* 'levər] **I** *s* **1.** *phys. tech.* Hebel *m*: ~ of the first order (*od.* kind) zweiarmiger Hebel; ~ of the second order (*od.* kind) einarmiger Hebel; brake ~ Bremshebel; ~ key *electr.* Kippschalter *m*; ~ switch Hebel-, Griffschalter *m*. **2.** *tech.* a) Hebebaum *m*, Brechstange *f*, b) Schwengel *m* (*e-r Pumpe etc*), c) Anker *m* (*e-r Uhr*): ~ escapement Ankerhemmung *f*; ~ watch Ankeruhr *f*, d) (Kammer)Stengel *m* (*e-s Gewehrschlosses*), e) *a.* ~ tumbler Zuhaltung *f*. **3.** *fig.* Hebel *m*, (mo'ralisches, po'litisches *etc* Druck)Mittel. **II** *v/t* **4.** hebeln, mit e-m Hebel bewegen. **5.** als Hebel verwenden.

le·ver·age ['li:vəridʒ; *Am. a.* 'lev-] *s* **1.** *tech.* a) Hebelanwendung *f*, -anordnung *f*, -verhältnis *n*, b) Hebelkraft *f*, -wirkung *f*. **2.** *fig.* a) Macht *f*, Einfluß *m*, b) → lever 3.

lev·er·et ['levərit] *s* junger Hase (*im ersten Jahr*), Häs-chen *n*.

le·vi·a·than [li'vaiəθən] *s* **1.** *Bibl.* Levi'athan *m*. **2.** (See)Ungeheuer *n*. **3.** *fig.* Ungetüm *n*, Ko'loß *m*, Riese *m* (*bes. Schiff*). **4.** Riese *m* (*Mensch von ungeheurer politischer Macht*).

lev·i·gate I *v/t* ['levi,geit] **1.** pulveri'sieren, (*a.* zu e-r Paste) verreiben. **2.** *chem.* homogeni'sieren. **II** *adj* [-git; -,geit] **3.** *bes. bot.* glatt.

lev·in ['levin] *s obs.* Blitz(strahl) *m*.

lev·i·rate ['levərit; -,reit; 'li:-] **I** *s* Levi'rat *n*, Levi'ratsehe *f*. **II** *adj* Levirats..., levi'ratisch.

Le·vis ['li:vaiz] (*TN*) *s pl Am.* Arbeitshose *f*.

lev·i·tate ['levi,teit] *v/i u. v/t* frei schweben (lassen). **,lev·i'ta·tion** *s* Levitati'on *f*, Schweben *n*.

Le·vite ['li:vait] *s Bibl.* Le'vit *m*. **Le·vit·i·cal** [li'vitikəl], *a.* **Le'vit·ic** *adj Bibl.* le'vitisch.

Le·vit·i·cus [li'vitikəs] *s Bibl.* Le'vitikus *m*, 3. Buch *n* Mose.

lev·i·ty ['leviti] *s* Leichtsinn *m*, -fertigkeit *f*, Frivoli'tät *f*: with ~ leichtfertig, frivol.

,le·vo'com·pound *s chem.* l-Verbindung *f* (*die die Ebene des polarisierten Lichts nach links dreht*).

le·vo·ro·ta·tion [,li:voro'teiʃən] *s*

chem. Linksdrehung *f.* **le·vo·ro·ta·to·ry** [*Br.* ˌliːvoroˈteitəri; *Am.* -ˈroutəˌtɔːri] *adj chem.* linksdrehend.

lev·u·lose [ˈlevjuˌlous] *s chem.* Lävuˈlose *f*, Fruchtzucker *m.*

lev·y [ˈlevi] **I** *s* **1.** *econ.* Erhebung *f* (*e-r Steuer etc*). **2.** *econ.* Steuer *f*, Abgabe *f*: **capital ~** Kapitalabgabe. **3.** Beitrag *m*, ˈUmlage *f.* **4.** *jur.* Beschlagnahme *f*, Vollˈstreckungsvollˌzug *m.* **5.** *mil.* a) Aushebung *f* (*von Truppen*): **~ in mass** Einberufung *f* aller Wehrfähigen, b) *a. pl* ausgehobene Truppen *pl*, Aufgebot *n.* **II** *v/t* **6.** *Steuern etc* a) erheben, b) legen (on auf *acc*), auferlegen (on *dat*). **7.** *jur.* a) beschlagnahmen, mit Beschlag belegen, b) *die Beschlagnahme* ˈdurchführen, vollˈziehen. **8.** to **~ blackmail** (on s.o. j-n) erpressen. **9.** *mil.* a) *Truppen* ausheben, b) *e-n Krieg* beginnen *od.* führen (on, upon gegen). **III** *v/i* **10.** Steuern erheben: to **~ on land** Landbesitz besteuern.

lev·y en masse *s* Massen-, Volksaufgebot *n.*

lewd [luːd; ljuːd] *adj* (*adv* **~ly**) **1.** geil, lüstern. **2.** unzüchtig, obˈszön. **3.** *Bibl.* sündhaft, böse. **4.** *obs.* ungebildet, roh. ˈ**lewd·ness** *s* **1.** Lüsternheit *f.* **2.** Unzüchtigkeit *f.*

lex [lex] *pl* **le·ges** [ˈliːdʒiːz] (*Lat.*) *s* Gesetz *n*, Lex *f*: **~ loci** das ortsübliche Recht; **~ (non) scripta** (un)geschriebenes Recht.

lex·i·cal [ˈleksikəl] *adj* (*adv* **~ly**) **1.** lexikoˈlogisch, Wort..., Wortschatz... **2.** lexiˈkal(isch), Lexikon...: **~ meaning** Stammbedeutung *f.*

lex·i·cog·ra·pher [ˌleksiˈkɒgrəfər] *s* Lexikoˈgraph(in), Wörterbuchverfasser(in). ˌ**lex·i·coˈgraph·ic** [-koˈgræfik], ˌ**lex·i·coˈgraph·i·cal** [-kəl] *adj* lexikoˈgraphisch. ˌ**lex·iˈcog·ra·phy** [-ˈkɒgrəfi] *s* Lexikograˈphie *f.* ˌ**lex·iˈcol·o·gist** [-ˈkɒlədʒist] Lexikoˈloge *m.* ˌ**lex·iˈcol·o·gy** *s* Lexikoloˈgie *f*, Wort(schatz)kunde *f.*

lex·i·con [ˈleksikən] *s* Lexikon *n.*

lex·i·graph·ic [ˌleksiˈgræfik], ˌ**lex·iˈgraph·i·cal** [-kəl] *adj* lexiˈgraphisch, worterklärend. **lex·ig·ra·phy** [lekˈsigrəfi] *s* **1.** Worterklärung *f*, Lexigraˈphie *f.* **2.** Wortschrift *f* (*z. B. chinesische Schrift*).

ley [lei; liː] *s* **1.** Brachland *n.* **2.** *Br.* Lager *n* (*niederliegendes Getreide*).

Ley·den jar [ˈlaidn] *s phys.* Leidener Flasche *f.*

leze maj·es·ty → lese majesty.

ˈ**L-ˌhead en·gine** *s tech.* seitengesteuerter Motor.

li·a·bil·i·ty [ˌlaiəˈbiliti] *s* **1.** *econ. jur.* a) Verpflichtung *f*, Verbindlichkeit *f*, Obligatiˈon *f*, Schuld *f*, b) Haftung *f*, Haftpflicht *f*, Haftbarkeit *f*: **~ insurance** Haftpflichtversicherung *f*; → **joint** 7, **limited** 1, c) *pl* Schuldenmasse *f* (*des Konkursschuldners*). **2.** *pl econ.* (*in der Bilanz*) Passiva *pl.* **3.** *allg.* Verantwortung *f*, Verantwortlichkeit *f.* **4.** Ausgesetztsein *n*, Unterˈworfensein *n* (to s.th. e-r Sache), (*Steuer-, Wehr- etc*) Pflicht *f*: **~ to taxation**; **~ to penalty** Strafbarkeit *f.* **5.** (to) Hang *m*, Neigung *f* (zu), Anfälligkeit *f* (für). **6.** a) Nachteil *m*, b) Belastung *f.*

li·a·ble [ˈlaiəbl] *adj* **1.** *econ. jur.* verantwortlich (for für), haftbar, -pflichtig: to be **~ for** haften für. **2.** verpflichtet (for zu): **~ for military service** wehrpflichtig; **~ to taxation** steuerpflichtig. **3.** (to) neigend (zu), ausgesetzt (*dat*), unterˈworfen (*dat*): to be **~ to** a) *e-r Sache* ausgesetzt sein *od.* unterliegen, b) (*mit inf*) leicht *etwas tun* (können), in Gefahr sein *vergessen etc* zu werden; **difficulties are ~ to occur** Schwierigkeiten treten leicht auf, mit Schwierigkeiten muß gerechnet werden; **~ to prosecution** strafbar, -fällig.

li·aise [liˈeiz] *v/i* **1.** e-e Verbindung aufnehmen *od.* aufrechterhalten (with mit). **2.** *mil.* als Verˈbindungsoffiˌzier funˈgieren.

li·ai·son [*Br.* liˈeizɔ̃; *Am.* ˌliːeiˈzɔ̃] *s* **1.** *bes. mil.* (enge) Zs.-arbeit, Verbindung *f*: **~ aircraft** Verbindungsflugzeug *n*; **~ officer** Verbindungsoffizier *m.* **2.** Liaiˈson *f*, (Liebes)Verhältnis *n.* **3.** *ling.* Liaiˈson *f*, Bindung *f.*

li·a·na [liˈɑːnə; -ˈænə], **liˈane** [-ˈɑːn] *s bot.* Liˈane *f*, Kletterpflanze *f.*

li·ar [ˈlaiər] *s* Lügner(in).

Li·as [ˈlaiəs] *s geol.* Lias *m, f*, schwarzer Jura. **Li·as·sic** [laiˈæsik] *adj geol.* liˈassisch, Lias...

li·ba·tion [laiˈbeiʃən] *s* **1.** *relig. hist.* Trankopfer *n.* **2.** *humor.* Zecheˈrei *f.*

li·bel [ˈlaibəl] **I** *s* **1.** *jur.* a) Klageschrift *f*, b) *Scot.* Anklage(begründung) *f.* **2.** *jur.* a) Verleumdung *f od.* Beleidung *f* (durch Veröffentlichung) (of, on *gen*), b) Schmähschrift *f.* **3.** *allg.* (on) Verleumdung *f*, Verunglimpfung *f* (*gen*), Beleidigung *f* (*gen od.* für), Hohn *m* (auf *acc*). **II** *v/t* **4.** *jur.* a) (schriftlich *etc*) verleumden, beleidigen, b) e-e Klageschrift einreichen gegen. **5.** *allg.* verunglimpfen, beleidigen.

li·bel·(l)ant [ˈlaibələnt] *s jur.* Kläger(in). ˌ**li·belˈ(l)ee** [-ˈliː] *s jur.* Beklagte(r *m*) *f.* ˈ**li·bel·(l)er** *s* Verleumder(in). **li·bel·(l)ous** [-ləs] *adj* (*adv* **~ly**) verleumderisch.

li·ber [ˈlaibər] *s bot.* Bast *m.*

lib·er·al [ˈlibərəl] **I** *adj* (*adv* **~ly**) **1.** libeˈral, frei(sinnig), vorurteilslos, aufgeschlossen: a **~ thinker** ein freiheitlicher Denker. **2.** *oft* **L~** *pol.* libeˈral: **the L~ Party. 3.** großzügig: a) freigebig (of mit): a **~ donor**, b) reichlich (bemessen): a **~ gift** ein großzügiges Geschenk; a **~ quantity** e-e reichliche Menge, c) frei, weitherzig: **~ interpretation**, d) allgemein(bildend), nicht berufstechnisch: **~ education** allgemeinbildende Erziehung, (gute) Allgemeinbildung; **~ profession** freier Beruf. **4.** voll: **~ lips. 5.** ungezügelt, vorlaut: **~ tongue. II** *s* **6.** libeˈral denkender Mensch, Fortschrittliche(r *m*) *f.* **7.** *oft* **L~** *pol.* Libeˈrale(r *m*) *f.* **~ arts** *s pl* **1.** Fächer *pl* der philoˈsophischen Fakulˈtät (*einschließlich Mathematik, Naturwissenschaften u. Soziologie*). **2.** *hist.* freie Künste *pl.*

lib·er·al·ism [ˈlibərəˌlizəm] *s* (*pol. meist* **L~**) Liberaˈlismus *m.* ˌ**lib·er·alˈis·tic** *adj* liberaˈlistisch.

lib·er·al·i·ty [ˌlibəˈræliti] *s* Großzügigkeit *f*: a) Freigebigkeit *f*, b) Aufgeschlossenheit *f*, Vorurteilslosigkeit *f*, Freisinnigkeit *f*, libeˈrale Einstellung, c) reiches Geschenk.

lib·er·al·i·za·tion [ˌlibərəlaiˈzeiʃən] *s econ. pol.* Liberaliˈsierung *f.* ˈ**lib·er·alˌize** *v/t* **1.** *bes. econ.* liberaliˈsieren. **2.** *pol.* zum Liberaˈlismus bekehren.

lib·er·ate [ˈlibəˌreit] *v/t* **1.** befreien (from von). **2.** *Sklaven etc* freilassen. **3.** *chem.* frei machen. **4.** *mil. sl.* ‚orgaˈniˈsieren', ‚abstauben' (*stehlen*).

lib·er·a·tion [ˌlibəˈreiʃən] *s* **1.** Befreiung *f.* **2.** Freilassung *f.* **3.** *chem.* Freimachen *n*, -werden *n.* ˌ**lib·erˈa·tionˌism** *s* Liberatioˈnismus *m* (*Befürwortung der Trennung von Kirche u. Staat*).

lib·er·a·tor [ˈlibəˌreitər] *s* Befreier *m.*

Li·be·ri·an [laiˈbi(ə)riən] **I** *s* Liˈberier(in). **II** *adj* liˈberisch.

lib·er·tar·i·an [ˌlibərˈtɛ(ə)riən] *s* **1.** j-d, der für die Freiheit des einzelnen eintritt. **2.** *philos.* Indetermiˈnist *m.* ˌ**lib·erˈtar·i·anˌism** *s* **1.** Eintreten *n* für individuˈelle Freiheit. **2.** *philos.* Indetermiˈnismus *m.*

li·ber·ti·cide [laiˈbəːrtiˌsaid] *s* **1.** Vernichter *m* der Freiheit. **2.** Vernichtung *f* der Freiheit.

lib·er·tin·age [ˈlibərtinidʒ] → libertinism.

lib·er·tine [ˈlibərˌtin] **I** *s* **1.** zügelloser Mensch, *bes.* Wüstling *m.* **2.** *contp.* Freigeist *m.* **3.** *antiq.* Freigelassene(r) *m.* **II** *adj* **4.** zügellos, ausschweifend, liederlich. **5.** *contp.* freidenkerisch. ˈ**lib·er·tinˌism** *s* **1.** Zügel-, Sittenlosigkeit *f*, Liederlichkeit *f.* **2.** Freigeisteˈrei *f.*

lib·er·ty [ˈlibərti] *s* **1.** Freiheit *f*: **civil ~** bürgerliche Freiheit; **religious ~** Religionsfreiheit; **~ of the press** Pressefreiheit. **2.** Freiheit *f*, freie Wahl, Erlaubnis *f*: **large ~ of action** weitgehende Handlungsfreiheit. **3.** *philos.* (Willens)Freiheit *f.* **4.** *meist* Freiheit *f*, Priviˈleg *n*, (Vor)Recht *n.* **5.** Freiheit *f*, Ungehörigkeit *f.* **6.** *mar.* (kurzer) Landurlaub. **7.** a) beschränkte Bewegungsfreiheit (*für Gefangene etc*), b) Teil *m* (*e-s Gefängnisses etc*), in dem die Gefangenen sich frei bewegen dürfen. **8.** Freibezirk *m* (*e-r Stadt*).

Besondere Redewendungen:

at ~ a) in Freiheit, frei, b) berechtigt, c) unbeschäftigt, d) unbenützt, e) *sl.* arbeitslos; **to be at ~ to do s.th.** etwas tun dürfen; **you are at ~ to go** es steht Ihnen frei zu gehen; **to set at ~** in Freiheit setzen, freilassen, befreien; **to take the ~ to do** (*od.* **of doing**) **s.th.** sich die Freiheit (heraus)nehmen, etwas zu tun; **to take liberties with** a) sich Freiheiten gegen *j-n* herausnehmen, b) willkürlich mit *etwas* umgehen. **~ hall** *s* Haus *n* (*etc*), in dem man alles tun kann, was man will. **~ man** *s irr mar.* Maˈtrose *m* auf Landurlaub. **L~ Ship** *s mar. während des 2. Weltkriegs in Reihenfertigung hergestelltes amer. Handelsschiff.*

li·bid·i·nal [liˈbidinl] *adj* Libido..., triebmäßig. **liˈbid·iˌnize** *v/t* erotiˈsieren. **liˈbid·i·nous** *adj* (*adv* **~ly**) libidiˈnös, wollüstig, geil, lüstern.

li·bi·do [liˈbaidou; -ˈbiː-] *s* Liˈbido *f*, (Geschlechts)Trieb *m.*

Li·bra [ˈlaibrə] *s astr.* Waage *f* (*Sternbild*).

li·brar·i·an [laiˈbrɛ(ə)riən] *s* **1.** Bibliotheˈkar(in). **2.** Biblioˈtheksdiˌrektor *m.* **liˈbrar·i·anˌship** *s* Bibliotheˈkarsamt *n.*

li·brar·y [ˈlaibrəri] *s* **1.** Biblioˈthek *f*: a) (*öffentliche*) Bücheˈrei: **reference ~** Nachschlagebibliothek, b) (*private*) Büchersammlung, c) Stuˈdier-, Biblioˈthekszimmer *n*, d) Buchreihe *f*: **Everyman's L~. 2.** *thea. etc Br.* Kartenverkaufsstelle *f.* **~ e·di·tion** *s* (einheitliche Gesamt)Ausgabe in guter Ausstattung. **~ sci·ence** *s* Biblioˈthekswissenschaft *f.*

li·brate [ˈlaibreit] *v/i* (um e-e Ruhelage) schwanken, pendeln. **liˈbra·tion** *s* **1.** Schwanken *n*, Pendeln *n.* **2.** *astr.* Libratiˈon *f* (*bes. des Mondes*).

li·bret·tist [liˈbretist] *s* Libretˈtist *m*, Textdichter *m.* **liˈbret·to** [-tou] *pl* **-tos, -ti** [-tiː] *s* Liˈbretto *n*: a) Textbuch *n*, b) (*Opern- etc*)Text *m.*

li·bri·form ['laibriˌfɔːrm] *adj bot.* bastfaserartig, Libriform...
Lib·y·an ['libiən] **I** *adj* **1.** libysch. **2.** *poet.* afri'kanisch. **II** *s* **3.** Libyer(in). **4.** *ling.* Libysch *n*, das Libysche.
lice [lais] *pl von* louse.
li·cence, *Am.* **li·cense** ['laisəns] **I** *s* **1.** Erlaubnis *f.* **2.** (*a. econ. Export-, Herstellungs-, Patent-, Verkaufs*)Li'zenz *f*, Konzessi'on *f*, behördliche Genehmigung, Zulassung *f*, Gewerbeschein *m*: to take out a ~ sich e-e Lizenz beschaffen. **3.** amtlicher Zulassungsschein, (*Führer-, Jagd-, Waffen- etc*)Schein *m*: dog ~ Erlaubnisschein zum Halten e-s Hundes; ~ plate *mot.* Zulassungs-, Nummernschild *n.* **4.** Eheerlaubnis *f*: → special licence. **5.** *univ.* Befähigungsnachweis *m.* **6.** (Handlungs)Freiheit *f.* **7.** (*künstlerische, dichterische*) Freiheit: poetic ~. **8.** Zügellosigkeit *f.* **II** *v/t* → license I.
li·cenced, li·cen·cee, li·cenc·er → licensed *etc.*
li·cense ['laisəns] **I** *v/t* **1.** *j-m* e-e behördliche Genehmigung *od.* e-e Li'zenz *od.* e-e Konzessi'on erteilen. **2.** lizen'zieren, konzessio'nieren, (amtlich) genehmigen *od.* zulassen. **3.** *ein Buch* zur Veröffentlichung *od. ein Theaterstück* zur Aufführung freigeben. **4.** *j-n* ermächtigen. **5.** *selten j-m* erlauben. **II** *s Am. für* licence I.
li·censed ['laisənst] *adj* **1.** konzessio'niert, lizen'ziert, amtlich zugelassen: a ~ house ein Lokal mit Konzession zum Ausschank alkoholischer Getränke. **2.** Lizenz...: ~ construction Lizenzbau *m.* **3.** privile'giert.
li·cen·see [ˌlaisən'siː] *s* Li'zenznehmer *m*, Konzessi'onsinhaber *m.*
li·cens·er, *jur.* **li·cen·sor** ['laisənsər] *s* **1.** Li'zenzgeber *m*, Konzessi'onserteiler *m.* **2.** Zensor *m.*
li·cen·ti·ate [lai'senʃiit; -ˌeit] *s univ.* Lizenti'at *m.*
li·cen·tious [lai'senʃəs] *adj* (*adv* ~ly) **1.** unzüchtig, ausschweifend, zügel-, sittenlos. **2.** ungehörig, allzu frei. **3.** *selten* 'unkorˌrekt, schlampig. **li'cen·tious·ness** *s* **1.** Unzüchtigkeit *f.* **2.** Zügel-, Zuchtlosigkeit *f.* **3.** Ungehörigkeit *f.*
lich [litʃ] *s obs. od. Scot.* Leichnam *m.*
li·chen ['laikən] *s bot. med.* Flechte *f.*
ˌli·chen'ol·o·gy [-'nɒlədʒi] *s bot.* Flechtenkunde *f.*
lich| gate [litʃ] *s* (*überdachtes*) Friedhofstor. **'~-ˌhouse** *s* Leichenhalle *f.* **~ stone** *s Stein zum Abstellen des Sarges am Friedhofstor.*
lic·it ['lisit] *adj* le'gal, gesetzlich, erlaubt. **'lic·it·ly** *adv* le'gal, erlaubterweise.
lick [lik] **I** *v/t* **1.** (be-, ab-, auf)lecken: to ~ s.o.'s boots (*od.* shoes) *fig.* vor j-m kriechen; to ~ into shape in die richtige Form bringen, zurechtbiegen, -stutzen; to ~ one's wounds *fig.* sich (von s-n Wunden *od.* s-r Niederlage) erholen; → dust 1. **2.** *fig.* lecken an (*dat*): the flames ~ed the roof die Flammen leckten *od.* züngelten am Dach empor. **3.** *colloq.* a) verprügeln, ‚verdreschen', b) schlagen, besiegen, c) fertigwerden mit *e-m Problem etc*, d) über'treffen, ‚schlagen': that ~s creation das übertrifft alles; this ~s me das ‚schaffe' ich nicht, das geht über m-n Horizont. **4.** *colloq.* pflegen, (tadellos) in Ordnung halten.
II *v/i* **5.** lecken: to ~ at belecken, bespülen (*Wellen*). **6.** züngeln (*Flamme*). **7.** *sl.* sausen, flitzen.
III *s* **8.** Lecken *n*: a ~ and a promise *colloq.* e-e schlampige Arbeit. **9.** Spur *f*, (*das*) bißchen: he can't read a ~ er kann überhaupt nicht lesen. **10.** Spritzer *m*, Schuß *m.* **11.** *colloq.* a) Schlag *m*, b) ‚Tempo' *n*: (at) full ~ mit voller Geschwindigkeit, c) *Am.* (kurzer) Kraftaufwand: he didn't do a ~ (of work) er hat keinen Strich getan. **12.** Salzlecke *f.* **13.** *sl.* (eingeschobene) Fi'gur (*beim Swing*).
lick·er ['likər] *s tech.* (Tropf)Öler *m.*
lick·er·ish ['likəriʃ] *adj* (*adv* ~ly) **1.** naschhaft, leckerig. **2.** gierig, verlangend. **3.** geil, lüstern. **4.** *obs.* lecker.
'lick·e·ty|-'brin·dle ['likəti], **'~-'cut, '~-'split** *adv Am. colloq.* wie der Blitz.
lick·ing ['likiŋ] *s* **1.** Lecken *n.* **2.** *colloq.* Prügel *pl*, ‚Dresche' *f* (*a. colloq. fig. Niederlage*): to take a ~ ‚Dresche beziehen', e-e Schlappe erleiden.
'lickˌspit·tle *s* Speichellecker *m.*
lic·o·rice ['likəris] *s* **1.** *bot.* Süßholz *n*, *bes.* La'kritze *f.* **2.** a) Süßholzwurzel *f*, b) La'kritze(nsaft *m*) *f.*
lic·or·ous ['likərəs] → lickerish.
lid [lid] *s* **1.** Deckel *m*: to blow the ~ off *sl. e-n Skandal* aufdecken; to put the ~ on s.th. *Br. colloq.* a) e-r Sache die Krone aufsetzen, b) etwas endgültig ‚erledigen'; with the ~ off unter Aufdeckung aller Scheußlichkeiten. **2.** (Augen)Lid *n.* **3.** *bot.* a) Deckel *m*, b) Deckelkapsel *f.* **4.** *Am. colloq.* Einschränkung *f*, Verbot *n*, Sperre *f*: to clamp a ~ on a) *Nachrichten etc* sperren, b) *etwas* verbieten, c) scharf durchgreifen; the ~ is on (*od.* down) es wird scharf durchgegriffen. **5.** *sl.* ‚Deckel' *m* (*Hut*). **'lid·ded** [-did] *adj* **1.** mit e-m Deckel versehen. **2.** (Augen)Lider habend: heavy-~ mit schweren Lidern.
Li·do ['liːdou] *s Br.* Frei-, Strandbad *n.*
lie[1] [lai] **I** *s* **1.** Lüge *f*: to tell ~s (*od.* a ~) lügen; to act a ~ e-e Täuschungshandlung begehen; to give s.o. the ~ j-n der Lüge bezichtigen; to give the ~ to *etwas od. j-n* Lügen strafen; ~s have short wings Lügen haben kurze Beine; → white lie. **II** *v/i pret u. pp* **lied,** *pres p* **ly·ing** ['laiiŋ] **2.** lügen: to ~ like a book lügen wie gedruckt; to ~ to s.o. a) j-n belügen, j-n anlügen, b) j-m vorlügen (that daß); you ~ in your throat (*od.* teeth)! du lügst ja das Blaue vom Himmel herunter! **3.** lügen, trügen, täuschen, e-n falschen Eindruck erwecken: these figures ~. **III** *v/t* **4.** lügen: to ~ o.s. out of sich herauslügen aus.
lie[2] [lai] **I** *s* **1.** Lage *f* (*a. fig. u. Golf*): the ~ of the land *fig. Br.* die Lage (der Dinge). **2.** Lager *n* (*von Tieren*).
II *v/i pret* **lay** [lei], *pp* **lain** [lein] *obs.* **li·en** ['laiən], *pres p* **ly·ing** ['laiiŋ] **3.** liegen: a) *allg. im Bett, im Hinterhalt, in Trümmern etc* liegen: to ~ in bed (in ambush, in ruins, *etc*), b) *ausgebreitet, tot etc* daliegen: to ~ dead; to ~ dying im Sterben liegen, c) gelegen sein, sich befinden: the town ~s on a river; the mistake ~s here der Fehler liegt hier, d) begründet liegen *od.* bestehen (in in *dat*), e) begraben sein *od.* liegen, ruhen: here ~s hier ruht. **4.** *mar. mil.* liegen (*Flotte, Truppe*). **5.** *mar.* a) vor Anker liegen, b) beidrehen; → lie along, lie off 1, lie to. **6.** liegen, lasten (on auf *der Seele*, im *Magen etc*). **7.** führen, verlaufen: the road ~s through a forest. **8.** *jur.* zulässig sein (*Klage etc*): appeal ~s to the Supreme Court Berufung kann vor dem Obersten Gericht erhoben werden. **9.** ~ with *obs. od. Bibl.* mit *j-m* schlafen, *j-m* beischlafen.
Besondere Redewendungen:
as far as in me ~s soweit es an mir liegt, soweit es in m-n Kräften steht; his greatness ~s in his courage s-e Größe liegt in s-m Mut (begründet); he knows where his interest ~s er weiß, wo sein Vorteil liegt; to ~ in s.o.'s way a) j-m zur Hand sein, b) j-m möglich sein, c) in j-s Fach schlagen, d) j-m im Wege stehen; his talents do not ~ that way dazu hat er kein Talent; to ~ on s.o. *jur.* j-m obliegen; the responsibility ~s on you die Verantwortung liegt bei dir; to ~ on s.o.'s hands unbenutzt *od.* unverkauft bei j-m liegenbleiben; to ~ to the oars sich (mit aller Kraft) in die Riemen legen; to ~ to the north *mar.* Nord anliegen; to ~ under an obligation e-e Verpflichtung haben; to ~ under the suspicion of murder unter Mordverdacht stehen; to ~ under a sentence of death zum Tode verurteilt sein; it ~s with you to do it es liegt an dir *od.* es ist d-e Sache, es zu tun; *siehe Verbindungen mit den entsprechenden Substantiven etc.*
Verbindungen mit Adverbien:
lie| a·long *v/i mar.* krängen, schiefliegen. **~ back** *v/i* **1.** sich zu'rücklegen. **2.** *fig.* es sich gemütlich machen. **~ be·hind** *v/i fig.* da'hinterstecken (*Motiv etc*), zu'grunde liegen. **~ by** *v/i* **1.** → lie off 2. **2.** still-, brachliegen. **~ down** *v/i* **1.** sich 'hinlegen, sich niederlegen. **2.** to ~ under, to take lying down *e-e Beleidigung etc* 'widerspruchslos 'hinnehmen, sich *e-e Beleidigung etc* gefallen lassen; to take it lying down keinen Widerstand leisten, es sich gefallen lassen. **~ in** *v/i* im Wochenbett liegen. **~ low** *v/i* **1.** a) da'niederliegen, b) tot sein. **2.** *fig.* im Staube liegen. **3.** *colloq.* sich versteckt halten. **4.** *sl.* (den rechten Augenblick) abwarten. **~ off** *v/i* **1.** *mar.* vom Lande *od.* von e-m anderen Schiff abhalten. **2.** e-e Ruhepause einschalten, pau'sieren, (aus)ruhen. **~ o·ver** *v/i* **1.** nicht rechtzeitig bezahlt werden. **2.** liegenbleiben, aufgeschoben werden. **~ to** *v/i mar.* beiliegen. **~ up** *v/i* **1.** ruhen (*a. fig.*), ausruhen. **2.** das Bett *od.* das Zimmer hüten (müssen). **3.** *mar.* aufliegen, außer Dienst sein.
'lie-aˌbed *s* Langschläfer(in).
lied [liːd] *pl* **lie·der** ['liːdər] *s mus.* (*deutsches*) (Kunst)Lied.
lie de·tec·tor *s* 'Lügendeˌtektor *m.*
lief [liːf] *obs.* **I** *adj* lieb, teuer. **II** *adv* gern (*nur noch in Wendungen*): I had (*od.* would) as ~ go ich ginge ebenso gern, ich würde lieber gehen; I would (*od.* had) as ~ die as betray a friend ich würde eher sterben, als e-n Freund verraten; ~er than lieber als.
liege [liːdʒ] **I** *s* **1.** *a.* ~ lord Leh(e)nsherr *m.* **2.** *a.* ~ man Leh(e)nsmann *m*, Va'sall *m.* **II** *adj* **3.** Leh(e)ns...
li·en[1] [liːn; 'liːən] *s jur.* Pfandrecht *n*, Zu'rückbehaltungsrecht *n*: to lay a ~ on s.th. das Pfandrecht auf e-e Sache geltend machen.
li·en[2] ['laiən] *obs. pp von* **lie**[2] II.
li·e·nal [lai'iːnl] *adj med.* lie'nal, Milz...
li·en·or ['liːənər; -nɔːr; 'liːn-] *s jur.* Pfandrechtsinhaber *m*, Pfandgläubiger *m.*
li·en·ter·y ['laiəntəri] *s med.* Liente'rie *f*, Speiseruhr *f.*
li·erne [li'əːrn] *s arch.* Li'erne *f*, Neben-, Zwischenrippe *f.*

lieu [lju:; lu:] *s*: in ~ of an Stelle von (*od. gen*), anstatt (*gen*); in ~ statt dessen.

lieu·ten·an·cy [*Br.* lefˈtenənsi; *mar.* leˈt-; *Am.* lu:ˈt-] *s* **1.** *mar. mil.* a) Leutnantsrang *m*, -stelle *f*, b) *collect.* Leutnants *pl.* **2.** Statthalterschaft *f.*

lieu·ten·ant [*Br.* lefˈtenənt; *mar.* leˈt-; *Am.* lu:ˈt-] *s* **1.** Stellvertreter *m.* **2.** Statthalter *m*, Gouverˈneur *m.* **3.** *mar. mil.* a) *allg.* Leutnant *m*, b) *Br.* (*Am.* first ~) Oberleutnant *m*: second ~ Leutnant, c) *mar.* (*Am. a.* ~ senior grade) Kapiˈtänleutnant *m*: ~ junior grade *Am.* Oberleutnant *m* zur See. ~ **colo·nel** *s mil.* Oberstˈleutnant *m.* ~ **com·mand·er** *s mar.* Korˈvettenkapiˌtän *m.* ~ **gen·er·al** *s mil.* Geneˌralˈleutnant *m.* ~ **gov·er·nor** *s* ˈVizegouverˌneur *m* (*im brit. Commonwealth od. e-s amer. Bundesstaates*).

lieve [li:v] *obs. od. dial. für* lief.

life [laif] *pl* **lives** [laivz] *s* **1.** (orˈganisches) Leben: how did ~ begin? wie ist das Leben entstanden? **2.** Leben(skraft *f*) *n.* **3.** Leben *n*: a) Lebenserscheinungen *pl*, b) Lebewesen *pl*: there is no ~ on the moon auf dem Mond gibt es kein Leben; marine ~ das Leben im Meer, die Lebenserscheinungen *od.* Lebewesen im Meer. **4.** (Menschen)Leben *n*: they lost their lives sie verloren ihr Leben; three lives were lost drei Menschenleben sind zu beklagen; with great sacrifice of ~ mit schweren Verlusten an Menschenleben. **5.** Leben *n* (*e-s Einzelwesens*): to be in danger of one's ~ sich in Lebensgefahr befinden; to risk one's ~ sein Leben aufs Spiel setzen; it was a matter of ~ and death es ging um Leben u. Tod; early in ~ in jungen Jahren; my early ~ m-e Jugend; he was given a ~ es wurde ihm noch einmal e-e Chance gegeben. **6.** Leben *n*, Lebenszeit *f*, Lebensdauer *f* (*a. tech. e-r Maschine etc*), Dauer *f*, Bestehen *n*: all his ~ sein ganzes Leben lang; expectation of ~ Lebenserwartung *f*; the ~ of a bond die Gültigkeitsdauer e-s Wertpapiers; the ~ of a book die Erfolgszeit e-s Buches; during the ~ of the republic während des Bestehens der Republik. **7.** *bes. econ.* Haltbarkeit *f*, Lager-, Gebrauchsfähigkeit *f*: ~ of packaged fresh meat. **8.** Leben *n*, Lebensweise *f*, -führung *f*, -art *f*, -wandel *m*: married ~ Eheleben. **9.** Leben(sbeschreibung *f*) *n*, Biograˈphie *f.* **10.** Leben *n*, menschliches Tun u. Treiben, Welt *f*: ~ in Australia das Leben in Australien; economic ~ Wirtschaftsleben; to see ~ das Leben kennenlernen *od.* genießen. **11.** Leben *n*, Leˈbendigkeit *f*: a novel full of ~ ein Roman voller Leben; to give ~ to s.th., to put ~ into s.th. e-e Sache beleben, Leben in e-e Sache bringen; the ~ of the Constitution die Seele *od.* der wesentliche Inhalt der Verfassung; he was the ~ and soul of the party er war die Seele der Gesellschaft. **12.** *Kunst*: Leben *n*, lebendes Moˈdell, Naˈtur *f*: as large as ~ in (*humor.* voller) Lebensgröße, lebensgroß; from (the) ~ nach dem Leben, nach der Natur. **13.** *Versicherungswesen*: a) auf Lebenszeit Versicherte(r *m*) *f* (*im Hinblick auf die Lebenserwartung*), b) *a.* ~ business Lebensversicherungsgeschäft *n.*

Besondere Redewendungen:

for ~ a) fürs (ganze) Leben, für den Rest des Lebens, b) *bes. jur. u. pol.* lebenslänglich, auf Lebenszeit, c) ums (liebe) Leben *rennen etc*; appointed for (*od.* during) ~ auf Lebenszeit ernannt; imprisonment for ~ lebenslängliche Freiheitsstrafe; for (*od.* on) one's ~, for dear ~ ums (liebe) Leben; not for the ~ of me *colloq.* nicht um alles in der Welt; not on your ~ keinesfalls; to the ~ nach dem Leben, lebensecht, naturgetreu; upon my ~! so wahr ich lebe! to bring to ~ *j-n* wieder zum Bewußtsein bringen, aufwecken; to sell one's ~ dearly sein Leben teuer verkaufen; to show (signs of) ~ Lebenszeichen von sich geben; to seek s.o.'s ~ j-m nach dem Leben trachten; to take s.o.'s ~ j-n umbringen; to take one's own ~ sich (selbst) das Leben nehmen; to take one's ~ in one's hands sein Leben (bewußt) aufs Spiel setzen.

ˈ**life|-and-ˈdeath** *adj Kampf etc* auf Leben u. Tod: a ~ struggle. ~ **an·nu·i·ty** *s* Leib-, Lebensrente *f.* ~ **as·sur·ance** → life insurance. ~ **belt** *s mar.* Rettungsgürtel *m.* ˈ~ˌ**blood** *s* **1.** Herzblut *n* (*a. fig.*). **2.** Zucken *n* der Lippe *od.* des Augenlids. ˈ~ˌ**boat** *s mar.* Rettungsboot *n*: ~ gun Leinenwurfkanone *f.* ~ **breath** *s* Lebensodem *m.* ~ **buoy** *s mar.* Rettungsboje *f.* ~ **car** *s mar.* Rettungswagen *m* (*Boot od. Behälter, der an e-m Tau zwischen Schiff u. Land läuft*). ~ **cy·cle** *s biol.* **1.** Lebenszyklus *m.* **2.** → life history 1. **3.** Lebens-, Entwicklungsphase *f.* ~ **es·tate** *s jur.* Grundbesitz *m* auf Lebenszeit. ~ **ex·pect·an·cy** *s* Lebenserwartung *f.* ˈ~-ˌ**force** *s* erhaltende *od.* treibende Kraft. ˈ~-ˌ**giv·ing** *adj* lebengebend, -spendend, belebend. ~ **guard** *s mil.* Leibgarde *f.* ˈ~ˌ**guard** *s Am.* Rettungsschwimmer *m.* **L~ Guards** *s pl mil.* Leibgarde *f* (zu Pferde), ˈGardekavalleˌrie *f.* ˈ~-ˌ**guards·man** [-mən] *s irr mil.* ˈLeibgarˌdist *m.* ~ **his·to·ry** *s* **1.** *biol. sociol.* Lebensgeschichte *f.* **2.** → life cycle 1. ~ **in·sur·ance** *s* Lebensversicherung *f.* ~ **in·ter·est** *s jur.* lebenslänglicher Nießbrauch. ~ **jack·et** *s mar.* Schwimmweste *f.*

life·less [ˈlaiflis] *adj* (*adv* ~**ly**) leblos: a) tot: his ~ body, b) unbelebt: ~ matter, c) ohne Leben: ~ planet, d) *fig.* matt (*a. Stimme etc*), schwunglos, e) *econ.* lustlos.

ˈ**life|ˌlike** *adj* lebenswahr, naˈturgetreu. ~ **line** *s* **1.** *mar.* Rettungsleine *f.* **2.** Halteleine *f* (*für Schwimmer etc*). **3.** Siˈgnalleine *f* (*für Taucher*). **4.** *fig.* Rettungsanker *m.* **5.** *fig.* Lebensader *f* (*Versorgungsweg*). **6.** Lebenslinie *f* (*in der Hand*). ˈ~ˌ**long** *adj* lebenslänglich.

life·man·ship [ˈlaifmənʃip] *s humor.* erfolgssicheres Auftreten; die Kunst, sich anderen Leuten überˈlegen zu zeigen.

life| mem·ber *s* Mitglied *n* auf Lebenszeit. ~ **net** *s* Sprungtuch *n*, -netz *n* (*der Feuerwehr*). ~ **of·fice** *s* ˈLebensversicherungsbüˌro *n.* ~ **peer** *s* Pair *m* auf Lebenszeit (*dessen Titel nicht erblich ist*). ~ **pre·serv·er** *s* **1.** *mar.* a) Schwimmweste *f*, b) Rettungsgürtel *m.* **2.** Totschläger *m* (*Waffe*).

lif·er [ˈlaifər] *s sl.* **1.** ‚Lebenslängliche(r' *m*) *f* (*Zuchthäusler*). **2.** lebenslängliche Zuchthausstrafe.

life| raft *s mar.* Rettungsfloß *n.* ~ **ring** *s* Rettungsring *m.* ~ **rock·et** *s mar.* ˈRettungs-, ˈLeinenwurfraˌkete *f.* ˈ~-ˌ**sav·er** *s* **1.** Lebensretter *m.* **2.** *bes. Br.* Rettungsschwimmer *m.* **3.** *sl.* a) ‚rettender Engel', b) Rettung *f.* ˈ~ˌ**sav·ing I** *s* Lebensrettung *f.* **II** *adj* lebensrettend, (Lebens)Rettungs... ~ **sen·tence** *s jur.* lebenslängliche Freiheitsstrafe. ˈ~-ˌ**size(d)** *adj* lebensgroß, in Lebensgröße: a ~ statue. ~ **span** → lifetime I. ~ **strings** *s pl poet.* Lebensfaden *m.* ~ **ta·ble** *s* ˈSterblichkeitstaˌbelle *f.* ˈ~ˌ**time I** *s* Lebenszeit *f*, Leben *n*, *a. tech. etc* Lebensdauer *f*: once in a ~ sehr selten, ˈeinmal im Leben. **II** *adj* auf Lebenszeit, lebenslänglich: ~ post Lebensstellung *f.* ~ **vest** *s* Schwimmweste *f.* ˈ~ˈ**work** *s* Lebenswerk *n.*

lift[1] [lift] **I** *s* **1.** (Hoch-, Auf)Heben *n.* **2.** (Hoch)Steigen *n*, Sichˈheben *n.* **3.** Hochhalten *n*, aufrechte *od.* stolze Haltung: the proud ~ of her head. **4.** *tech.* a) Hub(höhe *f*) *m*, b) Förderhöhe *f*, c) Steighöhe *f*, d) Förder-, Hubmenge *f.* **5.** *Am.* a) Beförderung *f*, b) Luftbrücke *f.* **6.** *aer. phys.* Auftrieb *m* (*Am. a. fig. Aufschwung*). **7.** Last *f*: a heavy ~. **8.** Beistand *m*, Hilfe *f*: to give s.o. a ~ a) j-m helfen, b) j-n (im Auto) mitnehmen. **9.** (An)Steigen *n* (*der Preise etc*). **10.** *tech.* Hebe-, Fördergerät *n*, -werk *n.* **11.** *bes. Br.* Lift *m*, Aufzug *m*, Fahrstuhl *m.* **12.** (Ski-, Sessel)Lift *m.* **13.** *Bergbau*: a) Pumpensatz *m*, b) Abbauhöhe *f.* **14.** *Schuhmacherei*: Lage *f* Absatzleder. **15.** *colloq.* Diebstahl *m.* **16.** → face-lifting.

II *v/t* **17.** *a.* ~ up a) (hoch-, emˈpor-, auf)heben, b) *die Hand, Augen, Stimme etc* erheben: to ~ s.th. down etwas herunterheben; to ~ up a cry ein Geschrei erheben; → finger 1, hand *Bes. Redew.* **18.** *fig.* a) (*geistig od. sittlich*) heben, b) emˈporheben, (auf e-e höhere Ebene) heben (from, out of aus *der Armut etc*). **19.** *a.* ~ up (*innerlich*) erheben, ermuntern, (neuen) Auftrieb geben (*dat*): ~ed up with pride stolzgeschwellt. **20.** *Bergbau*: fördern. **21.** *die Preise etc* anheben, erhöhen. **22.** *colloq.* a) ‚mitgehen lassen', ‚klauen' (*stehlen*), b) ‚stehlen', plagiˈieren. **23.** *Zelt, Lager* abbrechen. **24.** herˈaus-, fortnehmen, *bes.* a) *Kartoffeln* ausmachen, b) *e-n Schatz* heben. **25.** *Am. e-e Hypothek etc* tilgen. **26.** *das Gesicht* straffen: to have one's face ~ed sich (die Gesichtshaut) straffen lassen. **27.** *bes. Am. e-e Belagerung, ein Embargo etc, a. ein Verbot* aufheben: to ~ a ban. **28.** *mil. das Feuer* (vor)verlegen. **29.** *Fingerabdrücke* sichern.

III *v/i* **30.** *allg.* sich heben, steigen (*a. Nebel*). **31.** sich heben lassen.

lift[2] [lift] *s Scot. od. poet.* Himmel *m.*

lift bridge *s tech.* Hubbrücke *f.*

lift·er [ˈliftər] *s* **1.** (*bes sport* Gewicht)-Heber *m.* **2.** *tech.* Heber *m*, Hebegerät *n*, *z. B.* a) Hebewerk *n*, b) Hebebaum *m*, c) Nocken *m*, d) Stößel *m.* **3.** *sl.* ‚Langfinger' *m*, Dieb *m.*

lift·ing [ˈliftiŋ] *adj* Hebe..., Hub... ~ **bridge** → lift bridge. ~ **force** *s aer. phys. tech.* Auftriebs-, Hub-, Tragkraft *f.* ~ **jack** *s tech.* Hebewinde *f*, Wagenheber *m.* ~ **pow·er** → lifting force.

ˈ**lift|-ˌoff** *s aer. Am.* Start *m*, Abheben *n.* ~ **pump** *s tech.* Hebepumpe *f.* ~ **truck** *s Am.* Hubstapler *m.* ~ **valve** *s tech.* ˈDruckvenˌtil *n.*

lig·a·ment [ˈligəmənt] *s anat.* Ligaˈment *n*, Band *n* (*a. fig.*). ˌ**lig·aˈmen·tous** [-ˈmentəs], *a.* ˌ**lig·aˈmen·ta·ry** *adj* **1.** Band... **2.** bandförmig.

li·gate [ˈlaigeit] *v/t bes. med.* **1.** abbinden, abschnüren. **2.** verbinden, bandaˈgieren. **liˈga·tion** *s* **1.** *med.*

a) Liga'tur *f*, Abbindung *f*, b) Verbinden *n*. **2.** (Ver)Bindung *f*. **3.** Band *n*.

lig·a·ture ['ligəˌtʃur] **I** *s* **1.** Binde *f*, Band *n* (*a. fig.*). **2.** *mus. print.* Liga'tur *f*. **3.** *med.* a) Abbindungsschnur *f*, -draht *m*, b) → ligation 1 a. **II** *v/t* → ligate.

li·ger ['laigər] *s Kreuzung zwischen Löwe u. Tigerin.*

light[1] [lait] **I** *s* **1.** Licht *n*, Helligkeit *f*: let there be ~! *Bibl.* es werde Licht!; to stand in s.o.'s ~ a) j-m im Licht stehen, b) *fig.* j-m im Wege stehen; get out of the ~! a) geh aus dem Licht!, b) störe nicht! **2.** Licht *n* (*a. phys.*), Beleuchtung *f*: in subdued ~ bei gedämpftem Licht. **3.** Licht *n*, Schein *m*: by the ~ of a candle beim Licht *od.* Schein e-r Kerze. **4.** Licht(quelle *f*) *n* (*Sonne, Lampe, Kerze etc*): the ~ of my eyes *fig.* das Licht m-r Augen; to hide one's ~ under a bushel sein Licht unter den Scheffel stellen. **5.** Verkehrslicht *n*, -ampel *f*: → green light, red light 1. **6.** *mar.* a) Leuchtfeuer *n*, b) Leuchtturm *m*. **7.** Sonnen-, Tageslicht *n*: to see the ~ das Licht der Welt erblicken (→ 9, 11). **8.** a) Tag *m*, b) Tagesanbruch *m*. **9.** *fig.* (Tages)Licht *n*: to bring (come) to ~ ans Licht *od.* an den Tag bringen (kommen); to see the ~ (of day) bekannt *od.* veröffentlicht werden (→ 7, 11). **10.** *fig.* Licht *n*, A'spekt *m*: to place s.th. in a good ~ etwas in ein günstiges Licht stellen; to put s.th. in its true ~ etwas ins rechte Licht rücken; in a favo(u)rable ~ in günstigem Licht. **11.** *fig.* Licht *n*, Erleuchtung *f* (*beide a. relig.*): to throw (*od.* shed) ~ on s.th. Licht auf e-e Sache werfen; I see the ~ mir geht ein Licht auf; to see the ~ *relig.* erleuchtet werden (→ 7, 9); by the ~ of nature mit den natürlichen Verstandeskräften; in the ~ of these facts im Lichte *od.* angesichts dieser Tatsachen. **12.** *pl* Erkenntnisse *pl*, Informati'onen *pl*. **13.** *pl* Wissen *n*, Verstand *m*, geistige Fähigkeiten *pl*: according to his ~s so gut er es eben versteht. **14.** *paint.* a) Licht *n*, sehr heller Teil (*e-s Gemäldes*), b) Aufhellung *f*. **15.** Licht *n*, Glanz *m*, Funkeln *n* (*der Augen*). **16.** Feuer *n* (*zum Anzünden*), *bes.* Streichholz *n*: will you give me a ~? darf ich Sie um Feuer bitten?; to put a ~ to s.th. etwas anzünden *od.* in Brand stecken; to strike a ~ Feuer schlagen (*mit e-m Feuerzeug etc*). **17.** Lichtöffnung *f*, -einlaß *m*, *bes.* Fenster(scheibe *f*) *n*. **18.** *fig.* Leuchte *f*, Licht *n* (*Person*): he is a shining ~ er ist e-e Leuchte *od.* ein großes Licht. **19.** *a.* ~ of one's eyes *poet.* (Augen)Licht *n*. **20.** *pl sl.* Augen *pl*. **21.** Schlüsselwort *n* (*e-s Akrostichons*).

II *adj* **22.** hell, licht: a ~ colo(u)r; a ~ room; ~ hair helles Haar; ~-red hellrot.

III *v/t pret u. pp* **'light·ed** *od.* **lit** [lit] **23.** *a.* ~ up anzünden: to ~ a fire (a lamp, a pipe). **24.** be-, erleuchten, erhellen: to ~ up hell beleuchten. **25.** *meist* ~ up *j-s Augen etc* aufleuchten lassen. **26.** *j-m* leuchten.

IV *v/i* **27.** *a.* ~ up sich entzünden. **28.** *meist* ~ up a) sich erhellen, hell werden, b) *fig.* aufleuchten (*Augen etc*). **29.** ~ up a) (sich) die Pfeife *etc* anzünden, b) Licht machen.

light[2] [lait] **I** *adj* (*adv* → lightly) **1.** leicht, von geringem Gewicht: ~ clothing leichte Kleidung; a ~ load e-e leichte Last. **2.** (spe'zifisch) leicht: ~ metals. **3.** zu leicht: ~ coin Münze *f* mit zu geringem Edelmetallgehalt; ~ weights Untergewichte. **4.** leicht (*zu ertragen od. auszuführen*): ~ punishment; ~ work. **5.** leicht, nicht tief: ~ sleep. **6.** leicht, Unterhaltungs...: ~ literature Unterhaltungsliteratur *f*; ~ music leichte Musik; ~ opera leichte *od.* komische Oper. **7.** gering(fügig), unbedeutend, leicht: ~ illnes; a ~ error ein kleiner Irrtum; ~ traffic geringer Verkehr; held in ~ esteem geringgeachtet; no ~ matter keine Kleinigkeit; to make ~ of s.th. etwas auf die leichte Schulter nehmen. **8.** leicht: a) verdaulich: a ~ meal, b) *von geringem Alkohol-(Nikotin- etc)gehalt*: ~ cigars; a ~ wine. **9.** locker: ~ earth; ~ snow; ~ bread leichtes *od.* lockeres Brot. **10.** leicht: a) zart, grazi'ös, ele'gant, b) flink, behend: ~ of foot (*od.* heel) leichtfüßig, c) sanft: a ~ hand; a ~ step ein leichter Schritt. **11.** leicht: a) unbeschwert, sorglos, heiter, fröhlich: with a ~ heart leichten Herzens, b) leichtfertig, -sinnig, c) unbeständig, flatterhaft, d) 'unmoˌralisch: a ~ girl ein ‚leichtes' Mädchen. **12.** a) schwind(e)lig, b) wirr: ~ in the head wirr im Kopf. **13.** *mar. mil.* leicht: ~ artillery; ~ cruiser; in ~ marching order mit leichtem Marschgepäck. **14.** a) leicht beladen, b) unbeladen, ohne Ladung: the ship returned ~; a ~ engine e-e alleinfahrende Lokomotive. **15.** *a.* ~-duty *tech.* leicht(gebaut), für leichte Beanspruchung, Leicht...: ~ airplane Leichtflugzeug *n*; ~ current *electr.* Schwachstrom *m*. **16.** *meteor.* leicht: ~ rain; ~ wind. **17.** *Phonetik*: a) un-, schwachbetont, Schwachton... (*Silbe, Vokal*), b) schwach (*Betonung*), c) hell, vorn im Munde artiku'liert (*l-Laut*).

II *adv* **18.** leicht: to sleep ~; ~-earned leichtverdient; ~ come ~ go wie gewonnen, so zerronnen.

light[3] [lait] *pret u. pp* **'light·ed** *od.* **lit** [lit] *v/i* **1.** (ab)steigen (from, off von). **2.** fallen (on auf *acc*): a cat always ~s on its feet. **3.** sich niederlassen (on auf *dat*): the bird ~ed on a twig. **4.** *fig.* (zufällig) stoßen (on auf *acc*). **5.** *fig.* fallen: the choice ~ed on him. **6.** (into) *Am. sl.* losgehen (auf *j-n*), 'herfallen (über *j-n*). **7.** ~ out *Am. sl.* ‚verduften', ‚Leine ziehen'.

light| air *s* leiser Zug (*Windstärke 1 der Beaufortskala*). **'~-'armed** *adj mil.* leichtbewaffnet. **~ bea·con** *s aer. mar.* Leuchtfeuer *n*, -bake *f*. **~ bob** *s mil. Br. sl.* ‚Landser' *m*, leichter Infante'rist. **~ bread** *s Am.* Weizenbrot *n* (*aus Hefeteig*).

light·en[1] ['laitn] **I** *v/i* **1.** sich aufhellen, hell(er) werden. **2.** leuchten. **3.** blitzen: it ~s es blitzt. **II** *v/t* **4.** (*a.* blitzartig) erhellen. **5.** *fig.* erleuchten.

light·en[2] ['laitn] **I** *v/t* **1.** leichter machen, erleichtern (*beide a. fig.*). **2.** *ein Schiff* (ab)leichtern. **3.** aufheitern. **II** *v/i* **4.** leichter werden (*a. fig. Herz etc*). **5.** *fig.* sich aufheitern.

light·er[1] ['laitər] *s* **1.** Anzünder *m* (*a. Gerät*). **2.** (Taschen)Feuerzeug *n*.

light·er[2] ['laitər] *mar.* **I** *s* Leichter(schiff *n*) *m*, Prahm *m*. **II** *v/t* in e-m Leichter befördern.

light·er·age ['laitəridʒ] *s mar.* **1.** Leichtergeld *n*. **2.** 'Leichtertransˌport *m*.

'light·er·man [-mən] *s irr mar.* Leichterschiffer *m*.

'light·er-than-'air *adj*: ~ craft Luftfahrzeug *n* leichter als Luft, Aerostat *m*.

'light|ˌface *s print.* magere Schrift. **'~-ˌfaced** *adj print.* mager. **'~ˌfast** *adj* lichtecht. **'~-'fin·gered** *adj* **1.** leicht, geschickt. **2.** langfingerig, diebisch. **'~-'foot·ed,** *a. poet.* **'~-ˌfoot** *adj* leicht-, schnellfüßig, flink. **'~-'hand·ed** *adj* leicht, geschickt. **'~'head·ed** *adj* **1.** leichtsinnig, -fertig. **2.** a) wirr, leicht verrückt, b) benommen, schwind(e)lig. **ˌ~'head·ed·ness** *s* **1.** Leichtsinn *m*, Unbesonnenheit *f*. **2.** a) Wirrheit *f*, b) Benommenheit *f*. **'~'heart·ed** *adj* (*adv* ~ly) fröhlich, heiter, unbeschwert. **ˌ~'heart·ed·ness** *s* Frohsinn *m*, Unbeschwertheit *f*. **~ heav·y·weight** *s sport* Halbschwergewicht(ler *m*) *n* (*zwischen 161 u. 175 englischen Pfund*). **'~-'heeled** → light-footed. **'~-ˌhorse·man** [-mən] *s irr mil.* leichter Kavalle'rist. **'~ˌhouse** *s* Leuchtturm *m*: ~ tube *electr.* Leuchtturmröhre *f*. **'~ˌhouse·man** [-mən] *s irr* Leuchtturmwärter *m*.

light·ing ['laitiŋ] *s* **1.** Beleuchtung *f*: ~ battery Lichtbatterie *f*; ~ effect Beleuchtungseffekt *m*; ~ load Lichtnetzbelastung *f*; ~ point *electr.* Brennstelle *f*. **2.** Beleuchtung(sanlage) *f*. **3.** Anzünden *n*. **4.** *paint.* Lichtverteilung *f*. **'~-'up time** *s* Zeit *f* des Einschaltens der Straßenbeleuchtung.

light·less ['laitlis] *adj* lichtlos, dunkel.

light·ly ['laitli] *adv* **1.** leicht. **2.** wenig: to eat ~. **3.** leicht, mühelos: ~ come ~ go wie gewonnen, so zerronnen. **4.** gelassen: to bear s.th. ~. **5.** leichtfertig, leichthin, unbesonnen. **6.** geringschätzig.

light| met·al *s* 'Leichtmeˌtall *n*. **'~-'mind·ed** *adj* **1.** leichtfertig, -sinnig. **2.** flatterhaft.

light·ness[1] ['laitnis] *s* Helligkeit *f*.

light·ness[2] ['laitnis] *s* **1.** Leichtheit *f*, Leichtigkeit *f*, geringes Gewicht. **2.** Leichtverdaulichkeit *f*. **3.** Milde *f*. **4.** Leichtigkeit *f*: a) Behendigkeit *f*, Flinkheit *f*, b) Anmut *f*. **5.** Heiterkeit *f*. **6.** Leichtfertigkeit *f*, Leichtsinn *m*, Oberflächlichkeit *f*. **7.** Flatterhaftigkeit *f*.

light·ning ['laitniŋ] **I** *s* Blitz *m*: struck by ~ vom Blitz getroffen; ~ struck a house der Blitz schlug in ein Haus (ein); like a (greased) ~ *fig.* wie der Blitz. **II** *adj* blitzschnell, Blitz..., Schnell...: ~ artist Schnellzeichner *m*; ~ offensive *mil.* Blitzoffensive *f*; with ~ speed mit Blitzesschnelle. **~ ar·rest·er** *s electr.* Blitzschutzvorrichtung *f*. **~ bee·tle, ~ bug** *s Am.* Leuchtkäfer *m*. **~ con·duc·tor, ~ rod** *s electr.* Blitzableiter *m*. **~ strike** *s* Blitzstreik *m*.

light| oil *s chem. tech.* Leichtöl *n*. **'~-o'-ˌlove** *s* ‚leichtes Mädchen'. **~ plant** *s electr.* Lichtanlage *f*. **'~'proof** *adj* 'lichtˌundurchlässig. **~ quan·tum** *s phys.* Lichtquantum *n*.

lights [laits] *s pl* (Tier)Lunge *f*.

'lightˌship *s mar.* Feuer-, Leuchtschiff *n*.

light·some[1] ['laitsəm] *adj* **1.** leicht: a) anmutig, b) behend. **2.** fröhlich, heiter. **3.** leichtfertig, oberflächlich.

light·some[2] ['laitsəm] *adj* **1.** leuchtend. **2.** licht, hell.

'light|-ˌstruck *adj phot.* durch Lichteinwirkung verschleiert. **~ trap** *s* **1.** Lichtschleuse *f*. **2.** *Insektenvernichtungsgerät (aus e-r Lichtquelle u. e-m Behälter bestehend)*. **'~ˌweight I** *adj* **1.** leicht. **II** *s* **2.** *colloq.* a) geistig ‚Minderbemittelte(r' *m*) *f*, b) unbedeutender Mensch. **3.** *Boxen*: Leichtgewicht(ler *m*) *n* (*zwischen 127 u. 135 englischen Pfund*). **'~ˌwood** *s* **1.** Anfeuerholz *n.* **2.** *Am.* Kienholz *n.* **'~-ˌyear** *s astr.* Lichtjahr *n.*

lign·al·oes [ˌlainˈælouz; ligˈn-] *s* **1.** Aloeholz *n.* **2.** *pharm.* Aloe *f.*

lig·ne·ous [ˈligniəs] *adj* holzig, holzartig, Holz...

lig·ni·fi·ca·tion [ˌlignifiˈkeiʃən] *s bot.* Holzbildung *f*, Verholzung *f.*

lig·ni·fy [ˈligniˌfai] **I** *v/t* in Holz verwandeln. **II** *v/i* verholzen.

lig·nin [ˈlignin] *s chem.* Liˈgnin *n*, Holzstoff *m.*

lig·nite [ˈlignait] *s* Braunkohle *f*, *bes.* Liˈgnit *m.* **ligˈnit·ic** [-ˈnitik] *adj* braunkohlenhaltig. **ˈlig·niˌtize** [-niˌtaiz] *v/t* in Braunkohle verwandeln.

lig·niv·o·rous [ligˈnivərəs] *adj zo.* holzfressend.

lig·no·cel·lu·lose [ˌlignoˈseljuˌlous] *s chem.* Lignocelluˈlose *f.*

lig·nose [ˈlignous] *s chem.* **1.** Liˈgnin *n.* **2.** Liˈgnose *f* (*Art Dynamit*).

lig·num vi·tae [ˈlignəm ˈvaitiː] *s bot.* Pockholz(baum *m*) *n.*

lig·ro·in(e) [ˈligroin] *s chem.* Ligroˈin *n*, ˈLack-, ˈTestbenˌzin *n.*

lig·u·la [ˈligjulə] *pl* **-lae** [-ˌliː] *od.* **-las** *s* **1.** → **ligule. 2.** *zo.* Ligula *f* (*verwachsene Zunge u. Nebenzunge von Insekten*). **ˈlig·ule** [-juːl] *s bot.* **1.** Ligula *f*, Blatthäutchen *n* (*bes. an Gräsern*). **2.** Zungenblütchen *n.*

Li·gu·ri·an [liˈgju(ə)riən] **I** *adj* liˈgurisch: **~ Sea** Ligurisches Meer. **II** *s* Liˈgurier(in).

lik·a·ble [ˈlaikəbl] *adj* liebenswert, -würdig, angenehm, symˈpathisch.

like[1] [laik] **I** *adj comp* **more ~**, *selten od. poet.* **ˈlik·er**, *sup* **most ~**, *selten od. poet.* **ˈlik·est 1.** gleich (*dat*), wie: **she is just ~ her sister** sie ist gerade so wie ihre Schwester; **a man ~ you** ein Mann wie du; **what is he ~?** a) wie sieht er aus?, b) wie ist er?; **he is ~ that** er ist nun einmal so; **he was not ~ that before** so war er doch früher nicht; **what does it look ~?** wie sieht es aus?; **a fool ~ that** ein derartiger *od.* so ein Dummkopf; **he felt ~ a criminal** er kam sich wie ein Verbrecher vor; **there is nothing ~** es geht nichts über (*acc*); **it is nothing** (*od.* **not anything**) **~ as bad as that** es ist bei weitem nicht so schlimm; **something ~ 100 tons** ungefähr *od.* fast 100 Tonnen; **something ~ a day** ein herrlicher Tag; **this is something ~!** *colloq.* das läßt sich hören!; **that's more ~ it!** *colloq.* das läßt sich (schon) eher hören; **~ master, ~ man** wie der Herr, so der Knecht. **2.** ähnlich (*dat*), bezeichnend für: **that is just ~ him!** das sieht ihm ähnlich! **3.** *in bes. Verbindungen mit folgendem Substantiv od. Gerundium*: **to feel ~ s.th.** aufgelegt sein zu etwas, Lust haben auf e-e Sache; **I feel ~ a hot bath** *colloq.* ein heißes Bad wäre mir jetzt gerade recht; **it is ~ having children** es ist (so), als ob man Kinder hätte. **4.** gleich: **a ~ amount; to feel ~ doing** dazu aufgelegt sein, *etwas* zu tun; Lust haben zu tun; *etwas* gern tun wollen; **in ~ manner** a) auf gleiche Weise, b) gleichermaßen; **~ signs** *math.* gleiche Vorzeichen; **~ terms** *math.* gleichnamige Glieder; **~r to God than man** eher Gott als den Menschen gleichend; **~ unto his brethren** *Bibl.* s-n Brüdern gleich. **5.** ähnlich: **the portrait is not ~; the two signs are very ~; as ~ as two eggs** ähnlich wie ein Ei dem anderen. **6.** ähnlich, gleich-, derartig: **... and other ~ problems ...** und andere derartige Probleme. **7.** *colloq. od. obs.* wahrˈscheinlich.

II *prep* (*siehe auch adj u. adv, die oft gleich e-r prep gebraucht werden*) **8.** wie: **to sing ~ a nightingale; ~ mad, ~ anything** wie verrückt, wie besessen; **do not shout ~ that** schrei nicht so; **a thing ~ that** so etwas; **I hate it ~ poison** ich hasse es wie die Pest.

III *adv* (*siehe auch prep*) **9.** (so) wie: **~ every teacher he has** so wie jeder Lehrer hat auch er; **I cannot play ~ you** ich kann nicht (so gut) spielen wie du. **10.** *colloq.* wahrˈscheinlich: **~ enough, as ~ as not, very ~** höchstwahrscheinlich, sehr wahrscheinlich. **11.** *vulg.* irgendwie, sozusagen, merkwürdig, ziemlich. **12.** *obs.* so: **~ as** so wie.

IV *conj* **13.** *vulg.* (*wenn ein vollständiger Satz folgt*) *od. colloq.* wie, (eben)so wie. **14.** *dial.* als ob: **he trembled ~ he was afraid.**

V *s* **15.** (*der, die, das*) gleiche, (*etwas*) Gleiches: **his ~** seinesgleichen; **did you ever see the ~** (*od.* **~s**) **of that girl?** hast du jemals so etwas wie dieses Mädchen gesehen?; **the ~s of me** *colloq.* meinesgleichen, unsereiner, Leute wie ich; **~ attracts ~** gleich u. gleich gesellt sich gern; **the ~, such ~** dergleichen; **peas, beans, and the ~** Erbsen, Bohnen u. dergleichen; **cocoa or the ~** Kakao oder so etwas (Ähnliches); **he will never do the ~ again** so etwas wird er nie wieder tun. **16.** *Golf*: Ausgleichsschlag *m.*

like[2] [laik] **I** *v/t* **1.** gern haben, (gern) mögen, (gut) leiden können, lieben, gern tun, essen, trinken *etc*: **I ~ it** ich habe *od.* mag es gern, es gefällt mir; **I ~ him** ich mag ihn gern, ich kann ihn gut leiden; **how do you ~ it?** wie gefällt es dir?, wie findest du es?; **"As You L~ It"** „Wie es euch gefällt" (*Lustspiel von Shakespeare*); **I ~ that!** *iro.* so was hab' ich gern!; **do you ~ oysters?** mögen Sie Austern (gern)?; **I should much ~ to come** ich würde sehr gern kommen; **I should ~ to know** ich möchte gerne wissen; **what do you ~ better?** was hast du lieber?, was gefällt dir besser?; **I do not ~ such things discussed** ich habe nicht gern, daß solche Dinge erörtert werden; **I ~ steak, but it does not ~ me** *colloq.* ich esse Beefsteak gern, aber es bekommt mir nicht; **(much) ~d** (sehr) beliebt.

II *v/i* **2.** wollen: **(just) as you ~** (ganz) wie du willst, (ganz) nach Belieben; **do as you ~** tu, wie du willst; **if you ~** wenn du willst; **I am stupid if you ~** but ich bin vielleicht dumm, aber. **3.** *obs.* gefallen. **4.** gedeihen (*obs. außer in*): **(fat and) well-liking** gut gedeihend.

III *s* **5.** Neigung *f*, Vorliebe *f*: **~s and dislikes** Neigungen u. Abneigungen.

-like [laik] *Wortelement mit der Bedeutung* wie, ...artig, ...ähnlich.

like·a·ble → **likable.**

like·li·hood [ˈlaikliˌhud] *s* **1.** Wahrˈscheinlichkeit *f*: **in all ~** aller Wahrscheinlichkeit nach; **there is a strong ~ of his succeeding** es ist sehr wahrscheinlich, daß es ihm gelingt. **2.** (deutliches) Anzeichen (**of** für). **3.** *obs.* Verheißung *f.* **ˈlike·li·ness** → **likelihood.**

like·ly [ˈlaikli] **I** *adj* **1.** wahrˈscheinlich, vorˈaussichtlich: **not ~** schwerlich, kaum; **it is not ~ (that) he will come, he is not ~ to come** es ist nicht wahrscheinlich, daß er kommt; **which is his most ~ route?** welchen Weg wird er wahrscheinlich *od.* am ehesten einschlagen?; **this is not ~ to happen** das wird wahrscheinlich nicht geschehen. **2.** glaubhaft: **a ~ story. 3.** in Frage kommend, geeignet (erscheinend): **a ~ candidate; a ~ remedy. 4.** *a.* **~-looking** aussichtsreich, vielversprechend: **a ~ young man. II** *adv* **5.** wahrˈscheinlich: **most ~** höchstwahrscheinlich; **as ~ as not** (sehr) wahrscheinlich.

ˈlike-ˈmind·ed *adj* gleichgesinnt: **to be ~ with s.o.** mit j-m übereinstimmen *od.* derselben Meinung sein. **ˈlike-ˌmind·ed·ness** *s* Gleichgesinntheit *f.*

lik·en [ˈlaikən] *v/t* **1.** vergleichen (**to** mit). **2.** *selten* gleichmachen, ähnlich machen (**to** *dat*).

like·ness [ˈlaiknis] *s* **1.** Gleichheit *f*, Ähnlichkeit *f* (**between** zwischen; **to** mit). **2.** Aussehen *n*, Anschein *m*, Gestalt *f*: **an enemy in the ~ of a friend. 3.** Bild *n*, Porˈträt *n*: **to have one's ~ taken** sich malen *od.* photographieren lassen. **4.** Abbild *n*: **he is the exact ~ of his father.**

ˈlikeˌwise *adv u. conj* eben-, gleichfalls, desˈgleichen, ebenso, auch: **go and do ~** geh u. tue desgleichen.

li·kin [liːˈkiːn] *s* Likin-Abgaben *pl* (*Binnenzölle in China, bis 1930*).

lik·ing [ˈlaikiŋ] *s* **1.** Zuneigung *f*: **to have (take) a ~ for** (*od.* **to**) **s.o.** zu j-m Zuneigung empfinden (fassen), an j-m Gefallen haben (finden). **2.** (**for**) Gefallen *n* (an *dat*), Neigung *f* (zu), Vorliebe *f* (für), Geschmack *m* (an *dat*): **to be greatly to s.o.'s ~** j-m sehr zusagen; **this is not to my ~** das ist nicht nach m-m Geschmack; **it is too old-fashioned for my ~** es ist mir zu altmodisch.

lil [lil] *Am. dial. für* **little.**

li·lac [ˈlailək] **I** *s* **1.** *bot.* Spanischer Flieder. **2.** Lila *n* (*Farbe*). **II** *adj* **3.** lila(farben). **~ gray** *s* Lilagrau *n.*

lil·i·a·ceous [ˌliliˈeiʃəs] *adj bot.* Lilien..., lilienartig.

Lil·li·put [ˈlilipʌt] **I** *s* Liliput *n* (*Zwergenland in Swifts „Gulliver's Travels"*). **II** *adj* → **Lilliputian I. ˌLil·liˈpu·tian** [-ˈpjuːʃən] **I** *adj* **1.** Liliput... **2.** *fig.* a) winzig, zwergenhaft, b) Liliput..., Klein(st)... **II** *s* **3.** Liliputaner(in). **4.** Zwerg *m* (*a. fig.*).

lilt [lilt] **I** *s* **1.** fröhliche Weise. **2.** rhythmischer Schwung. **3.** *fig.* a) fröhlicher Klang: **a ~ in her voice**, b) (federnder) Schwung, Federn *n*: **the ~ of her step. II** *v/t u. v/i* **4.** fröhlich singen, trällern.

lil·y [ˈlili] **I** *s* **1.** *bot.* a) Lilie *f* (*a. fig. Frau etc*), b) lilienartige Pflanze: **~ of the Nile** Schmucklilie; **~ of the valley** Maiglöckchen *n*; **lilies and roses** *fig.* blühende Gesichtsfarbe; **to paint the ~** *fig.* schönfärben. **2.** *her.* Lilie *f*: **the lilies** die Lilien von Frankreich, *fig.* das Haus Bourbon. **II** *adj* **3.** lilienweiß: **a ~ hand. 4.** lilienhaft, zart, äˈtherisch. **5.** rein, unberührt. **~ i·ron** *s* Lilieneisen *n* (*Art Harpune*). **ˈ~-ˈliv·ered** *adj* feig(e).

Li·ma bean [ˈlaimə] *s bot.* Limabohne *f.*

lim·a·cine [ˈliməˌsain; ˈlai-] *adj zo.* schneckenartig, Schnecken...

limb[1] [lim] *s* **1.** (*Körper*)Glied *n*: **~s** Gliedmaßen; **to escape with life and ~** mit e-m blauen Auge davonkommen. **2.** Hauptast *m* (*e-s Baums*): **out on a ~** *colloq.* in e-r gefährlichen Lage. **3.** *fig.* a) Glied *n*, Teil *m* (*e-s Ganzen*), b) Arm *m* (*e-s Kreuzes etc*): **~ of the sea** Meeresarm, c) Ausläufer *m* (*e-s*

Gebirges), d) *ling.* (Satz)Glied *n*, e) *jur.* Absatz *m*, f) Arm *m*, Werkzeug *n*: ~ of the law Arm des Gesetzes (*Jurist, Polizist etc*). **4.** *colloq.* a) *a.* ~ of Satan Balg *m, n*, Racker *m* (*unartiges Kind*), b) Spitzbube *m*.

limb[2] [lim] *s* **1.** *bot.* a) Limbus *m*, (Kelch)Saum *m* (*e-r Blumenkrone*), b) Blattrand *m* (*bei Moosen*). **2.** *astr.* Rand *m* (*e-s Himmelskörpers*). **3.** *math.* Limbus *m*, Gradbogen *m*.

lim·bate ['limbeit] *adj bot. zo.* (*andersfarbig*) gerandet, gesäumt.

limbed [limd] *adj in Zssgn* ...gliedrig.

lim·ber[1] ['limbər] **I** *adj* **1.** biegsam, geschmeidig (*a. fig. Stil etc*). **2.** *fig.* wendig, e'lastisch. **II** *v/t u. v/i* **3.** (sich) geschmeidig machen, (sich) lockern: **~ing-up exercises** *sport* Lockerungsübungen.

lim·ber[2] ['limbər] **I** *s* **1.** *mil.* Protze *f*: ~ **chest** Protzkasten *m*. **2.** *pl mar.* Pumpensod *m*. **II** *v/t u. v/i* **3.** *meist* ~ **up** aufprotzen.

lim·ber·ness ['limbərnis] *s* Geschmeidigkeit *f*.

lim·bo ['limbou] *s* **1.** *oft* L~ *relig.* Vorhölle *f*. **2.** *fig.* a) Gefängnis *n*, b) Rumpelkammer *f*, c) Vergessenheit *f*, d) Niemandsland *n*.

Lim·burg·er ['lim,bəːrgər], *a.* **'Limburg cheese** *s* Limburger (Käse) *m*.

lime[1] [laim] **I** *s* **1.** *chem.* Kalk *m*: **hydrated ~** gelöschter Kalk; **unslaked** (*od.* **live**) ~ → **quicklime**. **2.** *agr.* Kalkdünger *m*. **3.** Vogelleim *m*. **II** *v/t* **4.** kalken: a) mit Kalk bestreichen *od.* behandeln, b) *agr.* mit Kalk düngen. **5.** mit Vogelleim bestreichen *od.* fangen. **6.** *fig. j-n* ‚leimen', ‚fangen'.

lime[2] [laim] *s bot.* Linde *f*.

lime[3] [laim] *s bot.* Limo'nelle *f*.

lime| burn·er *s* Kalkbrenner *m*. ~ **cast** *s* Kalkverputz *m*. ~ **juice** *s* Li'metta *f*, Limo'nellensaft *m*. **'~,juic·er** *s mar. Am. sl.* **1.** ‚Tommy' *m* (*Brite, bes. brit. Matrose*). **2.** brit. Schiff *n*. **'~,kiln** *s* Kalkofen *m*. **'~,light** *s* **1.** *tech.* (Drummondsches) Kalklicht. **2.** *thea.* a) *Br.* Scheinwerfer *m*, b) Scheinwerferlicht *n*. **3.** *fig.* Rampenlicht *n*, Licht *n* der Öffentlichkeit, Mittelpunkt *m* des (öffentlichen) Inter'esses: **politicians in the ~.**

li·men ['laimen] *s psych.* (Bewußtseins- *od.* Reiz)Schwelle *f*.

lime pit *s* **1.** Kalkbruch *m*. **2.** Kalkgrube *f*. **3.** *Gerberei*: Äscher *m*.

Lim·er·ick, *a.* **l~** ['limərik] *s* Limerick *m* (*5zeiliger Klapphornvers*).

'lime|,stone *s min.* Kalkstein *m*. ~ **tree** *s bot.* **1.** Linde *f*. **2.** (*ein*) Tu'pelobaum *m*. ~ **twig** *s* **1.** Leimrute *f*. **2.** *fig.* Falle *f*, Schlinge *f*. **'~,wash I** *v/t* kalken, weißen, tünchen. **II** *s* Kalktünche *f*. **'~,wa·ter** *s chem.* **1.** Kalkmilch *f*, -lösung *f*. **2.** kalkhaltiges Wasser.

lim·ey ['laimi] *s Am. sl.* ‚Tommy' *m* (*Brite, bes. brit. Soldat od. Matrose*).

li·mic·o·lous [lai'mikələs] *adj zo.* im Schlamm lebend, Schlamm...

lim·i·nal ['liminl; 'lai-] *adj psych.* Schwellen...

lim·it ['limit] **I** *s* **1.** *fig.* Grenze *f*, Schranke *f*: **to the ~** bis zum Äußersten *od.* Letzten; **within ~s** in Grenzen; **without ~** ohne Grenzen, grenzen-, schrankenlos; **the ~s to his experience** die Grenzen s-r Erfahrung; **there is a ~ to everything** alles hat s-e Grenzen; **superior ~** a) äußerster Termin, b) obere Grenze, Höchstgrenze *f*; **inferior ~** a) frühestmöglicher Zeitpunkt, b) untere Grenze; **in (off) ~s** *Am.* Zutritt gestattet (verboten) (to für); **that's the ~!** *colloq.* das ist (doch) die Höhe!; **he is the ~!** *colloq.* er ist unglaublich *od.* unmöglich!; **to go to the ~** *Am. colloq.* a) bis zum Äußersten gehen, b) *sport* über die Runden kommen. **2.** Grenze *f*, Grenzlinie *f*. **3.** *obs.* Bezirk *m*, Bereich *m*. **4.** *math. tech.* Grenze *f*, Grenzwert *m*, Endpunkt *m*. **5.** *econ.* a) *Börse*: Höchstbetrag *m*, b) Limit *n*, Preisgrenze *f*: **lowest ~** äußerster *od.* letzter Preis. **II** *v/t* **6.** ein-, beschränken, begrenzen (to auf *acc*): **~ing adjective** *ling.* einschränkendes Adjektiv. **7.** *econ. Preise* limi'tieren.

lim·i·ta·tion [,limi'teiʃən] *s* **1.** *fig.* Grenze *f*: **to know one's ~s** s-e Grenzen kennen. **2.** Begrenzung *f*, Ein-, Beschränkung *f*. **3.** *jur.* a) Begrenzung *f* e-s Besitzrechts, b) Verjährung(sfrist) *f*: ~ **of action** Klageverjährung.

lim·i·ta·tive [*Br.* 'limitətiv; *Am.* -,teitiv] *adj* be-, einschränkend.

lim·it·ed ['limitid] **I** *adj* (*adv* **~ly**) **1.** beschränkt, begrenzt (to auf *acc*): ~ **space**; ~ **edition** begrenzte Auflage; ~ **(express) train** → 4; ~ **(liability) company** *econ.* (Aktien)Gesellschaft *f* mit beschränkter Haftung; ~ **order** limitierte (Börsen)Order; ~ **partner** *econ.* Kommanditist *m*; ~ **partnership** Kommanditgesellschaft *f*; ~ **in time** befristet. **2.** *pol.* konstitutio'nell: ~ **government**; ~ **monarchy**. **3.** *fig.* (*geistig*) beschränkt. **II** *s* **4.** *Am.* (Schnell)Zug *m od.* Bus *m* mit Platzkarten.

lim·it·er ['limitər] *s* **1.** Einschränkende(r *m*) *f*, *a.* einschränkender Faktor. **2.** *electr.* (Ampli'tuden)Begrenzer *m*.

lim·it·less ['limitlis] *adj* (*adv* **~ly**) grenzen-, schrankenlos.

lim·i·trophe ['limi,trouf] *adj* grenzend (to an *acc*), Grenz...

lim·it switch *s electr.* Grenzschalter *m*.

lim·mer ['limər] *s* **1.** *Scot.* Dirne *f*. **2.** *obs.* Schurke *m*.

limn [lim] *v/t obs. od. poet.* **1.** malen, zeichnen, abbilden. **2.** *fig.* veranschaulichen, schildern. **'lim·ner** [-nər] *s* (Por'trät)Maler *m*.

lim·net·ic [lim'netik] *adj* Süßwasser...

lim·nite ['limnait] *s min.* Raseneisen-, Sumpferz *n*.

lim·nol·o·gy [lim'nɒlədʒi] *s* Limnolo'gie *f*, Seenkunde *f*.

li·mo·nite ['laimə,nait] *s min.* Limo'nit *m*, Brauneisenerz *n*.

lim·ou·sine ['limə,ziːn; ,limə'ziːn] *s mot.* Limou'sine *f*.

limp[1] [limp] **I** *v/i* **1.** hinken (*a. fig. Vers, Währung etc*), humpeln. **2.** sich (da'hin)schleppen (*a. fig.*). **II** *s* **3.** Hinken *n*: **to walk with a ~** → 1.

limp[2] [limp] *adj* **1.** schlaff, schlapp (*beide a. fig.*): **to go ~** erschlaffen. **2.** *fig.* kraftlos, schwach, müde: **a ~ gesture**; **a ~ joke** ein ‚müder' Witz. **3.** biegsam, weich: ~ **book cover.**

lim·pet ['limpit] *s* **1.** *zo.* Napfschnecke *f*. **2.** *humor.* a) ‚Klette' *f* (*aufdringliche Person*), b) j-d, der an s-m (Amts-)Sessel ‚klebt'. ~ **mine** *s mar.* Haftmine *f*.

lim·pid ['limpid] *adj* (*adv* **~ly**) **1.** 'durchsichtig, klar, hell, rein. **2.** *fig.* klar (*Stil etc*). **lim'pid·i·ty, 'lim·pid·ness** *s* 'Durchsichtigkeit *f*, Klarheit *f*.

limp·ness ['limpnis] *s* Schlaff-, Schlappheit *f*.

lim·y ['laimi] *adj* **1.** Kalk..., kalkig: a) kalkhaltig, b) kalkartig. **2.** gekalkt. **3.** mit Vogelleim beschmiert. **4.** leimig, klebrig.

lin·age ['lainidʒ] *s* **1.** → **alignment**. **2.** Zeilenzahl *f*. **3.** 'Zeilenhono,rar *n*.

linch·pin ['lintʃ,pin] *s tech.* Lünse *f*, Vorstecker *m*, Achsnagel *m*.

Lin·coln ['liŋkən] *s* Lincoln(schaf) *n*. ~ **green** *s* **1.** Lincolngrün *n* (*Tuchfarbe*). **2.** Lincolner Tuch *n*.

Lin·coln's Inn *s e-s der* Inns of Court.

lin·den ['lindən] *s* **1.** *bot.* Linde *f*. **2.** Lindenholz *n*.

line[1] [lain] **I** *s* **1.** Linie *f* (*a. mus.*), Strich *m* (*a. Bridge*). **2.** a) Linie *f* (*in der Hand etc*), b) Falte *f*, Runzel *f*, c) Zug *m* (*im Gesicht*): ~ **of fate (fortune, heart, life)** Schicksals-(Glücks-, Herz-, Lebens)linie. **3.** *math.* Linie *f*, Kurve *f*, *bes.* Gerade *f*. **4.** *geogr.* a) Längenkreis *m*, Meridi'an *m*, b) Breitenkreis *m*: **the L~** der Äquator. **5.** (gerade) Linie, Bahn *f*, Richtung *f*: ~ **of action** *phys. tech.* Wirkungslinie; ~ **of fire** Schuß-, Feuerlinie; ~ **of force** *phys.* Kraftlinie; → **resistance** 1; ~ **of sight** a) Sehlinie, Blickrichtung, b) *a.* ~ **of vision** Gesichtslinie, -achse *f*, c) *mil.* Ziel-, Visierlinie, d) (*Funk*) Sichtlinie; **hung on the ~** in Augenhöhe aufgehängt (*Bild*). **6.** *pl* 'Umriß *m*, Kon'tur(en *pl*) *f*, Form *f*, Linien *pl* (*e-s Schiffes etc*). **7.** *pl* Plan *m*, Riß *m*, Entwurf *m*. **8.** *pl* Grundsätze *pl*, Prin'zipien *pl*: **on the ~s laid down by the chairman** nach den vom Vorsitzenden gegebenen Richtlinien; **along these ~s** nach diesen Grundsätzen; **along general ~s** in großen Zügen. **9.** Art *f* u. Weise *f*, Me'thode *f*, Verfahren *n*: ~ **of argument** (Art der) Beweisführung *f*; ~ **of thought** Auffassung *f*, (Denk)Richtung *f*; **to take one's own ~** nach eig(e)ner Methode vorgehen; **to take a strong ~ (with s.o.)** energisch auftreten (gegenüber j-m); **to take the ~ that** den Standpunkt vertreten, daß; **don't take that ~ with me** komm mir ja nicht so!; **in the ~ of** nach Art von; **on strictly commercial ~s** auf streng geschäftlicher Grundlage, auf rein kommerzieller Basis. **10.** Grenze *f*, Grenzlinie *f* (*a. fig.*): **to overstep the ~ of good taste**; **to draw the ~** die Grenze ziehen, haltmachen (at bei); **I draw the ~ at that** da hört es bei mir auf; **~s of responsibility** Zuständigkeiten. **11.** *obs.* (*als Maß*) Linie *f* (= $^{1}/_{12}$ *Zoll*). **12.** Reihe *f*, Kette *f*, Zeile *f*: **a ~ of poplars** e-e Pappelreihe. **13.** (Menschen)Schlange *f*: **to stand in ~** Schlange stehen, anstehen; **to be in ~ for** *Am. fig.* Aussichten haben auf (*acc*). **14.** Über'einstimmung *f*: **in ~ with** in Übereinstimmung *od.* im Einklang mit; **to be in ~ with** übereinstimmen mit; **to bring into ~** a) in Einklang bringen (with mit), b) *j-n* ‚auf Vordermann bringen', kirre machen, c) *pol.* gleichschalten; **to fall into ~** a) sich einordnen, b) *fig.* sich anschließen (with *dat*); **to toe the ~** ‚spuren', parieren, sich der (Partei-*etc*)Disziplin beugen; **in ~ of duty** in Ausübung des Dienstes; **out of ~** a) aus der Flucht, nicht in e-r Linie, b) *fig.* nicht in Einklang, unvereinbar, c) *fig.* aus dem Gleichgewicht, d) unkorrekt. **15.** a) (Abstammungs)Linie *f*, b) (*Ahnen- etc*)Reihe *f*, c) *zo.* (Zucht-)Stamm *m*, d) Fa'milie *f*, Stamm *m*, Geschlecht *n*: **the male ~** die männliche Linie; **in the direct ~** in direkter Linie. **16.** Zeile *f*: **to read between the ~s** zwischen den Zeilen lesen. **17.** Zeile *f*, kurze Nachrichten: **to drop s.o. a ~** j-m ein paar Zeilen schreiben. **18.** a) Vers *m*, b) *pl* Verse *pl*, Gedicht *n* (upon s.th. über e-e

Sache; to s.o. an j-n), c) *pl ped. Br.* (lat.) Verse *pl* (zum Abschreiben), Strafarbeit *f*, d) *pl thea.* Verse *pl*, Rolle *f*: to study one's ~s s-e Rolle (ein)studieren. **19.** *pl colloq.* Trauschein *m*. **20.** *colloq.* Informati'on *f*, Aufklärung *f* (*bes.* in): to get a ~ on e-e Information erhalten über (*acc*). **21.** *pl* Los *n*, Geschick *n*: hard ~s *colloq.* Pech *n*. **22.** *Am. sl.* a) ‚Platte' *f* (*Gerede*), b) ‚Masche' *f*, ‚Tour' *f* (*Trick, Methode*). **23.** Fach *n*, Gebiet *n*, Branche *f*, Tätigkeitsfeld *n*, Sparte *f*: ~ (of business) Branche, Geschäftszweig *m*; in the banking ~ im Bankfach *od.* -wesen; that's s.th. out of (*od.* not in my) ~ das schlägt nicht in mein Fach, das liegt mir nicht. **24.** (Verkehrs-, Eisenbahn- *etc*)Linie *f*, Strecke *f*, Route *f*, *engS. rail.* Gleis *n*: up (down) ~ *Br.* nach (von) London; the Southern ~ die Südbahn; air ~ Luftverkehrslinie; bus ~ Autobuslinie. **25.** (Eisenbahn-, Luftverkehrs-, Autobus)Gesellschaft *f*. **26.** (*bes.* Tele'graphen)Leitung *f*: the ~ is engaged (*od. Am.* busy) die Leitung ist besetzt; to hold the ~ am Apparat bleiben; three ~s 3 Anschlüsse. **27.** *tech.* (Rohr)Leitung *f*: oil ~ Ölleitung. **28.** *tech.* (Fertigungs)Straße *f*: automated packaging ~ vollautomatische Verpackungsstraße. **29.** *TV* (Abtast-, Bild)Zeile *f*. **30.** *Kunst*: a) Linie *f*, b) Linienführung *f*: ~ of beauty Schönheitslinie. **31.** *sport* a) (*Aus-, Toretc*)Linie *f*, b) *amer. Fußball*: Sturm *m*, Angriffsreihe *f*. **32.** *econ.* a) Sorte *f*, Warengattung *f*, b) Posten *m*, Par'tie *f*, c) Sorti'ment *n*, d) Ar'tikel *m od. pl*, Ar'tikelserie *f*. **33.** *mil.* Linie *f*: behind the enemy's ~s hinter den feindlichen Linien; ~ of battle vorderste Linie, Kampflinie; ~ of communications rückwärtige Verbindungen; ~ of defence (departure, retreat) Verteidigungs-(Ausgangs-, Rückzugs)linie. **34.** *mil.* Front *f*: to go up the ~ nach vorn *od.* an die Front gehen; all along the ~, down the ~ *fig.* auf der ganzen Linie, *a.* voll u. ganz; to go down the ~ for *Am. colloq.* sich voll u. ganz einsetzen für. **35.** *mil.* Linie *f* (*Formation beim Antreten*): to draw up in (*od.* form *od.* wheel into) ~ in Linie antreten. **36.** *mil. Br.* Zelt-, Ba'rackenreihe *f*. **37.** *mil.* Fronttruppe(n *pl*) *f*. **38.** the ~ *mil.* die 'Linienregi,menter *pl* (*die regulären Truppen, Ggs. Garde, Miliz etc*). **39.** *mar. Am.* Ge'fechtsoffi,ziere *pl*. **40.** *mar.* Linie *f*: ~ abreast Dwarslinie; ~ ahead Kiellinie. **41.** Bahn *f* (*bei der Parforcejagd*): to keep to one's own ~ nicht von s-r Bahn abweichen (*a. fig.*). **42.** Leine *f*, (starke) Schnur, Seil *n*, Tau *n*. **43.** a) Maßband *n*, b) Lotleine *f*: by (rule and) ~ *fig.* ganz genau. **44.** *teleph. etc* a) Draht *m*, b) Kabel *n*: → hot line. **45.** Angelschnur *f*. **46.** Wäscheleine *f*. **47.** *Am. sl.* Dirnen-, Lasterviertel *n*.
II *v/i* **48.** → line up 1 *u.* 2.
III *v/t* **49.** li'nieren, lini'ieren: to ~ paper. **50.** → line up 4 *u.* 5. **51.** zeichnen. **52.** skiz'zieren. **53.** *das Gesicht* (durch)'furchen, zeichnen. **54.** einfassen, (ein)säumen: ~d with trees; thousands of people ~d the streets Tausende von Menschen säumten die Straßen; soldiers ~d the street Soldaten bildeten an der Straße Spalier. **55.** Sol'daten aufstellen entlang (*dat*).
Verbindungen mit Adverbien:
line| in *v/t* einzeichnen. ~ **off** *v/t* abgrenzen. ~ **through** *v/t* 'durchstreichen. ~ **up I** *v/i* **1.** sich in e-r Reihe aufstellen, e-e Linie bilden. **2.** Schlange stehen. **3.** *fig.* sich zs-schließen. **II** *v/t* **4.** in Linie *od.* in e-r Reihe aufstellen. **5.** aufstellen. **6.** *fig.* ‚auf die Beine stellen', organi'sieren.

line² [lain] *v/t* **1.** *Kleid etc* füttern. **2.** *tech.* (auf der Innenseite) über'ziehen *od.* belegen, ausfüttern, -gießen, -kleiden, -schlagen. **3.** als Futter *od.* 'Überzug dienen für. **4.** (an)füllen: to ~ one's pockets sich die Taschen füllen; to ~ one's stomach sich den Bauch ‚vollschlagen'. **5.** *Bücher* durch Ankleben von Leder *od.* Pa'pier *etc* auf dem Rücken verstärken.

line³ [lain] *s* (*bes. Br.* lang- u. feinfaseriger Spinn)Flachs.

line⁴ [lain] *v/t e-e Hündin* decken.

lin·e·age¹ ['liniidʒ] *s* **1.** geradlinige Abstammung. **2.** Stammbaum *m*. **3.** Geschlecht *n*, Fa'milie *f*.

line·age² → linage.

lin·e·al ['liniəl] *adj* (*adv* ~ly) **1.** geradlinig, in di'rekter Linie, direkt: ~ descent; ~ descendant direkter Nachkomme. **2.** ererbt, Erb..., Geschlechter... **3.** → linear.

lin·e·a·ment ['liniəmənt] *s* **1.** (Gesichts)Zug *m*. **2.** (charakte'ristische) Linie (*des Körpers*). **3.** *fig.* Zug *m*.

lin·e·ar ['liniər] *adj* (*adv* ~ly) **1.** line'ar, geradlinig: ~ relationship; ~ distance Luftlinie *f*. **2.** *math. phys. tech.* line'ar, Linear...: ~ electrode; ~ function; ~ perspective. **3.** Längen...: ~ dimension; ~ measure Längenmaß(system) *n*. **4.** Linien..., Strich..., linien-, strichförmig. **5.** *bot.* line'alisch (*Blatt*): ~-acute linealisch-spitz. ~ **ac·cel·er·a·tor** *s phys.* Line'arbeschleuniger *m*. ~ **e·qua·tion** *s math.* line'are Gleichung, Gleichung *f* ersten Grades.

lin·e·ate ['liniit; -,eit], *a.* '**lin·e,at·ed** [-,eitid] *adj* **1.** (längs)gestrichelt. **2.** *bot.* gestreift, gerippt.

lin·e·a·tion [,lini'eiʃən] *s* **1.** Skiz'zierung *f*, Um'reißen *n*. **2.** ('Umriß)Linie *f*. **3.** Striche *pl*, Linien *pl*. **4.** Anordnung *f* in Linien *od.* Zeilen.

line| blank·ing *s TV* Zeilenaustestung *f*. '~-,**breed** *v/t* reinzüchten. ~ **breed·ing** *s* Rein-, Fa'milienzucht *f*. ~ **con·trol** *s TV* Zeilensteuerung *f*. ~ **draw·ing** *s* Stift- *od.* Kray'on- *od.* Federzeichnung *f*. ~ **en·grav·ing** *s* (Stich *m* in) 'Linienma,nier *f*. ~ **e·qua·tion** *s math.* Gleichung *f* e-r ebenen Kurve. ~ **fish·ing** *s* ,Angelfische'rei *f*. ~ **in·te·gral** *s math.* 'Linieninte,gral *n*. '~**man** [-mən] *s irr.* **1.** *teleph.* Störungssucher *m*: linemen's pliers Kabelzange *f*. **2.** *Am.* Streckenarbeiter *m*. **3.** *amer. Fußball*: Stürmer *m*.

lin·en ['linin] **I** *s* **1.** Leinen *n*, Leinwand *f*, Linnen *n*. **2.** (*Bett-, Unter- etc*)-Wäsche *f*: ~ closet Wäscheschrank *m*; to wash one's dirty ~ in public *fig.* s-e schmutzige Wäsche vor allen Leuten waschen. **II** *adj* **3.** leinen, Leinwand... ~ **drap·er** *s Br.* Weißwarenhändler *m*, Wäschegeschäft *n*. ~ **fold** *s arch.* Faltenfüllung *f*. ~ **pa·per** *s* 'Leinenpa,pier *n*.

'**line|-of-'bat·tle·ship** → ship of the line. ~ **of·fi·cer** *s mil.* 'Truppen-, *mar. Am.* Ge'fechtsoffi,zier *m*.

lin·er¹ ['lainər] *s* **1.** Abfütterer *m*. **2.** *tech.* Futter *n*, Buchse *f*, Einlage *f*. **3.** Einsatz(stück *n*) *m*.

lin·er² ['lainər] *s* **1.** *mar.* (*regelmäßig verkehrender*) Passa'gier-, 'Überseedampfer, Linienschiff *n*. **2.** *aer.* → air liner. **3.** Linienzieher *m* (*Person od. Gerät*). **4.** → penny-a-liner.

lines·man ['lainzmən] *s irr* **1.** → lineman 1 *u.* 2. **2.** *sport* Linienrichter *m*.

line| spec·trum *s phys.* Linienspektrum *n*. ~ **squall** *s meteor.* Linien-, Reihenbö *f*. '~-,**up**, '~,**up** *s* **1.** Aufstellung *f*, Grup'pierung *f*. **2.** *Am.* (Menschen)Schlange *f*.

ling¹ [liŋ] *pl* **lings** *od. collect.* **ling** *s ichth.* Leng(fisch) *m*.

ling² [liŋ] *s bot.* Besenheide *f*, Heidekraut *n*.

lin·ga(m) ['liŋgə(m)] *s relig.* Linga(m) *n* (*Phallus*).

lin·ger ['liŋgər] *v/i* **1.** (ver)weilen, sich aufhalten (*beide a. fig.* over *od.* upon bei *e-m Thema etc*), (noch) bleiben: to ~ on *fig.* noch fortleben (*Tradition etc*). **2.** *fig.* (zu'rück)bleiben, nachklingen (*Gefühl etc*). **3.** sich 'hinziehen *od.* -schleppen. **4.** da'hinsiechen (*Kranker*). **5.** a) zögern, zaudern, b) säumen, trödeln. **6.** schlendern, bummeln. **7.** *obs.* sich sehnen (after nach).

lin·ge·rie ['læŋʒə,riː; 'lɛ̃ːʒə-] *s* Feinwäsche *f*, *bes.* 'Damen,unterwäsche *f*.

lin·ger·ing ['liŋgəriŋ] *adj* (*adv* ~ly) **1.** zögernd. **2.** (zu'rück)bleibend, nachklingend (*Ton, a. Gefühl etc*). **3.** schleppend. **4.** schleichend: ~ disease. **5.** sehnsüchtig: ~ look.

lin·go ['liŋgou] *pl* **-goes** *s* **1.** *contp.* Kauderwelsch *n*. **2.** ('Fach)Jar,gon *m*.

lin·gua fran·ca ['liŋgwə 'fræŋkə] *s* **1.** Lingua *f* franca (*Verkehrssprache in der Levante*). **2.** *allg.* Misch-, Verkehrs-, Hilfssprache *f*.

lin·gual ['liŋgwəl] **I** *adj* **1.** *bes. ling.* Zungen... **2.** → linguistic. **II** *s* **3.** *ling.* Zungenlaut *m*. '**lin·gual,ize** *v/t* lingu'al aussprechen.

lin·guist ['liŋgwist] *s* **1.** Sprachforscher(in), Lin'guist(in). **2.** Fremdsprachler(in), Sprachenkundige(r *m*) *f*.

lin·guis·tic [liŋ'gwistik] **I** *adj* (*adv* ~ally) **1.** sprachwissenschaftlich, lin'guistisch. **2.** Sprach(en)...: ~ atlas Sprachatlas *m*; ~ form bedeutungstragender Sprachbestandteil (*Wort, Phrase, Satz*); ~ science → linguistic 3; ~ stock Sprachfamilie *f*. **II** *s pl* (*meist als sg konstruiert*) **3.** Sprachwissenschaft *f*, Lin'guistik *f*.

lin·gu·late ['liŋgjə,leit] *adj* zungenförmig.

linguo- [liŋgwo] *Wortelement mit der Bedeutung* Zunge.

lin·hay ['lini] *s dial.* Feldscheune *f*.

lin·i·ment ['linimənt] *s pharm.* Lini'ment *n*, Einreibemittel *n*.

li·nin ['lainin] *s pharm.* Li'nin *n*.

lin·ing ['lainiŋ] *s* **1.** Futter(stoff *m*) *n*, (Aus)Fütterung *f* (*von Kleidern etc*). **2.** *tech.* Futter *n*, Ver-, Auskleidung *f*, (*Brems-, Kupplungs- etc*)Belag *m*. **3.** *arch.* Ausmauerung *f*. **4.** *electr.* Isolati'on(sschicht) *f*. **5.** *Buchbinderei*: Kapi'talband *n*. **6.** *fig.* Inhalt *m*. **7.** → silver lining.

link¹ [liŋk] **I** *s* **1.** (Ketten)Glied *n*. **2.** *fig.* a) Glied *n* (*in e-r Kette von Ereignissen, Beweisen etc*), b) Bindeglied *n*, Verbindung *f*: → missing 1. **3.** Masche *f*, Schlinge *f* (*beim Stricken*). **4.** einzelnes Würstchen (*aus e-r Wurstkette*). **5.** *surv.* Meßkettenglied *n* (*a. als Längenmaß, = 7,92 Zoll*). **6.** Man'schettenknopf *m*. **7.** *tech.* (Befestigungs)Glied *n*, Verbindungsstück *n*, Gelenk(stück) *n*, Ku'lisse *f*: bucket ~ Eimerschake *f*; flat ~ Lasche *f*; ~ drive Kulissenantrieb *m*. **8.** *electr.* a) Glied *n*: ~ circuit Schaltglied *n*, b) Schmelzeinsatz *m*, Sicherungsdraht *m*. **II** *v/t u. v/i* **9.** *a.* ~ up (to, with) (sich) verketten, -binden, -knüpfen (mit), (sich) anschließen (an *acc*): to ~ together (mitein'ander) verbinden; to ~ arms (with) sich einhaken (bei); ~ed a) zs.-geschlossen, verkettet, -bunden, b) *biol.* gekoppelt (*Gene*).

link² [liŋk] *s* **1.** *Scot.* a) Flußwindung *f*, b) fruchtbare Niederung, c) *pl* Dünen *pl.* **2.** *oft pl* (*a. als sg konstruiert*) Golfplatz *m*: golf ~s.

link³ [liŋk] *s hist.* Fackel *f*.

link·age ['liŋkidʒ] *s* **1.** Verkettung *f*. **2.** *tech.* Gestänge *n*, Gelenkviereck *n*, Kupplung *f*. **3.** Paral'lelführung *f* (*e-r Zeichenmaschine*). **4.** *biol. electr.* Kopplung *f*: ~ group *biol.* Kopplungsgruppe *f* (*von Genen*).

'link·man [-mən] *s irr hist.* Fackelträger *m.*

link| mo·tion *s tech.* Ku'lissensteuerung *f*. **L~ train·er** *s aer.* Linktrainer *m* (*Instrumentenflug-Übungsgerät*). **'~-ˌup** *s* **1.** Zs.-schluß *m*, Vereinigung *f*. **2.** Bindeglied *n.* **~ verb** *s ling.* **1.** Kopula *f*. **2.** Hilfszeitwort *n.*

linn [lin] *s bes. Scot.* **1.** Tümpel *m*, Teich *m.* **2.** Wasserfall *m.* **3.** steile Schlucht.

lin·net ['linit] *s orn.* Hänfling *m.*

linn·(e)y → linhay.

li·no ['lainou] *abbr. für* linoleum. **'~ˌcut** *s* Lin'olschnitt *m.*

li·no·le·um [li'nouliəm] *s* Lin'oleum *n.*

lin·o·type ['lainoˌtaip] *s print.* **1.** *a.* L~ (*TM*) Linotype *f* (*Zeilensetz- u. -gießmaschine*). **2.** ('Setzmaˌschinen)Zeile *f*.

lin·seed ['linˌsiːd] *s bot.* Leinsamen *m.* **~ cake** *s* Leinkuchen *m.* **~ meal** *s* Leinsamenmehl *n.* **~ oil** *s* Leinöl *n.*

lin·sey-wool·sey ['linzi'wulzi] **I** *pl* **-wool·seys** *s* **1.** grobes Halbwollzeug. **2.** *fig.* a) Mischmasch *m*, b) *obs.* Gewäsch *n.* **II** *adj* **3.** halbwollen, -leinen. **4.** *fig.* 'undefiˌnierbar.

lin·stock ['linˌstɒk] *s hist.* Luntenstock *m.*

lint [lint] **I** *s* **1.** *med.* Schar'pie *f*, Zupflinnen *n.* **2.** Lint *n*, Lint(baum)wolle *f*. **3.** *Am.* Fussel *f*, *m*, kleines Fädchen. **II** *v/i* **4.** *Am.* Fusseln bilden: non-~ing ribbelfest.

lin·tel ['lintl] *s arch.* Oberschwelle *f*, (Tür-, Fenster)Sturz *m.*

lint·er ['lintər] *s* **1.** *tech. Am.* 'Sägegreˌniermaˌschine *f* (*zum Entkörnen kurzstapeliger Baumwolle*). **2.** *pl* Linters *pl* (*kurze Baumwollfasern*).

lin·y ['laini] *adj* **1.** linien-, strichartig. **2.** voll Linien. **3.** faltig, runz(e)lig.

li·on ['laiən] *s* **1.** *zo.* Löwe *m* (*a. fig. Held*): a ~ in the way (*od.* path) e-e (*bes.* eingebildete) Gefahr *od.* Schwierigkeit; to put one's head into the ~'s mouth, to go into the ~'s den sich in die Höhle des Löwen wagen; to make a ~ of → lionize 1; the ~'s skin der falsche Anschein des Mutes; the ~'s share der Löwenanteil; the British L~ der brit. Löwe (*als Wappentier od. als Personifikation Großbritanniens*); to twist the ~'s tail dem Löwen auf den Schwanz treten, über die Briten herziehen. **2.** ‚Größe' *f*, Berühmtheit *f* (*Person*). **3.** *pl* Sehenswürdigkeiten *pl* (*e-s Ortes*). **4.** L~ *astr.* Löwe *m* (*Tierkreiszeichen od. Sternbild*).

li·on·cel ['laiənˌsel] *s her.* kleiner *od.* junger Löwe.

li·on·ess ['laiənis] *s* Löwin *f*.

li·on·et ['laiənit; -net] *s* junger Löwe.

'li·on|ˌheart·ed *adj* löwenherzig, mutig. **~ hunt·er** *s* **1.** Löwenjäger *m.* **2.** *Br. fig.* Promi'nentenjäger *m.*

li·on·ize ['laiəˌnaiz] **I** *v/t* **1.** *j-n* feiern, zum Helden des Tages machen, ‚her'umreichen'. **2.** a) *j-m* die Sehenswürdigkeiten (*e-s Ortes*) zeigen, b) die Sehenswürdigkeiten besuchen u. bestaunen von. **II** *v/i* **3.** die Sehenswürdigkeiten besuchen u. bestaunen.

lip [lip] **I** *s* **1.** Lippe *f* (*a. zo. u. bot.*): lower (upper) ~ Unter-(Ober)lippe *f*; to bite one's ~ sich auf die Lippen beißen; to curl one's ~ (verächtlich) die Lippen kräuseln; to hang on s.o.'s ~s an j-s Lippen hängen; to lick (*od.* smack) one's ~s sich die Lippen lecken; to keep a stiff upper ~ die Ohren steifhalten; it never passed my ~s es kam nie über m-e Lippen; we heard it from his own ~s wir hörten es aus s-m eigenen Munde. **2.** *sl.* Unverschämtheit *f*, freches Geschwätz: none of your ~! keine Unverschämtheiten! **3.** *mus.* a) Mundstück *n* (*am Blasinstrument*), b) Lippe *f* (*der Orgelpfeife*). **4.** Rand *m* (*e-r Wunde, Schale, e-s Kraters etc*). **5.** Tülle *f*, Schnauze *f* (*e-s Kruges etc*). **6.** *tech.* Schneide *f*, Messer *n* (*e-s Stirnfräsers etc*). **II** *adj* **7.** *a. ling.* Lippen...: ~ language Lautsprache *f* (*der Taubstummen*). **8.** *fig.* Lippen..., nur äußerlich, geheuchelt: ~ Christian Lippenchrist(in). **III** *v/t* **9.** mit den Lippen berühren. **10.** *poet.* küssen. **11.** *das Ufer etc* bespülen. **12.** to ~ the hole (*Golf*) den Ball unmittelbar an den Rand des Loches spielen.

li·pase ['laipeis; 'lip-] *s biol. chem.* Li'pase *f* (*ein fettspaltendes Ferment*).

'lip-'deep *adj* unaufrichtig, seicht.

lip·o·chrome ['lipoˌkroum] *s* Lipo'chrom *n* (*fettlöslicher Farbstoff*).

li·pog·ra·phy [li'pɒgrəfi] *s* Auslassen *n* e-s Buchstaben *od.* e-r Silbe.

lip·oid ['lipɔid; 'lai-] *biol. chem.* **I** *adj* lipo'id, fettartig. **II** *s* Lipo'id *n.*

li·pol·y·sis [li'pɒlisis] *s biol. chem.* Lipo'lyse *f*, Fettspaltung *f*.

li·po·ma [li'poumə] *pl* **-ma·ta** [-mətə] *od.* **-mas** *s med.* Li'pom *n*, Fettgeschwulst *f*.

li·po·ma·to·sis [liˌpoumə'tousis] *s med.* Lipoma'tose *f*, Fettsucht *f*.

lipped [lipt] *adj* **1.** *in Zssgn* ...lippig, mit ... Lippen: two-~ *bot.* zweilippig. **2.** Lippen *od.* e-e Lippe habend, mit Lippen (versehen). **3.** a) gerandet, b) mit e-r Tülle (versehen).

lip·py ['lipi] *adj colloq.* frech.

'lip|-ˌread *v/t u. v/i irr* von den Lippen ablesen. **~ read·ing** *s* Lippenlesen *n.* **'~-ˌround·ing** *s ling.* Lippenrundung *f*. **~ salve** *s* **1.** 'Lippenpoˌmade *f*. **2.** *fig.* Schmeiche'lei *f*. **~ serv·ice** *s* Lippendienst *m*: to pay ~ to e-n Lippendienst erweisen (*dat*). **'~-ˌspread·ing** *s ling.* Lippendehnung *f*. **'~ˌstick** *s* Lippenstift *m.*

li·quate ['laikweit] *v/t metall.* (aus)seigern, *Kupfer* darren. **li'qua·tion** *s tech.* (Aus)Seigerung *f*: ~ furnace Seigerofen *m*; ~ hearth Seigerherd *m.*

liq·ue·fa·cient [ˌlikwi'feiʃənt] **I** *s* Verflüssigungsmittel *n.* **II** *adj* verflüssigend. **ˌliq·ue'fac·tion** [-'fækʃən] *s* **1.** Verflüssigung *f*. **2.** Schmelzung *f*.

liq·ue·fi·a·ble ['likwiˌfaiəbl] *adj* schmelzbar. **'liq·ueˌfi·er** *s* Verflüssiger *m*, *bes.* Ver'flüssigungsappaˌrat *m.* **'liq·ueˌfy** *v/t u. v/i* **1.** (sich) verflüssigen: liquefied gas verflüssigtes Gas, Flüssiggas *n.* **2.** schmelzen.

li·ques·cent [li'kwesnt] *adj* sich (leicht) verflüssigend, schmelzend.

li·queur [*Br.* li'kjuə; *Am.* li'kəːr] *s* Li'kör *m.*

liq·uid ['likwid] **I** *adj* (*adv* ~ly) **1.** flüssig: ~ air; ~ fuel Flüssigkraftstoff *m*; ~-fuel rocket Flüssigkeitsrakete *f*; ~ manure Jauche *f*. **2.** Flüssigkeits...: ~ barometer; ~ compass; ~ measure Flüssigkeitsmaß(system) *n.* **3.** a) klar, hell u. glänzend, b) feucht (schimmernd): ~ eyes. **4.** sanft da'hinströmend, leicht fließend, wohltönend: ~ song. **5.** *ling.* a) li'quid, fließend, b) palatali'siert: ~ sound → 9. **6.** *econ.* li'quid, flüssig: ~ assets a) liquide Mittel, flüssiges Kapital, b) *Am.* (*Bilanz*) Umlaufvermögen *n*; ~ debt sofort fällige *od.* vollstreckbare Schuld; ~ securities sofort realisierbare Wertpapiere. **7.** unbeständig, schwankend, im Fluß (befindlich). **II** *s* **8.** Flüssigkeit *f*. **9.** *ling.* Liquida *f*, Li'quidlaut *m.*

liq·ui·date ['likwiˌdeit] **I** *v/t* **1.** *Schulden etc* tilgen, abtragen, abwickeln. **2.** *den Schuldbetrag etc* feststellen: ~d damages festgesetzte Schadenssumme. **3.** *Konten* abrechnen, sal'dieren. **4.** *Unternehmen* liqui'dieren: liquidating dividend Liquidationsanteil *m.* **5.** *Wertpapiere etc* flüssig machen, reali'sieren. **6.** *fig.* a) beseitigen, b) erledigen, c) *euphem.* liqui'dieren, beseitigen, 'umbringen (*ermorden*). **II** *v/i* **7.** in Liquidati'on treten.

liq·ui·da·tion [ˌlikwi'deiʃən] *s* **1.** Liquidati'on *f*: to go into ~ in Liquidation treten. **2.** Tilgung *f*, Bezahlung *f* (*von Schulden*). **3.** Festsetzung *f* (*e-s Schuldbetrags etc*). **4.** Abrechnung *f*. **5.** Reali'sierung *f*, Abverkauf *m* gegen bar. **6.** *fig.* Liqui'dierung *f*, Beseitigung *f*. **'liq·uiˌda·tor** [-tər] *s econ.* Liqui'dator *m*, Abwickler *m.*

li·quid·i·ty [li'kwiditi] *s* **1.** flüssiger Zustand. **2.** Klarheit *f*. **3.** Wässerigkeit *f*. **4.** *econ.* Liquidi'tät *f*, (Geld)Flüssigkeit *f*.

liq·uor ['likər] **I** *s* **1.** a) Getränk *n*, b) alko'holisches Getränk, Alkohol *m* (*bes. Branntwein u. Whisky*): ~ cabinet Hausbar *f*; in ~, the worse for ~ betrunken; → carry 4, spirituous 1. **2.** Flüssigkeit *f*, Saft *m*, (*Ammoniak- etc*)Wasser *n.* **3.** *Kochkunst*: Brühe *f*, Saft *m*, Soße *f*. **4.** [*Br. a.* 'laikwɔː; 'lik-] *pharm.* Liquor *m*, Arz'neilösung *f*. **5.** *tech.* a) Lauge *f*, b) Flotte *f* (*Färbebad*), c) *allg.* Bad *n.* **6.** Brauwasser *n.* **II** *v/t* **7.** *a.* ~ up *sl.* mit Alkohol ‚vollaufen' lassen. **8.** *tech.* einweichen, mit e-r Flüssigkeit behandeln. **9.** *Leder etc* einfetten, schmieren. **III** *v/i* **10.** *oft* ~ up *sl.* ‚einen heben'.

liq·uo·rice → licorice.

liq·uor·ish ['likəriʃ] *adj* **1.** → lickerish. **2.** ‚versoffen', scharf auf Alkohol.

li·ra ['li(ə)rə; 'liːrɑː] *pl* **-re** [-riː; -re] *od.* **-ras** *s* **1.** Lira *f* (*italienische Währungseinheit*). **2.** türkisches Pfund.

lisle [lail] *s econ.* **1.** Flor(ware *f*) *m.* **2.** *a.* L~ thread Florgarn *n.*

lisp [lisp] **I** *s* **1.** Lispeln *n* (*a. fig. von Blättern etc*), Anstoßen *n* (mit der Zunge). **2.** Stammeln *n.* **II** *v/i* **3.** lispeln (*a. fig.*), mit der Zunge anstoßen. **4.** stammeln. **III** *v/t* **5.** *etwas* lispeln.

lis pen·dens [lis 'pendenz] (*Lat.*) *s jur.* **1.** schwebendes Verfahren. **2.** Rechtshängigkeit *f*.

lis·some, *a.* **lis·som** ['lisəm] *adj* **1.** geschmeidig. **2.** gewandt, a'gil. **'lis·some·ness** *s* **1.** Geschmeidigkeit *f*. **2.** Gewandtheit *f*.

list¹ [list] **I** *s* **1.** Liste *f* (*a. fig.*), Verzeichnis *n*: on the ~ auf der Liste; to make (*od.* draw up) a ~ e-e Liste aufstellen; active ~ *mil.* erste Reserve der Offiziere; price ~ *econ.* Preisliste; ~ price Listenpreis *m*; ~ system *pol.* Listenwahlsystem *n.* **2.** the ~ *econ.* die Liste der börsenfähigen 'WertpaˌPiere. **II** *v/t* **3.** (in e-r Liste) verzeichˌnen, aufführen, erfassen, regi'strieren, katalogi'sieren: ~ed securities *Am.* börsenfähige *od.* an der Börse zugelassene Wertpapiere. **4.** in e-e Liste eintragen. **5.** aufzählen, -führen. **6.** bezeichnen. **III** *v/i* **7.** *econ.* aufgeführt sein (at mit *e-m Preis*).

list[2] [list] **I** *s* **1.** Saum *m*, Rand *m*. **2.** → **selvage. 3.** a) Leiste *f*, b) Salleiste *f*. **4.** (Farb-, Stoff)Streifen *m*. **5.** *pl* a) Schranken *pl* (*e-s Turnierplatzes*), b) Tur'nier-, Kampfplatz *m* (*a. fig.*): **to enter the ~s** *fig.* in die Schranken treten. **II** *v/t* **6.** mit Stoffstreifen (*bes.* mit Salleisten) belegen *od.* beschlagen. **7.** *Bretter* abkanten.

list[3] [list] *mar.* **I** *s* Schlagseite *f*. **II** *v/i* Schlagseite haben. **III** *v/t* krängen.

list[4] [list] *v/t pret* **'list·ed** *od.* **list,** *pp* **'list·ed,** *3. sg pres* **list** *od.* **'list·eth** [-iθ] *obs.* **1.** *j-n* gelüsten, *j-m* belieben: **he did as him ~** er handelte, wie es ihm beliebte. **2.** wünschen.

list[5] [list] *obs. od. poet.* **I** *v/t* hören auf (*acc*), (*dat*) zuhören. **II** *v/i* → **listen** 1.

lis·tel ['listl] *s arch.* Leiste *f*.

lis·ten ['lisn] **I** *v/i* **1.** horchen, hören, lauschen (to auf *acc*): **to ~ to** a) *j-m* zuhören, *j-n* anhören: **~!** hör mal!, b) auf *j-n*, *j-s Rat* hören, *j-m* Gehör schenken, c) *e-m Rat etc* folgen: → **reason** 3; **to ~ for s.th.** auf etwas horchen(d warten). **2. ~ in** a) Radio hören, b) (*am Telephon etc*) mithören (on s.th. etwas): **to ~ in to a concert** im Radio ein Konzert hören. **3.** *Am. sl.* sich *gut etc* anhören, klingen. **II** *v/t obs.* → **list**[5] I. **'lis·ten·er** *s* **1.** Horcher(in), Lauscher(in). **2.** Zuhörer(in). **3.** (Radio-, Rundfunk)Hörer(in). **'lis·ten·er-'in** *pl* **'lis·ten·ers-'in** *s* **1.** → **listener** 3. **2.** Mithörer(in) (*am Telephon*).

lis·ten·ing| post ['lisniŋ] *s mil.* **1.** Horchposten *m* (*a. fig.*). **2.** Abhörstelle *f*. **~ serv·ice** *s mil.* Abhördienst *m*.

list·less ['listlis] *adj* (*adv* **~ly**) lust-, teilnahmslos, matt, schlaff. **'list·less·ness** *s* Lust-, Teilnahmslosigkeit *f*.

lit [lit] **I** *pret u. pp von* **light**[1] III *u.* IV *u.* **light**[3]. **II** *meist* **~ up** *adj sl.* ‚blau' (*betrunken*).

lit·a·ny ['litəni] *s relig.* Lita'nei *f*.

li·ter, *bes. Br.* **li·tre** ['li:tər] *s* Liter *n*.

lit·er·a·cy ['litərəsi] *s* **1.** Fähigkeit *f* zu lesen u. zu schreiben. **2.** (geistige) Bildung. **~ test** *s* Prüfung *f* der Lese- u. Schreibkenntnisse (*als Voraussetzung für das Wahlrecht*).

lit·er·al ['litərəl] **I** *adj* (*adv* **~ly**) **1.** wörtlich, wortgetreu: **~ translation. 2.** nüchtern, wahrheitsgetreu: **a ~ account. 3.** am Buchstaben klebend, pe'dantisch, pro'saisch (*Person*). **4.** wörtlich, buchstäblich, eigentlich: **the ~ meaning of a word. 5.** buchstäblich: **~ annihilation. 6.** Buchstaben...: **~ equation** *math.* Buchstabengleichung *f*, algebraische Gleichung. **7.** *colloq.* wahr: **a ~ flood. II** *s* **8.** Druckfehler *m*. **'lit·er·al,ism** *s* **1.** Festhalten *n* am Buchstaben, *bes.* streng *od.* allzu wörtliche Über'setzung *od.* Auslegung, Buchstabenglaube *m*. **2.** *Kunst*: Forma'lismus *m*, wirklichkeitsgetreue Darstellung. **'lit·er·al·ist** *s* **1.** Buchstabengläubige(r *m*) *f*. **2.** *Kunst*: Forma'list(in). **,lit·er'al·i·ty** [-'ræliti] *s* **1.** Buchstäblichkeit *f*, Wörtlichkeit *f*. **2.** wörtliche Bedeutung. **3.** wörtliche Auslegung. **'lit·er·al,ize** [-rə,laiz] *v/t* **1.** wörtlich 'wiedergeben. **2.** buchstäblich auslegen.

lit·er·ar·y ['litərəri] *adj* **1.** lite'rarisch, Literatur...: **~ historian** Literarhistoriker(in); **~ history** Literaturgeschichte *f*; **~ language** Schriftsprache *f*. **2.** schriftstellerisch: **a ~ man** ein Literat; **~ property** *jur.* geistiges *od.* literarisches Eigentum, *a.* Urheberrecht *n*. **3.** in der Litera'tur beschlagen, lite'rarisch gebildet. **4.** gewählt, ‚hochgestochen': **a ~ expression; ~ style** *contp.* papierener Stil.

lit·er·ate ['litərit] **I** *adj* **1.** des Lesens u. Schreibens kundig. **2.** (lite'rarisch) gebildet. **3.** lite'rarisch. **II** *s* **4.** des Lesens u. Schreibens Kundige(r *m*) *f*. **5.** (lite'rarisch) Gebildete(r *m*) *f*, Gelehrte(r *m*) *f*. **6.** *Church of England*: Geistliche(r) *m* ohne Universi'tätsgrad.

lit·e·ra·ti [,litə'reitai; -'rɑ:ti:] *s pl* **1.** Lite'raten *pl*. **2.** (*die*) Gelehrten *pl*.

lit·e·ra·tim [,litə'reitim; -'rɑ:-] (*Lat.*) *adv* buchstäblich, (wort)wörtlich.

lit·er·a·ture ['litərətʃər; -,tʃur] *s* **1.** Litera'tur *f*, Schrifttum *n*: **English ~** (die) englische Literatur; **the ~ of medicine** die medizinische (Fach-)Literatur. **2.** *colloq.* Druckschriften *pl*, *bes. econ.* Pro'spekte *pl*, 'Unterlagen *pl*. **3.** Schriftstelle'rei *f*. **4.** die lite'rarische Welt.

lith [liθ] *s obs. od. dial.* Glied *n*.

lith-, -lith [liθ] *Wortelement mit der Bedeutung* Stein.

lith·arge ['liθɑ:rdʒ] *s chem.* **1.** Bleiglätte *f*. **2.** *weitS.* 'Bleio,xyd *n*.

lithe [laið] *adj* (*adv* **~ly**) geschmeidig. **'lithe·ness** *s* Geschmeidigkeit *f*.

lithe·some ['laiðsəm] → **lithe.**

lith·i·a ['liθiə] *s chem.* 'Lithiumo,xyd *n*.

li·thi·a·sis [li'θaiəsis] *s med.* Li'thiasis *f*, Steinleiden *n*.

lith·ic[1] ['liθik] *adj chem.* Lithium...

lith·ic[2] ['liθik] *adj* Stein...

lith·i·um ['liθiəm] *s chem.* Lithium *n*.

litho- [liθo; -θə] *Wortelement mit der Bedeutung* Stein.

lith·o·chro·mat·ic [,liθəkrə'mætik] *adj* Farben..., Buntdruck... **,lith·o·chro·'mat·ics** *s pl* (*als sg konstruiert*) Farbendruck *m*.

lith·o·gen·e·sis [,liθə'dʒenisis] *s med.* Steinbildung *f*.

lith·o·graph ['liθə,græ(:)f; *Br. a.* -,grɑ:f] **I** *s* Lithogra'phie *f*, Steindruck *m* (*Erzeugnis*). **II** *v/t u. v/i* lithogra'phieren. **li'thog·ra·pher** [-'θɒgrəfər] *s* Litho'graph *m*. **,lith·o·'graph·ic** *adj* (*adv* **~ally**) litho'graphisch, Steindruck... **li'thog·ra·phy** *s* Lithogra'phie *f*, Steindruck(verfahren *n*) *m*.

li·thol·o·gist [li'θɒlədʒist] *s* Litho'loge *m*. **li'thol·o·gy** *s* Litholo'gie *f*: a) Gesteinskunde *f*, b) *med.* Steinkunde *f*.

lith·on·trip·tic [,liθɒn'triptik] *adj u. s* steinlösend(es Mittel).

li·thoph·a·gous [li'θɒfəgəs] *adj zo.* steinfressend.

lith·o·pho·tog·ra·phy [,liθəfə'tɒgrəfi] *s phot.* ,Photo,lithogra'phie *f*.

lith·o·phyte ['liθə,fait] *s* Litho'phyt *m*, Steinpflanze *f*.

lith·o·sphere ['liθə,sfir] *s geol.* Litho'sphäre *f*, Gesteinsmantel *m*.

lith·o·tome ['liθə,toum] *s med.* Steinschnittmesser *n*. **li'thot·o·my** [-'θɒtəmi] *s med.* (Blasen)Steinschnitt *m*.

lith·o·type ['liθə,taip] *s print.* litho'typische Platte.

Lith·u·a·ni·an [,liθju'einiən] **I** *s* **1.** Litauer(in). **2.** *ling.* Litauisch *n*, das Litauische. **II** *adj* **3.** litauisch.

lit·i·ga·ble ['litigəbl] *adj jur.* streitig, strittig. **'lit·i·gant** *jur.* **I** *s* Pro'zeßführende(r *m*) *f*, streitende Par'tei. **II** *adj* streitend, pro'zeßführend.

lit·i·gate ['liti,geit] *jur.* **I** *v/t* **1.** prozes'sieren *od.* streiten um. **2.** bestreiten, anfechten. **II** *v/i* **3.** prozes'sieren, streiten. **,lit·i'ga·tion** *s* **1.** *jur.* Rechtsstreit *m*, Pro'zeß *m*. **2.** *fig.* Streit *m*. **'lit·i,ga·tor** [-tər] → **litigant** I.

li·ti·gious [li'tidʒəs] *adj* (*adv* **~ly**) **1.** *jur.* Prozeß... **2.** *jur.* strittig, streitig. **3.** pro'zeß-, streitsüchtig: **~ person** ‚Prozeßhansel' *m*, Querulant *m*.

lit·mus ['litməs] *s chem.* Lackmus *n*. **~ pa·per** *s* 'Lackmuspa,pier *n*.

li·to·tes ['laito,ti:z; 'lit-] *s Rhetorik*: Li'totes *f*, Unter'treibung *f*.

li·tre *bes. Br. für* **liter.**

lit·ter ['litər] **I** *s* **1.** Sänfte *f*. **2.** Tragbahre *f*. **3.** Streu *f* (*für Tiere od. Pflanzen*). **4.** *agr.* Stallmist *m*. **5.** her'umliegende Sachen *pl*, *bes.* herumliegender Abfall. **6.** Wust *m*, Durchein'ander *n*, Unordnung *f*. **7.** *Am.* Waldstreu *f* (*oberste Schicht des Waldbodens*). **8.** *zo.* Wurf *m*: **a ~ of pigs** ein Wurf Ferkel. **II** *v/t* **9.** *meist* **~ down** a) Streu legen für, *den Pferden etc* einstreuen, b) *den Stall, Boden* einstreuen. **10.** *Pflanzen etc* mit Stroh *od.* Heu bedecken. **11.** a) verunreinigen, bestreuen, b) unordentlich verstreuen, her'umliegen lassen, c) *Zimmer* in Unordnung bringen, d) *oft* **~ up** unordentlich her'umliegen in (*dat*) *od.* auf (*dat*): **papers ~ed (up) the floor. 12.** *zo. Junge* werfen. **III** *v/i* **13.** *zo.* Junge werfen.

lit·te·rae hu·ma·ni·o·res ['litə,ri: hju:,meini'ɔ:ri:z; -,mæn-] (*Lat.*) *s pl* huma'nistische Wissenschaften *pl*, *bes. univ.* (*Oxford u. Cambridge*) Ab'teilung *f* für klassische Philolo'gie u. Altertumskunde.

lit·te·ra·rum doc·tor [,litə'rɛ(ə)rəm 'dɒktɔ:r] (*Lat.*) *s* Doktor *m* der Litera'turwissenschaft. [rat *m*.]

lit·té·ra·teur [litɛra'tœ:r] (*Fr.*) *s* Lite-

lit·te·ra·tim *obs. für* **literatim.**

'lit·ter|,bin *s* Abfallkorb *m*. **'~,bug** *s j-d, der Straßen u. Plätze mit Abfällen od. Papier verschandelt.*

lit·tle ['litl] **I** *adj comp* **less** [les] *od.* (*in gewissen Fällen*) **less·er** ['lesər], *a.* **small·er** ['smɔ:lər], *sup* **least** [li:st], *a.* **small·est** ['smɔ:list], *dial. od. colloq. comp* **'lit·tler,** *sup* **'lit·tlest 1.** klein (*oft gefühlsbetont*): **a ~ child; the ~ finger; a nice ~ house** ein nettes kleines Haus, ein nettes Häus-chen; **~ one** Kleiner *m*, Kleine *f*, Kleines *n* (*Kind*); **our ~ ones** unsere Kleinen. **2.** klein(gewachsen): **a ~ man** ein kleiner Mann (*a. fig.*); **the ~ people** die Elfen *od.* Heinzelmännchen. **3.** klein (*an Zahl*): **a ~ army. 4.** kurz: **a ~ way; a ~ while** ein Weilchen. **5.** wenig: **~ hope; a ~ honey** ein wenig *od.* ein bißchen Honig, etwas Honig. **6.** schwach: **a ~ voice. 7.** klein, gering(fügig), unbedeutend: **~ discomforts; ~ farmer** Kleinbauer *m*. **8.** klein(lich), beschränkt, engstirnig: **~ minds** kleine Geister. **9.** *contp.* gemein, erbärmlich, armselig. **10.** *iro.* klein: **his ~ intrigues; her poor ~ efforts** ihre rührenden kleinen Bemühungen.

II *adv comp* **less,** *sup* **least 11.** wenig, kaum, nicht sehr: **~ improved; ~-known** wenig bekannt; **~ better than** nicht viel besser als; **~ does one expect** man erwartet kaum. **12.** über'haupt nicht: **he ~ knows, ~ does he know** er hat keine Ahnung. **13.** wenig, selten: **I see him very ~.**

III *s* **14.** Kleinigkeit *f*, (*das*) Wenige, (*das*) bißchen: **a ~** ein wenig, ein bißchen, etwas; **not a ~** nicht wenig; **every ~ helps** jede Kleinigkeit hilft;

he did what ~ he could er tat das wenige, das er tun konnte; after a ~ nach e-m Weilchen; he went on a ~ er ging ein Stückchen weiter; ~ by ~, by ~ and ~ (ganz) allmählich, nach und nach. **15.** kleiner Maßstab: in ~ im Kleinen, in kleinem Maßstab.

Lit·tle| Bear *s astr.* Kleiner Bär (*Sternbild*). **~ Dip·per** *s astr.* Kleiner Wagen (*Sternbild*). **~ Dog** *s astr.* Kleiner Hund (*Sternbild*). **'l~-,ease** *s hist.* **1.** enge Kerkerzelle. **2.** Pranger *m.* **~ Eng·land·er** *s pol.* Kleinengländer *m*, Gegner *m* der imperia'listischen Poli'tik Englands. **~ En·tente** *s hist.* Kleine En'tente. **~ Fox** *s astr.* Fuchs *m* (*Sternbild*). **l~ go** *s colloq.* (*Universität Cambridge*) 'Vorex,amen *n* (*erste Prüfung für den Grad e-s B.A.*). **l~ Mar·y** *s Br. colloq.* Magen *m.* **'l~-,mind·ed** → little 8.

lit·tle·ness ['litlnis] *s* **1.** Kleinheit *f.* **2.** Geringfügigkeit *f*, Bedeutungslosigkeit *f.* **3.** *contp.* Kleinheit *f*, Kleinlichkeit *f.*

Lit·tle| Red Rid·ing·hood *s* Rotkäppchen *n.* **~ Rhod·y** ['roudi] *s* (*Spitzname für*) Rhode Island *n.* **~ Rus·sian** *s* **1.** Kleinrusse *m*, -russin *f*, Ukra'iner(in). **2.** *ling.* Kleinrussisch *n*, das Ukra'inische. **l~ the·a·ter,** *bes. Br.* **l~ the·a·tre** *s* **1.** Kleinbühne *f*, Kammerspiele *pl.* **2.** Liebhaber-, *bes.* Experimen'tierbühne *f.*

lit·to·ral ['litərəl] **I** *adj* **1.** Küsten..., Ufer... **II** *s* **2.** Gezeitenzone *f.* **3.** Küstenland *n.*

li·tur·gic [li'tə:rdʒik] *adj*; **li'tur·gi·cal** *adj* (*adv* **~ly**) li'turgisch.

li·tur·gics [li'tə:rdʒiks] *s pl* (*oft als sg konstruiert*) *relig.* Li'turgik *f.*

lit·ur·gy ['litərdʒi] *s relig.* Litur'gie *f.*

liv·a·ble ['livəbl] *adj* **1.** wohnlich, bewohnbar. **2.** angenehm, erträglich (*Klima etc*). **3.** lebenswert, erträglich. **4.** *a.* ~-with 'umgänglich (*Person*).

live[1] [liv] **I** *v/i* **1.** leben, (or'ganisches) Leben haben. **2.** leben, am Leben bleiben: to ~ long; the patient cannot ~ der Patient wird nicht am Leben bleiben; to ~ through s.th. etwas durchleben *od.* -machen *od.* -stehen; to ~ to be old, to ~ to a great age ein hohes Alter erreichen; to ~ to see erleben; ~ and learn! man lernt nie aus. **3.** *oft* ~ on weiter-, fortleben (*bes. fig.*): the dead ~ on in our hearts; these ideas still ~. **4.** aushalten, sich halten, bestehen. **5.** leben (on, upon von), sich (er)nähren (on, upon von; by von, durch): to ~ off one's capital von s-m Kapital leben *od.* zehren; he ~s on his wife er lebt auf Kosten s-r Frau; to ~ by painting vom Malen leben, sich durch Malen den Lebensunterhalt verdienen. **6.** *ehrlich etc* leben, ein *ehrliches etc* Leben führen: to ~ honestly; to ~ well üppig *od.* gut leben; to ~ to o.s. ganz für sich leben; to ~ within o.s. sich nur mit sich selbst beschäftigen; she ~d there a widow sie lebte dort als Witwe. **7.** leben, wohnen: to ~ in the country. **8.** leben, das Leben genießen: ~ and let ~ leben u. leben lassen.

II *v/t* **9.** *ein bestimmtes Leben* führen *od.* leben: to ~ a double life ein Doppelleben führen. **10.** (vor)leben, im Leben verwirklichen: he ~s his faith er lebt s-n Glauben.

Verbindungen mit Adverbien:

live| down *v/t* durch tadellosen Lebenswandel vergessen lassen *od.* wider'legen *od.* über'winden, verkraften. **~ in** *v/i* am Arbeitsplatz wohnen. **~ out I** *v/t* über'leben: he will not ~ the night. **II** *v/i* nicht am Arbeitsplatz wohnen. **~ up I** *v/i* ~ to s-n *Grundsätzen etc* gemäß leben, *s-m* (*guten*) *Ruf(e) etc* gerecht werden. **II** *v/t* live it up *sl.* ‚schwer auf die Pauke hauen', ‚Orgien feiern'.

live[2] [laiv] *adj* (*nur attr*) **1.** lebend, le'bendig: ~ animals; ~ birth Lebendgeburt *f.* **2.** *humor.* wirklich, richtig, regelrecht. **3.** lebend: ~ fence; ~ hair Haar *n* von lebenden Wesen; ~ oak Immergrüne Eiche; ~ rock lebender *od.* gewachsener Fels. **4.** *fig.* le'bendig, lebhaft (*a. Debatte, Schilderung etc*), rührig, tätig, e'nergisch, vi'tal (*Person*). **5.** aktu'ell, brennend: a ~ question. **6.** glühend, brennend (*Kohle, Zigarette etc; a. fig. Gefühl etc*). **7.** scharf (*Munition etc*): ~ bomb; ~ cartridge. **8.** ungebraucht (*Streichholz*). **9.** *electr.* spannung-, stromführend, unter Spannung *od.* Strom stehend, geladen: → live wire. **10.** *Rundfunk, TV:* di'rekt, Direkt..., Original..., Life...: ~ broadcast. **11.** lebhaft, frisch: ~ colo(u)rs. **12.** *tech.* a) Trieb..., (an)treibend, b) angetrieben: ~ wheel; ~ centre (*Am.* center) Antriebs-, Arbeitsspindel *f*, c) beweglich: ~ load bewegliche Last, Nutzlast *f.* **13.** *print.* gebrauchs-, druckfertig: ~ matter druckfertiger Satz, Stehsatz *m.* **14.** im Spiel (befindlich): a ~ card; a ~ ball.

live·li·hood ['laivli,hud] *s* 'Lebens,unterhalt *m*, Auskommen *n*: to pick up a scanty ~ sein knappes Auskommen haben; to earn (*od.* make *od.* gain) a (*od.* one's) ~ sein Brot *od.* s-n Lebensunterhalt verdienen.

live·li·ly ['laivlili] *adv von* lively I.

live·li·ness ['laivlinis] *s* **1.** Lebhaftigkeit *f*, Munterkeit *f*: a certain ~ *mil. sl.* ‚ein ziemlicher Feuerzauber'. **2.** Le'bendigkeit *f.*

'live,long ['liv-] *adj*: the ~ day *poet.* den lieben langen Tag.

live·ly ['laivli] **I** *adj* (*adv* livelily *u.* → II) **1.** *allg.* lebhaft, le'bendig: a ~ colo(u)r (description, discussion, idea, mind, person, recollection, *etc*); ~ hope starke *od.* feste Hoffnung; ~ interest lebhaftes Interesse; ~ with belebt durch *od.* von. **2.** kräftig, vi'tal. **3.** aufregend (*Zeiten*): to make it (*od.* things) ~ for s.o. j-m (tüchtig) einheizen. **4.** prickelnd: a) schäumend (*Getränk*), b) belebend. **5.** schnell, flott. **6.** federnd, e'lastisch (*Ball etc*). **7.** *mar.* flott schwimmend. **II** *adv* **8.** lebhaft, le'bendig, munter, flott.

liv·en ['laivn] *meist* ~ **up I** *v/t* beleben, Leben bringen in (*acc*), le'bendig *od.* munter machen. **II** *v/i* le'bendig *od.* munter werden, sich beleben.

liv·er[1] ['livər] *s* **1.** *anat.* Leber *f*: ~ (complaint) *med.* Leberleiden *n*; ~ line Leberlinie *f* (*in der Hand*); hot ~ *fig.* leidenschaftliches Temperament; white ~, lily ~ Feigheit *f.* **2.** ~ colo(u)r, ~ brown Leberbraun *n.*

liv·er[2] ['livər] *s* Lebende(r *m*) *f*: fast ~ Lebemann *m*; good ~ a) tugendhafter Mensch, b) Schlemmer *m*, Genießer *m*; loose ~ liederlicher Mensch.

liv·er·ied ['livərid] *adj* li'vriert.

liv·er·ish ['livəriʃ] *adj colloq.* **1.** leberleidend. **2.** gallig, reizbar, mürrisch.

Liv·er·pud·li·an [,livər'pʌdliən] *humor.* **I** *adj* aus *od.* von Liverpool. **II** *s* Liverpooler(in).

liv·er| rot *s med. vet.* Leberfäule *f.* **~ spot** *s* Leberfleck *m.* **~ wing** *s Br.* **1.** *Kochkunst*: rechter Flügel (*e-s zubereiteten Vogels*). **2.** *humor.* rechter Arm. **'~,wort** *s bot.* **1.** Lebermoos *n.* **2.** Leberblümchen *n.* **'~,wurst** [-,wə:rst; -,wurst] *s Am.* Leberwurst *f.*

liv·er·y[1] ['livəri] *s* **1.** Li'vree *f*: a) *Bedienstetentracht*, b) *hist. Vasallentracht.* **2.** a) Amtstracht *f*, b) Gildentracht *f.* **3.** a) → livery company, b) Mitgliedschaft *f* e-r Li'vreegesellschaft. **4.** *fig.* Kleid *n*, Tracht *f*, Gewand *n*: animals in their winter ~ Tiere im Winterkleid. **5.** Pflege *f* u. 'Unterbringung *f* (*von Pferden*) gegen Bezahlung: at ~ in Futter (*stehen etc*). **6.** *Am.* → livery stable. **7.** *jur.* a) 'Übergabe *f*, Über'tragung *f*, b) *Br.* 'Übergabe *f* von vom Vormundschaftsgericht freigegebenem Eigentum, c) Über'tragungsurkunde *f*: to sue one's ~ *Br.* beim Vormundschaftsgericht um Übertragung des Eigentumsrechts an s-m Erbgut nachsuchen. **8.** *hist.* Zuteilung *f* von Nahrungsmitteln, Kleidern *etc* (*an die Gefolgschaft*).

liv·er·y[2] ['livəri] *adj* **1.** leberartig *od.* -farben. **2.** → liverish. **3.** *Br.* klebrig, zäh: ~ soil.

liv·er·y| com·pa·ny *s* Li'vreegesellschaft *f* (*Zunft der City von London*). **~ horse** *s* Mietpferd *n.* **'~·man** [-mən] *s irr* **1.** Mitglied *n* e-r livery company, Zunftmitglied *n.* **2.** a) Pferdeverleiher *m*, b) Arbeiter *m* in e-r Mietstallung. **~ serv·ant** *s* li'vrierter Diener. **~ sta·ble** *s* Mietstallung *f.*

lives [laivz] *pl von* life.

live| steam [laiv] *s* Frischdampf *m.* **'~,stock** *s* Vieh(bestand *m*) *n*, lebendes Inven'tar. **~ weight** *s* Lebendgewicht *n.* **~ wire** *s* **1.** stromführender Draht. **2.** *colloq.* ener'giegeladener Mensch, vi'taler Bursche.

liv·id ['livid] *adj* (*adv* **~ly**) **1.** blau, bläulich (verfärbt). **2.** bleifarben, graublau. **3.** fahl, aschgrau, bleich, blaß (with vor *dat*). **4.** *Br. colloq.* ‚fuchsteufelswild'. **li'vid·i·ty, 'liv·id·ness** *s* Fahlheit *f*, Blässe *f.*

liv·ing ['liviŋ] **I** *adj* **1.** lebend (*a. Sprachen*): no man ~ kein Sterblicher; the ~ die Lebenden; the greatest of ~ statesmen der größte lebende Staatsmann; while ~ bei Lebzeiten; within ~ memory seit Menschengedenken; ~ death trostloses *od.* schreckliches Dasein. **2.** le'bendig: ~ faith; ~ reality; the ~ God. **3.** → live[2] 6. **4.** gewachsen: ~ rock. **5.** lebensecht: a ~ portrait; the ~ image das getreue Abbild. **6.** Lebens...: ~ conditions. **II** *s* **7.** (das) Leben: ~ is very expensive these days; → cost 1. **8.** Leben *n*, Lebensweise *f*, -führung *f*: good ~ üppiges Leben; plain ~ einfache Lebensführung. **9.** 'Lebens,unterhalt *m*: to earn one's ~; to make a ~ out of s-n Lebensunterhalt verdienen durch, sich ernähren von. **10.** Leben *n*, Wohnen *n.* **11.** *relig. Br.* Pfründe *f.* **~ pic·ture** *s* lebendes Bild. **~ room** *s* Wohnzimmer *n.* **~ space** *s pol.* Lebensraum *m.* **~ wage** *s econ.* Exi'stenzminimum *n.*

Li·vo·ni·an [li'vouniən] **I** *adj* livländisch. **II** *s* Livländer(in).

lix·iv·i·ate [lik'sivi,eit] *v/t* auslaugen. **lix,iv·i'a·tion** *s* Auslaugung *f.*

liz·ard ['lizərd] *s* **1.** *zo.* Eidechse *f*: common ~ Berg-, Waldeidechse. **2.** *orn.* Lizard *m* (*Kanarienvogel*). **3.** → lounge lizard. **4.** The L~ Kap *n* Lizard (*südlichster Punkt Englands*).

Liz·zie ['lizi] *s sl.* ‚alte (Blech)Kiste' (*bes. altes Fordmodell*).

'll [l; əl] *colloq. für* will *od.* shall.

lla·ma ['lɑːmə] *s* **1.** *zo.* Lama *n.* **2.** Lamawolle *f.*

lla·no ['lɑːnou] *s* Llano *m* (*Hochgrassteppe, bes. in Südamerika*).

lo[1] [lou] *interj* siehe!, seh(e)t!: ~ **and behold!** (*oft humor.*) sieh(e) da!

Lo[2] [lou] *s humor.* Indi'aner *m.*

loach [loutʃ] *s ichth.* Schmerle *f.*

load [loud] **I** *s* **1.** Last *f* (*a. phys.*). **2.** Ladung *f* (*a. e-r Schußwaffe*), Fuhre *f*: **get a ~ of this** *Am. sl.* hör mal gut zu. **3.** *fig.* Last *f*, Bürde *f*: **a ~ of care** e-e Sorgenlast; **to take a ~ off s.o.'s mind** j-m e-n Stein vom Herzen nehmen. **4.** (**of**) *pl colloq.* Massen *pl* (von *Geld etc*), e-e Unmasse (*Leute etc*). **5.** (Arbeits)Pensum *n*, *econ. a.* Leistungssoll *n.* **6.** *electr. tech.* a) Last *f*, (Arbeits)Belastung *f*, b) Leistung *f*: **inductive ~** induktive Belastung; **the ~ on a motor** die Belastung e-s Motors; **~ factor** Belastungsfaktor *m.* **7.** *tech.* Ladung *f*, Füllung *f* (*Beschikkungsgut*). **8.** *Am. sl.* ,Ladung' *f* (*tüchtige Menge Alkohol*): **to have a ~ on** ganz schön ,voll' sein.
II *v/t* **9.** beladen: **to ~ a cart** (**ship** *etc*). **10.** (auf)laden: **to ~ coal.** **11.** *tech. Beschickungsgut* aufgeben, einfüllen. **12.** *Schußwaffe etc* laden: **to ~ a gun; to ~ the camera** *phot.* e-n Film einlegen (in die Kamera). **13.** *j-n* über'häufen (**with** mit *Arbeit, Geschenken, Vorwürfen etc*): **to ~ s.o. with work.** **14.** *den Magen* über'laden. **15.** beschweren, (*durch Zusätze etc*) schwerer machen (*oft in betrügerischer Absicht*): **to ~ silk; to ~ dice** Würfel beschweren *od.* fälschen; **to ~ the dice** *fig.* die Karten zinken, falsches Spiel treiben; **the dice are loaded against him** *fig.* er hat kaum e-e Chance. **16.** *Wein etc* verfälschen. **17.** *electr.* pupini'sieren. **18.** *den Preis etc* durch Zuschläge erhöhen, hochtreiben.
III *v/i* **19.** aufladen. **20.** (ein)laden, Ladung über'nehmen. **21.** (das Gewehr *etc*) laden. **22.** *an der Börse* große Einkäufe tätigen.
Verbindungen mit Adverbien:
load| in *v/t* einladen. **~ out** *v/t* ausladen. **~ up** *v/t* auf-, einladen.

load| ca·pac·i·ty *s* **1.** *tech.* a) Ladefähigkeit *f*, b) Tragfähigkeit *f*. **2.** *electr. tech.* Belastbarkeit *f*, Leistungsaufnahme *f*. **~ car·ri·er** *s mot.* Kleinlastwagen *m*, *bes.* Kombiwagen *m.* **~ dis·place·ment** *s mar.* Ladeverdrängung *f*.

load·ed ['loudid] *adj* **1.** beladen, belastet. **2.** beschwert: **~ cane** mit Blei(kopf) beschwerter Stock, Totschläger *m*; **~ dice** falsche Würfel. **3.** verfälscht, -schnitten (*Wein*).

load·er ['loudər] *s* **1.** (Ver-, Auf)Lader *m.* **2.** Verladevorrichtung *f*, (Auf)Lader *m.* **3.** *hunt.* Lader *m.* **4.** *mil.* Ladeschütze *m.*

load·ing ['loudiŋ] *s* **1.** Beladen *n.* **2.** *econ.* (Auf)Laden *n*: **~ and unloading** Laden u. Löschen. **3.** *tech.* Aufgabe *f* (*von Beschickungsgut*). **4.** Ladung *f*, Last *f*. **5.** *aer. electr. tech.* Belastung *f*. **6.** *Versicherung*: Verwaltungskostenanteil *m* (*der Prämie*). **~ bridge** *s* Verladebrücke *f*. **~ coil** *s electr.* Belastungsspule *f*.

load| line *s mar.* Lade(wasser)linie *f*. **~ re·sist·ance** *s electr.* Be'lastungs-, 'Arbeits,widerstand *m.* **'~,star** → **lodestar.** **'~,stone** *s* **1.** *min.* Ma'gneteisenstein *m.* **2.** na'türlicher Ma'gnet. **3.** *fig.* Ma'gnet *m.* **~ test** *s electr. tech.* Belastungsprobe *f*. **~ wa·ter line** → **load line.**

loaf[1] [louf] *pl* **loaves** [louvz] *s* **1.** a) Laib *m* (Brot), b) *weitS.* Brot *n*: **a white ~** ein Laib Weißbrot; **half a ~ is better than no bread** etwas ist besser als gar nichts; **the miracle of the loaves and fishes** *Bibl.* die Speisung der Fünftausend; **loaves and fishes** *fig.* Brot u. Fische (*persönliche Vorteile als Motiv religiösen Bekenntnisses od. öffentlicher Tätigkeit*). **2.** Zuckerhut *m*: **~ sugar** Hutzucker *m.* **3.** Frika'delle *f*, Hackbraten *m.* **4.** *Br.* Kopf *m* (*Kohl od. Salat*). **5.** *sl.* ,Birne' *f* (*Kopf*).

loaf[2] [louf] **I** *v/i* **1.** her'umlungern, sich her'umtreiben. **2.** faulenzen. **II** *v/t* **3.** **~ away** *Zeit* verbummeln. **III** *s* **4.** **to be on the ~** *colloq.* → I.

loaf·er ['loufər] *s* **1.** Her'umtreiber(in). **2.** Müßiggänger(in), Faulenzer(in). **3.** Mokas'sin *m* (*Art Schuh*).

loam [loum] *s* **1.** Lehm(boden) *m*: **~ casting** *tech.* Lehmguß *m.* **2.** *obs.* a) Erde *f*, b) Ton *m.* **'loam·y** *adj* **1.** lehmig. **2.** Lehm..., lehmhaltig.

loan [loun] **I** *s* **1.** (Ver)Leihen *n*, Ausleihung *f*: **on ~** leihweise; **a book on ~** ein geliehenes Buch; **to ask for the ~ of s.th.** etwas leihweise erbitten. **2.** Anleihe *f* (*a. fig.*): **to take up a ~ on s.th.** e-e Anleihe auf e-e Sache aufnehmen; **government ~** Staatsanleihe. **3.** Darlehen *n*, Kre'dit *m*: **~ on securities** Lombarddarlehen. **4.** Leihgabe *f* (*für e-e Ausstellung*): **~ collection** Leihgaben(sammlung *f*) *pl.* **5.** *ling.* Lehnwort *n.* **II** *v/t* **6.** (ver)leihen (**to** *dat*). **7.** *bes. Am.* als Darlehen geben (**to** *dat*). **III** *v/i* **8.** *bes. Am.* Darlehen gewähren. **~ bank** *s* Darlehensbank *f*, -kasse *f*, Kre'ditanstalt *f*.

loan·er ['lounər] *s* **1.** Verleiher *m.* **2.** Darlehensgeber *m.*

loan| of·fice *s* **1.** Darlehenskasse *f*. **2.** Pfandleihe *f*. **~ shark** *s colloq.* Zinswucherer *m.* **~ so·ci·e·ty** *s Br.* Darlehensgesellschaft *f*, -verein *m.* **~ trans·la·tion** *s ling.* 'Lehnüber,setzung *f*. **~ val·ue** *s econ.* Beleihungswert *m.* **'~,word** *s ling.* Lehnwort *n.*

loath [louθ] *adj* (*nur pred*) **1.** abgeneigt, nicht willens: **I am ~ to go** ich habe keine Lust zu gehen; **to be ~ for s.o. to do s.th.** dagegen sein, daß j-d etwas tut; **to be nothing ~** durchaus nicht abgeneigt sein. **2.** *obs.* verhaßt.

loathe [louð] *v/t* **1.** verabscheuen, hassen, nicht ausstehen können. **2.** sich ekeln vor (*dat*): **I ~ it** mir *od.* mich ekelt davor, es ist mir (in der Seele) verhaßt. **'loath·ing** *s* **1.** Abscheu *m*, heftiger 'Widerwille. **2.** Ekel *m* (**at** vor *dat*). **'loath·ing·ly** *adv* mit Abscheu, mit Ekel. **'loath·ly** → **loathsome.**

'loath·some [səm] *adj* (*adv* **~ly**) **1.** widerlich, ab'scheulich, ekelhaft, verhaßt. **2.** eklig, ekelhaft: **~ diseases** ekelerregende Krankheiten. **'loath·some·ness** *s* Widerlichkeit *f*.

loaves [louvz] *pl von* **loaf**[1].

lob [lɒb] **I** *s* **1.** *Tennis*: Lob(ball) *m.* **2.** *Kricket*: Grundball *m.* **II** *v/t* **3.** *den Tennisball* hoch über den vorgelaufenen Gegner hin'wegspielen. **4.** *den Kricketball* von unten her hochwerfen. **III** *v/i* **5.** *Tennis*: lobben, e-n Lobball schlagen. **6.** schwerfällig gehen *od.* laufen.

lo·bar ['loubər] → **lobular.**

lo·bate ['loubeit] → **lobed.**

lob·by ['lɒbi] **I** *s* **1.** a) Vorhalle *f*, Vesti'bül *n*, b) Wandelgang *m*, c) *thea.* Foy'er *n.* **2.** *parl. pol.* a) Wandelhalle *f*, -gang *m*, b) *a.* **division ~** *ein Wandelgang im brit. Unterhaus, in den sich die Abgeordneten bei der Abstimmung begeben*, c) *bes. Am.* Lobby *m, f, n*, (Gruppe *f* von) Lobby'isten *pl*, (Vertreter *pl* von) Inter'essengruppen *pl.* **II** *v/i bes. Am.* **3.** die Abgeordneten beeinflussen *od.* bearbeiten: **to ~ against** (**for**) mit Hilfe e-r *od.* e-s Lobby gegen (für) die Annahme e-s Gesetzesantrags *etc* arbeiten. **III** *v/t bes. Am.* **4.** *a.* **~ through** *e-n Gesetzesantrag* mit Hilfe e-r *od.* e-s Lobby 'durchbringen. **5.** *Abgeordnete* (in der Wandelhalle) bearbeiten *od.* beeinflussen. **'lob·by,ism** *s bes. pol. Am.* Lobby'ismus *m.* **'lob·by·ist** *s pol. bes. Am.* Lobby'ist *m* (*Agent e-r außerparlamentarischen Interessengruppe*).

lobe [loub] *s* **1.** *bes. anat. bot.* Lappen *m*: **~ (of the ear)** Ohrläppchen *n*; **~ of the lung, pulmonary ~** Lungenlappen. **2.** *Radar*: Zipfel *m*, Schleife *f*. **lobed** *adj* gelappt, lappig.

lo·be·li·a [lo'biːljə] *s bot.* Lo'belie *f*.

lob·lol·ly ['lɒb,lɒli] *s* **1.** dicker (Hafer)Brei. **2.** *bot. e-e amer. Kiefer.* **~ boy, ~ man** *s irr mar.* Gehilfe *m* des Schiffsarztes.

lo·bot·o·my [lo'bɒtəmi] → **leucotomy.**

lob·scouse ['lɒb,skaus], *a.* **'lob,scourse** [-,skɔːrs] *s mar.* Labskaus *n* (*Mischgericht*).

lob·ster ['lɒbstər] *s* **1.** *zo.* Hummer *m*: **hen ~** weiblicher Hummer; **as red as a ~** *fig.* krebsrot. **2.** → **spiny lobster.** **3.** *zo. ein hummerähnlicher Krebs.* **4.** *sl.* ,Hammel' *m*, blöder Kerl. **5.** *obs. Br. sl.* Rotrock *m* (*brit. Soldat*). **'~-,eyed** *adj* stieläugig. **~ ther·mi·dor** *s Kochkunst*: *Gericht aus Hummerfleisch, Pilzen u. Rahmsoße, in e-r Hummerschale serviert.*

lob·u·lar ['lɒbjulər] *adj* lobu'lär, kleinlappig, Lobulär... **lob·ule** ['lɒbjuːl] *s anat. bot. zo.* Läppchen *n.*

lo·cal ['loukəl] **I** *adj* (*adv* **~ly**) **1.** lo'kal, örtlich, Lokal..., Orts...: **~ call** *teleph.* Ortsgespräch *n*; **~ news** Lokalnachrichten; **~ politics** Lokalpolitik *f*; **~ time** Ortszeit *f*; **~ traffic** Lokal-, Orts-, Nahverkehr *m.* **2.** Orts..., ortsansässig, hiesig: **the ~ doctor.** **3.** lo'kal, örtlich (beschränkt), Lokal...: **~ an(a)esthesia** *med.* Lokalanästhesie *f*, örtliche Betäubung; **a ~ custom** ein ortsüblicher Brauch; **a ~ expression** ein ortsgebundener Ausdruck; **a ~ inflammation** e-e örtliche Entzündung. **4.** lo'kal(patri,otisch): **from a ~ point of view** von e-m rein lokalen Gesichtspunkt aus. **5.** *Br.* (*als Postvermerk*) Ortsdienst! **II** *s* **6.** → **local train.** **7.** *Zeitung*: Orts-, Lo'kalnachricht *f*. **8.** *Radio, TV Am.* Regio'nalpro,gramm *n.* **9.** Ortsgruppe *f* (*e-s Vereins etc*). **10.** Ortsansässige(r *m*) *f*, Einheimische(r *m*) *f*. **11.** Lo'kalpostmarke *f*. **12.** *Br. colloq.* Ortsgasthaus *n.* **13.** *Br. colloq. für* **local examination.** **14.** *pl Am. colloq.* einheimische Mannschaft.

lo·cal| ad·verb *s ling.* 'Ortsad,verb *n*, 'Umstandswort *n* des Ortes. **~ aid post** *s mil. Am.* Truppenverbandsplatz *m.* **~ at·trac·tion** *s phys.* lo'kale Anziehung. **~ bat·ter·y** *s electr.* 'Ortsbatte,rie *f*. **~ bill** *s econ.* Platzwechsel *m.* **~ col·o(u)r** *s* **1.** *Literatur*: Lo'kalkolo,rit *n.* **2.** *paint.* Lo'kalfarbe *f*.

lo·cale [lo'kɑːl; *Am. a.* -'kæl] *s* Schauplatz *m*, Szene *f*.

lo·cal| ex·am·i·na·tion *s Br. von e-r Universitäts-Prüfungskommission abgehaltene Prüfung an e-r höheren*

Schule. ~ **gov·ern·ment** *s* **1.** Gemeinde-, Kommu'nalverwaltung *f.* **2.** lo'kale Selbstverwaltung.

lo·cal·ism ['loukəˌlizəm] *s* **1.** *ling.* örtliche Spracheigentümlichkeit, Provinzia'lismus *m.* **2.** Ortsbrauch *m.* **3.** Lo'kalpatrioˌtismus *m.* **4.** Bor'niertheit *f.*

lo·cal·i·ty [lo'kæliti] *s* **1.** Örtlichkeit *f*, Ort *m*: bump (*od.* sense) of ~ Ortssinn *m*, Orientierungsvermögen *n.* **2.** *bot. zo. etc* Fundort *m.* **3.** → locale. **4.** (örtliche) Lage.

lo·cal·iz·a·ble ['loukəˌlaizəbl] *adj* lokali'sierbar. ˌ**lo·cal·i'za·tion** *s* Lokali'sierung *f*, örtliche Bestimmung *od.* Festlegung *od.* Beschränkung. '**lo·calˌize I** *v/t* **1.** lokali'sieren: a) örtlich festlegen, b) örtlich beschränken (to auf *acc*). **2.** konzen'trieren (upon auf *acc*). **3.** lo'kal färben, Lo'kalkoloˌrit geben (*dat*). **II** *v/i* **4.** sich konzen'trieren (on auf *acc*). '**lo·calˌiz·er** *s* **1.** j-d, der *od.* etwas, was lokali'siert. **2.** *aer. electr.* Landekurssender *m*, ILS(*Instrumenten-Landesystem*)-'Hauptbake *f*: ~ beam Leitstrahl *m.*

lo·cal| op·tion *s* lo'kaler Entscheid durch Volksabstimmung (*bes. über Alkoholausschank*). ~ **serv·ice** *s* **1.** Nahverkehr *m.* **2.** *aer.* Zubringerlinie *f.* ~ **tax** *s* Gemeindesteuer *f.* ~ **train** *s* **1.** Nahverkehrszug *m.* **2.** Per'sonenzug *m.*

lo·cate ['loukeit; lo'keit] *v/t* **1.** ausfindig machen, die örtliche Lage *od.* den Aufenthalt ermitteln von (*od. gen*). **2.** a) *mar. etc* orten, b) *mil. ein Ziel etc* ausmachen. **3.** lokali'sieren, örtlich festlegen. **4.** *bes. Am. ein Büro etc* errichten: to ~ a new office in Detroit. **5.** *Am.* a) den Ort *od.* die Grenzen festsetzen für, b) *Land etc* abstecken, abgrenzen. **6.** e-n bestimmten Platz zuweisen (*dat*), einordnen. **7.** a) (*an e-m bestimmten Ort*) an- *od.* 'unterbringen, b) (*an e-n Ort*) verlegen: to be ~d gelegen sein, liegen, sich befinden.

lo·ca·tion [lo'keiʃən] *s* **1.** Stelle *f*, Lage *f*, Platz *m.* **2.** Lage *f*, Standort *m.* **3.** angewiesenes Land, *bes.* a) *Am.* zugewiesenes Schürffeld, b) *Austral.* Farm *f.* **4.** *Am.* Grundstück *n.* **5.** *Film*: Gelände *n* für Außenaufnahmen: on ~ auf Außenaufnahme. **6.** Lokali'sierung *f*, örtliche Festlegung. **7.** Ausfindigmachen *n.* **8.** Niederlassung *f*, Siedlung *f.* **9.** *jur.* Verpachtung *f*, -mietung *f.*

loc·a·tive ['lɒkətiv] *ling.* **I** *adj* Lokativ..., Orts...: ~ case → II. **II** *s* Lokativ *m*, Ortsfall *m.*

lo·ca·tor [lo'keitər; 'lou-] *s electr.* (Funk)Ortungsgerät *n.*

loch [lɒx; lɒk] *s Scot.* Loch *m*: a) See *m*, b) Bucht *f.* [*pl*, Wochenfluß *m.*]

lo·chi·a ['loukiə; 'lɒkiə] *s med.* Lochien

lo·ci ['lousai] *pl von* locus.

lock[1] [lɒk] **I** *s* **1.** Schloß *n* (*an Türen etc*): under ~ and key a) hinter Schloß u. Riegel (*Person*), b) unter Verschluß (*Sache*). **2.** Verschluß *m*, Schließe *f.* **3.** Sperrvorrichtung *f*, Sicherung *f.* **4.** Bremsvorrichtung *f.* **5.** (*Gewehr- etc*)Schloß *n*: ~, stock, and barrel *fig.* a) mit allem Drum u. Dran, den ganzen Klimbim, b) mit Stumpf u. Stiel, ganz u. gar, c) mit Sack u. Pack. **6.** Schleuse(nkammer) *f.* **7.** Luft-, Druckschleuse *f.* **8.** Einschlag *m* (*der Vorderräder*): angle of ~ Einschlagwinkel *m.* **9.** Stauung *f*, Knäuel *m*, *n* (*von Fahrzeugen etc*). **10.** *Ringen*: Fessel(ung) *f.* **11.** *Br.* Krankenhaus *n* für Geschlechtskranke.

II *v/t* **12.** (ab-, zu-, ver)schließen, zu-, versperren: to ~ the door against s.o. j-m die Tür verschließen. **13.** *a.* ~ up a) *j-n* einschließen, (ein)sperren (in, into in *acc*): to lock o.s. up sich einschließen, b) → lock up 2. **14.** um'schließen, um'fassen, *in die Arme* schließen: ~ed a) festgekeilt, b) eng umschlungen, c) ineinander verkrallt; ~ed by mountains von Bergen umschlossen. **15.** inein'anderschlingen, *die Arme* verschränken: to ~ horns *fig.* (hart) aneinandergeraten (with mit). **16.** *tech.* sperren, sichern, arre'tieren, festklemmen. **17.** (*beim Ringen*) (um)'fassen. **18.** *ein Schiff* ('durch)schleusen. **19.** *e-n Kanal etc* mit Schleusen ausstatten.

III *v/i* **20.** sich schließen (lassen). **21.** inein'andergreifen. **22.** bloc'kiert werden. **23.** a) sich einschlagen lassen (*Räder*), b) sich durch Einschlag der Vorderräder lenken lassen (*Fahrzeug*). **24.** geschleust werden. **25.** Schleusen bauen. **26.** ~ on (*Radar*) *ein Ziel etc* erfassen u. verfolgen.

Verbindungen mit Adverbien:

lock| a·way *v/t* wegschließen. ~ **down** *v/t Schiff* hin'abschleusen. ~ **in** *v/t* einschließen, -sperren. ~ **off** *v/t* durch e-e Schleuse abteilen. ~ **out** *v/t* hin'aussperren, *a. Arbeiter* aussperren. ~ **through** *v/t Schiff* 'durchschleusen. ~ **up** *v/t* **1.** → lock[1] 12 *u.* 13 a. **2.** *etwas* ver-, ein-, wegschließen. **3.** *print. den Satz* schließen. **4.** *Kapital* festlegen. **5.** *Schiff* hin'aufschleusen.

lock[2] [lɒk] *s* **1.** (Haar)Locke *f.* **2.** *pl* Haar *n.* **3.** (Woll)Flocke *f.* **4.** Strähne *f*, Büschel *n.*

lock·age ['lɒkidʒ] *s* **1.** ('Durch)Schleusen *n.* **2.** 'Schleusen(anlage *f*, -syˌstem *n*) *pl.* **3.** Schleusengeld *n.*

'**lock|ˌbox** *s* **1.** verschließbare Kas'sette. **2.** Schließfach *n.* **3.** Schließe *f.*

lock·er ['lɒkər] *s* **1.** Schließer(in). **2.** Schließfach *n.* **3.** a) verschließbarer Kasten *od.* Schrank, b) Spind *m*, *n*: ~ room Umkleideraum *m.*

lock·et ['lɒkit] *s* **1.** Medail'lon *n.* **2.** *mil.* Ortband *n* (*e-r Säbelscheide*).

lock| gate *s tech.* Schleusentor *n.* L~ **Hos·pi·tal** → lock[1] 11. '~ˌ**house** *s* Schleusenwärterhaus *n.*

Lock·i·an ['lɒkiən] *philos.* **I** *s* Anhänger(in) John Lockes. **II** *adj* Lockesch(er, e, es). '**Lock·i·anˌism** *s philos.* die Lehre John Lockes.

'**lock|ˌjaw** *s med.* Kieferstarre *f*, Kaumuskelkrampf *m.* ~ **keep·er** *s* Schleusenwärter *m.* '~·**man** [-mən] *s irr* (*auf der Insel Man*) Gerichtsbote *m.* '~ˌ**nut** *s tech.* **1.** Gegenmutter *f.* **2.** 'Überwurfmutter *f* (*zur Rohrverbindung*). '~ˌ**out** *s* Aussperrung *f* (*von Arbeitern*). ~ **saw** *s tech.* Loch-, Stichsäge *f.* '~ˌ**smith** *s* Schlosser *m.* ~ **step** *s mil.* Mar'schieren *n* in dicht geschlossenen Gliedern. ~ **stitch** *s* Kettenstich *m* (*beim Nähen*). '~ˌ**up I** *s* **1.** a) Haft *f*, b) Gefängnis *n*, c) (Haft)Zelle *f.* **2.** Verschluß *m.* **3.** *bes. Br.* a) → locker 2 *u.* 3, b) 'Einzelgaˌrage *f.* **4.** Torschluß *m.* **5.** *econ.* a) feste (*zinslose*) Anlage (*von Kapital*), b) eingefrorenes Kapi'tal. **II** *adj* **6.** verschließbar. ~ **wash·er** *s tech.* Federring *m.*

lo·co[1] ['loukou] *Am.* **I** *s* **1.** → locoweed. **2.** → loco disease. **II** *adj* **3.** *sl.* me'schugge, verrückt.

lo·co[2] ['loukou] *s* Lok *f* (*Lokomotive*).

lo·co ci·ta·to ['loukou sai'teitou] (*Lat.*) *adv* am angeführten Ort.

lo·co dis·ease *s vet. Am. durch Genuß von Narrenkraut hervorgerufene Gehirnerkrankung bei Rindern etc.*

lo·co·fo·co [ˌloukou'foukou] *s Am.* **1.** L~ *pol. hist.* Loco'foco *m*: a) (*Spitzname der Whigs für*) Demo'krat *m*, b) (*um 1835*) *Mitglied des monopolfeindlichen Demokratenflügels in New York City.* **2.** *obs.* (*Art*) Streichholz *n.*

lo·co·mo·bile [ˌloukə'moubil] **I** *s* Lokomo'bile *f*, Fahrzeug *n* mit Eigenantrieb. **II** *adj* Selbstfahr...

lo·co·mo·tion [ˌloukə'mouʃən] *s* **1.** Ortsveränderung *f*, Fortbewegung *f*, Lokomoti'on *f.* **2.** Fortbewegungsfähigkeit *f.* **3.** Reisen *n*, Wandern *n.*

lo·co·mo·tive ['loukəˌmoutiv; ˌloukə'm-] **I** *adj* **1.** sich fortbewegend, fortbewegungsfähig, sich frei bewegend. **2.** lokomo'torisch, (Fort)Bewegungs...: ~ engine → 4; ~ organ Fortbewegungsorgan *n*; ~ power Fortbewegungsfähigkeit *f.* **3.** *humor.* Reise.., reise-, wanderlustig. **II** *s* **4.** Lokomo'tive *f.* **5.** → locomobile I.

lo·co·mo·tor [ˌlouko'moutər; *Br. a.* 'loukəˌm-] **I** *adj* **1.** → locomotive 2. **II** *s* **2.** j-d, der *od.* etwas, was sich frei fortbewegt. **3.** *tech.* bewegliche Ma'schine, beweglicher Motor. ˌ**lo·co'mo·to·ry** → locomotive I.

'**lo·coˌweed** *s bot. Am.* Narrenkraut *n.*

loc·u·lar ['lɒkjulər] *adj* **1.** *bot.* fächerig. **2.** *zo.* gekammert.

loc·u·lus ['lɒkjuləs] *pl* **-li** [-ˌlai] *s* **1.** *bes. anat. bot. zo.* Kammer *f*, Zelle *f.* **2.** *bot.* a) Pollenfach-Hälfte *f*, b) Fruchtknotenfach *n.*

lo·cum ['loukəm] *colloq. für* locum tenens. ~ **te·nens** ['tiːnenz] *pl* ~ **te·nen·tes** [ti'nentiːz] *s* Stellvertreter(in).

lo·cus ['loukəs] *pl* **lo·ci** ['lousai] *s* **1.** (*math.* geo'metrischer) Ort. **2.** *biol.* Genort *m*, Platz *m* (*e-s Gens im Chromosom*). ~ **clas·si·cus** ['klæsikəs] *pl* '**lo·ci** '**clas·siˌci** [-ˌsai] (*Lat.*) *s* Locus *m* classicus (*Haupt- od. Beweisstelle aus e-m Buch*). ~ **si·gil·li** [si'dʒilai] (*Lat.*) *s* (*in Abschriften*) Siegelstelle *f.* ~ **stan·di** ['stændai] (*Lat.*) *s jur.* Recht *n*, gehört zu werden.

lo·cust ['loukəst] *s* **1.** *zo.* (*e-e*) (Wander- *od.* Feld)Heuschrecke *f.* **2.** *a.* ~ tree *bot. ein fieberblättriger Leguminosenbaum, bes.* a) Ro'binie *f*, 'Scheinaˌkazie *f*, b) Gle'ditschie *f*, c) Jo'hannisbrotbaum *m*, d) Heuschreckenbaum *m* (*Westindien*). **3.** *bot.* a) Jo'hannisbrot *n*, Ka'robe *f*, b) Kassiaschote *f.* **4.** *fig.* Schma'rotzer *m.*

lo·cu·tion [lo'kjuːʃən] *s* **1.** Redestil *m*, -weise *f.* **2.** Redewendung *f*, Ausdruck *m.* [*n od.* -gitter *n* (*im Kloster*).]

loc·u·to·ry ['lɒkjutəri] *s* Sprechzimmer

lode [loud] *s* **1.** *Bergbau*: (Erz)Gang *m*, Ader *f.* **2.** *Br.* a) Wasserlauf, -weg *m*, b) Abzugsgraben *m.* '~ˌ**star** *s* Leitstern *m* (*a. fig.*), *bes.* Po'larstern *m.* '~ˌ**stone** → loadstone.

lodge [lɒdʒ] **I** *s* **1.** a) *allg.* Häus-chen *n*, b) Sommer-, Gartenhaus *n*, c) Jagdhütte *f*, d) Pförtner-, Parkwächter-, Wildhüterhaus *n* (*auf großen Gütern etc*). **2.** Porti'er-, Pförtnerloge *f.* **3.** *Am.* Gasthaus *n.* **4.** → lodging 4c. **5.** (Geheimbund-, *bes.* Freimaurer)Loge *f*: Masonic ~. **6.** *Am.* Ortsgruppe *f* (*e-r Gewerkschaft*). **7.** *zo.* Bau *m*: beaver's ~ Biberbau. **8.** a) Wigwam *m*, b) Indi'anerfaˌmilie *f.*

II *v/i* **9.** lo'gieren, (*bes.* vor'übergehend *od.* in 'Untermiete) wohnen. **10.** über'nachten. **11.** sich verbergen (*Wild*). **12.** stecken(bleiben) (*Geschoß etc*), (fest)sitzen.

III *v/t* **13.** aufnehmen, beherbergen (*beide a. Haus etc*), (für die Nacht) 'unterbringen. **14.** in Lo'gis *od.* 'Untermiete nehmen. **15.** ~ o.s. a) sich festsetzen, b) sich 'einquar,tieren (in in *dat*): to be ~d → 9. **16.** *j-n* in Gewahrsam nehmen: ~d behind bars hinter schwedischen Gardinen. **17.** *Güter etc* 'unterbringen, einlagern. **18.** *Geld* depo'nieren, hinter'legen, einzahlen. **19.** anvertrauen (with *dat*), *Befugnisse etc* über'tragen (in, with, in the hands of *dat od.* auf *acc*). **20.** *bes. jur. e-n Antrag, e-e Beschwerde etc* einreichen, (*Straf*)*Anzeige* erstatten, *Berufung, Protest* einlegen (with bei): to ~ an appeal. **21.** *econ. Kredit* eröffnen. **22.** *ein Geschoß* ans Ziel bringen, *a. ein Messer etc* (hin'ein)jagen, *e-n Schlag* landen. **23.** *Schlamm etc* ablagern, hinter'lassen. **24.** *Getreide etc* 'umlegen (*Wind*).

lodged [lɒdʒd] *adj her.* gelagert (*Tier*).

lodge·ment *bes. Br. für* lodgment.

lodg·er ['lɒdʒər] *s* ('Unter)Mieter(in). ~ **fran·chise** *s das bis 1918 nur e-r bestimmten Klasse von Untermietern zustehende Wahlrecht.*

lodg·ing ['lɒdʒiŋ] *s* **1.** Wohnen *n*, Lo'gieren *n*. **2.** Wohnung *f*, Lo'gis *n*, 'Unterkunft *f*: night's ~ Nachtquartier *n*. **3.** (*bes.* vor'übergehender) Wohnsitz. **4.** *pl* a) (*bes.* mö'bliertes) Zimmer, b) Mietwohnung *f*, c) *bes. univ. Br.* Amtswohnung *f* (*e-s College-Leiters*). '~,**house** *s* Fremdenheim *n*, Pensi'on *f*: common ~ Herberge *f*.

lodg·ment ['lɒdʒmənt] *s* **1.** *jur.* a) Einreichung *f*, Einreichen *n* (*e-r Klage, e-s Antrags etc*), b) Erhebung *f* (*e-r Beschwerde, e-s Protestes etc*), c) Einlegung *f* (*der Berufung*). **2.** Hinter'legung *f*, Depo'nierung *f*. **3.** *mil.* Verschanzung *f*. **4.** → lodging 4a *u.* b. **5.** (Sich)'Festsetzen *n*, Stecken- *od.* Hängenbleiben *n*. **6.** Ansammlung *f*, Ablagerung *f*. ~ **a·re·a** *s mil.* Einnistungsraum *m* (*bei Landung*).

lo·ess ['louis; lœs] *s geol.* Löß *m*.

loft [lɒft; lɔːft] **I** *s* **1.** Dachboden *m* (*Gebäude*). **2.** Boden *m*, Speicher *m*. **3.** Heuboden *m*. **4.** *Am.* a) ('durchgehendes) Obergeschoß (*e-s Lagerhauses etc*), b) Arbeits-, Bodenfläche *f*. **5.** *arch.* Em'pore *f*: (organ) ~ (Orgel)Chor *m*. **6.** a) Taubenschlag *m*, b) Flug *m* (*Tauben*). **7.** *Golf*: a) Hochschlagen *n* des Balls, b) Hochschlag *m*. **II** *v/t* **8.** im Dachboden *od.* auf dem Speicher aufbewahren. **9.** *Golf*: a) *den Ball* hochschlagen, b) *das Hindernis* durch Hochschlag über'winden. **III** *v/i* **10.** e-n Hochschlag ausführen.

loft·er ['lɒftər; 'lɔːftər] *s Golf*: Schläger *m* für Hochbälle.

loft·i·ness ['lɒftinis; 'lɔːft-] *s* **1.** Höhe *f*. **2.** Erhabenheit *f*. **3.** (*das*) Hochfliegende *od.* Hochtrabende. **4.** Stolz *m*, Hochmut *m*, Arro'ganz *f*.

loft·ing i·ron ['lɒftiŋ; 'lɔːftiŋ] → lofter.

loft·y ['lɒfti; 'lɔːfti] *adj* (*adv* loftily) **1.** hoch(ragend). **2.** erhaben: a) edel, vornehm, b) über'legen. **3.** hochfliegend, -trabend. **4.** stolz, hochmütig.

log [lɒg] **I** *s* **1.** (Holz)Klotz *m*, (*gefällter*) Baumstamm, unbehauener Stamm: ~ frame *tech.* (Brett)Sägemaschine *f*; in the ~ unbehauen; like a ~ wie ein Klotz; roll my ~ and I'll roll yours e-e Hand wäscht die andere; to roll a ~ for s.o. *Am.* j-m e-n Dienst erweisen; as easy as falling off a ~ *Am.* kinderleicht. **2.** *mar.* Log *n*, Logge *f*: to heave (*od.* throw) the ~ loggen; to sail by the ~ nach dem Log segeln. **3.** *mar. etc* → logbook 1-4. **4.** *pl Austral. sl.* Gefängnis *n*. **II** *v/t* **5.** *e-n Baum* fällen u. abästen. **6.** *gefällte Bäume* in Klötze schneiden. **7.** *e-n Wald* abholzen. **8.** *mar.* loggen: a) *e-e Entfernung* zu'rücklegen, b) in das Logbuch eintragen.

lo·gan·ber·ry ['lougən,beri; *Br. a.* -bəri] *s bot.* Logan-Beere *f* (*Kreuzung zwischen Bärenbrombeere u. Himbeere*).

log·an stone ['lɒgən] *s geol. Br.* Wagstein *m*.

log·a·rithm ['lɒgə,riθəm; -,riðəm] *s math.* Loga'rithmus *m*. ,**log·a'rith·mic** [-mik] *adj*; ,**log·a'rith·mi·cal** *adj* (*adv* ~ly) *math.* loga'rithmisch.

'**log|,board** *s mar. Br.* Logtafel *f*. '~,**book** *s* **1.** *mar.* Logbuch *n*, Schiffstagebuch *n*. **2.** *aer.* a) Log-, Bordbuch *n*, b) Flug(tage)buch *n* (*für fliegendes Personal*). **3.** *mot.* Fahrtenbuch *n*. **4.** *tech.* Kon'trollbuch *n*, Betriebstagebuch *n*. **5.** Reisetagebuch *n*. ~ **cab·in** *s* Blockhaus *n*, -hütte *f*.

loge [louʒ] *s* **1.** (The'ater)Loge *f*. **2.** a) Häus-chen *n*, b) Verschlag *m*.

logged [lɒgd] *adj* **1.** mit Wasser vollgesogen. **2.** schwer(fällig).

log·ger ['lɒgər] *s Am.* **1.** Wald-, Holzarbeiter *m*. **2.** Iso'lierer *m* (*von Ölleitungen etc*). **3.** *tech.* Regi'striergerät *n*. '~,**head** *s* **1.** Dumm-, Schafskopf *m*: to be at ~s sich in den Haaren liegen. **2.** *a.* ~ turtle *zo.* Unechte Ka'rettschildkröte. **3.** *tech. Art primitiver Tauchsieder.*

log·gia ['lɒdʒə; -dʒia; *Am. a.* 'lɔːddʒɑː] *s arch.* Loggia *f*.

log| glass *s mar.* Logglas *n* (*e-e Sanduhr*). ~ **hut** *s* Blockhütte *f*.

log·ic ['lɒdʒik] *s* **1.** *philos. u. fig.* Logik *f*: to chop ~ Haarspalterei treiben. **2.** Folgerichtigkeit *f*. **3.** Über'zeugungskraft *f*: the ~ of facts.

log·i·cal ['lɒdʒikəl] *adj* (*adv* → logically) **1.** *philos.* logisch. **2.** logisch: a) folgerichtig, b) notwendig, na'türlich: the ~ consequence. ~ **de·sign·er** *s tech.* Konstruk'teur *m* von Elek'tronen-'Rechenauto,maten.

log·i·cal·ly ['lɒdʒikəli] *adv* **1.** logisch (*etc*; → logical). **2.** logischerweise.

'**log·i·cal·ness** *s* Logik *f*, (*das*) Logische.

lo·gi·cian [lo'dʒiʃən] *s* Logiker *m*.

lo·gie ['lougi] *s thea.* Ju'welenimitati,on *f*.

lo·gis·tic [lo'dʒistik] **I** *adj* **1.** *mil. u. philos.* lo'gistisch. **II** *s* **2.** *philos.* Lo'gistik *f*, 'Logikkal,kül *n*. **3.** *pl* (*meist als sg konstruiert*) *mil.* Lo'gistik *f* (*Produktion, Beschaffung, Lagerung, Nachschub, Transport etc sowie Personalverwaltung einschließlich der erforderlichen Einrichtungen*). **lo'gis·ti·cal** → logistic I.

log·o ['lɒgou] *abbr. für* logotype.

log·o·gram ['lɒgə,græm] *s* Logo'gramm *n*, Wortzeichen *n*.

log·o·griph ['lɒgəgrif] *s* Logo'griph *m* (*ein Wort- od. Buchstabenrätsel*).

lo·gom·a·chy [lo'gɒməki] *s* **1.** a) ,Wortklaube'rei *f*, ,Haarspalte'rei *f*, b) Wortgefecht *n*. **2.** *Am.* 'Wortzu,sammensetzspiel *n*.

log·o·type ['lɒgə,taip] *s print.* Logotype *f*.

'**log|,roll** *pol.* **I** *v/t ein Gesetz* durch gegenseitiges In-die-'Hände-Arbeiten 'durchbringen (*Parteien*). **II** *v/i* sich gegenseitig in die Hände arbeiten (*Parteien*). '~,**roll·ing** *s pol.* ,Kuhhandel' *m*, gegenseitiges In-die-'Hände-Arbeiten (*zwischen Parteien*). **2.** *fig.* gegenseitiger ,Freundschaftsdienst', *z. B.* gegenseitige Re'klame. **3.** *sport* Baumstammtreten *n* (im Wasser). '~,**wood** *s bot.* Blauholz *n*.

loin [lɔin] *s* **1.** *meist pl anat.* Lende *f*: to gird up one's ~s *fig.* sich rüsten, s-e Lenden *od.* sich gürten (*zur Reise, zum Kampf etc*). **2.** *pl Bibl. u. poet.* Lenden *pl* (*als Sitz der Zeugungskraft*): a child of his ~s. **3.** *Kochkunst*: Lende(nstück *n*) *f*. '~,**cloth** *s* Lendentuch *n*.

loir [lɔir; lwɑːr] *s zo.* Siebenschläfer *m*.

loi·ter ['lɔitər] **I** *v/i* **1.** bummeln: a) schlendern: to ~ along dahinschlendern, b) trödeln. **2.** sich her'umtreiben, her'umlungern. **II** *v/t* **3.** ~ away *Zeit* vertrödeln, -bummeln. '**loi·ter·er** *s* Bummler(in), Faulenzer(in).

lo·li·go [lo'laigou] *pl* **-gos** *s ichth.* Kal'mar *m* (*ein Tintenfisch*).

loll [lɒl] **I** *v/i* **1.** sich rekeln *od.* ,fläzen' *od.* (her'um)lümmeln, träge (her'um)liegen, sich lässig lehnen. **2.** *meist* ~ out a) die Zunge her'aushängen lassen, b) schlaff (her'aus)hängen, baumeln (*Zunge*). **II** *v/t* **3.** *s-e Glieder* lässig ausstrecken, rekeln. **4.** *die Zunge* her'aushängen lassen.

Lol·lard ['lɒlərd] *s* Loll(h)arde *m* (*Anhänger Wycliffes in England u. Schottland im 14. u. 15. Jh.*).

lol·li·pop ['lɒli,pɒp] *s colloq.* **1.** 'Lutschbon,bon *m, n*, Lutscher *m*. **2.** *pl* Süßigkeiten *pl*, Bon'bons *pl*.

lol·lop ['lɒləp] *v/i colloq.* latschen.

lol·ly ['lɒli] *s* **1.** → lollipop. **2.** *Br. sl.* ,Kies' *m* (*Geld*).

Lom·bard ['lɒmbərd; -bɑːrd; 'lʌm-] **I** *s* **1.** *hist.* Lango'barde *m*, Lango'bardin *f* (*Germane*). **2.** Lom'barde *m*, Lom'bardin *f* (*Bewohner der Lombardei*). **3.** *obs.* Geldwechsler *m*, Pfandleiher *m*. **II** *adj* **4.** lango'bardisch. **5.** lom'bardisch. ~ **Street** *s* **1.** Londoner Bankviertel *n*. **2.** *fig.* Londoner Geldmarkt *m*.

lo·ment ['loument] *s bot.* Gliederfrucht *f*, -hülse *f*.

Lon·don·er ['lʌndənər] *s* Londoner(in).

Lon·don·ese [,lʌndə'niːz] **I** *adj* Londoner. **II** *s* Londoner Mundart *f*, *bes.* Cockney *n*.

Lon·don·ism ['lʌndə,nizəm] *s* Londoner (Sprach)Eigentümlichkeit *f*.

Lon·don| i·vy *s colloq.* Londoner Nebel *m*. ~ **par·tic·u·lar** *s colloq.* typischer Londoner Nebel. ~ **pride** *s bot.* Porzel'lanblümchen *n*.

lone [loun] *adj* **1.** einzeln: ~ hand (*Kartenspiel*) Einzelspieler(in); to play a ~ hand *fig.* es im Alleingang versuchen; → wolf 2 b. **2.** einsam, verlassen.

lone·li·ness ['lounlinis] *s* Einsamkeit *f*.

lone·ly ['lounli] *adj* einsam: a) einzeln, b) verlassen, al'lein, c) (welt)abgeschieden, verlassen: to be ~ for *Am. colloq.* Sehnsucht haben nach *j-m*.

lone·some ['lounsəm] *adj* (*adv* ~ly) → lonely.

'**Lone-'Star State** *s* (*Beiname für*) Texas *n*.

long[1] [lɒŋ] **I** *adj* **1.** *allg.* lang (*a. fig. langwierig*): a ~ distance (journey, list, look, speech, *etc*); ~ years of misery; two miles (weeks) ~ zwei Meilen (Wochen) lang; a ~ way round ein großer Umweg; two ~ miles zwei gute Meilen, mehr als zwei Meilen. **2.** ('übermäßig, sehr) lang. **3.** lang(gestreckt), länglich. **4.** Längs...: ~ side Längsseite *f*. **5.** lang, hoch(gewachsen): a ~ fellow. **6.** groß, zahlreich: a ~ family; a ~ figure e-e vielstellige Zahl; a ~ price ein hoher Preis. **7.** 'übergroß, Groß...: ~ dozen dreizehn; → long hundred. **8.** weitreichend:

a ~ memory; to take a ~ view weit vorausblicken. **9.** unsicher, ungenau: a ~ guess e-e unsichere *od.* vage Schätzung. **10.** seit langem bestehend, alt: a ~ custom; a ~ friendship. **11.** *bes. econ.* langfristig, mit langer Laufzeit, auf lange Sicht: ~ bill. **12.** (*zeitlich*) fern, weit in der Zukunft liegend: a ~ date *econ.* ein Wechsel auf lange Sicht. **13.** *econ.* a) eingedeckt (of mit): ~ of wool, b) auf Preissteigerung wartend: to be (*od.* go) ~ of the market, to be on the ~ side of the market auf Hausse spekulieren. **14.** reich (in an *dat*): ~ in oil reich an Öl, mit hohem Ölgehalt. **15.** in e-m großen Glas *od.* in reichlicher Menge ser'viert *od.* zu ser'vierend: a ~ drink. **16.** *ling.* lang: ~ vowels. **17.** *metr.* a) lang, b) betont. **18.** a) außerordentlich ungleich (*Wetteinsätze*), b) höher, durch den höheren Einsatz gekennzeichnet: to give ~ odds of 30 to 1. **19.** *chem.* leichtflüssig.

II *adv* **20.** lange, lang: ~ dead schon lange tot; as ~ as he lives solange er lebt; as (*od.* so) ~ as a) solange wie, b) sofern, vorausgesetzt daß, falls; ~ after lange danach; ~ ago vor langer Zeit; not ~ ago vor kurzem, vor nicht langer Zeit, unlängst; as ~ ago as 1900 schon 1900; ~ before (schon) lange vorher; ~ since (schon) vor langer Zeit; all day ~ den ganzen Tag (lang); so ~! *colloq.* bis dann!, tschüs! **21.** lange (*in elliptischen Wendungen*): don't be ~! mach nicht so lang!; to be ~ (in) doing s.th. lange (dazu) brauchen, um etwas zu tun; it was not ~ before he came es dauerte nicht lange, bis er kam. **22.** (*in Steigerungsformen*): to hold out ~er länger aushalten; no ~er, not any ~er nicht mehr, nicht (mehr) länger.

III *s* **23.** (e-e) lange Zeit: at (the) ~est längstens; before ~ bald, binnen kurzem; for ~ lange (Zeit); it is ~ since I saw her es ist lange her, daß ich sie gesehen habe; to take ~ lange brauchen; the ~ and the short (of it) a) das Wesentliche (daran), b) die ganze Geschichte, c) mit 'einem Wort, kurzum. **24.** Länge *f*: a) *ling.* langer Laut, b) *metr.* lange Silbe. **25.** *econ.* Haussi'er *m.* **26.** *ped. Br.* (*die*) großen Ferien *pl.* **27.** *pl* a) lange Hosen *pl*, b) 'Übergrößen *pl.*

long² [lɒŋ] *v/i* verlangen, sich sehnen (for nach): I ~ed to see him ich sehnte mich danach *od.* mich verlangte (danach), ihn zu sehen; the ~ed-for rest die ersehnte Ruhe.

'long-a'go *adj* längst vergangen, alt.

lon·ga·nim·i·ty [ˌlɒŋgə'nimiti] *s* Langmut *f*, Geduld *f.*

'long|ˌbill *s ein langschnäbeliger Vogel, bes.* Schnepfe *f.* **'~ˌboat** *s mar.* Großboot *n*, großes Beiboot (*e-s Segelschiffs*). **'~ˌbow** [-ˌbou] *s hist.* Langbogen *m*: to draw the ~ *colloq.* übertreiben, aufschneiden, dick auftragen. **'~-ˌcloth** *s* feiner Kat'tun (*in langen Stücken*). **'~-ˌclothes** *s pl Br.* (*Art*) Tragkleid *n* (*für Kleinkinder*). **'~-'distance I** *adj* **1.** *Am.* Fern...: ~ call *teleph.* Ferngespräch *n*; ~ freight traffic Güterfernverkehr *m*; ~ line *teleph.* Fernleitung *f*; ~ truck Fernlaster *m.* **2.** *aer. sport* Langstrecken...: ~ bomber; ~ flight; ~ race. **II** *adv* **3.** *teleph. Am.* durch Ferngespräch. **III** *s* **4.** *teleph. Am.* Fernamt *n.* **IV** *v/t* **5.** *teleph. Am.* a) *j-n* per Ferngespräch anrufen, b) *etwas* per Ferngespräch über'mitteln. **'~-'drawn, '~-ˌdrawn-'out** *adj* **1.** langgezogen. **2.** *fig.* langatmig, lang hin('aus)gezogen, ‚ewig' lang.

longe [lʌndʒ] **I** *s* Longe *f*, Laufleine *f* (*für Pferde*). **II** *v/t ein* Pferd lon'gieren, an der Laufleine trai'nieren.

'long-ˌeared *adj* **1.** langohrig. **2.** *fig.* eselhaft, dumm. **~ bat** *s zo.* Langohrfledermaus *f.*

lon·ge·ron ['lɒndʒəˌrɒn] *s aer.* Rumpf-(längs)holm *m.*

lon·ge·val [lɒn'dʒiːvəl] *adj* langlebig.

lon·gev·i·ty [lɒn'dʒeviti] *s* Langlebigkeit *f*, langes Leben: ~ pay Dienstalterzulage *f.*

long| field *s Kricket*: Langfeld *n* (*der hinter dem Werfer befindliche Teil des Spielfelds*). **~ field off** *s* (*Kricket*) **1.** Stellung *f* weit rechts vom Werfer. **2.** → long-off. **~ field on** *s* (*Kricket*) **1.** Stellung *f* weit links vom Werfer. **2.** → long-on. **~ fin·ger** *s* Mittelfinger *m.* **~ firm** *s econ. Br.* Schwindelfirma *f.* **'~ˌhair** *Am. colloq.* **I** *s* **1.** Indi'aner *m.* **2.** konserva'tiver Musiker, Liebhaber *m* ernster Mu'sik. **3.** (*bes.* weltfremder) Intellektu'eller *od.* Ä'sthet, Schöngeist *m.* **II** *adj* → long-haired 2. **'~-ˌhaired** *adj* **1.** langhaarig. **2.** *fig.* a) weltfremd, idea'listisch: ~ dreamer, b) (betont) intellektu'ell: ~ fiction, c) nur für ernste Mu'sik (zu haben), konserva'tiv. **'~ˌhand** *s* Langschrift *f*, (gewöhnliche) Schreibschrift. **'~'headed** *adj* **1.** *biol.* langköpfig *od.* -schädelig. **2.** 'umsichtig, klug, gescheit. **'~ˌhorn** *s* **1.** langhörniges Tier. **2.** langhörniges Rind. **~ horse** *s sport* Langpferd *n* (*Turngerät*). **~ hun·dred** *s* Großhundert *n* (*= 120 Stück*). **~ hun·dred·weight** *s* englischer Zentner (*= 50,8 kg*).

lon·gi·cau·date [ˌlɒndʒi'kɔːdeit] *adj zo.* langschwänzig.

lon·gi·corn ['lɒndʒiˌkɔːrn] *s zo.* Bockkäfer *m.*

long·ing ['lɒŋiŋ] **I** *adj* (*adv* ~ly) sehnsüchtig, verlangend (for nach): a ~ look. **II** *s* Sehnsucht *f*, Verlangen *n* (for nach).

lon·gi·pen·nate [ˌlɒndʒi'peneit] *adj orn.* mit langen Flügeln.

long·ish ['lɒŋiʃ] *adj* **1.** ziemlich lang. **2.** länglich.

lon·gi·tude ['lɒndʒiˌtjuːd] *s geogr.* Länge *f.* **ˌlon·gi'tu·di·nal** [-dinl] **I** *adj* **1.** *geogr.* Längen... **2.** Längs..., längs verlaufend: ~ section *tech.* Längsschnitt *m.* **II** *s* **3.** *aer.* → longeron. **4.** *mar.* Längsspant *m.* **ˌlon·gi'tu·di·nal·ly** [-nəli] *adv* längs, der Länge nach.

long| jump *s sport Br.* Weitsprung *m.* **'~-ˌlegged** *adj* langbeinig. **'~ˌlegs** *s orn.* langbeiniger Vogel, *bes.* a) Stelzenläufer *m*, b) Schlammstelzer *m.* **'~-'lived** [-'laivd; *Br. a.* -'livd] *adj* langlebig (*a. fig.*). **~ meas·ure** *s* Längenmaß *n.* **~ me·ter,** *bes. Br.* **~ me·tre** *s* Strophe *f* aus vier achtsilbigen Versen.

Lon·go·bard ['lɒŋgoˌbaːrd] → Lombard 1.

'long|-ˌoff *s Kricket*: weit zu'rück u. rechts vom Werfer po'stierter Spieler. **'~-ˌon** *s Kricket*: weit zu'rück u. links vom Werfer po'stierter Spieler. **L~ Par·lia·ment** *s hist.* Langes Parla'ment (*von 1640—53 u. 1659—60*). **~ pig** *s* Menschenfleisch *n* (*bei den Kannibalen*). **'~-ˌplay·er** *s colloq.*, **'~-'play·ing rec·ord** *s* Langspielplatte *f.* **~ prim·er** *s print.* Korpus *f* (*Schriftgrad: 10 Punkt*). **'~-ˌrange** *adj* **1.** *mil.* a) weittragend, Fernkampf...: ~ gun, b) *bes. aer.* Langstrecken...: ~ bomber; ~ radar; ~ reception (*Funk*) Fernempfang *m*; ~ reconnaissance Fernaufklärung *f.* **2.** *allg.* auf lange Sicht (geplant), langfristig. **'~ˌshanks** *s* **1.** → longlegs. **2.** L~ *Beiname Eduards I. von England.* **~ ship** *s mar. hist.* Langschiff *n* (*der Wikinger*). **'~ˌshore** *adj* **1.** Küsten... **2.** Hafen... **'~ˌshore·man** [-mən] *s irr* Kai-, Hafenarbeiter *m*, Schauermann *m.* **~ shot** *s* **1.** *Film, TV*: To'tale *f.* **2.** *sport* Weitschuß *m.* **3.** a) kühne Wette, ris'kanter Einsatz, b) *fig.* kühner Versuch, gewagte Sache, c) wilde Vermutung, d) entfernte Möglichkeit; by a ~ *sl.* weitaus; not by a ~ *sl.* nicht entfernt, längst nicht (*so gut etc*). **4.** *sport Am.* Außenseiter *m.* **'~-'sight·ed** *adj* **1.** *med.* weitsichtig. **2.** *fig.* weitblickend, 'umsichtig. **'~-ˌspun** → long-winded. **'~-'standing** *adj* seit langer Zeit bestehend, alt: a ~ feud. **'~-ˌsta·ple** *adj econ.* langfaserig, -stapelig. **~ stop** *s Kricket*: Spieler *m od.* Stellung *f* hinter dem Stabhüter. **'~-'suf·fer·ing I** *s* Langmut *f*, Geduld *f.* **II** *adj* langmütig, geduldig. **'~-ˌterm** *adj* auf lange Sicht, langfristig: ~ bond, ~ note *econ.* langfristige Schuldverschreibung. **L~ Tom** *s* **1.** *mar. hist.* lange 'Deckkaˌnone. **2.** *mil.* Ferngeschütz *n.* **3.** l~ t~ *Am.* Goldwäschertrog *m.* **~ ton** → ton¹ 1 a.

lon·gueur [lɔ̃'gœːr] (*Fr.*) *s oft im pl* Länge *f*, langweilige Stelle (*in e-m Roman etc*).

long| va·ca·tion *s jur. univ. etc* große Ferien *pl.* **~ wave** *s electr.* Langwelle *f.* **'~ˌways** → longwise. **'~-'wind·ed** *adj* langatmig, langweilig, ermüdend. **ˌ~-'wind·ed·ness** *s* Langatmigkeit *f.* **'~ˌwise** *adv* der Länge nach. **'~ˌwool** *s* langwolliges Schaf.

loo¹ [luː] *s* **1.** Lu(spiel) *n* (*ein Kartenspiel, bei dem Einsätze in e-e Kasse gezahlt werden*). **2.** Einsatz *m.*

loo² [luː] *interj* hal'lo!

loo³ [luː] *s colloq.* ‚Klo' *n* (*Toilette*).

loo·fa(h) ['luːfɑː] → luffa.

look [luk] **I** *s* **1.** Blick *m* (at auf *acc*): to cast (*od.* throw) a ~ at e-n Blick werfen auf (*acc*); to give s.th. a second ~ etwas nochmals *od.* genauer ansehen; to have a ~ at s.th. (sich) etwas ansehen; let's have a ~ round schauen wir uns hier mal etwas um. **2.** Miene *f*, (Gesichts)Ausdruck *m*, Gesicht *n*: a proud ~; to take on a severe ~ e-e strenge Miene aufsetzen. **3.** *oft pl* Aussehen *n*: (good) ~s gutes Aussehen, Schönheit *f*, hübsches Gesicht; to wear the ~ of aussehen wie; I do not like the ~ of it die Sache gefällt mir nicht.

II *v/i* **4.** schauen, blicken, ('hin)sehen (at, on auf *acc*, nach): don't ~! nicht hersehen *od.* gucken!; ~ here! schau mal (her)!, hör mal (zu)!; don't ~ like that! mach kein solches Gesicht!; ~ before you! sieh vor dich!; → leap 1, look at. **5.** *colloq.* Augen machen, schauen, staunen. **6.** (nach)schauen, nachsehen: have you ~ed in the kitchen?; ~ who is coming (*od.* here)! schau, wer da kommt!; ei, wer kommt denn da!; ~ and see! überzeugen Sie sich (selbst)! **7.** aussehen: to ~ ill; it ~s promising es sieht vielversprechend aus; things ~ bad for him es sieht schlimm für ihn aus; he ~s it! er sieht ganz danach aus!, so sieht er (auch) aus!; to ~ an idiot wie ein Idiot aussehen; she does not ~ her age man sieht ihr ihr Alter nicht an; to ~ one's best sich in bester Verfassung zeigen; it ~s as if es sieht (so) aus, als ob; he

~s like my brother er sieht wie mein Bruder aus; it ~s like snow es sieht nach Schnee aus; he ~s like winning es sieht so aus, als ob er gewinnen sollte. **8.** *fig.* 'hindeuten (to, toward[s] auf *acc*). **9.** *fig.* blicken, sehen, den Blick *od.* die Aufmerksamkeit richten (at auf *acc*). **10.** a) achten, aufpassen, bedacht sein, sehen (to auf *acc*), b) dafür sorgen, Sorge tragen (that daß), zusehen (that daß; how wie). **11.** hoffen: I ~ to live many years here. **12.** liegen, gehen (toward[s], to nach *e-r Richtung*) (*Fenster, Zimmer*).

III *v/t* **13.** *j-m* (*in die Augen etc*) sehen *od.* schauen *od.* blicken: to ~ s.o. in the eyes; to ~ death in the face dem Tod ins Angesicht sehen. **14.** *e-n Blick* werfen: to ~ one's last at s.o. j-n zum letztenmal ansehen. **15.** durch Blicke ausdrücken: to ~ compassion mitleidig blicken *od.* dreinschauen.

Verbindungen mit Präpositionen:

look| a·bout *v/i* to ~ one a) sich 'umsehen, um sich sehen, um'hersehen, b) sich vorsehen. ~ **aft·er** *v/i* **1.** (*j-m*) nachblicken. **2.** *obs.* suchen nach. aufpassen auf (*acc*), sich kümmern um, sorgen für, sich annehmen (*gen*). ~ **at** *v/i* ansehen, anblicken, anschauen, betrachten: ~ that now!, just ~ it! sieh dir das mal (*od.* nur) an!; pretty to ~ hübsch anzusehen; to ~ him wenn man ihn (so) ansieht; he wouldn't ~ it er wollte nichts davon wissen; to ~ the facts die Tatsachen betrachten *od.* ins Auge fassen. ~ **down** *v/i* hin'unterblicken: → nose *Bes. Redew.* ~ **for** *v/i* **1.** suchen (nach), sich 'umsehen nach: what are you looking for? was suchst du? **2.** erwarten, (erwartungsvoll) ent'gegensehen (*dat*): not looked-for unerwartet. ~ **in·to** *v/i* **1.** blicken *od.* (hin'ein)sehen *od.* e-n Blick werfen in (*acc*). **2.** unter'suchen, prüfen: I shall ~ the matter. ~ **on** *v/i* **1.** betrachten, ansehen (as als; with mit): to ~ s.o. as a great poet; to ~ s.th. with distrust; to ~ s.th. favo(u)rably etwas wohlwollend betrachten. **2.** (hin'aus)gehen auf (*acc*) (*Fenster etc*). ~ **o·ver** *v/i* **1.** schauen *od.* blicken über (*acc*). **2.** 'durchsehen, (über)'prüfen. **3.** (absichtlich) über'sehen. ~ **through** *v/i* **1.** blicken durch. **2.** (hin)'durchsehen durch. **3.** *fig. j-n od. etwas* durch'schauen. **4.** *fig. j-n* igno'rieren, wie Luft behandeln. **5.** 'durchsehen, -lesen: to ~ a book. ~ **to** *v/i* **1.** 'hinblicken zu, anblicken. **2.** achten *od.* achtgeben *od.* aufpassen auf (*acc*): ~ it that achte darauf, daß; sorge dafür, daß; sieh zu, daß. **3.** zählen *od.* sich verlassen auf (*acc*), von *j-m* erwarten (*daß er hilft etc*): I ~ you to help me *od.* for help ich erwarte Hilfe von dir. **4.** sich wenden *od.* halten an (*acc*): I shall ~ you for payment. **5.** erwarten, (sich) erhoffen, rechnen mit: we ~ profit. **6.** liegen nach: the house looks to the east. **7.** 'hindeuten auf (*acc*), erwarten lassen: the evidence looks to acquittal. ~ **to·ward(s)** *v/i* → look to 6 *u.* 7. ~ **up·on** → look on.

Verbindungen mit Adverbien:

look| a·bout *v/i* **1.** sich 'umsehen (for nach). **2.** sich vorsehen. ~ **a·head** *v/i* **1.** nach vorne sehen *od.* schauen. **2.** *fig.* vor'ausschauen, -denken. ~ **a·round** → look about, look round. ~ **back** *v/i* **1.** sich 'umsehen. **2.** *a. fig.* zu'rückblicken (upon auf *acc*; to nach, zu). **3.** *fig.* a) schwankend werden, b) Rückschritte machen. ~ **down I** *v/i* **1.** her'ab-, her'untersehen (*a. fig.* [up]on s.o. auf j-n). **2.** *bes. econ.* sich verschlechtern. **II** *v/t* **3.** durch Blicke einschüchtern. ~ **for·ward** *v/i* in die Zukunft blicken: to ~ to s.th. sich auf e-e Sache freuen, e-r Sache erwartungsvoll entgegensehen; I ~ to meeting him ich freue mich darauf, ihn zu treffen. ~ **in** *v/i* **1.** a) hin'einsehen, -schauen, b) *TV* fernsehen. **2.** (*als Besucher*) her'einschauen, e-n kurzen Besuch machen (upon bei). ~ **on** *v/i* **1.** zusehen, zuschauen (at bei). **2.** to ~ with s.o. mit j-m mitlesen. ~ **out I** *v/i* **1.** hin'aus- *od.* her'aussehen, -schauen (at *od.* of, *Am. a.* to ~ the window zum *od.* aus dem Fenster). **2.** aufpassen, sich vorsehen: ~! paß auf!, Vorsicht! **3.** Ausschau halten, ausschauen (for nach). **4.** (for) gefaßt sein (auf *acc*), auf der Hut sein (vor *dat*). **5.** ~ for *Am.* aufpassen auf (*acc*), sich kümmern um (*Kinder etc*). **6.** Ausblick gewähren, (hin'aus)gehen (on auf *acc*) (*Fenster etc*). **II** *v/t* **7.** *Br.* suchen, nachsehen (*in e-m Buch etc*). ~ **o·ver** *v/t* **1.** (sorgfältig) 'durchsehen, 'durchgehen, (über)'prüfen. **2.** mustern, prüfend betrachten. ~ **round** *v/i* sich 'umsehen (*a. fig.*). ~ **through** → look over. ~ **up I** *v/i* **1.** hin'aufblicken (at auf *acc*), aufblicken (*fig.* to s.o. zu j-m). **2.** *colloq., a. econ.* sich bessern, steigen (*Preise*). **II** *v/t* **3.** a) nachschlagen: to ~ a word in a dictionary, b) nachschlagen in (*dat*), *ein Buch* konsul'tieren. **4.** *j-n* aufsuchen. ~ **up and down** *v/t j-n* von oben bis unten mustern.

look·er ['lukər] *s* **1.** Beschauer(in). **2.** Zuschauer(in). **3.** *in Zssgn colloq. j-d, der* (*gut etc.*) *aussieht*: a good-~ → 4. **4.** *colloq.* gut aussehender *od.* fescher Kerl, hübsches Mädchen *etc*: she is not much of a ~ sie sieht nicht besonders gut aus. ,~-'in *pl* ,**look·ers-'in** *s* Fernsehteilnehmer(in). ,~-'**on** *pl* ,**look·ers-'on** *s* Zuschauer(in).

'look-,in *s* **1.** kurzer Besuch. **2.** Einblick *m* (*fig.* on s.th. in e-e Sache). **3.** *sl.* (Erfolgs-, Gewinn)Chance *f.*

look·ing ['lukiŋ] *adj in Zssgn* ... aussehend: young-~.

look·ing glass *s* **1.** Spiegel *m.* **2.** Spiegelglas *n.*

'look,out I *s* **1.** Ausschau *f*, Wacht *f*: to be on the ~ for s.th. nach etwas Ausschau halten; to keep a good ~ (for) auf der Hut sein (vor *dat*). **2.** Wache *f*, Beobachtungsposten *m*, Wächter *m.* **3.** Ausguck *m*: a) Beobachtungsstand *m*, Aussichtspunkt *m*, b) *mar.* Krähennest *n.* **4.** Aussicht *f*, -blick *m* (over über *acc*). **5.** *fig.* Aussicht(en *pl*) *f*: a bad ~ schlechte Aussichten. **6.** *colloq.* Angelegenheit *f*: that's his ~ das ist s-e Sache. **II** *adj* **7.** Aussichts..., Beobachtungs..., Wach...

'look-,see *s Br. sl.* (Ein)Blick *m*, Einsichtnahme *f*, Prüfung *f*: to have a ~ sich mal umsehen, sich die Sache mal ansehen.

loom[1] [lu:m] *s* **1.** 'Webstuhl *m*, -ma,schine *f.* **2.** Weben *n*, Webe'rei *f.* **3.** *mar.* Riemenschaft *m.* **4.** *Am.* Rohrmantel *m* (*für Kabel etc*).

loom[2] [lu:m] **I** *v/i* **1.** undeutlich sichtbar werden *od.* auftauchen: to ~ darkly *fig.* sich drohend abzeichnen. **2.** (drohend) aufragen: to ~ large *fig.* a) sich auftürmen, b) von großer Bedeutung sein *od.* scheinen. **II** *s* **3.** undeutliches Sichtbarwerden.

loon[1] [lu:n] *s orn.* Seetaucher *m*: common ~ Eistaucher.

loon[2] [lu:n] *s* **1.** Lümmel *m*, Taugenichts *m.* **2.** *Scot.* Bengel *m*, Bursche *m.* **3.** Hure *f.* **4.** *Am. colloq.* Verrückte(r *m*) *f.*

loon·y ['lu:ni] *vulg.* **I** *adj* ‚beknoppt', verrückt. **II** *s* Verrückte(r *m*) *f.* '~-,**bin** *s Br. sl.* ‚Klapsmühle' *f.*

loop[1] [lu:p] **I** *s* **1.** Schlinge *f*, Schleife *f*: to knock (*od.* throw) for a ~ *Am. sl.* ganz durcheinanderbringen. **2.** Schleife *f*, Windung *f* (*e-s Flusses etc*). **3.** a) Schlaufe *f*, b) Öse *f*, c) Ring *m.* **4.** *Eislauf*: Schleife *f.* **5.** *a.* inside ~ *aer.* Looping *m*, *n* (*Flugfigur*): outside ~ Looping abwärts. **6.** *rail. etc* (Wende-) Schleife *f.* **7.** *anat.* (*Darm- etc*)Schlinge *f.* **8.** *phys.* a) (Schwingungs)Bauch *m*, b) Punkt *m* der größten Ampli'tude. **9.** *electr.* a) Schleife *f*, geschlossener Stromkreis, b) geschlossenes ma'gnetisches Feld. **10.** *Am.* Film-, Tonbandstreifen *m*, -stück *n.* **11.** *Am.* Geschäftsviertel *n.* **12.** *sport Am.* a) Runde *f*, b) Liga *f.* **II** *v/t* **13.** in e-e Schleife *od.* in Schleifen legen, schlingen. **14.** e-e Schlinge machen in (*acc*). **15.** um'schlingen. **16.** mit Schleifen *od.* Schlaufen festmachen *od.* versehen: to ~ up *Haar, Kleid etc* aufstecken. **17.** to ~ the ~ *aer.* e-n Looping drehen. **18.** *electr.* zu e-m geschlossenen Stromkreis zs.-schalten: to ~ in in den Stromkreis einschalten. **19.** in hohem Bogen werfen. **III** *v/i* **20.** e-e Schlinge bilden. **21.** e-e Schleife *od.* Schleifen machen, sich winden. **22.** *aer.* → 17.

loop[2] [lu:p] *s metall.* Luppe *f.*

loop an·ten·na *s electr.* 'Rahmenan,tenne *f.*

'loop|,hole I *s* **1.** Guckloch *n.* **2.** Seh-, Mauerschlitz *m.* **3.** *mil.* a) Sehschlitz *m*, b) Schießscharte *f.* **4.** *fig.* Schlupfloch *n*, 'Hintertürchen *n*: a ~ in the law e-e Gesetzeslücke. **II** *v/t* **5.** mit (Seh)Schlitzen *etc* versehen. ~ **knot** *s* einfacher Knoten. ~ **line** → loop[1] 6. ,~-**the-'loop** *s Am.* Achterbahn *f.*

loop·y ['lu:pi] *adj* **1.** gewunden, verschlungen. **2.** *sl.* ‚leicht bekloppt'.

loose [lu:s] **I** *adj* (*adv* ~ly) **1.** los(e), frei: to come (*od.* get) ~ a) abgehen (*Knöpfe*), b) sich ablösen (*Farbe etc*), c) loskommen; to let ~ a) loslassen, b) (*s-m Ärger etc*) Luft machen. **2.** frei, befreit (of, from von), in Freiheit (befindlich): a ~ criminal ein Verbrecher auf freiem Fuß. **3.** lose (hängend) (*Haar etc*): ~ ends *fig.* (noch zu erledigende) Kleinigkeiten; to be at a ~ end *colloq.* a) ohne geregelte Tätigkeit sein, b) nicht wissen, was man tun soll; at ~ ends *colloq.* a) in Unordnung, b) im ungewissen. **4.** locker: a ~ belt (fabric, screw, soil, tooth, *etc*); ~ bowels offener Leib; ~ connection *electr.* Wackelkontakt *m*; ~ dress weites *od.* lose sitzendes Kleid; ~ tongue lose Zunge. **5.** lose, nicht verpackt, offen: ~ figs; ~ change kleines Geld; ~ jam offene Marmelade; ~ leaves lose Blätter. **6.** *chem.* frei, ungebunden. **7.** *colloq.* frei (verfügbar): ~ funds; a ~ hour e-e freie Stunde. **8.** schlaksig (*Gestalt*). **9.** einzeln, verstreut, zs.-hanglos: ~ pieces of information. **10.** a) ungenau, unklar, vag(e): a ~ style, b) unlogisch, wirr, c) frei: a ~ translation, d) 'ungram,matisch. **11.** locker, lose, liederlich: a ~ life; a ~ woman; a ~ fish *colloq.* ein lockerer Vogel. **12.** schlüpfrig: a ~ novel. **13.** *sport* a) *Br.* offen (*Spielweise*), b) nachlässig, schlecht.

II *adv* **14.** lose, locker (*oft in Zssgn*): ~-fitting lose sitzend, weit; ~-living e-n lockeren Lebenswandel führend; → cut loose.

III *v/t* **15.** los-, freilassen. **16.** *e-n Knoten etc, a. fig. die Zunge* lösen: wine ~d his tongue. **17.** lösen, befreien (from von). **18.** *a. mar.* losmachen. **19.** *den Boden etc* (auf)lockern. **20.** *a.* ~ off *e-e Waffe od. e-n Schuß* abfeuern. **21.** lockern: to ~ one's hold of s.th. etwas loslassen.
IV *v/i* **22.** *mar.* den Anker lichten. **23.** *a.* ~ off schießen (at auf *acc*).
V *s* **24.** freier Lauf: to give (a) ~ to one's feelings *obs.* s-n Gefühlen freien Lauf lassen; on the ~ a) in Freiheit, b) *sl.* ‚schwer in Fahrt', wild. **25.** to go on the ~ *sl.* ‚auf die Pauke hauen'. **26.** *sport Br.* offene Spielweise.

'loose|-'joint·ed *adj* **1.** außerordentlich gelenkig. **2.** schlaksig. **'~-ˌleaf** *adj* Loseblatt...: ~ ledger; ~ binder Schnellhefter *m*; ~ notebook Loseblattbuch *n*.

loos·en ['luːsn] **I** *v/t* **1.** *Knoten, Fesseln etc, a. med. den Husten, fig. die Zunge* lösen. **2.** *med. den Leib* öffnen: to ~ the bowels. **3.** *e-e Schraube, s-n Griff etc, a. fig. die Disziplin etc* lockern: to ~ one's hold of s.th. etwas loslassen. **4.** *den Boden etc, a. fig. j-n* auflockern. **5.** loslassen, -machen, freimachen, -lassen. **II** *v/i* **6.** sich lockern (*a. fig.*), sich lösen.

loose·ness ['luːsnis] *s* **1.** Lockerheit *f*. **2.** Schlaffheit *f*. **3.** *med.* 'Durchfall *m*. **4.** Ungenauigkeit *f*, Unklarheit *f*. **5.** Lockerheit *f*, Liederlichkeit *f*.

'looseˌstrife *s bot.* **1.** Felberich *m*: creeping ~ Pfennigkraut *n*. **2.** Weiderich *m*: purple ~ Blutweiderich.

loot [luːt] **I** *s* **1.** (Kriegs)Beute *f*. **2.** (Diebs)Beute *f*, Raub *m* (*a. fig.*). **3.** *Am. sl.* ‚Pulver' *n* (*Geld*). **II** *v/t* **4.** erbeuten. **5.** plündern: to ~ a city. **6.** *j-n* ausplündern. **III** *v/i* **7.** plündern. **'loot·er** *s* Plünderer *m*.

lop[1] [lɒp] **I** *v/t* **1.** *e-n Baum etc* beschneiden, (zu)stutzen, abästen. **2.** *oft* ~ off *Äste, a. den Kopf etc* abhauen, abhacken. **II** *v/i* **3.** beschneiden, stutzen (at s.th. etwas). **III** *s* **4.** (abgehauene) kleine Äste *pl*: ~ and top (*od.* crop) abgehauenes Astwerk.

lop[2] [lɒp] **I** *v/i* **1.** schlaff (her'unter)hängen. **2.** latschig gehen. **3.** (da'hin)schnellen. **4.** her'umlungern. **II** *v/t* **5.** schlaff (her'unter)hängen lassen.

lop[3] [lɒp] *s mar.* Seegang *m* mit kurzen leichten Wellen.

lope [loup] **I** *v/i* **1.** (da'her)springen *od.* (-)trotten. **2.** mit leichten Schritten kantern (*Pferd*). **II** *s* **3.** leichter Kanter (*des Pferdes*). **4.** *allg.* Ga'lopp *m*: at a ~ im Galopp, mit großen Sprüngen.

'lop|-ˌeared *adj* mit Hängeohren. **'~-ˌears** *s pl* Schlapp-, Hängeohren *pl*.

lo·pho·bran·chi·ate [ˌloufo'bræŋkiit; -kiˌeit] *s ichth.* Büschelkiemer *m*.

lop·pings ['lɒpiŋz] *s pl* abgehauene Zweige *pl*.

'lop'sid·ed *adj* **1.** schief, nach 'einer Seite hängend, *bes. mar.* mit Schlagseite. **2.** einseitig (*a. fig.*). **3.** 'unsymˌmetrisch, auf 'einer Seite dicker *od.* schwerer. **4.** *fig.* schief, aus dem Gleichgewicht. **ˌlop'sid·ed·ness** *s* Schiefheit *f*, Einseitigkeit *f*.

lo·qua·cious [lo'kweiʃəs] *adj* (*adv* ~ly) geschwätzig, redselig. **lo'qua·cious·ness, lo·quac·i·ty** [lo'kwæsiti] *s* Geschwätzigkeit *f*.

lo·qui·tur ['lɒkwitər] (*Lat.*) *bes. thea.* er (sie, es) spricht.

lor', lor [lɔːr] *interj Br. vulg.* → lord 11.

lo·ran ['lɔːrən] *s aer. mar.* (*aus long-range navigation*) 'Loran(-Sy'stem) *n*, 'Fern(bereichs)-Navigatiˌonssyˌstem *n*.

lord [lɔːrd] **I** *s* **1.** Herr *m*, Gebieter *m* (of über *acc*): the ~s of creation die Herren der Schöpfung (*a. humor.*). **2.** *fig.* Ma'gnat *m*. **3.** Lehnsherr *m*: → manor 1. **4.** *poet. od. humor.* (Ehe)Herr *m*, Gebieter *m*: her ~ and master ihr Herr u. Gebieter. **5.** the L~ a) *a.* L~ God Gott *m* (der Herr): L~ knows where weiß Gott *od.* der Himmel wo, b) *a.* our L~ (Christus *m*) der Herr: in the year of our L~ im Jahre des Herrn, Anno Domini; → Lord's Prayer *etc.* **6.** Lord *m*: a) *Angehöriger des hohen brit. Adels* (*vom Baron bis zum Herzog*), b) *j-d, dem auf Grund seines Amts od. aus Höflichkeit der Titel Lord zusteht*: to live like a ~ wie ein Fürst leben. **7.** L~ Lord *m*: a) *Titel e-s Barons*, b) *weniger förmlicher Titel e-s Marquis, Earl od. Viscount, z. B.* L~ Derby *anstatt* the Earl of Derby, c) *Höflichkeitstitel für den ältesten Sohn e-s Peers*, d) *Höflichkeitstitel für jüngere Söhne e-s Herzogs od. Marquis, in Verbindung mit dem Vor- u. Familiennamen, z. B.* L~ Peter Wimsey, e) *Titel e-s Bischofs*, f) *Titel gewisser, bes. richterlicher Würdenträger*. **8.** the L~s die Lords, das Oberhaus (*des brit. Parlaments*). **9.** my L~ [mi'lɔːrd; *jur. Br. a.* mi'lʌd] My'lord, Euer Gnaden (*Anrede*). **10.** *Astrologie*: re'gierender Pla'net.
II *interj* **11.** L~! (du) lieber Gott!
III *v/i* **12.** *oft* ~ it den Herrn spielen: to ~ it over a) sich *j-m* gegenüber als Herr aufspielen, b) herrschen über (*acc*).
IV *v/t* **13.** zum Lord erheben.

Lord| Ad·vo·cate *s jur. Scot.* Gene'ral(staats)anwalt *m*. ~ **Al·mon·er** → Lord High Almoner of England. ~ **Cham·ber·lain (of the House·hold)** *s* Haushofmeister *m*. ~ **Chan·cel·lor** *s* Lordkanzler *m* (*Präsident des Oberhauses, Präsident der* Chancery Division *des* Supreme Court of Judicature *sowie des* Court of Appeal, *Kabinettsmitglied, Bewahrer des Großsiegels*). ~ **Chief Jus·tice of Eng·land** *s jur.* Lord'oberrichter *m* (*Vorsitzender der* King's Bench Division *des* High Court of Justice). ~ **Com·mis·sion·er** *s Mitglied e-r ein hohes Regierungsamt verwaltenden Körperschaft* (*bes. der Admiralität od. des Schatzamts*). ~ **High Al·mon·er of Eng·land** *s* Lord-'Großalmoseˌnier *m* von England. ~ **High Chan·cel·lor (of Great Brit·ain)** → Lord Chancellor. ~ **High Com·mis·sion·er** *s Vertreter der Krone bei der Generalversammlung der Schottischen Kirche.* ~ **High Con·sta·ble** *s* 'Großkonneˌtabel *m* von England (*jetzt noch bei Krönungen als Ehrenwürde*). ~ **High Stew·ard of Eng·land** *s* Großhofmeister *m* von England (*hoher Staatsbeamter, dem die Organisation von Krönungen u. der Vorsitz bei Prozessen gegen Peers obliegt*). ~ **High Treas·ur·er of Eng·land** *s hist.* erster Lord der Schatzkammer. **l~ in wait·ing** *s* königlicher Kammerherr (*wenn e-e Königin regiert*). ~ **Jus·tice** *pl* **Lords Jus·tic·es** *s Br.* Lordrichter *m* (*Richter des* Court of Appeal). ~ **Keep·er (of the Great Seal)** → Lord Chancellor. **l~ lieu·ten·ant** *pl* **lords lieu·ten·ant** *s* **1.** *Vertreter des Königs in den englischen Grafschaften; jetzt oberster Exekutivbeamter.* **2.** L~ L~ (of Ireland) a) *hist.* Vizekönig *m* von Irland (*bis 1922*), b) (*jetzt*) Gene'ralgouverˌneur *m* des Freistaates Nordirland.

lord·li·ness ['lɔːrdlinis] *s* **1.** Großzügigkeit *f*. **2.** Würde *f*, Hoheit *f*. **3.** Pracht *f*, Glanz *m*. **4.** Hochmut *m*.

lord·ling ['lɔːrdliŋ] *s contp.* kleiner Lord, Herrchen *n*.

lord·ly ['lɔːrdli] *adj u. adv* **1.** e-m Lord geziemend *od.* gemäß. **2.** großzügig. **3.** vornehm, edel, Herren... **4.** prächtig. **5.** herrisch, gebieterisch. **6.** stolz. **7.** hochmütig, arro'gant.

Lord| May·or *pl* **Lord May·ors** *s Br.* Oberbürgermeister *m*: ~'s Day *Tag des Amtsantritts des Oberbürgermeisters von London* (*9. November*); ~'s Show *Festzug des Oberbürgermeisters von London am 9. November.* ~ **of Ap·peal in Or·di·nar·y** *s ein von der Krone ernanntes Mitglied des brit. Oberhauses, das das Haus in Appellationsfällen unterstützen soll.* ~ **of the Bed·cham·ber** *s* **1.** königlicher Kammerherr (*wenn ein König regiert*). **2.** Kammerherr *m* im Haushalt des Prinzen von Wales. ~ **Pres·i·dent (of the Coun·cil)** *s* Präsi'dent *m* des Geheimen Staatsrats (*ein Mitglied des brit. Kabinetts*). ~ **Priv·y Seal** *s* Lordsiegelbewahrer *m* (*ein Mitglied des brit. Kabinetts*). ~ **Pro·tec·tor** *s hist.* 'Lordproˌtektor *m*: a) Reichsverweser *m*, b) *Titel Oliver Cromwells* (*1653—58*) *u. Richard Cromwells* (*1658—59*). ~ **Prov·ost** *pl* **Lord Prov·osts** *s* Oberbürgermeister *m* (*mehrerer schottischer Städte*).

Lord's [lɔːrdz] *s* Lord's Kricketplatz *m* in London.

lord·ship ['lɔːrdʃip] *s* **1.** Lordschaft *f*: your (his) ~ Euer (Seine) Lordschaft. **2.** *hist.* Gerichts- *od.* Herrschaftsgebiet *n* e-s Lords. **3.** *fig.* Herrschaft *f*, Macht *f*.

lord spir·it·u·al *pl* **lords spir·it·u·al** *s geistliches Mitglied des brit. Oberhauses.*

Lord's| Prayer *s relig.* Vaterunser *n*. ~ **Sup·per** *s* **1.** *Bibl.* (*das*) letzte Abendmahl. **2.** *relig.* a) (*das*) (heilige) Abendmahl, b) *R.C.* (*die*) heilige Kommuni'on. ~ **ta·ble** *s relig.* **1.** Al'tar *m*. **2.** Tisch *m* des Herrn: a) → Lord's Supper, b) Abendmahlstisch *m*.

Lord| Stew·ard (of the House·hold) *s* königlicher Oberhofmeister. **l~ tem·po·ral** *pl* **lords tem·po·ral** *s weltliches Mitglied des brit. Oberhauses.*

lore[1] [lɔːr] *s zo.* **1.** Zügel *m* (*Raum zwischen Auge u. Schnabel bei Vögeln od. zwischen Auge u. Nasenlöchern bei Reptilien*). **2.** Mundleiste *f* (*bei Insekten*).

lore[2] [lɔːr] *s* **1.** Wissen *n* (*auf bestimmtem Gebiet*), Kunde *f*: animal ~ Tierkunde. **2.** über'lieferte Kunde (*e-r bestimmten Klasse*), (überliefertes) Sagen- u. Märchengut: gipsy ~. **3.** *poet. od. obs.* Lehre *f*: the ~ of Christ.

lor·gnette [lɔːr'njet] *s* **1.** Lor'gnette *f*, Stielbrille *f*. **2.** Opernglas *n*.

lor·i·cate ['lɒriˌkeit] *adj zo.* gepanzert.

lor·i·keet ['lɒriˌkiːt; ˌlɒri'kiːt] *s orn.* (*ein*) kleiner Lori (*Papagei*).

lor·i·mer ['lɒrimər], **'lor·i·ner** [-nər] *s obs.* Gürtler *m*, Sattler *m*.

lorn [lɔːrn] *adj obs. od. poet. oft* lone ~ verlassen, einsam.

Lor·rain·ese [ˌlɒrə'niːz] *adj* lothringisch.

lor·ry ['lɒri] *s* **1.** *Br.* Last(kraft)wagen *m*, Lastauto *n*. **2.** Lore *f*, Lori *f*: a) *offener Güterwagen*, b) *Bergbau*: Förderwagen *m.* **'~-ˌhop** *v/i* (*u. v/t* ~ it) *Br. colloq.* per Anhalter (*bes. auf Lastautos*) fahren.

lose [luːz] *pret u. pp* **lost** [lɒst; lɔːst] **I** *v/t* **1.** *allg. e-e Sache, a. s-n Glauben, das Interesse, s-e Stimme, den Verstand, den Weg, Zeit etc* verlieren: to ~ one's hair das Haar verlieren; (*siehe die Verbindungen mit den betreffenden Substantiven*); → lost II. **2.** verlieren, einbüßen, kommen um: to ~ one's health (position, property, *etc*). **3.** verlieren (*durch Tod, Trennung etc*): she lost a son in the war; to ~ a patient a) e-n Patienten (*an e-n anderen Arzt*) verlieren, b) e-n Patienten nicht retten können. **4.** *den Kampf etc* verlieren: to ~ the battle (game, lawsuit, *etc*). **5.** *e-n Preis etc* nicht gewinnen *od.* erringen: to ~ a prize. **6.** *e-n Gesetzesantrag* nicht 'durchbringen: to ~ a bill. **7.** *den Zug etc, a. fig. die Gelegenheit etc* versäumen, -passen: to ~ the train (a chance). **8.** *e-e Rede etc* ‚nicht mitbekommen', nicht hören *od.* sehen (können): I lost the end of his speech mir entging das Ende s-r Rede. **9.** aus den Augen verlieren. **10.** vergessen: I have lost my Greek. **11.** *e-n Verfolger* abschütteln. **12.** *e-e Krankheit* loswerden: he lost his cold. **13.** nachgehen, zu'rückbleiben (*Uhr*): my watch ~s two minutes a day m-e Uhr geht täglich zwei Minuten nach. **14.** *j-n s-e Stellung etc* kosten, *j-n* bringen um: this will ~ you your position. **15.** ~ o.s. a) sich verirren: he lost himself in the maze, b) sich verlieren: to ~ o.s. in thought; the path ~s itself in the woods. **II** *v/i* **16.** Verluste erleiden (by durch; on bei): he lost by this transaction; they lost heavily sie erlitten schwere Verluste. **17.** verlieren (in an *dat*): to ~ in weight. **18.** (to) verlieren (gegen), geschlagen werden (von), unter'liegen (*dat*): to ~ to another team. **19.** (*bei Wettkämpfen etc*) zu'rückfallen, -bleiben. **20.** an Kraft (*etc*) verlieren, nachlassen. **21.** ~ out *Am. colloq.* a) → 18, b) versagen.

los·er ['luːzər] *s* Verlierer(in): a good (bad) ~; to be a ~ by Schaden *od.* Verlust erleiden durch; to come off a ~ den kürzeren ziehen.

los·ing ['luːziŋ] **I** *adj* **1.** verlierend. **2.** verlustbringend, Verlust... **3.** verloren, aussichtslos: a ~ battle; a ~ game. **II** *s* **4.** Verlieren *n.* **5.** *pl* (Spiel)-Verluste *pl.*

loss [lɒs; lɔːs] *s* **1.** Verlust *m*, Einbuße *f*, Ausfall *m* (in an *dat*, von *od. gen*): ~ of blood Blutverlust; ~ of time Zeitverlust; a business ~ ein Geschäftsverlust; dead ~ totaler Verlust; to throw s.o. for a ~ *Am. colloq.* j-n deprimieren *od.* ‚fertigmachen'. **2.** Verlust *m*, Schaden *m*: it is no great ~; → cut 55. **3.** Verlust *m* (*verlorene Sache od. Person*): he is a great ~ to his firm. **4.** Verlust *m*, Verschwinden *n.* **5.** Verlust *m* (*verlorene Schlacht, Wette etc*). **6.** Verlust *m*, Abnahme *f*, Schwund *m*: ~ in weight Gewichtsverlust, -abnahme. **7.** *oft pl mil.* Verluste *pl*, Ausfälle *pl.* **8.** Verderben *n*, 'Untergang *m.* **9.** *electr. tech.* (Ener'gie)Verlust(e *pl*) *m*: friction ~ Reibungsverlust(e); ~ of heat Wärmeverlust(e). **10.** *tech.* (Materi'al)Verlust *m*, *bes.* Abbrand *m* (*von Metall*). **11.** *Versicherungswesen*: Schadensfall *m*: fire ~ Brandschaden *m.* **12.** at a ~ a) *econ.* mit Verlust (*arbeiten, verkaufen etc*), b) in Verlegenheit (for um), hilflos: to be at a ~ for words keine Worte finden (können); to be at a ~ to understand s.th. etwas nicht verstehen (können).

löss [lœs] → loess.

loss lead·er *s Am.* (*unter dem Selbstkostenpreis verkaufter*) 'Lock-, 'Anreiz-, 'Zugarˌtikel.

lost [lɒst; lɔːst] **I** *pret u. pp von* lose. **II** *adj* **1.** verloren: ~ articles; a ~ battle; ~ friends; ~ cause *fig.* verlorene Sache; ~ heat *tech.* Abwärme *f*; ~ motion *tech.* toter Gang; ~ property office Fundamt *n.* **2.** verloren(gegangen), vernichtet, da'hin, hin: to be ~ a) verlorengehen (to an *acc*), b) zugrunde gehen, untergehen, c) umkommen, den Tod finden, d) verschwinden, e) fallen (*Gesetzesantrag*); to give up for (*od.* as) ~ verloren geben; a ~ soul e-e verlorene Seele. **3.** vergessen: a ~ art. **4.** verirrt: to be ~ sich verirrt haben, sich nicht mehr zurechtfinden (*a. fig.*). **5.** verschwunden: ~ in the fog. **6.** verloren, vergeudet: ~ time verlorene Zeit; to be ~ upon s.o. keinen Eindruck machen auf j-n, an j-m verloren sein, j-n gleichgültig *od.* kalt lassen. **7.** versäumt: a ~ chance. **8.** versunken, vertieft (in in *acc*): ~ in thought in Gedanken vertieft. **9.** ~ to a) verloren für, b) versagt (*dat*), nicht vergönnt (*dat*), c) nicht mehr empfänglich für, ohne Empfinden für, bar *allen Schamgefühls etc.*

lot [lɒt] **I** *s* **1.** Los *n*: to cast (*od.* draw) ~s losen, Lose ziehen (for um); to cast (*od.* throw) in one's ~ with s.o. *fig.* das Los mit j-m teilen, sich auf Gedeih u. Verderb mit j-m zs.-tun; to choose by ~ durch das Los wählen; the ~ fell on me das Los fiel auf mich. **2.** Anteil *m*: to have no part nor ~ in s.th. keinerlei Anteil an e r Sache haben. **3.** Los *n*, Geschick *n*, Schicksal *n*: the ~ falls to me (*od.* it falls to my ~) es ist mein Los *od.* es fällt mir (das Los) zu *zu tun.* **4.** fest um'grenztes Stück Land, *bes.* a) Par'zelle *f*, b) Grundstück *n*, c) Bauplatz *m*, d) (Indu'strie)Gelände *n*, e) (Müll- *etc*)Platz *m*, f) Parkplatz *m.* **5.** Filmgelände *n*, *bes.* Studio *n.* **6.** *econ.* a) Ar'tikel *m*, b) Par'tie *f*, Posten *m* (*von Waren*): in ~s partienweise. **7.** Gruppe *f*, Gesellschaft *f*: the whole ~ a) die ganze Gesellschaft, b) → 8. **8.** the ~ alles, das Ganze: take the ~!; that's the ~ das ist alles. **9.** *colloq.* Menge *f*, Haufen *m*: a ~ of, ~s of viel, e-e Menge; a ~ of money, ~s of money viel Geld, e-e Menge *od.* ein Haufen Geld; ~s and ~s of e-e Unmasse *Menschen etc.* **10.** *colloq.* a) Kerl *m*, Per'son *f*: a bad ~ ein übler Genosse, b) Ding *n.*

II *adv* **11.** a ~ (sehr) viel: a ~ better. **III** *v/t pret u. pp* **'lot·ted 12.** losen um. **13.** durch das Los (ver)teilen, zuteilen. **14.** a) *oft* ~ out *Land* in Par'zellen teilen, parzel'lieren, b) *Ware* in Par'tien aufteilen.

loth → loath.

Lo·tha·rin·gi·an [ˌlouθə'rindʒiən] **I** *s* Lothringer(in). **II** *adj* lothringisch.

Lo·thar·i·o [lo'θɛ(ə)riˌou] *s meist* gay ~ Schwerenöter *m.*

lo·tion ['louʃən] *s* **1.** *pharm.* (Augen- *etc*)Wasser *n.* **2.** (*Haar-, Haut-, Rasier*)Wasser *n.*

lot·ter·y ['lɒtəri] *s* **1.** Lotte'rie *f*: ~ loan *econ.* Prämienanleihe *f*; ~ ticket Lotterielos *n*; ~ wheel Glücksrad *n*, Lostrommel *f*; number ~ Zahlenlotterie. **2.** *fig.* Glückssache *f*, Lotte'riespiel *n.*

lot·to ['lɒtou] *s* (Zahlen)Lotto *n.*

lo·tus ['loutəs] *s* **1.** (*in griechischen Sagen*) a) Lotos *m* (*e-e wohlige Schlaffheit bewirkende Frucht*), b) → lotus tree 1. **2.** *bot.* Lotos(blume *f*) *m.* **3.** 'Lotosblumenornaˌment *n.* **4.** *bot.* Honigklee *m.* **'~-ˌeat·er** *s* **1.** (*in der Odyssee*) Lotosesser *m.* **2.** Träumer *m*, tatenloser Genußmensch. **'~-ˌland** *s* Land *n* des süßen Nichtstuns. **~ tree** *s bot.* **1.** Lotos *m* (*Pflanze, von deren Frucht sich nach der Sage die Lotophagen ernährten*). **2.** a) Lotospflaume *f*, b) Vir'ginische Dattelpflaume.

loud [laud] **I** *adj* (*adv* ~ly) **1.** laut (*a. fig.*): a ~ cry; ~ admiration; ~ streets lärmende Straßen. **2.** schreiend, auffallend, grell, aufdringlich: ~ colo(u)rs; ~ dress auffallende Kleidung; ~ manners auffallendes *od.* aufdringliches Benehmen; a ~ smell *Am.* ein starker Geruch. **II** *adv* **3.** laut: don't talk so ~. **'~-ˌhail·er** *s* Mega'phon *n.* **'~ˌmouthed** *adj* laut.

loud·ness ['laudnis] *s* **1.** Lautheit *f*, (*das*) Laute. **2.** *phys.* Lautstärke *f.* **3.** Lärm *m.* **4.** (*das*) Auffallende *od.* Schreiende.

loud| speak·er, *a.* **'~'speak·er** *s electr.* Lautsprecher *m*: ~ van Lautsprecherwagen *m.* **'~-ˌspo·ken** *adj* laut sprechend. [arm *m.*]

lough [lɒx] *s Ir.* **1.** See *m.* **2.** Meeres-

lou·is ['luːi] *pl* **lou·is,** ~ **d'or** [ˌluːi'dɔːr] *pl* **louis d'or** *s* Louis'dor *m.*

Lou·i·si·an·i·an [luːˌiːzi'æniən; luːizi-], *a.* **Louˌi·si'an·an** [-nən] **I** *adj* louisi'anisch. **II** *s* Louisi'aner(in).

lounge [laundʒ] **I** *s* **1.** Chaise'longue *f*, Sofa *n.* **2.** Klubsessel *m.* **3.** Halle *f*, Diele *f*, Gesellschaftsraum *m* (*e-s Hotels etc*). **4.** Wohndiele *f*, -zimmer *n.* **5.** Foy'er *n* (*e-s Theaters*). **6.** a) *aer. mar. rail.* Sa'lon *m*, b) Wartehalle *f* (*e-s Flughafens*). **7.** Bummel *m*, gemütlicher Spa'ziergang. **8.** Schlendergang *m.* **9.** → lounge suit. **II** *v/i* **10.** sich rekeln, sich her'umlümmeln. **11.** faulenzen, her'umlungern. **12.** schlendern. **III** *v/t* **13.** ~ away, ~ out *die Zeit* vertrödeln, -bummeln. **~ car** *s rail. Am.* Sa'lonwagen *m.* **~ chair** *s* Klubsessel *m.* **~ liz·ard** *s colloq.* **1.** Sa'lonlöwe *m.* **2.** Gigolo *m.*

loung·er ['laundʒər] *s* **1.** Faulenzer(in). **2.** Her'umtreiber(in). **3.** Bummler(in). **4.** *Am.* a) bequemes Kleidungsstück, Freizeitjacke *f*, b) Liege *f*, Couch *f.*

lounge suit *s Br.* Straßenanzug *m.*

lour [laur], **lour·ing** ['lau(ə)riŋ], **'lour·y** → lower[1] *etc.*

louse [laus] **I** *pl* **lice** [lais] *s* **1.** *zo.* Laus *f.* **2.** *Am. colloq.* Scheißkerl *m*, ‚Schwein' *n.* **II** *v/t* **3.** (ent)lausen. **4.** ~ up *Am. sl.* versauen, -murksen. **'~ˌwort** *s bot.* Läusekraut *n.*

lous·i·ness ['lauzinis] *s* **1.** Verlaustheit *f.* **2.** *sl.* ‚Mistigkeit' *f.* **'lous·y** *adj* (*adv* lousily) **1.** verlaust, voller Läuse. **2.** ~ with *sl.* a) wimmelnd von: ~ with people, b) strotzend von *od.* vor: ~ with money stinkreich. **3.** *sl.* a) widerlich, dreckig, b) (hunds)gemein, mise'rabel, ‚lausig'.

lout [laut] *s* Tölpel *m*, Tolpatsch *m*, Lümmel *m.* **'lout·ish** *adj* (*adv* ~ly) **1.** tolpatschig, plump. **2.** flegel-, lümmelhaft. **'lout·ish·ness** *s* Tölpelhaftigkeit *f.*

lou·ver, *Br. a.* **lou·vre** ['luːvər] *s* **1.** *arch. hist.* Dachtürmchen *n.* **2.** *arch.* a) *a.* ~ board Schallbrett *n*, b) *pl* Abat-vent *n*, Schallbretter *pl* (*des Schallfensters an Glockenstuben*).

3. ('Glas)Jalou,sie *f* (*a. an Wagenfenstern*). **4.** *tech.* Jalou'sie *f*, jalou'sieartig angeordnete Luft- *od.* Kühlschlitze *pl.* **5.** *mar. etc* Lüftungs-, Ventilati'onsschlitz *m.* '**lou·vered** *adj* **1.** mit Dachtürmchen *etc* (versehen). **2.** schräggestellt.

lov·a·ble ['lʌvəbl] *adj* liebenswert, reizend. '**lov·a·ble·ness** *s* liebenswerte Art.

lov·age ['lʌvidʒ] *s bot.* Liebstöckel *n.*

love [lʌv] **I** *s* **1.** (*sinnliche od. geistige*) Liebe (of, for, to, toward[s] zu): to be in ~ with s.o. verliebt sein in j-n, j-n lieben; to fall in ~ with sich verlieben in (*acc*); all's fair in ~ and war im Krieg u. in der Liebe ist alles erlaubt; for ~ a) zum Spaß, b) gratis, umsonst, aus Freude an der Sache; to play for ~ um nichts spielen; for the ~ of God um Gottes willen; not for ~ or money nicht für Geld u. gute Worte; give my ~ to her grüße sie herzlich von mir; to send one's ~ to *j-n* grüßen lassen; to make ~ to a) *j-n* umwerben, *j-m* den Hof machen, flirten mit *j-m*, b) *j-n* (*körperlich*) lieben, liebkosen; there is no ~ lost between them sie haben nichts füreinander übrig; ~ in a cottage Liebesheirat *f* ohne finanzielle Grundlagen; "L~'s Labour's Lost" „Verlorene Liebesmüh" (*Lustspiel von Shakespeare*); ~ of (one's) country Vaterlandsliebe *f*; → labor 1. **2.** L~ die Liebe (*personifiziert*), (Gott *m*) Amor *m*, der Liebesgott. **3.** *pl Kunst*: Amo'retten *pl.* **4.** Liebling *m*, Schatz *m*: my ~! **5.** Liebe *f*, Liebschaft *f*, 'Liebesaf,färe *f.* **6.** *colloq.* lieber *od.* ‚goldiger' Kerl: he (she) is a ~. **7.** *colloq.* reizende *od.* ‚goldige' *od.* ‚süße' Sache: a ~ of a tea cup. **8.** *sport* nichts, null: ~ all null zu null.

II *v/t* **9.** *j-n* lieben, liebhaben. **10.** *etwas* lieben, mögen.

III *v/i* **11.** lieben, *bes.* verliebt sein. **12.** to ~ to do s.th. *colloq.* etwas schrecklich gern tun.

love| af·fair *s* 'Liebesaf,färe *f*, -abenteuer *n*, Liebschaft *f.* ~ **ap·ple** *s bot.* Liebesapfel *m*, To'mate *f.* '~,**bird** *s orn.* **1.** Unzertrennliche(r) *m*, Insépa'rable *m.* **2.** Edelsittich *m.* '~-,**child** *s irr Br.* Kind *n* der Liebe. ~ **feast** *s* Liebesmahl *n.* ~ **game** → love set. '~-**in-a-'mist** *s bot.* **1.** Jungfer *f* im Grünen. **2.** Stinkende Passi'onsblume. **3.** Filziges Hornkraut. '~-**in-'i·dle·ness** *s bot.* Wildes Stiefmütterchen.

Love·lace ['lʌvleis] *s* Wüstling *m* (*nach der Gestalt in Richardsons Roman „Clarissa"*).

love·less ['lʌvlis] *adj* **1.** lieblos. **2.** ungeliebt.

love| let·ter *s* Liebesbrief *m.* '~-**lies-'bleed·ing** *s bot.* **1.** Roter Fuchsschwanz. **2.** Flammendes Herz. **3.** Blutströpfchen *n.*

love·li·ness ['lʌvlinis] *s* Lieblichkeit *f*, Schönheit *f*, (*das*) Entzückende.

'**love|,lock** *s* Schmachtlocke *f.* '~,**lorn** *adj* **1.** vom Geliebten *od.* von der Geliebten verlassen. **2.** liebeskrank.

love·ly ['lʌvli] **I** *adj* (*adv* lovelily) **1.** lieblich, wunderschön, aller'liebst, hold, (*a. colloq.*) entzückend, reizend. **2.** *colloq.* a) ‚goldig', ‚süß', b) köstlich, herrlich. **II** *s* **3.** *colloq.* ‚Hübsche' *f*, ‚Süße' *f.*

'**love|-,mak·ing** *s* **1.** Lieben *n.* **2.** Liebeswerben *n.* ~ **match** *s* Liebesheirat *f.* ~ **nest** *s colloq.* ‚Liebesnest' *n.* ~ **phil·ter**, *bes. Br.* ~ **phil·tre** *s* Liebestrank *m.*

lov·er ['lʌvər] *s* **1.** a) Liebhaber *m*, Geliebte(r) *m*, Liebste(r) *m*, b) Geliebte *f.* **2.** *pl* Liebende *pl*, Liebespaar *n*: ~s' lane *colloq.* ‚Seufzergäßchen' *n.* **3.** Liebhaber(in), (*Musik- etc*)Freund(in): a ~ of music.

lov·er·ly ['lʌvərli] *adj u. adv* zärtlich-ga'lant.

love| seat *s* kleines Sofa für zwei. ~ **set** *s Tennis*: 'Nullpar,tie *f*, Blanksatz *m* (0 : 6). '~,**sick** *adj* liebeskrank. ~ **song** *s* Liebeslied *n.* ~ **sto·ry** *s* Liebesgeschichte *f.* ~ **to·ken** *s* Liebespfand *n.*

lov·ing ['lʌviŋ] *adj* (*adv* ~ly) liebend, liebevoll, zärtlich: your ~ father (*als Briefschluß*) Dein Dich liebender Vater. ~ **cup** *s* Liebes-, 'Umtrunkbecher *m.* '~-'**kind·ness** *s* **1.** (göttliche) Gnade *od.* Barm'herzigkeit. **2.** Herzensgüte *f.*

low[1] [lou] **I** *adj* **1.** nieder, niedrig (*a. fig.*): ~ building (forehead, number, price, temperature, wages *etc*); ~ brook seichter Bach; ~ speed geringe Geschwindigkeit; at the ~est wenigstens, mindestens; to bring ~ *fig. j-n* demütigen; to lay ~ a) niederstrecken, b) *fig.* zur Strecke bringen; → lie low. **2.** tiefgelegen: ~ ground. **3.** tief: a ~ bow; ~ flying *aer.* Tiefflug *m*; the sun is ~ die Sonne steht tief. **4.** → low-necked. **5.** a) fast leer (*Gefäß*), b) fast erschöpft, knapp (*Vorrat etc*): to run ~ knapp werden; I am ~ in funds ich bin nicht gut bei Kasse. **6.** schwach, kraftlos, matt: ~ pulse schwacher Puls. **7.** a) wenig nahrhaft, kraftlos, b) einfach, fru'gal (*Kost*). **8.** gedrückt, niedergeschlagen: ~ spirits gedrückte Stimmung; to feel ~ a) in gedrückter Stimmung sein, b) sich elend fühlen. **9.** (*zeitlich*) verhältnismäßig neu *od.* jung: of ~ date (verhältnismäßig) neuen Datums; of a ~er date jüngeren Datums. **10.** gering(schätzig): → opinion 3. **11.** minderwertig. **12.** (*sozial*) unter(er, e, es), nieder, niedrig: of ~ birth von niedriger Abkunft; high and ~ hoch u. niedrig (*jedermann*); ~ life das Leben der einfachen Leute. **13.** a) gewöhnlich, niedrig (*denkend od. gesinnt*): ~ thinking niedrige Denkungsart, b) ordi'när, vul'gär, ungebildet, gemein: a ~ expression; a ~ fellow, c) gemein, niederträchtig: a ~ trick. **14.** nieder, primi'tiv, tiefstehend: ~ forms of life niedere Lebensformen; ~ race primitive Rasse. **15.** tief (*Ton etc*). **16.** leise (*Ton, Stimme etc*). **17.** *ling.* offen. **18.** *bes. Br. für* low-church. **19.** *tech.* erst(er, e, es), niedrigst(er, e, es): in ~ gear.

II *adv* **20.** niedrig: it hangs ~; to aim ~er. **21.** tief: to bow ~. **22.** *fig.* tief: sunk thus ~ so tief gesunken; to bring s.o. ~ j-n zu Fall bringen, j-n ruinieren. **23.** kärglich, dürftig: to live ~. **24.** billig: to sell s.th. ~. **25.** niedrig, mit geringem Einsatz: to play ~ niedrig spielen. **26.** tief(klingend): to sing ~ tief singen. **27.** leise: to talk ~.

III *s* **28.** *mot.* erster Gang. **29.** *meteor.* Tief(druckgebiet) *n.* **30.** *bes. Am. fig.* Tiefstand *m.*

low[2] [lou] **I** *v/t u. v/i* brüllen, muhen (*Rind*). **II** *s* Brüllen *n*, Muhen *n.*

'**low|,born** *adj* aus niederem Stande, von niedriger Geburt. '~,**boy** *s Am.* niedrige Kom'mode. '~,**bred** *adj* ungebildet, unfein, ordi'när, gewöhnlich. '~,**brow** *colloq.* **I** *s* geistig Anspruchslose(r *m*) *f*, ‚Unbedarfte(r' *m*) *f.* **II** *adj* geistig anspruchslos, ‚unbedarft'. '~,**budg·et** *adj* billig, preiswert, für einfache Ansprüche. '~-,**ceil·inged** *adj* niedrig (*Raum*). ~ **cel·e·bra·tion** *s relig.* stille Messe. **L~ Church** *s relig.* Low Church *f* (*protestantisch-pietistische Sektion der anglikanischen Kirche*). '~-,**church** *adj* Low-Church ..., der Low Church. ,**L~-'Church·ism** *s relig.* Zugehörigkeit *f* zur Low Church. ,**L~-'Church·man** *s irr relig.* Anhänger *m* der Low Church. ~ **com·e·dy** *s* Posse *f*, (derber) Schwank. ~ **coun·try** *s geogr.* Tiefland *n.* **L~ Countries** *s pl* (*die*) *Niederlande, Belgien u. Luxemburg.* '~-'**down** *sl.* **I** *adj* niederträchtig, gemein, ‚fies'. **II** *s* (*die*) (*eigentliche*) Wahrheit, genaue Tatsachen *pl*, (*die*) 'Hintergründe *pl.* ,~-'**down·er** *s Am. colloq.* her'untergekommener Weißer.

low·er[1] ['lauər] *v/i* **1.** finster *od.* drohend blicken. **2.** finster drohen (*Himmel, Wolken etc*). **3.** *fig.* drohen.

low·er[2] ['louər] **I** *v/t* **1.** niedriger machen: to ~ a wall. **2.** *die Augen, den Gewehrlauf etc, a. die Stimme, den Preis, die Temperatur etc* senken. **3.** *fig.* erniedrigen: to ~ o.s. a) sich demütigen, b) sich herablassen. **4.** abschwächen, mäßigen: to ~ one's hopes s-e Hoffnungen herabschrauben. **5.** her'unter-, her'ab-, niederlassen, *Fahne, Segel* niederholen, streichen. **6.** *mus.* (*im Ton*) erniedrigen. **7.** abnehmen lassen: a ~ing diet e-e zehrende Diät. **II** *v/i* **8.** sich senken, sinken, her'untergehen, fallen.

low·er[3] ['louər] **I** *comp von* low[1] I. **II** *adj* **1.** tiefer, niedriger: a ~ estimate e-e niedrigere Schätzung. **2.** unter(er, e, es), Unter...: ~ jaw Unterkiefer *m*; ~ court *jur.* untergeordnetes Gericht. **3.** *geogr.* Unter..., Nieder...: L~ Austria Niederösterreich *n.* **4.** neuer, jünger (*Datum*). **5.** *biol.* nieder(er, e, es): the ~ plants.

low·er| boy *s Br.* 'Unterstufenschüler *m* (*e-r* Public School). ~ **case** *s print.* **1.** 'Unterkasten *m.* **2.** Kleinbuchstaben *pl.* '~-'**case** *print.* **I** *adj* **1.** klein. **2.** Kleinbuchstaben... **II** *v/t* **3.** in kleinen Buchstaben drucken. '~-,**class** *adj* **1.** *sociol.* der unteren Klassen *od.* Schichten. **2.** zweitklassig, minderwertig. '~'**class·man** *s irr ped. Am.* Stu'dent *m* im ersten *od.* zweiten Jahr, ‚jüngeres Se'mester'. ~ **crit·ic** *s* Textkritiker *m.* ~ **crit·i·cism** *s* 'Textkri,tik *f.* ~ **deck** *s mar.* **1.** 'Unterdeck *n.* **2.** the ~ *Br. collect.* die 'Unteroffi,ziere *pl u.* Mannschaftsgrade *pl.* ~ **Em·pire** *s hist.* (*das*) Oströmische Kaiserreich (*ab Konstantin I.*). ~ **house** *s parl.* 'Unterhaus *n.*

low·er·ing ['lauəriŋ] *adj* (*adv* ~ly) finster, düster drohend.

low·er·most ['louər,moust] **I** *adj* tiefst(er, e, es), unterst(er, e, es), niedrigst(er, e, es). **II** *adv* am niedrigsten, zu'unterst.

low·er| re·gion → lower world 2. ~ **school** *s* 'Unter- u. Mittelstufe *f* (*der höheren Schulen*). ~ **world** *s* **1.** (*die*) Erde. **2.** Hölle *f*, 'Unterwelt *f.*

low·er·y ['lauəri] *adj* finster, düster.

low| ex·plo·sive *s chem.* Sprengstoff *m* geringer Bri'sanz. ~ **fre·quen·cy** *s electr. phys.* 'Niederfre,quenz *f.* ~ **gear** *s mot.* **1.** niedriger Gang. **2.** *Am.* erster Gang. **L~ Ger·man** *s ling.* **1.** Niederdeutsch *n*, das Niederdeutsche. **2.** Plattdeutsch *n*, das Plattdeutsche. '~-,**grade** *adj* **1.** minder-, geringwertig. **2.** leicht: ~ fever. '~-,**heeled** *adj* mit niedrigen Absätzen. '~**land** [-lənd] **I** *s oft pl* Tiefland *n*, Niederung *f*: the L~s das (*schottische*) Tiefland. **II** *adj* Tiefland(s)...: L~ Scotch (*od.* Scots) *ling.* Tieflandschottisch *n.* '~**·land·er** [-ləndər] *s* **1.** Tieflandsbewohner(in). **2.** L~ (*schottischer*) Tiefländer. **L~ Lat·in** *s ling.* nichtklassisches La'tein. '~-ˌ**lev·el** *adj* **1.** von niederem Rang, niedrig: ~ officials. **2.** *aer. mil.* Tief(flieger)...: ~ attack; ~ bombing Bombenwurf *m* aus niedriger Flughöhe; ~ flight Tiefflug *m.* '~ˌ**life** *s Am.* **1.** Angehörige(r *m*) *f* der 'Unterschicht. **2.** *contp.* 'Untermensch *m.*

low·li·ness ['loulinis] *s* **1.** Niedrigkeit *f.* **2.** Demut *f*, Bescheidenheit *f.*

low·ly ['louli] **I** *adj* (*adv* lowlily) **1.** niedrig, einfach, gering, bescheiden. **2.** primi'tiv, tiefstehend, niedrig. **3.** demütig, bescheiden. **II** *adv* **4.** niedrig (*etc*; → I).

Low| Mass *s R.C.* Stille Messe. 'l~-'**mind·ed** *adj* niedrig (gesinnt), gemein. 'l~-ˌ**necked** *adj* tief ausgeschnitten (*Kleid*).

low·ness ['lounis] *s* **1.** Niedrigkeit *f* (*a. fig. contp.*). **2.** Tiefe *f* (*e-r Verbeugung, e-s Tons etc*). **3.** Knappheit *f.* **4.** ~ of spirits Niedergeschlagenheit *f*, Gedrücktheit *f.* **5.** Minderwertigkeit *f.* **6.** ordi'näre Art. **7.** Gemeinheit *f.*

'**low|-ˌpass fil·ter** *s electr.* Tiefpaß *m.* '~-'**pitched** *adj* **1.** *mus.* tief. **2.** von geringer Steigung (*Dach*). ~ **pres·sure** *s* **1.** *tech.* Nieder-, 'Unterdruck *m.* **2.** *meteor.* Tiefdruck *m.* '~-'**pres·sure** *adj* **1.** *tech.* Niederdruck... **2.** *meteor.* Tiefdruck... **3.** *Am.* a) sanft, gemütlich, b) entspannt. ~ **re·lief** *s* 'Bas-, 'Flachreliˌef *n.* ~ **shoe** *s* Halbschuh *m.* '~-ˌ**slung** *adj* nieder, niedrig. '~-'**spir·it·ed** *adj* niedergeschlagen, gedrückt, depri'miert. **L~ Sun·day** *s* Weißer Sonntag (*erster Sonntag nach Ostern*). '~-'**tem·per·a·ture** *adj tech.* Niedertemperatur...: ~ carbonization Schwelen *n* (*von Kohle*); ~ coke Schwelkoks *m.* ~ **ten·sion** *s electr.* Niederspannung *f.* '~-'**test** *adj chem.* mit hohem Siedepunkt, drittklassig (*Benzin etc*). ~ **tide** → low water. ~ **volt·age** *s electr.* **1.** Niederspannung *f.* **2.** Schwachstrom *m.* ~ **wa·ter** *s mar.* Niedrigwasser *n*, tiefster Gezeitenstand: to be in ~ *fig.* auf dem trockenen sitzen. '~-'**wa·ter mark** *s* **1.** *mar.* Niedrigwassermarke *f.* **2.** *fig.* Tiefpunkt *m*, -stand *m.* **L~ Week** *s* Woche *f* nach dem Weißen Sonntag. '~-'**wing air·craft** *s aer.* Tiefdecker *m.*

lox [lɒks] *s tech.* Flüssigsauerstoff *m.*

lox·o·drome ['lɒksoˌdroum] *s* **1.** *math.* Loxo'drome *f.* **2.** *aer. mar.* → rhumb 2. ˌ**lox·o'drom·ic** [-'drɒmik] *math.* **I** *adj* loxo'dromisch: ~ line Loxodrome *f.* **II** *s* → loxodrome 1. ˌ**lox·o'drom·i·cal** → loxodromic I. ˌ**lox·o'drom·ics** *s pl* (*oft als sg konstruiert*) *mar.* Loxodro'mie *f.*

lox·y·gen ['lɒksidʒən] → lox.

loy·al ['lɔiəl] *adj* (*adv* ~ly) **1.** (to) loy'al (gegenüber), treu (ergeben) (*dat*): a ~ friend ein treuer *od.* zuverlässiger Freund. **2.** (ge)treu (to *dat*): ~ to his vow. **3.** aufrecht, bieder, redlich. '**loy·al·ist I** *s* Loya'list(in): a) *allg.* Treugesinnte(r *m*) *f*, b) *a.* L~ *hist.* Königstreue(r *m*) *f* (*während des nordamer. Unabhängigkeitskriegs*), c) L~ *hist. Anhänger(in) der Republik während des spanischen Bürgerkriegs.* **II** *adj* loya'listisch.

loy·al·ty ['lɔiəlti] *s* **1.** Loyali'tät *f*, Treue *f* (to zu, gegen). **2.** Rechtschaffenheit *f*, Redlichkeit *f.*

loz·enge ['lɒzindʒ] *s* **1.** *her. math.* Raute *f*, Rhombus *m*: ~ mo(u)lding *arch.* Rautenstab *m.* **2.** *her.* rautenförmiges Wappenschild (*von Witwen od. unverheirateten Frauen*). **3.** (*bes.* 'Husten-, 'Brust)Paˌstille *f*, (-)Bonˌbon *m, n.* **4.** Raute *f*, rautenförmige Fa'cette (*e-s Edelsteins*). '**loz·enged** *adj* **1.** rautenförmig. **2.** gerautet. '**loz·en·gy** *adj her.* gerautet.

LSD [ˌeles'diː] *s pharm.* (*abbr. von* lysergic acid diethylamide) LS'D *n* (*Rauschgift*).

L.S.D., £.s.d. [ˌeles'diː] *s* (*abbr. von librae, solidi, denarii = pounds, shillings, pence*) Geld *n*: it's a matter of ~ es ist e-e Geldfrage.

lub·ber ['lʌbər] *s* **1.** a) Lümmel *m*, Flegel *m*, b) Tölpel *m*, Trottel *m.* **2.** *mar.* unbefahrener Seemann, Landratte *f*: ~'s hole *obs.* Soldatengatt *n*; ~'s line Steuerstrich *m* (*im Kompaßgehäuse*). '**L~ˌland** *s* Schla'raffenland *n.*

lub·ber·ly ['lʌbərli] *adj u. adv* tolpatschig, tölpelhaft, ‚tappig'.

lube [luːb; ljuːb], *a.* ~ **oil** (*abbr. für* lubricating oil) *s tech.* Schmieröl *n.*

lu·bra ['luːbrə] *s Austral.* (weibliche) Eingeborene.

lu·bri·cant ['luːbrikənt; 'ljuː-] **I** *adj* gleitfähig machend, schmierend. **II** *s tech.* Gleit-, Schmiermittel *n.* '**lu·bri·ˌcate** [-ˌkeit] *v/t* **1.** gleitfähig machen. **2.** *tech. u. fig.* schmieren, ölen. '**lu·briˌcat·ing** *adj tech.* Schmier...: ~ ~ grease Schmierfett *n*; ~ oil Schmieröl *n*; ~ power Schmierfähigkeit *f.* ˌ**lu·bri'ca·tion** *s tech. u. fig.* Schmieren *n*, Schmierung *f*, Ölen *n*: ~ chart Schmierplan *m*; ~ point Schmierstelle *f*, -nippel *m.* ˌ**lu·bri'ca·tion·al,** '**lu·briˌca·tive** [-tiv] *adj* schmierend, ölend. '**lu·briˌca·tor** [-tər] *s tech.* Öler *m*, Schmiervorrichtung *f.*

lu·bric·i·ty [luː'brisiti; ljuː-] *s* **1.** Gleitfähigkeit *f*, Schlüpfrigkeit *f* (*a. fig.*). **2.** *tech.* Schmierfähigkeit *f.* **3.** *fig.* Unbeständigkeit *f.* **4.** *fig.* Geilheit *f.* '**lu·bri·cous** [-kəs] *adj* **1.** glatt, schlüpfrig (*a. fig.*). **2.** *fig.* unbeständig.

lu·carne [luː'kɑːrn; ljuː-] → dormer window.

luce [ljuːs; luːs] *s* (ausgewachsener) Hecht.

lu·cen·cy ['ljuːsnsi; 'luː-] *s* **1.** Glanz *m.* **2.** 'Durchsichtigkeit *f*, Klarheit *f.* '**lu·cent** *adj* **1.** glänzend, strahlend. **2.** 'durchsichtig, klar.

lu·cern → lucerne.

lu·cer·nal [lu(ː)'səːrnl; lju(ː)-] *adj* Lampen...: ~ microscope.

lu·cerne [lu(ː)'səːrn; lju(ː)-] *s bot.* Lu'zerne *f.*

lu·cid ['luːsid; 'ljuː-] *adj* (*adv* ~ly) **1.** *fig.* klar: a) deutlich: a ~ style, b) hell, licht (*Geist, Gedanken etc*): ~ interval *psych.* lichter Augenblick. **2.** → lucent. **3.** *bot. zo.* glatt u. glänzend. **lu'cid·i·ty,** '**lu·cid·ness** *s* **1.** *fig.* Klarheit *f*, Deutlichkeit *f.* **2.** *fig.* Klarheit *f* (*des Geistes etc*). **3.** 'Durchsichtigkeit *f.* **4.** Helligkeit *f*, Glanz *m.*

Lu·ci·fer ['luːsifər; 'ljuː-] *s* **1.** *Bibl.* Luzifer *m*: as proud as ~ sündhaft überheblich. **2.** *astr. poet.* Luzifer *m* (*der Planet Venus als Morgenstern*). **3.** l~, *a.* l~ match *obs.* Streichholz *n.*

lu·cif·er·ous [lu(ː)'sifərəs; lju(ː)-] *adj* **1.** lichtspendend. **2.** *fig.* lichtvoll.

luck [lʌk] *s* **1.** Schicksal *n*, Geschick *n*, Zufall *m*: as ~ would have it wie es der Zufall *od.* das Schicksal wollte, (un)glücklicherweise; bad (*od.* hard, ill) ~ Unglück *n*, Pech *n*; good ~ Glück *n*; good ~! viel Glück!, Hals- u. Beinbruch!; bad ~ to him! ich wünsch' ihm alles Schlechte!; worse ~ (*meist als Einschaltung*) unglücklicherweise, leider; worst ~ Pech *n*; to be down on one's ~ vom Pech verfolgt sein *od.* werden; just my ~! so geht es mir immer. **2.** Glück *n*: for ~ als Glücksbringer; to be in (out of) ~ (kein) Glück haben; to have the ~ to das Glück haben zu; I had the ~ to succeed glücklicherweise gelang es mir; to try one's ~ sein Glück versuchen; with ~ you will find it wenn Sie Glück haben, finden Sie es; ~ penny Glückspfennig *m.*

luck·ie → lucky².

luck·i·ly ['lʌkili] *adv* zum Glück, glücklicherweise: ~ for me zu m-m Glück. '**luck·i·ness** *s* Glück *n.*

luck·less ['lʌklis] *adj* **1.** unglücklich. **2.** glück-, erfolglos. '**luck·less·ly** *adv* **1.** unglücklicherweise. **2.** ohne Glück. '**luck·less·ness** *s* **1.** Unglück *n.* **2.** Glücklosigkeit *f.*

luck·y¹ ['lʌki] **I** *adj* (*adv* → luckily) **1.** Glücks..., glücklich: a ~ day ein Glückstag; ~ bag (*od.* dip) Glücksbeutel *m*; ~ fellow Glückspilz *m*; ~ hit Glücks-, Zufallstreffer *m*; to be ~ Glück haben. **2.** glückbringend, Glücks... **II** *s* **3.** to cut (*od.* make) one's ~ *sl.* ‚verduften'.

luck·y² ['lʌki] *s Scot.* (Groß)Mütterchen *n*, Gevatterin *f.*

lu·cra·tive ['luːkrətiv; 'ljuː-] *adj* (*adv* ~ly) einträglich, gewinnbringend, lukra'tiv.

lu·cre ['luːkər; 'ljuː-] *s contp.* **1.** Gewinn *m*, Pro'fit *m.* **2.** Hab-, Gewinnsucht *f*, Pro'fitgier *f*: filthy ~ gemeine Profitgier, (*der*) schnöde Mammon; for ~ aus Gewinnsucht.

lu·cu·brate ['luːkjuˌbreit; 'ljuː-] *v/i* **1.** bei Nacht arbeiten. **2.** lange u. gelehrte Ar'tikel schreiben. ˌ**lu·cu'bra·tion** *s* **1.** mühsames (*bes.* Nacht)Studium, mühsame wissenschaftliche Arbeit. **2.** (*oft* pe'dantische) gelehrte Abhandlung.

lu·cu·lent ['luːkjulənt; 'ljuː-] *adj* (*adv* ~ly) *fig.* klar, über'zeugend.

Lu·cul·lan [lu(ː)'kʌlən; lju(ː)-], **Lu'cul·li·an** [-liən], *a.* **Lu·cul·le·an** [ˌluːkə'liːən; ˌljuː-] *adj* lu'kullisch.

lud [lʌd] → lord 9.

Lud·dite ['lʌdait] *s* Lud'dit *m* (*Anhänger des englischen Arbeiters Ned Lud, der 1811—16 das Los der Arbeiter durch die Zerstörung der Maschinen in den Fabriken bessern wollte*).

lu·di·crous ['luːdikrəs; 'ljuː-] *adj* (*adv* ~ly) **1.** lächerlich, albern, komisch, ab'surd, skur'ril. **2.** spaßig, lustig, drollig. '**lu·di·crous·ness** *s* **1.** Lächerlichkeit *f*, Albernheit *f.* **2.** Spaßhaftigkeit *f*, Spaßigkeit *f*, Drolligkeit *f.*

lu·do ['luːdou; 'ljuː-] *s* Mensch, ärgere dich nicht *n* (*ein Würfelspiel*).

lu·es ['luːiːz; 'ljuːiːz] *s med.* Syphilis *f*, Lues *f.* ~ **Bos·well·i·a·na** [bɒzˌweli'ɑːnə; -'ænə] *s fig.* Boswellsche Krankheit (*Neigung des Biographen zur Verherrlichung*).

lu·et·ic [lu(ː)'etik; lju(ː)-] *adj med.* lu'etisch, syphi'litisch.

luff¹ [lʌf] *mar.* **I** *s* **1.** Luven *n.* **2.** Luv(seite) *f*, Windseite *f.* **3.** Backe *f* (*des Bugs*). **II** *v/t* **4.** *a.* ~ up an-, aufluven, an den Wind bringen. **5.** *a.* ~ away über'loppen, *e-m Segelboot* den Wind wegfangen: ~ing match Luvkampf *m.* **III** *v/i* **6.** *a.* ~ up an-, aufluven.

luff² [lʌf] *s mil. sl.* Leutnant *m.*

luf·fa ['lʌfə] *s bot. econ.* Luffa *f.*

lug¹ [lʌg] **I** *v/t pret u. pp* **lugged**

1. (gewaltsam *od.* mühsam) zerren, schleppen, schleifen: to ~ in *fig.* (mit Gewalt) hineinbringen, an den Haaren herbeiziehen. **II** *s* **2.** Zerren *n*, heftiger Ruck. **3.** *colloq.* (*zu ziehende*) Last: a heavy ~ e-e schwere Ladung. **4.** *Am.* (*etwa*) 12-Kilo-Korb *m od.* -Kiste *f* (*zum Obsttransport*). **5.** *pl Am. colloq.* (großartige) Al'lüren *pl.* **6.** to put the ~ on s.o. *Am. sl.* j-n erpressen *od.* unter Druck setzen. **7.** *mar.* → lugsail.

lug² [lʌg] *s* **1.** *bes. Scot.* Ohr *n*. **2.** (Leder)Schlaufe *f*. **3.** *electr.* (Anschluß)Fahne *f* (*an Sammlern etc*). **4.** *tech.* a) Henkel *m*, Öhr *n*, b) Knagge *f*, Zinke *f*, c) Ansatz *m*, Halter *m*. **5.** *sl.* a) Trottel *m*, ‚Schafskopf' *m*, b) Kerl *m*, ‚Knülch' *m*.

lug³ [lʌg] → lugworm.

luge [luːʒ] **I** *s* Renn-, Rodelschlitten *m*. **II** *v/i* rodeln.

lug·gage ['lʌgidʒ] *s bes. Br.* (Reise-)Gepäck *n*. ~ **boot** *s mot.* Kofferraum *m*. ~ **car·ri·er** *s* Gepäckträger *m* (*am Fahrrad*). ~ **com·part·ment** *s* **1.** *aer. rail.* Gepäckraum *m*. **2.** → luggage boot. ~ **grid** *s mot.* Gepäckbrücke *f*. ~ **in·sur·ance** *s* Reisegepäckversicherung *f*. ~ **lock·er** *s* Gepäckschließfach *n* (*auf Bahnhöfen etc*). ~ **of·fice** *s* Gepäckschalter *m*. ~ **rack** *s rail.* Gepäcknetz *n*. ~ **tick·et** *s* Gepäckschein *m*. ~ **van** *s rail.* Packwagen *m*.

lug·ger ['lʌgər] *s mar.* Lugger *m*, Logger *m* (*Segelschiff*).

'lug,sail *s mar.* Lugger-, Logger-, Sturmsegel *n*, Breitfock *f*.

lu·gu·bri·ous [luː'gjuːbriəs; -'guː-] *adj* (*adv* ~ly) **1.** traurig, kummervoll, Trauer... **2.** kläglich.

'lug,worm *s zo.* Köderwurm *m*.

Luke [luːk; ljuːk] *npr u. s Bibl.* 'Lukas(evan,gelium *n*) *m*.

luke·warm ['luːk,wɔːrm; 'ljuːk-] **I** *adj* (*adv* ~ly) **1.** lau(warm). **2.** *fig.* lau: a ~ reception. **II** *s* **3.** lauer Mensch. **'luke,warm·ness** *s* Lauheit *f* (*a. fig.*).

lull [lʌl] **I** *v/t* **1.** *meist* ~ to sleep einlullen. **2.** *fig.* j-n (*bes. durch Täuschung*) beruhigen, beschwichtigen: to ~ s.o.'s suspicions j-s Argwohn zerstreuen; to ~ s.o. into a false sense of security j-n in Sicherheit wiegen. **3.** (*meist pass*) sich legen, sich beruhigen: the sea was ~ed. **II** *v/i* **4.** sich legen, sich beruhigen, nachlassen: the storm ~ed. **III** *s* **5.** (Ruhe-)Pause *f*, vor'übergehendes Nachlassen: a ~ (in the wind) e-e Flaute, e-e kurze Windstille; a ~ in conversation e-e Gesprächspause; business ~ Geschäftsstille *f*, Flaute *f*; the ~ before the storm *fig.* die Stille vor dem Sturm.

lull·a·by ['lʌlə,bai] **I** *s* Eiapo'peia *n*, Wiegen-, Schlaflied *n*. **II** *v/t* in den Schlaf singen.

lu·lu ['luːluː] *s Am. sl.* ‚tolles Ding'.

lum·bag·i·nous [lʌm'bædʒinəs; -'beidʒ-] *adj* lumbagi'nös, Hexenschuß... **lum'ba·go** [-'beigou] *s med.* Hexenschuß *m*, Lum'bago *f*.

lum·bar ['lʌmbər] *anat.* **I** *adj* **1.** Lenden..., lum'bal. **II** *s* **2.** Lendenwirbel *m*. **3.** Lendennerv *m*. **4.** Lum'balvene *f od.* -ar,terie *f*.

lum·ber¹ ['lʌmbər] **I** *s* **1.** *bes. Am. u. Canad.* (*gesägtes od. roh behauenes*) Bau-, Nutzholz: ~ carrier Holztransportschiff *n*. **2.** Gerümpel *n*, Plunder *m*, (Trödel)Kram *m*. **3.** 'überflüssiger Ballast. **4.** *physiol.* 'überflüssiges Fett. **II** *v/i* **5.** Holz aufbereiten. **III** *v/t* **6.** planlos aufhäufen. **7.** *a.* ~ up *Zimmer etc* (sinnlos) vollstopfen, *a. e-e Erzählung etc* über'laden (with mit).

lum·ber² ['lʌmbər] *v/i* **1.** sich (da'hin)schleppen, schwerfällig gehen. **2.** (da'hin)rumpeln, (-)poltern (*Wagen*).

lum·ber·er ['lʌmbərər] *s* Holzfäller *m*, -arbeiter *m*.

lum·ber·ing¹ ['lʌmbəriŋ] *s* Holzaufbereitung *f*.

lum·ber·ing² ['lʌmbəriŋ] *adj* (*adv* ~ly) **1.** schwerfällig, plump. **2.** rumpelnd.

'lum·ber|,jack *s* **1.** Holzfäller *m*, -arbeiter *m*. **2.** → lumber jacket. ~ **jack·et** *s Am.* Lumberjack *m* (*Sportjacke*). '~**·man** [-mən] *s irr* → lumberjack 1. ~ **mill** *s* Sägewerk *n*, -mühle *f*. ~ **room** *s* Rumpelkammer *f*. ~ **trade** *s* (Bau)Holzhandel *m*. '~**,yard** *s* Holz-, Zimmerplatz *m*.

lum·bo·ab·dom·i·nal [,lʌmboæb'dɒminl] *adj anat. med.* Lenden- u. Bauch...

lum·bri·coid ['lʌmbri,kɔid] *zo.* **I** *adj* **1.** wurmartig, -förmig. **2.** Spulwurm... **II** *s* **3.** Spulwurm *m*.

lu·men ['luːmin; 'ljuː-] *s* **1.** *phys.* Lumen *n* (*Einheit des Lichtstroms*). **2.** *anat.* Röhre *f*, Hohlraum *m*.

lu·mi·nant ['luːminənt; 'ljuː-] **I** *adj* leuchtend. **II** *s* Leuchtkörper *m*, -stoff *m*.

lu·mi·nar·ist [*Br.* 'luːminərist; 'ljuː-; *Am.* -mə'nɛr-] *s paint.* Meister *m* in der Darstellung von 'Lichtef,fekten.

lu·mi·nar·y ['luːminəri; 'ljuː-] *s* **1.** Leuchtkörper *m*. **2.** *astr.* Himmelskörper *m*. **3.** *fig.* Leuchte *f* (*Person*).

lu·mi·nesce [,luːmi'nes; ,ljuː-] *v/i phys.* lumines'zieren. **,lu·mi'nes·cence** *s* Lumines'zenz *f*. **,lu·mi'nes·cent** *adj* lumines'zierend.

lu·mi·nif·er·ous [,luːmi'nifərəs; 'ljuː-] *adj* **1.** *phys.* a) lichterzeugend, b) lichtfortpflanzend. **2.** lichtspendend, leuchtend.

lu·mi·nist ['luːminist; 'ljuː-] → luminarist.

lu·mi·nos·i·ty [,luːmi'nɒsiti; ,ljuː-] *s* **1.** Leuchten *n*, Glanz *m*, Helle *f*. **2.** leuchtender Gegenstand. **3.** *astr. phys.* Lichtstärke *f*, Helligkeit *f*.

lu·mi·nous ['luːminəs; 'ljuː-] *adj* (*adv* ~ly) **1.** leuchtend, strahlend, Leucht...: ~ dial Leuchtzifferblatt *n*; ~ energy *phys.* a) Licht-, Strahlungsenergie *f*, b) Leuchtkraft *f*; ~ flux *phys.* Lichtstrom *m*; ~ paint Leuchtfarbe *f*; ~ screen *TV* Leuchtschirm *m*. **2.** hell erleuchtet: a ~ hall. **3.** *fig.* glänzend: a ~ future. **4.** *fig.* a) intelli'gent, bril'lant, aufgeklärt: a ~ mind, b) lichtvoll, klar, einleuchtend: ~ ideas. **'lu·mi·nous·ness** → luminosity 1.

lum·me ['lʌmi] *interj Br. vulg.* **1.** Donnerwetter! (*überrascht*). **2.** bei Gott! (*bekräftigend*).

lum·mox ['lʌməks] *s Am. colloq.* ‚Dussel' *m*, Trottel *m*, Blödian *m*.

lum·my ['lʌmi] → lumme.

lump¹ [lʌmp] **I** *s* **1.** Klumpen *m*, Brocken *m*: to have a ~ in one's throat *fig.* e-n Kloß im Hals haben; he is a ~ of selfishness er ist die pure Selbstsucht. **2.** Schwellung *f*, Beule *f*, Höcker *m*. **3.** unförmige Masse. **4.** Stück *n Zucker etc.* **5.** *metall.* Luppe *f*, Deul *m*. **6.** *fig.* Gesamtheit *f*, Masse *f*: all of (*od.* in) a ~ alles auf einmal; in the ~ a) in Bausch u. Bogen, b) im großen, en masse. **7.** *a. pl colloq.* Haufen *m*, Masse *f*, Unmenge *f Geld etc.* **8.** *colloq.* a) ‚Klotz' *m* (*langweilige Person*), b) ‚Brocken' *m* (*stämmige Person*).

II *adj* **9.** Stück...: ~ coal Stückkohle *f*; ~ sugar Würfelzucker *m*. **10.** *a.* ~-sum Pauschal...: a ~ sum e-e Pauschalsumme; ~-sum settlement Pauschalabfindung *f*.

III *v/t* **11.** *oft* ~ together a) zs.-ballen, b) *fig.* zs.-werfen, in 'einen Topf werfen (with *od.* in with mit), über 'einen Kamm scheren, c) zs.-fassen (under one heading unter 'einer 'Überschrift). **12.** *gesamte Summe* wetten, setzen (on auf *acc*).

IV *v/i* **13.** Klumpen bilden, sich zs.-klumpen *od.* -ballen. **14.** plumpsen.

lump² [lʌmp] *v/t colloq.* 'hinnehmen: if you don't like it you may (*od.* can) ~ it a) wenn es dir nicht paßt, kannst du's ja bleiben lassen, b) du wirst dich eben damit abfinden müssen.

lump·i·ness ['lʌmpinis] *s* klumpige Beschaffenheit.

lump·ing ['lʌmpiŋ] *adj colloq.* **1.** massig, schwer. **2.** reichlich, gut: ~ weight.

lump·ish ['lʌmpiʃ] *adj* (*adv* ~ly) **1.** klotzig. **2.** massig, schwer. **3.** schwerfällig, plump. **4.** träge, ‚stur'.

lump·y ['lʌmpi] *adj* (*adv* lumpily) **1.** klumpig. **2.** schwer, massig. **3.** *mar.* unruhig (*See*).

lu·na·cy ['luːnəsi; 'ljuː-] *s med.* a) Wahn-, Irrsinn *m* (*beide a. fig. colloq.*), b) *jur.* geistige Unzurechnungsfähigkeit: commission of ~ Aufsichtskommission *f* für Heil- u. Pflegeanstalten; master in ~ Vormundschaftsrichter *m* für Geisteskranke.

lu·nar ['luːnər; 'ljuː-] *adj* **1.** Mond..., Lunar..., lu'nar: ~ cycle Mondzyklus *m*; ~ day (month, year) Mondtag *m* (-monat *m*, -jahr *n*); ~ distance Mondentfernung *f*; ~ observation *mar.* Monddistanzbeobachtung *f*. **2.** Silber... ~ **bone** *s anat.* Mondbein *n* (*ein Handwurzelknochen*). ~ **caus·tic** *s pharm.* Höllenstein *m*. ~ **mod·ule** *s Raumfahrt*: Mondfähre *f*.

lu·na·tic ['luːnətik; 'ljuː-] **I** *adj* geisteskrank, wahn-, irrsinnig (*a. fig.*): ~ asylum Irrenanstalt *f*; ~ fringe *colloq.* (*die*) Hundertfünfzigprozentigen, extremistische Kreise. **II** *s* Wahnsinnige(r *m*) *f*, Geisteskranke(r *m*) *f*.

lu·na·tion [luː'neiʃən; ljuː-] *s astr.* Lunati'on *f*, syn'odischer Monat.

lunch [lʌntʃ] **I** *s* Lunch *m*, Luncheon *m*: a) (*wenn die Hauptmahlzeit abends eingenommen wird*) Mittagessen *n*, b) (*wenn die Hauptmahlzeit mittags eingenommen wird*) zweites Frühstück: ~ basket Imbißkorb *m*; ~ break (*od.* hour, time) Mittagspause *f*, -zeit *f*; ~ counter, ~ room Imbißbar *f* (*in Restaurants*). **II** *v/i* das Mittagessen *etc* einnehmen, lunchen. **III** *v/t j-n* beköstigen.

lunch·eon ['lʌntʃən] **I** *s* **1.** *formell für* lunch I. **2.** Imbiß *m*: ~ bar → luncheonette. **II** *v/i* **3.** e-n Lunch *od.* Imbiß einnehmen. **,lunch·eon'ette** [-'net] *s Am.* Imbißstube *f*.

lunch·er ['lʌntʃər] *s* Speisende(r *m*) *f*.

lune [luːn; ljuːn] *s* **1.** *math.* sichelförmige Fi'gur, (Kreis-, Kugel)Zweieck *n*. **2.** Sichel *f*, Halbmond *m* (*Gegenstand*).

lu·nette [luː'net; ljuː-] *s* **1.** Lü'nette *f*: a) *arch.* Halbkreis-, Bogenfeld *n* (*über Fenstern, Türen etc*), b) (*halb*)*runde Öffnung in e-m Gewölbe*, c) *mil. hist.* Brillschanze *f*, d) Scheuklappe *f* (*vom Pferd*). **2.** *mil.* Zug-, Schlepp-, Protzöse *f*. **3.** flaches Uhrglas.

lung [lʌŋ] *s anat. zo.* Lunge(nflügel *m*) *f*: the ~s *pl* die Lunge (*als Organ*); the ~s of a city *fig.* die Lungen e-r Großstadt (*Grünanlagen etc*); ~ fever *med.* Lungenentzündung *f*; ~ **power** Stimmkraft *f*; ~ **sac** *zo.* Atemhöhle *f* (*von Weichtieren*); → **iron lung.**

lunge[1] [lʌndʒ] **I** *s* **1.** *sport* a) *fenc.* Ausfall *m*, Stoß *m*, b) *Gymnastik*: Ausfall *m*. **2.** Sprung *m* vorwärts, (mächtiger) Satz. **II** *v/i* **3.** *a.* ~ **out** *fenc.* ausfallen, e-n Ausfall machen (**at** gegen). **4.** losstürzen, -fahren (**at** auf *acc*), e-n Sprung *od.* Satz vorwärts machen. **5.** ~ **out** ausschlagen (*Pferd*). **III** *v/t* **6.** *e-e Waffe etc* stoßen, e-n Stoß führen mit. **7.** *a.* ~ **out** *e-n Schlag etc* vom Stapel lassen.

lunge[2] [lʌndʒ] → **longe.**

lung·er ['lʌŋər] *s colloq.* ‚Schwindsüchtige(r' *m*) *f*, Lungenkranke(r *m*) *f*.

'lung|,fish *s zo.* Lungenfisch *m*. **'~,worm** *s zo.* Lungenwurm *m* (*Schmarotzer*). **'~,wort** *s bot.* **1.** Lungenkraut *n*. **2.** Lungenflechte *f*.

lu·ni·so·lar [,luːni'soulər; ,ljuː-] *adj astr.* luniso'lar (*Sonne u. Mond betreffend*).

lu·ni·tid·al [,luːni'taidl; ,ljuː-] *adj astr.* Mondflut...

lu·pin(e) ['luːpin; 'ljuː-] *s bot.* Lu'pine *f*.

lu·pine ['luːpain; 'ljuː-] *adj* Wolfs..., wolfartig, wölfisch.

lu·pus ['luːpəs; 'ljuː-] *s med.* Lupus *m* (*Hautkrankheit*).

lurch[1] [ləːrtʃ] **I** *s* **1.** Taumeln *n*, Torkeln *n*. **2.** *mar.* plötzliches Schlingern, 'Überholen *n*, Rollen *n*. **3.** (plötzlicher) Ruck. **4.** *Am.* Hang *m*, Neigung *f* (**towards** zu). **II** *v/i* **5.** *mar.* schlingern. **6.** taumeln, torkeln, (sch)wanken.

lurch[2] [ləːrtʃ] *s obs.* **1.** (*Art*) Puffspiel *n*. **2.** haushohe Niederlage. **3.** *fig.* (Rück)Schlag *m*: **to leave in the** ~ *fig. j-n* im Stich(e) lassen.

lurch[3] [ləːrtʃ] *obs.* **I** *v/t* **1.** *j-m* zu'vorkommen. **2.** betrügen. **3.** stehlen. **II** *v/i* → **lurk 1.**

lure [lur] **I** *s* **1.** Köder *m* (**to** für) (*a. fig.*). **2.** *fig.* Lockung *f*, Zauber *m*, Reiz *m*. **3.** *fig.* Falle *f*. **4.** *hunt.* Federspiel *n* (*bei der Falkenjagd*). **II** *v/t* **5.** (an)locken, ködern: **to** ~ **away** fortlocken. **6.** verlocken, -führen (**into** zu). **III** *v/i* **7.** (ver)locken.

lu·rid ['lu(ə)rid; 'lju(ə)-] *adj* (*adv* ~**ly**) **1.** fahl, unheimlich, gespenstisch (*Beleuchtung etc*). **2.** düsterrot: ~ **flames.** **3.** grell: ~ **colo(u)rs.** **4.** geisterhaft blaß, bleich, fahl. **5.** *bes. fig.* düster, finster, unheimlich: **it casts a** ~ **light on his character** das zeigt s-n Charakter in e-m unheimlichen Licht. **6.** gräßlich, schauerlich. **7.** *bot. zo.* schmutziggelb, -braun.

lurk [ləːrk] **I** *v/i* **1.** sich versteckt halten, auf der Lauer liegen, lauern. **2.** *fig.* a) verborgen liegen, schlummern, b) (heimlich) drohen. **3.** (her'um)schleichen. **II** *s* **4.** Lauer(n *n*) *f*: **on the** ~ auf der Lauer. **5.** Versteck *n*. **6.** *Br. sl.* Trick *m*, ‚Masche' *f*.

lurk·ing ['ləːrkiŋ] *adj* versteckt: a) lauernd, b) *fig.* heimlich, schlummernd, la'tent. **'~-,place** *s* Versteck *n*.

lus·cious ['lʌʃəs] *adj* (*adv* ~**ly**) **1.** köstlich, lecker, süß (u. saftig). **2.** *a. fig.* 'übersüß, widerlich süß. **3.** üppig, über'laden (*Stil etc*). **4.** schmeichelnd, wonnig, süß. **5.** sinnlich, üppig, wollüstig. **'lus·cious·ness** *s* **1.** Köstlichkeit *f*. **2.** Saftigkeit *f*. **3.** a) Süßigkeit *f*, b) Süßlichkeit *f*. **4.** Üppigkeit *f*, Über'ladenheit *f*. **5.** (*das*) Schmeichelnde *od.* Wonnige, Sinnlichkeit *f*.

lush[1] [lʌʃ] *adj* (*adv* ~**ly**) **1.** üppig (gedeihend), saftig: ~ **vegetation.** **2.** *bes. Am. fig.* a) → **luscious** 3—5, b) reich(lich), 'überreich: ~ **supply**; ~ **salary** ‚dickes' Gehalt, c) flo'rierend: ~ **industries**, d) luxuri'ös: **a** ~ **car.**

lush[2] [lʌʃ] *sl.* **I** *s* **1.** ‚Stoff' *m*, ‚Zeug' *n* (*Schnaps etc*). **2.** a) ‚Besoffene(r)' *m*, b) Säufer *m*. **II** *v/t* **3.** *j-n* ‚vollaufen lassen'. **4.** *Alkoholika* ‚hinter die Binde gießen'. **III** *v/i* **5.** ‚saufen'.

lust [lʌst] **I** *s* **1.** sinnliche Begierde, (Fleisches)Lust *f*, Wollust *f*. **2.** Sucht *f*, Gier *f*, Gelüst(e) *n*, leidenschaftliches Verlangen (**of, for** nach): ~ **for life** Lebensgier; ~ **of power** Machtgier. **II** *v/i* **3.** gieren, lechzen (**for, after** nach): **they** ~ **for** (*od.* **after**) **power** es gelüstet sie nach (der) Macht.

lus·ter[1], *bes. Br.* **lus·tre** ['lʌstər] *s* **1.** Glanz *m* (*a. min. u. fig.*): **to add** ~ **to a name** e-m Namen Glanz verleihen. **2.** a) glänzender 'Überzug, b) *a.* **metallic** ~ Lüster *m* (*auf Glas, Porzellan etc*). **3.** a) Lüster *m*, Kronleuchter *m*, b) Kri'stallanhänger *m*. **4.** Lüster *m* (*ein Halbwollgewebe*). **5.** glänzende Wolle.

lus·ter[2] ['lʌstər] → **lustrum.**

lus·ter·less, *bes. Br.* **lus·tre·less** ['lʌstərlis] *adj* glanzlos, matt, stumpf.

'lus·ter,ware, *bes. Br.* **'lus·tre,ware** *s* Glas-, Ton- *od.* Porzel'langeschirr *n* mit Lüster.

lust·ful ['lʌstfəl; -ful] *adj* (*adv* ~**ly**) wollüstig, geil, lüstern, unkeusch. **'lust·ful·ness** *s* Wollüstigkeit *f*, Geilheit *f*, Lüsternheit *f*.

lust·i·hood ['lʌsti,hud], *a.* **'lust·i,head** [-,hed] *obs. für* **lustiness.**

lust·i·ness ['lʌstinis] *s* **1.** Rüstigkeit *f*, Frische *f*, Ener'gie *f*. **2.** Lebhaftigkeit *f*.

lus·tral ['lʌstrəl] *adj antiq.* Lustral...: a) *relig.* Reinigungs..., b) fünfjährig, -jährlich. **lus'tra·tion** *s* **1.** *antiq. relig.* Reinigung(sopfer *n*) *f*. **2.** *humor.* Waschen *n*.

lus·tre[1] *Br. für* **luster**[1].

lus·tre[2] ['lʌstər] → **lustrum.**

lus·tred, lus·tre·less, lus·tre·ware *Br. für* **lustered** *etc.*

lus·trine ['lʌstrin], **'lus·tring** [-triŋ] *s* Lu'strin *m*, Glanztaft *m*.

lus·trous ['lʌstrəs] *adj* (*adv* ~**ly**) **1.** glänzend, strahlend. **2.** *fig.* il'luster.

lus·trum ['lʌstrəm] *pl* **-trums, -tra** [-trə] *s* Lustrum *n*, Zeitraum *m* von fünf Jahren.

lust·y ['lʌsti] *adj* (*adv* **lustily**) **1.** kräftig, ro'bust, stark u. gesund. **2.** (tat)kräftig, lebhaft, frisch. **3.** *fig.* kräftig, kraftvoll, mächtig. **4.** korpu'lent, fett (*Person*). **5.** *obs.* a) lustig, fröhlich, b) → **lustful.**

lu·ta·nist ['luːtənist; 'ljuː-] *s* Laute'nist(in), Lautenspieler(in).

lute[1] [luːt; ljuːt] *s mus.* Laute *f*: → **rift 2.**

lute[2] [luːt; ljuːt] **I** *s* **1.** *tech.* Kitt *m*, Dichtungsmasse *f*. **2.** Gummiring *m* (*für Flaschen etc*). **II** *v/t* **3.** (ver)kitten.

lu·te·in ['luːtiin; 'ljuː-] *s chem. med.* Lute'in *n* (*gelber Farbstoff des Eidotters*).

lu·te·ous ['luːtiəs; 'ljuː-] *adj* **1.** gelblich. **2.** 'tiefo,rangegelb.

'lute,string → **lustrine.**

Lu·ther·an ['luːθərən; 'ljuː-] **I** *s relig.* Luthe'raner(in). **II** *adj* lu'therisch, luthe'ranisch. **'Lu·ther·an,ism** *s* Luthertum *n*. **'Lu·ther·an,ize** *v/t u. v/i* luthe'ranisch machen (werden).

lut·ing ['luːtiŋ; 'ljuː-] → **lute**[2] 1.

lu·tist ['luːtist; 'ljuː-] → **lutanist.**

lux [lʌks] *pl* **lux·es** ['lʌksiz] *s phys.* Lux *n* (*Einheit der Beleuchtungsstärke*).

lux·ate ['lʌkseit] *v/t med.* aus-, verrenken. **lux'a·tion** *s* Verrenkung *f*, Luxa'ti'on *f*.

luxe [luks; lʌks] *s* Luxus *m*, Ele'ganz *f*: → **de luxe.**

'lux,me·ter *s phys.* Luxmeter *n*.

lux·u·ri·ance [lʌg'ʒu(ə)riəns; -'ʒju-; lʌk'ʃ-], **lux'u·ri·an·cy** [-si] *s* **1.** Üppigkeit *f*. **2.** Fruchtbarkeit *f*. **3.** Fülle *f*, Reichtum *m*, 'Überfluß *m*. **lux'u·ri·ant** *adj* (*adv* ~**ly**) **1.** üppig (gedeihend *od.* wuchernd). **2.** *fig.* üppig, fruchtbar, ('über)reich, verschwenderisch: **a** ~ **imagination** e-e blühende Phantasie. **3.** blumig, verschnörkelt, 'überschwenglich (*Rede, Stil etc*). **4.** reich verziert. **5.** → **luxurious** 1.

lux·u·ri·ate [lʌg'ʒu(ə)ri,eit; -'ʒju-; lʌk'ʃu-] *v/i* **1.** *a. fig.* schwelgen (**in** in *dat*). **2.** *a. fig.* üppig wachsen *od.* gedeihen, wuchern.

lux·u·ri·ous [lʌg'ʒu(ə)riəs; -'ʒju-; lʌk'ʃu-] *adj* (*adv* ~**ly**) **1.** Luxus..., luxuri'ös, üppig: ~ **life.** **2.** schwelgerisch, verschwenderisch, genußsüchtig (*Person*). **3.** genüßlich, wohlig. **4.** sinnlich.

lux'u·ri·ous·ness → **luxury** 1.

lux·u·ry ['lʌkʃəri] *s* **1.** Luxus *m*: a) Wohlleben *n*, Reichtum *m*: **to live in** ~ im Überfluß leben; → **lap**[1] 1, **lap**[2] 3, b) (Hoch)Genuß *m*: **to permit o.s. the** ~ **of doing** sich den Luxus gestatten zu tun, c) Aufwand *m*, Pracht *f*. **2.** a) 'Luxusgegenstand *m*, -ar,tikel *m*, b) Genußmittel *n*.

'ly·am-,hound ['laiəm-] *s hist.* Blut-, Schweißhund *m*.

ly·can·thro·py [lai'kænθrəpi] *s* **1.** (*Volksglaube*) die Fähigkeit, sich in e-n Wolf zu verwandeln. **2.** *psych.* Lykanthro'pie *f*.

ly·ce·um [lai'siːəm] *s* **1.** a) Lehrstätte *f*, Bildungsanstalt *f*, b) Vortragssaal *m*. **2.** *Am.* (*Art*) Volkshochschule *f*. **3.** L~ *antiq.* Ly'keion *n*, Ly'ceum *n* (*Garten in Athen, wo Aristoteles lehrte*).

lych, ~ **gate** → **lich, lich gate.**

lych·nis ['liknis] *s bot.* Lichtnelke *f*.

ly·co·pod ['laiko,pɒd] *s bot.* Bärlapp *m*.

lydd·ite ['lidait] *s chem.* Lyd'dit *m* (*Sprengstoff*).

lye [lai] *chem.* **I** *s* Lauge *f*. **II** *v/t* mit Lauge behandeln.

ly·ing[1] ['laiiŋ] **I** *pres p von* **lie**[1]. **II** *adj* lügnerisch, verlogen. **III** *s* Lügen *n od. pl.*

ly·ing[2] ['laiiŋ] **I** *pres p von* **lie**[2]. **II** *adj* liegend: ~ **shaft** *tech.* horizontale Welle.

'ly·ing-'in *s med.* a) Entbindung *f*, b) Wochenbett *n*.

lyke·wake ['laik,weik] *s Br.* Totenwache *f*.

lyme grass [laim] *s bot.* **1.** Haargras *n*. **2.** Fächer-Rispengras *n*.

'lyme-,hound ['laim-] → **lyam-hound.**

lymph [limf] *s* **1.** Lymphe *f*: a) *physiol.* Blutwasser *n*, b) **vaccine** ~ *med.* Lymphe *f*, Impfstoff *m*. **2.** *poet.* klares Quellwasser.

lym·phad·e·ni·tis [lim,fædi'naitis] *s med.* Lymphknotenentzündung *f*.

lym·phat·ic [lim'fætik] *med.* **I** *adj* **1.** lym'phatisch, Lymph... **2.** *fig.* blutleer, schlaff. **II** *s* **3.** Lymphgefäß *n*. ~ **gland** → **lymph gland.** ~ **system** *s physiol.* 'Lymphgefäßsy,stem *n*.

lymph| cell, ~ **cor·pus·cle** → **lymphocyte.** ~ **gland** *s physiol.* Lymphknoten *m*.

lym·pho·cyte ['limfo,sait] *s physiol.* Lymphkörperchen *n*, Lympho'zyte *f*.

lym·pho·cy·to·sis [,limfosai'tousis] *s med.* Lymphozy'tose *f* (*krankhafte Vermehrung der Lymphozyten im Blut*).

lymph·oid ['limfɔid] *adj physiol.* lympho'id, Lymph...

lym·pho·ma [lim'foumə] *s med.* Lym'phom *n* (*Geschwulst*).

lynch [lintʃ] **I** *v/t* lynchen. **II** *s* Judge L~ Richter Lynch (*die Lynchjustiz*). **~ law** *s* 'Lynchju,stiz *f*.

lynx [liŋks] *s* **1.** *zo.* Luchs *m*. **2.** Luchs(pelz) *m*. **'~-,eyed** *adj fig.* luchsäugig.

Ly·on ['laiən], *a.* **~ King of Arms** *s* Kron-Wappenherold *m* (*in Schottland*).

Ly·ra ['lai(ə)rə] *gen* **-rae** [-riː] *s astr.* Leier *f* (*Sternbild*). **'Ly·ra·ids** [-reiidz] *s pl* Lyra'iden *pl* (*Meteorregen*).

ly·rate ['lai(ə)reit; -rit], *a.* **'ly·rat·ed** [-tid] *adj* leierförmig.

lyre [lair] *s* **1.** *antiq. mus.* Leier *f*, Lyra *f*. **2.** L~ → Lyra. **'~,bird** *s orn.* (*ein*) Leierschwanz *m*.

lyr·ic ['lirik] **I** *adj* (*adv* **~ally**) **1.** lyrisch: ~ poetry → 4 b. **2.** *fig.* lyrisch, gefühlvoll. **3.** *mus.* a) Musik...: ~ **drama**, b) lyrisch: a ~ **voice**. **II** *s* **4.** a) lyrisches Gedicht, b) *pl* Lyrik *f*, lyrische Dichtung. **5.** *pl mus.* (Lied)Text *m*. **'lyr·i·cal** *adj* (*adv* **~ly**) → lyric I.

lyr·i·cism ['liri,sizəm] *s* **1.** Lyrik *f*, lyrischer Cha'rakter *od.* Stil. **2.** Gefühlsausbruch *m*, Schwärme'rei *f*.

lyr·ist ['lirist] *s* **1.** lyrischer Dichter. **2.** ['lai(ə)rist] Leierspieler(in).

lyse [lais] *v/t u. v/i chem. med.* (sich) auflösen.

ly·sis ['laisis] *s* **1.** *med.* Lysis *f*, all'mähliche Besserung. **2.** *physiol.* (*Gewebe-, Zell- etc*)Zerfall *m*.

M

M, m [em] **I** *pl* **M's, Ms, m's, ms** [emz] *s* **1.** M, m *n* (*Buchstabe*). **2.** *print.* → em 3. **3.** M M *n*, M-förmiger Gegenstand. **II** *adj* **4.** dreizehnt(er, e, es). **5.** M M-..., M-förmig.

ma [mɑː] *s colloq.* Mama *f*.

ma'am [mæm; məm; m] *s* **1.** *colloq. für* madam. **2.** [mæm; mɑːm] *Br.* a) Maje'stät (*Anrede für die Königin*), b) (königliche) Hoheit (*Anrede für Prinzessinnen*).

mac[1] [mæk] *Br. colloq. für* mackintosh.

Mac[2] [mæk] *s colloq.* **1.** a) Schotte *m*, b) Ire *m*. **2.** (*als Anrede*) ‚Meister'!, ‚(mein) Bester'!

Mac- [mə; mi; mək; mik; mæk] *Wortelement in irischen u. schottischen Eigennamen mit der Bedeutung* Sohn des: MacDonald, Macdonald.

ma·ca·bre [mə'kɑːbr; -bər], *Am. a.* **ma'ca·ber** [-bər] *adj* ma'kaber: a) grausig, gräßlich, b) Toten...

ma·ca·co [mə'keikou] *s zo.* (*ein*) Maki *m*, Le'mure *m*.

mac·ad·am [mə'kædəm] (*Straßenbau*) **I** *s* **1.** Maka'dam-, Schotterdecke *f od.* -straße *f*. **2.** a) Maka'dam *m* (*Teersplitt*), b) Schotter *m*. **II** *adj* **3.** Makadam..., Schotter...: ~ **road.** **mac,ad·am·i'za·tion** *s* Makadami'sierung *f*, Chaus'sierung *f*. **mac'ad·am,ize** *v/t* makadami'sieren, chaus'sieren.

ma·caque [mə'kɑːk] *s zo.* Ma'kak *m* (*Affe*).

mac·a·ro·ni [,mækə'rouni] *s sg u. pl* **1.** Makka'roni *m u. pl*. **2.** *pl meist* **-nies** *hist. ausländische Sitten nachahmender Stutzer.*

mac·a·ron·ic [,mækə'rɒnik] **I** *adj* **1.** makka'ronisch: ~ **poetry.** **II** *s* **2.** *pl* makka'ronische Verse *pl*. **3.** *fig.* Mischmasch *m*.

mac·a·roon [,mækə'ruːn] *s* Ma'krone *f*.

Ma·cas·sar [mə'kæsər], **~ oil** *s* Ma'kassaröl *n* (*ein Haaröl*).

ma·caw[1] [mə'kɔː] *s orn.* Ara *m*.

ma·caw[2] [mə'kɔː], **~ palm, ~ tree** *s bot.* Macawbaum *m*.

Mac·ca·be·an [,mækə'biːən] *adj Bibl.* makka'bäisch. **Mac·ca·bees** ['mækə,biːz] *s pl Bibl.* **1.** Makka'bäer *pl*. **2.** (*als sg konstruiert*) (*das* Buch der) Makka'bäer *pl*.

mac·ca·ro·ni → macaroni.

mace[1] [meis] *s* **1.** *mil. hist.* Keule *f*, Streitkolben *m*. **2.** Knüppel *m*. **3.** (langer) Amtsstab (*bes. im brit. Unterhaus*). **4.** *a.* ~-bearer Träger *m* des Amtsstabs. **5.** *hist.* Billardstock *m*.

mace[2] [meis] *s* Mus'katblüte *f* (*als Gewürz*).

mac·é·doine [,mæsi'dwɑːn] *s* Macé'doine *f*: a) *Gemisch von kleingeschnittenen u. in Gelee servierten Früchten od. Gemüsen*, b) *ein Gemüsesalat.*

Mac·e·do·ni·an [,mæsi'dounjən] **I** *s* Maze'donier(in). **II** *adj* maze'donisch.

mac·er ['meisər] → mace[1] 4.

mac·er·ate ['mæsə,reit] **I** *v/t* **1.** ein-, aufweichen, aufquellen u. erweichen. **2.** *biol. Nahrungsmittel* aufschließen. **3.** ausmergeln, entkräften. **4.** ka'steien. **II** *v/i* **5.** aufweichen, aufquellen u. weich werden. **6.** ausgemergelt werden. **,mac·er'a·tion** *s* **1.** Einweichung *f*, Aufquellen *n* u. Erweichen *n*. **2.** *biol.* Aufschließen *n* (*von Nahrungsmitteln bei der Verdauung*). **3.** Entkräftung *f*, Abzehrung *f*. **4.** Ka'steiung *f*. **'mac·er,a·tor** [-tər] *s tech.* Stoffmühle *f*.

Mach → Mach number.

ma·chan [mə'tʃɑːn] *s hunt. Br. Ind.* Hochsitz *m* (*bei der Tigerjagd*).

ma·che·te [mɑː'tʃeitei; mə'ʃet] *s* Ma'chete *m*.

Mach·i·a·vel·li·an [,mækiə'veliən] **I** *adj* **1.** Machia'vellisch(er, e, es), des Machia'velli. **2.** *bes. pol.* machiavel'listisch, skrupellos, ränkevoll. **II** *s* **3.** Machiavel'list *m*, skrupelloser Intri'gant. **,Mach·i·a'vel·li·an,ism** *s pol.* Machiavel'lismus *m*.

ma·chic·o·lat·ed [mə'tʃikə,leitid] *adj mil. hist.* maschiku'liert, mit Pechnasen (versehen *od.* bewehrt). **ma,chic·o'la·tion** *s* **1.** Pechnase *f*, Gußerker *m*. **2.** Gußlochreihe *f*.

mach·i·nate ['mæki,neit] *v/i* Ränke schmieden, intri'gieren. **,mach·i'na·tion** *s* **1.** (tückischer) Anschlag, In'trige *f*, Machenschaft *f*: political ~s politische Ränke *od.* Umtriebe. **2.** Anzettelung *f*, Aushecken *n*. **'mach·i·,na·tor** [-tər] *s* Ränkeschmied *m*.

ma·chine [mə'ʃiːn] **I** *s* **1.** *phys. tech.* Ma'schine *f*. **2.** Appa'rat *m*, Vorrichtung *f*, Mecha'nismus *m*. **3.** *colloq.* Ma'schine *f* (*Flugzeug, Fahr-, Kraftrad, Auto etc*). **4.** *thea.* Ma'schine *f*, 'Bühnenmecha,nismus *m*: the god from the ~ der Deus ex machina (*e-e plötzliche Lösung*). **5.** (*literarischer*) Kunstgriff. **6.** *fig.* ‚Ma'schine' *f*, ‚Roboter' *m* (*Mensch*). **7.** *pol.* Appa'rat *m* (*maschinenmäßig funktionierende Organisation*): party ~, political ~ Parteiapparat, -maschine *f*; the ~ of government der Regierungsapparat. **8.** *hist.* 'Kriegsma,schine *f*. **II** *v/t* **9.** *tech.* a) maschi'nell 'herstellen, *bes.* maschinell drucken, b) mit der ('Näh)Ma,schine nähen, c) *Metall* zerspanen. **~ age** *s* Ma'schinenzeitalter *n*. **~ fit·ter** *s tech.* Ma'schinenschlosser *m*.

ma'chine-,gun **I** *s mil.* Ma'schinengewehr *n*, M'G *n*. **II** *v/t* mit dem Ma'schinengewehr beschießen, mit Ma'schinengewehrfeuer belegen *od.* bestreichen. **ma'chine-,gun·ner** *s mil.* M'G-Schütze *m*. **ma'chine-,made** *adj* **1.** maschi'nell, 'hergestellt, Fabrik...: ~ paper Maschinenpapier *n*. **2.** *fig.* stereo'typ, genormt.

ma'chine·man [-mən] *s irr* **1.** Maschi'nist *m*. **2.** *Br. für* pressman.

ma·chine rul·er *s* Li'nierma,schine *f*.

ma·chin·er·y [mə'ʃiːnəri] *s* **1.** Ma'schinen *pl*. **2.** Maschine'rie *f*, Ma'schinen(park *m*, -ausrüstung *f*) *pl*. **3.** Mecha'nismus *m*, (Trieb)Werk *n*. **4.** *fig.* a) Maschine'rie *f*, Ma'schine *f*, Räderwerk *n*, b) → machine 7. **5.** The'atermaschine,rie *f*. **6.** dra'matische Kunstmittel *pl*.

ma·chine| shop *s tech.* Ma'schinenhalle *f*, -saal *m*, -werkstatt *f*. **~ steel** *s tech.* Ma'schinenbaustahl *m*. **~ time** *s tech.* Arbeitszeit *f* (*e-r Maschine*). **~ tool** *s tech.* 'Werkzeugma,schine *f*.

ma'chine-,tooled *adj* **1.** *tech.* auf der 'Werkzeugma,schine 'hergestellt *od.* bearbeitet. **2.** *fig.* prä'zise.

ma·chine twist *s* ('Näh)Ma,schinenfaden *m*, -garn *n*.

ma·chin·ist [mə'ʃiːnist] *s* **1.** *tech.* a) Ma'schinenbauer *m*, -ingeni,eur *m*, b) Ma'schinenschlosser *m*, c) Maschi'nist *m* (*a. thea.*), Ma'schinenmeister *m*, d) Facharbeiter *m* für 'Werkzeugma,schinen. **2.** Ma'schinennäherin *f*. **3.** *mar.* 'Deckoffi,zier *m* (*als Assistent des Maschinenoffiziers*).

mach·me·ter ['mɑːk,miːtər] → machometer.

Mach num·ber [mɑːk] *s aer. phys.* Machsche Zahl, Machzahl *f*.

ma·chom·e·ter [mə'kɒmitər] *s phys.* Machmeter *n*, Macho'meter *n*.

mac·in·tosh → mackintosh.

mack [mæk] *colloq. für* mackintosh.

mack·er·el ['mækərəl] *pl* **-el** *s ichth.* Ma'krele *f*. **~ breeze** *s mar.* Ma'krelenbrise *f*, -wind *m* (*der für den Makrelenfang günstig ist*). **~ shark** *s ichth.* (*ein*) Heringshai *m*. **~ sky** *s meteor.* (Himmel *m* mit) Schäfchenwolken *pl*.

Mack·i·naw ['mæki,nɔː] *s Am.* **1.** *a.* ~ blanket Mackinaw-Decke *f* (*dicke Wolldecke*). **2.** *a.* ~ coat Stutzer *m*, kurzer (schwerer) Plaidmantel. **3.** *a.* ~ boat *mar.* Mackinaw-Boot *n* (*flachgehendes Boot*).

mack·in·tosh ['mækin,tɒʃ] *s* Mackintosh *m*: a) *durch e-e Gummischicht wasserdicht gemachter Stoff*, b) Regen-, Gummimantel *m*.

mack·le ['mækl] **I** *s* **1.** dunkler Fleck. **2.** *print.* Schmitz *m*, verwischter Druck, Doppeldruck *m*. **II** *v/t u. v/i* **3.** schmitzen.

ma·cle ['mækl] *s min.* **1.** 'Zwillingskri'stall *m.* **2.** dunkler Fleck (*in e-m Mineral*).

ma·con·o·chie [mə'kɒnəki] *s mil. Br.* Fleisch-u.-Gemüse-Eintopf *m* in Büchsen (*als Proviant*).

mac·ro·bi·ote [ˌmækro'baiout] *s biol.* Langlebige(r *m*) *f*. ˌ**mac·ro·bi'ot·ics** *s pl* (*oft als sg konstruiert*) Makrobi'otik *f* (*die Kunst, das Leben zu verlängern*).

mac·ro·ce·phal·ic [ˌmækrosi'fælik], ˌ**mac·ro'ceph·a·lous** [-'sefələs] *adj biol.* großköpfig, makroze'phal. ˌ**macro'ceph·a·ly** *s biol.* Großköpfigkeit *f*.

mac·ro·cli·mate ['mækroˌklaimit] *s meteor.* Großklima *n*.

mac·ro·cosm ['mækroˌkɒzəm] *s* Makro'kosmos *m*. ˌ**mac·ro'cos·mic** [-'kɒzmik] *adj* makro'kosmisch.

mac·ro·cyte ['mækroˌsait] *s med.* Makro'zyte *f* (*übermäßig großes rotes Blutkörperchen*).

ma·cron ['meikrɒn; 'mæk-] *s ling.* Längestrich *m* (*über Vokalen*).

mac·ro·phys·ics [ˌmækro'fiziks] *s pl* (*oft als sg konstruiert*) *phys.* 'Makro-, 'GrobphyˌsiK *f*.

ma·crop·ter·ous [mə'krɒptərəs] *adj zo.* **1.** langflüg(e)lig (*Vögel, Insekten*). **2.** langflossig (*Fische*).

mac·ro·scop·ic [ˌmækro'skɒpik] *adj* (*adv* ~**ally**) makro'skopisch, mit bloßem Auge wahrnehmbar.

mac·ro·tome ['mækroˌtoum] *s med.* 'SchnittappaˌRat *m* für grobe Schnitte (*in der Mikroskopie*).

ma·cru·ral [mə'kru(ə)rəl], **ma'cru·rous** *adj zo.* zu den Langschwänzen gehörig.

mac·u·la ['mækjulə] *pl* **-lae** [-ˌliː] *s* **1.** (dunkler) Fleck (*a. min.*). **2.** *med.* (*bes.* Haut)Fleck *m*. **3.** *astr.* Sonnenfleck *m*. '**mac·u·lar** *adj* **1.** gefleckt, fleckig, maku'lös. **2.** Flecken... '**macuˌlate I** *v/t* [-ˌleit] beflecken (*a. fig.*). **II** *adj* [-lit] befleckt (*a. fig.*). ˌ**mac·u'la·tion** *s* **1.** Befleckung *f*. **2.** Fleck(en) *m*, Makel *m*.

mac·ule ['mækjuːl] *s* **1.** *print.* → mackle 2. **2.** *obs.* a) (Schmutz)Fleck *m*, b) Makel *m*.

mad [mæd] **I** *adj* (*adv* → madly) **1.** wahnsinnig, verrückt, toll, irr(e) (*alle a. fig.*): **to go** ~ verrückt werden; **to drive** (*od.* **send**) **s.o.** ~ j-n verrückt *od.* wahnsinnig machen; **it's enough to drive one** ~ es ist zum Verrücktwerden; **like** ~ wie toll, wie verrückt (*arbeiten etc*); **a** ~ **plan** ein verrücktes Vorhaben; → hare 1, hatter. **2.** (**after, about, for, on**) versessen, erpicht (auf *acc*), verrückt (nach), vernarrt (in *acc*). **3.** *colloq.* außer sich, verrückt, rasend, wahnsinnig (**with** vor *Freude, Schmerz, Wut etc*). **4.** *bes. Am. colloq.* wütend, böse, zornig (**at, about** über *acc*, auf *acc*). **5.** toll, ausgelassen, wild, närrisch, 'übermütig: **they are having a** ~ **time** bei denen geht's toll zu, sie amüsieren sich wie toll. **6.** wild (geworden): **a** ~ **bull** ein wilder Stier. **7.** *vet.* tollwütig (*Hund*). **8.** heftig, tobend: **a** ~ **wind. II** *v/t pret u. pp* '**mad·ded 9.** *selten* verrückt machen. **10.** *bes. Am. colloq.* wütend machen. **III** *v/i* **11.** *selten* wahnsinnig *od.* toll sein.

Mad·a·gas·can [ˌmædə'gæskən] **I** *s* Made'gasse *m*, Made'gassin *f*. **II** *adj* made'gassisch, aus Mada'gaskar.

mad·am ['mædəm] *pl* **mes·dames** [mei'dɑːm] *od.* '**mad·ams** *s* **1.** (*im pl meist* **ladies**) gnädige Frau *od.* gnädiges Fräulein (*als Anrede*). **2.** *pl* **mesdames** Frau *f* (*als Titel*): **the cakes were provided by Mesdames X and Z. 3.** *pl* madams Puffmutter *f*.

'**madˌcap I** *s* Wildfang *m*. **II** *adj* → mad 5.

mad·den ['mædn] **I** *v/t* verrückt *od.* toll *od.* rasend machen (*alle a. fig. wütend machen*). **II** *v/i* verrückt *etc* werden. '**mad·den·ing** *adj* (*adv* ~**ly**) aufreizend, verrückt *od.* rasend machend: **it is** ~ es ist zum Verrücktwerden.

mad·der[1] ['mædər] *comp von* mad.

mad·der[2] ['mædər] *s* **1.** *bot.* a) Krapppflanze *f*, *bes.* Färberröte *f*, b) Krapp *m*, Färberwurzel *f*. **2.** Krapp(rot *n*) *m*: ~ **lake**, ~ **pink** Krapprosa *n*.

mad·dest ['mædist] *sup von* mad.

mad·ding ['mædiŋ] *adj poet.* **1.** rasend, tobend: **the** ~ **crowd. 2.** → maddening.

'**mad-ˌdoc·tor** *s* Irrenarzt *m*.

made [meid] **I** *pret u. pp von* make. **II** *adj* **1.** (künstlich) 'hergestellt *od.* 'hergerichtet: ~ **dish** aus mehreren Zutaten zs.-gestelltes Gericht; ~ **gravy** künstliche Bratensoße; ~ **ground** aufgeschütteter Boden; ~ **road** befestigte Straße; **English-**~ *econ. Artikel* englischer Fabrikation; ~ **of wood** aus Holz (hergestellt), Holz... **2.** erfunden: **a** ~ **story. 3.** gemacht, arri'viert: **a** ~ **man** ein gemachter Mann. **4.** voll ausgebildet (*Soldat*). **5.** gut abgerichtet (*Hund, Pferd etc*). **6.** (*gut, kräftig etc*) gebaut (*Person*): **a well-**~ **man. 7.** *colloq.* bestimmt, gedacht, gemacht: **it's** ~ **for this purpose** es ist für diesen Zweck gedacht.

Ma·dei·ra [mə'di(ə)rə] *s* Ma'deira(wein) *m*. ~ **cake** *s* (*Art*) Bis'kuitkuchen *m*.

Ma·dei·ran [mə'di(ə)rən] **I** *s* Bewohner(in) der Insel Ma'deira. **II** *adj* aus Ma'deira, Madeira...

'**made|-to-'meas·ure** *adj* **1.** *econ.* nach Maß gearbeitet *od.* angefertigt, Maß...: ~ **suit** maßgeschneiderter Anzug, Maßanzug *m*. **2.** *fig.* ‚maßgeschneidert', ‚wie bestellt'. '~**-to-'order** → made-to-measure 1. '~**-'up** *adj* **1.** (frei) erfunden: **a** ~ **story. 2.** geschminkt, zu'rechtgemacht. **3.** *fig.* unecht, gekünstelt. **4.** fertig, Fertig..., Fabrik...: ~ **clothes** Konfektionskleidung *f*. '~ˌ**work** *s econ. Am.* 'Arbeitsbeschaffung(sproˌjekte *pl*) *f*.

'**madˌhouse** *s* Irrenhaus *n*, *fig. a.* Narren-, Tollhaus *n*.

mad·ly ['mædli] *adv* **1.** wie verrückt, wie wild: **they worked** ~ **all night. 2.** *colloq.* ‚wahnsinnig', ‚schrecklich': ~ **in love. 3.** verrückt, auf e-e dumme *od.* verrückte Art.

'**mad|·man** [-mən] *s irr* Verrückte(r) *m*, Wahnsinnige(r) *m*, Irre(r) *m*. ~ **min·ute** *s mil.* Schnellfeuerzeit *f* (*beim Mannschaftsschießen*).

mad·ness ['mædnis] *s* **1.** Wahnsinn *m* (*a. fig.*). **2.** *fig.* Narrheit *f*, Tollheit *f*, Verrücktheit *f*. **3.** *bes. Am.* Wut *f* (at über *acc*, auf *acc*).

Ma·don·na [mə'dɒnə] *s* **1. the** ~ *relig.* die Ma'donna. **2.** *a.* m~ (*Kunst*) Ma'donna *f*, Ma'donnenbild *n*.

mad·re·pore ['mædriˌpɔːr] *s zo.* Madre'pore *f*, 'LöcherkoˌRalle *f*.

mad·ri·gal ['mædrigəl] *s* Madri'gal *n*: a) *kurzes* (*bes. Liebes*)*Gedicht*, b) *mus.* mehrstimmiges (*bes. fünfstimmiges*) Lied, c) Lied *n*. '**mad·ri·gal·ist** [-gəlist] *s* **1.** Madri'galdichter *m*. **2.** *mus.* Madriga'list *m*: a) *Komponist von Madrigalen*, b) *Madrigalsänger*.

'**madˌwom·an** *s irr* Wahnsinnige *f*, Irre *f*, Verrückte *f*.

Mae·ce·nas [mi(ː)'siːnæs] *s* Mä'zen *m*.

mael·strom ['meilstrəm] *s* Ma(h)lstrom *m*: a) *a.* M~ *Name e-s Strudels vor der norwegischen Westküste*, b) *allg. u. fig.* Strudel *m*, Sog *m*, Wirbel *m*: **the** ~ **of city life**; ~ **of traffic** Verkehrsgewühl *n*; **the** ~ **of war** der Moloch Krieg, die Wirren des Krieges.

mae·nad ['miːnæd] *s* Mä'nade *f*. **mae'nad·ic** *adj* mä'nadisch, bac'chantisch, rasend.

ma·es·to·so [maes'toːso] (*Ital.*) *mus.* **I** *adj u. adv* mae'stoso, maje'stätisch. **II** *s* Mae'stoso *n*.

ma·e·stro ['maestro] *pl* **-stri** [-stri] (*Ital.*) *s* Ma'estro *m*, Meister *m*.

Mae West ['mei 'west] *s sl.* **1.** *aer.* aufblasbare Schwimmweste (*nach der amer. Schauspielerin*). **2.** *mil. Am.* Panzer *m* mit Zwillingsturm.

maf·fi·a ['mɑːfiˌɑː] *s* Mafia *f*.

maf·fick ['mæfik] *v/i Br. colloq.* lärmend feiern, johlen.

ma·fi·a → maffia.

mag[1] [mæg] *s Br. sl.* Halfpennystück *n*.

mag[2] [mæg] *tech. sl. für* magneto: ~**-generator** Magnetodynamo *m*.

mag·a·zine [ˌmægə'ziːn; 'mægəˌziːn] *s* **1.** *mil.* a) Muniti'onslager *n*, -deˌpot *n*, *bes.* 'PulvermagaˌZin *n*, b) Nachschub-, Versorgungslager *n*, c) Maga'zin *n*, Kasten *m* (*in Mehrladewaffen*): ~ **gun**, ~ **rifle** Mehrladegewehr *n*. **2.** *tech.* Maga'zin *n*, Vorratsbehälter *m*. **3.** *phot.* a) ('Film)MagaˌZin *n*, b) Filmtrommel *f*. **4.** Maga'zin *n*, Speicher *m*, Warenlager *n*, Lagerhaus *n*. **5.** Vorrat *m*, Vorräte *pl*. **6.** *fig.* Vorrats-, Kornkammer *f* (*fruchtbares Gebiet e-s Landes*). **7.** Maga'zin *n*, (*oft* illu'strierte) Zeitschrift.

mag·a·zin·ist [ˌmægə'ziːnist] *s* Mitarbeiter(in) an e-m Maga'zin.

mag·da·len ['mægdəlin] *s fig.* Magda'lena *f*, reuige Sünderin. **M**~ **Col·lege** ['mɔːdlin] *s ein College in Oxford*.

mage [meidʒ] *s obs.* **1.** Magier *m*. **2.** Weise(r) *m*, Gelehrte(r) *m*.

ma·gen·ta [mə'dʒentə] *chem.* **I** *s* Ma'genta(rot) *n*, Fuch'sin *n*. **II** *adj* ma'gentarot.

mag·gie's draw·ers ['mægiːz] *s pl mil. Am. sl.* **1.** *Flaggenzeichen bei Fehlschuß*. **2.** ‚Fahrkarte' *f* (*Fehlschuß*).

mag·got ['mægət] *s* **1.** *zo.* Made *f*, Larve *f*. **2.** *fig.* Grille *f*, verrückte I'dee, Spleen *m*. '**mag·got·y** *adj* **1.** voller Maden, madig. **2.** *fig.* schrullig, grillenhaft.

Ma·gi ['meidʒai] *s pl* **1. the** (**three**) ~ die (drei) Weisen aus dem Morgenland. **2.** *pl von* Magus 1. '**Ma·gi·an** [-dʒiən] **1.** *sg von* Magi 1. **2.** m~ Magier *m*, Zauberer *m*. **3.** → magus 1.

mag·ic ['mædʒik] **I** *s* **1.** Ma'gie *f*, Zaube'rei *f*: **it works like** ~ *fig.* es ist die reinste Hexerei. **2.** Zauber(kraft *f*) *m*, magische Kraft (*a. fig.*): **the** ~ **of a great name. 3.** *fig.* Wunder *n*: **like** ~ wie ein Wunder. **II** *adj* (*adv* ~**ally**) **4.** magisch, Wunder..., Zauber...: ~ **carpet** fliegender Teppich; ~ **eye** *electr.* magisches Auge; ~ **lamp** Wunderlampe *f*; ~ **lantern** Laterna *f* magica; ~ **square** magisches Quadrat. **5.** zauber-, märchenhaft: ~ **beauty.** '**mag·i·cal** *adj* (*adv* ~**ly**) → magic II.

ma·gi·cian [mə'dʒiʃən] *s* **1.** Magier *m*, Zauberer *m*, Schwarzkünstler *m*. **2.** Zauberkünstler *m*.

mag·is·te·ri·al [ˌmædʒis'ti(ə)riəl] *adj* (*adv* ~**ly**) **1.** obrigkeitlich, amtlich, behördlich. **2.** maßgeblich, autorita'tiv. **3.** gebieterisch, herrisch.

mag·is·tra·cy ['mædʒistrəsi] *s* **1.** (Friedens-, Poli'zei)Richteramt *n*, Magistra'tur *f*. **2.** Magi'strat *m*.

mag·is·tral ['mædʒistrəl] *adj* **1.** *pharm.* nicht offizi'nell, eigens verschrieben. **2.** *selten für* magisterial. **3.** Lehr(er)...

mag·is·trate ['mædʒis,treit; -trit] *s* **1.** (obrigkeitlicher *od.* richterlicher) Beamter: a) *a.* police ~ Poli'zeirichter *m*, b) Friedensrichter *m*. **2.** chief ~, first ~ a) Präsi'dent *m*, b) Gouver'neur *m* (*e-s Staats der USA etc*). **'mag·is·trate,ship** → magistracy 1. **'mag·is·tra·ture** [*Br.* -trətjuə; *Am.* -,treitʃər] → magistracy.

mag·ma ['mægmə] *pl* **-ma·ta** [-mətə] *s* **1.** dünn(flüssig)er Brei, knetbare Masse. **2.** Magma *n*: a) *geol.* Gesteinsschmelzfluß *m* des Erdinnern, b) *pharm.* Emulsi'on *f*.

Mag·na C(h)ar·ta ['mægnə 'kɑːrtə] *s* **1.** *hist.* Magna Charta *f* (*die große Freiheitsurkunde des englischen Adels, 1215*). **2.** Grundgesetz *n*.

mag·nal·i·um [mæg'neiliəm] *s chem.* Ma'gnalium *n* (*Magnesium-Aluminiumlegierung*).

mag·na·nim·i·ty [,mægnə'nimiti] *s* Großmut *f*, Edelmut *m*, Großmütigkeit *f*. **mag'nan·i·mous** [-'næniməs] *adj* (*adv* ~ly) großmütig, hochherzig.

mag·nate ['mægneit] *s* **1.** Ma'gnat *m*: a) *hist. Adliger im ungarischen od. polnischen Landtag*, b) 'Großindustri,elle(r) *m*: oil ~ Ölmagnat, c) Großgrundbesitzer *m*. **2.** Größe *f*, einflußreiche Per'sönlichkeit.

mag·ne·sia [mæg'niːʃə; -ʒə] *s chem.* **1.** Ma'gnesia *f*, Ma'gnesiumo,xyd *n*: sulphate of ~ Bittersalz *n*. **2.** *pharm.* gebrannte Ma'gnesia. **mag'ne·sian** *adj* **1.** Magnesia... **2.** Magnesium...

mag·ne·site ['mægni,sait] *s* Magne'sit *m*, Ma'gnesiumkarbo,nat *n*.

mag·ne·si·um [mæg'niːʃiəm; -ʒiəm; *Br. a.* -ziəm] *s chem.* Ma'gnesium *n*: ~ light Magnesiumlicht *n*.

mag·net ['mægnit] *s* **1.** Ma'gnet *m* (*a. fig.*). **2.** Ma'gneteisenstein *m*.

mag·net·ic [mæg'netik] *adj* (*adv* ~ally) **1.** ma'gnetisch, Magnet...: ~ compass; ~ field; ~ attraction *phys. od. fig.* magnetische Anziehung(skraft). **2.** magneti'sierbar. **3.** *fig.* ma'gnetisch, anziehend, faszi'nierend, fesselnd: a ~ personality. **4.** bioma'gnetisch, mesmerisch hyp'notisch. ~ **brake** *s electr.* Ma'gnetbremse *f*. ~ **dec·li·na·tion,** ~ **dip** *s geogr. phys.* ma'gnetische Inklinati'on, 'Mißweisung *f*. ~ **e·qua·tor** *s geogr.* ma'gnetischer Ä'quator. ~ **fig·ure** *s phys.* Kraftlinienbild *n*. ~ **flux** *s phys.* Ma'gnetfluß *m*, ma'gnetischer (Kraft-) Fluß. ~ **in·duc·tion** *s phys.* ma'gnetische Indukti'on. ~ **mine** *s* ma'gnetische Seemine. ~ **nee·dle** *s phys.* Ma'gnetnadel *f*. ~ **north** *s phys.* ma'gnetisch Nord (*Kurs*). ~ **pole** *s geogr.* ma'gnetischer (Erd)Pol. ~ **re·cord·er** → magnetophone.

mag·net·ics [mæg'netiks] *s pl* (*meist als sg konstruiert*) Wissenschaft *f* vom Magne'tismus.

mag·net·ic| storm *s phys.* ma'gnetischer Sturm. ~ **tape** *s electr.* Ma'gnettonband *n*: ~ recorder → magnetophone.

mag·net·ism ['mægni,tizəm] *s* **1.** *phys.* Magne'tismus *m*. **2.** → mesmerism. **3.** *fig.* Anziehungskraft *f*.

mag·net·ite ['mægni,tait] *s min.* Magne'tit *m*, Ma'gneteisenerz *n*.

mag·net·i·za·tion [,mægnitai'zeiʃən] *s* Magneti'sierung *f*. **'magnet,ize** *v/t* **1.** magneti'sieren. **2.** *fig.* anziehen, fesseln. **'mag·net,iz·er** *s med.* Magneti'seur *m*.

mag·ne·to [mæg'niːtou] *pl* **-tos** *s electr.* (Ma,gnet)'Zündappa,rat *m*, Ma'gnetzünder *m*, 'Zündma,gnet *m*.

mag·ne·to al·ter·na·tor *s electr.* (*bes.* 'Wechselstrom)Gene,rator *m* mit 'Dauerma,gnet. **mag,ne·to'dy·na·mo** *pl* **-mos** *s electr.* Dy'namo *m od.* Gene'rator *m* mit Perma'nentma,gnet. **mag,ne·to·e'lec·tric** *adj* ma'gnetoe,lektrisch. **mag,ne·to'gen·er,a·tor** *s electr.* **1.** 'Kurbelin,duktor *m*. **2.** → magneto. **mag'ne·to,gram** *s phys. tech.* Magneto'gramm *n*. **mag'ne·to,graph** *s phys. tech.* **1.** Magneto'graph *m*. **2.** → magnetogram. **mag·ne·tom·e·ter** [,mægni'tɒmitər] *s phys.* Magneto'meter *n*. **mag,ne·to'mo·tive** *adj phys.* ma,gnetomo'torisch.

mag·ne·ton ['mægni,tɒn] *s phys.* Magne'ton *n* (*Elementarquantum des atomaren magnetischen Moments*).

mag'ne·to,phone *s electr.* (*TM*) Magneto'phon *n*, Ma'gnettongerät *n*.

mag·ne·tron ['mægni,trɒn] *s electr.* Magne'tron *n*.

mag·nif·ic [mæg'nifik] *adj*; **mag'nif·i·cal** [-kəl] *adj* (*adv* ~ly) *obs.* **1.** großartig, herrlich. **2.** erhaben.

mag·ni·fi·ca·tion [,mægnifi'keiʃən] *s* **1.** Vergrößern *n*. **2.** Vergrößerung *f*. **3.** *phys.* Vergrößerungsstärke *f*. **4.** *electr.* Verstärkung *f*. **5.** Verherrlichung *f*.

mag·nif·i·cence [mæg'nifisns] *s* **1.** Großartigkeit *f*, Pracht *f*, Herrlichkeit *f*. **2.** Erhabenheit *f* (*des Stils etc*).

mag·nif·i·cent [mæg'nifisnt] *adj* (*adv* ~ly) **1.** großartig, prächtig, prachtvoll, herrlich (*alle a. colloq. fig. fabelhaft*). **2.** groß(artig), erhaben.

mag·nif·i·co [mæg'nifi,kou] *pl* **-coes** *s* **1.** (*bes.* venezi'anischer) Grande. **2.** hoher Würdenträger.

mag·ni·fi·er ['mægni,faiər] *s* **1.** Vergrößerungsglas *n*, Lupe *f*. **2.** *electr.* Verstärker *m*. **3.** Verherrlicher *m*.

mag·ni·fy ['mægni,fai] *v/t* **1.** *opt. u. fig.* vergrößern: ~ing glass → magnifier 1. **2.** *fig.* über'trieben darstellen, über'treiben. **3.** *electr.* verstärken. **4.** *obs.* verherrlichen.

mag·nil·o·quence [mæg'nilokwəns] *s* **1.** ,Großsprecherei *f*. **2.** Schwulst *m*, Bom'bast *m*. **mag'nil·o·quent** *adj* (*adv* ~ly) **1.** großsprecherisch. **2.** hochtrabend, bom'bastisch.

mag·ni·tude ['mægni,tjuːd] *s* **1.** Größe *f*, Größenordnung *f* (*a. astr. u. math.*): a star of the first ~ ein Stern erster Größe. **2.** *fig.* Ausmaß *n*, Schwere *f*, Größe *f*: the ~ of the catastrophe. **3.** *fig.* Bedeutung *f*: of the first ~ von äußerster Wichtigkeit.

mag·no·li·a [mæg'nouliə] *s bot.* Ma'gnolie *f*: M~ State *Am.* (*Beiname für den Staat*) Mississippi *n*. **mag,no·li'a·ceous** [-li'eiʃəs] *adj bot.* Magnolien...

mag·num ['mægnəm] *s* Zweiquartflasche *f* (*etwa 2 l enthaltend*).

mag·num bo·num ['mægnəm 'bounəm] (*Lat.*) *s econ.* große u. gute Sorte: a) *in England*: *Sorte großer gelber Pflaumen*, b) *Kartoffelsorte*.

mag·pie ['mæg,pai] *s* **1.** *orn.* Elster *f*: black-billed ~ (Gemeine) Elster. **2.** *orn. e-e Haustaubenrasse*. **3.** *fig.* Schwätzer(in). **4.** *Scheibenschießen*: *sl.* a) zweiter Ring von außen, b) Schuß *m* in den zweiten Außenring.

mag·uey ['mægwei] *s* **1.** *bot.* (*e-e*) 'Faser-A,gave. **2.** Magueyfaser *f*.

Ma·gus ['meigəs] *pl* **-gi** [-dʒai] *s* **1.** *antiq.* (*persischer*) Priester. **2.** m~ Magus *m*, Zauberer *m*. **3.** *a.* m~ *sg von* Magi 1.

Mag·yar ['mægjɑːr; 'mɒdjɒr] **I** *s* **1.** Ma'djar *m*, Ungar *m*. **2.** *ling.* Ma'djarisch *n*, Ungarisch *n*. **II** *adj* **3.** ma'djarisch, ungarisch.

ma·ha·ra·ja(h) [,mɑːhə'rɑːdʒə] *s* Maha'radscha *m*.

ma·ha·ra·nee [,mɑːhə'rɑːniː] *s* Maha'rani *f*.

ma·hat·ma, *a.* **M~** [mə'hætmə; -'hɑːtma] *s* Ma'hatma *m*: a) (*buddhistischer*) *Weiser*, b) *Heiliger mit übernatürlichen Kräften*, c) *edler Mensch*.

Mah·di ['mɑːdiː] *s relig.* Mahdi *m* (*von den Mohammedanern erwarteter letzter Imam*).

mah-jong(g) ['mɑː'dʒɒŋ] *s* Mah-'Jongg *n* (*chinesisches Gesellschaftsspiel*).

mahl·stick → maulstick.

ma·hog·a·ny [mə'hɒgəni] **I** *s* **1.** *bot.* Maha'gonibaum *m*. **2.** Maha'goni(holz) *n*. **3.** Maha'goni(farbe *f*) *n*. **4.** to have (*od.* put) one's knees (*od.* feet) under s.o.'s ~ bei j-m zu Tisch sein, j-s Gastfreundschaft genießen. **II** *adj* **5.** aus Maha'goni, Mahagoni... **6.** maha'gonifarben.

ma·hout [mə'haut] *s Br. Ind.* Ele'fantentreiber *m*.

maid [meid] *s* **1.** (junges) Mädchen, Maid *f* (*a. iro.*). **2.** (junge) unverheiratete Frau: old ~ alte Jungfer; ~ of hono(u)r a) Ehren-, Hofdame *f*, b) *Am.* (erste) Brautjungfer, c) *Br.* (*ein*) Käsekuchen *m*. **3.** (Dienst)-Mädchen *n*, (Dienst)Magd *f*: ~ of all work *bes. fig.* Mädchen für alles. **4.** *poet.* Jungfrau *f*, Maid *f*: the M~ (of Orléans) die Jungfrau von Orleans.

mai·dan [mai'dɑːn] *s Br. Ind.* **1.** (Markt)Platz *m*. **2.** Espla'nade *f*.

maid·en ['meidn] **I** *adj* (*adv* → maidenly) **1.** mädchenhaft, Mädchen...: ~ name Mädchenname *m* (*e-r Frau*). **2.** jungfräulich, unberührt (*a. fig.*): ~ soil. **3.** unverheiratet: ~ aunt. **4.** Jungfern..., Erstlings..., Antritts...: ~ race *sport* Jungfernrennen *n*; ~ speech *parl.* Jungfernrede *f*; ~ voyage *mar.* Jungfernfahrt *f*. **5.** noch nie gedeckt (*Tier*). **6.** aus dem Samen gezogen (*Pflanze*). **7.** unerprobt (*Person od. Sache*). **II** *s* **8.** → maid 1 *u.* 2. **9.** *a.* the M~ *Scot. hist.* (*Art*) Guillo'tine *f*. **10.** *a.* ~ over (*Kricket*) Serie *f* von 6 Bällen ohne Läufe. **11.** *Rennsport*: a) Maiden *n* (*Pferd, das noch keinen Sieg errungen hat*), b) Rennen *n* für Maidens. ~ **as·size** *s jur.* Gerichtssitzung *f* ohne Krimi'nalfall. **'~,hair (fern)** *s bot.* Frauenhaar(farn *m*) *n*, *bes.* Venushaar *n*. **'~,hair tree** → ginkgo.

maid·en·head ['meidn,hed] *s* **1.** → maidenhood. **2.** *anat.* Jungfernhäutchen *n*.

maid·en·hood ['meidn,hud] *s* Jungfräulichkeit *f*, Unberührtheit *f*, Jungfernschaft *f*.

'maid·en,like → maidenly. **maid·en·li·ness** ['meidnlinis] *s* mädchenhaftes *od.* jungfräuliches Wesen. **'maid·en·ly** *adj u. adv* **1.** mädchenhaft. **2.** jungfräulich, sittsam, züchtig.

'maid,serv·ant → maid 3.

ma·ieu·tic [mei'juːtik] *s philos.* mä'eutisch, (auf so'kratische Weise) ausfragend.

mail[1] [meil] **I** *s* **1.** Post(sendung) *f*, -sachen *pl*, *bes.* Brief- *od.* Pa'ketpost *f*:

the ~ **is not in yet** die Post ist noch nicht da; **by return of** ~ postwendend, umgehend. **2.** Briefbeutel *m*, Postsack *m*. **3.** a) Post(dienst *m*) *f*: **the Federal M~s** *Am.* die Bundespost, b) Postversand *m*. **4.** Postauto *n*, -boot *n*, -bote *m*, -flugzeug *n*, -zug *m*. **5.** *Am. od. Scot.* (Reise)Tasche *f*. **II** *adj* **6.** Post...: ~ **boat** Post-, Paketboot *n*. **III** *v/t* **7.** *Am.* a) (mit der Post) (ab)schicken *od.* (ab)senden, aufgeben, *e-n Brief* einwerfen, b) (zu)schicken (**to** *dat*).

mail² [meil] **I** *s* **1.** Kettenpanzer *m*: **coat of** ~ Panzerhemd *n*. **2.** (Ritter)-Rüstung *f*. **3.** *zo.* (Haut)Panzer *m*. **II** *v/t* **4.** panzern.

mail·a·ble ['meiləbl] *adj Am.* postversandfähig.

'mail|,bag *s* Postsack *m*, Briefbeutel *m*. **'~,box** *s Am.* Briefkasten *m*. **'~,cart** *s Br.* **1.** Post(hand)wagen *m*. **2.** (leichter) Handwagen. ~ **car·ri·er** → mailman. **'~,clad** *adj* gepanzert. ~ **clerk** *s Am.* **1.** Postangestellte(r *m*) *f*. **2.** Postbearbeiter(in) (*in e-m Amt etc*). **'~-,coach** *s Br.* **1.** Postwagen *m*. **2.** *hist.* Postkutsche *f*. ~ **drop** *s Am.* **1.** Briefkastenschlitz *m*, -einwurf *m*. **2.** ,toter Briefkasten' *m* (*von Spionen*).

mailed [meild] *adj* **1.** gepanzert (*a. zo.*): **the** ~ **fist** *fig.* die eiserne Faust. **2.** *orn.* mit (*panzerähnlichen*) Brustfedern.

mail·er ['meilər] *s Am.* **1.** a) Adres'sierma,schine *f*, b) Fran'kierauto,mat *m*. **2.** A'dressenschreiber(in). **3.** Postwurfsendung *f*.

'mail,guard *s Br. Begleitperson für Posttransporte* (*als Wache*).

mail·ing| list ['meiliŋ] *s* A'dressenkar,tei *f*. ~ **ma·chine** → mailer 1.

mail·lot [ma'jo] (*Fr.*) *s* **1.** (*bes.* einteiliger, trägerloser) Badeanzug. **2.** Mail'lot *n*, *m* (*enger Trikot für Akrobaten etc*).

'mail|,man [-,mæn] *s irr Am.* Postbote *m*, Briefträger *m*. ~ **or·der** *s* Bestellung *f* (*von Waren*) durch die Post. **'~-,or·der** *adj* Postversand...: ~ **house**, ~ **firm** (Post)Versandgeschäft *n*, -haus *n*. ~ **train** *s* Postzug *m*.

maim [meim] *v/t* **1.** verstümmeln (*a. fig. e-n Text*), zum Krüppel machen. **2.** *a. fig.* lähmen.

main¹ [mein] **I** *adj* (*nur attr*) (*adv* → mainly) **1.** Haupt..., größt(er, e, es), wichtigst(er, e, es), vorwiegend, hauptsächlich: ~ **girder** Längsträger *m*; **the** ~ **office** das Hauptbüro, die Zentrale; ~ **road** Hauptverkehrsstraße *f*; **the** ~ **reason** der Hauptgrund; ~ **station** *teleph.* Hauptanschluß *m*; **the** ~ **thing** die Hauptsache; **by** ~ **force** mit äußerster Kraft, mit Gewalt. **2.** *mar.* groß, Groß...: ~**-top-gallant** Großbramstenge *f*. **3.** *poet.* (weit) offen: **the** ~ **sea** → 11. **4.** *ling.* a) Haupt..., b) des Hauptsatzes. **5.** *obs.* a) gewaltig, b) wichtig. **II** *s* **6.** *meist pl* a) Haupt(gas-, -wasser)leitung *f*: (**gas**) ~; (**water**) ~, b) Hauptstromleitung *f*, c) Strom(versorgungs)netz *n*, Netz(leitung *f*) *n*: **operating on the** ~**s** mit Netzanschluß; ~**s aerial** Netzantenne *f*; ~ **frequency** Betriebsfrequenz *f*; ~**s voltage** Netzspannung *f*. **7.** Hauptleitung *f*: a) Hauptrohr *n*, b) Hauptkabel *n*. **8.** *Am.* Haupt(eisenbahn)linie *f*. **9.** *obs.* Kraft *f*, Gewalt *f*: → **might¹** 2. **10.** Hauptsache *f*, Kern(punkt) *m*, (*das*) Wichtigste: **in** (*Am. a.* **for**) **the** ~ hauptsächlich, in der Hauptsache. **11.** *poet.* (*das*) weite Meer, (*die*) offene *od.* hohe See.

main² [mein] *s* **1.** *in e-m alten Würfelspiel* (*Schanze*) *die vom Spieler vor dem Wurf angesagte Zahl.* **2.** Glücksspiel *n*. **3.** *obs.* Boxkampf *m*. **4.** Hahnenkampf *m*.

main| bang *s Radar*: 'Auslöse-, 'Startim,puls *m*. ~ **brace** *s mar.* Großbrasse *f*: **to splice the** ~ *sl.* a) e-e Extraration Rum an die Mannschaft austeilen, b) ,saufen', trinken. ~ **chance** *s* beste Gelegenheit (zu profi'tieren), (materi'eller) Vorteil: **to have an eye to the** ~ s-n eigenen Vorteil im Auge haben *od.* behalten. ~ **clause** *s ling.* Hauptsatz *m*. ~ **course** → mainsail. ~ **deck** *s mar.* **1.** Hauptdeck *n*. **2.** Batte'riedeck *n*. ~ **drain** *s* **1.** 'Hauptrohr *n*, -ka,nal *m* (*für Abwässer*). **2.** *mar.* Hauptlenzleitung *f*. ~ **hatch** *s mar.* Großluke *f*. **'~land** [-lənd; -,lænd] *s* Festland *n*. ~ **line** *s* **1.** *mil. rail. etc* Hauptlinie *f*: ~ **of resistance** Hauptkampf-, Hauptverteidigungslinie. **2.** *Am. sl.* (*die*) Promi'nenz, (*die*) reichen Leute *pl*. **3.** *Am. sl.* a) Hauptader *f*, b) intrave'nöse Injekti'on (*von Rauschgift*).

main·ly ['meinli] *adv* hauptsächlich, größtenteils, vorwiegend.

main|·mast ['mein,mɑːst; -,mæst] *s mar.* Großmast *m*. ~**·sail** ['mein,seil; 'meinsl] *s mar.* Großsegel *n*. **'~,sheet** *s mar.* Großschot(e) *f*. **'~,spring** *s* **1.** Hauptfeder *f* (*e-r Uhr etc*). **2.** *fig.* (Haupt)Triebfeder *f*, treibende Kraft. **'~,stay** *s* **1.** *mar.* Großstag *n*. **2.** Hauptstütze *f*. ~ **stem** *s Am.* **1.** Hauptstraße *f*. **2.** Haupt(verkehrs)linie *f*. **3.** *fig.* (*das*) ,große Geschäft': **musical** ~. **'~-stream** *s Am. fig.* Hauptströmung *f*. **M~ Street** *s Am.* **1.** Hauptstraße *f*. **2.** *fig.* materia'listisches Pro'vinzbürgertum.

main·tain [mein'tein] *v/t* **1.** *e-n Zustand* (aufrecht)erhalten, beibehalten, (be)wahren: **to** ~ **an attitude** e-e Haltung beibehalten; **to** ~ **good relations** gute Beziehungen aufrechterhalten; **to** ~ **one's reputation** s-n guten Ruf wahren. **2.** in'stand halten, pflegen, *tech. a.* warten: **to** ~ **a machine**. **3.** unter'halten, (weiter)führen: **to** ~ **a correspondence**. **4.** (*in e-m bestimmten Zustand*) lassen, bewahren: **to** ~ **s.th. in (an) excellent condition**. **5.** *s-e Familie etc* unter'halten, versorgen. **6.** behaupten (**that** daß; **to** *inf* zu *inf*). **7.** *e-e Meinung, ein Recht etc* verfechten, -teidigen. **8.** *j-n* unter'stützen, *j-m* beipflichten. **9.** auf *e-r Forderung* bestehen: **to** ~ **a claim**. **10.** nicht aufgeben, behaupten: **to** ~ **one's ground** *bes. fig.* sich (in s-r Stellung) behaupten *od.* halten. **11.** *jur.* a) *e-e Klage* anhängig machen: **to** ~ **an action**, b) *e-e Prozeßpartei* 'widerrechtlich unter'stützen. **12.** *econ.* a) *e-n Preis* halten, b) *e-e Ware* im Preis halten. **main'tain·a·ble** *adj* zu halten(d), verfechtbar, haltbar. **main'tain·er** *s* Unter'stützer(in): a) Verfechter(in) (*e-r Meinung etc*), b) Versorger(in), Erhalter(in). **main'tain·or** [-nər] *s jur.* außenstehender Pro'zeßtreiber.

main·te·nance ['meintənəns; -ti-] *s* **1.** In'standhaltung *f* (*a. tech.*), Erhaltung *f*. **2.** *tech.* Wartung *f*, Pflege *f*: ~ **man** Wartungsmonteur *m*; ~**-free** wartungsfrei. **3.** 'Unterhalt(smittel *pl*) *m*: ~ **grant** Unterhaltszuschuß *m*; ~ **order** Anordnung *f* von Unterhaltszahlungen. **4.** Aufrechterhaltung *f*, Beibehalten *n*. **5.** Betreuung *f*: **cap of** ~ *hist.* Schirmhaube *f*. **6.** Behauptung *f*, Verfechtung *f*. **7.** *jur.* 'ille,gale Unter'stützung e-r pro'zeßführenden Par'tei.

'main|'top *s mar.* Großmars *m*. **,~-'top·mast** *s mar.* Großstenge *f*. **,~-'top·sail** *s mar.* Großbramsegel *n*. **'~-,trav·el(l)ed** *adj* vielbefahren (*Straße*). ~ **yard** *s mar.* Großrah(e) *f*.

mai·so(n)·nette [,meizə'net] *s* **1.** kleines Eigenheim, 'Einfa,milienhaus *n*. **2.** vermieteter Hausteil.

maî·tre d'hô·tel [mɛːtr do'tɛl] (*Fr.*) *s* **1.** a) Haushofmeister *m*, b) *hist.* Major'domus *m*. **2.** Oberkellner *m*. **3.** Ho'telbesitzer *m*. **4.** *meist* ~ **butter** Hofmeistersoße *f* (*Buttersoße mit Kräutern*).

maize [meiz] *s bes. Br.* **1.** *bot.* Mais *m*. **2.** Maiskorn *n*. **3.** Maisgelb *n*.

ma·jes·tic [mə'dʒestik] *adj* (*adv* ~**ally**) maje'stätisch.

maj·es·ty ['mædʒisti] *s* **1.** Maje'stät *f*, königliche Hoheit: **His (Her) M~** Seine (Ihre) Majestät *od.* Königliche Hoheit; **Your M~** Eure Majestät; **in her** ~ **her.** mit Krone u. Zepter (*Adler*). **2.** Maje'stät *f*, maje'stätisches Aussehen, Erhabenheit *f*, Hoheit *f*. **3.** *Kunst*: (*die*) Herrlichkeit Gottes.

ma·jol·i·ca [mə'dʒɒlikə; -'jɒl-] *s* Ma'jolika *f*.

ma·jor ['meidʒər] **I** *s* **1.** *mil.* Ma'jor *m*. **2.** *ped. Am.* a) Hauptfach *n*, b) Stu'dent, der *Geschichte etc* als Hauptfach belegt hat: **history** ~. **3.** *jur.* Volljährige(r *m*) *f*, Mündige(r *m*) *f*. **4.** *mus.* a) Dur *n*, b) 'Durak,kord *m*, c) Durtonart *f*. **5.** *Logik*: a) *a.* ~ **term** Oberbegriff *m*, b) *a.* ~ **premise** Obersatz *m*. **II** *adj* (*nur attr*) **6.** größer(er, e, es) (*a. fig. an Bedeutung, Rang etc*), *fig. a.* bedeutend, wichtig, schwerwiegend: ~ **axis** *math.* Hauptachse *f*; ~ **event** *bes. sport* Großveranstaltung *f*; ~ **illness** schwer(er)e Krankheit; ~ **offensive** Großoffensive *f*; ~ **operation** a) *mil. etc* Großeinsatz *m*, großes Unternehmen, b) *fig.* ,größere Sache', ,schwere Geburt'; ~ **party** *pol.* große Partei; ~ **poet** großer Dichter; ~ **road** Haupt(verkehrs)straße *f*. **7.** Mehrheits...: ~ **vote** die von der Mehrheit abgegebenen Stimmen. **8.** *jur.* volljährig, majo'renn, mündig. **9.** *mus.* a) groß (*Terz etc*), b) Dur...: ~ **seventh chord** großer Septakkord; **C** ~ C-Dur *n*. **10.** *Am.* Hauptfach... **11.** der ältere *od.* erste: **Cato M~** der ältere Cato. **III** *v/i* **12.** ~ **in** *Am. colloq.* als *od.* im Hauptfach stu'dieren.

Ma·jor·can [mə'dʒɔːrkən] **I** *s* Bewohner(in) von Mal'lorka. **II** *adj* mal'lorkisch.

ma·jor-do·mo ['meidʒər'doumou] *pl* **-mos** *s* **1.** Haushofmeister *m*. **2.** *hist.* Major'domus *m*, Hausmeier *m*.

ma·jor·ette [,meidʒə'ret] *s Am.* 'Tambourma,jorin *f*.

ma·jor| gen·er·al *pl* ~ **gen·er·als** *s mil.* Gene'ralma,jor *m*.

ma·jor·i·ty [mə'dʒɒriti] *s* **1.** Mehrheit *f*: ~ **of votes** (Stimmen)Mehrheit, Majorität *f*; ~ **leader** *parl. Am.* Fraktionsführer *m* der Mehrheitspartei; ~ **rule** *pol.* Mehrheitsprinzip *n*. **2.** größere (An)Zahl, größerer *od.* größter Teil, Mehrzahl *f*: **in the** ~ **of cases** in der Mehrzahl der Fälle; **to join the (great)** ~ zu den Vätern versammelt werden (*sterben*). **3.** *a.* ~ **party** *pol.* 'Mehrheitspar,tei *f*. **4.** *jur.* Voll-, Großjährigkeit *f*, Mündigkeit *f*. **5.** *mil.* Ma'jorsrang *m od.* -stelle *f*.

ma·jor| key *s mus.* Dur(tonart *f*) *n*. ~ **league** *s sport Am.* Oberliga *f* (*e-e der beiden ersten Berufsbaseballklas-*

sen). ~ **mode** *s mus.* Dur(geschlecht) *n.* ~ **or·ders** *s pl relig.* (*die*) höheren Weihen *pl.* **M~ Proph·ets** *s pl Bibl.* (*die*) großen Pro'pheten *pl.* ~ **scale** *s mus.* Durtonleiter *f.* ~ **suit** *s Bridge*: höhere Farbe (*Herz od. Pik*).

ma·jus·cule [mə'dʒʌskjuːl] *s* Ma'juskel *f*, großer (Anfangs)Buchstabe.

make [meik] **I** *s* **1.** a) Machart *f*, Ausführung *f*, b) Erzeugnis *n*, Pro'dukt *n*, Fabri'kat *n*: **our own ~** (unser) eigenes Fabrikat; **of best English ~** beste englische Qualität; **I like the ~ of this car** mir gefällt die Ausführung *od.* Form dieses Wagens; **is this your own ~?** haben Sie das (selbst) gemacht? **2.** *Mode*: Schnitt *m*, Fas'son *f.* **3.** *econ.* (Fa'brik)Marke *f.* **4.** *tech.* Typ *m*, Bau(art *f*) *m.* **5.** Beschaffenheit *f*, Zustand *m.* **6.** Anfertigung *f*, 'Herstellung *f*, Produkti'on *f.* **7.** Produkti'on(smenge) *f*, Ausstoß *m.* **8.** a) (Körper)Bau *m*, b) Veranlagung *f*, Na'tur *f*, Art *f.* **9.** Bau *m*, Gefüge *n.* **10.** Fassung *f*, Stil *m* (*e-s Romans etc*). **11.** *electr.* Schließen *n* (*des Stromkreises*): **to be at ~** geschlossen sein. **12.** *Kartenspiel*: a) Trumpfbestimmung *f*, b) *Bridge*: endgültiges Trumpfgebot, c) Mischen *n* (*der Karten*). **13. to be on the ~** *sl.* a) ‚schwer dahinter her sein', auf Geld *od.* auf s-n Vorteil aus sein, b) (*a. sexuell*) ‚rangehen', c) (*gesellschaftlich*) nach oben drängen, d) im Kommen *od.* Werden sein.

II *v/t pret u. pp* **made** [meid] **14.** *allg. z. B. Anstrengungen, Einkäufe, Einwände, e-e Reise, sein Testament, e-e Verbeugung, e-n Versuch* machen: **to ~ the beds** die Betten machen *od.* richten; **to ~ excuses** Entschuldigungen vorbringen, Ausflüchte machen; **to ~ a fire** Feuer machen; **to ~ a price** e-n Preis festsetzen *od.* machen; **to ~ peace** Frieden schließen *od.* machen; **to ~ a speech** e-e Rede halten; (*siehe die Verbindungen mit den entsprechenden Stichwörtern*). **15.** machen: a) anfertigen, 'herstellen, erzeugen (**from, of, out of** von, aus), b) verarbeiten, bilden, formen (**to, into** in *acc*, zu), c) *Tee etc* (zu)bereiten, d) *ein Gedicht etc* verfassen, schreiben: **to ~ a sonnet. 16.** errichten, bauen, *e-n Park, Weg etc* anlegen; **17.** (er)schaffen: **God made man** Gott schuf den Menschen; **you are made for this job** du bist für diese Arbeit wie geschaffen. **18.** *fig.* machen zu: **he made her his wife**; **to ~ enemies of** sich zu Feinden machen; **to ~ a doctor of s.o.** j-n Arzt werden lassen. **19.** ergeben, bilden, entstehen lassen: **many brooks ~ a river; oxygen and hydrogen ~ water** Wasserstoff u. Sauerstoff bilden Wasser. **20.** verursachen: a) *ein Geräusch, Lärm, Mühe, Schwierigkeiten etc* machen, b) bewirken, (mit sich) bringen: **prosperity ~s contentment. 21.** (er)geben, den Stoff abgeben zu, dienen als (*Sache*): **this ~s a good article** das gibt e-n guten Artikel; **this book ~s good reading** dieses Buch liest sich gut; **this cloth will ~ a suit** dieses Tuch wird für e-n Anzug reichen. **22.** sich erweisen als (*Personen*): **he would ~ a good salesman** er würde e-n guten Verkäufer abgeben; **she made him a good wife** sie war ihm e-e gute Frau. **23.** bilden, (aus)machen: **this ~s the tenth time** das ist das zehnte Mal. **24.** (*mit adj, pp etc*) machen: **to ~ angry** zornig machen, erzürnen; **to ~ known** bekanntmachen, -geben; → **make good. 25.** (*mit folgendem Substantiv*) machen zu, ernennen zu: **they made him (a) general, he was made a general** er wurde zum General ernannt; **he made himself a martyr** er machte sich zum Märtyrer. **26.** *mit inf* (*act ohne* **to**, *pass mit* **to**) *j-n* lassen, veranlassen *od.* bringen *od.* zwingen *od.* nötigen zu: **to ~ s.o. wait** j-n warten lassen; **we made him talk** wir brachten ihn zum Sprechen; **they made him repeat it, he was made to repeat it** man ließ es ihn wiederholen; **to ~ s.th. do, to ~ do with s.th.** mit etwas auskommen, sich mit etwas behelfen. **27.** *fig.* machen: **to ~ much of** a) viel Wesens um *etwas od. j-n* machen, b) sich viel aus *etwas* machen, viel von *etwas* halten. **28.** sich e-e Vorstellung von *etwas* machen, *etwas* halten für: **what do you ~ of it?** was halten Sie davon? **29.** *colloq. j-n* halten für: **I ~ him a greenhorn. 30.** schätzen auf (*acc*): **I ~ the distance three miles. 31.** feststellen: **I ~ it a quarter to five** nach m-r Uhr ist es viertel vor fünf. **32.** erfolgreich 'durchführen: → **escape** 10. **33.** *j-m* zum Erfolg verhelfen, *j-s* Glück machen: **I can ~ and break you** ich kann aus Ihnen etwas machen u. ich kann Sie auch erledigen. **34.** sich *ein Vermögen etc* erwerben, verdienen, *Geld, e-n Profit* machen, *e-n Gewinn* erzielen: **to ~ money (a fortune, a profit)**; → **name** *Bes. Redew.* **35.** ‚schaffen': a) *e-e Strecke* zu'rücklegen: **can we ~ it in 3 hours?**, b) *e-e Geschwindigkeit* erreichen, ‚machen': **to ~ 60 mph. 36.** *colloq. etwas* erreichen, ‚schaffen', *e-n akademischen Grad* erlangen, *sport etc Punkte, a. e-e Schulnote* erzielen, *e-n Zug* erwischen: **to ~ it** es schaffen; **to ~ the team** *Am.* in die Mannschaft aufgenommen werden. **37.** *sl. e-e Frau* ‚'rumkriegen', ‚'umlegen' (*verführen*). **38.** ankommen in (*dat*), erreichen: **to ~ port** *mar.* in den Hafen einlaufen. **39.** *mar.* sichten, ausmachen: **to ~ land. 40.** *Br. e-e Mahlzeit* einnehmen. **41.** *ein Fest etc* veranstalten. **42.** *Kartenspiel*: a) *Karten* mischen, b) *e-n Stich* machen. **43.** *electr. den Stromkreis* schließen, *e-n Kontakt* 'herstellen. **44.** *ling. den Plural etc* bilden, werden zu. **45.** sich belaufen auf (*acc*), ergeben, machen: **two and two ~ four** 2 u. 2 macht *od.* ist 4. **46.** *bes. Br. ein Tier* abrichten, dres'sieren: **to ~ a horse. 47.** *obs.* über'setzen (*in e-e andere Sprache*). **48.** *Am. sl. j-n* identifi'zieren.

III *v/i* **49.** sich anschicken, den Versuch machen (**to do** zu tun): **he made to go** er wollte gehen. **50.** (**to** nach) a) sich begeben *od.* wenden, b) führen, gehen (*Weg etc*), sich erstrecken, c) fließen. **51.** einsetzen (*Ebbe, Flut*), (an)steigen (*Flut etc*). **52.** (*statt pass*) gemacht *od.* 'hergestellt werden: **bolts are making in this shop. 53.** *Kartenspiel*: e-n Stich machen. **54. ~ as if** (*od.* **as though**) so tun als ob *od.* als wenn: **to ~ believe (that** *od.* **to do)** vorgeben (daß *od.* zu tun); **to ~ like** *Am. sl.* nachahmen, so tun wie.

Verbindungen mit Präpositionen:

make| aft·er *v/i obs. j-m* nachsetzen, *j-n* verfolgen. ~ **a·gainst** *v/i* **1.** ungünstig *od.* nachteilig sein für, schaden (*dat*). **2.** sprechen gegen (*a. von Umständen*). ~ **for** *v/i* **1.** a) zugehen *od.* lossteuern auf (*acc*), zustreben (*dat*), b) sich begeben nach, eilen nach, sich aufmachen nach, c) *mar.* Kurs haben auf (*acc*), d) sich stürzen auf (*acc*). **2.** förderlich sein (*dat*), dienen (*dat*), führen *od.* beitragen zu, (*e-e Verbesserung gen*) bewirken: **it makes for his advantage** es wirkt sich für ihn günstig aus; **the aerial makes for better reception** die Antenne verbessert den Empfang. ~ **from** *v/i* **1.** sich fortmachen von. **2.** *mar.* abtreiben von (*der Küste*). ~ **to·ward(s)** *v/i* **1.** → **make for** 1 a. **2.** sich nähern (*dat*).

Verbindungen mit Adverbien:

make| a·way *v/i* sich da'vonmachen: **to ~ with** a) sich davonmachen mit (*Geld etc*), b) *etwas od. j-n* beseitigen, aus dem Weg(e) räumen, *etwas* aus der Welt schaffen, c) *Geld etc* durchbringen, d) sich entledigen (*gen*). ~ **good I** *v/t* **1.** a) (wieder)'gutmachen, b) ersetzen, vergüten: **to ~ a deficit** ein Defizit decken. **2.** a) begründen, rechtfertigen, b) be-, nachweisen. **3.** *ein Versprechen, sein Wort* halten, erfüllen, sich an *e-e Abmachung* halten. **4.** *den Erwartungen* entsprechen. **5.** *Flucht etc* glücklich bewerkstelligen. **6.** *e-e* (*berufliche etc*) *Stellung* ausbauen, sichern. **II** *v/i* **7.** sich 'durchsetzen (*a. Sache*), erfolgreich sein, sein Ziel erreichen. **8.** sich bewähren, den Erwartungen entsprechen. ~ **off** *v/i* **1.** sich da'vonmachen, ausreißen: **to ~ with the money** mit dem Geld durchbrennen; **to ~ with the prize** den Preis ergattern. **2. ~ with** *Am. colloq. Essen etc* ‚verdrücken', ‚wegputzen'. ~ **out I** *v/t* **1.** *e-n Scheck etc* ausstellen. **2.** *ein Dokument etc* ausfertigen. **3.** *e-e Liste etc* aufstellen. **4.** ausmachen, erkennen: **to ~ a figure at a distance. 5.** *e-n Sachverhalt etc* feststellen, her'ausbekommen. **6.** a) *j-n* ausfindig machen, b) *j-n* verstehen, aus *j-m od. e-r Sache* klug werden: **I cannot make him (it) out. 7.** *e-e Handschrift etc* entziffern. **8.** a) behaupten, b) glaubhaft machen, c) beweisen: → **case** 6; **to make s.o. out a liar** j-n als Lügner hinstellen. **9.** *Am.* a) (*bes. mühsam*) zu'stande bringen, b) ergeben, (aus)machen. **10.** a) vervollkommnen, b) *Einzelheiten* ausarbeiten (*in der Kunst*), c) *e-e Summe* voll machen. **11.** halten für: **to make s.o. out to be a hypocrite. II** *v/i* **12.** *bes. Am. colloq.* a) Erfolg haben, erfolgreich sein (**as** als), b) *gut etc* abschneiden, c) *gut etc* zu'rechtkommen. **13.** *bes. Am. mit j-m* auskommen. **14.** behaupten, vorgeben, sich stellen als ob: **they ~ to be well informed. 15.** *Am. colloq.* sich behelfen (**with** mit). ~ **o·ver** *v/t* **1.** *Eigentum* über'tragen, -'eignen, vermachen. **2.** *Am.* a) *e-n Anzug etc* 'umarbeiten, ändern, b) *ein Haus etc* 'umbauen *od.* reno'vieren, c) *j-n* ändern *od.* bessern. ~ **up I** *v/t* **1.** bilden, zs.-setzen: **to ~ a whole** ein Ganzes bilden; **to be made up of** bestehen *od.* sich zs.-setzen aus. **2.** *e-e Arznei, Warenproben, e-n Bericht etc* zs.-stellen. **3.** *a. thea. etc* a) zu'rechtmachen, 'herrichten: **to ~ s.o.**; **to ~ one's face**; **to ~ a room**, b) schminken, c) 'ausstaf,fieren. **4.** *ein Schriftstück etc* abfassen, aufsetzen, *e-e Liste* anfertigen, *e-e Tabelle* aufstellen. **5.** *e-e Geschichte etc* sich ausdenken, (*a. lügnerisch*) erfinden: **the story is made up. 6.** *ein Paket etc* (ver)packen, (ver)schnüren: **to ~ parcels. 7.** *e-n Anzug etc* anfertigen, nähen. **8.** entschließen: → **mind** 5. **9.** a) *Versäumtes* nachholen, wettmachen: → **leeway** 3, b) 'wiedergewinnen: **to ~ lost ground. 10.** ersetzen, vergüten. **11.** *e-n Streit etc* beilegen: **to make it up** a) es wiedergutmachen, b) sich wieder versöhnen. **12.** vervollständigen, *fehlende Summe etc* ergänzen, *e-n Betrag, e-e Gesellschaft etc* voll machen. **13.** *econ.* a) *e-e Bilanz* ziehen, b) *Konten, e-e Rechnung* ausgleichen: → **average** 2. **14.** *print. den Satz* um'brechen. **15.** *j-n* darstellen, sich verkleiden als. **II** *v/i* **16.** sich zu'rechtmachen, *bes.* sich pudern *od.* schminken. **17.** (for) Ersatz leisten, als Ersatz dienen (für), vergüten (*acc*). **18.** (for) ausgleichen, aufholen (*acc*), (*e-n Verlust*) wieder'gutmachen *od.* wettmachen, Ersatz leisten (für): **to ~ for lost time** den Zeitverlust wieder wettzumachen suchen, die verlorene Zeit wieder aufzuholen suchen. **19.** *Am.* (to) sich nähern (*dat*), zugehen (auf *acc*). **20.** *colloq.* (to) a) (*j-m*) den Hof machen, b) (*j-m*) schöntun, sich einschmeicheln *od.* anbiedern (bei *j-m*), c) sich her'anmachen (an *j-n*). **21.** sich versöhnen *od.* wieder vertragen (with mit).

make| and break *s electr.* Unter'brecher *m.* **'~-and-'break** *adj electr.* Unterbrecher...: **~ contact; ~ ignition** Abreißzündung *f.* **~ and mend** *s mar. Br.* **1.** Putz- u. Flickstunde *f.* **2.** Halbtagsurlaub *m.* **'~,bate** *s obs.* Störenfried *m,* Unruhestifter(in). **'~-be,lieve I** *s* **1.** a) So-tun-als-ob *n,* b) Verstellung *f,* c) Heuche'lei *f.* **2.** Vorwand *m.* **3.** (*falscher*) (An)Schein, ,Spiegelfechte'rei *f.* **4.** a) Heuchler(in), b) *fig.* Schauspieler(in). **II** *adj* **5.** angenommen, eingebildet, nur in der Phanta'sie exi'stierend. **6.** falsch: a) scheinbar, nicht echt, b) geheuchelt, unaufrichtig, c) vor-, angeblich. **'~-,do** → **makeshift. '~,fast** *s mar.* **1.** Vertäupfahl *m.* **2.** Poller *m.* **3.** Vertäuboje *f.* **'~-,peace** *s* Friedensstifter(in).

mak·er ['meikər] *s* **1.** Macher *m,* Verfertiger *m.* **2.** *econ.* 'Hersteller *m,* Erzeuger *m.* **3.** the **M~** *relig.* der Schöpfer (*Gott*). **4.** *jur.* Aussteller *m* (*e-s Schuldscheins etc*). **5.** *obs.* Dichter *m,* Sänger *m.* **6.** *Bridge*: (Al'lein)Spieler *m.*

'make|-,read·y *s print.* Zurichtung *f.* **'~,shift I** *s* **1.** Notbehelf *m.* **II** *adj* **2.** behelfsmäßig, Behelfs..., Not...: **~ construction. 3.** provi'sorisch.

'make-,up *s* **1.** Aufmachung *f*: a) *Film etc*: Ausstattung *f,* Kostü'mierung *f,* b) *econ.* Ausstattung *f,* Verpackung *f,* c) *humor.* Aufzug *m,* (Ver)Kleidung *f.* **2.** Make-up *n*: a) Schminken *n od.* Pudern *n,* b) Kos'metikum *n,* Schminke *f,* Puder *m*: **~ case** Kosmetiktäschchen *n.* **3.** *fig.* Rüstzeug *n.* **4.** *chem. etc, a. pol. u. fig.* Zs.-setzung *f*: **the ~ of the Cabinet; the ~ of the team** *sport* die Mannschaftsaufstellung. **5.** Körperbau *m.* **6.** Veranlagung *f,* Na'tur *f.* **7.** Pose *f.* **8.** *fig. humor. Am.* erfundene Geschichte, Erfindung *f.* **9.** *Am. colloq.* a) nachgeholter (Übungs)Kurs, b) nachgeholte Prüfung. **10.** *print.* 'Umbruch *m.* **~ man** *s* **1.** *Film etc*: Maskenbildner *m.* **2.** *print.* 'Umbruchredak,teur *m.*

'make,weight *s* **1.** (Gewichts)Zugabe *f,* Zusatz *m* (*bes. zum vollen Gewicht*). **2.** *a. fig.* Gegengewicht *n,* Ausgleich *m.* **3.** *fig.* a) Lückenbüßer *m* (*Person*), b) (kleiner) Notbehelf, Füllsel *n.*

ma·ki·mo·no [ˈmɑːkiˈmouno] *s* Maki'mono *n* (*japanische Bilderrolle*).

mak·ing ['meikiŋ] *s* **1.** Machen *n,* Schaffen *n*: **this is of my own ~** das habe ich selbst gemacht, dies ist mein eigenes Werk. **2.** Erzeugung *f,* 'Herstellung *f,* Fabrikati'on *f*: **~ order** spezifizierter Fertigungsauftrag; **to be in the ~** a) im Werden *od.* im Kommen *od.* in der Entwicklung sein, b) noch nicht fertig *od.* noch in Arbeit sein. **3.** Pro'dukt *n* (*e-s Arbeitsgangs*): **a ~ of bread** ein Schub *m* Brot. **4.** a) Zs.-setzung *f,* b) Verfassung *f,* c) Bau(art *f*) *m,* Aufbau *m,* d) Aufmachung *f.* **5.** Glück *n,* Chance *f*: **this will be the ~ of him** damit ist er ein gemachter Mann; **misfortune was the ~ of him** sein Unglück machte ihn groß. **6.** *oft pl* Anlagen *pl,* ‚Zeug' *n*: **he has the ~s of** er hat das Zeug *od.* die Anlagen zu. **7.** *pl* a) ('Roh)Materi,al *n* (*a. fig.*), b) *colloq.* (*die*) nötigen Zutaten *pl.* **8.** *pl* Pro'fit *m,* Verdienst *m.* **9.** *pl Bergbau*: Kohlengrus *m.* **'~-'up day** *s econ. Br.* Re'porttag *m.* **'~-'up price** *s econ. Br.* Liquidati'onspreis *m,* -kurs *m.*

Ma·lac·ca (cane) [məˈlækə] *s* Ma'lakka(spa,zier)stöckchen *n.*

Mal·a·chi ['mælə,kai], **,Mal·a'chi·as** [-əs] *npr u. s Bibl.* (das Buch) Male'achi *m od.* Mala'chias *m.*

mal·a·chite ['mælə,kait] *s min.* Mala'chit *m,* Kupferspat *m.*

mal·a·co·derm ['mæləko,dəːrm] *s zo.* Weichhäuter *m.*

mal·a·col·o·gy [,mæləˈkɒlədʒi] *s* Malakolo'gie *f,* Weichtierkunde *f.*

mal·a·cop·ter·yg·i·an [,mælə,kɒptə'ridʒiən] *zo.* **I** *s* Weichflosser *m.* **II** *adj* weichflossig, Weichflosser...

mal·a·cos·tra·can [,mælə'kɒstrəkən] *zo.* **I** *s* Schalenkrebs *m.* **II** *adj* Schalenkrebs... [*s* schlechte Anpassung.]

mal·ad·ap·ta·tion [,mælədæp'teiʃən]

mal·a·dress [,mælə'dres] *s* ungeschicktes Benehmen.

mal·ad·just·ed [,mælə'dʒʌstid] *adj* **1.** schlecht angepaßt *od.* angeglichen, unausgeglichen. **2.** *psych.* s-r 'Umwelt entfremdet, mi'lieugestört. **,mal·ad'just·ment** *s* **1.** schlechte Anpassung *od.* Angleichung. **2.** *tech.* falsche Einstellung. **3.** *fig.* a) 'Mißverhältnis *n,* b) gestörtes (*wirtschaftliches etc*) Gleichgewicht. **4.** *psych.* mangelnde Anpassungsfähigkeit (*an die Umwelt*).

mal·ad·min·is·tra·tion [,mæləd,minis'treiʃən] *s* **1.** schlechte Verwaltung. **2.** *pol.* 'Mißwirtschaft *f.*

mal·a·droit [,mælə'drɔit] *adj* (*adv* **~ly**) **1.** ungeschickt. **2.** taktlos. **,mal·a'droit·ness** *s* **1.** Ungeschick *n.* **2.** Taktlosigkeit *f.*

mal·a·dy ['mælədi] *s* (*bes.* schleichende) Krankheit, Gebrechen *n* (*a. fig.*).

ma·la fi·de ['meilə 'faidi] (*Lat.*) *adj u. adv* **1.** *jur.* arglistig. **2.** falsch, unredlich. **'ma·la 'fi·des** [-diːz] (*Lat.*) *s* Arglist *f,* Unredlichkeit *f.*

Mal·a·gas·y [,mælə'gæsi] **I** *s* a) Mada'gasse *m,* Mada'gassin *f,* b) Mada'gassen *pl.* **II** *adj* mada'gassisch.

ma·laise [mæ'leiz] *s* **1.** Unpäßlichkeit *f,* Unwohlsein *n* (*a. der Frau*), Kränklichkeit *f.* **2.** Unbehagen *n.*

ma·la·mute ['mɑːlə,mjuːt] *s* Eskimohund *m.*

mal·an·ders ['mæləndərz] *s pl vet.* Mauke *f* (*Pferdekrankheit*).

mal·a·pert ['mælə,pəːrt] *adj u. s obs.* unverschämt(e Per'son).

mal·a·prop ['mælə,prɒp], **'mal·a·prop,ism** *s* (lächerliche) Wortverwechslung, 'Mißgriff *m.*

mal·ap·ro·pos [,mælæprə'pou] **I** *adj* **1.** unangebracht, unpassend. **2.** unschicklich. **II** *adv* **3.** a) zur unrechten Zeit, b) im falschen Augenblick. **III** *s* **4.** (*etwas*) Unangebrachtes *etc.*

ma·lar ['meilər] *anat.* **I** *adj* ma'lar, Backen... **II** *s* Backenknochen *m.*

ma·lar·i·a [mə'lɛ(ə)riə] *s med.* Ma'laria *f,* Sumpffieber *n.* **ma'lar·i·al, ma'lar·i·an, ma'lar·i·ous** *adj* Malaria...

ma·lar·k(e)y [mə'lɑːrki] *s Am. sl.* ‚Käse' *m,* ‚Quatsch' *m.*

mal·ate ['meileit; -lit; 'mæl-] *s chem.* Ma'lat *n,* Salz *n od.* Ester *m* der Apfelsäure.

Ma·lay [mə'lei; 'meilei] **I** *s* **1.** Ma'laie *m,* Ma'laiin *f.* **2.** Eingeborene(r *m*) *f* von Ma'lakka. **3.** *ling.* Ma'laiisch *n,* das Malaiische. **II** *adj* **4.** ma'laiisch.

Mal·a·ya·lam [,mælə'jɑːləm] *s* Ma'la'yalam *n* (*malabarische Sprache*).

Ma·lay·an [mə'leiən] → **Malay** II.

mal·con·tent ['mælkən,tent] **I** *adj* unzufrieden (*a. pol.*). **II** *s* Unzufriedene(r *m*) *f* (*a. pol.*), 'Mißvergnügte(r *m*) *f.*

male [meil] **I** *adj* **1.** *biol.* männlich (*a. tech*): **~ cat** Kater *m*; **~ child** Knabe *m*; **~ cousin** Vetter *m*; **~ fern** *bot.* Wurmfarn *m*; **~ nurse** Krankenpfleger *m*; **~ plug** *electr.* Stecker *m*; **~ rhyme** männlicher Reim; **~ screw** Schraubenbolzen *m od.* -spindel *f*; **without ~ issue** ohne männliche(n) Nachkommen. **2.** *weitS.* a) männlich, mannhaft, b) kräftig (*in der Farbe etc*), c) Männer...: **~ voice; ~ choir** Männerchor *m.* **II** *s* **3.** a) Mann *m,* b) Knabe *m.* **4.** *zo.* Männchen *n.* **5.** *bot.* männliche Pflanze.

ma·le·ate [mə'liːit] *s chem.* Male'at *n.*

mal·e·dic·tion [,mæli'dikʃən] *s* **1.** Fluch *m,* Verwünschung *f.* **2.** Fluchen *n.* **,mal·e'dic·to·ry** [-təri] *adj* verwünschend, Verwünschungs...

mal·e·fac·tion [,mæli'fækʃən] *s* Missetat *f.* **'mal·e,fac·tor** [-tər] *s* Misse-, Übeltäter *m.* **'mal·e,fac·tress** [-tris] *s* Misse-, Übeltäterin *f.*

ma·lef·ic [mə'lefik] *adj* (*adv* **~ally**) **1.** ruchlos, bösartig. **2.** unheilvoll. **ma'lef·i·cent** [-snt] *adj* **1.** bösartig. **2.** schädlich (to für *od. dat*). **3.** verbrecherisch. [le'insäure *f.*]

ma·le·ic ac·id [mə'liːik] *s chem.* Ma-

ma·le·mute → **malamute.**

ma·lev·o·lence [mə'levələns] *s* 'Mißgunst *f,* Bosheit *f,* Feindseligkeit *f* (to gegen), Böswilligkeit *f.* **ma'lev·o·lent** *adj* (*adv* **~ly**) **1.** 'mißgünstig, widrig (*Umstände etc*). **2.** (to) feindselig (gegen), feindlich gesinnt (*dat*), übelwollend (*dat*), böswillig.

mal·fea·sance [mæl'fiːzəns] *s jur.* strafbare Handlung, (*bes.* Amts)Vergehen *n.* **mal'fea·sant I** *adj* gesetzwidrig, strafbar. **II** *s* Missetäter(in), *bes.* j-d der sich e-s Amtsvergehens schuldig macht.

mal·for·ma·tion [,mælfɔːr'meiʃən] *s bes. med.* 'Mißbildung *f.* **mal'formed** *adj* 'mißgebildet.

mal·func·tion [,mæl'fʌŋkʃən] **I** *s* **1.** *med.* Funkti'onsstörung *f.* **2.** *tech.* schlechtes Funktio'nieren *od.* Arbeiten, Störung(en *pl*) *f.* **II** *v/i* **3.** schlecht funktio'nieren *od.* arbeiten.

mal·ic ['mælik; 'meilik] *adj chem.* Apfel...: **~ acid.**

mal·ice ['mælis] *s* **1.** Böswilligkeit *f,* Gehässigkeit *f,* Bosheit *f*: **out of pure ~** aus reiner Bosheit. **2.** Groll *m*: **to bear ~ to s.o., to bear s.o. ~** j-m

grollen, Rachegefühle gegen j-n hegen *od.* nähren. **3.** Arglist *f*, (Heim)Tücke *f*: the ~ of fate die Tücke des Geschicks. **4.** (schelmische) Bosheit, Schalkhaftigkeit *f*: with ~ boshaft, maliziös. **5.** *jur.* böse Absicht, Vorsatz *m*: with ~ (aforethought *od.* prepense) vorsätzlich.
ma·li·cious [mə'liʃəs] *adj* (*adv* ~ly) **1.** böswillig, feindselig. **2.** arglistig, (heim)tückisch. **3.** gehässig. **4.** mali'ziös: a) hämisch, schadenfroh, b) schalk-, boshaft. **5.** *jur.* böswillig, vorsätzlich: ~ abandonment böswilliges Verlassen; ~ mischief grober Unfug; ~ prosecution schikanöse Klageführung. **ma'li·cious·ness** → malice 1-3.
ma·lign [mə'lain] **I** *adj* **1.** verderblich, schädlich. **2.** unheilvoll. **3.** → malignant 1-4. **II** *v/t* **4.** verlästern, -leumden, beschimpfen. **ma·lig·nan·cy** [mə'lignənsi] *s* **1.** Bösartigkeit *f* (*a. med.*), Böswilligkeit *f*, Feindseligkeit *f*. **2.** Bosheit *f*, Arglist *f*. **3.** hämisches Wesen. **4.** Schädlichkeit *f*, Verderblichkeit *f*. **ma'lig·nant I** *adj* (*adv* ~ly) **1.** bösartig (*a. med.*), böswillig, feindselig. **2.** boshaft, arglistig, (heim)tückisch. **3.** hämisch, schadenfroh. **4.** gehässig. **5.** → malign 1, 2. **6.** *pol.* unzufrieden, re'bellisch. **II** *s* **7.** *Br. hist.* Königstreue(r *m*) *f*, Roya'list(in) (*bes. Anhänger von Charles I*). **8.** *pol.* Unzufriedene(r *m*) *f*.
ma·lign·er [mə'lainər] *s* Verleumder(in). **ma·lig·ni·ty** [mə'ligniti] *s* **1.** → malignancy 1, 2, 3. **2.** tiefer Haß. **3.** *pl* a) Haßgefühle *pl*, b) Gemeinheiten *pl*, böswillige Handlungen *pl*, c) unheilvolle Ereignisse *pl*.
ma·lines [mə'li:n] *pl* **-lines** [-'li:n(z)] *s* **1.** (*früher* handgewebtes) tüllartiges Maschenwerk. **2.** Mechelner Spitzen *pl*.
ma·lin·ger [mə'liŋgər] *v/i* sich krank stellen, simu'lieren, ‚sich drücken'. **ma'lin·ger·er** *s* Simu'lant *m*, Drükkeberger *m*.
ma·lism ['meilizəm] *s Lehre, daß die Welt als Ganzes schlecht ist.*
mal·i·son ['mælisn; -zn] *s obs.* Verwünschung *f*, Fluch *m*.
mal·kin ['mɔ:kin] *s* **1.** *obs.* Schlampe *f*, Hure *f*. **2.** Vogelscheuche *f*.
mall[1] [mɔ:l] *s* **1.** schattiger Prome'nadenweg: the Mall [mæl] *e-e Allee am St. James-Park, London.* **2.** *hist.* a) Mail(spiel) *n*, b) Mailschlegel *m*, c) Mailplatz *m*.
mall[2] [mɔ:l; mɑ:l] *s* Sturmmöwe *f*.
mall[3] → maul.
mal·lard ['mælərd] *pl* **-lards**, *collect.* **-lard** *s* **1.** *orn.* a) Wild-, Stockente *f*, b) wilder Enterich. **2.** Wildente(nfleisch *n*) *f*.
mal·le·a·bil·i·ty [ˌmæliə'biliti] *s* **1.** *tech.* a) (Kalt)Hämmerbarkeit *f*, b) Dehn-, Streckbarkeit *f*, c) Verformbarkeit *f*. **2.** *fig.* Geschmeidigkeit *f*.
mal·le·a·ble ['mæliəbl] *adj* **1.** *tech.* a) (kalt)hämmerbar, b) dehn-, streckbar, c) verformbar. **2.** *fig.* formbar, gefügig, geschmeidig. ~ **cast i·ron** *s tech.* **1.** Tempereisen *n*. **2.** Temperguß *m*. ~ **i·ron** *s tech.* **1.** a) Schmiede-, Schweißeisen *n*, b) schmiedbarer Guß. **2.** → malleable cast iron.
mal·le·a·ble·ize ['mæliəˌblaiz] *v/t tech.* tempern, glühfrischen.
mal·le·i·form [mə'li:iˌfɔ:rm; 'mæli-] *adj zo.* hammerförmig.
mal·le·muck ['mæliˌmʌk] *s orn.* a) Sturmvogel *m*, b) Eismöwe *f*, c) Fulmar *m*.
mal·le·o·lar [mə'li:ələr] *adj anat.* malleo'lar, Knöchel... **mal'le·o·lus** [-ləs] *pl* **-li** [-ˌlai] *s anat.* Mal'leolus *m*, Knöchel *m* (*am Ende des Schien- u. Wadenbeins*).
mal·let ['mælit] *s* **1.** Holzhammer *m*, Schlegel *m*. **2.** *Bergbau*: (Hand)Fäustel *m*, Schlägel *m*. **3.** *sport* Schlagholz *n*, (*bes.* Polo)Schläger *m*.
mal·le·us ['mæliəs] *pl* **-le·i** [-liˌai] *s anat.* Hammer *m* (*Gehörknöchelchen*).
mal·low ['mælou] *s bot.* **1.** Malve *f*. **2.** Malvengewächs *n*.
malm [mɑ:m] *s geol.* Malm *m*, (*kalkhaltiger*) weicher Lehm.
malm·sey ['mɑ:mzi] *s* Malva'sier *m* (*Süßweinsorte*).
mal·nu·tri·tion [ˌmælnju:'triʃən] *s* 'Untererˌnährung *f*, schlechte Ernährung.
mal·oc·clu·sion [ˌmælə'klu:ʒən] *s med.* Ge'bißanomaˌlie *f*.
mal·o·dor·ous [mæ'loudərəs] *adj* übelriechend.
Mal·pigh·i·an [mæl'pigiən] *adj bot. med. zo.* mal'pighisch (*nach dem italienischen Anatomen Malpighi*): ~ body, ~ corpuscle *med* Malpighisches Körperchen.
mal·po·si·tion [ˌmælpə'ziʃən] *s med.* 'Stellungs-, 'Lageanomaˌlie *f*.
mal·prac·tice [ˌmæl'præktis] *s* **1.** Übeltat *f*, Vergehen *n*. **2.** *jur.* a) standeswidriges Verhalten, Pflichtverletzung *f*, b) Kunstfehler *m*, falsche (ärztliche) Behandlung, c) Fahrlässigkeit *f* (*des Arztes*), d) Amtsvergehen *n*, e) Untreue *f* (*im Amt etc*).
mal·pres·en·ta·tion [mælˌprezən'teiʃən] *s med.* anomale Kindslage.
malt [mɔ:lt] **I** *s* **1.** Malz *n*: green ~ Grünmalz. **2.** *colloq.* (Malz)Bier *n*. **II** *v/t* **3.** mälzen, malzen: ~ed milk Malzmilch *f*. **4.** unter Zusatz von Malz 'herstellen. **III** *v/i* **5.** zu Malz werden. **6.** malzen. **IV** *adj* **7.** Malz...: ~ extract; ~ liquor gegorener Malztrank, *bes.* (Malz)Bier *n*.
malt·ase ['mɔ:lteis] *s biol. chem.* Mal'tase *f*, Dia'stase *f* (*Ferment*).
Mal·tese [mɔ:l'ti:z] **I** *s* **1.** a) Mal'teser(in), b) *pl* Mal'teser *pl*. **2.** *ling.* Mal'tesisch *n*. **II** *adj* **3.** mal'tesisch, Malteser... ~ **cross** *s* **1.** Mal'teserkreuz *n*. **2.** *tech.* Mal'teserkreuz(getriebe) *n*.
mal·tha ['mælθə] *s* **1.** *min.* Bergteer *m*. **2.** (*verschiedene Arten von*) Mörtel *m od.* Ze'ment *m*.
'maltˌhouse *s* Mälze'rei *f*.
Mal·thu·sian [mæl'θju:ziən; -'θu:-] **I** *s* Malthusi'aner(in). **II** *adj* mal'thusisch, Malthus... **Mal'thu·si·anˌism** *s* Malthusia'nismus *m*.
malt·ine ['mɔ:lti:n] *s chem. Br.* Mal'tin *n*, 'Malzdiaˌstase *f*.
malt·ose ['mɔ:ltous] *s chem.* Mal'tose *f*, Malzzucker *m*.
mal·treat [mæl'tri:t] *v/t* **1.** schlecht behandeln, malträ'tieren, grob 'umgehen mit. **2.** miß'handeln. **mal'treat·ment** *s* **1.** schlechte Behandlung. **2.** Miß'handlung *f*.
malt·ster ['mɔ:ltstər] *s* Mälzer *m*.
malt sug·ar → maltose.
malt·y ['mɔ:lti] *adj* malzig, malzhaltig, Malz...
mal·va·ceous [mæl'veiʃəs] *adj bot.* zu den Malvengewächsen gehörig.
mal·ver·sa·tion [ˌmælvər'seiʃən] *s jur.* **1.** Veruntreuung *f*, 'Unterschleif *m*. **2.** 'AmtsˌmiBbrauch *m*, -vergehen *n*.
mal·voi·sie ['mælvɔizi] → malmsey.
mam·ba ['mæmbə; 'mɑ:mbə] *s zo.* Mamba *f* (*Giftnatter*).
mam·e·lon ['mæmələn] *s* kleine runde Erhebung.
Mam·e·luke ['mæməˌlu:k; -ˌlju:k] *s hist.* **1.** Mame'luck *m*. **2.** m~ Sklave *m*.
ma·mil·la [mæ'milə] *pl* **-lae** [-li:] *s* **1.** *anat.* Brustwarze *f*. **2.** *zo.* Zitze *f*. **3.** (brust)warzenförmiges Gebilde.
mam·il·lar·y ['mæmiləri] *adj* **1.** *anat.* Brustwarzen... **2.** (brust)warzenförmig. **'mam·ilˌlate** [-ˌleit], **'mam·ilˌlat·ed** *adj* **1.** mit Brustwarzen besetzt. **2.** → mamillary 2. **ma·mil·li·form** [mə'miliˌfɔ:rm] → mamillary 2.
mam·ma[1] [mə'mɑ:; *Am. a.* 'mæmə] *s* Ma'ma *f*, Mutter *f*.
mam·ma[2] ['mæmə] *pl* **-mae** [-mi:] *s* **1.** *anat.* (weibliche) Brust, Brustdrüse *f*. **2.** *zo.* Zitze *f*, Euter *n*.
mam·mal ['mæməl] *s zo.* Säugetier *n*.
Mam·ma·li·a [mæ'meiliə] *s pl zo.* Säugetiere *pl*. **mam'ma·li·an** *zo.* **I** *s* Säugetier *n*. **II** *adj* Säugetier..., zu den Säugetieren gehörig. **mam·ma·lif·er·ous** [ˌmæmə'lifərəs] *adj geol.* (*fossile*) Säugetierreste enthaltend. **ˌmamma'log·i·cal** [-'lɒdʒikəl] *adj* zur Säugetierkunde gehörig. **mam·mal·o·gy** [mæ'mælədʒi] *s* Säugetierkunde *f*.
mam·ma·ry ['mæməri] *adj* **1.** *anat.* Brust(warzen)..., Milch...: ~ gland Brust-, Milchdrüse *f*. **2.** *zo.* Euter...
mam·mi·fer ['mæmifər] *s zo. selten* Säugetier *n*. **mam·mif·er·ous** [mæ'mifərəs] *adj* säugend, mit Brustwarzen (versehen). **'mam·miˌform** [-ˌfɔ:rm] *adj* **1.** brust(warzen)förmig. **2.** zitzen-, euterförmig.
mam·mil·la *etc bes. Am. für* mamilla *etc.*
mam·mock ['mæmək] *bes. dial.* **I** *s* Bruchstück *n*, Brocken *m*. **II** *v/t* (in Stücke) (zer)brechen.
mam·mon ['mæmən] *s* Mammon *m*: a) Reichtum *m*, Geld *n*: the ~ of unrighteousness *Bibl.* der ungerechte Mammon, b) *Dämon des Geldes od. der Besitzgier*: to serve (*od.* worship) ~ dem Mammon dienen. **'mam·mon·ish** *adj* dem Mammon ergeben. **'mam·monˌism** *s* Mammonsdienst *m*, Geldgier *f*. **'mam·mon·ist, mam·monˌite** *s* Mammonsdiener *m*.
mam·moth ['mæməθ] **I** *s zo.* Mammut *n*. **II** *adj* Mammut..., riesig, Riesen..., ungeheuer: ~ enterprise Mammutunternehmen *n*; ~ tree *bot.* Mammutbaum *m*.
mam·my ['mæmi] *s* **1.** *colloq.* Mami *f*. **2.** *Am.* (farbiges) Kindermädchen.
man [mæn] **I** *pl* **men** [men] *s* **1.** Mensch *m*. **2.** *oft* M~ (*meist ohne* the) *collect.* der Mensch, die Menschen *pl*, die Menschheit: the rights of ~ die Menschenrechte. **3.** Mann *m*: ~ about town Lebemann; the ~ in the street der Mann auf der Straße, der Durchschnittsbürger; ~ of all work a) Faktotum *n*, b) Allerweltskerl *m*; ~ of God Diener *m* Gottes; ~ of straw *fig.* Strohmann; ~ of the world Weltmann; M~ of Sorrows *relig.* Schmerzensmann (*Christus*); he is a ~ of few words er macht nicht viele Worte; he is an Oxford ~ er hat in Oxford studiert; I have known him ~ and boy ich kenne ihn schon von Jugend auf; to be one's own ~ sein eigener Herr sein; the ~ Smith (besagter *od.* dieser) Smith; a ~ and a brother *Br. colloq.* ein patenter Kerl; any good ~! *iro.* mein lieber Herr!; → honor 7, inner man, letter 5. **4.** *weitS.* a) Mann *m*, Per'son *f*, b) jemand, c) man: as a ~ als Mensch (*schlechthin*); any ~ a) irgend jemand, b) jedermann; every ~ jeder(mann); few men nur wenige (Menschen);

no ~ niemand; 5 sh. per ~ 5 Schilling pro Person *od.* Mann; what can a ~ do in such a case? was kann man da schon machen?; to give a ~ a chance einem e-e Chance geben. **5.** Mann *m*: as one ~ wie 'ein Mann, geschlossen; ~ by ~ Mann für Mann; to a ~ bis auf den letzten Mann. **6.** (Ehe)Mann *m*: ~ and wife Mann u. Frau. **7.** (*der*) (richtige) Mann, (*der*) Richtige: if you want a guide he is your ~; I am your ~! ich bin Ihr Mann!; he is not the ~ to do it er ist nicht der richtige Mann dafür. **8.** (wahrer, echter *od.* ‚richtiger') Mann: be a ~! sei ein Mann!, reiß dich zusammen! **9.** *collect.* die Männer *pl*, der Mann. **10.** a) Diener *m*, b) Angestellte(r) *m*, c) Arbeiter *m*: the men are on strike. **11.** *mil.* Mann *m* (*a. pl*): a) Sol'dat *m*, b) Ma'trose *m*, c) *pl* Mannschaft *f*: ~ on leave Urlauber *m*; 20 men zwanzig Mann. **12.** (*als interj*) *a.* ~ alive! Mensch!, Menschenskind!, Mann!: hurry up, ~! Mensch, beeil dich! **13.** *hist.* Lehnsmann *m*, 'Untertan *m*. **14.** *Brettspiele*: Stein *m*, ('Schach)Fi,gur *f*.
II *v/t* **15.** *mar. mil.* a) bemannen: to ~ a ship, b) besetzen: to ~ a fort. **16.** *e-n Arbeitsplatz etc* besetzen, einnehmen, arbeiten *od.* beschäftigt sein an (*dat*). **17.** *fig. j-n* stärken: to ~ o.s. sich ermannen.
III *adj* **18.** männlich: ~ cook Koch *m*.

ma·na ['mɑːnɑː] *s* Mana *n*: a) *magische Elementarkraft*, b) *übernatürliche Macht(stellung)*, *Geltung*.

man·a·cle ['mænəkl] **I** *s meist pl* **1.** Handfessel *f*, -schelle *f*, Fessel *f* (*a. fig.*). **II** *v/t* **2.** *j-m* Handfesseln *od.* -schellen anlegen. **3.** *j-n* (be)hindern.

man·age ['mænidʒ] **I** *v/t* **1.** *e-e Sache* führen, verwalten: to ~ one's own affairs s-e eigenen Angelegenheiten erledigen. **2.** *e-n Betrieb etc* leiten, führen, vorstehen (*dat*): to ~ a business. **3.** *ein Gut etc* bewirtschaften: to ~ an estate. **4.** beaufsichtigen, diri'gieren, lenken. **5.** *etwas* zu'stande bringen, bewerkstelligen. **6.** es fertigbringen: he ~d to see the general himself es gelang ihm, den General selbst zu sehen. **7.** ‚deichseln', ‚einfädeln', ‚managen': to ~ matters die Sache deichseln. **8.** *colloq. e-e Arbeit, a. Essen etc* bewältigen, ‚schaffen'. **9.** 'umgehen (können) mit: a) *ein Werkzeug etc* handhaben, *e-e Maschine etc* bedienen, b) mit *j-m* 'umzugehen *od. j-n* zu behandeln *od.* zu ‚nehmen' wissen, c) mit *j-m* fertig werden, *j-n* bändigen: I can ~ him ich werde schon mit ihm fertig, d) *j-n* her'umkriegen. **10.** *ein Fahrzeug etc* lenken (*a. fig.*). **11.** *ein Pferd* dres'sieren, zureiten. **12.** *Land* bearbeiten. **13.** *colloq.* (*durch Schwierigkeiten*) (hin)'durchbringen, -la,vieren. **14.** *obs.* haushalten mit.
II *v/i* **15.** wirtschaften. **16.** das Geschäft *od.* den Betrieb *etc* führen. **17.** auskommen, sich behelfen (with mit; without ohne). **18.** *colloq.* a) ‚es schaffen', 'durchkommen, zu'rechtkommen, zu Rande kommen, b) (es) einrichten *od.* ermöglichen: can you come this evening? I'm afraid, I can't ~ (it) können Sie heute abend kommen? Es geht leider nicht *od.* es ist mir leider nicht möglich.
III *s obs.* **19.** Reitschule *f*, Ma'nege *f*. **20.** a) Dres'sur *f* (*Pferd*), b) Dres'surübungen *pl*.

man·age·a·ble ['mænidʒəbl] *adj* (*adv* manageably) **1.** lenksam, fügsam. **2.** gelehrig. **3.** dres'sierbar. **4.** handlich, leicht zu handhaben(d). '**man·age·a·ble·ness** *s* **1.** Lenk-, Fügsamkeit *f*. **2.** Gelehrigkeit *f*. **3.** Handlichkeit *f*.

man·aged| cur·ren·cy ['mænidʒd] *s econ.* manipu'lierte *od.* (staatlich) gelenkte Währung. ~ **e·con·o·my** *s econ.* Planwirtschaft *f*.

man·age·ment ['mænidʒmənt] *s* **1.** *bes. econ.* Verwaltung *f*, Leitung *f*, (Betriebs)Führung *f*: (industrial) ~ Betriebswirtschaft *f*; ~ engineering → industrial engineering. **2.** *econ.* (Geschäfts)Vorstand *m*, Geschäftsleitung *f*, Direkti'on *f*: labo(u)r and ~ Arbeiter u. Geschäftsleitung; ~ consultant Industrie-, Betriebsberater *m*; ~ shares *bes. Br.* Vorstandsaktien. **3.** *agr.* Bewirtschaftung *f*: ~ of an estate. **4.** Erledigung *f*, Besorgung *f*: ~ of affairs. **5.** Geschicklichkeit *f*, (kluge) Taktik, Manipulati'on *f*. **6.** Kunstgriff *m*, Trick *m*. **7.** Handhabung *f*, Behandlung *f*. **8.** *med.* Behandlung *f* (u. Pflege *f*).

man·ag·er ['mænidʒər] *s* **1.** *allg.* Verwalter *m*, Leiter *m*, Manager *m*. **2.** *econ.* a) Geschäftsführer *m*, (Betriebs)Leiter *m*, Di'rektor *m*, Vorsteher *m*, b) Proku'rist *m*: ~ of a branch office Filialleiter; sales ~ Verkaufsleiter, Leiter der Verkaufsabteilung; board of ~s → managing board; hotel ~ Hoteldirektor. **3.** *agr.* (Guts)Verwalter *m*. **4.** Manager *m*, Betreuer *m* (*von Filmstars etc*). **5.** *thea. etc* a) Inten'dant *m*, b) Regis'seur *m*, c) Impre'sario *m*, Manager *m*. **6.** Haushalter *m*, Wirtschafter *m*: a good ~. **7.** *parl. Br. Mitglied e-s Ausschusses für Angelegenheiten beider Häuser.* '**man·ag·er·ess** *s* **1.** Verwalterin *f*. **2.** Geschäftsführerin *f*, (Betriebs)Leiterin *f*, Direk'torin *f*, Vorsteherin *f*. **3.** Haushälterin *f*.
,**man·a'ger·i·al** [-'dʒi(ə)riəl] *adj* **1.** *bes. econ.* Verwaltungs... **2.** *econ.* geschäftsführend, leitend, Direktoren..., Direktions...: ~ function; in a ~ position in leitender Stellung; ~ qualities Eignung *f* für e-e leitende Stellung. **3.** managerhaft. **4.** bevormundend, herrschsüchtig: a ~ young lady. ,**man·a'ger·i·al,ism** *s* Managertum *n*.

man·ag·ing ['mænidʒiŋ] *adj* **1.** *bes. econ.* Betriebs... **2.** *econ.* geschäftsführend, leitend. **3.** wirtschaftlich, sparsam. **4.** bevormundend. ~ **board** *s econ.* Direk'torium *n*, geschäftsführender Vorstand, Verwaltungsrat *m*. ~ **clerk** *s econ.* Geschäftsführer *m*, Proku'rist *m*. ~ **com·mit·tee** *s econ.* geschäftsführender Ausschuß, Vorstand *m*. ~ **di·rec·tor** *s econ.* **1.** Gene'ral-, Be'triebsdi,rektor *m*, geschäftsführendes Vorstandsmitglied. **2.** *pl* → managing board. ~ **ed·i·tor** *s* Hauptschriftleiter *m*, verantwortlicher Redak'teur. ~ **part·ner** *s econ.* geschäftsführender Gesellschafter *od.* Teilhaber.

'**man-at-'arms** *pl* '**men-at-'arms** *s* **1.** bewaffneter Krieger. **2.** schwerbewaffneter Reiter.

man·a·tee [,mænə'tiː] *s zo.* Laman'tin *m*, Rundschwanz-Seekuh *f*.

man·bot(e) ['mæn,bout] *s jur. hist.* Wer-, Manngeld *n*.

Man·ches·ter| goods ['mæntʃistər] *s pl* Baumwollwaren *pl*. ~ **school** *s* Manchestertum *n* (*liberalistische volkswirtschaftliche Richtung*).

Man·chu [mæn'tʃuː] **I** *s* **1.** Mandschu *m* (*Eingeborener der Mandschurei*). **2.** *ling.* Mandschu *n*. **II** *adj* **3.** man'dschurisch. **Man'chu·ri·an** [-'tʃu(ə)riən] → Manchu 1 *u.* 3.

man·ci·ple ['mænsipl] *s* Verwalter *m*.

Man·cu·ni·an [mæŋ'kjuːniən] **I** *s* Einwohner(in) von Manchester. **II** *adj* Manchester...

-mancy [mænsi] *Wortelement mit der Bedeutung* Wahrsagung.

man·da·mus [mæn'deiməs] *s jur. hist.* (*heute* order of ~) *Befehl m e-s höheren Gerichts an ein untergeordnetes.*

man·da·rin[1] ['mændərin] *s* **1.** *hist.* Manda'rin *m* (*chinesischer Titel*). **2.** *colloq.* ‚hohes Tier', hoher Beamter. **3.** *Br. sl.* rückständiger Par'teiführer. **4.** *nickende chinesische Puppe.* **5.** M~ *ling.* Manda'rinisch *n*, das Mandarinische.

man·da·rin[2] ['mændərin; -,riːn] *s* **1.** *bot.* Manda'rine *f*. **2.** Manda'rinenli,kör *m*. **3.** Manda'ringelb *n*.

man·da·rin duck *s orn.* Manda'rinenente *f*.

man·da·rine ['mɑːndərin; -,riːn] → mandarin[2].

man·da·tar·y ['mændətəri] *s jur.* Manda'tar *m*: a) (Prozeß)Bevollmächtigte(r) *m*, Sachwalter *m*, b) Manda'tarstaat *m*.

man·date I *s* ['mændeit; -dit] **1.** *jur.* Man'dat *n*: a) (Vertretungs)Auftrag *m*, (Pro'zeß)Vollmacht *f*, b) Geschäftsbesorgungsauftrag *m*. **2.** *jur. pol.* a) ('Völkerbunds)Man,dat *n* (*Schutzherrschaftsauftrag*), b) Man'dat(sgebiet) *n*. **3.** *jur.* Anordnung *f*, Befehl *m* (*e-s übergeordneten Gerichts etc*). **4.** *parl.* Auftrag *m*, Man'dat *n*. **5.** *R.C.* päpstlicher Entscheid. **6.** *poet.* Befehl *m*, Geheiß *n*. **II** *v/t* [-deit] **7.** e-m Man'dat unter'stellen: ~d territory Mandatsgebiet *n*. **man'da·tor** [-tər] *s jur.* Man'dant *m*, Auftrag-, Vollmachtgeber *m*. **man·da·to·ry** ['mændətəri] **I** *adj* **1.** *jur.* vorschreibend, befehlend: ~ regulation Mußvorschrift *f*; to make s.th. ~ upon s.o. j-m etwas vorschreiben *od.* zur Pflicht machen. **2.** *bes. Am.* obliga'torisch, zwingend vorgeschrieben, verbindlich, zwangsweise. **3.** bevollmächtigend. **4.** *pol.* Mandatar...: ~ state. **II** *s* → mandatary.

man·di·ble ['mændibl] *s* **1.** *anat.* a) Kinnbacken *m*, -lade *f*, b) 'Unterkiefer,knochen *m*. **2.** *zo.* Man'dibel *f*, 'Unterkiefer *m*. **3.** *orn.* a) *pl* Schnabel *m*, b) (*der*) untere Teil des Schnabels, c) Vorderkiefer *m*.

man·do·la [mæn'doulə] *s mus.* Man'dola *f* (*e-e Laute*).

man·do·lin(e) ['mændə,lin] *s mus.* Mando'line *f*.

man·do·ra [mæn'dɔːrə] → mandola.

man·dor·la ['mandorla] (*Ital.*) *s Malerei*: Mandorla *f* (*mandelförmige Gloriole*).

man·drag·o·ra [mæn'drægərə] *s bot.* Al'raun(wurzel *f*) *m*.

man·drake ['mændreik; -drik] *s bot.* **1.** Al'raun(e *f*) *m*. **2.** Al'raunwurzel *f*. **3.** *Am.* Maiapfel *m*.

man·drel ['mændrəl], *a.* '**man·dril** [-dril] *s tech.* **1.** Dorn *m*, Docke *f*. **2.** a) (Drehbank)Spindel *f*, b) (*für Holz*) Docke(nspindel) *f*, c) Stößel *m* (*e-r Presse*).

man·drill ['mændril] *s zo.* Man'drill *m*.

mane [mein] *s* Mähne *f*.

'**man-,eat·er** *s* **1.** Menschenfresser *m*. **2.** menschenfressendes Tier (*Tiger, Hai etc*). **3.** *ichth.* Menschenhai *m*.

maned [meind] *adj* gemähnt, mit e-r Mähne. ~ **wolf** *s irr zo.* Mähnenwolf *m*.

ma·nège, *a.* **ma·nege** [mæ'nɛːʒ; -'neiʒ] *s* **1.** Ma'nege *f*: a) Reitschule *f*, b) Reitbahn *f* (*bes. im Zirkus*). **2.** Dres'sier-, Reitkunst *f*. **3.** Gang *m*, Schule *f*. **4.** Schul-, Zureiten *n*.

ma·nes ['meiniːz] *s pl relig.* Manen *pl*.

ma·neu·ver, *bes. Br.* **ma·nœu·vre** [mə'nuːvər] **I** *s* **1.** *mar. mil.* Ma'növer *n*: a) taktische (Truppen- *od.* Flotten)Bewegung: **pivoting** ~, **wheeling** ~ Schwenkung *f*, b) *a. pl* Truppen- *od.* Flottenübung *f*, Gefechtsübung *f*, *aer.* 'Luftmaˌnöver *n od. pl.* **2.** (Hand)Griff *m*, Bewegung *f*. **3.** *fig.* Ma'növer *n*, Schachzug *m*, List *f*. **4.** geschicktes La'vieren. **II** *v/i* **5.** *mar. mil.* manö'vrieren. **6.** *fig.* manö'vrieren, la'vieren, geschickt zu Werke gehen. **III** *v/t* **7.** manö'vrieren (*a. fig.*): **to** ~ **s.o. into s.th.** j-n in etwas hineinmanövrieren *od.* -lotsen. **maˌneu·ver·a'bil·i·ty,** *bes. Br.* **maˌnœu·vra'bil·i·ty** [-vrə-] *s* **1.** Manö'vrierbarkeit *f*. **2.** *tech.* Lenkbarkeit *f*. **3.** *fig.* Wendigkeit *f*, Beweglichkeit *f*. **ma'neu·ver·a·ble,** *bes. Br.* **ma'nœu·vra·ble** *adj* **1.** *mil.* manö'vrierbar, -fähig. **2.** *tech.* lenk-, steuerbar. **3.** *fig.* wendig, beweglich. **ma'neu·ver·er,** *bes. Br.* **ma'nœu·vrer** *s fig.* **1.** schlauer Taktiker, gerissener Kerl. **2.** Intri'gant *m*.

ma·neu·vra·bil·i·ty, ma·neu·vra·ble → **maneuverability** *etc.*

man·ful ['mænful] *adj* (*adv* ~**ly**) mannhaft, tapfer, beherzt. **'man·ful·ness** *s* Mannhaftigkeit *f*, Beherztheit *f*.

man·ga·nate ['mæŋgəˌneit] *s chem.* man'gansaures Salz, Manga'nat *n*.

man·ga·nese ['mæŋgəˌniːz; -ˌniːs] *s chem.* Man'gan *n*: ~ **dioxide** Braunstein *m*, Mangandioxyd *n*; ~ **spar** *min.* Manganspat *m*.

man·gan·ic [mæn'gænik] *adj* man'ganhaltig, Mangan...

man·ga·nite ['mæŋgəˌnait] *s* **1.** *min.* Graubraunstein *m*. **2.** *chem.* Manga'nit *m*.

man·ga·nous ['mæŋgənəs] *adj chem.* man'ganig, Mangan... (*mit 2wertigem Mangan*): ~ **oxide** Manganoxydul *n*.

mange [meindʒ] *s vet.* Räude *f*.

man·gel(-wur·zel) ['mæŋgəl(ˌwəːrtsəl)] *s bot. bes. Br.* Mangold *m*.

man·ger ['meindʒər] *s* **1.** Krippe *f*, Futtertrog *m*: → **dog** *Bes. Redew.* **2. M**~ *astr.* Krippe *f*.

man·gle[1] ['mæŋgl] *v/t* **1.** zerfleischen, -reißen, -fetzen, -stückeln. **2.** *fig.* a) *e-n Text* verstümmeln *od.* entstellen, b) verhunzen, ka'puttmachen.

man·gle[2] ['mæŋgl] **I** *s* (Wäsche)Mange(l) *f*. **II** *v/t* mangeln.

man·gler ['mæŋglər] *s* **1.** 'Hackmaˌschine *f*, Fleischwolf *m*. **2.** *fig.* Verstümmler *m*.

man·go ['mæŋgou] *pl* **-goes** *s* **1.** Mangopflaume *f*. **2.** *bot.* Mangobaum *m*: ~ **trick** indischer (Mango)Baumtrick. **3.** eingemachte Me'lone.

man·gold(-wur·zel) ['mæŋgəld(ˌwəːrtsəl)] *Br. für* **mangel-wurzel**.

man·go·steen ['mæŋgoˌstiːn] *s bot.* Mango'stane *f*: a) Mango'stanbaum *m*, b) Mango'stin *m* (*Frucht*).

man·grove ['mæŋgrouv] *s bot.* Man'grove(nbaum *m*) *f*.

man·gy ['meindʒi] *adj* (*adv* **mangily**) **1.** *vet.* krätzig, räudig: **a** ~ **dog.** **2.** *fig.* schmutzig, eklig. **3.** *fig.* schäbig, her'untergekommen: **a** ~ **rug**; **a** ~ **hotel.**

'manˌhan·dle *v/t* **1.** *colloq.* grob behandeln *od.* anfassen, miß'handeln. **2.** mit Menschenkraft bewegen *od.* meistern, (mit den Händen) heben *od.* befördern.

Man·hat·tan| (cock·tail) [mæn'hætən] *s* Man'hattan(cocktail) *m* (*aus Whisky, Wermut etc*). ~ **Dis·trict** *s Deckname für das Projekt zur Herstellung von Atombomben in den USA während des 2. Weltkriegs.*

'manˌhole *s tech.* Mann-, Einsteigloch *n*, Luke *f*, (Straßen)Schacht *m*: ~ **cover** Schachtdeckel *m*.

man·hood ['mænhud] *s* **1.** Menschsein *n*, Menschentum *n*. **2.** Mannesalter *n*. **3.** männliche Na'tur, Männlichkeit *f*. **4.** Mannhaftigkeit *f*. **5.** *collect.* die Männer *pl*.

'man-'hour *s* Arbeitsstunde *f* pro Mann.

ma·ni·a ['meiniə] *s* **1.** *med.* Ma'nie *f*, Wahn(sinn) *m*, Rase'rei *f*, Besessensein *n*, Psy'chose *f*: **religious** ~ religiöser Wahn; → **persecution** 1, **puerperal.** **2.** *fig.* (**for**) Besessenheit *f* (von), Sucht *f* (nach), Leidenschaft *f* (für), Ma'nie *f*, fixe I'dee, ‚Fimmel' *m*: **collector's** ~ Sammelwut *f*, -leidenschaft; **doubting** ~ Zweifelsucht; **sport** ~ ‚Sportfimmel'.

ma·ni·ac[1] ['meiniˌæk] **I** *s* Wahnsinnige(r *m*) *f*, Rasende(r *m*) *f*, Verrückte(r *m*) *f*: **sex** ~ Triebverbrecher *m*. **II** *adj* (*adv* ~**ally**) wahnsinnig, verrückt, irr(e).

ma·ni·ac[2] ['meiniˌæk] *s tech.* (*ein*) elek'tronischer 'Hochleistungsdigiˌtalrechner (*aus* **mathematical analyzer, numerical integrator, and computer**).

-maniac [meiniæk] *Wortelement mit der Bedeutung*: a) verrückt auf, ...süchtig, manisch, b) ...süchtiger, ...mane.

ma·ni·a·cal [mə'naiəkəl] *adj* (*adv* ~**ly**) → **maniac**[1] II.

ma·nic ['meinik; 'mænik] **I** *adj* **1.** *psych.* manisch. **2.** → **maniac**[1] II. **II** *s* **3.** manische Per'son. **'~-de'pres·sive** *med. psych.* **I** *adj* 'manisch-depres'siv: ~ **insanity** manisch-depressives Irresein. **II** *s* 'Manisch-Depres'sive(r *m*) *f*.

man·i·cure ['mæniˌkjur] **I** *s* Mani'küre *f*: a) Hand-, Nagelpflege *f*, b) Hand-, Nagelpflegerin *f*. **II** *v/t u. v/i* mani'küren. **'man·iˌcur·ist** → **manicure** I b.

man·i·fest ['mæniˌfest] **I** *adj* (*adv* ~**ly**) **1.** offenbar, -kundig, augenscheinlich, handgreiflich, deutlich (erkennbar), mani'fest (*a. med. psych.*). **II** *v/t* **2.** offen'baren, bekunden, kundtun, deutlich zeigen, manife'stieren. **3.** be-, erweisen. **4.** *mar.* im Ladungsverzeichnis aufführen. **III** *v/i* **5.** *pol.* Kundgebungen veranstalten. **6.** sich erklären (**for** für; **against** gegen). **7.** erscheinen, sich zeigen (*Geister*). **IV** *s* **8.** *mar.* Ladungsverzeichnis *n*. **9.** *econ.* ('Ladungs-, 'Schiffs)Maniˌfest *n*. **10.** → **manifesto.** **11.** *rail. Am.* Güterschnellzug *m*. **ˌman·i'fes·tant** *s* Teilnehmer(in) an e-r Kundgebung, *a.* Demon'strant(in). **ˌman·i·fes'ta·tion** *s* **1.** Offen'barung *f*, Äußerung *f*, Ausdruck *m*. **2.** Manifestati'on *f*, Kundgebung *f*. **3.** (deutlicher) Beweis, Anzeichen *n*, Sym'ptom *n*: ~ **of life** Lebensäußerung *f*. **4.** (po'litische) Kundgebung, Demonstrati'on *f*. **5.** Erscheinen *n* (*e-s Geistes*), ˌMaterialisati'on *f*. **ˌman·i'fes·ta·tive** [-tətiv] *adj* verdeutlichend, offenkundig (machend). **'man·iˌfest·ness** *s* Offenkundigkeit *f*.

man·i·fes·to [ˌmæni'festou] *s* Mani'fest *n*, öffentliche Erklärung.

man·i·fold ['mæniˌfould] **I** *adj* (*adv* ~**ly**) **1.** mannigfaltig, -fach, mehrfach, vielfältig, vielerlei. **2.** vielförmig, diffe'ren'ziert. **3.** mehrfach, in mehr als 'einer 'Hinsicht: **a** ~ **traitor.** **4.** *tech.* a) Mehr-, Vielfach..., Mehr-, Vielzweck..., b) Kombinations... **II** *s* **5.** a) (*etwas*) Vielfältiges, b) → **manifoldness.** **6.** *tech.* a) Verteiler(stück *n*) *m*, Rohrverzweigung *f*, b) Sammelleitung *f*. **7.** (vervielfältigte) Ko'pie, Abzug *m*. **III** *v/t* **8.** *Dokumente etc* vervielfältigen. **'man·iˌfold·er** *s* Vervielfältigungsgerät *n*. **'man·iˌfold·ness** *s* **1.** Mannigfaltigkeit *f*, Vielfältigkeit *f*. **2.** Vielfalt *f*.

man·i·fold| pa·per *s* 'Manifold-Paˌpier *n* (*festes Durchschlagpapier*). ~ **plug** *s electr.* Vielfachstecker *m*. **'~-ˌwrit·er** → **manifolder.**

man·i·kin ['mænikin] *s* **1.** *oft contp.* Männchen *n*, Knirps *m*. **2.** Gliederpuppe *f*, ('Anproˌbier)Moˌdell *n*. **3.** *med.* ana'tomisches Mo'dell, Phan'tom *n*. **4.** → **mannequin** 1.

Ma·nil·(l)a [mə'nilə] *abbr. für* a) **Manil(l)a cheroot,** b) **Manil(l)a hemp,** c) **Manil(l)a paper.** ~ **che·root,** ~ **ci·gar** *s* Ma'nilaziˌgarre *f*. ~ **hemp** *s* Ma'nilahanf *m*. ~ **pa·per** *s* Ma'nilapaˌpier *n*.

man·i·oc ['mæniˌɒk; 'mei-] *s bot.* Mani'okstrauch *m*, Mandi'oka *f*.

ma·nip·u·late [mə'nipjuˌleit] **I** *v/t* **1.** manipu'lieren, (künstlich) beeinflussen: **to** ~ **prices**; ~**d currency** manipulierte Währung. **2.** (*a.* geschickt) handhaben, *tech.* bedienen, betätigen, *Fahrzeug* lenken, steuern. **3.** *bes. Personen* geschickt behandeln. **4.** *oft contp.* 'durchführen, ‚deichseln', ‚schaukeln'. **5.** zu'rechtstutzen, *bes. Bücher, Konten* ‚fri'sieren': **to** ~ **accounts.** **II** *v/i* **6.** manipu'lieren. **maˌnip·u'la·tion** *s* **1.** Manipulati'on *f*. **2.** a) (Hand)Griff *m od.* (-)Griffe *pl*, b) Verfahren *n*, c) *tech.* Bedienen *n*, Betätigen *n*, Steuern *n*. **3.** *contp.* Machenschaft *f*, Manipulati'on *f*, ‚Ma'növer' *n*. **4.** *contp.* ‚Fri'sieren' *n*. **ma'nip·uˌla·tive** → **manipulatory.** **ma'nip·uˌla·tor** [-tər] *s* **1.** (geschickter) Handhaber. **2.** *contp.* Drahtzieher *m*, Manipu'lierer *m*. **ma'nip·u·la·to·ry** [-lətəri] *adj* **1.** durch Manipulati'on her'beigeführt. **2.** manipu'lierend. **3.** Handhabungs...

man·i·to ['mæniˌtou], **'man·iˌtou** [-ˌtuː], **'man·iˌtu** [-ˌtuː] *s* Manitu *m*, ‚Großer Geist' (*überirdische Macht bei den Indianern*).

'man-ˌkill·er *s* Totschläger *m*, Mörder *m*.

man·kind [ˌmæn'kaind] *s* **1.** die Menschheit, das Menschengeschlecht, die Menschen *pl*, der Mensch. **2.** ['mænˌkaind] *collect.* die Männer *pl*, die Männerwelt.

man·less ['mænlis] *adj* **1.** unbewohnt. **2.** *mar.* unbemannt.

'manˌlike *adj* **1.** menschenähnlich. **2.** wie ein Mann, männlich. **3.** → **mannish.**

man·li·ness ['mænlinis] *s* **1.** Männlichkeit *f*. **2.** Mannhaftigkeit *f*. **'man·ly** *adj* **1.** männlich. **2.** mannhaft. **3.** Mannes..., Männer...: ~ **sports** Männersport *m*.

'man-'made *adj* a) vom Menschen geschaffen: ~ **laws,** b) künstlich: ~ **fibres**; ~ **satellites.**

man·na ['mænə] *s* **1.** *Bibl. u. fig.* Manna *n*, *f*. **2.** *bot. pharm.* Manna *n*: a) *zuckerhaltige Ausschwitzung der Manna-Esche etc*, b) *leichtes Abführmittel daraus.* ~ **ash** *s bot.* Manna-Esche *f*. ~ **croup** *s*, ~ **groats** *s pl* grobkörnige Weizengrütze.

man·ne·quin ['mænikin; *Br. a.* -kwin] *s* **1.** Mannequin *n, m,* Vorführdame *f*: **~ parade** Modenschau *f.* **2.** → manikin 2.

man·ner ['mænər] *s* **1.** Art *f,* Weise *f,* Art u. Weise (*etwas zu tun*): **after** (*od.* **in**) **the ~ of** (so) wie, nach (der) Art von (*od. gen*); **after** (*od.* **in**) **this ~** auf diese Art *od.* Weise, so; **in such a ~ (that)** so *od.* derart (daß); **in what ~?** wie?; **adverb of ~** *ling.* Umstandswort *n* der Art u. Weise; **in a ~ of speaking** sozusagen, wenn ich *od.* man so sagen darf; **in a gentle (rough) ~** sacht (grob). **2.** Art *f* (*sich zu geben*), Betragen *n,* Auftreten *n,* Verhalten *n* (**to** zu). **3.** *pl* Benehmen *n,* 'Umgangsformen *pl,* Ma'nieren *pl*: **bad (good) ~s; he has no ~s** er hat keine Manieren; **we shall teach them ~s** ,wir werden sie Mores lehren'; **it is bad ~s (to** *inf***)** es gehört *od.* schickt sich nicht (zu *inf*); **to make one's ~s** a) e-n ,Diener' machen, sich verbeugen, b) e-n Knicks machen. **4.** *pl* Sitten *pl* (u. Gebräuche *pl*): **other times other ~s** andere Zeiten, andere Sitten. **5.** würdevolles Auftreten: **he had quite a ~** er hatte e-e distinguierte Art (des Auftretens); **the grand ~** das altväterlich würdevolle Benehmen *od.* Gehabe. **6.** *paint. etc* Stil(art *f*) *m,* Ma'nier *f.* **7.** → mannerism 2. **8.** *obs.* Art *f,* Sorte *f,* Beschaffenheit *f*: **all ~ of things** alles mögliche; **by no ~ of means** in keiner Weise, durchaus nicht; **in a ~** in gewisser Hinsicht, auf e-e (gewisse) Art, gewissermaßen; **what ~ of man is he?** was für ein Mensch ist er (eigentlich)?; **to the ~ born** a) hineingeboren (*in bestimmte Verhältnisse*), b) von Kind auf damit vertraut, c) *colloq.* dafür geeignet *od.* (wie) geschaffen. **'man·nered** [-nərd] *adj* **1.** *bes. in Zssgn* gesittet, geartet: **ill-~** von schlechtem Benehmen, ungezogen. **2.** gekünstelt, manie'riert.

man·ner·ism ['mænə,rizəm] *s* **1.** *paint. etc* Manie'rismus *m,* (über'triebene) Gewähltheit, Gespreiztheit *f,* Künste'lei *f.* **2.** Manie'riertheit *f,* Gespreiztheit *f.* **3.** eigenartige *od.* manie'rierte Wendung (*in der Rede etc*). **'man·ner·ist I** *s* **1.** Manie'rist *m* (*Künstler*). **2.** *contp.* manie'rierter Künstler *od.* (*allg.*) Kerl. **II** *adj* → manneristic. **,man·ner'ris·tic** *adj*; **,man·ner'is·ti·cal** *adj* (*adv* **~ly**) **1.** manie'riert. **2.** manie'ristisch.

man·ner·less ['mænərlis] *adj* 'unma,nierlich, ungezogen. **'man·ner·li·ness** [-linis] *s* gute 'Umgangsformen *pl,* gute Kinderstube, gutes Benehmen, Ma'nierlichkeit *f.* **'man·ner·ly** *adj* ma'nierlich, gesittet, anständig.

man·ni·kin → manikin.

man·nish ['mæniʃ] *adj* **1.** männisch, unfraulich. **2.** (typisch) männlich.

man·nite (sug·ar) ['mænait], **man·ni·tol** ['mæni,tɒl; -,toul] *s chem.* Man'nit *m,* Mannazucker *m.*

ma·nœu·vra·bil·i·ty, ma·nœu·vra·ble, ma·nœu·vre, ma·nœu·vrer *bes. Br. für* maneuverability *etc.*

,man-of-'war *pl* **,men-of-'war** *s mar.* Kriegsschiff *n.*

ma·nom·e·ter [mə'nɒmitər] *s tech.* Mano'meter *n,* (Dampf- *etc*)Druckmesser *m,* Druckanzeiger *m.* **man·o·met·ric** [,mænə'metrik], **,man·o'met·ri·cal** *adj* mano'metrisch.

man·or ['mænər] *s hist.* **1.** *Br.* Rittergut *n*: **lord of the ~** Gutsherr *m*; **~ house** Herrschaftshaus *n,* Herrensitz *m,* herrschaftlicher Wohnsitz. **2.** *Am.* Pachtland *n.*

'man-,or·chis *s bot.* **1.** Männliches Knabenkraut. **2.** Ohnhorn *n.*

ma·no·ri·al [mə'nɔːriəl] *adj* herrschaftlich, (Ritter)Guts..., Herrschafts..., grundherrlich: **~ court.**

man pow·er, *a.* **'man,pow·er** *s* **1.** menschliche Arbeitskraft *od.* -leistung, Menschenkraft *f.* **2.** *meist* **manpower** 'Menschenpotenti,al *n,* *bes.* a) Kriegsstärke *f* (*e-s Volkes*), b) (verfügbare) Arbeitskräfte *pl.*

man·qué *m,* **man·quée** *f* [mɑ̃'ke] (*Fr.*) *adj* 'unvoll,endet, ,verkracht': **a poet manqué.**

man·sard ['mænsɑːrd] *s* **1.** *a.* **~ roof** Man'sardendach *n.* **2.** Man'sarde *f.*

manse [mæns] *s* Pfarrhaus *n* (*e-s freikirchlichen Pfarrers od. Scot. e-s Pfarrers der presbyterianischen Kirche*).

'man,serv·ant *pl* **'men,serv·ants** *s* [Diener *m.*]

man·sion ['mænʃən] *s* **1.** (herrschaftliches) Wohnhaus, Villa *f.* **2.** *meist pl bes. Br.* (großes) Miet(s)haus. **3.** *obs.* → mansion-house 1. **4.** *obs.* Bleibe *f,* Wohnung *f.* **5.** *astr. hist.* Haus *n.* **'~-,house** *s Br.* **1.** Herrenhaus *n,* -sitz *m.* **2.** Amtssitz *m*: **the M~** *Amtssitz des Lord Mayor von London.*

'man|,slaugh·ter *s jur.* **1.** (provo'zierter) Totschlag. **2.** vorsätzliche Körperverletzung mit Todesfolge. **3.** fahrlässige Tötung. **'~,slay·er** *s* Totschläger(in).

man·sue·tude ['mænswi,tjuːd] *s obs.* Sanftmut *f,* Milde *f.*

man·ta ['mæntə] *s bes. Am.* **1.** Pferde-, Reise-, Satteldecke *f.* **2.** 'Umhang *m.* **3.** → mantlet 2.

man·tel ['mæntl] *abbr. für* a) mantelpiece, b) mantelshelf.

man·tel·et ['mæntə,let; 'mæntlit] *s* **1.** kurzer Mantel, 'Überwurf *m.* **2.** → mantlet.

'man·tel|,piece *s arch.* **1.** Ka'mineinfassung *f,* -mantel *m.* **2.** Ka'minsims *m.* **'~,shelf** *s irr* Ka'minsims *m.* **'~,tree** *s* **1.** *Querbalken an der Kaminöffnung.* **2.** → mantelpiece 1.

man·tic ['mæntik] *adj* pro'phetisch.

man·til·la [mæn'tilə] *s* Man'tille *f*: a) langes Spitzen- *od.* Schleiertuch, Man'tilla *f* (*bes. der Spanierin*), b) leichter 'Umhang, Cape *n.*

man·tis ['mæntis] *s zo.* Gottesanbeterin *f* (*Heuschrecke*). **~ crab, ~ shrimp** *s zo.* Gemeiner Heuschreckenkrebs.

man·tle ['mæntl] **I** *s* **1.** (ärmelloser) 'Umhang, 'Überwurf *m.* **2.** *fig.* (Schutz-, Deck)Mantel *m,* Hülle *f*: **the ~ of authority** die Aura der Würde. **3.** *tech.* Mantel *m,* (Glüh)Strumpf *m*: **incandescent ~** Glühstrumpf. **4.** *tech.* Rauchfang *m* (*e-s Hochofens*). **5.** *Gußtechnik*: Formmantel *m.* **6.** *zo.* Mantel *m.* **II** *v/i* **7.** sich über'ziehen (**with** mit). **8.** erröten, sich röten (*Gesicht*). **III** *v/t* **9.** über'ziehen. **10.** einhüllen. **11.** verbergen (*a. fig. bemänteln*). **12.** erröten lassen. **~ cav·i·ty** *s zo.* Mantel-, Kiemenhöhle *f.* **~ fi·bers,** *bes. Br.* **fi·bres** *s pl biol.* Zugfasern *pl.*

mant·let ['mæntlit] *s mil.* **1.** a) Schutzwall *m* (*der Anzeigerdeckung auf e-m Schießstand*), b) tragbarer kugelsicherer Schutzschild. **2.** *hist.* Sturmdach *n.*

'man,trap *s* **1.** Fußangel *f.* **2.** *fig.* Falle *f.*

man·tu·a ['mæntjuə; -tʃuə] *s hist.* Man'teau *m,* ('Frauen),Umhang *m.*

man·u·al ['mænjuəl] **I** *adj* **1.** mit der Hand *od.* den Händen (verrichtet *od.* arbeitend), Hand..., manu'ell: **~ alphabet** Fingeralphabet *n*; **~ aptitude** manuelle Begabung, Handfertigkeit *f*; **~ exercise** → 4; **~ labo(u)rer** Handarbeiter *m*; **~ operation** Handbetrieb *m*; **~ press** Handpresse *f*; **~ training** *ped.* Werkunterricht *m.* **2.** handschriftlich: **~ bookkeeping.** **II** *s* **3.** a) Handbuch *n,* Leitfaden *m,* b) *mil.* Dienstvorschrift *f.* **4.** *mil.* Griff(übung *f*) *m*: **~ of a rifle** Griffübung(en) am Gewehr. **5.** *mus.* Manu'al *n* (*e-r Orgel*). **6.** *relig. hist.* Manu'al *n* (*Ritualbuch*). **'man·u·al·ly** *adv* von Hand, mit der Hand, manu'ell: **~ operated** mit Handbetrieb.

man·u·fac·to·ry [,mænju'fæktəri] *s obs.* Fa'brik *f.*

man·u·fac·ture [,mænju'fæktʃər] **I** *s* **1.** Fertigung *f,* Erzeugung *f,* 'Herstellung *f,* Fabrikati'on *f,* Produkti'on *f.* **2.** Erzeugnis *n,* Fabri'kat *n,* Indu'striepro,dukt *n.* **3.** Indu'strie(zweig *m*) *f*: **the linen ~** die Leinenindustrie. **4.** *allg.* Erzeugen *n,* *contp.* ,Fabri'zieren' *n.* **II** *v/t* **5.** (an-, ver)fertigen, erzeugen, 'herstellen, fabri'zieren: **~d goods** Fabrik-, Fertig-, Manufakturwaren. **6.** verarbeiten (**into** zu). **7.** *contp.* ,fabri'zieren': a) ,produ'zieren', ,liefern': **to ~ a speech,** b) erfinden: **to ~ excuses,** c) fälschen: **to ~ evidence.** **,man·u'fac·tur·er** *s* **1.** 'Hersteller *m,* Erzeuger *m.* **2.** Fabri'kant *m,* Industri'elle(r) *m.* **,man·u'fac·tur·ing I** *adj* **1.** Herstellungs..., Fabrikations..., Produktions...: **~ engineering** Arbeitsplanung *f*; **~ loss** Betriebsverlust *m*; **~ process** Herstellungsverfahren *n*; **~ schedule** Arbeitsplan *m.* **2.** Industrie..., Fabrik...: **~ town; ~ branch** Industriezweig *m.* **3.** gewerbetreibend. **II** *s* → manufacture 1.

man·u·mis·sion [,mænju'miʃən] *s hist.* Freilassung *f* (aus der Sklave'rei).

ma·nure [mə'njur] **I** *s* (*bes. natürlicher*) Dünger, Mist *m,* Dung *m*: **liquid ~** (Dung)Jauche *f.* **II** *v/t* düngen. **ma'nu·ri·al** [-'nju(ə)riəl] *adj* Dünger..., Dung...

man·u·script ['mænju,skript] **I** *s* **1.** Manu'skript *n*: a) Handschrift *f* (*alte Urkunde etc*), b) Urschrift *f* (*des Autors*), c) *print.* Satzvorlage *f.* **2.** (Hand)Schrift *f.* **II** *adj* **3.** Manuskript..., handschriftlich, *a.* ma'schinegeschrieben.

man·ward ['mænwərd] *adj u. adv* auf den Menschen gerichtet.

Manx [mæŋks] **I** *s* **1.** Bewohner *pl* der Insel Man. **2.** *ling.* Manx *n* (*deren keltische Mundart*). **II** *adj* **3.** die Insel Man betreffend. **4.** *ling.* Manx... **'~·man** [-mən] *s irr* Bewohner *m* der Insel Man.

man·y ['meni] **I** *adj comp* **more** [mɔːr], *sup* **most** [moust] **1.** viel(e): **~ times** oft; **his reasons were ~ and good** er hatte viele gute Gründe; **in ~ respects** in vieler Hinsicht; **as ~** ebensoviel(e); **as ~ as forty** (nicht weniger als) vierzig; **as ~ again** (*od.* **more**), **twice as ~** noch einmal so viel; **in so ~ words** wörtlich, ausdrücklich; **they behaved like so ~ children** sie benahmen sich wie (die) Kinder; **too ~ by half** um die Hälfte zuviel; **one too ~** einer zu viel (*überflüssig*); **he was (one) too ~ for them** er war ihnen (allen) ,über'. **2.** manch(er, e, es), manch ein(er, e, es): **~ a man** manch einer; **~ another** manch anderer; **~ (and ~) a time** zu wiederholten Malen, so manches Mal. **II** *s* **3.** viele: the ~ (*als pl konstruiert*) die (große) Masse; ~ of us viele von uns; a good ~ ziemlich viel(e); a great ~ sehr viele. **'~-ˌcol·o(u)red** *adj* vielfarbig, bunt. **'~-ˌhead·ed beast** (*od.* **mon·ster**) *s fig.* (*das*) vielköpfige Ungeheuer, (*die*) große Masse. **'~-ˌone** *adj math.* (*u. Logik*) mehreindeutig. **'~ˌroot** *s bot.* (*e-e*) Ru'ellie. **'~-'sid·ed** *adj* vielseitig (*a. fig.*). **ˌ~-'sid·ed·ness** *s* Vielseitigkeit *f.*

Ma·o·ri ['mauri; 'mɑːri] **I** *s* **1.** Ma'ori *m* (*Eingeborner Neuseelands*). **2.** *ling.* Ma'ori *n.* **II** *adj* **3.** Maori... **'~ˌland** *s colloq.* Neu'seeland *n.*

map [mæp] **I** *s* **1.** (Land-, See-, Himmels)Karte *f*, *weitS.* (Stadt- *etc*)Plan *m*: a ~ of the city; by ~ nach der Karte; off the ~ *colloq.* a) abgelegen, ‚hinter dem Mond' (gelegen), b) *fig.* bedeutungslos, c) abgetan, veraltet, d) so gut wie nicht vorhanden; to wipe off the ~ *e-e Stadt etc* ‚ausradieren', dem Erdboden gleichmachen; on the ~ *colloq.* a) in Rechnung zu stellen(d), beachtenswert, b) (noch) da *od.* vorhanden; to put on the ~ *fig.* Geltung verschaffen (*dat*). **2.** *sl.* ‚Fresse' *f*, ‚Vi'sage' *f* (*Gesicht*). **II** *v/t* **3.** e-e Karte machen von, karto'graphisch darstellen. **4.** *ein Gebiet* karto'graphisch erfassen. **5.** auf e-r Karte eintragen. **6.** *meist* ~ out *fig.* (bis in die Einzelheiten) (vor'aus)planen, entwerfen, ausarbeiten: to ~ out one's time sich s-e Zeit einteilen. **7.** *fig.* (wie auf e-r Karte) (ver)zeichnen *od.* darstellen. **8.** *math.* abbilden. **~ case** *s* Kartentasche *f.* **~ con·duct of fire** → map fire. **~ ex·er·cise** *s mil.* Planspiel *n.* **~ fire** *s mil.* Planschießen *n*, Schießen *n* nach der Karte. **~ grid** *s geogr. math.* Karten-, Grad-, Koordi'natennetz *n.*

ma·ple ['meipl] **I** *s* **1.** *bot.* Ahorn *m*: broad-leaved ~ Großblättriger Ahorn. **2.** Ahorn(holz *n*) *m.* **II** *adj* **3.** aus Ahorn(holz), Ahorn... **~ leaf** *s irr* Ahornblatt *n* (*Sinnbild Kanadas*). **~ sir·up** *bes. Am. für* maple syrup. **~ sug·ar** *s bot. chem.* Ahornzucker *m.* **~ syr·up** *s bot. chem.* Ahornsirup *m.*

map| li·chen *s bot.* Landkartenflechte *f.* **~ mak·ing** *s* Kartogra'phie *f.*

map·per ['mæpər] *s* Karto'graph(in). **'map·ping** *s* Kartenzeichnen *n*, Kartogra'phie *f.*

map| read·ing *s* Kartenlesen *n.* **~ scale** *s geogr. math.* Kartenmaßstab *m.* **~ tur·tle** *s zo.* Landkartenschildkröte *f.*

ma·quis [mɑ'kiː] *pl* **-quis** [-'kiː] *s* a) Ma'quis *m*, fran'zösische 'Widerstandsbewegung (*im 2. Weltkrieg*), b) Maqui'sard *m*, 'Widerstandskämpfer *m*, Parti'san *m.*

mar [mɑːr] *v/t* **1.** (be)schädigen. **2.** *obs.* verderben, rui'nieren: this will make or ~ us dies wird unser Glück oder Verderben sein. **3.** verunstalten, verschandeln, rui'nieren: ~-resistant *tech.* kratzfest. **4.** *fig.* a) *Pläne etc* stören, beeinträchtigen, vereiteln, b) *die Schönheit, den Spaß etc* verderben.

mar·a·bou[1] ['mærəˌbuː] *s* **1.** *orn.* Marabu *m.* **2.** Marabufedern *pl* (*als Hutschmuck etc*). **3.** Marabuseide *f.*

mar·a·bou[2] ['mærəˌbuː] *s amer. Mischling mit fünf Achtel Negerblut.*

Mar·a·bout ['mærəˌbuːt] *s* Mara'but *m*: a) *mohammedanischer Einsiedler od. Heiliger*, b) *dessen (heilige) Grabstätte.*

mar·a·schi·no [ˌmærə'skiːnou] *s* Maras'chino(liˌkör) *m.* **~ cher·ries** *s pl* Maras'chinokirschen *pl.*

ma·ras·mic [mə'ræzmik] *adj med.* ma'rastisch, entkräftet. **ma'ras·mus** [-məs] *s med.* Ma'rasmus *m*, Kräfteverfall *m.*

mar·a·thon ['mærəˌθɒn] **I** *s* **1.** *a.* ~ race *sport* a) Marathonlauf *m* (*über 42,2 km*), b) Langstreckenlauf *m* (*beim Eis-, Skilaufen etc*). **2.** *fig.* Marathon-, Dauerwettkampf *m*: dance ~ Dauertanzen *n.* **II** *adj* **3.** Marathon..., Dauer...

ma·raud [mə'rɔːd] *mil.* **I** *v/i* maro'dieren, plündern. **II** *v/t* verheeren, (aus)plündern. **ma'raud·er** *s* Plünderer *m*, Maro'deur *m.*

mar·ble ['mɑːrbl] **I** *s* **1.** *min.* Marmor *m*: artificial ~ Gipsmarmor, Stuck *m*; fibrous ~ rissiger Marmor. **2.** Marmorbildwerk *n*, -statue *f*, -tafel *f.* **3.** a) Murmel(kugel) *f*, b) *pl* (*als sg konstruiert*) Murmelspiel *n*: to play ~s (mit) Murmeln spielen. **4.** marmo'rierter Buchschnitt. **II** *adj* **5.** marmorn (*a. fig.*), aus Marmor: M~ Arch *Br. das Eingangstor zum* Hyde Park (*London*). **6.** marmoriert, gesprenkelt: ~ paper. **7.** *fig.* steinern, gefühllos, hart u. kalt. **III** *v/t* **8.** marmor'rieren, sprenkeln: ~d cat gesprenkelte Katze; ~d meat durchwachsenes Fleisch. **~ cake** *s* Marmorkuchen *m.* **'~-'faced** *adj* mit marmornem Antlitz, mit unbewegtem Gesicht. **'~'heart·ed** *adj poet.* hartherzig, gefühllos.

mar·ble·ize ['mɑːrˌblaiz] → marble 8.

mar·bler ['mɑːrblər] *s* **1.** Marmorarbeiter *m*, -schneider *m.* **2.** Marmo'rierer *m* (*von Papier etc*).

mar·bly ['mɑːrbli] *adj* marmorn.

marc [mɑːrk] *s* **1.** Treber *pl*, Trester *pl*: ~ brandy Tresterbranntwein *m.* **2.** unlöslicher Rückstand, Satz *m.*

mar·ca·site ['mɑːrkəˌsait] *s min.* **1.** Marka'sit *m.* **2.** aus Py'rit geschliffener Schmuckstein.

mar·cel [mɑːr'sel] **I** *v/t Haar* wellen, ondu'lieren. **II** *s a.* ~ wave Ondulati'on(swelle) *f.*

march[1] [mɑːrtʃ] **I** *v/i* **1.** *mil. etc* mar'schieren, ziehen: to ~ off abrücken; to ~ past (s.o.) (an j-m) vorbeiziehen *od.* -marschieren; to ~ up anrücken. **2.** *fig.* fort-, vorwärtsschreiten: time ~es on die Zeit schreitet fort. **3.** *fig.* Fortschritte machen. **II** *v/t* **4.** mar'schieren, (im Marsch) zu'rücklegen: to ~ ten miles. **5.** mar'schieren lassen, (ab)führen: to ~ off prisoners Gefangene abführen. **III** *s* **6.** *mil.* Marsch *m* (*a. mus.*): ~ past Vorbeimarsch; Parade *f*; slow ~ langsamer Parademarsch; ~ in file Rottenmarsch; ~ in line Frontmarsch; ~ order *Am.* Marschbefehl *m.* **7.** *allg.* (Fuß)Marsch *m.* **8.** Marsch(strecke *f*) *m*: a day's ~ ein Tage(s)marsch; line of ~ *mil.* Marschroute *f.* **9.** Vormarsch *m* (on auf *acc*). **10.** Tage(s)marsch *m.* **11.** *fig.* (Ab)Lauf *m*: the ~ of events der Lauf der Dinge, der (Fort)Gang der Ereignisse. **12.** *fig.* Fortschritt *m*: ~ of progress fortschrittliche Entwicklung. **13.** *fig.* mühevoller Weg *od.* Marsch. **14.** Gang(art *f*) *m.*

Besondere Redewendungen:

~ at ease! *mil.* ohne Tritt (marsch)!; quick ~! *mil.* Abteilung marsch!; ~ order! *mil.* in Marschordnung angetreten!; to steal a ~ (up)on s.o. j-m ein Schnippchen schlagen, j-m den Rang ablaufen, j-m zuvorkommen.

march[2] [mɑːrtʃ] **I** *s* **1.** *hist.* Mark *f.* **2.** a) (*a.* um'strittenes) Grenzgebiet, -land, b) Grenze *f.* **3.** *pl* Marken *pl* (*bes. das Grenzgebiet zwischen England einerseits u. Schottland bzw. Wales andererseits*). **II** *v/i* **4.** grenzen (upon an *acc*). **5.** e-e gemeinsame Grenze haben (with mit).

March[3] [mɑːrtʃ] *s* März *m*: in ~ im März; ~ brown Märzfliege *f* (*Angelköder*); ~ violet *Br.* Märzveilchen *n*; as mad as a ~ hare *colloq.* völlig übergeschnappt.

march·ing ['mɑːrtʃiŋ] **I** *adj mil.* Marsch..., mar'schierend: ~ order a) Marschausrüstung *f*, b) Marschordnung *f*; in heavy ~ order feldmarschmäßig; ~ orders *Br.* Marschbefehl *m.* **II** *s* (Auf-, Vor'bei)Marsch *m*, Mar'schieren *n*: ~ in Einmarsch; ~-off point Abmarschpunkt *m.*

mar·chion·ess ['mɑːrʃənis] *s* Mar'quise *f*, Markgräfin *f.*

march·pane ['mɑːrtʃˌpein] *s* Marzi['pan *n*, *m.*]

Mar·co·ni [mɑːr'kouni] **I** *adj* Marconi... **II** *s* m~ 'Funkteleˌgramm *n.* **III** *v/i u. v/t* m~ ein 'Funkteleˌgramm senden (an *acc*). **mar'co·niˌgram** [-ˌgræm] *s hist.* 'Funkteleˌgramm *n.*

Mar·di gras ['mɑːrdi 'grɑː] *s* Fastnacht(sdienstag *m*) *f.*

mare[1] [mɛr] *s* Stute *f*: the grey ~ is the better horse die Frau ist der Herr im Hause *od.* hat die Hosen an.

mare[2] [mɛr] *s obs.* (Nacht)Mahr *m.*

ma·re[3] ['mɛ(ə)ri] *pl* **-ri·a** [-riə] (*Lat.*) *s jur. pol.* Meer *n*: ~ clausum mare clausum, (*für fremdländische Schiffe*) geschlossenes Meer; ~ liberum mare liberum, freies Meer.

ma·rem·ma [mə'remə] *s* Ma'remme *f* (*sumpfige Küstengegend*).

'mare's|-ˌnest [mɛrz] *s fig.* Gemsenei(er *pl*) *n* (*unsinnige Entdeckung*), ungereimtes Zeug, *a.* (Zeitungs)Ente *f.* **'~-ˌtail** *s* **1.** *meteor.* langgestreckte Federwolken *pl.* **2.** *bot.* Tann(en)wedel *m.*

mar·gar·ic [mɑːr'gærik; -'gɑː-] *adj chem.* Margarin...: ~ acid.

mar·ga·rine [*Br.* ˌmɑːdʒə'riːn; 'mɑːgəˌriːn; *Am.* 'mɑːrdʒəˌriːn] *s* Marga'rine *f.*

marge[1] [mɑːrdʒ] *s poet.* Rand *m*, Saum *m.*

marge[2] [mɑːrdʒ] *s bes. Br. sl.* Marga['rine *f.*]

mar·gin ['mɑːrdʒin] **I** *s* **1.** Rand *m* (*a. fig.*): at the ~ of the forest am Rande des Waldes; on the ~ of good taste am Rande des guten Geschmacks; the ~ of consciousness *psych.* die Bewußtseinsschwelle. **2.** *a. pl* (Seiten)Rand *m* (*bei Büchern etc*): as by (*od.* per) ~ *econ.* wie nebenstehend; in the ~ am Rande *od.* nebenstehend (*vermerkt etc*); bled ~ bis in die Schrift hinein beschnittener Rand; cropped ~ zu stark beschnittener Rand. **3.** Grenze *f* (*a. fig.*): ~ of income Einkommensgrenze. **4.** Spielraum *m*: to leave a ~ (for) Spielraum lassen (für). **5.** *fig.* 'Überschuß *m* (*a. econ.*), (*ein*) Mehr *n* (*an Zeit, Geld etc*): ~ of safety Sicherheitsfaktor *m*; by a narrow ~ mit knapper Not. **6.** *meist* profit ~ *econ.* (Gewinn-, Verdienst)Spanne *f*, Marge *f*, Handelsspanne *f.* **7.** *Börse*: Hinter'legungssumme *f*, Deckung *f* (*von Kursschwankungen*), (Bar)Einschußzahlung *f*, Marge *f*: ~ business *Am.* Effektendifferenzgeschäft *n*; ~ system *Am. Art Effektenkäufe mit Einschüssen als Sicherheitsleistung.* **8.** *econ.* ˌRentabili'tätsgrenze *f.* **9.** *sport* Abstand *m*, (*a.* Punkt)Vorsprung *m*:

by a ~ of four seconds mit 4 Sekunden Vorsprung *od.* Abstand.

II *v/t* **10.** mit e-m Rand versehen. **11.** a) um'randen, b) säumen. **12.** Randbemerkungen schreiben an (*acc*). **13.** an den Rand schreiben. **14.** *econ.* (*durch Hinterlegung*) decken.

mar·gin·al ['mɑːrdʒinl] *adj* (*adv* ~**ly**) **1.** am *od.* auf dem Rande, auf den Rand gedruckt *etc*, Rand...: ~ **inscriptions** Umschrift *f* (*auf Münzen*); ~ **note** Randbemerkung *f*; ~ **release (stop)** Randauslöser *m* (Randsteller *m*) (*der Schreibmaschine*). **2.** am Rande, nebensächlich, Grenz... (*a. fig.*): ~ **sensations** Wahrnehmungen am Rande des Bewußtseins. **3.** *fig.* Mindest...: ~ **capacity. 4.** *econ.* a) zum Selbstkostenpreis: ~ **sales,** b) knapp über der ˌRentabili'tätsgrenze (liegend), gerade noch ren'tabel, Grenz...: ~ **analysis** Grenzplanungsrechnung *f*; ~ **cost** Grenz-, Mindestkosten; ~ **disutility** *Am.* Grenze *f* der Arbeitswilligkeit (bei niedrigem Lohn); ~ **land** *agr.* Land *n*, dessen Bebauung sich gerade noch lohnt; ~ **net product** Nettogrenzprodukt *n*; ~ **profits** Gewinnminimum *n*, Rentabilitätsgrenze *f*; **theory of ~ utility** Grenznutzentheorie *f*. **5.** *med.* margi'nal, randständig. **6.** *sociol.* am Rande der Gesellschaft (stehend).

mar·gi·na·li·a [ˌmɑːrdʒi'neiliə] *s pl* Margi'nalien *pl*, Randbemerkungen *pl.*

mar·gin·al·ism ['mɑːrdʒinəˌlizəm] *s econ.* 'Grenznutzentheoˌrie *f*. '**mar·gin·alˌize** [-ˌlaiz] → margin 12.

mar·gra·vate ['mɑːrgrəvit] → margraviate. '**mar·grave** [-greiv] *s hist.* Markgraf *m*. **mar'gra·viˌate** [-viˌeit; -it] *s* Markgrafschaft *f*. '**mar·graˌvine** [-grəˌviːn] *s* Markgräfin *f*.

mar·gue·rite [ˌmɑːrgə'riːt] *s bot.* **1.** Gänseblümchen *n*, Maßliebchen *n*. **2.** 'Strauch-MargueˌriteI *f*. **3.** Weiße Wucherblume, Margue'rite *f*.

Mar·i·an ['mɛ(ə)riən; 'mær-] **I** *adj* mari'anisch: a) *R.C.* Marien..., die Jungfrau Ma'ria betreffend, b) *hist.* die Königin Ma'ria betreffend (*bes. Maria Stuart von Schottland, 1542 bis 87, u. Maria, Königin von England, 1553—58*). **II** *s hist.* Anhänger(in) der Königin Ma'ria (Stuart).

mar·i·gold ['mæriˌgould] *s bot.* **1.** Ringelblume *f*. **2.** a) *a.* **African ~** Samtblume *f*, b) *a.* **French ~** Stu'dentenblume *f*.

mar·i·jua·na, *a.* **mar·i·hua·na** [ˌmɑːri'hwɑːnə] *s* **1.** *bot.* Marihu'anahanf *m*. **2.** Marihu'ana *n* (*Rauschgift*).

mar·i·nade I *s* [ˌmæri'neid] **1.** Mari'nade *f*, Beize *f*. **2.** a) mari'niertes Fleisch, b) mari'nierter Fisch. **II** *v/t* ['mæriˌneid] → **marinate.** '**mar·iˌnate** [-ˌneit] *v/t* mari'nieren.

ma·rine [mə'riːn] **I** *adj* **1.** a) See...: ~ **animal;** ~ **chart;** ~ **insurance;** ~ **warfare,** b) Meeres...: ~ **plants. 2.** Schiffs...: ~ **engineering** Schiffsmaschinenbau *m*. **3.** Marine... **II** *s* **4.** Ma'rine *f*: **mercantile ~** Handelsmarine. **5.** *mar. mil.* Ma'rineinfanteˌrist *m*: a) 'Seesolˌdat *m*, b) Angehörige(r) *m* des amer. **Marine Corps: dead ~** *sl.* leere Flasche; **tell that to the ~s!** *colloq.* das kannst du mir nicht weismachen! **6.** *paint.* Seegemälde *n*, -stück *n*. ~ **belt** *s mar.* Hoheitsgewässer *pl.* ~ **blue** *s* Ma'rineblau *n* (*Farbe*). **M~ Corps** *s mar. mil. Am.* Ma'rineinfanteˌriekorps *n*. ~ **court** *s jur. Am.* Seegericht *n*.

mar·in·er ['mærinər] *s* Seemann *m*, Ma'trose *m*: **master ~** Kapitän *m* e-s Handelsschiffs; **~'s compass** (See-) Kompaß *m*.

Ma·rin·ism [mə'riːnizəm] *s* Mari'nismus *m* (*affektierter Stil des 17. Jhs.*).

Mar·i·ol·a·try [ˌmɛ(ə)ri'ɒlətri] *s R.C.* Ma'rienkult *m*, -vergötterung *f*.

mar·i·o·nette [ˌmæriə'net] *s* Mario'nette *f* (*a. fig.*): **~-play** Puppenspiel *n*.

mar·ish ['mæriʃ] *poet.* **I** *s* Moor *n*. **II** *adj* sumpfig, mo'rastig.

mar·i·tal ['mæritl; *Br. a.* mə'raitl] *adj* (*adv* ~**ly**) ehelich, Ehe..., Gatten...: ~ **partners** Ehegatten; ~ **rights** Gattenrechte; ~ **status** *jur.* Familienstand *m*.

mar·i·time ['mæriˌtaim] *adj* **1.** See...: ~ **commerce** Seehandel *m*; ~ **court** Seeamt *n*; ~ **insurance** Seeversicherung *f*; ~ **law** Seerecht *n*. **2.** Schiffahrts...: ~ **affairs** Schiffahrtsangelegenheiten, Seewesen *n*. **3.** Marine... **4.** Seemanns...: ~ **life. 5.** a) seefahrend, b) Seehandel (be)treibend. **6.** Küsten...: ~ **provinces. 7.** *zo.* an der Küste lebend, Strand... **8.** Meer(es)... **M~ Com·mis·sion** *s Am. Oberste Handelsschiffahrtsbehörde der USA.* ~ **dec·la·ra·tion** *s mar.* Verklarung *f*. **M~ La·bor Board** *s Am. Oberste Schlichtungsbehörde zwischen Reedern u. Seemannsvertretungen.*

mar·jo·ram ['mɑːrdʒərəm] *s bot.* **1.** Majo'ran *m*. **2.** *a.* **sweet ~, true ~** Echter Majo'ran. **3.** *a.* **common ~, wild ~** Felddost(en) *m*.

mark[1] [mɑːrk] **I** *s* **1.** Mar'kierung *f*, Bezeichnung *f*, Mal *n*, *bes. tech.* Marke *f*: **adjusting ~** Einstellmarke; **boundary ~** Grenzmal; **to make a ~ in the calendar** sich e-n Tag rot anstreichen. **2.** *fig.* Zeichen *n*: ~ **of confidence** Vertrauensbeweis *m*; ~ **of favo(u)r** Gunstbezeigung *f*; ~ **of respect** Zeichen der Hochachtung; **God bless** (*od.* **save**) **the ~** *colloq.* mit Verlaub zu sagen. **3.** (Kenn)Zeichen *n*, (*a.* charakte'ristisches) Merkmal: **distinctive ~** Kennzeichen. **4.** (Schrift-, Satz)Zeichen *n*: **question ~** Fragezeichen. **5.** Orien'tierungs-, Sichtzeichen *n*: **a ~ for pilots. 6.** (An)Zeichen *n*: **a ~ of great carelessness. 7.** a) (Eigentums)Zeichen *n*, b) Brandmal *n*. **8.** roter Fleck (*auf der Haut*), Strieme *f*, Schwiele *f*. **9.** Narbe *f* (*a. tech.*). **10.** Kerbe *f*, Einschnitt *m*. **11.** (Hand-, Namens)Zeichen *n*, Kreuz *n* (*e-s Analphabeten*). **12.** Ziel(scheibe *f*) *n* (*a. fig.*): **wide of** (*od.* **beside**) **the ~** *fig.* a) fehl am Platz, nicht zur Sache gehörig, b) ‚fehlgeschossen'; **you are quite off** (*od.* **wide of**) **the ~** *fig.* Sie irren sich gewaltig; **to hit the ~** (ins Schwarze) treffen; **to miss the ~** a) fehl-, vorbeischießen, b) sein Ziel *od.* s-n Zweck verfehlen, ‚danebenhauen'. **13.** *fig.* Norm *f*: **below the ~** a) unter dem Durchschnitt, b) *gesundheitlich etc* nicht auf der Höhe; **up to the ~** a) der Sache gewachsen, b) den Erwartungen entsprechend, c) *gesundheitlich etc* auf der Höhe; **within the ~** innerhalb der erlaubten Grenzen, berechtigt (**in doing** zu tun); **to overshoot the ~** a) über das Ziel hinausschießen, b) zu weit gehen, es zu weit treiben. **14.** (aufgeprägter) Stempel, Gepräge *n*. **15.** (*Fuß-, Brems- etc*)Spur *f* (*a. fig.*): **to leave one's ~ upon** *fig.* a) s-n Stempel aufdrücken (*dat*), b) bei *j-m* s-e Spuren hinterlassen; **to make a** (*od.* **one's**) **~** sich e-n Namen machen (**upon** bei), Vorzügliches leisten, es zu etwas bringen. **16.** *fig.* Bedeutung *f*, Rang *m*: **a man of ~** e-e markante *od.* bedeutende Persönlichkeit. **17.** Marke *f*, Sorte *f*: ~ **of quality** Qualitätsmarke. **18.** *econ.* a) (Fa'brik-, Waren)Zeichen *n*, (Schutz-, Handels)Marke *f*, b) Preisangabe *f*. **19.** *mar.* a) (abgemarkte) Fadenlänge (*der Lotleine*), b) Landmarke *f*, c) Bake *f*, Leitzeichen *n*, d) Mark *n*, Ladungsbezeichnung *f*, e) Marke *f*: **water ~** Wasserstandsmarke. **20.** *mil. tech. Br.* Mo'dell *n*, Type *f*: **a ~ V tank** ein Panzer(wagen) der Type V. **21.** *ped.* a) (Schul)Note *f*, Zen'sur *f*: **to obtain full ~s** in allen Punkten voll bestehen; **he gained 20 ~s for Greek** im Griechischen bekam er 20 Punkte; **bad ~** Note für schlechtes Betragen, b) *pl* Zeugnis *n*: **bad ~s** (ein) schlechtes Zeugnis. **22.** *sl.* (*das*) Richtige: **not my ~** nicht mein Geschmack, nicht das Richtige für mich. **23.** *meist* **easy ~** *sl.* Gimpel *m*, leichtes Opfer, leichte Beute: **to be an easy ~** ‚leicht 'reinzulegen sein'. **24.** *sport* a) *Fußball etc*: (Strafstoß)Marke *f*, Elf'meterpunkt *m*, b) *Boxen*: *sl.* Magengrube *f*, c) *Bowls*: Zielkugel *f*, d) *Laufsport*: Startlinie *f*: **to get off the ~** starten. **25.** *meist* ~ **of mouth** Bohne *f*, Kennung *f* (*Alterszeichen an Pferdezähnen*). **26.** *hist.* a) Mark *f*, Grenzgebiet *n*, b) Gemeindemark *f*, All'mende *f*: ~ **moot** Gemeindeversammlung *f*.

II *v/t* **27.** mar'kieren: a) *Wege, Gegenstände etc* kennzeichnen, b) *Stellen auf e-r Karte etc* bezeichnen, (*provisorisch*) andeuten, c) *Wäsche* zeichnen: **to ~ by a dotted line** durch e-e punktierte Linie kennzeichnen; **to ~ (with a hot iron)** brandmarken; **to ~ time** a) *mil.* auf der Stelle treten (*a. fig.*), b) *fig.* nicht vom Fleck kommen, c) abwarten, d) *mus.* den Takt schlagen. **28.** Zeichen hinter'lassen auf (*dat*): **his hobnails ~ed the floor. 29.** kennzeichnen, kennzeichnend sein für: **to ~ an era; the day was ~ed by heavy fighting** der Tag stand im Zeichen schwerer Kämpfe; **no triumph ~s her manner** es ist nicht ihre Art aufzutrumpfen. **30.** ein Zeichen sein (**for** für): **that ~s him for a leader** das zeigt, daß er sich zum Führer eignet. **31.** *a.* ~ **out** (*aus mehreren*) bestimmen, (aus)wählen, ausersehen (**for** für). **32.** her'vorheben: **to ~ the occasion** zur Feier des Tages, aus diesem Anlaß. **33.** zum Ausdruck bringen, zeigen: **to ~ one's displeasure by hissing. 34.** *ped.* benoten, zen'sieren. **35.** no'tieren, vermerken. **36.** sich (*etwas*) merken: ~ **my words!** denke an m-e Worte (*od.* an mich)! **37.** bemerken, beachten, achtgeben auf (*acc*). **38.** *econ.* a) *Waren* auszeichnen, b) *Br.* (*öffentlich*) no'tieren (lassen), c) *den Preis* festsetzen: → **mark down** 1. **39.** *ling.* *e-n Akzent* setzen, *e-e Länge* bezeichnen. **40.** *sport* mar'kieren: a) *s-n Gegner* decken, b) *Punkte, Tore etc* aufschreiben, no'tieren: **to ~ the game** → 44 b).

III *v/i* **41.** mar'kieren. **42.** achtgeben, aufpassen: **~!** Achtung! **43.** sich etwas merken: ~ **you!** wohlgemerkt! **44.** *sport* a) (den Gegner) decken, b) den Spielstand laufend no'tieren.

Verbindungen mit Adverbien:

mark| down *v/t* **1.** *econ.* (*im Preis etc*) her'unter-, her'absetzen. **2.** (**for**) bestimmen (zu), vormerken (für, zu). **3.** no'tieren, vermerken. ~ **off** *v/t* **1.** abgrenzen, abstecken. **2.** *fig.* trennen: a) absondern, b) abgrenzen, (unter)ˈscheiden. **3.** *math. e-e Strecke* ab-, auftragen. **4.** *tech.* vor-, anreißen. **~ out** *v/t* **1.** → mark¹ 31. **2.** abgrenzen, (*durch Striche etc*) bezeichnen, marˈkieren. **3.** ˈdurchstreichen. **~ up** *v/t econ.* **1.** (*im Preis etc*) hinˈauf-, herˈaufsetzen. **2.** *den Diskontsatz etc* erhöhen. **3.** *Br.* hinˈzurechnen.

mark² [mɑːrk] *s econ.* **1.** (deutsche) Mark: **blocked ~** Sperrmark. **2.** *hist.* Mark *f*: a) *schottische Silbermünze im Werte von 13s. 4d.*, b) *Gold- u. Silbergewicht von etwa 8 Unzen.*

Mark³ [mɑːrk] *npr u. s Bibl.* ˈMarkus(evanˌgelium *n*) *m.*

ˈmarkˌdown *s econ.* **1.** a) niedrigere Auszeichnung (*e-r Ware*), b) Preissenkung *f.* **2.** *Am.* im Preis herˈabgesetzter Arˈtikel.

marked [mɑːrkt] *adj* **1.** marˈkiert, gekennzeichnet, mit e-m Zeichen *od.* e-r Aufschrift versehen: **a ~ check** (*Br.* **cheque**) a) *Am.* ein gekennzeichneter Scheck, b) *Br.* ein bestätigter Scheck. **2.** gezeichnet (*a. fig. gebrandmarkt*): **a face ~ with smallpox** ein pockennarbiges Gesicht; **feathers ~ with black spots** Federn mit schwarzen Punkten; **a ~ man** *fig.* ein Gezeichneter *od.* Gebrandmarkter. **3.** *fig.* deutlich, merklich, ausgeprägt: **~ progress**; **a ~ American accent**. **4.** auffällig, ostentaˈtiv: **~ indifference**. **ˈmark·ed·ly** [-id-] *adv* merklich, deutlich, ausgesprochen.

mark·er [ˈmɑːrkər] *s* **1.** Marˈkierer *m*: **~ (of goods)** Warenauszeichner *m.* **2.** (An-, Auf)Schreiber *m*, (*bes. Billard*) Marˈkör *m.* **3.** *mil.* a) Anzeiger *m* (*beim Schießstand*): **~'s gallery** Anzeigerdeckung *f*, b) Flügelmann *m.* **4.** a) Kennzeichen *n*, b) (ˈWeg-, ˈGrenz- *etc*)Marˌkierung *f.* **5.** Merk-, Lesezeichen *n.* **6.** *Am.* Straßen-, Verkehrsschild *n.* **7.** *Am.* Gedenkzeichen *n*, -tafel *f.* **8.** *aer. mil.* a) Sichtzeichen *n*, b) Leuchtbombe *f*, c) *a.* **~ aircraft** Beleuchter *m* (*bei Nachtangriffen*): **~ bomb** Markierungsbombe *f*; **~ panel** Fliegertuch *n.* **9.** *a.* **~ (radio) beacon** Marˈkierungsfunkfeuer *n.* **10.** *agr.* Furchenzieher *m* (*Gerät*). **11.** *bes. sport* a) Marˈkierer *m* (*Mann*), b) Marˈkiergerät *n* (*auf Tennisplätzen etc*). **12.** *sport* ‚Bewacher' *m*, Deckungsspieler *m.* **13.** *Wasserbau*: Pegel *m.* **14.** *econ. Am.* Schuldschein *m.*

mar·ket [ˈmɑːrkit] *econ.* **I** *s* **1.** Markt *m* (*Handel*): **to be in the ~ for** Bedarf haben an (*dat*), kaufen *od.* haben wollen, suchen; **to be on** (*od.* **in**) **the ~** (zum Verkauf) angeboten werden; **to come into the ~** auf den Markt kommen; **to place** (*od.* **put**) **on the ~** → 14; **sale in the open ~** freihändiger Verkauf. **2.** Markt *m* (*Handelszweig*): **~ for cattle** Viehmarkt; **real estate ~** Grundstücks-, Immobilienmarkt. **3.** *Börse*: Markt *m*: **railway** (*Am.* **railroad**) **~** Markt für Eisenbahnwerte. **4.** Geldmarkt *m*: **to boom the ~** die Kurse in die Höhe treiben; **to make a ~** (durch Kaufmanöver) die Nachfrage (nach Aktien) künstlich hervorrufen; **to play the ~** (an der Börse) spekulieren. **5.** Markt *m*, Börse *f*, Handelsverkehr *m*, Wirtschaftslage *f*: **active (dull) ~** lebhafter (lustloser) Markt. **6.** a) Marktpreis *m*, -wert *m*, b) Marktpreise *pl*: **the ~ is low (rising)**; **at the ~** a) zum Marktpreis, b) *Börse*: zum ‚Bestens'-Preis. **7.** Markt(platz) *m*, Handelsplatz *m*: **in the ~** auf dem Markt; **(covered) ~** Markthalle *f*; **settled ~** Stapelplatz *m.* **8.** (Wochen-, Jahr)Markt *m* **to bring one's eggs** (*od.* **hogs, goods**) **to a bad** (*od.* **the wrong**) **~** *fig.* sich verkalkulieren *od.* ‚verhauen'. **9.** Markt *m* (*Absatzgebiet*): **to hold the ~** a) den Markt beherrschen, b) (durch Kauf *od.* Verkauf) die Preise halten. **10.** Absatz *m*, Verkauf *m*, Markt *m*: **to meet with a ready ~** schnellen Absatz finden. **11.** (**for**) Nachfrage *f* (nach), Bedarf *m* (an *dat*): **a ~ for leather**. **12.** *Am.* (Lebensmittel)Geschäft *n*, Laden *m*: **meat ~**. **13. the ~** (*Börse*) a) der Standort der Makler, b) *collect.* die Makler *pl.*

II *v/t* **14.** auf den Markt bringen. **15.** (auf dem Markt) verkaufen.

III *v/i* **16.** Handel treiben, (ein)kaufen u. verkaufen. **17.** a) auf dem Markt handeln, b) Märkte besuchen.

IV *adj* **18.** Markt...: **~ basket** Marktkorb *m.* **19.** a) Börsen..., b) Kurs...

mar·ket·a·bil·i·ty [ˌmɑːrkitəˈbiliti] *s econ.* Marktfähigkeit *f.* **ˈmar·ket·a·ble** *adj econ.* **1.** a) marktfähig, -gängig, verkäuflich, b) gefragt: **~ title** *jur.* uneingeschränktes, frei veräußerliches Eigentum. **2.** noˈtiert, börsenfähig: **~ securities**.

mar·ket| a·nal·y·sis *s econ.* ˈMarktanaˌlyse *f.* **~ con·di·tion** *s econ.* Marktlage *f*, Konjunkˈtur *f.* **~ e·con·o·my** *s* Marktwirtschaft *f.*

mar·ket·eer [ˌmɑːrkiˈtir] *s* Verkäufer *m od.* Händler *m* (*auf e-m Markt*). **ˈmar·ket·er** [-tər] *s Am.* **1.** Markthändler(in). **2.** Marktbesucher(in).

mar·ket| fish *s Am.* Knurrfisch *m.* **~ fluc·tu·a·tion** *s econ.* **1.** Konjunkˈturbeˌwegung *f.* **2.** *pl* Konjunkˈturschwankungen *pl.* **~ gar·den** *s* ˌHandelsgärtneˈrei *f.* **~ gar·den·ing** *s* (Betreiben *n* e-r) ˌHandelsgärtneˈrei *f.*

mar·ket·ing [ˈmɑːrkitiŋ] **I** *s* **1.** *econ.* Marketing *n*, ˈAbsatzpoliˌtik *f*, -förderung *f*, Vertrieb *m.* **2.** Marktversorgung *f.* **3.** Marktbesuch *m*: **to do one's ~** s-e Einkäufe machen. **4.** Marktware *f.* **II** *adj* **5.** Absatz..., Markt...: **~ association** Marktverband *m*; **~ cooperative** Vertriebs-, Absatzgenossenschaft *f*; **~ organization** Marktvereinigung *f*, Absatzorganisation *f*; **~ research** Absatzforschung *f.*

mar·ket| in·quir·y, ~ in·ves·ti·ga·tion *s econ.* ˈMarktunterˌsuchung *f.* **~ lead·ers** *s pl* führende Börsenwerte *pl.* **~ let·ter** *s Am.* Markt-, Börsenbericht *m.* **~ or·der** *s* **1.** Marktanweisung *f.* **2.** *Börse*: *Am.* Bestensorder *f.* **~ place** *s* Marktplatz *m.* **~ price** *s* **1.** Marktpreis *m.* **2.** *Börse*: Kurs(wert) *m.* **~ quo·ta·tion** *s* ˈBörsennoˌtierung *f*, Marktkurs *m*: **list of ~s** Markt-, Börsenzettel *m.* **~ rate** → **market price**. **~ re·port** *s* **1.** Markt-, Handelsbericht *m.* **2.** Börsenbericht *m.* **~ research** *s* Marktforschung *f.* **~ rig·ging** *s* ˌKurstreibeˈrei *f*, ˈBörsenmaˌnöver *n.* **~ swing** *s Am.* Konjunkˈturperiˌode *f*, -ˌumschwung *m.* **~ town** *s bes. Br.* Marktflecken *m.* **~ val·ue** *s* Markt-, Kurs-, Verkehrswert *m.*

mark·ing [ˈmɑːrkiŋ] **I** *s* **1.** Marˈkierung *f*, Kennzeichnung *f*, *a. mus.* Bezeichnung *f.* **2.** *aer.* Hoheitszeichen *n.* **3.** *zo.* (Haut-, Feder)Musterung *f*, Zeichnung *f.* **4.** *ped.* Zenˈsieren *n.* **II** *adj* **5.** marˈkierend: **~ awl** Reißahle *f*; **~ hammer** Anschlaghammer *m*; **~ ink** (unauslöschliche) Zeichentinte, Wäschetinte *f*; **~ iron** Brand-, Brenneisen *n*; **~ tool** Anreißwerkzeug *n.* **~ nut** *s bot.* Maˈlakkanuß *f.*

mark·ka [ˈmɑːrkɑː] *pl* **ˈmark·kaa** [-kɑː] *s* (finnische) Mark.

marks·man [ˈmɑːrksmən] *s irr* **1.** guter Schütze, Meister-, Scharfschütze *m* (*a. fig. sport*). **2.** *mil. Am. niedrigste Leistungsstufe bei Schießübungen.* **3.** *jur.* Analphaˈbet *m*, ‚Kreuzlschreiber' *m.* **ˈmarks·manˌship** *s* **1.** Schießkunst *f.* **2.** Treffsicherheit *f.*

mark| tooth *s irr.* Kennzahn *m* (*e-s Pferdes*). **ˈ~ˌup** *s econ.* **1.** a) höhere Auszeichnung (*e-r Ware*), b) Preiserhöhung *f.* **2.** Kalkulatiˈonsaufschlag *m*: **~ on selling price** Handelsspanne *f.* **3.** *Am.* im Preis erhöhter Arˈtikel.

marl¹ [mɑːrl] **I** *s* **1.** *geol.* Mergel *m.* **2.** *poet.* Erde *f.* **II** *v/t* **3.** mergeln, mit Mergel düngen.

marl² [mɑːrl] *v/t mar. ein Tau* marlen, bekleiden.

marl³ [mɑːrl] *s* Pfauenfederfaser *f* (*für künstliche Angelfliegen*).

mar·la·ceous [mɑːrˈleiʃəs] *adj geol.* mergelhaltig *od.* -artig.

mar·line [ˈmɑːrlin] *s mar.* Marlleine *f*, Marling *f.* **ˈ~ˌspike** *s* **1.** *mar.* Marlpfriem *m.* **2.** *orn.* Raubmöwe *f.*

marl·ite [ˈmɑːrlait] *s min.* Marˈlit *m* (*Art Kalkmergel*).

marl·y [ˈmɑːrli] *adj* merg(e)lig.

marm [mɑːrm] *dial. für* **madam**.

mar·ma·lade [ˈmɑːrməˌleid] *s* (*bes.* Oˈrangen)Marmeˌlade *f.* **~ tree** *s bot.* Große Saˈpote, Marmeˈladenpflaume *f.*

mar·mo·lite [ˈmɑːrməˌlait] *s min.* Marmoˈlith *m* (*blätteriger Serpentin*).

mar·mo·re·al [mɑːrˈmɔːriəl] *adj* **1.** marmorn, Marmor... **2.** marmorartig.

mar·mose [ˈmɑːrmous] *s zo.* Beutelratte *f.*

mar·mo·set [ˈmɑːrməzet] *s zo.* (*ein*) Krallenaffe *m.*

mar·mot [ˈmɑːrmət] *s zo.* **1.** Murmeltier *n.* **2.** Präˈriehund *m.* **3.** *a.* **~ squirrel** Ziesel *m.*

mar·o·cain [*Br.* ˈmærəˌkein; *Am.* ˌmærəˈkein] *s* Maroˈcain *n*, *m* (*kreppartiger Kleiderstoff*).

ma·roon¹ [məˈruːn] **I** *v/t* **1.** (*auf e-r einsamen Insel etc*) aussetzen. **2.** *fig.* a) im Stich lassen, b) von der Außenwelt abschneiden. **II** *v/i* **3.** *Br. hist.* fliehen (*Negersklave*). **4.** *Am.* a) einsam zelten, b) ein Picknick veranstalten. **5.** herˈumlungern. **III** *s* **6.** Busch-, Maˈronneger *m* (*in Westindien u. Holländisch-Guayana*). **7.** Ausgesetzte(r *m*) *f.*

ma·roon² [məˈruːn] **I** *s* **1.** Kaˈstanienbraun *n.* **2.** Kaˈnonenschlag *m* (*Feuerwerk*). **II** *adj* **3.** kaˈstanienbraun.

ma·roon·er [məˈruːnər] *s* Piˈrat *m.*

mar·plot [ˈmɑːrˌplɒt] *s* **1.** Quertreiber *m.* **2.** Spielverderber *m*, Störenfried *m.*

marque [mɑːrk] *s mar. hist.* **1.** Kapern *n*: **letter(s) of ~ (and reprisal)** Kaperbrief *m.* **2.** Kaperschiff *n.*

mar·quee [mɑːrˈkiː] *s* **1.** großes Zelt (*für Zirkus u. andere Vergnügungen; a. mil.*). **2.** *Am.* Marˈkise *f*, Schirmdach (*über e-m Hoteleingang etc*). **3.** Vordach *n* (*über e-r Haustür*).

mar·quess → **marquis**.

mar·que·try, *a.* **mar·que·te·rie** [ˈmɑːrkətri] *s* Marketeˈrie *f*, Inˈtarsien *pl*, Holzeinlegearbeit *f.*

mar·quis [ˈmɑːrkwis] *s* Marˈquis *m* (*englischer Adelstitel zwischen* Duke *u.* Earl). **ˈmar·quis·ate** [-it] *s* Marquiˈsat *n* (*Würde u. Besitztum e-s Marquis*).

mar·quise [mɑːrˈkiːz] *s* **1.** Marˈquise *f* (*für nichtenglischen Adelstitel*). **2.** *a.* **~ ring** Marˈquise *f* (*Ring mit Edelsteinen in lanzettförmiger Fassung*). **3.** → **marquee**.

mar·riage ['mæridʒ] *s* **1.** Heirat *f*, Vermählung *f*, Hochzeit *f* (to mit). **2.** Ehe(stand *m*) *f*: by ~ angeheiratet; related by ~ verschwägert; of his (her) first ~ aus erster Ehe; to contract a ~ die Ehe eingehen; to give s.o. in ~ j-n verheiraten; to take s.o. in ~ j-n heiraten; → companionate, civil marriage, convenience 3. **3.** *fig.* Vermählung *f*, enge *od.* innige Verbindung. **4.** Mari'age *f*: a) *ein Kartenspiel*, b) *König u. Dame gleicher Farbe im Blatt.* **'mar·riage·a·ble** *s* **1.** heiratsfähig, *jur.* ehemündig: ~ age Ehemündigkeit *f*. **2.** mannbar. **'mar·riage·a·ble·ness** *s* Heiratsfähigkeit *f*.

mar·riage| ar·ti·cles *s pl jur.* Ehevertrag *m*. **~ bed** *s* Ehebett *n*. **~ bro·ker** *s* Heiratsvermittler *m*, *jur.* Ehemakler *m*. **~ cer·e·mo·ny** *s* Trauung *f*. **~ cer·tif·i·cate** *s* Trauschein *m*. **~ con·tract** *s jur.* Ehevertrag *m*. **~ flight** *s* Hochzeitsflug *m* (*der Bienen*). **~ guid·ance coun·se(l)·lor** *s* Eheberater(in). **~ li·cence,** *Am.* **~ li·cense** *s jur.* amtliche Eheerlaubnis. **~ lines** *s pl Br. colloq.* Trauschein *m*. **~ of con·ven·ience** *s* Geld-, Zweck-, Vernunftheirat *f od.* -ehe *f*. **~ por·tion** *s jur.* Mitgift *f*. **~ set·tle·ment** *s jur.* **1.** Ehevertrag *m*. **2.** Ver'mögensüber,tragung *f* durch Ehevertrag. **3.** durch Ehevertrag über'eignetes Vermögen. **~ vow** *s* Ehegelöbnis *n*.

mar·ried ['mærid] *adj* **1.** verheiratet, Ehe..., ehelich: newly ~ couple jungvermähltes Ehepaar; ~ life Eheleben *n*; ~ man Ehemann *m*; ~ state Ehestand *m*. **2.** *fig.* eng *od.* innig (mitein'ander) verbunden, vereint. **3.** a) aus Teilen verschiedener (Möbel)Stücke zs.-gesetzt, b) *Br.* nur im ganzen verkäuflich, c) *Br.* mit Tonstreifen (*Filmkopie*).

mar·ron ['mærən] *s* Ma'rone *f* (*Edelkastanie*).

mar·row[1] ['mærou] *s* **1.** *anat.* (Knochen)Mark *n*: red ~ rotes Knochenmark; yellow ~ Fettmark. **2.** *fig.* Mark *n*, Kern *m*, (*das*) Innerste *od.* Wesentlichste: to the ~ (of one's bones) bis aufs Mark, bis ins Innerste. **3.** *fig.* Lebenskraft *f*, -mut *m*. **4.** *fig.* Kraftnahrung *f*.

mar·row[2] ['mærou] *s Am. meist* ~ squash, *Br. a.* vegetable ~ *bot.* Eier-, Markkürbis *m*.

mar·row[3] ['mærou] *s dial.* **1.** Genosse *m*, Genossin *f*. **2.** Ehegespons *n*. **3.** Ebenbürtige(r *m*) *f*. **4.** *fig.* getreues Abbild.

'mar·row,bone *s* **1.** Markknochen *m*. **2.** *pl humor.* Knie *pl*. **3.** *pl* Totenkopfknochen *pl* (*Bildzeichen*).

mar·row·less ['mæroulis] *adj fig.* mark-, kraftlos.

mar·row pea *s bot.* Markerbse *f*.

mar·row·sky [mə'rauski] *s colloq.* Schüttelreim *m*.

mar·row·y ['mæroi] *adj* markig, kernig.

mar·ry[1] ['mæri] **I** *v/t* **1.** heiraten, sich vermählen *od.* verheiraten mit, zum Mann (zur Frau) nehmen: to be married to verheiratet sein mit (*a. fig. iro.*); to get married to sich verheiraten mit. **2.** *s-e Tochter etc* verheiraten (to an *acc*, mit): to ~ off verheiraten, unter die Haube bringen. **3.** *ein Paar* trauen, vermählen (*Geistlicher*). **4.** *fig.* eng verbinden *od.* verknüpfen (to mit). **5.** *mar.* *Taue* spleißen. **6.** *Weinsorten* (mitein'ander) vermischen. **II** *v/i* **7.** heiraten, sich verheiraten: to ~ into a family in e-e Familie einheiraten; ~ in haste and repent at leisure schnell gefreit, lang bereut; ~ing man Heiratslustige(r) *m*, Ehekandidat *m*. **8.** *fig.* sich innig verbinden.

mar·ry[2] ['mæri] *interj obs. od. dial.* für'wahr!: ~ come up! na, mach's halblang!

Mars [mɑːrz] **I** *npr* **1.** *myth.* Mars *m* (*Kriegsgott*). **II** *s* **2.** *poet.* der Kriegsgott, Mars *m* (*Krieg*). **3.** *astr.* Mars *m*.

marsh [mɑːrʃ] *s* **1.** Sumpf(land *n*) *m*, Marsch *f*. **2.** Mo'rast *m*.

mar·shal ['mɑːrʃəl] **I** *s* **1.** *mil.* (*meist* [,General]'Feld)Marschall *m*. **2.** *jur. Br.* Gerichtsschreiber *m* (*e-s reisenden Richters*). **3.** *jur. Am.* a) US ~ ('Bundes)Voll,zugsbeamte(r) *m*, b) Be'zirkspoli,zeichef *m*, c) *a.* city ~ Poli'zeidi,rektor *m*. **4.** *a.* fire ~ *Am.* Feuerwehrhauptmann *m*. **5.** Zere'monienmeister *m*, Festordner *m*, *mot. sport* Rennwart *m*. **6.** *hist.* (Hof)Marschall *m*: knight ~ *Br.* königlicher Hofmarschall. **7.** *Br. hist.* königlicher Zere'monienmeister (*jetzt* Earl M~). **8.** *univ. Br.* Begleiter *m* e-s Proktors. **II** *v/t* **9.** *allg.* auf-, zs.-stellen, zs.-fassen: to ~ one's thoughts s-e Gedanken ordnen. **10.** *mil.* *Truppen* auf-, bereitstellen, 'aufmar,schieren lassen (*a. fig.*). **11.** (*methodisch*) (an)ordnen, arran'gieren. **12.** *rail.* *e-n Zug* zs.-stellen. **13.** (*bes. feierlich*) (hin'ein)geleiten (into in *acc*). **14.** *aer.* einwinken. **15.** *jur.* a) *die Aktiva* (zur Begleichung der Kon'kursforderungen) rangwertig zs.-stellen: to ~ the assets, b) die Reihenfolge *der Massegläubiger* gemäß dem Vorrang ihrer Forderungen feststellen. **III** *v/i* **16.** sich ordnen *od.* aufstellen.

mar·shal·(l)ing| a·re·a ['mɑːrʃəliŋ] *s mil.* Bereitstellungsraum *m*. **~ yard** *s rail.* Ran'gier-, Verschiebebahnhof *m*.

Mar·shal·sea ['mɑːrʃəl,siː] *s jur. Br. hist.* **1.** *a.* (court of) ~ Hofmarschallgericht *n*. **2.** Hofmarschallgefängnis *n*.

mar·shal·ship ['mɑːrʃəl,ʃip] *s* Marschallamt *n*, -würde *f*.

marsh| fe·ver *s med.* Sumpf-, Wechselfieber *n*. **~ gas** *s* Sumpfgas *n*. **~ gen·tian** *s bot.* Lungenenzian *m*.

marsh·i·ness ['mɑːrʃinis] *s* sumpfige Beschaffenheit, Sumpfigkeit *f*.

'marsh|,land *s* Sumpf-, Moor-, Marschland *n*. **~ mal·low** *s* **1.** *bot.* Echter Eibisch, Al'thee *f*. **2.** (*Art*) türkischer Honig. **~ mar·i·gold** *s bot.* Sumpfdotterblume *f*.

marsh·y ['mɑːrʃi] *adj* sumpfig, mo'rastig, Sumpf...

mar·su·pi·al [mɑːr'sjuːpiəl; -'suː-] *zo.* **I** *adj* **1.** Beuteltier... **2.** a) beutelartig, b) Beutel..., Brut...: ~ pouch Brutsack *m*. **II** *s* **3.** Beuteltier *n*.

mart [mɑːrt] *s* **1.** Markt *m*, Handelszentrum *n*. **2.** Aukti'onsraum *m*. **3.** *obs. od. poet.* a) Markt(platz) *m*, b) (Jahr)Markt *m*, c) Handeln *n*.

mar·tel ['mɑːrtəl] *s mil. hist.* Streitaxt *f*, -hammer *m*.

mar·tel·lo [mɑːr'telou] *pl* **-los** *s a.* ~ tower *mil. hist.* Mar'telloturm *m* (*rundes Küstenfort*).

mar·ten ['mɑːrtin] *s zo.* Marder *m*.

mar·tial ['mɑːrʃəl] *adj* (*adv* ~ly) **1.** → Martian 2 *u.* 3. **2.** kriegerisch, streitbar, kampfesfreudig. **3.** mili'tärisch, sol'datisch: ~ music Militärmusik *f*. **4.** Kriegs..., Militär... **~ law** *s* **1.** Kriegsrecht *n*: state of ~ Ausnahme-, Belagerungszustand *m*; to try by ~ vor ein Kriegsgericht stellen. **2.** Standrecht *n*.

Mar·ti·an ['mɑːrʃiən] **I** *s* **1.** Marsmensch *m*, -bewohner(in). **II** *adj* **2.** Mars..., kriegerisch. **3.** *astr.* Mars...

mar·tin ['mɑːrtin] *s orn.* **1.** *a.* house ~ Haus-, Mauerschwalbe *f*. **2.** Baumschwalbe *f*.

mar·ti·net [,mɑːrti'net] *s mil. od. fig.* Leuteschinder *m*, strenger *od.* kleinlicher Vorgesetzter. **,mar·ti'net·ish** *adj* ‚scharf', streng, zuchtmeisterlich.

mar·tin·gale ['mɑːrtin,geil; -tiŋ-] *s* **1.** Martingal *m* (*zwischen den Vorderbeinen des Pferdes durchlaufender Sprungriemen*). **2.** *mar. hist.* Stampfstock *m*. **3.** *Glücksspiel*: Verdoppeln *n* des Einsatzes nach e-m Verlust.

mar·ti·ni [mɑːr'tiːni] *s* Mar'tini *m* (*Cocktail aus Gin, Wermut etc*).

Mar·tin·mas ['mɑːrtinməs] *s* Martinstag *m* (*11. November*).

Mar·tin proc·ess ['mɑːrtin] *s metall.* (Siemens-)'Martin-Pro,zeß *m*.

mart·let ['mɑːrtlit] *s her.* Vogel *m* (*als Beizeichen im Wappen e-s 4. Sohnes*).

mar·tyr ['mɑːrtər] **I** *s* **1.** Märtyrer(in), Blutzeuge *m*: to make a ~ of → 4. **2.** *fig.* Märtyrer(in), Opfer *n*: to make a ~ of o.s. a) sich für etwas aufopfern, b) *iro.* den Märtyrer spielen; to die a ~ to (*od.* in the cause of) science sein Leben im Dienst der Wissenschaft opfern. **3.** *colloq.* Dulder(in), armer Kerl: to be a ~ to gout ständig von Gicht geplagt werden. **II** *v/t* **4.** zum Märtyrer machen. **5.** zu Tode martern. **6.** martern, peinigen, quälen. **'mar·tyr·dom** *s* **1.** Mar'tyrium *n* (*a. fig.*), Märtyrertod *m*. **2.** Marterqualen *pl* (*a. fig.*). **'mar·tyr,ize** *v/t* **1.** (o.s. sich) zum Märtyrer machen (*a. fig.*). **2.** → martyr 6.

mar·tyr·ol·a·try [,mɑːrtə'rɒlətri] *s* Märtyrerkult *m*.

mar·tyr·o·log·i·cal [,mɑːrtərə'lɒdʒikəl] *adj* martyro'logisch. **,mar·tyr'ol·o·gist** [-'rɒlədʒist] *s* Martyro'loge *m*. **,mar·tyr'ol·o·gy** [-dʒi] *s* **1.** Martyrolo'gie *f*. **2.** Martyro'logium *n*: a) Geschichte *f* der Märtyrer, b) Märtyrererzählung *f*, c) Märtyrerbuch *n*.

mar·vel ['mɑːrvəl] **I** *s* **1.** Wunder(ding) *n*, (*etwas*) Wunderbares: an engineering ~ ein Wunder der Technik; to be a ~ at s.th. etwas fabelhaft können; it is a ~ that es ist (wie) ein Wunder, daß; it is a ~ to me how ich staune nur, wie. **2.** Muster *n* (of an *dat*): he is a ~ of patience er ist die Geduld selber; he is a perfect ~ *colloq.* er ist ‚phantastisch' *od.* ein Phänomen. **3.** *obs.* Staunen *n*. **II** *v/i* **4.** sich (ver)wundern, staunen (at über *acc*). **5.** sich verwundert fragen, sich wundern (that daß; how wie).

mar·vel·lous, *bes. Am.* **mar·vel·ous** ['mɑːrvələs] *adj* (*adv* ~ly) **1.** erstaunlich, wunderbar. **2.** unglaublich, unwahrscheinlich. **3.** *colloq.* fabelhaft, phan'tastisch, wunderbar. **'mar·vel·lous·ness,** *bes. Am.* **'mar·vel·ous·ness** *s* **1.** (*das*) Wunderbare, (*das*) Erstaunliche. **2.** (*das*) Unglaubliche.

Marx·i·an ['mɑːrksiən] → Marxist.

Marx·ism ['mɑːrksizəm], *a.* **'Marx·i·an,ism** [-siə,nizəm] *s* Mar'xismus *m*.

'Marx·ist I *s* Mar'xist(in). **II** *adj* mar'xistisch.

mar·zi·pan ['mɑːrzi,pæn; ,mɑːrzi'pæn] *s* Marzipan *n*, *m*.

mas·ca·ra [*Br.* mæs'kɑːrə; *Am.* -'kærə] *s* Wimpern-, (Augen)Brauentusche *f*.

mas·cot ['mæskət; -kɒt] *s* Mas'kottchen *n*: a) Glücksbringer(in), b) Talisman *m*: radiator ~ *mot.* Kühlerfigur *f*.

mas·cu·line ['mæskjulin; *Br. meist* 'mɑːs-] **I** *adj* **1.** männlich (*a. weitS. u. ling.*), masku'lin, Männer...: ~ attire Männerkleidung *f*; ~ voice Männer-

stimme *f*; ~ **rhyme** *metr.* männlicher Reim; ~ **suffix** *ling.* männliches Suffix. **2.** männlich a) vi'tal, ro'bust, b) mannhaft. **3.** kräftig, stark. **4.** unweiblich, männisch. **II** *s* **5.** Mann *m.* **6.** *ling.* Maskulinum *n.* **7.** männliches Geschlecht.
mas·cu·lin·i·ty [ˌmæskju'liniti] *s* **1.** Männlichkeit *f.* **2.** Mannhaftigkeit *f.*
mash[1] [mæʃ] **I** *s* **1.** *Brauerei*: Maische *f.* **2.** *agr.* Mengfutter *n.* **3.** breiige Masse, Brei *m*, ‚Mansch' *m.* **4.** *Br. sl.* Kar'toffelbrei *m.* **5.** Mischmasch *m.* **II** *v/t* **6.** (ein)maischen: ~**ing tub** Maischbottich *m.* **7.** (*zu Brei etc*) zerdrücken, -quetschen: ~**ed potatoes** Kartoffelpüree *n*, -brei *m.*
mash[2] [mæʃ] *obs. sl.* **I** *v/t* **1.** *j-m* den Kopf verdrehen. **2.** flirten *od.* schäkern mit. **II** *v/i* **3.** flirten, schäkern. **III** *s* **4.** Verliebtheit *f.* **5.** a) Schwerenöter *m*, Schäker *m*, b) ‚Flamme' *f.*
mash·er[1] ['mæʃər] *s* **1.** Stampfer *m*, Quetsche *f* (*Küchengerät*). **2.** *Brauerei*: 'Maischappaˌrat *m.*
mash·er[2] ['mæʃər] → **mash**[2] 5 a.
mash·ie ['mæʃi] *s* Mashie *m* (*ein Golfschläger für kürzere Schläge*).
mash·y[1] ['mæʃi] *adj* **1.** (*zu Brei*) zerstampft, -quetscht. **2.** breiig.
mash·y[2] → **mashie.**
mask [*Br.* mɑːsk; *Am.* mæ(ː)sk] **I** *s* **1.** Maske *f* (*als Nachbildung des Gesichts*). **2.** (Schutz-, Gesichts)Maske *f*: **fencing** ~ Fechtmaske; **oxygen** ~ *med.* Sauerstoffmaske. **3.** Gesichtsabguß *m*, (Kopf)Maske *f*: **death** ~ Totenmaske. **4.** Gasmaske *f.* **5.** Maske *f*: a) Mas'kierte(r *m*) *f*, b) 'Maskenkoˌstüm *n*, Mas'kierung *f*, c) *fig.* Verkleidung *f*, -kappung *f*, Vorwand *m*: **to throw off the** ~ die Maske fallen lassen; **under the** ~ **of** unter dem Deckmantel (*gen*). **6.** → **masque. 7.** maskenhaftes Gesicht. **8.** *arch.* Maska'ron *m* (*Fratzenskulptur*), Maske *f.* **9.** *Kosmetik*: (Gesichts)Maske *f.* **10.** *mil.* Tarnung *f*, Blende *f.* **11.** *zo.* Fangmaske *f* (*der Libellen*). **12.** *TV* (Bildröhren)Maske *f.* **13.** *tech.* (Abdeck)Blende *f*, Maske *f.* **14.** *phot.* Vorsatzscheibe *f.* **II** *v/t* **15.** *j-n* mas'kieren, verkleiden, -mummen. **16.** *fig.* verschleiern, -hüllen, -decken, -bergen, tarnen. **17.** *mil.* a) *e-e Stellung etc* tarnen, *Gelände* mas'kieren, b) *feindliche Truppen* binden, fesseln, c) *die eigene Truppe* behindern (*indem man in ihre Feuerlinie gerät*). **18.** *Licht* abblenden. **19.** *a.* ~ **out** *tech.* korri'gieren, retou'chieren: **to** ~ **out a stencil. 20.** *pharm. etc* a) *e-n Geschmack* über'decken, b) mit geschmacksverbessernden Zusätzen versehen. **III** *v/i* **21.** e-e Maske tragen.
masked [*Br.* mɑːskt; *Am.* mæ(ː)skt] *adj* **1.** mas'kiert: ~ **bandits**; ~ **ball** Maskenball *m.* **2.** verdeckt, -borgen. **3.** *fig.* verschleiert, -hüllt. **4.** *mil.* getarnt: ~ **ground** maskiertes Gelände. **5.** *med.* lar'viert, verborgen: ~ **disease. 6.** *bot.* mas'kiert, geschlossen (*Blüte*). **7.** *zo.* mit maskenartiger Kopfbildung.
mask·er [*Br.* 'mɑːskə; *Am.* 'mæ(ː)skər] *s* **1.** Maske *f*, Maskentänzer(in), -spieler(in). **2.** → **mask** 5 a.
mask·ing tape [*Br.* 'mɑːskiŋ; *Am.* 'mæ(ː)skiŋ] *s tech.* Kreppband *n.*
mask·oid [*Br.* 'mɑːskɔid; *Am.* 'mæ(ː)sk-] *s* Maske *f* (*aus Stein od. Holz; an Gebäuden im alten Mexiko u. Peru*).
mas·och·ism ['mæzəˌkizəm] *s psych.* Maso'chismus *m.* '**mas·och·ist** *s* Maso'chist *m.* ˌ**mas·och'is·tic** *adj* maso'chistisch.
ma·son ['meisn] **I** *s* **1.** Steinmetz *m*, -hauer *m*: ~**'s level** Setzwaage *f.* **2.** Maurer *m.* **3.** *oft* **M**~ Freimaurer *m.* **II** *v/t* **4.** aus Stein errichten. **5.** mauern. **M**~**-Dix·on line** ['meisn'diksn] *s Grenze zwischen Pennsylvanien u. Maryland, früher Grenzlinie zwischen Staaten mit u. ohne Sklaverei.*
ma·son·ic [mə'sɒnik] *adj* **1.** Maurer... **2.** *meist* **M**~ freimaurerisch, Freimaurer...
ma·son·ry ['meisnri] *s* **1.** Steinmetzarbeit *f.* **2.** a) Maurerarbeit *f*, b) Mauerwerk *n*: **bound** ~ Quaderwerk *n.* **3.** Maurerhandwerk *n.* **4.** *meist* **M**~ ˌFreimaure'rei *f.*
masque [*Br.* mɑːsk; *Am.* mæ(ː)sk] *s* **1.** *thea. hist.* Maskenspiel *n.* **2.** Maske'rade *f.* **mas·quer** → **masker.**
mas·quer·ade [ˌmæskə'reid] **I** *s* **1.** Maske'rade *f*: a) Maskenfest *n*, -ball *m*, b) Mas'kierung *f*, 'Maskenkoˌstüm *n*, c) *fig.* The'ater *n*, Verstellung *f*, d) *fig.* Maske *f*, Verkleidung *f.* **II** *v/i* **2.** an e-r Maske'rade teilnehmen. **3.** mas'kiert um'hergehen. **4.** sich mas'kieren *od.* verkleiden (*a. fig.*). **5.** *fig.* The'ater spielen, sich verstellen. **6.** *fig.* sich ausgeben (**as** als). ˌ**masquer'ad·er** *s* **1.** Teilnehmer(in) an e-m Maskenzug *od.* -ball. **2.** *fig.* ‚Schauspieler(in)', ‚Hochstapler(in)'.
mass[1] [mæs] **I** *s* **1.** Masse *f*, Ansammlung *f*: **a** ~ **of troops** e-e Truppenansammlung. **2.** Masse *f* (*formloser Stoff*): **a** ~ **of blood** ein Klumpen Blut. **3.** Masse *f*, Stoff *m*, Sub'stanz *f.* **4.** Masse *f*, (große) Menge: **a** ~ **of data**; **a** ~ **of errors** e-e (Un)Menge Fehler. **5.** Gesamtheit *f*: **in** ~ → **en masse**; **in the** ~ im großen u. ganzen. **6.** Hauptteil *m*, Mehrzahl *f*: **the** ~ **of imports** der überwiegende *od.* größere Teil der Einfuhr(en). **7.** *paint. etc* größere einfarbige Fläche. **8. the** ~ die Masse, die Allge'meinheit: **the** ~**es** die (breite) Masse. **9.** *phys.* Masse *f* (*Quotient aus Gewicht u. Beschleunigung*). **10.** *math.* Vo'lumen *n*, Inhalt *m.* **11.** *mil.* geschlossene Formati'on. **II** *v/t u. v/i* **12.** (sich) (an)sammeln *od.* (an)häufen. **13.** (sich) zs.-ballen *od.* -ziehen. **14.** *mil.* (sich) mas'sieren *od.* konzen'trieren. **III** *adj* **15.** Massen...: ~ **demonstration**; ~ **murder**; ~ **suggestion**; ~ **unemployment**; ~ **acceleration** *phys.* Massenbeschleunigung *f*; ~ **hysteria**, ~ **psychosis** *psych.* Massenpsychose *f*; ~ **medium** Massenmedium *n.*
Mass[2] [mæs] *s relig.* **1.** (die heilige) Messe. **2.** *oft* **m**~ Messe *f*, Meßfeier *f*: ~ **was said** die Messe wurde gelesen; **to attend (the)** ~, **to go to** ~ zur Messe gehen; **to hear** ~ die Messe hören; ~ **for the dead** Toten-, Seelenmesse; → **Low Mass, High Mass. 3.** Messe *f*, 'Meßliturˌgie *f.* **4.** *mus.* Messe *f.*
mas·sa·cre ['mæsəkər] **I** *s* **1.** Gemetzel *n*, Mas'saker *n*, Blutbad *n.* **II** *v/t* **2.** niedermetzeln, massa'krieren, ab-, 'hinschlachten. **3.** *fig.* a) ka'puttmachen, b) *sport sl.* ‚ausein'andernehmen'.
mas·sage [*Br.* 'mæsɑːʒ; *Am.* mə'sɑːʒ] **I** *s* Mas'sage *f*, Mas'sieren *n.* **II** *v/t* mas'sieren. **mas·sag·er** [mə'sɑːʒər] *s Am.* → **masseur.**
Mass| bell *s* Sanktusglocke *f.* ~ **book** *s R.C.* Meßbuch *n*, Mis'sale *n.* **m**~ **com·mu·ni·ca·tion** *s* 'Massenkommunikatiˌon *f*: ~ **media** Massenkommunikationsmittel, Massenmedien.
mas·sé [*Br.* 'mæsei; *Am.* mæ'sei] *s Billard*: Kopf-, Mas'séstoß *m.*
'**mass|-'en·er·gy e·qua·tion** *s phys.* ˌMasse-Ener'gie-Gleichung *f.* ~ **en·er·gy e·quiv·a·lence** *s* ˌMasse-Ener'gie-ˌÄquivaˌlenz *f.*
mas·se·ter [mæ'siːtər] *s anat.* Kaumuskel *m.*
mas·seur [mæ'səːr] *s* **1.** Mas'seur *m.* **2.** Mas'sageappaˌrat *m.* **mas'seuse** [-'səːz] *s* Mas'seuse *f.*
mas·si·cot ['mæsiˌkɒt] *s chem.* Massicot *n*, gelbes 'BleioˌXyd: **native** ~ Arsenikblei *n*, Bleiblüte *f.*
mas·sif ['mæsif; -siːf] *s geol.* **1.** Ge'birgsmasˌsiv *n*, -stock *m.* **2.** Scholle *f* (*der Erdrinde*).
mas·sive ['mæsiv] *adj* (*adv* ~**ly**) **1.** mas'siv: a) groß u. schwer, massig, b) gediegen (*Gold etc*), c) *fig.* wuchtig, ‚klotzig', d) *fig.* gewaltig, ‚mächtig', heftig: ~ **accusations** massive Beschuldigungen; ~ **construction** *arch.* Massivbauweise *f*; ~ **research** gewaltige Forschungsarbeiten. **2.** *fig.* schwer(fällig). **3.** *geol.* mas'siv. **4.** *min.* dicht. **5.** *psych.* stark, anhaltend (*Sinneseindruck*). '**mas·sive·ness** *s* **1.** (*das*) Mas'sive. **2.** Gewaltigkeit *f*, großes *od.* mächtiges Ausmaß. **3.** Gediegenheit *f* (*von Gold etc*). **4.** *fig.* Wucht *f.*
mass| jump *s aer. mil.* Massenabsprung *m.* ~ **meet·ing** *s* Massenversammlung *f.* ~ **num·ber** *s phys.* Massenzahl *f.* ~ **ob·ser·va·tion** *s Br.* Massenbeobachtung *f*, Meinungsforschung *f* der gesamten Bevölkerung. ~ **par·ti·cle** *s math. phys.* Masse(n)teilchen *n.* **M**~ **pen·ny** *s relig.* Opfergeld *n.* '~**-pro'duce** *v/t* serienmäßig 'herstellen: ~**d articles** Massen-, Serienartikel. ~ **pro·duc·er** *s econ.* 'Massenˌhersteller *m.* ~ **pro·duc·tion** *s econ.* Massenerzeugung *f*, 'Massen-, 'Serienproduktiˌon *f*: **standardized** ~ Fließarbeit *f.* ~ **so·ci·e·ty** *s* Massengesellschaft *f.* ~ **spec·tro·graph** *s phys.* 'Massenspektroˌgraph *m.* ~ **spec·trom·e·ter** *s phys.* 'Massenspektroˌmeter *n.* ~ **spec·trum** *s phys.* Massenspektrum *n.* ~ **u·nit** *s phys.* Masseneinheit *f.*
mass·y ['mæsi] → **massive** 1 a-c.
mast[1] [*Br.* mɑːst; *Am.* mæ(ː)st] **I** *s* **1.** *mar.* (Schiffs)Mast *m*: **to sail before the** ~ (als Matrose) zur See fahren. **2.** *mar.* Mast *m* (*stangen- od. turmartiger Aufbau*): **fighting** ~ Gefechtsmars *m*; **at (the)** ~ auf dem Hauptdeck. **3.** *electr.* (An'tennen-, Leitungs- *etc*)Mast *m.* **4.** *aer.* Ankermast *m* (*für Luftschiffe*). **II** *v/t* **5.** bemasten.
mast[2] [*Br.* mɑːst; *Am.* mæ(ː)st] *s agr.* Mast(futter *n*) *f.*
mas·tec·to·my [mæs'tektəmi] *s med.* 'Brustamputatiˌon *f.*
mast·ed [*Br.* 'mɑːstid; *Am.* 'mæ(ː)stid] *adj mar.* **1.** bemastet. **2.** *in Zssgn* ...mastig: **three-**~.
mas·ter [*Br.* 'mɑːstər; *Am* 'mæ(ː)s-] **I** *s* **1.** Meister *m*, Herr *m*, Gebieter *m*: **the M**~ *relig.* der Herr (*Christus*); **to be** ~ **of s.th.** etwas (*a. e-e Sprache etc*) beherrschen; **to be** ~ **of o.s.** sich in der Gewalt haben; **to be** ~ **of the situation** Herr der Lage sein; **to be one's own** ~ sein eigener Herr sein; **to be** ~ **in one's own house** der Herr im Hause sein; **to be** ~ **of one's time** über s-e Zeit (nach Belieben) verfügen können. **2.** Besitzer *m*, Eigentümer *m*, Herr *m*: **to make o.s.** ~ **of s.th.** etwas in s-n Besitz bringen. **3.** Hausherr *m.* **4.** Meister *m*, Sieger *m.* **5.** *econ.* a)

Lehrherr *m*, Meister *m*, Prinzi'pal *m*, b) (Handwerks)Meister *m*: ~ **tailor** Schneidermeister, c) *jur.* Arbeitgeber *m*, Dienstherr *m*: **like ~ like man** wie der Herr, so der Knecht. **6.** Vorsteher *m*, Leiter *m* (*e-r Innung etc*). **7.** *a.* ~ **mariner** *mar.* ('Handels)Kapi,tän *m*: **~'s certificate** Kapitänspatent *n*. **8.** *fig.* (Lehr)Meister *m*. **9.** *bes. Br.* Lehrer *m* (*bes. an höheren Schulen*), Studienrat *m*: ~ **in English** Englischlehrer; **senior ~** Oberstudienrat. **10.** *Br.* Rektor *m* (*Titel des Leiters einiger Colleges*). **11.** *paint. etc* Meister *m*, großer Künstler. **12.** *univ.* Ma'gister *m* (*Grad*): **M~ of Arts** Magister der freien Künste; **M~ of Science** Magister der Naturwissenschaften. **13.** junger Herr (*a. als Anrede für Knaben der höheren Schichten bis zu 16 Jahren*). **14.** *Br.* (*in Titeln*) Leiter *m*, Aufseher *m* (*am königlichen Hof etc*): **M~ of (the) Hounds** oberster Jagdleiter; **M~ of the Horse** Oberstallmeister *m* (*am englischen Königshof*); → **ceremony** 1. **15.** *jur.* proto'kollführender Gerichtsbeamter: **M~ of the Rolls** Oberarchivar *m* (*Leiter der Archive des* **High Court of Chancery**). **16.** *Scot.* (gesetzmäßiger) Erbe (*e-s Adligen vom Range e-s* Baron *od. e-s* Viscount). **17.** ('Schall)Plattenma,trize *f*.

II *v/t* **18.** Herr sein *od.* herrschen über (*acc*), beherrschen. **19.** sich zum Herrn machen über (*acc*), besiegen, unter'werfen. **20.** *ein Tier* zähmen, bändigen. **21.** *e-e Aufgabe, Schwierigkeit etc, a. ein Gefühl, a. s-n Gegner* meistern, Herr werden (*gen*), bezwingen, *e-e Leidenschaft etc a.* bezähmen, bändigen. **22.** *e-e Sprache etc.* beherrschen, mächtig sein (*gen.*).

III *adj* **23.** Meister..., meisterhaft, -lich. **24.** Herren..., Meister...: ~ **race** Herrenrasse *f*. **25.** Haupt..., hauptsächlich: ~ **bedroom** *Am.* Elternschlafzimmer *n*; ~ **container** Sammelbehälter *m*; ~ **program(me)** Rahmenprogramm *n*; ~ **switch** *electr.* Hauptschalter *m*. **26.** leitend, führend (*a. fig.*). **27.** vorherrschend: ~ **passion**. **28.** *iro.* Erz..., ‚Mords...'.

mas·ter| a·gree·ment *s econ. Am.* 'Mantelta,rif *m*. **'~-at-'arms** *pl* **'mas·ters-at-'arms** *s mar.* 'Schiffspro,fos *m* (*Polizeioffizier*). ~ **build·er** *s* **1.** (*a.* großer) Baumeister. **2.** 'Bauunter,nehmer *m*. ~ **chord** *s mus.* Domi'nantdreiklang *m*. ~ **clock** *s* Zen'traluhr *f*. ~ **com·pass** *s* 'Mutterkom,paß *m*. ~ **cop·y** *s* **1.** Origi'nalko,pie *f* (*von Dokumenten, a. Filmen u. Platten*). **2.** 'Handexem,plar *n* (*e-s literarischen etc Werks*). ~ **cyl·in·der** *s mot.* 'Haupt,bremszy,linder *m*. ~ **file** *s* 'Hauptkar,tei *f*.

mas·ter·ful ['mɑːstərful; *Am.* 'mæ(ː)s-] *adj* (*adv* **~ly**) **1.** herrisch, gebieterisch. **2.** willkürlich. **3.** ty'rannisch, des'potisch. **4.** → **masterly**.

mas·ter| ga(u)ge *s tech.* Prüf-, Urlehre *f*. ~ **gen·er·al of the Ord·nance** *s mil. Br.* Gene,ral'feldzeug,meister *m*. ~ **gun·ner** *s mil.* **1.** *Br.* 'Feldwebel,leutnant *m*. **2.** *Am.* 'Oberkano,nier *m* (*der Küstenartillerie*). ~ **hand** *s* **1.** Meister *m*, (großer) Könner (at in *dat*). **2.** *fig.* Meisterhand *f*.

mas·ter·hood [*Br.* 'mɑːstər,hud; *Am.* 'mæ(ː)s-] → **mastership**.

mas·ter| in chan·cer·y *s jur hist.* beisitzender Refe'rent im Kanz'leigericht. ~ **key** *s* **1.** Hauptschlüssel *m*. **2.** *fig.* Schlüssel *m*.

mas·ter·li·ness [*Br.* 'mɑːstərlinis; *Am.* 'mæ(ː)s-] *s* **1.** meisterhafte Ausführung *f*, Meisterhaftigkeit *f*, -schaft *f*. **2.** (*das*) Meisterhafte. **'mas·ter·ly** *adj u. adv* meisterhaft, -lich, Meister...

mas·ter| ma·son *s* **1.** Maurermeister *m*. **2.** Meister *m* (*Freimaurer im 3. Grad*). ~ **me·chan·ic** *s* Werkmeister *m*, erster Me'chaniker. **'~,mind I** *s* **1.** über'ragender Geist, Ge'nie *n*. **2.** führende Per'sönlichkeit. **3.** *bes. Am.* Kapazi'tät *f*, ‚Ka'none' *f*. **II** *v/t Am.* **4.** (geschickt) lenken *od.* leiten. ~ **pat·tern** *s tech.* 'Muster-, 'Muttermo,dell *n*. **'~,piece** *s* Meisterstück *n*, -werk *n*. ~ **ser·geant** *s mil. Am.* (Ober)Stabsfeldwebel *m*.

mas·ter·ship [*Br.* 'mɑːstər,ʃip; *Am.* 'mæ(ː)s-] *s* **1.** meisterhafte Beherrschung (of *gen*), Meisterschaft *f*: **to attain a ~ in** es zur Meisterschaft bringen in (*dat*). **2.** Herrschaft *f*, Macht *f*, Gewalt *f* (over über *acc*). **3.** Vorsteheramt *n*. **4.** Lehramt *n*.

mas·ter| sin·ew *s zo.* Hauptsehne *f*. **'~,sing·er** *s hist.* Meistersinger *m*. ~ **spring** *s tech.* Antriebsfeder *f*. ~ **stroke** *s* Meisterstreich *m*, -stück *n*, -zug *m*, -leistung *f*, Glanzstück *n*: **a ~ of diplomacy** ein meisterhafter diplomatischer Schachzug. ~ **tap** *s tech.* Gewinde-, Origi'nalbohrer *m*. ~ **tooth** *s irr* Eck-, Fangzahn *m*. ~ **touch** *s* **1.** Meisterhaftigkeit *f*, -schaft *f*. **2.** Meisterzug *m*. **3.** *mus.* meisterhafter Anschlag. **4.** *tech. u. fig.* letzter Schliff. ~ **wheel** *s tech.* Antriebs-, Hauptrad *n*. **'~,work** *s* **1.** Haupt-, Meisterwerk *n*. **2.** Meisterstück *n*.

mas·ter·y [*Br.* 'mɑːstəri; *Am.* 'mæ(ː)s-] *s* **1.** Herrschaft *f*, Gewalt *f*, Macht *f* (of, over über *acc*). **2.** Über'legenheit *f*, Oberhand *f*: **to gain the ~ over s.o.** über j-n die Oberhand gewinnen. **3.** Beherrschung *f* (*e-r Sprache, von Spielregeln etc*). **4.** Beherrschung *f*, Bändigung *f* (*von Leidenschaften etc*). **5.** Meisterhaftigkeit *f*, -schaft *f*: **to gain the ~ in** (*od.* of) es (bis) zur Meisterschaft bringen in (*dat*).

mast,head I *s* **1.** *mar.* Masttopp *m*, -korb *m*, Mars *m*: ~ **light** Topplicht *n*. **2.** *print.* Druckvermerk *m*, Im'pressum *n* (*e-r Zeitung*). **II** *v/t mar.* **3.** *Flagge etc* vollmast hissen.

mas·tic ['mæstik] *s* **1.** Mastix(harz *n*) *m*. **2.** *bot.* 'Mastixstrauch *m*, -pi,stazie *f*. **3.** Mastik *m*, 'Mastixze,ment *m*, (Stein)Kitt *m*. **4.** blasses Gelb.

mas·ti·ca·ble ['mæstikəbl] *adj* kaubar. **'mas·ti,cate** [-,keit] *v/t* **1.** (zer)kauen. **2.** zerkleinern, -stoßen, -kneten. **,mas·ti'ca·tion** *s* **1.** (Zer)Kauen *n*. **2.** Zerkleinern *n*. **'mas·ti,ca·tor** [-tər] *s* **1.** Kauende(r *m*) *f*. **2.** 'Fleischwolf *m*, -,hackma,schine *f*. **3.** *tech.* a) 'Mahlma,schine *f*, b) 'Knetma,schine *f*. **'mas·ti·ca·to·ry** [-kətəri] **I** *adj* Kau..., Freß...: ~ **organs**. **II** *s physiol.* Mastika'torium *n*, Kaumittel *n*.

mas·tiff ['mæstif; *Br. a.* 'mɑːs-] *s* Mastiff *m*, Bulldogge *f*, englische Dogge.

mas·ti·goph·o·ran [,mæsti'gɒfərən] *zo.* **I** *s* Geißeltierchen *n*. **II** *adj* zu den Geißeltierchen gehörig.

mas·ti·tis [mæs'taitis] *s* **1.** *med.* Ma'stitis *f*, Brust(drüsen)entzündung *f*. **2.** *vet.* Entzündung *f* des Euters.

mas·to·car·ci·no·ma [,mæsto,kɑːrsi'noumə] *s med.* 'Mammakarzi,nom *n*, Brustkrebs *m*.

mas·to·don ['mæstə,dɒn] *s zo.* Mastodon *n* (*Urelefant*).

mas·toid ['mæstɔid] *anat.* **I** *adj* masto'id, brust(warzen)förmig. **II** *s a.* ~ **process** Warzenfortsatz *m* (*des Schläfenbeins*).

mas·tot·o·my [mæs'tɒtəmi] *s med.* ['Brustoperati,on *f*.]

mas·tur·bate ['mæstər,beit] *v/i* ona'nieren. **,mas·tur'ba·tion** *s* Ona'nie *f*, (geschlechtliche) Selbstbefriedigung. **'mas·tur,ba·tor** [-tər] *s* Ona'nist *m*.

mat[1] [mæt] **I** *s* **1.** Matte *f*. **2.** 'Untersetzer *m*, -satz *m*: **beer ~** Bierdeckel *m*, -filz *m*. **3.** (Zier)Deckchen *n*. **4.** *sport* (Boden)Matte *f*: ~ **position** (*Ringen*) Bank *f*; **to be on the ~** a) (*Ringen*) auf der Matte sein, b) am Boden sein, c) *fig.* ‚in der Tinte sitzen', d) *fig.* e-e ‚Zigarre verpaßt bekommen'; **to go to the ~ with s.o.** *fig.* mit j-m e-e heftige Auseinandersetzung haben. **5.** Vorleger *m*, Abtreter *m*. **6.** a) grober Sack (*zur Verpackung von Kaffee etc*), b) *ein Handelsgewicht für Kaffee*. **7.** verfilzte Masse (*Haar, Unkraut*). **8.** Gewirr *n*, Geflecht *n*. **9.** *Spitzenweberei*: dichter Spitzengrund. **10.** (glasloser) Wechselrahmen. **II** *v/t* **11.** mit Matten belegen. **12.** *fig.* (wie mit e-r Matte) bedecken. **13.** (mattenartig) verflechten. **14.** verfilzen: **~ted hair**. **III** *v/i* **15.** sich verfilzen *od.* verflechten.

mat[2] [mæt] **I** *adj* **1.** matt (*a. phot.*), glanzlos, mat'tiert. **II** *s* **2.** Mat'tierung *f*. **3.** mat'tierte Farbschicht (*auf Glas*). **4.** mat'tierter (*meist* Gold)Rand (e-s Bilderrahmens). **III** *v/t* **5.** mat'tieren.

mat·a·dor ['mætə,dɔːr] *s* Mata'dor *m*: a) *Stierkämpfer*, b) *Haupttrumpf in einigen Kartenspielen*.

match[1] [mætʃ] **I** *s* **1.** (*der, die, das*) gleiche *od.* Ebenbürtige: **his ~** a) seinesgleichen, b) sein Ebenbild, c) j-d der es mit ihm aufnehmen kann, d) s-e Lebensgefährtin; **to find** (*od.* **meet**) **one's ~** s-n Meister finden; **to be a ~ for s.o.** j-m gewachsen sein; **to be more than a ~ for s.o.** j-m überlegen sein. **2.** (dazu) passende Sache *od.* Per'son, Gegenstück *n*. **3.** (zs.-passendes) Paar, Gespann *n* (*a. fig.*): **they are an excellent ~** sie passen ausgezeichnet zueinander. **4.** *econ.* Ar'tikel *m* gleicher Quali'tät: **exact ~** genaue Bemusterung. **5.** (Wett)Kampf *m*, Wettspiel *n*, Par'tie *f*, Treffen *n*, Match *n*, *m*: **boxing ~** Boxkampf; **cricket ~** Kricketwettspiel, -partie; **singing ~** Wettsingen *n*. **6.** a) Heirat *f*: **to make a ~** e-e Ehe stiften; **to make a ~ of it** heiraten, b) (*gute etc*) Par'tie: **she is a good ~**.

II *v/t* **7.** a) *j-n* passend verheiraten (to, with mit), b) *Tiere* paaren. **8.** *e-r Person od. Sache* etwas Gleiches gegen'überstellen, *j-n od. etwas* vergleichen (with mit). **9.** *j-n* ausspielen (against gegen). **10.** passend machen, anpassen (to, with an *acc*). **11.** *j-m od. e-r Sache* (*a. farblich etc*) entsprechen, passen zu: **the carpet does not ~ the wallpaper** der Teppich paßt nicht zur Tapete; **well-~ed** gut zs.-passend (→ 15). **12.** zs.-fügen. **13.** etwas Gleiches *od.* Passendes auswählen *od.* finden zu: **can you ~ this velvet for me?** haben Sie etwas Passendes zu diesem Samt(stoff)? **14.** *electr.* angleichen, anpassen. **15.** (*nur pass*) **to be ~ed** *j-m* ebenbürtig *od.* gewachsen sein, es aufnehmen mit (*j-m od. e-r Sache*), *e-r Sache* gleichkommen: **not to be ~ed** unerreichbar, unvergleichbar; **the teams are well ~ed** die Mannschaften sind gut ausgeglichen. **16.** *Am. colloq.* a) *e-e Münze* hochwerfen, b) knobeln mit (*j-m*).

III *v/i* **17.** *obs.* sich verheiraten (with

mit). **18.** zs.-passen, über'einstimmen (with mit), entsprechen (to *dat*): **she bought a brown coat and gloves to** ~ sie kaufte e-n braunen Mantel u. dazu passende Handschuhe.

match² [mætʃ] *s* **1.** Zünd-, Streichholz *n.* **2.** Zündschnur *f.* **3.** *obs. od. hist.* a) Zündstock *m*, b) Lunte *f.*

'match|ˌboard *tech.* **I** *s* Spundbrett *n* (*für Parkett etc*). **II** *v/t* mit Spundbrettern abdecken. **'~ˌboard·ing** *s collect.* gespundete Bretter *pl.* **'~ˌbook** *s* Streichholzbrief *m.* **'~ˌbox** *s* Streichholzschachtel *f.* **'~ˌcloth** *s econ.* (*ein*) grober Wollstoff.

matched or·der *s econ. Börse*: *Auftrag, die gleiche Anzahl e-r Aktie od. e-r Ware zum gleichen Preis zu kaufen od. zu verkaufen.*

match game *s sport* Entscheidungs-[spiel *n.*]

match·ing ['mætʃiŋ] **I** *s* **1.** *electr.* Anpassung *f.* **II** *adj* **2.** (dazu) passend (*farblich etc abgestimmt*). **3.** *electr.* Anpassungs...: ~ **circuit**; ~ **transformer**; ~ **condenser** Abgleichkondensator *m.* ~ **ma·chine** *s tech.* 'Nuthobelmaˌschine *f.* ~ **test** *s* Vergleichsprobe *f.*

match joint *s tech.* Verzinkung *f.*

match·less ['mætʃlis] *adj* (*adv* ~**ly**) unvergleichlich, einzig dastehend.

'matchˌlock *s mil. hist.* **1.** Luntenschloß *n* (*der Muskete*). **2.** 'Lunten-(schloß)musˌkete *f.*

matchˌmak·er *s* **1.** Ehestifter(in). **2.** Heiratsvermittler(in).

'matchˌmak·ing *s* **1.** Ehe-, Heiratsvermittlung *f.* **2.** *contp.* Kuppe'lei *f.*

'match|ˌmark *s tech.* Mon'tagezeichen *n.* ~ **plane** *s tech.* Nut- u. Spundhobel *m.* ~ **play** *s sport* **1.** → match game. **2.** *Golf*: Lochspiel *n.* ~ **point** *s sport* (für den Sieg) entscheidender Punkt, *Tennis*: Matchball *m.* ~ **race** *s sport Am.* Wettrennen *n.* ~ **rope** *s mil. hist.* Zündschnur *f* (*zu e-r Kanone*). **'~ˌstick**, *a.* **'~ˌstalk** *s tech.* Stab *m* e-s Streichhölzchens. **'~ˌwood** *s* **1.** Streichhölzerholz *n.* **2.** *collect.* (Holz)Späne *pl*, Splitter *pl*: **to make** ~ **of s.th.** aus etwas Kleinholz machen, etwas kurz u. klein schlagen.

mate¹ [meit] **I** *s* **1.** a) ('Arbeits-, 'Werk)Kameˌrad *m*, Genosse *m*, Gefährte *m*, b) (*als Anrede*) Kame'rad *m*, ‚Kumpel' *m*, c) Gehilfe *m*, Handlanger *m*: **driver's** ~ Beifahrer *m.* **2.** Lebensgefährte *m*, Gatte *m*, Gattin *f.* **3.** *zo., bes. orn.* Männchen *n od.* Weibchen *n.* **4.** Gegenstück *n* (*von Schuhen etc*), der andere *od.* dazugehörige (*Schuh etc*). **5.** *Handelsmarine*: 'Schiffsoffiˌzier *m* (*unter dem Kapitän*). **6.** *mar.* Maat *m*: a) Gehilfe *m*: **cook's** ~ Kochsmaat; **gunner's** ~ Hilfskanonier *m*, b) (*amer. Flotte*) 'Linienoffiˌzier *m* ohne Beförderungsmöglichkeit. **II** *v/t* **7.** zs.-gesellen. **8.** (*paarweise*) verbinden, *bes.* vermählen. **9.** *Tiere* paaren. **10.** *fig.* ein'ander anpassen: **to** ~ **words with deeds** auf Worte entsprechende Taten folgen lassen. **11.** (to) *tech. Am.* zs.-bauen (mit), mon'tieren (an *acc*). **III** *v/i* **12.** sich (ehelich) verbinden, heiraten. **13.** *zo.* sich paaren. **14.** *tech.* a) (with) kämmen (mit), eingreifen (in *acc*) (*Zahnräder*), b) aufein'anderarbeiten **mating surfaces** Arbeitsflächen.

mate² [meit] → **checkmate.**

ma·té ['mɑːtei; 'mætei] *s* **1.** Mate-, Para'guaytee *m.* **2.** *bot.* Matestrauch *m.* **3.** *a.* ~ **gourd** *bot.* Flaschenkürbis *m.*

ma·te·lot [mat'lo] (*Fr.*) *s* **1.** *Br. sl.* Ma'trose *m.* **2.** (*Art*) Rötlichblau *n.*

ma·ter ['meitər] (*Lat.*) *s ped. Br. sl.* die Mutter. ~ **do·lo·ro·sa** [ˌdoulou'rousə] (*Lat.*) *s* die Schmerzensmutter.

ma·te·ri·al [mə'ti(ə)riəl] **I** *adj* (*adv* ~**ly**) **1.** materi'ell, physisch, körperlich, substanti'ell: ~ **existence** körperliches Dasein. **2.** stofflich, Material...: ~ **damage** Sachschaden *m*; ~ **defect** Materialfehler *m*; ~ **fatigue** *tech.* Werkstoffmüdigkeit *f*; ~ **goods** *econ.* Sachgüter. **3.** materi'ell, leiblich, körperlich: ~ **comfort**; ~ **well-being.** **4.** ungeistig, materia'listisch (*Anschauung etc*). **5.** materi'ell, wirtschaftlich, re'al: ~ **civilization** materielle Kultur. **6.** *a. philos.* a) (sachlich) wichtig, gewichtig, von Belang, b) wesentlich, ausschlaggebend (to für). **7.** *jur.* erheblich, rele'vant, einschlägig: ~ **facts**; **a** ~ **witness** ein unentbehrlicher Zeuge. **8.** *Logik*: (*nicht verbal od. formal*) sachlich: ~ **consequence** sachliche Folgerung. **9.** *math.* materi'ell: ~ **point.**
II *s* **10.** Materi'al *n*: a) (*a.* Roh-, Grund)Stoff *m*, Sub'stanz *f*, b) *tech.* Werkstoff *m*: ~ **test(ing)** Materialprüfung *f*, c) (Kleider)Stoff *m*: **dress** ~ Stoff für ein Damenkleid. **11.** *collect. od. pl* Materi'al(ien *pl*) *n*, Ausrüstung *f*: **building** ~**s** Baustoffe; **war** ~ Kriegsmaterial; **writing** ~**s** Schreibmaterial(ien). **12.** *oft pl fig.* Materi'al *n* (*Sammlungen, Urkunden, Belege, Notizen, Ideen etc*), Stoff *m* (for zu *e-m Buch etc*), 'Unterlagen *pl.*

ma·te·ri·al·ism [mə'ti(ə)riəˌlizəm] *s* Materia'lismus *m.* **ma'te·ri·al·ist I** *s* Materia'list(in). **II** *adj* materia'listisch. **maˌte·ri·al'is·tic** *adj*; **maˌte·ri·al'is·ti·cal** *adj* (*adv* ~**ly**) materia'listisch. **maˌte·ri'al·i·ty** [-'æliti] *s* **1.** Stofflichkeit *f*, Körperlichkeit *f.* **2.** *a. jur.* Wichtigkeit *f.*

ma·te·ri·al·i·za·tion [məˌti(ə)riəlai'zeiʃən; -li'z-] *s* **1.** Verkörperung *f.* **2.** *Spiritismus*: ˌMaterialisati'on *f* (*von Geistern*). **ma'te·ri·alˌize I** *v/t* **1.** ˌmateriali'sieren, verstofflichen, -körperlichen. **2.** *etwas* verwirklichen, reali'sieren. **3.** *bes. Am.* materia'listisch machen: **to** ~ **thought.** **4.** *Geister* erscheinen lassen. **II** *v/i* **5.** feste Gestalt annehmen, sinnlich wahrnehmbar werden, sich verkörpern (in in *dat*). **6.** sich verwirklichen, Tatsache werden, zu'standekommen. **7.** erscheinen (*Geister*).

ma'te·ri·al·man [-mən] *s irr tech. Am.* Materi'alliefeˌrant *m.*

ma·te·ri·a med·i·ca [mə'ti(ə)riə 'medikə] *s pharm.* **1.** *collect.* Arz'neimittel *pl.* **2.** Arz'neimittelˌlehre *f.*

ma·té·ri·el, ma·te·ri·el [məˌti(ə)ri'el] *s* **1.** *econ.* Materi'al *n*, Ausrüstung *f.* **2.** *mil.* a) 'Kriegsmateriˌal *n*, -ausrüstung *f*, b) Versorgungsgüter *pl.*

ma·ter·nal [mə'təːrnl] *adj* (*adv* ~**ly**) **1.** mütterlich, Mutter...: ~ **love.** **2.** *Großvater etc* mütterlicherseits, von mütterlicher Seite: ~ **grandfather**; ~ **inheritance.** **3.** Mütter...: ~ **mortality** Müttersterblichkeit *f*; ~ **welfare (work)** Mütterfürsorge *f.*

ma·ter·ni·ty [mə'təːrniti] **I** *s* **1.** Mutterschaft *f.* **2.** *med.* Materni'tät *f.* **3.** *Am.* a) Entbindungsanstalt *f*, b) Ge'burtenabˌteilung *f*, c) 'Umstandskleid *n.* **II** *adj* **4.** Wöchnerin(nen)..., Schwangerschafts..., Umstands...: ~ **benefit** Wochenhilfe *f*; ~ **dress** (*od.* **gown**) Umstandskleid *n*; ~ **home** Entbindungsheim *n*; ~ **hospital** Entbindungsanstalt *f*, -klinik *f*; ~ **patient** Wöchnerin *f*; ~ **relief** Wochen(bei)hilfe *f*; ~ **ward** Geburtenabteilung *f*, Wöchnerinnenstation *f.*

mate·y, *Br. a.* **mat·y** ['meiti] **I** *adj* kame'radschaftlich, vertraulich, famili'är. **II** *s Br. colloq.* → **mate¹** 1 b.

math·e·mat·i·cal [ˌmæθi'mætikəl] *adj* (*adv* ~**ly**) **1.** mathe'matisch: ~ **expectation** (*Statistik*) mathematische Erwartung; ~ **point** gedachter *od.* ideeller Punkt. **2.** Mathematik... **3.** *fig.* (mathe'matisch) ex'akt: **with** ~ **precision.** **4.** *fig.* 'unumˌstößlich, defini'tiv: ~ **certainty.** ˌ**math·e·ma'ti·cian** [-mə'tiʃən] *s* Mathe'matiker *m.* ˌ**math·e'mat·ics** [-'mætiks] *s pl* (*meist als sg konstruiert*) **1.** Mathema'tik *f*: **higher (elementary, pure)** ~ höhere (elementare, reine) Mathematik. **2.** (*j-s*) Rechenkunst *f.* **'math·e·maˌtize** [-məˌtaiz] *v/t* mathemati'sieren, in mathe'matische Form bringen.

maths [mæθs] *s pl* (*meist als sg konstruiert*) *Br. colloq. abbr. für* **mathematics.**

mat·in ['mætin] **I** *s* **1.** *pl, oft* M~**s** *relig.* a) *R.C.* (Früh)Mette *f*, b) (*Church of England*) 'Morgenliturˌgie *f.* **2.** *poet.* Morgenlied *n* (*der Vögel*). **II** *adj* **3.** *poet.* Morgen..., morgendlich. **'mat·in·al** → matin II.

mat·i·nee, mat·i·née [*Br.* 'mætiˌnei; *Am.* ˌmætə'nei] *s* **1.** *thea.* Mati'nee *f*, *bes.* Nachmittagsvorstellung *f.* **2.** *Am.* Morgenrock *m* (*der Frauen*).

mat·ing ['meitiŋ] *s zo.* Paarung *f*: ~ **season** Paarungszeit *f.*

ma·tri·arch ['meitriˌɑːrk] *s sociol.* Fa'milien-, Stam(mes)mutter *f.* ˌ**ma·tri'ar·chal** *adj* matriar'chalisch. ˌ**ma·tri'ar·chalˌism** *s* matriar'chalisches Wesen *od.* Sy'stem. **'ma·triˌarch·ate** [-kit; -keit] *s* **1.** Mutterherrschaft *f.* **2.** *sociol.* Matriar'chat *n.* ˌ**ma·tri'ar·chic** → matriarchal. **'ma·triˌarch·y** → matriarchate.

ma·tric¹ ['meitrik; 'mæt-] *adj math.* [Matrix...]

ma·tric² [mə'trik] *Br. sl. abbr. für* **matriculation.**

ma·tri·ces ['meitriˌsiːz; 'mæt-] *pl von* [**matrix.**]

ma·tri·cid·al [ˌmeitri'saidl; ˌmæt-] *adj* muttermörderisch. **'ma·triˌcide** *s* **1.** Muttermord *m.* **2.** Muttermörder(in).

ma·tric·u·late [mə'trikjuˌleit] **I** *v/t* (*an e-r Universität*) immatriku'lieren. **II** *v/i* sich immatriku'lieren (lassen). **III** *s* [-lit] Immatriku'lierte(r *m*) *f.* **maˌtric·u'la·tion** *s* ˌImmatrikulati'on *f*: ~ **examination** *Br.* Zulassungsprüfung *f* zum Universitätsstudium.

mat·ri·mo·ni·al [ˌmætri'mouniəl] *adj* (*adv* ~**ly**) ehelich, Ehe...: ~ **agency** Heiratsvermittlung(sbüro *n*) *f*; ~ **cases** (*od.* **causes**) *jur.* Ehesachen; ~ **home** ehelicher Wohnsitz; ~ **offence** (*Am.* **-se**) Eheverfehlung *f.*

mat·ri·mo·ny [*Br.* 'mætriməni; *Am.* 'mætrəˌmouni] *s* **1.** *a. jur.* Ehe(stand *m*) *f*: **Holy M**~ der heilige Stand der Ehe. **2.** a) *ein Kartenspiel*, b) *Trumpfkönig u. -dame*, c) *König u. Dame derselben Farbe.*

ma·trix ['meitriks; 'mæt-] *pl* **'ma·triˌces** [-triˌsiːz] *od.* **'ma·trix·es** *s* **1.** Mutter-, Nährboden *m* (*beide a. fig.*), 'Grundsubˌstanz *f.* **2.** *physiol.* Matrix *f*: a) Mutterboden *m*, b) Gewebeschicht *f*, c) Gebärmutter *f*: **nail** ~ Nagelbett *n*; ~ **of bone** Knochengrundsubstanz. **3.** *bot.* Nährboden *m.* **4.** *min.* a) Grundmasse *f*, b) Ganggestein *n.* **5.** *tech.* Ma'trize *f* (*Gieß-, Stanz- od. Prägeform, a. e-r Schallplatte*; *a. print.*). **6.** *math.* Matrix *f*: **system of matrices** Matrizensystem *n.*

ma·tron ['meitrən] *s* **1.** ältere (verheiratete) Frau, würdige Dame, Ma'trone *f*: ~ of hono(u)r verheiratete Brautführerin. **2.** Hausmutter *f*, Wirtschafterin *f*. **3.** a) Vorsteherin *f*, b) Oberin *f* (*e-r Schwesternschaft od. im Krankenhaus*), c) Aufseherin *f* (*im Gefängnis etc*), d) *Am.* Toi'lettenfrau *f*, -aufsicht *f*. **'ma·tron,hood** *s* Ma'tronentum *n*, Frauenstand *m*. **'ma·tron,ize** *v/t* **1.** ma'tronenhaft *od.* mütterlich machen. **2.** a) bemuttern, b) beaufsichtigen. **'ma·tron·li·ness** *s* Ma'tronenhaftigkeit *f*. **'ma·tron·ly I** *adj* ma'tronenhaft, würdig, gesetzt: ~ **duties** hausmütterliche Pflichten. **II** *adv* ma'tronenhaft.

ma·tross [mə'trɒs] *s mil. hist.* 'Unterkano,nier *m*, Troßknecht *m*.

mat rush *s bot.* Teichbinse *f*.

matt → mat².

matte [mæt] *s metall.* Stein *m*, Lech *m* (*Schmelzprodukt von Kupfer u. Bleisulfiderzen*).

mat·ted¹ ['mætid] *adj* mat'tiert.

mat·ted² ['mætid] *adj* **1.** mit Matten bedeckt: a ~ **floor**. **2.** verflochten, -filzt: ~ **hair**.

mat·ter ['mætər] **I** *s* **1.** Ma'terie *f* (*a. philos. u. phys.*), Materi'al *n*, Sub'stanz *f*, Stoff *m*: **organic** ~ organische Substanz; **gaseous** ~ gasförmiger Körper; → **foreign** 3. **2.** a) *physiol.* Sub'stanz *f*: → **gray matter**, b) *med.* Eiter *m*. **3.** Sache *f* (*a. jur.*), Angelegenheit *f*: **this is a serious** ~; **the** ~ **in** (*od.* **at**) **hand** die vorliegende Angelegenheit; **it's no laughing** ~ es ist nicht(s) zum Lachen; **a** ~ **of course** e-e Selbstverständlichkeit; **a** ~ **of fact** a) e-e (*eindeutige*) Tatsache, b) *jur.* e-e Tatsachenfrage; **as a** ~ **of fact** tatsächlich, eigentlich, um die Wahrheit zu sagen; ~ **in controversy** *jur.* a) Streitgegenstand *m*, b) Streitwert *m*; ~ **in issue** *jur.* strittige *od.* zu beweisende Tatsache, Beweisthema *n*; **a** ~ **of taste** (e-e) Geschmackssache; **a** ~ **of time** e-e Frage der Zeit; **for that** ~, **for the** ~ **of that** was das betrifft, schließlich; **in the** ~ **of** a) hinsichtlich (*gen*), b) *jur.* in Sachen (*A. gegen B.*); **it is a** ~ **of life and death** es geht um Leben u. Tod; → **fact** 1. **4.** *pl* (*ohne Artikel*) die Sache, die Dinge *pl*: **to make** ~**s worse** a) die Sache schlimmer machen, b) (*als feststehende Wendung*) was die Sache noch schlimmer macht; **to carry** ~**s too far** es zu weit treiben; **as** ~**s stand** wie die Dinge liegen; ~**s were in a mess** es war e-e verfahrene Geschichte. **5. the** ~ die Schwierigkeit: **what's the** ~? was ist los?, wo fehlt's?; **what's the** ~ **with it (with him)?** was ist (los) damit (mit ihm)?; **no** ~! es hat nichts zu sagen!, nichts von Bedeutung!; **it's no** ~ **whether** es spielt keine Rolle, ob; **no** ~ **what he says** was er auch sagt; ganz gleich, was er sagt; **no** ~ **who** gleichgültig, wer. **6.** (*mit verblaßter Bedeutung*) Sache *f*, Ding *n*: **it's a** ~ **of £5** es kostet 5 Pfund; **a** ~ **of three weeks** ungefähr 3 Wochen; **it was a** ~ **of 5 minutes** es dauerte nur 5 Minuten; **it's a** ~ **of common knowledge** es ist allgemein bekannt. **7.** Anlaß *m*, Veranlassung *f* (**for** zu): **a** ~ **for reflection** etwas zum Nachdenken. **8.** (*Ggs äußere Form*) a) Stoff *m*, Thema *n*, (behandelter) Gegenstand, Inhalt *m* (*e-s Buches etc*), b) (innerer) Gehalt, Sub'stanz *f*: **strong in** ~ **but weak in style**; ~ **and manner** Gehalt u. Gestalt. **9.** *Literaturgeschichte*: Sagenstoff *m*, -kreis *m*: ~ **of France** matière de France (*um Karl den Großen*); ~ **of Britain** Bretonischer Sagenkreis (*um König Arthur*). **10.** Materi'al *n*, Stoff *m*, 'Unterlagen *pl* (**for** für, zu): ~ **for a biography**. **11.** *Logik*: Inhalt *m* (*e-s Satzes*). **12.** *a.* **postal** (*Am.* **mail**) ~ (Post-)Sache *f*: **printed** ~ Drucksache(n *pl*) *f*. **13.** *print.* a) Manu'skript *n*, b) (Schrift)Satz *m*: **dead** ~ Ablegesatz; **live** ~, **standing** ~ Stehsatz. **II** *v/i* **14.** von Bedeutung sein (**to** für), darauf ankommen (**to s.o.** j-m): **it doesn't** ~ es macht nichts (aus), es tut nichts; **it hardly** ~**s to me** es macht mir nicht viel aus; **it little** ~**s** es spielt kaum e-e Rolle, es ist ziemlich einerlei. **15.** *med.* eitern.

'mat·ter|-of-'course *adj* selbstverständlich, na'türlich. **'~-of-'fact** *adj* **1.** sich an Tatsachen haltend, sachlich, nüchtern. **2.** pro'saisch. **'~-of--'fact·ness** *s* Sachlichkeit *f*, Nüchternheit *f*.

Mat·thew ['mæθjuː] *npr u. s. Bibl.* Mat'thäus(evan,gelium *n*) *m*.

mat·ting¹ ['mætiŋ] *s tech.* **1.** Mattenflechten *n*. **2.** Materi'al *n* zur 'Herstellung von Matten. **3.** a) Mattenbelag *m*, b) *collect.* Matten *pl*. **4.** (*ein*) Zierrand *m* (*um Bilder*).

mat·ting² ['mætiŋ] *s tech.* **1.** Mat'tierung *f*. **2.** Mattfläche *f*.

mat·tock ['mætək] *s* **1.** *tech.* (Breit-)Hacke *f*. **2.** *agr.* Karst *m*.

mat·tress ['mætris] *s* **1.** Ma'tratze *f*. **2.** *a.* **air** ~ 'Luftma,tratze *f*. **3.** *tech.* Matte *f*, Strauch-, Packwerk *n*.

mat·u·rate ['mætju,reit; -tʃu-] *v/i med.* reifen, zum Eitern kommen. **,mat·u'ra·tion** *s* **1.** *med.* (Aus)Reifung *f*, Eiterung *f*. **2.** *biol.* Reifen *n*, Ausbildung *f* (*e-r Frucht, Zelle*): ~ **division** Reife-, Reduktionsteilung *f*. **3.** *fig.* (Her'an-)Reifen *n*, Entwicklung *f*.

ma·tur·a·tive [mə'tju(ə)rətiv; -'tʃu-] *adj u. s med.* die Eiterung fördernd(es Mittel).

ma·ture [mə'tjuər] **I** *adj* (*adv* ~**ly**) **1.** *biol.* reif, vollentwickelt: ~ **germ cells**; **a** ~ **woman**. **2.** *fig.* reif, gereift: **a** ~ **judg(e)ment**; **a** ~ **mind**; **to be of a** ~ **age** reiferen Alters sein. **3.** *fig.* reiflich erwogen, ('wohl)durch,dacht, ausgereift: ~ **plans**; **upon** ~ **reflection** nach reiflicher Überlegung. **4.** reif, (aus)gereift: ~ **cheese**; ~ **wine**. **5.** *med.* reif: ~ **abscess**. **6.** *econ.* fällig, zahlbar: **a** ~ **bill of exchange**. **7.** *geogr.* a) durch Erosi'on stark zerklüftet: ~ **land**, b) der Ge'steinsstruk,tur folgend: **a** ~ **stream**. **II** *v/t* **8.** *Früchte, Wein, Käse, Geschwür* zur Reife bringen, (aus)reifen lassen. **9.** *fig. Pläne etc* reifen lassen. **III** *v/i* **10.** (her'an-, aus)reifen (**into** zu), reif werden. **11.** *econ.* fällig werden, verfallen. **ma'tured** *adj* **1.** (aus)gereift. **2.** abgelagert. **3.** *econ.* fällig. **ma'ture·ness** *s* **1.** Reife *f* (*a. fig.*). **2.** *econ.* Fälligkeit *f*.

ma·tur·i·ty [mə'tju(ə)riti] *s* **1.** Reife *f* (*a. fig.*): **to bring (come) to** ~ zur Reife bringen (kommen). **2.** *econ.* Fälligkeit *f*, Verfall(zeit *f*) *m*, Ablauf *m* (**of a bill** e-s Wechsels): **at** (*od.* **on**) ~ bei Verfall; ~ **date** Fälligkeitstag *m*.

ma·tu·ti·nal [mə'tjuːtinl] *adj* morgendlich, Morgen..., früh.

mat·y *Br. Nebenform für* **matey**.

maud [mɔːd] *s* **1.** graugestreifter 'Woll,überwurf, Plaid *m*, *n* (*der schottischen Schäfer*). **2.** Reisedecke *f*.

maud·lin ['mɔːdlin] **I** *s* **1.** → **maudlinism**. **II** *adj* **2.** weinerlich sentimen'tal, rührselig: **a** ~ **poet**; ~ **eloquence**. **3.** weinerlich *od.* sentimen'tal betrunken. **'maud·lin,ism** *s* **1.** (weinerliche) Ge,fühlsduse'lei. **2.** rührselige Betrunkenheit.

mau·gre, *a.* **mau·ger** ['mɔːgər] *prep obs.* ungeachtet, trotz (*gen*).

maul [mɔːl] **I** *s* **1.** *tech.* Schlegel *m*, schwerer Holzhammer. **II** *v/t* **2.** a) *j-n od. etwas* übel zurichten, roh 'umgehen mit, b) *j-n* 'durchprügeln *od.* miß'handeln, c) *j-n* trak'tieren (**with** mit), d) zerfleischen. **3.** *fig.* her'unterreißen (*Kritiker*).

maul·stick ['mɔːl,stik] *s paint.* Malerstock *m*.

maun·der ['mɔːndər] *v/i* **1.** schwafeln, faseln. **2.** a) ziellos her'umschlendern, b) gedankenlos handeln.

maun·dy ['mɔːndi] *relig.* **I** *s* **1.** *R.C.* Fußwaschung *f*. **2.** *a.* **Royal M~** königliche Almosenverteilung am Gründonnerstag. **II** *adj* **3.** Gründonnerstags...: ~ **money** *Br.* (königliches) Gründonnerstagsalmosen; **M~ Thursday** Gründonnerstag *m*.

Mau·ser ['mauzər] *s* 'Mausergewehr *n*, -pi,stole *f* (*Markenname u. Typ*).

mau·so·le·um [,mɔːsə'liːəm] *s* Mauso'leum *n*, Grabmal *n*.

mauve [mouv] **I** *s* Malvenfarbe *f*. **II** *adj* malvenfarbig, mauve.

mav·er·ick ['mævərik] *s Am.* **1.** herrenloses (Stück) Vieh ohne Brandzeichen. **2.** mutterloses Kalb. **3.** *colloq.* a) *pol.* (abtrünniger) Einzelgänger, b) *allg.* Außenseiter *m*.

ma·vis ['meivis] *s poet. od. dial.* Singdrossel *f*.

ma·vour·neen [mə'vuərniːn] *s u. interj* [*Ir.* mein Schatz.]

maw [mɔː] *s* **1.** (Tier)Magen *m*, *bes.* Labmagen *m* (*der Wiederkäuer*). **2.** a) *zo.* Rachen *m*, b) *orn.* Kropf *m*. **3.** *humor.* Wanst *m*. **4.** *fig.* Schlund *m*, Rachen *m* (*des Todes etc*).

mawk·ish ['mɔːkiʃ] *adj* **1.** leicht widerlich, (unangenehm) süßlich (*im Geschmack*). **2.** *fig.* rührselig, süßlich, kitschig. **'mawk·ish·ness** *s* **1.** Widerlichkeit *f*. **2.** Rührseligkeit *f*, (*das*) 'Süßlich-Sentimen,tale.

maw seed *s* Mohnsame(n) *m*.

'maw,worm *s* **1.** *zo.* Maden-, Spulwurm *m*. **2.** *fig.* Heuchler *m*.

max·il·la [mæk'silə] *pl* **-lae** [-liː] *s* **1.** *anat.* (Ober)Kiefer *m*, Ma'xilla *f*, Kinnlade *f*, -backen *m*: **inferior (superior)** ~ Unter-(Ober)kiefer. **2.** *zo.* Fußkiefer *m* (*von Krustentieren*), Zange *f*. **max'il·lar·y I** *adj anat.* maxil'lar, (Ober)Kiefer...: ~ **gland** Bakkendrüse *f*; ~ **process** Kieferfortsatz *m*. **II** *s a.* ~ **bone** Oberkieferknochen *m*. **max'il·li,ped** [-,ped] *s zo.* Kieferfuß *m*.

max·il·lo·pal·a·tal [mæk,silo'pælətl], **max,il·lo'pal·a·tine** [-,tain; -tin] *adj biol.* ,maxillopalati'nal, Kinn u. Gaumen betreffend.

max·im ['mæksim] *s* **1.** Ma'xime *f*: a) (Haupt)Grundsatz *m* (des Handelns), Lebensregel *f*, b) Sen'tenz *f*. **2.** *math.* Axi'om *n*.

max·i·mal ['mæksiməl] *adj* (*adv* ~**ly**) → **maximum** 4. **'max·i·mal·ist** *s* 'Ultra-Radi,kale(r *m*) *f*.

Max·im (gun) ['mæksim] *s mil.* 'Maxim-(Ma,schinen)Gewehr *n*.

max·i·mize ['mæksi,maiz] *v/t* ('übermäßig) vergrößern, verstärken, aufs Höchstmaß bringen.

max·i·mum ['mæksiməm] **I** *pl* **-ma** [-mə], **-mums** *s* **1.** Maximum *n*,

Höchstgrenze *f*, -maß *n*, -stand *m*, -wert *m*, -zahl *f*. **2.** *math.* Höchstwert *m* (*e-r Funktion*), Scheitel *m* (*e-r Kurve*). **3.** *econ.* Höchstpreis *m*, -angebot *n*, -betrag *m*. **II** *adj* **4.** höchst(er, e, es), maxi'mal, Höchst..., Maximal...: ~ **likelihood estimation** (*Statistik*) Schätzung *f* nach dem höchsten Wahrscheinlichkeitswert; ~ **load** *electr.* Höchstbelastung *f* (→ 5); ~ **output** *econ.* (Produktions)Höchstleistung *f*; ~ **performance** Höchst-, Spitzenleistung *f*; ~ **(permissible) speed** (zulässige) Höchstgeschwindigkeit; ~ **thermometer** Maximumthermometer *n*; ~ **voltage** *electr.* Maximalspannung *f*; ~ **wages** Maximal-, Spitzenlohn *m*. **5.** höchstzulässig: ~ **dose** *med.* Maximaldosis *f*; ~ **(safety) load** (*od.* **stress**) *tech.* zulässige (Höchst)Beanspruchung (→ 4); ~ **punishment** Höchststrafe *f*.

max·i·mus ['mæksiməs] (*Lat.*) *adj ped. Br. der* älteste (*von mehreren gleichnamigen Schülern*): **Miller** ~.

max·well ['mækswel] *s electr.* Maxwell *n* (*Einheit des magnetischen Stroms*).

may[1] [mei], *obs. 2. sg pres* **mayst** [meist], *3. sg pres* **may,** *pret u. optativ* **might** [mait] *v irr* (*defektiv, meist Hilfsverb*) **1.** (*Möglichkeit, Gelegenheit*) können, mögen: **it** ~ **happen any time** es kann jederzeit geschehen; **it might happen** es könnte geschehen; **you** ~ **be right** du magst recht haben, vielleicht hast du recht; **he** ~ **not come** vielleicht kommt er nicht; es ist möglich, daß er nicht kommt; **come what** ~ komme, was da wolle; **he might lose his way** er könnte sich verirren. **2.** (*Erlaubnis*) dürfen, können: **you** ~ **go**; ~ **I ask?** darf ich fragen?; **I wish I might tell you** ich wollte, ich dürfte (es) dir sagen; *selten mit neg*: **he** ~ **not do it** er darf es nicht tun (*dafür oft* **cannot** *od. eindringlicher* **must not**). **3.** *mit* **(as) well, just as well**: **you** ~ **well say so** du hast gut reden; **we might as well go** da können wir (auch) ebensogut gehen, gehen wir schon. **4.** *ungewisse Frage*: **how old** ~ **she be?** wie alt mag sie wohl sein?; **I wondered what he might be doing** ich fragte mich, was er wohl tue. **5.** (*Wunschgedanke, Segenswunsch*) mögen: ~ **God bless you!**; ~ **you be happy!** sei glücklich!; ~ **it please your Grace** Euer Gnaden mögen geruhen. **6.** *familiäre od. vorwurfsvolle Aufforderung*: **you** ~ **post this letter for me**; **you might help me** du könntest mir (eigentlich) helfen; **you might at least offer to help** du könntest wenigstens d-e Hilfe anbieten. **7.** ~ *od.* **might** *als Konjunktionsumschreibung* (*Absichts-, Einräumungssatz, unbestimmter Relativsatz u. ähnliche Modalsätze*): **I shall write to him so that he** ~ **know our plans**; **though it** ~ **cost a good deal**; **whatever it** ~ **cost**; **difficult as it** ~ **be** so schwierig es auch sein mag; **we feared they might attack** wir fürchteten, sie würden angreifen. **8.** *jur.* (*in Verordnungen*) können.

May[2] [mei] *s* **1.** Mai *m*, *poet.* Lenz *m*: **in** ~ im (Monat) Mai. **2.** *a.* **m**~ *fig.* Lenz *m*, Blüte(zeit) *f*, Frühling *m*: **his** ~ **of youth** sein Jugendlenz. **3. m**~ *bot.* Weißdorn(blüte *f*) *m*. **4.** *pl* → **May races.**

may[3] [mei] *s poet.* Maid *f*.

Ma·ya[1] ['mɑːjə] *s* **1.** Maya *m, f*. **2.** *ling.* Mayasprache *f*.

ma·ya[2] ['mɑːjɑː] *s Hinduismus*: Maja *f*: a) (Na'tur)Ma͵gie *f*, b) Illusi'on *f*.

Ma·yan ['mɑːjən] **I** *adj* zu den Mayas gehörig. **II** *s* → **Maya**[1].

May bas·ket *s Am.* Mai-, Geschenkkörbchen *n* (*das man s-r Freundin am 1. Mai an die Türklinke hängt*).

may·be ['meibiː; -bi] *adv* viel'leicht.

May| bee·tle → **May bug.** '~͵**bloom,** ~ **blos·som** *s bot.* Weißdornblüte *f*. ~ **bug** *s zo.* Maikäfer *m*. ~ **Day** *s* der 1. Mai. ͵**m**~'**day** *s mar.* (internatio'nales) 'Funk-Notsi͵gnal.

'**May|**͵**flow·er** *s* **1.** *bot. allg.* Maiblume *f*, *z.B.* a) *Br.* Weißdorn *m od.* Wiesenschaumkraut *n*, b) *Am.* Primelstrauch *m od.* Ane'mone *f*. **2.** *hist. Auswandererschiff der* **Pilgrim Fathers** (*1620*). ~ **fly** *s* **1.** *zo.* Eintagsfliege *f*. **2.** *Angelsport*: Maifliege *f*. ~ **games** *s pl* Maifeier(belustigungen *pl*) *f*.

may·hap [mei'hæp; 'mei͵hæp] *adv obs. od. dial.* viel'leicht.

may·hem ['meihem; 'meiəm] *s* **1.** *jur. hist.* (*strafbare*) *Verstümmelung e-r Person, um sie wehrlos zu machen.* **2.** *Am.* a) *jur.* schwere Körperverletzung (*a. allg.*), b) *fig.* ‚Gemetzel' *n*.

mayn't [meint] *colloq. für* **may not.**

may·on·naise [͵meiə'neiz] *s* **1.** Mayon'naise *f*. **2.** Mayon'naisegericht *n*.

may·or [mɛr; *Am. a.* 'meiər] *s* Bürgermeister *m*: ~**'s court** *Am.* Bürgermeistergericht *n*. '**may·or·al** *adj* bürgermeisterlich, Bürgermeister... '**may·or·al·ty** [-ti] *s* **1.** Bürgermeisteramt *n*. **2.** 'Amtsperi͵ode *f* e-s Bürgermeisters. '**may·or·ess** *s* **1.** Gattin *f* des Bürgermeisters. **2.** *Am.* Bürgermeisterin *f* (= *Br.* **Lady Mayor**). **3.** *Br. Dame, die, falls der Bürgermeister ein Junggeselle ist, gewisse repräsentative Verpflichtungen übernimmt, die sonst der Gattin des Bürgermeisters obliegen.*

'**May|**͵**pole** *s* Maibaum *m*. '~͵**pop** *s bot.* (*e-e nordamer.*) Passi'onsblume. ~ **queen** *s* Maikönigin *f*. ~ **rac·es** *s pl Br. Bootsrennen in Cambridge, spät im Mai od. früh im Juni.* '~͵**thorn** *s bot.* Weißdorn *m*. '~͵**time** *s* Mai(en)zeit *f*.

maz·ard → **mazzard.**

maz·a·rine [͵mæzə'riːn; 'mæzə͵riːn] **I** *adj* **1.** maza'rin-, dunkelblau. **II** *s* **2.** *a.* ~ **blue** Maza'rinblau *n*. **3.** *obs.* blaues Tuch.

Maz·da·ism ['mæzdə͵izəm] *s hist.* Mazda'ismus *m* (*altpersische Religion Zoroasters*). **Maz·de·an** ['mæzdiən; mæz'diːən] *adj* zoro'astrisch. **Maz·de·ism** → **Mazdaism.**

maze [meiz] *s* **1.** Irrgarten *m*, Laby'rinth *n* (*a. fig.*). **2.** *fig.* Verwirrung *f*: **in a** ~ → **mazed. mazed** *adj* verduzt, -wirrt.

ma·zer ['meizər] *s* großes Trinkgefäß (*ehemals aus Maserholz*).

ma·zi·ness ['meizinis] *s* Verwirrung *f*.

ma·zu·ma [mə'zuːmə] *s Am. sl.* ‚Mo'neten' *pl* (*Geld*).

ma·zur·ka [mə'zəːrkə] *s mus.* Ma['zurka *f*.]

ma·zy ['meizi] *adj* (*adv* **mazily**) **1.** laby'rinthisch, wirr, verworren. **2.** verwirrend.

maz·zard ['mæzərd] *s* **1.** *bot.* wilde Süßkirsche. **2.** *obs.* Kopf *m*.

Mc·Car·thy·ism [mə'kɑːrθi͵izəm] *s* McCarthy'ismus *m* (*allzu rigorose Untersuchungsmethoden gegen politisch Verdächtige, Treibjagd auf* [*vermeintliche*] *Kommunisten etc*).

Mc·Coy [mə'kɔi] *s* **the real** ~ *Am. sl.* der (die, das) Richtige, ‚der wahre Jakob'.

M day *s* Mo'bilmachungstag *m*.

me [miː; mi] **I** *pron* **1.** (*dat*) mir: a) **he gave** ~ **money**; **he gave it (to)** ~, b) *obs. od. dial. als ethischer dat*: **I can buy** ~ **twenty**; **heat** ~ **these irons** mach mir diese Eisen heiß. **2.** (*acc*) mich: a) **he took** ~ **away** er führte mich weg; **will you open the door for** ~ willst du mir die Tür öffnen, b) *reflex* (*nach prep*): **I looked behind** ~, c) *obs. od. dial. reflex*: **I sat** ~ **down.** **3.** *colloq.* ich: a) **it's** ~ ich bin's, b) *in Ausrufen*: **poor** ~ ich Arme(r); **and** ~ **a widow** wo ich doch Witwe bin. **4.** **of** ~ (*statt* **my** *od.* **mine**) *in Wendungen wie*: **not for the life of** ~ unter gar keinen Umständen. **II** *s* **5.** *oft* **Me** *psych.* Ich *n*.

mead[1] [miːd] *s* Met *m*, Honigwein *m*.

mead[2] [miːd] *poet. für* **meadow 1.**

mead·ow ['medou] **I** *s* **1.** (Heu-, Berg-) Wiese *f*, Matte *f*, Anger *m*. **2.** Grasniederung *f* (*in Fluß- od. Seenähe*). **3.** Futterplatz *m* für Fische. **4.** Wiesengrün *n*. **II** *v/t* **5.** zu Wies(en)land machen. ~ **saf·fron** *s bot.* (*bes.* Herbst-) Zeitlose *f*. ~ **sax·i·frage** *s bot.* **1.** (*ein*) Steinbrech *m*. **2.** Wiesensilau *m*. **3.** Sesel *m*. '~͵**sweet***s bot.* **1.** Mädesüß *n*. **2.** *Am.* Spierstrauch *m*.

mead·ow·y ['medoi] *adj* wiesenartig, -reich, Wiesen...

mea·ger, *bes. Br.* **mea·gre** ['miːgər] *adj* (*adv* ~**ly**) **1.** mager, dürr: **a** ~ **face** ein hageres Gesicht. **2.** *fig.* dürftig, kärglich: **a** ~ **salary**; ~ **fare** magere Kost. **3.** *fig.* dürftig, i'deenarm. '**mea·ger·ness,** *bes. Br.* '**mea·gre·ness** *s* **1.** Magerkeit *f*. **2.** Dürftigkeit *f*.

meal[1] [miːl] *s* **1.** grobes (Getreide-) Mehl, Schrotmehl *n* (*Ggs* **flour** = *Weiß- od. Weizenmehl*): **rye** ~ Roggenmehl. **2.** Hafermehl *n*. **3.** *Am.* Maismehl *n*. **4.** Mehl *n*, Pulver *n* (*aus Früchten, Nüssen, Mineralen etc*).

meal[2] [miːl] *s* **1.** Mahl(zeit *f*) *n*, Essen *n*: **to have a** ~ e-e Mahlzeit einnehmen; **to take one's** ~**s** s-e Mahlzeiten einnehmen, essen; **to make a** ~ **of s.th.** etwas verzehren. **2.** *agr.* Milchmenge *f* e-r Kuh von 'einem Melken.

meal·ie ['miːliː] (*S.Afr.*) *s* **1.** Maisähre *f*. **2.** *meist pl* Mais *m*.

meal·i·ness ['miːlinis] *s* Mehligkeit *f*.

meal| moth *s zo.* (*ein*) Mehlzünsler *m*. ~ **tick·et** *s Am.* **1.** Essenbon *m*. **2.** *sl.* Geldquelle *f*, ‚Esel-'Streck-Dich' *m* (*Person od. Sache*). '~͵**time** *s* Essenszeit *f*. ~ **worm** *s zo.* Mehlwurm *m*.

meal·y ['miːli] *adj* **1.** mehlig: ~ **potatoes.** **2.** mehlhaltig. **3.** (wie) mit Mehl bestäubt. **4.** blaß (*Gesicht*). **5.** → **mealymouthed.** **6.** (weiß u. grau) gefleckt (*Pferd*). ~ **bug** *s zo.* (*e-e*) Schildlaus. '~'**mouthed** [-'mauðd] *adj* **1.** sanftzüngig, zu'rückhaltend *od.* geziert (*in Worten*). **2.** leisetreterisch, duckmäuserisch. **3.** heuchlerisch, glattzüngig. ͵~'**mouth·ed·ness** [-ðid-] *s* **1.** Sanftheit *f* (des Ausdrucks). **2.** Glattzüngigkeit *f*, Heuche'lei *f*, ͵Leisetrete'rei *f*.

mean[1] [miːn] *pret u. pp* **meant** [ment] **I** *v/t* **1.** *etwas* im Sinn *od.* im Auge haben, beabsichtigen, vorhaben, (*tun etc*) wollen, (*zu tun*) gedenken: **I** ~ **to do it**; **he meant to write**; **I** ~ **it** es ist mir Ernst damit; **he** ~**s business** er meint es ernst, er macht Ernst; **he meant no harm** er hat es nicht böse gemeint; **I** ~ **what I say** ich mein's, wie ich's sage, ich spaße nicht; **I** ~ **to say** ich will sagen; **I didn't** ~ **to disturb you** ich wollte Sie nicht stören; **without** ~**ing it** ohne es zu wollen. **2.** (*bes. pass*) bestimmen (**for** für, zu): **they were meant for each other**; **he was meant to be a barrister** er war zum Anwalt bestimmt; this cake is meant to be eaten der Kuchen ist zum Essen da; that remark was meant for you diese Bemerkung ging auf dich *od.* war an d-e Adresse gerichtet *od.* auf dich abgezielt; that picture is meant to be Churchill das Bild soll Churchill sein *od.* darstellen. **3.** meinen, sagen wollen: by 'liberal' I ~ unter ‚liberal' verstehe ich; I ~ his father ich meine s-n Vater. **4.** bedeuten: a family ~s a lot of work; that ~s war; he ~s all the world to me er bedeutet mir alles. **5.** (*von Wörtern u. Worten*) bedeuten, heißen: what does 'fair' ~? **II** *v/i* **6.** to ~ well (ill) by (*od.* to) s.o. j-m wohl (übel) gesinnt sein. **7.** bedeuten (to für *od. dat*): to ~ little to s.o. j-m wenig bedeuten.

mean[2] [miːn] *adj* (*adv* → meanly) **1.** gemein, gering, niedrig (*dem Stande nach*): ~ birth niedrige Herkunft; ~ white *hist. Am.* Weiße(r) *m* (*in den Südstaaten*) ohne Landbesitz. **2.** ärmlich, armselig, schäbig: ~ streets. **3.** schlecht, unbedeutend, gering: no ~ artist ein recht bedeutender Künstler; no ~ foe ein nicht zu unterschätzender Gegner. **4.** gemein, niederträchtig. **5.** schäbig, geizig, knauserig, ‚filzig'. **6.** *colloq.* (*charakterlich*) schäbig: to feel ~ sich schäbig vorkommen. **7.** *Am. colloq.* a) bös(artig), bissig, ‚ekelhaft', b) ‚scheußlich', ‚bös' (*Sache*), c) ‚toll', ‚wüst': a ~ fighter.

mean[3] [miːn] **I** *adj* **1.** mittel, mittler(er, e, es), Mittel..., 'durchschnittlich, Durchschnitts...: ~ course *mar.* Mittelkurs *m*; ~ life a) mittlere Lebensdauer, b) *phys.* Halbwertzeit *f*; ~ height mittlere Höhe (*über dem Meeresspiegel*); ~ annual temperature Temperaturjahresmittel *n*; ~ sea level Normalnull *n*; ~ proportional *math.* mittlere Proportionale; ~ value theorem *math.* Mittelwertsatz *m.* **2.** da'zwischenliegend, Zwischen...

II *s* **3.** Mitte *f*, (*das*) Mittlere, Mittel *n*, 'Durchschnitt *m*, Mittelweg *m*: to hit the happy ~ die goldene Mitte treffen. **4.** *math.* 'Durchschnittszahl *f*, Mittel(wert *m*) *n*: arithmetical ~ arithmetisches Mittel; to strike a ~ e-n Mittelwert errechnen; → golden mean. **5.** *Logik*: Mittelsatz *m.* **6.** *meist pl* (*als sg od. pl konstruiert*) (Hilfs)-Mittel *n od. pl*, Werkzeug *n*, Weg *m*: by all (manner of) ~s auf alle Fälle, unbedingt, durchaus; by any ~s a) etwa, vielleicht, gar, b) überhaupt, c) auf irgendwelche Weise; by no (manner of) ~s, not by any ~s durchaus nicht, keineswegs, auf keinen Fall; by some ~s or other auf die eine oder die andere Weise; by ~s of mittels, vermittels(t), durch, mit; by this (*od.* these) ~s hierdurch, damit; a ~s of communication ein Verkehrsmittel; ~s of protection Schutzmittel; ~s of transportation *Am.* Beförderungsmittel; to adjust the ~s to the end die Mittel dem Zwecke anpassen; to find the ~s Mittel u. Wege finden. **7.** *pl* (Geld)Mittel *pl*, Vermögen *n*, Einkommen *n*: to live within (beyond) one's ~s s-n Verhältnissen entsprechend (über s-e Verhältnisse) leben; a man of ~s ein bemittelter Mann; ~s test *Br.* a) Bedürftigkeitsermittlung *f*, b) (behördliche) Einkommensermittlung.

me·an·der [mi'ændər] **I** *s* **1.** *bes. pl* verschlungener Pfad, Schlängel-, Irrweg *m*, Windung *f*, Krümmung *f.* **2.** *Kunst*: Mä'ander(linien *pl*) *m*, Schlangenlinien *pl*, spi'ralförmiges Zierband. **II** *v/i* **3.** sich winden, (sich) schlängeln. **4.** ziellos wandern. **III** *v/t* **5.** winden. **6.** mit verschlungenen Verzierungen versehen. **me'an·der·ing** *adj* gewunden: ~ line Mäander(linie *f*) *m.*

mean·ing ['miːniŋ] **I** *s* **1.** Sinn *m*, Bedeutung *f*: full of ~ bedeutungsvoll, bedeutsam; what's the ~ of this? was soll dies bedeuten?; words with the same ~ Wörter mit gleicher Bedeutung. **2.** Meinung *f*, Absicht *f*, Wille *m*, Zweck *m*, Ziel *n.* **II** *adj* (*adv* ~ly) **3.** bedeutend. **4.** bedeutungsvoll, bedeutsam (*Blick etc*). **5.** *in Zssgn* in ... Absicht: well-~ wohlmeinend, -wollend. '**mean·ing·ful** [-ful] *adj* (*adv* ~ly) bedeutungsvoll. '**mean·ing·less** *adj* (*adv* ~ly) **1.** sinn-, bedeutungslos. **2.** ausdruckslos (*Gesichtszüge*). '**mean·ing·less·ness** *s* Sinn-, Bedeutungslosigkeit *f.*

mean·ly ['miːnli] *adv* **1.** armselig, niedrig. **2.** schlecht: ~ equipped. **3.** schäbig, knauserig.

mean·ness ['miːnnis] *s* **1.** Niedrigkeit *f*, niedriger Stand. **2.** Ärmlichkeit *f*, Armseligkeit *f*, Schäbigkeit *f.* **3.** Gemeinheit *f*, Niederträchtigkeit *f.* **4.** Knauserigkeit *f*, Filzigkeit *f*, Schäbigkeit *f.* **5.** *Am. colloq.* Bösartigkeit *f.*

meant [ment] *pret u. pp von* mean[1].

'**mean**|,**time I** *adv* in'zwischen, mittler'weile, unter'dessen, in der Zwischenzeit. **II** *s* Zwischenzeit *f*: in the ~ → I. ~ **time** *s astr.* mittlere (Sonnen)Zeit. '~,**while** → meantime.

mea·sle ['miːzl] *s zo.* Finne *f*, Blasenwurm *m.* '**mea·sled** *adj vet.* finnig.

mea·sles ['miːzlz] *s pl* (*als sg konstruiert*) **1.** *med.* Masern *pl*: false ~, German ~ Röteln. **2.** *vet.* Finnen *pl* (*der Schweine*). **mea·sly** ['miːzli] *adj* **1.** *med.* masernkrank. **2.** *vet.* finnig. **3.** *sl.* elend, schäbig, lumpig.

meas·ur·a·bil·i·ty [,meʒərə'biliti] *s* Meßbarkeit *f.* '**meas·ur·a·ble** *adj* (*adv* → measurably) **1.** meßbar. **2.** mäßig: within ~ distance (of) in kurzer Entfernung (von), nahe (*dat*). '**meas·ur·a·ble·ness** → measurability. '**meas·ur·a·bly** [-bli] *adv* **1.** in meßbaren Ausmaßen. **2.** *Am.* (bis) zu e-m gewissen Grad.

meas·ure ['meʒər] **I** *s* **1.** Maß(einheit *f*) *n*: cubic ~, solid ~ Körper-, Raum-, Kubikmaß; lineal ~, long ~ Längenmaß; square ~, superficial ~ Flächenmaß; ~ of capacity Hohlmaß; unit of ~ Maßeinheit *f.* **2.** *fig.* richtiges Maß, Ausmaß *n*: beyond (*od.* out of) all ~ über alle Maßen, außerordentlich; for good ~ als Dreingabe, obendrein; in a great ~ a) in großem Maße, überaus, b) großenteils; in some ~, in a (certain) ~ gewissermaßen, bis zu e-m gewissen Grade; without ~ ohne Maßen. **3.** Messen *n*, Maß *n*: (made) to ~ nach Maß (gearbeitet); → made-to-measure; to take the ~ of s.th. etwas abmessen; to take s.o.'s ~ a) j-m (*für e-n Anzug*) Maß nehmen, b) *fig.* j-n taxieren *od.* ab-, einschätzen. **4.** Maß *n*, Meßgerät *n*: → tape measure. **5.** *fig.* Maßstab *m* (of für): to be a ~ of s.th. e-r Sache als Maßstab dienen; man is the ~ of all things der Mensch ist das Maß aller Dinge. **6.** Anteil *m*, Porti'on *f*, gewisse Menge. **7.** a) *math.* Maß(einheit *f*) *n*, Teiler *m*, Faktor *m*, b) *phys.* Maßeinheit *f*: 2 is a ~ of 4 2 ist Teiler von 4; ~ of dispersion Streuungs-, Verteilungsmaß. **8.** (abgemessener) Teil, Grenze *f*: to set a ~ to s.th. etwas begrenzen; the ~ of my days *Bibl.* die Dauer m-s Lebens. **9.** *metr.* a) Silbenmaß *n*, b) Versglied *n*, c) Versmaß *n*, Metrum *n.* **10.** *mus.* a) Takt(art *f*) *m*: duple ~, two-in-a-~ Zweiertakt, b) Takt *m* (*als Quantität*): the first (*od.* opening) ~, c) Zeitmaß *n*, Tempo *n*, d) Takt *m*, Rhythmus *m*, e) Men'sur *f* (*bei Orgelpfeifen*): to tread a ~ sich im Takt *od.* Tanz bewegen, tanzen. **11.** *poet.* Weise *f*, Melo'die *f.* **12.** *pl geol.* Lager *n*, Flöz *n.* **13.** *chem.* Men'sur *f*, Grad *m* (*e-s graduierten Gefäßes*). **14.** *print.* Zeilen-, Satz-, Ko'lumnenbreite *f.* **15.** *fenc.* Men'sur *f*, Abstand *m.* **16.** Maßnahme *f*, -regel *f*, Schritt *m*: to take ~s Maßnahmen ergreifen; to take legal ~s den Rechtsweg beschreiten. **17.** *jur.* gesetzliche Maßnahme, Verfügung *f*: coercive ~ Zwangsmaßnahme.

II *v/t* **18.** (ver)messen, ab-, aus-, zumessen: to ~ one's length *fig.* der Länge nach *od.* längelang hinfallen; to ~ swords a) die Klingen messen (*vergleichen*), b) *bes. fig.* die Klingen kreuzen, sich messen (with mit); to ~ s.o. (to be *od.* get ~d) for a suit of clothes j-m Maß nehmen (sich Maß nehmen lassen) für e-n Anzug. **19.** ~ out ausmessen, die Ausmaße *od.* Grenzen bestimmen, *ein Bergwerk* markscheiden. **20.** *fig.* ermessen. **21.** (ab)messen, abschätzen (by an *dat*): ~d by gemessen an. **22.** beurteilen (by nach). **23.** vergleichen, messen (with mit): to ~ one's strength with s.o. s-e Kräfte mit j-m messen. **24.** *e-e Strecke* durch'messen, zu'rücklegen.

III *v/i* **25.** Messungen vornehmen. **26.** messen, groß sein: it ~s 7 inches es mißt 7 Zoll, es ist 7 Zoll lang. **27.** ~ up to *Am.* a) die Ansprüche (*gen*) erfüllen, abschneiden im Vergleich zu, b) *den Ansprüchen etc* gewachsen sein, c) her'anreichen an (*acc*).

meas·ured ['meʒərd] *adj* (*adv* ~ly) **1.** (ab)gemessen: ~ in the clear (*od.* day) *tech.* im Lichten gemessen; ~ distance *aer. tech.* Stoppstrecke *f*; ~ value Meßwert *m*; a ~ mile e-e amtlich gemessene *od.* richtige Meile. **2.** richtig proportio'niert. **3.** (ab)gemessen, gleich-, regelmäßig: ~ tread gemessener Schritt. **4.** 'wohlüber,legt, abgewogen, gemessen: to speak in ~ terms sich maßvoll ausdrücken. **5.** gewollt, bewußt, berechnet: with ~ insolence. **6.** rhythmisch. **7.** im Versmaß, metrisch.

meas·ure·less ['meʒərlis] *adj* unermeßlich.

meas·ure·ment ['meʒərmənt] *s* **1.** (Ver)Messung *f*, Messen *n*, 'Meßme,thode *f*: ~ of field intensity *electr. phys.* Feldstärkemessung. **2.** Maß *n*: to take s.o.'s ~s for a suit j-m für e-n Anzug Maß nehmen. **3.** *pl* Abmessungen *pl*, Größe *f*, (Aus)Maße *pl.* **4.** *math.* (Maß)Einheit *f.* **5.** *mar.* Tonnengehalt *m.* **6.** 'Maßsy,stem *n.* ~ **goods** *s pl econ.* Maß-, Schüttgüter *pl.*

meas·ur·ing ['meʒəriŋ] **I** *s* Messen *n*, (Ver)Messung *f.* **II** *adj* Meß... ~ **bridge** *s electr.* Meßbrücke *f.* ~ **di·al** *s* Rundmaßskala *f.* ~ **glass** *s* Meßglas *n.* ~ **in·stru·ment** *s tech.* Meßgerät *n.* '~-'**off** *s math.* Abtragung *f*, Abmessung *f.* ~ **range** *s phys.* Meßbereich *m.* ~ **tape** *s tech.* Maß-, Meßband *n*, Bandmaß *n.* ~ **volt·age** *s electr.* Meßspannung *f.*

meat [miːt] *s* **1.** Fleisch *n* (*als Nahrung*): ~s a) Fleischwaren, b) Fleischgerichte; butcher's ~ Schlachtfleisch; freshly killed ~ Frischfleisch. **2.** *obs.* Speise *f* (*noch in den Wendungen*): after (before) ~ nach (vor) dem Essen; ~ and drink Speise u. Trank; this is ~ and drink to me *fig.* es ist mir e-e Wonne, das ist ganz mein Fall; one man's ~ is another man's poison des e-n Tod ist des anderen Brot. **3.** *obs. od. dial.* Nahrung *f.* **4.** Fleischspeise *f*, -gericht *n*: cold ~ kalte Platte; ~ tea kaltes Abendbrot mit Tee. **5.** *a. pl Am.* Fleisch *n* (*von Früchten, Fischen etc*), Kern *m* (*e-r Nuß*): as full as an egg is of ~ (*a. Br.*) ganz voll. **6.** *Bibl.* Speiseopfer *n.* **7.** *fig.* Sub'stanz *f*, Gehalt *m*, (wesentlicher) Inhalt, I'deen(gut *n*) *pl*: full of ~ gehaltvoll. **8.** *Am. sl.* a) leichtes Opfer (*Person*), b) leichte Sache. ~ **ax(e)** *s* Schlachtbeil *n.* ~ **ball** *s* **1.** Fleischklößchen *n.* **2.** *Am. sl.* ‚Niete' *f*, ‚Heini' *m.* ~ **broth** *s* Fleischbrühe *f.* ~ **chop·per** *s* **1.** Hackmesser *n.* **2.** 'Fleisch,hackma,schine *f*, Fleischwolf *m.* ~ **ex·tract** *s* 'Fleischex,trakt *m.* ~ **fly** *s zo.* Schmeißfliege *f.* ~ **grind·er** → meat chopper 2: to put in a ~ *Am. colloq. j-n od. etwas* ‚durch den Wolf drehen'. ~ **in·spec·tion** *s* Fleischbeschau *f.*

meat·less ['mi:tlis] *adj* fleischlos.

'meat|,man [-,mæn] *s irr. Am.* Metzger *m*, Fleischer *m.* ~ **meal** *s* Fleischmehl *n.* ~ **of·fer·ing** *s Bibl.* Speiseopfer *n.* ~ **pack·er** *s* 'Fleischwaren,hersteller *m*, -großhändler *m.* ~ **pie** *s* 'Fleischpa,stete *f.* ~ **pud·ding** *s* Fleischpudding *m.* ~ **safe** *s Br.* Fliegenschrank *m.*

me·a·tus [mi'eitəs] *pl* **-tus, -tus·es** *s anat.* Me'atus *m*, Gang *m*, Ka'nal *m*: auditory ~ Gehörgang.

meat·y ['mi:ti] *adj* **1.** fleischig. **2.** fleischartig, Fleisch... **3.** *fig.* gehaltvoll, so'lid, markig, kernig.

Mec·ca ['mekə] *s geogr. relig. u. fig.* Mekka *n.*

Mec·can·o, m~ [*Br.* me'kɑ:nou; *Am.* mə'kænou] (*TM*) *s* Sta'bilbaukasten *m* (*Spielzeug*).

me·chan·ic [mi'kænik] **I** *adj* (*adv* ~ally) → mechanical. **II** *s* **1.** a) Me'chaniker *m*, (Auto- *etc*)Schlosser *m*, Maschi'nist *m*, Mon'teur *m*, b) Handwerker *m.* **2.** *pl* (*als sg konstruiert*) *phys.* a) Me'chanik *f*, Bewegungslehre *f*, b) *a.* practical ~s Ma'schinenlehre *f*: ~s of fluids Flüssigkeits-, Hydro-, Strömungsmechanik. **3.** *pl* (*als sg konstruiert*) *tech.* Konstrukti'on *f* von Ma'schinen *etc*: precision ~s Feinmechanik *f.* **4.** *pl* (*als sg konstruiert*) *tech. u. fig.* Mecha'nismus *m*: the ~s of a lathe; the ~s of politics. **5.** *pl* (*als sg konstruiert*) *fig.* Technik *f*: the ~s of playwriting. **6.** *obs. contp.* Rüpel *m.*

me·chan·i·cal [mi'kænikəl] *adj* (*adv* ~ly) **1.** me'chanisch: a) *phys.* mechanisch begründet, Bewegungs..., b) *tech.* Maschinen..., maschi'nell: ~ly operated mechanisch betätigt. **2.** *tech.* me'chanisch 'hergestellt. **3.** *tech.* auto'matisch. **4.** *fig.* me'chanisch: a) unwillkürlich, auto'matisch: a ~ gesture, b) rou'tine-, scha'blonenmäßig: ~ work. **5.** a) Handwerks..., Handwerker..., b) Mechaniker...: ~ art Handwerk *n*; ~ dodge *colloq.* Handwerkskniff *m.* **6.** technisch veranlagt: ~ genius mechanisches Genie; ~ aptitude technische Begabung. ~ **ad·van·tage** *s tech.* me'chanischer Wirkungsgrad. ~ **cen·trif·u·gal ta·chom·e·ter** *s tech.* 'Fliehpendeltacho,meter *n.* ~ **curve** *s math.* transzen'dente Kurve. ~ **draw·ing** *s* me'chanisches Zeichnen (*Ggs. Freihandzeichnen*). ~ **ef·fect** *s tech.* 'Nutzef,fekt *m.* ~ **en·gi·neer** *s* Ma'schinen(bau)techniker *m*, -ingeni,eur *m.* ~ **en·gi·neer·ing** *s tech.* Ma'schinenbau(kunde *f*) *m.* ~ **feed press** *s tech.* 'Stanzauto,mat *m.*

me·chan·i·cal·ness [mi'kænikəlnis] *s* (*das*) Me'chanische.

me·chan·i·cal| pow·er *s* **1.** *phys.* me'chanische Leistung. **2.** *tech.* Nutzleistung *f.* ~ **wood·pulp** *s* Holzschliff *m.*

mech·a·ni·cian [,mekə'niʃən] → mechanic 1.

mech·a·nism ['mekə,nizəm] *s* **1.** *allg., a. fig.* Mecha'nismus *m*: a) *tech.* me'chanische Ein- *od.* Vorrichtung: the ~ of a watch; ~ of government *fig.* Regierungs-, Verwaltungsapparat *m*, b) *a. weitS.* (me'chanische) Arbeits- *od.* Wirkungsweise. **2.** *biol. philos.* Mecha'nismus *m* (*mechanistische Auffassung*). **3.** *med. psych.* Mecha'nismus *m*, me'chanisches Reakti'onsvermögen: ~ of defence (*Am.* -se) Abwehrmechanismus, -reaktion *f.*

mech·a·nis·tic [,mekə'nistik] *adj* (*adv* ~ally) **1.** me'chanisch bestimmt. **2.** *philos.* mecha'nistisch. **3.** → mechanical.

mech·a·ni·za·tion [,mekənai'zeiʃən; -ni'z-] *s* Mechani'sierung *f*, *mil. a.* Motori'sierung *f.* **'mech·a,nize** *v/t* mechani'sieren, *mil. a.* motori'sieren: ~d division *mil.* Panzergrenadierdivision *f.*

Mech·lin (lace) ['meklin] *s* Mechelner *od.* Bra'banter Spitzen *pl.*

me·con·ic [mi'kɒnik] *adj chem.* me'konsauer: ~ acid Mekonsäure *f.*

me·co·ni·um [mi'kouniəm] *s physiol.* Me'konium *n*, Kindspech *n.*

mec·o·nol·o·gy [,mekə'nɒlədʒi] *s med.* Abhandlung *f* über Opium. **,mec·o·'noph·a,gism** [-'nɒfə,dʒizəm] *s med.* Opiumsucht *f*, -genuß *m.*

med·al ['medl] *s* Me'daille *f*: a) Denk-, Schaumünze *f*: the reverse of the ~ *fig.* die Kehrseite der Medaille, b) Ehrenzeichen *n*, Auszeichnung *f*, Orden *m*: service ~ Dienstmedaille; M~ for Merit *Am.* Verdienstorden; M~ of Honor *mil. Am.* Tapferkeitsmedaille; ~ play (*Golf*) Zählwettspiel *n*; ~ ribbon Ordensband *n.* **'med·aled,** *bes. Br.* **'med·alled** *adj* **1.** mit e-r Me'daille ausgezeichnet. **2.** ordengeschmückt.

med·al·ist, *bes. Br.* **med·al·list** ['medəlist] *s* **1.** Medail'leur *m*, Me'daillenschneider *m.* **2.** Me'daillenkenner(in), -liebhaber(in). **3.** Inhaber(in) e-r Me'daille: gold ~ *bes. sport* Goldmedaillengewinner(in), -träger(in). **med·alled** *bes. Br. für* medaled. **me·dal·lic** [mi'dælik] *adj* Medaillen..., Ordens...

me·dal·lion [mi'dæljən] *s* **1.** große Denk- *od.* Schaumünze. **2.** Medail'lon *n.*

med·al·list *bes. Br. für* medalist.

med·dle ['medl] *v/i* **1.** sich (ungefragt) (ein)mischen (with, in in *acc*). **2.** sich (unaufgefordert) befassen, sich abgeben, sich einlassen (with mit): do not ~ with him! gib dich nicht mit ihm ab! **3.** her'umhan,tieren, -spielen (with mit). **4.** *obs.* sich auf e-n Kampf einlassen (with s.o. mit j-m). **'med·dler** *s* j-d, der sich in fremde Angelegenheiten (ein)mischt, zudringlicher Mensch, Unbefugte(r *m*) *f.* **'med·dle·some** [-səm] *adj* lästig, naseweis, vorwitzig, zudringlich. **'med·dle·some·ness** *s* **1.** Sucht *f*, sich einzumischen. **2.** Auf-, Zudringlichkeit *f.* **'med·dling I** *adj* → meddlesome. **II** *s* (unerwünschte) Einmischung.

me·di·a[1] ['mi:diə] *pl* **-di·ae** [-di,i:] *s* **1.** [*Br. a.* 'mediə] *ling.* Media *f*, stimmhafter Verschlußlaut. **2.** *anat.* Media *f* (*mittlere Schicht*).

me·di·a[2] ['mi:diə] *pl von* medium.

me·di·a·cy ['mi:diəsi] *s* **1.** Vermittlung *f.* **2.** Zwischenzustand *m.*

me·di·ae·val *etc* → medieval *etc.*

me·di·al ['mi:diəl] **I** *adj* (*adv* ~ly) **1.** mittler(er, e, es), Mittel...: ~ line Mittellinie *f.* **2.** *ling.* medi'al, inlautend: ~ sound Inlaut *m.* **3.** Durchschnitts...: ~ alligation *math.* Durchschnittsrechnung *f.* **II** *s* → media[1] 1.

me·di·an ['mi:diən] **I** *adj* **1.** die Mitte bildend *od.* einnehmend, mittler(er, e, es), Mittel...: ~ digit *anat. zo.* Mittelzehe *f*; ~ strip Mittelstreifen *m* (*e-r Autobahn*). **2.** *meist* ~ gray mittelgrau. **3.** *Statistik*: in der Mitte *od.* zen'tral liegend: ~ salaries mittlere Gehälter. **4.** *anat. math.* medi'an: ~ line a) *anat.* Median-, Mittellinie *f* (*des Körpers*), b) *math.* Mittel- *od.* Halbierungslinie *f*; ~ point → 5b. **II** *s* **5.** *math.* a) → bisector, b) Mittelpunkt *m*, Schnittpunkt *m* der 'Winkelhal,bierenden, c) Mittelwert *m.*

me·di·ant ['mi:diənt] *s mus.* Medi'ante *f.*

me·di·as·ti·nal [,mi:diæs'tainl] *adj anat.* mediasti'nal, Mittelfell...

me·di·ate ['mi:di,eit] **I** *v/i* **1.** vermitteln, den Vermittler spielen (between zwischen *dat*). **2.** a) e-n mittleren Standpunkt einnehmen, b) ein Bindeglied bilden (between zwischen *dat*). **II** *v/t* **3.** a) vermitteln, (durch Vermittlung) zu'stande bringen: to ~ an agreement, b) (durch Vermittlung) beilegen: to ~ East-West differences. **4.** (to) *Wissen etc* vermitteln (*dat*), weitergeben (an *acc*). **III** *adj* [-diit] (*adv* ~ly) **5.** in der Mitte *od.* da'zwischen liegend, mittler(er, e, es), Mittel... **6.** 'indi,rekt, mittelbar: ~ certainty mittelbare (*durch Schlüsse erlangte*) Gewißheit. **7.** *jur. hist.* mittelbar, nicht souve'rän.

me·di·a·tion [,mi:di'eiʃən] *s* **1.** Vermittlung *f*, Fürsprache *f*, *a. relig.* Fürbitte *f*: through his ~. **2.** *jur. pol.* Mediati'on *f.*

me·di·a·ti·za·tion [,mi:diətai'zeiʃən; -ti'z-] *s hist.* Mediati'sierung *f.* **'me·di·a,tize I** *v/t* **1.** *hist.* a) mediati'sieren (*die Reichsunmittelbarkeit od. Souveränität nehmen*), b) *ein Gebiet* einverleiben. **2.** *fig.* aufsaugen. **II** *v/i* **3.** *hist.* mediati'siert werden, die Reichsunmittelbarkeit verlieren.

me·di·a·tor ['mi:di,eitər] *s* **1.** Vermittler *m.* **2.** Fürsprecher *m*: the M~ *relig.* der Mittler (*Christus*). **3.** *biol.* Ambo'zeptor *m*, Zwischenkörper *m.* **,me·di·a'to·ri·al** [-diə'tɔ:riəl] *adj* vermittelnd, Vermittler..., Mittler...: ~ proposal Vermittlungsvorschlag *m.* **'me·di,a·tor,ship** *s* Vermittleramt *n*, -rolle *f*, Vermittlung *f.* **'me·di·a·to·ry** [-diətəri] → mediatorial. **'me·di,a·tress** [-,eitris], **,me·di'a·trix** [-triks] *s* Vermittlerin *f.*

med·ic ['medik] **I** *adj* **1.** → medical I. **II** *s* **2.** *obs.* Medikus *m*, Arzt *m.* **3.** *Am. colloq.* → medico.

med·i·ca·ble ['medikəbl] *adj* heilbar.

med·i·cal ['medikəl] **I** *adj* (*adv* ~ly) **1.** a) medi'zinisch, ärztlich, Kranken...: ~ **attendance** (*od.* care) ärztliche Behandlung; ~ **board** Gesundheitsbehörde *f*; ~ **certificate** ärztliches Attest; ~ **record** Krankenblatt *n*; ~ **specialist** Facharzt *m*; ~ **student** Medizinstudent(in), b) inter'nistisch: ~ **ward** innere Abteilung (*e-r Klinik*); on ~ **grounds** aus gesundheitlichen Gründen. **2.** Heilbehandlung erfordernd: a ~ **disease**. **3.** heilend, Heil... **4.** *mar. mil.* Sanitäts... **II** *s* **5.** *colloq.* → **medico**. **6.** *mil. sl.* ärztliche Unter'suchung. **M~ Corps** *s mil.* Sani'tätstruppe *f*. ~ **di·rec·tor** *s mar. Am.* Ma'rineoberstarzt *m*. ~ **ex·am·in·er** *s* **1.** *jur. Am.* ärztlicher Leichenbeschauer. **2.** a) Vertrauensarzt *m* (*e-r Krankenkasse*), b) Amtsarzt *m*. ~ **in·spec·tor** *s mar. Am.* Ma'rinearzt *m* zweiten Ranges. ~ **ju·ris·pru·dence** *s jur.* Ge'richtsmediˌzin *f*. ~ **man** *s irr* Arzt *m*, ‚Doktor' *m*: our ~ unser Hausarzt. ~ **of·fi·cer** *s* **1.** *a.* ~ **of health** Amtsarzt *m*. **2.** *mil.* Sani'tätsoffiˌzier *m*. ~ **prac·ti·tion·er** *s* praktischer Arzt. ~ **sci·ence** → medicine 2 a.

me·dic·a·ment [mi'dikəmənt; 'medik-] **I** *s* Medika'ment *n*, Heil-, Arz'neimittel *n* (*a. fig.*). **II** *v/t* medikamen'tös behandeln. ˌ**med·i·ca·men'ta·tion** → medication 2.

med·i·cate ['mediˌkeit] *v/t* **1.** medi'zinisch behandeln. **2.** mit Arz'neistoff(en) versetzen *od.* imprä'gnieren: **~d bath** Heil-, Medizinalbad *n*; **~d candle** Räucherkerzchen *n*; **~d cotton (wool)** medizinische Watte; **~d wine** Medizinalwein *m*. ˌ**med·i'ca·tion** *s med.* **1.** Beimischung *f* von Arz'neistoffen, Imprä'gnieren *n* mit medi'zinischen Zusätzen. **2.** Medikati'on *f*, (Arz'nei)Verordnung *f*, medi'zinische *od.* medikamen'töse Behandlung. '**med·i·ca·tive** [-ˌkeitiv; -kə-], *a.* '**med·iˌca·to·ry** → medicinal 1.

Med·i·ce·an [ˌmedi'siːən] *adj* Medi'ceisch, Medici...

me·dic·i·nal [me'disinl] *adj* (*adv* **~ly**) **1.** medizi'nal, medi'zinisch, heilkräftig, Heil...: ~ **herbs** Arznei-, Heilkräuter; ~ **properties** Heilkräfte; ~ **spring** Heilquelle *f*. **2.** *fig.* heilsam.

med·i·cine ['medsin; *Br. a.* 'medsin] **I** *s* **1.** Medi'zin *f*, Arz'nei *f* (*a. fig.*): **to take one's ~** a) s-e Medizin (ein)nehmen, b) *fig.* sich dreinfügen, sich abfinden, ‚die (bittere) Pille schlukken'. **2.** a) Heilkunde *f*, Medi'zin *f*, ärztliche Wissenschaft, b) innere Medi'zin (*Ggs. Chirurgie*). **3.** *obs.* (Zauber)Trank *m*. **4.** Zauber *m*, Medi'zin *f* (*bei den Indianern*): ~ **bag** Zauberbeutel *m*, Talisman *m*; **he is bad ~** *Am. sl.* er ist ein gefährlicher Bursche; **it is big ~** *Am. sl.* es bedeutet (persönliche) Macht. **5.** → **medicine man**. **II** *v/t* **6.** ärztlich behandeln. ~ **ball** *s sport* Medi'zinball *m*. ~ **chest** *s* Arz'neikasten *m*, 'Haus-, 'Reiseapoˌtheke *f*. ~ **glass** *s med.* Medi'zin-, Tropfenglas *n*. ~ **man** *s irr* Medi'zinmann *m* (*der Indianer etc*).

med·i·co ['mediˌkou] *pl* **-cos** *s colloq.* ‚Medikus' *m*, Medi'ziner *m*.

medico- [mediko] *Wortelement mit der Bedeutung* medizinisch: **~chirurgic(al)**; **~legal** gerichtsmedizinisch.

me·di·e·val [ˌmedi'iːvəl; ˌmiːdi-] *adj* (*adv* **~ly**) mittelalterlich (*a. colloq. fig. altmodisch, vorsintflutlich*): **M~ Greek** *ling.* Mittelgriechisch *n*. ˌ**me·di'e·valˌism** *s* **1.** Eigentümlichkeit *f od.* Geist *m* des Mittelalters. **2.** Vorliebe *f* für das Mittelalter. **3.** a) Mittelalterlichkeit *f*, b) 'Überbleibsel *n* aus dem Mittelalter. ˌ**me·di'e·val·ist** *s* Erforscher(in) *od.* Kenner(in) *od.* Verehrer(in) des Mittelalters.

me·di·o·cre ['miːdiˌoukər; ˌmiːdi'oukər] *adj* mittelmäßig, zweitklassig. ˌ**me·di'oc·ri·ty** [-'ɒkriti] *s* **1.** Mittelmäßigkeit *f*. **2.** mittelmäßiger *od.* unbedeutender Mensch, kleiner Geist.

med·i·tate ['mediˌteit] **I** *v/i* nachsinnen, -denken, grübeln, medi'tieren (on, upon über *acc*). **II** *v/t* im Sinn haben, planen, vorhaben, erwägen. ˌ**med·i'ta·tion** *s* **1.** tiefes Nachdenken, Sinnen *n*. **2.** Meditati'on *f*, (*bes.* fromme) Betrachtung: **~s** Betrachtungen, Besinnliches *n*; **book of ~s** Erbauungs-, Andachtsbuch *n*.

med·i·ta·tive ['mediˌteitiv; *Br. a.* -tətiv] *adj* (*adv* **~ly**) nachdenklich: a) nachsinnend, b) besinnlich (*a. Buch etc*). '**med·iˌta·tive·ness** *s* Nachdenklichkeit *f*.

med·i·ter·ra·ne·an [ˌmeditə'reiniən; -njən] **I** *adj* **1.** von Land um'geben, binnenländisch. **2.** **M~** mittelmeerisch, mediter'ran, Mittelmeer...: **M~ Sea** → 3. **II** *s* **3.** **M~** Mittelmeer *n*, Mittelländisches Meer. **4.** **M~** Angehörige(r *m*) *f* der Mittelmeerrasse.

me·di·um ['miːdiəm; *a.* -djəm] **I** *pl* **-di·a** [-diə], **-di·ums** *s* **1.** *fig.* Mitte *f*, Mittel *n*, Mittelweg *m*: **the just ~** die richtige Mitte, der goldene Mittelweg; **to hit (upon)** *od.* **find the happy ~** die richtige Mitte treffen. **2.** 'Durchschnitt *m*, Mittel *n*. **3.** *biol. chem. phys.* Medium *n*, Träger *m*, Mittel *n*: **(culture) ~** *med.* Nährboden *m*; **refractive ~** *phys.* brechendes Medium. **4.** *paint.* Bindemittel *n*. **5.** *econ.* Medium *n*: a) (*Zahlungs- etc*)Mittel *n*: ~ **of exchange** Tauschmittel *od.* Valuta *f*; **circulating ~, currency ~** Umlaufs-, Zahlungsmittel, b) Werbemittel, -träger *m* (*Fernsehen, Zeitung etc*): **media man** *Am.* Streuungsplaner *m*; **media research** Werbeträgerforschung *f*. **6.** (künstlerisches) Medium, Ausdrucksmittel *n*. **7.** Medium *n*, (Hilfs)Mittel *n*, Werkzeug *n*, Vermittlung *f*: **by** (*od.* **through**) **the ~ of** a) durch, vermittels (*gen*), b) durch Vermittlung (*gen*). **8.** 'Lebenseleˌment *n*, -bedingungen *pl*. **9.** *a.* **social ~** 'Umwelt *f*, Mili'eu *n*. **10.** *Hypnose, Spiritismus*: Medium *n*. **11.** *econ.* Mittelware *f*, -gut *n*. **12.** *print.* Medi'anpaˌpier *n* (*englisches Druckpapier 18 × 28, Schreibpapier 17½ × 22 Zoll; amer. Druckpapier 19 × 24, Schreibpapier 18 × 23 Zoll*). **13.** *phot.* (*Art*) Lack *m* (*zum Bestreichen der Negative vor dem Retuschieren*). **14.** *thea.* bunter Beleuchtungsschirm. **II** *adj* **15.** mittelmäßig, mittler(er, e, es), Mittel...: ~ **talent** mittelmäßige Befähigung *od.* Begabung; ~ **quality** mittlere Qualität. **16.** Durchschnitts... ~ **faced** *adj print.* halbfett. ~ **force fit** *s tech.* Edelgleitsitz *m*. ~ **fre·quen·cy** *s electr.* mittlere 'Hochfreˌquenz, *in Zssgn* Mittelwellen...

me·di·um·is·tic [ˌmiːdiə'mistik] *adj Spiritismus*: **1.** Medium... **2.** als Medium geeignet.

me·di·um| plane *s math.* Mittelebene *f*. '**~-ˌpriced** *adj econ.* der mittleren Preislage. '**~-'range** *adj mil.* für mittlere Reichweite: ~ **radar**; ~ **ballistic missile** Mittelstreckenrakete *f*. ~ **shot** *s Film, TV*: Mittelaufnahme *f*. ~ **size** *s* Mittelgröße *f*. '**~-'size(d)** *adj* mittelgroß: ~ **cars** *mot.* Wagen der Mittelklasse. ~ **wave** *s electr.* Mittelwelle *f*.

med·lar ['medlər] *s bot.* **1.** *a.* ~ **tree** Mispelstrauch *m*. **2.** Mispel *f* (*Frucht*).

med·ley ['medli] **I** *s* **1.** Gemisch *n*, *contp.* Mischmasch *m*, Durchein'ander *n*. **2.** gemischte Gesellschaft. **3.** a) *mus.* Potpourri *n*, b) lite'rarische Auslese. **4.** *obs.* Handgemenge *n*. **II** *adj* **5.** gemischt, bunt, wirr: ~ **relay** a) (*Schwimmen*) Lagenstaffel *f*, b) (*Laufsport*) gemischte Staffel; ~ **style** (*Schwimmen*) gemischter Stil.

me·dul·la [mi'dʌlə; me-] *s* **1.** *physiol.* a) *a.* ~ **spinalis** Rückenmark *n*, b) (Knochen)Mark *n*: **adrenal ~** Nebennierenmark. **2.** *bot.* Mark *n*.

med·ul·lar·y [mi'dʌləri; *Am. a.* 'medəˌleri] *adj biol.* medul'lär, markig, markhaltig, Mark... ~ **ca·nal** *s anat.* 'Markkaˌnal *m*. ~ **mem·brane** *s anat.* End'ost *n*. ~ **ray** *s bot.* Markstrahl *m* (*des Holzes*). ~ **tube** *s anat.* 'Rückenmarkskaˌnal *m*.

med·ul·li·tis [ˌmedə'laitis] *s med.* Knochenmarkentzündung *f*.

Me·du·sa [mi'djuːzə] **I** *npr antiq.* Me'dusa *f*: **head of ~** Medusenhaupt *n*. **II** *s* **m~** *pl* **-sas, -sae** [-siː] *zo.* Me'duse *f*, Qualle *f*. **Med·u·sae·an** [ˌmedju'siːən] *adj* Medusen..., me'dusisch. **me·du·sal** [mi'djuːsl], **me'du·san** *adj zo.* zu den Quallen gehörig, quallenartig.

meed [miːd] *s poet.* Lohn *m*, Sold *m*.

meek [miːk] *adj* (*adv* **~ly**) **1.** mild, sanft(mütig). **2.** demütig: a) bescheiden, b) unter'würfig. **3.** fromm (*von Tieren*): **as ~ as a lamb** *fig.* lammfromm. '**meek·ness** *s* **1.** Sanftmut *f*, Milde *f*. **2.** Demut *f*.

meer·kat ['mirkæt] *s zo.* **1.** Moorkatze *f*. **2.** → **suricate**.

meer·schaum ['mirʃəm; -ʃɔːm] *s* **1.** Meerschaum *m*. **2.** *a.* ~ **pipe** Meerschaumpfeife *f*.

meet [miːt] **I** *v/t pret u. pp* **met** [met] **1.** begegnen (*dat*), zs.-treffen mit, treffen (auf *acc*), antreffen; **to ~ each other** einander begegnen, sich treffen; **well met!** schön, daß wir uns treffen! (→ 12); ~ **her!** *mar.* stütz Ruder! **2.** *j-n* kennenlernen: **when I first met him** als ich s-e Bekanntschaft machte; **pleased to ~ you!** *colloq.* sehr erfreut (, Sie kennenzulernen)!; ~ **Mr Brown** *bes. Am.* darf ich Ihnen Herrn Brown vorstellen? **3.** *j-n* abholen: **to ~ s.o. at the station** j-n von der Bahn abholen; **to be met** abgeholt *od.* empfangen werden; **the bus ~s all trains** der Omnibus ist zu allen Zügen an der Bahn; **to come (go) to ~ s.o.** j-m entgegenkommen (-gehen). **4.** *fig. j-m* entgegenkommen (**half-way** auf halbem Wege). **5.** *a. fig.* gegen'übertreten (*dat*). **6.** (*feindlich*) zs.-treffen, -stoßen mit, begegnen (*dat*), *sport a.* antreten gegen, treffen auf (*e-n Gegner*); → **fate** 2. **7.** *fig.* entgegentreten (*dat*): a) *e-r Sache* abhelfen, *der Not* steuern, b) *Schwierigkeiten* über'winden, *ein Problem* lösen, fertig werden mit, Herr werden (*gen*): **to ~ a difficulty**; **to ~ the competition**, c) *Einwände* wider'legen, entgegen auf (*acc*): **to ~ objections**. **8.** *fig.* (an)treffen, finden, erfahren. **9.** *pol.* sich *dem Parlament* vorstellen (*neue Regierung*). **10.** berühren, münden in (*acc*) (*Straßen*), stoßen *od.* treffen auf (*acc*), schneiden (*a. math.*): **to ~ s.o.'s eye** a) j-m ins Auge fallen, b) j-s Blick erwidern; **to ~ the eye** auffallen; **there is more in it than ~s the eye** da steckt mehr dahinter. **11.** versammeln (*bes. pass*): **to be met** sich zs.-gefunden haben, beisammen sein. **12.** *Anforderungen etc* entsprechen, gerecht werden (*dat*), über'einstimmen mit: the supply ~s the demand das Angebot entspricht der Nachfrage; to be well met gut zs.-passen; that won't ~ my case das löst mein Problem nicht, damit komme ich nicht weiter. **13.** *j-s Wünschen* entgegenkommen *od.* entsprechen, *e-e Forderung* erfüllen, *e-r Verpflichtung* nachkommen, *Unkosten* bestreiten *od.* decken, *e-e Rechnung* begleichen: to ~ a demand a) e-r Forderung nachkommen, b) e-e Nachfrage befriedigen; to ~ s.o.'s expenses j-s Auslagen decken; to ~ a bill *econ.* e-n Wechsel honorieren.

II *v/i* **14.** zs.-kommen, -treffen, -treten, sich versammeln, tagen. **15.** sich begegnen, sich treffen, sich finden: to ~ again sich wiedersehen. **16.** (*feindlich od. im Spiel*) zs.-stoßen, anein'andergeraten, *sport* aufein'andertreffen, sich begegnen (*Gegner*). **17.** sich kennenlernen, zs.-treffen. **18.** sich vereinigen (*Straßen etc*), sich berühren, in Berührung kommen (*a. Interessen etc*). **19.** genau zs.-treffen, -stimmen, -passen, sich decken: this coat does not ~ dieser Rock ist zu eng *od.* geht nicht zu; → end *Bes. Redew.* **20.** ~ with a) zs.-treffen mit, sich vereinigen mit, b) (an)treffen, finden, (zufällig) stoßen auf (*acc*), c) erleben, erleiden, erfahren, betroffen *od.* befallen werden von, erhalten, bekommen: to ~ with an accident e-n Unfall erleiden *od.* haben, verunglücken; to ~ with approval Billigung finden; to ~ with success Erfolg haben; to ~ with a kind reception freundlich aufgenommen werden.

III *s* **21.** *Am.* a) Treffen *n* (*von Zügen etc*), b) → meeting 6b. **22.** *hunt.* a) Jagdtreffen *n* (*zur Fuchsjagd*), b) Jagdgesellschaft *f*, c) Sammelplatz *m*.

IV *adj obs.* **23.** passend. **24.** angemessen, geziemend: it is ~ that es schickt sich, daß.

meet·ing ['miːtiŋ] *s* **1.** Begegnung *f*, Zs.-treffen *n*, -kunft *f*: ~ of (the) minds *fig.* völlige Übereinstimmung, *jur.* Konsens *m* (*beim Vertragsabschluß*). **2.** Versammlung *f*, Konfe'renz *f*, Sitzung *f*, Tagung *f*: at a ~ auf e-r Versammlung; to call a ~ for nine o'clock e-e Versammlung auf neun Uhr einberufen. **3.** *relig.* gottesdienstliche Versammlung. **4.** Stelldichein *n*, Rendez'vous *n*. **5.** Zweikampf *m*, Du'ell *n*. **6.** *sport* a) *a.* race ~ Meeting *n*, Renntag *m*, b) (*leichtathletisches etc*) Treffen, Wettkampf *m*, (Sport)Veranstaltung *f*. **7.** Zs.-treffen *n* (*zweier Linien etc*). '~ˌhouse *s relig.* Andachts-, Bethaus *n*. ~ place *s* Sammelplatz *m*, Treffpunkt *m*.

meet·ness ['miːtnis] *s obs.* Schicklichkeit *f*, Angemessenheit *f*.

meg-, mega- [megə] *Wortelement mit den Bedeutungen* a) groß, b) Million.

meg·a·ce·phal·ic [ˌmegəsi'fælik], ˌ**meg·a'ceph·a·lous** [-'sefələs] *adj anat.* großköpfig. ˌ**meg·a'ceph·a·ly** *s med.* Großköpfigkeit *f*.

meg·a·cy·cle ['megəˌsaikl] *s electr.* Megahertz *n*.

meg·a·death ['megəˌdeθ] *s* Tod *m* von e-r Milli'on Menschen (*im Atomkrieg*).

Me·gae·ra [mi'dʒi(ə)rə] *npr antiq.* [Me'gäre *f*.]

meg·a·fog ['megəˌfɒg] *s mar.* 'Nebelsiˌgnal(anlage *f*) *n*.

meg·a·lith ['megəliθ] *s* Mega'lith *m*. ˌ**meg·a'lith·ic** *adj* mega'lithisch.

megalo- [megəlo] *Wortelement mit der Bedeutung* groß.

meg·a·lo·car·di·a [ˌmegəlo'kɑːrdiə] *s med.* Herzerweiterung *f*.

meg·a·lo·ce·phal·ic [ˌmegəlosi'fælik] → megacephalic.

meg·a·lo·cyte ['megəloˌsait] *s physiol.* Megalo'zyt *m*.

meg·a·lo·ma·ni·a [ˌmegəlo'meiniə; -njə] *s psych.* Größenwahn *m*. ˌ**meg·a·lo'ma·niˌac** [-niˌæk] **I** *s* Größenwahnsinnige(r *m*) *f*. **II** *adj* größenwahnsinnig.

meg·a·lop·o·lis [ˌmegə'lɒpəlis] *s* **1.** Groß-, Riesenstadt *f*. **2.** Ballungsgebiet(e *pl*) *n* um e-e Großstadt.

meg·a·phone ['megəˌfoun] **I** *s* Mega'phon *n*, Sprachrohr *n*, Schalltrichter *m*. **II** *v/t u. v/i* durch ein Mega'phon sprechen.

Me·gar·i·an [mi'gɛ(ə)riən] *adj* me'garisch: ~ school (*von Euklid um 400 v. Chr. gegründete*) Schule von Megara. **Me'gar·ic** [-'gærik] → Megarian.

meg·a·scope ['megəˌskoup] *s* **1.** *tech.* Mega'skop *n*. **2.** *phot.* Vergrößerungskammer *f*. ˌ**meg·a'scop·ic** [-'skɒpik] *adj* (*adv* ~ally) **1.** *phot.* vergrößert. **2.** mit bloßem Auge wahrnehmbar.

meg·a·seism ['megəˌsaizəm; -ˌsaisəm] *s geol.* heftiges Erdbeben.

meg·a·spore ['megəˌspɔːr] *s bot.* Mega-, Makrospore *f*.

meg·a·ton ['megəˌtʌn] *s* Megatonne *f* (*1 Million Tonnen*): ~ bomb Bombe *f* mit der Sprengkraft von 1000 Kilotonnen TNT.

meg·a·volt ['megəˌvoult] *s electr.* Megavolt *n*.

meg·ger ['megər] *s electr.* Megohm-'meter *n*, Isolati'onsmesser *m*.

me·gilp [mi'gilp] **I** *s* (*ein*) Retu'schierfirnis *m* (*aus Leinöl u. Mastix*). **II** *v/t* firnissen.

meg·ohm ['megˌoum] *s electr.* Meg-'ohm *n*.

me·grim ['miːgrim] *s* **1.** *med. obs.* Mi'gräne *f*. **2.** Grille *f*, Laune *f*, Spleen *m*. **3.** *pl* Schwermut *f*, Melancho'lie *f*. **4.** *pl vet.* Koller *m* (*der Pferde*).

mei·o·sis [mai'ousis] *s* **1.** *ling.* a) Li'totes *f*, b) Verkleinerung *f*. **2.** *biol.* Mei'osis *f*, Redukti'onsteilung *f*.

me·kom·e·ter [mi'kɒmitər] *s mil.* Entfernungsmesser *m*.

me·la·da [mei'lɑːdɑː] *s* roher Zucker, Me'lasse *f*.

mel·am ['meləm] *s chem.* Melam *n*. '**mel·aˌmine** [-ˌmiːn] *s* Mela'min *n*, Cya'nursäureaˌmid *n*. '**mel·aˌmine-form'al·deˌhyde res·ins** *s pl* Mela'min-Formalde'hyd-Harze *pl*.

mel·an·cho·li·a [ˌmelən'kouliə] *s med.* Melancho'lie *f*, Schwermut *f*. ˌ**mel·an'cho·liˌac** [-liˌæk], ˌ**mel·an'chol·ic** [-'kɒlik] **I** *adj* → melancholy II. **II** *s* Melan'choliker(in).

mel·an·chol·y ['melənkəli] **I** *s* **1.** Melancho'lie *f*: a) *med.* Depressi'on *f*, Gemütskrankheit *f*, b) Schwermut *f*, Trübsinn *m*. **II** *adj* **2.** melan'cholisch: a) schwermütig, trübsinnig, b) *fig.* traurig, düster. **3.** traurig, schmerzlich: a ~ duty.

mé·lange [me'lɑ̃ːʒ] (*Fr.*) *s* Mischung *f*, Gemisch *n*.

mel·a·nin ['melənin] *s biol. chem.* Mela'nin *n*. '**mel·aˌnism** *s biol.* **1.** Mela'nismus *m* (*Entwicklung dunklen Farbstoffs in der Haut etc*). **2.** → melanosis.

mel·a·no·blast ['melənoˌblæst] *s biol.* Melano'blast *m*, (dunkle) Pig'mentzelle.

mel·a·no·sis [ˌmelə'nousis] *s med.* Mela'nose *f*, Schwarzsucht *f*.

mel·an·tha·ceous [ˌmelən'θeiʃəs] *adj bot.* zu den Zeitlosengewächsen gehörig.

me·las·sic [mi'læsik] *adj chem.* Melassin...: ~ acid.

Mel·ba toast ['melbə] *s* dünne hartgeröstete Brotscheiben *pl*.

meld[1] [meld] (*Kartenspiel*) **I** *v/t u. v/i* melden. **II** *s* zum Melden geeignete Kombinati'on.

meld[2] [meld] *v/t u. v/i* (sich) (ver-) [mischen.]

me·lee, *bes. Br.* **mê·lée** ['melei; mei'lei] *s* **1.** Handgemenge *n*. **2.** *fig.* Gewoge *n*, Tu'mult *m*.

me·le·na [mi'liːnə] *s med.* Me'läna *f*, Blutbrechen *n*.

mel·ic ['melik] *adj* **1.** melisch, lyrisch. **2.** für Gesang bestimmt.

mel·i·lot ['meliˌlɒt] *s bot.* Stein-, Honigklee *m*.

me·line ['miːlain; -lin] *zo.* **I** *adj* dachsartig. **II** *s* Dachs *m*.

mel·io·rate ['miːljəˌreit] **I** *v/t* (ver)bessern. **II** *v/i* besser werden, sich (ver)bessern. ˌ**mel·io'ra·tion** *s* **1.** (Ver)Besserung *f*. **2.** *econ.* ('Grundstücks)-Melioratiˌon *f*.

mel·io·rism ['miːljəˌrizəm] *s philos.* Melio'rismus *m*: a) *Lehre von der Verbesserungsfähigkeit der Welt*, b) *Streben nach Verbesserung der menschlichen Gesellschaft*.

me·liph·a·gous [mi'lifəgəs] *adj zo.* honigfressend.

me·lis·sa [mi'lisə] *s bot. pharm.* (Zi'tronen)Meˌlisse *f*.

mel·i·t(a)e·mi·a [ˌmeli'tiːmiə], ˌ**mel·i'th(a)e·mi·a** [-'θiːmiə] *s med.* Melishä'mie *f*, Glykä'mie *f* (*erhöhter Blutzuckergehalt*).

mell [mel] *v/t u. v/i obs. od. dial.* (sich) mischen, (sich) (ein)mengen.

mel·lif·er·ous [me'lifərəs] *adj* **1.** *bot.* honigerzeugend. **2.** *zo.* Honig tragend *od.* bereitend.

mel·lif·lu·ence [me'lifluəns] *s* **1.** Honigfluß *m*. **2.** *fig.* Süßigkeit *f*, glattes Da'hinfließen (*der Worte etc*). **mel'lif·lu·ent** *adj* (*adv* ~ly), **mel'lif·lu·ous** *adj* (*adv* ~ly) honigsüß, lieblich einschmeichelnd.

mel·lit·ic [me'litik] *adj chem.* Mellith-..., Honigstein..., mel'lith-, honigsauer: ~ acid Mellith-, Honigsäure *f*.

mel·low ['melou] **I** *adj* (*adv* ~ly) **1.** reif, saftig, mürbe, weich (*Obst*). **2.** *agr.* a) leicht zu bearbeiten(d), locker, b) reich: ~ soil. **3.** ausgereift, weich, lieblich (*Wein*). **4.** sanft, mild, de'zent, angenehm: ~ light; ~ tints zarte Farbtöne. **5.** *mus.* weich, voll, lieblich. **6.** *fig.* gereift u. gemildert, mild, abgeklärt, heiter: of ~ age reiferen *od.* gereiften Alters. **7.** angeheitert, beschwipst. **II** *v/t* **8.** weich *od.* mürbe machen, *den Boden* auflockern. **9.** *fig.* sänftigen, mildern. **10.** (aus)reifen, reifen lassen (*a. fig.*). **III** *v/i* **11.** weich *od.* mürbe *od.* mild *od.* reif werden (*Wein etc*). **12.** *fig.* sich abklären *od.* mildern. '**mel·low·ing** *adj* weich, sanft, schmelzend: ~ voice. '**mel·low·ness** *s* **1.** Weichheit *f*, Mürbheit *f*. **2.** *agr.* Gare *f*. **3.** Gereiftheit *f*. **4.** Milde *f*, Sanftheit *f*, Weichheit *f*: ~ of colo(u)r.

me·lo·de·on [mə'loudiən; mi-] *s mus.* **1.** Me'lodium(orgel *f*) *n* (*ein amer. Harmonium*). **2.** (*Art*) Ak'kordeon *n*. **3.** *Am.* Varie'tétheˌater *n*.

me·lod·ic [mə'lɒdik; mi-] *adj* me'lodisch. **me'lod·ics** *s pl (als sg konstruiert) mus.* Melo'dielehre *f*, Me'lodik *f*.

me·lo·di·ous [mə'loudiəs; mi-] *adj (adv* ~**ly)** me'lodisch, melodi'ös, wohlklingend. **me'lo·di·ous·ness** *s* Wohlklang *m*, (*das*) Me'lodische.

mel·o·dist ['melodist] *s* **1.** Liedersänger(in). **2.** a) 'Liederkompo,nist *m*, b) Me'lodiker *m (Komponist)*.

mel·o·dize ['melə,daiz] **I** *v/t* **1.** me'lodisch machen. **2.** *Lieder* vertonen. **II** *v/i* **3.** Melo'dien singen *od.* kompo'nieren.

mel·o·dra·ma ['melə,drɑːmə] *s* Melo'dram(a) *n*: a) ro'mantisches Sensati'onsstück (*mit Musik*), b) *hist.* sensatio'nelles (Volks)Stück, c) *hist.* Singspiel *n*, d) *fig.* melodra'matisches Ereignis *od.* Getue, Rührszene *f*. **,mel·o·dra'mat·ic** [-drə'mætik] *adj (adv* ~**ally)** melodra'matisch. **,mel·o·dra'mat·ics** *s pl (als pl konstruiert)* melodra'matisches Getue. **,mel·o·'dram·a·tist** [-'dræmətist] *s* Melo'dramenschreiber(in). **,mel·o'dram·a,tize** *v/t* melodra'matisch machen *od.* darstellen: to ~ s.th. *fig.* aus e-r Sache ein Melodrama machen.

mel·o·dy ['melədi] *s* **1.** *mus.* Melo'die *f*: a) me'lodisches Ele'ment, b) Tonfolge *f*, c) Melo'diestimme *f*, d) Lied *n*, Weise *f*, e) Wohllaut *m*, -klang *m*. **2.** *ling.* 'Sprach-, 'Satzmelo,die *f*. **3.** *fig.* (*etwas*) Me'lodisches: in ~ ineinander übergehend (*Farben*).

mel·on ['melən] *s* **1.** *bot.* Me'lone *f*. **2.** *econ. sl.* großer Pro'fit: to cut a ~ e-e große Ausschüttung (*für Aktionäre*) halten, e-e Riesendividende auszahlen.

melt [melt] **I** *v/i pret u. pp* **'melt·ed,** *obs. pp* **mol·ten** ['moultən] **1.** (zer)schmelzen, flüssig werden, sich auflösen, auf-, zergehen: to ~ down zerfließen; → butter 1. **2.** aufgehen (into in *acc*), sich verflüchtigen. **3.** zs.-schrumpfen. **4.** *fig.* zerschmelzen, -fließen (with vor *dat*): to ~ into tears in Tränen zerfließen. **5.** *fig.* auftauen, weich werden, schmelzen (*Herz, Mensch*). **6.** *Bibl.* verzagen. **7.** verschmelzen, -schwimmen, (inein'ander) 'übergehen (*Ränder, Farben etc*): outlines ~ing into each other. **8.** *a.* ~ away da'hinschwinden, -schmelzen, zur Neige gehen. **9.** *humor.* vor Hitze vergehen, zerfließen. **II** *v/t* **10.** schmelzen, lösen. **11.** (zer)schmelzen *od.* (zer)fließen lassen (into in *acc*), *Butter* zerlassen. **12.** *tech.* schmelzen: to ~ down nieder-, einschmelzen; to ~ out ausschmelzen. **13.** *fig.* erweichen, rühren: to ~ s.o.'s heart. **14.** *Farben etc* verschmelzen *od.* verschwimmen lassen. **III** *s* **15.** *metall.* Schmelzen *n*. **16.** Schmelze *f*, geschmolzene Masse. **17.** → melting charge. **'melt·er** *s* **1.** Schmelzer *m*. **2.** *tech.* a) Schmelzofen *m*, b) Schmelztiegel *m*.

melt·ing ['meltiŋ] **I** *adj (adv* ~**ly)** **1.** schmelzend, Schmelz...: ~ heat schwüle Hitze. **2.** *fig.* a) weich, zart, b) schmelzend, schmachtend, rührend: ~ look; ~ tones. **II** *s* **3.** Schmelzen *n*, Verschmelzung *f*. **4.** *pl* Schmelzmasse *f*. ~ **charge** *s tech.* Schmelzgut *n*, -beschickung *f*, Einsatz *m*. ~ **cone** *s phys. tech.* Schmelz-, Brennkegel *m*. ~ **fur·nace** *s tech.* Schmelzofen *m*. ~ **point** *s phys.* Schmelzpunkt *m*. ~ **pot** *s* Schmelztiegel *m* (*a. fig. Land etc*): to put into the ~ *fig.* von Grund auf ändern, gänzlich ummodeln. ~ **stock** *s tech.* Charge *f*, Beschickungsgut *n* (*Hochofen*).

mem·ber ['membər] *s* **1.** Mitglied *n*, Angehörige(r *m*) *f* (*e-r Gesellschaft, Familie, Partei etc*): ~ of the armed forces Angehörige(r) *m* der Streitkräfte; ~ state (*od.* nation) *pol.* Mitgliedstaat *m*. **2.** *parl.* a) *a.* M~ of Parliament *Br.* Abgeordnete(r *m*) *f* des 'Unterhauses, b) *a.* M~ of Congress *Am.* Kon'greßmitglied *n*. **3.** *tech.* (Bau)Teil *m*, *n*, Glied *n*. **4.** *math.* a) Glied *n* (*e-r Reihe etc*), b) Seite *f* (*e-r Gleichung*). **5.** *bot.* Einzelteil *m*. **6.** *ling.* Satzteil *m*, -glied *n*. **7.** *anat.* a) Glied(maße *f*) *n*, b) (männliches) Glied.

mem·ber·ship ['membər,ʃip] *s* **1.** (of) Mitgliedschaft *f* (bei), Zugehörigkeit *f* (zu *e-r Vereinigung etc*): ~ fee Mitgliedsbeitrag *m*. **2.** Mitgliederzahl *f*. **3.** *collect.* Mitgliederschaft *f*, (*die*) Mitglieder *pl*.

mem·brane ['membrein] *s* **1.** *anat.* Mem'bran(e) *f*; Häutchen *n*: drum ~ Trommelfell *n*; ~ of connective tissue Bindegewebshaut *f*. **2.** Mem'bran *f*, Perga'ment *n* (*zum Schreiben*). **3.** *phys. tech.* Mem'bran(e) *f*.

mem·bra·ne·ous [mem'breiniəs], **mem·bra·nous** ['membrənəs] *adj anat. bot.* häutig, membra'nös, Membran...: ~ cartilage Hautknorpel *m*.

me·men·to [mi'mentou] *pl* **-tos** (*Lat.*) *s* Me'mento *n*, Mahnzeichen *n*, Erinnerung *f* (of an *acc*): ~ mori Mahnung *f* an den Tod.

mem·o ['memou] *s colloq.* No'tiz *f*.

mem·oir ['memwɑːr; -wɔːr] *s* **1.** Denkschrift *f*, Abhandlung *f*, Bericht *m*. **2.** *pl* Me'moiren *pl*, (Lebens)Erinnerungen *pl*. **3.** wissenschaftliche Unter'suchung (on über *acc*). **'mem·oir·ist** *s* Me'moirenschreiber(in).

mem·o·ra·bil·i·a [,memərə'biliə] *s pl* Denkwürdigkeiten *pl*. **,mem·o·ra'bil·i·ty** *s* Denkwürdigkeit *f*. **'mem·o·ra·ble** *adj (adv* memorably) denkwürdig. **'mem·o·ra·ble·ness** → memorability.

mem·o·ran·dum [,memə'rændəm] *pl* **-da** [-də], **-dums** *s* **1.** Vermerk *m*, No'tiz *f*: to make a ~ of s.th. etwas notieren; urgent ~ Dringlichkeitsvermerk. **2.** *econ. jur.* Vereinbarung *f*, Vertragsurkunde *f*: ~ of association Gründungsprotokoll *n* (*e-r Gesellschaft*); ~ of deposit Urkunde *f* über e-n Verwahrungs- *od.* Hinterlegungsvertrag. **3.** *econ.* a) Rechnung *f*, Nota *f*, b) Kommissi'onsnota *f*: to send on a ~ in Kommission senden. **4.** *jur.* (kurze) Aufzeichnung (*vereinbarter Punkte*). **5.** *pol.* diplo'matische Note, Denkschrift *f*, Memo'randum *n*. **6.** Merkblatt *n*. ~ **book** *s econ.* No'tizbuch *n*, Kladde *f*.

me·mo·ri·al [mi'mɔːriəl] **I** *adj* **1.** zum Andenken dienend, Gedächtnis...: ~ service Gedenkgottesdienst *m*; ~ stone Gedenkstein *m*. **II** *s* **2.** Denk-, Ehrenmal *n*, Gedenkzeichen *n*. **3.** Gedenkfeier *f*. **4.** Andenken *n* (for an *acc*). **5.** *jur.* Auszug *m* (*aus e-r Urkunde etc*). **6.** Denkschrift *f*, Eingabe *f*, Gesuch *n*. **7.** → memorandum 5. **8.** *pl* → memoir 2. **M~ Day** *s Am.* Heldengedenktag *m* (*30. Mai*).

me·mo·ri·al·ist [mi'mɔːriəlist] *s* **1.** Me'moirenschreiber(in). **2.** Bittsteller(in). **me'mo·ri·al,ize** *v/t* **1.** e-e Denk- *od.* Bittschrift einreichen bei: to ~ Congress. **2.** erinnern an (*acc*), e-e Gedenkfeier abhalten für, feiern.

mem·o·rize ['memə,raiz] *v/t* **1.** sich einprägen, auswendig lernen, memo'rieren. **2.** niederschreiben, festhalten.

mem·o·ry ['meməri] *s* **1.** Gedächtnis *n*, Erinnerung(svermögen *n*) *f*: from ~, by ~ aus dem Gedächtnis, auswendig; to call to ~ sich *etwas* ins Gedächtnis zurückrufen; to escape s.o.'s ~ j-s Gedächtnis entfallen; to have a good (weak) ~ ein gutes (schwaches) Gedächtnis haben; ~ image *psych.* Erinnerungsbild *n*; to retain a clear ~ of s.th. etwas in klarer Erinnerung behalten; if my ~ serves me (right) wenn ich mich recht erinnere; within living ~ seit Menschengedenken; it is within living ~ es leben noch Leute, die sich daran erinnern (können); before ~, beyond ~ vor unvordenklichen Zeiten; → commit 2. **2.** Andenken *n*, Erinnerung *f*: in ~ of zum Andenken an (*acc*); → blessed 1. **3.** Reminis'zenz *f*, Erinnerung *f* (*an Vergangenes*): sad memories; childhood memories Kindheitserinnerungen. **4.** *a.* ~ store *tech.* (Informati'ons)Speicher *m* (*in datenverarbeitenden Maschinen*): ~ tube Speicherröhre *f*.

Mem·phi·an ['memfiən] *adj antiq.* memphisch, ä'gyptisch: ~ darkness ägyptische Finsternis.

mem-sa·hib ['mem,sɑːib] *s Br. Ind.* euro'päische (verheiratete) Frau.

men [men] *pl von* man.

men·ace ['menis] **I** *v/t* **1.** bedrohen, drohen (*dat*), gefährden. **2.** *etwas* androhen. **II** *v/i* **3.** drohen (*a. fig.*), Drohungen ausstoßen. **III** *s* **4.** Drohung *f*, Bedrohung *f* (to *gen*), *fig. a.* drohende Gefahr (to für). **5.** *Am. colloq.* ‚Scheusal' *n*, ‚Ekel' *n*. **'men·ac·ing** *adj (adv* ~**ly)** drohend.

me·nad → maenad.

mé·nage [me'nɑːʒ], **me·nage** [mə'nɑːʒ] *s* Haushalt(ung *f*) *m*.

me·nag·er·ie [mi'nædʒəri] *s* Menage'rie *f*, Tierschau *f*, -park *m*.

me·nar·che [mi'nɑːrki] *s med.* Me'narche *f* (*erste Menstruation*).

mend [mend] **I** *v/t* **1.** ausbessern, flikken, repa'rieren: to ~ boots; to ~ stockings Strümpfe stopfen; → fence 1. **2.** (ver)bessern: to ~ one's efforts s-e Anstrengungen verdoppeln; to ~ the fire das Feuer schüren, nachlegen; to ~ one's pace den Schritt beschleunigen; to ~ sails *mar.* die Segel losmachen u. besser anschlagen; to ~ one's ways sich (sittlich) bessern. **3.** in Ordnung bringen, berichtigen: to ~ a text; least said soonest ~ed je weniger geredet wird, desto rascher wird alles wieder gut; ~ or end! besser machen oder Schluß machen! **4.** a) heilen (*a. fig.*), b) *fig.* ‚flicken', ‚repa'rieren': to ~ a friendship. **5.** *colloq.* schlagen, über'treffen (*bes. im Erzählen*). **II** *v/i* **6.** sich bessern (*a. Person*): it's never too late to ~. **7.** genesen: to be ~ing auf dem Wege der Besserung sein. **III** *s* **8.** Besserung *f* (*gesundheitlich u. allg.*): to be on the ~ auf dem Wege der Besserung sein. **9.** ausgebesserte Stelle, Flicken *m*, Stopfstelle *f*. **'mend·a·ble** *adj* (aus)besserungsfähig.

men·da·cious [men'deiʃəs] *adj (adv* ~**ly)** **1.** lügnerisch, verlogen. **2.** lügenhaft, unwahr. **men'dac·i·ty** [-'dæsiti] *s* **1.** Lügenhaftigkeit *f*, Verlogenheit *f*. **2.** Lüge *f*, Unwahrheit *f*.

Men·de·li·an [men'diːliən] *adj biol.* Mendelsch(er, e, es), Mendel...: ~ ratio Mendelsches Verhältnis. **Men·del·ism** ['mendə,lizəm] *s* Mende'lismus *m*, Mendelsche Regeln *pl*. '**Men·del·ist** *s* Anhänger(in) der Lehre Mendels. '**Men·del,ize** *v/i* mendeln.

mend·er ['mendər] *s* Ausbesserer *m*.

men·di·can·cy ['mendikənsi] *s* Bette'lei *f*, Betteln *n*. '**men·di·cant I** *adj* **1.** bettelnd, Bettel...: ~ **friar** → 3; ~ **order** Bettelorden *m*. **II** *s* **2.** Bettler(in). **3.** Bettelmönch *m*.

men·dic·i·ty [men'disiti; -əti] *s* **1.** Bettelarmut *f*. **2.** Bettelstand *m*: **to reduce to** ~ an den Bettelstab bringen. **3.** Bette'lei *f*.

mend·ing ['mendiŋ] *s* **1.** (Aus)Bessern *n*, Flicken *n*: **his boots need** ~ s-e Stiefel müssen repariert werden; **invisible** ~ Kunststopfen *n*. **2.** *pl* Stopfgarn *n*.

'**men,folk(s)** *s pl* Mannsvolk *n*, -leute *pl*.

men·ha·den [men'heidn] *s ichth*. Men'haden *m* (*ein Heringsfisch*).

men·hir ['menhir] *s* Menhir *m*, Dru'idenstein *m*, Steinsäule *f*.

me·ni·al ['mi:niəl] **I** *adj* (*adv* ~**ly**) **1.** Diener..., Gesinde... **2.** knechtisch, niedrig (*Arbeit*): ~ **offices** niedrige Dienste. **3.** knechtisch, unter'würfig. **II** *s* **4.** Diener(in), Knecht *m*, Magd *f*, La'kai *m* (*a. fig. contp.*): ~**s** Gesinde *n*.

me·nin·ge·al [mi'nindʒiəl] *adj med*. Hirnhaut... **me'nin·ges** [-dʒi:z] *s pl* Hirnhäute *pl*. **men·in·gi·tis** [,menin'dʒaitis] *s* Menin'gitis *f*, (Ge)Hirnhautentzündung *f*.

me·nin·go·cele [mi'niŋgo,si:l] *s med*. Hirnhautbruch *m*. **me,nin·go'coc·cal** [-'kɒkəl] *adj* Meningo'kokken betreffend.

me·nis·cus [mi'niskəs] *pl* **-ci** [-'nisai] *s* **1.** Me'niskus *m*: a) halbmondförmiger Körper, b) *anat*. Gelenkscheibe *f*, c) *phys*. *Wölbung der Flüssigkeitsoberfläche in Kapillaren*. **2.** *opt*. kon'vexkon'kave Linse, Me'niskenglas *n*.

Men·non·ite ['menə,nait] *relig*. **I** *s* Menno'nit(in). **II** *adj* menno'nitisch.

men·o·pau·sal [,menə'pɔ:zəl] *adj physiol*. klimak'terisch. '**men·o,pause** *s* Meno'pause *f*, Klimak'terium *n*, Wechseljahre *pl*, kritisches Alter.

men·or·rha·gi·a [,menə'reidʒiə] *s med*. Menorrha'gie *f*, 'übermäßige Regelblutung.

men·sa ['mensə] *pl* **-sae** [-si:] (*Lat*.) *s* Tisch *m*: **divorce a** ~ **et thoro** *jur*. Trennung *f* von Tisch u. Bett.

men·ses ['mensi:z] *s pl med*. Menses *pl*, Monatsfluß *m*, Regel *f* (*der Frau*).

Men·she·vik, m~ ['menʃəvik] *s pol. hist*. Mensche'wik *m*.

men·stru·al ['menstruəl] *adj* **1.** monatlich, Monats...: ~ **equation** *astr*. Monatsgleichung *f*. **2.** *physiol*. Menstruations...: ~ **cycle** Monatszyklus *m*; ~ **flow** Monatsfluß *m*. '**men·stru,ate** [-,eit] *v/i physiol*. menstru'ieren. ,**men·stru'a·tion** *s* Menstruati'on *f*, (monatliche) Regel, Peri'ode *f*.

men·stru·ous ['menstruəs] *adj physiol*. Menstruations...

men·stru·um ['menstruəm] *pl* **-stru·a** [-struə] *s chem*. Lösemittel *n*.

men·sur·a·bil·i·ty [,menʃurə'biliti] *s* Meßbarkeit *f*. '**men·sur·a·ble** *adj* **1.** meßbar. **2.** *mus*. Mensural...: ~ **music**. **men·su·ral** ['menʃurəl; -sjurəl] *adj* **1.** mensu'ral, Maß... **2.** *mus*. Mensural...

men·su·ra·tion [,menʃə'reiʃən; -sjə-] *s* **1.** (Ab-, Aus-, Ver)Messung *f*. **2.** *math*. Meßkunst *f*.

men·tal[1] ['mentl] *adj anat. zo*. Kinn...

men·tal[2] ['mentl] **I** *adj* (*adv* → **mentally**) **1.** geistig, innerlich, intellektu'ell, Geistes...: ~ **arithmetic** Kopfrechnen *n*; ~ **power** Geisteskraft *f*; ~ **reservation** geheimer Vorbehalt, Mentalreservation *f*; ~ **state** Geisteszustand *m*; ~ **ratio** Intelligenzquotient *m*; ~ **test** psychologischer Test. **2.** (geistig-)seelisch, psychisch: ~ **health**; ~ **hygiene** Psychohygiene *f*. **3.** a) geisteskrank, -gestört: ~ **disease** Geisteskrankheit *f*; ~ **hospital**, ~ **institution** Nervenklinik *f*, (Nerven-)Heilanstalt *f*; ~ **patient**, ~ **case** Geisteskranke(r *m*) *f*, psychiatrischer Fall, b) *colloq*. verrückt: **to go** ~ ,überschnappen'. **II** *s* **4.** *colloq*. Verrückte(r *m*) *f*.

men·tal| age *s psych*. geistiges Alter (*getesteter Intelligenzgrad*). ~ **ca·pac·i·ty** *s jur*. a) Geschäftsfähigkeit *f*, b) Zurechnungsfähigkeit *f*. ~ **cru·el·ty** *s jur*. seelische Grausamkeit (*als Scheidungsgrund*). ~ **de·fi·cien·cy** *s med*. geistige Minderwertigkeit, Schwachsinn *m*. ~ **de·range·ment** *s* **1.** *jur*. krankhafte Störung der Geistestätigkeit. **2.** *med*. Geistesstörung *f*, Irrsinn *m*. ~ **heal·ing** *s med*. psycho'logische 'Heilme,thode.

men·tal·i·ty [men'tæliti] *s* Mentali'tät *f*, Geistes-, Denkungsart *f*, Gesinnung *f*. **men·tal·ly** ['mentəli] *adv* geistig, im Geiste, bei sich, in geistiger Beziehung.

men·tal phi·los·o·phy *s univ. Am*. (die Fächer *pl*) Psycholo'gie *f*, Logik *f* u. Metaphy'sik *f*.

men·thane ['menθein] *s chem*. Men'than *n*.

men·thene ['menθi:n] *s chem*. Men'then *n*.

men·thol ['menθɒl; -θoul] *s chem*. Men'thol *n*. '**men·tho,lat·ed** [-θə,leitid] *adj pharm*. mit Men'thol behandelt, Men'thol enthaltend.

men·ti·cide ['menti,said] → **brainwashing**.

men·tion ['menʃən] **I** *s* **1.** Erwähnung *f*: **to make** ~ **of** → 3; **hono(u)rable** ~ ehrenvolle Erwähnung; **to give individual** ~ **to** einzeln erwähnen. **2.** lobende Erwähnung (*in Wettbewerben, Prüfungen etc*). **II** *v/t* **3.** erwähnen, Erwähnung tun (*gen*), anführen: **as** ~**ed above** wie oben erwähnt; **(please) don't** ~ **it!** gern geschehen!, bitte (sehr)!, (es ist) nicht der Rede wert!; **not to** ~ ganz zu schweigen von; **not worth** ~**ing** nicht der Rede wert; **to be** ~**ed in dispatches** *mil. Br*. im Kriegsbericht (lobend) erwähnt werden. '**men·tion·a·ble** *adj* erwähnenswert.

men·tor ['mentɔ:r] *s* Mentor *m*, (weiser u. treuer) Ratgeber.

men·u ['menju:] *s* **1.** *a*. ~ **card** (Speise-)Karte *f*. **2.** Me'nü *n*, Speisenfolge *f*. **3.** *a. fig*. Kost *f*.

me·ow [mi'au; mjau] **I** *v/i* mi'auen. **II** *s* Mi'auen *n* (*der Katze*).

Me·phis·to·phe·le·an, Me·phis·to·phe·li·an [,mefistə'fi:liən; -ljən] *adj* mephisto'phelisch, dia'bolisch.

me·phit·ic [mi'fitik] *adj bes. med*. me'phitisch, verpestet, giftig: ~ **air** Stickluft *f*. **me'phitis** [-'faitis] *s* faule Ausdünstung, Stickluft *f*.

mer·can·tile ['mə:rkən,tail; *Am. a*. -til] *adj* **1.** kaufmännisch, handeltreibend, Handels...: ~ **agency** a) Kreditauskunftei *f*, b) Handelsvertretung *f*; ~ **credit** Handelskredit *m*; ~ **law** Handelsrecht *n*; ~ **marine** Handelsmarine *f*; ~ **paper** Warenpapier *n*, -wechsel *m*. **2.** *econ. hist*. Merkantil...: ~ **system** → **mercantilism** 3.

mer·can·til·ism ['mə:rkəntai,lizəm; *Am. a*. -ti,l-] *s* **1.** Handels-, Krämergeist *m*. **2.** kaufmännischer Unter'nehmergeist. **3.** *econ. hist*. Merkanti'lismus *m*, Merkan'tilsy,stem *n*. '**mer·can·til·ist** *s econ*. Merkanti'list *m*.

mer·ce·nar·i·ly ['mə:rsənərili] *adv* um Lohn, für Geld, aus Gewinnsucht. '**mer·ce·nar·i·ness** *s* **1.** Feilheit *f*, Käuflichkeit *f*. **2.** Gewinnsucht *f*. '**mer·ce·nar·y I** *adj* **1.** gedungen, Lohn...: ~ **troops** → 4b. **2.** *fig*. feil, käuflich. **3.** *fig*. Gewinn..., gewinnsüchtig, Geld...: ~ **marriage** Geldheirat *f*. **II** *s* **4.** *mil*. a) Söldner *m*, b) *pl* Söldnertruppen *pl*. **5.** *contp*. Mietling *m*.

mer·cer ['mə:rsər] *s Br*. Seiden- u. Tex'tilienhändler *m*.

mer·cer·i·za·tion [,mə:rsərai'zeiʃən; -ri'z-] *s tech*. Merzeri'sierung *f*. '**mer·cer,ize** *v/t* merzeri'sieren.

mer·cer·y ['mə:rsəri] *s econ*. **1.** Seiden-, Schnittwaren *pl*. **2.** Seiden-, Schnittwarenhandel *m od*. -handlung *f*.

mer·chan·dise ['mə:rtʃən,daiz] **I** *s* **1.** Waren *pl*, Handelsgüter *pl*: **an article of** ~ e-e Ware. **II** *v/i* **2.** *Br. obs. od. Am*. Handel treiben, Waren vertreiben. **III** *v/t* **3.** *Br. obs. od. Am*. *Waren* vertreiben. **4.** *Am*. Werbung machen für *e-e Ware*, den Absatz *e-r Ware* (durch geeignete Mittel) zu steigern suchen. '**mer·chan,dis·ing** *econ*. **I** *s* **1.** *Am*. Merchandising *n*, Ver'kaufspoli,tik *f* u. -förderung *f* (*durch Marktforschung, Untersuchung der Verbrauchsgewohnheiten, wirksame Gütergestaltung u. Werbung*). **2.** Handel(sgeschäfte *pl*) *m*. **II** *adj* **3.** Handels...

mer·chant ['mə:rtʃənt] *econ*. **I** *s* **1.** (Groß)Kaufmann *m*, Handelsherr *m*, Großhändler *m*: **the** ~**s** die Kaufmannschaft, die Handelskreise; ~**'s clerk** Handlungsgehilfe *m*; **"The M**~ **of Venice"** „Der Kaufmann von Venedig" (*Drama von Shakespeare*). **2.** *Am. od. Scot. od. dial*. Ladenbesitzer *m*, Krämer *m*. **3.** *sl*. ,Tausendsassa' *m*, Kerl *m*: **speed** ~ ,Raser' *m*, rücksichtsloser Autofahrer. **4.** *mar. obs*. → **merchantman**. **II** *adj* **5.** Handels..., Kaufmanns...

'**mer·chant·a·ble** *adj econ*. **1.** zum Verkauf geeignet, marktgängig, -fähig. **2.** handelsüblich.

mer·chant| ad·ven·tur·er *pl* **mer·chant(s) ad·ven·tur·ers** *s econ. hist*. **1.** kaufmännischer 'Übersee-Speku,lant. **2. M**~ **A**~**s** *Titel e-r in England eingetragenen Handelsgesellschaft, die vom 14. bis 17. Jh. ein Monopol im Wollexport von England besaß*. ~ **bar** *s tech*. Stab-, Stangeneisen *n*. ~ **fleet** *s mar*. Handelsflotte *f*. '~**·man** [-mən] *s irr mar*. Kauffahr'tei-, Handelsschiff *n*. ~ **prince** *s econ*. reicher Kaufherr, Handelsfürst *m*. ~ **serv·ice** *s mar*. **1.** Handelsschiffahrt *f*. **2.** 'Handelsma,rine *f*. ~ **ship** *s* Handelsschiff *n*. ~ **tai·lor** *s hist*. (Herren)Schneider *m* (*der ein Stofflager hält*). ~ **ven·tur·er** → **merchant adventurer**.

mer·chet ['mə:rtʃit] *s jur. hist*. Abgabe *f* des Hörigen an s-n Lehnsherrn (*bei Verheiratung s-r Tochter*).

mer·ci·ful ['mə:rsiful] *adj* (to) barm'herzig, mitleid(s)voll (gegen), gütig (gegen, zu), gnädig (*dat*). '**mer·ci·ful·ly** *adv* **1.** → **merciful**. **2.** glücklicherweise, Gott sei Dank. '**mer·ci·ful·ness** *s* Barm'herzigkeit *f*, Erbarmen *n*, Gnade *f* (*Gottes*). '**mer·ci·less** *adj* unbarmherzig, erbarmungs-, mitleid(s)los. '**mer·ci·less·ness** *s* Unbarmherzigkeit *f*, Erbarmungslosigkeit *f*, Grausamkeit *f*.

mer·cu·rate ['məːrkju͵reit] *v/t chem.* merku'rieren, mit Quecksilber(salz) verbinden *od.* behandeln.

mer·cu·ri·al [məːr'kju(ə)riəl] **I** *adj* (*adv* **~ly**) **1.** *fig.* quecksilb(e)rig, lebhaft, quicklebendig. **2.** *med.* Quecksilber...: **~ poisoning. 3.** *chem. tech.* quecksilberhaltig, -artig, Quecksilber... **4.** *astr.* dem (*Einfluß des Planeten*) Mer'kur unter'worfen. **5.** M~ *myth.* (den Gott) Mer'kur betreffend: M~ wand Merkurstab *m.* **II** *s* **6.** *med.* 'Quecksilberpräpa͵rat *n.* **mer'cu·ri·al͵ism** *s med.* Quecksilbervergiftung *f.* **mer'cu·ri·al͵ize** *v/t med. phot.* mit Quecksilber behandeln.

mer·cu·ric [məːr'kju(ə)rik] *adj chem* Quecksilber..., Mercuri... **~ chlo·ride** *s chem.* 'Quecksilberchlo͵rid *n.* **~ ful·mi·nate** *s chem.* Knallquecksilber *n.*

mer·cu·rous ['məːrkjurəs; *Am. a.* məːr'kju(ə)-] *adj chem.* Quecksilber..., Mercuro...: **~ chloride** Kalomel *n.*

mer·cu·ry ['məːrkjəri; -kjuri] *npr u. s* **1.** M~ *astr. u. myth.* Mer'kur *m.* **2.** *fig.* Bote *m.* **3.** *chem. med.* Quecksilber *n.* **4.** *tech.* Quecksilber(säule *f*) *n*: **the ~ is rising** das Barometer steigt (*a. fig.*). **5.** *bot.* Bingelkraut *n.* **6.** → mercurial 6. **~ arc** *s electr.* Quecksilberlichtbogen *m*: **~ lamp** Quecksilberdampflampe *f.* **~ chlo·ride** → mercuric chloride. **~ con·vert·er** *s electr.* Quecksilbergleichrichter *m.* **~ ful·mi·nate** → mercuric fulminate. **~ pres·sure ga(u)ge** *s phys.* 'Quecksilbermano͵meter *n.* '**~-͵va·po(u)r lamp** *s phys.* Quecksilberdampflampe *f.*

mer·cy ['məːrsi] *s* **1.** Barm'herzigkeit *f*, Mitleid *n*, Erbarmen *n*, Gnade *f*: **Sister of M~** Barmherzige Schwester; **to be at the ~ of s.o.** j-m auf Gnade u. Ungnade ausgeliefert sein; **at the ~ of the waves** den Wellen preisgegeben; **Lord have ~ upon us!** Herr, erbarme Dich unser!; **to be left to the tender mercies of s.o.** *iro.* j-m in die Hände geraten; **to show no ~** kein Erbarmen haben, keine Gnade walten lassen; **to throw o.s. on s.o.'s ~** sich j-m auf Gnade u. Ungnade ergeben. **2.** (wahres) Glück, (wahrer) Segen, (wahre) Wohltat: **it is a ~ he didn't come. 3.** *jur. Am.* Begnadigung *f* (*e-s zum Tode Verurteilten*) zu lebenslänglicher Zuchthausstrafe. **~ kill·ing** *s* Euthana'sie *f.* **~ seat** *s relig.* **1.** Deckel *m* der Bundeslade. **2.** *fig.* Gottes Gnadenthron *m.*

mere[1] [mir] *adj* (*adv* → **merely**) **1.** bloß, nichts als, al'lein(ig), rein, völlig: **a ~ excuse** nur e-e Ausrede; **~ imagination** bloße *od.* reine Einbildung; **~ nonsense** purer Unsinn; **a ~ trifle** e-e bloße Kleinigkeit; **he is no ~ craftsman, he is an artist** er ist kein bloßer Handwerker, er ist ein Künstler; **the ~st accident** der reinste Zufall. **2.** *jur.* rein, bloß (*ohne weitere Rechte*): **~ right** bloßes Eigentum(srecht).

mere[2] [mir] *s* Teich *m*, Weiher *m.*

mere[3] [mir] *obs. od. dial.* **I** *s* Grenze *f*: **~ stone** Markstein *m.* **II** *v/t* begrenzen.

mere·ly ['mirli] *adv* bloß, rein, nur, lediglich.

meres·man ['mirzmən] *s irr Br. hist.* [Grenzabmesser *m.*]

mer·e·tri·cious [͵meri'triʃəs] *adj* (*adv* **~ly**) **1.** buhlerisch, hurenhaft. **2.** *fig.* aufdringlich, unecht, kitschig.

mer·gan·ser [mər'gænsər] *s orn.* (*bes.* Gänse)Säger *m.*

merge [məːrdʒ] **I** *v/t* **1.** (in) verschmelzen (mit), aufgehen lassen (in *dat*), vereinigen (mit), einverleiben (*dat*): **to be ~d in s.th.** in etwas aufgehen. **2.** *jur.* tilgen, aufheben. **3.** *econ.* a) fusio'nieren, b) *Aktien* zs.-legen. **II** *v/i* **4.** (in) verschmelzen (mit), aufgehen (in *dat*), sich zs.-schließen (zu). '**mer·gence** *s* Aufgehen *n* (in in *dat*), Verschmelzung *f* (**into** mit). '**merg·er** *s* **1.** *econ. jur.* Fusi'on *f* (durch Aufnahme), Fusio'nierung *f* (*von Gesellschaften*), *a. allg.* Zs.-schluß *m*, Vereinigung *f.* **2.** *econ.* Zs.-legung *f* (*von Aktien*). **3.** *econ.* Verschmelzung(svertrag *m*) *f*, Aufgehen *n* (*e-s Besitzes od. Vertrages in e-m anderen etc*). **4.** *jur.* Konsumpti'on *f* (*e-r Straftat durch e-e schwerere*).

me·rid·i·an [mə'ridiən] **I** *adj* **1.** mittägig, Mittags... **2.** *astr.* Kulminations..., Meridian...: **~ circle** Meridiankreis *m* (*a. Instrument*); **~ transit** Meridiandurchgang *m* (*e-s Gestirns*). **3.** *fig.* höchst(er, e, es). **II** *s* **4.** *geogr.* Meridi'an *m*, Längen-, Mittagskreis *m*, -linie *f*: **~ of longitude** Längenkreis; **~ of a place** Ortsmeridian. **5.** *poet.* Mittag(szeit *f*) *m.* **6.** *astr.* Kulminati'onspunkt *m.* **7.** *fig.* a) Höhepunkt *m*, Gipfel *m*, b) Blüte(zeit) *f.* **8.** *fig.* geistiger Hori'zont.

me·rid·i·o·nal [mə'ridiənl] **I** *adj* (*adv* **~ly**) **1.** *astr.* meridio'nal, Meridian..., Mittags... **2.** südlich, südländisch. **II** *s* **3.** Südländer(in), *bes.* 'Südfran͵zose *m*, 'Südfran͵zösin *f.* **~ sec·tion** *s math.* Achsenschnitt *m.*

me·ringue [mə'ræŋ] *s* Me'ringe *f*, Baiser *n*, Schaumgebäck *n.*

me·ri·no [mə'riːnou] *pl* **-nos** *s* **1.** *a.* **~ sheep** *zo.* Me'rinoschaf *n.* **2.** Me'rinowolle *f.* **3.** Me'rino *m* (*Stoff*).

mer·is·mat·ic [͵meriz'mætik; -ris-] *adj*: **~ process** *biol.* Fortpflanzungsprozeß *m* durch Teilung (in Zellen).

mer·i·stem ['meri͵stem] *s biol.* Meri'stem *n*, Teilungsgewebe *n.*

mer·it ['merit] **I** *s* **1.** Verdienst(lichkeit *f*) *n*: **a man of ~** e-e verdiente Persönlichkeit; **according to one's ~s** nach Verdienst (*belohnen etc*); **~ pay** *econ.* Bezahlung *f* nach Leistung; **~ rating** *econ.* Leistungseinstufung *f*, -beurteilung *f*; **~ system** *econ. pol. Am. auf Fähigkeit allein beruhendes Anstellungs- u. Beförderungssystem im öffentlichen Dienst.* **2.** a) Wert *m*, b) Vorzug *m*: **work of ~** bedeutendes Werk; **of artistic ~** von künstlerischem Wert; **without ~** a) wertlos, b) gehaltlos, nicht fundiert *od.* gültig, sachlich unbegründet. **3. the ~s** *pl jur. u. fig.* die Hauptpunkte *pl*, die wesentlichen Gesichtspunkte *pl*, der sachliche Gehalt: **on its own ~s** aufs Wesentliche gesehen, an u. für sich betrachtet; **to consider a case on its ~s** *jur.* e-n Fall nach materiell-rechtlichen Gesichtspunkten *od.* aufgrund des vorliegenden Tatbestandes behandeln; **to discuss s.th. on its ~s** e-e Sache ihrem wesentlichen Inhalt nach besprechen; **to inquire into the ~s of a case** e-r Sache auf den Grund gehen. **II** *v/t* **4.** *Lohn, Strafe etc* verdienen. '**mer·it·ed** *adj* verdient. '**mer·it·ed·ly** *adv* verdientermaßen.

'**mer·it͵mon·ger** *s j-d, der sich auf s-e guten Werke beruft, um die Seligkeit zu erlangen.*

mer·i·to·ri·ous [͵meri'tɔːriəs] *adj* (*adv* **~ly**) verdienstlich.

mer·lin ['məːrlin] *s orn.* Merlin-, Zwergfalke *m.*

mer·lon ['məːrlən] *s mil. hist.* Mauerzacke *f*, Schartenbacke *f.*

mer·maid ['məːr͵meid], *a.* '**mer͵maid·en** [-dn] *s* Meerweib *n*, Seejungfer *f*, Wassernixe *f.*

mer·man ['məːr͵mæn] *s irr* Wassermann *m*, Triton *m.*

mero-[1] [mero] *Wortelement mit der Bedeutung* Teil.

mero-[2] [miro] *Wortelement mit der Bedeutung* Schenkel, Hüfte.

me·ro·cele ['miro͵siːl] *s med.* Schenkelbruch *m.*

mer·o·gen·e·sis [͵mero'dʒenisis] *s biol.* 'Furchungspro͵zeß *m* (*beim Ei*).

me·rog·o·ny [mə'rɒgəni] *s biol.* Merogo'nie *f*, Ei-Teilentwicklung *f.*

Mer·o·vin·gi·an [͵mero'vindʒiən] *hist.* **I** *adj* merowingisch. **II** *s* Merowinger *m.*

mer·ri·ly ['merili] *adv von* **merry.**

'**mer·ri·ment** *s* **1.** Fröhlichkeit *f*, Lustigkeit *f.* **2.** Belustigung *f*, Lustbarkeit *f*, Spaß *m.*

mer·ry ['meri] *adj* (*adv* **merrily**) **1.** lustig, heiter, fröhlich, fi'del: **as ~ as a lark** (*od.* **cricket**) kreuzfidel; **a ~ Christmas (to you)!** fröhliche Weihnachten!; **M~ England** das lustige, gemütliche (alte) England (*bes. zur Zeit Elisabeths I.*); **the M~ Monarch** *volkstümliche Bezeichnung für Karl II.* (*1660—85*); **to make ~** lustig sein, (fröhlich) feiern (→ 2). **2.** spaßhaft, lustig: **to make ~ over** sich belustigen über (*acc*). **3.** beschwipst, angeheitert. **~ an·drew** *s* **1.** Hanswurst *m*, Spaßmacher *m.* **2.** *hist.* Gehilfe *m* e-s Quacksalbers (auf Jahrmärkten). '**~-go-͵round** *s* **1.** Karus'sell *n.* **2.** *fig.* Wirbel *m*, ‚Hetzjagd' *f.* **3.** *colloq.* Kreisverkehr *m.* '**~͵mak·ing** *s* Belustigung *f*, Lustbarkeit *f*, Gelage *n*, Fest *n.* '**~͵thought** *s* Gabel-, Wunschbein *n* (*e-s Huhns*).

me·sa ['meisə] *s geogr. Am.* Tafelland *n.*

me·sa oak *s bot. Am.* Tischeiche *f.*

mes·cal [mes'kæl] *s Am.* **1.** *bot.* Pey'ote-Kaktus *m.* **2.** *bot.* 'Mescal-A͵gave *f.* **3.** Meskal *n* (*Agavenbranntwein*). **mes'cal·ine** [-iːn; -in], *a.* **mes'cal·in** [-in] *s chem.* Mesca'lin *n* (*Rauschgift*).

me·seems [mi'siːmz] *v/impers obs. od. poet.* mich dünkt.

mes·en·ce·phal·ic [͵mesensi'fælik] *adj anat.* Mittelhirn... ͵**mes·en'ceph·a͵lon** [-'sefə͵lɒn] *s* Mittelhirn *n.*

mes·en·chyme ['meseŋkim] *s biol.* Mesen'chym *n* (*embryonales Bindegewebe*).

mes·en·ter·ic [͵mesen'terik] *adj anat.* mesenteri'al: **~ artery** Gekrösearterie *f.* **mes·en·ter·y** ['mesəntəri] *s anat.* Gekröse *n.*

mesh [meʃ] **I** *s* **1.** Masche *f* (*e-s Netzes, Siebs etc*). **2.** *pl* Netzwerk *n*, Geflecht *n.* **3.** *tech.* Maschenweite *f.* **4.** *meist pl fig.* Netz *n*, Schlingen *pl*: **to be caught in the ~es of the law** sich in den Schlingen des Gesetzes verfangen (haben). **5.** *tech.* Inein'andergreifen *n*, Eingriff *m* (*von Zahnrädern*): **to be in ~** im Eingriff sein. **6.** → **mesh connection. II** *v/t* **7.** in e-m Netz fangen, verwickeln. **8.** *tech. Zahnräder* in Eingriff bringen, einrücken. **9.** *fig.* um'garnen, im Netz fangen. **10.** *fig.* eng zs.-schließen, (mitein'ander) verzahnen. **III** *v/i* **11.** *tech.* ein-, inein'andergreifen (*Zahnräder*; *a. fig.*). **12.** *fig.* a) mitein'ander verzahnt sein, b) sich (eng) verbinden (**with** mit). **~ con·nec·tion** *s electr.* Vieleck-, *bes.* Delta- *od.* Dreieckschaltung *f.*

meshed [meʃt] *adj* netzartig, maschig: close-~ engmaschig.

mesh| volt·age *s electr.* verkettete Spannung, *bes.* Delta- *od.* Dreieckspannung *f.* 'ˌ~ˌ**work** *s* Maschen *pl*, Netzwerk *n.*

me·si·al ['mi:ziəl] *adj* (*adv* ~**ly**) **1.** in der Mittelebene (*des Körpers etc*) gelegen. **2.** *Zahnmedizin*: mesi'al.

mes·mer·ic [mez'merik; mes-] *adj*; **mes'mer·i·cal** [-kəl] *adj* (*adv* ~**ly**) **1.** mesmerisch, 'heilmaˌgnetisch, hyp'notisch. **2.** *fig.* 'unwiderˌstehlich, faszi'nierend. '**mes·merˌism** [-məˌrizəm] *s* Mesme'rismus *m*, tierischer Magne'tismus. '**mes·mer·ist** *s* **1.** 'Heilmagnetiˌseur *m.* **2.** Mesmeri'aner(in) (*Anhänger des Mesmerismus*). '**mes·merˌize** *v/t* **1.** *med.* ('heil)magnetiˌsieren, hypnoti'sieren, mesmeri'sieren. **2.** *fig.* faszi'nieren.

mesne [mi:n] *adj jur.* Zwischen..., Mittel...: ~ **lord** Afterlehnsherr *m.* ~ **in·ter·est** *s jur.* Zwischenzins *m.* ~ **proc·ess** *s jur.* **1.** Verfahren *n* zur Erwirkung e-r Verhaftung (*wegen Fluchtgefahr*). **2.** während der Verhandlung e-r Rechtssache entstehender 'Nebenproˌzeß. ~ **prof·its** *s pl jur.* in'zwischen bezogene Erträgnisse *pl* (*e-s unrechtmäßigen Besitzers*).

meso- [meso] *Wortelement mit der Bedeutung* Zwischen..., Mittel...

mes·o·blast ['mesoˌblæst] *s biol.* Meso'blast *n*, Sameneikern *m.*

mes·o·carp ['mesoˌkɑ:rp] *s bot.* mittlere Fruchthaut, Meso'karp *n.*

mes·o·derm ['mesoˌdə:rm] *s zo.* Meso'derm *n*, mittleres Keimblatt.

mes·o·labe ['mesoˌleib] *s math.* Meso'labium *n* (*Instrument*).

mes·o·lith·ic [ˌmeso'liθik] *adj geol.* meso'lithisch, mittelsteinzeitlich.

me·sol·o·gy [me'sɒlədʒi] *s biol.* Mesolo'gie *f*, 'Umweltlehre *f.*

mes·on ['mesɒn] *s phys.* Meson *n*, Meso'tron *n* (*Elementarteilchen*).

mes·o·phyl(l) ['mesoˌfil] *s bot.* Meso'phyll *n*, Mittelblatt *n.* '**mes·oˌphyte** [-ˌfait] *s bot.* Meso'phyt *m* (*Pflanze mit mittlerem Wasseranspruch*). '**mes·oˌplast** [-ˌplæst] *s biol.* Zellkern *m*, Sameneikern *m.*

Mes·o·po·ta·mi·an [ˌmesəpə'teimiən] *adj* mesopo'tamisch.

ˌ**mes·o'sternal** *adj anat.* Mittelbrustbein... [(*der Insekten*).]

ˌ**mes·o'tho·rax** *s* Mittelbrustring *m*

Mes·o·zo·ic [ˌmeso'zouik] *geol.* **I** *adj* meso'zoisch. **II** *s* Meso'zoikum *n.*

mes·quite [mes'ki:t; 'meski:t] *s bot.* **1.** Süßhülsenbaum *m*, Mes'quitbaum *m.* **2.** a) Gramagras *n*, b) Buffalogras *n.*

mess [mes] **I** *s* **1.** *obs.* Gericht *n*: ~ **of pottage** *Bibl.* Linsengericht (*des Esau*). **2.** (Porti'on *f*) Viehfutter *n.* **3.** Messe *f*: a) *mil.* → **mess hall**, b) *mil.* Messegesellschaft *f*, c) *mar.* Back(mannschaft) *f*: ~ **council** Messevorstand *m*; **captain of a** ~ Backsmeister *m*; **cooks of the** ~ Backschaft *f*; **officers'** ~ Offiziersmesse, -kasino *n.* **4.** a) Unordnung *f*, Schmutz *m*, ‚Schweine'rei' *f*, b) Mischmasch *m*, Mansche'rei *f*, c) *fig.* Durchein'ander *n*, d) ‚Schla'massel' *m*, ‚böse Geschichte', e) Patsche *f*, Klemme *f*: **in a** ~ schmutzig, verwahrlost, in Unordnung, ‚schön' aussehend, *fig.* in e-m schlimmen Zustand, verfahren, in der Klemme; **to make a** ~ Schmutz *od.* e-e ‚Schweinerei' machen; **to make a** ~ **of** → 6; **you made a nice** ~ **of it** du hast was Schönes angerichtet; **he was a** ~ er sah gräßlich aus, *fig.* er war völlig verkommen *od.* verwahrlost; **a pretty** ~! e-e ‚schöne' Geschichte!; → **matter** 4. **II** *v/t* **5.** *j-n* verpflegen *od.* beköstigen. **6.** *a.* ~ **up** a) beschmutzen, übel zurichten, b) in Unordnung *od.* Verwirrung bringen, c) *fig.* verpfuschen, ‚versauen'. **III** *v/i* **7.** a) (*an e-m gemeinsamen Tisch*) essen (**with** mit), b) *mar. mil.* in der Messe essen: **to** ~ **together** *mar.* zu 'einer Back gehören. **8.** manschen, panschen (**in** in *dat*). **9.** ~ **in** *Am.* sich einmischen. **10.** ~ **about**, ~ **around** a) her'ummurksen, (-)pfuschen, b) sich her'umtreiben, c) ‚es treiben *od.* haben' (**with** mit *e-r Frau etc*).

mes·sage ['mesidʒ] **I** *s* **1.** Botschaft *f* (**to** an *acc*): **to go on** (*od.* **take**) **a** ~ e-e Botschaft ausrichten; → **presidential** 1. **2.** Mitteilung *f*, Bescheid *m*: **to send a** ~ **to s.o.** j-m e-e Mitteilung zukommen lassen; **telephone** ~ fernmündliche Mitteilung, telephonische Nachricht; **wireless** (*od.* **radio**) ~ Funkmeldung *f*, -spruch *m*; **he got the** ~ *colloq.* er hat kapiert. **3.** a) *Bibl.* Botschaft *f*, Verkündigung *f*, b) *relig. Am.* Predigt *f.* **4.** *fig.* Botschaft *f*, Anliegen *n* (*e-s Dichters etc*). **5.** *physiol.* Im'puls *m*, Si'gnal *n.* **II** *v/t* **6.** melden, mitteilen, senden.

mes·sen·ger ['mesəndʒər; -sin-] *s* **1.** (Post-, Eil)Bote *m*, Ausläufer *m*: **express** ~, **special** ~ Eilbote; **by** ~ durch Boten. **2.** (Kabi'netts)Kuˌrier *m*: **King's** ~, **Queen's** ~ königlicher Kurier. **3.** *mil.* Melder *m*, *hist.* Ku'rier *m.* **4.** *fig.* (Vor)Bote *m*, Verkünder *m.* **5.** *pl Br. dial.* kleine Einzelwolken *pl.* **6.** *mar.* a) Anholtau *n*, b) Ankerkette *f*, Kabelar *n.* **7.** ‚A'postel' *m* (*beim Drachensteigenlassen etc*). ~ **boy** *s* Laufbursche *m*, Botenjunge *m*, Ausläufer *m.* ~ **ca·ble** *s electr.* Aufhänge-, Führungs-, Tragkabel *n.* ~ **dog** *s* Meldehund *m.* ~ **pi·geon** *s* Brieftaube *f.* ~ **wheel** *s tech.* Treibrad *n.*

mess hall *s mar. mil.* Messe *f*, Ka'sino(raum *m*) *n*, Speisesaal *m.*

Mes·si·ah [mi'saiə] *s Bibl.* Mes'sias *m*, Erlöser *m.* **Mes·si·an·ic** [ˌmesi'ænik] *adj* messi'anisch.

mess| jack·et *s mar. mil.* kurze Uni'formjacke. ~ **kit** *s mar. mil. bes. Am.* Koch-, Eßgeschirr *n*, Eßgerät *n.* 'ˌ~ˌ**mate** *s* **1.** *mar. mil.* 'Tisch-, 'Meßgenosse *m*, -kameˌrad *m.* **2.** → **commensal** 2. **3.** *bot.* (*ein*) Euka'lyptusbaum *m.* ~ **pork** *s Am.* gepökeltes Schweinefleisch. 'ˌ~ˌ**room** → **mess hall.**

Messrs. ['mesərz] *s pl* **1.** (*die*) Herren *pl* (*vor mehreren Namen bei Aufzählung*). **2.** *econ.* Firma *f*, *abbr.* Fa.

mess| ser·geant *s mil.* 'Küchenˌunteroffiˌzier *m.* ~ **stew·ard** *s mar. mil.* 'Messeordonˌnanz *f.* 'ˌ~ˌ**tin** *s mar. mil. bes. Br.* Koch-, Eßgeschirr *n.*

mes·suage ['meswidʒ] *s jur.* Wohnhaus *n* (*meist mit dazugehörigen Ländereien*), Anwesen *n.*

'**mess-ˌup** *s colloq.* → **mix-up** 1.

mess·y ['mesi] *adj* **1.** unordentlich, schlampig. **2.** unsauber, schmutzig (*a. fig.*). **3.** *fig.* ‚vertrackt'.

mes·ti·zo [mes'ti:zou] *pl* **-zos** *s* **1.** Me'stize *m.* **2.** *allg.* Mischling *m.*

met [met] *pret u. pp von* **meet.**

met- [met], **meta-** [metə] *Vorsilbe mit den Bedeutungen* a) mit, b) nach, c) höher, d) *med.* hinten, e) *biol. chem.* Meta..., meta..., f) Verwandlung.

met·a·bol·ic [ˌmetə'bɒlik] *adj* **1.** *biol. physiol.* meta'bolisch, Stoffwechsel... **2.** sich verwandelnd. **me·tab·o·lism** [me'tæbəˌlizəm] *s* **1.** *biol.* Metabo'lismus *m* (*a. chem.*), Verwandlung *f*, Formveränderung *f.* **2.** *physiol.*, *a. bot.* Stoffwechsel *m*: **general** ~, **total** ~ Gesamtstoffwechsel; → **basal metabolism. me'tab·oˌlize** [-ˌlaiz] *v/t biol. chem.* 'umwandeln.

ˌ**met·a'car·pal** *anat.* **I** *adj* Mittelhand... **II** *s* Mittelhandknochen *m.* ˌ**met·a'car·pus** *pl* **-pi** *s zo.* **1.** Mittelhand *f.* **2.** Vordermittelfuß *m.*

'**met·aˌcen·ter,** *bes. Br.* '**met·aˌcen·tre** *s* **1.** *mar. phys.* Meta'zentrum *n.* **2.** *mar.* Schwankpunkt *m.*

ˌ**met·a'chem·is·try** *s* **1.** *philos.* meta'physische Che'mie. **2.** *chem.* 'subatoˌmare Che'mie, 'Kerncheˌmie *f.* **3.** *Zweig der Chemie, der sich mit spezifischen Eigenschaften der Atome u. Moleküle befaßt.*

me·tach·ro·nism [me'tækrəˌnizəm] *s* Metachro'nismus *m* (*Zuweisung in e-e spätere Zeit*).

met·a·chro·sis [ˌmetə'krousis] *s* Farbenwechsel *m* (*z. B. beim Chamäleon*).

ˌ**met·a'cy·clic** *adj math. phys.* meta'zyklisch.

met·age ['mi:tidʒ] *s* **1.** amtliches Messen (*des Inhalts od. Gewichts bes. von Kohlen*). **2.** Meß-, Waagegeld *n.*

ˌ**met·a'gen·e·sis** *s biol.* Metage'nese *f* (*Generationswechsel*).

me·ta·grob·o·lize [ˌmetəˌgrɒbəˌlaiz] *v/t humor.* **1.** verwirren. **2.** austüfteln.

met·a·ki·ne·sis [ˌmetəki'ni:sis; -kai-] *s biol.* Metaki'nese *f.*

met·al ['metl] **I** *s* **1.** *chem. min.* Me'tall *n.* **2.** *tech.* a) 'Nichteisenmeˌtall *n*, b) Me'tall-Leˌgierung *f*, *bes.* 'Typen-, Ge'schützmeˌtall *n*, c) 'Gußmeˌtall *n*: **brittle** ~, **red** ~ Rotguß *m*, Tombak *m*; **fine** ~ Weiß-, Feinmetall; **gray** ~ graues Gußeisen; **rolled** ~ Walzblech *n.* **3.** *tech.* a) (Me'tall)König *m*, Regulus *m*, Korn *n*, b) Lech *m*, (Kupfer)Stein *m*: ~ **of lead** Bleistein. **4.** *Bergbau*: Schieferton *m.* **5.** *tech.* (flüssige) Glasmasse. **6.** *mar.* (*Zahl der*) Geschütze *pl.* **7.** *pl Br.* (Eisenbahn)Schienen *pl*, G(e)leise *pl*: **to run off the** ~**s** entgleisen. **8.** *her.* Me'tall *n* (*Gold- u. Silberfarbe*). **9.** *Straßenbau*: Beschotterung *f*, Schotter *m.* **10.** *fig.* Mut *m.* **11.** *fig.* Materi'al *n*, Stoff *m.* **II** *v/t* **12.** mit Me'tall bedecken *od.* versehen. **13.** *rail.*, *Straßenbau*: beschottern. **III** *adj* **14.** Metall..., me'tallen, aus Me'tall (angefertigt). ~ **age** *s* Bronze- u. Eisenzeitalter *n.*

'**met·aˌlan·guage** *s* Metasprache *f.*

met·al| arc *s tech.* Me'tall-Lichtbogen *m*: ~ **welding** Lichtbogenschweißen *n* mit Metallelektrode. '~-ˌ**clad** *adj tech.* **1.** me'tallplatˌtiert. **2.** *bes. electr.* blechgekapselt. '~-ˌ**coat** *v/t* mit Me'tall über'ziehen, metalli'sieren. 'ˌ~ˌ**craft** *s* Me'tallornaˌmentik *f.* ~ **cut·ting** *s tech.* spanabhebende Bearbeitung.

met·aled, *bes. Br.* **met·alled** ['metld] *adj tech.* beschottert, Schotter...

met·a·lep·sis [ˌmetə'lepsis] *s Rhetorik*: Meta'lepsis *f* (*Vertauschung des Vorhergehenden mit dem Nachfolgenden*).

met·al| fa·tigue *s tech.* Me'tallmüdigkeit *f.* ~ **found·er** *s* Me'tallgießer *m.* ~ **ga(u)ge** *s* Blechlehre *f.*

ˌ**met·a·lin'guis·tics** *s pl* (*als sg konstruiert*) *Am.* 'Metalinˌguistik *f* (*Zweig der Linguistik, der die Wechselbeziehung zwischen der Sprache u. den anderen Kultursystemen analysiert*).

met·al·ize, *bes. Br.* **met·al·lize** ['metəˌlaiz] *v/t tech.* metalli'sieren.

met·alled *bes. Br. für* metaled.

me·tal·lic [mi'tælik] *adj* (*adv* ~ ally) **1.** me'tallen, me'tallisch, Metall...: ~ **cover** a) *tech.* Metallüberzug *m*, b) *econ.* Metalldeckung *f*; ~ **currency** *econ.* Metallwährung *f*, Hartgeld *n*. **2.** me'tallisch (glänzend *od.* klingend): ~ **voice**; ~ **beetle** Prachtkäfer *m*. **3.** → metalliferous. **4.** *fig.* kalt u. hart: ~ **woman.** ~ **ox·ide** *s chem.* Me'tallo,xyd *n*. ~ **pa·per** *s tech.* **1.** 'Kreidepa,pier *n* (*auf dem mit Metallstift geschrieben werden kann*). **2.** Me'tallpa,pier *n*. ~ **soap** *s* Me'tallseife *f*.

met·al·lif·er·ous [,metə'lifərəs] *adj* me'tallführend, -reich. **met·al·line** ['metə,lain; -lin] *adj* **1.** me'tallisch. **2.** me'tallhaltig.

met·al·lize *bes. Br. für* metalize.

me·tal·lo·chrome [mi'tælə,kroum] *s tech.* elektro'lytisch erzeugte Me'tall(oberflächen)färbung. **me'tal·lo·,chro·my** *s* Metallochro'mie *f*.

met·al·log·ra·phy [,metə'lɒgrəfi] *s* Metallogra'phie *f*: a) Wissenschaft *f* von den Me'tallen, b) Verzierung *f* von Me'tallen durch Aufdruck, c) Druck *m* mittels Me'tallplatten.

met·al·loid ['metə,lɔid] **I** *adj* metallo'idisch, me'tallartig. **II** *s chem.* Metallo'id *n*, 'Nichtme,tall *n*. **,met·al·'loi·dal** → metalloid I.

me·tal·lo·phone [mi'tælə,foun] *s mus.* Metallo'phon *n*.

met·al·lur·gic [,metə'lɜːrdʒik], **,met·al'lur·gi·cal** [-kəl] *adj* metall'urgisch, Hütten... **met·al·lur·gist** [,metə'lɜːrdʒist; me'tælər-] *s* Metall'urg(e) *m*. **met·al·lur·gy** [,metə'lɜːrdʒi; me'tælər-] *s* Metallur'gie *f*, Hüttenkunde *f*, -wesen *n*.

,met·a'log·ic *s philos.* **1.** Metaphy'sik *f* der Logik. **2.** Pseudo-Logik *f*.

'met·al|,plat·ing *s tech.* (*bes.* E'lektro)Plat,tierung *f*. **'~,ware** *s econ.* Me'tallwaren *pl*. **'~,work·er** *s* Me'tallarbeiter *m*. **'~,work·ing I** *s* Me'tallbearbeitung *f*, -verarbeitung *f*. **II** *adj* me'tallverarbeitend: ~ **industry.**

,met·a,math·e'mat·ics *s pl* (*als sg konstruiert*) 'Metamathema,tik *f*.

met·a·mer ['metəmər] *s chem.* meta'mere Verbindung.

met·a·mere ['metə,mir] *s zo.* (sekun'däres 'Ur)Seg,ment, Folgestück *n*. **,met·a'mer·ic** [-'merik] *adj chem. zo.* meta'mer.

met·a·mor·phic [,metə'mɔːrfik] *adj* **1.** *geol.* meta'morph. **2.** *biol.* gestaltverändernd. **,met·a'mor·phism** *s* **1.** *geol.* Metamor'phismus *m*. **2.** Metamor'phose *f*.

met·a·mor·phose [,metə'mɔːrfouz] **I** *v/t* **1.** (to, into) 'umgestalten (zu), verwandeln (in *acc*). **2.** verzaubern, -wandeln (to, into in *acc*). **3.** metamorphi'sieren, 'umbilden. **II** *v/i* **4.** *zo.* sich verwandeln.

met·a·mor·pho·sis [,metə'mɔːrfəsis; -mɔːr'fou-] *pl* **-ses** [-siːz] *s* Metamor'phose *f* (*a. biol. physiol.*), Ver-, 'Umwandlung *f*. **,met·a·mor'phot·ic** [-mɔːr'fɒtik] *adj* metamor'photisch.

'met·a,phase *s biol.* Meta'phase *f*, zweite Kernteilungsphase.

met·a·phor ['metəfər] *s* Me'tapher *f*, bildlicher Ausdruck. **,met·a'phor·ic** [-'fɒrik] *adj*; **,met·a'phor·i·cal** *adj* (*adv* ~ly) meta'phorisch, bildlich. **'met·a·phor·ist** [-fərist] *s* Meta'phoriker(in).

,met·a'phos·phate *s chem.* meta'phosphorsaures Salz, Metaphos'phat *n*.

'met·a,phrase I *s* Meta'phrase *f*, wörtliche Über'setzung. **II** *v/t* wörtlich über'tragen.

,met·a'phys·i·cal *adj* (*adv* ~ly) **1.** *philos.* meta'physisch. **2.** 'übersinnlich, ab'strakt. **,met·a·phy'si·cian** *s philos.* Meta'physiker *m*. **,met·a'phys·ics** *s pl* (*als sg konstruiert*) *philos.* Metaphy'sik *f*.

met·a·plasm ['metə,plæzəm] *s* **1.** *ling.* Meta'plasmus *m*, 'Wortveränderung *f*, -,umbildung *f*. **2.** *biol.* Meta'plasma *n*. **'met·a,plast** [-,plæst] *s ling.* 'umgebildeter Wortstamm.

,met·a'pol·i·tics *s pl* (*als sg konstruiert*) Metapoli'tik *f*, spekula'tive Poli'tik.

,met·a·psy'chol·o·gy *s* 'Parapsycho-[lo,gie *f*.]

me·tas·ta·sis [mi'tæstəsis] *pl* **-ses** [-,siːz] *s* **1.** *med.* Meta'stase *f*, Tochtergeschwulst *f*. **2.** *biol.* Sub'stanz-, Stoffwechsel *m*. **3.** *geol.* Verwandlung *f* e-r Gesteinsart. **me'tas·ta,size** *v/i med.* metasta'sieren, Tochtergeschwülste bilden.

met·a·tar·sal [,metə'tɑːrsl] *anat.* **I** *adj* metatar'sal, Mittelfuß... **II** *s* Mittelfußknochen *m*. **,met·a'tar·sus** [-səs] *pl* **-si** [-sai] *s anat. zo.* Mittelfuß *m*.

me·tath·e·sis [mi'tæθisis] *pl* **-ses** [-,siːz] *s* Meta'these *f*: a) *ling.* 'Umstellung *f*, Lautversetzung *f*, b) *biol.* Radi'kalaustausch *m*.

,met·a'tho·rax *s* hinterer Brustteil (*der Insekten*).

mé·ta·yage [metɛ'jaːʒ] (*Fr.*) *s agr.* Halbpacht *f*.

met·a·zo·an [,metə'zouən] *zo.* **I** *adj* meta'zoisch, vielzellig. **II** *s* Vielzeller *m*.

mete [miːt] **I** *v/t* **1.** *poet.* (ab-, aus-, 'durch)messen. **2.** *meist* ~ out a. *e-e Strafe* zumessen (to *dat*). **3.** *fig.* ermessen. **II** *s meist pl* **4.** Grenze *f*: to know one's ~s and bounds *fig.* s-e Grenzen kennen, Maß u. Ziel kennen.

met·em·pir·ic [,metem'pirik], **,met·em'pir·i·cal** *adj philos.* transzenden'tal, jenseits der Erfahrung liegend. **,met·em'pir·i,cism** [-,sizəm] *s* **1.** transzenden'taler Idea'lismus. **2.** transzenden'tale Philoso'phie.

me·temp·sy·cho·sis [mi,tempsai'kousis; *a.* ,metemp-] *pl* **-ses** [-siːz] *s* Seelenwanderung *f*, Metempsy'chose *f*.

met·en·ce·phal·ic [,metensi'fælik] *adj anat.* Hinterhirn... **,met·en'ceph·a·,lon** [-'sefə,lɒn] *pl* **-la** [-lə] *s* Meten'zephalon *n*, 'Hinterhirn *n*.

me·te·or ['miːtiər; -tjər] *s astr.* a) Me-te'or *m* (*a. fig.*), b) Stern,schnuppe *f*, c) 'Feuerkugel *f*, -mete,or *m*: ~ **dust** kosmischer Staub; ~ **steel** *tech.* Meteorstahl *m*; ~ **system** Meteorschwarm *m*.

me·te·or·ic [,miːti'ɒrik] *adj* **1.** *astr.* mete'orisch, Meteor...: ~ **iron** Meteoreisen *n*; ~ **shower** Sternschnuppenschwarm *m*. **2.** *fig.* mete'orhaft: a) glänzend: ~ fame, b) rasend, schnell: his ~ rise to power.

me·te·or·ite ['miːtiə,rait] *s astr.* Meteo'rit *m*, Mete'orstein *m*.

me·te·or·o·graph ['miːtiərə,græ(ː)f; *Br. a.* -,grɑːf] *s phys.* Meteoro'graph *m*. **,me·te·or·o'graph·ic** [-'græfik] *adj* meteoro'graphisch.

me·te·or·o·log·ic [,miːtiərə'lɒdʒik] *adj* (*adv* ~ally) → meteorological: ~ **message** *mil.* Barbarameldung *f*. **,me·te·or·o'log·i·cal** [-kəl] *adj* (*adv* ~ly) *phys.* meteoro'logisch, Wetter..., Luft...: ~ **conditions** Witterungsverhältnisse; ~ **observation** Wetterbeobachtung *f*; ~ **office** Wetteramt *n*, -warte *f*.

me·te·or·ol·o·gist [,miːtiə'rɒlədʒist] *s phys.* Meteoro'loge *m*. **,me·te·or'ol·o·gy** [-dʒi] *s phys.* **1.** ,Meteorolo'gie *f*, Wetterkunde *f*. **2.** meteoro'logische Verhältnisse *pl* (*e-r Gegend*).

me·ter¹, *bes. Br.* **me·tre** ['miːtər] *s* **1.** Meter *n* (*Maß*). **2.** *metr.* Metrum *n*, Versmaß *n*. **3.** *mus.* a) Zeit-, Taktmaß *n*, b) Peri'odik *f*.

me·ter² ['miːtər] **I** *s* **1.** (*meist in Zssgn*) j-d, der mißt, Messende(r *m*) *f*. **2.** *tech.* Messer *m*, 'Meßinstru,ment *n*, Zähler *m*: **electricity** ~ elektrischer Strommesser *od.* Zähler; **gas** ~ Gasuhr *f*; ~ **board** Zählertafel *f*; ~ **candle** *phys.* Meterkerze *f*, Lux *n*. **3.** *mail Am.* a) Freistempler *m*, b) *a.* ~ **impression** Poststempel(aufdruck) *m*. **II** *v/t* **4.** (*mit e-m Meßinstrument*) messen: to ~ out abgeben, dosieren; ~**ing pump** *tech.* Meßpumpe *f*; ~**ed** *mail. Am.* durch (e-n) Freistempler freigemacht.

'me·ter-'kil·o·gram-'sec·ond sys·tem *s* 'Meter-Kilo'gramm-Se'kunden-Sy,stem *n*.

meth·ac·ry·late [me'θækri,leit] *s chem.* Methacry'lat *n*. ~ **res·in,** *a.* ~ **plas·tic** *s chem.* Metha'crylharz *n* (*Kunststoff*).

met·hae·mo·glo·bin → methemoglobin.

meth·ane ['meθein] *s chem.* Me'than *n*, Sumpf-, Grubengas *n*.

meth·a·nol ['meθə,nɒl; -,noul] *s chem.* Metha'nol *n*.

met·he·mo·glo·bin [met,hiːmo'gloubin] *s biol.* Methämoglo'bin *n*.

meth·ene ['meθiːn] *s chem.* Methy'len *n*.

me·thinks [mi'θiŋks] *pret* **me'thought** [-'θɔːt] *v/impers poet* mich dünkt.

meth·od ['meθəd] *s* **1.** Me'thode *f* (*a. math.*), Verfahren *n* (*a. chem. tech.*): ~ **of doing s.th.** Art *f* u. Weise *f*, etwas zu tun; **by a** ~ nach e-r Methode; ~ **of measuring** Meßverfahren *n*; **business** ~**s** Geschäftsmethoden; **differential** ~ *math.* Differentialmethode; ~ **of compensation** *math.* Ausgleichungsrechnung *f*. **2.** 'Lehrme,thode *f*. **3.** Sy'stem *n*. **4.** *philos.* (logische) 'Denkme,thode. **5.** Me'thode *f*, Planmäßigkeit *f*: **to work with** ~ methodisch arbeiten; **there is** ~ **in his madness** was er tut, ist nicht so verrückt, wie es aussieht; **there is** ~ **in all this** da ist System drin.

me·thod·ic [mi'θɒdik] *adj*; **me'thod·i·cal** *adj* (*adv* ~ly) **1.** me'thodisch, planmäßig, syste'matisch. **2.** über'legt.

meth·od·ism ['meθə,dizəm] *s* **1.** me'thodisches Verfahren. **2.** M~ *relig.* Metho'dismus *m*. **'meth·od·ist I** *s* **1.** Me'thodiker(in). **2.** M~ *relig.* Metho'dist(in). **3.** *fig. contp.* Frömmler(in), Mucker(in). **II** *adj* **4.** M~ metho'distisch, Methodisten... **,meth·od'is·tic** *adj* **1.** streng me'thodisch. **2.** *oft* M~ → methodist 4.

meth·od·ize ['meθə,daiz] *v/t* me'thodisch ordnen.

meth·od·less ['meθədlis] *adj* plan-, sy'stemlos.

meth·od·ol·o·gy [,meθə'dɒlədʒi] *s* Me'thodenlehre *f*, Methodolo'gie *f*.

me·thought [mi'θɔːt] *pret von* methinks.

Me·thu·se·lah [mi'θjuːzələ; -'θuː-] *npr Bibl.* Me'thusalem *m*: **as old as** ~.

meth·yl ['meθil] *s chem.* Me'thyl *n*: ~ **alcohol** Methylalkohol *m*; ~ **blue** Methylblau *n*. **'meth·yl,ate** [-,leit] *chem.* **I** *v/t* **1.** methy'lieren. **2.** denatu'rieren: ~**d spirit** denaturierter *od.* vergällter Spiritus. **II** *s* **3.** Methy'lat *n*.

meth·yl·ene ['meθi,liːn] *s chem.* Methy'len *n*: ~ **blue** Methylenblau *n*.

me·thyl·ic [mi'θilik] *adj chem.* Methyl...
me·tic·u·los·i·ty [mi,tikju'lɒsiti] *s* peinliche Genauigkeit. **me'tic·u·lous** *adj* (*adv* ~ly) peinlich genau, 'übergenau.
mé·tier [me'tje; 'metjei] *s* **1.** Gewerbe *n*, Handwerk *n*. **2.** *fig.* (Spezi'al)Gebiet *n*, Me'tier *n*.
me·tis ['mi:tis] *s* Mischling *m*, Me'stize *m*, *bes. Canad.* Abkömmling *m* von Fran'zosen u. Indi'anern.
met·o·nym ['metənim] *s Rhetorik*: Meto'nym *n*. **me·ton·y·my** [mi'tɒnimi] *s* Metony'mie *f* (*Begriffsvertauschung, z. B.* Heaven *für* God).
met·o·pe ['metə,pi(:); 'metoup] *s arch.* Me'tope *f*, Zwischenfeld *n*. **me·top·ic** [mi'tɒpik] *adj anat.* me'topisch, Stirn...
met·o·pos·co·py [,metə'pɒskəpi] *s* Metoposko'pie *f* (*Charakterlesekunst aus den Gesichtszügen*).
me·tre *bes. Br. für* meter[1].
met·ric ['metrik] **I** *adj* (*adv* ~ally) **1.** metrisch, Maß...: ~ **method of analysis** *chem.* Maßanalyse *f*. **2.** metrisch, Meter...: ~ **system** Dezimalsystem *n*; → **hundredweight** c, **ton**[1] 1 c. **3.** → **metrical** 2. **II** *s pl* (*als sg konstruiert*) **4.** Metrik *f*, Verslehre *f*. **5.** *mus.* Rhythmik *f*, Taktlehre *f*.
'met·ri·cal *adj* (*adv* ~ly) **1.** → **metric** 1 *u.* 2. **2.** a) metrisch, nach Verssilbenmaß gemessen, b) rhythmisch.
me·trol·o·gy [mi'trɒlədʒi] *s* Metrolo'gie *f*, Maß- u. Gewichtskunde *f*.
met·ro·nome ['metrə,noum] *s mus.* Metro'nom *n*, Taktmesser *m*. **,met·ro'nom·ic** [-'nɒmik] *adj* **1.** metro'nomisch: ~ **mark** Metronombezeichnung *f*, Taktvorschrift *f*. **2.** *fig.* mono'ton, regelmäßig.
me·tro·nym·ic [,mi:trə'nimik] *ling.* **I** *adj* matro'nymisch, Mutter... **II** *s* Matro'nymikum *n*, Muttername *m*.
me·trop·o·lis [mi'trɒpəlis] *s* **1.** Metro'pole *f*, Hauptstadt *f*: **the M**~ *Br.* London *n*. **2.** Großstadt *f*. **3.** Hauptzentrum *n*. **4.** *relig.* Sitz *m* e-s Metropo'liten *od.* Erzbischofs. **5.** *zo.* Hauptfundort *m*. **met·ro·pol·i·tan** [,metrə'pɒlitən] **I** *adj* **1.** hauptstädtisch. **2.** *relig.* Metropolitan..., erzbischöflich. **3.** Mutterstadt..., -land... **II** *s* **4.** *relig.* Metropo'lit *m*: a) *führender Geistlicher in der Ostkirche*, b) *R.C.* (*e-r Kirchenprovinz vorstehender*) Erzbischof *m*. **5.** Bewohner(in) der Hauptstadt, Großstädter(in).
met·tle ['metl] *s* **1.** Na'turanlage *f*. **2.** Eifer *m*, Enthusi'asmus *m*, Mut *m*, Feuer *n*: **a man of** ~ ein Mann von echtem Schrot u. Korn; **a horse of** ~ ein feuriges Pferd; **to be on one's** ~ zeigen wollen, was man kann; vor Eifer brennen; **to put s.o. on his** ~ j-n zur Aufbietung aller s-r Kräfte anspornen; **to try s.o.'s** ~ j-n auf die Probe stellen. **'met·tled, 'met·tle·some** [-səm] *adj* feurig, mutig.
mew[1] [mju:] *s orn.* Seemöwe *f*.
mew[2] [mju:] → **meow**.
mew[3] [mju:] **I** *v/t obs.* **1.** *zo. das Geweih, die Haare etc* verlieren: **the bird** ~**s its feathers** der Vogel mausert sich. **2.** *meist* ~ **up** einsperren. **II** *v/i zo. obs.* **3.** sich mausern, federn, haaren. **III** *s* **4.** Mauserkäfig *m* (*bes. für Falken*). **5.** *pl* (*als sg konstruiert*) a) Stall *m*: **the Royal M**~**s** der Königliche Marstall (*in London*), b) Stallungen *pl* mit Re'misen.
mewl [mju:l] *v/i* **1.** quäken, schreien (*Kind*). **2.** mi'auen.
Mex·i·can ['meksikən] **I** *adj* **1.** mexi'kanisch. **II** *s* **2.** Mexi'kaner(in). **3.** Az'teke *m*. **4.** *ling.* die Na'huatlsprache. **5.** → **Mexican dollar**. ~ **dollar** *s* mexi'kanischer Dollar.
mez·za·nine ['mezə,ni:n; -nin] *s arch.* **1.** Mezza'nin *n*, Entre'sol *n*, Zwischenstock *m*. **2.** *thea.* Raum *m od.* Boden *m* unter der Bühne.
mez·zo ['medzou; 'met-] **I** *adj* **1.** *mus.* mezzo, mittel, halb: ~ **forte** halbstark. **II** *s* **2.** → **mezzo-soprano**. **3.** → **mezzotint** I. **,~-re'lie·vo, ,~-ri'lie·vo** *s Bildhauerei*: 'Halbreli,ef *n*. **'~-so'pra·no** *s mus.* 'Mezzoso,pran *m*. **'~,tint I** *s Kupferstecherei*: a) Mezzo'tinto *n*, Schabkunst *f*, b) Schabkunstblatt *n*: ~ **engraving** Stechkunst *f* in Mezzotintmanier. **II** *v/t* in Mezzo'tint gra'vieren.
mho [mou] *s electr.* Siemens *n* (*Einheit der Leitfähigkeit*). **mho·me·ter** ['mou,mi:tər] *s* (*direktanzeigender*) Leitwertmesser.
mi [mi:] *s mus.* mi *n* (*Solmisationssilbe*).
mi·aow [mi'au; mjau] → **meow**.
mi·asm ['maiæzəm], **mi'as·ma** [-'æzmə] *pl* **-ma·ta** [-mətə] *s med.* Mi'asma *n*, Krankheits-, Ansteckungsstoff *m*. **mi'as·mal, ,mi·as'mat·ic** [-'mætik] *adj* **1.** mias'matisch, ansteckend. **2.** Miasma...
mi·aul [mi'aul; mjaul] *v/i* mi'auen.
mi·ca ['maikə] *min.* **I** *s* **1.** Glimmer(erde *f*) *m*: **argentine** ~ Silberglimmer, Katzensilber *n*; **yellow** ~ Goldglimmer, Katzengold *n*. **2.** Fraueneis *n*, Ma'rienglas *n*. **II** *adj* **3.** Glimmer...: ~ **capacitor** *electr.* Glimmerkondensator *m*; ~ **schist**, ~ **slate** Glimmerschiefer *m*; ~ **sheet** Glimmerblatt *n*. **mi'ca·ce·ous** [-'keiʃəs; -ʃiəs] *adj* Glimmer...: ~ **iron ore** Eisenglimmer *m*.
Mi·cah ['maikə] *npr u. s Bibl.* (das Buch) Micha *m od.* Mi'chäas.
Mi·caw·ber·ism [mi'kɔ:bə,rizəm] *s* kindlicher Opti'mismus (, daß alles von allein wieder gut wird) (*nach Mr. Wilkins Micawber in „David Copperfield" von Dickens.*). **Mi'caw·ber·ist** *s* unentwegter Opti'mist.
mice [mais] *pl von* **mouse**.
Mich·ael·mas ['miklməs] *s bes. Br.* Michaelstag *m*, Micha'elis *n* (*29. September*). ~ **Day** *s* **1.** → **Michaelmas**. **2.** *e-r der vier brit. Quartalstage*. ~ **term** *s univ. Br.* 'Herbstse,mester *n*.
Mick [mik] **I** *npr* Michel *m* (*Koseform von* Michael). **II** *s* m~ *sl.* Ire *m*.
Mick·ey ['miki] *s Am. sl.* **1.** *aer.* Flugzeug-Bordradar(gerät *n*) *m*: ~ **navigator**, ~ **pilot** Orter *m*. **2.** → **Mickey Finn**. ~ **Finn** [fin] *s Am. sl.* Betäubungstrunk *m*, -pille *f*.
mick·le ['mikl] *s obs. od. dial.* Menge *f*: **many a little** (*od.* **pickle**) **makes a** ~ viele Wenig machen ein Viel.
Mick·y ['miki] → **Mick**.
mi·cra ['maikrə] *pl von* **micron**.
micro- [maikro] *Wortelement mit den Bedeutungen* a) Mikro..., (sehr) klein, b) (*bei Maßbezeichnungen*) ein Millionstel, c) mikroskopisch.
mi·cro·am·me·ter [,maikro'æmitər] *s electr.* 'Mikro,ampere,meter *n*.
mi·crobe ['maikroub] *s biol.* Mi'krobe *f*. **mi'cro·bi·al, mi'cro·bi·an, mi'cro·bic** *adj* mi'krobisch, Mikroben... **mi'cro·bi,cid·al** [-bi,saidl] *adj* mi'krobentötend, antibi'otisch. **mi'cro·bi,cide** *s* Antibi'otikum *n*. **,mi·cro·bi'ol·o·gy** *s* 'Mikrobiolo,gie *f*. **,mi·cro·bi'o·sis** [-bai'ousis] *s med.* Mikrobi'ose *f*, Mi'krobeninfekti,on *f*.
'mi·cro,card *s phot. tech.* Mikrokarte *f* (*photographierte Buchseiten auf e-r Karte im Bibliotheksformat*).
mi·cro·ce·phal·ic [,maikrosi'fælik] *adj med.* mikroze'phal, kleinköpfig. **,mi·cro'ceph·a,lism** [-'sefə,lizəm] *s* Kleinköpfigkeit *f*. **,mi·cro'ceph·a·lous** → **microcephalic**.
,mi·cro'chem·i·cal *adj chem.* mikro'chemisch. **,mi·cro'chem·is·try** *s* Mikroche'mie *f*.
mi·cro·coc·cal [,maikro'kɒkəl] *adj biol.* Mikrokokken... **,mi·cro'coc·cus** [-'kɒkəs] *pl* **-ci** [-'kɒksai] *s* Mikro'kokkus *m*, 'Kugelbak,terie *f*.
'mi·cro,cop·y *s* Mikroko'pie *f*.
mi·cro·cosm ['maikro,kɒzəm] *s* Mikro'kosmos *m*: a) *philos.* (*a.* Mensch *m* als) Welt *f* im kleinen, b) kleine Gemeinschaft, c) kleine Darstellung. **,mi·cro'cos·mic** *adj* mikro'kosmisch: ~ **salt** *chem.* mikrokosmisches Salz, Phosphorsalz *n*. **,mi·cro·cos'mog·ra·phy** *s philos.* Beschreibung *f* des Menschen (*als Welt im kleinen*).
mi·cro·cyte ['maikro,sait] *s med.* Mikro'zyt *m*.
mi·cro·de'tec·tor *s* **1.** *tech.* Mikrode'tektor *m*. **2.** *electr.* hochempfindliches Galvano'meter.
,mi·cro'far·ad *s electr.* Mikrofa'rad *n*.
'mi·cro,film *phot.* **I** *s* Mikrofilm *m*. **II** *v/t* mikrofilmen.
'mi·cro,gram, *bes. Br.* **'mi·cro,gram·me** *s phys.* Mikrogramm *n* (*ein millionstel Gramm*).
'mi·cro,graph *s* **1.** *tech.* (*Art*) Storchschnabel *m* (*Instrument zum Zeichnen*). **2.** mikro'graphische Darstellung. **3.** *phys.* Mikro'graph *m* (*selbstregistrierendes Meßinstrument für kleinste Bewegungen*).
'mi·cro,groove *s tech.* **1.** Mikrorille *f* (*e-r Schallplatte*). **2.** Schallplatte *f* mit Mikrorillen.
'mi·cro,inch *s* ein milli'onstel Zoll.
,mi·cro'log·i·cal *adj* **1.** mikro'logisch. **2.** pe'dantisch, kleinlich. **mi·crol·o·gy** [mai'krɒlədʒi] *s* **1.** Mikrolo'gie *f*. **2.** *fig.* ,Kleinigkeitskräme'rei *f*, ,Haarspalte'rei *f*.
mi·crom·e·ter [mai'krɒmitər] *s* **1.** *phys.* Mikro'meter *n* (*ein millionstel Meter*): ~ **adjustment** *tech.* Feinsteinstellung *f*. **2.** *opt.* Oku'lar-Mikro,meter *n*. **3.** *a.* ~ **caliper** Mikro'meter *n*, Feinmeßschraube *f*, Schraublehre *f*. ~ **screw** *s phys.* **1.** → **micrometer** 3. **2.** (Meß-, Schraub)Spindel *f*, Meßschraube *f* (*e-r Schraublehre*).
,mi·cro'met·ric, ,mi·cro'met·ri·cal *adj phys.* mikro'metrisch.
,mi·cro,mi·cro'far·ad *s electr.* Picofa'rad *n* (= 10^{-12} *Farad*).
,mi·cro'mil·li,me·ter, *bes. Br.* **,mi·cro'mil·li,me·tre** *s* Mikromilli'meter *n* (*ein millionstel Millimeter*).
mi·cron ['maikrɒn] *pl* **-crons, -cra** [-krə] *s chem. phys.* Mikron *n* (*ein tausendstel Millimeter*).
,mi·cro·or'gan·ic *adj biol.* mikroor'ganisch. **,mi·cro'or·gan,ism** *s* Mikroorga'nismus *m*.
mi·cro·phone ['maikrə,foun] *s electr. phys.* **1.** Mikro'phon *n*: **at the** ~ am Mikrophon; ~ **key** Mikrophon-, Sprechtaste *f*. **2.** *teleph.* Sprechkapsel *f*. **3.** *colloq.* Radio *n*: **through the** ~ durch den Rundfunk. **,mi·cro'phon·ics** [-'fɒniks] *s pl* **1.** (*als sg konstruiert*) *phys.* Mikropho'nie *f* (*Lehre von der Verstärkung schwacher Töne*). **2.** (*als pl konstruiert*) *electr.* Mikro'phonef,fekt *m*, a'kustische Rückkopplung.
,mi·cro'pho·to,graph *s* Mikrophoto-

'gramm *n.* **ˌmi·cro·pho'tog·ra·phy** *s* ˌMikrophotogra'phie *f.*

mi·cro·phyte ['maikroˌfait] *s* Mikro'phyte *f*, pflanzliche Mi'krobe.

'mi·croˌprint *s* Mikrodruck *m.*

mi·cro·scope ['maikrəˌskoup] *phys.* **I** *s* Mikro'skop *n*: **compound ~** Verbundmikroskop; **reflecting ~** Spiegelmikroskop; **~ stage** Objektivtisch *m.* **II** *v/t* mikro'skopisch unter'suchen. **ˌmi·cro'scop·ic** [-'skɒpik] *adj*; **ˌmi·cro'scop·i·cal** *adj* (*adv* **~ly**) **1.** mikro'skopisch: **~ examination**; **~ slide** Objektträger *m.* **2.** (peinlich) genau, ins kleinste gehend. **3.** mikro'skopisch klein, verschwindend klein. **mi'cros·co·py** [-'krɒskəpi] *s* Mikrosko'pie *f.*

'mi·croˌsec·ond *s* 'Mikroseˌkunde *f.*

'mi·croˌseism *s phys.* leichtes Erdbeben.

mi·cro·some ['maikrəˌsoum] *s biol.* Mikro'som *n*, feinstes Körnchen.

ˌmi·cro·spo'ran·gi·um *s bot.* Mikrospo'rangium *n*, Pollensack *m.* **'mi·croˌspore** *s bot.* Mikro'spore *f.* **ˌmi·cro'spo·ro·phyll** *s bot.* Mikrosporo'phyll *n*, männliches Sporo'phyll.

ˌmi·cro'tel·eˌphone *s* Mikrotele'phon *n*, Sprechhörer *m.*

mi·cro·tome ['maikrəˌtoum] *s phys.* Mikro'tom *n* (*Vorrichtung zum Schneiden sehr dünner mikroskopischer Präparate*). **mi'crot·o·my** [-'krɒtəmi] *s phys.* Mikroto'mie *f.*

'mi·croˌtone *s mus.* 'Klein-Interˌvall *n.*

'mi·croˌvolt *s phys.* Mikrovolt *n.*

'mi·croˌwave *s electr.* Mikro-, Dezi'meterwelle *f*: **~ engineering** Höchstfrequenztechnik *f.*

mi·cro·zo·a [ˌmaikro'zouə] *s pl zo.* Mikro'zoen *pl*, mikro'skopisch kleine Tierchen *pl*, Urtiere *pl.*

mic·tu·rate ['miktʃəˌreit; *Br. a.* -tju-] *v/i med.* harnen, uri'nieren. **ˌmic·tu'ri·tion** [-'riʃən] *s* **1.** Harndrang *m.* **2.** Harnen *n.*

mid[1] [mid] *adj* **1.** *attr od. in Zssgn* mittler(er, e, es), Mittel...: **in ~-air** freischwebend, (mitten) in der Luft, über dem Boden; **~-field play** *sport* Spiel *n* im Mittelfeld; **in the ~ 16th century** in der Mitte des 16. Jhs.; **in ~-ocean** auf offener See. **2.** *ling.* halb(offen) (*Vokal*).

mid[2] [mid] *prep meist poet.* in'mitten von (*od. gen*).

Mi·das ['maidæs] **I** *npr antiq.* Midas *m*: **he has the ~ touch** *fig.* er hat e-e glückliche Hand (im Geldverdienen). **II** *s* **m~** *zo.* Midasfliege *f.*

'mid|ˌbrain *s anat.* Mittelhirn *n.* **'~ˌday I** *s* Mittag *m.* **II** *adj* mittägig, Mittag(s)...: **~ meal** Mittagessen *n.*

mid·den ['midn] *s* **1.** *obs. od. dial.* Misthaufen *m*, Müllgrube *f.* **2.** (*vorgeschichtlicher*) Kehrichthaufen.

mid·dle ['midl] **I** *adj* **1.** (*a. zeitlich u. fig.*) mittler(er, e, es), Mittel...: **~ finger**; **~ rail**; **~ size**; **~ C** *mus.* eingestrichenes C; **~ life** mittleres Lebensalter; **~ management** *econ.* mittlere Führungsschicht; **~ quality** *econ.* Mittelqualität *f*; **in the ~ fifties** Mitte der Fünfziger(jahre). **2.** *ling.* a) Mittel...: **M~ Latin** Mittellatein *n*, b) medi'al. **II** *s* **3.** Mitte *f*: **in the ~** in der *od.* die Mitte; **in the ~ of** in der Mitte (*gen*), mitten in (*dat*), inmitten (*gen*); **in the ~ of speaking** mitten im Sprechen; **in the ~ of July** Mitte Juli; **caught in the ~** *fig.* in der Patsche, 'reingefallen. **4.** Mittelweg *m.* **5.** mittlerer Teil, Mittelstück *n* (*a. e-s Schlachttieres*). **6.** Mittelsmann *m.* **7.** Mitte *f* (*des Leibes*), Taille *f*, Gürtel *m.* **8.** *ling.* Medium *n* (*griechische Verbalform*). **9.** *Logik*: Mittelglied *n* (*e-s Schlusses*). **10.** *sport* Flanke(nball *m*) *f.* **11.** *a.* **~ article** *Br.* Feuille'ton *n.* **12.** *pl econ.* Mittelsorte *f.* **III** *v/t* **13.** in die Mitte pla'cieren, *bes.* (*Fußball*) zur Mitte flanken.

mid·dle| age *s* **1.** mittleres Alter. **2. the M~ A~s** *pl* das Mittelalter. **'M~-'Age** *adj* mittelalterlich. **'~-'aged** *adj* mittleren Alters. **M~ At·lan·tic States** *s pl Am.* (*Sammelname für die Staaten*) New York, New Jersey u. Pennsyl'vania. **'~-'brack·et** *adj* zur mittleren Einkommensstufe gehörend: **a ~ income** ein mittleres Einkommen. **'~ˌbrow I** *adj* von 'durchschnittlichen geistigen Inter'essen. **II** *s* geistiger ‚Nor'malverbraucher'. **'~-'class** *adj* zum Mittelstand gehörig, Mittelstands... **~ class·es** *s pl* Mittelstand *m.* **~ course** *s* Mittelweg *m.* **~ deck** *s mar.* Mitteldeck *n.* **~ dis·tance** *s* **1.** *paint. phot.* Mittelgrund *m.* **2.** *sport* Mittelstrecke *f*, mittlere Di'stanz (*800—1500 m*): **~ runner** Mittelstreckenläufer *m.* **~ ear** *s anat.* Mittelohr *n.* **'~-ˌearth** *s obs.* Erde *f* (*als zwischen Himmel u. Hölle liegend betrachtet*). **M~ East** *s geogr.* **1.** (*der*) Mittlere Osten. **2.** *Br.* (*der*) Nahe Osten. **M~ Em·pire** → **Middle Kingdom** 1. **M~ Eng·lish** *s ling.* Mittelenglisch *n.* **M~ Greek** *s ling.* die griechische Sprache des Mittelalters. **~ ground** *s* **1.** → **middle distance** 1. **2.** *mar.* seichte Stelle. **3.** *fig.* mittlerer *od.* neu'traler Standpunkt. **M~ High Ger·man** *s ling.* Mittelhochdeutsch *n.* **M~ King·dom** *s* **1.** *antiq.* mittleres Königreich Ä'gypten (*etwa 2400 bis 1580 v. Chr.*). **2.** *hist.* Reich *n* der Mitte (*China*). **'~ˌman** [-ˌmæn] *s irr* **1.** Mittelsmann *m.* **2.** *econ.* a) Makler *m*, Zwischenhändler *m*, b) A'gent *m*, Vertreter *m.* **3.** *Br.* Feuilleto'nist *m.* **'~ˌmost** [-ˌmoust] *adj* ganz in der Mitte (liegend *etc*). **~ name** *s* **1.** zweiter Vorname. **2.** *fig. colloq.* her'vorstechende Eigenschaft: **inertia is his ~** er ist ein Faulpelz von Geburt. **'~-of-the-'road** *adj* mittler(er, e, es), gemäßigt, neu'tral: **~ policy**.

'mid·dle|-ˌrate *adj* mittelmäßig. **~ rhyme** *s* Binnenreim *m.* **'~-'sized** *adj* (von) mittlerer Größe. **M~ States** *s pl Am.* (*Sammelname für die Staaten*) New York, New Jersey, Pennsyl'vania, Delaware u. (*manchmal*) Maryland. **~ term** → **middle** 9. **~ watch** *s mar.* Mittelwache *f* (*zwischen Mitternacht u. 4 Uhr morgens*). **'~ˌweight** *s sport* Mittelgewicht(ler *m*) *n.* **M~ West** *s Am. u. Canad.* Mittelwesten *m*, (*der*) mittlere Westen.

mid·dling ['midliŋ] **I** *adj* **1.** von mittlerer Größe *od.* Güte *od.* Sorte, mittelmäßig (*a. contp.*), Mittel...: **fair to ~** ziemlich gut bis mittelmäßig; **~ quality** Mittelqualität *f.* **2.** *colloq.* leidlich, ‚mittelmäßig' (*Gesundheit*). **3.** *colloq.* ziemlich groß. **II** *adv colloq.* **4.** (*a.* **~ly**) leidlich, ziemlich, erträglich: **~ good** leidlich gut; **~ large** mittelgroß. **5.** ziemlich *od.* ganz gut. **III** *s* **6.** *meist pl econ.* Ware *f* mittlerer Güte, Mittelsorte *f.* **7.** *pl* a) Mittelmehl *n*, b) (*mit Kleie etc vermischtes*) Futtermehl. **8.** *pl metall.* 'Zwischenproˌdukt *n.*

mid·dy ['midi] *s* **1.** *colloq. für* **midshipman**. **2.** → **middy blouse**. **~ blouse** *s* Ma'trosenbluse *f.*

'midˌen·gined *adj* Mittelmotor...

midge [midʒ] *s* **1.** *zo.* kleine Mücke. **2.** → **midget** 1.

midg·et ['midʒit] **I** *s* **1.** Zwerg *m*, Knirps *m.* **2.** (*etwas*) Winziges. **II** *adj* **3.** Zwerg..., Miniatur..., Kleinst...: **~ car** *mot.* Klein(st)wagen *m*; **~ golf** Minigolf *n*; **~ race** Kleinwagenrennen *n*; **~ railway** Liliputbahn *f*; **~ submarine** *mar.* Kleinst-U-Boot *n.*

'mid|ˌi·ron [-ˌaiərn] *s Golf*: *ein leichter Eisenschläger.* **'~·land** [-lənd] **I** *s* **1.** *meist pl* Mittelland *n.* **2. the M~s** *pl* Mittelengland *n.* **II** *adj* **3.** binnenländisch. **4. M~** *geogr.* mittelenglisch. **'~ˌline** *s math.* Mittellinie *f*, Ort *m* der Mittelpunkte, Medi'ane *f.* **'~ˌmost** [-ˌmoust] **I** *adj* **1.** ganz *od.* genau in der Mitte (liegend *etc*). **2.** innerst(er, e, es). **II** *adv* **3.** (ganz) im Innern *od.* in der Mitte.

'midˌnight I *s* Mitternacht *f*: **at ~** um Mitternacht. **II** *adj* mitternächtig, Mitternachts...: **to burn the ~ oil** bis spät in die Nacht arbeiten *od.* aufbleiben. **~ ap·point·ment** *s pol. Am.* Anstellung *f od.* Ernennung *f* von Be'amten in der letzten Mi'nute (*vor dem Ablauf der Amtsperiode e-r Regierung*). **~ blue** *s* Mitternachtsblau *n* (*Farbe*). **~ sun** *s* **1.** Mitternachtssonne *f.* **2.** *mar.* Nordersonne *f.*

'mid|'noon *s* Mittag *m.* **'~-ˌoff** *s* (**'~-ˌon** *s*) (*Kricket*) **1.** links (rechts) vom Werfer po'stierter Spieler. **2.** links (rechts) vom Werfer liegende Seite des Spielfelds. **'~ˌpoint** *s math.* Mittelpunkt *m* (*e-r Linie*), Hal'bierungspunkt *m.*

'mid|ˌrib *s bot.* Mittelrippe *f* (*e-s Blatts*). **'~ˌriff** *s* **1.** *anat.* Zwerchfell *n.* **2.** *Am.* a) Mittelteil *m* (*e-s Damenkleids*), b) zweiteilige Kleidung (*welche die Taille freiläßt*), c) Obertaille *f*, d) Magengrube *f*: **a blow in the ~**. **'~ˌship** *mar.* **I** *s* Mitte *f* des Schiffs. **II** *adj* Mittschiffs...: **~ section** Hauptspant *m.* **'~ˌship·man** [-mən] *s irr mar.* **1.** *Br.* Leutnant *m* zur See. **2.** *Am.* Oberfähnrich *m.* **'~ˌships** *adv mar.* mittschiffs.

midst [midst] **I** *s* (*das*) Mittelste, Mitte *f* (*nur mit prep*): **from the ~** aus der Mitte; **in the ~ of** inmitten (*gen*), mitten unter (*dat*); **in their (our) ~** mitten unter ihnen (uns); **from our ~** aus unserer Mitte. **II** *adv selten* in der Mitte. **III** *prep obs. od. poet.* für **amidst**.

'midˌstream *s* Strommitte *f.*

mid·sum·mer I *s* ['mid'sʌmər] **1.** Mitte *f* des Sommers, Hochsommer *m.* **2.** *astr.* Sommersonnenwende *f* (*21. Juni*): **"A M~ Night's Dream"** „Ein Sommernachtstraum" (*Lustspiel von Shakespeare*). **II** *adj* ['midˌsʌmər] **3.** hochsommerlich, Hochsommer..., im Hochsommer. **M~ Day** *s* **1.** Jo'hannistag *m* (*24. Juni*). **2.** *e-r der 4 brit. Quartalstage.* **~ mad·ness** *s* Wahnsinn *m*, Verrücktheit *f.*

'Mid|-Vic'to·ri·an I *adj* die Mitte der viktori'anischen E'poche (*Regierungszeit der Königin Victoria 1837—1901*) betreffend *od.* kennzeichnend: **~ ideas**; **~ writers**. **II** *s* (*a. typischer*) *Zeitgenosse der Mitte der viktorianischen Epoche.* **'m~ˌway I** *s* **1.** Mitte *f od.* Hälfte *f* des Weges. **2.** *Am.* Haupt-, Mittelstraße *f* (*auf Ausstellungen etc*). **II** *adj* **3.** mittler(er, e, es). **III** *adv* ['mid'wei] **4.** *a. fig.* auf halbem Wege (**between** zwischen *dat*). **'m~ˌweek I** *s* Mitte *f* der Woche. **II** *adj* (in der) Mitte der Woche stattfindend. **ˌm~'week·ly I** *adj* **1.** → **midweek** II. **2.** in der Mitte jeder Woche stattfindend. **II** *adv* **3.** in der Mitte der *od.* jeder Woche. **ˈ~ˈwest** *Am.* **I** *s* → **Middle West. II** *adj* den Mittelwesten betreffend. **ˌ~ˈwest·ern·er** *s Am.* Bewohner(in) des Mittelwestens.

mid·wife [ˈmidˌwaif] **I** *s irr* **1.** Hebamme *f*, Geburtshelferin *f* (*a. fig.*). **II** *v/i* **2.** Hebammendienste leisten. **III** *v/t* **3.** entbinden. **4.** *fig.* ins Leben rufen helfen. **mid·wife·ry** [*Br.* ˈmidwifəri; *Am.* -ˌwaif-] *s* **1.** Geburtshilfe *f*, Hebammendienst *m.* **2.** *fig.* Bei-, Mithilfe *f.* **ˈmidˌwife toad** *s zo.* Geburtshelferkröte *f.*

ˈmid|ˌwing mon·o·plane *s aer.* Mitteldecker *m.* **ˈ~ˈwin·ter** *s* **1.** Mitte *f* des Winters. **2.** *astr.* Wintersonnenwende *f.* **ˈ~ˌyear I** *adj* **1.** in der Mitte des Jahres vorkommend, in der Jahresmitte: ~ **settlement** *econ.* Halbjahresabrechnung *f.* **II** *s* **2.** Jahresmitte *f.* **3.** *Am. colloq.* a) um die Jahresmitte stattfindende Prüfung, b) *pl* Prüfungszeit *f* (um die Jahresmitte).

mien [miːn] *s* a) Miene *f*, (Gesichts-)Ausdruck *m*, b) Gebaren *n*, Haltung *f*, c) Aussehen *n*: **a man of haughty ~** ein Mann mit hochmütigem Auftreten; **noble ~** vornehme Haltung.

miff [mif] *colloq.* **I** *s* **1.** ˈMißmut *m*, Verstimmung *f.* **2.** Streit *m.* **II** *v/t* (*meist passiv*) **3.** ärgern: **to be ~ed** → 4. **III** *v/i* **4.** sich verletzt fühlen, beleidigt sein. **ˈmiff·y** *adj colloq.* **1.** leicht beleidigt. **2.** leicht welkend (*Pflanze*).

might[1] [mait] *s* **1.** Macht *f*, Gewalt *f*: **~ is (above) right** Gewalt geht vor Recht. **2.** Stärke *f*, Kraft *f*: **with ~ and main, with all one's ~** aus Leibeskräften, mit aller Kraft *od.* Gewalt.

might[2] [mait] *pret von* **may**[1].

ˈmight-have-ˌbeen *s* a) etwas, was hätte sein können, b) j-d, der es zu etwas hätte bringen können: **oh, for the glorious ~!** es wär' so schön gewesen!

might·i·ly [ˈmaitili] *adv* **1.** mit Macht, mit Gewalt, heftig, kräftig. **2.** *colloq.* riesig, gewaltig, mächtig, äußerst, sehr. **ˈmight·i·ness** *s* **1.** Macht *f*, Gewalt *f*, Größe *f.* **2.** M~ *hist.* (*als Titel*) Hoheit *f*: **your high ~** *iro.* großmächtiger Herr!, Euer Gnaden!

might·y [ˈmaiti] **I** *adj* (*adv* → **mightily** *u.* II) **1.** mächtig, kräftig, gewaltig, groß, stark: → **high and mighty. 2.** *fig.* mächtig, gewaltig, riesig, fabelhaft. **II** *adv* **3.** (*vor adj u. adv*) *colloq.* mächtig, eˈnorm, kolosˈsal, riesig, ungeheuer, ˈüberaus: **~ easy** kinderleicht; **~ fine** ‚prima', wunderbar.

mi·gnon·ette [ˌminjəˈnet] *s* **1.** *bot.* Reˈseda *f.* **2.** *a.* **~ green** Reˈsedagrün *n.* **~ lace** *s* Mignoˈnette *f* (*e-e zarte, schmale Zwirnspitze*).

mi·graine [mi(ː)ˈgrein; ˈmig-; ˈmai-] *s med.* Miˈgräne *f*: **ocular ~** Augenmigräne. **miˈgrain·ous** *adj* Migräne...

mi·grant [ˈmaigrənt] **I** *adj* **1.** Wander..., Zug... **II** *s* **2.** Wanderer *m*, ˈUmsiedler *m.* **3.** *zo.* a) Zugvogel *m*, b) Wandertier *n.*

mi·grate [ˈmaigreit; *Br. a.* maiˈg-] *v/i* **1.** (ab-, aus)wandern, (*a. orn.* fort)ziehen: **to ~ from the country to the town** vom Land in die Stadt übersiedeln. **2.** (*aus e-r Gegend in e-e andere*) wandern. **3.** *univ. Br. in ein anderes College* ˈumziehen.

mi·gra·tion [maiˈgreiʃən] *s* **1.** Wanderung *f* (*a. chem. u. zo.*): **~ of (the) peoples** Völkerwanderung; **intramolecular ~** intra- *od.* innermolekulare Wanderung; **~ of ions** Ionenwanderung (*Elektrolyse*). **2.** *a. zo.* Abwandern *n*, Fortziehen *n.* **3.** Zug *m* (*von Menschen od. Wandertieren*). **4.** *orn.* Wanderzeit *f.* **5.** *geol.* naˈtürliche Wanderung von Erdölmassen. **miˈgra·tion·al** *adj* Wander..., Zug...

mi·gra·to·ry [ˈmaigrətəri] *adj* **1.** (aus)wandernd. **2.** *zo.* Zug..., Wander...: **~ animal** Wandertier *n*; **~ bird** Zugvogel *m*; **~ fish** Wanderfisch *m*; **~ instinct** Wandertrieb *m.* **3.** umˈherziehend, noˈmadisch: **~ life** Wanderleben *n*; **~ worker** Wanderarbeiter *m.*

mi·ka·do, M~ [miˈkɑːdou] *pl* **-dos** *s* Miˈkado *m* (*Titel des Kaisers von Japan*).

Mike[1] [maik] → **Mick.**

mike[2] [maik] *v/i sl.* herˈumlungern.

mike[3] [maik] *sl.* ‚Mikro' *n* (*Mikrophon*).

mi·kron → **micron.**

mil [mil] *s* **1.** Tausend *n*: **per ~** per Mille. **2.** *tech.* 1/1000 Zoll (*Drahtdurchmesser*). **3.** *mil.* (Teil)Strich *m.*

mil·age → **mileage.**

Mil·a·nese [ˌmiləˈniːz] **I** *adj* mailändisch. **II** *s sg u. pl* Mailänder(in), Mailänder(innen) *pl.*

milch [miltʃ] *adj* milchgebend, Milch...: **to look upon s.o. as a ~ cow** *fig.* j-n als unerschöpfliche Geldquelle betrachten. **ˈmilch·er** *s* Milchkuh *f.*

mild [maild] *adj* (*adv* **~ly**) **1.** mild, gelind(e), sanft, leicht, schwach: **~ air** milde Luft; **~ attempt** schüchterner Versuch: **~ climate** mildes Klima; **~ light** sanftes Licht; **~ sarcasm** milder Spott; **~ surprise** gelinde Überraschung; **to put it mild(ly)** a) sich gelinde ausdrücken, b) (*Redew.*) gelinde gesagt; → **draw** 37. **2.** mild, sanft, nachsichtig, freundlich: **a ~ disposition; a ~ man. 3.** mild, glimpflich: **~ punishment. 4.** mild, leicht: **~ drug; ~ cigar; ~ wine; ~ steel** *tech.* Flußstahl *m.*

mil·dew [ˈmilˌdjuː] **I** *s* **1.** *bot.* Me(h)ltau(pilz) *m*, Brand *m* (*am Getreide*). **2.** Schimmel *m*, Moder *m*: **a spot of ~** ein Moder- *od.* Stockfleck *m* (*in Papier etc*). **II** *v/t* **3.** mit Me(h)ltau *od.* Stock- *od.* Schimmel- *od.* Moderflecken überˈziehen: **to be ~ed** verschimmelt sein (*a. fig.*). **III** *v/i* **4.** brandig *od.* schimm(e)lig *od.* mod(e)rig *od.* stockig werden (*a. fig.*). **ˈmilˌdewed, ˈmilˌdew·y** *adj* **1.** brandig, mod(e)rig, schimm(e)lig. **2.** *bot.* von Me(h)ltau befallen, me(h)ltauartig.

mild·ness [ˈmaildnis] *s* **1.** Milde *f*, Gelindheit *f*, Sanftheit *f.* **2.** Sanftmut *f.*

mile [mail] *s* **1.** Meile *f* (*zu Land = 1,609 km*): **Admiralty ~** *Br.* englische Seemeile (*= 1,853 km*); **air ~** Luftmeile (*= 1,852 km*); **geographical ~, nautical ~, sea ~** Seemeile (*= 1,852 km*); → **statute mile; ~ after ~ of fields, ~s and ~s of fields** meilenweite Felder; **~s apart** meilenweit auseinander, *fig.* himmelweit (voneinander) entfernt; **not to come within a ~ of** *fig.* nicht annähernd herankommen an (*acc*); **to make short ~s** *mar.* schnell segeln; **to miss s.th. by a ~** *fig.* etwas (meilen)weit verfehlen; **that sticks out a ~** *colloq.* das sieht ja ein Blinder. **2.** *sport* Meilenrennen *n.*

mile·age [ˈmailidʒ] *s* **1.** Meilenlänge *f*, -zahl *f.* **2.** zuˈrückgelegte Meilenzahl *od.* Fahrtstrecke: **~ indicator, ~ recorder** *mot.* Wegstreckenmesser *m*, Kilometerzähler *m.* **3.** Meilen-, Kiloˈmetergelder *pl* (*Reisevergütung*). **4.** Fahrpreis *m* per Meile. **5.** *a.* **~ book** *rail. Am.* Fahrscheinheft *n*: **~ ticket** Fahrkarte *f* e-s Fahrscheinhefts.

mil·er [ˈmailər] *s sport colloq.* **1.** Rennpferd *n* (*für Meilenrennen*). **2.** Langstreckenläufer(in).

Mi·le·sian[1] [maiˈliːʃən; -ʒən; mi-] **I** *adj* Miˈlet betreffend, aus Milet. **II** *s* Einwohner(in) von Miˈlet.

Mi·le·sian[2] [maiˈliːʃən; -ʒən; mi-] **I** *adj* irisch. **II** *s* Irländer(in) (*als Abkömmling des sagenhaften Königs Milesius*).

ˈmileˌstone *s* **1.** Meilenstein *m.* **2.** *fig.* Meilen-, Markstein *m.*

mil·foil [ˈmilˌfɔil] *s bot.* Schafgarbe *f.*

mil·i·a·ri·a [ˌmiliˈɛ(ə)riə] *s med.* Frieselfieber *n.*

mil·i·ar·y [ˈmiliəri] *adj med.* miliˈar, hirsekornartig: **~ fever** → **miliaria; ~ gland** Hirsedrüse *f.* [bung *f.*]

mi·lieu [ˈmiːljəː] *s* Miliˈeu *n*, Umˈge-

mil·i·tan·cy [ˈmilitənsi] *s* **1.** Kriegszustand *m*, Kampf *m.* **2.** Angriffs-, Kampfgeist *m.*

mil·i·tant [ˈmilitənt] **I** *adj* (*adv* **~ly**) miliˈtant: a) streitend, kämpfend, b) streitbar, kriegerisch, kämpferisch. **II** *s* Kämpfer *m*, Streiter *m.* **ˈmil·i·tant·ness** → **militancy. ˈmil·i·ta·rist** [-tərist] *s* **1.** *pol.* Militaˈrist *m.* **2.** Fachmann *m* in miliˈtärischen Angelegenheiten. **ˌmil·i·taˈris·tic** *adj* militaˈristisch. **ˌmil·i·ta·riˈza·tion** *s* Militariˈsierung *f.* **ˈmil·i·taˌrize** *v/t* militariˈsieren.

mil·i·tar·y [ˈmilitəri] **I** *adj* **1.** miliˈtärisch, Militär... **2.** Heeres..., Kriegs... **II** *s* (*als pl konstruiert*) **3.** Miliˈtär *n*, Solˈdaten *pl*, Truppen *pl.* **~ a·cad·e·my** *s* **1.** ˈKriegsakadeˌmie *f.* **2.** *Am.* (*zivile*) Schule mit miliˈtärischer Disziˈplin u. Ausbildung. **~ at·ta·ché** *s* Miliˈtärattaˌché *m.* **~ code** *s jur. mil.* Miliˈtärstrafgesetz(buch) *n.* **~ col·lege** *s* Kriegsschule *f.* **M~ Cross** *s mil.* Miliˈtärverdienstkreuz *n* (*England u. Belgien*). **~ fe·ver** *s med.* (ˈUnterleibs)Typhus *m.* **M~ Gov·ern·ment** *s* Miliˈtärreˌgierung *f.* **~ heel** *s* Blockabsatz *m* (*an Damenschuhen*). **~ hos·pi·tal** *s* Lazaˈrett *n.* **~ in·tel·li·gence** *s mil.* **1.** ausgewertete Feindnachrichten *pl.* **2.** a) (*Am.* Heeres)Nachrichtendienst *m*, b) Abwehr(dienst *m*) *f.* **~ law** *s jur. mil.* Kriegs-, Standrecht *n.* **~ man** *s irr* Solˈdat *m*, Miliˈtär *m.* **~ map** *s mil.* Geneˈralstabskarte *f.* **~ po·lice** *s mil.* Miliˈtärpoliˌzei *f.* **~ pro·fes·sion** *s* Solˈdatenstand *m.* **~ prop·er·ty** *s mil.* Heeresgut *n.* **~ school** → **military academy** 2. **~ sci·ence** *s* Wehrwissenschaft *f*, Kriegskunde *f.* **~ serv·ice** *s* Miliˈtär-, Waffen-, Wehrdienst *m.* **~ serv·ice book** *s mil.* Wehrpaß *m.* **~ stores** *s pl* Miliˈtärbedarf *m*, ˈKriegsmateriˌal *n* (*Munition, Proviant etc*). **~ tes·ta·ment** *s jur. mil.* ˈNottestaˌment *n* (von Miliˈtärperˌsonen) (*im Krieg*).

mil·i·tate [ˈmiliˌteit] *v/i fig.* **(against)** sprechen (gegen), widerˈstreiten (*dat*), entgegenwirken (*dat*): **to ~ in favo(u)r of s.th.** (s.o.) für etwas (j-n) sprechen *od.* eintreten; **the facts ~ this opinion** die Tatsachen sprechen gegen diese Ansicht.

mi·li·tia [miˈliʃə] *s mil.* **1.** Miˈliz *f*, Bürger-, Landwehr *f* (*in den USA alle wehrfähigen Männer zwischen dem 18. u. 45. Lebensjahr*). **2.** *Br. die im Jahre 1939 ausgehobenen Wehrpflichtigen.* **milˈli·tia·man** [-mən] *s irr mil.* Miˈlizsolˌdat *m.* [Hautgrieß *m.*]

mil·i·um [ˈmiliəm] *s med.* Milium *n*,

milk [milk] **I** *s* **1.** Milch *f*: **cow in ~** frischmilchende Kuh; **~ for babes** *fig.*

,simple Kost' (*für geistig Unbedarfte*); ~ and honey *fig.* Milch u. Honig (*Überfülle*); ~ of human kindness Milch der frommen Denkungsart; it is no use crying over spilt ~ geschehen ist geschehen; → coconut 1. **2.** *bot.* (Pflanzen)Milch *f*, Milchsaft *m*. **3.** Milch *f*, milchartige Flüssigkeit (*a. chem.*): ~ of sulphur Schwefelmilch. **4.** *zo.* Austernlaich *m*. **5.** *min.* Wolken *pl* (*in Diamanten*). **II** *v/t* **6.** melken: to ~ a cow; to ~ the pigeon *colloq.* das Unmögliche versuchen. **7.** *fig.* a) *Nachrichten etc* ,(her'aus)holen' (from aus), b) *j-n* schröpfen, rupfen, c) das letzte her'ausholen aus: to ~ a joke; to ~ an enterprise. **8.** *e-e Leitung etc* ,anzapfen' (*um mitzuhören*). **9.** *Rennsport*: *Br. sl.* wetten gegen (*ein eigenes Pferd, das nicht gewinnen kann od. soll*). **III** *v/i* **10.** Milch geben.

milk| and wa·ter *s fig.* kraftloses *od.* sentimen'tales Zeug *od.* Gewäsch. **'~-and-'wa·ter** *adj* saft- u. kraftlos, sentimen'tal. **~ bar** *s* Milchbar *f*, -trinkhalle *f*. **~ crust** *s med.* Milchschorf *m*. **~ duct** *s anat.* Milchdrüsengang *m*, 'Milchka,nälchen *n*.

milk·er ['milkər] *s* **1.** Melker(in). **2.** *tech.* 'Melkma,schine *f*. **3.** Milchkuh *f*.

milk| fe·ver *s med. vet.* Milchfieber *n*. **~ float** *s Br.* Milchwagen *m*.

milk·i·ness ['milkinis] *s* **1.** Milchigkeit *f*. **2.** *fig.* Sanft-, Weichheit *f*.

milk·ing ['milkiŋ] *s* **1.** Melken *n*: ~ machine Melkmaschine *f*; ~ parlor *Am.* Melkraum *m*, -haus *n*. **2.** gewonnene Milch.

milk| leg *s* **1.** *med.* Venenentzündung *f* (im Wochenbett). **2.** *vet.* Fußgeschwulst *f* (*bei Pferden*). **'~-,liv·ered** *adj fig.* feig(e), furchtsam. **'~,maid** *s* Stall-, Kuhmagd *f*. **'~,man** [-,mæn] *s irr* Milchmann *m*. **~ pars·ley** *s bot.* Wilder Eppich. **~ plas·ma** *s biol. chem.* Milchplasma *n*. **~ run** *s aer. Am. sl.* **1.** ,Milchmannstour' *f*, Rou'tineeinsatz *m*. **2.** ,gemütliche Sache', gefahrloser Einsatz. **~ shake** *s* Milkshake *m* (*Mischgetränk*). **'~,shed** *s* Milch-Einzugsgebiet *n* (*e-r Stadt*). **~ sick·ness** *s med. vet. Am.* Milchkrankheit *f*. **'~,sop** *s fig.* Weichling *m*, Muttersöhnchen *n*, Schlappschwanz *m*. **~ sug·ar** *s chem.* Milchzucker *m*, Lak'tose *f*. **~ this·tle** *s bot.* **1.** Ma'riendistel *f*. **2.** Gänsedistel *f*. **~ toast** *s Am.* Röstbrot *n* aus in Milch eingeweichtem Brot. **~ tooth** *s irr* Milchzahn *m*. **'~,weed** *s bot.* **1.** Schwalbenwurzgewächs *n*, *bes.* Seidenpflanze *f*. **2.** Wolfsmilch *f*. **3.** Gänsedistel *f*. **4.** → milk parsley. **'~-'white** *adj* milchweiß: ~ crystal *min.* Milchquarz *m*.

milk·y ['milki] *adj* **1.** milchig: a) milchartig, Milch..., b) milchweiß, c) *min.* wolkig: a ~ gem. **2.** molkig. **3.** milchreich. **4.** *zo. Am.* voll Milch *od.* Laich: ~ oysters. **5.** *fig.* mild, weich(lich), sanft. **6.** *fig.* ängstlich. **M~ Way** *s astr.* Milchstraße *f*.

mill¹ [mil] **I** *s* **1.** *tech.* (Mehl-, Mahl)Mühle *f*: the ~s of God grind slowly Gottes Mühlen mahlen langsam; → grist¹ 1. **2.** (*Kaffee-, Öl-, Säge- etc*) Mühle *f*, Zerkleinerungsvorrichtung *f*: to go through the ~ *fig.* e-e harte Schule durchmachen; to put s.o. through the ~ a) j-n in e-e harte Schule schicken, b) j-n Blut schwitzen lassen; to have been through the ~ viel durchgemacht haben. **3.** *tech.* Hütten-, Hammer-, Walzwerk *n*. **4.** *a.* spinning ~ *tech.* Spinne'rei *f*. **5.** *tech.* a) *Münzherstellung*: Spindel-, Prägwerk *n*, b) *Glasherstellung*: Reib-, Schleifkasten *m*. **6.** *print.* Druckwalze *f*. **7.** Fa'brik *f*, Werk *n*. **8.** *colloq. contp.* ,Fa'brik' *f*: diploma ~. **9.** *colloq.* Prüge'lei *f*. **II** *v/t* **10.** *Korn etc* mahlen. **11.** *tech. allg.* ver-, bearbeiten, *z. B.* a) *Holz, Metall* fräsen, b) *Papier, Metall* walzen, c) *Münzen* rändeln, d) *Tuch, Leder etc* walken, e) *Seide* mouli'nieren, fi'lieren, zwirnen, f) *Schokolade* quirlen, schlagen: ~ed lead Walzblei *n*. **12.** *colloq.* ,'durchwalken', ('durch)prügeln. **III** *v/i* **13.** *colloq.* raufen, sich prügeln. **14.** ('rund)her,umlaufen, ziellos her'umirren: ~ing crowd wogende Menge, (Menschen)Gewühl *n*. **15.** *tech.* gefräst *od.* gewalzt werden, sich fräsen *od.* walzen lassen.

mill² [mil] *s Am.* Tausendstel *n* (*bes. 1/1000 Dollar*).

mill| bar *s tech.* Pla'tine *f*. **'~,board** *s tech.* starke Pappe, Pappdeckel *m*. **~ cake** *s* Ölkuchen *m*. **'~,course** *s tech.* **1.** Mühlengerinne *n*. **2.** Mahlgang *m*. **'~,dam** *s* Mühlwehr *n*.

mil·le·nar·i·an [,mili'nɛ(ə)riən] **I** *adj* **1.** tausendjährig. **2.** *relig.* das Tausendjährige Reich (Christi) betreffend. **II** *s* **3.** *relig.* Chili'ast *m*. **,mil·le'nar·i·an,ism** *s relig.* Chili'asmus *m* (*Glaube an das Tausendjährige Reich Christi auf Erden*). **'mil·le·nar·y** [-nəri] **I** *adj* aus tausend (Jahren) bestehend, von tausend Jahren. **II** *s* → millennium 1 *u.* 2.

mil·len·ni·al [mi'leniəl] *adj* **1.** → millenarian 1 *u.* 2. **2.** e-e Jahr'tausendfeier betreffend. **mil'len·ni·um** [-əm] *pl* **-ni·ums** *od.* **-ni·a** [-ə] *s* **1.** Jahr'tausend *n*. **2.** Jahr'tausendfeier *f*. **3.** *relig.* Tausendjähriges Reich Christi. **4.** *fig.* (zukünftiges) Zeitalter des Glücks u. Friedens, Para'dies *n* auf Erden.

mil·le·pede ['mili,pi:d] *s zo.* Tausend-fuß(l)er *m*.

mill·er ['milər] *s* **1.** Müller *m*: to drown the ~ den Teig *od.* Wein *etc* verwässern, ,pan(t)schen'. **2.** *tech.* a) → milling machine, b) → milling cutter. **3.** *zo.* Müller *m* (*Motte*).

mil·les·i·mal [mi'lesiməl] **I** *adj* (*adv* ~ly) **1.** tausendst(er, e, es). **2.** aus Tausendsteln bestehend. **II** *s* **3.** Tausendstel *n*.

mil·let ['milit] *s bot.* (*bes.* Rispen)Hirse *f*. **~ grass** *s bot.* Flattergras *n*.

milli- [mili] *Wortelement mit der Bedeutung* Tausendstel.

,mil·li'am·me·ter *s electr.* 'Milliam,pere,meter *n*. **,mil·li'am·pere** *s electr.* 'Milliam,pere *n*.

mil·li·ard ['miljɑ:rd] *s* Milli'arde *f*.

mil·li·ar·y ['miljəri] *s a.* ~ column (*römischer*) Meilenstein.

'mil·li,bar *s meteor.* Milli'bar *n*. **'mil·li,cu·rie** *s phys.* Millicu'rie *n*.

'mil·li,gram, *bes. Br.* **'mil·li,gramme** *s* Milli'gramm *n*. **'mil·li,li·ter,** *bes. Br.* **'mil·li,li·tre** *s* Milli'liter *n*. **'mil·li,me·ter,** *bes. Br.* **'mil·li,me·tre** *s* Milli'meter *n*. **'mil·li,mi·cron** *s* Milli'mikron *n*.

mil·li·ner ['milinər] *s* Hut-, Putzmacherin *f*, Mo'distin *f*: man ~ a) Putzmacher *m*, b) *fig.* Kleinigkeitskrämer *m*. **'mil·li·ner·y** *s* **1.** Putz-, Modewaren *pl*. **2.** 'Hutsa,lon *m*.

mill·ing ['miliŋ] *s* **1.** Mahlen *n*, Mülle'rei *f*. **2.** *tech.* a) Walken *n*, b) Rändeln *n*, c) Fräsen *n*, d) Walzen *n*. **3.** *sl.* Tracht *f* Prügel. **~ cut·ter** *s tech.* Fräser *m*, Fräswerkzeug *n*. **~ i·ron** *s tech.* Rändeleisen *n*. **~ ma·chine** *s tech.* **1.** 'Fräsma,schine *f*. **2.** Rändelwerk *n*. **~ plant** *s chem.* Pi'lieranlage *f* (*für Seifenerzeugung*). **~ tool** *s tech.* **1.** Fräswerkzeug *n*. **2.** Rändeleisen *n*.

mil·lion ['miljən] **I** *s* **1.** Milli'on *f*: a ~ times millionenmal; two ~ men 2 Millionen Mann; by the ~ nach Millionen; ~s of people *fig.* e-e Unmasse Menschen. **2.** the ~ die große Masse, das Volk. **,mil·lion'aire** [-'nɛr] *s* Millio'när *m*. **,mil·lion'air·ess** *s* Millio'närin *f*. **'mil·lion·ar·y** *adj* **1.** aus Milli'onen bestehend, Millionen... **2.** Milli'onen besitzend. **'mil·lion,fold** [-,fould] *adj u. adv.* milli'onenfach. **mil·lion·naire** *bes. Am. für* millionaire. **'mil·lionth** [-jənθ] **I** *adj* milli'onst(er, e, es). **II** *s* Milli'onstel *n*.

mil·li·pede ['mili,pi:d], **'mil·li·ped** [-ped] → millepede.

'mil·li,sec·ond *s* 'Millise,kunde *f*. **'mil·li,stere** *s* Milli'ster *n* (*1/1000 Ster od. 1 Kubikdezimeter = 61.023* cubic inches). **'mil·li,volt** *s electr. phys.* Millivolt *n*. **'mil·li·volt,me·ter** *s* Millivoltmeter *n*.

'mill|,own·er *s* **1.** Mühlenbesitzer *m*. **2.** Spinne'rei-, Fa'brikbesitzer *m*. **'~,pond** *s* Mühlteich *m*. **'~,race** *s tech.* Mühlgerinne *n*. **~ ream** *s tech.* Ries *n* Pa'pier (*von 480 Bogen, von denen die zwei äußeren Buch schadhaft sind*).

Mills bomb [milz], **Mills gre·nade** *s mil.* 'Eierhandgra,nate *f*.

'mill,stone *s* Mühlstein *m*: to see through a ~ *fig.* das Gras wachsen hören; to be between the upper and nether ~ *fig.* zwischen die Mühlsteine geraten, zerrieben werden. **M~ Grit** *s geol.* Kohlensandstein *m*.

mil·reis ['mil,reis] *s hist.* Mil'reis *n*: a) *brasilianische Silbermünze zu 1000 Reis; bis 1942*, b) *portugiesische Rechnungsmünze von 1000 Reis; bis 1911.*

milt¹ [milt] *s anat.* Milz *f*.

milt² [milt] *ichth.* **I** *s* Milch *f* (*der männlichen Fische*). **II** *v/t den Rogen* mit Milch befruchten.

milt·er ['miltər] *s ichth.* Milch(n)er *m* (*männlicher Fisch zur Laichzeit*).

Mil·to·ni·an [mil'touniən], **Mil'ton·ic** [-'tɒnik] *adj* mil'tonisch, im Stil Miltons, den englischen Dichter John Milton (*1608—74*) betreffend.

mime [maim] **I** *s* **1.** *antiq.* Mimus *m*, Posse(nspiel *n*) *f*. **2.** Mime *m*, Possenspieler *m*. **3.** Possenreißer *m*. **II** *v/t* **4.** mimisch darstellen. **5.** mimen, nachahmen. **III** *v/i* **6.** als Mime auftreten.

mim·e·o·graph ['mimiə,græ(:)f; *Br. a.* -,grɑ:f] **I** *s* Mimeo'graph *m* (*Vervielfältigungsapparat*). **II** *v/t* vervielfältigen. **,mim·e·o'graph·ic** [-'græfik] *adj* (*adv* ~ally) mimeo'graphisch, vervielfältigt.

mi·me·sis [mi'mi:sis; mai-] *s* **1.** *antiq. Rhetorik*: Mimesis *f*, Nachahmung *f*. **2.** a) → mimicry 3, b) *bot.* Nachahmung *f*.

mi·met·ic [mi'metik; mai-] *adj* (*adv* ~ally) **1.** nachahmend: a) mi'metisch, b) *contp.* nachäffend, Schein..., c) *ling.* lautmalend. **2.** *biol.* fremde Formen nachbildend.

mim·ic ['mimik] **I** *adj* **1.** mimisch, (durch Gebärden) nachahmend. **2.** Schauspiel...: ~ art Schauspielkunst *f*. **3.** nachgeahmt, Schein...: ~ warfare Kriegsspiel *n*. **II** *s* **4.** Nachahmer *m*, Imi'tator *m*. **5.** *obs.* Mime *m*, Schauspieler *m*. **III** *v/t pret u. pp* **'mim·icked,** *pres p* **'mim·ick·ing** **6.** nachahmen, -äffen. **7.** *bot. zo. fremde Formen od.*

Farben etc nachahmen. ˈ**mim·ick·er** *s* Nachahmer *m*, -äffer *m*.

mim·ic·ry [ˈmimikri] *s* **1.** (possenhaftes) Nachahmen (*bes. Gebärden*), Nachäffung *f*, Schauspielern *n*. **2.** Nachahmung *f*, -bildung *f* (*Kunstgegenstand etc*). **3.** *zo.* Mimikry *f*, Schutztracht *f*, Angleichung *f*.

mim·i·ny-pim·i·ny [ˌmiminiˈpimini] *adj* affekˈtiert, geziert, etepeˈtete.

mi·mo·sa [miˈmouzə; -sə] *s bot.* **1.** Miˈmose *f*. **2.** Echte Aˈkazie, *a. gärtnerisch* Miˈmose *f*.

min·a·ret [ˈminəˌret; ˌminəˈret] *s arch.* Minaˈrett *n*.

min·a·to·ry [ˈminətəri] *adj* drohend.

mince [mins] **I** *v/t* **1.** zerhacken, in kleine Stücke (zer)schneiden, zerstückeln: to ~ meat Fleisch hacken *od.* durchdrehen, Hackfleisch machen. **2.** *fig.* mildern, bemänteln: to ~ one's words geziert *od.* affektiert sprechen; not to ~ matters (*od.* one's words) kein Blatt vor den Mund nehmen. **3.** geziert tun: to ~ one's steps → 5b. **II** *v/i* **4.** *Fleisch, Gemüse etc* (klein)schneiden, Hackfleisch machen. **5.** a) sich geziert benehmen, b) geziert gehen, trippeln. **III** *s* **6.** *bes. Br. für* mincemeat 1. ˈ~ˌ**meat I** *s* **1.** Hackfleisch *n*, Gehacktes *n*: to make ~ of *fig.* a) ‚aus *j-m* Hackfleisch machen', b) *ein Argument, Buch etc* ‚(in der Luft) zerreißen'. **2.** Paˈstetenfüllung *f* (*aus Korinthen, Äpfeln, Rosinen, Zucker, Hammelfett, Rum etc mit od. ohne Fleisch*). ~ **pie** *s mit* mincemeat *gefüllte Pastete*.

minc·er [ˈminsər] → mincing machine.

minc·ing [ˈminsiŋ] *adj* (*adv* ~ly) **1.** zerkleinernd, Hack... **2.** geziert, affekˈtiert. **M~ Lane** *npr* Mincing Lane (*Straße in London, Zentrum des Teegroßhandels*). ~ **ma·chine** *s* ˈHackmaˌschine *f*, Fleischwolf *m*.

mind [maind] **I** *s* **1.** Sinn *m*, Gemüt *n*, Herz *n*: to have s.th. on one's ~ etwas auf dem Herzen haben; it was a weight off my ~ mir fiel ein Stein vom Herzen. **2.** Seele *f*, Verstand *m*, Geist *m*: presence of ~ Geistesgegenwart *f*; before one's ~'s eye vor j-s geistigen Auge; to be of sound ~, to be in one's right ~ bei (vollem) Verstand sein; of sound ~ and memory *jur.* im Vollbesitz s-r geistigen Kräfte; to be out of one's ~ nicht (recht) bei Sinnen sein, verrückt sein; to lose one's ~ den Verstand verlieren; to close one's ~ to s.th. sich gegen etwas verschließen; to have an open ~ unvoreingenommen sein; to cast back one's ~ sich zurückversetzen (to nach, in *acc*); to enter s.o.'s ~ j-m in den Sinn kommen; to give one's ~ to s.th. sich mit e-r Sache befassen, sich e-r Sache widmen; to put s.th. out of one's ~ sich etwas aus dem Kopf schlagen; to read s.o.'s ~ j-s Gedanken lesen. **3.** Geist *m* (*a. philos.*): the human ~; things of the ~ geistige Dinge; history of the ~ Geistesgeschichte *f*; his is a fine ~ er hat e-n feinen Verstand, er ist ein kluger Kopf; one of the greatest ~s of his time *fig.* e-r der größten Geister s-r Zeit; **4.** Meinung *f*, Ansicht *f*: in (*od.* to) my ~ a) m-r Ansicht nach, m-s Erachtens, b) nach m-m Sinn *od.* Geschmack; to be of s.o.'s ~ j-s Meinung sein; to change one's ~ sich anders besinnen; to speak one's ~ (freely) s-e Meinung frei äußern; to give s.o. a piece of one's ~ j-m gründlich die Meinung sagen; to know one's own ~ wissen, was man will; to be in two ~s about s.th. mit sich selbst über etwas nicht einig sein; there can be no two ~s about it darüber kann es keine geteilte Meinung geben; many men, many ~s viele Köpfe, viele Sinne. **5.** Neigung *f*, Lust *f*, Absicht *f*: to have (half) a ~ to do s.th. (beinahe) Lust haben, etwas zu tun; to have s.th. in ~ a) sich wohl erinnern (that daß), b) etwas im Sinne haben; I have you in ~ ich denke (dabei) an dich; to have it in ~ to do s.th. beabsichtigen, etwas zu tun; to make up one's ~ a) sich entschließen, e-n Entschluß fassen, b) zu dem Schluß *od.* zu der Überzeugung kommen (that daß), sich klarwerden (about über *acc*). **6.** Erinnerung *f*, Gedächtnis *n*: to bear (*od.* keep) s.th. in ~ (immer) an e-e Sache denken, etwas nicht vergessen, etwas bedenken; to bring back (*od.* call) s.th. to ~ a) etwas ins Gedächtnis zurückrufen, an e-e Sache erinnern, b) sich etwas ins Gedächtnis zurückrufen, sich an e-e Sache erinnern; to put s.o. in ~ of s.th. j-n an etwas erinnern; nothing comes to ~ nichts fällt e-m (dabei) ein; time out of ~ seit (*od.* vor) undenklichen Zeiten. **7.** *Christian Science*: Gott *m*.

II *v/t* **8.** merken, beachten, achtgeben *od.* achten *od.* hören auf (*acc*): to ~ one's P's and Q's *colloq.* sich ganz gehörig in acht nehmen; ~ you write *colloq.* denk daran (*od.* vergiß nicht) zu schreiben. **9.** achtgeben auf (*acc*), sich hüten vor (*dat*): ~ the step! Achtung Stufe!; ~ your head! nimm d-n Kopf in acht! **10.** sorgen für, sehen nach: to ~ the fire nach dem Feuer sehen; to ~ the children sich um die Kinder kümmern, die Kinder hüten *od.* beaufsichtigen; ~ your own business! kümmere dich um d-e eigenen Dinge!; never ~ him! kümmere dich nicht um ihn!; don't ~ me! lassen Sie sich durch mich nicht stören! **11.** etwas haben gegen, es nicht gern sehen *od.* mögen, sich stoßen an (*dat*): do you ~ my smoking? haben Sie etwas dagegen, wenn ich rauche?; would you ~ coming? würden Sie so freundlich sein zu kommen?; I don't ~ (it) ich habe nichts dagegen, meinetwegen, von mir aus (gern); I should not ~ a drink ich wäre nicht abgeneigt, etwas zu trinken. **12.** *obs.* a) erinnern (of an *acc*), b) sich erinnern an (*acc*).

III *v/i* **13.** achthaben, aufpassen, bedenken: ~ (you)! a) wohlgemerkt!, b) sieh dich vor!; never ~! laß es gut sein!, es hat nichts zu sagen!, macht nichts!, schon gut! (→ 14). **14.** etwas daˈgegen haben: I don't ~ ich habe nichts dagegen, meinetwegen; I don't ~ if I do *colloq.* ja, ganz gern *od.* ich möchte schon; he ~s a great deal er ist allerdings dagegen, es macht ihm sehr viel aus, es stört ihn schon; never ~! mach dir nichts draus! (→ 13).

mind| cure *s* psychotheraˈpeutische Behandlung. ~ **doc·tor** *s* Seelenarzt *m*.

mind·ed [ˈmaindid] *adj* **1.** geneigt, gesonnen: if you are so ~ wenn das d-e Absicht ist. **2.** *bes. in Zssgn* a) gesinnt, mit *od.* von e-r ... Gesinnung, zu ... geneigt: evil-~ böse (gesinnt); small-~ kleinlich, b) *konventionell, international etc* denkend: internationally ~, c) *religiös, technisch etc* veranlagt: mechanically ~; religious-~, d) begeistert, interesˈsiert an (*dat*): air-minded flugbegeistert. ˈ**mind·ed·ness** [-nis] *s in Zssgn* Gesinnung *f*, Neigung *f* (zu), Veranlagung *f*: air-~ Flugbegeisterung *f*; narrow-~ Engherzigkeit *f*.

mind·er [ˈmaindər] *s* **1.** Aufseher *m*, Wärter *m*: machine ~ Maschinenwart *m*. **2.** *Br. hist.* (armes) Kost- *od.* Pflegekind.

mind·ful [ˈmaindful] *adj* (*adv* ~ly) (of) aufmerksam, achtsam (auf *acc*), eingedenk (*gen*): to be ~ of achten auf (*acc*), denken an (*acc*). ˈ**mind·ful·ness** *s* Achtsamkeit *f*, Aufmerksamkeit *f*.

mind·less [ˈmaindlis] *adj* (*adv* ~ly) **1.** (of) unbekümmert (um), ohne Rücksicht (auf *acc*), uneingedenk (*gen*). **2.** gedankenlos, blind. **3.** geistlos, ohne Intelliˈgenz. **4.** unbeseelt.

mind| read·er *s* Gedankenleser(in). ~ **read·ing** *s* Gedankenlesen *n*.

mine[1] [main] **I** *pron* der, die, das meinige *od.* meine: it is ~ es ist mein, es gehört mir; what is ~ was mir gehört, das Meinige; a friend of ~ ein Freund von mir; me and ~ ich u. die Mein(ig)en. **II** *adj poet. od. obs.* (*statt* my *vor mit Vokal od.* h *anlautenden Wörtern*) mein: ~ eyes; ~ host (der) Herr Wirt.

mine[2] [main] **I** *v/i* **1.** miˈnieren. **2.** schürfen, graben (for nach). **3.** sich eingraben (*Tiere*). **II** *v/t* **4.** *Erz, Kohlen* abbauen, gewinnen. **5.** graben in (*dat*): to ~ the earth for ore nach Erz schürfen. **6.** *mar. mil.* a) verminen, b) miˈnieren. **7.** *fig.* unterˈgraben, ˌunterminiˈeren. **8.** ausgraben. **III** *s* **9.** *oft pl tech.* Mine *f*, Bergwerk *n*, Zeche *f*, Grube *f*. **10.** *mar. mil.* Mine *f*: to spring a ~ e-e Mine springen lassen (*a. fig.*). **11.** *fig.* Fundgrube *f* (of an *dat*): a ~ of information. **12.** *biol.* Mine *f*, Fraßgang *m*. ~ **bar·ri·er** *s mil.* Minensperre *f*; ~ **bomb** *s mil.* Minenbombe *f*; ~ **car** *s tech.* Gruben-, Förderwagen *m*, Hund *m*. ~ **cham·ber** *s mil. tech.* Sprengkammer *f*. ~ **de·tec·tor** *s mil.* Minensuchgerät *n*. ~ **fan** *s tech.* ˈWettermaˌschine *f*, ˈGrubenventiˌlator *m*. ~ **field** *s mil.* Minenfeld *n*. ~ **fire** *s tech.* Grubenbrand *m*. ~ **fore·man** *s irr* Obersteiger *m*. ~ **gal·ler·y** *s mil.* Minenstollen *m*. ~ **gas** *s* **1.** → methane. **2.** *tech.* Grubengas *n*, schlagende Wetter *pl*. ~ **lay·er** *s mar. mil.* Minenleger *m*: cruiser ~ Minenkreuzer *m*.

min·er [ˈmainər] *s* **1.** *tech.* Bergarbeiter *m*, -knappe *m*, -mann *m*, Grubenarbeiter *m*, Kumpel *m*: ~'s association Knappschaft *f*; ~'s lamp Grubenlampe *f*; ~'s lung *med.* Kohlen(staub)lunge *f*. **2.** *mar. mil.* Miˈneur *m*, Minenleger *m*.

min·er·al [ˈminərəl] **I** *s* **1.** *chem. med. min.* Mineˈral *n*. **2.** *pl* Grubengut *n*. **3.** *min. colloq.* Erz *n*. **4.** *bes. pl* Mineˈralwasser *n*. **II** *adj* **5.** mineˈralisch, Mineral... **6.** *chem.* ˈanorˌganisch. ~ **blue** *s min.* Bergblau *n*. ~ **car·bon** *s min. tech.* Graˈphit *m*. ~ **coal** *s min.* Steinkohle *f*. ~ **col·o(u)r** *s tech.* Erd-, Mineˈralfarbe *f*. ~ **de·pos·it** *s geol.* Erzlagerstätte *f*.

min·er·al·i·za·tion [ˌminərəlaiˈzeiʃən; -liˈz-] *s* **1.** *geol. min.* ˌMineralisatiˈon *f*, Mineˈralbildung *f*, Vererzung *f*. **2.** *med.* Verkalkung *f* (*des Skeletts*).

ˈ**min·er·alˌize I** *v/t geol.* **1.** vererzen. **2.** mineraliˈsieren, in ein Mineˈral verwandeln, versteinern. **3.** mit ˈanorˌganischem Stoff durchˈsetzen. **II** *v/i* **4.** nach Mineˈralien suchen.

min·er·al jel·ly *s chem.* Vase'line *f.*
min·er·al·og·i·cal [ˌminərə'lɒdʒikəl] *adj* minera'logisch. ˌ**min·er'al·o·gist** [-'rælədʒist] *s* Minera'loge *m.* ˌ**min·er'al·o·gy** [-dʒi] *s* Mineralo'gie *f.*
min·er·al| oil *s chem.* Mine'ral-, Erdöl *n,* Pe'troleum *n.* ~ **pitch** *s tech.* As'phalt *m.* ~ **spring** *s* Mine'ralquelle *f,* Heilbrunnen *m.* ~ **vein** *s geol.* Mine'ralgang *m,* Erzader *f.* ~ **wa·ter** *s* Mine'ralwasser *n.* ~ **wax** *s min. tech.* Ozoke'rit *m,* Berg-, Erdwachs *n.*
mine| sur·vey *s tech.* Gruben(ver)messung *f,* Markscheidung *f.* ~ **sur·vey·or** *s tech.* Markscheider *m.* ~ **sweep·er** *s mar. mil.* Minenräum-, -suchboot *n,* Minenräumer *m.*
min·e·ver → miniver.
min·gle ['miŋgl] **I** *v/i* **1.** verschmelzen, sich vermischen, sich vereinigen, sich verbinden (with mit): with ~d feelings mit gemischten Gefühlen. **2.** a) sich (ein)mischen (in in *acc*), b) sich mischen (among, with unter *acc*): to ~ with the crowd; to ~ with politicians mit Politikern verkehren. **II** *v/t* **3.** vermischen, -mengen. **4.** vereinigen.
'~-ˌ**man·gle** [-ˌmæŋgl] **I** *v/t* durcheinanderwerfen, vermengen. **II** *s* Mischmasch *m,* ‚Kuddelmuddel' *m, n.*
min·gy ['mindʒi] *adj colloq.* geizig.
min·i·ate ['miniˌeit] *v/t* **1.** (*mit Mennige*) rot färben. **2.** *ein Buch* illumi'nieren.
min·i·a·ture ['miniətʃər; -nitʃər] **I** *s* **1.** Minia'tur(gemälde *n*) *f.* **2.** *fig.* Minia'turausgabe *f*: in ~ → 5. **3.** Minia'tur *f* (*Schachproblem, das aus höchstens 7 Figuren gefügt ist*). **4.** kleine Ordensschnalle. **II** *adj* **5.** Miniatur..., im kleinen, ‚im 'Westentaschenforˌmat', en minia'ture: ~ golf Minigolf *n*; ~ grand *mus.* Stutzflügel *m*; ~ valve *electr.* Liliputröhre *f.* ~ **cam·er·a** *s phot.* Kleinbildkamera *f.*
min·i·a·tur·ist ['miniətʃərist; -nitʃə-] *s* **1.** Mini'ator *m,* Buchmaler *m.* **2.** Minia'turenmaler *m.*
min·i·cab ['miniˌkæb] *s* kleineres Taxi.
min·i·cam ['miniˌkæm], '**min·iˌcam·er·a** [-mərə] *abbr. für* miniature camera.
min·i·car ['miniˌkɑːr] *s* Kleinstwagen [*m.*]
min·i·fy ['miniˌfai] *v/t* vermindern.
min·i·kin ['minikin] **I** *adj* **1.** affek'tiert, geziert. **2.** winzig, zierlich. **II** *s* **3.** kleine Stecknadel. **4.** → minim 2.
min·im ['minim] **I** *s* **1.** *mus.* halbe Note. **2.** (*etwas*) Winziges, Zwerg *m,* Knirps *m.* **3.** *pharm.* 1/60 Drachme *f* (*Apothekergewicht*). **4.** *Kalligraphie*: Grundstrich *m*: ~ letters Buchstaben mit Grundstrich (*z. B. m, n*). **5.** M~ *pl relig.* Mi'nimen *pl,* Pau'laner *pl* (*ein Bettelorden*). **II** *adj* **6.** winzig.
min·i·mal ['miniməl] → minimum II.
min·i·mize ['miniˌmaiz] *v/t* **1.** auf das Mindestmaß her'absetzen. **2.** als geringfügig 'hinstellen, bagatelli'sieren, ‚her'unterspielen'.
min·i·mum ['miniməm] **I** *pl* **-ma** [-mə] *s* Minimum *n*: a) Mindestmaß *n,* -betrag *n,* -wert *m,* b) *math.* kleinster Abso'lutwert (*e-r Funktion*): at a ~ auf dem Tiefststand; with a ~ of effort mit e-m Minimum an *od.* von Anstrengung; ~ of existence Existenzminimum. **II** *adj* mini'mal, Minimal..., mindest(er, e, es), Mindest..., kleinst(er, e, es), geringst(er, e, es): ~ age Mindestalter *n*; ~ capacity *electr.* a) Minimumkapazität *f,* b) Anfangskapazität *f* (*e-s Drehkondensators*); ~ output *tech.* Leistungsminimum *n*; ~ price Mindestpreis *m*; ~ taxation *econ.* Steuermindestsatz *m*; ~ value a) *math.* Kleinst-, Mindest-, Minimal-, Minimumwert *m,* b) *a.* ~ value of response *tech.* Ansprechwert *m*; ~ wage *econ.* Mindestlohn *m.*
min·i·mus ['minimәs] *adj ped. Br.* jüngst(er, e, es) (*von mehreren gleichnamigen Schülern gebraucht*).
min·ing ['mainiŋ] *tech.* **I** *s* Bergbau *m,* Bergwerk(s)betrieb *m,* Bergwesen *n.* **II** *adj* Bergwerks..., Berg(bau)..., Montan...: ~ claim a) Grubenfeld *n,* b) Mutungsrecht *n*; ~ law Bergrecht *n*; ~ partnership Abbaugesellschaft *f*; ~ share Kux *m,* Bergwerksaktie *f.* ~ **en·gi·neer** *s econ.* 'Berg(bau)ingeniˌeur *m.* ~ **in·dus·try** *s tech.* 'Bergwerks-, 'Bergbau-, Mon'tanindu strie *f.*
min·ion ['minjən] *s* **1.** Günstling *m,* Favo'rit *m.* **2.** *contp.* La'kai *m,* Speichellecker *m*: ~ of the law Häscher *m.* **3.** *print.* Kolo'nel *f* (*Schriftgrad*): double ~ Mittelschrift *f.*
min·is·ter ['ministər] **I** *s* **1.** *relig.* Geistliche(r) *m,* Pfarrer *m* (*bes. e-r Dissenterkirche*). **2.** *pol. Br.* Mi'nister *m*: M~ of Foreign Affairs Minister des Äußeren, Außenminister; M~ of Labour Arbeitsminister. **3.** *pol.* Gesandte(r) *m*: ~ plenipotentiary bevollmächtigter Minister, Gesandte(r) mit unbeschränkter Vollmacht; ~ resident Ministerresident *m,* ständiger Minister. **4.** *fig.* Diener *m,* Werkzeug *n.* **II** *v/t* **5.** darbieten, -reichen: to ~ the sacraments *relig.* die Sakramente spenden. **III** *v/i* **6.** (to) behilflich *od.* dienlich sein (*dat*), helfen (*dat*), unter'stützen (*acc*): to ~ to the wants of others für die Bedürfnisse anderer sorgen. **7.** (to) *fig.* dienlich sein (*dat*), fördern (*acc*), beitragen (zu). **8.** als Diener *od.* Geistlicher wirken.
min·is·te·ri·al [ˌminis'ti(ə)riəl] *adj* (*adv* ~ly) **1.** amtlich, Verwaltungs...: ~ officer Verwaltungs-, Exekutivbeamte(r) *m.* **2.** *relig.* geistlich. **3.** *pol.* ministeri'ell, Ministerial..., Minister-...: ~ benches Ministerbänke. **4.** *pol.* Regierungs...: ~ bill Regierungsvorlage *f.* ˌ**min·is'te·ri·al·ist** *s pol.* Ministeri'elle(r) *m,* Anhänger *m* der Re'gierung.
min·is·trant ['ministrənt] **I** *adj* **1.** (to) dienend (zu), dienstbar (*dat*). **II** *s* **2.** Diener(in). **3.** *relig.* Mini'strant *m.*
ˌ**min·is'tra·tion** [-'treiʃən] *s* Dienst *m* (to an *dat*), *bes. kirchliches* Amt, Pfarrtätigkeit *f.* '**min·is·tra·tive** [-trətiv] *adj* **1.** dienend, helfend. **2.** *relig.* mini'strierend.
min·is·try ['ministri] *s* **1.** *relig.* geistliches Amt. **2.** *pol. Br.* a) Mini'sterium *n* (*a. Amtsdauer u. Gebäude*), b) Mi'nisterposten *m,* -amt *n,* c) Re'gierung *f,* Kabi'nett *n.* **3.** *pol. Br.* Amt *n* e-s Gesandten. **4.** *relig.* Geistlichkeit *f.*
min·i·track ['miniˌtræk] *s Verfolgen e-s Satelliten in s-r Bahn mittels der von ihm ausgesandten Signale.*
min·i·um ['miniəm] *s* **1.** → vermilion. **2.** *chem. min.* Mennige *f.*
min·i·ver ['minivər] *s* Grauwerk *n,* Feh *n* (*Pelz*).
mink [miŋk] *s* **1.** *zo.* Mink *m,* Amer. Nerz *m.* **2.** Nerz(fell *n*) *m.* '**mink·er·y** [-əri] *s Am.* Nerz(zucht)farm *f.*
min·ne·sing·er ['miniˌsiŋər] *s hist.* Minnesänger *m.* '**min·neˌsong** *s* Minnesang *m.*
min·now ['minou] *s* **1.** *ichth.* Elritze *f.* **2.** *mar. mil. Am. sl.* ‚Aal' *m* (*Torpedo*).
Mi·no·an [mi'nouən] *adj* mi'noisch.
mi·nor ['mainər] **I** *adj* **1.** a) kleiner, geringer, b) klein, unbedeutend, geringfügig, c) 'untergeordnet (*a. philos*): ~ casualty *mil.* Leichtverwundete(r) *m*; ~ league *sport* untere Spielklasse; ~ offence (*Am.* -se) *jur.* leichtes Vergehen, Übertretung *f*; ~ party *pol.* kleine Partei; ~ premise → 8; the M~ Prophets *Bibl.* die kleinen Propheten; ~ sentence *ling.* unvollständiger Satz; ~ subject → 10; ~ suit (*Bridge*) geringere Farbe (*Karo od. Kreuz*); ~ surgery *med.* kleine Chirurgie; of ~ importance von zweitrangiger Bedeutung. **2.** Neben..., Hilfs..., Unter...: ~ axis *math. tech.* kleine Achse, Halb-, Nebenachse *f*; ~ determinant *math.* Minor *f,* Unterdeterminante *f*; a ~ group e-e Untergruppe. **3.** *jur.* minderjährig. **4.** *ped. Br.* jünger: Smith ~ Smith der Jüngere. **5.** *mus.* a) klein (*Terz etc*), b) Moll...: C ~ c-moll; ~ key Molltonart *f*; in ~ key *fig.* a) gedämpft, b) im kleinen; ~ mode Mollgeschlecht *n*; ~ scale Molltonleiter *f.* **II** *s* **6.** *jur.* Minderjährige(r *m*) *f.* **7.** *mus.* a) Moll *n,* b) 'Mollakˌkord *m,* c) Molltonart *f.* **8.** *philos.* 'Untersatz *m.* **9.** M~ *relig.* → Minorite. **10.** *ped. Am.* Nebenfach *n.* **III** *v/i* **11.** ~ in *ped. univ. Am.* als *od.* im Nebenfach stu'dieren.
Mi·nor·ite ['mainəˌrait] *s relig.* Mino'rit *m,* Franzis'kaner *m.*
mi·nor·i·ty [mai'nɒriti; mi-] *s* **1.** *jur.* Minderjährigkeit *f,* Unmündigkeit *f*: he is still in his ~ er ist noch minderjährig. **2.** Minori'tät *f,* Minderheit *f,* -zahl *f*: ~ (group) *pol.* Minderheit(engruppe) *f*; ~ leader *parl. Am.* Fraktionsführer *m* der Minoritätspartei; ~ party *pol.* Minoritätspartei; ~ shareholder *econ.* Minoritätsaktionär *m*; you are in a ~ of one du stehst allein gegen alle anderen; to be in the ~ in der Minderheit sein.
Min·o·taur ['minəˌtɔːr] *npr antiq.* Mino'taurus *m.*
min·ster ['minstər] *s relig.* **1.** Klosterkirche *f.* **2.** Münster *n,* Kathe'drale *f.*
min·strel ['minstrəl] *s* **1.** *mus. hist.* a) Spielmann *m,* b) Minnesänger *m.* **2.** *poet.* Sänger *m,* Dichter *m.* **3.** *Am. Varietékünstler* (*bes. Sänger*), *der als Neger geschminkt auftritt.* '**min·strel·sy** [-si] *s* **1.** Musi'kantentum *n.* **2.** a) Spielmannskunst *f,* -dichtung *f,* b) Minnesang *m,* -dichtung *f,* c) *poet.* Dichtkunst *f.* **3.** Spielleute *pl.*
mint[1] [mint] *s* **1.** *bot.* Minze *f*: ~ camphor *pharm.* Menthakampfer *m,* Menthol *n*; ~ julep → julep 2; ~ sauce (saure) Minzsoße. **2.** 'Pfefferminz(liˌkör) *m.*
mint[2] [mint] **I** *s* **1.** Münze *f*: a) Münzstätte *f,* -anstalt *f,* b) Münzamt *n*: ~ mark Münzzeichen *n*; ~ stamp Münzgepräge *n*; master of the ~, ~-master Obermünzmeister *m*; ~ par of exchange *econ.* Münzpari *n*; ~ price Münzfuß *m,* Prägewert *m.* **2.** *fig.* a) Werkstatt *f* (*der Natur etc*), b) (reiche) Fundgrube, Quelle *f.* **II** *adj* **3.** (wie) neu, tadellos erhalten, unbeschädigt (*von Briefmarken u. Büchern*): in ~ condition. **III** *v/t* **4.** *Geld* münzen, schlagen, prägen. **5.** *fig. Wort* prägen.
mint·age ['mintidʒ] *s* **1.** Münzen *n,* Prägung *f* (*a. fig.*). **2.** (*das*) Geprägte, Geld *n.* **3.** Prägegebühr *f.* **4.** a) Münzgepräge *n,* b) *fig.* Gepräge *n.*
min·u·end ['minjuˌend] *s math.* Minu'end *m.*
min·u·et [ˌminju'et] *s mus.* Menu'ett *n.*

mi·nus ['mainəs] **I** *prep* **1.** *math.* minus, weniger, abzüglich. **2.** *colloq.* ohne: ~ his hat; ~ a leg mit 'e-m Bein. **II** *adv* **3.** minus, unter null (*Temperatur*). **III** *adj* **4.** Minus..., nega'tiv: ~ amount Fehlbetrag *m*; ~ quantity → 8; ~ reaction negative Reaktion; ~ sign → 7. **5.** *colloq.* schlecht: his manners are definitely ~. **6.** *bot.* minus-geschlechtig. **IV** *s* **7.** Minuszeichen *n*. **8.** *math.* nega'tive Größe. **9.** Minus *n*, Mangel *m*.

mi·nus·cule [mi'nʌskjuːl] **I** *s* **1.** Mi'nuskel *f*, kleiner (Anfangs)Buchstabe. **2.** Karo'lingische Mi'nuskel. **II** *adj* **3.** Minuskel... **4.** winzig.

min·ute[1] ['minit] **I** *s* **1.** Mi'nute *f*: for a ~ e-e Minute (lang); ~ hand Minutenzeiger *m* (*e-r Uhr*); to the ~ auf die Minute; (up) to the ~ *fig.* hypermodern. **2.** Augenblick *m*: just a ~! e-n Augenblick!, Moment mal!; come this ~! komm sofort!; the ~ that sobald. **3.** *econ.* a) Kon'zept *n*, kurzer Entwurf, b) No'tiz *f*, Memo'randum *n*, Proto'kolleintrag *m*: ~ book Protokollbuch *n*. **4.** *pl jur. pol.* ('Sitzungs)Proto,koll *n*, Niederschrift *f*: (the) ~s of the proceedings (das) Verhandlungsprotokoll; to keep the ~s das Protokoll führen. **5.** *astr. math.* Mi'nute *f* (*60. Teil e-s Kreisgrades*): ~ of arc *math.* Bogenminute. **6.** *arch.* Mi'nute *f* (*60. Teil e-s Säulendurchmessers an der Basis*). **II** *v/t* **7.** a) entwerfen, aufsetzen, b) no'tieren, protokol'lieren, zu Proto'koll nehmen. **8.** die genaue Zeit *od.* Dauer bestimmen von: to ~ a match.

mi·nute[2] [mai'njuːt; mi-] *adj* **1.** sehr *od.* ganz klein, winzig: ~ differences; in the ~st details in den kleinsten Einzelheiten. **2.** *fig.* unbedeutend, geringfügig. **3.** sorgfältig, sehr *od.* peinlich genau, minuzi'ös: a ~ report.

min·ute·ly[1] ['minitli] **I** *adj* jede Mi'nute geschehend, Minuten... **II** *adv* jede Mi'nute, von Minute zu Minute, im Mi'nutenabstand.

mi·nute·ly[2] [mai'njuːtli; mi-] *adv von* minute[2].

min·ute·man ['minit,mæn] *s irr Am. hist. Freiwilliger im amer. Unabhängigkeitskrieg, der sich zu unverzüglichem Heeresdienst bei Abruf verpflichtete.*

mi·nute·ness [mai'njuːtnis; mi-] *s* **1.** Kleinheit *f*, Winzigkeit *f*. **2.** minuzi'öse Genauigkeit.

mi·nu·ti·a [mi'njuːʃiə; mai-] *pl* **-ti·ae** [-ʃi,iː] (*Lat.*) *s* kleinster 'Umstand, Einzelheit *f*, De'tail *n*.

minx [miŋks] *s* **1.** Range *f*, Racker *m*, Frechdachs *m* (*Mädchen*). **2.** ‚Katze' *f*, ko'kettes Weibsbild.

Mi·o·cene ['maiə,siːn] *geol.* **I** *s* Mio'zän(peri,ode *f*) *n*. **II** *adj* mio'zän, Miozän...

mir·a·cle ['mirəkl] *s* **1.** Wunder *n* (*a. fig.*), 'überna,türliches Ereignis, Wunderwerk *n*, -tat *f*: economic ~ Wirtschaftswunder *n*; ~ man, ~-worker Wundertäter *m*; ~ drug *med.* Wundermittel *n*; a ~ of skill *fig.* ein Wunder an Geschicklichkeit; to a ~ überraschend gut, ausgezeichnet; to work ~s Wunder tun. **2.** Wunderkraft *f*. **3.** *a.* ~ play *hist.* Mi'rakel(spiel) *n*.

mi·rac·u·lous [mi'rækjuləs] **I** *adj* **1.** 'überna,türlich, wunderbar, Wunder...: ~ cure Wunderkur *f*. **2.** *fig.* wunderbar, erstaunlich, unglaublich. **II** *s* **3.** (*das*) Wunderbare. **mi'rac·u·lous·ly** *adv* **1.** (wie) durch ein Wunder. **2.** wunderbar(erweise), erstaunlich(erweise). **mi'rac·u·lous·ness** *s* (*das*) Wunderbare.

mi·rage [mi'rɑːʒ; 'mir-] *s* **1.** *phys.* Luftspiegelung *f*, Fata Mor'gana *f*. **2.** *fig.* Luftbild *n*, Illusi'on *f*.

mire [mair] **I** *s* **1.** Schlamm *m*, Sumpf *m*, Kot *m* (*alle a. fig.*). **2.** *fig.* ‚Patsche' *f*, Verlegenheit *f*: to be deep in the ~ ‚tief in der Klemme *od.* im Dreck sitzen'; to drag s.o. into the ~ j-n in den Schmutz ziehen. **II** *v/t* **3.** in den Schlamm fahren *od.* setzen: to be ~d im Sumpf *etc* stecken(bleiben). **4.** beschmutzen, besudeln. **5.** *fig.* in Schwierigkeiten bringen. **III** *v/i* **6.** im Sumpf versinken *od.* steckenbleiben. **~ crow** *s orn. Br.* Lachmöwe *f*. **~ duck** *s orn. Am.* Hausente *f*.

mir·ror ['mirər] **I** *s* **1.** Spiegel *m* (*a. fig.*): to hold up the ~ to s.o. *fig.* j-m den Spiegel vorhalten; done with ~s *fig.* (wie) durch Zauberei. **2.** spiegelnde (Ober)Fläche: the ~ of the lake. **3.** *phys. tech.* Rückstrahler *m*, Re'flektor *m*. **4.** *fig.* Spiegel *m*, Muster *n*. **5.** *orn.* Spiegel *m* (*glänzender Fleck auf den Flügeln*). **II** *v/t* **6.** ('wider)spiegeln: to be ~ed sich spiegeln (in in *dat*). **7.** mit Spiegel(n) versehen: ~ed room Spiegelzimmer *n*. **~ com·pa·ra·tor** *s tech.* Spiegellehre *f*. **~ fin·ish** *s tech.* Hochglanz *m*. **~ im·age** *s math. med.* Spiegelbild *n*. **'~-in·,vert·ed** *adj* seitenverkehrt. **~ sight** *s tech.* 'Spiegelvi,sier *n*. **~ sym·me·try** *s math. phys.* 'Spiegelsymme,trie *f*. **~ writ·ing** *s* Spiegelschrift *f*.

mirth [məːrθ] *s* Fröhlichkeit *f*, Frohsinn *m*, Heiterkeit *f*. **'mirth·ful** [-ful] *adj* (*adv* ~ly) fröhlich, heiter, lustig. **'mirth·ful·ness** *s* Fröhlichkeit *f*. **'mirth·less** *adj* freudlos, traurig.

mir·y ['mai(ə)ri] *adj* **1.** sumpfig, schlammig, kotig. **2.** *fig.* schmutzig.

mis- [mis] *Wortelement mit der Bedeutung* falsch, Falsch..., schlecht, miß..., Miß..., verfehlt, Fehl...

,mis·ad'ven·ture *s* **1.** Unfall *m*, Unglück(sfall *m*) *n*: death by ~ *jur.* Tod *m* durch Unfall. **2.** 'Mißgeschick *n*.

,mis·a'ligned *adj tech.* nichtfluchtend, aus der Flucht, verlagert. **,mis·a'lign·ment** *s tech.* Flucht(ungs)fehler *m*, falsche *od.* schlechte Ausrichtung.

,mis·al'li·ance *s* unglückliche Verbindung, *bes.* Mesalli'ance *f*, 'Mißheirat *f*.

mis·an·thrope ['misən,θroup; 'miz-] *s* Menschenfeind *m*, Misan'throp *m*. **,mis·an'throp·ic** [-'θrɒpik] *adj*; **,mis·an'throp·i·cal** *adj* (*adv* ~ly) menschenfeindlich, misan'thropisch. **mis·an·thro·pist** [mis'ænθrəpist; miz-] → misanthrope. **mis'an·thro·py** [-pi] *s* Menschenhaß *m*.

,mis·ap·pli'ca·tion *s* **1.** falsche Verwendung. **2.** 'Mißbrauch *m*, Veruntreuung *f*. **,mis·ap'ply** *v/t* **1.** falsch anbringen *od.* ver-, anwenden. **2.** miß'brauchen, *öffentliche Gelder etc* veruntreuen: to ~ public money.

,mis·ap·pre'hend *v/t* 'mißverstehen. **,mis·ap·pre'hen·sion** *s* 'Mißverständnis *n*, falsche Auffassung: to be (*od.* labo[u]r) under a ~ sich in e-m Irrtum befinden.

,mis·ap'pro·pri,ate *v/t* **1.** sich 'widerrechtlich aneignen, unter'schlagen. **2.** falsch anwenden: ~d capital *econ.* fehlgeleitetes Kapital. **,mis·ap,pro·pri'a·tion** *s econ. jur.* 'widerrechtliche Aneignung *od.* Verwendung (*von fremdem Vermögen*), Unter'schlagung *f*, Veruntreuung *f*.

mis·ar'range *v/t* falsch *od.* schlecht (an)ordnen.

,mis·be'come *v/t irr j-m* schlecht stehen, sich nicht schicken *od.* ziemen für *j-n*. **,mis·be'com·ing** → unbecoming.

,mis·be'got·ten *adj* **1.** unehelich (gezeugt). **2.** *fig.* vermurkst, verkorkst. **3.** *fig.* scheußlich, elend.

,mis·be'have *v/i od. v/reflex* **1.** sich schlecht benehmen *od.* aufführen: to ~ (o.s.). **2.** ungebührlich handeln, sich vergehen. **3.** in'tim werden (with mit). **4.** *mil. Am.* sich der Feigheit vor dem Feind schuldig machen: to ~ before the enemy. **,mis·be'hav·io(u)r** *s* **1.** schlechtes Benehmen *od.* Betragen, Ungezogenheit *f*. **2.** *jur. mil. Am.* a) schlechte Führung, b) ~ before the enemy Feigheit *f* vor dem Feind.

,mis·be'lief *s* Irrglaube *m*: a) irrige Ansicht, b) *relig.* Ketze'rei *f*. **,mis·be'lieve** *v/i* irrgläubig sein. **,mis·be'liev·er** *s* Irrgläubige(r *m*) *f*.

mis'brand *v/t econ. Waren* falsch benennen *od.* unter falscher Bezeichnung in den Handel bringen.

mis'cal·cu,late I *v/t* falsch berechnen *od.* (ab)schätzen. **II** *v/i* sich verrechnen, sich verkalku'lieren. **mis,cal·cu'la·tion** *s* Rechen-, Kalkulati'onsfehler *m*, falsche (Be)Rechnung, 'Fehlkalkulati,on *f*.

mis'call *v/t* falsch *od.* zu Unrecht *od.* fälschlicherweise (be)nennen.

mis'car·riage *s* **1.** Fehlschlag(en *n*) *m*, Miß'lingen *n*: ~ of justice Fehlspruch *m*, -urteil *n*, Justizirrtum *m*. **2.** *econ.* Versandfehler *m*. **3.** Fehlleitung *f* (*von Briefen etc*). **4.** *med.* Fehlgeburt *f*, Ab'ort *m*: to induce (*od.* procure) a ~ (on s.o.) e-e Fehlgeburt herbeiführen, *a.* e-e Schwangerschaftsunterbrechung vornehmen (bei j-m).

mis'car·ry *v/i* **1.** miß'lingen, -'glücken, fehlschlagen, scheitern. **2.** verlorengehen (*Brief*). **3.** *med.* e-e Fehlgeburt haben, abor'tieren.

mis'cast *v/t irr thea.* **1.** *ein Stück, e-e Rolle* falsch besetzen. **2.** *j-m* e-e unpassende Rolle zuteilen: as Ophelia, she was definitely ~ als Ophelia war sie e-e glatte Fehlbesetzung.

mis·ce·gen·a·tion [,misidʒi'neiʃən] *s* Rassenmischung *f*.

mis·cel·la·ne·a [,misə'leiniə] *s pl* **1.** Sammlung *f* vermischter Gegenstände, Mis'zellen *pl*. **2.** → miscellany 3. **,mis·cel'la·ne·ous** *adj* (*adv* ~ly) **1.** ge-, vermischt, di'vers. **2.** verschiedenartig, mannigfaltig. **,mis·cel'la·ne·ous·ness** *s* **1.** Gemischtheit *f*. **2.** Vielseitigkeit *f*, Mannigfaltigkeit *f*.

mis·cel·la·ny ['misə,leini; *Br. a.* mi'seləni] *s* **1.** Gemisch *n*. **2.** Sammelband *m*. **3.** vermischte Schriften *pl od.* Aufsätze *pl*, Mis'zellen *pl*: a book of miscellanies ein Sammelband von vermischten Schriften *od.* Aufsätzen.

mis'chance *s* Unfall *m*, 'Mißgeschick *n*: by ~ durch e-n unglücklichen Zufall, unglücklicherweise.

mis·chief ['mistʃif] *s* **1.** Unheil *n*, Unglück *n*, Schaden *m*: to do ~ Unheil anrichten; to mean ~ auf Unheil sinnen, Böses im Schilde führen; to make ~ Zwietracht säen, böses Blut machen (between zwischen *dat*); to do s.o. (some) ~ j-m Schaden zufügen; the ~ was done es war schon passiert; the ~ of s.th. das Schlimme an *od.* bei e-r Sache. **2.** Verletzung *f*, (*körperlicher*) Schaden, Gefahr *f*: to run into ~ in Gefahr kommen. **3.** Ursache *f* des Unheils, Übelstand *m*, Unrecht *n*, Störenfried *m*: the ~ was a nail in the tyre (*od.* tire) die Ursache des Schadens war ein Nagel im Reifen. **4.** Unfug *m*, Possen *m*, Schalkheit *f*: eyes full of ~ schelmisch *od.* boshaft glitzernde Augen; to get into ~ ‚etwas anstellen'; to keep out of ~ keine Dummheiten machen, brav sein; that will keep you out of ~! damit du auf keine dummen Gedanken kommst. **5.** Racker *m*, ‚Strick' *m* (*Kind*). **6.** Mutwille *m*, 'Übermut *m*, Ausgelassenheit *f*: to be full of (*od.* up to) ~ immer zu Dummheiten aufgelegt sein. **7.** *euphem.* Teufel *m*: what (where, why) the ~ ...? was (wo, warum) zum Teufel ...?; to play the ~ with s.th. Schindluder treiben mit etwas. **'~-ˌmak·er** *s* Unheil-, Unruhestifter(in), Störenfried *m*.

mis·chie·vous ['mistʃivəs] *adj* (*adv* ~ly) **1.** schädlich, nachteilig, verderblich. **2.** boshaft, mutwillig, schadenfroh. **3.** schelmisch. **'mis·chie·vous·ness** *s* **1.** Schädlichkeit *f*, Nachteiligkeit *f*. **2.** Bosheit *f*, Mutwille *m*. **3.** Schalkhaftigkeit *f*, Ausgelassenheit *f*.

misch·met·al ['miʃˌmetl] *s tech.* 'Mischmeˌtall *n*.

mis·ci·bil·i·ty [ˌmisi'biliti] *s* Mischbarkeit *f*. **'mis·ci·ble** *adj* mischbar.

mis'col·o(u)r *v/t* **1.** falsch färben. **2.** *fig.* falsch darstellen.

ˌmis·com·pre'hend *v/t* 'mißverstehen.

ˌmis·con'ceive I *v/t* falsch auffassen *od.* verstehen, 'mißverstehen, sich e-n falschen Begriff machen von. **II** *v/i* sich irren. **ˌmis·con'cep·tion** *s* 'Mißverständnis *n*, falsche Auffassung.

mis·con·duct I *v/t* [ˌmiskən'dʌkt] **1.** schlecht führen *od.* verwalten. **2.** ~ o.s. sich schlecht betragen *od.* benehmen, e-n Fehltritt begehen. **II** *s* [mis'kɒndʌkt] **3.** Ungebühr *f*, schlechtes Betragen *od.* Benehmen. **4.** Verfehlung *f*, Fehltritt *m*, *bes.* Ehebruch *m*: official ~, ~ in office *jur.* Amtsvergehen *n*. **5.** schlechte Verwaltung. **6.** *mil.* schlechte Führung.

ˌmis·con'struc·tion *s* **1.** 'Mißdeutung *f*, falsche Auslegung. **2.** *ling.* falsche ('Satz)Konstruktiˌon. **ˌmis·con'strue** *v/t* falsch auslegen, miß'deuten, 'mißverstehen.

ˌmis·cor'rect *v/t* falsch verbessern, verschlimmbessern.

mis'count I *v/t* falsch (be)rechnen *od.* zählen. **II** *v/i* sich verrechnen. **III** *s* Rechenfehler *m*, falsche Zählung.

mis·cre·ant ['miskriənt] **I** *adj* **1.** ruchlos, gemein, ab'scheulich. **2.** *obs.* irrgläubig. **II** *s* **3.** Schurke *m*, Bösewicht *m*. **4.** *obs.* Ketzer(in).

mis'creed *s poet.* Irr-, Unglaube *m*.

mis'date I *v/t* falsch da'tieren. **II** *s* falsches Datum.

mis'deal I *v/t u. v/i irr Kartenspiel*: (die Karten) vergeben. **II** *s* Vergeben *n*: to make a ~ → I.

mis'deed *s* Missetat *f*, Verbrechen *n*.

ˌmis·de'mean *v/i od. v/reflex* sich schlecht betragen, sich vergehen: to ~ (o.s.). **ˌmis·de'mean·ant** *s* **1.** Übel-, Missetäter(in). **2.** *jur.* Straffällige(r *m*) *f*, Delin'quent(in). **ˌmis·de'mean·o(u)r** *s jur.* Vergehen *n*, minderes De'likt: ~ in office Amtsvergehen.

ˌmis·di'rect *v/t* **1.** *j-n od. etwas* fehl-, irreleiten: ~ed charity falsch angebrachte Wohltätigkeit. **2.** *jur. die Geschworenen* falsch belehren: the judge ~ed the jury. **3.** *e-n Brief* falsch adres'sieren. **ˌmis·di'rec·tion** *s* **1.** Irreleiten *n*, -führung *f*. **2.** falsche Richtung. **3.** falsche Verwendung. **4.** *jur.* unrichtige Rechtsbelehrung (*der Geschworenen*). **5.** falsche Adres'sierung.

mis'do·ing → misdeed.

mis'doubt *v/t obs.* **1.** *etwas* an-, bezweifeln. **2.** *j-n* verdächtigen, *j-m* miß'trauen. **3.** befürchten.

mise [mi:z; maiz] *s* **1.** *bes. jur.* Kosten *pl* u. Gebühren *pl*. **2.** *hist.* Vertrag *m*. **3.** *sport* Spieleinsatz *m*.

mise en scene [mi:zɑ̃'sɛn] (*Fr.*) *s* **1.** *thea.* a) Bühnenbild *n*, b) Insze'nierung *f* (*a. fig.*). **2.** Mili'eu *n*, 'Umwelt *f*, 'Hintergrund *m*.

ˌmis·em'ploy *v/t* falsch *od.* schlecht anwenden, miß'brauchen: to ~ one's talents. **ˌmis·em'ploy·ment** *s* schlechte Anwendung, 'Mißbrauch *m*.

mi·ser ['maizər] *s* Geizhals *m*.

mis·er·a·ble ['mizərəbl; 'mizr-] **I** *adj* (*adv* miserably) **1.** elend, jämmerlich, erbärmlich, armselig, kläglich (*alle a. contp.*). **2.** traurig, unglücklich: to make s.o. ~. **3.** mise'rabel: a) schlecht, b) schändlich, gemein. **II** *s* **4.** Elende(r *m*) *f*, Unglückliche(r *m*) *f*.

Mis·e·re·re [ˌmizə'ri(ə)ri; -'rɛ(ə)ri] *s* **1.** *mus. relig.* Mise'rere *n*, Bußpsalm *m*. **2.** *relig.* Gebet *n* um Erbarmen. **3.** m~ Miseri'kordie *f* (*Stütze an den Klappsitzen des Chorgestühls*).

mi·ser·li·ness ['maizərlinis] *s* Geiz *m*. **'mi·ser·ly** *adj* geizig, filzig, knick(e)rig.

mis·er·y ['mizəri] *s* **1.** Elend *n*, Not *f*. **2.** Trübsal *f*, Jammer *m*, (seelischer) Schmerz. **3.** *pl* Leiden *pl*, Nöte *pl*, Unannehmlichkeiten *pl*. **4.** *contp.* Kümmerling *m*.

mis'fea·sance *s jur.* **1.** pflichtwidrige *od.* unerlaubte Handlung. **2.** 'Mißbrauch *m* (der Amtsgewalt), 'Amtsˌmißbrauch *m*. **mis'fea·sor** [-zər] *s jur.* j-d, der sich e-s 'Amtsˌmißbrauchs *etc* schuldig macht.

mis'field *v/i u. v/t sport* e-n Fangfehler machen (bei *e-m Ball*).

mis'fire I *v/i* **1.** *mil.* versagen (*Waffe*). **2.** *bes. mot.* fehlzünden, aussetzen. **3.** *fig.* ‚da'nebengehen', s-e Wirkung verfehlen. **II** *s* **4.** a) Versager *m* (*beim Schießen etc*), b) *mot. etc* Fehlzündung *f*.

mis·fit [mis'fit] *s* **1.** schlechter Sitz (*von Kleidungsstücken etc*). **2.** nichtpassender Gegenstand, fehlerhaftes Stück. **3.** [*a.* 'misfit] Eigenbrötler *m*, j-d, der sich s-r Um'gebung nicht anpassen kann *od.* nicht in s-e Zeit paßt, Mili'eugestörte(r *m*) *f*.

mis'for·tune *s* **1.** 'Mißgeschick *n*, Unglück *n*. **2.** Unglücksfall *m*. **3.** → mishap 2.

mis'give I *v/t irr j-n* Böses ahnen lassen: my heart ~s me mir ahnt Böses *od.* nichts Gutes. **II** *v/i* Böses ahnen. **mis'giv·ing** *s* Befürchtung *f*, böse Ahnung, Zweifel *m*.

mis'got·ten *adj* unrechtmäßig erworben.

mis'gov·ern *v/t* schlecht re'gieren *od.* verwalten. **mis'gov·ern·ment** *s* 'Mißreˌgierung *f*, schlechte Re'gierung.

mis'growth *s* **1.** 'Mißwuchs *m*. **2.** *fig.* Auswuchs *m*: ~ of patriotism.

mis'guid·ance *s* Irreführung *f*, Verleitung *f*. **mis'guide** *v/t* fehl-, verleiten, irreführen. **mis'guid·ed** *adj* fehl-, irregeleitet, verfehlt: in a ~ moment in e-r schwachen Stunde.

mis'han·dle *v/t* **1.** miß'handeln. **2.** *etwas* falsch behandeln, schlecht handhaben: to ~ a car. **3.** *fig.* falsch anpacken, ‚verpatzen'.

mis·hap ['mishæp; mis'hæp] *s* **1.** Unglück *n*, Unfall *m*, *mot.* (*a. humor. fig.*) Panne *f*. **2.** *euphem.* a) ‚Fehltritt *m* mit Folgen', b) uneheliches Kind.

mis'hear I *v/t irr* falsch hören. **II** *v/i* sich verhören.

mish·mash ['miʃˌmæʃ] *s* Mischmasch *m*.

Mish·na(h) ['miʃnə] *s relig.* Mischna *f* (*1. Teil des Talmuds*).

ˌmis·im'prove *v/t* **1.** verschlimmbessern. **2.** *Am. od. obs.* miß'brauchen.

ˌmis·in'form *v/t j-n* falsch unter'richten. **ˌmis·in·for'ma·tion** *s* falscher Bericht, falsche Auskunft *od.* Informati'on.

ˌmis·in'ter·pret *v/t u. v/i* miß'deuten, falsch auffassen *od.* auslegen. **ˌmis·inˌter·pre'ta·tion** *s* 'Mißdeutung *f*, falsche Auslegung.

mis'join·der *s jur.* **1.** unzulässige Klagenhäufung. **2.** unzulässige *od.* ungehörige Hin'zuziehung (*e-s Streitgenossen*).

mis'judge *v/t u. v/i* **1.** falsch beurteilen, verkennen. **2.** falsch urteilen. **3.** falsch schätzen: I ~d the distance. **mis'judg(e)·ment** *s* irriges Urteil, falsche Beurteilung, Verkennung *f*.

mis'lay *v/t irr etwas* verlegen: I have mislaid my gloves.

mis'lead *v/t irr* **1.** irreführen, täuschen. **2.** verführen, -leiten (into doing zu tun): to be misled sich verleiten lassen. **mis'lead·ing** *adj* irreführend: to be ~ täuschen.

mis'like → dislike.

mis'man·age *v/t u. v/i* schlecht verwalten *od.* führen *od.* handhaben. **mis'man·age·ment** *s* schlechte Verwaltung *od.* Führung, 'Mißwirtschaft *f*.

mis'mar·riage *s* 'Mißheirat *f*.

mis'move *s Am.* falscher Schritt, falsche Maßnahme *od.* Bewegung.

mis'name *v/t* falsch benennen.

mis·no·mer [mis'noumər] *s* **1.** *jur.* Namensirrtum *m* (*in e-r Urkunde*). **2.** falsche Benennung *od.* Bezeichnung.

mi·sog·a·mist [mi'sɒgəmist] *s* Miso'gam *m*, Ehefeind *m*, Hagestolz *m*. **mi'sog·a·my** *s* Misoga'mie *f*, Ehescheu *f*.

mi·sog·y·nist [mi'sɒdʒinist; mai-] *s* Miso'gyn *m*, Weiberfeind *m*. **miˌsog·y'nis·tic, mi'sog·y·nous** *adj* weiberfeindlich. **mi'sog·y·ny** *s* Misogy'nie *f*, Weiberhaß *m*.

mi·sol·o·gist [mi'sɒlədʒist; mai-] *s* Vernunfthasser *m*. **mi'sol·o·gy** *s* Misolo'gie *f*, Abneigung *f* gegen vernünftige sachliche Ausein'andersetzung.

mis·o·ne·ism [ˌmiso'ni:izəm; ˌmai-] *s psych.* Misone'ismus *m*, Neopho'bie *f*, Haß *m* gegen Neuerung.

mis'place *v/t* **1.** *etwas* verlegen. **2.** an e-e falsche Stelle legen *od.* setzen: to ~ the decimal point *math.* das Komma falsch setzen. **3.** *fig.* falsch *od.* übel anbringen: to be ~d unangebracht sein. **mis'place·ment** *s* Verstellen *n*, -setzen *n*, falsches Anbringen.

mis·print I *v/t* [mis'print] ver-, fehldrucken. **II** *s* [*a.* 'misprint] Druckfehler *m*.

mis·pri·sion[1] [mis'priʒən] *s* **1.** *jur.* Vergehen *n*, Versäumnis *f*. **2.** *jur.* Unter'lassung *f* der Anzeige: ~ of felony Nichtanzeige *f* e-s Verbrechens.

mis·pri·sion[2] [mis'priʒən] *s obs.* Geringschätzung *f*.

mis'prize *v/t* **1.** verachten. **2.** geringschätzen, miß'achten, unter'schätzen.

ˌmis·pro'nounce *v/t u. v/i* falsch aussprechen. **ˌmis·proˌnun·ci'a·tion** *s* falsche Aussprache.

mis'proud *adj obs.* hoffärtig, stolz.

ˌmis·quo'ta·tion *s* falsche Anführung, falsches Zi'tat. **mis'quote** *v/t u. v/i* falsch anführen *od.* zi'tieren.

mis'read *v/t irr* **1.** falsch lesen. **2.** miß'deuten (*beim Lesen*).

ˌmis·rep·re'sent *v/t* **1.** falsch *od.* ungenau darstellen. **2.** entstellen, verdrehen. **ˌmis·rep·re·sen'ta·tion** *s* **1.** falsche *od.* ungenaue Darstellung, Verdrehung *f*, falsches Bild. **2.** *jur.* falsche Angabe.

mis'rule I *v/t* **1.** schlecht re'gieren. **II** *s* **2.** schlechte Re'gierung, 'Mißreˌgierung *f*. **3.** Unordnung *f*, Tu'mult *m*.

miss[1] [mis] *s* **1.** M~ (*mit folgendem Namen*) Fräulein *n*: M~ Smith Fräulein Smith (*bes. einzige od. älteste unverheiratete Tochter der Familie*); M~ Rita Fräulein Rita (*jüngere unverheiratete Tochter*); M~ America Miss Amerika, die Schönheitskönigin von Amerika. **2.** *humor. od. econ.* junges Mädchen, Backfisch *m*, Teenager *m*: → junior miss. **3.** *colloq.* (*ohne folgenden Namen*) Fräulein *n* (*Anrede für Kellnerinnen etc*).

miss[2] [mis] **I** *v/t* **1.** *e-e Gelegenheit, den Zug, e-e Verabredung etc* verpassen, -säumen, *den Beruf, j-n, e-n Schlag, den Weg, das Ziel etc* verfehlen: to ~ the bus (*od.* the boat) *colloq.* den Anschluß *od.* s-e Chance verpassen; to ~ one's opportunity (of doing s.th. *od.* to do s.th.) die Gelegenheit verpassen, sich die Gelegenheit entgehen lassen (etwas zu tun); to ~ the point (of an argument) das Wesentliche (e-s Arguments) nicht begreifen; he didn't ~ much a) er versäumte nicht viel, b) ihm entging so gut wie nichts; ~ed approach *aer.* Fehlanflug *m*; ~ed period *physiol.* ausgebliebene Regel. **2.** *a.* ~ out auslassen, über'gehen, -'springen. **3.** nicht haben, nicht bekommen: → fire 9, footing 1, hold[2] 1, mark[1] 12; I ~ed my breakfast ich habe kein Frühstück (mehr) bekommen. **4.** a) nicht hören können, über'hören, b) über'sehen, nicht bemerken. **5.** (ver)missen, entbehren: we ~ her very much sie fehlt uns sehr. **6.** entkommen (*dat*), entgehen (*dat*), vermeiden: he just ~ed being hurt er ist gerade (noch) e-r Verletzung entgangen; I just ~ed running him over um ein Haar hätte ich ihn überfahren.

II *v/i* **7.** nicht treffen: a) da'nebenschießen, -werfen, -schlagen *etc*, b) fehlgehen, da'nebengehen (*Schuß etc*). **8.** miß'glücken, -'lingen, fehlschlagen, ‚da'nebengehen'. **9.** ~ out *Am.* leer ausgehen: he ~ed out on his turn er hat s-e Chance verpaßt.

III *s* **10.** Fehlschuß *m*, -wurf *m*, -schlag *m*, -stoß *m*: every shot a ~ jeder Schuß ging daneben. **11.** Verpassen *n*, -säumen *n*, -fehlen *n*, Entrinnen *n*: a ~ is as good as a mile a) dicht daneben ist auch vorbei, b) mit knapper Not entrinnen ist immerhin entrinnen; to give s.th. a ~ a) etwas vermeiden *od.* nicht nehmen *od.* nicht tun, die Finger lassen von etwas, b) etwas auslassen, verzichten auf etwas. **12.** *Am. colloq.* a) Fehlgeburt *f*, b) *mot.* Fehlzündung *f*.

mis·sal ['misəl] *relig.* **I** *s* Meßbuch *n*. **II** *adj* Meß...: ~ sacrifice Meßopfer *n*.

mis·sel thrush ['misəl] *s orn.* Misteldrossel *f*.

mis'shap·en *adj* 'miß-, ungestalt(et), unförmig, häßlich.

mis·sile [*Br.* 'misail; *Am.* -sl; -sil] **I** *s* **1.** (Wurf)Geschoß *n*, Projek'til *n*. **2.** *mil.* Flugkörper *m*: ballistic ~, guided ~ Fernlenkgeschoß *n*, -waffe *f*, Rakete(ngeschoß *n*) *f*; ~-armed destroyer *mar.* Lenkraketen-Zerstörer *m*. **II** *adj* **3.** Schleuder..., Wurf... **4.** Raketen... '~ˌman [-ˌmæn] *s irr* Ra'ketenfachmann *m*, -techniker *m*.

mis·sile·ry ['mislri:; -sil-] *s* **1.** Ra'ketentechnik *f*. **2.** *collect.* Ra'keten(arseˌnal *n*) *pl*, Flugkörper *pl*.

miss·ing ['misiŋ] *adj* **1.** fehlend, abwesend, ausbleibend, fort, nicht da: the ~ link a) das fehlende Glied, b) *Darwinismus*: das Missing link, die fehlende Übergangsform zwischen Mensch u. Affe. **2.** vermißt (*mil. a.* ~ in action), verschollen: the ~ die Vermißten *od.* Verschollenen; to be reported ~ als vermißt gemeldet werden.

mis·sion ['miʃən] *s* **1.** *pol.* (*Am.* ständige) Gesandtschaft. **2.** *pol.* (Mili'täretc)Missiˌon *f* (*im Ausland*). **3.** *bes. pol.* Auftrag *m*, Missi'on *f*: on (a) special ~ mit besonderem Auftrag. **4.** *relig.* Missi'on *f*: a) Sendung *f*, b) Missio'narstätigkeit *f*: foreign (home) ~ äußere (innere) Mission, c) Missi'onskurse *pl*, -predigten *pl*, d) Missi'onsgesellschaft *f*, e) Missi'onsstatiˌon *f*. **5.** Missi'on *f*, Sendung *f*, (innere) Berufung, Lebenszweck *m*: ~ in life Lebensaufgabe *f*. **6.** *mil.* a) (Einsatz-, Kampf)Auftrag *m*, b) *aer.* Feindflug *m*, Einsatz *m*.

mis·sion·ar·y ['miʃənəri] **I** *adj* **1.** missio'narisch, Missions... **II** *s* **2.** Missio'nar(in), Glaubensbote *m*, -botin *f*. **3.** *fig.* Bote *m*, Botin *f*.

mis·sis ['misiz] *s* **1.** *sl.* ‚gnä' Frau' (*als Anrede der Hausfrau*). **2.** *colloq.* ‚Alte' *f*, ‚bessere Hälfte' (*Gattin*).

miss·ish ['misiʃ] *adj* **1.** zimperlich. **2.** geziert, affek'tiert. **3.** alt'jüngferlich.

mis·sive ['misiv] **I** *s* Sendschreiben *n*, Mis'siv *n*. **II** *adj* gesandt, Send...: letter ~ Sendschreiben *n*.

mis'spell *v/t u. v/i a. irr* falsch buchsta'bieren *od.* schreiben. **mis'spell·ing** *s* **1.** falsches Buchsta'bieren. **2.** ortho'graphischer Fehler.

mis'spend *v/t irr* falsch verwenden, vergeuden, -schwenden: misspent youth vergeudete Jugend.

mis'state *v/t* falsch angeben, unrichtig darstellen. **mis'state·ment** *s* falsche Angabe *od.* Darstellung.

mis'step *s* **1.** Fehltritt *m* (*a. fig.*). **2.** *fig.* Fehler *m*, Dummheit *f*.

mis·sus ['misəs; -əz] → missis.

miss·y ['misi] *s colloq. humor.* kleines Fräulein.

mist [mist] **I** *s* **1.** *allg.* (feiner) Nebel. **2.** *meteor.* a) leichter Nebel, feuchter Dunst, b) *Am.* Sprühregen *m*. **3.** *fig.* Nebel *m*, Schleier *m* (*a. vor den Augen etc*): to be in a ~ ganz irre *od.* verdutzt sein. **4.** *colloq.* Beschlag *m*, Hauch *m* (*auf e-m Glas*). **II** *v/i* **5.** *a.* ~ over a) nebeln, neb(e)lig sein (*a. fig.*), b) sich verschleiern, sich um'floren, sich trüben (*Augen*), c) (sich) beschlagen (*Glas*). **III** *v/t* **6.** um'nebeln, um'wölken, verdunkeln.

mis·tak·a·ble [mis'teikəbl] *adj* verkennbar, (leicht) zu verwechseln(d), 'mißzuverstehen(d).

mis·take [mis'teik] **I** *v/t irr* **1.** a) (for) verwechseln (mit), (fälschlich) halten (für), b) verfehlen, nicht erkennen, verkennen: to ~ s.o.'s character sich in j-s Charakter *od.* Wesen irren. **2.** falsch verstehen, 'mißverstehen. **II** *v/i* **3.** sich irren, sich versehen. **III** *s* **4.** 'Mißverständnis *n*. **5.** Irrtum *m* (*a. jur.*), Versehen *n*, 'Mißgriff *m*, Fehler *m*: by ~ irrtümlich, aus Versehen; to learn from one's ~s aus s-n Fehlern lernen; to make a ~ sich irren; and no ~ *colloq.* bestimmt, worauf du dich (*etc*) verlassen kannst. **6.** (Schreib-, Rechen- *etc.*)Fehler *m*.

mis·tak·en [mis'teikən] **I** *pp von* mistake I *u.* II. **II** *adj* (*adv* ~ly) **1.** im Irrtum: to be ~ sich irren; unless I am very much ~ wenn ich mich nicht sehr irre; we were quite ~ in him wir haben uns in ihm ziemlich getäuscht. **2.** irrtümlich, falsch: a ~ opinion; ~ identity Personenverwechslung *f*; ~ kindness unangebrachte Freundlichkeit.

mis·ter ['mistər] *s* **1.** M~ Herr *m* (*vor Familiennamen od. Titeln, a. mar. mil.*; *meist abbr.* Mr *od. Am.* Mr.): Mr (*od.* Mr.) Smith; Mr. President. **2.** *vulg.* (*als bloße Anrede*): Herr!, ‚Meister'!, ‚Chef'!

mis·ti·gris ['mistigris] *s* (*Poker*) **1.** Joker *m*. **2.** *Abart des Pokerspiels, bei der Joker verwendet werden.*

mis'time *v/t* **1.** zur unpassenden Zeit sagen *od.* tun, e-n falschen Zeitpunkt wählen für. **2.** e-e falsche Zeit angeben *od.* annehmen für. **mis'timed** *adj* unpassend, unangebracht, zur Unzeit.

mist·i·ness ['mistinis] *s* **1.** Nebligkeit *f*, Dunstigkeit *f*. **2.** Unklarheit *f*, Verschwommenheit *f* (*a. fig.*).

mis·tle·toe ['mislˌtou] *s bot.* **1.** Mistel *f*. **2.** Mistelzweig *m*.

mis'took *pret u. obs. pp von* mistake.

ˌmis·trans'late *v/t u. v/i* falsch über'setzen. **ˌmis·trans'la·tion** *s* falsche Über'setzung, Über'setzungsfehler *m*.

mis'treat → maltreat.

mis·tress ['mistris] *s* **1.** Herrin *f* (*a. fig.*), Gebieterin *f*, Besitzerin *f*: you are your own ~ du bist d-e eigene Herrin; she is ~ of herself sie weiß sich zu beherrschen; M~ of the Sea(s) Beherrscherin *f* der Meere (*Großbritannien*); M~ of the World Herrin der Welt (*das alte Rom*). **2.** Frau *f* des Hauses, Hausfrau *f*. **3.** Leiterin *f*, Vorsteherin *f*: M~ of the Robes erste Kammerfrau (*der brit. Königin*). **4.** *bes. Br.* Lehrerin *f*: chemistry ~ Chemielehrerin. **5.** Kennerin *f*, Meisterin *f*, Ex'pertin *f*: a ~ of music. **6.** Mä'tresse *f*, Geliebte *f*. **7.** *poet. od. obs.* geliebte Frau, Geliebte *f*. **8.** → Mrs.

mis'tri·al *s jur.* fehlerhaft geführter Pro'zeß, *Am. a.* ergebnisloser Prozeß (*z. B. wenn sich die Geschworenen nicht einigen können*).

mis'trust I *s* **1.** 'Mißtrauen *n*, Argwohn *m* (of gegen). **II** *v/t* **2.** *j-m* miß'trauen, nicht trauen. **3.** zweifeln an (*dat*). **mis'trust·ful** [-ful] *adj* (*adv* ~ly) 'mißtrauisch, argwöhnisch (of gegen).

mist·y ['misti] *adj* (*adv* mistily) **1.** (leicht) neb(e)lig, dunstig. **2.** verschleiert (*Augen etc*). **3.** *fig.* unklar, verschwommen.

ˌmis·un·der'stand *v/t u. v/i irr* 'mißverstehen. **ˌmis·un·der'stand·ing** *s* **1.** 'Mißverständnis *n*. **2.** 'Mißhelligkeit *f*, Diffe'renz *f*. **ˌmis·un·der'stood** *adj* **1.** 'mißverstanden. **2.** nicht richtig gewürdigt.

mis'us·age *s* **1.** 'Mißbrauch *m*. **2.** falscher Gebrauch. **3.** Miß'handlung *f*.

mis'use I *s* **1.** → misusage 1 *u.* 2. **II** *v/t* **2.** miß'brauchen, falsch *od.* zu unrechten Zwecken gebrauchen, falsch an- *od.* verwenden. **3.** miß'handeln.

mite[1] [mait] *s zo.* Milbe *f.*

mite[2] [mait] *s* **1.** Heller *m* (*kleine Münze*). **2.** sehr kleine Geldsumme. **3.** Scherflein *n*: to contribute one's ~ to sein Scherflein beitragen zu. **4.** *colloq.* kleines Ding, Dingelchen *n*: not a ~ kein bißchen; a ~ of a child ein (kleines) Würmchen.

mi·ter, *bes. Br.* **mi·tre** ['maitər] **I** *s* **1.** *relig.* a) Mitra *f*, Bischofsmütze *f*, b) *fig.* Bischofsamt *n*, -würde *f*. **2.** *antiq.* (*Art*) Turban *m* (*der jüdischen Hohenpriester*). **3.** *antiq.* Mitra *f*: a) *Kopfbinde der griechischen u. römischen Frauen*, b) *orientalische Mütze.* **4.** *tech.* a) (Gehrungs)Fuge *f*, b) Gehrungsfläche *f*, c) → miter joint, d) → miter square. **5.** *zo.* → miter shell. **II** *v/t* **6.** mit der Mitra schmükken, infu'lieren, zum Bischof machen. **7.** *tech.* a) auf Gehrung verbinden, b) gehren, auf Gehrung zurichten. **III** *v/i* **8.** *tech.* sich in 'einem Winkel treffen. ~ **block,** ~ **box** *s tech.* Gehrungs(stoß)lade *f*: ~ saw → miter saw.

mi·tered, *bes. Br.* **mi·tred** ['maitərd] *adj* **1.** infu'liert, e-e Mitra tragend, *Abt etc* mit Bischofsrang. **2.** mitraförmig.

mi·ter| gear, *bes. Br.* **mi·tre| gear** *s tech.* Kegel(an)trieb *m*, Winkelgetriebe *n*. ~ **joint** *s tech.* Gehrfuge *f*, -stoß *m*. ~ **line** *s tech.* Gehrungslinie *f*, Kropfgrat *m*. ~ **mush·room** *s bot.* Lorchel *f*. ~ **saw** *s tech.* Gehrungssäge *f*. ~ **shell** *s zo.* Mitraschnecke *f*, *bes.* Bischofsmütze *f*. ~ **square** *s tech.* Gehrdreieck *n*, 'Winkelline,al *n* von 45°. ~ **valve** *s tech.* 'Kegelven,til *n*. ~ **wheel** *s tech.* Kegelrad *n*.

mith·ri·da·tism ['miθri,deitizəm] *s med.* Mithrida'tismus *m* (*Giftfestigkeit durch Gewöhnung*). **'mith·ri,dat·ize** *v/t* (*durch allmählich gesteigerte Dosen*) gegen Gift im'mun machen.

mit·i·ga·ble ['mitigəbl] *adj* milderungsfähig, zu mildern(d).

mit·i·gate ['miti,geit] *v/t Schmerzen etc* lindern, *e-e Strafe etc* mildern, abschwächen, *Zorn etc* besänftigen, mäßigen: mitigating circumstances *jur.* mildernde Umstände. **,mit·i'ga·tion** *s* **1.** Linderung *f*, Milderung *f*. **2.** Milderung *f*, Abschwächung *f*: ~ of punishment Strafmilderung; to plead in ~ *jur.* a) für Strafmilderung plädieren, b) *etwas* als strafmildernden Umstand vorbringen. **3.** Besänftigung *f*, Mäßigung *f*. **4.** mildernder 'Umstand. **'mit·i,ga·tive, 'mit·i,ga·to·ry** *adj* **1.** lindernd, mildernd. **2.** abschwächend, erleichternd. **3.** besänftigend, mäßigend, beruhigend.

mi·to·sis [mi'tousis] *pl* **-ses** [-si:z] *s biol.* Mi'tose *f*, 'indi,rekte *od.* chromoso'male (Zell)Kernteilung. **mi'tot·ic** [-'tɒtik] *adj biol.* mi'totisch.

mi·tral ['maitrəl] *adj* **1.** Mitra... **2.** mi'tral, bischofsmützenförmig. **3.** *anat.* Mitral...: ~ valve Mitralklappe *f*.

mi·tre, mi·tred *bes. Br. für* miter, mitered.

mitt [mit] *s* **1.** Halbhandschuh *m* (*langer Handschuh ohne Finger od. mit halben Fingern*). **2.** *Baseball*: Fanghandschuh *m*. **3.** → mitten 1. **4.** *Am. sl.* ,Flosse' *f* (*Hand*).

mit·ten ['mitn] *s* **1.** Fausthandschuh *m*, Fäustling *m*: to get the ~ *colloq.* a) ,e-n Korb bekommen', abgewiesen werden, b) ,hinausfliegen', entlassen werden; to give a lover the ~ *colloq.* e-m Liebhaber ,den Laufpaß' geben. **2.** → mitt 1. **3.** *pl sl.* a) Boxhandschuhe *pl*, b) ,Flossen' *pl* (*Hände*).

mit·ti·mus ['mitiməs] *s* **1.** *jur.* Mittimus *n*: a) *richterlicher Befehl an die Gefängnisbehörde zur Aufnahme e-s Häftlings*, b) *Befehl zur Übersendung der Akten an ein anderes Gericht.* **2.** *colloq.* ,blauer Brief', Entlassung *f*.

mix [miks] **I** *v/t pret u. pp* **mixed** *od.* **mixt 1.** (ver)mischen, vermengen (with mit), *e-n Cocktail etc* mixen, mischen, *den Teig* anrühren: to ~ into mischen in (*acc*), beimischen (*dat*). **2.** *oft* ~ up zs.-, durchein'andermischen. **3.** ~ up a) gründlich mischen, b) völlig durchein'anderbringen, c) verwechseln (with mit). **4.** to be ~ed up a) verwickelt sein *od.* werden (in, with in *acc*), b) (*geistig*) ganz durchein'ander sein. **5.** *biol.* kreuzen. **6.** *Stoffe* me'lieren. **7.** *fig.* verbinden: to ~ work and pleasure. **8.** ~ it (up) *Am. sl.* sich e-n harten Kampf liefern. **II** *v/i* **9.** sich (ver)mischen. **10.** sich mischen lassen. **11.** *gut etc* auskommen, sich vertragen: they will not ~ well. **12.** verkehren (with mit; in in *dat*): to ~ in the best society. **13.** *biol.* sich kreuzen. **14.** *Am. colloq.* a) sich (ein)mischen (into, in in *acc*), b) sich einlassen (with s.o. mit j-m). **III** *s* **15.** Mischung *f*, Gemisch *n*. **16.** *Am.* (koch- *od.* gebrauchsfertige) Mischung. **17.** *colloq.* Durchein'ander *n*, Mischmasch *m*. **18.** *sl.* Keile'rei *f*.

mixed [mikst] *adj* **1.** gemischt (*a. fig. Gefühle, Gesellschaft, Kommission, Konto, Metapher etc*). **2.** vermischt. **3.** Misch... **4.** *colloq.* verwirrt, kon'fus. **5.** *bot.* gemischt, Misch... **6.** *math.* gemischt: ~ fraction; ~ number; ~ proportion. ~ **bath·ing** *s* gemeinsames Baden beider Geschlechter, Fa'milienbad *n*. ~ **blood** *s* **1.** gemischtes Blut, gemischte (rassische) Abstammung. **2.** Mischling *m*, Halbblut *n*. ~ **car·go** *pl* **-goes** *od.* **-gos** *s econ.* Stückgutladung *f*. ~ **cloth** *s* me'liertes Tuch. ~ **con·struc·tion** *s arch.* Gemischtbauweise *f*. **'~-'cy·cle en·gine** *s tech.* Semidieselmotor *m*. ~ **dou·bles** *s pl Tennis*: gemischtes Doppel. ~ **grill** *s* Mixed Grill *m* (*auf dem Rost gebratene Fleischstücke*). ~ **mar·riage** *s* Mischehe *f*. ~ **pick·les** *s pl* Mixed Pickles *pl* (*Essiggemüse*). ~ **price** *s econ.* Mischpreis *m*. ~ **school** *s bes. Br.* Koedukati'onsschule *f*. ~ **train** *s rail.* gemischter Zug.

'mixed-,up *adj* verwirrt, kon'fus, durchein'ander.

mix·en ['miksn] *s dial.* Misthaufen *m*.

mix·er ['miksər] *s* **1.** a) Mischer *m*, b) Mixer *m* (*von Cocktails etc*). **2.** Mixer *m* (*Küchengerät*). **3.** *tech.* Mischer *m*, 'Mischma,schine *f*. **4.** *electr. TV etc*: Mischpult *n*, Mischer *m*. **5.** *colloq.* (*guter etc*) Gesellschafter: a good ~ ein guter Gesellschafter, ein Kontaktmensch. ~ **tube,** ~ **valve** *s electr.* Mischröhre *f*.

mix·ing ['miksiŋ] *adj* Misch...: ~ ratio *mot. etc* Mischverhältnis *n*.

mixt [mikst] *pret u. pp von* mix.

mix·ture ['mikstʃər] *s* **1.** Mischung *f* (*a. von Tee, Tabak etc*), Gemisch *n*. **2.** a) Mischgewebe *n*, b) Me'lange *f* (*Garn*). **3.** *mot.* Gas-Luftgemisch *n*. **4.** *chem.* Gemenge *n*, Gemisch *n*. **5.** *pharm.* Mix'tur *f*. **6.** *biol.* Kreuzung *f*. **7.** *a.* ~ stop *mus.* Mix'tur *f* (*Orgelregister*).

'mix-,up *s colloq.* **1.** Wirrwarr *m*, Durchein'ander *n*. **2.** Verwechslung *f*. **3.** Handgemenge *n*.

miz·(z)en ['mizn] *s mar.* **1.** Be'san(segel *n*) *m*. **2.** → miz(z)enmast. **'~,mast** *s* Be'san-, Kreuzmast *m*. **'~-,roy·al sail** *s* Kreuzoberbramsegel *n*. **'~-,sail** → miz(z)en 1. **'~-,top,gal·lant sail** *s* Kreuzbramsegel *n*.

miz·zle[1] ['mizl] **I** *v/i* nieseln, fein regnen. **II** *s* Nieseln *n*, Sprühregen *m*.

miz·zle[2] ['mizl] *v/i sl.* ,türmen'.

MKS sys·tem *s* MK'S-Sy,stem *n*, 'Meter-Kilo'gramm-Se'kunde-Sy,stem *n*.

mne·mon·ic [ni:'mɒnik; ni-] **I** *adj* **1.** mnemo'technisch. **2.** mne'monisch, Gedächtnis... **II** *s* **3.** Gedächtnishilfe *f*. **4.** → mnemonics 1. **mne'mon·ics** *s pl* **1.** (*a. als sg konstruiert*) Mne'monik *f*, Mnemo'technik *f*, Gedächtniskunst *f*. **2.** mne'monische Zeichen *pl*. **mne·mo·nist** ['ni:mənist] *s* Mne'moniker(in), Gedächtniskünstler(in). **mne·mo·tech·nics** [,ni:mo'tekniks] *s pl* (*a. als sg konstruiert*), **'mne·mo,tech·ny** → mnemonics 1.

mo [mou] *s colloq.* Mo'ment *m*: wait half a ~! eine Sekunde!

mo·a ['mouə] *s orn.* Moa *m* (*ausgestorbener Schnepfenstrauß Neuseelands*).

Mo·ab·ite ['mouə,bait] *Bibl.* **I** *s* Moa'biter(in). **II** *adj* moa'bitisch.

moan [moun] **I** *s* **1.** Stöhnen *n*, Ächzen *n* (*a. fig. des Windes etc*): to make (one's) ~ *obs.* → 4. **II** *v/i* **2.** stöhnen, ächzen. **3.** *fig.* a) ächzen (*Wind etc*), b) (dumpf) rauschen (*Wasser*). **4.** (weh)klagen, jammern. **III** *v/t* **5.** beklagen. **6.** *Worte etc* (her'vor)stöhnen. **'moan·ful** [-ful] *adj* (*adv* ~ly) (weh)klagend.

moat [mout] *mil.* **I** *s* (Wall-, Burg-, Stadt)Graben *m*. **II** *v/t* mit e-m Graben um'geben.

mob [mɒb] **I** *s* **1.** Mob *m*, zs.-gerotteter Pöbel(haufen): ~ law Lynchjustiz *f*. **2.** *sociol.* Masse *f*: ~ psychology Massenpsychologie *f*. **3.** Pöbel *m*, Gesindel *n*. **4.** *sl.* a) (Verbrecher)Bande *f*, b) *allg.* Bande *f*, Sippschaft *f*, Clique *f*. **II** *v/t* **5.** (lärmend) bedrängen, anpöbeln, 'herfallen über (*acc*). **6.** (in e-r Rotte) attac'kieren *od.* angreifen. **7.** *Geschäfte etc* stürmen. **III** *v/i* **8.** sich zs.-rotten.

'mob,cap *s hist.* Morgenhaube *f* (*der Frauen*).

mo·bile ['moubil; -bi:l; *Br. a.* -bail] **I** *adj* **1.** beweglich. **2.** schnell (beweglich), wendig (*a. fig. Geist etc*). **3.** lebhaft: ~ features. **4.** *chem.* leichtflüssig: ~ liquids. **5.** *tech.* fahrbar, beweglich, *mil. a.* motori'siert: ~ artillery fahrbare Artillerie; ~ crane *tech.* (Schwerlast-)Autokran *m*; ~ defence (*Am.* -se) *mil.* bewegliche *od.* elastische Verteidigung; ~ library Wander-, Autobücherei *f*; ~ troops *mil.* schnelle *od.* motorisierte Verbände; ~ unit a) *tech.* fahrbare Anlage, b) *mil.* (voll)motorisierte Einheit; ~ warfare Bewegungskrieg *m*; ~ workshop Werkstattwagen *m*. **6.** veränderlich, unstet. **7.** *econ.* flüssig: ~ funds. **II** *s* **8.** beweglicher Körper, *bes. tech.* beweglicher Teil (*e-s Mechanismus*). **9.** Mobile *n* (*künstlerischer Raumschmuck*).

mo·bil·i·ty [mo'biliti] *s* **1.** Beweglichkeit *f*. **2.** Wendigkeit *f*. **3.** Veränderlichkeit *f*. **4.** *sociol.* a) Mobili'tät *f* (*der Bevölkerung*), b) sozi'ale Mobili'tät, sozialer Auf- *od.* Abstieg. **5.** Leichtflüssigkeit *f*.

mo·bi·li·za·tion [,moubilai'zeiʃən; -li-] *s* Mobili'sierung *f*: a) *mil.* Mo'bilmachung *f*, b) *bes. fig.* Akti'vierung *f*, Aufgebot *n* (*der Kräfte etc*), c) *econ.* Flüssigmachung *f*. **'mo·bi,lize I** *v/t*

mobili'sieren: a) *mil.* mo'bil machen, b) *mil. etc* dienstverpflichten, her'anziehen, c) *fig. Kräfte etc* aufbieten, einsetzen, d) *econ. Kapital* flüssigmachen. **II** *v/i mil.* mo'bilmachen.
mob·oc·ra·cy [mɒ'bɒkrəsi] *s* **1.** Pöbelherrschaft *f.* **2.** (herrschender) Pöbel.
mobs·man ['mɒbzmən] *s irr* **1.** Gangster *m.* **2.** *Br. sl.* (ele'ganter) Taschendieb. [man 1.]
mob·ster ['mɒbstər] *Am. sl. für* mobs-
moc·ca·sin ['mɒkəsin; -sn] *s* **1.** Mokas'sin *m (absatzloser Schuh der Indianer, a. Damenmodeschuh).* **2.** *zo.* Mokas'sinschlange *f.*
mo·cha[1] ['moukə] **I** *s* **1.** *meist* M~ 'Mokka(kafˌfee) *m.* **2.** Mochaleder *n.* **II** *adj* **3.** Mokka...
mo·cha[2] ['moukə], **Mo·cha stone** *s min.* Mochastein *m.*
mock [mɒk] **I** *v/t* **1.** verspotten, -höhnen, lächerlich machen. **2.** nachäffen. **3.** *poet.* nachahmen. **4.** täuschen, narren. **5.** spotten (*gen*), trotzen (*dat*), Trotz bieten (*dat*), nicht achten. **II** *v/i* **6.** sich lustig machen, spotten (at über *acc*). **III** *s* **7.** Spott *m*, Hohn *m.* **8.** → mockery 2 *u.* 3. **IV** *adj* **9.** falsch, nachgemacht, Schein..., Pseudo...: ~ attack *mil.* Scheinangriff *m.*
mock·er ['mɒkər] *s* **1.** Spötter(in). **2.** Nachäffer(in).
mock·er·y ['mɒkəri] *s* **1.** Spott *m*, Hohn *m*, Spötte'rei *f.* **2.** *fig.* Hohn *m* (of auf *acc*). **3.** Zielscheibe *f* des Spottes, Gespött *n*: to make a ~ of zum Gespött machen, verhöhnen. **4.** Nachäffung *f.* **5.** *fig.* Possenspiel *n*, Farce *f.*
ˌmock-he'ro·ic I *adj* (*adv* ~ally) **1.** 'komisch-he'roisch: ~ poem → 2. **II** *s* **2.** 'komisch-he'roisches Gedicht, he'roische Bur'leske. **3.** 'komisch-he'roisches Getue *od.* Geschwätz.
mock·ing ['mɒkiŋ] **I** *s* Spott *m*, Gespött *n.* **II** *adj* (*adv* ~ly) spöttisch. '~ˌ**bird** *s orn.* Spottdrossel *f.*
mock| moon *s astr.* Nebenmond *m.* ~ **or·ange** *s bot.* **1.** *Am.* Falscher Jas'min. **2.** Karo'linischer Kirschlorbeer. **3.** o'rangenähnlicher Kürbis. ~ **priv·et** *s bot.* Steinlinde *f.* ~ **sun** *s astr.* Nebensonne *f.* ~ **tri·al** *s jur.* 'Scheinproˌzeß *m.* ~ **tur·tle** *s Kochkunst*: Kalbskopf *m* en tor'tue. ~ **turtle soup** *s Kochkunst*: Mockturtlesuppe *f*, falsche Schildkrötensuppe. '~-ˌ**up** *s* Mo'dell *n* (in na'türlicher Größe), At'trappe *f.* ~ **vel·vet** *s* Trippsamt *m.*
Mod[1] [moud; mɒd] *s musikalisches u. literarisches Jahresfest der Hochlandschotten.*
mod[2] [mɒd] **I** *abbr. für* a) model, b) moderate, c) moderation, d) modern, e) modification, f) modulator. **II** *s* → mods.
mod·al ['moudl] *adj* (*adv* ~ly) **1.** mo'dal: a) die Art u. Weise *od.* die Form bezeichnend, b) durch Verhältnisse bedingt. **2.** *ling. mus. philos.* mo'dal, Modal...: ~ auxiliary, ~ verb modales Hilfsverb; ~ proposition (*Logik*) Modalsatz *m.* **3.** *Statistik*: häufigst(er, e, es), typisch.
mo·dal·i·ty [mo'dæliti] *s* **1.** Modali'tät *f*, Art *f* u. Weise *f*, Ausführungsart *f*: modalities of payment Zahlungsmodalitäten. **2.** *med.* a) Anwendung *f* e-s (physi'kalisch-technischen) Heilmittels, b) physi'kalisch-technisches Heilmittel.
mode[1] [moud] *s* **1.** (Art *f* u.) Weise *f*, Me'thode *f*: ~ of action *tech.* Wirkungsweise; ~ of life Lebensweise; ~ of payment Zahlungsweise. **2.** (Erscheinungs)Form *f*, Art *f*: heat is a ~ of motion Wärme ist e-e Form der Bewegung. **3.** *philos.* Modus *m*, Seinsweise *f.* **4.** *Logik*: a) Modali'tät *f*, b) Modus *m* (*e-r Schlußfigur*). **5.** *mus.* Modus *m*, Tonart *f*, -geschlecht *n*: ecclesiastical ~s Kirchentonarten; major ~ Durgeschlecht. **6.** *ling.* Modus *m*, Aussageweise *f.* **7.** *Statistik*: Modus *m*, häufigster Wert.
mode[2] [moud] *s* Mode *f*, Brauch *m*: to be all the ~ (die) große Mode sein.
mod·el ['mɒdl] **I** *s* **1.** Muster *n*, Vorbild *n* (for für): after (*od.* on) the ~ of nach dem Muster von (*od. gen*); he is a ~ of self-control er ist ein Muster an Selbstbeherrschung. **2.** Mo'dell *n*, (verkleinerte) Nachbildung: working ~ Arbeitsmodell. **3.** Muster *n*, Vorlage *f.* **4.** *paint. etc* Mo'dell *n*: to act as a ~ to a painter e-m Maler Modell stehen *od.* sitzen. **5.** *Mode*: Manne'quin *m, n.* **6.** Mo'dellkleid *n.* **7.** *tech.* a) Bau(weise *f*) *m*, b) (Bau)Muster *n*, Mo'dell *n*, Typ(e *f*) *m.* **8.** Urbild *n*, -typ *m.* **9.** *dial.* Ebenbild *n.* **II** *adj* **10.** vorbildlich, musterhaft, Muster...: ~ husband Mustergatte *m*; ~ plant Musterbetrieb *m*; ~ tank *mar.* Versuchstank *m.* **11.** Modell...: ~ airplane; ~ house; ~ builder Modellbauer *m*; ~ dress → 6; ~ school Muster-, Experimentierschule *f.* **III** *v/t* **12.** nach Mo'dell formen *od.* 'herstellen. **13.** model'lieren, nachbilden. **14.** Form geben (*dat*). **15.** abformen. **16.** *fig.* formen, bilden, gestalten (after, on, upon nach [dem Vorbild *gen*]): to ~ o.s. on sich *j-n* zum Vorbild nehmen. **IV** *v/i* **17.** ein Mo'dell *od.* Modelle 'herstellen. **18.** *Kunst*: model'lieren. **19.** plastische Gestalt annehmen (*Graphik*). **20.** Mo'dell stehen *od.* sitzen. **21.** als Manne'quin arbeiten.
mod·el·er, *bes. Br.* **mod·el·ler** ['mɒdlər] *s* **1.** Model'lierer *m.* **2.** Mo'dell-, Mustermacher *m.* '**mod·el·ing,** *bes. Br.* '**mod·el·ling I** *s* **1.** Model'lieren *n.* **2.** Formgebung *f*, Formung *f.* **3.** *Graphik*: Verleihen *n* e-s plastischen Aussehens. **4.** Mo'dellstehen *n od.* -sitzen *n.* **II** *adj* **5.** Modellier...: ~ clay.
mod·er·ate ['mɒdərit] **I** *adj* (*adv* ~ly) **1.** mäßig: a) gemäßigt (*a. Sprache etc*), zu'rückhaltend: ~ in drinking mäßig im Trinken, b) einfach, fru'gal (*Lebensweise*), c) mittelmäßig, d) gering: ~ interest, e) vernünftig, angemessen, niedrig: ~ demands; ~ prices. **2.** *oft* M~ *pol.* gemäßigt. **3.** mild: a ~ winter; a ~ punishment. **II** *s* **4.** (*pol. meist* M~) Gemäßigte(r *m*) *f.* **III** *v/t* [-ˌreit] **5.** mäßigen, mildern. **6.** beruhigen. **7.** einschränken. **8.** *phys. tech.* dämpfen, abbremsen. **9.** *e-e Versammlung etc* leiten. **IV** *v/i* **10.** sich mäßigen. **11.** sich beruhigen, nachlassen (*Wind etc*). ~ **breeze** *s meteor.* mäßige Brise (*Windstärke 4*). ~ **gale** *s meteor.* steife Brise (*Windstärke 7*).
mod·er·ate·ness ['mɒdəritnis] *s* **1.** Mäßigkeit *f.* **2.** Gemäßigtheit *f.* **3.** Milde *f.* **4.** Mittelmäßigkeit *f.* **5.** Angemessenheit *f.*
mod·er·a·tion [ˌmɒdə'reiʃən] *s* **1.** Mäßigung *f*, Maß(halten) *n*: in ~ mit Maß. **2.** Mäßigkeit *f.* **3.** *pl univ.* erste öffentliche Prüfung für den B.A.-Grad (*in Oxford*). **4.** Mäßigung *f.*
mod·er·at·ism ['mɒdəriˌtizəm] *s* Mäßigung *f*, gemäßigte Anschauung.
mod·e·ra·to [ˌmɒdə'rɑːtou] *mus.* **I** *adj u. adv* mode'rato, mäßig. **II** *s* Mode'rato *n.*
mod·er·a·tor ['mɒdəˌreitər] *s* **1.** Mäßiger *m*, Beruhiger *m.* **2.** Beruhigungsmittel *n.* **3.** Schiedsrichter *m*, Vermittler *m.* **4.** Vorsitzende(r) *m*, Diskussi'onsleiter *m.* **5.** Mode'rator *m*: a) *Vorsitzender e-s leitenden Kollegiums reformierter Kirchen,* b) *TV Programmleiter.* **6.** *phys. tech.* Mode'rator *m*: a) Dämpfer *m*, b) Ölzuflußregler *m*, c) Reakti'onsbremse *f* (*im Atommeiler*). **7.** *univ.* a) Exami'nator *m bei den* moderations (*in Oxford*), b) *Vorsitzender bei der höchsten Mathematikprüfung* (*in Cambridge*).
mod·ern ['mɒdərn] **I** *adj* (*adv* ~ly) **1.** mo'dern, neuzeitlich: ~ times die Neuzeit; the ~ school (*od.* side) *ped. Br.* die Realabteilung. **2.** mo'dern, (neu)modisch. **3.** *meist* M~ *ling.* a) mo'dern, Neu..., b) neuer(er, e, es): M~ Greek Neugriechisch *n*; ~ languages neuere Sprachen; M~ Languages (*als Fach*) Neuphilologie *f.* **II** *s* **4.** Mo'derne(r *m*) *f*, Fortschrittliche(r *m*) *f.* **5.** Mensch *m* der Neuzeit: the ~s die Neueren. **6.** *print.* neuzeitliche An'tiqua. **M~ Dance** *s* Ausdruckstanz *m.* **M~ Eng·lish** *s ling.* Neuenglisch *n*, das Neuenglische. **M~ Greats** *s pl* (*Oxford*) *Bezeichnung der Fächergruppe Staatswissenschaft, Volkswirtschaft u. Philosophie.* ~ **his·to·ry** *s* Neue(re) Geschichte (*seit der Renaissance*).
mod·ern·ism ['mɒdərˌnizəm] *s* **1.** Moder'nismus *m*: a) fortschrittliche Einstellung, mo'derner Geschmack, b) *ling.* mo'dernes Wort, moderne Redewendungen *pl*, moderner Gebrauch. **2.** M~ *relig.* Moder'nismus *m.* '**modern·ist I** *s* **1.** Moder'nist(in). **2.** *Kunst*: Mo'derne(r) *m.* **3.** M~ *relig.* Moder'nist(in). **II** *adj* **4.** moder'nistisch.
mo·der·ni·ty [mɒ'dəːrniti] *s* Moderni'tät *f*, (*das*) Mo'derne.
mod·ern·i·za·tion [ˌmɒdərnai'zeiʃən; -ni-] *s* Moderni'sierung *f.* '**modern·ˌize** *v/t u. v/i* (sich) moderni'sieren.
mod·ern·ness ['mɒdərnnis] *s* Moderni'tät *f.*
mod·est ['mɒdist] *adj* (*adv* ~ly) **1.** bescheiden. **2.** anspruchslos, bescheiden (*Person od. Sache*): ~ income bescheidenes Einkommen. **3.** sittsam, schamhaft. **4.** maßvoll, bescheiden, vernünftig. '**mod·es·ty** *s* **1.** Bescheidenheit *f* (*Person, Einkommen etc*). **2.** Anspruchslosigkeit *f*, Einfachheit *f.* **3.** Schamgefühl *n*, Sittsamkeit *f.* **4.** *a.* ~ vest Spitzeneinsatz *m* (*im Kleiderausschnitt*).
mod·i·cum ['mɒdikəm] *s* kleine Menge, (*ein*) bißchen: a ~ of truth ein Körnchen Wahrheit.
mod·i·fi·a·ble ['mɒdiˌfaiəbl] *adj* modifi'zierbar, (ab)änderungsfähig.
mod·i·fi·ca·tion [ˌmɒdifi'keiʃən] *s* **1.** *allg.* Modifikati'on *f*: a) Abänderung *f*, Abwandlung *f*: to make a ~ to s.th. etwas modifizieren, an e-r Sache e-e teilweise Änderung vornehmen, b) Abart *f*, modifi'zierte Form, *tech. a.* abgeänderte Ausführung, c) Einschränkung *f*, nähere Bestimmung, d) *biol.* nichterbliche Abänderung, e) *ling.* nähere Bestimmung, f) *ling.* lautliche Veränderung, *bes.* Umlaut *m*, g) *ling.* teilweise 'Umwandlung, *bes.* Angleichung *f* (*e-s Lehnwortes*). **2.** Mäßigung *f*, Milderung *f.*
mod·i·fi·ca·tive ['mɒdifiˌkeitiv], '**mod·i·fiˌca·to·ry** *adj* modifi'zierend.

mod·i·fied milk ['mɒdiˌfaid] *s Milch von künstlich geänderter Zs.-setzung.*
mod·i·fi·er ['mɒdiˌfaiər] *s* **1.** j-d, der *od.* etwas, was modifi'ziert. **2.** *ling.* a) nähere Bestimmung, b) e-e lautliche Modifikati'on anzeigendes dia'kritisches Zeichen (*Umlautzeichen etc*).
mod·i·fy ['mɒdiˌfai] *v/t* **1.** modifi'zieren: a) abändern, abwandeln, teilweise 'umwandeln, b) einschränken, näher bestimmen (*a. ling.*). **2.** *ling. e-n Vokal* 'umlauten. **3.** mildern, mäßigen, abschwächen.
mod·ish ['moudiʃ] *adj* (*adv* **~ly**) **1.** modisch, mo'dern, nach der Mode. **2.** Mode...: **~ lady** Modedame *f.*
mods [mɒdz] *s pl* **1.** *colloq. abbr. für* moderation 3. **2.** *Br.* Halbstarke *pl* von betont dandyhaftem Äußeren.
mod·u·lar [*Br.* 'mɒdjulər; *Am.* -dʒə-] *adj math.* Modul..., Model...
mod·u·late [*Br.* 'mɒdjuˌleit; *Am.* -dʒə-] **I** *v/t* **1.** abstimmen, regu'lieren. **2.** anpassen (to an *acc*). **3.** dämpfen. **4.** *die Stimme, den Ton etc* modu'lieren (*a. Funk*): **~d wave** modulierte Welle; **modulating valve** (*od.* **tube**) Modulations-, Steuerröhre *f.* **5.** *Gebet etc* (im Sprechgesang) rezi'tieren. **II** *v/i* **6.** *Funk*: modu'lieren. **7.** *mus.* a) modu'lieren (from von; to nach), die Tonart wechseln, b) (*beim Vortrag*) modu'lieren. **8.** all'mählich 'übergehen (into in *acc*). **ˌmod·u'la·tion** *s* **1.** Abstimmung *f*, Regu'lierung *f.* **2.** Anpassung *f.* **3.** Dämpfung *f.* **4.** *mus., a. Funk u. Stimme*: Modulati'on *f*: **frequency ~** Frequenzmodulation. **5.** Intonati'on *f*, Tonfall *m.* **6.** *arch.* Bestimmung *f* der Proporti'onen durch den Modul. **'mod·uˌla·tor** [-tər] *s* **1.** Regler *m.* **2.** *electr.* Modu'lator *m.* **3.** *mus.* die Tonverwandtschaft (*nach der Tonic-Solfa-Methode*) darstellende Skala. **'mod·uˌla·to·ry** *adj mus.* Modulations...
mod·ule [*Br.* 'mɒdjuːl; *Am.* -dʒuːl] *s* **1.** Modul *m*, Model *m*, Maßeinheit *f*, Einheits-, Verhältniszahl *f.* **2.** *arch.* Modul *m.* **3.** *Numismatik*: Modul *m*, Model *m* (*Münzdurchmesser*). **4.** *tech.* (Zahn)Teilungsmodul *m.* **5.** *tech.* Baueinheit *f*: **~ construction** Baukastensystem *n.* **6.** *Raumfahrt*: (*Kommando- etc*)Kapsel *f*: **command ~**; → **lunar module.**
mod·u·lus [*Br.* 'mɒdjuləs; *Am.* -dʒə-] *pl* **-li** [-ˌlai] *s math. phys.* Modul *m.*
mo·dus ['moudəs] *pl* **'mo·di** [-dai] (*Lat.*) *s* **1.** Modus *m*, Art *f* u. Weise *f.* **2.** *jur.* a) di'rekter Besitzerwerb, b) *Kirchenrecht*: Ablösung *f* des Zehnten durch Geld. **~ o·pe·ran·di** [ˌɒpə'rændai] (*Lat.*) *s* Verfahrensweise *f.* **~ vi·ven·di** [vi'vendai] (*Lat.*) *s* **1.** Modus *m* vi'vendi (*erträgliche Form des Zs.-lebens, Verständigung*). **2.** Lebensweise *f.*
Mo·gul [mo'gʌl; 'mougʌl] *s* **1.** Mon'gole *m*, Mon'golin *f.* **2.** Mogul *m* (*mongolischer Beherrscher Indiens*): **the (Great** *od.* **Grand) ~** der Großmogul. **3. m~** *fig.* ‚großes Tier', Ma'gnat *m*, König *m*: **movie ~** Filmmagnat; **party ~** Parteibonze *m.*
mo·hair ['mouˌhɛr] *s* **1.** Mo'här *m*, Mo'hair *m* (*Angorahaar, -wolle*). **2.** unechter Mo'här. **3.** Mo'här(stoff *m od.* -kleidungsstück *n*) *m.*
Mo·ham·med·an [mo'hæmidən] **I** *adj* mohamme'danisch. **II** *s* Mohamme'daner(in). **Mo'ham·med·anˌism** *s* Mohammeda'nismus *m*, Is'lam *m.*
Mo'ham·med·anˌize *v/t* zum Is'lam bekehren, mohamme'danisch machen.
Mo·ha·ve [mo'hɑːvi] *pl* **-ves** *od. collect.* **-ve** *s* Mo'have-Indiˌaner(in), Mo'have *m.*
Mo·hawk ['mouhɔːk] *pl* **-hawks** *od. collect.* **-hawk** *s* 'Mohawk-Indiˌaner(in), Mohawk *m.*
Mo·he·gan [mo'hiːgən] *pl* **-gans** *od. collect.* **-gan** *s* Mo'hegan-Indiˌaner(in), Mo'hegan *m.*
Mo·hi·can [*Br.* 'mouikən; *Am.* mo'jiːkən] **I** *pl* **-cans** *od. collect.* **-can** *s* Mohi'kaner(in). **II** *adj* mohi'kanisch.
Mo·hock ['mouhɒk] *s Mitglied von größtenteils aus Aristokraten bestehenden Banden in London (18. Jh.).*
moi·e·ty ['mɔiəti] *s* **1.** Hälfte *f.* **2.** Teil *m.*
moil [mɔil] *v/i obs. od. dial.* sich schinden, sich abrackern.
moire [mwɑːr] *s* Moi'ré *m, n*, moi'rierter Stoff, Moi'réseide *f.*
moi·ré [*Br.* 'mwɑːrei; *Am.* mwɑː'rei] **I** *adj* **1.** moi'riert, gewässert, geflammt, mit Wellenmuster. **2.** mit Wellenlinien auf der Rückseite (*Briefmarke*). **3.** wie moi'rierte Seide glänzend (*Metall*). **II** *s* **4.** Moi'ré *m, n*, Wasserglanz *m.* **5.** → **moire.**
moist [mɔist] *adj* (*adv* **~ly**) **1.** feucht, naß. **2.** *med.* nässend. **3.** *fig.* rührselig.
mois·ten ['mɔisn] **I** *v/t* an-, befeuchten, benetzen. **II** *v/i* feucht werden.
moist·ness ['mɔistnis] *s* Feuchtheit *f.*
mois·ture ['mɔistʃər] *s* Feuchtigkeit *f*: **~ meter** Feuchtigkeitsmesser *m*; **~-proof** feuchtigkeitsfest.
moke [mouk] *s sl.* **1.** Esel *m* (*a. fig. contp.*). **2.** *Am.* Nigger *m.*
mol → **mole**[4].
mo·lar[1] ['moulər] **I** *s* Backen-, Mahlzahn *m*, Mo'lar *m.* **II** *adj* Mahl..., Backen..., Molar...: **~ tooth** → 1.
mo·lar[2] ['moulər] *adj* **1.** *phys.* Massen...: **~ motion. 2.** *chem.* mo'lar, Molar..., Mol...: **~ number** Molzahl *f*; **~ weight** Mol-, Molargewicht *n.*
mo·lar[3] ['moulər] *adj med.* Molen...
mo·las·ses [mə'læsiz] *s sg u. pl* **1.** Me'lasse *f.* **2.** (Zucker)Sirup *m.*
mold[1], *bes. Br.* **mould** [mould] **I** *s* **1.** *tech.* (Gieß-, Guß)Form *f*: **firing ~** Brennform; **cast in the same ~** *fig.* aus demselben Holz geschnitzt; **~ candle** gegossene Kerze. **2.** (Körper-)Bau *m*, Gestalt *f*, (*äußere*) Form. **3.** Art *f*, Na'tur *f*, Wesen *n*, Cha'rakter *m.* **4.** *tech.* a) Hohlform *f*, b) Preßform *f*: **(female) ~** Matrize *f*; **male ~** Patrize *f*, c) Ko'kille *f*, Hartgußform *f*, d) ('Form)MoˌdeIl *n*, e) Gesenk *n*, f) *Dreherei*: Druckfutter *n.* **5.** *tech.* 'Gußmateriˌal *n.* **6.** *tech.* Guß(stück *n*) *m.* **7.** *Schiffbau*: Mall *n*: **~ loft** Mall-, Schnürboden *m.* **8.** *arch.* a) Sims *m, n*, b) Leiste *f*, c) Hohlkehle *f.* **9.** *Kochkunst*: a) Form *f* (*für Speisen*), b) *in der Form hergestellte Speise.* **10.** *geol.* Abdruck *m* (*e-r Versteinerung*). **II** *v/t* **11.** *tech.* gießen. **12.** (ab)formen, model'lieren. **13.** formen, bilden (out of aus), gestalten (on nach dem Muster von [*od. gen*]). **14.** *Teig etc* formen, kneten. **15.** mit erhabenen Mustern verzieren. **16.** profi'lieren. **III** *v/i* **17.** Form *od.* Gestalt annehmen, sich formen (lassen).
mold[2], *bes. Br.* **mould** [mould] *s* **1.** Schimmel *m*, Moder *m.* **2.** *bot.* Schimmelpilz *m.* **II** *v/i* **3.** (ver)schimmeln, schimm(e)lig werden.
mold[3], *bes. Br.* **mould** [mould] *s* **1.** lockere Erde, *bes.* Ackerkrume *f*: **a man of ~** ein Erdenkloß *m*, ein Sterblicher *m.* **2.** Humus(boden) *m.*
mold·a·ble, *bes. Br.* **mould·a·ble** ['mouldəbl] *adj* formbar, bildsam: **~ material** Preßmasse *f.*
'moldˌboard, *bes. Br.* **'mouldˌboard** *s* **1.** *agr.* Streichbrett *n*, -blech *n* (*am Pflug*). **2.** Formbrett *n* (*der Maurer*).
mold·er[1], *bes. Br.* **mould·er** ['mouldər] *s* **1.** Former *m*, Gießer *m.* **2.** Model'lierer(in), Bildner(in), Gestalter(in). **3.** 'Formmaˌschine *f.* **4.** *print.* 'Muttergalˌvano *n.*
mold·er[2], *bes. Br.* **mould·er** ['mouldər] *v/i a.* **~ away** vermodern, (*zu Staub*) zerfallen, zerbröckeln.
mold·i·ness, *bes. Br.* **mould·i·ness** ['mouldinis] *s* **1.** Schimm(e)ligkeit *f*, Moder *m.* **2.** Schalheit *f* (*a. fig.*). **3.** *sl.* Fadheit *f.*
mold·ing, *bes. Br.* **mould·ing** ['mouldiŋ] *s* **1.** Formen *n*, Formung *f*, Formgebung *f.* **2.** ˌFormgieße'rei *f.* **3.** Model'lieren *n.* **4.** (*etwas*) Geformtes, *tech.* Formstück *n*, Preßteil *n.* **5.** *arch.* → **mold**[1] 8. **~ board** *s* **1.** Kuchen-, Nudelbrett *n.* **2.** Model'lierbrett *n.* **3.** Formbrett *n.* **4.** geharzte Pappe. **~ clay** *s tech.* Formerde *f*, -ton *m.* **~ ma·chine** *s tech.* **1.** 'Kehl(hobel)maˌschine *f* (*für Holzbearbeitung*). **2.** *Gießerei*: 'Formmaˌschine *f.* **3.** 'Blechformmaˌschine *f.* **4.** 'Spritzmaˌschine *f* (*für Spritzguß etc*). **~ plane** *s tech.* Kehl-, Hohlkehlenhobel *m.* **~ press** *s tech.* Formpresse *f.* **~ sand** *s tech.* Form-, Gießsand *m.*
mold·y, *bes. Br.* **mould·y** ['mouldi] *adj* **1.** schimm(e)lig, mod(e)rig. **2.** Schimmel..., schimmelartig: **~ fungi** Schimmelpilze. **3.** muffig, schal (*a. fig.*). **4.** *sl.* fad.
mole[1] [moul] *s zo.* Maulwurf *m*: **~ cricket** Maulwurfsgrille *f*; **blind as a ~** stockblind.
mole[2] [moul] *s* (kleines) Muttermal, *bes.* Leberfleck *m.*
mole[3] [moul] *s* **1.** Mole *f*, Hafendamm *m.* **2.** künstlicher Hafen.
mole[4] [moul] *s chem.* Mol *n*, 'Grammmoleˌkül *n.*
mole[5] [moul] *s med.* Mole *f*, Mondkalb *n.*
mo·lec·u·lar [mə'lekjulər; mo-] *adj* (*adv* **~ly**) *chem. phys.* moleku'lar, Molekular...: **~ film** (mono)molekulare Schicht; **~ weight** Molekulargewicht *n.*
mo·lec·u·lar·i·ty [məˌlekju'læriti; mo-] *s chem. phys.* Moleku'larzustand *m.*
mol·e·cule ['mɒliˌkjuːl] *s* **1.** *chem. phys.* a) Mole'kül *n*, Mo'lekel *f*, b) → **mole**[4]. **2.** *fig.* winziges Teilchen.
'moleˌhead *s mar.* Molenkopf *m.* **'~ˌhill** *s* Maulwurfshügel *m*: → **mountain** 1. **~ plough,** *Am.* **~ plow** *s agr.* Maulwurfspflug *m.* **~ rat** *s zo.* **1.** Blindmaus *f.* **2.** a) (*e-e*) Maulwurfsratte, b) *a.* **Cape ~** Sandmull *m.* **'~ˌskin** *s* **1.** Maulwurfsfell *n.* **2.** Moleskin *m, n*, Englischleder *n* (*ein Baumwollgewebe*). **3.** *pl* Kleidungsstücke *pl* (*bes.* Hosen *pl*) aus Moleskin.
mo·lest [mo'lest] *v/t* belästigen, *j-m* lästig *od.* zur Last fallen. **mo·les·ta·tion** [ˌmoules'teiʃən] *s* Belästigung *f.*
mo·line ['moulin; mo'lain] *adj her.* kreuzeisenförmig, Anker...
moll [mɒl] *s sl.* **1.** ‚Nutte' *f* (*Prostituierte*). **2.** Gangsterbraut *f.*
mol·li·fi·ca·tion [ˌmɒlifi'keiʃən] *s* **1.** Besänftigung *f.* **2.** Erweichung *f.*
'mol·liˌfy [-ˌfai] *v/t* **1.** besänftigen, beruhigen, beschwichtigen. **2.** mildern. **3.** weich machen, erweichen.
mol·lusc → **mollusk.**
mol·lus·can [mə'lʌskən] **I** *adj* Weichtier... **II** *s* Weichtier *n.* **mol'lus·coid** *zo.* **I** *adj* **1.** weichtierähnlich. **2.** zu den

Muschellingen gehörig. **II** *s* **3.** weichtierähnliches Tier. **4.** Muschelling *m.*
mol'lus·cous *adj* **1.** *zo.* Weichtier... **2.** schwammig, mol'luskenhaft.
mol·lusk ['mɒləsk] *s zo.* Mol'luske *f*, Weichtier *n.*
mol·ly ['mɒli] *sl. für* a) mollycoddle I, [b) moll.]
mol·ly·cod·dle ['mɒliˌkɒdl] **I** *s* Weichling *m*, Muttersöhnchen *n*, Schlappschwanz *m.* **II** *v/t u. v/i* verweichlichen, -zärteln.
Mol·ly Ma·guire ['mɒli mə'gwair] *pl* **Mol·ly Ma·guires** *s* **1.** *Mitglied e-s irischen Landpächter-Geheimbundes um 1843.* **2.** *Mitglied e-s bis 1877 in den Kohlendistrikten von Pennsylvanien tätigen irischen Geheimbundes.*
Mo·loch ['moulɒk] *s* **1.** Moloch *m* (*a. fig.*). **2.** m~ *zo.* Moloch *m.*
Mol·o·tov| bread·bas·ket ['mɒləˌtɒf] *s aer. mil.* (Brand)Bombenabwurfgerät *n.* **~ cock·tail** *s mil.* Molotow-Cocktail *m.*
molt, *bes. Br.* **moult** [moult] **I** *v/i* **1.** (sich) mausern. **2.** sich häuten. **3.** *fig.* sich (ver)ändern. **4.** *fig.* sich wandeln, die Gesinnung ändern. **II** *v/t* **5.** *Federn, Haare, Haut etc* abwerfen, verlieren. **III** *s* **6.** Mauser(ung) *f.* **7.** Häutung *f.* **8.** beim Mausern abgeworfene Federn *pl*, beim Haarwechsel verlorene Haare *pl*, abgestoßene Haut.
mol·ten ['moultən] *adj* **1.** geschmolzen, (schmelz)flüssig. **2.** gegossen, Guß...
mo·ly ['mouli] *s* **1.** *bot.* Goldlauch *m.* **2.** Moly *n* (*zauberabwehrendes Kraut in der Odyssee*).
mo·lyb·date [mə'libdeit] *s chem.* Molyb'dat *n*, molyb'dänsaures Salz.
mo'lyb·deˌnite [-ˌnait] *s min.* Molybdä'nit *m*, Molyb'dänglanz *m.*
mo·lyb·de·num [mə'libdinəm] *s chem.* Molyb'dän *n.*
mo·lyb·dic [mə'libdik] *adj chem.* Molybdän...: ~ acid.
mo·ment ['moumənt] *s* **1.** Mo'ment *m*, Augenblick *m*: wait a ~!, one ~!, half a ~! e-n Augenblick!; in a ~ in e-m Augenblick, sofort, im Nu. **2.** (*bestimmter*) Zeitpunkt, Augenblick *m*: come here this ~! komm sofort her!; the very ~ I saw him in dem Augenblick, in dem ich ihn sah; sobald ich ihn sah; at the ~ im Augenblick, gerade (jetzt *od.* damals); at the last ~ im letzten Augenblick; not for the ~ im Augenblick nicht; but this ~ noch eben, gerade; to the ~ auf die Sekunde genau, pünktlich; the ~ der (geeignete) Augenblick; the catchword of the ~ die Losung der Stunde *od.* des Tages. **3.** *fig.* (große) Stunde, großer Augenblick: he had his ~. **4.** Punkt *m*, Stadium *n* (*e-r Entwicklung*). **5.** Bedeutung *f*, Tragweite *f*, Belang *m* (to für): of (great, little) ~ von (großer, geringer) Bedeutung. **6.** Mo'ment *n*: a) *philos. wesentlicher, unselbständiger Bestandteil*, b) *wesentlicher Umstand.* **7.** *phys.* Mo'ment *n*: ~ of a force Moment e-r Kraft, Kraftmoment; ~ of inertia Trägheitsmoment. **8.** *Statistik*: sta'tistisches Gewicht. **mo·men·tal** [mo'mentl] *adj phys.* Momenten...
mo·men·tar·i·ly ['mouməntərili] *adv* **1.** für e-n Augenblick, kurz, vor'übergehend. **2.** jeden Augenblick. **3.** von Se'kunde zu Se'kunde: danger ~ increasing. **'mo·men·tar·y** *adj* (*adv* → momentarily) **1.** momen'tan, augenblicklich. **2.** vor'übergehend, kurz, flüchtig. **3.** jeden Augenblick geschehend *od.* möglich.
mo·ment·ly ['mouməntli] *adv* **1.** augenblicklich, so'fort, in e-m Augenblick. **2.** e-n Augenblick lang. **3.** → momentarily 3.
mo·men·tous [mo'mentəs] *adj* (*adv* ~ly) bedeutsam, bedeutend, folgenschwer, von großer Tragweite. **mo'men·tous·ness** *s* Bedeutung *f*, Wichtigkeit *f*, Tragweite *f.*
mo·men·tum [mo'mentəm] *pl* **-ta** [-tə] *s* **1.** Mo'ment *n*: a) *phys.* Im'puls *m*, Bewegungsgröße *f*, b) *tech.* Triebkraft *f*: ~ theorem Momentensatz *m*; ~ transfer Impulsübertragung *f*; ~ of torsion Drehmoment. **2.** *allg.* Wucht *f*, Schwung *m*, Stoßkraft *f*: to gather ~ in Fahrt kommen, Stoßkraft gewinnen.
mon·ac·id [mɒ'næsid] → monoacid.
mon·ad ['mɒnæd; 'mou-] *s* **1.** *philos.* Mo'nade *f.* **2.** *allg.* Einheit *f*, Einzahl *f.* **3.** *biol.* Einzeller *m.* **4.** *chem.* einwertiges Ele'ment *od.* A'tom *od.* Radi'kal. [*bot.* einbrüderig.]
mon·a·del·phous [ˌmɒnə'delfəs] *adj*
mo·nad·ic [mɒ'nædik] *adj* **1.** mo'nadisch, Monaden... **2.** *math.* eingliedrig, -stellig.
mo·nan·drous [mə'nændrəs; mo-] *adj* **1.** *bot.* mon'andrisch, einmännig, mit nur 'einem Staubgefäß. **2.** mit nur 'einem Gatten (*Frau*). **3.** Einehen...
mo'nan·dry [-dri] *s* **1.** Einehe *f* (*der Frau*). **2.** *bot.* Einmännigkeit *f.*
mon·arch ['mɒnərk] *s* **1.** Mon'arch(in): a) Herrscher(in), b) *hist.* Al'leinherrscher(in). **2.** *fig.* König(in), Herr(in). **3.** *zo.* Chry'sippusfalter *m.*
mo·nar·chal [mə'nɑːrkəl] → monarchic 1 *u.* 3. **mo'nar·chic** *adj*; **mo'nar·chi·cal** *adj* (*adv* ~ly) **1.** mon'archisch. **2.** monar'chistisch. **3.** königlich (*a. fig.*).
mon·arch·ism ['mɒnərˌkizəm] *s* Monar'chismus *m.* **'mon·arch·ist I** *s* Monar'chist(in). **II** *adj* monar'chistisch.
mon·arch·y ['mɒnərki] *s* **1.** Monar'chie *f*; constitutional ~ konstitutionelle Monarchie. **2.** Al'leinherrschaft *f.*
mon·as·ter·y ['mɒnəstri] *s* (Mönchs)-Kloster *n.*
mo·nas·tic [mə'næstik] **I** *adj* (*adv* ~ally) **1.** klösterlich, Kloster... **2.** mönchisch (*a. fig.*), Mönchs...: ~ vows Mönchsgelübde *n.* **3.** *Buchbinderei*: Blinddruck... **II** *s* **4.** Mönch *m.* **mo'nas·tiˌcism** [-tiˌsizəm] *s* **1.** Mönch(s)tum *n.* **2.** Klosterleben *n*, mönchisches Leben, As'kese *f.*
mon·a·tom·ic [ˌmɒnə'tɒmik] *adj chem.* 'einaˌtomig. [achsig.]
mon·ax·i·al [mɒ'næksiəl] *adj* ein-
Mon·day ['mʌndi] *s* Montag *m*: Black ~ *ped. sl. der erste Schultag nach langen Ferien*; on ~ am Montag; on ~s montags; St. ~ *Br.* blauer Montag.
Mo·nel (met·al) [mo'nel] *s tech.* 'Monelmeˌtall *n.*
mon·e·tar·y ['mʌnitəri; 'mɒn-] *adj econ.* **1.** Währungs...: ~ reform; ~ unit; ~ management Maßnahmen *pl* zur Erhaltung der Währungsstabilität. **2.** Münz...: ~ standard Münzfuß *m.* **3.** Geld..., geldlich, finanzi'ell.
mon·e·tize ['mʌniˌtaiz; 'mɒn-] *v/t* **1.** zu Münzen prägen. **2.** zum gesetzlichen Zahlungsmittel machen. **3.** den Münzfuß (*gen*) festsetzen.
mon·ey ['mʌni] *s econ.* **1.** Geld *n*: ~ of account Rechnungsmünze *f*; ~ on (*od.* at) call täglich fälliges Geld, Tagesgeld; ready ~ bares Geld; in the ~ *colloq.* ‚gut bei Kasse'; to be out of ~ kein Geld (mehr) haben; short of ~ knapp an Geld, ‚schlecht bei Kasse'; ~ due ausstehendes Geld; ~ on account Guthaben *n*; ~ on hand verfügbares Geld; to get one's ~'s worth etwas (*Vollwertiges*) für sein Geld bekommen. **2.** Geld *n*, Vermögen *n*: to make ~ Geld machen, gut verdienen (by bei, durch); to marry ~ Geld heiraten; ~ for jam *Br. sl.* guter Profit für wenig Mühe, leichtverdientes Geld. **3.** Geldsorte *f.* **4.** Zahlungsmittel *n* (*jeder Art*). **5.** Geldbetrag *m*, -summe *f.* **6.** *pl jur. od. obs.* Gelder *pl*, (Geld)Beträge *pl.* **'~ˌbag** *s* **1.** Geldbeutel *m.* **2.** *pl colloq.* a) Geldsäcke *pl*, Reichtum *m*, b) (*als sg konstruiert*) ‚Geldsack' *m* (*reiche Person*). **~ bill** *s pol.* Geldbewilligungsantrag *m*, *bes.* Steuergesetzantrag *m.* **~ box** *s* Sparbüchse *f.* **~ bro·ker** *s econ.* Geldvermittler *m*, -makler *m.*
mon·eyed ['mʌnid] *adj* **1.** wohlhabend, reich, vermögend. **2.** Geld...: ~ assistance finanzielle Hilfe; ~ capital Geldkapital *n.* **~ cor·po·ra·tion** *s econ. Am.* Geldgeschäfte betreibende (Bank-, Versicherungs)Gesellschaft. **~ in·ter·est** *s econ.* Fi'nanzwelt *f*, 'Großfiˌnanz *f*, Kapita'listen *pl.*
'mon·ey|ˌgrub·ber *s* Geldraffer *m.* **'~ˌgrub·bing** *adj* geldraffend, -gierig. **'~ˌlend·er** *s econ.* Geldverleiher *m.*
mon·ey·less ['mʌnilis] *adj* ohne Geld, mittellos.
mon·ey| let·ter *s econ.* Geld-, Wertbrief *m.* **~ loan** *s econ.* Kassendarlehen *n.* **'~-ˌmak·er** *s* **1.** Geldverdiener *m*, j-d, der gut verdient. **2.** einträgliche Sache, gutes Geschäft. **'~-ˌmak·ing I** *adj* **1.** gewinnbringend, einträglich. **2.** (geld)verdienend. **II** *s* **3.** Gelderwerb *m*, gutes Verdienen. **~ mar·ket** *s econ.* Geldmarkt *m.* **'~ˌmon·ger** *s econ.* Wucherer *m.* **~ or·der** *s econ.* **1.** Postanweisung *f.* **2.** Zahlungsanweisung *f.* **~ spi·der** *s* Glücksspinne *f* (*die Glück bringen soll*). **~ spin·ner** *s* **1.** → money spider. **2.** a) erfolgreicher Speku'lant, b) → money-maker 2. **'~ˌwort** *s bot.* Pfennigkraut *n.*
mon·ger ['mʌŋgər] *s* (*meist in Zssgn*) **1.** Händler *m*, *bes.* Krämer *m*: fish~ Fischhändler. **2.** *fig. contp.* Krämer *m*, Verbreiter *m* (*von Gerüchten etc*), Macher *m*: news~ Neuigkeitenkrämer; sensation-~ Sensationsmacher.
Mon·gol ['mɒŋgɒl] **I** *s* **1.** Mon'gole *m*, Mon'golin *f.* **2.** Mongo'lide(r *m*) *f.* **3.** *ling.* Mon'golisch *n*, das Mongolische. **4.** → Mongolian 5. **II** *adj* → Mongolian I. **Mon'go·li·an** [-'gouliən; -ljən] **I** *adj* **1.** mon'golisch. **2.** mongo'lid, gelb (*Rasse*). **3.** *med.* mongolo'id, an Mongo'lismus leidend. **II** *s* **4.** → Mongol 1. **5.** *med.* an Mongo'lismus Leidende(r *m*) *f.* **Mongol·ism** ['mɒŋgəˌlizəm] *s med.* Mongo'lismus *m*, mongolo'ide Idio'tie. **'Mon·golˌoid** *a. med.* **I** *adj* mongolo'id. **II** *s* Mongolo'ide(r *m*) *f.*
mon·goose ['mɒŋguːs] *pl* **-goos·es** *s zo.* **1.** Mungo *m* (*Schleichkatze*). **2.** Mongoz(maki) *m* (*Halbaffe*).
mon·grel ['mʌŋgrəl] **I** *s* **1.** *biol.* Bastard *m*, 'Kreuzungsproˌdukt *n.* **2.** Köter *m*, Prome'nadenmischung *f.* **3.** Mischling *m* (*Mensch*). **4.** Zwischending *n.* **II** *adj* **5.** Bastard...: ~ race Mischrasse *f.* **6.** 'undefiˌnierbar. **'mon·grelˌize I** *v/t* zu e-m Bastard machen. **II** *v/i* ein Bastard *od.* Mischling werden. [amongst.]
mongst [mʌŋgst; mʌŋkst] *abbr. für*
mon·ick·er → moniker.

mon·ies ['mʌniz] *s pl* → money 6.
mon·i·ker ['mɒnikər] *s sl.* (Spitz)-Name *m.*
mon·ism ['mɒnizəm] *s philos.* Mo'nismus *m.*
mo·ni·tion [mo'niʃən; mɒ-] *s* **1.** (Er)-Mahnung *f.* **2.** Warnung *f.* **3.** *jur.* Vorladung *f.* **4.** *relig.* Mahnbrief *m.*
mon·i·tor ['mɒnitər] **I** *s* **1.** (Er)Mahner *m.* **2.** a) Warner *m,* b) Über'wacher *m.* **3.** *ped.* Monitor *m* (*älterer Schüler, in USA a. Student, der Aufsichts- u. Strafgewalt hat*), *bes.* Klassenordner *m.* **4.** Mahnung *f.* **5.** *mar.* a) Monitor *m,* Turmschiff *n* (*ein Panzerschiff*), b) Feuerlöschboot *n.* **6.** *tech.* Wendestrahlrohr *n.* **7.** *electr.* a) Abhörer(in), b) Abhör-, Mithörgerät *n,* c) *TV* Monitor *m,* Kon'trollgerät *n.* **8.** Warn-, Anzeigegerät *n* (*bes. für Radioaktivität*). **9.** *a.* ~ **lizard** *zo.* Wa'ran-(eidechse *f*) *m.* **II** *v/t* **10.** *electr. teleph. etc, a. Funk:* ab-, mithören, über'wachen, *die Akustik etc* durch Abhören kontrol'lieren. **11.** *phys.* auf ˌRadioaktivi'tät über'prüfen. **12.** *allg.* über'wachen. ˌ**mon·i'to·ri·al** [-'tɔːriəl] *adj* (*adv* ~**ly**) **1.** → monitory I. **2.** *ped.* Monitor..., Klassenordner... '**mon·i·tor·ing** *adj electr.* Mithör..., Prüf..., Überwachungs...: ~ **desk** Misch-, Reglerpult *n;* ~ **operator** a) Tonmeister *m,* b) *mil.* Horchfunker *m.*
mon·i·tor·ship ['mɒnitərˌʃip] *s ped.* Stelle *f od.* Funkti'on *f* e-s Monitors.
'**mon·i·to·ry** [-təri] *adj* **1.** (er)mahnend, Mahn... **2.** warnend.
monk [mʌŋk] *s* **1.** Mönch *m.* **2.** a) *zo.* Mönchsaffe *m,* b) *ichth.* Engelhai *m.* **3.** *print. bes. Br.* Schmierstelle *f.* '**monk·er·y** [-əri] *s* **1.** *oft contp.* a) Kloster-, Mönchsleben *n,* b) Mönch(s)tum *n,* c) *pl* Mönchspraktiken *pl.* **2.** *collect.* Mönche *pl.* **3.** Mönchskloster *n.*
mon·key ['mʌŋki] **I** *s* **1.** *zo.* a) Affe *m* (*a. fig. humor.*), b) *engS.* kleinerer (langschwänziger) Affe (*Ggs.* **ape**). **2.** *tech.* a) Ramme *f,* Rammbock *m,* b) Fallhammer *m,* -bär *m,* -klotz *m,* Hammerbär *m.* **3.** kleiner Schmelztiegel. **4.** *Br. sl.* Wut *f:* to get (*od.* put) s.o.'s ~ up ‚j-n auf die Palme bringen'; to get one's ~ up ‚hochgehen', in Wut geraten. **5.** *Br. sl.* Hypo'thek *f.* **6.** *sl.* a) *Br.* £500, 500 Pfund, b) *Am.* $500, 500 Dollar. **II** *v/i* **7.** *a.* ~ **about** (her'um)albern, Unsinn machen. **8.** (with) *colloq.* tändeln, spielen (mit), her'umpfuschen (an *dat*). **III** *v/t* **9.** nachäffen, verspotten. ~ **bread** *s bot.* **1.** → baobab. **2.** Affenbrotbaum-Frucht *f.* ~ **busi·ness** *s sl.* **1.** ‚krumme Tour', fauler Zauber. **2.** Blödsinn *m,* Unfug *m.* ~ **en·gine** *s tech.* (Pfahl)Ramme *f.* ~ **flow·er** *s bot.* Gauklerblume *f.* ~ **jack·et** *s mar.* Monki-, Munkijacke *f,* 'Bordjacˌkett *n.* '~ˌ**nut** *Br. für* peanut. ~ **puz·zle** *s bot.* Schuppentanne *f.* '~ˌ**shine** *s meist pl Am. sl.* (dummer *od.* 'übermütiger) Streich, Possen *m,* Blödsinn *m.* ~ **suit** *s Am. sl.* **1.** *mil.* Uni'form *f.* **2.** Smoking *m.* ~ **wrench** *s tech.* Engländer *m,* Univer'sal(schrauben)schlüssel *m:* to throw a ~ into s.th. *Am. colloq.* etwas über den Haufen werfen.
'**monkˌfish** *s* **1.** → angelfish 1. **2.** → angler 2.
Mon-Khmer ['moun'kmer] *adj ling.* Mon-Khmer-...
monk·hood ['mʌŋkhud] *s* **1.** Mönch(s)-tum *n.* **2.** *collect.* Mönche *pl.* '**monk·ish** *adj* **1.** Mönchs... **2.** *meist contp.* mönchisch, pfäffisch, Pfaffen...
monk seal *s zo.* Mönchsrobbe *f.*
'**monksˌhood** *s bot.* Eisenhut *m.*
mono- [mɒno; monɒ] *Wortelement mit der Bedeutung* ein, einzeln, einfach.
ˌ**mon·o'ac·id** *chem.* **I** *adj* einsäurig. **II** *s* einbasige Säure. ˌ**mon·o'bas·ic** *adj chem.* einbasisch, einbasig.
mon·o·car·pel·lar·y [ˌmɒno'kɑːrpələri] *adj bot.* aus nur 'einem Fruchtblatt bestehend. ˌ**mon·o'car·pic** *adj bot.* nur einmal fruchtend. ˌ**mon·o'car·pous** *adj bot.* **1.** einfrüchtig (*Blüte*). **2.** → monocarpic.
ˌ**mon·o'cel·lu·lar** *adj biol.* einzellig.
mo·noc·er·os [mo'nɒsərəs] *s* **1.** *ein Fisch mit e-m hornähnlichen Fortsatz, bes.* → a) swordfish, b) sawfish. **2.** M~ *astr.* Einhorn *n* (*Sternbild*).
ˌ**mon·o'chlo·ride** *s chem.* Monochlo'rid *n.*
'**mon·oˌchord** *s mus.* Mono'chord *n.*
ˌ**mon·o·chro'mat·ic,** *a.* ˌ**mon·o'chro·ic** [-'krouik] *adj* monochro'matisch, einfarbig. '**mon·oˌchrome I** *s* einfarbiges Gemälde. **II** *adj* mono'chrom. '**mon·oˌchrom·ist** *s* Spezia'list *m* für einfarbige Male'rei.
mon·o·cle ['mɒnəkl] *s* Mon'okel *n,* Einglas *n.* '**mon·o·cled** *adj* ein Mon'okel tragend, mit Monokel.
mon·o·cli·nal [ˌmɒno'klainl] *geol.* **I** *adj* mono'klin, in nur 'einer Richtung geneigt. **II** *s* → monocline. '**mon·oˌcline** [-ˌklain] *s geol.* mono'kline Falte. ˌ**mon·o'clin·ic** [-'klinik] *adj min.* mono'klin (*Kristall*). ˌ**mon·o'cli·nous** [-'klainəs] *adj bot.* mono'klin, zwitt(e)rig.
mo·no·coque [mənə'kɔk] (*Fr.*) *s aer.* **1.** Schalenrumpf *m:* ~ **construction** *tech.* Schalenbau(weise *f*) *m.* **2.** Flugzeug *n* mit Schalenrumpf.
mon·o·cot·y·le·don [ˌmɒnoˌkɒti'liːdən] *s bot.* ˌMonokotyle'done *f,* Einkeimblättrige *f.*
mo·noc·ra·cy [mo'nɒkrəsi] *s* Monokra'tie *f,* Al'leinherrschaft *f.*
mo·noc·u·lar [mo'nɒkjulər; mɒ-] *adj* **1.** *selten* einäugig. **2.** monoku'lar, für nur 'ein Auge, nur mit 'einem Auge.
'**mon·oˌcul·ture** *s agr.* 'Monokulˌtur *f.*
'**mon·oˌcy·cle** *s* Einrad *n.* ˌ**mon·o'cy·clic** *adj* **1.** nur 'einen Ring bildend *od.* habend. **2.** *chem. math. phys.* mono'zyklisch. **3.** *bot. zo.* in nur 'einem Kreis angeordnet.
mon·o·cyte ['mɒnoˌsait] *s med.* Mono'zyt *m* (*ein weißes Blutkörperchen*).
mon·o·dac·ty·lous [ˌmɒno'dæktiləs] *adj zo.* einfingrig, einzehig.
mo·nod·ic [mo'nɒdik] *adj mus.* mon'odisch.
'**mon·oˌdra·ma** *s* Mono'drama *n* (*Drama mit nur 'einer handelnden Person*).
mon·o·dy ['mɒnədi] *s* Mono'die *f:* a) Einzelgesang *m,* b) Klagelied *n,* c) *mus.* unbegleitete Einstimmigkeit, d) *mus.* Mehrstimmigkeit *f* mit Vorherrschaft 'einer Melo'die, e) *mus.* Homopho'nie *f.*
mo·noe·cism [mə'niːsizəm; mo-] *s biol.* Monö'zie *f,* Zwittrigkeit *f.*
'**mon·oˌfilm** *s chem. phys.* ˌmonomoleku'lare Schicht.
mon·o·gam·ic [ˌmɒno'gæmik] → monogamous. **mo·nog·a·mist** [mə'nɒgəmist; mo-] *s* Monoga'mist(in), in Einehe Lebende(r *m*) *f.* **mo'nog·a·mous** *adj* mono'gam(isch). **mo'nog·a·my** *s* Monoga'mie *f,* Einehe *f.*
ˌ**mon·o'gen·e·sis** *s* **1.** Monoge'nese *f,* Gleichheit *f* der Abstammung. **2.** (*Theorie der*) *Entwicklung aller Lebewesen aus 'einer Urzelle.* **3.** → monogenism. **4.** *biol.* Monoge'nese *f:* a) *ungeschlechtliche Fortpflanzung,* b) *direkte Entwicklung ohne Metamorphose.* ˌ**mon·o·ge'net·ic** *adj* monoge'netisch. ˌ**mon·o'gen·ic** *adj* **1.** mono'gen (*a. geol., math.*), gemeinsamen Ursprungs. **2.** monoge'netisch. **3.** *zo.* mono'genisch, sich nur auf 'eine Art fortpflanzend. **mo·nog·e·nism** [mə'nɒdʒəˌnizəm] *s* Monoge'nismus *m* (*Ableitung aller heutigen Menschenrassen aus e-r einzigen Stammform*). **mo'nog·e·ny** *s* **1.** → monogenism. **2.** → monogenesis 4a.
mon·o·glot ['mɒnəˌglɒt] **I** *adj* einsprachig. **II** *s* einsprachige Per'son.
mo·nog·o·ny [mə'nɒgəni] *s biol.* Monogo'nie *f,* mono'gene *od.* ungeschlechtliche Fortpflanzung.
mon·o·gram ['mɒnəˌgræm] *s* Mono'gramm *n.*
mon·o·graph ['mɒnəˌgræ(ː)f; *Br. a.* -ˌgrɑːf] **I** *s* Monogra'phie *f.* **II** *v/t* in e-r Monogra'phie behandeln. **mo·nog·ra·pher** [mə'nɒgrəfər] *s* Verfasser *m* e-r Monogra'phie. **mon·o·graph·ic** [ˌmɒnə'græfik] *adj* **1.** mono'graphisch, in Einzeldarstellung. **2.** mono'grammartig. **mo·nog·ra·phist** [mə'nɒgrəfist] → monographer.
mo·nog·y·nous [mə'nɒdʒinəs] *adj* **1.** *bot.* einweibig. **2.** mit nur 'einer Ehefrau. **3.** *zo.* mit nur 'einem Weibchen. **mo'nog·y·ny** *s* Monogy'nie *f,* Einweibigkeit *f.*
ˌ**mon·o'hy·drate** *s chem.* Monohy'drat *n.* ˌ**mon·o'hy·dric** *adj chem.* einwertig: ~ **alcohol.**
mon·o·i·de·ism [ˌmɒnouai'diːizəm] *s psych.* Monoide'ismus *m* (*krankhaftes Vorherrschen e-r einzigen Leitvorstellung*).
mo·nol·a·try [mə'nɒlətri] *s* Monola'trie *f* (*Verehrung nur 'eines Gottes, ohne die Existenz weiterer Götter zu leugnen*).
mon·o·lith ['mɒnoliθ] *s* **1.** Mono'lith *m:* a) *großer Steinblock,* b) *aus e-m einzigen Stein hergestelltes Kunstwerk.* **2.** *meist* M~ (*TM*) Mono'lith *n* (*steinähnlicher Bodenbelag*). ˌ**mon·o'lith·ic** *adj* mono'lith(isch) (*a. fig.*).
mon·o·log·ic [ˌmɒnə'lɒdʒik], ˌ**mon·o'log·i·cal** *adj* mono'logisch. **mo·nol·o·gist** [mə'nɒlədʒist] *s* **1.** Mono'logsprecher(in). **2.** j-d, der die Unter'haltung al'lein bestreitet. **mo'nol·oˌgize** *v/i* monologi'sieren, ein Selbstgespräch führen. **mon·o·logue** ['mɒnəˌlɒg] *s* Mono'log *m:* a) *thea. u. weitS.* Selbstgespräch *n,* b) *von 'einer Person aufgeführtes dramatisches Gedicht,* c) lange Rede (*in der Unterhaltung*). '**mon·oˌlogu·ist** → monologist 1.
ˌ**mon·o'ma·ni·a** *s psych.* Monoma'nie *f,* fixe I'dee. ˌ**mon·o'ma·niˌac I** *s* Mono'mane *m,* Mono'manin *f.* **II** *adj* mono'man(isch).
mon·o·mark ['mɒnoˌmɑːrk] *s Br. als Identifikationszeichen registrierte Kombination von Buchstaben und bzw. oder Ziffern.*
mon·o·mer ['mɒnomər] *s chem.* Mono'mere *n.* ˌ**mon·o'mer·ic** [-'merik] *adj* mono'mer.
mon·o·met·al·lism [ˌmɒno'metəˌlizəm] *s econ.* Monometal'lismus *m* (*Verwendung nur 'eines Währungsmetalls*).
mo·nom·e·ter [mə'nɒmitər] *s metr.* Mo'nometer *m.*
mo·no·mi·al [mə'noumiəl] **I** *adj math.* mo'nomisch, eingliedrig. **II** *s* Mo'nom

n: a) einwortige Bezeichnung, b) *math.* eingliedrige (Zahlen)Größe.

ˌmon·o·moˈlec·u·lar *adj chem. phys.* ˌmonomolekuˈlar.

mon·o·mor·phic [ˌmɒnoˈmɔːrfik], **ˌmon·oˈmor·phous** [-fəs] *adj* monoˈmorph, gleichgestaltet.

ˈmon·oˌphase, ˌmon·oˈphas·ic *adj electr.* einphasig.

ˌmon·oˈpho·bi·a *s psych.* Monophoˈbie *f.*

mon·oph·thong [ˈmɒnəfˌθɒŋ] *s Phonetik*: Monoˈphthong *m*, einfacher Selbstlaut. **ˌmon·ophˈthon·gal** [-gəl] *adj* monoˈphthongisch. **ˈmon·oph·thongˌize** [-ˌgaiz] *v/t* monophthonˈgieren.

ˌmon·o·phyˈlet·ic *adj biol.* monophyˈletisch, einstämmig. **ˌmon·oˈphy·oˌdont** [-ˈfaiəˌdɒnt] *zo.* **I** *s* Monophyoˈdont *m*, Tier *n* ohne Zahnwechsel. **II** *adj* monophyoˈdont.

Mo·noph·y·site [məˈnɒfiˌsait] *s relig.* Monophyˈsit *m.*

ˈmon·oˌplane *s aer.* Eindecker *m.*

mon·o·pode [ˈmɒnəˌpoud] **I** *adj* **1.** einfüßig. **II** *s* **2.** einfüßiges Wesen. **3.** → monopodium. **ˌmon·oˈpo·di·um** [-ˈpoudiəm] *pl* **-di·a** [-diə] *s bot.* Monoˈpodium *n*, echte Hauptachse.

mo·nop·o·lism [məˈnɒpəˌlizəm] *s econ.* Monoˈpolwirtschaft *f*, -kapitaˌlismus *m.* **moˈnop·o·list** *s econ.* Monopoˈlist *m*, Monoˈpolkapitaˌlist *m*, -besitzer *m.* **moˌnop·oˈlis·tic** *adj* monopoˈlistisch, Monopol... **moˌnop·o·liˈza·tion** *s* Monopoliˈsierung *f.* **moˈnop·oˌlize** *v/t* monopoliˈsieren: a) *econ.* ein Monoˈpol erringen *od.* haben in (*dat*), b) *fig.* an sich reißen, mit Beschlag belegen: to ~ the conversation. **moˈnop·oˌliz·er** *s* j-d, der (*etwas*) monopoliˈsiert. **moˈnop·o·ly** [-li] *s econ.* **1.** Monoˈpol(stellung *f*) *n.* **2.** (of) Monoˈpol *n* (auf *acc*), Alˈleinverkaufs-, Alˈleinbetriebs-, Alˈleinˌherstellungsrecht *n* (für). **3.** Monoˈpol *n*, alˈleiniger Besitz, alˈleinige Beherrschung: ~ of learning Bildungsmonopol. **4.** Monoˈpol *n*, (*etwas*) Monopoliˈsiertes. **5.** Monoˈpolgesellschaft *f.*

mo·nop·ter·al [məˈnɒptərəl] *adj zo.* a) einflügelig, b) einflossig.

ˈmon·oˌrail *s tech.* **1.** Einschiene *f.* **2.** Einschienenbahn *f.*

ˌmon·o·sylˈlab·ic *adj* **1.** *ling. u. fig.* einsilbig. **2.** monosylˈlabisch (*Sprache*). **ˌmon·oˈsyl·laˌbism** *s* Einsilbigkeit *f.* **ˈmon·oˌsyl·la·ble** *s* einsilbiges Wort: to speak in ~s einsilbige Antworten geben.

ˈmon·o·theˌism *s relig.* Monotheˈismus *m.* **ˈmon·oˌthe·ist** *relig.* **I** *s* Monotheˈist *m.* **II** *adj* monotheˈistisch. **ˌmon·o·theˈis·tic, ˌmon·o·theˈis·ti·cal** *adj* monotheˈistisch.

ˈmon·oˌtint → monochrome.

mo·not·o·cous [məˈnɒtəkəs] *adj zo.* nur ˈein Junges gebärend.

mon·o·tone [ˈmɒnəˌtoun] **I** *s* **1.** monoˈtones Geräusch, gleichbleibender Ton, eintönige Wiederˈholung. **2.** monoˈtones Reziˈtieren *od.* Singen. **3.** → monotony. **II** *adj* **4.** → monotonous. **III** *v/t u. v/i* **5.** in gleichbleibendem Ton reziˈtieren *od.* singen. **ˌmon·oˈton·ic** [-ˈtɒnik] *adj mus.* monoˈton, eintönig. **mo·not·o·nous** [məˈnɒtənəs] *adj* (*adv* ~ly) monoˈton, eintönig, -förmig (*alle a. fig.*). **moˈnot·o·ny** [-ni], *a.* **moˈnot·o·nous·ness** *s* **1.** Monotoˈnie *f*, Eintönigkeit *f* (*a. fig.*). **2.** Einförmigkeit *f*, (ewiges) Einerlei.

mon·o·trem·a·tous [ˌmɒnoˈtremətəs] *adj zo.* zu den Kloˈakentieren gehörend. **ˈmon·oˌtreme** [-ˌtriːm] *s* Kloˈakentier *n.*

ˈmon·oˌtype[1] *s print.* **1.** *meist* M~ (*TM*) Monotype *f* (*Setz- u. Gießmaschine für Einzelbuchstaben*). **2.** a) mit der Monotype ˈhergestellte Letter, b) Monotypesatz *m.* **3.** Monotyˈpie *f* (*Abdruck e-s auf e-e Metallplatte etc gemalten Bildes*).

ˈmon·oˌtype[2] *s biol.* einziger Vertreter (*e-r Gruppe*), *bes.* einzige Art (*e-r Gattung etc*).

ˌmon·oˈva·lent *adj chem.* einwertig.

mon·ox·ide [mɒˈnɒksaid] *s chem.* ˈMonoˌxyd *n.*

Mon·roe Doc·trine [mənˈrou], **Monˈroe·ism** [-izəm] *s pol.* Monˈroedokˌtrin *f* („*Amerika den Amerikanern*"; *1823 vom Präsidenten James Monroe ausgesprochen*).

mon·soon [mɒnˈsuːn] *s* **1.** Monˈsun *m*: dry ~ Wintermonsun; wet ~ Sommer-, Regenmonsun. **2.** (sommerliche) Regenzeit (*in Südasien*).

mon·ster [ˈmɒnstər] **I** *s* **1.** Ungeheuer *n*, Scheusal *n* (*a. fig.*). **2.** Monstrum *n*: a) ˈMißgeburt *f*, -gestalt *f*, -bildung *f*, b) *fig.* Ungeheuer *n*, (*etwas*) Ungeheuerliches *od.* Unförmiges, Koˈloß *m.* **II** *adj* **3.** ungeheuer(lich), Riesen..., Monster...: ~ film Monsterfilm *m*; ~ meeting Massenversammlung *f.*

mon·strance [ˈmɒnstrəns] *s relig.* Monˈstranz *f.*

mon·stros·i·ty [mɒnˈstrɒsiti] *s* **1.** Ungeheuerlichkeit *f.* **2.** → monster 2.

mon·strous [ˈmɒnstrəs] *adj* (*adv* ~ly) **1.** monˈströs: a) ungeheuer, riesenhaft, b) ungeheuerlich, fürchterlich, gräßlich, scheußlich, c) ˈmißgestaltet, unförmig, ungestalt. **2.** ˈun-, ˈwidernaˌtürlich. **3.** lächerlich, abˈsurd. **ˈmon·strous·ness** *s* **1.** Ungeheuerlichkeit *f.* **2.** Riesenhaftigkeit *f.* **3.** ˈWidernaˌtürlichkeit *f.*

mon·tage [mɒnˈtɑːʒ] *s* **1.** ˈPhoto-, ˈBildmonˌtage *f.* **2.** *Film, Radio etc*: Monˈtage *f.*

Mon·tan·an [mɒnˈtænən] **I** *s* Bewohner(in) von Monˈtana (*USA*). **II** *adj* aus *od.* von Monˈtana.

mon·tane [ˈmɒntein] *geogr. adj* Gebirgs..., Berg...: ~ plants.

mon·te (bank) [ˈmɒnti; -tei] *s ein Karten-Glücksspiel.*

monte-jus [ˈmɔ̃ːtˈʒy] *s tech.* Monteˈjus *m*, Saftheber *m.*

month [mʌnθ] *s* **1.** Monat *m*: this day ~ a) heute vor e-m Monat, b) heute in e-m Monat; by the ~ (all)monatlich; once a ~ einmal im Monat; a ~ of Sundays e-e ewig lange Zeit. **2.** *colloq.* vier Wochen *od.* 30 Tage.

month·ly [ˈmʌnθli] **I** *s* **1.** Monatsschrift *f.* **2.** *pl* → menses. **II** *adj* **3.** e-n Monat dauernd. **4.** monatlich. **5.** Monats...: ~ salary. **III** *adv* **6.** monatlich, einmal im Monat, jeden Monat.

month's mind *s* **1.** *relig.* Monatsgedächtnis *n* (*Gedenkmesse*). **2.** *obs. od. dial.* (to) Neigung *f* (zu), Verlangen *n* (nach).

mon·ti·cule [ˈmɒntiˌkjuːl] *s* **1.** (kleiner) Hügel. **2.** Höckerchen *n.*

mon·u·ment [ˈmɒnjumənt] *s* **1.** *a. fig.* Monuˈment *n*, Denkmal *n* (to für; of *gen*): a ~ to s.o.'s memory; a ~ of literature ein Literaturdenkmal; the M~ *e-e hohe Säule in London zur Erinnerung an den großen Brand im Jahre 1666.* **2.** Naˈturdenkmal *n.* **3.** Grabmal *n*, -stein *m.* **4.** Statue *f.*

mon·u·men·tal [ˌmɒnjuˈmentl] *adj* (*adv* ~ly) **1.** monumenˈtal: a) großartig, gewaltig, impoˈsant, b) *Kunst*: ˈüberlebensgroß. **2.** herˈvorragend, bedeutend: a ~ event. **3.** *colloq.* kolosˈsal, Riesen...: a ~ error; ~ stupidity. **4.** Denkmal(s)... **5.** Gedenk...: ~ chapel Gedenkkapelle *f.* **6.** Grabmal(s)...: ~ mason Steinbildhauer *m.* **M~ Cit·y** *s Am.* (*Spitzname für*) Baltimore *n.*

mon·u·men·tal·ize [ˌmɒnjuˈmentəˌlaiz] *v/t j-m od. e-r Sache* ein Denkmal setzen, *j-n od. etwas* verewigen.

moo [muː] **I** *v/i* muhen. **II** *s* Muhen *n.*

mooch [muːtʃ] *sl.* **I** *v/i* **1.** *a.* ~ about herˈumlungern, -strolchen: to ~ along dahinlatschen. **II** *v/t* **2.** ‚klauen', stehlen. **3.** schnorren, erbetteln, ergattern.

mood[1] [muːd] *s* **1.** Stimmung *f* (*a. Kunst*), Laune *f*: to be in the (in no) ~ to do (nicht) dazu aufgelegt sein zu tun, (keine) Lust haben zu tun; to be in the ~ to work zur Arbeit aufgelegt sein; in a good ~ guter Laune, gut aufgelegt; in no giving ~ nicht in Geberlaune; change of ~, *Am. a.* ~ swing Stimmungsumschwung *m*; ~ music Stimmungsmusik *f.* **2.** *pl* a) schlechte Laune, b) trübe Stimmung. **3.** Gemüt *n*: of somber (*Br.* sombre) ~ von düsterem Gemüt. **4.** *paint. phot.* Stimmungsbild *n.* **5.** *obs.* a) Wut *f*, Ärger *m*, b) Eifer *m.*

mood[2] [muːd] *s* **1.** *ling.* Modus *m*, Aussageweise *f.* **2.** *mus.* Tonart *f.*

mood·i·ness [ˈmuːdinis] *s* **1.** Launenhaftigkeit *f.* **2.** Übellaunigkeit *f*, Verstimmtheit *f.* **3.** Niedergeschlagenheit *f.*

mood·y [ˈmuːdi] *adj* (*adv* moodily) **1.** launisch, launenhaft. **2.** übellaunig, verstimmt. **3.** niedergeschlagen, trübsinnig.

moon [muːn] **I** *s* (*als Femininum konstruiert*) **1.** Mond *m*: full ~ Vollmond; new ~ Neumond; waning (*od.* old) ~ abnehmender Mond; once in a blue ~ *fig.* alle Jubeljahre (einmal), höchst selten; to cry for the ~ nach dem Mond (*nach Unmöglichem*) verlangen; to shoot the ~ *colloq.* bei Nacht u. Nebel ausrücken (*ohne die Miete zu bezahlen*); there is a ~ der Mond scheint. **2.** *astr.* Mond *m*, Traˈbant *m*, Satelˈlit *m*: man-made ~, baby ~ (künstlicher *od.* Erd)Satellit. **3.** *poet.* Mond *m*, Monat *m.* **4.** (*bes.* Halb-)Mond *m*, (*etwas*) (Halb)Mondförmiges. **5.** *Alchimie*: Silber *n.* **II** *v/i* **6.** umˈhergeistern, -irren. **7.** a) träumen, dösen, b) schmachten. **III** *v/t* **8.** ~ away *die Zeit* vertrödeln, -träumen. **ˈ~ˌbeam** *s* Mondstrahl *m.* **ˈ~-ˌblind** *adj* **1.** *vet.* mondblind (*Pferd*). **2.** *med.* nachtblind. **ˈ~ˌcalf** *s irr* **1.** ‚Mondkalb' *n*, Trottel *m.* **2.** Träumer *m.* **3.** → mole[5]. **~ dai·sy** *s bot.* Margeˈrite *f.*

mooned [muːnd] *adj* **1.** mit e-m (Halb-)Mond geschmückt. **2.** (halb)mondförmig. **ˈmoon·er** *s* **1.** Mondsüchtige(r *m*) *f.* **2.** *fig.* Träumer(in).

ˈmoon|ˌeye *s* **1.** *vet.* a) an Mondblindheit erkranktes Auge, b) Mondblindheit *f.* **2.** *ichth.* Amer. Mondfisch *m.* **ˈ~ˌfaced** *adj* vollmondgesichtig. **ˈ~-ˌlight** **I** *s* **1.** Mondlicht *n*, -schein *m*: M~ Sonata *mus.* Mondscheinsonate *f.* **II** *adj* **2.** Mondlicht...: ~ flit(ting) *Br. sl.* heimliches Ausziehen bei Nacht (*wegen Mietschulden*). **3.** → moonlit. **ˈ~ˌlight·er** *s* **1.** *Am. colloq.* Doppelverdiener(in) (*j-d, der 2 bezahlte Beschäftigungen hat*). **2.** *hist.* Mondscheinler *m* (*Teilnehmer an nächtlichen Ausschreitungen gegen Grundbesitzer in Irland*). **3.** → moonshiner. **ˈ~ˌlit** *adj* vom Mond beleuchtet, mondhell. **'~,mad** *adj* wahnsinnig, verrückt. **'~,rak·er** *s Br.* (*Spitzname für e-n*) Bewohner von Wiltshire. **'~,rise** *s* Mondaufgang *m.* **'~,scape** *s* Mondlandschaft *f.* **'~,set** *s* 'Mond,untergang *m.* **'~,shine I** *s* **1.** Mondschein *m.* **2.** *fig.* a) ‚fauler Zauber', Schwindel *m,* b) Unsinn *m,* Geschwafel *n*: to talk ~ Unsinn reden. **3.** *sl.* geschmuggelter *od.* ‚schwarz' gebrannter Alkohol. **II** *v/i* **4.** *Am. sl.* 'ille,gal Schnaps brennen. **'~,shin·er** *s Am. sl.* a) Alkoholschmuggler *m,* b) Schwarzbrenner *m.* **'~,stone** *s min.* Mondstein *m.* **'~-,struck** *adj* **1.** mondsüchtig. **2.** → moon-mad.

moon·y ['mu:ni] *adj* **1.** (halb)mondförmig. **2.** Mond..., Mondes... **3.** a) Mondlicht..., b) mondlichtartig. **4.** mondhell. **5.** verträumt, dösig. **6.** *colloq.* beschwipst. **7.** *colloq.* verrückt.

moor[1] [mur] *s* **1.** Moor *n, bes.* Hochmoor *n,* Bergheide *f.* **2.** Ödland *n, bes.* Heideland *n.* **3.** (*in Cornwall*) Heideland *n* mit Zinnvorkommen.

moor[2] [mur] *mar.* **I** *v/t* **1.** vertäuen, festmachen. **II** *v/i* **2.** festmachen, das Schiff vertäuen. **3.** sich vermuren, festmachen. **4.** festgemacht *od.* vertäut liegen.

Moor[3] [mur] *s* **1.** Maure *m,* Mohr *m.* **2.** (*in Südindien u. Ceylon*) Mohamme'daner *m.* **3.** *Angehöriger e-s in Delaware, USA, lebenden Mischvolks, das durch Mischung zwischen Weißen, Indianern u. Negern entstand.*

moor·age ['mu(ə)ridʒ] *s mar.* **1.** Vertäuung *f.* **2.** Liegeplatz *m.*

moor| cock *s orn.* (*männliches*) Schottisches Moor-Schneehuhn. **'~,fowl,** ~ **game** *s orn.* Schottisches Moor-Schneehuhn. ~ **hen** *s orn.* **1.** (*weibliches*) Schottisches Moor-Schneehuhn. **2.** Gemeines Teichhuhn.

moor·ing ['mu(ə)riŋ] *s mar.* **1.** Festmachen *n.* **2.** *meist pl* Vertäuung *f* (*Schiff*). **3.** *pl* Liegeplatz *m.* ~ **buoy** *s mar.* Vertäuboje *f.*

moor·ish[1] ['mu(ə)riʃ] *adj* moorig, sumpfig, Moor...

Moor·ish[2] ['mu(ə)riʃ] *adj* maurisch.

'moor·land [-lənd; -,lænd] *s* Heidemoor(land) *n.*

moor·y ['mu(ə)ri] → moorish[1].

moose [mu:s] *pl* **moose** *s* **1.** *zo.* Elch *m.* **2.** M~ *Mitglied des Geheimordens* Loyal Order of Moose. **'~,ber·ry** *s bot. Am.* Erlenblättriger Schneeball.

moot [mu:t] **I** *s* **1.** *hist.* (beratende) Volksversammlung. **2.** *jur. univ.* Diskussi'on *f* hypo'thetischer (Rechts-) Fälle. **II** *v/t* **3.** *e-e Frage* aufwerfen, anschneiden. **4.** erörtern, disku'tieren. **III** *adj* **5.** *jur.* hypo'thetisch, fik'tiv: a ~ case. **6.** *fig.* a) strittig: a ~ point, b) (rein) aka'demisch: a ~ question.

mop[1] [mɒp] **I** *s* **1.** Mop *m,* Fransenbesen *m.* **2.** Scheuer-, Wischlappen *m.* **3.** (Haar)Wust *m.* **4.** Tupfer *m,* Bausch *m.* **5.** *tech.* Schwabbelscheibe *f.* **II** *v/t* **6.** (*mit dem Mop*) (auf)wischen: to ~ the floor with s.o. *sl.* ‚mit j-m Schlitten fahren', j-n ‚fertigmachen'; to ~ one's face sich das Gesicht (ab)wischen. **7.** ~ up a) → 6, b) *mil. sl. ein Gebiet* (*vom Feind*) säubern, *e-n Wald etc* 'durchkämmen, c) *mil. sl. restliche Feindtruppen* ‚erledigen', d) *sl. e-n Profit etc* ‚schlucken', e) *sl.* völlig ‚erledigen', aufräumen mit, f) *Br. colloq.* austrinken. **8.** mit dem Mop auftragen. **9.** *tech.* schwabbeln.

mop[2] [mɒp] **I** *v/i meist* ~ and mow Gesichter schneiden. **II** *s* Gri'masse *f*: ~s and mows Grimassen.

mope [moup] **I** *v/i* **1.** den Kopf hängenlassen, Trübsal blasen. **II** *v/t* **2.** ~ o.s., be ~d a) → 1, b) sich ‚mopsen' (*langweilen*). **III** *s* **3.** Trübsalbläser(in), Griesgram *m.* **4.** *pl* Trübsinn *m,* trübe Stimmung.

mo·ped ['mouped] *s mot.* Moped *n.*

mop·er ['moupər] → mope 3.

'mop,head *s* **1.** Mop-Ende *n.* **2.** *colloq.* a) Wuschelkopf *m,* b) Struwwelpeter *m.*

mop·ing ['moupiŋ] *adj* (*adv* ~ly), **'mop·ish** *adj* (*adv* ~ly) trübselig, a'pathisch, kopfhängerisch. **'mop·ish·ness** → mope 4.

mop·pet ['mɒpit] *s* **1.** langhaariger Schoßhund. **2.** *colloq.* Puppe *f*: a) Kind *n,* b) Mädel *n.*

mop·ping-up ['mɒpiŋ,ʌp] *s mil. sl.* **1.** Aufräumungsarbeiten *pl.* **2.** Säuberung *f* (*vom Feinde*): ~ operation Säuberungsaktion *f.*

mo·quette [mo'ket] *s* Mo'kett *m* (*Plüschgewebe*).

mo·raine [mə'rein; mɒ-; mo-] *s geol.* ('Gletscher)Mo,räne *f*: lateral ~ Seitenmoräne; medial ~ Mittelmoräne. **mo'rain·ic** *adj* Moränen...

mor·al ['mɒrəl] **I** *adj* (*adv* → morally) **1.** mo'ralisch, sittlich: ~ force; ~ sense moralisches *od.* sittliches Empfinden; M~ Rearmament Moralische Aufrüstung. **2.** mo'ralisch, geistig: ~ obligation moralische Verpflichtung; ~ support moralische Unterstützung; ~ victory moralischer Sieg. **3.** Moral..., Sitten...: ~ law Sittengesetz *n*; ~ theology Moraltheologie *f.* **4.** mo'ralisch, sittenstreng, sittsam, tugendhaft: a ~ life. **5.** (sittlich) gut: a ~ act. **6.** innerlich, cha'rakterlich: ~ly firm innerlich gefestigt. **7.** mo'ralisch, vernunftgemäß: ~ certainty moralische Gewißheit. **II** *s* **8.** Mo'ral *f,* Lehre *f,* Nutzanwendung *f* (*e-r Geschichte etc*): to draw the ~ from die Lehre ziehen aus. **9.** mo'ralischer Grundsatz: to point the ~ den sittlichen Standpunkt betonen. **10.** *pl* Mo'ral *f,* Sitten *pl,* sittliches Verhalten: code of ~s Sittenkodex *m*; loose ~s lockere Sitten. **11.** *pl* (*als sg konstruiert*) Sittenlehre *f,* Ethik *f.* **12.** [*Br.* mə'rɑ:l; mɒ-; *Am.* -'ræ(:)l] → morale. **13.** *sl.* Gegenstück *n,* Ebenbild *n.*

mo·rale [*Br.* mə'rɑ:l; mɒ-; *Am.* -'ræ(:)l] *s* Mo'ral *f,* Stimmung *f,* Haltung *f,* (Arbeits-, Kampf)Geist *m*: the ~ of the army die (Kampf)Moral *od.* Stimmung der Truppe; to raise (lower) the ~ die Moral heben (senken).

mor·al| fac·ul·ty ['mɒrəl] *s* Sittlichkeitsgefühl *n.* ~ **haz·ard** *s Versicherungswesen*: subjek'tives Risiko (*Risiko falscher Angaben des Versicherten*). ~ **in·san·i·ty** *s psych.* mo'ralischer De'fekt.

mor·al·ism ['mɒrə,lizəm] *s* **1.** Mo'ralspruch *m.* **2.** a) Mo'ralpredigt *f,* b) Morali'sieren *n.* **3.** Leben *n* nach den Grundsätzen der bloßen Mo'ral (*Ggs. religiöses Leben*). **'mor·al·ist** *s* **1.** Mora'list *m,* Sittenlehrer *m.* **2.** Ethiker *m.* **3.** (rein) mo'ralischer Mensch (*Ggs. gläubiger Mensch*).

mo·ral·i·ty [mə'ræliti] *s* **1.** Mo'ral *f,* Sittlichkeit *f,* Tugend(haftigkeit) *f.* **2.** Morali'tät *f,* sittliche Gesinnung. **3.** Ethik *f,* Sittenlehre *f.* **4.** *pl* mo'ralische Grundsätze *pl,* Ethik *f* (*e-r Person etc*): commercial ~ Geschäftsmoral *f.* **5.** *contp.* Mo'ralpredigt *f.* **6.** *a.* ~ play *thea. hist.* Morali'tät *f.*

mor·al·ize ['mɒrə,laiz] **I** *v/i* **1.** morali'sieren (on über *acc*). **II** *v/t* **2.** mo'ralisch auslegen, die Mo'ral (*gen*) aufzeigen. **3.** versittlichen, die Mo'ral (*gen*) heben. **'mor·al,iz·er** *s* Mo'ral-, Sittenprediger(in). **'mor·al·ly** [-rəli] *adv* **1.** mo'ralisch (*etc*; → moral I). **2.** vom mo'ralischen Standpunkt.

mor·al| phi·los·o·phy, ~ **sci·ence** *s* Mo'ralphiloso,phie *f,* Ethik *f.*

mo·rass [mə'ræs] *s* **1.** Mo'rast *m,* Sumpf(land *n*) *m.* **2.** *fig.* a) Wirrnis *f,* b) Klemme *f,* schwierige Lage.

mo·rat ['mɔ:ræt] *s hist. Getränk aus Honig, mit Maulbeeren gewürzt.*

mor·a·to·ri·um [,mɒrə'tɔ:riəm] *pl* **-ri·a** [-riə] *od.* **-ri·ums** *s econ.* Mora'torium *n,* Zahlungsaufschub *m,* Stillhalteabkommen *n,* Stundung *f.* **'mor·a·to·ry** *adj* Moratoriums..., Stundungs...

Mo·ra·vi·an[1] [mə'reiviən; mɒ-; mo-] **I** *s* **1.** Mähre *m,* Mährin *f.* **2.** *relig.* Herrnhuter(in). **3.** *ling.* Mährisch *n,* das Mährische. **II** *adj* **4.** mährisch. **5.** *relig.* herrnhutisch: ~ Brethren Herrnhuter Brüdergemein(d)e *f.*

Mo·ra·vi·an[2] [mə'reiviən; mɒ-; mo-] **I** *s* Einwohner(in) der Grafschaft Moray (*Schottland*). **II** *adj* aus Moray.

mor·bid ['mɔ:rbid] *adj* (*adv* ~ly) **1.** mor'bid, krankhaft, patho'logisch. **2.** *med.* patho'logisch: ~ anatomy. **3.** grausig, schauerlich. **mor'bid·i·ty** *s* Morbidi'tät *f*: a) Krankhaftigkeit *f,* b) Erkrankungsziffer *f.*

mor·bif·ic [mɔ:r'bifik] *adj med.* **1.** krankheitserregend. **2.** krank machend.

mor·bil·li [mɔ:r'bilai] *s pl med.* [Masern *pl.*]

mor·da·cious [mɔ:r'deiʃəs] *adj* (*adv* ~ly) beißend, bissig (*bes. fig.*). **mor'dac·i·ty** [-'dæsiti], **'mor·dan·cy** [-dənsi] *s* Bissigkeit *f,* beißende Schärfe.

mor·dant ['mɔ:rdənt] **I** *adj* **1.** beißend: a) brennend (*Schmerz*), b) scharf, sar'kastisch (*Worte etc*). **2.** *tech.* a) beizend, ätzend, b) *Farben* fi'xierend. **3.** *med.* weiterfressend: ~ disease. **II** *s* **4.** *tech.* a) Ätzwasser *n,* b) (*bes. Färberei*) Beize *f,* c) Grund *m,* Kleb(e)stoff *m.*

Mor·de·cai [,mɔ:rdi'keiai; 'mɔ:rdi,kai] *npr Bibl.* Mardo'chai *m.*

mor·dent ['mɔ:rdənt] *s mus.* Mor'dent *m,* Pralltriller *m* nach unten.

more [mɔ:r] **I** *adj* **1.** mehr: ~ money; ~ people; (no) ~ than (nicht) mehr als; they are ~ than we sie sind zahlreicher als wir. **2.** mehr, noch (mehr), weiter: some ~ tea noch etwas Tee; one ~ day noch ein(en) Tag; two ~ miles noch zwei Meilen, zwei weitere Meilen; some ~ children noch einige Kinder; so much the ~ courage um so mehr Mut; he is no ~ er ist nicht mehr (*ist tot*). **3.** größer (*obs. außer in*): the ~ fool der größere Tor; the ~ part der größere Teil.

II *adv* **4.** mehr, in höherem Maße: they work ~ sie arbeiten mehr; ~ in theory than in practice mehr in der Theorie als in der Praxis; ~ dead than alive mehr *od.* eher tot als lebendig; ~ and ~ immer mehr; ~ and ~ difficult immer schwieriger; ~ or less mehr oder weniger, ungefähr; the ~ um so mehr; the ~ so because um so mehr, da; all the ~ so nur um so mehr; so much the ~ as um so mehr als; no (*od.* not any) ~ than ebensowenig wie; neither (*od.* no) ~ nor less than stupid nicht mehr u. nicht weniger als dumm, einfach dumm. **5.** (*zur Bildung des comp*): ~ conscientiously gewissenhafter; ~ important wichtiger; ~ often öfter. **6.** noch: never ~ niemals wieder; once ~ noch einmal; twice ~ noch zweimal; two hours (miles) ~ noch zwei Stunden (Meilen). **7.** dar'über hin,aus, über'dies: it is wrong and, ~, it is foolish.

III *s* **8.** Mehr *n* (of an *dat*). **9.** mehr: ~ than one person has seen it mehr als einer hat es gesehen; we shall see ~ of you wir werden dich noch öfter sehen; and what is ~ und was noch wichtiger ist; no ~ nichts mehr.

mo·reen [mə'riːn] *s* moi'riertes Woll- *od.* Baumwollgewebe.

more·ish ['mɔːriʃ] *adj*: it tastes ~ *colloq.* es schmeckt nach (noch) mehr.

mo·rel [mə'rel; mo-; mɒ-] *s bot.* **1.** Morchel *f.* **2.** (*bes.* Schwarzer) Nachtschatten. **3.** → morello.

mo·rel·lo [mə'relou; mo-; mɒ-] *pl* **-los** *s bot.* Mo'relle *f*, Schwarze Sauerweichsel.

more·o·ver [mɔːr'ouvər] *adv* außerdem, über'dies, ferner, weiter.

mo·res ['mɔːriːz] *s pl* Sitten *pl.*

Mo·resque [mo'resk] **I** *adj* maurisch. **II** *s* maurischer Stil.

Mor·gan ['mɔːrgən] *s* Morgan-Pferd *n* (*ein leichtes amer. Zug- u. Reitpferd*).

mor·ga·nat·ic [ˌmɔːrgə'nætik] *adj* (*adv* ~ally) morga'natisch.

morgue [mɔːrg] *s* **1.** Leichenschauhaus *n.* **2.** *Am.* Ar'chiv *n* (*e-s Zeitungsverlages etc*).

mor·i·bund ['mɒribʌnd] *adj* sterbend, im Sterben liegend, dem Tode geweiht (*a. fig.*).

mo·ri·on[1] ['mɔːriˌɒn] *s min.* Morion *m*, dunkler Rauchquarz.

mo·ri·on[2] ['mɔːriˌɒn] *s hist.* Sturmhaube *f.*

Mo·ris·co [mə'riskou] **I** *s* Maure *m* (*bes. in Spanien*). **2.** m~ a) maurischer Tanz, b) → morris. **II** *adj* **3.** maurisch.

Mor·mon ['mɔːrmən] *relig.* **I** *s* Mor'mone *m*, Mor'monin *f.* **II** *adj* mor'monisch: ~ Church mormonische Kirche, Kirche Jesu Christi der Heiligen der letzten Tage; ~ state (*Beiname des Staates*) Utah *n* (*USA*).

'Mor·mon,ism *s relig.* Mor'monentum *n.*

morn [mɔːrn] *s poet.* Morgen *m*: the ~ *Scot. od. obs.* morgen.

morn·ing ['mɔːrniŋ] **I** *s* **1.** Morgen *m*, Vormittag *m*: in the ~ morgens, am Morgen, vormittags; early in the ~ frühmorgens, früh am Morgen; on the ~ of May 5 am Morgen des 5. Mai; one (fine) ~ e-s (schönen) Morgens; (on) this ~ an diesem Morgen; this ~ heute morgen *od.* früh; tomorrow ~ morgen früh; the ~ after am Morgen darauf, am darauffolgenden Morgen; the ~ after the night before *colloq.* der ‚Katzenjammer', der ‚Kater'; with (the) ~ *poet.* gegen Morgen; good ~! guten Morgen!; morning! *colloq.* ('n) Morgen! **2.** *fig.* Morgen *m*, Anfang *m*, Beginn *m.* **3.** Morgendämmerung *f.* **4.** M~ Au'rora *f.* **II** *adj* **5.** a) Morgen..., Vormittags..., b) Früh...

morn·ing| coat *s* Cut(away) *m.* ~ **dress** *s* **1.** Hauskleid *n* (*der Frau*). **2.** Besuchs-, Konfe'renzanzug *m*, ‚Stresemann' *m* (*schwarzer Rock, bes. Cut, mit gestreifter Hose*). ~ **gift** *s jur. hist.* Morgengabe *f.* '~-ˌ**glo·ry** *s bot.* (*bes.* Purpur)Winde *f.* ~ **gown** *s* **1.** (Damen)Morgenrock *m.* **2.** Hauskleid *n.* ~ **gun** *s mil.* Weckschuß *m.* ~ **per·form·ance** *s* Frühvorstellung *f*, Mati'nee *f.* ~ **prayer** *s relig.* **1.** Morgengebet *n.* **2.** Frühgottesdienst *m.* ~ **room** *s* Damenzimmer *n* (*zum Aufenthalt am Morgen*). ~ **sick·ness** *s med.* morgendliches Erbrechen (*bei Schwangeren*). ~ **star** *s* **1.** *astr.* Morgenstern *m* (*bes. Venus*). **2.** *bot.* Men'tzelie *f.* **3.** *mil. hist.* Morgenstern *m.* '~ˌ**tide** *s poet.* Morgen *m* (*bes. fig.*). ~ **watch** *s mar.* Morgenwache *f.*

Mo·roc·can [mə'rɒkən] **I** *adj* marok'kanisch. **II** *s* Marok'kaner(in).

mo·roc·co [mə'rɒkou] *pl* **-cos** *s* Saffian(leder *n*) *m*, Maro'quin *m*: French ~ *ein minderwertiger Saffian.*

mo·ron ['mɔːrɒn] *s* **1.** Schwachsinnige(r *m*) *f.* **2.** *contp.* Trottel *m*, Idi'ot *m.* **mo·ron·ic** [mə'rɒnik] *adj* schwachsinnig.

mo·rose [mə'rous] *adj* (*adv* ~ly) mürrisch, grämlich, verdrießlich. **mo'rose·ness** *s* Verdrießlichkeit *f*, mürrisches Wesen.

-morph [mɔːrf] *Wortelement mit der Bedeutung* Form, Gestalt.

mor·pheme ['mɔːrfiːm] *s ling.* Mor'phem *n*: a) *kleinstes bedeutungtragendes Sprachelement*, b) *gestaltbestimmendes Sprachelement.*

Mor·pheus ['mɔːrfjuːs] *npr* Morpheus *m* (*Gott der Träume*): in the arms of ~ in Morpheus' Armen.

mor·phi·a ['mɔːrfiə], **mor·phine** ['mɔːrfiːn; -fin] *s chem.* Morphium *n.*

'mor·phin,ism *s* **1.** Morphi'nismus *m*, Mor'phinsucht *f.* **2.** Mor'phinvergiftung *f.* **'mor·phin·ist** *s* Morphi'nist(in).

mor·pho·gen·e·sis [ˌmɔːrfo'dʒenisis] *s biol.* Morpho'genesis *f*, Morphoge'nese *f*, Gestaltbildung *f.* ˌ**mor·pho·ge'net·ic** [-dʒi'netik] *adj* morphoge'netisch, gestaltbildend.

mor·pho·log·ic [ˌmɔːrfo'lɒdʒik] *adj*; ˌ**mor·pho'log·i·cal** [-kəl] *adj* (*adv* ~ly) morpho'logisch, Form...: ~ element Formelement *n.* **mor'phol·o·gist** [-'fɒlədʒist] *s* Morpho'loge *m.* **mor'phol·o·gy** *s* **1.** Morpholo'gie *f*: a) *biol.* Formen-, Gestaltlehre *f*, -forschung *f*, b) *geogr. Lehre von den Oberflächenformen der Erde*, c) *ling.* Formen- u. Wortbildungslehre *f.* **2.** Gestalt *f*, Form *f.* **mor'pho·sis** [-'fousis] *s* Mor'phose *f*, Gestaltbildung *f.*

mor·ris ['mɒris] *s a.* ~ dance *hist.* Mo'riskentanz *m.* **M~ chair** *s ein Lehnstuhl mit verstellbarer Rückenlehne u. losen Sitzpolstern.* ~ **tube** *s tech.* Einstecklauf *m* (*für Gewehre*).

mor·row ['mɒrou] *s* **1.** *rhet.* morgiger *od.* folgender Tag: on the ~ am folgenden Tag; the ~ of a) der Tag nach, b) *fig.* die Zeit unmittelbar nach; on the ~ of *fig.* (in der Zeit) unmittelbar nach. **2.** *obs.* Morgen *m.*

Morse[1] [mɔːrs] **I** *adj* Morse... **II** *s colloq. für* a) Morse code, b) Morse telegraph. **III** *v/t u. v/i* m~ morsen.

morse[2] [mɔːrs] *s zo.* Walroß *n.*

Morse| code, *a.* ~ **al·pha·bet** *s* 'Morsealpha,bet *n.*

mor·sel ['mɔːrsəl] **I** *s* **1.** Bissen *m* (*a. weitS. Imbiß*). **2.** Stückchen *n*, (*das*) bißchen. **3.** Leckerbissen *m* (*a. fig.*). **II** *v/t* **4.** in kleine Stückchen teilen, in kleinen Porti'onen austeilen.

Morse tel·e·graph *s electr.* 'Morsetele,graph *m*, -appa,rat *m.*

mort[1] [mɔːrt] *s hunt.* ('Hirsch)ˌTotsiˌgnal *n.*

mort[2] [mɔːrt] *s* dreijähriger Lachs.

mor·tal ['mɔːrtl] **I** *adj* (*adv* ~ly) **1.** sterblich: a ~ man ein Sterblicher. **2.** tödlich, todbringend (to für): a ~ wound. **3.** tödlich, erbittert: ~ battle erbitterte Schlacht; ~ enemies Todfeinde; ~ hatred tödlicher Haß; ~ offence (*Am.* offense) tödliche Beleidigung. **4.** Tod(es)...: ~ agony Todeskampf *m*; ~ fear Todesangst *f*; ~ hour Todesstunde *f*; ~ sin Todsünde *f.* **5.** menschlich, irdisch, vergänglich, Menschen...: this ~ life dieses vergängliche Leben; ~ power Menschenkraft *f*; by no ~ means *colloq.* auf keine menschenmögliche Art; of no ~ use *colloq.* völlig zwecklos. **6.** *colloq.* ‚Mords...', ‚mordsmäßig': ~ hurry Mordseile *f.* **7.** *colloq.* ewig, sterbenslangweilig: three ~ hours drei endlose Stunden. **8.** *dial.* furchtbar, schrecklich. **II** *s* **9.** Sterbliche(r *m*) *f.* **10.** *humor.* Kerl *m.*

mor·tal·i·ty [mɔːr'tæliti] *s* **1.** Sterblichkeit *f.* **2.** die (sterbliche) Menschheit. **3.** *a.* ~ rate a) Sterblichkeit(sziffer) *f*: ~ table Sterblichkeitstabelle *f*, b) *tech.* Verschleiß(quote *f*) *m.*

mor·tar[1] ['mɔːrtər] **I** *s* **1.** Mörser *m*, Reibschale *f.* **2.** *metall.* Pochtrog *m*, -lade *f.* **3.** *mil.* a) Mörser *m* (*Geschütz*), b) Gra'natwerfer *m.* **4.** 'Lebensrettungska,none *f.* **5.** (Feuerwerks)Böller *m.* **II** *v/t* **6.** *mil.* a) mit Mörsern beschießen, b) mit Gra'natwerfer belegen.

mor·tar[2] ['mɔːrtər] *arch.* **I** *s* Mörtel *m.* **II** *v/t* mörteln, mit Mörtel verbinden.

'mor·tar|,board *s* **1.** *tech.* Mörtelbrett *n* (*der Maurer*). **2.** *univ.* (qua'dratisches) Ba'rett. ~ **boat,** ~ **ves·sel** *s mar. hist.* Bom'barde *f*, Mörserschiff *n.*

mort·gage ['mɔːrgidʒ] *jur.* **I** *s* **1.** Verpfändung *f*: to give in ~ verpfänden. **2.** Pfandbrief *m.* **3.** Pfandrecht *n.* **4.** Hypo'thek *f*: by ~ hypothekarisch; to lend on ~ auf Hypothek (ver)leihen; to raise a ~ e-e Hypothek aufnehmen (on auf *acc*). **5.** Hypo'thekenbrief *m.* **II** *v/t* **6.** *a. fig.* verpfänden (to an *acc*). **7.** hypothe'karisch belasten, e-e Hypo'thek aufnehmen auf (*acc*). ~ **bond** *s* Hypo'thekenpfandbrief *m.* ~ **deed** *s jur.* **1.** Pfandbrief *m.* **2.** Hypo'thekenbrief *m.*

mort·ga·gee [ˌmɔːrgi'dʒiː] *s jur.* Hypothe'kar *m*, Pfand- *od.* Hypo'thekengläubiger *m.* ~ **clause** *s* Klausel *f* (*in der Feuerversicherungspolice*) zum Schutz des Hypo'thekengläubigers.

mort·ga·gor [ˌmɔːrgi'dʒɔːr; 'mɔːrgidʒər], *a.* **mort·gag·er** ['mɔːrgidʒər] *s jur.* Pfand- *od.* Hypo'thekenschuldner *m.*

mor·tice → mortise.

mor·ti·cian [mɔːr'tiʃən] *s Am.* Leichenbestatter *m.*

mor·ti·fi·ca·tion [ˌmɔːrtifi'keiʃən] *s* **1.** Demütigung *f*, Kränkung *f.* **2.** Ärger *m*, Verdruß *m.* **3.** Ka'steiung *f.* **4.** Abtötung *f* (*von Leidenschaften*). **5.** *med.* (kalter) Brand, Ne'krose *f.*

'mor·ti,fied [-ˌfaid] *adj* **1.** a) gedemütigt, gekränkt, b) verärgert (at über *acc*). **2.** *med.* brandig. **'mor·ti,fy** [-ˌfai] **I** *v/t* **1.** demütigen, kränken. **2.** ärgern, verdrießen. **3.** *Gefühle* verletzen. **4.** *den Körper, das Fleisch* ka'steien. **5.** *Leidenschaften* abtöten. **6.** *med.* brandig machen, absterben lassen. **II** *v/i* **7.** *med.* brandig werden, absterben.

mor·tise ['mɔːrtis] **I** *s* **1.** *tech.* a) Zapfenloch *n*, b) Stemmloch *n*, c) (Keil-)Nut *f*, d) Falz *m*, Fuge *f.* **2.** *fig.* fester Halt, feste Stütze. **II** *v/t* **3.** *tech.* a) verzapfen, b) nuten, c) einzapfen (into in *acc*), d) einlassen, e) verzinken, -schwalben. **4.** *allg.* fest verbinden, *fig. a.* verankern (in in *dat*). ~ **chis·el** *s* Stech-, Lochbeitel *m*, Stemmeißel *m*. ~ **ga(u)ge** *s* Zapfenstreichmaß *n*. ~ **joint** *s tech.* Zapfenverbindung *f*, Verzapfung *f*. ~ **lock** *s tech.* (Ein)-Steckschloß *n*. ~ **wheel** *s tech.* **1.** Zapfenrad *n*, -getriebe *n*. **2.** Zahnrad *n* mit Winkelzähnen.

mort·main ['mɔːrtmein] *s jur.* unveräußerlicher Besitz, Besitz *m* der Toten Hand: in ~ unveräußerlich.

mor·tu·ar·y [*Br.* 'mɔːrtjuəri; *Am.* -tʃuˌeri] **I** *s* Leichenhalle *f*. **II** *adj* Begräbnis..., Leichen..., Toten...

mo·sa·ic[1] [mo'zeiik] **I** *s* **1.** Mosa'ik *n* (*a. fig.*). **2.** *aer.* ('Luftbild)Mosaˌik *n*, Reihenbild *n*. **3.** *bot.* Mosa'ikkrankheit *f*. **II** *adj* (*adv* ~ally) **4.** Mosaik... **5.** mosa'ikartig. **III** *v/t* **6.** mit Mosa'ik schmücken. **7.** zu e-m Mosa'ik zs.-stellen.

Mo·sa·ic[2] [mo'zeiik] *adj* mo'saisch.

mo·sa·ic| dis·ease → mosaic[1] 3. ~ **gold** *s* Mu'sivgold *n*. ~ **hy·brid** *s biol.* Mutati'onschiˌmäre *f*.

mo·sa·i·cist [mo'zeiisist] *s* Mosai'zist *m* (*Hersteller von Mosaiken*).

mo·sa·ic vi·sion *s zo.* mu'sivisches Sehen (*Sehen mit Facettenaugen*).

mos·cha·tel [ˌmɒskə'tel] *s bot.* Moschuskraut *n*. **mos·chif·er·ous** [mɒs'kifərəs] *adj* Moschus erzeugend.

Mo·selle, m~ [mo'zel] *s* Mosel(wein) *m*.

mo·sey ['mouzi] *v/i Am. sl.* **1.** (da'hin)-schlendern, -latschen. **2.** ‚abhauen'.

Mos·lem ['mɒzləm] **I** *s* Moslem *m*, Muselman *m*. **II** *adj* muselmanisch, mohamme'danisch. '**Mos·lemˌism** *s relig.* Islam *m*.

mos·lings ['mɒzliŋz] *s pl Gerberei:* Lederabschabsel *pl*.

mosque [mɒsk] *s* Mo'schee *f*.

mos·qui·to [məs'kiːtou] *s* **1.** *pl* **-toes** *zo.* a) Mos'kito *m*, b) *allg.* Stechmücke *f*. **2.** *pl* **-toes** *od.* **-tos** *aer.* Mos'kito *m* (*leichter brit. Bomber*). ~ **boat,** ~ **craft** *s mar. mil.* Schnellboot *n*. ~ **net** *s* Mos'kitonetz *n*. **M~ State** *s Am.* (*Beiname für*) New Jersey *n* (*USA*).

moss [mɒs] **I** *s* **1.** Moos *n*. **2.** *bot.* Laubmoos *n*. **3.** *bes. Scot.* (Torf)-Moor *n*. **II** *v/t u. v/i* **4.** (sich) mit Moos bedecken. ~ **ag·ate** *s min.* 'Moosaˌchat *m*. ~ **an·i·mal** → bryozoan I. '~ˌ**back** *s* **1.** *alter Fisch etc, dessen Rücken Moos anzusetzen scheint.* **2.** *Am. sl.* a) 'Ultrakonservative(r) *m*, b) altmodischer Kerl, c) 'Hinterwäldler *m*. ~ **cam·pi·on** *s bot.* Stengelloses Leimkraut. '~-ˌ**grown** *adj* **1.** moosbewachsen, bemoost. **2.** *fig.* altmodisch. ~ **hag** *s Br.* Torfboden *m*.

moss·i·ness ['mɒsinis] *s* **1.** Moosigkeit *f*, Bemoostheit *f*. **2.** Moosartigkeit *f*.

moss| pink *s bot.* Zwergphlox *m*. ~ **rose** *s bot.* Moosrose *f*. '~ˌ**troop·er** *s hist.* Wegelagerer *m* (*an der englisch-schottischen Grenze*).

moss·y ['mɒsi] *adj* **1.** moosig, bemoost, moosbewachsen. **2.** moosartig. **3.** Moos...: ~ green Moosgrün *n*.

most [moust] **I** *adj* (*adv* → mostly) **1.** meist(er, e, es), größt(er, e, es): the ~ fear die meiste *od.* größte Angst; for the ~ part größten-, meistenteils. **2.** (*vor e-m Substantiv im pl, meist ohne Artikel*) die meisten: ~ people die meisten Leute; (the) ~ votes die meisten Stimmen. **II** *s* **3.** (*das*) meiste, (*das*) Höchste, (*das*) Äußerste: the ~ he accomplished das Höchste, das er vollbrachte; to make the ~ of s.th. a) etwas nach Kräften ausnützen, (noch) das Beste aus e-r Sache herausholen, b) (*zum eigenen Vorteil*) etwas ins beste *od.* schlechteste Licht stellen; at (the) ~ höchstens, bestenfalls. **4.** das meiste, der größte Teil: he spent ~ of his time there er verbrachte die meiste Zeit dort. **5.** die meisten *pl*: better than ~ besser als die meisten; ~ of my friends die meisten m-r Freunde. **III** *adv* **6.** am meisten: what ~ tempted me was mich am meisten lockte; ~ of all am allermeisten. **7.** (*zur Bildung des Superlativs*): the ~ important point der wichtigste Punkt; ~ deeply impressed am tiefsten beeindruckt; ~ rapidly am schnellsten, schnellstens. **8.** (*vor adj*) höchst, äußerst, 'überaus: a ~ indecent story. **9.** *Am. colloq. od. dial.* fast, beinahe.

'**most-'fa·vo(u)red-'na·tion clause** *s econ. pol.* Meistbegünstigungsklausel *f*.

most·ly ['moustli] *adv* **1.** größtenteils, im wesentlichen, in der Hauptsache. **2.** hauptsächlich.

mot [mou] *s* Bon'mot *n*.

mote[1] [mout] *s* (Sonnen)Stäubchen *n*, winziges Teilchen: the ~ in another's eye *Bibl.* der Splitter im Auge des anderen.

mote[2] [mout] *v/aux obs.* mag, möge, darf: so ~ it be so sei es.

mo·tel [mo'tel] *s* Mo'tel *n*, Ho'telraststätte *f* für Autofahrer *etc*.

mo·tet [mo'tet] *s mus.* Mo'tette *f*.

moth [mɒθ] *s zo.* **1.** *pl* **moths** Nachtfalter *m*. **2.** *pl* **moths** *od. collect.* **moth** (Kleider)Motte *f*. '~ˌ**ball I** *s* Mottenkugel *f*. **II** *v/t bes. Am. Maschinen, Kriegsschiffe etc* ‚einmotten'. '~-ˌ**eat·en** *adj* **1.** von Motten zerfressen. **2.** veraltet, anti'quiert.

moth·er[1] ['mʌðər] **I** *s* **1.** Mutter *f* (*a. fig.*): ~'s boy Muttersöhnchen *n*. **2.** → mother superior. **3.** *a.* artificial ~ künstliche Glucke. **II** *adj* **4.** Mutter... **III** *v/t* **5.** *meist fig.* gebären, her'vorbringen. **6.** bemuttern. **7.** die Mutterschaft (*gen*) anerkennen. **8.** *fig.* a) die Urheberschaft (*gen*) anerkennen, b) die Urheberschaft (*e-r Sache*) zuschreiben (on s.o. j-m): to ~ a novel on s.o. j-m e-n Roman zuschreiben.

moth·er[2] ['mʌðər] **I** *s* Essigmutter *f*. **II** *v/i* Essigmutter ansetzen.

Moth·er Car·ey's chick·en ['kɛ(ə)riz] *s orn.* Sturmschwalbe *f*.

moth·er| cell *s biol.* Mutterzelle *f*. ~ **church** *s* **1.** Mutterkirche *f*. **2.** Hauptkirche *f*, *bes.* Kathe'drale *f*. ~ **coun·try** *s* **1.** Mutterland *n*. **2.** Vater-, Heimatland *n*. '~ˌ**craft** *s* Kinderpflege u. andere mütterliche Pflichten *pl*. ~ **earth** *s* Mutter *f* Erde.

moth·er·hood ['mʌðərˌhud] *s* **1.** Mutterschaft *f*. **2.** *collect.* (*die*) Mütter *pl*.

Moth·er Hub·bard ['hʌbərd] *s* (*ein*) weites, loses Frauenkleid.

moth·er·ing ['mʌðəriŋ] *s Br. die Sitte, am vierten Fastensonntag s-e Eltern zu besuchen*: M~ Sunday.

'**moth·er-in-ˌlaw** *pl* '**moth·ers-in-ˌlaw** *s* Schwiegermutter *f*.

'**moth·erˌland** → mother country.

moth·er·less ['mʌðərlis] *adj* mutterlos. '**moth·er·li·ness** *s* Mütterlichkeit *f*.

moth·er| liq·uor, *a.* ~ **liq·uid** *s chem.* Mutterlauge *f*. ~ **lode** *s Bergbau:* Hauptader *f*.

moth·er·ly ['mʌðərli] **I** *adj* **1.** mütterlich. **2.** *selten* Mutter... **II** *adv* **3.** mütterlich, in mütterlicher Weise.

'**moth·er|-ˌna·ked** *adj* splitternackt. **M~ of God** *s* Mutter *f* Gottes. '~-**of-'pearl I** *s* Perl'mutter *f*, Perlmutt *n*. **II** *adj* perl'muttern, Perlmutt... ~ **of vin·e·gar** → mother[2] I.

Moth·er's Day *s* Muttertag *m*.

moth·er| ship *s mar. Br.* Mutterschiff *n*. ~ **su·pe·ri·or** *s relig.* Oberin *f*, Äb'tissin *f*. ~ **tongue** *s* **1.** Muttersprache *f*. **2.** *ling.* Stammsprache *f*. ~ **wit** *s* Mutterwitz *m*. '~ˌ**wort** *s bot.* **1.** Herzgespann *n*. **2.** Beifuß *m*.

moth·y ['mɒθi] *adj* **1.** voller Motten. **2.** mottenzerfressen.

mo·tif [mo'tiːf] *s* **1.** *mus.* a) Mo'tiv *n*, kurzes Thema, b) 'Leitmoˌtiv *n*. **2.** *Literatur u. Kunst*: Mo'tiv *n*, Vorwurf *m*. **3.** *fig.* a) Leitgedanke *m*, b) Struk'turprinˌzip *n*. **4.** *Handarbeit*: Applikati'on *f*, Aufnäharbeit *f*.

mo·tile ['moutil; -tl] **I** *adj biol.* freibeweglich. **II** *s psych.* mo'torischer Mensch. **mo·til·i·ty** [mo'tiliti] *s* Motili'tät *f*, selbständiges Bewegungsvermögen.

mo·tion ['mouʃən] **I** *s* **1.** Bewegung *f* (*a. math. mus. phys.*): to go through the ~s of doing *etwas* mechanisch *od.* pro forma *od.* andeutungsweise tun *od.* durchexerzieren. **2.** Gang *m* (*a. tech.*), Bewegung *f*: to set in ~ in Gang bringen, in Bewegung setzen; → idle 5, lost 1. **3.** (Körper-, Hand)-Bewegung *f*, Wink *m*: ~ of the head Zeichen *n* mit dem Kopf. **4.** Antrieb *m*: of one's own ~ a) aus eigenem Antrieb, b) freiwillig. **5.** *pl* Schritte *pl*, Tun *n*, Handlungen *pl*: to watch s.o.'s ~s. **6.** *jur. parl. etc* Antrag *m*: to bring forward a ~ e-n Antrag stellen; on the ~ of auf Antrag von (*od. gen*); → carry 14b. **7.** *tech.* Steuerung *f*: valve ~; ~ bar Führungsstange *f*. **8.** *med.* Stuhlgang *m*. **9.** *obs.* a) Puppenspiel *n*, b) Puppe *f*, Mario'nette *f*. **II** *v/i* **10.** winken (with mit; to *dat*). **III** *v/t* **11.** *j-m* (zu)winken, *j-n* durch e-n Wink auffordern, *j-m* ein Zeichen geben (to do zu tun). '**mo·tion·al** *adj* Bewegungs... '**mo·tion·less** *adj* bewegungs-, regungslos, unbeweglich.

mo·tion| pic·ture *s* Film *m*. '~-ˌ**pic·ture** *adj* Film...: ~ camera; ~ projector Filmvorführapparat *m*. ~ **sick·ness** *s med.* Kine'tose *f*, *bes.* See-, Luft-, Autokrankheit *f*. ~ **stud·y** *s* Bewegungs-Rationali'sierungsstudie *f*.

mo·ti·vate ['moutiˌveit] *v/t* **1.** moti'vieren, begründen. **2.** anregen, her'vorrufen. ˌ**mo·ti·va·tion** *s* **1.** Moti'vierung *f*, Begründung *f*. **2.** Anregung *f*. **3.** (innere) Bereitschaft, Inter'esse *n*. ˌ**mo·ti'va·tion·al** *adj* Motiv...: ~ research Motivforschung *f*.

mo·tive ['moutiv] **I** *s* **1.** Mo'tiv *n*, Beweggrund *m*, Antrieb *m* (for zu). **2.** → motif 1 *u.* 2. **3.** *obs.* a) Urheber(in), b) Ursache *f*, c) Vorschlag *m*. **II** *adj* **4.** bewegend, treibend (*a. fig.*): ~ power Triebkraft *f*. **III** *v/t* **5.** *meist pass* der Beweggrund sein von (*od. gen*), veranlassen, bestimmen: an act ~d by hatred e-e von Haß bestimmte Tat.

mo·tiv·i·ty [mo'tiviti] *s* Bewegungsfähigkeit *f*, -kraft *f*.

mot·ley ['mɒtli] **I** *adj* **1.** bunt (*a. fig. Menge etc*), scheckig. **II** *s* **2.** *hist.* Narrenkleid *n*: to wear ~ *fig.* den Narren spielen. **3.** *fig.* buntes Gemisch, Kunterbunt *n*.

mo·tor ['moutər] **I** *s* **1.** *tech.* Motor *m*, *bes.* a) Verbrennungsmotor *m*, b) E'lektromotor *m*. **2.** *fig.* treibende

Kraft, Motor *m.* **3.** a) Kraftwagen *m*, Auto(mo'bil) *n*, b) Motorfahrzeug *n.* **4.** *anat.* a) Muskel *m*, b) mo'torischer Nerv. **5.** *pl econ.* Automo'bilaktien *pl.* **II** *adj* **6.** bewegend, (an)treibend. **7.** Motor... **8.** Auto... **9.** *physiol.* mo'torisch, Bewegungs...: ~ muscle. **III** *v/i* **10.** (*in e-m Kraftfahrzeug*) fahren. **IV** *v/t* **11.** in e-m Kraftfahrzeug befördern. ~ **ac·ci·dent** *s* Autounfall *m.* ~ **am·bu·lance** *s* Krankenwagen *m*, Ambu'lanz *f.* ~ **bi·cy·cle** → motorcycle I. '~ˌ**bike** *colloq. für* motorcycle I. '~ˌ**boat** *s* Motorboot *n.* '~ˌ**boat·ing** *s* **1.** Motorbootfahren *n*, -sport *m.* **2.** *electr.* Blubbern *n.* '~ˌ**bus** *s* Autobus *m*, (Kraft)Omnibus *m.* '~ˌ**cab** *s* Taxe *f*, Taxi *n*, Autodroschke *f.* '~ˌ**cade** [-ˌkeid] *s Am.* 'Autokoˌlonne *f*, -korso *m.* ~ **camp** *s Am.* Auto-Campingplatz *m.* '~ˌ**car** *s* (Kraft)-Wagen *m*, Kraftfahrzeug *n*, Auto-(mo'bil) *n.* ~ **coach** → motorbus. ~ **court** → motel. '~ˌ**cy·cle I** *s* Motor-, Kraftrad *n.* **II** *v/i* motorradfahren. '~ˌ**cy·cle trac·tor** *s mil.* Kettenk(raft)rad *n.* '~ˌ**cy·clist** *s* Motorradfahrer(in). '~-ˌ**driv·en** *adj* mit Motorantrieb, Motor... '~ˌ**drome** [-ˌdroum] *s* Auto- *od.* Motorrad(rund)rennstrecke *f.*

mo·tored ['moutərd] *adj tech.* **1.** motori'siert, mit e-m Motor *od.* mit Mo'toren versehen. **2.** ...motorig.

mo·tor| en·gine *s tech.* 'Kraftmaˌschine *f.* ~ **fit·ter** *s* Autoschlosser *m.*

mo·to·ri·al [mo'tɔːriəl] → motor 6 *u.* 9.

mo·tor·ing ['moutəriŋ] *s* **1.** Autofahren *n*: ~ offence (*Am.* offense) Verkehrsdelikt *n.* **2.** Motorsport *m.* **3.** Kraftfahrzeugwesen *n.* '**mo·tor·ist** *s* Kraft-, Autofahrer(in).

mo·tor·i·za·tion [ˌmoutərai'zeiʃən; -ri'z-] *s* Motori'sierung *f.* '**mo·tor·ˌize** *v/t* motori'sieren: ~d division *mil.* leichte Division; ~d unit *mil.* (voll)motorisierte Einheit.

mo·tor launch *s* 'Motorbarˌkasse *f.*

mo·tor·less ['moutərlis] *adj* motorlos: ~ flight *aer.* Segelflug *m.*

mo·tor| lor·ry *s Br.* Lastkraftwagen *m.* '~**man** [-mən] *s irr* Wagenführer *m* (*e-s elektrischen Triebwagens*). ~ **me·chan·ic** *s* Autoschlosser *m.* ~ **nerve** *physiol.* mo'torischer Nerv, Bewegungsnerv *m.* ~ **oil** *s tech.* Mo'torenöl *n.* ~ **point** *s physiol.* mo'torischer Nervenpunkt, Reizpunkt *m.* ~ **pool** *s mil.* Fahrbereitschaft *f.* ~ **road** *s* Autostraße *f.* ~ **school** *s* Fahrschule *f.* ~ **scoot·er** *s* Motorroller *m.* ~ **ship** *s mar.* Motorschiff *n.* ~ **show** *s* Automo'bilausstellung *f.* ~ **start·er** *s electr.* (Motor)Anlasser *m.* ~ **tor·pe·do boat** *s mar. mil.* Schnellboot *n*, E-Boot *n.* ~ **trac·tor** → tractor 1. ~ **truck** *s bes. Am.* Lastkraftwagen *m.* ~ **van** *s Br.* (kleiner) Lastkraftwagen, Lieferwagen *m.* ~ **ve·hi·cle** *s* Kraftfahrzeug *n.* '~ˌ**way** *s Br.* Autobahn *f*, Fern(verkehrs)straße *f.*

mot·tle ['mɒtl] **I** *v/t* **1.** sprenkeln, marmo'rieren. **II** *s* **2.** (Farb)Fleck *m.* **3.** Sprenkelung *f.* **III** *adj* → mottled. '**mot·tled** *adj* gesprenkelt, gefleckt, bunt. '**mot·tling** *s* Sprenkelung *f*, Tüpfelung *f.*

mot·to ['mɒtou] *pl* **-toes, -tos** *s* **1.** Motto *n*: a) Denk-, Sinnspruch *m*, b) Wahlspruch *m*, c) Kennwort *n.* **2.** *mus.* Leitthema *n.* **3.** Scherzspruch *m* (*als Beilage zu Karnevalsartikeln etc*). **mot·toed** ['mɒtoud] *adj* mit e-m Motto versehen.

mouf·(f)lon ['muːflɒn] *s zo.* Mufflon *m* (*Wildschaf*).

mouil·la·tion [muː'jeiʃən] *s ling.* palatali'sierte Aussprache, Mouil'lierung *f.* **mouil·lé** [muː'jei] *adj* palatali'siert.

mou·jik → muzhik.

mould[1] *bes. Br. für* mold[1-3].

mould[2] [mould] *s mar. Br. sl.* ,Aal' *m*, Tor'pedo *m.*

mould·a·ble, mould·er, mould·i·ness, mould·ing, mould·y[1] *bes. Br. für* moldable *etc.*

mould·y[2] ['mouldi] → minnow 2.

mou·lin [mu'lɛ̃] (*Fr.*) *s geol.* Gletschermühle *f.*

mou·li·net [ˌmuːli'net; 'muːliˌnet] *s* **1.** *tech.* a) Haspelwelle *f*, b) Dreh-, Windebaum *m* (*e-s Krans etc*). **2.** *mil. hist.* Armbrustwinde *f.* **3.** *fenc.* Mouli'net *m* (*kreisförmiges Schwingen des Degens*).

moult *bes. Br. für* molt.

mound[1] [maund] **I** *s* **1.** Erdwall *m*, -hügel *m.* **2.** Damm *m.* **3.** Grabhügel *m.* **4.** (*natürlicher*) Hügel: M~ Builders Moundbuilders (*nordamer. Indianerstämme*). **5.** *Baseball*: (*leicht erhöhte*) Abwurfstelle. **II** *v/t* **6.** mit e-m Erdwall um'geben *od.* versehen. **7.** auf-, zs.-häufen.

mound[2] [maund] *s hist.* Reichsapfel *m.*

mount[1] [maunt] **I** *v/t* **1.** *e-n Berg, ein Pferd, ein Fahrrad etc* besteigen. **2.** *Treppen* hin'aufgehen, ersteigen. **3.** *e-n Fluß* hin'auffahren. **4.** beritten machen: to ~ troops; ~ed police berittene Polizei. **5.** errichten, *a. e-e Maschine* aufstellen, mon'tieren. **6.** anbringen, einbauen, befestigen. **7.** *ein Bild, Papier etc* aufkleben, -ziehen, *Briefmarken etc* einkleben. **8.** zs.-stellen, arran'gieren. **9.** *phot. TV etc*: mon'tieren. **10.** *mil.* a) *ein Geschütz* in Stellung bringen, b) *Posten* aufstellen, c) *Posten* beziehen: → guard 9. **11.** *mar. mil.* ausgerüstet *od.* bewaffnet sein mit, *Geschütze etc* führen, haben. **12.** *tech.* a) *e-n Edelstein* fassen, b) *ein Gewehr* anschäften, c) *ein Messer etc* stielen, mit e-m Griff versehen, d) *ein Werkstück* einspannen. **13.** *thea. u. fig.* in Szene setzen, insze'nieren, *fig. a.* aufziehen. **14.** *scient.* a) *ein Versuchsobjekt* präpa'rieren, b) *ein Präparat* (im Mikro'skop) fi'xieren. **15.** *zo.* decken, bespringen, begatten. **16.** *ein Tier* (in na'türlicher Haltung) ausstopfen *od.* präpa'rieren. **17.** *etwas* ausstellen, zeigen.

II *v/i* **18.** (auf-, em'por-, hin'auf-, hoch)steigen. **19.** aufsitzen, aufs Pferd steigen. **20.** *fig.* steigen, (an)wachsen, zunehmen, sich auftürmen: ~ing debts (difficulties, suspense) wachsende Schulden (Schwierigkeiten, Spannung). **21.** *oft* ~ up sich belaufen (to auf *acc*).

III *s* **22.** a) Gestell *n*, Ständer *m*, Träger *m*, b) Fassung *f*, c) Gehäuse *n*, d) 'Aufziehkarˌton *m*, -leinwand *f*, e) Passepar'tout *n*, Wechselrahmen *m.* **23.** *mil.* (Ge'schütz)Laˌfette *f.* **24.** Reittier *n*, *bes.* Pferd *n.* **25.** Ob'jektträger *m* (*am Mikroskop*). **26.** *Philatelie*: Klebefalz *m.* **27.** *colloq.* Ritt *m*: to have a ~ reiten dürfen.

mount[2] [maunt] *s* **1.** *poet.* a) Berg *m*, b) Hügel *m.* **2.** M~ (*in Eigennamen*) Berg *m*: M~ Sinai. **3.** *Handlesekunst*: (Hand)Berg *m*: → Venus.

moun·tain ['mauntin] **I** *s* **1.** Berg *m* (*a. fig. von Arbeit etc*), *pl a.* Gebirge *n*: a ~ of work; to make a ~ out of a molehill aus e-r Mücke e-n Elefanten machen. **2.** *a.* ~ wine (*ein*) Malagawein *m.* **3.** the M~ *hist.* der Berg (*Jakobinerpartei der französischen Nationalversammlung*). **II** *adj* **4.** Berg..., Gebirgs...: ~ artillery Gebirgsartillerie *f.* ~ **ash** *s bot.* **1.** (*e-e*) Eberesche. **2.** *ein australischer Fieberbaum.* ~ **blue** *s* Bergblau *n* (*Farbe*). ~ **boom·er** *s zo. Am.* Rothörnchen *n.* ~ **chain** *s* Berg-, Gebirgskette *f.* ~ **cock** *s orn.* Auerhahn *m.* ~ **crys·tal** *s min.* 'Bergkriˌstall *m.* ~ **dew** *s colloq.* (schottischer) Whisky. [gebirgig.]

moun·tained ['mauntind] *adj* bergig,

moun·tain·eer [ˌmaunti'nir] **I** *s* **1.** Berg-, Gebirgsbewohner(in). **2.** Bergsteiger(in). **II** *v/i* **3.** bergsteigen. ˌ**moun·tain'eer·ing I** *s* Bergsteigen *n.* **II** *adj* bergsteigerisch.

moun·tain·ous ['mauntinəs] *adj* **1.** bergig, gebirgig. **2.** Berg..., Gebirgs... **3.** *fig.* riesig, gewaltig.

moun·tain| pride *s bot.* Schaftbaum *m.* ~ **rail·way** *s* Bergbahn *f.* ~ **range** *s* Gebirgszug *m*, -kette *f.* ~ **sheep** *s zo.* **1.** Dickhornschaf *n.* **2.** Bergschaf *n* (*Hausschafrasse*). ~ **sick·ness** *s med.* Berg-, Höhenkrankheit *f.* ~ **side** *s* Berg(ab)hang *m*, Berglehne *f.* ~ **slide** *s* Bergrutsch *m.* **M~ State** *s Am.* (*Beiname für*) a) Mon'tana *n*, b) West Vir'ginia *n* (*USA*). ~ **tal·low** *s min.* Bergtalg *m.* ~ **tea** *s bot.* Gaul'therie *f.* **M~ time** *s Standardzeit der Rocky-Mountains-Staaten* (*Basis*: *105° W*). ~ **troops** *s pl mil.* Gebirgstruppen *pl.* ~ **wood** *s min.* 'Holzasˌbest *m.*

moun·tant ['mauntənt] **I** *s tech.* Klebstoff *m.* **II** *adj obs.* hoch.

moun·te·bank ['mauntiˌbæŋk] *s* **1.** Quacksalber *m.* **2.** Marktschreier *m.* **3.** Scharlatan *m.* '**moun·teˌbank·er·y** [-əri], '**moun·teˌbank·ism** *s* Scharlatane'rie *f.*

mount·ing ['mauntiŋ] *s* **1.** *tech.* a) Einbau *m*, Aufstellung *f*, Mon'tage *f* (*a. phot. TV etc*), b) Gestell *n*, Fassung *f*, Rahmen *m*, c) Befestigung *f*, Aufhängung *f*, d) (Auf)Lagerung *f*, Einbettung *f*, e) Arma'tur *f*, f) Fassung *f* (*e-s Edelsteins*), g) Garni'tur *f*, Ausstattung *f*, h) *pl* Fenster-, Türbeschläge *pl*, i) *pl* Gewirre *n* (*an Türschlössern*), j) *Weberei*: Geschirr *n*, Zeug *n.* **2.** *electr.* (Ver)Schaltung *f*, Installati'on *f.* **3.** *mil.* a) La'fette *f*, b) Ausrüstung *f.* **4.** (An-, Auf)Steigen *n.* ~ **brack·et** *s* Befestigungsschelle *f.*

mourn [mɔːrn] **I** *v/i* **1.** trauern, klagen (at, over über *acc*; for, over um). **2.** Trauer(kleidung) tragen, trauern. **II** *v/t* **3.** *j-n* betrauern, beklagen, trauern um (*j-n*). **4.** *etwas* beklagen. **5.** traurig *od.* klagend sagen *od.* singen. '**mourn·er** *s* **1.** Trauernde(r *m*) *f*, Leidtragende(r *m*) *f.* **2.** *relig. Am.* Büßer(in) (*j-d, der öffentlich s-e Sünden bekennt*): ~'s bench Büßerbank *f.*

mourn·ful ['mɔːrnful] *adj* (*adv* ~ly) **1.** trauervoll, düster, Trauer... **2.** traurig. '**mourn·ful·ness** *s* Traurigkeit *f.*

mourn·ing ['mɔːrniŋ] **I** *s* **1.** Trauer *f*, Trauern *n.* **2.** Trauer(kleidung) *f*: in ~ a) in Trauer (gekleidet), b) *sl.* mit ,Trauerrändern', schmutzig (*Fingernägel*). **II** *adj* (*adv* ~ly) **3.** trauernd, traurig, trauervoll. **4.** Trauer...: ~ band Trauerband *n*, -flor *m.* '~-ˌ**bor·der** *s* Trauerrand *m.* ~ **dove** *s orn.* Trauertaube *f.* ~ **pa·per** *s* Pa'pier *n* mit Trauerrand.

mouse I *s* [maus] *pl* **mice** [mais] **1.** *zo.* Maus *f.* **2.** *fig.* Feigling *m*, Angsthase *m.* **3.** *colloq.* ,Maus' *f*, ,Häs-chen' *n* (*Mädchen*). **4.** *sl.* a) blaues Auge, b) Schwellung *f.* **5.** *tech.* Zugleine *f* mit Gewicht. **II** *v/i* [mauz] **6.** mausen, Mäuse fangen. **7.** her'umschnüffeln, um'herschleichen. **'~-,col·o(u)red, '~-,dun** *adj* mausfarbig, -grau. **'~-,ear** *s bot.* **1.** Mausöhrlein *n.* **2.** (*ein*) Hornkraut *n.* **3.** Vergißmeinnicht *n.* **'~,trap** *s* **1.** Mausefalle *f*: ~ **cheese** billiger Käse. **2.** *fig.* Falle *f.* **3.** *fig.* ‚Loch' *n*, winziges Häus-chen. **4.** *econ. Am. sl.* Verkaufsschlager *m.*

mous·que·taire [,mu:skə'tɛr] *s* **1.** *mil. hist.* Muske'tier *m.* **2.** *a.* ~ **glove** Stulpenhandschuh.

mousse [mu:s] *s* Schaumeis *n.*

mousse·line [,mʌs'li:n; 'mʌs,li:n] *s* Musse'lin *m* (*Gewebe*).

mous·tache, *Am.* **mus·tache** [*Br.* məs'tɑ:ʃ; *Am.* 'mʌstæʃ; məs'tæʃ] *s* **1.** Schnurrbart *m.* **2.** *zo.* Schnurrbart *m*, Schnurrhaare *pl.* **mous·tached,** *Am.* **mus·tached** [*Br.* məs'tɑ:ʃt; *Am.* 'mʌstæʃt; məs'tæʃt] *adj* mit Schnurrbart.

Mous·t(i)e·ri·an [mu:s'ti(ə)riən] *adj geol.* zum Moustéri'en (*letzte ältere Altsteinzeit*) gehörend, Moustérien...

mous·y ['mausi] *adj* **1.** von Mäusen heimgesucht. **2.** mauseartig, Mäuse..., Mause... **3.** mausgrau. **4.** *fig.* grau, farblos. **5.** a) unscheinbar, b) furchtsam. **6.** leise, still.

mouth I *s* [mauθ] *pl* **mouths** [mauðz] **1.** Mund *m*: **by word of** ~ mündlich; **to give** ~ Laut geben, anschlagen (*Hund*); **to give** ~ **to one's thoughts** s-n Gedanken Ausdruck verleihen; **to keep one's** ~ **shut** *colloq.* den Mund halten; **to shut s.o.'s** ~ j-m den Mund stopfen; **to stop s.o.'s** ~ j-m (*durch Bestechung*) den Mund stopfen; **to make s.o. laugh on the wrong side of his** ~ j-m das Lachen abgewöhnen; **to place** (*od.* **put**) **words into s.o.'s** ~ j-m Worte in den Mund legen; **down in the** ~ *colloq.* deprimiert; **from s.o.'s** ~ aus j-s Munde; **from** ~ **to** ~ von Mund zu Mund; **in everybody's** ~ in aller Munde. **2.** *zo.* Maul *n*, Schnauze *f*, Rachen *m.* **3.** Mündung *f* (*e-s Flusses, e-r Schußwaffe etc*). **4.** Öffnung *f* (*e-r Flasche, e-s Sackes etc*). **5.** Ein-, Ausgang *m* (*e-r Höhle, Röhre etc*). **6.** Ein-, Ausfahrt *f* (*Hafen etc*). **7.** → mouthpiece 1. **8.** Gri'masse *f.* **9.** *sl.* a) Gimpel *m*, Narr *m*, b) Schwätzer *m.* **10.** *tech.* a) Mundloch *n*, b) Schnauze *f*, c) Mündung *f*, Öffnung *f*, d) Gichtöffnung *f* (*des Hochofens*), e) Abstichloch *n* (*am Hoch-, Schmelzofen*), f) *pl* Rostfeuerungen *pl*, g) (Schacht)-Mundloch *n*, (Schacht)Mündung *f.* **11.** (*beim Pferd*) Maul *n* (*Art der Reaktion auf Zügelhilfen*): **with a good** ~ weichmäulig.

II *v/t* [mauð] **12.** *etwas* affek'tiert *od.* gespreizt (aus)sprechen. **13.** a) (aus)-sprechen, b) *Worte* (*unhörbar*) mit den Lippen formen. **14.** in den Mund *od.* ins Maul nehmen. **15.** sorgfältig kauen, im Mund her'umwälzen.

III *v/i* **16.** (laut *od.* affek'tiert) sprechen. **17.** Gri'massen schneiden.

mouth·ful ['mauθful] *s* **1.** (*ein*) Mundvoll *m*, Bissen *m*, Brocken *m.* **2.** kleine Menge. **3.** ‚Brocken' *m*, ‚ellenlanges' Wort. **4.** *Am. sl.* großes Wort: **you've said a** ~! du sagst es!

mouth| gag *s med.* Mundöffner *m*, -sperrer *m.* ~ **or·gan** *s mus.* a) Panflöte *f*, b) 'Mundhar,monika *f.* **'~,piece** *s* **1.** *mus.* Mundstück *n*, Ansatz *m* (*beim Blasinstrument*). **2.** *tech.* a) Schalltrichter *m*, Sprechmuschel *f*, b) Mundstück *n* (*a. der Tabakspfeife*), Tülle *f.* **3.** *fig.* Sprachrohr *n* (*a. Person*), Wortführer *m*, Or'gan *n.* **4.** Gebiß *n* (*des Pferdezaumes*). **5.** *Boxen*: Zahnschutz *m.* **6.** *mil.* (Atem)Mundstück *n* (*der Gasmaske*). **7.** *jur. sl.* (Straf)Verteidiger *m.* **'~,pipe** *s mus.* **1.** Labi'alpfeife *f* (*der Orgel*). **2.** Anblasröhre *f* (*bei Blasinstrumenten*). **'~,wash** *s med.* Mundwasser *n.*

mouth·y ['mauði; -θi] *adj* **1.** schwülstig, bom'bastisch. **2.** großmäulig.

mov·a·bil·i·ty [,mu:və'biliti] *s* Beweglichkeit *f*, Bewegbarkeit *f.*

mov·a·ble ['mu:vəbl] **I** *adj* (*adv* movably) **1.** beweglich (*a. jur. u. tech.*), bewegbar: ~ **crane** Laufkran *m*; ~ **holiday** beweglicher Feiertag; ~ **goods,** ~ **property** → 4; ~ **kidney** *med.* Wanderniere *f.* **2.** *tech.* a) verschiebbar, verstellbar, b) fahrbar. **II** *s* **3.** *pl* Möbel *pl.* **4.** *pl jur.* Mo'bilien *pl*, bewegliche Habe. **'mov·a·ble·ness** *s* Beweglichkeit *f.*

move [mu:v] **I** *v/t* **1.** fortbewegen, -ziehen, -rücken, -tragen, von der Stelle bewegen, verschieben, transpor'tieren: **to** ~ **up troops** *mil.* Truppen heranbringen *od.* vorziehen. **2.** a) entfernen, fortbringen, -schaffen, b) *den Wohnsitz, e-e Militäreinheit etc* verlegen. **3.** bewegen, in Bewegung *od.* in Gang setzen *od.* halten, (an)treiben: **to** ~ **on** vorwärtstreiben. **4.** *fig.* bewegen, rühren, ergreifen: **to be** ~**d to tears** zu Tränen gerührt sein. **5.** *j-n* veranlassen, bewegen, treiben, 'hinreißen (to zu): **to** ~ **s.o. from an opinion** j-n von e-r Ansicht abbringen; **to** ~ **s.o. to anger** j-n erzürnen. **6.** *Schach etc*: e-n Zug machen mit. **7.** *den Appetit, ein Organ etc* anregen: **to** ~ **the bowels** abführen. **8.** *j-n* er-, aufregen. **9.** *etwas* beantragen, (e-n) Antrag stellen auf (*acc*), vorschlagen: **to** ~ **an amendment** *parl.* e-n Abänderungsantrag stellen. **10.** *e-n Antrag* stellen, einbringen. **11.** *econ.* absetzen, verkaufen.

II *v/i* **12.** sich bewegen, sich rühren, sich regen. **13.** sich fortbewegen, gehen, fahren: **to** ~ **on** weitergehen; **to** ~ **forward** *fig.* Fortschritte machen, vorankommen. **14.** (*wegen Wohnungswechsels*) ('um)ziehen (to nach): **to** ~ **in** einziehen; **if** ~**d** falls verzogen. **15.** *fig.* vor'an-, fortschreiten: **the plot of the novel** ~**s swiftly; things began to** ~ die Sache kam in Gang, es tat sich etwas. **16.** laufen, in Gang sein (*Maschine etc*). **17.** (weg)gehen, sich entfernen, abziehen. **18.** verkehren, sich bewegen: **to** ~ **in good society.** **19.** vorgehen, Schritte unter'nehmen, handeln (in s.th. in e-r Sache; **against** gegen): **he** ~**d quickly** er handelte rasch, er packte zu. **20.** ~ **for** beantragen, (e-n) Antrag stellen auf (*acc*): **to** ~ **that** beantragen, daß. **21.** *Schach etc*: e-n Zug machen, ziehen. **22.** *med.* sich entleeren (*Darm*): **his bowels have** ~**d** er hat Stuhlgang gehabt. **23.** *econ.* a) ‚gehen', Absatz finden (*Ware*), b) ~ **up** anziehen, steigen (*Preise*). **24.** *Bibl.* leben: **to** ~ **in God.**

III *s* **25.** (Fort)Bewegung *f*, Aufbruch *m*: **on the** ~ in Bewegung, auf dem Marsch; **to get a** ~ **on** *sl.* ‚e-n Zahn zulegen', sich beeilen; **to make a** ~ a) aufbrechen, b) sich (von der Stelle) rühren, c) die Tafel aufheben. **26.** 'Umzug *m.* **27.** a) *Schach etc*: Zug *m*, b) *fig.* Schritt *m*, Maßnahme *f*: **a clever** ~ ein kluger Schachzug *od.* Schritt; **to make the first** ~ den ersten Schritt tun.

move·a·bil·i·ty, move·a·ble, move·a·ble·ness → movability *etc.*

move·ment ['mu:vmənt] *s* **1.** Bewegung *f* (*a. fig. paint. pol. relig. etc*): **free** ~ Freizügigkeit *f* (*der Arbeitskräfte etc*). **2.** *meist pl* Handeln *n*, Tun *n*, Schritte *pl*, Maßnahmen *pl.* **3.** (rasche) Entwicklung, Fortschreiten *n* (*von Ereignissen*), Fortgang *m* (*e-r Handlung etc*). **4.** Bestrebung *f*, Ten'denz *f*, Richtung *f.* **5.** mo'derne Richtung: **to be in the** ~ mit der Zeit (mit)gehen. **6.** Rhythmus *m*, rhythmische Bewegung (*von Versen etc*). **7.** *mus.* a) Satz *m*: **a** ~ **of a sonata,** b) Tempo *n.* **8.** *mil.* (Truppen- *od.* Flotten)Bewegung *f*: ~ **by air** Lufttransport *m.* **9.** *tech.* a) Bewegung *f*, b) Lauf *m* (*e-r Maschine*), c) Gang-, Gehwerk *n* (*der Uhr*), 'Antriebsmecha,nismus *m.* **10.** (Hand)Griff *m*: **with two** ~**s.** **11.** *physiol.* a) Stuhlgang *m*, b) Stuhl *m.* **12.** *econ.* a) Bewegung *f*: **upward** ~ Steigen *n*, Aufwärtsbewegung (*der Preise*), b) 'Umsatz *m.*

mov·er ['mu:vər] *s* **1.** *fig.* treibende Kraft, Triebkraft *f*, Antrieb *m* (*Person od. Sache*). **2.** *tech.* Triebwerk *n*, Motor *m*: → **prime mover.** **3.** Antragsteller(in). **4.** *Am.* Spedi'teur *m.*

mov·ie ['mu:vi] *Am. colloq.* **I** *s* **1.** Film(streifen) *m.* **2.** *pl* a) Filmwesen *n*, b) Kino *n*, Lichtspielhaus *n*, c) Kinovorstellung *f*: **to go to the** ~**s** ins Kino gehen. **II** *adj* **3.** Film..., Kino... **'~-,go·er** *s Am. colloq.* Kinobesucher(in). **'~,land** *s Am. colloq.* Filmwelt *f.*

mov·ing ['mu:viŋ] *adj* (*adv* ~**ly**) **1.** beweglich, sich bewegend. **2.** bewegend, treibend: ~ **power** treibende Kraft. **3.** *fig.* a) rührend, bewegend, ergreifend, b) eindringlich, packend. ~ **av·er·age** *s Statistik*: gleitender 'Durchschnitt. ~ **coil** *s electr.* Drehspule *f.* **'~-,i·ron me·ter** *s electr.* Dreheisenmeßwerk *n.* ~ **mag·net** *s electr.* 'Drehma,gnet *m.* ~ **man** *s irr Am.* **1.** Spedi'teur *m.* **2.** (Möbel)Packer *m.* ~ **pic·ture** *colloq. für* **motion picture.** ~ **sand** *s geol.* Wandersand *m.* ~ **stair·case,** ~ **stair·way** *s* Rolltreppe *f.* ~ **van** *s Am.* Möbelwagen *m.*

mow[1] [mou] *pret* **mowed,** *pp* **mowed** *od.* **mown** [moun] **I** *v/t* (ab)mähen, schneiden: **to** ~ **down** niedermähen (*a. fig.*). **II** *v/i* mähen.

mow[2] [mou] *s* **1.** Getreidegarbe *f*, Heuhaufen *m* (*in der Scheune*). **2.** Heu-, Getreideboden *m* (*der Scheune*).

mow[3] [mau; mou] **I** *s* Gri'masse *f.* **II** *v/i* Gri'massen schneiden.

mow·er ['mouər] *s* **1.** Mäher(in), Schnitter(in). **2.** *tech.* 'Mähma,schine *f.*

mow·ing ['mouiŋ] **I** *s* Mähen *n*, Mahd *f.* **II** *adj* Mäh...

mown [moun] *pp von* mow[1].

Mr., Mr → mister 1.

Mrs., Mrs ['misiz] *s* Frau *f* (*Anrede an verheiratete Frauen, mit folgendem Familiennamen*): ~ **Smith** Frau Smith.

mu [mju:; mu:] *s* My *n* (*griechischer Buchstabe*).

much [mʌtʃ] *comp* **more** [mɔ:r] *sup* **most** [moust] **I** *adj* **1.** viel: ~ **money; he is too** ~ **for me** *colloq.* ich werde nicht mit ihm fertig. **2.** *obs.* a) viele *pl*, b) groß, c) gewaltig.

II *s* **3.** Menge *f*, große Sache, Besonderes *n*: **nothing** ~ nichts Besonderes; **it did not come to** ~ es kam nicht viel dabei heraus; **to think** ~ **of s.o.** viel von j-m halten; **he is not** ~ **of a dancer**

er ist kein großer *od.* ‚berühmter' Tänzer; it is ~ of him even to come schon allein daß er kommt, will viel heißen; → make 27.

III *adv* **4.** sehr: we ~ regret wir bedauern sehr; ~ to my regret sehr zu m-m Bedauern; ~ to my surprise zu m-r großen Überraschung. **5.** (*in Zssgn*) viel...: ~-admired. **6.** (*vor comp*) viel, weit: ~ stronger viel stärker. **7.** (*vor sup*) bei weitem, weitaus: ~ the oldest. **8.** fast, annähernd, ziemlich (genau): he did it in ~ the same way er tat es auf ungefähr die gleiche Weise; it is ~ the same thing es ist ziemlich dasselbe.

Besondere Redewendungen:

as ~ a) so viel, b) so sehr, c) ungefähr, etwa; as ~ as so viel wie; (as) ~ as I would like so gern ich auch möchte; as ~ more (*od.* again) noch einmal soviel; he said as ~ das war (ungefähr) der Sinn s-r Worte; this is as ~ as to say das soll so viel heißen wie, das heißt mit anderen Worten; as ~ as to say als wenn er (*etc*) sagen wollte; I thought as ~ das habe ich mir gedacht; he, as ~ as any er so gut wie irgendeiner; so ~ a) so sehr, b) so viel, c) lauter, nichts als; so ~ the better um so besser; so ~ for today soviel für heute; so ~ for our plans soviel (wäre also) zu unseren Plänen (zu sagen); not so ~ as nicht einmal; without so ~ as to move ohne sich auch nur zu bewegen; so ~ so (und zwar) so sehr; ~ less a) viel weniger, b) geschweige denn; not ~ *colloq.* (*als Antwort*) wohl kaum; ~ like a child ganz wie ein Kind.

much·ly ['mʌtʃli] *adv obs. od. humor.* sehr, viel, besonders.

much·ness ['mʌtʃnis] *s* große Menge: much of a ~ *colloq.* ziemlich *od.* praktisch dasselbe; they are much of a ~ *colloq.* sie sind praktisch einer wie der andere.

mu·cic ['mju:sik] *adj* schleimig.

mu·ci·lage ['mju:silidʒ] *s* **1.** *bot.* (Pflanzen)Schleim *m.* **2.** *bes. Am.* Klebstoff *m*, Gummilösung *f.* **3.** klebrige Masse. **mu·ci·lag·i·nous** [ˌmju:si'lædʒinəs] *adj* **1.** schleimig. **2.** klebrig. **3.** Schleim absondernd: ~ cell Schleimzelle *f.*

mu·cin ['mju:sin] *s biol. chem.* Mu'cin *n*, Schleimstoff *m.*

muck [mʌk] **I** *s* **1.** Mist *m*, Dung *m.* **2.** Kot *m*, Dreck *m*, Unrat *m*, Schmutz *m* (*a. fig.*). **3.** *colloq.* ekelhaftes Zeug. **4.** *Br. colloq.* Quatsch *m*, Blödsinn *m*, Schund *m*, ‚Mist' *m*: to make ~ of → 11. **5.** *contp.* (schnödes) Geld, Mammon *m.* **6.** *geol.* Sumpferde *f.* **7.** *Bergbau*: Kohlengrus *m.* **II** *v/t* **8.** düngen. **9.** *a.* ~ out ausmisten. **10.** *oft* ~ up *colloq.* beschmutzen, besudeln. **11.** *sl.* verpfuschen, ‚vermasseln', ‚verhunzen'. **III** *v/i* **12.** *meist* ~ about *Br. sl.* a) sich her'umtreiben, b) her'umpfuschen.

muck·er ['mʌkər] *s* **1.** *Bergbau*: Lader *m.* **2.** *Am. sl.* a) Lümmel *m*, b) Schuft *m.* **3.** *sl.* a) schwerer Sturz, b) *fig.*, ‚Reinfall' *m*: to come a ~ auf die ‚Schnauze' fallen, *fig.* ‚reinfallen'.

'**muck**|ˌ**hill** *s* Mist-, Dreckhaufen *m.* ~ **rake** *s* Mistharke *f.* '~ˌ**rake** *v/i* **1.** *pol. Am. sl.* Korrupti'onsfälle aufdecken *od.* aufbauschen. **2.** *fig.* im Schmutz her'umrühren. '~ˌ**rak·er** *s* Korrupti'onsschnüffler *m*, Skan'dalmacher *m.* '~ˌ**rak·ing** *s* Korrupti'onsschnüffeˌlei *f.*

muck·y ['mʌki] *adj* **1.** schmutzig (*a. fig.*). **2.** *Br. sl.* ‚dreckig', ekelhaft. **3.** *fig.* niederträchtig, gemein.

mu·coid ['mju:kɔid] **I** *adj* schleimig, schleimartig. **II** *s biol. chem.* Muco'id *n* (*ein Glykoproteid*).

mu·co·pro·te·in [ˌmju:ko'prouti:in; -ti:n] *s biol. chem.* 'Mucoproteˌid *n.*

mu·cos·i·ty [mju'kɒsiti] *s* **1.** Schleimigkeit *f.* **2.** Schleimartigkeit *f.*

mu·cous ['mju:kəs] *adj* **1.** schleimig. **2.** Schleim absondernd: ~ membrane *anat.* Schleimhaut *f.*

mu·cro ['mju:krou] *pl* **-cro·nes** [-'krouni:z] *s bot. zo.* Spitze *f*, Fortsatz *m*, Stachel *m.*

mu·cus ['mju:kəs] *s biol.* Schleim *m.*

mud [mʌd] **I** *s* **1.** Schlamm *m*, Schlick *m*: ~ and snow tyres (*od.* tires) *mot.* M + S-Reifen. **2.** Mo'rast *m*, Kot *m*, Schmutz *m* (*alle a. fig.*): to drag (down) into the ~ *fig.* in den Schmutz ziehen; to stick in the ~ im Schlamm stecken(bleiben), *fig.* aus dem Dreck nicht mehr herauskommen; to sling (*od.* throw) ~ at s.o. *fig.* j-n mit Schmutz bewerfen; his name is ~ with me er ist für mich erledigt; (here's) ~ in your eye! *sl.* Prost!; → clear 1. **II** *v/t* **3.** schlammig machen, trüben. **4.** mit Schlamm beschmieren.

mud| **bath** *s med.* Moor-, Schlammbad *n.* ~ **boat** *s mar.* Baggerschute *f.* '~ˌ**cap** *s Bergbau*: (ab)gedeckte Oberflächensprengung. ~ **cat** *s ichth. Am.* (*ein*) Katzenwels *m.* **M~ Cat State** *s Am.* (*Beiname für*) Missis'sippi *n.*

mud·di·ness ['mʌdinis] *s* **1.** Schlammigkeit *f*, Trübheit *f* (*a. des Lichts*). **2.** Schmutzigkeit *f.*

mud·dle ['mʌdl] **I** *s* **1.** Durchein'ander *n*, Unordnung *f*, Wirrwarr *m*: to make a ~ of s.th. etwas durcheinanderbringen *od.* verpfuschen *od.* ‚vermasseln'; to get into a ~ in Schwierigkeiten geraten. **2.** Verwirrung *f*, Verworrenheit *f*, Unklarheit *f*: to be in a ~ verwirrt *od.* in Verwirrung sein. **II** *v/t* **3.** *Gedanken etc* verwirren. **4.** *a.* ~ up verwechseln, durchein'anderwerfen. **5.** in Unordnung bringen, durchein'anderbringen. **6.** ‚benebeln' (*bes. durch Alkohol*): to ~ one's brains sich benebeln. **7.** verpfuschen, -derben: to ~ away verplempern. **8.** *Wasser* trüben. **9.** *Am. Getränke* auf-, 'umrühren. **III** *v/i* **10.** pfuschen, stümpern, ‚wursteln': to ~ about ‚herumwursteln'; to ~ on ‚weiterwursteln'; to ~ through sich ‚durchwursteln'.

mud·dle·dom ['mʌdldəm] *s humor.* Durchein'ander *n.*

'**mud·dle**|ˌ**head** *s* Wirrkopf *m.* '~-'**head·ed** *adj* wirr(köpfig), kon'fus. ˌ~'**head·ed·ness** *s* Wirrköpfigkeit *f.*

mud·dler ['mʌdlər] *s* **1.** *Am.* ('Um)Rührlöffel *m*, -stab *m.* **2.** a) Wirrkopf *m*, b) Pfuscher *m*, c) j-d, der sich ‚'durchwurstelt'.

mud·dy ['mʌdi] **I** *adj* (*adv* muddily) **1.** schlammig, trüb(e) (*a. Licht*). **2.** schmutzig, verdreckt. **3.** *fig.* unklar, verworren, -schwommen, kon'fus. **4.** unrein, verschwommen (*Farbe*). **5.** im Schlamm lebend, Schlamm... **II** *v/t* **6.** → mud II. '~-'**head·ed** *adj* wirr(köpfig), kon'fus.

mud| **eel** *s ichth.* **1.** Armmolch *m.* **2.** Schlammaal *m.* ~ **flat** *s geol.* Schlammzone *f* (*e-r Küste*). '~ˌ**guard** *s tech.* **1.** Kotflügel *m*, Schutzblech *n.* **2.** Schmutzfänger *m.* '~ˌ**hole** *s* **1.** Schlammloch *n.* **2.** *tech.* Schlammablaß *m.*

mud| **lark** *s sl.* Gassenjunge *m*, Schmutzfink *m*, Dreckspatz *m.* ~ **la·va** *s geol.* Schlammlava *f.* ~ **minnow** *s ichth.* Hundsfisch *m.* ~ **pack** *s med.* Fangopackung *f.* '~ˌ**sling·er** *s colloq.* Verleumder(in). '~ˌ**sling·ing** *colloq.* **I** *s* Beschmutzung *f*, Verleumdung *f.* **II** *adj* verleumderisch. '~-ˌ**suck·er** *s* **1.** *orn.* Schlamm-Wasservogel *m.* **2.** *ichth.* Kali'fornischer Schlammfisch. ~ **tor·toise**, ~ **tur·tle** *s zo. Am.* e-e amer. *Schildkröte*, *bes.* a) Klappschildkröte *f*, b) Alli'gatorschildkröte *f.*

muff [mʌf] **I** *s* **1.** Muff *m.* **2.** *sport u. fig. colloq.* ‚Patzer' *m.* **3.** *colloq.* ‚Flasche' *f*, Stümper *m.* **4.** *tech.* a) Stutzen *m*, b) Muffe *f*, Flanschstück *n*, c) *Glasherstellung*: Walze *f.* **5.** *orn.* Federbüschel *n* (*am Kopf*). **II** *v/t* **6.** *sport u. fig. colloq.* ‚verpatzen'. **III** *v/i* **7.** *colloq.* stümpern, ‚patzen'.

muf·fin ['mʌfin] *s* Teesemmel *f*, -kuchen *m.*

muf·fin·eer [ˌmʌfi'nir] *s* **1.** Schüssel *f* zum Warmhalten gerösteter Muffins. **2.** Salz- *od.* Zuckerstreuer *m.*

muf·fle ['mʌfl] **I** *v/t* **1.** *oft* ~ up einhüllen, -wickeln, -mummeln. **2.** *den Ton etc* dämpfen (*a. fig.*). **3.** *fig.* zum Schweigen bringen. **II** *s* **4.** dumpfer *od.* gedämpfter Ton. **5.** (Schall-)Dämpfer *m.* **6.** a) *metall.* Muffel *f*: ~ furnace Muffelofen *m*, b) *tech.* Flaschenzug *m.* **7.** *zo.* Muffel *f*, Windfang *m* (*Teil der Tierschnauze*).

muf·fler ['mʌflər] *s* **1.** Schal *m*, Halstuch *n.* **2.** *tech.* a) Schalldämpfer *m*, b) *mot.* Auspufftopf *m.* **3.** *mus.* Dämpfer *m.* **4.** Fausthandschuh *m.* **5.** Boxhandschuh *m.*

muf·ti ['mʌfti] *s* **1.** Mufti *m* (*mohammedanischer Rechtsgelehrter*). **2.** *bes. mil.* Zi'vil(kleidung *f*) *n*: in ~ in Zivil.

mug [mʌg] **I** *s* **1.** Kanne *f*, Krug *m.* **2.** Becher *m.* **3.** *sl.* a) Vi'sage *f*, Gesicht *n*: ~ shot Kopfbild *n* (*bes. für das Verbrecheralbum*), b) ‚Fresse' *f*, Mund *m*, c) Gri'masse *f*, d) *Br.* Trottel *m*, Gimpel *m*, e) *Br.* ‚Büffler' *m*, Streber *m*, f) *Am.* Boxer *m*, g) *Am.* Ga'nove *m.* **II** *v/t sl.* **4.** *bes. Verbrecher* photogra'phieren. **5.** *Am.* über'fallen u. ausrauben. **6.** *a.* ~ up *Br. etwas* ‚büffeln', ‚ochsen'. **III** *v/i sl.* **7.** Gesichter schneiden. **8.** *Br.* ‚büffeln'. **9.** *Am.* ‚schmusen'. **10.** ~ up ‚sich anmalen'.

mug·ger ['mʌgər] *s zo.* 'Sumpfkrokoˌdil *n.*

mug·gi·ness ['mʌginis] *s* **1.** Schwüle *f.* **2.** Muffigkeit *f.*

mug·gins ['mʌginz] *s* **1.** *sl.* Trottel *m.* **2.** *Art Dominospiel.* **3.** *ein Kartenspiel* (*für Kinder*).

mug·gy ['mʌgi] *adj* **1.** schwül (*Wetter*). **2.** dumpfig, muffig.

mug·wump ['mʌgˌwʌmp] *s Am.* **1.** *colloq.* ‚hohes Tier', Bonze *m.* **2.** *pol. sl.* a) Unabhängige(r) *m*, Einzelgänger *m*, b) Abtrünnige(r) *m*, c) ‚Re'bell' *m*, d) ‚unsicherer Kanto'nist'.

Mu·ham·mad·an [mu'hæmədən], **Mu'ham·med·an** [-mi-] → Mohammedan.

mu·lat·to [mə'lætou; mju:-] **I** *pl* **-toes** *s* Mu'latte *m.* **II** *adj* Mulatten...

mul·ber·ry ['mʌlbəri; -ˌberi] *s* **1.** *bot.* Maulbeerbaum *m.* **2.** Maulbeere *f.* **3.** **M~** *mil. Deckname für e-n vorfabrizierten Hafen* (*bes. bei der Invasion 1944 verwendet*).

mulch [mʌltʃ; *Br. a.* mʌlʃ] *agr.* **I** *s* Stroh-, Laubdecke *f.* **II** *v/t* (mit Stroh *etc*) abdecken.

mulct [mʌlkt] **I** *s* **1.** Geldstrafe *f.* **II** *v/t* **2.** mit e-r Geldstrafe belegen.

3. a) *j-n* betrügen (of um), b) *Geld etc* ‚abknöpfen' (from s.o. j-m).
mule[1] [mjuːl] *s* **1.** *zo.* a) Maultier *n*, b) Maulesel *m.* **2.** *biol.* Bastard *m*, Hy'bride *f* (*bes. von Kanarienvögeln*). **3.** *fig.* sturer Kerl, Dickkopf *m.* **4.** *tech.* a) (Motor)Schlepper *m*, Traktor *m*, b) 'Förderlokomo,tive *f*, c) *Spinnerei*: 'Mulema,schine *f*, Self'aktor *m.*
mule[2] [mjuːl] *s* Pan'toffel *m.*
'mule|,back *s*: to go on (*od.* by) ~ auf e-m Maultier reiten. **~ deer** *s zo.* Maultierhirsch *m.* **'~-,jen·ny** → mule[1] 4c. **~ skin·ner** *s Am. colloq.* Maultiertreiber *m.* [treiber *m.*]
mu·le·teer [,mjuːli'tir] *s* Maultier-
mule| track *s* Saumpfad *m.* **~ twist** *s tech.* Einschuß-, Mulegarn *n.*
mu·ley saw ['mjuːli; 'muːli; 'muli] *s tech.* Blockbandsäge *f.*
mul·ish ['mjuːliʃ] *adj* (*adv* ~ly) *fig.* störrisch, stur.
mull[1] [mʌl] **I** *s* **1.** *Br. colloq.* a) Wirrwarr *m*, b) Fehlschlag *m*: to make a ~ of → 3. **2.** Torfmull *m.* **II** *v/t* **3.** verpfuschen, ‚verpatzen'. **III** *v/i Am. colloq.* **4.** nachdenken, -grübeln (over über *acc*).
mull[2] [mʌl] *v/t ein Getränk* heiß machen u. (süß) würzen: ~ed wine (*od.* claret) Glühwein *m.*
mull[3] [mʌl] *s* (*med.* Verband)Mull *m.*
mull[4] [mʌl] *s Scot.* Vorgebirge *n.*
mull[5] [mʌl] *s Br.* Schnupftabaksdose *f.*
mul·lein ['mʌlin] *s bot.* Königskerze *f.*
mull·er ['mʌlər] *s tech.* **1.** Reibstein *m*, Läufer *m.* **2.** 'Mahl-, 'Schleifappa,rat *m.*
mul·let[1] ['mʌlit] *s ichth.* **1.** *a.* gray ~ Meeräsche *f.* **2.** *a.* red ~ Seebarbe *f.*
mul·let[2] ['mʌlit] *s her.* fünf- *od.* sechszackiger Stern.
mul·ley ['muli; 'muːli] *adj u. s. Am.* hornlos(es Rind).
mul·li·gan ['mʌligən] *s Am. colloq.* (*Art*) Eintopfgericht *n.*
mul·li·ga·taw·ny [,mʌligə'tɔːni] *s* Currysuppe *f.*
mul·li·grubs ['mʌli,grʌbz] *s pl colloq.* **1.** Bauchweh *n.* **2.** miese Laune.
mul·lion ['mʌljən; -liən] *arch.* **I** *s* Mittelpfosten *m* (*am Fenster etc*). **II** *v/t* mit Mittelpfosten versehen.
mul·lock ['mʌlək] *s geol. Austral.* **1.** taubes Gestein, Abgang *m* (*ohne Goldgehalt*). **2.** Abfall *m.*
mul·tan·gu·lar [mʌl'tæŋgjulər] *adj* vielwink(e)lig, -eckig.
mul·te·i·ty [mʌl'tiːiti] *s* Vielheit *f.*
multi- [mʌlti] *Wortelement mit der Bedeutung* viel..., mehr..., ...reich, Mehrfach..., Multi...
,mul·ti'ax·le drive *s tech.* Mehrachsenantrieb *m.* **'mul·ti,break** *s electr.* Serienschalter *m.* **,mul·ti'cel·lu·lar** *adj biol.* mehr-, vielzellig. **,mul·ti'col·o(u)r, ,mul·ti'col·o(u)red** *adj* mehrfarbig, Mehrfarben... **,mul·ti-'en·gine(d)** *adj tech.* 'mehrmo,torig.
mul·ti·far·i·ous ['mʌlti'fɛ(ə)riəs] *adj* (*adv* ~ly) **1.** mannigfaltig. **2.** *bot.* vielreihig. **3.** *jur.* verschiedene ungleichartige Ansprüche in sich vereinigend (*Klageschrift*).
'mul·ti,form *adj* vielförmig, -gestaltig. **,mul·ti'for·mi·ty** *s* Vielförmigkeit *f*, -gestaltigkeit *f.*
'mul·ti,graph *print.* **I** *s* Ver'vielfältigungsma,schine *f.* **II** *v/t u. v/i* vervielfältigen. **'mul·ti,grid tube** *s electr.* Mehrgitterröhre *f.* **,mul·ti-'lam·i·nate** *adj* aus vielen dünnen Plättchen *od.* Schichten bestehend. **,mul·ti'lat·er·al** *adj* **1.** vielseitig (*a. fig.*). **2.** *pol.* multilate'ral, mehrseitig.

3. *biol.* allseitwendig. **,mul·ti'lin·gual** *adj* mehrsprachig. **'mul·ti,mil·lion'aire** *s* mehrfacher Millio'när, 'Multimillio,när *m.* **,mul·ti'mod·al** *adj math.* mehrgipflig, mit mehreren Ex'tremwerten. **,mul·ti·mo'lec·u·lar** *adj biol.* vielzellig.
mul·tip·a·ra [mʌl'tipərə] *pl* **-rae** [-,riː] *s med.* Mehrgebärende *f.* **,mul·ti'par·i·ty** [-'pæriti] *s* **1.** *zo.* Vielgeburt *f.* **2.** *med. Tatsache, daß e-e Frau mehrmals geboren hat.* **mul'tip·a·rous** *adj med.* mehrgebärend.
,mul·ti'par·tite *adj* **1.** vielteilig. **2.** → multilateral 2. **'mul·ti,phase** *adj electr.* mehrphasig: ~ current Mehrphasenstrom *m.* **'mul·ti,plane** *s aer.* Mehr-, Vieldecker *m.*
mul·ti·ple ['mʌltipl] **I** *adj* (*adv* multiply) **1.** viel-, mehrfach. **2.** mannigfaltig. **3.** mehrere, viele: ~ functions. **4.** *biol. med.* mul'tipel. **5.** *electr. tech.* a) Mehr(fach)..., Vielfach..., b) Parallel...: ~ connection → 9. **6.** *ling.* zs.-gesetzt: ~ clause. **7.** vielseitig, mehrere Funkti'onen (gleichzeitig) ausübend: ~ executive. **II** *s* **8.** *a. math.* (*das*) Vielfache. **9.** *electr.* Paral'lelanordnung *f*, -schaltung *f*: in ~ parallel (geschaltet). **~ al·leles** *s pl biol.* mul'tiple Al'lele *pl.* **~ ca·ble** *s electr.* Vielfachkabel *n.* **~ con·tact switch** *s electr.* Mehrfach-, Stufenschalter *m.* **~ crop·ping** *s agr.* mehrfache Bebauung (*e-s Feldes im selben Jahr*). **~ die** *s tech.* Mehrfachwerkzeug *n*: ~ press Stufenpresse *f.* **'~-'disk clutch** *s tech.* La'mellenkupplung *f.* **~ dwell·ing** *s* 'Mehrfa,milienhaus *n.* **~ fac·tors** *s pl biol.* poly'mere Gene *pl.* **~ fruit** *s bot.* Sammelfrucht *f.* **~ neu·ri·tis** *s med.* Polyneu'ritis *f.* **'~-,par·ty** *adj pol.* Mehrparteien...: ~ system. **~ per·son·al·i·ty** *s psych.* mul'tiple Per'sönlichkeit. **~ pro·duc·tion** *s econ.* 'Serien,herstellung *f.* **~ root** *s math.* mehrwertige Wurzel. **~ scle·ro·sis** *s med.* mul'tiple Skle'rose. **~ shop** *s econ. Br.* Fili'algeschäft *n.* **~ sus·pen·sion** *s tech.* Vielfachaufhängung *f.* **~ switch** *s electr.* Mehrfach-, Vielfachschalter *m.* **~ tan·gent** *s math.* mehrfache Tan'gente. **~ thread** *s tech.* mehrgängiges Gewinde. **~ trans·mis·sion** *s electr.* 'Vielfachüber,tragung *f*, Mehrfachbetrieb *m.* **~ valve** *s electr.* Mehrfachröhre *f.*
mul·ti·plex ['mʌlti,pleks] **I** *adj* **1.** mehr-, vielfach. **2.** *electr.* Mehr(fach)...: ~ system Mehrfachbetrieb *m*; ~ telegraphy Mehrfachtelegraphie *f.* **II** *v/t* **3.** *electr.* a) gleichzeitig senden, b) in Mehrfachschaltung betreiben.
mul·ti·pli·a·ble ['mʌlti,plaiəbl], **'mul·ti·pli·ca·ble** [-plikəbl] *adj* multipli'zierbar. **,mul·ti·pli'cand** [-'kænd] *s math.* Multipli'kand *m.* **'mul·ti·pli,cate** [-,keit] *adj* mehr-, vielfach.
mul·ti·pli·ca·tion [,mʌltipli'keiʃən] *s* **1.** Vermehrung *f* (*a. bot.*). **2.** *math.* a) Multiplikati'on *f*, b) Vervielfachung *f*: ~ sign Mal-, Multiplikationszeichen *n*; ~ table Einmaleins *n.* **3.** *tech.* (Ge'triebe)Über,setzung *f.*
mul·ti·pli·ca·tive ['mʌltipli,keitiv] **I** *adj* **1.** vervielfältigend. **2.** *math.* multiplika'tiv. **II** *s* **3.** *ling.* Multiplika'tivum *n*, Vervielfältigungs-Zahlwort *n.* **,mul·ti'plic·i·ty** [-'plisiti] *s* **1.** Vielfältigkeit *f*, Vielfalt *f.* **2.** Mannigfaltigkeit *f.* **3.** Menge *f*, Vielzahl *f.* **4.** *math.* a) Mehrwertigkeit *f*, b) Mehrfachheit *f.*
mul·ti·pli·er ['mʌlti,plaiər] *s* **1.** Vermehrer *m.* **2.** *math.* a) Multipli'kator *m*, b) Multipli'zierma,schine *f.* **3.** *phys.* a) Verstärker *m*, Vervielfacher *m*, b) Vergrößerungslinse *f*, -lupe *f.* **4.** *electr.* 'Vor- *od.* 'Neben,widerstand *m*, Shunt *m* (*für Meßgeräte*). **5.** *tech.* Über'setzung *f.* **6.** *bot.* Brutzwiebel *f.*
mul·ti·ply ['mʌlti,plai] **I** *v/t* **1.** vermehren (*a. biol.*), vervielfältigen: ~ing glass *opt.* Vergrößerungsglas *n*, -linse *f.* **2.** *math.* multipli'zieren (by mit). **3.** *electr.* vielfachschalten. **II** *v/i* **4.** sich vermehren (*a. biol.*), sich vervielfachen. **5.** *math.* multipli'zieren.
,mul·ti'po·lar *adj* **1.** *electr.* viel-, mehrpolig, multipo'lar. **2.** *med.* multi-, pluripo'lar (*Nervenzelle*). **'mul·ti-'pur·pose** *adj* Mehrzweck...: ~ furniture. **'mul·ti,seat·er** *s aer.* Mehrsitzer *m.* **'mul·ti,speed trans·mis·sion** *s tech.* Mehrganggetriebe *n.* **'mul·ti,stage** *adj tech.* mehrstufig, Mehrstufen...: ~ rocket. **'mul·ti-,sto·r(e)y** *adj* vielstöckig: ~ building Hochhaus *n*; ~ car park Parkhochhaus *n.* **'mul·ti,syl·la·ble** *s* vielsilbiges Wort.
mul·ti·tude ['mʌlti,tjuːd] *s* **1.** große Zahl, Menge *f.* **2.** Vielheit *f.* **3.** Menschenmenge *f*: the ~ der große Haufen, die Masse. **,mul·ti'tu·di,nism** *s* Prin'zip *n* des Vorrechts der Masse (*vor dem Individuum*). **,mul·ti'tu·di·nous** *adj* (*adv* ~ly) **1.** zahlreich. **2.** mannigfaltig, vielfältig. **3.** *poet.* dicht bevölkert.
,mul·ti'va·lence *s chem.* Mehr-, Vielwertigkeit *f.* **,mul·ti'va·lent** *adj* mehr-, vielwertig.
mul·tiv·o·cal [mʌl'tivəkəl] **I** *adj* vieldeutig. **II** *s* vieldeutiges Wort.
'mul·ti,way *adj electr. tech.* mehrwegig: ~ plug Vielfachstecker *m.*
mul·ture ['mʌltʃər] *s* Mahlgeld *n.*
mum[1] [mʌm] *colloq.* **I** *interj* pst!, still!: ~'s the word! Mund halten!, kein Wort darüber! **II** *adj* still, stumm.
mum[2] [mʌm] *v/i* **1.** sich vermummen. **2.** Mummenschanz treiben.
mum[3] [mʌm] *s hist.* Mumme *f* (*süßliches dickes Bier*).
mum[4] [mʌm] *s colloq.* Mami *f.*
mum·ble ['mʌmbl] **I** *v/t u. v/i* **1.** murmeln. **2.** mummeln, knabbern. **II** *s* **3.** Gemurmel *n.* **'~-the-,peg** *s Am.* Messerwerfen *n* (*ein Kinderspiel*).
Mum·bo Jum·bo ['mʌmbou 'dʒʌmbou] *s* **1.** Schutzgeist *m* (*bei den Sudannegern*). **2.** *a.* m~ j~ Schreckgespenst *n*, Popanz *m.* **3.** m~ j~ Hokus'pokus *m*, fauler Zauber.
mum·mer ['mʌmər] *s* **1.** Vermummte(r *m*) *f*, Maske *f* (*Person*). **2.** *humor.* Komödi'ant(in). **'mum·mer·y** *s contp.* **1.** Mummenschanz *m.* **2.** Hokus'pokus *m.*
mum·mi·fi·ca·tion [,mʌmifi'keiʃən] *s* **1.** Mumifi'zierung *f.* **2.** *med.* trokkener Brand. **'mum·mi,fied** [-,faid] *adj* **1.** mumifi'ziert. **2.** vertrocknet, -dörrt (*oft fig.*). **3.** *med.* trocken brandig. **'mum·mi,fy** [-,fai] **I** *v/t* mumifi'zieren. **II** *v/i* vertrocknen, -dorren, (ver-, ein)schrumpeln.
mum·my[1] ['mʌmi] **I** *s* **1.** Mumie *f* (*a. fig.*): to beat s.o. to a ~ *fig.* j-n zu Brei schlagen. **2.** *paint.* Mumie *f* (*braune Farbe*). **3.** verschrumpelte Frucht. **II** *v/t* → mummify I.
mum·my[2] ['mʌmi] *s colloq.* Mami *f.*
mump [mʌmp] *v/i* **1.** schmollen, schlecht gelaunt sein. **2.** *colloq.* ‚schnorren', betteln. **'mump·ish** *adj* (*adv* ~ly) mürrisch, grämlich.
mumps [mʌmps] *s pl* **1.** (*als sg kon-*

struiert) med. Mumps *m*, Ziegenpeter *m*. **2.** miese Laune, Trübsinn *m*.
mump·si·mus ['mʌmpsiməs] *s* **1.** hartnäckiger Irrtum, Vorurteil *n*. **2.** Rechthaber *m*, verknöcherter Kerl.
munch [mʌntʃ] *v/t u. v/i* geräuschvoll *od.* schmatzend kauen, ‚mampfen'.
Mun·chau·sen [mʌn'tʃɔːzn] **I** *adj* phan'tastisch, ‚toll', frei erfunden. **II** *s* → Munchausenism. **Mun'chau·sen,ism** *s* tolle ,Aufschneide'rei, Münchhausi'ade *f*.
mun·dane ['mʌndein] *adj* (*adv* ~ly) **1.** weltlich, Welt... **2.** irdisch, weltlich: ~ **poetry** weltliche Dichtung. **3.** Welten..., Weltall... **4.** *astr.* Horizont...
mun·go[1] ['mʌŋgou] *s bot.* Schlangenwurz *f*.
mun·go[2] ['mʌŋgou] *s econ.* Mungo *m*, Reißwollgarn *n*, -gewebe *n*.
mu·nic·i·pal [mjuː'nisipəl] *adj* (*adv* ~ly) **1.** städtisch, Stadt..., kommu'nal, Gemeinde...: ~ **elections** Gemeindewahlen. **2.** Selbstverwaltungs...: ~ **town** → **municipality** 1. **3.** Land(es)...: ~ **law** Landesrecht *n*. ~ **bank** *s econ.* Kommu'nalbank *f*. ~ **bonds** *s pl econ.* Kommu'nalobligati,onen *pl*, Stadtanleihen *pl*. ~ **cor·po·ra·tion** *s* **1.** Gemeindebehörde *f*. **2.** Selbstverwaltungskörper *m* (*Gemeinde, Stadt*).
mu·nic·i·pal·i·ty [,mjuːnisi'pæliti; mjuː,nis-] *s* **1.** Stadt *f* mit Selbstverwaltung. **2.** Stadtbehörde *f*, -verwaltung *f*.
mu·nic·i·pal·i·za·tion [mjuː,nisipəlai'zeiʃən; -li'z-] *s* **1.** Verwandlung *f* in e-e po'litische Gemeinde mit Selbstverwaltung. **2.** Kommunali'sierung *f* (*e-s Betriebs etc*). **mu'nic·i·pal,ize** *v/t* **1.** *e-e Stadt* mit Obrigkeitsgewalt ausstatten. **2.** *e-n Betrieb etc* in städtischen Besitz 'überführen, kommunali'sieren.
mu·nic·i·pal| loan *s econ.* Kommu'nalkre,dit *m*, Stadtanleihe *f*. ~ **rates,** ~ **tax·es** *s pl econ.* Gemeindesteuern *pl*, -abgaben *pl*.
mu·nif·i·cence [mjuː'nifisns] *s* Freigebigkeit *f*. **mu'nif·i·cent** *adj* (*adv* ~ly) freigebig.
mu·ni·ment ['mjuːnimənt] *s* **1.** *pl jur.* Rechtsurkunde *f*. **2.** Urkundensammlung *f*, Ar'chiv *n*. **3.** *obs.* Schutzmittel *n*, -waffe *f*.
mu·ni·tion [mjuː'niʃən] **I** *s* **1.** *meist pl mil.* 'Kriegsmateri,al *n*, -vorräte *pl*, *bes.* Muniti'on *f*; ~ **plant** Rüstungsfabrik *f*; ~ **worker** Munitionsarbeiter(in). **2.** *allg.* Ausrüstung *f*. **3.** *obs.* Bollwerk *n*. **II** *v/t* **4.** ausrüsten, mit Materi'al *od.* Muniti'on versehen.
munt·jac, *a.* **munt·jak** ['mʌntdʒæk] *s zo.* **1.** Muntjak(hirsch) *m*, *bes.* Indischer Muntjak. **2.** Schopfhirsch *m*.
mu·on ['mjuːɒn; 'muːɒn] *s phys.* My-Meson *n* (*Elementarteilchen*).
mu·ral ['mju(ə)rəl] **I** *adj* **1.** Mauer..., Wand... **2.** mauerartig, steil. **3.** *anat.* mu'ral. **II** *s* **4.** *a.* ~ **painting** Wandgemälde *n*.
Mu·ra·nese [,mju(ə)rə'niːz] *adj* Murano..., aus Mu'rano.
mur·der ['məːrdər] **I** *s* **1.** (of) Mord *m* (an *dat*), Ermordung *f* (*gen*): **first-degree (second-degree)** ~ *jur. Am.* Mord (Totschlag *m*); ~ **squad** *Br.* Mordkommission *f*; ~ **will out** *fig.* die Sonne bringt es an den Tag; **the** ~ **is out** *fig.* das Geheimnis ist gelüftet; **to cry blue** ~ *colloq.* zetermordio schreien; **it was** ~! *colloq.* es war fürchterlich! **2.** *obs.* Gemetzel *n*. **II** *v/t* **3.** (er)morden. **4.** 'hinschlachten, -morden. **5.** *fig. a. e-e Sprache* verschandeln, ‚verhunzen'. **'mur·der·er** *s* Mörder *m*. **'mur·der·ess** [-ris] *s* Mörderin *f*. **'mur·der·ous** *adj* (*adv* ~ly) **1.** mörderisch (*a. fig. Hitze, Tempo etc*). **2.** Mord...: ~ **intent** Mordabsicht *f*; ~ **weapon** Mordwaffe *f*. **3.** tödlich, todbringend. **4.** blutdürstig.
mure [mjuər] *v/t* **1.** einmauern. **2.** *a.* ~ **up** einsperren.
mu·rex ['mju(ə)reks] *pl* **-rex·es** *od.* **-ri·ces** [-ri,siːz] *s zo.* Stachelschnecke *f*.
mu·ri·ate ['mju(ə)ri,eit; -it] *s chem.* **1.** Muri'at *n*, Hydrochlo'rid *n*. **2.** 'Kaliumchlo,rid *n* (*ein Düngemittel*). **'mu·ri,at·ed** *adj* muri'atisch, *bes.* kochsalzhaltig, Kochsalz... **,mu·ri'at·ic** [-'ætik] *adj* muri'atisch, salzsauer; ~ **acid** Salzsäure *f*.
mu·rine ['mju(ə)rain; -rin] *zo.* **I** *adj* zu den Mäusen gehörig. **II** *s* Maus *f*.
murk [məːrk] *adj poet.* **1.** dunkel, düster. **2.** trüb(e). **3.** dicht (*Nebel*). **'murk·i·ness** *s* **1.** Dunkelheit *f*, Düsterkeit *f*. **2.** Nebligkeit *f*. **'murk·y** *adj* (*adv* murkily) **1.** dunkel, düster, trüb(e) (*alle a. fig.*). **2.** voller Nebel, dunstig. **3.** dicht (*Nebel etc*).
mur·mur ['məːrmər] **I** *s* **1.** Murmeln *n*, (leises) Rauschen (*von Wasser, Wind etc*). **2.** Gemurmel *n*. **3.** Murren *n*. **4.** *med.* (Atem-, Herz)Geräusch *n*. **5.** *a.* ~ **vowel** *ling.* Murmellaut *m*. **II** *v/i* **6.** murmeln: a) leise sprechen, b) leise rauschen (*Wasser etc*). **7.** murren (**at, against** gegen). **III** *v/t* **8.** *etwas* murmeln. **'mur·mur·ous** *adj* (*adv* ~ly) **1.** murmelnd. **2.** gemurmelt (*Worte*). **3.** murrend.
mur·phy ['məːrfi] *s sl.* Kar'toffel *f*. ~ **bed** *s Am.* Schrankbett *n*.
mur·rain [*Br.* 'mʌrin; *Am.* 'məːrin] *s* **1.** *vet.* Viehseuche *f*. **2.** *obs.* Pest *f*.
mur·rey [*Br.* 'mʌri; *Am.* 'məːri] *s her.* Braunrot *n*.
mu·sa·ceous [mjuː'zeiʃəs] *adj bot.* zu den Ba'nanengewächsen gehörig.
mus·ca·del [,mʌskə'del] → muscatel.
mus·ca·dine ['mʌskədin; -,dain], **mus·cat** ['mʌskæt], **,mus·ca'tel** [-'tel] *s* **1.** Muska'teller(traube *f*) *m*. **2.** Muska'teller(wein) *m*.
mus·cle ['mʌsl] **I** *s* **1.** *anat.* Muskel *m*: ~ **fibre** (*Am.* **fiber**) Muskelfaser *f*; ~ **sense** *psych.* Muskelsinn *m*; **not to move a** ~ *fig.* sich nicht rühren, nicht mit der Wimper zucken. **2.** (Muskel)-Fleisch *n*, Muskeln *pl*. **3.** *fig.* Muskelkraft *f*. **4.** *Am. sl.* Muskelprotz *m*, ‚Schläger' *m*. **II** *v/i* **5.** *bes. Am. colloq.* sich mit Gewalt e-n Weg bahnen: **to** ~ **in** sich rücksichtslos eindrängen. **'~-,bound** *adj* **1.** *med.* Muskelstarre *od.* -kater habend. **2.** *fig. Am.* starr.
mus·cled ['mʌsld] *adj* **1.** *anat.* mit Muskeln. **2.** *in Zssgn* ...muskelig.
Mus·co·vite ['mʌskə,vait] **I** *s* **1.** Mosko'witer(in), Russe *m*, Russin *f*. **2.** m~ *min.* Musko'wit *m*, Kaliglimmer *m*. **II** *adj* **3.** mosko'witisch, russisch.
Mus·co·vy ['mʌskəvi] *s hist.* Rußland *n*. ~ **duck** *s orn.* Moschusente *f*.
mus·cu·lar ['mʌskjulər] *adj* (*adv* ~ly) **1.** Muskel...: ~ **strength**; ~ **atrophy** Muskelschwund *m*. **2.** musku'lös, (muskel)stark, kräftig. **3.** *fig.* kraftvoll. **,mus·cu'lar·i·ty** [-'læriti] *s* musku'löser Körperbau. **'mus·cu·la·ture** [-lətʃər] *s physiol.* Muskula'tur *f*.
muse[1] [mjuːz] **I** *v/i* **1.** (nach)sinnen, (-)denken, (-)grübeln (**on, upon** über *acc*). **2.** in Gedanken versunken sein, träumen. **3.** nachdenklich blicken (**on, upon** auf *acc*). **II** *v/t* **4.** *obs.* nachdenken über (*acc*). **5.** nachdenklich sagen.
Muse[2] [mjuːz] *s* **1.** *myth.* Muse *f*: **son of the** ~**s** *humor.* Musensohn *m*. **2.** *a.* m~ Muse *f* (*e-s Dichters*). **3.** m~ *poet.* Dichter *m*.
mu·se·ol·o·gy [,mjuːzi'ɒlədʒi] *s* Mu'seumskunde *f*.
mus·er ['mjuːzər] *s* Träumer *m*, Sinnende(r) *m*.
mu·sette [mju'zet] *s* **1.** *mus.* Mu'sette *f*: a) *kleiner Dudelsack*, b) *Zungenregister der Orgel*, c) *Musettemelodie*, d) *trioartiger Zwischensatz der Gavotte*. **2.** → **musette bag.** ~ **bag** *s mil. Am.* Brotbeutel *m*.
mu·se·um [mjuː'ziːəm] *s* Mu'seum *n*: ~ **piece** Museumsstück *n* (*a. fig.*).
mush[1] [mʌʃ] *s* **1.** weiche Masse, Brei *m*, Mus *n*. **2.** *Am.* (Maismehl)Brei *m*. **3.** *colloq.* a) Ge,fühlsduse'lei *f*, b) sentimen'tales Zeug. **4.** *Radio*: Knistergeräusch *n*: ~ **area** (*Radar*) Störgebiet *n*. **5.** *Am. sl.* ‚Fresse' *f* (*Mund, Gesicht*).
mush[2] [mʌʃ] *Am.* **I** *v/i* a) durch den Schnee stapfen, b) mit Hundeschlitten fahren. **II** *v/t die Schlittenhunde* anfeuern.
mush[3] [mʌʃ] *s Br. sl.* Regenschirm *m*.
mush·room ['mʌʃruːm; -rum] **I** *s* **1.** *bot.* a) Ständerpilz *m*, b) *allg.* eßbarer Pilz, *bes.* (Wiesen)Champignon *m*: **to grow like** ~**s** wie Pilze aus dem Boden schießen; ~ **growth** rapides Wachstum. **2.** *fig.* Em'porkömmling *m*. **3.** (*etwas*) Pilzförmiges, *bes.* a) *sl.* Regenschirm *m*, b) *colloq. ein* (*Damen*)-*Hut*, c) flachgedrückte (*Gewehr- etc*) Kugel, d) *Am.* (*ein*) Wegweiser *m*, e) Explosi'onspilz *m*, -wolke *f*. **II** *adj* **4.** Pilz... **5.** pilzförmig: ~ **anchor** *mar.* Pilz-, Schirmanker *m*; ~ **head** *tech.* Pilzkopf *m* (*Niet*); ~ **insulator** *electr.* Pilzisolator *m*; ~ **valve** (pilzförmiges) Tellerventil. **6.** *fig.* a) (über Nacht) aus dem Boden geschossen, b) kurzlebig: ~ **fame.** **III** *v/i* **7.** Pilze sammeln. **8.** *fig.* a) wie ein Pilz em'porschießen, b) sich ausbreiten, wachsen, c) pilzförmige Gestalt annehmen. **IV** *v/t* **9.** *colloq. e-e Zigarette* ausdrücken.
mush·y ['mʌʃi] *adj* (*adv* mushily) **1.** breiig, weich. **2.** *fig.* weichlich, schlapp. **3.** *colloq.* gefühlsduselig, sentimen'tal. **4.** *tech. Am. sl.* ‚müde'.
mu·sic ['mjuːzik] *s* **1.** Mu'sik *f*, Tonkunst *f*: **to set to** ~ vertonen; **to face the** ~ *colloq.* die Suppe (die man sich eingebrockt hat) auslöffeln, dafür geradestehen. **2.** a) Mu'sikstück *n*, Kompositi'on *f*, b) *collect.* Kompositi'onen *pl*. **3.** Noten(blatt *n*) *pl*: **to play from** ~ vom Blatt spielen. **4.** *collect.* Musi'kalien *pl*: ~ **shop** → **music house. 5.** *fig.* Mu'sik *f*, Wohllaut *m*, Gesang *m*: **the** ~ **of the birds** der Gesang der Vögel. **6.** Musikali'tät *f*. **7.** *hunt.* Geläute *n*, Gebell *n* der Jagdhunde. **8.** Lärm *m*, Getöse *n*: **rough** ~ a) Krach *m*, b) Katzenmusik *f*. **9.** (Mu'sik)Ka,pelle *f*, Or'chester *n*.
mu·si·cal ['mjuːzikəl] **I** *adj* (*adv* ~ly) **1.** Musik...: ~ **history**; ~ **instrument. 2.** wohlklingend, me'lodisch. **3.** musi'kalisch. **II** *s* **4.** Musical *n* (*modernes musikalisches Lustspiel*). **5.** *colloq. für* **musical film.** ~ **art** *s* (Kunst *f* der) Mu'sik, Tonkunst *f*. ~ **box** *s Br.* Spieldose *f*. ~ **chairs** *s* 'Stuhlpolo,naise *f*, Reise *f* nach Je'rusalem (*Gesellschaftsspiel*). ~ **com·e·dy** → **musical** 4.
mu·si·cale [*Br.* ,mjuːzi'kɑːl; *Am.* -'kæl] *s mus. Am.* 'Hauskon,zert *n*.

mu·si·cal| film s Mu'sikfilm m. ~ **glass·es** s pl mus. Glasharfe f.

mu·si·cal·i·ty [ˌmjuːzi'kæliti], **mu·si·cal·ness** ['mjuːzikəlnis] s 1. Musikali'tät f. 2. Wohlklang m, (das) Musi'kalische.

'mu·sic|-ap,pre·ci'a·tion rec·ord s Schallplatte f mit mu'sikkundlichem Kommen'tar. ~ **book** s Notenheft n, -buch n. ~ **box** s Am. 1. → musical box. 2. → jukebox. ~ **case** s Notenmappe f. ~ **de·my** s ein Papierformat (20¾ × 14⅜ Zoll). ~ **dra·ma** s mus. Mu'sikdrama n. ~ **hall** s Br. 1. Varie'té(theˌater) n. 2. Radio: Buntes Pro'gramm. ~ **house** s Musi'kalienhandlung f.

mu·si·cian [mjuː'ziʃən] s 1. (bes. Berufs)Musiker m: to be a good ~ a) gut spielen od. singen, b) sehr musikalisch sein. 2. Musi'kant m.

mu·si·col·o·gy [ˌmjuːzi'kɒlədʒi] s Mu'sikwissenschaft f.

mu·si·co·ther·a·py [ˌmjuːziko'θerəpi] s med. psych. Mu'sikthera,pie f.

mu·sic| pa·per s 'Notenpa,pier n. ~ **rack** s Notenhalter m. ~ **stand** s Notenständer m. ~ **stool** s Kla'vierstuhl m. ~ **teach·er** s Mu'siklehrer(in). ~ **wire** s mus. 1. Saitendraht m. 2. Draht-, Stahlsaite f.

mus·ing ['mjuːziŋ] I s 1. Sinnen n, Grübeln n, Nachdenken n, Betrachtung f. 2. pl Träume'reien pl. II adj (adv ~ly) 3. nachdenklich, in Gedanken (versunken), versonnen.

musk [mʌsk] s 1. Moschus m, Bisam m. 2. Moschusgeruch m. 3. → musk deer. 4. bot. Moschuspflanze f. ~ **bag** s zo. Moschusbeutel m. ~ **ca·vy** s zo. (e-e) Baumratte. ~ **deer** s zo. Moschustier n.

mus·keg ['mʌskəg] s 1. Am. od. Canad. (Tundra)Moor n. 2. bot. Torf-, Sumpfmoos n.

mus·kel·lunge ['mʌskəˌlʌndʒ] pl **'mus·kel,lunge** s ichth. Muskalunge m.

mus·ket ['mʌskit] s mil. hist. Mus'kete f, Flinte f. **ˌmus·ket'eer** [-'tiг] s Muske'tier m. **'mus·ket·ry** [-ri] s 1. hist. collect. a) Mus'keten pl, b) Muske'tiere pl. 2. hist. Mus'ketenschießen n. 3. 'Schieß,unterricht m: ~ manual Schießvorschrift f.

musk| ox s irr zo. Moschusochse m. ~ **plant** s bot. Moschus-Gauklerblume f. '~ˌ**rat** s 1. zo. Bisamratte f. 2. Bisam m (Fell). ~ **rose** s bot. Moschusrose f. ~ **sheep** → musk ox. ~ **shrew** s zo. Moschusspitzmaus f.

musk·y ['mʌski] adj (adv muskily) 1. nach Moschus riechend. 2. moschusartig, Moschus...

Mus·lem ['mʌzlem], a. **'Mus·lim** [-lim] → Moslem.

mus·lin ['mʌzlin] s 1. Musse'lin m. 2. Am. Bezeichnung verschiedener schwererer Baumwollgewebe. 3. sl. a) mar. Segel pl, b) obs. Frauen pl: a bit of ~ ein ‚Weib(errock' m) n.

mus·mon ['mʌsmɒn] → mouf(f)lon.

mus·quash ['mʌskwɒʃ] → muskrat.

mus·quaw ['mʌskwɔː] s zo. Baribal m, Amer. Schwarzbär m.

muss [mʌs] Am. I s 1. a) Durchein'ander n, Unordnung f, b) Plunder m. 2. Krach m, Streit m. II v/t oft ~ up 3. in Unordnung bringen, durchein'anderbringen, Haar zerwühlen. 4. ‚vermasseln', ‚vermurksen'. 5. beschmutzen, ‚versauen'. 6. zerknittern.

mus·sel ['mʌsl] s zo. (e-e) zweischalige Muschel, bes. a) Miesmuschel f, b) Flußmuschel f.

Mus·sul·man ['mʌslmən] I pl **-mans**, a. **-men** s Muselman(n) m. II adj muselmanisch.

muss·y ['mʌsi] adj Am. colloq. 1. unordentlich, schlampig. 2. schmutzig. 3. verknittert.

must[1] [mʌst] I v/aux 3. sg pres **must**, pret **must**, inf u. Partizipien fehlen. 1. er, sie, es muß, du mußt, wir, sie, Sie müssen, ihr müßt: all men ~ die alle Menschen müssen sterben; I ~ go now ich muß jetzt gehen; ~ he do that? muß er das tun?; he ~ be over eighty er muß über achtzig (Jahre alt) sein; it ~ look strange es muß (notwendigerweise) merkwürdig aussehen; you ~ have heard it du mußt es gehört haben. 2. (mit Negationen) er, sie, es darf, du darfst, wir, sie, Sie dürfen, ihr dürft: you ~ not smoke here du darfst hier nicht rauchen. 3. (als pret) er, sie, es mußte, du mußtest, wir, sie, Sie mußten, ihr mußtet: it was too late now, he ~ go on es war bereits zu spät, er mußte weitergehen; just as I was busiest, he ~ come gerade als ich am meisten zu tun hatte, mußte er kommen; if he had written a letter I ~ have got it wenn er e-n Brief geschrieben hätte, hätte ich ihn erhalten müssen. 4. (als pret mit Negationen) er, sie, es durfte, du durftest, wir, sie, Sie durften, ihr durftet. II adj 5. unerläßlich, unbedingt zu erledigen(d) (etc), abso'lut notwendig: a ~ book ein Buch, das man (unbedingt) lesen od. gelesen haben muß. III s 6. Muß n, Unerläßlichkeit f, unbedingtes Erfordernis: it is a ~ es ist unerläßlich od. unbedingt erforderlich; this place is a ~ for tourists diesen Ort muß man (als Tourist) gesehen haben.

must[2] [mʌst] s Most m.

must[3] [mʌst] s 1. Moder m, Schimmel m. 2. Dumpfigkeit f, Modrigkeit f.

must[4] [mʌst] I s Brunst f, Wut f (männlicher Elefanten od. Kamele). II adj brünstig, wütend.

mus·tache, mus·tached bes. Am. für moustache etc. [moustache.]

mus·ta·chio [məs'tɑːʃou] pl **-chios** → [moustache.]

mus·tang ['mʌstæŋ] s 1. zo. Mustang m (halbwildes Präriepferd). 2. M~ aer. Mustang m (amer. Jagdflugzeugtyp im 2. Weltkrieg).

mus·tard ['mʌstərd] s 1. Senf m, Mostrich m: → keen[1] 13. 2. Senfmehl n. 3. bot. (ein) Senf m. 4. Am. sl. a) ‚Mordskerl' m, b) ‚tolle Sache', c) Schwung m. ~ **gas** s chem. mil. Senfgas n, Gelbkreuz n. ~ **oil** s chem. ä'therisches Senföl. ~ **plas·ter** s med. Senfpflaster n. ~ **seed** s 1. bot. Senfsame m: grain of ~ Bibl. Senfkorn n. 2. hunt. Vogelschrot m, n.

mus·te·line ['mʌstəˌlain; -lin] zo. I adj 1. zu den Mardern gehörig. 2. wieselartig. II s 3. marderartiges Raubtier.

mus·ter ['mʌstər] I v/t 1. mil. a) (zum Ap'pell) antreten lassen, versammeln, b) mustern, die Anwesenheit (gen) feststellen, c) aufbieten: to ~ in Am. (zum Wehrdienst) einziehen; to ~ out Am. entlassen, ausmustern. 2. zs.-rufen, -bringen, versammeln. 3. j-n od. etwas auftreiben. 4. a. ~ up fig. s-e Kraft, s-n Mut etc aufbieten, zs.-nehmen: to ~ up one's courage; to ~ up sympathy Mitleid aufbringen od. fühlen. 5. sich belaufen auf (acc), zählen, ausmachen. II v/i 6. sich versammeln, mil. a. antreten. 7. ~ into Am. eintreten in (das Heer, den Staatsdienst etc). III s 8. mar. mil. a) (Antreten n zum) Ap'pell m, b) Inspekti'on f, Musterung f, Pa'rade f: to pass ~ fig. durchgehen, Zustimmung finden (with bei). 9. mil. u. fig. Aufgebot n. 10. → muster roll. 11. econ. selten Muster n. ~ **book** s mil. Stammrollenbuch n. **'~-'out** s mil. Am. Entlassung f, Ausmusterung f. ~ **roll** s 1. mar. Musterrolle f. 2. mil. Stammrolle f.

mus·ti·ness ['mʌstinis] s 1. Muffigkeit f. 2. Modrigkeit f. 3. Schalheit f (a. fig.). 4. fig. Verstaubtheit f.

mus·ty ['mʌsti] adj (adv mustily) 1. muffig. 2. mod(e)rig. 3. schal, abgestanden. 4. fig. a) verstaubt, anti'quiert, b) fad(e), abgedroschen.

mu·ta·bil·i·ty [ˌmjuːtə'biliti] s 1. Veränderlichkeit f. 2. fig. Unbeständigkeit f. 3. biol. Mutati'onsfähigkeit f.

'mu·ta·ble adj (adv mutably) 1. veränderlich, wechselhaft. 2. fig. unbeständig, wankelmütig. 3. biol. mutati'onsfähig.

mu·tant ['mjuːtənt] biol. I adj 1. mu'tierend. 2. mutati'onsbedingt. II s 3. Vari'ante f, Mu'tant m.

mu·tate [Br. mjuː'teit; Am. 'mjuːteit] I v/t 1. verändern. 2. ling. 'umlauten: ~d vowel Umlaut m. II v/i 3. sich ändern, wechseln. 4. ling. 'umlauten. 5. biol. mu'tieren.

mu·ta·tion [mjuː'teiʃən] s 1. (Ver)Änderung f. 2. 'Umwandlung f: ~ of energy phys. Energieumformung f. 3. biol. a) Mutati'on f, b) Mutati'onsproˌdukt n. 4. ling. 'Umlaut m. 5. mus. a) Mutati'on f, b) a. ~ stop 'Obertoneˌgister n. **mu'ta·tion·al** adj Mutations..., Änderungs...

mu·ta·tive ['mjuːtətiv] adj muta'tiv: a) biol. sich sprunghaft ändernd, b) ling. e-e Veränderung ausdrückend.

mute [mjuːt] I adj (adv ~ly) 1. stumm. 2. weitS. stumm: a) still, schweigend, b) wort-, sprachlos: to stand ~ stumm od. sprachlos dastehen; to stand ~ (of malice) jur. die Antwort verweigern. 3. ling. stumm: a ~ letter; ~ sound → 7 b. II s 4. (Taub)Stumme(r m) f. 5. thea. Sta'tist(in). 6. mus. Dämpfer m. 7. ling. a) stummer Buchstabe, b) Verschlußlaut m. III v/t 8. das Instrument dämpfen. **'mute·ness** s 1. Stummheit f. 2. Lautlosigkeit f.

mute swan s orn. Höckerschwan m.

mu·tic ['mjuːtik] adj 1. zo. unbewaffnet. 2. bot. stachel-, dornlos. **'mu·ti·cous** → mutic 2.

mu·ti·late ['mjuːtiˌleit] v/t verstümmeln (a. fig.). **mu·ti'la·tion** s Verstümmelung f.

mu·ti·neer [ˌmjuːti'niг] I s Meuterer m. II v/i meutern. **'mu·ti·nous** adj (adv ~ly) 1. meuterisch. 2. aufrührerisch, re'bellisch, weitS. a. aufsässig. 3. wild: ~ passions.

mu·ti·ny ['mjuːtini] I s 1. Meute'rei f: M~ Act Br. hist. Militärstrafgesetz n. 2. Auflehnung f, Rebelli'on f. 3. fig. Tu'mult m. II v/i 4. meutern.

mut·ism ['mjuːtizəm] s 1. Stummheit f. 2. psych. Mu'tismus m.

mutt [mʌt] s sl. 1. Trottel m, Schafskopf m. 2. Köter m.

mut·ter ['mʌtər] I v/i 1. murmeln, brummen: to ~ to o.s. vor sich hin murmeln. 2. murren (at über acc; against gegen). II v/t 3. murmeln. III s 4. Gemurmel n.

mut·ton ['mʌtn] s 1. Hammel-, Schaffleisch n: leg of ~ Hammelkeule f; to eat one's ~ with s.o. mit j-m speisen; → dead 1. 2. bes. humor.

Schaf *n*: to our ~s! *fig.* zurück zur Sache! '~,**chop** *s* **1.** 'Hammelkote,lett *n*: ~ whiskers → 2. **2.** *pl* Kote'letten *pl* (*Backenbart*). '~,**head** → mutt 1.
mut·ton·y ['mʌtni] *adj* Hammel-(fleisch)...
mu·tu·al [*Br.* 'mjuːtjuəl; *Am.* -tʃuəl] *adj* (*adv* ~ly) **1.** gegen-, wechselseitig: ~ admiration society *humor.* ‚Gesellschaft *f* zur gegenseitigen Bewunderung'; ~ aid gegenseitige Hilfe; ~ aid association, ~ benefit society Unterstützungsverein *m* auf Gegenseitigkeit; ~ building association Baugenossenschaft *f*; ~ conductance *electr.* Gegenkapazität *f*, Steilheit *f*; ~ contributory negligence *jur.* beiderseitiges Verschulden; ~ improvement society Fortbildungsverein *m*; ~ insurance Versicherung *f* auf Gegenseitigkeit; ~ investment company (*od.* trust) *Am.* Investmentfonds *m*; ~ savings bank Sparkasse *f* (auf genossenschaftlicher Grundlage); ~ will *jur.* gemeinschaftlicher Erbvertrag; it's ~! *colloq.* das beruht auf Gegenseitigkeit! **2.** (*inkorrekt, aber oft gebraucht*) gemeinsam: our ~ friends; ~ efforts.
mu·tu·al·ism ['mjuːtʃuə,lizəm; *Br. a.* -tju-] *s biol. sociol.* Mutua'lismus *m*.
mu·tu·al·i·ty [,mjuːtʃu'æliti; *Br. a.* -tju-] *s* **1.** Gegenseitigkeit *f*. **2.** (Austausch *m* von) Gefälligkeiten *pl od.* Vertraulichkeiten *pl*. '**mu·tu·al,ize** [-ə,laiz] *v/t* **1.** auf die Grundlage der Gegenseitigkeit stellen. **2.** *econ. ein Unternehmen so umgestalten, daß die Angestellten od. Kunden die Mehrheit der Anteile besitzen.*
mu·zhik, mu·zjik [muː'ʒik; 'muːʒik] *s* Muschik *m* (*russischer Bauer*).
muz·zle ['mʌzl] **I** *s* **1.** *zo.* Maul *n*, Schnauze *f*. **2.** Maulkorb *m* (*a. fig.*). **3.** *mil.* Mündung *f* (*e-r Feuerwaffe*): ~ blast (burst, flash, report) Mündungsdruck *m* (-krepierer *m*, -feuer *n*, -knall *m*). **4.** *tech.* Tülle *f*, Mündung *f*. **II** *v/t* **5.** e-n Maulkorb anlegen (*dat*), *fig. a. die Presse etc* knebeln, mundtot machen, *j-m* den Mund stopfen. **III** *v/i* **6.** (*mit der Schnauze*) her'umwühlen, -schnüffeln. ~ **brake** *s mil.* Mündungsbremse *f*. ~ **guide** *s mil.* Rohrklaue *f*. '~-'**load·er** *s mil. hist.* Vorderlader *m*. ~ **sight** *s mil.* Korn *n* (*Visier*). ~ **ve·loc·i·ty** *s Ballistik*: Anfangs-, Mündungsgeschwindigkeit *f*.
muz·zy ['mʌzi] *adj colloq. od. dial.* **1.** a) verwirrt, zerstreut, b) dus(e)lig, benommen, c) (*vom Alkohol*) ‚benebelt'. **2.** verschwommen. **3.** stumpfsinnig.
my [mai] *possessive pron* mein, meine: I must wash ~ face ich muß mir das Gesicht waschen; (oh) ~! *colloq.* meine Güte!
my·al·gi·a [mai'ældʒiə] *s med.* 'Muskelschmerz *m*, -rheuma(,tismus *m*) *n*, Myal'gie *f*.
my·all[1] ['maiɔːl], *a.* ~ **wood** *s bot.* Vio'lettholz *n*.
my·all[2] ['maiɔːl] *s Austral.* (*wilder*) [Eingeborener.]
my·ce·li·um [mai'siːliəm] *pl* **-li·a** [-ə] *s bot.* My'zel *n*, Pilzgeflecht *n*.
my·ce·to·ma [,maisi'toumə] *pl* **-ma·ta** [-tə] *s med.* Myze'tom *n*.
my·ce·to·zo·an [mai,siːto'zouən] *bot.* **I** *adj* Schleimpilz... **II** *s* Schleimpilz *m*.
my·co·log·ic [,maikə'lɒdʒik], ,**my·co·'log·i·cal** [-kəl] *adj* myko'logisch. **my'col·o·gist** [-'kɒlədʒist] *s* Myko'loge *m*, Pilzforscher *m*. **my'col·o·gy** [-dʒi] *s bot.* **1.** Pilzkunde *f*, Mykolo'gie *f*. **2.** Pilzflora *f*, Pilze *pl* (*e-s Gebiets*).
my·cose ['maikous] *s chem.* My'kose *f*.
my·co·sis [mai'kousis] *s med.* Pilzkrankheit *f*, My'kose *f*.
my·dri·a·sis [mi'draiəsis; mai-] *s med.* My'driasis *f*, Pu'pillenerweiterung *f*.
my·e·la·troph·i·a [,maiələ'troufiə] *s med.* Rückenmarksschwindsucht *f*.
my·e·lin ['maiəlin] *s biol.* Mye'lin *n*.
my·e·lit·ic [,maiə'litik] *adj med.* mye'litisch. ,**my·e'li·tis** [-'laitis] *s* Mye'litis *f*: a) Rückenmarkentzündung *f*, b) Knochenmarkentzündung *f*.
my·e·loid ['maiə,lɔid] *adj physiol.* myelo'id: a) Rückenmark..., b) Knochenmark..., markartig.
my·e·lon ['maiə,lɒn] *s physiol.* Rückenmark *n*.
my·ia·sis ['maijəsis] *s med.* Myi'asis *f*, Madenfraß *m*, -krankheit *f*.
myn·heer [main'hɛr; -'hir] *s colloq.* Mijn'heer *m*, Holländer *m*.
my·o·car·di·o·gram [,maio'kɑːrdiə,græm] *s med.* E,lektrokardio'gramm *n*. ,**my·o'car·di·o,graph** [-,græ(ː)f; *Br. a.* -,grɑːf] *s med.* E,lektrokardio'graph *m*, EK'G-Appa,rat *m*.
my·o·car·di·tis [,maiokɑːr'daitis] *s med.* Myokar'ditis *f*, Herzmuskelentzündung *f*. ,**my·o'car·di·um** [-diəm] *s zo.* Herzmuskel *m*, Myo'kard(ium) *n*.
my·o·dy·nam·ics [,maiodai'næmiks] *s pl* (*als sg u. pl konstruiert*) *med.* Physiolo'gie *f* der Muskeltätigkeit.
my·o·gram ['maiə,græm] *s med.* Myo'gramm *n*, Muskelkurve *f*.
my·o·log·ic [,maiə'lɒdʒik], ,**my·o·'log·i·cal** [-kəl] *adj* myo'logisch. **my·'ol·o·gist** [-'ɒlədʒist] *s* Myo'loge *m*. **my'ol·o·gy** [-dʒi] *s* Myolo'gie *f*, Muskelkunde *f*, -lehre *f*.
my·o·ma [mai'oumə] *pl* **-ma·ta** [-tə] *od.* **-mas** *s med.* Muskelgeschwulst *f*, My'om *n*. **my'om·a·tous** [-'ɒmətəs; -'ou-] *adj* myoma'tös.
my·ope ['maioup] *s med.* Kurzsichtige(r *m*) *f*.
my·o·phys·ics [,maio'fiziks] *s pl* (*meist als sg konstruiert*) Phy'sik *f* der Muskeltätigkeit.
my·o·pi·a [mai'oupiə] *s med.* Myo'pie *f*, Kurzsichtigkeit *f* (*a. fig.*). **my·'op·ic** [-'ɒpik] *adj* kurzsichtig. '**my·ops** [-ɒps] → myope. '**my·o·py** [-əpi] → myopia.
my·o·sin ['maiəsin] *s biol. chem.* Muskeleiweiß *n*, Myo'sin *n*.
my·o·sis [mai'ousis] *s med.* (*krankhafte*) Pu'pillenverengerung, Mi'osis *f*.
my·o·si·tis [,maio'saitis] *s med.* Muskelentzündung *f*, Myo'sitis *f*.
my·o·so·tis [,maiə'soutis], *a.* '**my·o·,sote** *s bot.* Vergißmeinnicht *n*.
my·ot·ic [mai'ɒtik] *med.* **I** *adj* pu'pillenverengernd, mi'otisch. **II** *s* Mi'otikum *n*.
myri- [miri], **myria-** [miriə] *Wortelement mit der Bedeutung* zehntausend.
myr·i·ad ['miriəd] **I** *s* Myri'ade *f*: a) *Anzahl von 10 000*, b) *fig.* Unzahl *f*. **II** *adj* unzählig, zahllos.
myr·i·a·gram(me) ['miriə,græm] *s* Myria'gramm *n* (*10 000 Gramm*).
myr·i·a·pod ['miriə,pɒd] *s zo.* Tausendfüß(l)er *m*.
myr·in·gi·tis [,mirin'dʒaitis] *s med.* Myrin'gitis *f*, Trommelfellentzündung *f*.
myr·me·cobe ['məːrmi,koub] *s zo.* Ameisenbär *m*.
myr·me·col·o·gy [,məːrmi'kɒlədʒi] *s* Myrmekolo'gie *f*, Ameisenkunde *f*.
myr·me·co·phile ('məːrmiko,fail; -fil] *s zo.* Ameisengast *m* (*Insekt*).
myr·mi·don ['məːrmidən; -,dɒn] *s* Scherge *m*, Häscher *m*, Helfershelfer *m*: ~ of law Hüter *m* des Gesetzes.
myrrh [məːr] *s bot.* Myrrhe *f*: a) Süßdolde *f*, b) *Harz e-s Balsambaums.*
myr·tle ['məːrtl] *s bot.* **1.** Myrte *f*. **2.** *Am.* a) Immergrün *n*, b) Kali'fornischer Berglorbeer. **3.** *a.* ~ green Myrtengrün *n*.
my·self [mai'self; mi-] *pl* **ourselves** (aur'selvz] *pron* **1.** *intens* (ich) selbst: I did it ~ ich selbst habe es getan; I ~ wouldn't do it ich (persönlich) würde es sein lassen. **2.** *reflex* mir (*dat*), mich (*acc*): I cut ~ ich habe mich geschnitten. **3.** mir selbst, mich selbst: I brought it for ~ ich habe es für mich (selbst) mitgebracht.
mys·te·ri·ous [mis'ti(ə)riəs] *adj* mysteri'ös: a) geheimnisvoll, b) rätsel-, schleierhaft, unerklärlich. **mys'te·ri·ous·ly** *adv* auf mysteri'öse Weise. **mys'te·ri·ous·ness** *s* Rätselhaftigkeit *f*, Unerklärlichkeit *f*, (*das*) Geheimnisvolle *od.* Mysteri'öse.
mys·ter·y[1] ['mistəri; -tri] *s* **1.** Geheimnis *n*, Rätsel *n* (to für *od. dat*): it is a (complete) ~ to me es ist mir (völlig) schleierhaft; to make a ~ of s.th. ein Geheimnis machen aus etwas, etwas in geheimnisvolles Dunkel hüllen. **2.** Rätselhaftigkeit *f*, Unerklärlichkeit *f*: wrapped in ~ in geheimnisvolles Dunkel gehüllt. **3.** Ge,heimniskräme'rei *f*. **4.** *relig.* My'sterium *n*, geoffenbarte Glaubenswahrheit. **5.** *R.C.* a) heilige Messe, b) (heilige) Wandlung (*von Brot u. Wein*), c) Sakra'ment *n*, d) Geheimnis *n* (*des Rosenkranzes*). **6.** *pl* Geheimlehre *f*, -kunst *f*, My'sterien *pl*. **7.** *pl iro.* Geheimnisse *pl* (*e-s Berufs*). **8.** *hist.* My'sterienspiel *n*. **9.** *Am.* → mystery novel.
mys·ter·y[2] ['mistəri; -tri] *s obs.* **1.** Handwerk *n*, Beruf *m*. **2.** Gilde *f*, Zunft *f*.
mys·ter·y| nov·el *s* Krimi'nal-, Detek'tivro,man *m*. ~ **play** → mystery[1] 8. ~ **ship** *s mar.* U-Bootfalle *f*. ~ **sto·ry** → mystery novel. ~ **tour** *s* Fahrt *f* ins Blaue.
mys·tic ['mistik] **I** *adj* (*adv* ~ally) **1.** mystisch. **2.** eso'terisch, geheim. **3.** → mysterious. **4.** Zauber...: ~ formula Zauberformel *f*. **5.** *jur. Am.* versiegelt, geheim (*Testament*). **6.** → mystical 1. **II** *s* **7.** Mystiker(in). **8.** Schwärmer(in).
mys·ti·cal ['mistikəl] *adj* (*adv* ~ly) **1.** sym'bolisch, mystisch, sinnbildlich. **2.** *relig.* mystisch, intui'tiv. **3.** → mysterious.
mys·ti·cism ['misti,sizəm] *s* **1.** *philos. relig.* a) Mysti'zismus *m*, ,Glaubensschwärme'rei *f*, b) Mystik *f*. **2.** vage Mutmaßung.
mys·ti·fi·ca·tion [,mistifi'keiʃən] *s* **1.** Täuschung *f*, Irreführung *f*, Mystifikati'on *f*. **2.** Foppe'rei *f*. **3.** Verwirrung *f*, -blüffung *f*. ~**mys·ti,fied** [-,faid] *adj* verwirrt, -blüfft. '**mys·ti,fy** [-,fai] *v/t* **1.** täuschen, hinters Licht führen, anführen, foppen. **2.** verwirren, -blüffen. **3.** in Dunkel hüllen.
myth [miθ] *s* **1.** (Götter-, Helden-) Sage *f*, Mythos *m*, Mythus *m*, Mythe *f*. **2.** a) Märchen *n*, erfundene Geschichte, b) *collect.* Sagen *pl*, Mythen *pl*: realm of ~ Sagenwelt *f*. **3.** Phanta'siegebilde *n*. **4.** *pol. sociol.* Mythos *m*: the ~ of racial superiority. **5.** *fig.* Mythus *m*: a) mythische Gestalt, legen'där gewordene Per'son, b) legen'där gewordene Sache, c) Nimbus *m*.
'**myth·ic** *adj*; '**myth·i·cal** *adj* (*adv* ~ly) **1.** mythisch, sagenhaft, legen'där

(*alle a. fig.*). **2.** Sagen... **3.** mythisch: ~ literature. **4.** *fig.* erdichtet, fik'tiv. **'myth·iˌcism** [-ˌsizəm] *s* Mythi'zismus *m.* **'myth·i·cist** *s* Mytho'loge *m.*

my·thog·ra·pher [mi'θɒgrəfər; mai-] *s* Mythenschreiber *m.* **my'thog·ra·phy** *s* **1.** Mythendarstellung *f.* **2.** beschreibende Mytholo'gie.

myth·o·log·i·cal [ˌmiθə'lɒdʒikəl; mai-], *a.* **ˌmyth·o'log·ic** *adj* mytho'logisch.

my·thol·o·gist [mi'θɒlədʒist; mai-] *s* Mytho'loge *m.*

my'thol·oˌgize *v/t* mythologi'sieren: a) mytho'logisch erklären, b) e-n Mythos *od.* e-e Sage machen aus. **my'thol·o·gy** [-dʒi] *s* **1.** Mytholo'gie *f*, Götter- u. Heldensagen *pl.* **2.** Sagenforschung *f*, -kunde *f.*

myth·o·ma·ni·a [ˌmiθo'meiniə] *s psych.* Mythoma'nie *f* (*krankhafter Hang zur Übertreibung*). **ˌmyth·o'ma·niˌac** [-ˌæk] *s* an Mythoma'nie Leidende(r *m*) *f.*

myth·o·pe·ic *etc bes. Am. für* mythopoeic *etc.*

myth·o·poe·ic [ˌmiθo'piːik] *adj* Mythen schaffend. **ˌmyth·o'poe·ism** *s* Mythen-, Sagenschöpfung *f.* **ˌmyth·o'poe·ist** *s* Mythenschöpfer *m.* **ˌmyth·o·po'et·ic** → mythopoeic.

myx·(o)e·de·ma [ˌmiksi'diːmə] *s med.* Myxö'dem *n.*

myx·o·ma [mik'soumə] *pl* **-ma·ta** [-tə] *s med.* Gallertgeschwulst *f*, My'xom *n.*

myx·o·ma·to·sis [ˌmiksəmə'tousis] *s med. vet.* Myxoma'tose *f.*

myx·o·my·cete [ˌmiksomai'siːt] *s bot.* Schleimpilz *m*, Myxomy'zet *m.*

N

N, n [en] **I** *pl* **N's, Ns, n's, ns** [enz] *s* **1.** N, n *n* (*Buchstabe*). **2.** n *math.* n (*unbestimmte Konstante*). **3.** *print.* → en 3. **4.** *chem.* N *n* (*Stickstoff*). **5.** N N *n*, N-förmiger Gegenstand. **II** *adj* **6.** vierzehnt(er, e, es). **7.** N N-..., N-förmig.

'n [ən; n] *dial. für* than: more'n = more than.

nab[1] [næb] **I** *v/t pret u. pp* **nabbed** **1.** *colloq.* ‚schnappen', erwischen. **II** *s sl.* **2.** ‚Po'lyp' *m* (*Polizist*). **3.** Verhaftung *f.*

nab[2] [næb] *s tech.* Schließblech *n.*

na·bob ['neibɒb] *s* **1.** Nabob *m* (*in Indien*): a) *Abgeordneter des Großmoguls*, b) *Statthalter e-r Provinz.* **2.** *fig.* Nabob *m*, Krösus *m.*

na·celle [nə'sel] *s aer.* **1.** (Motor- *od.* Luftschiff)Gondel *f.* **2.** (Flugzeug)-Rumpf *m.* **3.** Bal'lonkorb *m.*

na·cre ['neikər] *s* **1.** Perl'mutter *f*, Perlmutt *n.* **2.** Perlmuschel *f.* **'na·cre·ous** [-kriəs], **'na·crous** *adj* **1.** perl'mutterartig. **2.** Perlmutt(er)...

na·dir ['neidər; -dir] *s* **1.** *astr. geogr.* Na'dir *m*, Fußpunkt *m.* **2.** *fig.* tiefster Stand, Tief-, Nullpunkt *m.* **'na·dir·al** *adj* Nadir..., im Na'dir befindlich.

nae·vus → nevus.

nag[1] [næg] **I** *v/t* **1.** her'umnörgeln an (*dat*), ‚her'umhacken' auf (*j-m*). **II** *v/i* **2.** nörgeln, keifen, ‚meckern': to ~ at → 1. **3.** nagen, bohren (*Schmerz etc*).

nag[2] [næg] *s* **1.** kleines Reitpferd, Pony *n.* **2.** *colloq. contp.* Gaul *m*, (elender) Klepper.

nag·ger ['nægər] *s* Nörgler(in). **'nag·ging I** *s* **1.** Nörge'lei *f*, Gekeife *n.* **II** *adj* **2.** nörgelnd, ‚meckernd', keifend. **3.** *fig.* nagend: ~ doubt. **'nag·gy** *adj* nörg(e)lig, zänkisch.

Na·hum ['neihəm] *npr. u. s Bibl.* (das Buch) Nahum *m.*

nai·ad ['naiæd; 'nei-] *pl* **-ads** *od.* **-a·des** [-əˌdiːz] *s* **1.** *antiq. myth.* Na'jade *f*, Wassernymphe *f.* **2.** *fig.* (Bade)-Nixe *f.*

na·ïf [nɑː'iːf] → naïve.

nail [neil] **I** *s* **1.** (Finger-, Zehen)Nagel *m.* **2.** *tech.* Nagel *m.* **3.** *zo.* a) Nagel *m*, b) Klaue *f*, Kralle *f*, c) Nagel *m* (*harte, hornige Platte auf der Schnabelspitze einiger Entenvögel*). **4.** *brit. Längenmaß* (= *5,715 cm*).

Besondere Redewendungen:

a ~ in one's coffin *fig.* ein Nagel zu j-s Sarg; on the ~ auf der Stelle, sofort; to pay on the ~ bar bezahlen; to the ~ bis ins letzte, vollendet; hard as ~s eisern: a) fit, in guter Kondition, b) unbarmherzig; right as ~s ganz recht *od.* richtig; → hit 8.

II *v/t* **5.** (an)nageln (on auf *acc*; to an *acc*): to ~ to the counter (*od.* barn door) *fig.* *e-e Lüge etc* festnageln, aufdecken; ~ed to the spot *fig.* wie angenagelt; → color 12. **6.** benageln, mit Nägeln beschlagen. **7.** *a.* ~ up vernageln. **8.** *fig.* (an-, fest)nageln, festhalten (to an *dat*). **9.** *fig. die Augen etc* heften, *s-e Aufmerksamkeit* richten (to auf *acc*). **10.** → nail down 2. **11.** *colloq. Verbrecher etc* ‚schnappen', erwischen. **12.** *colloq.* (sich) ‚schnappen', festhalten. **13.** *colloq. j-n bei e-r Lüge etc* ertappen, erwischen. **14.** *sl.* ‚klauen', sich ‚unter den Nagel reißen'. **15.** *sl. etwas* ‚spitzkriegen', entdecken.

Verbindungen mit Adverbien:

nail| down *v/t* **1.** ver-, zunageln. **2.** *fig. j-n* festnageln (to auf *acc*), beim Wort nehmen. **3.** *fig. ein Argument etc* endgültig beweisen. ~ **up** *v/t* **1.** zs.-nageln. **2.** zu-, vernageln. **3.** *fig.* zs.-basteln: a nailed-up drama.

nail| bed *s anat.* Nagelbett *n.* ~ **bit** *s tech.* Nagelbohrer *m.* **'~ˌbit·ing** *s* Nägelkauen *n.* ~ **brush** *s* Nagelbürste *f.* ~ **en·am·el** *s* Nagellack *m.*

nail·er ['neilər] *s* **1.** Nagelschmied *m*: to work like a ~ *colloq.* wie besessen arbeiten. **2.** (Zu)Nagler *m.* **3.** *sl.* ‚Ka'none' *f* (*tüchtiger Mensch*).

nail| file *s* Nagelfeile *f.* **'~ˌhead** *s tech.* Nagelkopf *m.* ~ **pol·ish** *s* Nagellack *m.* ~ **pull·er** *s tech.* Nagelzange *f.* ~ **scis·sors** *s pl* Nagelschere *f.*

na·ïve, *a.* na·ive [nɑː'iːv] *adj* (*adv* ~ly) na'iv: a) na'türlich, unbefangen, b) kindlich, treuherzig, c) einfältig, töricht, d) arglos. **naˌïve'té**, *a.* **naˌive'te** [-tei] *s* Naˌivi'tät *f.*

na·ked ['neikid] *adj* (*adv* ~ly) **1.** nackt, bloß, unbekleidet, unbedeckt. **2.** bloß, unbewaffnet: with the ~ eye. **3.** bloß, blank: ~ sword. **4.** nackt, kahl: ~ rocks; ~ walls; a ~ room ein kahler Raum. **5.** entblößt (of von): a tree ~ of leaves ein entlaubter Baum; ~ of all provisions bar aller Vorräte. **6.** a) schutz-, wehrlos, b) preisgegeben, ausgeliefert (to *dat*). **7.** nackt, ungeschminkt, unverhüllt: ~ facts; the ~ truth. **8.** bloß, einfach: ~ belief. **9.** *jur.* bloß, ohne Rechtsanspruch, unbestätigt: ~ debenture ungesicherte Schuldverschreibung; ~ confession unbestätigtes Geständnis; ~ possession tatsächlicher Besitz (*ohne Rechtsanspruch*). **10.** *bot.* nackt, unbehaart, blattlos: ~ lady Herbstzeitlose *f.* **11.** *zo.* nackt: a) unbehaart, b) federlos, c) ohne Schale *od.* Haus.

na·ked·ness ['neikidnis] *s* **1.** Nacktheit *f*, Blöße *f.* **2.** Kahlheit *f.* **3.** Schutz-, Wehrlosigkeit *f.* **4.** Armut *f*, Mangel *m* (of an *dat*). **5.** Ungeschminktheit *f.*

nam·a·ble ['neiməbl] *adj* **1.** benennbar. **2.** nennenswert.

nam·by-pam·by ['næmbi 'pæmbi] **I** *adj* **1.** seicht, abgeschmackt. **2.** geziert, affek'tiert. **3.** sentimen'tal. **II** *s* **4.** sentimen'tales Zeug, Kitsch *m.* **5.** sentimen'tale Per'son.

name [neim] **I** *v/t* **1.** (be)nennen (after, from nach), e-n Namen geben (*dat*): ~d genannt, namens. **2.** mit Namen nennen, beim (richtigen) Namen nennen. **3.** nennen, erwähnen, anführen: he was ~d in the report; to ~ but one um nur einen zu nennen. **4.** ernennen, bestimmen (for, to für, zu). **5.** *ein Datum etc* festsetzen, bestimmen. **6.** *parl. Br.* mit Namen zur Ordnung rufen: ~! a) zur Ordnung rufen! (*Aufforderung an den Sprecher*), b) *allg.* Namen nennen! **II** *adj* **7.** Namen... **8.** *Am. colloq.* berühmt, anerkannt gut. **III** *s* **9.** Name *m*: what is your ~? wie heißen Sie? **10.** Name *m*, Bezeichnung *f*, Benennung *f.* **11.** Schimpfname *m*: to call s.o. ~s j-n mit Schimpfnamen belegen, j-n beschimpfen. **12.** Name *m*, Ruf *m*: a bad ~. **13.** (berühmter) Name, (guter) Ruf, Ruhm *m*: a man of ~ ein Mann von Ruf. **14.** Name *m*, Berühmtheit *f*, berühmte Per'sönlichkeit: the great ~s of our century. **15.** a) Sippe *f*, Geschlecht *n*, Fa'milie *f*, b) Rasse *f*, c) Volk *n.*

Besondere Redewendungen:

by ~ a) mit Namen, namentlich, b) namens, c) dem Namen nach; to call s.th. by its proper ~ etwas beim richtigen Namen nennen; to mention by ~ namentlich erwähnen; to know s.o. by ~ a) j-n mit Namen kennen, b) j-n nur dem Namen nach kennen; by (*od.* under) the ~ of A. unter dem Namen A.; a man by (*od.* of) the ~ of A. ein Mann namens A.; in ~ only nur dem Namen nach; in the ~ of a) um (*gen*) willen, b) im Namen (*gen*), c) unter dem Namen (*gen*), d) auf den Namen (*gen*); in the ~ of the law im Namen des Gesetzes; in one's own ~ in eigenem Namen; I haven't a penny to my ~ ich besitze keinen Pfennig; to give one's ~ s-n Namen nennen; give it a ~! *colloq.* heraus damit!, sagen Sie, was Sie wollen!; to give a dog a bad ~ and hang him j-n wegen s-s Rufs *od.* auf Grund von Gerüchten ein für allemal verurteilen; to have a ~ for being a coward im Rufe stehen *od.* dafür bekannt sein, ein Feigling zu sein; to make one's ~, to make a ~ for o.s., to make o.s. a ~ sich (*dat*) e-n Namen machen (as als; by durch); to put one's ~ down for kandidieren für;

to send in one's ~ sich (an)melden (lassen); what's in a ~? was bedeutet schon ein Name?
name·a·ble → namable.
'name|-ˌcall·ing *s* Geschimpfe *n*, Austausch *m* von Schimpfnamen. **'~-ˌchild** *s nach j-m benanntes Kind*: my ~ das nach mir benannte Kind.
named [neimd] *adj* **1.** genannt, namens: ~ Peter. **2.** genannt, erwähnt: ~ above oben genannt; last-~ letztgenannt.
name| day *s* **1.** *R.C.* Namenstag *m*. **2.** *econ. Br.* Abrechnungs-, Skon'trierungstag *m*. **'~-ˌdrop·per** *s* Eindruckschinder *m*. **'~-ˌdrop·ping** *s* Eindruckschinden *n* durch ständige Erwähnung promi'nenter Bekannter.
name·less ['neimlis] *adj* (*adv* ~ly) **1.** namenlos, unbekannt, ob'skur. **2.** ungenannt, unerwähnt: a person who shall be ~ j-d der ungenannt bleiben soll. **3.** ano'nym. **4.** unehelich (*Kind*). **5.** namenlos, unbeschreiblich: ~ fear. **6.** unaussprechlich, ab'scheulich.
name·ly ['neimli] *adv* nämlich.
name| part *s thea.* Titelrolle *f*. **~ plate** *s* **1.** Tür-, Firmen-, Namens-, Straßenschild *n*. **2.** *tech.* Typen-, Leistungsschild *n*. **'~ˌsake** *s* Namensvetter *m*, -schwester *f*.
nam·ing ['neimiŋ] *s* Namengebung *f*.
nan·cy, *a.* **N~-boy** ['nænsi] *s sl.* **1.** Weichling *m*, Muttersöhnchen *n*. **2.** ‚Homo' *m*, ‚Schwule(r)' *m*.
na·nism ['neinizəm; 'næn-] *s med.* Na'nismus *m*, Zwergwuchs *m*. **ˌna·ni'za·tion** *s bot.* künstlich her'beigeführter Zwergwuchs.
nan·keen [næn'kiːn] *s* **1.** Nanking *m* (*rötlichgelbes, festes Baumwollzeug*). **2.** *pl* Nankinghosen *pl*. **3.** Rötlichgelb *n*. **4.** N~, *a.* N~ porcelain *weißes chinesisches Porzellan mit blauem Muster*.
nan·ny ['næni] *s colloq.* **1.** Kindermädchen *n*, Amme *f*. **2.** *a.* ~ goat Geiß *f*, weibliche Ziege.
na·no ['neino; 'næno] *s math. phys.* Nano *n* (10^{-9}).
nap¹ [næp] **I** *v/i pret u. pp* **napped** **1.** schlummern, ein Schläfchen *od.* ein Nickerchen machen. **2.** *fig.* ‚schlafen', nicht auf der Hut sein: to catch s.o. ~ping j-n überrumpeln. **II** *s* **3.** Schläfchen *n*, Nickerchen *n*: to take a ~ → 1.
nap² [næp] **I** *s* **1.** Haar(seite *f*) *n* (*e-s Gewebes*). **2.** a) *Spinnerei*: Noppe *f*, b) *Weberei*: (Gewebe)Flor *m*. **3.** *pl* rauhe Stoffe *pl*. **II** *v/t u. v/i* **4.** noppen.
nap³ [næp] *s* **1.** a) Na'poleon *n* (*ein Kartenspiel*), b) *Ansagen aller* 5 *Stiche in diesem Spiel*: a ~ hand *fig.* e-e sehr aussichtsreiche Lage, gute Chance(n); to go ~ die höchste Zahl von Stichen ansagen, *fig.* das höchste Risiko eingehen, alles auf e-e Karte setzen. **2.** *Wetten*: Setzen *n* auf e-e einzige Gewinnchance.
na·palm ['neipɑːm] *s* Napalm *n*: ~ bomb Napalmbombe *f*.
nape [neip] *s meist* ~ of the neck Genick *n*, Nacken *m*.
na·per·y ['neipəri] *s Scot.* Weißzeug *n*, *bes.* Tischleinen *n*.
naph·tha ['næfθə; 'næp-] *s chem.* **1.** Naphtha *n*, 'Leuchtpeˌtroleum *n*. **2.** ('Schwer)Benˌzin *n*: cleaner's ~ Waschbenzin; painter's ~ Testbenzin. **'naph·thaˌlene** [-ˌliːn] *s* Naphtha'lin *n*. **ˌnaph·tha'len·ic** [-'lenik] *adj* naphtha'linsauer: ~ acid Naphthalsäure *f*. **'naph·tha·lin** [-θəlin], **'naph·thaˌline** [-ˌliːn] → naphthalene. **'naph·thaˌlize** *v/t* naphthali'sieren. **'naph·thene** [-θiːn] *s* Naph'then *n*. **'naph·thol** [-θɒl; -θoul] *s* Naph'thol *n*. **'naph·thyl** [-θil] *s* Naph'thyl *n*.
Na·pier·i·an [nei'pi(ə)riən] *adj math.* Napiersch(er, e, es): ~ logarithm.
nap·kin ['næpkin] *s* **1.** *a.* table ~, dinner ~ Servi'ette *f*, Mundtuch *n*: ~ ring Serviettenring *m*. **2.** Teller-, Wischtuch *n*. **3.** *bes. Br.* Windel *f*. **4.** *meist* sanitary ~ Damen-, Monatsbinde *f*.
nap·less ['næplis] *adj* **1.** ungenoppt, glatt (*Stoff*). **2.** fadenscheinig.
na·po·le·on [nə'pouliən] *s* **1.** Na'poleon *m*, Napoleon'dor *m* (*20-Franc-Stück in Gold*). **2.** → nap³ 1 a. **3.** *Am.* Cremeschnitte *f* aus Blätterteig. **Naˌpo·le'on·ic** [-'ɒnik] *adj* napole'onisch.
na·poo [*Br.* nɑː'puː; *Am.* næ-] *mil. Br. sl.* **I** *adj u. interj* ka'putt(!), futsch(!), fertig(!), erledigt(!), alle(!). **II** *v/t j-n* ‚erledigen', ‚'umlegen' (*töten*).
nappe [næp] *s* **1.** *geol.* (Schub-, Über'schiebungs)Decke *f*. **2.** *math.* Schale *f* (*Teil e-s Kegelmantels*).
napped [næpt] *adj* gerauht, genoppt.
nap·per ['næpər] *s tech.* Tuchnopper *m* (*Maschine od. Arbeiter*).
nap·ping ['næpiŋ] *s tech.* **1.** Ausnoppen *n* (*der Wolle*). **2.** Rauhen *n* (*des Tuches*): ~ comb Aufstreichkamm *m*; ~ mill Rauhmaschine *f*.
nap·py¹ ['næpi] *adj Br.* stark, berauschend (*Bier etc*).
nap·py² ['næpi] *s Br. colloq.* Windel *f*.
nar·ce·ine ['nɑːrsiˌiːn; -in] *s chem.* Narce'in *n* (*ein Opiumalkaloid*).
nar·cis·sism [nɑːr'sisizəm] *s psych.* Nar'zißmus *m*. **nar'cis·sist** *s* Nar'zißt(in). **ˌnar·cis'sis·tic** *adj* nar'zißtisch.
nar·cis·sus [nɑːr'sisəs] *pl* **-'cis·sus·es** *od.* **-'cis·si** [-sai] *s bot.* Nar'zisse *f*.
nar·co·hyp·no·sis [ˌnɑːrkohip'nousis] *s psych.* Narkohyp'nose *f*.
nar·co·lep·sy ['nɑːrkoˌlepsi] *s med.* Narkolep'sie *f*.
nar·co·sis [nɑːr'kousis] *s med.* Nar'kose *f*.
nar·co·syn·the·sis [ˌnɑːrko'sinθisis] *s psych.* Narkosyn'these *f* (*Freisetzung unterdrückter Affekte mit Hilfe von Arzneimitteln*).
nar·co·ther·a·py [ˌnɑːrko'θerəpi] *s psych.* Psychothera'pie *f* mit Hilfe von Beruhigungsmitteln.
nar·cot·ic [nɑːr'kɒtik] **I** *adj* (*adv* ~ally) **1.** *med. u. fig.* nar'kotisch, betäubend, einschläfernd. **2.** Narkose... **II** *s* **3.** a) *med.* Nar'kotikum *n*, Betäubungsmittel *n* (*a. fig.*), b) Rauschgift *n*.
nar·co·tism ['nɑːrkəˌtizəm] *s* **1.** Narko'tismus *m* (*Sucht nach Narkosemitteln*). **2.** nar'kotischer Zustand *od.* Rausch, Nar'kose *f*.
nar·co·tize ['nɑːrkəˌtaiz] *v/t* narkoti'sieren.
nard [nɑːrd] *s* **1.** *bot.* Narde *f*. **2.** Nardensalbe *f*.
nar·ghi·le, nar·gi·le(h) ['nɑːrgile; -ili] *s* Nargi'leh *f*, *n* (*Wasserpfeife*).
nar·i·al ['nɛ(ə)riəl] *adj anat.* Nasenloch...
nark¹ [nɑːrk] *sl.* **I** *s* **1.** (Poli'zei)Spitzel *m*, Denunzi'ant *m*. **II** *v/t* **2.** bespitzeln. **3.** ärgern.
nark² [nɑːrk] *v/impers bes. Br. sl. meist* ~ it hör auf damit!
nar·rate [nə'reit] *v/t u. v/i* erzählen. **nar'ra·tion** *s* **1.** Erzählung *f*, Geschichte *f*. **2.** Erzählen *n*. **3.** *Rhetorik*: Darstellung *f* der Tatsachen. **nar·ra·tive** ['nærətiv] **I** *s* **1.** Erzählung *f*, Geschichte *f*. **2.** Bericht *m*, Schilderung *f*. **II** *adj* **3.** erzählend: ~ poem. **4.** Erzählungs...: ~ skill Erzählungsgabe *f*. **'nar·ra·tive·ly** *adv* als *od.* in Form e-r Erzählung. **nar·ra·tor** [nə'reitər] *s* Erzähler(in). **nar·ra·to·ry** ['nærətəri] *adj* erzählend.
nar·row ['nærou] **I** *adj* (*adv* ~ly) **1.** eng, schmal: the ~ seas *geogr.* der Ärmelkanal u. die Irische See. **2.** eng (*a. fig.*), (*räumlich*) beschränkt, knapp: the ~ bed *fig.* das Grab; within ~ bounds in engen Grenzen; in the ~est sense im engsten Sinne. **3.** zs.-gekniffen (*Augen*). **4.** eingeschränkt, beschränkt. **5.** → narrow-minded. **6.** knapp, beschränkt, karg: a ~ income; ~ resources. **7.** knapp: ~ majority; a ~ escape; by a ~ margin mit knappem Vorsprung. **8.** gründlich, eingehend, genau: ~ investigations. **II** *v/i* **9.** enger *od.* schmäler werden, sich verengen (into zu). **10.** knapper werden. **III** *v/t* **11.** enger *od.* schmäler machen, verenge(r)n. **12.** ein-, beengen. **13.** be-, einschränken, begrenzen. **14.** verringern, vermindern. **15.** *Maschen* abnehmen. **16.** engstirnig machen. **IV** *s* **17.** Enge *f*, enge *od.* schmale Stelle. **18.** *meist pl* a) (Meer)Enge *f*, b) *bes. Am.* Engpaß *m*. **19.** The N~s *die Meerenge zwischen Staten Island u. Long Island im Hafen von New York.*
nar·row| cloth *s econ.* schmalliegendes Tuch (*weniger als 52 Zoll breit*). **~ ga(u)ge** *s rail.* Schmalspur *f*. **'~-'ga(u)ge,** *a.* **'~-'ga(u)ged** *adj* **1.** *rail.* schmalspurig, Schmalspur... **2.** *fig. contp.* ‚Schmalspur...', beschränkt. **'~-'mind·ed** *adj* engherzig, -stirnig, bor'niert, beschränkt, kleinlich. **ˌ~-'mind·ed·ness** *s* Engstirnigkeit *f*, Bor'niertheit *f*, Beschränktheit *f*.
nar·row·ness ['nærounis] *s* **1.** Enge *f*, Schmalheit *f*. **2.** Knappheit *f*. **3.** → narrow-mindedness. **4.** Gründlichkeit *f*.
nar·thex ['nɑːrθeks] *s arch.* Narthex *m*, innere Kirchenvorhalle.
nar·whal ['nɑːrwəl; -hwəl], *a.* **'nar·wal** [-wəl], **'nar·whale** [-hweil; *Br. a.* -weil] *s zo.* Narwal *m*, Einhornwal *m*.
nar·y ['nɛ(ə)ri] *adj* (*aus* never a) *Am. od. dial.* kein: ~ a one kein einziger.
na·sal ['neizəl] **I** *adj* (*adv* → nasally) **1.** Nasen...: ~ bone → 4; ~ cavity Nasenhöhle *f*; ~ septum Nasenscheidewand *f*. **2.** *ling.* na'sal, Nasal...: ~ twang Näseln *n*, nasale Aussprache. **II** *s* **3.** *ling.* Na'sal(laut) *m*. **4.** *anat.* Nasenbein *n*. **na'sal·i·ty** [-'zæliti] *s* Nasali'tät *f*.
na·sal·i·za·tion [ˌneizəlai'zeiʃən; -li'z-] *s* **1.** Nasa'lierung *f*, na'sale Aussprache. **2.** Näseln *n*. **'na·salˌize I** *v/t* nasa'lieren. **II** *v/i* näseln, durch die Nase sprechen. **'na·sal·ly** *adv* **1.** na'sal, durch die Nase. **2.** näselnd.
nas·cen·cy ['næsnsi; 'nei-] *s* Entstehen *n*, Werden *n*, Geburt *f*.
nas·cent ['næsnt; 'nei-] *adj* **1.** werdend, entstehend: in the ~ state im Entwicklungszustand, im Werden. **2.** *chem.* freiwerdend, in statu nas'cendi: ~ state, ~ condition Status *m* nascendi.
nase·ber·ry ['neizˌberi] *s bot.* Sapo'tillbaum *m*.
ˌna·so'fron·tal [ˌneizo-] *adj* nasofron'tal, Nasen- u. Stirn...
nas·ti·ness [*Br.* 'nɑːstinis; *Am.* 'næ(ː)s-] *s* **1.** Schmutzigkeit *f*. **2.** Ekligkeit *f*, Widerlichkeit *f*. **3.** Unflätigkeit *f*. **4.** Gefährlichkeit *f*. **5.** a) Gehässigkeit *f*, Bosheit *f*, b) Gemeinheit *f*, c) Übelgelauntheit *f*.
nas·tur·tium [næs'tɜːrʃəm] *s bot.* Kapu'zinerkresse *f*.
nas·ty [*Br.* 'nɑːsti; *Am.* 'næ(ː)sti] *adj* (*adv* nastily) **1.** schmutzig, dreckig.

2. ekelhaft, eklig, widerlich, übel: a ~ **taste**. **3.** abstoßend, unangenehm: a ~ **habit**. **4.** *fig.* schmutzig, zotig: a ~ **book**. **5.** böse, schlimm, gefährlich, tückisch: ~ **accident** böser Unfall. **6.** a) häßlich (*Benehmen, Charakter*), boshaft, bös, gehässig, garstig (to zu, gegen), b) gemein, niederträchtig, ‚fies': a ~ **trick**, c) übelgelaunt, ‚eklig', d) ekelhaft: ~ **fellow**.

na·tal[1] ['neitl] *adj* Geburts...

na·tal[2] ['neitl] *adj anat.* Gesäß...

na·tal·i·ty [nei'tæliti] *s* **1.** Geburt *f*. **2.** Geburtenziffer *f*.

na·tant ['neitənt] *adj* schwimmend. **na'ta·tion** [-'teiʃən] *s* Schwimmen *n*. **ˌna·ta'to·ri·al** [-tə'tɔːriəl] *adj* Schwimm...: ~ **bird**. **'na·ta·to·ry** *adj* Schwimm...

Natch·ez ['nætʃiz] *s sg u. pl* Natchez *m* (*Angehöriger e-s Indianerstammes*).

na·tion ['neiʃən] *s* **1.** Nati'on *f*: a) Volk *n*, b) Staat *m*. **2.** (Einzel)Stamm *m* (*e-s Bundes von Indianerstämmen*). **3.** *univ. obs.* Landsmannschaft *f*. **4.** große Zahl, Menge *f*.

na·tion·al ['næʃənl] **I** *adj* (*adv* ~**ly**) **1.** natio'nal, National..., Landes..., Volks...: ~ **costume** Landestracht *f*; ~ **language** Landessprache *f*. **2.** staatlich, öffentlich, Staats... **3.** a) die gesamte Nati'on betreffend, b) Bundes... (*bei Bundesstaaten*). **4.** *pol.* (ein)heimisch. **5.** vaterländisch, patri'otisch. **II** *s* **6.** Staatsangehörige(r *m*) *f*. ~ **an·them** *s* Natio'nalhymne *f*. ~ **as·sem·bly** *s pol.* Natio'nalversammlung *f*. ~ **bank** *s econ.* Landes-, Natio'nalbank *f*. ~ **con·ven·tion** *s pol. Am.* Natio'nalkonˌvent *m*, -parˌteitag *m* (*e-r Partei, um den Präsidentschaftskandidaten aufzustellen, das Wahlprogramm festzulegen etc*). ~ **debt** *s econ.* öffentliche Schuld, Staatsschuld *f*. ~ **e·con·o·my** *s econ.* Natio'nalökonoˌmie *f*, Volkswirtschaft *f*. **N~ Guard** *s Am.* Natio'nalgarde *f* (*Art Miliz*). **N~ Health Serv·ice** *s* staatlicher Gesundheitsdienst (*in Großbritannien*). ~ **in·come** *s econ.* Volkseinkommen *n*. **N~ In·sur·ance** *s Br.* allgemeine Sozi'alversicherung.

na·tion·al·ism ['næʃənəˌlizəm] *s* **1.** Natio'nalgefühl *n*, -bewußtsein *n*. **2.** *pol.* a) Nationa'lismus *m*, b) natio'nale Poli'tik. **3.** *econ. Am.* Ver'staatlichungspoliˌtik *f*. **'na·tion·al·ist I** *s pol.* Nationa'list(in). **II** *adj* nationa'listisch.

na·tion·al·i·ty [ˌnæʃə'næliti] *s* **1.** Nationali'tät *f*, Staatsangehörigkeit *f*. **2.** natio'nale Eigenart, Natio'nalchaˌrakter *m*. **3.** natio'nale Einheit *od.* Unabhängigkeit. **4.** Nati'on *f*. **5.** Natio'nalgefühl *n*.

na·tion·al·i·za·tion [ˌnæʃənəlai'zeiʃən; -li'z-] *s* **1.** *bes. Am.* Einbürgerung *f*, Naturali'sierung *f*. **2.** *econ.* Verstaatlichung *f*. **3.** Verwandlung *f* in e-e (*einheitliche, unabhängige etc*) Nati'on. **'na·tion·alˌize** *v/t* **1.** einbürgern, naturali'sieren. **2.** *econ.* verstaatlichen. **3.** zu e-r Nati'on machen. **4.** *etwas* zur Sache der Nati'on machen: to ~ a holiday e-n Feiertag zum Nationalfeiertag erheben.

na·tion·al| mon·u·ment *s* Natio'naldenkmal *n*. ~ **park** *s* Natio'nalpark *m* (*Naturschutzgebiet*). ~**prod·uct** *s econ.* Sozi'alproˌdukt *n*. ~ **school** *s* (*1811 in England eingerichtete*) Armenschule. ~ **serv·ice** *s* Wehr-, Mili'tärdienst *m*. **N~ So·cial·ism** *s pol.* Natio'nalsoziaˌlismus *m*.

'na·tion|ˌhood *s* (natio'nale) Souveräni'tät, Status *m* e-r Nati'on. **'~-'wide** *adj* allgemein, das ganze Land um'fassend, natio'nal.

na·tive ['neitiv] **I** *adj* (*adv* ~**ly**) **1.** angeboren, na'türlich (to s.o. j-m): ~ **ability**; ~ **right**. **2.** eingeboren, Eingeborenen...: ~ **quarter** Eingeborenenviertel *n*; to go ~ a) unter den *od.* wie die Eingeborenen leben, b) *fig.* verwildern. **3.** (ein)heimisch, inländisch, Landes...: ~ **plant** einheimische Pflanze; ~ **product** Landesprodukt *n*. **4.** heimatlich, Heimat...: ~ **language** Muttersprache *f*; ~ **town** Heimat-, Vaterstadt *f*; ~ **place** Geburtsort *m*, Heimat *f*. **5.** ursprünglich, urwüchsig, na'turhaft: ~ **beauty**. **6.** ursprünglich, eigentlich: the ~ **sense of a word**. **7.** *Bergbau*: gediegen (vorkommend), bergfein (*Metall etc*). **8.** *min.* a) roh, Jungfern..., b) na'türlich vorkommend. **9.** *obs.* a) nahe verwandt (to *dat*), b) (erb)rechtlich. **II** *s* **10.** Eingeborene(r *m*) *f*. **11.** Einheimische(r *m*) *f*, Landeskind *n*: a ~ **of Berlin** ein gebürtiger Berliner. **12.** *Austral.* in Au'stralien geborener Brite. **13.** *bot. u. zo.* einheimisches Gewächs *od.* Tier. **14.** Na'tive *f* (*künstlich gezüchtete Auster*). **15.** *obs.* unfrei Geborene(r *m*) *f*.

'na·tive|-'born *adj* einheimisch, im Lande geboren. ~ **cod** *s ichth.* Neu'england-Kabeljau *m*.

na·tiv·ism ['neitiˌvizəm] *s* **1.** *pol. bes. Am.* Begünstigung *f* der Einheimischen vor den Einwanderern. **2.** *philos.* Nati'vismus *m*.

na·tiv·i·ty [nə'tiviti; nei-] *s* **1.** Geburt *f* (*a. fig.*). **2.** Geburt *f*, 'Herkunft *f*. **3.** **N~** *relig.* a) the **N~** die Geburt Christi (*a. paint. etc*), b) Weihnachten *n u. pl*, c) Ma'riä Geburt *f* (*8. September*): ~ **play** Krippenspiel *n*. **4.** *astr.* Nativi'tät *f*, (Ge'burts)Horoˌskop *n*.

na·tron ['neitrɒn] *s min.* kohlensaures Natron.

nat·ter ['nætər] *v/i bes. Br. colloq.* **1.** schwatzen, plaudern. **2.** *dial.* ‚mekkern', schimpfen.

nat·ti·ness ['nætinis] *s* **1.** (*das*) Schmukke, Sauberkeit *f*. **2.** Gewandtheit *f*.

'nat·ty *adj* (*adv* nattily) **1.** schick, ele'gant, geschniegelt, schmuck, sauber. **2.** gewandt, schwungvoll.

nat·u·ral ['nætʃərəl; -tʃrəl] **I** *adj* (*adv* → **naturally**) **1.** na'türlich, Natur...: ~ **law** Naturgesetz *n*; to die a ~ **death** e-s natürlichen Todes sterben; → **person 1**. **2.** na'turgemäß, der menschlichen Na'tur entsprechend. **3.** na'turbedingt, den Na'turgesetzen entsprechend *od.* folgend. **4.** angeboren, na'türlich, eigen (to *dat*): ~ **talent**; ~ **rights** Naturrechte. **5.** geboren, von Geburt: a ~ **idiot**. **6.** re'al, wirklich, physisch. **7.** selbstverständlich, na'türlich: **it comes quite** ~ **to him** es ist ihm ganz selbstverständlich. **8.** na'türlich, ungezwungen, ungekünstelt (*Benehmen etc*). **9.** üblich, nor'mal, na'türlich. **10.** na'turgetreu, na'türlich wirkend (*Nachahmung, Bild etc*). **11.** unbearbeitet, Natur..., Roh... **12.** na'turhaft, urwüchsig. **13.** fleischfarben. **14.** na'türlich, unehelich: ~ **child**; ~ **father**. **15.** *bot.* in der Na'tur *od.* wild wachsend. **16.** *math.* na'türlich: ~ **number**. **17.** *mus.* a) ohne Vorzeichen, b) mit e-m Auflösungszeichen (versehen) (*Note*), c) Vokal...: ~ **music**.

II *s* **18.** Idi'ot *m*, Schwachsinnige(r *m*) *f*. **19.** Art *f*, Na'turanlage *f*. **20.** *colloq.* a) Na'turtaˌlent *n*, von Na'tur aus (*für e-e Sache etc*) befähigter Mensch, b) (sicherer) Erfolg (*a. Person*), (*e-e*), ‚klare Sache' (for s.o. für j-n). **21.** *mus.* a) Auflösungszeichen *n*, b) aufgelöste Note, c) Stammton *m*, d) weiße Taste (*e-r Klaviatur*).

'nat·u·ral|-'born *adj* von Geburt, geboren: ~ **genius** geborenes Genie. ~ **day** *s* na'türlicher Tag (*zwischen dem Auf- u. Untergang der Sonne*).

nat·u·ral·esque [ˌnætʃərə'lesk; -tʃrə-] *adj paint. etc* natura'listisch.

nat·u·ral| fre·quen·cy *s phys.* 'Eigenfreˌquenz *f*. ~ **gas** *s geol.* Erdgas *n*. ~ **his·to·ry** *s* Na'turgeschichte *f*.

nat·u·ral·ism ['nætʃərəˌlizəm; -tʃrə-] *s* **1.** *philos. u. Kunst*: Natura'lismus *m*. **2.** *relig.* Na'turglaube *m*. **'nat·u·ral·ist I** *s* **1.** Na'turkundige(r *m*) *f*, -wissenschaftler(in), -forscher(in), *bes.* Zoo'loge *m od.* Bo'taniker *m*. **2.** *philos. u. Kunst*: Natura'list *m*. **3.** *relig.* Na'turgläubige(r *m*) *f*. **4.** *Br.* a) Tierhändler *m*, b) 'Tierpräpaˌrator *m*. **II** *adj* **5.** natura'listisch. **ˌnat·u·ral'is·tic** *adj* **1.** *philos. u. Kunst*: natura'listisch. **2.** *relig.* na'turgläubig. **3.** na'turkundlich, -geschichtlich.

nat·u·ral·i·za·tion [ˌnætʃərəlai'zeiʃən; -li'z-; -tʃrə-] *s* **1.** *pol.* Naturali'sierung *f*, Einbürgerung *f* (*a. fig.*). **2.** Akklimati'sierung *f*. **'nat·u·ralˌize I** *v/t* **1.** naturali'sieren, einbürgern. **2.** *fig.* einbürgern: a) *ling. etc* aufnehmen, einführen, b) *bot. zo.* heimisch machen. **3.** akklimati'sieren (*a. fig.*). **4.** *etwas* na'türlich machen *od.* gestalten. **II** *v/i* **5.** eingebürgert *od.* naturali'siert werden. **6.** sich akklimati'sieren.

nat·u·ral·ly ['nætʃərəli; -tʃrəli] *adv* **1.** von Na'tur (aus). **2.** instink'tiv, sponˈtan. **3.** auf na'türlichem Wege, natürlich. **4.** *a. interj* na'türlich.

nat·u·ral·ness ['nætʃərəlnis] *s allg.* Na'türlichkeit *f*.

nat·u·ral| or·der *s* **1.** na'türliche (An)Ordnung. **2.** *bot.* Ordnung *f* des na'türlichen 'Pflanzensyˌstems. ~ **phi·los·o·pher** *s* **1.** Na'turphiloˌsoph *m*, -forscher *m*. **2.** Physiker *m*. ~ **phi·los·o·phy** *s* **1.** Na'turphilosoˌphie *f*, -kunde *f*. **2.** Phy'sik *f*. ~ **re·li·gion** *s* Na'turreligiˌon *f*. ~ **scale** *s* **1.** *mus.* Stammtonleiter *f*, Na'turskala *f*. **2.** *math.* Achse *f* der na'türlichen Zahlen. ~ **sci·ence** *s* Na'turwissenschaft *f*. ~ **se·lec·tion** *s biol.* na'türliche Zuchtwahl. ~ **sign** *s mus.* Auflösungszeichen *n*, Auflöser *m*. ~ **steel** *s metall.* Renn-, Roh-, Wolfsstahl *m*. ~ **vow·el** *s ling.* Na'turvoˌkal *m* (*unbetonter Vokal mittlerer Zungenstellung, bes. der Schwa-Laut*).

na·ture ['neitʃər] *s* **1.** *allg.* Na'tur *f*: a) Schöpfung *f*, Weltall *n*, b) *a.* **N~** Na'turkräfte *pl*: **law of** ~ Naturgesetz *n*; **to pay the debt of** ~ den Weg alles Fleisches gehen, sterben, c) na'türliche Landschaft: **the beauty of** ~ die Schönheit der Natur; ~ **Conservancy** *Br.* Naturschutzbehörde *f*, d) Na'turzustand *m*: **back to** ~ zurück zur Natur; **in the state of** ~ in natürlichem Zustand, *a.* nackt; ~ **cure** Naturheilverfahren *n*, e) Konstituti'on *f* (*des Menschen etc*): **to ease** (*od.* **relieve**) ~ sich erleichtern (*den Darm od. die Blase entleeren*), f) Wirklichkeit *f*: **from** ~ *paint.* nach der Natur; **true to** ~ naturgetreu. **2.** Na'tur *f*: a) Cha'rakter *m*, (Eigen)Art *f*, Wesen *n*, Veranlagung *f*: **by** ~ von Natur; **human** ~ (die) menschliche Natur; **it is in her** ~ es liegt in ihrem Wesen; → **second**[1] 1, b) (Gemüts)Art *f*, Natu'rell *n*, Wesen *n*: **her sunny** ~; **of good** ~ gutherzig,

-mütig, c) *collect.* na'türliche Triebe *pl od.* In'stinkte *pl.* **3.** Freundlichkeit *f*, Liebe *f.* **4.** Art *f*, Sorte *f*: things of this ~ Dinge dieser Art; ~ of the business *econ.* Gegenstand *m* der Firma; of a business ~ geschäftlicher Art; of (*od.* in) the ~ of a trial nach Art *od.* in Form e-s Verhörs; of a grave ~ ernster Natur; it is in the ~ of things es liegt in der Natur der Sache. **5.** (na'türliche) Beschaffenheit: the ~ of the gases.

-natured [neitʃərd] *in Zssgn* geartet, ...artig, ...mütig: good-~ gutartig.

na·ture| god *s* Na'turgottheit *f.* ~ **myth** *s* Na'turmythus *m.* ~ **printing** *s* Na'turselbstdruck *m.* ~ **spir·it** *s myth.* Elemen'targeist *m.* ~ **stud·y** *s ped.* Na'turlehre *f*, -kunde *f* (*als Lehrfach*). ~ **wor·ship** *s relig.* Na'turanbetung *f.*

na·tur·ism ['neitʃəˌrizəm] *s* **1.** *Theorie, nach welcher die früheste Religion e-e Naturreligion war.* **2.** → nudism 1.

na·tur·o·path ['neitʃəroˌpæθ] *s med.* **1.** Na'turarzt *m.* **2.** Na'turheilkundige(r) *m* (*Nichtarzt*). ˌ**na·tur'op·a·thy** [-'rɒpəθi] *s med.* **1.** Na'turheilverfahren *n.* **2.** Na'turheilkunde *f.*

naught [nɔːt] **I** *s* **1.** Null *f.* **2.** Verderben *n*: to bring (come) to ~ zunichte machen (werden). **3.** *poet. od. obs.* nichts: to care ~ for nichts übrig haben für; to set at ~ für nichts achten, in den Wind schlagen; all for ~ alles umsonst. **II** *adj* **4.** *obs.* a) wertlos, b) verloren, vernichtet, c) böse, schlecht, sündhaft. **III** *adv* **5.** *obs.* keineswegs.

naugh·ti·ness ['nɔːtinis] *s* Ungezogenheit *f*, Unartigkeit *f.* '**naugh·ty** *adj* (*adv* naughtily) **1.** frech, ungezogen, unartig: a ~ child; ~, ~! aber, aber! **2.** ungehörig: ~ manners. **3.** unanständig, schlimm: ~ words.

nau·se·a ['nɔːʃiə; -sjə; -ʃə] *s* **1.** Übelkeit *f*, Brechreiz *m.* **2.** Seekrankheit *f*: high altitude ~ *aer.* Höhenkrankheit *f.* **3.** *fig.* Ekel *m.* '**nau·se·ant** *med.* **I** *adj* Übelkeit erregend. **II** *s* Brechmittel *n.* '**nau·seˌate** [-ˌeit] **I** *v/i* **1.** (e-n) Brechreiz empfinden, sich ekeln (at vor *dat*). **II** *v/t* **2.** sich ekeln vor (*dat*). **3.** mit Ekel erfüllen, anekeln, *j-m* Übelkeit erregen: to be ~d (at) → 1. '**nau·seˌat·ing** *adj* ekelerregend. ˌ**nau·se'a·tion** *s* **1.** Übelsein *n.* **2.** Ekel *m.* **3.** Anekeln *n.* '**nau·seous** [-ʃiəs; -ʃəs; -sjəs] *adj a. fig.* ekelhaft, Übelkeit erregend, widerlich, ab'scheulich.

nautch [nɔːtʃ] *s Br. Ind.* Natsch-Tanz *m*: ~ girl Bajadere *f*, Natsch-Mädchen *n.*

nau·tic ['nɔːtik] → nautical.

nau·ti·cal ['nɔːtikəl] *adj* (*adv* ~ly) *mar.* nautisch, Schiffs..., See(fahrts)..., Marine...: ~ school Seefahrtsschule *f.* ~ **al·ma·nac** *s mar.* nautisches Jahrbuch. ~ **chart** *s mar.* Seekarte *f.* ~ **mile** *s mar.* Seemeile *f*, Knoten *m* (= *1,852 km*).

nau·ti·lus ['nɔːtiləs] *pl* **-lus·es** *od.* **-li** [-ˌlai] *s zo.* Nautilus *m.*

na·val ['neivl] *adj mar.* **1.** Flotten..., (Kriegs)Marine... **2.** See..., Schiffs... ~ **a·cad·e·my** *s mar.* **1.** Ma'rineakadeˌmie *f.* **2.** Navigati'onsschule *f.* ~ **ar·chi·tect** *s mar.* Ma'rineingeniˌeur *m.* ~ **ar·chi·tec·ture** *s* Kriegsschiffbau(wesen *n*) *m.* ~ **at·ta·ché** *s mar. pol.* Ma'rineattaˌché *m.* ~ **base** *s mar.* Flottenstützpunkt *m*, -basis *f.* ~ **bat·tle** *s mar.* Seeschlacht *f.* ~ **bri·gade** *s mar. mil.* **1.** Ma'rinebriˌgade *f* (*für den Landdienst gebildete Marineabteilung*). **2.** → naval militia. ~ **ca·det** *s mar.* 'Seekaˌdett *m.* ~ **con·struc·tor** *s mar. mil. Am.* Schiffbaufachmann *m*, 'Schiffbauoffiˌzier *m.* ~ **forc·es** *s pl mar.* Seestreitkräfte *pl.* ~ **gun** *s mar.* Schiffsgeschütz *n.* ~ **in·tel·li·gence** *s mar.* Ma'rinenachrichtendienst *m.* **N~ Lord** *s fachmännisches Mitglied der Admiralität.* ~ **mi·li·tia** *s mar. Am.* Ma'rinemiˌliz *f.* ~ **of·fi·cer** *s mar.* **1.** *mil.* Ma'rineoffiˌzier *m.* **2.** *Am.* (höherer) Hafenzollbeamter. ~ **pow·er** *s mar. pol.* Seemacht *f*: the ~s die Seemächte. ~ **stores** *s pl mar.* (Kriegs)-Schiffsvorräte *pl.*

nave[1] [neiv] *s arch.* Mittel-, Hauptschiff *n*: ~ of a cathedral.

nave[2] [neiv] *s* **1.** *tech.* (Rad)Nabe *f*: ~ box Nabenbüchse *f.* **2.** *obs.* Nabel *m.*

na·vel ['neivəl] *s* **1.** *anat.* Nabel *m.* **2.** *fig.* Nabel *m*, Mittelpunkt *m.* **3.** *her.* Mittelpunkt *m* des Feldes. ~ **or·ange** *s* 'Nabeloˌrange *f.* ~ **string** *s anat.* Nabelschnur *f.*

nav·i·cert ['næviˌsəːrt] *s econ. mar.* Navicert *n* (*Geleitschein für neutrale* [*Handels*]*Schiffe im Kriege*).

na·vic·u·la [nə'vikjulə] *pl* **-lae** [-ˌliː] *s relig.* Weihrauchgefäß *n.* **na'vic·u·lar I** *adj* **1.** nachen-, boot-, kahnförmig: ~ bone → 3. **2.** *bot.* kahnförmig. **II** *s* **3.** *anat.* Kahnbein *n.*

nav·i·ga·bil·i·ty [ˌnævigə'biliti] *s* **1.** *mar.* a) Schiff-, Befahrbarkeit *f*: ~ of a canal, b) Fahrtüchtigkeit *f*: ~ of a ship. **2.** *aer.* Lenkbarkeit *f.* '**nav·i·ga·ble** *adj* **1.** *mar.* schiffbar, (be)fahrbar. **2.** *aer.* lenkbar (*Luftschiff*). '**nav·i·ga·ble·ness** → navigability.

nav·i·gate ['næviˌgeit] **I** *v/i* **1.** (zu Schiff) fahren, segeln, schiffen. **2.** *bes. aer. mar.* navi'gieren, steuern, orten (to nach). **II** *v/t* **3.** *mar.* a) befahren, beschiffen, b) durch'fahren: to ~ the seas. **4.** *aer.* durch'fliegen. **5.** *aer. mar.* steuern, lenken, navi'gieren.

nav·i·gat·ing of·fi·cer ['næviˌgeitiŋ] *s aer. mar.* Navigati'onsoffiˌzier *m.*

nav·i·ga·tion [ˌnævi'geiʃən] *s* **1.** *mar.* Schiffahrt *f*, Seefahrt *f.* **2.** Navigati'on *f*: a) *mar.* Nautik *f*, Schiffahrtskunde *f*, b) *aer.* Flugzeugführung *f*, *engS.* Navigati'onskunde *f*, c) *aer. mar.* Ortung *f.* **3.** *obs.* a) Schiffe *pl*, b) (künstlicher) Wasserweg. **N~ Act** *s hist.* Navigati'onsakte *f* (*1651*).

nav·i·ga·tion·al [ˌnævi'geiʃənl] *adj* Navigations...: ~ aid.

nav·i·ga·tion| chan·nel *s mar.* Fahrwasser *n.* ~ **chart** *s* Navigati'onskarte *f.* ~ **guide** *s aer. mar.* Bake *f.* ~ **head** *s mar.* Schiffbarkeitsgrenze *f*, Endhafen *m.* ~ **light** *s aer.* Positi'onslicht *n.*

nav·i·ga·tor ['næviˌgeitər] *s* **1.** *mar.* a) Seefahrer *m*, b) Nautiker *m*, c) Steuermann *m*, d) *Am.* Navigati'onsoffiˌzier *m.* **2.** *aer.* a) Navi'gator *m*, b) Beobachter *m.* **3.** → navvy 1.

nav·vy ['nævi] *s* **1.** *Br.* Ka'nal-, Erd-, Streckenarbeiter *m.* **2.** *tech.* a) 'Ausschachtmaˌschine *f*, Exka'vator *m*, b) Trocken-, Löffelbagger *m.*

na·vy ['neivi] *s mar.* **1.** *meist* N~ 'Kriegsmaˌrine *f*: the Royal (British) N~. **2.** *mar.* Kriegsflotte *f.* **3.** *obs. allg.* Flotte *f.* '~-'**blue I** *s* Ma'rineblau *n.* **II** *adj* ma'rineblau. **N~ Board** *s mar. Br.* Admirali'tät *f.* **N~ Cross** *s mar. Am. ein Tapferkeitsorden für Verdienste im Seekrieg.* ~ **cut** *s* Ma'rineschnitt *m* (*Tabak*). **N~ De·part·ment** *s Am.* Ma'rineamt *n*, -miniˌsterium *n.* ~ **league** *s* Flottenverein *m.* **N~ List** *s mar.* Ma'rineˌrangliste *f.* ~ **plug** *s* (starker, dunkler) Plattentabak. **N~ Reg·is·ter** *s mar. Am.* (*jährlich erscheinende*) *Liste der Offiziere u. Schiffe der US-Marine.* ~ **yard** *s mar.* Ma'rinewerft *f.*

na·wab [nə'wɑːb] *s* **1.** N~ Na'wab *m* (*Fürsten- od. Ehrentitel in Indien*). **2.** Nabob *m*, in Indien reich gewordener Engländer.

nay [nei] **I** *adv* **1.** *obs.* nein (*als Antwort*): to say (s.o.) ~ (j-m) s-e Zustimmung verweigern. **2.** ja so'gar: it is enough, ~, too much. **II** *s* **3.** *parl. etc* Nein(stimme *f*) *n.* **4.** *obs.* Nein *n.*

Naz·a·rene [ˌnæzə'riːn] *s* Naza'rener *m*: a) *Bewohner von Nazareth*, b) *Christus*, c) *Anhänger Christi*, d) *streng judenchristlicher Sektierer.*

naze [neiz] *s* Landspitze *f*, Vorgebirge *n.*

Na·zi ['nɑːtsi; *Am. a.* 'nætsi] *pol.* **I** *s* ‚Nazi' *m*, Natio'nalsoziaˌlist *m.* **II** *adj a.* n~ Nazi... '**Na·zism,** *a.* '**Na·ziˌism** *s pol.* Na'zismus *m.*

Ne·an·der·thal [ni'ændərˌtɑːl] *adj* Neandertal...: ~ man Neandertaler *m.*

neap [niːp] **I** *adj* niedrig, abnehmend (*Flut*). **II** *s a.* ~ tide Nippflut *f.* **III** *v/i* zu'rückgehen (*Flut*).

Ne·a·pol·i·tan [ˌniːə'pɒlitən] **I** *adj* neapoli'tanisch. **II** *s* Neapoli'taner(in).

near [nir] **I** *adv* **1.** nahe, (ganz) in der Nähe, dicht da'bei. **2.** nahe (bevorstehend) (*Zeitpunkt, Ereignis etc*), vor der Tür: ~ upon five o'clock ziemlich genau um 5 Uhr. **3.** nahe (her'an), näher: he stepped ~. **4.** *colloq.* annähernd, nahezu, beinahe, fast: not ~ so bad nicht annähernd so schlecht, bei weitem nicht so schlecht. **5.** *fig.* sparsam: to live ~ sparsam *od.* kärglich leben. **6.** *fig.* eng (verwandt, befreundet *etc*), innig (vertraut). **7.** *mar.* hart (*am Winde*): to sail ~ to the wind.

Besondere Redewendungen:

~ at hand a) → 1, b) → 2; ~ by → nearby I; to come (*od.* go) ~ to a) sich ungefähr belaufen auf (*acc*), b) *e-r Sache* sehr nahe- *od.* fast gleichkommen, fast (*etwas*) sein; to come (*od.* go) ~ to doing s.th. etwas fast *od.* beinahe tun; not to come ~ to s.th. in keinem Verhältnis stehen zu etwas; → draw near.

II *adj* (*adv* → nearly) **8.** nahe(gelegen), in der Nähe: the ~est place der nächste Ort. **9.** kurz, nahe: the ~est way der kürzeste Weg; ~ miss a) *mil.* Nachkrepierer *m*, b) *fig.* fast ein Erfolg. **10.** nahe (*Zeit*): Christmas is ~; the ~ future. **11.** nahe (verwandt): the ~est relations die nächsten Verwandten. **12.** eng (befreundet *od.* vertraut), in'tim, nahestehend (s.o. j-m): a ~ friend. **13.** von unmittelbarem Inter'esse, a'kut, brennend: a ~ problem. **14.** knapp: a ~ race; a ~ escape ein knappes Entkommen; that was a ~ thing *colloq.* ‚das hätte ins Auge gehen können'. **15.** genau, wörtlich, (wort)getreu: a ~ translation. **16.** sparsam, geizig. **17.** link(er, e, es), (*vom Fahrer aus*) auf der linken Seite (*Pferd, Fahrbahnseite etc*): ~ horse Handpferd *n.* **18.** nachgemacht, Imitations...: ~ beer Dünnbier *n*; ~ leather Imitationsleder *n*; ~ silk Halbseide *f.*

III *prep* **19.** a) nahe, in der Nähe von (*od. gen*), nahe an (*dat*) *od.* bei, unweit (*gen*), b) in die Nähe von (*od. gen*): ~ our garden; ~ s.o. j-m nahe; ~ completion der Vollendung nahe; ~ doing s.th. nahe daran, etwas zu tun. **20.** (*zeitlich*) nahe, nicht weit von.

IV *v/t u. v/i* **21.** sich nähern, näherkommen (*dat*): to be ~ing completion der Vollendung entgegengehen.

'near'by I *adv bes. Am.* in der Nähe, nahe. **II** *adj* → near 8. **'near-'by** → nearby. **near by** → nearby I.

Ne·arc·tic [ni'ɑːrktik] *adj geogr.* ne'arktisch (*zum gemäßigten u. arktischen Nordamerika gehörend*).

Near East *s geogr. pol.* **1.** *Br.* (*die*) Balkanstaaten *pl.* **2.** (*der*) Nahe Osten.

near·ly ['nirli] *adv* **1.** beinahe, fast. **2.** annähernd: he is not ~ so stupid er ist bei weitem nicht so dumm. **3.** genau, gründlich, eingehend. **4.** nahe, eng (*verwandt etc*).

near·ness ['nirnis] *s* **1.** Nähe *f*. **2.** Innigkeit *f*, Vertrautheit *f*. **3.** große Ähnlichkeit. **4.** Knauserigkeit *f*.

near| point *s opt.* Nahpunkt *m.* ~ **side shot** *s Polo*: Linksschuß *m.* '~'**sight·ed** *adj* kurzsichtig. ,~'**sight·ed·ness** *s* Kurzsichtigkeit *f*.

neat[1] [niːt] *adj* (*adv* ~ly) **1.** sauber: a) ordentlich, reinlich, gepflegt: as ~ as a pin blitzsauber, b) hübsch, gefällig, nett, a'drett, geschmackvoll, c) rein, klar: ~ style, d) 'übersichtlich, e) geschickt, f) tadellos: a ~ solution e-e klare Lösung. **2.** raffi'niert, schlau: ~ plans. **3.** ‚hübsch', ‚schön': a ~ profit. **4.** treffend: a ~ answer. **5.** *sl.* ‚schick', ‚prima'. **6.** a) rein: ~ silk, b) unverdünnt, pur: ~ brandy.

neat[2] [niːt] **I** *s sg u. pl* **1.** *collect.* Rind-, Hornvieh *n*, Rinder *pl.* **2.** Ochse *m*, Rind *n*. **II** *adj* **3.** Rind(er)...: ~ leather Rindleder *n*.

'neath, neath [niːθ] *prep poet. od. dial.* unter (*dat*), 'unterhalb (*gen*).

'neat-'hand·ed *adj* behend(e), geschickt, flink.

'neat,herd *s* Kuhhirte *m*.

neat·ness ['niːtnis] *s* **1.** Ordentlichkeit *f*, Sauberkeit *f*. **2.** Gefälligkeit *f*, Nettigkeit *f*. **3.** schlichte Ele'ganz, Klarheit *f* (*des Stils etc*). **4.** a) Gewandtheit *f*, b) Schlauheit *f*. **5.** Reinheit *f*.

'neat's-,foot oil *s* Klauenfett *n*.

Ne·bras·kan [ni'bræskən] **I** *adj* aus *od.* von Ne'braska. **II** *s* Bewohner(in) von Ne'braska.

neb·u·la ['nebjulə] *pl* **-lae** [-,liː] *od.* **-las** *s* **1.** *astr.* Nebel(fleck) *m.* **2.** *med.* a) Wolke *f*, Trübheit *f* (*im Urin*), b) Hornhauttrübung *f*. **'neb·u·lar** *adj astr.* **1.** Nebel(fleck)..., Nebular... **2.** nebelartig.

neb·u·lé ['nebju,lei] *adj* **1.** *her.* wellig. **2.** *arch.* Wellen...

neb·u·lize ['nebju,laiz] **I** *v/t Flüssigkeiten* zerstäuben. **II** *v/i* zerstäubt werden. **'neb·u,liz·er** *s* Zerstäuber *m*.

neb·u·los·i·ty [,nebju'lɒsiti] *s* **1.** Neb(e)ligkeit *f*. **2.** Trübheit *f*. **3.** *fig.* Verschwommenheit *f*. **4.** *astr.* a) Nebelhülle *f*, b) Nebel(fleck) *m*.

neb·u·lous ['nebjuləs] *adj* (*adv* ~ly) **1.** neb(e)lig, wolkig. **2.** trüb, wolkig (*Flüssigkeit*). **3.** *fig.* verschwommen, nebelhaft. **4.** *astr.* a) nebelartig, b) Nebel...: ~ star Nebelstern *m*.

nec·es·sar·i·ly ['nesi,serili; *Br. a.* -səriIi] *adv* **1.** notwendigerweise. **2.** unbedingt: you need not ~ do it.

nec·es·sar·y ['nesisəri] **I** *adj* **1.** notwendig, nötig, erforderlich (to für): it is ~ for me to do it es ist nötig, daß ich es tue; a ~ evil ein notwendiges Übel; if ~ nötigenfalls. **2.** unvermeidlich, zwangsläufig, notwendig: a ~ consequence. **3.** notgedrungen, gezwungen. **4.** 'unum,stößlich: a ~ truth. **II** *s* **5.** Erfordernis *n*, Bedürfnis *n*: necessaries of life lebensnotwendiger Bedarf, Lebensbedürfnisse; strict necessaries unentbehrliche Unterhaltsmittel. **6.** *econ.* Be'darfsar,tikel *m.* **7.** *pl jur.* notwendiger 'Unterhalt.

ne·ces·si·tar·i·an [ni,sesi'tɛ(ə)riən] *philos.* **I** *s* Determi'nist *m.* **II** *adj* determi'nistisch. **ne,ces·si'tar·i·an,ism** *s* Determi'nismus *m*.

ne·ces·si·tate [ni'sesi,teit] *v/t* **1.** *etwas* notwendig *od.* nötig machen, erfordern, verlangen. **2.** *j-n* zwingen, nötigen. **ne,ces·si'ta·tion** *s* Nötigung *f*.

ne·ces·si·tous [ni'sesitəs] *adj* (*adv* ~ly) **1.** bedürftig, notleidend. **2.** dürftig, ärmlich (*Umstände*). **3.** notgedrungen.

ne·ces·si·ty [ni'sesiti] *s* **1.** Notwendigkeit *f*: a) Erforderlichkeit *f*: as a ~, of ~ notwendigerweise, zwangsläufig, b) 'Unum,gänglichkeit *f*, Unvermeidlichkeit *f*, c) Zwang *m*: to be under the ~ of doing gezwungen sein zu tun. **2.** (dringendes) Bedürfnis: necessities of life Lebensbedürfnisse. **3.** Not *f*, Zwangslage *f*: ~ is the mother of invention Not macht erfinderisch; ~ knows no law Not kennt kein Gebot; in case of ~ im Notfall; → virtue 3. **4.** Not(lage) *f*, Bedürftigkeit *f*.

neck [nek] **I** *s* **1.** Hals *m* (*a. weitS. e-r Flasche, am Gewehr, am Saiteninstrument*). **2.** Nacken *m*, Genick *n*: to break one's ~ sich das Genick brechen. **3.** a) (Land-, Meer)Enge *f*, b) Engpaß *m.* **4.** → neckline. **5.** Hals-, Kammstück *n* (*von Schlachtvieh*). **6.** *anat.* Hals *m* (*bes. e-s Organs*): ~ of a tooth Zahnhals; ~ of the uterus Gebärmutterhals. **7.** *geol.* Stiel(gang) *m*, Schlotgang *m.* **8.** *arch.* Halsglied *n* (*e-r Säule*). **9.** *tech.* a) (Wellen)Hals *m*, b) Schenkel *m* (*e-r Achse*), c) (abgesetzter) Zapfen, d) Füllstutzen *m*, e) Ansatz *m* (*e-r Schraube*). **10.** *print.* Konus *m* (*der Type*).

Besondere Redewendungen:

~ of the woods *Am. colloq.* Nachbarschaft *f*, Gegend *f*; ~ and ~ Kopf an Kopf (*Rennpferde etc*); to win by a ~ um e-e Kopflänge *od.* (*bes. fig.*) um e-e Nasenlänge gewinnen; ~ and crop mit Stumpf u. Stiel; ~ and heel a) ganz u. gar, b) fest, sicher (*binden*); to get (*od.* catch) it in the ~ *sl.* ‚eins aufs Dach bekommen'; ~ or nothing a) (*adv*) auf Biegen oder Brechen, b) (*attr*) tollkühn, verzweifelt; it is ~ or nothing jetzt geht es aufs Ganze; on (*od.* in) the ~ of unmittelbar nach; to crane one's ~ sich den Hals ausrenken (at, for nach); to risk one's ~ Kopf u. Kragen riskieren; to stick one's ~ out viel riskieren, den Kopf hinhalten (for für); to tread on s.o.'s ~ j-m den Fuß in den Nacken setzen, j-n unterjochen.

II *v/t* **11.** *e-m Huhn etc* den Hals 'umdrehen *od.* den Kopf abschlagen. **12.** *bes. Am. sl.* ‚(ab)knutschen'. **13.** *a.* ~ out *tech.* aushalsen: to ~ down absetzen (*Durchmesser nahe dem Ende verringern*).

III *v/i* **14.** *Am. sl.* ‚knutschen' (*kosen*).

'neck|,band *s* Halsbund *m.* '~,**cloth** *s* Halstuch *n*.

-necked [nekt] *adj* ...halsig, ...nackig.

neck·er·chief ['nekərtʃif] *s* Halstuch *n*.

neck·ing ['nekiŋ] *s* **1.** *arch.* Säulenhals *m.* **2.** *tech.* a) Aushalsen *n* (*e-s Hohlkörpers*), b) Querschnittverminderung *f*. **3.** *bes. Am. sl.* ‚Geknutsche' *n*.

neck·lace ['neklis] *s* **1.** Halskette *f*, -schmuck *m.* **2.** Halsband *n*: ~ microphone Kehlkopfmikrophon *n*.

neck·let ['neklit] → necklace.

neck| le·ver *s Ringen*: Nackenhebel *m.* '~,**line** *s* Ausschnitt *m* (*am Kleid*). '~,**mo(u)ld,** ~ **mo(u)ld·ing** *s arch.* Halsring *m* (*e-r Säule*). '~,**piece** *s* **1.** Pelzkragen *m.* **2.** *tech.* Kehle *f*, Hals(stück *n*) *m.* ~ **scis·sors** *s pl* (*als sg konstruiert*) *Ringen*: Halsschere *f*. '~,**tie** *s* **1.** Kra'watte *f*. **2.** Halsbinde *f*, Schlips *m.* **3.** *Am. sl.* Schlinge *f* (*des Henkers*): ~ party Lynchen *n* durch (Auf)Hängen. '~,**wear** *s collect.* Kra'watten *pl*, Kragen *pl*, Halstücher *pl*.

ne·crol·o·gist [ne'krɒlədʒist] *s* Schreiber *m* von Nekro'logen. **nec·ro·logue** ['nekro,lɒg] *s* Nekro'log *m*, Nachruf *m.* **ne'crol·o·gy** [-dʒi] *s* **1.** Toten-, Sterbeliste *f* (*in Klöstern etc*). **2.** → necrologue.

nec·ro·man·cer ['nekro,mænsər] *s* **1.** Geister-, Totenbeschwörer *m.* **2.** *allg.* Schwarzkünstler *m.* '**nec·ro-,man·cy** *s* **1.** Geister-, Totenbeschwörung *f*, Nekroman'tie *f*. **2.** *allg.* Schwarze Kunst.

nec·ro·man·tic [,nekro'mæntik] *adj* (*adv* ~ally) **1.** nekro'mantisch, geisterbeschwörend. **2.** Zauber...

ne·croph·i·lism [ne'krɒfi,lizəm] *s med. psych.* Nekrophi'lie *f*: a) *krankhafte Vorliebe für Leichen*, b) *Leichenschändung.* **ne'croph·i·lous** *adj zo.* aasliebend.

nec·ro·pho·bi·a [,nekro'foubiə] *s* Nekropho'bie *f*, Furcht *f* vor Toten.

ne·crop·o·lis [ne'krɒpəlis] *pl* **-o·lis·es** *od.* **-o·leis** [-,lais] *s* **1.** *antiq.* Ne'kropolis *f*, Totenstadt *f*. **2.** (großer) Friedhof.

nec·rop·sy ['nekrɒpsi], **ne·cros·co·py** [ne'krɒskəpi] *s med.* Nekrop'sie *f* (*Leichenschau mit Obduktion*).

ne·crose [ne'krous; 'nekrous] *bot. med.* **I** *v/i* brandig werden, absterben, nekroti'sieren (*Zellgewebe*). **II** *v/t* brandig machen, nekroti'sieren. **ne'cro·sis** [-sis] *s* **1.** *med.* Ne'krose *f*, Brand *m*: ~ of the bone Knochenfraß *m.* **2.** *bot.* Brand *m.* **ne'crot·ic** [-'krɒtik] *adj bot. med.* brandig, ne'krotisch, Brand...

nec·tar ['nektər] *s* **1.** *myth. u. fig.* Nektar *m*, Göttertrank *m.* **2.** *bot.* Nektar *m*: ~ gland Honig-, Nektardrüse *f*.

nec·tar·e·an [nek'tɛ(ə)riən], **nec'tar·e·ous** *adj* **1.** Nektar... **2.** nektarsüß, köstlich.

nec·tar·if·er·ous [,nektə'rifərəs] *adj* Nektar tragend *od.* liefernd.

nec·tar·ine[1] ['nektə,riːn; -rin] *s* Nekta'rine *f*, Nekta'rinenpfirsich *m*.

nec·tar·ine[2] ['nektə,rin] → nectarean.

nec·ta·ry ['nektəri] *s bot. zo.* Nek'tarium *n*, Honigdrüse *f*.

ned·dy ['nedi] *s a.* N~ Esel *m* (*bes. im Märchen*).

nee, *Br.* **née** [nei] *adj* geborene (*vor dem Mädchennamen e-r verheirateten Frau*).

need [niːd] **I** *s* **1.** (of, for) (dringendes) Bedürfnis (nach), Bedarf *m* (an *dat*): to be (*od.* stand) in ~ of s.th. etwas dringend brauchen, etwas sehr nötig haben; in ~ of repair reparaturbedürftig; to have no ~ to do kein Bedürfnis haben zu tun. **2.** Mangel *m* (of, for an *dat*), Fehlen *n*: to feel the ~ of (*od.* for) s.th. etwas vermissen, Mangel an e-r Sache verspüren. **3.** dringende Notwendigkeit: there is no ~ for you to come es ist nicht notwendig, daß du kommst; du brauchst nicht zu kommen; to have no ~ to do keinen Grund haben zu tun; to have ~ to do tun müssen. **4.** Not(lage) *f*, Bedrängnis *f*: in ~ in Bedrängnis; in case of ~, if ~ be, if ~ arise nötigenfalls, im Notfall. **5.** Armut *f*, Elend *n*,

Not *f*. **6.** *pl* Erfordernisse *pl*, Bedürfnisse *pl*.

II *v/t* **7.** benötigen, nötig haben, brauchen, bedürfen (*gen*). **8.** erfordern: it ~s all your strength; it ~ed doing es mußte (einmal) getan werden.

III *v/i* **9.** *meist impers* nötig sein: it ~s not that (*od.* it does not ~ that) es ist nicht nötig, daß; there ~s no excuse e-e Entschuldigung ist nicht nötig.

IV *v/aux* **10.** müssen, brauchen: it ~s to be done es muß getan werden; it ~s but to become known es braucht nur bekannt zu werden. **11.** (*vor e-r Verneinung u. in Fragen, ohne* to; *3. sg pres* need) brauchen, müssen: she ~ not do it sie braucht es nicht zu tun; you ~ not have come du hättest nicht zu kommen brauchen; ~ he do it? muß er es tun?

need·ful ['ni:dful] **I** *adj* (*adv* ~ly) nötig, notwendig. **II** *s* (*das*) Nötige: the ~ *colloq.* das nötige Kleingeld. '**need·ful·ness** *s* Notwendigkeit *f*.

need·i·ness ['ni:dinis] *s* Bedürftigkeit *f*, Armut *f*.

nee·dle ['ni:dl] **I** *s* **1.** (*Näh-, Strick- etc*)Nadel *f*: as sharp as a ~ *fig.* äußerst intelligent, ‚auf Draht'; to get (*od.* take) the ~ *sl.* ‚hochgehen', die Wut kriegen; to give the ~ → 12; a ~ in a haystack (*od.* a bottle of hay) *fig.* e-e Stecknadel im Heuhaufen. **2.** *tech.* a) (Abspiel-, Grammo'phon-, Ma'gnet)Nadel *f*, b) Ven'tilnadel *f*, c) *mot.* Schwimmernadel *f* (*im Vergaser*), d) Zeiger *m*, e) Zunge *f* (*der Waage*), f) *Bergbau*: Räumnadel *f*, g) *Weberei*: Rietnadel *f* (*beim Jacquardstuhl*), h) *Gravierkunst*: Ra'diernadel *f*. **3.** *med.* Nadel *f*. **4.** *bot.* Nadel *f* (*vom Nadelbaum*). **5.** Nadel *f*, scharfe Felsspitze. **6.** Obe'lisk *m*. **7.** *min.* Kri'stallnadel *f*. **II** *v/t* **8.** (*mit e-r Nadel*) nähen. **9.** durch'stechen. **10.** *med.* punk'tieren. **11.** *fig.* anstacheln. **12.** *colloq.* j-n ‚aufziehen', reizen, aufbringen, sticheln gegen. **13.** *colloq.* *Getränke durch Alkoholzusatz* schärfen. **14.** (*wie e-e Nadel*) hin'durchschieben, hin u. her bewegen: to ~ one's way through sich hindurchschlängeln. **15.** *e-e Erzählung etc* würzen (with humo[u]r mit Hu'mor). ~ **bath** *s* Strahldusche *f*. ~ **beam** *s arch.* Querbalken *m* (*e-r Brückenbahn*). ~ **bear·ing** *s tech.* Nadellager *n*. '~ˌ**book** *s* Nadelbuch *n*. ~ **gun** *s mil.* Zündnadelgewehr *n*. '~ˌ**like** *adj* nadelartig. ~ **ore** *s min.* Nadelerz *n*. ~ **point** *s* **1.** → needle-point lace. **2.** Petit-'point-Sticke,rei *f*. '~-ˌ**point lace** *s* Nadelspitze *f* (*Ggs. Klöppelspitze*).

need·less ['ni:dlis] *adj* unnötig, 'überflüssig: ~ to say selbstredend, selbstverständlich. '**need·less·ly** *adv* unnötig(erweise). '**need·less·ness** *s* Unnötigkeit *f*, 'Überflüssigkeit *f*.

'**nee·dle**|ˌ**stone** *s min.* Nadelstein *m*. '~ˌ**talk** *s* Nadelgeräusch *n* (*beim Plattenspieler etc*). ~ **tel·e·graph** *s electr.* 'Zeigertele,graph *m*. ~ **valve** *s tech.* 'Nadelven,til *n*. '~ˌ**wom·an** *s irr* Näherin *f*. '~ˌ**work** *s* Handarbeit *f*, *bes.* Nähe'rei *f*.

need·ments ['ni:dmənts] *s pl Br.* (per'sönliche) Be'darfsar,tikel *pl*.

needs [ni:dz] *adv* unbedingt, notwendigerweise, 'durchaus (*meist mit* must *gebraucht*): if you must ~ do it wenn du es unbedingt tun willst.

need·y ['ni:di] *adj* (*adv* needily) arm, bedürftig, notleidend.

ne'er [nɛr] *bes. poet. für* never. '~-**do-**ˌ**well I** *s* Taugenichts *m*. **II** *adj* nichtsnutzig.

ne·fan·dous [ni'fændəs] *adj* unaussprechlich, ab'scheulich.

ne·far·i·ous [ni'fɛ(ə)riəs] *adj* (*adv* ~ly) ruchlos, schändlich, böse. **ne'far·i·ous·ness** *s* Ruchlosigkeit *f*.

ne·gate [ni'geit] *v/t* **1.** verneinen, ne'gieren, leugnen. **2.** annul'lieren, unwirksam machen, aufheben. **ne'ga·tion** *s* **1.** Verneinung *f*, Verneinen *n*, Ne'gieren *n*. **2.** Verwerfung *f*, Annul'lierung *f*, Aufhebung *f*. **3.** *philos.* a) *Logik*: Negati'on *f*, b) Nichts *n*.

neg·a·tive ['negətiv] **I** *adj* (*adv* ~ly) **1.** negativ: a) verneinend, b) abschlägig, ablehnend: a ~ reply, c) *fig.* unfruchtbar: ~ outlook on life, d) erfolglos, ergebnislos, e) ohne positive Werte. **2.** *fig.* farblos. **3.** *biol. chem. electr. math. med. phot. phys.* negativ: ~ electricity; ~ image. **II** *s* **4.** Verneinung *f*, Ne'gierung *f*: to answer in the ~ verneinen. **5.** abschlägige Antwort. **6.** *ling.* Negati'on *f*, Verneinung *f*, Verneinungssatz *m*, -wort *n*. **7.** a) Einspruch *m*, Veto *n*, b) ablehnende Stimme. **8.** negative Eigenschaft, Ne'ga'tivum *n*. **9.** *electr.* negativer Pol. **10.** *math.* a) Minuszeichen *n*, b) negative Zahl. **11.** *phot.* Negativ *n*. **III** *v/t* **12.** ne'gieren, verneinen. **13.** verwerfen, ablehnen. **14.** wider'legen. **15.** unwirksam machen, neutrali'sieren. ~ **ac·cel·er·a·tion** *s phys.* Verzögerung *f*, negative Beschleunigung. ~ **con·duc·tor** *s electr.* Minusleitung *f*. ~ **e·lec·trode** *s electr.* negative Elek'trode, Ka'thode *f*. ~ **feed·back** *s electr.* Gegenkopplung *f*. ~ **lens** *s opt.* Zerstreuungslinse *f*.

neg·a·tive·ness ['negətivnis] *s* (*das*) Negative, negativer Cha'rakter.

neg·a·tive| **pole** *s* negativer Pol: a) *electr.* Minuspol *m*, b) *phys.* Südpol *m* (*e-s Magneten*). ~ **pro·ton** *s phys.* Antiproton *n*. ~ **sign** *s math.* Minuszeichen *n*, negatives Vorzeichen.

neg·a·tiv·ism ['negətiˌvizəm] *s a. philos. psych.* Negati'vismus *m*.

neg·a·tiv·i·ty [ˌnegə'tiviti] → negativeness, negativism.

ne·ga·tor [ni'geitər] *s* Verneiner *m*, j-d der verneint *od.* ablehnt. **neg·a·to·ry** ['negətəri] *adj* verneinend, ablehnend, negativ.

neg·lect [ni'glekt] **I** *v/t* **1.** vernachlässigen, nicht sorgen für, schlecht behandeln: ~ed appearance ungepflegte Erscheinung; ~ed child verwahrlostes Kind. **2.** miß'achten, gering einschätzen. **3.** versäumen, verfehlen, unter'lassen (to do *od.* doing zu tun), außer acht lassen. **4.** über'sehen, -'gehen. **II** *s* **5.** Vernachlässigung *f*, Hint'ansetzung *f*. **6.** 'Mißachtung *f*. **7.** Unter'lassung *f*, Versäumnis *n*: ~ of duty Pflichtversäumnis. **8.** Über'gehen *n*, -'sehen *n*, Auslassung *f*. **9.** Nachlässigkeit *f*, Unter'lassung *f*. **10.** vernachlässigter Zustand, Verwahrlosung *f*.

neg·lect·ful [ni'glektfəl; -ful] *adj* (*adv* ~ly) → negligent 1. **neg'lect·ful·ness** → negligence 1.

neg·li·gee ['negliˌʒei; ˌnegli'ʒei] *s* Negli'gé *n*: a) *ungezwungene Hauskleidung*, b) *dünner Morgenmantel*.

neg·li·gence ['neglidʒəns] *s* **1.** Nachlässigkeit *f*, Unachtsamkeit *f*, Gleichgültigkeit *f*. **2.** *jur.* Fahrlässigkeit *f*: → contributory 4. '**neg·li·gent** *adj* (*adv* ~ly) **1.** nachlässig, unachtsam, gleichgültig (of gegen): to be ~ of s.th. etwas vernachlässigen, etwas außer acht lassen. **2.** *jur.* fahrlässig. **3.** lässig, sa'lopp, ungezwungen.

neg·li·gi·ble ['neglidʒəbl] *adj* (*adv* negligibly) **1.** nebensächlich, unwesentlich. **2.** geringfügig, unbedeutend: → quantity 4.

ne·go·ti·a·bil·i·ty [niˌgouʃiə'biliti] *s econ.* **1.** Verkäuflichkeit *f*, Handelsfähigkeit *f*. **2.** Begebbarkeit *f*. **3.** Bank-, Börsenfähigkeit *f*. **4.** Über'tragbarkeit *f*. **5.** Verwertbarkeit *f*.

ne·go·ti·a·ble [ni'gouʃiəbl] *adj* (*adv* negotiably) **1.** *econ.* a) 'umsetzbar, verkäuflich, veräußerlich, b) verkehrsfähig, c) bank-, börsenfähig, d) (durch Indossa'ment) über'tragbar, begebbar, e) verwertbar: not ~ nur zur Verrechnung; ~ instrument begebbares Wertpapier. **2.** über'windbar, -'steigbar, (*leicht etc*) zu nehmen(d) (*Hindernis*).

ne·go·ti·ate [ni'gouʃiˌeit] **I** *v/i* **1.** ver-, unter'handeln, in Unter'handlung stehen (with mit; for, about um, wegen, über *acc*). **II** *v/t* **2.** *e-n Vertrag etc* (auf dem Verhandlungsweg) zu'stande bringen, (ab)schließen. **3.** verhandeln über (*acc*). **4.** *econ.* a) *e-n Wechsel* begeben, 'unterbringen: to ~ back zurückbegeben, b) 'umsetzen, verkaufen. **5.** *ein Hindernis etc* über'winden, *a. e-e Kurve* nehmen. **6.** 'durchführen.

ne·go·ti·a·tion [niˌgouʃi'eiʃən] *s* **1.** Ver-, Unter'handlung *f*: to enter into ~s in Verhandlungen eintreten. **2.** Aushandeln *n* (*e-s Vertrags*). **3.** *econ.* Begebung *f*, Über'tragung *f*, 'Unterbringung *f* (*e-s Wechsels etc*): further ~ Weiterbegebung. **4.** Über'windung *f*, Nehmen *n*: ~ of a curve (a hill *etc*).

ne·go·ti·a·tor [ni'gouʃiˌeitər] *s* **1.** 'Unterhändler *m*. **2.** Vermittler *m*.

Ne·gress ['ni:gris] *s* Negerin *f*.

Ne·gril·lo [ni'grilo; ne-] *pl* **-los** *s* Pyg'mäe *m* (*Afrikas*).

Ne·gri·to [ni'gri:tou; ne-] *pl* **-tos** *od.* **-toes** *s* **1.** Pyg'mäe *m*, Buschmann *m*. **2.** Ne'grito *m* (*Südostasien*).

Ne·gro ['ni:grou] **I** *pl* **-groes** *s* **1.** Neger *m*, *bes.* Su'danneger *m*. **2.** n~ Neger *m*, Schwarze(r) *m*. **II** *adj* **3.** Neger...: ~ question Negerfrage *f*, -problem *n*. '**n**~ˌ**head** *s* **1.** starker schwarzer Priemtabak. **2.** minderwertiges Gummi.

ne·groid ['ni:grɔid] **I** *adj* **1.** ne'grid (*die eigentlichen Neger, Papua-Melanesier u. Negritos umfassend*). **2.** negro'id, negerartig. **II** *s* **3.** Angehörige(r *m*) *f* der ne'griden Rasse.

ne·gro·ism ['ni:groˌizəm] *s* **1.** Spracheigentümlichkeit *f* des Neger-Englisch. **2.** *pol.* Förderung *f* der Negerbewegung.

ne·gro·phile ['ni:groˌfail; -fil], *a.* '**ne·gro·phil** [-fil] **I** *s* Negerfreund(in). **II** *adj* negerfreundlich. **ne·groph·i·lism** [ni'grɒfiˌlizəm] *s* Negerfreundlichkeit *f*.

ne·gro·phobe ['ni:groˌfoub] **I** *s* Negerfeind(in), -hasser(in). **II** *adj* negerfeindlich. ˌ**ne·gro'pho·bi·a** [-biə] *s* **1.** Negerhaß *m*. **2.** Angst *f* vor Negern.

Ne·gus[1] ['ni:gəs] *s* Negus *m* (*äthiopischer Königstitel*).

ne·gus[2] ['ni:gəs] *s* (*Art*) Glühwein *m*.

Ne·he·mi·ah [ˌni:ə'maiə; ˌni:i-; ˌni:hi-], ˌ**Ne·he'mi·as** [-əs] *npr u. s Bibl.* (das Buch) Nehe'mia *m*.

neigh [nei] **I** *v/t u. v/i* wiehern (*Pferd*). **II** *s* Gewieher *n*, Wiehern *n*.

neigh·bor, *bes. Br.* **neigh·bour** ['neibər] **I** *s* **1.** Nachbar(in). **2.** Nächste(r) *m*, Mitmensch *m*. **II** *adj* **3.** benachbart, angrenzend, Nachbar... **III** *v/t* **4.** (an)-

grenzen an (*acc*). **IV** *v/i* **5.** benachbart sein, in der Nachbarschaft wohnen. **6.** grenzen (upon an *acc*). **'neigh·bor,hood,** *bes. Br.* **'neigh·bour,hood** *s* **1.** *a. fig.* Nachbarschaft *f*, Um'gebung *f*, Nähe *f*: in the ~ of a) in der Umgebung von (*od. gen*), b) *colloq.* ungefähr, etwa, um (... herum). **2.** *collect.* Nachbarn *pl*, Nachbarschaft *f*. **3.** Gegend *f*: a fashionable ~. **'neigh·bor·ing,** *bes. Br.* **'neigh·bour·ing** *adj* **1.** benachbart, angrenzend. **2.** Nachbar... **'neigh·bor·li·ness,** *bes. Br.* **'neigh·bour·li·ness** *s* **1.** (gut)'nachbarliches Verhalten. **2.** Freundlichkeit *f*. **'neigh·bor·ly,** *bes. Br.* **'neigh·bour·ly** *adj u. adv* **1.** (gut)'nachbarlich. **2.** freundlich, gesellig.

neigh·bour *etc bes. Br. für* neighbor *etc.*

nei·ther ['naiðər; *bes. Am.* 'niːðər] **I** *adj u. pron.* **1.** kein(er, e, es) (von beiden): on ~ side auf keiner der beiden Seiten; ~ of you keiner von euch (beiden). **II** *conj* **2.** weder: ~ they nor we have done it weder sie noch wir haben es getan; ~ you nor he knows weder du weißt es noch er. **3.** noch (auch), auch nicht, ebensowenig: he does not know, ~ do I er weiß es nicht, noch *od.* ebensowenig weiß ich es.

nek [nek] *s S.Afr.* (Eng)Paß *m.*

nek·ton ['nektɒn] *s biol.* Nekton *n* (*aktiv schwimmende Lebewesen im Wasser*).

nel·ly ['neli] *s orn.* Rieseneismöwe *f.*

nel·son ['nelsn] *s Ringen*: Nelson *m*, Nackenhebel *m.*

Nem·a·to·da [,nemə'toudə] *s pl zo.* Fadenwürmer *pl*, Nema'toden *pl.* **'nem·a,tode** [-,toud] *s* Fadenwurm *m*, Nema'tode *f.*

Ne·me·an [ni'miːən; 'niːmiən] *adj antiq.* ne'meisch.

nem·e·sis, *a.* **N~** ['nemisis] *pl* **-e·ses** [-,siːz] *s myth. u. fig.* Nemesis *f*, (die Göttin der) Vergeltung *f.*

neo- [niːo] *Wortelement mit der Bedeutung* neu, jung, neo..., Neo...

,ne·o·ars'phen·a,mine *s chem. med.* Neosalvar'san *n*, ,Neoarsphena'min *n.*

'Ne·o-'Cath·o·lic *relig.* **I** *s* 'Neo-Katho,lik *m* (*bes. Anglikaner, der sehr stark der römisch-katholischen Kirche zuneigt*). **II** *adj* 'neo-ka,tholisch.

Ne·o·cene ['niːo,siːn] *geol.* **I** *s* Neo'zän *n.* **II** *adj* neo'zän.

,ne·o'clas·sic *adj* neo-klassisch.

Ne·o·gae·a [,niːo'dʒiːə] *s Biogeographie*: Neo'gäa *f*, neo'tropische Regi'on.

,Ne·o-'Goth·ic *adj* neugotisch.

,ne·o·gram'mar·i·an *s ling. hist.* 'Junggram,matiker *m.*

'Ne·o-'Greek I *adj* neugriechisch. **II** *s ling.* Neugriechisch *n*, das Neugriechische.

'Ne·o-'Hel·len,ism *s* 'Neuhelle,nismus *m.*

,ne·o·im'pres·sion,ism *s paint.* ,Neoimpressio'nismus *m.*

'Ne·o-'Lat·in I *s* **1.** a) *ling.* Ro'manisch *n*, das Romanische, b) Ro'mane *m*, Ro'manin *f*. **2.** *ling.* 'Neula,tein *n*, das Neulateinische. **II** *adj* **3.** ro'manisch. **4.** 'neula,teinisch.

ne·o·lith ['niːoliθ] *s* jungsteinzeitliches Gerät. **,ne·o'lith·ic** *adj* jungsteinzeitlich, neo'lithisch: N~ Period Jungsteinzeit *f*, Neolithikum *n.*

ne·ol·o·gism [ni'ɒlə,dʒizəm] *s* **1.** *ling.* a) Neolo'gismus *m*, Wortneubildung *f*, b) neue Bedeutung (*e-s Worts*). **2.** *relig.* Neuerung *f*, Neolo'gismus *m*, *bes.* Rationa'lismus *m.* **ne,ol·o'gis·tic** *adj* (*adv* ~ally) neolo'gistisch. **ne'ol·o,gize** *v/i* **1.** *ling.* neue Wörter bilden. **2.** *relig.* neue Lehren verkünden *od.* annehmen. **ne'ol·o·gy** [-dʒi] *s* **1.** *ling.* a) Neolo'gie *f*, Bildung *f* neuer Wörter, b) → neologism 1. **2.** → neologism 2.

ne·on ['niːɒn] *s chem.* Neon *n* (*Edelgas*): ~ lamp Neonlampe *f.*

,ne·o'pa·gan,ism *s* Neuheidentum *n.*

,ne·o'pho·bi·a *s* Neopho'bie *f*, Neuerungsscheu *f.*

ne·o·phyte ['niːo,fait] *s* **1.** Neo'phyt(in): a) Neugetaufte(r *m*) *f*, b) Neubekehrte(r *m*) *f* (*a. fig.*), Konver'tit(in). **2.** *R.C.* a) Jungpriester *m*, b) No'vize *m, f*. **3.** *fig.* Neuling *m*, Anfänger(in).

ne·o·plasm ['niːo,plæzəm] *s med.* Neo'plasma *n*, Gewächs *n.*

ne·o·plas·ty ['niːo,plæsti] *s med.* Neubildung *f* durch plastische Operati'on.

,Ne·o'pla·to,nism *s* 'Neuplato,nismus *m.* **,Ne·o'pla·to·nist** *s* 'Neupla,toniker *m.*

ne·o·ter·ic [,niːo'terik] *adj* (*adv* ~ally) neo'terisch, neuzeitlich, mo'dern.

ne·ot·er·ism [ni'ɒtə,rizəm] *s* neues Wort *od.* neuer Ausdruck, Neote'rismus *m.* **ne'ot·er·ist** *s* Sprachneuerer *m.* **ne'ot·er,ize** *v/i* neue Wörter *od.* Ausdrücke einführen.

,Ne·o'trop·i·cal *adj* neo'tropisch (*zu den Tropen der Neuen Welt gehörend*).

Ne·o·zo·ic [,niːo'zouik] *geol.* **I** *s* Neo'zoikum *n*, Neuzeit *f*. **II** *adj* neo'zoisch.

nep [nep] *tech. Am.* **I** *s* Knoten *m* (*in Baumwollfasern*). **II** *v/t Baumwollfasern* knotig machen.

Nep·a·lese [,nepɔː'liːz] **I** *s* Nepa'lese *m*, Bewohner(in) von Ne'pal. **II** *adj* nepa'lesisch.

ne·pen·the [ni'penθi], *a.* **Ne'pen·thes** [-θiːz] *s poet.* Ne'penthes *n* (*Trank des Vergessens*). **ne'pen·the·an** *adj* Vergessen bringend.

neph·e·line ['nefəlin], **'neph·e,lite** *s min.* Nephe'lin *m*, Fettstein *m.*

neph·ew ['nefjuː; *Br. meist* 'nev-] *s* **1.** Neffe *m.* **2.** *obs.* a) Enkel(in), b) Nichte *f*, c) Vetter *m.*

neph·o·log·i·cal [,nefə'lɒdʒikəl] *adj* wolkenkundlich. **ne·phol·o·gy** [ni'fɒlədʒi] *s* Wolkenkunde *f.*

neph·o·scope ['nefə,skoup] *s* Nepho'skop *n*, Wolkenmesser *m.*

ne·phral·gi·a [ni'frældʒiə] *s med.* Nephral'gie *f*, Nierenschmerz *m.*

ne·phrec·to·my [ni'frektəmi] *s med.* Nephrekto'mie *f* (*chirurgische Entfernung e-r Niere*).

neph·ric ['nefrik] *adj* Nieren...

neph·rite ['nefrait] *s min.* Ne'phrit *m.*

ne·phrit·ic [ni'fritik] *adj med.* Nieren..., ne'phritisch.

ne·phri·tis [ni'fraitis] *s med.* Ne'phritis *f*, Nierenentzündung *f.*

neph·ro·cele ['nefro,siːl] *s med.* Nierenbruch *m.*

neph·roid ['nefrɔid] *adj* nierenförmig.

neph·ro·lith ['nefrəliθ] *s med.* Nierenstein *m.*

ne·phrol·o·gist [ni'frɒlədʒist] *s med.* Nierenfacharzt *m*, Uro'loge *m.* **ne'phrol·o·gy** [-dʒi] *s* Nephrolo'gie *f*, Nierenkunde *f.*

ne·phrot·o·my [ni'frɒtəmi] *s* Nierenschnitt *m.*

ne·pot·ic [ni'pɒtik] *adj* **1.** Neffen..., Vettern... **2.** Vetternwirtschaft treibend. **nep·o·tism** ['nepə,tizəm] *s* Nepo'tismus *m*, Vetternwirtschaft *f.*

Nep·tune ['neptjuːn] **I** *npr antiq.* Nep'tun *m* (*Gott des Meeres*). **II** *s astr.* Nep'tun *m* (*Planet*). **Nep'tu·ni·an I** *adj* **1.** Neptun..., Meeres... **2.** n~ *geol.* nep'tunisch. **II** *s* **3.** *astr.* Nep'tunbewohner *m.* **'nep·tun,ism** *s geol.* Neptu'nismus *m.*

Ne·re·id ['ni(ə)riid] *s antiq. myth.* Nere'ide *f*, See-, Wassernymphe *f.*

ne·ri·um ['ni(ə)riəm] *s bot.* Ole'ander *m.*

Nernst lamp [nernst] *s phys.* Nernstlampe *f.*

ner·va·tion [nəːr'veiʃən], **'nerv·a·ture** [-vətʃər] *s* **1.** Anordnung *f* der Nerven. **2.** *bot.* Äderung *f*, Nerva'tur *f.*

nerve [nəːrv] **I** *s* **1.** Nerv(enfaser *f*) *m*: to get on s.o.'s ~s j-m auf die Nerven gehen; a bag of ~s *colloq.* ein Nervenbündel. **2.** *fig.* a) Lebensnerv *m*, b) Kraft *f*, Stärke *f*, Ener'gie *f*, c) Seelenstärke *f*, (Wage)Mut *m*, innere Ruhe, Selbstbeherrschung *f*, Nerven *pl*, d) *sl.* Frechheit *f*, Unverfrorenheit *f*, ‚Nerven' *pl*: to lose one's ~ den Mut verlieren; to have the ~ to do s.th. den Mut *od.* (*sl.*) die Frechheit besitzen, etwas zu tun; he has (got) a ~ *sl.* ‚der hat (vielleicht) Nerven'. **3.** *pl* Nervosi'tät *f*: a fit of ~s e-e Nervenkrise. **4.** *bot.* Nerv *m*, Ader *f* (*vom Blatt*). **5.** *zo.* Ader *f* (*am Insektenflügel*). **6.** *arch.* (*Gewölbe*)Rippe *f.* **7.** Sehne *f* (*obs. außer in*): to strain every ~ *fig.* alle Nerven anspannen, s-e ganze Kraft zs.-nehmen. **II** *v/t* **8.** *fig.* a) (*körperlich*) stärken, b) (*seelisch*) stärken, ermutigen: to ~ o.s. sich aufraffen. **~ block** *s med.* 'Leitungsanästhe,sie *f.* **~ cell** *s* Nervenzelle *f.* **~ cen·ter,** *bes. Br.* **~ cen·tre** *s anat. u. fig.* Nervenzentrum *n.* **~ cord** *s* Nervenstrang *m.*

nerved [nəːrvd] *adj* **1.** nervig (*meist in Zssgn*): strong-~ mit starken Nerven. **2.** *bot. zo.* gerippt, geädert.

nerve| fi·ber, *bes. Br.* **~ fi·bre** *s* Nervenfaser *f.* **~ gas** *s mil.* Nervengas *n.*

nerve·less ['nəːrvlis] *adj* (*adv* ~ly) **1.** *fig.* kraft-, ener'gielos, schlapp. **2.** ohne Nerven, kaltblütig. **3.** *bot.* ohne Adern, nervenlos.

nerve| poi·son → nerve gas. **'~-,(w)rack·ing** *adj* nervenaufreibend.

nerv·ine ['nəːrviːn; -ain] *med.* **I** *adj* **1.** nervenberuhigend, -stärkend. **2.** Nerven... **II** *s* **3.** nervenstärkendes Mittel.

nerv·ous ['nəːrvəs] *adj* (*adv* ~ly) **1.** Nerven..., ner'vös: ~ excitement nervöse Erregtheit; ~ system Nervensystem *n*; → breakdown 1. **2.** ner'vös: a) nervenschwach, erregbar, b) aufgeregt, c) gereizt, d) ängstlich, scheu, unsicher. **3.** aufregend. **4.** *obs.* a) sehnig, kräftig, nervig, b) markig (*Stil etc*). **'nerv·ous·ness** *s* **1.** Nervosi'tät *f.* **2.** Nervigkeit *f*, Sehnigkeit *f*, Kraft *f.*

ner·vure ['nəːrvjur] → nerve 4—6.

nerv·y ['nəːrvi] *adj* **1.** a) kühn, mutig, b) *colloq.* dreist, keck. **2.** *Br. colloq.* ner'vös, aufgeregt. **3.** *colloq.* nervenaufreibend. **4.** *obs.* → nervous 4 a.

nes·ci·ence ['neʃəns; -ʃiəns; *Br. a.* 'nesiəns] *s* (vollständige) Unwissenheit. **'nes·ci·ent** *adj* **1.** unwissend (of in *dat*). **2.** a'gnostisch.

ness [nes] *s* Vorgebirge *n.*

nest [nest] **I** *s* **1.** *orn. zo.* Nest *n*: → befoul. **2.** *fig.* Nest *n*, Zufluchtsort *m*, behagliches Heim. **3.** *fig.* a) Schlupfwinkel *m*, Versteck *n*, b) Brutstätte *f*: ~ of vice Lasterhöhle *f*. **4.** Brut *f* (*junger Tiere*): to take a ~ ein Nest ausnehmen. **5.** *mil.* (*Widerstands-, Schützen-, Maschinengewehr*)Nest *n*: a ~ of machine-guns. **6.** Serie *f*, Satz *m* (*ineinanderpassender Dinge, wie Schüsseln, Tische etc*). **7.** *geol.* Nest *n*, geschlossenes Gesteinslager: ~ of ore Erznest. **8.** *tech.* Satz *m*, Gruppe *f* (*miteinander arbeitender Räder, Flaschenzüge etc*): ~ of boiler tubes Heizrohrbündel *n*. **II** *v/i* **9.** a) ein Nest bauen, b) nisten. **10.** sich einnisten, sich niederlassen. **11.** Vogelnester suchen u. ausnehmen. **III** *v/t* **12.** 'unterbringen. **13.** *Töpfe etc* inein'anderstellen, -setzen.

nest egg *s* **1.** Nestei *n*. **2.** *fig*. Not-, Spargroschen *m*.

nes·tle ['nesl] **I** *v/i* **1.** *a*. ~ down sich behaglich niederlassen, es sich gemütlich machen. **2.** sich anschmiegen *od*. kuscheln (to, against an *acc*). **3.** sich einnisten. **II** *v/t* **4.** schmiegen, kuscheln (on, to, against an *acc*).

nest·ling ['nestliŋ; 'nesliŋ] *s* **1.** *orn*. Nestling *m*: ~ feather Erstlings-, Nestdune *f*. **2.** *fig*. Nesthäkchen *n*.

Nes·tor ['nestɔːr] *s* Nestor *m* (*weiser alter Mann od. Ratgeber*).

net[1] [net] **I** *s* **1.** Netz *n*: tennis ~. **2.** *fig*. Falle *f*, Netz *n*, Garn *n*, Schlinge(n *pl*) *f*. **3.** netzartiges Gewebe, Netz *n* (*Tüll, Gaze etc*). **4.** (*Straßen-, Leitungs-, Sender- etc*) Netz *n*. **5.** *math*. (Koordi'naten)Netz *n*. **6.** *Tennis*: a) Netzball *m*, b) Let *n* (*Wiederholung des Aufschlags*). **II** *v/t* **7.** mit e-m Netz fangen. **8.** *fig*. einfangen. **9.** mit e-m Netz um'geben *od*. bedecken. **10.** mit Netzen abfischen. **11.** in Fi'let arbeiten, knüpfen. **12.** *Tennis*: *den Ball* ins Netz spielen. **III** *v/i* **13.** Netz- *od*. Fi'letarbeit machen.

net[2] [net] **I** *adj* **1.** *econ*. netto, Netto..., Rein..., Roh... **2.** *tech*. Nutz...: ~ efficiency Nutzleistung *f*. **II** *v/t* **3.** *econ*. netto einbringen, e-n Reingewinn von ... abwerfen. **4.** *econ*. netto verdienen, e-n Reingewinn haben von.

net| a·mount *s econ*. Nettobetrag *m*, Reinertrag *m*. ~ **bal·ance** *s* 'Nettobiˌlanz *f*, 'Nettoˌüberschuß *m*. ~ **ball** → net[1] 6 a. '~ˌ**ball** *s sport* Korbball(spiel *n*) *m*. ~ **cash** *s econ*. netto Kasse, ohne Abzug gegen bar: ~ in advance netto Kasse im voraus.

neth·er ['neðər] *adj* **1.** unter(er, e, es), Unter... **2.** nieder(er, e, es), Nieder...

Neth·er·land·er ['neðərləndər] *s* Niederländer(in). '**Neth·er·land·ish** *adj* niederländisch.

neth·er·most ['neðərˌmoust] *adj* tiefst(er, e, es), unterst(er, e, es).

neth·er world *s* 'Unterwelt *f*.

net| in·come *s econ*. Nettoeinkommen *n*. ~ **load** *s tech*. Nutzlast *f*. ~ **price** *s econ*. Nettopreis *m*. ~ **pro·ceeds** *s pl econ*. Rein-, Nettoeinnahme(n *pl*) *f*, -erlös *m*, -ertrag *m*. ~ **prof·it** *s econ*. Reingewinn *m*.

'**netˌshaped e·lec·trode** *s electr*. ['Netzelekˌtrode *f*.]

nett → net[2].

net·ted ['netid] *adj* **1.** netzförmig, maschig. **2.** mit Netzen um'geben *od*. bedeckt. **3.** *bot. zo*. netzartig geädert.

net·ting ['netiŋ] *s* **1.** Netzstricken *n*, Fi'letarbeit *f*. **2.** Netz(werk) *n*, Geflecht *n* (*a. aus Draht*), *mil*. Tarngeflecht *n*, -netze *pl*.

net·tle ['netl] **I** *s* **1.** *bot*. Nessel *f*: to grasp the ~ *fig*. die Schwierigkeit anpacken. **II** *v/t* **2.** mit *od*. an Nesseln brennen. **3.** *fig*. ärgern, reizen, quälen: to be ~d at aufgebracht sein über (*acc*). ~ **cloth** *s econ*. Nesseltuch *n*. ~ **rash** *s med*. Nesselausschlag *m*.

net| weight *s econ*. Netto-, Rein-, Eigen-, Trockengewicht *n*. '~ˌ**work** *s* **1.** Netz-, Maschenwerk *n*, Geflecht *n*, Netz *n*. **2.** Fi'let *n*, Netz-, Fi'letarbeit *f*. **3.** *fig*. (*a. Eisenbahn-, Fluß-, Straßen- etc*)Netz *n*: ~ of roads; ~ of intrigues Netz von Intrigen. **4.** *electr*. a) (Leitungs-, Verteilungs)Netz *n*, b) *Rundfunk*: Sendernetz *n*, -gruppe *f*, c) *Schaltungstechnik*: Netzwerk *n*. ~ **yield** *s econ*. effek'tive Ren'dite *od*. Verzinsung, Nettoertrag *m*.

neume [njuːm] *s mus*. Neume *f* (*mittelalterliches Notenzeichen*).

neu·ral ['nju(ə)rəl] *adj physiol*. **1.** neu'ral, Nerven...: ~ **axis** Nervenachse *f*. **2.** Rücken...: ~ **arch** oberer Wirbelbogen; ~ **spine** Dornfortsatz *m* e-s Wirbels.

neu·ral·gia [nju(ə)'rældʒə] *s med*. Neural'gie *f*, Nervenschmerz *m*. **neu'ral·gic** *adj* (*adv* ~**ally**) neur'algisch.

neu·ras·the·ni·a [ˌnju(ə)rəs'θiːniə] *s med*. Neurasthe'nie *f*, Nervenschwäche *f*. ˌ**neu·ras'then·ic** [-'θenik] *med*. **I** *adj* (*adv* ~**ally**) neura'sthenisch, nervenschwach. **II** *s* Neura'stheniker(in).

neu·ra·tion [nju(ə)'reiʃən] → **nervation**.

neu·rec·to·my [nju(ə)'rektəmi] *s med*. Neurekto'mie *f*, 'Nervenexstirpatiˌon *f*.

neu·ri·lem·ma [ˌnju(ə)ri'lemə] *s anat*. Neuri'lemm *n*, Nervenscheide *f*.

neu·rine ['nju(ə)riːn; -rin] *s biol. chem*. Neu'rin *n*.

neu·rit·ic [nju(ə)'ritik] *adj med*. neu'ritisch. **neu'ri·tis** [-'raitis] *s* Neu'ritis *f*, Nervenentzündung *f*.

neu·ro·blast ['nju(ə)roˌblæst] *s biol*. Neuro'blast *m*.

neu·rog·li·a [nju(ə)'rɒgliə] *s zo*. Neuro'glia *f*, Nervenstützgewebe *n*.

neu·ro·log·i·cal [ˌnju(ə)ro'lɒdʒikəl] *adj med*. neuro'logisch. **neu'rol·o·gist** [-'rɒlədʒist] *s* Neuro'loge *m*, Nervenarzt *m*. **neu'rol·o·gy** [-dʒi] *s* Neurolo'gie *f*.

neu·rol·y·sis [nju(ə)'rɒlisis] *s med*. [Neuro'lyse *f*.]

neu·ro·ma [nju(ə)'roumə] *pl* **-ma·ta** [-tə] *s med*. Nervengeschwulst *f*, Neu'rom *n*.

neu·ro·path ['nju(ə)roˌpæθ] *s med*. Nervenleidende(r *m*) *f*. ˌ**neu·ro'path·ic**, ˌ**neu·ro'path·i·cal** *adj* neuro'pathisch: a) ner'vös (*Leiden etc*), b) nervenkrank, -leidend. **neu'rop·a·thist** [-'rɒpəθist] → **neurologist**. ˌ**neu·ro·pa'thol·o·gy** [-pə'θɒlədʒi] *s* ˌNeuropatholo'gie *f*. **neu'rop·a·thy** *s* Nervenleiden *n*.

neu·ro·phys·i·ol·o·gy [ˌnju(ə)roˌfizi'ɒlədʒi] *s med*. ˌNeurophysiolo'gie *f*.

neu·ro·psy·chi·a·try [ˌnju(ə)rosai'kaiətri] *s* Neuropsychia'trie *f*.

neu·ro·psy·cho·sis [ˌnju(ə)rosai'kousis] *s med*. Neuropsy'chose *f*.

neu·rop·ter·an [nju(ə)'rɒptərən] *zo*. **I** *adj* Netzflügler... **II** *s* Netzflügler *m*.

neu·ro·sis [nju(ə)'rousis] *pl* **-ses** [-siːz] *s med*. Neu'rose *f*.

neu·ro·sur·geon [ˌnju(ə)ro'səːrdʒən] *s med*. 'Nervenchirˌurg *m*.

neu·rot·ic [nju(ə)'rɒtik] **I** *adj* (*adv* ~**ally**) **1.** neu'rotisch: a) nervenleidend, -krank, b) Neurosen... **2.** ner'vös, Nerven...: ~ disease. **3.** Nerven...: ~ medicament → 5. **II** *s* **4.** Neu'rotiker(in). **5.** Nervenmittel *n*.

neu·rot·o·my [nju(ə)'rɒtəmi] *s med*. **1.** 'Nervenanatoˌmie *f*. **2.** Nervenschnitt *m*.

neu·ter ['njuːtər] **I** *adj* **1.** *ling*. a) sächlich, b) intransitiv (*Verb*). **2.** *biol*. a) geschlechtslos, nicht fortpflanzungsfähig, b) mit nur rudimen'tären Ge'schlechtsorˌganen. **3.** *obs*. neu'tral. **II** *s* **4.** *ling*. a) Neutrum *n*, sächliches Hauptwort, b) intransitives Verb, Intransi'tivum *n*. **5.** *bot*. Blüte *f* ohne Staubgefäße u. Stempel. **6.** *zo*. geschlechtsloses *od*. ka'striertes Tier. **III** *v/t* **7.** *Katzen etc* ka'strieren.

neu·tral ['njuːtrəl] **I** *adj* (*adv* ~**ly**) **1.** neu'tral, par'teilos, 'unparˌteiisch, unbeteiligt: ~ ship neutrales Schiff. **2.** neu'tral, unbestimmt, unausgesprochen, farblos. **3.** neu'tral (*a. chem. electr.*), gleichgültig, 'indiffeˌrent (to gegenüber). **4.** → neuter 2. **5.** *mot*. a) Ruhe..., Null... (*Lage*), b) Leerlauf... (*Gang*). **II** *s* **6.** Neu'trale(r *m*) *f*, Par'teilose(r *m*) *f*. **7.** *pol*. a) neu'traler Staat, b) Angehörige(r *m*) *f* e-s neu'tralen Staates. **8.** *mot. tech*. a) Ruhelage *f*, b) Leerlaufstellung *f* (*des Schalthebels*). ~ **ax·is** *s math. phys. tech*. neu'trale Achse, Nullinie *f*. ~ **con·duc·tor** *s electr*. Nulleiter *m*. ~ **e·qui·lib·ri·um** *s phys*. 'indiffeˌrentes Gleichgewicht. ~ **gear** *s tech*. Leerlauf(gang) *m*.

neu·tral·ism ['njuːtrəˌlizəm] *s pol*. Neutra'lismus *m*, Neutrali'tätspoliˌtik *f*. '**neu·tral·ist I** *s* Neutra'list *m*, Neu'trale(r) *m*. **II** *adj* neutra'listisch.

neu·tral·i·ty [njuː'træliti] *s a. chem. u. pol*. Neutrali'tät *f*.

neu·tral·i·za·tion [ˌnjuːtrəlai'zeiʃən; -li'z-] *s* **1.** Neutrali'sierung *f*, Ausgleichung *f*, (gegenseitige) Aufhebung. **2.** *chem*. Neutralisati'on *f*. **3.** *pol*. Neutrali'tätserklärung *f* (*e-s Staates etc*). **4.** *electr*. Entkopplung *f*, Neutralisati'on *f*. **5.** *mil*. Niederhaltung *f*, Lahmlegung *f*: ~ fire Niederhaltungsfeuer *n*.

'**neu·tralˌize** *v/t* **1.** neutrali'sieren (*a. chem.*), ausgleichen, aufheben: to ~ each other sich gegenseitig aufheben. **2.** *pol*. für neu'tral erklären. **3.** *electr*. neutrali'sieren, entkoppeln. **4.** *mil*. a) niederhalten, -kämpfen, b) *Kampfstoffe* entgiften.

neu·tral| line *s* **1.** *math. phys*. Neu'trale *f*, neu'trale Linie. **2.** *phys*. Nullinie *f*. **3.** → **neutral axis**. ~ **po·si·tion** *s* **1.** *tech*. Nullstellung *f*, -lage *f*. **2.** Ruhe-, Ausgangsstellung *f*. **3.** *electr*. neu'trale Stellung (*des Ankers etc*). ~ **wire** *s electr*. Nulleiter *m*.

neu·tret·to [njuː'tretou] *s phys*. Neu'tretto *n* (*neutrales Meson*).

neu·tri·no [njuː'triːnou] *s phys*. Neu'trino *n* (*neutrales Elementarteilchen*).

neu·tro·dyne ['njuːtrəˌdain] *s electr*. Neutro'dyn *n*: ~ capacitor Entkopplungskondensator *m*; ~ receiver Neutrodynempfänger *m*.

neu·tron ['njuːtrɒn] *s phys*. Neutron *n*.

Ne·vad·an [nə'vædn; nə'vɑːdn] *adj* von *od*. aus Ne'vada.

né·vé [*Br*. 'nevei; *Am*. nei'vei] *s geol*. Firn(feld *n*) *m*.

nev·er ['nevər] *adv* **1.** nie, niemals, nimmer(mehr). **2.** durch'aus nicht, (ganz u. gar) nicht, nicht im geringsten. **3.** *colloq*. doch nicht, (doch) wohl nicht: you ~ mean to tell me that.

Besondere Redewendungen:

~ fear nur keine Bange!, keine Sorge!; well, I ~! *colloq*. nein, so was!, das ist ja unerhört!; ~ so auch noch so, so sehr auch; were he ~ so bad mag er auch noch so schlecht sein; ~ so much noch so sehr *od*. viel; ~ so much as nicht einmal, sogar nicht; he ~ so much as answered er hat noch nicht einmal geantwortet; → die[1] 1, mind 14.

'**nev·er|-do-ˌwell** *s* Taugenichts *m*, Tunichtgut *m*. '~-'**end·ing** *adj* endlos, unaufhörlich. '~-'**fail·ing** *adj* **1.** unfehlbar, untrüglich. **2.** nie versiegend. ˌ~'**more** *adv* nimmermehr, nie wieder. '~-'**nev·er** *s* **1.** *Br. sl*. ‚Stottern' *n* (*Ratenzahlung*): to buy on the ~ ‚abstottern', auf Abzahlung kaufen. **2.** *a*. ~ land a) Au'stralischer Busch, ‚Arsch *m* der Welt', b) *fig.* Wolken'kuckucksheim *n.*

ˌnev·er·the'less *adv* nichtsdesto'weniger, dessen'ungeachtet, dennoch.

ne·vus ['ni:vəs] *s physiol.* Muttermal *n*, Leberfleck *m*: **congenital ~** Blutmal *n*; **vascular ~** Feuermal *n.*

new [nju:] **I** *adj* (*adv* → **newly**) **1.** *allg.* neu: **nothing ~** nichts Neues; → **broom** 1. **2.** *ling.* neu, mo'dern. **3.** *bes. contp.* neumodisch. **4.** neu (*Kartoffeln, Obst etc*), frisch (*Brot, Milch etc*). **5.** neu(entdeckt *od.* -erschienen *od.* -erstanden *od.* -geschaffen): **a ~ book**; **a ~ star**; **~ moon** Neumond *m*; **~ publications** Neuerscheinungen; **the ~ woman** die Frau von heute; **that is not ~ to me** das ist mir nichts Neues. **6.** unerforscht: **~ ground** Neuland *n* (*a. fig.*). **7.** neu(gewählt, -ernannt): **the ~ president. 8.** (to) a) (*j-m*) unbekannt, b) nicht vertraut (mit *e-r Sache*), unerfahren *od.* ungeübt (in *dat*), c) (*j-m*) ungewohnt. **9.** neu, ander(er, e, es), besser: **to feel a ~ man** sich wie neugeboren fühlen; **to lead a ~ life** ein neues (*besseres*) Leben führen. **10.** neu, erneut: **a ~ start. 11.** (*bes. bei Ortsnamen*) Neu... **II** *adv* **12.** neu(er)lich, so'eben, frisch (*bes. in Zssgn*): **~-built** neuerbaut.

new| birth *s bes. fig. relig.* 'Wiedergeburt *f.* **'~'born** *adj* neugeboren.

New·cas·tle [*Br.* 'nju:ˌkɑ:sl; *Am.* -ˌkæ(:)sl] *npr* Newcastle *n* (*Name mehrerer Städte in England, Amerika u. Australien*): **to carry coals to ~** *fig.* Eulen nach Athen tragen.

new| chum *s bes. Austral. sl.* Neuling *m*, Neuankömmling *m.* **'~ˌcome** *adj* neu angekommen. **'~ˌcom·er** *s* **1.** Neuankömmling *m*, Fremde(r *m*) *f.* **2.** Neuling *m* (**to a subject** auf e-m Gebiet). **N~ Deal** *s* New Deal *m* (*Wirtschafts- u. Sozialpolitik des Präsidenten F. D. Roosevelt*). **N~ E·gyp·tian** *s ling.* Koptisch *n*, das Koptische.

new·el ['nju:əl] *s tech.* **1.** Spindel *f* (*e-r Wendeltreppe, Gußform etc*). **2.** Endpfosten *m* (*e-r Geländerstange*).

New Eng·land boiled din·ner *s* (*Art*) Pichelsteiner Fleisch *n.*

'new|'fan·gled *adj contp.* neumodisch. **'~-'fledged** *adj* **1.** *orn.* flügge geworden, seit kurzem flügge. **2.** *fig.* neugebacken. **'~-'found** *adj* **1.** neu gefunden, neu erfunden. **2.** neu entdeckt.

New·found·land (dog) [nju:'faundlənd] *s zo.* Neu'fundländer *m* (*Hund*).

New·found·land·er [nju:'faundləndər] *s* **1.** Neu'fundländer(in). **2.** *mar.* Neu'fundlandfahrer *m* (*Fischereifahrzeug*). **3.** *zo.* Neu'fundländer *m* (*Hund*).

New·gate ['nju:git] *npr hist. Kriminalgefängnis der City von London*: **~ bird** *sl.* Galgenvogel *m*; **~ fringe** (*od.* **frill**) *colloq.* wallender Kinnbart (*bei sonst glatt rasiertem Gesicht*).

new·ish ['nju:iʃ] *adj* ziemlich neu.

New| Je·ru·sa·lem Church *s relig. die auf den Lehren Emanuel Swedenborgs fußende Kirche.* **'n~-ˌlaid** *adj* frisch gelegt (*Eier*). **n~ light** *s relig.* Moder'nist *m*, Libe'rale(r) *m.*

new·ly ['nju:li] *adv* **1.** neulich, kürzlich, jüngst: **~-married** jung-, frisch-, neuvermählt. **2.** von neuem. **'~ˌweds** *s pl* Neuvermählte *pl.*

new·ness ['nju:nis] *s* **1.** (*Zustand der*) Neuheit *f*, (*das*) Neue. **2.** (*das*) Neue, (*etwas*) Neues. **3.** *fig.* Unerfahrenheit *f.*

'new-ˌrich I *adj* neureich. **II** *s* Neureiche(r *m*) *f*, Parve'nü *m.*

news [nju:z] **I** *s pl* (*als sg konstruiert*) **1.** (*das*) Neue, Neuigkeit(en *pl*) *f*, (*etwas*) Neues, Nachricht(en *pl*) *f*: **a piece of ~** e-e Neuigkeit *od.* Nachricht; **at this ~** bei dieser Nachricht; **good** (**bad**) **~** gute (schlechte) Nachricht(en); **commercial ~** *econ.* Handelsteil *m* (*e-r Zeitung*); **to have ~ from s.o.** von j-m Nachricht haben; **what('s the) ~?** was gibt es Neues?; **it is ~ to me** es ist mir (ganz) neu *od.* etwas ganz Neues; **ill ~ flies apace** schlechte Nachrichten erfährt man bald; **no ~ is good ~** keine Nachricht ist gute Nachricht. **2.** neueste (Zeitungs- *etc*)Nachrichten *pl*: **to be in the ~** (in der Öffentlichkeit) von sich reden machen. **~ a·gen·cy** *s* 'Nachrichtenagenˌtur *f*, -büˌro *n.* **~ a·gent** *s* Zeitungshändler *m.* **'~ˌboy** *s* Zeitungsjunge *m.* **'~ˌbreak** *s Am.* (*für Zeitungsleser*) interes'santes Ereignis. **~ butch·er** *s Am.* Verkäufer *m* von Zeitungen, Süßigkeiten *etc* (*in Eisenbahnzügen*). **'~ˌcast** *s Radio*: *Am.* Nachrichtensendung *f.* **'~ˌcast·er** *s Radio*: *Am.* Nachrichtensprecher *m.* **~ deal·er** → **news agent. ~ flash** *s bes. Am.* Kurznachricht *f.*

news·ie → **newsy** I.

news·i·ness ['nju:zinis] *s colloq.* 'Überfülle *f* von Nachrichten *od.* Neuigkeiten, Aktuali'tät *f.*

'news|ˌlet·ter *s* **1.** (Nachrichten)-Rundschreiben *n*, (in'ternes) Mitteilungsblatt. **2.** *hist.* geschriebene Zeitung. **'~ˌmag·a·zine** *s* 'Nachrichtenmagaˌzin *n.* **'~·man** [-mən] *s irr* **1.** a) Zeitungshändler *m*, b) Zeitungsmann *m*, -austräger *m.* **2.** Journa'list *m.* **'~ˌmon·ger** *s* Neuigkeitskrämer *m.*

'newsˌpa·per *s* **1.** Zeitung *f*: **commercial ~** Börsenblatt *n*, Wirtschaftszeitung. **2.** 'Zeitungspaˌpier *n.* **~ clip·ping** *s Am.*, **~ cut·ting** *s Br.* Zeitungsausschnitt *m.* **'~ˌman** [-ˌmæn] *s irr* **1.** Zeitungsverkäufer *m.* **2.** a) Re'porter *m*, b) ('Zeitungs)Redakˌteur *m*, c) Journa'list *m.* **3.** Zeitungsverleger *m.*

'newˌspeak *s humor.* Fortschrittssprache *f* (*Diktion, in der aus ideologischen Gründen alten Wörtern neue Bedeutungen gegeben werden*).

'news|ˌprint *s* 'Zeitungspaˌpier *n.* **'~ˌread·er** *Br. für* **newscaster. '~ˌreel** *s Film*: Wochenschau *f.* **'~ˌroom** *s* **1.** 'Nachrichtenraum *m*, -zenˌtrale *f* (*e-r Nachrichtenagentur, Zeitung, Rundfunk- od. Fernsehstation*). **2.** Zeitschriftenlesesaal *m.* **3.** *Am.* 'Zeitungsladen *m*, -kiˌosk *m.* **~ serv·ice** *s* Nachrichtendienst *m.* **'~ˌsheet** *s* kleines Nachrichtenblatt. **~ stall** *s Br.*, **'~ˌstand** *s Am.* 'Zeitungskiˌosk *m*, -stand *m.*

New Style *s* neue Zeitrechnung (nach dem Gregori'anischen Ka'lender).

news| val·ue *s* ,Nachrichtenwert' *m*, Interes'santheit *f*, Aktuali'tät *f.* **~ ven·dor** *s* Zeitungsverkäufer *m.* **'~ˌwor·thy** *adj* von Inter'esse für den Zeitungsleser, berichtenswert, aktu'ell.

news·y ['nju:zi] *colloq.* **I** *s Am.* Zeitungsjunge *m.* **II** *adj* voller Neuigkeiten.

newt [nju:t] *s zo.* Wassermolch *m.*

New| Tes·ta·ment *s Bibl.* (*das*) Neue Testa'ment. **~ Thought** *s relig. e-e moderne religiöse Bewegung, die an die Macht des Geistes glaubt, den Körper zu beherrschen u. Krankheiten fernzuhalten od. zu heilen.*

new·ton ['nju:tn] *s phys.* Newton *n* (*Maßeinheit im Länge-Masse-Zeit-System*).

New·to·ni·an [nju:'touniən] **I** *adj* **1.** Newton(i)sch: **~ force** (**mechanics**) Newtonsche Kraft (Mechanik). **II** *s* **2.** Anhänger *m* Newtons. **3.** *a.* **~ telescope** *phys.* Newton(i)scher Re'flektor.

New| World *s* (*die*) Neue Welt (*Amerika*). **'n~-ˌworld** *adj* (aus) der Neuen Welt. **n~ year** *s* **1.** Neujahr *n*, (*das*) neue Jahr. **2. N~ Y~** Neujahrstag *m.* **~ Year's Day** *s* Neujahrstag *m.* **~ Year's Eve** *s* Sil'vesterabend *m.*

next [nekst] **I** *adj* **1.** (*Ort, Lage*) nächst(er, e, es), erst(er, e, es) nach ..., dicht *od.* nahe bei ... (*befindlich*), nächststehend: **the ~ house. 2.** (*Zeit, Reihenfolge*) nächst(er, e, es), (*unmittelbar*) folgend, gleich nach: **~ month** nächsten Monat; **~ time** das nächste Mal, ein andermal, in Zukunft; **(the) ~ day** am nächsten *od.* folgenden Tag. **3.** unmittelbar vor'hergehend *od.* folgend: **~ in size** nächstgrößer(er, e, es) *od.* nächstkleiner(er, e, es). **4.** (*an Rang*) nächst(er, e, es). **5.** *Am. sl.* infor'miert, im Bilde.

Besondere Redewendungen:

~ to a) gleich neben, b) gleich nach (*Rang, Reihenfolge*), c) beinahe, fast *unmöglich etc*, so gut wie *nichts etc*; **~ to last** zweitletzt(er, e, es); **~ but one** übernächst(er, e, es); **the ~ best thing to** das Nächste *od.* Beste nach; **(the) ~ moment** im nächsten Augenblick; → **what** *Bes. Redew.*; **the ~ man** der erste beste; **the river ~** (*od.* **the ~ river**) **to the Thames in length** der nächstlängste Fluß nach der Themse; **not till ~ time** *humor.* nie mehr bis zum nächsten Mal.

II *adv* **6.** (*Ort, Zeit etc*) als nächste(r) *od.* nächstes, gleich dar'auf: **to come ~** als nächster (nächste, nächstes) folgen. **7.** nächstens, demnächst, das nächste Mal: **when I saw him ~** als ich ihn das nächste Mal sah. **8.** (*bei Aufzählung*) dann, dar'auf.

III *prep* **9.** gleich neben *od.* bei *od.* an (*dat*). **10.** zu'nächst nach, (*an Rang*) gleich nach.

IV *s* **11.** (*der, die, das*) Nächste: **the ~ to come** der Nächste; **to be continued in our ~** Fortsetzung folgt; **in my ~** *obs.* in m-m nächsten Schreiben.

'next|-ˌdoor *adj* im Nebenhaus, benachbart, neben'an: **the ~ baker** der Bäcker nebenan. **~ friend** *s jur.* Pro'zeßbeistand *m* (*e-s Minderjährigen etc*). **~ of kin** *s sg u. pl jur. mil.* (*der od. die*) nächste Verwandte, (*die*) nächsten Angehörigen *pl od.* Verwandten *pl.*

nex·us ['neksəs] *pl* **-us** (*Lat.*) *s* Nexus *m*, Verknüpfung *f*, Zs.-hang *m.*

n-gon ['engɒn] *s math.* n-Eck *n.*

nib [nib] **I** *s* **1.** *orn.* Schnabel *m.* **2.** (Gold-, Stahl)Spitze *f* (*e-r Schreibfeder*). **3.** Schreibfeder *f.* **4.** *tech.* (*getrenntes, verstellbares*) Glied e-s Kombinati'onsschlüssels. **5.** *pl* Kaffee- *od.* Ka'kaobohnenstückchen *pl.* **6.** Knoten *m* (*in Wolle od. Seide*). **II** *v/t* **7.** *Füllfeder etc* mit e-r Spitze versehen. **8.** *etwas* spitz(er) machen, anspitzen.

nib·ble ['nibl] **I** *v/t* **1.** benagen, knabbern an (*dat*), anfressen: **to ~ off** abbeißen, abfressen. **2.** *den Köder* vorsichtig anbeißen (*Fisch*). **II** *v/i* **3.** nagen, knabbern (**at** an *dat*): **to ~ at one's food** im Essen herumstochern. **4.** (fast) anbeißen (*Fisch*; *a. fig. Käufer*). **5.** *fig.* kritteln, nörgeln. **III** *s* **6.** Nagen *n*, Knabbern *n.* **7.** (vorsichtiges) Anbeißen (*der Fische*). **8.** (kleiner) Bissen, Happen *m.*

Ni·be·lungs ['niːbəˌluŋz] *npr pl* (*die*) Nibelungen *pl.*

nib·lick ['niblik] *s sport* (*eiserner*) Golfschläger.

nibs [nibz] *s pl* (*als sg konstruiert*) *colloq.* ‚großes Tier': his ~ ‚seine Hoheit'.

nice [nais] *adj* **1.** fein, zart. **2.** *colloq.* fein, lecker (*Speise etc*). **3.** *colloq.* nett, freundlich (to s.o. zu j-m). **4.** *colloq.* nett, hübsch, schön (*alle a. iro.*): a ~ girl; ~ weather; a ~ mess *iro.* e-e schöne Bescherung; ~ and fat schön fett; ~ and warm hübsch warm. **5.** heikel, wählerisch (about in *dat*). **6.** fein, scharf, genau: a ~ distinction ein feiner Unterschied; ~ judg(e)ment feines *od.* kritisches Urteil; to have a ~ ear ein scharfes Ohr haben. **7.** (peinlich) genau, sorgfältig, gewissenhaft, pünktlich. **8.** *fig.* heikel, ‚kitzlig', schwierig: a ~ question e-e heikle Frage. **9.** (*meist mit* not) anständig: not a ~ song ein unanständiges Lied.

nice·ly ['naisli] *adv* **1.** fein, nett: ~ written nett geschrieben. **2.** gut, fein, ausgezeichnet: that will do ~ das paßt ausgezeichnet; she is doing ~ *colloq.* es geht ihr gut *od.* besser, sie macht gute Fortschritte; to talk ~ to s.o. j-m gute Worte geben. **3.** sorgfältig, genau. **4.** *iro.* schön: I was done ~ *sl.* ich wurde schön ‚'reingelegt'.

Ni·cene Creed [nai'siːn; 'naisiːn] *s relig.* Ni'zänum *n*, Ni'zäisches Glaubensbekenntnis.

nice·ness ['naisnis] *s* **1.** Feinheit *f* (*des Geschmacks etc*), Schärfe *f* (*des Urteils*). **2.** *colloq.* Niedlichkeit *f*, Nettheit *f*, (*das*) Nette. **3.** *colloq.* Nettigkeit *f*, Freundlichkeit *f*. **4.** → nicety 2.

ni·ce·ty ['naisiti] *s* **1.** Feinheit *f*, Schärfe *f* (*des Urteils etc*). **2.** peinliche Genauigkeit, Pünktlichkeit *f*: to a ~ aufs genaueste, bis aufs Haar. **3.** Spitzfindigkeit *f*. **4.** *pl* feine 'Unterschiede *pl*, Feinheiten *pl*: not to stand upon niceties es nicht so genau nehmen. **5.** wählerisches Wesen. **6.** *meist pl* Annehmlichkeit *f*: the niceties of life die Annehmlichkeiten des Lebens.

niche [nitʃ] **I** *s* **1.** *arch., a. anat.* Nische *f*. **2.** *fig.* (*der j-m od. e-r Sache angewiesene od. zukommende*) Platz. **3.** *fig.* Versteck *n*. **II** *v/t* **4.** mit e-r Nische versehen. **5.** in e-e Nische stellen.

ni·chrome ['naikroum] *s tech.* Nickelchrom *n*.

Nick[1] [nik] *npr* **1.** Niki *m* (*Koseform von* Nicholas). **2.** *meist* Old N~ *sl.* der Teufel.

nick[2] [nik] **I** *s* **1.** Kerbe *f*, Einkerbung *f*, Einschnitt *m*. **2.** Kerbholz *n*. **3.** *tech.* Einschnitt *m*, Schlitz *m* (*am Schraubenkopf*). **4.** *print.* Signa'tur(rinne) *f*. **5.** (*rechter*) Zeitpunkt: in the ~ (of time) (gerade) (noch) zur rechten Zeit, im richtigen Augenblick. **6.** *Würfelspiel etc*: (hoher) Wurf, Treffer *m*. **7.** *sl.* ‚Kittchen' *n* (*Gefängnis*). **II** *v/t* **8.** (ein)kerben, einschneiden: to ~ out auszacken. **9.** *etwas* glücklich treffen: to ~ the time gerade den richtigen Zeitpunkt treffen. **10.** erraten. **11.** *e-n Zug* erwischen. **12.** *Br. sl. j-n* ertappen, erwischen. **13.** *sl.* ‚klauen', stehlen. **14.** *sl.* ‚übers Ohr hauen', betrügen. **III** *v/i* **15.** ~ in sich vordrängen (*bes. durch Kurvenschneiden*).

nick·el ['nikl] **I** *s* **1.** *chem. min.* Nickel *n*: antimonial ~ Nickelspießglanzerz *n*; arsenical ~ Arseniknickel; chloride of ~ Nickelchlorür *n*. **2.** *Am. colloq.* ‚Nickel' *m*, Fünf'centstück *n*: not worth a plugged ~ keinen Pfifferling wert. **II** *adj* **3.** Nickel... **III** *v/t* **4.** vernickeln. ~ **bloom** *s min.* Nickelblüte *f*. ~ **glance** *s min.* Nickelglanz *m*.

nick·el·ic ['nikəlik; ni'kelik] *adj chem. min.* nickelhaltig, Nickel... **nick·el·if·er·ous** [ˌnikə'lifərəs] *adj min.* nickelhaltig. **'nick·elˌize** *v/t* vernickeln.

nick·el·o·de·on [ˌnikə'loudiən] *s Am.* **1.** *hist.* ‚Kintopp' *m*, billiges ('Film-, Varie'té)Theˌater. **2.** → juke box.

'nick·el|-ˌplate *v/t tech.* vernickeln. **'~-ˌplat·ed** *adj* vernickelt, 'nickelplatˌtiert. **'~-ˌplat·ing** *s* Vernickelung *f*. ~ **sil·ver** *s* Neusilber *n*. ~ **steel** *s* Nickelstahl *m*.

nick·er[1] ['nikər] *v/i Scot.* wiehern.

nick·er[2] ['nikər] *s Br. sl.* Pfund *n* (Sterling).

nick·nack → knickknack.

nick·name ['nikˌneim] **I** *s* **1.** Spitzname *m*. **2.** Kosename *m*. **3.** *mil.* Deckname *m*. **II** *v/t* **4.** mit e-m Spitznamen *etc* bezeichnen, *j-m* e-n *od.* den Spitznamen ... geben.

nic·o·tin·a·mide [ˌnikə'tinəˌmaid; -mid] *s chem.* Niko'tinaˌmid *n*.

nic·o·tine ['nikəˌtiːn; -tin] *s chem.* Niko'tin *n*.

nic·o·tin·ic [ˌnikə'tinik] *adj* niko'tinisch, Nikotin...

nic·o·tin·ism ['nikətiːˌnizəm; -tiˌn-] *s med.* Niko'tinvergiftung *f*. **'nic·o·tinˌize** *v/t chem.* mit Niko'tin sättigen *od.* vergiften.

nic·tate ['nikteit], **nic·ti·tate** ['niktiˌteit] *v/i* blinzeln: nictitating membrane *anat.* Blinzel-, Nickhaut *f*.

nic·ti·ta·tion [ˌnikti'teiʃən] *s med.* krampfhaftes Blinzeln.

ni·dal ['naidl] *adj zo.* Nest... **nid·a·men·tal** [ˌnidə'mentl; ˌnai-] *adj zo.* nidamen'tal. **ni·da·tion** [ni'deiʃən] *s* **1.** *physiol.* Nidati'on *f*, Einnisten *n* des Eis. **2.** *med.* Sich-'Festsetzen *n* von Erregern.

nid·dle-nod·dle ['nidlˌnɒdl] **I** *v/i* wakkeln. **II** *v/t* wackeln mit (*dem Kopf*). **III** *adj* wackelnd.

nide [naid] *s* (Fa'sanen)Nest *n*, Brut *f*.

nid·i·fi·cate ['nidifiˌkeit], **'nid·iˌfy** [-ˌfai] *v/i* ein Nest bauen, nisten.

nid-nod ['nidnɒd] *v/i* ständig *od.* mehrmals nicken.

ni·dus ['naidəs] *pl* **-di** [-dai] *s* **1.** *zo.* Nest *n*, Brutstätte *f*. **2.** *fig.* Lagerstätte *f*, Sitz *m*. **3.** *med.* Herd *m*, Nest *n* (*e-r Krankheit*).

niece [niːs] *s* **1.** Nichte *f*. **2.** *obs.* Enkelin *f*.

ni·el·lo [ni'elou] **I** *pl* **-li** [-li] *od.* **-los** *s* **1.** Ni'ello *n*, Schwarzschmelz *m* (*schwarz ausgefüllte Metallgravierung*). **2.** *a.* ~ work Ni'ello(arbeit *f*) *n*. **II** *v/t pret u. pp* **ni'el·loed 3.** niel'lieren.

Nie·tzsche·an ['niːtʃiən] **I** *s* Nietzscheanhänger(in). **II** *adj* Nietzsches Lehre betreffend. **'Nie·tzsche·anˌism** *s* Philoso'phie *f* Friedrich Nietzsches.

nieve [niːv] *s obs.* Faust *f*.

nif·ty ['nifti] *adj sl.* **1.** *bes. Am.* ‚sauber': a) hübsch, schick, fesch, b) ‚prima', c) raffi'niert. **2.** *Br.* übelriechend.

nig·gard ['nigərd] **I** *s* **1.** Knicker(in), Geizhals *m*, ‚Filz' *m*. **II** *adj* **2.** geizig, knaus(e)rig, knick(e)rig. **3.** kärglich. **'nig·gard·li·ness** *s* Knause'rei *f*, Geiz *m*. **'nig·gard·ly I** *adv* → niggard II. **II** *adj* schäbig, kümmerlich: a ~ gift.

nig·ger ['nigər] *s* **1.** *colloq., meist contp.* ‚Nigger' *m*, Neger(in), Schwarze(r *m*) *f*: ~ in the woodpile *sl.* a) geheime (böse) Absicht, b) (*der*) Haken an der Sache; to work like a ~ wie ein Pferd arbeiten, schuften. **2.** *zo.* Larve *f*. ~ **heav·en** *s thea. Am. colloq.* → god 5.

nig·gle ['nigl] *v/i* **1.** *bes. Br.* a) (pe'dantisch) ‚her'umtüfteln', b) pe'dantisch sein. **2.** (her'um)trödeln. **3.** nörgeln. **'nig·gling** *adj* a) ‚tüftelig', b) pe'dantisch.

nigh [nai] *obs. od. poet.* **I** *adv* **1.** (*Zeit u. Ort*) nahe (to *dat od.* an *dat*): ~ to (*od.* unto) death dem Tode nahe; ~ but beinahe; to draw ~ to sich nähern (*dat*). **2.** *meist* well ~ beinahe. **II** *prep* **3.** nahe (bei) (*dat*), neben. **III** *adj* **4.** nahe.

night [nait] **I** *s* **1.** Nacht *f*: at ~, by ~, in the ~ bei Nacht, nachts, des Nachts; to bid (*od.* wish) s.o. good ~ j-m gute Nacht wünschen; all ~ (long) die ganze Nacht (hindurch); ~'s lodging Nachtquartier *n*. **2.** Abend *m*: last ~ gestern abend; the ~ before last vorgestern abend; a ~ of Wagner ein Wagnerabend; on the ~ of May 5th am Abend des 5. Mai. **3.** *fig.* Nacht *f*, Dunkel(heit *f*) *n*.

Besondere Redewendungen:

~ and day Tag u. Nacht; late at ~ (tief) in der Nacht, spät abends; over ~ über Nacht; ~ out freier Abend; to have a ~ out (*od.* off) e-n Abend ausspannen, ausgehen; to make a ~ of it bis zum nächsten Morgen ‚durchfeiern', ‚sich die Nacht um die Ohren schlagen'; to stay the ~ at übernachten in (*e-m Ort*) *od.* bei (*j-m*); to turn ~ into day die Nacht zum Tage machen.

night| at·tack *s mil.* Nachtangriff *m*. ~ **bell** *s* Nachtglocke *f*. ~ **bird** *s* **1.** *orn.* Nachtvogel *m*. **2.** *fig.* a) Nachtschwärmer *m*, b) Nachtarbeiter *m*. **'~-ˌblind** *adj med.* nachtblind. **'~-ˌbloom·ing** *adj bot.* nachtblütig. **'~-ˌbloom·ing ce·re·us** *s bot.* Königin *f* der Nacht. ~ **bomb·er** *s aer.* Nachtbomber *m*. **'~ˌcap** *s* **1.** Nachtmütze *f*, -haube *f*. **2.** *fig.* Schlummertrunk *m*. **3.** *sport Am. colloq.* letzter Wettkampf des Tages. ~ **cel·lar** *s Br.* (*bes.* anrüchiges) 'Kellerloˌkal. ~ **chair** *s* Nachtstuhl *m*. **'~ˌchurr** → nightjar. ~ **club** *s* Nachtklub *m*, 'Nachtloˌkal *n*. ~ **com·bat** *s mil.* Nachtgefecht *n*. **'~ˌdress** *s* Nachthemd *n* (*für Frauen u. Kinder*). ~ **ef·fect** *s Radar etc*: 'Nacht-, 'Dämmerungsefˌfekt *m*. ~ **ex·po·sure** *s phot.* Nachtaufnahme *f*. **'~ˌfall** *s* Einbruch *m* der Nacht. ~ **fight·er** *s aer. mil.* Nachtjagdflugzeug *n*, Nachtjäger *m*. **'~ˌgear** *s* Nachtzeug *n*. ~ **glass** *s* Nachtfernrohr *n*, -glas *n*. **'~ˌgown** → nightdress.

night·ie → nighty.

night·in·gale ['naitinˌgeil; *Am. a.* -tən-] *s orn.* Nachtigall *f*.

'night|ˌjar *s orn.* Ziegenmelker *m*. ~ **latch** *s* Nachtschloß *n* (*Schnappschloß*). ~ **leave** *s mil.* Urlaub *m* bis zum Wecken. ~ **let·ter(·gram)** *s Am.* (*bei Nacht befördertes*) 'Briefteleˌgramm. ~ **life** *s* Nachtleben *n*. ~ **line** *s* Nacht-, Grundangel *f*. **'~ˌlong I** *adj* e-e *od.* die ganze Nacht dauernd. **II** *adv* die ganze Nacht (hin'durch).

night·ly ['naitli] **I** *adj* **1.** nächtlich, Nacht... **2.** jede Nacht *od.* jeden Abend stattfindend, all'nächtlich *od.* all'abendlich. **II** *adv* **3.** a) (all)'nächtlich, jede Nacht, b) jeden Abend, (all)'abendlich. **4.** nachts.

night| mail *s* **1.** Nachtpost *f*. **2.** Nacht(post)zug *m*. ~ **man** *s irr* **1.** Nachtarbeiter *m*. **2.** Nachtwächter *m*.

night·mare ['naitˌmɛr] *s* **1.** Nachtmahr *m* (*böser Geist*). **2.** *med.* Alp(drücken *n*) *m*, böser Traum (*a. fig.*). **3.** *fig.* a) Schreckgespenst *n*, b) Alpdruck *m*, -traum *m*, Grauen *n*. **'night·ˌmar·ish** [-ˌmɛ(ə)riʃ] *adj* beklemmend, schauerlich.

night| nurse *s* Nachtschwester *f*. ~ **owl** *s* **1.** *orn.* Nachteule *f*. **2.** *colloq.* Nachtschwärmer *m*. ~ **piece** *s* **1.** *paint.* Nachtstück *n*. **2.** Nachtszene *f* (*Beschreibung*). ~ **por·ter** *s* 'Nachtporti,er *m*. ~ **rid·er** *s Am. Mitglied e-r berittenen Terroristenbande.*

nights [naits] *adv Br. dial. od. Am. colloq.* bei Nacht, nachts.

night| school *s* Abend-, Fortbildungsschule *f*, (*Art*) Volkshochschule *f*. '~,**shade** *s bot.* **1.** Nachtschatten *m*. **2.** *a.* **deadly** ~ Tollkirsche *f*. ~ **shift** *s* Nachtschicht *f*. '~,**shirt** *s* Nachthemd *n* (*für Männer u. Knaben*). '~,**side** *s fig.* Nachtseite *f*, dunkle *od.* geheimnisvolle Seite. '~,**spot** *Am.* → **night club.** '~,**stand** *s Am.* Nachttisch *m*. ~ **stick** *s Am.* (Gummi)Knüppel *m* (*der Polizei*). '~,**stool** *s* Nachtstuhl *m*. ~ **sweat** *s med.* Nachtschweiß *m*. ~ **ta·ble** → **nightstand.** ~ **ter·ror** *s med.* Nachtangst *f* (*nächtliches Aufschrecken bei Kindern*). '~,**tide** *s* **1.** *poet.* Nachtzeit *f*. **2.** *mar.* Flut *f* zur Nachtzeit. '~,**time** *s* Nacht(zeit) *f*. ~ **vi·sion** *s* **1.** nächtliche Erscheinung. **2.** *med.* Nachtsehvermögen *n*. '~,**walk·er** *s* Straßendirne *f*. ~ **watch** *s* **1.** Nachtwache *f*. **2.** Nachtwächter *m*. ~ **watch·man** *s irr* Nachtwächter *m*. '~,**wear** *s* Nachtzeug *n*. '~,**work** *s* Nachtarbeit *f*.

night·y ['naiti] *s colloq.* (Damen-)Nachthemd(chen) *n*.

ni·gres·cence [nai'gresns] *s* **1.** Schwarzwerden *n*. **2.** Dunkelheit *f*. **ni'gres·cent** *adj* **1.** schwarzwerdend. **2.** schwärzlich, dunkel.

nig·ri·tude ['nigri,tju:d] *s* Schwärze *f*.

ni·hil·ism ['naii,lizəm] *s philos. pol.* Nihi'lismus *m*. '**ni·hil·ist I** *s* Nihi'list(in). **II** *adj* → **nihilistic.** ,**ni·hil'is·tic** *adj* nihi'listisch.

nil [nil] *s* Nichts *n*, Null *f* (*bes. in Spielresultaten*): **two goals to** ~ zwei zu null (2 : 0); ~ **report** (*od.* **return**) Fehlanzeige *f*; **his influence is** ~ sein Einfluß ist gleich null.

nill [nil] *v/t u. v/i obs.* nicht wollen.

Ni·lot·ic [nai'lɒtik] *adj* Nil...

nil·po·tent ['nilpətənt] *adj math.* nilpo'tent.

nim·ble ['nimbl] *adj* (*adv* **nimbly**) **1.** flink, hurtig, gewandt, be'hend(e) (*alle a. fig.*). **2.** *fig.* geistig beweglich, ‚fix': ~ **mind** beweglicher Geist, rasche Auffassungsgabe. '~-,**fin·gered** *adj* **1.** geschickt. **2.** langfingerig, diebisch. '~-,**foot·ed** *adj* leicht-, schnellfüßig.

nim·ble·ness ['nimblnis] *s* Be'hendigkeit *f*, Gewandtheit *f*, Flinkheit *f*.

'**nim·ble-,wit·ted** *adj* schlagfertig.

nim·bus ['nimbəs] *pl* **-bi** [-bai] *od.* **-bus·es** *s* **1.** *a.* ~ **cloud** *meteor.* Nimbus *m*, graue Regenwolke. **2.** Nimbus *m*: a) Heiligenschein *m*, Strahlenkranz *m* (*auf Gemälden etc*), b) *fig.* Ruhm(esglanz) *m*, Geltung *f*.

ni·mi·e·ty [ni'maiiti] *s* Zu'viel *n*.

nim·i·ny-pim·i·ny ['nimini'pimini] *adj* **1.** affek'tiert, geziert. **2.** zimperlich.

Nim·rod ['nimrɒd] *npr Bibl. u. s fig.* Nimrod *m* (*großer Jäger*).

nin·com·poop ['ninkəm,pu:p] *s* Einfaltspinsel *m*, Trottel *m*.

nine [nain] **I** *adj* **1.** neun. **II** *s* **2.** Neun *f*, Neuner *m* (*Zahl, Ziffer, Spielkarte etc*): **the** ~ **of hearts** Herzneun. **3. the N**~ die neun Musen. **4.** *sport* Baseballmannschaft *f*.

Besondere Redewendungen:

~ **times out of ten** in den meisten Fällen; **in the** ~ **holes** *Am.* in Schwierigkeiten; **to the** ~**s** in höchstem Maße; **dressed up to the** ~**s** piekfein gekleidet, ‚aufgedonnert'; **casting out the** ~**s** *math.* Neunerprobe *f*.

'**nine,fold I** *adj u. adv* neunfach. **II** *s* (*das*) Neunfache.

'**nine,pins** *s pl* **1.** Kegel *pl*. **2.** (*a. als sg konstruiert*) Kegelspiel *n*: **to play** ~ Kegel spielen, kegeln.

nine·teen ['nain'ti:n] **I** *adj* neunzehn: → **dozen**[1] 2. **II** *s* Neunzehn *f*. '**nine'teenth** [-'ti:nθ] **I** *adj* neunzehnt(er, e, es): **the** ~ **hole** *sl.* die Bar im (Golf-)Klubhaus. **II** *s* Neunzehntel *n*.

nine·ti·eth ['naintiiθ] **I** *adj* neunzigst(er, e, es). **II** *s* Neunzigstel *n*.

nine·ty ['nainti] **I** *s* Neunzig *f*: **he is in his nineties** er ist in den Neunzigern; **in the nineties** in den neunziger Jahren (*des vorigen Jahrhunderts*). **II** *adj* neunzig.

nin·ny ['nini], *a.* '**nin·ny,ham·mer** [-,hæmər] *s* Dummkopf *m*, Gimpel *m*.

ninth [nainθ] **I** *adj* **1.** neunt(er, e, es): **in the** ~ **place** neuntens, an neunter Stelle. **II** *s* **2.** (*der, die, das*) Neunte. **3.** *a.* ~ **part** Neuntel *n*. **4.** *mus.* None *f*: ~ **chord** Nonenakkord *m*. '**ninth·ly** *adv* neuntens.

ni·o·bic [nai'oubik; -'ɒb-] *adj chem.* Niob...: ~ **acid.**

ni·o·bi·um [nai'oubiəm] *s chem.* Ni'ob *n*, Ni'obium *n*.

nip[1] [nip] **I** *v/t pret u. pp* **nipped** **1.** kneifen, kneipen, zwicken, klemmen: **to** ~ **off** abzwicken, abkneifen, abbeißen; ~**ped by the ice** vom Eis eingeschlossen (*Schiff*). **2.** *durch Frost etc* beschädigen, vernichten, ka'puttmachen: → **bud**[1] 2. **3.** *sl.* a) ‚klauen', stehlen, b) ‚schnappen', verhaften. **II** *v/i* **4.** zwicken, schneiden, beißen (*Kälte, Wind*). **5.** *tech.* klemmen (*Maschine*). **6.** *sl.* sausen, ‚flitzen': **to** ~ **in** hineinschlüpfen; **to** ~ **on ahead** nach vorn flitzen. **III** *s* **7.** Kneifen *n*, Biß *m*. **8.** *tech.* Knick *m* (*in e-m Draht etc*). **9.** *mar.* Einpressung *f* (*Schiff*). **10.** Abkneifen *n*, Abzwicken *n*. **11.** Beschädigung *f* (*durch Frost etc*), Frostbrand *m*. **12.** Schneiden *n* (*des Windes*), scharfer Frost.

nip[2] [nip] **I** *v/i u. v/t* nippen (an *dat*), ein Schlückchen nehmen (von). **II** *s* Schlückchen *n*.

Nip[3] [nip] *s bes. Am. colloq.* ‚Japse' *m*, Ja'paner(in).

nip and tuck *adj u. adv Am.* auf Biegen u. Brechen, scharf, hart: ~ **battle.**

nip·per ['nipər] *s* **1.** *Br. sl.* ‚Stift' *m*: a) Handlanger *m* (*e-s Straßenhändlers*), b) (junger) Bursche. **2.** *zo.* a) Vorder-, Schneidezahn *m* (*bes. vom Pferd*), b) Schere *f* (*vom Krebs etc*). **3.** *meist pl*, *a.* **a pair of** ~**s** *tech.* a) (Kneif)Zange *f*, b) Pin'zette *f*, c) Auslösungshaken *m*. **4.** *mar.* (Kabelar)Zeising *f*. **5.** *pl* Kneifer *m*. **6.** *pl colloq.* Handschellen *pl*.

nip·ping ['nipiŋ] *adj* (*adv* ~**ly**) **1.** kneifend. **2.** beißend, schneidend (*Kälte, Wind; a. fig. Spott etc*). **3.** *fig.* bissig.

nip·ple ['nipl] *s* **1.** *anat.* Brustwarze *f*. **2.** (Saug)Hütchen *n*, (Gummi)Sauger *m* (*e-r Saugflasche*). **3.** *tech.* (Speichen-*od.* Schmier)Nippel *m*. ~ **shield** *s med.* (Brust)Warzenhütchen *n* (*für stillende Mütter*). '~,**wort** *s bot.* Hasenkohl *m*.

Nip·pon·ese [,nipə'ni:z] **I** *s sg u. pl* **1.** Ja'paner(in). **2.** Ja'paner *pl*. **II** *adj* **3.** ja'panisch.

nip·py ['nipi] **I** *adj* **1.** → **nipping** 2 *u.* 3. **2.** *colloq.* schnell, ‚fix'. **II** *s* **3.** *Br. colloq.* Kellnerin *f*.

Nir·va·na [nir'vɑ:nə] *s relig. u. fig.* Nir'wana *n*.

ni·sei ['ni:'sei] *pl* **-sei, -seis** *s* Ja'paner(in) geboren in den US'A.

ni·si ['naisai] (*Lat.*) *conj jur.* wenn nicht: **decree** ~ vorläufiges Scheidungsurteil.

Nis·sen hut ['nisn] *s mil.* Nissenhütte *f*, 'Wellblechba,racke *f* (mit Ze'mentboden).

ni·sus ['naisəs] *pl* **-sus** *s* **1.** Bestreben *n*. **2.** *biol.* peri'odisch auftretender Fortpflanzungstrieb.

nit [nit] *s zo.* Nisse *f*, Niß *f* (*Ei e-r Laus od. anderer Insekten*).

ni·ter, *bes. Br.* **ni·tre** ['naitər] *s chem.* Sal'peter *m*: ~ **cake** Natriumkuchen *m*.

ni·ton ['naitɒn] *s chem.* Niton *n*.

ni·trate ['naitreit] **I** *s chem.* Ni'trat *n*, sal'petersaures Salz: ~ **of silver** salpetersaures Silber(oxyd), Höllenstein *m*; ~ **of soda** (*od.* **sodium**) salpetersaures Natron. **II** *v/t* ni'trieren, mit Sal'petersäure behandeln. '**ni·trat·ed** *adj* **1.** *chem.* sal'petersauer. **2.** *phot.* mit sal'petersaurem 'Silbero,xyd präpa'riert (*Platte etc*).

ni·tra·tion [nai'treiʃən] *s chem.* Ni'trierung *f*.

ni·tre *bes. Br. für* **niter.**

ni·tric ['naitrik] *adj chem.* sal'petersauer, Salpeter..., Stickstoff... ~ **ac·id** *s chem.* Sal'petersäure *f*. ~ **ox·ide** *s chem.* 'Stickstoffo,xyd *n*. ~ **per·ox·ide** *s chem.* 'Stickstofftetro,xyd *n*.

ni·tride ['naitraid] *chem.* **I** s Ni'trid *n*. **II** *v/t* ni'trieren. **ni'trif·er·ous** [-'trifərəs] *adj* **1.** stickstoffhaltig. **2.** sal'peterhaltig. ,**ni·tri·fi'ca·tion** [-fi'keiʃən] *s* Ni'trierung *f*. '**ni·tri,fy** [-,fai] **I** *v/t* ni'trieren. **II** *v/i* sich in Sal'peter verwandeln.

ni·trite ['naitrait] *s* Ni'trit *n*, sal'pete(e)rigsaures Salz.

nitro- [naitro] *Wortelement mit der Bedeutung* Nitro..., Salpeter...

,**ni·tro·bac'te·ri·um** *pl* **-ri·a** *s med.* 'Stickstoffbak,terium *n*.

,**ni·tro'ben·zene,** ,**ni·tro'ben·zol(e)** *s chem.* Nitroben'zol *n*.

,**ni·tro'cel·lu,lose** *s chem.* Nitrozellu'lose *f*, Schießbaumwolle *f*: ~ **lacquer** Nitro(zellulose)lack *m*.

,**ni·tro'gel·a·tin(e)** *s chem.* Nitrogela'tine *f*, Gela'tine-Dyna,mit *n*.

ni·tro·gen ['naitrədʒən] *s chem.* Nitro'gen *n*, Stickstoff *m*. ~ **fix·a·tion** *s chem.* **1.** 'Umwandlung *f* des freien Stickstoffs (*in technisch verwertbare Verbindungen*). **2.** Assimilati'on *f* des Luftstickstoffs (*durch bestimmte Bodenbakterien*).

ni·tro·gen·ize ['naitrədʒə,naiz] *v/t chem.* mit Stickstoff verbinden *od.* anreichern: ~**d foods** stickstoffhaltige Nahrungsmittel.

ni·trog·e·nous [nai'trɒdʒənəs] *adj chem.* stickstoffhaltig.

,**ni·tro'glyc·er·in(e)** *s chem.* Nitroglyce'rin *n*.

,**ni·tro,hy·dro'chlo·ric** *adj chem.* Salpetersalz...: ~ **acid.**

ni·tro pow·der *s chem.* rauchschwaches Pulver.

ni·trous ['naitrəs] *adj chem.* Salpeter..., sal'peterhaltig, sal'petrig. ~ **ac·id** *s* sal'petrige Säure. ~ **an·hy·dride** *s* Sal'petrigsäureanhy,drid *n*, Stickstoff'trio,xyd *n*. ~ **ox·ide** *s* 'Stickstoffoxy,dul *n*, Lachgas *n*.

ni·trox·yl [nai'trɒksil], **ni·tryl** ['naitril] *s chem. das Radikal* -NO_2.

nitwit ['nit,wit] *s* Schwachkopf *m*.

ni·val ['naivəl] *adj bot.* ni'val, im Schnee wachsend.

nix[1] [niks] *pl* '**nix·es** *s* Nix *m*, Wassergeist *m*.

nix[2] [niks] *sl.* **I** *pron u. interj* nichts, ‚kein Stück'. **II** *s Am.* unbestellbare Postsendung.

nix·e ['niksə] *pl* '**nix·es,** *a.* **nix·ie** ['niksi] *s* (Wasser)Nixe *f.*
no[1] [nou] **I** *adv* **1.** nein: to answer ~ nein sagen. **2.** (*nach* or *am Ende e-s Satzes*) nicht (*jetzt meist* not): whether or ~ ob oder nicht; permitted or ~ erlaubt oder nicht. **3.** (*beim comp*) um nichts, nicht: ~ better a writer kein besserer Schriftsteller; ~ longer (ago) than yesterday erst gestern. **II** *pl* **noes** *s* **4.** Nein *n*, verneinende Antwort, Absage *f*, Weigerung *f*. **5.** *parl.* Gegenstimme *f*: the ayes and ~es die Stimmen für u. wider; the ~es have it die Mehrheit ist dagegen. **III** *adj* **6.** kein(e): ~ success kein(e) Erfolg(e); ~ hope keine Hoffnung; ~ one keiner; ~ man niemand; ~ parking! Parkverbot!; ~ smoking! Rauchen verboten!; **7.** kein, alles andere als ein(e): he is ~ artist; he is ~ Englishman er ist kein (typischer) Engländer; ~ such thing nichts dergleichen. **8.** *vor ger*: there is ~ denying es läßt sich *od.* man kann nicht leugnen; there is ~ knowing (*od.* saying) man kann nie wissen.
no[2] [nou] *s sg u. pl* No *n* (*e-e altjapanische Dramengattung*).
,**no-ac'count** *adj Am. dial.* unbedeutend (*bes. Person*).
No·a·chi·an [no'eikiən], *a.* **No'ach·ic** [-'ækik; -'eikik] *adj* **1.** *Bibl.* Noah u. s-e Zeit betreffend, noa'chitisch. **2.** vorsintflutlich.
No·ah's ark ['nouəz] *s* **1.** *Bibl.* Arche *f* Noah(s) *od.* Noä. **2.** *meteor.* paral'lele Federwolken *pl od.* -streifen *pl.* **3.** *zo.* Archenmuschel *f*. **4.** *bot.* Frauenschuh *m.*
nob[1] [nɒb] *s sl.* ‚Birne' *f* (*Kopf*).
nob[2] [nɒb] *s sl.* ‚feiner Pinkel', ‚großes Tier', vornehmer Mann.
'**no-**,**ball** *s Kricket*: ungültiger Wurf.
nob·ble ['nɒbl] *v/t sl.* **1.** ‚'reinlegen', betrügen. **2.** *j-n* auf s-e Seite ziehen, ‚her'umkriegen'. **3.** bestechen. **4.** ‚sich unter den Nagel reißen', ‚schnappen', ‚klauen'. **5.** *sport ein Pferd* (*durch Drogen etc*) ‚müde machen'. '**nob·bler** *s sl.* **1.** a) Betrüger *m*, b) Helfershelfer *m* (*beim Hasardspiel*). **2.** Schlag *m* (auf den Kopf).
nob·by[1] ['nɒbi] *adj sl.* (piek)fein, schick.
nob·by[2] ['nɒbi] *s mar.* kra'weelgebautes Fischerboot.
No·bel prize [nou'bel] *s* No'belpreis *m*: Nobel peace prize Friedensnobelpreis.
no·bil·i·ar·y [no'biliəri] *adj* adlig, Adels...
no·bil·i·ty [no'biliti] *s* **1.** *fig.* Adel *m*, Größe *f*, Würde *f*, Vornehmheit *f*: ~ of mind → noble-mindedness; ~ of soul Seelenadel, -größe. **2.** a) Adel(sstand) *m*, (*die*) Adligen *pl*, b) (*bes. in England*) hoher Adel: the ~ and gentry der hohe u. niedere Adel. **3.** Adel *m*, adlige Abstammung.
no·ble ['noubl] **I** *adj* (*adv* nobly) **1.** adlig, von Adel. **2.** edel, erlaucht: the Most N~ ... *Titel e-s Herzogs.* **3.** *fig.* edel, Edel..., erhaben, groß(mütig), nobel, vor'trefflich: the ~ art (of self-defence, *Am.* self-defense) die edle Kunst der Selbstverteidigung (*das Boxen*). **4.** prächtig, stattlich: a ~ edifice. **5.** prächtig geschmückt (with mit). **6.** *phys.* Edel...: ~ gas; ~ metals. **II** *s* **7.** Edelmann *m*, (hoher) Adliger: the ~s der Adel, die Adligen. **8.** *hist.* Nobel *m* (*alte englische Goldmünze*). **9.** *Am. sl.* Anführer *m* von Streikbrechern. ~ **fir** *s bot.* Riesen-, Silbertanne *f.* ~ **hawk** *s orn.* Edelfalk(e) *m.* '~**man** [-mən] *s irr* **1.** (hoher) Adliger, Edelmann *m.* **2.** *Br.* Pair *m.* **3.** *pl Schach*: Offi'ziere *pl.* '~-'**mind·ed** *adj* edeldenkend. ,~-'**mind·ed·ness** *s* Edelmut *m*, vornehme Denkungsart.
no·ble·ness ['noublnis] *s* **1.** Adel *m*, hohe *od.* adlige Abstammung. **2.** *fig.* → noble-mindedness.
'**no·ble**,**wom·an** *s irr* Adlige *f*, Edelfrau *f*.
no·bod·y ['noubɒdi] **I** *s fig.* unbedeutende Per'son, ‚Niemand' *m*, ‚Null' *f*: to be ~ nichts sein, nichts zu sagen haben; they are ~ in particular es sind keine besonderen Leute, es sind ganz gewöhnliche Menschen. **II** *adj pron* niemand, keiner: ~ else sonst niemand, niemand anders.
no·ci·as·so·ci·a·tion [,nousiə,sousi'eiʃən; -,souʃi-] *s med.* Entladung *f* von ner'vöser Spannung.
nock [nɒk] **I** *s* **1.** *Bogenschießen*: Kerbe *f* (*für den Pfeil*). **2.** Nuß *f* (*e-r Armbrust*). **II** *v/t* **3.** *den Pfeil* auf die Kerbe legen. **4.** *e-n Bogen* einkerben.
'**no-'claims bo·nus** *s Haftpflichtversicherung*: Bonus *m* bei Schadensfreiheit.
noc·tam·bu·la·tion [nɒk,tæmbju'leiʃən], *a.* **noc'tam·bu**,**lism** [-,lizəm] *s med.* Somnambu'lismus *m*, Nachtwandeln *n.* **noc'tam·bu·list** *s* Schlafwandler(in).
noc·ti·lu·ca [,nɒkti'lju:kə] *pl* **-cae** [-si:] *s zo.* Meerleuchte *f*.
noc·to·graph ['nɒktə,græ(:)f; *Br. a.* -,grɑ:f] *s* Schreibrahmen *m* für Blinde.
noc·tu·id ['nɒktjuid; -tʃu-] *s zo.* Eule *f* (*Nachtschmetterling*).
noc·tule ['nɒktju:l; -tʃu:l] *s zo.* Abendsegler *m*, Frühfliegende Fledermaus.
noc·turn ['nɒktə:rn] *s R.C.* Nachtmette *f*.
noc·tur·nal [nɒk'tə:rnl] *adj* (*adv* ~ly) nächtlich, Nacht...
noc·turne ['nɒktə:rn] *s* **1.** *paint.* Nachtstück *n.* **2.** *mus.* Noc'turne *f*, Not'turno *n.*
noc·u·ous ['nɒkjuəs] *adj* (*adv* ~ly) **1.** schädlich. **2.** giftig (*Schlangen*).
nod [nɒd] **I** *v/i* **1.** (mit dem Kopf) nikken: to ~ to s.o. j-m zunicken; ~ding acquaintance oberflächliche(r) Bekannte(r), Grußbekanntschaft *f*, flüchtige Bekanntschaft (*a. fig.* with mit); we are on ~ding terms wir grüßen uns. **2.** *weitS.* nicken, sich neigen, wippen (*Blumen, Hutfedern etc*). **3.** *fig.* sich (in Demut) neigen (to vor *dat*). **4.** nicken, (*im Sitzen*) schlafen: to ~ off einnicken. **5.** *fig.* ‚schlafen', unaufmerksam sein: Homer sometimes ~s auch dem Aufmerksamsten entgeht manchmal etwas. **II** *v/t* **6.** nicken mit: to ~ one's head → 1. **7.** (durch Nikken) andeuten: to ~ one's assent beifällig (zu)nicken; to ~ s.o. out j-n hinauswinken. **III** *s* **8.** (Kopf)Nicken *n*, Wink *m*: to give s.o. a ~ j-m zunicken; to go to the land of N~ einschlafen; a ~ is as good as a wink (to a blind horse) a) ein kurzer Wink genügt, b) bei ihm *od.* in diesem Fall nützt ein sanfter Wink nichts; on the ~ *Am. sl.* auf Pump.
nod·al ['noudl] *adj* Knoten... ~ **curve** *s math.* Knoten(punkts)kurve *f*. ~ **point** *s* **1.** *mus. phys.* Schwingungsknoten *m.* **2.** *math. phys.* Knotenpunkt *m.*
nod·dle ['nɒdl] *s sl.* Schädel *m.*
node [noud] *s* **1.** *allg.* Knoten *m* (*a. astr. bot. math.*; *a. fig. im Drama etc*): ~ of a curve *math.* Knotenpunkt *m* e-r Kurve. **2.** *med.* Knoten *m*, Knötchen *n*, 'Überbein *n*: gouty ~ Gichtknoten; singer's ~ Stimmbandknötchen; vital ~ Lebensknoten. **3.** *phys.* Schwingungsknoten *m.*
no·dose ['noudous; no'dous] *adj* knotig (*a. med.*; *a. fig. schwierig*), voller Knoten. **no'dos·i·ty** [-'dɒsiti] *s* **1.** knotige Beschaffenheit. **2.** Knoten *m.*
nod·u·lar ['nɒdjulər; -dʒə-] *adj* knoten-, knötchenförmig: ~-ulcerous tuberoulcerös.
nod·ule ['nɒdju:l; -dʒu:l] *s* **1.** *bot. med.* Knötchen *n*: lymphatic ~ Lymphknötchen. **2.** *geol. min.* Nest *n*, Niere *f*.
no·dus ['noudəs] *pl* **-di** [-dai] *s fig.* Knoten *m*, Schwierigkeit *f*.
no·e·sis [no'i:sis] *s philos.* No'esis *f*: a) geistiges Erfassen, b) Sinneneinheit *f* e-r Wahrnehmung. **no'et·ic** [-'etik] *adj* no'etisch, (rein) intellektu'ell.
nog[1] [nɒg] *s* **1.** → eggnog. **2.** *Am.* Mischgetränk *n* (*mit Ei*): brandy ~.
nog[2] [nɒg] **I** *s* **1.** Holznagel *m*, -klotz *m.* **2.** *arch.* a) Holm *m* (*querliegender Balken*), b) *Maurerei*: (*in die Wand eingelassener*) Holzblock, Riegel *m.* **II** *v/t* **3.** mit e-m Holznagel befestigen. **4.** *Mauerwerk* mit Holzbarren einfassen, *Fachwerk* ausmauern.
nog·gin ['nɒgin] *s* **1.** kleiner (Holz)-Krug. **2.** *kleines Flüssigkeitsmaß* (= $^1/_4$ *pint*). **3.** *colloq.* ‚Birne' *f*, Kopf *m.*
nog·ging ['nɒgiŋ] *s arch.* Riegelmauer *f*, (ausgemauertes) Fachwerk.
,**no-'good** *Am. colloq.* **I** *s* Lump *m*, Taugenichts *m.* **II** *adj* mise'rabel.
no·how ['nou,hau] *adv dial.* **1.** keineswegs. **2.** nichtssagend, unansehnlich, unwohl: to feel ~ nicht auf der Höhe sein; to look ~ nach nichts aussehen.
noil [nɔil] *s sg u. pl tech.* Kämmling *m*, Kurzwolle *f*.
noise [nɔiz] **I** *s* **1.** Lärm *m*, Getöse *n*, Krach *m*, Geschrei *n*: ~ of battle Gefechtslärm; ~ abatement Lärmbekämpfung *f*; hold your ~! *colloq.* halt den Mund!; big ~ → bigwig. **2.** Geräusch *n*: a small ~. **3.** Rauschen *n* (*a. electr. Störung*), Summen *n*: ~ factor, ~ figure Rauschfaktor *m.* **4.** *fig.* Krach *m*, Streit *m*: to make a ~ Krach machen (about wegen) (→ 5). **5.** *fig.* Aufsehen *n*, Geschrei *n*: to make a ~ viel Tamtam machen (about wegen); to make a great ~ in the world großes Aufsehen erregen, viel von sich reden machen. **6.** *obs.* Gerücht *n.* **II** *v/i* **7.** ~ it lärmen. **III** *v/t* **8.** ~ abroad ausschreien, -sprengen. ~ **di·ode** *s electr.* 'Rauschdi,ode *f*. ~ **field in·ten·si·ty** *s electr.* Störfeldstärke *f*.
noise·less ['nɔizlis] *adj* (*adv* ~ly) geräuschlos (*a. tech.*), lautlos, still. '**noise·less·ness** *s* Geräuschlosigkeit *f*.
noise lev·el *s electr.* **1.** Störpegel *m*, -spiegel *m.* **2.** *Radio*: Rauschpegel *m.* **3.** Lautstärke *f*, Geräuschpegel *m.* ~ **lim·it·er** *s electr.* Störbegrenzer *m.* ~ **me·ter** *s electr.* Lautstärkemesser *m.* ~ **spec·trum** *s Radio*: Rauschspektrum *n.* ~ **sup·pres·sion** *s electr.* **1.** Störschutz *m.* **2.** 'Stör(ungs)unter,drückung *f*, (Funk)Entstörung *f*.
noi·sette[1] [nwɑ'zet] *s meist pl* zartes Fleischstückchen, *bes.* Nuß *f*.
noi·sette[2] [nwɑ'zet] *s e-e Rosensorte.*
noise volt·age *s electr.* **1.** Geräuschspannung *f*. **2.** Störspannung *f*.
nois·i·ness ['nɔizinis] *s* **1.** → noise 1. **2.** lärmendes Wesen.
noi·some ['nɔisəm] *adj* (*adv* ~ly) **1.** schädlich, ungesund. **2.** widerlich. '**noi·some·ness** *s* **1.** Schädlichkeit *f*. **2.** Widerlichkeit *f*.
nois·y ['nɔizi] *adj* (*adv* noisily) **1.** geräuschvoll (*a. tech.*), laut: a ~ street.

2. lärmend, ‚laut': ~ child; ~ engine lautgehender Motor. 3. *fig.* tobend, kra'keelend: ~ fellow Krakeeler *m*, Schreier *m*. 4. *fig.* a) grell, schreiend (*Farben etc*), b) ‚laut', aufdringlich.

no·li me tan·ge·re, *a.* **no·li-me-tan·ge·re** ['noulai miː'tændʒəri] (*Lat.*) *s* **1.** (*wörtlich*) rühr mich nicht an! **2.** *paint.* 'Noli me 'tangere *n* (*Darstellung des auferstandenen Christus*). **3.** *bot.* Rührmichnichtan *n*. **4.** *med.* Ulcus *m* rodens, Lupus *m*.

nol·le ['nɒli], **ˌnol·le'pros** [-'prɒs] (*Lat.*) *jur. Am.* **I** *v/t* a) die Zu'rücknahme *der* (*Zivil*)*Klage* einleiten, b) *das* (*Straf*) *Verfahren* einstellen. **II** *s* → nolle prosequi.

nol·le pros·e·qui ['nɒli 'prɒsiˌkwai] (*Lat.*) *s jur.* **1.** Zu'rücknahme *f* der (*Zivil*)Klage. **2.** Einstellung *f* des (*Straf*)Verfahrens.

'no-'load *s electr.* Leerlauf *m*: ~ speed Leerlaufdrehzahl *f*.

no·lo con·ten·de·re ['noulou kən'tendəri] (*Lat.*) *s jur. Am.* Aussage *f* (*e-s Angeklagten*) ohne ausdrückliches Eingeständnis e-r Schuld (*die zwar zu s-r Verurteilung führt, ihn aber berechtigt, in e-m Parallelverfahren s-e Schuld zu leugnen*).

nol-pros [ˌnɒl'prɒs] → nolle I.

no·mad ['noumæd; 'nɒmæd] **I** *adj* no'madisch, Nomaden... **II** *s* No'made *m*, No'madin *f*. **no'mad·ic** *adj* (*adv* ~ally) **1.** → nomad I. **2.** *fig.* unstet. **'no·madˌism** *s* No'madentum *n*, Wanderleben *n*. **'no·madˌize** *v/i* nomadi'sieren, ein Wanderleben führen.

'no-man's-ˌland *s* **1.** herrenloses Gebiet. **2.** *mil. u. fig.* Niemandsland *n*.

nom·bril ['nɒmbril] *s her.* Nabel *m* (*des Wappenschilds*).

nom de plume ['nɒm də 'pluːm] (*Fr.*) *s* Pseudo'nym *n*, Schriftstellername *m*.

no·men·cla·ture ['noumənˌkleitʃər; no'menklə-] *s* **1.** Nomenkla'tur *f*: a) (*wissenschaftliche*) Namengebung, b) Namenverzeichnis *n*. **2.** (fachliche) Terminolo'gie, Fachsprache *f*. **3.** *collect.* Namen *pl*, Bezeichnungen *pl*. **4.** *math.* Benennung *f*, Bezeichnung *f*.

nom·ic ['nɒmik] *adj* (*adv* ~ly) gebräuchlich, üblich (*bes. Schreibweise*).

nom·i·nal ['nɒminl] *adj* **1.** Namen... **2.** nur dem Namen nach, nomi'nell, Nominal...: ~ consideration *jur.* formale Gegenleistung (*z. B.* $ *1*); ~ rank Titularrang *m*; a ~ fine e-e nominelle (*sehr geringe*) Geldstrafe. **3.** *ling.* nomi'nal, Nominal... **4.** *electr. tech.* Nenn..., Soll..., Nominal... ~ **ac·count** *s econ.* Sachkonto *n*. ~ **ca·pac·i·ty** *s electr. tech.* 'Nennleistung *f*, -kapaziˌtät *f*. ~ **cap·i·tal** *s econ.* 'Gründungs-, 'Grund-, 'Stammkapiˌtal *n*, autori'siertes 'Aktienkapiˌtal. ~ **cur·rent** *s electr.* Nennstrom *m*. ~ **fre·quen·cy** *s electr.* 'Sollfreˌquenz *f*. ~ **in·ter·est** *s econ.* Nomi'nalzinsfuß *m*.

nom·i·nal·ism ['nɒminəˌlizəm] *s philos.* Nomina'lismus *m*.

nom·i·nal| out·put *s tech.* Nennleistung *f*. ~ **par** *s econ.* Nenn-, Nomi'nalwert *m*. ~ **par·i·ty** *s econ.* 'Nennwertpariˌtät *f*. ~ **price** *s econ.* nomi'neller Kurs (*Preis*). ~ **speed** *s electr.* Nenndrehzahl *f*. ~ **stock** → nominal capital. ~ **val·ue** *s econ. tech.* Nomi'nal-, Nennwert *m*.

nom·i·nate I *v/t* ['nɒmiˌneit] **1.** (to) berufen, ernennen (zu *e-r Stelle*), einsetzen (in *ein Amt*): ~d (as) executor als Testamentsvollstrecker eingesetzt. **2.** nomi'nieren, (zur Wahl) vorschlagen, als Kandi'daten aufstellen. **3.** (be)nennen, bezeichnen. **II** *adj* [-nit] **4.** berufen, ernannt, nomi'niert.

nom·i·na·tion [ˌnɒmi'neiʃən] *s* **1.** (to) Berufung *f*, Ernennung *f* (zu), Einsetzung *f* (in *acc*): in ~ vorgeschlagen (for für). **2.** Vorschlagsrecht *n*. **3.** Aufstellung *f*, Nomi'nierung *f*, Vorwahl *f* (*e-s Kandidaten*): ~ day Wahlvorschlagstermin *m*.

nom·i·na·tive ['nɒminətiv] **I** *adj* (*adv* ~ly) **1.** *ling.* nominativ, nomina'tivisch: ~ case → 4. **2.** nomi'nal: ~ shares *econ.* Namensaktien. **3.** durch Ernennung eingesetzt. **II** *s* **4.** *ling.* Nominativ *m*, erster Fall.

nom·i·na·tor ['nɒmiˌneitər] *s* Ernenn(end)er *m*. **ˌnom·i'nee** [-'niː] *s* **1.** (*für ein Amt etc*) Vorgeschlagene(r *m*) *f*, Desi'gnierte(r *m*) *f*, Kandi'dat(in). **2.** *econ.* Begünstigte(r *m*) *f*, Empfänger(in) (*e-r Rente etc*).

no·mism ['noumizəm] *s relig.* No'mismus *m*.

nom·o·gram ['nɒməˌgræm], *a.* **'nom·oˌgraph** [-ˌgræ(ː)f; *Br. a.* -ˌgrɑːf] *s math.* Nomo'gramm *n*.

non- [nɒn] *Wortelement mit der Bedeutung* nicht..., Nicht..., un...

ˌnon·ac'cept·ance, *Br.* **non-** *s* Annahmeverweigerung *f*, Nichtannahme *f*.

non·age ['nounidʒ; 'nɒn-] *s* **1.** Unmündigkeit *f*, Minderjährigkeit *f*. **2.** *fig.* a) Kindheit *f*, b) Unreife *f*.

non·a·ge·nar·i·an [ˌnounədʒi'nɛ(ə)riən; ˌnɒn-] **I** *adj* neunzigjährig. **II** *s* Neunziger(in), Neunzigjährige(r *m*) *f*.

ˌnon·ag'gres·sion, *Br.* **non-** *s* Nichtangriff *m*: ~ pact Nichtangriffspakt *m*.

non·a·gon ['nɒnəˌgɒn] *s math.* Nona'gon *n*, Neuneck *n*.

ˌnon·al·co'hol·ic *adj* alkoholfrei.

ˌnon·ap'pear·ance, *Br.* **non-** *s* Nichterscheinen *n* (*vor Gericht etc*).

no·na·ry ['nounəri] **I** *adj* auf neun aufgebaut (*Zählsystem*). **II** *s* Neunergruppe *f*.

non-'Ar·y·an I *s* Nichtarier(in). **II** *adj* nichtarisch.

ˌnon·as'sess·a·ble, *Br.* **non-** *adj econ.* nicht steuerpflichtig, steuerfrei.

ˌnon·at'tend·ance, *Br.* **non-** *s* Nichterscheinen *n*.

ˌnon·be'liev·er, *Br.* **non-** *s* **1.** Ungläubige(r *m*) *f*, Athe'ist(in). **2.** j-d der nicht an e-e Sache glaubt: a ~ in ghosts.

ˌnon·bel'lig·er·ent, *Br.* **non- I** *adj* nicht kriegführend. **II** *s* nicht am Krieg teilnehmende Per'son *od.* Nati'on.

nonce [nɒns] *s* (*nur in*): for the ~ für das 'eine Mal, nur für diesen Fall, einstweilen. ~ **word** *s ling.* für e-n besonderen Fall geprägtes (Gelegenheits)Wort, Augenblicksbildung *f*.

non·cha·lance ['nɒnʃələns] *s* Noncha'lance *f*: a) (Nach)Lässigkeit *f*, Gleichgültigkeit *f*, b) Unbekümmertheit *f*.

'non·cha·lant *adj* (*adv* ~ly) noncha'lant: a) gleichgültig, lässig, b) unbekümmert, ungezwungen, lässig.

ˌnon·col'le·gi·ate, *Br.* **non-** *adj univ.* **1.** *Br.* keinem College angehörend. **2.** nicht aka'demisch (*Studien*). **3.** nicht aus Colleges bestehend (*Universität*).

non·com [ˌnɒn'kɒm] *colloq. abbr. für* a) noncommissioned officer, b) *Am.* noncommissioned.

non'com·bat·ant, *Br.* **non-** *mil.* **I** *s* 'Nichtkämpfer *m*, -kombatˌtant *m*. **II** *adj* am Kampf nicht beteiligt.

ˌnon·com'mis·sioned, *Br.* **non-** *adj* **1.** unbestallt, nicht bevollmächtigt. **2.** 'Unteroffiˌziersrang besitzend. ~ **of·fi·cer** *s mil.* 'Unteroffiˌzier *m*.

ˌnon·com'mit·tal, *Br.* **non- I** *adj* **1.** unverbindlich, nichtssagend, neu'tral. **2.** zu'rückhaltend, sich nicht festlegen wollend. **II** *s* **3.** Unverbindlichkeit *f*.

ˌnon·com'mit·ted, *Br.* **non-** *adj pol.* bündnis-, blockfrei: ~ countries.

ˌnon·com'pli·ance, *Br.* **non-** *s* **1.** Zu'widerhandlung *f* (with gegen), Weigerung *f*, Nichtbefolgung *f*. **2.** Nichterfüllung *f*, Nichteinhaltung *f* (with von *od. gen*).

non com·pos (men·tis) [nɒn 'kɒmpɒs ('mentis)] (*Lat.*) *adj jur.* unzurechnungsfähig.

ˌnon·con'duc·tor, *Br.* **non-** *s* Nichtleiter *m*.

ˌnon·con'form·ing *adj* nonkonfor'mistisch: a) ˌindividua'listisch, b) *relig.* Dissidenten... **ˌnon·con'form·ist I** *s* Nonkonfor'mist(in): a) (po'litischer *od.* sozi'aler) Einzelgänger, b) *relig. Br.* Dissi'dent(in) (*Angehörige*[*r*] *e-r protestantischen Freikirche*). **II** *adj* → nonconforming. **ˌnon·con'form·i·ty** *s* **1.** mangelnde Über'einstimmung (with mit) *od.* Anpassung (to an *acc*). **2.** Nonkonfor'mismus *m*, ˌindividua'listische Haltung. **3.** *relig.* Dissi'dententum *n*: a) Zugehörigkeit *f* zu e-r Freikirche, b) freikirchliche Gesinnung.

ˌnon·con'tent *s parl. Br.* Neinstimme *f* (*im Oberhaus*).

ˌnon·con'trib·u·to·ry *adj* beitragsfrei (*Organisation*).

ˌnon·con'ten·tious, *Br.* **non-** *adj* nicht strittig: ~ litigation *jur.* freiwillige Gerichtsbarkeit.

ˌnon·co-ˌop·er'a·tion *s* Verweigerung *f* der Zu'sammen- *od.* Mitarbeit, *pol.* passiver 'Widerstand.

ˌnon·cor'ros·ive, *Br.* **non-** *adj tech.* **1.** korrosi'onsfrei. **2.** rostbeständig (*Stahl*). **3.** säurefest.

non'creas·ing, *Br.* **non-** *adj econ.* knitterfrei.

non'cu·mu·la·tive, *Br.* **non-** *adj econ.* nicht kumula'tiv: ~ stock.

non'cut·ting, *Br.* **non-** *adj tech.* spanlos: ~ shaping spanlose Formung.

non'cy·cli·cal, *Br.* **non-** *adj econ.* keinen Konjunk'turschwankungen unter'worfen, konjunk'turunabhängig.

non'daz·zling, *Br.* **non-** *adj tech.* blendungsfrei.

ˌnon·de'liv·er·y, *Br.* **non-** *s* **1.** *econ. jur.* Nichtauslieferung *f*, Nichterfüllung *f*. **2.** *mail* Nichtbestellung *f*.

ˌnon·deˌnom·i'na·tion·al, *Br.* **non-** *adj* nicht konfessi'onsgebunden: ~ school Simultanschule *f*.

non·de·script ['nɒndiˌskript] **I** *adj* **1.** schwer zu beschreiben(d) *od.* 'unterzubringen(d), nicht klassifi'zierbar, unbestimmbar. **2.** unbedeutend, nichtssagend. **II** *s* **3.** Per'son *od.* Sache, die schwer zu beschreiben ist *od.* über die nichts Näheres bekannt ist, schwer zu klassifi'zierende Per'son *od.* Sache, *etwas* 'Undefiˌnierbares.

ˌnon·di'rec·tion·al, *Br.* **non-** *adj Radio*: ungerichtet: ~ aerial (*od. Am.* antenna) Rundstrahlantenne *f*.

none [nʌn] **I** *pron u. s* (*meist als pl konstruiert*) kein(er, e, es), niemand: ~ of them are (*od.* is) here keiner von ihnen ist hier; I have ~ ich habe keine(n); ~ but fools nur Narren. **II** *adv* in keiner Weise, nicht im geringsten: ~ too high keineswegs zu hoch.

Besondere Redewendungen:

~ of the clearest keineswegs klar; ~ other than kein anderer als; ~ more so than he keiner mehr als er; we ~ of us believe it keiner von uns glaubt es; here are ~ but friends hier sind lauter *od.* nichts als Freunde; ~ of your tricks! laß deine Späße!; ~ of that nichts dergleichen; he will have ~ of me er will von mir nichts wissen; ~ the less nichtsdestoweniger; ~ too soon kein bißchen zu früh, im letzten Augenblick; → business 9, second[1] 2, wise[1] 2.

ˌnon·efˈfec·tive, *Br.* **non-** **I** *adj* **1.** wirkungslos. **2.** *mar. mil.* dienstuntauglich. **II** *s mar. mil.* **3.** Dienstuntaugliche(r) *m.* **ˌnon·efˈfi·cient,** *Br.* **non-** *adj u. s mil.* nicht genügend ausgebildet(er Solˈdat).

nonˈe·go, *Br.* **non-** *s philos.* Nicht-Ich [*n.*]

non·en·ti·ty [nɒnˈentiti] *s* **1.** Nicht(da)sein *n.* **2.** etwas das nicht exiˈstiert. **3.** Unding *n*, Fiktiˈon *f*, Nichts *n.* **4.** *fig. contp.* ‚Nullˈ *f*, unbedeutender Mensch.

nones [nounz] *s pl* **1.** *antiq.* Nonen *pl.* **2.** *R.C.* ˈMittagsofˌfizium *n.*

ˌnon·esˈsen·tial, *Br.* **non-** **I** *adj* unwesentlich. **II** *s* unwesentliche Sache, Nebensächlichkeit *f*: ~s nicht lebensnotwendige Güter.

none·such [ˈnʌnˌsʌtʃ] **I** *adj* **1.** unvergleichlich. **II** *s* **2.** Perˈson *od.* Sache, die nicht ihresgleichen hat, Muster *n.* **3.** *bot.* a) Brennende Liebe, b) Nonpaˈreilleapfel *m.*

ˌnone·theˈless *adv Am.* nichtsdestoweniger, dennoch.

ˌnon·exˈist·ence, *Br.* **non-** *s* **1.** Nicht(da)sein *n.* **2.** (*das*) Fehlen. **ˌnon·exˈist·ent,** *Br.* **non-** *adj* nicht exiˈstierend.

ˌnon·exˈpend·a·ble sup·plies, *Br.* **non-** *s pl mil.* Gebrauchsgüter *pl.*

nonˈfad·ing, *Br.* **non-** *adj econ. tech.* lichtecht.

nonˈfea·sance, *Br.* **non-** *s jur.* (pflichtwidrige) Unterˈlassung.

nonˈfer·rous, *Br.* **non-** *adj* **1.** nicht eisenhaltig. **2.** Nichteisen...: ~ metal.

nonˈfic·tion, *Br.* **non-** *s* Sachbücher *pl.*

nonˈfis·sion·a·ble, *Br.* **non-** *adj chem. phys.* nicht spaltbar.

nonˈflam·ma·ble, *Br.* **non-** *adj* nicht entzündbar.

nonˈfreez·ing, *Br.* **non-** *adj* kältebeständig: ~ mixture Frostschutzmittel *n.*

ˌnon·fulˈfill·ment, *Br.* **ˌnon-fulˈfil·ment** *s* Nichterfüllung *f.*

ˌnon·haˈlat·ing, *Br.* **non-** *adj phot.* lichthoffrei.

nonˈhu·man, *Br.* **non-** *adj* nicht zur menschlichen Rasse gehörig.

no·nil·lion [noˈniljən] *s math.* **1.** *Am.* Quintilliˈon *f* (10^{30}). **2.** *Br.* Nonilliˈon *f* (10^{54}).

ˌnon·inˈduc·tive, *Br.* **non-** *adj electr.* induktiˈonsfrei.

ˌnon·inˈflam·ma·ble, *Br.* **non-** *adj* nicht feuergefährlich.

nonˈin·terˌcourse *s Am. hist.* Aufhebung *f* der Handelsbeziehungen mit der Außenwelt.

non-ˈin·ter·est-ˈbear·ing *adj econ.* [zinslos.]

ˌnon·in·terˈven·tion, *Br.* **non-** *s pol.* Nichteinmischung *f.*

no·ni·us [ˈnouniəs] *s math. tech.* Nonius(teilung *f*) *m.*

nonˈju·ror, *Br.* **non-** *s* Eidesverweigerer *m.*

nonˈju·ry, *Br.* **non-** *adj jur.* ohne Hinˈzuziehung von Geschworenen: ~ trial summarisches Verfahren.

nonˈlad·der·ing, *Br.* **non-** *adj* maschenfest.

nonˈlin·e·ar, *Br.* **non-** *adj electr. math. phys.* nicht lineˈar, ˈnichtlineˌar.

nonˈmem·ber, *Br.* **non-** *s* Nichtmitglied *n.*

ˈnonˌmet·al, *Br.* **non-** *s chem.* ˈNichtmeˌtall *n* (*Element*). **ˌnon·meˈtal·lic,** *Br.* **non-** *adj* ˈnichtmeˌtallisch: ~ element Metalloid *n.*

ˌnon·mi·croˈphon·ic, *Br.* **non-** *adj electr.* klingfrei (*Röhre etc*).

nonˈmor·al, *Br.* **non-** *adj* ˈamoˌralisch.

ˌnon·neˈgo·ti·a·ble, *Br.* **non-** *adj econ.* **1.** nicht überˈtragbar, nicht begebbar: ~ bill (check, *Br.* cheque) Rektawechsel *m* (-scheck *m*). **2.** nicht börsen- *od.* bankfähig.

ˌnon·obˈjec·tive, *Br.* **non-** *adj Kunst*: abˈstrakt, gegenstandslos.

ˌnon·obˈserv·ance, *Br.* **non-** *s* Nichtbe(ob)achtung *f*, Nichterfüllung *f.*

non·pa·reil [ˌnɒnpəˈrel] **I** *adj* **1.** unvergleichlich, ohneˈgleichen. **II** *s* **2.** unvergleichliche Perˈson *od.* Sache. **3.** *econ.* Nonpaˈreille *f* (*Obstsorte etc*). **4.** *print.* Nonpaˈreille(schrift) *f.* **5.** *Am.* Schokoˈladenplätzchen *n* mit Zuckerauflage. **6.** *orn. Am.* Papstfink *m.*

ˌnon·parˈtic·iˌpat·ing, *Br.* **non-** *adj* **1.** nicht teilhabend *od.* -nehmend. **2.** *econ.* nicht gewinnberechtigt (*Versicherungspolice*).

nonˈpar·ti·san, *Br.* **non-** *adj* **1.** *pol.* parˈteiunabhängig, ˈüberparˌteilich, nicht parˈteigebunden. **2.** unvoreingenommen, objekˈtiv.

nonˈpar·ty, *Br.* **non-** → nonpartisan.

nonˈpay·ment, *Br.* **non-** *s bes. econ.* Nicht(be)zahlung *f*, Nichterfüllung *f.*

ˌnon·perˈform·ance, *Br.* **non-** *s* Nichtleistung *f*, -erfüllung *f.*

nonˈpink·ing, *Br.* **non-** *adj tech.* klopffest (*Treibstoff*).

ˈnonˈplus **I** *v/t j-n* (völlig) verwirren, irremachen, verblüffen: to be ~(s)ed verdutzt *od.* ratlos sein. **II** *s* Verlegenheit *f*, ‚Klemmeˈ *f*: at a ~, brought to a ~ (völlig) ratlos *od.* verdutzt.

ˌnon·proˈduc·tive, *Br.* **non-** *adj bes. econ.* ˈunprodukˌtiv (*Arbeit, Angestellter etc*).

ˌnon·proˈfes·sion·al, *Br.* **non-** **I** *adj* **1.** nicht fachmännisch, amaˈteurhaft. **2.** nicht berufsmäßig *od.* professioˈnell, als Amaˈteur. **3.** ohne (*bes.* akaˈdemische) Berufsausbildung. **II** *s* **4.** Amaˈteur *m*, Nichtfachmann *m.*

nonˈprof·it, *Br.* **non-ˈprof·itˌmak·ing** *adj* gemeinnützig: a ~ institution.

non-pros [ˌnɒnˈprɒs] *v/t pret u. pp* **-ˈprossed** *jur. e-n Kläger* (wegen Nichterscheinens) abweisen. **non pro·se·qui·tur** [proˈsekwitər] (*Lat.*) *s* Abweisung *f* (*e-s Klägers*) (wegen Nichterscheinens).

ˌnon·proˈvid·ed *adj ped. Br.* nicht subventioˈniert (*Schule*).

nonˈquo·ta, *Br.* **non-** *adj bes. econ.* nicht kontingenˈtiert: ~ imports.

ˌnon·reˈcur·ring, *Br.* **non-** *adj* einmalig: ~ payment.

ˌnon·rep·re·senˈta·tion·al, *Br.* **non-** *adj Kunst*: gegenstandslos, abˈstrakt.

nonˈres·i·dent, *Br.* **non-** **I** *adj* **1.** außerhalb des Amtsbezirks wohnend, abwesend (*Amtsperson*). **2.** nicht ansässig. **3.** auswärtig (*Klubmitglied etc*): ~ traffic Durchgangsverkehr *m.* **II** *s* **4.** Abwesende(r *m*) *f.* **5.** Nichtansässige(r *m*) *f*, Auswärtige(r *m*) *f*, nicht im Hause Wohnende(r *m*) *f.* **6.** *econ.* Deˈvisenausländer(in).

ˌnon·reˈsist·ance, *Br.* **non-** *s* ˈWiderstandslosigkeit *f.*

ˌnon·reˈturn·a·ble, *Br.* **non-** *adj* verloren, nicht rücknehmbar, Einweg...: ~ packing.

nonˈrig·id, *Br.* **non-** *adj aer. tech.* unstarr (*Luftschiff etc*; *a. phys. Molekül*).

non·sense [ˈnɒnsens; *Br. a.* -səns] **I** *s* **1.** Unsinn *m*, dummes Zeug, Nonsens *m*: to talk ~. **2.** Unsinn *m*, ‚Mätzchenˈ *pl*, abˈsurdes Benehmen, Frechheit(en *pl*) *f*: to stand no ~ sich nichts gefallen lassen. **3.** Un-, ˈWidersinnigkeit *f.* **4.** Kleinigkeiten *pl*, Kinkerlitzchen *pl.* **II** *interj* **5.** Unsinn!, Blödsinn! **III** *adj* **6.** → nonsensical: ~ verses Nonsens-, Klapphornverse; ~ word Nonsenswort *n.*

non·sen·si·cal [nɒnˈsensikəl] *adj* (*adv* ~ly) unsinnig, sinnlos, abˈsurd.

non se·qui·tur [nɒn ˈsekwitər] (*Lat.*) *s* Trugschluß *m*, irrige Folgerung.

ˈnonˈskid, *Br.* **non-, ˈnonˈslip,** *Br.* **non-** *adj* rutschsicher: ~ chain Gleitschutzkette *f*; ~ road surface schleuderfreie Straßenoberfläche; ~ tyre (*od.* tire) Gleitschutzreifen *m*; ~ tread Gleitschutzprofil *n* (*am Reifen*).

nonˈsmok·er, *Br.* **non-** *s* **1.** Nichtraucher(in). **2.** *rail.* ˈNichtraucher(abˌteil) *n.* **nonˈsmok·ing,** *Br.* **non-** *adj* Nichtraucher...

nonˈstand·ard, *Br.* **non-** *adj ling.* nicht schriftsprachlich.

ˈnonˈstop, *Br.* **non-** *adj* ohne Halt, pausenlos, Nonstop..., ˈdurchgehend (*Zug*), ohne Zwischenlandung (*Flugzeug*): ~ flight Nonstopflug *m*; ~ run *mot.* Ohnehaltfahrt *f.*

non·such → nonesuch.

nonˌsuit *jur.* **I** *s* **1.** (*gezwungene*) Zuˈrücknahme e-r Klage. **2.** Abweisung *f* e-r Klage. **II** *v/t* **3.** *den Kläger* mit der Klage abweisen. **4.** *e-e Klage* (*wegen Versäumnis des Klägers*) abweisen.

ˌnon·supˈport, *Br.* **non-** *s jur.* Nichterfüllung *f* e-r ˈUnterhaltsverpflichtung.

ˌnon-ˈtax-ˌpaid *adj econ. Am.* (noch) unversteuert: ~ liquor.

ˌnonˈtech·ni·cal, *Br.* **non-** *adj* **1.** *allg.* nicht technisch. **2.** nicht fachlich. **3.** volkstümlich, nicht fachsprachlich.

ˈnon-U *adj Br.* unfein, pleˈbejisch, nicht dem Sprachgebrauch der Oberschicht entsprechend.

nonˈu·niˌform, *Br.* **non-** *adj phys.* ungleichmäßig (*a. math.*), ungleichförmig (*Bewegung*).

nonˈun·ion, *Br.* **non-** *adj econ.* **1.** keiner Gewerkschaft angehörig, nicht organiˈsiert: ~ shop *Am.* gewerkschaftsfreier Betrieb. **2.** gewerkschaftsfeindlich. **nonˈun·ionˌism,** *Br.* **non-** *s econ.* Gewerkschaftsgegnerschaft *f.* **nonˈun·ion·ist,** *Br.* **non-** *s econ.* **1.** nicht organiˈsierter Arbeiter. **2.** Gewerkschaftsgegner *m.*

nonˈus·er, *Br.* **non-** *s jur.* Nichtausübung *f* e-s Rechts.

nonˈva·lent, *Br.* **non-** *adj chem. math. phys.* nullwertig.

nonˈval·ue bill, *Br.* **non-** *s econ.* Geˈfälligkeitsakˌzept *n*, -wechsel *m.*

ˌnonˈvi·o·lence, *Br.* **non-** *s* Gewaltlosigkeit *f.* **ˌnonˈvi·o·lent,** *Br.* **non-** *adj* gewaltlos: ~ demonstrations.

nonˈvot·er, *Br.* **non-** *s pol.* Nichtwähler(in). **nonˈvot·ing,** *Br.* **non-** *adj econ. pol.* nicht stimmberechtigt.

ˈnonˌwhite *Am.* **I** *s* Farbige(r *m*) *f.* **II** *adj* farbig: ~ population.

noo·dle[1] [ˈnuːdl] *s* **1.** ‚Eselˈ *m*, ‚Dusselˈ *m*, Trottel *m.* **2.** *sl.* ‚Birneˈ *f*, Schädel *m.*

noo·dle[2] [ˈnuːdl] *s* Nudel *f*: ~ soup Nudelsuppe *f.*

nook [nuk] *s* **1.** Winkel *m*, Ecke *f*: to search for s.th. in every ~ and corner nach etwas in jedem Winkel *od.* in allen Ecken suchen. **2.** *arch.* einspringender, innerer Winkel.

noon [nuːn], *a.* **ˈ~ˌday, ˈ~ˌtide, ˈ~ˌtime** **I** *s* **1.** Mittag(szeit *f*) *m*: at ~ zu *od.* um

Mittag; at **high** ~ am hellen Mittag, um 12 Uhr mittags. **2.** *fig.* Höhepunkt *m.* **II** *adj* **3.** mittägig, Mittags...

noose [nuːs] **I** *s* **1.** Schlinge *f* (*a. fig.*): **running** ~ Lauf-, Gleitschlinge; **to slip one's head out ot the hangman's** ~ mit knapper Not dem Galgen entgehen; **to put one's head into the** ~ in die Falle gehen; **(matrimonial)** ~ *humor.* Ehejoch *n.* **II** *v/t* **2.** knüpfen, schlingen (**over** über *acc*; **round** um). **3.** in *od.* mit e-r Schlinge fangen.

no·pal ['noupəl] *s bot.* Nopalbaum *m,* -pflanze *f,* Feigenkaktus *m.*

'no-'par *adj econ.* nennwertlos: ~ **share** Aktie *f* ohne Nennwert.

nope [noup] *adv bes. Am. colloq.* ,ne(e)', nein.

nor [nɔːr] *conj* **1.** (*meist nach neg*) noch: **neither ...** ~ (*obs. od. poet.* **nor ... nor**) weder ... noch. **2.** (*nach e-m verneinten Satzglied od. zum Beginn e-s angehängten verneinten Satzes*) und nicht, auch nicht(s): ~ **(am** *od.* **do** *od.* **have** *etc*) **I (either)** ich auch nicht.

nor' [nɔːr] *abbr. für* **north** (*in Zssgn*).

Nor·dic ['nɔːrdik] **I** *adj* nordisch (*nord-europäisch*): ~ **combination** *od.* **event** (*Schisport*) Nordische Kombination. **II** *s* nordischer Mensch *od.* Typ.

Nor·folk jack·et ['nɔːrfək] *s e-e lose Jacke mit Gürtel.*

nor·land ['nɔːrlənd] *poet.* **I** *s* Nordland *n.* **II** *adj* Nordland...

norm [nɔːrm] *s* **1.** Norm *f* (*a. econ. math.*), Regel *f,* Richtschnur *f.* **2.** *biol.* Typus *m.* **3.** *bes. ped.* 'Durchschnittsleistung *f.*

nor·mal ['nɔːrməl] **I** *adj* (*adv* → **normally**) **1.** nor'mal (*a. biol. chem. med. phys.*), Normal..., gewöhnlich, üblich. **2.** *math.* nor'mal: a) richtig: ~ **error curve** normale Fehlerkurve, b) lot-, senkrecht: ~ **line** → 6 a; ~ **plane** → 6 b. **II** *s* **3.** nor'male Per'son *od.* Sache. **4.** (*das*) Nor'male, Nor'mal(zu)stand *m.* **5.** Nor'maltyp *m.* **6.** *math.* a) Nor'male *f,* Senkrechte *f,* b) senkrechte Ebene, Nor'malebene *f.* ~ **ac·cel·er·a·tion** *s math. phys.* Nor'malbeschleunigung *f.*

nor·mal·cy ['nɔːrməlsi] *s* Normali'tät *f,* Nor'malzustand *m*: **to return to** ~ sich normalisieren.

nor·mal·i·ty [nɔːr'mæliti] *s* Normali'tät *f* (*a. math.*).

nor·mal·i·za·tion [ˌnɔːrməlai'zeiʃən; -li'z-] *s* **1.** Normali'sierung *f*: ~ **of diplomatic relations. 2.** Nor'mierung *f.* **'normalˌize** *v/t* **1.** normali'sieren. **2.** normen. **3.** *tech.* nor'malglühen.

'nor·mal·ly *adv* **1.** nor'mal. **2.** nor'malerweise, (für) gewöhnlich.

nor·mal| out·put, ~ **pow·er** *s tech.* Nor'malleistung *f.* ~ **school** *s* Lehrerbildungsanstalt *f.* ~ **speed** *s tech.* **1.** Nor'malgeschwindigkeit *f.* **2.** Betriebsdrehzahl *f.*

Nor·man ['nɔːrmən] **I** *s* **1.** *hist.* Nor'manne *m,* Nor'mannin *f.* **2.** Bewohner(in) der Norman'die. **3.** *ling.* Nor'mannisch *n,* das Normannische. **II** *adj* **4.** nor'mannisch: ~ **architecture,** ~ **style** normannischer Rundbogenstil; **the** ~ **Conquest** die normannische Eroberung (*von England, 1066*). **'~-'French I** *adj* anglofran'zösisch. **II** *s ling.* Anglonor'mannisch *n,* -fran'zösisch *n,* das Anglonormannische.

nor·ma·tive ['nɔːrmətiv] *adj* norma'tiv.

Norn [nɔːrn] *s myth.* Norne *f.*

Nor·roy ['nɒrɔi] *s her. der dritte der 3 englischen Wappenkönige.*

Norse [nɔːrs] **I** *adj* **1.** skandi'navisch. **2.** altnordisch. **3.** (*bes.* alt)norwegisch. **II** *s* **4.** *ling.* a) Altnordisch *n,* das Altnordische, b) das (*bes.* Alt)Norwegische. **5.** *collect.* a) (*die*) Skandi'navier *pl,* b) (*die*) Norweger *pl.*

Norse·man ['nɔːrsmən] *s irr hist.* Nordländer(in), *bes.* Norweger(in).

north [nɔːrθ] **I** *s* **1.** *meist* **the N~** der Nord(en) (*Himmelsrichtung, Gegend etc*): ~ **by east** *mar.* Nord zu Ost; **in the N~** im Norden; **to the** ~ **of** nördlich von. **2. the N~** a) *Br.* Nordengland *n,* b) *Am.* die Nordstaaten *pl,* c) die Arktis. **3.** *poet.* Nord(wind) *m.* **II** *adj* **4.** nördlich, Nord...: **N~ American** a) Nordamerikaner(in), b) nordamerikanisch. **III** *adv* **5.** nördlich, nach *od.* im Norden (**of** von). **N~ At·lan·tic Trea·ty** *s* Nordat'lantikpakt *m.* **N~ Brit·ain** *s* Schottland *n.* ~ **coun·try** *s* **1.** (*der*) Norden e-s Landes. **2. the N~ C~** *Br.* Nordengland *n.* ~**·east** [ˌnɔːrθ'iːst; *mar.* ˌnɔːr'iːst] **I** *s* Nord'ost(en) *m.* **II** *adj* nord'östlich, Nordost...: **N~ Passage** *geogr.* Nordostpassage *f.* **III** *adv* nord'östlich, nach Nord'osten. **ˌ~'east·er** *s* Nord'ostwind *m.* **ˌ~'east·er·ly** *adj u. adv* nord'östlich. **ˌ~'east·ward I** *adj u. adv* nord'östlich. **II** *s* nord'östliche Richtung. **ˌ~'east·ward·ly** *adj u. adv* nord'ostwärts (gelegen *od.* gerichtet).

north·er·ly ['nɔːrðərli] *adj u. adv* nördlich.

north·ern ['nɔːrðərn] *adj* **1.** nördlich, Nord...: **N~ Cross** *astr.* Kreuz *m* des Nordens; **N~ Europe** Nordeuropa *n*; ~ **lights** Nordlicht *n.* **2.** nordisch.

north·ern·er ['nɔːrðərnər] *s* Bewohner(in) des nördlichen Landesteils, *bes.* der Nordstaaten der US'A.

north·ern·most ['nɔːrðərnˌmoust] *adj* nördlichst(er, e, es).

north·ing ['nɔːrθiŋ; -ðiŋ] *s* **1.** *astr.* nördliche Deklinati'on (*e-s Planeten*). **2.** *mar.* Weg *m od.* Di'stanz *f* nach Norden, nördliche Richtung.

'north|·land [-lənd] *s bes. poet.* Nordland *n.* **'N~·man** [-mən] *s irr* Nordländer *m.*

north|-north·east [ˌnɔːrθnɔːrθ'iːst; *mar.* ˌnɔːrnɔːr'iːst] *s* Nordnord'ost *m.* **ˌ~-north'west** *s* Nordnord'west *m.*

north| point *s phys.* Nordpunkt *m.* **N~ Pole** *s* Nordpol *m.* **N~ Sea** *s* Nordsee *f.* **N~ Star** *s astr.* Po'larstern *m.*

north·ward ['nɔːrθwərd] *adj u. adv* nördlich (**of, from** von), nordwärts, nach Norden. **'north·wards** *adv* → **northward.**

north|·west [ˌnɔːrθ'west; *mar.* ˌnɔːr'west] **I** *s* Nord'west(en) *m.* **II** *adj* nord'westlich, Nordwest...: **N~ Passage** *geogr.* Nordwestpassage *f.* **III** *adv* nord'westlich, nach *od.* von Nord'westen. **ˌ~'west·er** *s* **1.** Nord'westwind *m.* **2.** *mar. Am.* Ölzeug *m.* **ˌ~'west·er·ly** *adj u. adv* nord'westlich. **ˌ~'west·ern** *adj* nord'westlich.

Nor·way| pine *s bot.* Amer. Rotkiefer *f.* ~ **rat** *s zo.* Wanderratte *f.* ~ **spruce** *s bot.* Gemeine Fichte, Rottanne *f.*

Nor·we·gian [nɔːr'wiːdʒən] **I** *adj* **1.** norwegisch. **II** *s* **2.** Norweger(in). **3.** *ling.* Norwegisch *n,* das Norwegische.

nor'west·er [nɔːr'westər] → **northwester.**

nose [nouz] **I** *s* **1.** *anat.* Nase *f.* **2.** *fig.* Nase *f,* ,Riecher' *m* (**for** für). **3.** A'roma *n,* starker Geruch (*von Tee, Heu etc*). **4.** *bes. tech.* a) Nase *f,* Vorsprung *m,* (*mil.* Geschoß)Spitze *f,* Schnabel *m,* b) Mündung *f,* c) Schneidkopf *m* (*e-s Drehstahls etc*). **5.** (Schiffs)Bug *m.* **6.** *mot.* ,Schnauze' *f* (*Vorderteil des Autos*). **7.** *aer.* Nase *f,* (Rumpf)Bug *m,* Kanzel *f.* **8.** *sl.* Spi'on(in), (*a.* Poli'zei)Spitzel *m.*

Besondere Redewendungen:

to bite (*od.* **snap**) **s.o.'s** ~ **off** j-n scharf anfahren; **to cut off one's** ~ **to spite one's face** sich ins eigene Fleisch schneiden; **to follow one's** ~ a) immer der Nase nach gehen, b) s-m Instinkt folgen; **to have a good** ~ **for s.th.** *colloq.* e-e gute Nase *od.* e-n ,Riecher' für etwas haben; **to hold one's** ~ sich die Nase zuhalten; **to lead s.o. by the** ~ j-n völlig beherrschen; **to look down one's** ~ ein verdrießliches Gesicht machen; **to look down one's** ~ **at** die Nase rümpfen über (*acc*), *j-n od. etwas* verachten; **to pay through the** ~ ,schwer' bezahlen *od.* ,bluten' müssen; **to poke** (*od.* **put, thrust**) **one's** ~ **into** s-e Nase in e-e Sache stecken; **to put s.o.'s** ~ **out of joint** a) j-n ausstechen, j-m die Freundin *etc* ausspannen, b) j-m das Nachsehen geben; **not to see beyond one's** ~ a) die Hand nicht vor den Augen sehen können, b) *fig.* e-n engen (*geistigen*) Horizont haben; **to turn up one's** ~ **(at)** die Nase rümpfen (über *acc*); **as plain as the** ~ **in your face** sonnenklar; **on the** ~ *Am. colloq.* (ganz) genau, pünktlich; **under s.o.'s (very)** ~ j-m direkt vor der Nase; → **grindstone** 1, **thumb** 5.

II *v/t* **9.** riechen, spüren, wittern. **10.** beschnüffeln. **11.** mit der Nase berühren *od.* stoßen. **12.** *fig.* *s-n Weg* vorsichtig suchen, sich *im Verkehr etc* vorsichtig vortasten. **13.** durch die Nase *od.* näselnd aussprechen. **14.** *sl.* a) → **nose out** 2, b) ~ **on s.o.** j-n denun'zieren.

III *v/i* **15.** ,(her'um)schnüffeln' (**after, for** nach).

Verbindungen mit Adverbien:

nose| down *aer.* **I** *v/t das Flugzeug* andrücken. **II** *v/i* andrücken, im Steilflug niedergehen. ~ **out** *v/t* **1.** ,ausschnüffeln', 'ausspioˌnieren, her'ausbekommen. **2.** um e-e Nasenlänge schlagen. ~ **o·ver** *v/i aer.* sich über'schlagen, e-n ,Kopfstand' machen. ~ **up** *aer.* **I** *v/t das Flugzeug* hochziehen. **II** *v/i* steil hochgehen.

nose| ape *s zo.* Nasenaffe *m.* ~ **bag** *s* Freß-, Futterbeutel *m* (*für Pferde*). **'~ˌbleed** *s med.* Nasenbluten *n.* ~ **cone** *s* Ra'ketenspitze *f.*

nosed [nouzd] *adj* (*meist in Zssgn*) benast, mit e-r *dicken etc* Nase, ...nasig.

nose| dive *s* **1.** *aer.* Sturzflug *m.* **2.** *econ.* Kurssturz *m.* **'~-ˌdive** *v/i* **1.** *aer.* e-n Sturzflug machen. **2.** *econ.* stürzen, ra'pid fallen (*Kurs, Preis*). ~ **flute** *s mus.* Nasenflöte *f.* **'~ˌgay** *s* (Blumen)-Strauß *m.* **'~-ˌheav·y** *adj aer.* vorderlastig. **'~ˌpiece** *s* **1.** *hist.* Nasenteil *m, n* (*e-s Helms*). **2.** *tech.* Mundstück *n* (*vom Blasebalg, Schlauch etc*). **3.** *tech.* Re'volver *m* (*Objektivende e-s Mikroskops*). **4.** Nasensteg *m* (*an Schutzbrillen*). ~ **pipe** *s tech.* Balgrohr *n,* Düse *f.*

nos·er ['nouzər] *s* **1.** *sl.* derber Schlag auf die Nase, Nasenstüber *m* (*a. fig.*). **2.** *mar. colloq.* starker Gegenwind.

'nose|-ˌrag *s sl.* ,Rotzfahne' *f* (*Taschentuch*). ~ **ring** *s* Nasenring *m.* ~ **tur·ret** *s aer. mil.* vordere Kanzel. **'~ˌwarm·er** *s sl.* ,Nasenwärmer' *m,* kurze Pfeife. ~ **wheel** *s aer.* Bugrad *n.*

nos·ey → **nosy.**

'no-'show *s aer. Am. sl. zur Abflugszeit nicht erschienener Flugpassagier.*

'no-ˌside *s Rugby*: Spielende *n.*

nos·ing ['nouziŋ] *s arch.* Nase *f*, Ausladung *f*: ~ of the steps (*od.* of a staircase) Treppenkante *f*. ~ **o·ver** *s aer.* ‚Kopfstand' *m* (*beim Landen*).
no·sog·ra·phy [no'sɒgrəfi] *s* Nosogra'phie *f*, Krankheitsbeschreibung *f*.
nos·o·log·i·cal [ˌnɒsə'lɒdʒikəl] *adj med.* noso'logisch, patho'logisch. **no·sol·o·gist** [no'sɒlədʒist] *s* Patho'loge *m*.
nos·tal·gi·a [nɒs'tældʒiə; -dʒə] *s* **1.** *med.* Nostal'gie *f*, Heimweh *n*. **2.** Heimweh(gefühl) *n*. **3.** Sehnsucht *f* (for nach *etwas Vergangenem etc*). **4.** Wehmut *f*, weltschmerzliche Stimmung, wehmütige Erinnerung. **nos'tal·gic** *adj* (*adv* ~ally) **1.** an Heimweh leidend, Heimweh... **2.** sehnsüchtig, wehmütig. **3.** weltschmerzlich.
nos·toc ['nɒstɒk] *s bot.* Gallertalge *f*.
nos·tril ['nɒstrəl; -tril] *s* Nasenloch *n*, *bes. zo.* Nüster *f*: it stinks in one's ~s es ekelt einen an.
nos·trum ['nɒstrəm] *s* **1.** *med.* Geheimmittel *n*, 'Quacksalbermediˌzin *f*. **2.** *fig.* (*soziales od. politisches*) Heilmittel, Pa'tentreˌzept *n*.
nos·y ['nouzi] *adj* **1.** *colloq.* mit großer Nase, großnasig. **2.** *colloq.* neugierig: N~ Parker neugierige Person. **3.** *Br.* a) übelriechend, muffig, b) aro'matisch, duftend (*bes. Tee*). **4.** *Br.* e-e empfindliche Nase habend.
not [nɒt] *adv* **1.** nicht. **2.** ~ a kein(e): ~ a soul; ~ a few nicht wenige. **3.** ~ that nicht, daß; nicht als ob.
Besondere Redewendungen:
I think ~ ich glaube nicht; I know ~ *obs. od. poet.* ich weiß (es) nicht; ~ I ich nicht, ich denke nicht daran; it is wrong, is it ~? (*od. colloq.* isn't it?) es ist falsch, nicht wahr?; he is ~ an Englishman er ist kein Engländer; ~ if I know it nicht wenn es nach mir geht.
no·ta·bil·i·a [ˌnoutə'biliə] (*Lat.*) *s pl* Bemerkenswertes *n*.
no·ta·bil·i·ty [ˌnoutə'biliti] *s* **1.** wichtige *od.* promi'nente Per'sönlichkeit, 'Standesperˌson *f*, *pl* (*die*) Honorati'oren *pl*, (*die*) Promi'nenz. **2.** her'vorragende Eigenschaft, Bedeutung *f*.
no·ta·ble ['noutəbl] **I** *adj* (*adv* notably) **1.** beachtens-, bemerkenswert, denkwürdig, wichtig. **2.** ansehnlich, beträchtlich: a ~ difference. **3.** angesehen, her'vorragend: a ~ scientist. **4.** *chem.* merklich. **5.** *obs.* häuslich. **II** *s* → notability 1.
no·tar·i·al [no'tɛ(ə)riəl] *adj* (*adv* ~ly) *jur.* **1.** notari'ell, Notariats... **2.** notari'ell (beglaubigt).
no·ta·rize ['noutəˌraiz] *v/t* notari'ell beurkunden *od.* beglaubigen.
no·ta·ry ['noutəri] *s meist* ~ public *jur.* (öffentlicher) No'tar (*in England u. USA nur zur Vornahme von Beglaubigungen, Beurkundungen u. zur Abnahme von Eiden berechtigt*).
no·ta·tion [no'teiʃən; nou-] *s* **1.** Aufzeichnung *f*, No'tierung *f*. **2.** *bes. chem. math.* Be'zeichnungssysˌtem *n*, Schreibweise *f*, Bezeichnung *f*: chemical ~ chemisches Formelzeichen. **3.** *mus.* Notenschrift *f*.
notch [nɒtʃ] **I** *s* **1.** Kerbe *f*, Einschnitt *m*, Aussparung *f*, Falz *m*, Nut(e) *f*. **2.** *Zimmerei*: Kamm *m*. **3.** *print.* Signa'tur(rinne) *f*. **4.** *mil. tech.* (Vi'sier)-Kimme *f*: ~ and bead sights Kimme u. Korn. **5.** *geol. Am.* a) Engpaß *m*, b) Kehle *f*. **6.** *Am. colloq.* Grad *m*, Stufe *f*. **II** *v/t* **7.** *bes. tech.* (ein)kerben, (ein)schneiden, einfeilen. **8.** *tech.* ausklinken. **9.** *tech.* nuten, falzen.
notched [nɒtʃt] *adj* **1.** *tech.* (ein)gekerbt, mit Nuten versehen. **2.** *bot.* grob gezähnt (*Blatt*).
note [nout] **I** *s* **1.** (Kenn)Zeichen *n*, Merkmal *n*. **2.** *fig.* Ansehen *n*, Ruf *m*, Bedeutung *f*: man of ~ bedeutender Mann; nothing of ~ nichts von Bedeutung; worthy of ~ beachtenswert. **3.** No'tiz *f*, Kenntnisnahme *f*, Beachtung *f*: to take ~ of s.th. von etwas Notiz *od.* etwas zur Kenntnis nehmen. **4.** *meist pl* No'tiz *f*, Aufzeichnung *f*: to make a ~ of s.th. sich etwas notieren *od.* vormerken; to speak without ~s frei sprechen; to take ~s (of s.th.) sich (über etwas) Notizen machen; → compare 3. **5.** (diplo'matische) Note: exchange of ~s Notenwechsel *m*. **6.** Briefchen *n*, Zettel(chen *n*) *m*. **7.** *print.* a) Anmerkung *f*, b) Satzzeichen *n*: ~ of interrogation Fragezeichen. **8.** *econ.* a) Nota *f*, Rechnung *f*: as per ~ laut Nota, b) (Schuld)Schein *m*: ~ of hand → promissory note; bought and sold ~ Schlußschein *m*; customs' ~ Zollvormerkschein *m*; ~s payable (receivable) *Am.* Wechselverbindlichkeiten (-forderungen), c) *a.* bank ~ Banknote *f*: ~ issue Notenausgabe *f*, -kontingent *n*, d) Vermerk *m*, No'tiz *f*: urgent ~ Dringlichkeitsvermerk, e) Mitteilung *f*: advice ~ Versandanzeige *f*; ~ of exchange Kursblatt *n*. **9.** *mus.* a) Note *f*, b) Ton *m*, c) Taste *f*: to strike the ~s die Tasten anschlagen. **10.** *poet.* Klang *m*, Melo'die *f*, *bes.* (Vogel)Gesang *m*. **11.** *fig.* Ton(art *f*) *m*: to change one's ~ e-n anderen Ton anschlagen; to strike the right ~ den richtigen Ton treffen; to strike a false ~ den falschen Ton anschlagen. **12.** *fig.* a) Ton *m*, Beiklang *m*, Stimmung *f*: a ~ of irritation, b) Ele'ment *n*, Faktor *m*: a ~ of realism. **13.** Brandmal *n*, Schandfleck *m*. **14.** *Am. colloq.* a) ‚tolles Ding', b) ‚böse' Sache.
II *v/t* **15.** Kenntnis nehmen von, zur Kenntnis nehmen, bemerken, beobachten. **16.** besonders erwähnen, anzeigen, vermerken. **17.** *oft* ~ down niederschreiben, no'tieren, vermerken, aufzeichnen. **18.** *econ. Wechsel* prote'stieren lassen: bill (of exchange) ~d for protest protestierter Wechsel. **19.** *bes. Preise* angeben.
note| bank *s econ.* Notenbank *f*. ~ **book** *s* **1.** No'tizbuch *n*. **2.** *econ. jur.* Kladde *f*. ~ **bro·ker** *s econ. Am.* Wechselhändler *m*, Dis'kontmakler *m*. '~ˌ**case** *s Br.* Brieftasche *f*.
not·ed ['noutid] *adj* **1.** bekannt, berühmt (for wegen). **2.** *econ.* no'tiert: ~ before official hours vorbörslich (*Kurs*). '**not·ed·ly** *adv* ausgesprochen, deutlich, besonders.
note| pa·per *s* 'Briefpaˌpier *n*. ~ **press** *s econ.* ˌBanknotenpresse *f*, -notendrucke'rei *f*. ~ **shav·er** *s econ. Am. sl.* **1.** (wucherischer) Dis'kontmakler. **2.** *fig.* Wucherer *m*, Ausbeuter *m*.
'**noteˌwor·thy** *adj* bemerkenswert.
noth·ing ['nʌθiŋ] **I** *pron* **1.** nichts (of von): ~ much nichts Bedeutendes. **II** *s* **2.** Nichts *n*: to ~ zu *od.* in nichts; for ~ umsonst. **3.** *fig.* Nichts *n*, Unwichtigkeit *f*. **4.** Kleinigkeit *f*, Nichts *n*. **5.** *pl* Nichtigkeiten *pl*, leere Redensarten *pl*. **6.** Null *f* (*a. Person*). **III** *adv* **7.** *colloq.* durch'aus nicht, keineswegs: ~ like so bad as bei weitem nicht so schlecht, wie; ~ like complete keineswegs *od.* längst nicht vollständig. **IV** *interj* **8.** (*in Antworten*) *colloq.* nichts dergleichen!, keine Spur!, Unsinn!
Besondere Redewendungen:
good for ~ zu nichts zu gebrauchen; next to ~ fast nichts; ~ additional nichts weiter, außerdem nichts; ~ at all gar nichts; ~ doing a) das kommt nicht in Frage, b) nichts zu machen!; ~ but nichts als, nur; ~ else nichts anderes, sonst nichts; ~ if not courageous überaus *od.* sehr mutig; not for ~ nicht umsonst, nicht ohne Grund; that is ~ to what we have seen das ist nichts gegen das, was wir gesehen haben; that's ~ a) das ist *od.* macht *od.* bedeutet gar nichts, b) das gilt nicht; that's ~ to me das bedeutet mir nichts; that is ~ to you das geht dich nichts an; he is ~ to me er bedeutet mir nichts, er ist mir gleichgültig; there is ~ to it a) da ist ‚nichts dabei', das ist ganz einfach, b) an der Sache ist ‚nichts dran'; there is ~ like es geht nichts über (*acc*); to feel like ~ on earth sich hundeelend fühlen; to make ~ of s.th. nicht viel Wesens von etwas machen, sich nichts aus etwas machen; I can make ~ of it ich kann daraus nicht klug werden, ich weiß damit nichts anzufangen; we can make ~ of him wir können mit ihm nichts anfangen; to say ~ of geschweige denn.
noth·ing·ar·i·an [ˌnʌθiŋ'ɛ(ə)riən] **I** *adj* religi'ös gleichgültig, freigeistig. **II** *s* Freigeist *m*.
noth·ing·ness ['nʌθiŋnis] *s* Nichts *n*: a) Nichtsein *n*, b) Nichtigkeit *f*.
no·tice ['noutis] **I** *s* **1.** Beobachtung *f*, Wahrnehmung *f*: to avoid ~ (*Redew.*) um Aufsehen zu vermeiden; to bring s.th. to s.o.'s ~ j-m etwas zur Kenntnis bringen; to come under s.o.'s ~ j-m bekanntwerden; to escape ~ unbemerkt bleiben; to escape s.o.'s ~ j-m *od.* j-s Aufmerksamkeit entgehen; to take (no) ~ of (keine) Notiz nehmen von *j-m od. etwas*, (nicht) beachten; not worth a person's ~ nicht beachtenswert; ~! zur Beachtung! **2.** No'tiz *f*, Nachricht *f*, Anzeige *f*, Meldung *f*, Ankündigung *f*, Kunde *f*: ~ of an engagement Verlobungsanzeige *f*; this is to give ~ that es wird hiermit bekanntgemacht, daß; to give s.o. ~ of s.th. j-n von etwas benachrichtigen (→ 4). **3.** Anzeige *f*, Ankündigung *f*, 'Hinweis *m*, Bekanntgabe *f*, Benachrichtigung *f*, Mitteilung *f*, Bericht *m*, Anmeldung *f*: ~ of assessment *econ.* Steuerbescheid *m*; ~ of a loss Verlustanzeige; previous ~ Voranzeige; to give ~ of appeal *jur.* Berufung anmelden *od.* einlegen; to give ~ of motion a) e-n Antrag anmelden, b) *parl.* e-n Initiativantrag stellen; to give ~ of a patent ein Patent anmelden; to serve ~ upon s.o. *jur.* j-m e-e Vorladung zustellen, j-n vorladen. **4.** Warnung *f*, Kündigung(sfrist) *f*: subject to a month's ~ mit monatlicher Kündigung; to give s.o. ~ (for Easter) j-m (zu Ostern) kündigen; to give s.o. three months' ~ j-m 3 Monate vorher kündigen; we have ~ to quit uns ist (die Wohnung) gekündigt worden; I am under ~ to leave mir ist gekündigt worden; at a day's ~ binnen e-s Tages; at a moment's ~ jeden Augenblick, sogleich, jederzeit; at short ~ a) kurzfristig, auf Abruf, b) sofort, auf Anhieb; till (*od.* until) further ~ bis auf weiteres; without ~ fristlos (*entlassen etc*). **5.** schriftliche Bemerkung, (*a. Presse-, Zeitungs*)No'tiz *f*, (*bes.* kurze kritische) Rezensi'on, (Buch)Besprechung *f*.
II *v/t* **6.** bemerken, be(ob)achten, wahrnehmen, achten auf (*acc*): to ~

s.o. doing s.th. bemerken, daß j-d etwas tut; j-n etwas tun sehen. **7.** No'tiz nehmen von, beachten, erwähnen. **8.** *ein Buch* besprechen. **9.** anzeigen, melden, bekanntmachen. **10.** *nur noch jur.* benachrichtigen.

no·tice·a·ble ['noutisəbl] *adj* (*adv* **noticeably**) **1.** wahrnehmbar, merklich, sichtlich. **2.** bemerkenswert, beachtlich. **3.** auffällig, ins Auge fallend.

no·tice| board *s* **1.** Anschlagtafel *f*, Schwarzes Brett. **2.** Warnungstafel *f*, Warnschild *n*. **~ pe·ri·od** *s* Kündigungsfrist *f*.

no·ti·fi·a·ble ['nouti,faiəbl] *adj* meldepflichtig.

no·ti·fi·ca·tion [,noutifi'keiʃən] *s* **1.** (*förmliche*) Anzeige, Meldung *f*, (*a. amtliche*) Mitteilung, Bekanntmachung *f*, Benachrichtigung *f*. **2.** schriftliche Ankündigung.

no·ti·fy ['nouti,fai] *v/t* **1.** (*förmlich*) bekanntgeben, anzeigen, avi'sieren, melden, (amtlich) mitteilen (**s.th. to s.o.** j-m etwas). **2.** (**of**) *j-n* benachrichtigen, in Kenntnis setzen (von, über *acc*; **that** daß), *j-n* unter'richten (von).

no·tion ['nouʃən] *s* **1.** Begriff *m* (*a. math. philos.*), Gedanke *m*, I'dee *f*, Vorstellung *f*, *weitS. a.* Ahnung *f* (**of** von): **not to have the vaguest ~ of s.th.** nicht die leiseste Ahnung von etwas haben; **I had no ~ of this** davon war mir nichts bekannt; **I have a ~ that** ich denke mir, daß. **2.** Meinung *f*, Ansicht *f*: **to fall into the ~ that** auf den Gedanken kommen, daß. **3.** Neigung *f*, Lust *f*, Absicht *f*, Im'puls *m*: **he hasn't a ~ of doing it** es fällt ihm gar nicht ein, es zu tun. **4.** Grille *f*, verrückte I'dee: **to take the ~ of doing s.th.** es sich einfallen lassen etwas zu tun. **5.** *pl Am.* a) kleine 'Modear,tikel *pl*, Kurz-, Galante'riewaren *pl*, b) Kinkerlitzchen *pl*.

no·tion·al ['nouʃənl] *adj* (*adv* **~ly**) **1.** begrifflich, Begriffs... **2.** *philos.* rein gedanklich, spekula'tiv (*nicht empirisch*). **3.** theo'retisch. **4.** imagi'när, fik'tiv, angenommen: **a ~ amount**.

no·to·chord ['nouto,kɔːrd] *s anat. zo.* Rückenstrang *m*.

No·to·gae·a [,nouto'dʒiːə] *s zo.* Noto'gäa *f* (*tiergeographische Region der südlichen Halbkugel*).

no·to·ri·e·ty [,noutə'raiəti] *s* **1.** *bes. contp.* allgemeine Bekanntheit, (traurige) Berühmtheit, schlechter Ruf: **to achieve ~** traurige Berühmtheit erlangen. **2.** Berüchtigtsein *n*, (*das*) No'torische. **3.** all- *od.* weltbekannte Per'sönlichkeit *od.* Sache.

no·to·ri·ous [no'tɔːriəs] *adj* (*adv* **~ly**) no'torisch: a) offenkundig, all-, welt-, wohlbekannt (*alle a. contp.*), *iro.* bekannt wie ein bunter Hund, b) *contp.* berüchtigt (**for** wegen): **a ~ swindler**; → **notoriety** 1 *u.* 2.

'not-,out *adj Kricket*: noch am Schlagen, noch immer unbesiegt (*Spieler*).

'no|-'trump (*Bridgespiel*) **I** *adj* **1.** ohne Trumpf. **II** *s* **2.** ‚Ohne Trumpf'-Ansage *f*. **3.** ‚Ohne Trumpf'-Spiel *n*.

no·tum ['noutəm] *s zo.* Rücken(platte *f*) *m* (*bei Insekten*).

not·with·stand·ing [,nɒtwið'stændiŋ; -wiθ-] **I** *prep* ungeachtet, unbeschadet, trotz (*gen*): **~ the objections** ungeachtet *od.* trotz der Einwände; **his great reputation ~** trotz s-s hohen Ansehens. **II** *conj. a.* **~ that** ob'gleich. **III** *adv* nichtsdesto'weniger, dennoch.

nou·gat ['nuːgɑː; *Am. a.* -gət] *s* N(o)ugat *m*.

nought [nɔːt] *s u. pron* **1.** nichts: **to bring to ~** ruinieren, zunichte machen; **to come to ~** zunichte werden, mißlingen, fehlschlagen. **2.** Null *f* (*a. fig.*): **to set at ~** *fig. etwas* in den Wind schlagen, verlachen, ignorieren.

nou·me·non ['naumə,nɒn] *pl* **-na** [-nə] *s* No'umenon *n*, Ding *n* an sich, reines Gedankending, bloße I'dee.

noun [naun] *ling.* **I** *s* Hauptwort *n*, Substantiv *n*, Substan'tivum *n*: **proper ~** Eigenname *m*. **II** *adj* substan'tivisch.

nour·ish [*Br.* 'nʌriʃ; *Am.* 'nəːriʃ] *v/t* **1.** (er)nähren, erhalten (**on** von). **2.** *fig.* nähren, hegen: **to ~ a feeling**. **3.** *fig.* (be)stärken, aufrechterhalten. **'nour·ish·ing** *adj* nahrhaft, Nähr...: **~ power** Nährkraft *f*, -wert *m*. **'nour·ish·ment** *s* **1.** Ernährung *f*. **2.** Nahrung *f* (*a. fig.*), Nahrungsmittel *n*: **to take ~** Nahrung zu sich nehmen.

nous [naus; *Am. a.* nuːs] *s* **1.** *philos.* Vernunft *f*, Verstand *m*. **2.** *colloq.* Mutterwitz *m*, ‚Grütze' *f*.

nou·veau riche [nuvo 'riʃ] *pl* **nouveaux riches** [nuvo 'riʃ] (*Fr.*) *s* Neureiche(r *m*) *f*.

no·va ['nouvə] *pl* **-vae** [-viː] *s astr.* Nova *f*, neuer Stern.

no·va·tion [no'veiʃən] *s jur.* Novati'on *f*: a) Forderungsablösung *f*, b) 'Forderungsüber,tragung *f*.

nov·el ['nɒvəl] **I** *adj* **1.** neu(artig). **2.** ungewöhnlich. **II** *s* **3.** Ro'man *m*: **the ~** der Roman (*als Gattung*); **short ~** Kurzroman; **~ writer** → **novelist**.

nov·el·ette [,nɒvə'let] *s* **1.** a) kurzer Ro'man, b) *bes. Br.* 'Groschenro,man *m*, seichter Unter'haltungsro,man. **2.** *mus.* Ro'manze *f*.

nov·el·ist ['nɒvəlist] *s* Ro'manschriftsteller(in), Romanci'er *m*. **,nov·el·i·'za·tion** *s* Darstellung *f* in Ro'manform: **~s of films** nachträgliche Romanfassungen von Filmen.

nov·el·ty ['nɒvəlti] *s* **1.** Neuheit *f*: a) (*das*) Neue (*e-r Sache*), b) (*etwas*) Neues. **2.** (*etwas*) Ungewöhnliches. **3.** *pl econ.* neu eingeführte 'Handelsod. 'Modear,tikel *pl*, Neuheiten *pl*: **~ item** Neuheit *f*, Schlager *m*. **4.** Neuerung *f*.

No·vem·ber [no'vembər] *s* No'vember *m*: **in ~** im November.

no·ve·na [no'viːnə] *pl* **-nae** [-niː] *s R.C.* No'vene *f*, neuntägige Andacht.

no·ver·cal [no'vəːrkəl] *adj* stiefmütterlich.

nov·ice ['nɒvis] **I** *s* **1.** Anfänger(in), Neuling *m*. **2.** *R.C.* No'vize *m, f*, No'vizin *f* (*e-s Ordens*). **3.** *Bibl.* Neubekehrte(r *m*) *f*. **II** *adj* **4.** Neulings... **5.** noch nie prämi'iert (*z. B. Hund bei e-r Ausstellung*). **no·vi·ti·ate,** *a.* **no·vi·ci·ate** [no'viʃiit; -,eit] *s* **1.** Lehrzeit *f*, Lehre *f*. **2.** *R.C.* a) Novizi'at *n*, Probezeit *f*, b) → **novice** 1 *u.* 2.

now [nau] **I** *adv* **1.** nun, gegenwärtig, jetzt: **from ~** von jetzt an; **up to ~** bis jetzt. **2.** so'fort, bald. **3.** eben, so'eben: **just ~**, **even ~** gerade eben, vor ein paar Minuten. **4.** (*in der Erzählung*) nun, dann, darauf, damals. **5.** (*nicht zeitlich*) nun (aber): **~ I hold quite different opinions**. **II** *conj* **6.** *a.* **~ that** nun aber, nun da, da nun, jetzt wo: **~ he is gone** nun da er fort ist. **III** *s* **7.** *poet.* Jetzt *n*.

Besondere Redewendungen:

before ~ schon einmal, schon früher; **by ~** mittlerweile, jetzt; **~ if** wenn (nun) aber; **how ~?** nun?, was gibt's?, was soll das heißen?; **what is it ~?** was ist jetzt schon wieder los?; **now ... now** bald ... bald; **~ and again**, **~ and then**, **(every) ~ and then** von Zeit zu Zeit, hie(r) u. da, dann u. wann, gelegentlich; **~ then** (nun) also; **what ~?** was nun?; **~ or never** jetzt oder nie.

now·a·day ['nauə,dei] *adj* heutig.

now·a·days ['nauə,deiz] **I** *adv* heutzutage, jetzt. **II** *s* Jetzt *n*, Gegenwart *f*.

'no,way(s) *adv* keineswegs, in keiner Weise.

now·el ['nouəl] *s Gießerei*: (großer) Kern.

'no,where **I** *adv* **1.** nirgends, nirgendwo. **2.** *colloq.* ganz ‚unten durch': **to be** (*od.* **get**) **~** a) haushoch verlieren (*Pferd etc*), b) ein glatter Versager sein; **~ near** nicht annähernd *od.* entfernt. **3.** nirgendwohin. **II** *s* **4.** Nirgendwo *n*, *weitS.* Wildnis *f*, Abgelegenheit *f*: **from** (*od.* **out of the**) **~** aus dem Nichts; **miles from ~** in gottverlassener Gegend.

'no,wheres *adv Am. dial.* nirgends.

'no,wise → **noway(s)**.

nox·ious ['nɒkʃəs] *adj* (*adv* **~ly**) schädlich: a) verderblich, b) ungesund (**to** für). **'nox·ious·ness** *s* Schädlichkeit *f*.

no·yade [nwɑː'jɑːd] *s* No'yade *f*, ('Hinrichtung *f* durch) Ertränken *n*.

noz·zle ['nɒzl] *s* **1.** Schnauze *f*, Rüssel *m*. **2.** *sl.* ‚Rüssel' *m* (*Nase*). **3.** *tech.* Schnauze *f*, Tülle *f*, Schnabel *m*, Mundstück *n*, Ausguß *m*, Röhre *f* (*an Gefäßen etc*). **4.** *tech.* Stutzen *m*, Mündung *f*, Ausström(ungs)öffnung *f* (*an Röhren etc*). **5.** *tech.* (*Kraftstoff-etc*)Düse *f*, Zerstäuber *m*: **~ angle** Anstellwinkel *m* der Düse; **~ ring** a) Düsenring *m*, b) Leitkranz *m*.

nth [enθ] *adj math.* n-te(r), n-te(s): **~ degree** n-ter Grad, beliebiger bestimmter Grad; **to the ~ degree** a) *math.* bis zum n-ten Grade, b) *fig.* im höchsten Maße.

nu [njuː] *s* **1.** Ny *n*: a) *griechischer Buchstabe*, b) *bes. math.* 13. *Glied e-r Reihe etc.* **2.** **N~** *astr.* Stern *m* von dreizehntem Helligkeitsgrad.

nu·ance [njuː'ɑːns; -'ɑ̃ːs] *s* Nu'ance *f*, Schat'tierung *f*, Feinheit *f*, feiner 'Unterschied.

nub [nʌb] *s* **1.** Knopf *m*, Knötchen *n*, Auswuchs *m*. **2.** (kleiner) Klumpen, Nuß *f* (*Kohle etc*). **3.** **the ~** *Am. colloq.* der springende Punkt (**of** bei *e-r Sache*).

nub·bin ['nʌbin] *s Am.* unvollkommen ausgebildete Maisähre.

nub·ble ['nʌbl] → **nub** 1. **'nub·bly** [-bli] *adj* knotig.

nu·bec·u·la [njuː'bekjulə] *pl* **-lae** [-,liː] *s astr.* Nebelfleck *m*.

Nu·bi·an ['njuːbiən] **I** *adj* **1.** nubisch. **II** *s* **2.** Nubier(in). **3.** *ling.* Nubisch *n*, das Nubische.

nu·bile ['njuːbil] *adj* mannbar, heiratsfähig. **nu'bil·i·ty** *s* Mannbarkeit *f*, Heiratsfähigkeit *f*, *jur.* Ehemündigkeit *f*.

nu·cel·lar [njuː'selər] *adj bot.* den Eikern betreffend. **nu'cel·lus** [-ləs] *pl* **-li** [-lai] *s* Knospen-, Eikern *m*.

nu·cha ['njuːkə] *pl* **-chae** [-kiː] *s zo.* Nacken *m*. **'nu·chal** *adj* Nacken...

nu·cif·er·ous [njuː'sifərəs] *adj bot.* nüssetragend. **'nu·ci,form** [-,fɔːrm] *adj* nußförmig.

nu·cle·al ['njuːkliəl] → **nuclear**.

nu·cle·ar ['njuːkliər] *adj* **1.** kernförmig, Kern...: **~ division** *biol.* Kernteilung *f*. **2.** *phys.* nukle'ar, Nuklear..., (Atom)Kern..., ato'mar, Atom...: **~ test**; **~ weapons** Kernwaffen; **~ deterrent** *pol.* atomare Abschreckung. **3.** *a.* **~-powered** a'tomgetrieben, mit A'tomantrieb, Atom...: **~ submarine**. **~ charge** *s phys.* Kernladung *f*. **~ chem·is·try** *s chem.* 'Kernche,mie *f*.

~ **dis·in·te·gra·tion** *s phys.* Kernspaltung *f*, -zerfall *m*. ~ **e·lec·tron** *s phys.* Kernelektron *n*. ~ **en·er·gy** *s phys.* **1.** 'Kernener,gie *f*. **2.** *allg.* A'tomener,gie *f*. ~ **fis·sion** *s phys.* Kernspaltung *f*: ~ bomb Kernspaltungs-, Atombombe *f*. ~ **fu·el** *s phys.* Kernbrennstoff *m*. ~ **mat·ter** *s phys.* 'Kernma,terie *f*. ~ **mem·brane** *s biol.* 'Kernmem,bran *f*. ~ **mi·gra·tion** *s biol.* 'Kern,übertritt *m*. ~ **mod·el** *s phys.* 'Kernmo,dell *n*. ~ **par·ti·cle** *s phys.* Kernteilchen *n*. ~ **phys·ics** *s pl* (*als sg konstruiert*) *phys.* 'Kernphy,sik *f*. ~ **po·lym·er·ism** *s chem.* 'Kernpolyme,rie *f*. ~ **pow·er** *s* **1.** *phys.* A'tomkraft *f*. **2.** *pol.* A'tommacht *f*. ~ **pow·er plant** *s* A'tomkraftwerk *n*. ~ **re·ac·tion** *s phys.* 'Kernreakti,on *f*. ~ **re·ac·tor** *s phys.* 'Kernre,aktor *m*. ~ **the·o·ry** *s phys.* 'Kerntheo,rie *f*. ~ **war(·fare)** *s* A'tomkrieg(führung *f*) *m*.

nu·cle·ate ['nju:kli,eit] *phys.* **I** *v/t* zu e-m Kern bilden. **II** *v/i* e-n Kern bilden. **III** *adj* [-it; -,eit] e-n Kern besitzend, Kern... **'nu·cle,at·ed** *adj* **1.** kernhaltig. **2.** e-n Kern bildend: ~ village Haufendorf *n*. **,nu·cle'a·tion** *s* Kernbildung *f*.

nu·cle·i ['nju:kli,ai] *pl von* nucleus.

nu·cle·ic [nju:'kli:ik] *adj chem.* Nuklein...: ~ acid.

nu·cle·ole ['nju:kli,oul] → nucleolus.

nu·cle·o·lus [nju:'kli:ələs] *pl* **-li** [-,lai] *s biol.* Kernkörperchen *n*.

nu·cle·on ['nju:kli,ɒn] *s chem. phys.* Nukleon *n*, (A'tom)Kernbaustein *m* (*Proton od. Neutron*). **,nu·cle'on·ics** *s pl* (*als sg konstruiert*) Nukle'onik *f*.

nu·cle·o·plasm ['nju:kliə,plæzəm] *s biol.* (Zell)Kernplasma *n*.

nu·cle·o·pro·te·in [,nju:klio'proutiin; -ti:n] *s biol. chem.* Nukleoprote'in *n*.

nu·cle·us ['nju:kliəs] *pl* **-cle·i** [-,ai], *a.* **-cle·us·es** *s* **1.** *allg.* (*a. phys.* A'tom-, *astr.* Ko'meten-, *biol.* Zell)Kern *m*. **2.** *fig.* Kern *m*: a) Mittelpunkt *m*, b) Grundstock *m*. **3.** *opt.* Kernschatten *m*. **4.** *math.* Kern *m*: ~ of an integral equation. **5.** *geol.* Kerngebiet *n*.

nu·clide ['nju:klaid; -klid] *s phys.* Nu'klid *n*.

nude [nju:d] **I** *adj* **1.** nackt, bloß. **2.** *fig.* nackt: ~ fact. **3.** *jur.* unverbindlich, nicht bindend, nichtig (*falls nicht formell beglaubigt*): ~ contract. **4.** nackt, kahl: ~ hillside. **5.** fleischfarben. **II** *s* **6.** *Kunst*: Akt *m*. **7.** the ~ nackter Zustand, Nacktheit *f*: in the ~ in nacktem Zustand, nackt; study from the ~ *paint.* Aktstudie *f*. **'nude·ness** *s* Nacktheit *f*.

nudge [nʌdʒ] **I** *v/t* **1.** *j-n* leise *od.* heimlich anstoßen, ‚stupsen' (*a. fig.*). **II** *s* **2.** ‚Stups' *m*, leichter (*bes.* Rippen)Stoß. **3.** *fig.* Wink *m*.

nu·di·bran·chi·ate [,nju:di'bræŋkiit; -,eit] *zo.* **I** *adj* nacktkiemig. **II** *s* Nacktkiemer *m* (*Schnecke*).

nu·dism ['nju:dizəm] *s* **1.** 'Freikörper-, 'Nacktkul,tur *f*. **2.** *fig.* Entblößung *f*. **'nu·dist** *s* Nu'dist(in), Anhänger(in) der 'Freikörperkul,tur.

nu·di·ty ['nju:diti] *s* **1.** Nacktheit *f*, Blöße *f*. **2.** *fig.* Armut *f*. **3.** Kahlheit *f*. **4.** *Kunst*: 'Akt(fi,gur *f*) *m*.

nu·ga·to·ry ['nju:gətəri] *adj* **1.** wertlos, albern. **2.** unwirksam, nichtig (*beide a. jur.*), wirkungslos, eitel, leer.

nug·get ['nʌgit] *s* **1.** Nugget *m* (*Goldklumpen*). **2.** Klumpen *m*.

nui·sance ['nju:sns] *s* **1.** (*etwas*) Lästiges *od.* Unangenehmes, Ärgernis *n*, Plage *f*, Last *f*, Belästigung *f*, Unfug *m*, 'Mißstand *m*: dust ~ Staubplage; it's a ~ to us es ist uns e-e (große) Plage *od.* Last; what a ~! wie ärgerlich!, ‚das ist ja zum Auswachsen!'; to abate a ~ e-n Unfug *etc* abstellen. **2.** ‚Landplage' *f*, ‚Nervensäge' *f*, Quälgeist *m*, lästiger Mensch: to be a ~ to s.o. j-m lästig fallen; to make a ~ of o.s. sich lästig machen, andern Leuten auf die Nerven gehen; don't be a ~! ärgere mich nicht! **3.** *jur.* Poli'zeiwidrigkeit *f*, Störung *f*: commit no ~! das Verunreinigen (dieses Ortes) ist verboten!; public ~ a) Störung *f od.* Gefährdung *f* der öffentlichen Sicherheit *od.* Ordnung, b) *bes. fig.* öffentliches Ärgernis; private ~ Besitzstörung *f*; to cause ~ to s.o. j-n im Besitz stören. ~ **raid** *s aer. mil.* Störangriff *m*. ~ **tax** *s colloq.* ärgerliche, kleine (Verbraucher)Steuer. ~ **val·ue** *s* Wert *m od.* Bedeutung *f* als störender Faktor.

null [nʌl] **I** *adj* **1.** fehlend, nicht vor'handen. **2.** *math.* leer. **3.** *bes. jur.* (null u.) nichtig, ungültig: to declare ~ and void für null u. nichtig erklären. **4.** leer, wert-, ausdrucks-, gehaltlos, nichtssagend, unbedeutend. **II** *s* **5.** *electr. math.* Null *f*: ~ balance *electr.* Nullabgleich *m*; ~ method *electr.* Null(anzeige)methode *f*. **6.** *electr.* a) (*bei Funkpeilgeräten*) Minimum *n*, Peilnull *f*, b) (*bei Empfangsgeräten*) toter Punkt (*auf der Frequenzskala*).

nul·li·fi·ca·tion [,nʌlifi'keiʃən] *s* **1.** Aufhebung *f*, Nichtigerklärung *f*. **2.** Vernichtung *f*.

nul·li·fy ['nʌli,fai] *v/t* **1.** ungültig machen, (für) null u. nichtig erklären, aufheben. **2.** vernichten.

nul·lip·a·ra [nə'lipərə] *pl* **-rae** [-,ri:] *s med.* Nulli'para *f* (*Frau, die noch nicht geboren hat*). **nul'lip·a·rous** [-rəs] *adj*: ~ woman → nullipara.

nul·li·ty ['nʌliti] *s* **1.** Unwirksamkeit *f* (*a. jur.*). **2.** *bes. jur.* Ungültigkeit *f*, Nichtigkeit *f*: decree of ~ (of a marriage) Nichtigkeitsurteil *n od.* Annullierung *f* e-r Ehe; ~ suit Nichtigkeitsklage *f*; to be a ~ (null u.) nichtig sein. **3.** Nichts *n*. **4.** ‚Null' *f* (*Person*).

numb [nʌm] **I** *adj* **1.** starr, erstarrt (with vor *Kälte etc*), taub (*empfindungslos*): ~ fingers. **2.** *fig.* betäubt, stumpf. **II** *v/t* **3.** starr *od.* taub machen, erstarren lassen. **4.** *fig.* a) betäuben, b) abstumpfen.

num·ber ['nʌmbər] **I** *s* **1.** *math.* Zahl *f*, Zahlenwert *m*, Ziffer *f*: law of ~s Gesetz *n* der Zahlen; theory of ~s Zahlentheorie *f*. **2.** (*Auto-, Haus-, Telephon-, Zimmer- etc*)Nummer *f*: by ~s nummernweise; ~ engaged *teleph.* besetzt!; to have (got) s.o.'s ~ *colloq.* j-n durchschaut haben; his ~ is up *colloq.* s-e Stunde hat geschlagen, jetzt ist er ‚dran'; → number one. **3.** (An)Zahl *f*: a ~ of people mehrere Leute; a great ~ of people sehr viele Leute; five in ~ fünf an der Zahl; ~s of times zu wiederholten Malen; times without ~ unzählige Male; five times the ~ of people fünfmal so viele Leute; in large ~s in großen Mengen, in großer Zahl; in round ~s rund; one of their ~ e-r aus ihrer Mitte. **4.** *econ.* a) (An)Zahl *f*, Nummer *f*: to raise to the full ~ komplettieren, b) Ar'tikel *m*, Ware *f*. **5.** Heft *n*, Nummer *f*, Ausgabe *f* (*e-r Zeitschrift etc*), Lieferung *f* (*e-s Werks*): to appear in ~s in Lieferungen erscheinen; → back number. **6.** *ling.* Numerus *m*, Zahl *f*: in the singular ~ im Singular, in der Einzahl. **7.** *poet.* a) Silben-, Versmaß *n*, b) *pl* Verse *pl*, Poe'sie *f*. **8.** *thea. etc* (Pro'gramm)Nummer *f*. **9.** *mus.* a) Nummer *f* (*abgeschlossener Satz*), b) Mu'sikstück *n*, c) *sl.* Schlager *m*, Tanznummer *f*. **10.** *colloq.* ‚Geschäft' *n* (*Notdurft*): ~ one (two) kleines (großes) Geschäft. **11.** *sl.* ‚Type' *f*, ‚Stück' *n*, ‚Nummer' *f* (*Person*). **12.** N~s *Bibl.* Numeri *pl*, (*das*) Vierte Buch Mose. **13.** *pl* → number(s) pool.
II *v/t* **14.** (zs.-)zählen, aufrechnen: to ~ off abzählen; his days are ~ed s-e Tage sind gezählt. **15.** *math.* zählen, rechnen (*a. fig.* among, in, with zu *od.* unter *acc*). **16.** nume'rieren: to ~ consecutively durchnumerieren. **17.** zählen, sich belaufen auf (*acc*). **18.** *Jahre* zählen, alt sein.
III *v/i* **19.** (auf)zählen. **20.** *fig.* zählen (among zu *j-s Freunden etc*).

num·ber·ing ['nʌmbəriŋ] *s* Nume'rierung *f*. ~ **stamp** *s* Zahlenstempel *m*.

num·ber·less ['nʌmbərlis] *adj* unzählig, zahllos.

num·ber| nine *s mil. Br. colloq.* Abführpille *f*. ~ **one I** *adj* **1.** erstklassig. **II** *s* **2.** Nummer *f* Eins, der, die, das Erste. **3.** erste Klasse. **4.** *colloq.* die eigene Per'son, das liebe Ich: to look after ~ auf s-n Vorteil bedacht sein, den eigenen Vorteil wahren. **5.** → number 10. ~ **pol·y·gon** *s math.* 'Zahlenvieleck *n*, -poly,gon *n*. ~ **se·ries** *s sg u. pl math.* Zahlenreihe(n *pl*) *f*.

num·ber(s) pool ['nʌmbər(z)] *s Am.* (*Art*) Zahlenlotto *n*.

num·ber| square *s math.* 'Zahlenqua,drat *n*, -viereck *n*. ~ **sym·bol** *s math.* Zahlzeichen *n*. ~ **sym·bol·ism** *s* 'Zahlensym,bolik *f*.

numb·ness ['nʌmnis] *s* **1.** Erstarrung *f*, Starr-, Taubheit *f*. **2.** *a. fig.* Betäubung *f*.

nu·mer·a·ble ['nju:mərəbl] *adj* zählbar.

nu·mer·al ['nju:mərəl] **I** *adj* **1.** Zahl(en)..., nu'merisch: ~ language Ziffernsprache *f*; ~ script Ziffernschrift *f*. **II** *s* **2.** *math.* Ziffer *f*, Zahlzeichen *n*: Arabic ~s. **3.** *ling.* Zahlwort *n*. **4.** *ped. sport Am.* Jahreszahl *f* (*e-s Schul- od. Collegejahrgangs*).

nu·mer·a·tion [,nju:mə'reiʃən] *s* **1.** *math.* Zählen *n*: decimal ~ Dezimal(zahlen)system *n*. **2.** Zähl-, Rechenkunst *f*. **3.** Nume'rierung *f*. **4.** (Auf)Zählung *f*. **'nu·mer,a·tive** [-,reitiv; *Br. a.* -rə-] *adj* zählend, Zahl(en)...: ~ system Zahlensystem *n*. **'nu·mer,a·tor** [-tər] *s math.* Zähler *m* (*e-s Bruches*).

nu·mer·i·cal [nju:'merikəl] *adj* (*adv* ~ly) **1.** *math.* nu'merisch, Zahlen...: ~ equation; ~ order Zahlen-, Nummernfolge *f*; ~ value Zahlenwert *m*. **2.** nu'merisch, zahlenmäßig: ~ superiority.

nu·mer·ous ['nju:mərəs] *adj* (*adv* ~ly) zahlreich: a ~ assembly; ~ly attended stark besucht; ~ people zahlreiche *od.* (sehr) viele Leute. **'nu·mer·ous·ness** *s* große Zahl, Menge *f*, Stärke *f*.

Nu·mid·i·an [nju:'midiən] **I** *adj* **1.** nu'midisch. **II** *s* **2.** Nu'midier(in). **3.** *ling.* Nu'midisch *n*, das Numidische.

nu·mis·mat·ic [,nju:miz'mætik] *adj* numis'matisch, Münz(en)... **,nu·mis'mat·ics** *s pl* (*als sg konstruiert*) Numis'matik *f*, Münzkunde *f*. **nu'mis·ma·tist** [-'mizmətist], **nu,mis·ma'tol·o·gist** [-'tɒlədʒist] *s* Numis'matiker *m*, Münzkenner(in). **nu,mis·ma'tol·o·gy** [-dʒi] → numismatics.

num·ma·ry ['nʌməri] *adj* Münzen... '**num·mu·lar** [-julər] *adj* **1.** Münz(en)... **2.** *med.* münzenartig.
num·skull ['nʌmˌskʌl] *s* Dummkopf *m*, ‚Trottel' *m*.
nun [nʌn] *s* **1.** *relig.* Nonne *f*. **2.** Einsiedlerin *f*. **3.** *orn.* a) *Br.* Blaumeise *f*, b) Schleiertaube *f*, c) → nunbird. '~ˌ**bird** *s orn.* (*ein*) Faulvogel *m*. ~ **buoy** *s mar.* spitze Tonne.
Nunc Di·mit·tis ['nʌŋk di'mitis] (*Lat.*) *s* **1.** *relig.* Nunc Di'mittis *n*, Hymne *f* Simeons (*Lukas 2, 29—32*). **2.** *fig.* Verabschiedung *f*, Erlaubnis *f*, sich zu entfernen, Abschied *m*.
nun·ci·a·ture ['nʌnʃiətʃər] *s R.C.* Nuntia'tur *f*. '**nun·ci**ˌ**o** [-ˌou] *pl* **-os** *s R.C.* Nuntius *m*.
nun·cu·pa·tion [ˌnʌŋkju'peiʃən] *s* Abgabe *f* e-r mündlichen Erklärung, mündliche testamen'tarische Verfügung. '**nun·cu**ˌ**pa·tive** *adj jur.* mündlich: ~ will mündliches Testament, *bes. mil.* Not-, *mar.* Seetestament *n*.
nun·hood ['nʌnhud] *s* Nonnentum *n*. '**nun·like** *adj* nonnenhaft.
nun·ner·y ['nʌnəri] *s* Nonnenkloster *n*.
nup·tial ['nʌpʃəl] **I** *adj* hochzeitlich, Hochzeit(s)..., Ehe..., Braut...: ~ bed Brautbett *n*; ~ ceremony Trauungsfeierlichkeit *f*; ~ plumage *orn.* Sommer-, Hochzeitskleid *n*. **II** *s meist pl* Hochzeit *f*.
nup·ti·al·i·ty [ˌnʌpʃi'æliti] *s* Zahl *f* der Eheschließungen.
nurse [nəːrs] **I** *s* **1.** *meist* wet ~ (Säug-)Amme *f*. **2.** *a.* dry ~ Kinderfrau *f*, -mädchen *n*, -pflegerin *f*. **3.** Krankenschwester *f*, -pfleger(in): head ~ Oberschwester *f*; male ~ Krankenpfleger *m*, -wärter *m*. **4.** Säugung(szeit) *f*, (erste) Pflege: at ~ in Pflege; to put out to ~ *Kinder* in Pflege geben. **5.** *fig.* Nährerin *f*, Nährmutter *f*. **6.** *zo.* Arbeiterin *f*, Arbeitsbiene *f*. **7.** *agr.* Strauch *od.* Baum, der e-e junge Pflanze schützt. **8.** *zo.* Amme *f* (*ungeschlechtlicher Organismus*).
II *v/t* **9.** *Kind* säugen, nähren, stillen, *dem Kind* die Brust geben. **10.** *ein Kind* auf-, großziehen. **11.** *Kranke* pflegen. **12.** *e-e Krankheit* 'auskuˌrieren, *ein Glied* schonen: to ~ one's cold (voice). **13.** *das Knie, den Nacken etc* schützend (*mit verschlungenen Händen*) um'fassen: to ~ one's leg ein Bein über das andere schlagen. **14.** *fig. Gefühle etc* a) hegen, nähren, b) entfachen. **15.** *fig.* nähren, fördern. **16.** *fig.* streicheln, hätscheln. **17.** sparsam *od.* schonend 'umgehen mit (*Geld etc*): to ~ a glass of wine langsam u. bedächtig ein Glas Wein trinken. **18.** sich eifrig kümmern um, sich (*etwas, a. pol. den Wahlkreis*) ‚warmhalten': to ~ one's constituency. **19.** *sport den Ball* am Fuß ‚halten', dribbeln.
III *v/i* **20.** säugen, stillen. **21.** die Brust nehmen (*Säugling*). **22.** als (Kranken)Pfleger(in) tätig sein.
nurse| cell *s biol.* Nähr-, Saftzelle *f*. ~ **child** *s irr* Pflege-, Ziehkind *n*. ~ **crop** *s agr.* 'Untersaat *f*. ~ **frog** *s zo.* Geburtshelferkröte *f*.
nurse·ling → nursling.
'**nurse**ˌ**maid** *s* Kindermädchen *n*.
nurs·er·y ['nəːrsəri] *s* **1.** Kinderzimmer *n*: day ~ Spielzimmer *n*; night ~ Kinderschlafzimmer *n*. **2.** Kindertagesstätte *f*. **3.** Pflanz-, Baumschule *f*, Schonung *f*. **4.** Fischpflege *f*, Streckteich *m*. **5.** *fig.* Pflanzstätte *f*, Schule *f*. **6.** *a.* ~ stakes *sport* (Pferde)Rennen *n* der Zweijährigen. ~ **gov·ern·ess** *s* Kinderfräulein *n*. '~ˌ**maid** *s* Kindermädchen *n*. '~**·man** [-mən] *s irr* Pflanzenzüchter *m*, Baum-, Kunst-, Handelsgärtner *m*. ~ **plant** *s agr.* Setzling *m*. ~ **rhyme** *s* Kinderlied *n*, -reim *m*, -vers *m*. ~ **school** *s* Kindergarten *m* (*für Kinder unter 5 Jahren*). ~ **tale** *s* Ammenmärchen *n*.
nurs·ing ['nəːrsiŋ] **I** *s* **1.** Säugen *n*, Stillen *n*. **2.** *a.* sick-~ Krankenpflege *f*. **II** *adj* **3.** Nähr..., Pflege..., Kranken... ~ **ben·e·fit** *s* Stillgeld *n*. ~ **bot·tle** *s* (Säuglings-, Saug)Flasche *f*. ~ **home** *s bes. Br.* Pri'vatklinik *f*. ~ **moth·er** *s* stillende Mutter. ~ **treat·ment** *s* Pflege(behandlung) *f*.
nurs·ling ['nəːrsliŋ] *s* **1.** Säugling *m*. **2.** Pflegling *m*. **3.** *fig.* Liebling *m*, Hätschelkind *n*. **4.** *fig.* Schützling *m*.
nur·ture ['nəːrtʃər] **I** *v/t* **1.** (er)nähren. **2.** auf-, erziehen. **3.** *fig. Gefühle etc* hegen. **II** *s* **4.** Nahrung *f*. **5.** Pflege *f*, Erziehung *f*.
nut [nʌt] **I** *s* **1.** *bot.* Nuß *f*. **2.** *tech.* a) (Schrauben)Mutter *f*, b) Triebel *m*, c) Radnabenmutter *f*, d) Türschloßnuß *f*. **3.** *mus.* a) Frosch *m* (*am Bogen*), b) Saitensattel *m*. **4.** *pl econ.* Nußkohle *f*. **5.** *fig.* schwierige Sache: a hard ~ to crack ‚e-e harte Nuß'. **6.** *sl.* a) ‚Birne' *f* (*Kopf*): to be (go) off one's ~ verrückt sein (werden), b) Dandy *m*, Geck *m*, c) *contp.* ‚Heini' *m*, Kerl *m*, d) komischer Kauz, ‚Spinner' *m*, e) Idi'ot *m*: to be ~s verrückt *od.* ‚bekloppt' sein, *a.* verrückt sein (on nach), ‚wild' *od.* ‚scharf' sein (on auf *acc*); to drive ~s verrückt machen; to go ~s überschnappen; ~s! du bist wohl verrückt!; ~s (to you)! rutsch mir den Buckel 'runter!, du ‚kannst mich mal'!; he is ~s about her er ist in sie ‚total verschossen'. **7.** *pl vulg.* ‚Eier' *pl* (*Hoden*). **8.** not for ~s *sl.* überhaupt nicht; he can't play for ~s *sl.* er spielt miserabel. **II** *v/i* **9.** Nüsse pflücken.
nu·ta·tion [njuː'teiʃən] *s* **1.** (*med.* krankhaftes) Nicken. **2.** *astr. bot. phys. tech.* Nutati'on *f*.
nut| bolt *s tech.* **1.** Mutterbolzen *m*. **2.** Bolzen *m od.* Schraube *f* mit Mutter. ~ **brown** *adj* nußbraun. ~ **but·ter** *s* Nußbutter *f*. ~ **case** *s sl.* Verrückte(r *m*) *f*, Idi'ot(in). '~ˌ**crack·er** *s* **1.** *a. pl* Nußknacker *m*. **2.** *orn.* a) Nußknacker *m*, Tannenhäher *m*, b) → nuthatch 1. '~ˌ**gall** *s* Gallapfel *m*: ~ ink Gallustinte *f*. '~ˌ**hatch** *s* **1.** *orn.* (*ein*) Kleiber *m*, *bes.* Spechtmeise *f*. **2.** *sl.* ‚Klapsmühle' *f* (*Irrenanstalt*). ~ **i·ron** *s tech.* Gewindeeisen *n*.
nut·meg ['nʌtmeg] *s bot.* **1.** Mus'katnuß *f*. **2.** → nutmeg tree. ~ **but·ter** *s* Mus'katbutter *f*. **N**~ **State** *s Am.* (*Beiname für*) Con'necticut *n* (*USA*). ~ **tree** *s bot.* Echter Mus'katnußbaum.
nut| oil *s* Nußöl *n*. '~ˌ**peck·er** → nuthatch 1. ~ **pine** *s bot.* **1.** Pinie *f*. **2.** *e-e Kiefer mit eßbarem Samen.*
nu·tri·a ['njuːtriə] *s* **1.** *zo.* Biberratte *f*, Nutria *f*. **2.** Nutriafell *n*.
nu·tri·ent ['njuːtriənt] **I** *adj* **1.** nährend, nahrhaft. **2.** Ernährungs..., Nähr...: ~ base *biol.* Nährsubstrat *n*; ~ medium *biol.* Nährsubstanz *f*. **II** *s* **3.** Nährstoff *m*. **4.** *biol.* Baustoff *m*.
nu·tri·ment ['njuːtrimənt] *s* Nahrung *f*, Nährstoff *m* (*a. fig.*).
nu·tri·tion [njuː'triʃən] *s* **1.** Ernährung *f*. **2.** Nahrung *f*: ~ cycle Nahrungskreislauf *m*. **nu'tri·tion·al** *adj* Ernährungs... **nu'tri·tion·ist** *s* Ernährungswissenschaftler *m*, Diä'tetiker *m*.
nu·tri·tious [njuː'triʃəs] *adj* (*adv* ~ly) nährend, nahrhaft. **nu'tri·tious·ness** *s* Nahrhaftigkeit *f*.
nu·tri·tive ['njuːtritiv] *adj* (*adv* ~ly) **1.** nährend, nahrhaft: ~ value Nährwert *m*. **2.** ernährend, Ernährungs...: ~ medium Nährboden *m*; ~ tract Ernährungsbahn *f*. '**nu·tri·tive·ness** *s* Nahrhaftigkeit *f*.
nuts [nʌts] *interj sl.* → nut 6.
nut| screw *s tech.* **1.** Schraube *f* mit Mutter. **2.** Mutter-, Innengewinde *n*. '~ˌ**shell** *s* **1.** *bot.* Nußschale *f*. **2.** *fig.* winziges Ding: in a ~ in knapper Form, in aller Kürze; to put it in a ~ (*Redew.*) um es ganz kurz zs.-zufassen, mit 'einem Wort. ~ **tree** *s bot.* **1.** (Wal-)Nußbaum *m*. **2.** Haselnußstrauch *m*.
nut·ty ['nʌti] *adj* **1.** voller Nüsse. **2.** nußartig, Nuß... **3.** schmackhaft, pi'kant. **4.** *sl.* verrückt (on nach).
nux vom·i·ca [nʌks 'vɒmikə] *s* **1.** *pharm.* Brechnuß *f*. **2.** *bot.* Brechnußbaum *m*.
nuz·zle ['nʌzl] **I** *v/t* **1.** *den Boden* mit der Schnauze aufwühlen (*Schwein*). **2.** mit der Schnauze *od.* der Nase *od.* dem Kopf reiben (an *dat*): to ~ o.s. → 6. **3.** *e-m Schwein etc* e-n Ring durch die Nase ziehen. **4.** *ein Kind* liebkosen, hätscheln. **II** *v/i* **5.** mit der Schnauze im Boden wühlen, stöbern (in in *dat*; for nach). **6.** a) den Kopf drücken (at an *acc*; against gegen), b) sich (an)schmiegen *od.* kuscheln (to an *acc*).
nyc·ta·lo·pi·a [ˌniktə'loupiə] *s med.* **1.** Nachtblindheit *f*. **2.** (*fälschlich für*) Tagblindheit *f*.
nyc·ti·trop·ic [ˌnikti'trɒpik] *adj bot.* nykti'tropisch: ~ movement Schlafbewegung *f*.
ny·lon ['nailɒn] *s* **1.** Nylon *n*. **2.** *pl*, *a.* ~ stockings Nylons *pl*, Nylonstrümpfe *pl*.
nymph [nimf] *s* **1.** *antiq.* Nymphe *f*. **2.** Nymphe *f*: a) *poet.* schönes Mädchen, b) *iro.* ‚leichtes Mädchen'. **3.** *zo.* a) Puppe *f*, b) Nymphe *f* (*Insektenlarve mit unvollständiger Verwandlung*).
nym·pha ['nimfə] *pl* **-phae** [-fiː] *s* **1.** *zo.* → nymph 3 b. **2.** *pl anat.* kleine Schamlippen *pl*.
nym·phae·a·ceous [ˌnimfi'eiʃəs] *adj bot.* zu den See- *od.* Wasserrosen gehörig.
nym·phe·an [nim'fiːən] *adj* Nymphen... '**nymph·ish** *adj* nymphenhaft.
nym·pho·lep·sy ['nimfəˌlepsi] *s* **1.** Verzückung *f*. **2.** krankhafter Drang nach etwas Unerreichbarem.
nym·pho·ma·ni·a [ˌnimfə'meiniə] *s psych.* Nymphoma'nie *f*, Mannstollheit *f*. ˌ**nym·pho'ma·ni**ˌ**ac** [-niˌæk] **I** *adj* nympho'man, mannstoll. **II** *s* Nympho'manin *f*, mannstolles Weib.
nys·tag·mus [nis'tægməs] *s* Ny'stagmus *m*, Augenzittern *n*.

O

O¹, o [ou] **I** *pl* **O's, Os, Oes, o's, os, oes** [ouz] *s* **1.** O, o *n* (*Buchstabe*). **2.** *bes. teleph.* Null *f*. **3.** O O *n*, O-förmiger Gegenstand. **II** *adj* **4.** fünfzehnt(er, e, es).

O², o [ou] *interj* (*in direkter Anrede u. von e-m Komma gefolgt, ist die Schreibung* Oh, oh) o(h)!, ah!, ach!

O' [ou; ə] *Ir.* (*Präfix bei Eigennamen*) Enkel *m od.* Abkömmling *m* von: O'Neill, O'Brian.

o' [ə] *abbr. für die Präpositionen* of *u.* on: two ~clock zwei Uhr; twice ~ Sundays zweimal am Sonntag.

oaf [ouf] *pl* **oafs, oaves** [ouvz] *s* **1.** Dummkopf *m*, ‚Hornochse' *m*, ‚Esel' *m*. **2.** Lümmel *m*, Flegel *m*. **'oaf·ish** *adj* **1.** einfältig, dumm. **2.** lümmelhaft.

oak [ouk] **I** *s* **1.** *bot.* Eiche *f*, Eichbaum *m*: barren ~ Schwarzeiche; → heart 4. **2.** *poet.* Eichenlaub *n*. **3.** Eichenholz *n*. **4.** *univ. Br.* äußere Tür (*e-r Doppeltür in Colleges in Oxford u. Cambridge*): to sport one's ~ *sl.* die (äußere) Tür verschlossen halten, nicht zu sprechen sein. **5.** the O~s *sport berühmtes Fohlenrennen in Epsom.* **II** *adj* **6.** eichen, Eichen...

oak| ap·ple *s bot.* Gallapfel *m*. ~ **bark** *s bot.* Eichen-, Lohrinde *f*. ~ **beau·ty** *s zo.* Eichenspanner *m*.

oak·en ['oukən] *adj* **1.** *bes. poet.* Eichen... **2.** → oak 6.

oak| fern *s bot.* Eichenfarn *m*. ~ **gall** *s* Gallapfel *m*. '~-ˌ**leaf clus·ter** *s mil. bes. Am.* Eichenlaub *n* (*an Orden*).

oak·let ['ouklit], **'oak·ling** [-liŋ] *s bot.* junge *od.* kleine Eiche.

oa·kum ['oukəm] *s* **1.** Werg *n*: to pick ~ a) Werg zupfen, b) *colloq.* ‚Tüten kleben', ‚Knast schieben' (*im Zuchthaus sitzen*). **2.** *mar.* Kal'faterwerg *n*.

'oakˌwood *s* **1.** Eichenholz *n*. **2.** Eichenwald(ung *f*) *m*.

oar [ɔːr] **I** *v/t* **1.** rudern: to ~ one's way dahinrudern, -gleiten. **II** *v/i* **2.** rudern. **III** *s* **3.** *mar. sport* Ruder *n* (*a. zo.*), Riemen *m*: four-~ Vierer *m* (*Boot*); pair-~ Zweier *m*. **4.** *sport* Ruderer *m*: a good ~. **5.** *Brauerei*: Krücke *f*.

Besondere Redewendungen:

to boat the ~s die Riemen einziehen; to feather the ~s die Riemen (beim Rudern) plattwerfen; to lie on one's ~s a) die Riemen glatt legen, b) *fig.* die Hände in den Schoß legen; to put (*od.* shove) one's ~ in *colloq.* sich einmischen, ‚s-n Senf dazugeben'; to rest (up)on one's ~s *fig.* sich auf s-n Lorbeeren ausruhen; to ship the ~s die Riemen klarmachen; ship your ~s! die Ruder einlegen!; to be chained to the ~s schwer schuften müssen.

oared [ɔːrd] *adj* **1.** mit Rudern versehen, Ruder... **2.** *in Zssgn* ...ruderig.

'oarˌlock *s mar.* Ruder-, Riemendolle *f*.

oars·man ['ɔːrzmən] *s irr* Ruderer *m*.

'oars·manˌship *s* Ruderkunst *f*.

'oarsˌwom·an *s irr* Ruderin *f*.

o·a·sis [o'eisis; 'ouəsis] *pl* **-ses** [-siːz] *s* O'ase *f* (*a. fig.*).

oast [oust] *s Brauerei*: Darre *f*.

oat [out] *s* **1.** *meist pl bot.* Hafer *m*: he feels his ~s *colloq.* a) ihn sticht der Hafer, b) er ist groß in Form; to sow one's wild ~s sich die Hörner abstoßen. **2.** *poet.* Pfeife *f* (*aus e-m Haferhalm*). '~ˌ**cake** *s* Haferkuchen *m*.

oat·en ['outn] *adj* **1.** aus Haferhalmen. **2.** Hafer(mehl)...

oat| flakes *s pl* Haferflocken *pl*. ~ **grass** *s bot.* Wilder Hafer.

oath [ouθ; *pl* ouðz] *s* **1.** Eid *m*, Schwur *m*: ~ of allegiance Fahnen-, Treueid; ~ of office Amts-, Diensteid. **2.** Fluch *m*, Verwünschung *f*.

Besondere Redewendungen:

to bind by ~ eidlich verpflichten; on ~, upon ~ unter Eid, eidlich; upon my ~! das kann ich beschwören!; to administer (*od.* tender) an ~ to s.o., to give s.o. the ~, to put s.o. to (*od.* on) his ~ j-m den Eid abnehmen, j-n schwören lassen; to swear (*od.* take) an ~ e-n Eid leisten *od.* ablegen, schwören (on, to auf *acc*); in lieu of an ~ an Eides Statt; under ~ unter Eid, eidlich verpflichtet; to be on one's ~ eidlich gebunden sein.

'oat'meal *s* **1.** Hafermehl *n*, -grütze *f*. **2.** Haferschleim *m*.

O·ba·di·ah [ˌoubə'daiə] *npr u. s Bibl.* (das Buch) O'badja *m od.* Ab'dias *m*.

ob·bli·ga·to [ˌɒbli'gɑːtou] *mus.* **I** *adj* **1.** obli'gat, hauptstimmig. **II** *pl* **-tos** *s* **2.** obli'gate *od.* selbständige Begleitstimme. **3.** *fig.* Be'gleitmuˌsik *f*.

ob·con·i·cal [ɒb'kɒnikəl] *adj biol.* verkehrt kegelförmig. **ob·cor·date** [ɒb'kɔːrdeit] *adj* verkehrt herzförmig.

ob·du·ra·cy ['ɒbdjurəsi] *s* Verstocktheit *f*, Halsstarrigkeit *f*. **'ob·du·rate** [-rit] *adj* (*adv* ~ly) **1.** verstockt, halsstarrig. **2.** hartherzig.

o·be·ah ['oubiə] *s* **1.** Obikult *m* (*Zauberkult, bes. der westindischen Neger*). **2.** *colloq.* Obi *m*, Fetisch *m*.

o·be·di·ence [ə'biːdiəns] *s* **1.** Gehorsam *m* (to gegen). **2.** *fig.* Abhängigkeit *f* (to von): in ~ to s.o. auf Verlangen von j-m; in ~ to s.th. im Verfolg e-r Sache, e-r Sache gemäß. **3.** Herrschaft *f*, Autori'tät *f*. **4.** *relig.* a) Obedi'enz *f*, Gehorsam(spflicht *f*) *m*, b) Obrigkeitssphäre *f*.

o·be·di·ent [ə'biːdiənt] *adj* (*adv* ~ly) **1.** gehorsam (to *dat*). **2.** ergeben, unter'würfig (to *dat*): Your ~ servant hochachtungsvoll (*Amtsstil*). **3.** *fig.* abhängig (to von).

o·bei·sance [o'beisəns] *s* **1.** Verbeugung *f*: to make one's ~ to s.o. *obs.* sich vor j-m verbeugen. **2.** Ehrerbietung *f*, Huldigung *f*: to do (*od.* make *od.* pay) ~ to s.o. j-m huldigen. **o'bei·sant** *adj* huldigend, unter'würfig.

ob·e·lisk ['ɒbilisk] *s* **1.** Obe'lisk *m*, Spitzsäule *f*. **2.** *print.* a) → obelus 1, b) Kreuz *n*, Verweisungszeichen *n* (*für Randbemerkungen etc*).

ob·e·lize ['ɒbiˌlaiz] *v/t print.* mit e-m Obe'lisk versehen, als fragwürdig kennzeichnen.

ob·e·lus ['ɒbiləs] *pl* **-li** [-ˌlai] *s print.* **1.** Obe'lisk *m* (*Zeichen für fragwürdige Stellen*). **2.** → obelisk 2 b.

o·bese [o'biːs] *adj* **1.** fett(leibig), korpu'lent. **2.** *fig.* fett, dick. **o'bese·ness, o'bes·i·ty** *s* Fettleibigkeit *f*.

o·bey [o'bei] **I** *v/t* **1.** *j-m* (*a. fig. dem Steuer etc*) gehorchen, folgen. **2.** Folge leisten (*dat*), befolgen (*acc*): to ~ an order. **II** *v/i* **3.** gehorchen, folgen (to *dat*).

ob·fus·cate ['ɒbfəsˌkeit; *Am. a.* ɑb'fʌskeit] *v/t* **1.** verdunkeln, verfinstern, trüben (*a. fig.*). **2.** *fig. j-s Urteil etc* trüben, verwirren. **3.** *fig. die Sinne* benebeln. ˌ**ob·fus'ca·tion** *s* **1.** Verdunkelung *f*, Trübung *f*. **2.** *fig.* Verwirrung *f*, Benebelung *f*.

o·bi¹ ['oubi] → obeah.

o·bi² ['oubi] *s* Obi *n* (*kunstvoller Gürtel zum japanischen Kimono*).

o·bit ['ɒbit; 'ou-] *s* **1.** *relig.* a) Gottesdienst *m* bei der 'Wiederkehr des Todestages, b) Seelenmesse *f*. **2.** Nachruf *m* (*in der Zeitung*). **3.** *obs.* a) Tod *m*, b) Trauerfeierlichkeit *f*.

o·bit·u·ar·y [*Br.* ə'bitjuəri; *Am.* -tʃuˌeri] **I** *s* **1.** Todesanzeige *f*. **2.** Nachruf *m*. **3.** *R.C.* Totenliste *f*. **II** *adj* **4.** Toten..., Todes...: ~ notice → 1.

ob·ject¹ [əb'dʒekt] **I** *v/t* **1.** *fig.* einwenden, vorbringen (to gegen). **2.** vorhalten, vorwerfen (to, against *dat*). **II** *v/i* **3.** Einwendungen machen, Einspruch erheben, prote'stieren (to, against gegen): I ~ ich erhebe Einspruch. **4.** etwas einwenden, etwas da'gegen haben: to ~ to s.th. etwas beanstanden, etwas gegen e-e Sache (einzuwenden) haben; do you ~ to my smoking? haben Sie etwas dagegen, wenn ich rauche?; if you don't ~ wenn Sie nichts dagegen haben.

ob·ject² ['ɒbdʒikt] *s* **1.** Ob'jekt *n*, Gegenstand *m* (*a. fig. des Denkens, des Mitleids etc*), Ding *n*: a round ~; the ~ of his study; ~ of invention Erfindungsgegenstand; money is no ~ Geld spielt keine Rolle; salary no ~ Gehalt Nebensache. **2.** *iro.* komische *od.* scheußliche Per'son *od.* Sache: what an ~ you are! wie sehen Sie denn aus!; a pretty ~ it looked es sah ‚schön' aus. **3.** Ziel *n*, Zweck *m*, Absicht *f*: with the ~ of doing s.th. mit der Absicht, etwas zu tun; to make it one's ~ to do s.th. es sich zum Ziel setzen, etwas zu tun; there is no ~ in doing that es hat keinen Zweck *od.* Sinn, das zu tun. **4.** *ling.* a) Ob'jekt *n*: direct ~ Akkusativobjekt, direktes Objekt, b) von e-r Präpositi'on abhängiges Wort. **5.** *philos.* Nicht-Ich *n*, Ob'jekt *n*.

ob·ject| ball ['ɒbdʒikt] *s Billard*: Zielball *m*. ~ **draw·ing** *s bes. tech.* Zeichnen *n* nach Vorlagen *od.* Mo'dellen. '~-ˌ**find·er** *s phot.* (Objek'tiv)Sucher *m*.

ob·jec·ti·fi·ca·tion [əbˌdʒektifi'keiʃən] *s philos.* Objekti'vierung *f*. **ob'jec·tiˌfy** [-ˌfai] *v/t* objekti'vieren.

ob·jec·tion [əb'dʒekʃən] *s* **1.** a) Einwendung *f*, -spruch *m*, -wand *m* (*alle a. jur.*), Einwurf *m*, Bedenken *n* (to gegen), b) Abneigung *f*, 'Widerwille *m* (against gegen): I have no ~ to him ich habe nichts gegen ihn, ich habe an ihm nichts auszusetzen; to make (*od.* raise) an ~ to s.th. gegen etwas e-n Einwand erheben; he raised no ~ to my going there er hatte nichts dagegen (einzuwenden), daß ich dorthin ging *od.* gehe; to take ~ to s.th. gegen etwas Protest erheben *od.* protestieren. **2.** Reklamati'on *f*, Beanstandung *f*.

ob·jec·tion·a·ble [əb'dʒekʃənəbl] *adj* (*adv* objectionably) **1.** nicht einwandfrei: a) zu beanstanden(d), abzulehnen(d), b) anrüchig. **2.** unerwünscht. **3.** unangenehm (to *dat od.* für). **4.** anstößig.

ob·jec·tive [əb'dʒektiv] **I** *adj* (*adv* ~**ly**) **1.** *philos.* objek'tiv, kon'kret, gegenständlich: ~ **method** induktive Methode. **2.** objek'tiv, sachlich, 'unperˌsönlich, vorurteilslos. **3.** *ling.* Objekts...: ~ **case** → 6; ~ **genitive** objektiver Genitiv; ~ **verb** transitives Verb(um). **4.** Ziel...: ~ **point** *mil.* Operations-, Angriffsziel *n.* **II** *s* **5.** *opt.* Objek'tiv(linse *f*) *n.* **6.** *ling.* Ob'jektskasus *m.* **7.** (*bes. mil.* Kampf-, Angriffs)Ziel *n.* **ob'jec·tive·ness** → objectivity.

ob·jec·tiv·ism [əb'dʒektiˌvizəm] *s philos. Kunst*: Objekti'vismus *m.* **ob·jec·tiv·i·ty** [ˌɒbdʒek'tiviti] *s* Objektivi'tät *f.* **ob'jec·tivˌize** → objectify.

ob·ject·less ['ɒbdʒiktlis] *adj* gegenstands-, zweck-, ziellos.

ob·ject les·son *s* **1.** *ped. u. fig.* 'Anschauungsˌunterricht *m.* **2.** *fig.* Schulbeispiel *n.* **3.** *fig.* Denkzettel *m.*

ob·jec·tor [əb'dʒektər] *s* **1.** Gegner(in), Oppo'nent(in). **2.** Prote'stierende(r *m*) *f*: → **conscientious objector.**

ob·ject| plate, ~**slide** ['ɒbdʒikt] *s tech.* Ob'jektträger *m* (*am Mikroskop etc*). ~ **stage** *s tech.* Ob'jekttisch *m.* ~ **teach·ing** *s* 'Anschauungsˌunterricht *m.*

ob·jet d'art [əbʒɛ 'daːr] (*Fr.*) *s* (*oft* kleiner) Kunstgegenstand.

ob·jur·gate ['ɒbdʒərˌgeit] *v/t* tadeln, schelten. **ˌob·jur'ga·tion** *s* Tadel *m*, Schelte(n *n*) *f.* **ob·jur·ga·to·ry** [ɒb'dʒəːrgətəri] *adj* tadelnd, scheltend.

ob·late[1] ['ɒbleit; ɒb'leit] *adj math. phys.* (*an den Polen*) abgeflacht, abgeplattet, sphäro'id.

ob·late[2] ['ɒbleit] *s R.C.* Ob'lat(in) (*Laienbruder od. -schwester*).

ob·la·tion [əb'leiʃən; ɒb-; ob-] *s* **1.** *relig.* Opferung *f*, Darbringung *f* (*bes. von Brot u. Wein*). **2.** *relig.* Opfer(gabe *f*) *n.* **3.** Gabe *f.*

ob·li·gate ['ɒbliˌgeit] **I** *v/t a. jur. j-n* verpflichten, binden (to do zu tun). **II** *adj* [-git; -ˌgeit] *biol.* Zwangs...

ob·li·ga·tion [ˌɒbli'geiʃən] *s* **1.** Verpflichten *n*, Verpflichtung *f.* **2.** Verpflichtung *f*, Verbindlichkeit *f*, Obliegenheit *f*, Pflicht *f*: **of** ~ obligatorisch; **days of** ~ *relig.* strenge Fasttage; **to be under an** ~ **to s.o.** j-m (zu Dank) verpflichtet sein. **3.** *econ.* a) Schuldverpflichtung *f*, -verschreibung *f*, Obligati'on *f*, b) Verpflichtung *f*, Verbindlichkeit *f*: **financial** ~, ~ **to pay** Zahlungsverpflichtung; **joint** ~ Gesamtverbindlichkeit; ~ **to buy** Kaufzwang *m*; ~ **to disclose** Anzeigepflicht *f*; **no** ~, **without** ~ unverbindlich, freibleibend.

ob·li·ga·to → **obbligato.**

ob·lig·a·to·ry [ə'bligətəri; 'ɒb-] *adj* (*adv* **obligatorily**) verpflichtend, bindend, (rechts)verbindlich, obliga'torisch (on, upon für), Zwangs..., Pflicht...: ~ **agreement** bindende Abmachung; ~ **investment** *econ.* Pflichteinlage *f.*

o·blige [ə'blaidʒ] **I** *v/i* **1.** (with) *colloq. ein Lied etc* vortragen *od.* zum besten geben: **to** ~ **with a song. 2.** erwünscht sein: **an early reply will** ~ um baldige Antwort wird gebeten. **II** *v/t* **3.** nötigen, zwingen: **I was** ~**d to do** ich sah mich *od.* war genötigt *od.* gezwungen zu tun, ich mußte tun. **4.** *fig.* a) verpflichten, b) *j-n* zu Dank verpflichten: **much** ~**d** sehr verbunden!, danke bestens!; **I am** ~**d to you for it** a) ich bin Ihnen dafür sehr verbunden, b) ich habe es Ihnen zu verdanken; **will you** ~ **me by doing this?** wären Sie so freundlich, das zu tun? **5.** *j-m* gefällig sein, e-n Gefallen tun, *j-n* erfreuen (**with a song** mit e-m Lied): **to** ~ **you** Ihnen zu Gefallen; **anything to** ~ **you!** selbstverständlich, wenn ich Ihnen damit e-n Gefallen erweise; (**will you**) ~ **me by leaving the room!** würden Sie gefälligst das Zimmer verlassen! **6.** *jur. j-n durch Eid etc* binden (to an *acc*): **to** ~ **o.s.** sich verpflichten.

ob·li·gee [ˌɒbli'dʒiː] *s econ. jur.* Forderungsberechtigte(r *m*) *f.*

o·blig·ing [ə'blaidʒiŋ] *adj* (*adv* ~**ly**) verbindlich, gefällig, zu'vor-, entgegenkommend. **o'blig·ing·ness** *s* Gefälligkeit *f*, Zu'vorkommenheit *f.*

ob·li·gor [ˌɒbli'gɔːr] *s jur.* (Obligati'ons)Schuldner(in).

ob·lique [ə'bliːk] *adj* (*adv* ~**ly**) **1.** *bes. math.* schief, schiefwink(e)lig, schräg: ~ **photograph** *mil. phot.* Schrägaufnahme *f*; ~ **angle** *math.* schiefer Winkel; **at an** ~ **angle to** im spitzen Winkel zu; ~ **fire** *mil.* Steil-, Schrägfeuer *n*; ~ **triangle** *math.* schiefwink(e)liges Dreieck. **2.** 'indiˌrekt, versteckt, verblümt: ~ **accusation**; ~ **glance** Seitenblick *m.* **3.** unaufrichtig, falsch. **4.** *ling.* abhängig, 'indiˌrekt: ~ **case** Beugefall *m*, Kasus *m* obliquus; ~ **speech** indirekte Rede.

ob·lique·ness [ə'bliːknis] → **obliquity.**

ob·liq·ui·ty [ə'blikwiti] *s* **1.** Schiefe *f* (*a. astr.*), schiefe Lage *od.* Richtung, Schrägheit *f.* **2.** *fig.* Schiefheit *f*, Verirrung *f*: **moral** ~ Unredlichkeit *f*; ~ **of conduct** abwegiges Verhalten; ~ **of judg(e)ment** Schiefe *f* des Urteils.

ob·lit·er·ate [ə'blitəˌreit] *v/t* **1.** auslöschen, tilgen (*beide a. fig.*), *Schrift a.* ausstreichen, 'wegraˌdieren, löschen (from aus). **2.** *Briefmarken* entwerten. **3.** *fig.* a) verwischen, unkenntlich machen, b) zerstören, vernichten. **4.** *med.* oblite'rieren, veröden. **obˌlit·er'a·tion** *s* **1.** Verwischung *f*, Auslöschung *f.* **2.** *fig.* Vernichtung *f*, Vertilgung *f*, Zerstörung *f.* **3.** Verwischtsein *n*, Undeutlichkeit *f.* **4.** *med.* Verödung *f.*

ob·liv·i·on [ə'bliviən] *s* **1.** Vergessenheit *f*: **to commit** (*od.* **consign**) **to** ~ der Vergessenheit überlassen: **to fall into** ~ in Vergessenheit geraten. **2.** Vergessen *n*, Vergeßlichkeit *f.* **3.** *jur. pol.* Straferlaß *m*: (**Act of**) **O**~ *hist.* Amnestie *f.*

ob·liv·i·ous [ə'bliviəs] *adj* (*adv* ~**ly**) vergeßlich: **to be** ~ **of s.th.** etwas vergessen (haben); **to be** ~ **to s.th.** blind sein gegen etwas, etwas nicht beachten. **ob'liv·i·ous·ness** *s* Vergeßlichkeit *f.*

ob·long ['ɒblɒŋ] **I** *adj* **1.** länglich: ~ **hole** *tech.* Langloch *n.* **2.** *math.* rechteckig. **II** *s* **3.** *math.* Rechteck *n.*

ob·lo·quy ['ɒbləkwi] *s* **1.** Verleumdung *f*, Schmähung *f*: **to cast** ~ **upon s.o.** j-m Schlechtes nachsagen; **to fall into** ~ in Verruf kommen. **2.** Schmach *f.*

ob·nox·ious [əb'nɒkʃəs] *adj* (*adv* ~**ly**) **1.** anstößig, anrüchig, verhaßt, ab'scheulich. **2.** (to) unbeliebt (bei), verhaßt, unangenehm (*dat*). **3.** *selten* unter'worfen, preisgegeben, ausgesetzt (to *dat*). **4.** *obs.* strafwürdig. **ob'nox·ious·ness** *s* **1.** Anstößig-, Anrüchigkeit *f.* **2.** Verhaßtheit *f.*

o·boe ['oubou] *s* **1.** *mus.* O'boe *f*, Ho'boe *f.* **2.** *meist* **O**~ *mil.* 'Hobo-Syˌstem *n*, Ra'darsyˌstem *n* für blinden Bombenabwurf. **'o·bo·ist** *s* Obo'ist(in).

ob·ol ['ɒbəl] *s antiq.* Obolus *m* (*altgriechische Münze*).

ob·o·vate [ɒb'ouveit] *adj bot.* verkehrt eirund, obo'val.

ob·scene [əb'siːn] *adj* (*adv* ~**ly**) **1.** unzüchtig (*a. jur.*), unanständig, zotig, ob'szön: ~ **libel** *jur.* Veröffentlichung *f* unzüchtiger Schriften; ~ **talker** Zotenreißer *m.* **2.** *obs.* widerlich, garstig.

ob·scen·i·ty [əb'seniti; -'siːn-] *s* Unanständigkeit *f*, Schmutz *m*, Unzüchtigkeit *f*, Zote *f*, Obszöni'tät *f*: **obscenities** Obszönitäten, Zoten.

ob·scur·ant [əb'skju(ə)rənt] *s* Dunkelmann *m*, Bildungsfeind *m.* **ob'scur·antˌism** *s* Obskuran'tismus *m*, Kul'turfeindlichkeit *f*, Bildungshaß *m.* **ob'scur·ant·ist I** *s* → **obscurant. II** *adj* obskuran'tistisch.

ob·scu·ra·tion [ˌɒbskju(ə)'reiʃən] *s* **1.** Verdunkelung *f* (*a. astr. u. fig.*). **2.** *med.* Verschattung *f.*

ob·scure [əb'skjur] **I** *adj* **1.** dunkel, finster, düster, trübe. **2.** unscharf (*Bild*), matt (*Farbe*). **3.** *poet.* nächtlich, Nacht... **4.** *fig.* dunkel, unklar, schwer zu defi'nieren(d): ~ **words**; ~ **motives**; **an** ~ **feeling. 5.** *fig.* ob'skur, unbekannt, unberühmt, unbedeutend: **an** ~ **writer**; **an** ~ **disease** e-e unbekannte Krankheit. **6.** schwach: ~ **pulse**; ~ **voice. 7.** *fig.* einsam, verborgen: **to live an** ~ **life. 8.** *fig.* unauffällig. **II** *s* **9.** → **obscurity. III** *v/t* **10.** verdunkeln, verfinstern, trüben. **11.** *fig.* verkleinern, in den Schatten stellen. **12.** *fig.* unverständlich *od.* undeutlich machen. **13.** verbergen (to *dat*). **14.** *ling. Vokal, Laut* abschwächen. **IV** *v/i* **15.** dunkel *od.* unklar werden, sich verstecken. **ob'scure·ly** *adv fig.* dunkel, auf unklare *od.* geheimnisvolle Weise.

ob·scu·ri·ty [əb'skju(ə)riti] *s* **1.** Dunkelheit *f* (*a. fig.*). **2.** *fig.* Unklarheit *f*, Undeutlichkeit *f*, Unverständlichkeit *f.* **3.** *fig.* (*das*) Unbedeutende, Unbekanntheit *f*, Obskuri'tät *f*, Niedrigkeit *f* (*der Herkunft*): **to retire into** ~ sich vom öffentlichen *od.* gesellschaftlichen *etc* Leben zurückziehen; **to be lost in** ~ vergessen sein. **4.** ob'skure *od.* dunkle Per'son *od.* Sache. **5.** *paint.* dunkler Fleck.

ob·se·crate ['ɒbsiˌkreit] *v/t obs. j-n* flehentlich bitten, *etwas* erflehen. **ˌob·se'cra·tion** *s* flehentliche Bitte.

ob·se·qui·al [əb'siːkwiəl] *adj* Begräbnis...

ob·se·quies ['ɒbsikwiz] *s pl* Leichenbegängnis *n*, Trauerfeierlichkeit *f.*

ob·se·qui·ous [əb'siːkwiəs] *adj* (*adv* ~**ly**) unter'würfig (to gegen), ser'vil, kriecherisch. **ob'se·qui·ous·ness** *s* Unter'würfigkeit *f*, Servili'tät *f.*

ob·serv·a·ble [əb'zəːrvəbl] *adj* (*adv* **observably**) **1.** bemerkbar, wahrnehmbar, merklich. **2.** beachtens-, bemerkenswert. **3.** zu be(ob)achten(d).

ob·serv·ance [əb'zəːrvəns] *s* **1.** Befolgung *f*, Be(ob)achtung *f*, Einhaltung *f*: ~ **of rules. 2.** Heilighaltung *f*, Feiern *n*: ~ **of the sabbath. 3.** 'Herkommen *n*, Brauch *m*, Sitte *f.* **4.** Regel *f*, Vorschrift *f.* **5.** *relig.* Ordensregel *f*, Obser'vanz *f.* **6.** *obs.* Beobachtung *f*, Sorgsamkeit *f.* **7.** *Br. obs.* Ehrerbietung *f.* **ob'serv·an·cy** *selten für* **observance.**

ob·serv·ant [əb'zəːrvənt] *adj* (*adv* ~**ly**) **1.** be(ob)achtend, befolgend (of *acc*): **to be very** ~ **of forms** sehr auf Formen halten. **2.** aufmerksam, acht-, wachsam (of auf *acc*).

ob·ser·va·tion [ˌɒbzər'veiʃən] **I** *s* **1.** (*a. wissenschaftliche*) Beobachtung, Über'wachung *f*, Wahrnehmung *f*: **to keep s.o. under** ~ j-n beobachten (lassen); **to fall under s.o.'s** ~ von j-m bemerkt *od.* wahrgenommen werden; **series** (*od.* **sequence**) **of** ~**s** *scient.* Beobachtungsreihe *f*; to work an ~ *mar.* e-e Beobachtung ausrechnen, Länge u. Breite bestimmen. **2.** Bemerkung *f*: final ~ Schlußbemerkung. **3.** Beobachtungsgabe *f*, -vermögen *n*. **4.** *selten für* observance 1. **II** *adj* **5.** Beobachtungs..., Aussichts... ˌ**ob·ser'va·tion·al** *adj* **1.** Beobachtungs... **2.** beobachtend, auf Beobachtung(en) gegründet.

ob·ser·va·tion| bal·loon *s aer.* **1.** Be'obachtungsbalˌlon *m.* **2.** 'Fesselbalˌlon *m.* ~ **car,** ~ **coach** *s rail. etc* Aussichtswagen *m.* ~ **deck** *s mar.* Peildeck *n.* ~ **port** *s* **1.** *tech.* Guckloch *n*, Kon'trollfenster *n.* **2.** *mil.* Sehklappe *f.* ~ **post** *s bes. mil.* Beobachtungsstelle *f*, -stand *m*, -posten *m.* ~ **tow·er** *s* Beobachtungswarte *f*, Aussichtsturm *m.*

ob·serv·a·to·ry [əb'zəːrvətri] *s* Observa'torium *n*: a) (Wetter)Warte *f*, b) *astr.* Sternwarte *f.*

ob·serve [əb'zəːrv] **I** *v/t* **1.** beobachten: a) über'wachen, b) betrachten, verfolgen, stu'dieren, c) (be)merken, wahrnehmen, sehen. **2.** *surv.* messen: to ~ an angle. **3.** *mar.* peilen. **4.** *fig.* beobachten: a) *e-e Vorschrift etc* einhalten, befolgen, beachten: to ~ a rule, b) *e-n Brauch etc* (ein)halten, üben, *Feste etc* feiern, begehen: to ~ a custom; to ~ the sabbath; to ~ silence Stillschweigen beobachten *od.* bewahren. **5.** bemerken, sagen, äußern. **II** *v/i* **6.** aufmerksam sein. **7.** Beobachtungen machen. **8.** Bemerkungen machen, sich äußern (on, upon über *acc*).

ob·serv·er [əb'zəːrvər] *s* **1.** Beobachter(in) (*a. pol.*), Zuschauer(in). **2.** Befolger(in): he is an ~ of the sabbath er hält den Sonntag heilig. **3.** *aer.* a) Beobachter *m* (*im Flugzeug*), b) *Flugmeldedienst*: Luftspäher *m.*

ob·serv·ing [əb'zəːrviŋ] → observant.

ob·sess [əb'ses] *v/t j-n* quälen, heimsuchen, verfolgen: ~ed by (*od.* with) an idea besessen von e-r Idee; like an ~ed (man) wie ein Besessener; an ~ed angler ein passionierter Angler. **ob'ses·sion** [-'seʃən] *s* Besessenheit *f*, fixe I'dee, Verranntheit *f*, *psych.* Zwangsvorstellung *f*, Obsessi'on *f.*

ob·sid·i·an [ɒb'sidiən] *s min.* Obsidi'an *m.*

ob·so·les·cence [ɒbsə'lesns] *s* Veralten *n*: planned ~ *econ. tech.* künstliche Veralterung (*von Gütern*). ˌ**ob·so'les·cent** *adj* **1.** veraltend. **2.** *biol.* rudimen'tär, verkümmernd.

ob·so·lete ['ɒbsəˌliːt] *adj* (*adv* ~**ly**) **1.** veraltet, über'holt, altmodisch: ~ equipment; an ~ theory. **2.** a) abgenutzt, verbraucht, b) verwischt. **3.** *biol.* a) zu'rückgeblieben, rudimen'tär, b) fehlend. '**ob·soˌlete·ness** *s* **1.** Über'holtheit *f*, (*das*) Veraltete. **2.** Abgenutztheit *f.* **3.** *biol.* unvollkommene Entwicklung. '**ob·so·letˌism** *s* **1.** (*etwas*) Veraltetes, *bes.* veraltetes Wort *od.* veraltete Redewendung. **2.** → obsoleteness.

ob·sta·cle ['ɒbstəkl] *s* Hindernis *n* (to für): to put ~s in s.o.'s way j-m Hindernisse in den Weg legen; ~ race *sport* Hindernisrennen *n.*

ob·stet·ric [əb'stetrik], **ob'stet·ri·cal** [-kəl] *adj med.* Geburts(hilfe)..., Geburtshelfer..., Entbindungs..., geburtshilflich: obstetric forceps Entbindungszange *f*; obstetrical toad *zo.* Geburtshelferkröte *f.*

ob·ste·tri·cian [ˌɒbste'triʃən] *s med.* Geburtshelfer *m.* **ob·stet·rics** [əb'stetriks] *s pl* (*a. als sg konstruiert*) Geburtshilfe *f.*

ob·sti·na·cy ['ɒbstinəsi] *s* **1.** Hartnäckigkeit *f*, Halsstarrigkeit *f*, Eigensinn *m.* **2.** *fig.* Hartnäckigkeit *f* (of a disease, battle, *etc*). '**ob·sti·nate** [-nit] *adj* (*adv* ~**ly**) **1.** hartnäckig, halsstarrig, eigensinnig. **2.** hartnäckig: ~ disease; ~ resistance. '**ob·sti·nate·ness** → obstinacy.

ob·sti·pa·tion [ˌɒbsti'peiʃən] → constipation.

ob·strep·er·ous [əb'strepərəs] *adj* (*adv* ~**ly**) **1.** ungebärdig, 'widerspenstig: ~ child. **2.** lärmend, geräuschvoll, turbu'lent. **ob'strep·er·ous·ness** *s* **1.** Toben *n*, Lärm(en *n*) *m.* **2.** 'Widerspenstigkeit *f.*

ob·struct [əb'strʌkt] **I** *v/t* **1.** versperren, verstopfen, bloc'kieren: to ~ the street; to ~ s.o.'s view j-m die Sicht nehmen, j-m die Aussicht versperren. **2.** behindern, aufhalten, hemmen, lahmlegen, nicht 'durchlassen. **3.** verhindern, vereiteln. **4.** die Aussicht versperren auf (*acc*). **II** *v/i* **5.** *pol.* Obstrukti'on treiben.

ob·struc·tion [əb'strʌkʃən] *s* **1.** Versperrung *f*, Verstopfung *f* (*a. med.*). **2.** Behinderung *f*, Hemmung *f.* **3.** Hindernis *n* (to für). **4.** *pol.* Obstrukti'on *f*: policy of ~ → obstructionism; to practice ~ Obstruktion treiben. **ob'struc·tionˌism** *s bes. pol.* Obstrukti'onspoliˌtik *f.* **ob'struc·tion·ist I** *s* Obstrukti'onspoˌlitiker *m*, j-d, der ständig Obstrukti'on treibt. **II** *adj* Obstruktions...

ob·struc·tive [əb'strʌktiv] **I** *adj* (*adv* ~**ly**) **1.** versperrend, verstopfend. **2.** hinderlich, hemmend (of, to für): to be ~ to s.th. etwas behindern. **3.** Obstruktions... **II** *s* **4.** → obstructionist I. **5.** Hindernis *n*, Hemmnis *n.*

ob·stru·ent ['ɒbstruənt] *adj u. s bes. med.* verstopfend(es Mittel).

ob·tain [əb'tein] **I** *v/t* **1.** erlangen, erhalten, bekommen, erwerben, sich verschaffen: to ~ a passport; to ~ by flattery sich erschmeicheln; to ~ by false pretence *jur.* sich erschleichen; to ~ legal force Rechtskraft erlangen; details can be ~ed from Näheres ist zu erfahren bei. **2.** *Willen, Wünsche etc* 'durchsetzen. **3.** erreichen. **4.** *econ. Preis* erzielen. **II** *v/i* **5.** (vor)herrschen, bestehen, üblich sein: the custom ~s es besteht die Sitte, es ist üblich. **6.** in Geltung sein, Geltung haben, sich behaupten. **7.** *obs.* siegen, Erfolg haben. **ob'tain·a·ble** *adj* **1.** erreichbar, erlangbar. **2.** *bes. econ.* erhältlich, zu erhalten(d) (at bei): ~ on order auf Bestellung erhältlich.

ob·trude [əb'truːd] **I** *v/t* aufdrängen, -nötigen, -zwingen (upon, on *dat*): to ~ o.s. upon → II. **II** *v/i* sich aufdrängen (upon, on *dat*). **ob'trud·er** *s* Auf-, Zudringliche(r *m*) *f.*

ob·trun·cate [ɒb'trʌŋkeit] *v/t* köpfen.

ob·tru·sion [əb'truːʒən] *s* **1.** Aufdrängen *n*, Aufnötigung *f*: the ~ of one's opinion upon others wenn man s-e Ansicht anderen aufzwingen will. **2.** Aufdringlichkeit *f.* **ob'tru·sive** [-siv] *adj* (*adv* ~**ly**) **1.** auf-, zudringlich (*Person*). **2.** aufdringlich, auffällig, unangenehm auffallend (*Sache*). **ob'tru·sive·ness** *s* Aufdringlichkeit *f.*

ob·tu·rate ['ɒbtju(ə)ˌreit] *v/t* **1.** ver-, zustopfen, verschließen. **2.** *tech.* (ab)dichten, lidern. ˌ**ob·tu'ra·tion** *s* **1.** Verstopfung *f*, Verschließung *f.* **2.** *tech.* (Ab)Dichtung *f*, Liderung *f.* '**ob·tuˌra·tor** [-tər] *s* **1.** Schließvorrichtung *f*, Verschluß *m.* **2.** *tech.* (Ab)Dichtung(smittel *n*) *f.* **3.** *med.* Obtu'rator *m.*

ob·tuse [əb'tjuːs] *adj* (*adv* ~**ly**) **1.** stumpf, abgestumpft. **2.** *math.* a) stumpf: ~ angle, b) stumpfwink(e)lig: ~ triangle. **3.** begriffsstutzig, beschränkt. **4.** dumpf: ~ sound; ~ pain. **ob'tuse-'an·gled** *adj* stumpfwink(e)lig. [*f* (*a. fig.*).]

ob·tuse·ness [əb'tjuːsnis] *s* Stumpfheit

OB van ['ou 'biː] *s Radio, TV*: Über'tragungswagen *m* (*aus* outside broadcast).

ob·verse ['ɒbvəːrs] **I** *s* **1.** Bild-, Vorderseite *f*, A'vers *m*: ~ of a coin. **2.** Vorderseite *f.* **3.** Gegenstück *n*, (*die*) andere Seite, Kehrseite *f.* **4.** *Logik*: 'umgekehrter Schluß. **II** *adj* [*Am. a.* əb'vəːrs] **5.** Vorder..., dem Betrachter zugekehrt. **6.** entsprechend. **7.** *bot.* nach der Spitze zu breiter werdend. **ob'verse·ly** *adv* 'umgekehrt.

ob·vert [ɒb'vəːrt] *v/t Logik*: 'umkehren.

ob·vi·ate ['ɒbviˌeit] *v/t* **1.** *e-r Sache* begegnen, zu'vorkommen, vorbeugen, *etwas* verhindern, verhüten, abwenden. **2.** beseitigen. **3.** erübrigen, 'überflüssig machen. ˌ**ob·vi'a·tion** *s* **1.** Vorbeugen *n*, Verhütung *f.* **2.** Beseitigung *f.* **3.** Erübrigung *f.*

ob·vi·ous ['ɒbviəs] *adj* (*adv* ~**ly**) **1.** offensichtlich, augenfällig, klar, deutlich, naheliegend, einleuchtend, *iro.* 'durchsichtig: to be ~ (to the eye) in die Augen springen, einleuchten; to make ~ deutlich machen; it is ~ that es liegt auf der Hand, daß; it was the ~ thing to do es war das Nächstliegende; it should have been ~ to him that es hätte ihm klar sein müssen, daß; he was the ~ choice kein anderer kam dafür in Frage; to labo(u)r (*od.* stress) the ~ e-e Binsenwahrheit aussprechen. **2.** auffällig: the dress was somewhat ~. '**ob·vi·ous·ness** *s* Offensichtlichkeit *f*, Augenfälligkeit *f.*

oc·a·ri·na [ˌɒkə'riːnə] *s mus.* Oka'rina *f* (*Blasinstrument*).

oc·ca·sion [ə'keiʒən] **I** *s* **1.** (günstige) Gelegenheit, günstiger Augenblick: to take ~ to do s.th. die Gelegenheit ergreifen, etwas zu tun; → forelock[1]. **2.** (of) Gelegenheit *f* (zu), Möglichkeit *f* (*gen*): to improve the ~ die Gelegenheit (*bes.* zu e-r Moralpredigt) benützen. **3.** (besondere) Gelegenheit, Anlaß *m*: on this ~ bei dieser Gelegenheit; on the ~ of anläßlich, bei Gelegenheit (*gen*); on ~ a) bei Gelegenheit, gelegentlich, b) wenn nötig; for the ~ für diese besondere Gelegenheit, eigens zu diesem Anlaß *od.* Zweck. **4.** (*bes.* festliches) Ereignis: a great ~; to celebrate the ~ a) das Ereignis feiern, b) (*Redew.*) zur Feier des Tages; → mark[1] 32; to rise to the ~ sich der Lage gewachsen zeigen. **5.** Anlaß *m*, Anstoß *m*: to give ~ to s.th., to be the ~ of s.th. etwas veranlassen, den Anstoß geben zu etwas, etwas hervorrufen. **6.** (for) Grund *m* (zu), Ursache *f* (*gen*), Veranlassung *f* (zu): there is no ~ to be afraid es besteht kein Grund zur Besorgnis. **7.** *pl obs.* Geschäfte *pl*, Angelegenheiten *pl*: to go about one's ~s s-n Geschäften nachgehen. **II** *v/t* **8.** veranlassen, verursachen, bewirken: to ~ s.o. s.th., to ~ s.th. to s.o. j-m etwas verursachen; this ~ed him to go dies veranlaßte ihn zu gehen.

oc·ca·sion·al [ə'keiʒənl] *adj* (*adv* → occasionally) **1.** gelegentlich, Gelegenheits...: ~ fits gelegentliche Anfälle; ~ labo(u)r Gelegenheitsarbeit *f*; ~ poem Gelegenheitsgedicht *n*; ~ strollers vereinzelte Spaziergänger; ~ writer Gelegenheitsschriftsteller *m.* **2.** für (die) besondere(n) 'Umstände: ~ table Anstelltisch *m,* (Mehrzweck)Tischchen *n.* **3.** zufällig. **4.** veranlassend: ~ cause Anlaß *m.*

oc·ca·sion·al·ly [ə'keiʒənəli] *adv* gelegentlich, hin u. wieder.

Oc·ci·dent ['ɒksidənt] *s* **1.** Okzident *m,* Westen *m,* Abendland *n.* **2.** o~ Westen *m.* ˌ**Oc·ci'den·tal** [-'dentl] **I** *adj* **1.** abendländisch, westlich. **2.** o~ westlich. **II** *s* **3.** Abendländer(in). ˌ**Oc·ci'den·talˌism** *s* abendländische Kul'tur. ˌ**Oc·ci'den·talˌize** *v/t* verwestlichen.

oc·cip·i·tal [ɒk'sipitl] *anat. zo.* **I** *adj* okzipi'tal, Hinterhaupt(s)...: ~ bone → II. **II** *s* 'Hinterhauptsbein *n.*

oc·ci·put ['ɒksiˌpʌt] *pl* **oc'cip·i·ta** [-'sipitə] *s anat. zo.* 'Hinterkopf *m.*

oc·clude [ɒ'klu:d] **I** *v/t* **1.** verstopfen, verschließen. **2.** a) einschließen, b) ausschließen, c) abschließen (from von). **3.** *chem.* okklu'dieren, absor'bieren, binden. **II** *v/i* **4.** *med.* schließen (*untere u. obere Zähne*).

oc·clu·sion [ə'klu:ʒən] *s* **1.** Verstopfung *f,* Verschließung *f.* **2.** Verschluß *m.* **3.** a) Einschließung *f,* b) Ausschließung *f,* c) Abschließung *f.* **4.** Okklusi'on *f*: a) Biß *m,* (nor'male) Schlußbißstellung (*der Zähne*): abnormal ~ Bißanomalie *f,* b) *chem.* Absorpti'on *f,* c) *meteor. Zs.-treffen von Kalt- u. Warmfront.* **oc'clu·sive** [-siv] *adj* **1.** verschließend, Verschluß... **2.** *med.* Okklusiv...

oc·cult [ɒ'kʌlt] **I** *adj* **1.** ok'kult: a) geheimnisvoll, verborgen (*a. med.*), b) magisch, 'übersinnlich, c) geheim, Geheim...: ~ sciences okkulte Wissenschaften. **2.** *scient. hist.* geheim. **II** *s* **3.** the ~ das Ok'kulte. **III** *v/t* **4.** verbergen, -decken; *astr.* verfinstern. **IV** *v/i* **5.** verdeckt werden. **oc'cult·ism** *s* Okkul'tismus *m.* **oc'cult·ist I** *s* Okkul'tist(in). **II** *adj.* okkul'tistisch.

oc·cu·pan·cy ['ɒkjupənsi; -kjə-] *s* **1.** Besitzergreifung *f* (*a. jur.*); Bezug *m* (*e-r Wohnung etc*). **2.** Innehaben *n,* Besitz *m*: during his ~ of the post solange er die Stelle innehat. **3.** In'anspruchnahme *f* (*von Raum etc*). **'oc·cu·pant** *s* **1.** *bes. jur.* Besitzergreifer(in). **2.** Besitzer(in), Inhaber(in). **3.** Bewohner(in), Insasse *m,* Insassin *f*: ~s of a house; the ~s of the car die Insassen des Wagens.

oc·cu·pa·tion [ˌɒkju'peiʃən; -kjə-] *s* **1.** Besitz *m,* Innehaben *n.* **2.** Besitznahme *f,* -ergreifung *f.* **3.** *mil. pol.* Besetzung *f,* Besatzung *f,* Okkupati'on *f*: army of ~ Besatzungsarmee *f.* **4.** Beschäftigung *f*: without ~ beschäftigungslos. **5.** Beruf *m,* Gewerbe *n*: by ~ von Beruf; chief ~ Hauptberuf; employed in an ~ berufstätig; in (*od.* as a) regular ~ hauptberuflich.

oc·cu·pa·tion·al [ˌɒkju'peiʃənl; -kjə-] *adj* **1.** beruflich, Berufs... **2.** Beschäftigungs... ~ **dis·ease** *s* Berufskrankheit *f.* ~ **group** *s econ.* Berufsgruppe *f.* ~ **med·i·cine** *s* 'Arbeitsmediˌzin *f.* ~ **ther·a·py** *s med.* Be'schäftigungstheraˌpie *f.* ~ **train·ing** *s econ.* Fachausbildung *f.*

oc·cu·pa·tion| bridge *s private Verbindungsbrücke zwischen Grundstükken, die durch e-e Straße etc getrennt sind.* **O~ Day** *s* **1.** *Jahrestag der Landung amer. Truppen in Puerto Rico am 25. Juli 1898.* **2.** *Jahrestag der Besetzung Manilas durch amer. Truppen am 13. August 1898.*

oc·cu·pi·er ['ɒkjuˌpaiər] *s* **1.** Besitzergreifer(in). **2.** Besitzer *m,* (nutzender) Inhaber. **3.** *Br.* Pächter(in).

oc·cu·py ['ɒkjuˌpai] *v/t* **1.** *Land etc* in Besitz nehmen, Besitz ergreifen von. **2.** *mil.* besetzen. **3.** besitzen, innehaben. **4.** *fig. ein Amt etc* bekleiden, innehaben: to ~ the chair den Vorsitz führen. **5.** bewohnen. **6.** *Raum* einnehmen: to ~ too much space. **7.** *Zeit* in Anspruch nehmen: it occupied all my time. **8.** *j-n* beschäftigen, anstellen: to ~ o.s. sich beschäftigen *od.* befassen (with mit); to be occupied with (*od.* in) doing s.th. damit beschäftigt *od.* befaßt sein, etwas zu tun. **9.** *fig. j-s Geist* beschäftigen.

oc·cur [ə'kɜ:r] *v/i* **1.** sich ereignen, vorfallen, -kommen, eintreten, geschehen. **2.** vorkommen, sich finden: it ~s in Shakespeare es kommt bei Shakespeare vor; black sheep ~ in all families schwarze Schafe gibt es in jeder Familie. **3.** zustoßen (to *dat*). **4.** einfallen *od.* in den Sinn kommen (to s.o. j-m): it ~red to me that es fiel mir ein *od.* es kam mir der Gedanke, daß; it has never ~red to me es ist mir nie eingefallen. **5.** begegnen, vorkommen, pas'sieren (to s.o. j-m): this has never ~red to me. **oc·cur·rence** [*Br.* ə'kʌrəns; *Am.* ə'kɜ:r-] *s* **1.** Vorkommen *n,* Auftreten *n*: to be of frequent ~ häufig vorkommen. **2.** Ereignis *n,* Vorfall *m,* Vorkommnis *n.*

o·cean ['ouʃən] *s* **1.** Ozean *m,* Meer *n*: ~ lane Schiffahrtsroute *f*; ~ liner Ozean-, *bes.* Passagierdampfer *m*; ~ traffic Seeverkehr *m.* **2.** *fig.* Meer *n,* riesige Fläche: an ~ of grass ein Grasmeer. **3.** *colloq.* e-e Unmenge (of von): ~s of beer Ströme von Bier. ~ **bill of lad·ing** *s econ.* Konnosse'ment *n,* Seefrachtbrief *m.* **'~-ˌgo·ing** *adj* Hochsee...: ~ steamer. **'~-'gray I** *s* Meergrau *n,* helles Perlgrau. **II** *adj* meergrau. ~ **grey·hound** *s* schnellfahrendes Schiff, Schnelldampfer *m.*

O·ce·an·i·an [ˌouʃi'æniən] **I** *adj* oze'anisch (*von Ozeanien*). **II** *s* Oze'anier(in).

o·ce·an·ic [ˌouʃi'ænik] *adj* **1.** oze'anisch, Ozean..., Meer(es)... **2.** *fig.* riesig, ungeheuer, gewaltig. **3.** O~ → Oceanian I.

O·ce·a·nid [o'si:ənid] *pl* **-nids** *od.* **-an·i·des** [ˌousi'æniˌdi:z] *s antiq.* Ozea'nide *f,* Meeresnymphe *f.*

o·ce·a·nog·ra·pher [ˌouʃiə'nɒgrəfər] *s* Ozeano'graph *m,* Meeresforscher *m.*

o·ce·a·no·graph·ic [ˌouʃiəno'græfik] *adj* ozeano'graphisch. ˌ**o·ce·a'nog·ra·phy** [-'nɒgrəfi] *s* Ozeanogra'phie *f,* Meereskunde *f.*

o·cel·lar [o'selər] *adj zo.* Punktaugen...

oc·el·la·tion [ˌɒsi'leiʃən] *s zo.* augenähnliche Zeichnung.

o·cel·lus [o'seləs] *pl* **-li** [-lai] *s zo.* **1.** O'zelle *f,* Punktauge *n.* **2.** Fa'cette *f.* **3.** Augenfleck *m.*

o·ce·lot ['ousiˌlɒt] *s zo.* Ozelot *m.*

o·cher, *bes. Br.* **o·chre** ['oukər] **I** *s* **1.** *min.* Ocker *m*: antimonial ~, antimony ~ Spießglanz-, Antimonocker; blue (*od.* iron) ~ Eisenocker; brown ~, spruce ~ brauner Eisenocker. **2.** Okkerfarbe *f, bes.* Ockergelb *n.* **3.** *Br. sl.* ‚Mo'neten' *pl,* ‚Goldfüchse' *pl* (*Geld, bes. Goldmünzen*). **II** *adj* **4.** ockerfarben, *bes.* ockergelb. **III** *v/t* **5.** mit Ocker färben.

o·cher·ous ['oukərəs], *bes. Br.* **o·chre·ous** ['oukriəs] *adj* **1.** Ocker... **2.** ockerhaltig. **3.** ockerartig. **4.** ockerfarben.

och·loc·ra·cy [ɒk'lɒkrəsi] *s* Ochlokra'tie *f,* Pöbelherrschaft *f.*

och·lo·pho·bi·a [ˌɒklə'foubiə] *s med.* krankhafte Furcht vor Menschenmassen.

o·chra·ceous [ə'kreiʃəs] → ocherous.

o·chre, o·chre·ish, o·chre·ous *bes. Br. für* ocher, ocherish, ocherous.

o·chroid ['oukrɔid] *adj* ockergelb.

o·chrous ['oukrəs] → ocherous.

o'clock [ə'klɒk] Uhr (*bei Zeitangaben*): four ~ vier Uhr.

oc·re·a ['ɒkriə] *pl* **-re·ae** [-riˌi:] *s* **1.** *bot.* Ochrea *f,* Röhrenblatt *n.* **2.** *zo.* Hülle *f,* Scheide *f.*

oc·ta·chord ['ɒktəˌkɔ:rd] *s mus.* **1.** achtsaitiges Instru'ment. **2.** 'Achttonsyˌstem *n.* **'oc·tad** [-tæd] *s* **1.** Achtzahl *f,* Achtergruppe *f.* **2.** *chem.* achtwertiges Ele'ment *od.* A'tom *od.* Radi'kal.

oc·ta·gon ['ɒktəgən; -ˌgɒn] **I** *s math.* Achteck *n.* **II** *adj* → octagonal. **oc·tag·o·nal** [ɒk'tægənl] *adj* **1.** achteckig, -seitig, -kantig. **2.** Achtkant...

oc·ta·he·dral [ˌɒktə'hi:drəl] *adj math. min.* okta'edrisch, achtflächig. ˌ**oc·ta'he·dron** [-drən] *pl* **-drons** *od.* **-dra** [-drə] *s math. min.* Okta'eder *n,* Achtflach *n,* -flächner *m.*

oc·tal| base ['ɒktəl] *s electr.* Ok'talsockel *m.* ~ **dig·it** *s* Ok'talziffer *f* (*beim Computer*).

oc·tam·er·ous [ɒk'tæmərəs] *adj* **1.** achtteilig. **2.** *bot.* achtzählig. **oc'tam·e·ter** [-mitər] *metr.* **I** *adj* achtfüßig. **II** *s* achtfüßiger Vers.

oc·tane ['ɒktein] *s chem.* Ok'tan *n.* ~ **num·ber,** ~ **rat·ing** *s chem. tech.* Ok'tanzahl *f,* Klopffestigkeitsgrad *m* (*des Kraftstoffs*).

oc·tant ['ɒktənt] *s* **1.** *math.* Ok'tant *m* (*achter Teil des Kreises od. der Kugel*): ~ of a circle Achtelkreis *m.* **2.** *math.* ('Raum)Okˌtant *m.* **3.** *mar.* Ok'tant *m* (*Winkelmeßinstrument*). **4.** *astr.* Ok'tilschein *m.*

oc·ta·va·lent [ˌɒktə'veilənt; ɒk'tævə-] *adj chem.* achtwertig.

oc·tave ['ɒktiv; -teiv] **I** *s* **1.** *electr. mus. phys.* Ok'tave *f.* **2.** Achtergruppe *f,* Gruppe *f od.* Reihe *f* von acht Stück *etc.* **3.** (*der, die, das*) Achte (*e-r Reihe*). **4.** *metr.* Ok'tave *f* (*achtzeiliger Verssatz*). **5.** *relig.* Ok'tav(e) *f* (*der 8. Tag bzw. die Woche nach e-m Festtag*). **II** *adj* **6.** aus acht Stück *etc* bestehend. **7.** achtzeilig (*Strophe*). **8.** *mus.* Oktav..., e-e Ok'tave höher klingend. ~ **flute** *s mus.* **1.** Pikkoloflöte *f.* **2.** Ok'tavflöte *f* (*Orgelregister*).

oc·ta·vo [ɒk'teivou] **I** *pl* **-vos** *s* **1.** (*abbr.* 8vo, 8°) Ok'tav(forˌmat) *n*: large ~ Großoktav. **2.** Ok'tavband *m.* **II** *adj* **3.** Oktav...: ~ volume.

oc·tet, *a.* **oc·tette** [ɒk'tet] *s* **1.** *mus.* Ok'tett *n.* **2.** *metr.* a) achtzeilige Strophe, b) Ok'tett *n* (*e-s Sonetts*).

oc·til·lion [ɒk'tiljən] *s math.* **1.** *Br.* Oktilli'on *f* (10^{48}). **2.** *Am.* Quadrilli'arde *f* (10^{27}).

Oc·to·ber [ɒk'toubər] *s* Ok'tober *m*: in ~ im Oktober. ~ **Rev·o·lu·tion** *s hist.* (bolsche'wistische) Ok'toberrevoluti,on (*1917*).

oc·tode ['ɒktoud] *s electr.* Ok'tode *f,* [Achtpolröhre *f.*]

oc·to·dec·i·mo [ˌɒkto'desiˌmou] **I** *pl* **-mos** *s* **1.** (*abbr.* 18mo, 18°) Okto'dezforˌmat *n.* **2.** Okto'dezband *m.* **II** *adj* **3.** Oktodez...

oc·to·ge·nar·i·an [ˌɒktodʒi'nɛ(ə)riən], **oc·tog·e·nar·y** [ɒk'tɒdʒinəri] **I** *adj* achtzigjährig. **II** *s* Achtzigjährige(r *m*) *f,* Achtziger(in).

oc·to·nar·i·an [ˌɒktə'nɛ(ə)riən] *metr.* **I** *adj* achtfüßig. **II** *s* Okto'nar *m.*

oc·to·nar·y ['ɒktənəri] **I** *adj* **1.** Acht(er)... **2.** mit der Zahl acht als Grundlage, auf 8 aufgebaut, Achter... **II** *s* **3.** → octave 2. **4.** *metr.* Achtzeiler *m.*

oc·to·pod [ˈɒktəˌpɒd] *s zo.* Oktoˈpode *m*, Krake *m.*

oc·to·pus [ˈɒktəpəs] *pl* **-pus·es** *od.* **ˈoc·toˌpi** [-ˌpai] *od.* **ocˈtop·oˌdes** [-ˈtɒpəˌdiːz; -ˈtou-] *s* **1.** *zo.* Krake *m*, ˈSeepoˌlyp *m.* **2.** → octopod. **3.** *fig.* Poˈlyp *m.*

oc·to·roon [ˌɒktəˈruːn] *s* Mischling *m* mit e-m Achtel Negerblut.

oc·to·syl·lab·ic [ˌɒktosiˈlæbik] **I** *adj* achtsilbig. **II** *s* achtsilbiger Vers, Achtsilber *m.* **ˈoc·toˌsyl·la·ble** [-ˌsiləbl] *s* **1.** achtsilbiges Wort. **2.** → octosyllabic II.

oc·troi [ˈɒktrɔi; ɔkˈtrwa] *s hist.* **1.** städtische Steuer, Stadtzoll *m.* **2.** städtische Steuerbehörde.

oc·tu·ple [ˈɒktjupl] **I** *adj* achtfach, -fältig. **II** *s* (*das*) Achtfache. **III** *v/t* verachtfachen.

oc·u·lar [ˈɒkjulər] **I** *adj* **1.** Augen...: ~ **movement**; ~ **witness** Augenzeuge *m.* **2.** augenähnlich. **3.** sichtbar, augenfällig: ~ **proof** sichtbarer Beweis. **II** *s* **4.** *phys.* Okuˈlar *n.* **ˈoc·u·lar·ly** *adv* **1.** augenscheinlich. **2.** durch Augenschein, mit eigenen Augen.

oc·u·list [ˈɒkjulist] *s* Augenarzt *m.*

oculo- [ɒkjulo] *Wortelement mit der Bedeutung* Auge.

od [ɒd; oud] *s hist.* Od *n* (*hypothetische Naturkraft*).

o·da·lisk, *meist* **o·da·lisque** [ˈoudəˌlisk] *s* Odaˈliske *f* (*weiße Haremssklavin*).

odd [ɒd] **I** *adj* (*adv* → oddly) **1.** sonderbar, seltsam, merkwürdig, komisch: **an** ~ **fish** (*od.* **fellow**) ein sonderbarer Kauz. **2.** (*nach Zahlen etc*) und etliche, (und) einige *od.* etwas (darˈüber): **50** ~ über 50, einige 50; **300** ~ **pages** einige 300 Seiten, etwas über 300 Seiten; **fifty thousand** ~ etwas über 50 000; **fifty**~**thousand** zwischen 50 000 u. 60 000; ~ **lot** *econ.* a) gebrochener Börsenschluß (*z. B. weniger als 100 Aktien*), b) *Am.* geringe Menge, kleiner Effektenabschnitt. **3.** (*bei Geldsummen etc*) und etwas: **it cost five pounds** ~ es kostete etwas über 5 Pfund; **three dollars and some** ~ **cents** 3 Dollar u. noch ein paar Cents. **4.** (*noch*) übrig, ˈüberzählig, restlich. **5.** ungerade: ~ **number**; ~ **and even** gerade u. ungerade; ~ **years** Jahre mit ungerader Jahreszahl. **6.** (*bei Zweiteilung*) (als Rest) übrigbleibend: **the** ~ **man** der Mann mit der entscheidenden Stimme (*bei Stimmengleichheit*) (→ 9); ~ **man out** a) Ausscheiden *n* (*durch Abzählen*), b) *fig.* Überzählige(r) *m.* **7.** einzeln: **an** ~ **shoe. 8.** einzeln, Einzel..., vereinzelt hängend: **some** ~ **stamps, not a complete set** einige einzelne Marken, kein vollständiger Satz. **9.** gelegentlich, Gelegenheits...: ~ **jobs** Gelegenheitsarbeiten, gelegentliche kleine Arbeiten; **at** ~ **times** (*od.* **moments**) dann und wann, zwischendurch, gelegentlich; ~ **man** Gelegenheitsarbeiter *m* (→ 6).

II *s* **10.** (*das*) Seltsame, (*das*) Sonderbare. **11.** *Golf*: a) *Br.* Vorgabeschlag *m*, b) ˈüberzähliger Schlag: **to have played the** ~ e-n Schlag mehr gebraucht haben als der Gegner. **12.** → odds.

ˈodd|-come-ˈshort *s* **1.** ˈÜberbleibsel *n*, (*bes.* Stoff)Rest *m.* **2.** *pl* Restchen *pl*, Abfälle *pl.* **3.** *colloq.* ‚Knirps' *m.* **ˈ~-come-ˈshort·ly** *s* bald kommender Tag: **one of these odd-come-shortlies** dieser Tage einmal, bald einmal; **O~ Fel·lows, ˈO~ˌfel·lows** *s pl ein geheimer Wohltätigkeitsorden.*

odd·ish [ˈɒdiʃ] *adj* etwas seltsam.

odd·i·ty [ˈɒditi] *s* **1.** a) → odd 10, b) Merkwürdigkeit *f*, Wunderlichkeit *f*, Eigenartigkeit *f.* **2.** seltsamer Kauz, Origiˈnal *n.* **3.** seltsame *od.* kuriˈose Sache.

ˈodd-ˌlook·ing *adj* eigenartig aussehend.

odd·ly [ˈɒdli] *adv* **1.** seltsam (*etc*; → odd 1). **2.** auf seltsame Weise. **3.** *a.* ~ **enough** seltsamerweise.

odd·ment [ˈɒdmənt] *s* **1.** Rest(chen *n*) *m*, ˈÜberbleibsel *n.* **2.** *pl* Reste *pl*, Abfälle *pl*, Krimskrams *m.* **3.** (*übriggebliebenes*) Einzelstück.

odd·ness [ˈɒdnis] *s* **1.** Ungeradheit *f* (*e-r Zahl*). **2.** → oddity 1 *u.* 3.

ˈodd|-ˈnum·bered *adj* ungeradzahlig. **ˈ~-ˈpin·nate** *adj bot.* unpaarig gefiedert.

odds [ɒdz] *s pl* (*häufig als sg konstruiert*) **1.** Ungleichheit *f*, Verschiedenheit *f*: **to make** ~ **even** die Ungleichheit(en) beseitigen. **2.** *colloq.* ˈUnterschied *m*: **what's the** ~? was macht es (schon) aus?; **it is** (*od.* **makes**) **no** ~ es spielt keine Rolle; **what** ~ **is it to him?** was geht es ihn an? **3.** Vorteil *m*, Überˈlegenheit *f*, ˈÜbermacht *f*: **the** ~ **are in our favo(u)r, the** ~ **lie on our side** der Vorteil liegt auf unserer Seite; **the** ~ **are against us** wir sind im Nachteil; **against long** ~ gegen große Übermacht, mit wenig Aussicht auf Erfolg; **by** (**long** *od.* **all**) ~ bei weitem, in jeder Hinsicht. **4.** Vorgabe *f* (*im Spiel*): **to give s.o.** ~ j-m etwas vorgeben; **to take** ~ sich vorgeben lassen. **5.** ungleiche Wette: **to lay (the)** ~ **of three to one** drei gegen eins wetten; **to lay (the) long** ~ den größeren Einsatz machen; **to take the** ~ e-e ungleiche Wette eingehen. **6.** (Gewinn-) Chancen *pl*: **the** ~ **are 5 to 1** die Chancen stehen 5 gegen 1; **the** ~ **are** (*od.* **it is** ~) **that he will come** es ist sehr wahrscheinlich, daß er kommen wird. **7.** Uneinigkeit *f* (*bes. in den Wendungen*): **at** ~ **with** im Streit mit, uneins mit; **to set at** ~ uneinig machen, gegeneinander hetzen. **8.** Kleinigkeiten *pl*, einzelne Stücke *pl*, Reste *pl*: ~ **and ends** a) allerlei Kleinigkeiten, Krimskrams *m*, b) Reste, Restchen, Abfälle. **ˈ~-ˈon I** *adj* (sehr) aussichtsreich: ~ **candidate**; ~ **horse**; **it's** ~ **that** es sieht ganz so aus, als ob. **II** *s* gute Chance.

ode [oud] *s* Ode *f*: **Horatian** ~.

O·din [ˈoudin] *npr myth.* Odin *m.*

o·di·ous [ˈoudiəs] *adj* (*adv* ~**ly**) **1.** verhaßt, hassenswert, abˈscheulich. **2.** widerlich, ekelhaft. **ˈo·di·ous·ness** *s* **1.** Verhaßtheit *f*, Abˈscheulichkeit *f.* **2.** Widerlichkeit *f*, Ekelhaftigkeit *f.*

o·di·um [ˈoudiəm] *s* **1.** Verhaßtheit *f*, äußerste Unbeliebtheit. **2.** Odium *n*, Makel *m*, Schimpf *m.* **3.** Gehässigkeit *f*: ~ **theologicum** Gehässigkeit der Theologen.

o·dom·e·ter [oˈdɒmitər] *s* **1.** Weg(strecken)messer *m.* **2.** Kiloˈmeterzähler *m.*

o·don·tal·gi·a [ˌoudɒnˈtældʒiə; -dʒə] *s med.* Odontalˈgie *f*, Zahnschmerz *m.* **ˌo·donˈti·a·sis** [-ˈtaiəsis] *s* Zahnen *n.* **oˈdon·tic** *adj* Zahn...: ~ **nerve.**

o·don·to·blast [oˈdɒntoˌblæst] *s physiol.* Zahnbeinbildner *m.*

o·don·to·log·i·cal [oˌdɒntəˈlɒdʒikəl] *adj* odontoˈlogisch.

o·don·tol·o·gy [ˌoudɒnˈtɒlədʒi] *s* Odontoloˈgie *f*: a) *Lehre von den Zähnen*, b) Zahnheilkunde *f.*

o·dor, *bes. Br.* **o·dour** [ˈoudər] *s* **1.** Geruch *m.* **2.** Duft *m*, Wohlgeruch *m.* **3.** *fig.* Geruch *m*, Ruf *m*: **the** ~ **of sanctity** der Geruch der Heiligkeit; **to be in bad** (*od.* **ill**) ~ **with s.o.** bei j-m in schlechtem Rufe stehen. **4.** *fig.* Geruch *m*, Anhauch *m* (of von).

o·dor·ant [ˈoudərənt], **ˌo·dorˈif·er·ous** [-ˈrifərəs] *adj* **1.** wohlriechend, duftend. **2.** *allg.* riechend, e-n Geruch ausströmend.

o·dor·less, *bes. Br.* **o·dour·less** [ˈoudərlis] *adj* geruchlos. **ˈo·dor·ous** → odorant. **ˈo·dor·ous·ness** *s* Wohlgeruch *m*, Duft *m.*

o·dour, o·dour·less *bes. Br. für* odor, odorless.

Od·ys·se·an [ˌɒdiˈsiːən] *adj* Odyssee..., odysˈseisch. **ˈOd·ys·sey** [-si] *s* Odysˈsee *f* (*a. fig. Irrfahrt*).

oec·o·log·ic, oec·o·log·i·cal, oe·col·o·gist, oe·col·o·gy → ecologic *etc.*

oec·u·men·i·cal, oec·u·men·ic → ecumenical, ecumenic.

oe·de·ma, oe·dem·a·tous, oe·dem·a·tose, oe·dem·ic → edema *etc.*

Oed·i·pus com·plex [*Br.* ˈiːdipəs; *Am.* ˈedəpəs] *s psych.* ˈÖdipuskomˌplex *m.*

oeil-de-boeuf [œːjdəˈbœf] *pl* **oeils-de-ˈboeuf** [œːjdə-] (*Fr.*) *s arch.* Rundfenster *n.*

oe·nol·o·gy [iːˈnɒlədʒi] *s* Önoloˈgie *f*, Wein(bau)kunde *f.*

o'er [our; ɔːr] *poet. od. dial. für* over.

oer·sted [ˈɔːrsted] *s phys.* Oersted *n* (*Einheit der magnetischen Erregung*).

oe·so·phag·e·al [ˌiːsoˈfædʒiəl] *adj anat.* Speiseröhren..., Schlund...: ~ **orifice** Magenmund *m.* **oe·soph·a·gus** [iːˈsɒfəgəs] *pl* **-gi** [-ˌdʒai] *od.* **-gus·es** *s anat.* Speiseröhre *f.*

oes·tri·ol [ˈiːstriˌoul; -ˌɒl] → estriol. **ˈoes·tro·gen** [-trədʒən] → estrogen.

oes·trous [ˈiːstrəs; *Am. a.* ˈes-] *adj biol.* östrisch, öˈstral, Brunst...: ~ **cycle** östrischer *od.* östraler Zyklus.

oeu·vre [œːvr] (*Fr.*) *s* Oeuvre *n*, (Lebens)Werk *n.*

of [ɒv; ʌv] *prep* **1.** *allg.* von. **2.** *zur Bezeichnung des Genitivs*: **the tail** ~ **the dog** der Schwanz des Hundes; **the tail** ~ **a dog** der Hundeschwanz; **the folly** ~ **his action** die Dummheit s-r Handlung. **3.** *Ort*: bei: **the Battle** ~ **Hastings. 4.** *Entfernung, Trennung, Befreiung*: a) von: **south** ~ (**within ten miles** ~) **London; to cure (rid)** ~ **s.th.; free** ~, b) (*gen*) **robbed** ~ **his purse** s-r Börse beraubt, c) um: **to cheat s.o.** ~ **s.th. 5.** *Herkunft*: von, aus: ~ **good family; Mr. X** ~ **London. 6.** *Teil*: von *od. gen*: **the best** ~ **my friends; a friend** ~ **mine** ein Freund von mir, e-r m-r Freunde; **that red nose** ~ **his** diese rote Nase, die er hat. **7.** *Eigenschaft*: von, mit: **a man** ~ **courage; a man** ~ **no importance** ein unbedeutender Mensch; **a fool** ~ **a man** ein (ausgemachter) Narr. **8.** *Stoff*: aus, von: **a dress** ~ **silk** ein Kleid aus *od.* von Seide, ein Seidenkleid; **(made)** ~ **steel** aus Stahl (hergestellt), stählern, Stahl... **9.** *Urheberschaft, Art u. Weise*: von: **the works** ~ **Byron; it was clever** ~ **him;** ~ **o.s.** von selbst, von sich aus; **beloved** ~ **all** von allen geliebt. **10.** *Ursache, Grund*: a) von, an (*dat*): **to die** ~ **cancer** an Krebs sterben, b) aus: ~ **charity,** c) vor (*dat*): **afraid** ~, d) auf (*acc*): **proud** ~, e) über (*acc*): **ashamed** ~, f) nach: **to smell** ~. **11.** *Beziehung*: ˈhinsichtlich (*gen*): **quick** ~ **eye; nimble** ~ **foot** leichtfüßig; **it is true** ~ **every case** das trifft in jedem Fall zu. **12.** *Thema*: a) von, über (*acc*): **to speak** ~ **s.th.,** b) an (*acc*): **to think** ~ **s.th. 13.** *Apposition,* *im Deutschen nicht ausgedrückt*: a) the city ~ London; the University ~ Oxford; the month ~ April; the name ~ Smith, b) *Maß*: two feet ~ snow; a glass ~ wine; a piece ~ meat. **14.** *Genitivus objectivus*: a) zu: the love ~ God, b) vor (*dat*): the fear ~ God die Furcht vor Gott, die Gottesfurcht, c) bei: an audience ~ the king. **15.** *Zeit*: a) an (*dat*), in (*dat*), (*meist gen*): ~ an evening e-s Abends; ~ late years in den letzten Jahren, b) von: your letter ~ March 3rd Ihr Schreiben vom 3. März, c) *Am. colloq.* vor (*bei Zeitangaben*): ten minutes ~ three.

off [ɔːf] **I** *adv* **1.** (*meist in Verbindung mit Verben*) fort, weg, da'von: to be ~ a) weg *od.* fort sein, b) (weg)gehen, sich davonmachen, (ab)fahren, c) weg müssen; be ~!, ~ you go!, ~ with you! fort mit dir!, pack dich!, weg!; where are you ~ to? wo gehst du hin? **2.** ab(-*brechen*, -*kühlen*, -*rutschen*, -*schneiden etc*), her'unter(...), los(...): the apple is ~ der Apfel ist ab; to dash ~ losrennen; to have one's shoes ~ s-e *od.* die Schuhe ausgezogen haben; ~ with your hat! herunter mit dem Hut! **3.** entfernt, weg: 3 miles ~. **4.** *Zeitpunkt*: von jetzt an, hin: Christmas is a week ~ bis Weihnachten ist es e-e Woche; ~ and on a) ab u. zu, hin u. wieder, b) ab u. an, mit (kurzen) Unterbrechungen. **5.** abgezogen, ab(züglich). **6.** *tech.* aus(geschaltet), abgeschaltet, abgestellt (*Maschine, Radio etc*), (ab)gesperrt (*Gas etc*), zu (*Hahn etc*): ~! aus! **7.** *fig.* aus, vor'bei, abgebrochen, gelöst (*Verlobung*): the bet is ~ die Wette gilt nicht mehr; the whole thing is ~ die ganze Sache ist abgeblasen *od.* ins Wasser gefallen. **8.** aus(gegangen), ‚alle', verkauft, nicht mehr vorrätig: oranges are ~. **9.** frei (*von Arbeit*): to take a day ~ sich e-n Tag frei nehmen. **10.** ganz, zu Ende: to drink ~ (ganz) austrinken; to kill ~ ausrotten; to sell ~ ausverkaufen. **11.** *econ.* flau: the market is ~. **12.** nicht frisch, (leicht) verdorben (*Nahrungsmittel*). **13.** *sport* außer Form. **14.** *bes. Am.* im Irrtum (befangen): you are ~ on that point da bist du auf dem Holzweg. **15.** *meist* a little ~ *colloq.* ‚nicht ganz bei Trost'. **16.** *mar.* vom Lande *etc* ab. **17.** well (badly) ~ gut (schlecht) d(a)ran *od.* gestellt *od.* situiert; how are you ~ for ...? wie bist du dran mit ...?

II *prep* **18.** weg von, fort von, von (... weg *od.* ab *od.* her'unter): to climb ~ the horse vom Pferd (herunter)steigen; to take s.th. ~ the table etwas vom Tisch (weg)nehmen; he drove them ~ the seas er vertrieb sie von den Weltmeeren; to eat ~ a plate von e-m Teller essen; to cut a slice ~ the loaf e-e Scheibe vom Laib abschneiden; to take 5 per cent ~ the price 5 Prozent vom Preis abziehen. **19.** weg von, entfernt von, abseits von (*od. gen*), von ... ab: ~ the street; a street ~ Piccadilly e-e Seitenstraße von Piccadilly; ~ the point nicht zur Sache gehörig; ~ one's balance aus dem Gleichgewicht; ~ form außer *od.* nicht in Form. **20.** frei von: ~ duty nicht im Dienst, dienstfrei. **21.** *sl.* a) sich enthaltend (*gen*), b) ‚ku'riert' von: to be ~ smoking nicht (mehr) rauchen. **22.** *mar.* auf der Höhe von *Trafalgar etc*, vor *der Küste etc*: three miles ~ shore. **23.** von: to dine ~ roast pork Schweinebraten zum Dinner haben.

III *adj* **24.** (weiter) entfernt. **25.** Seiten..., Neben...: ~ street. **26.** *fig.* Neben..., sekun'där, nebensächlich. **27.** recht(er, e, es) (*von Tieren, Fuhrwerken etc*): the ~ hind leg das rechte Hinterbein; the ~ horse das rechte Pferd, das Handpferd. **28.** *Kricket*: abseitig (*rechts vom Schlagmann*). **29.** *mar.* weiter von der Küste entfernt, seewärts gelegen. **30.** ab(-), los(gegangen), weg: the button is ~. **31.** (arbeits-, dienst)frei: an ~ day (→ 32). **32.** (*verhältnismäßig*) schlecht: an ~ day ein schlechter Tag (*an dem alles mißlingt*) (→ 31); an ~ year for fruit ein schlechtes Obstjahr. **33.** *bes. econ.* flau, still, tot: ~ season. **34.** *bes. econ.* minderwertig, von schlechter Quali'tät: ~ shade Fehlfarbe *f*. **35.** abweichend von, nicht entsprechend (*dat*): ~ size. **36.** ‚ab', nicht ‚auf dem Damm', unwohl: I am feeling rather ~ today. **37.** schwach, entfernt: → chance 3.

IV *v/t colloq.* **38.** *etwas* ‚abblasen'.

V *v/i* **39.** sich da'vonmachen: to ~ it *colloq.* ‚sich verdrücken'.

VI *interj* **40.** fort!, weg!, 'raus!: hands ~! Hände weg! **41.** her'unter!, ab!: hats ~! herunter mit dem Hut!, Hut ab!

of·fal ['ɒfəl] *s* **1.** Abfall *m*. **2.** (*als sg od. pl konstruiert*) a) Fleischabfall *m* (*bes. Gedärme*), b) Inne'reien *pl*. **3.** *Müllerei*: Abfall *m*, *bes.* Kleie *f*. **4.** billige *od.* minderwertige Fische *pl*. **5.** Aas *n*. **6.** *fig.* a) Schund *m*, b) Abschaum *m*.

'off|-'bal·ance *adj u. adv u. fig.* aus dem Gleichgewicht, nicht ausgewogen: to catch s.o. ~ *fig.* j-n überrumpeln. **'~ˌbeat I** *s mus.* **1.** Auftakt *m*, unbetonter Taktteil. **2.** *Jazz*: Off-Beat *n*, gegen den Grundschlag gesetzte Ak'zente *pl*. **II** *adj* **3.** *colloq.* ausgefallen, extrava'gant: ~ advertising; ~ colo(u)rs. **'~ˌcast, '~-ˌcast I** *adj* verworfen, abgetan. **II** *s* abgetane Per'son *od.* Sache. **'~-'cen·ter,** *bes. Br.* **'~-'cen·tre** *adj* **1.** verrutscht, nicht genau ausgerichtet. **2.** *tech.* außermittig, ex'zentrisch, Exzenter... **3.** *fig.* ex'zentrisch, ausgefallen. **'~-'col·o(u)r** *adj* **1.** a) nicht gut in Farbe, b) nicht lupenrein (*Edelstein*). **2.** nicht (ganz) in Ordnung (*a. unpäßlich*). **3.** *Am.* zweideutig, schlüpfrig, nicht sa'lonfähig: ~ jokes.

of·fence, *bes. Am.* **of·fense** [ə'fens] *s* **1.** *allg.* Vergehen *n*, Verstoß *m* (against gegen). **2.** *jur.* a) *a.* criminal (*od.* punishable) ~ Straftat *f*, strafbare Handlung, De'likt *n*, b) *a.* lesser (*od.* minor) ~ Über'tretung *f*. **3.** Anstoß *m*, Ärgernis *n*, Kränkung *f*, Beleidigung *f*: to give ~ Anstoß *od.* Ärgernis erregen (to bei); to take ~ (at) Anstoß nehmen (an *dat*), beleidigt *od.* gekränkt sein (durch, über *acc*), (*etwas*) übelnehmen: he is quick to take ~ er ist schnell beleidigt; no ~ meant nichts für ungut!; no ~ taken! (ist) schon gut! **4.** a) Angriff *m*, Aggres'si'on *f*: arms of ~ Angriffswaffen, b) *sport* angreifende Par'tei. **5.** *bes. a.* rock of ~ *Bibl.* Stein *m* des Anstoßes.

of·fence·less, *bes. Am.* **of·fense·less** [ə'fenslis] *adj* harmlos.

of·fend [ə'fend] **I** *v/t* **1.** verletzen, beleidigen, kränken, *j-m* zu nahe treten: to be ~ed at (*od.* by) s.th. sich durch etwas beleidigt fühlen; to be ~ed with (*od.* by) s.o. sich durch j-n beleidigt fühlen; to ~ s.o.'s delicacy j-s Zartgefühl verletzen; it ~s his sense of hono(u)r es verletzt sein Ehrgefühl; it ~s the eye (ear) es beleidigt das Auge (Ohr). **2.** *Bibl. j-m* ein Stein des Anstoßes sein: if thy right eye ~ thee wenn dich dein rechtes Auge ärgert. **3.** *obs.* a) sündigen gegen, b) sich vergehen an (*dat*). **II** *v/i* **4.** verletzen, beleidigen, kränken. **5.** Anstoß erregen. **6.** (against) sündigen, sich vergehen (an *dat*), verstoßen (gegen). **of'fend·ed·ly** [-idli] *adv* verletzt, beleidigt, *bes.* in beleidigtem Ton. **of'fend·er** *s* **1.** Übel-, Missetäter(in). **2.** *jur.* Straffällige(r *m*) *f*: first ~ *jur.* nicht Vorbestrafte(r *m*) *f*; second ~ Vorbestrafte(r *m*) *f*. **of'fend·ing** *adj* **1.** verletzend, beleidigend, kränkend. **2.** anstößig.

of·fense, of·fense·less *bes. Am. für* offence, offenceless.

of·fen·sive [ə'fensiv] **I** *adj* (*adv* ~ly) **1.** beleidigend, anstößig, anstoß- *od.* ärgerniserregend, ungehörig: ~ words. **2.** unangenehm, übel, 'widerwärtig, ekelhaft: an ~ smell; an ~ mood. **3.** angreifend, offen'siv: ~ war Angriffs-, Offensivkrieg *m*; ~ reconnaisance *mil.* bewaffnete Aufklärung. **II** *s* **4.** Offen'sive *f*: a) Angriff *m*: to take the ~ die Offensive ergreifen, zum Angriff übergehen; the ~ is the safest defence (*Am.* defense) der Angriff ist die beste Verteidigung, b) *fig.* Kam'pagne *f*, Bewegung *f*: peace ~. **of'fen·sive·ness** *s* **1.** (*das*) Beleidigende, Anstößigkeit *f*. **2.** 'Widerwärtigkeit *f*, Ekligkeit *f*.

of·fer ['ɒfər] **I** *v/t* **1.** anbieten: to ~ s.o. a cigarette; to ~ battle to e-e Schlacht anbieten (*dat*), sich *dem Feind* zur Schlacht stellen; to ~ s.o. an insult j-m e-e Beleidigung zufügen; to ~ violence gewalttätig werden (to gegenüber); to ~ resistance Widerstand leisten (to *dat*). **2.** *econ.* a) *e-e Ware* (an)bieten, offe'rieren: to ~ for sale zum Verkauf anbieten, b) *e-n Preis, e-e Summe* bieten. **3.** vorbringen, äußern: to ~ an opinion; he ~ed no apology. **4.** (dar)bieten: the search ~ed some difficulties die Suche bot einige Schwierigkeiten; no opportunity ~ed itself es bot sich keine Gelegenheit (dar); this window ~s a fine view das Fenster bietet e-e schöne Sicht. **5.** sich bereit erklären zu, sich erbötig machen zu, sich (an)erbieten zu: he ~ed to fetch it. **6.** Anstalten machen zu, sich anschicken zu: he did not ~ to defend himself er machte keine Anstalten, sich zu wehren. **7.** *ped.* (als Prüfungsfach) wählen. **8.** *oft* ~ up a) *ein Opfer, Gebet, Geschenk* darbringen, b) *Tiere etc* opfern (to *dat*).

II *v/i* **9.** sich (dar)bieten, auftauchen: no opportunity ~ed es bot sich keine Gelegenheit. **10.** *relig.* opfern.

III *s* **11.** *allg.* Angebot *n*, Anerbieten *n*: ~ of assistance Unterstützungsangebot; ~ (of marriage) (Heirats)-Antrag *m*. **12.** *econ.* (An)Gebot *n*, Of'fert(e *f*) *n*: an ~ for sale ein Verkaufsangebot; on ~ zu verkaufen, verkäuflich. **13.** Vorbringen *n*: ~ of a suggestion. **14.** Vorschlag *m*. **15.** *obs.* Versuch *m*, Anstalten *pl*.

of·fer·er ['ɒfərər] *s* **1.** Anbietende(r *m*) *f*. **2.** *relig.* Opfernde(r *m*) *f*. **'of·fer·ing** *s* **1.** *relig.* a) Opfern *n*, Opferung *f*, Darbringung *f*, b) (*dargebrachtes*) Opfer: bloody (bloodless) ~ (un)blutiges Opfer. **2.** *bes. relig.* Spende *f*, Gabe *f*. **3.** → offer 11.

of·fer·to·ry ['ɒfərtəri] *s relig.* **1.** *meist* O~ Offer'torium *n*: a) *R.C.* Opferung f (*von Brot u. Wein*), b) Opfergebet *n od.* -gesang *m.* **2.** Kol'lekte *f,* Geldsammlung *f.* **3.** Opfer(geld) *n.*

'off|-'face *adj* stirnfrei (*Damenhut*). **'~-ˌfla·vo(u)r** *s* Geschmacksabweichung *f,* (unerwünschter) Beigeschmack. **'~'grade** *adj* von minderer Quali'tät, von niederer Sorte, Ausfall... **~hand I** *adv* [ˌ-'hænd] **1.** aus dem Stegreif *od.* Kopf *od.* Handgelenk, (so) ohne weiteres: I could not say ~. **II** *adj* ['-ˌhænd] **2.** unvorbereitet, improvi'siert, Stegreif..., spon'tan. **3.** lässig: in an ~ manner (*od.* way) nur so ganz beiläufig; to be ~ about s.th. nicht viel Aufhebens machen von etwas. **4.** freihändig: ~ grinding; ~ shooting stehend freihändiges Schießen. **'~'hand·ed** *adj* (*adv* ~ly) → offhand II. **ˌ~'hand·ed·ness** *s* Lässigkeit *f.*

of·fice ['ɒfis] *s* **1.** Bü'ro *n,* Dienststelle *f,* Kanz'lei *f,* Kon'tor *n,* Amt *n,* Geschäfts-, Amtszimmer *n od.* -gebäude *n*: lawyer's ~ (Rechts)Anwaltskanzlei, -büro. **2.** Behörde *f,* Amt *n,* Dienststelle *f*: the ~ of the Court *jur.* die Geschäftsstelle des Gerichts. **3.** *meist* O~ Mini'sterium *n,* (Ministeri'al)Amt *n* (*bes. in Großbritannien*): Foreign O~; O~ of Education Unterrichtsministerium (*in USA*). **4.** *bes. econ.* Zweigstelle *f,* Fili'ale *f*: our Liverpool ~. **5.** *econ.* (*bes.* Versicherungs)Gesellschaft *f*: fire ~. **6.** (*bes.* öffentliches *od.* staatliches) Amt, Posten *m*: to enter upon an ~ ein Amt antreten; to be in ~ im Amt sein; to hold an ~ ein Amt bekleiden *od.* innehaben; to leave (*od.* resign) one's ~ zurücktreten, sein Amt niederlegen; to take ~ sein Amt antreten *od.* übernehmen. **7.** Funkti'on *f* (*a. e-r Sache*), Aufgabe *f,* Pflicht *f*: it is my ~ to advise him es ist m-e Aufgabe, ihn zu beraten. **8.** Dienst *m,* Gefälligkeit *f*: to do s.o. a good (bad) ~ j-m e-n guten (schlechten) Dienst erweisen; → good offices. **9.** Ehrendienst *m,* Ehre *f*: to perform the last ~s to *e-m Toten* die letzte Ehre erweisen. **10.** *relig.* a) Gottesdienstordnung *f,* Litur'gie *f,* b) Gottesdienst *m*: O~ for the Dead Totengottesdienst *m*; O~ of Baptism Taufgottesdienst. **11.** *a.* divine ~ *relig.* Bre'vier *n*: to say ~ das Brevier beten. **12.** *relig.* a) Abend- *od.* Morgengebet *n* (*in der anglikanischen Kirche*), b) In'troitus *m,* c) Messe *f.* **13.** *pl bes. Br.* Wirtschaftsteil *m,* -raum *m od.* -räume *pl od.* -gebäude *n od. pl*: the ~s of an estate. **14.** *colloq.* Abort *m,* Abtritt *m.* **15.** *sl.* Tip *m*: to give s.o. the ~ j-m e-n Tip geben; to take the ~ e-n Tip befolgen.

of·fice| ac·tion *s* (Prüfungs)Bescheid *m* (*des Patentamtes*). **'~-ˌbear·er** *s* Amtsinhaber(in). **~ boy** *s* Laufjunge *m,* -bursche *m.* **~ build·ing** *s* Bü'rogebäude *n,* -haus *n.* **~ clerk** *s* Bü'roangestellte(r *m*) *f,* Handlungsgehilfe *m.* **~ e·quip·ment** *s* Bü'roeinrichtung *f.* **'~ˌhold·er** *s* Amtsinhaber(in), (Staats)Beamte(r) *m.* **~ hours** *s pl* Dienststunden *pl,* Geschäftszeit *f.* **~ hunt·er** *s* Stellenjäger *m.*

of·fi·cer ['ɒfisər] **I** *s* **1.** *bes. mil.* Offi'zier *m*: ~ of the day Offizier vom Tagesdienst; ~ of the guard Offizier vom Ortsdienst (OvO); first ~ (*Handelsmarine*) erster Offizier; ~ cadet Fähnrich *m,* Offiziersanwärter *m.* **2.** Poli'zist *m,* Poli'zeibeamte(r) *m*: O~! Herr Wachtmeister! **3.** Beamte(r) *m,* Beamtin *f,* Funktio'när(in), Amtsträger(in) (*im öffentlichen od. privaten Dienst*): public ~ Beamter im öffentlichen Dienst; O~ of the Household Haushofmeister *m* (*am englischen Hof*); O~ of Health *Br.* Beamter des Gesundheitsdienstes; ~ of state Minister *m.* **4.** Vorstandsmitglied *n* (*e-s Klubs, e-r Gesellschaft etc*). **II** *v/t* **5.** *mil.* a) mit Offi'zieren versehen, Offiziere stellen (*dat*), b) *e-e Einheit etc* als Offi'zier befehligen (*meist pass*): to be ~ed by befehligt werden von. **6.** *fig.* leiten, führen.

Of·fi·cers' Train·ing Corps *s mil. Br.* Offi'ziersausbildungskorps *n* (*für Angehörige des Mannschaftsstands*).

of·fice seek·er *s bes. Am.* **1.** Stellensucher(in). **2.** Stellenjäger(in).

of·fi·cial [ə'fiʃəl] **I** *adj* (*adv* ~ly) **1.** offizi'ell, amtlich, Amts..., Dienst..., dienstlich, behördlich: ~ act Amtshandlung *f*; ~ business *mail* Dienstsache *f*; ~ call *teleph.* Dienstgespräch *n*; ~ duties Amts-, Dienstpflichten; ~ family *Am.* (*Journalistensprache*) Kabinett *n* des Präsidenten der USA; ~ oath Amtseid *m*; ~ powers Amtsgewalt *f,* -vollmacht *f*; → channel 7. **2.** offizi'ell, amtlich (bestätigt *od.* autori'siert): an ~ report; is this ~? ist das amtlich? **3.** offizi'ell, amtlich (bevollmächtigt): an ~ representative. **4.** offizi'ell, for'mell, förmlich: an ~ dinner; an ~ manner. **5.** *pharm.* offizi'nell. **II** *s* **6.** Beamte(r) *m,* Beamtin *f*: minor (senior, higher) ~ unterer (mittlerer, höherer) Beamter. **7.** (Ge'werkschafts)Funktioˌnär(in). **8.** *oft* ~ principal *relig.* Offizi'al *m* (*als Richter fungierender Vertreter des Bischofs*). **of'fi·cial·dom** *s* **1.** Beamtenstand *m,* -tum *n,* (*die*) Beamten *pl.* **2.** → officialism 2. **ofˌfi·cial'ese** [-'li:z] *s colloq.* Amts-, Behördensprache *f.* **of'fi·cialˌism** *s* **1.** 'Amtsmeˌthoden *pl,* behördliches Sy'stem. **2.** Para'graphenreiteˌrei *f,* Bürokra'tie *f,* Amtsschimmel *m.* **3.** → officialdom 1. **ofˌfi·ci'al·i·ty** [-ʃi'æliti] *s* **1.** offizi'eller *od.* amtlicher Cha'rakter. **2.** *Kirchenrecht*: Offizia'lat *n*: a) *bischöfliche Gerichtsbehörde,* b) *Amt e-s Offizials.* **of'fi·cialˌize** *v/t* **1.** amtlich machen, amtlichen Cha'rakter geben (*dat*). **2.** reglemen'tieren.

of·fi·ci·ant [ə'fiʃiənt] *s* am'tierender Geistlicher.

of·fi·ci·ar·y [ə'fiʃiəri] *adj* amtlich, offizi'ell.

of·fi·ci·ate [ə'fiʃiˌeit] *v/i* **1.** am'tieren, fun'gieren (as als): to ~ as host. **2.** den Gottesdienst leiten: to ~ at a marriage e-n Traugottesdienst abhalten.

of·fic·i·nal [ə'fisinl; *Br. a.* ˌɒfi'sainl] *pharm.* **I** *adj* offizi'nell: a) *im Arzneibuch aufgeführt,* re'zeptpflichtig, b) Arznei..., Heil...: ~ plants Heilpflanzen. **II** *s* offizi'nelle Arz'nei *od.* Droge.

of·fi·cious [ə'fiʃəs] *adj* (*adv* ~ly) **1.** aufdringlich, über'trieben diensteifrig. **2.** offizi'ös, halbamtlich: an ~ statement. **3.** *obs.* gefällig. **of'fi·cious·ness** *s* Aufdringlichkeit *f,* über'triebener Diensteifer, offizi'öses Gehaben.

of·fing ['ɒfiŋ; 'ɔ:fiŋ] *s mar.* Räumte *f,* Seeraum *m,* offene See (*wo kein Lotse benötigt wird*): in the ~ a) auf offener See, b) *fig.* in (Aus)Sicht, zu erwarten; to get the ~ die offene See gewinnen; to hold out in the ~ See halten; to keep a good ~ from the coast von der Küste gut freihalten.

off·ish ['ɒfiʃ; 'ɔ:fiʃ] *adj colloq.* reser'viert, unnahbar, kühl, steif. **'off·ish·ness** *s colloq.* (kühle) Re'serve, Unnahbarkeit *f,* ablehnende Haltung.

off|·let ['ɔ:fˌlet; -lit; 'ɒf-] *s tech.* Abzugsrohr *n.* **'~-ˌli·cence** *s Br.* **1.** Recht *n* zum Verkauf (*geistiger Getränke*) über die Straße. **2.** Spiritu'osenladen *m.* **'~ˌload** *v/t fig.* abladen (on auf *j-n*). **'~-ˌpeak I** *adj* abfallend, unter der Spitze liegend, außerhalb der Spitzen(belastungs)zeit: ~ hours verkehrsschwache Stunden; ~ tariff Nacht(strom)tarif *m.* **II** *s electr.* Belastungstal *n.* **~ po·si·tion** *s tech.* Ausschalt-, Nullstellung *f.* **'~ˌprint I** *s* Sonder(ab)druck *m,* Sepa'rat(ab)druck *m* (from aus). **II** *v/t* als Sonder(ab)druck 'herstellen. **'~ˌscape** *s* 'Hintergrund *m.* **'~ˌscour·ing** *s oft pl* **1.** Kehricht *m, n,* Schmutz *m.* **2.** *bes. fig.* Abschaum *m*: the ~s of humanity. **'~ˌscum** *s bes. fig.* Abschaum *m.* **~ sea·son** *s* stille *od.* tote Sai'son.

off·set I *s* ['ɔ:fˌset; 'ɒf-] **1.** Ausgleich *m,* Kompensati'on *f.* **2.** *econ.* Verrechnung *f*: ~ account Verrechnungskonto *n.* **3.** Aufbruch *m* (*zu e-r Reise etc*). **4.** *bot.* a) Ableger *m,* b) kurzer Ausläufer. **5.** → offshoot 2 *u.* 3. **6.** *print.* a) Offsetdruck *m,* b) Abziehen *n,* Abliegen *n* (*bes. noch feuchten Druckes*), c) *Lithographie*: Abzug *m,* Pa'trize *f.* **7.** a) *tech.* Kröpfung *f,* b) *Bergbau*: kurze Sohle, kurzer Querschlag, c) *electr.* (Ab)Zweigleitung *f.* **8.** *surv.* Ordi'nate *f.* **9.** (*Mauer- etc*)Absatz *m.* **10.** *geol.* gangartiger Fortsatz (*von Intrusivkörpern*). **II** *adj* ['-ˌset] **11.** *print.* Offset...: ~ press Offsetpresse *f.* **12.** *tech.* versetzt: ~ carrier *TV* versetzter Träger; ~-course computer automatischer Kursanzeiger. **III** *v/t* [ˌ-'set] *irr* **13.** ausgleichen, aufwiegen, wettmachen: the gains ~ the losses. **14.** ['-ˌset] *print.* im Offsetverfahren drucken. **15.** *tech. Rohr, Stange etc* kröpfen. **16.** *arch. e-e Mauer etc* absetzen. **IV** *v/i* **17.** [ˌ-'set] (scharf) abzweigen. **~ bulb** *s bot.* Brutzwiebel *f.* **~ li·thog·ra·phy** → photo-offset I. **~ sheet** *s print.* 'Durchschußbogen *m.*

'off|ˌshoot *s* **1.** *bot.* Sprößling *m,* Ausläufer *m,* Ableger *m* (*a. fig.*). **2.** Abzweigung *f* (*e-s Flusses, e-r Straße etc*), Ausläufer *m* (*e-s Gebirges*). **3.** *fig.* Seitenzweig *m,* -linie *f* (*e-s Stammbaumes etc*). **'~ˌshore** *mar.* **I** *adv* **1.** von der Küste ab *od.* her. **2.** in einiger Entfernung von der Küste. **II** *adj* **3.** küstennah: ~ fishing. **4.** ablandig: ~ breeze. **5.** Auslands..., im Ausland (getätigt *od.* stattfindend): ~ order Rüstungshilfe-, Auslandsauftrag *m*; ~ purchase Auslandskauf *m.* **~ side** *s* **1.** *sport* Abseits(stellung *f*) *n.* **2.** *mot.* rechte Fahrbahnseite (*bei Linksverkehr*). **'~'side** *adj u. adv sport* abseits: to be ~ abseits stehen, sich im Abseits befinden; ~ trap Abseitsfalle *f.* **'~ˌsize** *s tech.* Maßabweichung *f.* **'~ˌspring** *s* **1.** Nachkommen(schaft *f*) *pl.* **2.** *pl* offspring Ab-, Nachkömmling *m,* Nachkomme *m,* Kind *n,* Sprößling *m.* **3.** *fig.* Ergebnis *n,* Frucht *f,* Resul'tat *n.* **'~-'stage** *adj u. adv* hinter der Bühne, hinter den Ku'lissen (*a. fig.*). **'~ˌtake** *s* **1.** *econ.* a) Abzug *m,* b) Abnahme *f,* Einkauf *m.* **2.** *tech.* Abzug(srohr *n*) *m.* **'~-the-'face** → off-face. **'~-the-'record** *adj* nicht für die Öffentlichkeit bestimmt, 'inoffiziˌell. **'~-the-'road** *adj mot.* Gelände...: ~ operation Geländefahrt *f.* **'~-the-'shoul·der** *adj* trägerlos, schulterfrei: ~ dress. **'~-ˌtime** *s* Freizeit *f.* **'~ˌtype** *adj* untypisch, abweichend. **'~-ˌwhite** *adj* **1.** nicht ganz rein, schmuddelig. **2.** grauweiß. **~ year** *s* **1.** schlechtes Jahr. **2.** *pol. Am. Jahr, in dem keine Präsidentschaftswahlen stattfinden.*

oft [ɔːft; ɒft] *adv obs. od. poet.* oft: many a time and ~ oft; (*nicht obs. in Zssgn wie*) ~-told oft erzählt; ~-recurring oft wiederkehrend.

of·ten [ˈɔːfn; ˈɒfn] **I** *adv* oft(mals), häufig: ~ and ~, as ~ as not, ever so ~ sehr oft; more ~ than not meistens. **II** *adj obs.* häufig. ˈ~ˌ**times**, *a.* ˈ**oft-ˌtimes** *adv obs. od. poet.* oft(mals).

o·gee [ouˈdʒiː; ˈoudʒiː] *s* **1.** S-Kurve *f*, S-förmige Linie. **2.** *arch.* a) Karˈnies *n*, Glocken-, Rinnleiste *f*, b) *a.* ~ arch Eselsrücken *m* (*Bogenform*).

og·ham [ˈɒgəm] *s* **1.** Og(h)am(schrift *f*) *n* (*altirische Schrift*). **2.** Og(h)aminschrift *f*.

o·give [ˈoudʒaiv; ouˈdʒaiv] *s* **1.** *arch.* a) diagoˈnale Gratrippe (*e-s gotischen Gewölbes*), b) Spitzbogen *m*. **2.** *mil.* Geschoßkopf *m*: false ~ Geschoßhaube *f*. **3.** *Statistik*: Häufigkeitsverteilungskurve *f*.

o·gle [ˈougl] **I** *v/t* **1.** liebäugeln mit, *j-m* ‚Augen machen'. **2.** beäugen, ‚anlinsen'. **II** *v/i* **3.** (with) liebäugeln (mit), (*j-m*) ‚Augen machen'. **III** *s* **4.** verliebter *od.* liebäugelnder Blick.

o·gre [ˈougər] *s* **1.** Oger *m*, (menschenfressendes) Ungeheuer, *bes.* Riese *m* (*im Märchen*). **2.** Scheusal *n*, Ungeheuer *n*, Unhold *m* (*Person*). ˈ**o·gre·ish** [-gəriʃ] *adj* mörderisch, schrecklich. ˈ**o·gress** [-gris] *s* Menschenfresserin *f*, Riesin *f* (*im Märchen*). ˈ**o·grish** [-griʃ] → ogreish.

oh [ou] **I** *interj* oh! **II** *s* Oh *n*.

O·hi·o·an [oˈhaioən] **I** *adj* Ohio..., aus Oˈhio. **II** *s* Einwohner(in) von Oˈhio.

ohm [oum] *s electr.* Ohm *n*, (*Einheit des elektrischen Widerstands*). ˈ**ohm·age** *s* Ohmzahl *f*. ˈ**ohm·ic** *adj* ohmsch(er, e, es), Ohmsch(er, e, es): ~ resistance Ohmscher Widerstand. **ohm·me·ter** [ˈoumˌmiːtər] *s electr.* Ohmmeter *n*. **Ohm's Law** [oumz] *s phys.* Ohmsches Gesetz.

o·ho, o(h) ho [oˈhou] *interj* **1.** (*überrascht*) oˈho! **2.** (*frohlockend*) ah!, aˈha!

-oid [ɔid] *Wortelement mit der Bedeutung* ähnlich: **spheroid** Sphäroid *n*.

oil [ɔil] **I** *s* **1.** Öl *n*: animal ~ Knochen-, Tieröl; ~ of turpentine Terpentinöl; ~ of vitriol Vitriolöl, konzentrierte Schwefelsäure; to pour ~ on the fire *fig.* Öl ins Feuer gießen; to pour ~ on the waters (*od.* on troubled waters) *fig.* Öl auf die Wogen gießen *od.* schütten, die Gemüter beruhigen; to smell of ~ *fig.* mehr Fleiß als Geist *od.* Talent verraten; to strike ~ a) Erdöl finden, auf Öl stoßen, b) *colloq.* Glück *od.* Erfolg haben; ~ and vinegar (wie) Feuer u. Wasser; → midnight II. **2.** Erdöl *n*, Peˈtroleum *n*. **3.** ölige Subˈstanz. **4.** *meist pl* Ölfarbe *f*: to paint in ~s in Öl malen. **5.** *meist pl colloq.* Ölgemälde *n*. **6.** *meist pl* Ölzeug *n*, -haut *f*. **II** *v/t* **7.** *tech.* (ein)ölen, einfetten, schmieren. **8.** *etwas* mit Öl schmieren: to ~ the tongue *fig.* mit e-r glatten Zunge reden, schmeicheln; to ~ s.o.'s hand *fig.* ‚j-n schmieren' (*bestechen*).

oil| bag *s* **1.** *zo.* Fettdrüse *f*. **2.** Ölpreßbeutel *m*. ~ **bath** *s tech.* Ölbad *n*: ~ lubrication Tauchschmierung *f*. ˈ~-ˌ**bear·ing** *adj geol.* ölhaltig, -führend. ~ **box** *s tech.* Schmierbüchse *f*. ~ **brake** *s mot.* Öldruckbremse *f*. ˈ~-ˌ**break switch** *s electr.* Öl(trenn)schalter *m*. ~ **burn·er** *s tech.* Ölbrenner *m*. ~ **cake** *s* Ölkuchen *m*. ˈ~ˌ**can** *s* Ölkanne *f od.* -kännchen *n*. ~ **change** *s mot.* Ölwechsel *m*. ˈ~ˌ**cloth** *s* **1.** Wachstuch *n*, -leinwand *f*. **2.** → oilskin. ~ **col·o(u)r** *s* Ölfarbe *f*. ~ **cup**, ˈ~ˌ**cup** *s tech.* Öler *m*, Schmierbüchse *f*. ~ **der·rick** *s* Derrick *m* (*Öl-Bohrturm*). ~ **dip·stick** *s mot.* Öl(stand)meßstab *m*.

oiled [ɔild] *adj* **1.** (ein)geölt. **2.** *Am. sl.* ‚besoffen', ‚blau'.

oil·er [ˈɔilər] *s* **1.** *mar. tech.* Öler *m*, Schmierer *m* (*Person od. Vorrichtung*). **2.** *tech.* Öl-, Schmierkanne *f*. **3.** *pl Am. colloq. für* oilskin 2. **4.** *Am. für* oil well. **5.** *mar.* (Öl)Tanker *m*.

oil| feed·er *s tech.* **1.** Selbstschmierer *m*, -öler *m*. **2.** *mot.* Spritzkännchen *n*. ~ **field** *s* Ölfeld *n*. ~ **fill·er tube** *s tech.* Öleinfüllstutzen *m*. ~ **fil·ter** *s tech.* Ölfilter *m*, *n*. ~ **fu·el** *s* **1.** Heiz-, Brennöl *n*. **2.** Treiböl *n*, Öltreibstoff *m*. ~ **gage** → oil gauge. ~ **gas** *s* Ölgas *n*. ~ **gauge** *s tech.* Ölstandsanzeiger *m*. ~ **gland** *s orn.* Öl-, Bürzeldrüse *f*.

oil·i·ness [ˈɔilinis] *s* **1.** ölige Beschaffenheit, Fettigkeit *f*, Schmierfähigkeit *f*. **2.** *fig.* Glattheit *f*, Schlüpfrigkeit *f*. **3.** *fig.* salbungsvolles *od.* schmeichlerisches Wesen.

oil| lamp *s* Öl-, Peˈtroleumlampe *f*. ~ **lev·el** *s mot.* Ölstand *m*. ˈ~**·man** [-mən] *s irr* **1.** Unterˈnehmer *m* in der Ölbranche. **2.** Ölhändler *m*. **3.** *Am.* Delikaˈteßwarenhändler *m*. **4.** Arbeiter *m* in e-r ˈÖlfaˌbrik. **5.** Öler *m*, Schmierer *m*. ~ **meal** *s* gemahlener Ölkuchen. ~ **mill** *s* Ölmühle *f*. ~ **nut** *s bot.* **1.** *allg.* Ölnuß *f*. **2.** Fettnuß *f*. **3.** *Am.* Butternuß *f*. ~ **paint** *s* Ölfarbe *f*. ~ **paint·ing** *s* **1.** ˌÖlmaleˈrei *f*. **2.** Ölgemälde *n*. **3.** *tech.* Ölanstrich *m*. ~ **palm** *s bot.* Ölpalme *f*. ~ **pan** *s mot.* Ölwanne *f*. ˈ~-ˌ**pa·per** *s* ˈÖlpaˌpier *n*. ˈ~ˈ**proof** *adj bes. tech.* ölbeständig, öldicht, ˈölˌundurchlässig. ~ **pump** *s tech.* Ölpumpe *f*. ~ **re·fin·ing** *s* **1.** ˈÖlraffiˌnierung *f*. **2.** *a.* ~ plant ˈÖlraffineˌrie *f*. ~ **res·er·voir** *s* Ölvorkommen *n*, ölführende Schicht. ~ **ring** *s tech.* Öldichtungsring *m*, Schmierring *m*: ~ bearing Ringschmierlager *n*. ~ **seal** *s tech.* **1.** Öldichtung *f*. **2.** *a.* ~ ring Simmerring *m*. ˈ~-ˌ**sealed** *adj* öldicht. ˈ~ˌ**skin** *s* **1.** Öltuch *n*, Ölleinwand *f*. **2.** *pl* Ölzeug *n*, Ölkleidung *f*. ~ **slick** *s* **1.** *tech.* Ölschlich *m*. **2.** Ölfladen *m* (*auf der Wasseroberfläche etc*). ~ **spring** *s tech.* Mineˈralölquelle *f*. ˈ~ˌ**stock** *s relig.* Amˈpulle *f* (*Chrisma-Gefäß*). ˈ~ˌ**stone** *s* Ölstein *m*. ˈ~ˌ**stove** *s* Ölofen *m*. ~ **sump** *s mot.* Ölwanne *f*. ~ **switch** *s tech.* Ölschalter *m*. ~ **tank·er** *s mar.* (Öl)Tanker *m*. ˈ~ˈ**tight** *adj tech.* öldicht. ~ **tree** *s bot.* **1.** Wunderbaum *m*. **2.** → oil palm. ~ **var·nish** *s* Öllack *m*. ~ **well** *s* Ölquelle *f*.

oil·y [ˈɔili] *adj* **1.** ölig, ölhaltig, Öl... **2.** fettig, schmierig, schmutzig. **3.** *fig.* glatt(züngig), aalglatt, schmeichlerisch. **4.** salbungsvoll, ölig.

oint·ment [ˈɔintmənt] *s pharm.* Salbe *f*.

Oir·each·tas [ˈerəxθəs] *s Ir.* **1.** gesetzgebende Körperschaft von Eire. **2.** *jährliches Fest zur Pflege der irischen Sprache in Irland.*

o·jo [ˈoxo] (*Span.*) *s* (*Südwesten der USA*) **1.** *a.* ~ caliente heiße Quelle. **2.** (*Art*) Oˈase *f*.

O.K., OK, o·kay [ˈouˈkei] *colloq. bes. Am.* **I** *adj* **1.** richtig, gut, genehmigt, in Ordnung. **2.** ‚prima', erstklassig: he is ~ er ist ‚in Ordnung' *od.* ‚richtig'. **II** *interj* **3.** gemacht!, einverstanden!, schön!, gut!, in Ordnung!, O.K.! **III** *v/t* **4.** genehmigen, billigen, *e-r Sache* zustimmen. **IV** *s* **5.** Zustimmung *f*, Genehmigung *f*.

o·kie [ˈouki] *s Am.* **1.** *landwirtschaftlicher Wanderarbeiter, ursprünglich aus Oklahoma.* **2.** *sl.* (*Spitzname für e-n*) Bewohner von Oklaˈhoma.

o·kra [ˈoukrə; ˈɒkrə] *s* **1.** *bot.* Eßbarer Eibisch, Rosenpappel *f*, Gumbo *m*. **2.** → gumbo 1.

old [ould] **I** *adj comp* **old·er** [ˈouldər], *a.* **eld·er** [ˈeldər], *sup* **old·est** [ˈouldist], *a.* **eld·est** [ˈeldist] **1.** alt, betagt: the ~ die Alten; to grow ~ alt werden; ~ man of the sea Meergreis *m*; young and ~ Alt u. Jung (*alle*); ~ moon abnehmender Mond. **2.** *zehn Jahre etc* alt: ten years ~; a ten-year-~ boy ein zehnjähriger Junge; five-year ~s Fünfjährige *pl*. **3.** alt(ˈhergebracht): ~ tradition; an ~ name ein altbekannter Name; → hill 1. **4.** vergangen, früher, alt: to call up ~ memories alte Erinnerungen wachrufen; the ~ country das Heimat- *od.* Mutterland; the ~ year das alte *od.* vergangene Jahr; the good ~ times die gute alte Zeit; O~ London Alt-London *n*. **5.** alt(bekannt, -bewährt): an ~ friend; → old boy, old master *etc*. **6.** alt, abgenutzt, verbraucht: ~ equipment; ~ clothes alte *od.* (ab)getragene Kleider. **7.** alt(modisch), *fig.* ‚verkalkt': ~ fogy *sl.* alter Knacker. **8.** alt(erfahren), gewiegt, gewitz(ig)t: ~ bachelor eingefleischter Junggeselle; he is ~ in crime (folly) er ist ein abgefeimter Verbrecher (unverbesserlicher Tor); ~ offender alter Sünder; → hand 12. **9.** alt, ältlich, altklug: an ~ face; he has an ~ head on young shoulders er ist gescheit für sein Alter. **10.** *colloq.* (guter) alter, lieber: ~ chap; nice ~ boy ‚netter alter Knabe'; ~ bean, ~ egg, ~ fellow, ~ fruit, ~ thing, ~ top *Br. sl.* ‚altes Haus', ‚alter Schwede', ‚alter Knabe'; ~ lady a) ‚alte Dame' (*Mutter*), b) *a.* ~ woman ‚Alte' *f* (*Ehefrau*); → old man. **11.** *sl.* ‚toll', eˈnorm: to have a fine ~ time sich herrlich amüsieren; a jolly ~ row ein ‚Mordskrach' *m*; any ~ thing irgend etwas (*gleichgültig was*).

II *s* **12.** the ~s *colloq.* die Alten *pl*. **13.** *adjektivisch od. adverbial*: of ~ a) ehedem, vor alters, b) von jeher; from of ~ seit altersher; times of ~ alte Zeiten.

old| age *s* Greisenalter *n*, (hohes) Alter. ˈ~-ˈ**age** *adj* Alt..., Alters...: ~ annuity Alters-, Invalidenrente *f*; ~ assets *econ.* Altguthaben; ~ insurance Altersversicherung *f*; ~ pension(s) Altersrente *f*. **O~ Bai·ley** [ˈbeili] *s* Old Bailey *n* (*oberster Strafgerichtshof Großbritanniens*). ~ **boy** *s* **1.** *Br. ehemaliger Angehöriger e-r* public school. **2.** *colloq.* ‚alter Junge'. **O~ Cath·o·lic I** *s* ˈAltkaˌtholische(r *m*) *f*. **II** *adj* ˈaltkaˌtholisch. ˈ~-ˈ**clothes·man** [-mən] *s irr* Trödler *m*. **O~ Do·min·ion** *s* (*Beiname für*) Virˈginia *n*.

old·en [ˈouldən] *Br. obs. od. poet.* **I** *adj* alt: in ~ times in alten Zeiten. **II** *v/t u. v/i* alt machen (werden).

Old| Eng·lish *s ling.* Altenglisch *n*, das Altenglische (*etwa 450—1150*). ˈ**o~-**ˈ**fash·ioned I** *adj* **1.** altmodisch. **2.** *sl.* a) ‚muffig', übellaunig, b) krittelig, c) argwöhnisch. **3.** altklug (*Kind*). **II** *s* **4.** *Am.* (*ein*) Cocktail *m*. ˌ**o~-**ˈ**fo·g(e)y·ish** *adj* altmodisch, ‚verknöchert', ‚verkalkt'. ~ **Glo·ry** *s* (*Beiname für*) das Sternenbanner (*Flagge der USA*). **o~ gold** *s* Altgold *n* (*Farbton*). ˈ**o~-**ˈ**gold** *adj* altgold, rötlichgelb. ~ **Guard** *s* **1.** *hist. die kaiserliche Garde in Frankreich* (*begründet von Napoleon I.*). **2.** ‚alte Garde': a) *Am. der ultrakonservative Flügel der Republikaner*,

b) *allg. streng konservative Gruppe.* **'o~,hat** *adj colloq.* ‚ein alter Hut', alt: that's ~! *a.* das hat so'n Bart! **~ Hick·o·ry** *s (Spitzname für)* Andrew Jackson (*Präsident der USA von 1829—37*). **~ High Ger·man** *s ling.* Althochdeutsch *n*, das Althochdeutsche. **~ Ice·lan·dic** *s ling.* Altisländisch *n*, das Altisländische.

old·ish ['ouldiʃ] *adj* ältlich.

Old| La·dy of Thread·nee·dle Street ['θred,ni:dl] *s (Spitzname für)* Bank *f* von England. **~ Lat·in** *s ling.* 'Altla,tein *n*, das 'Altla,teinische. **~ Light** *s bes. relig.* Konserva'tive(r *m*) *f*.

'old|-'line *adj* **1.** der alten Schule angehörend, konserva'tiv. **2.** alt'hergebracht, traditio'nell. **3.** e-r alten Linie entstammend. **~ maid** *s* **1.** alte Jungfer. **2.** *colloq.* altjüngferliche Per'son. **3.** *ein Kartenspiel.* **4.** *bot.* Rosenrotes Singrün. **'~-'maid·ish** *adj* altjüngferlich. **~ man** *s irr* **1.** *colloq.* a) ‚Alte(r)' *m* (*Vater, Ehemann*): my ~ mein alter Herr (*Vater*), b) ‚(*der*) Alte' (*der Chef od. mar. der Kapitän*), c) ‚Alter!', ‚alter Junge!' (*vertrauliche Anrede*). **2.** alter Mann, Greis *m*. **3.** (*Australien*) *ausgewachsenes männliches Känguruh.* **4.** *orn.* Regenkuckuck *m*. **O~ Man Riv·er** *s Am.* (*Beiname für den*) Missis'sippi. **~ man's head** *s bot.* Greisenhaupt *n* (*Kaktus*). **~ mas·ter** *s paint.* alter Meister (*Künstler od. Gemälde*). **O~ Nick** → Nick¹ 2. **O~ Norse** *s ling.* **1.** Altnorwegisch *n*, das Altnorwegische. **2.** → Old Icelandic. **O~ Pre·tend·er** *s hist.* Alter Präten'dent (*Jakob Eduard, Sohn Jakobs II. von England*). **'~-'rose** *adj* altrot. **O~ Sax·on** *s ling.* Altsächsisch *n*, das Altsächsische. **~ school** *s fig.* alte Schule: a gentleman of the ~ ein Herr der alten Schule. **'~-,school** *adj* nach der alten Schule, altmodisch. **~ school tie** → school tie.

old·ster ['ouldstər] *s* **1.** *colloq.* ‚alter Knabe', alter Herr: the ~s *sport* die alten Herren, die Senioren. **2.** *mar. Br.* (*schon 4 Jahre dienender*) 'Seeka,dett. **3.** *colloq.* ‚alter Hase'.

old| style *s* **1.** Zeitrechnung *f* nach dem Juli'anischen Ka'lender (*in England bis 1752*). **2.** *print.* Mediä'val(schrift) *f*. **O~ Tes·ta·ment** *s Bibl.* (*das*) Alte Testa'ment. **'~-,time** *adj* aus alter Zeit, alt: the ~ sailing ships. **'~-'tim·er** *s colloq.* **1.** → oldster 1 *u.* 3. **2.** altmodische Per'son *od.* Sache. **~ wives' tale** *s* Alt'weibergeschichte *f*, Ammenmärchen *n*. **'~-'wom·an·ish** *adj* alt'weiberhaft. **O~ World** *s* **1.** (*die*) Alte Welt (*Europa, Asien u. Afrika*). **2.** (*die*) östliche Hemi'sphäre. **'~-'world** *adj* **1.** altweltlich, *engS.* euro'päisch. **2.** altmodisch, altfränkisch, anheimelnd: ~ courtesy.

o·le·ag·i·nous [,ouli'ædʒinəs] *adj* **1.** ölartig, ölig, Öl... **2.** Öl enthaltend.

o·le·an·der [,ouli'ændər] *s bot.* Ole'ander *m*.

o·le·as·ter [,ouli'æstər] *s bot.* **1.** Schmalblättrige Ölweide. **2.** Ole'aster *m*, Wilder Ölbaum.

o·le·ate ['ouli,eit] *s chem.* ölsaures Salz, Olei'nat *n*: ~ of potash ölsaures Kali.

o·le·fi·ant [,ouli'faiənt; o'li:fiənt] *adj chem.* ölbildend: ~ gas.

o·le·ic [o'li:ik; 'ouliik] *adj chem.* Ölsäure...: ~ amide; ~ acid Ölsäure *f*.

o·le·if·er·ous [,ouli'ifərəs] *adj bot.* ölhaltig.

o·le·in ['ouliin] *s chem.* **1.** Ole'in *n*, Ela'in *n*. **2.** *flüssiger Bestandteil e-s Fettes.* **3.** handelsübliche Ölsäure.

oleo- [oulio; -liə; -liɒ] *Wortelement mit der Bedeutung* Öl.

o·le·o ['ouli,ou] *abbr. für* oleomargarine.

o·le·o·graph ['ouliə,græ(:)f; *Br. a.* -,grɑ:f] *s* Öldruck *m* (*Bild*). **o·le·og·ra·phy** [,ouli'ɒgrəfi] *s tech.* Öldruck(verfahren *n*) *m*.

o·le·o·mar·ga·rine [,oulio'mɑ:rdʒə-,ri:n; -gə-] *s* ,Oleomarga'rin *n*, Marga'rine *f*, Kunstbutter *f*.

o·le·om·e·ter [,ouli'ɒmitər] *s* Ölmesser *m*, Ölwaage *f*.

o·le·o·res·in [,oulio'rezin] *s chem.* Oleore'sin *n*, Fettharz *n*, Terpen'tin *n*.

o·le·o strut *s aer.* Ölfederbein *n*, hy'draulischer Stoßdämpfer.

ol·er·a·ceous [,ɒlə'reiʃəs] *adj* Gemüse...: ~ plants.

ol·fac·to·ry [ɒl'fæktəri] *adj* Geruchs...: ~ nerves; ~ tubercle Riechwulst *m*.

o·lib·a·num [o'libənəm] *s* Weihrauch *m*, Oli'banum *n*.

ol·i·garch ['ɒli,gɑ:rk] *s* Olig'arch *m* (*Mitglied e-r Oligarchie*). **,ol·i'gar·chic** *adj* olig'archisch. **'ol·i,garch·y** *s* Oligar'chie *f*.

ol·i·gist ['ɒlidʒist] *s min.* Häma'tit *m*.

Ol·i·go·cene ['ɒligo,si:n] *geol.* **I** *adj* oligo'zän. **II** *s* Oligo'zän *n* (*drittälteste Stufe des Tertiärs*).

o·li·o ['ouli,ou] *pl* **-os** *s* **1.** *Kochkunst:* a) Ra'gout *n*, b) → olla¹ 2. **2.** *fig.* Gemisch *n*, Mischmasch *m*, Ra'gout *n*. **3.** *mus.* Potpourri *n*. **4.** Sammelband *m*.

ol·ive ['ɒliv] **I** *s* **1.** *a.* ~ tree *bot.* O'live *f*, Ölbaum *m*: Mount of O~s *Bibl.* Ölberg *m*. **2.** O'live *f* (*Frucht*): ~ oil Olivenöl *n*. **3.** Ölzweig *m*. **4.** O'livgrün *n*. **5.** o'livenförmiger Gegenstand (*z. B. Knopf*). **6.** *anat.* O'live *f*, O'livkörper *m* (*im Gehirn*). **7.** *orn. Br.* Austernfischer *m*. **8.** Fleischröllchen *n*, kleine Rou'lade. **II** *adj* **9.** o'livenartig, Oliven... **10.** o'livgrau, -grün.

ol·ive| branch *s* Ölzweig *m*: a) *Symbol des Friedens,* b) *fig.* Friedenszeichen *n*: to hold out the ~ s-n Versöhnungswillen bekunden. **'~-'col·o(u)red** *adj* o'liv(en)farben. **~ drab** *s* **1.** O'livgrün *n*. **2.** *Am.* o'livgrünes Uni'formtuch. **'~-'drab** *adj* o'livgrün. **~ green** *s* O'livgrün *n*. **'~-'green** *adj* o'livgrün.

ol·i·ver ['ɒlivər] *s tech.* Tritthammer *m*.

ol·i·vine ['ɒli,vi:n; -,vain] *s min.* **1.** → chrysolite. **2.** grüner Gra'nat. **,ol·i'vin·ic** [-'vinik] *adj* Olivin...

ol·la¹ ['ɒlə] *s* **1.** irdener Topf, Krug *m*. **2.** Olla po'drida *f* (*stark gewürztes Eintopfgericht aus Fleisch u. Gemüse*).

ol·la² ['ɒlə] *s Br. Ind. zum Schreiben hergerichtetes od. beschriebenes Palmblatt.*

ol·la-po·dri·da [,ɒləpə'dri:də] *s* **1.** → olla¹ 2. **2.** → olio 1 *u.* 2.

ol·o·gy ['ɒlədʒi] *s humor.* **1.** Wissenschaftszweig *m*. **2.** *pl* aka'demische Wissenschaften *pl*.

ol·y·cook, *a.* **ol·y·koek** ['ɒli,kuk] *s Am. dial.* (*ein*) Schmalzgebäck *n*.

O·lym·pi·ad [o'limpi,æd] *s* **1.** *antiq.* Olympi'ade *f* (*Zeitraum von 4 Jahren zwischen zwei Olympischen Spielen*). **2.** O'lympische Feier. **3.** Olympi'ade *f*, O'lympische Spiele *pl*.

O·lym·pi·an [o'limpiən] **I** *adj* **1.** *antiq.* o'lympisch. **2.** *fig.* a) himmlisch, b) erhaben, maje'stätisch. **3.** → Olympic I. **II** *s* **4.** *antiq.* O'lympier *m* (*griechische Gottheit*). **5.** O'lympia,teilnehmer *m*.

O'lym·pic I *adj* o'lympisch: ~ Games → II. **II** *s pl* O'lympische Spiele *pl*.

O·lym·pus [o'limpəs] **I** *npr antiq.* O'lymp *m* (*Sitz der griechischen Götter*). **II** *s fig.* O'lymp *m*, Himmel *m*.

O·ma·ha ['oumə,hɔ:; -,hɑ:] *s* 'Omaha-indi,aner *m*.

o·ma·sum [o'meisəm] *pl* **-sa** [-sə] *s* O'masus *m*, Blättermagen *m* (*der Wiederkäuer*).

om·ber, *bes. Br.* **om·bre** ['ɒmbər] *s* L'hombre *n* (*altes Kartenspiel*).

Om·buds·man ['əmbudzmən] (Unter-'suchungs)Beauftragte(r) *m* des Parla'ments für Beschwerden von Staatsbürgern.

o·me·ga [*Br.* 'oumigə; *Am.* o'mi:gə; o'megə] *s* **1.** Omega *n* (*langes O u. griechischer Buchstabe*). **2.** *fig.* Ende *n*.

om·e·let(te) ['ɒmlit; -mə-] *s* Ome'lett *n*: you cannot make an ~ without breaking eggs *fig.* wo gehobelt wird, (da) fallen Späne.

o·men ['oumen] **I** *s* Omen *n*, schlechtes Vorzeichen (for für): ill ~ böses Omen. **II** *v/t* deuten auf (*acc*), ahnen (lassen), prophe'zeien, (ver)künden. **'o·mened** *adj* verheißend: → ill-omened.

o·men·tal [o'mentl] *adj anat.* Netz...

o·men·tum [o'mentəm] *pl* **-ta** [-tə] *s anat.* (Darm)Netz *n*.

om·i·cron [*Br.* o'maikrən; *Am.* 'ɑmi-,krɑn] *s* Omikron *n* (*kurzes O u. griechischer Buchstabe*).

om·i·nous ['ɒminəs] *adj* (*adv* ~ly) unheil-, verhängnisvoll, omi'nös, verdächtig, drohend, bedenklich. **'om·i·nous·ness** *s* (*bes.* üble) Vorbedeutung, (*das*) Omi'nöse.

o·mis·si·ble [o'misibl] *adj* auszulassen(d), auslaßbar.

o·mis·sion [o'miʃən] *s* **1.** Aus-, Weglassung *f*. **2.** Unter'lassung *f*, Versäumnis *n*: sin of ~ Unterlassungssünde *f*. **3.** Über'gehung *f*. **o'mis·sive** [-siv] *adj* **1.** aus-, weglassend, Unterlassungs... **2.** nachlässig.

o·mit [o'mit] *v/t* **1.** aus-, weglassen, über'gehen: to ~ a dividend *econ.* e-e Dividende ausfallen lassen. **2.** unter'lassen, versäumen: to ~ doing (*od.* to do) s.th. (es) versäumen *od.* vergessen, etwas zu tun.

om·ma·te·um [,ɒmə'ti:əm] *pl* **-te·a** [-'ti:ə] *s zo.* Fa'cettenauge *n* (*von Insekten u. Gliederfüßern*). **,om·ma'tid·i·um** [-əm] *s* Omma'tidium *n*, Augenkeil *m* (*im Facettenauge*).

om·mat·o·phore [ə'mætə,fɔ:r] *s zo.* Augenstiel *m* (*der Schnecken*).

om·ni·bear·ing [,ɒmni'bɛ(ə)riŋ] *adj electr.* Allrichtungs...: ~ navigation system Polarkoordinatennavigation *f*; ~ indicator automatischer Azimuthanzeiger; ~ selector Kurswähler *m*.

om·ni·bus ['ɒmni,bʌs] **I** *pl* **-bus·es** *s* **1.** *mot.* Omnibus *m*, (Auto)Bus *m*. **2.** *a.* ~ book Sammelband *m*, Antholo'gie *f*, (Gedicht- *etc*)Sammlung *f*. **3.** → omnibus box. **II** *adj* **4.** Sammel..., Gesamt..., Haupt..., Rahmen... **~ account** *s econ.* Sammelkonto *n*. **~ bar** *s electr.* Sammelschiene *f*. **~ bill** *s parl.* (Vorlage *f* zu e-m) Mantelgesetz *n*. **~ box** *s* Pro'szeniumsloge *f*. **~ clause** *s econ.* Sammelklausel *f*.

om·ni·di·rec·tion·al [,ɒmnidi'rekʃənl] *adj electr.* rundstrahlend: ~ aerial (*Am.* antenna) Rundstrahlantenne *f*; ~ microphone Allrichtungsmikrophon *n*; ~ range → omnirange.

om·ni·far·i·ous [,ɒmni'fɛ(ə)riəs] *adj* von aller(lei) Art, vielseitig, mannigfaltig. **,om·ni'far·i·ous·ness** *s* Mannigfaltigkeit *f*.

om·nif·ic [ɒm'nifik] *adj* allschaffend.

om·nip·o·tence [ɒm'nipətəns] *s* **1.** Allmacht *f*. **2.** *meist* O~ (*der*) All'mächtige (*Gott*). **om'nip·o·tent I** *adj* (*adv*

~ly) all'mächtig, allgewaltig. **II** *s* the O~ → omnipotence 2.

om·ni·pres·ence [ˌɒmni'prezns] *s* All'gegenwart *f*. ˌ**om·ni'pres·ent** *adj* all'gegenwärtig, über'all (befindlich *od.* zu finden[d]).

om·ni·range ['ɒmniˌreindʒ] *s aer.* Drehfunkfeuer *n*.

om·nis·cience [ɒm'niʃəns; *Br. a.* -'nisiəns] *s* **1.** All'wissenheit *f*. **2.** um'fassendes *od.* enzyklo'pädisches Wissen. **om'nis·cient I** *adj* (*adv* ~ly) all'wissend. **II** *s* the O~ der All'wissende (*Gott*).

om·ni·ton·al [ˌɒmni'tounl] *adj mus.* panto'nal (*wie die Zwölftonmusik*).

om·ni·um ['ɒmniəm] *s econ. Br.* Omnium *n*, Gesamtwert *m* (*e-r fundierten öffentlichen Anleihe*). ~**-gath·er·um** [-'gæðərəm] *s* **1.** Sammel'surium *n*. **2.** gemischte *od.* bunte Gesellschaft.

om·niv·o·ra [ɒm'nivərə] *s pl zo.* Allesfresser *pl*, Omni'voren *pl*. '**om·niˌvore** [-ˌvɔːr] *s* Allesfresser *m*, Omni'vor *m*. **om'niv·o·rous** *adj* **1.** alles fressend, omni'vor. **2.** *fig.* alles verschlingend.

o·moph·a·gous [o'mɒfəgəs] *adj* rohes Fleisch essend.

o·mo·plate ['oumoˌpleit] *s anat.* Schulterblatt *n*.

om·phal·ic [ɒm'fælik] *adj anat.* Nabel...

om·pha·lo·cele ['ɒmfəloˌsiːl] *s med.* Nabel(ring)bruch *m*. '**om·phaˌloid** [-ˌlɔid] *adj bot.* nabelartig.

om·pha·los ['ɒmfəˌlɒs] *pl* **-li** [-ˌlai] (*Greek*) *s* **1.** *anat.* Nabel *m*. **2.** *antiq.* Schildbuckel *m*. **3.** *fig.* Nabel *m*.

om·pha·lo·skep·sis [ˌɒmfəlo'skepsis] *s* Omphalosko'pie *f*, Nabelschau *f* (*zur mystischen Versenkung*).

on [ɒn] **I** *prep* **1.** *meist* auf (*dat od. acc*) (*siehe die mit* on *verbundenen Wörter*). **2.** (*getragen von*) auf (*dat*), an (*dat*), in (*dat*): ~ **board** an Bord; ~ **earth** auf Erden; **the scar** ~ **the face** die Narbe im Gesicht; **a ring** ~ **one's finger** ein Ring am Finger; ~ **foot** zu Fuß; ~ **his knees** kniend; ~ (*Br.* **in**) **the market (the street)** *Am.* auf dem Markt (der Straße); ~ **the radio** im Radio; **to ride** ~ (*Br.* **in**) **a train** *Am.* mit dem Zug fahren; **have you a match** ~ **you?** haben Sie ein Streichholz bei sich? **3.** (*festgemacht od. sehr nahe*) an (*dat*): **the dog is** ~ **the chain**; ~ **the Thames**; ~ **the wall**. **4.** (*Richtung, Ziel*) auf (*acc*) ... (hin), an (*acc*), zu: **a blow** ~ **the chin** ein Schlag ans Kinn; **to drop s.th.** ~ **the floor** etwas auf den Fußboden *od.* zu Boden fallen lassen; **to fall** ~ **one's knees** auf die Knie fallen; **to go** ~ **board** an Bord gehen; **to hang s.th.** ~ **a peg** etwas an e-n Haken hängen. **5.** *fig.* (*auf der Grundlage von*) auf (*acc*) ... (hin): **based** ~ **facts** auf Tatsachen gegründet; ~ **demand** auf Antrag; ~ **suspicion** auf Verdacht (hin); **to live** ~ **air** von (der) Luft leben; **money to marry** ~ Geld, um daraufhin zu heiraten; **a scholar** ~ **a foundation** ein Stipendiat (e-r Stiftung); **to borrow** ~ **jewels** sich auf Schmuck(stücke) Geld borgen; **a duty** ~ **silk** (ein) Zoll auf Seide; **interest** ~ **one's capital** Zinsen auf sein Kapital; ~ **these conditions** unter diesen Bedingungen. **6.** (*aufeinander folgend*) auf, über, nach: **loss** ~ **loss** Verlust auf *od.* über Verlust, ein Verlust nach dem andern. **7.** (*gehörig*) zu, (*beschäftigt*) bei, in (*dat*), an (*dat*): **to be** ~ **a committee (the jury, the general staff)** zu e-m Ausschuß (zu den Geschworenen, zum Generalstab) gehören; **to be** ~ **the "Daily Mail"** bei der „Daily Mail" (beschäftigt) sein. **8.** (*Zustand*) in (*dat*), auf (*dat*), zu: ~ **duty** im Dienst; **to be** ~ **fire** in Flammen stehen; ~ **leave** auf Urlaub; **to put s.o.** ~ **to do** (*od.* **doing**) **s.th.** j-n zu etwas anstellen; ~ **sale** verkäuflich; ~ **strike** im Ausstand; ~ (**a**) **tour** auf Reisen; ~ **penalty of death** bei Todesstrafe. **9.** (*gerichtet*) auf (*acc*): **an attack** ~ **s.o.** *od.* **s.th.**; ~ **business** geschäftlich; **to start** ~ **a journey** auf Reisen gehen; **a joke** ~ **me** ein Spaß auf m-e Kosten; **to shut (open) the door** ~ **s.o.** j-m die Tür verschließen (öffnen); **the strain tells severely** ~ **him** die Anstrengung nimmt ihn sichtlich mit; **to have mercy** (*od.* **pity**) ~ **s.o.** mit j-m Mitleid haben; **this is** ~ **me** *colloq.* das geht auf m-e Rechnung, das zahle ich; **to have nothing** ~ **s.o.** *Am. colloq.* a) j-m nichts voraus haben, b) j-m nichts anhaben können; **to have s.th.** ~ **s.o.** *Am. sl.* e-e Handhabe gegen j-n haben, etwas Belastendes über j-n wissen. **10.** (*Thema*) über (*acc*): **agreement (lecture, opinion)** ~ **s.th.**; **to talk** ~ **a subject**. **11.** (*Zeitpunkt*) an (*dat*): ~ **Sunday**; ~ **the 1st of April** (*od.* ~ **April 1st**); ~ **the next day**; ~ **or before April 1st** bis (spätestens) zum 1. April; ~ **his arrival** bei *od.* (gleich) nach s-r Ankunft; ~ **being asked** als ich *etc* (danach) gefragt wurde.

II *adv* **12.** (*a. in Zssgn mit Verben*) (dar)'auf(*-legen, -schrauben etc*): **to place (screw,** *etc*) ~. **13.** *bes. Kleidung*: a) an(*-haben, -ziehen*): **to have (put) a coat** ~, b) auf: **to keep one's hat** ~. **14.** (*a. in Zssgn mit Verben*) weiter(*-gehen, -sprechen etc*): **to talk (walk,** *etc*) ~; **and so** ~ und so weiter; ~ **and** ~ immer weiter; ~ **and off** a) ab und zu, b) ab und an, mit Unterbrechungen; **from that day** ~ von dem Tage an; ~ **with the show!** weiter im Programm!; ~ **to ...** auf (*acc*) ... (hinauf *od.* hinaus).

III *adj pred.* **15. to be** ~ a) im Gange sein (*Spiel etc*), vor sich gehen: **what's** ~**?** was ist los?; **what's** ~ **in London?** was ist in London los?, was tut sich in London?; **have you anything** ~ **tomorrow?** haben Sie morgen etwas vor?, b) an sein (*Licht, Radio, Wasser etc*), an-, eingeschaltet sein, laufen, auf sein (*Hahn*): ~ **— off** *tech.* An — Aus; **the light is** ~ das Licht brennt *od.* ist an(geschaltet); **the brakes are** ~ die Bremsen sind angezogen, c) *thea.* gegeben werden: **the film was** ~ **last week** der Film lief letzte Woche, d) d(a)ran (*an der Reihe*) sein, e) (mit) dabei sein, mitmachen. **16. to be** ~ **to** *Am. sl. etwas* ‚spitzgekriegt' haben, über *j-n od. etwas* im Bilde sein. **17. to be a bit** ~ *sl.* e-n Schwips haben.

on·a·ger ['ɒnədʒər] *pl* **-gri** [-ˌgrai], **-gers** *s zo.* Onager *m*, Persischer Halbesel.

o·nan·ism ['ounəˌnizəm] *s med. psych.* **1.** Coitus *m* inter'ruptus. **2.** Ona'nie *f*, Selbstbefriedigung *f*. '**o·nan·ist** *s* **1.** *j-d, der den Coitus interruptus praktiziert.* **2.** Ona'nist *m*.

once [wʌns] **I** *adv* **1.** einmal: ~ **and again**, ~ **or twice** ein paarmal, einige Male, ab u. zu; ~ **again**, ~ **more** noch einmal; ~ **a day** einmal täglich; ~ **in a while** (*od.* **way**) von Zeit zu Zeit, hin u. wieder, dann u. wann; ~ **(and) for all** ein für allemal, zum ersten u. (zum) letzten Mal; ~ **in a blue moon** *colloq.* alle Jubeljahre einmal; ~ **bit twice shy** gebranntes Kind scheut das Feuer. **2.** je(mals), über'haupt (*in bedingenden od. verneinenden Sätzen*): **if** ~ **he should suspect** wenn er jemals mißtrauisch werden sollte; **not** ~ nicht ein *od.* kein einziges Mal, nie(mals). **3.** (früher *od.* später) einmal, einst: ~ **(upon a time) there was** es war einmal (*Märchenanfang*); **a** ~**-famous doctrine** e-e einst(mals) berühmte Lehre.

II *s* **4.** (*das*) 'eine *od.* einzige Mal: **every** ~ **in a while** von Zeit zu Zeit; **for** ~, **this** (*od.* **that**) ~ dieses 'eine Mal, (für) diesmal (*ausnahmsweise*); ~ **is no custom** einmal ist keinmal. **5. at** ~ auf einmal, zu'gleich, gleichzeitig: **don't all speak at** ~**!** *a. iro.* redet nicht alle auf einmal *od.* durcheinander!; **at** ~ **a soldier and a poet** Soldat u. Dichter zugleich. **6. at** ~ so'gleich, so'fort, schnellstens: **all at** ~ plötzlich, mit 'einem Male, schlagartig.

III *conj* **7.** so'bald *od.* wenn ... (einmal), wenn nur *od.* erst: ~ **that is accomplished, all will be well** wenn das erst geschafft ist, ist alles gut; ~ **he hesitates** sobald er zögert.

IV *adj* **8.** *selten* einstig, ehemalig: **my** ~ **master.** '**once-ˌo·ver** *s bes. Am. sl.* rascher abschätzender Blick, kurze Musterung, flüchtige Über'prüfung: **to give** (*s.o. od. s.th.*) **the** ~ *j-n* mit 'einem Blick abschätzen, *j-n od. etwas* (rasch) mal ansehen, *ein Buch etc* (flüchtig) durchsehen.

on·cer ['wʌnsər] *s Br. colloq. j-d, der sonntags nur 'einmal in die Kirche geht.*

on·col·o·gy [ɒŋ'kɒlədʒi] *s* Onkolo'gie *f*, Geschwulstlehre *f*.

on·com·ing ['ɒnˌkʌmiŋ] **I** *adj* **1.** (her'an)nahend, entgegenkommend: ~ **car**; ~ **traffic** Gegenverkehr *m*. **2.** *fig.* kommend: **the** ~ **generation**; **the** ~ **year**. **3.** *Br. colloq.* ‚(ganz) zutraulich', freundlich. **II** *s* **4.** Nahen *n*, Her'ankommen *n*: **the** ~ **of spring**.

'**on-ˌcost** *econ. Br.* **I** *s* **1.** Gemein-, Re'giekosten *pl*. **II** *adj* **2.** Gemeinkosten verursachend. **3.** nach Zeit bezahlt: ~ **mine-worker**.

on·cot·o·my [ɒŋ'kɒtəmi] *s med.* Onkoto'mie *f*, Eröffnen *n* e-s Tumors.

on dit [ɔ̃ 'di] (*Fr.*) **I** man sagt. **II** *s* On'dit *n*, Gerücht *n*.

on·do·graph ['ɒndoˌgræ(ː)f; *Br. a.* -ˌgrɑːf] *s electr. phys.* Ondo'graph *m*, Wellenschreiber *m*.

one [wʌn] **I** *adj* **1.** ein, eine, ein: ~ **apple** 'ein Apfel; ~ **hundred** (ein)hundert; ~ **man in ten** jeder zehnte; ~ **or two** ein oder zwei, ein paar. **2.** (*emphatisch betont*) ein, eine, ein, ein einziger, eine einzige, ein einziges: **all were of** ~ **mind** sie waren alle 'einer Meinung; **to be made** ~ ehelich verbunden werden; **for** ~ **thing** zunächst einmal; **no** ~ **man could do it** allein könnte das niemand schaffen; **his** ~ **thought** sein einziger Gedanke; **the** ~ **way to do it** die einzige Möglichkeit(, es zu tun). **3. all** ~ *nur pred* alles eins, ein u. das'selbe: **it is all** ~ **to me** es ist mir (ganz) einerlei; **it's** ~ **fine job** es ist e-e einmalig schöne Arbeit. **4.** ein gewisser, eine gewisse, ein gewisses, ein, eine, ein: ~ **day** eines Tages (*in Zukunft od. Vergangenheit*); ~ **John Smith** ein gewisser John Smith.

II *s* **5.** Eins *f*, eins: ~ **is half of two** eins ist die Hälfte von zwei; **a Roman** ~ e-e römische Eins; ~ **and a half** ein(und)einhalb, anderthalb; **I bet ten to** ~ **(that)** ich wette zehn zu eins(, daß); **at** ~ **o'clock** um ein Uhr;

~-ten ein Uhr zehn, zehn nach eins; in the year ~ Anno dazumal; to be ~ up on s.o. j-m (um e-e Nasenlänge) voraus sein; → number one. **6.** (*der, die*) einzelne, (*das*) einzelne (Stück): the all and the ~ die Gesamtheit u. der einzelne; ~ by ~, ~ after another einer nach dem andern; ~ with another eins ins andere gerechnet; by ~s and twos einzeln u. zu zweien *od.* zweit; I for ~ ich zum Beispiel. **7.** Einheit *f*: to be at ~ with s.o. mit j-m 'einer Meinung *od.* einig sein; all in ~ a) alle gemeinsam, b) alles in 'einem. **8.** Ein(s)er *m*, *bes.* Ein'dollarnote *f*.

III *pron* **9.** ein(er), eine, ein(es), jemand: like ~ dead wie ein Toter; ~ of the poets einer der Dichter; ~ who einer, der; the ~ who der(jenige), der *od.* welcher; ~ so cautious j-d, der so vorsichtig ist, ein so vorsichtiger Mann; to help ~ another einander *od.* sich gegenseitig helfen. **10.** (*Stützwort, meist unübersetzt*): a sly ~ ein ganz Schlauer; the little ~s die Kleinen (*Kinder*); that ~ der, die, das da (*od.* dort); a red pencil and a blue ~ ein roter Bleistift u. ein blauer; the portraits are fine ~s die Porträts sind gut; the picture is a realistic ~ das Bild ist realistisch; → any, each, many 1. **11.** man: ~ knows. **12.** ~'s sein, seine, sein: to break ~'s leg sich das Bein brechen; to lose ~'s way sich verirren. **13.** *sl.* a) ‚ein anständiges Ding' (*hervorragende Sache, bes. tüchtiger Schlag*), b) ‚Ka'none' *f*, Könner *m*: ~ in the eye *fig.* ein ordentlicher Schlag, ein Denkzettel; to land s.o. ~ ‚j-m ein anständiges Ding verpassen *od.* versetzen', ‚j-m eine *od.* eins langen'; that's a good ~! nicht schlecht!; you are a ~! du bist mir schon einer!

'one|-ˌact play *s thea.* Einakter *m*. **'~-ˌarmed** *adj* einarmig: ~ bandit *Am. sl.* Spielautomat *m* (*mit 'einem Hebel*). **'~-ˌcir·cuit set** *s electr.* Einkreiser *m* (*Empfänger*). **'~-'crop ag·ri·cul·ture, '~-'crop sys·tem** *s agr.* 'Monokulˌtur *f*. **'~-'cyl·in·der** *adj tech.* 'einzyˌlindrig, Einzylinder... **'~-'dig·it** *adj math.* einstellig (*Zahl*): ~ adder 1-Bit-Addierer *m* (*Computer*). **'~-ˌeyed** *adj* einäugig. **'~-'fig·ure** *adj math.* einstellig (*Dezimalzahl etc*). **'~ˌfold** *adj* **1.** einzeln, einfach. **2.** *fig.* treuherzig, na'iv. **'~-'hand·ed** *adj* **1.** einhändig. **2.** mit (nur) 'einer Hand zu bedienen(d). **'~-ˌhorse** *adj* **1.** einspännig. **2.** *bes. Am. colloq.* armselig, zweitrangig: this ~ town dieses ‚Nest' *od.* ‚Kaff'. **'~-i'de·a(e)d** *adj* von nur 'einem Gedanken beherrscht, mono'man.

o·nei·ric [o'nai(ə)rik] *adj* Traum...: ~ image Traumbild *n*. **oˌnei·ro'crit·ic** [-ro'kritik] *s* Traumdeuter(in). **oˌnei·ro'crit·i·cal** *adj* traumdeutend, traumdeuterisch. **o'nei·roˌman·cy** [-ˌmænsi] *s* ˌTraumdeute'rei *f*.

'one|-'knob tun·ing *s electr.* Einknopfabstimmung *f*, -bedienung *f*. **'~-'leg·ged** [-'legd; *bes. Am.* -'legid] *adj* **1.** einbeinig. **2.** *fig.* unzulänglich, einseitig. **'~-ˌline busi·ness** *s econ.* Fachgeschäft *n*. **'~-ˌman** *adj* Einmann...: ~ show *colloq.* a) Einmannbetrieb *m*, b) Ausstellung *f* der Werke 'eines Künstlers; ~ dog Hund, der nur an 'einer Person hängt.

one·ness ['wʌnnis] *s* **1.** Einheit *f*. **2.** Gleichheit *f*, Identi'tät *f*. **3.** Einigkeit *f*, Über'einstimmung *f*. **4.** Einzigartigkeit *f*.

'one|-ˌnight stand *s thea. Am.* einmaliges Gastspiel. **'~-'one** *adj math. u. Logik*: **1.** 'umkehrbar eindeutig (gerichtet). **2.** → one-to-one. **'~-'piece** *adj* **1.** einteilig: ~ bathing suit. **2.** *tech.* aus 'einem Stück: ~ wheel Vollrad *n*. **'~-'place** *adj math.* einstellig, einglied(e)rig. **'~-'price shop** *s* Einheitspreisladen *m*.

on·er ['wʌnər] *s* **1.** *sl.* a) ‚Ka'none' *f* (*Könner*) (at in *dat*), b) ‚Mordsding' *n*, *bes.* vernichtender (Faust)Schlag, c) *Br.* ‚dicke' Lüge. **2.** *colloq.* Einer *m*, Eins *f*.

on·er·ous ['ɒnərəs] *adj* (*adv* ~ly) lästig, drückend, beschwerlich (to für): ~ cause *jur.* gute u. gesetzliche Gegenleistung. **'on·er·ous·ness** *s* Beschwerlichkeit *f*, Last *f*.

one'self *pron* **1.** *reflex* sich (selbst *od.* selber): by ~ aus eigener Kraft, von selbst; to cut ~ sich schneiden. **2.** (*emphatisch*) (sich) selbst *od.* selber: the greatest victory is to conquer ~ der größte Sieg ist der Sieg über sich selbst. **3.** *meist* one's self man (selbst *od.* selber): how different others are from ~ wie verschieden andere von einem selbst sind.

'one-ˌshot cam·er·a *s phot.* **1.** Einbelichtungskamera *f*. **2.** Drei'farben-, Techni'colorˌkamera *f*.

'one|-'sid·ed *adj* (*adv* ~ly) einseitig (*a. fig.*). **ˌ~-'sid·ed·ness** *s* Einseitigkeit *f*. **'~-ˌterm(ed)** *adj math.* eingied(e)rig (*Ausdruck*). **'~ˌtime I** *adj* einst-, ehemalig. **II** *adv* einst-, ehemals. **'~-to-'one** *adj math. u. Logik*: iso'morph (*einander in verschiedenen Systemen entsprechend*). **'~-ˌtrack** *adj* **1.** *rail.* eingleisig. **2.** *fig.* einseitig, ‚verbohrt': you have a ~ mind du hast (doch) immer nur dasselbe im Kopf. **'~-ˌtrip con·tain·er** *s econ. Am.* Einwegbehälter *m*. **ˌ~-'up·manˌship** *s humor.* die Kunst, dem andern immer (um e-e Nasenlänge) vor'aus zu sein. **'~-'val·ued** *adj math.* einwertig. **'~-ˌway** *adj* Einweg(e)..., einbahnig, Einbahn...: ~ cock *tech.* Einwegehahn *m*; ~ glass panel Spionglasscheibe *f*; ~ street Einbahnstraße *f*; ~ switch *tech.* Einwegeschalter *m*; ~ traffic Einbahnverkehr *m*.

'onˌfall *s* **1.** Angriff *m*, 'Überfall *m*. **2.** *bes. Scot.* Eintritt *m*, Einbruch *m* (*der Nacht etc*).

'onˌgo·ings *s pl* Vorgänge *pl*, Tun *n* u. Treiben *n*.

on·ion ['ʌnjən] *s* **1.** *bot.* Zwiebel *f*: to know one's ~s *colloq.* sein Geschäft verstehen, etwas können. **2.** *sl.* ‚Kürbis' *m*, Kopf *m*: off one's ~ (total) verrückt *od.* übergeschnappt. **3.** *aer.* 'Leuchtraˌkete *f*. **'~-ˌeyed** *adj obs. fig.* mit Kroko'dilstränen (in den Augen). **'~ˌskin** *s* **1.** Zwiebelschale *f*. **2.** Pe'lürepaˌpier *n*, Florpost *f*.

ˌon-'line *adj Datenverarbeitung*: schritthaltend: ~ processing.

'onˌlook·er *s* Zuschauer(in) (at bei). **'onˌlook·ing** *adj* zuschauend.

on·ly ['ounli] **I** *adj* **1.** einzig(er, e, es), al'leinig: the ~ son der einzige Sohn; the ~-begotten Son of God Gottes eingeborener Sohn; my one and ~ hope m-e einzige Hoffnung. **2.** einzigartig. **II** *adv* **3.** nur, bloß: not ~ ... but (also) nicht nur ..., sondern auch; if ~ wenn nur. **4.** erst: ~ yesterday erst gestern, gestern noch; ~ just eben erst, gerade, kaum. **III** *conj* **5.** je'doch, nur (daß). **6.** ~ that nur daß, außer wenn. **~ bill** *s econ.* Solawechsel *m*, eigener Wechsel.

'on-'off switch *s electr.* Ein-Aus-Schalter *m*.

on·o·mat·o·poe·ia [ˌɒnoˌmætə'piːə] *s ling.* ˌOnomatopö'ie *f*, Schallnachahmung *f*, ˌLautmale'rei *f*. **ˌon·oˌmat·o'poe·ic, ˌon·oˌmat·o·po'et·ic** [-po'etik] *adj* ˌonomatopo'etisch, lautnachahmend.

'onˌrush *s* Ansturm *m* (*a. fig.*). **'~-ˌsale** *adj Am.* zum Verkauf *od.* Ausschank *od.* Kauf *od.* Genuß von alko'holischen Getränken berechtigt: ~ restaurant; ~ patrons. **'~ˌset** *s* **1.** *mil.* Angriff *m*, Sturm *m*, At'tacke *f*. **2.** Anfang *m*, Beginn *m*, Einbruch *m* (*des Winters etc*), Einsetzen *n*: at the first ~ gleich beim ersten Anlauf. **3.** *med.* Ausbruch *m* (*e-r Krankheit*), Anfall *m*. **'~ˌset·ter** *s Bergbau*: Anschläger *m*. **'~ˌshore** *adj u. adv* **1.** landwärts: ~ wind auflandiger Wind. **2.** a) in Küstennähe, b) an Land, an der Küste. **3.** *econ.* Inlands...: ~ purchases. **~ side** *adj u. adv Fußball etc*: nicht abseits. **'~ˌslaught** *s* (heftiger) Angriff *od.* Ansturm (*a. fig.*).

'on·to *prep* **1.** auf (*acc*): ~ the floor. **2.** to be ~ s.th. *sl.* hinter etwas gekommen sein, etwas ‚spitzgekriegt' haben; he's ~ you *sl.* er ist dir auf die Schliche gekommen, er hat dich durchschaut.

on·to·gen·e·sis [ˌɒnto'dʒenisis] *s biol.* Ontoge'nese *f*. **ˌon·to·ge'net·ic** [-dʒi'netik] *adj* ontoge'netisch. **on'tog·e·ny** [-'tɒdʒəni] *s* **1.** → ontogenesis. **2.** Keimesentwicklung *f*.

on·to·log·i·cal [ˌɒntə'lɒdʒikəl] (*adv* ~ly) *philos.* onto'logisch: ~ argument ontologischer Gottesbeweis. **on'tol·o·gy** [-'tɒlədʒi] *s* Ontolo'gie *f*.

o·nus ['ounəs] (*Lat.*) *s nur sg* **1.** *fig.* Last *f*, Bürde *f*, Verpflichtung *f*, Onus *n*. **2.** (of) Verantwortung *f* (für), Schuld *f* (an *dat*). **3.** *a.* ~ of proof *jur.* Beweislast *f*. **~ pro·ban·di** [pro'bændai] (*Lat.*) → onus 3.

on·ward ['ɒnwərd] **I** *adv* **1.** vorwärts, weiter: from the tenth century ~ vom 10. Jahrhundert an. **2.** weiter vorn: it lies farther ~ es liegt noch ein Stück weiter. **II** *adj* **3.** vorwärts gerichtet, vorwärts-, fortschreitend: an ~ course (ein) Kurs nach vorn (*a. fig.*). **'on·wards** → onward I.

on·y·cha ['ɒnikə] *s Bibl.* Balsam *m*.

on·yx ['ɒniks; 'ou-] *s* **1.** *min.* Onyx *m*. **2.** *med.* Nagelgeschwür *n* der Hornhaut, Onyx *m*.

o·o·blast, *bes. Am.* **o·ö·blast** ['ouəˌblæst] *s biol.* Eikeim *m*. **o·o·cyst,** *bes. Am.* **o·ö·cyst** ['ouəˌsist] *s* Oo'cyste *f*. **o·o·cyte,** *bes. Am.* **o·ö·cyte** ['ouəˌsait] *s* Oo'zyte *f*, Eimutterzelle *f*.

oo·dles ['uːdlz] *s pl colloq.* Unmengen *pl*, ‚Haufen' *m*: he has ~ of money er hat Geld wie Heu.

oof [uːf] *s Br. sl.* ‚Kies' *m* (*Geld*).

o·og·a·mous, *bes. Am.* **o·ög·a·mous** [o'ɒgəməs] *adj biol.* oo'gam (*mit unbeweglichen weiblichen Gameten*): ~ reproduction Oogamie *f*. **o·o·gen·e·sis,** *bes. Am.* **o·ö·gen·e·sis** [ˌouə'dʒenisis] *s* Oo-, Ovoge'nese *f*, Eientwicklung *f*.

o·o·ki·ne·sis, *bes. Am.* **o·ö·ki·ne·sis** [ˌouəki'niːsis; -kai-] *s biol.* Eireifung *f*.

o·o·lite, *bes. Am.* **o·ö·lite** ['ouəˌlait] *s geol.* **1.** Oo'lith *m*, Rogenstein *m*. **2.** O~ Dogger *m* (*e-e Juraformation*). **ˌo·o'lit·ic,** *bes. Am.* **ˌo·ö'lit·ic** [-'litik] *adj* Oolith...

oomph [uːmf] *s sl.* Sex-Ap'peal *m*.

o·oph·o·ron, *bes. Am.* **o·öph·o·ron** [o'ɒfəˌrɒn] *s anat.* Eierstock *m*.

o·o·sperm, *bes. Am.* **o·ö·sperm** ['ouə-

ˌspəːrm] *s biol.* befruchtetes Ei *od.* befruchtete Eizelle, Zy'gote *f.*

ooze [uːz] **I** *v/i* **1.** ('durch-, aus-, ein)sickern (**through, out of, into**). **2.** hin'durchdringen (*a. Licht, Schall etc*): **to ~ away** a) versickern, b) *fig.* dahinschwinden; **his courage ~d away;** **to ~ out** a) entweichen (*Luft, Gas*), b) *fig.* 'durchsickern; **the secret ~d out. 3. ~ with** → 4 *u.* 5. **II** *v/t* **4.** *oft* **~ out** ausströmen, (aus)schwitzen, triefen von. **5.** *fig.* a) ausstrahlen, voll *Optimismus etc* sein: **oozing optimism (good cheer,** *etc*), b) *iro.* triefen von: **oozing charm (sarcasm,** *etc*). **III** *s* **6.** Sickern *n.* **7.** Saft *m,* Flüssigkeit *f.* **8.** *tech.* Lohbrühe *f*: **~ leather** lohgares Leder. **9.** a) Schlick *m,* Mudd *m,* b) Mo'rast *m,* Schlamm(boden) *m.*

oo·zy ['uːzi] *adj* (*adv* **oozily**) **1.** schlammig, schlick(er)ig: **~ bank** *mar.* Muddbank *f*; **~ bottom** *mar.* Schlickgrund *m.* **2.** schleimig. **3.** feucht.

o·pac·i·ty [o'pæsiti] *s* **1.** 'Unˌdurchsichtigkeit *f,* Opazi'tät *f.* **2.** Dunkelheit *f* (*a. fig.*). **3.** *fig.* a) Unverständlichkeit *f,* b) Verständnislosigkeit *f,* Beschränktheit *f.* **4.** *phys.* ('Licht)ˌUnˌdurchlässigkeit *f,* Absorpti'onsvermögen *n.* **5.** *med.* Trübung *f*: **~ of the lens. 6.** *tech.* Deckfähigkeit *f* (*von Farben*).

o·pal ['oupəl] *s min.* O'pal *m*: **~ blue** Opalblau *n*; **~ glass** Opal-, Milchglas *n*; **~ lamp** Opallampe *f.* **ˌo·pal'esce** [-'les] *v/i* opali'sieren, bunt schillern. **ˌo·pal'es·cence** *s* Opali'sieren *n,* Schillern *n,* Farbenspiel *n.* **ˌo·pal'es·cent, ˌo·pal'esque** [-'lesk] *adj* opalisierend, schillernd. **'o·pal·ine** [-lin; -ˌlain] **I** *adj* o'palartig, Opal... **II** *s* O'palglas *n.* **'o·palˌize** *v/i u. v/t* opali'sieren *od.* schillern (lassen).

o·paque [o'peik] **I** *adj* **1.** 'unˌdurchsichtig, nicht 'durchscheinend, o'pak: **~ colo(u)r** Deckfarbe *f.* **2.** 'unˌdurchlässig (**to** für *Strahlen*): **~ to infrared (rays)** infrarotundurchlässig; **~ meal** *med.* Kontrastmahlzeit *f* (*vor der Röntgenaufnahme*); **~ rubber** Bleigummi *n.* **3.** dunkel, glanzlos, trüb. **4.** *fig.* a) unklar, dunkel, unverständlich, b) unverständig, dumm. **II** *s* **5.** Dunkel *n,* (*etwas*) Dunkles. **6.** *phot.* a) Abdecklack *m,* b) (nor'maler) Abzug (*Ggs. Dias*). **o'paque·ness** → opacity.

o·pen ['oupən] **I** *s* **1. the ~** a) das offene Land, b) die offene See, c) der freie Himmel: **in the ~** im Freien, unter freiem Himmel, *Bergbau*: über Tag. **2. the ~** die Öffentlichkeit: **to bring into the ~** an die Öffentlichkeit bringen; **to come into the ~** *fig.* a) sich zeigen, hervorkommen, b) sich erklären, offen reden, Farbe bekennen, c) (**with s.th.** etwas) bekanntgeben. **3.** offenes Tur'nier *etc.* (*für Ama'teure u. Berufsspieler*).

II *adj* (*adv* **~ly**) **4.** *allg.* offen: **~ book (bottle, window,** *etc*); **~ chain** *chem.* offene Kette; **~ town** *mil.* offene Stadt; **the door is ~** die Tür ist *od.* steht offen, die Tür ist geöffnet *od.* auf; **to keep one's eyes ~** *fig.* die Augen offenhalten; → **arm**[1] *Bes. Redew.,* **bowel** 1, **door** *Bes. Redew.,* **order** 5, **punctuation** 1. **5.** *med.* offen: **~ wound; ~ tuberculosis. 6.** offen, frei, zugänglich: **~ country** offenes Gelände; **~ field** freies Feld; **~ sea** offenes Meer, hohe See; **~ spaces** öffentliche Plätze (*Parkanlagen etc*). **7.** frei, bloß, offen: **an ~ car** ein offener Wagen; **~ motor** *electr.* offener *od.* ungeschützter Motor; → **lay open. 8.** offen, eisfrei: **~ harbo(u)r; ~ water; ~ weather; ~ winter** frostfreier Winter; **~ visibility** *mar.* klare Sicht. **9.** geöffnet, offen, *pred a.* auf: **the shop (theatre,** *etc*) **is ~. 10.** *fig.* offen (**to** *dat*), öffentlich, (jedem) zugänglich: **~ tournament** → 3; **~ competition** freier Wettbewerb; **~ market** *econ.* offener *od.* freier Markt; **~ position** freie *od.* offene (Arbeits)Stelle; **~ sale** öffentliche Versteigerung; **~ session** öffentliche Sitzung; **~ for subscription** *econ.* zur Zeichnung aufgelegt; **~ to the traffic** für den Verkehr freigegeben; **in ~ court** *jur.* in öffentlicher Verhandlung, vor Gericht. **11.** *fig.* zugänglich, aufgeschlossen (**to** für *od. dat*): **to be ~ to conviction (to an offer)** mit sich reden (handeln) lassen; → **mind** 2. **12.** *fig.* ausgesetzt, unter'worfen (**to** *der Kritik, dem Zweifel etc*): **~ to question** anfechtbar; **~ to temptation** anfällig gegen die Versuchung; **to lay o.s. ~ to criticism** sich der Kritik aussetzen; **to leave o.s. wide ~ to s.o.** sich j-m gegenüber e-e (große) Blöße geben. **13.** offen(kundig), unverhüllt: **~ contempt; an ~ secret** ein offenes Geheimnis. **14.** offen, freimütig: **an ~ character; ~ letter** offener Brief; **I will be ~ with you** ich will ganz offen mit Ihnen reden. **15.** freigebig: **with an ~ hand; to keep ~ house** offenes Haus halten, gastfrei sein. **16.** unentschieden, offen: **~ claim (fight, question, verdict). 17.** *fig.* frei (*ohne Verbote*): **~ pattern** *jur.* ungeschütztes Muster; **~ season** Jagd-, Fischzeit *f* (*Ggs. Schonzeit*); **~ town** *Am.* ‚großzügige' Stadt (*mit lockeren Bestimmungen bezüglich Glücksspielen, Prostitution etc*). **18.** frei (*Zeit*): **to keep a day ~** sich e-n Tag freihalten. **19.** lückenhaft (*Gebiß etc*): **~ population** geringe Bevölkerungsdichte. **20.** durch'brochen (*Gewebe, Handarbeit*): **~ texture, ~ work. 21.** *econ.* laufend (*Konto, Kredit, Rechnung*): **~ account; ~ check** (*Br.* **cheque**) Barscheck *m.* **22.** *ling.* offen (*Silbe, Vokal*): **~ consonant** Reibelaut *m.* **23.** *mus.* a) weit (*Lage, Satz*), b) leer (*Saite etc*): **~ harmony** weiter Satz; **~ note** Grundton *m* (*e-r Saite etc*). **24.** *print.* licht: **~ matter** lichter *od.* weit durchschossener Satz; **~ type** Konturschrift *f.*

III *v/t* **25.** *allg.* öffnen, aufmachen, *die Augen, ein Buch a.* aufschlagen: **to ~ the circuit** *electr.* den Stromkreis ausschalten *od.* unterbrechen; **to ~ one's mouth** *fig.* ‚den Mund aufmachen'; → **bowel** 1, **door** *Bes. Redew.,* **eye** 1. **26.** eröffnen (**an account** ein Konto; **a business** ein Geschäft; **a credit** e-n Kredit *od.* ein Akkreditiv; **the debate** die Debatte; **fire** *mil.* das Feuer; **a prospect** e-e Aussicht): **to ~ the case** *jur.* die Verhandlung (*durch Vortrag des eigenen Standpunkts*) eröffnen; **to ~ new markets** *econ.* neue Märkte erschließen; **to ~ negotiations** Verhandlungen anknüpfen, in Verhandlungen eintreten; **to ~ a road to the traffic** e-e Straße dem Verkehr übergeben. **27.** aufschneiden, -stechen, öffnen (*a. med.*): **to ~ an abscess. 28.** *Gefühle, Gedanken* enthüllen, *s-e Absichten* entdecken *od.* kundtun: **to ~ o.s. to s.o.** sich j-m mitteilen; → **heart** *Bes. Redew.* **29.** *jur.* in der Schwebe lassen: **to ~ a judg(e)ment** beschließen, e-e nochmalige Verhandlung über e-e bereits gefällte Entscheidung zuzulassen. **30.** *bes. mar.* (*ein bisher verdecktes Objekt*) in Sicht bekommen.

IV *v/i* **31.** sich öffnen *od.* auftun, aufgehen (*Tür etc*). **32.** (**to**) *fig.* sich (*dem Auge, Geist etc*) erschließen *od.* zeigen *od.* auftun. **33.** führen, gehen (*Tür, Fenster*) (**on** auf *acc*; **into** nach): **a door that ~ed into a garden. 34.** *fig.* a) anfangen, beginnen (*Börse, Schule etc*), b) öffnen, aufmachen (*Ladengeschäft, Büro etc*), c) (e-n Brief, s-e Rede) beginnen: **he ~ed with a compliment. 35.** a) *allg.* öffnen, b) das Buch aufschlagen: **let us ~ at page 50. 36.** *mar.* in Sicht kommen.

Verbindungen mit Adverbien:

o·pen| out I *v/t* **1.** ausbreiten. **II** *v/i* **2.** sich ausbreiten *od.* -dehnen *od.* -weiten, sich erweitern. **3.** *mot.* Vollgas geben. **4.** mitteilsam werden. **~ up I** *v/t* **1.** erschließen: **to ~ new markets (opportunities,** *etc*). **2.** *sport die Verteidigung* aufreißen. **II** *v/i* **3.** *mil.* das Feuer eröffnen. **4.** *fig.* a) ‚loslegen' (**with** mit *Worten, Schlägen etc*), b) ‚auftauen', mitteilsam werden. **5.** sich zeigen, sich auftun.

o·pen| ac·count *s econ.* **1.** laufendes Konto. **2.** (noch) offenstehende Rechnung. **'~-'air** *adj* Freiluft..., Freilicht...: **~ swimming pool** Freibad *n*; **~ meeting** Versammlung *f* im Freien *od.* unter freiem Himmel; **~ theatre** (*Am.* **theater**) Freilichttheater *n.* **'~-and-'shut** *adj Am. colloq.* ganz einfach, sonnenklar. **'~-'armed** *adj* warm, herzlich (*Empfang*). **'~-'book ex·am·i·na·tion** *s ped.* Prüfung *f,* bei der Nachschlagewerke benutzt werden dürfen. **'~ˌcast** *adj Br.* Tagebau... **~ chain** *s chem.* offene Kette. **~ cheque** *s econ. Br.* Barscheck *m.* **'~-ˌcir·cuit** *adj electr.* Arbeitsstrom...: **~ operation; ~ voltage** Leerlaufspannung *f*; **~ television** öffentliches (*Ggs. innerbetriebliches*) Fernsehen. **'~-'door** *adj* frei zugänglich: **~ policy** (Handels)Politik *f* der offenen Tür. **'~-'eared** *adj* feinhörig. **'~-'end** *adj* **1.** *econ.* mit nicht begrenzter Zahl von auszugebenden Anteilen (*Investment-Gesellschaft*). **2.** *electr.* (am Ende) offen, leer laufend. **3. ~ wrench** *tech.* Gabelschlüssel *m.*

o·pen·er ['oupənər] *s* **1.** j-d, der (er)öffnet. **2.** (*Büchsen- etc*)Öffner *m* (*Gerät*). **3.** *Baumwollspinnerei*: Öffner *m,* (Reiß)Wolf *m.* **4.** a) *sport* Eröffnungsspiel *n,* b) *allg.* Eröffnung *f.*

'o·pen|-'eyed *adj* wachsam, mit offenen Augen. **'~-'faced** *adj* **1.** mit offenem Gesichtsausdruck. **2.** ohne Sprungdeckel (*Uhr*). **'~'hand·ed** *adj* (*adv* **~ly**) freigebig. **ˌ~'hand·ed·ness** *s* Freigebigkeit *f.* **'~'heart·ed** *adj* (*adv* **~ly**) offen(herzig), aufrichtig. **'~-'hearth** *adj tech.* Siemens-Martin-...

o·pen·ing ['oupəniŋ] **I** *s* **1.** (*das*) Öffnen, Eröffnung *f.* **2.** Öffnung *f,* Erweiterung *f,* Lücke *f,* Loch *n,* Bresche *f,* Spalt *m.* **3.** 'Durchfahrt *f,* -laß *m.* **4.** *a. tech.* (Spann)Weite *f.* **5.** freie Stelle. **6.** *Am.* (Wald)Lichtung *f.* **7.** *fig.* Eröffnung *f* (*e-s Akkreditivs, e-s Kontos, e-s Testaments, e-s Unternehmens etc*): **~ of a letter of credit (of an account, of a last will, of an enterprise,** *etc*). **8.** *tech.* Inbe'triebnahme *f, a.* (*feierliche*) Einweihung: **~ of a bridge. 9.** *fig.* Erschließung *f*: **~ of new markets. 10.** Eröffnung *f* (*des Kampfes etc; a. beim Schach*), Beginn *m,* einleitender Teil (*a. jur.*). **11.** *thea.* Eröffnungsvorstellung *f.* **12.** Gelegenheit *f,* (*econ.* Absatz)Möglichkeit *f.* **II** *adj* **13.** Öffnungs... **14.** Eröffnungs...: ~ **speech**; ~ **price** *econ.* Eröffnungskurs *m.*

'o·pen|-,mar·ket *adj econ.* Freimarkt...: ~ **paper** marktgängiges *od.* im Freiverkehr gehandeltes Wertpapier; ~ **policy** Offenmarktpolitik *f.* **'~-'mind·ed** *adj* (*adv* ~**ly**) aufgeschlossen, vorurteilslos. **,~-'mind·ed·ness** *s* Aufgeschlossenheit *f.* **'~-'mouthed** *adj* mit offenem Mund, *weitS. a.* gaffend (*vor Erstaunen*). ~ **pol·i·cy** *s econ.* offene (Ver'sicherungs)Po,lice, Pau'schalpo,lice *f.* ~ **pri·ma·ry** *s pol. Am. Aufstellung von Wahlkandidaten, an der sich alle Wähler ohne Angabe der Parteizugehörigkeit beteiligen können.* ~ **schol·ar·ship** *s ped. Br.* offenes Sti'pendium (*um welches sich jeder bewerben kann*). **O~ ses·a·me** *s* Sesam öffne dich *n.* ~ **shop** *s econ.* offener Betrieb (*welcher nichtorganisierte Arbeiter unter den gleichen Bedingungen wie die gewerkschaftlich organisierten beschäftigt*). ~ **sight** *s mil.* offenes Vi'sier. ~ **skies** *s pl pol.* gegenseitige 'Luftinspekti,on. **'~-'top** *adj mot. Am.* offen, ohne Verdeck. **O~ Uni·ver·si·ty** *s Br.* 'Fernsehuniversi,tät *f.* ~**war·fare** *s* Bewegungskrieg *m.* **'~,work** *s* **1.** durch'brochene (Hand)Arbeit. **2.** *Bergwerk*: Tagebau *m.* **'~-,work(ed)** *adj* **1.** durch'brochen (*gearbeitet*). **2.** Tagebau...

op·er·a ['ɒpərə] **I** *s* **1.** Oper *f*: **comic** ~ komische Oper; **grand** ~ große Oper; **light** ~ leichte Oper. **2.** Opernhaus *n*, Oper *f.* **II** *adj* **3.** *Br.* tief ausgeschnitten u. mit schmalen Trägern (*Damenwäsche*).

op·er·a·ble ['ɒpərəbl] *adj* **1.** 'durchführbar. **2.** *tech.* betriebsfähig. **3.** *med.* ope'rierbar, ope'rabel.

o·pé·ra bouffe [ɔpe'ra 'buf] (*Fr.*) *s* Opera *f* buffa, komische Oper.

op·er·a| cloak *s* Abendmantel *m.* ~ **danc·er** *s* Bal'lettänzer(in). ~ **glass(es** *pl*) *s* Operngl as *n.* ~ **hat** *s* 'Klappzy,linder *m*, Chapeau 'claque *m.* ~ **house** → **opera** 2.

op·er·and ['ɒpərənd] *s* Ope'rand *m*, Rechengröße *f* (*beim Computer*).

op·er·a pump *s Am.* (glatter) Pumps.

op·er·ate ['ɒpə,reit] **I** *v/i* **1.** *bes. tech.* arbeiten, in Betrieb *od.* Tätigkeit sein, funktio'nieren, laufen (*Maschine etc*), ansprechen (*Relais*): **to** ~ **on batteries** von Batterien getrieben werden; **to** ~ **at a deficit** *econ.* mit Verlust arbeiten. **2.** wirksam werden *od.* sein, (ein)wirken (**on, upon** auf *acc*), 'hinwirken (**for** auf *acc*): **to** ~ **to the prejudice of** sich zum Nachteil (*gen*) auswirken. **3.** *med.* ope'rieren (**on, upon s.o.** j-n): **to be** ~**d on** (*od.* **upon**) operiert werden. **4.** *econ. colloq.* speku'lieren, ope'rieren: **to** ~ **for a fall (rise)** auf (e-e) Baisse (Hausse) spekulieren. **5.** *mil.* ope'rieren, stra'tegische Bewegungen 'durchführen. **II** *v/t* **6.** bewirken, verursachen, schaffen, (mit sich) bringen. **7.** *tech. bes. Am. e-e Maschine* laufen lassen, bedienen, *ein Gerät* handhaben, *e-n Schalter, e-e Bremse etc* betätigen, *e-n Arbeitsvorgang* steuern, regu'lieren, *ein Auto etc* lenken, fahren: **safe to** ~ betriebssicher. **8.** *bes. Am. ein Unternehmen od. Geschäft* betreiben, führen, *etwas* aus-, 'durchführen.

op·er·at·ic [,ɒpə'rætik] *adj* (*adv* ~**ally**) opernhaft (*a. fig. contp.*), Opern...: ~ **performance** Opernaufführung *f.*

op·er·at·ing ['ɒpə,reitiŋ] *adj* **1.** *bes. tech.* in Betrieb befindlich, Betriebs..., Arbeits...: ~ **characteristic** Laufeigenschaft *f*; ~ **circuit** Arbeitsstromkreis *m*; ~ **conditions** (*od.* **data**) Betriebsdaten; ~ **instructions** Bedienungsanleitung *f*, Betriebsanweisung *f*; ~ **lever** Betätigungshebel *m*; ~ **speed** Betriebsdrehzahl *f*, Ansprechgeschwindigkeit *f* (*e-s Relais*) (→ 2); ~ **time** Schaltzeit *f*; ~ **voltage** Betriebsspannung *f.* **2.** *econ.* Betriebs..., betrieblich: ~ **accounts** Betriebsbuchführung *f*; ~ **company** *Am. colloq.* Betriebsgesellschaft *f* (*e-n fremden Betrieb führende Gesellschaft*); ~ **costs** (*od.* **expenses**) Betriebs-, Geschäftsunkosten; ~ **efficiency** betriebliche Leistungsfähigkeit; ~ **speed** Arbeitsgeschwindigkeit *f* (→ 1); ~ **statement** Gewinn- u. Verlustrechnung *f*, Betriebsbilanz *f.* **3.** *med.* ope'rierend, Operations...: ~ **room**, ~ **theater** (*Br.* **theatre**) Operationssaal *m*; ~ **surgeon** → **operator** 6.

op·er·a·tion [,ɒpə'reiʃən] *s* **1.** Wirken *n*, Wirkung *f* (**on** auf *acc*). **2.** *bes. jur.* (Rechts)Wirksamkeit *f*, Geltung *f*: **by** ~ **of law** kraft Gesetzes; **to come into** ~ wirksam werden, in Kraft treten. **3.** *tech.* Betrieb *m*, Tätigkeit *f*, Lauf *m* (*e-r Maschine etc*): **in** ~ in Betrieb; **to put** (*od.* **set**) **in (out of)** ~ in (außer) Betrieb setzen; **ready for** ~ betriebsfähig. **4.** *bes. tech.* a) Wirkungs-, Arbeitsweise *f*, b) Arbeits(vor)gang *m*, Verfahren *n*, ('Arbeits)Pro,zeß *m*: ~ **of thinking** *fig.* Denkvorgang, -prozeß; **chemical** ~ chemischer Prozeß; ~**s research** *econ.* Ablauf- u. Planungsforschung *f*, betriebliche Verfahrensforschung; ~**s scheduling** Arbeitsvorbereitung *f*, zeitliche Arbeitsplanung. **5.** *tech. bes. Am.* Inbe'triebsetzung *f*, Handhabung *f*, Bedienung *f* (*e-r Maschine etc*), Betätigung *f* (*e-r Bremse, e-s Schalters etc*). **6.** Arbeit *f*: **building** ~**s** Bauarbeiten. **7.** *econ.* a) Betrieb *m*: **continuous** ~ durchgehender (Tag- u. Nacht)Betrieb; **in** ~ in Betrieb, b) Unter'nehmen *n*, -'nehmung *f*, Betrieb *m*: **commercial** ~, c) Geschäft *n*: **trading** ~ Tauschgeschäft, d) *Börse*: Transakti'on *f*: **forward** ~**s** Termingeschäfte. **8.** *math.* Operati'on *f*, Ausführung *f* (*e-r Rechenvorschrift*). **9.** *med.* Operati'on *f*, (chir'urgischer) Eingriff: ~ **for appendicitis** Blinddarmoperation; ~ **on** (*od.* **to**) **the neck** Halsoperation; **to perform an** ~ e-n (chirurgischen) Eingriff vornehmen; **major (minor)** ~ a) größere (kleinere *od.* harmlose) Operation, b) *colloq.* große Sache, ‚schwere Geburt' (Kleinigkeit *f*). **10.** *mil.* Operati'on *f*, Einsatz *m*, Unter'nehmung *f*, ('Angriffs)Unter,nehmen *n*: **airborne** (*od. bes. Am.* **air-landed**) ~ Luftlandeunternehmen; **base of** ~**s** Operationsbasis *f*; **theater** (*Br.* **theatre**) **of** ~**s** Einsatz-, Operationsgebiet *n*, Kriegsschauplatz *m.*

op·er·a·tion·al [,ɒpə'reiʃənl] *adj* **1.** *tech.* Funktions..., Betriebs..., Arbeits...: ~ **electrode** Arbeitselektrode *f.* **2.** *econ.* betrieblich, Betriebs... **3.** *mil.* Einsatz..., Operations..., einsatzfähig: ~ **aircraft** Einsatzflugzeug *n*; ~ **area** Einsatzgebiet *n*; ~ **fatigue** Kriegsneurose *f*; ~ **height** Einsatzflughöhe *f.* **4.** *mar.* klar, fahrbereit.

op·er·a·tive [*Br.* 'ɒpərətiv; *Am. a.* -,reitiv] **I** *adj* **1.** wirkend, treibend: **an** ~ **cause**; **the** ~ **date** das maßgebliche Datum; **the** ~ **point** der springende Punkt; **the** ~ **word** das Wort, auf das es ankommt, *jur. a.* das rechtsbegründende Wort. **2.** wirksam: **an** ~ **dose**; **to become** ~ in Kraft treten, (rechts)wirksam werden. **3.** praktisch: **the** ~ **part of the work.** **4.** *econ. tech.* Arbeits..., Betriebs..., betrieblich, betriebsfähig: ~ **condition** betriebsfähiger Zustand; ~ **position** Arbeitslage *f.* **5.** *med.* opera'tiv, chir'urgisch, Operations...: ~ **treatment**; ~ **dentistry** Zahn- u. Kieferchirurgie *f.* **6.** arbeitend, tätig, beschäftigt. **II** *s* **7.** a) (Fa'brik)Arbeiter(in), b) → **operator** 2. **8.** *Am.* Detek'tiv *m*, A'gent *m.*

op·er·a·tor ['ɒpə,reitər] *s* **1.** (*der, die, das*) Wirkende. **2.** *tech.* Be'dienungsmann *m*, -per,son *f*, Arbeiter(in), (*Kran- etc*)Führer *m*: **crane** ~; **engine** ~ Maschinist *m*; ~**'s license** *Am.* Führerschein *m.* **3.** a) Telegra'phist(in), b) Telepho'nist(in), Fräulein *n* (vom Amt). **4.** a) Filmvorführer *m*, b) Kameramann *m.* **5.** *econ.* a) Unter'nehmer *m*, b) *a.* **market** ~ (*Börse*) berufsmäßiger Spekulant, *contp.* Schieber *m*: ~**s for the fall** Baissepartei *f.* **6.** *med.* Opera'teur *m*, ope'rierender Arzt. **7.** *math. u. Logik*: Ope'rator *m.*

o·per·cu·lar [o'pəːrkjələr] *adj* **1.** *bot. zo.* Deckel... **2.** *ichth.* Kiemendeckel...

o'per·cu·lum [-ləm] *pl* **-la** [-lə] *s* **1.** *bot.* Deckel *m.* **2.** *zo.* a) Deckel *m*, O'perculum *n* (*der Schnecken*), b) Kiemendeckel *m* (*der Fische*).

o·pe·re ci·ta·to['ɒpəriː sai'teitou] (*Lat.*) *adv* am angegebenen Ort, in dem zi'tierten Werk (*abbr.* **op.cit.** *od.* **o.c.**).

op·er·et·ta [,ɒpə'retə] *s* Ope'rette *f.* **,op·er'et·tist** *s* Ope'rettenkompo,nist *m.*

o·phid·i·an [o'fidiən] **I** *adj* schlangenartig, Schlangen... **II** *s* Schlange *f.*

oph·i·ol·a·try [,ɒfi'ɒlətri] *s* Schlangenanbetung *f*, -kult *m.* **,oph·i'ol·o·gy** [-dʒi] *s* Schlangenkunde *f.*

oph·ite ['ɒfait] *s min.* O'phit *m.*

oph·thal·mi·a [ɒf'θælmiə] *s med.* Bindehautentzündung *f.* **oph'thal·mic** *adj* Augen...: ~ **hospital** Augenklinik *f.*

oph·thal·mi·tis [,ɒfθæl'maitis] → **ophthalmia.**

oph·thal·mol·o·gist [,ɒfθæl'mɒlədʒist] *s* Augenarzt *m.* **,oph·thal'mol·o·gy** [-dʒi] *s* Augenheilkunde *f*, Ophthalmolo'gie *f.*

oph·thal·mo·scope [ɒf'θælmo,skoup] *s med.* (Helmholtzscher) Augenspiegel. **oph,thal·mo·to'nom·e·ter** [-məto'nɒmitər] *s* (Augen)Druckmesser *m.*

o·pi·ate ['oupiit; -,eit] **I** *s* **1.** *pharm.* Opi'at *n*, 'Opium-, 'Morphiumpräpa,rat *n*, Schlafmittel *n.* **2.** Beruhigungspille *f*, Betäubungsmittel *n* (*a. fig.*): ~ **for the people** *fig.* Opium *n* fürs Volk. **II** *adj* **3.** betäubend, einschläfernd (*a. fig.*).

o·pine [o'pain] *v/t u. v/i meist humor.* da'fürhalten, meinen.

o·pin·ion [ə'pinjən] *s* **1.** Meinung *f*, Ansicht *f*, Stellungnahme *f*: **in my** ~ m-s Erachtens, nach m-r Meinung *od.* Ansicht; **to be of (the)** ~ **that** der Meinung sein, daß; **that is a matter of** ~ das ist Ansichtssache; **to ask s.o.'s** ~ j-n um s-e Meinung fragen; **to divide** ~ unterschiedlich beurteilt werden; **I am entirely of your** ~ ich bin ganz Ihrer Meinung. **2.** *meist* **public** ~ die öffentliche Meinung: ~ **leader** Meinungsbildner *m*; ~ **poll** Meinungsbefragung *f*; ~ **research** Meinungsforschung *f*; ~ **scale** Meinungs-, Einstellungsskala *f.* **3.** Achtung *f*, (gute) Meinung: **to form an** ~ **of s.o.** sich e-e Meinung von j-m bilden; **to have a high (low** *od.* **poor)** ~ **of** e-e (keine) hohe Meinung haben von; **she has no ~ of Frenchmen** sie hält nichts *od.* nicht viel von (den) Franzosen. **4.** (schriftliches) Gutachten (on über *acc*): **to render an ~** ein Gutachten erstatten; **counsel's ~** Rechtsgutachten; **expert ~** Sachverständigengutachten; **medical ~** das Gutachten des medizinischen Sachverständigen. **5.** *meist pl* Über'zeugung *f*: **to act up to one's ~s, to have the courage of one's ~(s)** zu s-r Überzeugung stehen, nach s-r Überzeugung handeln. **6.** *jur.* Urteilsbegründung *f.*

o·pin·ion·aire [əˌpinjə'nɛr] *s bes. Am.* Fragebogen *m* für Meinungsforschung. **o'pin·ionˌat·ed** [-ˌneitid], **o'pin·ionˌa·tive** *adj* (*adv* ~**ly**) **1.** starr-, eigensinnig, eigenwillig, dog'matisch. **2.** schulmeisterlich, über'heblich.

op·i·som·e·ter [ˌɒpi'sɒmitər] *s* Kurvenmesser *m.*

o·pis·tho·branch [o'pisθoˌbræŋk], **oˌpis·tho'bran·chi·ate** [-kiit; -ˌeit] *s zo.* 'Hinterkiemer *m* (*Schnecke*).

o·pi·um ['oupiəm; -pjəm] *s* Opium *n*: **~ den** Opiumhöhle *f*; **~ eater** Opiumesser *m*; **~ habit** → **opiumism** 1; **~ poppy** *bot.* Schlafmohn *m*; **O~ War** *hist.* Opiumkrieg *m.*

o·pi·um·ism ['oupiəˌmizəm; -pjə-] *s med.* **1.** Opiumsucht *f*, Morphi'nismus *m.* **2.** (chronische) Opiumvergiftung.

o·pos·sum [ə'pɒsəm] *s* **1.** *zo.* Nordamer. O'possum *n*, (Vir'ginische) Beutelratte. **2.** *zo.* a) **ursine ~** Bärenartiger Beutelmarder, b) **vulpine ~** Fuchskusu *m*, Austral. Opossum *n.* **3.** O'possumfell *n*, O'possum(pelz *m*) *n.*

op·pi·dan ['ɒpidən] *s ped. Br.* ex'terner Schüler (*der nicht im Eton-College wohnt*).

op·pi·late ['ɒpiˌleit] *v/t bes. med.* verstopfen.

op·po·nen·cy [ə'pounənsi] *s* Gegensatz *m*, Gegnerschaft *f.* **op'po·nent I** *adj* **1.** → **opposing** 1. **2.** entgegenstehend, -gesetzt (to *dat*), gegnerisch. **II** *s* **3.** Gegner(in) (*a. jur.*), 'Widersacher(in), Gegenspieler(in), Oppo'nent(in).

op·por·tune [ˌɒpər'tjuːn; *Br. a.* 'ɒpəˌtjuːn] *adj* **1.** günstig, passend, (gut) angebracht, zweckmäßig, gelegen, oppor'tun. **2.** rechtzeitig. **ˌop·por'tune·ly** *adv* **1.** → **opportune. 2.** im richtigen Augenblick. **ˌop·por'tune·ness** *s* Rechtzeitigkeit *f*, Angebrachtheit *f*, günstiger Augenblick.

op·por·tun·ism [ˌɒpər'tjuːˌnizəm; *Br. a.* 'ɒpəˌtjuːˌn-] *s* Opportu'nismus *m.* **ˌop·por'tun·ist I** *s* Opportu'nist(in). **II** *adj* opportu'nistisch.

op·por·tu·ni·ty [ˌɒpər'tjuːniti] *s* (*günstige*) Gelegenheit, Möglichkeit *f* (**of doing, to do** zu tun; **for s.th.** für *od.* zu etwas): **to afford** (*od.* **give**) **s.o. an ~** j-m (die) Gelegenheit bieten *od.* geben; **to miss** (*od.* **lose**) **the ~** die Gelegenheit verpassen; **to seize** (*od.* **take**) **an ~** e-e Gelegenheit ergreifen; **at the first ~** bei der ersten Gelegenheit; **at your earliest ~** so bald wie möglich; **~ makes the thief** Gelegenheit macht Diebe.

op·pose [ə'pouz] *v/t* **1.** (*vergleichend*) gegen'überstellen. **2.** entgegensetzen, -stellen (to *dat*). **3.** *j-m od. e-r Sache* entgegentreten *od.* -arbeiten, sich wider'setzen (*dat*), angehen gegen, bekämpfen, oppo'nieren gegen. **4.** *jur. Am.* gegen *e-e Patentanmeldung* Einspruch erheben. **5.** *e-r Sache* entgegenstehen, hemmen (*acc*). **op'posed** *adj* **1.** entgegengesetzt (to *dat*) (*a. math.*), gegensätzlich, grundverschieden, unvereinbar. **2.** (to) abgeneigt (*dat*), feind (*dat*), feindlich (gegen): **to be ~ to** *j-m od. e-r Sache* feindlich *od.* ablehnend gegenüberstehen, gegen *j-n od. etwas* sein. **3.** *tech.* Gegen...: **~ ions** Gegenionen; **~ piston engine** Gegenkolben-, Boxermotor *m.* **op'pos·er** *s* **1.** → **opponent** 3. **2.** *jur. Am. j-d, der gegen die Erteilung e-s Patents od. Gebrauchsmusters Einspruch erhebt.* **op'pos·ing** *adj* **1.** gegen'überliegend, -stehend. **2.** (sich) wider'setzend, oppo'nierend, gegnerisch. **3.** → **opposed** 1. **4.** *a. phys. tech.* entgegenwirkend, Gegen...: **~ force** *phys.* Gegenkraft *f.*

op·po·site ['ɒpəzit] **I** *adj* (*adv* ~**ly**) **1.** gegen'überliegend, -stehend (to *dat*), Gegen...: **~ angle** Gegen-, Scheitelwinkel *m*; **~ edge** Gegenkante *f*; **two sides and the angle ~ to the third** zwei Seiten u. der eingeschlossene Winkel. **2.** entgegengesetzt (gerichtet), 'umgekehrt: **~ directions; ~ signs** *math.* entgegengesetzte Vorzeichen; **in ~ phase** *tech.* gegenphasig; **of ~ sign** *math.* ungleichnamig; **~ pistons** gegenläufige Kolben; **~ polarity** *electr.* Gegenpolung *f.* **3.** gegensätzlich, entgegengesetzt, gegenteilig, (grund)verschieden, ander(er, e, es): **the ~ sex** das andere Geschlecht; **words of ~ meaning** Wörter mit entgegengesetzter Bedeutung. **4.** gegnerisch, Gegen...: **~ number** *pol. sport etc* Gegenspieler *m*, *weitS.* ‚Kollege' *m*, Gegenüber *n*; **~ side, ~ team** *sport* Gegenpartei *f*, gegnerische Mannschaft. **5.** *bot.* gegenständig (*Blätter*). **II** *s* **6.** Gegenteil *n* (*a. math.*), Gegensatz *m*: **the very ~ of** das genaue Gegenteil von (*od. gen*); **just the ~** das gerade Gegenteil. **III** *adv* **7.** gegen'über. **IV** *prep* **8.** gegen'über (*dat*): **~ the house; to play ~ X** *sport, Film etc* (der, die) Gegenspieler(in) von X sein, als Partner(in) von X spielen. **9.** gegen'über (*dat*), im Vergleich zu.

op·po·si·tion [ˌɒpə'ziʃən] *s* **1.** 'Widerstand *m* (to gegen): **to offer a determined ~** entschlossen(en) Widerstand leisten (to gegen *od. dat*); **to meet with** (*od.* **to face**) **stiff ~** auf heftigen Widerstand stoßen. **2.** Gegensatz *m*, 'Widerspruch *m*: **to act in ~ to** zuwiderhandeln (*dat*). **3.** *Logik*: Gegensatz *m.* **4.** Oppositi'on *f*: a) *pol.* Oppositi'onsparˌtei(en *pl*) *f*, b) *astr.* Gegenstellung *f.* **5.** Gegen'überstellung *f.* **6.** (*das*) Gegen'überstehen *od.* -liegen. **7.** *tech.* Gegenläufigkeit *f.* **8.** *jur.* a) 'Widerspruch *m*, b) *Am.* Einspruch *m* (to gegen *e-e Patentanmeldung*). **ˌop·po'si·tion·al** *adj* **1.** *pol.* oppositio'nell, Oppositions... **2.** gegensätzlich, Widerstands... **ˌop·po'si·tion·ist I** *s* Opposito'nelle(r *m*) *f.* **II** *adj* → **oppositional.**

op·press [ə'pres] *v/t* **1.** *seelisch* bedrücken. **2.** unter'drücken, niederdrücken, tyranni'sieren, schika'nieren. **3.** *poet.* über'wältigen. **op'pres·sion** *s* **1.** Unter'drückung *f*, Vergewaltigung *f.* **2.** a) *a. jur.* Schi'kane(n *pl*) *f*, b) *jur.* 'Mißbrauch *m* der Amtsgewalt. **3.** Druck *m*, Bedrängnis *f*, Not *f.* **4.** *seelische* Bedrücktheit. **5.** *med.* Beklemmung *f.* **op'pres·sive** [-siv] *adj* (*adv* ~**ly**) **1.** *seelisch* bedrückend, niederdrückend: **~ sorrow. 2.** drückend: **~ taxes. 3.** ty'rannisch, hart, grausam. **4.** *jur.* schika'nös. **5.** (drückend) schwül, drückend. **op'pres·sive·ness** *s* **1.** Druck *m.* **2.** Schwere *f*, Schwüle *f.* **op'pres·sor** [-sər] *s* Be-, Unter'drücker *m*, Ty'rann *m.*

op·pro·bri·ous [ə'proubriəs] *adj* (*adv* ~**ly**) **1.** schmähend, Schmäh...: **~ language. 2.** schmählich, schändlich, in'fam, gemein: **~ conduct. op'pro·bri·um** [-əm] *s* **1.** Schmach *f*, Schande *f* (to für). **2.** Schmähung(en *pl*) *f.*

op·pugn [ɒ'pjuːn] *v/t* anfechten, bestreiten.

opt [ɒpt] *v/i* **1.** wählen (**between** zwischen *dat*), sich entscheiden (**to do** zu tun; **for** für): **to ~ out** sich dagegen entscheiden. **2.** *pol.* op'tieren (*sich für e-e bestimmte Staatsangehörigkeit entscheiden*). **'op·tant** *s pol.* Op'tant *m.*

'op·ta·tive [-tətiv] **I** *adj* **1.** Wunsch... **2.** [*Br. a.* ɒp'teitiv] *ling.* opta'tivisch: **~ mood** → 3. **II** *s* **3.** *ling.* Optativ *m*, Wunschform *f.*

op·tic ['ɒptik] **I** *adj* (*adv* ~**ally**) **1.** Augen..., Seh..., Gesichts...: **~ angle** Seh-, Gesichts(feld)winkel *m*: **~ axis** → **optical axis**; **~ light filter** *TV* Graufilter *m*, -scheibe *f*; **~ nerve** Sehnerv *m*; **~ surgery** Augenchirurgie *f*; **~ thalamus** Sehhügel *m* (*im Gehirn*). **2.** → **optical. II** *s* **3.** *meist pl humor.* Auge *n.* **4.** *pl* (*als sg konstruiert*) *phys.* Optik *f*, Lichtlehre *f.*

op·ti·cal ['ɒptikəl] *adj* (*adv* ~**ly**) *anat. phys.* optisch: **~ flat** (*od.* **plane**) optische Ebene; **~ illusion** optische Täuschung; **~ microscope** Lichtmikroskop *n*; **~ sound** Lichtton *m*; **~ sound recorder** Gerät *n* zur optischen Schallaufzeichnung. **~ ax·is** *s phys.* **1.** optische Achse. **2.** Sehachse *f.*

op·ti·cian [ɒp'tiʃən] *s* Optiker *m.*

op·ti·mal ['ɒptiməl] → **optimum.**

op·ti·me ['ɒptimi(ː)] (*Lat.*) *s univ. Br.* ein im mathe'matischen 'Schlußexˌamen als zweit- *od.* drittrangig ausgezeichneter Bakka'laureus (*die drei Stufen der Auszeichnung sind*: 1. **wrangler**, 2. **senior ~**, 3. **junior ~**) (*Cambridge*).

op·ti·mism ['ɒptiˌmizəm] *s* Opti'mismus *m.* **'op·ti·mist** *s* Opti'mist(in). **ˌop·ti'mis·tic** *adj*; **ˌop·ti'mis·ti·cal** *adj* (*adv* ~**ly**) opti'mistisch, zuversichtlich. **'op·tiˌmize I** *v/i* (ein) Opti'mist sein. **II** *v/t etwas* opti'mistisch darstellen *od.* betrachten.

op·ti·mum ['ɒptiməm] **I** *pl* **-ma** [-mə] *s* Optimum *n*, günstigster Fall, Bestfall *m*, -wert *m*, günstigste Bedingungen *pl.* **II** *adj* opti'mal, günstigst(er, e, es), Best...

op·tion ['ɒpʃən] *s* **1.** Wahlfreiheit *f*, freie Wahl *od.* Entscheidung, Entscheidungsfreiheit *f*: **~ of a fine** Recht, e-e Geldstrafe (*an Stelle der Haft*) zu wählen; **local ~** Recht unterer Instanzen, den Verkauf von Alkohol zu verbieten. **2.** Wahl *f*: **at one's ~** nach Wahl; **to make one's ~** s-e Wahl treffen. **3.** Alterna'tive *f*, gebotene Möglichkeit: **none of the ~s is satisfactory; I had no ~ but to** ich mußte, ich hatte keine andere Wahl als. **4.** *econ.* Opti'on *f*, Vorkaufs-, Opti'onsrecht *n*: **~ for the call (the put)** Vor-(Rück)prämiengeschäft *n*; **~ rate** Prämiensatz *m*; **to take up (abandon) an ~** ein Optionsrecht (nicht) ausüben; → **buyer** 1. **5.** *Versicherung*: Opti'on *f* (*Wahlmöglichkeit des Versicherungsnehmers in bezug auf die Form der Versicherungsleistung*). **'op·tion·al** *adj* (*adv* ~**ly**) **1.** freigestellt, wahlfrei, freiwillig, fakulta'tiv, nach Wahl: **~ bonds** *Am.* kündbare Obligationen; **~ insurance** fakultative Versicherung; **~ studies** fakultative Studien(fächer); **~ subject** *ped.* Wahlfach *n.* **2.** *econ.* Options...: **~ clause; ~ bargain** Prämiengeschäft *n.*

op·tom·e·ter [ɒp'tɒmitər] *s med.* Opto'meter *n*, Sehweitemesser *m*. **op'tom·e·trist** [-trist] *s* Opto'metriker *m*. **op'tom·e·try** [-tri] *s* **1.** Optome'trie *f*, Sehkraft-, Sehweitemessung *f*. **2.** Sehprüfung *f*, 'Augenunter,suchung *f*.

op·to·phone ['ɒptə,foun] *s* **1.** Opto'phon *n* (*Leseapparat für Blinde, der Buchstaben mit Hilfe der Selenzelle in Töne umsetzt*). **2.** *electr.* Lichtsprechgerät *n*.

op·u·lence ['ɒpjuləns] *s* (großer) Reichtum, ('Über)Fülle *f*, 'Überfluß *m*, Opu'lenz *f*: to live in ~ im Überfluß leben. **'op·u·lent** *adj* (*adv* ~ly) **1.** wohlhabend, (sehr) reich (*a. fig.*). **2.** üppig, opu'lent: ~ meal. **3.** *bot.* blütenreich, farbenprächtig.

o·pus ['oupəs] *pl* **op·e·ra** ['ɒpərə] (*Lat.*) *s* (*einzelnes*) Werk, Opus *n*: his magnum ~ sein Hauptwerk; ~ number *mus.* Opusnummer *f*. **o·pus·cule** [o'pʌskjuːl; ɒ'p-] *s* kleines (lite'rarisches *od.* musi'kalisches) Werk.

or[1] [ɔːr] *conj* **1.** oder: Or-circuit *electr.* ODER-Schaltung *f*. **2.** ~ else sonst, andernfalls. **3.** (*nach neg*) noch, und kein, und auch nicht.

or[2] [ɔːr] *obs. od. poet.* **I** *conj* ehe (daß), bevor: ~ ever, ~ e'er, ~ ere bevor, ehe (daß). **II** *prep* vor.

or[3] [ɔːr] *s her.* Gold *n*, Gelb *n*.

o·ra ['ɔːrə] *s hist. alte englische Rechnungsmünze.*

or·ach, or·ache ['ɒritʃ; *Am. a.* 'ɔːrətʃ] *s bot.* Melde *f*.

or·a·cle ['ɒrəkl] **I** *s* **1.** *antiq.* O'rakel *n*: the ~ of Apollo at Delphi; to work the ~ *Br. colloq.* die Sache ‚(hin)drehen'. **2.** O'rakel(spruch *m*) *n*: a) o'rakelhafter Ausspruch, b) Weissagung *f*. **3.** *meist pl relig.* Wort *n* Gottes, Bibel *f*. **4.** *relig.* Aller'heiligstes *n* (*im jüdischen Tempel*). **5.** *fig.* weiser Mann, Pro'phet *m*, unfehlbare Autori'tät. **II** *v/t u. v/i* **6.** o'rakeln. **o·rac·u·lar** [ɔː'rækjulər; ɒ'r-] *adj* **1.** o'rakelhaft (*a. fig. dunkel, rätselhaft*), Orakel... **2.** weise (*Person*). **o,rac·u'lar·i·ty** [-'læriti] *s* O'rakelhaftigkeit *f*.

o·ral ['ɔːrəl] **I** *adj* (*adv* ~ly) **1.** mündlich: ~ contract; ~ examination; ~ interpretation Interpretation *f* durch Vortrag (*von Werken der Literatur*). **2.** *anat.* o'ral (*a. ling. Laut*), Mund...: ~ cavity Mundhöhle *f*; for ~ use zum innerlichen Gebrauch; ~ vaccine Schluckimpfstoff *m*. **II** *s* **3.** *meist pl ped. colloq.* mündliche Prüfung, (*das*) Mündliche.

o·rang ['ɔːræŋ] → orangoutang.

or·ange[1] ['ɒrindʒ] **I** *s* **1.** *bot.* O'range *f*: sweet ~ Apfelsine *f*; bitter ~ Pomeranze *f*; to squeeze (*od.* suck) the ~ dry *colloq.* ihn *od.* sie *od.* es ausquetschen *od.* -saugen wie e-e Zitrone; sucked ~ *sl.* ‚trübe Tasse'. **2.** O'range(nbaum *m*) *f*. **3.** O'range *n* (*Farbe*). **II** *adj* **4.** Orangen... **5.** o'range(nfarben).

Or·ange[2] ['ɒrindʒ] **I** *npr hist.* O'ranien *n*: Prince of ~ Prinz von Oranien (*bes. Wilhelm III. von England*). **II** *adj* o'ranisch.

or·ange·ade [,ɒrin'dʒeid] *s* Oran'geade *f* (*Getränk*).

or·ange| blos·som *s* O'rangenblüte *f* (*a. Staatsblume von Florida*). **'~-'col·o(u)red** *adj* o'range(nfarben). **~ grove** *s* O'rangenplan,tage *f*.

Or·ange·ism ['ɒrin,dʒizəm] *s hist.* Oran'gismus *m* (*politischer Protestantismus in Nordirland*).

or·ange| lead [led] *s tech.* O'rangemennige *f*, Bleisafran *m*. **~ mad·der** *s* 'Krapp-O,range *n* (*Farbe*). **'O~·man** [-mən] *s irr hist.* Oran'gist *m* (*Anhänger des politischen Protestantismus in Nordirland*). **O~·men's Day** [-mənz] *s der 12. Juli* (*nordirischer Gedenktag, an welchem man der Schlachten an der Boyne 1. 7. 1690 u. bei Aughrim 12. 7. 1691 gedenkt*). **~ peel** *s* **1.** O'rangen-, Apfel'sinenschale *f*: candied ~ Orangeat *n*. **2.** *a.* ~ effect O'rangenschalenstruk,tur *f* (*Lackierung*).

or·ange·ry ['ɒrindʒəri; -dʒri] *s* Orange'rie *f*.

o·rang·ou·tang [o'ræŋu,tæŋ; 'ɔːræŋ'uːtæŋ], **o'rang·u,tan** [-,tæn] *s zo.* 'Orang-'Utan *m*.

o·rate [ɔː'reit] *v/i humor. u. contp.* (lange) Reden halten *od.* ‚schwingen', reden. **o'ra·tion** *s* **1.** (offizi'elle *od.* feierliche) Rede. **2.** *ling.* Rede *f*: direct ~ direkte Rede; indirect (*od.* oblique) ~ indirekte Rede. **or·a·tor** ['ɒrətər] *s* **1.** Redner *m*: Public O~ Sprecher *m* u. Vertreter *m* der Universität (*Oxford u. Cambridge*). **2.** *jur. Am.* Kläger *m* (*in equity Prozessen*).

or·a·tor·i·cal [,ɒrə'tɒrikəl] *adj* (*adv* ~ly) rednerisch, Redner..., ora'torisch, rhe'torisch, Rede...

or·a·to·ri·o [,ɒrə'tɔːriou] *pl* **-ri·os** *s mus.* Ora'torium *n*.

or·a·tor·ize ['ɒrətə,raiz] → orate.

or·a·to·ry[1] ['ɒrətəri] *s* Redekunst *f*, Beredsamkeit *f*, Rhe'torik *f*.

or·a·to·ry[2] ['ɒrətəri] *s relig.* **1.** Ka'pelle *f*, Andachtsraum *m*. **2.** O~ *R.C. hist.* Ora'torium *n* (*Name verschiedener Kongregationen von Weltgeistlichen ohne Klostergelübde*).

orb [ɔːrb] **I** *s* **1.** Kugel *f*, Ball *m*. **2.** *poet.* Gestirn *n*, Himmelskörper *m*. **3.** *obs.* Erde *f* (*Planet*). **4.** *poet.* a) Augapfel *m*, b) Auge *n*. **5.** *hist.* Reichsapfel *m*. **6.** *poet.* a) Kreis *m*, b) Ring *m*, c) Rad *n*, d) Scheibe *f*. **7.** *fig.* Welt *f*, (organi'siertes) Ganzes. **8.** *astr.* Einflußgebiet *n* (*e-s Planeten etc*). **II** *v/t* **9.** zu e-m Kreis *od.* e-r Kugel formen. **10.** *poet.* um'ringen. **III** *v/i* **11.** *selten* a) sich im Kreis bewegen, b) sich runden. **orbed** [ɔːrbd] *adj* rund, kreis-, kugelförmig.

or·bic·u·lar [ɔːr'bikjulər] *adj* **1.** kugelförmig. **2.** rund, kreis-, scheibenförmig. **3.** ringförmig, Ring...

or·bic·u·late [ɔːr'bikjulit, -,leit] *adj* kreisförmig, (fast) rund.

or·bit ['ɔːrbit] **I** *s* **1.** (*astr.* Kreis-, 'Umlauf-, *phys.* Elek'tronen)Bahn *f*: to get (put) into ~ in s-e Umlaufbahn gelangen (bringen). **2.** *fig.* a) Bereich *m*, Wirkungskreis *m*, b) *pol.* (Macht-)Bereich *m*, Einflußsphäre *f*: the Russian ~. **3.** *aer.* Wartekreis *m*. **4.** *anat. zo.* a) Augenhöhle *f*, b) Auge *n*. **5.** *orn.* Augen(lider)haut *f*. **II** *v/t* **6.** *die Erde etc* um'kreisen. **III** *v/i* **7.** die Erde *etc* um'kreisen, sich auf e-r 'Umlaufbahn bewegen. **8.** *aer.* (*vor dem Landen über dem Flugplatz*) kreisen.

or·bit·al ['ɔːrbitl] *adj* **1.** *anat. zo.* orbi'tal, Augenhöhlen...: ~ cavity Augenhöhle *f*. **2.** *astr. phys.* Bahn...: ~ electron Bahnelektron *n*.

orc [ɔːrk] *s* **1.** → grampus. **2.** (Meeres-)Ungeheuer *n*. **'or·ca** [-kə] → killer whale.

Or·ca·di·an [ɔːr'keidiən] **I** *adj* Orkney... **II** *s* Bewohner(in) der Orkney-Inseln.

or·chard ['ɔːrtʃərd] *s* Obstgarten *m*: in ~ mit Obstbäumen bepflanzt. **'or·chard·ing** *s* **1.** Obstbau *m*. **2.** *collect. Am.* 'Obstkul,turen *pl*. **'or·chard·ist** *s*, *a.* **'or·chard·man** [-mən] *s irr* Obstzüchter *m*, -gärtner *m*.

or·ches·tic [ɔːr'kestik] **I** *adj* or'chestisch, Tanz... **II** *s pl* Or'chestik *f* (*höhere Tanzkunst*).

or·ches·tra ['ɔːrkistrə] *s* **1.** *mus.* Or'chester *n*. **2.** *thea. etc* a) *a.* ~ pit Or'chester(raum *m*, -graben *m*) *n*, b) Par'terre *n*, c) *a.* ~ stalls Par'kett *n*. **3.** *antiq.* Or'chestra *f*.

or·ches·tral [ɔːr'kestrəl] *adj mus.* **1.** Orchester...: ~ concert. **2.** orche'stral.

or·ches·trate ['ɔːrkis,treit] *v/t u. v/i mus.* orche'strieren, instrumen'tieren. **,or·ches'tra·tion** *s* Instrumentati'on *f*.

or·ches·tri·na [,ɔːrkis'triːnə], *Am.* **or·ches·tri·on** [ɔːr'kestriən] *s mus.* Or'chestrion *n* (*automatische Orgel*).

or·chid ['ɔːrkid] *s bot.* Orchi'dee *f*. **,or·chi'da·ceous** [-'deiʃəs] *adj bot.* Orchideen... **'or·chid·ist** *s* Orchi'deenzüchter(in). **,or·chid'ol·o·gy** [-'dɒlədʒi] *s bot.* Orchi'deenkunde *f*.

or·chis ['ɔːrkis] *pl* **'or·chis·es** *s bot.* Orchi'dee *f*, *bes.* Knabenkraut *n*.

or·chi·tis [ɔːr'kaitis] *s med.* Or'chitis *f*, Hodenentzündung *f*.

or·dain [ɔːr'dein] *v/t* **1.** *relig.* ordi'nieren, (*zum Priester*) weihen. **2.** bestimmen, fügen (*Gott, Schicksal*). **3.** anordnen, verfügen.

or·deal [ɔːr'diːl; -'diːəl] *s* **1.** *hist.* Gottesurteil *n*: ~ by battle Gottesurteil durch Zweikampf; ~ by fire Feuerprobe *f*. **2.** *fig.* Zerreiß-, Feuerprobe *f*, schwere Prüfung. **3.** *fig.* Qual *f*, Nervenprobe *f*, Mar'tyrium *n*.

or·der ['ɔːrdər] **I** *s* **1.** Ordnung *f*, geordneter Zustand: love of ~ Ordnungsliebe *f*; to keep ~ Ordnung halten, die Ordnung wahren; → *Bes. Redew.* **2.** (öffentliche) Ordnung: law and ~ Ruhe *f* u. Ordnung; ~ was restored die Ordnung wurde wiederhergestellt. **3.** Ordnung *f* (*a. biol. Kategorie*), Sy'stem *n* (*a. bot.*): social ~; the old ~ was upset die alte Ordnung wurde umgestoßen. **4.** (An)Ordnung *f*, Reihenfolge *f*: in alphabetical ~ in alphabetischer Ordnung; ~ of priority Dringlichkeitsstufe *f*; ~ of merit (*od.* precedence) Rangordnung. **5.** Ordnung *f*, Aufstellung *f*: in close (open) ~ *mil.* in geschlossener (geöffneter) Ordnung; ~ of battle a) *mil.* Schlachtordnung, Gefechtsaufstellung, b) *mar.* Gefechtsformation *f*. **6.** *mil.* vorschriftsmäßige Uni'form u. Ausrüstung: → marching I. **7.** *parl. etc* (Geschäfts)Ordnung *f*: a call to ~ ein Ordnungsruf; to call to ~ zur Ordnung rufen; to rise to (a point of) ~ zur Geschäftsordnung sprechen; to rule s.o. out of ~ j-m das Wort entziehen; O~! O~! zur Ordnung!; ~ of the day, ~ of business Tagesordnung (→ 10); to be the ~ of the day *fig.* an der Tagesordnung sein; to pass to the ~ of the day zur Tagesordnung übergehen. **8.** Zustand *m*: in bad ~ nicht in Ordnung, in schlechtem Zustand; in good ~ in Ordnung, in gutem Zustand. **9.** *ling.* (Satz)Stellung *f*, Wortfolge *f*. **10.** *oft pl* Befehl *m* (*a. beim Computer*), Instrukti'on *f*, Anordnung *f*: O~ in Council *pol. Br.* Kabinettsbefehl; to give ~s (*od.* an ~ *od.* the ~) for s.th. to be done (*od.* that s.th. [should] be done) Befehl geben, etwas zu tun *od.* daß etwas getan werde; ~ of the day *mil.* Tagesbefehl (→ 7); → marching I. **11.** Verfügung *f*, Befehl *m*, Auftrag *m*: ~ to pay Zahlungsbefehl, -anweisung *f*; ~ of remittance Überweisungsauftrag. **12.** *jur.* (Gerichts)Beschluß *m*, Verfügung *f*, Befehl *m*: release ~ Freilassungsbeschluß. **13.** Art *f*, Klasse *f*, Grad *m*, Rang *m*: of

a high ~ von hohem Rang; **of quite another ~** von ganz anderer Art. **14.** *math.* Ordnung *f*, Grad *m*: **equation of the first ~** Gleichung *f* ersten Grades. **15.** (Größen)Ordnung *f*. **16.** Klasse *f*, (Gesellschafts)Schicht *f*, Stand *m*: **the military ~** der Soldatenstand. **17.** a) Orden *m* (*Gemeinschaft von Personen*), b) (geistlicher) Orden: **the Franciscan O~** der Franziskanerorden, c) *a.* **~ of knighthood** *hist.* (Ritter)Orden *m*: **the Teutonic O~** der Deutsche Orden. **18.** Orden *m*: **Knight of the O~ of the Garter** Ritter *m* des Hosenbandordens. **19.** Ordenszeichen *n*: → **bath**[2] 7, **order of merit** 1. **20.** *relig.* a) Weihe(stufe) *f*: **major ~s** höhere Weihen, b) *pl*, *meist* **holy ~s** (heilige) Weihen *pl*, Priesterweihe *f*: **to take (holy) ~s** die heiligen Weihen empfangen, in den geistlichen Stand treten; **to be in (holy) ~s** dem geistlichen Stande angehören. **21.** *relig.* Ordnung *f* (*der Messe etc*): **~ of confession** Beichtordnung. **22.** Ordnung *f*, Chor *m* (*der Engel*): **O~ of the Seraphim.** **23.** *arch.* (Säulen)Ordnung *f*: **Doric ~** dorische Säulenordnung. **24.** *arch.* Stil *m*. **25.** *econ.* Bestellung *f* (*a. Ware*), Auftrag *m* (**for** für): **to give** (*od.* **place**) **an ~** e-n Auftrag erteilen, e-e Bestellung aufgeben *od.* machen; **to make to ~** a) auf Bestellung anfertigen, b) nach Maß anfertigen; **shoes made to ~** Maßschuhe; **a large** (*od.* **tall**) **~** *colloq.* e-e (arge) Zumutung, (zu)viel verlangt. **26.** a) Bestellung *f* (*im Restaurant*), b) *colloq.* Porti'on *f*. **27.** *econ.* Order *f* (*Zahlungsauftrag*): **to pay to s.o.'s ~** an j-s Order zahlen; **pay to the ~ of** (*Wechselindossament*) für mich an (*acc*); **payable to ~** zahlbar an Order; **own ~** eigene Order; **check** (*Br.* **cheque**) **to ~** Orderscheck *m*. **28.** *bes. Br.* Einlaßschein *m*, *bes.* Freikarte *f*.

Besondere Redewendungen:

at the ~ *mil.* Gewehr bei Fuß; **by ~** a) befehls- *od.* auftragsgemäß, b) im Auftrag (*abbr.* i. A.; *vor der Unterschrift*); **by** (*od.* **on**) **~ of** a) auf Befehl von (*od. gen*), b) im Auftrag von (*od. gen*), c) *econ.* auf Order von (*od. gen*); **in ~** a) in Ordnung (*a. fig. gut, richtig*), b) der Reihe nach, in der richtigen Reihenfolge, c) in Übereinstimmung mit der Geschäftsordnung, zulässig; **in ~ to** um zu; **in ~ that** damit; **in short ~** *Am. colloq.* sofort, unverzüglich; **to keep in ~** in Ordnung halten, instand halten; **to put in ~** in Ordnung bringen; **to set in ~** ordnen; **in running ~** betriebsfähig; **on ~** *econ.* a) auf *od.* bei Bestellung, b) bestellt, in Bestellung; **on the ~ of** a) nach Art von (*od. gen*), b) *econ.* auf Bestellung von (*od. gen*), c) auf Befehl von (*od. gen*); **out of ~** nicht in Ordnung: a) in Unordnung, b) defekt, c) *med.* gestört, d) im Widerspruch zur Geschäftsordnung, unzulässig; **till further ~s** bis auf weiteres; **to ~** a) befehlsgemäß, b) auftragsgemäß, c) → 25, d) → 27; **to be under ~s to do s.th.** Befehl haben, etwas zu tun.

II *v/t* **29.** *j-m od. e-e Sache* befehlen, *etwas* anordnen: **he ~ed the bridge to be built** er befahl, die Brücke zu bauen; **he ~ed him to come** er befahl ihm zu kommen, er ließ ihn kommen. **30.** *j-n* schicken, beordern (**to** nach): **to ~ s.o. home** j-n nach Hause schikken; **to ~ s.o. out of one's house** j-n aus s-m Haus weisen. **31.** *med. j-m etwas* verordnen: **he ~ed him quinine.** **32.** bestellen: **he ~ed 5 books; I ~ed a glass of beer.** **33.** regeln, leiten, führen. **34.** *mil. das Gewehr* bei Fuß stellen: **~ arms!** Gewehr ab! **35.** ordnen: **to ~ one's affairs** s-e Angelegenheiten in Ordnung bringen, sein Haus bestellen.

III *v/i* **36.** befehlen, Befehle geben. **37.** Aufträge erteilen, Bestellungen machen.

Verbindungen mit Adverbien:

or·der| a·bout *v/t* her'umkommandieren. **~ a·way** *v/t* **1.** weg-, fortschicken. **2.** abführen lassen. **~ back** *v/t* zu'rückbeordern. **~ in** *v/t* her'einkommen lassen. **~ out** *v/t* **1.** hin'ausschicken, -beordern. **2.** hin'ausweisen.

or·der| bill *s econ.* 'Orderpa,pier *n*. **~ bill of lad·ing** *s econ. mar.* 'Orderkonnosse,ment *n*. **~ book** *s* **1.** *econ.* a) Bestell-, Auftragsbuch *n*, b) *fig.* Auftragsbestand *m*. **2.** *parl. Br.* Liste *f* der angemeldeten Anträge. **3.** *mar. mil.* Pa'rolebuch *n*. **~ check,** *bes. Br.* **~ cheque** *s econ.* Orderscheck *m*. **~ form** *s econ.* Bestellschein *m*. **~ in·stru·ment** *s econ.* 'Orderpa,pier *n*.

or·der·less ['ɔːrdərlis] → **disorderly** I.

or·der·li·ness ['ɔːrdərlinis] *s* **1.** Ordnung *f*, Regelmäßigkeit *f*. **2.** Ordentlichkeit *f*.

or·der·ly ['ɔːrdərli] **I** *adj* **1.** ordentlich, (wohl)geordnet. **2.** geordnet, plan-, regelmäßig, me'thodisch. **3.** *fig.* ruhig, gesittet, friedlich: **an ~ citizen.** **4.** *mar. mil.* a) im *od.* vom Dienst, diensthabend, -tuend, b) Ordonnanz...: **on ~ duty** auf Ordonnanz. **II** *adv* **5.** ordnungsgemäß, planmäßig. **III** *s* **6.** *mil.* a) Ordon'nanz *f*, b) Sani'täts,unteroffi,zier *m*, Krankenträger *m*, Sani'täter *m*, c) (Offi'ziers)Bursche *m*. **7.** Krankenpfleger *m*. **8.** *Br.* Straßenkehrer *m*. **~ bin** *s Br. selten* Müllkasten *m* (*für Straßenmüll*). **~ book** *s mil.* Befehls-, Pa'rolebuch *n*. **~ of·fi·cer** *s mil.* **1.** Ordon'nanzoffi,zier *m*. **2.** Offi'zier *m* vom Dienst. **~ room** *s mil.* Geschäftszimmer *n*, Schreibstube *f*.

or·der| of mer·it *s* **1.** Verdienstorden *m*. **2. Order of Merit** *Br.* Verdienstorden *m* (*für militärische, wissenschaftliche, künstlerische u. berufliche Verdienste verliehen*). **O~ of the Brit·ish Em·pire** *s* Orden *m* des Brit. Reiches (*brit. Verdienstorden*). **O~ of the Gar·ter** *s* Hosenbandorden *m* (*der höchste brit. Orden*). **~ pad** *s* Bestellscheinblock *m*. **~ pa·per** *s* **1.** 'Sitzungspro,gramm *n*, (schriftliche) Tagesordnung. **2.** *econ. Am.* 'Orderpa,pier *n*.

or·di·nal ['ɔːrdinl] **I** *adj* **1.** *math.* Ordnungs..., Ordinal...: **~ number** → 3. **2.** *bot. zo.* Ordnungs... **II** *s* **3.** *math.* Ordi'nal-, Ordnungszahl *f*. **4.** *relig.* a) Ordi'nale *n* (*Regelbuch für die Ordinierung anglikanischer Geistlicher*), b) *oft* **O~** Ordi'narium *n* (*Ritualbuch od. Gottesdienstordnung*).

or·di·nance ['ɔːrdinəns] *s* **1.** (*amtliche*) Verordnung, Verfügung *f*, Erlaß *m*. **2.** *relig.* a) (*festgesetzter*) Brauch, Ritus *m*, b) Sakra'ment *n*.

or·di·nand ['ɔːrdi,nænd] *s relig.* Ordi'nandus *m*.

or·di·nar·i·ly ['ɔːrdinərili] *adv* **1.** nor'malerweise, gewöhnlich. **2.** wie gewöhnlich, wie üblich.

or·di·nar·y ['ɔːrdinəri] **I** *adj* (*adv* → **ordinarily**) **1.** üblich, gewöhnlich, nor'mal: **in ~ speech** im landläufigen Sinne, im allgemeinen Sprachgebrauch. **2.** gewöhnlich, all'täglich, Durchschnitts..., mittelmäßig: **an ~ face** ein Alltagsgesicht *n*. **3.** *a. jur.* ordentlich, ständig: **~ court** ordentliches Gericht; **~ member** ordentliches Mitglied. **II** *s* **4.** (*das*) Übliche, (*das*) Nor'male: **out of the ~** ungewöhnlich; **nothing out of the ~** nichts Ungewöhnliches. **5. in ~** ordentlich, von Amts wegen: **judge in ~** ordentlicher Richter; **physician in ~** (**of a king**) Leibarzt *m* (e-s Königs). **6.** *relig.* Ordi'narium *n*, Gottesdienst-, *bes.* Meßordnung *f*. **7.** *a.* **O~** *relig.* Ordi'narius *m* (*Bischof od. Erzbischof mit ordentlicher Jurisdiktionsgewalt*). **8.** *jur.* a) ordentlicher Richter, b) **O~**, *a.* **Lord O~** (*in Schottland*) *e-r der 5 Richter des* **Court of Session,** *die das* **Outer House** *bilden*, c) *Am.* Nachlaßrichter *m*. **9.** *her.* einfaches Heroldsstück. **10.** *hist.* Hochrad *n* (*frühe Form des Fahrrads*). **11.** a) Alltags-, Hausmannskost *f*, b) Tagesgericht *n* (*in Wirtshäusern etc*). **12.** *Am.* Wirtshaus *n*, Gaststätte *f*. **~ life in·sur·ance** *s econ.* Lebensversicherung *f* auf den Todesfall. **~ sea·man** *s irr mar.* 'Leichtma,trose *m*. **~ share** *s econ.* Stammaktie *f*.

or·di·nate ['ɔːrdi,nit; -,neit] *s math.* [Ordi'nate *f*.]

or·di·na·tion [,ɔːrdi'neiʃən] *s* **1.** *relig.* Priesterweihe *f*, Ordinati'on *f*. **2.** Bestimmung *f*, Ratschluß *m* (*Gottes etc*).

ord·nance ['ɔːrdnəns] *s mil.* **1.** Artille'rie *f*, Geschütze *pl*: **a piece of ~** ein Geschütz *n*. **2.** 'Feldzeugmateri,al *n*. **3.** Feldzeugwesen *n*: **Royal Army O~ Corps** Feldzeugkorps *n* des brit. Heeres. **~ da·tum** *s surv.* mittlere Höhe über Nor'malnull. **O~ De·part·ment** *s mil. Am.* Zeug-, Waffenamt *n*. **~ de·pot** *s mil.* 'Feldzeug-, *bes.* Artille'rie(,ausrüstungs)de,pot *n*. **~ map** *s mil.* **1.** *Am.* Gene'ralstabskarte *f*. **2.** *Br.* Meßtischblatt *n*. **~ of·fi·cer** *s* **1.** *mar. Am.* Artille'rieoffi,zier *m*. **2.** Offi'zier *m* der Feldzeugtruppe. **3.** 'Waffenoffi,zier *m*. **~ park** *s mil.* **1.** Artille'rieausrüstungs-, Geschützpark *m*. **2.** Feldzeugpark *m*. **~ ser·geant** *s mil.* 'Waffen-, Ge'räte,unteroffi,zier *m*. **O~ Sur·vey** *s Br.* amtliche Landesvermessung: **~ map** a) Meßtischblatt *n*, b) (1 : 100.000) Generalstabskarte *f*. **~ tech·ni·cian** *s mil.* Feuerwerker *m*.

Or·do·vi·cian [,ɔːrdə'viʃən] *geol.* **I** *s* Ordo'vizium *n* (*untere Abteilung des Silurs*). **II** *adj* ordo'vizisch.

or·dure ['ɔːrdjur; *Am. a.* -dʒər] *s* Kot *m*, Schmutz *m*, Unflat *m* (*a. fig.*).

ore [ɔːr] *s min.* Erz *n*. **'~-,bear·ing** *adj geol.* erzführend, -haltig.

Or·e·go·ni·an [,ɒri'gouniən] **I** *s* Bewohner(in) von Oregon. **II** *adj* aus Oregon, Oregon...

ore| ham·mer *s* Erzhammer *m*, Pochschlegel *m*. **~ hearth** *s tech.* Schmelzherd *m*. **~ mill** *s* Erzmühle *f*. **~ sieve** *s* Erzsieb *n*, 'Überhebsieb *n*. **~ smelt·ing** *s* (Kupfer)Rohschmelzen *n*. **'~-,wash·ing** *s* Erzschlämmen *n*.

orf(e) [ɔːrf] *s ichth.* (Gold)Orfe *f*.

or·gan ['ɔːrgən] *s* **1.** *allg.* Or'gan *n*: a) *anat. Körperwerkzeug*: **~ of sense** Sinnesorgan; **~ of sight** Sehorgan, b) Werkzeug *n*, Instru'ment *n*, Hilfsmittel *n*, Sprachrohr *n* (*Zeitschrift*): **party ~** Parteiorgan, c) Stimme *f*: **his loud ~** sein lautes Organ. **2.** *mus.* a) *a.* **pipe ~** Orgel *f*: **theater** (*Br.* **theatre**) **~** Kinoorgel *f*; → **great organ,** b) Werk *n* (*e-r Orgel*), c) *a.* **American ~** (*ein*) Har'monium *n*, d) → **barrel organ,** e) *obs. od. Bibl.* (Mu'sik-, *bes.* 'Blas)Instru,ment *n*. **~ bel·lows** *s pl mus.* Orgelbalg *m*, Blasebalg *m* e-r

Orgel. ~ **blow·er** *s mus.* **1.** Bälgetreter *m* (*der Orgel*). **2.** elektrisch betriebenes Windwerk (*an der Orgel*).
or·gan·dy, *a.* **or·gan·die** ['ɔːrgəndi] *s* Or'gandy *m* (*feines Baumwollgewebe*).
'or·gan-ˌgrind·er *s* Drehorgelspieler *m*, Leierkastenmann *m*.
or·gan·ic [ɔːr'gænik] *adj* (*adv* ~**ally**) *allg.* or'ganisch (*a. fig. u. philos.*): ~ **act** (*od.* **law**) *jur. pol.* Grundgesetz *n*; ~ **analysis** *chem.* Elementaranalyse *f*; ~ **chemistry** organische Chemie; ~ **disease** organische Krankheit; ~ **electricity** tierische Elektrizität; ~ **growth** organisches Wachstum; **an** ~ **whole** ein organisches Ganzes.
or·gan·i·cism [ɔːr'gæniˌsizəm] *s biol. sociol.* Organi'zismus *m*.
or·gan·ism ['ɔːrgəˌnizəm] *s biol. u. fig.* Orga'nismus *m*.
or·gan·ist ['ɔːrgənist] *s mus.* Orga'nist(in).
or·gan·i·za·tion [ˌɔːrgənai'zeiʃən] *s* **1.** Organisati'on *f*: a) Organi'sierung *f*, Bildung *f*, Gründung *f*, b) (or'ganischer *od.* syste'matischer) Aufbau, (Aus)Gestaltung *f*, Gliederung *f*, Anordnung *f*, c) Zs.-schluß *m*, Verband *m*, Gesellschaft *f*, Körperschaft *f*: (**administrative**) ~ Verwaltungsapparat *m*; (**party**) ~ *pol.* (Partei)Organisation. **2.** Orga'nismus *m*, organi'siertes Ganzes, Sy'stem *n*. ˌ**or·gan·i'za·tion·al** *adj* organisa'torisch, Organisations...
or·gan·ize ['ɔːrgəˌnaiz] **I** *v/t* **1.** organi'sieren: a) einrichten, aufbauen, b) gründen, ins Leben rufen, schaffen, c) veranstalten, *Sportveranstaltung a.* ausrichten, d) gestalten, anordnen. **2.** in ein Sy'stem bringen: **to** ~ **facts.** **3.** (gewerkschaftlich) organi'sieren: ~**d labo(u)r.** **II** *v/i* **4.** sich organi'sieren. **'or·ganˌiz·er** *s* Organi'sator *m*, *sport etc a.* Veranstalter *m*, *sport a.* Ausrichter *m*.
or·gan| loft *s mus.* Orgelchor *m*. ~ **meat** *s Schlächterei*: Inne'reien *pl*.
or·ga·nol·o·gy [ˌɔːrgə'nɒlədʒi] *s* Organolo'gie *f*, Lehre *f* von den Or'ganen.
or·ga·no·me·tal·lic [ˌɔːrgənomi'tælik] *adj chem.* me'tallorˌganisch.
or·ga·non ['ɔːrgəˌnɒn] *pl* **-na** [-nə] *od.* **-nons** *s philos.* Organon *n* (*Denkwerkzeug od. -fähigkeit, a. Logik*).
or·ga·nop·a·thy [ˌɔːrgə'nɒpəθi] *s med.* Or'ganerkrankung *f*, or'ganisches Leiden.
or·ga·no·ther·a·py [ˌɔːrgəno'θerəpi] *s med.* ˌOrganothera'pie *f*.
'or·gan|-pi'an·o *s mus.* Melopi'ano *n*. ~ **pipe** *s mus.* Orgelpfeife *f*. ~ **screen** *s arch.* Orgellettner *m*. ~ **stop** *s mus.* 'Orgelreˌgister *n*, -zug *m*.
or·gan·zine ['ɔːrgənˌziːn] *s* Organ'sin(seide *f*) *m*, *n*.
or·gasm ['ɔːrgæzəm] *s med.* **1.** Or'gasmus *m*, Höhepunkt *m* (*der geschlechtlichen Erregung*). **2.** heftige Erregung. **or'gas·tic** *adj* or'gastisch.
or·gi·as·tic [ˌɔːrdʒi'æstik] *adj* orgi'astisch (*a. fig.*).
or·gy ['ɔːrdʒi] *s* Orgie *f* (*a. fig.*).
o·ri·el ['ɔːriəl] *s arch.* **1.** Chörlein *n*, Erker *m*. **2.** *a.* ~ **window** Erkerfenster *n*.
o·ri·ent ['ɔːriənt; -ˌent] **I** *s* **1.** Osten *m*: a) östliche Länder *pl*, b) *poet.* Sonnenaufgang *m*, östliche Himmelsgegend. **2. the** O~ *geogr.* der Orient, das Morgenland. **3.** a) Perle *f* von hohem Glanz, b) Wasser *n* (*e-r Perle*). **II** *adj* **4.** aufgehend: **the** ~ **sun.** **5.** *obs.* → **oriental** 1. **6.** orien'talisch, von hohem Glanz (*Perlen, Edelsteine*). **7.** glänzend. **III** *v/t* **8.** *e-e Kirche etc* osten. **9.** orten, die Lage *od.* die Richtung bestimmen von (*od. gen*). **10.** a) *chem. phys.* orien'tieren, b) *tech.* ausrichten, einstellen. **11.** *e-e Landkarte* einnorden. **12.** *fig. geistig* (aus)richten, orien'tieren (to nach): **to** ~ **o.s.** sich orientieren; **psychology-**~**ed research** psychologisch ausgerichtete Forschung. **IV** *v/i* **13.** sich orien'tieren *od.* (aus)richten.
o·ri·en·tal [ˌɔːri'entl] **I** *adj* **1.** *meist* O~ orien'talisch, morgenländisch, östlich: O~ **carpet** (*od.* **rug**) Orient-, Perserteppich *m*; ~ **sore** *med.* Orientbeule *f*; ~ **stitch** (*Stickerei*) enger Fischgrätenstich. **2.** *bes. arch.* östlich. **II** *s* **3.** Orien'tale *m*, Orien'talin *f*.
o·ri·en·tal·ism, *oft* **O~** [ˌɔːri'entəˌlizəm] *s* **1.** Orienta'lismus *m*: a) orien'talisches Wesen, b) orien'talische Spracheigenheit. **2.** Orienta'listik *f*, *bes.* orien'talische Philolo'gie. ˌ**o·ri'en·tal·ist,** *oft* **O~** *s* Orienta'list(in).
O·ri·en·tal·ize, *a.* **o~** [ˌɔːri'entəˌlaiz] *v/t u. v/i* (sich) orientali'sieren.
o·ri·en·tate ['ɔːrienˌteit] → **orient** III *u.* IV. ˌ**o·ri·en'ta·tion** *s* **1.** Ostung *f* (*e-r Kirche*). **2.** Anlage *f*, Richtung *f*. **3.** Orien'tierung *f* (*a. chem.*), Ortung *f*, Richtungs-, Lagebestimmung *f*, Ausrichtung *f* (*a. fig.*). **4.** Orien'tierung *f*, (Sich)Zu'rechtfinden *n* (*bes. fig.*). **5.** Orien'tierungssinn *m*.
or·i·fice ['ɒrifis] *s* Öffnung *f* (*a. anat. tech.*), Mündung *f*: **body** ~ Körperöffnung; **aortic** ~ Aortenostium *n*.
or·i·flamme ['ɒriˌflæm] *s* **1.** *hist.* Oriflamme *f* (*Kriegsfahne der Könige von Frankreich*). **2.** Banner *n*, Fahne *f*. **3.** *fig.* Fa'nal *n*.
or·i·gan ['ɒrigən] *s bot.* (*bes.* Roter) Dost, Wilder Majo'ran.
or·i·gin ['ɒridʒin] *s* **1.** Ursprung *m*: a) Quelle *f* (*e-s Flusses*), b) Abstammung *f*, 'Herkunft *f*: **a word of Latin** ~ ein Wort lateinischen Ursprungs; **a man of Spanish** ~ ein Mann spanischer Herkunft; **country of** ~ *econ.* Ursprungsland *n*; **certificate of** ~ *econ.* Ursprungszeugnis *n*, c) Anfang *m*, Entstehung *f*: **the** ~ **of species** der Ursprung der Arten; **the date of** ~ das Entstehungsdatum. **2.** *math.* Koordi'natennullpunkt *m*, -ursprung *m*.
o·rig·i·nal [ə'ridʒənl] **I** *adj* (*adv* → **originally**) **1.** origi'nal, Original..., Ur..., ursprünglich, echt: **the** ~ **picture** das Originalbild; **the** ~ **text** der Ur- *od.* Originaltext. **2.** erst(er, e, es), ursprünglich, Ur...: ~ **bill** *econ. Am.* Primawechsel *m*; ~ **capital** *econ.* Gründungskapital *n*; ~ **copy** Erstausfertigung *f*; **the** ~ **inventor** der ursprüngliche Erfinder; ~ **jurisdiction** *jur.* erstinstanzliche Zuständigkeit; ~ **share** *econ.* Stammaktie *f*; → **sin** 1. **3.** origi'nell, neu(artig): **an** ~ **idea.** **4.** selbständig, unabhängig: **an** ~ **thinker**; ~ **research.** **5.** schöpferisch, ursprünglich: ~ **genius** Originalgenie *n*, Schöpfergeist *m*. **6.** ureigen, urwüchsig, Ur...: ~ **behavio(u)r** urwüchsiges Benehmen; ~ **nature** Urnatur *f*. **7.** geboren: **an** ~ **thief.** **II** *s* **8.** Origi'nal *n*: a) Urbild *n*, -stück *n*, b) Urfassung *f*, -text *m*: **in the** ~ im Original, im Urtext, *a.* in der Ursprache, *jur.* urschriftlich. **9.** Origi'nal *n* (*exzentrischer Mensch*). **10.** *bot. zo.* Stammform *f*.
o·rig·i·nal·i·ty [əˌridʒi'næliti] *s* **1.** Originali'tät *f*: a) Ursprünglichkeit *f*, Echtheit *f*, b) Eigentümlichkeit *f*, Eigenart *f*, origi'neller Cha'rakter, c) Neuheit *f*. **2.** Unabhängigkeit *f*, Selbständigkeit *f*. **3.** (*das*) Schöpferische.
o·rig·i·nal·ly [ə'ridʒənəli] *adv* **1.** ursprünglich, zu'erst. **2.** hauptsächlich, eigentlich. **3.** von Anfang an, schon immer. **4.** origi'nell.
o·rig·i·nate [ə'ridʒiˌneit] **I** *v/i* **1.** (from) entstehen, entspringen (aus), s-n Ursprung *od.* s-e Ursache haben (in *dat*), 'herstammen (von *od.* aus), ausgehen (von). **2.** ausgehen (with, from von *j-m*). **II** *v/t* **3.** her'vorbringen, verursachen, erzeugen, schaffen, ins Leben rufen. **4.** den Anfang machen mit, den Grund legen zu. **oˌrig·i'na·tion** *s* **1.** Her'vorbringung *f*, Erzeugung *f*, (Er)Schaffung *f*, Veranlassung *f*. **2.** → **origin** 1 b *u.* c. **o'rig·iˌna·tive** *adj* erschaffend, schöpferisch. **o'rig·iˌna·tor** [-tər] *s* Urheber(in), Begründer(in), Schöpfer(in).
o·ri·gnal [ə'rinjəl] *s zo.* O'rignal *m*, Amer. Elentier *n*.
o·ri·ole ['ɔːriˌoul] *s orn.* Pi'rol *m*, [Goldamsel *f*.]
or·i·son ['ɒrizən] *s poet.* Gebet *n*.
orle [ɔːrl] *s her.* Innenbord *m*.
or·lop ['ɔːrlɒp] *s mar.* Plattform-, Raum-, Orlopdeck *n*.
or·mer ['ɔːrmər] *s zo.* Seeohr *n*.
or·mo·lu ['ɔːrməˌluː] *s* Ormulu *m*: a) Malergold *n*, b) Goldbronze *f*.
or·na·ment *s* ['ɔːrnəmənt] **1.** Orna'ment *n*, Verzierung *f* (*a. mus.*), Schmuck *m*: **by way of** ~ zur *od.* als Verzierung. **2.** *fig.* Zier(de) *f* (to für *od. gen*): **he was an** ~ **to the club.** **3.** *collect.* Orna'mente *pl*, Orna'mentik *f*, Verzierungen *pl*, schmückendes Beiwerk: **rich in** ~ reich verziert. **4.** *oft pl relig.* Kirchengerät *n*. **II** *v/t* [-ˌment] **5.** verzieren, schmücken. ˌ**or·na'men·tal** [-'mentl] *adj* (*adv* ~**ly**) ornamen'tal, schmückend, dekora'tiv, Zier...: ~ **castings** Kunstguß *m*; ~ **plants** Zierpflanzen; ~ **type** Zierschrift *f*. ˌ**or·na'men·talˌism** *s* Vorliebe *f* für Verzierungen. ˌ**or·na·men'ta·tion** *s* Ornamen'tierung *f*, Ausschmückung *f*, Verzierung *f*. **'or·naˌment·ist** *s* Dekora'teur *m*, *bes.* Dekorati'onsmaler *m*.
or·nate [ɔːr'neit] *adj* (*adv* ~**ly**) **1.** reich verziert *od.* geschmückt. **2.** über'laden (*Stil etc*). **3.** blumig (*Sprache*).
or·ner·y ['ɔːrnəri] *adj Am. colloq. od. dial.* **1.** → **ordinary.** **2.** ‚ekelhaft', übellaunig. **3.** störrisch, unfolgsam.
or·nis ['ɔːrnis] *s* Vogelwelt *f*.
or·ni·tho·log·ic [ˌɔːrniθə'lɒdʒik] *adj*; ˌ**or·ni·tho'log·i·cal** [-kəl] *adj* (*adv* ~**ly**) ornitho'logisch. ˌ**or·ni'thol·o·gist** [-'θɒlədʒist] *s* Ornitho'loge *m*. ˌ**or·ni'thol·o·gy** [-dʒi] *s* Ornitholo'gie *f*, Vogelkunde *f*.
or·ni·tho·man·cy ['ɔːrniθoˌmænsi] *s* Ornithoman'tie *f*, 'Vogelwahrsageˌrei *f*.
or·ni·thop·ter [ˌɔːrni'θɒptər] *s aer.* [Schwingenflügler *m*.]
or·ni·tho·rhyn·chus [ˌɔːrniθo'riŋkəs] *s orn.* Schnabeltier *n*.
or·ni·tho·sis [ˌɔːrni'θousis] *s vet.* Orni'those *f*, Papa'geienkrankheit *f*.
o·rog·ra·phy [ə'rɒgrəfi; o'r-; ɒ'r-] *s* Orogra'phie *f*, Beschreibung *f* (des Reli'efs) der Erdoberfläche, 'Geomorpholo'gie *f*. [Gebirgskunde *f*.]
o·rol·o·gy [ɔː'rɒlədʒi] *s* Orolo'gie *f*,
o·rom·e·ter [ɔː'rɒmitər; o'r-] *s meteor.* 'Höhenbaroˌmeter *n*.
o·ro·pha·ryn·ge·al [ˌɔːrofə'rindʒiəl] *adj med.* Mundrachen...
o·ro·tund ['ɔːroˌtʌnd; 'ɒr-] *adj* **1.** volltönend: ~ **voice.** **2.** bom'bastisch, pom'pös: ~ **style.**
or·phan ['ɔːrfən] **I** *s* **1.** Waise *f*, Waisenkind *n*. **II** *adj* **2.** Waisen..., verwaist: **an** ~ **child** → 1. **3.** Waisen...: ~ **asylum** → **orphanage** 1. **III** *v/t* **4.**

zur Waise machen: to be ~ed zur Waise werden, verwaisen; ~ed verwaist (*a. fig.*). **'or·phan·age** *s* **1.** Waisenhaus *n*, -heim *n*. **2.** Verwaistheit *f*. **3.** Waisen *pl*. **'or·phan,hood** → orphanage 2 *u*. 3.

Or·phe·an [ɔːr'fiːən] *adj* **1.** → **Orphic** 1. **2.** verzaubernd, bannend, wundersam: ~ **music**.

Or·phic ['ɔːrfik] *adj* **1.** *antiq.* orphisch. **2.** *a.* o~ mystisch, geheimnisvoll. **3.** → Orphean 2.

or·phrey ['ɔːrfri] *s* **1.** (Gold)Borte *f*. **2.** *hist.* ,Goldsticke'rei *f*.

or·rer·y ['ɒrəri] *s astr.* Plane'tarium *n*.

or·rho·di·ag·no·sis [,ɔːro,daiəg'nousis] *s med.* 'Serumdia,gnose *f*.

or·ris[1] ['ɒris] *s bot.* **1.** Floren'tiner Schwertlilie *f*. **2.** *a.* ~**root** Veilchenwurzel *f*.

or·ris[2] ['ɒris] *s* **1.** Gold-, Silberborte *f od.* -spitze *f*. **2.** ,Gold-, ,Silbersticke'rei *f*.

Or·thi·con ['ɔːrθi,kɒn] (*TM*) *s TV* Orthikon *n* (*e-e Bildaufnahmeröhre*).

ortho- [ɔːrθo] *Wortelement mit den Bedeutungen*: a) recht, korrekt, richtig, b) (senk)recht, c) gerade, d) *chem.* ortho..., e) *phys.* ortho... (*parallelen Spin bezeichnend*).

,or·tho·chro'mat·ic *adj* (*adv* ~**ally**) *phot.* orthochro'matisch, farb(wert)richtig.

or·tho·clase ['ɔːrθo,kleis; -,kleiz] *s min.* Ortho'klas *m*.

,or·tho·di'ag·o·nal *math.* **I** *s a.* ~ **axis** Orthoachse *f*, 'Orthodiago,nale *f*. **II** *adj* 'orthodiago,nal.

or·tho·don·ti·a [,ɔːrθo'dɒnʃiə] *s med.* Orthodon'tie *f*, zahnärztliche Orthopä'die.

or·tho·dox ['ɔːrθə,dɒks] *adj* (*adv* ~**ly**) **1.** *relig.* ortho'dox: a) streng-, rechtaltgläubig, b) O~ ortho'dox-ana'tolisch: O~ **Church** Orthodox-Anatolische Kirche, orthodoxe *od.* griechisch-katholische Kirche, c) *Am.* die Drei'faltigkeitslehre vertretend. **2.** *allg.* ortho'dox: ~ **opinion**. **3.** anerkannt, konventio'nell, üblich. **'or·tho,dox·y** *s* Orthodo'xie *f*: a) *relig.* Recht-, Strenggläubigkeit *f*, b) *allg.* ortho'doxes Denken, c) ortho'doxer *od.* konventio'neller Cha'rakter.

or·tho·ep·y ['ɔːrθo,epi] *s ling.* Orthoe'pie *f*: a) *Lehre von der richtigen Aussprache*, b) *richtige Aussprache*.

,or·tho'gen·e·sis *s* Orthoge'nese *f*: a) *biol. gerichtete Stammesentwicklung*, b) *sociol. Lehre von der Gleichförmigkeit sozialer Entwicklung in jeder Kulturepoche*.

or·thog·o·nal [ɔːr'θɒgənl] *adj math.* orthogo'nal, rechtwink(e)lig: ~ **projection** → **orthographic projection**.

or·tho·graph·ic [,ɔːrθo'græfik] *adj*; **,or·tho'graph·i·cal** [-kəl] *adj* (*adv* ~**ally**) **1.** ortho'graphisch, Rechtschreib(ungs)... **2.** *math.* senkrecht, rechtwink(e)lig, orthogo'nal.

or·tho·graph·ic pro·jec·tion *s math.* Orthogo'nalprojekti,on *f*, ortho'graphische Projekti'on.

or·thog·ra·phy [ɔːr'θɒgrəfi] *s* **1.** Orthogra'phie *f*, Rechtschreibung *f*. **2.** *tech.* richtig proji'zierte Zeichnung.

or·tho·p(a)e·dic [,ɔːrθo'piːdik] *adj med.* ortho'pädisch. **,or·tho'p(a)e·dics** *s pl* (*oft als sg konstruiert*) *med.* Orthopä'die *f*. **,or·tho'p(a)e·dist** *s* Ortho'päde *m*. **'or·tho,p(a)e·dy** → **orthop(a)edics**.

,or·tho·psy'chi·a·try *s* vorbeugende Psychia'trie.

or·thop·ter [ɔːr'θɒptər] *s* **1.** *aer.* → **ornithopter**. **2.** *zo.* → **orthopteron**.

or'thop·ter,on [-,rɒn] *s* Geradflügler *m*.

or·thop·tic [ɔːr'θɒptik] **I** *adj med.* nor'malsichtig, Normalsicht...: ~ **exercises** mechanische Sehübungen. **II** *s mil.* Oku'lar-Lochscheibe *f*.

,or·tho'pyr·a·mid *s math.* Orthopyra'mide *f*.

or·tho·scope ['ɔːrθo,skoup] *s med.* Ortho'skop *n*. **,or·tho'scop·ic** [-'skɒpik] *adj* ortho'skopisch, tiefenrichtig, verzeichnungs-, verzerrungsfrei.

'or·tho,tone *adj ling.* den Eigenton bewahrend, nicht en'klitisch (*Wort*).

or·to·lan ['ɔːrtələn] *s orn.* Orto'lan *m*, Gartenammer *f*.

Os·can ['ɒskən] **I** *s* **1.** Osker(in) (*Angehöriger der ältesten samnitischen Bevölkerung Kampaniens*). **2.** *ling.* Oskisch *n*, das Oskische. **II** *adj* **3.** oskisch.

Os·car ['ɒskər] *s Am.* Oskar *m* (*alljährlich verliehener Filmpreis in Form e-r Statuette*).

os·cil·late ['ɒsi,leit] **I** *v/i* **1.** *bes. math. phys.* oszil'lieren, schwingen, pendeln, vi'brieren. **2.** *fig.* (hin u. her) schwanken. **3.** *electr.* a) 'hochfre,quente Schwingungen ausführen *od.* erzeugen, b) unbeabsichtigt *od.* wild schwingen. **II** *v/t* **4.** in Schwingung versetzen. **'os·cil,lat·ing** *adj* **1.** oszil'lierend, schwingend, pendelnd, vi'brierend: ~ **axle** *mot.* Schwingachse *f*; ~ **beacon** *aer.* Pendelfeuer *n*; ~ **circuit** *electr.* Schwingkreis *m*; ~ **current** *electr.* oszillierender Strom, Schwingstrom *m*; ~ **mirror** Schwing-, Kippspiegel *m*. **2.** *fig.* schwankend, unschlüssig.

os·cil·la·tion [,ɒsi'leiʃən] *s* **1.** *bes. math. phys.* Oszillati'on *f*, Schwingung *f*, Pendelbewegung *f*, Schwankung *f*. **2.** *fig.* Schwanken *n*, Unschlüssigkeit *f*. **3.** *electr.* a) (*einzelner*) Ladungswechsel, b) Stoßspannung *f*, Im'puls *m*, c) Peri'ode *f*, volle Schwingung.

os·cil·la·tor ['ɒsi,leitər] *s* **1.** *electr.* Oszil'lator *m*. **2.** Schwankende(r *m*) *f*.

os·cil·la·to·ry ['ɒsilətəri; -,lei-] → **oscillating** 1.

os·cil·lo·gram [ə'silə,græm; ɒ's-] *s electr. phys.* Oszillo'gramm *n*. **os'cillo,graph** [-,græ(ː)f; *Br. a.* -,grɑːf] *s* Oszillo'graph *m*: ~ **tube** → **oscilloscope**.

os·cil·lo·scope [ə'silə,skoup; ɒ's-] *s electr. phys.* Oszillo'skop *n*, Ka'thodenstrahlröhre *f*.

os·cu·lant ['ɒskjulənt] *adj* **1.** sich berührend, gemeinsame Cha'rakterzüge aufweisend. **2.** *zo.* eng anhaftend. **3.** *biol.* ein Zwischenglied (*zwischen zwei Gruppen*) bildend. **'os·cu·lar** *adj* **1.** *math.* osku'lär (*e-e Berührung höherer Ordnung betreffend*). **2.** *humor.* Kuß...

os·cu·late ['ɒskju,leit] *v/t u. v/i* **1.** *bes. humor.* (sich) küssen. **2.** (sich) eng berühren *od.* vereinigen. **3.** *math.* osku'lieren, (sich) mit höherer Ordnung berühren.

os·cu·lat·ing cir·cle ['ɒskju,leitiŋ] *s math.* Oskulati'ons-, Schmiegungskreis *m*. ~ **curve** *s* osku'lierende Kurve. ~ **plane** *s* Schmiegungsebene *f*.

os·cu·la·tion [,ɒskju'leiʃən] *s* **1.** a) Kuß *m*, b) Küssen *n*. **2.** enge Berührung. **3.** *math.* Oskulati'on *f*, Berührung *f* zweiter Ordnung: **point of** ~ Berührungspunkt *m*.

os·cu·la·to·ry ['ɒskjulətəri] *adj* **1.** küssend, Kuß... **2.** *math.* osku'lierend, Oskulations...

o·sier ['ouʒər] *s* **1.** *bot.* Korbweide *f*: ~ **bed** Weidenpflanzung *f*. **2.** Weidenrute *f*: ~ **basket** Weidenkorb *m*; ~ **furniture** Korbmöbel *pl*.

Os·man·li [ɒz'mænli; ɒs-] **I** *s* **1.** Osman'li *m*, Os'mane *m*. **2.** *a.* ~ **Turkish** *ling.* Os'manisch *n*, das Osmanische. **II** *adj* **3.** os'manisch.

os·mic ['ɒzmik; 'ɒs-] *adj chem.* Osmium...

os·mi·um ['ɒzmiəm; 'ɒs-] *s chem.* ['Osmium *n*.]

os·mo·sis [ɒs'mousis; ɒz-] *s phys.* Os'mose *f*. **os'mot·ic** [-'mɒtik] *adj* (*adv* ~**ally**) os'motisch.

os·mund ['ɒsmʌnd; 'ɒz-] *s bot.* Rispenfarn *m*.

Os·na·burg, o~ ['ɒznə,bəːrg] *s* Osna'brücker Leinwand *f*.

os·prey ['ɒspri] *s* **1.** *orn.* Fischadler *m*. **2.** Reiherfeder *f*.

os·se·in ['ɒsiin] *s biol. chem.* Osse'in *n*, Knochenleim *m*.

os·se·ous ['ɒsiəs] *adj* knöchern, Kno-[chen...]

os·si·cle ['ɒsikl] *s anat.* Knöchelchen *n*.

os·sif·er·ous [ɒ'sifərəs] *adj* (*bes.* fos'sile) Knochen enthaltend.

os·si·fi·ca·tion [,ɒsifi'keiʃən] *s med.* Verknöcherung *f*. **'os·si,fied** [-si,faid] *adj med.* verknöchert (*a. fig.*), ossifi'ziert.

os·si·frage ['ɒsifridʒ] *s orn.* **1.** → **osprey** 1. **2.** → **lammergeier**.

os·si·fy ['ɒsi,fai] **I** *v/t* **1.** ossifi'zieren, verknöchern (lassen). **2.** *fig.* verknöchern, über'trieben konventio'nell machen. **II** *v/i* **3.** ossifi'zieren, verknöchern. **4.** *fig.* verknöchern, in Konventi'onen erstarren.

os·su·ar·y ['ɒsjuəri; *Am. a.* 'ɒʃu-] *s* a) Beinhaus *n*, b) Urne *f*.

os·te·al ['ɒstiəl] → **osseous**.

os·te·i·tis [,ɒsti'aitis] *s med.* Oste'itis *f*, Knochenentzündung *f*.

os·ten·si·ble [ɒs'tensəbl] *adj* (*adv* **ostensibly**) **1.** scheinbar. **2.** an-, vorgeblich. **3.** vorgeschoben: ~ **partner** Strohmann *m*. **os'ten·sive** *adj* (*adv* ~**ly**) **1.** osten'siv: a) zeigend, anschaulich machend, dartuend, b) *fig.* prunkend, prahlerisch. **2.** → **ostensible**. **os'ten·so·ry** [-səri] *s relig.* Mon'stranz *f*.

os·ten·ta·tion [,ɒsten'teiʃən] *s* **1.** (protzige) Schaustellung. **2.** Protze'rei *f*, Prahle'rei *f*. **3.** Gepränge *n*, auffällige Pracht. **,os·ten'ta·tious** *adj* (*adv* ~**ly**) **1.** großtuerisch, prahlerisch, prunkend. **2.** (absichtlich) auffällig, ostenta'tiv, betont, demonstra'tiv. **3.** prunkhaft, prächtig.

os·te·o·blast ['ɒstiə,blæst] *s physiol.* Osteo'blast *m*, Knochenbildner *m*.

os·te·oc·la·sis [,ɒsti'ɒkləsis] *s med.* **1.** Osteokla'sie *f*, (chir'urgische) 'Knochenfrak,tur. **2.** Knochengewebszerstörung *f*. **'os·te·o,clast** [-tiə,klæst] *s* Osteo'klast *m*: a) *Instrument zum Zerbrechen von Knochen*, b) *Knochen resorbierende Riesenzelle*.

os·te·o·gen·e·sis [,ɒstiə'dʒenisis] *s* Osteoge'nese *f*, Knochenbildung *f*. **'os·te·o·ge'net·ic** [-dʒi'netik], **,os·te·o'gen·ic**, **,os·te'og·e·nous** [-'ɒdʒənəs] *adj* osteo'gen, knochenbildend. **,os·te·'og·e·ny** → **osteogenesis**.

os·te·ol·o·gist [,ɒsti'ɒlədʒist] *s* Osteo'loge *m*. **,os·te'ol·o·gy** *s* Osteolo'gie *f*, Knochenlehre *f*.

os·te·o·ma [,ɒsti'oumə] *pl* **-mas** *od.* **-ma·ta** [-mətə] *s med.* Oste'om *n*, gutartige Knochengeschwulst. **,os·te·o·ma'la·ci·a** [-omə'leiʃiə] *s med.* Knochenerweichung *f*.

os·te·o·my·e·li·tis [,ɒstio,maiə'laitis] *s med.* Osteomye'litis *f*, Knochenmarkentzündung *f*.

os·te·o·path ['ɒstiə,pæθ] *s med.* Osteo-

'path *m.* ˌ**os·te'op·a·thy** [-'ɒpəθi] *s med.* Chiro'praktik *f.*
os·te·o·plas·tic [ˌɒstiə'plæstik] *adj* **1.** *physiol.* osteo'plastisch, knochenbildend. **2.** *med.* knochenplastisch. '**os·te·o**ˌ**plas·ty** *s* Knochenplastik *f.*
os·te·o·tome ['ɒstiəˌtoum] *s med.* Osteo'tom *n*, Knochenmeißel *m.* ˌ**os·te'ot·o·my** [-'ɒtəmi] *s* Osteoto'mie *f*, Knochenzerschneidung *f.*
os·ti·ar·y ['ɒstiəri] *s relig.* **1.** *R.C.* Osti'arius *m* (*Inhaber der niedersten der 4 niederen Weihen*). **2.** Pförtner *m.*
ost·ler ['ɒslər] *s* Stallknecht *m.*
os·tra·cism ['ɒstrəˌsizəm] *s* **1.** *antiq.* Scherbengericht *n.* **2.** *fig.* a) Verbannung *f*, b) Ächtung *f.* '**os·tra**ˌ**cize** *v/t* **1.** *antiq.* (durch das Scherbengericht) verbannen. **2.** *fig.* a) verbannen, b) ächten, (aus der Gesellschaft) ausstoßen, verfemen.
os·tra·cod ['ɒstrəˌkɒd] *s zo.* Muschelkrebs *m.*
os·tre·i·cul·ture ['ɒstriiˌkʌltʃər] *s* Austernzucht *f.*
os·trich ['ɒstritʃ] **I** *s orn.* Strauß *m.* **II** *adj* Strauß(en)...: ~ **feather** (*od.* plume). ~ **fern** *s bot.* Straußfarn *m.* ~ **pol·i·cy** *s fig.* ˌVogel-'Strauß-Poliˌtik *f.*
Os·tro·goth ['ɒstrəˌgɒθ] *s* Ostgote *m.* ˌ**Os·tro'goth·ic** *adj* ostgotisch.
Os·ty·ak ['ɒstiˌæk] *s* **1.** Ost'jake *m*, Ost'jakin *f* (*finnisch-ugrisches Volk*). **2.** *ling.* Ost'jakisch *n*, das Ostjakische.
o·tal·gi·a [o'tældʒiə] *s med.* Otal'gie *f*, Ohrenschmerz *m.*
o·ta·ry ['outəri] *s zo.* Ohrenrobbe *f.*
oth·er ['ʌðər] **I** *adj* **1.** ander(er, e, es): ~ **people think otherwise** andere Leute denken anders; **there is no** ~ **place to go to** man kann sonst nirgends hingehen; ~ **things being equal** bei sonst gleichen Bedingungen. **2.** (*vor s im pl*) andere, übrige: **the** ~ **guests. 3.** ander(er, e, es), weiter(er, e, es), sonstig(er, e, es): **many** ~ **things; one** ~ **person** e-e weitere Person, (noch) j-d anders; **the** ~ **two** die anderen beiden, die beiden anderen. **4.** anders (than als): **I would not have him** ~ **than he is** ich möchte ihn nicht anders haben, als er ist; **no person** ~ **than yourself** niemand außer dir. **5.** (from, than) anders (als), verschieden (von): **far** ~ **from ours** ganz anders als der unsere. **6.** zweit(er, e, es) (*obs. außer in*): **every** ~ jeder (jede, jedes) zweite: **every** ~ **year** jedes zweite Jahr, alle zwei Jahre; **every** ~ **day** jeden zweiten Tag. **7.** vor'hergehend (*obs. außer in*): **the** ~ **day** neulich, kürzlich; **the** ~ **night** neulich abend. **II** *pron* **8.** ander(er, e, es): **the** ~ der *od.* die *od.* das andere; **each** ~, **one an**~ einander; ~**s say** andere sagen; **the two** ~**s** die beiden anderen; **of all** ~**s** vor allen anderen; **no** (*od.* **none**) ~ **than** kein anderer als; **someone or** ~ irgendwer, irgend jemand; **some day** (*od.* **time**) **or** ~ e-s Tages, irgendeinmal; **some way or** ~ irgendwie, auf irgendeine Weise. **III** *adv* **9.** anders (than als).
oth·er·ness ['ʌðərnis] *s* Anderssein *n*, Verschiedenheit *f.*
'**oth·er**ˌ**where** *adv poet.* **1.** anderswo. **2.** 'anderswoˌhin, wo'andershin.
oth·er·wise ['ʌðərˌwaiz] **I** *adv* **1.** (*a. conj*) sonst, andernfalls: ~ **you will not get it. 2.** sonst, im übrigen: **stupid but** ~ **harmless; this** ~ **excellent dictionary. 3.** anderweitig: ~ **occupied; unless you are** ~ **engaged** wenn du nichts anderes vorhast. **4.** anders (than als): **we think** ~; **not** ~ **than** nicht anders als, genauso wie; X., ~ (called) Y. X., auch Y. genannt, X. alias Y. **5.** (*nach* or *od.* and *zum Ausdruck des Gegenteils*): **the advantages or** ~ **of s.th.** die Vor- oder Nachteile e-r Sache; **berries edible and** ~ eßbare und nichteßbare Beeren. **II** *adj* **6.** sonstig: **his** ~ **rudeness** s-e sonstige Grobheit; **his political enemies, his** ~ **friends** s-e politischen Gegner, sonst aber s-e Freunde. **7.** anders: **can it be** ~ **than beautiful?; rather tall than** ~ eher groß als klein.
oth·er| world *s* Jenseits *n.* '~ˌ**world** *adj* jenseitig. ˌ~'**world·li·ness** *s* Jenseitigkeit *f*, Jenseitsgerichtetheit *f.* '~ˌ**world·ly** *adj* **1.** jenseitig, unirdisch, Jenseits... **2.** auf das Jenseits gerichtet.
o·tic ['outik; 'ɒt-] *adj anat.* Ohr...
o·ti·ose ['ouʃiˌous] *adj* **1.** müßig, träg(e), untätig. **2.** müßig, zwecklos. ˌ**o·ti'os·i·ty** [-'ɒsiti] *s* **1.** Muße *f*, Müßiggang *m.* **2.** Zwecklosigkeit *f.*
o·ti·tis [o'taitis] *s med.* O'titis *f*, Ohr(en)entzündung *f*: ~ **media** Mittelohrentzündung.
o·to·lar·yn·gol·o·gist [ˌoutoˌlæriŋ'gɒlədʒist] *s med.* Facharzt *m* für Hals- u. Ohrenleiden. ˌ**o·to**ˌ**lar·yn'gol·o·gy** *s* Hals- u. Ohrenheilkunde *f.*
o·tol·o·gist [o'tɒlədʒist] *s med.* Facharzt *m* für Ohrenleiden. **o'tol·o·gy** *s* Otolo'gie *f*, Ohrenheilkunde *f.*
o·to·rhi·no·lar·yn·gol·o·gist [ˌoutoˌrainoˌlæriŋ'gɒlədʒist] *s med.* Facharzt *m* für Hals-, Nasen- u. Ohrenkrankheiten.
o·to·scope ['outəˌskoup] *s med.* Ohr(en)spiegel *m.*
ot·ta·va ri·ma [ot'tava 'rima] (*Ital.*) *s metr.* Ottave'rime *pl*, Stanze *f*, Ok'tave *f* (*Strophe aus 8 fünfhebigen jambischen Versen mit dem Reimschema abababcc*).
Ot·ta·wa ['ɒtəwə] *pl* **-was** *s* **1.** 'Ottawa-IndiˌanerIin). **2.** *collect.* 'Ottawa(-Indiˌaner) *pl.*
ot·ter ['ɒtər] *s* **1.** *pl* **-ters** *od., bes. collect.,* **-ter** *zo.* Otter *m.* **2.** Otterfell *n*, -pelz *m.* **3.** *zo.* Larve *f* des Hopfenspinners. **4.** (*ein*) Fischfanggerät *n.* **5.** → paravane 1. '~ˌ**dog,** '~ˌ**hound** *s hunt.* Otterhund *m.*
Ot·to·man ['ɒtəmən] **I** *adj* **1.** os'manisch, türkisch. **II** *pl* **-mans** *s* **2.** Os'mane *m*, Türke *m.* **3. o**~ Otto'mane *f*: a) *Art Sofa* b) Sitzpolster *n* (*niedriger Sessel ohne Rücken- u. Armlehnen*), c) Polsterschemel *m.* **4. o**~ Otto'mane *f* (*Gewebe*).
ou·bli·ette [ˌu:bli'et] *s* Oubli'ette *f*, (Burg)Verlies *n.*
ouch[1] [autʃ] *interj* autsch!, au!
ouch[2] [autʃ] *s hist.* **1.** Spange *f*, Brosche *f.* **2.** Fassung *f* (*e-s Edelsteins*).
ought[1] [ɔ:t] **I** *v/aux* (*nur pres u. pret; mit folgendem inf mit* to, *obs. od. poet. a. ohne* to) *ich, er, sie, es* sollte, *du* solltest, *ihr* solltet, *wir, sie, Sie* sollten: **he** ~ **to do it** er sollte es (eigentlich) tun; **he** ~ **(not) to have seen it** er hätte es (nicht) sehen sollen; **you** ~ **to have known better** du hättest es besser wissen sollen *od.* müssen. **II** *s* Soll *n*, (mo'ralische) Pflicht.
ought[2] [ɔ:t] *s* Null *f.*
ought[3] → aught II.
Oui·ja, o~ ['wi:dʒɑ:] *s* Alpha'bettafel *f* (*für spiritistische Sitzungen*).
ounce[1] [auns] *s* **1.** Unze *f* (*als Handelsgewicht = 28,35 g; als Troygewicht = 31,1 g; abbr.* oz., *im pl* ozs.): **by the** ~ nach (dem) Gewicht. **2.** → **fluid ounce. 3.** *hist.* Unze *f* (*Maß u. Gewicht sehr verschiedenen Wertes*). **4.** *fig.* Körnchen *n*, Funken *m*, *ein* bißchen: **an** ~ **of common sense** ein Funken gesunden Menschenverstandes; **not an** ~ **of truth** nicht ein Körnchen Wahrheit; **an** ~ **of practice is worth a pound of theory** Probieren geht über Studieren.
ounce[2] [auns] *s zo.* **1.** Irbis *m*, 'Schneeleoˌpard *m.* **2.** *poet.* Luchs *m.*
our [aur] *poss adj* unser: ~ **books; O**~ **Father** *relig.* das Vaterunser; → lady 7.
ours [aurz] *poss pron* (*ohne folgendes s od. pred*) **1.** (*der, die, das*) uns(e)re: **I like** ~ **better** mir gefällt das unsere besser; **a friend of** ~ ein Freund von uns, e-r von unseren Freunden; **this world of** ~ diese unsere Welt; **that house of** ~ unser Haus; **Smith of** ~ *Br.* Smith von unserem Regiment *etc*; ~ **is a small group** unsere Gruppe ist klein. **2.** unser, (*der, die, das*) uns(e)re: **it is** ~ es gehört uns, es ist unser; **it became** ~ es wurde unser, es gelangte in unseren Besitz.
our·self [aur'self] *pron* (*sg von* **ourselves,** *beim Pluralis Majestatis gebraucht*) **1.** Uns (selbst). **2.** (höchst)selbst: **We O**~ Wir höchstselbst.
our·selves [aur'selvz] *pron* **1.** *reflex* uns (selbst): **we blame** ~ wir geben uns (selbst) die Schuld. **2.** (*verstärkend*) *wir* selbst: **we** ~ **will go there, we will go there** ~; **let us do it** ~ machen wir es selbst. **3.** uns (selbst): **good for the others, not for** ~.
ou·sel → ouzel.
oust [aust] *v/t* **1.** vertreiben, entfernen, verdrängen, hin'auswerfen (from aus): **to** ~ **s.o. from office** j-n aus s-m Amt entfernen *etc*, j-n s-s Amtes entheben. **2.** *etwas* abschaffen, verdrängen. **3.** *jur. j-n* enteignen, um den Besitz bringen. **4.** berauben (of *gen*). '**oust·er** *s jur.* **1.** a) Entfernung *f* (vom Amt), (Amts)-Enthebung *f*, b) *allg.* Hin'auswurf *m.* **2.** a) Enteignung *f*, b) Besitzentziehung *f.*
out [aut] **I** *adv* **1.** (*a. in Verbindung mit Verben*) a) hin'aus(*-gehen, -werfen etc*): **go** ~! geh hinaus!, b) her'aus(*-kommen, -schauen etc*): **come** ~! komm heraus!, c) aus(*-brechen, -pumpen, -sterben etc*): **to die** ~, d) aus(*-probieren, -rüsten etc*): **to fit** ~ ausstatten; **voyage** ~ Ausreise *f*; **way** ~ Ausgang *m*; **on the way** ~ beim Hinausgehen; **to have a tooth** ~ sich e-n Zahn ziehen lassen; **to insure** ~ **and home** *econ.* hin u. zurück versichern; ~ **with him!** hinaus *od.* ,'raus' mit ihm!; ~ **with it!** hinaus *od.* heraus damit! (→ 10); **that's** ~! das kommt nicht in Frage!; **to have it** ~ **with s.o.** *fig.* die Sache mit j-m ausfechten; ~ **of** → 42. **2.** außen, draußen, fort: **he is** ~ er ist draußen; ~ **and about** (wieder) auf den Beinen; **he is away** ~ **in Canada** er ist (draußen) in Kanada; **he has been** ~ **for a walk** er hat e-n Spaziergang gemacht. **3.** nicht zu Hause, ausgegangen: **to be** ~ **on business** geschäftlich unterwegs *od.* verreist sein; **an evening** ~ ein Ausgeh-Abend; **we had an evening** ~ wir sind am Abend ausgegangen. **4.** von der Arbeit abwesend: **to be** ~ **on account of illness** wegen Krankheit der Arbeit fernbleiben; **a day** ~ ein freier Tag. **5.** im *od.* in den Streik, ausständig (*Arbeiter*): **to be** ~ streiken; **to go** ~ in den Streik treten. **6.** a) ins Freie, b) draußen, im Freien, c) *mar.* draußen, auf See, d) *mil.* im Felde. **7.** als Hausangestellte beschäftigt. **8.** ,'raus', (*aus dem Gefängnis etc*) entlassen: ~ **on bail** gegen Bürgschaft auf freiem Fuß. **9.** her'aus, veröffentlicht, an der

od. an die Öffentlichkeit: (just) ~ (soeben) erschienen (*Buch*); it came ~ in June es kam im Juni heraus, es erschien im Juni; the girl is not yet ~ das Mädchen ist noch nicht in die Gesellschaft eingeführt (worden). **10.** her'aus, ans Licht, zum Vorschein, entdeckt, -hüllt, -faltet: the chickens are ~ die Küken sind ausgeschlüpft; the flowers are ~ a) die Blumen sind heraus *od.* blühen, b) die Blüten sind entfaltet; the secret is ~ das Geheimnis ist enthüllt; ~ with it! heraus damit!, heraus mit der Sprache! (→ 1); → blood 4, murder 1. **11.** ~ for auf *e-e Sache* aus, auf der Jagd *od.* Suche nach *e-r Sache*: ~ for prey auf Raub aus. **12.** to be ~ for s.th. sich für etwas einsetzen *od.* erklären. **13.** to be ~ to do s.th. darauf aus sein *od.* darauf abzielen, etwas zu tun. **14.** weit u. breit, in der Welt (*bes. zur Verstärkung des sup*): the best thing ~; ~ and away bei weitem. **15.** *sport* aus, draußen: a) nicht (mehr) im Spiel, b) im Aus, außerhalb des Spielfelds. **16.** *Boxen*: ausgezählt, k.'o., kampfunfähig: ~ on one's feet a) stehend k.o., b) *fig.* ‚schwer angeschlagen', ‚erledigt'. **17.** *pol.* draußen, ,'raus', nicht (mehr) im Amt, nicht (mehr) am Ruder: the Democrats are ~. **18.** aus der Mode: boogie-woogie is ~. **19.** aus, vor'über, vor'bei, zu Ende: school is ~ *Am.* die Schule ist aus; before the week is ~ vor Ende der Woche. **20.** aus, erloschen: the fire is ~; the lights are ~. **21.** aus(gegangen), verbraucht, ‚alle': the potatoes are ~. **22.** aus der Übung: my fingers are ~. **23.** zu Ende, bis zum Ende, ganz: → hear 3, sit out 1; tired ~ vollständig erschöpft; ~ and ~ durch u. durch, ganz u. gar. **24.** nicht an der richtigen Stelle *od.* im richtigen Zustand, *z. B.* a) verrenkt (*Arm etc*), b) geistesgestört, von Sinnen, c) über die Ufer getreten, ausgetreten (*Fluß*). **25.** löch(e)rig, zerrissen, 'durchgescheuert: → elbow 1. **26.** ärmer um: to be $ 10 ~. **27.** a) verpachtet, vermietet, b) verliehen, ausgeliehen (*Geld, a. Buch*): land ~ at rent verpachtetes Land; ~ at interest auf Zinsen ausgeliehen (*Geld*). **28.** unrichtig, im Irrtum (befangen): his calculations are ~ s-e Berechnungen stimmen nicht; to be (far) ~ sich (gewaltig) irren, ‚(ganz) auf dem Holzweg sein'. **29.** entzwei, ‚verkracht': to be ~ with s.o. **30.** verärgert, ärgerlich. **31.** in ärmlichen Verhältnissen: to be down and ~ heruntergekommen sein. **32.** laut: to laugh ~ laut (heraus)lachen; speak ~! a) sprich lauter!, b) heraus damit!

II *adj* **33.** Außen...: ~ edge; ~ islands entlegene *od.* abgelegene Inseln. **34.** *Kricket*: nicht schlagend: the ~ side → 48. **35.** *sport* Auswärts...: ~ match. **36.** *pol. etc* nicht im Amt *od.* am Ruder (befindlich). **37.** abgehend: ~ train. **38.** 'übernor,mal, Über...: → outsize.

III *prep* **39.** (her'aus *od.* her'vor) aus (*obs. außer nach* from): from ~ the house aus dem Haus heraus. **40.** *Am.* aus, her'aus *od.* hin'aus aus *od.* zu: ~ the window zum Fenster hinaus, aus dem Fenster. **41.** *Am. colloq.* a) hin'aus, b) draußen an (*dat*) *od.* in (*dat*): to drive ~ Main Street die Hauptstraße (entlang) hinausfahren; to live ~ Main Street (weiter) draußen in der Hauptstraße wohnen. **42.** ~ of a) aus (... her'aus): ~ of the bottle (house, *etc*), b) zu ... hin'aus: ~ of the window (house, *etc*), c) aus, von: two ~ of three Americans zwei von drei Amerikanern, d) außerhalb, außer *Reichweite, Sicht etc*: ~ of reach, e) außer *Atem, Übung etc*: ~ of breath (practice, *etc*); to be ~ of s.th. etwas nicht (mehr) haben; we are ~ of oil uns ist das Öl ausgegangen, f) aus *der Mode, Richtung etc*: ~ of fashion; ~ of drawing verzeichnet; → alignment 2, focus 1, question 4, g) außerhalb (*gen od.* von): five miles ~ of Oxford; to be ~ of it *fig.* nicht dabei sein (dürfen); to feel ~ of it sich ausgeschlossen fühlen; → door *Bes. Redew.*, h) um *etwas betrügen*: to cheat s.o. ~ of s.th., i) von, aus: to get s.th. ~ of s.o. etwas von j-m bekommen; he got more (pleasure) ~ of it er hatte mehr davon, j) ('hergestellt) aus: made ~ of paper, k) *fig.* aus *Bosheit, Furcht, Mitleid etc*: ~ of spite (fear, pity, *etc*), l) *zo.* abstammend von, aus (*e-r Stute etc*).

IV *interj* **43.** hin'aus!, 'raus!; ~ with → 1 *u.* 10. **44.** ~ (up)on *obs.* pfui über (*acc*): ~ upon you!

V *s* **45.** *Am.* Außenseite *f*: → in 32. **46.** *Am. colloq.* Ausweg *m* (*a. fig.*). **47.** *Tennis*: Ausball *m*. **48.** the ~s (*Kricket etc*) *die Mannschaft, die nicht am Schlagen ist.* **49.** the ~s *pol.* die Oppositi'on, die nicht re'gierende Par'tei. **50.** *pl Br.* Ausgaben *pl*, ausgegebene Beträge *pl*. **51.** *pl Am.* Streit *m*: at ~s (*od.* on the ~s) with im Streit mit, auf gespanntem Fuße mit. **52.** *Am. colloq.* a) *schlechte etc* Leistung: a poor ~, b) Schönheitsfehler *m*. **53.** *print.* Auslassung *f*, ‚Leiche' *f*. **54.** *pl econ. Am.* ausgegangene Bestände *pl od.* Waren *pl*. **55.** *Br. dial. od. Am. colloq.* Ausflug *m*.

VI *v/t* **56.** hin'auswerfen, verjagen. **57.** *sport* a) ausschalten, elimi'nieren (*in e-m Turnier*), b) *Kricket*: *den Schläger* ‚aus' machen. **58.** *Br. sl.* a) k.'o. schlagen, b) 'umbringen, ‚kaltmachen'. **59.** *Tennis*: *den Ball* ins Aus schlagen.

VII *v/i* **60.** ans Licht *od.* zum Vorschein kommen. **61.** *colloq.* her'ausrücken (with mit *Geld, e-r Geschichte etc*). **62.** *Tennis*: den Ball ins Aus schlagen.

out·age ['autidʒ] *s* **1.** fehlende *od.* verlorene Menge (*z. B. aus e-m Behälter*). **2.** *tech.* Ausfall *m*, Versagen *n*.

'out|-and-'out I *adv* durch u. durch, ganz u. gar, völlig, abso'lut. **II** *adj* abso'lut, ausgesprochen, Erz...: an ~ villain ein Erzschurke. **,~-and-'out·er** *s sl.* **1.** Hundert'fünfzigpro,zentige(r *m*) *f*, Radi'kale(r *m*) *f*. **2.** (*etwas*) 'Hundertpro,zentiges *od.* ganz Typisches (*s-r Art*). **'~,back** *Austral.* **I** *s meist* the ~ das Hinterland, der (*bes.* austral.) Busch. **II** *adj u. adv* im *od.* in den *od.* aus dem Busch: ~ life das Leben im Busch. **~'bal·ance** *v/t* über'wiegen, -'treffen. **~'bid** *v/t* (*bei Auktionen, Kartenspielen*) über'bieten (*a. fig.*). **'~,board** *mar.* **I** *adj* Außenbord...: ~ motor. **II** *adv* außenbords. **'~'bound** *adj* **1.** *mar.* nach auswärts bestimmt *od.* fahrend, auslaufend, -gehend, auf der Ausreise befindlich (*Schiff, Ladung etc*). **2.** *aer.* Abflug..., im Abflug. **'~,box** *v/t* (*im Boxen*) schlagen, auspunkten. **~'brave** *v/t* **1.** trotzen *od.* Trotz bieten (*dat*). **2.** an Tapferkeit *od.* Kühnheit *od.* Glanz über'treffen. **'~,break** *s* **1.** *allg.* Ausbruch *m*: ~ of an epidemic; ~ of war Kriegsausbruch. **2.** Aufruhr *m*. **'~,bred** *adj biol.* aus der Kreuzung entfernt verwandter *od.* nicht zuchtverwandter Indi'viduen gezüchtet. **'~,build·ing** *s* Nebengebäude *n*. **~·burst I** *s* ['-,bəːrst] Ausbruch *m* (*a. fig.*). **II** *v/i* [-'bəːrst] her'vor-, ausbrechen. **'~,cast I** *adj* **1.** verstoßen, verbannt, (*von der Gesellschaft*) ausgestoßen. **2.** a) verfemt, verächtlich, b) abgetan. **II** *s* **3.** Ausgestoßene(r *m*) *f*. **4.** (*etwas*) Verfemtes. **5.** Abfall *m*, Ausschuß *m*. **~·caste** [*Br.* '-,kɑːst; *Am.* '-,kæ(ː)st] **I** *s* aus der Kaste Ausgestoßene(r *m*) *f*, Kastenlose(r *m*) *f* (*bes. in Indien*). **II** *adj* kastenlos, (*aus der Kaste*) ausgestoßen. **III** *v/t* [*Br.* -'kɑːst; *Am.* -'kæ(ː)st] (*aus der Kaste*) ausstoßen. **~'class** *v/t j-m od. e-r Sache* weit über'legen sein, *j-n od. etwas* weit über'treffen, *sport a. j-n* deklas'sieren. **'~,clear·ance** *s mar.* 'Auskla,rieren *n* (*aus e-m Hafen*). **'~-,clear·ing** *s econ. Br.* Gesamtbetrag *m* der Wechsel- u. Scheckforderungen e-r Bank an das Clearing-House. **'~,col·lege** *adj* außerhalb des College wohnend, ex'tern (*Student*). **'~,come** *s* **1.** Ergebnis *n*, Resul'tat *n*, Folge *f*, Pro'dukt *n*. **2.** Schluß(folgerung *f*) *m*. **~·crop I** *s* ['-,krɒp] **1.** *geol.* a) Zu'tageliegen *n*, Anstehen *n*, b) Ausgehendes *n*, Ausbiß *m*. **2.** *fig.* Zu'tagetreten *n*. **II** *v/i* [-'krɒp] **3.** *geol.* zu'tage liegen *od.* treten, ausbeißen, anstehen. **4.** *fig.* zu'tage treten. **'~,cross·ing** *s biol.* Kreuzen *n* von nicht mitein'ander verwandten Tieren *od.* Pflanzen innerhalb derselben Abart *od.* Rasse. **'~,cry** *s* **1.** Aufschrei *m*, Schrei *m* der Entrüstung *od.* Verzweiflung. **2.** *econ.* Ausrufen *n*. **~'dare** *v/t* **1.** Trotz bieten *od.* trotzen (*dat*). **2.** mehr wagen als (*j-d*). **~'dat·ed** *adj* über'holt, veraltet. **~'dis·tance** *v/t* **1.** (weit) über'holen *od.* hinter sich lassen (*a. fig.*). **2.** *fig.* über'flügeln. **~'do** *v/t irr* **1.** über'treffen, ausstechen, es (*j-m*) zu'vortun: to ~ o.s. sich selbst übertreffen; not to be outdone in efficiency an Tüchtigkeit nicht zu übertreffen. **2.** schlagen, besiegen. **'~,door** *adj* Außen..., außer dem Hause (*a. parl. Br.*), im Freien (befindlich *od.* sich ereignend), draußen: ~ advertising Außen-, Straßenreklame *f*; ~ aerial (*Am.* antenna) Außen-, Frei-, Hochantenne *f*; ~ dress Ausgehanzug *m*; ~ exercise Bewegung *f* in freier Luft; ~ garments Straßenkleidung *f*; ~ shot *phot.* Außen-, Freilichtaufnahme *f*. **'~,door re·lief** *s* Hauspflege *f* für Arme. **~-doors I** *adv* ['-'dɔːrz] **1.** draußen, im Freien. **2.** hin'aus, ins Freie. **II** *adj* ['-,dɔːrz] **3.** → outdoor. **III** *s* [,-'dɔːrz] **4.** das Freie: the great ~ die freie Natur, Gottes freie Natur.

out·er ['autər] **I** *adj* **1.** Außen...: ~ cover *aer.* Außenhaut *f*; ~ diameter Außendurchmesser *m*; ~ garments Ober-, Überkleidung *f*; ~ harbo(u)r *mar.* Außenhafen *m*; the ~ man der äußere Mensch, das Äußere; ~ office Vorzimmer *n*; ~ skin Oberhaut *f*, Epidermis *f*; ~ space Weltraum *m*; ~ surface Außenfläche *f*, -seite *f*, Oberfläche *f*; ~ world Außenwelt *f*. **2.** äußerst(er, e, es), fernst(er, e, es). **II** *s* **3.** *Scheibenschießen*: äußerer Ring (*der Scheibe*). **'~,most** [-,moust] *adj* äußerst(er, e, es). **~ parts, ~ voic·es** *s pl mus.* Außenstimme *f*, Ober- u. 'Unterstimme *f* (*Sopran u. Baß*). **'~,wear** *s* Oberbekleidung *f*.

out|'face *v/t* **1.** Trotz bieten *od.* trotzen (*dat*), mutig *od.* gefaßt begegnen (*dat*).

to ~ a situation e-r Lage Herr werden. **2.** *j-n* mit e-m Blick *od.* mit Blicken aus der Fassung bringen. **'~ˌfall** *s* Mündung *f.* **'~ˌfield** *s* **1.** *Baseball u. Kricket*: a) Außenfeld *n*, b) Außenfeldspieler *pl.* **2.** *fig.* fernes Gebiet. **3.** weitabliegende Felder *pl* (*e-r Farm*). **'~'field·er** *s* Außenfeldspieler(in). **~'fight** *v/t irr* niederkämpfen, schlagen. **'~ˌfight·er** *s sport* Di'stanz-Boxer *m.* **'~ˌfit I** *s* **1.** Ausrüstung *f*, -stattung *f* (*für e-e Reise etc*), *tech. a.* Gerät(e *pl*) *n*, Werkzeug(e *pl*) *n*, Uten'silien *pl*: travel(l)ing ~; cooking ~ Küchengeräte, Kochutensilien; puncture ~ *mot.* Reifenflickzeug *n*; the whole ~ *colloq.* der ganze Krempel. **2.** *bes. Am. colloq.* a) ‚Verein' *m*, ‚Laden' *m*, Gesellschaft *f*, Gruppe *f* (*von Personen*), b) *mil.* ‚Haufen' *m*, Einheit *f*, c) (Arbeits-) Gruppe *f*, d) Gruppe *f*, Organisati'on *f*: manufacturing ~. **II** *v/t* **3.** ausrüsten *od.* ausstatten (with mit). **'~ˌfit·ter** *s* **1.** Herrenausstatter *m.* **2.** 'Ausrüstungsliefeˌrant *m.* **3.** Fachhändler *m*: electrical ~ Elektrohändler. **~'flank** *v/t* **1.** *mil.* die Flanke (*des Feindes*) um'fassen, um'gehen (*a. fig.*): ~ing attack Umfassungsangriff *m.* **2.** *fig.* über'flügeln. **'~ˌflow** *s* Ausfluß *m* (*a. med.*): ~ of gold *econ.* Goldabfluß *m.* **~'fly** *v/t irr* weiter *od.* schneller fliegen als. **'~ˌfox** *v/t* über'listen. **~'gen·er·al** *v/t* **1.** an Feldherrnkunst *od.* Organisati'onstaˌlent *etc* über'treffen, ein besserer Stra'tege *od.* Taktiker sein als. **2.** → outmaneuver. **~go I** *v/t irr* [-'gou] **1.** *fig.* über'treffen. **II** *s* ['-ˌgou] *pl* **-goes 2.** *econ.* (Gesamt)Ausgaben *pl*, (Geld)Auslagen *pl.* **3.** Ausströmen *n*, -bruch *m*, -fluß *m.* **'~ˌgo·ing I** *adj* **1.** weg-, fortgehend. **2.** abtretend, ausscheidend: the ~ administration; the ~ president. **3.** *mar. rail. etc, a. electr. teleph.* abgehend: ~ trains (boats); ~ call (*od.* message); ~ circuit; ~ traffic *aer.* Abgangsverkehr *m*; ~ stocks *econ.* Ausgänge. **4.** zu'rückgehend (*Flut*): the ~ tide. **5.** *psych.* aus sich her'ausgehend, mitteilsam, extraver'tiert. **II** *s* **6.** Ausgehen *n*, Ausgang *m.* **7.** *meist pl bes. Br.* (Geld)Ausgaben *pl.* **8.** Ab-, Ausfluß *m.* **'~-ˌgroup** *s sociol.* Fremdgruppe *f.* **~'grow** *v/t irr* **1.** größer werden als, schneller wachsen als, hin'auswachsen über (*acc*). **2.** *j-m* über den Kopf wachsen. **3.** her'auswachsen aus *Kleidern.* **4.** *fig. e-e Gewohnheit etc* (mit der Zeit) ablegen, her'auswachsen aus, entwachsen (*dat*): to ~ childish habits. **'~ˌgrowth** *s* **1.** na'türliche Entwicklung *od.* Folge, Ergebnis *n.* **2.** Nebenerscheinung *f.* **3.** Her'aus-, Her'vorwachsen *n.* **4.** *med.* Auswuchs *m.* **'~ˌguard** *s mil.* Vorposten *m*, vorgeschobener Posten, Feldwache *f.* **~'guess** *v/t j-s* Absichten durch'schauen *od.* zu'vorkommen. **'~ˌgush** *s* **1.** Ausfluß *m.* **2.** *fig.* Ausbruch *m*, Erguß *m.* **~-'Her·od** *v/t* noch ärger *od.* wütender toben als (*Herodes*): to ~ Herod. **'~ˌhouse** *s* **1.** Nebengebäude *n.* **2.** *bes. Am.* Außenabort *m.*

out·ing ['autiŋ] *s* Ausflug *m*, 'Landparˌtie *f*: to take an ~ e-n Ausflug machen; works' ~, (annual) company ~ Betriebsausflug. ~ **flan·nel** *s Am.* leichter 'Baumwollflaˌnell.

out|'jock·ey → outmaneuver. **~'jump** *v/t* besser *od.* höher *od.* weiter springen als. **'~ˌland·er** *s* **1.** *bes. poet.* Ausländer(in), Fremde(r *m*) *f.* **2.** *S.Afr.* → Uitlander. **~'land·ish** *adj* (*adv* ~ly) **1.** fremdartig, seltsam, ex'otisch, ausgefallen. **2.** a) bar'barisch, 'unkultiˌviert, b) rückständig. **3.** abgelegen. **~'last** *v/t* über'dauern, -'leben.

'outˌlaw I *s* **1.** *jur. hist.* Geächtete(r) *m*, Vogelfreie(r) *m.* **2.** Ban'dit *m*, Verbrecher *m.* **3.** *Am.* bösartiges Pferd. **II** *v/t* **4.** *jur. hist.* ächten, für vogelfrei erklären. **5.** *jur.* der Rechtskraft berauben: ~ed claim verjährter Anspruch. **6.** *sport e-n Spieler* ausschließen, disqualifi'zieren. **7.** verbieten, für ungesetzlich erklären. **8.** verfemen, verpönen. **'outˌlaw·ry** [-ri] *s jur.* **1.** *hist.* a) Acht *f* (u. Bann *m*), b) Ächtung *f.* **2.** Verfemung *f*, Verbot *n.* **3.** Ge'setzesmißˌachtung *f.* **4.** Verbrechertum *n.* **5.** *Am. colloq.* Ausschluß *m* (*e-r Klage etc wegen Verjährung etc*).

out|·lay I *v/t irr* [-'lei] *Geld* auslegen, -geben (on für). **II** *s* ['-ˌlei] (Geld-) Auslage(n *pl*) *f*, Ausgabe(n *pl*) *f*: initial ~ Anschaffungskosten *pl.* **~·let** ['autlet; -lit] *s* **1.** Auslaß *m*, Austritt *m*, Abzug *m*, Abzugs-, Abflußöffnung *f*, 'Durchlaß *m.* **2.** *mot.* Abluftstutzen *m.* **3.** *electr.* a) *a.* ~ box Anschluß(punkt) *m*, Steckdose *f*, b) *weitS.* Stromverbraucher *m.* **4.** *Radio*: 'Sendestatiˌon *f.* **5.** *fig.* Ven'til *n*, Betätigungsfeld *n*: to find an ~ for one's emotions s-n Gefühlen Luft machen können; to seek an ~ for one's creative instincts ein Betätigungsfeld für s-n Schöpfungstrieb suchen. **6.** *econ.* a) Absatzmarkt *m*, -möglichkeit *f*, -gebiet *n*, b) Einzelhandelsgeschäft *n*, Verkaufsstelle *f.* **'~ˌli·er** [-ˌlaiər] *s* **1.** j-d, der *od.* etwas, was sich außerhalb befindet. **2.** Auswärtige(r *m*) *f* (*j-d, der von außerhalb zu s-m Arbeitsplatz kommt*). **3.** *geol.* Ausleger *m.* **'~ˌline I** *s* **1.** a) 'Umriß(linie *f*) *m*, b) (*meist pl*) 'Umrisse *pl*, Kon'turen *pl*, Silhou'ette *f*: the ~s of trees were still visible. **2.** a) Kon'turzeichnung *f*, b) 'Umriß-, Kon'turlinie *f*: in ~ a) in Konturzeichnung, b) im Grundriß. **3.** Entwurf *m*, Skizze *f.* **4.** (of) (*allgemeiner*) 'Umriß (von) *od.* 'Überblick (über *acc*): in rough ~ in groben Zügen. **5.** Abriß *m*, Auszug *m*, Grundzüge *pl*: an ~ of history ein Abriß der Geschichte. **6.** *print.* Kon'turschrift *f.* **II** *v/t* **7.** um'reißen, entwerfen, skiz'zieren, *fig. a.* in 'Umrissen darlegen, e-n 'Überblick geben über (*acc*), in groben Zügen darstellen: he ~d his plan to them. **8.** die 'Umrisse *od.* Kon'turen zeigen von: ~d (against) scharf abgehoben (von), sich (als Silhouette) abzeichnend (gegen) *od.* abhebend (von). **~'live** *v/t* über'leben: a) länger leben als *j-d*, b) *etwas* über'dauern, c) *etwas* über'stehen, hin'wegkommen über (*acc*). **'~ˌlook** *s* **1.** (Aus)Blick *m*, (Aus)Sicht *f.* **2.** (*a.* Welt)Anschauung *f*, Auffassung *f*, Ansicht(en *pl*) *f*, Einstellung *f*, Standpunkt *m*, *pol. a.* Zielsetzung *f*: his ~ upon life s-e Lebensanschauung *od.* -auffassung. **3.** (Zukunfts)Aussicht(en *pl*) *f*: the political ~; further ~ *meteor.* weitere Aussichten. **4.** Ausguck *m*, Ausschau *f*, Warte *f*: on the ~ for *fig.* auf der Suche nach, Ausschau haltend nach. **5.** Wacht *f*, Wache *f.* **'~ˌly·ing** *adj* **1.** außerhalb *od.* abseits gelegen, abgelegen, entlegen, Außen...: ~ district Außenbezirk *m.* **2.** auswärtig. **3.** *fig.* am Rande liegend, nebensächlich. **ˌ~·ma'neu·ver,** *bes. Br.* **ˌ~·ma'noeu·vre** *v/t* 'ausmanöˌvrieren (*a. fig. überlisten*). **~'march** *v/t* schneller mar'schieren als, über'holen. **'~ˌmar·riage** *s sociol.* Exoga'mie *f*, Außenheirat *f.* **~'match** *v/t* über'treffen, über'flügeln, (aus dem Felde) schlagen. **~'mode** *v/t* aus der Mode bringen. **~'mod·ed** *adj* 'unmoˌdern, veraltet, über'holt. **'~ˌmost** [-ˌmoust] *adj* äußerst(er, e, es) (*a. fig.*).

out·ness ['autnis] *s philos.* Sein *n* außerhalb des Wahrnehmenden.

out'num·ber *v/t* an Zahl *od.* zahlenmäßig über'treffen, *j-m* an Zahl über'legen sein: to be ~ed in der Minderheit sein.

'out-of|-'bal·ance *adj electr. tech.* unausgeglichen: ~ force Unwuchtkraft *f*; ~ load *electr.* unsymmetrische Belastung; ~ voltage Meßdiagonalspannung *f.* **'~-'bounds** *adj u. adv* **1.** *bes. mil. Br.* verboten (*Lokal etc*). **2.** *sport* ‚aus', im *od.* ins Aus: he kicked the ball ~. **'~-'date** *adj* veraltet, 'unmoˌdern. **'~-'door(s)** → outdoors. **'~-'fo·cus** *adj* **1.** außerhalb des Brennpunkts gelegen (*a. fig.*). **2.** *phot.* unscharf. **'~-'place** *adj* unangebracht, depla'ciert. **'~-'pock·et** *adj* in bar bezahlt *od.* ausgelegt: ~ expenses Barauslagen. **'~-'print** *adj* vergriffen. **'~-'round** *adj tech.* unrund. **'~-'school** *adj* außerschulisch: ~ activities. **'~-the-'way** *adj* **1.** abgelegen. **2.** ungewöhnlich, ausgefallen. **3.** ungehörig. **'~-'town** *adj* auswärtig (*a. econ.*): ~ bank; ~ bill Distanzwechsel *m.* **'~-'turn** *adj* unangebracht, taktlos, vorlaut. **'~-'work I** *adj* arbeitslos: ~ pay Arbeitslosenunterstützung *f.* **II** *s* Arbeitslose(r *m*) *f.*

out|'pace *v/t* über'holen, *j-n* hinter sich lassen. **'~ˌpa·tient** *s med.* ambu'lanter Pati'ent: ~s' department Ambulanz *f.* **'~ˌpen·sion·er** *s* nicht im Fürsorgeheim wohnender Unter'stützungsempfänger. **~·per'form** *v/t* besser arbeiten *etc* als, leistungsfähiger sein als, über'treffen. **'~ˌpick·et** *s mil.* vorgeschobener Posten. **~'play** *v/t bes. sport* über'spielen, schlagen. **~'point** *v/t* **1.** *sport* nach Punkten schlagen, *Boxen a.* auspunkten. **2.** *mar.* dichter am Winde segeln als. **'~ˌport** *s* **1.** *mar.* Außen-, Buten-, Vorhafen *m.* **2.** Ex'port-, Ausreisehafen *m.* **'~ˌpost** *s* **1.** *mil.* a) Vor-, Außenposten *m*, vorgeschobener Posten, b) Stützpunkt *m* (*a. fig.*). **2.** *fig.* a) Vorposten *m*, b) Grenze *f.* **3.** entlegene Zweigstelle *etc.* **~·pour I** *s* ['-ˌpɔːr] **1.** Her'vorströmen *n.* **2.** Guß *m*, Strom *m.* **3.** *fig.* Ausbruch *m*, Erguß *m.* **II** *v/t* [-'pɔːr] **4.** ausschütten, -gießen. **'~ˌpour·ing** *s* (*bes.* Gefühls)Erguß *m.* **'~ˌput I** *s* **1.** *bes. econ.* a) Arbeitsertrag *m*, -leistung *f*, b) Ausstoß *m*, Produkti'on *f*, Ertrag *m*, c) *Bergbau*: Förderung *f*, Fördermenge *f*, d) *bes. electr.* Output *m*, Ausgangsleistung *f*, e) *electr.* Ausgang *m* (*an Geräten*). **2.** *Datenverarbeitung*: Ausgabe *f* (*von Daten*), 'Ausgangsinformatiˌon *f.* **II** *adj* **3.** *tech.* Leistungs...: ~ capacity Leistungsfähigkeit *f*, *e-r Maschine a.* Stückleistung *f*; ~ recorder Leistungsschreiber *m.* **4.** *electr.* Ausgangs...

out·rage ['autreidʒ] **I** *s* **1.** Frevel(tat *f*) *m*, Greuel(tat *f*) *m*, Ausschreitung *f*, Verbrechen *n.* **2.** *bes. fig.* (on, upon) Gewalttat *f*, Frevel(tat *f*) *m*, Ungeheuerlichkeit *f* (an *dat*), Vergewaltigung *f* (*gen*), Atten'tat *n* (auf *acc*): an ~ upon decency e-e grobe Verletzung des Anstands; an ~ upon justice e-e Vergewaltigung der Gerechtigkeit. **3.** Schande *f*, Schmach *f.* **4.** *a.* sense of ~ Em'pörung *f*, Entrüstung *f* (at über *acc*). **II** *v/t* **5.** sich vergehen an (*dat*), Gewalt antun (*dat*), vergewaltigen (*a. fig.*). **6.** *Gefühle, den*

Anstand etc mit Füßen treten, gröblich verletzen *od.* beleidigen: to ~ s.o.'s feelings. **7.** miß'handeln. **8.** verschandeln. **9.** *j-n* schoc'kieren, em'pören.

out'ra·geous [-dʒəs] *adj* (*adv* ~ly) **1.** frevelhaft, ab'scheulich, verbrecherisch: an ~ deed. **2.** schändlich, em'pörend, unerhört: ~ behavio(u)r; ~ prices unerhörte *od.* unverschämte Preise. **3.** ab'scheulich, gräßlich: ~ weather. **out'ra·geous·ness** *s* **1.** Frevelhaftigkeit *f*, (*das*) Ab'scheuliche. **2.** Schändlichkeit *f*, Unerhörtheit *f*, Unverschämtheit *f*. **3.** Heftigkeit *f*.

out|'range *v/t* **1.** *mil.* an Schuß- *od.* Reichweite über'treffen. **2.** *fig.* hin'ausreichen über (*acc*). **3.** *fig.* über'treffen, über'steigen. **~'rank** *v/t* **1.** höher ran'gieren als, im Rang höher stehen als. **2.** wichtiger sein als, an Bedeutung über'ragen.

ou·tré [u'tre; 'u:trei] (*Fr.*) *adj* ausgefallen, über'spannt, extrava'gant.

out|'reach → outrange 2 *u.* 3. **'~-re‚lief** *Br. für* outdoor relief. **~·ride I** *v/t irr* [-'raid] **1.** besser *od.* schneller reiten als. **2.** *mar. e-n Sturm* ausreiten, über'stehen (*a. fig.*). **II** *s* ['-‚raid] **3.** *metr.* unbetonte freie Silbe(n *pl*). **'~‚rid·er** *s* Vorreiter *m*. **'~‚rig·ger** *s* **1.** *mar.* Ausleger *m* (*a. tech. e-s Krans etc*). **2.** *sport* Outrigger *m*, Auslegerboot *n*. **3.** *mil.* (La'fetten)Holm *m*: ~ (type) gun mount Kreuzlafette *f*. **4.** Beipferd *n*. **~·right I** *adj* ['-‚rait] **1.** völlig, gänzlich, to'tal: an ~ loss. **2.** vorbehaltlos, offen, ausgesprochen: ~ acceptance vorbehaltlose Annahme; an ~ refusal e-e glatte Weigerung. **3.** di'rekt: an ~ course. **II** *adv* ['-'rait] **4.** gänzlich, völlig, to'tal, ganz u. gar, ausgesprochen. **5.** ohne Vorbehalt, ganz: to refuse ~ rundweg ablehnen; to sell ~ ganz *od.* fest verkaufen. **~'ri·val** *v/t* über'treffen, über'bieten (in an *od.* in *dat*), ausstechen. **~'run** *v/t irr* **1.** schneller laufen als, (im Laufen) besiegen. **2.** *fig.* über'treffen, über'steigen, hin'ausgehen über (*acc*): his imagination ~s the facts. **3.** *j-m od. e-r Sache* entrinnen, entlaufen. **'~‚run·ner** *s* **1.** (Vor)Läufer *m* (*Bedienter*). **2.** Leithund *m* (*bei Hundeschlitten*). **3.** Beipferd *n*. **~'sail** *v/t mar.* (*beim Segeln*) über'holen, tot-, aussegeln. **~'sell** *v/t irr* **1.** mehr verkaufen als. **2.** a) sich besser verkaufen als, b) e-n höheren Preis erzielen als.

out·sert ['autsə:rt] *s print.* Beischaltblatt *n od.* -blätter *pl*.

'out|‚set *s* **1.** Anfang *m*, Beginn *m*: at the ~ am Anfang; from the ~ gleich von Anfang an. **2.** Aufbruch *m* (*zu e-r Reise*). **3.** → outsert. **4.** *mar.* zu'rückgehender Gezeitenstrom. **~'shine** *v/t irr* über'strahlen, in den Schatten stellen (*a. fig.*). **~'shoot** *v/t irr* **1.** besser schießen als, im Schießen über'treffen. **2.** hin'ausschießen über (*acc*).

out·side I *s* ['-'said] **1.** Außenseite *f*, (*das*) Äußere: from (the) ~ von außen; on the ~ of a) außerhalb *od.* an der Außenseite (*gen*), b) jenseits (*gen*). **2.** *fig.* (*das*) Äußere, (äußere) Erscheinung, Oberfläche *f*, (*das*) Vordergründige. **3.** Außenwelt *f*. **4.** *colloq.* (*das*) Äußerste, äußerste Grenze: at the ~ (aller)höchstens. **5.** *Br.* a) Außenseite *f*, Außensitz(e *pl*) *m* (*e-s Busses etc*), b) 'Außenpassa‚gier *m*. **6.** *sport* Außenspieler *m*: ~ right Rechtsaußen *m*. **7.** *pl* Außenblätter *pl* (*e-s Ries*).

II *adj* ['-'said] **8.** äußer(er, e, es), Außen..., an der Außenseite befindlich, von außen kommend: ~ aerial (*Am.* antenna) Außenantenne *f*; ~ diameter äußerer Durchmesser, Außendurchmesser *m*; ~ influences äußere Einflüsse; ~ interference Einmischung *f* von außen; ~ loop *aer.* Looping *m* vorwärts; ~ seat Außensitz *m*; ~ work Außenarbeit *f* (*außerhalb des Betriebs*). **9.** außerhalb, draußen: he is somewhere ~. **10.** außenstehend, ex'tern: ~ broker freier Makler; ~ capital Fremdkapital *n*; ~ help fremde Hilfe; an ~ opinion die Meinung e-s Außenstehenden; an ~ person ein Außenstehender. **11.** äußerst: an ~ estimate; to quote the ~ prices die äußersten Preise angeben. **12.** außerberuflich, *univ.* 'außeraka‚demisch: ~ activities.

III *adv* ['-'said; '-‚said] **13.** draußen, außerhalb: ~ of a) außerhalb (*gen*), b) *Am. colloq.* außer, ausgenommen; ~ of a horse *sl.* zu Pferde; to get ~ of s.th. *sl.* ‚sich etwas einverleiben' *od.* ‚zu Gemüte führen'. **14.** her'aus, hin'aus: come ~! komm heraus!; ~ (with you)! 'raus (mit dir)! **15.** (von) außen, an der Außenseite: painted red ~.

IV *prep* [‚-'said] **16.** außerhalb, jenseits (*gen*) (*a. fig.*): ~ the garden; it is ~ his own experience es liegt außerhalb s-r eigenen Erfahrung.

out·sid·er [‚aut'saidər] *s* **1.** Außenseiter(in): a) Außenstehende(r *m*) *f*, b) Eigenbrötler(in), Außenseiter(in) der Gesellschaft, c) Nichtfachmann *m*, Laie *m*, d) *sport Wettkampfteilnehmer(in) od. Rennpferd mit geringen Siegeschancen.* **2.** *econ.* Kulissi'er *m*, 'Laienspeku‚lant *m* (*an der Börse*).

out|'sit *v/t irr* länger sitzen (bleiben) als. **'~‚size I** *s* 'Übergröße *f* (*a. Kleidungsstück*). **II** *adj* 'übergroß, ab'norm groß. **'~‚sized** → outsize II. **'~‚skirts** *s pl* nähere Um'gebung (*e-r Stadt etc*), Stadtrand *m*, *a. fig.* Rand(gebiet *n*) *m*, Periphe'rie *f* (*e-s Themas, Faches etc*). **~'smart** *v/t Am. colloq.* → outwit. **'~‚sole** *s* Lauf-, Außensohle *f* (*e-s Schuhs*). **~'speed** *v/t* schneller sein als, an Geschwindigkeit über'treffen. **'~'spo·ken** *adj* (*adv* ~ly) **1.** offen(herzig), freimütig: she was very ~ about it sie äußerte sich sehr offen darüber. **2.** unverblümt, ungeschminkt: ~ criticism; ~ novel realistischer Roman. **'~'spo·ken·ness** *s* **1.** Offenheit *f*, Freimut *m*, Freimütigkeit *f*. **2.** Unverblümtheit *f*. **~·stand·ing I** *adj* [-'stændiŋ] (*adv* ~ly) **1.** *bes. fig.* her'vorragend (for durch, wegen *gen*): ~ achievement (player, quality, *etc*); an ~ personality e-e prominente Persönlichkeit. **2.** *bes. econ.* unerledigt, rückständig, ausstehend (*Forderung etc*): ~ debts → 4; ~ interest unbezahlte (Aktiv)Zinsen *pl*. **3.** *econ.* ausgegeben: ~ capital stock. **II** *s* ['-‚stændiŋ] **4.** *pl econ.* unbeglichene Rechnungen *pl*, ausstehende Gelder *pl*, Außenstände *pl*, Forderungen *pl*. **~'stare** *v/t* mit e-m Blick aus der Fassung bringen. **'~‚sta·tion** *s* 'Außenstati‚on *f*. **~'stay** *v/t* länger bleiben als: → welcome 2. **~'step** *v/t* über'schreiten, -'treten: to ~ the truth übertreiben. **~'stretch** *v/t* **1.** ausstrecken. **2.** hin'ausreichen über (*acc*). **3.** (aus)strekken, (aus)dehnen. **~'strip** *v/t* **1.** über'holen, hinter sich lassen (*a. fig.*). **2.** *fig.* über'treffen, -'flügeln, (aus dem Feld) schlagen. **~'talk** *v/t* in Grund u. Boden reden, an Zungenfertigkeit über'treffen. **~'think** *v/t irr* **1.** im Denken über'treffen. **2.** *Am. colloq.* über'listen, schneller ‚schalten' als. **'~-to-'out** *adj* von 'einem Ende zum andern (gemessen). **'~‚turn** *s* **1.** Ertrag *m*. **2.** Ausstoß *m*, Produkti'on *f*. **3.** *econ.* Ausfall *m*, sich her'ausstellende Beschaffenheit: ~ sample Ausfallmuster *n*. **~'val·ue** *v/t* an Wert über'treffen. **~'vie** *pres p* **-'vy·ing** *v/t* über'treffen, -'bieten. **~'vote** *v/t* über'stimmen. **'~‚vot·er** *s pol. Br.* nicht im Wahlkreis wohnender Wähler.

out·ward ['autwərd] **I** *adj* **1.** äußer(er, e, es), sichtbar, Außen...: the ~ events das äußer(lich)e *od.* vordergründige Geschehen; the ~ signs of the inward grace die äußeren Zeichen der inneren Gnade; to ~ seeming dem Anschein nach. **2.** *a. med. u. fig. contp.* äußerlich: (mere) ~ beauty; for ~ application *med.* zur äußerlichen Anwendung; the ~ man a) *relig.* der äußerliche Mensch, b) *humor.* der äußere Adam. **3.** nach (dr)außen gerichtet *od.* führend, Aus(wärts)..., Hin...: ~ angle *math.* Außenwinkel *m*; ~ cargo, ~ freight *mar.* ausgehende Ladung, Hinfracht *f*; ~ journey Aus-, Hinreise *f*; ~ room Außenzimmer *n*; ~ trade Ausfuhrhandel *m*. **II** *s* **4.** (*das*) Äußere. **5.** *meist pl* Außenwelt *f*. **III** *adv* **6.** (nach) auswärts, nach außen: to clear ~ *mar.* ausklarieren; to travel ~ via X. über X. ausreisen; → bound[2]. **7.** → outwardly. **'out·ward·ly** *adv* **1.** äußerlich. **2.** nach außen (hin), auswärts. **3.** außen, an der Oberfläche. **'out·ward·ness** *s* **1.** äußere Form. **2.** Außenlage *f*. **3.** Äußerlichkeit *f*. **'out·wards** → outward III.

'out|‚wash *s geol.* Sand(e)r *m*. **~'wear** *v/t irr* **1.** abnutzen. **2.** *fig.* erschöpfen, aufreiben. **3.** über'dauern, haltbarer *od.* dauerhafter sein als. **~'weigh** *v/t* **1.** mehr wiegen *od.* schwerer sein als. **2.** *fig.* über'wiegen, gewichtiger sein als, *e-e Sache* aufwiegen. **~'wit** *v/t* über'listen, ‚'reinlegen', schlauer sein als. **'~‚work** *s* **1.** *mil.* Außenwerk *n*. **2.** *fig.* Bollwerk *n*. **3.** Außenarbeit *f*. **4.** Heimarbeit *f*. **'~‚work·er** *s* **1.** Außenarbeiter(in). **2.** Heimarbeiter(in). **'~'worn** *adj* **1.** abgetragen, abgenutzt. **2.** über'holt: ~ ideas. **3.** veraltet. **4.** erschöpft.

ou·zel ['u:zl] *s orn.* Amsel *f*, (Schwarz)-Drossel *f*.

o·va ['ouvə] *pl von* ovum.

o·val ['ouvəl] **I** *adj* (*adv* ~ly) **1.** o'val, eirund, eiförmig. **II** *s* **2.** O'val *n*: the O~ *Br.* das Kennington Oval (*Kricketplatz*). **3.** *colloq.* ‚Ei' *n* (*eiförmiger Lederball*).

ov·al·bu·min [‚ouvəl'bju:min] *s biol. chem.* Hühnereiweiß *n*.

o·var·i·an [o'vɛ(ə)riən] *adj* **1.** *anat.* Eierstock(s)... **2.** *bot.* Fruchtknoten...

o·var·i·ot·o·my [o‚vɛ(ə)ri'ɒtəmi] *s med.* **1.** Eierstockspaltung *f*. **2.** Ovarioto'mie *f*, Eierstockentfernung *f*. **o·va·ri·tis** [‚ouvə'raitis] *s* Eierstockentzündung *f*.

o·va·ry ['ouvəri] *s* **1.** *anat.* Eierstock *m*. **2.** *bot.* Fruchtknoten *m*.

o·vate ['ouveit; -vit] *adj* eiförmig.

o·va·tion [o'veiʃən; *Br. a.* ou-] *s* Ovati'on *f*, begeisterte Huldigung, Beifallssturm *m*: to give s.o. an ~ j-m e-e Ovation bereiten.

ov·en ['ʌvn] *s* **1.** Backofen *m*, -röhre *f*. **2.** Heißluft-, *bes.* Trockenkammer *f*. **3.** *tech.* (kleiner) Ofen (*zum Rösten, Schmelzen etc*). **4.** 'Heißluft-Sterili‚sierappa‚rat *m*. **~ coke** *s tech.* Ofenkoks *m*. **'~-‚dry** *adj tech.* ofentrocken.

o·ver ['ouvər] **I** *prep* **1.** (*Grundbedeutung*) über (*dat od. acc*). **2.** (*Lage*) über (*dat*): the lamp ~ his head; a letter ~ his own signature ein von ihm selbst unterzeichneter Brief. **3.** (*Richtung, Bewegung*) über (*acc*), über (*acc*) ... hin, über (*acc*) ... (hin)'weg: to jump ~ the fence; the bridge ~ the Danube die Brücke über die Donau; he escaped ~ the border er entkam über die Grenze; all ~ the town durch die ganze *od.* in der ganzen Stadt; ~ the ears bis über die Ohren; from all ~ Germany aus ganz Deutschland, aus allen Teilen Deutschlands; he will get ~ it *fig.* er wird darüber hinwegkommen; to be all ~ s.o. *sl.* ,an j-m e-n Narren gefressen haben'; that's George all ~! das ist typisch George! **4.** durch: ~ the air; ~ the radio im Radio. **5.** über (*dat*), jenseits (*gen*), auf der anderen Seite von (*od. gen*): ~ the sea in Übersee, jenseits des Meeres; ~ the street über der Straße, auf der anderen (Straßen)Seite; ~ the way gegenüber. **6.** über (*dat*), bei: he fell asleep ~ his work er schlief über s-r Arbeit ein; ~ a cup of tea bei e-r Tasse Tee. **7.** über (*acc*), wegen (*gen od. dat*): to laugh ~ s.th. über etwas lachen; to worry ~ s.th. sich wegen e-r Sache Sorgen machen. **8.** (*Herrschaft, Autorität, Rang*) über (*dat od. acc*): to be ~ s.o. über j-m stehen; to reign ~ a kingdom über ein Königreich herrschen; he set him ~ the others er setzte ihn über die anderen. **9.** vor (*dat*): preference ~ the others Vorzug vor den andern. **10.** über (*acc*), mehr als: ~ a mile; ~ 10 dollars; ~ a week über e-e Woche, länger als e-e Woche; ~ and above zusätzlich zu, außer (→ 26). **11.** über (*acc*), während (*gen*): ~ the weekend; ~ many years viele Jahre hindurch; ~ night die Nacht über, über Nacht. **12.** durch: he went ~ his notes er ging s-e Notizen durch.

II *adv* **13.** hin'über, dar'über: he jumped ~. **14.** hin'über (to zu): he ran ~ to his mother. **15.** *fig.* über, zur anderen Seite *od.* Par'tei: they went ~ to the enemy sie liefen zum Feind über. **16.** her'über: come ~! **17.** drüben: ~ by the tree drüben beim Baum; ~ in Canada (drüben) in Kanada; ~ there a) da drüben, b) *Am. colloq.* (drüben) in Europa; ~ against gegenüber (*dat*) (*a. fig. im Gegensatz zu*). **18.** (genau) dar'über: the bird is directly ~. **19.** über (*acc*) ... dar'über (...), über'... (*-decken etc*): to paint s.th. ~ etwas übermalen. **20.** (*meist in Verbindung mit Verben*) a) über'...(*-geben etc*): to hand s.th. ~, b) 'über...(*-kochen etc*): to boil ~. **21.** (*oft in Verbindung mit Verben*) a) 'um...(*-fallen, -werfen etc*): to fall (throw) ~, b) her'um... (*-drehen etc*): to turn ~; see ~! siehe umstehend! **22.** 'durch(weg), von Anfang bis (zum) Ende: one foot ~ ein Fuß im Durchmesser; covered (all) ~ with red spots ganz *od.* über u. über mit roten Flecken bedeckt; the world ~ a) in der ganzen Welt, b) durch die ganze Welt; to read s.th. ~ etwas (ganz) durchlesen. **23.** (gründlich) über'...(*-legen, -denken etc*): to think s.th. ~; to talk s.th. ~ etwas durchsprechen, etwas eingehend besprechen. **24.** nochmals, wieder: (all) ~ again nochmal, (ganz) von vorn; ~ and ~ again immer (u. immer) wieder; to do s.th. ~ etwas nochmals tun; ten times ~ zehnmal hintereinander. **25.** 'übermäßig, allzu, 'über...: ~cautious übervorsichtig; ~economical allzu sparsam. **26.** dar'über, mehr: children of ten years and ~ Kinder von 10 Jahren u. darüber; 10 ounces and ~ 10 Unzen u. mehr; ~ and above außerdem, obendrein, überdies (→ 10). **27.** übrig, über: to have s.th. ~ etwas übrig haben. **28.** (*zeitlich, im Deutschen oft unübersetzt*) a) ständig, b) länger: we stayed ~ till Monday wir blieben bis Montag. **29.** zu Ende, vor'über, vor'bei: the lesson is ~; ~! Ende! (*im Funksprechverkehr*); all ~ ganz vorbei; all ~ with erledigt, vorüber; it's all ~ with him es ist aus u. vorbei mit ihm, er ist endgültig erledigt; all ~ and done with total erledigt; to get s.th. ~ with *colloq.* etwas hinter sich bringen.

III *adj* **30.** ober(er, e, es), Ober... **31.** äußer(er, e, es), Außen... **32.** Über... **33.** 'überzählig, -schüssig, übrig.

IV *s* **34.** 'Überschuß *m.* **35.** *Kricket*: die Zahl der Würfe (*6 od. 8*) *od.* das Spiel zwischen zwei Wechseln.

ˌo·ver|·a'bun·dant *adj* (*adv* ~ly) 'überreich(lich), 'übermäßig. **ˌ~'act** *thea.* **I** *v/t e-e Rolle* über'spielen, -'treiben, über'trieben spielen. **II** *v/i* (s-e Rolle) über'treiben. **ˌ~'ac·tive** *adj* 'übermäßig tätig *od.* geschäftig *od.* ak'tiv.

o·ver·age[1] ['ouvəridʒ] *s econ.* (*bes.* 'Waren)ˌÜberschuß *m.*

o·ver·age[2] [ˌouvər'eidʒ] *adj* **1.** *bes. ped.* älter als der 'Durchschnitt. **2.** zu alt.

'over|-ˌall *adj* **1.** gesamt, Gesamt...: ~ efficiency *tech.* Gesamtnutzeffekt *m*; ~ length Gesamtlänge *f.* **2.** to'tal, glo'bal. **'~ˌall** *s* **1.** *a. pl* Arbeits-, Mon'teur-, Kombinati'onsanzug *m*, Overall *m.* **2.** *Br.* Kittelschürze *f*, Hauskleid *n.* **3.** *pl* 'Überzieh-, Arbeitshose *f.* **ˌ~am'bi·tious** *adj* (*adv* ~ly) allzu ehrgeizig. **ˌ~'anx·ious** *adj* (*adv* ~ly) **1.** 'überängstlich. **2.** 'überbegierig. **ˌ~'arch** *v/t* über'wölben, -'spannen. **'~ˌarm** *adj Baseball, Kricket etc*: mit 'durchgestrecktem Arm über die Schulter ausgeführt (*Wurf etc*). **'~ˌarm stroke** *s Schwimmen*: ˌHand-über-'Hand-Stoß *m.* **ˌ~'awe** *v/t* **1.** tief beeindrucken. **2.** einschüchtern. **ˌ~'bal·ance I** *v/t* **1.** *a. fig.* über'wiegen, das 'Übergewicht haben über (*acc*). **2.** aus dem Gleichgewicht bringen, 'umstoßen, -kippen. **II** *v/i* **3.** 'um-, 'überkippen, das 'Übergewicht bekommen. **III** *s* **4.** 'Übergewicht *n.*

ˌo·ver'bear *v/t irr* **1.** niederdrücken, zu Boden drücken. **2.** über'winden, -'wältigen, unter'drücken. **3.** *fig.* schwerer wiegen als. **4.** tyranni'sieren, unter'jochen. **ˌo·ver'bear·ance** *s* Anmaßung *f*, herrisches Wesen, Arro'ganz *f.* **ˌo·ver'bear·ing** *adj* (*adv* ~ly) **1.** anmaßend, arro'gant, hochfahrend, herrisch. **2.** über'wältigend (*a. fig.*).

o·ver|·bid [ˌ-'bid] **I** *v/t irr* **1.** *econ.* a) über'bieten, mehr bieten als, b) zu'viel bieten für. **2.** *Bridge*: a) über'reizen, b) zu hoch reizen mit (*e-r Hand*). **II** *v/i* **3.** zu'viel bieten. **4.** mehr bieten. **III** *s* ['-ˌbid] **5.** *econ.* a) Mehrgebot *n*, b) 'Überangebot *n.* **ˌ~'blown** *adj* **1.** über'blüht, am Verblühen (*a. fig.*). **2.** *mus.* über'blasen (*Ton*). **3.** *metall.* 'übergar: ~ steel. **'~ˌboard** *adv mar.* über Bord: to go ~ (about *od.* for) *sl.* sich (in Lobpreisungen *gen*) überschlagen; to throw ~ über Bord werfen (*a. fig.*). **ˌ~'brim** *v/i u. v/t* 'überfließen (lassen). **ˌ~'build** *v/t irr* **1.** über'bauen, bebauen. **2.** zu dicht bebauen. **3.** zu groß *od.* zu prächtig (er)bauen: to ~ o.s. sich ,verbauen'. **ˌ~'bur·den** *v/t* über'laden, -'lasten, -'bürden. **ˌ~'bus·y** *adj* **1.** zu sehr beschäftigt. **2.** 'überbeschäftig. **ˌ~'buy** *irr econ.* **I** *v/t* zu'viel kaufen von. **II** *v/i* zu teuer *od.* über Bedarf (ein)kaufen. **ˌ~'call** *v/t Kartenspiel*: über'bieten, -'reizen. **ˌ~'cap·i·talˌize** *v/t econ.* **1.** e-n zu hohen Nennwert für das 'Stammkapiˌtal (*e-s Unternehmens*) angeben: to ~ a firm. **2.** das Kapi'tal über'schätzen von. **3.** 'überkapitaliˌsieren. **~·cast** [*Br.* '-ˌkɑːst; *Am.* '-ˌkæ(ː)st] **I** *adj* **1.** bewölkt, bedeckt: ~ sky. **2.** trüb(e), düster (*a. fig.*). **3.** über'wendlich (genäht): ~ stitch Schlingstich *m.* **4.** *geol.* über'kippt, liegend (*tektonische Falte*). **II** *v/t irr* [*Br.* ˌ-'kɑːst; *Am.* ˌ-'kæ(ː)st] **5.** (*mit Wolken*) über'ziehen, bedecken, *a. fig.* um'wölken, verdunkeln, trüben. **6.** (um)'säumen, um'stechen. **III** *v/i* **7.** sich bewölken, sich beziehen, sich über'ziehen (*Himmel*). **ˌ~'cau·tious** *adj* über'trieben vorsichtig, 'übervorsichtig. **'~ˌcer·ti·fi'ca·tion** *s econ.* Ausstellung *f od.* Bestätigung *f* e-s Über'ziehungsschecks. **~·charge** [ˌ-'tʃɑːrdʒ] **I** *v/t* **1.** *j-n* über'fordern, *j-m* zu'viel anrechnen *od.* abverlangen. **2.** *e-n Betrag* zu'viel verlangen: he ~d sixpence. **3.** zu'viel verlangen *od.* anrechnen für. **4.** 'überbelasten, *electr. tech. a.* über'laden (*a. fig.*). **II** *v/i* **5.** 'Überpreise *od.* zu'viel verlangen. **III** *s* ['-ˌtʃɑːrdʒ] **6.** *econ.* a) 'Überpreis *m*, b) Über'forderung *f*, -'teuerung *f*, c) Mehrbetrag *m*, Aufschlag *m.* **ˌ~'cloud I** *v/t* **1.** um'wölken, bewölken. **2.** *bes. fig.* trüben, verdüstern, verdunkeln, um'wölken. **II** *v/i* **3.** sich beziehen, sich bewölken (*Himmel*). **4.** *fig.* sich um'wölken *od.* trüben. **ˌ~'cloy** *v/t* über'laden, -'sättigen (*a. fig.*). **'~ˌcoat** *s* Mantel *m*, 'Überzieher *m.* **ˌ~'come** *v/t irr* über'wältigen, -'winden, -'mannen, bezwingen (*alle a. fig.*): to ~ dangers Gefahren bestehen; to ~ an obstacle ein Hindernis nehmen; to ~ s.o.'s opposition j-s Widerstand überwinden; he was ~ with (*od.* by) emotion er wurde von s-n Gefühlen übermannt. **'~ com·pensa·tion** *s bes. psych.* 'Überkompensatiˌon *f* (*e-s Komplexes*). **ˌ~·com'pound** *v/t electr.* 'überkompounˌdieren. **'~'con·fi·dence** *s* **1.** 'übermäßiges (Selbst)Vertrauen. **2.** Vermessenheit *f.* **'~'con·fi·dent** *adj* (*adv* ~ly) **1.** (all)zu selbstsicher, s-r Sache allzu sicher. **2.** allzu'sehr vertrauend (of auf *acc*). **'~'crit·i·cal** *adj* 'überkritisch, allzu kritisch. **ˌ~'crop** *v/t agr.* Raubbau treiben mit, zu'grunde wirtschaften. **ˌ~'crow** *v/t* **1.** trium'phieren über (*acc*). **2.** über'treffen. **ˌ~'crowd** *v/t* über'füllen (*bes. mit Menschen*): ~ed profession überlaufener Beruf; ~ed region Ballungsgebiet *n.* **ˌ~'crust** *v/t* über'krusten. **'~ˌcur·rent** *s electr.* 'Überstrom *m.* **ˌ~'cut·ting** *s* Über'schneiden *n* (*von Schallplattenrillen*). **'~'del·i·ca·cy** *s* **1.** 'übergroße Zartheit *od.* Empfindlichkeit. **2.** über'triebenes Fein- *od.* Zartgefühl. **ˌ~·de'vel·op** *v/t bes. phot.* 'überentwickeln. **~·dis·charge** *electr.* **I** *s* ['-dis'tʃɑːrdʒ] 'übermäßige Entladung (*e-r Batterie*), 'Überbelastung *f.* **II** *v/t* [ˌ-dis'tʃɑːrdʒ] 'übermäßig entladen, 'überbelasten. **ˌ~'do** *v/t irr* **1.** über'treiben, zu weit treiben. **2.** *fig.* zu weit gehen mit *od.* in (*dat*), *etwas* zu arg treiben, 'überbeanspruchen, über'fordern: to ~ it a) zu weit gehen, b) des Guten zuviel tun. **3.** zu stark *od.* zu lange kochen *od.* braten *od.* backen: to ~ meat. **'~'done** *adj* 'übergar. **~·dose I** *s* ['-ˌdous] **1.** 'Überdosis *f*, zu starke Dosis. **II** *v/t* [ˌ-'dous] **2.**

j-m e-e zu starke Dosis geben. **3.** *etwas* 'überdo,sieren. '~,**draft** *s* **1.** *tech.* Oberzug *m.* **2.** *econ.* a) ('Konto)Über,ziehung *f*, b) Über'ziehung *f*, über'zogener Betrag, c) Rückbuchung *f* e-s über'zogenen Betrags (*durch die Bank*). '~,**draught** *bes. Br. für* overdraft 1. ,~'**draw I** *v/t irr* **1.** *econ. ein Konto* über'ziehen. **2.** *e-n Bogen* über'spannen. **3.** *fig.* über'treiben. **II** *v/i* **4.** *econ.* sein Konto über'ziehen. ,~'**dress** *v/t u. v/i* (sich) über'trieben anziehen. ~·**drive I** *v/t irr* [,-'draiv] **1.** abschinden, hetzen. **2.** zu weit treiben, über'treiben. **3.** *electr. e-e Röhre* über'steuern. **4.** *a.* ~ **the headlamps** *mot.* bei Dunkelheit zu schnell fahren. **II** *s* ['-,draiv] **5.** *tech.* Overdrive *m*, Schnell-, Schongang *m.* '~'**due** *adj* **1.** *a. econ. mar. rail. etc* 'überfällig: **the train is** ~ der Zug hat Verspätung; **an** ~ **bill** *econ.* ein überfälliger Wechsel. **2.** *a.* **long** ~ *fig.* längst fällig. **3.** *fig.* 'übermäßig. '~'**ea·ger** *adj* 'übereifrig. ,~'**eat** *v/i irr* (*a.* ~ o.s.) sich über'essen. ,~'**em·pha,size** *v/t* 'überbetonen, zu großen Nachdruck legen auf (*acc*). '~·**em'ploy·ment** *s econ.* 'Überbeschäftigung *f.* ~·**es·ti·mate I** *v/t* [,-'esti,meit] über'schätzen, 'überbewerten. **II** *s* ['-'estimit; -,meit] Über'schätzung *f*, 'Überbewertung *f.* '~,**es·ti'ma·tion** → **overestimate** II. ,~·**ex'cite** *v/t* **1.** 'übermäßig aufregen. **2.** über'reizen. **3.** *electr.* 'übererregen. ,~·**ex'ert** *v/t* (o.s. sich) über'anstrengen. ,~·**ex'er·tion** *s* Über'anstrengung *f.* ,~·**ex'pose** *v/t phot.* 'überbelichten. ,~·**ex'po·sure** *s phot.* 'Überbelichtung *f.* ,~'**fall** *s* **1.** *mar.* a) *pl* 'überbrechende Seen *pl* (*an Klippen etc*), b) Abfall *m* (*im Boden e-s Gewässers*). **2.** *tech.* 'Überfall *m*, -lauf *m* (*e-r Schleuse etc*). ,~·**fa'tigue I** *v/t* über'müden, über'anstrengen. **II** *s* Über'müdung *f.* '~,**fault** *s geol.* 'widersinnige Verwerfung. ,~'**feed** *v/t irr* über'füttern, 'überernähren. ,~'**feed·ing** *s* Über'fütterung *f*, 'Überernährung *f.* '~,**flights** *s pl aer.* (unerlaubtes) Über'fliegen.

o·ver|·flow [,-'flou] **I** *v/i* **1.** 'überlaufen, -fließen, -strömen (*Flüssigkeit, Gefäß etc*), sich ergießen (**into** in *acc*). **2.** 'überquellen (**with** von): **a room** ~**ing with people**; **an** ~**ing harvest** e-e überreiche Ernte. **3.** *fig.* 'überquellen, -strömen, -fließen (**with** von): **a heart** ~**ing with gratitude. 4.** im 'Überfluß vor'handen sein. **II** *v/t* **5.** über'fluten, -'schwemmen. **6.** hin'wegfluten über (*acc*), laufen *od.* fließen über (*acc*): **to** ~ **the brim. 7.** zum 'Überlaufen bringen. **8.** nicht mehr Platz finden in (*dat*): **the crowd** ~**ed the room. III** *s* ['-,flou] **9.** Über'schwemmung *f*, 'Überfließen *n.* **10.** 'Überschuß *m*, 'überfließende Menge: ~ **of population** Bevölkerungsüberschuß; ~ **meeting** Parallelversammlung *f* (*nicht mehr Platz findender Personen*). **11.** *tech.* a) *a. electr.* 'Überlauf *m*, b) *a.* ~ **pipe** 'Überlaufrohr *n*, c) *a.* ~ **basin** 'Überlaufbas,sin *n*: ~ **drain** Überlaufkanal *m*; ~ **valve** Überlaufventil *n.* **12.** *metr.* Enjambe'ment *n*, Versbrechung *f.* ,~'**flow·ing I** *adj* **1.** 'überfließend, -laufend, -strömend. **2.** *fig.* 'überquellend, -strömend: ~ **heart** (**kindness**, *etc*). **3.** *fig.* 'überreich. **II** *s* **4.** 'Überfließen *n*, -strömen *n*: **full to** ~ voll zum Überlaufen, *weitS.* zum Platzen voll.

,**o·ver|'fly** *v/t irr* über'fliegen. ~·**fold** *geol.* **I** *s* ['-,fould] über'kippte Falte. **II** *v/t* [,-'fould] über'kippen. '~,**freight** *s econ.* **1.** 'Überfracht *f.* **2.** *rail.* Ladung *f* ohne Frachtbrief *od.* Frachtliste. '~·**ful,fill** *v/t econ. ein Soll* 'übererfüllen. '~,**gar·ment** *s* Oberbekleidung *f.* '~,**gear** *s tech.* Über'setzungsgetriebe *n* (*Ggs. Untersetzungsgetriebe*). ~·**glaze** ['-,gleiz] **I** *s* 'Übergla,sur *f*, zweite Gla'sur. **II** *adj* Überglasur... **III** *v/t* [,-'gleiz] gla'sieren. '~,**ground** *adj* über der Erde (befindlich), oberirdisch. ,~'**grow** *irr* **I** *v/t* **1.** über'wachsen, -'wuchern. **2.** hin'auswachsen über (*acc*), zu groß werden für. **II** *v/i* **3.** zu groß werden. ,~'**grown** *adj* **1.** über'wachsen, -'wuchert. **2.** 'übergroß. '~,**growth** *s* **1.** Über'wucherung *f.* **2.** 'übermäßiges Wachstum. '~,**hand I** *adj u. adv* **1.** *Schlag etc* von oben (kommend *od.* ausgeführt): ~ **blow. 2.** *sport* 'überhand, mit der Handfläche nach unten: ~ **stroke** (*Tennis*) Überhandschlag *m*; ~ **service** Hochaufschlag *m.* **3.** *Schwimmen*: Hand-über-Hand-... **4.** *Kricket*: → **overarm. 5.** *Näherei*: über'wendlich: ~ **stitch. II** *s* **6.** *bes. Tennis*: 'Überhandschlag *m.* **III** *v/t u. v/i* **7.** über'wendlich nähen. ~·**hang** [,-'hæŋ] **I** *v/t irr* **1.** hängen über (*dat*). **2.** her'vorstehen *od.* -ragen *od.* 'überhängen über (*acc*). **3.** *fig.* (drohend) schweben über (*dat*), drohen (*dat*). **II** *v/i* **4.** 'überhängen, her'vorstehen, -kragen (*a. arch.*). **III** *s* ['-,hæŋ] **5.** 'Überhang *m* (*a. arch. mar.*), *tech. a.* Ausladung *f.* **6.** *aer.* 'Überhang *m*, vorstehendes Tragflächenende. '~'**hap·py** *adj* 'überglücklich. ,~'**haste** *s* 'Übereile *f.* ~·**haul I** *v/t* [,-'hɔːl] **1.** *e-e Maschine etc* über'holen, (gründlich) über'prüfen (*a. fig.*) u. in'stand setzen. **2.** *mar. Tau, Taljen etc* über'holen. **3.** a) einholen, b) über'holen. **II** *s* ['-,hɔːl] **4.** (Gene'ral)Über,holung *f*, gründliche Über'prüfung (*a. fig.*).

o·ver·head I *adv* [,-'hed] **1.** (dr)oben: **the stars** ~ die Sterne droben; **there is an artist living** ~ oben *od.* (im Stockwerk) darüber wohnt ein Künstler; **works** ~! Vorsicht, Dacharbeiten! **2.** *tech.* (*a.* von) oben: **the material enters and leaves** ~. **II** *adj* ['-,hed] **3.** oberirdisch, Frei..., Hoch...: ~ **aerial** (*Am.* **antenna**) *electr.* Hochantenne *f*; ~ **cable** *electr.* Freileitungs-, Luftkabel *n*; ~ **line** *electr.* Frei-, Oberleitung *f*; ~ **railway** *Br.* Hochbahn *f*; ~ **tank** Hochbehälter *m.* **4.** *mot.* a) obengesteuert: ~ **engine**; ~ **valve**, b) obenliegend: ~ **camshaft. 5.** allgemein, Gesamt..., Pauschal...: ~ **cost**, ~ **expenses** → 6; ~ **price** *econ.* Pauschalpreis *m.* **III** *s* ['-,hed] **6.** *econ.* allgemeine Unkosten *pl*, Gemein-, Re'giekosten *pl.*

,**o·ver|'hear** *v/t irr ein Gespräch etc* (zufällig) belauschen, (mit'an)hören, ‚aufschnappen'. ,~'**heat I** *v/t* über'hitzen, -'heizen: **to** ~ o.s. → II; ~**ed** überhitzt (*a. fig.*). **II** *v/i tech.* heißlaufen. '~,**house** *adj* Dach...(*-antenne etc*). ,~'**hung I** *pret u. pp von* **overhang. II** *adj* **1.** 'überhängend. **2.** (von oben) her'abhängend, *tech.* fliegend (angeordnet), freitragend: ~ **door** hängende Schiebetür. ,~·**in'dulge I** *v/t* **1.** zu nachsichtig behandeln. **2.** *e-r Leidenschaft etc* 'übermäßig frönen. **II** *v/i* **3.** sich allzu'sehr ergehen (in in *dat*). ,~·**in'dul·gence** *s* **1.** (all)zu große Nachsicht. **2.** 'übermäßiger Genuß. ,~·**in'dul·gent** *adj* allzu nachsichtig. ,~·**in'sur·ance** *s econ.* 'Überversicherung *f.* ,~·**in'sure** *v/t u. v/i* (sich) 'überversichern. ~·**is·sue** *econ.* **I** *s* ['-'iʃuː; *Br. a.* '-'isjuː] Mehrausgabe *f*, 'Überemissi,on *f.* **II** *v/t* [,-'iʃuː; *Br. a.* ,-'isjuː] *Aktien etc* zu'viel ausgeben. '~'**joyed** [-'dʒɔid] *adj* außer sich vor Freude, 'überglücklich. '~,**knee** *adj* über die Knie reichend: ~ **boots** Kniestiefel. ,~'**lad·en** *adj* 'überbelastet, über'laden. '~,**land I** *adv* über Land, auf dem Landweg, zu Lande. **II** *adj* (Über)Land...: ~ **route** Landweg *m*; ~ **transport** Überland-, Fernverkehr *m.* ~·**lap** [,-'læp] **I** *v/t* **1.** 'übergreifen auf (*acc*) *od.* in (*acc*), sich über'schneiden mit, teilweise zs.-fallen mit. **2.** hin'ausgehen über (*acc*). **3.** *tech.* über'lappen. **4.** *Film*: über'blenden. **II** *v/i* **5.** sich *od.* ein'ander über'schneiden, teilweise zs.-fallen, sich teilweise dekken, auf- *od.* inein'ander 'übergreifen. **6.** *tech.* über'lappen, 'übergreifen. **III** *s* ['-,læp] **7.** 'Übergreifen *n*, Über'schneiden *n.* **8.** Über'schneidung *f.* **9.** *tech.* a) Über'lappung *f*, b) *a. geol. phys.* Über'lagerung *f.*

,**o·ver'lay**[1] *pret u. pp von* **overlie.**

o·ver·lay[2] **I** *v/t irr* [,-'lei] **1.** dar'überlegen *od.* -breiten, oben'auf legen. **2.** bedecken, über'ziehen, belegen: **overlaid with gold** mit Gold überzogen. **3.** *print.* zurichten. **II** *s* ['-,lei] **4.** Bedeckung *f.* **5.** Auflage *f*, 'Überzug *m*: **an** ~ **of gold** e-e Goldauflage. **6.** *print.* a) Auflegemaske *f*, b) Zurichtung *f*, c) Zurichtebogen *m.* **7.** Planpause *f.*

,**o·ver|'leaf** *adv* 'umstehend, 'umseitig: **see** ~ siehe umseitig. ,~'**leap** *v/t irr* **1.** springen über (*acc*), über'springen (*a. fig.*). **2.** *sein Ziel* über'springen, hin'ausspringen über (*acc*). ,~'**lie** *v/t irr* **1.** liegen auf *od.* über (*dat*). **2.** *geol.* über'lagern. ~·**load I** *v/t* [,-'loud] über'laden, -'lasten (*a. electr.*), 'überbelasten. **II** *s* ['-,loud] 'Überbelastung *f* (*a. electr.*), 'Überbeanspruchung *f*: ~ **capacity** *electr.* Überlastbarkeit *f*; ~ **circuit-breaker** Maximalausschalter *m.* ,~'**long** *adj u. adv* allzu lang(e). ~·**look I** *v/t* [,-'luk] **1.** über'sehen: **to** ~ **a word. 2.** *fig.* (geflissentlich) über'sehen, hin'wegsehen über (*acc*), nicht beachten, igno'rieren: **let us** ~ **her mistake. 3.** (von oben) über'blicken. **4.** über'blicken, Aussicht gewähren auf (*acc*). **5.** über'wachen, beaufsichtigen. **6.** (*bes. prüfend od. lesend*) 'durchsehen. '~,**lord** *s* **1.** Oberherr *m.* **2.** *fig.* ('unum,schränkter) Herrscher. '~,**lord·ship** *s* Oberherrschaft *f.*

o·ver·ly ['ouvərli] *adv bes. Am. od. Scot.* 'übermäßig, allzu('sehr).

,**o·ver|'ly·ing** *adj* **1.** dar'überliegend. **2.** *geol.* 'übergelagert (*Schicht*). ~·**man I** *s irr* ['-mən] **1.** Aufseher *m*, Vorarbeiter *m.* **2.** Schiedsrichter *m.* **3.** *Bergbau*: (Ober)Steiger *m.* **4.** *philos.* 'Übermensch *m.* **II** *v/t* [,-'mæn] *pret u. pp* -'**manned 5.** *ein Schiff etc* zu stark bemannen: ~**ned** überbelegt, zu stark bemannt. '~,**man·tel** *s* Ka'minaufsatz *m.* ,~'**man·y** *adj* (all)zu viele. ,~'**master** *v/t* über'wältigen, -'mannen, bezwingen. '~'**much I** *adj* allzu'viel. **II** *adv* allzu('sehr, -'viel), 'übermäßig. '~'**nice** *adj* 'überfein: ~ **distinctions.** ~·**night I** *adv* ['-'nait] über Nacht, die Nacht über, während der Nacht: **he became famous** ~ er wurde über Nacht berühmt. **II** *adj* ['-,nait] Nacht..., Übernachtungs...: ~ **lodgings**; ~ **case** Übernachtungs-, Handkoffer *m*; **an** ~ **stop** ein Aufenthalt von e-r Nacht; ~ **guests** Übernachtungsgäste. ~·**pass I** *v/t* [*Br.* ,-'pɑːs; *Am.*

ˌ-'pæ(ː)s] *pret u. pp* **-'passed** *od.* **-'past 1.** über'queren. **2.** *fig.* über'treffen, -'steigen. **II** *s* [*Br.* '-ˌpɑːs; *Am.* '-ˌpæ(ː)s] **3.** ('Straßen-, 'Eisenbahn)Überˌführung *f.* **ˌ~'pay** *v/t irr* **1.** zu teuer bezahlen, über'zahlen. **2.** *j-n* 'überbezahlen. **3.** 'überreichlich belohnen. **ˌ~'peo·pled** *adj* über'völkert. **ˌ~·per'suade** *v/t j-n* gegen den eigenen Willen über'reden. **ˌ~'play** *v/t* **1.** → **overact** I. **2. to ~ one's hand** zu weit gehen, es zu weit treiben. **'~ˌplus I** *s* 'Überschuß *m.* **II** *adj* 'überschüssig. **ˌ~'pop·uˌlate** *v/t* über'völkern. **'~-ˌpop·u'la·tion** *s* Über'völkerung *f.* **ˌ~'pow·er** *v/t a. fig.* über'wältigen, -'mannen, bezwingen: **~ing** *fig.* über'wältigend. **'~ˌpres·sure** *s* **1.** Über'bürdung *f*, -'anstrengung *f.* **2.** *tech.* 'Überdruck *m*: **~ valve** Überdruck- *od.* Sicherheitsventil *n.* **~·print I** *v/t* [ˌ-'print] **1.** *print.* a) über'drucken, b) e-e zu große Auflage drucken von. **2.** *phot.* 'überkoˌpieren. **II** *s* ['-ˌprint] **3.** *print.* a) 'Über-, Aufdruck *m*, b) 'Überschuß *m* an gedruckten Exem'plaren. **4.** a) Aufdruck *m* (*auf Briefmarken*), b) Briefmarke *f* mit Aufdruck. **ˌ~·pro'duce** *v/t econ.* 'überproduˌzieren, im 'Übermaß produ'zieren. **'~·pro'duc·tion** *s* 'Überproduktiˌon *f.* **'~'proof** *adj* 'überproˌzentig (*alkoholisches Getränk*). **ˌ~-pro'por·tion I** *s* 'Überproportiˌon *f*, 'Übergröße *f.* **II** *v/t* 'überproportioˌnieren. **'~'proud** *adj* 'überstolz, 'übermäßig stolz. **ˌ~'rate** *v/t* **1.** über'schätzen, 'überbewerten. **2.** *econ.* zu hoch veranschlagen. **ˌ~'reach I** *v/t* **1.** über'ragen (*a. fig.*). **2.** *fig.* hin'ausschießen über (*acc*), zu weit gehen für: **to ~ one's purpose** *fig.* über sein Ziel hinausschießen: **to ~ o.s.** sich übernehmen. **3.** über'vorteilen, -'listen. **II** *v/i* **4.** *fig.* zu weit gehen. **5.** sich (*beim Galopp*) mit dem 'Hinterfuß den Vorderfuß verletzen (*Pferd*). **ˌ~'read** *v/i irr* zuviel lesen. **ˌ~'ride** *v/t irr* **1.** reiten durch *od.* über (*acc*). **2.** über'reiten, *j-n* niederreiten. **3.** *ein Pferd* über'anstrengen. **4.** *fig.* sich hin'wegsetzen *od.* rücksichtslos hin'weggehen über (*acc*). **5.** *fig.* 'umstoßen, aufheben, nichtig machen: **to ~ a veto** ein Veto umstoßen. **6.** *fig.* den Vorrang haben vor (*dat*). **7.** *bes. med.* sich schieben über (*acc*). **'~ˌrid·er** *s Br.* Rammbügel *m* (*an der Autostoßstange*). **ˌ~'rid·ing** *adj* über'wiegend, hauptsächlich: **~ claim** *jur.* vorrangiger Anspruch; **of ~ importance** von überragender Bedeutung. **'~'ripe** *adj* 'überreif. **ˌ~'rule** *v/t* **1.** verwerfen, ablehnen, zu'rückweisen: **to ~ a proposal. 2.** *j-n* über'stimmen. **3.** *ein Urteil* 'umstoßen, aufheben. **4.** *fig.* die Oberhand gewinnen über (*acc*). **ˌ~'rul·ing** *adj* beherrschend, 'übermächtig.

ˌo·ver|'run *v/t irr* **1.** a) *Land etc* über'fluten, -'schwemmen (*a. fig.*), b) scharenweise einfallen in (*acc*) *od.* 'herfallen über (*acc*). **2.** über'laufen: **to be ~ with** überlaufen sein *od.* wimmeln von. **3.** über'wuchern. **4.** *fig.* rasch um sich greifen in (*dat*). **5.** *print.* um'brechen. **ˌ~'run·ning** *adj tech.* Freilauf..., Überlauf...: **~ clutch; ~ brake** Auflaufbremse *f* (*des Anhängers*). **'~'scru·pu·lous** *adj* allzu gewissenhaft, 'übergenau. **'~'seas,** *a.* **'~'sea I** *adv* nach *od.* in 'Übersee. **II** *adj* 'überseeisch, Übersee...

ˌo·ver'see *v/t irr* beaufsichtigen, über'wachen. **'o·verˌse·er** *s* **1.** Aufseher *m*, In'spektor *m.* **2.** Vorarbeiter *m.* **3.** *meist* **~ of the poor** *Br. hist.* Armenpfleger *m.*

ˌo·ver|'sell *v/t irr econ.* **1.** *Ware* über die Lieferungsfähigkeit hin'aus verkaufen. **2.** in zu großer Menge verkaufen. **ˌ~'sen·si·tive** *adj* 'überempfindlich. **ˌ~'set I** *v/t irr* **1.** a) 'umwerfen, -stürzen, -kippen, b) *fig.* durcheinanderbringen. **2.** (*gesundheitlich od. geistig*) zerrütten. **II** *v/i* **3.** 'umstürzen. **ˌ~'sew** *v/t irr* über'wendlich nähen. **ˌ~'sexed** *adj* vom Sex beherrscht *od.* besessen. **ˌ~'shad·ow** *v/t* **1.** *fig.* in den Schatten stellen, (*bes.* an Bedeutung) über'ragen. **2.** *bes. fig.* über'schatten, e-n Schatten werfen auf (*acc*), verdüstern, trüben. **3.** *fig.* e-e schützende Hand halten über (*acc*). **'~ˌshoe** *s* 'Überschuh *m.* **ˌ~'shoot** *v/t irr* hin'ausschießen über (*ein Ziel*) (*a. fig.*): → **mark**[1] 13. **'~ˌshot** *adj* **1.** oberschlächtig (*Wasserrad, Mühle*). **2.** mit vorstehendem Oberkiefer. **~·side** *mar.* **I** *adv* ['-'said] über Schiffsseite. **II** *adj* ['-ˌsaid] Überbord...: **~ delivery** Überbord-Ablieferung *f.* **'~ˌsight** *s* **1.** Versehen *n*: **by an ~** aus Versehen. **2.** Aufsicht *f.* **'~ˌsim·pli·fi'ca·tion** *s* allzu große Vereinfachung. **~·size I** *adj* ['-'saiz] 'übergroß. **II** *s* ['-ˌsaiz] 'Übergröße *f* (*a. Gegenstand*). **'~'sized** → **oversize** I. **~·slaugh** ['-ˌslɔː] **I** *v/t* **1.** *Br. mil.* 'abkommanˌdieren. **2.** *Am.* (*bes.* bei der Beförderung) über'gehen. **II** *s* **3.** *Br. mil.* Dienstbefreiung *f* zwecks Abordnung zu e-m höheren Kom'mando. **4.** *Am.* Sandbank *f*, Barre *f.* **ˌ~'sleep** *irr* **I** *v/t* **1.** *e-n Zeitpunkt* verschlafen. **2. ~ o.s.** → 3. **II** *v/i* **3.** (sich) verschlafen. **'~ˌsleeve** *s* Ärmelschoner *m.* **'~ˌsoul** *s philos.* 'Überseele *f.* **'~'speed** *v/t den Motor* über'drehen, auf 'Übertouren bringen. **ˌ~'spend** *irr* **I** *v/i* **1.** zu'viel ausgeben, sich 'übermäßig verausgaben. **II** *v/t* **2.** mehr ausgeben als, *e-e bestimmte Ausgabensumme* über'schreiten. **3. ~ o.s.** sich 'übermäßig verausgaben. **'~ˌspill** *s* **1.** (Be'völkerungs)ˌÜberschuß *m.* **2.** 'Überhang *m* (**into** in *acc*). **ˌ~'spread** *v/t irr* **1.** über'ziehen, sich ausbreiten über (*acc*). **2.** über'ziehen, bedecken (**with** mit). **3.** dar'überbreiten. **'~'staffed** *adj* (mit Perso'nal) 'überbesetzt. **ˌ~'state** *v/t* über'treiben, zu weit gehen in (*e-r Behauptung etc*): **to ~ one's case** in s-n Behauptungen zu weit gehen, zu stark auftragen. **ˌ~'state·ment** *s* Über'treibung *f.* **ˌ~'stay** *v/t* länger bleiben als, *e-e Zeit* über'schreiten: **to ~ one's time** über s-e Zeit hinaus bleiben; → **welcome** 2. **ˌ~'step** *v/t* über'schreiten (*a. fig.*). **ˌ~'stock I** *v/t* **1.** 'überreichlich versehen *od.* eindecken. **2.** *econ.* 'überbeliefern, *den Markt* über'schwemmen: **to ~ o.s.** → 4. **3.** in zu großen Mengen auf Lager halten. **II** *v/i* **4.** sich zu hoch eindecken. **~·strain I** *v/t* [ˌ-'strein] **1.** über'anstrengen, 'überbeanspruchen: **to ~ one's conscience** übertriebene Skrupel haben. **2.** *fig.* über'treiben. **II** *s* ['-ˌstrein] **3.** Über'anstrengung *f.* **ˌ~'stretch** *v/t* über'dehnen, -'spannen. **ˌ~'stride** *v/t irr* **1.** über'schreiten (*a. fig.*). **2.** mit gespreizten Beinen stehen über (*dat*). **'~'strung** *adj* **1.** über'reizt (*Nerven od. Person*). **2.** *mus.* kreuzsaitig (*Klavier*). **ˌ~·sub'scribe** *v/t econ. e-e Anleihe* über'zeichnen. **ˌ~·sub'scrip·tion** *s econ.* Über'zeichnung *f.* **'~'sub·tle** *adj* **1.** 'überfein. **2.** 'überschlau, allzu raffi'niert. **'~·supˌply** *s* **1.** 'überreichliche Versorgung, zu großer Vorrat. **2.** 'Überangebot *n.*

o·vert ['ouvəːrt; ou'vəːrt] *adj* (*adv* **~ly**) **1.** offen(kundig): **~ act** offenkundige Handlung, Ausführungshandlung *f*; **~ hostility** offene Feindschaft; **~ market** *econ.* offener Markt. **2.** *her.* geöffnet.

ˌo·ver|'take *v/t irr* **1.** einholen (*a. fig.*). **2.** über'holen: **do not ~** Überholen verboten. **3.** über'raschen, -'fallen: **to be ~n by darkness** von der Dunkelheit überrascht werden. **4.** *Versäumtes* nach-, aufholen. **ˌ~'task** → **overtax** 3. **ˌ~'tax** *v/t* **1.** zu hoch besteuern, 'überbesteuern. **2.** zu hoch einschätzen. **3.** über'fordern, -'bürden, 'überbeanspruchen, zu hohe Anforderungen stellen an (*acc*). **'~·tax'a·tion** *s* 'Überbesteuerung *f.* **'~-the--'count-er** *adj econ.* freihändig (*Effektenverkauf*), freihändig verkauft (*Wertpapiere*): **~ market** Freiverkehrsmarkt *m*; **~ sale** Freihandverkauf *m.* **~·throw I** *v/t irr* [ˌ-'θrou] **1.** *a. fig. e-e Regierung etc* ('um)stürzen. **2.** niederwerfen, besiegen, schlagen. **3.** niederreißen, vernichten. **4.** *den Geist* zerrütten. **II** *s* ['-ˌθrou] **5.** ('Um)Sturz *m*, Niederlage *f* (*e-r Regierung etc*). **6.** 'Untergang *m*, Vernichtung *f.* **~·time** ['-ˌtaim] **I** *s* **1.** *econ.* a) 'Überstunden *pl*, b) 'Überstundenlohn *m*, Mehrarbeitszuschlag *m.* **2.** *allg.* zusätzliche (Arbeits)Zeit. **II** *adv* **3.** über die Zeit (hin'aus): **to work ~** Überstunden machen. **III** *adj* **4.** *econ.* Überstunden..., Mehrarbeits...: **~ pay** → 1 b. **IV** *v/t* [ˌ-'taim] **5.** *phot.* 'überbelichten. **ˌ~'tire** *v/t* über'müden. **'~-ˌtone** *s* **1.** *mus.* Oberton *m.* **2.** *fig.* a) 'Unterton *m*, b) *pl* Neben-, Zwischentöne *pl*: **it had ~s of** es schwang darin etwas von ... mit. **ˌ~'top** *v/t* **1.** über'ragen (*a. fig.*). **2.** sich hin'wegsetzen über (*acc*). **ˌ~'tow·er** *v/t* über'ragen. **ˌ~'trade** *v/i econ.* über die eigenen (Zahlungs- *od.* Verkaufs)Möglichkeiten hin'aus Handel treiben. **ˌ~'train** *v/t u. v/i* zuviel trai'nieren, 'übertraiˌnieren. **ˌ~'trump** *v/t u. v/i* über'trumpfen (*a. fig.*).

o·ver·ture ['ouvərtʃur; *Br. a.* -tjuə] *s* **1.** *mus.* Ouver'türe *f.* **2.** *fig.* Einleitung *f*, Vorspiel *n.* **3.** (for'meller Heirats-, Friedens)Antrag, Vorschlag *m*, Angebot *n*: **to make ~s to s.o. 4.** *pl* Annäherungsversuche *pl.*

o·ver|·turn [ˌ-'təːrn] **I** *v/t* **1.** ('um)stürzen (*a. fig.*), 'umstoßen, -kippen. **2.** vernichten, zu'grunde richten. **II** *v/i* **3.** 'umkippen, -schlagen, -stürzen, kentern. **III** *s* ['-ˌtəːrn] **4.** ('Um)Sturz *m.* **ˌ~'val·ue** *v/t* zu hoch einschätzen, 'überbewerten. **'~'ween·ing** *adj* **1.** anmaßend, arro'gant, eingebildet. **2.** über'trieben. **~·weight I** *s* ['-ˌweit] 'Übergewicht *n* (*a. fig.*). **II** *adj* ['-'weit] mit 'Über- *od.* Mehrgewicht: **~ luggage** (*Am.* **~ baggage**). **'~'weight·ed** *adj* über'laden, 'überbeladen, -belastet. **ˌ~'whelm** *v/t* **1.** *bes. fig.* über'wältigen, -'mannen: **~ed by emotion. 2.** *bes. fig.* über'schütten, -'häufen: **to ~ s.o. with questions. 3.** erdrücken. **4.** (unter sich) begraben. **ˌ~'whelm·ing** *adj* (*adv* **~ly**) über'wältigend. **~·wind** [ˌ-'waind] *v/t irr* zu stark aufziehen, über'drehen: **to ~ one's watch. ~·work** [ˌ-'wəːrk] **I** *v/t irr* **1.** über'anstrengen, mit Arbeit über'lasten: **to ~ o.s.** → 2. **II** *v/i* 2. sich über'arbeiten. **III** *s* ['-ˌwəːrk] **3.** 'Übermaß *n* an Arbeit. **4.** Über'arbeitung *f.* **5.** Mehrarbeit *f.* **'~'wrought** *adj* **1.** über'arbeitet, erschöpft. **2.** über'reizt. **3.** über'trieben sorgfältig bearbeitet, über'laden. **'~'zeal·ous** *adj* (*adv* **~ly**) 'übereifrig.

O·vid·i·an [o'vidiən; ɒ'v-] *adj* o'vidisch, des O'vid.

o·vi·duct ['ouviˌdʌkt] *s anat. zo.* Eileiter *m*, Ovi'dukt *m*. **o·vi·form** ['ouviˌfɔːrm] *adj* eiförmig.

o·vine ['ouvain; -vin] *adj zo.* **1.** Schaf(s)... **2.** schafartig.

o·vip·a·rous [o'vipərəs; ɒ'v-] *adj* (*adv* **~ly**) ovi'par, eierlegend. **o·vi·pos·it** [ˌouvi'pɒzit] *v/i* Eier legen. **ˌo·vi·po'si·tion** [-pə'ziʃən] *s* Eiablage *f*. **ˌo·vi'pos·i·tor** [-'pɒzitər] *s* Ovi'positor *m*, Legeröhre *f* (*der Insekten*).

o·vi·sac ['ouviˌsæk] *s zo.* Eiersack *m*.

o·vo·gen·e·sis [ˌouvo'dʒenisis] *s med. zo.* Eibildung *f*.

o·void ['ouvɔid] *adj u. s* eiförmig(er Körper).

o·vo·vi·vip·a·rous [ˌouvovai'vipərəs] *adj zo.* ovovivi'par (*schon befruchtete u. in Entwicklung begriffene Eier ablegend*).

o·vu·lar ['ouvjulər], *a.* **'o·vu·lar·y** *adj biol.* ovu'lär, Ovular..., Ei... **ˌo·vu'la·tion** *s* Ovulati'on *f*, Eiausstoßung *f*.

o·vule ['ouvjuːl] *s* **1.** *biol.* Ovulum *n*, kleines Ei. **2.** *bot.* Samenanlage *f*.

o·vum ['ouvəm] *pl* **o·va** ['ouvə] *s biol.* Ovum *n*, Ei(zelle *f*) *n*.

owe [ou] **I** *v/t* **1.** schulden, schuldig sein (s.th. to s.o., s.o. s.th. j-m etwas): **to ~ s.o. money (respect, an explanation,** *etc*); **you ~ that to yourself (to your reputation)** das bist du dir (d-m Namen) schuldig; → **grudge** 5. **2.** bei *j-m* Schulden haben (for für): **he ~s not any man** er schuldet niemandem etwas. **3.** *etwas* verdanken, zu verdanken haben (*dat*), *j-m* Dank schulden für: **to this circumstance we ~ our lives** diesem Umstand verdanken wir unser Leben; **I ~ him much** ich habe ihm viel zu verdanken. **4.** *sport* vorgeben. **5.** *obs.* besitzen. **II** *v/i* **6.** Schulden haben: **how much does he ~?** wieviel Schulden hat er? **7.** die Bezahlung schuldig sein (for für).

ow·ing ['ouiŋ] *adj* **1.** geschuldet: **to be ~** zu zahlen sein, noch offenstehen; **to have ~** ausstehen haben. **2. ~ to** in'folge (*gen*), wegen (*gen*), dank (*dat*): **~ to his efforts; to be ~ to** zurückzuführen sein auf (*acc*), zuzuschreiben sein (*dat*).

owl [aul] *s* **1.** *orn.* Eule *f*. **2.** *a.* **~ pigeon** *orn. e-e Haustaubenrasse.* **3.** *fig.* a) Nachteule *f*, -schwärmer *m*, b) ‚alte Eule' (*dumme od. feierliche od. langweilige Person*).

owl·et ['aulit] *s* **1.** *orn.* junge Eule, Eulchen *n*. **2.** *orn.* kleine Eule, *bes.* Steinkauz *m*. **3.** *a.* **~ moth** *zo.* Eule *f* (*Nachtfalter*).

owl·ish ['auliʃ] *adj* (*adv* **~ly**) eulenhaft, [-artig.]

own [oun] **I** *v/t* **1.** besitzen: **he ~s a car; ~ed by his uncle** im Besitz s-s Onkels. **2.** als eigen anerkennen, die Urheberschaft *od.* den Besitz (*gen*) zugeben. **3.** zugeben, (ein)gestehen, einräumen: **to ~ o.s. defeated** sich geschlagen bekennen. **4. ~ up** *colloq.* offen zugeben. **II** *v/i* **5.** sich bekennen (to zu): **to ~ to** *s.th.* → 3. **6. ~ up** *colloq.* ein offenes Geständnis ablegen. **III** *adj* **7.** eigen: **my ~ garden; my ~ country** mein Vaterland; **she saw it with her ~ eyes** sie sah es mit eigenen Augen; **my ~ self** ich selbst. **8.** eigen(artig), besonder(er, e, es): **it has a value all its ~** es hat e-n ganz besonderen *od.* eigenen Wert. **9.** selbst: **I cook my ~ breakfast** ich mache mir das Frühstück selbst; **name your ~ day** setze den Tag selbst fest. **10.** (*bes. im Vokativ*) (innig) geliebt, einzig: **my ~ child!; my ~!** mein Schatz! **11.** (*absolut gebraucht*) a) Eigen *n*, Eigentum *n*, b) Angehörige *pl*: **it is my ~** es ist mein eigen, es gehört mir; **may I have it for my ~?** darf ich es haben *od.* behalten? **12.** (*ohne Possessivum gebraucht*) *selten* leiblich, nahe blutsverwandt: **an ~ brother** ein leiblicher Bruder.

Besondere Redewendungen:

let me have my ~ gebt mir, was mir zukommt; **to come into one's ~** a) s-n rechtmäßigen Besitz erlangen; das erlangen, was e-m zusteht, b) zur Geltung kommen; **she has a car of her ~** sie hat ein eigenes Auto; **he has a way of his ~** er hat e-e eigene Art; **on one's ~** *colloq.* a) selbständig, unabhängig, b) von sich aus, aus eigenem Antrieb, c) ohne fremde Hilfe, d) auf eigene Verantwortung; **to be left on one's ~** *colloq.* sich selbst überlassen sein; → **get back** 2, **hold**[2] 21.

-owned [ound] *adj in Zssgn* gehörig, gehörend (*dat*), in *j-s* Besitz: **state-~** in Staatsbesitz (befindlich), Staats..., staatlich.

own·er ['ounər] *s* **1.** *a.* **absolute ~** *jur.* Eigentümer(in). **2.** *allg.* Eigentümer(in), Besitzer(in), Inhaber(in): **~-driver** Selbstfahrer *m*; **~-occupied house** Eigenheim *n*; **~-occupier** Eigenheimbesitzer *m*; **at ~'s risk** *econ.* auf eigene Gefahr.

own·er·less ['ounərlis] *adj* herrenlos.

own·er·ship ['ounərˌʃip] *s* **1.** *jur.* Eigentum(srecht) *n*. **2.** *weitS.* a) Besitzerschaft *f*, b) Besitz *m*.

ox (ɒks) *pl* **'ox·en** [-ən] *s* **1.** Ochse *m*. **2.** (Haus)Rind *n*.

ox·a·late ['ɒksəˌleit; -lit] *s* Oxa'lat *n*.

ox·al·ic [ɒk'sælik] *adj chem.* Oxal..., o'xalsauer: **~ acid** Oxal-, Kleesäure *f*.

ox·a·lis ['ɒksəlis] *s bot.* Sauerklee *m*.

ox·am·ic ac·id [ɒk'sæmik] *s chem.* Oxa'mid-, Oxa'minsäure *f*.

'ox|ˌbane *s bot.* Rindsgift *n*. **'~ˌblood(-red)** *s* Ochsenblut(farbe *f*) *n*. **'~ˌbow** [bou] *s* **1.** Halsbogen *m* (*des Ochsenjochs*). **2.** *Am.* U-förmiger Bogen. **3.** *geogr. Am.* U-förmige (Fluß)Schleife.

Ox·bridge ['ɒksbridʒ] *s Br. colloq.* (die Universi'täten) Oxford u. Cambridge *pl*.

ox·en ['ɒksən] *pl von* **ox**.

'ox|ˌeye *s* **1.** Ochsenauge *n* (*a. Fenster*). **2.** *bot.* a) *a.* **white ~** Marge'rite *f*, b) *a.* **yellow ~** Gelbe Wucherblume, c) Ochsen-, Rindsauge *n*, d) *Am.* Sonnenauge *n*. **3.** *orn. Am.* a) Kiebitz-Regenpfeifer *m*, b) *dial.* (*bes.* Kohl)-Meise *f*.

Ox·ford ['ɒksfərd] **I** *npr* **1.** Oxford *n* (*englische Universitätsstadt*). **II** *s* **2.** → **Oxford Down**. **3.** *a.* **o~** (Schnür)-Halbschuh *m*. **4.** *a.* **o~** *ein* (*Hemden*)-*Stoff aus Baumwolle od. Kunstseide.* **~ ac·cent** *s* Oxforder Ak'zent *m*. **~ bags** *s pl Br.* sehr weite Hose. **~ blue** *s* Oxforder Blau *n* (*ein Dunkelblau mit violettem Ton*). **~ clay** *s geol.* Oxfordton *m*. **~ Down** *s* Oxford(shire)schaf *n*. **~ frame** *s Br. Bilderrahmen mit sich an den Ecken kreuzenden u. etwas vorstehenden Leisten.* **~ Group (movement)** → **Buchmanism**. **~ man** *s irr* → **Oxonian** II. **~ mix·ture** *s* dunkelgraues Tuch (*für Anzüge etc*). **~ movement** *s relig.* Oxford-Bewegung *f*. **~ shoe,** *Am. a.* **~ tie** → **Oxford** 3.

'ox|ˌhide *s* **1.** Ochsenhaut *f*. **2.** Rindsleder *n*. **3.** *agr.* Hufe *f* (*Landmaß*).

ox·id ['ɒksid] → **oxide**.

ox·i·dant ['ɒksidənt] *s chem.* Oxydati'onsmittel *n*. **'ox·iˌdase** [-ˌdeis; -ˌdeiz] *s biol. chem.* Oxy'dase *f* (*Enzym*).

ox·i·date ['ɒksiˌdeit] → **oxidize**. **ˌox·i'da·tion** *s chem.* Oxydati'on *f*, Oxy'dierung *f*.

ox·ide ['ɒksaid; -sid] *s chem.* O'xyd *n*.

ox·i·diz·a·ble ['ɒksiˌdaizəbl] *adj chem.* oxy'dierbar.

ox·i·dize ['ɒksiˌdaiz] *chem.* **I** *v/t* **1.** oxy'dieren: a) mit Sauerstoff verbinden, b) dehy'drieren, c) *e-m Atom od. Ion* Elek'tronen entziehen. **2.** *metall.* passi'vieren (*mit e-r dünnen Oxydschicht überziehen*). **II** *v/i* **3.** oxy'dieren. **'ox·iˌdiz·er** *s chem.* Oxydati'onsmittel *n*.

'oxˌlip *s bot.* Hohe Schlüsselblume.

Ox·o·ni·an [ɒk'souniən; -njən] **I** *adj* **1.** Oxforder, Oxford... **II** *s* **2.** Stu'dent(in) *od.* Gradu'ierte(r *m*) *f* der Universi'tät Oxford, j-d, der in Oxford stu'diert hat. **3.** Oxforder(in).

'oxˌtail *s* Ochsenschwanz *m*: **~ soup**.

'oxˌweld *v/t tech.* auto'gen schweißen.

ˌox·y·a'cet·yˌlene *adj chem. tech.* Sauerstoff-Azetylen...: **~ blowpipe** (*od.* **torch**) Sauerstoff-Azetylen-Gebläse *n*; **~ cutter** (autogener) Schneidbrenner; **~ welding** Autogenschweißen *n*.

ˌox·y'ac·id *s chem.* **1.** → **oxygen acid**. **2.** Oxysäure *f*.

ox·y·car·pous [ˌɒksi'kɑːrpəs] *adj bot.* [spitzfrüchtig.]

ox·y·gen ['ɒksidʒən] *s chem.* Sauerstoff *m*: **~ apparatus** Atemgerät *n*; **~ mask** *med.* Sauerstoffmaske *f*; **~ tent** *med.* Sauerstoffzelt *n*. **'~-a'cet·yˌlene cut·ting** *s tech.* auto'genes Schneiden. **'~-a'cet·yˌlene weld·ing** *s* auto'genes Schweißen, Auto'genschweißen *n*. **~ ac·id** *s chem.* Sauerstoffsäure *f*.

ox·yg·e·nant [ɒk'sidʒənənt] *s chem.* Oxydati'onsmittel *n*. **ox·y·gen·ate** ['ɒksidʒəˌneit; *Br. a.* ɒk'sidʒ-] *v/t* **1.** oxy'dieren, mit Sauerstoff verbinden *od.* behandeln. **2.** mit Sauerstoff anreichern *od.* sättigen.

ˌox·y'gen·erˌa·tor *s* 'Sauerstofferzeuger *m*, -geneˌrator *m*.

'ox·y·gen-'hy·dro·gen weld·ing *s tech.* Knallgasschweißen *n*.

ox·yg·e·nous [ɒk'sidʒənəs] *adj chem.* **1.** Sauerstoff... **2.** sauerstoffhaltig.

ˌox·yˌh(a)e·mo'glo·bin *s biol. chem.* ˌOxyhämoglo'bin *n*. **ˌox·y'hy·drate** *s chem.* Hydro'xyd *n*. **ˌox·y'hy·dro·gen** *chem. tech.* **I** *adj* Hydrooxygen..., Knallgas... **II** *s a.* **~ gas** Knallgas *n*.

ox·y·mel ['ɒksiˌmel] *s pharm. hist.* Oxymel *n*, Sauerhonig *m*.

ox·y·mo·ron [ˌɒksi'mɔːrɒn] *pl* **-mo·ra** [-rə] *s* O'xymoron *n* (*rhetorische Figur durch Verbindung zweier sich widersprechender Begriffe*).

ox·y·tone ['ɒksiˌtoun] *ling.* **I** *s* O'xytonon *n* (*ein Wort mit Hochton auf der Endsilbe*). **II** *adj* oxyto'niert, endsilbenbetont.

o·yer ['ɔiər; *Am. a.* 'oujər] *s jur.* **1.** gerichtliche Unter'suchung. **2.** → **oyer and terminer**. **~ and ter·mi·ner** *s jur.* **1.** gerichtliche Unter'suchung u. Entscheidung. **2.** *Br. meist* commission (*od.* writ) of **~** *königliche Ermächtigung an die Richter der Assisengerichte, Gericht zu halten.* **3.** *Am. Bezeichnung einiger höherer Gerichtshöfe für Strafsachen.*

o·yez, *a.* **o·yes** [ˌou'jes; 'ouˌjes] *interj* hört (zu)! (*meist dreimal geäußerter Ruf der Gerichtsdiener, Herolde etc*).

oys·ter ['ɔistər] **I** *s* **1.** *zo.* Auster *f*: **~s on the shell** frische Austern; **he**

thinks the world is his ~ *fig.* er meint, er kann alles haben; that's just his ~ *fig.* das ist genau sein Fall. **2.** *austernförmiges Stück Fleisch in der Höhlung des Beckenknochens von Geflügel.* **3.** *sl.* ‚zugeknöpfter' Mensch. **II** *adj* **4.** Austern...: ~ knife; ~ tongs. ~ **bank** → oyster bed. ~ **bar** *s* 'Austernbü,fett *n* (*in Restaurants etc*). ~ **bay** *s Am.* 'Austernrestau,rant *n.* ~ **bed** *s* Austernbank *f.* ~ **catch·er** *s orn.* Austernfischer *m.* ~ **crack·er** *s Am. gesalzener Keks, der zu Austerngerichten gereicht wird.* '~-'**cul·tur·ist** *s* Austernzüchter *m.* ~ **dredge** *s* Austernschaber *m.* ~ **farm** *s* Austernpark *m.*

oys·ter·ing ['ɔistəriŋ] *s* **1.** ,Austernfische'rei *f.* **2.** *Möbelherstellung*: a) Austernmuster *n*, b) Zs.-passung *f* der Musterung (*bei Schranktüren etc*).

o·zo·ce·rite, o·zo·ke·rite [o'zoukə,rait; -rit; -'zousə-; ,ouzo'ki(ə)-; -'si(ə)-] *s min.* Ozoke'rit *m*, Erdwachs *n.*

o·zo·na·tion [,ouzo'neiʃən] → ozonization.

o·zone ['ouzoun; o'zoun] *s* **1.** *chem.* O'zon *n.* **2.** *colloq.* O'zon *m*, reine, frische Luft. **3.** *fig.* belebender Einfluß.

o·zon·er [ou'zounər; o'z-] *s Am. sl.* Freilicht-, Autokino *n.*

o·zon·ic [o'zɒnik; o'zoun-] *adj* **1.** o'zonisch, Ozon... **2.** o'zonhaltig.

o·zo·nif·er·ous [,ouzo'nifərəs] *adj* **1.** o'zonhaltig. **2.** o'zonerzeugend.

o·zo·ni·za·tion [,ouzonai'zeiʃən; -ni'z-] *s chem.* Ozoni'sierung *f.* '**o·zo,nize I** *v/t* ozoni'sieren: a) in O'zon verwandeln, b) mit O'zon behandeln. **II** *v/i* sich in O'zon verwandeln. '**o·zo,niz·er** *s* Ozoni'sator *m.*

o·zo·nom·e·ter [,ouzo'nɒmitər] *s chem. phys.* Ozono'meter *n*, O'zonmesser *m.*

P

P, p [piː] **I** *pl* **P's, Ps, p's, ps** [piːz] *s* **1.** P, p *n* (*Buchstabe*): to mind one's p's and q's sich sehr in acht nehmen. **2.** P P *n*, P-förmiger Gegenstand. **II** *adj* **3.** sechzehnt(er, e, es). **4.** P-..., P-förmig.

pa [pɑː] *s colloq.* ‚Pa'pa' *m*, ‚Paps' *m.*

pab·u·lum ['pæbjuləm] *s* Nahrung *f* (*a. fig.*): mental ~.

pace[1] [peis] **I** *s* **1.** (Marsch)Geschwindigkeit *f*, Tempo *n* (*a. sport*; *a. fig. e-r Handlung etc*): to go (*od.* hit) the ~ a) ein scharfes Tempo anschlagen, b) *fig.* flott leben; to set the ~ das Tempo angeben (*a. fig.*), *sport u. fig.* Schrittmacher sein; at a great ~ in schnellem Tempo. **2.** Schritt *m* (*a. fig.*): ~ for ~ Schritt für Schritt; to keep ~ with Schritt halten *od.* mitkommen mit (*a. fig.*). **3.** Schritt *m* (*als Maß*): geometrical (*od.* great) ~ Doppelschritt (*5 Fuß = 1,524 m*); military ~ Militärschritt. **4.** Gang(art *f*) *m*, Schritt *m*: ordinary ~ *mil.* Marschschritt; quick ~ *mil.* Geschwindschritt. **5.** Gangart *f* (*bes. des Pferdes*): to put a horse through its ~s ein Pferd alle Gangarten machen lassen; to put s.o. through his ~s *fig.* j-n auf Herz u. Nieren prüfen. **6.** Paßgang *m* (*des Pferdes*). **II** *v/t* **7.** *sport* Schrittmacher sein für: to ~ s.o. **8.** *fig.* a) das Tempo (*gen*) bestimmen, b) Schritt halten mit, c) vor'angehen (*dat*). **9.** *a.* ~ out (*od.* off) abschreiten. **10.** *ein Zimmer etc* durch'schreiten, -'messen: to ~ the room. **11.** a) *e-m Pferd etc* bestimmte Gangarten beibringen, b) *ein Pferd* im Paßgang gehen lassen. **III** *v/i* **12.** (ein'her)schreiten. **13.** im Paßgang gehen (*Pferd*).

pa·ce[2] ['peisi] (*Lat.*) *prep* mit Erlaubnis von (*od. gen*), ohne *j-m* nahetreten zu wollen: ~ Mr. Brown.

paced [peist] *adj* **1.** mit (*bestimmter*) Gangart, *langsam etc* gehend, schreitend: slow-~. **2.** *sport* mit Schrittmacher gefahren *od.* gelaufen.

'**pace|,mak·er** *s sport* Schrittmacher *m* (*a. fig.*): to act as ~ to s.o. → pace[1] 7. '~,**mak·ing** *s sport* Schrittmachen *n*, Schrittmacherdienste *pl.*

pac·er ['peisər] *s* **1.** → pacemaker. **2.** Paßgänger *m* (*Pferd*).

pa·cha → pasha.

pa·chi·si [pɑː'tʃiːzi] *s Art Puffspiel.*

pach·y·derm ['pæki,dəːrm] *s zo.* Dickhäuter *m* (*a. fig. humor. dickfelliger Mensch*). ,**pach·y'der·ma·tous** [-mətəs], ,**pach·y'der·mous** *adj* **1.** *zo.* dickhäutig. **2.** *fig.* ‚dickhäutig', ‚-fellig'. **3.** *bot.* dickwandig.

pa·cif·ic [pə'sifik] **I** *adj* (*adv* ~ally) **1.** friedlich, friedfertig, friedliebend. **2.** versöhnlich, Friedens...: ~ policy. **3.** ruhig, friedlich. **4.** P~ pa'zifisch, Pazifisch: the P~ islands die Pazifischen Inseln. **II** *s* **5.** the P~ (Ocean) der Pa'zifik, der Pa'zifische *od.* Stille *od.* Große Ozean.

pac·i·fi·ca·tion [,pæsifi'keiʃən] *s* **1.** Befriedung *f.* **2.** Beruhigung *f*, Beschwichtigung *f.* **3.** Versöhnung *f.*

pa'cif·i,ca·to·ry [-,keitəri] *adj* versöhnlich, friedlich.

Pa·cif·ic| O·cean → pacific 5. ~ (**stand·ard**) **time** *s* Pa'zifik-Nor'malzeit *f.* ~ **States** *s pl* Pa'zifikstaaten *pl* (*Washington, Oregon, Kalifornien*).

pac·i·fi·er ['pæsi,faiər] *s* **1.** Friedensstifter(in). **2.** (*etwas*) Beruhigendes, *a.* Beruhigungsmittel *n.* **3.** *Am.* (*für Kleinkinder*) a) Schnuller *m*, b) Beißring *m.*

pac·i·fism ['pæsi,fizəm] *s* Pazi'fismus *m.* '**pac·i·fist I** *s* Pazi'fist(in). **II** *adj* pazi'fistisch.

pac·i·fy ['pæsi,fai] *v/t* **1.** *ein Land* befrieden. **2.** beruhigen. **3.** besänftigen, beschwichtigen. **4.** *Hunger etc* stillen.

pack [pæk] **I** *s* **1.** Pack(en) *m*, Ballen *m*, Bündel *n.* **2.** *bes. Am.* Packung *f* (*Zigaretten etc*), Päckchen *n*, Pa'ket *n.* **3.** *mil.* a) Tor'nister *m*, b) Rückentrage *f* (*für Kabelrollen etc*), b) Fallschirmpackhülle *f.* **4.** *a.* ~ of films *phot.* Filmpack *m.* **5.** *a.* ~ of cards Spiel *n* Karten. **6.** *a.* power ~ *electr.* Netzteil *n.* **7.** Pack *n* (*englisches Gewicht für Mehl, Wolle od. Garne*). **8.** (Schub *m*) Kon'serven *pl.* **9.** Verpackung(sweise) *f*, Konser'vierung(sme,thode) *f.* **10.** Menge *f*, Haufen *m*: a ~ of lies ein Haufen Lügen; a ~ of nonsense lauter Unsinn. **11.** Pack *n*, Bande *f*: a ~ of thieves e-e Räuberbande. **12.** Meute *f*, Koppel *f* (*von Hunden*). **13.** Rudel *n* (*von Wölfen etc*; *a. mil. von U-Booten etc*). **14.** *Rugby*: Stürmer *pl*, Sturm *m.* **15.** Packeis *n.* **16.** *med. u. Kosmetik*: Packung *f.*

II *v/t* **17.** *oft* ~ up ein-, zs.-, verpacken. **18.** a) zs.-pressen, b) *Tabak* stopfen. **19.** zs.-pferchen: ~ed like sardines. **20.** vollstopfen: a ~ed house ein zum Bersten volles Haus; ~ed with voll von, voll(er) *Autos etc.* **21.** (voll)packen: to ~ the trunks die Koffer packen; I am ~ed ich habe gepackt. **22.** *die Geschworenenbank, e-n Ausschuß etc* mit s-n (eigenen) Leuten besetzen. **23.** konser'vieren, *bes.* eindosen. **24.** *tech.* (ab)dichten. **25.** bepacken, beladen. **26.** *Am. e-e Last etc* tragen. **27.** *Am. colloq.* a) (bei sich) tragen: to ~ a gun; to ~ a hard punch (*Boxen*) e-n harten Schlag haben, b) enthalten: the book ~s a wealth of information. **28.** *a.* ~ off (rasch) fortschicken, (eilig) wegbringen, fortjagen: to ~ s.o. back j-n zurückschicken. **29.** *meist* ~ up (*od.* in) *Am. colloq.* aufhören mit, ‚aufstecken'. **30.** *med.* einpacken.

III *v/i* **31.** *oft* ~ up packen: to ~ up (and go home) *fig. colloq.* ‚einpacken' (*es aufgeben*). **32.** sich *gut etc* verpakken *od.* konser'vieren lassen: to ~ well. **33.** sich zs.-drängen *od.* -scharen. **34.** fest werden, sich fest zs.-ballen: wet snow ~s easily. **35.** *meist* ~ off sich packen, sich da'vonmachen: to send s.o. ~ing j-n fortjagen. **36.** a) *meist* ~ up, ~ in aufhören, b) ~ up *sl.* ‚absterben', ‚verrecken' (*Motor*).

pack·age ['pækidʒ] **I** *s* **1.** Pa'ket *n*, Pack *m*, Ballen *m*, Frachtstück *n.* **2.** Packung *f*: a ~ of spaghetti. **3.** Verpackung *f*: a) Verpacken *n*, b) Embal'lage *f.* **4.** *tech.* betriebsfertige Baueinheit, (Geräte)Baugruppe *f.* **5.** *bes. Am.* a) (als Ganzes *od.* im Block verkauftes) ('Fernseh- *etc*)Pro,gramm, b) Pa'ket *n* (*Projekt, das als Ganzes verkauft od. Vertragswerk, das als Ganzes angeboten wird*). **6.** *Am. sl.* ‚dufte Puppe' (*Mädchen*). **II** *v/t* **7.** (ver)packen, pake'tieren. **8.** *fig.* a) zs.-stellen, b) verbinden, vereinigen (with mit), c) en bloc anbieten *od.* verkaufen: ~d tour → package tour. ~ **car** *s rail.* 'Stückgutwag,gon *m.* ~ **deal** *s* Kopplungsgeschäft *n.* ~ **store** *s Am. Laden, in dem alkoholische Getränke nur in verschlossenen Behältern verkauft werden.* ~ **tour** *s* Pau'schalreise *f.*

pack·ag·ing ['pækədʒiŋ] **I** *s* (Einzel)-Verpackung *f.* **II** *adj* Verpackungs...: ~ machine; ~ line Verpackungsstraße *f.*

pack| an·i·mal *s* Pack-, Last-, Tragtier *n.* '~,**cloth** *s* Packtuch *n*, -leinwand *f.* ~ **drill** *s mil.* 'Strafexer,zieren *n* in voller Marschausrüstung.

pack·er ['pækər] *s* **1.** (Ver)Packer(in). **2.** *econ.* a) Ab-, Verpacker *m*, Großhändler *m*: tea ~, b) *Am.* Kon'servenhersteller *m*: meat ~s. **3.** 'Packma,schine *f.* **4.** *tech.* Stampfgerät *n.*

pack·et ['pækit] **I** *s* **1.** kleines Pa'ket, Päckchen *n.* **2.** *fig.* kleine Menge: to sell s.o. a ~ *colloq.* j-n ‚anschmieren' *od.* hinters Licht führen. **3.** *mar.* Postschiff *n*, Pa'ketboot *n.* **4.** *Br. sl.* a) Haufen *m* Geld: a nice ~ e-e ‚hübsche Stange Geld', b) ‚Mordsding' *n* (*hef-*

tiger Schlag etc), c) *fig*. Schlag *m*, (e-e Menge) Ärger *m od*. Kummer *m*: to catch (*od*. stop) a ~ e-e (Kugel) ‚verpaßt bekommen'. **II** *v/t* **5.** (zu e-m Pa'ket) verpacken, pake'tieren. ~**boat,** ~ **ship** → packet 3.

pack| horse *s* **1.** Pack-, Lastpferd *n*. **2.** *fig*. Lastesel *m*. **'~ˌhouse** *s econ*. **1.** Lagerhaus *n*. **2.** *Am*. Kon'servenfaˌbrik *f*. ~ **ice** *s* Packeis *n*.

pack·ing ['pækiŋ] *s* **1.** Packen *n*: to do one's ~ packen. **2.** Verpacken *n*. **3.** Verpackung *f*: in original ~ in Originalverpackung. **4.** Konser'vierung *f*. **5.** *tech*. a) (Ab)Dichtung *f*, Packung *f*, b) Dichtung *f*, c) 'Dichtungsmateriˌal *n*, d) 'Füllmateriˌal *n*, Füllung *f*. **6.** *Datenverarbeitung*: Verdichtung *f*, Pake'tierung *f* (*von Informationen*). **7.** Zs.-ballen *n*. ~ **box** *s* **1.** Packkiste *f*. **2.** *tech*. Stopfbüchse *f*. ~ **case** *s* Packkiste *f*. ~ **den·si·ty** *s* *Datenverarbeitung*: (Informati'ons-, Packungs)Dichte *f*. ~ **house** → packhouse. ~ **nee·dle** *s* Packnadel *f*. ~ **pa·per** *s* 'Packpaˌpier *n*. ~ **press** *s* *tech*. Bündel-, Packpresse *f*. ~ **ring** *s* *tech*. Dichtungsring *m*, Man'schette *f*. ~ **sheet** *s* **1.** (großes Stück) Packleinwand *f*. **2.** *med*. Einschlagtuch *n*.

'pack|·man [-mən] *s irr* Hau'sierer *m*. ~ **rat** *s zo*. Packratte *f*. **'~ˌsack** *s* Rucksack *m*, Tor'nister *m*. **'~ˌsad·dle** *s* Pack-, Saumsattel *m*. **'~ˌthread** → pack twine. ~ **train** *s* 'Tragtierkoˌlonne *f*. ~ **twine** *s* Packzwirn *m*.

pact [pækt] *s* Pakt *m*, Vertrag *m*.

pad[1] [pæd] **I** *s* **1.** Polster *n*, (Stoß)Kissen *n*, Wulst *m*, Bausch *m*: electrically-heated ~ Heizkissen *n*. **2.** *sport* (*Knie- etc*)Schützer *m*, Schutzpolster *n*. **3.** Reit-, Sitzkissen *n*. **4.** a) *allg*. 'Unterlage *f*. b) *tech*. Kon'sole *f* (*für Hilfsgeräte*). **5.** ('Löschpaˌpier-, Schreib-, Brief)Block *m*: writing ~. **6.** Stempelkissen *n*: ink ~. **7.** *zo*. (Fuß)Ballen *m*. **8.** *hunt*. Pfote *f* (*des Fuchses, Hasen etc*). **9.** *aer*. a) Rampe *f* zum Warmlaufenlassen der Ma'schinen, b) Start- *od*. Aufsetzfläche *f* (*der Startbahn*), c) Hubschrauber-Start- u. Landeplatz *m*. **10.** Abschußrampe *f* (*für Raketen*). **11.** kleine Fläche. **12.** *electr*. Dämpfungsglied *n*. **13.** *sl*. a) Bett *n*, b) Schlafzimmer *n*, c) *Am*. ‚Bude' *f* (*Wohnung od. Zimmer*). **14.** *Am. sl*. Schmiergeld *n* (*an e-e Erpresserorganisation gezahlt*). **II** *v/t* **15.** (aus)polstern, ausstopfen, wat'tieren: ~ded cell Gummizelle *f* (*im Irrenhaus*). **16.** *e-e Rede, ein Schriftstück etc* ‚füllen', ‚gar'nieren', ‚ausstopfen'. **17.** (*mit fiktiven Namen, Stimmzettel etc*) ‚(aus)polstern', ‚auffüllen'. **18.** *Papierblätter* zu e-m Block zs.-kleben.

pad[2] [pæd] **I** *s* **1.** (leises) Tappen, Trotten *n*. **2.** Paßgänger *m* (*Pferd*). **3.** *sl*. Straße *f*, Weg *m*: gentleman (*od*. knight *od*. squire) of the ~ Straßenräuber *m*. **II** *v/t* **4.** to ~ it, to ~ the hoof *sl*. ‚auf Schusters Rappen' (*zu Fuß*) reisen. **III** *v/i* **5.** *a*. ~ along (da'hin)trotten, (-)latschen. **6.** (*leise*) tappen.

pad·der ['pædər] *s electr*. 'Padding-(Reihen)-Kondenˌsator *m*.

pad·ding ['pædiŋ] *s* **1.** (Aus)Polstern *n*, Wat'tieren *n*. **2.** Polsterung *f*, Wat'tierung *f*. **3.** 'Polstermateriˌal *n*, (Polster)Füllung *f*. **4.** *fig*. 'überflüssiges Beiwerk, leeres Füllwerk, (Zeilen)Füllsel *n*. ~ **ca·pac·i·tor** → padder.

pad·dle[1] ['pædl] **I** *s* **1.** Paddel(ruder) *n*. **2.** *mar*. a) Schaufel *f* (*e-s Schaufelrades*), b) Schaufelrad *n* (*e-s Flußdampfers*), c) → paddle steamer. **3.** *tech*. a) Schaufel *f* (*e-s unterschlächtigen Wasserrades*), b) Schütz *n*, Falltor *n* (*an Schleusen*). **4.** *agr*. schmaler Spaten (*zum Reinigen der Pflugschar*). **5.** Waschbleuel *m*, -schlegel *m*. **6.** *tech*. Kratze *f*, Rührstange *f*. **7.** *zo*. Flosse *f* (*e-s Wals etc*). **II** *v/i* **8.** paddeln. **III** *v/t* **9.** rudern, *bes*. paddeln: → canoe 2. **10.** *Wäsche* bleuen. **11.** *tech*. (*mit e-r Rührstange*) rühren. **12.** *Am. colloq*. ‚verbleuen', verhauen.

pad·dle[2] ['pædl] *v/i* **1.** (*im Wasser etc*) (her'um)planschen. **2.** watscheln.

pad·dle| board *s* (Rad)Schaufel *f*. ~ **box** *s mar*. Radkasten *m*. **'~ˌfoot** *s irr. mil. Am. sl*. **1.** ‚Landser' *m*, Infante'rist *m*. **2.** *aer*. ‚Heini' *m* vom 'Bodenpersoˌnal. ~ **steam·er** *s mar*. Raddampfer *m*. ~ **ten·nis** *s Art Tennisspiel mit Holzschlägern u. Schaumgummiball*. ~ **wheel** *s mar., a. tech*. Schaufelrad *n*.

pad·dock[1] ['pædək] *s* **1.** (*bes*. Pferde)Koppel *f*. **2.** *Rennsport*: Sattelplatz *m*.

pad·dock[2] ['pædək] *s zo*. **1.** *Scot. od. dial*. Frosch *m*. **2.** *obs*. Kröte *f*.

Pad·dy[1] ['pædi] *s* Paddy *m*, (*Spitzname für*) Ire *m*, Irländer *m*.

pad·dy[2] ['pædi] *s* **1.** Reis *m*, *bes*. Reis *m* auf dem Halm. **2.** *econ*. Paddy *m*, roher Reis.

pad·dy[3] ['pædi] → paddywhack 2.

pad·dy| wag·on *s Am. sl*. **1.** ‚Grüne Minna' (*Polizeigefangenenwagen*). **2.** Anstaltswagen *m* (*für Irre etc*). **'~ˌwhack** *s colloq*. **1.** → Paddy[1]. **2.** *Br*. Wut(anfall *m*) *f*.

pad·lock ['pædˌlɒk] **I** *s* **1.** Vorhängeschloß *n*. **II** *v/t* **2.** mit e-m Vorhängeschloß versehen *od*. verschließen. **3.** *Am. Theater etc* behördlich schließen.

pa·dre ['pɑːdri] *s* **1.** Pater *m*, Vater *m* (*Priester*). **2.** *mar. mil. colloq*. Ka'plan *m*, Geistliche(r) *m*.

pae·an ['piːən] *s* **1.** *antiq*. Pä'an *m*. **2.** *allg*. Freuden-, Lobgesang *m*.

paed·er·ast *etc* → pederast *etc*.

pae·di·at·ric *etc* → pediatric *etc*.

pa·gan ['peigən] **I** *s* Heide *m*, Heidin *f* (*a. fig*.). **II** *adj* heidnisch. **'pa·gan·dom** *s* Heidentum *n*: a) *collect*. (*die*) Heiden *pl*, b) heidnisches Wesen. **'pa·ganˌism** *s* **1.** → pagandom. **2.** Gottlosigkeit *f*. **'pa·ganˌize** *v/t u. v/i* heidnisch machen (werden).

page[1] [peidʒ] **I** *s* **1.** Seite *f* (*e-s Buches etc*). **2.** *fig*. Chronik *f*, Bericht *m*, Buch *n*. **3.** *fig*. Blatt *n*: a glorious ~ in Roman history ein Ruhmesblatt in der römischen Geschichte. **4.** *print*. Schriftseite *f*, (ganzseitige) Ko'lumne: ~ (tele)printer *telegr*. Blattschreiber *m*. **II** *v/t* → paginate.

page[2] [peidʒ] **I** *s* **1.** *hist*. Page *m*, Edelknabe *m*. **2.** Page *m*, junger (*engS*. Ho'tel)Diener. **3.** *Am*. Amtsbote *m* (*im Kongreß u. Senat*). **II** *v/t* **4.** *j-n* durch e-n (Ho'tel)Pagen suchen *od*. holen lassen, *j-n od. j-s Namen* durch den Lautsprecher ausrufen lassen.

pag·eant ['pædʒənt] *s* **1.** a) (*bes*. hi'storischer) 'Umzug, Festzug *m*, b) (hi'storisches) Festspiel. **2.** (Schau)Gepräge *n*, Pomp *m*. **3.** *fig*. a) (prächtiges, wechselvolles Bild, c) *contp*. leerer Prunk, d) *contp*. hohler Schein. **'pag·eant·ry** [-tri] → pageant 2 *u*. 3.

'page-ˌboy *s* **1.** → page[2] 2. **2.** Pagenschnitt *m*, *engS*. Innenrolle *f* (*Damenfrisur*).

Pag·ett, M.P. ['pædʒit] *s Br. Bildungsreisender, der glaubt, in wenigen Monaten ein Land gründlich kennenlernen zu können*.

pag·i·nal ['pædʒinl] *adj* Seiten...: a ~ reprint ein seitenweiser Nachdruck. **'pag·iˌnate** [-ˌneit] *v/t* pagi'nieren. **ˌpag·iˈna·tion,** *a*. **pag·ing** ['peidʒiŋ] *s* Pagi'nierung *f*, 'Seitennumeˌrierung *f*.

pa·go·da [pəˈgoudə] *s* Pa'gode *f*: a) *Tempel in China etc*, b) *alte ostindische Goldmünze*. ~ **tree** *s bot*. So'phore *f*: to shake the ~ *fig*. in Indien schnell ein Vermögen machen.

pah [pɑː] *interj* **1.** pfui! **2.** *contp*. pah!

paid [peid] **I** *pret u. pp von* pay[1]. **II** *adj* bezahlt: ~ check; ~ official; ~ vacation; fully ~ voll eingezahlt *od*. einbezahlt; ~ for bezahlt, vergütet; ~ in → paid-in; ~ up a) abgezahlt; ~ debts, b) → paid-up; to put ~ to *colloq*. a) ein Ende machen (*dat*), b) verhüten. **'~-'in** *adj* **1.** *econ*. (voll) eingezahlt: ~ capital Einlagekapital *n*; ~ surplus über den Nennwert hinaus bezahlter Mehrbetrag (*bei Käufen von Aktien, die über pari stehen*). **2.** → paid-up 2. **'~-'up** *adj* **1.** → paid-in 1: ~ insurance voll eingezahlte Versicherung(sprämie). **2.** die (Mitglieds)Beiträge bezahlt habend, vollwertig: ~ member.

pail [peil] *s* Eimer *m*, Kübel *m*. **'pailˌful** [-ˌful] *s* (*ein*) Eimer(voll) *m*: by ~s eimerweise; a ~ of water ein Eimer (voll) Wasser.

pail·lasse [pælˈjæs; ˈpæljæs] *s* Strohsack *m*, ('Stroh)Maˌtratze *f*.

pail·lette [pælˈjet] *s* Pail'lette *f*, Flitterblättchen *n*.

pain [pein] **I** *s* **1.** Schmerz(en *pl*) *m*, Pein *f*: to be in ~ Schmerzen haben, leiden; he (it) is (*od*. gives me) a ~ in the neck er (es) geht mir auf die Nerven. **2.** Schmerz(en *pl*) *m*, Leid *n*, Kummer *m*: to give (*od*. cause) s.o. ~ j-m Kummer machen. **3.** *pl* Mühe *f*, Bemühungen *pl*: to be at ~s, to take ~s sich Mühe geben, sich bemühen, sich anstrengen; to go to great ~s sich große Mühe geben; to spare no ~s keine Mühe scheuen; all he got for his ~s der (ganze) Dank (für s-e Mühe). **4.** *pl med*. (Geburts)Wehen *pl*. **5.** Strafe *f* (*obs. außer in*): (up)on (*od*. under) ~ of unter Androhung von (*od. gen*), bei Strafe von; on (*od*. under) ~ of death bei Todesstrafe. **II** *v/t* **6.** *j-n* schmerzen, *j-m* Schmerzen bereiten, *j-m* weh tun, *fig. a. j-n* schmerzlich berühren, peinigen. **pained** *adj* gequält, schmerzlich.

pain·ful ['peinful] *adj* **1.** schmerzend, schmerzhaft: ~ point *med*. (Nerven)Druckpunkt *m*. **2.** a) schmerzlich, quälend, b) peinlich: to produce a ~ impression peinlich wirken. **3.** mühsam. **'pain·ful·ly** *adv* **1.** → painful. **2.** schmerzlich, peinlich, über'trieben: she is ~ particular. **3.** in peinlicher Weise. **4.** mühsam. **'pain·ful·ness** *s* **1.** Schmerzhaftigkeit *f*. **2.** Schmerzlichkeit *f*. **3.** Peinlichkeit *f*. **4.** Beschwerlichkeit *f*.

pain kill·er *s colloq*. schmerzstillendes Mittel, 'Schmerztaˌblette *f*.

pain·less ['peinlis] *adj* (*adv* ~ly) schmerzlos (*a. fig*.).

'painsˌtak·ing I *adj* sorgfältig, gewissenhaft, eifrig, rührig, fleißig. **II** *s* Sorgfalt *f*, Mühe *f*.

paint [peint] **I** *v/t* **1.** *ein Bild* malen: to ~ s.o.'s portrait j-n malen. **2.** an-, bemalen. **3.** (an)streichen, tünchen, *ein Auto etc* lac'kieren: to ~ out übermalen; → lily 1. **4.** *fig*. (aus)malen, schildern. **5.** *fig*. darstellen, malen: to ~ black schwarz malen; to ~ the town red *sl*. ‚auf die Pauke hauen', ‚(schwer) einen draufmachen'. **6.** *med*. *e-e Salbe etc* auftragen, *den Hals, e-e*

Wunde (aus)pinseln: to ~ with iodine jodieren. **7.** schminken: to ~ one's face → 10. **II** *v/i* **8.** malen. **9.** streichen. **10.** sich schminken, sich ‚anmalen'. **III** *s* **11.** (Anstrich)Farbe *f*, Tünche *f*, (Auto- *etc*)Lack *m*. **12.** *a.* coat of ~ (Farb)Anstrich *m*: as fresh as ~ *colloq.* frisch u. munter; wet ~! frisch gestrichen! **13.** Farbe *f* (*in fester Form*), (Tusch)Farbe *f*. **14.** Make-'up *n*, Schminke *f*. **15.** *pharm.* Tink'tur *f*. **16.** *Am.* Scheck(e) *m* (*Pferd*). '~ˌ**box** *s* **1.** Farb(en)-, Mal-, Tuschkasten *m*. **2.** Schminkdose *f*. '~ˌ**brush** *s* (Maler-, Tusch)Pinsel *m*.

paint·ed ['peintid] *adj* **1.** gemalt, bemalt, gestrichen, lac'kiert. **2.** *bes. bot. zo.* bunt, scheckig. **3.** *fig.* gefärbt, verfälscht. ~ **bun·ting** *s orn.* **1.** Papstfink *m*. **2.** Bunte Spornammer. ~ **cup** *s bot.* **1.** Scharlachrote Kastil'lea. **2.** Kastil'lea *f* (*Emblem von Wyoming, USA*). ~ **la·dy** *s* **1.** *zo.* Distelfalter *m*. **2.** *bot.* Rote Wucherblume.

paint·er[1] ['peintər] *s* **1.** (Kunst)-Maler(in): ~ to the Marquis of X. Hofmaler des Marquis von X. **2.** Maler *m*, Anstreicher *m*: ~ stainer Maler (*aus der Londoner Malerzunft*); ~'s colic *med.* Bleikolik *f*; ~'s shop a) Malerwerkstatt *f*, b) Autolackiererei *f*.

paint·er[2] ['peintər] *s mar.* Fang-, Vorleine *f*: to cut the ~ a) *fig.* sich loslösen, alle Brücken hinter sich abbrechen, b) *sl.* ‚verduften'.

paint·er[3] ['peintər] → cougar.

paint·ing ['peintiŋ] *s* **1.** Malen *n*, Male'rei *f*: ~ in oil Ölmalerei; ~ on glass Glasmalerei. **2.** Gemälde *n*, Bild *n*. **3.** a) Malerarbeit(en *pl*) *f*, b) (Farb)-Anstrich *m*, Bemalung *f*, c) *tech.* 'Spritzlac'kieren *n*. **4.** Schminken *n*.

paint| re·fresh·er *s tech.* 'Neuglanzpoliˌtur *f*. ~ **re·mov·er** *s tech.* (Farben)Abbeizmittel *n*.

paint·ress ['peintris] *s* Malerin *f*.

'paint|-ˌspray·ing pis·tol *s tech.* ('Anstreich)Spritzpiˌstole *f*. '~ˌ**work** → painting 3.

pair [pɛr] **I** *s* **1.** Paar *n*: a ~ of boots (eyes, legs, *etc*). **2.** *Zweiteiliges, meist unübersetzt*: a ~ of bellows (compasses, scales, scissors, spectacles) ein Blasebalg (ein Zirkel, e-e Waage, e-e Schere, e-e Brille); a ~ of trousers ein Paar Hosen, e-e Hose. **3.** Paar *n*, Pärchen *n* (*Mann u. Frau, zo. Männchen u. Weibchen*): ~ skating *sport* Paarlauf(en *n*) *m*. **4.** *pol.* a) *zwei Mitglieder verschiedener Parteien, die ein Abkommen getroffen haben, bei bestimmten Entscheidungen sich der Stimme zu enthalten od. der Sitzung fernzubleiben*, b) *dieses Abkommen*, c) *e-r dieser Partner*. **5.** Partner *m*, Gegenstück *n*, (*der, die, das*) andere *od.* zweite (*von e-m Paar*): where is the ~ to this shoe? **6.** (Zweier)Gespann *n*: a ~ of horses, *a.* a ~-horse *od.* a ~ ein (Zweier)Gespann; carriage and ~ Zweispänner *m*. **7.** *a.* ~-oar, ~ of oars *sport* Zweier *m* (*Ruderboot*): ~ with cox Zweier mit Steuermann. **8.** *a.* kinematic ~ *tech.* Ele'mentenpaar *n*: sliding ~ Prismen-, Ebenenpaar. **9.** *Kartenspiel*: Paar *n*: a) zwei gleiche (*gleichwertige*) Karten, *Poker*: Pasch *m*, b) *zwei Spieler, die als Partner spielen*. **10.** *Bergbau*: Kame'radschaft *f* (*Arbeitsgruppe*). **11.** ~ of stairs (*od.* steps) *Br.* Treppe *f*: two ~ front (Raum *m od.* Mieter *m*) im zweiten Stock nach vorn hinaus. **II** *v/t* **12.** *a.* ~ off paarweise anordnen: to ~ off *colloq.* verheiraten. **13.** *Tiere* paaren (with mit). **III** *v/i* **14.** zs.-passen, ein schönes Paar bilden. **15.** sich verbinden, sich vereinigen (with s.o. mit j-m). **16.** sich paaren (*Tiere*). **17.** *a.* ~ off *pol.* (*mit e-m Mitglied e-r anderen Partei*) ein Abkommen treffen (→ 4). **18.** ~ off a) paarweise weggehen, b) *colloq.* sich verheiraten (with mit). [paarweise.]

paired [pɛrd] *adj* gepaart, paarig,

pair·ing ['pɛ(ə)riŋ] *s biol. zo.* Paarung *f*: ~ of chromosomes Chromosomenpaarung; ~ season, ~ time Paarungszeit *f*.

'pair-ˌoar *mar.* **I** *s* zweirud(e)riges Boot, Zweier *m*. **II** *adj* zweirud(e)rig.

pais [pei] *s jur.* Geschworene *pl*: trial per ~ Verhandlung *f* vor e-m *od.* durch ein Schwurgericht.

pa·ja·mas, *bes. Br.* **py·ja·mas** [pə'dʒɑːməz; *Am. a.* -'dʒæməz] *s pl* Py'jama *m*, Schlafanzug *m*.

Pak·i·stan·i [ˌpɑːki'stɑːni] **I** *adj* paki'stanisch. **II** *s* Paki'staner(in), Einwohner(in) Pakistans.

pal [pæl] *colloq.* **I** *s* ‚Kumpel' *m*, ‚Busenfreund' *m*, ‚Spezi' *m*, Freund *m*, Kame'rad *m*, Kum'pan *m*. **II** *v/i meist* ~ up, ~ in sich anfreunden (with *od.* to s.o. mit j-m).

pal·ace ['pælis] *s* **1.** Schloß *n*, Pa'last *m*, Pa'lais *n*. **2.** Pa'last *m* (*stattliches Gebäude*): ~ of justice Justizpalast. **3.** Pa'last *m* (*großes Vergnügungslokal, Kino etc*). ~ **car** *s rail. Am.* Sa'lonwagen *m*. ~ **guard** *s* **1.** Pa'lastwache *f*. **2.** *fig. contp.* Clique *f* um e-n Re'gierungschef *etc*, Kama'rilla *f*. ~ **rev·o·lu·tion** *s pol.* Pa'lastrevolutiˌon *f*.

pal·a·din ['pælədin] *s* **1.** *hist. u. fig.* Pala'din *m*. **2.** (fahrender) Ritter.

pa·lae·o·an·throp·ic *etc* → paleoanthropic *etc.*

Pa·lae·o·gae·a [ˌpeilio'dʒiːə; ˌpæl-] *s Biogeographie*: Alte Welt (*Europa, Asien u. Afrika*; *Ggs.* Neogaea).

pa·lae·og·ra·pher → paleographer.

pal·a·fitte ['pæləfit] *s* Pfahlbau *m*.

pal·a·ma ['pæləmə] *s orn.* Schwimmhaut *f*.

pal·an·quin, *a.* **pal·an·keen** [ˌpælən'kiːn] *s* Palan'kin *m* (*ostindische Sänfte*).

pal·at·a·ble ['pælətəbl] *adj* (*adv* palatably) **1.** schmackhaft, wohlschmekkend. **2.** *fig.* angenehm.

pal·a·tal ['pælətl] **I** *adj* **1.** Gaumen... **2.** *ling.* a) mouil'liert, erweicht (*Konsonant*; *mit Nebenartikulation e-s* [j]), b) pala'tal (*am harten Gaumen gebildet*): ~ vowel. **II** *s* **3.** *anat.* Gaumenknochen *m*. **4.** *ling.* Pala'tal(laut) *m*, Vordergaumenlaut *m*. **'pal·a·talˌize** *v/t e-n Laut* palatali'sieren.

pal·ate ['pælit] *s* **1.** *anat.* Gaumen *m*, Pa'latum *n*: bony (*od.* hard) ~ harter Gaumen, Vordergaumen; cleft ~ Wolfsrachen *m*; soft ~ weicher Gaumen, Gaumensegel *n*. **2.** *fig.* (for) Gaumen *m* (für), Geschmack *m* (an *dat*).

pa·la·tial [pə'leiʃəl] *adj* pa'lastartig, Palast..., Schloß..., Luxus...: ~ hotel Luxushotel *n*.

pa·lat·i·nate [pə'lætinit; -ˌneit] **I** *s* **1.** *hist.* Pfalzgrafschaft *f*. **2.** the P~ die (Rhein)Pfalz. **3.** ~ purple *Br.* (*Universität Durham*) (*als sportliche Auszeichnung verliehene*) 'hellvioˌlette Sportjacke. **II** *adj* **4.** P~ Pfälzer(...), pfälzisch: P~ wine.

pal·a·tine[1] ['pæləˌtain; -tin] **I** *adj* **1.** *hist.* Pfalz...: count ~ Pfalzgraf *m*; county ~ Pfalzgrafschaft *f*; County P~ *Br.* (*das Gebiet der ehemaligen*) Pfalzgrafschaft Lancashire u. Cheshire. **2.** pfalzgräflich. **3.** P~ → palatinate 4. **II** *s* **4.** Pfalzgraf *m*. **5.** P~ Pfälzer(in) (*Einwohner der Rheinpfalz*). **6.** P~, P~ Hill Pala'tin(ischer Hügel) *m* (*in Rom*).

pal·a·tine[2] ['pæləˌtain; -tin] *anat.* **I** *adj* Gaumen...: ~ arch Gaumendach *n*, -gewölbe *n*; ~ tonsil (Gaumen-, Hals)-Mandel *f*. **II** *s* Gaumenbein *n*.

palato- [pæləto] *Wortelement mit der Bedeutung* Gaumen.

pa·lav·er [*Br.* pə'lɑːvər; *Am.* -'læ(ː)v-] **I** *s* **1.** Pa'laver *n* (*Unterhandlung zwischen od. mit afrikanischen Eingeborenen*). **2.** Unter'handlung *f*, -'redung *f*, Konfe'renz *f*. **3.** *contp.* ‚Pa'laver' *n*, Geschwätz *n*. **4.** *sl.* ‚Sache' *f*, Geschäft *n*. **II** *v/i* **5.** unter'handeln. **6.** *colloq.* ‚pa'lavern', ‚quasseln'. **III** *v/t* **7.** *colloq.* a) *j-m* schmeicheln, b) *j-n* beschwatzen (into zu).

pale[1] [peil] **I** *s* **1.** *a. her.* Pfahl *m*. **1.** *bes. fig.* um'grenzter Raum, Bereich *m*, (enge) Grenzen *pl*, Schranken *pl*: beyond the ~ *fig.* jenseits der Grenzen des Erlaubten; within the ~ of the Church im Schoß der Kirche. **3.** *hist.* Gebiet *n*, Gau *m*: the (English *od.* Irish) P~ *der einst englischer Gerichtsbarkeit unterstehende östliche Teil Irlands*; the English P~ *das ehemals englische Gebiet um Calais*. **II** *v/t selten* **4.** *a.* ~ in a) einpfählen, -zäunen, b) *fig.* um'schließen, einschließen.

pale[2] [peil] **I** *adj* (*adv* ~ly) **1.** blaß, bleich, fahl: to turn ~ → 3; ~ with fright bleich vor Schreck, schreckensbleich; as ~ as ashes (clay, death) aschfahl (kreidebleich, totenbleich, -blaß). **2.** hell, blaß, matt (*Farben*): ~ ale helles Bier; ~ green Blaß-, Zartgrün *n*; ~ pink (Blaß)Rosa *n*. **II** *v/i* **3.** blaß *od.* bleich werden, erbleichen, erblassen. **4.** *fig.* verblassen (before *od.* beside vor *dat*). **III** *v/t* **5.** bleich machen, erbleichen lassen.

pale[3] [peil] → palea.

pa·le·a ['peiliə] *pl* **-le·ae** [-liˌiː] *s bot.* **1.** Spreublättchen *n*. **2.** Vorspelze *f*.

Pa·le·arc·tic [ˌpeili'ɑːrktik; ˌpæli-] **I** *adj Biogeographie*: palä'arktisch, altarktisch. **II** *s* palä'arktische Regi'on.

pa·le·eth'nol·o·gy *s* ˌPaläethnolo'gie *f* (*völkerkundliche Auswertung vorgeschichtlicher Funde*).

'pale|ˌface *s* Bleichgesicht *n* (*Ggs. Indianer*; *a. humor. blasser Mensch*).

pale·ness ['peilnis] *s* Blässe *f*, Farblosigkeit *f* (*a. fig.*).

pa·le·o·an·throp·ic [ˌpeilioæn'θrɒpik; ˌpæl-] *adj* Urmenschen...

ˌpa·le·o'bot·a·ny *s bot.* ˌPaläobo'tanik *f*.

Pa·le·o·cene ['peilioˌsiːn; 'pæl-] *geol.* **I** *s* Paläo'cän *n*. **II** *adj* paläo'cän.

ˌpa·le·o·ge'og·raph·y *s* ˌPaläogeogra'phie *f*.

pa·le·og·ra·pher [ˌpeili'ɒgrəfər; ˌpæl-] *s* Paläo'graph *m* (*Handschriftenkundler*). **ˌpa·le·o'graph·ic** [-o'græfik] *adj* paläo'graphisch. **ˌpa·le'og·ra·phist** → paleographer. **ˌpa·le'og·ra·phy** *s* **1.** alte Schriftarten *pl*, alte Schriftdenkmäler *pl od.* Texte *pl*. **2.** Paläogra'phie *f* (*Handschriftenkunde*).

pa·le·o·lith ['peilioliθ; 'pæl-] *s* Paläo'lith *m* (*Werkzeug der Altsteinzeit*). **ˌpa·le·o'lith·ic I** *adj* paläo'lithisch, altsteinzeitlich. **II** *s* Paläo'lithikum *n*, ältere Steinzeit, Altsteinzeit *f*.

pa·le·on·to·log·i·cal [ˌpeiliˌɒntə'lɒdʒikəl] *adj* paläonto'logisch. **ˌpa·le·on'tol·o·gist** [-'tɒlədʒist] *s* Paläonto'loge

m. ˌ**pa·le·on'tol·o·gy** s Paläontolo'gie f, Versteinerungskunde f.

ˌ**Pa·le·o'trop·i·cal I** adj paläo'tropisch. **II** s paläo'tropische Regi'on, Paläo'tropis f.

Pa·le·o·zo·ic [ˌpeilio'zouik; ˌpæl-] geol. **I** adj paläo'zoisch; ~ era → II. **II** s Paläo'zoikum n.

ˌ**pa·le·o·zo'ol·o·gy** s ˌPaläozoolo'gie f.

Pal·es·tin·i·an, Pal·es·tin·e·an [ˌpælis'tiniən] **I** adj palästi'nensisch. **II** s Palä'stinier(in).

pal·e·tot ['pæltou; -lət-] s **1.** Paletot m, 'Überzieher m (für Herren). **2.** loser (Damen)Mantel.

pal·ette ['pælit] s **1.** Pa'lette f: a) paint. Malerscheibe f, b) fig. Farbenskala f. **2.** tech. Brustplatte f (am Drillbohrer). **3.** mil. hist. Achselgrubenplatte f (der Rüstung). ~ **knife** s irr. paint. Streichmesser n, Spachtel m, f.

pal·frey ['pɔːlfri] s Zelter m, (Damen)-Reitpferd n.

Pa·li ['pɑːli] s Pali n (mittelindische Schriftsprache, in der ein Teil der buddhistischen Literatur abgefaßt ist).

pal·imp·sest ['pælimpˌsest] s Palim'psest m, n (doppelt beschriebenes Pergament): double ~ zweimal neu beschriebenes Blatt.

pal·in·drome ['pælinˌdroum] **I** s Palin'drom n (e-e Lautreihe, die, vor- u. rückwärts gelesen, denselben Sinn ergibt, z. B. Otto). **II** adj palin'dromisch.

pal·ing ['peiliŋ] s **1.** Um'pfählung f, Pfahlzaun m, Sta'ket n, Lattenzaun m, Pfahlwerk n. **2.** Holzpfähle pl, Pfahlholz n. **3.** (Zaun)Pfahl m. ~ **board** s tech. Br. Schalbrett n.

pal·in·gen·e·sis [ˌpælin'dʒenisis] s Palinge'nese f: a) relig. 'Wiedergeburt f, b) biol. Wiederholung stammesgeschichtlicher Vorstufen während der Keimesentwicklung.

pal·i·node ['pæliˌnoud] s Palino'die f (Gedicht, das die Aussage e-s früheren widerruft).

pal·i·sade [ˌpæli'seid] **I** s **1.** Pali'sade f, Pfahlsperre f, Zaun m. **2.** Schanz-, Pali'sadenpfahl m. **3.** meist pl Am. Reihe f steiler Klippen, Steilufer n. **II** v/t **4.** mit Pfählen od. e-r Pali'sade um'geben.

pal·i·san·der [ˌpæli'sændər] s Pali'sanderholz n.

pall[1] [pɔːl] s **1.** Bahr-, Sarg-, Leichentuch n. **2.** fig. Mantel m, Hülle f, Decke f: ~ of smoke Rauchwolke f. **3.** relig. a) → pallium 2, b) Palla f, Kelchdecke f, c) Al'tartuch n, bes. Meß-, Hostientuch n. **4.** obs. Mantel m. **5.** her. Gabel(kreuz n) f.

pall[2] [pɔːl] **I** v/i **1.** (on, upon) jeden Reiz verlieren (für), (j-n) kalt lassen, langweilen, anöden. **2.** schal od. fad(e) od. langweilig werden, s-n Reiz verlieren. **3.** über'sättigt werden (with von) (Magen). **II** v/t **4.** j-m den Geschmack verderben an (dat).

Pal·la·di·an[1] [pə'leidiən] adj **1.** die Pallas A'thene betreffend. **2.** wissenschaftlich.

Pal·la·di·an[2] [pə'leidiən] adj arch. palladi'anisch (den Stil des A. Palladio, gestorben 1580, betreffend).

pal·la·di·um[1] [pə'leidiəm] pl **-di·a** [-diə] s **1.** P~ antiq. Pal'ladium n (Statue der Pallas Athene). **2.** fig. Hort m, Schutz m.

pal·la·di·um[2] [pə'leidiəm] s chem. Pal'ladium n (Element).

'**pallˌbear·er** s Sargträger m: honorary ~ Sargbegleiter m.

pal·let[1] ['pælit] s (Stroh)Lager n, Strohsack m, Pritsche f, Am. a. (Schlaf)Decke f (auf dem Fußboden).

pal·let[2] ['pælit] s **1.** Töpferei: a) Streichmesser n, b) Dreh-, Töpferscheibe f. **2.** paint. Pa'lette f. **3.** Trockenbett n (für Keramik, Ziegel etc). **4.** Laderost m (für Gabelstapler etc). **5.** tech. Klaue f (e-r Sperrklinke). **6.** a. ~ of escapement Hemmungslappen m. **7.** Orgel: a) ('Kegel)Venˌtil n, b) Sperrklappe f. **8.** Buchbinderei: Vergoldestempel m.

pal·let·ize ['pæliˌtaiz] v/t **1.** a) auf e-n Laderost packen, b) mittels Laderost verstauen od. befördern. **2.** ein Lagerhaus etc auf Gabelstaplerbetrieb 'umstellen.

pal·liasse [pæl'jæs; 'pæljæs] bes. Br. für paillasse.

pal·li·ate ['pæliˌeit] v/t **1.** med. lindern: to ~ a pain (disease, etc). **2.** fig. bemänteln, beschönigen: to ~ a mistake.

ˌ**pal·li'a·tion** s **1.** med. Linderung f. **2.** Bemäntelung f, Beschönigung f.

'**pal·liˌa·tive** [-ˌeitiv; Br. a. -ətiv] **I** adj **1.** med. lindernd, pallia'tiv. **2.** fig. bemäntelnd, beschönigend. **II** s **3.** med. Pallia'tiv n, Linderungsmittel n.

'**pal·li·a·to·ry** [-ətəri] → palliative I.

pal·lid ['pælid] adj (adv ~ly) blaß, bleich, farblos (a. bot.): a ~ face.

'**pal·lid·ness,** a. **pal·lid·i·ty** [pə'liditi] s Blässe f.

pal·li·um ['pæliəm] pl **-li·a** [-liə], **-li·ums** s **1.** antiq. Pallium n, Philo'sophenmantel m. **2.** R.C. Pallium n (Schulterband der Erzbischöfe). **3.** relig. Al'tartuch n, Palla f. **4.** anat. (Ge)-Hirnmantel m. **5.** zo. Mantel m (der Weichtiere).

pall-mall ['pel'mel; 'pæl'mæl] s **1.** hist. a) Mailspiel n (Art Krocket), b) Mailbahn f. **2.** P~ M~ berühmte Londoner Straße, Zentrum des Klublebens.

pal·lor ['pælər] s Blässe f.

pal·ly ['pæli] adj colloq. kame'radschaftlich, vertraulich (with mit).

palm[1] [pɑːm] **I** s **1.** (innere) Handfläche, Handteller m, hohle Hand: to grease (od. oil) s.o.'s ~ sl. j-n ‚schmieren', j-n bestechen; to have an itching ~ e-e ‚offene Hand' haben (bestechlich sein). **2.** Innenhand(fläche) f (des Handschuhs). **3.** zo. Vorderfußsohle f (von Affen, Bären). **4.** Handbreit f (Längenmaß). **5.** mar. a) (Ruder)Blatt n, b) Ankerflunke f, -flügel m. **6.** hunt. Schaufel f (vom Elch u. Damhirsch). **II** v/t **7.** (mit der flachen Hand) betasten, streicheln. **8.** a) (in der Hand) verschwinden lassen, wegzaubern, b) Am. sl. ‚klauen', stehlen. **9.** ~ off s.th. on (od. upon) s.o. j-m etwas ‚aufhängen' od. ‚andrehen'. **10.** ~ o.s. off (as) sich ausgeben (als). **11.** Br. bestechen, ‚schmieren'.

palm[2] [pɑːm] s **1.** bot. Palme f. **2.** Palmwedel m, -zweig m. **3.** fig. Siegespalme f, Krone f, Sieg m: the ~ of martyrdom die Krone des Märtyrertums; to bear (od. win) the ~ den Sieg davontragen od. erringen; to yield the ~ (to s.o.) sich (j-m) geschlagen geben.

pal·mar ['pælmər] adj anat. pal'mar, Handflächen..., Handteller...

pal·mate ['pælmeit; -mit] adj (adv ~ly); a. '**pal·mat·ed** [-meitid] adj **1.** bot. handförmig (gefingert od. geteilt): palmately veined hand-, strahlennervig. **2.** zo. schwimmfüßig. **3.** zo. handförmig: ~ antler → palm[1] 6.

palm but·ter → palm oil 1.

pal·mette [pæl'met; 'pælmet] s arch. Pal'mette f (palmblattähnliche Verzierung).

pal·met·to [pæl'metou] pl **-to(e)s** s bot. a) (e-e) Kohlpalme, b) Fächerpalme f, c) a. blue ~ Stachelrutenpalme f, d) Pal'mito m, Zwergpalme f. **P~ State** s Am. (Beiname für) 'Süd-Karoˌlina n.

palm| grease s sl. od. humor. ‚Schmiergeld' n. ~ **hon·ey** s Palmhonig m.

pal·mi·ped ['pælmiˌped], '**pal·mi·ˌpede** [-ˌpiːd] orn. **I** adj schwimmfüßig. **II** s Schwimmfüßer m.

palm·ist ['pɑːmist] s Handleser(in). '**palm·is·try** [-tri] s Chiroman'tie f, Handlesekunst f.

palm| kale s agr. Stengel-, Palmkohl m. ~ **oil** s **1.** Palmbutter f, -öl n. **2.** → palm grease. ~ **sug·ar** s Palmzucker m. **P~ Sun·day** s Palm'sonntag m. ~ **tree** s Palme f, Palmbaum m. ~ **wine** s Palmwein m.

palm·y ['pɑːmi] adj **1.** Palmen tragend, palmenreich: ~ shore. **2.** blühend, glorreich, glücklich: ~ days Glanz-, Blütezeit f. **3.** palmenartig.

pa·lo·mi·no [ˌpælo'miːnou] pl **-nos** s Am. **1.** hochbeiniges, beigefarbiges Pferd. **2.** Beige n.

pa·loo·ka [pə'luːkə] s Am. sl. **1.** ‚Niete' f, ‚Flasche' f (a. schlechter Boxer). **2.** ‚Ochse' m. **3.** Lümmel m.

palp [pælp] s zo. Palpe f, (Mund)Taster m, Fühler m.

pal·pa·bil·i·ty [ˌpælpə'biliti] s **1.** Fühl-, Greif-, Tastbarkeit f. **2.** fig. Handgreiflichkeit f, Offensichtlichkeit f.

'**pal·pa·ble** adj (adv palpably) **1.** fühl-, greifbar (a. fig.). **2.** augenfällig, deutlich. **3.** fig. handgreiflich, offensichtlich: a ~ lie.

pal·pate ['pælpeit] v/t befühlen, be-, abtasten (a. med.). **pal'pa·tion** s Be-, Abtasten n (a. med.).

pal·pe·bra ['pælpibrə] s anat. Augenlid n: lower ~ Unterlid; upper ~ Oberlid.

pal·pi·tant ['pælpitənt] adj klopfend, pochend, zuckend. '**pal·piˌtate** [-ˌteit] v/i **1.** klopfen, pochen: my heart ~s. **2.** (er)zittern, (er)beben (with vor).

ˌ**pal·pi'ta·tion** s Klopfen n, (heftiges) Schlagen, Zucken n: ~ (of the heart) med. Herzklopfen n.

pals·grave ['pɔːlzˌgreiv] s hist. Pfalzgraf m. '**pals·graˌvine** [-grəˌviːn] s Pfalzgräfin f.

pal·sied ['pɔːlzid] adj **1.** gelähmt. **2.** zitt(e)rig, wack(e)lig.

pal·stave ['pɔːlˌsteiv] s hist. (Bronze)-Kelt m.

pal·sy ['pɔːlzi] **I** s **1.** med. Lähmung f, Schlag(fluß) m: Bell's ~ Fazialislähmung; cerebral ~ Gehirnlähmung; painter's ~ Bleilähmung; wasting ~ progressive Muskelatrophie; shaking ~ Schüttellähmung; → writer 1. **2.** fig. lähmender Einfluß, Lähmung f, Ohnmacht f. **II** v/t **3.** lähmen (a. fig.).

pal·ter ['pɔːltər] v/i **1.** (with s.o.) gemein handeln (an j-m), sein Spiel treiben (mit j-m). **2.** schachern, feilschen (about s.th. um etwas).

pal·tri·ness ['pɔːltrinis] s Armseligkeit f, Erbärmlichkeit f, Schäbigkeit f.

'**pal·try** ['pɔːltri] adj (adv paltrily) **1.** armselig, karg: a ~ sum. **2.** wert-, nutzlos: ~ rags. **3.** jämmerlich, dürftig, fadenscheinig: a ~ excuse. **4.** schäbig, schofel, gemein: a ~ fellow; a ~ lie; a ~ two shillings lumpige zwei Schilling(e).

pa·lu·dal [pə'ljuːdl; 'pæljudl] adj **1.** sumpfig, Sumpf... **2.** med. Malaria...

pa·lu·di·cole [pə'ljuːdiˌkoul], **pal·u·dic·o·lous** [ˌpælju'dikələs] adj Sümpfe od. Marschen bewohnend, Sumpf...

pal·u·di·nal [ˌpælju'dainl; pə'ljuːdinl], '**pal·u·dine** [-din; -ˌdain], **pa·lu·di·nous** [pə'ljuːdinəs] adj sumpfig.

pam [pæm] s Kartenspiel: **1.** Treff-,

Kreuzbube *m.* **2.** *e-e Form des Loo-Spiels.*

pam·pas ['pæmpəs; -pəz] *s pl* Pampas *pl* (*südamer. Grasebene*). ~ **cat** *s zo.* Pampaskatze *f.* ~ **deer** *s zo.* Pampashirsch *m.* ~ **grass** *s bot.* Pampasgras *n.*

pam·per ['pæmpər] *v/t* **1.** verwöhnen, verzärteln, (ver)hätscheln. **2.** *fig. s-n Stolz etc* nähren, ‚hätscheln'. **3.** *e-m Gelüst etc* frönen.

pam·pe·ro [pɑːm'pɛ(ə)rou] *pl* **-ros** *s* Pam'pero *m*, Pampaswind *m.*

pam·phlet ['pæmflit] *s* **1.** Bro'schüre *f*, Druckschrift *f*, Heft *n.* **2.** Flug-, Schmähschrift *f*, Pam'phlet *n.* **3.** (kurze) Abhandlung, Aufsatz *m.* ˌ**pam·phlet'eer** [-'tir] *s* Pamphle'tist *m*, Verfasser *m* von Flugschriften.

Pan[1] [pæn] *npr antiq.* Pan *m* (*Gott*).

pan[2] [pæn] **I** *s* **1.** Pfanne *f*, Tiegel *m*: frying ~ Bratpfanne. **2.** *tech.* Pfanne *f*, Tiegel *m*, Becken *n*, Mulde *f*, Trog *m*, Schale *f*, (*a.* Klo'sett)Schüssel *f.* **3.** Schale *f* (*e-r Waage*). **4.** Mulde *f* (*im Erdboden*). **5.** *oft* ~ **grinder** *tech.* Kollergang *m.* **6.** *tech.* Rührwäsche *f* (*zur Aufbereitung von Goldsand*), Setzkasten *m.* **7.** *tech.* Türangelpfanne *f.* **8.** *mil. hist.* Pfanne *f* (*e-s Vorderladers*): → **flash** 1. **9.** a) Wasserloch *n*, b) Salzteich *m*, c) künstliches Salz(wasser)loch (*zur Gewinnung von Siedesalz*). **10.** *anat.* a) Hirnschale *f*, b) Kniescheibe *f.* **11.** (treibende) Eisscholle. **12.** *sl.* ‚Fresse' *f*, ‚Vi'sage' *f*, Gesicht *n.* **13.** *Am. sl.* ‚Verriß' *m*, vernichtende Kri'tik: to **have s.o. on the** ~ j-n ‚fertigmachen'. **II** *v/t* **14.** *oft* ~ **out**, ~ **off** *Goldsand* (aus)waschen, *Gold* auswaschen. **15.** *Salz* durch Sieden gewinnen. **16.** *colloq.* ‚verreißen', scharf kriti'sieren. **III** *v/i* **17.** ~ **out** a) ergiebig sein (*an Gold*), b) *colloq.* sich bezahlt machen, ‚klappen': to ~ **out well** ‚hinhauen', ‚einschlagen'.

pan[3] [pæn] **I** *v/t* **1.** *die Filmkamera* schwenken, fahren. **II** *v/i* **2.** panora'mieren, die Filmkamera fahren *od.* schwenken. **3.** sich her'umschwenken (*Kamera*). **III** *s* **4.** *Film*: Schwenk *m.* **5.** *phot.* panchro'matischer Film.

pan[4] [pæn] *s arch.* **1.** Fach *n.* **2.** Wandplatte *f.*

pan[5] [pɑːn] *s* **1.** Betelpfefferblatt *n.* **2.** Betel *m* (*Reiz- u. Genußmittel*).

pan- [pæn] *Wortelement mit der Bedeutung* all..., ganz..., gesamt...

pan·a·ce·a [ˌpænə'siːə] *s* All'heilmittel *n* (*a. fig.*). ˌ**pan·a'ce·an** *adj* all'heilend.

pa·nache [pə'næʃ] *s* **1.** Helm-, Federbusch *m.* **2.** *fig.* ˌGroßtue'rei *f.*

ˌ**Pan-'Af·ri·can** *adj* panafri'kanisch.

pan·a·ma ['pænəˌmɑː], **P**~ **hat** *s* Panamahut *m.*

ˌ**Pan-A'mer·i·can** *adj* panameri'kanisch: ~ **Congress**; ~ **Day** Panamer. Tag (*14. April; Gedenktag der Gründung der Panamer. Union*); ~ **Union** Panamer. Union (*Organisation der 21 amer. Republiken*).

'**panˌcake I** *s* **1.** Pfann-, Eierkuchen *m.* **2.** Leder *n* minderer Quali'tät (*aus Resten hergestellt*). **3.** a) *a.* ~ **ice** Scheibeneis *n*, b) (dünne) Eisscholle. **4.** *a.* ~ **landing** *aer.* ‚Bumslandung' *f.* **5.** *a.* ~ **make-up** festes Puder-Make-up. **II** *v/i u. v/t* **6.** *aer.* 'durchsacken (lassen), ‚bumslanden'. **III** *adj* **7.** Pfannkuchen...: ~ **Day** *colloq.* Fastnachtsdienstag *m.* **8.** flach, Flach...: ~ **coil.**

pan·chro·mat·ic [ˌpænkro'mætik] *adj mus. phot.* panchro'matisch: ~ **film**; ~ **filter** *phot.* Panfilter *m.* **pan'chro·maˌtism** [-'kroumәˌtizәm] *s* Panchroma'sie *f.*

pan·crat·ic [pæn'krætik] *adj* **1.** *antiq.* pan'kratisch. **2.** ath'letisch. **3.** *fig.* voll'kommen. **4.** *phys.* mit veränderlicher Vergrößerungskraft (*Objektiv*).

pan·cre·as ['pæŋkriəs; 'pæn-] *s anat.* Bauchspeicheldrüse *f*, Pankreas *n.* ~ **pty·a·lin** ['taiəlin] *s* Ptya'lin *n.*

pan·cre·at·ic [ˌpæŋkri'ætik; ˌpæn-] *adj physiol.* Bauchspeicheldrüsen...: ~ **juice** Pankreassaft *m*, Bauchspeichel *m.* '**pan·cre·a·tin** [-kriətin] *s pharm. physiol.* Pankrea'tin *n.*

pan·da ['pændə] *s zo.* **1.** *a.* **lesser** ~ Panda *m*, Katzenbär *m.* **2.** *a.* **giant** ~ Riesenpanda *m.*

Pan·de·an [pæn'diːən] *adj* den (Gott) Pan betreffend: ~ **pipe(s)** Panflöte *f.*

pan·de·mi·an [pæn'diːmiən] → **pandemic** 3. **pan'dem·ic** [-'demik] **I** *adj* **1.** *med.* pan'demisch, ganz allgemein verbreitet. **2.** *fig.* allgemein. **3.** sinnlich (*Liebe*). **II** *s* **4.** pan'demische Krankheit, Pande'mie *f.*

pan·de·mo·ni·um [ˌpændi'mouniəm] *s* **1.** *meist* **P**~ Pandä'monium *n* (*Aufenthaltsort der Dämonen*). **2.** Hölle *f.* **3.** *fig.* a) In'ferno *n*, Hölle *f*, b) Höllenlärm *m*, Tu'mult *m.*

pan·der ['pændər] **I** *s* **1.** Kuppler(in), Zuhälter *m.* **2.** *fig.* a) Verführer *m*, Handlanger *m*, b) Verführung *f* (to zu). **II** *v/t* **3.** verkuppeln. **III** *v/i* **4.** kuppeln. **5.** (to) (*e-m Laster etc*) Vorschub leisten, (*e-e Leidenschaft etc*) nähren, stärken: to ~ **to s.o.'s ambition** j-s Ehrgeiz anstacheln. '**pan·der·er** → **pander** 1.

Pan·do·ra[1] [pæn'dɔːrə] *npr antiq.* Pan'dora *f*: ~**'s box** die Büchse der Pandora.

pan·do·ra[2] [pæn'dɔːrə], **pan'dore** [-'dɔːr] *s mus. hist.* Pan'dora *f* (*Laute*).

pan·dow·dy [pæn'daudi] *s Am.* (*Art*) Apfelpudding *m.*

pan·dy ['pændi] *s ped. sl.* ‚Tatze' *f* (*Schlag auf die Hand*).

pane [pein] **I** *s* **1.** (Fenster)Scheibe *f*: **window** ~. **2.** (rechteckige) Fläche, Feld *n*, Fach *n*, Platte *f*, Tafel *f*, (Tür-)Füllung *f*, Kas'sette *f* (*e-r Decke*): a ~ **of glass** e-e Tafel Glas. **3.** ebene Seitenfläche, *bes.* Finne *f* (*des Hammers*), Fa'cette *f* (*e-s Edelsteins*), Kante *f* (*e-r Schraubenmutter*). **4.** *Am.* Ab'teilung *f* (*Briefmarken*). **II** *v/t* **5.** Scheiben einsetzen in (*acc*), *Fenster* verglasen.

paned *adj* **1.** aus verschiedenfarbigen Streifen zs.-gesetzt (*Kleid*). **2.** mit (...) Scheiben (versehen): a **diamond-**~ **window.** **3.** *in Zssgn* ...seitig: a **six-**~ **nut** e-e Sechskantmutter.

pan·e·gyr·ic [ˌpæni'dʒirik] **I** *s* (on, upon) Lobrede *f*, -preisung *f*, -schrift *f* (über *acc*), Lobeshymne *f* (auf *acc*). **II** *adj* → **panegyrical.** ˌ**pan·e'gyr·i·cal** *adj* (*adv* ~**ly**) lobredend, -preisend, Lob- u. Preis... ˌ**pan·e'gyr·ist** *s* Pane'gyriker *m*, Lobredner *m.* ˌ**pan·e·gyˌrize** [-dʒəˌraiz] **I** *v/t* (lob)preisen, verherrlichen, ‚in den Himmel heben'. **II** *v/i* sich in Lobeshymnen ergehen.

pan·el ['pænl] **I** *s* **1.** *arch.* Pa'neel *n*, (vertieftes) Feld, Fach *n*, (*Tür*)Füllung *f*, Verkleidung *f*, (*Wand*)Täfelung *f.* **2.** *arch.* 'Fensterquaˌdrat *n.* **3.** Tafel *f* (*Holz*), Platte *f* (*Blech etc*). **4.** *paint.* Holztafel *f*, Gemälde *n* auf Holz. **5.** *electr. tech.* a) Brett *n*, Instru'menten-, Arma'turenbrett *n*, b) Schalttafel(feld *n*) *f*, Feld *n*, c) *Radio etc*: Feld *n*, Einschub *m*, d) Frontplatte *f* (*e-s Instruments*): ~**(-type) meter** Einbauinstrument *n*; ~ **view** Vorderansicht *f* (*e-s Instruments*). **6.** *phot.* schmales hohes For'mat, Bild *n* im 'HochforˌMat. **7.** (farbiger) Einsatzstreifen (*am Kleid*). **8.** *aer.* a) *mil.* Flieger-, Si'gnaltuch *n*, b) Hüllenbahn *f* (*am Luftschiff*), c) Stoffbahn *f* (*am Fallschirm*), d) Streifen *m* der Bespannung (*vom Flugzeugflügel*), Verkleidung(sblech *n*) *f.* **9.** ('Bau)Abˌteilung *f*, (-)Abschnitt *m.* **10.** *Bergbau*: a) (Abbau)Feld *n*, b) Haufen *m* zubereiteter Erze. **11.** *Buchbinderei*: Titelfeld *n.* **12.** Blatt *n* Perga'ment. **13.** *jur.* a) Liste *f* der Geschworenen, b) (*die*) Geschworenen *pl*, c) *Scot.* Angeklagte(r *m*) *f*: in (*od.* on) the ~ *Scot.* angeklagt. **14.** ('Unter-)Ausschuß *m*, Forum *n*, Gremium *n*, Kommissi'on *f*, Kammer *f.* **15.** a) → **panelist**, b) → **panel discussion.** **16.** *Marktforschung*: (ständige) Befragtengruppe, Testgruppe *f*: **consumer** ~. **17.** *econ.* (fortlaufende) Reihe von 'Werbeillustratiˌonen. **18.** Buchserie *f*, *z. B.* Trilo'gie *f.* **19.** *Br. hist.* a) Liste *f* der Kassenärzte, b) (Verzeichnis *n* der) 'Kassenpatiˌenten *pl.* **II** *v/t* **20.** täfeln, panee'lieren, in Felder einteilen. **21.** (als Scheiben) einsetzen. **22.** *ein Kleid* mit Einsatzstreifen verzieren. **23.** *jur.* a) in die Geschworenenliste eintragen, b) *Scot.* anklagen.

pan·el| **board** *s* **1.** Füllbrett *n*, Wand- *od.* Par'kettafel *f.* **2.** *electr.* Schaltbrett *n*, -tafel *f.* ~ **dis·cus·sion** *s* Podiumsgespräch *n*, öffentliche Diskussi'on (über ein festgesetztes Thema mit ausgewählten Diskussi'onsrednern). ~ **game** *s TV etc*: Ratespiel *n*, 'Quiz-(proˌgramm) *n* (*mit ausgewählten Teilnehmern*). ~ **heat·er** *s* Flächenheizkörper *m.*

pan·el·ing, *bes. Br.* **pan·el·ling** ['pænəliŋ] *s* Täfelung *f*, Verkleidung *f.*

pan·el·ist ['pænəlist] *s* **1.** Diskussi'onsteilnehmer(in), -redner(in). **2.** Teilnehmer(in) an e-m 'Quizproˌgramm.

pan·el| **mount·ing** *s tech.* Pa'neelmonˌtage *f.* ~ **ra·di·a·tor** → **panel heater.** ~ **sys·tem** *s* 'Listensyˌstem *n* (*für die Auswahl von Delegierten etc*). ~ **truck** *s Am.* (kleiner) Lieferwagen. ~ **wall** *s arch.* Füll-, Verbindungswand *f.* '~ˌ**work** *s* Tafel-, Fachwerk *n.*

pang [pæŋ] *s* **1.** plötzlicher (stechender) Schmerz, Stich *m*, Stechen *n*: **death** ~**s** Todesqualen; ~**s of hunger** nagender Hunger; ~**s of love** Liebesschmerz *m.* **2.** *fig.* aufschießende Angst, plötzlicher Schmerz, Qual *f*, Weh *n*: ~**s of remorse** heftige Gewissensbisse.

ˌ**Pan-'Ger·man I** *adj* panger'manisch, all-, großdeutsch. **II** *s* Pangerma'nist *m.* ˌ**Pan-'Ger·manˌism** *s* Pangerma'nismus *m.*

pan·han·dle ['pænˌhændl] **I** *s* **1.** Pfannenstiel *m.* **2.** *Am.* schmaler Fortsatz (*bes. e-s Staatsgebiets*): **P**~ **State** (*Beiname für*) West Virginia *n.* **II** *v/t u. v/i* **3.** *Am. sl.* (*j-n* an-, *etwas* er)betteln, (*etwas*) ‚schnorren'. '**pan·ˌhan·dler** *s Am. sl.* Bettler *m*, ‚Schnorrer' *m.*

pan·ic[1] ['pænik] *s bot.* (*e-e*) (Kolben)-Hirse.

pan·ic[2] ['pænik] **I** *adj* **1.** panisch: ~ **fear**; ~ **haste** wilde *od.* blinde Hast; ~ **braking** *mot.* scharfes Bremsen; ~ **buying** Angstkäufe *pl.* **2.** Not...: ~ **button.** **II** *s* **3.** Panik *f*, panischer Schrekken, Bestürzung *f*, 'Angstpsyˌchose *f.* **4.** *Börse*: Börsenpanik *f*, Kurssturz *m*: ~**-proof** krisenfest. **III** *v/t pret u. pp* '**panicked** **5.** in Panik *od.* Schrecken versetzen. **6.** *Am. sl. das Publikum* 'hinreißen. **IV** *v/i* **7.** von panischem Schrecken erfaßt werden: **don't** ~! *colloq.* nur nicht nervös werden! **8.** sich zu e-r Kurzschlußhandlung 'hinreißen lassen.

pan·ic grass → panic¹.

pan·ick·y ['pæniki] *adj colloq.* **1.** 'überängstlich, -ner,vös. **2.** panikartig.

pan·i·cle ['pænikl] *s bot.* Rispe *f.*

'pan·ic|,mon·ger *s* Bange-, Panikmacher(in). ~ **re·ac·tion** *s psych.* Kurzschlußhandlung *f,* 'Angstpsy,chose *f.* '~-,**strick·en,** '~-,**struck** *adj* von panischem Schrecken gepackt. ~ **switch** *s aer.* Bedienungsknopf *m* für e-n Schleudersitz.

pan·jan·drum [pæn'dʒændrəm] *s humor.* Wichtigtuer *m.*

pan·lo·gism ['pænlo,dʒizəm] *s philos.* Panlo'gismus *m.*

pan·mix·i·a [pæn'miksiə] *s biol.* Panmi'xie *f* (*Mischung durch zufallsbedingte Paarung*).

pan·nage ['pænidʒ] *s Br.* **1.** *jur.* Mastrecht *n,* -geld *n.* **2.** Eichel-, Buchenmast *f* (*der Schweine*).

panne [pæn] *s* Panne *m,* Glanzsamt *m.*

pan·nier¹ ['pænjər; -niər] *s* **1.** (Trag)Korb *m.* **2.** a) Reifrock *m,* b) Reifrockgestell *n.*

pan·nier² ['pæniər; -jər] *s Br.* Aufwärter *m* bei Tisch (*im* Inner Temple).

pan·ni·kin ['pænikin] *s* **1.** Pfännchen *n.* **2.** (Trink)Kännchen *n.*

pan·ning ['pæniŋ] *s Film:* Panora'mierung *f,* (Kamera)Schwenkung *f:* ~ **shot** Schwenk *m.*

pan·o·plied ['pænəplid] *adj* **1.** vollständig gerüstet (*a. fig.*). **2.** (prächtig) geschmückt. '**pan·o·ply** [-pli] *s* **1.** vollständige Rüstung. **2.** *fig.* a) (prächtige) Aufmachung, b) prächtige Um'rahmung, Schmuck *m.* **3.** *fig.* Schutz(wall) *m.*

pan·op·ti·con [pæn'ɒpti,kɒn] *s* **1.** pan'optisches Sy'stem (*Gefängnisanlage*). **2.** Pan'optikum *n.*

pan·o·ra·ma [*Br.* ,pænə'rɑːmə; *Am.* -'ræ(ː)mə] *s* **1.** Pano'rama *n,* Rundblick *m.* **2.** a) *paint.* Rundgemälde *n,* b) vor'beiziehender Bildstreifen. **3.** a) *Film:* Schwenk *m,* b) *phot.* Pano'rama-, Rundblickaufnahme *f:* ~ **head** Schwenkkopf *m;* ~ **lens** Weitwinkelobjektiv *n.* **4.** dauernd wechselndes Bild. **5.** *fig.* Folge *f* von Bildern (*vor dem geistigen Auge*). **6.** *fig.* vollständiger 'Überblick (of über *acc*). ~ **radar** *s aer.* 'Rund(um)suchgerät *n.* ~ **wind·shield** *s mot. Am.* Pano'rama-, Rundsichtscheibe *f.*

pan·o·ram·ic [,pænə'ræmik] *adj* (*adv* ~**ally**) pano'ramisch, Rundblick...: ~ **camera** *phot.* Panoramakamera *f;* ~ **photograph** → **panorama** 3 b; ~ **reception** *electr.* Panoramaempfang *m;* ~ **screen** (*Film*) Panoramaleinwand *f;* ~ **sight** *mil.* Rundblick-, Panoramafernrohr *n.*

'Pan,pipe *s oft pl mus.* Panflöte *f.*

,Pan'slav·ism *s* Pansla'wismus *m.*

pan·sy ['pænzi] *s* **1.** *bot.* Stiefmütterchen *n.* **2.** *a.* ~ **boy** *colloq.* a) ‚Bubi' *m* (*Weichling*), b) ‚Homo' *m,* ‚Schwule(r)' *m* (*Homosexueller*).

pant [pænt] **I** *v/i* **1.** keuchen (*a. fig. Zug etc*), japsen, schnaufen: to ~ **for breath** nach Luft schnappen. **2.** keuchen(d rennen). **3.** *fig.* lechzen, dürsten, gieren (for *od.* **after** nach). **4.** *mar.* sich ein- u. auswärts biegen, arbeiten (*Vorschiffsverbände*). **II** *v/t* **5.** ~ **out** *Worte* (her'vor)keuchen, japsen. **III** *s* **6.** Keuchen *n,* Schnaufen *n.*

pan·ta·let(te)s [,pæntə'lets] *s pl bes. Am.* **1.** *hist.* Biedermeierhosen *pl.* (*für Damen*). **2.** *humor.* a) Schlüpfer *m,* b) lange Damenradfahrhose.

pan·ta·loon [,pæntə'luːn] *s* **1.** Hans'wurst *m,* dummer August. **2.** *pl hist.* Pantalons *pl* (*Herrenhose*).

pan·tech·ni·con [pæn'tekni,kɒn] *s Br.* **1.** Möbelspeicher *m.* **2.** *a.* ~ **van** Möbelwagen *m.*

'pan·the,ism *s philos.* Panthe'ismus *m.* **'pan·the·ist I** *s* Panthe'ist *m.* **II** *adj* panthe'istisch. **,pan·the'is·tic, ,pan·the'is·ti·cal** → **pantheist** II.

,pan·the'ol·o·gy *s* Pantheolo'gie *f.*

pan·the·on ['pænθiən; -,ɒn; pæn'θiːən] *s* **1.** *antiq.* Pantheon *n* (*Tempel*). **2.** Pantheon *n,* Ehrentempel *m,* Ruhmeshalle *f.* **3.** Götterhimmel *m* (*Gesamtheit der Gottheiten*).

pan·ther ['pænθər] *pl* **-thers** *od. bes. collect.* **-ther** *s zo.* Panther *m:* a) Leo'pard *m,* b) *a.* **American** ~ Puma *m,* c) Jaguar *m.*

pan·ther·ess ['pænθəris] *s zo.* weiblicher Panther.

pan·ties ['pæntiz] *s pl colloq.* **1.** Kinderhös-chen *n od. pl.* **2.** (Damen)Slip *m,* (-)Schlüpfer *m.*

pan·tile ['pæn,tail] *s* Dachziegel *m,* [-pfanne *f.*]

pan·to·graph ['pæntə,græ(ː)f; *Br. a.* -,grɑːf] *s* **1.** *electr.* Scherenstromabnehmer *m.* **2.** *tech.* Storchschnabel *m,* Panto'graph *m* (*Zeichengerät*).

pan·to·mime ['pæntə,maim] **I** *s* **1.** *antiq.* Panto'mimus *m.* **2.** *thea.* Panto'mime *f* (*stummes Spiel*). **3.** *Br.* (Laien)Spiel *n,* englisches Weihnachtsspiel. **4.** Mienen-, Gebärdenspiel *n.* **II** *v/t* **5.** durch Gebärden ausdrücken, panto'mimisch darstellen, mimen. **III** *v/i* **6.** sich durch Gebärden ausdrücken. **,pan·to'mim·ic** [-'mimik] *adj* (*adv* ~**ally**) panto'mimisch.

pan·to·scope ['pæntə,skoup] *s phys.* (*Art*) 'Weitwinkelobjek,tiv *n.* **,pan·to'scop·ic** [-'skɒpik] *adj* panto'skopisch: ~ **camera;** ~ **spectacles** Bifokalgläser.

pan·try ['pæntri] *s* **1.** Speise-, Vorratskammer *f,* Speiseschrank *m.* **2.** *a.* **butler's** ~, **housemaid's** ~ a) Geschirr-, Wäschekammer *f,* b) Anrichteraum *m.* '~**·man** [-mən] *s irr* Haushof-, Küchenmeister *m.*

pants [pænts] *s pl colloq.* **1.** *bes. Am.* lange (Herren)Hose: **to catch s.o. with his** ~ **down** *colloq.* j-n überrumpeln; → **wear¹** 1. **2.** *Br.* (kurze) 'Herren,unterhose: **a kick in the** ~ *sl.* ein Tritt in den ‚Hintern'. **3.** *aer. sl.* Fahrwerkverkleidung *f* in Stromlinienform.

pan·ty ['pænti] → **panties.** ~ **gir·dle** *s Am.* Miederhös-chen *n.* '~**,waist** *s Am.* **1.** (*Art*) Hemdhös-chen *n.* **2.** *sl.* ‚halbe Porti'on', Weichling *m.*

pan·zer ['pantsər; 'pænzər] (*Ger.*) *mil.* **I** *adj* Panzer...: ~ **division. II** *s pl colloq.* Panzer(verbände) *pl.*

pap¹ [pæp] *s* **1.** *anat.* Brustwarze *f.* **2.** *meist pl* Kegel(berg) *m.*

pap² [pæp] *s* **1.** Brei *m,* Papp *m,* Mus *n.* **2.** *Am. colloq.* Protekti'on *f.* **3.** *tech.* Kleister *m.*

pa·pa·cy ['peipəsi] *s* **1.** päpstliches Amt, päpstliche Würde. **2.** P~ Papsttum *n.* **3.** Re'gierungszeit *f* e-s Papstes.

pa·pal ['peipəl] *adj* (*adv* ~**ly**) **1.** päpstlich. **2.** 'römisch-ka,tholisch.

pa·pal·ism ['peipə,lizəm] *s* Papsttum *n.* '**pa·pal·ist** *s* Pa'pist(in), Anhänger(in) des Papsttums. '**pa·pal,ize I** *v/t* päpstlich machen, zum 'römisch-ka,tholischen Glauben bekehren. **II** *v/i* päpstlich (gesinnt) werden.

Pa·pal States *pl hist.* Kirchenstaat *m.*

pa·pav·er·a·ceous [pə,pævə'reiʃəs] *adj bot.* zu den Mohngewächsen gehörig.

pa'pav·er,ine [-,riːn; -rin] *s chem.* Papave'rin *n* (*Alkaloid des Opiums*).

pa·paw ['pɔːpɔː; pə'pɔː] *s* **1.** *bes. Br. für* papaya. **2.** *bot. Am.* a) (*ein*) Papau *m,* (*ein*) Papaw(baum) *m,* b) (*eßbare*) Papaufrucht.

pa·pay·a [pə'paiə; pə'pɑːjə] *s bot.* **1.** Pa'paya *m,* Me'lonenbaum *m.* **2.** Pa'payafrucht *f.*

pa·per ['peipər] **I** *s* **1.** *tech.* a) Pa'pier *n,* b) Pappe *f,* c) Ta'pete *f.* **2.** Pa'pier *n* (*als Schreibmaterial*): ~ **does not blush** Papier ist geduldig; **on** ~ *fig.* auf dem Papier: a) theoretisch, b) noch im Planungsstadium; → **commit** 2. **3.** Blatt *n* Pa'pier. **4.** *pl* a) (Perso'nal-, 'Ausweis)Pa,piere *pl,* Be'glaubigungs-, Legitimati'onspa,piere *pl,* b) Urkunden *pl,* Doku'mente *pl:* **(ship's)** ~**s** Schiffspapiere; **officer's** ~**s** Offizierspatent *n;* **to send in one's** ~**s** den Abschied nehmen, c) Schriftstücke *pl,* Akten *pl,* (*amtliche*) 'Unterlagen *pl:* **to move for** ~**s** *bes. parl.* die Vorlage der Unterlagen (*e-s Falles*) beantragen. **5.** *econ.* a) ('Wert)Pa,pier *n,* b) Wechsel *m:* **best** ~**s** erstklassige Wechsel; ~ **credit** Wechselkredit *m,* c) Pa'piergeld *n:* **convertible** ~ (*in Gold*) einlösbares Papiergeld; ~ **currency** Papiergeldwährung *f.* **6.** a) schriftliche Prüfung, b) Prüfungsarbeit *f.* **7.** Aufsatz *m,* (wissenschaftliche) Abhandlung, Vortrag *m,* Vorlesung *f,* Refe'rat *n* (on über *acc*): **to read a** ~ e-n Vortrag halten, referieren. **8.** Zeitung *f,* Blatt *n.* **9.** Brief *m,* Heft *n,* Büchlein *n* (*mit Nadeln etc*). **10.** *thea. sl.* Freikarte(ninhaber *m od. pl.*) *f.*

II *adj* **11.** aus Pa'pier *od.* Pappe (gemacht), pa'pieren, Papier..., Papp... **12.** pa'pierähnlich, (hauch)dünn, schwach. **13.** nur auf dem Pa'pier vor'handen: ~ **city.**

III *v/t* **14.** in Pa'pier einwickeln. **15.** mit Pa'pier ausschlagen. **16.** tape'zieren: **to** ~ **a room. 17.** mit Pa'pier versehen. **18.** *oft* ~ **up** *Buchbinderei:* das 'Vorsatz(pa,pier) einkleben in (*acc*). **19.** mit 'Sandpa,pier po'lieren. **20.** *thea. sl. das Haus* durch Verteilung von Freikarten füllen.

'pa·per|,back *s* Paperback *n,* (Buch *n* im) Papp(ein)band *m.* ~ **bag** *s* (Pa'pier)Tüte *f.* '~-,**bag cook·er·y** *s* Kochen *n* im Pa'pierbeutel. ~ **ba·sis** *s econ.* Pa'pierwährung *f.* '~,**board I** *s* Pappe *f,* Papp(en)deckel *m.* **II** *adj* Papp(en)deckel..., Papp...: ~ **stock** Graupappe *f.* '~,**boy** *s* Zeitungsjunge *m.* ~ **chase** *s* Schnitzeljagd *f.* ~ **clip** *s* Bü'ro-, Heftklammer *f.* ~ **coal** *s* Blätter-, Pa'pierkohle *f* (*schlechte Braunkohle*). ~ **cred·it** *s econ.* offener 'Wechselkre,dit. ~ **cut·ter** *s tech.* **1.** Pa'pier,schneidema,schine *f.* **2.** → **paper knife.** ~ **ex·er·cise** *s mil.* Planspiel *n.* ~ **fast·en·er** *s* Heftklammer *f.* ~ **hang·er** *s* Tape'zierer *m.* ~ **hang·ing** *s* **1.** Tape'zieren *n.* **2.** *pl* Ta'pete(n *pl*) *f.* ~ **knife** *s irr. tech.* Pa'piermesser *n,* (Falz)Bein *n.* ~ **mill** *s* Pa'pierfa,brik *f,* -mühle *f.* ~ **mon·ey** *s* Pa'piergeld *n.* ~ **nau·ti·lus** *s ichth.* Pa'pierboot *n,* -nautilus *m* (*Tintenfisch*). ~ **of·fice** *s hist.* 'Staatsar,chiv *n.* ~ **prof·it** *s econ.* imagi'närer Gewinn, im voraus errechneter Pro'fit. ~ **stain·er** *s* Ta'petenmaler *m,* -macher *m.* ~ **war(·fare)** *s* **1.** Pressekrieg *m,* -fehde *f,* Federkrieg *m.* **2.** Pa'pierkrieg *m.* '~,**weight** *s* **1.** Briefbeschwerer *m.* **2.** *sport* Pa'piergewicht(ler *m*) *n.* ~ **work** *s* Schreibarbeit(en *pl*) *f.*

pa·per·y ['peipəri] *adj* pa'pierähnlich, [-dünn.]

pa·pier-mâ·ché [*Br.* 'pæpjei'mæʃei; *Am.* 'peipərmə'ʃei] **I** *s* Pa'pierma,ché *n.* **II** *adj* Papiermaché...

pa·pil·i·o·na·ceous [pəˌpilio'neiʃəs; -ljə-] *adj bot.* schmetterlingsblütig.
pa·pil·la [pə'pilə] *pl* **-pil·lae** [-liː] *s* **1.** *anat. bot.* Pa'pille *f*, Wärzchen *n*. **2.** *anat.* Ge'schmackspaˌpille *f*.
pap·il·lar·y [*Br.* pə'piləri; *Am.* 'pæpəˌleri], *a.* **pap·il·lose** ['pæpiˌlous] *adj* **1.** warzenartig, -förmig, papil'lär. **2.** mit Pa'pillen (versehen), warzig.
pa·pism ['peipizəm] → papistry.
'**pa·pist I** *s contp.* Pa'pist(in). **II** *adj* → papistic. **pa'pis·tic** *adj*; **pa'pis·ti·cal** *adj* (*adv* ~ly) **1.** päpstlich. **2.** *contp.* pa'pistisch. '**pa·pist·ry** [-ri] *s* Pa'pismus *m*, Papiste'rei *f*.
pa·poose [pæ'puːs] *s* **1.** Indi'anerbaby *n*. **2.** *Am. humor.* kleines Kind, ‚Balg' *m, n*.
pap·pus ['pæpəs] *pl* '**pap·pi** [-ai] *s* **1.** *bot.* a) Haarkrone *f*, b) Federkelch *m*. **2.** Flaum *m*.
pap·py ['pæpi] *adj* breiig, pappig.
pa·pri·ka ['pæprikə; pæ'priːkə] *s bot.* Paprika *m*.
Pap·u·an ['pæpjuən] **I** *adj* **1.** papu'anisch. **II** *s* **2.** Papua *m*, Papuaneger(in). **3.** *ling.* Papuasprache *f*, (das) Papua.
pap·u·lar ['pæpjulər] *adj anat.* papu'lös, knötchenförmig. '**pap·ule** [-pjuːl] *s* Papel *f*, (Haut)Bläs-chen *n*, Knötchen *n*.
pa·py·rus [pə'pai(ə)rəs] *pl* **-ri** [-rai] *s* **1.** *bot.* Pa'pyrus(staude *f*) *m*. **2.** *antiq.* Pa'pyrus(rolle *f od.* -text *m*) *m*.
par [pɑːr] **I** *s* **1.** *econ.* Nennwert *m*, Pari *n*: at ~ zum Nennwert, al pari; above (below) ~ über (unter) Pari *od.* dem Nennwert (→ 3); issue ~ Emissionskurs *m*; nominal (*od.* face) ~ Nennbetrag *m*, Nominalwert *m* (*e-r Aktie*); (commercial) ~ of exchange Wechselpari(tät) *f*, Parikurs *m*. **2.** Ebenbürtigkeit *f*: to be on a ~ (with) gleich *od.* ebenbürtig *od.* gewachsen sein (*dat*), entsprechen (*dat*). **3.** nor'maler Zustand: above ~ in bester Form *od.* Verfassung; to be up to (below) ~ *colloq.* (*gesundheitlich etc*) (nicht) auf der Höhe sein; on a ~ *Br.* im Durchschnitt. **4.** *Golf*: festgesetzte Schlagzahl. **II** *adj* **5.** *econ.* pari, (dem Nennwert) gleich: ~ clearance *Am.* Clearing *n* zum Pariwert; ~ rate of exchange Wechsel-, Währungsparität *f*; ~ value Pari-, Nennwert *m*. **6.** nor'mal, 'durchschnittlich: ~ line (of stock) *econ.* Aktienmittelwert *m*.
pa·ra [pɑː'rɑː; 'pɑːrɑː] *pl* **-ras, -ra** *s* Para *m*: a) *türkische Münze* ($^1/_{40}$ *Piaster*), b) *jugoslawische Münzeinheit* ($^1/_{100}$ *Dinar*).
para-[1] [pærə] *Wortelement mit den Bedeutungen* **1.** neben, über ... hinaus. **2.** falsch. **3.** ähnlich. **4.** *chem.* a) neben, ähnlich, b) *gewisse Benzolderivate u. Verbindungen ähnlicher Struktur bezeichnend.* **5.** *med.* a) fehlerhaft, gestört, b) ergänzend, c) umgebend.
para-[2] [pærə] *Wortelement mit den Bedeutungen* a) Schutz, b) Fallschirm.
par·a·ble ['pærəbl] *s* **1.** Pa'rabel *f* (*gleichnishafte Erzählung od. Umschreibung*). **2.** *Bibl.* Gleichnis *n*.
pa·rab·o·la [pə'ræbələ] *s math.* Pa'rabel *f*: ~ compasses Parabelzirkel *m*.
par·a·bol·ic [ˌpærə'bɒlik] *adj* (*adv* ~ally) **1.** → parabolical. **2.** *math.* para'bolisch, Parabel...: ~ arc. **3.** *tech.* pa'rabelförmig, para'bolisch: ~ mirror Parabolspiegel *m*. ˌ**par·a'bol·i·cal** *adj* (*adv* ~ly) para'bolisch, gleichnishaft.
pa·rab·o·list [pə'ræbəlist] *s* Pa'rabeldichter *m*, -erzähler *m*. **pa'rab·oˌlize** [-ˌlaiz] *v/t* **1.** durch e-e Pa'rabel *od.* Parabeln ausdrücken. **2.** *tech.* para'bolisch machen.
pa·rab·o·loid [pə'ræbəˌlɔid] *s math.* Parabolo'id *n*. **paˌrab·o'loi·dal** *adj* parabolo'id.
'**par·a-ˌbrake** *v/t das Flugzeug* durch Heckfallschirm (*bei der Landung*) abbremsen.
ˌ**par·a'cen·tric** *adj math.* para'zentrisch.
par·a·chute ['pærəˌʃuːt] **I** *s* **1.** *aer.* Fallschirm *m*: ~ jumper Fallschirmspringer *m*. **2.** *bot.* Schirmflieger *m*. **3.** *zo.* Flug-, Fallschirm-, Flatterhaut *f*, Pa'tagium *n*. **4.** *tech. e-e Halte- od. Sicherheitsvorrichtung, z. B.* Fangvorrichtung *f* (*für e-n Aufzug od. Förderkorb*). **II** *v/t* **5.** mit dem Fallschirm absetzen *od.* abwerfen. **III** *v/i* **6.** mit dem Fallschirm abspringen. **7.** (wie) mit e-m Fallschirm schweben. ~ **boat** *s aer.* Einmann-Gummiboot *n* (*im Fallschirmgepäck*). ~ **flare** *s mil.* Leuchtfallschirm *m*. ~ **mine** *s mil.* Fallschirmmine *f*. ~ **troops** *s pl mil.* Fallschirmtruppen *pl*.
par·a·chut·ist ['pærəˌʃuːtist] *s aer.* **1.** Fallschirmspringer *m*. **2.** *mil.* Fallschirmjäger *m*.
Par·a·clete ['pærəˌkliːt] *s relig.* Para'klet *m* (*der Heilige Geist*).
par·ac·me [pæ'rækmi] *s biol.* all'mählicher Niedergang, Entartung *f*.
par·a·cros·tic [ˌpærə'krɒstik] *s metr.* Para'krostichon *n*.
pa·rade [pə'reid] **I** *s* **1.** (Zur)'Schaustellen *n*, Vorführung *f*, Pa'rade *f*: to make (a) ~ of → 7 *u.* 8. **2.** *mil.* a) Pa'rade *f* (*Truppenschau od. Vorbeimarsch*) (before vor *dat*), b) Ap'pell *m*: ~ rest! Rührt Euch!, c) *a.* ~ ground *mil.* Pa'rade-, Exer'zierplatz *m*. **3.** (Auf-, Vor'bei)Marsch *m*, ('Um)Zug *m*. **4.** *bes. Br.* ('Strand)Promeˌnade *f*. **5.** *fenc.* Pa'rade *f*. **II** *v/t* **6.** zur Schau stellen, vorführen. **7.** *fig.* zur Schau tragen, prunken *od.* protzen *od.* Staat machen mit. **8.** 'auf- *od.* vor'beimarˌschieren *od.* para'dieren lassen. **9.** *e-e Straße* ent'langstolˌzieren, auf u. ab mar'schieren. **III** *v/i* **10.** prome'nieren, sich zur Schau stellen, stol'zieren. **11.** *mil.* para'dieren, (in Pa'radeformaˌtiˌon) (vor'bei)marˌschieren. **12.** e-n 'Umzug veranstalten, vor'beiziehen, durch die Straßen ziehen.
par·a·digm ['pærəˌdaim; -dim] *s* Para'digma *n*: a) Beispiel *n*, Muster *n*, b) *ling.* 'durchflekˌtiertes Musterwort. ˌ**par·a·dig'mat·ic** [-dig'mætik] *adj* (*adv* ~ally) paradig'matisch (*a. fig.*).
par·a·di·sa·ic [ˌpærədi'seiik], '**par·a·di'sa·i·cal** [-kəl] *adj* para'diesisch.
par·a·dise ['pærəˌdais] *s* **1.** (*Bibl.* P~) Para'dies *n*: a) Garten *m* Eden, b) Himmel *m*, c) *fig.* (siebenter) Himmel: bird of ~ *orn.* Paradiesvogel *m*; → fool's paradise. **2.** (*orientalischer*) Lustgarten. ~ **ap·ple** *s bot.* Para'diesapfel *m*. ~ **fish** *s* Para'diesfisch *m*.
par·a·dis·i·ac [ˌpærə'disiˌæk], ˌ**par·a·di'si·a·cal** [-di'saiəkəl] *adj* para'diesisch.
par·a·dos ['pærəˌdɒs] *pl* **-dos·es** *s mil.* Rückenwehr *f*.
par·a·dox ['pærəˌdɒks] *s* Pa'radoxon *n*, Para'dox *n* (*a. fig.*). ˌ**par·a'dox·i·cal** *adj* (*adv* ~ly) para'dox. ˌ**par·a·ˌdox·i'cal·i·ty** [-si'kæliti] *s* Parado'xie *f*. '**par·aˌdox·ist** *s* Freund(in) para'doxer Ausdrucksweise. '**par·aˌdox·y** *s* Parado'xie *f*.
'**par·aˌdrop** *v/t aer.* mit dem Fallschirm abwerfen *od.* absetzen.
par·af·fin ['pærəfin], '**par·af·fine** [-fin; -ˌfiːn] **I** *s* **1.** Paraf'fin *n*: liquid ~ Paraffinöl *n*; solid ~ Erdwachs *n*; ~ wax Paraffin (*für Kerzen*). **2.** *a.* ~ oil *Br.* Paraf'fin(öl) *n*: a) Leucht-, Brenn-, Heizöl *n*, b) Schmieröl *n*. **II** *v/t* **3.** mit Paraf'fin behandeln, paraffi'nieren.
par·a·go·ge [ˌpærə'goudʒi] *s ling.* Para'goge *f* (*Endverlängerung e-s Worts, z. B.* among-st).
par·a·gon ['pærəgən; -ˌgɒn] **I** *s* **1.** Muster *n*, Vorbild *n*: ~ of virtue Muster *od.* (*iro.*) Ausbund *m* von Tugend. **2.** 'hundertkaˌrätiger Soli'tär (*fehlerloser Diamant*). **3.** *print.* Text *f* (*Schriftgrad*). **II** *v/t obs. od. poet.* **4.** vergleichen (with mit).
par·a·graph ['pærəˌgræ(ː)f; *Br. a.* -ˌgrɑːf] **I** *s* **1.** *print.* a) Absatz *m*, Abschnitt *m*, Para'graph *m*, b) (*ein p-ähnliches*) Verweis- *od.* Absatzzeichen. **2.** kurzer ('Zeitungs)Arˌtikel. **II** *v/t* **3.** in Absätze einteilen. **4.** e-n (kurzen 'Zeitungs)Arˌtikel schreiben über (*acc*). '**par·aˌgraph·er** *s* **1.** Verfasser(in) kleiner 'Zeitungsarˌtikel. **2.** 'Leitarˌtikler *m* (*e-r Zeitung*).
Par·a·guay·an [ˌpærə'gweiən; -'gwaiən] **I** *adj* para'guayisch. **II** *s* Para'guayer(in).
par·a·keet ['pærəˌkiːt] *s orn.* Sittich *m*.
par·a·kite ['pærəˌkait] *s* **1.** *aer.* Fallschirmdrachen *m*. **2.** Drachen *m* (*mit Registriergeräten für wissenschaftliche Beobachtungen*).
par·al·de·hyde [pə'rældiˌhaid] *s. chem.* Paralde'hyd *n*.
par·a·lip·sis [ˌpærə'lipsis] *pl* **-ses** [-siːz] *s ling.* Para'lipse *f* (*rhetorische Figur, durch die man das betont, was man angeblich übergehen will, z. B. ‚ganz zu schweigen von'*).
par·al·lac·tic [ˌpærə'læktik] *adj astr. phys.* paral'laktisch: ~ motion parallaktische Verschiebung. '**par·alˌlax** [-ˌlæks] *s* Paral'laxe *f*.
par·al·lel ['pærəˌlel] **I** *adj* **1.** *math. mus. tech.* paral'lel (with, to zu, mit): ~ bars *sport* Barren *m*; ~ cousins Kinder zweier Brüder *od.* zweier Schwestern; ~ connection → 6; ~ stroke milling *tech.* Zeilenfräsen *n*; to run ~ to parallel verlaufen zu. **2.** *fig.* paral'lel, gleich(gerichtet, -laufend): ~ case Parallelfall *m*; research work on ~ lines Forschungsarbeit *f* in der gleichen Richtung; ~ passage gleichlautende Stelle, Parallele *f* (*in e-m Text*). **II** *s* **3.** *math. u. fig.* Paral'lele *f*: to draw a ~ to e-e Parallele ziehen zu; to draw a ~ between *fig.* e-e Parallele ziehen zwischen, (miteinander) vergleichen; in ~ with parallel zu. **4.** *math.* Paralleli'tät *f* (*a. fig. Gleichheit*). **5.** *a.* ~ of latitude *geogr.* Breitenkreis *m*. **6.** *electr.* Paral'lel-, Nebenein'anderschaltung *f*: in ~ parallel(-), nebeneinander(geschaltet). **7.** Gegenstück *n*, Entsprechung *f*: to have no ~ nicht seinesgleichen haben, einzigartig sein; without ~ ohnegleichen. **8.** *mil.* Paral'lele *f*, Quergraben *m*. **9.** *print.* (*aus 2 senkrechten Strichen bestehendes*) Verweiszeichen. **III** *v/t* **10.** (with) gegen'überstellen (*dat*), vergleichen (mit). **11.** anpassen, angleichen (with, to *dat*). **12.** gleichkommen *od.* entsprechen (*dat*). **13.** etwas Gleiches *od.* Entsprechendes finden zu (*e-r Sache od. j-m*). **14.** *bes. Am. colloq.* paral'lel (ver)laufen zu, laufen neben (*dat*). **15.** *electr.* paral'lelschalten.
par·al·lel·e·pi·ped [ˌpærəˌlelə'paipid; -'pipid; -le'lepiˌped] *s math.* Paral'lelflach *n*, Paralˌlelepi'ped *n*.
par·al·lel·ism ['pærəˌlelizəm] *s* **1.** *math.* Paralle'lismus *m*, Paralleli'tät *f* (*a. fig.*). **2.** *philos.* (psycho'physischer) Paralle'lismus. **3.** *ling.* Paralle'lismus *m* (*for-*

male u. inhaltliche Übereinstimmung zwischen aufeinanderfolgenden Teilstücken od. Versen).

par·al·lel·o·gram [ˌpærəˈleləˌgræm] *s math.* Paralleloˈgramm *n*: ~ **linkage system** *tech.* Parallelogrammgestänge *n*; ~ **of forces** *phys.* Kräfteparallelogramm.

pa·ral·o·gism [pəˈræləˌdʒizəm] *s philos.* Paraloˈgismus *m*, Trugschluß *m*. **paˈral·oˌgize** *v/i* falsche Schlüsse ziehen.

par·a·lyse *bes. Br. für* **paralyze**.

pa·ral·y·sis [pəˈrælisis] *pl* **-ses** [-ˌsiːz] *s* **1.** *med.* Paraˈlyse *f*, Lähmung *f*: → **general paralysis. 2.** *fig.* Lähmung *f*: a) Lahmlegung *f*, b) Daˈniederliegen *n*, Ohnmacht *f*. **par·a·lyt·ic** [ˌpærəˈlitik] *med.* **I** *adj (adv* ~**ally)** paraˈlytisch: a) Lähmungs..., lähmend, b) gelähmt (*a. fig.*). **II** *s* Paraˈlytiker(in), Gelähmte(r *m*) *f*. **ˈpar·aˌlyz·ant** [-ˌlaizənt] *s med.* Lähmungsmittel *n* (*z. B. Curare*). **ˌpar·a·lyˈza·tion** *s* **1.** *med.* Lähmung *f* (*a. fig.*). **2.** *fig.* Lahmlegung *f*. **ˈpar·aˌlyze,** *bes. Br.* **ˈpar·aˌlyse** *v/t* **1.** *med.* paralyˈsieren, lähmen. **2.** *fig.* a) lähmen, lahmlegen, b) unwirksam machen, entkräften.

pa·ram·e·ter [pəˈræmitər] *s math.* a) Paˈrameter *m* (*a. min.*), b) Hilfs-, Nebenveränderliche *f*.

par·a·met·ric¹ [ˌpærəˈmetrik] *adj math.* paraˈmetrisch, Parameter...

par·a·me·tric² [ˌpærəˈmiːtrik; -ˈmet-] *adj anat.* paraˈmetrisch, zum Beckenzellgewebe gehörig.

ˌpar·aˈmil·i·tar·y *adj* ˈhalbmiliˌtärisch.

par·a·mount [ˈpærəˌmaunt] **I** *adj* **1.** höher stehend (to als), ˈübergeordnet, oberst(er, e, es), höchst(er, e, es): **lord** ~ *hist.* oberster (Lehns)Herr. **2.** *fig.* an erster Stelle *od.* an der Spitze stehend, größt(er, e, es), überˈragend, ausschlaggebend: **of** ~ **importance** von (aller)größter Bedeutung. **II** *s* **3.** (oberster) Herrscher.

par·a·mour [ˈpærəˌmur] *s obs.* Buhle *m u. f*, Geliebte(r *m*) *f*, Mäˈtresse *f*.

par·a·noi·a [ˌpærəˈnɔiə] *s med. psych.* Paraˈnoia *f*. **ˌpar·aˈnoi·ac** [-æk] **I** *adj* paraˈnoisch. **II** *s* Paraˈnoiker(in). **ˈpar·aˌnoid** *adj* paranoˈid.

ˌpar·aˌop·erˈa·tion *s mil.* ˈFallschirm-, ˈLuftˌlandeunterˌnehmen *n*.

par·a·pet [ˈpærəpit; -ˌpet] *s* **1.** *mil.* Brustwehr *f*, Wall *m*. **2.** *arch.* (Brükken)Geländer *n*, (Balˈkon-, Fenster-)Brüstung *f*. **ˈpar·a·pet·ed** *adj* mit e-r Brustwehr *etc* (versehen).

par·aph [ˈpærəf] **I** *s* Paˈraphe *f*, (ˈUnterschrifts)Schnörkel *m*. **II** *v/t* paraˈphieren, (mit s-n Initiˈalen) unterˈzeichnen.

ˈpar·aˌphase *adj electr.*: ~ **amplifier** Paraphasenverstärker *m*; ~ **coupling** Gegentaktschaltung *f* mit Phasenumkehr.

par·a·pher·na·li·a [ˌpærəfərˈneiljə; -liə] *s pl* **1.** perˈsönlicher Besitz, ‚Siebensachen' *pl*. **2.** (*a. als sg konstruiert*) Zubehör *n, m*, Ausrüstung *f*, Utenˈsilien *pl*, ‚Drum u. Dran' *n*. **3.** *jur.* Parapherˈnalgut *n* (*der Ehefrau*).

par·a·phrase [ˈpærəˌfreiz] **I** *s* **1.** *bes. ped.* Interpretatiˈon *f*, freie ˈWiedergabe (*e-s Textes*). **2.** Paraˈphrase *f* (*a. mus.*), Umˈschreibung *f*. **II** *v/t u. v/i* **3.** paraphraˈsieren (*a. mus.*), interpreˈtieren, (*e-n Text*) frei ˈwiedergeben. **4.** umˈschreiben.

par·a·phras·tic [ˌpærəˈfræstik] *adj (adv* ~**ally)** paraˈphrastisch, umˈschreibend.

par·a·ple·gi·a [ˌpærəˈpliːdʒiə] *s* Paraˈpleˈgie *f*, Querschnittslähmung *f*. **ˌpar·aˈpleg·ic** [-ˈpledʒik] *adj* paraˈplegisch.

ˌpar·a·psyˈchol·o·gy *s* ˌParapsycholoˈgie *f*.

par·a·quet [ˈpærəˌket] → **parakeet**.

Pa·rá rub·ber [pɑːˈrɑː] *s* Parakautschuk *m*, -gummi *m, n*.

par·a·sab·o·teur [ˌpærəˌsæbəˈtəːr] *s mil.* mit Fallschirm (*hinter den feindlichen Linien*) abgesprungener Aˈgent.

par·a·se·le·ne [ˌpærəsiˈliːni] *pl* **-nae** [-niː] *s astr.* Nebenmond *m*.

par·a·sit·al [ˈpærəˌsaitl] *adj* paraˈsitisch.

par·a·site [ˈpærəˌsait] **I** *s* **1.** *biol. u. fig.* Schmaˈrotzer *m*, Paraˈsit *m*: **external** ~ Außenparasit *m*. **2.** *fig.* Schmeichler *m*, Speichellecker *m*. **3.** *ling.* paraˈsitischer Laut. **II** *adj* **4.** *tech.* → **parasitic** 4.

par·a·sit·ic [ˌpærəˈsitik] *adj (adv* ~**ally)** **1.** *biol.* paraˈsitisch (*a. ling.*), schmaˈrotzend. **2.** *med.* paraˈsitisch, parasiˈtär. **3.** *fig.* schmaˈrotzerhaft, paraˈsitisch, schmeichlerisch. **4.** *electr. tech.* schädlich, störend, parasiˈtär: ~ **current** Fremdstrom *m*; ~ **drag** *aer.* schädlicher (Luft)Widerstand; ~ **loss** Kriechverlust *m*; ~ **oscillation** Streu-, Störschwingung *f*; ~ **suppressor** Schwingschutzwiderstand *m*. **5.** *ling.* paraˈsitisch. **ˌpar·aˈsit·i·cal** *adj (adv* ~**ly)** → **parasitic** 1—3.

par·a·sit·i·cide [ˌpærəˈsitiˌsaid] *adj u. s* paraˈsitentötend(es Mittel). **ˈpar·a·sitˌism** [-saiˌtizəm] *s* Parasiˈtismus *m* (*a. med.*), Schmaˈrotzertum *n* (*a. fig.*).

par·a·sol [ˈpærəˌsɒl] *s* (Damen)Sonnenschirm *m*, Paraˈsol *m*.

ˈpar·aˌsuit *s* ˈFallschirmkombinatiˌon *f*.

par·a·syn·e·sis [ˌpærəˈsinisis] *s ling.* ˈvolksetymoˌlogische ˈUmmodelung (*e-s [Fremd] Worts*).

ˌpar·aˈtac·tic *adj*; **ˌpar·aˈtac·ti·cal** *adj (adv* ~**ly)** *ling.* paraˈtaktisch, beigeordnet, beiordnend. **ˌpar·aˈtax·is** *s* Paraˈtaxe *f*, Neben-, Beiordnung *f*.

ˌpar·aˈthy·roid (gland) *s anat.* Nebenschilddrüse *f*.

ˌpar·aˈton·ic *adj biol.* **1.** wachstumshemmend. **2.** *bot.* paraˈtonisch (*auf Umweltreize sich bewegend*).

ˈpar·aˌtroop *mil.* **I** *adj* Fallschirmjäger..., Luftlande... **II** *s pl* Fallschirmtruppen *pl*. **ˈpar·aˌtroop·er** *s* Fallschirmjäger *m*.

ˌpar·aˈty·phoid (fe·ver) *s med.* Paraˈtyphus *m*.

par·a·vane [ˈpærəˌvein] *s mar. mil.* Minenabweiser *m*, Ottergerät *n*.

par a·vi·on [par avˈjɔ̃] (*Fr.*) *adv* mit Luftpost.

par·boil [ˈpɑːrˌbɔil] *v/t* **1.** halb kochen, ankochen. **2.** *fig.* überˈhitzen.

par·buck·le [ˈpɑːrˌbʌkl] **I** *s* **1.** Schrot-Tau *n* (*zum Ab- u. Aufladen von Fässern*). **2.** Doppelschlinge *f* (*um ein Faß etc*). **II** *v/t* **3.** schroten.

par·cel [ˈpɑːrsl] **I** *s* **1.** Bündel *n*. **2.** Paˈket *n*, Päckchen *n*: ~ **of shares** Aktienpaket; ~**-room** Handgepäckaufbewahrung *f*; **to do up in** ~**s** einpacken. **3.** *pl* Stückgüter *pl*. **4.** *econ.* Posten *m*, Parˈtie *f* (*Ware*): **in** ~**s** in kleinen Posten, stück-, packweise. **5.** *contp.* Haufe(n) *m*. **6.** *a.* ~ **of land** Parˈzelle *f*. **II** *v/t* **7.** *meist* ~ **out** auf-, aus-, abteilen, *Land* parzelˈlieren. **8.** *a.* ~ **up** einpakken, (ver)packen. **9.** *mar. Tau* (be)schmarten. **III** *adj u. adv* **10.** halb, teilweise: ~**-gilt** teilvergoldet. ~ **de·liv·er·y** *s* **1.** Paˈketausgabe *f*. **2.** Paˈketzustellung *f*. ~ **of·fice** *s* Gepäckannahmestelle *f*, -abfertigung *f*. ~ **post** *s* Paˈketpost *f*.

par·ce·nar·y [ˈpɑːrsənəri] *s jur.* Mitbesitz *m* (*durch Erbschaft*). **ˈpar·ce·ner** *s* Miterbe *m*.

parch [pɑːrtʃ] **I** *v/t* **1.** rösten, dörren. **2.** ausdörren, -trocknen, (ver)sengen: **to be** ~**ed with thirst** vor Durst verschmachten. **II** *v/i* **3.** ausdörren, rösten, schmoren. **4.** ~ **up** austrocknen. **ˈparch·ing** *adj* **1.** brennend: ~ **thirst. 2.** sengend: ~ **heat.**

parch·ment [ˈpɑːrtʃmənt] *s* **1.** Pergaˈment *n*. **2.** *a.* **vegetable** ~ Pergaˈmentpaˌpier *n*. **3.** Pergaˈment(urkunde *f*) *n*, Urkunde *f*.

par·close [ˈpɑːrˌklouz] *s* Gitter *n* (*um Altar od. Grabmal*).

pard [pɑːrd] *s colloq.* Partner *m*, ‚Kumpel' *m*.

par·don [ˈpɑːrdn] **I** *v/t* **1.** *j-m od. e-e Sache* verzeihen, *j-n od. etwas* entschuldigen: ~ **me** Verzeihung!, Entschuldigung!, entschuldigen Sie *od.* verzeihen Sie bitte!; ~ **me for interrupting you** verzeihen *od.* entschuldigen Sie, wenn ich Sie unterbreche! **2.** *e-e Schuld* vergeben. **3.** *j-m* das Leben schenken, *j-m* die Strafe erlassen, *j-n* begnadigen. **II** *s* **4.** Verzeihung *f*: **a thousand** ~**s** ich bitte (Sie) tausendmal um Entschuldigung; **to beg** (*od.* **ask**) **s.o.'s** ~ j-n um Verzeihung *od.* Entschuldigung bitten; (**I**) **beg your** ~ a) entschuldigen Sie bitte!, Verzeihung!, b) wie sagten Sie (doch eben)?, wie bitte? **5.** Vergebung *f* (**for** *gen*). **6.** Begnadigung *f*, Straferlaß *m*, Amneˈstie *f*: → **general pardon. 7.** Parˈdon *m*, Gnade *f*. **8.** *R.C.* Ablaß *m*. **ˈpar·don·a·ble** *adj (adv* **pardonably)** verzeihlich (*Fehler*), läßlich (*Sünde*). **ˈpar·don·er** *s R.C. hist.* Ablaßprediger *m*, *contp.* Ablaßkrämer *m*.

pare [pɛr] *v/t* **1.** schälen: **to** ~ **apples. 2.** (be)schneiden, stutzen (*a. fig.*): **to** ~ **one's nails** sich die (Finger)Nägel schneiden; → **claw** 1. **3.** *oft* ~ **down** *fig.* beschneiden, einschränken. **4.** *tech.* (ab)schälen, (ab)schaben.

par·e·gor·ic [ˌpæriˈgɒrik] *adj u. s* schmerzstillend(es Mittel).

par·en·ceph·a·lon [ˌpærenˈsefəˌlɒn] *s anat.* Kleinhirn *n*.

pa·ren·chy·ma [pəˈreŋkimə] *s* **1.** Parenˈchym *n*: a) *biol. bot.* Grundgewebe *n*, b) *anat.* Orˈgangewebe *n*. **2.** *med.* Tumorgewebe *n*.

par·ent [ˈpɛ(ə)rənt] **I** *s* **1.** *pl* Eltern *pl*: ~**-teacher association** *ped.* Elternbeirat *m*. **2.** *bes. jur.* Elternteil *m*: a) Vater *m*, b) Mutter *f*. **3.** Vorfahr *m*, Stammvater *m*: **our first** ~**s, Adam and Eve** unsere Voreltern, Adam u. Eva. **4.** *biol.* Elter *n, m*. **5.** *fig.* a) Urheber *m*, b) Ursprung *m*, Ursache *f*: **idleness is the** ~ **of vice** Müßiggang ist aller Laster Anfang. **II** *adj* **6.** *biol.* Stamm..., Mutter...: ~ **cell** Mutterzelle *f*. **7.** ursprünglich, Ur...: ~ **form** Urform *f*. **8.** *fig.* Mutter..., Stamm...: ~ **atom** *phys.* Ausgangsatom *n*; ~ **company** (*od.* **establishment**) *econ.* Stammhaus *n*; ~ **frequencies** Primärfrequenzen; ~ **lattice** *phys.* Hauptgitter *n*; ~ **material** a) Urstoff *m*, b) *geol.* Mutter-, Ausgangsgestein *n*; ~ **organization** Dachorganisation *f*; ~ **patent** *jur.* Stammpatent *n*; ~ **rock** *geol.* Mutter-, Ausgangsgestein *n*; ~ **ship** *mar. mil.* Mutterschiff *n*; ~ **unit** *mil.* Stammtruppenteil *m*. **ˈpar·ent·age** *s* **1.** Abkunft *f*, Abstammung *f*, Faˈmilie *f*: **of noble** ~. **2.** Elternschaft *f*. **3.** *fig.* Ursprung *m*. **pa·ren·tal** [pəˈrentl] *adj (adv* ~**ly)** elterlich, Eltern...: ~ **authority** *jur.* elterliche Gewalt.

pa·ren·the·sis [pəˈrenθisis] *pl* **-the·ses** [-ˌsiːz] *s* **1.** *ling.* Parenˈthese *f*, Einschaltung *f*: **by way of ~** beiläufig. **2.** *meist pl* (runde) Klammer(n *pl*): **to put in parentheses** einklammern. **3.** Zwischenspiel *n*, Epi'sode *f*. **pa-'ren·the,size** *v/t* **1.** *Worte* einschalten, -flechten. **2.** *print.* einklammern. **3.** *e-e Rede* mit eingeschalteten Erklärungen spicken. **par·en·thet·ic** [,pærən'θetik] *adj*; ,**par·en'thet·i·cal** *adj* (*adv* **~ly**) **1.** paren'thetisch: a) eingeschaltet, b) beiläufig. **2.** Klammer..., eingeklammert. **3.** zu Paren'thesen neigend.

par·ent·hood ['pɛ(ə)rənt,hud] *s* Elternschaft *f*. **'par·ent·less** *adj* elternlos.

pa·re·sis [pə'riːsis; 'pærisis] *s med.* **1.** Pa'rese *f*, unvollständige Lähmung. **2.** *oft* **general ~** progres'sive Para'lyse.

pa·ret·ic [pə'retik; -'riː-] *med.* **I** *adj* pa'retisch, Parese... **II** *s* an Pa'rese Leidende(r *m*) *f*.

par·get ['pɑːrdʒit] **I** *s* **1.** Gips(stein) *m*. **2.** Verputz *m*, Bewurf *m*. **3.** Stuck *m*. **II** *v/t* **4.** verputzen. **5.** mit Stuck verzieren. **'par·get·ing,** *bes. Br.* **'par·get·ting** *s* Stuckarbeit(en *pl*) *f*, Stuck(verzierung *f*) *m*.

par·he·li·a·cal [,pɑːrhi'laiəkəl] *adj astr.* par'helisch, Nebensonnen...

par·he·li·on [pɑːr'hiːliən; -ljən] *pl* **-li·a** [-liə] *s* Nebensonne *f*, Par'helion *n*.

pa·ri·ah ['pæriə; 'pɛ(ə)-; 'pɑː-; *Am. a.* pə'raiə] *s* Paria *m* (*a. fig. Ausgestoßener*). **~ dog** *s* Pariahund *m*.

Par·i·an ['pɛ(ə)riən] **I** *adj* **1.** parisch: **~ marble.** **2.** *tech.* Parian... **II** *s* **3.** *tech.* Pari'an *n*, 'Elfenbeinporzel,lan *n*.

pa·ri·e·tal [pə'raiətl] **I** *adj* **1.** *bes. anat.* parie'tal: a) *a. biol. bot.* wandständig, Wand...: **~ cell** Wandzelle *f*, b) seitlich, c) Scheitel(bein)...: **~ lobe** Scheitellappen *m* (*des Gehirns*). **2.** *ped. Am.* in'tern, Haus...: **~ board** *Aufsichtsrat e-s College.* **II** *s* **3.** *a.* **~ bone** *anat.* Scheitelbein *n*.

par·ing ['pɛ(ə)riŋ] *s* **1.** Schälen *n*, (Be)Schneiden *n*, Stutzen *n*. **2.** *pl* Schalen *pl*, Abfall *m*: **potato ~s.** **3.** *pl tech.* Späne *pl*, Schabsel *pl*, Schnitzel *pl*. **~ chis·el** *s tech.* Ball(en)eisen *n*. **~ gouge** *s tech.* Hohlbeitel *m*. **~ knife** *s irr tech.* **1.** Schälmesser *n* (*für Obst etc*). **2.** Beschneidmesser *n*.

pa·ri pas·su ['pɛ(ə)rai 'pæsjuː; -suː] (*Lat.*) *adv* im gleichen Tempo, gleichzeitig u. gleichmäßig.

par·i·pin·nate [,pæri'pineit] *adj bot.* paarig gefiedert.

Par·is ['pæris] *adj* Pa'riser. **~ blue** *s* Pa'riser *od.* Ber'liner Blau *n*. **~ dai·sy** *s bot.* 'Strauchmarge,rite *f*. **~ green** *s* Pa'riser *od.* Schweinfurter Grün *n*.

par·ish ['pæriʃ] **I** *s* **1.** *relig.* a) Kirchspiel *n*, Pfarrbezirk *m*, b) *a. collect.* Gemeinde *f*. **2.** *a.* **civil ~, poor-law ~** *pol. bes. Br.* (po'litische) Gemeinde: **to go** (*od.* **be**) **on the ~** *hist.* der Gemeinde zur Last liegen, von der Gemeinde unterhalten werden. **3.** *pol. Am.* (*Louisiana*) Kreis *m*. **II** *adj* **4.** Kirchen..., Pfarr...: **~ church** Pfarrkirche *f*; **~ clerk** Küster *m*; **~ register** Kirchenbuch *n*. **5.** *pol.* Gemeinde...: **~ council** Gemeinderat *m*. **6.** *contp.* Dorf...: **~-pump politics** Kirchturmpolitik *f*. **pa·rish·ion·er** [pə'riʃənər] *s* Gemeinde(mit)glied *n*, Pfarrkind *n*.

Pa·ri·sian [pə'riziən; -ʒən] **I** *s* Pa'riser(in). **II** *adj* Pa'riser.

Par·is white *s* Pa'riser Weiß *n*, Schlämmkreide *f*.

par·i·syl·lab·ic [,pærisi'læbik] *ling.* **I** *adj* parisyl'labisch, gleichsilbig. **II** *s* Pari'syllabum *n*.

par·i·ty ['pæriti] *s* **1.** Gleichheit *f*. **2.** *econ.* a) Pari'tät *f*, b) 'Umrechnungskurs *m*: **at the ~ of** zum Umrechnungskurs von; **~ clause** Paritätsklausel *f*; **~ price** Parikurs *m*. **3.** *bes. relig.* Pari'tät *f*, gleichberechtigte Stellung.

park [pɑːrk] **I** *s* **1.** Park *m*, (Park)-Anlagen *pl*. **2.** Na'turschutzgebiet *n*, Park *m*: **national ~.** **3.** *jur. Br.* (*königlicher*) Wildpark. **4.** *bes. mil.* (Fahrzeug-, Geschütz-, Sani'täts- *etc*)Park *m*. **5.** *meist* **car ~** *mot.* Parkplatz *m*. **6.** *Am.* a) Gebirgstal *n*, b) Lichtung *f*, c) Sportgelände *n*, -platz *m*: **baseball ~.** **II** *v/t* **7.** *mot.* parken, abstellen: **to ~ o.s.** *colloq.* sich ‚hinhocken', sich setzen. **8.** *colloq.* abstellen, lassen: **to ~ one's bag at the station**; **to ~ out** *etwas* (vorübergehend) lassen (**with** bei). **III** *v/i* **9.** parken.

par·ka ['pɑːrkə] *s* **1.** Anorak *m*. **2.** *mil.* Schneehemd *n*.

par·kin ['pɑːrkin] *s* (*Art*) Pfefferkuchen *m*.

park·ing ['pɑːrkiŋ] *s* **1.** Parken *n*: **no ~** Parkverbot, Parken verboten. **2.** *Am.* Parkplätze *pl*. **~ brake** *s mot.* Feststellbremse *f*. **~ ga·rage** *s* Parkhochhaus *n*. **~ light** *s* Standlicht *n*. **~ lot** *s Am.* Parkplatz *m*. **~ me·ter** *s tech.* Park(zeit)uhr *f*. **~ place** *s* Parkplatz *m*. **~ tick·et** *s* (*an das Fahrzeug angeklebte*) gebührenpflichtige Verwarnung (wegen falschen Parkens).

Par·kin·son's| dis·ease ['pɑːrkinsnz] *s med.* Parkinsonsche Krankheit, Schüttellähmung *f*. **~ Law** *s humor.* Parkinsonsches Gesetz.

'park,way *s Am.* **1.** Prome'nade *f*, Al'lee *f*. **2.** *landschaftlich reizvoll gelegene Autostraße, die nur für Touristenverkehr bestimmt ist.*

park·y ['pɑːrki] *adj Br. sl.* eiskalt.

par·lance ['pɑːrləns] *s* Ausdrucksweise *f*, Sprache *f*: **in common ~** einfach *od.* verständlich ausgedrückt, auf gut deutsch; **in legal ~** in der Rechtssprache, juristisch ausgedrückt.

par·lay ['pɑːrlei] *Am.* **I** *v/t* **1.** *Wett-, Spielgewinn* wieder einsetzen. **2.** *fig.* aus *j-m od. e-r Sache* ‚Kapital schlagen'. **3.** erweitern, ausbauen (**into** zu). **II** *v/i* **4.** e-n *od.* den Spielgewinn wieder einsetzen. **III** *s* **5.** erneuter Einsatz e-s Gewinns. **6.** Auswertung *f*. **7.** Ausweitung *f*, Ausbau *m*.

par·ley ['pɑːrli] **I** *s* **1.** Gespräch *n*, Unter'redung *f*, Verhandlung *f*, Konfe'renz *f*. **2.** *bes. mil.* (Waffenstillstands)Verhandlung(en *pl*) *f*, Unter'handlungen *pl*: **to beat** (*od.* **sound**) **a ~** *hist.* Schamade schlagen (*zum Zeichen der Waffenstreckung*). **II** *v/i* **3.** sich besprechen (**with** mit). **4.** *bes. mil.* ver-, unter'handeln (**with** mit): **to ~ with the rebels.** **III** *v/t* **5.** *bes. humor.* par'lieren: **to ~ French.**

par·ley·voo [,pɑːrli'vuː] **I** *s colloq. oft humor.* **1.** Fran'zösisch *n*. **2.** Fran'zose *m*. **II** *v/i sl.* **3.** fran'zösisch par'lieren.

par·lia·ment ['pɑːrləmənt] *s* **1.** Parla'ment *n*, Volksvertretung *f*. **2.** *meist* **P~** das (*Brit.*) Parla'ment: **act of P~** Parlamentsakte *f*, (Reichs)Gesetz *n*; **to enter** (*od.* **get into** *od.* **go into**) **P~** ins Parlament gewählt werden; **Houses of P~** Parlament(sgebäude); **Member of P~** Mitglied *n* des Unterhauses, Abgeordnete(r *m*) *f*. **P~ Act** *s Br. hist. der die Macht des Oberhauses stark einschränkende Parlamentsbeschluß von 1911.*

par·lia·men·tar·i·an [,pɑːrləmen'tɛ(ə)riən] *pol.* **I** *s* **1.** (erfahrener) Parlamen'tarier. **2.** **P~** *hist.* Anhänger *m* des englischen Parla'ments (*im Bürgerkrieg*). **3.** *Am.* Verhandlungs-, Sitzungsleiter *m*. **II** *adj* → **parliamentary.** ,**par·lia·men'tar·i·an,ism,** ,**par·lia'men·ta,rism** [-'mentə,rizəm] *s* parlamen'tarisches Sy'stem, Parlamenta'rismus *m*. ,**par·lia'men·ta·ry** [-təri] *adj* **1.** parlamen'tarisch, Parlaments...: **~ procedure**; **~ party** Fraktion *f*. **2.** parlamen'tarisch re'giert, demo'kratisch: **~ state.** **3.** *fig.* höflich.

par·lor, *bes. Br.* **par·lour** ['pɑːrlər] **I** *s* **1.** Wohnzimmer *n*. **2.** Besuchszimmer *n*, gute Stube, Sa'lon *m*. **3.** Empfangs-, Sprechzimmer *n* (*a. im Kloster*). **4.** Klub-, Gesellschaftszimmer *n* (*e-s Hotels*). **5.** *Am.* Geschäftsraum *m*, (*Schönheits- etc*)Sa'lon *m*: **beauty ~**; **ice-cream ~** Eisdiele *f*. **II** *adj* **6.** Wohnzimmer...: **~ furniture.** **7.** *fig.* Salon...: **~ radical** (*od.* **red**) *pol.* Salonbolschewist *m*. **~ board·er** *s ped.* bevorrechtigter Inter'natsschüler (*der mit in der Familie des Schulleiters lebt*). **~ car** *s rail. Am.* Sa'lonwagen *m*. **~ game** *s* Gesellschaftsspiel *n*. **'~,maid** *s* Stuben-, Hausmädchen *n*.

par·lour, ~ board·er, ~ car, ~ maid *bes. Br. für* **parlor** *etc.*

par·lous ['pɑːrləs] **I** *adj* **1.** *colloq.* schrecklich. **2.** *obs.* gefährlich, schwierig. **II** *adv obs.* **3.** arg, ‚schrecklich'.

pa·ro·chi·al [pə'roukiəl; -kjəl] *adj* (*adv* **~ly**) **1.** parochi'al, Pfarr..., Kirchen..., Gemeinde...: **~ church council** Kirchenvorstand *m*; **~ school** *Am.* Konfessionsschule *f*. **2.** *fig.* beschränkt, eng(stirnig): **~ politics** Kirchturmpolitik *f*. **pa'ro·chi·al,ism** *s fig.* Beschränktheit *f*.

par·o·dist ['pærədist] *s* Paro'dist(in).

par·o·dy ['pærədi] **I** *s* **1.** Paro'die *f* (**of** auf *acc*), *fig. a.* Entstellung *f*, Verzerrung *f*. **2.** Paro'dierung *f*. **II** *v/t* **3.** paro'dieren.

pa·roe·mi·a [pə'riːmiə] *s ling.* Parö'mie *f*, Sprichwort *n*.

pa·rol [pə'roul; 'pærəl] **I** *s bes. jur.* mündliche Erklärung: **by ~** mündlich, auf mündliche Vereinbarung, durch mündliche Erklärung. **II** *adj jur.* a) (bloß) mündlich, b) unbeglaubigt, ungesiegelt: **~ contract** formloser (*mündlicher od. schriftlicher*) Vertrag; **~ evidence** Zeugenbeweis *m*.

pa·role [pə'roul] **I** *s* **1.** *jur.* bedingte Haftentlassung *od.* bedingte Strafaussetzung (*bei weiterer Polizeiaufsicht*): **~ board** Kommission *f* für (bedingte) Haftentlassungen; **man on ~** → **parolee**; **~ officer** *Am.* Bewährungshelfer *m*; **to put s.o. on ~** j-n bedingt entlassen, j-s Strafe bedingt aussetzen. **2.** *a.* **~ of hono(u)r** *bes. mil.* Ehrenwort *n*, Wort *n*: **on ~** auf Ehrenwort. **3.** *mil.* Pa'role *f*, Kennwort *n*. **II** *v/t Am.* **4.** bedingt (aus der Haft) entlassen.

pa·rol·ee [pə,rou'liː] *s Am.* (*aus der Strafhaft*) bedingt Entlassene(r *m*) *f*.

par·o·nym ['pærənim] *s ling.* **1.** Paro'nym *n*, Wortableitung *f*. **2.** 'Lehnüber,setzung *f*. **pa·ron·y·mous** [pə'rɒniməs] *adj* **1.** (stamm)verwandt (*Wort*). **2.** 'lehnüber,setzt (*Wort*). **pa'ron·y·my** [-mi] *s* Parony'mie *f*, Wortableitung *f*.

par·o·quet ['pærə,ket] → **parakeet.**

pa·rot·id [pə'rɒtid] *adj anat.* vor dem Ohr liegend, Parotis...: **~ gland** Ohrspeicheldrüse *f*. **pa,rot·i'di·tis** [-'daitis], ,**par·o'ti·tis** [-'taitis] *s* Paro'titis *f*, Ziegenpeter *m*, Mumps *m*.

par·ox·ysm ['pærək,sizəm] *s* **1.** *med.* Paro'xysmus *m*, Krampf *m*, Anfall *m*: **~ of laughing** Lachkrampf, -anfall. **2.** *oft pl fig.* (heftiger Gefühls)Ausbruch, Anfall *m*: **~s of rage** Wutan-

fall. **3.** *fig.* Höhepunkt *m*, Krise *f*.
ˌpar·ox'ys·mal [-'sizməl] *adj* krampfartig.
par·ox·y·tone [pæ'rɒksiˌtoun] *s ling.* Paro'xytonon *n* (*auf der vorletzten Silbe betontes Wort*).
par·quet ['pɑːrkei; pɑːr'kei; -'ket] **I** *v/t* **1.** parket'tieren, mit Par'kett auslegen. **II** *s* **2.** Par'kett(fußboden *m*) *n*. **3.** *thea. bes. Am.* Par'kett *n*. **par·quet·ry** ['pɑːrkitri] *s* Par'kett(arbeit *f*) *n*.
parr [pɑːr] *pl* **parrs** *od. collect.* **parr** *s ichth.* junger Lachs, Sälmling *m*.
par·ri·cid·al [ˌpæri'saidl] *adj* vater-, muttermörderisch. **'par·riˌcide** *s* **1.** Vater-, Mutter-, Verwandtenmörder(in). **2.** Vater-, Mutter-, Verwandtenmord *m*.
par·rot ['pærət] **I** *s* **1.** *orn.* Papa'gei *m*. **2.** *fig.* ‚Papa'gei' *m*, Nachschwätzer(in). **II** *v/t* **3.** nachplappern. **~ dis·ease, ~ fe·ver** *s med.* Papa'geienkrankheit *f*. **~ fish** *s ichth.* **1.** Papa'geifisch *m*. **2.** (*ein*) Lippfisch *m*.
par·ry ['pæri] **I** *v/t* pa'rieren, abwehren: to **~ a thrust**; to **~ a question** e-e Frage parieren. **II** *v/i* pa'rieren (*a. fig.*), (Stöße) abwehren. **III** *s fenc.* Pa'rade *f*, Abwehr *f*.
parse [*Br.* pɑːz; *Am.* pɑːrs] *v/t ling. e-n Satz* gram'matisch zergliedern, *e-n Satzteil* analy'sieren, *ein Wort* grammatisch defi'nieren.
par·sec ['pɑːrˌsek] *s astr.* Par'sek *n*, Sternweite *f* (*3,26 Lichtjahre*).
Par·see [pɑːr'siː; 'pɑːrsiː] *s relig.* Parse *m* (*Anhänger der altpersischen Religion Zoroasters*).
par·si·mo·ni·ous [ˌpɑːrsi'mouniəs] *adj* (*adv* **~ly**) **1.** sparsam, karg, knauserig (of mit). **2.** armselig, kärglich. **ˌpar·si'mo·ni·ous·ness** → **parsimony**. **par·si·mo·ny** [*Br.* 'pɑːrsiməni; *Am.* -səˌmouni] *s* Sparsamkeit *f*, Kargheit *f*, Knause'rei *f*.
pars·ley ['pɑːrsli] *s bot.* Peter'silie *f*.
pars·nip ['pɑːrsnip] *s bot.* Pastinak *m*, Pasti'nake *f*: **fine words butter no ~s** mit Worten allein ist nicht geholfen.
par·son ['pɑːrsn] *s* **1.** Pastor *m*, Pfarrer *m*. **2.** *colloq. contp.* ‚Pfaffe' *m*: **~'s nose** Bürzel *m* (*e-r Gans etc*). **'par·son·age** *s* Pfarrhaus *n*, Pfar'rei *f*.
part [pɑːrt] **I** *s* **1.** (Bestand)Teil *m*, *n*, Stück *n*: **to be ~ and parcel of s.th.** e-n wesentlichen Bestandteil von etwas bilden; **~ of speech** *ling.* Redeteil, Wortklasse *f*; **in ~** teilweise, auszugsweise, in gewissem Grade; **~ of the year** (nur) während e-s Teils des Jahres; **that is (a) ~ of my life** das gehört zu m-m Dasein; **payment in ~** Abschlagszahlung *f*. **2.** *phys.* (An)Teil *m*: **~ by volume (weight)** Raumanteil (Gewichtsanteil); **three ~s of water** drei Teile Wasser. **3.** *math.* Bruchteil *m*: **three ~s** drei Viertel. **4.** *tech.* (Bau-, Einzel)Teil *n*: **~s list** Ersatzteil-, Stückliste *f*. **5.** Anteil *m*: **to take ~** teilnehmen (in an *dat*); **to have a ~ in s.th.** an etwas teilhaben; **to have neither ~ nor lot in s.th.** nicht das geringste mit e-r Sache zu tun haben; **he wanted no ~ of the proposal** er wollte von dem Vorschlag nichts wissen. **6.** (Körper)Teil *m*, *n*, Glied *n*: **soft ~** Weichteil; **the (privy) ~s** die Scham- *od.* Geschlechtsteile. **7.** *Buchhandel*: Lieferung *f*: **the book appears in ~s** das Werk erscheint in Lieferungen. **8.** *fig.* Teil *m*, *n*, Seite *f*: **the most ~** die Mehrheit, das meiste (*von etwas*); **for my ~** ich für mein(en) Teil; **for the most ~** in den meisten Fällen, meisten(teil)s, größtenteils; **on the ~ of** von seiten, seitens (*gen*); **to take s.th. in good (bad) ~** etwas gut (übel) aufnehmen. **9.** Seite *f*, Par'tei *f*: **he took my ~** er ergriff m-e Partei. **10.** Pflicht *f*: **to do one's ~** das Seinige *od.* s-e Schuldigkeit tun. **11.** *thea. u. fig.* Rolle *f*: **to act** (*od. fig.* **play**) **a ~** e-e Rolle spielen (in bei); **the Government's ~ in the strike** die Rolle, die die Regierung bei dem Streik spielte. **12.** *mus.* (Sing- *od.* Instrumen'tal)Stimme *f*, Par'tie *f*: **to sing in ~s** mehrstimmig singen; **for** (*od.* **in** *od.* **of**) **several ~s** mehrstimmig. **13.** *pl* (geistige) Fähigkeiten *pl*, Ta'lent *n*: **he is a man of ~s** er ist ein fähiger Kopf, er ist vielseitig begabt. **14.** Gegend *f*, Teil *m* (*e-s Landes, der Erde*): **in these ~s** hier(zulande); **in foreign ~s** im Ausland. **15.** *Am.* (Haar)Scheitel *m*.
II *v/t* **16.** (ab-, ein-, zer)teilen: → **company** 1. **17.** *a. Feinde od. Freunde* trennen. **18.** *Metalle* scheiden. **19.** *das Haar* scheiteln.
III *v/i* **20.** ausein'andergehen, sich lösen, abgehen, zerreißen, brechen. **21.** *mar.* brechen (*Ankerkette od. Tau*): **to ~ from the anchor** den Anker verlieren. **22.** ausein'andergehen, sich trennen: **to ~ friends** in Freundschaft auseinandergehen. **23.** **~ with** *etwas* (für immer) aufgeben, fahren lassen, verkaufen, loswerden, *j-n* entlassen: **to ~ with one's money** *colloq.* ‚mit dem Geld herausrücken'.
IV *adj* **24.** Teil...: **~ damage** Teilschaden *m*.
V *adv* **25.** teilweise, zum Teil: **made ~ of iron, ~ of wood** teils aus Eisen, teils aus Holz (bestehend); **~ truth** zum Teil wahr; **~-done** zum Teil erledigt; **~-finished** halbfertig.
par·take [pɑːr'teik] **I** *v/i irr* **1.** teilnehmen, -haben (in an *dat*). **2.** (of) etwas an sich haben (von), etwas teilen (mit): **his manner ~s of insolence** es ist etwas Unverschämtes in s-m Benehmen. **3. ~ of** mitessen, *j-s Mahlzeit* teilen. **4. ~ of** essen, einnehmen, zu sich nehmen: **she partook of her solitary meals. II** *v/t* **5.** teilen, teilhaben an (*dat*). **par'tak·er** *s* Teilnehmer(in) (of an *dat*).
par·terre [pɑːr'tɛr] *s* **1.** Blumenbeet *n*. **2.** *thea.* Par'terre *n*.
par·the·no·gen·e·sis [ˌpɑːrθəno'dʒenisis] *s* Parthenoge'nese *f*: a) *bot.* Jungfernfrüchtigkeit *f*, b) *zo.* Jungfernzeugung *f*, c) *relig.* Jungfrauengeburt *f*. **ˌpar·the·no·ge'net·ic** [-dʒi'netik] *adj* parthenoge'netisch.
Par·thi·an ['pɑːrθiən] *adj* parthisch: **~ shot** *fig.* letztes boshaftes Wort (*im Abgehen*).
par·tial ['pɑːrʃəl] **I** *adj* (*adv* → **partially**) **1.** teilweise, parti'ell, Teil...: **~ acceptance** *econ.* Teilakzept *n*; **~ amount** Teilbetrag *m*; **~ eclipse** *astr.* partielle Finsternis; **~ fraction** *math.* Partialbruch *m*; **~ payment** Teilzahlung *f*; **~ view** Teilansicht *f*. **2.** par'teiisch, eingenommen (to für), einseitig: **to be ~ to s.th.** *colloq.* e-e besondere Vorliebe haben für etwas. **II** *s* **3.** *mus. phys.* (har'monischer) Teilton: **upper ~** Oberton. **ˌpar·ti'al·i·ty** [-ʃi'æliti; *Am. a.* -'ʃæl-] *s* **1.** Par'teilichkeit *f*, Voreingenommenheit *f*. **2.** Vorliebe *f* (for für). **'par·tial·ly** *adv* teilweise, zum Teil.
par·ti·ble ['pɑːrtibl] *adj* teil-, trennbar.
par·tic·i·pant [pɑːr'tisipənt] **I** *adj* teilnehmend, Teilnehmer..., (mit)beteiligt. **II** *s* Teilnehmer(in) (in an *dat*).
par·tic·i·pate [pɑːr'tisiˌpeit] **I** *v/t* **1.** teilen, gemeinsam haben (with mit). **II** *v/i* **2.** teilhaben, -nehmen, sich beteiligen (in an *dat*). **3.** beteiligt sein (in an *dat*): **to ~ in s.th. with s.o.** etwas mit j-m teilen *od.* gemeinsam haben. **4.** am Gewinn beteiligt sein. **5.** etwas (an sich) haben (of von). **par'tic·iˌpat·ing** *adj* **1.** *econ.* gewinnberechtigt, mit Gewinnbeteiligung: **~ insurance policy**; **~ rights** Gewinnbeteiligungsrechte; **~ share** dividendenberechtigte Aktie. **2.** → **participant** I.
par·tic·i·pa·tion [pɑːrˌtisi'peiʃən] *s* **1.** Teilnahme *f*, Beteiligung *f*, Mitwirkung *f*: **~ show** Rundfunk- *od.* Fernsehveranstaltung *f* mit Beteiligung des Publikums. **2.** *econ.* Teilhaberschaft *f*, (Gewinn)Beteiligung *f*: **~s** Anteile. **par'tic·iˌpa·tor** [-tər] *s* Teilnehmer(in) (in an *dat*).
par·ti·cip·i·al [ˌpɑːrti'sipiəl] *adj* (*adv* **~ly**) *ling.* partizipi'al: **~ adjective**. **'par·ti·ci·ple** [-sipl; 'pɑːrtsipl] *s ling.* Parti'zip(ium) *n*, Mittelwort *n*.
par·ti·cle ['pɑːrtikl] *s* **1.** Teilchen *n*, Stückchen *n*. **2.** *fig.* Fünkchen *n*, Spur *f*: **not a ~ of truth in it** nicht ein wahres Wort daran. **3.** *phys.* Par'tikel *f*, (Masse-, Stoff)Teilchen *n*: **~ accelerator** Teilchenbeschleuniger *m*. **4.** *ling.* Par'tikel *f*. **5.** *R.C.* (kleine) Hostie für die Gläubigen (*bei der Kommunion*).
'par·ti-ˌcol·o(u)red *adj* bunt, verschiedenfarbig.
par·tic·u·lar [pər'tikjulər] **I** *adj* (*adv* → **particularly**) **1.** besonder(er, e, es), einzeln, spezi'ell, Sonder...: **for no ~ reason** aus keinem besonderen Grund; **this ~ case** dieser spezielle Fall. **2.** individu'ell, ausgeprägt, ureigen. **3.** ins einzelne gehend, 'umständlich, ausführlich. **4.** peinlich, genau, eigen: **to be ~ in** (*od.* **about**) **s.th.** es sehr genau mit etwas nehmen, Wert legen auf (*acc*). **5.** heikel, wählerisch (in, about, as to in *dat*): **not too ~** *iro.* nicht gerade wählerisch (*in s-n Methoden etc*). **6.** eigentümlich. seltsam, sonderbar, merkwürdig. **7.** *philos.* begrenzt. **8.** *jur.* a) dem Besitzer nur beschränkt gehörig, b) nur beschränkten Besitz genießend: **~ tenant. II** *s* **9.** a) Einzelheit *f*, einzelner Punkt, besonderer 'Umstand, b) *pl* nähere 'Umstände *pl od.* Angaben *pl*, (*das*) Nähere: **in ~** insbesondere; **to enter into ~s** sich auf Einzelheiten einlassen, ins einzelne gehen; **further ~s from** Näheres (erfährt man) bei. **10.** *pl* Perso'nalien *pl*, Angaben *pl* (*zur Person*). **11.** *colloq.* Speziali'tät *f*: **a London ~** e-e Londoner Spezialität, etwas für London Typisches. **~ av·er·age** *s econ. jur.* kleine (besondere) Hava'rie.
par·tic·u·lar·ism [pər'tikjuləˌrizəm] *s* Partikula'rismus *m*: a) Sonderbestrebungen *pl*, b) *pol.* ˌKleinstaate'rei *f*, c) *relig.* Lehre *f* von der Gnadenwahl.
par·tic·u·lar·i·ty [pərˌtikju'læriti] *s* **1.** Besonderheit *f*, Eigentümlichkeit *f*. **2.** besonderer 'Umstand, Einzelheit *f*. **3.** Ausführlichkeit *f*. **4.** Genauigkeit *f*, Eigenheit *f*, Peinlichkeit *f*. **parˌtic·u·lar·i'za·tion** [-lərai'zeiʃən; -ri'z-] *s* Detail'lierung *f*, Spezifi'zierung *f*. **par'tic·u·larˌize I** *v/t* **1.** spezifi'zieren, einzeln anführen, ausführlich angeben. **2.** eingehend darstellen. **3.** 'umständlich anführen. **II** *v/i* **4.** auf Einzelheiten eingehen, ins einzelne gehen. **par'tic·u·lar·ly** *adv* **1.** besonders, im besonderen: **not ~** nicht sonderlich.

2. ungewöhnlich, auf besondere Weise. 3. ausdrücklich.
part·ing ['pɑːrtiŋ] I *adj* 1. Scheide..., Trennungs..., Abschieds...: ~ **kiss**; ~ **breath** letzter Atemzug. 2. trennend, abteilend, Trenn...: ~ **tool** *tech.* Trennwerkzeug *n*, Einstichstahl *m*; ~ **wall** Trennwand *f*. II *s* 3. Abschied *m*, Scheiden *n*, Trennung *f*. 4. *fig.* Tod *m*. 5. a) Trennlinie *f*, b) Gabelung *f*, c) (Haar)Scheitel *m*: ~ **of the ways** Weggabelung, *fig.* Scheideweg *m*. 6. *chem. phys.* Scheidung *f*: ~ **silver** Scheidesilber *n*. 7. *Gießerei*: a) *a.* ~ **sand** Streusand *m*, trockener Formsand, b) *a.* ~ **line** Teilfuge *f* (*e-r Gußform*). 8. *geol.* Trennschicht *f*. 9. *mar.* Bruch *m*, Reißen *n*. ~ **cup** *s* 1. zweihenk(e)liger Trinkkrug. 2. Abschiedstrunk *m*.
par·ti·san[1] [*Br.* ˌpɑːti'zæn; *Am.* 'pɑːrtəzən] I *s* 1. Par'teigänger(in), -genosse *m*, -genossin *f*, Anhänger(in), Unter'stützer(in): ~ **of peace** Friedenskämpfer *m*. 2. *mil.* a) Führer *m* e-s Freikorps, b) Freischärler *m*, Parti'san *m*. II *adj* 3. par'teigängerisch, Partei...: ~ **spirit** Parteigeist *m*. 4. *mil.* Partisanen..., Freikorps...
par·ti·san[2] [*Br.* 'pɑːtiˌzæn; *Am.* 'pɑːrtəzən] *s mil. hist.* Parti'sane *f*, (*Stoßwaffe*).
par·ti·san·ship [*Br.* ˌpɑːti'zænʃip; *Am.* 'pɑːrtəzənˌʃip] *s* 1. *pol.* Par'teigängertum *n*. 2. *fig.* Par'tei-, Vetternwirtschaft *f*.
par·tite ['pɑːrtait] *adj* 1. geteilt (*a. bot.*). 2. *in Zssgn* ...teilig.
par·ti·tion [pɑːr'tiʃən] I *s* 1. (Ver-, Auf)Teilung *f*: **the first** ~ **of Poland** die erste Teilung Polens. 2. *jur.* (Erb)Ausein'andersetzung *f*. 3. Trennung *f*, Absonderung *f*. 4. Scheide-, Querwand *f*, Fach *n* (*im Schrank etc*): ~ **wall** Trennwand. 5. *arch.* (Bretter)Verschlag *m*. II *v/t* 6. (ver-, auf)teilen. 7. *jur.* *e-e Erbschaft* ausein'andersetzen. 8. ~ **off** abteilen, abfachen.
par·ti·tive ['pɑːrtitiv] I *adj* 1. teilend, Teil... 2. *ling.* parti'tiv: ~ **genitive**. II *s* 3. *ling.* Parti'tivum *n*.
par·ti·zan → **partisan**[1] *u.* [2].
Part·let ['pɑːrtlit] *s* 1. Henne *f*: **Dame** ~ Frau Kratzfuß. 2. *humor.* ‚Weib(sbild)' *n*.
part·ly ['pɑːrtli] *adv* zum Teil, teilweise, teils: ~..., ~... teils ..., teils ...
part·ner ['pɑːrtnər] I *s* 1. *allg.* (*a. sport. a. Tanz*)Partner(in). 2. *econ.* Gesellschafter *m*, (Geschäfts)Teilhaber *m*, Sozius *m*, Kompagnon *m*: **general** ~ Komplementär *m*, (unbeschränkt) haftender Gesellschafter; **limited** ~ Kommanditist *m*; **senior** ~ Seniorchef *m*, Hauptteilhaber; **sleeping** (*od.* **silent** *od.* **dormant**) ~ stiller Teilhaber. 3. 'Lebenskameˌrad(in), -gefährte *m*, -gefährtin *f*, Gatte *m*, Gattin *f*. 4. *pl mar.* Fischung *f* (*e-s Mastes*). II *v/t* 5. vereinigen, zs.-bringen. 6. sich zs.-tun *od.* assozi'ieren *od.* vereinigen mit (*j-m*): **to be** ~**ed with s.o.** j-n zum Partner haben. **'part·nerˌship** *s* 1. Teilhaberschaft *f*, Partnerschaft *f*, Mitbeteiligung *f* (in an *dat*). 2. *econ.* Per'sonengesellschaft *f*: (**general** *od.* **ordinary**) ~ offene Handelsgesellschaft (*abbr.* OHG); **limited** ~ Kommanditgesellschaft; **deed of** ~ → 3; **to enter into a** ~ **with s.o.** → **partner** 6. 3. Gesellschaftsvertrag *m*. 4. *fig.* Zs.-arbeit *f*, -wirken *n*.
par·took [pɑːr'tuk] *pret von* **partake**.
part| own·er *s* 1. Miteigentümer(in). 2. *mar.* Mitreeder *m*. ~ **pay·ment** *s* Teil-, Abschlagszahlung *f*: **in** ~ auf *od.* in Raten.
par·tridge ['pɑːrtridʒ] *pl* **'par·tridges,** *collect. a.* **'par·tridge** *s orn.* 1. Rebhuhn *n*. 2. Steinhuhn *n*, *bes.* Rothuhn *n*. 3. *Am.* (*ein*) Waldhuhn *n*.
part| sing·ing *s mus.* mehrstimmiger Gesang. ~ **song** *s mus.* mehrstimmiges Lied. **'~-ˌtime** *adj* 1. nicht vollzeitlich, Halbtags... (*-beschäftigung, -schule etc*): ~ **job** Teilbeschäftigung *f*. 2. nicht ganzzeitig beschäftigt: ~ **worker** → **part-timer**. **ˌ~-'tim·er** *s* Kurzarbeiter(in), Halbtagskraft *f*.
par·tu·ri·ent [pɑːr'tju(ə)riənt] *adj* 1. a) gebärend, kreißend, b) Gebär..., Geburts...: ~ **pangs** Geburtswehen. 2. *fig.* (*mit e-r Idee*) schwanger. **parˌtu·ri'fa·cient** [-'feiʃənt] *med.* I *adj* wehenanregend. II *s* Wehenmittel *n*. **ˌpar·tu'ri·tion** *s* Gebären *n*.
part writ·ing *s mus.* poly'phoner Satz.
par·ty ['pɑːrti] I *s* 1. Par'tei *f*: **political** ~ politische Partei; ~ **spirit** Parteigeist *m*. 2. Trupp *m*: a) *mil.* Ab'teilung *f*, Kom'mando *n*, b) (Arbeits)Gruppe *f*: **my** ~ *Am. sl.* m-e Leute. 3. Par'tie *f*, Gesellschaft *f*: **hunting** ~; **a** ~ **of mountaineers** e-e Gruppe von Bergsteigern; **to make one of the** ~ sich anschließen, mitmachen, dabei sein. 4. Einladung *f*, Gesellschaft *f*, Party *f*: **to give a** ~; **at a** ~ auf e-r Gesellschaft *od.* Party; **it's your** ~! *Am. sl.* das ist (ganz) d-e Sache! 5. *jur.* (*Prozeß- etc*)Par'tei *f*: **contracting** ~, ~ **to a contract** Vertragspartei, Kontrahent(in); **a third** ~ ein Dritter. 6. Teilnehmer(in) (*a. teleph.*), Beteiligte(r *m*) *f*: **to be a** ~ **to s.th.** an e-r Sache beteiligt sein, etwas mitmachen, mit etwas zu tun haben; **parties interested** *econ.* Interessenten; **the parties concerned** die Beteiligten. 7. *sl.* ‚Kunde' *m*, ‚Knülch' *m*, Indi'viduum *n*. II *adj* 8. Partei...: ~ **discipline**. 9. *her.* in gleiche Teile geteilt.
par·ty| line *s* 1. *teleph.* Gemeinschaftsleitung *f*. 2. *jur.* Grenze *f* zwischen benachbarten Grundstücken. 3. *pol.* Par'teilinie *f*, -direkˌtiven *pl*: **to follow the** ~ linientreu sein; **voting was on** ~**s** bei der Abstimmung herrschte Fraktionszwang. ~ **lin·er** *s pol.* linientreues Par'teimitglied. ~ **man** *s irr pol.* Par'teimann *m*, -gänger *m*. ~ **per fess** *adj her.* waag(e)recht geteilt. ~ **per pale** *adj her.* der Länge nach geteilt. ~ **pol·i·tics** *s pl* (*als sg konstruiert*) Par'teipoliˌtik *f*. ~ **slo·gan** *s pol.* Par'teipaˌrole *f*. ~ **tick·et** *s* 1. Gruppenfahrkarte *f*. 2. *pol. Am.* (Kandi'daten)Liste *f* e-r Par'tei. ~ **wall** *s arch.* 1. gemeinsame Wand *od.* Mauer. 2. Brandmauer *f*. ~ **wire** → **party line** 1.
par·ve·nu ['pɑːrvəˌnjuː] I *s* Em'porkömmling *m*, Parve'nü *m*. II *adj* parve'nühaft.
par·vis ['pɑːrvis] *s arch.* Vorhof *m* e-r Kirche.
pas [pɑ] (*Fr.*) *s* 1. Vortritt *m*: **to give the** ~ den Vortritt geben. 2. Pas *m*, Tanzschritt *m*.
Pasch [pæsk; *Br. a.* pɑːsk], *a.* **'Pas·cha** [-kə] *s relig.* Passah *n*, Osterfest *n* (*der Juden*).
pas·chal ['pæskəl; *Br. a.* 'pɑːs-] *relig.* I *adj* 1. Oster..., Passah...: ~ **lamb** a) Osterlamm *n*, b) *her.* weißes schreitendes Lamm, das ein silbernes Banner mit rotem Kreuz trägt. II *s* 2. Osterkerze *f*. 3. Ostermahl *n*. [*m*.]
pa·sha ['pɑːʃə; 'pæʃə; pə'ʃɑː] *s* Pascha
pasque·flow·er ['pæskˌflauər] *s bot.* Küchenschelle *f*.
pas·quin·ade [ˌpæskwi'neid] *s* Schmähschrift *f*.
pass[1] [*Br.* pɑːs; *Am.* pæ(ː)s] *s* 1. (Eng)Paß *m*, Zugang *m*, 'Durchgang *m*, -fahrt *f*: **to hold the** ~ die Stellung halten (*a. fig.*); **to sell the** ~ *fig.* die Stellung *od.* alles verraten. 2. Joch *n*, (Berg)Sattel *m*. 3. schiffbarer Ka'nal. 4. Fischgang *m* (*an Schleusen*).
pass[2] [*Br.* pɑːs; *Am.* pæ(ː)s] I *v/t* 1. *etwas* pas'sieren, vor'bei-, vor'übergehen, -fahren, -fließen, -kommen, -reiten, -ziehen an (*dat*): **we** ~**ed the post office**. 2. vor'beifahren an (*dat*), über'holen (*a. mot.*): **we** ~**ed his car**. 3. *fig.* über'gehen, -'springen, keine No'tiz nehmen von. 4. *econ. e-e Dividende* ausfallen lassen. 5. *e-e Schranke, ein Hindernis* pas'sieren: **to** ~ **the gate**. 6. durch-, über'schreiten, durch'queren, -'reiten, -'reisen, -'ziehen, pas'sieren: **to** ~ **a river** e-n Fluß überqueren. 7. durch'schneiden (*Linie*). 8. a) *ein Examen* bestehen, b) *e-n Prüfling* bestehen *od.* 'durchkommen lassen, c) *etwas* 'durchgehen lassen. 9. hin'ausgehen über (*acc*), über'steigen, -'schreiten, -'treffen (*alle a. fig.*): **it** ~**es my comprehension** es geht über m-n Verstand *od.* Horizont; **just** ~**ing seventeen** gerade erst siebzehn Jahre alt. 10. (*durch etwas*) hin'durchleiten, -führen (*a. tech.*), *a. die Hand* gleiten lassen: **to** ~ **a wire through a hole**; **he** ~**ed his hand over his forehead** er fuhr sich mit der Hand über die Stirn. 11. *durch ein Sieb* pas'sieren, 'durchseihen. 12. vor'bei-, 'durchlassen, pas'sieren lassen. 13. *Zeit* ver-, zubringen, vertreiben. 14. *e-n Gegenstand* reichen, geben, (*a. jur. Falschgeld*) weitergeben, *Geld* in 'Umlauf setzen: ~ **me the salt, please** reichen Sie mir, bitte, das Salz; → **buck**[1] 9, hat *Bes. Redew.* 15. über'senden, *a. e-n Funkspruch* befördern. 16. *sport den Ball* abspielen. 17. *jur. Eigentum, e-n Rechtstitel* über'tragen, *letztwillig* zukommen lassen. 18. *e-n Vorschlag* 'durchbringen, -setzen, *ein Gesetz* verabschieden, *e-e Resolution* annehmen. 19. abgeben, über'tragen: **to** ~ **the chair** den Vorsitz abgeben (**to s.o.** an j-n). 20. rechtskräftig machen. 21. (als gültig) anerkennen, gelten lassen, genehmigen. 22. *e-e Meinung* äußern, aussprechen (**on, upon** über *acc*), *e-e Bemerkung* fallen lassen *od.* machen, *ein Kompliment* machen: **to** ~ **criticism on** Kritik üben an (*dat*). 23. *ein Urteil* abgeben, fällen, *jur.* a. (aus)sprechen. 24. *med.* a) *Eiter, Nierensteine etc* ausscheiden: **to** ~ **a kidney stone**, b) *den Darm* entleeren, c) *Wasser* lassen. 25. *ein Türschloß* öffnen.
II *v/i* 26. sich (fort)bewegen, (*von e-m Ort zu e-m andern*) gehen, reiten, fahren, ziehen *etc*. 27. vor'bei-, vor'übergehen, -fahren, -ziehen *etc* (**by** an *dat*): **do not** ~ *mot.* Überholen verboten. 28. 'durchgehen, pas'sieren (**through durch**): **it just** ~**ed through my mind** *fig.* es ging mir eben durch den Kopf. 29. *in andere Hände* 'übergehen, über'tragen werden (**to** auf *acc*), kommen, geraten, fallen (**to** an *acc*): **it** ~**es to the heirs** es geht auf die Erben über, es fällt an die Erben. 30. *unter j-s Aufsicht* kommen, geraten. 31. 'übergehen: **to** ~ **from a solid (in)to a liquid state** von festem in flüssigen Zustand übergehen. 32. vergehen, vor'übergehen (*Zeit etc, a. Schmerz etc*), verstreichen (*Zeit*): **the**

days ~ed; it (the pain) will ~; fashions ~ Moden kommen u. gehen. **33.** 'hin-, verscheiden, sterben. **34.** sich zutragen, sich abspielen, vor sich gehen, pas'sieren: it came to ~ that *bes. Bibl.* es begab sich *od.* es geschah, daß; to bring s.th. to ~ etwas bewirken. **35.** her'umgereicht werden, von Hand zu Hand gehen, im 'Umlauf sein: the hat ~ed round der Hut ging herum; harsh words ~ed between them es fielen harte Worte bei ihrer Auseinandersetzung. **36.** (for, as) gelten (für, als), gehalten werden (für), angesehen werden (für): material that ~ed for silk. **37.** 'durchkommen: a) das Hindernis *etc* bewältigen, b) (die Prüfung) bestehen. **38.** a) an-, 'hingehen, leidlich sein, b) 'durchgehen, unbeanstandet bleiben, geduldet werden: let that ~ reden wir nicht mehr davon. **39.** *parl. etc* 'durchgehen, bewilligt *od.* zum Gesetz erhoben werden, Rechtskraft erlangen. **40.** angenommen werden, gelten, (als gültig) anerkannt werden. **41.** gangbar sein, Geltung finden (*Grundsätze, Ideen*). **42.** *jur.* gefällt werden, ergehen (*Urteil, Entscheidung*). **43.** *med.* abgehen, abgeführt *od.* ausgeschieden werden. **44.** *sport* passen, (den Ball) zu- *od.* abspielen *od.* abgeben. **45.** *Kartenspiel*: passen. **46.** *fenc.* ausfallen.

III *s* **47.** (Reise)Paß *m*, (Perso'nal)-Ausweis *m*. **48.** Pas'sier-, Erlaubnisschein *m*. **49.** *rail., thea. a.* free ~ Dauer-, Freikarte *f*. **50.** *mil.* a) Urlaubsschein *m*, b) Kurzurlaub *m*: on ~ auf (Kurz)Urlaub. **51.** *ped. univ.* a) bestandenes Ex'amen, b) (gutes) 'Durchkommen, Bestehen *n*, c) (Prüfungs)-Note *f*, Zeugnis *n*, d) *Br.* einfacher Grad (*unterster akademischer Grad*). **52.** Genehmigung *f*, *tech. a.* Abnahme *f*. **53.** kritische Lage: things have come to such a ~ die Dinge haben sich derart zugespitzt; to be at a desperate ~ hoffnungslos sein; a pretty ~ ,e-e schöne Geschichte'. **54.** Handbewegung *f*, (Zauber)Trick *m*. **55.** Bestreichung *f*, Strich *m* (*beim Hypnotisieren etc*). **56.** *Maltechnik*: Strich *m*. **57.** *Baseball*: Recht *n* auf freien Lauf zum ersten Mal nach vier Bällen. **58.** *Fußball*: Paß *m*, (Ball)-Abgabe *f*, Vorlage *f*, Zuspiel *n*: ~ back Rückgabe *f*; low ~ Flachpaß. **59.** *Kartenspiel*: Passen *n*. **60.** *fenc.* Ausfall *m*, Stoß *m*. **61.** *sl.* Annäherungsversuch *m*, (*amouröse*) Zudringlichkeit: to make a ~ at *e-r Frau* gegenüber zudringlich werden. **62.** *tech.* 'Durchlauf *m*, -gang *m*, Arbeitsgang *m*. **63.** *electr.* Paß *m* (*frequenzabhängiger Vierpol*).

Verbindungen mit Präpositionen:

pass| be·yond *v/i* hin'ausgehen über (*acc*) (*a. fig.*). ~ **by** *v/i* **1.** vor'über- *od.* vor'beigehen an (*dat*), pas'sieren. **2.** unter dem Namen ... bekannt sein. ~ **in·to I** *v/t* **1.** *etwas* einführen in (*acc*). **II** *v/i* **2.** (hin'ein)gehen (*etc*) in (*acc*). **3.** 'übergehen in (*acc*): to ~ law (zum) Gesetz werden, Rechtskraft erlangen. ~ **on** *v/t* **1.** *j-m etwas* 'unterschieben, ,andrehen'. **2.** *ein Urteil* fällen *od.* sprechen über (*acc*). ~ **o·ver** *v/i* über'gehen, igno'rieren. ~ **through** *v/t* **1.** durch ... führen *od.* leiten *od.* stecken. **2.** 'durchschleusen. **3.** durch'fahren, -'queren, -'reisen, -'schreiten *etc*, durch ... gehen *etc*, durch'fließen. **4.** durch ... führen (*Draht, Tunnel etc*). **5.** durch'bohren. **6.** 'durchmachen, erleben. ~ **up·on** → pass on.

Verbindungen mit Adverbien:

pass| a·way I *v/t* **1.** *Zeit* vertreiben, -bringen. **II** *v/i* **2.** vor'über-, vor'beigehen, vergehen (*Zeit, Schmerz etc*). **3.** 'hin-, verscheiden, sterben. ~ **by I** *v/i* **1.** vor'übergehen. **2.** → pass away 2. **II** *v/t* **3.** *etwas od. j-n* über'gehen (in silence stillschweigend). ~ **in** *v/t* **1.** einlassen. **2.** einreichen, einhändigen: to ~ one's checks *Am. sl.* ,abkratzen' (*sterben*). ~ **off I** *v/t* **1.** *j-n od. etwas* ausgeben (for, as für, als). **II** *v/i* **2.** *gut etc* vor'bei-, vor'übergehen, von'statten gehen. **3.** vergehen (*Schmerz etc*). **4.** *Am.* als Weißer gelten (*hellhäutiger Neger*). ~ **on I** *v/t* **1.** a) weiterleiten, -geben, -reichen (to *dat od.* an *acc*), befördern, b) 'durch-, weitersagen. **2.** *econ.* abwälzen (to auf *acc*): to ~ wage increases. **II** *v/i* **3.** weitergehen, -schreiten. **4.** 'übergehen (to zu). **5.** → pass away 3. ~ **out I** *v/i* **1.** hin'ausgehen, -fließen. **2.** *sl.* ohnmächtig werden, ,'umkippen'. **II** *v/t* **3.** vergeben, *Bücher* ausgeben. ~ **o·ver I** *v/i* **1.** hin'übergehen, über'queren. **2.** hin'überführen. **3.** 'überleiten. **4.** → pass by 3. **II** *v/t* **5.** über'reichen, -'tragen. ~ **through** *v/i* **1.** hin'durchgehen, -reisen *etc*, pas'sieren. **2.** hin'durchführen. ~ **up** *v/t sl.* **1.** ablehnen. **2.** verzichten auf (*acc*), *e-e Chance etc* (ungenutzt) vor'übergehen lassen. **3.** *j-n* über'gehen.

pass·a·ble [*Br.* 'pɑːsəbl; *Am.* 'pæ(ː)s-] *adj* (*adv* passably) **1.** pas'sierbar, gangbar, befahrbar. **2.** *econ.* gangbar, gültig. **3.** pas'sabel, leidlich.

pas·sage[1] ['pæsidʒ] *s* **1.** Her'ein-, Her'aus-, Vor'über-, 'Durchgehen *n*, 'Durchgang *m*, -reise *f*, -fahrt *f*, -fließen *n*: no ~! kein Durchgang!, keine Durchfahrt!; → bird of passage. **2.** Pas'sage *f*, 'Durch-, Verbindungsgang *m*. **3.** a) Furt *f*, b) Ka'nal *m*. **4.** *bes. Br.* Gang *m*, Korridor *m*. **5.** (See-, Flug)Reise *f*, (See-, 'Über)-Fahrt *f*, Flug *m*: to book a ~ e-e Schiffskarte lösen (to nach); to work one's ~ s-e Überfahrt durch Arbeit abverdienen. **6.** *tech.* 'Durchtritt *m*, -laß *m*. **7.** Vergehen *n*, -streichen *n*, Ablauf *m*: the ~ of time. **8.** *parl.* 'Durchgehen *n*, -kommen *n*, Annahme *f*, In'krafttreten *n* (*e-s Gesetzes*). **9.** *econ.* ('Waren)Tran,sit *m*, 'Durchgang *m*. **10.** *pl* Beziehungen *pl*, Ausein'andersetzung *f*, (*geistiger*) Austausch. **11.** Wortwechsel *m*. **12.** (Text)Stelle *f*, Passus *m* (*in e-m Buch etc*). **13.** *mus.* Pas'sage *f*, Lauf *m*. **14.** *a. fig.* 'Übergang *m*, 'Übertritt *m* (from ... to, into von ... in *acc*, zu). **15.** a) *physiol.* Entleerung *f*, Stuhlgang *m*, b) *anat.* (*Gehör- etc*)Gang *m*, (*Harn- etc*)Weg(e *pl*) *m*: auditory ~; urinary ~. **16.** Über'tragung *f*, 'Übergang *m*.

pas·sage[2] ['pæsidʒ] (*Reitkunst*) **I** *v/i* seitwärts gehen. **II** *v/t das Pferd* pas'sieren lassen. **III** *s* Pas'sage *f*.

pas·sage| at arms *s* **1.** Waffengang *m*. **2.** *fig.* Wortgefecht *n*, 'Rededu,ell *n*. ~ **bed** *s geol.* 'Übergangsschicht *f*. ~ **boat** *s mar.* Fährboot *n*. '~**,way** *s* 'Durchgang *m*, Korridor *m*, Pas'sage *f*.

pas·sant ['pæsənt] *adj her.* schreitend.

'pass|,band *s electr.* 'Durchlaßbereich *m*: ~ amplifier Bandpaßverstärker *m*; ~ attenuation Durchlaß-, Lochdämpfung *f*. '~**,book** *s* **1.** *bes. Br.* Konto-, Bankbuch *n*. **2.** Buch *n* über kredi'tierte Waren. ~ **check** *s Am.* Pas'sierschein *m*. ~ **de·gree** → pass[2] 51 d.

pas·sé *m*, **pas·sée** *f* [pæ'sei; 'pɑːsei] (*Fr.*) *adj* pas'sé: a) vergangen, b) veraltet, über'holt, c) verblüht: a passée belle e-e verblühte Schönheit.

passe·ment ['pæsmənt] *s* Tresse *f*, Borte *f*. **passe'men·terie** [-'mentri] *s* Posa'menten *pl*.

pas·sen·ger ['pæsindʒər] **I** *s* **1.** Passa'gier *m*, Fahr-, Fluggast *m*, Reisende(r *m*) *f*, (*Auto- etc*)Insasse *m*: ~ cabin *aer.* Fluggastraum *m*. **2.** *colloq.* a) ,Schma'rotzer' *m*, 'unproduk,tives *od.* unnützes Mitglied (*e-r Gruppe*), b) Drückeberger *m*, c) *sport* ,Flasche' *f*, ,Ausfall' *m*. **II** *adj* **3.** Passagier...: ~ boat; ~ list. ~ **a·gent** *s Am.* **1.** *rail.* (Fahrkarten)Schalterbeamte(r) *m*. **2.** 'Reisea,gent *m*. ~ **car** *s* **1.** *rail. Am.* Per'sonenwagen *m*. **2.** Per'sonen-(kraft)wagen *m*, Pk'w *m*. '~**-'mile** *s* Passa'giermeile *f* (*statistische Einheit*). ~ **pi·geon** *s orn.* Wandertaube *f*. ~ **plane** *s aer.* Passa'gierflugzeug *n*. ~ **traf·fic** *s* Per'sonenverkehr *m*. ~ **train** *s* Per'sonenzug *m*.

passe par·tout [pɑspar'tu] (*Fr.*) *s* **1.** Hauptschlüssel *m*, Passepar'tout *n*. **2.** Passepar'tout *n* (*Bildumrandung aus leichter Pappe*).

'pass·er-'by *pl* **'pass·ers-'by** *s* Vor'bei-, Vor'übergehende(r *m*) *f*, Pas'sant(in).

pas·ser·i·form ['pæsəri,fɔːrm] *adj orn.* sperlingartig. **'pas·ser,ine** [-,rain; -rin] **I** *adj* zu den Sperlingsvögeln gehörig. **II** *s* Sperlingsvogel *m*.

pass ex·am·i·na·tion *s univ bes. Br.* unterstes Universi'täts-'Abschlußex,amen.

pas·si·bil·i·ty [,pæsi'biliti] *s* Empfindungsvermögen *n*. **'pas·si·ble** *adj* (*adv* passibly) empfindungsfähig.

pas·sim ['pæsim] (*Lat.*) *adv* passim, hie(r) u. da, an verschiedenen Orten *od.* Stellen (*in Büchern*).

pas·sim·e·ter [pæ'simitər] *s* **1.** *Br.* 'Fahrkartenauto,mat *m*. **2.** *Am. vom Schalter aus betätigtes Drehkreuz in U-Bahnhöfen*.

pass·ing [*Br.* 'pɑːsiŋ; *Am.* 'pæ(ː)s-] **I** *adj* **1.** vor'bei-, vor'über-, 'durchgehend: ~ axle *tech.* durchgehende Achse; ~ contact *electr.* Wischkontakt *m*. **2.** vor'übergehend, flüchtig, vergänglich. **3.** flüchtig, beiläufig, oberflächlich. **4.** *ped.* befriedigend: a ~ grade *Am.* die Note „befriedigend". **II** *adv* **5.** *obs.* 'überaus, sehr. **III** *s* **6.** Vor'bei-, 'Durch-, Hin'übergehen *n*: in ~ im Vorbeigehen, *fig.* beiläufig, nebenbei. **7.** *bes. Am.* Über'holen *n*: no ~! *mot.* Überholverbot! **8.** Da'hinschwinden *n*. **9.** 'Hinscheiden *n*, Ableben *n*. **10.** 'Übergang *m*: ~ of title *jur.* Eigentumsübertragung *f*. **11.** *pol.* Annahme *f*, 'Durchgehen *n* (*e-s Gesetzes*). ~ **beam** *s mot.* Abblendlicht *n*. ~ **bell** *s* Totenglocke *f*. ~ **lane** *s mot.* Über'holspur *f*. ~ **shot,** ~ **stroke** *s Tennis*: Pas'sierungsschlag *m*. ~ **zone** *s Staffellauf*: für den Stabwechsel festgelegter Bahnabschnitt.

pas·sion ['pæʃən] **I** *s* **1.** Leidenschaft *f*, heftige Gemütsbewegung *od.* -erregung, leidenschaftlicher (Gefühls)-Ausbruch: she broke into a ~ of tears sie brach in heftiges Weinen aus; → heat 4. **2.** Wut *f*, Zorn *m*: to fly into a ~ e-n Wutanfall bekommen. **3.** Leidenschaft *f*, heftige Liebe *od.* Neigung, heißes (e'rotisches) Verlangen. **4.** Leidenschaft *f*: a) heißer Wunsch, b) Passi'on *f*, Vorliebe *f* (for für): it became a ~ with him es ist ihm zur Leidenschaft geworden, er tut es leidenschaftlich gern(e), c) Liebhabe'rei *f*, Pas'sion *f*: **fishing is his** ~, d) große Liebe (*Person*). **5.** P~ *relig.* a) Passi'on *f* (*a. mus. paint. u. fig.*), Leiden *n* Christi, b) Passi'on(sgeschichte) *f*, Leidensgeschichte *f*, c) *obs.* Mar'tyrium *n.* **II** *v/t* **6.** mit Leidenschaft erfüllen.

pas·sion·al ['pæʃənl] *s* Passio'nal *n* (*Sammlung von Märtyrergeschichten*).

'pas·sion·ate [-nit] *adj* (*adv* ~ly) **1.** leidenschaftlich (*a. fig.*). **2.** heftig, hitzig, jähzornig. **'pas·sion·ate·ness** *s* Leidenschaftlichkeit *f.*

pas·sion·less ['pæʃənlis] *adj* (*adv* ~ly) [leidenschaftslos.]

Pas·sion| play *s relig.* Passi'onsspiel *n.* ~ **Sun·day** *s* Passi'onssonntag *m*, Sonntag *m* Judika. ~ **Week** *s* **1.** Karwoche *f.* **2.** Woche *f* zwischen Passi'onssonntag u. Palm'sonntag.

pas·si·vate ['pæsiˌveit] *v/t chem. tech.* passi'vieren.

pas·sive ['pæsiv] **I** *adj* (*adv* ~ly) **1.** *ling.* passiv, pas'sivisch: ~ **noun** passivisches Substantiv; ~ **verb** intransitives Verb; ~ **voice** Passiv(um) *n*, Leideform *f.* **2.** passiv (*a. electr. med. sport*): a) leidend, untätig, b) teilnahmslos, c) 'widerstandslos: ~ **resistance** passiver Widerstand. **3.** *econ.* untätig, nicht zinstragend, passiv: ~ **debt** unverzinsliche Schuld; ~ **trade** Passivhandel *m.* **4.** *chem.* träge, 'indiffeˌrent. **II** *s* **5.** *ling.* Passiv *n*, Pas'sivum *n.*

'pas·sive·ness, pas'siv·i·ty *s* Passivi'tät *f*, Teilnahms-, 'Widerstandslosigkeit *f.*

'passˌkey *s* **1.** Hauptschlüssel *m.* **2.** Drücker *m.* **3.** Nachschlüssel *m.*

'pass·man [-mən] *s irr ped. Br. Student, der sich auf den* **pass degree** *vorbereitet.*

pas·som·e·ter [pæ'sɒmitər] *s tech.* Schrittmesser *m.*

Pass·o·ver [*Br.* 'pɑːsˌouvər; *Am.* 'pæ(ː)s-] *s* **1.** *relig.* Passah *n*, jüdisches Osterfest. **2.** p~ Osteropfer *n*, -lamm *n*, *fig.* Christus *m.*

pass·port [*Br.* 'pɑːspɔːrt; *Am.* 'pæ(ː)s-] *s* **1.** (Reise)Paß *m*: ~ **(size) photograph** Paßbild *n.* **2.** *econ.* Pas'sierschein *m* (*zur zollfreien Ein- u. Ausfuhr*). **3.** *fig.* Weg *m*, Schlüssel *m* (to zu).

pass| shoot·ing *s Am.* Jagd *f* auf ziehende Vögel (*bes. Wildenten*) über feststehende Strecken. **'~ˌway** *s* 'Durchgang *m*, Engpaß *m.* **'~ˌword** *s* Pa'role *f*, Losung *f*, Kennwort *n.*

past [*Br.* pɑːst; *Am.* pæ(ː)st] **I** *adj* **1.** vergangen, verflossen, ehemalig, *pred* vor'über: **those days are** ~ die(se) Zeiten sind vorüber; **for some time** ~ seit einiger Zeit; ~ **history** *colloq.* ‚olle Kamellen'. **2.** *ling.* Vergangenheits...: ~ **participle** Partizip *n* Perfekt, Mittelwort *n* der Vergangenheit; ~ **tense** Vergangenheit *f.* **3.** vorig(er, e, es), früher(er, e, es), ehemalig(er, e, es), letzt(er, e, es): **the** ~ **president.** **II** *s* **4.** Vergangenheit *f.* **5.** (*persönliche, oft dunkle*) Vergangenheit, Vorleben *n*: **a woman with a** ~ e-e Frau mit Vergangenheit. **6.** *ling.* Vergangenheit(sform) *f.* **III** *adv* **7.** da'hin, vor'bei, vor'über: **to run** ~. **IV** *prep* **8.** (*Zeit*) nach, über (*acc*): **half** ~ **seven** halb acht; **she is** ~ **forty** sie ist über vierzig. **9.** an ... (*dat*) vor'bei *od.* vor'über: **he ran** ~ **the house.** **10.** über ... (*acc*) hin'aus: ~ **comprehension** (völlig) unfaßlich; ~ **cure** unheilbar; ~ **hope** hoffnungslos; ~ **recognition** bis zur Unkenntlichkeit; **I would not put it** ~ **him** *colloq.* das traue ich ihm glatt *od.* ohne weiteres zu.

pas·ta ['pæstə] (*Ital.*) *s* Teigwaren *pl.*

'past-'due *adj bes. econ.* 'überfällig: ~ **bill**; ~ **interest** Verzugszinsen *pl.*

paste [peist] **I** *s* **1.** Teig *m*, (*Batterie-, Fisch-, Zahn- etc*)Paste *f*, breiige Masse, Brei *m*: ~ **solder** *tech.* Lötpaste. **2.** Kleister *m*, Klebstoff *m*, Papp *m.* **3.** *tech.* Glasmasse *f.* **4.** *min.* (Ton)-Masse *f.* **5.** a) Paste *f* (*zur Diamantenherstellung*), b) Simili *n*, *m*, künstlicher Edelstein. **6.** *tech.* (*Ton-, Gips- etc*)-Brei *m* (*in der Porzellan- u. Steingutherstellung*). **II** *v/t* **7.** (fest-, zs.-)kleben, kleistern, pappen. **8.** bekleben (**with** mit). **9.** *meist* ~ **up** a) auf-, ankleben (on auf, an *acc*), einkleben (in in *acc*), b) verkleistern (*Loch*). **10.** *electr. tech. Akkuplatten* pa'stieren. **11.** *sl.* ('durch)hauen: **he** ~**d him one** er ‚klebte' ihm eine. **'~ˌboard I** *s* **1.** Pappe *f*, Papp(en)-deckel *m*, Kar'ton *m.* **2.** *sl.* a) Vi'sitenkarte *f*, b) Spielkarte(n *pl*) *f*, c) Eintrittskarte *f.* **II** *adj* **3.** Papp(en)..., Karton..., aus Pappe. **4.** *fig.* unecht, wertlos, kitschig. **'~ˌdown** *s Buchbinderei*: Vorsatz *m*, *n.*

pas·tel ['pæstel; pæs'tel] **I** *s* **1.** *bot.* Färberwaid *m.* **2.** Waidblau *n* (*Farbe*). **3.** Pa'stellstift *m.* **4.** Pa'stellmaleˌrei *f.* **5.** Pa'stell(zeichnung *f*) *n.* **6.** Pa'stellfarbe *f*, -ton *m.* **II** *adj* **7.** Pastell...: **a** ~ **drawing.** **8.** Pastell..., pa'stellfarbig, zart, duftig (*Farbe*). **'pas·tel·(l)ist** *s* Pa'stellmaler(in).

past·er ['peistər] *s Am.* Aufklebzettel *m*, 'Klebstreifen *m*, -paˌpier *n.*

pas·tern ['pæstərn] *s zo.* Fessel *f* (*vom Pferd*): ~ **joint** Fesselgelenk *n.*

'paste-ˌup *s* ('Photo)Monˌtage *f.*

pas·teur·ism ['pæstəˌrizəm] *s med.* Impfen *n*, Immuni'sieren *n* mit Impfstoff.

pas·teur·i·za·tion [ˌpæstərai'zeiʃən; -ri-] *s* Pasteuri'sierung *f.* **'pas·teurˌize** *v/t* pasteuri'sieren, sterili'sieren.

pas·tille [pæs'tiːl; -'til] *s* **1.** Räucherkerzchen *n.* **2.** *pharm.* Pa'stille *f.*

pas·time [*Br.* 'pɑːsˌtaim; *Am.* 'pæ(ː)s-] *s* Zeitvertreib *m*, Kurzweil *f*, Belustigung *f*: **by way of a** ~, **as a** ~ zum Zeitvertreib.

past·i·ness ['peistinis] *s* **1.** breiiger Zustand, breiiges *od.* teigiges Aussehen. **2.** *fig.* ‚käsiges' Aussehen.

past·ing ['peistiŋ] *s* **1.** Kleistern *n*, Kleben *n.* **2.** Klebstoff *m.* **3.** *sl.* ‚Dresche' *f*, (Tracht *f*) Prügel *pl.*

past mas·ter *s* Altmeister *m*, wahrer Meister *od.* Künstler (in s-m Fach), großer Könner: **to be a** ~ **in** *od.* **of** nicht zu übertreffen sein in (*dat*).

pas·tor [*Br.* 'pɑːstər; *Am.* 'pæ(ː)s-] *s* Pfarrer *m*, Pastor *m*, Seelsorger *m.*

'pas·to·ral I *adj* **1.** Schäfer..., Hirten..., i'dyllisch, ländlich. **2.** *relig.* pasto'ral, seelsorgerisch: ~ **staff** Krummstab *m.* **II** *s* **3.** Schäfer-, Hirtengedicht *n*, I'dylle *f.* **4.** *bes. paint.* ländliche Szene. **5.** *mus.* a) Schäferspiel *n*, b) ländliche Kan'tate, c) Pasto'rale *n*, *f.* **6.** *relig.* a) Hirtenbrief *m* (*e-s Bischofs*), b) *pl*, *a.* P~ **Epistles** Pasto'ralbriefe *pl* (*des Apostel Paulus*).

pas·to·ra·le [ˌpæstə'rɑːli] *pl* **-ra·li** [-'rɑːliː] *od.* **-'ra·les** [-liz] *s mus.* Pasto'rale *n*, *f.*

pas·tor·ate [*Br.* 'pɑːstərit; *Am.* 'pæ(ː)s-] *s* **1.** Pasto'rat *n*, Pfarr-, Seelsorgeramt *n.* **2.** *collect.* (*die*) Geistlichen *pl*, Geistlichkeit *f.* **3.** *Am.* Pfarrhaus *n.*

past per·fect *s ling.* Vorvergangenheit *f*, Plusquamperfekt(um) *n.*

pas·try ['peistri] *s* **1.** feines Gebäck, Torten(gebäck *n*) *pl*, Pa'steten *pl*, Kon'ditorware *f.* **2.** Blätterteig *m.* ~ **cook** *s*, **'~·man** [-mən] *s irr.* **1.** Pa'stetenbäcker *m.* **2.** Kon'ditor *m.*

pas·tur·age [*Br.* 'pɑːstjuridʒ; *Am.* 'pæ(ː)stʃər-] *s* **1.** Weiden *n* (*von Vieh*). **2.** Weidegras *n*, Grasfutter *n.* **3.** Weide(land *n*) *f.* **4.** Bienenzucht *f* u. -fütterung *f.*

pas·ture [*Br.* 'pɑːstʃər; *Am.* 'pæ(ː)s-] **I** *s* **1.** Weideland *n*: **to seek greener** ~**s** *fig.* sich nach besseren Möglichkeiten umsehen; **to retire to** ~ (*in den Ruhestand*) abtreten. **2.** → **pasturage** 2. **II** *adj* **3.** Weide... **III** *v/i* **4.** grasen, weiden. **IV** *v/t* **5.** weiden, auf die Weide treiben. **6.** *Land* als Weideland verwenden. **7.** abweiden.

past·y[1] ['peisti] *adj* **1.** breiig, teigig, kleist(e)rig. **2.** bläßlich, ‚käsig'.

past·y[2] ['pæsti; *Br. a.* 'pɑːsti] *s* ('Fleisch)Paˌstete *f.*

pat[1] [pæt] **I** *s* **1.** *Br.* (*leichter*) Schlag, Klaps *m*: ~ **on the back** *fig.* Schulterklopfen *n*, Lob *n*, Anerkennung *f*, Glückwunsch *m*; **he gave himself a** ~ **on the back** er gratulierte sich (selbst) dazu. **2.** (Butter)Klümpchen *n.* **3.** Getrappel *n*, Tapsen *n*, Patschen *n*: **the** ~ **of bare feet on the floor.** **4.** *mus.* 'Negertanzmeloˌdie *f.* **II** *adj* **5.** a) pa'rat, bereit: **to have s.th.** ~, b) fließend: **to know s.th. off** ~, **to have it down** ~ *colloq.* ‚etwas (wie) am Schnürchen können', c) passend, treffend: **a** ~ **tale**; ~ **answer** schlagfertige Antwort; ~ **solution** Patentlösung *f*, d) (allzu)-glatt, gekonnt: ~ **style.** **6.** fest, unbeweglich: **to stand** ~ festbleiben, sich nicht beirren lassen. **7.** gerade recht, rechtzeitig, günstig. **III** *adv* **8.** im rechten Augenblick, wie gerufen, wie erwünscht. **IV** *v/t* **9.** *Br.* klopfen, tätscheln, e-n Klaps geben (*dat*): **to** ~ **s.o. on the back** j-m (anerkennend) auf die Schulter klopfen, *fig.* j-n beglückwünschen. **V** *v/i* **10.** tapsen, tappen, patschen. **11.** klatschen, klopfen (on an, auf *acc*).

Pat[2] [pæt] *s* Ire *m*, Irländer *m* (*Spitzname*).

'pat-a-ˌcake *s* backe, backe Kuchen [(*Kinderspiel*).]

pa·ta·gi·um [pə'teidʒiəm] *pl* **-gi·a** [-ə] *s* Flughaut *f* (*der Fledermäuse*), Windfang *m* (*von Vögeln*).

'pat-ˌball *s sport contp.* ‚lahmes' (Tennis)Spiel.

patch [pætʃ] **I** *s* **1.** Fleck *m*, Flicken *m*, Stück *n* Stoff *etc*, Lappen *m*: **not a** ~ **on** *colloq.* gar nicht zu vergleichen mit. **2.** *mil. etc* Tuchabzeichen *n.* **3.** Schönheitspflästerchen *n.* **4.** *med.* a) (Heft)Pflaster *n*, b) Augenbinde *f*, -klappe *f.* **5.** Fleck *m*, Stück *n* Land *od.* Rasen, Stelle *f*: **a** ~ **of beans** ein mit Bohnen bepflanztes Stückchen Land. **6.** Stelle *f*, Abschnitt *m* (*in e-m Buch*). **7.** *zo. etc* (Farb)Fleck *m.* **8.** a) Stück(chen) *n*, Brocken *m*, b) *pl* Bruchstücke *pl*, (*etwas*) Zs.-gestoppeltes: **in** ~**es** stellenweise; **to strike a bad** ~ e-e ‚Pechsträhne' *od.* kein Glück *od.* e-n schwarzen Tag haben. **9.** Korrek'turbefehl *m* (*beim Computer*).

II *v/t* **10.** flicken, (e-n) Flicken einsetzen in (*acc*), ausbessern. **11.** mit Flecken *od.* Stellen versehen: **a hillside** ~**ed with grass.** **12.** ~ **up** *bes. fig.* a) repa'rieren, ‚flicken': **to** ~ **up a friendship** e-e Freundschaft ‚kitten' *od.* ‚leimen', b) *etwas* zs.-stoppeln: **to** ~ **up a textbook**, c) *e-n Streit* beilegen, d) über'tünchen, beschönigen. **13.** *electr.* a) (ein)stöpseln, b) zs.-schalten. **'~ˌboard** *s* Steck-, Schalttafel *f* (*am Computer*). **'~ˌcord** *s electr.* Steckerschnur *f.*

patch·ou·li ['pætʃuli; pə'tʃuːli] *s* Patschuli *n* (*Pflanze od. Parfüm*).

patch| pock·et *s* aufgesetzte Tasche. **~ test** *s med.* Einreib-, Tuberku'linprobe *f.* '**~,word** *s ling.* Flickwort *n.* '**~,work I** *s* **1.** Flickwerk *n* (*a. fig.*). **2.** *fig.* Mischmasch *m.* **3.** (*etwas*) Buntgemustertes *od.* Zs.-gestückeltes. **II** *adj* **4.** flickenartig, Flicken..., zs.-gestükkelt. **5.** *fig.* zs.-gestoppelt.

patch·y ['pætʃi] *adj* (*adv* **patchily**) **1.** voller Flicken. **2.** *fig.* zs.-gestoppelt. **3.** fleckig. **4.** *fig.* uneinheitlich, ungleich-, unregelmäßig.

pate [peit] *s colloq.* ‚Birne' *f*, ‚Schädel' *m.*

pâte [pɑːt] (*Fr.*) *s tech.* (Porzel'lan)-Paste *f.*

pâ·té [pɑː'te] (*Fr.*) *s* Pa'stete *f.*

-pated [peitid] *in Zssgn* ...köpfig.

pa·tel·la [pə'telə] *pl* **-lae** [-liː] (*Lat.*) *s anat.* Kniescheibe *f.*

pat·en ['pætən] *s relig.* Pa'tene *f*, Hostienteller *m.*

pa·ten·cy ['peitənsi] *s* **1.** Offenkundigkeit *f.* **2.** *med.* Offensein *n*, 'Durchgängigkeit *f* (*e-s Ganges, Kanals etc*).

pat·ent ['pætənt; *Br. a.* 'pei-] **I** *adj* (*adv* **~ly**) **1.** offen: **letters ~** → 7 *u.* 8. **2.** ['peitənt] offen(kundig): **to be ~** auf der Hand liegen; **to become ~ from** klar hervorgehen aus (*dat*). **3.** mit offizi'ellen Privi'legien ausgestattet. **4.** paten'tiert, gesetzlich geschützt: **~ article** Markenartikel *m*; **~ fuel** Preßkohlen. **5.** Patent...: → **agent** (*Am.* **attorney**) Patentanwalt *m*; **~ application** Patentanmeldung *f*; **~ claim** Patentanspruch *m*; **~ law** (*objektives*) Patentrecht; **P~ Office** Patentamt *n*; **~ right** (*subjektives*) Patentrecht; **~ roll** *Br.* Patentregister *n*; **~ specification** Patentbeschreibung *f*, -schrift *f.* **6.** *Br. colloq.* ‚pa'tent': **~ methods.** **II** *s* **7.** Pa'tent *n*, Privi'leg *n*, Freibrief *m*, Bestallung *f.* **8.** Pa'tent *n* (*für e-e Erfindung*) (**on** auf *acc*), Pa'tenturkunde *f*: **~ of addition** Zusatzpatent; **to take out a ~ for** → 11; **~ applied for, ~ pending** (zum) Patent angemeldet. **9.** *Br. colloq.* ‚Pa'tent' *n*, raffi'nierte Sache. **III** *v/t* **10.** paten'tieren, gesetzlich schützen, ein Pa'tent erteilen auf (*acc*). **11.** *etwas* paten'tieren lassen. **12.** *tech.* paten'tieren, glühen. '**pat·ent·a·ble** *adj jur.* pa'tentfähig. **,pat·ent'ee** [-'tiː] *s* Pa'tentinhaber(in).

pat·ent| leath·er *s tech.* Lack-, Glanzleder *n*: **~ shoes** Lackschuhe. **~ med·i·cine** *s pharm.* 'Markenmedi,zin *f.*

pa·ter ['peitər] *s ped. sl.* ‚alter Herr' (*Vater*). **,pa·ter·fa'mil·i·as** [-fə'miliəs] *pl* **,pa·tres·fa'mil·i·as** [,peitriːz-] *s* Fa'milienoberhaupt *n*, Hausvater *m.*

pa·ter·nal [pə'təːrnl] *adj* (*adv* **~ly**) **1.** väterlich. **2.** von der *od.* auf der Seite des Vaters: **~ grandfather** Großvater *m* väterlicherseits. **pa'ter·nal·,ism** *s* väterliche Fürsorge (*bes. des Staates für s-e Bürger*). **pa'ter·nal·ist, pa,ter·nal'is·tic** *adj* väterlich sorgend, fürsorglich.

pa·ter·ni·ty [pə'təːrniti] *s* **1.** Vaterschaft *f* (*a. fig.*): **to declare ~** *jur.* die Vaterschaft feststellen; **~ test** *jur. med.* (Blutgruppen)Test *m* zur Feststellung der Vaterschaft. **2.** *fig.* Urheberschaft *f.*

pa·ter·nos·ter ['pætər'nɒstər; 'pei-] **I** *s* **1.** *relig.* Pater'noster *n*, Vaterunser *n.* **2.** *R.C.* a) Pater'nosterperle *f*, b) Rosenkranz *m.* **3.** *arch.* Perlstab *m.* **4.** *a.* **~ line** Angelschnur *f* mit Haken in Zwischenräumen u. kugelförmigen Senkern. **5.** Zauberspruch *m*: **black ~** Anrufung *f* der bösen Geister. **II** *adj* **6.** *tech.* Paternoster...

path [*Br.* pɑːθ; *Am.* pæ(ː)θ] *s* **1.** (Fuß)-Pfad *m*, (-)Weg *m.* **2.** *fig.* Pfad *m*, Weg *m*, Bahn *f*: **to cross s.o.'s ~** j-s Weg kreuzen. **3.** *phys. tech.*, *a. sport* Bahn *f*: **~ of current** Stromweg *m*; **~ of discharge** *electr.* Entladungsstrecke *f*; **~ of electrons** Elektronenbahn. **4.** *astr.* Bahn *f*: **~ of a comet.**

Pa·than [pə'tɑːn] *s* Af'ghane *m.*

pa·thet·ic [pə'θetik] **I** *adj* (*adv* **~ally**) **1.** pa'thetisch, rührend, ergreifend. **2.** a) bemitleidenswert, kläglich, b) ‚rührend', komisch. **3.** traurig, trübselig. **4.** *anat.* den Augenrollmuskel *od.* den pa'thetischen Nerv betreffend: **~ muscle; ~ nerve.** **II** *s* **5.** (*das*) Pa'thetische, pa'thetischer Stil. **6.** *pl* pa'thetische Gefühle *pl*, pathetisches Verhalten.

'path,find·er *s* **1.** Pfadfinder *m* (*a. aer. mil.*). **2.** *aer. mil.* Zielbeleuchter *m* (*Flugzeug*). **3.** *fig.* Bahnbrecher *m.*

path·ic ['pæθik] *s* **1.** leidender Teil. **2.** Lustknabe *m.*

path·less [*Br.* 'pɑːθlis; *Am.* 'pæ(ː)θ-] *adj* pfad-, weglos.

path·o·gen ['pæθodʒen] *s med.* Krankheitserreger *m.*

path·o·gen·e·sis [,pæθə'dʒenisis] *s med.* Pathoge'nese *f* (*Entstehung e-r Krankheit*). **,path·o·ge'net·ic** [-dʒi'netik], **,path·o'gen·ic, pa·thog·e·nous** [pə'θɒdʒinəs] *adj* patho'gen, krankheitserregend. **pa'thog·e·ny** → **pathogenesis.**

pa·thog·no·my [pə'θɒgnəmi] *s med.* Sym'ptomenlehre *f.*

path·o·log·i·cal [,pæθə'lɒdʒikəl] *adj* (*adv* **~ly**) *med.* patho'logisch: a) krankhaft, b) die Krankheitslehre betreffend. **pa·thol·o·gist** [pə'θɒlədʒist] *s med.* Patho'loge *m.* **pa'thol·o·gy** [-dʒi] *s* **1.** Patholo'gie *f*, Krankheitslehre *f.* **2.** patho'logischer Befund.

pa·thos ['peiθɒs] *s* **1.** (*das*) Ergreifende *od.* Rührende *od.* Mitleiderregende. **2.** Mitleid *n.*

path,way → **path** 1 *u.* 2.

pa·tience ['peiʃəns] *s* **1.** Geduld *f*: a) Ausdauer *f*, b) Nachsicht *f*, Langmut *f*: **to lose one's ~** die Geduld verlieren; **to be out of ~ with s.o.** j-n nicht mehr ertragen können; **to have no ~ with s.o.** nichts übrig haben für j-n; **to try s.o.'s ~** j-s Geduld auf die Probe stellen. **2.** *bot.* Gartenampfer *m.* **3.** *bes. Br.* Pati'ence *f* (*Kartenspiel*).

pa·tient ['peiʃənt] **I** *adj* (*adv* **~ly**) **1.** geduldig: a) ausdauernd, beharrlich: **~ efforts,** b) (geduldig) ertragend: **to be ~ of s.th.** etwas (geduldig) ertragen, c) nachsichtig. **2.** zulassend, gestattend: **~ of two interpretations.** **II** *s* **3.** Pati'ent(in), Kranke(r *m*) *f.* **4.** *jur. Br.* Geistesgestörte(r *m*) *f* (*in e-r Heil- u. Pflegeanstalt*). **5.** Duldende(r *m*) *f.*

pat·i·na ['pætinə] *s* **1.** Patina *f* (*a. fig.*), Edelrost *m.* **2.** Altersfärbung *f.* '**pat·i·,nate** [-,neit] **I** *v/t* pati'nieren. **II** *v/i* Patina ansetzen (*a. fig.*). '**pat·i·nous** *adj* pati'niert.

pa·ti·o ['pɑːti,ou] *s arch.* Patio *m*, Innenhof *m.*

pat·ois ['pætwɑː] (*Fr.*) *s* Pa'tois *n*, Mundart *f.*

pa·tri·arch ['peitri,ɑːrk] *s* **1.** *relig.* Patri'arch *m*: a) *Bibl.* Erzvater *m*, b) Oberbischof *m.* **2.** *fig.* ehrwürdiger alter Mann. **3.** Fa'milien-, Stammesoberhaupt *n.* **,pa·tri'ar·chal** *adj* patriar'chalisch (*a. fig. ehrwürdig*). '**pa·tri,arch·ate** [-kit] *s* Patriar'chat *n.* '**pa·tri,arch·y** *s* Patriar'chat *n*, patriar'chalische Re'gierungsform.

pa·tri·cian [pə'triʃən] **I** *adj* **1.** pa'trizisch, Patrizier... **2.** *fig.* aristo'kratisch. **II** *s* **3.** Pa'trizier(in) (*a. fig.*).

pat·ri·cide ['pætri,said] *Am. für* **parricide.**

pat·ri·mo·ni·al [,pætri'mouniəl; -njəl] *adj* ererbt, Erb..., patrimoni'al. '**pat·ri·mo·ny** [*Br.* -məni; *Am.* -,mouni] *s* **1.** Patri'monium *n*, Erbvermögen *n*, väterliches Erbteil. **2.** Vermögen *n* (*a. fig.*). **3.** Kirchengut *n.*

pa·tri·ot ['peitriət] *s* Patri'ot(in). **,pa·tri·ot'eer** *s contp.* Hur'rapatri,ot(in). **,pa·tri'ot·ic** [-'ɒtik] *adj* (*adv* **~ally**) patri'otisch. '**pa·tri·ot,ism** *s* Patrio'tismus *m*, Vaterlandsliebe *f.*

pa·tris·tic [pə'tristik] *adj relig.* pa'tristisch, die Kirchenväter betreffend.

pa·trol [pə'troul] **I** *v/i* **1.** patrouil'lieren, die Runde machen (*Soldaten, Polizei*). **2.** *mil.* auf Spähdienst sein. **II** *v/t* **3.** 'abpatrouil,lieren, durch'streifen, über'wachen, *aer. Strecke* abfliegen. **III** *s* **4.** Runde *f*, Patrouil'lieren *n.* **5.** a) *mil.* Pa'trouille *f*, Späh-, Stoßtrupp *m*, b) (Poli'zei)Streife *f*: **~ activity** Spähtrupptätigkeit *f*; **~ car** (*a.* Polizei)Streifenwagen *m*, *mil.* (Panzer)Spähwagen *m*; **~ vessel** *mar.* Küstenwachboot *n*; **~ wagon** *Am.* (Polizei)Gefangenenwagen *m.* **6.** **~ mission** *aer.* Pa'trouillen-, Streifenflug *m.*

pa'trol·man [-mən] *s irr. Am.* Poli'zeistreife *f*, Poli'zist *m* auf Streife.

pa·tron ['peitrən] *s* **1.** Pa'tron *m*, Schutz-, Schirmherr *m.* **2.** Gönner *m*, Förderer *m*: **~ of the fine arts** Förderer der schönen Künste. **3.** *relig.* a) 'Kirchenpa,tron *m*, b) *a.* **~ saint** Schutzheilige(r) *m.* **4.** *econ.* a) (Stamm)-Kunde *m*, b) Stammgast *m*, (ständiger) Besucher (*a. thea.*).

pa·tron·age ['peitrənidʒ; 'pæt-] *s* **1.** Protekti'on *f*, Gönnerschaft *f*, Begünstigung *f*, Förderung *f*, Schutz *m*, Patro'nat *n*, Schirmherrschaft *f.* **2.** *jur.* Patro'natsrecht *n.* **3.** Kundschaft *f.* **4.** gönnerhaftes Benehmen. **5.** *Am.* Recht *n* der Ämterbesetzung.

pa·tron·ess ['peitrənis; 'pæt-] *s* **1.** Pa'tronin *f*, Schutzherrin *f*, Gönnerin *f*, Förderin *f.* **2.** *relig.* Schutzheilige *f.* **3.** *jur. Br.* 'Kirchenpa,tronin *f.*

pa·tron·ize ['peitrə,naiz; 'pæt-] *v/t* **1.** fördern, begünstigen, unter'stützen, beschirmen, beschützen. **2.** (Stamm)-Kunde *od.* Stammgast sein bei, *ein Theater etc* regelmäßig besuchen. **3.** gönnerhaft behandeln. '**pa·tron,iz·er** *s* Förderer *m*, regelmäßiger Besucher, Kunde *m*, Gönner *m.* '**pa·tron,iz·ing** *adj* (*adv* **~ly**) gönnerhaft, her'ablassend: **~ air** Gönnermiene *f.*

pat·ro·nym·ic [,pætrə'nimik] *ling.* **I** *adj* patro'nymisch (*e-n von den Vorfahren abgeleiteten Namen tragend od. betreffend*): **~ name** → II. **II** *s* Patro'nymikum *n.*

pa·troon [pə'truːn] *s Am. hist.* privile'gierter Grundbesitzer.

pat·té(e) ['pæti; pæ'tei] *adj her.* mit verbreiterten Enden: **cross ~** Schaufelkreuz *n.*

pat·ten ['pætn] *s* **1.** Holzschuh *m.* **2.** Stelzschuh *m.* **3.** *arch.* Säulenfuß *m.*

pat·ter¹ ['pætər] **I** *v/i* **1.** schwatzen, plappern. **2.** (e-n) Jar'gon sprechen. **3.** *thea.* den Text ‚her'unterrasseln'. **II** *v/t* **4.** plappern, schwatzen. **5.** *e-n Text* ‚her'unterrasseln'. **III** *s* **6.** Geplapper *n.* **7.** Rotwelsch *n*, Gaunersprache *f*, Jar'gon *m.* **8.** *thea.* a) ‚Re'volverschnauze' *f* (*e-s Komikers*), b) schnell gesprochener Text e-s Schlagers *etc*: **~ song** Lied *n etc*, dessen Text schnell heruntergerasselt wird.

pat·ter² ['pætər] **I** *v/i* **1.** prasseln (*Re-*

gen etc). **2.** trappeln (*Füße*). **II** *s* **3.** Prasseln *n* (*des Regens etc*). **4.** (Fuß)-Getrappel *n*. **5.** Klappern *n*, Schlagen *n*: rear wheel ~.

pat·tern ['pætərn] **I** *s* **1.** (*a.* Schnitt-, Strick)Muster *n*, Vorlage *f*, Mo'dell *n*: on the ~ of nach dem Muster von (*od. gen*). **2.** *econ.* Muster *n*: a) (Waren)Probe *f*, Musterstück *n*, b) Des'sin *n*, Mo'tiv *n* (*von Stoffen*): by ~ post *mail* als Muster ohne Wert. **3.** *fig.* Muster *n*, Vorbild *n*, Beispiel *n*. **4.** *Am.* Stoff *m* zu e-m Kleid *etc*. **5.** 'Probemo,dell *n* (*e-r Münze*). **6.** *tech.* a) Scha'blone *f*, b) 'Gußmo,dell *n*, c) Lehre *f*. **7.** (*a.* oszillo'graphisches) Bild, (*a. Eisblumen*)Muster *n*. **8.** (Schuß-, Treffer)Bild *n*: ~ of a gun. **9.** *Eiskunstlauf*: Zeichnung *f*. **10.** (*a. künstlerische*) Gestaltung, Anlage *f*, Struk'tur *f*, Kompositi'on *f*, Schema *n*, Gesamtbild *n*, Muster *n*, (gefügte) Form: the ~ of a novel die Anlage *od.* der Aufbau e-s Romans. **11.** Verhaltensweise *f*, (*Denk- etc*)Gewohnheiten *pl*: thinking ~s; behavio(u)r ~ Verhaltensmuster *n*. **12.** *meist pl* Gesetzmäßigkeit(en *pl*) *f*: historical ~s. **II** *v/t* **13.** (nach)bilden, gestalten, formen (after nach): to ~ one's conduct on s.o. sich (in s-m Benehmen) ein Beispiel an j-m nehmen. **14.** mit Muster(n) verzieren, mustern. **15.** nachahmen. **III** *v/i* **16.** ein Muster bilden. **IV** *adj* **17.** Muster..., vorbildlich. **18.** typisch.

pat·tern| bomb·ing *s aer. mil.* (Bomben)Flächenwurf *m*, Bombenteppich(e *pl*) *m*. ~ **book** *s econ.* Musterbuch *n*. ~ **mak·er** *s tech.* Mo'dellmacher *m*. ~ **mak·ing** *s tech.* Mo'dellanfertigung *f*. ~ **paint·ing** *s mil.* Tarnanstrich *m*.

pat·ty ['pæti] *s* Pa'stetchen *n*: ~ shell ungefüllte Blätterteigpastete. '~,**pan** *s* kleine Pa'steten- *od.* Kuchenform.

pau·ci·ty ['pɔːsiti] *s* geringe Zahl *od.* Menge.

Paul [pɔːl] *npr* Paul *m*: ~ Pry Naseweis *m*.

Paul·ine ['pɔːlain; -liːn] *adj relig.* pau'linisch. '**Paul·in,ism** [-li,nizəm] *s relig.* Pauli'nismus *m*, pau'linische Theolo'gie.

pau·lo-post-fu·ture [,pɔːlo,poust'fjuːtʃər] *s ling. Br.* Fu'turum *n* Per'fekti.

paunch [pɔːntʃ] *s* **1.** (Dick)Bauch *m*, Wanst *m*. **2.** *zo.* Pansen *m* (*der Wiederkäuer*). **3.** *mar.* Stoßmatte *f*. '**paunch·y** *adj* dickbäuchig.

pau·per ['pɔːpər] **I** *s* **1.** Arme(r *m*) *f*. **2.** Unter'stützungsempfänger(in). **3.** *jur.* a) unter Armenrecht Klagende(r *m*) *f*, b) Beklagte(r *m*) *f*, der *od.* die das Armenrecht genießt. **II** *adj* **4.** Armen... '**pau·per,ism** *s* **1.** Verarmung *f*, (dauernde *od.* Massen)Armut. **2.** *collect.* die Armen *pl*. '**pau·per,ize** *v/t* **1.** (bettel)arm machen. **2.** zum Unter'stützungsempfänger machen.

pause [pɔːz] **I** *s* **1.** Pause *f*, Unter'brechung *f*, Innehalten *n*: to make a ~ → 6. **2.** Zögern *n*: it gives one ~ to think es gibt einem zu denken. **3.** *print.* Gedankenstrich *m*: ~ dots Auslassungspunkte. **4.** *mus.* Fer'mate *f*: → general pause. **5.** Absatz *m*, Zä'sur *f*. **II** *v/i* **6.** e-e Pause machen *od.* einlegen, pau'sieren, innehalten. **7.** zögern. **8.** aushalten, verweilen (on, upon bei): to ~ upon a word; to ~ upon a note (*od.* tone) *mus.* e-n Ton aushalten.

pav·an(e) ['pævən] *s* Pa'vane *f* (*Tanz*).

pave [peiv] *v/t* *e-e Straße* pflastern, *den Boden* belegen (with mit): to ~ the way for *fig.* den Weg ebnen für; ~d runway *aer.* befestigte Start- u. Landebahn. '**pave·ment** *s* **1.** (Straßen)Pflaster *n*. **2.** *Br.* Bürgersteig *m*, Trot'toir *n*: ~ artist Pflaster-, Trottoirmaler *m*. **3.** *Am.* Fahrbahn *f*. **4.** Pflasterung *f*, Fußboden(belag) *m*. '**pav·er** *s* **1.** Pflasterer *m*. **2.** Fliesen-, Plattenleger *m*. **3.** Pflasterstein *m*, Fußbodenplatte *f*. **4.** *Am.* 'Straßenbe,tonmischer *m*.

pa·vil·ion [pə'viljən] **I** *s* **1.** (großes) Zelt. **2.** Zeltdach *n*. **3.** *arch.* Pavillon *m*, Gartenhäus-chen *n*. **4.** *arch.* Seitenflügel *m*, Anbau *m*. **5.** *econ.* (Messe)-Pavillon *m*. **6.** *sport Br.* Sportplatzgebäude *n*. **II** *v/t* **7.** mit Zelten versehen *od.* bedecken. ~ **chi·nois** [ʃiː'nwɑː] *s mil. mus.* Schellenbaum *m*.

pav·ing ['peiviŋ] *s* **1.** Pflastern *n*, (Be)-Pflasterung *f*. **2.** Straßenpflaster *n*, -decke *f*. **3.** (Fuß)Bodenbelag *m*. ~ **bee·tle** *s* Pflaster-, Handramme *f*. ~ **stone** *s* Pflasterstein *m*. ~ **tile** *s* Fliese *f*.

pav·ior, *Br.* **pav·iour** ['peivjər] *s* Pflasterer *m*.

pav·is(e) ['pævis] *s mil. hist.* Pa'vese *f* (*großer Schild*).

paw [pɔː] **I** *s* **1.** Pfote *f*, Tatze *f*. **2.** *colloq.* a) ‚Pfote' *f* (*Hand*): ~s off! Pfoten weg!, b) ‚Klaue' *f* (*Handschrift*). **II** *v/t* **3.** (*mit dem Vorderfuß od. der Pfote*) scharren, stampfen. **4.** *colloq.* ‚betatschen': a) derb *od.* ungeschickt anfassen, b) tätscheln, ‚begrabschen': to ~ the air (wild) in der Luft herumfuchteln. **III** *v/i* **5.** scharren, stampfen. **6.** *colloq.* ‚(her'um)fummeln'.

pawk·y ['pɔːki] *adj bes. Scot.* schlau.

pawl [pɔːl] *s* **1.** *tech.* Sperrhaken *m*, -klinke *f*, Klaue *f*. **2.** *mar.* Pall *n*.

pawn[1] [pɔːn] **I** *s* **1.** Pfand(gegenstand *m*, -stück *n*) *n*, 'Unterpfand *n* (*a. fig.*), *jur. u. fig. a.* Faustpfand *n*: in (*od.* at) ~ verpfändet, versetzt; to put in ~ → 2. **II** *v/t* **2.** verpfänden (*a. fig.*), versetzen. **3.** *econ.* lombar'dieren.

pawn[2] [pɔːn] *s* **1.** *Schachspiel*: Bauer *m*. **2.** *fig.* (bloße) 'Schachfi,gur.

'**pawn,bro·ker** *s* Pfandleiher *m*. '**pawn,bro·king** *s* Pfandleihgeschäft *n*.

pawn·ee [,pɔː'niː] *s jur.* Pfandinhaber *m*, -nehmer *m*. '**pawn·er**, '**pawn·or** [-nər] *s* Pfandschuldner *m*.

'**pawn,shop** *s* Pfandhaus *n*, -leihe *f*: ~ ticket Pfandschein *m*.

pax [pæks] **I** *s* **1.** *relig.* Pax *f*, Kuß-, Paxtafel *f*. **2.** Friedenskuß *m*. **II** *interj* **3.** *ped. Br. sl.* Friede!

pay[1] [pei] **I** *s* **1.** Bezahlung *f*. **2.** (Arbeits)Lohn *m*, Löhnung *f*, Gehalt *n*, Bezahlung *f*, Besoldung *f*, Sold *m* (*a. fig.*), *mil.* (Wehr)Sold *m*: in the ~ of s.o. bei j-m beschäftigt, in j-s Sold (*bes. contp.*); → full pay. **3.** *fig.* Belohnung *f*, Lohn *m*. **4.** *colloq.* Zahler(in): he is good ~. **5.** *min. Am.* ertragreiches Erz.

II *v/t pret u. pp* **paid,** *obs.* **payed** **6.** *etwas* (ab-, aus)zahlen, entrichten, abführen, *e-e Rechnung* (be)zahlen, begleichen, *e-e Hypothek* ablösen, *e-n Wechsel* einlösen: to ~ one's way a) ohne Verlust arbeiten, s-n Verbindlichkeiten nachkommen, b) auskommen (mit dem, was man hat). **7.** *j-n* bezahlen: they paid the waiter; let me ~ you for the book laß mich dir das Buch bezahlen; I cannot ~ him for his loyalty ich kann ihm s-e Treue nicht (be)lohnen. **8.** *fig.* (be)lohnen, vergelten (for für): to ~ home heimzahlen. **9.** *Aufmerksamkeit* schenken, *e-n Besuch* abstatten, *Ehre* erweisen, *ein Kompliment* machen (*etc, siehe die Verbindungen mit den verschiedenen Substantiven*). **10.** entschädigen (for für). **11.** sich lohnen für (*j-n*), *j-m* nützen, *j-m* etwas einbringen.

III *v/i* **12.** zahlen, Zahlung leisten (for für): to ~ for *etwas* bezahlen (*a. fig. büßen*), die Kosten tragen für; he had to ~ dearly for it *fig.* er mußte es bitter büßen, es kam ihn teuer zu stehen; to ~ by check (*Br.* cheque) per Scheck zahlen; to ~ cash (in) bar bezahlen. **13.** sich lohnen, sich ren'tieren, sich bezahlt machen: crime doesn't ~.

Verbindungen mit Adverbien:

pay| a·way *v/t* **1.** ausgeben. **2.** auszahlen. ~ **back** *v/t* zu'rückzahlen, -erstatten, *fig.* heimzahlen: → coin 1. ~ **down** *v/t* **1.** bar bezahlen. **2.** e-e Anzahlung machen von. ~ **in** *v/t* **1.** einzahlen. **2.** → pay up 2. ~ **off** **I** *v/t* **1.** *j-n* auszahlen, entlohnen. **2.** a) *etwas* ab(be)zahlen, tilgen, b) *Gläubiger* befriedigen. **3.** *Am. j-m* heimzahlen (for für). **4.** *e-e Schnur etc* ausgeben, laufen lassen. **5.** *mar.* leewärts steuern. **II** *v/i* **6.** *colloq. für* pay[1] 13. ~ **out** *v/t* **1.** auszahlen. **2.** *colloq. j-m* heimzahlen (for s.th. etwas). **3.** *pret. u. pp* **payed** *mar. Tau, Kette etc* (aus)stecken, auslegen, abrollen. ~ **up** *v/t* **1.** *j-n od. etwas* voll *od.* so'fort bezahlen. **2.** *econ. Anteile, Versicherungsprämie etc* voll einzahlen: → paid-up. **3.** *e-e Schuld etc* tilgen.

pay[2] [pei] *pret. u. pp* **payed,** *selten* **paid** *v/t mar.* auspichen, teeren.

pay·a·ble ['peiəbl] *adj* **1.** zu zahlen(d), (ein)zahlbar, schuldig, fällig. **2.** *econ.* ren'tabel, lohnend, gewinnbringend.

'**pay|-as-you-'earn** *s Br.* Lohnsteuerabzug *m*. '~**-as-you-'see tel·e·vi·sion** *s* Münzfernsehen *n*. ~ **book** *s mil.* Soldbuch *n*. '~,**box** *s Br.* (Kino- *etc*)-Kasse *f*. ~ **check** *s Am.* Lohn-, Gehaltsscheck *m*. ~ **clerk** *s* **1.** Lohnauszahler *m*. **2.** *mar. mil. Am.* Rechnungsführer *m*. '~,**day** *s* **1.** Zahl-, Löhnungstag *m*. **2.** Erfüllungstag *m* (*für e-e Rechnung*). ~ **desk** *s econ.* Kasse *f* (*im Kaufhaus*). ~ **dif·fer·en·tial** *s econ.* Lohngefälle *n*. ~ **dirt** *s* **1.** *geol.* goldführendes Erdreich. **2.** *fig.* *Am.* a) Geld *n*, Gewinn *m*, b) Erfolg *m*, c) Nutzen *m*, Gewinn *m*: to strike ~ Erfolg haben.

pay·ee [,pei'iː] *s* **1.** Zahlungsempfänger(in). **2.** Wechselnehmer(in).

pay en·ve·lope *s* Lohntüte *f*.

pay·er ['peiər] *s* **1.** (Aus-, Be)Zahler *m*. **2.** *econ.* (*Wechsel*)Bezogene(r) *m*, Tras'sat *m*.

pay·ing ['peiiŋ] **I** *adj* lohnend, einträglich, lukra'tiv, ren'tabel: not ~ unrentabel. **II** *s* Zahlung *f*: ~ back Rückzahlung; ~ in Einzahlung; ~ off Abzahlung, Abtragung *f*; ~ out Auszahlung, Abführung *f*. ~ **guest** *s* Pensio'när(in), zahlender Gast (*in e-m Privathaus*).

pay| load *s econ.* **1.** Nutzlast *f* (*e-s Flugzeugs etc*): ~ capacity Ladefähigkeit *f*. **2.** *mil.* Sprengladung *f* (*im Gefechtskopf e-s Geschosses*). **3.** *econ. Am.* Lohnanteil *m*, (*die*) Löhne *pl* (*e-s Unternehmens*). '~,**mas·ter** *s mil.* Zahlmeister *m*: ~ general a) *mil.* Generalzahlmeister *m*, b) *Br.* Generalzahlmeister *m* des englischen Schatzamtes.

pay·ment ['peimənt] *s* **1.** (Be-, Ein-, Aus)Zahlung *f*, Entrichtung *f*, Abtragung *f* (*von Schulden*), Einlösung *f* (*e-s Wechsels*): ~ in cash Barzahlung; ~ in kind Sachleistung *f*; ~ of duty Verzollung *f*; on ~ (of) nach Eingang (*gen*), gegen Zahlung (von *od. gen*);

to accept in ~ in Zahlung nehmen. **2.** gezahlte Summe, Bezahlung *f*. **3.** → pay¹ 2. **4.** *fig.* Lohn *m*.

pay·nim ['peinim] *s obs.* Heide *m*, Heidin *f*, *bes.* Mohamme'daner(in).

'pay|-ˌoff *s sl.* **1.** (Lohn)Auszahlung *f*. **2.** Verteilung *f* (*e-r Beute etc*). **3.** *fig.* Abrechnung *f*, Rache *f*. **4.** Lohn *m*, Gewinn *m*. **5.** Resul'tat *n*. **6.** ausschlaggebender Faktor, Entscheidung *f*. **7.** Höhepunkt *m*, Clou *m*. ~ **of·fice** *s* **1.** Zahlstelle *f*. **2.** 'Lohnbüˌro *n*.

pay·o·la [pei'oulə] *s sl.* **1.** Bestechung *f*. **2.** Bestechungs-, ‚Schmier'gelder *pl*.

pay| pack·et *s Br.* Lohntüte *f*. **'~ˌroll** *s* Lohnliste *f*: to have (*od.* keep) s.o. on one's ~ j-n (bei sich) beschäftigen; he is no longer on our ~ er arbeitet nicht mehr für *od.* bei uns; to be off the ~ entlassen *od.* arbeitslos sein; the firm has a huge ~ die Firma zahlt e-e Riesensumme in Löhnen aus. ~ **sheet** → payroll. ~ **sta·tion** *s Am.* Münzfernsprecher *m*.

pea [piː] **I** *s* **1.** *bot.* Erbse *f*: as like as two ~s sich gleichend wie ein Ei dem andern. **2.** *bot.* Ackererbse *f*. **3.** kleines Kohlen- *od.* Erzstück. **II** *adj* **4.** erbsengroß, -förmig: ~ coal Erbskohle *f*.

peace [piːs] **I** *s* **1.** Friede(n) *m*: at ~ in Frieden, im Friedenszustand, ruhig; to make ~ Frieden schließen. **2.** *a.* King's (*od.* Queen's) ~, public ~ *jur.* Landfrieden *m*, öffentliche Sicherheit, öffentliche Ruhe u. Ordnung: breach of the ~ Friedensbruch *m*, öffentliche Ruhestörung; to keep the ~ die öffentliche Sicherheit wahren; → disturb 1. **3.** *fig.* Friede(n) *m*, (innere) Ruhe: ~ of mind Seelenruhe, -frieden *m*; to hold one's ~ sich ruhig verhalten, den Mund halten; to leave in ~ in Ruhe *od.* Frieden lassen. **4.** Versöhnung *f*, Eintracht *f*: to make one's ~ with s.o. sich mit j-m versöhnen. **II** *interj* **5.** pst!, still!, sei(d) ruhig! **III** *adj* **6.** Friedens...: ~ conference; ~ offensive; ~ establishment, ~ footing *mil. Br.* Friedensstärke *f*.

peace·a·ble ['piːsəbl] *adj* (*adv* peaceably) **1.** friedlich, -fertig, -liebend. **2.** ruhig, ungestört. **'peace·a·ble·ness** *s* Friedlichkeit *f*, Friedfertigkeit *f*.

peace·ful ['piːsfəl; -ful] *adj* (*adv* ~ly) friedlich. **'peace·ful·ness** *s* Friedlichkeit *f*.

'peace|ˌmak·er *s* **1.** Friedensstifter(in). **2.** *humor.* Waffe *f*, *bes.* ‚Ka'none' *f* (*Pistole*). ~ **of·fer·ing** *s* **1.** *relig.* Sühneopfer *n*. **2.** Versöhnungsgabe *f*, Friedenszeichen *n*. ~ **of·fi·cer** *s* Sicherheitsbeamte(r) *m*, 'Schutzpoliˌzist *m*. **'~ˌtime I** *s* Friedenszeit *f*: in ~ im Frieden. **II** *adj* in *od.* aus der Friedenszeit, Friedens..., friedensmäßig.

peach¹ [piːtʃ] *s* **1.** *bot.* a) Pfirsich *m*, b) Pfirsichbaum *m*. **2.** *Am. für* peach brandy. **3.** Pfirsichfarbe *f*. **4.** *sl.* ‚prima' *od.* prächtige Per'son *od.* Sache: a ~ of a fellow ein ‚Prachtkerl'; a ~ of a girl ein süßes *od.* bildschönes Mädel.

peach² [piːtʃ] *v/i sl.* (aus)plaudern: to ~ against (*od.* on) *e-n Komplicen* ‚verpfeifen', *e-n Schulkameraden* verpetzen.

'peach|ˌblos·som I *s* (zartes) Rosa- *od.* Rotgelb (*Farbe*). **II** *adj* pfirsichblütenfarbig. **'~ˌblow** *s* **1.** purpurne *od.* rosarote Gla'sur. **2.** Purpur *m*, Rosarot *n* (*Farbe*). ~ **bran·dy** *s* 'Pfirsichliˌkör *m*, Persiko *m*.

peach·er·i·no [ˌpiːtʃə'riːnou] *Am. sl.* für peach¹ 4.

'peaˌchick *s orn.* junger Pfau.

peach·y ['piːtʃi] *adj* **1.** pfirsichartig, -weich. **2.** *sl.* ‚prima', prächtig, ‚toll'.

'peaˌcoat → pea jacket.

pea·cock ['piːˌkɒk] **I** *s* **1.** *orn.* Pfau *m*. **2.** *fig.* (eitler) Pfau *od.* ‚Fatzke'. **II** *v/t* **3.** ~ it, ~ o.s. ‚angeben', ‚sich dicke tun'. **III** *v/i* **4.** sich aufblähen, wie ein Pfau ein'herstolˌzieren. ~ **blue** *s* Pfauenblau *n* (*Farbe*). ~ **but·ter·fly** *s zo.* Tagpfauenauge *n*.

pea·cock·ish ['piːˌkɒkiʃ] *adj* stolz, aufgeblasen, ‚affig'.

'pea|ˌcod *s bot.* Erbsenschote *f*, -hülse *f*. **'~ˌfowl** *s orn.* Pfau *m*. ~ **green** *s* Erbsen-, Maigrün *n* (*Farbe*). **'~ˌhen** *s orn.* Pfauhenne *f*. ~ **jack·et** *s mar.* Bord-, Ma'trosenjacke *f*.

peak¹ [piːk] **I** *s* **1.** Spitze *f*. **2.** a) Bergspitze *f*, b) Horn *n*, spitzer Berg. **3.** *fig.* Gipfel *m*, Höhepunkt *m*: at the ~ of happiness auf dem Gipfel des Glücks. **4.** *math. phys.* Höchst-, Scheitelwert *m*, Scheitel(punkt) *m*. **5.** (*Leistungs- etc*)-Spitze *f*, Höchststand *m*: ~ of oscillation Schwingungsmaximum *n*; to reach the ~ *tech.* den Höchststand erreichen. **6.** Hauptbelastung *f*, Stoßzeit *f* (*e-s Elektrizitäts-, Gas- od. Verkehrsnetzes*). **7.** *econ.* Maxi'mal-, Höchstpreis *m*. **8.** Mützenschild *n*, -schirm *m*. **9.** *mar.* Piek *f* (*engerer Teil des Schiffsraums an den Enden des Schiffs*). **II** *adj* **10.** Spitzen..., Maximal..., Höchst..., Haupt...: ~ current *electr.* Spitzenstrom *m*; ~ factor Scheitelfaktor *m*; ~ (traffic) hours Hauptverkehrszeit *f*, Stoßzeit *f*; ~ load Spitzen-, Maximalbelastung *f* (*a. electr.*); ~ season Hochsaison *f*, -konjunktur *f*; ~ time a) Hochkonjunktur *f*, b) Stoßzeit *f*, c) Verkehrsspitze *f*, Hauptverkehrszeit *f*; ~ value Scheitelwert *m*.

peak² [piːk] *v/i* **1.** abmagern, kränkeln. **2.** spitz aussehen.

peaked [piːkt] *adj* **1.** spitz(ig). **2.** *colloq.* ‚spitz', kränklich aussehend.

peak·ing ['piːkiŋ] *s* **1.** *phys. etc* Spitzenwertbildung *f*. **2.** *TV* Entzerrung *f*. **3.** *Datenverarbeitung*: Anheben *n* e-s 'Ausgangssiˌgnals.

peak·y ['piːki] *adj* **1.** gebirgig, gipf(e)lig. **2.** spitz(ig). **3.** → peaked 2.

peal [piːl] **I** *s* **1.** (Glocken)Läuten *n*. **2.** Glockenspiel *n*. **3.** (*Donner*)Schlag *m*, Dröhnen *n*, Getöse *n*: ~ of laughter schallendes Gelächter. **II** *v/i* **4.** läuten, erschallen, dröhnen, krachen, schmettern. **III** *v/t* **5.** erschallen lassen.

'peaˌnut I *s* **1.** *bot.* Erdnuß *f*. **2.** *Am. sl.* a) Wicht *m*, ‚halbe Porti'on', b) ‚kleines Würstchen' (*unbedeutender Mensch*), c) *pl* ‚kleine Fische' *pl*, lächerlich(e Summe *etc*). **II** *adj* **3.** *Am. sl.* klein, unbedeutend, lächerlich: a ~ politician. ~ **but·ter** *s* Erdnußbutter *f*. ~ **oil** *s* Erdnußöl *n*. ~ **tube** *s electr. Am.* Kleinströhre *f*.

pear [pɛr] *s* **1.** *bot.* a) Birne *f*, b) *a.* ~-tree Birnbaum *m*. **2.** Birne *f*, birnenförmiger Gegenstand.

pearl [pəːrl] **I** *s* **1.** Perle *f* (*a. fig.*): to cast ~s before swine Perlen vor die Säue werfen. **2.** Perl'mutter *f*. **3.** *pharm.* Perle *f*, Kügelchen *n*. **4.** *print.* Perl(schrift) *f*, -druck *m*. **II** *v/i* **5.** Perlen bilden, perlen, tropfen. **6.** nach Perlen suchen. **III** *adj* **7.** Perl(en)..., Perlmutt(er)... **8.** geperlt, perlenförmig. ~ **ash** *s chem.* Perlasche *f*. ~ **bar·ley** *s* Perlgraupen *pl*. ~ **div·er** *s* Perlenfischer *m*.

pearled [pəːrld] *adj* **1.** mit Perlen besetzt. **2.** perlfarbig.

pearl| fish·er *s* Perlenfischer *m*. ~ **gray** *s* Perl-, Blaßgrau *n* (*Farbe*).

pearl·ies ['pəːrliz] *s* **1.** → pearly 3. **2.** Straßenhändler *pl* in London.

pearl| stitch *s Stickerei*: Perlstich *m*. ~ **white** *s* Perl-, Schminkweiß *n*.

pearl·y ['pəːrli] **I** *adj* **1.** Perl(en)..., perlenartig, perl'mutterartig. **2.** perlenfarbig. **II** *s pl* **3.** *Br. sl.* a) große Perl'mutterknöpfe *pl*, b) mit Perl'mutterknöpfen besetzte Kleidungsstücke *pl*. ~ **gates** *s pl* **1.** *Bibl.* (*die*) zwölf Himmelstüren *pl*. **2.** *fig.* Himmel *m*.

pear·main ['pɛrmein] *s* Par'mäne *f* (*Apfelsorte*).

pear| push *s electr.* Schnurschalter *m* mit Druckknopf. ~ **quince** *s bot.* Echte Quitte, Birnenquitte *f*. **'~-ˌshaped** *adj* birnenförmig.

peas·ant ['pezənt] **I** *s* Bauer *m*, Landwirt *m*: P~s' Revolt Bauernaufstand *m* (*bes. der in England, 1381*); P~s' War Bauernkrieg *m* (*in Deutschland, 1524—25*). **II** *adj* bäuerlich, Bauern...: ~ woman Land-, Bauersfrau *f*, Bäuerin *f*. **'peas·ant·ry** [-tri] *s* **1.** Bauernstand *m*, Landvolk *n*. **2.** *collect.* (*die*) Bauern *pl*.

pease [piːz] *s pl obs. od. Br. dial.* Erbsen *pl*. **'~-ˌpud·ding** *s* Erbs(en)brei *m*.

'pea|-ˌshoot *v/t u. v/i irr* mit e-m Blasrohr schießen. **'~ˌshoot·er** *s* **1.** Blas-, Pusterohr *n*. **2.** *Am.* Kata'pult *m, n*. **3.** *sl.* (kleine) Pi'stole. ~ **soup** *s* **1.** Erbs(en)suppe *f*. **2.** *a.* ~ fog *colloq.* ‚Waschküche' *f* (*dichter Nebel*). **'~-ˌsoup·er** *s colloq.* dichter, gelber Nebel (*bes. in London*). **'~-ˌsoup·y** *adj colloq.* dicht u. gelb (*Nebel*).

peat [piːt] *s* **1.** Torf *m*: to cut (*od.* dig) ~ Torf stechen; ~ bath *med.* Moorbad *n*; ~ coal Torfkohle *f*, Lignit *n*; ~ gas Torfgas *n*; ~ moss Torfmoos *n*. **2.** Torfstück *n*, -sode *f*. **'peat·er·y** [-əri] *s* Torfmoor *n*. **'peat·y** *adj* torfig.

peb·ble ['pebl] **I** *s* **1.** Kiesel(stein) *m*: you are not the only ~ on the beach *colloq.* man (*od.* ich) kann auch ohne dich auskommen. **2.** A'chat *m*. **3.** 'Bergkriˌstall *m*. **4.** *phys.* Linse *f* aus 'Bergkriˌstall. **II** *v/t* **5.** mit Kies bestreuen, kiese(l)n. **6.** *tech. Leder* krispeln. **'pebbled** *adj* gekiest, kieselig.

peb·ble| dash *s tech.* Rauh-, Edelputz *m*. **'~-ˌdashed** *adj* mit Rauh- *od.* Edelputz (versehen). ~ **leath·er** *s tech.* gekrispeltes Leder.

pe·can [pi'kæn; -'kɑːn] *s bot.* **1.** Pe'canobaum *m*. **2.** *a.* ~ nut Pe'kannuß *f*.

pec·ca·dil·lo [ˌpekə'dilou] *pl* **-los** *u.* **-loes** *s* kleine *od.* leichte Sünde, geringfügiges Vergehen.

pec·can·cy ['pekənsi] *s* Sündhaftigkeit *f*. **'pec·cant** *adj* **1.** sündig, böse, verderbt. **2.** *med.* krankhaft, faul.

pec·ca·vi [pe'kɑːviː] *s* Schuldbekenntnis *n*: to cry ~ sich schuldig bekennen.

peck¹ [pek] *s* **1.** Peck *n*, Viertelscheffel *m* (*Trockenmaß*; *Br. 9,1, Am. 8,8 Liter*). **2.** *fig.* Menge *f*, Haufe(n) *m*.

peck² [pek] **I** *v/t* **1.** (*mit dem Schnabel od. e-m Werkzeug*) (auf)picken, (-)hakken: ~ing order *biol. u. fig.* Hackordnung *f* (*bei welcher der jeweils Stärkere den Schwächeren drangsaliert*). **2.** *ein Loch* picken. **3.** *Br. colloq.* ‚futtern', essen. **4.** *j-m* ein Küßchen geben. **II** *v/i* **5.** (at) hacken, picken (nach), einhacken (auf *acc*): to ~ at s.o. *fig.* auf j-m ‚herumhacken', an j-m herumnörgeln; to ~ at one's food (lustlos) im Essen herumstochern. **III** *s* **6.** (aufgehacktes) Loch. **7.** *Br. sl.* ‚Futter' *n*, Essen *n*. **8.** flüchtiger Kuß.

peck·er ['pekər] *s* **1.** Picke *f*, Hacke *f*. **2.** *tech.* Abfühlnadel *f*. **3.** *sl.* a) ‚Zinken' *m* (*Nase*), b) *Am.* Penis *m*. **4.** *sl.* guter Mut: to keep one's ~ up sich nicht unterkriegen lassen.

peck·ish ['pekiʃ] *adj colloq.* **1.** hungrig. **2.** *Am.* nörglerisch, reizbar.

Peck·sniff·i·an [pek'snifiən] *adj* scheinheilig, heuchlerisch (*nach Pecksniff in „Martin Chuzzlewit" von Dickens*).

pec·ten ['pektən] *s zo.* **1.** *orn.* Kammhaut *f*. **2.** Kammuschel *f*. **3.** kammartiger Körperanhang.

pec·tic ['pektik] *adj chem.* Pektin... **'pec·tin** [-tin] *s* Pek'tin *n*.

pec·tin·e·al [pek'tiniəl] *adj anat.* **1.** Schambein... **2.** Kammuskel...

pec·to·ral ['pektərəl] **I** *adj* **1.** Brust... **2.** *anat. med.* Brust..., pekto'ral. **II** *s* **3.** Brustplatte *f* (*der Rüstung*). **4.** *R.C.* Pekto'rale *n*, Brustkreuz *n* (*des Bischofs*). **5.** *pharm.* Brust-, Hustenmittel *n*. **6.** *anat.* Brustmuskel *m*. **7.** *a.* ~ fin *ichth.* Brustflosse *f*.

pec·u·late ['pekjuˌleit] **I** *v/i* öffentliche Gelder unter'schlagen, Unter'schlagungen begehen. **II** *v/t* veruntreuen, unter'schlagen. **ˌpec·u'la·tion** *s* Unter'schlagung *f*, Veruntreuung *f*, 'Unterschleif *m*. **'pec·uˌla·tor** [-tər] *s* Veruntreuer *m*, Betrüger *m*.

pe·cul·iar [pi'kjuːljər] **I** *adj* (*adv* → peculiarly) **1.** eigen(tümlich) (to *dat*): ~ **institution** *Am. hist.* Sklaverei *f*. **2.** eigen(artig), seltsam, ab'sonderlich, ‚komisch'. **3.** besonder(er, e, es): ~ **people** *relig.* a) (*das*) auserwählte Volk, b) *e-e englische Sekte.* **II** *s* **4.** ausschließliches Eigentum. **5.** Kirche, die nicht der Gerichtsbarkeit des Bischofs unter'steht.

pe·cu·li·ar·i·ty [piˌkjuːli'æriti] *s* **1.** Eigenheit *f*, Eigentümlichkeit *f*, Besonderheit *f*. **2.** Seltsamkeit *f*, Eigenartigkeit *f*.

pe·cul·iar·ly *adv* **1.** eigentümlich, -artig. **2.** eigenartigerweise.

pe·cu·ni·ar·y [pi'kjuːnjəri] *adj* geldlich, Geld..., pekuni'är.

ped·a·gog·ic [ˌpedə'gɒdʒik] *adj*; **ˌped·a'gog·i·cal** [-kəl] *adj* (*adv* ~ly) päda'gogisch, erzieherisch. **ˌped·a'gog·ics** *s pl* (*als sg konstruiert*) Päda'gogik *f*. **'ped·aˌgogue** [-ˌgɒg] *s* **1.** Päda'goge *m*, Erzieher *m*. **2.** *fig.* Pe'dant *m*, Schulmeister *m*. **'ped·aˌgo·gy** [-ˌgɒdʒi; -ˌgoudʒi; *Br. a.* -ˌgɒgi] *s* Päda'gogik *f*.

ped·al [pedl] **I** *s* **1.** Pe'dal *n* (*am Klavier, Fahrrad etc*), Fußhebel *m*, Tretkurbel *f*: forte ~ Fortepedal; → **soft pedal** 1. **2.** *a.* ~ **note** *mus.* a) Pe'dalton *m*, b) Orgelton *m*. **II** *v/i* **3.** *mus. tech.* das Pe'dal treten. **4.** ‚strampeln', radfahren. **III** *adj* **5.** Pedal..., Fuß...: ~ **bin** Treteimer *m*; ~ **board** *mus.* Pedalklaviatur *f*; ~ **brake** Fußbremse *f*; ~ **control** Fußschaltung *f*, *aer.* Pedalsteuerung *f*; ~**-operated pump** Fußpumpe *f*; ~ **point** *mus.* a) lange Pedalnote, b) Orgelpunkt *m*; ~ **pushers** *Am.* dreiviertellange (Sport)Hose (*für Mädchen*); ~ **switch** Fußschalter *m*.

ped·a·lo ['pedəlou] *s* Wasservelo *n*.

ped·ant ['pedənt] *s* Pe'dant(in), Kleinigkeitskrämer(in). **pe·dan·tic** [pi'dæntik] *adj* (*adv* ~ally) pe'dantisch.

ped·ant·ry ['pedəntri] *s* Pedante'rie *f*.

ped·dle ['pedl] **I** *v/i* **1.** hau'sieren gehen. **2.** *fig.* sich mit Kleinigkeiten abgeben, tändeln (with mit). **II** *v/t* **3.** *bes. Am.* hau'sieren gehen mit (*a. fig.*): to ~ **new ideas.** **'ped·dler,** *bes. Br.* **'ped·lar** [-lər] *s* Hau'sierer *m*. **'ped·dling I** *adj* **1.** unbedeutend, nichtig, wertlos. **2.** kleinlich. **II** *s* **3.** Hau'sierhandel *m*, Hau'sieren *n*.

ped·er·ast ['pedəˌræst; 'piːd-] *s* Päde'rast *m*. **ˌped·er'as·tic** *adj* päde'rastisch. **'ped·erˌas·ty** *s* Pädera'stie *f*, Knabenliebe *f*.

ped·es·tal ['pedistl] *s* **1.** *arch.* Piede'stal *n*, Sockel *m*, Posta'ment *n*, Säulenfuß *m*: to set s.o. on a ~ j-n aufs Podest erheben. **2.** *tech.* a) 'Untergestell *n*, Sockel *m*, b) (Lager)Bock *m*: ~ **ashtray** Standascher *m*.

pe·des·tri·an [pi'destriən] **I** *adj* **1.** zu Fuß, Fuß... **2.** Fußgänger...: ~ **crossing** Fußgängerüberweg *m*; ~ **island** (*od.* **refuge**) Verkehrs-, Fußgängerinsel *f*. **3.** Spazier... **4.** *fig.* pro'saisch, trocken, langweilig. **II** *s* **5.** Fußgänger(in).

pe·di·at·ric [ˌpiːdi'ætrik] *adj med.* pädi'atrisch, Kinderheil(kunde)... **ˌpe·di·a'tri·cian** [-diə'triʃən] *s* Kinderarzt *m*, -ärztin *f*. **ˌpe·di'at·rics** *s pl* (*als sg konstruiert*) Kinderheilkunde *f*, Pädia'trie *f*. **ˌpe·di'at·rist** → **pediatrician.** **ped·i·at·ry** ['pediˌætri] → **pediatrics.**

ped·i·cel ['pedisəl] *s* **1.** *bot.* Blütenstiel *m*, -stengel *m*. **2.** *anat. zo.* Stiel *m*.

ped·i·cle ['pedikl] *s* **1.** *bot.* Blütenstengel *m*. **2.** *med.* Stiel *m* (*e-s Tumors*).

pe·dic·u·lar [pi'dikjulər], **pe'dic·u·lous** *adj* lausig, verlaust.

ped·i·cure ['pedikjuːr] **I** *s* Pedi'küre *f*: a) Fußpflege *f*, b) Fußpfleger(in). **II** *v/t j-s* Füße behandeln *od.* pflegen.

ped·i·gree ['pediˌgriː] **I** *s* **1.** Stammbaum *m* (*a. zo. u. fig.*), Ahnentafel *f*. **2.** Ab-, 'Herkunft *f*. **3.** lange Ahnenreihe. **II** *adj* **4.** Zucht...: ~ **race** Zuchtstamm *m*, -rasse *f*. **'ped·iˌgreed** *adj* mit e-m Stammbaum, reinrassig, Zucht...

ped·i·ment ['pedimənt] *s* **1.** *arch.* Giebel(feld *n*) *m*. **2.** Ziergiebel *m*. **ˌped·i'men·tal** [-'mentl], **'ped·i·ment·ed** *adj* Giebel...

ped·lar *bes. Br. für* **peddler.**

pe·do·log·i·cal [ˌpiːdo'lɒdʒikəl] *adj* 'kinderpsychoˌlogisch.

pe·dol·o·gist[1] [pi'dɒlədʒist] *s* Pädo'loge *m*, 'Kinderpsychoˌloge *m*.

pe·dol·o·gist[2] [pi'dɒlədʒist] *s* Bodenkundler *m*.

pe·dol·o·gy[1] [pi'dɒlədʒi] *s* Lehre *f* vom Kinde, Pädolo'gie *f*.

pe·dol·o·gy[2] [pi'dɒlədʒi] *s* Pedolo'gie *f*, Bodenkunde *f*.

pe·dom·e·ter [pi'dɒmitər] *s phys.* Schrittmesser *m*, -zähler *m*.

pe·dun·cle [pi'dʌŋkl] *s* **1.** *bot.* Blütenstandstiel *m*, Blütenzweig *m*. **2.** *zo.* Stiel *m*, *anat.* Schaft *m*. **3.** *anat.* Zirbel-, Hirnstiel *m*. **pe'dun·cled** *adj* gestielt. **pe'dun·cu·lar** [-kjulər] *adj* **1.** *bot.* Blütenstandstiel... **2.** *zo.* Stiel... **3.** *anat.* Stiel..., gestielt.

pee[1] [piː] *s* P, p *n* (*Buchstabe*).

pee[2] [piː] *colloq.* **I** *v/i* Pi'pi machen, pissen, pinkeln. **II** *s* ‚Pi'pi' *n*, Pisse *f*.

peek[1] [piːk] **I** *v/i* **1.** gucken, spähen (into in *acc*). **2.** ~ **out** her'ausgucken (*a. fig.*). **II** *s* **3.** flüchtiger *od.* heimlicher Blick.

peek[2] [piːk] *s* Piepsen *n*.

peek·a·boo ['piːkəˌbuː] *bes. Am.* **I** *s* ‚Guck-Guck-Spiel' *n*, Versteckspiel *n*. **II** *adj* a) mit ˌLochsticke'rei (versehen): ~ **blouse,** b) 'durchsichtig: ~ **negligee.**

peel[1] [piːl] **I** *v/t* **1.** *e-e Frucht, Kartoffeln, Bäume* schälen: to ~ (off) abschälen, ab-, entrinden; ~**ed barley** Graupen; keep your eyes ~ed! *sl.* halte die Augen offen! **2.** *Kleider* abstreifen, ausziehen. **II** *v/i* **3.** *a.* ~ **off** sich abschälen, (sich) abblättern, abbröckeln, (ab)schilfern. **4.** *colloq.* ‚sich entblättern' (*sich ausziehen*). **5.** ~ **off** *aer. mil.* (*aus e-m Verband*) ausscheren. **II** *s* **6.** Schale *f*, Rinde *f*, Haut *f*.

peel[2] [piːl] *s tech.* **1.** Backschaufel *f*, Brotschieber *m*. **2.** *print.* Aufhängekreuz *n*. **3.** *Papierherstellung*: Rieshänge *f*.

peel[3] [piːl] *s* Wehrturm *m*.

peel·er[1] ['piːlər] *s* **1.** (*Kartoffel- etc*)Schäler *m* (*Gerät u. Person*). **2.** *sl.* Striptease-, Nackttänzerin *f*.

peel·er[2] ['piːlər] *s Br. sl. obs.* ‚Po'lyp' *m*, Poli'zist *m*.

peel·ing ['piːliŋ] *s* **1.** Schälen *n*. **2.** (*lose*) Schale, Rinde *f*, Haut *f*.

peen [piːn] *tech.* **I** *s* Finne *f*, Hammerbahn *f*. **II** *v/t* mit der Finne bearbeiten.

peep[1] [piːp] **I** *v/i* **1.** piep(s)en (*Vogel, a. Kind etc*): he **never dared** ~ **again** er wagte nie wieder ‚piep' zu sagen. **II** *s* **2.** Piep(s)en *n*. **3.** *sl.* ‚Piepser' *m* (*Wort*).

peep[2] [piːp] **I** *v/i* **1.** gucken, lugen, neugierig *od.* verstohlen blicken (into in *acc*). **2.** *oft* ~ **out** her'vorgucken, -schauen, -lugen (*a. fig. sich zeigen, zum Vorschein kommen*). **II** *s* **3.** neugieriger *od.* verstohlener Blick: to have (*od.* take) a ~ → 1. **4.** Blick *m* (of in *acc*), ('Durch)Sicht *f*. **5.** at ~ of day bei Tagesanbruch.

peep·er[1] ['piːpər] *s* **1.** ‚Piepmatz' *m* (*Vogel*). **2.** *zo. Am.* Zirpfrosch *m*.

peep·er[2] ['piːpər] *s* **1.** Spitzel *m*, Schnüffler *m*. **2.** *colloq.* ‚Gucker' *m* (*Auge*).

'peepˌhole *s* Guckloch *n*, Sehspalt *m*.

Peep·ing Tom ['piːpiŋ 'tɒm] *s* (*lüsterner*) neugieriger Kerl.

peep| show *s* **1.** Guckkasten *m*. **2.** *sl.* ‚Fleischbeschau' *f* (*Nackttanz etc*). ~ **sight** *s mil. tech.* 'Lochviˌsier *n*. **'~-ˌstone** *s Am. die Zauberbrille, mit der Joseph Smith das „Buch Mormon" entziffert haben will.* **'~-ˌtoe** *adj* zehenfrei (*Schuh etc*).

peer[1] [pir] *v/i* **1.** gucken, spähen, schauen, starren (into in *acc*): to ~ at s.th. (sich) etwas genau ansehen *od.* begucken. **2.** *poet.* sich zeigen, erscheinen, zum Vorschein kommen. **3.** her'vorgucken, -lugen.

peer[2] [pir] **I** *s* **1.** Gleiche(r *m*) *f*, Ebenbürtige(r *m*) *f*, Gleichrangige(r *m*) *f*: without a ~ ohnegleichen, unvergleichlich; he associates with his ~s er gesellt sich zu seinesgleichen; in song he has no ~ im Singen kommt ihm keiner gleich; to be the ~(s) of den Vergleich aushalten mit. **2.** Angehörige(r) *m* des (*brit.*) Hochadels: ~ **of the realm** *Br.* Pair *m* (*Mitglied des Oberhauses*). **II** *v/t* **3.** gleichkommen (*dat*).

peer·age ['pi(ə)ridʒ] *s* **1.** Pairswürde *f*. **2.** Hochadel *m*, *collect a.* (*die*) Pairs *pl*: he was raised to the ~ er wurde in den (*höheren*) Adelsstand erhoben. **3.** 'Adelskaˌlender *m*. **'peer·ess** *s* **1.** Gemahlin *f* e-s Pairs. **2.** hohe Adlige (*die selbst den Titel trägt*): ~ **in her own right** Inhaberin *f* der Pairswürde.

'peer·less *adj* (*adv* ~ly) unvergleichlich, einzig(artig), beispiellos. **'peer·less·ness** *s* Unvergleichlichkeit *f*.

peeve [piːv] *v/t colloq.* (ver)ärgern. **peeved** *adj colloq.* verärgert, ärgerlich (about, at über *acc*), ‚eingeschnappt'.

pee·vish ['piːviʃ] *adj* (*adv* ~ly) grämlich, mürrisch, gereizt, übellaunig, verdrießlich. **'pee·vish·ness** *s* Verdrießlichkeit *f*.

pee·wee ['pi:wi:] *Am.* **I** *s* **1.** (*etwas*) Winziges. **2.** Cowboy-Stiefel *m* mit niederem Schaft. **II** *adj* **3.** winzig.

peg [peg] **I** *s* **1.** a) (Holz-, *surv.* Absteck)Pflock *m*, b) (Holz)Nagel *m*, (Holz-, Schuh)Stift *m*, c) *tech.* Dübel *m*, Zapfen *m*, d) *tech.* Keil *m*, Splint *m*, e) *tech.* Knagge *f*, Mitnehmer *m*, f) *teleph.* Stöpsel *m*: **to take s.o. down a ~ (or two)** ,j-m e-n Dämpfer aufsetzen', j-n ,ducken'; **to come down a ~** ,zurückstecken'; **a round ~ in a square hole, a square ~ in a round hole** ein Mensch am falschen Platz. **2.** Kleiderhaken *m*: **off the ~** von der Stange (*Anzug*). **3.** (Wäsche)Klammer *f*. **4.** (Zelt)Hering *m*. **5.** *mus.* Wirbel *m* (*an Saiteninstrumenten*). **6.** *fig.* ,Aufhänger' *m* (*im Journalismus etc*): **a good ~ on which to hang a story; a ~ to hang one's claims on** ein Vorwand für s-e Ansprüche. **7.** *Br.* Gläschen *n* (Alkohol), *bes.* Whisky *m* mit Soda.
II *v/t* **8.** mit e-m Pflock *od.* mit Pflöcken versehen *od.* befestigen, anpflöcken, annageln. **9.** *tech.* (ver)dübeln. **10.** *meist* **~ out** *surv. Land* abstecken: **to ~ out one's claim** *fig.* s-e Ansprüche geltend machen. **11.** *Preise etc* festlegen, stützen: **~ged price** Stützkurs *m*. **12.** *Wäsche* (fest)klammern. **13.** *colloq.* ,schmeißen' (**at** nach): **to ~ stones at s.o.**
III *v/i* **14.** *meist* **~ away, ~ along, ~ on** *colloq.* drauf'losarbeiten *etc.* **15.** *colloq.* ,sausen', ,rasen'. **16. ~ out** *sl.* ,eingehen': a) verlieren, b) ,es aufstecken', c) ,abkratzen' (*sterben*).

Peg·a·sus ['pegəsəs] *pl* **-si** [-ˌsai] *s* **1.** Pegasus *m*, Flügelroß *n* der Musen. **2.** *astr.* Pegasus *m* (*Sternbild*).

'peg|ˌboard *s* **1.** Spielbrett *n*. **2.** Aufhängeplatte *f* (*für Ausstellungsstücke, Werkzeuge etc*). **3.** *electr.* Stecktafel *f*. **'~ˌbox** *s mus.* Wirbelkasten *m*. **~ leg** *s* (*sl.* Mensch *m* mit e-m) Holzbein *n*. **~ switch** *s electr.* 'Umschalter *m*. **~ tooth** *s irr* Stiftzahn *m*. **~ top** *s* **1.** Kreisel *m*. **2.** *pl* Hose, die über den Hüften weit u. unten eng ist. **'~-ˌtop** *adj* über den Hüften weit u. unten eng.

peign·oir ['peinwɑ:r] (*Fr.*) *s* Fri'siermantel *m* (*e-r Frau*).

pe·jo·ra·tive ['pi:dʒəˌreitiv; pi'dʒɒrətiv] **I** *adj* (*adv* **~ly**) verschlechternd, her'absetzend, pejora'tiv. **II** *s ling.* abschätziges Wort, Pejora'tivum *n*.

Pe·kin ['pi:'ki:n], **'Pe'kin duck, Pe·kin·ess** [ˌpi:ki'ni:z] → Peking, Peking duck, Pekingese. [Peking-Ente *f*.]

Pe·king ['pi:'kiŋ], *a.* **~ duck** *s orn.*

Pe·king·ese [ˌpi:ki'ŋi:z] *s sg u. pl* **1.** Bewohner(in) von Peking. **2.** Peki'nese *m* (*Hund*).

Pe·king man *s* Peking-Mensch *m*.

pe·koe ['pi:kou; *Br. a.* 'pekou] *s* Pekoe(tee) *m*.

pel·age ['pelidʒ] *s zo.* Körperbedekkung *f* der Säugetiere.

pe·la·gi·an[1] [pi'leidʒiən] **I** *adj* 'hochmaˌrin, oze'anisch, pe'lagisch, See... **II** *s* Seebewohner *m* (*Tier*).

Pe·la·gi·an[2] [pi'leidʒiən] *relig.* **I** *s* Pelagi'aner *m*. **II** *adj* pelagi'anisch.

pel·ar·gon·ic [ˌpelɑ:r'gɒnik] *adj chem.* Pelargon... **ˌpel·ar'go·nium** [-'gouniəm] *s bot.* Pelar'gonie *f*.

pel·er·ine [ˌpelə'ri:n; 'peləˌri:n] *s* Pele'rine *f* (*Umhang*). [mon, Geld *n*.]

pelf [pelf] *s contp.* (schnöder) Mam-

Pel·ham ['peləm] *s* (*Art*) Kan'dare *f*.

pel·i·can ['pelikən] *s orn.* Pelikan *m*: **~ in her piety** *fig.* Pelikan, der sich die Brust aufreißt, um s-e Jungen mit s-m Blut zu füttern (*Sinnbild Christi od. der Nächstenliebe*). **P~ State** *s Am.* (*Beiname für*) Louisi'ana *n*.

pe·lisse [pe'li:s] *s* (*langer*) Damen- *od.* Kindermantel (*mit Pelzbesatz*).

pel·la·gra [pe'leigrə; -'læg-] *s med.* Pellagra *n*, mailändischer Aussatz.

pel·let ['pelit] *s* **1.** Kügelchen *n*. **2.** *pharm.* Kügelchen *n*, Pille *f*, 'Mikrodraˌgée *n*. **3.** Schrotkorn *n* (*Munition*). **4.** Kugelverzierung *f*: **~ mo(u)lding** *arch.* Kugelfries *m*.

pel·li·cle ['pelikl] *s* Häutchen *n*, Mem'bran *f*. **pel'lic·u·lar** [-'likjulər] *adj* häutchenförmig, mem'branartig.

pel·li·to·ry ['pelitəri] *s bot.* **1.** Mauerkraut *n*. **2.** Mutterkraut *n*. **3.** Speichelwurz *f*. **4.** Schafgarbe *f*.

pell-mell, pell·mell ['pel'mel] **I** *adv* **1.** durchein'ander, ,wie Kraut u. Rüben'. **2.** 'unterschiedslos. **3.** Hals über Kopf, blindlings. **II** *adj* **4.** verworren, kunterbunt. **5.** hastig, über'eilt. **III** *s* **6.** Durchein'ander *n*, Wirrwarr *m*.

pel·lu·cid [pe'lju:sid; -'lu:-] *adj* 'durchsichtig, klar (*a. fig.*).

pel·met ['pelmit] *s* **1.** Blend-, Vorhangleiste *f*. **2.** Querbehang *m* (*der die Gardinenstange verdeckt*).

pelt[1] [pelt] *s* **1.** Fell *n*, (rohe) Haut, (Tier)Pelz *m*. **2.** *humor.* ,Fell' *n*, Haut *f* (*des Menschen*).

pelt[2] [pelt] **I** *v/t* **1.** *j-n* (*mit Steinen etc*) bewerfen, werfen nach *j-m*, (*a. fig. mit Fragen etc*) bombar'dieren: **to ~ s.o. with questions. 2.** *j-n* verprügeln, *j-m* das Fell gerben. **II** *v/i* **3.** mit Steinen *etc* werfen (**at** nach). **4.** (nieder)prasseln (*Regen etc*): **~ing rain** Platzregen *m*. **5.** stürmen, stürzen. **III** *s* **6.** Schlag *m*, Wurf *m*. **7.** Prasseln *n*, Klatschen *n* (*von Regen, Schlägen*). **8.** Eile *f*: (**at**) **full ~** mit voller Geschwindigkeit, im Sturmschritt.

pel·tate ['pelteit] *adj bot.* **1.** mit dem Stengel in der Mitte (angewachsen). **2.** schildförmig (*Blatt*).

pelt·ry ['peltri] *s* **1.** Rauch-, Pelzwaren *pl*. **2.** Fell *n*, Haut *f*.

pelt wool *s tech.* Sterblingswolle *f*.

pel·vic ['pelvik] *adj anat.* Becken...: **~ arch, ~ girdle** Beckengürtel *m*; **~ cavity** Beckenhöhle *f*; **~ presentation** Becken(end)lage *f*.

pel·vis ['pelvis] *pl* **-ves** [-vi:z] *s anat.* Becken *n*, Pelvis *f*.

pem·mi·can ['pemikən] *s* **1.** Pemmikan *m* (*gepreßtes Dörrfleisch*). **2.** gepreßte Mischung von Trockenobst. **3.** *fig.* Zs.-fassung *f*.

pen[1] [pen] **I** *s* **1.** Gehege *n*, Pferch *m*, (Schaf)Hürde *f*, Verschlag *m* (*für Geflügel etc*), Hühnerstall *m*. **2.** Laufstall *m* (*für Kleinkinder*). **3.** (Stau)Damm *m*. **4.** *Am. sl.* ,Kittchen' *n* (*Zuchthaus*). **5.** *mar. mil.* U-Boot-Bunker *m*. **II** *v/t* **6.** *a.* **~ in, ~ up** einpferchen, -schließen.

pen[2] [pen] **I** *s* **1.** a) (Schreib)Feder *f*, b) Federhalter *m*: **to take ~ in hand, to take up one's ~** die Feder ergreifen; **to set ~ to paper** die Feder ansetzen; **~ and ink** Schreibzeug *n*; **~ friend, ~ pal** Brieffreund(in). **2.** *fig.* Feder *f*, Stil *m*: **he has a sharp ~** er führt e-e spitze Feder. **3.** *fig.* a) Schriftstelle'rei *f*, b) Schriftsteller(in). **II** *v/t* **4.** (auf-, nieder)schreiben. **5.** ab-, verfassen.

pen[3] [pen] *s orn.* weiblicher Schwan.

pe·nal ['pi:nl] *adj* (*adv* **~ly**) **1.** Straf...: **~ code** Strafgesetzbuch *n*; **~ colony** (*od.* **settlement**) Sträflingskolonie *f*; **~ institution** Strafanstalt *f*; **~ law** Strafrecht *n*; **~ reform** Strafrechtsreform *f*; **~ servitude** Zuchthaus(strafe *f*) *n*; **~ sum** a) (Geld)Buße *f*, b) (festgesetzte) Vertragsstrafe. **2.** strafbar, sträflich: **~ act** strafbare Handlung. **ˌpe·nal·i'za·tion** *s* Bestrafung *f*. **'pe·nalˌize** *v/t* **1.** bestrafen, mit e-r Strafe belegen. **2.** ,bestrafen', belasten, benachteiligen.

pen·al·ty ['penlti] *s* **1.** (gesetzliche) Strafe: **on** (*od.* **under**) **~ of** bei Strafe von; **on ~ of death** bei Todesstrafe; **the extreme ~** die Todesstrafe; **penalties** Strafbestimmungen; **to pay** (*od.* **bear**) **the ~ of s.th.** etwas büßen. **2.** (Geld-, *a.* Vertrags)Strafe *f*, Buße *f*: **~ envelope** *Am.* Umschlag frei durch Ablösung, frankierter Dienstumschlag. **3.** *fig.* Fluch *m*, Nachteil *m*: **the ~ of fame. 4.** *sport* a) Strafe *f*, b) Strafpunkt *m*: **~ area** (*Fußball*) Strafraum *m*; **~ kick** (*Fußball*) Strafstoß *m*; **~ spot** (*Fußball*) Elfmeterpunkt *m*. **~ rate** *s econ. Am.* Zulage *f* (*für Überstunden etc*).

pen·ance ['penəns] *s* **1.** *relig.* Buße *f*, Reue *f*: **to do ~** Buße tun. **2.** *relig. oft* **P~** (Sakra'ment *n* der) Buße *f od.* Beichte *f*. **3.** *fig.* Strafe *f*, Leiden *n*.

'pen-and-'ink I *adj* Feder..., Schreiber..., Schriftsteller...: **~ drawing** Federzeichnung *f*; **~ man** Schriftsteller *m*. **II** *s* Federzeichnung *f*.

pe·na·tes, *a.* **P~** [pe'neiti:z] *s pl antiq.* Pe'naten *pl*, Hausgötter *pl*.

pence [pens] *pl von* **penny**.

pen·chant ['pɑ̃ʃɑ̃; *Am. a.* 'pentʃənt] *s* (**for**) Neigung *f*, Hang *m* (zu), Vorliebe *f* (für).

pen·cil ['pensl] **I** *s* **1.** (Blei-, Zeichen-, Farb)Stift *m*: **red ~** Rotstift; **in ~** mit Bleistift. **2.** a) *obs.* (Maler)Pinsel *m*, b) *fig.* Mal-, Zeichenkunst *f*, c) *fig.* Stil *m* (*e-s Zeichners*), d) *rhet.* Griffel *m*, Stift *m*. **3.** *med. tech. Kosmetik*: Stift *m*. **4.** *zo.* Büschel *n*. **5.** *math. phys.* (Strahlen)Bündel *n*, Büschel *n*: **~ of light** Lichtbündel; **~ of planes** Ebenenbüschel; **~ beam** Schmalbündel, bleistiftförmiges Strahlenbündel. **II** *v/t* **6.** zeichnen, entwerfen. **7.** mit e-m Bleistift aufschreiben *od.* anzeichnen *od.* anstreichen. **8.** mit e-m Stift behandeln, *die Augenbrauen etc* nachziehen. **'pen·ciled,** *bes. Br.* **'pen·cilled** *adj* **1.** fein gezeichnet *od.* gestrichelt. **2.** mit Bleistift gezeichnet *od.* geschrieben *od.* angestrichen. **3.** büschelig (*a. phys.*). **4.** *math. phys.* gebündelt (*Strahlen etc*).

pen·cil| push·er *s humor.* ,Bü'rohengst' *m*. **~ sharp·en·er** *s* Bleistiftspitzer *m*. **~ stripe** *s* feines Strichmuster.

'pen·craft *s* **1.** Schreibkunst *f*. **2.** a) Schriftstelle'rei *f*, Schriftstellerhandwerk *n*, b) schriftstellerisches Können.

pend·ant ['pendənt] **I** *s* **1.** (Ohr- *etc*)Gehänge *n*, Anhänger *m* (*der Halskette etc*). **2.** Behang *m* (*z. B. an Kronleuchtern*). **3.** *a.* **~ lamp** Hängeleuchter *m*, -lampe *f*. **4.** *a.* **~ bow** Bügel *m*, Gehänge *n* (*e-r Uhr*). **5.** *fig.* Anhang *m* (*e-s Buches etc*), Anhängsel *n*. **6.** [*a.* 'pɑ̃dɑ̃] Pen'dant *n*, Seiten-, Gegenstück *n* (**to** zu). **7.** *mar.* → **pennant** 1. **8.** *arch.* her'abhängender Schlußstein. **II** *adj* → **pendent** I: **~ cord** *electr.* Hängeschnur *f*; **~ switch** Schnurschalter *m*.

pend·en·cy ['pendənsi] *s bes. jur.* Schweben *n*, Anhängigkeit *f*: **during the ~ of a suit** → **pendente lite**.

pend·ent ['pendənt] **I** *adj* **1.** (her'ab)hängend, Hänge... **2.** 'überhängend.

3. *fig. jur.* → pending 3. **4.** *ling.* unvollständig. **II** *s* → pendant I.

pen·den·te li·te [pen'denti 'laiti] (*Lat.*) *adv jur.* bei schwebendem Verfahren, während der Anhängigkeit des Verfahrens.

pen·den·tive [pen'dentiv] *s arch.* **1.** Hänge-, Strebebogen *m.* **2.** Penden'tif *n* (*Gewölbezwickel*).

pend·ing ['pendiŋ] **I** *adj* **1.** hängend. **2.** bevorstehend, *a.* drohend. **3.** *fig. bes. jur.* schwebend, anhängig, (noch) unentschieden: cases ~ before the Court (vor dem Gericht) anhängige Sachen. **II** *prep* **4.** a) während, b) bis zu: ~ further information bis weitere Auskünfte vorliegen.

pen·drag·on [pen'drægən] *s* Fürst *m* (*alter Titel brit. Feldherrn*).

pen·du·late [*Br.* 'pendjuˌleit; *Am.* -dʒə-] *v/i* **1.** pendeln. **2.** *fig.* fluktu'ieren, schwanken. ˌ**pen·du'la·tion** *s* **1.** Pendeln *n.* **2.** *fig.* Schwanken *n.*

'**pen·duˌline** [-ˌlain; -lin] *adj u. s orn.* Hängenester bauend(er Vogel).

pen·du·lous [*Br.* 'pendjuləs; *Am.* -dʒə-] *adj* hängend, frei schwebend, pendelnd: ~ abdomen Hängebauch *m*; ~ breasts Hängebrust *f*; ~ motion Pendelbewegung *f.*

pen·du·lum [*Br.* 'pendjuləm; *Am.* -dʒə-] **I** *s* **1.** *math. phys.* Pendel *n.* **2.** *tech.* a) Pendel *n*, Perpen'dikel *m, n* (*e-r Uhr*), b) Schwunggewicht *n.* **3.** *fig.* Pendelbewegung *f*, Pendel *n*, wechselnde Stimmung *od.* Haltung *od.* Meinung: the ~ of public opinion. **II** *adj* **4.** Pendel...: ~ clock (contact, saw, weight, *etc*); ~ wheel Unruh(e) *f.*

pen·e·tra·bil·i·ty [ˌpenitrə'biliti] *s* Durch'dringbarkeit *f*, -'dringlichkeit *f.*

'**pen·e·tra·ble** *adj* (*adv* penetrably) durch'dringlich, erfaßbar, erreichbar.

pen·e·tra·li·a [ˌpeni'treiliə] *s pl* **1.** (*das*) Innerste, (*das*) Aller'heiligste. **2.** *fig.* Geheimnisse *pl*, in'time Dinge *pl.*

pen·e·trate ['peniˌtreit] **I** *v/t* **1.** durch'dringen, eindringen in (*acc*), durch'bohren, -schlagen, (*a. mil. taktisch*) durch'stoßen, dringen durch. **2.** *aer. mil.* einfliegen, -dringen in (*acc*). **3.** *fig.* a) (*seelisch*) durch'dringen, erfüllen, ergreifen, b) (*geistig*) eindringen in (*acc*), erforschen, ergründen, durch'schauen. **II** *v/i* **4.** (into, to) eindringen (in *acc*), 'durchdringen (zu): to ~ into a secret *fig.* ein Geheimnis ergründen. **5.** 'durch-, vordringen, sich e-n Weg bahnen (to bis zu, zu). '**pen·eˌtrat·ing** *adj* (*adv* ~ly) **1.** *allg.* 'durchdringend: ~ glance (intellect, shriek, wind); ~ odo(u)r penetranter Geruch; ~ power → penetration 2. **2.** durch'bohrend (*a. fig. Blick*). '**pen·eˌtrat·ing·ness** *s* **1.** Eindringlichkeit *f.* **2.** Scharfsinn *m.*

pen·e·tra·tion [ˌpeni'treiʃən] *s* **1.** Ein-, 'Durchdringen *n*, Durch'bohren *n*, -stoßen *n*, *mil.* 'Durch-, Einbruch *m*, *aer.* Einflug *m.* **2.** Eindringungsvermögen *n*, 'Durchschlagskraft *f*, Tiefenwirkung *f.* **3.** *opt. phys.* Schärfe *f*, Auflösungsvermögen *n.* **4.** *fig.* Ergründung *f.* **5.** *fig.* Durch'dringung *f*, Ein-, Vordringen *n*, Einflußnahme *f*: peaceful ~ of a country friedliche Durchdringung e-s Landes. **6.** *fig.* Scharfsinn *m*, 'durchdringender Verstand.

pen·e·tra·tive ['peniˌtreitiv; *Br. a.* -trə-] *adj* (*adv* ~ly) **1.** 'durchdringend, Eindringungs...: ~ effect Eindringungstiefe *f* (*e-s Geschosses*). **2.** → penetrating. **3.** eindringlich.

pen feath·er *s orn.* Schwungfeder *f.*

pen·guin ['peŋgwin; 'pen-] *s* **1.** *orn.* Pingu'in *m.* **2.** *aer.* Übungsflugzeug *n.*

'**penˌhold·er** *s* Federhalter *m.*

pe·ni·al ['piːniəl] *adj anat.* Penis...

pen·i·cil·late [ˌpeni'silit; -leit] *adj bot. zo.* **1.** pinselförmig. **2.** streifig.

pen·i·cil·lin [ˌpeni'silin] *s med.* Penicil'lin *n.*

pen·in·su·la [pi'ninsjulə; *Am. a.* -sələ] *s* Halbinsel *f*: the (Iberian) P~ die Pyrenäenhalbinsel. **pen'in·su·lar I** *adj* **1.** Halbinsel..., peninsu'lar(isch): the P~ War der Peninsular-, Halbinselkrieg (*Napoleons gegen die Spanier; 1808—14*); the P~ campaign *Am.* McClellands Feldzug *m* gegen Richmond im amer. Bürgerkrieg (*1862*); the P~ State *Am.* (der Staat) Florida *n.* **2.** halbinselförmig. **II** *s* **3.** Bewohner(in) e-r Halbinsel.

pe·nis ['piːnis] *s anat.* Penis *m*, männliches Glied.

pen·i·tence ['penitəns] *s relig.* Buße *f*, Reue *f*, Bußfertigkeit *f*, Zerknirschung *f.* '**pen·i·tent I** *adj* (*adv* ~ly) **1.** bußfertig, reuig, zerknirscht. **II** *s* **2.** Bußfertige(r *m*) *f*, Büßer(in). **3.** Beichtkind *n*, Pöni'tent(in). ˌ**pen·i'ten·tial** [-'tenʃəl] **I** *adj* (*adv* ~ly) **1.** → penitent 1. **2.** als Buße auferlegt, Buß...: ~ psalms die Bußpsalmen. **II** *s* **3.** *a.* ~ book *R.C.* Buß-, Pöni'tenzbuch *n.*

pen·i·ten·tia·ry [ˌpeni'tenʃəri] **I** *s* **1.** *relig.* Pönitenti'ar *m*, Bußpriester *m*, Beichtvater *m.* **2.** *relig.* (*päpstliches*) Bußgericht: Grand P~ *Kardinal, der dem päpstlichen Bußgericht vorsteht.* **3.** *Am.* Zuchthaus *n*, Strafanstalt *f.* **4.** Besserungsanstalt *f.* **II** *adj* **5.** *relig.* Buß...: ~ priest; ~ pilgrim Bußpilger *m.* **6.** ~ crime *Am.* Verbrechen, auf das e-e Zuchthausstrafe steht.

'**pen|ˌknife** *s irr* Feder-, Taschenmesser *n.* '~**·man** [-mən] *s irr* **1.** Schreiber *m.* **2.** Schönschreiber *m*, Kalli'graph *m.* **3.** Mann *m* der Feder, Lite'rat *m.* '~**·manˌship** *s* **1.** Schreibkunst *f*, Kalligra'phie *f.* **2.** Stil *m.* **3.** a) schriftstellerisches Können, Kunst *f* des Schreibens, b) schriftstellerische Leistung. ~ **name** *s* Schriftstellername *m*, Pseudo'nym *n.*

pen·nant ['penənt] *s* **1.** *mar.* Wimpel *m*, Stander *m*, kleine Flagge. **2.** (Lanzen)Fähnchen *n.* **3.** *sport Am.* Siegeswimpel *m.* **4.** *mus. Am.* Fähnchen *n.*

pen·ni·form ['peniˌfɔːrm] *adj* federförmig.

pen·ni·less ['penilis] *adj* ohne e-n Pfennig (Geld), mittellos, arm.

pen·nill ['penil] *pl* **-nill·ion** [pə'niljən] *s Strophe e-s improvisierten Gedichtes, das mit Harfenbegleitung gesungen wird* (*in Wales*).

pen·non ['penən] *s* **1.** *bes. mil.* Fähnlein *n*, Wimpel *m* (*a. mar.*), Lanzenfähnchen *n.* **2.** Fittich *m*, Schwinge *f.*

Penn·syl·va·ni·a Dutch [ˌpensəl'veinjə; -niə] *s* **1.** *collect.* Pennsyl'vanisch-Deutsche *pl*, in Pennsyl'vania lebende 'Deutsch-Ameriˌkaner *pl.* **2.** *ling.* Pennsyl'vanisch-Deutsch *n.*

Penn·syl·va·nian [ˌpensəl'veinjən; -niən] **I** *adj* pennsyl'vanisch. **II** *s* Pennsyl'vanier(in).

pen·ny ['peni] *pl* **-nies** *od. collect.* **pence** [pens] *s* **1.** (*englischer*) Penny ($^1/_{100}$ *Pfund*): in pennies in (einzelnen) Kupfermünzen; in for a ~, in for a pound wer A sagt, muß auch B sagen; to spend a ~ *euphem.* ‚mal verschwinden'; take care of the pence, and the pounds will take care of themselves wer den Pfennig nicht ehrt, ist des Talers nicht wert; the ~ dropped *humor.* ‚der Groschen ist gefallen'. **2.** *fig.* Pfennig *m*, Heller *m*, Kleinigkeit *f*: he hasn't a ~ to bless himself with er hat keinen roten Heller; a ~ for your thoughts ich gäb' was dafür, wenn ich wüßte, woran Sie jetzt denken. **3.** *fig.* Geld *n*: a pretty ~ ein hübsches Sümmchen; → honest 3. **4.** *Am.* Cent(stück *n*) *m.*

'**pen·ny|-a-'lin·er** *s bes. Br.* (schlecht bezahlter) Zeitungsschreiber, Schreiberling *m*, Zeilenschinder *m.* ~ **an·te** *s Am.* **1.** Pokerspiel *n*, bei dem der (erste) Einsatz e-n Cent beträgt. **2.** *fig.* ‚kleine Fische' *pl* (*unbedeutende Sache*). ~ **dread·ful** *s Br.* **1.** 'Groschen-, 'Schauerroˌman *m.* **2.** ‚Re'volverblatt' *n.* ~ **farth·ing** *s Br. colloq.* (*altes*) Hochrad. '~**-in-the-'slot** *adj* aus dem 'Groschenautoˌmaten, auto'matisch (*a. fig.*): ~ machine Verkaufsautomat *m.* '~**-ˌpinch·ing** *s* Knicke'rei *f*, ˌPfennigfuchse'rei *f.* ~ **pitch·ing** *s Am. Spiel, in welchem die Partner mit e-m Cent-Stück auf ein Ziel werfen.* ˌ~'**roy·al** *s bot.* Poleiminze *f*, Flohkraut *n.* '~ˌ**weight** *s* (*englisches*) Pennygewicht ($^1/_{20}$ *Unze = 1,555 g*). '~**-'wise** *adj* am falschen Ende sparsam: ~ and pound-foolish im Kleinen sparsam, im Großen verschwenderisch. '~ˌ**wort** *s bot.* **1.** Nabelkraut *n.* **2.** Wassernabel *m.* **3.** (*e-e*) Sib'thorpie. **4.** Zymbelkraut *n.* '~ˌ**worth** *s* **1.** *was man für e-n Penny kaufen kann*: a ~ of hard candy für e-n Penny Bonbons. **2.** (*bes.* guter) Kauf: a good ~ ein wohlfeiler Kauf.

pe·no·log·ic [ˌpiːno'lɒdʒik] *adj*; ˌ**pe·no'log·i·cal** [-kəl] *adj* (*adv* ~ly) krimi'nalkundlich, *bes.* Strafvollzugs... **pe'nol·o·gy** [-'nɒlədʒi] *s* Krimi'nalstrafkunde *f*, *bes.* 'Strafvollˌzugslehre *f.*

'**pen-ˌpush·er** *s colloq.* **1.** ‚Bü'rohengst' *m.* **2.** Schreiberling *m.*

pen·sile ['pensil; *Br. a.* -sail] *adj* (her'ab)hängend, Hänge...

pen·sion[1] ['penʃən] **I** *s* **1.** Pensi'on *f*, Ruhegehalt *n*, Rente *f*: old-age ~ Altersversorgung *f*; ~ fund Pensionskasse *f*; ~ plan (*od.* scheme) (Alters-)Versorgungsplan *m.* **2.** Jahr-, Kostgeld *n.* **II** *v/t* **3.** *oft* ~ off *j-n* pensio'nieren, in den Ruhestand versetzen.

pen·sion[2] ['pɑ̃siɔ̃; pɑ̃'sjɔ̃] *s* **1.** Pensi'on *f*, Fremdenheim *n.* **2.** Pensio'nat *n*, Inter'nat *n* (*bes. auf dem Kontinent*).

pen·sion·a·ble ['penʃənəbl] *adj* pensi'onsfähig, -berechtigt.

pen·sion·ar·y ['penʃənəri] **I** *adj* **1.** Pensions... **2.** pensio'niert, im Ruhestand. **II** *s* **3.** Pensio'när(in), Ruhegehalts-, Pensi'onsempfänger(in). **4.** *contp.* Mietling *m.*

pen·sion·er ['penʃənər] *s* **1.** → pensionary 3. **2.** *Br.* Stu'dent (*in Cambridge*), der für Kost u. Wohnung im College bezahlt.

pen·sive ['pensiv] *adj* (*adv* ~ly) **1.** nachdenklich, sinnend, gedankenvoll. **2.** ernst, tiefsinnig. '**pen·sive·ness** *s* **1.** Nachdenklichkeit *f.* **2.** Tiefsinn *m.*

'**penˌstock** *s tech.* **1.** Schützenwehr *n*, Stauanlage *f.* **2.** *Am.* Mühlgraben *m.* **3.** *Am.* Rohrzuleitung *f*, Druckrohr *n.*

pent [pent] *adj* eingeschlossen, -gepfercht: → pent-up.

pen·ta·bas·ic [ˌpentə'beisik] *adj chem.* fünfbasisch: ~ acid.

pen·ta·cle ['pentəkl] → pentagram.

pen·tad ['pentæd] *s* **1.** Fünfergruppe *f.* **2.** *chem.* fünfwertiges Ele'ment *od.* Radi'kal. **3.** Pen'tade *f*, Zeitraum *m* von fünf Jahren.

pen·ta·gon ['pentəˌgɒn] *s* **1.** *math.*

Fünfeck *n.* **2.** the P~ *Am.* das Pentagon (*Gebäude des amer. Verteidigungsministeriums*). **pen'tag·o·nal** [-'tægənl] *adj math.* fünfeckig.

pen·ta·gram ['pentəˌgræm] *s* Penta'gramm *n*, Drudenfuß *m.*

pen·ta·he·dral [ˌpentə'hiːdrəl] *adj math.* fünfflächig. **ˌpen·ta'he·dron** [-drən] *pl* **-drons** *od.* **-dra** [-drə] *s* Penta'eder *n.*

pen·tam·e·ter [pen'tæmitər] *s metr.* [Pen'tameter *m.*]

pen·tane ['pentein] *s chem.* Pen'tan *n.*

pen·ta·syl·lab·ic [ˌpentəsi'læbik] *adj metr.* fünfsilbig.

Pen·ta·teuch ['pentəˌtjuːk] *s Bibl.* Penta'teuch *m* (*die 5 Bücher Mose*).

pen·tath·lete [pen'tæθliːt] *s sport* Fünfkämpfer(in). **pen'tath·lon** [-lɒn] *s* Fünfkampf *m.*

pen·ta·tom·ic [ˌpentə'tɒmik] *adj chem.* **1.** 'fünfaˌtomig. **2.** fünfwertig.

pen·ta·ton·ic [ˌpentə'tɒnik] *adj mus.* penta'tonisch (*fünftönig*): ~ scale.

pen·ta·va·lent [ˌpentə'veilənt] *adj* fünfwertig.

Pen·te·cost ['pentiˌkɒst; -ˌkɔːst] *s relig.* **1.** Pfingsten *n od. pl*, Pfingstfest *n.* **2.** jüdisches Erntefest. **ˌPen·te'cos·tal** *adj* pfingstlich, Pfingst...

pent·house ['pentˌhaus] *s arch.* **1.** Wetter-, Vor-, Schutzdach *n.* **2.** a) Aufbau *m* auf dem Dach, b) Dachwohnung *f* (*auf flachem Hochhausdach*): ~ roof Pultdach *n.* **3.** Anbau *m*, Nebengebäude *n.*

pen·tode ['pentoud] *s electr.* Pent'ode *f*, Fünfpolröhre *f.*

pent·ste·mon [pent'stiːmən] *s bot.* [Bartfaden *m.*]

'pent-'up *adj* **1.** eingepfercht. **2.** *fig.* angestaut: ~ feelings; ~ demand *Am.* Nachholbedarf *m.*

pe·nult ['piːnʌlt; pi'nʌlt] *s ling. metr.* vorletzte Silbe. **pe'nul·ti·mate** [-mit] **I** *adj* vorletzt(er, e, es): ~ stage Vorstufe *f* (*e-s Senders*). **II** *s* → penult.

pe·num·bra [pi'nʌmbrə] *pl* **-brae** [-briː] *od.* **-bras** *s* **1.** *phys.* Halbschatten *m* (*a. fig.*). **2.** *astr.* Pen'umbra *f.* **3.** *paint.* 'Übergang *m* von hell zu dunkel. **pe'num·bral** *adj* halbdunkel, Halbschatten...

pe·nu·ri·ous [pi'nju(ə)riəs] *adj* (*adv* ~ly) **1.** karg. **2.** geizig, knauserig.

pen·u·ry ['penju(ə)ri] *s* Knappheit *f*, Armut *f*, Not *f*, Mangel *m* (of an *dat*).

pe·on ['piːən] *s* **1.** [*a.* pjuːn] Sol'dat *m od.* Poli'zist *m od.* Bote *m* (*in Indien u. Ceylon*). **2.** Pe'on *m*: a) Tagelöhner *m* (*in Südamerika*), b) (*durch Geldschulden*) zu Dienst verpflichteter Arbeiter (*Mexiko*). **3.** *Am.* zu Arbeit her'angezogener Sträfling. **'pe·on·age, 'pe·onˌism** *s* **1.** Dienstbarkeit *f*, Leibeigenschaft *f.* **2.** *Am.* Peo'nage *f*, Sy'stem *n* der Verdingung von Sträflingen an Unter'nehmer.

pe·o·ny ['piːəni] *s bot.* Pfingstrose *f.*

peo·ple ['piːpl] **I** *s* **1.** *collect.* (*als pl konstruiert*) die Menschen *pl*, die Leute *pl*: English ~ (die) Engländer; London ~ die Londoner (Bevölkerung); literary ~ Literaten; country ~ Landleute, -bevölkerung *f*; town ~ Städter *pl.*; a great many ~ sehr viele Leute; some ~ manche (Leute); I don't like to keep ~ waiting ich lasse die Leute nicht gern warten. **2.** man: ~ say man sagt. **3.** Leute *pl*, Per'sonen *pl*: there were ten ~ present; he of all ~ ausgerechnet er. **4.** (*mit Possessivpronomen*) *colloq.* Leute *pl*, Fa'milie *f*, Angehörige(n) *pl*: my ~. **5.** Leute *pl* (*Untergeordnete*): he treated his ~ well. **6.** the ~ a) (*a. als sg konstruiert*) das (*gemeine*) Volk, die Masse (des Volkes), b) die Bürger *pl od.* Wähler *pl*, die Bevölkerung: the P~'s Party *Am. hist.* die Volkspartei (*1891 gegründete Partei der Populists*); ~'s front Volksfront *f*; ~'s man Mann *m* des Volkes; ~'s democracy Volksdemokratie *f.* **7.** *pl* peoples Volk *n*, Nati'on *f*: the ~s of Europe; the chosen ~ das auserwählte Volk. **8.** *fig.* Volk *n*: the bee ~ das Bienenvolk. **II** *v/t* **9.** bevölkern (with mit).

pep [pep] *sl.* **I** *s* E'lan *m*, Schwung *m*, ‚Schmiß' *m*: ~ pill Aufputschungsmittel *n*; ~ talk Anfeuerung *f*, anfeuernde *od.* ermunternde Worte. **II** *v/t meist* ~ up a) *j-n* ‚aufmöbeln', ‚in Schwung bringen', b) *j-n* anfeuern, c) *etwas* in Schwung bringen, Leben bringen in (*acc*), *e-e Geschichte etc* ‚pfeffern', würzen.

pep·per ['pepər] **I** *s* **1.** Pfeffer *m* (*Gewürz*). **2.** *bot.* Pfefferstrauch *m*, *bes.* a) Spanischer Pfeffer, b) Roter Pfeffer, Cay'ennepfeffer *m*, c) Paprika *m.* **3.** pfefferähnliches, scharfes Gewürz (*z. B. Ingwer*): ~ cake Gewürz-, Pfefferkuchen *m.* **4.** *fig.* ‚Pfeffer' *m*, (*etwas*) Beißendes *od.* Scharfes. **II** *v/t* **5.** pfeffern. **6.** *allg.* würzen. **7.** *fig.* bestreuen, sprenkeln, über'säen. **8.** *fig. e-e Rede, den Stil etc* würzen, ‚pfeffern'. **9.** *fig.* ‚bepfeffern', (*a. mit Fragen etc*) bombar'dieren. **10.** 'durchprügeln. **'~-and--'salt I** *adj* **1.** pfeffer-und-salzfarben, grau getüpfelt *od.* gesprenkelt (*Stoff*). **II** *s* **2.** a) pfeffer-und-salzfarbener Stoff, b) Anzug *m* aus diesem Stoff. **3.** Pfeffer-und-Salz-Farbe *f od.* -Muster *n.* **'~ˌbox, ~ cast·er** *s* Pfefferstreuer *m.* **'~ˌcorn** *s* **1.** Pfefferkorn *n.* **2.** *a.* ~ rent nomi'neller Pachtzins.

pep·per·mint ['pepərˌmint] *s* **1.** *bot.* Pfefferminze *f.* **2.** *a.* ~ oil Pfefferminzöl *n.* **3.** *a.* ~ drop (*od.* lozenge) 'Pfefferminzpaˌstille *f*, -plätzchen *n*, -bonˌbon *m, n.* **~ cam·phor** *s* Men'thol *n.*

pep·per pot *s* **1.** Pfefferstreuer *m.* **2.** *westindisches, stark gewürztes Gericht.* **3.** *a.* Philadelphia ~ *Am. stark gepfefferte Suppe mit Kaldaunen.* **4.** *fig.* Hitzkopf *m.*

pep·per·y ['pepəri] *adj* **1.** pfefferig, pfefferartig, scharf, beißend. **2.** *fig.* jähzornig, hitzig. **3.** ‚gepfeffert', scharf, beißend: ~ style.

pep·py ['pepi] *adj sl.* ‚schmissig', schwungvoll, forsch.

pep·sin ['pepsin] *s chem.* Pep'sin *n.*

pep·tic ['peptik] *med.* **I** *adj* **1.** Verdauungs...: ~ gland Magendrüse *f*; ~ ulcer Magengeschwür *n.* **2.** verdauungsfördernd, peptisch: ~ sauce. **3.** *e-e* gute Verdauung habend. **II** *s* **4.** *pl humor.* Ver'dauungsorˌgane *pl.*

pep·ti·za·tion [ˌpeptai'zeiʃən; -ti-] *s* Pepti'sierung *f* (*Überführung in kolloide Lösungen*).

pep·tone ['peptoun] *s physiol.* Pep'ton *n.* **ˌpep·to·ni'za·tion** [-toni'zeiʃən; -nai'zei-] *s* Peptonisati'on *f.*

per [pəːr] *prep* **1.** per, durch: ~ bearer durch Überbringer; ~ post durch die Post, auf dem Postwege; ~ rail per Bahn. **2.** pro, für: ~ annum pro Jahr, jährlich; ~ capita pro Kopf *od.* Person; ~ capita quota Kopfbetrag *m*; ~ cent pro *od.* vom Hundert (→ percent); ~ mille pro Tausend, pro mille; ~ second in der *od.* pro Sekunde; → per contra, per diem. **3.** *a.* as ~ *econ.* laut, gemäß: as ~ usual *colloq.* wie gewöhnlich.

per·ac·id ['pəːrˌæsid] *s chem.* Per[säure *f.*]

per·ad·ven·ture [ˌpəːrəd'ventʃər] **I** *adv* **1.** *obs.* viel'leicht, zufällig. **II** *s* **2.** Zufall *m.* **3.** Zweifel *m.*

per·am·bu·late [pə'ræmbjuˌleit] **I** *v/t* **1.** durch'wandern, -'reisen, -'ziehen. **2.** bereisen, besichtigen. **3.** die Grenzen (*e-s Gebiets*) abschreiten. **II** *v/i* **4.** um'herwandern. **perˌam·bu'la·tion** *s* **1.** Durch'wandern *n.* **2.** Bereisen *n*, Besichtigung(sreise) *f.* **3.** Grenzbestimmung *f* durch Begehen. **4.** *jur.* Besichtigungs-, Gerichtssprengel *m.*

per'am·buˌla·tor [-tər] *s* **1.** *bes. Br.* Kinderwagen *m.* **2.** (Durch)'Wanderer *m.* **3.** *tech.* Wegmesser *m*, Meßrad *n.*

per·cale [pər'keil] *s* Per'kal *m* (*ein Baumwollgewebe*). **per·ca·line** ['pəːrkəˌliːn] *s* Perka'lin *n.*

per·ceiv·a·ble [pər'siːvəbl] *adj* (*adv* perceivably) **1.** wahrnehmbar, merklich, spürbar. **2.** verständlich. **per'ceive** *v/t u. v/i* **1.** wahrnehmen, empfinden, (be)merken, spüren. **2.** verstehen, erkennen, begreifen.

per·cent, *Br. a.* **per cent** [pər'sent] **I** *adj* **1.** ...prozentig: a four ~ share. **II** *s* **2.** Pro'zent *n* (%): ~ by volume Volumen-, Raumprozent. **3.** *pl* 'Wertpaˌpiere *pl* mit feststehendem Zinssatz: three per cents dreiprozentige Wertpapiere.

per·cent·age [pər'sentidʒ] **I** *s* **1.** Pro'zentsatz *m*: a) *math.* Hundertsatz *m*, b) *allg.* Anteil *m*, Teil *m* (of an *dat*). **2.** Pro'zentgehalt *m*: ~ by weight Gewichtsprozent *n.* **3.** *econ.* Pro'zente *pl.* **4.** Gewinnanteil *m*, Provisi'on *f*, Tanti'eme *f*, Pro'zente *pl.* **5.** *fig.* (*statistische*) Wahrscheinlichkeit. **II** *adj* **6.** Prozentu'al...: ~ increase. **per'cen·tal** → percentile I. **per'cen·tile** [*Br.* -tail; *Am.* -til] **I** *adj* in Pro'zenten (ausgedrückt), Prozent..., prozentu'al. **II** *s math. phys. statistischer Wert, der durch n% e-r großen Reihe von Messungen nicht, dagegen von 100-n% erreicht wird.*

per·cept ['pəːrsept] *s philos.* wahrgenommener Gegenstand.

per·cep·ti·bil·i·ty [pərˌseptə'biliti] *s* Wahrnehmbarkeit *f.* **per'cep·ti·ble** *adj* (*adv* perceptibly) wahrnehmbar, merklich.

per·cep·tion [pər'sepʃən] *s* **1.** (sinnliche *od.* geistige) Wahrnehmung, Empfindung *f*: ~ of light Lichtempfindung. **2.** Wahrnehmungsvermögen *n.* **3.** Auffassung(skraft) *f.* **4.** Vorstellung *f*, Begriff *m*, Erkenntnis *f.* **per'cep·tion·al** *adj* Wahrnehmungs...

per·cep·tive [pər'septiv] *adj* **1.** wahrnehmend, Wahrnehmungs..., perzep'tiv. **2.** auffassungsfähig, scharfsichtig. **per·cep·tiv·i·ty** [ˌpəːrsep'tiviti], **per'cep·tive·ness** → perception 2.

per·cep·tu·al [*Br.* pər'septjuəl; *Am.* -tʃuəl] *adj philos.* Wahrnehmungs...

perch[1] [pəːrtʃ] *pl* **'perch·es** [-iz] *od. collect.* **perch** *s ichth.* Flußbarsch *m.*

perch[2] [pəːrtʃ] **I** *s* **1.** (Sitz)Stange *f* (*für Vögel*), Hühnerstange *f.* **2.** *fig.* ‚Thron' *m*, hoher (sicherer) Sitz: to knock s.o. off his ~ *colloq.* a) j-n ‚abschießen' *od.* von s-m Thron herunterstoßen, b) j-n besiegen *od.* demütigen; to hop the ~ *sl.* ‚abkratzen' (*sterben*); come off your ~! *colloq.* tu nicht so überlegen! **3.** *surv.* Meßstange *f.* **4.** Rute *f* (*Längenmaß* = $16^1/_2$ *feet* = *5,029 m*). **5.** *a.* square ~ *Flächenmaß von* $30^1/_4$ *square yards.* **6.** *mar.* Pricke *f*, Stangenseezeichen *n.* **7.** Lang-, Lenkbaum *m* (*e-s Wagens*). **II** *v/i* **8.** (on) sich setzen *od.* niederlassen (auf *acc*), sitzen (auf *dat*) (*Vögel*). **9.** *fig.* hoch sitzen *od.* ‚thronen'. **III** *v/t* **10.** (*auf*

etwas Hohes) setzen: to ~ o.s. sich setzen; to be ~ed sitzen.
per·chance [*Br.* pər'tʃɑːns; *Am.* -'tʃæ(ː)ns] *adv poet.* viel'leicht, zufällig.
perch·er ['pəːrtʃər] *s orn.* Sitzfüßer *m*, -vogel *m*.
Per·che·ron [*Br.* 'pəːrʃəˌrɒn; *Am.* -tʃə-] *s* Perche'ron(pferd *n*) *m*.
per·chlo·rate [pər'klɔːreit] *s chem.* 'überchlorsaures Salz, Perchlo'rat *n*. **per'chlo·ric** *adj* 'überchlorig: ~ acid Über- *od.* Perchlorsäure *f*. **per'chlo·ride** [-raid; -rid] *s* Perchlo'rid *n*.
per·chlo·rin·ate [pər'klɔːriˌneit] *v/t chem.* perchlo'rieren.
per·chro·mate [pər'kroumeit] *s chem.* Perchro'mat *n* (*überchromsaures Salz*). **per'chro·mic** *adj* Perchrom...
per·cip·i·ence [pər'sipiəns] *s* **1.** Wahrnehmung *f*. **2.** Wahrnehmungsvermögen *n*. **per'cip·i·ent I** *adj* (*adv* ~ly) **1.** wahrnehmend, Wahrnehmungs... **2.** scharfsichtig. **II** *s* **3.** Wahrnehmer(in).
per·co·late ['pəːrkəˌleit] **I** *v/t* **1.** *Kaffee etc* filtern, fil'trieren, 'durchseihen, 'durchsickern lassen. **2.** ('durch)sickern durch (*a. fig.*). **II** *v/i* **3.** 'durchsintern, -sickern, -laufen, versickern: percolating tank Sickertank *m*. **4.** gefiltert werden. **5.** *fig.* 'durchsickern, bekanntwerden. **6.** *fig.* eindringen (into in *acc*). **III** *s* **7.** Perko'lat *n*, Fil'trat *n*. **ˌper·co'la·tion** *s* **1.** 'Durchseihung *f*, Filtrati'on *f*. **2.** *fig.* 'Durchsickern *n*, Eindringen *n*. **'per·coˌla·tor** [-tər] *s* **1.** Fil'trierappaˌrat *m*, Perko'lator *m*. **2.** 'Kaffeemaˌschine *f*.
per con·tra ['kɒntrə] (*Lat.*) *adv* **1.** *econ.* auf der Gegenseite (*der Bilanz*), als Gegenforderung *od.* -leistung. **2.** im Gegenteil, 'umgekehrt.
per·cuss [pər'kʌs] *v/t u. v/i med.* perku'tieren, beklopfen.
per·cus·sion [pər'kʌʃən] **I** *s* **1.** Schlag *m*, Stoß *m*, Erschütterung *f*. **2.** *fig.* Wirkung *f*, 'Widerhall *m*. **3.** *med.* a) Perkussi'on *f*, b) 'Klopfmasˌsage *f*. **4.** *mus. collect.* 'Schlaginstruˌmente *pl*, -zeug *n*. **II** *adj* **5.** Schlag..., Stoß...: ~ cap Zündhütchen *n*; ~ drill *tech.* Schlag-, Stoßbohrer *m*; ~ fuse *mil.* Aufschlagzünder *m*; ~ instrument *mus.* Schlaginstrument *n*; ~ wave Stoßwelle *f*; ~ welding *tech.* Schlag-, Stoßschweißen *n*. **III** *v/t* **6.** *med.* a) perku'tieren, b) durch Beklopfen mas'sieren. **per'cus·sion·ist** *s mus.* Schlagzeuger *m*. **per'cus·sive** [-siv] *adj* **1.** schlagend, Schlag..., Stoß...: ~ drill Schlag-, Stoßbohrer *m*; ~ welding Schlag-, Stoßschweißen *n*. **2.** *fig.* heftig, wirkungsvoll.
per·cu·ta·ne·ous [ˌpəːrkju'teiniəs] *adj med.* perku'tan, durch die Haut hin'durch(gehend).
per di·em ['daiem] **I** *adv u. adj* **1.** täglich, pro Tag: ~ rate Tagessatz *m*. **2.** tagweise (festgelegt *od.* bezahlt): ~ assignment. **II** *s* **3.** Tagegeld *n*.
per·di·tion [pər'diʃən] *s* **1.** *obs.* Verderben *n*, Vernichtung *f*. **2.** ewige Verdammnis. **3.** Hölle *f*.
per·du(e) [pəːr'djuː] *adj* im 'Hinterhalt, auf der Lauer, versteckt: to lie ~.
per·dur·a·ble [pər'dju(ə)rəbl] *adj* **1.** dauernd, immerwährend. **2.** dauerhaft, unverwüstlich.
per·e·gri·nate ['perigriˌneit] **I** *v/i* wandern, um'herreisen. **II** *v/t* durch'wandern, bereisen. **ˌper·e·gri'na·tion** *s* **1.** Wandern *n*, Wanderschaft *f*. **2.** Wanderung *f*, Reise *f*. **3.** *fig.* weitschweifige Behandlung *od.* Rede.
per·e·grine ['perigrin; -ˌgriːn] *s a.* ~ falcon *orn.* Wanderfalke *m*.
per·emp·to·ri·ness [pə'remptərinis] *s* **1.** Entschiedenheit *f*, Bestimmtheit *f*. **2.** gebieterische Art, herrisches Wesen. **3.** Endgültigkeit *f*. **per'emp·to·ry** [-təri] *adj* (*adv* peremptorily) **1.** entschieden, bestimmt. **2.** entscheidend, endgültig. **3.** bestimmt, zwingend, defini'tiv: ~ command. **4.** herrisch, gebieterisch. **5.** *jur.* absprechend: ~ exception, ~ plea Einrede, die gegen das Klagerecht selbst gerichtet ist.
per·en·ni·al [pə'renjəl; -niəl] **I** *adj* (*adv* ~ly) **1.** das Jahr *od.* Jahre hin'durch dauernd, beständig: ~ river dauernd wasserführender Fluß. **2.** immerwährend, anhaltend. **3.** *bot.* peren'nierend, über'dauernd, winterhart. **II** *s* **4.** *bot.* peren'nierende Pflanze: hardy ~ *fig.* ewiges Problem.
per·fect ['pəːrfikt] **I** *adj* (*adv* → perfectly) **1.** voll'kommen, voll'endet, fehler-, tadel-, makellos, ide'al, per'fekt: to make ~ vervollkommnen. **2.** per'fekt, gründlich ausgebildet (in in *dat*). **3.** gänzlich, vollständig, genau: a ~ circle ein vollkommener Kreis; ~ strangers wildfremde Leute. **4.** *colloq.* rein, ‚kom'plett': ~ nonsense; a ~ fool ein kompletter *od.* ausgemachter Narr. **5.** *ling.* voll'endet: ~ participle Partizip *n* Perfekt, Mittelwort *n* der Vergangenheit; ~ tense Perfekt *n*. **6.** *mus.* voll'kommen: ~ interval reines Intervall; ~ pitch absolutes Gehör. **7.** *math.* ganz: ~ number ganze Zahl. **II** *s* **8.** Perfekt *n*. **III** *v/t* [pər'fekt] **9.** zur Voll'endung bringen, vervollkommnen, vervollständigen. **10.** *j-n* vervollkommnen: to ~ o.s. in sich vervollkommnen in (*dat*). **per'fect·i·ble** *adj* vervollkommnungsfähig.
per·fec·tion [pər'fekʃən] *s* **1.** Vervollkommnung *f*, Voll'endung *f*. **2.** Voll'kommenheit *f*, Perfekti'on *f*: to bring to ~ vervollkommnen. **3.** Voll'endung *f*, Gipfel *m*, Krone *f*: to ~ vollkommen, meisterlich. **4.** Vor'trefflichkeit *f*, Makel-, Fehlerlosigkeit *f*. **5.** *pl* Fertigkeiten *pl*.
per·fec·tion·ism [pər'fekʃəˌnizəm] *s philos. u. fig.* Perfektio'nismus *m*. **per'fec·tion·ist I** *s* **1.** *philos.* Perfektio'nist(in). **2.** j-d, der (*bei jeder Arbeit*) nach Voll'kommenheit strebt, Perfektio'nist(in). **II** *adj* **3.** perfektio'nistisch.
per·fect·ly ['pəːrfiktli] *adv* **1.** 'vollkommen, fehlerlos, gänzlich, völlig. **2.** *colloq.* ganz, abso'lut, gerade'zu: ~ wonderful einfach wunderbar.
per·fer·vid [pəːr'fəːrvid] *adj fig.* glühend, heiß, inbrünstig.
per·fid·i·ous [pər'fidiəs] *adj* (*adv* ~ly) treulos, verräterisch, falsch, 'hinterlistig, heimtückisch, per'fid. **per'fid·i·ous·ness, per·fi·dy** ['pəːrfidi] *s* Treulosigkeit *f*, Falschheit *f*, (Heim)Tücke *f*, Perfi'die *f*, Verrat *m*.
per·fo·rate I *v/t* ['pəːrfəˌreit] **1.** durch'bohren, -'löchern, lochen, perfo'rieren: ~d disk *tech.* (Kreis)Lochscheibe *f*; ~d plate *tech.* Siebblech *n*; ~d tape Lochstreifen *m*; ~ed-card system Hollerith-System *n*. **II** *adj* [-rit; -ˌreit] **2.** durch'löchert, gelocht, perfo'riert. **3.** *her.* durch'brochen. **ˌper·fo'ra·tion** *s* **1.** Durch'bohrung *f*, -'lochung *f*, -'löcherung *f*, Perforati'on *f*: ~ of the stomach *med.* Magendurchbruch *m*, -perforation. **2.** Perfo'rierung *f*, (kleine) Löcher *pl*. **'per·foˌra·tor** [-tər] *s* **1.** Locher *m* (*Person u. Instrument*). **2.** *tech.* Perfo'riermaˌschine *f*.
per·force [pər'fɔːrs] *adj* notgedrungen, gezwungener'maßen, wohl oder übel.
per·form [pər'fɔːrm] **I** *v/t* **1.** *e-e Arbeit, e-n Dienst etc* leisten, verrichten, machen, tun, 'durch-, ausführen, voll'bringen, *e-e Pflicht, a. e-n Vertrag* erfüllen, *e-r Verpflichtung* nachkommen. **2.** voll'ziehen: he ~ed the ceremony. **3.** *ein Theaterstück, Konzert etc* geben, aufführen, spielen, *e-e Rolle* spielen, darstellen. **4.** (*auf e-m Instrument*) spielen, vortragen. **II** *v/i* **5.** s-e Aufgabe erfüllen, etwas tun *od.* leisten *od.* ausführen. **6.** *tech.* funktio'nieren, arbeiten (*Maschine etc*). **7.** *jur.* leisten: able to ~ leistungsfähig; failure to ~ Nichterfüllung *f*. **8.** *thea. etc* e-e Vorstellung geben, auftreten, vortragen, spielen: to ~ on the piano Klavier spielen, auf dem Klavier etwas vortragen. **9.** Kunststücke machen (*Tier*). **per'form·a·ble** *adj* aus-, aufführbar.
per·form·ance [pər'fɔːrməns] *s* **1.** Verrichtung *f*, 'Durch-, Ausführung *f*, Leistung *f*, Erfüllung *f* (*e-r Pflicht, e-s Versprechens*): ~ test *ped. psych.* Leistungsprüfung *f*. **2.** *jur.* Leistung *f*, (Vertrags)Erfüllung *f*: ~ in kind Sachleistung. **3.** Voll'ziehung *f*. **4.** *mus. thea.* a) Aufführung *f*, Vorstellung *f*, Vortrag *m*, b) Darstellung(skunst) *f*, Vortrag(skunst *f*) *m*, Spiel *n*. **5.** (*literarische*) Leistung *od.* Arbeit. **6.** *tech.* a) (Arbeits)Leistung *f* (*e-r Maschine etc*), b) Arbeitsweise *f*, Betrieb *m*: ~ characteristic (Leistungs)Kennwort *n*; ~ chart Leistungsdiagramm *n*; ~ data Leistungswerte; ~ standard Gütenorm *f*. **7.** *econ.* a) (*gute etc*) Leistung (*z. B. Produkt e-s Unternehmens*), b) Güte *f*, Quali'tät *f* (*e-s Produkts*).
per·form·er [pər'fɔːrmər] *s* **1.** Ausführende(r *m*) *f*, Voll'bringer(in). **2.** Schauspieler(in), Darsteller(in), Künstler(in), Musiker(in), Vortragende(r *m*) *f*, Tänzer(in). **per'form·ing** *adj* **1.** Aufführungs...: ~ rights. **2.** dres'siert: ~ seal. **3.** ausübend: ~ artist.
per·fume I *v/t* [pər'fjuːm] **1.** durch'duften, mit Duft erfüllen, parfü'mieren (*a. fig.*). **II** *s* ['pəːrfjuːm; *a.* pər'fjuːm] **2.** Duft *m*, Wohlgeruch *m*. **3.** Par'füm *n*, Riechwasser *n*, Duftstoff *m*. **4.** *fig.* Aura *f*. **per'fum·er** *s* Parfüme'riehändler *m od.* -ˌhersteller *m*, Parfü'meur *m*. **per'fum·er·y** [-əri] *s* **1.** Parfüme'rie(n *pl*) *f*. **2.** Par'fümˌherstellung *f*. **3.** Par'fümfaˌbrik *f*. **4.** Parfüme'rie(geschäft *n*) *f*.
per·func·to·ri·ness [pər'fʌŋktərinis] *s* Oberflächlichkeit *f*, Flüchtigkeit *f*. **per'func·to·ry** *adj* (*adv* perfunctorily) **1.** oberflächlich, nachlässig, flüchtig. **2.** me'chanisch. **3.** nichtssagend.
per·go·la ['pəːrgələ] *s* Pergola *f*, Laube *f*, über'wachsener Laubengang.
per·haps [pər'hæps] **I** *adv* viel'leicht, etwa, möglicherweise. **II** *s* Viel'leicht *n*: the great P~ das große Fragezeichen (*Fortleben nach dem Tod*).
pe·ri ['pi(ə)ri] *s myth.* Peri *m, f*, Elf *m*, Elfe *f*, Fee *f* (*Persien*).
peri- [peri] *Wortelement mit den Bedeutungen* a) um ... herum, rund um, b) *bes. med.* umgebend, c) nahe bei.
per·i·anth ['periˌænθ] *s bot.* Peri'anth(ium) *n*, Blütenhülle *f*.
per·i·blast ['periˌblæst] *s biol.* Zellplasma *n* (*außerhalb des Kerns*).
per·i·car·di·tis [ˌperikɑːr'daitis] *s med.* Herzbeutelentzündung *f*, Perikar'ditis *f*. **ˌper·i'car·di·um** [-diəm] *pl* **-di·a**

[-diə] *s anat.* **1.** Herzbeutel *m*, Peri'kard(ium) *n*. **2.** Herzfell *n*.
per·i·carp ['periˌkɑːrp] *s bot.* Peri'karp *n*, Fruchthülle *f*.
per·i·clase ['periˌkleis] *s min.* Peri'klas *m*.
Per·i·cle·an [ˌperi'kliːən] *adj antiq.* peri'kleisch.
per·i·cra·ni·um [ˌperi'kreiniəm] *pl* **-ni·a** [-niə] *s anat.* (Hirn)Schädelhaut *f*, Peri'kranium *n*. [Peri'gäum *n*.]
per·i·gee ['periˌdʒiː] *s astr.* Erdnähe *f*,
per·i·glot·tis [ˌperi'glɒtis] *s anat.* Zungen(schleim)haut *f*.
per·i·he·li·on [ˌperi'hiːliən] *pl* **-li·a** [-ə] *s astr.* Peri'hel(ium) *n*, Sonnennähe *f*.
per·il ['peril] **I** *s* Gefahr *f*, Risiko *n* (*a. econ.*): to be in ~ of one's life in Lebensgefahr sein *od.* schweben; at your ~ auf Ihre Gefahr *od.* Ihr Risiko; at the ~ of auf die Gefahr hin, daß. **II** *v/t* gefährden.
per·il·ous ['periləs] *adj* (*adv* ~ly) gefährlich, gefahrvoll.
per·im·e·ter [pə'rimitər] *s* **1.** Periphe'rie *f*: a) *math.* 'Umkreis *m*, b) *allg.* Rand *m*, äußere Um'grenzungslinie: ~ defence (*Am.* defense) *mil.* Rundumverteidigung *f*; ~ position *mil.* Randstellung *f*. **2.** *med. phys.* Peri'meter *n* (*Instrument zur Bestimmung des Gesichtsfeldes*). **per'im·e·try** [-tri] *s med. phys.* Gesichtsfeldmessung *f*.
per·i·ne·um [ˌperi'niːəm] *pl* **-ne·a** [-ə] *s anat.* Peri'neum *n*, Damm *m*.
per·i·neu·ri·um [ˌperi'nju(ə)riəm] *pl* **-ri·a** [-ə] *s anat.* Peri'neurium *n*, Nervenscheide *f*.
pe·ri·od ['pi(ə)riəd] **I** *s* **1.** Peri'ode *f*, Zyklus *m*, regelmäßige 'Wiederkehr. **2.** Peri'ode *f*, Zeit(dauer *f*, -raum *m*, -spanne *f*) *f*, Frist *f*: ~ of appeal Berufungsfrist; ~ of exposure *phot.* Belichtungszeit; ~ of incubation *med.* Inkubationszeit; ~ of office Amtsdauer *f*; the Reformation ~ die Reformationszeit; for a ~ für einige Zeit; for a ~ of für die Dauer von; ~ of validity Gültigkeitsdauer *f*. **3.** a) Zeit(alter *n*) *f*: glacial ~ *geol.* Eiszeit, b) (*das*) gegenwärtige Zeitalter, (*die*) Gegenwart: dresses of the ~ zeitgenössische Kleider; the fashion of the ~ die gegenwärtige Mode; a girl of the ~ ein modernes Mädchen. **4.** *astr.* 'Umlaufzeit *f*. **5.** *ped.* a) 'Unterrichtsstunde *f*, b) (Dauer *f* e-r) Vorlesung *f*. **6.** *sport* Spielzeit(abschnitt *m*) *f*, *z. B.* Halbzeit *f*. **7.** *electr. phys.* Peri'ode *f*, Schwingdauer *f*. **8.** *math.* Peri'ode *f* (*wiederkehrende Gruppe von Ziffern im Dezimalbruch*). **9.** *mus.* (*bes.* 'Acht-Takt)PeriˌOde *f*. **10.** *a.* monthly ~ (*od.* ~s *pl*) *physiol.* Peri'ode *f* (*der Frau*). **11.** (Sprech)Pause *f*, Absatz *m*. **12.** *ling.* a) Punkt *m*, b) Gliedersatz *m*, Satzgefüge *n*, c) *allg.* wohlgefügter Satz. **II** *adj* **13.** a) zeitgeschichtlich, -genössisch, hi'storisch, Zeit..., b) Stil...: a ~ play ein Zeitstück *n*; ~ furniture Stilmöbel *pl*; ~ house Haus *n* im Zeitstil.
pe·ri·od·ic¹ [ˌpi(ə)ri'ɒdik] *adj* (*adv* ~ally) **1.** peri'odisch, Kreis..., regelmäßig 'wiederkehrend: → periodic law *etc.* **2.** *ling.* wohlgefügt, rhe'torisch (*Satz*).
per·i·od·ic² [ˌpəːrai'ɒdik] *adj chem.* perjod-, 'überjodsauer.
pe·ri·od·i·cal [ˌpi(ə)ri'ɒdikəl] **I** *adj* (*adv* ~ly) **1.** → periodic¹ 1. **2.** regelmäßig erscheinend. **3.** Zeitschriften... **II** *s* **4.** Zeitschrift *f*.
pe·ri·o·dic·i·ty [ˌpi(ə)riə'disiti] *s* **1.** Periodizi'tät *f* (*a. med.*). **2.** *chem.* Stellung *f* e-s Ele'ments im peri'odischen Sy'stem. **3.** *electr. phys.* Fre'quenz *f*.
pe·ri·od·ic| law [ˌpi(ə)ri'ɒdik] *s chem.* Gesetz *n* der Periodizi'tät der Eigenschaften bei den chemischen Ele'menten. ~ **sys·tem** *s* peri'odisches Sy'stem der Ele'mente. ~ **ta·ble** *s* Ta'belle *f* des peri'odischen Sy'stems.
per·i·os·te·um [ˌperi'ɒstiəm] *pl* **-te·a** [-ə] *s anat.* Knochenhaut *f*. ˌ**per·i·os'ti·tis** [-ˌtaitis] *s* Perio'stitis *f*, Knochenhautentzündung *f*.
per·i·o·tic [ˌperi'outik] *anat. zo.* **I** *adj* peri'otisch, das innere Ohr um'gebend. **II** *s* Peri'oticum *n*.
per·i·pa·tet·ic [ˌperipə'tetik] **I** *adj* (*adv* ~ally) **1.** (um'her)wandernd, Wander... **2.** P~ *philos.* peripa'tetisch, aristo'telisch. **3.** *fig.* weitschweifig. **II** *s* **4.** P~ *philos.* Peripa'tetiker *m*. **5.** *humor.* Wanderer *m*.
per·i·pe·te·ia [ˌperipə'tiːjə; -'taiə], ˌ**per·i·pe'ti·a** [-'taiə] *s thea.* Peripe'tie *f*, (*fig.* plötzlicher) 'Umschwung.
pe·riph·er·al [pə'rifərəl], **per·i·pher·ic** [ˌperi'ferik] *adj* **1.** *a. fig.* peri'pherisch, an der Periphe'rie (befindlich), Rand... **2.** *phys. tech.* peri'pherisch, Umfangs...: ~ velocity. **3.** *anat. zo.* peri'pher. **pe'riph·er·y** [-əri] *s* Periphe'rie *f*, *fig. a.* Rand *m*, Grenze *f*.
pe·riph·ra·sis [pə'rifrəsis] *pl* **-ses** [-ˌsiːz] *s* Um'schreibung *f*, Peri'phrase *f*. ˌ**per·i'phras·tic** [-'fræstik] *adj* (*adv* ~ally) um'schreibend, peri'phrastisch.
per·i·scope ['periˌskoup] *s* **1.** *tech.* Peri'skop *n*, Sehrohr *n* (*bes. e-s Unterseeboots od. Panzers*). **2.** *mil.* Beobachtungsspiegel *m*. ˌ**per·i'scop·ic** [-'skɒpik] *adj* **1.** *phys.* peri'skopisch, kon'kav(o)-kon'vex. **2.** peri'skopähnlich. **3.** Rundsicht...
per·ish ['periʃ] **I** *v/i* **1.** 'umkommen, zu'grunde gehen, sterben (by, of durch, an *dat*; with vor *dat*), 'untergehen, (*tödlich*) verunglücken: to ~ by cold erfrieren; to ~ by drowning ertrinken; we nearly ~ed with fright wir kamen vor Schrecken fast um; ~ the thought of ...! zum Henker mit ...! **2.** 'hinschwinden, absterben, eingehen. **II** *v/t* **3.** *meist pass* zu'grunde richten, vernichten: to be ~ed with *colloq.* (fast) umkommen vor (*Hunger, Kälte etc*); ~ed *colloq.* halbtot vor Hunger *od.* Kälte. '**per·ish·a·ble** **I** *adj* vergänglich, leicht verderblich: ~ goods. **II** *s pl* leicht verderbliche Waren *pl*.
per·ish·er ['periʃər] *s Br. sl.* Lump *m*, ‚Mistkerl' *m*. '**per·ish·ing I** *adj* (*adv* ~ly) **1.** vernichtend, tödlich (*a. fig.*). **2.** *Br. colloq.* ‚saukalt'. **II** *adv* **3.** *Br. colloq.* a) ‚verflixt', verteufelt, scheußlich: ~ cold, b) verdammt, äußerst.
pe·ris·sad [pə'risæd] *s chem.* Ele'ment *n* von ungerader Wertigkeit.
per·ris·so·dac·tyl(e) [pəˌriso'dæktil] *zo.* **I** *adj* unpaarzehig. **II** *s* unpaarzehiges Huftier.
pe·ris·ta·lith [pə'ristəliθ] *s hist.* Reihe *f* von aufrecht stehenden, e-n Grabhügel um'gebenden Steinen.
per·i·stal·sis [ˌperi'stælsis] *pl* **-ses** [-siːz] *s physiol.* Peri'staltik *f*, peri'staltische Bewegung (*des Darms*). ˌ**per·i'stal·tic** [-tik] *adj* (*adv* ~ally) *electr. physiol.* peri'staltisch.
per·i·style ['periˌstail] *s arch.* Peri'styl *n*, Säulengang *m*.
per·i·to·n(a)e·al [ˌperito'niːəl] *adj anat.* peritone'al, Bauchfell...: ~ cavity Bauchhöhle *f*. ˌ**per·i·to'n(a)e·um** [-əm] *pl* **-ne·a** [-ə] *s anat.* Perito'neum *n*, Bauchfell *n*.
per·i·to·ni·tis [ˌperito'naitis] *s med.* Perito'nitis *f*, Bauchfellentzündung *f*.
per·i·wig ['periˌwig] **I** *s* Pe'rücke *f*. **II** *v/t pret u. pp* -ˌ**wigged** mit e-r Pe'rücke bedecken, *j-m* e-e Perücke aufsetzen. [Immergrün *n*.]
per·i·win·kle¹ ['periˌwiŋkl] *s bot.*
per·i·win·kle² ['periˌwiŋkl] *s zo.* (*eßbare*) Uferschnecke.
per·jure ['pəːrdʒər] *v/t*: ~ o.s. a) e-n Meineid leisten, meineidig werden, b) eidbrüchig werden: ~d meineidig, eidbrüchig. '**per·jur·er** *s* Meineidige(r *m*) *f*. '**per·ju·ry** *s* Meineid *m*.
perk¹ [pəːrk] **I** *v/i* **1.** sich aufrichten, (lebhaft) den Kopf recken. **2.** den Kopf *od.* die Nase hochtragen, selbstbewußt *od.* forsch *od.* über'heblich *od.* dreist auftreten. **3.** ~ up a) sich erholen, wieder in Form kommen, b) (wieder) munter werden. **II** *v/t* **4.** *den Kopf* recken, *die Ohren* spitzen: to ~ (up) one's ears. **5.** *meist* ~ up schmücken, (auf)putzen: to ~ o.s. (up) sich schön machen. **III** *adj* → perky.
perk² [pəːrk] *s meist pl Br. sl. für* perquisite 1.
perk·i·ness ['pəːrkinis] *s* Lebhaftigkeit *f*, Keckheit *f*, forsche Art.
perk·y ['pəːrki] *adj* (*adv* perkily) **1.** munter, lebhaft. **2.** flott, forsch, keck, selbstbewußt, dreist, ‚naßforsch'.
perle [pəːrl] *s pharm.* Gela'tinekapsel *f*, Perle *f*.
perm¹ [pəːrm] *s elektromagnetische Maßeinheit* (= *1 Maxwell/Amperewindung*).
perm² [pəːrm] *colloq.* **I** *s* Dauerwelle *f* (*abbr. für* permanent wave). **II** *v/t* Dauerwellen machen in (*acc*).
per·ma·nence ['pəːrmənəns] *s* Perma'nenz *f* (*a. phys.*), Ständigkeit *f*, (Fort)Dauer *f*. '**per·ma·nen·cy** *s* **1.** → permanence: it has no ~ es ist nicht von Dauer. **2.** (*etwas*) Dauerhaftes *od.* Bleibendes. **3.** Lebens-, Dauerstellung *f*, feste Anstellung.
per·ma·nent ['pəːrmənənt] **I** *adj* (*adv* ~ly) **1.** perma'nent, (fort)dauernd, -während, bleibend, ständig (*Ausschuß, Bauten, Personal, Wohnsitz etc*), dauerhaft, Dauer...: ~ call *teleph.* Dauerbelegung *f*; ~ deformation bleibende Verformung; P~ Court of Arbitration Ständiger Schiedsgerichtshof (*im Haag*); ~ echo (*Radar*) Festzeichen *n*; ~ effect Dauerwirkung *f*; ~ magnet *phys.* Dauermagnet *m*; ~ memory permanenter Speicher (*im Computer*); ~ secretary *pol. Br.* ständiger (*fachlicher*) Staatssekretär; ~ situation → permanency 3; ~ wave Dauerwelle *f*; ~ white *chem.* Permanent-, Barytweiß *n*; ~ way *rail.* Bahnkörper *m*, Oberbau *m*. **2.** *mil.* ortsfest: ~ emplacement. **II** *s* **3.** → permanency 2. **4.** *Am.* Dauerwelle *f*.
per·man·ga·nate [pər'mæŋgəˌneit] *s chem.* Permanga'nat *n*: ~ of potash, potassium ~ Kaliumpermanganat.
per·man·gan·ic [ˌpəːrmæn'gænik] *adj* Übermangan...: ~ acid.
per·me·a·bil·i·ty [ˌpəːrmiə'biliti] *s* 'Durchlässigkeit *f*, Durch'dringbarkeit *f*, *bes. phys.* Permeabili'tät *f*: ~ to gas(es) *phys.* Gasdurchlässigkeit. '**per·me·a·ble** *adj* (*adv* permeably) durch'dringbar, 'durchlässig (to für).
per·me·ance ['pəːrmiəns] *s* **1.** Durch'dringung *f*. **2.** *phys.* ma'gnetischer Leitwert. '**per·me·ant** *adj* 'durchdringend.
per·me·ate ['pəːrmiˌeit] **I** *v/t* durch'dringen. **II** *v/i* dringen (into in *acc*), sich verbreiten (among unter *dat*),

'durchsickern (through durch). ˌ**per·me'a·tion** *s* Eindringen *n*, Durch'dringung *f*.

Per·mi·an ['pəːrmiən] *geol.* **I** *adj* permisch: ~ **formation** Permformation *f*; ~ **limestone** Zechsteinkalk *m*. **II** *s* Perm *n*, 'Permformatiˌon *f*, Dyas *f*.

per·mis·si·ble [pər'misibl] **I** *adj* (*adv* **permissibly**) zulässig, statthaft, erlaubt: ~ **deviation** (*od.* **variation**) *tech.* Toleranz(bereich *m*) *f*, zulässige Abweichung; ~ **expenses** *econ.* abzugsfähige Unkosten. **II** *s tech. Am.* zulässiger (Wetter)Sprengstoff.

per·mis·sion [pər'miʃən] *s* Erlaubnis *f*, Genehmigung *f*, Zulassung *f*: **with** (*od.* **by**) **the** ~ **of s.o.** mit j-s Erlaubnis; **by special** ~ mit besonderer Erlaubnis; **to ask s.o. for** ~, **to ask s.o.'s** ~ j-n um Erlaubnis bitten.

per·mis·sive [pər'misiv] *adj* (*adv* **~ly**) **1.** gestattend, zulassend. **2.** freizügig: ~ **society** tabufreie Gesellschaft. **3.** *jur.* fakulta'tiv. **per'mis·sive·ness** *s* **1.** Zulässigkeit *f*. **2.** Freizügigkeit *f*.

per·mit[1] [pər'mit] **I** *v/t* **1.** erlauben, gestatten, zulassen, dulden: **will you** ~ **me to say** gestatten Sie mir zu bemerken; **to** ~ **o.s. s.th.** sich etwas erlauben *od.* gönnen. **II** *v/i* **2.** (es) erlauben, (es) gestatten: **if circumstances** ~ wenn es die Umstände erlauben; **weather (time) ~ting** wenn es das Wetter (die Zeit) erlaubt. **3.** zulassen (**of** *acc*): **the rule ~s of no exception.** **III** *s* ['pəːrmit; pəːr'mit] **4.** Genehmigung *f*, Li'zenz *f*, Zulassung *f*, Erlaubnis-, Zulassungsschein *m*, -karte *f* (**to** für). **5.** *econ.* Aus-, Einfuhrerlaubnis *f*. **6.** Aus-, Einreiseerlaubnis *f*. **7.** Pas'sierschein *m*: ~ **of transit** *econ.* Transitschein. **8.** Ausweis *m*.

per·mit[2] [pər'mit] *s ichth. Am.* Pompano *m*.

per·mit·tiv·i·ty [ˌpərmi'tiviti] *s electr.* ˌDielektrizi'tätskonˌstante *f*.

per·mu·ta·tion [ˌpəːrmju'teiʃən] *s* **1.** Vertauschung *f*, Versetzung *f*: ~ **lock** Vexierschloß *n*. **2.** *math.* Permutati'on *f*. **per·mute** [pər'mjuːt] *v/t bes. math.* permu'tieren, vertauschen.

pern [pəːrn] *s orn.* Wespenbussard *m*.

per·ni·cious [pər'niʃəs] *adj* (*adv* **~ly**) **1.** verderblich, schädlich (**to** für). **2.** *med.* bösartig, perni'ziös: ~ **an(a)emia** perniziöse Anämie. **per'ni·cious·ness** *s* Schädlichkeit *f*, Bösartigkeit *f*.

per·nick·et·i·ness [pər'nikitinis] *s colloq.* **1.** ‚Pingeligkeit' *f*, Kleinlichkeit *f*, Pedante'rie *f*. **2.** Spitzfindigkeit *f*.

per'nick·et·(t)y, *a.* **per'nick·it·y** *adj colloq.* **1.** ‚pingelig', heikel, kleinlich, wählerisch, pe'dantisch (**about** mit). **2.** ‚kitz(e)lig', heikel (*Sache*).

per·o·rate ['perəˌreit] *v/i* **1.** e-e Rede halten. **2.** *iro.* e-e Rede *od.* große Reden schwingen. **3.** e-e Rede abschließen. ˌ**per·o'ra·tion** *s* (zs.-fassender) Redeschluß.

per·ox·ide [pe'rɒksaid] **I** *s* **1.** *chem.* 'Superoˌxyd *n*: ~ **of sodium** Natriumsuperoxyd. **2.** *weitS.* 'Wasserstoffˌsuperoˌxyd *n*: ~ **blonde** *colloq.* ‚Wasserstoffblondine' *f*. **II** *v/t* **3.** *Haar* mit 'Wasserstoffˌsuperoˌxyd bleichen. **per'ox·iˌdize** [-'rɒksiˌdaiz] *v/t u. v/i* peroxy'dieren.

per·pend[1] [pər'pend] *obs. od. humor.* **I** *v/t* erwägen. **II** *v/i* tief nachdenken.

per·pend[2] ['pəːrpənd] *s arch.* Vollbinder *m*.

per·pen·dic·u·lar [ˌpəːrpən'dikjulər] **I** *adj* (*adv* **~ly**) **1.** senk-, lotrecht (**to** zu). **2.** rechtwink(e)lig (**to** auf *dat*). **3.** *Bergbau*: seiger. **4.** steil, abschüssig. **5.** aufrecht (*a. fig.*). **6.** P~ *arch.* perpendiku'lar, spätgotisch: P~ **style** Perpendikularstil *m*, englische Spätgotik. **II** *s* **7.** (Einfalls)Lot *n*, Senkrechte *f*: **out of (the)** ~ schief, nicht senkrecht; **to raise (let fall, drop) a** ~ **on a line** ein Lot errichten (fällen). **8.** *tech.* (Senk)Lot *n*, Senkwaage *f*. **9.** aufrechte Stellung *od.* Haltung (*a. fig.*). **10.** *Br. sl.* Stehimbiß *m*. **11.** *pl mar. tech.* Perpen'dikel *pl*, Lote *pl*: **length between ~s** Gesamtschiffslänge *f*.

per·pen·dic·u·lar·i·ty [ˌpəːrpənˌdikju'læriti] *s* Senkrechtstehen *n*, senkrechte Richtung *od.* Haltung.

per·pe·trate ['pəːrpiˌtreit] *v/t* **1.** *ein Verbrechen etc* begehen, verüben. **2.** *humor.* ‚verbrechen': **to** ~ **a book.** ˌ**per·pe'tra·tion** *s* Begehung *f*, Verübung *f*. '**per·peˌtra·tor** [-tər] *s* Täter *m*.

per·pet·u·al [pər'petʃuəl; *Br. a.* -tju-] *adj* (*adv* **~ly**) **1.** fort-, immerwährend, unaufhörlich, (be)ständig, andauernd, ewig: ~ **calendar** Dauerkalender *m*; ~ **check** Dauerschach *n*; ~ **inventory** *econ.* permanente *od.* laufende Inventur; ~ **motion** beständige Bewegung; ~ **motion machine** Perpetuum mobile *n*; ~ **offence** (*Am.* **offense**) *jur.* Dauerverbrechen *n*; ~ **snow** ewiger Schnee, Firn *m*. **2.** lebenslänglich, unabsetzbar: ~ **chairman.** **3.** *econ. jur.* unablösbar, unkündbar: ~ **lease.** **4.** *bot.* a) peren'nierend, b) immerblühend.

per·pet·u·ate [*Br.* pər'petjuˌeit; *Am.* -tʃu-] *v/t* immerwährend erhalten *od.* fortsetzen, fortbestehen lassen, verewigen: **to** ~ **evidence** *jur.* Beweise sichern. **perˌpet·u'a·tion** *s* Fortdauer *f*, endlose Fortsetzung, Verewigung *f*.

per·pe·tu·i·ty [ˌpəːrpi'tjuːiti] *s* **1.** (stete) Fortdauer *f*, unaufhörliches Bestehen, Unaufhörlichkeit *f*, Ewigkeit *f*: **in** (*od.* **to** *od.* **for**) ~ auf ewig. **2.** *jur.* unbegrenzte Dauer. **3.** *jur.* Unveräußerlichkeit(sverfügung) *f*. **4.** *econ.* ewige *od.* lebenslängliche (Jahres)Rente. **5.** *econ. Anzahl der Jahre, in denen die einfachen Zinsen die Höhe des Kapitals erreichen.*

per·plex [pər'pleks] *v/t* **1.** *j-n* verwirren, verblüffen, bestürzt *od.* verlegen machen. **2.** *etwas* verwirren, kompli'zieren. **per'plexed** *adj* **1.** verwirrt, verblüfft, bestürzt, verdutzt (*Person*). **2.** verworren, verwickelt (*Sache*). **per'plex·ed·ly** [-idli] *adv.* **per'plex·i·ty** *s* **1.** Verwirrung *f*, Bestürzung *f*, Verlegenheit *f*. **2.** Verwick(e)lung *f*, Verworrenheit *f*, Schwierigkeit *f*.

per·qui·site ['pəːrkwizit] *s* **1.** *meist pl bes. Br.* Nebeneinkünfte *pl*, -verdienst *m*, Sporteln *pl*. **2.** Vergütung *f*. **3.** Trinkgeld *n*, Sondervergütung *f*. **4.** per'sönliches Vorrecht.

per·qui·si·tion [ˌpəːrkwi'ziʃən] *s* (*gründliche*) Durch'suchung. **per·quis·i·tor** [pər'kwizitər] *s jur.* erster Erwerber.

per·ron ['perən; pɛ'rɔ̃] *s arch.* Freitreppe *f*.

per·ry ['peri] *s* Birnenmost *m*.

perse [pəːrs] **I** *adj* graublau. **II** *s* Graublau *n*.

per se [pər 'sei; 'siː] (*Lat.*) *adv* als solch(er, e, es), an sich.

per·se·cute ['pəːrsiˌkjuːt] *v/t* **1.** *pol. relig.* verfolgen. **2.** a) plagen, belästigen, b) drangsa'lieren, schika'nieren, peinigen. ˌ**per·se'cu·tion** *s* **1.** (*bes. politische od. religiöse*) Verfolgung: ~ **complex**, ~ **mania** Verfolgungswahn *m*. **2.** a) Plage *f*, Belästigung *f*, b) Drangsa'lierung *f*, Schi'kane(n *pl*) *f*. ˌ**per·se'cu·tion·al** *adj* Verfolgungs... '**per·seˌcu·tor** [-tər] *s* Verfolger(in), Peiniger(in).

per·se·i·ty [pər'siːiti] *s philos.* An'sichsein *n*, Persei'tät *f*.

Per·seus ['pəːrsjuːs; -siəs] *npr antiq.* [*u. s astr.* Perseus *m*.]

per·se·ver·ance [ˌpəːrsi'vi(ə)rəns] *s* **1.** Beharrlichkeit *f*, Ausdauer *f*. **2.** a. **final** ~, ~ **of the saints** (*Kalvinismus*) Beharren *n* in der Gnade. ˌ**per·se'ver·ant** *adj* beharrlich.

per·sev·er·ate [pər'sevəˌreit] *v/i* **1.** *psych.* spon'tan *od.* ständig 'wiederkehren *od.* auftreten. **2.** immer 'wiederkehren (*Melodie, Motiv*).

per·se·vere [ˌpərsi'vir] *v/i* **1.** (**in**) beharren, aushalten (bei), fortfahren (mit), festhalten (an *dat*). **2.** auf s-m Standpunkt beharren. ˌ**per·se'ver·ing** *adj* (*adv* **~ly**) beharrlich, standhaft.

Per·sian ['pəːrʃən; -ʒən] **I** *adj* **1.** persisch. **II** *s* **2.** Perser(in). **3.** *ling.* Persisch *n*, das Persische. ~ **blinds** *s pl* Jalou'sien *pl*. ~ **car·pet** *s* Perser(teppich) *m*. ~ **cat** *s* An'gorakatze *f*.

per·si·ennes [ˌpəːrzi'enz] (*Fr.*) *s pl* Jalou'sien *pl*, Rolladen *pl*.

per·si·flage [ˌpəːrsi'flaːʒ; ˌpɛr-] *s* Persi'flage *f*, (*feine*) Verspottung.

per·sim·mon [pər'simən] *s bot.* Persi'mone *f*: a) Dattelpflaumenbaum *m*, b) Dattel-, Kakipflaume *f*.

per·sist [pər'sist] *v/i* **1.** (**in**) aus-, verharren, (fest) bleiben (bei), hartnäckig bestehen (auf *dat*), beharren (auf *dat*, bei): **he ~ed in doing so** er fuhr (unbeirrt) damit fort; **he ~s in saying** er bleibt bei s-r Behauptung, er behauptet ‚steif u. fest'. **2.** weiterarbeiten (**with** an *dat*). **3.** fortdauern, fort-, weiterbestehen, anhalten. **per'sist·ence, per'sist·en·cy** *s* **1.** Beharren *n* (**in** bei), Beharrlichkeit *f*, Fortdauer *f*. **2.** Hartnäckigkeit *f*, Ausdauer *f*, beharrliche Versuche *pl*, hartnäckiges Fortfahren (**in** in *dat*). **3.** *phys.* Beharrung(szustand *m*) *f*, Nachwirkung *f*, Wirkungsdauer *f*: ~ **of force** Erhaltung *f* der Kraft; ~ **of motion** Beharrungsvermögen *n*; ~ **(of vision)** *opt.* Augenträgheit *f*. **4.** *TV* Nachleuchtdauer *f*. **per'sist·ent** *adj* (*adv* **~ly**) **1.** beharrlich, ausdauernd, nachhaltig, hartnäckig: ~ **efforts.** **2.** anhaltend (*Nachfrage, Regen etc*). **3.** *chem.* a) schwer flüchtig: ~ **gas**, b) *mil.* seßhaft: ~ **(chemical warfare) agent.** **4.** *bot. zo.* ausdauernd.

per·son ['pəːrsn] *s* **1.** Per'son *f* (*a. contp.*), (Einzel)Wesen *n*, Indi'viduum *n*: **any** ~ irgend jemand; **in** ~ in (eigener) Person, persönlich; **juristic (natural)** ~ *jur.* juristische (natürliche) Person; **no** ~ niemand; **third** ~ a) *jur.* (*ein*) Dritter, b) *ling.* dritte Person, c) *relig.* dritte göttliche Person, (*der*) Heilige Geist. **2.** (*das*) Äußere, Körper *m*, Leib *m*: **to carry s.th. on one's** ~ etwas bei sich tragen; **search of the** ~ Leibesvisitation *f*. **3.** → **persona** 1.

per·so·na [pər'sounə] *gen od. pl* **-nae** [-niː] (*Lat.*) *s* **1.** a) *thea.* Per'son *f*, Cha'rakter *m*, Rolle *f*, b) Fi'gur *f*, Gestalt *f* (*in der Literatur*): → **dramatis personae.** **2.** Per'sönlichkeit *f*: ~ **(non) grata** Persona (non) grata, (nicht) genehme Person.

per·son·a·ble ['pəːrsənəbl] *adj* ansehnlich, stattlich, gutaussehend.

per·son·age ['pəːrsənidʒ] *s* **1.** (hohe *od.* bedeutende) Per'sönlichkeit. **2.** → **persona** 1. **3.** *bes. contp.* Per'son *f*.

per·son·al ['pəːrsnl] **I** *adj* (*adv* **~ly**) **1.** per'sönlich, Personen..., Personal...:

~ **account** *econ.* Privatkonto *n*; ~ **call** *teleph.* Voranmeldung(sgespräch *n*) *f*; ~ **credit** Personenkredit *m*; ~ **damage** (*od.* **injury**) Körperbeschädigung *f*, Personenschaden *m*; ~ **data** Personalien; ~ **income** Privateinkommen *n*; ~ **liberty** persönliche Freiheit; ~ **record** Personalbogen *m*; ~ **share** *econ.* Namensaktie *f*; ~ **status** Personenstand *m*; ~ **tax** Personalsteuer *f*. **2.** per'sönlich, pri'vat, vertraulich: ~ **letter**; ~ **matter** Privatsache *f*; ~ **opinion** eigene *od.* persönliche Meinung. **3.** äußer(er, e, es), körperlich: ~ **charms**; ~ **hygiene** Körperpflege *f*. **4.** per'sönlich, anzüglich: ~ **remarks**; **to become** ~ anzüglich *od.* persönlich werden. **5.** *philos. relig.* per'sönlich: **a** ~ **God.** **6.** *jur.* per'sönlich, beweglich: ~ **estate** (*od.* **property**) → **personalty. 7.** *ling.* per'sönlich: ~ **pronoun** persönliches Fürwort, Personalpronomen *n*. **II** *s* **8.** *Am.* Per'sönliches *n*, Perso'nalno,tiz *f* (*in der Zeitung*).

per·so·na·li·a [,pəːrsə'neiliə] *s pl* **1.** Per'sönliches *n* (*biographische Notizen, Anekdoten*). **2.** Pri'vatsachen *pl*.

per·son·al·i·ty [,pəːrsə'næliti] *s* **1.** Per'sönlichkeit *f*, Per'son *f*: ~ **cult** *pol.* Personenkult *m*. **2.** → **personage** 1. **3.** Per'sönlichkeit *f* (*a. psych.*), Cha'rakter *m*, Mentali'tät *f*. **4.** (ausgeprägte) ,Individuali'tät, per'sönliche Ausstrahlung, Per'sönlichkeit *f*. **5.** *pl* Anzüglichkeiten *pl*, anzügliche *od.* per'sönliche Bemerkungen *pl*. **6.** *jur.* Per'sönlichkeit *f*.

per·son·al·ize ['pəːrsənə,laiz] *v/t* **1.** personifi'zieren. **2.** verkörpern.

per·son·al·ty ['pəːrsənəlti] *s jur.* per'sönliches *od.* bewegliches Eigentum.

per·son·ate ['pəːrsə,neit] **I** *v/t* **1.** vor-, darstellen. **2.** personifi'zieren, verkörpern, nachmachen, -ahmen. **3.** *jur.* sich (fälschlich) ausgeben für *od.* als. **II** *v/i* **4.** *thea.* e-e Rolle spielen. **,per·son'a·tion** *s* **1.** Vor-, Darstellung *f*. **2.** ,Personifikati'on *f*, Verkörperung *f*. **3.** Nachahmung *f*. **4.** *jur.* fälschliches Sich'ausgeben (*für e-n anderen*).

per·son·i·fi·ca·tion [pər,sɒnifi'keiʃən] *s* **1.** ,Personifikati'on *f*, Verkörperung *f*. **2.** Vermenschlichung *f* (*der Natur etc in der Sprache*). **per'son·i,fy** [-,fai] *v/t* **1.** personifi'zieren, verkörpern, versinnbildlichen. **2.** vermenschlichen.

per·son·nel [,pəːrsə'nel] **I** *s* **1.** a) Perso'nal *n*, Belegschaft *f* (*e-s Betriebs etc*), b) *mil.* Mannschaften *pl*, *bes. mar.* Besatzung *f* (*e-s Schiffs etc*): ~ **bomb** *mil.* Bombe *f* für lebende Ziele; ~ **carrier** Mannschafts(transport)wagen *m*. **2.** *econ.* Perso'nalab,teilung *f*. **II** *adj* **3.** Personal...: ~ **department** → 2; ~ **files** Personalakten; ~ **manager** Personalchef *m*.

per·spec·tive [pər'spektiv] **I** *s* **1.** *math. paint. etc* Perspek'tive *f*: **in (true)** ~ in richtiger Perspektive, perspektivisch (richtig) (→ 3). **2.** perspek'tivische Zeichnung. **3.** Perspek'tive *f*: a) Aussicht *f*, -blick *m* (*beide a. fig.*), 'Durchblick *m*, b) *fig.* Blick *m* für die Dinge im richtigen Verhältnis: **he has no** ~ er sieht die Dinge nicht im richtigen Verhältnis (zueinander); **in** ~ in Aussicht, *weitS.* im richtigen Verhältnis. **II** *adj* **4.** perspek'tivisch: ~ **drawing**; ~ **formula** *chem.* Spiegelbild-Isomerie *f*.

per·spec·to·graph [pər'spektə,græ(ː)f; *Br. a.* -,grɑːf] *s tech.* Perspekto'graph *m* (*Zeicheninstrument*).

per·spex ['pəːrspeks] (*TM*) *s chem. Br.* Sicherheits-, Plexiglas *n*.

per·spi·ca·cious [,pəːrspi'keiʃəs] *adj* (*adv* ~**ly**) **1.** scharfsinnig. **2.** 'durchdringend: ~ **intellect.** **,per·spi'cac·i·ty** [-'kæsiti] *s* Scharfblick *m*, -sinn *m*.

per·spi·cu·i·ty [,pəːrspi'kjuːiti] *s* Deutlichkeit *f*, Klarheit *f*, Verständlichkeit *f*. **per·spic·u·ous** [pər'spikjuəs] *adj* (*adv* ~**ly**) deutlich, klar, (leicht) verständlich.

per·spi·ra·tion [,pəːrspə'reiʃən] *s* **1.** Ausdünsten *n*, Ausdünstung *f*, Schwitzen *n*, Transpi'rieren *n*. **2.** Schweiß *m*.

per·spir·a·to·ry [pər'spai(ə)rətəri] *adj* perspira'torisch, Schweiß...: ~ **gland.**

per·spire [pər'spaiər] **I** *v/i* schwitzen, transpi'rieren. **II** *v/t* ausschwitzen.

per·suad·a·ble [pər'sweidəbl] *adj* über'redbar, zu über'reden(d).

per·suade [pər'sweid] *v/t* **1.** *j-n* über'reden, bereden, bewegen (**to do, into doing** zu tun). **2.** *j-n* über'zeugen (**of** von; **that** daß): **he** ~**d himself** a) er hat sich überzeugt, b) er hat sich eingeredet *od.* eingebildet. **per'suad·er** *s* **1.** Über'reder *m*. **2.** *sl.* ,Über'redungsmittel' *n* (*a. Knüppel, Pistole etc*).

per'sua·si·ble [-səbl] → **persuadable.**

per·sua·sion [pər'sweiʒən] *s* **1.** Über'redung *f*. **2.** Über'redungsgabe *f*, -kunst *f*, Über'zeugungskraft *f*. **3.** Über'zeugung *f*, (fester) Glaube: **he is of the** ~ er ist der Überzeugung *od.* Meinung. **4.** *relig.* Glaube *m*, Glaubensrichtung *f*. **5.** *colloq. humor.* a) Art *f*, Sorte *f*, b) Geschlecht *n*: **female** ~. **per'sua·sive** [-siv] **I** *adj* (*adv* ~**ly**) **1.** a) über'redend, b) über'zeugend: ~ **power** → **persuasion** 2. **II** *s* **2.** über'zeugender Beweisgrund. **3.** Über'redungsmittel *n*. **per'sua·sive·ness** *s* **1.** über'zeugende Art. **2.** → **persuasion** 2.

per·sul·phate [pər'sʌlfeit] *s chem.* ['Per-, 'Übersul,phat *n*.]

pert [pəːrt] *adj* (*adv* ~**ly**) keck (*a. fig. Hut etc*), naseweis, vorlaut, frech.

per·tain [pər'tein] *v/i* **1.** gehören (**to** *dat od.* zu). **2.** (**to**) betreffen (*acc*), sich beziehen (auf *acc*): ~**ing to** betreffend (*acc*).

per·ti·na·cious [,pəːrti'neiʃəs] *adj* (*adv* ~**ly**) **1.** hartnäckig, zäh. **2.** beharrlich, standhaft. **,per·ti'nac·i·ty** [-'næsiti] *s* **1.** Hartnäckigkeit *f*, Eigensinn *m*. **2.** Zähigkeit *f*, Beharrlichkeit *f*.

per·ti·nence ['pəːrtinəns], *a.* **'per·ti·nen·cy** [-si] *s* **1.** Angemessenheit *f*, Gemäßheit *f*. **2.** Sachdienlichkeit *f*, Rele'vanz *f*. **'per·ti·nent** *adj* (*adv* ~**ly**) **1.** angemessen, passend, schicklich, richtig. **2.** (zur Sache) gehörig, einschlägig, sach-, zweckdienlich (**to** *dat*), gehörig (**to** zu): **to be** ~ **to** Bezug haben *od.* sich beziehen auf (*acc*).

pert·ness ['pəːrtnis] *s* Keckheit *f*, schnippisches Wesen, vorlaute Art.

per·turb [pər'təːrb] *v/t* beunruhigen, stören (*a. astr.*), verwirren, ängstigen. **,per·tur'ba·tion** *s* **1.** Beunruhigung *f*, Störung *f*. **2.** Unruhe *f*, Bestürzung *f*, Verwirrung *f*. **3.** *astr.* Perturbati'on *f*.

per·tus·sal [pər'tʌsəl] *adj med.* keuchhustenähnlich. **per'tus·sis** [-is] *s* Keuchhusten *m*.

pe·ruke [pə'ruːk] *s* Pe'rücke *f*.

pe·rus·al [pə'ruːzəl] *s* sorgfältiges 'Durchlesen, 'Durchsicht *f*, Prüfung *f*: **for** ~ zur Einsicht. **pe'ruse** *v/t* **1.** (sorgfältig) 'durchlesen. **2.** *allg.* lesen. **3.** *weitS.* 'durchgehen, prüfen.

Pe·ru·vi·an [pə'ruːviən] **I** *adj* peru'anisch. **II** *s* Peru'aner(in). ~ **bark** *s* Chinarinde *f*.

per·vade [pər'veid] *v/t a. fig.* durch'dringen, -'ziehen, erfüllen. **per'va·sion** [-ʒən] *s* Durch'dringung *f* (*a. fig.*). **per'va·sive** [-siv] *adj* (*adv* ~**ly**) **1.** 'durchdringend. **2.** *fig.* 'überall vor'handen, vor-, beherrschend.

per·verse [pər'vəːrs] *adj* (*adv* ~**ly**) **1.** verkehrt, falsch, Fehl... **2.** verderbt, schlecht, böse. **3.** verdreht, wunderlich. **4.** launisch, zänkisch. **5.** verstockt, bockbeinig. **6.** *psych.* per'vers, 'widerna,türlich. **per'verse·ness** → **perversity. per'ver·sion** [-ʒən; -ʃən] *s* **1.** Verdrehung *f*, 'Umkehrung *f*, Entstellung *f*: ~ **of justice** *jur.* Rechtsbeugung *f*; ~ **of history** Geschichtsklitterung *f*. **2.** *bes. relig.* Verirrung *f*, Abkehr *f* (*vom Guten etc*). **3.** *psych.* Perversi'on *f*. **4.** *math.* 'Umkehrung *f* (*e-r Figur*). **per'ver·si·ty** *s* **1.** Verkehrtheit *f*, Verdrehtheit *f*, Wunderlichkeit *f*. **2.** Eigensinn *m*, Halsstarrigkeit *f*. **3.** Verderbtheit *f*. **4.** *med. psych.* 'Widerna,türlichkeit *f*, Perversi'tät *f*.

per'ver·sive *adj* verderblich (**of** für).

per·vert I *v/t* [pər'vəːrt] **1.** verdrehen, verkehren, entstellen, fälschen, perver'tieren (*a. psych.*): **to** ~ **the course of justice** *jur.* e-e Rechtsbeugung vornehmen. **2.** *j-n* verderben, verführen. **II** *s* ['pəːrvəːrt] **3.** *bes. relig.* Abtrünnige(r *m*) *f*. **4.** *a.* **sex(ual)** ~ *psych.* per'verser Mensch. **per'vert·ed** → **perverse** 1—3. **per'vert·er** *s* **1.** Verdreher(in). **2.** Verführer(in).

per·vi·ous ['pəːrviəs] *adj* (*adv* ~**ly**) **1.** 'durchlässig (*a. phys., tech.*), durch'dringbar (**to** für): ~ **to light** lichtdurchlässig. **2.** *fig.* (**to**) zugänglich (für), offen (*dat*). **3.** *tech.* undicht. **'per·vi·ous·ness** *s* 'Durchlässigkeit *f*.

pe·se·ta [pe'setə] *s* Pe'seta *f* (*spanische Münze u. Währungseinheit*).

pes·ky ['peski] *Am. colloq.* **I** *adj* (*adv* **peskily**) ,verteufelt', ,verdammt', vertrackt. **II** *adv* ,verdammt', sehr.

pe·so ['peisou] *pl* **-sos** *s* Peso *m* (*Silbermünze u. Währungseinheit süd- u. mittelamer. Staaten u. der Philippinen*).

pes·sa·ry ['pesəri] *s med.* Pes'sar *n*: a) (Gebär)Mutterring *m*, b) *Muttermundverschluß zur Empfängnisverhütung.*

pes·si·mism ['pesi,mizəm] *s* Pessi'mismus *m*, ,Schwarzsehe'rei *f*. **'pes·si·mist I** *s* Pessi'mist(in), Schwarzseher(in). **II** *adj. a.* **,pes·si'mis·tic** (*adv* ~**ally**) pessi'mistisch.

pest [pest] *s* **1.** Pest *f*, Seuche *f*, Plage *f* (*a. fig.*): ~ **hole** Seuchenherd *m*. **2.** *fig.* Pestbeule *f*, Seuche *f*: ~ **of corruption.** **3.** *fig.* a) ,Ekel' *n*, ,Nervensäge' *f*, lästiger Mensch, b) lästige Sache, Plage *f*. **4.** *a.* **insect** ~ *biol.* Schädling *m*: ~ **control** Schädlingsbekämpfung *f*.

pes·ter ['pestər] *v/t j-n* belästigen, quälen, plagen, *j-m* auf die Nerven gehen.

pes·ti·cid·al [,pesti'saidl] *adj* schädlingsbekämpfend. **'pes·ti,cide** *s* Schädlingsbekämpfungsmittel *n*.

pes·tif·er·ous [pes'tifərəs] → **pestilent.**

pes·ti·lence ['pestiləns] *s* Seuche *f*, Pest *f*, Pesti'lenz *f* (*a. fig.*). **'pes·ti·lent** *adj* (*adv* ~**ly**) **1.** pestbringend, verpestend, ansteckend. **2.** verderblich, schädlich. **3.** *oft humor.* ,ekelhaft', ab'scheulich. **,pes·ti'len·tial** [-'lenʃəl] *adj* (*adv* ~**ly**) → **pestilent.**

pes·tle ['pesl; -tl] **I** *s* **1.** Mörserkeule *f*, Stößel *m*. **2.** *chem.* Pi'still *n*. **II** *v/t* **3.** zerstoßen, -stampfen.

pes·tol·o·gist [pes'tɒlədʒist] *s* Sachverständige(r) *m* für Schädlingsbekämpfung.

pet[1] [pet] **I** *s* **1.** (zahmes) Haustier.

2. gehätscheltes Tier *od.* Kind, Liebling *m*, ,Schatz' *m*, ,Schätzchen' *n*. **II** *adj* **3.** Lieblings...: ~ **dog** Schoßhund *m*; ~ **mistake (theory)** Lieblingsfehler *m* (-theorie *f*); ~ **name** Kosename *m*; → **aversion** 3. **III** *v/t* **4.** (ver)hätscheln, liebkosen, ,(ab)knutschen'. **IV** *v/i* **5.** ,knutschen'.

pet[2] [pet] *s* Verdruß *m*, schlechte Laune: **in a** ~ verärgert, schlecht gelaunt.

pet·al ['petl] *s bot.* Blumenblatt *n*. **'pet·aled** *adj* blumenblätt(e)rig.

pe·tard [pi'tɑːrd; pe-] *s* **1.** *mil. hist.* Pe'tarde *f*, Sprengbüchse *f*: → **hoist**[2]. **2.** Schwärmer *m* (*Feuerwerkskörper*).

Pe·ter[1] ['piːtər] *npr* Peter *m*, Petrus *m*: **(the Epistles of)** ~ *Bibl.* die Petrusbriefe *pl*; ~**'s pence** *R.C.* Peterspfennig *m*; **to rob** ~ **to pay Paul** ein Loch aufreißen, um ein anderes zuzustopfen.

pe·ter[2] ['piːtər] *v/i colloq. meist* ~ **out** **1.** zu Ende gehen, sich verlieren, sich totlaufen, versanden. **2.** *mot.* ,absterben'.

pet·i·ol·ar ['peti,oulər] *adj bot.* Blattstiel... **'pet·i·o,late** [-,leit], *a.* **'pet·i·o,lat·ed** *adj bot. med.* gestielt. **'pet·i·,ole** [-,oul] *s bot.* Blattstiel *m*.

pet·it → **petty** 1.

pe·tite [pə'tiːt] *adj* zierlich (*Frau*).

pet·it four ['peti 'fɔːr; pti 'fuːr] *pl* **pet·its fours** ['peti 'fɔːrz; pti 'fuːr] (*Fr.*) *s* Petits fours *pl* (*Törtchen*).

pe·ti·tion [pi'tiʃən] **I** *s* **1.** Bitte *f*, Bittschrift *f*, Petiti'on *f*, Eingabe *f* (*a. Patentrecht*), Gesuch *n*, *jur.* (schriftlicher) Antrag: **P**~ **of Right** *Br. hist.* Bittschrift um Herstellung des Rechts (*1628*); **to file a** ~ **for divorce** e-e Scheidungsklage einreichen; ~ **for clemency** Gnadengesuch; ~ **in lunacy** Antrag auf Entmündigung; → **bankruptcy** 1. **II** *v/t* **2.** *j-n* bitten, ersuchen, schriftlich einkommen bei. **3.** bitten um, nachsuchen um. **III** *v/i* **4.** (for) bitten, nach-, ansuchen, einkommen, e-e Bittschrift *od.* ein Gesuch einreichen (um), (e-n) Antrag stellen (auf *acc*): **to** ~ **for divorce** die Scheidungsklage einreichen. **pe'ti·tion·er** *s* Antragsteller(in): a) Bitt-, Gesuchsteller(in), Pe'tent(in), b) *jur.* (Scheidungs)Kläger(in).

Pe·trar·chan son·net [piː'trɑːrkən] *s* Pe'trarkisches So'nett.

pet·rel ['petrəl] *s* **1.** *orn.* Sturmvogel *m*: **the stormy** ~. **2.** *fig.* Unruhestifter *m*.

pet·ri·fac·tion [,petri'fækʃən] *s* **1.** Versteinerung *f* (*Vorgang*) (*a. fig.*). **2.** Versteinerung *f* (*Ergebnis*), Petre'fakt *n*.

pet·ri·fy ['petri,fai] **I** *v/t* **1.** versteinern. **2.** *fig.* versteinern: a) verhärten, b) erstarren lassen (**with** vor *Schrecken etc*): **petrified with horror** vor Schrecken starr *od.* wie gelähmt. **II** *v/i* **3.** *a. fig.* sich versteinern, zu Stein werden.

Pe·trine ['piːtrain; -trin] *adj relig.* pe'trinisch, Petrus...

pet·ro·glyph ['petroglif] *s* Petro'glyphe *f*, Felszeichnung *f*.

pe·trog·ra·pher [pi'trɒgrəfər] *s* Petro'graph *m*, Gesteinskundler *m*. **pe'trog·ra·phy** [-fi] *s* Petrogra'phie *f*, Gesteinskunde *f*.

pet·rol ['petrəl] *Br.* **I** *s mot.* Ben'zin *n*, Kraft-, Treibstoff *m*: ~ **engine** Benzin-, Vergasermotor *m*; ~ **level** Benzinstand *m*; ~ **pipe** Kraftstoffleitung *f*; ~ **pump** Kraftstoffpumpe *f*, *weitS.* Tanksäule *f*; ~ **station** Tankstelle *f*. **II** *v/t* auftanken.

pet·ro·la·tum [,petrə'leitəm] *s* **1.** *chem.* Vase'lin *n*, Vase'line *f*, Petro'latum *n*. **2.** *pharm.* Paraf'finöl *n*.

pe·tro·le·um [pi'trouliəm] *s chem.* Pe'troleum *n*, Erd-, Mine'ralöl *n*: ~ **burner** Petroleumbrenner *m*. ~ **e·ther** *s chem.* Pe'troläther *m*. ~ **jel·ly** → **petrolatum** 1.

pe·trol·ic [pi'trɒlik] *adj chem.* Petrol..., pe'trolsauer: ~ **acid** Petrolsäure *f*.

pe·trol·o·gy [pi'trɒlədʒi] *s min.* Petrogra'phie *f*, Gesteinskunde *f*.

pet·rous ['petrəs; 'piː-] *adj* **1.** steinhart, felsig. **2.** *anat.* pe'trös, Felsenbein...

pet·ti·coat ['peti,kout] **I** *s* **1.** a) Petticoat *m* (*versteifter Taillenunterrock*), b) 'Unterrock *m*: **she is a Cromwell in** ~**s** sie ist ein weiblicher Cromwell. **2.** *fig. meist humor.* Frauenzimmer *n*, ,Weibsbild' *n*. **3.** Kinderröckchen *n*. **4.** *Bogenschießen*: *Raum außerhalb der als Treffer geltenden Ringe auf der Zielscheibe*. **5.** *electr.* a) *a.* ~ **insulator** 'Glockeniso,lator *m*, b) Iso'lierglocke *f*. **II** *adj* **6.** Weiber...: ~ **government** Weiberregiment *n*. **7.** *tech.* Glocken...

pet·ti·fog ['peti,fɒg] **I** *v/i* **1.** den 'Winkeladvo,katen spielen. **2.** Kniffe *od.* Schi'kanen anwenden. **II** *v/t* **3.** *etwas durch Sophisterei, Ausflüchte etc* verschleppen, ausweichen (*dat*). **'pet·ti,fog·ger** *s* **1.** 'Winkeladvo,kat *m*, Rechtsverdreher *m*, Rabu'list *m*. **2.** Haarspalter *m*. **'pet·ti,fog·ger·y** [-əri] *s* Rabu'listik *f*, Anwendung *f* von Schlichen *od.* Schi'kanen. **'pet·ti,fog·ging I** *adj* **1.** rechtsverdrehend, rabu'listisch, schika'nös. **2.** lumpig, gemein. **II** *s* **3.** Rabu'listik *f*, Rechtskniffe *pl*, ,Haarspalte'rei *f*.

pet·ti·ness ['petinis] *s* **1.** Geringfügigkeit *f*. **2.** Kleinlichkeit *f*.

pet·ting ['petiŋ] *s bes. Am. colloq.* ,Petting' *n*, ,Knutschen' *n*.

pet·tish ['petiʃ] *adj* (*adv* ~**ly**) empfindlich, reizbar, mürrisch. **'pet·tish·ness** *s* Verdrießlichkeit *f*, Gereiztheit *f*.

pet·ti·toes ['peti,touz] *s pl Kochkunst*: Schweinsfüße *pl*.

pet·to ['petto] *pl* **-ti** [-ti] (*Ital.*) *s*: **in** ~ in petto, im geheimen; **to have s.th. in** ~ etwas in petto *od.* ,auf Lager' haben.

pet·ty ['peti] *adj* (*adv* pettily) **1.** unbedeutend, geringfügig, klein, Klein..., Bagatell...: ~ **cash** *econ.* a) geringfügige Beträge, b) kleine Kasse, Hand-, Portokasse *f*; ~ **prince** Duodezfürst *m*; ~ **offence** (*Am.* **offense**) (leichtes) Vergehen, Bagatelldelikt *n*; ~ **wares**, ~ **goods** *econ.* Kurzwaren. **2.** engstirnig, kleinlich. ~ **av·er·age** *s jur. mar.* kleine Hava'rie. ~ **ju·ry** *s jur.* kleine Jury. ~ **lar·ce·ny** *s jur.* leichter Diebstahl. ~ **of·fi·cer** *s mar. mil.* Maat *m* (*Unteroffizier*). ~ **ses·sions** *s pl jur. Br.* Gerichtsverhandlung *f* ohne Geschworene, Baga'tellgericht *n*.

pet·u·lance [*Br.* 'petjuləns; *Am.* -tʃə-] *s* Verdrießlichkeit *f*, Gereiztheit *f*. **'pet·u·lant** *adj* (*adv* ~**ly**) verdrießlich, gereizt, ungeduldig.

pe·tu·ni·a [pə'tjuːniə; pi-] *s* **1.** *bot.* Pe'tunie *f*. **2.** Vio'lett *n* (*Farbe*).

pe·tun·(t)se, *a.* **pe·tun·tze** [pe'tuntse] *s* Pe'tuntse *f* (*feiner Ton*).

pew [pjuː] *s* **1.** (Kirchen)Bank *f*, Bankreihe *f*, Kirchenstuhl *m*: **family** ~ Familienstuhl *m*. **2.** *Br. colloq.* Sitz *m*, Platz *m*: **to take a** ~ Platz nehmen. **'pew·age** *s* **1.** Kirchengestühl *n*. **2.** Gebühr(en *pl.*) *f* für e-n Kirchenstuhl.

pe·wit ['piːwit; 'pjuːit] *s orn.* **1.** Kiebitz *m*. **2.** Lachmöwe *f*.

pew·ter ['pjuːtər] **I** *s* **1.** Hartzinn *n*, brit. Schüsselzinn *n*. **2.** *collect.* Zinngerät *n*. **3.** Zinnkrug *m*, -gefäß *n*. **4.** *Br. sl.* Po'kal *m*, Geldpreis *m* (*beim Wettkampf*). **II** *adj* **5.** (Hart)Zinn..., zinnern. **'pew·ter·er** *s* Zinngießer *m*.

pe·yo·te [pei'outi], **pe'yo·tl** [-tl; -ti] *s* **1.** → **mescal** 1. **2.** → **mescaline**.

pha·e·ton, *Am. a.* **pha·e·ton** [*Br.* 'feitən; *Am.* 'feiətən] *s* Phaeton *m*: a) *leichter vierrädriger Zweispänner*, b) *mot. obs.* Tourenwagen *m*.

phag·o·cyte ['fægə,sait] *s biol. med.* Phago'cyte *f*, Freßzelle *f*.

phal·ange ['fæləndʒ; fə'lændʒ] *s* **1.** → **phalanx** 3. **2.** *bot.* Staubfädenbündel *n*. **3.** *zo.* Tarsenglied *n*.

pha·lan·ges [fə'lændʒiːz] *pl von* **phalanx**.

pha·lanx ['fælæŋks; 'fei-] *pl* **-lanx·es** *od.* **-lan·ges** [fə'lændʒiːz] *s* **1.** *antiq. mil.* Phalanx *f*, geschlossene Schlachtreihe. **2.** *fig.* Phalanx *f*, geschlossene Front: **in** ~ geschlossen, einmütig. **3.** *anat.* Phalanx *f*, Finger-, Zehenglied *n*. **4.** → **phalange** 2. **'pha·lanxed** *adj* e-e Phalanx bildend, geschlossen.

phal·a·rope ['fælə,roup] *s orn.* Wassertreter *m*: **red** ~ Thorshühnchen *n*.

phal·lic ['fælik] *adj* phallisch. **'phal·li,cism** [-,sizəm], **'phal·lism** *s* Phalluskult *m*.

phal·lus ['fæləs] *pl* **-li** [-lai] *s* Phallus *m*.

phan·er·o·gam ['fænəro,gæm] *s bot.* Phanero'game *f*, Blüten-, Samenpflanze *f*.

phan·o·tron ['fænə,trɒn] *s electr.* Phano'tron *n*, ungesteuerte Gleichrichterröhre.

phan·tasm ['fæntæzəm] *s* **1.** Phan'tom *n*, Trugbild *n*, Wahngebilde *n*, Hirngespinst *n*. **2.** (Geister)Erscheinung *f*.

phan·tas·ma·go·ri·a [fæn,tæzmə'gɔːriə] *s* **1.** Phantasmago'rie *f*, Gaukelbild *n*, Truggebilde *n*, Blendwerk *n*. **2.** *fig.* bunter Wechsel. **phan,tas·ma'go·ri·al, phan,tas·ma'gor·ic** [-'gɒrik] *adj* phantasma'gorisch, traumhaft, gespensterhaft, trügerisch.

phan·tas·mal [fæn'tæzməl] *adj* (*adv* ~**ly**) **1.** Phantasie..., halluzina'torisch, eingebildet. **2.** gespenster-, geisterhaft. **3.** illu'sorisch, unwirklich, trügerisch.

phan·ta·sy → **fantasy**.

phan·tom ['fæntəm] **I** *s* **1.** Phan'tom *n*: a) Erscheinung *f*, Gespenst *n*, Geist *m*, b) Wahngebilde *n*, Trugbild *n*, Hirngespinst *n*, c) *fig.* Alptraum *m*, Schreckgespenst *n*: ~ **of war**. **2.** *fig.* Schatten *m*, Schein *m*: ~ **of authority** Scheinautorität *f*; ~ **of a king** Schattenkönig *m*. **3.** *med.* Phan'tom *n*, ana'tomisches Mo'dell. **II** *adj* **4.** Geister..., Gespenster..., gespenstisch. **5.** scheinbar, illu'sorisch, eingebildet: ~ **pregnancy** Scheinschwangerschaft *f*. **6.** fik'tiv, falsch. **III** *v/t* **7.** *electr.* zum Phan'tomkreis *od.* Vierer schalten. ~ **cir·cuit** *s electr.* Phan'tom-, Viererkreis *m*, Duplexleitung *f*. ~ **ship** *s* Geisterschiff *n*. ~ **tu·mo(u)r** *s med.* Scheingeschwulst *f*. ~ **view** *s tech.* 'Durchsichtszeichnung *f*.

Phar·a·on·ic [,fɛ(ə)ri'ɒnik; -rei-], **,Phar·a'on·i·cal** [-kəl] *adj* phara'onisch.

phare [fɛr] *s* Leuchtturm *m*.

phar·i·sa·ic [,færi'seiik] *adj*; **,phar·i'sa·i·cal** [-kəl] *adj* (*adv* ~**ly**) phari'säisch, selbstgerecht, scheinheilig, heuchlerisch. **'phar·i·sa,ism** [-sei,izəm] *s* **1.** Phari'säertum *n*, Scheinheiligkeit *f*. **2.** **P**~ *relig.* phari'säische Lehre.

'Phar·i,see [-,siː] *s* **1.** *relig.* Phari'säer *m*. **2.** **p**~ *fig.* Phari'säer(in), Selbstgerechte(r *m*) *f*, Scheinheilige(r *m*) *f*, Heuchler(in). **'phar·i·see,ism** → **pharisaism**.

phar·ma·ceu·tic [,fɑːrmə'sjuːtik; -'suː-] *adj*; **,phar·ma'ceu·ti·cal** [-kəl] *adj* (*adv* ~ly) pharma'zeutisch, arz'neikundlich, Apotheker... ˌ**phar·ma'ceu·tics** *s pl* (*als sg konstruiert*) Pharma'zeutik *f*, Pharma'zie *f*, Arz'neimittelkunde *f*. '**phar·ma·cist** [-məsist], *a.* ˌ**phar·ma'ceu·tist** *s* Pharma'zeut *m*: a) Apo'theker *m*, b) pharma'zeutischer Chemiker.

phar·ma·co·log·i·cal [ˌfɑːrməkə'lɒdʒikəl] *adj* pharmako'logisch. ˌ**phar·ma'col·o·gist** [-'kɒlədʒist] *s* Pharmako'loge *m*. ˌ**phar·ma'col·o·gy** *s* Pharmakolo'gie *f*, Arz'neimittellehre *f*. ˌ**phar·ma·co'poe·ia** [-kə'piːə] *s med.* **1.** Pharmako'pöe *f*, amtliche Arz'neimittelliste, Arz'neibuch *n*. **2.** Bestand *m od.* Vorrat *m* an Arz'neimitteln.

phar·ma·cy ['fɑːrməsi] *s* **1.** → pharmaceutics. **2.** Apo'theke *f*.

pha·ros ['fɛ(ə)rɒs] *s* **1.** Leuchtturm *m*. **2.** Leuchtfeuer *n*.

pha·ryn·ge·al [fə'rindʒiəl; ˌfærin'dʒiːəl] *a.* **pha·ryn·gal** [fə'riŋgəl] *adj* **1.** *anat.* Schlund..., Rachen...: ~**bone** Schlundknochen *m*. **2.** *ling.* Rachen...: ~**sound.**

pha·ryn·ges [fə'rindʒiːz] *pl von* pharynx.

phar·yn·gi·tis [ˌfærin'dʒaitis] *s med.* Pharyn'gitis *f*, 'Rachenkaˌtarrh *m*.

pha·ryn·go·log·i·cal [fəˌriŋgə'lɒdʒikəl] *adj med.* pharyngo'logisch. **phar·yn·gol·o·gy** [ˌfæriŋ'gɒlədʒi] *s* Pharyngolo'gie *f*. **phaˌryn·go'na·sal** [-'neizəl] *adj* Rachen u. Nase betreffend.

pha·ryn·go·scope [fə'riŋgəˌskoup] *s med.* Pharyngo'skop *n*, Schlundspiegel *m*.

phar·ynx ['færiŋks] *pl* **pha·ryn·ges** [fə'rindʒiːz] *od.* '**phar·ynx·es** *s* Pharynx *m*, Schlund *m*, Rachen(höhle *f*) *m*.

phase [feiz] **I** *s* **1.** Phase *f*: ~**s of the moon** *astr.* Mondphasen; ~ **advancer** *electr.* Phasenverschieber *m*; ~**-corrected** *electr.* phasenkorrigiert; **in** ~ (**out of** ~) *electr. phys.* phasengleich (phasenverschoben); ~ **lag** (**lead**) *electr. phys.* Phasennacheilung *f* (-voreilung *f*); ~ **opposition** *electr. math. phys.* Gegenphasigkeit *f*; ~ **rule** *chem. phys.* (Gibbssche) Phasenregel; ~ **shift(ing)** *electr.* Phasenverschiebung *f*; ~ **voltage** Phasenspannung *f*; **gas** (**liquid, solid**) ~ (*Thermodynamik*) Gasphase *f* (flüssige, feste Phase); **three-**~ **current** Dreiphasen(wechsel)strom *m*, Drehstrom *m*. **2.** (Entwicklungs)Stufe *f*, Stadium *n*, Phase *f*: **final** ~ Endphase, -stadium; ~ **line** *mil.* (Angriffs)Zwischenziel *n*. **3.** A'spekt *m*, Seite *f*, Gesichtspunkt *m*: **the** ~**s of a question.** **4.** *mil.* (Front)Abschnitt *m*. **II** *v/t* **5.** *electr. phys.* in Phase bringen. **6.** *fig.* in Phasen einteilen *od.* abwickeln, (zeitlich) aufschlüsseln: **to** ~ **in** einplanen, -schieben, -schließen; **to** ~ **out** a) (*v/t*) stufenweise *od.* in Etappen beenden *od.* abwickeln *od.* ausscheiden, *mil. Am. e-e Einheit* auflösen *od.* herausziehen, b) (*v/i*) den Betrieb stufenweise einstellen.

phas·ic ['feizik] *adj* phasisch, Phasen...

pha·si·tron ['feiziˌtrɒn] *s electr.* 'Phasenmoduˌlatorröhre *f*.

pheas·ant ['feznt] *s orn.* Fa'san *m*. '**pheas·ant·ry** [-tri] *s* Fasane'rie *f*.

'**pheas·ant's-ˌeye** *s bot.* **1.** A'donisrös-chen *n*. **2.** *a.* ~ **pink** Federnelke *f*.

phe·nan·threne [fi'nænθriːn] *s chem.* Phenan'thren *n*.

phene [fiːn], **phe·nene** ['fiːniːn] *s chem.* [Ben'zol *n.*]

phe·nic ['fiːnik; 'fenik] *adj chem.* kar'bolsauer, Karbol...: ~ **acid** → phenol.

phe·no·bar·bi·tone [ˌfiːno'bɑːrbiˌtoun] *s chem. pharm.* Phenobarbi'tal *n*, Lumi'nal *n*.

phe·nol ['fiːnɒl; -noul] *s chem.* Phe'nol *n*, Kar'bolsäure *f*. **phe·no·late** ['fiːnəˌleit] *s* Pheno'lat *n*. **phe·no·lic** [fi'noulik; -'nɒlik] **I** *adj* Phenol..., pheno'plastisch: ~ **resin** → II. **II** *s* Phe'nolharz *n*.

phe·nol·o·gy [fiː'nɒlədʒi] *s* Phänolo'gie *f* (*Wissenschaft von den jahreszeitlich bedingten Erscheinungsformen bei Tier u. Pflanze*).

phe·nol·phthal·ein [ˌfiːnɒl'fθæliin; -noul-; -'θæliːn] *s chem.* Pheˌnolphthale'in *n*.

phe·nom·e·na [fi'nɒminə] *pl von* phe- [nomenon.]

phe·nom·e·nal [fi'nɒminl] *adj* (*adv* ~ly) phänome'nal: a) *philos.* Erscheinungs...: ~ **world,** b) *fig.* unglaublich, ‚phan'tastisch'. **phe'nom·e·nalˌism** [-nəˌl-] *s philos.* Phänomena'lismus *m*.

phe'nom·e·nal·ist **I** *s* Phänomena'list *m*. **II** *adj* phänomena'listisch.

phe·nom·e·nol·o·gy [fiˌnɒmi'nɒlədʒi] *s philos.* ˌPhänomenolo'gie *f*.

phe·nom·e·non [*Br.* fi'nɒminən; *Am.* fə'nɒməˌnɒn] *pl* **-na** [-nə] *s* **1.** *a. philos. phys.* Phäno'men *n*, Erscheinung *f*. **2.** *pl* -nons *fig.* Phäno'men *n*: a) (*ein*) wahres Wunder (*Sache od. Person*), b) *a.* **infant** ~ Wunderkind *n*.

phe·no·plast ['fiːnoˌplæst] → phenolic II. ˌ**phe·no'plas·tic** → phenolic I.

phe·no·type ['fiːnoˌtaip] *s biol.* Phäno'typ(us) *m*, (*umweltbedingtes*) Erscheinungsbild. ˌ**phe·no'typ·ic** [-'tipik] *adj* phäno'typisch.

phen·yl ['fenil; 'fiːnil] *s* Phe'nyl *n* (*einwertige Atomgruppe* C_6H_5). '**phen·ylˌene** [-ˌliːn] *s* Pheny'len *n* (*zweiwertige Atomgruppe* C_6H_4). **phe·nyl·ic** [fi'nilik] *adj* Phenyl..., kar'bolsauer, phe'nolisch: ~ **acid** → phenol.

phe·on ['fiːɒn] *s her.* Pfeilspitze *f*.

phew [fjuː; pfjuː] *interj* puh!

phi [fai] *s* Phi *n* (*griechischer Buchstabe*).

phi·al ['faiəl] *s* Phi'ole *f*, (*bes.* Arz'nei-) [Fläschchen *n.*]

Phi Be·ta Kap·pa ['fai 'beitə 'kæpə; 'biːtə] (*Greek*) *s univ. Am. studentische Vereinigung hervorragender Akademiker.*

Phil·a·del·phi·a law·yer [ˌfilə'delfiə] *s Am.* gerissener Ju'rist *od.* Anwalt.

phi·lan·der [fi'lændər] *v/i* tändeln, schäkern, ‚pous'sieren', den Frauen nachlaufen. **phi'lan·der·er** *s* Schürzenjäger *m*, Schwerenöter *m*.

phil·an·thrope ['filənˌθroup] → philanthropist I.

phil·an·throp·ic [ˌfilən'θrɒpik] *adj*; ˌ**phil·an'throp·i·cal** [-kəl] *adj* (*adv* ~ly) philan'thropisch, menschenfreundlich, wohltätig. **phi·lan·thro·pism** [fi'lænθrəˌpizəm] *s* Philanthro'pie *f*, Menschenliebe *f*. **phi'lan·thro·pist** **I** *s* Philan'throp *m*, Menschenfreund *m*, Wohltäter *m*. **II** *adj* → philanthropic. **phi'lan·thro·py** *s* Philanthro'pie *f*, Menschenliebe *f*, Wohltätigkeit *f*.

phil·a·tel·ic [ˌfilə'telik] *adj* Briefmarken..., philate'listisch. **phi·lat·e·list** [fi'lætəlist] **I** *s* Briefmarkensammler *m*, Philate'list *m*. **II** *adj* → philatelic. **phi'lat·e·ly** *s* Briefmarkensammeln *n*, Briefmarkenkunde *f*, Philate'lie *f*.

Phi·le·mon [fi'liːmɒn] *npr u. s Bibl.* (Brief *m* des Paulus an) Phi'lemon *m*.

phil·har·mon·ic [ˌfilhɑːr'mɒnik ˌfilər-] *adj* philhar'monisch: ~ **concert;** ~ **orchestra;** ~ **society** Philharmonie *f*.

Phi·lip·pi·ans [fi'lipiənz] *s pl* (*als sg konstruiert*) *Bibl.* (Brief *m* des Paulus an die) Phi'lipper, Phi'lipperbrief *m*.

phi·lip·pic [fi'lipik] *s* Phi'lippika *f*, Brandrede *f*, Strafpredigt *f*.

phil·ip·pi·na [ˌfili'piːnə] *s* **1.** Viel'liebchen *n* (*Spiel*). **2.** Viel'liebchengeschenk *n*.

Phil·ip·pine ['filiˌpiːn] *adj* **1.** philip'pinisch, Philippinen... **2.** Filipino...

Phil·is·tine [*Br.* 'filiˌstain; *Am.* fi'listin] **I** *s* **1.** *Bibl.* Phi'lister *m*. **2.** *fig.* Phi'lister *m*, Spießbürger *m*, Spießer *m*, Ba'nause *m*. **II** *adj* **3.** *fig.* phi'listerhaft, spießbürgerlich, ba'nausisch. **phi'lis·tinˌism** *s* Phi'listertum *n*, Philiste'rei *f*, Spießbürgertum *n*, Ba'nausentum *n*.

phil·o·log·i·cal [ˌfilə'lɒdʒikəl] *adj* (*adv* ~ly) **1.** philo'logisch. **2.** sprachwissenschaftlich. **phi'lol·o·gist** [-'lɒlədʒist] *s* **1.** Philo'loge *m*, Philo'login *f*. **2.** Sprachwissenschaftler(in), Lingu'ist(in). **phi'lol·o·gy** *s* **1.** Philolo'gie *f*, Litera'tur- u. Sprachwissenschaft *f*. **2.** Sprachwissenschaft *f*, Lingu'istik *f*.

phil·o·mel ['filəˌmel], ˌ**phil·o'me·la** [-'miːlə] *s poet.* Philo'mele *f*, Nachtigall *f*.

phil·o·poe·na [filə'piːnə] → philippina.

phi·los·o·pher [fi'lɒsəfər] *s* **1.** Philo'soph *m*, Weltweise(r) *m*: **moral** ~ Moralphilosoph; **natural** ~ Naturforscher *m*; ~**s' stone** Stein *m* der Weisen. **2.** *fig.* Philo'soph *m*, Lebenskünstler *m*.

phil·o·soph·ic [ˌfilə'sɒfik] *adj*; ˌ**phil·o'soph·i·cal** [-kəl] *adj* (*adv* ~ly) philo'sophisch (*a. fig. weise, gleichmütig*).

phi·los·o·phist [fi'lɒsəfist] *s contp.* So'phist *m*, Philoso'phaster *m*. **phi'los·oˌphize** **I** *v/t* philo'sophisch behandeln, philoso'phieren über (*acc*). **II** *v/i* philoso'phieren.

phi·los·o·phy [fi'lɒsəfi] *s* **1.** Philoso'phie *f*: **moral** ~ Moralphilosophie; **natural** ~ Naturwissenschaft *f*; ~ **of history** Geschichtsphilosophie. **2.** *a.* ~ **of life** Philoso'phie *f*, Welt-, Lebensanschauung *f*. **3.** *fig.* Gleichmut *m*, (philo'sophische) Gelassenheit.

phil·ter, *bes. Br.* **phil·tre** ['filtər] *s* **1.** Liebestrank *m*. **2.** Zaubertrank *m*.

phi·mo·sis [fai'mousis] *s med.* Phi'mose *f*, Vorhautverengerung *f*.

phiz [fiz], *a.* **phiz·og** ['fizɒg] *s sl.* ‚Vi'sage' *f*, Gesicht *n*.

phle·bi·tis [fli'baitis] *s med.* Venenentzündung *f*.

phle·bot·o·my [fli'bɒtəmi] *s med.* [Aderlaß *m.*]

phlegm [flem] *s* **1.** *physiol.* Phlegma *n*, Schleim *m*. **2.** *fig.* Phlegma *n*, (stumpfe) Gleichgültigkeit, (geistige) Trägheit.

phleg·mat·ic [fleg'mætik] *adj* (*adv* ~ally) **1.** *physiol. zo.* a) phleg'matisch, schleimhaltig, -blütig, b) schleimerzeugend. **2.** phleg'matisch, gleichgültig, träge, stumpf.

phleg·mon ['flegmɒn] *s med.* Phleg'mone *f*, Zellgewebsentzündung *f*.

phlo·em ['flouem] *s bot.* Phlo'em *n*, Siebteil *m* (*der Leitbündel*).

phlo·gis·tic [flo'dʒistik; flɒ-] *adj med.* entzündlich. **phlo'gis·ton** [-tɒn] *s chem. hist.* Phlogiston *n* (*hypothetischer Stoff, der bei der Verbrennung entweicht*).

phlox [flɒks] *s bot.* Phlox *m, f*, Flammenblume *f*.

pho·bi·a ['foubiə] *s psych.* Pho'bie *f*, krankhafte Furcht *od.* Abneigung.

pho·co·me·lia [ˌfouko'miːljə; -iə] *s med.* Phokome'lie *f*, 'GliedmaßenˌmißbiIdung *f*.

Phoe·be ['fiːbi] **I** *npr antiq.* Phöbe *f*. **II** *s poet.* der Mond.

Phoe·bus ['fiːbəs] **I** *npr antiq.* Phöbus *m*. **II** *s poet.* Phöbus *m*, Sonne *f*.

Phoe·ni·cian [fi'niʃən] **I** *s* **1.** Phö'nizier(in). **2.** *ling.* Phö'nikisch *n*, das Phönikische. **II** *adj* **3.** phö'nikisch.

phoe·nix ['fiːniks] *s* **1.** Phönix *m* (*sa-*

genhafter Wundervogel). **2.** *fig.* (wahres) Wunder (*Person od. Sache*). **3.** *fig.* Phönix *m* (aus der Asche) (*etwas Wiedererstandenes*). **4.** P~ *gen* **-ni·cis** [fi'ni:sis] *astr.* Phönix *m* (*Sternbild*).

phon [fɒn] *s phys.* Phon *n* (*Maßeinheit der Lautstärke*): ~**-scala** Phon-Skala *f.*

pho·nate ['founeit] *v/i* pho'nieren, Laute bilden. **pho'na·tion** *s* Lautbildung *f.*

phone[1] [foun] *s ling.* (Einzel)Laut *m.*

phone[2] [foun] *colloq. für* telephone.

pho·neme ['founi:m] *s* **1.** *ling.* Pho'nem *n* (*bedeutungsunterscheidende Lautkategorie e-r Sprache*). **2.** → phone[1]. **pho'ne·mic** [fou-; fo-] *adj* **1.** Phonem... **2.** phone'matisch, be'deutungsunter,scheidend. **pho'ne·mics** [fou-; fo-] *s pl* (*als sg konstruiert*) Phone'matik *f.*

pho·net·ic [fo'netik] *adj* (*adv* ~**ally**) pho'netisch, lautlich: ~ **alphabet** a) phonetisches Alphabet, c) *mil. teleph. etc* Buchstabieralphabet *n*; ~ **character** Lautzeichen *n*; ~ **spelling**, ~ **transcription** Lautschrift *f*; ~ **value** Lautwert *m.* **pho·ne·ti·cian** [,founi'tiʃən] *s* Pho'netiker(in). **pho·net·i·cism** [fo'neti,sizəm; fou-] *s* lautschriftliche 'Wiedergabe. **pho'net·i·cist** *s* Pho'netiker(in). **pho'net·i,cize** *v/t* pho'netisch darstellen. **pho'net·ics** *s pl* (*meist als sg konstruiert*) **1.** Pho'netik *f*, Laut(bildungs)lehre *f.* **2.** 'Lautsy,stem *n* (*e-r Sprache*).

pho·ney → phony.

phon·ic ['fɒnik; 'fou-] *adj* **1.** lautlich, a'kustisch. **2.** pho'netisch. **3.** *tech.* phonisch. '**phon·ics** *s pl* (*als sg konstruiert*) **1.** *ped.* Lau'tierkurs *m.* **2.** → phonetics.

pho·no·deik ['founo,daik] *s tech.* Schallwellenaufzeichner *m.* ,**pho·no'car·di·o,gram** *s med.* 'Tonkardio,gramm *n*, Herztonaufzeichnung *f.*

pho·no·gen·ic [,founo'dʒenik] *adj* **1.** zu klanglicher Wiedergabe geeignet: ~ **scores. 2.** mit guter A'kustik: ~ **hall.**

pho·no·gram ['founo,græm] *s* **1.** Lautzeichen *n.* **2.** *tech.* Phono'gramm *n*, (Schall)Aufzeichnung *f*, Schallplatte *f.* **3.** *teleph.* zugesprochenes Tele'gramm.

'**pho·no,graph** [-,græ(:)f; *Br. a.* -,grɑ:f] *s* **1.** *tech. hist.* Phono'graph *m*, 'Sprechma,schine *f.* **2.** *Am.* Plattenspieler *m*, Grammo'phon *n*: ~ **record** Schallplatte *f.* **3.** *ling.* Lautzeichen *n.* ,**pho·no'graph·ic** [-'græfik] *adj* (*adv* ~**ally**) phono'graphisch. **pho·nog·ra·phy** [fou'nɒgrəfi; fo-] *s* **1.** Kurzschrift *f* auf pho'netischer Grundlage, *bes.* Pitmans Stenogra'phie. **2.** *ling.* pho'netische (Recht)Schreibung.

pho·nol·o·gy [fou'nɒlədʒi; fo-] *s ling.* Phonolo'gie *f*, Lautlehre *f.*

pho·nom·e·ter [fou'nɒmitər; fo-] *s phys.* Phono'meter *n*, Schall(stärke)messer *m.* **pho'nom·e·try** [-tri] *s* Schall(stärke)messung *f.*

pho·nus bo·lo·nus ['founəs bə'lounəs] *s Am. humor.* **1.** Humbug *m*, Mumpitz *m.* **2.** Gaune'rei *f.*

pho·ny ['founi] *sl.* **I** *adj* **1.** falsch, gefälscht, unecht, Falsch..., Schein...: ~ **war** *hist.* ‚Sitzkrieg' *m* (*an der Westfront 1939—40*). **2.** ‚faul', ‚nicht koscher', ‚windig'. **II** *s* **3.** Schwindler(in), ‚Schauspieler(in)', Heuchler(in). **4.** Fälschung *f*, Schwindel *m*, ‚fauler Zauber'. [de!]

phoo·ey ['fu:i] *interj Am.* pfui!, Schan-

phor·mi·um ['fɔ:rmiəm] *s bot.* Neu'seeländischer Flachs.

phos·gene ['fɒsdʒi:n; 'fɒz-] *s chem.* Phos'gen *n*, 'Kohlensäurechlo,rid *n.*

phos·phate ['fɒsfeit] *s chem.* **1.** Phos'phat *n*: ~ **of lime** phosphorsaurer Kalk. **2.** *agr.* Phos'phat(düngemittel) *n.* '**phos·phat·ed** *adj* phos'phatisch. **phos'phat·ic** [-'fætik] *adj* phos'phathaltig.

phos·pha·tize ['fɒsfə,taiz] *v/t tech.* **1.** *Seide* phospha'tieren. **2.** *metall.* phospha'tieren, parkeri'sieren. **3.** in ein Phos'phat verwandeln.

phos·phene ['fɒsfi:n] *s med.* Phos'phen *n*, Lichterscheinung *f* im Auge.

phos·phide ['fɒsfaid; -fid] *s chem.* Phos'phid *n.* '**phos·phine** [-fi:n; -fin] *s chem.* **1.** Phos'phin *n*, Phosphorwasserstoff *m.* **2.** Deri'vat *n* des Phosphorwasserstoffs. **3.** Akri'din-Gelb *n* (*synthetischer Farbstoff*). '**phos·phite** [-fait] *s* **1.** *chem.* Phos'phit *n.* **2.** *min.* 'Phosphorme,tall *n.*

phos·phor ['fɒsfər] **I** *s* → phosphorus. **II** *adj* Phosphor...: ~ **bronze.** '**phos·pho,rate** [-,reit] *v/t chem.* **1.** phosphori'sieren. **2.** phosphores'zierend machen.

phos·pho·resce [,fɒsfə'res] *v/i* phosphores'zieren, (nach)leuchten. ,**phos·pho'res·cence** *s* **1.** *chem. phys.* ,Chemolumines'zenz *f.* **2.** *phys.* Phosphores'zenz *f*, Nachleuchten *n*, Phosphores'zieren *n.* ,**phos·pho'res·cent** *adj* phosphores'zierend.

phos·phor·ic [fɒs'fɒrik] *adj* phosphorig, phosphorsauer, -haltig, Phosphor...: ~ **acid** Phosphorsäure *f.*

phos·pho·rize ['fɒsfə,raiz] → phosphorate.

phos·pho·rous ['fɒsfərəs] *adj chem.* phosphorig(sauer): ~ **acid** phosphorige Säure.

phos·pho·rus ['fɒsfərəs] *pl* **-ri** [-,rai] *s* **1.** *chem.* Phosphor *m.* **2.** *phys.* ('Leucht)Phos,phore *f*, Leuchtmasse *f*, -stoff *m.* **3.** P~ *astr. poet.* Phos'phoros *m*, Morgenstern *m.*

phos·phu·ret·(t)ed ['fɒsfə,retid] *adj chem.* mit (einwertigem) Phosphor verbunden.

phot [fɒt; fout] *s phys.* Phot *n* (*Einheit der spezifischen Lichtausstrahlung*).

pho·tic ['foutik] *adj* **1.** Licht... **2.** *zo.* Licht ausstrahlend. **3.** *biol.* lichtabhängig, photisch: ~ **zone** photische Region (*des Meeres*).

pho·to ['foutou] *colloq.* **I** *s* Photo *n*, Bild(chen) *n.* **II** *v/t u. v/i* photogra'phieren, ‚knipsen'.

photo- [foutou] *Wortelement mit den Bedeutungen* a) Licht, b) Photographie, photographisch.

,**pho·to·ac'tin·ic** *adj phys.* photo'chemisch wirksam strahlend. ,**pho·to·bi'ot·ic** *adj biol.* lichtbedürftig.

'**pho·to,cell** *s electr.* Photozelle *f*, photoe'lektrische Zelle.

,**pho·to'chem·i·cal** *adj chem.* photo'chemisch. ,**pho·to'chem·is·try** *s* Photoche'mie *f.*

pho·to·chro·my ['foutou,kroumi] *s* 'Farbphotogra,phie *f.*

,**pho·to·com'pos·ing ma·chine,** *a.* ,**pho·to·com'pos·er** *s print.* 'Lichtsetzma,schine *f.*

,**pho·to,con·duc'tiv·i·ty** *s phys.* photoe'lektrische Leitfähigkeit.

'**pho·to,cop·y** → photostat 1.

'**pho·to,cur·rent** *s phys.* 'Photoemissi,onsstrom *m.* ,**pho·to·dis,in·te'gra·tion** *s Atomphysik*: 'Kern,photoef,fekt *m*, Lichtzerfall *m.* ,**pho·to·dis,so·ci'a·tion** *s chem. phys.* Photo'lyse *f.*

'**pho·to,dra·ma** *s* Filmdrama *n.*

,**pho·to·e'lec·tric** *adj*; ,**pho·to·e'lec·tri·cal** *adj* (*adv* ~**ly**) *phys.* photoe'lektrisch, 'lichte,lektrisch: ~ **cell** → photocell.

,**pho·to·e'lec·tron** *s phys.* Photoelek-[tron *n.*]

,**pho·to·e'lec·tro,type** *s tech.* photoe'lektrisches Drucknegativ.

,**pho·to·e'mis·sion** *s phys.* Photoemissi'on *f.* ,**pho·to·en'grav·ing** *s print.* Lichtdruck(verfahren *n*) *m*, 'Photogra,vüre *f.*

pho·to fin·ish *s sport* **1.** *durch Zielphotographie entschiedener Zieleinlauf.* **2.** *Entscheidung durch Zielphotographie.* '**pho·to,flash lamp** *s* Vaku-, Kolbenblitz *m*, Blitzlicht(birne *f*) *n.* '**pho·to,flood lamp** *s* Photo-, Heimlampe *f.*

,**pho·to'gel·a·tin** *adj phot. print.* Lichtdruck... ~ **proc·ess** *s* 'Photogela,tineverfahren *n*, Phototy'pie *f.*

pho·to·gen ['fouto,dʒen] *s* **1.** *chem.* Photo'gen *n*, 'Braunkohlenben,zin *n.* **2.** *biol.* a) 'Leuchtorga,nismus *m*, b) Leuchtstoff *m* (*e-s Leuchtorganismus*). '**pho·to,gene** [-,dʒi:n] *s* **1.** *med.* Nachbild *n.* **2.** → photogen 1.

pho·to·gen·ic [,fouto'dʒenik] *adj* **1.** photo'gen, bildwirksam. **2.** *biol.* lichterzeugend, Leucht...

pho·to·gram·me·try [,fouto'græmitri] *s* Photogramme'trie *f*, Meßbildverfahren *n.*

pho·to·graph ['fouto,græ(:)f; *Br. a.* -,grɑ:f] **I** *s* Photogra'phie *f*, (Licht)Bild *n*, Aufnahme *f*: **to take a** ~ **of** → II. **II** *v/t* photogra'phieren, aufnehmen, e-e Aufnahme machen von (*od. gen*). **III** *v/i* photogra'phieren, photographiert werden: **he does not** ~ **well** er läßt sich schlecht photographieren, er wird nicht gut auf Bildern.

pho·tog·ra·pher [fə'tɒgrəfər] *s* Photo'graph(in). ,**pho·to'graph·ic** [-'græfik] *adj* (*adv* ~**ally**) **1.** photo'graphisch, Bild...: ~ **sound** Lichtton *m*; ~ **sound recorder** optischer Tonschreiber. **2.** *fig.* photo'graphisch genau. **pho'tog·ra·phy** *s* Photogra'phie *f*, Lichtbildkunst *f.*

,**pho·to·gra'vure** *s print.* 'Photogra,vüre *f*, Kupferlichtdruck *m.*

,**pho·to'lith·o** *s abbr. für* photolithograph, photolithoprint *etc.* ,**pho·to'lith·o,graph** *print.* **I** *s* ,Photolithogra'phie *f* (*Bild*). **II** *v/t* ,photolithogra'phieren. ,**pho·to·li'thog·ra·phy** *s* ,Photolithogra'phie *f*, Lichtsteindruck *m.* ,**pho·to'lith·o,print** *s* ,Photolithogra'phie *f* (*Bild*).

pho·tol·y·sis [fo'tɒlisis] *s chem.* Photo'lyse *f.*

'**pho·to,map** *s* **1.** photogram'metrische Karte, Luftbildkarte *f.* **2.** *astr.* photo'graphische Sternkarte.

,**pho·to·me'chan·i·cal** *adj print.* photome'chanisch.

pho·tom·e·ter [fo'tɒmitər] *s phys.* Photo'meter *n*, Lichtstärke-, Belichtungsmesser *m.* **pho'tom·e·try** *s* Photome'trie *f*, Lichtstärkemessung *f.*

,**pho·to'mi·cro,graph** *s* ,Mikrophotogra'phie *f* (*Bild*). ,**pho·to,mi·cro'graph·ic** *adj* ,mikrophoto'graphisch. ,**pho·to·mi'crog·ra·phy** *s* ,Mikrophotogra'phie *f.*

,**pho·to·mon'tage** *s* 'Photomon,tage *f.*

'**pho·to'mu·ral** *s phot.* Riesenvergrößerung *f* (*als Wandschmuck*).

pho·ton ['foutɒn] *s* Photon *n*: a) *phys.* Lichtquant *n*, b) *opt.* Troland *n* (*Einheit der Beleuchtungsstärke auf der Netzhaut*).

,**pho·to'neu·tron** *s phys.* Photoneu-[tron *n.*]

,**pho·to-'off·set** *print.* **I** *s* photo'graphischer Offsetdruck. **II** *v/t irr* abziehen.

ˌpho·to'pho·bi·a *s med.* Photopho'bie *f*, Lichtscheu *f*.

pho·to·phone ['foutəˌfoun] *s tech.* Photo'phon *n* (*mit Photozelle arbeitende Form des Telephons*).

'pho·toˌplay *s* Filmdrama *n*, verfilmtes Buch *od.* Stück. **pho·toˌprint** *s print.* photo'graphischer Druck *od.* Abzug, Lichtdruckätzung *f*. **'pho·toˌproc·ess** *s print.* photome'chanisches Druckverfahren. **ˌpho·to'ra·di·oˌgram** *s tech.* Funkbild *n*. **ˌpho·to-re'con·nais·sance** *s aer. mil.* Bildaufklärung *f*.

'pho·toˌsphere *s* Photosphäre *f*, Lichtkreis *m* (*bes. der Sonne*).

pho·to·stat ['foutoˌstæt] *phot.* **I** *s* **1.** Photoko'pie *f*, Lichtpause *f*, Ablichtung *f*. **2.** P~ (*TM*) Photo'stat *m* (*Photokopiergerät*). **II** *v/t u. v/i* **3.** photoko'pieren. **ˌpho·to'stat·ic** *adj* Kopier..., Lichtpaus...: ~ **copy** → **photostat** 1.

ˌpho·to'syn·the·sis *s biol. chem.* Photosyn'these *f*.

ˌpho·to'tel·eˌgraph *s* **1.** 'Bildteleˌgraph *m*. **2.** 'Bildteleˌgramm *n*.

ˌpho·to'tel·eˌscope *s astr.* 'Phototeleˌskop *n*.

ˌpho·to'ther·a·py *s* Phototherа'pie *f*, Lichtheilverfahren *n*.

'pho·toˌtube *s phys.* Photoröhre *f*, Vakuum-Photozelle *f*.

'pho·toˌtype I *s print.* Lichtdruck(bild *n*, -platte *f*) *m*, Phototy'pie *f*. **II** *v/t* im Lichtdruckverfahren vervielfältigen.

phrase [freiz] **I** *s* **1.** (Rede)Wendung *f*, Redensart *f*, (idio'matischer) Ausdruck: ~ **book** Sammlung *f* von Redewendungen; ~ **of civility** Höflichkeitsfloskel *f*. **2.** Phrase *f*, Schlagwort *n*: ~**monger** Phrasendrescher *m*. **3.** *ling.* a) Wortverbindung *f*, b) kurzer Satz. **4.** *Phonetik*: Sprechtakt *m*. **5.** *mus.* Phrase *f*, Satz *m*. **II** *v/t* **6.** ausdrücken, formu'lieren. **III** *v/i* **7.** *mus.* phra'sieren.

phra·se·o·gram ['freiziəˌgræm] *s Stenographie*: Satz-, Wortgruppenkürzel *n*. **'phra·se·oˌgraph** [-ˌgræ(ː)f; *Br. a.* -ˌgrɑːf] *s* Kürzelsatz *m*, -gruppe *f*.

phra·se·o·log·i·cal [ˌfreiziə'lɒdʒikəl] *adj* (*adv* ~**ly**) **1.** phraseo'logisch. **2.** phrasenhaft. **ˌphra·se'ol·o·gist** [-'ɒlədʒist] *s* **1.** *ling.* Phraseo'loge *m*. **2.** Phrasendrechsler *m*. **3.** Phrasendrescher *m*. **ˌphra·se'ol·o·gy** *s* **1.** Phraseolo'gie *f*: a) Stil *m*, Ausdrucksweise *f*, b) Sammlung *f* von Redewendungen. **2.** *iro.* Sprachregelung *f*.

phre·net·ic [fri'netik] *adj* (*adv* ~**ally**) fre'netisch, wahnsinnig, rasend, toll.

phren·ic ['frenik] *adj anat.* phrenisch, Zwerchfell...

phren·o·log·i·cal [ˌfrenə'lɒdʒikəl] *adj* (*adv* ~**ly**) phreno'logisch. **phre'nol·o·gist** [-'nɒlədʒist] *s* Phreno'loge *m*. **phre'nol·o·gy** *s* Phrenolo'gie *f*, Schädellehre *f*.

Phryg·i·an ['fridʒiən] **I** *s* **1.** Phryger(in). **2.** *ling.* Phrygisch *n*, das Phrygische. **II** *adj* **3.** phrygisch.

phthal·ate ['θæleit; 'fθæl-] *s chem.* Phtha'lat *n*. **'phthal·ein** [-iːn; -iin] *s* Phthale'in(farbstoff *m*) *n*. **'phthal·ic** *adj* Phthal...: ~ **acid**.

phthis·ic [*Br.* 'θaisik; *Am.* 'tizik] *adj*; **'phthis·i·cal** [-kəl] *adj* (*adv* ~**ly**) *med.* tuberku'lös, schwindsüchtig, phthisisch. **'phthi·sis** ['θaisis; 'fθai-] *s* Tuberku'lose *f*, Schwindsucht *f*.

phut [fʌt] **I** *interj* fft! (*lautmalend*). **II** *adj u. adv sl.* ‚futsch': **to go** ~ ‚kaputt-, futschgehen', ‚platzen'.

phy·col·o·gy [fai'kɒlədʒi] *s* Phykolo'gie *f*, Algenkunde *f*.

phy·lac·ter·y [fi'læktəri] *s* **1.** *relig.* Phylak'terion *n*, Gebetsriemen *m* (*der Juden*). **2.** Re'liquienkästchen *n*. **3.** *fig.* frommes Getue.

phy·let·ic [fai'letik] *adj biol.* phy'letisch, rassisch, Stammes...

phyl·lo·pod ['filəˌpɒd] *zo.* **I** *adj* Blattfüßer... **II** *s* Blattfüßer *m*.

phyl·lo·tax·y ['filoˌtæksi], *a.* **ˌphyl·lo'tax·is** [-'tæksis] *s* Blattstellung *f*.

phyl·lox·e·ra [ˌfilɒk'si(ə)rə; fi'lɒksərə] *pl* **-rae** [-riː] *s zo.* Reblaus *f*.

phy·lo·gen·e·sis [ˌfailo'dʒenisis] → phylogeny. **ˌphy·lo·ge'net·ic** [-dʒi'netik] *adj* (*adv* ~**ally**) phyloge'netisch, stammesgeschichtlich. **phy'log·e·ny** [-'lɒdʒəni] *s* Phyloge'nese *f*, Stammesgeschichte *f*.

phy·lon ['failɒn] *pl* **-la** [-lə] *s biol.* Stamm *m*.

phy·lum ['failəm] *pl* **-la** [-lə] *s* **1.** *biol.* 'Unterabˌteilung *f*, Ordnung *f* (*des Tier- od. Pflanzenreichs*). **2.** → **phylon**. **3.** *ling.* Sprachstamm *m*.

phys·ic ['fizik] **I** *s* **1.** Arz'nei(mittel *n*) *f*, Medi'zin *f*, *bes.* Abführmittel *n*. **2.** *fast obs.* Heilkunde *f*. **3.** → **physics**. **II** *v/t pret u. pp* **'phys·icked** **4.** ärztlich behandeln. **5.** a) *j-m* ein Abführmittel geben, b) abführend wirken bei (*j-m*). **6.** heilen, ku'rieren (*a. fig.*). **7.** *tech. geschmolzenes Metall* frischen, feinen.

phys·i·cal ['fizikəl] *adj* **1.** physisch, körperlich: ~ **condition** Gesundheitszustand *m* (→ 2); ~ **culture** Körperkultur *f*; ~ **education** *ped.* Leibeserziehung *f* u. Körperpflege *f*; ~ **examination** ärztliche Untersuchung; ~ **force** physische Gewalt; ~ **inventory** *econ.* Bestandsaufnahme *f*; ~ **jerks** *sl.* gymnastische Übungen; ~ **possession** tatsächlicher *od.* physischer Besitz; ~ **stock** *econ.* Lagerbestand *m*; ~ **strength** Körperkraft *f*; ~ **training** Leibeserziehung *f*. **2.** physi'kalisch: ~ **chemistry**; ~ **geography**; ~ **anthropology** biologische *od.* physische Chemie; ~ **condition** Aggregatzustand *m*; ~ **medicine**, ~ **therapy** → **physiotherapy**. **3.** na'turwissenschaftlich. **4.** na'turgesetzlich, physisch: ~ **impossibility** physische *od.* absolute Unmöglichkeit. **5.** na'türlich. **6.** sinnlich, fleischlich. **7.** materi'ell. ~ **sci·ence** *s* **1.** Phy'sik *f*. **2.** na'turwissenschaftliches Fach. **3.** Na'turwissenschaften *pl*.

phy·si·cian [fi'ziʃən] *s* Arzt *m* (*a. fig.*).

phys·i·cism ['fiziˌsizəm] *s philos.* Materia'lismus *m*.

phys·i·cist ['fizisist] *s* **1.** Physiker *m*. **2.** Na'turforscher *m*. **3.** *philos.* Materia'list *m*. **'phys·ick·y** [-iki] *adj* arz'neiartig.

'phys·i·co-'chem·i·cal ['fiziko] *adj* (*adv* ~**ly**) physiko'chemisch.

phys·ics ['fiziks] *s pl* (*meist als sg konstruiert*) Phy'sik *f*.

phys·i·oc·ra·cy [ˌfizi'ɒkrəsi] *s pol.* Physiokra'tismus *m*, Physiokra'tie *f*.

phys·i·og·e·ny [ˌfizi'ɒdʒəni] *s biol.* Entstehung *f* u. Entwicklung *f* der 'Lebensfunktiˌonen.

phys·i·og·nom·ic [ˌfiziə'nɒmik; *Am. a.* -ziɒg-] *adj*; **ˌphys·i·og'nom·i·cal** [-kəl] *adj* (*adv* ~**ly**) physio'gnomisch. **ˌphys·i'og·no·mist** [-'ɒnəmist; *Am. a.* -'ɒg-] *s* Physio'gnom(iker) *m*. **ˌphys·i'og·no·my** *s* **1.** Physiogno'mie *f*: a) Gesichtsausdruck *m*, -züge *pl*, b) *fig.* äußere Erscheinung, Struk'tur *f*. **2.** *sl.* Gesicht *n*. **3.** Physio'gnomik *f* (*Deutung der Wesensart aus der leiblichen Erscheinung*).

phys·i·og·ra·phy [ˌfizi'ɒgrəfi] *s* **1.** physi'kalische Geogra'phie, ˌPhysio(geo)gra'phie *f*. **2.** *bes. Am.* 'Geomorpholo'gie *f*. **3.** Na'turbeschreibung *f*.

phys·i·o·log·ic [ˌfiziə'lɒdʒik] *adj*; **ˌphys·i·o'log·i·cal** [-kəl] *adj* (*adv* ~**ly**) physio'logisch. **ˌphys·i'ol·o·gist** [-'ɒlədʒist] *s med.* Physio'loge *m*. **ˌphys·i'ol·o·gy** *s* Physiolo'gie *f*.

ˌphys·i·o'ther·a·pist *s med.* physi'kalischer Thera'peut, Fachmann *m* in physikalischer Heilweise, *weitS.* 'Heilgymˌnastiker(in). **ˌphys·i·o'ther·a·py** *s* Physiothera'pie *f*, physi'kalische Heilkunde, 'Heilgymˌnastik *f*.

phy·sique [fi'ziːk] *s* Körper(bau) *m*, Körperbeschaffenheit *f*, Konstituti'on *f*, Fi'gur *f*.

phy·to·gen·e·sis [ˌfaito'dʒenisis] *s bot.* Pflanzenentstehungslehre *f*.

phy·to·gen·ic [ˌfaito'dʒenik], **phy'tog·e·nous** [-'tɒdʒənəs] *adj bot.* phyto'gen, pflanzlichen Ursprungs. **phy'tog·e·ny** → **phytogenesis**. **ˌphy·to·ge'og·ra·phy** *s* ˌPhytogeogra'phie *f*, Standortlehre *f*. **phy'tog·ra·phy** [-'tɒgrəfi] *s* Pflanzenbeschreibung *f*.

phy·to·log·i·cal [ˌfaito'lɒdʒikəl] *adj. bot.* phyto'logisch.

phy·to·pa·thol·o·gy [ˌfaitopə'θɒlədʒi] *s* ˌPhytopatholo'gie *f*.

phy·tot·o·my [fai'tɒtəmi] *s bot.* Phyto'to'mie *f*, 'Pflanzenanatoˌmie *f*.

phy·to·zo·ic plant [ˌfaito'zouik] *s biol.* Tierpflanze *f*.

pi[1] [pai] *s* **1.** Pi *n* (*griechischer Buchstabe*). **2.** *math.* π *n*, (die Zahl) Pi *n* (*Verhältnis des Kreisumfanges zum Durchmesser*).

pi[2] [pai] *adj bes. Br. sl.* fromm.

pi[3] → **pie**[4].

PI ['piː'ai] *s phys.* (*abbr. von* **performance index**) effek'tiver Paral'lelˌwiderstand: ~**-controller** PI-Regler *m*.

piaffe [pjæf; pi'æf] (*Reitkunst*) **I** *v/i* piaf'fieren. **II** *s* Piaf'fieren *n*, Pi'affe *f*, Trab *m* am Ort. **'piaf·fer** → **piaffe** II.

pi·a ma·ter ['paiə 'meitər] *s anat.* Pia Mater *f*, weiche Hirnhaut.

pi·a·nette [ˌpiːə'net] *s mus.* Pia'nette *f* (*niedriges Kleinklavier*). **ˌpi·a'ni·no** [-'niːnou] *pl* **-nos** *s mus.* Pia'nino *n*, ('Wand)Klaˌvier *n*. **ˌpi·a'nis·siˌmo** [-'nisiˌmou] *mus.* **I** *adj u. adv* pia'nissimo, sehr leise. **II** *pl* **-mos** *s* Pia'nissimo *n*. **'pi·an·ist** *s* Pia'nist(in).

pi·an·o[1] [pi'ænou; pi'ɑːnou] *pl* **-os** *s mus.* Kla'vier *n*, Pi'ano(forte) *n*: **at the** ~ am Klavier; **on the** ~ auf dem Klavier; ~ **accordion** Akkordeon *n*; ~ **stool** Klavierstuhl *m*, -hocker *m*; ~ **wire** *tech.* Stahldraht *m*.

pi·a·no[2] [pi'ɑːnou] *mus.* **I** *pl* **-nos** *s* Pi'ano *n* (*leises Spiel*): ~ **pedal** Pianopedal *n*. **II** *adj u. adv* pi'ano, leise.

pi·an·o·for·te [piˌæno'fɔːrti; -'ænoˌfɔːrt] → **piano**[1].

pi·a·no·la [ˌpiːə'noulə] *s* **1.** P~ (*TM*) *mus.* Pia'nola *n* (*Klavierspielapparat*). **2.** *sl.* a) *Kartenspiel*: ‚Bombenkarte' *f*, b) ‚Kinderspiel' *n*, kinderleichte Sache.

pi·an·o play·er *s* **1.** → **pianist**. **2.** → **pianola** 1.

pi·as·sa·va [ˌpiːə'sɑːvə], *a.* **ˌpi·as'sa·ba** [-bə] *s* **1.** *a.* ~ **fiber**, *bes. Br.* ~ **fibre** Pias'save(faser) *f*. **2.** *bot.* Pias'sava-Palme *f*.

pi·as·ter, pi·as·tre [pi'æstər] *s* Pi'aster *m*: a) *kleine Währungseinheit Ägyptens, des Libanons u. der Türkei*, b) *hist. Bezeichnung der spanischen Peso-Stücke*.

pi·az·za [pi'æzə; *Br. a.* -'ætsə] *pl* **-zas** *s* **1.** Pi'azza *f*, öffentlicher Platz. **2.** *Am.* (große) Ve'randa.

pi·broch ['piːbrɒx] *s mus.* schottische 'Dudelsackvariatiˌonen *pl*.

pi·ca ['paikə] *s print.* Cicero *f,* Pica *f* (*Schriftgrad*).

pic·a·mar ['pikə͵mɑːr] *s chem.* Pika'mar *n,* Teerbitter *n.*

pic·a·resque [͵pikə'resk] *adj* pika'resk, pi'karisch: ~ **novel** Schelmen-, Abenteuerroman *m.*

pic·a·roon [͵pikə'ruːn] **I** *s* **1.** Gauner *m,* Abenteurer *m.* **2.** Pi'rat *m.* **II** *v/i* **3.** seeräubern.

pic·a·yune [͵piki'juːn] *Am.* **I** *s* **1.** Fünf'centstück *n.* **2.** *meist fig.* Pfennig *m,* Groschen *m.* **3.** *fig.* Lap'palie *f,* Kleinigkeit *f.* **4.** *fig.* ,Null' *f,* unbedeutender Mensch. **II** *adj* → **picayunish.** ͵**pic·a'yun·ish** *adj Am. colloq.* **1.** unbedeutend, klein, schäbig. **2.** engstirnig, kleinlich.

pic·ca·lil·li ['pikə͵lili] *s* scharfgewürztes Essiggemüse, Pickles *pl.*

pic·ca·nin·ny → **pickaninny.**

pic·co·lo ['pikə͵lou] **I** *pl* **-los** *s mus.* Pikkoloflöte *f.* **II** *adj* klein: ~ **flute** Pikkoloflöte *f;* ~ **piano** Kleinklavier *n.* '**pic·co͵lo·ist** *s* 'Pikkoloflö͵tist *m.*

pick[1] [pik] **I** *s* **1.** *tech.* a) Spitz-, Kreuzhacke *f,* Picke *f,* Pickel *m,* b) *Bergbau*: (Keil)Haue *f.* **2.** Hacken *n,* Schlag *m.* **3.** Auswahl *f,* Wahl *f.* **4.** Auslese *f,* (*der, die, das*) Beste: **the** ~ **of the bunch** der (die, das) Beste von allen; **you may have the** ~ Sie können sich (das Beste) aussuchen, Sie haben die Wahl. **5.** *print.* Spieß *m* (*mitdrukkendes Ausschlußstück*). **6.** *agr. econ.* Ernte (*die gepflückt wird*). **7.** *mus.* → **plectrum.**

II *v/t* **8.** aufhacken, -picken. **9.** *ein Loch* hacken: → **hole** 1. **10.** *Körner* aufpicken. **11.** auflesen, sammeln. **12.** *Blumen, Obst* pflücken. **13.** *Beeren* abzupfen. **14.** *Gemüse* verlesen, säubern. **15.** *Hühner* rupfen. **16.** *Wolle* zupfen. **17.** *Knochen* abnagen: → **bone**[1] 1. **18.** *metall.* scheiden, (aus)klauben: **to** ~ **ore. 19.** (mit den Fingernägeln) abkratzen: **to** ~ **a scab. 20.** bohren *od.* stochern in (*dat*): **to** ~ **one's nose** (sich) in der Nase bohren; **to** ~ **one's teeth** in den Zähnen (herum)stochern. **21.** *colloq.* häppchenweise essen. **22.** *ein Türschloß* (mit e-m Dietrich *etc*) öffnen, ,knacken': **to** ~ **a lock; to** ~ **s.o.'s pocket** j-m die Tasche ,ausräumen'; → **brain** 2. **23.** *e-n Streit* vom Zaun brechen: **to** ~ **a quarrel with s.o.** mit j-m Streit suchen *od.* anbändeln. **24.** *fig.* (sorgfältig) auswählen, aussuchen: **to** ~ **and choose** wählerisch sein, lange aussuchen; **to** ~ **one's way** (*od.* **steps**) sich e-n *od.* s-n Weg suchen *od.* bahnen, *fig.* sich durchlavieren; **to** ~ **one's words** s-e Worte (sorgfältig) wählen. **25.** ausfasern, zerpflücken, zerreißen (*a. fig.*): **to** ~ **a theory to pieces** e-e Theorie zerpflücken *od.* ,herunterreißen'. **26.** *mus. Am. Saiten* zupfen, *Banjo etc* spielen.

III *v/i* **27.** hacken, picke(l)n. **28.** häppchenweise essen, im Essen her'umstochern. **29.** sorgfältig wählen. **30.** ,klauen', stehlen.

Verbindungen mit Präpositionen:

pick| at *v/i* **1.** *im Essen* her'umstochern. **2.** *bes. Am. colloq.* a) her'ummäkeln *od.* -nörgeln an (*dat*), b) ,her'umhacken' auf (*j-m*). ~ **on** *v/i colloq.* **1.** *Am.* a) → **pick at** 2, b) *j-n* ärgern, hänseln. **2.** *j-n* kriti'sieren, *j-m* am Zeug flicken. **3.** aussuchen, (aus)wählen, her'ausgreifen, sich entscheiden für. **4.** → **pick at.**

Verbindungen mit Adverbien:

pick| off *v/t* **1.** (ab)pflücken, abreißen, abrupfen. **2.** (einzeln) abschießen, ,wegputzen'. ~ **out** *v/t* **1.** (sich) *etwas* auswählen. **2.** ausmachen, erkennen. **3.** *fig. den Sinn etc* her'ausbekommen *od.* -finden, ,her'auskriegen'. **4.** (schnell) her'ausfinden: **to** ~ **the thief from (among) a group. 5.** sich *e-e Melodie* (*auf dem Klavier etc*) zs.-suchen. **6.** *mit e-r anderen Farbe* absetzen, durch 'Farbkon͵trast her'vorheben. **7.** *fig.* her vorheben. ~ **o·ver** *v/t colloq.* (gründlich) 'durchsehen, -gehen, auslesen. ~ **up I** *v/t* **1.** *den Boden* aufhacken. **2.** a) aufheben, -nehmen, -lesen, in die Hand nehmen, packen, ergreifen, b) aufpicken (*Vogel*): → **gauntlet**[1] 2. **3.** *colloq.* a) (*im Fahrzeug*) mitnehmen, b) abholen: **the train stops to** ~ **passengers; I'll pick you up at your house. 4.** *colloq. j-n* ,auflesen': a) sich anfreunden mit, *ein Mädchen* ,aufgabeln', b) *j-n* aus dem Wasser ziehen *od.* retten. **5.** *Am. sl. j-n* aufgreifen, ,hochnehmen' (*verhaften*). **6.** *e-e Spur* aufnehmen: **to** ~ **a trail. 7.** *Strickmaschen* aufnehmen. **8.** *e-n Rundfunksender* bekommen, ,('rein)kriegen'. **9.** *e-e Sendung* empfangen, (ab)hören, *e-n Funkspruch etc* auffangen. **10.** in Sicht bekommen. **11.** in den Scheinwerfer bekommen. **12.** ergattern, erstehen, ,aufgabeln': **to** ~ **an old painting in a village; to** ~ **a few dollars** sich (mit Gelegenheitsarbeiten *etc*) ein paar Dollar verdienen. **13.** ,mitbekommen', ,mitkriegen', ,aufschnappen', zufällig erfahren *od.* hören *od.* sehen: **to** ~ **a slang expression; to** ~ **a knowledge of French** französische Sprachkenntnisse erwerben, hier u. da ein bißchen Französisch aufschnappen. **14.** *Mut, Kraft etc* 'wiedererlangen: **to** ~ **courage** Mut fassen. **15.** gewinnen, einheimsen: **to** ~ **profit** Profit machen; **to** ~ **victories** *bes. sport* (ständig) Siege ernten *od.* einheimsen. **16.** gewinnen *od.* zunehmen an *Macht, Stärke etc, die Geschwindigkeit* beschleunigen: **to** ~ **speed** → 24. **17. to pick o.s. up** sich ,hochrappeln': a) aufstehen, b) (wieder) hochkommen, sich erholen. **18.** *e-e Erzählung etc* wieder'aufnehmen. **19.** *colloq.* ,mitgehen heißen', stehlen. **20.** *Am. colloq. e-e Rechnung* über'nehmen (u. bezahlen): **to** ~ **a bill. 21.** *sport e-n Spieler* aufs Korn nehmen. **II** *v/i* **22.** *a. econ. fig.* wieder auf die Beine kommen, sich (wieder) erholen. **23.** Bekanntschaft schließen, sich anfreunden (**with** mit). **24.** Geschwindigkeit aufnehmen, schneller werden, auf Touren *od.* in Fahrt kommen. **25.** *fig.* stärker werden.

pick[2] [pik] **I** *v/t Weberei*: *Schützen* werfen. **II** *s* a) Schützenschlag *m* (*Bewegung des Weberschiffchens*), b) Schuß *m* (*einzelner Querfaden*).

pick·a·back ['pikə͵bæk] *adj u. adv* huckepack: **to carry s.o.** ~. ~ **plane** *s aer.* Huckepackflugzeug *n.*

pick·a·nin·ny ['pikə͵nini] *s* (*bes.* Neger)Kind *n,* Gör *n.*

'**pick͵ax(e)** *tech.* **I** *s* (Breit- *od.* Spitz)Hacke *f,* Pickel *m.* **II** *v/t* aufhacken. **III** *v/i* hacken, pickeln.

picked [pikt] *adj* (besonders) ausgewählt, ausgesucht, auserlesen: ~ **troops** *mil.* Kerntruppen.

pick·er·el ['pikərəl] *pl* **-els** *od. bes. collect.* '**pick·er·el** *s ichth.* (*Br.* junger) Hecht.

pick·et ['pikit] **I** *s* **1.** Pflock *m.* **2.** Zaunlatte *f,* Pfahl *m*: ~ **fence** Lattenzaun *m.* **3.** Weidepflock *m.* **4.** Streikposten *m*: ~ **line** Streikpostenkette *f.* **5.** *mil.* a) *a.* **outlying** ~ Vorposten *m,* Feldwache *f,* b) *a.* **inlying** ~ 'Vorpostenre͵serve *f.* **6.** *mil. hist.* Pfahlstehen *n* (*als Strafe*). **II** *v/t* **7.** einpfählen. **8.** mit Pfählen befestigen. **9.** *ein Pferd* anpflocken. **10.** a) Streikposten aufstellen vor (*dat*), durch Streikposten bloc'kieren, mit Streikposten besetzen, b) (als Streikposten) anhalten *od.* belästigen. **11.** *mil.* a) (durch Vorposten) sichern, b) als Feldwache ausstellen. **III** *v/i* **12.** Streikposten stehen. '~-͵**boat** *s* **1.** *mil.* Vorposten-, Wachboot *n.* **2.** *Patrouillenboot der Hafenpolizei.*

pick·et·eer [͵piki'tir] *s Am.* Streikposten *m.*

pick ham·mer *s tech.* **1.** Spitzhaue *f,* -hammer *m.* **2.** Brechhammer *m.*

pick·ings ['pikiŋz] *s pl* **1.** Nachlese *f,* 'Überbleibsel *pl,* Reste *pl.* **2.** *a.* ~ **and stealings** a) unehrlich erworbene Nebeneinkünfte, unehrlicher Gewinn, b) (Diebes)Beute *f,* Fang *m.* **3.** Pro'fit *m.*

pick·le ['pikl] **I** *s* **1.** Essig-, Gewürzgurke *f,* saure Gurke. **2.** meist *pl* Pickles *pl,* Eingepökelte(s) *n*: → **mixed pickles. 3.** Essigsoße *f* (*zum Einlegen*), saure Würztunke, Essigbrühe *f.* **4.** (Salz)Lake *f,* Pökel *m.* **5.** *metall.* Beize *f.* **6.** *meist* **sad** ~, **sorry** ~, **nice** ~ *colloq.* ,Patsche' *f,* mißliche Lage: **I was in a nice** ~ ich saß schön in der Patsche. **7.** *colloq.* ,Balg' *m, n,* ,Früchtchen' *n,* Range *f,* Gör *n* (*freches Kind*). **II** *v/t* **8.** in Essig einlegen, mari'nieren: ~**d cucumber** → 1. **9.** einlegen, (ein)pökeln. **10.** *tech. Metall* (ab)beizen, *Bleche* deka'pieren: **pickling agent** Abbeizmittel *n.* **11.** *agr. Saatgut* beizen. '**pick·led** *adj* **1.** gepökelt, eingesalzen, Essig..., Salz...: ~ **herring** Salzhering *m.* **2.** *sl.* ,blau', betrunken.

'**pick|͵lock** *s* **1.** Einbrecher *m.* **2.** Dietrich *m.* '~-**me-**͵**up** *s colloq.* **1.** (Magen)Stärkung *f,* Schnäps-chen *n.* **2.** *fig.* Stärkung *f.* '~-͵**off** *adj tech. Am.* abnehmbar. '~͵**pock·et** *s* Taschendieb *m.* '~͵**thank** *s obs.* Schmeichler *m.*

'**pick͵up** *s* **1.** *sl.* a) zufällige Bekanntschaft, Straßen-, Reisebekanntschaft *f,* b) ,Flittchen' *n* (*Dirne*), c) ,Anhalter' *m.* **2.** *Am. sl.* a) Verhaftung *f,* b) Verhaftete(r *m*) *f.* **3.** *bes. Am. für* **pick-me-up. 4.** *a.* ~ **truck** *Am.* (kleiner) Lieferwagen. **5.** *mot.* Beschleunigungsvermögen *n,* 'Anzugsmo͵ment *n.* **6.** *Radio, TV* a) 'Aufnahme- u. Über'tragungsappara͵tur *f,* b) Aufnahme *f* (*von Veranstaltungen außerhalb des Sendehauses*). **7.** *electr.* Tonabnehmer *m,* Pick-up *m*: ~ **arm** Tonarm *m;* ~ **cartridge** Tonabnehmerkopf *m.* **8.** *electr.* Schalldose *f.* **9.** Geber *m* (*am Meßgerät*): ~ **element** Aufnahmeorgan *n.* **10.** *TV* a) Abtasten *n,* Aufnahme *f,* b) Abtastgerät *n.* **11.** *electr.* Ansprechen *n* (*e-s Relais*): ~ **voltage** Ansprechspannung *f.* **12.** *sl.* (*etwas*) zufällig Aufgelesenes, Fund *m.* **13.** *sl.* (*etwas*) Improvi'siertes: ~ **(dinner)** improvisierte Mahlzeit. **14.** *agr. tech.* Aufnehmer *m,* Greifer *m* (*Zusatzgerät am Mähdrescher*): ~ **baler** Aufnehmerpresse *f.* **15.** *econ. sl.* Erholung *f,* ('Wieder)Belebung *f*: ~ **(in prices)** Anziehen *n* der Preise.

Pick·wick·i·an [pik'wikiən] *adj meist humor.* Pickwicksch (*nach Samuel Pickwick in den „Pickwick Papers" von Dickens*): **a word used in a** ~ **sense** ein nicht wörtlich zu nehmender Ausdruck.

pick·y ['piki] *adj* heikel, mäkelig.

pic·nic ['piknik] **I** *s* **1.** a) Picknick *n,* Mahl *n* im Freien, b) Ausflug *m,*

'Landpar,tie *f* (mit Picknick). **2.** *colloq.* a) Vergnügen *n*, b) Kinderspiel *n*: no ~ keine leichte Sache. **3.** *tech. Am. Standardgröße für Konservenbüchsen.* **4.** *a.* ~ ham (*od.* shoulder) *Am.* Schweineschulter *f.* **II** *v/i pret u. pp* **'pic·nicked 5.** ein Picknick *etc* machen, picknicken. **'pic·nick·er** *s* Teilnehmer(in) an e-m Picknick. **'pic·nick·y** *adj colloq.* picknickartig, improvi'siert.

pico- [pi:kou] *Wortelement mit der Bedeutung* ein Billionstel: ~ farad Pikofarad *n.*

pi·cot ['pi:kou; pi:'kou] *s* Pi'cot *m* (*Zierschlinge an Spitzen etc*).

pic·quet → picket.

pic·ric ac·id ['pikrik] *s chem.* Pi'krinsäure *f.*

Pict [pikt] *s hist.* Pikte *m* (*Kelte in Nordschottland*). **'Pict·ish** *adj* piktisch.

pic·to·graph ['piktə,græ(:)f; *Br. a.* -,grɑ:f] *s* **1.** 'Bilddia,gramm *n.* **2.** Bilderschriftzeichen *n*, Ideo'gramm *n.* **3.** pikto'graphische Inschrift. **pic'tog·ra·phy** [-'tɒgrəfi] *s* Piktogra'phie *f*, Bilderschrift *f.*

pic·to·ri·al [pik'tɔ:riəl] **I** *adj* (*adv* ~ly) **1.** malerisch, Maler...: ~ art Malerei *f.* **2.** bildlich, Bilder..., illu'striert: ~ advertising Bildwerbung *f*; ~ representation bildliche Darstellung. **3.** *fig.* malerisch, bildhaft. **II** *s* **4.** Illu'strierte *f* (*Zeitung*). **5.** *mail.* Bildermarke *f.*

pic·ture ['piktʃər] **I** *s* **1.** Bild *n*: ~ frequency *TV* Bildfrequenz *f*; ~ telegraph Bildtelegraph *m*; ~ tube *TV* Bildröhre *f*, Wiedergaberöhre *f.* **2.** Abbildung *f*, Illustrati'on *f.* **3.** Bild *n*, Gemälde *n*: to sit for one's ~ sich malen lassen. **4.** (geistiges) Bild, Vorstellung *f*: to form a ~ of s.th. sich von etwas ein Bild machen. **5.** *colloq.* Bild *n*, Verkörperung *f*: he looks the very ~ of health er sieht aus wie das blühende Leben; to be the ~ of misery ein Bild des Jammers sein. **6.** Ebenbild *n*: the child is the ~ of his father. **7.** *fig.* anschauliche Darstellung *od.* Schilderung, Bild *n*, (Sitten)Gemälde *n* (*in Worten*): Gibbon's ~ of ancient Rome. **8.** *colloq.* bildschöne Sache *od.* Per'son: she is a perfect ~ sie ist bildschön; the hat is a ~ der Hut ist ein ‚Gedicht'. **9.** *colloq.* Blickfeld *n*: to be in the ~ a) sichtbar sein, e-e Rolle spielen, b) im Bilde (*informiert*) sein; to come into the ~ in Erscheinung treten; to put s.o. in the ~ j-n ins Bild setzen; to keep s.o. in the ~ j-n auf dem laufenden halten; quite out of the ~ gar nicht von Interesse, ohne Belang. **10.** *phot.* Aufnahme *f*, Bild *n.* **11.** a) Film *m*, Streifen *m*, b) *pl colloq.* Kino *n*, Film *m* (*Filmvorführung od. Filmwelt*): to go to the ~s *Br.* ins Kino gehen. **12.** *a.* clinical ~ *med.* klinisches Bild, Krankheitsbild *n*, Befund *m*: blood ~ Blutbild *n.*

II *v/t* **13.** abbilden, darstellen, malen. **14.** *fig.* anschaulich schildern, beschreiben, (in Worten) ausmalen. **15.** *fig.* sich ein Bild machen von, sich *etwas* ausmalen *od.* vorstellen. **16.** *e-e Empfindung etc* ausdrücken, erkennen lassen, spiegeln, zeigen.

III *adj* **17.** Bilder...: ~ frame Bilderrahmen *m.* **18.** Film...: ~ play Filmdrama *n.*

pic·ture| book *s* Bilderbuch *n.* ~ **card** *s* Fi'guren-, Bildkarte *f*, Bild *n.*

pic·ture·dom ['piktʃərdəm] *s* Filmwelt *f.*

pic·ture|·drome ['piktʃər,droum] → picture theatre. ~ **gal·ler·y** *s* 'Bildergale,rie *f.* ~ **go·er** *s Br. colloq.* (häufiger) Kinobesucher. ~ **hat** *s* breitkrempiger (federgeschmückter, schwarzer) Damenhut. ~ **house,** ~ **pal·ace** → picture theatre. ~ **post·card** *s* Ansichts(post)karte *f.* ~ **puz·zle** *s* **1.** Ve'xierbild *n.* **2.** Bilderrätsel *n.* ~ **show** *s* **1.** Film(vorführung *f*) *m.* **2.** Gemäldeausstellung *f.*

pic·tur·esque [,piktʃə'resk] **I** *adj* (*adv* ~ly) **1.** *a. fig.* malerisch, pitto'resk. **2.** *fig.* bildhaft, anschaulich (*Sprache*). **II** *s* **3.** (*das*) Malerische. **,pic·tur'esque·ness** *s* (*das*) Malerische.

pic·ture| te·leg·ra·phy *s* 'Bildtelegra,phie *f.* ~ **the·a·tre** *s Br.* Kino *n*, 'Filmthe,ater *n*, -pa,last *m*, Lichtspielhaus *n.* ~ **trans·mis·sion** *s electr.* 'Bildüber,tragung *f*, Bildfunk *m.* ~ **trans·mit·ter** *s electr.* 'Bild(über,tragungs)sender *m.* ~ **win·dow** *s* (großes) Aussichtsfenster. ~ **writ·ing** *s* Bilderschrift *f.*

pic·tur·ize ['piktʃə,raiz] *v/t* **1.** *Am.* verfilmen. **2.** mit Bildern schmücken, bebildern. **3.** bildlich darstellen.

pic·ul ['pikʌl] *pl* **'pic·ul** *od.* **'pic·uls** *s econ.* Pikul *m, n* (*ostasiatisches Handelsgewicht; reichlich 60 kg*).

pid·dle ['pidl] *v/i* **1.** tändeln, (s-e Zeit ver)trödeln. **2.** *colloq.* ‚Pi'pi' machen, ‚pinkeln'. **'pid·dling** [-dliŋ] *adj* unbedeutend, belanglos, ‚lumpig'.

pidg·in ['pidʒin] *s* **1.** *Br. colloq.* Angelegenheit *f*, Sache *f*: that is your ~. **2.** Kauderwelsch *n.* ~ **Eng·lish** *s* Pidgin-Englisch *n* (*Verkehrssprache zwischen Europäern u. Eingeborenen, bes. Ostasiaten*).

pie[1] [pai] *s* **1.** *orn.* Elster *f.* **2.** *zo.* Scheck(e) *m*, geschecktes Tier.

pie[2] [pai] *s* **1.** (*Fleisch- etc*)Pa'stete *f*, Pie *f*: → finger 1, humble I. **2.** Torte *f*, gefüllter Kuchen: cream ~ Sahnetorte; ~ in the sky goldene Berge (die versprochen werden), leere Versprechungen. **3.** *colloq.* a) ‚Kinderspiel' *n*: it's as easy as ~ es ist kinderleicht, b) (e-e) feine Sache, (ein) ‚gefundenes Fressen', c) ‚Kuchen' *m*: a share in the prosperity ~. **4.** *pol. Am. sl.* a) Protekti'on *f*, b) Bestechung *f*: ~ counter ‚Futterkrippe' *f.*

pie[3] [pai] **I** *s* **1.** *print.* Zwiebelfisch(e *pl*) *m.* **2.** *fig.* Wirrwarr *m*, Durchein'ander *n.* **II** *v/t* **3.** *print. den Satz* zs.-werfen. **4.** *fig.* durchein'anderwerfen.

pie[4] [pai] *s kleine indische Münze.*

pie[5] [pai] *s relig. hist. vor der Reformation in England benutztes liturgisches Regelbuch.*

pie·bald ['pai,bɔ:ld] **I** *adj* **1.** scheckig, gescheckt, bunt: ~ horse Scheck(e) *m.* **2.** *fig. contp.* buntscheckig. **II** *s* **3.** scheckiges Tier, *bes.* Scheck(e) *m* (*Pferd*).

piece [pi:s] **I** *s* **1.** Stück *n*: all of a ~ aus 'einem Guß; to be all of a ~ with genau *od.* ganz passen zu; five shillings a ~ fünf Schilling das Stück; a ~ of land ein Stück Land, ein Grundstück; ~ by ~ Stück für Stück; by the ~ a) stückweise *verkaufen*, b) im (Stück)Akkord *arbeiten od. bezahlt werden.* **2.** (Bruch)Stück *n*: in ~s in Stücke(n), entzwei, ‚kaputt', in Scherben; to break (*od.* fall) to ~s zerbrechen, entzweigehen; to go to ~s a) in Stücke gehen (*a. fig.*), b) *fig.* zs.-brechen (*Person*); to pick (*od.* pull) to ~s *fig. e-e Äußerung etc* zerpflücken; pick up the ~s! *humor.* nun steh schon wieder auf! **3.** Teil *m, n* (*e-r Maschine etc*): to take to ~s auseinandernehmen, zerlegen. **4.** Beispiel *n*, Fall *m*: a ~ of advice ein Rat(schlag); a ~ of folly e-e Dummheit; a ~ of good luck ein glücklicher Zufall; → mind 4, news 1. **5.** *zur Bezeichnung der (handels)üblichen Mengeneinheit*: a) Stück *n* (*Einzelteil*): a ~ of furniture ein Möbelstück; a ~ of money ein Geldstück; a ~ of silver ein Silberstück, e-e Silbermünze, b) Ballen *m*: a ~ of cotton cloth ein Ballen Baumwollstoff, c) Rolle *f*: a ~ of wallpaper e-e Rolle Tapete, d) Stückfaß *n*, Stück *n*, Faß *n*: a ~ of wine. **6.** Teil *m, n* (*e-s Services etc*): two-~ set zweiteiliger Satz. **7.** *mil.* Geschütz *n*, Stück *n.* **8.** (Geld)Stück *n*, Münze *f*: ~ of eight *hist.* Peso *m.* **9.** *a.* ~ of work Stück *n* Arbeit, Werkstück *n.* **10.** (Kunst)Werk *n*: a) *paint.* Stück *n*, Gemälde *n*, b) kleines (*literarisches*) Werk, c) (Bühnen)Stück *n*, d) (Mu'sik)Stück *n*: to say one's ~ *colloq.* sagen, was man auf dem Herzen hat. **11.** *contp. od. humor.* Stückchen *n*: he is a ~ of a philosopher er ist ein kleiner Philosoph. **12.** *vulg. contp.* ‚Weibsbild' *n*, ‚(Weibs)Stück' *n.* **13.** ('Spiel)Fi,gur *f*, *bes.* a) *Schachspiel*: Fi'gur *f*, Offi'zier *m*: minor ~s leichtere Figuren (*Läufer u. Springer*), b) *Brettspiel*: Stein *m.* **14.** *colloq.* a) Weilchen *n*, b) kleines Stück, Stück *n* Wegs.

II *v/t* **15.** *a.* ~ up (zs.-)flicken, ausbessern, zs.-stücke(l)n. **16.** *a.* ~ out vervollständigen, ergänzen. **17.** *a.* ~ out ein Stück *od.* Stücke ansetzen an (*acc*) *od.* einsetzen in (*acc*). **18.** ~ out vergrößern, verlängern, ‚strecken' (*a. fig.*). **19.** *oft* ~ together *a. fig.* zs.-setzen, -stücke(l)n.

piece cost *s econ.* Stückkosten *pl.*

pièce de ré·sis·tance [pjɛs də rezis'tɑ̃:s] (*Fr.*) *s* **1.** Hauptgericht *n* (*e-r Mahlzeit*). **12.** 'Hauptsache *f od.* -ereignis *n od.* -ar,tikel *m.*

piece| goods *s pl* Meter-, Schnittware *f.* **'~,meal I** *adv* stückweise, Stück für Stück, all'mählich. **II** *adj* stückchenweise, all'mählich: ~ tactics Salamitaktik *f.* ~ **rate** *s* Ak'kordsatz *m.* ~ **wag·es** *s pl* Ak'kord-, Stücklohn *m.* **'~,work** *s* Ak'kordarbeit *f*: to do ~ im Akkord arbeiten *od.* stehen. **'~,work·er** *s* Ak'kordarbeiter(in).

pie chart *s* kreisförmige graphische Darstellung mit sta'tistischen Ver'gleichssek,toren.

'pie,crust *s* leere *od.* ungefüllte Pa'stete, Pa'stetenkruste *f.*

pied[1] [paid] *adj* **1.** *bes. zo.* gescheckt, bunt(scheckig), Scheck..., Bunt... **2.** bunt gekleidet: P~ Piper (of Hamelin) (*der*) Rattenfänger von Hameln; ~ piper *fig.* Rattenfänger *m.*

pied[2] [paid] *pret u. pp von* pie[3].

pied-à-terre [pjeta'tɛ:r] (*Fr.*) *s* 'Absteigequar,tier *n.*

pied·mont ['pi:dmɒnt] *s geol.* Piedmont(fläche *f*) *n* (*wellige Rumpffläche am Fuß e-s Gebirges*).

pie-dog → pye-dog.

'pie|-,eyed *adj Am. sl.* ‚angesäuselt', ‚blau' (*betrunken*). **'~·man** [-mən] *s irr* Pa'stetenverkäufer *m.* **'~,plant** *s bot. Am.* Rha'barber *m.*

pier [pir] *s* **1.** Pier *m* (*feste Landungsbrücke*). **2.** Landungssteg *m.* **3.** Mole *f*, Hafendamm *m.* **4.** Kai *m.* **5.** (Brücken- *od.* Tor- *od.* Stütz)Pfeiler *m.* **6.** *Mauerstück zwischen Fenstern.* **'pier·age** *s* Kaigeld *n.*

pierce [pirs] **I** *v/t* **1.** durch'bohren, -'dringen, -'stoßen, -'stechen. **2.** *fig.* durch'dringen: a cry ~d the air; the cold ~d him to the bone. **3.** *tech.* durch'löchern, lochen, perfo'rieren.

4. *bes. mil.* a) durch'stoßen, -'brechen, b) eindringen *od.* -brechen in (*acc*): to ~ the enemy's lines. **5.** *fig.* durch'schauen, ergründen, eindringen in (*acc*): to ~ the mystery. **6.** *fig.* *j-n, j-s Herz od. Gefühle* tief bewegen, verwunden. **II** *v/i* **7.** (ein)dringen (into in *acc*), dringen (through durch).
'pierc·er *s tech.* Bohrer *m*, Locher *m*.
'pierc·ing *adj* (*adv* ~ly) 'durchdringend, scharf, schneidend, stechend: ~ cold schneidende Kälte; ~ eyes stechende Augen, durchdringender Blick; ~ pain stechender Schmerz; ~ shriek durchdringender *od.* gellender Schrei. [*s* Molenkopf *m.*]
pier| glass *s* Pfeilerspiegel *m.* **'~,head**
Pi·er·rot [*Br.* 'piə,rou; *Am.* ,pi:ə'rou] *s* **1.** Pier'rot *m* (*Lustspielfigur*). **2.** p~ Hans'wurst *m*.
pier ta·ble *s* Pfeiler-, Spiegeltisch *m*.
pi·e·tism ['paiə,tizəm] *s relig.* Pie'tismus *m*. **'pi·e·tist I** *s* **1.** Pie'tist(in). **2.** Frömmler(in), Mucker(in). **II** *adj* → pietistic. **,pi·e'tis·tic** *adj* **1.** pie'tistisch. **2.** frömmelnd.
pi·e·ty ['paiəti] *s* **1.** Frömmigkeit *f*. **2.** (to) Pie'tät *f* (gegen'über *dat*), Ehrfurcht *f* (vor *dat*).
pi·e·zo·e·lec·tric [pai,i:zoi'lektrik] *adj phys.* pi'ezo-, 'drucke,lektrisch: ~ effect Piezoeffekt *m*. **pi·e·zom·e·ter** [,paii'zɒmitər] *s phys.* Pi,ezo'meter *n*, Druckmesser *m*.
pif·fle ['pifl] *colloq. od. dial.* **I** *v/i* **1.** ‚quatschen', ‚Blech' *od.* Unsinn reden. **2.** ‚Quatsch' machen. **II** *s* **3.** Unsinn *m*, ‚Quatsch' *m*, ‚Blech' *n*. **'pif·fler** [-flər] *s colloq.* ‚Quatschkopf' *m*. **'pif·fling** *adj colloq.* albern.
pig [pig] **I** *pl* **pigs** *od. bes. collect.* **pig** *s* **1.** Schwein *n*, *bes.* Ferkel *n*: sow in ~ trächtiges Mutterschwein; sucking ~ Spanferkel; to buy a ~ in a poke *fig.* die Katze im Sack kaufen; to carry ~s to market *fig.* Geschäfte machen wollen; ~s might fly *iro.* ‚man hat schon Pferde kotzen sehen'; please the ~s *humor.* wenn alles klappt; in a (*od.* the) ~'s eye! *Am. sl.* ‚Quatsch'!, ‚von wegen'! **2.** *colloq. contp.* ‚Schwein' *n*: a) ‚Freßsack' *m*, b) ‚Ferkel' *n*, ‚Sau' *f*, ‚Schweinigel' *m* (*unanständiger od. schmutziger Mensch*): to make a ~ of o.s. sich wie ein Schwein benehmen, ‚fressen' *od.* ‚saufen' (wie ein Schwein). **3.** *colloq. contp.* a) Ekel *n*, ‚Brechmittel' *n*, b) Dickschädel *m*, sturer Kerl, c) gieriger Kerl, Ego'ist(in). **4.** *Am. sl.* ‚Nutte' *f*, Hure *f*. **5.** *tech.* a) Massel *f*, (Roheisen)Barren *m*, b) Roheisen *n*, c) Block *m*, Mulde *f* (*bes. Blei*). **6.** *chem.* Schweinchen *n* (*zum Trennen der Fraktionen beim Destillieren*). **7.** *rail. Am. sl.* Lok *f*. **II** *v/i* **8.** frischen, ferkeln (*Junge werfen*). **9.** → 11 b. **III** *v/t* **10.** *Ferkel* werfen. **11.** a) zs.-pferchen, b) ~ it *colloq.* ‚aufein'anderhocken', eng zs.-hausen. **'~,boat** *s mar. Am. sl.* U-Boot *n*.
pi·geon[1] ['pidʒin] **I** *s* **1.** *pl* **-geons** *od. bes. collect.* **-geon** Taube *f*: → milk 6. **2.** *sl.* ‚Gimpel' *m*: to pluck a ~ e-n Dummen ‚übers Ohr hauen'. **3.** → clay pigeon. **4.** *Am. sl.* ‚(dufte) Puppe', (nettes) Mädel. **5.** *colloq.* Sache *f*, Angelegenheit *f*: it's not my ~ a) es ist nicht m-e Sache, b) es ist nicht mein Fall (*es gefällt mir nicht*). **II** *v/t* **6.** *sl.* *j-n beim Spiel* betrügen, ‚bemogeln' (of s.th. um etwas), ‚rupfen'.
pi·geon[2] → pidgin.
pi·geon| breast *s med.* Hühnerbrust *f*. **'~-'breast·ed** *adj* hühnerbrüstig. **'~-,gram** *s* Brieftaubennachricht *f*. **'~-,hole I** *s* **1.** (Ablege-, Schub)Fach *n* (*im Schreibtisch etc*). **2.** Taubenloch *n*. **3.** *fig.* ‚Ka'buff' *n* (*enger, kleiner Raum*). **II** *v/t* **4.** in Fächer einteilen, mit Fächern versehen. **5.** in ein Schubfach legen, einordnen, *Akten* ablegen. **6.** *fig.* a) bei'seite legen, zu'rückstellen: to ~ a report, b) zu den Akten legen, ‚auf die lange Bank schieben', die Erledigung (*e-r Sache*) verschleppen, *e-n Plan etc* ‚auf Eis legen'. **7.** *fig.* *j-n od. etwas* abstempeln, (ein)ordnen, klassifi'zieren. ~ **house** → pigeonry. **'~-'liv·ered** *adj* ‚weich', sanft. ~ **post** *s* Brieftaubenpost *f*. [-schlag *m.*]
pi·geon·ry ['pidʒinri] *s* Taubenhaus *n*,
'pig-,eyed *adj* schweinsäugig.
pig·ger·y ['pigəri] *s* **1.** Schweinezucht *f*. **2.** Schweinestall *m* (*a. fig. contp.*). **3.** Schweine(herde *f*) *pl*.
pig·gie → piggy.
pig·gish ['pigiʃ] *adj* **1.** schweinisch, unflätig. **2.** gierig. **3.** dickköpfig, stur. **4.** dreckig, schmutzig.
pig·gy ['pigi] **I** *s* (Nuckel)Schweinchen *n*, Ferkel(chen) *n*. **II** *adj* → piggish. **'~,back** *adj* → pickaback. ~ **bank** *s* Sparschwein(chen) *n*. **'~-,wig·gy** [-,wigi], *a.* **'~-,wig** *s Kindersprache*: Schweinchen *n*, kleines Ferkel.
'pig|'head·ed *adj* dickköpfig, ‚stur', (bor'niert u.) eigensinnig. **,~'head·ed·ness** *s* Dickköpfigkeit *f*, ‚Sturheit' *f*. ~ **i·ron** *s tech.* Massel-, Roheisen *n*. ~ **Lat·in** *s colloq.* verballhorntes Englisch (*mit Wortverdrehungen*). ~ **lead** [led] *s tech.* Blockblei *n*.
pig·let ['piglit], **'pig·ling** [-liŋ] *s* (Span)Ferkel *n*, Schweinchen *n*.
pig·ment ['pigmənt] **I** *s* **1.** *a. biol.* Pig'ment *n*. **2.** Farbe *f*, Farbstoff *m*, -körper *m*. **II** *v/t u. v/i* **3.** (sich) pigmen'tieren, (sich) färben. **'pig·men·tar·y**, *a.* **pig'men·tal** [-'mentl] *adj* Pigment... **,pig·men'ta·tion** *s* **1.** *biol.* Pigmentati'on *f*, Färbung *f*. **2.** *med.* Pigmen'tierung *f*.
pig·my → pygmy.
pig·no·rate ['pignə,reit] *v/t* **1.** verpfänden. **2.** als Pfand nehmen.
'pig|,nut *s bot.* **1.** 'Erdka,stanie *f*. **2.** *Am.* Schweins-Hickory *f*. **'~,skin** *s* **1.** Schweinehaut *f*. **2.** Schweinsleder *n*. **3.** *Am. colloq.* a) Sattel *m*, b) ‚Leder' *n* (*Ball*). **'~,stick·er** *s* **1.** Wildschweinjäger *m*. **2.** *sl.* Schweineschlächter *m*. **3.** a) Sauspieß *m*, -feder *f*, b) Hirschfänger *m*, c) Schlachtmesser *n*. **'~-,stick·ing** *s* **1.** Wildschweinjagd *f* (mit Saufeder), Sauhatz *f*. **2.** Schweineschlachten *n*. **'~,sty** *s* Schweinestall *m* (*a. fig.*). **'~,tail** *s* **1.** aufgerollter (Kau)Tabak. **2.** (Haar)Zopf *m*. **'~-,wash** → hogwash. **'~,weed** *s bot.* **1.** Gänsefuß *m*. **2.** Fuchsschwanz *m*.
pi-jaw ['pai,dʒɔ:] *Br. sl.* **I** *s* Mo'ralpredigt *f*, Standpauke *f*. **II** *v/t* *j-m* die Le'viten lesen, *j-n* anschnauzen.
pike[1] [paik] *pl* **pikes** *od. bes. collect.* **pike** *s ichth.* Hecht *m*.
pike[2] [paik] **I** *s mil. hist.* Pike *f*, (Lang)Spieß *m*. **II** *v/t* durch'bohren, (auf)spießen. [Stachel *m.*]
pike[3] [paik] *s* (*a.* Speer- *etc*)Spitze *f*,
pike[4] [paik] *s Am. od. colloq. od. dial.* **1.** Zollschranke *f*, Schlagbaum *m*. **2.** Straßenzoll *m*, Maut(gebühr) *f*. **3.** a) Landstraße *f*, b) Mautstraße.
pike[5] [paik] *s Am. od. Br. dial.* Bergspitze *f*.
pike[6] [paik] *v/i sl.* ‚watscheln' (*gehen, laufen*): to ~ off ‚abhauen'.
pike[7] [paik] *v/i Am. sl.* vorsichtig spielen *od.* wetten.
pike[8] [paik] *s Kunstspringen, Turnen*: Hechtsprung *m*. [Teegebäck.]
pike·let ['paiklit] *s Br.* (*dünnes, rundes*)
'pike·man [-mən] *s irr* **1.** *mil. hist.* Pike'nier *m*. **2.** *Bergbau*: Hauer *m*. **3.** Zolleinnehmer *m*.
pike pole *s Am.* **1.** Einreißhaken *m* (*der Feuerwehr*). **2.** Hakenstange *f* (*der Flößer*).
pik·er ['paikər] *s Am. sl.* **1.** vorsichtiger Spieler. **2.** Geizhals *m*. **3.** ‚Würstchen' *n*, armseliger Kerl. **4.** Drückeberger *m*. **5.** ‚Stromer' *m*, Landstreicher *m*.
'pike,staff *pl* **-,staves** *s mil. hist.* Pikenschaft *m*: as plain as a ~ *fig.* sonnenklar.
pi·laf(f) [pi'lɑ:f; pi'læf] → pilau.
pi·las·ter [pi'læstər] *s arch.* Pi'laster *m*, (*viereckiger*) Stützpfeiler.
pi·lau, pi·law [pi'lau; -'lɔ:; -'lou] *s* Pi'lau *m* (*orientalisches Reisgericht*).
pilch [piltʃ] *s* dreieckige Fla'nellwindel (*über der Mullwindel*).
pil·chard ['piltʃərd] *s ichth.* **1.** Pilchard *m*. **2.** (Kali'fornische) Sar'dine.
pilch·er ['piltʃər] → pilch.
pile[1] [pail] **I** *s* **1.** Haufen *m*: a ~ of stones. **2.** Stapel *m*, Stoß *m*: a ~ of books; a ~ of arms e-e Gewehrpyramide; a ~ of wood ein Holzstoß. **3.** *a.* funeral ~ Scheiterhaufen *m*. **4.** a) großes Gebäude, b) Ge'bäudekom,plex *m*. **5.** *Am. sl.* ‚Straßenkreuzer' *m*, ‚Schlitten' *m* (*Auto*). **6.** *colloq.* ‚Haufen' *m*, ‚Masse' *f* (*bes. Geld*): to make a (*od.* one's) ~ e-e Menge Geld machen, ein Vermögen verdienen; to make a ~ of money e-e Stange Geld verdienen; he has ~s of money er hat Geld wie Heu. **7.** *electr.* (gal'vanische, vol'taische) Säule: galvanic (voltaic) ~; thermo-electrical ~ Thermosäule. **8.** *a.* atomic ~ (A'tom)Meiler *m*, ('Kern)Re,aktor *m*. **9.** *metall.* 'Schweiß(eisen)pa,ket *n*. **II** *v/t* **10.** *a.* ~ up (*od.* on) (an-, auf)häufen, (auf)stapeln, aufschichten: to ~ up arms die Gewehre zs.-setzen. **11.** aufspeichern (*a. fig.*). **12.** ‚schaufeln', laden (on auf *acc*): to ~ the food on one's plate. **13.** über'häufen, -'laden (*a. fig.*): to ~ a table with food. **14.** *colloq.* auf die Spitze treiben: to ~ up (*od.* on) the agony Schrecken auf Schrecken häufen; to ~ it on *colloq.* dick auftragen. **15.** ~ up *sl.* a) *mar. das Schiff* auflaufen lassen, b) *sein Auto* ‚ka'puttfahren', c) mit *dem Flugzeug* ‚Bruch machen'. **III** *v/i* **16.** *meist* ~ up sich (auf- *od.* an)häufen, sich ansammeln (*a. fig.*). **17.** ~ up *sl.* a) *mar.* auflaufen, stranden, b) *mot.* aufein'anderfahren, zs.-prallen, c) *aer.* Bruch machen, abstürzen. **18.** *colloq.* sich (scharenweise) drängen (into in *acc*; out of aus): to ~ through a gate; to ~ on s.o. sich auf j-n stürzen. **19.** *colloq.* flitzen, sausen, (fix) klettern.
pile[2] [pail] **I** *s* **1.** *tech.* (*a. her.* Spitz)Pfahl *m*. **2.** (Stütz)Pfahl *m*, (Eisen- *etc*)Pfeiler *m*: ~ pier Pfahljoch *n*; ~ plank Spundpfahl. **3.** *antiq. hist.* Wurfspieß *m*. **II** *v/t* **4.** ver-, unter'pfählen, durch Pfähle verstärken *od.* stützen. **5.** Pfähle (hin'ein)treiben *od.* (ein)rammen in (*acc*).
pile[3] [pail] **I** *s* **1.** Flaum *m*. **2.** Wolle *f*, Pelz *m*, Haar *n* (*des Fells*). **3.** *Weberei*: a) Samt *m*, Ve'lours *m*, Felbel *m*, b) Flor *m*, Pol *m* (*samtartige Oberfläche*): ~ weaving Samtweberei *f*. **II** *adj* **4.** ...fach gewebt: a three-~ carpet.
pile[4] [pail] *sg von* piles.
pi·le·ate ['pailiit; -,eit; 'pil-] *adj* **1.** *bot.* behutet. **2.** *orn.* Schopf..., Hauben...

pile| bridge *s tech.* (Pfahl)Jochbrücke *f.* ~ **driv·er** *s tech.* **1.** (Pfahl)Ramme *f.* **2.** Rammklotz *m*, Bär *m.* **3.** *colloq. fig.* ,Mordsschlag' *m.* ~ **dwell·ing** *s* Pfahlbau *m.*
piles [pailz] *s pl med.* Hämorrho'iden *pl*: bleeding ~ Hämorrhoidalblutung *f.* [ˌsammenstoß *m.*]
'pile-ˌup *s mot. colloq.* 'Massenzu-
pil·fer ['pilfər] *v/t u. v/i* ,klauen', sti'bitzen, stehlen. **'pil·fer·age** *s* geringfügiger Diebstahl, Diebe'rei *f.* **'pil·fer·er** *s* Dieb(in).
pil·grim ['pilgrim] *s* **1.** Pilger(in), Wallfahrer(in). **2.** *fig.* (Erden)Pilger *m*, Wanderer *m.* **3.** P~ *hist.* Pilgervater *m*: the P~ Fathers die Pilgerväter (*1620 nach New England ausgewanderte englische Puritaner*). **4.** erster (An)Siedler. **5.** the P~ of Great Britain (*od.* of the U.S.) *die Gesellschaften zur Förderung der anglo-amer. Freundschaft.* **'pil·grim·age I** *s* **1.** Pilger-, Wallfahrt *f* (*a. fig.*). **2.** *fig.* a) irdische Pilgerfahrt, Erdenleben *n*, b) (lange) Wanderschaft *od.* Reise. **II** *v/i* **3.** pilgern, wallfahren.
pi·lif·er·ous [pai'lifərəs] *adj bot. zo.* behaart. **pil·i·form** ['pailiˌfɔːrm; 'pil-] *adj bot.* haarförmig, -artig.
pill [pil] **I** *s* **1.** Pille *f* (*a. fig.*): a bitter ~ to swallow *fig.* e-e bittere Pille; to gild (*od.* sugar *od.* sweeten) the ~ die bittere Pille versüßen; to swallow the ~ a) die (bittere) Pille schlucken, b) in den sauren Apfel beißen. **2.** *sl.* ,Brechmittel' *n*, ,Ekel' *n* (*Person*). **3.** *sport sl.* (Golf- *etc*)Ball *m*: a game of ~s *Br.* e-e Partie Billard. **4.** *mil. sl. od. humor.* ,blaue Bohne' (*Gewehrkugel*), ,Ei' *n*, ,Koffer' *m* (*Granate, Bombe*). **5.** *sl.* ,Stäbchen' *n* (*Zigarette*). **II** *v/t* **6.** *sl. j-n* (*bei e-r Wahl*) ablehnen, 'durchfallen lassen: he was ~ed er fiel durch.
pil·lage ['pilidʒ] **I** *v/t* **1.** (aus)plündern. **2.** rauben, erbeuten. **II** *v/i* **3.** plündern. **III** *s* **4.** Plünderung *f*, Plündern *n.* **5.** Beute *f.* **'pil·lag·er** *s* Plünderer *m.*
pil·lar ['pilər] **I** *s* **1.** Pfeiler *m*, Ständer *m*: to run from ~ to post *fig.* von Pontius zu Pilatus laufen. **2.** *arch.* Säule *f.* **3.** (Rauch-, Wasser- *etc*)-Säule *f*: a ~ of smoke. **4.** *fig.* Säule *f*, (Haupt)Stütze *f*: the ~s of society; the ~s of wisdom die Säulen der Weisheit; he was a ~ of strength er war e-e Säule in der Schlacht. **5.** *bes. tech.* Sockel *m*, Stütze *f*, Sup'port *m.* **6.** *Bergbau*: (Abbau)Pfeiler *m*: ~ of coal Kohlenpfeiler. **7.** *Reitsport*: Ständer *m.* **II** *v/t* **8.** mit Pfeilern *od.* Säulen versehen *od.* stützen *od.* schmücken. ~ **box** *s Br.* Briefkasten *m* (in Säulenform): ~ red Knallrot *n.*
pil·lared ['pilərd] *adj* **1.** mit Säulen *od.* Pfeilern (versehen). **2.** säulenförmig.
'pillˌbox *s* **1.** Pillenschachtel *f.* **2.** *mil. sl.* Bunker *m*, *bes.* a) befestigtes M'G-Nest, b) 'Unterstand *m.*
pil·lion ['piljən] *s* **1.** leichter (Damen)-Sattel. **2.** Sattelkissen *n* (*für e-e zweite Person*). **3.** *a.* ~ seat *mot.* Soziussitz *m*: to ride ~ auf dem Soziussitz (mit)fahren; ~ rider Sozius *m.*
pil·li·winks ['piliwiŋkz] *s pl hist.* Daumenschrauben *pl.*
pil·lo·ry ['piləri] **I** *s* **1.** Pranger *m* (*a. fig.*): in the ~ am Pranger. **II** *v/t* **2.** an den Pranger stellen. **3.** *fig.* anprangern, dem Spott aussetzen.
pil·low ['pilou] **I** *s* **1.** (Kopf)Kissen *n*, Polster *n*: to take counsel of one's ~ die Sache (noch einmal) beschlafen. **2.** Klöppelkissen *n.* **3.** *tech.* (Zapfen)-Lager *n*, Pfanne *f.* **II** *v/t* **4.** auf (ein) (Kopf)Kissen legen *od.* betten. **5.** ~ up hoch betten, mit (Kopf)Kissen stützen. **6.** als Kissen dienen für. ~ **block** *s tech.* Lagerblock *m*, Pfanne *f.* '~ˌ**case** *s* (Kopf)Kissenbezug *m.* ~ **fight** *s* Kissenschlacht *f.* ~ **lace** *s* Klöppel-, Kissenspitzen *pl.* ~ **sham** *s Am.* Kissendecke *f.* ~ **slip** → pillowcase.
'pillˌwort *s bot.* Pillenkraut *n.*
pi·lose ['pailous] *adj bot. zo.* behaart.
pi·lot ['pailət] **I** *s* **1.** *mar.* Lotse *m*: licensed ~ seeamtlich befähigter Lotse. **2.** *aer.* Pi'lot *m*: a) Flugzeugführer *m*, b) Bal'lonführer *m*: ~ instructor Fluglehrer *m*; second ~ Kopilot; ~'s licence Flugzeugführerschein *m.* **3.** *bes. fig.* a) Führer *m*, Leiter *m*, Wegweiser *m*, b) Berater *m*: to drop the ~ den Lotsen von Bord schicken. **4.** *rail. Am.* Schienenräumer *m.* **5.** *tech.* a) Be'tätigungseleˌment *n*, Kraftglied *n*, b) Führungszapfen *m.* **6.** → pilot wire. **7.** *sport Am.* Betreuer *m* e-r Baseballmannschaft. **II** *v/t* **8.** *mar.* lotsen (*a. mot. u. fig.*), steuern: to ~ through durchlotsen (*a. fig.*). **9.** *aer.* steuern, lenken, fliegen. **10.** *bes. fig.* führen, lenken, leiten: to ~ a bill through Congress e-n Gesetz(es)entwurf durch den Kongreß hindurchbringen. **11.** *j-n* ,lotsen', geleiten. **III** *adj* **12.** Versuchs..., Probe...: ~ experiment Vorversuch *m*; ~ model Versuchsmodell *n*; ~ scheme Versuchsprojekt *n*; → pilot plant. **13.** Hilfs...: ~ parachute → pilot chute. **14.** *tech.* Steuer..., Kontroll..., Leit... **'pi·lot·age** *s* **1.** *mar.* Lotsen(kunst *f*) *n*: certificate of ~ Lotsenpatent *n*; compulsory ~ Lotsenzwang *m.* **2.** Lotsengebühr *f*, -geld *n.* **3.** *aer.* a) Fliege'rei *f*, b) 'Bodennavigatiˌon *f.* **4.** *fig.* Leitung *f.*
pi·lot| bal·loon *s aer.* Pi'lotbalˌlon *m.* ~ **beam** *s tech.* Leitstrahl *m.* ~ **bis·cuit** *s* Schiffszwieback *m.* ~ **boat** *s mar.* Lotsenboot *n.* ~ **burn·er** *s tech.* Zündbrenner *m.* ~ **ca·ble** *s electr.* Leitkabel *n.* ~ **cell** *s electr.* Prüfzelle *f.* ~ **chute** *s aer.* Hilfs-, Ausziehfallschirm *m.* ~ **cloth** *s* dunkelblauer Fries (*für Marinekleidung*). ~ **en·gine** *s rail.* 'Leerfahrtlokomoˌtive *f.* ~ **fish** *s ichth.* **1.** Lotsen-, Pi'lotfisch *m.* **2.** *Am.* Silberfelchen *m.* ~ **flame** *s tech.* Zündflamme *f.* '~ˌ**house** *s mar.* Brücken-, Ruderhaus *n* (*der gedeckte Teil der Kommandobrücke*). ~ **lamp** *s tech.* Si'gnal-, Kon'trollampe *f.*
pi·lot·less ['pailətlis] *adj* führerlos, unbemannt: a ~ plane.
pi·lot| light *s* **1.** → pilot burner. **2.** → pilot lamp. ~ **mo·tor** *s electr.* Kleinstmotor *m.* ~ **nut** *s tech.* Führungsmutter *f.* ~ **of·fi·cer** *s aer. mil.* Fliegerleutnant *m.* ~ **plant** *s* **1.** Versuchsanlage *f.* **2.** Musterbetrieb *m.* ~ **train** *s rail.* Vor'aus-, Leerzug *m.* ~ **train·ee** *s* Flugschüler(in). ~ **valve** *s tech.* 'Steuervenˌtil *n.* ~ **wire** *s electr.* **1.** Steuerleitung *f.* **2.** Meßader *f.* **3.** Hilfsleiter *m.* **4.** (Kabel)Prüfdraht *m.*
pi·lous ['pailəs] → pilose.
pil·u·lar ['piljulər] *adj pharm.* pillenartig, Pillen...
pil·ule ['pijuːl] *s pharm.* kleine Pille.
pil·y[1] ['paili] *adj* haarig, wollig.
pil·y[2] ['paili] *adj her.* durch Spitzpfähle abgeteilt. [Schlankwels *m.*]
pim·e·lode ['pimaˌloud] *s ichth. Br.*
pi·men·to [pi'mentou] *pl* **-tos** *s bot. bes. Br.* **1.** Pi'ment *m, n*, Nelkenpfeffer *m.* **2.** Pi'mentbaum *m.*
pimp [pimp] **I** *s* a) Kuppler *m*, b) Zuhälter *m.* **II** *v/i* kuppeln, Zuhälte'rei treiben.
pim·per·nel ['pimpərˌnel] *s bot.* Pimper'nelle *f.*
pim·ple ['pimpl] *med.* **I** *s* Pustel *f*, (Haut)Pickel *m.* **II** *v/i* pick(e)lig werden. **'pim·pled, 'pim·ply** *adj* pick(e)lig.
pin [pin] **I** *s* **1.** (Steck)Nadel *f*: ~s and needles ,Kribbeln' *n* (*in eingeschlafenen Gliedern*); to sit on ~s and needles ,wie auf Kohlen sitzen', ,kribbelig' sein; I don't care a ~ es ist mir völlig ,schnuppe'; as neat as a ~ blitzsauber. **2.** (Schmuck-, Haar-, Hut)Nadel *f.* **3.** (Ansteck)Nadel *f*, Abzeichen *n.* **4.** nadelförmige (Berg)Spitze, Nadel *f.* **5.** *tech.* Pflock *m*, Dübel *m*, Bolzen *m*, Zapfen *m*, Stift *m*, Pinne *f*: ~ with thread Gewindezapfen *m*; split ~ Splint *m*; ~ base *electr.* Stiftsockel *m*; ~ bearing Nadel-, Stiftlager *n*; ~ drill Zapfenbohrer *m.* **6.** *tech.* Dorn *m.* **7.** *tech.* Achsnagel *m* (*e-s Wagens*). **8.** *mil. tech.* (Auf-, Vor)Räumer *m* (*e-s Gewehrs*). **9.** *electr.* (Iso'lator)-Stütze *f.* **10.** *mar.* Pinne *f*: ~ of a compass Kompaßpinne *od.* -spitze *f.* **11.** *a.* drawing ~ Reißnagel *m*, -zwecke *f.* **12.** *a.* clothes ~ *bes. Am.* Wäscheklammer *f.* **13.** *a.* rolling ~ Nudel-, Wellholz *n.* **14.** *pl colloq.* ,Stelzen' *pl* (*Beine*): that knocked him off his ~s das hat ihn ,umgeschmissen'. **15.** *mus.* Wirbel *m* (*an Saiteninstrumenten*). **16.** *Golf*: Lochfahne *f.* **17.** *Kegelsport*: a) Kegel *m*, b) *Bowling*: Pin *m.* **18.** *Schach*: Fesselung *f.*
II *v/t* **19.** (to, on) (an)heften, (an)stecken (an *acc*), festmachen, befestigen (an *dat*): to ~ a rose on a dress; to ~ up hoch-, aufstecken; to ~ the blame on s.o. j-m die Schuld geben *od.* zuschreiben; to ~ a murder on s.o. *colloq.* j-m e-n Mord ,anhängen'; to ~ one's hopes on s-e (ganze) Hoffnung setzen auf (*acc*), bauen auf (*acc*); → faith 1. **20.** pressen, drücken, heften (against, to gegen, an *acc*), festhalten: to ~ s.o.'s ears back *colloq.* a) j-n verprügeln, b) j-n ,herunterputzen', anschnauzen. **21.** *a.* ~ down a) zu Boden pressen, b) *fig. j-n* ,festnageln' (to auf *e-e Aussage, ein Versprechen etc*), c) *mil. Feindkräfte* fesseln (*a. Schach*), d) *etwas* genau bestimmen *od.* defi'nieren. **22.** *tech.* verbolzen.
pi·na·ceous [pai'neiʃəs] *adj bot.* zu den Kieferngewächsen gehörig.
pin·a·fore ['pinaˌfɔːr] *s* **1.** (Kinder)-Lätzchen *n*, (-)Schürze *f.* **2.** *Br.* (Frauen)Schürze *f.* [föhre *f.*]
pi·nas·ter [pai'næstər] *s bot.* Strand-
pin·ball ma·chine *s* 'Spielautoˌmat *m* (*Kugelstiftspiel*).
pin| bit *s tech.* Bohrspitze *f.* ~ **bolt** *s tech.* Federbolzen *m.*
pince-nez ['pænsˌnei; 'pɛ̃s-] *s* Kneifer *m*, Klemmer *m.*
pin·cer ['pinsər] *adj* Zangen...: ~ movement *mil.* Zangenbewegung *f.*
pin·cers ['pinsərz] *s pl* **1.** *tech.* (Kneif-, Beiß)Zange *f*: a pair of ~ e-e Kneifzange. **2.** *mil.* Zange *f*, zangenförmige Um'fassung (*des Gegners*). **3.** *med. print.* Pin'zette *f.* **4.** *zo.* a) Krebsschere *f*, b) Schwanzzange *f.*
pinch [pintʃ] **I** *v/t* **1.** zwicken, kneifen, quetschen, (ein)klemmen: to ~ off abzwicken, abkneifen; to ~ s.o.'s arm j-n in den Arm zwicken. **2.** drücken (*Schuh etc*). **3.** beengen, einengen, hin'einzwängen. **4.** *fig.* (be)drücken, beengen, beschränken: to be ~ed for time wenig Zeit haben; to be ~ed in Bedrängnis sein, Not leiden, knapp sein (for, in, of an *dat*); to be ~ed for

money ‚knapp bei Kasse sein'; ~ed circumstances beschränkte Verhältnisse. **5.** *fig.* beißen (*bes. Kälte*), plagen, quälen (*Durst, Hunger etc*): to be ~ed with cold durchgefroren sein; to be ~ed with hunger ausgehungert sein; a ~ed face ein schmales *od.* spitzes *od.* abgehärmtes Gesicht. **6.** *sl.* a) *etwas* ‚klemmen', ‚klauen' (*stehlen*), b) *j-n* ‚schnappen' (*verhaften*).

II *v/i* **7.** drücken (*Schuh, Not etc*), kneifen, zwicken: ~ing want drückende Not. **8.** *fig.* quälen (*Durst etc*). **9.** *a.* ~ and scrape knausern, darben, sich nichts gönnen. **10.** *sl.* ‚klauen' (*stehlen*).

III *s* **11.** Kneifen *n*, Zwicken *n*, Quetschen *n*: to give s.o. a ~ j-n kneifen *od.* zwicken. **12.** *fig.* Druck *m*, Qual *f*, Notlage *f*: the ~ of hunger der quälende Hunger; at (*od.* on, *Am. meist* in) a ~ im Notfall, zur Not, notfalls; if it comes to a ~ wenn es zum Äußersten kommt. **13.** Prise *f* (*Salz, Tabak etc*): → salt[1] 1. **14.** Quentchen *n*: a ~ of butter. **15.** *sl.* Festnahme *f*, Verhaftung *f*.

pinch·beck ['pintʃbek] **I** *s* **1.** Tombak *m*, Talmi *n* (*a. fig.*). **II** *adj* **2.** Talmi... (*a. fig.*). **3.** unecht, nachgemacht.

'pinch,cock *s chem.* Quetschhahn *m*.

pin cher·ry *s bot.* Amer. Weichselkirsche *f*.

'pinch|,hit *v/i irr Baseball u. fig. Am.* einspringen (for s.o. für j-n). **~ hit·ter** *s sport u. fig.* Ersatz(mann) *m*.

pin cush·ion ['pin,kuʃən; -in] *s* Nadelkissen *n*.

Pin·dar·ic [pin'dærik] **I** *adj* **1.** pin'darisch, Pindar... **II** *s metr.* **2.** pin'darische Ode. **3.** *meist pl* pin'darisches Versmaß.

pine[1] [pain] *s* **1.** *bot.* Kiefer *f*, Föhre *f*, Pinie *f*: Austrian ~ Schwarzkiefer; Brazilian ~ (*e-e*) Schirmtanne. **2.** Kiefernholz *n*. **3.** *colloq.* Ananas *f*.

pine[2] [pain] *v/i* **1.** sich (sehr) sehnen, schmachten (after, for nach). **2.** *meist* ~ away verschmachten, vor Gram vergehen. **3.** sich grämen *od.* abhärmen (at über *acc*).

pin·e·al bod·y (*od.* **gland**) ['piniəl] *s* [Zirbeldrüse *f*.]

pine·ap·ple ['pain,æpl] *s* **1.** *bot.* Ananas *f*. **2.** *sl.* a) (kleinere) Dyna'mitbombe, b) 'Handgra,nate *f*.

pine| bar·rens *s pl Hügelketten, die mit Georgia-Kiefern bewachsen sind* (*im Süden der USA*). **~ beau·ty** *s zo.* (*e-e*) Eule (*Nachtfalter*). **~ cone** *s bot.* Kiefernzapfen *m* (*Wahrzeichen des Staates Maine der USA*). **~ mar·ten** *s zo.* Baummarder *m*. **~ nee·dle** *s bot.* Kiefernnadel *f*. **~ oil** *s* Kiefernnadelöl *n*.

pin·er·y ['painəri] *s* **1.** Treibhaus *n* für Ananas. **2.** Kiefernpflanzung *f*.

pine| squir·rel *s zo.* Amer. Eichhörnchen *n*. **~ tar** *s* Kienteer *m*. **~ tree** → pine[1] 1. **P~ Tree State** *s Am.* (*Beiname für*) Maine *n*.

pi·ne·tum [pai'ni:təm] *pl* **-ta** [-tə] *s* Pi'netum *n* (*Baumschule für Kiefern etc*), Nadelholzschonung *f*.

'pin|,feath·er *s orn.* Stoppelfeder *f*. **'~,fold** *s* **1.** Schafhürde *f*. **2.** Pfandstall *m* für verirrtes Vieh.

ping [piŋ] **I** *v/i* **1.** pfeifen, zischen (*Kugel*), schwirren (*Mücke etc*). **2.** *mot.* klingeln. **II** *s* **3.** Peng *n*. **4.** Pfeifen *n*, Schwirren *n*. **5.** *mot.* Klingeln *n*.

ping-pong ['piŋ,pɒŋ] *s* Pingpong *n*, Tischtennis *n*.

pin·guid ['piŋgwid] *adj meist humor.* **1.** fettig, ölig. **2.** fett, ergiebig: ~ soil.

pin·guin ['piŋgwin] *s bot.* Pinguin-Ananas *f*.

'pin|,head *s* **1.** (Steck)Nadelkopf *m*. **2.** *fig.* Kleinigkeit *f*. **3.** *colloq.* Dummkopf *m*. **'~,head·ed** *adj colloq.* dumm, ‚doof'. **'~,head sight** *s* Perl- *od.* Rundkorn *n* (*des Gewehrvisiers*). **'~,hole** *s* **1.** Nadelloch *n*. **2.** *opt. phot.* Nadelstich *m*: ~ camera Lochkamera *f*; ~ diaphragm Lochblende *f*.

pi·nic ['painik] *adj chem.* Fichtenharz... **~ ac·id** *s* Pi'ninsäure *f*.

pin·ion[1] ['pinjən] *s tech.* **1.** Ritzel *n*, Antriebs(kegel)rad *n*: gear ~ Getriebezahnrad *n*; ~ drive Ritzelantrieb *m*; ~ shaft Ritzelwelle *f*. **2.** Kammwalze *f*.

pin·ion[2] ['pinjən] **I** *s* **1.** *orn.* a) Flügelspitze *f*, b) *a.* ~ feather (Schwung)-Feder *f*. **2.** *poet.* Schwinge *f*, Fittich *m*, Flügel *m*. **II** *v/t* **3.** die Flügel stutzen (*dat*) (*a. fig.*). **4.** *j-m* die Hände fesseln (*a. fig.*). **5.** fesseln (to an *acc*).

pink[1] [piŋk] **I** *s* **1.** *bot.* Nelke *f*: plumed (*od.* feathered *od.* garden) ~ Federnelke. **2.** Blaßrot *n*, Rosa *n*. **3.** *bes. Br.* a) Scharlachrot *n*, b) (scharlach)-roter Jagdrock, c) Rotrock *m* (*Teilnehmer e-r Fuchsjagd*). **4.** *oft* P~ *pol. Am. sl.* ‚rot *od.* kommu'nistisch Angehauchte(r *m*) *f*', ‚Sa'lonbolsche,wist(in)'. **5.** *fig.* Muster(beispiel) *n*, Gipfel *m*, Krone *f*, höchster Grad: the ~ of fashion die allerneuste Mode; in the ~ of health bei bester Gesundheit; the ~ of perfection die höchste Vollendung; the ~ of politeness der Gipfel der Höflichkeit; he is the ~ of politeness er ist die Höflichkeit in Person; to be in the ~ (of condition) *sl.* in ‚Hochform' sein. **II** *adj* **6.** rosa-(farben), blaßrot, rötlich: ~ zone Zone *f* absoluten Parkverbots (*in London*). **7.** *meist* P~ *pol. sl.* ‚rot *od.* kommu'nistisch angehaucht', ‚rötlich'.

pink[2] [piŋk] *s paint.* gelbe *od.* grünlichgelbe Lack- *od.* La'surfarbe.

pink[3] [piŋk] *v/t* **1.** *a.* ~ out auszacken, (kunstvoll) ausschneiden. **2.** durch'bohren, -'stechen. **3.** mit e-m Lochmuster verzieren.

pink[4] [piŋk] *s mar.* Pinke *f*: a) *dreimastiger Küstensegler*, b) *ein Fischerboot*.

pink[5] [piŋk] *v/i* klopfen (*Motor*).

'pink,eye *s* **1.** *med. vet.* ansteckende Konjunkti'vitis *od.* Bindehautentzündung. **2.** *vet.* (*Art*) Influ'enza *f* (*der Pferde*).

pink·ie[1] ['piŋki] *s bes. Am. dial.* (*der*) [kleine Finger.]

pink·ie[2] ['piŋki] *s mar. Am. schonergetakeltes Fischereifahrzeug*.

pink·ing ['piŋkiŋ] *s tech.* Klopfen *n* (*des Motors*). **~ shears** *s pl* Zickzackschere *f*.

pink·ish ['piŋkiʃ] *adj* rötlich (*a. pol. sl.*), blaßrosa.

pink·ness ['piŋknis] *s* Rosa(rot) *n*.

pink·o ['piŋkou] *Am. sl.* → pink[1] 4 *u.* 7.

Pink·ster ['piŋkstər] *Am. dial.* **I** *s* Pfingsten *n od. pl.* **II** *adj* Pfingst...

pink tea *s Am. colloq.* **1.** steife (Tee)-Gesellschaft. **2.** ‚steife' *od.* ‚hochfeine' Angelegenheit.

pink·y[1] ['piŋki] *s* **1.** → pinkie[1] *u.* [2]. **2.** → pink[4].

pink·y[2] ['piŋki] *adj* rötlich, rosa.

pin mon·ey *s* Nadelgeld *n* (*Taschengeld der Frau*).

pin·na ['pinə] *pl* **-nas** *s* **1.** *anat.* Ohrmuschel *f*. **2.** *zo.* a) Feder *f*, Flügel *m*, b) Flosse *f*. **3.** *bot.* Fieder(blatt *n*) *f*.

pin·nace ['pinis] *s mar.* Pi'nasse *f*.

pin·na·cle ['pinəkl] **I** *s* **1.** *arch.* a) Fi'ale *f*, Spitzturm *m*, b) Zinne *f*. **2.** (Fels-, Berg)Spitze *f*, Gipfel *m*. **3.** *fig.* Gipfel *m*, Spitze *f*, Höhepunkt *m*: on the ~ of fame. **II** *v/t* **4.** *arch.* mit Zinnen *etc* versehen. **5.** erhöhen. **6.** den Gipfel bilden von, krönen (*a. fig.*).

pin·nate ['pineit; -nit] *adj bot. orn.* gefiedert.

pin·ner ['pinər] *s* **1.** Schürze *f*. **2.** *meist pl hist.* Flügelhaube *f*.

pin·ni·grade ['pini,greid], **'pin·ni,ped** [-,ped] *zo.* **I** *adj* flossen-, schwimmfüßig. **II** *s* Flossen-, Schwimmfüßer *m*.

pin·nule ['pinju:l] *s* **1.** Federchen *n*. **2.** *zo.* a) sechsstrahlige Kalknadel (*bei Schwämmen*), b) Seitenast *m* (*e-s Haarsternarmes*). **3.** *zo.* Flössel *n*. **4.** *bot.* Fiederblättchen *n*. **5.** Vi'sier *n* (*e-s Astrolabiums etc*).

pin·ny ['pini] *colloq. für* pinafore.

pi·noch·le, pi·noc·le ['pi:,nʌkl] *s bes. Am.* Bi'nokel *n* (*Kartenspiel*).

pi·no·le [pi:'nɔ:le] *s Am. aus gerösteten Pinolekörnern gemahlenes Mehl*.

'pin|,point I *s* **1.** Nadelspitze *f*. **2.** winziger Punkt. **3.** Winzigkeit *f*. **4.** *mil.* a) (*strategischer etc*) Punkt, b) Punktziel *n*. **II** *v/t* **5.** *mil.* a) *das Ziel* (haar)-genau festlegen *od.* bestimmen *od.* bombar'dieren *od.* treffen, b) einzeln bombar'dieren *od.* ‚wegputzen'. **6.** *fig.* genau festlegen *od.* bestimmen. **7.** *fig.* klar her'vortreten lassen, ein Schlaglicht werfen auf (*acc*). **III** *adj* **8.** *mil.* (haar)genau, Punkt...: ~ attack Punktzielangriff *m*; ~ bombing Bombenpunktwurf *m*, gezielter Bombenwurf; ~ target Punktziel *n*. **9.** *fig.* genau, detail'liert: ~ planning. **'~,prick I** *s* **1.** Nadelstich *m* (*a. fig.*): policy of ~s Politik *f* der Nadelstiche. **2.** *fig.* Stiche'lei *f*, spitze Bemerkung. **II** *v/t* **3.** *j-m* Nadelstiche versetzen, *j-m* mit Stichelreden zusetzen. **'~-,striped** *adj* mit Nadelstreifen.

pint [paint] *s* **1.** Pinte *f*, *etwa* halbes Liter (*Br. 0,568 l, Am. 0,473 l*). **2.** Halbliterkrug *m*, Schoppen *m*: ~-size(d) *colloq.* winzig. **3.** *Br.* Schoppen *m* Bier.

pin·ta ['paintə] *s Br. sl. ungefähr* ein halbes Liter Milch.

pin ta·ble → pinball machine.

pin·ta·do [pin'tɑ:dou] *pl* **-dos** *s* **1.** *a.* ~ petrel *orn.* Kaptaube *f*. **2.** *orn.* Perlhuhn *n*. **3.** *ichth.* Spanische Ma'krele.

'pin,tail *s orn.* Spießente *f*.

pin·tle ['pintl] *s* **1.** *tech.* (Dreh)Bolzen *m*, Zapfen *m*. **2.** *mot.* (Einspritz)-Düsennadel *f*.

pin·to ['pintou] *Am.* **I** *pl* **-tos** *s* **1.** Scheck(e) *m*, Schecke *f* (*Pferd*). **2.** *a.* ~ bean *bot.* gefleckte Feldbohne. **II** *adj* **3.** scheckig, gescheckt.

'pin|,up *s* **1.** *a.* ~ girl Pin-'up-girl *n*, Illu'striertenschönheit *f*, ‚Sexbombe' *f*. **2.** Abbildung *f* e-s Pin-'up-girls. **'~-,wheel** *s* **1.** Windmühle *f* (*Kinderspielzeug*). **2.** Feuerrad *n* (*Feuerwerkskörper*).

Pinx·ter → Pinkster.

pin·y ['paini] *adj* **1.** mit Kiefern bewachsen. **2.** Kiefern...

pi·o·let [pjou'lei; ,piə-] *s* Eispickel *m* (*der Bergsteiger*).

pi·o·neer [,paiə'nir] **I** *s* **1.** *mil.* Pio'nier(sol,dat) *m*. **2.** *fig.* Pio'nier *m* (*Erschließer von Neuland etc*), Vorkämpfer *m*, Bahnbrecher *m*, Wegbereiter *m*, A,vantgar'dist *m*: a ~ in cancer research ein Pionier (in) der Krebsforschung. **II** *v/i* **3.** Pio'nier sein (*a. fig.*). **4.** *fig.* den Weg bahnen *od.* ebnen, bahnbrechende Arbeit leisten. **III** *v/t* **5.** den Weg bahnen *od.* bereiten für (*a. fig.*). **6.** *fig.* bahnbrechende Arbeit leisten für. **7.** als erste(r) her-

'ausbringen *od.* schaffen, einführen: to ~ a new model. **8.** führen, lenken. **IV** *adj* **9.** Pionier...: ~ work. **10.** *fig.* bahnbrechend, wegbereitend, Versuchs..., erst(er, e, es): ~ model Erstmodell *n.* **11.** *Am. hist.* Siedler..., Grenzer...

pi·ous ['paiəs] *adj* (*adv* ~ly) **1.** fromm (*a. iro.*), gottesfürchtig: ~ fraud *fig.* frommer Betrug; ~ literature fromme Literatur; ~ wish *fig.* frommer Wunsch. **2.** andächtig (*a. fig.*): a ~ hush. **3.** *colloq.* lobenswert: a ~ effort ein gutgemeinter Versuch. **4.** *obs.* liebevoll.

pip[1] [pip] **I** *s* **1.** *vet.* Pips *m* (*Geflügelkrankheit*). **2.** *Br. humor.* ,miese' Laune, Unwohlsein *n*: to give s.o. the ~ → 3. **II** *v/t* **3.** *j-m* auf die Nerven gehen.

pip[2] [pip] *s* **1.** *bes. Br.* Auge *n* (*auf Spielkarten*), Punkt *m* (*auf Würfeln etc*). **2.** (Obst)Kern *m.* **3.** *bot.* a) Einzelfrucht *f* (der Ananas), b) Einzelblüte *f.* **4.** *mil. bes. Br. sl.* Stern *m* (*Schulterabzeichen der Offiziere*). **5.** *Radar*: Blip *m*, Bildspur *f.* **6.** *Br.* (*kurzer, hoher*) Ton (*e-s Pausen- od. Zeitzeichens*). **7.** *teleph. etc Br.* ,Paula', P *n*: five o'clock ~ emma (*p.m.*) fünf Uhr nachmittags.

pip[3] [pip] *Br. colloq.* **I** *v/t* **1.** 'durchfallen lassen (*bei e-r Wahl etc*). **2.** *fig.* ,in den Sack *od.* in die Tasche stecken', schlagen. **3.** ,abknallen', erschießen. **II** *v/i* **4.** *a.* ~ out ,abkratzen' (*sterben*).

pipe [paip] **I** *s* **1.** *tech.* a) Rohr *n*, Röhre *f*, b) (Rohr)Leitung *f.* **2.** *a.* flexible ~ *tech.* Schlauch *m.* **3.** a) Pfeife *f* Tabak (*Menge*), b) *a.* tobacco ~ (Tabaks)Pfeife *f*: put that in your ~ and smoke it! *colloq.* das laß dir gesagt sein! **4.** *mus.* a) Pfeife *f*, (einfache) Flöte, b) *a.* organ ~ Orgelpfeife *f*, c) *meist pl* Dudelsack *m*, d) ('Holz)ˌBlasinstruˌment *n.* **5.** *mar.* Bootsmannspfeife *f.* **6.** Pfeifen *n* (*e-s Vogels*), Piep(s)en *n.* **7.** Stimme *f.* **8.** *meist pl* a) Luftröhre *f*: to clear one's ~ sich räuspern, b) Ver'dauungskaˌnal *m.* **9.** *bot.* hohler (Pflanzen)Stengel. **10.** *geol.* Schlot *m.* **11.** *metall.* Lunker *m.* **12.** *Bergbau*: (Wetter)Lutte *f.* **13.** *econ.* Pipe *f* (*meist 105 Gallonen*), längliches Öl- *od.* Weinfaß. **14.** Glasbläserpfeife *f.* **15.** *Br. hist.* Rolle *f*: P~-Roll, Great Roll of the P~s Schatzkammerabrechnung *f.* **16.** *sl.* a) ,kleine Fische' *pl*, ,Kinderspiel' *n*, b) todsichere Sache, ,klarer Fall', c) → pipe dream.
II *v/t* **17.** (durch ein Rohr *od.* Rohre *od.* e-e Rohrleitung) (weiter)leiten. **18.** *weitS.* (*durch ein Kabel etc*) leiten, *weitS.* befördern, pumpen, schleusen, *e-e Radiosendung etc* über'tragen in (*acc*). **19.** Rohre *od.* Röhren *od.* e-e Rohrleitung legen in (*acc*). **20.** pfeifen, flöten, auf e-r Pfeife *od.* Flöte (vor)spielen *od.* blasen: to ~ a song ein Lied anstimmen. **21.** *mar. die Mannschaft* zs.-pfeifen: to ~ side Seite pfeifen (*zur Begrüßung hoher Vorgesetzter*). **22.** piep(s)en, quieken. **23.** *e-e Torte etc* spritzen, mit feinem Guß verzieren. **24.** *Kleider* paspe'lieren, mit Biesen besetzen. **25.** *bot.* absenken. **26.** ~ (one's eyes *Br.*) *sl.* ,flennen' (*weinen*). **27.** *sl.* ,anlinsen', betrachten.
III *v/i* **28.** pfeifen (*a. Wind, Kugel etc*), auf e-r Pfeife *od.* Flöte blasen, flöten. **29.** a) pfeifen, piep(s)en (*Vogel etc*), b) piepsen, piepsend sprechen *od.* singen, c) zirpen: to ~ down *colloq.* ,die Luft anhalten', ,den Mund halten'; to ~ up ,loslegen', anfangen (zu sprechen).

'**pipe|-ˌbend** *s tech.* Rohrknie *n.* ~ **bowl** *s* Pfeifenkopf *m.* ~ **burst** *s* Rohrbruch *m.* ~ **clamp** → pipe clip. '~ˌ**clay** *s* **1.** *min.* Pfeifen-, Töpferton *m.* **2.** *mil. fig.* ,Kom'miß' *m.* '~-ˌ**clay** *v/t* **1.** mit Pfeifenton weißen. **2.** *fig.* in Ordnung bringen. ~ **clip** *s tech.* Rohrschelle *f.* ~ **dream** *s colloq.* Luftschloß *n*, Hirngespinst *n.* '~ˌ**fish** *s ichth.* Seenadel *f.* ~ **fit·ter** *s* Rohrleger *m.* '~ˌ**lay·er** *s* **1.** *tech.* Rohrleger *m.* **2.** *pol. Am. hist. sl.* ,Drahtzieher' *m.* '~ˌ**line** *s* **1.** Pipeline *f*, Rohr-, Ölleitung *f.* **2.** *fig.* (geheimer) ,Draht', (geheime) Verbindung *od.* (Informati'ons)Quelle. **3.** Nachschubweg *m*, Ver'sorgungssyˌstem *n*: in the ~ *fig.* ,im Anrollen'. ~ **ma·jor** *s mil. mus.* Führer *m* e-r 'Dudelsackkaˌpelle. ~ **or·gan** *s mus.* Orgel *f.*

pip·er ['paipər] *s* **1.** Pfeifer *m*: a) Dudelsackpfeifer *m*, b) Flötenspieler *m*: to pay the ~ *fig.* die Zeche bezahlen, *weitS.* der Dumme sein; he who pays the ~ calls the tune wer bezahlt, hat zu bestimmen. **2.** ,Lungenpfeifer' *m* (*engbrüstiges Pferd*). **3.** *zo.* a) Knurrhahn *m*, b) Halbschnabel *m.* **4.** junger Vogel, *bes.* junge Taube. **5.** *Br.* Lockhund *m* (*bei der Entenjagd*).

'**pipe|-ˌrack** *s* Pfeifenständer *m.* ~ **roll** *s Br. hist.* Schatzkammerrolle *f.* '~-ˌ**stem** *s* Pfeifenstiel *m.* '~ˌ**stone** *s min.* (*Art*) roter Tonstein, Pfeifenstein *m.*

pi·pette, *a.* **pi·pet** [pi'pet] *s chem.* Pi'pette *f* (*Stechheber*).

pipe| vine *s bot.* Pfeifenwinde *f.* '~-ˌ**work** *s* **1.** *mus.* Pfeifenwerk *n* (*der Orgel*). **2.** Röhrenwerk *n*, Röhren *pl.* ~ **wrench** *s tech.* Rohrzange *f.*

pip·ing ['paipiŋ] **I** *s* **1.** *tech.* Rohrleitung *f*, -netz *n*, Röhrenwerk *n.* **2.** *tech.* Rohrverlegung *f.* **3.** *metall.* a) Lunker *m*, b) Lunkerbildung *f.* **4.** 'Dudelsack- *od.* 'Flötenmuˌsik *f.* **5.** Pfiff *m.* **6.** Pfeifen *n*, Piep(s)en *n.* **7.** Schnurbesatz *m*, Paspel *f* (*an Uniformen*), Biese *f.* **8.** *Kochkunst*: feiner (Zucker)Guß, (Kuchen)Verzierung *f.* **II** *adj* **9.** pfeifend, schrill. **10.** friedlich, i'dyllisch: in the ~ time(s) of peace in tiefster Friedenszeit. **III** *adv* **11.** zischend: ~ hot a) kochend heiß, b) *fig.* brühwarm.

pip·is·trelle [ˌpipi'strel] *s zo.* Zwergfledermaus *f.*

pip·it ['pipit] *s orn.* (*bes.* Wasser)Pieper *m.*

pip·kin ['pipkin] *s* irdenes Töpfchen.

pip·pin ['pipin] *s* **1.** Pippinapfel *m.* **2.** *sl.* a) ,tolle Sache', b) ,toller Kerl'.

pip·py ['pipi] *adj* voll von Obstkernen.

'**pip-'squeak** *s sl.* **1.** *contp.* ,Würstchen' *n* (*Person*). **2.** ,Straßenfloh' *m* (*Leichtmotorrad*).

pip·y ['paipi] *adj* **1.** röhrenartig, -förmig. **2.** piep(s)end.

pi·quan·cy ['piːkənsi] *s* **1.** Pi'kantheit *f*, (*das*) Pi'kante, Pikante'rie *f.* **2.** pi'kantes Gericht, Delika'tesse *f.* '**pi·quant** *adj* (*adv* ~ly) pi'kant (*Soße, a. fig. Witz etc*), würzig, prickelnd (*a. fig.*).

pique[1] [piːk] **I** *v/t* **1.** (auf)reizen, sticheln, ärgern, kränken, verstimmen, *j-s Stolz etc* verletzen: to be ~d pikiert *od.* verärgert sein (at über *acc*). **2.** *Neugier etc* reizen, wecken. **3.** ~ o.s. (on, upon) sich etwas einbilden (auf *acc*), sich brüsten (mit). **II** *s* **4.** Groll *m.* **5.** Gereiztheit *f*, Verstimmung *f*, Ärger *m*, Gekränktheit *f*: in a ~ verärgert.

pique[2] [piːk] (*Pikettspiel*) **I** *s* Dreißiger *m.* **II** *v/i* dreißig Punkte gewinnen. **III** *v/t j-m* dreißig Punkte abgewinnen.

pi·qué [*Br.* 'piːkei; *Am.* pi'kei] *s* Pi'kee *m* (*Gewebe*).

pi·quet[1] [pi'ket] *s* Pi'kett *n* (*Kartenspiel*).

pi·quet[2] [pi'ket; 'pikit] → picket.

pi·ra·cy ['pai(ə)rəsi] *s* **1.** ˌSeeräube'rei *f*, Pirate'rie *f.* **2.** unbefugter Nachdruck, Raubdruck *m*, Copyright- *od.* Pa'tentverletzung *f*, Plagi'at *n.*

pi·ra·gua [pi'rɑːgwə; -'ræg-] *s mar.* **1.** Pi'ragua *f* (*Einbaum*). **2.** zweimastiges flaches Segelboot.

pi·rate ['pai(ə)rit] **I** *s* **1.** Pi'rat *m*, Seeräuber *m.* **2.** Pi'raten-, Seeräuberschiff *n.* **3.** *fig.* Plagi'ator *m*, (lite'rarischer *etc*) Freibeuter, Verletzer *m* des Urheber- *od.* Pa'tentrechts, Pa'tenträuber *m.* **4.** *Radio*: a) Schwarzsender *m*, b) j-d, der e-n Schwarzsender betreibt, c) *a.* ~ listener, radio ~ Schwarzhörer(in). **5.** *Br. colloq.* behördlich nicht zugelassener Omnibus(fahrer). **II** *v/t* **6.** kapern, (aus)plündern (*a. weitS.*). **7.** *fig.* plagi'ieren, unerlaubt nachdrucken *od.* -ahmen. **8.** an sich reißen. **III** *v/i* **9.** ˌSeeräube'rei (be)treiben. **10.** plündern. **pi'rat·i·cal** [-'rætikəl] *adj* (*adv* ~ly) **1.** seeräuberisch, Seeräuber..., Piraten... **2.** *fig.* unerlaubt (nachgedruckt): ~ edition unerlaubter Nachdruck, Raubdruck *m.* **3.** *fig.* pi'ratenhaft.

pi·rogue [pi'roug] → piragua 1.

pir·ou·ette [ˌpiru'et] **I** *s* Pirou'ette *f.* **II** *v/i* pirouet'tieren.

pis·ca·ry ['piskəri] *s* **1.** *jur.* Fische'reigerechtigkeit *f* (*in fremden Gewässern*). **2.** Fischgrund *m.* ˌ**pis·ca'to·ri·al** [-'tɔːriəl], '**pis·ca·to·ry** *adj* Fischerei..., Fischer...

Pis·ces ['pisiːz] *s pl astr.* Fische *pl* (*Sternbild u. Tierkreiszeichen*).

pis·ci·cul·ture ['pisiˌkʌltʃər] *s* Fischzucht *f.* ˌ**pis·ci'cul·tur·ist** *s* Fischzüchter *m.*

pis·ci·na [pi'siːnə; -'sainə] *pl* **-nae** [-niː], **-nas** *s* **1.** *antiq.* Pis'cina *f*: a) Fischteich *m*, b) Schwimm-, Wasserbecken *n.* **2.** *relig. hist.* Pis'cina *f*: a) Taufbecken *n*, b) Wasserablauf *m* (*am Altar*). **pis·cine I** *s* ['pisin; pi'siːn] Schwimmbecken *n*, -bad *n.* **II** *adj* ['pisain] Fisch... **pis·civ·o·rous** [pi'sivərəs] *adj* fischfressend.

pi·sé ['piːze; piː'ze] *s arch.* **1.** Pi'see *m*, Stampfmasse *f.* **2.** Pi'seebau *m.*

pish [piʃ; pʃ] *interj* **1.** pfui!, puh! **2.** pah!, ,Quatsch!'

pi·shogue [pi'ʃoug] *s* (*Ir.*) Hexe'rei *f.*

pi·si·form ['paisiˌfɔːrm] **I** *adj* erbsenförmig, Erbsen... **II** *s a.* ~ bone *anat.* Erbsenbein *n.*

piss [pis] *vulg.* **I** *v/i* **1.** ,pissen' (*harnen*): to ~ on ,scheißen' auf (*j-n od. etwas*); ~ed off a) wütend, b) total ,erledigt'. **II** *v/t* **2.** ,bepissen', ,pissen' in (*acc*). **III** *s* **3.** ,Pisse' *f* (*Urin*). **4.** ,Quatsch' *m.*

pis·tach·i·o [pis'tɑːʃiˌou; -'tæʃ-] *pl* **-i·os 1.** *bot.* Pi'stazie *f* (*Baum u. Frucht*). **2.** *a.* ~ green Pi'staziengrün *n.*

piste [pist] (*Fr.*) *s Rennsport*: Piste *f.*

pis·til ['pistil; -tl] *s bot.* Pi'still *n*, Stempel *m*, Griffel *m.* '**pis·til·lar·y** *adj* Stempel... '**pis·til·late** [-lit; -ˌleit] *adj* mit Stempel(n) (versehen), weiblich (*Blüte*).

pis·tol ['pistl] **I** *s* Pi'stole *f*: ~ gallery Pistolenschießstand *m.* **II** *v/t* mit e-r Pi'stole erschießen.

pis·tole [pis'toul] *s* Pi'stole *f* (*alte Goldmünze*).

pis·tol| grip *s tech.* Pi'stolengriff *m.* ~ **shot** *s* **1.** Pi'stolenschuß(weite *f*) *m.* **2.** *Am.* Pi'stolenschütze *m.* '~-ˌ**whip** *v/t j-n* mit der Pi'stole schlagen.

pis·ton ['pistən] *s* **1.** *tech.* Kolben *m.* **2.** *a.* ~ valve *mus.* Pi'ston *n*, ('Gleit)-

Ven,til *n* (*bei Blasinstrumenten*). **3.** *a.* ~ knob *mus.* Kombinati'onsknopf *m* (*der Orgel*). ~ **dis·place·ment** *s* Kolbenverdrängung *f*, Hubraum *m.* ~ **drill** *s* 'Kolben,bohrma,schine *f.* ~ **en·gine** *s* Kolbenmotor *m.* ~ **pump** *s* Kolbenpumpe *f.* ~ **rod** *s* Kolben-, Pleuelstange *f.* ~ **stroke** *s* Kolbenhub *m.* ~ **valve** *s* **1.** 'Kolbenven,til *n.* **2.** → piston 2.

pit¹ [pit] **I** *s* **1.** Grube *f* (*a. anat.*), Loch *n*, Vertiefung *f*: inspection ~ *mot. tech.* Schmiergrube; refuse ~ Müllgrube; ~ of the stomach *anat.* Magengrube. **2.** Fallgrube *f*, Falle *f* (*a. fig.*). **3.** Abgrund *m* (*a. fig.*). **4.** *a.* bottomless ~, ~ of hell (Abgrund *m* der) Hölle *f*, Höllenschlund *m.* **5.** *Bergbau*: a) (*bes.* Kohlen)Grube *f*, Zeche *f*, b) (*bes.* Kohlen)Schacht *m*: ~ bottom Füllort *m* (*im Schacht*). **6.** *med.* (Pocken-, Blattern)Narbe *f.* **7.** *metall.* (Korrosi'ons)Narbe *f*, (Rost)Grübchen *n.* **8.** *tech.* a) (Arbeits-, Wartungs)-Grube *f*, b) *Gießerei*: Dammgrube *f*, c) (Kies- *etc*)Grube *f*: gravel ~, d) Abstichherd *m*, Schlackengrube *f.* **9.** *mil.* a) Schützenloch *n*, b) (Werfer)Grube *f*, c) Anzeigerdeckung *f* (*beim Schießstand*). **10.** *thea. bes. Br.* (hinterste Plätze *pl od.* Publikum *n* im) Par'terre *n od.* Par'kett *n.* **11.** *Am.* Börse *f*, Maklerstand *m* (*der Produktenbörse*): grain ~ Getreidebörse. **12.** Kampfplatz *m* (*bes. für Hahnenkämpfe*). **13.** *Autorennen*: Box *f.* **14.** *agr.* (Rüben- *etc*)Miete *f.* **15.** *sport* (Sprung)Grube *f.* **16.** *bot.* Tüpfel *m* (*dünne Stelle in e-r Zellwand*). **17.** *obs. od. dial.* Grube *f*, Grab *n.* **II** *v/t* **18.** Gruben *od.* Löcher *od.* Vertiefungen bilden in (*dat*) *od.* graben in (*acc*), *metall.* (*durch Korrosion*) an-, zerfressen. **19.** mit Narben bedecken: ~ted with smallpox pockennarbig. **20.** *agr. Rüben etc* einmieten. **21.** (against) a) (*feindlich*) gegen'überstellen (*dat*), (als Gegner) aufstellen (gegen), b) *j-n* ausspielen (gegen), c) *s-e Kraft etc* messen (mit) *od.* aufbieten (gegen), *ein Argument etc* ins Feld führen (gegen). **III** *v/i* **22.** Löcher *od.* Vertiefungen bilden, sich aushöhlen. **23.** (pocken-, blatter)-narbig werden. **24.** (an)fressen (*Kolben*). **25.** *med.* (*auf Fingerdruck*) e-e Druckstelle hinter'lassen.

pit² [pit] *Am.* **I** *s* (Obst)Stein *m*, Kern *m.* **II** entsteinen, -kernen.

pit·a·pat ['pitə,pæt] **I** *adv* ticktack, klippklapp: his heart went ~ sein Herz klopfte heftig. **II** *s* Getrappel *n.*

pitch¹ [pitʃ] **I** *s* **1.** *min.* Pech *n*: mineral ~ Erdpech, Asphalt *m.* **2.** *bot.* (rohes Terpen'tin)Harz. **II** *v/t* **3.** (ver)-pechen, (-)pichen: ~ed thread Pechdraht *m.*

pitch² [pitʃ] **I** *v/t* **1.** *das Zelt, das Lager, e-n Verkaufsstand etc* aufschlagen, -stellen, *e-e Leiter etc* anlegen, *das Lager etc* errichten. **2.** *e-n Pfosten etc* einrammen, -schlagen, befestigen: to ~ wickets (*Kricket*) Dreistäbe einschlagen. **3.** (*gezielt*) werfen, schleudern: to ~ a spear; to ~ a coin e-e Münze hochwerfen (*zum Knobeln*). **4.** *Heu etc* (auf)laden, (-)gabeln. **5.** in Schlachtordnung aufstellen: ~ed battle regelrechte *od.* offene (Feld)Schlacht. **6.** (*der Höhe, dem Wert etc nach*) festsetzen, -legen: to ~ one's expectations too high s-e Erwartungen zu hoch schrauben, zuviel erwarten; to ~ one's hopes too high s-e Hoffnungen zu hoch stecken. **7.** *fig. e-e Rede etc* abstimmen (on auf *acc*), (*auf bestimmte Weise*) ausdrücken. **8.** *mus.* a) *ein Instrument* (*auf e-e bestimmte Tonhöhe*) stimmen, b) *ein Lied etc* (*in bestimmter Tonhöhe*) anstimmen *od.* singen *od.* spielen, die Tonhöhe festsetzen *od.* anschlagen für (*ein Lied etc*): to ~ the voice high hoch anstimmen *od.* singen; his voice was well ~ed er hatte e-e gute Stimmlage. **9.** a) *Baseball*: *den Ball* (dem Schläger zu)werfen, b) *Kricket*: *den Ball* (gegen das Mal) werfen, c) *Golf*: *den Ball* heben (*hoch schlagen*). **10.** *fig. den Sinn etc* richten (toward auf *acc*). **11.** *e-e Straße* (be)schottern, (mit unbehauenen Steinen) pflastern, *e-e Böschung* (mit unbehauenen Steinen) verpacken. **12.** *Kartenspiel*: *e-e Farbe* durch Ausspielen zum Trumpf machen, *die Trumpffarbe* durch Ausspielen festlegen. **13.** *Ware* a) zum Verkauf anbieten, ausstellen, feilhalten, b) anpreisen. **14.** *sl.* erzählen, ‚da'herbringen': to ~ a yarn *fig.* ‚ein Garn spinnen'.

II *v/i* **15.** (*bes. kopfüber*) ('hin)stürzen, 'hinschlagen. **16.** aufschlagen, -prallen (*Ball etc*). **17.** taumeln. **18.** *mar.* stampfen (*Schiff*). **19.** werfen. **20.** *Baseball*: a) den Ball dem Schläger zuspielen, b) als Werfer spielen, werfen. **21.** sich neigen (*Dach etc*). **22.** a) ein Zelt *od.* Lager aufschlagen, (sich) lagern, b) e-n (Verkaufs)Stand aufschlagen. **23.** (on, upon) sich entscheiden (für), verfallen (auf *acc*). **24.** ~ in *bes. Am. colloq.* a) sich (tüchtig) ins Zeug legen, loslegen, sich 'ranmachen, b) tüchtig ‚einhauen' (*essen*). **25.** ~ into *colloq.* a) losgehen auf *j-n*, 'herfallen über *j-n* (*a. mit Worten etc*), b) 'herfallen über *das Essen*, c) sich (mit Schwung) an *die Arbeit* 'ranmachen. **26.** *colloq.* a) *allg. sport* spielen, b) *fig.* kämpfen.

III *s* **27.** Wurf *m* (*a. sport*): to queer s.o.'s ~ j-m ‚die Tour vermasseln', j-m e-n Strich durch die Rechnung machen; what's the ~? *sl.* was ist los?; I get the ~ *Am. sl.* ich kapiere. **28.** *mar.* Stampfen *n.* **29.** Neigung *f*, Gefälle *n* (*e-s Daches etc*), **30.** Höhe *f.* **31.** *mus.* Tonhöhe *f*: ~ level Ton- *od.* Stimmlage *f*; ~ name absoluter Notenname; ~ number Schwingungszahl *f* (*e-s Tones*). **32.** *mus.* a) (*tatsächliche, absolute*) Stimmung (*e-s Instruments*), b) richtige Tonhöhe (*in der Ausführung*): above (below) ~ zu hoch (tief); to sing true to ~ tonrein singen. **33.** *a.* standard ~ *mus.* Nor'malton(höhe *f*) *m*, Kammerton *m*: → concert pitch. **34.** *a.* sense of ~ *mus.* Tonbewußtsein *n*: to have absolute (*od.* perfect) ~ das absolute Gehör haben. **35.** Grad *m*, Stufe *f*, Höhe *f* (*a. fig.*): ~ of an arch Bogenhöhe; to fly a high ~ hoch fliegen. **36.** *fig.* äußerster (*höchster od. tiefster*) Punkt, höchster Grad, Gipfel *m*: to the highest ~ aufs äußerste. **37.** *bes. Br.* Stand *m* (*e-s Straßenhändlers etc*). **38.** *econ. Br.* (Waren)-Angebot *n.* **39.** *Am. sl.* a) Anpreisung *f*, b) Verkaufsgespräch *n*, c) Werbung(sanzeige) *f.* **40.** *Am. sl.* ‚Platte' *f*, ‚Masche' *f*, Geschwätz *n.* **41.** *sport* a) *allg.* Spielfeld *n*, b) *Kricket*: (Mittel)Feld *n*, c) *Kricket*: Aufprall *m.* **42.** *tech.* a) Teilung *f* (*e-s Gewindes, Zahnrads etc*), b) *aer.* (Blatt)Steigung *f* (*e-r Luftschraube*), c) Schränkung *f* (*e-r Säge*). **43.** a) Lochabstand *m* (*beim Film*), b) Rillenabstand *m* (*der Schallplatte*).

pitch| ac·cent *s ling.* musi'kalischer ('Ton)Ak,zent. **'~-and-'toss** *s* Kopf *m* oder Wappen *n* (*Spiel*). ~ **an·gle** *s* Steigungswinkel *m.* **'~-'black** *adj* pechschwarz. **'~,blende** *s min.* (U'ran)-Pechblende *f.* ~ **cir·cle** *s tech.* Teilkreis *m* (*e-s Zahnrads*). ~ **coal** *s* Pechkohle *f.* **'~-'dark** *adj* pechschwarz, stockdunkel (*Nacht*).

pitch·er¹ ['pitʃər] *s* **1.** *Baseball*: Werfer *m.* **2.** *bes. Br.* Straßenhändler *m.* **3.** Pflasterstein *m.*

pitch·er² ['pitʃər] *s* (irdener) Krug (*mit Henkel*): the ~ goes often to the well, but is broken at last der Krug geht so lange zum Brunnen, bis er bricht; little ~s have long ears kleine Kinder spitzen stets die Ohren.

'pitch,fork I *s* **1.** *agr.* Heu-, Mistgabel *f.* **2.** *mus.* Stimmgabel *f.* **II** *v/t* **3.** mit e-r Heu- *od.* Mistgabel werfen, gabeln. **4.** *fig.* (unvorbereitet *od.* rücksichtslos) werfen: to ~ troops into a battle. **5.** *fig.* drängen, ‚schubsen' (into in *acc*).

pitch·ing ['pitʃiŋ] *s* **1.** Werfen *n*, Schleudern *n.* **2.** Aufstellen *n*, Errichten *n* (*e-s Zeltes etc*). **3.** *econ.* Ausstellung *f* (*von Waren*). **4.** *Straßenbau*: Pflasterung *f.* **5.** *Wasserbau*: Steinpackung *f.* **6.** *mar.* Stampfen *n* (*e-s Schiffs*). ~ **mo·ment** *s tech.* 'Kippmo,ment *n.* ~ **nib·lick** *s Golf*: Niblick *m* (*für steile Schläge*).

pitch| line *s tech.* Teilungslinie *f.* **'~·man** [-mən] *s irr Am. colloq.* **1.** Straßenhändler *m.* **2.** ‚Werbefritze' *m*, Anpreiser *m.* ~ **pine** *s bot.* Amer. Pechkiefer *f.* ~ **pipe** *s mus.* Stimmpfeife *f.* ~ **point** *s tech.* Berührungspunkt *m* auf dem Teilkreis. ~ **shot** *s Golf*: steiler Schlag auf kurze Entfernung. **'~,stone** *s geol.* Pechstein *m.*

pitch·y ['pitʃi] *adj* **1.** teerig, voll(er) Pech *od.* Teer. **2.** pech-, teerartig. **3.** pechschwarz (*a. fig.*).

pit coal *s* Steinkohle *f.*

pit·e·ous ['pitiəs] *adj* (*adv* ~ly) mitleiderregend, herzzerreißend, *a. contp.* erbärmlich, jämmerlich, kläglich.

'pit,fall *s* **1.** Falle *f* (*a. fig.*), (Fall)-Grube *f.* **2.** *fig.* a) Gefahr *f*, b) Irrtum *m.*

pith [piθ] **I** *s* **1.** *bot.* Mark *n.* **2.** (Rükken-, Knochen)Mark *n.* **3.** *a.* ~ and marrow *fig.* Mark *n*, Kern *m*, 'Quintes,senz *f.* **4.** *fig.* Kraft *f*, Prä'gnanz *f*, Eindringlichkeit *f.* **5.** *fig.* Gewicht *n*, Bedeutung *f.* **II** *v/t* **6.** *ein Tier* durch Durch'bohren des Rückenmarks töten. **7.** *bot.* das Mark entfernen aus (*e-r Pflanze*). ~ **ball** *s phys.* Ho'lundermark,kügelchen *n*: ~ electroscope Holundermarkelektroskop *n.*

'pit,head *s* (*Bergbau*) **1.** Füllort *m*, Schachtöffnung *f.* **2.** Fördergerüst *n.*

pith·e·can·thro·pus [,piθikæn'θroupəs; -'kænθrəpəs] *s* Pithek'anthropus *m*, Javamensch *m.*

pi·the·coid [pi'θi:kɔid; 'piθi,kɔid] *adj* pitheko'id, affenähnlich.

pith| hel·met, *a.* ~ **hat** *s* Tropenhelm *m.*

pith·i·ness ['piθinis] *s* **1.** (*das*) Markige, Markigkeit *f.* **2.** *fig.* Kernigkeit *f*, Prä'gnanz *f*, Kraft *f.* **'pith·less** *adj* **1.** marklos. **2.** *fig.* kraftlos, schwach.

pith pa·per *s* 'Reispa,pier *n.*

pith·y ['piθi] *adj* (*adv* pithily) **1.** markig, markartig. **2.** voller Mark. **3.** *fig.* markig, kernig, prä'gnant, kraftvoll: a ~ saying ein Kernspruch.

pit·i·a·ble ['pitiəbl] *adj* (*adv* pitiably) **1.** bemitleidens-, bedauernswert, mitleiderregend, *a. contp.* erbärmlich, elend, jämmerlich, kläglich. **2.** *fig. contp.* armselig, dürftig.

pit·i·ful ['pitifəl; -ful] *adj* **1.** mitleidig, mitleid(s)voll. **2.** → pitiable. **'pit·i·ful·ness** *s* **1.** Mitleid *n*. **2.** Erbärmlichkeit *f*, Jämmerlichkeit *f*.

pit·i·less ['pitilis] *adj* (*adv* ~ly) unbarmherzig, mitleid(s)-, erbarmungslos. **'pit·i·less·ness** *s* Unbarmherzigkeit *f*.

'pit·man [-mən] *s irr* **1.** Bergmann *m*, Knappe *m*, Kumpel *m*, Grubenarbeiter *m*. **2.** *pl* -mans *tech. Am.* → connecting rod.

pi·tom·e·ter [pi'tɒmitər] *s tech.* Pito'meter *n* (*Gerät zur Messung der Strömungsgeschwindigkeit*).

pi·ton [pi'tɔ̃] (*Fr.*) *s* (*eiserne*) Klammer, Kletterhaken *m* (*der Bergsteiger*).

ˌPi'tot-'stat·ic tube [ˌpiː'tou] *s phys.* statisches Pi'totrohr, Drucksonde *f*. **Pi·tot tube** *s phys.* Pi'totrohr *n* (*Staudruckmesser*).

pit·pan ['pitˌpæn] *s mar. Am.* (*Art*) flaches Flußboot.

pit| po·ny *s Br.* Grubenpony *n*. ~ **prop** *s Bergbau*: (Gruben)Stempel *m*, (-)Holz *n*. ~ **saw** *s tech.* Schrotsäge *f*.

pit·tance ['pitəns] *s* **1.** Hungerlohn *m*, ‚paar Pfennige' *pl*. **2.** (kleines) bißchen, Häppchen *n*: the small ~ of learning das kümmerliche Wissen.

'pit·ter-ˌpat·ter **I** *adv* tripptrapp, klippklapp: his heart went ~ sein Herz klopfte heftig. **II** *s* Tripptrapp *n*, Trippeln *n*, Plätschern *n* (*von Regen etc*).

pit·ti·cite ['pitiˌsait] *s min.* Eisenpech-[erz *n*.]

pit·ting ['pitiŋ] *s* **1.** a) (Aus)Graben *n*, Aushöhlen *n*, b) Grübchenbildung *f*. **2.** *metall.* Körnung *f*, Lochfraß *m*, 'Grübchenkorrosiˌon *f*, Angefressensein *n* (*der inneren Kesselfläche*). **3.** *collect.* Narben *pl*, Grübchen *pl*, Löcher *pl*. **4.** *Bergbau*: Schachtbau *m*.

pit·tite ['pitait] *s thea. Br.* (*bes.* regelmäßiger) Par'terrebesucher.

pit·tos·po·rum [pi'tɒspərəm; ˌpitə'spɔːrəm] *s bot.* Klebsame *m*.

pi·tu·i·tar·y [pi'tjuːitəri] *adj physiol.* pitui'tär, schleimabsondernd, Schleim...: ~ extract Hypophysenpräparat *n*. ~ **bod·y**, ~ **gland** *s anat.* Hypo'physe *f*, Hirnanhang *m*.

pi·tu·i·trin [pi'tjuːitrin] *s physiol.* Pitui'trin(präpaˌrat) *n*.

pit·y ['piti] **I** *s* **1.** Mitleid *n*, Erbarmen *n*, (mitleidiges) Bedauern, Mitgefühl *n*: to feel ~ for, to have (*od.* take) ~ on Mitleid haben mit; for ~'s sake! um('s) Himmels willen! **2.** traurige Tatsache, Jammer *m*: it is a (great) ~ (to wait) es ist (sehr) schade (warten zu müssen); what a ~! wie schade!; more's the ~! um so schlimmer!; it is a thousand pities es ist jammerschade; the ~ of it is that es ist nur schade *od.* ein Jammer, daß; der (einzige) Nachteil (dabei) ist, daß. **II** *v/t* **3.** bemitleiden, bedauern, Mitleid haben mit: I ~ you du tust mir leid (*a. iro.*). **'pit·y·ing** *adj* (*adv* ~ly) mitleid(s)voll.

pit·y·ri·a·sis [ˌpiti'raiəsis] *s med.* Pity'riasis *f*, Schuppenkrankheit *f*.

piv·ot ['pivət] **I** *s* **1.** *tech.* a) (Dreh)Punkt *m*, b) (Dreh)Zapfen *m*, c) Stift *m*, d) Spindel *f*, e) Achse *f* (*e-r Waage etc*): to turn on a ~ sich um e-n Zapfen drehen. **2.** (Tür)Angel *f*. **3.** *mil.* innerer Flügelmann, Schwenkungspunkt *m*. **4.** *fig.* a) Dreh-, Angelpunkt *m*, b) Mittelpunkt *m*, c) 'Schlüsselfiˌgur *f*, *Fußball*: Schaltstation *f* (*Spieler*). **5.** *Basketball*: Sternschritt *m*. **II** *v/t* **6.** *tech.* a) mit e-m Zapfen *etc* versehen, b) drehbar lagern, c) (ein)schwenken, drehen: to be ~ed on sich drehen um (*a. fig.*); ~ed → 11; ~ed lever Schwenkhebel *m*. **III** *v/i* **7.** sich (wie) um e-e Achse *etc* drehen. **8.** *meist fig.* sich drehen (upon, on um). **9.** *mil.* schwenken. **10.** *Tanz*: *meist fig.* sich auf der Stelle drehen. **IV** *adj* **11.** *tech.* Zapfen..., auf Zapfen gelagert, schwenkbar, Schwenk. **12.** → pivotal.

piv·ot·al ['pivətl] *adj* (*adv* ~ly) **1.** Zapfen..., Angel...: ~ point Angelpunkt *m* (*a. fig.*). **2.** *fig.* zen'tral, Kardinal..., Haupt..., Schlüssel...: a ~ question; ~ man → pivot 4 c; ~ position Schlüsselposition *f*.

piv·ot| bear·ing *s tech.* Schwenk-, Zapfenlager *n*. ~ **bolt** *s mil. tech.* Drehbolzen *m*. ~ **bridge** *s* Drehbrücke *f*. ~ **gun** *s mil.* Pivotgeschütz *n*. **'~-'mount·ed** *adj tech.* schwenkbar. ~ **pin** *s tech.* Kipp-, Lagerzapfen *m*. ~ **sus·pen·sion** *s tech.* Spitzenaufhängung *f*. ~ **tooth** *s irr med.* Stiftzahn *m*.

pix → pyx.

pix·ie → pixy.

pix·i·lat·ed ['piksiˌleitid] *adj bes. Am. colloq.* **1.** ‚verdreht', ‚nicht ganz richtig', leicht verrückt. **2.** schrullig, närrisch. **3.** schelmisch. **4.** ‚blau' (*betrunken*).

pix·y ['piksi] *s* Fee *f*, Elf(e *f*) *m*, Kobold *m*. ~ **stool** *s Br.* (Gift)Pilz *m*.

piz·zi·ca·to [ˌpitsi'kɑːtou] *mus.* **I** *adj u. adv* pizzi'cato, gezupft. **II** *pl* **-'ca·ti** [-ti(ː)] *od.* **-'ca·tos** *s* Pizzi'cato *n*.

piz·zle ['pizl] *s zo. vulg.* Rute *f*.

pla·ca·bil·i·ty [ˌpleikə'biliti; ˌplæk-] → placableness. **'pla·ca·ble** *adv* (*adv* placably) versöhnlich, nachgiebig. **'pla·ca·ble·ness** *s* Versöhnlichkeit *f*.

plac·ard ['plækɑːrd] **I** *s* **1.** Pla'kat *n*, Anschlag(zettel) *m*. **II** *v/t* [*Am. a.* plə'kɑːrd] **2.** mit Pla'katen bekleben. **3.** durch Pla'kate bekanntgeben, anschlagen, plaka'tieren.

pla·cate [*Br.* plə'keit; *Am.* 'pleikeit; *a.* 'plæk-] *v/t* beschwichtigen, besänftigen, versöhnlich stimmen. **pla·ca·to·ry** ['plækətəri; 'plei-] *adj* beschwichtigend, versöhnlich, Versöhnungs...

place [pleis] **I** *s* **1.** Ort *m*, Stelle *f*, Platz *m*: from ~ to ~ von Ort zu Ort; in all ~s überall; in ~s stellenweise; to take ~ stattfinden. **2.** (*mit adj*) Stelle *f*: a wet ~ on the floor. **3.** (*eingenommene*) Stelle: to take s.o.'s ~ j-s Stelle einnehmen, j-n vertreten; to take the ~ of ersetzen, an die Stelle treten von (*od. gen*); in ~ of an Stelle von (*od. gen*); if I were in your ~ I would ich an Ihrer Stelle würde; put yourself in my ~! versetzen Sie sich (doch einmal) in m-e Lage! **4.** Platz *m* (*Raum*): to give ~ (to) Platz machen (für *od. dat*) (*a. fig.*), nachgeben (*dat*). **5.** (*richtiger od. ordnungsgemäßer*) Platz: to find one's ~ sich zurechtfinden; in (out of) ~ (nicht) am (richtigen) Platz; this remark was out of ~ diese Bemerkung war fehl am Platz *od.* unangebracht; this is no ~ for das *od.* hier ist nicht der (geeignete) Ort für. **6.** Ort *m*, Stätte *f*: ~ of amusement Vergnügungsstätte; ~ of birth Geburtsort; ~ of employment Arbeitsplatz *m*, -stelle *f*, -stätte; ~ of interest Sehenswürdigkeit *f*; ~ of worship a) Kultstätte, b) Gotteshaus *n*; to go ~s *Am.* a) ausgehen, (verschiedene) Vergnügungsstätten aufsuchen, b) sich die Sehenswürdigkeiten (*e-s Ortes*) ansehen, c) es weit bringen (im Leben). **7.** *econ.* Ort *m*, Platz *m*, Sitz *m*: ~ of business Geschäftssitz; ~ of delivery Erfüllungsort; ~ of payment Zahlungsort; from this ~ ab hier; in (*od.* of) your ~ dort. **8.** Wohnsitz *m*, Haus *n*, Wohnung *f*: at his ~ bei ihm (zu Hause). **9.** Wohnort *m*, Ort(schaft *f*) *m*: his native ~ sein Heimatort; in this ~ hier. **10.** Gegend *f*: of this ~ hiesig. **11.** Welt *f*. **12.** *thea.* Ort *m* (der Handlung). **13.** *colloq.* Lo'kal *n*. **14.** *mar.* Platz *m*, Hafen *m*: ~ for tran(s)shipment Umschlagplatz; ~ of call Anlaufhafen. **15.** *mil.* fester Platz, Festung *f*. **16.** Raum *m* (*Ggs. Zeit*). **17.** Stelle *f* (*in e-m Buch*). **18.** *math.* (Dezi'mal)Stelle *f*: of many ~s vielstellig; ~ value Stellenwert *m*. **19.** Platz *m*, Stelle *f* (*in e-r Reihenfolge*): in the first ~ a) an erster Stelle, erstens, zuerst, als erst(er, e, es), b) in erster Linie, von vornherein, c) überhaupt (erst); why did you do it in the first ~? warum haben Sie es überhaupt getan?; you should have omitted it in the first ~ Sie hätten es von vornherein bleibenlassen sollen; in the last ~ an letzter Stelle, zuletzt, als letzt(er, e, es), schließlich. **20.** *sport* (erster, zweiter *od.* dritter) Platz: in third ~ auf dem dritten Platz. **21.** (Sitz)Platz *m*, Sitz *m*: take your ~s! nehmen Sie Ihre Plätze ein! **22.** (An)Stellung *f*, (Arbeits)Stelle *f*, Posten *m*: out of ~ stellenlos. **23.** Amt *n*: a) Dienst *m*: in ~ im Amt (*Minister etc*), im Staatsdienst, b) *fig.* Aufgabe *f*, Pflicht *f*: it is not my ~ to do this es ist nicht m-s Amtes, dies zu tun. **24.** (*soziale*) Stellung, Stand *m*, Rang *m*: to keep s.o. in his ~ j-n in s-n Schranken *od.* Grenzen halten; to know one's ~ wissen, wohin man gehört; to put s.o. in his ~ j-n in s-e Schranken weisen. **25.** *fig.* Grund *m*: there's no ~ for doubt hier ist kein Raum für Zweifel, es besteht kein Grund zu zweifeln.

II *v/t* **26.** stellen, setzen, legen (*a. fig.*): to ~ a call ein (Telephon)Gespräch anmelden; to ~ a coffin e-n Sarg aufbahren; to ~ in order zurechtstellen, ordnen; to ~ on record aufzeichnen, (schriftlich) festhalten; he ~d a ring on her finger er steckte ihr e-n Ring an den Finger; (*siehe die Verbindungen mit den entsprechenden Substantiva*). **27.** *Posten etc* aufstellen: to ~ o.s. sich aufstellen *od.* postieren. **28.** *j-n* ‚'unterbringen' (*identifizieren*): I can't ~ him ich weiß nicht, wo ich ihn unterbringen *od.* ‚hintun' soll. **29.** *j-n, a. e-e Waise etc* ‚'unterbringen', *j-m* Arbeit *od.* e-e (An)Stellung verschaffen. **30.** *j-n* ein-, anstellen. **31.** *j-n* ernennen *od.* in ein Amt einsetzen. **32.** (der Lage nach) näher bestimmen. **33.** *econ.* a) *e-e Anleihe, Kapital* 'unterbringen, b) *Aufträge* erteilen, vergeben, *e-e Bestellung* aufgeben, c) *e-n Vertrag, e-e Versicherung* abschließen: to ~ a contract; to ~ an issue e-e Emission unterbringen *od.* plazieren. **34.** *Ware* absetzen. **35.** *sport* pla'cieren: to be ~d sich placieren, unter den ersten drei sein. **36.** *sport* a) *den Ball* pla'cieren, b) *Rugby*: *ein Tor* mit e-m Platztritt schießen. **37.** *electr.* schalten: to ~ in parallel parallel schalten.

pla·ce·bo [plə'siːbou] *pl* **-bos** *s* **1.** *R.C. Vesperhymnus für die Toten*. **2.** *pharm.* Pla'cebo *n*, Suggesti'onsmittel *n*. **3.** *fig.* Beruhigungspille *f*.

place| brick *s tech.* Weichbrand *m*, Kreuzstein *m*. ~ **card** *s* Platz-, Tischkarte *f*. ~ **hunt·er** *s* Postenjäger *m*. ~ **hunt·ing** *s* ˌPostenjäge'rei *f*. ~ **kick** *s sport* **1.** Stoß *m* (auf den ruhenden Ball). **2.** Abstoß *m*. **'~·man** [-mən] *s irr bes. Br. contp.* ‚Pöstcheninhaber' *m*, ,'Futterkrippenpo,litiker' *m*. **~ mat** *s* Platzgedeck *n*, Set *n*.

place·ment ['pleismənt] *s* **1.** ('Hin-, Auf)Stellen *n*, Setzen *n*, Legen *n*. **2.** a) Einstellung *f* (*e-s Arbeitnehmers*), b) Vermittlung *f* (*e-s A beitsplatzes*), c) Einsatz *m* (*e-s Arbeitnehmers*). **3.** Stellung *f*, Lage *f*. **4.** Anordnung *f*. **5.** *econ.* Anlage *f*, 'Unterbringung *f* (*e-r Anleihe, von Kapital etc*), Pla'cieren *n* (*von Geldern*). **6.** 'Unterbringung *f* (*e-r Waise etc*). **7.** *ped. Am.* Einstufung *f*: **~test** Einstufungs-, Aufnahmeprüfung *f*. **8.** *sport* a) Pla'cieren *n* (*des Balles*), b) *a.* **~ shot** (*Tennis*) (unhaltbar) pla'cierter Ball.

place name *s* Ortsname *m*.

pla·cen·ta [plə'sentə] *pl* **-tae** [-ti:], **-tas** *s* **1.** *physiol.* Pla'zenta *f*, Mutter-, Fruchtkuchen *m*, Nachgeburt *f*. **2.** *bot.* Samenleiste *f*. **pla'cen·tal** *adj* **1.** *physiol.* plazen'tar, Mutterkuchen... **2.** *bot.* Samenträger...

plac·er ['plæsər; 'plei-] *s min.* **1.** *bes. Am.* (*Gold- etc*)Seife *f*. **2.** seifengold- *od.* erzseifenhaltige Stelle. **~ gold** *s* Seifen-, Waschgold *n*. **~ min·ing** *s bes. Am.* Goldwaschen *n*.

pla·cet ['pleisit] (*Lat.*) *s* Plazet *n*, Zustimmung *f*, Ja-Stimme *f*, Ja *n*: **non-~** Ablehnung *f*.

plac·id ['plæsid] *adj* (*adv* **~ly**) **1.** ruhig, friedlich. **2.** mild, sanft. **3.** gelassen, (seelen)ruhig, ,gemütlich'. **4.** selbstgefällig. **pla·cid·i·ty** [plə'siditi] *s* Milde *f*, Gelassenheit *f*, (Seelen)Ruhe *f*.

plack·et ['plækit] *s* **1.** *a.* **~ hole** Schlitz *m* (*an e-m Kleid*). **2.** Tasche *f* (*bes. in e-m Frauenrock*). **3.** *obs.* a) 'Unterrock *m*, b) *fig.* ,Frauenzimmer' *n*.

plac·oid ['plækɔid] *ichth.* **I** *adj* **1.** plattenförmig (*Schuppen*). **2.** mit Plako'idschuppen (*Fisch*). **II** *s* **3.** Plako'idschupper *m* (*Fisch*).

pla·gal ['pleigəl] *adj mus. hist.* pla'gal.

pla·gi·a·rism ['pleidʒiə,rizəm] *s* Plagi'at *n*. **'pla·gi·a·rist** *s* Plagi'ator *m*. **'pla·gi·a,rize** **I** *v/t* plagi'ieren. **II** *v/i* ein Plagi'at begehen, plagi'ieren, abschreiben. **'pla·gi·a·ry** [-əri] *s* **1.** → **plagiarism. 2.** → **plagiarist.**

pla·gi·o·trop·ic [,pleidʒio'trɒpik] *adj bot.* plagio'trop, seitwärts wachsend.

plague [pleig] **I** *s* **1.** *med.* Seuche *f*, Pest *f*: **pneumonic ~** Lungenpest; **~ boil** Pestbeule *f*. **2.** *bes. fig.* Plage *f*, Heimsuchung *f*, Geißel *f*: **the ten ~s** *Bibl.* die Zehn Plagen; **a ~ on it!** hol's der Teufel! **3.** *colloq.* a) Plage *f*, b) Quälgeist *m*, ,Nervensäge' *f* (*Mensch*). **II** *v/t* **4.** plagen, quälen. **5.** *colloq.* belästigen, peinigen. **6.** *fig.* heimsuchen. **'plague·some** *adj colloq.* ,verflixt'.

plague spot *s a. fig.* Pestbeule *f*.

pla·guy ['pleigi] *adj u. adv colloq.* ,verflixt', ,verteufelt'.

plaice [pleis] *pl* **plaice** *s ichth.* Gemeine Scholle, Goldbutt *m*.

plaid [plæd] **I** *s* (schottisches) Plaid (*buntkarierter Wollstoff*). **II** *adj* 'buntka,riert. **'plaid·ed** *adj* **1.** Plaid... **2.** → **plaid II.**

plain[1] [plein] **I** *adj* (*adv* **~ly**) **1.** einfach, gewöhnlich, schlicht: **a ~ man; ~ aerial** (*Am.* **antenna**) *electr.* Einfachantenne *f*; **~ clothes** Zivil(kleidung *f*) *n*; **in ~ clothes** in Zivil; **~ cooking** bürgerliche Küche; **~ fare** Hausmannskost *f*; **~ living** schlichte *od.* einfache Lebensweise; **~ paper** unlin(i)iertes Papier; **~ postcard** gewöhnliche Postkarte; **~ scale** natürlicher Maßstab. **2.** schlicht, schmucklos, kahl (*Zimmer etc*), ungemustert, einfarbig (*Stoff*), 'unkolo,riert (*Photos etc*), glatt (*Spitzen etc*): **~ knitting** Rechts-, Glattstrickerei *f*; **~ sewing** Weißnäherei *f*. **3.** unscheinbar, farb-, reizlos, wenig anziehend: **a ~ face; a ~ girl. 4.** klar (*u.* deutlich), unmißverständlich, 'unum,wunden: **~ talk; the ~ truth** die nackte Wahrheit. **5.** klar, offensichtlich, offenbar, -kundig, deutlich, leicht verständlich: **as ~ as ~ can be** sonnenklar; **in ~ language** a) ohne Umschweife, klipp u. klar, b) *tel. etc* im Klartext, offen, unverschlüsselt. **6.** unverdünnt (*Alkohol*). **7.** ausgesprochen, rein, bar: **~ nonsense; ~ folly** heller Wahnsinn; **a ~ agnostic** ein Agnostiker, wie er im Buche steht. **8.** offen u. ehrlich: **~ dealing** ehrliche Handlungsweise. **9.** mittelmäßig, unbedeutend, Durchschnitts... **10.** *metall.* 'unle,giert: **~ steel. 11.** *bes. Am.* eben, flach, *a. tech.* glatt: **~ country** flaches Land; **~ bearing** Gleitlager *n*; **~ fit** Schlichtsitz *m*; **~ roll** Glattwalze *f*. **II** *adv* **12.** klar, deutlich. **13.** offen (*u.* ehrlich). **III** *s* **14.** Ebene *f*, Flachland *n*. **15. the P~s** *Am.* die Prä'rien *pl*.

plain[2] [plein] *v/i obs.* (weh)klagen.

plain| chart *s mar.* Plankarte *f*, gleichgradige Seekarte. **'~-,clothes man** *s irr* Ge'heimpoli,zist *m*, Poli'zist *m od.* Krimi'nalbe,amte(r) *m* in Zi'vil.

plain·ness ['pleinnis] *s* **1.** Einfachheit *f*, Schlichtheit *f*. **2.** Deutlichkeit *f*, Klarheit *f*. **3.** Offenheit *f*, Ehrlichkeit *f*. **4.** Ebenheit *f*. **5.** Unansehnlichkeit *f*, Reizlosigkeit *f*.

plain| peo·ple, *a.* **P~ Peo·ple** *s Am.* *Bezeichnung für verschiedene Sektierer, die e-n einfachen Lebensstil haben* (*z. B. Mennoniten*). **'plains·man** [-mən] *s irr Am.* Prä'riebewohner *m*.

plain| song *s mus.* **1.** (*alter einstimmiger, nicht rhythmisierter, bes. Gregorianischer*) Kirchen-, Cho'ralgesang, Cantus *m* planus. **2.** (*bes.* Gregori'anische) Cho'ralmelo,die. **3.** Cantus *m* firmus. **~ speak·ing** *s* Aufrichtigkeit *f*, Offenheit *f*. **'~-'spo·ken** *adj* offen, freimütig, ge'rade her'aus.

plaint [pleint] *s* **1.** Beschwerde *f*, Klage *f*. **2.** *obs. od. poet.* (Weh)Klage *f*. **3.** *jur.* (An)Klage(schrift) *f*.

plain·tiff ['pleintif] *s jur.* (Zi'vil)Kläger(in): **party ~** klägerische Partei.

plain·tive ['pleintiv] *adj* (*adv* **~ly**) traurig, klagend, wehmütig, Klage...: **~ song; ~ voice** wehleidige Stimme.

plait [*Br.* plæt; *Am.* pleit] **I** *s* **1.** Zopf *m*, Flechte *f*. **2.** (Haar, Stroh)Geflecht *n*. **3.** Falte *f*. **II** *v/t* **4.** *Haar, Matte etc* flechten. **5.** verflechten. **6.** falten.

plan [plæn] **I** *s* **1.** (Spiel-, Wirtschafts-, Arbeits)Plan *m*, Entwurf *m*, Pro'jekt *n*, Vorhaben *n*: **Five-Year P~** Fünfjahresplan; **~ of action** Schlachtplan (*a. fig.*); **according to ~** planmäßig; **to make ~s (for the future)** (Zukunfts)-Pläne schmieden; **to remain below ~** das Planziel nicht erreichen. **2.** Plan *m*, Absicht *f*. **3.** Verfahren *n*, Me'thode *f*. **4.** (Zahlungs)Plan *m*, Zahlungsmodus *m*. **5.** (Lage-, Stadt)-Plan *m*: **general ~** Übersichtsplan; **~ position indicator** *aer.* Sternschreiber *m*, PPI-Sichtgerät *n*. **6.** Grundriß *m*: **~ view** Draufsicht *f*; **in ~ form** im Grundriß. **7.** *tech.* (Maß)-Zeichnung *f*, Riß *m*: **to lay out a ~** e-n Plan aufreißen. **8.** Verti'kalebene *f* (*beim perspektivischen Zeichnen*). **II** *v/t* **9.** planen, entwerfen, e-n Plan ausarbeiten *od.* entwerfen für *od.* zu: **~ned economy** Planwirtschaft *f*; **~ned retreat** planmäßiger Rückzug; **~ned parenthood** Familienplanung *f*; **~ning board** Planungsamt *n*; **~ning engineer** Arbeitsvorbereiter *m*. **10.** *Am.* planen, beabsichtigen: **to ~ a visit. 11.** graphisch darstellen.

pla·nar ['pleinər] *adj phys.* pla'nar: **~ diode** planparallele Diode.

pla·nar·i·an [plə'nɛ(ə)riən] *s zo.* Süßwasser-Plattwurm *m*, Pla'narie *f*.

planch [*Br.* plɑ:nʃ; *Am.* plæntʃ] *s* **1.** (Me'tall- *etc*)Platte *f*. **2.** *dial.* a) Planke *f*, b) Fußboden *m*. **plan'chette** [*Br.* -'ʃet; *Am.* -'tʃet] → **Ouija.**

Planck's con·stant [plɑ:ŋks] *s phys.* Plancksche Kon'stante.

plane[1] [plein] *s bot.* Pla'tane *f*.

plane[2] [plein] **I** *adj* **1.** flach, eben. **2.** *tech.* plan, Plan...: **~ mirror** Planspiegel *m*. **3.** *math.* eben: **~ figure; ~ curve** einfach gekrümmte Kurve; **~ polarization** lineare Polarisation. **II** *s* **4.** Ebene *f*, (ebene) Fläche: **~ of projection** *math.* Rißebene; **~ of reference** *bes. math.* Bezugsebene; **~ of refraction** *phys.* Brechungsebene; **on the upward ~** *fig.* im Anstieg, ansteigend. **5.** *fig.* (*a.* Bewußtseins)Ebene *f*, (Wertigkeits)Stufe *f*, Ni'veau *n*, Bereich *m*: **on the same ~ as** auf dem gleichen Niveau wie. **6.** *Bergbau*: Förderstrecke *f*. **7.** *tech.* Hobel *m*. **III** *v/t* **8.** (ein)ebnen, glätten, pla'nieren, *tech. a.* schlichten, *Bleche* abrichten. **9.** *tech.* (ab)hobeln. **10.** *print.* bestoßen.

plane[3] [plein] *aer.* **I** *s* **1.** Flugzeug *n*. **2.** Tragfläche *f*: **main ~ unit** Tragwerk *n*; **elevating (depressing) ~** Höhen-(Flächen)steuer *n*. **II** *v/i* **3.** gleiten, segeln. **4.** *Am. colloq.* fliegen.

plane| an·gle *s math.* Flächenwinkel *m*. **~ chart** *s mar.* Plankarte *f* (*gleichgradige Seekarte*). **~ ge·om·e·try** *s math.* Planime'trie *f*.

plan·er ['pleinər] *s tech.* **1.** 'Hobel(ma,schine *f*) *m*. **2.** *print.* Klopfholz *n*. **3.** Streichbrett *n* (*der Former*).

plane sail·ing *s mar.* Plansegeln *n*.

plan·et[1] ['plænit] *s astr.* Pla'net *m*, Wandelstern *m*: **inferior (superior) ~s** die inneren (äußeren) Planeten; **minor ~s** Asteroiden; **primary ~** Hauptplanet; **secondary ~** Planetenmond *m*.

plan·et[2] ['plænit], **pla·ne·ta** [plə'ni:tə] *pl* **-tae** [-ti:] *s R.C.* Pla'neta *f*, Kasel *f*.

plane ta·ble *s tech.* Meßtisch *m*: **~ map** Meßtischblatt *n*.

plan·e·tar·i·um [,plæni'tɛ(ə)riəm] *pl* **-ums, -i·a** [-ə] *s astr.* Plane'tarium *n*. **'plan·e·tar·y** *adj* **1.** *astr.* plane'tarisch, Planeten... **2.** *fig.* um'herirrend, unstet. **3.** a) irdisch, weltlich, b) glo'bal, weltweit. **4.** *tech.* Planeten...: **~ gear, ~ gears, ~ gearing** Planeten-, Umlaufgetriebe *n*; **~ wheel** Umlaufrad *n*.

plan·e·tes·i·mal [,plæni'tesiməl] *s astr.* kleiner mete'orähnlicher Körper.

plan·et·oid ['plæni,tɔid] *s astr.* Planeto'id *m*, Astero'id *m*.

plan·gen·cy ['plændʒənsi] *s* **1.** lautes Anschlagen, Schallen *n*. **2.** Tonfülle *f*, -stärke *f*. **'plan·gent** *adj* schallend.

pla·ni·dor·sate [,pleini'dɔ:rseit] *adj zo.* mit flachem Rücken.

pla·nim·e·ter [plə'nimitər] *s tech.* Plani'meter *n*, Flächenmesser *m*. **pla'nim·e·try** [-tri] → **plane geometry.**

plan·ing ['pleiniŋ] *s* **1.** (Ab)Hobeln *n*. **2.** Pla'nieren *n*. **~ bench** *s tech.* Hobelbank *f*. **~ ma·chine** *s tech.* 'Hobel-, 'Schlichtma,schine *f*.

plan·ish ['plæniʃ] *v/t tech.* **1.** glätten, (ab)schlichten, pla'nieren. **2.** *Holz* glatthobeln. **3.** *Metall* glatthämmern, ausbeulen: **~ing hammer** Schlichthammer *m*. **4.** po'lieren.

plan·i·sphere ['plæniˌsfɪr] *s astr.* **1.** Plani'glob(ium) *n*, -'sphäre *f* (*ebene Darstellung e-r Halbkugel*). **2.** Plani'sphäre *f* (*altes astronomisches Gerät*).

plank [plæŋk] **I** *s* **1.** (*a.* Schiffs)Planke *f*, Bohle *f*, (Fußboden)Diele *f*, Brett *n*: ~ **flooring** Bohlenbelag *m*; **to walk the** ~ *mar. hist.* über e-e Schiffsplanke ins Meer getrieben werden, ertränkt werden. **2.** *fig.* Halt *m*, Stütze *f*. **3.** *pol. bes.Am.* (Pro'gramm)Punkt *m* (*e-s Parteiprogramms*). **4.** *Bergbau*: Schwarte *f*. **II** *v/t* **5.** mit Planken *etc* belegen, beplanken, dielen. **6.** *tech.* verschalen, *Bergbau*: verzimmern. **7.** *e-e Speise* (*meist garniert*) auf e-m Brett ser'vieren. **8.** ~ **down** a) ,'hinknallen', unsanft absetzen, b) *Geld* ,'hinlegen', ,blechen', (bar) auf den Tisch legen. ~ **bed** *s* (Holz)Pritsche *f* (*im Gefängnis etc*).

plank·ing ['plæŋkɪŋ] *s* **1.** Beplanken *n*, Verschalen *n*. **2.** *collect.* Planken *pl*. **3.** Beplankung *f*, (Holz)Verschalung *f*, (Bretter)Verkleidung *f*, Bohlenbelag *m*.

plank·ton ['plæŋktən] *s zo.* Plankton *n*. **plank'ton·ic** [-'tɒnɪk] *adj* plank'tonisch.

plan·less ['plænlɪs] *adj* planlos.

plan·ner ['plænər] *s* Planer(in). **'plan·ning** *s* **1.** Planen *n*, Planung *f*. **2.** *econ.* Planung *f*: ~ **stage** Planungsstadium *n*.

pla·no-con·cave [ˌpleɪno'kɒnkeɪv] *adj phys.* 'plankonˌkav (*Linse*). ˌ**pla·no-'con·vex** [-'kɒnveks] *adj phys.* 'plankonˌvex (*Linse*).

pla·no·graph ['pleɪnoˌgræ(ː)f; *Br. a.* -ˌgrɑːf] **I** *s* Flachdruck *m*. **II** *v/t* im Flachdruck 'herstellen.

pla·nom·e·ter [plə'nɒmɪtər] *s tech.* Plano'meter *n*, Richtplatte *f*.

plant [*Br.* plɑːnt; *Am.* plæ(ː)nt] **I** *s* **1.** *bot.* Pflanze *f*, Gewächs *n*: ~ **animal** → **zoophyte**. **2.** *bot.* Setz-, Steckling *m*. **3.** Wachstum *n*: **in** ~ im Wachstum befindlich; **to miss** ~ nicht aufgehen *od.* keimen. **4.** (Betriebs-, Fa'brik)Anlage *f*, Werk *n*, Fa'brik *f*, Betrieb *m*: ~ **engineer** Betriebsingenieur *m*; ~ **manager** Betriebsleiter *m*. **5.** Ma'schinenanlage *f*, Aggre'gat *n*, Appa'ra'tur *f*: **electric** ~ elektrische Anlage. **6.** Betriebseinrichtung *f*, (Be'triebs)Materiˌal *n*, Inven'tar *n*, Gerätschaften *pl*: ~ **equipment** Werksausrüstung *f*. **7.** *Regeltechnik*: Regelstrecke *f*. **8.** *Am.* (*Schul-, Krankenhaus- etc*)Anlage(n *pl*) *f*. **9.** *Bergbau*: (Schacht-, Gruben)Anlage *f*. **10.** *sl.* a) (*etwas*) Eingeschmuggeltes (*z. B. falsches Beweisstück*), (*a.* Poli'zei)Falle *f*, Schwindel *m*, b) (Poli'zei)Spitzel *m*, (eingeschleuster) Ge'heimaˌgent.

II *v/t* **11.** (ein-, an)pflanzen: **to** ~ **out** aus-, um-, verpflanzen. **12.** *Land* a) bepflanzen (*a. fig.*), b) besiedeln, kolo'ni'sieren: **to** ~ **a river with fish** Fische in e-n Fluß setzen. **13.** *e-n Garten etc* anlegen. **14.** *e-e Kolonie etc* gründen. **15.** *e-e Fischbrut* aussetzen, *Austern* verpflanzen. **16.** *bes. fig. Ideen* (ein)pflanzen, einimpfen, Wurzeln schlagen lassen. **17.** (o.s. sich) aufpflanzen, (auf)stellen, *j-n* po'stieren. **18.** *die Faust, den Fuß* setzen, ,pflanzen': **he** ~**ed his dagger in her back** er stieß ihr den Dolch in den Rücken. **19.** *sl. e-n Schlag* ,landen', ,verpassen', versetzen, *e-n Schuß* setzen, ,knallen'. **20.** *sl. Diebesgut* ,sicherstellen', verstecken. **21.** *Belastendes, Irreführendes* (ein)schmuggeln, ,depo'nieren': **to** ~ **s.th. on s.o.** j-m etwas ,andrehen'. **22.** *j-n* im Stich lassen.

plan·tain[1] [*Br.* 'plɑːntɪn; *Am.* 'plæ(ː)n-] *s bot.* Wegerich *m*.

plan·tain[2] [*Br.* 'plɑːntɪn; *Am.* 'plæ(ː)n-] *s bot.* **1.** Pi'sang *m*, Para'diesfeige *f*. **2.** Ba'nane *f* (*Frucht*): ~ **eater** (*od.* **cutter**) *orn.* Bananenfresser *m*.

plan·tar ['plæntər] *adj anat.* plan'tar, Fußsohlen...

plan·ta·tion [plæn'teɪʃən; *Br. a.* plɑːn-] *s* **1.** Pflanzung *f*, Plan'tage *f*. **2.** (Wald)Schonung *f*. **3.** *fig.* Gründung *f*. **4.** Besied(e)lung *f*. **5.** *hist.* Ansiedlung *f*.

plant·er [*Br.* 'plɑːntər; *Am.* 'plæ(ː)n-] *s* **1.** Pflanzer *m*, Plan'tagenbesitzer *m*. **2.** *hist.* (*bes.* erster) Siedler *od.* Kolo'nist. **3.** *fig.* Gründer *m*. **4.** *agr.* 'Pflanzmaˌschine *f*.

plan·ti·grade ['plæntɪˌgreɪd] *zo.* **I** *adj* auf den Fußsohlen gehend. **II** *s* Sohlengänger *m* (*Mensch, Bär etc*).

plant·let [*Br.* 'plɑːntlɪt; *Am.* 'plæ(ː)nt-] *s* Pflänzchen *n*.

plant louse *s irr zo.* Blattlaus *f*.

planx·ty ['plæŋkstɪ] *s irische Harfenweise.*

plaque [*Br.* plɑːk; *Am.* plæ(ː)k] *s* **1.** (Schmuck)Platte *f*. **2.** Gedenktafel *f*. **3.** A'graffe *f*, (Ordens)Schnalle *f*, Spange *f*. **4.** *med. zo.* Fleck *m*.

pla·quette [plæ'ket] *s* Pla'kette *f*, kleine (Reli'ef)Platte.

plash[1] [plæʃ] *v/t u. v/i* (Zweige) zu e-r Hecke verflechten.

plash[2] [plæʃ] **I** *v/i* **1.** platschen, plätschern: ~! platsch! **2.** *im Wasser* planschen. **II** *v/t* **3.** platschen *od.* klatschen auf (*acc*). **4.** bespritzen, besprengen. **III** *s* **5.** Platschen *n*, Plätschern *n*, Spritzen *n*. **6.** Pfütze *f*.

plash·y ['plæʃɪ] *adj* **1.** plätschernd, klatschend, spritzend. **2.** sumpfig, matschig, feucht, voller Pfützen.

plasm ['plæzəm], **plas·ma** ['plæzmə] *s* **1.** *biol.* (Milch-, Blut-, Muskel)Plasma *n*: **dried** ~ Trockenplasma. **2.** *biol.* Proto'plasma *n*. **3.** *min.* Plasma *n*, grüner Chalce'don. **plas'mat·ic** [-'mætɪk], **'plas·mic** *adj biol.* (proto)plas'matisch, Plasma...

plas·mo·cyte ['plæzməˌsaɪt] *s physiol.* Plasmazelle *f*.

plas·mol·y·sis [plæz'mɒlɪsɪs] *s biol.* Plasmo'lyse *f*, Zellschrumpfung *f*.

plas·mo·some ['plæzməˌsoʊm] *s biol.* Mikro'som *n*, Zellkern *m*.

plas·ter [*Br.* 'plɑːstər; *Am.* 'plæ(ː)s-] **I** *s* **1.** *med.* (Heft-, Senf)Pflaster *n*. **2.** Gips *m* (*a. med.*). **3.** *a.* ~ **of Paris** a) (gebrannter) Gips, b) Stuck *m*, (feiner) Gipsmörtel. **4.** *arch.* Mörtel *m*, (Ver)Putz *m*, Bewurf *m*, Tünche *f*. **II** *v/t* **5.** vergipsen, verputzen, tünchen: **to** ~ **over** übertünchen (*a. fig.*). **6.** *bes. fig.* dick auftragen, (*mit e-r Schicht*) bedecken. **7.** *med.* bepflastern, ein Pflaster legen auf (*acc*). **8.** *fig.* ein Pflästerchen legen auf (*acc*), *e-n Schmerz etc* lindern. **9.** a) *mit Plakaten etc* bekleben, b) *ein Plakat etc* pflastern, kleben (on, to an *od.* auf *acc*). **10.** *colloq. mit Bomben, Steinwürfen etc* ,bepflastern'. **11.** *fig.* über'häufen, -'schütten: **to** ~ **s.o. with praise.** '~ˌ**board** *s tech.* Fasergipsplatte *f*. ~ **cast** *s* **1.** Gipsabdruck *m*, -abguß *m*. **2.** *med.* Gipsverband *m*.

plas·tered [*Br.* 'plɑːstərd; *Am.* 'plæ(ː)s-] *adj colloq.* ,blau', ,besoffen'.

plas·ter·er [*Br.* 'plɑːstərər; *Am.* 'plæ(ː)s-] *s* Stukka'teur *m*, Stuck-, Gipsarbeiter *m*. **'plas·ter·ing** *s* **1.** (Ver)Putz *m*, Bewurf *m*. **2.** Stuck *m*. **3.** Stuckarbeit *f*, Stukka'tur *f*. **4.** Gipsen *n*.

plas·tic ['plæstɪk] **I** *adj* (*adv* ~**ally**) **1.** plastisch, bildend: ~ **art** bildende Kunst, Plastik *f*. **2.** formgebend, gestaltend. **3.** (ver)formbar, model'lierknetbar, plastisch: ~ **clay** plastischer *od.* bildfähiger Ton. **4.** *tech.* Kunststoff..., Plastik...: (**synthetic**) ~ **material** → 9. **5.** *med.* plastisch: ~ **operation**; → **plastic surgery**. **6.** *biol.* plastisch. **7.** *fig.* gestaltungs-, bildungsfähig, formbar: **the** ~ **mind of youth.** **8.** *fig.* plastisch, anschaulich. **II** *s* **9.** *tech.* a) Kunst-, Plastikstoff *m*, b) (Kunstharz)Preßstoff *m*.

plas·ti·cine ['plæstɪˌsiːn] *s* Plasti'lin *n*, Knetmasse *f*.

plas·tic·i·ty [plæs'tɪsɪtɪ] *s* Plastizi'tät *f*: a) *tech.* (Ver)Formbarkeit *f*, b) *fig.* Bildhaftigkeit *f*, Anschaulichkeit *f*, plastische Gestaltung.

plas·ti·cize ['plæstɪˌsaɪz] *v/t tech.* plastifi'zieren, plastisch machen. **'plas·tiˌciz·er** *s* Weichmacher *m*.

plas·tics ['plæstɪks] **I** *s pl* **1.** Kunststoffe *pl*. **2.** (*als sg konstruiert*) → **plastic surgery**. **II** *adj* **3.** Kunststoff..., Plastik...

plas·tic sur·ger·y *s med.* plastische Chirur'gie, Plastik *f*.

plas·tron ['plæstrən] *s* **1.** a) *mil. hist.* Brustplatte *f*, b) *fenc.* Brustleder *n*, Schutzpolster *n*. **2.** Plastron *m*, *n*: a) breiter Seidenschlips, b) Brustlatz *m* (*an Frauentrachten*).

plat[1] [plæt] *Am.* → **plot** 1.

plat[2] [plæt] → **plait**.

plat·an ['plætən] → **plane**[1].

plat·band ['plætˌbænd] *s* **1.** *Gartenbau*: Ra'batte *f*, Einfassungsbeet *n*. **2.** *arch.* Streifen *m*, Borte *f*, Kranzleiste *f*.

plate [pleɪt] **I** *s* **1.** Teller *m*: **a** ~ **of soup** ein Teller Suppe. **2.** *Am.* Gedeck *n* für e-e Per'son. **3.** Platte *f* (*a. Gang e-r Mahlzeit*): **a** ~ **of fish.** **4.** (Kol'lekten)Teller *m*. **5.** (Namens-, Firmen-, Tür)Schild *n*, Tafel *f*. **6.** (Bild)Tafel *f* (*Buchillustration*). **7.** (photo'graphische) Platte. **8.** *bes. tech.* a) (Glas-, Me'tall)Platte *f*, b) Plattenglas *n*. **9.** *electr. tech.* a) An'ode *f* (*e-r Elektronenröhre etc*): ~ **voltage** Anodenspannung *f*, b) Platte *f*, Elek'trode *f* (*e-s Akkumulators*). **10.** *tech.* a) Scheibe *f*, La'melle *f* (*e-r Kupplung etc*): **finger** ~ Wählscheibe *f*, b) Deckel *m*. **11.** *print.* (Druck-, Stereo'typ)Platte *f*. **12.** *tech.* Plattenabdruck *m*: **etched** ~ Radierung *f*. **13.** *Kunst*: a) (Stahl-, Kupfer)Stich *m*, b) Holzschnitt *m*. **14.** *tech.* a) (Grob)Blech *n*, b) Blechtafel *f*. **15.** *tech.* Teller-, Hartzinn *n*. **16.** plat'tierte Ware. **17.** (Gold-, Silber-, Tafel)Besteck *n*. **18.** **German** ~ Neusilber *n*. **19.** **dental** ~ a) (Gebiß-, Gaumen)Platte *f*, b) *weitS.* (künstliches) Gebiß. **20.** *Baseball*: Schlagmal *n*. **21.** *sport* a) Po'kal *m* (*bes. beim Rennen*), b) Po'kalrennen *n*. **22.** *her.* silberner Kreis, Silberpfennig *m*. **23.** *Am. sl.* a) 'hypereleˌgante Per'son, b) ,tolle' Frau. **24.** ~**s** *pl* (**of meat**) *Br. sl.* ,Plattfüße' *pl* (*Füße*).

II *v/t tech.* **25.** mit Platten belegen, panzern. **26.** plat'tieren, du'blieren, (mit Me'tall) über'ziehen. **27.** *Papier* ka'landern, sati'nieren. **28.** *print.* a) stereoty'pieren, b) Druckplatten 'herstellen von.

plate ar·mo(u)r *s* **1.** *hist.* Plattenpanzer *m*. **2.** *mar. tech.* Plattenpanzer(ung *f*) *m*.

pla·teau [plæ'toʊ; *Br. a.* 'plætoʊ] *pl* **-teaux, -teaus** [-toʊz] *s* **1.** Pla'teau *n*, Hochebene *f*. **2.** a) *zeitweiliger Zustand der Stabilität in e-r Aufwärtsentwicklung*, b) *flache Stelle in e-r (bes. Intelligenz)Kurve.* **3.** Tafelaufsatz *m*. **4.** Pla'kette *f*. **5.** flacher Damenhut.

plate| bas·ket *s Br.* Besteckkorb *m.* **~ cir·cuit** *s electr.* An'odenkreis *m.* **plat·ed** ['pleitid] *adj* **1.** mit (Me'tall)-Platten belegt, gepanzert. **2.** *tech.* plat'tiert, me'tallüberˌzogen, versilbert, -goldet, du'bliert. **3.** *Textilwesen*: plat'tiert: ~ **fabric.**

'plate|ˌful *pl* **-fuls** *s ein* Teller(voll) *m.* **~ glass** *s* Tafel-, Spiegelglas *n.* **'~ˌhold·er** *s phot.* ('Platten)Kasˌsette *f.* **~ i·ron** *s tech.* Eisenblech *n,* Walzeisen *n,* -blech *n.* **'~ˌlay·er** *s rail.* Streckenarbeiter *m.* **~ ma·chine** *s* **1.** *tech.* Dreh-, Töpferscheibe *f* (*mit Maschinenantrieb*). **2.** *phys.* 'Scheibenelektriˌsiermaˌschine *f.* **~ mark** → **hallmark.**

plat·en ['plætn] *s print.* **1.** Platte *f,* (Druck)Tiegel *m*: ~ **press** Tiegeldruckpresse *f.* **2.** ('Schreibmaˌschinen)-Walze *f.* **3.** 'Druckzyˌlinder *m* (*der Rotationsmaschine*).

plate| pa·per *s tech.* 'Kupferdruckpaˌpier *n.* **~ pow·der** *s* Putzpulver *n* (*für Tafelsilber*). **~ press** *s print.* Tiegeldruckpresse *f.* **~ print·ing** *s print.* **1.** Kupferdruck *m.* **2.** Plattendruck *m* (*für Textilien*).

plat·er ['pleitər] *s sport* minderwertiges Rennpferd.

plate| rail *s* Tellerhalter *m,* Wandbrett *n.* **~ shears** *s pl tech.* Blechschere *f.* **~ spring** *s tech.* Blattfeder *f.*

plat·form ['plætˌfɔːrm] *s* **1.** Plattform *f,* ('Redner)Triˌbüne *f,* Podium *n.* **2.** *fig.* öffentliches Forum (*Diskussion*). **3.** a) (*bes.* par'teipoˌlitische) Grundsätze *pl,* b) *pol.* Par'teiproˌgramm *n,* Plattform *f,* c) *bes. Am.* program'matische Wahlerklärung. **4.** *tech.* Rampe *f,* (Lauf-, Steuer)Bühne *f*: **lifting ~** Hebebühne. **5.** *rail.* a) Bahnsteig *m,* b) *Am.* Plattform *f* (*am Waggonende*), Per'ron *m* (*Br. bes. am Bus etc*). **6.** a) Treppenabsatz *m,* b) Absatz *m* (*an e-r Felswand*). **7.** Ter'rasse *f.* **8.** *geol.* a) Hochebene *f,* b) Ter'rasse *f.* **9.** *a.* ~ **sole** 'durchgehende (Schuh)Sohle. **10.** 'Raumstatiˌon *f.* **~ car** *bes. Am.* → **flatcar.** **~ crane** *s tech.* Laufkran *m.*

plat·form·ing ['plætˌfɔːrmiŋ] *s tech. ein Benzinveredelungsprozeß mittels Platinkatalysator.*

plat·form| scale *s tech.* Brückenwaage *f.* **~ spring** *s tech.* (*e-e*) Wagenfeder. **~ tick·et** *s* Bahnsteigkarte *f.*

plat·ing ['pleitiŋ] *s* **1.** Panzerung *f.* **2.** Panzerplatten *pl.* **3.** *tech.* Beplattung *f,* Me'tallauflage *f,* Verkleidung *f* (*mit Metallplatten*). **4.** Plat'tieren *n,* Versilberung *f.*

plat·i·nize ['plætiˌnaiz] *v/t* **1.** *tech.* plati'nieren, mit Pla'tin über'ziehen. **2.** *chem.* mit Pla'tin verbinden.

plat·i·noid ['plætiˌnɔid] *chem.* **I** *adj* **1.** pla'tinartig. **II** *s* **2.** Pla'tinmeˌtall *n.* **3.** Platino'id *n* (*Legierung*).

plat·i·no·type ['plætinoˌtaip] *s phot.* Pla'tindruck(verfahren *n*) *m.*

plat·i·nous ['plætinəs] *adj chem.* pla'tinhaltig (*mit zweiwertigem Platin*): ~ **chloride** Platinchlorür *n.*

plat·i·num ['plætinəm] *s chem.* Pla'tin *n.* **~ black** *s chem.* Pla'tinschwarz *n.* **~ blonde** *s colloq.* Pla'tinblonde *f,* platinblonde Frau. **~ point** *s electr.* Pla'tinspitze *f,* -konˌtakt *m.*

plat·i·tude ['plætiˌtjuːd] *s fig.* Plattheit *f,* Gemeinplatz *m,* Plati'tüde *f.* **ˌplat·iˌtu·di'nar·i·an** [-di'nɛ(ə)riən] **I** *s* Phrasendrescher(in), Schwätzer(in). **II** *adj* → **platitudinous.** **ˌplat·i'tu·diˌnize** *v/t* sich in Phrasen *od.* Gemeinplätzen ergehen. **ˌplat·i'tu·di·nous** *adj* (*adv* **~ly**) platt, seicht, phrasenhaft.

Pla·ton·ic [plə'tɒnik] **I** *s* **1.** Platoforscher *m.* **2.** *oft* **p~s** pla'tonische Liebe. **II** *adj* **3.** Pla'tonisch, Plato... **4.** *oft* **p~** pla'tonisch, rein geistig: ~ **love.** **~ bod·ies** *s pl math.* pla'tonische Körper *pl* (*die 5 regulären Polyeder*). **~ year** *s astr.* pla'tonisches Jahr (*etwa 26 000 Jahre*), Weltjahr *n.*

Pla·to·nism ['pleitəˌnizəm] *s* Plato'nismus *m,* pla'tonische Philoso'phie. **'Pla·to·nist** *s* Pla'toniker *m.*

pla·toon [plə'tuːn] *s* **1.** *mil.* Zug *m* (*Kompanieabteilung*): **in ~s, by ~s** zugweise. **2.** Poli'zeiaufgebot *n.* **3.** *mil. hist.* Pelo'ton *n.*

plat·ter ['plætər] *s* **1.** (Ser'vier)Platte *f,* (*großer, meist* Holz)Teller *m*: **on a ~** *fig. colloq.* ‚auf e-m Tablett', ohne jede Anstrengung. **2.** *Am. sl.* (Schall)-Platte *f.*

plat·y·ceph·a·lous [ˌplæti'sefələs] *adj* flach-, breitköpfig.

plat·y·hel·minth [ˌplæti'helminθ] *s zo.* Plattwurm *m.*

plat·y·pus ['plætipəs] *pl* **-pus·es** *s zo.* Schnabeltier *n.*

plat·y(r)·rhine ['plætiˌrain; -rin] *zo.* **I** *adj* breitnasig. **II** *s* Breitnase *f* (*Affe*).

plau·dit ['plɔːdit] *s meist pl* Beifall *m* (*a. fig.*), Ap'plaus *m.*

plau·si·bil·i·ty [ˌplɔːzi'biliti] *s* **1.** Glaubwürdigkeit *f,* Wahr'scheinlichkeit *f.* **2.** gefälliges Äußere, einnehmendes Wesen. **plau·si·ble** ['plɔːzibl] *adj* (*adv* **plausibly**) **1.** glaubhaft, einleuchtend, (durch'aus) möglich, annehmbar, plau'sibel: **a ~ story.** **2.** äußerlich gefällig, einnehmend, gewinnend. **3.** vertrauenerweckend, glaubwürdig. **4.** geeignet, möglich. **5.** trügerisch.

play [plei] **I** *s* **1.** (Glücks-, Wett-, Unter'haltungs)Spiel *n* (*a. sport*). **2.** Spiel(en) *n*: **to be at ~** a) spielen, b) *Kartenspiel*: am Ausspielen sein, c) *Schach*: am Zug sein; **it is your ~** Sie sind am Spiel; **during ~** während des Spiels; **in ~** (*noch*) im Spiel (→ 7); **out of ~** aus dem Spiel (gezogen); **to hold in ~** *fig.* beschäftigen. **3.** Spiel(weise *f*) *n*: **that was pretty ~** das war gut (gespielt); **fair ~** faires Spiel, *a. fig.* Fairneß *f,* Fair play *n,* Anständigkeit *f*; → **foul play.** **4.** *fig.* Spiel *n,* Spiele'rei *f*: **a ~ of words** ein Spiel mit Worten; **a ~ (up)on words** ein Wortspiel. **5.** Kurzweil *f,* Vergnügen *n,* Zeitvertreib *m.* **6.** Scherz *m,* Spaß *m*: **in ~** im Scherz. **7.** a) (Schau)Spiel *n,* (The'ater-, Bühnen)Stück *n,* b) Vorstellung *f*: **at the ~** im Theater; **to go to the ~** ins Theater gehen; **as good as a ~** äußerst amüsant *od.* interessant. **8.** *mus.* Spiel *n,* Vortrag *m.* **9.** Liebesspiel(e *pl*) *n,* e'rotisches Spiel: **sexual ~.** **10.** *fig.* Spiel *n* (*von Licht auf Wasser etc*), (*Muskel- etc*) Spiel *n*: **~ of colo(u)rs** Farbenspiel. **11.** (flinke) Handhabung (*meist in Zssgn*): → **swordplay.** **12.** Tätigkeit *f,* Bewegung *f,* Gang *m*: **to bring** (*od.* **put**) **into ~** a) in Gang bringen, b) ins Spiel *od.* zur Anwendung bringen; **to come into ~** ins Spiel kommen; **to make ~** a) Wirkung haben, b) s-n Zweck erfüllen; **to make ~ with** zur Geltung bringen, sich brüsten mit; **in full ~** in vollem Gange; **lively ~ of fantasy** lebhafte Phantasie. **13.** a) *tech.* Spiel *n*: **half an inch of ~,** b) *a. fig.* Bewegungsfreiheit *f,* Spielraum *m*: **full ~ of the mind** freie Entfaltung des Geistes; **to allow** (*od.* **give**) **full** (*od.* **free**) **~ to** *e-r Sache, s-r Phantasie etc* freien Lauf lassen. **14.** *Am. sl.* ‚Ma'növer' *n,* Trick *m,* Schachzug *m*: **to make a ~ for** sich bemühen um, es abgesehen haben auf (*acc*). **15.** *Am. sl.* a) Beachtung *f,* b) Publizi'tät *f,* Propa'ganda *f.* **II** *v/i* **16.** a) spielen (*a. mus. sport thea. u. fig.*) (**for** um *Geld etc*), b) mitspielen (*a. fig. mitmachen*): **to ~ at** *Ball, Karten etc* spielen, *fig.* sich nur so nebenbei mit *etwas* beschäftigen; **to ~ at business** ein bißchen in Geschäften machen; **to ~ for time** Zeit zu gewinnen suchen; **to ~ into s.o.'s hands** j-m in die Hände spielen; **to ~ (up)on** a) *mus.* auf *e-m Instrument* spielen, b) mit Worten spielen, c) *fig. j-s Schwächen* ausnutzen; **to ~ with** a) spielen mit (*a. fig. e-m Gedanken; a. leichtfertig umgehen mit; a. engS. herumfingern an*), b) *Am. sl.* mitmachen, ‚spuren'; **to ~ up to** a) *j-n* unterstützen, b) *j-m* schöntun; **to ~ safe** kein Risiko eingehen, ‚auf Nummer Sicher gehen'; **~!** (*Tennis etc*) bitte! (= *fertig*); → **fair**[1] 19, **false** II, **gallery** 4 b. **17.** a) *Kartenspiel*: ausspielen, b) *Schach*: am Zug sein, ziehen: **white to ~** Weiß zieht *od.* ist am Zuge. **18.** a) ‚her'umspielen', sich amü'sieren, b) Unsinn treiben, c) scherzen. **19.** a) sich tummeln, b) flattern, gaukeln, c) spielen (*Lächeln, Licht etc*) (**on** auf *dat*), d) schillern (*Farbe*), e) in Betrieb sein (*Springbrunnen*). **20.** a) schießen, b) spritzen, c) strahlen, streichen: **to ~ on** gerichtet sein auf (*acc*), bestreichen, bespritzen (*Schlauch, Wasserstrahl*), anstrahlen, absuchen (*Scheinwerfer*). **21.** *tech.* a) Spiel(raum) haben, b) sich bewegen (*Kolben etc*). **22.** sich *gut etc* zum Spielen eignen (*Boden etc*). **III** *v/t* **23.** *Karten, Tennis etc, a. mus. thea. Rolle od. Stück, a. fig.* spielen: **to ~ (s.th. on) the piano** (etwas auf dem) Klavier spielen; **to ~ both ends against the middle** *fig.* vorsichtig lavieren, raffiniert vorgehen; **to ~ it safe** a) kein Risiko eingehen, b) (*Redew.*) um (ganz) sicher zu gehen; **to ~ it low down** *sl.* ein gemeines Spiel treiben (**on** mit *j-m*); **to ~ the races** bei (Pferde)Rennen wetten; **~ed out** *Am. fig.* ‚erledigt', ‚fertig', erschöpft; (*siehe die Verbindungen mit den entsprechenden Substantiven*). **24.** *sport* a) antreten *od.* spielen gegen, b) *e-n Spieler* aufstellen, in die Mannschaft aufnehmen. **25.** a) *e-e Karte* ausspielen (*a. fig.*): **to ~ one's cards well** s-e Chancen gut (aus)nutzen, b) *e-e Schachfigur* ziehen. **26.** spielen *od.* Vorstellungen geben in (*dat*): **to ~ the larger cities.** **27.** *ein Geschütz, e-n Scheinwerfer, e-n Licht- od. Wasserstrahl etc* richten (**on** auf *acc*): **to ~ a hose on s.th.** etwas bespritzen; **to ~ colo(u)red lights on s.th.** etwas bunt anstrahlen.

Verbindungen mit Präpositionen:

play| at → **play** 16. **~ (up·)on** *v/i* **1.** → **play** 16, 19, 20, 27. **2.** wirken auf (*acc*). **~ up to** → **play** 16.

Verbindungen mit Adverbien:

play| a·round *v/i bes. Am.* **1.** ‚her'umspielen', sich amü'sieren. **2.** sich abgeben (**with** mit). **~ a·way I** *v/t* **1.** verspielen: **to ~ a fortune.** **2.** *fig.* verschleudern, vergeuden. **II** *v/i* **3.** drauf'losspielen. **~ back** *v/t ein Tonband* abspielen. **~ down** *v/t* bagatelli'sieren, ‚herunterspielen'. **~ off I** *v/t* **1.** *ein Spiel* a) beenden, b) (*durch Stichkampf*) entscheiden. **2.** *fig. j-n* ausspielen (**against** gegen). **3.** *Musik* (*a. auswendig*) her'unterspielen. **4.** spielen lassen: **to ~ graces** s-e Reize spielen lassen, kokettieren. **5.** **~ as** (fälschlich) ausgeben als. **II** *v/i* **6.** schauspielern, sich verstellen. **~ out** *v/t Am.* **1.** *e-e Rolle* zu Ende spielen.

2. erschöpfen: **played out** → play 23. **~ up I** *v/i* **1.** einsetzen (*Musik*), aufspielen (*Musik*; *a. colloq. sport*). **2.** sich mächtig ins Zeug legen. **3.** *thea.* gut spielen. **4.** mutwillig sein. **II** *v/t* **5.** *Am. colloq. e-e Sache* aufbauschen *od.* ‚hochspielen'. **6.** *j-n* ‚auf die Palme bringen', ärgern. **7. ~ to** → play 16.

pla·ya ['plɑːjə] *s geol. Am.* Playa *f*, Salztonebene *f*.

play·a·ble ['pleiəbl] *adj* **1.** spielbar. **2.** *thea.* bühnenreif, -gerecht. **3.** *sport* bespielbar (*Boden*).

'play|ˌact *v/i contp.* ‚schauspielern', ‚so tun als ob'. **~ ac·tor** *s meist contp.* Schauspieler *m*. **'~ˌback** *s* **1.** Playback *n*, 'Wiedergabe *f*, Abspielen *n*: **~ head** Wiedergabe-, Tonabnehmerkopf *m*. **2.** *a.* **~ machine** 'Wiedergabegerät *n*. **'~ˌbill** *s* The'aterzettel *m*. **'~ˌbook** *s thea.* Textbuch *n*. **'~ˌbox** *s* Spielzeugkasten *m*, -schachtel *f*. **'~ˌboy** *s colloq.* Playboy *m*, (reicher, junger) Lebemann. **~ clothes** *s pl Am.* Sport- *od.* Freizeitbekleidung *f*. **'~ˌday** *s* **1.** schulfreier Tag. **2.** *Br.* arbeitsfreier Tag.

play·er ['pleiər] *s* **1.** *sport, a. mus.* Spieler(in). **2.** (Glücks)Spieler *m*. **3.** Schauspieler(in). **4.** *Br.* Berufsspieler *m* (*im Kricket etc*). **~ pi·an·o** *s* me'chanisches Kla'vier.

'play,fel·low → playmate.

play·ful ['pleifəl; -ful] *adj* (*adv* **~ly**) **1.** spielerisch. **2.** verspielt: **a ~ kitten**. **3.** ausgelassen, munter, schelmisch, neckisch. **'play·ful·ness** *s* **1.** Munterkeit *f*, Ausgelassenheit *f*, Scherzhaftigkeit *f*. **2.** Verspieltheit *f*.

'play|ˌgo·er *s* The'aterbesucher(in). **'~ˌground** *s* **1.** Spiel-, Tummelplatz *m* (*a. fig.*). **2.** Schulhof *m*. **'~ˌhouse** *s* **1.** *thea.* Schauspielhaus *n*. **2.** *Am.* a) Spielhütte *f*, b) Spielzeughaus *n*.

play·ing| card ['pleiiŋ] *s* Spielkarte *f*. **~ field** *s Br.* Sport-, Spielplatz *m*.

play·let ['pleilit] *s* kurzes Schauspiel.

'play|ˌmate *s* 'Spielkameˌrad(in), Gespiele *m*, Gespielin *f*. **'~-ˌoff** *s sport* Entscheidungsspiel *n*, Stichkampf *m*. **'~ˌpen** *s* Laufställchen *n*. **'~ˌroom** *s* Spielzimmer *n*.

play·some ['pleisəm] *adj bes. dial.* 'übermütig.

'play|ˌthing *s* Spielzeug *n* (*fig. a. Person*). **'~ˌtime** *s* Freizeit *f*, Zeit *f* zum Spielen. **'~ˌwright** *s* Dra'matiker *m*, Bühnenautor *m*, -schriftsteller *m*, -dichter *m*.

pla·za ['plɑːzə] (*Span.*) *s* öffentlicher Platz, Marktplatz *m* (*in Städten*).

plea [pliː] *s* **1.** Vorwand *m*, Ausrede *f*: **on** (*od.* **under**) **the ~ of** (*od.* **that**) unter dem Vorwand (*gen*) *od.* daß. **2.** *jur.* a) Verteidigung *f*, b) Antwort *f* des Angeklagten: **~ of guilty** Schuldgeständnis *n*. **3.** *jur.* Einspruch *m*, (Rechts)Einwand *m*, Einrede *f*: **to enter** (*od.* **put in**) **a ~** e-e Einrede erheben; **to make a ~** Einspruch erheben; **~ in bar, peremptory ~** peremptorische Einrede; **~ for annulment** Nichtigkeitsklage *f*; **~ of abatement** Antrag *m* auf derzeitige Klageabweisung; **~ of the crown** *Br.* Strafklage *f*. **4.** *fig.* (for) a) (dringende) Bitte, Gesuch *n* (um), b) Befürwortung *f* (*gen*).

pleach [pliːtʃ] *v/t* verflechten.

plead [pliːd] **I** *v/i* **1.** *jur.* a) plä'dieren (for für; *a. fig.*), e-n *od.* den Fall (vor Gericht) vertreten, b) e-n *od.* den Fall erörtern, Beweisgründe vorbringen (**for** für; **against** gegen), c) sich zu s-r Verteidigung äußern: **to ~ (not) guilty** sich (nicht) schuldig bekennen (to *gen*). **2.** flehentlich *od.* inständig bitten (**for** um; **with s.o.** j-n), **3.** sich einsetzen *od.* verwenden (**with** bei; **for** für). **4.** einwenden *od.* geltend machen (**that** daß): **his youth ~s for him** s-e Jugend spricht für ihn. **II** *v/t* **5.** *jur. u. fig.* als Verteidigung *od.* Entschuldigung anführen, sich berufen auf (*acc*), *etwas* vorschützen: **to ~ ignorance**. **6.** *jur.* erörtern. **7.** *e-e Sache* vertreten, verteidigen, sich einsetzen für: **to ~ s.o.'s cause**. **8.** *jur.* (als Beweisgrund) vorbringen, anführen. **'plead·a·ble** *adj jur.* **1.** rechtsgültig, rechtlich vertretbar, triftig. **2.** zu erörtern(d).

'plead·er *s* **1.** *jur. u. fig.* Anwalt *m*, Sachwalter *m*. **2.** *fig.* Fürsprecher *m*.

'plead·ing I *s* **1.** *jur.* a) Plädo'yer *n*, b) Plä'dieren *n*, Führen *n* e-r Rechtssache, c) Par'teivorbringen *n*, d) *pl* (gerichtliche) Verhandlungen *pl*. **2.** *pl jur. bes. Br.* vorbereitende Schriftsätze *pl*, Vorverhandlung *f*. **3.** Eintreten *n* (**for** für), Fürsprache *f*. **4.** Bitten *n* (**for** um). **II** *adj* (*adv* **~ly**) **5.** flehend, bittend, inständig.

pleas·ance ['plezəns] *s obs. od. poet.* **1.** Lustgarten *m*. **2.** Wonne *f*, Vergnügen *n*.

pleas·ant ['pleznt] *adj* (*adv* **~ly**) **1.** angenehm (*a. Arbeit, Geruch, Geschmack, Leben, Nachricht, Traum*), erfreulich, wohltuend (*Nachricht etc*), vergnüglich: **a ~ breeze** e-e angenehme *od.* wohltuende Brise. **2.** freundlich (*Wetter, Person, Zimmer*): **please look ~!** bitte recht freundlich! **3.** angenehm, liebenswürdig, nett: **a ~ person; ~ manners**. **4.** vergnügt, lustig, heiter.

'pleas·ant·ness *s* **1.** (*das*) Angenehme, angenehmes Wesen. **2.** Freundlichkeit *f*, Liebenswürdigkeit *f*. **3.** Heiterkeit *f* (*a. fig.*). **'pleas·ant·ry** [-tri] *s* **1.** Heiterkeit *f*, Lustigkeit *f*. **2.** Scherz *m*, Witz *m*. **3.** (scherzhafte) Hänse'lei.

please [pliːz] **I** *v/t* **1.** *j-m* gefallen *od.* angenehm sein *od.* zusagen, *j-n* erfreuen: **it ~s me, I am ~d with it** es gefällt mir; **I shall** (*od.* **will**) **be ~d** es wäre mir ein Vergnügen; **I am only too ~d to do it** ich tue es mit dem größten Vergnügen; **to be ~d with** a) befriedigt sein von, b) Vergnügen haben an (*dat*), c) Gefallen finden an (*dat*); **I am ~d with it** es gefällt mir; **to be ~d to say** sich freuen, sagen zu können; **I am ~d to hear** ich freue mich *od.* es freut mich zu hören. **2.** befriedigen, zu'friedenstellen: **I am ~d with you** ich bin mit Ihnen zufrieden; **to ~ o.s.** tun (u. lassen), was man will; **~ yourself** a) bitte, bedienen Sie sich, b) (ganz) wie Sie wünschen; **only to ~ you** nur Ihnen zuliebe; → hard 3. **3.** *a. iro.* geruhen, belieben (**to do** zu tun): **take as many as you ~** nehmen Sie so viele *od.* wie viele Sie wollen *od.* für richtig halten; **~ God** so Gott will. **II** *v/i* **4.** a) gefallen, angenehm sein, Anklang finden, b) zu'friedenstellen, befriedigen: **anxious to ~** (sehr) beflissen *od.* eifrig. **5.** wollen, für gut befinden: **as you ~** wie Sie wünschen; **go where you ~!** gehen Sie, wohin Sie Lust haben!
Besondere Redewendungen:
~! bitte (sehr)!; **~ come here** komm bitte her; **if you ~** a) *a. iro.* wenn ich bitten darf, wenn es Ihnen recht ist, b) *iro.* gefälligst, c) man stelle sich vor!, denken Sie nur!

pleased [pliːzd] *adj* zu'frieden (**with** mit), erfreut (**at** über *acc*): **he was ~ as Punch** *colloq.* ‚er freute sich wie ein Schneekönig', er hat sich königlich gefreut. **'pleas·ing** *adj* (*adv* **~ly**) angenehm, wohltuend, gefällig: **~ design** gefällige *od.* ansprechende Form.

pleas·ur·a·ble ['pleʒərəbl] *adj* (*adv* **pleasurably**) angenehm, wohltuend, vergnüglich, ergötzlich.

pleas·ure ['pleʒər] **I** *s* **1.** Vergnügen *n*, Freude *f*: **it's a ~!** es ist mir ein Vergnügen!; **with ~!** mit Vergnügen!; **we had the ~ of meeting him** wir hatten das Vergnügen, ihn kennenzulernen; **to give s.o. ~** j-m Vergnügen *od.* Freude bereiten, j-m Spaß machen; **to take ~ in** (*od.* **at**) Vergnügen *od.* Freude finden an (*dat*); **he takes (a) ~ in contradicting** es macht ihm Spaß, zu widersprechen; **to take one's ~** sich vergnügen. **2.** (sinnlicher) Genuß, (Sinnen)Lust *f*: **a man of ~** ein Genußmensch. **3.** Gefallen *m*, Gefälligkeit *f*: **to do s.o. a ~** j-m e-n Gefallen tun, j-m e-e Gefälligkeit erweisen. **4.** Belieben *n*, Gutdünken *n*, Ermessen *n*: **at ~** nach Belieben; **at the Court's ~** nach dem Ermessen des Gerichts; **what is your ~?** womit kann ich dienen?; **it is our ~** wir belieben *od.* geruhen (*Formel vor Beschlüssen hoher Würdenträger*); **during Her (His) Majesty's ~** (*meist*) auf Lebenszeit (*Gefängnisstrafe*); **they will not consult his ~** sie werden nicht fragen, was ihm genehm ist; **to make known one's ~** s-n Willen kundtun. **II** *v/t* **5.** *j-m* Freude machen *od.* bereiten. **6.** *j-m* (*sexuellen*) Genuß verschaffen, *j-n* befriedigen. **III** *v/i* **7.** sich erfreuen *od.* vergnügen, Freude haben (in an *dat*). **8.** *colloq.* ‚bummeln', sich vergnügen. **IV** *adj* **9.** Vergnügungs...

pleas·ure| ground *s* Lustgarten *m*, (Park)Anlage(n *pl*) *f*. **'~-'pain** *s psych.* Lust-Unlust *f*. **~ prin·ci·ple** *s psych.* 'Lustprinˌzip *n*. **'~-ˌseek·er** *s* Vergnügungssüchtige(r *m*) *f*. **'~-ˌseek·ing** *adj* vergnügungssüchtig.

pleat [pliːt] **I** *s* (*Rock- etc*)Falte *f*, (Bügel)Falte *f*. **II** *v/t* falten, fälteln, plis'sieren: **~ed skirt** Plissee-, Faltenrock *m*.

pleb [pleb] *sl. für* plebeian.

plebe [pliːb] *s Am. colloq. Student der untersten Klasse in West Point od. der Marineakademie in Annapolis.*

ple·be·ian [pli'biːən] **I** *adj* **1.** ple'bejisch. **II** *s* **2.** Ple'bejer(in). **3.** *pl* Pöbel *m*. **ple'be·ian,ism** *s* Ple'bejertum *n*, ple'bejische Art. **ple'be·ian,ize** *v/t* ple'bejisch machen.

ple·bis·ci·tar·y [pli'bisitəri] *adj* Volksabstimmungs... **pleb·i·scite** ['plebiˌsait; -sit] *s* Plebis'zit *n*, Volksabstimmung *f*, -entscheid *m*.

plec·trum ['plektrəm] *pl* **-trums, -tra** [-ə] *s mus.* Plektron *n*.

pledge [pledʒ] **I** *s* **1.** a) (Faust-, 'Unter)Pfand *n*, Pfandgegenstand *m*, b) Verpfändung *f*, c) Bürgschaft *f*, Sicherheit *f*, d) *hist.* Bürge *m*, Geisel *m*, *f*: **in ~ of** als Pfand für, *fig.* als Beweis für; zum Zeichen, daß; **to hold in ~** als Pfand halten; **to put in ~** verpfänden; **to take out of ~** *ein Pfand* auslösen. **2.** Versprechen *n*, feste Zusage, Gelübde *n*, Gelöbnis *n*: **to take** (*od.* **sign**) **the ~** dem Alkohol abschwören. **3.** *fig.* 'Unterpfand *n*, Beweis *m* (*der Freundschaft etc*): **under (the) ~ of secrecy** unter dem Siegel der Verschwiegenheit. **4.** *a.* **~ of love** *fig.* Pfand *n* der Liebe (*Kind*). **5.** Zutrinken *n*, Toast *m*. **6.** *bes. univ. Am.* a) Versprechen *n*, e-r Verbindung *od.* e-m (Geheim)Bund beizutreten, b) Anwärter(in) auf solche Mitgliedschaft. **II** *v/t* **7.** verpfänden (**s.th. to s.o.** j-m etwas), ein Pfand bestellen für, e-e Sicherheit leisten für, als Sicherheit *od.* zum Pfand geben: **to ~ one's word** *fig.* sein Wort verpfänden; **~d article** Pfandobjekt *n*; **~d merchandise** sicherungsübereignete Ware(n); **~d securities** lombardierte Effekten. **8.** *j-n* verpflichten (to zu, auf *acc*): **to ~ o.s.** geloben, sich verpflichten. **9.** *j-m* zutrinken, auf das Wohl *j-s* trinken. **'pledge·a·ble** *adj* verpfändbar. **pledg·ee** [ˌpleˈdʒiː] *s* Pfandnehmer(in), -inhaber(in), -gläubiger(in). **pledge·or** [ˌpleˈdʒɔːr] *s jur.*, **'pledg·er** *s* Pfandgeber(in), -schuldner(in).

pledg·et [ˈpledʒit] *s med.* (Watte-)Bausch *m*, Tupfer *m*.

pledg·or → pledgeor.

Ple·iad [ˈplaiəd; ˈpliːəd] *pl* **'Ple·iaˌdes** [-ˌdiːz] *s astr. u. fig.* Siebengestirn *n*.

Pleis·to·cene [ˈplaistoˌsiːn] *geol.* **I** *s* Pleistoˈzän *n*, Diˈluvium *n*. **II** *adj* Pleistozän...

ple·na·ry [ˈpliːnəri] *adj* (*adv* **plenarily**) **1.** voll(ständig), Voll..., Plenar...: **~ session** (*od.* **sitting**) Plenarsitzung *f*. **2.** voll(kommen), uneingeschränkt: **~ indulgence** *R.C.* vollkommener Ablaß; **~ power** (*od.* **authority**) unbeschränkte Vollmacht, Generalvollmacht *f*.

plen·i·po·ten·ti·ar·y [ˌplenipəˈtenʃəri; *Am. a.* -ʃiˌeri] **I** *s* **1.** (Geneˈral)Bevollmächtigte(r) *m*, bevollmächtigter Gesandter *od.* Miˈnister. **II** *adj* **2.** bevollmächtigt, uneingeschränkte Vollmacht besitzend. **3.** absoˈlut, unbeschränkt.

plen·i·tude [ˈpleniˌtjuːd] *s* **1.** → plenty 1. **2.** Vollkommenheit *f*.

plen·te·ous [ˈplentiəs] *adj* (*adv* **~ly**) *meist poet.* **1.** reich(lich). **2.** ergiebig, fruchtbar (in, of an *dat*). **'plen·teous·ness** → plenty 1.

plen·ti·ful [ˈplentifəl; -ful] *adj* (*adv* **~ly**) **1.** reich(lich), im ˈÜberfluß (vorˈhanden). **2.** fruchtbar, ergiebig. **'plen·ti·ful·ness** → plenty 1.

plen·ty [ˈplenti] **I** *s* **1.** Fülle *f*, ˈÜberfluß *m*, Menge *f*, Reichtum *m* (of an *dat*): **to have ~ of s.th.** mit etwas reichlich versehen sein, etwas in Hülle u. Fülle haben; **in ~** im Überfluß; **~ of money (time)** e-e *od.* jede Menge *od.* viel *od.* massenhaft Geld (Zeit); **~ of times** sehr oft; → horn 6. **II** *adj* **2.** *Am.* reichlich. **3.** *Am. Scot. od. dial.* viel(e), massenhaft, jede Menge. **III** *adv* **4.** *colloq.* massenhaft, reichlich: **~ good enough** ‚lange' gut genug. **5.** *colloq. Am.* ‚mächtig', sehr.

ple·num [ˈpliːnəm] *pl* **-nums** *s* **1.** Plenum *n*, Vollversammlung *f*. **2.** *phys.* a) (vollkommen) ausgefüllter Raum, b) mit kompriˈmierter Luft gefüllter Raum: **~ chamber** Luftkammer *f*.

ple·o·nasm [ˈpliːəˌnæzəm] *s ling.* Pleoˈnasmus *m*. **ˌple·oˈnas·tic** [-ˈnæstik] *adj* (*adv* **~ally**) pleoˈnastisch.

ple·ro·ma [pliˈroumə] *s* **1.** Pleˈroma *n*: a) *philos. relig.* Fülle *f* der göttlichen Kraft, b) *Gnostizismus*: Fülle *f* der ideˈalen Welt. **2.** → plerome.

ple·rome [ˈpli(ə)roum] *s bot.* Pleˈrom *n*, Füllgewebe *n*.

ples·sor [ˈplesər] → plexor.

pleth·o·ra [ˈpleθərə] *s* **1.** *med.* Pleˈthora *f*, Blutandrang *m*. **2.** *fig.* ˈÜberfülle *f*, -maß *n*, Zuˈviel *n* (of an *dat*). **pleˈthor·ic** [-ˈθɒrik] *adj* (*adv* **~ally**) **1.** *med.* pleˈthorisch, vollblütig. **2.** *fig.* ˈübervoll, überˈladen, dick.

pleu·ra [ˈplu(ə)rə] *pl* **-rae** [-riː] *s anat. zo.* Brust-, Rippenfell *n*, Pleura *f*. **'pleu·ral** *adj* Brust-, Rippenfell...

pleu·ri·sy [ˈplu(ə)risi] *s med.* Pleuˈritis *f*, Brustfell-, Rippenfellentzündung *f*. **pleuˈrit·ic** [-ˈritik] *adj* pleuˈritisch. **pleuˈri·tis** [-ˈraitis] → pleurisy.

pleu·ro·car·pous [ˌplu(ə)roˈkaːrpəs] *adj bot.* pleuroˈkarp, seitenfrüchtig.

pleu·ro·cele [ˈplu(ə)roˌsiːl] *s med.* Rippenfellhernie *f*.

pleu·ro·pneu·mo·ni·a [ˌplu(ə)ronjuːˈmouniə] *s* **1.** *med.* Lungen- u. Brustfellentzündung *f*. **2.** *vet.* Lungen- u. Brustseuche *f*.

plex·or [ˈpleksər] *s med.* Perkussiˈonshammer *m*.

plex·us [ˈpleksəs] *pl* **-us·es** *s* **1.** *anat.* Plexus *m*, (Nerven)Geflecht *n*. **2.** *fig.* Flechtwerk *n*, Netz *n*, Komˈplex *m*.

pli·a·bil·i·ty [ˌplaiəˈbiliti] *s* Biegsamkeit *f*, Geschmeidigkeit *f* (*a. fig.*). **'pli·a·ble** *adj* (*adv* **pliably**) **1.** biegsam, geschmeidig (*a. fig.*). **2.** *fig.* nachgiebig, fügsam, gefügig, leicht zu beeinflussen(d).

pli·an·cy [ˈplaiənsi] → pliability. **'pli·ant** *adj* (*adv* **~ly**) → pliable.

pli·ca [ˈplaikə] *pl* **-cae** [-siː] *s* **1.** *a.* **~ polonica** *med.* Weichselzopf *m*. **2.** *anat.* (Haut)Falte *f*. **'pli·cate** [-keit], **'pli·cat·ed** [-tid] *adj bot. geol. zo.* faltig, fächerförmig. **pliˈca·tion** [plai-; pli-], **plic·a·ture** [ˈplikətʃər] *s* **1.** Falten(bildung *f*) *n*. **2.** Falte *f* (*a. geol.*).

pli·ers [ˈplaiərz] *s pl* (*a. als sg konstruiert*) *tech.* (Draht-, Kneif)Zange *f*: **a pair of ~** e-e Zange; **flat(-nosed) ~** Flachzange; **round(-nosed) ~** Rundzange.

plight[1] [plait] *s* (unerfreulicher, schlechter) Zustand, mißliche Lage, Not-, Zwangslage *f*, Miˈsere *f*.

plight[2] [plait] *bes. poet.* **I** *v/t* **1.** *sein Wort, s-e Ehre* verpfänden, *Treue* geloben: **to ~ one's faith** Treue schwören (to *dat*); **~ed troth** gelobte Treue. **2.** (o.s. sich) verloben, *s-e Tochter* versprechen (to *dat*). **II** *s* **3.** *obs.* Gelöbnis *n*, feierliches Versprechen. **4.** *a.* **~ of faith** Eheversprechen *n*, Verlobung *f*.

Plim·soll (line *od.* **mark)** [ˈplimsɒl] *s mar.* (gesetzliche) Höchstlademarke.

plim·solls [ˈplimsɒlz] *s pl Br.* Turnschuhe *pl*.

plinth [plinθ] *s arch.* **1.** Plinthe *f*, Säulenplatte *f*. **2.** Sockel *m*. **3.** Fußleiste *f* e-r Wand.

Pli·o·cene [ˈplaiəˌsiːn] *geol.* **I** *s* Plioˈzän *n*. **II** *adj* Pliozän...

plis·sé [pliˈse] (*Fr.*) **I** *s* Plisˈsee *n*. **II** *adj* plisˈsiert.

plod [plɒd] **I** *v/i* **1.** *a.* **~ along, ~ on** sich daˈhinschleppen, (einˈher)stapfen. **2.** *fig.* sich abmühen *od.* abplagen *od.* ‚abplacken' (at, on, upon mit), ‚schuften'. **II** *v/t* **3.** **to ~ one's way** → 1. **III** *s* **4.** schleppender *od.* schwerfälliger Gang. **5.** Stapfen *n*. **6.** ‚Plackeˈrei' *f*, ‚Schufteˈrei' *f*. **'plod·der** *s* **1.** *fig.* ‚Arbeitstier' *n*. **2.** *tech.* Strangpresse *f*. **'plod·ding I** *adj* (*adv* **~ly**) **1.** schwerfällig (gehend), stapfend. **2.** angestrengt, unverdrossen (arbeitend). **3.** *fig.* schwerfällig, langweilig, ‚stur'. **II** *s* **4.** ‚Plackeˈrei' *f*, ‚Schufteˈrei' *f*.

plonk [plɒŋk] → plop.

plop [plɒp] **I** *v/i* plumpsen. **II** *v/t* plumpsen lassen. **III** *s* Plumps *m*, Plumpsen *n*. **IV** *adv* mit e-m Plumps. **V** *interj* plumps!

plo·sion [ˈplouʒən] *s ling.* Verschluß(sprengung *f*) *m*. **'plo·sive** [-siv] **I** *adj* Verschluß... **II** *s* Verschlußlaut *m*.

plot [plɒt] **I** *s* **1.** Stück(chen) *n* (Land), Parˈzelle *f*, Grundstück *n*: **vegetable ~** Gemüseecke *f* (*im Garten*). **2.** *bes. Am.* (Lage-, Bau)Plan *m*, (Grund)Riß *m*, Diaˈgramm *n*, graphische Darstellung. **3.** *mil.* a) *Artillerie*: Zielort *m*, b) *Radar*: Standort *m*. **4.** (geheimer) Plan, Komˈplott *n*, Anschlag *m*, Verschwörung *f*, Inˈtrige *f*: **to lay a ~** ein Komplott schmieden. **5.** Handlung *f*, Fabel *f* (*e-s Romans, Dramas etc*), *a.* Inˈtrige *f*, Verwick(e)lung *f* (*e-r Komödie*): → thicken 10. **II** *v/t* **6.** e-n Plan anfertigen von (*od. gen*), *etwas* planen, entwerfen. **7.** *e-e Position etc* in e-n Plan einzeichnen. **8.** *a. tech.* aufzeichnen, regiˈstrieren, schreiben (*Gerät*): **~ted fire** *mil.* Planfeuer *n*; **to ~ a curve** e-e Kurve graphisch darstellen *od.* bestimmen *od.* auswerten, e-e Kennlinie aufnehmen. **9.** *aer. mar. den Kurs* abstecken, ermitteln. **10.** *Luftbilder* auswerten. **11.** trasˈsieren, abstecken: **to ~ out a line**. **12.** *a.* **~ out** *Land* parzelˈlieren. **13.** *e-e Verschwörung* planen, aushecken, *e-e Meuterei* anzetteln. **14.** *e-e Romanhandlung etc* entwickeln, ersinnen. **III** *v/i* **15.** (against) Ränke *od.* ein Komˈplott schmieden, intriˈgieren, sich verschwören (gegen), e-n Anschlag verüben (auf *acc*).

plot·less [ˈplɒtlis] *adj thea.* handlungsarm, ohne rechten Aufbau.

plot·ter [ˈplɒtər] *s* **1.** Planzeichner(in). **2.** *aer. mil.* Auswerter *m*. **3.** *tech.* (Kurven)Schreiber *m* (*Gerät*). **4.** Anstifter(in). **5.** Ränkeschmied *m*, Intriˈgant(in), Verschwörer(in).

plot·ting [ˈplɒtiŋ] *s* **1.** Planzeichnen *n*. **2.** *aer. mil.* Auswertung *f*. **3.** *tech.* Aufzeichnung *f*, Regiˈstrierung *f*. **4.** *Radar*: Mitkoppeln *n*. **5.** Ränkeschmieden *n*, Intriˈgieren *n*. **~ board** *s* **1.** *mil.* Auswertetisch *m*. **2.** *mar.* Koppeltisch *m*. **3.** *Computer*: Funktiˈonstisch *m*. **~ pa·per** *s math. tech.* ˈZeichenpaˌpier *n* (*für graphische Darstellungen*), Milliˈmeterpaˌpier *n*.

plough, *bes. Am.* **plow** [plau] **I** *s* **1.** *agr.* Pflug *m*: **to put one's hand to the ~** *fig.* s-e Hand an den Pflug legen, Hand ans Werk legen. **2.** **P~** *astr.* (*der*) Große Bär *od.* Wagen. **3.** *Tischlerei*: Falzhobel *m*. **4.** *Buchbinderei*: Beschneidhobel *m*. **5.** *electr.* Stromabnehmer *m* (für e-e ˈunterirdische Stromschiene). **6.** → pluck 5. **II** *v/t* **7.** (ˈum)pflügen: **to ~ back** a) ein-, unterpflügen, b) *fig. e-n Gewinn* wieder in das Geschäft stecken; **to ~ under** unterpflügen (*a. fig.*); → sand 2. **8.** *fig.* a) *das Wasser etc* (durch)ˈfurchen, *Wellen* pflügen, b) *das Gesicht* (zer)furchen, c) sich *e-n Weg* bahnen: **to ~ one's way**. **9.** → pluck 12. **III** *v/i* **10.** pflügen, ackern. **11.** sich (ˈum)pflügen (lassen). **12.** *fig.* sich (mühsam) e-n Weg bahnen: **to ~ through a book** *colloq.* ein Buch durchackern; **to ~ ahead** unverdrossen weitermachen, stetig vorankommen. **'~ˌboy** *s* **1.** Gespannführer *m*. **2.** Bauernjunge *m*. **~ horse** *s* Ackerpferd *n*. **'~ˌland** *s* Ackerland *n*. **'~·man** [-mən] *s irr* Pflüger *m*. **~ plane** *s tech.* Nuthobel *m*. **~ press** *s Buchbinderei*: Beschneidpresse *f*. **'~ˌshare** *s agr.* Pflugschar *f*. **'~ˌtail** *s agr.* Pflugsterz *m*.

plov·er [ˈplʌvər; ˈplou-] *s orn.* **1.** (*ein*) Regenpfeifer *m*. **2.** Gelbschenkelwasserläufer *m*. **3.** Kiebitz *m*.

plow *etc bes. Am. für* plough *etc.*

ploy[1] [plɔi] *s bes. Scot.* **1.** Beschäftigung *f*. **2.** Zeitvertreib *m*.

ploy[2] [plɔi] *s* **1.** (Kriegs)List *f* (*a. fig.*). **2.** *fig.* ‚Masche' *f*, ‚Tour' *f*, Trick *m*.

pluck [plʌk] **I** *s* **1.** Rupfen *n*, Zupfen *n*, Zerren *n*, Reißen *n*. **2.** Ruck *m*, Zug *m*. **3.** Geschlinge *n*, Inneˈrei(en *pl*) *f* (*der*

Schlachttiere). **4.** *fig.* Schneid *m*, Mut *m*, ‚Mumm' *m*. **5.** *univ. bes. Br. sl.* ‚(ˈDurch)Rasseln' *n*, ‚ˈDurchfallen' *n* (*im Examen*). **II** *v/t* **6.** *Obst, Blumen etc* pflücken, abreißen. **7.** *Federn, Haar, Unkraut etc* ausreißen, -zupfen, *Geflügel* rupfen: → **crow**[1] 1. **8.** zupfen, ziehen, zerren, reißen: **to ~ s.o. by the sleeve** j-n am Ärmel zupfen; **to ~ up courage** Mut fassen. **9.** *Wolle* verlesen. **10.** *mus. Saiten* zupfen. **11.** *colloq.* *j-n* ‚rupfen', ‚ausnehmen', prellen. **12.** *univ. bes. Br. sl. e-n Prüfling* ‚(ˈdurch)rasseln' *od.* ‚ˈdurchfallen' lassen: **to be ~ed** durchrasseln. **III** *v/i* **13.** (at) zupfen, ziehen, zerren, reißen (an *dat*), schnappen, greifen (nach).

plucked *adj* **1.** gerupft, gepflückt. **2.** → **plucky** 1. ˈ**pluck·i·ness** → **pluck** 4. ˈ**pluck·y** *adj* (*adv* **pluckily**). **1.** mutig, schneidig, forsch. **2.** *phot. sl.* scharf, klar.

plug [plʌg] **I** *s* **1.** Pflock *m*, Stöpsel *m*, Dübel *m*, Zapfen *m*, (Faß)Spund *m*. **2.** *med.* (Blut-, Watte- *etc*)Pfropf(en) *m*. **3.** (Zahn)Plombe *f*. **4.** *electr.* Stekker *m*, Stöpsel *m*: **~ and socket** Steck(er)verbindung *f*; **~-ended cord** Stöpselschnur *f*. **5.** *mot.* Zündkerze *f*. **6.** (ˈFeuer)Hyˌdrant *m*. **7.** Verschlußschraube *f*, (Hahn-, Venˈtil)Küken *n*. **8.** (Kloˈsett)Spülvorrichtung *f*. **9.** Priem *m* (*Stück Kautabak*). **10.** *colloq.* a) Empfehlung *f*, Werbung *f*, b) *Radio etc*: Reˈklame(ˌhinweis *m*, -sendung *f*) *f*. **11.** *econ. sl.* ‚Ladenhüter' *m*. **12.** *Am. sl.* alter Klepper *od.* Gaul. **13.** *Am. sl.* falsches Geldstück. **14.** *sl.* a) ‚blaue Bohne', (*Revolver- etc*)Kugel *f*, b) Schuß *m*. **15.** *Am. sl.* a) (Faust)Schlag *m*, b) (*das*) Boxen, (*der*) Boxsport. **16.** → **plugger** 3. **17.** → **plug hat**. **II** *v/t* **18.** *a.* **~ up** zu-, verstopfen, zupfropfen, zustöpseln, *ein Faß* verspunden: **to ~ up a hole**. **19.** *e-n Zahn* plomˈbieren. **20.** **~ in** *electr. ein Gerät* einschalten, -stöpseln, (*durch Steckkontakt*) anschließen. **21.** *colloq.* (ständig) Reˈklame machen für, herˈausstreichen, *ein Lied etc* ständig spielen (lassen). **22.** *sl. j-m* ‚ein Ding (*e-n Schlag od. e-e Kugel*) verpassen'. **III** *v/i* **23.** *a.* **~ away** (at) *colloq.* ‚sich abplacken' (mit), ‚schuften' (an *dat*). **24.** **~ for** *Am. sl.* a) (mit Gebrüll) anfeuern, b) Reˈklame machen für.

plug|ˌboard *s electr.* Schalttafel *f*. **~ box** *s* ˈSteckdose *f*, -konˌtakt *m*. **~ fuse** *s* Stöpselsicherung *f*.

plug·ger [ˈplʌgər] *s* **1.** *med.* Stopfer *m* (*zum Zahnfüllen*). **2.** *Am. sl.* a) Reˈklamemacher *m*, b) begeisterter Anhänger, Fan *m*. **3.** *Am. sl.* ‚Arbeitstier' *n*, ‚sturer' Arbeiter *od.* Büffler.

plug| hat *s Am. sl.* ‚Angströhre' *f*, Zyˈlinder(hut) *m*. ˈ**~ˌhole** *s* Verschluß-, Spundloch *n*. ˈ**~-ˌin** *adj tech.* (Auf-)Steck..., Einschub...: **~ unit** Steckeinheit *f*, Einschub *m*. **~ switch** *s electr.* Steck-, Stöpselschalter *m*. ˈ**~-ˌug·ly** *Am. sl.* **I** *s* ‚Schläger' *m*, Rowdy *m*. **II** *adj* ‚raˈbaukenhaft', gewalttätig. **~ valve** *s tech.* ˈKegelvenˌtil *n*. **~ weld** *s tech.* Lochschweißung *f*.

plum [plʌm] *s* **1.** Pflaume *f*, Zwetsch(g)e *f*: **dried ~** Backpflaume. **2.** → **plum tree** 1. **3.** *bot. Baum od. Frucht mehrerer pflaumenartiger Gewächse, z. B.* Dattelpflaume *f*. **4.** Roˈsine *f* (*im Pudding u. Backwerk*): **~ cake** Rosinenkuchen *m*. **5.** *fig.* ‚Roˈsine' *f* (*das Beste, a. aus e-m Buch*). **6.** *colloq.* ‚schlaue Kugel', angenehmer Posten. **7.** *sl.* Belohnung *f* (für Unterˈstützung bei der Wahl). **8.** *Am. sl.* ‚plötzlicher Reichtum', unverhoffter Gewinn, *econ.* ˈSonderdiviˌdende *f*. **9.** *Br. obs. sl.* £ 100 000. **10.** Pflaumenblau *n*.

plum·age [ˈpluːmidʒ] *s orn.* Gefieder *n*. ˈ**plum·aged** *adj* gefiedert.

plumb [plʌm] **I** *s* **1.** Bleigewicht *n*. **2.** *tech.* (Blei)Lot *n*, Senkblei *n*: **out of ~, off ~** aus dem Lot, nicht (mehr) senkrecht. **3.** *mar.* (Echo)Lot *n*. **II** *adj* **4.** lot-, senkrecht. **5.** *colloq.* richtig-(gehend), glatt, rein: **this is ~ nonsense**. **III** *adv* **6.** lot-, senkrecht. **7.** *fig.* stracks, gerade([n]wegs), genau, ‚peng', platsch (*ins Wasser etc*). **8.** *Am. colloq.* ‚komˈplett', toˈtal: **he is ~ crazy**. **IV** *v/t* **9.** lotrecht machen. **10.** *mar. die Meerestiefe* (ab-, aus)loten, sonˈdieren. **11.** *fig.* sonˈdieren, erforschen, ergründen. **12.** *tech.* (mit Blei) verlöten, verbleien. **13.** Wasser- *od.* Gasleitungen legen in (*e-m Haus*). **V** *v/i* **14.** *colloq.* klempnern.

plum·ba·go [plʌmˈbeigou] *s* **1.** *min.* a) Graˈphit *m*, Reißblei *n*, b) Bleiglanz *m*. **2.** *bot.* Bleiwurz *f*.

plumb bob → **plumb** 2.

plum·be·ous [ˈplʌmbiəs] *adj* **1.** bleiern, bleiartig. **2.** bleifarben. **3.** *Keramik*: mit Blei glaˈsiert.

plum·ber [ˈplʌmər] *s* **1.** Klempner *m*, Installaˈteur *m*, Rohrleger *m*. **2.** Bleiarbeiter *m*.

plum·bic [ˈplʌmbik] *adj chem.* Blei...: **~ chloride** Bleitetrachlorid *n*. **plum**ˈ**bif·er·ous** [-ˈbifərəs] *adj* bleihaltig.

plumb·ing [ˈplʌmiŋ] *s* **1.** Klempner-, Rohrleger-, Installaˈteurarbeit *f*. **2.** Rohr-, Wasser-, Gasleitung *f*: **to have a look at the ~** *sl.* ‚austreten', ‚mal verschwinden'. **3.** Blei(gießer)arbeit *f*. **4.** *arch. mar.* Ausloten *n*. ˈ**plum·bism** [-bizəm] *s med.* Bleivergiftung *f*.

plumb·less [ˈplʌmlis] *adj* unermeßlich (tief) (*a. fig.*).

plumb| line *s* **1.** Senkschnur *f*, -blei *n*. **2.** → **plumb rule**. ˈ**~-ˌline** *v/t* **1.** *arch., a. mar.* ausloten. **2.** *fig.* sonˈdieren.

plumbo- [plʌmbo] *chem. min. Wortelement mit der Bedeutung* Blei: **plumbosolvent** bleizersetzend.

plum·bous [ˈplʌmbəs] *adj* **1.** bleihaltig. **2.** *chem.* Blei...: **~ sulfate** Bleisulfat *n*.

plumb rule *s tech.* Lot-, Senkwaage *f*.

plume [pluːm] **I** *s* **1.** große Feder: **~ of an ostrich** Straußenfeder; **to adorn o.s. with borrowed ~s** *fig.* sich mit fremden Federn schmücken. **2.** (Hut-, Schmuck)Feder *f*. **3.** Feder-, Helmbusch *m*. **4.** *poet.* a) Feder *f*, b) Federkleid *n*, Gefieder *n*. **5.** Siegesfeder *f* (*im Turnier*): **to win the ~** den Sieg davontragen (*a. fig.*). **6.** *fig. federähnliches Gebilde*: a) *a.* **~ of cloud** Wolkenstreifen *m*, b) *a.* **~ of smoke** Rauchfahne *f*. **II** *v/t* **7.** mit Federn schmücken. **8.** *orn. das Gefieder* putzen. **9.** **~ o.s.** ([up]on) sich brüsten (mit), sich etwas einbilden (auf *acc*).

plumed [pluːmd] *adj* **1.** gefiedert. **2.** mit Federn geschmückt: **~ hat** Federhut *m*.

plume·less [ˈpluːmlis] *adj* federlos, ungefiedert.

plum·met [ˈplʌmit] **I** *s* **1.** (Blei)Lot *n*, Senkblei *n*. **2.** *tech.* Senkwaage *f*. **3.** (Blei)Senker *m* (*zum Fischen*). **II** *v/i* **4.** absinken, (steil) (ab)stürzen (*a. fig.*).

plum·my [ˈplʌmi] *adj* **1.** pflaumenartig, Pflaumen... **2.** reich an Pflaumen *od.* Roˈsinen. **3.** *colloq.* ‚prima', ‚toll', *bes.* ‚schlau', bequem (*Posten*). **4.** *a. contp.* volltönend: **~ voice**.

plu·mose [ˈpluːmous] *adj* **1.** *orn.* gefiedert. **2.** *bot. zo.* federartig.

plump[1] [plʌmp] **I** *adj* **1.** prall, drall, mollig, ‚pummelig', rundlich. **2.** dick, feist, pausbackig: **~ cheeks** Pausbacken. **II** *v/t u. v/i* **3.** *oft* **~ up**, **~ out** prall *od.* fett machen (werden).

plump[2] [plʌmp] **I** *v/i* **1.** (ˈhin)plumpsen, schwer fallen, sich (*in e-n Sessel etc*) fallen lassen. **2.** *pol.* kumuˈlieren: **to ~ for** *colloq.* a) *e-m Wahlkandidaten* s-e Stimme ungeteilt geben, b) *j-n* rückhaltlos unterstützen, c) sich ohne zu zögern entscheiden für, sofort nehmen *od.* wählen (*acc*). **II** *v/t* **3.** plumpsen lassen. **4.** *colloq.* herˈausplatzen mit (*s-r Meinung etc*), unverblümt *od.* geradeherˈaus sagen. **5.** *Am. sl.* loben, herˈausstreichen. **III** *s* **6.** *colloq.* Plumps *m*. **IV** *adv* **7.** plumpsend, mit e-m Plumps: **to fall ~ into the water**. **8.** *colloq.* unverblümt, geradeherˈaus. **V** *adj* (*adv* **~ly**) **9.** plump (*Lüge etc*), deutlich, glatt (*Ablehnung etc*).

plump·er[1] [ˈplʌmpər] *s* Bausch *m*.

plump·er[2] [ˈplʌmpər] *s* **1.** Plumps *m*. **2.** *pol.* ungeteilte (Wahl)Stimme. **3.** *sl.* plumpe *od.* ‚dicke' Lüge.

plump·ness [ˈplʌmpnis] *s* **1.** Drall-, Prallheit *f*, Rundlichkeit *f*, Pausbackigkeit *f*. **2.** *colloq.* Plumpheit *f*, Offenheit *f*.

plum| pud·ding *s* Plumpudding *m*. **~ tree** *s* **1.** *bot.* Pflaumen-, Zwetsch-(g)enbaum *m*. **2.** *Am. sl.* (*politische etc*) Beziehungen *pl*: **to shake the ~** s-e Beziehungen spielen lassen.

plu·mule [ˈpluːmjuːl] *s* **1.** *orn.* Flaumfeder *f*. **2.** *bot.* Plumula *f*, Sproßknospe *f* (*des Keimlings*).

plum·y [ˈpluːmi] → **plumose**.

plun·der [ˈplʌndər] **I** *v/t* **1.** plündern: **to ~ a town**. **2.** *Waren* rauben, stehlen. **3.** *j-n* ausplündern. **II** *v/i* **4.** plündern, räubern. **III** *s* **5.** Plünderung *f*, Plündeˈrei *f*, Diebstahl *m*. **6.** Beute *f*, Raub *m* (*a. fig. Gewinn etc*). **7.** *Am. colloq.* Plunder *m*, Kram *m*, Siebensachen *pl*. ˈ**plun·der·age** *s jur.* **1.** Plünderung *f*. **2.** Unterˈschlagen *n* (*von Waren auf Schiffen*). **3.** Plündergut *n*.

plun·der·er [ˈplʌndərər] *s* Plünderer *m*.

plunge [plʌndʒ] **I** *v/t* **1.** *etwas* (ein-, ˈunter)tauchen, (ver)senken, stürzen (in, into in *acc*): **to ~ the room in darkness** *fig.* das Zimmer in Dunkel tauchen *od.* hüllen. **2.** *e-e Waffe ins Herz etc* stoßen. **3.** **~ into** *fig.* a) *j-n in Schulden etc* stürzen: **to ~ o.s. into debts**, b) *e-e Nation* in *e-n Krieg* stürzen *od.* treiben: **to ~ a nation into war**. **II** *v/i* **4.** (ein-, ˈunter)tauchen (into in *dat*). **5.** stürzen, stürmen: **to ~ into the room**. **6.** *fig.* sich stürzen (into in *Schulden, e-e Tätigkeit etc*). **7.** *mar.* stampfen (*Schiff*). **8.** sich nach vorn werfen (*Pferd etc*). **9.** (ab)stürzen, steil abfallen (*Klippe etc*). **10.** stürzen, jäh fallen (*Preise*). **11.** *sl.* etwas risˈkieren, alles auf ˈeine Karte setzen. **III** *s* **12.** (Ein-, ˈUnter)Tauchen *n*. **13.** *Schwimmen*: (Kopf)Sprung *m*: **to take the ~** *fig.* es wagen, den Sprung *od.* den entscheidenden Schritt wagen. **14.** Sturz *m*, (*a.* Vorwärts)Stürzen *n*. **15.** Sprung-, Tauchbecken *n*. **~ bath** *s* Voll-, Tauchbad *n*. **~ bat·ter·y** *s electr.* ˈTauchbatteˌrie *f*.

plung·er [ˈplʌndʒər] *s* **1.** Taucher *m*. **2.** *a.* **~ piston** *tech.* Tauchkolben *m*: **~ pump** Plungerpumpe *f*. **3.** *tech.* Stempel *m*, Stößel *m*. **4.** *electr.* (Tauch-)Kern *m*, Tauchbolzen *m*: **~ coil**, **~ solenoid** Tauchkernspule *f*. **5.** *electr.* Tauchspule *f*. **6.** *mot.* Venˈtilkolben *m*. **7.** *mil.* Schlagbolzen *m*. **8.** *sl.* Hasarˈdeur *m*, (waghalsiger) Spieler, wilder Spekuˈlant.

plung·ing| bat·ter·y ['plʌndʒiŋ] → plunge battery. ~ **fire** *s mil.* Steil-, Senkfeuer *n.*

plunk [plʌŋk] **I** *v/t* **1.** *e-e Saite* zupfen. **2.** 'hinplumpsen lassen, ,'hinschmeißen': to ~ **down** *Am. sl.* ,blechen', bezahlen. **3.** *j-m* ,ein Ding (*e-n Schlag od. e-e Kugel*) verpassen', beschießen. **II** *v/i* **4.** klimpern, klirren. **5.** (klirrend) zu Boden fallen, ('hin)plumpsen. **III** *s* **6.** Plumps *m*, Knall *m.* **7.** *Am. colloq.* ,Mordsschlag' *m.* **8.** *Am. sl.* Dollar *m.* **IV** *adv* **9.** mit e-m Plumps, mit lautem Knall. **10.** genau, ,zack': ~ **in the middle.**

plu·per·fect [pluː'pəːrfikt] *s a.* ~ **tense** *ling.* Plusquamperfekt *n*, dritte Vergangenheit, Vorvergangenheit *f.*

plu·ral ['plu(ə)rəl] **I** *adj* (*adv* ~**ly**) **1.** mehrfach, aus mehreren bestehend: ~ **executive** *Am.* Vorstand(skollegium *n*) *m*; ~ **marriage** Mehrehe *f*; ~ **scattering** *phys.* Mehrfachstreuung *f*; ~ **society** pluralistische Gesellschaft; ~ **vote** *pol.* Mehrstimmenwahlrecht *n.* **2.** *ling.* Plural..., im Plural, plu'ralisch: ~ **number** → 3. **II** *s* **3.** *ling.* Plural *m*, Mehrzahl *f.* '**plu·ral,ism** *s* **1.** Vielheit *f*, vielheitlicher Cha'rakter. **2.** a) Besitz *m* mehrerer Ämter, b) → **plurality** 5. **3.** *philos. sociol.* Plura'lismus *m.*

plu·ral·i·ty [,plu(ə)'ræliti] *s* **1.** Mehrheit *f*, 'Über-, Mehrzahl *f.* **2.** Vielzahl *f*, große Anzahl *od.* Menge. **3.** *sociol.* plura'listische Struk'tur. **4.** *pol.* (*Am. bes.* rela'tive) Stimmenmehrheit. **5.** *a.* ~ **of benefices** *relig.* Besitz *m* mehrerer Pfründen *od.* Ämter. **plu·ral·ize** ['plu(ə)rə,laiz] *v/t ling.* **1.** in den Plural setzen. **2.** als *od.* im Plural gebrauchen, im Plural ausdrücken.

plu·ri·ax·i·al [,plu(ə)ri'æksiəl] *adj bes. bot.* mehrachsig. **,plu·ri'lin·gual** [-'liŋgwəl] *adj ling.* mehrsprachig.

plu·rip·a·ra [plu'ripərə] *pl* **-rae** [-,riː] *s* **1.** *med.* Pluri'para *f*, Multi'para *f* (*Frau, die mehrmals geboren hat*). **2.** *zo.* Tier, das mehrere Junge gleichzeitig wirft.

plus [plʌs] **I** *prep* **1.** plus, und. **2.** *bes. econ.* zuzüglich (*gen*): **a sum ~ interest** ein Betrag zuzüglich (der) Zinsen. **II** *adj* **3.** Plus..., *a.* extra, Extra...: ~ **pressure** *tech.* Atmosphärenüberdruck *m* (*abbr.* atü); ~ **sign** a) *math.* Pluszeichen *n*, b) *fig.* gutes Zeichen; ~ **over minus** 5% plus-minus 5%. **4.** *electr. math.* positiv, Plus...: ~ **quantity** positive Größe. **5.** *pred colloq.* mit, plus: ~ **a coat. III** *s* **6.** Plus(zeichen) *n.* **7.** Plus *n*, Mehr *n*, 'Überschuß *m.* ~ **fours** *s pl* (*weite*) Knickerbokker- *od.* Golfhose.

plush [plʌʃ] **I** *s* **1.** Plüsch *m.* **II** *adj* **2.** Plüsch... **3.** *sl.* ,todschick', luxuri'ös, feu'dal.

plush·y ['plʌʃi] *adj* **1.** plüschartig. **2.** [→ **plush** 3.]

plus·(s)age ['plʌsidʒ] *s Am.* Mehrbetrag *m*, 'Überschuß *m.*

plu·tar·chy ['pluːtɑːrki] → **pluto-**[**cracy.**]

plute [pluːt] *Am. sl. abbr. für* **plutocrat.**

Plu·to ['pluːtou] *npr* **1.** *myth.* Pluto *m* (*Gott*). **2.** *astr.* Pluto *m* (*Planet*).

plu·toc·ra·cy [pluː'tɒkrəsi] *s* **1.** Plutokra'tie *f*, Geldherrschaft *f.* **2.** *collect.* 'Geldaristokra,tie *f*, Pluto'kraten *pl.* **plu·to·crat** ['pluːtə,kræt] *s* Pluto'krat *m*, Kapita'list *m.* **,plu·to'crat·ic** *adj* (*adv* ~**ally**) pluto'kratisch.

,plu·to-de'moc·ra·cy *s* 'Plutodemokra,tie *f.*

Plu·to·ni·an [pluː'touniən] *adj myth.* plu'tonisch, Pluto... **plu'ton·ic** [-'tɒnik] *adj geol.* plu'tonisch: ~ **action** vulkanische Tätigkeit; ~ **rocks** plutonische Gesteine; ~ **theory** Plutonismus *m.*

plu·to·ni·um [pluː'touniəm] *s chem.* Plu'tonium *n*: ~ **breeder** (*Atomphysik*) Plutonium-Brutreaktor *m.*

plu·ton·o·my [pluː'tɒnəmi] *s* Volkswirtschaftslehre *f.*

plu·vi·al ['pluːviəl] *adj* **1.** regnerisch, regenreich, Regen... **2.** *geol.* durch Regen verursacht.

plu·vi·om·e·ter [,pluːvi'ɒmitər] *s* Pluvio'meter *n*, Regenmesser *m.*

ply[1] [plai] **I** *v/t* **1.** *Arbeitsgerät* handhaben, han'tieren *od.* 'umgehen mit: to ~ **a needle. 2.** *ein Gewerbe* betreiben, ausüben: to ~ **a trade. 3.** (with) bearbeiten (mit) (*a. fig.*), *fig. j-m* (mit *Fragen etc*) zusetzen, *j-n* (mit *etwas*) über'häufen: to ~ **s.o. with questions**; to ~ **the horses with a whip** (dauernd) mit der Peitsche auf die Pferde einschlagen; to ~ **s.o. with a drink** j-n zum Trinken nötigen. **4.** in Gang halten, (ständig) versehen (**with** mit): to ~ **a fire with fresh fuel. 5.** *e-e Strecke* regelmäßig befahren, verkehren auf (*dat*): **the ferryboat plies the river. II** *v/i* **6.** verkehren, 'hin- u. 'herfahren, pendeln (**between** zwischen). **7.** *mar.* la'vieren, aufkreuzen. **8.** *bes. Br.* auf Beschäftigung warten, s-n Stand(platz) haben: **a taxi driver** ~**ing for hire** ein auf Kunden wartender Taxifahrer.

ply[2] [plai] **I** *s* **1.** Falte *f.* **2.** (Garn)-Strähne *f.* **3.** (Stoff-, Sperrholz- *etc*)-Lage *f*, Schicht *f*: **three-**~ a) dreifach (*Garn etc*), d) dreifach gewebt (*Teppich*). **4.** *fig.* Hang *m*, Neigung *f*: to **take a** (*od.* **one's**) ~ e-e Richtung einnehmen. **II** *v/t* **5.** biegen, falten. **6.** *Garn etc* fachen, in Strähnen legen.

'ply,wood *s* Sperr-, Fur'nierholz *n.*

pneu·mat·ic [njuː'mætik] **I** *adj* (*adv* ~**ally**) **1.** *bes. phys. tech.* pneu'matisch, Luft..., *tech.* Druck(luft)..., Preßluft...: ~ **tool** Preßluftwerkzeug *n.* **2.** *zo.* lufthaltig: ~ **bones** Luftknochen. **3.** *relig.* pneu'matisch, geistig. **4.** *colloq.* ,kurvenreich' (*Mädchen*). **II** *s* **5.** → **pneumatic tire. 6.** Fahrzeug *n* mit Luftbereifung. ~ **ac·tion** *s mus.* pneu'matische Trak'tur (*der Orgel*). ~ **brake** *s tech.* pneu'matische Bremse, Druckluftbremse *f.* ~ **dis·patch** *s* Rohrpost *f.* ~ **drill** *s tech.* Preßluftbohrer *m.* ~ **el·e·va·tor** *s Am.* pneu'matischer Aufzug. ~ **float** *s* Floßsack *m.* ~ **gun** *s mil.* Preßluftgeschütz *n.* ~ **ham·mer** *s tech.* Preßlufthammer *m.*

pneu·mat·ics [njuː'mætiks] *s pl* (*als sg konstruiert*) *phys.* Pneu'matik *f.*

pneu·mat·ic| switch *s tech.* Druckluftschalter *m.* ~ **tire** (*bes. Br.* **tyre**) *s tech.* Luftreifen *m*, *pl a.* Luftbereifung *f.* ~ **tube** *s tech.* pneu'matische Röhre, *weitS.* Rohrpost *f.*

pneu·ma·to·cyst ['njuːmətoˌsist] *s orn. zo.* Luftsack *m.*

pneu·ma·tol·o·gy [,njuːmə'tɒlədʒi] *s* **1.** *philos.* Pneumatolo'gie *f* (*Lehre von der höheren Geisterwelt*). **2.** *relig.* Lehre *f* vom Heiligen Geist. **3.** → **pneumatics.**

pneu·ma·to·sis [,njuːmə'tousis] *s med.* Pneuma'tose *f*, Luftgeschwulst *f.*

,pneu·ma·to,ther·a'peu·tics [-to,θerə'pjuːtiks] *s pl* (*als sg konstruiert*), **,pneu·ma·to'ther·a·py** [-pi] *s* ,Pneumatothera'pie *f*, pneu'matische Thera'pie.

pneu'mec·to·my [-'mektəmi] *s med.* 'Lungenresekti,on *f.*

pneu·mo·dy·nam·ics [,njuːmodai'næmiks] → **pneumatics.**

pneu·mo·nec·to·my [,njuːmə'nektəmi] *s med.* **1.** opera'tive Entfernung e-s Lungenflügels. **2.** 'Lungenresekti,on *f.*

pneu·mo·ni·a [njuː'mounjə; -niə] *s med.* Lungenentzündung *f*, Pneumo'nie *f*: **bronchial** ~ Bronchopneumonie; **double** ~ doppelseitige Lungenentzündung. **pneu'mon·ic** [-'mɒnik] *adj* pneu'monisch, die Lunge *od.* Lungenentzündung betreffend.

po·a ['pouə] *s bot.* Rispengras *n.*

poach[1] [poutʃ] **I** *v/t* **1.** *den Boden* zertrampeln, aufwühlen. **2.** (zu e-m Brei) anrühren. **3.** *Wild etc* unerlaubt jagen *od.* fangen. **4.** räubern, stehlen. **5.** *sl. e-n Vorteil* ,schinden'. **6.** *Tennis*: *sl.* räubern, (*dem Doppelpartner zugedachte*) *Bälle* wegnehmen. **7.** *Papier* bleichen. **II** *v/i* **8.** weich *od.* ,matschig' *od.* zertrampelt werden (*Boden*). **9.** (on) a) unbefugt eindringen (in *acc*), b) *fig.* 'übergreifen (auf *acc*): → **preserve** 8. **10.** wildern. **11.** *sport sl.* e-n Vorteil ,schinden' (*durch Frühstart etc*).

poach[2] [poutʃ] *v/t Eier* po'chieren: ~**ed egg** pochiertes *od.* verlorenes Ei.

poach·er[1] ['poutʃər] *s* **1.** Wilderer *m*, Wilddieb *m.* **2.** *sl.* ,Freibeuter' *m.* **3.** *Papierfabrikation*: Bleichholländer *m.*

poach·er[2] ['poutʃər] *s* Topf *m* zum 'Eierpo,chieren.

poach·ing ['poutʃiŋ] *s hunt.* Wildern *n.*

poach·y ['poutʃi] *adj* sumpfig.

po·chard ['poutʃərd] *s orn.* Tafelente *f.*

po·chette [pə'ʃɛt] (*Fr.*) *s* Handtäschchen *n.*

pock [pɒk] *s med.* **1.** Pocke *f*, Blatter *f*, (Pocken)Pustel *f.* **2.** Pockennarbe *f.* **3.** *Br. sl.* ,Syph' *f* (*Syphilis*).

pock·et ['pɒkit] **I** *s* **1.** (Hosen- *etc*)Tasche *f*: **to have s.o. in one's** ~ *fig.* j-n ,in der Tasche' *od.* Gewalt haben; **to put s.o. in one's** ~ *fig.* j-n ,in die Tasche stecken', mit j-m fertig werden; **to put one's pride in one's** ~ s-n Stolz überwinden. **2.** a) Geldbeutel *m* (*a. fig.*), b) *fig.* (Geld)Mittel *pl*, Fi'nanzen *pl*: **out of one's** ~ aus der eigenen Tasche; **to put one's hand in one's** ~ (tief) in die Tasche greifen; **to be in** ~ gut bei Kasse sein; **to be 5 dollars in (out of)** ~ 5 Dollar profitiert (verloren) haben; **he will suffer in his** ~ *fig.* es wird ihm an den Geldbeutel gehen; → **line**[2] 4. **3.** Sack *m*, Beutel *m.* **4.** *Br.* Sack *m* (*Hopfen, Wolle etc, als Maß = 168 lb.*). **5.** *anat. zo.* Tasche *f.* **6.** *geol.* Einschluß *m.* **7.** *Bergbau*: Erz-, *bes.* Goldnest *n.* **8.** *Billard*: Tasche *f*, Loch *n.* **9.** *Verpackungstechnik*: Tasche *f* (*e-s Transportbandes*). **10.** *a.* **air** ~ Luftloch *n*, Fallbö *f.* **11.** *mil.* Kessel *m*: ~ **of resistance** Widerstandsnest *n.* **12.** *sport sl.* Einkesselung *f* (*e-s Gegners beim Lauf etc*). **13.** (vereinzelte) Gruppe *od.* (vereinzelter) Gebietsteil, En'klave *f.*

II *adj* **14.** Taschen...: ~ **handkerchief** Taschentuch *n*; ~ **lamp** (*od.* **torch**) Taschenlampe *f*; ~ **lighter** Taschenfeuerzeug *n*; ~ **size** Taschenformat *n.* **15.** finanzi'ell, Geld... **16.** gekürzt, Kurz...: ~ **lecture. 17.** vereinzelt.

III *v/t* **18.** in die Tasche stecken, einstecken (*beide a. fig. einheimsen*). **19.** *fig.* an sich reißen. **20.** *fig.* a) *e-e Kränkung etc* einstecken, 'hinnehmen, b) *Gefühle* unter'drücken, schlucken: **to** ~ **one's pride** s-n Stolz überwinden, von s-m hohen Roß heruntersteigen. **21.** *die Billardkugel* ins Loch treiben. **22.** *pol. Am. e-e Gesetzesvorlage* nicht unter'schreiben, ein Veto einlegen ge-

gen (*Präsident, Gouverneur*). **23.** *mil., a. sport sl. den Gegner* einkesseln.
pock·et| bat·tle·ship *s mar.* Westentaschenkreuzer *m.* **'~,book** *s* **1.** Taschen-, No'tizbuch *n.* **2.** a) Brieftasche *f,* b) *Am.* Geldbeutel *m* (*beide a. fig.*): the average ~ der Durchschnittsgeldbeutel, das Normaleinkommen. **3.** *Am.* Handtasche *f.* **4.** Taschenbuch *n,* -ausgabe *f*: ~ edition. ~ **bor·ough** *s Br. hist.* winziger Wahlflecken (*durch e-n einzigen Grundbesitzer vertreten*).
pock·et·ful ['pɒkit,ful] *s e-e* Tasche(voll): a ~ of money.
'pock·et,knife *s irr* Taschenmesser *n.*
pock·et·less ['pɒkitlis] *adj* taschenlos.
pock·et| mon·ey *s* Taschengeld *n.* ~ **mouse** *s irr zo.* Taschenspringmaus *f.* ~ **piece** *s* Glücksmünze *f,* -pfennig *m.* ~ **pis·tol** *s* **1.** 'Taschenpi,stole *f.* **2.** *humor.* Reiseflasche *f.* **'~-,size(d)** *adj* in 'Taschenfor,mat. ~ **ve·to** *s pol. Am.* Zu'rückhalten *n od.* Verzögerung *f* e-s Gesetzentwurfs (*bes. durch den Präsidenten*).
'pock,mark I *s* Pockennarbe *f.* **II** *v/t* (*fig.* wie) mit Pockennarben bedecken, *fig.* verschandeln.
pock·y ['pɒki] *adj* pockig, pockennarbig.
po·co·cu·ran·te [,poukouku:'rænti] *adj u. s* gleichgültig(er Mensch).
pod[1] [pɒd] *s zo. bes. Am.* Herde *f.*
pod[2] [pɒd] **I** *s* **1.** *bot.* Hülse *f,* Schale *f,* Schote *f.* **2.** *bes. zo.* (Schutz)Hülle *f, a.* Ko'kon *m* (*der Seidenraupe*), Beutel *m* (*des Moschustiers*). **3.** *a.* ~ net Ringnetz *n* (*zum Aalfang*). **4.** *aer.* Behälter *m.* **5.** *sl.* ‚Wampe' *f,* ‚Wanst' *m,* dicker Bauch: in ~ ‚dick' (*schwanger*). **II** *v/i* **6.** Hülsen ansetzen. **7.** ~ up *sl.* ‚e-n dicken Bauch kriegen' (*schwanger sein*). **III** *v/t* **8.** *Erbsen etc* aushülsen.
po·dag·ra [po'dægrə] *s med.* Podagra *n,* (Fuß)Gicht *f.*
pod| au·ger *s tech.* Hohlbohrer *m.* ~ **bit** *s* Schneide *f* e-s Hohlbohrers.
podg·i·ness ['pɒdʒinis] *s* Unter'setztheit *f.* **'podg·y** *adj* unter'setzt, klein u. dick, dicklich.
po·di·a·trist [po'daiətrist] *s med. Am.* 'Fußspezia,list *m,* Facharzt *m* für Fußleiden. **po'di·a·try** [-tri] *s* 'Fußortho-pä,die *f.*
po·di·um ['poudiəm] *pl* **-di·a** [-diə] *s* **1.** *arch.* Podium *n* (*a. mus. des Dirigenten*), Po'dest *n, m.* **2.** *arch. antiq.* a) erhöhte Sitzreihe (*im Amphitheater*), b) Podiumsockel *m* (*e-s Tempels*). **3.** 'durchgehende Bank (*rund um e-n Raum*). **4.** *zo.* (Saug)Fuß *m.*
pod pep·per *s bot.* Schotenpfeffer *m,* Paprika *m.*
Po·dunk ['poudʌŋk] *s Am.* ‚Krähwinkel' *n* (*typische Kleinstadt*).
po·em ['pouim] *s* **1.** Gedicht *n,* Dichtung *f.* **2.** *fig.* ‚Gedicht' *n* (*etwas Schönes*).
po·e·sy ['pouisi; -zi] *s obs.* **1.** Poe'sie *f,* Dichtkunst *f.* **2.** Dichtung *f,* Gedicht *n.*
po·et ['pouit] *s* Dichter *m,* Po'et *m*: P~'s Corner a) Dichterwinkel *m* (*Ehrenplatz der in der Westminsterabtei beigesetzten Dichter*), b) *humor.* literarische Ecke (*in der Zeitung*); → poet laureate. **'po·et,as·ter** [-,tæstər] *s* Poe'taster *m,* Dichterling *m.* **'po·et·ess** *s* Dichterin *f.*
po·et·ic [po'etik] **I** *adj* (*adv* ~ally) po'etisch: a) dichterisch, b) in Gedicht- *od.* Versform, c) ro'mantisch, stimmungsvoll: ~ justice *fig.* poetische Gerechtigkeit; ~ licence (*Am.* license) dichterische Freiheit. **II** *s meist pl* (*als sg konstruiert*) Po'etik *f,* Lehre *f* von der Dichtkunst. **po'et·i·cal** *adj* (*adv* ~ly) → poetic I.
po·et·i·cize [po'eti,saiz], **po·et·ize** ['poui,taiz] **I** *v/i* **1.** dichten. **II** *v/t* **2.** dichterisch gestalten, in Verse bringen. **3.** (im Gedicht) besingen.
po·et lau·re·ate *pl* **po·ets lau·re·ate** (*Lat.*) *s* Po'eta *m* laure'atus: a) Dichterfürst *m,* b) *Br.* Hofdichter *m,* c) *in einigen Staaten der USA e-m Dichter verliehener Ehrentitel.*
po·et·ry ['pouitri] *s* **1.** Poe'sie *f,* Dichtkunst *f.* **2.** Dichtung *f, collect.* Dichtungen *pl,* Gedichte *pl*: dramatic ~ dramatische Dichtung. **3.** Poe'sie *f* (*Ggs. Prosa*): prose-~ dichterische Prosa. **4.** Poe'sie *f*: a) dichterisches Gefühl: he has much ~, b) *fig.* Ro'mantik *f,* Stimmung *f.*
pog·a·mog·gan [,pɒgə'mɒgən] *s keulenartige Waffe der nordamer. Indianer.*
pog·gy ['pɒgi] *pl* **-gies,** *collect. a.* **-gy** *s* kleiner Wal.
po·go ['pougou] *s* Pogo *n* (*Springspiel*).
po·grom ['pɒgrəm; *Am. a.* 'pou-] *s* Po'grom *m,* (*bes.* Juden)Verfolgung *f.*
po·i [pɔi; 'poui] *s* Poi *m* (*in Hawaii; Brei aus vergorenen Tarowurzeln*).
poign·an·cy ['pɔinənsi; 'pɔinjənsi] *s* **1.** Schärfe *f* (*von Gerüchen etc*), 'durchdringender Geschmack *od.* Geruch. **2.** *fig.* Schärfe *f,* Bitterkeit *f,* Heftigkeit *f.* **3.** Schmerzlichkeit *f.* **'poign·ant** *adj* (*adv* ~ly) **1.** scharf, beißend (*Geruch, Geschmack*): ~ perfume aufdringliches Parfüm. **2.** pi'kant (*a. fig.*). **3.** *fig.* bitter, quälend: ~ hunger quälender Hunger; ~ regret bittere Reue. **4.** *fig.* brennend (*Interesse*). **5.** *fig.* ergreifend: a ~ scene. **6.** *fig.* beißend, bissig, scharf: ~ wit. **7.** *fig.* treffend, prä'gnant: ~ observation. **8.** scharf, 'durchdringend: a ~ look.
poi·ki·lit·ic [,pɔiki'litik] *adj geol.* **1.** bunt, gefleckt. **2.** Buntsandstein...
poi·ki·lo·ther·mal [,pɔikilo'θə:rməl], *a.* **,poi·ki·lo'ther·mic** [-mik] *adj zo.* **1.** wechselwarm, poikilo'therm. **2.** kaltblütig.
poin·set·ti·a [pɔin'setiə] *s bot.* Weihnachtsstern *m.*
point [pɔint] **I** *s* **1.** (Nadel-, Messer-, Schwert-, Bleistift-, Zungen- *etc*)Spitze *f*: (not) to put too fine a ~ upon s.th. etwas (nicht gerade) gewählt ausdrücken; at the ~ of the pistol, at pistol ~ mit vorgehaltener Pistole; at the ~ of the sword *fig.* unter Zwang, mit Gewalt. **2.** *obs.* Dolch *m,* Schwert *n.* **3.** *tech.* spitzes Instru'ment, *bes.* a) Stecheisen *n,* b) Grabstichel *m,* Griffel *m,* c) Ra'dier-, Ätznadel *f,* d) Ahle *f.* **4.** *geogr.* a) Landspitze *f,* b) Bergspitze *f.* **5.** *hunt.* (Geweih)Ende *n,* Sprosse *f.* **6.** *pl* Gliedmaßen *pl* (*bes. von Pferden*). **7.** *a.* full ~ *ling.* Punkt *m* (*am Satzende*): → exclamation 3, interrogation 3. **8.** *print.* a) Punk'tur *f,* b) (typo'graphischer) Punkt (= *0,376 mm*), c) Punkt *m* (*Blindenschrift*). **9.** *math.* (*geometrischer*) Punkt: ~ of intersection Schnittpunkt. **10.** *math.* (Dezi'mal)-Punkt *m,* Komma *n*: (nought) ~ three (*in Ziffern*: 0 · 3 *od.* 0. 3 *od.* .3) null Komma drei (0,3); 9 ~s *fig.* 90%, fast das Ganze; possession is nine ~s of the law ‚sei im Besitze, und du wohnst im Recht'. **11.** *a.* ~ of the compass Kompaßstrich *m.* **12.** Punkt *m*: a) bestimmte Stelle, b) *phys.* Grad *m* (*e-r Skala*), Stufe *f* (*a. tech. e-s Schalters*): 4 ~s below zero 4 Grad unter Null; ~ of action (*od.* application) Angriffspunkt (der Kraft); ~ of contact Berührungspunkt; ~ of impact *mil.* Aufschlag-, Auftreffpunkt; boiling ~ Siedepunkt; freezing ~ Gefrierpunkt; ~ of no return a) *aer.* Gefahrenmitte *f,* Umkehrgrenzpunkt *m,* b) *fig.* Punkt, von dem es kein Zurück mehr gibt; to bursting ~ zum Bersten (*voll*); up to a ~ *a. fig.* bis zu e-m gewissen Grad. **13.** *geogr.* Himmelsrichtung *f.* **14.** Punkt *m,* Stelle *f,* Ort *m*: ~ of destination Bestimmungsort; ~ of entry *econ.* Eingangshafen *m*; ~ of lubrication Schmierstelle *f.* **15.** Anschluß-, Verbindungspunkt *m, bes.* a) *electr.* Kon'takt(punkt) *m,* b) *electr. Br.* 'Steckkon,takt *m.* **16.** Grenz-, Höhe-, Gipfelpunkt *m,* Grenze *f*: ~ of culmination Kulminations-, Höhepunkt; frankness to the ~ of insult *fig.* Offenheit, die schon an Beleidigung grenzt. **17.** a) *a.* ~ of time Zeitpunkt *m,* Augenblick *m,* b) kritischer Punkt, entscheidendes Stadium: when it came to the ~ als es so weit war, als es darauf ankam; at this ~ in diesem Augenblick, *weitS.* an dieser Stelle, hier (*in e-r Rede etc*); at the ~ of death im Sterben, im Augenblick des Todes; to be (up)on the ~ of doing s.th. im Begriff sein, etwas zu tun. **18.** Punkt *m* (*e-r Tagesordnung etc*), (Einzel-, Teil)Frage *f*: a case in ~ ein einschlägiger Fall, ein (typisches) Beispiel; at all ~s in allen Punkten, in jeder Hinsicht; ~ at issue Streitfrage, strittiger Punkt; to differ on several ~s in etlichen Punkten nicht übereinstimmen; a ~ of interest e-e interessante Einzelheit; ~ of order (Punkt der) Tagesordnung *f, a.* Verfahrensfrage *f*; on a ~ of order! ich möchte zur Tagesordnung sprechen!; → order 7. **19.** entscheidender *od.* springender Punkt, Kernpunkt *m,* -frage *f*: to come (speak) to the ~ zur Sache kommen (sprechen); to keep to the ~ bei der Sache *od.* sachlich bleiben; beside the ~ a) nicht zur Sache gehörig, abwegig, b) unwichtig, unerheblich; to the ~ zur Sache (gehörig), sachdienlich, sachlich, (zu)treffend, exakt; to make a ~ ein Argument anbringen, s-e Ansicht durchsetzen; to make a ~ of s.th. a) Wert *od.* Gewicht auf etwas legen, auf e-r Sache bestehen, b) sich etwas zum Prinzip machen; that is the ~ das ist die Frage *od.* der springende Punkt; the ~ is that die Sache ist die, daß; that's the ~ I wanted to make darauf wollte ich hinaus. **20.** Pointe *f* (*e-s Witzes etc*). **21.** *a.* ~ of view Stand-, Gesichtspunkt *m,* Ansicht *f*: from a political ~ of view vom politischen Standpunkt aus (gesehen), politisch gesehen; to make s.th. a ~ of hono(u)r etwas als Ehrensache betrachten; it's a ~ of hono(u)r to him das ist Ehrensache für ihn; in ~ of hinsichtlich (*gen*); in ~ of fact tatsächlich; → miss[2] 1, press 13, stretch 11. **22.** Ziel *n,* Zweck *m,* Absicht *f*: to carry (*od.* make) one's ~ sich *od.* s-e Ansicht durchsetzen, sein Ziel erreichen; what's your ~ in doing that? was bezweckst du damit?; there is no ~ in doing es hat keinen Zweck *od.* es ist sinnlos, zu tun. **23.** Nachdruck *m*: to give ~ to one's words s-n Worten Gewicht *od.* Nachdruck verleihen. **24.** her'vorstechende Eigenschaft, (Cha'rakter)Zug *m,* Vorzug *m*: a noble ~ in her ein edler Zug an ihr; strong ~ starke Seite, Stärke *f*; weak ~ wunder Punkt, schwache Seite; it has its ~s es hat so s-e Vorzüge. **25.**

Tierzucht: besonderes Rassenmerkmal. **26.** Punkt *m* (*e-s Bewertungs- od. Rationierungssystems*): ~ rationing Punktrationierung *f*. **27.** *econ. Börsensprache*: Punkt *m*, Point *m*, Einheit *f* (*bei Kursschwankungen*). **28.** *sport* Punkt *m*: to win (lose) on ~s nach Punkten gewinnen (verlieren); ~s win Punktsieg *m*, Sieg *m* nach Punkten; to give ~s to s.o. a) j-m vorgeben, b) *fig.* j-m überlegen sein; to be ~s better than s.o. j-m weitaus überlegen sein. **29.** *sport* a) *Kricket*: *Platz rechts vom Schläger*, b) (Zwischenziel *n* im) Querfeld'einlauf *m*. **30.** *Boxen*: ‚Punkt' *m*, Kinnspitze *f*. **31.** *Würfel-, Kartenspiel*: Auge *n*, Punkt *m*. **32.** *Handarbeit*: a) Näh-, Nadelspitze *f* (*Ggs. Klöppelspitze*), b) Handarbeitsspitze *f*, c) → point lace, d) Stickstich *m*. **33.** *mus.* a) Stac'catopunkt *m*, b) Wieder'holungszeichen *n*, c) charakte'ristisches Mo'tiv, d) Imitati'onsmo,tiv *n*, e) (Themen)Einsatz *m*. **34.** *mil.* a) Spitze *f* (*e-r Vorhut*), b) Ende *n* (*e-r Nachhut*). **35.** *hunt.* Stehen *n* (*des Hundes*): to make (*od.* come to) a ~ (vor)stehen (*vor dem Wild*). **36.** *rail.* a) Weiche *f*, b) *Br.* Weichenschiene *f*. **37.** *her.* Feld *n* (*e-s Wappens*). **38.** potatoes and ~ *sl.* Kar'toffeln mit ohne was dazu.

II *v/t* **39.** (an-, zu)spitzen: to ~ a pencil. **40.** *fig.* poin'tieren, verschärfen: to ~ one's words. **41.** *e-e Waffe etc* richten (at auf *acc*): to ~ one's finger at s.o. (mit dem Finger) auf j-n deuten *od.* zeigen; to ~ (up)on *s-e Augen, Gedanken etc* richten auf (*acc*); to ~ to *den Kurs, die Aufmerksamkeit* lenken auf (*acc*), *j-n* bringen auf (*acc*). **42.** ~ out a) zeigen, b) *fig.* 'hinweisen *od.* aufmerksam machen auf (*acc*), betonen, c) *fig.* aufzeigen (*a. Fehler*), klarmachen, d) *fig.* ausführen, darlegen. **43.** *fig.* betonen, unter'streichen: to ~ one's remarks with illustrations. **44.** *math. Dezimalstellen* durch e-n Punkt *od.* ein Komma trennen: to ~ off places Stellen abstreichen. **45.** ~ up a) *arch.* verfugen, b) *tech. e-e Fuge* glattstreichen. **46.** ~ up *Am. fig.* unter'streichen. **47.** *hunt. e-m Wild* vorstehen.

III *v/i* **48.** (mit dem Finger) deuten, weisen (at, to auf *acc*). **49.** ~ to nach *e-r Richtung* weisen *od.* liegen (*Haus*). **50.** ~ to a) 'hinweisen, -deuten auf (*acc*): everything ~s to his guilt, b) ab-, 'hinzielen auf (*acc*). **51.** *mar.* hart am Wind segeln. **52.** *hunt.* vorstehen (*Jagdhund*). **53.** *med.* reifen (*Abszeß etc*).

'point|-'blank I *adv* **1.** schnurgerade, di'rekt. **2.** *fig.* 'rundher,aus, klipp u. klar, schlankweg: to tell s.o. s.th. ~. **II** *adj* **3.** schnurgerade. **4.** *mil.* a) ra'sant: ~ trajectory, b) Kernschuß...: ~ range Kernschuß(weite *f*) *m*; ~ shot Kernschuß *m*, (*Artillerie*) Fleckschuß *m*. **5.** *fig.* unverblümt, offen, glatt: a ~ refusal e-e glatte Abfuhr. ~ **con·tact** *s electr.* 'Spitzenkon,takt *m*. ~ **dis·charge** *s electr.* Spitzenentladung *f*. ~ **du·ty** *s bes. Br.* Postendienst *m* (*e-s Verkehrspolizisten*).

pointe [pwɛ̃:t] (*Fr.*) *s* (Stellung *f* auf der) Fußspitze *f* (*beim Ballett*).

point·ed ['pɔintid] *adj* (*adv* ~ly) **1.** spitz(ig). **2.** spitz (zulaufend), zugespitzt: ~ arch *arch.* Spitzbogen *m*; ~ file Spitzfeile *f*; ~ roof (*gotisches*) Spitzdach; ~ style gotischer Stil, Spitzbogenstil *m*. **3.** *fig.* scharf, poin'tiert (*Stil, Bemerkung*), anzüglich. **4.** *fig.* treffend, deutlich: ~ly angelegentlich. ~ **fox** *s* unechter Silberfuchs.

point·ed·ness ['pɔintidnis] *s* **1.** Spitzigkeit *f*, Schärfe *f*. **2.** *fig.* Schärfe *f*, Anzüglichkeit *f*, Spitze *f*. **3.** Deutlichkeit *f*, (*das*) Treffende.

point·er ['pɔintər] *s* **1.** *mil. bes. Am.* 'Richtschütze *m*, -kano,nier *m*. **2.** Zeiger *m* (*e-r Uhr od. e-s Meßgeräts*). **3.** Zeigestock *m*. **4.** Ra'dier-, Ätznadel *f*. **5.** *hunt.* a) Vorsteh-, Hühnerhund *m*, b) *in Zssgn* ...ender *m*: twelve-~ Zwölfender. **6.** *bes. Am. colloq.* (guter) Tip, Fingerzeig *m*.

poin·til·lism ['pwæntilizəm] *s paint.* Pointil'lismus *m*, ,Punktmale'rei *f*. **'poin·til·list** *s* Pointil'list *m*.

point lace *s* **1.** genähte Spitze(n *pl*), Bändchenspitze *f*. **2.** Bändchenarbeit *f*.

point·less ['pɔintlis] *adj* (*adv* ~ly) **1.** ohne Spitze, stumpf. **2.** *a. sport* punktlos. **3.** *fig.* sinn-, zwecklos. **4.** witzlos, ohne Pointe (*Witz*). **5.** nichtssagend.

'point|-po'lice·man *s irr* Ver'kehrsschutzmann *m*, -poli,zist *m*. **'~s,man** [-,mæn] *s irr Br.* **1.** → point-policeman. **2.** *rail.* Weichensteller *m*. ~ **source** *s phys.* Punktquelle *f*, punktförmige (Licht)Quelle. ~ **sys·tem** *s* **1.** 'Punktsy,stem *n* (*zur Leistungsbewertung*; *a. sport*). **2.** *print.* 'Punktsy,stem *n* (*Einteilung der Schriftgröße nach Punkten*). **3.** Punktschrift *f* (*für Blinde*). **'~-to-'point** *s* Querfeld'einrennen *n*, Geländejagdrennen *n*: ~ (radio) communication Funkverkehr *m* zwischen zwei festen Punkten.

poise [pɔiz] **I** *s* **1.** Gleichgewicht *n*. **2.** Schwebe(zustand *m*) *f*. **3.** (Körper-, Kopf)Haltung *f*. **4.** *fig.* a) (innere) Ausgeglichenheit, Gelassenheit *f*, b) sicheres Auftreten, Sicherheit *f*, Haltung *f*. **5.** *fig.* Schwebe *f*, Unentschiedenheit *f*: to hang at ~ sich in der Schwebe befinden. **6.** Gewicht *n* (*der Schnellwaage od. der Uhr*). **II** *v/t* **7.** a) ins Gleichgewicht bringen, b) im Gleichgewicht halten, c) *etwas* balan'cieren: to be ~d im Gleichgewicht sein, *fig.* gelassen *od.* ausgeglichen sein. **8.** *den Kopf, e-e Waffe etc* halten. **III** *v/i* **9.** (in der Luft) schweben.

poi·son ['pɔizn] **I** *s* **1.** Gift *n* (*a. fig.*): meat is ~ for you; the ~ of hatred; what is your ~? *colloq.* was wollen Sie trinken? **II** *v/t* **2.** (o.s. sich) vergiften. **3.** *med.* infi'zieren: to ~ one's hand sich die Hand infizieren. **4.** *phys.* die Wirkung zerstören von (*od. gen*). **5.** *fig.* vergiften, zersetzen, verderben. **III** *adj* **6.** Gift... **'poi·son·er** *s* **1.** Giftmörder(in), -mischer(in). **2.** *fig.* Verderber(in).

poi·son| fang *s zo.* Giftzahn *m*. ~ **fish** *s ichth.* Gift-, Stachelroche(n) *m*. ~ **gas** *s mil.* Giftgas *n*, Kampfstoff *m*. ~ **gland** *s zo.* Giftdrüse *f*.

poi·son·ing ['pɔizniŋ] *s* **1.** Vergiftung *f*. **2.** Giftmord *m*.

poi·son| i·vy *s bot.* Giftsumach *m*. ~ **nut** *s bot.* Brechnuß *f*.

poi·son·ous ['pɔiznəs] *adj* (*adv* ~ly) **1.** giftig, Gift... **2.** *fig.* giftig: a) zersetzend, verderblich, b) boshaft. **3.** *colloq.* ‚ekelhaft'.

poi·son pen *s* Schreiber(in) verleumderischer *od.* ob'szöner anonymer Briefe.

Pois·son| dis·tri·bu·tion [pwa'sɔ̃] *s Statistik*: Pois'sonsches Sy'stem (*Wahrscheinlichkeitsrechnung in der Industrie zur Qualitätsermittlung, in der Bakteriologie etc*). **~'s ra·tio** *s phys. tech.* Kontrakti'onskoeffizi,ent *m*.

poi·trel ['pɔitrəl] *s mil. hist.* Brustharnisch *m* (*der Pferde*).

poke¹ [pouk] **I** *v/t* **1.** *j-n* stoßen, puffen, knuffen: to ~ s.o. in the ribs j-m e-n Rippenstoß geben; to ~ in hineinstoßen; to ~ s.o.'s eye out j-m das Auge ausstoßen *od.* ausschlagen. **2.** *ein Loch* stoßen (in in *acc*): to ~ a hole in the wallpaper. **3.** *das Feuer* schüren: to ~ (up) a fire. **4.** *den Kopf* vorstrecken, *die Nase* stecken: she ~s her nose into everything sie steckt überall ihre Nase hinein. **5.** to ~ fun at s.o. sich über j-n lustig machen. **II** *v/i* **6.** stoßen, stechen (at nach), stochern (in in *dat*). **7.** suchen, tasten: to ~ about for (herum)suchen *od.* (-)tappen nach. **8.** (her'um)stöbern, (-)wühlen. **9.** *fig.* a) *a.* ~ and pry (her'um)schnüffeln, (-)spio,nieren, b) sich einmischen (into in *fremde Angelegenheiten*). **10.** *Kricket*: langsam u. vorsichtig schlagen. **11.** ~ about *colloq.* (her'um)trödeln, bummeln. **III** *s* **12.** (Rippen)Stoß *m*, Puff *m*, Knuff *m*. **13.** *Am.* → slowpoke.

poke² [pouk] *s obs. od. dial.* Beutel *m*, [kleiner Sack: → pig 1.]

'poke|,ber·ry *s bot.* Kermesbeere *f*. ~ **bon·net** *s* Kiepenhut *m*, Schute *f*. ~ **check** *s Eishockey*: Schlenzen *n*.

pok·er¹ ['poukər] *s* **1.** Feuer-, Schürhaken *m*: to be as stiff as a ~ ‚e-n (Lade)Stock verschluckt haben', steif wie ein Stock sein. **2.** *univ. Br.* a) *humor.* (Amts)Stab *m*, b) *sl.* Pe'dell *m* (*Stabträger*).

po·ker² ['poukər] *s* Poker(spiel) *n*.

po·ker| face *s* Pokergesicht *n* (*undurchdringliches, unbewegtes Gesicht*; *a. Person*). **'~-,faced** *adj* mit unergründlichem Gesicht.

pok·er work *s* ,Brandmale'rei *f*.

pok·y ['pouki] *adj* **1.** eng, dumpf(ig): ~ room. **2.** dürftig, schäbig, lumpig. **3.** langweilig.

Po·lack ['poulæk] *s* **1.** *obs.* Pole *m*. **2.** *contp.* ‚Po'lack(e)' *m* (*Pole*).

po·lar ['poulər] **I** *adj* **1.** po'lar, Polar...: ~ air *meteor.* Polarluft *f*, polare Kaltluft; ~ angle *astr. math.* Polarwinkel *m*; ~ lights *astr.* Polarlicht *n*; ~ night Polarnacht *f*; ~ projection (*Kartographie*) Polarprojektion *f*; ~ regions Polargebiet *n*; P~ Sea Polar-, Eismeer *n*; ~ star Polarstern *m*. **2.** *math. phys.* po'lar: ~ line → 5. **3.** *fig.* po'lar, genau entgegengesetzt (wirkend). **4.** *fig.* zen'tral, bestimmend: a ~ principle. **II** *s* **5.** *aer. math.* Po'lare *f*. ~ **ax·is** *s astr. math.* Po'larachse *f*. ~ **bear** *s zo.* Eisbär *m*. ~ **bod·y**, ~ **cell** *s biol.* Polkörperchen *n* (*der Zelle*). ~ **cir·cle** *s geogr.* Po'larkreis *m*. ~ **co·or·di·nates** *s pl math.* Po'larkoordi,naten(sy,stem *n*) *pl*. ~ **curve** *s math.* Po'larkurve *f*. ~ **dis·tance** *s astr. math.* 'Poldi,stanz *f*. ~ **e·qua·tion** *s math.* Gleichung *f* in Po'larkoordi,naten. ~ **fox** *s zo.* Po'lar-, Blaufuchs *m*. ~ **front** *s meteor.* Po'larfront *f*.

po·lar·im·e·ter [,poulə'rimitər] *s phys.* Polari'meter *n*.

po·lar·i·scope [pou'læri,skoup] *s phys.* [Polari'skop *n*.]

po·lar·i·ty [po'læriti] *s* **1.** *phys.* Polari'tät *f* (*a. fig. Gegensätzlichkeit*). **2.** *fig.* Neigung *f od.* Richtung *f* (auf e-n Punkt hin). **po·lar·i·za·tion** [,poulərai'zeiʃən] *s electr. phys.* Polarisati'on *f*. **'po·lar,ize** *v/t* **1.** *electr. phys.* polari'sieren: ~d relay polarisiertes *od.* gepoltes Relais. **2.** *fig. Gedanken, Worten* e-e bestimmte Richtung *od.* Bedeutung geben. **'po·lar,iz·er** *s phys.* Polari'sator *m*.

po·lar·og·ra·phy [,poulə'rɒgrəfi] *s* Polarogra'phie *f* (*elektrochemische Analysenmethode*).

po·lar·oid ['poulə,rɔid] (*TM*) *s* Polaro'id *n* (*Lichtpolarisierendes Material*).
pol·der ['pouldər; 'pɒl-] *s* Polder *m* (*eingedeichtes Marschland*).
pole[1] [poul] **I** *s* **1.** Pfosten *m*, Pfahl *m*. **2.** (*Bohnen-*, *Telegraphen-*, *Zelt-* *etc*)-Stange *f*, (*sport* Sprung)Stab *m*: to be up the ~ *sl.* a) ‚in der Tinte sitzen', b) e-e Stinkwut haben, c) e-n ‚Klaps' haben, verrückt sein. **3.** (Leitungs)-Mast *m*. **4.** (Wagen)Deichsel *f*. **5.** *mar.* a) Flaggenmast *m*, b) Staken *m*, c) Winterbramstänge *f*: under (bare) ~s vor Topp u. Takel. **6.** a) Rute *f* (*Längenmaß* = *5,029 m*), b) Qua'dratrute *f* (*Flächenmaß* = *25,293 qm*). **II** *v/t* **7.** *ein Boot* staken. **8.** *Bohnen etc* stängen.
pole[2] [poul] *s* **1.** *astr. geogr.* (Erd-, Himmels)Pol *m*: celestial ~ Himmelspol. **2.** *math.* Pol *m*: a) *Endpunkt der Achse durch Kreis od. Kugel*, b) *fester Punkt, auf den andere Punkte Bezug haben*. **3.** *electr. phys.* Pol *m*: positive ~ positiver Pol, *electr.* Anode *f*; like ~s gleiche *od.* gleichnamige Pole; unlike (opposite) ~s ungleiche (entgegengesetzte) Pole. **4.** *biol.* Pol *m* (*in gedachter Achse, bes. in der Eizelle bei der Reifeteilung*). **5.** *med.* Pol *m* (*der Nervenzelle*). **6.** *fig.* Gegenpol *m*, entgegengesetztes Ex'trem: they are ~s apart Welten trennen sie, sie sind genau *od.* diametral entgegengesetzt.
Pole[3] [poul] *s* Pole *m*, Polin *f*.
'pole|,ax(e) **I** *s* **1.** *hist.* Streitaxt *f*. **2.** *mar.* a) *hist.* Enterbeil *n*, b) Kappbeil *n*. **3.** Schlächterbeil *n*. **II** *v/t* **4.** *ein Tier* (mit dem Beil) schlachten, mit der Axt erschlagen: he feels like pole-axed ‚er fühlt sich wie erschlagen'. ~ **bean** *s bot.* Stangenbohne *f*. '~,**cat** *s zo.* **1.** Iltis *m*. **2.** *Am.* Skunk *m*. ~ **chang·er** *s electr.* Polwechsler *m*. ~ **chang·ing** *s electr.* Polwechsel *m*, 'Umpolen *n*. ~ **charge** *s mil.* gestreckte Ladung. ~ **jump** *etc* → pole vault *etc*.
po·lem·ic [po'lemik] **I** *adj* (*adv* ~ally) **1.** po'lemisch, Streit... **II** *s* **2.** Po'lemiker(in). **3.** Po'lemik *f*, Ausein'andersetzung *f*, Fehde *f*. **po'lem·i·cal** *adj* (*adv* ~ly) → polemic I. **po'lem·ics** *s pl* (*als sg konstruiert*) **1.** Po'lemik *f*, Polemi'sieren *n*. **2.** *relig.* po'lemische Theolo'gie.
'pole|,star *s* **1.** *astr.* Po'larstern *m*. **2.** *fig.* Leitstern *m*. ~ **vault** *s sport* Stabhochsprung *m*. '~-,**vault** *v/i* stabhochspringen. ~ **vault·er** *s* Stabhochspringer *m*.
po·lice [pə'li:s] **I** *s* **1.** Poli'zei(behörde, -verwaltung) *f*. **2.** Poli'zei(truppe, -mannschaft) *f*. **3.** *collect.* (*als pl konstruiert*) Poli'zei *f*, Poli'zisten *pl*, Wachleute *pl*: there are many ~ in this town es gibt viel Polizei in dieser Stadt; five ~ fünf Polizisten. **4.** *bes. mil. Am.* Ordnungsdienst *m*: kitchen ~ Küchendienst. **II** *v/t* **5.** (poli'zeilich) über'wachen. **6.** *ein Land etc* unter (Poli'zei)Gewalt halten. **7.** *fig.* über'wachen, kontrol'lieren. **8.** *mil. Am.* in Ordnung bringen *od.* halten, säubern. **III** *adj* **9.** Polizei..., poli'zeilich. ~ **blot·ter** *s Am.* Poli'zeire,gister *n*, Dienstbuch *n* (*e-r Polizeistation*). ~ **con·sta·ble** → policeman 1. ~ **court** *s* Poli'zeigericht *n*. ~ **dog** *s* **1.** Poli'zeihund *m*. **2.** (deutscher) Schäferhund. ~ **force** *s* Poli'zei(truppe) *f*. ~ **mag·is·trate** *s* Poli'zeirichter *m*.
po'lice|·man [-mən] *s irr* **1.** Poli'zist *m*, Schutzmann *m*. **2.** *zo.* Sol'dat *m* (*Ameise*). ~ **of·fense** *s Am.* Poli'zeide,likt *n*, Über'tretung *f*. ~ **of·fi·cer** *s* Poli'zeibe,amte(r) *m*, Poli'zist *m*. ~ **pow·er** *s* **1.** Poli'zeigewalt *f*. **2.** *Am. Staatsgewalt zum Schutz der Öffentlichkeit gegen Übergriffe von Einzelpersonen*. **P**~ **State** *s* Poli'zeistaat *m*. ~ **sta·tion** *s* Poli'zeiwache *f*, -re,vier *n*.
po'lice,wom·an *s irr* Poli'z istin *f*.
pol·i·clin·ic [,pɒli'klinik] *s* **1.** Poliklinik *f*, Ambu'lanz *f* (*e-s Krankenhauses*). **2.** allgemeines Krankenhaus.
pol·i·cy[1] ['pɒlisi] *s* **1.** Verfahren(s-weise *f*) *n*, Taktik *f*, Poli'tik *f*: marketing ~ *econ.* Absatzpolitik (*e-r Firma*); the best ~ would be (to do) das beste *od.* klügste wäre (*etwas* zu tun); it is our ~ es ist unser Grundsatz, wir haben es uns zur Regel gemacht; → honesty 1. **2.** Poli'tik *f* (*Wege u. Ziele der Staatsführung*), po'litische Linie: foreign ~ Außenpolitik. **3.** public ~ *jur.* Rechtsordnung *f*: against public ~ sittenwidrig. **4.** Klugheit *f*, Zweckmäßigkeit *f*: the ~ of this act is doubtful. **5.** Berechnung *f*, (Welt)Klugheit *f* (*e-r Person*). **6.** Schlauheit *f*, Gerissenheit *f*. **7.** *obs.* a) Re'gime *n*, Staatswesen *n*, b) Staatswissenschaft *f*. **8.** *Scot.* Park(anlagen *pl*) *m* (*e-s Landhauses*).
pol·i·cy[2] ['pɒlisi] *s* **1.** (Ver'sicherungs)-Po,lice *f*, Versicherungsschein *m*: ~ broker Versicherungsagent *m*; ~ holder Policeninhaber(in). **2.** *a.* ~ racket *Am.* Zahlenlotto *n*.
pol·i·gar ['pɒli,gɑ:r] *s Br. Ind.* Poligar *m* (*südindischer Stammeshäuptling*).
pol·i·o ['pɒlio; 'pou-] *s colloq.* **1.** *abbr. für* poliomyelitis. **2.** 'Polio-Fall *m*, -Pati,ent(in).
pol·i·o·my·e·li·tis [,pɒlio,maiə'laitis; ,pou-] *s med.* ,Poliomye'litis *f*, Polio *f*, spi'nale Kinderlähmung.
pol·ish[1] ['pɒliʃ] **I** *v/t* **1.** po'lieren, glätten. **2.** *Schuhe* putzen, wichsen. **3.** *tech.* (ab-, glanz)schleifen, (ab)schmirgeln. **4.** *fig.* abschleifen, (aus)feilen, verfeinern, -schönern: to ~ off *colloq.* a) *e-n Gegner* ‚erledigen' (*besiegen od. töten*), b) *e-e Arbeit* ‚hinhauen' (*schnell erledigen*), c) *Essen* ‚wegputzen', ‚verdrücken'; to ~ up aufpolieren (*a. fig. Wissen auffrischen*). **II** *v/i* **5.** glatt *od.* glänzend werden, sich po'lieren lassen. **III** *s* **6.** Poli'tur *f*, (Hoch)Glanz *m*, Glätte *f*. **7.** Po'lieren *n*: to give s.th. a ~ etwas polieren. **8.** Po'lier-, Glanzmittel *n*, Poli'tur *f*: a) Schuhcreme *f*, b) 'Möbelpoli,tur *f*, c) Po'lierpaste *f*, d) *tech.* Po'liersand *m*, e) Bohnerwachs *n*. **9.** *fig.* ‚Schliff' *m*, feine Sitten *pl*: he lacks ~ er hat keinen Schliff. **10.** *fig.* Glanz *m*, Voll'kommenheit *f*.
Pol·ish[2] ['pouliʃ] **I** *adj* **1.** polnisch. **II** *s* **2.** *ling.* Polnisch *n*, das Polnische. **3.** *orn.* Po'lacke *m* (*Haushuhnrasse*).
pol·ished ['pɒliʃt] *adj* **1.** po'liert, glatt, glänzend. **2.** *fig.* geschliffen: a) höflich, b) gebildet, fein, ele'gant, c) tadellos.
'pol·ish·er *s* **1.** Po'lierer *m*, Schleifer *m*. **2.** *tech.* a) Po'lierfeile *f*, -stahl *m*, -scheibe *f*, -bürste *f*, b) Po'lierma,schine *f*. **3.** → polish[1] 8. **'pol·ish·ing I** *s* Po'lieren *n*, Glätten *n*, Schleifen *n*. **II** *adj* Polier..., Putz...: ~ file Polierfeile *f*; ~ powder Polier-, Schleifpulver *n*; ~ wax Bohnerwachs *n*.
po·lite [pə'lait] *adj* (*adv* ~ly) **1.** höflich, artig (to gegen). **2.** verfeinert, gebildet, fein: ~ arts schöne Künste; ~ letters schöne Literatur, Belletristik *f*; ~ society feine Gesellschaft. **po'lite·ness** *s* Höflichkeit *f*, Artigkeit *f*.
pol·i·tic ['pɒlitik] *adj* (*adv* ~ally) **1.** diplo'matisch, staatsklug. **2.** *fig.* a) diplo'matisch, (welt)klug, b) schlau, berechnend, po'litisch. **3.** *obs.* po'litisch, staatlich: → body 7.
po·lit·i·cal [pə'litikəl] *adj* (*adv* ~ly) **1.** po'litisch, staatskundig, -männisch. **2.** (par'tei)po,litisch: a ~ campaign. **3.** po'litisch (tätig) (*Partei etc*). **4.** staatlich, Staats..., Regierungs...: ~ system Regierungssystem *n*. **5.** staatsbürgerlich: ~ freedom; ~ rights. ~ **e·con·o·mist** *s* Volkswirtschaftler(in). ~ **e·con·o·my** *s* Volkswirtschaft *f*. ~ **ge·og·ra·phy** *s* po'litische Geogra'phie. ~ **sci·ence** *s* po'litische Wissenschaften *pl*, Politolo'gie *f*.
pol·i·ti·cian [,pɒli'tiʃən] *s* **1.** Po'litiker *m*, Staatsmann *m*. **2.** a) (Par'tei)Po,litiker *m* (*a. contp.*), b) *Am.* Opportu'nist *m*, kor'rupter Po'litiker, c) *Am. colloq. fig.* aalglatter Kerl, guter Diplo'mat. **po·lit·i·cize** [pə'liti,saiz] **I** *v/i* politi'sieren. **II** *v/t ein Thema etc* politi'sieren, ins Po'litische ziehen.
po'lit·i,co [-,kou] *pl* **-,cos** *s Am. contp.* (‚fieser') Po'litiker.
politico- [pəlitiko] *Wortelement mit der Bedeutung* politisch-...: ~-economical a) wirtschaftspolitisch, b) volkswirtschaftlich; ~-religious politisch-religiös; ~-scientific a) politisch-wissenschaftlich, b) staatswissenschaftlich.
pol·i·tics ['pɒlitiks] *s pl* (*oft als sg konstruiert*) **1.** Poli'tik *f*, Staatskunst *f*, -führung *f*. **2.** → political science. **3.** (Par'tei-, 'Staats)Poli,tik *f*: to talk ~ politisieren. **4.** (par'tei)po,litisches Leben: to enter ~ ins politische Leben (ein)treten. **5.** (*als pl konstruiert*) po'litische Über'zeugung *od.* Einstellung: what are his ~? wie ist er politisch eingestellt? **6.** *fig.* (Inter'essen)-Poli,tik *f*: college ~. **7.** *bes. Am.* po'litische Machenschaften *pl*: to play ~ Winkelzüge machen, manipulieren.
pol·i·ty ['pɒliti] *s* **1.** Re'gierungsform *f*, Verfassung *f*, po'litische Ordnung. **2.** Staats-, Gemeinwesen *n*, Staat *m*.
pol·ka ['poulkə; 'pɒlkə] **I** *s* **1.** *mus.* Polka *f*. **2.** *a.* ~ jacket (*e-e*) Damen-(strick)jacke *f*. **II** *v/i* **3.** Polka tanzen. ~ **dot** *s* Punktmuster *n* (*auf Textilien*).
poll[1] [poul] **I** *s* **1.** *bes. humor. od. dial.* ('Hinter)Kopf *m*, Schädel *m*. **2.** breites, flaches Ende (*des Hammers etc*). **3.** ('Einzel)Per,son *f*. **4.** *pol.* Wahl *f*, Stimmabgabe *f*, Abstimmung *f*: heavy (light *od.* poor) ~ starke (geringe) Wahlbeteiligung. **5.** Stimm(en)zählung *f*. **6.** Wählerliste *f*. **7.** Wahlergebnis *n*, Stimmenzahl *f*. **8.** *meist pl* 'Wahllo,kal *n*: to go to the ~s zur Wahl(urne) gehen. **9.** (Ergebnis *n* e-r) ('Meinungs),Umfrage *f*. **II** *v/t* **10.** *Haar etc* stutzen, *ein Tier*, *Haare etc* scheren. **11.** *e-n Baum* kappen, *e-e Pflanze* köpfen, *e-m Rind* die Hörner stutzen. **12.** *jur. e-e Urkunde* gleichmäßig (*ohne Indentation*) zuschneiden. **13.** in e-e Wähler- *od.* Steuerliste eintragen. **14.** *Wahlstimmen* a) erhalten, auf sich vereinigen (*Wahlkandidat*), b) abgeben (*Wähler*). **15.** *die Bevölkerung* befragen: to ~ the country. **III** *v/i* **16.** wählen, (ab)stimmen, s-e Stimme abgeben: to ~ for stimmen für.
poll[2] [pɒl] *s Br.* (*Universität Cambridge*) **1.** the P~ *collect.* *Studenten, die sich nur auf den* poll degree *vorbereiten*. **2.** *a.* ~ examination (leichteres) Bakkalaure'atsex,amen: ~ degree *durch Bestehen dieses Examens erlangter Grad*.
poll[3], **Poll** [pɒl] *s* **1.** (*zahmer*) Papa'gei. **2.** *sl.* ‚Nutte' *f*, Dirne *f*.

poll[4] [poul] **I** *adj* hornlos: ~ cattle. **II** *s* hornloses Rind.

poll·a·ble ['pouləbl] *adj* wählbar.

pol·lack ['pɒlək] *pl* **-lacks,** *bes. collect.* **-lack** *s ichth.* Pollack *m* (*Schellfisch*).

pol·lan ['pɒlən] *s ichth.* Irische Ma'räne.

pol·lard ['pɒləd] **I** *s* **1.** gekappter Baum. **2.** *zo.* a) hornloses Tier, b) Hirsch, der sein Geweih abgeworfen hat, Kahlhirsch *m.* **3.** (Weizen)Kleie *f.* **II** *v/t* **4.** *e-n Baum etc* kappen, stutzen.

'pollˌbook ['poul-] *s* Wählerliste *f.*

poll·ee [ˌpou'liː] *s bes. Am.* Befragte(r *m*) *f.*

pol·len ['pɒlən] **I** *s bot.* Pollen *m,* Blütenstaub *m.* **II** *v/t* mit Blütenstaub bedecken, bestäuben. ~ **brush** *s zo.* Pollenbürste *f* (*der Bienen*). ~ **ca·tarrh** *s med.* Heuschnupfen *m.* ~ **cell** *s bot.* Pollenzelle *f.* ~ **sac** *s bot.* Pollensack *m.* ~ **tube** *s bot.* Pollenschlauch *m.*

poll e·vil [poul] *s vet.* Kopfgeschwulst *f* (*bei Pferden*).

pol·lex ['pɒleks] *pl* **-li·ces** [-liˌsiːz] *s anat.* Daumen *m.*

pol·li·nate ['pɒliˌneit] *v/t bot.* bestäuben, (mit Blütenstaub) befruchten. ˌ**pol·li'na·tion** *s* **1.** Ausstreuen *n* des Blütenstaubes. **2.** Bestäubung *f.*

poll·ing ['pouliŋ] **I** *s* **1.** Wählen *n,* Wahl *f.* **II** *adj* **2.** wählend. **3.** Wahl...: ~ booth Wahlzelle *f*; ~ clerk Wahlprotokollführer *m*; ~ district Wahlbezirk *m*; ~ station Wahllokal *n.*

pol·lin·ic [pɒ'linik] *adj bot.* Blütenstaub... **pol·li·nif·er·ous** [ˌpɒli'nifərəs] *adj bot.* **1.** Blütenstaub erzeugend. **2.** pollentragend.

pol·li·wog ['pɒliˌwɒg] *s zo. Br. dial. od. Am.* Kaulquappe *f.*

poll man [pɒl] *s irr* (*Universität Cambridge*) Kandi'dat *m* für den poll degree.

pol·lock *bes. Br. für* pollack.

pol·loi [pə'lɔi] → hoi polloi.

poll par·rot [pɒl] *s* **1.** → poll[3] 1. **2.** *fig.* Papa'gei *m* (*j-d, der alles nachplappert*). **'~-ˌpar·rot** *v/t u. v/i* (nach)plappern.

poll·ster ['poulstər] *s Am.* Meinungsforscher *m,* Inter'viewer *m.*

poll tax [poul] *s* Kopfsteuer *f.*

pol·lute [pə'luːt; -'ljuːt] *v/t* **1.** *a. fig.* beflecken, besudeln, beschmutzen. **2.** *fig.* in den Schmutz ziehen. **3.** *Wasser etc* verunreinigen. **4.** *relig.* entweihen. **5.** (*moralisch*) verderben. **pol'lu·tion** *s* **1.** Befleckung *f,* Verunreinigung *f* (*a. fig.*). **2.** (Luft-, Wasser-, 'Umwelt-)Verˌschmutzung *f*: ~ control Umweltschutz *m.* **3.** *fig.* Entweihung *f,* Schändung *f.* **4.** *physiol.* Polluti'on *f,* (unwillkürlicher) Samenerguß.

pol·ly·wog → polliwog.

po·lo ['poulou] *s sport* Polo *n*: ~ coat Kamelhaarmantel *m*; ~ neck Rollkragen *m*; ~ shirt Polohemd *n.* **'po·lo·ist** *s sport* Polospieler(in).

pol·o·naise [ˌpɒlə'neiz] *s mus.* Polo'näse *f.*

po·lo·ni·um [pə'louniəm] *s chem.* Po'lonium *n* (*Radiumelement*).

po·lo·ny [pə'louni] *s* grobe Zerve'latwurst.

pol·ter·geist ['pɒltərˌgaist; 'poul-] *s* Poltergeist *m,* Kobold *m.*

pol·troon [pɒl'truːn] *s* Feigling *m.* **pol'troon·er·y** [-əri] *s* Feigheit *f.*

poly- [pɒli] *Wortelement mit der Bedeutung* viel, mehr: **polyangular** *bes. math.* vieleckig, Vielecks...; **polyanthous** *bot.* vielblütig; **polyaxial** mehr-, vielachsig; **polydimensional** mehrdimensional.

ˌ**pol·y'ac·id** *s chem.* Polysäure *f.*

pol·y·ad ['pɒliˌæd] *adj u. s chem.* vielwertig(es Ele'ment).

ˌ**pol·y'am·id(e)** *s chem.* Polya'mid *n.*

pol·y·an·drous [ˌpɒli'ændrəs] *adj* poly'andrisch: a) *bot.* vielmännig, b) *zo.* mit mehreren Männchen, c) *sociol.* mit mehreren Männern in ehelicher Gemeinschaft lebend. **pol·y·an·dry** ['pɒliændri; ˌpɒli'ændri] *s* Polyan'drie *f,* Vielmänne'rei *f.*

pol·y·an·thus [ˌpɒli'ænθəs] *s bot.* **1.** Hohe Schlüsselblume. **2.** Ta'zette *f.*

pol·y·car·pic [ˌpɒli'kɑːrpik], ˌ**pol·y'car·pous** [-pəs] *adj bot.* poly'karp(isch): a) mit vielen Fruchtblättern, b) ausdauernd (*wiederholt fruchtend u. blühend*).

pol·y·chro'mat·ic *adj* (*adv* ~ally) viel-, mehrfarbig, poly'chrom: ~ process *phot.* Kohledruck *m.*

'pol·yˌchrome **I** *adj* **1.** viel-, mehr-, buntfarbig, bunt: ~ printing Bunt-, Mehrfarbendruck *m.* **2.** bunt (bemalt). **II** *s* **3.** a) vielfarbiger (*bes.* Kunst-)Gegenstand, b) bunt bemalte Plastik. **4.** Vielfarbigkeit *f.*

ˌ**pol·y'clin·ic** *s* Klinik *f* (für alle Krankheiten).

ˌ**pol·yˌcot·y'le·don** *s bot.* Pflanze *f* mit mehr als zwei Keimblättern.

pol·y·crot·ic [ˌpɒli'krɒtik] *adj med.* poly'krot (*Puls*).

ˌ**pol·y'es·ter** *s chem.* Poly'ester *m.* ˌ**pol·y'eth·yˌlene** *s* Polyäthy'len *n.*

pol·y·gam·ic [ˌpɒli'gæmik] → polygamous. **po·lyg·a·mist** [pə'ligəmist] *s* Polyga'mist(in). **po'lyg·a·mous** *adj* **1.** poly'gam. **2.** *bot.* poly'gamisch. **po'lyg·a·my** *s* Polyga'mie *f* (*a. zo.*), Vielehe *f,* Vielweibe'rei *f.*

ˌ**pol·y'gen·e·sis** *s* Polyge'nese *f, a. biol.* Poly'genesis *f* (*Ursprung aus verschiedenen Quellen*). ˌ**pol·y·ge'net·ic** *adj* (*adv* ~ally) **1.** polyge'netisch, aus verschiedenen Quellen *od.* Zeiten stammend. **2.** *biol.* a) die Poly'genesis betreffend, b) von verschiedenartigen Zellen abstammend. ˌ**pol·y'gen·ic** *adj* **1.** polyge'netisch, verschiedener 'Herkunft. **2.** *biol.* poly'gen, von mehreren Genen abhängig. **3.** *chem.* mehrere Wertigkeiten habend.

po·lyg·e·nism [pə'lidʒəˌnizəm] *s* Lehre *f* von der Abstammung der Menschenrassen von verschiedenen Stammeltern. **po'lyg·e·ny** *s bes. biol.* **1.** → polygenism. **2.** *Genetik*: Polyge'nie *f* (*Ausbildung e-s Merkmals durch viele verschieden wirkende Gene*).

pol·y·glot ['pɒliˌglɒt] **I** *adj* **1.** vielsprachig. **II** *s* **2.** Poly'glotte *f* (*Buch in mehreren Sprachen*). **3.** Poly'glott *m,* vielsprachiger Mensch.

pol·y·gon ['pɒliˌgɒn] *s math.* a) Poly'gon *n,* Vieleck *n,* b) Polygo'nalzahl *f*: ~ of forces *phys. tech.* Kräftepolygon; ~ connection *electr.* Vieleckschaltung *f.*

po·lyg·o·nal [pə'ligənl] *adj* polygo'nal, vieleckig.

po·lyg·y·ny [pə'lidʒini] *s* Polygy'nie *f*: a) Vielweibe'rei *f,* b) *bot.* Vielweibigkeit *f* (*Blüte mit vielen Stempeln*), c) *zo.* Zs.-leben *n* mit mehreren Weibchen.

pol·y·he·dral [ˌpɒli'hiːdrəl], ˌ**pol·y'he·dric** [-drik] *adj* **1.** *math.* poly'edrisch, vielflächig, Polyeder... **2.** vielförmig. ˌ**pol·y'he·dron** [-drən] *pl* **-drons** *s* Poly'eder *n,* Vielflach *n.*

pol·y·math ['pɒliˌmæθ] *s* Univer'salgelehrte(r) *m.*

pol·y·me·li·a [ˌpɒli'miːliə] *s med. zo.* Polyme'lie *f,* Vor'handensein *n* 'überzähliger Gliedmaßen.

pol·y·mer ['pɒlimər] *s chem.* Poly'mer(e) *n,* poly'merer Körper. ˌ**pol·y'mer·ic** [-'merik] *adj* poly'mer. **po·lym·er·ism** [pə'liməˌrizəm] *s* Polyme'rie *f.* ˌ**pol·y·mer·i'za·tion** [-mərai'zeiʃən; -ri'z-] *s chem.* ˌPolymerisati'on *f.* **'pol·y·merˌize** *chem.* **I** *v/t* polymeri'sieren. **II** *v/i* poly'mere Körper bilden.

ˌ**pol·y·mo'lec·u·lar** *adj chem.* 'polymolekuˌlar, 'hochmolekuˌlar.

pol·y·morph ['pɒliˌmɔːrf] *s* **1.** *chem.* poly'morpher Körper. **2.** *biol.* vielgestaltige Art. ˌ**pol·y'mor·phic** *adj* poly'morph, vielgestaltig. ˌ**pol·y'mor·phism** *s* Polymor'phismus *m,* Polymor'phie *f,* Vielgestaltigkeit *f.* ˌ**pol·y'mor·phous** → polymorphic.

Pol·y·ne·sian [ˌpɒli'niːʃən; -ʒən] **I** *adj* **1.** poly'nesisch. **II** *s* **2.** Poly'nesier(in). **3.** *ling.* Poly'nesisch *n.*

po·lyn·i·a [pə'liniə] *s geogr.* eisfreie Stelle (*im Fluß od. Meer*).

pol·y·no·mi·al [ˌpɒli'noumiəl] **I** *adj* **1.** *math.* poly'nomisch, vielglied(e)rig. **2.** *bot. zo.* vielnamig. **II** *s* **3.** *math.* Poly'nom *n.*

pol·yp(e) ['pɒlip] *s* **1.** *zo.* Po'lyp *m* (*festsitzende Form der Hohltiere*). **2.** *med.* Po'lyp *m* (*Wucherung*).

'pol·yˌphase *adj bes. electr.* mehr-, verschiedenphasig, Mehrphasen...: ~ current Mehrphasen-, Drehstrom *m.*

ˌ**pol·y'phon·ic** *adj* **1.** vielstimmig, mehrtönig. **2.** *mus.* poly'phon, kontra'punktisch. **3.** *ling.* pho'netisch mehrdeutig. **'pol·yˌpho·nist** [-ˌfounist] *s mus.* Poly'phoniker *m,* Kontra'punktiker *m.* **po·lyph·o·ny** [pə'lifəni] *s* **1.** Viel-, Mehrtönigkeit *f,* Vielklang *m.* **2.** *mus.* Polypho'nie *f,* Kontra'punktik *f.* **3.** *ling.* lautliche Mehrdeutigkeit (*e-s Schriftzeichens*).

pol·y·pod ['pɒliˌpɒd] **I** *adj* **1.** mit vielen Beinen *od.* Füßen. **II** *s* **2.** *zo.* Vielfüßer *m.*

pol·yp·tych ['pɒliptik] *s* Po'lyptychon *n* (*mehrteilige, zs.-klappbare Tafel, bes. Altar mit mehr als 3 Flügeln*).

pol·y·pus ['pɒlipəs] *pl* **-pi** [-ˌpai] → polyp(e) 2.

'pol·yˌstyle *adj arch.* vielsäulig.

pol·y·sty·rene [ˌpɒli'stai(ə)riːn; -'stir-] *s chem.* Polysty'rol *n* (*Kunststoff*).

ˌ**pol·y·syl'lab·ic** *adj* (*adv* ~ally) *ling.* mehr-, vielsilbig. ˌ**pol·y'syl·laˌbism** *s* **1.** Vielsilbigkeit *f.* **2.** Verwendung *f od.* Bildung *f* vielsilbiger Wörter. **'pol·yˌsyl·la·ble** *s* vielsilbiges Wort.

ˌ**pol·y'syn·the·sis** *s ling.* Polysyn'these *f* (*Zs.-fassung mehrerer Wörter zu e-m Wort*). ˌ**pol·y·syn'thet·ic** *adj*; ˌ**pol·y·syn'thet·i·cal** *adj* (*adv* ~ly) polysyn'thetisch.

pol·y·tech·nic [ˌpɒli'teknik] **I** *adj* poly'technisch. **II** *s a.* ~ school Poly'technikum *n,* poly'technische Schule.

'pol·y·theˌism *s* Polythe'ismus *m,* Vielgötte'rei *f.* **'pol·yˌthe·ist** *s* Polythe'ist(in). ˌ**pol·y·the'is·tic** *adj*; ˌ**pol·y·the'is·ti·cal** *adj* (*adv* ~ly) polythe'istisch.

pol·y·thene ['pɒliˌθiːn] *s chem.* Polyäthy'len *n* (*Kunststoff*).

ˌ**pol·y·to'nal·i·ty** *s mus.* ˌPolytonali'tät *f.*

pol·y·trop·ic [ˌpɒli'trɒpik] *adj biol. math. med.* poly'trop(isch).

ˌ**pol·y'va·lence** *s biol. chem.* Polyva'lenz *f,* Mehrwertigkeit *f.* ˌ**pol·y'va·lent** *adj* polyva'lent, mehrwertig.

pol·y·vi·nyl [ˌpɒli'vainil] *adj chem.* polymeri'sierte Vi'nylverbindungen betreffend, Polyvinyl...: ~ chlorid(e) Polyvinylchlorid *n.*

ˌ**pol·y·zo·on** [ˌpɒli'zouɒn] *pl* **-'zo·a** [-ə] *s* Moostierchen *n.*

pom [pɒm] *colloq. für* Pomeranian 3.

pom·ace ['pʌmis] *s* **1.** (Apfel)Fruchtmasse *f,* (-)Trester *pl.* **2.** Brei *m,* zerstampfte Masse. ~ **fly** *s zo.* Obstfliege *f.*

po·made [pə'mɑːd; *Am. a.* -'meid] **I** *s* ('Haar)Poˌmade *f.* **II** *v/t* pomadi'sieren, mit Po'made einreiben.

po·man·der [po'mændər; *Am. a.* 'poumæn-] *s hist.* Par'füm-, Ambrakugel *f.*

po·ma·tum [po'meitəm; -'mɑː-] → pomade I.

pome [poum] *s* **1.** *bot.* Apfel-, Kernfrucht *f.* **2.** *hist.* Reichsapfel *m.* **3.** *R.C. mit heißem Wasser gefüllte Metallkugel zum Wärmen der Hände.*

pome·gran·ate ['pɒmˌgrænit; 'pʌm-] *s* **1.** *a.* ~ **tree** Gra'natapfelbaum *m.* **2.** *a.* ~ **apple** Gra'natapfel *m.*

Pom·er·a·ni·an [ˌpɒmə'reiniən; -njən] **I** *adj* **1.** pommer(i)sch. **II** *s* **2.** Pommer(in). **3.** *a.* ~ **dog** Spitz *m.*

pom·fret ['pʌmfrit; 'pɒm-] *s ichth.* **1.** 'Brachsenmaˌkrele *f.* **2.** Butterfisch *m.* ~ **cake** *s Br.* La'kritzeplätzchen *n.*

po·mi·cul·ture ['poumiˌkʌltʃər] *s* Obstbaumzucht *f.*

pom·mel ['pʌml] **I** *s* **1.** (Degen-, Sattel-, Turm)Knopf *m*, Knauf *m.* **2.** *Gerberei*: Krispelholz *n.* **II** *v/t* **3.** mit den Fäusten bearbeiten, schlagen. **4.** *Gerberei*: krispeln.

pom·my ['pɒmi] *s sl.* brit. Einwanderer *m* (in Au'stralien *od.* Neu'seeland).

po·mol·o·gy [pou'mɒlədʒi] *s* Obst(bau)kunde *f.*

pomp [pɒmp] *s* Pomp *m*, Prunk *m*, Gepränge *n*, (*a.* eitle *od.* leere) Pracht.

Pom·pe·ian [pɒm'peiən; -'piːən] **I** *adj* pom'pejisch, pompe'janisch: ~ **red** pompejanisch-, ziegelrot. **II** *s* Pompe'janer(in).

pom-pom ['pɒmˌpɒm] *s mil.* Pompom *n* (*automatisches Schnellfeuergeschütz*).

pom·pon ['pɒmpɒn] *s* Troddel *f*, (*ballförmige*) Quaste.

pom·pos·i·ty [pɒm'pɒsiti] *s* **1.** Prunk *m*, Pomphaftigkeit *f.* **2.** wichtigtuerisches Wesen, Aufgeblasenheit *f.* **3.** Schwülstigkeit *f*, Bom'bast *m* (*im Ausdruck*). '**pomp·ous** *adj* (*adv* ~**ly**) **1.** pom'pös, prunkvoll. **2.** wichtigtuerisch, aufgeblasen. **3.** bom'bastisch, schwülstig (*Sprache*).

'pon [pɒn] *colloq. abbr. für* upon.

ponce [pɒns] *s sl.* ‚Louis' *m* (*Zuhälter*).

pon·ceau [pɒn'sou] *s* **1.** *bot.* Klatschmohn *m.* **2.** Pon'ceau *n*: a) Hochrot *n*, b) *chem. scharlachroter Farbstoff.*

pon·cho ['pɒntʃou] *pl* **-chos** *s* **1.** Poncho *m* (*ärmelloser Umhang der südamer. Indianer*). **2.** 'Regenˌumhang *m.*

pond [pɒnd] **I** *s* **1.** (*Br. bes.* künstlicher) Teich, Weiher *m*, Tümpel *m*: **horse** ~ Pferdeschwemme *f.* **2. herring** ~, **big** ~ *humor.* ‚Großer Teich' (*Atlantik*). **II** *v/t* **3.** *Wasser* (*in e-m Teich*) sammeln, *e-n Bach* (zu e-m Teich) stauen. **III** *v/i* **4.** e-n Teich *od.* Tümpel bilden.

pond ap·ple *s bot.* Alli'gatorapfel *m.*

pon·der ['pɒndər] **I** *v/i* nachdenken, -sinnen, (nach)grübeln (on, upon, over über *acc*): to ~ **over s.th.** etwas überlegen. **II** *v/t* erwägen, über'legen, nachdenken über (*acc*): **to** ~ **one's words** s-e Worte abwägen; ~**ing silence** nachdenkliches Schweigen.

ˌpon·der·a'bil·i·ty *s phys.* Wägbarkeit *f.* '**pon·der·a·ble** *adj* **1.** wägbar (*a. fig.*). **2.** *fig.* ab-, einschätzbar. '**pon·der·ing** *adj* (*adv* ~**ly**) nachdenklich, grüblerisch.

pon·der·os·i·ty [ˌpɒndə'rɒsiti] *s* **1.** Gewicht *n*, Schwere *f*, Gewichtigkeit *f.* **2.** *fig.* Schwerfälligkeit *f.*

pon·der·ous ['pɒndərəs] *adj* (*adv* ~**ly**) **1.** schwer, massig, gewichtig. **2.** *fig.* schwerfällig, plump: **a** ~ **style.** **3.** *fig.* langweilig. '**pon·der·ous·ness** → ponderosity.

pone[1] [poun] *s Am.* Maisbrot *n.*

po·ne[2] ['pouni] *s* (*Kartenspiel*) **1.** Vorhand *f.* **2.** Spieler, der abhebt.

pong [pɒŋ] **I** *s* **1.** dumpfer Klang. **2.** *Br. sl.* Gestank *m.* **II** *v/i* **3.** *thea. Br. sl.* improvi'sieren. **4.** *Br. sl.* stinken.

pon·gee [pɒn'dʒiː; pʌn-] *s* Pon'gé(e) *f*, Rohseide *f*, Seidentaft *m.*

pon·go ['pɒŋgou] *s mil. sl.* Sol'dat *m.*

pon·iard ['pɒnjərd] **I** *s* Dolch *m.* **II** *v/t* erdolchen, erstechen.

pon·tage ['pɒntidʒ] *s bes. hist.* Brükkengeld *n.*

pon·tiff ['pɒntif] *s* **1.** *antiq.* Pontifex *m*, Oberpriester *m.* **2.** Hohepriester *m.* **3.** *R.C.* Papst *m.*

pon·tif·i·cal [pɒn'tifikəl] **I** *adj* (*adv* ~**ly**) **1.** *antiq.* (ober)priesterlich. **2.** *R.C.* pontifi'kal: a) bischöflich: **P**~ **College** Bischofskollegium *n*; **P**~ **Mass** Pontifikalamt *n*, b) *bes.* päpstlich. **3.** hohepriesterlich. **4.** *fig.* a) feierlich, würdevoll, b) dog'matisch, päpstlich, über'heblich. **II** *s* **5.** Pontifi'kale *n* (*Zeremonienbuch der Bischöfe*). **6.** *pl* → pontificalia.

pon·tif·i·ca·li·a [pɒnˌtifi'keiliə] (*Lat.*) *s pl* Pontifi'kalien *pl* (*bischöfliche od. päpstliche Amtstracht u. Insignien*).

pon·tif·i·cate [pɒn'tifiˌkeit] **I** *v/i* **1.** als (Hoher)'Priester *od.* Bischof *od.* in päpstlicher Würde am'tieren. **2.** *R.C.* ein Pontifi'kalamt halten. **3.** *fig.* sich päpstlich gebärden, sich für un'fehlbar halten. **II** *s* **4.** *antiq. u. R.C* Pontifi'kat *n*, *m.*

pon·ti·fy ['pɒntiˌfai] → pontificate 3.

pon·toon[1] [pɒn'tuːn] **I** *s* **1.** Pon'ton *m*, Brückenkahn *m*: ~ **bridge** Ponton-, Schiffsbrücke *f*; ~ **train** Brückenkolonne *f.* **2.** *mar.* Kielleichter *m*, Prahm *m.* **3.** *aer.* Schwimmer *m* (*e-s Wasserflugzeugs*). **II** *v/t* **4.** *e-n Fluß* mit Pon'tons *od.* e-r Pon'tonbrücke über'queren.

pon·toon[2] [pɒn'tuːn] *s Br. ein dem Vingt-et-un ähnliches Kartenglücksspiel.*

po·ny ['pouni] **I** *s* **1.** Pony *n*: a) kleines Pferd, b) *Am. a.* Mustang *m*, (halb)wildes Pferd. **2.** *pl sl.* Rennpferde *pl*: **to bet on the ponies.** **3.** *Br. sl.* £ 25. **4.** *ped. sl.* ‚Eselsbrücke' *f*, ‚Klatsche' *f* (*Übersetzungshilfe*). **5.** a) kleines (Schnaps- *etc*)Glas, b) Gläs-chen *n* (Schnaps *etc*). **6.** *Am.* (*etwas*) ‚im 'Westentaschenforˌmat', Miniatur..., *bes.* a) *thea. sl.* ‚Bal'lettratte' *f*, b) Kleinauto *n*, c) (Buch *n od.* Zeitschrift *f* in) Minia'turausgabe *f*: ~ **edition.** **II** *v/t Am. sl.* **7.** *e-e Übersetzung* mit Hilfe e-r ‚Klatsche' anfertigen. **8.** ~ **up** *e-e Rechnung etc* ‚berappen', ‚blechen', bezahlen. ~ **en·gine** *s Am.* kleine Ran'gierlokomoˌtive. ~ **ex·press** *s erster Schnellpostdienst im Westen der USA* (*1860—61*). ~ **mo·tor** *s electr.* Anwurfs-, Hilfsmotor *m.* ~ **tail** *s* Pferdeschwanz *m* (*Frisur*).

pooch [puːtʃ] *s sl.* ‚Köter' *m.*

poo·dle ['puːdl] **I** *s zo.* Pudel *m.* **II** *v/t e-n Hund* im Pudelschnitt scheren.

pooh [puː; pu] *interj contp.* pah!

Pooh-Bah ['puː'bɑː] *s humor. j-d, der viele Ämter innehat*: a) ‚Bonze' *m*, b) Wichtigtuer *m* (*nach e-r Gestalt aus „Mikado" von Gilbert u. Sullivan*).

pooh·pooh [ˌpuː'puː] **I** *v/t* geringschätzig behandeln, *etwas* als unwichtig abtun, die Nase rümpfen *od.* geringschätzig hin'weggehen über (*acc*), verlachen. **II** *v/i* die Nase rümpfen, geringschätzig tun.

poo·ja(h) → puja.

pool[1] [puːl] **I** *s* **1.** Pfuhl *m*, Teich *m*, Weiher *m*, Tümpel *m.* **2.** Pfütze *f*, Lache *f*: ~ **of blood** Blutlache. **3.** (Schwimm)Becken *n*, Bas'sin *n.* **4.** a) *tiefe, unbewegte Stelle e-s Flusses*, b) **the P**~ *Teil der Themse unterhalb der London Bridge.* **5.** *geol.* pe'troleumhaltige Ge'steinsparˌtie. **6.** *med.* Blutansammlung *f* (*durch Kreislaufstörung*). **7.** *Schweißtechnik*: Schmelzbad *n*: ~ **cathode** flüssige Kathode. **II** *v/t* **8.** *Gestein* untermi'nieren.

pool[2] [puːl] **I** *s* **1.** *Kartenspiel*: a) Gesamteinsatz *m*, b) (Spiel)Kasse *f.* **2.** (Fußball- *etc*)Toto *n.* **3.** *Billard*: a) *Br.* Poulespiel *n* (*mit Einsatz*), b) *Am. Billardspiel mit 15 Kugeln auf e-m Tisch mit 6 Löchern.* **4.** *fenc.* Poule *f* (*Turnierart*). **5.** *econ.* a) Pool *m*, Kar'tell *n*, Ring *m*, Inter'essengemeinschaft *f*, -verband *m*, b) *a.* **working** ~ Arbeitsgemeinschaft *f*, c) (Preis- *etc*)Abkommen *n*, d) gemeinsamer Fonds, gemeinsame Kasse. **II** *v/t* **6.** a) *Geld, Kapital, a. Unternehmen* zs.-legen: **to** ~ **funds** zs.-schießen, b) *den Gewinn* unterein'ander verteilen, c) *das Geschäftsrisiko* verteilen. **7.** *fig. Kräfte etc* vereinigen. **8.** e-r Inter'essengemeinschaft unter'werfen: **the traffic was** ~**ed.** **III** *v/i* **9.** ein Kar'tell bilden.

'**pool|ˌroom** *s* **1.** Billardzimmer *n*, Spielhalle *f.* **2.** *Am.* Wettannahmestelle *f.* ~ **ta·ble** *s* Billardtisch *m.*

poop[1] [puːp] *mar.* **I** *s* **1.** Heck *n*: ~ **lantern** Hecklicht *n.* **2.** *a.* ~ **deck** (erhöhtes) Achterdeck: ~ **cabin** Kajüte *f* unter dem Achterdeck. **3.** *obs.* (Achter)Hütte *f.* **II** *v/t* **4.** *das Schiff* von hinten treffen: **to be** ~**ed** e-e Sturzsee von hinten bekommen.

poop[2] [puːp] **I** *v/i* **1.** donnern (*Geschütz*). **2.** tuten, hupen. **3.** *vulg.* ‚pupen'. **II** *v/t* **4.** *Am. sl. j-m* ‚die Puste rauben', *j-n* ‚auspumpen': ~**ed (out)** ‚ausgepumpt', ‚fertig', erschöpft.

poop[3] [puːp] *s sl.* Narr *m.*

poor [pur] **I** *adj* (*adv* → poorly II) **1.** arm, mittellos, (unter'stützungs)bedürftig: ~ **person** *jur.* Arme(r *m*) *f*; **P**~ **Persons Certificate** *jur.* Armenrechtszeugnis *n.* **2.** arm, ohne 'Geldreˌserven, schlecht fun'diert (*Staat, Verein etc*). **3.** arm(selig), ärmlich, dürftig, kümmerlich: **a** ~ **breakfast**; **a** ~ **life**; ~ **dresses** ärmliche Kleidung. **4.** mager, dürr (*Boden, Erz, Vieh etc*), schlecht, unergiebig (*Boden, Ernte etc*): ~ **soil.** **5.** *fig.* arm (in an *dat*), schlecht, mangelhaft, schwach (*Gesundheit, Leistung, Spieler, Sicht, Verständigung etc*): ~ **consolation** schwacher Trost; **a** ~ **lookout** schlechte Aussichten; **a** ~ **night** e-e schlechte Nacht; ~ **in spirit** *Bibl.* arm im Geiste, geistlich arm. **6.** *contp.* jämmerlich, traurig: **a** ~ **creature.** **7.** *colloq.* arm, bedauerns-, bemitleidenswert (*oft humor.*): ~ **me!** ich Ärmste(r)!; **my** ~ **mother** m-e arme (*oft* verstorbene) Mutter; **in my** ~ **opinion** *iro.* m-r unmaßgeblichen Meinung nach; → opinion 3. **II** *s* **8. the** ~ die Armen *pl.*

poor| box *s* Armen-, Almosenbüchse *f.* '~ˌ**house** *s* Armenhaus *n.* ~ **law** *s jur.* Armengesetz(gebung *f*) *n*, öffentliches Fürsorgerecht.

poor·ly ['purli] **I** *adj* **1.** *bes. colloq.* kränklich, unpäßlich: **he looks** ~ er sieht schlecht aus. **II** *adv* **2.** arm(selig), dürftig: **he is** ~ **off** es geht ihm schlecht. **3.** *fig.* schlecht, schwach, dürftig, mangelhaft: ~ **gifted** schwach begabt; to think ~ of s.th. nicht viel halten von etwas. [terkresse *f.*}

'**poor-,man's-'cab·bage** *s bot.* Win-}

poor·ness ['puərnis] *s* **1.** Armut *f*, Mangel *m*, Armseligkeit *f*, Ärmlichkeit *f*, Dürftigkeit *f*. **2.** *agr.* Magerkeit *f*, Unfruchtbarkeit *f* (*des Bodens*). **3.** *min.* Unergiebigkeit *f*.

poor| rate *s* Armensteuer *f*. **~ re·lief** *s* Armenfürsorge *f*, -pflege *f*. **'~-'spir·it·ed** *adj* **1.** feig(e). **2.** mutlos, verzagt.

poort [puːrt; pourt] *s* enger Paß (*in Südafrika*).

pop[1] [pɒp] **I** *v/i* **1.** knallen, losgehen (*Flaschenkork, Feuerwerk etc*). **2.** aufplatzen, -springen (*Kastanien, Mais*). **3.** *colloq.* knallen, schießen (at auf *acc*). **4.** ‚flitzen', huschen, plötzlich auftauchen: to ~ along entlanghuschen, -flitzen; to ~ in ‚hereinplatzen', auf e-n Sprung vorbeikommen (*Besuch*); to ~ off *colloq.* a) ‚abhauen', ‚sich aus dem Staub machen', plötzlich verschwinden, b) einnicken, -schlafen, c) ‚abkratzen' (*sterben*), d) *Am.* ‚das Maul aufreißen', loslegen; to ~ up (plötzlich) auftauchen (*a. fig. Schwierigkeit etc*). **5.** her'ausstehen, aus den Höhlen treten (*Augen*).

II *v/t* **6.** knallen *od.* platzen lassen: to ~ corn *Am.* Mais rösten. **7.** *colloq.* a) *das Gewehr etc* abfeuern, b) abknallen, (ab)schießen: to ~ off rabbits. **8.** schnell (weg)stecken *od. wohin* tun: to ~ one's head in the door (plötzlich) den Kopf zur Tür hereinstecken; to ~ away schnell wegstecken; to ~ on *den Hut* aufstülpen; to ~ out a) hinausstecken, b) *das Licht* auslöschen. **9.** her'ausplatzen mit (*e-r Frage etc*): to ~ the question *colloq. e-r Dame* e-n Heiratsantrag machen. **10.** *Br. sl.* (*im Leihhaus*) versetzen: to ~ one's watch.

III *s* **11.** Knall *m*, Puff *m*. **12.** *colloq.* Schuß *m*: to take a ~ at schießen nach, *fig.* es versuchen mit. **13.** *Am.* ‚Schießeisen' *n*, Pi'stole *f*. **14.** *colloq.* a) ‚Schampus' *m*, Sekt *m*, b) 'Ingwerlimo,nade *f*, 'Brause(limo,nade) *f*. **15.** in ~ *Br. sl.* versetzt, im Leihhaus.

IV *interj* **16.** puff!, paff!. **17.** husch!, zack!

V *adv* **18.** a) mit e-m Knall, b) plötzlich: to go ~ knallen, platzen.

pop[2] [pɒp] *colloq.* **I** *s* **1.** (*abbr. für* popular concert) Kon'zert *n* für alle. **2.** a) volkstümliche *od.* leichte Mu'sik, b) Schlager *m*. **II** *adj* **3.** volkstümlich, Pop...: P~ Art Pop Art *f* (*moderne Kunstrichtung mit Montageeffekten*); a ~ concert ein volkstümliches Konzert; a ~ singer ein Schlagersänger.

pop[3] [pɒp] *s colloq.* **1.** ‚Paps' *m*, Papa *m*. **2.** ‚Opa' *m*, Alte(r) *m*.

pop[4] [pɒp] → popsicle. [Puffmais *m.*}

'**pop,corn** *s bes. Am.* Popcorn *n*,}

pope[1] [poup] *s* **1.** *meist* P~ *R.C.* Papst *m*: ~'s nose *colloq.* Bürzel *m* (*der Gans*). **2.** *fig.* Papst *m*, Autori'tät *f*.

pope[2] [poup] *s relig.* Pope *m* (*Priester*).

pope·dom ['poupdəm] *s* Papsttum *n*.

pop·er·y ['poupəri] *s contp.* Papiste'rei *f*, Pfaffentum *n*.

'**pop|,eyed** *adj colloq.* glotzäugig, mit her'ausquellenden Augen: to be ~ ‚Stielaugen machen' (with vor *dat*). '**~,eyes** *s pl colloq.* Glotzaugen *pl*. '**~,gun** *s* Kindergewehr *n*, Knallbüchse *f* (*a. fig. schlechtes Gewehr*).

pop·in·jay ['pɒpin,dʒei] *s* **1.** *fig.* ‚Fatzke' *m*, Geck *m*, Laffe *m*. **2.** *obs. u. her.* Papa'gei *m*.

pop·ish ['poupiʃ] *adj* (*adv* ~ly) pa'pistisch.

pop·lar ['pɒplər] *s bot.* Pappel *f*.

pop·lin ['pɒplin] *s* Pope'lin *m*, Pope'line *f* (*Stoff*).

pop·lit·e·al [pɒp'litiəl; ,pɒpli'tiːəl] *adj anat.* Kniekehlen...: ~ artery Ende *n* der Oberschenkelarterie; ~ nerve Ende *n* des Ischiasnervs.

pop·o·ver ['pɒp,ouvər] *s Am. rasch ausgebackenes, stark aufgehendes Backwerk.*

pop·pa ['pɒpə] → pop[3].

pop·pet ['pɒpit] *s* **1.** *obs. od. dial.* Püppchen *n* (*a. als Kosewort*). **2.** *tech.* a) *a.* ~head Docke *f* (*e-r Drehbank*), b) *a.* ~ valve 'Schnüffelven,til *n*. **3.** *mar.* Schlittenständer *m*.

pop·ping ['pɒpiŋ] *adj* lebhaft, le'bendig: a ~ play. **~ crease** *s Kricket*: Schlagmallinie *f*.

pop·py ['pɒpi] *s* **1.** *bot.* Mohn(blume *f*) *m*: corn (*od.* field) ~ Klatschmohn. **2.** Mohnsaft *m*. **3.** *a.* ~ red Mohnrot *n*. '**~,cock** *s bes. Am. colloq.* ‚Quatsch' *m*, dummes Zeug. **P~ Day** *s Br. Erinnerungstag an den Waffenstillstand nach dem 1. Weltkrieg* (*Sonnabend vor od. nach dem 11. November*). '**~,head** *s* **1.** *bot.* Mohnkapsel *f*. **2.** *arch.* Mohnkapsel *f* (*gotische Blattverzierung*). **~ oil** *s* Mohnöl *n*. **~ seed** *s* Mohn(samen) *m*.

pops [pɒps] *s colloq.* **1.** → pop[2] 1 *u.* 2. **2.** Or'chester *n* für leichte Mu'sik. **3.** → pop[3].

'**pop,shop** *s Br. sl.* Leih-, Pfandhaus *n*.

pop·si·cle ['pɒpsikl] *s Am.* ‚Eis *n* am Stiel'.

pop·sy ['pɒpsi], *a.* '**~-'wop·sy** [-'wɒpsi] *s colloq.* ‚süßes Püppchen', ‚Goldschatz' *m* (*Mädchen*).

pop·u·lace ['pɒpjulis] *s* **1.** Pöbel *m*. **2.** (*das*) (gemeine) Volk, (*der*) große Haufen, (*die*) Masse(n *pl*) *f*.

pop·u·lar ['pɒpjulər] *adj* (*adv* → popularly) **1.** Volks..., öffentlich: ~ election allgemeine Wahl; ~ front *pol.* Volksfront *f*; ~ government Volksherrschaft *f*; the ~ voice die Stimme des Volkes. **2.** allgemein, weitverbreitet: ~ discontent; a ~ error. **3.** popu'lär, (allgemein) beliebt (with bei): to make o.s. ~ with sich bei *j-m* beliebt machen; the ~ hero der Held des Tages. **4.** a) popu'lär, volkstümlich, b) gemein- *od.* leichtverständlich, Populär...: ~ etymology *ling.* Volksetymologie *f*; ~ magazine populäre Zeitschrift; ~ science Populärwissenschaft *f*; ~ song Schlager *m*; ~ writer Volksschriftsteller(in). **5.** volkstümlich, (für jeden) erschwinglich, Volks...: ~ edition Volksausgabe *f*; ~ prices volkstümliche Preise.

pop·u·lar·i·ty [,pɒpju'læriti] *s* Populari'tät *f*, Volkstümlichkeit *f*, Beliebtheit *f* (with bei; among unter *dat*).

,pop·u·lar·i'za·tion [-lərai'zeiʃən; *Am. a.* -i'z-] *s* **1.** allgemeine Verbreitung. **2.** Populari'sierung *f*, Darstellung *f* in leicht verständlicher Form. '**pop·u·lar,ize** [-lə,raiz] *v/t* **1.** popu'lär machen, (*beim Volk*) einführen. **2.** populari'sieren, volkstümlich *od.* gemeinverständlich darstellen.

pop·u·lar·ly ['pɒpjulərli] *adv* **1.** vom ganzen Volk, allgemein: ~ understood. **2.** popu'lär, volkstümlich, gemeinverständlich. **3.** im Volksmund, landläufig. [besiedeln.}

pop·u·late ['pɒpju,leit] *v/t* bevölkern,}

pop·u·la·tion [,pɒpju'leiʃən] *s* **1.** Bevölkerung *f*, Einwohnerschaft *f*. **2.** Bevölkerungs-, Einwohnerzahl *f*. **3.** (*bes.* sta'tistische) Gesamtzahl, (*Fahrzeug-, Schweine-, Wild- etc*)Bestand *m* (*e-s Landes*): car ~; swine ~. **4.** *biol. collect.* Populati'on *f*: a) *in der Natur begrenzte, kreuzungsfähige Individuenmenge*, b) Bewohner *pl*, (Art)Bestand *m* (*e-s bestimmten Lebensraums*). **~ count·er** *s tech.* Gesamtheitszähler *m* (*Qualitätskontrolle*). **~ pa·ram·e·ter** *s sociol.* sta'tistische Hilfs- *od.* Querschnittzahl.

Pop·u·lism ['pɒpju,lizəm] *s pol. Am. hist.* Prin'zipien *pl* der People's Party. '**Pop·u·list** *s pol. hist.* Anhänger(in) des Populism, Mitglied *n* der People's Party.

pop·u·lous ['pɒpjuləs] *adj* (*adv* ~ly) dichtbesiedelt, volkreich. '**pop·u·lous·ness** *s* dichte Besied(e)lung, Bevölkerungsdichte *f*.

pop valve *s tech.* 'Sicherheitsven,til *n*.

por·bea·gle ['pɔːr,biːgl] *s ichth.* Heringshai *m*.

por·ce·lain ['pɔːrslin; -sə-] **I** *s* Porzel'lan *n*. **II** *adj* Porzellan... **~ ce·ment** *s* Porzel'lankitt *m*. **~ clay** *s min.* Porzel'lanerde *f*, Kao'lin *m*, *n*. **~ en·am·el** *s* (Porzel'lan)E,mail *n*. **~ jas·per** *s* Porzel'lanjaspis *m*, Porzella'nit *m*.

por·cel·la·nize [pɔːr'selə,naiz; 'pɔːrslə,naiz] *v/t* zu Porzel'lan brennen.

porch [pɔːrtʃ] *s* **1.** Por'tal *n*, über'dachte Vorhalle, Vorbau *m*. **2.** *bes. Am.* Ve'randa *f*: ~ climber *sl.* ‚Klettermaxe' *m*, Einsteigdieb *m*. **3.** the P~ *antiq.* die Stoa.

por·cine ['pɔːrsain; -sin] *adj* **1.** *zo.* zur Fa'milie der Schweine gehörig. **2.** schweineartig. **3.** *fig.* schweinisch.

por·cu·pine ['pɔːrkju,pain] *s* **1.** *zo.* Stachelschwein *n*. **2.** *fig.* ‚Mi'mose' *f* (*empfindliche Person*). **3.** *Spinnerei*: Igel *m*, Nadel-, Kammwalze *f*.

pore[1] [pɔːr] *v/i* **1.** (over) (*etwas*) eifrig stu'dieren, vertieft sein (in *acc*), brüten (über *dat*): to ~ over one's books über s-n Büchern hocken. **2.** (nach)grübeln (on, upon über *acc*).

pore[2] [pɔːr] *s biol. etc* Pore *f*: at (*od.* in *od.* through) every ~ am ganzen Körper.

porge [pɔːrdʒ] *v/t ein Schlachttier* (*nach jüdischem Ritus*) koscher machen.

por·gy ['pɔːrdʒi] *pl* **-gies**, *bes. collect.* **-gy** *s ichth. Am.* **1.** *meist* red ~ Amer. Goldbrassen *m*. **2.** (*ein*) Rotbrassen *m*.

po·rif·er·ous [po'rifərəs] *adj* **1.** porig, mit Poren versehen. **2.** *zo.* Poriferen...

po·rism ['pɔːrizəm] *s math.* **1.** Po'risma *n* (*Problem, das mehrere Lösungen ergibt*). **2.** gefolgerter Satz.

pork [pɔːrk] *s* **1.** Schweinefleisch *n*. **2.** *Am. colloq. von der Regierung aus politischen Gründen gewährte* (*finanzielle*) *Begünstigung od. Stellung*. **~ bar·rel** *s Am. colloq.* (*politisch berechnete*) Geldzuwendung (*der Regierung*). '**~,burg·er** *s Am. colloq.* (Brötchen *n od.* Sandwich *n* mit) 'Schweinefleisch-Frika,delle *f*. **~ butch·er** *s* Schweineschlächter *m*. **~ chop** *s* 'Schweinskote,lett *n*. [-ferkel *n.*}

pork·er ['pɔːrkər] *s* Mastschwein *n*,}

pork·ling ['pɔːrkliŋ] *s* Ferkel *n*.

pork pie *s* 'Schweinefleischpa,stete *f*.

'**pork,pie (hat)** *s* **1.** *Br.* runder, flacher Damenhut (*mit hochstehender Krempe*). **2.** flacher Herren(filz)hut.

pork·y[1] ['pɔːrki] *adj* **1.** fett(ig). **2.** *colloq.* fett, dick.

por·ky[2] ['pɔːrki] *s Am. colloq.* Stachelschwein *n*.

por·nog·ra·pher [pɔːr'nɒgrəfər] *s* Verfasser *m* porno'graphischer Schriften. **,por·no'graph·ic** [-nə'græfik] *adj* (*adv* ~ally) porno'graphisch, ob'szön. **por'nog·ra·phy** *s* **1.** *collect.* Pornogra-

'phie *f*, 'Schmutzlitera,tur *f*. **2.** porno'graphische Darstellung.
po·ros·i·ty [pɔː'rɒsiti] *s* **1.** Porosi'tät *f*, ('Luft-, 'Wasser),Durchlässigkeit *f*. **2.** Pore *f*, po'röse Stelle.
po·rous ['pɔːrəs] *adj* po'rös.
por·phy·rite ['pɔːrfə,rait] *s min.* Porphy'rit *m*. ,**por·phy'rit·ic** [-'ritik] *adj* porphyrartig, -haltig.
por·phy·ry ['pɔːrfəri; -fi-] *s geol.* Porphyr *m*.
por·poise ['pɔːrpəs] **I** *pl* **-pois·es,** *collect.* **-poise** *s ichth.* **1.** Tümmler *m*, Meerschwein *n*. **2.** Schnabelfisch *m*. **3.** Del'phin *m*. **II** *v/i* **4.** *aer.* wellenförmig landen *od.* aufsteigen.
por·rect [pə'rekt] **I** *v/t* **1.** ausstrecken. **2.** *jur. relig.* darreichen, über'reichen. **II** *adj* **3.** *bot. zo.* ausgestreckt. **por'rec·tion** *s jur. relig.* Darreichung *f*.
por·ridge ['pɒridʒ] *s* **1.** *bes. Br.* Porridge *n*, Hafer(flocken)brei *m*, -grütze *f*. **2.** (dicker) Brei, Grütze *f*: **pease ~** Erbs(en)brei; **to keep one's breath to cool one's ~** den Mund halten.
por·ri·go [pə'raigou] *s med.* (Kopf)-Grind *m*.
por·rin·ger ['pɒrindʒər] *s* Suppennapf *m*.
port[1] [pɔːrt] *s* **1.** *aer. mar.* (See-, Flug)-Hafen *m*: **free ~** Freihafen; **inner ~** Binnenhafen; **naval ~** Kriegshafen; **~ admiral** Hafenadmiral *m* (*e-s Kriegshafens*); **~ of call** a) *mar.* Anlaufhafen, b) *aer.* Anflughafen; **~ of delivery** (*od.* **discharge**) Löschhafen, -platz *m*; **~ of departure** a) *mar.* Abgangshafen, b) *aer.* Abflughafen; **~ of destination** a) *mar.* Bestimmungshafen, b) *aer.* Zielflughafen; **~ of distress** Nothafen; **~ of entry** Einlaufhafen (→ 3); **~ of registry** Heimathafen; **~ of tran(s)-shipment** Umschlaghafen; **to call** (*od.* **touch**) **at a ~** a) *mar.* e-n Hafen anlaufen, b) *aer.* e-n Flughafen anfliegen; **to clear a ~** aus e-m Hafen auslaufen. **2.** Hafenplatz *m*, -stadt *f*. **3.** *econ. bes. Am.* 'Grenz-, 'Zollkon,trollstelle *f*: **~ of entry** Einfuhr(zoll)stelle (→ 1). **4.** *fig.* (sicherer) Hafen, Ziel *n*.
port[2] [pɔːrt] **I** *s mar.* Backbord(seite *f*) *n*: **on the ~ beam** an Backbord dwars; **on the ~ bow** an Backbord voraus; **on the ~ quarter** Backbord achtern; **to cast to ~** nach Backbord abfallen. **II** *v/t mar. das Ruder* nach der Backbordseite 'umlegen: **~ the helm!** Backbord das Ruder! **III** *v/i mar.* nach Backbord drehen (*Schiff*). **IV** *adj* backbord: a) *mar.* Backbord...: **~ engine,** b) *aer.* link(er, e, es).
port[3] [pɔːrt] *s* **1.** *bes. Scot.* Tor *n*, Pforte *f*: **city ~** Stadttor. **2.** *mar.* a) (Lade)Luke *f*, (-)Pforte *f*, b) Pfortdeckel *m*, -luke *f*, c) Schießloch *n*: **anchor ~** Ankerpforte. **3.** *mil.* Schießscharte *f* (*a. am Panzer*). **4.** *tech.* (Auslaß-, Einlaß)Öffnung *f*, Abzug *m*: **exhaust ~** Auspuff(öffnung *f*) *m*.
port[4] [pɔːrt] *s* Portwein *m*.
port[5] [pɔːrt] **I** *v/t* **1.** *obs.* tragen. **2. ~ arms!** *mil. Kommando, das Gewehr schräg nach links vor dem Körper zu halten.* **II** *s* **3.** *obs.* (äußere) Haltung.
port·a·ble ['pɔːrtəbl] **I** *adj* **1.** tragbar: **~ radio (set)** a) → 3, b) *mil.* Tornisterfunkgerät *n*; **~ gramophone** Phonokoffer *m*; **~ tape recorder** Koffertonbandgerät *n*; **~ typewriter** → 4. **2.** transpor'tabel, (orts)beweglich: **~ aerial** (*Am.* **antenna**) ortsveränderliche Antenne; **~ derrick** fahrbarer Kran; **~ railway** Feldbahn *f*; **~ searchlight** Handscheinwerfer *m*. **II** *s* **3.** Kofferradio *n*, -empfänger *m*. **4.** 'Reiseschreibma,schine *f*. **~ en·gine** *s tech.* Lokomo'bile *f*. **~ fire·arm** *s mil.* Handfeuerwaffe *f*.
por·tage ['pɔːrtidʒ] **I** *s* **1.** (*bes.* 'Trage)-Trans,port *m*. **2.** *econ.* Fracht *f*, Rollgeld *n*, Träger-, Zustellgebühr *f*. **3.** *mar.* a) Por'tage *f*, Trageplatz *m*, b) Tragen *n* (*von Kähnen etc*) über e-e Por'tage. **II** *v/t* **4.** *e-n Kahn etc* über e-e Por'tage tragen.
por·tal[1] ['pɔːrtl] *s* **1.** *arch.* Por'tal *n*, (Haupt)Eingang *m*, Tor *n*: **~ crane** *tech.* Portalkran *m*. **2.** *fig. u. poet.* Pforte *f*, Tor *n*: **~ of heaven** Himmelspforte, -tor.
por·tal[2] ['pɔːrtl] *anat.* **I** *adj* Pfort(ader)... **II** *s* Pfortader *f*.
'**por·tal|-to-'por·tal pay** *s econ Arbeitslohn, berechnet für die Zeit vom Betreten der Fabrik etc bis zu ihrem Verlassen.* **~ vein** *s anat.* Pfortader *f*.
por·ta·men·to [,pɔːrtə'mentou] *pl* **-ti** [-tiː] *s mus.* Porta'ment(o) *n*.
por·ta·tive ['pɔːrtətiv] **I** *adj phys.* tragfähig: **~ force** Tragkraft *f*. **II** *s a.* **~ organ** *mus.* Porta'tiv *n*.
,**port|'cray·on** *s* Zeichenstift-, Bleistifthalter *m*. **~'cul·lis** [-'kʌlis] *s* **1.** *mil. hist.* Fallgitter *n*. **2.** *her.* Gitter *n*.
porte-co·chere [,pɔːrtko'ʃɛr] *s* **1.** Wageneinfahrt *f*. **2.** *Am.* Schutzdach *n* (*vor Hauseingängen*).
por·tend [pɔːr'tend] *v/t* (vor)bedeuten, ankündigen, anzeigen.
por·tent ['pɔːrtent] *s* **1.** Vorbedeutung *f*. **2.** (*bes.* schlimmes) (Vor-, An)Zeichen, (*bes.* böses) Omen. **3.** Wunder *n* (*Sache od. Person*). **por'ten·tous** [-təs] *adj* (*adv* **~ly**) **1.** omi'nös, verhängnis-, unheilvoll. **2.** ungeheuer, gewaltig, wunderbar, *a. humor.* unheimlich. **por'ten·tous·ness** *s* **1.** (*das*) Omi'nöse. **2.** (*das*) Gewaltige *od.* Wunderbare.
por·ter[1] ['pɔːrtər] *s* Pförtner *m*, Por'tier *m*.
por·ter[2] ['pɔːrtər] *s* **1.** (Gepäck)Träger *m*, Dienstmann *m*. **2.** *rail.* (Sa'lon- *od.* Schlafwagen)Schaffner(in).
por·ter[3] ['pɔːrtər] *s* Porter(bier *n*) *m*.
por·ter·age ['pɔːrtəridʒ] → **portage** 1 *u.* 2.
'**por·ter,house** *s bes. Am.* Bier-, Speisehaus *n*: **~ steak** zartes (Beef)Steak.
'**port|,fire** *s mil.* langsam brennender Zünder, Zeitzündschnur *f*. **~'fo·li·o** *pl* **-os** *s* **1.** a) Aktentasche *f*, Mappe *f*, b) Porte'feuille *n* (*für Staatsdokumente*). **2.** *fig.* (Mi'nister)Porte,feuille *n*: **without ~** ohne Geschäftsbereich. **3.** *econ.* ('Wechsel)Porte,feuille *n*. '**~,hole** *s* **1.** *mar.* a) (Pfort)Luke *f*, b) Bullauge *n*. **2.** *tech.* → **port**[3] 4.
por·ti·co ['pɔːrti,kou] *pl* **-cos** *s arch.* Säulengang *m*.
por·tion ['pɔːrʃən] **I** *s* **1.** (An)Teil *m* (**of** *an dat*). **2.** Porti'on *f* (*Essen*). **3.** Teil *m*, *n*, Stück *n* (*e-s Buches, e-s Gebiets, e-r Strecke etc*). **4.** Menge *f*, Quantum *n*. **5.** *jur.* a) Mitgift *f*, Aussteuer *f*, b) Erbteil *n*: **legal ~** Pflichtteil *m*, *n*, Quantum *n*. **6.** *fig.* Los *n*, Schicksal *n*, Geschick *n*. **II** *v/t* **7.** aufteilen: **to ~ out** aus-, verteilen. **8.** zuteilen. **9.** *e-e Tochter* ausstatten, aussteuern. **10.** *ein Schicksal* zu'teil werden lassen. '**por·tion·ist** *s* **1.** *relig.* Besitzer *m* e-r Teilpfründe. **2.** Stipendi'at *m* am Merton College (*Oxford*).
port·li·ness ['pɔːrtlinis] *s* **1.** Stattlichkeit *f*, würdiges Aussehen. **2.** Wohlbeleibtheit *f*, Behäbigkeit *f*. '**port·ly** *adj* **1.** stattlich, würdevoll, gemessen. **2.** wohlbeleibt, behäbig.
port·man·teau [pɔːrt'mæntou] *pl* **-teaus, -teaux** [-touz] *s* **1.** *bes. Br.* Handkoffer *m*. **2.** *obs.* Mantelsack *m*. **3.** *meist* **~ word** *ling.* Schachtelwort *n* (*z. B.* **motel** *aus* **motorists' hotel**).
por·trait ['pɔːrtreit; -trit] *s* **1.** a) Por'trät *n*, Bild(nis) *n*, b) *phot.* Por'trät(aufnahme *f*) *n*: **~ lens** *phot.* Porträtlinse *f*; **to take s.o.'s ~** j-n porträtieren, ein Porträt von j-m machen; **~ bust** Porträtbüste *f*. **2.** *fig.* Bild *n*, (lebenswahre) Darstellung, Schilderung *f*. '**por·trait·ist** *s* Porträ'tist(in), Por'trätmaler(in), -photo,graph(in).
por·trai·ture ['pɔːrtritʃər] *s* **1.** → **portrait** 1 *u.* 2. **2.** a) Por'trätmale,rei *f*, b) *phot.* Por'trätphotogra,phie *f*.
por·tray [pɔːr'trei] *v/t* **1.** porträ'tieren, (ab)malen. **2.** *fig.* schildern, (le'bendig) darstellen. **por'tray·al** *s* **1.** Porträ'tieren *n*. **2.** Por'trät *n*. **3.** *fig.* Schilderung *f*, Darstellung *f*. **por'tray·er** *s* **1.** (Por'trät)Maler(in). **2.** *fig.* Schilderer *m*.
port·reeve ['pɔːrt,riːv] *s Br.* **1.** *hist.* Bürgermeister *m*. **2.** Stadtamtmann *m*.
port| risk in·sur·ance *s econ. mar.* Hafenrisiko-Versicherung *f*. **~ side** *s mar.* Backbord(seite *f*) *n*.
Por·tu·guese [,pɔːrtʃu'giːz; *Br. a.* -tju-] **I** *pl* **-guese** *s* **1.** Portu'giese *m*, Portu'giesin *f*. **2.** *ling.* Portu'giesisch *n*, das Portugiesische. **II** *adj* **3.** portu'giesisch.
port wine *s* Portwein *m*.
pose[1] [pouz] **I** *v/t* **1.** aufstellen, in Posi'tur setzen: **to ~ a model for a photograph.** **2.** *ein Problem, e-e Frage* stellen, aufwerfen. **3.** *e-e Behauptung* aufstellen, *e-n Anspruch* erheben. **4.** (**as**) 'hinstellen (als), ausgeben (für, als). **II** *v/i* **5.** sich in Posi'tur setzen. **6.** a) *paint.* Mo'dell stehen *od.* sitzen, b) sich photogra'phieren lassen, c) als 'Maler- *od.* 'Photomo,dell arbeiten. **7.** po'sieren, auftreten, sich (aus)geben (**as** als). **III** *s* **8.** Pose *f* (*a. fig.*), Posi'tur *f*, Haltung *f*, Stellung *f*.
pose[2] [pouz] *v/t durch Fragen* verwirren, in Verlegenheit bringen.
pos·er[1] ['pouzər] → **poseur.**
pos·er[2] ['pouzər] *s* knifflige Frage, ‚harte Nuß'.
po·seur [po'zəːr] *s* Po'seur *m*, ‚Schauspieler' *m*.
posh [pɒʃ] *s Br. sl.* ‚piekfein', ‚feu'dal', ‚todschick', ele'gant.
pos·it ['pɒzit] *v/t philos.* postu'lieren.
po·si·tion [pə'ziʃən] *s* **1.** Positi'on *f* (*a. astr.*), Lage *f*, Stand(ort) *m*: **geographical ~** geographische Lage; **~ of the sun** Sonnenstand *m*; **in (out of) ~** (nicht) in der richtigen Lage. **2.** *aer. mar.* Positi'on *f*, *mar. a.* Besteck *n*: **~ lights** a) *aer. mar.* Positionslichter, b) *mot.* Begrenzungslichter. **3.** (*körperliche*) Lage, Stellung *f*: **horizontal ~**; **upright ~** aufrechte (Körper)Haltung. **4.** *med.* a) (ana'tomische *od.* richtige) Lage (*e-s Organs od. Gliedes*), b) (Kinds)Lage *f* (*im Mutterleib*). **5.** *tech.* (Schalt- *etc*)Stellung *f*: **~ of rest** Ruhelage, -stellung. **6.** *mil.* (Verteidigungs)Stellung *f*: **~ warfare** Stellungskrieg *m*. **7.** *mus.* Lage *f* (*von Akkordtönen*): **first** (*od.* **root**) **~** Grundstellung, -lage; **close (open) ~** enge (weite) Lage. **8.** *mus.* a) Lage *f* (*bestimmtes Gebiet des Griffbretts bei Saiteninstrumenten*), b) Zugstellung *f* (*bei der Posaune*). **9.** *Computer*: (Wert)Stelle *f*. **10.** Positi'on *f*, Situati'on *f*, Lage *f*: **an awkward ~**; **to be in a ~ to do s.th.** in der Lage sein, etwas zu tun. **11.** (Sach)Lage *f*, Stand *m* (*der Dinge*): **financial ~** Finanzlage, Vermögensverhältnisse; **legal ~** Rechtslage. **12.** sozi'ale Stellung, gesellschaftlicher Rang: **people of ~** Leute von Rang. **13.** Positi'on *f*, Stellung *f*, Amt *n*,

Posten *m*: to hold a (responsible) ~ e-e (verantwortliche) Stelle innehaben. **14.** *fig.* (Ein)Stellung *f*, Standpunkt *m*, Haltung *f*: to define one's ~ s-n Standpunkt darlegen; to take up a ~ on a question zu e-r Frage Stellung nehmen. **15.** *math. philos.* (Grund-, Lehr)Satz *m*, Behauptung *f*.
II *v/t* **16.** in die richtige Lage *od.* Stellung bringen, an den rechten Platz stellen, aufstellen, *tech. a.* (ein)stellen, anbringen: ~ing *sport* Stellungsspiel *n*. **17.** lokali'sieren. **18.** *mil. Truppen* statio'nieren.

po·si·tion·al [pə'ziʃənl] *adj* Positions..., Stellungs..., Lage...: ~ notation (*Computer*) Stellenschreibweise *f*; ~ warfare Stellungskrieg *m*.

po·si·tion·er [pə'ziʃənər] *s tech.* **1.** Feststellvorrichtung *f*. **2.** *Regeltechnik*: Stellungsmacher *m*.

po·si·tion find·er *s* **1.** *mil.* Richtvorrichtung *f*. **2.** a) *aer. mar. tech.* Ortungsgerät *n*, b) *electr.* Funkortungsgerät *n*.

pos·i·tive ['pɒzətiv] **I** *adj* (*adv* ~ly) **1.** bestimmt, ausdrücklich, defini'tiv (*Befehl etc*), fest (*Angebot, Versprechen etc*), unbedingt: ~ order; ~ offer; ~ law *jur.* positives Recht. **2.** sicher, eindeutig, feststehend, 'unumˌstößlich: a ~ proof; ~ facts. **3.** positiv, tatsächlich, auf Tatsachen beruhend: ~ fraud *jur.* (vorsätzlicher) Betrug. **4.** kon'kret, wirklich. **5.** positiv, bejahend, zustimmend: a ~ answer. **6.** über'zeugt, (abso'lut) sicher: to be ~ about s.th. e-r Sache (absolut) sicher sein, etwas felsenfest glauben *od.* behaupten. **7.** selbstbewußt, hartnäckig, rechthaberisch. **8.** *philos.* positiv: a) ohne Skepsis, b) em'pirisch, c) nur wissenschaftlich Beweisbares gelten lassend: ~ philosophy → positivism. **9.** positiv, positive Eigenschaften besitzend. **10.** ausgesprochen, abso'lut: a ~ fool ein ausgemachter *od.* kompletter Narr. **11.** *math.* positiv (*größer als Null*): ~ sign positives Vorzeichen, Pluszeichen *n*. **12.** *biol. electr. phot. phys.* positiv: ~ electricity; ~ electrode Anode *f*; ~ electron → positron; ~ feedback Mitkopplung *f*, positive Rückkopplung; ~ plate Plusplatte *f*; ~ pole Pluspol *m*. **13.** *tech.* zwangsläufig, Zwangs...: ~ drive. **14.** *med.* (reakti'ons)positiv: a ~ test. **15.** *ling.* im Positiv stehend: ~ degree Positiv *m*. **II** *s* **16.** Positivum *n*, (*etwas*) Positives, positive Eigenschaft. **17.** *phot.* Positiv *n*. **18.** *ling.* Positiv *m*. **'pos·i·tive·ness** *s* **1.** Bestimmtheit *f*, Wirklichkeit *f*, Gewißheit *f*. **2.** *fig.* Hartnäckigkeit *f*.

pos·i·tiv·ism ['pɒzətiˌvizəm] *s philos.* Positi'vismus *m*. **'pos·i·tiv·ist I** *s* Positi'vist(in). **II** *adj* → positivistic. **ˌpos·i·tiv'is·tic** *adj* (*adv* ~ally) positi'vistisch.

pos·i·tron ['pɒziˌtrɒn] *s phys.* Positron *n*, positives Elektron.

po·sol·o·gy [po'sɒlədʒi] *s med.* Posolo'gie *f*, Do'sierungslehre *f*.

pos·se ['pɒsi] *s jur.* **1.** *meist* ~ comitatus Landsturm *m* (*e-r Grafschaft*). **2.** (Poli'zei- *etc*)Aufgebot *n*. **3.** *allg.* Haufen *m*, Schar *f*, Rotte *f*.

pos·sess [pə'zes] *v/t* **1.** *allg., a. fig. Eigenschaften, Mut, Kenntnisse etc* besitzen, haben. **2.** im Besitz haben, (inne)haben: → possessed 1. **3.** *a. weitS. e-e Sprache etc* beherrschen, Gewalt haben über (*acc*): to ~ one's soul in patience sich in Geduld fassen. **4.** *fig.* (*geistig*) beherrschen, erfüllen (with mit). **5.** *j-n* in den Besitz bringen *od.* zum Besitzer machen (of, with von *od. gen*): to be ~ed of s.th. etwas besitzen; to ~ o.s. of s.th. etwas in Besitz nehmen, sich e-r Sache bemächtigen.

pos·sessed [pə'zest] *adj* **1.** im Besitz (of *gen od.* von). **2.** besessen, wahnsinnig, toll: ~ with (*od.* by) the devil (an idea) vom Teufel (von e-r Idee) besessen; like a man ~ wie ein Besessener, wie verrückt, wie toll. **3.** beherrscht, ruhig. **4.** *ling.* mit e-m Genitiv verbunden (*Substantiv*): ~ noun Besitzsubjekt *n*.

pos·ses·sion [pə'zeʃən] *s* **1.** (*abstrakter*) Besitz (*a. jur.*): actual ~ tatsächlicher *od.* unmittelbarer Besitz; in the ~ of im Besitz von (*od. gen*); in ~ of s.th. im Besitz e-r Sache; to put in ~ a) in den Besitz einweisen, b) *j-n* versehen (of mit); to take ~ of Besitz ergreifen von, in Besitz nehmen; → adverse 5, naked 9. **2.** Besitz(tum *n*) *m*, Habe *f*. **3.** *pl* Besitzungen *pl*, Liegenschaften *pl*: foreign ~s auswärtige Besitzungen. **4.** *fig.* Besessenheit *f*. **5.** *fig.* Beherrscht-, Erfülltsein *n* (by von *e-r Idee etc*). **6.** beherrschende Leidenschaft, Wahn *m*. **7.** *meist* self-~ Fassung *f*, Beherrschung *f*.

pos·ses·sive [pə'zesiv] **I** *adj* (*adv* ~ly) **1.** Besitz... **2.** besitzgierig, -betonend: ~ instinct Sinn *m* für Besitz. **3.** von ty'rannischer Liebe erfüllt, ‚gewalttätig': a ~ mother e-e Mutter, die ihr Kind mit allen Mitteln an sich binden will; a ~ wife e-e Frau, die ihren Mann ganz für sich allein haben will. **4.** *ling.* posses'siv, besitzanzeigend: ~ adjective (*bes.* verbundenes) Personalpronomen; ~ case → 5. **II** *s* **5.** *ling.* a) *a.* ~ pronoun Posses'siv(um) *n*, Posses'sivproˌnomen *n*, besitzanzeigendes Fürwort, b) Genitiv *m*, zweiter Fall. **pos'ses·sive·ness** *s* **1.** Besitzgier *f*. **2.** selbstsüchtige *od.* ty'rannische Art *od.* Liebe.

pos·ses·sor [pə'zesər] *s* Besitzer(in), Inhaber(in). **pos'ses·so·ry** [-əri] *adj* Besitz...: ~ action Besitz(störungs)klage *f*; ~ right Besitzrecht *n*.

pos·set ['pɒsit] *s heißes Milchgetränk mit Alkoholzusatz.*

pos·si·bil·i·ty [ˌpɒsə'biliti] *s* **1.** Möglichkeit *f* (of zu, für): there is no ~ of doing s.th. es besteht keine Möglichkeit, etwas zu tun; there is no ~ of his coming es besteht keine Möglichkeit, daß er kommt. **2.** Möglichkeit *f*; j-d, der *od.* etwas, was in Frage kommt. **3.** *pl* a) Möglichkeiten *pl*, (Zukunfts)Aussichten *pl*, b) (Entwicklungs)Möglichkeiten *pl*, (-)Fähigkeiten *pl*.

pos·si·ble ['pɒsəbl] **I** *adj* **1.** möglich (with bei; to *dat*; for für): this is ~ with him das ist bei ihm möglich; highest ~ größtmöglich; least ~ geringstmöglich. **2.** eventu'ell, etwaig, denkbar. **3.** *colloq.* annehmbar, pas'sabel, erträglich, leidlich. **II** *s* **4.** the ~ das (Menschen)Mögliche, das Beste: he did his ~. **5.** *sport* (*die*) höchste Punktzahl. **6.** in Frage kommender Kandi'dat *od.* Gewinner *od.* Konkur'rent *od. sport* Spieler (*in e-r Mannschaft*). **'pos·si·bly** [-bli] *adv* **1.** möglicher'weise, viel'leicht. **2.** (irgend) möglich: if I ~ can wenn ich irgend kann; I cannot ~ do this ich kann das unmöglich *od.* auf keinen Fall tun; how can I ~ do it? wie kann ich es nur *od.* bloß machen?

pos·sum ['pɒsəm] *s colloq. abbr. für* opossum: to play ~ sich nicht rühren, sich tot- *od.* krank *od.* dumm stellen.

post¹ [poust] **I** *s* **1.** Pfahl *m*, (*a.* Tür-, Tor)Pfosten *m*, Ständer *m*, (*Telegraphen- etc*)Stange *f*, Säule *f*: as deaf as a ~ stocktaub. **2.** Anschlagsäule *f*. **3.** *sport* (Start- *od.* Ziel)Pfosten *m*, Start- (*od.* Ziel)Linie *f*: to be beaten at the ~ kurz vor dem Ziel abgefangen werden. **4.** *Bergbau*: a) Streckenpfeiler *m*, b) Verti'kalschicht *f* aus Kohle *od.* Sandstein. **II** *v/t* **5.** *a.* ~ up *ein Plakat etc* anschlagen, ankleben. **6.** *e-e Mauer* mit Pla'katen *od.* Zetteln bekleben. **7.** *etwas* (durch Aushang *od.* in e-r Liste) bekanntgeben. **8.** öffentlich anprangern. **9.** *aer. mar. ein Flugzeug etc* (als vermißt *od.* 'überfällig) melden: to ~ an airliner as missing (as overdue). **10.** *Am.* (durch Verbotstafeln) vor unbefugtem Zutritt schützen: ~ed property Besitz, zu dem der Zutritt verboten ist.

post² [poust] **I** *s* **1.** *mil.* a) Posten *m*, Standort *m*, Stellung *f*: advanced ~ vorgeschobener Posten, b) Standort *m*, Garni'son *f*: P~ Exchange (*abbr.* PX) *Am.* Marketenderei *f*, Einkaufsstelle *f*; ~ headquarters Standortkommandantur *f*, c) Standort-, Statio'nierungstruppe *f*, d) (Wach)Posten *m*. **2.** *mil. Br.* ('Horn)Siˌgnal *n*: first ~ Wecken *n*; last ~ Zapfenstreich *m*. **3.** Posten *m*, Platz *m*, Stand(platz) *m*: first-aid ~ Unfallstation *f*, Sanitätswache *f*; to remain at one's ~ auf s-m Posten bleiben. **4.** Posten *m*, (An)Stellung *f*, Stelle *f*, Amt *n*: ~ of a secretary Sekretärsposten. **5.** Handelsniederlassung *f*. **6.** *econ.* Makler-, Börsenstand *m*. **II** *v/t* **7.** *bes. mil.* aufstellen, po'stieren, statio'nieren. **8.** *mil.* a) *j-n* (für e-n Posten) ernennen, b) *j-n* versetzen, 'abkommanˌdieren.

post³ [poust] **I** *s* **1.** *bes. Br.* Post *f*: a) *als Institution*, b) *Br.* Postamt *n*, c) *Br.* Post-, Briefkasten *m*: by ~ mit der *od.* per Post. **2.** *bes. Br.* Post *f*: a) Postzustellung *f*, b) Postsendungen *pl*, -sachen *pl*, c) Nachricht *f*: today's ~ die heutige Post; general ~ Früh-, Morgenpost, *fig.* (*Art*) Blindekuhspiel *n*. **3.** *hist.* a) Postkutsche *f*, b) 'Poststatiˌon *f*, c) Eilbote *m*, Ku'rier *m*. **4.** *bes. Br.* 'Briefpaˌpier *n* (*Format 16" × 20"*). **II** *v/i* **5.** mit der Post(kutsche) reisen. **6.** (da'hin)eilen. **III** *v/t* **7.** *Br.* zur Post geben, aufgeben, in den Briefkasten werfen *od.* stecken, mit der Post (zu)senden. **8.** *a.* ~ up *colloq. j-n* infor'mieren, unter'richten: to keep s.o. ~ed j-n auf dem laufenden halten; well ~ed gut unterrichtet. **9.** *econ.* eintragen, verbuchen, *ein Konto* (ins Hauptbuch) über'tragen: to ~ up *das Hauptbuch* nachtragen, *die Bücher* in Ordnung bringen.

post·age ['poustidʒ] *s* Porto *n*, Postgebühr *f*, -spesen *pl*: additional ~, extra ~ Nachporto, -gebühr, Portozuschlag *m*; ~ free, ~ paid portofrei, franko. **'~-'due** *s* Nachporto *n*, Nachgebühr *f*. **~ stamp** *s* Briefmarke *f*, Postwertzeichen *n*.

post·al ['poustəl] **I** *adj* po'stalisch, Post...: ~ card → II; ~ cash order Postnachnahme *f*; ~ delivery zone *Am.* Postzustellzone *f*; ~ district Postzustellbezirk *m*; ~ money order *Br.* Postanweisung *f*; ~ order *Br.* Postanweisung *f* (*für kleine Beträge*); P~ Union Weltpostverein *m*. **II** *s Am.* Postkarte *f*.

'post|ˌcard *s* **1.** *Br.* Postkarte *f*. **2.** *Am.* Postkarte *f* ohne aufgedruckte Marke. **~ chaise** *s hist.* Postkutsche *f*.

ˌpost'date *v/t* **1.** *e-n Brief etc* vor'ausda,tieren. **2.** nachträglich *od.* später da'tieren.

,post·di'lu·vi·al *adj* **1.** *geol.* 'postdilu-vi,al, nacheiszeitlich. **2.** → postdiluvian. **,post·di'lu·vi·an** *adj* nachsintflutlich.

'post,en·try *s* **1.** *econ.* nachträgliche (Ver)Buchung. **2.** *econ.* nachträgliche Zollerklärung. **3.** *sport* Nachnennung *f.*

post·er ['poustər] *s* **1.** Pla'katankleber *m.* **2.** Anschlagzettel *m,* Pla'kat *n:* ~ **paint** Plakatfarbe *f;* ~ **stamp** (*od.* **seal**) **mail** *Am.* Wohlfahrtsmarke *f.*

poste res·tante [*Br.* poust 'restɑ̃t; *Am.* res'tɑːnt] **I** *adj* postlagernd. **II** *s bes. Br.* Aufbewahrungsstelle *f* für postlagernde Briefe.

pos·te·ri·or [pɒs'ti(ə)riər] **I** *adj* (*adv* ~**ly**) **1.** a) später (to als), b) hinter: to be ~ to *zeitlich od. örtlich* kommen nach, folgen auf (*acc*). **2.** *anat. bot.* hinter(er, e, es), Hinter... **II** *s* **3.** *sg u. pl* 'Hinterteil *n,* (*der*) Hintern. **pos,te·ri'or·i·ty** [-'ɒriti] *s* späteres Ein- *od.* Auftreten.

pos·ter·i·ty [pɒs'teriti] *s* **1.** Nachkommen(schaft *f*) *pl.* **2.** Nachwelt *f.*

pos·tern ['poustərn] *s a.* ~ **door,** ~ **gate** 'Hinter-, Neben-, Seitentür *f.*

postero- [pɒstəro] *Wortelement mit der Bedeutung* hinten: **posterolateral** hinten (u.) seitlich liegend.

'post-'free *adj bes. Br.* portofrei, [franko.]

,post'grad·u·ate I *adj* **1.** nach beendigter Studienzeit. **2.** nach dem ersten aka'demischen Grad, vorgeschritten, Doktoranden... **II** *s* **3.** Gradu'ierte(r *m*) *f* (*Student, der nach Abschluß des Universitätsexamens wissenschaftlich weiterarbeitet*).

'post'haste *adv* eiligst, schnellstens, [Hals über Kopf.]

post| horn *s hist.* Posthorn *n.* ~ **horse** *s hist.* Postpferd *n.* '~,**house** *s hist.* 'Post(haus *n,* -stati,on) *f.*

post·hu·mous ['pɒstʃuməs; *Br. a.* -tju-] *adj* (*adv* ~**ly**) po'st(h)um: a) *nach des Vaters Tod geboren:* ~ **son,** b) nachgelassen, hinter'lassen: ~ **volume of poems,** c) nach dem Tod fortdauernd: ~ **fame** Nachruhm *m,* d) nachträglich: ~ **conferment of a medal.**

,post·hyp'not·ic *adj* 'posthyp,notisch: ~ **suggestion.**

pos·tiche [pɒs'tiʃ] (*Fr.*) **I** *adj* **1.** nachgemacht, künstlich. **2.** *arch.* nachträglich hin'zugefügt (*Ornament etc*). **II** *s* **3.** Nachahmung *f.* **4.** (hin'zugefügter) Zierat. **5.** a) Pe'rücke *f,* b) Haar(ersatz)teil *n,* künstliche Locke.

,post·im'pres·sion,ism *s paint.* 'Nachimpressio,nismus *m.*

post·li·min·i·um [,poustli'miniəm], *a.* **post'lim·i·ny** [-'limini] *s jur.* Postli'minium *n* (*Wiederherstellung des früheren Rechtszustandes*).

post·lude ['poust,ljuːd; -,luːd] *s* **1.** *mus.* Post'ludium *n,* Nachspiel *n.* **2.** *fig.* a) Schlußphase *f,* b) Epi'log *m.*

'post|·man [-mən] *s irr* Briefträger *m,* Postbote *m.* '~,**mark I** *s* Poststempel *m.* **II** *v/t Briefe etc* (ab)stempeln.

'post,mas·ter *s* **1.** Postamtsvorsteher *m,* Postmeister *m.* **2.** *univ.* (*Merton College, Oxford*) Stipendi'at *m.* **P~ Gen·er·al** *pl* **P~s Gen·er·al** *s* 'Postmi,nister *m.*

,post·me'rid·i·an *adj* Nachmittags...

post me·rid·i·em [poust mə'ridiem] (*Lat.*) *adv* (*abbr.* p.m.) nachmittags: 3 p.m. 3 Uhr nachmittags, 15 Uhr; 10 p.m. 10 Uhr abends, 22 Uhr.

,post·mil'len·ni·al,ism *s relig.* Lehre *f* von der 'Wiederkehr Christi nach tausend Jahren.

'post,mis·tress *s* Postmeisterin *f.*

,post-'mor·tem ['mɔːrtəm; -tem] *jur. med.* **I** *adj* **1.** Leichen..., nach dem Tode (eintretend *od.* stattfindend). **II** *adv* **2.** nach dem Tode. **III** *s* **3.** *a.* ~ **examination** Leichenöffnung *f,* Autop'sie *f,* Obdukti'on *f.* **4.** *fig.* Ma'növerkri,tik *f,* nachträgliche Diskussi'on *od.* Ana'lyse.

post'na·tal *adj* postna'tal, nach der Geburt (stattfindend). **post'nup·tial** *adj* nach der Hochzeit (stattfindend).

post oak *s bot.* Pfahleiche *f.*

,post-'o·bit (bond) *s econ.* nach dem Tode e-r dritten Per'son fälliger Schuldschein.

post of·fice *s* **1.** Post(amt *n*) *f:* **General P~ O~** (*abbr.* G.P.O.) Hauptpost(amt); **P~ O~ Department** *Am.* Postministerium *n.* **2.** *Am. ein Gesellschaftsspiel.*

'post-,of·fice| box (*abbr.* P.O.B.) Post(schließ)fach *n.* ~ **guide** *s* Postbuch *n* (*mit Angaben über Bestimmungen, Tarife etc*). ~ **or·der** *s* Postanweisung *f* (*für größere Beträge*). ~ **savings bank** *s* Postsparkasse *f.*

'post'paid *adj* freigemacht, fran'kiert.

post'pal·a·tal *adj* postpala'tal: a) *anat.* hinter dem Gaumen liegend, b) *Phonetik:* zwischen Zunge u. hinterem Gaumenteil gebildet.

post·pone [poust'poun] **I** *v/t* **1.** verschieben, auf-, hin'ausschieben. **2.** *j-n od. etwas* 'unterordnen (to *dat*), hint'ansetzen. **3.** *ling. das Verb etc* nachstellen. **II** *v/i* **4.** *med.* verspätet ein- *od.* auftreten. **post'pone·ment** *s* **1.** Verschiebung *f,* Aufschub *m.* **2.** *tech.* Verzögerung *f,* Nachstellung *f* (*a. ling.*).

,post·po'si·tion *s* **1.** Nachstellung *f,* -setzung *f.* **2.** *ling.* a) Nachstellung *f,* b) Postpositi'on *f,* nachgestelltes (Verhältnis)Wort. **post'pos·i·tive** *adj ling.* nachgestellt.

post'pran·di·al *adj* nach dem Essen, nach Tisch: ~ **speech** Tischrede *f.*

,post·re'cord *v/t u. v/i Film:* 'nachsynchroni,sieren.

'post,script *s* **1.** Post'skriptum *n* (*zu e-m Brief*), Nachschrift *f.* **2.** Nachtrag *m* (*zu e-m Buch*).

pos·tu·lant ['pɒstʃələnt; *Br. a.* -tju-] *s* **1.** Antragsteller(in). **2.** Bewerber(in) (*bes. um Aufnahme in e-n religiösen Orden*). **'pos·tu,late** [-,leit] **I** *v/t* **1.** fordern, verlangen, begehren. **2.** postu'lieren, (als gegeben) vor'aussetzen. **3.** *relig. j-n* postu'lieren, vorbehaltlich der Zustimmung e-r höheren In'stanz ernennen. **II** *v/i* **4.** verlangen (for nach). **III** *s* [-lit; -,leit] **5.** Postu'lat *n,* Vor'aussetzung *f,* (Grund)Bedingung *f.* **,pos·tu'la·tion** *s* **1.** Gesuch *n,* Forderung *f.* **2.** *Logik:* Postu'lat *n,* unentbehrliche Annahme.

pos·tur·al ['pɒstʃərəl] *adj* Haltungs...

pos·ture ['pɒstʃər] **I** *s* **1.** (Körper)Haltung *f,* Stellung *f.* **2.** *a. paint. thea.* Pose *f,* Posi'tur *f.* **3.** (*geistige*) Haltung. **4.** Lage *f* (*a. fig. Situation*). **II** *v/t* **5.** in Posi'tur setzen, e-e bestimmte Haltung *od.* Stellung geben (*dat*), anordnen. **III** *v/i* **6.** sich in Posi'tur setzen, po'sieren. **7.** *fig.* po'sieren, auftreten (as als). ~ **mak·er** *s* Schlangenmensch *m* (*Artist*).

,post·vo'cal·ic *adj ling.* postvo'kal, nach e-m Vo'kal (stehend).

'post'war *adj* Nachkriegs...

po·sy ['pouzi] *s* **1.** Blumenstrauß *m,* Sträußchen *n.* **2.** *obs.* Motto *n,* Denkspruch *m* (*im Ring etc*).

pot [pɒt] **I** *s* **1.** (*Blumen-, Koch-, Nachtetc*)Topf *m:* **the ~ calls the kettle black** ein Esel schilt den andern Langohr; **big ~** *sl.* ‚großes Tier'; **to go to ~** *sl.* a) ‚vor die Hunde gehen', ‚auf den Hund kommen' (*Person*), b) ‚futsch- *od.* kaputtgehen' (*Sache*); **to keep the ~ boiling** die Sache in Gang halten; **a ~ of money** *sl.* ‚ein Heidengeld'; **he has ~s of money** er hat Geld wie Heu. **2.** a) Kanne *f,* b) Bierkanne *f,* -krug *m.* **3.** *tech.* Tiegel *m,* Gefäß *n:* ~ **annealing** Kastenglühen *n;* ~ **galvanization** Feuerverzinkung *f.* **4.** *sport sl.* Po'kal *m.* **5.** (Spiel)Einsatz *m.* **6.** *Fischfang:* a) (*e-e*) Reuse *f,* b) Hummerkorb *m,* -falle *f.* **7.** → **pot shot.** **8.** *sl.* Marihu'ana *n.* **II** *v/t* **9.** in e-n Topf tun, *Pflanzen* eintopfen. **10.** *Fleisch* einlegen, -machen: ~**ted meat** Fleischkonserven; ~**ted ham** Büchsenschinken *m.* **11.** *colloq. ein Kind* aufs ‚Töpfchen' setzen. **12.** *hunt. Wild* ‚abknallen', (*unsportlich*) schießen. **13.** *colloq.* einheimsen, erbeuten. **14.** *den Billardball* in das Loch treiben. **15.** *e-e Keramik* 'herstellen. **III** *v/i* **16.** *colloq.* ‚(los)knallen', schießen (at auf *acc*).

po·ta·ble ['poutəbl] *humor.* **I** *adj* trinkbar. **II** *s pl* Getränke *pl.*

po·tage [pɔ'taːʒ] (*Fr.*) *s* (dicke) Suppe.

pot ale *s* Schlempe *f* (*Brennereirückstand*).

pot·ash ['pɒt,æʃ] *s chem.* **1.** Pottasche *f,* 'Kaliumkarbo,nat *n:* **bicarbonate of ~** doppeltkohlensaures Kali; ~ **fertilizer** Kalidünger *m;* ~ **mine** Kalibergwerk *n.* **2.** *a.* **caustic ~** Ätzkali *n.* **3.** 'Kaliumo,xyd *n.* **4.** Kalium *n* (*nur in gewissen Ausdrücken*): ~ **lye** Kalilauge *f;* ~ **salts** Kalisalze.

po·tas·sic [pə'tæsik] *adj chem.* Kalium..., Kali...

po·tas·si·um [pə'tæsiəm; -sjəm] *s chem.* Kalium *n.* ~ **car·bon·ate** *s* 'Kaliumkarbo,nat *n,* Pottasche *f.* ~ **chlorate** *s* 'Kaliumchlo,rat *n.* ~ **cy·a·nide** *s* 'Kaliumcya,nid *n,* Zyan'kali *n.* ~ **hy·drox·ide** *s* 'Kaliumhydro,xyd *n,* Ätzkali *n.* ~ **ni·trate** *s* 'Kaliumni,trat *n.*

po·ta·tion [po'teiʃən] *s* **1.** Trinken *n.* **2.** a) Zechen *n,* b) Zeche'rei *f.* **3.** Trank *m,* Getränk *n.* **4.** Schluck *m,* Zug *m.*

po·ta·to [pə'teitou] *pl* **-toes** *s* **1.** Kar'toffel *f:* **fried ~es** Bratkartoffeln; **small ~es** *Am. colloq.* ‚kleine Fische', Lappalien; **to drop s.th. like a hot ~** etwas erschreckt fallen lassen; **to think o.s. no small ~es** *sl.* sehr von sich eingenommen sein. **2.** *Am. sl.* ‚Rübe' *f* (*Kopf*). **3.** *Am. sl.* Dollar *m.* ~ **bee·tle** *s zo.* Kar'toffelkäfer *m.* ~ **blight** → **potato disease.** ~ **bug** → **potato beetle.** ~ **chips** *s pl* Kar'toffelchips *pl.* ~ **dis·ease,** ~ **rot** *s* Kar'toffelkrankheit *f,* -fäule *f.* ~ **trap** *s sl.* ‚Klappe' *f,* ‚Maul' *n.*

pot| bar·ley *s* Graupen *pl.* '~,**bel·lied** *adj* dickbäuchig. '~,**bel·ly** *s* Dick-, Spitzbauch *m.* '~,**boil·er** *s colloq.* (*literarische od. künstlerische*) Brot-, Lohnarbeit. '~-,**bound** *adj* **1.** in e-m zu kleinen Topf (*Pflanze*). **2.** *fig.* eingeengt. '~,**boy** *s* Bierkellner *m,* Schankgehilfe *m.* ~ **cheese** → **cottage cheese.** ~ **com·pan·ion** *s* 'Zechkum,pan *m.*

po·teen [pɒ'tiːn; po-; -'tʃiːn] *s* ‚schwarz' gebrannter Whisky (*in Irland*).

po·ten·cy ['poutənsi], *a.* **'po·tence** *s* **1.** Stärke *f,* Macht *f* (*a. fig. Einfluß*). **2.** a) Wirksamkeit *f,* Kraft *f,* b) Stärke *f,* (berauschende, giftige, chemische *etc*) Wirkung, Po'tenz *f* (*Grad der Verdünnung*). **3.** *physiol.* Po'tenz *f,* Zeugungsfähigkeit *f.*

po·tent[1] ['poutənt] *adj* (*adv* ~**ly**) **1.** mächtig, stark. **2.** einflußreich. **3.**

wirksam, 'durchschlagend. **4.** zwingend, über'zeugend: ~ **arguments.** **5.** stark: a ~ **drug**; a ~ **drink.** **6.** *physiol.* po'tent, zeugungsfähig. **7.** *fig.* (geistig) po'tent, schöpferisch.

po·tent² ['poutənt] *adj her.* mit krückenförmigen Enden: **cross** ~ Krückenkreuz *n.*

po·ten·tate ['poutən,teit] *s* Poten'tat *m*, Machthaber *m*, Herrscher *m.*

po·ten·tial [pə'tenʃəl] **I** *adj* (*adv* → **potentially**) **1.** möglich, eventu'ell, potenti'ell, la'tent (vor'handen): ~ **market** *econ.* potentieller Markt; ~ **murderer** potentieller Mörder. **2.** *ling.* Möglichkeits...: ~ **mode,** ~ **mood** → 4. **3.** *phys.* potenti'ell, gebunden: ~ **energy** potentielle Energie, Energie *f* der Lage. **II** *s* **4.** *ling.* Potenti'alis *m*, Möglichkeitsform *f.* **5.** a) *phys.* Potenti'al *n* (*a. electr.*), b) *electr.* Spannung *f.* **6.** (*Industrie-, Kriegs-, Menschen- etc*)Potenti'al *n*, Re'serven *pl.* **7.** Leistungsfähigkeit *f*, Kraftvorrat *m.* ~ **dif·fer·ence** *s math. phys.* Potenti'aldiffe,renz *f*, *electr.* 'Spannungs,unterschied *m.* ~ **e·qua·tion** *s math.* Potenti'algleichung *f.* ~ **flow** *s phys.* Potenti'alströmung *f.* ~ **func·tion** *s math.* Potenti'alfunkti,on *f.*

po·ten·ti·al·i·ty [pə,tenʃi'æliti] *s* **1.** Potentiali'tät *f*, (Entwicklungs)Möglichkeit *f.* **2.** Wirkungsvermögen *n*, innere *od.* la'tente Kraft. **po'ten·tial·ly** [-ʃəli] *adv* möglicherweise, potenti'ell.

po·ten·ti·ate [pə'tenʃi,eit] *v/t* **1.** wirksam(er) machen. **2.** *pharm.* *e-e Droge* (durch Zusatz e-r zweiten Droge) verstärken.

po·ten·til·la [,poutən'tilə] *s bot.* Fingerkraut *n.*

po·ten·ti·om·e·ter [pə,tenʃi'ɒmitər] *s electr.* **1.** Potentio'meter *n.* **2.** *Radio*: Spannungsteiler *m.*

po·theen [pɒ'θiːn; po-] → **poteen.**

poth·er ['pɒðər] **I** *s* **1.** Tu'mult *m*, Aufruhr *m*, Lärm *m.* **2.** *colloq.* Aufregung *f*, ,The'ater' *n*: **to be in a** ~ **about s.th.** e-n großen Wirbel um etwas machen. **3.** Rauch-, Staubwolke *f*, Stickluft *f.* **II** *v/t* **4.** verwirren, aufregen. **III** *v/i* **5.** sich aufregen.

'pot|,herb *s* Küchenkraut *n.* **'~,hole** **I** *s* **1.** Grube *f*, tiefes Loch. **2.** *geol.* a) Strudelloch *n*, b) Gletschertopf *m*, Strudelkessel *m.* **3.** *mot.* Schlagloch *n.* **II** *v/i* **4.** *Br.* Höhlen *etc* erforschen. **'~,hook** *s* **1.** Topf-, Kesselhaken *m.* **2.** a) Schnörkel *m* (*bes. beim Schreibenlernen geübt*): ~**s and hangers** Schnörkel u. Schlingen, b) *pl* Gekritzel *n.* **'~,house** *s* Wirtshaus *n*, Kneipe *f.* **'~,hunt·er** *s* **1.** Aasjäger *m*, unweidmännischer Jäger. **2.** *sport* Preisjäger *m.* **3.** Ama'teurarchäo,loge *m.*

po·tion ['pouʃən] *s* (Arz'nei-, Gift-, Zauber)Trank *m.*

pot·latch, *a.* **pot·lach(e)** ['pɒtlætʃ] *s* **1.** *bei nordamer. Indianern*: a) feierliche Geschenkverteilung (*anläßlich des Potlach*), b) *a.* **P~** Potlach *m* (*von Häuptlingsanwärtern veranstaltetes Winterfest*). **2.** *Am.* große Party.

'pot|,luck *s*: **to take** ~ (**with s.o.**) (bei j-m) mit dem vorliebnehmen, was es gerade (zu essen) gibt. **'~·man** [-mən] *s irr* → **potboy.** ~ **met·al** *s* Schmelzfarbglas *n.* **'~,pie** *s bes. Am.* **1.** (*e-e*) 'Fleischpa,stete *f.* **2.** 'Kalbs- *od.* Ge'flügelfrikas,see *n* mit Klößen.

pot·pour·ri [*Br.* po'puri; *Am.* pɒt-] *pl* **-ris** *s* Potpourri *n*: a) Riech-, Dufttopf *m*, b) *mus. Zs.-setzung verschiedener Musikstücke*, c) *fig.* Kunterbunt *n*, Aller'lei *n.*

pot| roast *s* Schmorfleisch *n.* **'~,sherd** *s Archäologie*: (Topf)Scherbe *f.* ~ **shot** *s* **1.** unweidmännischer Schuß (*zum Nahrungserwerb*). **2.** Nahschuß *m*, 'hinterhältiger Schuß. **3.** (wahllos *od.* aufs Gerate'wohl abgegebener) Schuß: **to take** ~**s at** ,knallen' auf (*acc*). **4.** *fig.* a) (Seiten)Hieb *m*, b) (aufs Gerate'wohl unter'nommener) Versuch.

pot·tage ['pɒtidʒ] *s obs.* dicke Gemüsesuppe (mit Fleisch).

pot·ted ['pɒtid] *adj* **1.** (in e-m Topf *etc*) eingemacht: → **pot** 10. **2.** eingetopft (*Pflanze*). **3.** *fig. colloq.* a) kondensiert, zs.-gefaßt, mundgerecht gemacht: ~ **history,** b) aufgezeichnet, ,konser'viert': ~ **for radio.** **4.** *Am. sl.* ,blau', betrunken.

pot·ter¹ ['pɒtər] *s* Töpfer(in): ~**'s clay** (*od.* **earth**) Töpferton *m*; ~**'s lathe** Töpferscheibentisch *m*; ~**'s wheel** Töpferscheibe *f.*

pot·ter² ['pɒtər] **I** *v/i* **1.** *oft* ~ **about** her'umwerkeln, -han,tieren. **2.** her'umtrödeln. **3.** her'umpfuschen (**at** an *e-r Arbeit etc*; **in** in *e-m Beruf etc*). **4.** (her'um)stöbern (*Hund*). **II** *v/t* **5.** ~ **away** *Zeit* vertrödeln.

pot·ter·y ['pɒtəri] *s* **1.** Töpfer-, Tonware(n *pl*) *f*, Steingut *n*, Ke'ramik *f.* **2.** Töpfe'rei *f*, Töpferwerkstatt *f*: **the Potteries** *Zentrum der keramischen Industrie in Nord-Staffordshire.* **3.** Töpfe'rei *f*, Ke'ramik(,herstellung) *f.*

pot·tle ['pɒtl] *s* Obstkörbchen *n.*

Pott's dis·ease [pɒts] *s med.* Pottsche Krankheit, 'Wirbeltuberku,lose *f.*

pot·ty¹ ['pɒti] *adj bes. Br.* **1.** *sl.* verrückt. **2.** *colloq.* 'kinder'leicht. **3.** *sl.* lächerlich, unbedeutend.

pot·ty² ['pɒti] *s colloq.* (Kinder)Töpfchen *n.*

'pot|-,val·iant *adj* vom Trinken mutig. **'~-,val·o(u)r** *s* angetrunkener Mut.

pouch [pautʃ] **I** *s* **1.** (Geld-, Tabaks- *etc*)Beutel *m*, (Leder-, Trag-, *a.* Post)Tasche *f*, (kleiner) Sack. **2.** *mil.* a) Pa'tronentasche *f*, b) *hist.* Pulverbeutel *m.* **3.** (Verpackungs)Beutel *m* (*aus Zellophan etc*). **4.** *pol. Am.* Ku'riersack *m*, -tasche *f.* **5.** *anat.* (Tränen)Sack *m.* **6.** *zo.* a) Beutel *m* (*der Beuteltiere*), b) Kehlhautsack *m* (*des Pelikans*), c) Backentasche *f* (*der Taschenratten etc*). **7.** *bot.* Sack *m*, Beutel *m.* **II** *v/t* **8.** in e-n Beutel *etc* tun *od.* stecken. **9.** *fig.* einstecken, in die Tasche stekken. **10.** beuteln, bauschen. **III** *v/i* **11.** sich bauschen. **12.** sackartig fallen (*Kleid*). **pouched** *adj zo.* Beutel...: ~ **frog**; ~ **rat** Beutel-, Taschenratte *f.*

pouf(fe) [puːf] *s* **1.** a) Haarrolle *f*, -knoten *m*, b) Einlage *f*, Polster *n* (*zum Ausfüllen e-s Haarknotens*). **2.** Puff *m*, (rundes) Sitzpolster. **3.** Tur'nüre *f* (*Bausch an Damenkleidern*).

poulp(e) [puːlp] → **octopus.**

poult [poult] *s orn.* a) junges Truthuhn, b) junges Huhn, c) junger Fa'san.

'poul·ter·er *s* Geflügelhändler *m.*

poul·tice ['poultis] **I** *s* 'Brei,umschlag *m*, -packung *f.* **II** *v/t* e-n 'Brei,umschlag auflegen auf (*acc*), e-e Packung legen um.

poul·try ['poultri] *s* (Haus)Geflügel *n*, Federvieh *n*: ~ **farm** Geflügelfarm *f*; ~ **man** Geflügelzüchter *od.* -händler *m.*

pounce¹ [pauns] **I** *v/i* **1.** *a. fig.* a) (**at**) sich stürzen (auf *acc*), 'herfallen (über *acc*), b) her'abstoßen (**on, upon** auf *acc*) (*Raubvogel*). **2.** (plötzlich) stürzen: **to** ~ **into a room.** **3.** *fig.* (**on, upon**) sich stürzen (auf *e-n Fehler, e-e Gelegenheit etc*). **4.** *fig.* zuschlagen, (plötzlich) loslegen. **II** *s* **5.** *orn.* Fang *m*, Klaue *f* (*e-s Raubvogels*). **6.** a) Satz *m*, Sprung *m*, b) Her'abstoßen *n* (*e-s Raubvogels*): **on the** ~ sprungbereit.

pounce² [pauns] **I** *s* **1.** Glättpulver *n*, *bes.* Bimssteinpulver *n.* **2.** Pauspulver *n*, *bes.* Holzkohlepulver *n* (*zum Durchpausen perforierter Muster*). **3.** 'durchgepaustes (*bes.* Stick)Muster. **II** *v/t* **4.** (mit Bimssteinpulver *etc*) abreiben, glätten. **5.** (mit Pauspulver) 'durchpausen.

pounce| box *s* **1.** Streusandbüchse *f.* **2.** Pauspulverbüchse *f.* ~ **pa·per** *s* 'Pauspa,pier *n.*

poun·cet (box) ['paunsit] *s* **1.** *poet.* Par'füm-, Riechdös-chen *n.* **2.** → **pounce box.**

pound¹ [paund] **I** *v/t* **1.** (zer)stoßen, (-)stampfen, zermalmen: **to** ~ **sugar to powder** Zucker zu Pulver zerstoßen; **to** ~ **the ear** *Am. sl.* ,pennen', schlafen. **2.** trommeln *od.* hämmern auf (*acc*) *od.* an (*acc*) *od.* gegen, mit den Fäusten bearbeiten, schlagen: **to** ~ **the piano** auf dem Klavier (herum)hämmern; **to** ~ **sense into s.o.** j-m Vernunft einhämmern. **3.** (fest)stampfen, rammen. **4.** *meist* ~ **out** a) glatthämmern, b) *e-e Melodie* herunterhämmern (*auf dem Klavier*). **II** *v/i* **5.** hämmern (*a. Herz*), trommeln, schlagen: **to** ~ **on a door.** **6.** *meist* ~ **along** stampfen, wuchtig (ein'her)gehen. **7.** stampfen (*Maschine etc*). **III** *s* **8.** schwerer Stoß *od.* Schlag, Stampfen *n.*

pound² [paund] *pl* **pounds,** *collect.* **pound** *s* **1.** Pfund *n* (*Gewichtseinheit*; *abbr. lb.*): a) **avoirdupois** ~, *a.* ~ **avoirdupois** = *16 ounces* = *453,59 g*: **a** ~ **of cherries** ein Pfund Kirschen, b) **troy** ~, *a.* ~ **troy** = *12 ounces* = *373,2418 g.* **2.** ~ **sterling** (*Zeichen £ vor der Zahl od. l. nach der Zahl*) Pfund *n* (Sterling) (*Währungseinheit in Großbritannien*): **5** ~**s** (£ 5 *od.* 5 l.) 5 Pfund (Sterling); **to pay 5 p. in the** ~ **5 %** Zinsen zahlen; **to pay twenty shillings in the** ~ *fig.* voll bezahlen. **3.** *andere Währungseinheiten*: Pfund *n*: a) *in Ägypten* (= *100 Piaster*), b) *in der Türkei* (= *100 Kurus*), c) *in Israel* (= *1000 Prutot*), d) *in Syrien* (= *100 Piaster*).

pound³ [paund] **I** *s* **1.** Pfandstall *m.* **2.** Hürde *f* für verlaufenes Vieh. **3.** (Vieh-, *bes.* Schaf)Hürde *f*, Pferch *m.* **4.** *hunt.* Hürdenfalle *f.* **5.** Fischfalle *f.* **II** *v/t* **6.** *oft* ~ **up** einsperren, -pferchen.

pound·age ['paundidʒ] *s* **1.** Anteil *m od.* Gebühr *f* pro Pfund (*Sterling*). **2.** Bezahlung *f* pro Pfund (*Gewicht*).

pound·al ['paundl] *s phys. alte englische Maßeinheit der Kraft* (*etwa* = *0,002 PS od.* = *0,144 mkg/sec*).

-pound·er *s in Zssgn* ...pfünder *m.*

'pound-'fool·ish *adj* unfähig, mit großen Summen *od.* Pro'blemen 'umzugehen: → **penny-wise.**

pour [pɔːr] **I** *s* **1.** Strömen *n.* **2.** (Regen)Guß *m.* **3.** *metall.* Einguß *m.* **II** *v/t* **4.** gießen, schütten (**from, out of** aus; **into,** in in *acc*; **on, upon** auf *acc*). **5.** *a.* ~ **forth,** ~ **out** a) ausgießen, (aus)strömen lassen, b) *fig. sein Herz* ausschütten, *sein Leid* klagen *od.* ausbreiten: **to** ~ **out one's heart** (**woe**), c) *s-n Spott etc* ausgießen (**on** über *acc*), d) *Flüche etc* aus-, her'vorstoßen: **to be** ~**ed** fließen (**into** in *acc*); **the river** ~**s itself into the lake** der Fluß ergießt sich in den See; **to** ~ **out drinks** Getränke eingießen, einschenken; **to** ~ **off** abgießen; **to** ~ **it on** *Am. sl.* ,schwer 'rangehen', *mot.* Vollgas geben. **III** *v/i* **6.** strömen, rinnen (**into** in *acc*; **from** aus): **to** ~ **down** (her)-

nieder-, hinunterströmen; it ~s with rain es gießt in Strömen; it never rains but it ~s *fig.* es kommt immer gleich knüppeldick, *engS.* ein Unglück kommt selten allein. **7.** ~ forth sich ergießen, (aus)strömen (from aus). **8.** *fig.* strömen (*Menschenmenge etc*): to ~ in hereinströmen (*a. fig. Aufträge, Briefe etc*). **9.** *tech.* (*in die Form*) gießen: to ~ from the bottom (top) steigend (fallend) gießen.
pour·a·ble ['pɔːrəbl] *adj tech.* vergießbar: ~ compound Gußmasse *f.*
pour·boire ['pur,bwɑːr] *s* Trinkgeld *n.*
pour·ing ['pɔːriŋ] **I** *adj* **1.** strömend: ~ rain. **2.** *tech.* Gieß..., Guß...: ~ gate Gießtrichter *m.* **II** *adv* **3.** triefend: ~ wet. **III** *s* **4.** *metall.* (Ver)Gießen *n.*
pour·par·ler [,pur'pɑːrlei] *s* Pourpar'ler *n*, vorbereitendes Gespräch.
pour point *s phys.* Fließpunkt *m.*
pour·point ['pur,pɔint] *s hist.* Wams *n.*
pour test *s chem. tech.* Stockpunktbestimmung *f.*
pout[1] [paut] **I** *v/i* **1.** die Lippen spitzen *od.* aufwerfen. **2.** a) e-e Schnute *od.* e-n Flunsch ziehen, b) *fig.* schmollen. **3.** vorstehen (*Lippen*). **II** *v/t* **4.** *die Lippen, den Mund* (*schmollend*) aufwerfen, (*a. zum Kuß*) spitzen. **5.** *etwas* schmollen(d sagen). **III** *s* **6.** Schnute *f*, Flunsch *m*, Schmollmund *m.* **7.** Schmollen *n*: in the ~s (in) übler Laune, schmollend.
pout[2] [paut] *s* (*ein*) Schellfisch *m.*
pout·er ['pautər] *s* **1.** *a.* ~ pigeon *orn.* Kropftaube *f.* **2.** → pout[2].
pov·er·ty ['pɒvərti] *s* **1.** Armut *f*, Not *f*, Mangel *m* (of, in an *dat*): to live in ~ in Armut leben; ~ in vitamins Vitaminmangel. **2.** *fig.* Armut *f*, Dürftigkeit *f*, Armseligkeit *f*: ~ of ideas Ideen-, Gedankenarmut. **3.** geringe Ergiebigkeit (*des Bodens etc*). '~-,strick·en *adj* **1.** in Armut lebend, notleidend, verarmt. **2.** *fig.* arm(selig).
pow·der ['paudər] **I** *s* **1.** (*Back-, Schieß- etc*)Pulver *n* (*a. pharm.*): black ~, miner's ~ Schwarz-, Sprengpulver; not to be worth ~ and shot *colloq.* keinen Schuß Pulver wert sein; the smell of ~ Kriegserfahrung *f*; keep your ~ dry! halt dein Pulver trocken!, sei auf der Hut!; to take a ~ *Am. sl.* ,Leine ziehen', ,türmen' (*flüchten*). **2.** (*Gesichts- etc*)Puder *m*: face ~. **3.** *fig. colloq.* a) ,Dyna'mit' *n*, Zündstoff *m*: to add ~ to the issue, b) Schwung *m*, ,Mumm' *m.* **II** *v/t* **4.** pulveri'sieren: ~ed milk Trockenmilch *f*; ~ed sugar Puderzucker *m.* **5.** (be-, über)'pudern, einpudern: to ~ one's nose sich die Nase pudern. **6.** bestäuben, bestreuen (with mit): to ~ with spots (be)sprenkeln. **7.** mit vielen kleinen Fi'guren mustern. **III** *v/i* **8.** zu Pulver werden. ~ **blue** *s* **1.** Schmalte *f*, Kobaltfarbe *f* (*ein Waschblau*). **2.** Ultrama'rin-, Kobaltblau *n* (*Farbton*). ~ **box** *s* Puderdose *f.* ~ **burn** *s med.* 'Pulverimprägnati,on *f* (*in die Haut*). ~ **down** *s zo.* Puderdune *f.* ~ **flask,** ~ **horn** *s mil. hist.* Pulverflasche *f*, -horn *n.* ~ **met·al·lur·gy** *s tech.* 'Sintermetallur,gie *f.* ~**mill** *s* 'Pulvermühle *f*, -fa,brik *f.* ~ **mon·key** *s* **1.** *mar. hist.* Pulverjunge (*der das Pulver aus der Munitionskammer holte*). **2.** Sprengstoffverwalter *m* (*in Steinbrüchen etc*). ~ **post** *s* Holzzersetzung *f.* ~ **puff** *s* Puderquaste *f.* ~ **room** *s bes. Am.* **1.** 'Damentoi,lette *f.* **2.** Badezimmer *n.*
pow·der·y ['paudəri] *adj* **1.** pulverig, Pulver...: ~ snow Pulverschnee *m.* **2.** staubig, bestäubt. **3.** (leicht) zerreibbar.
pow·er ['pauər] **I** *s* **1.** Kraft *f*, Stärke *f*, Macht *f*, Vermögen *n*: it was out of (*od.* not in) his ~ to es stand nicht in s-r Macht, zu; more ~ to you (*od.* to your elbow)! *colloq.* viel Erfolg!, nur (immer) zu!; to do all in one's ~ alles tun, was in s-r Macht steht. **2.** (*a. physische*) Kraft, Ener'gie *f.* **3.** Wucht *f*, Gewalt *f*, Kraft *f.* **4.** *meist pl* a) (*hypnotische etc*) Kräfte *pl*, b) (geistige) Fähigkeiten *pl*, Ta'lent *n*: mental ~s Geisteskräfte; reasoning ~ Denkvermögen *n.* **5.** Macht *f*, Gewalt *f*, Autori'tät *f*, Herrschaft *f* (over über *acc*): absolute ~ unbeschränkte Macht; to be in ~ an der Macht *od.* ,am Ruder' sein; to be in s.o.'s ~ in j-s Gewalt sein; to come into ~ an die Macht kommen, zur Macht gelangen; to have s.o. in one's ~ j-n in der Gewalt haben; to have (no) ~ over s.o. (keinen) Einfluß auf j-n haben. **6.** *jur.* (Handlungs-, Vertretungs)Vollmacht *f*, Befugnis *f*: to have full ~ Vollmacht haben; ~ of testation Testierfähigkeit *f*; → attorney 2. **7.** *pol.* Gewalt *f* (*als Staatsfunktion*): legislative ~; separation of ~ Gewaltenteilung *f.* **8.** *pol.* (Macht)Befugnis *f*, (Amts)Gewalt *f.* **9.** *oft pl pol.* Macht *f*, Staat *m*: great ~s Großmächte. **10.** *oft pl* Macht(faktor *m*) *f*, einflußreiche Stelle *od.* Per'son: the ~s that be die maßgeblichen (Regierungs)Stellen. **11.** *meist pl* höhere Macht: the heavenly ~s die himmlischen Mächte. **12.** P~s *pl relig.* Mächte *pl* (*6. Ordnung der Engel*). **13.** *colloq.* Masse *f*, große Zahl: a ~ of people. **14.** *math.* Po'tenz *f*: ~ series Potenzreihe *f*; to raise to the third ~ in die dritte Potenz erheben. **15.** *electr. phys.* Kraft *f*, Leistung *f*, Ener'gie *f*: ~ per unit surface (*od.* area) Flächenleistung. **16.** *electr.* (Stark)Strom *m*: ~ demand Energiebedarf *m*; ~ economy Energiewirtschaft *f.* **17.** *Radio*: Sendestärke *f.* **18.** *tech.* a) me'chanische Kraft, Antriebskraft *f*, -vermögen *n*, b) → horsepower: ~-propelled kraftbetrieben, Kraft...; ~ on mit laufendem Motor, (mit) Vollgas; ~ off mit abgestelltem Motor, im Leerlauf; under one's own ~ mit eigener Kraft (*a. fig.*). **19.** *opt.* Vergrößerungskraft *f*, (Brenn)Stärke *f* (*e-r Linse*).
II *v/t* **20.** *tech.* mit (*mechanischer etc*) Kraft betreiben, antreiben, (*mit Motor*) ausrüsten: rocket-~ed raketengetrieben.
pow·er| **am·pli·fi·er** *s* **1.** *Radio*: Kraft-, Endverstärker *m.* **2.** *Film*: Hauptverstärker *m.* ~ **brake** *s mot.* Servobremse *f.* ~ **ca·ble** *s electr.* Starkstromkabel *n.* ~ **cir·cuit** *s electr.* Starkstrom-, Kraftstromkreis *m.* ~ **con·sump·tion** *s electr.* Strom-, Ener'gieverbrauch *m.* ~ **cur·rent** *s electr.* Stark-, Kraftstrom *m.* ~ **dive** *s aer.* Vollgassturzflug *m.* '~-,**dive** *v/i* e-n Sturzflug ohne Motordroßlung ausführen. ~ **drill** *s tech.* e'lektrische 'Bohrma,schine. ~ **drive** *s tech.* Kraftantrieb *m.* '~-,**driv·en** *adj tech.* kraftbetrieben, Kraft..., Motor... **en·gi·neer·ing** *s electr.* Starkstromtechnik *f.* ~ **fac·tor** *s electr. phys.* Leistungsfaktor *m* (*cos* ϕ). ~**feed** *s tech.* Kraftvorschub *m.*
pow·er·ful ['pauərfəl; -,ful] **I** *adj* (*adv* ~ly) **1.** mächtig, stark, gewaltig, kräftig: a ~ blow (body, man, *etc*); ~ engine starker Motor; ~ lens *opt.* starke Linse; ~ solvent starkes Lösungsmittel. **2.** kräftig, wirksam: ~ arguments. **3.** *fig.* wuchtig: ~ style; ~ plot packende Handlung. **4.** *colloq.* ,massig', gewaltig: a ~ lot of money ,e-e Masse Geld'. **II** *adv* **5.** *Am. dial. od. colloq.* ,mächtig', sehr.
pow·er| **gas** *s* Treibgas *n.* ~ **glid·er** *s aer.* Motorsegler *m.* '~,**house** *s* **1.** *electr. tech.* a) → power station, b) Ma'schinenhaus *n.* **2.** *Am. sl.* a) *pol.* Machtgruppe *f*, b) *sport* ,Bombenmannschaft' *f*, c) *sport u. weitS.* ,Ka'none' *f* (*Könner*), d) riesenstarker Kerl, e) ,Wucht' *f*, ,tolle' Per'son *od.* Sache. **3.** *sl.* dy'namischer Kerl, Ener'giebündel *n.* ~ **lathe** *s tech.* Hochleistungsdrehbank *f.*
pow·er·less ['pauərlis] *adj* (*adv* ~ly) kraft-, machtlos, ohnmächtig, hilflos.
'pow·er·less·ness *s* Kraft-, Machtlosigkeit *f*, Ohnmacht *f.*
pow·er| **line** *s electr.* **1.** Starkstromleitung *f.* **2.** 'Überlandleitung *f.* ~ **loom** *s tech.* me'chanischer Webstuhl. ~ **loss** *s electr. phys.* **1.** Leistungs-, Ener'gieverlust *m.* **2.** Verlustleistung *f.* '~-'**loss fac·tor** *s electr. phys.* Verlustfaktor *m.* ~ **loud·speak·er** *s* Groß(flächen)lautsprecher *m.* ~ **mow·er** *s* Motorrasenmäher *m.* '~-'**op·er·at·ed** *adj tech.* kraftbetätigt, -betrieben. ~ **out·put** *s electr. tech.* Ausgangs-, Nennleistung *f*, Leistungsabgabe *f.* ~ **pack** *s electr.* Netzteil *m.* ~ **plant** *s* **1.** → power station. **2.** Ma'schinensatz *m*, Aggre'gat *n*, Triebwerk(anlage *f*) *n.* ~ **play** *s sport* **1.** kraftbetontes Spiel. **2.** mas'sives Angriffsspiel. ~ **pol·i·tics** *s pl* (*als sg konstruiert*) 'Machtpoli,tik *f.* ~ **re·ac·tor** *s Atomphysik*: 'Leistungsre,aktor *m.* ~ **shov·el** *s tech.* Löffelbagger *m.* ~ **sta·tion** *s electr.* Elektrizi'täts-, Kraftwerk *n*: long-distance ~ Überlandzentrale *f.* ~ **steer·ing** *s mot.* Servolenkung *f.* ~ **stroke** *s tech.* Arbeitshub *m*, -takt *m.* ~ **sup·ply** *s electr.* **1.** Ener'gieversorgung *f*, Netz(anschluß *m*) *n.* **2.** *a.* ~ pack (*od.* unit) Netzteil *m*, -gerät *n.* ~ **trans·form·er** *s electr.* **1.** 'Netztransfor,mator *m*, ,Netztrafo' *m.* **2.** 'Leistungstransfor,mator *m.* ~ **trans·mis·sion** *s tech.* 'Leistungs-, 'Kraftüber,tragung *f.* ~ **tube** *s electr. Am.* (Groß)Leistungsröhre *f.* ~ **u·nit** *s* **1.** → power station. **2.** → power plant 2. ~ **valve** *Br. für* power tube.
pow·wow ['pau,wau] **I** *s* **1.** a) indi'anische Feste *pl*, b) Ratsversammlung *f*, c) indi'anischer Medi'zinmann, d) Beschwörung *f* (*zur Abwehr von Krankheiten*). **2.** *Am. colloq.* a) lärmende Versammlung, b) po'litische Versammlung, c) Konfe'renz *f*, Besprechung *f*, Beratung *f*, d) Geschwätz *n*, Pa'laver *n.* **II** *v/i* **3.** (*bei Indianern*) Krankheiten beschwören. **4.** *Am. colloq.* a) e-e Versammlung *etc* abhalten, b) debat'tieren.
pox [pɒks] *med.* **I** *s* **1.** a) Pocken *pl*, Blattern *pl*, b) *allg.* Pusteln *pl.* **2.** *vulg.* ,Syph' *f*, Syphilis *f.* **II** *v/t* **3.** *vulg.* mit Syphilis infi'zieren.
P.P. fac·tor, PP fac·tor *s* (*abbr. für* pellagra-preventive factor) *biol. chem.* PP-Faktor *m*, Anti'pellagra-Vita,min *n.*
praam [prɑːm] → pram[1].
prac·ti·ca·bil·i·ty [,præktikə'biliti] *s* **1.** 'Durch-, Ausführbarkeit *f.* **2.** Anwendbarkeit *f*, Brauchbarkeit *f.* **3.** Begehbarkeit *f*, Befahrbarkeit *f.* '**prac·ti·ca·ble** *adj* (*adv* practicably) **1.** 'durch-, ausführbar, tunlich, möglich.

2. anwend-, verwend-, brauchbar. 3. begeh-, befahrbar, gang-, fahrbar. 4. *thea.* prakti'kabel (*Dekoration*).

prac·ti·cal ['præktikəl] *adj* (*adv* → practically) 1. praktisch, angewandt (*Ggs. theoretisch*): ~ **agriculture** praktische Landwirtschaft; ~ **chemistry** angewandte Chemie; ~ **knowledge** praktisches Wissen, praktische Kenntnisse. 2. praktisch: a ~ **question;** the ~ **application of a rule** die praktische Anwendung e-r Regel. 3. praktisch, brauchbar, zweckmäßig, tunlich, nützlich: a ~ **method;** a ~ **suggestion.** 4. praktisch, in der Praxis tätig, ausübend: ~ **farmer;** a ~ **man** ein Mann der Praxis. 5. praktisch: a) praktisch denkend *od.* veranlagt (*Person*), b) aufs Praktische gerichtet (*Denken*). 6. praktisch, faktisch, tatsächlich: **he is a** ~ **atheist** er ist praktisch ein Atheist; **he has** ~ **control of** er hat praktisch die Kontrolle über (*acc*). 7. sachlich. 8. praktisch ausgebildet (*nicht staatlich geprüft*): ~ **nurse.** 9. handgreiflich, grob: ~ **joke** Schabernack *m*, handgreiflicher Scherz. 10. *thea.* → practicable 4. ˌ**prac·ti'cal·i·ty** [-'kæliti] *s* (*das*) Praktische: a) praktisches Wesen, b) praktische Anwendbarkeit.

prac·ti·cal·ly ['præktikəli] *adv* praktisch, so gut wie: **he knows** ~ **nothing.**

prac·tice ['præktis] **I** *s* 1. Brauch *m*, Gewohnheit *f*, Usus *m*, übliches Verfahren: **to make a** ~ **of s.th.** sich etwas zur Gewohnheit machen. 2. Übung *f* (*a. mil. u. mus.*): ~ **makes perfect** Übung macht den Meister; **to be in (out of)** ~ in (aus) der Übung sein; ~ **time** (*Autorennen*) Trainingszeit *f*. 3. Praxis *f* (*Ggs. Theorie*): **in** ~ in der Praxis; **to put in(to)** ~ in die Praxis *od.* Tat umsetzen. 4. Praxis *f* (*e-s Arztes, Anwaltes etc*): **he has a large** ~. 5. a) Handlungsweise *f*, Praktik *f*, b) *oft pl contp.* (unsaubere) Praktiken *pl*, Machenschaften *pl*, Schliche *pl*, (verwerfliches) Treiben. 6. *jur.* Verfahren(sregeln *pl*) *n*, for'melles Recht. 7. *tech.* Verfahren *n*, Technik *f*: **welding** ~ Schweißtechnik. 8. *math.* welsche *od.* itali'enische Praktik (*e-e Rechnungsart*).

II *adj* 9. Übungs...: ~ **alarm** Probealarm *m*; ~ **ammunition** Übungsmunition *f*; ~ **cartridge** Exerzierpatrone *f*; ~ **flight** *aer.* Übungsflug *m*; ~ **run** *mot.* Trainingsfahrt *f*.

III *v/t bes. Br.* '**prac·tise** 10. üben, (gewohnheitsmäßig) tun *od.* (be)treiben: **to** ~ **politeness** Höflichkeit üben; ~ **what you preach** übe selbst, was du predigst. 11. *als Beruf* ausüben, tätig sein als *od.* in (*dat*), *ein Geschäft etc* betreiben, *als Arzt od. Anwalt* prakti'zieren: **to** ~ **medicine (law).** 12. (ein)üben, sich üben in (*dat*), *mus. etwas auf e-m Instrument* üben: **to** ~ **dancing** sich im Tanzen üben; **to** ~ **a piece of music** ein Musikstück (ein)üben. 13. *j-n* üben, schulen, ausbilden. 14. verüben: **to** ~ **a fraud on s.o.** j-n arglistig täuschen.

IV *v/i* 15. handeln, tun, verfahren. 16. prakti'zieren (*als Arzt, Jurist*): **practicing** (*Br.* **practising**) **Catholic** praktizierender Katholik. 17. (sich) üben: **to** ~ **on the piano** (sich auf dem) Klavier üben. 18. ~ **(up)on** a) *j-n* ,bearbeiten', sein Spiel treiben mit *j-m*, b) *j-s Schwächen etc* ausnützen, sich zu'nutze machen, miß'brauchen.

prac·ticed, *bes. Br.* **prac·tised** ['præktist] *adj* geübt (*Person, a. Auge, Hand*).

prac·tise *bes. Br. für* **practice** III *u.* IV.

prac·tised *bes. Br. für* **practiced.**

prac·ti·tion·er [præk'tiʃənər] *s* Praktiker *m*: **general** (*od.* **medical**) ~ praktischer Arzt.

praec·i·pe ['priːsipi; 'pres-] *s jur. gerichtlicher Befehl, etwas zu tun od. den Grund des Unterlassens anzugeben.*

prae·di·al ['priːdiəl] *adj jur.* prädi'al, Prädial... (*ein unbewegliches Gut betreffend*).

prae·pos·tor [pri(ː)'pɒstər] *s* Klassenführer *m* (*Schüler mit Disziplinargewalt an bestimmten englischen* **Public Schools**).

prae·tor ['priːtər] *s antiq.* Prätor *m*.

prae'to·ri·al [-'tɔːriəl] → **praetorian** I. **prae'to·ri·an I** *adj* 1. prä'torisch (*e-n Prätor betreffend*). 2. *oft* P~ prätori'anisch: P~ **cohort. II** *s* 3. Prätori'aner *m*.

prag·mat·ic [præg'mætik] **I** *adj* (*adv* ~**ally**) 1. *philos. pol.* prag'matisch: ~ **sanction** → 6. 2. prag'matisch: a) belehrend, lehrhaft, b) praktisch (denkend), sachlich, nüchtern. 3. geschäftig, eifrig, tätig. 4. a) 'übereifrig, auf-, zudringlich, b) starrsinnig, rechthaberisch, von sich eingenommen. **II** *s* 5. → **pragmatist** 3 *u.* 4. 6. *hist.* prag'matische Sankti'on, Grundgesetz *n*.

prag'mat·i·cal *adj* (*adv* ~**ly**) → **pragmatic** I.

prag·ma·tism ['prægməˌtizəm] *s* 1. 'Übereifer *m*, Auf-, Zudringlichkeit *f*. 2. rechthaberisches Wesen, Eigensinn *m*. 3. *philos.* Pragma'tismus *m*. 4. nüchterne, praktische Betrachtungs- *od.* Handlungsweise, Sachlichkeit *f*. '**prag·ma·tist** *s* 1. *philos.* Prag'matiker *m*, Anhänger *m* des Pragma'tismus. 2. praktischer *od.* nüchterner Mensch. 3. auf- *od.* zudringliche Per'son, 'Übereifrige(r *m*) *f*. 4. rechthaberische Per'son. '**prag·maˌtize** *v/t* 1. als re'al darstellen. 2. vernunftmäßig erklären, rationali'sieren.

prai·rie ['prɛ(ə)ri] *s* 1. Grasebene *f*, Steppe *f*. 2. Prä'rie *f* (*in Nordamerika*). 3. *Am.* grasbewachsene (Wald)Lichtung. ~ **dog** *s zo.* Prä'riehund *m*. ~ **fox** *s zo.* Kitfuchs *m*. ~ **hare** *s zo. Am.* Weißschwanz-Eselhase *m*. ~ **oys·ter** *s* ,Prä'rieauster' *f* (*Mischgetränk aus e-m rohen Ei u. Essig od. Weinbrand*). **P~ Prov·inc·es** *s pl Beiname der westkanadischen Provinzen Manitoba, Saskatchewan u. Alberta.* ~ **schoon·er** *s Am.* Planwagen *m* (*der frühen Siedler*). **P~ State** *s Am.* 1. (*Beiname der Staaten*) Illinois *n* u. North Da'kota *n*. 2. Prä'riestaat *m*. ~ **wolf** *s irr* Prä'riewolf *m*, Co'yote *m*.

praise [preiz] **I** *v/t* 1. loben, rühmen, preisen. 2. *bes. Gott* (lob)preisen, loben. **II** *s* 3. Lob *n*: **to damn with faint** ~ auf die sanfte Art ,zerreißen'; **to be loud in one's** ~ **of** laute Loblieder singen auf (*acc*); **to sing s.o.'s** ~ j-s Lob singen; **in** ~ **of s.o., in s.o.'s** ~ zu j-s Lob. 4. Lobpreisung *f*. '**praise·ˌwor·thi·ness** *s* Löblichkeit *f*, lobenswerte Eigenschaft. '**praiseˌwor·thy** *adj* lobenswert, löblich.

Pra·krit ['prɑːkrit] *s ling.* Prakrit *n* (*alte mittelindische Dialekte*).

pra·line ['prɑːliːn] *s* Pra'line *f*, Prali'né *n*.

pram[1] [præm] *s mar.* Prahm *m*, Leichter *m*.

pram[2] [præm] *s bes. Br. colloq.* (*abbr. für* **perambulator**) Kinderwagen *m*.

prance [*Br.* prɑːns; *Am.* præ(ː)ns] **I** *v/i* 1. a) sich bäumen, steigen, b) tänzeln (*Pferd*). 2. *fig.* (ein'her)stolˌzieren, para'dieren, sich brüsten. 3. *colloq.* um'hertollen. **II** *v/t* 4. *das Pferd* steigen *od.* tänzeln lassen. **III** *s* 5. Tänzeln *n*. 6. *colloq.* Stol'zieren *n*, Para'dieren *n*. '**pranc·er** *s* tänzelndes Pferd.

pran·di·al ['prændiəl] *adj humor.* Essens..., Tisch...

prang [præŋ] *mil. Br. sl.* **I** *s* 1. ,Bruch' *m* (*Flugzeugabsturz*). 2. Luftangriff *m*. 3. Erfolg *m*. **II** *v/i* 4. *aer.* ,Bruch machen' (*bes. beim Landen*). **III** *v/t* 5. ,Bruch machen mit' (*e-m Flugzeug*). 6. *e-e Stadt etc* ,zs.-schmeißen'.

prank[1] [præŋk] *s* 1. Streich *m*, Possen *m*, Ulk *m*, Jux *m*. 2. Kapri'ole *f*, Faxe *f* (*e-r Maschine etc*).

prank[2] [præŋk] **I** *v/t meist* ~ **out** (*od.* **up**) her'ausputzen, schmücken. **II** *v/i* prunken, prangen.

p'raps [præps] *colloq. für* **perhaps.**

prase [preiz] *s min.* Prasem *m* (*lauchgrüner Quarz*).

prat [præt] *s sl.* Hintern *m*, 'Hinterteil *n*.

prate [preit] **I** *v/i* plappern, plaudern, schwatzen (of von). **II** *v/t* (da'her)plappern, ausschwatzen. **III** *s* Geplapper *n*, Geschwätz *n*. '**prat·er** *s* Schwätzer(in).

pra·ties ['preitiz] *s pl Ir. colloq.* Kar'toffeln *pl*.

prat·in·cole ['prætiŋˌkoul; 'preitin-] *s orn.* Brachschwalbe *f*.

prat·ing ['preitiŋ] **I** *adj* (*adv* ~**ly**) schwatzhaft, geschwätzig. **II** *s* → prate III.

pra·tique [præ'tiːk; 'præti(ː)k] *s mar.* Praktika *f*, Verkehrserlaubnis *f* (*zwischen Schiff u. Hafen nach Vorzeigen des Gesundheitspasses*): **to admit to** ~ j-m Verkehrserlaubnis erteilen.

prat·tle ['prætl] → prate. '**prat·tler** *s* Schwätzer(in).

prav·i·ty ['præviti] *s obs.* Verderbtheit *f*.

prawn [prɔːn] **I** *s ichth.* Gar'nele *f*. **II** *v/i* Gar'nelen fangen.

prax·is ['præksis] *s* 1. Praxis *f*, Ausübung *f*. 2. Brauch *m*, Gewohnheit *f*.

pray [prei] **I** *v/t* 1. *j-n* inständig bitten, anflehen (for um): ~, **consider!** bitte, bedenken Sie doch! 2. *Gott, Heilige* anflehen, flehen zu. 3. *etwas* inständig erbitten, erflehen. 4. *ein Gebet* beten. **II** *v/i* 5. (for) bitten, ersuchen (um), *jur.* Antrag stellen (that daß), beantragen (*acc*). 6. *relig.* beten (to zu).

prayer [prɛr] *s* 1. Gebet *n*: **to put up a** ~ **to God** ein Gebet an Gott richten *od.* zu Gott emporsenden; **to say one's** ~**s** beten, s-e Gebete verrichten; **he hasn't got a** ~ *Am. sl.* er hat nicht die geringste Chance. 2. *oft pl* Andacht *f*: **evening** ~ Abendandacht. 3. inständige Bitte, Flehen *n*. 4. Gesuch *n*, Ersuchen *n*, *jur. a.* Antrag *m*, Klagebegehren *n*. ~ **book** *s* 1. Gebetbuch *n*. 2. P~ B~ → **Book of Common Prayer.**

prayer·ful ['prɛrful] *adj* (*adv* ~**ly**) 1. fromm, andächtig. 2. inständig.

prayer| meet·ing *s* Gebetsversammlung *f*. ~ **rug** *s* Gebetsteppich *m*. ~ **wheel** *s* Gebetsmühle *f*.

pray·ing| in·sect, ~ **man·tis** ['preiiŋ] *s zo.* Gottesanbeterin *f*.

preach [priːtʃ] **I** *v/i* 1. (to) predigen (zu *od.* vor *e-r Gemeinde etc*), e-e Predigt halten (*dat od.* vor *dat*). 2. *fig.* ,predigen' (*Ermahnungen äußern*). **II** *v/t* 3. *etwas* predigen: **to** ~ **the gospel** das Evangelium predigen *od.* verkündigen; **to** ~ **a sermon** e-e Predigt halten. 4. *etwas* predigen, lehren, ermahnen zu (*etwas*): **to** ~ **charity** Nächstenliebe predigen. 5. ~ **down** predigen gegen, 'herziehen über (*acc*). 6. ~ **up** predigen für, (in Predigten) loben *od.* (an)preisen. **III** *s* **7.** *colloq.* Predigt *f*, Ser'mon *m*.

preach·er ['pri:tʃər] *s* **1.** Prediger(in). **2.** P~ *Bibl.* Ko'helet *m*, (*der*) Prediger Salomo (*Buch des Alten Testaments*). **'preach·i,fy** [-i,fai] *v/i colloq.* sal'badern, (*bes.* Mo'ral) predigen. **'preach·ing** *s* **1.** Predigen *n*. **2.** Predigt *f*. **3.** Lehre *f*. **4.** *contp.* Salbade'rei *f*. **'preach·ment** *s contp.* Sal'badern *n*, Ser'mon *m*, (*langweilige*) Mo'ralpredigt. **'preach·y** *adj* (*adv* preachily) *colloq.* sal'badernd, morali'sierend.

,pre·ad·o'les·cent *adj* Voradoleszenz...

pre·am·ble ['pri:,æmbl] **I** *s* **1.** Prä'ambel *f* (*a. jur.*), Einleitung *f*. **2.** Kopf *m* (*e-s Funkspruchs etc*). **3.** Oberbegriff *m* (*e-r Patentschrift*). **4.** *fig.* Einleitung *f*, Vorspiel *n*, Auftakt *m*. **II** *v/i* **5.** e-e Prä'ambel verfassen, mit e-r Einleitung beginnen. **III** *v/t* **6.** präambu'lieren, e-e Prä'ambel verfassen zu.

,pre·an'nounce *v/t* vorher anzeigen *od.* ankündigen. **,pre·an'nounce·ment** *s* Vorankündigung *f*, Voranzeige *f*.

,pre·ar'range *v/t* **1.** vorher abmachen *od.* anordnen *od.* bestimmen. **2.** (planmäßig) vorbereiten. **,pre·ar'range·ment** *s* **1.** vor'herige Bestimmung *od.* Abmachung. **2.** Vorbereitung *f*.

pre'au·di·ence *s jur. Br. das Recht* (*e-s Anwalts*), *zuerst zu sprechen od. zu plädieren.*

preb·end ['prebənd] *s* **1.** Prä'bende *f*, Pfründe *f*. **2.** → prebendary. **pre·ben·dal** [pri'bendl] *adj* **1.** Pfründen... **2.** e-e Pfründe innehabend. **'preb·en·dar·y** *s* Präben'dar *m*, Pfründner *m*.

pre'cal·cu,late *v/t* vor'ausberechnen.

,Pre-'Cam·bri·an *geol.* **I** *adj* prä'kambrisch. **II** *s* Prä'kambrium *n*.

pre·car·i·ous [pri'kɛ(ə)riəs] *adj* (*adv* ~ly) **1.** pre'kär, unsicher, bedenklich: a ~ situation; a ~ livelihood ein unsicherer Lebensunterhalt; ~ state of health bedenklicher Gesundheitszustand. **2.** gefährlich, ris'kant. **3.** anfechtbar, fragwürdig: a ~ assumption. **4.** *jur.* 'widerruflich, aufkündbar, auf 'Widerruf (eingeräumt *od.* zugeteilt). **pre'car·i·ous·ness** *s* **1.** Unsicherheit *f*. **2.** Gefährlichkeit *f*. **3.** Zweifelhaftigkeit *f*.

pre'cast *v/t Betonteile etc* 'vorfabri,zieren.

prec·a·to·ry ['prekətəri] *adj* e-e Bitte enthaltend, Bitt...: in ~ words (*in Testamenten*) als Bitte (*nicht als Auftrag*) formuliert; ~ trust (*testamentarische*) Bitte, die als bindend gilt.

pre·cau·tion [pri'kɔ:ʃən] *s* **1.** Vorkehrung *f*, Vorsichtsmaßregel *f*, -maßnahme *f*: to take ~s Vorsichtsmaßregeln *od.* Vorsorge treffen; as a ~ vorsichtshalber, vorsorglich. **2.** Vorsicht *f*. **pre'cau·tion·ar·y** *adj* **1.** vorbeugend, Vorsichts...: ~ measure → precaution 1. **2.** Warn(ungs)...: ~ signal Warnsignal *n*.

pre·cede [pri(:)'si:d] **I** *v/t* **1.** *a. fig.* (*a. zeitlich*) vor'aus-, vor'angehen (*dat*): the words that ~ this paragraph; the years preceding his death die Jahre vor s-m Tod. **2.** den Vorrang *od.* Vortritt *od.* Vorzug haben vor (*dat*), vorgehen (*dat*), ran'gieren vor (*dat*). **3.** (by, with s.th.) (durch etwas) einleiten, (*e-r Sache* etwas) vor'ausschicken: he ~d his measures by an explanation. **II** *v/i* **4.** vor'an-, vor'ausgehen. **5.** den Vorrang *od.* Vortritt haben.

pre·ced·ence [pri(:)'si:dəns; 'presid-] *s* **1.** Vor'an-, Vor'hergehen *n*, Priori'tät *f*: to have the ~ of s.th. e-r Sache (zeitlich) vorangehen. **2.** Vorrang *m*, Vorzug *m*, Vortritt *m*, Vorrecht *n*: to take ~ of (*od.* over) → precede 2. **3.** *a.* order of ~ Rangordnung *f*. **pre·ced·en·cy** [pri(:)'si:dənsi; 'presid-] → precedence.

prec·e·dent[1] ['presidənt] *s jur.* Präze'denzfall *m* (*a. fig.*), Präju'diz *n*: without ~ ohne Beispiel, noch nie dagewesen; to set a ~ e-n Präzedenzfall schaffen; to take s.th. as a ~ etwas als Präzedenzfall betrachten.

pre·ce·dent[2] [pri'si:dənt] *adj* (*adv* ~ly) vor'hergehend, vor'aus-, vor'angehend: condition ~ a) Vorbedingung *f*, b) aufschiebende Bedingung.

prec·e·dent·ed ['presi,dentid] *adj* e-n Präze'denzfall habend, schon einmal dagewesen.

pre·ced·ing [pri(:)'si:diŋ] *adj* vor'hergehend: ~ endorser *econ.* Vorder-, Vormann *m* (*beim Wechsel*); the days ~ the election die Tage vor der Wahl.

pre·cen·sor [pri'sensər] *v/t* e-r 'Vorzen,sur unter'werfen.

pre·cen·tor [pri'sentər] *s mus.* Prä'zentor *m*, Kantor *m*, Vorsänger *m*.

pre·cept ['pri:sept] *s* **1.** (*a.* göttliches) Gebot. **2.** Regel *f*, Richtschnur *f*. **3.** Vorschrift *f*. **4.** Lehre *f*, Unter'weisung *f*. **5.** *jur.* a) Gerichtsbefehl *m*, b) (schriftliche gerichtliche) Weisung *od.* Anordnung, c) Einziehungs- *od.* Zahlungsbefehl *m*, d) Vorladung *f*. **pre·cep·tive** [pri'septiv] *adj* **1.** befehlend, verordnend. **2.** lehrhaft, di'daktisch.

pre'cep·tor [-tər] *s* Lehrer *m*.

pre'cer·e·bral *adj anat.* Vorderhirn...

pre·ces·sion [pri(:)'seʃən] *s* Präzessi'on *f*: a) *tech. die Bewegung des Kreisels infolge e-s äußeren Drehmoments*, b) *a.* ~ of the equinoxes *astr. Vorrücken der Tagundnachtgleichen.*

,pre-'Chris·tian *adj* vorchristlich.

pre·cinct ['pri:siŋkt] *s* **1.** eingefriedeter Bezirk (*Br. bes. um e-e Kirche*): cathedral ~s Domfreiheit *f*. **2.** *Am.* Bezirk *m*, *bes.* a) (Poli'zei)Re,vier *n*, b) Wahlbezirk *m*, -kreis *m*: ~ captain (*od.* leader) Wahlkreisleiter *m* (*e-r Partei*). **3.** *pl* Um'gebung *f*, Bereich *m*. **4.** *pl fig.* Bereich *m*, Grenzen *pl*: within the ~s of innerhalb der Grenzen von (*od. gen*), innerhalb (*gen*).

pre·ci·os·i·ty [,preʃi'ɒsiti] *s* Preziosi'tät *f*, Geziertheit *f*, Affek'tiertheit *f*.

pre·cious ['preʃəs] **I** *adj* (*adv* ~ly) **1.** *a. fig.* kostbar, wertvoll: ~ memories. **2.** edel (*Steine etc*): ~ metals Edelmetalle. **3.** *iro.* schön, nett, fein: a ~ mess e-e schöne Schweinerei. **4.** *colloq.* ‚schön', beträchtlich: a ~ lot better than bei weitem besser als. **5.** *fig.* prezi'ös, über'feinert, affek'tiert, geziert: ~ style. **II** *adv* **6.** *colloq.* reichlich, äußerst: ~ little. **III** *s* **7.** Schatz *m*, Liebling *m*. **'pre·cious·ness** *s* **1.** Köstlichkeit *f*, Kostbarkeit *f*. **2.** → preciosity.

prec·i·pice ['presipis] *s* **1.** (jäher) Abgrund. **2.** *fig.* a) Abgrund *m*, b) Klippe *f*.

pre·cip·i·ta·ble [pri'sipitəbl] *adj chem.* abscheidbar, niederschlagbar, fällbar.

pre·cip·i·tan·cy [pri'sipitənsi], *a.* **pre'cip·i·tance** *s* **1.** Eile *f*: with the utmost ~ in größter Eile. **2.** Hast *f*, Über'eilung *f*, -'stürzung *f*.

pre·cip·i·tant [pri'sipitənt] **I** *adj* (*adv* ~ly) **1.** (steil) abstürzend, jäh. **2.** *fig.* hastig, eilig, jäh. **3.** *fig.* über'eilt. **4.** *chem.* sich als Niederschlag absetzend. **II** *s* **5.** *chem.* Fällungsmittel *n*.

pre·cip·i·tate [pri'sipi,teit] **I** *v/t* **1.** hin'abwerfen, -stürzen (*a. fig.*). **2.** *fig.* her'aufbeschwören, (plötzlich) her'beiführen, beschleunigen: to ~ a crisis. **3.** *j-n* (hin'ein)stürzen (into in *acc*): to ~ a country into war. **4.** *chem.* (aus)fällen. **5.** *meteor.* niederschlagen, verflüssigen. **II** *v/i* **6.** *chem. u. meteor.* sich niederschlagen. **III** *adj* [-,teit; -tit] (*adv* ~ly) **7.** jäh(lings) hin'abstürzend, steil abfallend: ~ labo(u)r *med.* Sturzgeburt *f*. **8.** *fig.* über'stürzt, -'eilt, voreilig. **9.** eilig, hastig. **10.** jäh, plötzlich. **IV** *s* [-,teit; -tit] **11.** *chem.* 'Fällpro,dukt *n*, Niederschlag *m*. **pre'cip·i·,tate·ness** *s* Über'stürzung *f*.

pre·cip·i·ta·tion [pri,sipi'teiʃən] *s* **1.** jäher Sturz, (Her'ab-, Hin'unter)Stürzen *n*. **2.** *fig.* Über'stürzung *f*, -'eilung *f*, (ungestüme) Eile, Hast *f*. **3.** *chem.* Fällung *f*, Niederschlagen *n*. **4.** *meteor.* (atmo'sphärischer) Niederschlag. **5.** *Spiritismus*: ,Materialisati'on *f*. **pre'cip·i,ta·tor** [-tər] *s chem. phys.* a) → precipitant 5, b) 'Ausfällappa,rat *m*.

pre·cip·i·tous [pri'sipitəs] *adj* (*adv* ~ly) **1.** jäh, steil (abfallend), abschüssig. **2.** *fig.* über'stürzt.

pré·cis ['preisi:; prei'si:] **I** *pl* **pré·cis** [-si:] *s* (kurze) 'Übersicht, Zs.-fassung *f*. **II** *v/t* kurz zs.-fassen.

pre·cise [pri'sais] *adj* **1.** prä'zis(e), genau, klar: ~ directions; a ~ answer. **2.** prä'zis(e), ex'akt, (peinlich) genau, kor'rekt, *contp.* pe'dantisch. **3.** genau, richtig: the ~ moment; ~ amount. **4.** 'überpeinlich, pe'dantisch, steif, streng. **5.** *relig. hist.* puri'tanisch. **pre'cise·ly** *adv* **1.** → precise. **2.** gerade, genau, ausgerechnet. **3.** (*als Antwort*) genau (das meinte ich)! **pre'cise·ness** *s* **1.** (über'triebene) Genauigkeit. **2.** (ängstliche) Gewissenhaftigkeit, Pedante'rie *f*. **3.** Strenge *f* (*bes. in religiösen Dingen*).

pre·ci·sian [pri'siʒən] *s* **1.** Rigo'rist(in), Pe'dant(in). **2.** *relig. hist.* Puri'taner(in).

pre·ci·sion [pri'siʒən] **I** *s* Genauigkeit *f*, Ex'aktheit *f* (*a. tech.*), *tech. a.* Genauigkeitsgrad *m*: arm of ~ *mil.* Präzisionswaffe *f*. **II** *adj tech.* Präzisions..., Fein...: ~ adjustment a) Feineinstellung *f*, b) *Artillerie*: genaues Einschießen; ~ balance Präzisions-, Feinwaage *f*; ~ bombing gezielter Bombenwurf, Punktzielbombenwurf *m*; ~ instrument Präzisionsinstrument *n*, feinmechanisches Instrument; ~ mechanics Feinmechanik *f*; ~ tool Präzisionswerkzeug *n*. **pre'ci·sion·ist** *s* **1.** Pe'dant(in), 'Übergenaue(r *m*) *f*. **2.** Pu'rist(in), Sprachreiniger(in).

pre'clin·i·cal *adj med.* vorklinisch.

pre·clude [pri'klu:d] *v/t* **1.** ausschließen (from von). **2.** *etwas* verhindern, ausschalten, -schließen, *e-r Sache* vorbeugen *od.* zu'vorkommen, *Einwände etc* vor'wegnehmen. **3.** *j-n* hindern (from an *dat*; from doing zu tun).

pre·clu·sion [pri'klu:ʒən] *s* **1.** Ausschließung *f*, Ausschluß *m* (from von). **2.** Verhinderung *f*. **pre'clu·sive** [-siv] *adj* (*adv* ~ly) (of *acc*) a) ausschließend, b) (ver)hindernd: to be ~ of s.th. etwas ausschließen *od.* verhindern.

pre·co·cial [pri'kouʃəl] *adj orn.* frühentwickelt: ~ birds Nestflüchter.

pre·co·cious [pri'kouʃəs] *adj* (*adv* ~ly) **1.** frühreif, vor-, frühzeitig (entwickelt). **2.** *fig.* frühreif, altklug: a ~ child. **3.** *bot.* a) vor den Blättern erscheinend (*Blüte*), b) frühblühend *od.* früh Frucht tragend. **pre'co·cious·ness, pre'coc·i·ty** [-'kɒsiti] *s* **1.** Frühreife *f*, -zeitigkeit *f*. **2.** *fig.* (*geistige*) Frühreife, Altklugheit *f*.

ˌpre·cogˈni·tion *s* **1.** Vorkenntnis *f*, frühe Erkenntnis. **2.** *jur. Scot.* ˈVorunterˌsuchung *f*.

ˌpre·conˈceive *v/t* (sich) vorher ausdenken, sich vorher vorstellen: ~d opinion → preconception. **ˌpre·conˈcep·tion** *s* vorgefaßte Meinung.

pre·con·cert [ˌpriːkənˈsəːrt] *v/t* vorher verabreden *od.* vereinbaren: ~ed verabredet, *contp.* abgekartet.

ˌpre·conˈdemn *v/t* im voraus *od.* vorschnell verurteilen *od.* verdammen.

ˌpre·conˈdi·tion I *s* **1.** Vorbedingung *f*, Vorˈaussetzung *f*. **II** *v/t* **2.** die Vorbedingung *od.* Vorˈaussetzung sein für. **3.** vorbereiten, in e-n geeigneten Zustand versetzen.

pre·co·ni·za·tion [ˌpriːkənaiˈzeiʃən; -niˈz-] *s R.C.* Präkonisatiˈon *f*. **ˈpre·coˌnize** *v/t* **1.** öffentlich verkündigen. **2.** *R.C. e-n Bischof* präkoniˈsieren, die Ernennung feierlich verkündigen.

preˈcon·quest *adj* (aus der Zeit) vor der (*bes.* norˈmannischen) Eroberung.

preˈcon·scious *adj psych.* vorbewußt.

preˈcook *v/t* vorkochen. **preˈcool** *v/t* vorkühlen.

pre·cor·dial [priˈkɔːrdjəl; -diəl] *adj anat.* präkordiˈal, epiˈgastrisch: ~ anxiety Präkordialangst *f*, Angstgefühl *n*.

pre·cur·sor [priˈkəːrsər] *s* **1.** Vorläufer(in), Vorbote *m*, -botin *f*. **2.** (Amts-)Vorgänger(in). **preˈcur·so·ry** [-səri] *adj* **1.** vorˈher-, vorˈausgehend. **2.** einleitend, vorbereitend.

pre·da·ceous, *bes. Br.* **pre·da·cious** [priˈdeiʃəs] *adj zo.* räuberisch: ~ animal Raubtier *n*; ~ instinct Raub(tier)-instinkt *m*.

preˈdate *v/t* **1.** zuˈrückdaˌtieren, ein früheres Datum setzen auf (*acc*). **2.** zeitlich vorˈangehen (*dat*).

pre·da·tion [priˈdeiʃən] *s* **1.** *selten* Plünderung *f*, Raub *m*. **2.** *Ökologie*: räuberisches Verhalten (*von Tieren etc*): ~ pressure predatorischer Druck.

pred·a·tor [ˈpredətər] *s* **1.** raubgieriger Mensch. **2.** *biol.* räuberisches (Lebe-)Wesen. **ˈpred·a·to·ry** *adj* (*adv* predatorily) räuberisch, Raub...: ~ bird Raubvogel *m*; ~ excursion Raubzug *m*; ~ animal Raubtier *n*; ~ war Raubkrieg *m*.

ˌpre·deˈcease I *v/t* früher sterben als (*j-d*), sterben vor (*j-m*): to ~ s.o.; ~d parent *jur.* vorverstorbener Elternteil. **II** *v/i* früher sterben. **III** *s* vorzeitiger *od.* vorher erfolgter Tod.

pre·de·ces·sor [*Br.* ˈpriːdiˌsesə; *Am.* ˌprediˈsesər] *s* **1.** Vorgänger(in) (*a. fig.*). **2.** Vorfahr(e) *m*.

ˌpre·deˈfine *v/t* vorher abgrenzen *od.* bestimmen.

pre·del·la [priˈdelə] *pl* **-le** [-lei] *s* Preˈdella *f*: a) Sockel *m* e-s Alˈtarschreins *od.* -aufsatzes, b) Bild *n* auf e-m Alˈtaraufsatz.

pre·des·ti·nar·i·an [priˌdestiˈnɛ(ə)riən] *relig.* **I** *s* Anhänger(in) der Prädestinatiˈonslehre. **II** *adj* die Prädestinatiˈonslehre betreffend.

pre·des·ti·nate [priˈdestiˌneit] **I** *v/t relig. u. weitS.* prädestiˈnieren, aus(er)-wählen, ausersehen, (vorˈher)bestimmen (to für, zu). **II** *adj* [-nit; -ˌneit] prädestiˈniert, auserwählt, vorˈherbestimmt. **preˌdes·tiˈna·tion** *s* **1.** Vorˈherbestimmung *f*. **2.** *relig.* Prädestinatiˈon *f*, Auserwählung *f* (*durch Gott*), Gnadenwahl *f*. **preˈdes·tine** → predestinate I.

ˌpre·deˈter·mi·nate *adj* vorˈausbestimmt. **ˌpre·deˌter·miˈna·tion** *s* **1.** *relig.* Vorˈherbestimmung *f*. **2.** vorˈheriger Beschluß, vorˈherige Bestimmung. **3.** vorgefaßter Entschluß.

ˌpre·deˈter·mine *v/t* **1.** vorher festsetzen *od.* bestimmen: to ~ the cost of a building; to ~ s.o. to s.th. j-n für etwas vorbestimmen. **2.** *tech.* vorˈherbestimmen, vorˈausberechnen. **3.** *relig.* vorˈherbestimmen. **ˌpre·deˈter·minˌism** *s philos.* Prädetermiˈnismus *m*.

pre·di·al → praedial.

pred·i·ca·ble [ˈpredikəbl] **I** *adj* aussagbar, *j-m* beilegbar *od.* zuzuschreiben(d). **II** *s pl philos.* Prädikaˈbilien *pl*, Aussageweisen *pl*, Allgeˈmeinbegriffe *pl*.

pre·dic·a·ment [priˈdikəmənt] *s* **1.** *philos.* a) Prädikaˈment *n*, Grundform *f* der Aussage, Kategoˈrie *f* (*des Aristoteles*), b) Ordnung *f*, Klasse *f*, Kategoˈrie *f*. **2.** mißliche Lage.

pred·i·cant [ˈpredikənt] *adj relig.* predigend, Prediger...

pred·i·cate [ˈprediˌkeit] **I** *v/t* **1.** behaupten, aussagen. **2.** *philos.* prädiˈzieren, aussagen. **3.** *Am. colloq.* (be)-gründen, baˈsieren (on auf *dat*): to be ~d on beruhen *od.* basieren auf (*dat*), *etwas* voraussetzen. **II** *s* [-kit] **4.** *philos.* Aussage *f*. **5.** *ling.* Prädiˈkat *n*, Satzaussage *f*. **III** *adj* [-kit] **6.** *ling.* Prädikat(s)..., prädikaˈtiv: ~ adjective prädikatives Adjektiv; ~ noun (*od.* nominative) prädikatives Subjekt, Prädikatsnomen *n*; ~ objective prädikatives Objekt.

pred·i·ca·tion [ˌprediˈkeiʃən] *s* Aussage *f* (*a. ling. im Prädikat*), Behauptung *f*. **pred·i·ca·tive** [*Br.* priˈdikətiv; *Am.* ˈprediˌkeitiv] *adj* (*adv* ~ly) **1.** aussagend, Aussage... **2.** *ling.* prädikaˈtiv.

pred·i·ca·to·ry [ˈpredikətəri] *adj* **1.** predigend, Prediger... **2.** gepredigt.

pre·dict [priˈdikt] *v/t* vorˈher-, vorˈaus-, weissagen, propheˈzeien: ~ed firing *mil.* Feuer(n) *n* mit Vorhalten. **preˈdict·a·ble** *adj* vorˈaussagbar, vorˈherzusagen(d).

pre·dic·tion [priˈdikʃən] *s* Vorˈher-, Vorˈaussage *f*, Weissagung *f*, Propheˈzeiung *f*. **preˈdic·tive** [-tiv] *adj* vorˈher-, weissagend, propheˈzeiend (of *acc*). **preˈdic·tor** [-tər] *s* **1.** Proˈphet(in). **2.** *aer. tech.* Komˈmandogerät *n*.

ˌpre·diˈgest *v/t* **1.** (künstlich) vorverdauen. **2.** *fig. Geistiges* vorkauen.

pre·di·lec·tion [ˌpriːdiˈlekʃən] *s* Vorliebe *f*, Voreingenommenheit *f*.

ˌpre·disˈpose *v/t* **1.** *j-n* im voraus geneigt *od.* empfänglich machen (to für). **2.** *bes. med.* prädispoˈnieren, empfänglich *od.* anfällig machen (to für).

ˌpre·dis·poˈsi·tion *s* (to) Verˈanlagung *f*, Neigung *f* (zu), Empfänglichkeit *f*, Anfälligkeit *f* (für) (*alle a. med.*).

pre·dom·i·nance [priˈdɒminəns], *a.* **preˈdom·i·nan·cy** [-si] *s* **1.** Vorherrschaft *f*, Vormacht(stellung) *f*. **2.** *fig.* Vorherrschen *n*, Überˈwiegen *n*, ˈÜbergewicht *n* (in in *dat*; over über *acc*). **3.** Überˈlegenheit *f*. **preˈdom·i·nant** *adj* (*adv* ~ly) **1.** vorherrschend, überˈwiegend, vorwiegend: to be ~ vorherrschen, überwiegen, vorwiegen. **2.** überˈlegen.

pre·dom·i·nate [priˈdɒmiˌneit] *v/i* **1.** vorherrschen, überˈwiegen, vorwiegen. **2.** (*zahlenmäßig, geistig, körperlich etc*) überˈlegen sein. **3.** die Oberhand *od.* das ˈÜbergewicht haben (over über *acc*). **4.** herrschen, die Herrschaft haben (over über *acc*). **preˈdom·iˌnat·ing** → predominant.

ˌpre·eˈlect *v/t* **1.** vorher auswählen. **2.** *relig.* auserwählen. **ˌpre·eˈlec·tion I** *s* Vorwahl *f*, Auswahl *f* im voraus. **II** *adj* vor der Wahl (gegeben *od.* stattgefunden): ~ pledge Wahlversprechen *n*.

pre-ˈem·i·nence *s* **1.** Herˈvorragen *n*, Überˈlegenheit *f* (above, over über *acc*). **2.** Vorrang *m*, -zug *m* (over vor *dat*). **3.** herˈvorragende Stellung. **pre-ˈem·i·nent** *adj* (*adv* ~ly) herˈvorragend, überˈragend: to be ~ hervorstechen, sich hervortun (in in *dat*; among unter *dat*).

pre-ˈem·pha·sis *s Radio*: Vorverzerrung *f*.

pre-ˈempt *v/t u. v/i econ. jur.* **1.** (Land) durch Vorkaufsrecht erwerben. **2.** *Am. hist.* durch Bewirtschaftung das Vorkaufsrecht (von Staatsland) erwerben. **3.** *colloq.* (im voraus) mit Beschlag belegen: to ~ a seat. **4.** *Bridge, Whist*: zwingend ansagen. **pre-ˈemp·tion** *s* Vorkauf(srecht *n*) *m*. **pre-ˈemp·tive** *adj* **1.** Vorkaufs...: ~ price; ~ right. **2.** ~ bid (*Bridge, Whist*) *Ansage, die* (*durch ihre Höhe*) *weitere Ansagen ausschließt*. **3.** ~ strike *mil.* prävenˈtiver Aˈtomschlag. **pre-ˈemp·tor** *s* Vorkaufsberechtigte(r *m*) *f*.

preen [priːn] *v/t* **1.** *das Gefieder etc* putzen: to ~ o.s. sich putzen (*a. Person*). **2.** ˈherrichten, zuˈrechtmachen: to ~ one's hair. **3.** ~ o.s. sich etwas einbilden (on auf *acc*).

ˌpre-enˈgage *v/t* **1.** im voraus (vertraglich, *bes.* zur Ehe) verpflichten. **2.** im voraus in Anspruch nehmen. **3.** *econ.* vorbestellen. **ˌpre-enˈgage·ment** *s* vorher eingegangene Verpflichtung, frühere Verbindlichkeit.

ˌpre-ˈEng·lish *ling.* **I** *s* **1.** Vorenglisch *n* (*hypothetische altgermanische Mundart, aus der sich das Englische entwikkelte*). **2.** *die in Britannien vor der angelsächsischen Periode gesprochene Sprache*. **II** *adj* **3.** vorenglisch.

ˌpre-exˈist *v/i* vorher vorˈhanden sein *od.* exiˈstieren. **ˌpre-exˈist·ence** *s bes. relig.* früheres Dasein *od.* Leben, Präexiˈstenz *f*. **ˌpre-exˈist·ent** *adj* vorher exiˈstierend *od.* vorˈhanden.

pre·fab [ˈpriːfæb] *s Br. colloq.* **I** *adj abbr. für* prefabricated. **II** *s* Fertighaus *n*.

preˈfab·riˌcate *v/t* ˈvorfabriˌzieren, (*genormte*) Fertigteile ˈherstellen für (*Häuser etc*). **preˈfab·riˌcat·ed** *adj* vorgefertigt, zs.-setzbar, Fertig...: ~ house Fertighaus *n*. **ˌpre·fab·riˈca·tion** *s* Vorfertigung *f*.

pref·ace [ˈprefis] **I** *s* **1.** Vorwort *n*, Vorrede *f*, Einleitung *f*, Geleitwort *n*. **2.** *fig.* Einleitung *f*, Vorspiel *n*. **3.** *meist* P~ *R.C.* Präfatiˈon *f*, Lob- u. Dankgebet *n*. **II** *v/t* **4.** *e-e Rede etc* einleiten (*a. fig.*), ein Vorwort *etc* schreiben zu *e-m Buch etc*. **5.** die Einleitung sein zu.

pref·a·to·ry [ˈprefətəri] *adj* (*adv* prefatorily) einleitend, Einleitungs...

pre·fect [ˈpriːfekt] *s* Präˈfekt *m*: a) (*im alten Rom*) Statthalter *m*, Befehlshaber *m*, b) (*in Frankreich*) leitender Reˈgierungsbeamter: ~ of police Polizeipräsident *m* (*von Paris*), c) *R.C.* Vorsteher *m* (*e-s Jesuitenkollegs etc*), d) *ped. bes. Br.* Aufsichts-, Vertrauensschüler *m*. **ˌpre·fecˈto·ri·al** [-ˈtɔːriəl] *adj* Präfekten..., Aufsichts... **ˈpre·fectˌship** *s* Amt *n* e-s Präˈfekten (*an englischen Schulen*). **ˈpre·fec·ture** [-tʃər; *Br. a.* -tjur] *s* Präfekˈtur *f*.

pre·fer [priˈfəːr] *v/t* **1.** (es) vorziehen, bevorzugen, lieber haben *od.* mögen *od.* sehen *od.* tun: I ~ to go today ich gehe lieber heute; he ~red to die rather than pay er wäre lieber gestorben, als daß er gezahlt hätte; to ~ wine to beer Wein (dem) Bier vorziehen. **2.** befördern (to [the rank of] zum). **3.** *jur. Gläubiger* begünstigen, *a. e-e Forderung* bevorzugt befriedigen. **4.** *ein Gesuch, jur. e-e Klage* einreichen (to bei; **against** gegen): to ~ a petition (a charge); to ~ claims against s.o. Ansprüche gegen j-n erheben. **pref·er·a·ble** ['prefərəbl] *adj* **1.** (to) vorzuziehen(d) (*dat*), vorzüglicher *od.* besser (als). **2.** wünschenswert. **'pref·er·a·bly** [-bli] *adv* vorzugsweise, lieber, besser, möglichst.

pref·er·ence ['pref(ə)rəns] *s* **1.** Bevorzugung *f*, Vorzug *m* (**above, before, over,** to vor *dat*). **2.** Vorliebe *f* (for für): **by** ~ mit (besonderer) Vorliebe, lieber. **3.** Wahl *f*: **of s.o.'s** ~ nach (j-s) Wahl. **4.** *econ. jur.* Vor(zugs)recht *n*, Priori'tät(srecht *n*) *f*, Bevorrechtigung *f*: ~ **as to dividends** Dividendenbevorrechtigung; ~ **bond** Prioritätsobligation *f*; ~ **dividend** Vorzugsdividende *f*; ~ **share** (*od.* **stock**) *Br.* Vorzugsaktie *f*. **5.** *econ.* a) Vorzug *m*, Vergünstigung *f*, b) 'Vorzugs-, 'Meistbegünstigungsta,rif *m* (*Br. bes. zwischen Mutterland u. Commonwealth*). **6.** *econ. jur.* bevorzugte Befriedigung (*a. im Konkurs*): **fraudulent** ~ Gläubigerbegünstigung *f*.

pref·er·en·tial [,prefə'renʃəl] *adj* (*adv* → **preferentially**) **1.** bevorzugt, Vorzugs...: ~ **treatment**. **2.** *econ. jur.* bevorrechtigt, Vorzugs...: ~ **claim**; ~ **creditor** *Br.* bevorzugter Gläubiger; ~ **duty** Vorzugszoll *m*; ~ **tariff** Vorzugstarif *m*. **,pref·er'en·tial,ism** *s econ.* Präfe'renzsy,stem *n* (*handelspolitische Verbindung von Ländern durch Vorzugszölle etc*). **,pref·er'en·tial·ly** *adv* vorzugsweise.

pref·er·en·tial| share *s econ. Br.* Vorzugsaktie *f*. ~ **shop** *s econ. Am.* Betrieb *m*, in dem Gewerkschaftsmitglieder (*bes. bei der Anstellung*) bevorzugt werden. ~ **vot·ing** *s pol.* 'Vorzugs-,wahlsy,stem *n* (*bei dem der Wähler 2 od. mehr Kandidaten für ein Amt wählt, wodurch e-e Majoritätsentscheidung bei e-m einzigen Wahlgang ermöglicht wird*).

pre·fer·ment [pri'fəːrmənt] *s* **1.** Beförderung *f*, Ernennung *f* (to zu). **2.** höheres Amt, Ehrenamt *n* (*bes. relig.*). **3.** *jur.* Einreichung *f* (*e-r Klage*).

pre·ferred [pri'fəːrd] *adj* bevorzugt, Vorzugs..., *econ. bes. Am. a.* bevorrechtigt: ~ **creditor** *Am.* bevorzugter Gläubiger; ~ **dividend** *Am.* Vorzugsdividende *f*; ~ **share** (*od.* **stock**) *Am.* Vorzugsaktie *f*.

,pre·fig·u'ra·tion *s* **1.** Vor-, Urbild *n*. **2.** vor'herige *od.* vorbildhafte Darstellung. **pre'fig·ure** *v/t* **1.** vorbilden, vorbildhaft darstellen. **2.** vorher bildlich darstellen, sich vorher ausmalen.

pre·fix I *v/t* [priː'fiks] **1.** (als Einleitung) vor'ausgehen lassen (to *dat*). **2.** *a. ling. ein Wort, e-e Silbe* vorsetzen (to *dat*). **II** *s* ['priːfiks] **3.** *ling.* Prä'fix *n*, Vorsilbe *f*. **4.** (*dem Namen*) vor'angestellter Titel. **5.** *a.* **call** ~ *teleph.* Vorwählnummer *f*, -ziffer *f*.

,pre·for'ma·tion *s biol.* Präformati'on *f*, Vor'herbildung *f* im Keim. **pre'form·a·tive I** *adj* **1.** vor'herbildend. **2.** *ling.* vor'an-, vorgestellt. Präfix... **II** *s ling.* **3.** vorgesetzte Par'tikel (*im Hebräischen etc*).

pre'gen·i·tal *adj med.* vorgeschlechtlich, vor dem geschlechtsreifen Alter.

pre'gla·cial *adj geol.* präglazi'al, voreiszeitlich.

preg·na·ble ['pregnəbl] *adj* **1.** einnehmbar (*Stadt etc*). **2.** *fig.* angreifbar.

preg·nan·cy ['pregnənsi] *s* **1.** a) Schwangerschaft *f* (*der Frau*), b) Trächtigkeit *f* (*bei Tieren*): ~ **test** Schwangerschaftstest *m*. **2.** Fruchtbarkeit *f* (*des Bodens*). **3.** *fig.* Fruchtbarkeit *f*, Schöpferkraft *f*, Gedankenfülle *f*, I'deenreichtum *m*. **4.** *fig.* Prä'gnanz *f*, Gedrängtheit *f*, Bedeutungsgehalt *m*, -schwere *f*, tiefer Sinn.

preg·nant ['pregnənt] *adj* (*adv* ~**ly**) **1.** a) schwanger, in anderen 'Umständen (*Frau*), b) trächtig (*Tier*), c) *hunt.* beschlagen (*Edelwild*). **2.** *fig.* fruchtbar, reich (in an *dat*). **3.** *fig.* i'deen-, einfalls-, geistreich. **4.** *fig.* prä'gnant, bedeutungsvoll, schwerwiegend, gewichtig: ~ **with meaning** bedeutungsvoll.

pre'heat *v/t tech.* vorwärmen, *mot.* [vorglühen.]

pre·hen·sile [*Br.* pri'hensail; *Am.* -sil] *adj zo.* zum Greifen geeignet, Greif...: ~ **organ** Greif-, Haftorgan *n*.

,pre·his'tor·ic *adj*; **,pre·his'tor·i·cal** *adj* (*adv* ~**ly**) **1.** 'prähi,storisch, vorgeschichtlich. **2.** *fig.* vorsintflutlich. **pre'his·to·ry** *s* **1.** Ur-, Vorgeschichte *f*. **2.** *fig.* Vorgeschichte *f*.

,pre·ig'ni·tion *s mot.* Frühzündung *f*.

,pre·in'car·nate *adj relig.* vor der Menschwerdung exi'stierend (*Christus*).

pre'judge *v/t* im voraus *od.* vorschnell be- *od.* verurteilen.

prej·u·dice ['predʒədis; -dʒu-] **I** *s* **1.** Vorurteil *n*, Voreingenommenheit *f*, vorgefaßte Meinung, Befangenheit *f*. **2.** *a. jur.* Nachteil *m*, Schaden *m*: **to the** ~ **of** zum Nachteil (*gen*); **without** ~ ohne Verbindlichkeit; **without** ~ **to** ohne Schaden für, unbeschadet (*gen*). **II** *v/t* **3.** *j-n* mit e-m Vorurteil erfüllen, (günstig *od.* ungünstig) beeinflussen, *j-n* einnehmen (in favo[u]r of für; **against** gegen). **4.** *a. jur.* beeinträchtigen, benachteiligen, *j-m od. e-r Sache* schaden, *e-r Sache* Abbruch tun. **'prej·u·diced** *adj* **1.** (vor)eingenommen (**against** gegen; in favo[u]r of für). **2.** *jur.* befangen.

prej·u·di·cial [,predʒə'diʃəl; -dʒu-] *adj* (*adv* ~**ly**) nachteilig, schädlich (to für): **to be** ~ **to s.o.** j-m schaden.

prel·a·cy ['preləsi] *s relig.* **1.** Präla'tur *f*: a) Prä'latenwürde *f*, b) Amtsbereich *m* e-s Prä'laten. **2.** *collect.* Prä'laten(stand *m*, -tum *n*) *pl*. **'prel·ate** [-it] *s* Prä'lat *m*.

pre·lect [pri'lekt] *v/i* lesen, e-e Vorlesung *od.* Vorlesungen halten (on, upon über *acc*; to vor *dat*). **pre'lec·tion** *s* Vorlesung *f*, Vortrag *m*. **pre'lec·tor** [-tər] *s bes. Br.* (Universi'täts)-Lektor *m*, Do'zent *m*.

pre·lim [pri'lim] *colloq.* **1.** *abbr. für* **preliminary examination**. **2.** *print.* Vorspann *m*.

pre·lim·i·nar·i·ly [pri'liminərili] *adv* **1.** einleitend, als Einleitung, zu'vor. **2.** vorläufig. **3.** ~ to vor (*dat*).

pre·lim·i·nar·y [pri'liminəri] **I** *adj* **1.** einleitend, vorbereitend, vor'ausgehend, Vor...: ~ **discussion** Vorbesprechung *f*; ~ **measures** vorbereitende Maßnahmen; ~ **remarks** Vorbemerkungen; ~ **round** *sport* Vorrunde *f*; ~ **work** Vorarbeit *f*; ~ **to** vor (*dat*); **to be** ~ **to s.th.** e-r Sache vorausgehen. **2.** vorläufig, Vor...: ~ **dressing** *med.* Notverband *m*. **II** *s* **3.** *meist pl* Einleitung *f*, Vorbereitung(en *pl*) *f*, vorbereitende Maßnahmen *pl*, Prälimi'narien *pl* (*a. jur. pol. e-s Vertrages*), *jur. pol.* Vorverhandlungen *pl*. **4.** → **preliminary examination**. ~ **ex·am·i·na·tion** *s univ.* **1.** Aufnahmeprüfung *f*. **2.** a) Vorprüfung *f*, b) *med.* Physikum *n*.

pre'load *s tech.* Vorspannung *f*, Vor[belastung *f*.]

prel·ude ['prelju:d; *Am. a.* 'priːluːd] **I** *s* **1.** Vorspiel *n*, Einleitung *f* (*beide a. fig.*), *fig.* Auftakt *m* (to zu). **2.** *mus.* Prä'ludium *n*. **II** *v/t* **3.** *mus.* a) (mit e-m Prä'ludium) einleiten, b) als Prä'ludium spielen. **4.** *bes. fig.* einleiten, das Vorspiel *od.* der Auftakt sein zu. **III** *v/i* **5.** *mus.* a) prälu'dieren, ein Prä'ludium spielen, b) als Vorspiel dienen (to für, zu). **6.** *fig.* das Vorspiel *od.* die Einleitung bilden.

pre·lu·sive [pri'ljuːsiv; *Am. a.* -'luːsiv] *adj* **1.** *mus. u. fig.* einleitend. **2.** *fig.* warnend.

pre'mar·i·tal *adj* vorehelich.

,pre·ma'ter·ni·ty *adj med.* vor der Entbindung, für werdende Mütter: ~ **medical care** ärztliche Schwangerschaftsfürsorge.

pre·ma·ture [,priːmə'tjur; *Br. a.* ,prem-; *Am. a.* -'tur] *adj* (*adv* ~**ly**) **1.** früh-, vorzeitig, verfrüht: ~ **birth** Frühgeburt *f*; ~ **death** frühzeitiger Tod; ~ **ignition** *mot.* Frühzündung *f*. **2.** *fig.* voreilig, -schnell, über'eilt: **a** ~ **decision**. **3.** frühreif. **,pre·ma'ture·ness**, **,pre·ma'tu·ri·ty** *s* **1.** Frühreife *f*. **2.** Früh-, Vorzeitigkeit *f*. **3.** Voreiligkeit *f*, Über'eiltheit *f*.

pre·max·il·lar·y [*Br.* ,priːmæk'siləri; *Am.* -'mæksə,leri] *anat.* **I** *adj* prämaxil'lar, Zwischenkiefer(knochen)... **II** *s* Zwischenkiefer(knochen) *m*.

pre·med·ic [priː'medik] *colloq. abbr. für* **premedical student**. **pre'med·i·cal** *adj* 'vormedi,zinisch, -klinisch, in die Medi'zin einführend: ~ **course** Einführungskurs *m* in die Medizin; ~ **student** Vorkliniker(in), Medizinstudent(in) im ersten Semester. **,pre·med·i'ca·tion** *s med.* Vorbehandlung *f* (*vor e-r Operation*).

,pre·me·di'e·val *adj* vormittelalterlich.

pre'med·i,tate *v/t u. v/i* vorher über'legen: ~**d murder** vorsätzlicher Mord. **pre'med·i,tat·ed·ly** *adv* mit Vorbedacht, vorsätzlich. **,pre·med·i'ta·tion** *s* Vorbedacht *m*, Vorsatz *m*.

pre·mi·er [*Br.* 'premjr; *Am.* 'priːmiər] **I** *adj* **1.** rangältest(er, e, es). **2.** vornehmst(er, e, es), oberst(er, e, es), Haupt... **3.** erst(er, e, es), frühest(er, e, es). **II** *s* **4.** Premi'er(mi,nister) *m*, Mi'nisterpräsi,dent *m*.

pre·mière [*Br.* 'premiɛr; *Am.* pri'mir] (*Fr.*) *thea.* **I** *s* **1.** Premi'ere *f*, Ur-, Erstaufführung *f*. **2.** a) erste Schauspielerin, Hauptdarstellerin *f*, b) *a.* ~ **danseuse** Primaballe'rina *f*. **II** *v/t* **3.** ur-, erstaufführen.

pre·mi·er·ship [*Br.* 'premjə,ʃip; *Am.* 'priːmiər-] *s* Amt *n od.* Würde *f* des Premi'ermi,nisters.

,pre·mil·le'nar·i·an *adj relig.* **1.** vor dem Mil'lennium *od.* Tausendjährigen Reich. **2.** die Lehre von der 'Wiederkunft Christi vor dem Mil'lennium betreffend.

pre·mise[1] [pri'maiz; 'premis] *v/t* **1.** vor'ausschicken, vorher erwähnen. **2.** *philos.* postu'lieren.

prem·ise[2] ['premis] *s* **1.** *philos.* Prä'misse *f*, Vor'aussetzung *f*, Vordersatz *m* (*e-s Schlusses*): **major (minor)** ~ Ober-(Unter)satz *m*. **2.** *jur.* a) *pl* (*das*) Obenerwähnte (*in Urkunden*), b) obenerwähntes Grundstück *od.* Haus *etc*: **in the** ~**s** im Vorstehenden; **in these** ~**s** in Hinsicht auf das eben Erwähnte. **3.** *pl* a) Grundstück *n*, b) Haus *n* nebst Zubehör *n* (*Nebengebäude, Grund u. Boden*), c) Lo'kal *n*, Räumlichkeiten *pl*: **on the** ~**s** an Ort u. Stelle, auf dem Grundstück, im Hause *od.* Lokal;

business ~s Geschäftsgrundstück *od.* -räume; licensed ~ Schanklokal.
pre·mi·um ['pri:miəm; -mjəm] *s* **1.** (Leistungs- *etc*)Prämie *f*, Bonus *m*, Belohnung *f*, Preis *m*, Zugabe *f*: ~ bonds *econ.* Prämienobligationen; ~ offers *econ.* Verkauf *m* mit Zugaben; ~ system *econ.* Prämienlohnsystem *n*; to put a ~ on e-n Preis aussetzen für. **2.** (Versicherungs)Prämie *f*: ~ of insurance; ~ reserve Prämienreserve *f*, Deckungskapital *n*; free of ~ prämienfrei. **3.** *econ.* Aufgeld *n*, Agio *n*: at a ~ a) über Pari, b) *fig.* hoch im Kurs (stehend), sehr gefragt; to sell at a ~ a) (*v/i*) über Pari stehen, b) (*v/t*) mit Gewinn verkaufen. **4.** Lehrgeld *n* (*e-s Lehrlings*), 'Ausbildungshono,rar *n.* **5.** *Börse*: Prämie *f od.* Gebühr *f* (*für das Ausleihen von Wertpapieren*). **6.** *mot. Br.* 'Super(ben,zin) *n.*
pre'mo·lar *s anat.* Prämo'lar *m*, Vorbackenzahn *m.*
pre·mo·ni·tion [,pri:mə'niʃən] *s* **1.** Warnung *f.* **2.** (Vor)Ahnung *f*, Vorgefühl *n.* **pre'mon·i·to·ry** [-'mɒnitəri] *adj* warnend: ~ symptom *med.* Frühsymptom *n.*
pre'mo·tion *s relig.* erster Antrieb (*des Weltlaufs durch Gottes Willen*).
pre'na·tal *adj med.* vor der Geburt, vorgeburtlich, präna'tal: ~ care Schwangerenfürsorge *f.*
pren·tice, 'pren·tice ['prentis] **I** *s obs. u. colloq. für* apprentice. **II** *adj* Lehrlings..., Anfänger...
pre'nup·tial *adj* vorehelich.
pre'oc·cu·pan·cy *s* **1.** a) frühere Besitznahme, b) Recht *n* der früheren Besitznahme. **2.** (in) Beschäftigtsein *n* (mit), Vertieftsein *n* (in *acc*).
pre,oc·cu'pa·tion *s* **1.** vor'herige Besitznahme. **2.** (with) Beschäftigtsein *n* (mit), Vertieftsein *n* (in *acc*), In'anspruchnahme *f* (durch). **3.** Zerstreutheit *f.* **4.** Hauptbeschäftigung *f*, -tätigkeit *f.* **5.** Vorurteil *n*, Voreingenommenheit *f.*
pre'oc·cu,pied *adj* **1.** (with) in Anspruch genommen (von), (anderweitig) beschäftigt (mit). **2.** vertieft (with in *acc*), gedankenverloren, geistesabwesend. **pre'oc·cu,py** *v/t* **1.** vorher *od.* vor anderen in Besitz nehmen. **2.** *j-n* (völlig) in Anspruch nehmen, *j-s Gedanken od. j-n* ausschließlich beschäftigen, erfüllen.
,pre·or'dain *v/t* vorher anordnen *od.* bestimmen: ~ed vorbestimmt.
prep [prep] *sl.* (*Schülersprache*) **I** *s* **1.** a) → preparatory school, b) *Am.* Schüler(in) e-r preparatory school. **2.** *Br. abbr. für* preparation 10. **II** *adj* **3.** *abbr. für* preparatory I: ~ school → preparatory school. **III** *v/i Am.* **4.** sich vorbereiten (for auf *acc*): to ~ for college. **IV** *v/t Am.* **5.** vorbereiten.
pre'pack *v/t* im voraus *od.* fertig verpacken: ~ed fruit.
pre'paid *adj* vor'ausbezahlt, *mail* fran'kiert, (porto)frei.
pre'pal·a·tal *adj* **1.** vor dem Gaumen (liegend). **2.** *ling.* am vorderen Teil des (harten) Gaumens gebildet.
prep·a·ra·tion [,prepə'reiʃən] *s* **1.** Vorbereitung *f* (for für): in ~ for als Vorbereitung auf (*acc*); to make ~s Vorbereitungen *od.* Anstalten treffen; ~s for war, warlike ~s Kriegsvorbereitungen; artillery ~ *mil.* Artillerievorbereitung, Vorbereitungsfeuer *n.* **2.** Bereitschaft *f*, Vorbereitetsein *n.* **3.** 'Herstellung *f*, (Zu)Bereitung *f* (*von Tee, Speisen etc*). **4.** *Bergbau*: Aufbereitung *f*: ~ of ores. **5.** Vorbehandlung *f*, Präpa'rieren *n*, Imprä'gnieren *n* (*von Holz etc*). **6.** *pharm.* Präpa'rat *n*, Arz'nei(mittel *n*) *f*: pharmaceutical ~s. **7.** *biol. med.* (mikro'skopisches Unter'suchungs)Präpa,rat. **8.** Abfassung *f* (*e-r Urkunde*), Ausfüllen *n* (*e-s Formulars*). **9.** *relig.* Vorbereitung(sgottesdienst *m*) *f.* **10.** *ped. Br.* Vorbereitung *f*: a) (Anfertigung *f* der) Hausaufgaben *pl*, b) Vorbereitung(sstunde) *f*: to do one's ~ Hausaufgaben machen, sich präparieren. **11.** *mus.* a) (Disso'nanz)Vorbereitung *f*, b) 'Einleitung(sfi,gur) *f.*
pre·par·a·tive [pri'pærətiv] **I** *adj* → preparatory I. **II** *s* Vorbereitung *f* (for für, auf *acc*), vorbereitende Maßnahme (to zu). **pre'par·a·tive·ly** *adv* als Vorbereitung (to zu, für, auf *acc*).
pre'par·a·tor [-tər] *s* **1.** Vorbereiter(in). **2.** Präpa'rator *m.*
pre·par·a·to·ry [pri'pærətəri] **I** *adj* (*adv* preparatorily) **1.** vorbereitend, als Vorbereitung dienend: to be ~ to als Vorbereitung dienen für *od.* zu *od.* auf (*acc*); ~ to im Hinblick auf (*acc*), vor (*dat*); ~ to my journey vor m-r Reise; ~ to doing s.th. bevor *od.* ehe man etwas tut. **2.** *bes. ped.* Vor(bereitungs)... **II** *s* **3.** → preparative II. **4.** *Br.* → preparatory school. ~ **school** *s* Vor(bereitungs)schule *f*: a) *Am. auf ein* College *vorbereitende* (*Privat*)*Schule*, b) *Br. auf e-e* Public School *vorbereitende Schule.*
pre·pare [pri'pɛr] **I** *v/t* **1.** (vor-, zu)bereiten, zu'recht-, fertigmachen, ('her)richten: to ~ (the) dinner; to ~ a festival ein Fest vorbereiten. **2.** (aus)rüsten, bereitstellen: to ~ an expedition e-e Expedition ausrüsten. **3.** *j-n* (*seelisch*) vorbereiten (to do zu tun; for auf *acc*): a) geneigt *od.* bereit *od.* willig machen, b) gefaßt machen: to ~ o.s. to do s.th. sich anschicken, etwas zu tun; to ~ s.o. for bad news j-n auf e-e schlechte Nachricht vorbereiten. **4.** *e-e Rede, Schularbeiten, e-n Schüler etc* vorbereiten: to ~ a speech; to ~ one's lessons sich für den Unterricht vorbereiten. **5.** anfertigen, ausarbeiten, *e-n Plan* entwerfen, *ein Schriftstück* abfassen. **6.** *chem. tech.* a) anfertigen, 'herstellen, b) präpa'rieren, zurichten. **7.** *Erz* aufbereiten. **8.** *chem.* darstellen. **9.** *mus.* a) *e-e Dissonanz* vorbereiten, b) *e-n Triller etc* einleiten. **II** *v/i* **10.** (for) sich vorbereiten (auf *acc*), sich anschicken *od.* rüsten (zu), Vorbereitungen *od.* Anstalten treffen (für): to ~ for war (sich) zum Krieg rüsten: ~ to ...! *mil.* Fertig zum ...! **11.** sich gefaßt machen (for auf *acc*).
pre·pared [pri'pɛrd] *adj* **1.** vorbereitet, bereit, fertig. **2.** zubereitet, 'hergestellt. **3.** präpa'riert, imprä'gniert. **4.** *fig.* bereit, gewillt, willens: to be ~ to do s.th. **5.** vorbereitet, gefaßt (for auf *acc*). **pre'par·ed·ly** [-ridli] *adv.* **pre'par·ed·ness** *s* **1.** Bereitschaft *f.* **2.** Gefaßtsein *n* (for auf *acc*).
,pre·pa'ren·tal *adj* für zukünftige Eltern: ~ teaching.
pre'pa·tent *adj med.* (noch) la'tent: ~ period Latenzzeit *f.*
pre'pay *v/t irr* vor'ausbezahlen, *e-n Brief etc* fran'kieren, freimachen. **pre'pay·a·ble** *adj* im voraus zahlbar *od.* zu (be)zahlen(d). **pre'pay·ment** *s* Vor'aus(be)zahlung *f*, Fran'kierung *f* (*von Briefen*): ~ meter Münzzähler *m*; ~ telephone Münzfernsprecher *m.*
pre·pense [pri'pens] *adj jur.* vorsätzlich, vorbedacht: with (*od.* of) malice ~ in böswilliger Absicht. **pre'pense·ly** *adv* vorsätzlich.
pre·pon·der·ance [pri'pɒndərəns], *a.* **pre'pon·der·an·cy** [-si] *s* **1.** 'Übergewicht *n* (*a. fig.* over über *acc*). **2.** *fig.* Über'wiegen *n* (*an Zahl*) (over über *acc*), über'wiegende Zahl. **pre'pon·der·ant** *adj* (*adv* ~ly) vorwiegend, über'wiegend, entscheidend.
pre·pon·der·ate [pri'pɒndə,reit] *v/i* **1.** *fig.* vorherrschen, -wiegen, über'wiegen: to ~ over (an Zahl) übersteigen, überlegen sein (*dat*). **2.** sich neigen (*Waage, a. fig.*).
prep·o·si·tion [,prepə'ziʃən] *s ling.* Präpositi'on *f*, Verhältniswort *n.* **,prep·o'si·tion·al** *adj* (*adv* ~ly) präpositio'nal: ~ object präpositionales Objekt. **pre·pos·i·tive** [pri'pɒzitiv] *adj ling.* vor('an)gesetzt, -stehend, Präfix...
pre·pos·sess [,pri:pə'zes] *v/t j-n, j-s Geist* einnehmen: ~ed voreingenommen; to be ~ed in favo(u)r of eingenommen *od.* günstig beeindruckt sein von. **,pre·pos'sess·ing** *adj* (*adv* ~ly) einnehmend, gewinnend, anziehend, sym'pathisch. **,pre·pos'ses·sion** *s* **1.** Voreingenommenheit *f* (in favo[u]r of für), vorgefaßte (günstige) Meinung (for von). **2.** Vorurteil *n.*
pre·pos·ter·ous [pri'pɒstərəs] *adj* (*adv* ~ly) **1.** ab'surd, un-, 'widersinnig, 'widerna,türlich, verdreht. **2.** lächerlich, lachhaft, gro'tesk. **pre'pos·ter·ous·ness** *s* **1.** Unsinnigkeit *f.* **2.** Lächerlichkeit *f.*
pre·po·tence [pri'poutəns], **pre'po·ten·cy** [-si] *s* **1.** Vorherrschaft *f*, 'Übermacht *f*, Über'legenheit *f.* **2.** *biol.* stärkere Fortpflanzungs- *od.* Vererbungskraft. **pre'po·tent** *adj* **1.** vorherrschend, (an Kraft) über'legen, stärker. **2.** ('über)mächtig. **3.** *biol.* sich stärker fortpflanzend *od.* vererbend.
pre'pref·er·ence *adj econ. Br.* vor den 'Vorzugsobligati,onen ran'gierend: ~ shares.
'pre,print **I** *s* **1.** Vorabdruck *m* (*e-s Buches etc*). **2.** Teilausgabe *f* (*e-s Gesamtwerks*). **II** *v/t* **3.** vor'abdrucken, im voraus veröffentlichen.
pre'pu·ber·ty *s psych.* 'Vorpuber,tät *f*, ‚Flegeljahre' *pl.*
'pre,pub·li,ca·tion *s* Vorabdruck *m.*
pre·puce ['pri:pju:s] *s anat.* Vorhaut *f.*
Pre-Raph·a·el·ite [,pri:'ræfiə,lait] **I** *adj* präraffae'litisch: ~ Brotherhood (*1848 gegründete*) Präraffaelitische Bruderschaft (*Gruppe von Malern, die in den Vorläufern Raffaels ihr Vorbild sahen*). **II** *s* Präraffae'lit *m.* **,Pre-'Raph·a·el,it·ism** [-,laitizəm] *s* Stil *m od.* Grundsätze *pl* der Präraffae'liten.
,pre·re'cord·ed *adj electr.* **1.** vorher aufgenommen: ~ broadcast Aufnahme *f.* **2.** vorbespielt (*Tonband*): ~ tape.
pre'req·ui·site **I** *adj* vor'auszusetzen(d), vorher erforderlich (for, to für). **II** *s* Vorbedingung *f*, (erste) Vor'aussetzung (for, to für).
pre·rog·a·tive [pri'rɒgətiv] **I** *s* Präroga'tiv(e *f*) *n*, Privi'leg(ium) *n*, Vorrecht *n*: royal ~ Hoheitsrecht *n*; ~ of mercy Begnadigungsrecht *n.* **II** *adj* bevorrechtigt: ~ right Vorrecht *n.* ~ **court** *s jur. Br. relig. hist. u. Am.* Nachlaßgericht *n.*
pre·sage [pri'seidʒ; *Br. a.* 'presidʒ] **I** *v/t* **1.** *meist Böses* ahnen. **2.** (vorher) anzeigen *od.* ankündigen, 'hindeuten auf (*acc*). **3.** weissagen, prophe'zeien. **II** *s* **4.** Omen *n*, Warn(ungs)-, Vor-, Anzeichen *n.* **5.** (Vor)Ahnung *f*, Vorgefühl *n.* **6.** Vorbedeutung *f*: of evil ~.

pres·by·o·pi·a [ˌprezbiˈoupiə] *s* Presbyoˈpie *f*, Alters(weit)sichtigkeit *f*. **ˌpres·byˈop·ic** [-ˈɒpik] *adj* alters(weit)sichtig.

pres·by·ter [ˈprezbitər; ˈpres-] *s relig.* **1.** (Kirchen)Älteste(r) *m*. **2.** (Hilfs)Geistliche(r) *m*, (-)Priester *m* (*in Episkopalkirchen*). **presˈbyt·er·al** → presbyterial. **presˈbyt·er·ate** [-rit; -ˌreit] *s* **1.** Amt *n* e-s Kirchenältesten. **2.** → presbytery 1.

pres·by·te·ri·al [ˌprezbiˈti(ə)riəl; ˌpres-] *adj* presbyteriˈal, Presbyterial..., von Kirchenältesten ausgehend *od.* geleitet. **ˌPres·byˈte·ri·an I** *adj* presbyteriˈanisch: ~ **Church.** **II** *s* Presbyteriˈaner(in). **ˌPres·byˈte·ri·anˌism** *s* Presbyteriˈanertum *n*, -lehre *f*.

pres·by·ter·y [ˈprezbitəri; ˈpres-] *s* **1.** Presbyˈterium *n*: a) *collect. hist.* (*die*) Kirchenältesten *pl*, b) *Art Kreissynode in Presbyterianerkirchen*, c) Chor(raum) *m* (*Altarplatz*). **2.** Sprengel *m*, Pfarrbezirk. **3.** *R.C.* Pfarrhaus *n*.

pre·school *ped.* **I** *adj* [priːˈskuːl] vorschulisch, vor dem schulpflichtigen Alter: ~**age** vorschulpflichtiges Alter; ~ **child** noch nicht schulpflichtiges Kind. **II** *s* [ˈpriːˌskuːl] (*kindergartenähnliche*) Vorschule.

pre·sci·ence [ˈpriːʃiəns; -si-] *s* Vorˈherwissen *n*, Vorˈaussicht *f*. **ˈpre·sci·ent** *adj* (*adv* ~**ly**) vorˈherwissend, -sehend (of *acc*).

pre·sci·en·tif·ic [ˌpriːsaiənˈtifik] *adj* vorwissenschaftlich.

pre·scind [priˈsind] **I** *v/t fig.* (from) absondern, (ab)trennen (von), ausklammern (aus). **II** *v/i* absehen, Abstand nehmen (from von).

ˈpreˌscore *v/t Film*: ˈvorsynchroniˌsieren.

pre·scribe [priˈskraib] **I** *v/t* **1.** vorschreiben (s.th. to s.o. j-m etwas), *etwas* anordnen: (as) ~**d** (wie) vorgeschrieben, vorschriftsmäßig. **2.** *med.* verschreiben, verordnen (s.th. for s.o. j-m etwas; for s.th. gegen etwas). **II** *v/i* **3.** Vorschriften machen, Anordnungen treffen. **4.** a) etwas verschreiben *od.* verordnen (to, for *dat*), b) ein Reˈzept ausstellen (for s.o. j-m): to ~ for s.o. *allg.* j-n ärztlich behandeln. **5.** *jur.* a) verjähren, b) Verjährung *od.* *a.* Ersitzung geltend machen (to, for für, auf *acc*).

pre·script [ˈpriːskript] *s* Vorschrift *f*, Anordnung *f*.

pre·scrip·tion [priˈskripʃən] *s* **1.** Vorschrift *f*, Verordnung *f*. **2.** *med.* a) Reˈzept *n*, b) verordnete Mediˈzin: to take one's ~ s-e Arznei einnehmen; ~ **drug** rezeptpflichtiges Medikament. **3.** *jur.* a) (negative) ~ (Verlust *m* e-s Rechtes durch) Verjährung *f*, b) (positive) ~ Ersitzung *f*.

pre·scrip·tive [priˈskriptiv] *adj* (*adv* ~**ly**) **1.** verordnend, vorschreibend. **2.** *jur.* a) ersessen: ~ **right**, b) Verjährungs...: ~ **period**; ~ **debt** verjährte Schuld. **3.** (ˈalt)ˌherkömmlich.

ˌpre·seˈlect *v/t* vorher (aus)wählen. **ˌpre·seˈlec·tion** *s* **1.** *tech.* Vorwahl *f* (*a. teleph.*), Voreinstellung *f*. **2.** *Radio*: ˈVorselektiˌon *f*. **ˌpre·seˈlec·tive** *adj mot. tech.* Vorwähler...: ~ **transmission** *mot.* Vorwählergetriebe *n*. **ˌpre·seˈlec·tor** *s* **1.** *mot. tech. teleph.* Vorwähler *m*: ~ **gear** *mot.* Vorwählergetriebe *n*. **2.** *a.* ~ **stage** (*Radio*) HF-Eingangsstufe *f*.

preˈsem·i·nal *adj biol.* vor der Befruchtung, noch nicht befruchtet (*Ei*).

pres·ence [ˈprezns] *s* **1.** Gegenwart *f*, Anwesenheit *f*, Präˈsenz *f*: in the ~ of, in *s.o.'s* ~ in Gegenwart *od.* in Anwesenheit *od.* im Beisein von (*od. gen*); in the ~ of witnesses vor Zeugen; ~ of mind Geistesgegenwart *f*; → save¹ 9. **2.** (unmittelbare) Nähe, Vorˈhandensein *n*: to bring s.o. into the ~ of the king j-n vor den König bringen; to be admitted into the ~ (zur Audienz) vorgelassen werden; action of ~ *chem.* Kontaktwirkung *f*; in the ~ of danger angesichts der Gefahr. **3.** *bes. Br.* hohe Perˈsönlichkeit(en *pl*). **4.** a) (*das*) Äußere, Aussehen *n*, (stattliche) Erscheinung, b) Auftreten *n*, Haltung *f*, c) (perˈsönliche) Ausstrahlung (*e-s Schauspielers etc*), d) (*das*) Eindrucksvolle, Wirksamkeit *f*. **5.** (ˈübernaˌtürliche) Erscheinung *od.* Macht, Geist *m*. ~ **cham·ber,** ~ **room** *s bes. Br.* Audiˈenz-, Empfangssaal *m*.

preˈse·nile *adj med.* präseˈnil. **ˌpre·seˈnil·i·ty** *s* Präseniliˈtät *f*, vorzeitiges Altern.

pres·ent¹ [ˈpreznt] **I** *adj* (*adv* → presently) **1.** (*räumlich*) gegenwärtig, anwesend (in a place an e-m Ort; at bei *e-r Feier etc*), vorˈhanden (*a. chem. etc*): were you ~? warst du da(bei)?; those ~, ~ company die Anwesenden; to be ~ at teilnehmen an (*dat*), *e-r Sache* beiwohnen, bei (*e-m Fest etc*) zugegen sein; ~! (*bei Namensaufruf*) hier! **2.** (*zeitlich*) gegenwärtig, augenblicklich, jetzig, momenˈtan: the ~ time (*od.* day) die Gegenwart; the ~ Parliament das gegenwärtige Parlament; ~ value Gegenwarts-, *econ.* Tageswert *m*. **3.** heutig (*bes. Tag*), laufend (*bes. Jahr, Monat*). **4.** *fig.* (to) gegenwärtig *od.* vor Augen (*dat*), leˈbendig (in *dat*): it is ~ to my mind es ist mir gegenwärtig. **5.** vorliegend: the ~ case; the ~ document; the ~ writer der Schreiber *od.* Verfasser (dieser Zeilen). **6.** *ling.* präˈsentisch, im Präsens (stehend *od.* gebraucht): ~ participle Partizip *n* Präsens; ~ perfect Perfekt *n*, zweite Vergangenheit; ~ tense → 8. **II** *s* **7.** Gegenwart *f*: at ~ im Augenblick, augenblicklich, gegenwärtig, jetzt, momentan; for the ~ vorläufig, für den Augenblick, einstweilen. **8.** *ling.* (Verbum *n* im) Präsens *n*, Gegenwart *f*. **9.** *pl jur.* (vorliegendes) Schriftstück *od.* Dokuˈment: by these ~s hiermit, -durch; know all men by these ~s hiermit jedermann kund u. zu wissen.

pre·sent² [priˈzent] **I** *v/t* **1.** *j-n* beschenken, (*mit e-m Preis etc*) bedenken: to ~ s.o. with s.th. j-m etwas schenken *od.* verehren; to be ~**ed** with a prize e-n Preis (überreicht) bekommen. **2.** darbieten, (über)ˈreichen, *etwas* schenken: to ~ s.th. to s.o. j-m etwas schenken; to ~ a message e-e Botschaft überbringen; to ~ one's compliments to s.o. sich j-m empfehlen. **3.** *j-n* vorstellen (to s.o. j-m), einführen (at bei): to ~ o.s. a) sich vorstellen, b) sich einfinden, erscheinen, sich melden (for zu), c) *fig.* sich bieten (*Möglichkeit etc*). **4.** bei Hof vorstellen *od.* einführen: to be ~**ed**. **5.** bieten: to ~ difficulties; to ~ a problem ein Problem darstellen; to ~ an appearance (of) erscheinen (als); to ~ a smiling face ein lächelndes Gesicht zeigen. **6.** *econ.* *e-n Wechsel, Scheck* (zur Zahlung) vorlegen, präsenˈtieren: to ~ a bill for acceptance e-n Wechsel zum Akzept vorlegen. **7.** *ein Gesuch, e-e Klage* einreichen, vorlegen, unterˈbreiten. **8.** *e-e Bitte, Klage, ein Argument etc* vorbringen, *e-n Gedanken, Wunsch* äußern, unterˈbreiten: to ~ a case e-n Fall vortragen *od.* vor Gericht vertreten. **9.** *jur.* a) Klage *od.* Anzeige erstatten gegen, b) *ein Vergehen* anzeigen. **10.** *ein Theaterstück, e-n Film etc* darbieten, geben, zeigen, *a. e-e Sendung* bringen. **11.** *e-e Rolle* spielen, verkörpern. **12.** *fig.* vergegenwärtigen, vor Augen führen, schildern, darstellen. **13.** *j-n* (*für ein Amt*) vorschlagen. **14.** *mil.* a) *das Gewehr* präsenˈtieren, b) *e-e Waffe* in Anschlag bringen, anlegen, richten (at auf *acc*): ~ **arms!** präsentiert das Gewehr!

II *s* **15.** *mil.* a) Präsenˈtiergriff *m*, b) (Gewehr)Anschlag *m*: at the ~ in Präsentierhaltung; ~ **arms** Präsentierstellung *f*.

pres·ent³ [ˈpreznt] *s* Geschenk *n*, Präˈsent *n*, Gabe *f*: to make s.o. a ~ of s.th., to make a ~ of s.th. to s.o. j-m etwas zum Geschenk machen.

pre·sent·a·ble [priˈzentəbl] *adj* (*adv* presentably) **1.** präsenˈtabel, als Geschenk *od.* zum Anbieten geeignet. **2.** annehmbar: in ~ form. **3.** ‚präsenˈtabel' (*Erscheinung*), anständig angezogen. **4.** ansehnlich, stattlich. **5.** darstellbar, auszudrücken(d).

pres·en·ta·tion [ˌprezənˈteiʃən; ˌpriː-; -zen-] *s* **1.** Schenkung *f*, (feierliche) Überˈreichung *od.* ˈÜbergabe: ~ copy Widmungs-, Freiexemplar *n*. **2.** Gabe *f*, Geschenk *n*. **3.** Vorstellung *f* (*e-r Person*), Einführung *f*. **4.** Vorstellung *f*, Erscheinen *n*. **5.** Darstellung *f*, Schilderung *f*, Behandlung *f*: ~ of a problem. **6.** *med.* Demonstratiˈon *f* (*im Kolleg*). **7.** *thea. Film, Radio*: Darbietung *f*, Vor-, Aufführung *f*. **8.** (Zur)ˈSchaustellung *f*. **9.** *econ.* (Waren)Aufmachung *f*, Ausstattung *f*. **10.** Einreichung *f* (*e-s Gesuchs*), Vorlage *f*, Eingabe *f*. **11.** *econ.* (Wechsel)-Vorlage *f*: (up)on ~ gegen Vorlage; payable on ~ zahlbar bei Sicht; to mature (up)on ~ bei Sicht fällig werden. **12.** a) Vorschlag(srecht *n*) *m*, b) Ernennung *f* (*relig. Br. bes. für ein geistliches Amt*). **13.** *med.* (Kinds)Lage *f* (*im Uterus*): ~ of the f(o)etus. **14.** *philos. psych.* a) Wahrnehmung *f*, b) Vorstellung *f*. **15.** P~ *relig.* a) P~ of the Virgin Mary Darstellung *f* Maˈriä (*21. November*), b) P~ of Christ in the Temple Darstellung *f* Christi im Tempel, Maˈriä Lichtmeß *f* (*2. Februar*).

ˈpres·ent-ˈday *adj* heutig, gegenwärtig, jetzig, moˈdern.

pres·en·tee [ˌprezənˈtiː] *s* **1.** *bes. relig.* (*für ein geistliches Amt*) Vorgeschlagene(r) *m*. **2.** *j-d, dem etwas präsentiert od. vorgelegt wird.*

pre·sen·tient [priːˈsenʃiənt; -ʃənt] *adj* im voraus fühlend, ahnend (of *acc*).

pre·sen·ti·ment [priˈzentimənt] *s* Vorgefühl *n*, (*meist* böse Vor)Ahnung.

pre·sen·tive [priˈzentiv] *adj bes. ling.* anschaulich, begrifflich (*Wort*).

pres·ent·ly [ˈprezntli] *adv* **1.** soˈgleich, gleich *od.* bald (darˈauf), alsˈbald, dann. **2.** *Am.* jetzt, gegenwärtig, momenˈtan. **3.** *nur noch Scot.* soˈfort.

pre·sent·ment [priˈzentmənt] *s* **1.** Darstellung *f*, ˈWiedergabe *f*, Bild *n*. **2.** *thea. etc* Darstellung *f*, -bietung *f*, Aufführung *f*. **3.** Einreichung *f*, Vorlage *f*. **4.** *econ.* (Wechsel- *etc*)Vorlage *f*. **5.** *jur.* Anklage *f od. a.* Unterˈsuchung *f* von Amts wegen, *bes.* von der Großen Jury verfaßte Anklageschrift. **6.** *relig.* Klage *f* beim visiˈtierenden Bischof *od.* ˌArchidiaˈkon. **7.** *philos. psych.* Vorstellung *f*.

pre·serv·a·ble [priˈzəːrvəbl] *adj* erhaltbar, zu erhalten(d), konserˈvierbar.

pres·er·va·tion [ˌprezər'veiʃən] *s* **1.** Bewahrung *f*, (Er)Rettung *f*, Schutz *m* (from vor *dat*): ~ of natural beauty Naturschutz *m*. **2.** Erhaltung *f* (*a. fig.*), Konser'vierung *f*: in good ~ gut erhalten; ~ of area *math.* Flächentreue *f*; ~ of evidence *jur.* Beweis-, Spurensicherung *f*. **3.** Einmachen *n*, -kochen *n*, Konser'vierung *f* (*von Früchten etc*). **4.** *fig.* Erhaltung *f*.

pre·serv·a·tive [pri'zəːrvətiv] **I** *adj* **1.** schützend, bewahrend, Schutz... **2.** erhaltend, konser'vierend. **II** *s* **3.** Konser'vierungsmittel *n* (*a. tech.*). **4.** *bes. med.* Schutz-, Vorbeugungsmittel *n*, Präserva'tiv *n*.

pre·serve [pri'zəːrv] **I** *v/t* **1.** bewahren, behüten, (er)retten, (be)schützen (from vor *dat*). **2.** erhalten, vor dem Verderb schützen: well ~d gut erhalten. **3.** aufbewahren, -heben. **4.** konser'vieren (*a. tech.*), *Obst etc* einkochen, -machen, -legen: ~d meat Büchsenfleisch *n*, *collect.* Fleischkonserven *pl*. **5.** *hunt. bes. Br. Wild, Fische* hegen. **6.** *fig. e-e Haltung, Ruhe, Andenken etc* (be)wahren. **II** *s* **7.** *meist pl* Eingemachtes *n*, Kon'serve(n *pl*) *f*. **8.** *oft pl* a) *hunt. bes. Br.* ('Wild)Reserˌvat *n*, Wildpark *m*, (Jagd-, Fisch)Gehege *n*, b) *fig.* Gehege *n*, Reich *n*: to break into (*od.* to poach on) s.o.'s ~s j-m ins Gehege kommen (*a. fig.*). **pre'serv·er** *s* **1.** Bewahrer(in), (Aufrecht)Erhalter(in), (Er)Retter(in). **2.** → preservative II. **3.** *bes. Br.* Heger *m*, Wildhüter *m*.

'preˌset *v/t irr tech.* voreinstellen.

pre'sex·u·al *adj med.* vor dem geschlechtsreifen Alter.

'pre-'shrink *v/t irr e-n Stoff* sanfori'sieren, einlaufen lassen, krumpfen.

pre·side [pri'zaid] *v/i* **1.** die Aufsicht *od.* den Vorsitz haben *od.* führen (at bei; over über *acc*), präsi'dieren: to ~ over (*od.* at) a meeting e-e Versammlung leiten. **2.** *mus. u. fig.* führen. **3.** *fig.* herrschen: to ~ over beherrschen.

pres·i·den·cy ['prezidənsi] *s* **1.** Prä'sidium *n*, Vorsitz *m*, (Ober)Aufsicht *f*. **2.** *oft* P~ Präsi'dentschaft *f*, Präsi'dentenamt *n* (*bes. in USA*). **3.** Amtszeit *f od.* -bereich *m* (*e-s Präsidenten*). **4.** *relig.* a) lo'kale Mor'monenbehörde, b) First P~ (*die aus dem Propheten u. zwei Beiräten bestehende*) oberste Mor'monenbehörde. **5.** *oft* P~ *Br. hist.* Präsi'dentschaft *f* (*e-e der ehemaligen brit.-indischen Provinzen Bengalen, Bombay u. Madras*).

pres·i·dent ['prezidənt] *s* **1.** Präsi'dent(in), Vorsitzende(r *m*) *f*, Vorsteher(in), Vorstand *m* (*e-r Körperschaft*), *a.* (Gene'ral)Diˌrektor *m*. **2.** *oft* P~ Präsi'dent *m* (*Staatsoberhaupt e-r Republik*). **3.** *Br.* Präsi'dent *m* (*e-s Board*), Mi'nister *m*: P~ of the Board of Trade Handelsminister. **4.** *univ. bes. Am.* Rektor *m*. **5.** *relig.* Oberhaupt *n* (*der Mormonenkirche*).

'pres·i·dent-e'lect *s* (*der*) gewählte Präsi'dent (*vor Amtsantritt*).

pres·i·den·tial [ˌprezi'denʃəl] *adj* (*adv* ~ly) **1.** Präsidenten..., Präsidentschafts...: ~ address Ansprache *f* des Präsidenten *od.* Vorsitzenden; ~ chair *fig.* Präsidentenstuhl *m od.* -amt *n*; ~ election Präsidentenwahl *f*; ~ message *Am.* Botschaft *f* des Präsidenten an den Kongreß; ~ system Präsidialsystem *n*; ~ term Amtsperiode *f* des Präsidenten; ~ year *Am. colloq.* Jahr *n* der Präsidentenwahl. **2.** den Vorsitz *od.* die (Ober)Aufsicht führend, vorsitzend, -stehend. ~ **pri·ma·ry** *s pol. Am.* Vorwahl *f* zur Nomi'nierung des Präsi'dentschaftskandiˌdaten (*innerhalb e-r Partei*).

pre·sid·i·ar·y [pri'sidiəri] *adj hist.* Besatzungs..., Garnison(s)...

pre·si·di·o [pri'sidiˌou] *pl* **-os** *s* fester Platz, Garni'son *f*.

press [pres] **I** *v/t* **1.** (zs.-)pressen, (-)drücken: to ~ s.o.'s hand j-m die Hand drücken. **2.** drücken auf (*acc*): to ~ the button auf den Knopf drücken (*a. fig.*). **3.** (nieder)drücken, drücken *od.* e-n Druck ausüben auf (*acc*) (*a. fig.*). **4.** *Saft, e-e Frucht etc* (aus)pressen, (-)quetschen. **5.** *bes. tech. a. Schallplatten* pressen. **6.** *Kleider* plätten, bügeln. **7.** (zs.-, vorwärts-, weg- *etc*)drängen, (-)treiben: to ~ on weiterdrängen, -treiben. **8.** *mil.* (hart) bedrängen. **9.** *j-n* bedrängen: a) in die Enge treiben, zwingen, (e-n) Druck ausüben auf (*acc*), erpressen: to ~ s.o. for money von j-m Geld erpressen, b) *j-n* bestürmen, *j-m* zusetzen: to ~ s.o. to do s.th.; to ~ s.o. for s.th. j-n dringend um etwas bitten; to be ~ed for money in Geldverlegenheit sein; to be ~ed for time unter Zeitdruck stehen, es eilig haben; → hard 24. **10.** *j-n, ein Tier* drängen, antreiben, hetzen: to ~ a horse. **11.** *mar. mil.* (*gewaltsam*) *in den Dienst* pressen, *Matrosen a.* schang'haien. **12.** ([up]on *j-m*) *etwas* aufdrängen, -nötigen. **13.** Nachdruck legen auf (*acc*): to ~ one's point auf s-r Forderung *od.* Meinung nachdrücklich bestehen; to ~ home a) *e-e Forderung etc* durchsetzen, b) *e-n Angriff* energisch durchführen, c) *e-n Vorteil* ausnutzen.

II *v/i* **14.** pressen, drücken, (e-n) Druck ausüben (*a. fig.*). **15.** plätten, bügeln. **16.** drängen, pres'sieren: time ~es die Zeit drängt. **17.** (for) dringen *od.* drängen (auf *acc*), fordern (*acc*): to ~ for money. **18.** (sich) drängen (to zu, nach): to ~ forward (sich) vordrängen; to ~ in upon s.o. auf j-n eindringen (*a. fig.*); to ~ on vorwärts drängen, weitereilen.

III *s* **19.** *tech.* (*a. Frucht- etc*)Presse *f*. **20.** *print.* (Drucker)Presse *f*. **21.** *print.* a) Drucke'rei(raum *m*) *f*, b) Drucke'rei(anstalt) *f*, c) Drucke'rei(wesen *n*) *f*, d) Druck *m*, Drucken *n*: to correct the ~ Korrektur lesen; to go to (the) ~ in Druck gehen, gedruckt werden; to send to (the) ~ in Druck geben; in the ~ im Druck (befindlich); coming from the ~ neu erschienen (*bes. Buch*); ready for the ~ druckfertig. **22.** the ~ die Presse (*das Zeitungswesen, a. collect. die Zeitungen od. die Presseleute*): ~ campaign Pressefeldzug *m*; ~ photographer Pressephotograph(in). **23.** 'Presse(kommenˌtar *m*, -kriˌtik *f*) *f*: to have a good (bad) ~ e-e gute (schlechte) Presse haben. **24.** Spanner *m* (*für Skier od. Tennisschläger*). **25.** (*Bücher-, Kleider-, bes. Wäsche*)Schrank *m*. **26.** a) Drücken *n*, Pressen *n*, b) Plätten *n*, Bügeln *n*: to give s.th. a ~ etwas drücken *od.* pressen *od.* bügeln. **27.** Andrang *m*, Gedränge *n*, Menschenmenge *f*. **28.** *fig.* a) Druck *m*, Hast *f*, b) Dringlichkeit *f*, Drang *m* (*der Geschäfte*): the ~ of business. **29.** ~ of sail, ~ of canvas *mar.* a) (Segel)Preß *m* (*Druck sämtlicher gesetzter Segel*), b) Prangen *n* (*Beisetzen sämtlicher Segel*): to carry a ~ of sail Segel pressen; under a ~ of canvas mit vollen Segeln. **30.** *mar. mil. hist.* Pressen *n*, Zwangsaushebung *f* (*von Matrosen od. Soldaten*).

press| a·gen·cy *s* 'Presse-, 'Nachrichtenagenˌtur *f*, -büˌro *n*. ~ **a·gent** *s* Re'klame-, 'Presseaˌgent *m*. ~ **as·so·ci·a·tion** *s Am.* Presseverband (*der den Zeitungen Nachrichten übermittelt*). '~ˌ**board** *s* Preßspan *m*. ~ **box** *s* Presseloge *f*. ~ **bu·reau** *s* 'Presse-, 'Nachrichtenbüˌro *n*. ~ **but·ton** *s electr.* (Druck)Knopf *m*. ~ **clip·ping** *s bes. Am.* Zeitungsausschnitt *m*. ~ **cop·y** *s* **1.** (*mit der Kopierpresse gemachter*) 'Durchschlag. **2.** Rezensi'onsexemˌplar *n*. ~ **cor·rec·tor** *s print.* Kor'rektor *m*, Korrek'torin *f*. ~ **cut·ting** *bes. Br. für* press clipping.

pressed [prest] *adj* gepreßt, Preß...

press·er ['presər] *s* **1.** Presser(in): a) *Glasindustrie, keramische Industrie*: Formenpresser(in), b) Tuchpresser(in). **2.** *print.* Drucker *m*. **3.** Bügler(in). **4.** *tech.* Preßvorrichtung *f*. **5.** *print. etc* Druckwalze *f*.

press| fil·ter *s tech.* Druck-, Preßfilter *m, n*. '~-ˌ**forge** *v/t tech.* preßschmieden. ~ **gal·ler·y** *s* 'Pressegaleˌrie *f*. ~ **gang** *s mar. hist.* 'Preßpaˌtrouille *f*.

press·ing ['presiŋ] **I** *adj* (*adv* ~ly) **1.** pressend, drückend. **2.** *fig.* a) (be)drückend: ~ need, b) dringend, dringlich: ~ danger drohende Gefahr. **II** *s* **3.** (Aus)Pressen *n*. **4.** *tech.* a) Stanzen *n*, b) *Papierfabrikation*: Sati'nieren *n*, Glätten *n*. **5.** *tech.* Preßling *m*. **6.** *Schallplattenfabrikation*: Preßplatte *f*. ~ **roll·er** *s tech.* **1.** *Spinnerei*: Druck-, Lederwalze *f*. **2.** *Papierfabrikation*: a) Sati'nierwalze *f*, b) *pl* Sati'nierwalzwerk *n*.

press| key *s electr.* Drucktaste *f*. '~**man** [-mən] *s irr* **1.** (Buch)Drucker *m*. **2.** *bes. Br.* Zeitungsmann *m*, Pressevertreter *m*, Journa'list *m*, Re'porter *m*. '~ˌ**mark I** *s* Signa'tur *f*, Biblio'theksnummer *f* (*e-s Buches*). **II** *v/t u. v/i* si'gnieren.

pres·sor ['presər] *adj med.* blutdruckerhöhend.

'press|ˌpack *v/t* mittels e-r Presse packen. ~ **proof** *s print.* letzte Korrek'tur, Ma'schinenrevisiˌon *f*. '~ˌ**room** *s print.* Drucke'rei(raum *m*) *f*, Ma'schinensaal *m*. '~-ˌ**stud** *s Br.* Druckknopf *m*. '~-**to-'talk but·ton** (*od.* **switch**) *s electr.* Sprechtaste *f*.

pres·sur·al ['preʃərəl] *adj* Druck...

pres·sure ['preʃər] **I** *s* **1.** Drücken *n*, Pressen *n*, Druck *m*: → blood pressure. **2.** *phys. tech.* Druck *m*: ~ per unit area Flächendruck; low ~ Niederdruck (→ 3); ~ boiler (lever, pump, valve) Druckkessel *m* (-hebel *m*, -pumpe *f*, -ventil *n*); to work at high ~ mit Hochdruck arbeiten (*a. fig.*); ~ of axle *mot. tech.* Achsdruck. **3.** *meteor.* (Luft)Druck *m*: high (low) ~ Hoch-(Tief)druck. **4.** *fig.* Druck *m*, Last *f*: ~ of taxation Steuerlast; the ~ of business der Drang *od.* Druck der Geschäfte. **5.** *fig.* (mo'ralischer) Druck, Zwang *m*: to bring ~ to bear upon s.o. auf j-n Druck ausüben. **6.** Bedrängnis *f*, Not *f*, Drangsal *f*: financial ~; ~ of conscience Gewissensnot. **II** *v/t* **7.** a) → pressurize, b) → pressure-cook. **8.** unter Druck setzen (*a. fig.*). **9.** *fig. j-n* treiben *od.* zwingen (into doing dazu, etwas zu tun).

pres·sure| al·ti·tude *s meteor.* baro'metrische Höhe. ~ **cab·in** *s aer.* ('Über)Druckkaˌbine *f*. '~-ˌ**cook** *v/t u. v/i* im Schnellkochtopf kochen. ~ **cook·er** *s* Schnellkochtopf *m*. ~ **ga(u)ge** *s tech.* Druckmesser *m*, Mano'meter *n*. ~ **gra·di·ent** *s meteor.* (*atmosphärischer*) 'Druckgradiˌent, spe'zifisches Druckgefälle. ~ **greas·ing** *s tech.* Hochdruckschmierung *f.* ~ **group** *s pol.* Inter'essengruppe *f.* ~ **head** *s* **1.** *phys.* Staudruck(messer) *m*, Druckgefälle *n*, -höhe *f.* **2.** *tech.* Förderhöhe *f* (*e-r Pumpe*). ~ **lu·bri·ca·tion** *s tech.* 'Druck(ˌumlauf)schmierung *f.* ~ **noz·zle** *s tech.* **1.** Staurohr *n*, -düse *f*, Druckmeßrohr *n.* **2.** Druckrohr *n*, -düse *f.* ~ **point** → pressure spot. '~-'**proof** *adj aer.* druckfest (*Flugzeugkabine*). '~-'**sen·si·tive** *adj med. etc* druckempfindlich. ~ **spot** *s med.* Druckpunkt *m*, druckempfindlicher Punkt. ~ **suit** *s aer.* ('Über)Druckanzug *m.* ~ **tank** *s tech.* Druckbehälter *m.* ~ **tube** *s tech.* Druckmeß-, Staurohr *n.* ~ **weld·ing** *s tech.* Preßschweißen *n.*

pres·sur·ize ['preʃəˌraiz] *v/t* **1.** unter 'Überdruck halten, *bes. aer.* druckfest machen: ~d **cabin** → **pressure cabin. 2.** *chem. tech.* unter Druck setzen, (*durch Druckluftzufuhr*) belüften: ~d **water reactor** Druckwasserreaktor *m.*

'**pres·surˌiz·er** *s aer.* Druckanlage *f.*

'**pressˌwork** *s print.* Druck(arbeit *f*) *m.*

pres·ti·dig·i·ta·tion [ˌprestiˌdidʒi'teiʃən] *s* **1.** Fingerfertigkeit *f.* **2.** Taschenspielerkunst *f.* ˌ**pres·ti'dig·iˌta·tor** [-tər] *s* Taschenspieler *m* (*a. fig.*).

pres·tige [pres'tiːʒ; *Am. a.* 'prestidʒ] *s* Pre'stige *n*, Geltung *f*, Ansehen *n.*

pres·tis·si·mo [pres'tisiˌmou; -'tiːsiː-] *mus.* **I** *adv* pre'stissimo, äußerst schnell. **II** *pl* **-mos** *s* Pre'stissimo *n.*

prest mon·ey *s Br. hist.* Handgeld *n* (*für Rekruten*).

pres·to ['prestou] **I** *adv* **1.** *mus.* presto, (sehr) schnell. **2.** schnell, geschwind: **hey** ~(, **pass**)! (*Zauberformel*) Hokuspokus (Fidibus)!, Simsalabim! **II** *adj* **3.** blitzschnell. **III** *pl* **-tos** *s* **4.** *mus.* Presto *n.*

'**preˌstore** *v/t u. v/i Computer*: vorspeichern.

pre'stressed *adj tech.* vorgespannt: ~ **concrete** Spannbeton *m.*

pre·sum·a·ble [pri'zjuːməbl; -'zuːməbl] *adj* (*adv* **presumably**) vermutlich, mußmaßlich, wahr'scheinlich.

pre·sume [pri'zjuːm; -'zuːm] **I** *v/t* **1.** annehmen, vermuten, schließen (**from** aus), vor'aussetzen. **2.** *jur.* (*mangels Gegenbeweises*) als wahr annehmen: ~d **dead** verschollen. **3.** sich *etwas* erlauben *od.* her'ausnehmen, sich erdreisten *od.* anmaßen, (es) wagen (**to do** zu tun). **4.** vermuten, mutmaßen: **I** ~ (wie) ich vermute, vermutlich. **II** *v/i* **5.** anmaßend sein: **ignorance** ~s **where knowledge is timid** Unwissenheit ist dreist, wo Klugheit zögert. **6.** (**on, upon**) pochen (auf *acc*), ausnutzen *od.* miß'brauchen (*acc*). **pre'sum·ed·ly** [-midli] *adv* mutmaßlich, vermutlich. **pre'sum·ing** *adj* (*adv* ~ly) vermessen, anmaßend.

pre·sump·tion [pri'zʌmpʃən] *s* **1.** Vermutung *f*, Annahme *f*, Mutmaßung *f.* **2.** *jur.* Vermutung *f*, Präsumti'on *f*: ~ **of death** Todesvermutung, Verschollenheit *f*; ~ **of a fact** Tatsachenvermutung; ~ **of law** Rechtsvermutung, gesetzliche Vermutung (*der Wahrheit bis zum Beweis des Gegenteils*). **3.** Wahr'scheinlichkeit *f*, (Grund *m* zu der) Annahme *f*: **the** ~ **is that he will come** es ist anzunehmen, daß er kommt; **there is a strong** ~ **of his death** es ist mit Sicherheit anzunehmen, daß er tot ist. **4.** Vermessenheit *f*, Anmaßung *f*, Dünkel *m.*

pre·sump·tive [pri'zʌmptiv] *adj* (*adv* ~ly) vermutlich, mutmaßlich, präsum'tiv: ~ **evidence** *jur.* Indizienbeweis *m*; ~ **proof** Wahrscheinlichkeitsbeweis *m*; ~ **title** *jur.* präsumtives Eigentum; → **heir.**

pre·sump·tu·ous [pri'zʌmptʃuəs; *Br. a.* -tjuəs] *adj* (*adv* ~ly) **1.** anmaßend, vermessen, dreist. **2.** eingebildet, dünkelhaft, über'heblich. **pre'sump·tu·ous·ness** → **presumption** 3.

ˌ**pre·sup'pose** *v/t* vor'aussetzen: a) im voraus annehmen (*Person*), b) zur Vor'aussetzung haben (*Sache*). ˌ**pre·sup·po'si·tion** *s* Vor'aussetzung *f.*

'**pre-ˌtax** *adj* noch unversteuert, vor der Besteuerung: ~ **figures.**

pre·tence, *Am.* **pre·tense** [pri'tens; 'priːtens] *s* **1.** Anspruch *m*: **to make no** ~ **to** keinen Anspruch erheben auf (*acc*). **2.** Vortäuschung *f*, Vorwand *m*, Scheingrund *m*: → **false pretences. 3.** *fig.* Schein *m*, Maske *f*, Verstellung *f*: **devoid of all** ~ allen leeren Scheins beraubt; **to abandon the** ~ die Maske fallenlassen; **to make** ~ **of doing s.th.** sich den Anschein geben, als täte man etwas. **4.** → **pretentiousness** 2.

pre·tend [pri'tend] **I** *v/t* **1.** vorgeben, -täuschen, -schützen, heucheln, sich stellen, so tun als ob: **to** ~ **to be sick** vorgeben, krank zu sein, krank spielen. **2.** sich erdreisten, sich anmaßen. **3.** behaupten. **4.** wagen, sich ermessen. **II** *v/i* **5.** sich verstellen, heucheln, so tun als ob: **he is only** ~**ing** er tut nur so. **6.** Anspruch erheben (**to** auf *acc*): **to** ~ **to the throne. pre'tend·ed** *adj* (*adv* ~ly) vorgetäuscht, an-, vorgeblich. **pre'tend·er** *s* **1.** Beanspruchende(r *m*) *f*, Bewerber(in). **2.** j-d, der Ansprüche stellt (**to** auf *acc*). **3.** *a.* ~ **to the throne** ('Thron)Prätenˌdent *m*, Thronbewerber *m.* **4.** Heuchler(in).

pre·tense *Am. für* **pretence.**

pre·ten·sion [pri'tenʃən] *s* **1.** Anspruch *m* (**to** auf *acc*): **of great** ~s anspruchsvoll; **of no** ~s anspruchslos. **2.** *meist pl* Absichten *pl*, Ambiti'onen *pl.* **3.** → **pretentiousness.**

pre·ten·tious [pri'tenʃəs] *adj* (*adv* ~ly) **1.** anmaßend. **2.** prätenti'ös, anspruchsvoll, hochgestochen. **3.** protzig, sno'bistisch, ehrgeizig, ambiti'ös. **pre'ten·tious·ness** *s* **1.** Anmaßung *f*, Dünkel *m.* **2.** (*das*) Prätenti'öse *od.* Anspruchsvolle, hochgestochene Art.

pre·ter·hu·man [ˌpriːtər'hjuːmən] *adj* 'übermenschlich.

pret·er·it, *bes. Br.* **pret·er·ite** ['pretərit] *ling.* **I** *adj* Vergangenheits...: ~ **tense** → II. **II** *s* Prä'teritum *n*, (erste) Vergangenheit, (Verbum *n* im) Imperfekt *n.*

'**pret·er·ite-'pres·ent** *bes. Br. für* **preterit-present.**

pre·ter·i·tive [pri'teritiv] *adj ling.* **1.** nur im Prä'teritum gebräuchlich. **2.** → **preterit** I.

pre·ter·i·to-pre·sen·tial [pri'teriˌtoupri'zenʃəl] → **preterit-present** I.

'**pret·er·it-'pres·ent** *ling.* **I** *adj* prä'terito-präˌsentisch: ~ **tense** als Präsens gebrauchtes Präteritum; ~ **verbs** Präteritopräsentia. **II** *s* Prä'teritopräsens *n.*

pre·ter·nat·u·ral [ˌpriːtər'nætʃərəl] *adj* (*adv* ~ly) **1.** 'unnaˌtürlich, ab'norm, außergewöhnlich. **2.** 'überna͵türlich.

ˌ**pre·ter'sen·su·al** [-'senʃuəl; *Br. a.* -sjuəl] *adj* 'übersinnlich.

pre·text ['priːtekst] **I** *s* Vorwand *m*, Ausrede *f*, Ausflucht *f*: **under** (*od.* **upon** *od.* **on**) **the** ~ **of** unter dem Vorwand *od.* Schein (*gen*). **II** *v/t* vorschützen: **to** ~ **sickness.**

pre·ton·ic [priː'tɒnik] *adj ling.* vortonig, vor dem Hauptton liegend.

pre'treat *v/t* vorbehandeln. **pre'treat·ment** *s* Vorbehandlung *f.*

'**preˌtri·al** *jur.* **I** *s* Vorverhandlung *f.* **II** *adj* vor der (Haupt)Verhandlung, Untersuchungs...

pret·ti·fy ['pritiˌfai] *v/t colloq.* verschönern, hübsch machen.

pret·ti·ly ['pritili] *adv* **1.** hübsch, nett. **2.** *Kindersprache*: artig, brav.

pret·ti·ness ['pritinis] *s* **1.** Hübschheit *f*, Nettigkeit *f*, Niedlichkeit *f.* **2.** Anmut *f.* **3.** Geziertheit *f* (*bes. im Ausdruck*). **4.** (*etwas*) Hübsches.

pret·ty ['priti] **I** *adj* (*adv* → **prettily**) **1.** hübsch, nett, niedlich. **2.** anmutig. **3.** bezaubernd, char'mant. **4.** *a. iro.* schön, fein, sauber: **a** ~ **stroke**; **a** ~ **mess!** e-e schöne Geschichte! **5.** *colloq.* ‚(ganz) schön', ‚hübsch', beträchtlich: **it costs a** ~ **penny** ‚es kostet e-e schöne Stange Geld'; **a** ~ **way off** ein ganz schönes Stück Wegs von hier. **6.** geziert, affek'tiert. **7.** geschickt. **8.** treffend. **II** *adv* **9.** a) ganz, ziemlich, b) einigermaßen, leidlich: ~ **cold** ganz schön kalt; ~ **good** recht gut, nicht schlecht; ~ **near** nahe daran, ziemlich nahe; ~ **close to perfection** nahezu vollkommen; **this is** ~ **much** (*od.* **well**) **the same** das ist (so) ziemlich *od.* fast dasselbe; **sitting** ~ *sl.* wie der Hase im Kohl, ‚warm' (sitzend). **III** *s* **10.** Hübsche *f*, hübsches Mädchen. **11.** hübsche Sache. **12.** *pl* schöne Sachen *pl od.* Kleider *pl*, *bes.* a) Schmuck(sachen *pl*) *m*, b) *Am.* Krimskrams *m.* **13.** *Golf*: *colloq. für* **fair green. IV** *v/t* **14.** ~ **up** *etwas* hübsch machen, wieder in Ordnung bringen.

pret·ty·ism ['pritiˌizəm] *s* Geziertheit *f*, Affek'tiertheit *f.*

'**pret·ty|-ˌpret·ty** *pl* '~-ˌ**pret·ties I** *s meist pl colloq.* **1.** → **pretty** 12 b. **2.** Nippsachen *pl.* **II** *adj* **3.** (allzu) niedlich.

pret·zel ['pretsəl] *s* (Salz)Brezel *f.*

pre·vail [pri'veil] *v/i* **1.** (vor)herrschen, (häufig) vorkommen, (weit) verbreitet sein: **dark hair** ~s **among Italians**; **silence** ~**ed** es herrschte Schweigen. **2.** a) (*a. jur.*) obsiegen, die Oberhand *od.* das 'Übergewicht gewinnen *od.* haben (**over** über *acc*), b) *fig.* über'wiegen, den Ausschlag geben, maß- *od.* ausschlaggebend sein. **3.** über'handnehmen. **4.** sich Geltung verschaffen, sich 'durchsetzen *od.* behaupten (**against** gegen). **5.** ~ (**up**)**on s.o. to do s.th.** j-n dazu bewegen *od.* bringen, etwas zu tun: **he could not be** ~**ed upon** er war nicht dazu zu bewegen; **to** ~ (**up**)**on o.s.** es über sich *od.* übers Herz bringen. **pre'vail·ing** *adj* (*adv* ~ly) **1.** die Oberhand habend, über'legen: **the** ~ **party** *jur.* die obsiegende Partei. **2.** (vor)herrschend, allgemein (geltend *od.* gültig), maßgebend: **the** ~ **opinion** die herrschende Meinung; **under the** ~ **circumstances** unter den obwaltenden Umständen; ~ **tone** *bes. econ.* Grundstimmung *f.*

prev·a·lence ['prevələns] *s* (Vor)Herrschen *n*, weite Verbreitung, Über'handnehmen *n.* '**prev·a·lent** *adj* (*adv* ~ly) **1.** (vor)herrschend, häufig, weitverbreitet: **to be** ~ herrschen, verbreitet sein, grassieren (*Krankheit etc*). **2.** → **prevailing** 1.

pre·var·i·cate [pri'væriˌkeit] *v/i* **1.** Ausflüchte machen, die Wahrheit verdrehen, schwindeln. **2.** wider Pflicht u. Gewissen handeln. **3.** *jur.* a) *ein Vergehen* verheimlichen, verdunkeln, b) *obs.* Par'teiverrat begehen (*Anwalt*).

preˌvar·i'ca·tion *s* **1.** Ausflucht *f*,

Tatsachenverdrehung *f*, Winkelzug *m*. **2.** *obs. jur.* Anwaltstreubruch *m*, Par'teiverrat *m*. **pre'var·i,ca·tor** [-tər] *s* Ausflüchtemacher(in), Wortverdreher(in), Schwindler(in).

pre·vent [pri'vent] *v/t* **1.** verhindern, -hüten, *e-r Sache* vorbeugen *od.* zu'vorkommen. **2.** (from) *j-n* hindern (an *dat*), ab-, fernhalten (von): to ~ s.o. from coming j-n am Kommen hindern, j-n vom Kommen abhalten. **3.** *obs. od. Bibl. j-m* (schützend) vor'angehen, mit *j-m* sein: God's grace ~s us. **pre'vent·a·ble** *adj* verhütbar, abwendbar. **pre'vent·a·tive** → preventive.

pre·vent·er [pri'ventər] *s* **1.** Verhüter(in). **2.** Vorbeugungs-, Verhütungs-, Schutzmaßnahme *f*, -mittel *n*. **3.** *mar.* ‚Pri'wenter' *m*, Sicherungstau *n*.

pre·vent·i·ble → preventable.

pre·ven·tion [pri'venʃən] *s* **1.** Verhinderung *f*, Verhütung *f*: ~ of accidents Unfallverhütung. **2.** *bes. med.* Vorbeugung *f*: ~ is better than cure Vorbeugen ist besser als Heilen.

pre·ven·tive [pri'ventiv] **I** *adj* (*adv* ~ly) **1.** verhütend, *bes. jur. med.* vorbeugend, präven'tiv, Vorbeugungs..., Schutz..., *med.* prophy'laktisch: ~ arrest Schutzhaft *f*; ~ detention Sicherungsverwahrung *f*; ~ measure → 3; ~ medicine a) Gesundheitspflege *f*, b) Vorbeugungsmittel *n*; P~ Service *Br.* Küstenschutzdienst *m*; ~ treatment Präventivbehandlung *f*; ~ war Präventivkrieg *m*. **II** *s* **2.** *a. med.* Vorbeugungs-, Schutzmittel *n*. **3.** Schutz-, Vorsichtsmaßnahme *f*.

pre·ven·to·ri·um [,priːven'tɔːriəm] *s med.* Präven'torium *n* (*Heim für Tuberkulosegefährdete, bes. für Kinder*).

'pre,view I *s* **1.** *Film*: a) Probeaufführung *f*, b) (Pro'gramm)Vorschau *f*. **2.** Vorbesichtigung *f* (*e-r Ausstellung etc*), *paint.* Vernis'sage *f*. **3.** Vorbesprechung *f* (*e-s Buches*). **4.** *Radio, TV*: Probe *f*. **5.** *allg.* Vor('aus)schau *f*. **II** *v/t* **6.** vorher sehen *od.* zeigen *od.* vorführen. **7.** e-e Vor('aus)schau geben auf (*acc*).

pre·vi·ous ['priːviəs; -vjəs] **I** *adj* **1.** vor'her-, vor'ausgehend, Vor...: ~ action *jur.* Vorausklage *f*; ~ conviction *jur.* Vorstrafe *f*; ~ endorser, ~ holder *econ.* Vor(der)mann *m*; ~ examination *univ.* Vorexamen *n* (*erste Prüfung für den Grad e-s B.A.; in Cambridge*); ~ question *parl.* Vorfrage *f*, ob ohne weitere Debatte abgestimmt werden soll; to move the ~ question Übergang zur Tagesordnung beantragen; ~ year Vorjahr *n*; without ~ notice ohne vorherige Ankündigung. **2.** *meist* too ~ *colloq.* verfrüht, voreilig. **II** *adv* **3.** ~ to bevor, vor (*dat*). **'pre·vi·ous·ly** *adv* vorher, zu'vor, früher: ~ convicted *jur.* vorbestraft.

pre·vi·sion [pri'viʒən] *s* Vor'hersehen *n*, Vor'aussicht *f*.

,pre·vo'ca·tion·al *adj* vorberuflich: ~ training Berufsschulausbildung *f*.

pre·vue ['priː,vjuː] *s Am.* (Film)Vorschau *f*.

'pre'war *adj* Vorkriegs...: ~ prices.

prex·y ['preksi], *a.* **prex** [preks] *s univ. Am. sl.* ‚Rex' *m* (*Präsident od. Rektor e-s College*).

prey [prei] **I** *s* **1.** *zo. u. fig.* Raub *m*, Beute *f*, Opfer *n*: fish of ~ Raubfisch *m*; → beast 2, bird of prey; to fall a ~ to *j-m od. e-r Sache* zum Opfer fallen, die Beute (*gen*) werden; to fall a ~ to circumstances ein Opfer der Verhältnisse werden; to fall a ~ to doubts von Zweifeln befallen werden. **II** *v/i* **2.** auf Raub *od.* Beute ausgehen. **3.** (on, upon) a) *zo.* Jagd machen (auf *acc*), erbeuten, fressen (*acc*), b) *fig.* berauben, ausplündern (*acc*), c) *fig.* ausbeuten, -saugen (*acc*), d) nagen, zehren (an *dat*): it ~ed upon his mind es ließ ihm keine Ruhe, der Gedanke quälte *od.* verfolgte ihn.

pri·a·pism ['praiə,pizəm] *s* **1.** *med.* Pria'pismus *m*, schmerzhafte 'Dauererekti,on. **2.** Unzüchtigkeit *f*.

price [prais] **I** *s* **1.** *econ.* a) (Kauf)Preis *m*, Kosten *pl*, b) *Börse*: Kurs(wert) *m*: adjustable (*od.* graduated) ~ Staffelpreis; asked ~ a) geforderter Preis, b) *Börse*: Briefkurs; bid (*od.* offered) ~ a) gebotener Preis, b) *Börse*: Geldkurs; share (*Am.* stock) ~ (*Börse*) Aktienkurs; ~ of issue, issue ~ Zeichnungs-, Emissionspreis; ~ per unit Stückpreis; to secure (*od.* get) a good ~ e-n guten Preis erzielen; to operate at a low ~ mit niedrigen Preisen arbeiten; every man has his ~ *fig.* keiner ist unbestechlich; beyond (*od.* without) ~ von unschätzbarem Wert, unbezahlbar. **2.** (Kopf)Preis *m*: to set a ~ on s.o.'s head e-n Preis auf j-s Kopf aussetzen. **3.** Lohn *m*, Belohnung *f*, Preis *m*. **4.** *fig.* Preis *m*, Opfer *n*: at a (heavy) ~ um e-n hohen Preis, unter schweren Opfern; (not) at any ~ um jeden (keinen) Preis. **5.** (Wett-, Gewinn)Chance(n *pl*) *f*: what ~ ...? *sl.* a) welche Chancen hat ...?, b) was nützt ...?, c) wie steht es mit ...? **II** *v/t* **6.** *econ.* a) den Preis festsetzen für, b) auszeichnen: to ~ goods; → priced. **7.** bewerten: to ~ s.th. high (low) e-r Sache großen (geringen *od.* wenig) Wert beimessen. **8.** *colloq.* nach dem Preis (*e-r Ware*) fragen.

price| a·gree·ment *s* 'Preiskonventi,on *f*, -absprache *f*. ~ **ceil·ings** *s pl* Preisgrenze *f*, Höchstpreise *pl*. ~ **con·trol** *s* 'Preiskon,trolle *f*, -über,wachung *f*, -bindung *f*. ~ **cur·rent** *s* Preisliste *f*. ~ **cut** *s* Preissenkung *f*. ~ **cut·ting** *s* ,Preisdrücke'rei *f*.

priced [praist] *adj* **1.** mit Preisangabe (versehen). **2.** *in Zssgn* zu ... Preisen: low-~ niedrig im Preis, billig.

price·less ['praislis] *adj* (*adv* ~ly) unschätzbar, unbezahlbar (*a. colloq. köstlich*).

price| lev·el *s econ.* 'Preisni,veau *n*. **'~-,lim·it** *s* (Preis)Limit *n*, Preisgrenze *f*. ~ **list** *s* **1.** Preisliste *f*. **2.** *Börse*: Kurszettel *m*. ~ **main·te·nance** *s* Preisbindung *f* der zweiten Hand. ~ **mar·gin** *s* Preisspanne *f*. ~ **pol·i·cy** *s* 'Preispoli,tik *f*. ~ **range** *s* Preisskala *f*. ~ **tag,** ~ **tick·et** *s* Preisschild *n*.

prick [prik] **I** *s* **1.** (In'sekten-, Nadel-*etc*)Stich *m*. **2.** Stich *m*, Stechen *n*, stechender Schmerz: ~s of conscience *fig.* Gewissensbisse. **3.** spitzer Gegenstand. **4.** *tech.* Stichel *m*, Pfriem(en) *m*, Ahle *f*. **5.** Dorn *m*, Stachel *m* (*a. fig.*). **6.** *obs.* Stachelstock *m*: to kick against the ~s *Bibl.* wider den Stachel löcken. **7.** (Hasen)Fährte *f*. **8.** *vulg.* ‚Schwanz' *m* (*Penis*).
II *v/t* **9.** (ein-, 'durch)stechen, ‚pieken': to ~ one's finger sich in den Finger stechen; his conscience ~ed him *fig.* sein Gewissen plagte ihn, er bekam Gewissensbisse. **10.** *obs.* anstacheln, -spornen, -treiben. **11.** punk'tieren, lochen. **12.** *a.* ~ out *ein Muster* ausstechen. **13.** *oft* ~ off a) *den Kurs, e-e Entfernung etc* (auf der Karte) abstecken, *mar.* pricken, b) (mit dem Stechzirkel) abstechen. **14.** ~ up one's ears die Ohren spitzen (*a. fig.*). **15.** *agr. Pflanzen* pi'kieren: to ~ in (out *od.* off) ein-(aus)pflanzen. **16.** prickeln auf *od.* in (*dat*).
III *v/i* **17.** stechen (*a. schmerzen*). **18.** ~ up sich aufrichten (*Ohren*). **19.** *obs. od. hist.* a) (dem Pferd) die Sporen geben, b) sprengen, jagen.

'prick-,eared *adj* **1.** *zo.* spitzohrig. **2.** *fig.* wachsam.

prick·er ['prikər] *s* **1.** *tech.* Stecheisen *n*, *bes.* a) Pfriem(en) *m*, Ahle *f*, b) *Lederfabrikation*: Locheisen *n*. **2.** *metall.* Schieß-, Räumnadel *f*. **3.** *hist.* leichter Reiter.

prick·et ['prikit] *s* **1.** (Kerzenhalter *m* mit) Dorn *m*. **2.** *zo. bes. Br.* Spießer *m*, Spießbock *m*.

prick·le ['prikl] **I** *s* **1.** Stachel *m*, Dorn *m*. **2.** Prickeln *n*, Kribbeln *n* (*der Haut*). **II** *v/t* **3.** stechen, lochen. **4.** prickeln *od.* kribbeln auf (*der Haut*). **III** *v/i* **5.** prickeln, kribbeln, jucken. **'~,back** *s ichth.* Stichling *m*. ~ **cell** *s anat.* Stachelzelle *f* (*der Oberhaut*).

prick·ly ['prikli] *adj* **1.** stach(e)lig, dornig. **2.** stechend, prickelnd. ~ **ash** *s bot.* Gelbholzbaum *m*. ~ **heat** *s med.* Schweißfriesel *m*, Hitzpickel *pl* (*Miliaria*). ~ **pear** *s bot.* Feigenkaktus *m* (*u. dessen Frucht*), indische Feige.

pride [praid] **I** *s* **1.** Stolz *m*, Hochmut *m*: ~ goes before a fall Hochmut kommt vor dem Fall. **2.** Stolz *m*, Selbstgefühl *n*: civic ~ Bürgerstolz; ~ of place a) Ehrenplatz *m*, b) *fig.* Vorrang *m*, c) *contp.* Standesdünkel *m*; to take (a) ~ in stolz sein auf (*acc*). **3.** Stolz *m* (*Gegenstand des Stolzes*): he is the ~ of his family. **4.** Höhe *f*, Blüte *f*: in the ~ of his years in s-n besten Jahren; in the ~ of manhood im besten Mannesalter; in the ~ of the season in der besten Jahreszeit. **5.** *obs. od. rhet.* Pracht *f*, Zierde *f*, Schmuck *m*. **6.** Schar *f*, Rudel *n* (*bes. von Löwen*). **7.** in his ~ *her.* radschlagend (*Pfau*). **8.** *obs.* a) Vollkraft *f*, b) 'Übermut *m*, c) *bes. zo.* Brunst *f*. **II** *v/t* **9.** ~ o.s. (on, upon) stolz sein (auf *acc*), sich rühmen (*gen*), sich brüsten (mit), sich etwas einbilden (auf *acc*).

prie-dieu [pri'djø] (*Fr.*) *s* Betpult *n*, [-schemel *m*.]

priest [priːst] *s* **1.** *allg.* Priester *m*. **2.** *relig.* Geistliche(r) *m*: a) *anglikanische Kirche*: Pfarrer *m*: ~ vicar *Br. niederer Geistlicher an Kathedralen*, b) *R.C.* Priester *m*, Pfarrer *m*. **3.** *Br.* kleiner Hammer (*zum Töten gefangener Fische; bes. in Irland*). **'~,craft** *s contp.* Pfaffenlist *f*.

priest·ess ['priːstis] *s* Priesterin *f*.

priest·hood ['priːsthud] *s* **1.** Priesteramt *n*, -würde *f*. **2.** *collect.* Priesterschaft *f*, Geistlichkeit *f*.

priest·ly ['priːstli] *adj* priesterlich, Priester...

'priest-,rid·den *adj* unter Priester- *od. contp.* Pfaffenherrschaft (stehend).

'priest's-'hood *s bot.* Aronstab *m*.

prig[1] [prig] *s* **1.** (selbstgefälliger) Pe'dant. **2.** von sich *od.* s-r (*geistigen od. moralischen*) Über'legenheit über'zeugter Mensch, selbstgefälliger *od.* eingebildeter Mensch.

prig[2] [prig] *sl.* **I** *v/t* ‚klauen'. **II** *s* ‚Langfinger' *m* (*Dieb*).

prig·ger·y ['prigəri] *s* Einbildung *f*, Dünkel *m*.

prig·gish ['prigiʃ] *adj* (*adv* ~ly) **1.** selbstgefällig, affek'tiert, eingebildet, besserwisserisch. **2.** pe'dantisch.

prig·gish·ness ['prigiʃnis], **'prig·gism** [-gizəm] → priggery.

prill [pril] *s* **1.** *min.* Scheide-, Stufferz *n.* **2.** *metall.* Me'tallklumpen *m,* (Me'tall)König *m.* [kenzinn *n.*]
pril·lion ['priljən] *s Bergbau:* Schlak-
prim [prim] **I** *adj* (*adv* ~ly) **1.** (pe'dantisch) sauber, ordentlich. **2.** steif, for'mell. **3.** affek'tiert, gekünstelt. **4.** spröde, geziert, zimperlich, ‚etepe'tete', gouver'nantenhaft. **5.** → priggish. **II** *v/t* **6.** *den Mund, das Gesicht* affek'tiert verziehen.
pri·ma ['praimə] (*Lat.*) *s print.* **1.** Prime *f* (*erste Kolumne od. Seite e-s Druckbogens*). **2.** erstes Wort (*auf e-r neuen Seite*).
pri·ma·cy ['praiməsi] *s* **1.** Pri'mat *m, n,* Vorrang *m.* **2.** *relig.* Pri'mat *m, n:* a) *Würde od. Sprengel e-s Primas,* b) *Vorrangstellung od. Gerichtsbarkeit des Papstes.*
pri·ma don·na ['priːmə 'dɒnə] *pl* **pri·ma don·nas, pri·me don·ne** ['priːme 'dɔːnne] *s* Prima'donna *f* (*a. fig.*).
pri·mae·val → primeval.
pri·ma fa·ci·e ['praimə 'feiʃiˌiː; -ʃi] (*Lat.*) *adj u. adv* auf den ersten Blick, dem ersten Anschein nach: ~ case *jur.* Fall *m,* bei dem der Tatbestand einfach liegt; ~ evidence a) glaubhafter Beweis, b) Beweis *m* des ersten Anscheins.
pri·mal ['praiməl] *adj* (*adv* ~ly) **1.** erst(er, e, es), frühest(er, e, es), ursprünglich. **2.** wichtigst(er, e, es), Haupt...
pri·ma·ri·ly ['praimərili; *Am. a.* -ˌmær-] *adv* **1.** zu'erst, ursprünglich, anfänglich. **2.** in erster Linie, vor allem, pri'mär.
pri·ma·ry ['praiməri] **I** *adj* **1.** erst(er, e, es), ursprünglich, anfänglich, Erst..., Anfangs..., Ur...: ~ infection *med.* Erstansteckung *f;* ~ instinct Urinstinkt *m;* ~ matter Urstoff *m,* Urmaterie *f;* ~ rocks Urgestein *n,* -gebirge *n;* ~ tumo(u)r *med.* Primärtumor *m* (*bes. des Krebses*). **2.** pri'mär, hauptsächlich, wichtigst(er, e, es), Haupt...: ~ accent (*od.* stress) *ling.* Hauptakzent *m;* ~ concern Hauptsorge *f;* ~ evidence *jur.* a) gesetzliches Beweismittel, b) Beweis *m* des ersten Anscheins; ~ group *sociol.* Primärgruppe *f;* ~ liability *jur.* unmittelbare Haftung; ~ quality Haupteigenschaft *f;* ~ road Straße *f* erster Ordnung; ~ share *econ.* Stammaktie *f;* of ~ importance von höchster Wichtigkeit. **3.** grundlegend, elemen'tar, Grund...: ~ education a) Grundschul(aus)bildung *f,* b) Grundschul-, Volksschulwesen *n;* ~ school Elementar-, Grund-, Volksschule *f;* ~ industry Grundstoffindustrie *f;* ~ ingredient, ~ component Grund-, Hauptbestandteil *m;* ~ meaning Ur-, Grundbedeutung *f;* ~ product a) *econ.* Grundstoff *m,* b) Urprodukt *n;* **4.** *geol.* a) paläo'zoisch, b) zu'erst *od.* ursprünglich entstanden: ~ ore. **5.** *chem.* a) pri'mär, sauer, b) Primär... **6.** *ling.* a) pri'mär (*aus e-r unabgeleiteten Form*) abgeleitet (*Ableitung*), b) zu e-r Hauptzeit gehörig, *bes.* auf Präsens *od.* Fu'tur bezüglich.
II *s* **7.** (*der, die, das*) Erste *od.* Wichtigste, Hauptsache *f.* **8.** *a.* ~ colo(u)r Pri'mär-, Grundfarbe *f.* **9.** *zo.* a) *a.* ~ quill (*od.* feather) *orn.* Haupt-, Schwungfeder *f* erster Reihe, b) *a.* ~ wing Vorderflügel *m* (*von Insekten*). **10.** *electr.* a) *a.* ~ circuit Pri'mär(strom)kreis *m,* b) *a.* ~ winding Pri'märwicklung *f.* **11.** *a.* ~ planet *astr.* 'Hauptplaˌnet *m.* **12.** *pol. Am.* a) *a.* ~ election Vorwahl *f* (zur Aufstellung von 'Wahlkandiˌdaten), b) *a.* ~ meeting Versammlung *f* zur Nomi'nierung der 'Wahlkandiˌdaten.
pri·mate ['praimit; -meit] *s* **1.** *relig. Br.* Primas *m:* P~ of England *Titel des Erzbischofs von York;* P~ of All England *Titel des Erzbischofs von Canterbury.* **2.** *zo.* Pri'mat *m,* Herrentier *n.*
pri·ma·tes [prai'meitiːz] *s pl zo.* Pri'maten *pl,* Herrentiere *pl.*
pri·ma·tial [prai'meiʃəl] *adj* (erz)bischöflich: ~ rank Rang *m* e-s Primas.
prime [praim] **I** *adj* (*adv* ~ly) **1.** erst(er, e, es), wichtigst(er, e, es), wesentlichst(er, e, es), Haupt...: ~ reason Hauptgrund *m;* of ~ importance von höchster Wichtigkeit. **2.** erstklassig, vor'züglich, ‚prima': ~ investment; ~ quality; ~ bill vorzüglicher Wechsel. **3.** pri'mär, grundlegend. **4.** erst(er, e, es), Erst..., Ur...: ~ father Urvater *m.* **5.** *math.* a) unteilbar: ~ factor Primfaktor *m;* ~ number Primzahl *f;* ~ power Primzahlpotenz *f,* b) *a.* ~ to each other teilerfremd, ohne gemeinsamen Teiler: 31 is ~ to 63 31 ist teilerfremd zu 63.
II *s* **6.** Anfang *m,* Beginn *m:* ~ of the day (year) Tagesanbruch *m* (Frühling *m*). **7.** *fig.* Blüte(zeit) *f:* in the ~ of youth (life) in der Blüte der Jugend (des Lebens); in his ~ in der Blüte s-r Jahre, im besten (Mannes)Alter. **8.** (*das*) Beste, höchste Voll'kommenheit. **9.** *econ.* Primasorte *f,* auserlesene Quali'tät. **10.** P~ *relig.* Prim *f,* erste Gebetsstunde *od.* zweite ka'nonische Stunde. **11.** *math.* a) Primzahl *f,* b) Primfaktor *m,* c) Strich *m,* (Zeichen *n* für) 'Bogenmiˌnute *f* ['): x ~ (x') x Strich (x'). **12.** *mus.* a) *a.* ~ interval 'Prim(interˌvall *n*) *f,* b) *a.* ~ tone Prim(ton *m*) *f.* **13.** *fenc.* Prim *f.*
III *v/t* **14.** vorbereiten. **15.** *mil. e-e Waffe* laden, *Bomben, Munition* scharf machen: ~d schuß-, zündfertig. **16.** *paint. tech.* grun'dieren. **17.** *tech. e-e Pumpe* anlassen, angießen. **18.** *mot.* a) *Kraftstoff* vorpumpen, b) Anlaßkraftstoff einspritzen in (*e-n Motor*). **19.** *electr.* vorspannen. **20.** mit Strichindex versehen. **21.** *fig.* instru'ieren, vorbereiten, infor'mieren, ‚präpa'rieren'. **22.** *sl. j-n* ‚vollaufen lassen': ~d ‚besoffen'.
prime| con·duc·tor *s electr.* Hauptleiter *m.* ~ **cost** *s econ.* **1.** Selbstkosten(preis *m*) *pl,* Gestehungskosten *pl.* **2.** Einkaufspreis *m,* Anschaffungskosten *pl.* ~ **me·rid·i·an** *s astr. geogr.* 'Null-, 'Anfangsmeridiˌan *m.* ~ **min·is·ter** *s* Premi'ermiˌnister *m* (*bes. in England*), Mi'nisterpräsiˌdent *m.* ~ **mov·er** *s* **1.** *phys.* Pri'märkraft *f,* bewegende Kraft. **2.** *tech.* a) 'Antriebsmaˌschine *f,* b) 'Zugmaˌschine *f* (*Sattelschlepper etc*), (*a. mil.* Geschütz)Schlepper *m,* Triebwagen *m* (*e-r Straßenbahn*). **3.** *fig.* Triebfeder *f,* treibende Kraft. **4.** *philos.* a) primus motor *m,* b) P~ M~ Gott *m,* höhere Macht.
prim·er[1] ['praimər] *s* **1.** *mil. tech.* Zündvorrichtung *f,* -hütchen *n,* -pille *f,* Sprengkapsel *f.* **2.** *mil.* Zündbolzen *m* (*am Gewehr*). **3.** *Bergbau:* Zünddraht *m.* **4.** *bes. mot.* Einspritzvorrichtung *f:* ~ pump Anlaßeinspritzpumpe *f;* ~ valve Anlaßventil *n.* **5.** *tech.* Grun'dier-, Spachtelmasse *f.*
prim·er[2] ['primər; *Br. a.* 'praimə] *s* **1.** a) Fibel *f,* Ab'c-Buch *n,* b) Elemen'tarbuch *n,* (Anfangs)Lehrbuch *n,* c) *fig.* Leitfaden *m.* **2.** ['primər] *print. Bezeichnung für Schriftgrößen:* great ~ a) (*etwa*) Doppelborgis(schrift) *f* (*18 Punkt*), b) (*etwa*) Tertia(schrift) *f;* long ~ Korpus(schrift) *f* (*10 Punkt*).
pri·me·ro [pri'mɛrou] *s obs.* Primenspiel *n* (*Kartenglücksspiel*).
pri·me·val [prai'miːvəl] *adj* (*adv* ~ly) uranfänglich, urzeitlich, Ur...: ~ forest Urwald *m;* ~ times Urzeiten.
prim·ing ['praimiŋ] *s* **1.** *mil. tech.* Zündsatz *m,* -masse *f,* Zündung *f.* **2.** *mot.* Einspritzen *n* von Anlaßkraftstoff: ~ fuel injector Anlaßeinspritzanlage *f.* **3.** *tech.* a) Grun'dierung *f,* Grun'dieren *n:* ~ coat Grundieranstrich *m;* ~ colo(u)r Grundierfarbe *f,* b) *a.* ~ material Spachtelmasse *f.* **4.** *a.* ~ of the tide verfrühtes Eintreten der Flut. **5.** *fig.* Vorbereitung *f,* Instrukti'on *f.* ~ **charge** *s* **1.** *mil. tech.* Zünd-, Initi'alladung *f.* **2.** *mil.* Aufladung *f* (*bei Pioniersprengmitteln*). ~ **nee·dle** *s mil.* Zündnadel *f,* -bolzen *m.* ~ **pump** *s tech.* Einspritzpumpe *f.*
pri·mip·a·ra [prai'mipərə] *pl* **-rae** [-ˌriː] *s med.* Erstgebärende *f.* **pri·'mip·a·rous** *adj* erstmalig gebärend.
prim·i·tive ['primitiv] **I** *adj* (*adv* ~ly) **1.** erst(er, e, es), ursprünglich, Ur...: P~ Church *relig.* Urkirche *f;* ~ races Ur-, Naturvölker; ~ rocks Urgestein *n;* P~ Germanic *ling.* urgermanisch. **2.** *allg. a. contp.* primi'tiv (*Kultur, Mensch; a. fig. Denkweise, Konstruktion etc*): ~ peasant; ~ tools; ~ ideas; ~ feelings. **3.** altmodisch. **4.** *ling.* Stamm...: ~ verb. **5.** *math.* a) Grund..., Ausgangs...: ~ figure, b) primi'tiv: ~ root; ~ group. **6.** *biol.* a) primordi'al, b) primi'tiv, niedrig entwickelt, c) Ur...: ~ brain Urhirn *n;* ~ segment Ursegment *n.* **II** *s* **7.** (*der, die, das*) Primi'tive: the ~s die Primitiven (*Naturvölker*). **8.** a) *contp.* primi'tiver Mensch, b) einfacher Mensch, Na'turbursche *m.* **9.** *Kunst:* a) primi'tiver *od.* na'iver Künstler, b) Frühmeister *m* (*e-r Kunstrichtung*), c) Früher Meister (*des späten Mittelalters od. der Frührenaissance, a. Bild*). **10.** *ling.* Stammwort *n.* ~ **col·o(u)r** *s* Grund-, Pri'märfarbe *f.*
prim·i·tiv·ism ['primitiˌvizəm] *s* Primiti'vismus *m.*
prim·ness ['primnis] *s* **1.** ('Über)Korˌrektheit *f,* Förmlichkeit *f,* Steifheit *f.* **2.** Sprödigkeit *f,* Zimperlichkeit *f.*
pri·mo ['primo] (*Ital.*) **I** *s mus.* **1.** erste Stimme (*im Duett etc*). **2.** Primo *n,* Dis'kantpart *m,* -parˌtie *f* (*beim Vierhändigspielen*). **II** *adj* **3.** *mus.* erst(er, e, es). **III** *adv* **4.** zu'erst, erstens [1°].
pri·mo·gen·i·tal [ˌpraimo'dʒenitl], **ˌpri·mo'gen·i·tar·y** *adj* Erstgeburts...: ~ right. **ˌpri·mo'gen·i·tor** [-tər] *s* (Ur)Ahn *m,* Stammvater *m,* Vorfahr *m.* **ˌpri·mo'gen·i·ture** [-tʃər] *s* **1.** Erstgeburt *f.* **2.** *jur.* Primogeni'tur *f,* Erstgeburtsrecht *n.*
pri·mor·di·al [prai'mɔːrdiəl] *adj* (*adv* ~ly) **1.** primordi'al, ursprünglich, uranfänglich, Ur...: ~ matter Urstoff *m.* **2.** *biol.* a) primordi'al, im Ansatz vorhanden, Ur..., b) *Embryologie:* im Keime angelegt, Ur..., c) Anfangs..., Jugend...: ~ leaf Jugendblatt *n.*
primp [primp] → prink.
prim·rose ['primˌrouz] **I** *s* **1.** *bot.* a) Primel *f,* Gelbe Schlüsselblume, Himmel(s)schlüssel *m,* b) *a.* evening ~ Nachtkerze *f.* **2.** *meist* ~ yellow Blaßgelb *n.* **II** *adj.* **3.** primelartig, -farbig (*blaßgelb*). **4.** sinnenfreudig: ~ path Rosenpfad *m,* Pfad *m* der Freude *od.* des Vergnügens. **5.** P~ *Br.* zur P~ League gehörend: P~ dame (knight)

Angehörige(r *m*) *f* der P~ League. **P~ Day** *s. Br.* Primeltag *m* (*19. April; Todestag Disraelis*). **P~ League** *s Br.* Primelliga *f* (*konservative Vereinigung, 1883 gegründet und nach der angeblichen Lieblingsblume Disraelis benannt*).

prim·u·la ['primjulə] *s bot.* Primel *f.*

pri·mum mo·bi·le ['praiməm 'moubi,liː; 'mɒb-] (*Lat.*) *s* **1.** *astr. hist. äußerste der 10 Sphären des Universums.* **2.** erster Beweggrund, Urkraft *f.* **3.** *fig.* Triebkraft *f*, -feder *f.*

pri·mus[1] ['praiməs] **I** *adj* **1.** erster: ~ inter pares Primus inter pares, der Erste unter Gleichen. **2.** *bes. ped. Br.* der erste: Smith ~ Smith eins. **II** *s* **3.** *relig.* Primus *m*, präsi'dierender Bischof (*der schottischen Episkopalkirche*).

pri·mus[2] ['praiməs], *a.* ~ **stove,** ~ **heat·er** *s* Primuskocher *m.*

prince [prins] *s* **1.** Fürst *m*, Landesherr *m*, Herrscher *m.* **2.** Prinz *m* (*Sohn od. männlicher Angehöriger e-s Herrscherhauses*): P~ of Denmark; ~ of the blood Prinz von (königlichem) Geblüt; the P~ of Wales der Prinz von Wales (*Titel des brit. Thronfolgers*); P~ Imperial Kronprinz (*e-s Kaiserreiches*); ~ royal Kronprinz; ~ regent Prinzregent *m.* **3.** a) Fürst *m* (*Adelstitel*), b) Prinz *m* (*Höflichkeitsanrede für e-n Herzog, Marquis od. Earl*): P~-elector *hist.* (*deutscher*) Kurfürst. **4.** *fig.* Fürst *m*, Herrscher *m*: P~ of Darkness Fürst der Finsternis, Höllenfürst (*der Satan*); P~ of Peace Friedensfürst (*Christus*); ~ of the (Holy Roman) Church Kirchenfürst (*Titel e-s Kardinals*). **5.** *fig.* König *m*, Erste(r) *m*: P~s of the Apostles Apostelfürsten (*Petrus u. Paulus*); ~ of poets Dichterfürst *m*; merchant ~ Kaufherr *m.* **P~ Al·bert** *s Am.* Gehrock *m.* **'~-'bish·op** *s hist.* Fürstbischof *m.* ~ **con·sort** *s* Prinzgemahl *m.*

prince·dom ['prinsdəm] *s* **1.** Fürstenstand *m*, -würde *f.* **2.** Fürstentum *n.*

prince·kin ['prinskin], **'prince·ling** [-liŋ] *s contp.* **1.** kleiner Prinz, Prinzchen *n.* **2.** Duo'dezfürst *m.*

prince·ly ['prinsli] *adj a. fig.* fürstlich, königlich: of ~ birth; a ~ gift ein fürstliches Geschenk.

prin·ceps ['prinseps] *pl* **-ci·pes** [-si,piːz] **I** *s* **1.** *antiq.* (*römischer*) Prinzeps, Staatslenker *m.* **2.** *a.* ~ edition *print.* Erst-, Origi'nalausgabe *f.* **II** *adj* **3.** Erst..., Original...

prin·cess [prin'ses; 'prinsis] **I** *s* **1.** Prin'zessin *f*: ~ royal *älteste Tochter e-s Herrschers.* **2.** Fürstin *f.* **II** *adj.* **3.** *Damenmode*: Prinzeß...: ~ dress.

prin·ci·pal ['prinsəpəl] **I** *adj* (*adv* → principally) **1.** erst(er, e, es), hauptsächlich, Haupt...: ~ actor a) *thea. etc* Haupt(rollen)darsteller *m*, b) Haupttäter *m*, c) *fig.* Hauptakteur *m*; ~ axis *math. tech.* Hauptachse *f*; ~ boy *Darstellerin, die in e-r* pantomime *die männliche Hauptrolle spielt*; ~ clause *ling.* Hauptsatz *m*; ~ creditor (debtor) *econ. jur.* Hauptgläubiger *m* (-schuldner *m*); ~ meridian *surv. Am.* Meridianlinie *f*; ~ office, ~ place of business *econ.* Hauptgeschäftsstelle *f*, -niederlassung *f*; ~ parts a) Hauptteile, b) *ling.* Stammformen (*e-s Verbs*); ~ plane (of symmetry) *math.* Symmetrieebene *f*; ~ point *math.* Augenpunkt *m*; ~ visual ray *phys.* Sehstrahl *m.* **2.** *ling. mus.* Haupt..., Stamm...: ~ chord Stammakkord *m*; ~ key Haupttonart *f.* **3.** *econ.* Kapital...: ~ amount Kapitalbetrag *m.* **II** *s* **4.** 'Haupt(per,son *f*) *n.* **5.** *ped.* (Schul)Vorsteher(in), Vorstand *m*, ('Schul)Di,rektor *m*, Rektor *m.* **6.** Chef(in), Prinzi'pal(in). **7.** a) Anführer(in), Rädelsführer(in), b) *jur.* Haupttäter(in), -schuldige(r *m*) *f*: ~ in the first degree Haupttäter; ~ in the second degree Mittäter. **8.** *jur.* Vollmacht-, Auftraggeber(in), Geschäftsherr *m.* **9.** Duel'lant *m* (*Ggs. Sekundant*). **10.** *econ.* ('Grund)Kapi,tal *n*, Hauptsumme *f*: ~ and interest Kapital u. Zins(en). **11.** *econ.* (Besitz-, Nachlaß- *etc*)Masse *f.* **12.** *mus.* a) *a.* ~ part Hauptsatz *m od.* -stimme *f*, b) *a.* ~ theme Hauptthema *n*, *a.* Dux *m*, Führer *m* (*in der Fuge*), c) *a.* ~ stop Prinzi'pal *n* (*Orgelregister*), d) Stimmführer *m*, Solostimme *f* (*im Orchesterstreichkörper*). **13.** Hauptsache *f.* **14.** *a.* ~ beam Haupt-, Stützbalken *m.* **15.** *Kunst*: a) 'Hauptmo,tiv *n*, b) Origi'nal *n.*

prin·ci·pal·i·ty [,prinsi'pæliti] *s* **1.** Fürstentum *n*: the P~ of Monaco. **2.** Fürstenwürde *f*, -herrschaft *f.* **3.** the P~ *Br.* Wales *n.* **4.** *pl relig.* Fürsten *pl* (*e-e der neun Rangstufen der Engel*).

prin·ci·pal·ly ['prinsəpəli; -sipli] *adv* hauptsächlich, in der Hauptsache.

prin·cip·i·a [prin'sipiə] (*Lat.*) *s pl* 'Grundprin,zipien *pl*, -lagen *pl.*

prin·ci·ple ['prinsəpl] *s* **1.** Prin'zip *n*, Grundsatz *m*: a man of ~s ein Mann mit Grundsätzen. **2.** ('Grund)Prin,zip *n*, (-)Regel *f*, Leitsatz *m*: ~ of law Rechtsgrundsatz *m*; in ~ im Prinzip, an sich; on ~ aus Prinzip, grundsätzlich; on the ~ that nach dem Grundsatz, daß. **3.** Grundwahrheit *f*, -begriff *m*, -lehre *f*, Prin'zip *n*: the ~s of the Stoics. **4.** *scient.* Prin'zip *n*, (Na'tur)Gesetz *n*, Satz *m*: ~ of averages Mittelwertsatz *m*; ~ of causality Kausalitätsprinzip; ~ of relativity Relativitätstheorie *f*, -lehre *f* (*Einsteins*); ~ of sums Summensatz. **5.** Grund(lage *f*) *m*, Quelle *f*, Ursprung *m*, treibende Kraft. **6.** Grundzug *m*, Charakte'ristikum *n.* **7.** *chem.* Grundbestandteil *m.* **'prin·ci·pled** *adj meist in Zssgn* mit *hohen etc* Grundsätzen: high-~.

prink [priŋk] *colloq.* **I** *v/i. a.* ~ up sich (auf)putzen, ,sich schniegeln'. **II** *v/t* (auf)putzen: to ~ o.s. (up).

print [print] **I** *v/t.* **1.** drucken (lassen), in Druck geben: to ~ in italics kursiv drucken; to ~ waste makulieren. **2.** *ein Buch etc* verlegen, her'ausgeben. **3.** (ab)drucken: ~ed form Vordruck *m*, Formular *n*; ~ed matter, ~ed paper(s) *mail* Drucksache(n *pl*) *f*; ~ed circuit *electr.* gedruckte Schaltung. **4.** bedrucken: ~ed (wall)paper bedruckte Tapete(n); ~ed goods bedruckte Stoffe. **5.** in Druckschrift schreiben: to ~ one's name; ~ed characters Druckbuchstaben. **6.** *e-n Stempel etc* (auf)drücken (on *dat*), *e-n Eindruck, e-e Spur* hinter'lassen (on auf *dat*), *ein Muster etc* ab-, aufdrucken, drücken (in in *acc*). **7.** einprägen (on s.o.'s mind j-m), als (bleibenden) Eindruck hinter'lassen. **8.** ~ off, ~ out *phot.* abziehen, ko'pieren.

II *v/i.* **9.** drucken: a) Bücher *etc* verlegen *od.* veröffentlichen, b) Abdrucke machen, c) Drucker sein. **10.** gedruckt werden, sich im Druck befinden: the book is ~ing. **11.** in Druckschrift schreiben. **12.** sich drucken (*od. phot.* sich abziehen) lassen: to ~ badly *phot.* schlechte Abzüge liefern. **III** *s* **13.** *print.* Druck *m*: in ~ a) im Druck (erschienen), b) vorrätig (*Buch*); out of ~ vergriffen. **14.** *print.* Druck *m* (*Schriftart*): in cold ~ *fig.* schwarz auf weiß. **15.** Druckschrift *f*, -buchstaben *pl.* **16.** Drucksache *f*, -schrift *f*, *bes. Am.* Zeitung *f*, Blatt *n*: daily ~s *bes. Am.* Tageszeitungen; the ~s *bes. Am.* die Presse; to rush into ~ sich in die Öffentlichkeit flüchten; to appear in ~ im Druck erscheinen. **17.** Aufdruck *m.* **18.** (Ab)-Druck *m* (*Bild, Holzschnitt*): colo(u)red ~ Farbdruck. **19.** Druck *m*: a) (Stahl-, Kupfer)Stich *m*, Ra'dierung *f*, b) Holzschnitt *m*, c) Lithogra'phie *f.* **20.** 'Zeitungspa,pier *n.* **21.** (*etwas*) Geformtes, Stück *n* (geformte) Butter. **22.** (Finger- *etc*)Abdruck *m*, Eindruck *m*, Spur *f*, Mal *n* (*von Nägeln, Zähnen etc*): ~s of steps Fußspuren *od.* -(s)tapfen; ~ of a wheel Radspur; ~ of a fox Fuchsfährte *f.* **23.** Druckmuster *n.* **24.** bedruckter Kat'tun, Druckstoff *m*: ~ dress Kattunkleid *n.* **25.** *phot.* Abzug *m*, Ko'pie *f.* **26.** Lichtpause *f.* **27.** *tech.* a) Stempel *m*, Form *f*: ~ cutter Formenschneider *m*, b) Form *f*, Model *m*: butter ~, c) Gesenk *n* (*zum Formen von Metall*).

print·a·ble ['printəbl] *adj* **1.** druckfähig: words not ~. **2.** druckfertig, -reif (*Manuskript*).

print·er ['printər] *s* **1.** (Buch- *etc*) Drucker *m*: ~'s devil Setzerjunge *m*; ~'s error Druckfehler *m*; ~'s flower Vignette *f*; ~'s ink Druckerschwärze *f*; ~'s mark Druckerzeichen *n*; ~'s pie Zwiebelfisch *m.* **2.** Drucke'reibesitzer *m.* **3.** *tech.* 'Druck-, Ko'pierappa,rat *m*, Drucker *m* (*a. des Computers*). **4.** → printing telegraph.

print·ing ['printiŋ] *s* **1.** Drucken *n.* **2.** (Buch)Druck *m*, Buchdruckerkunst *f.* **3.** (*etwas*) Gedrucktes, Drucksache *f.* **4.** Auflage(ziffer) *f.* **5.** *pl* 'Druckpa,pier *n.* **6.** Tuchdruck *m.* **7.** *phot.* Abziehen *n*, Ko'pieren *n.* ~ **block** *s* Druckform *f*, Kli'schee *n.* ~ **frame** *s phot.* Ko'pierrahmen *m.* **'~-'in** *s phot.* Hin'einko,pieren *n.* ~ **ink** *s* Druckerschwärze *f*, -farbe *f.* ~ **ma·chine** *s tech. bes. Br.* Schnellpresse *f*, ('Buch)-Druckma,schine *f.* ~ **of·fice** *s* (,Buch)-Drucke'rei *f*: lithographic ~ lithographische Anstalt. **'~-'out** *adj phot.* Kopier...: ~ paper. ~ **pa·per** *s* **1.** 'Druckpa,pier *n.* **2.** 'Lichtpauspa,pier *n.* **3.** Ko'pierpa,pier *n.* ~ **press** *s* Druckerpresse *f*: ~ type Letter *f*, Type *f.* ~ **tel·e·graph** *s* 'Drucktele,graph *m*, -empfänger *m.* ~ **works** *s pl* (*oft als sg konstruiert*) → printing office.

'print|,line *s print.* (Druck)Zeile *f.* ~ **sell·er** *s* Graphikhändler *m.* ~ **shop** *s* **1.** Graphikhandlung *f.* **2.** Drucke'rei *f.*

pri·or[1] [praiər] **I** *adj* **1.** (to) früher, älter (als), vor'ausgehend (*dat*): ~ art (*Patentrecht*) Stand *m* der Technik, Vorwegnahme *f*; ~ patent älteres Patent; ~ holder früherer Inhaber, Vorbesitzer *m*; ~ redemption *econ.* vorzeitige Tilgung; ~ use Vorbenutzung *f*; subject to ~ sale Zwischenverkauf vorbehalten; conception is ~ to creation die Idee geht der Gestaltung voraus. **2.** vordringlich, Vorzugs...: ~ right (*od.* claim) Vorzugsrecht *n*; ~ condition erste Voraussetzung; ~ preferred stock *econ. Am.* Sondervorzugsaktien. **II** *adv* **3.** ~ to vor (*dat*) (*zeitlich*): ~ to the war.

pri·or² ['praiər] *s relig.* Prior *m* (*Vorsteher e-s Klosters*).

pri·or·ate ['praiərit] *s* Prio'rat *n*: a) Amt *n od.* Amtszeit *f* e-s Priors, b) *Klostergemeinschaft, die e-m Prior untersteht.* '**pri·or·ess** [-ris] *s* Pri'orin *f*.

pri·or·i·ty [prai'ɒriti] *s* **1.** Priori'tät *f* (*a. jur.*), Vorrang *m* (*a. e-s Anspruchs etc*), Vorzug *m* (over, to vor *dat*): to take ~ of den Vorrang haben *od.* genießen vor (*dat*); ~ bond Priorität, Prioritätsobligation *f*; ~-holder Bevorrechtigte(r *m*) *f*; ~ share Vorzugsaktie *f*. **2.** Dringlichkeit(sstufe) *f*: ~ call *teleph.* Vorrangsgespräch *n*; ~ list Dringlichkeitsliste *f*; ~ rating Dringlichkeitseinstufung *f*; of first (*od.* top) ~ von größter Dringlichkeit; to give high ~ to besonders vordringlich behandeln. **3.** vordringliche Sache: ~ project vordringliches Projekt. **4.** Priori'tät *f*, (zeitliches) Vor'hergehen: ~ of birth Erstgeburt *f*. **5.** *mot.* Vorfahrt(srecht *n*) *f*: ~ road Vorfahrtsstraße *f*; ~ rule Vorfahrtsregel *f*.

pri·o·ry ['praiəri] *s relig.* Prio'rei *f*.

prism ['prizəm] *s math. min. phys.* Prisma *n* (*a. fig.*): ~ binoculars Prismen(fern)glas *n*; ~ view finder *phot.* Prismensucher *m*.

pris·mat·ic [priz'mætik] *adj* (*adv* ~ally) **1.** pris'matisch, Prismen...: ~ colo(u)rs Regenbogenfarben; ~ spectrum Brechungsspektrum *n*. **2.** *min.* ortho'rhombisch.

pris·ma·toid ['prizməˌtɔid] *s math.* Prismato'id *n*, Körperstumpf *m*.

pris·on ['prizn] **I** *s* **1.** Gefängnis *n* (*a. fig.*), Strafanstalt *f*: ~ hostel *Br.* Vollzugsanstalt *f* für Jugendarrest; ~ psychosis Haftpsychose *f*; to put into ~, to send to ~ ins Gefängnis werfen *od.* ‚stecken'; in ~ im Gefängnis. **2.** *poet. od. fig.* Kerker *m*. **3.** *a.* state ~ *bes. Am.* Staatsgefängnis *n*, Zuchthaus *n*. **II** *v/t* **4.** *poet.* a) einkerkern, b) gefangenhalten. ~ **bird** → jailbird. ~ **breach,** ~ **break·ing** *s* Ausbrechen *n* aus dem Gefängnis. ~ **camp** *s* **1.** *mil.* (Kriegs)Gefangenenlager *n*. **2.** ‚offenes' Gefängnis (*für besserungsfähige Häftlinge*). ~ **ed·i·tor** *s* 'Sitzredakˌteur *m* (*Redakteur, der etwaige Gefängnisstrafen absitzt*).

pris·on·er ['priznər; *Am. a.* 'prizənər] *s* Gefangene(r *m*) *f* (*a. fig.*), Häftling *m*: ~ (at the bar) *jur.* Angeklagte(r *m*) *f*; ~ (on remand) Untersuchungsgefangene(r *m*) *f*; ~ of State, State ~ Staatsgefangene(r), politischer Häftling; ~ (of war) Kriegsgefangene(r); to hold (take) s.o. ~ j-n gefangenhalten (-nehmen); to give o.s. up as a ~ sich gefangengeben; he is a ~ to *fig.* er ist gefesselt an (*acc*); ~'s base Barlauf(spiel *n*) *m*.

pris·sy ['prisi] *adj Am. colloq.* **1.** zimperlich, ‚etepe'tete', gouver'nantenhaft. **2.** kleinlich, pe'dantisch.

pris·tine ['pristiːn; -tin; -tain] *adj* **1.** a) ursprünglich, b) urtümlich, unverfälscht, unverdorben. **2.** ehemalig.

prith·ee ['priðiː] *interj obs.* bitte.

pri·va·cy ['praivəsi; *Br. a.* 'priv-] *s* **1.** Zu'rückgezogenheit *f*, Ungestörtheit *f*, Abgeschiedenheit *f*, Einsamkeit *f*, Al'leinsein *n*, Ruhe *f*: to disturb s.o.'s ~ j-n stören; he lived in absolute ~ er lebte völlig zurückgezogen. **2.** a) Pri'vatleben *n*, b) *jur.* In'timsphäre *f*: right of ~ Persönlichkeitsrecht *n*. **3.** Heimlichkeit *f*, Geheimhaltung *f*: to talk to s.o. in ~ mit j-m unter vier Augen sprechen; in strict ~ streng vertraulich.

pri·vate ['praivit] **I** *adj* (*adv* → privately) **1.** pri'vat, Privat..., eigen(er, e, es), Eigen..., per'sönlich: ~ account Privatkonto *n*; ~ affair (*od.* concern) Privatsache *f*, -angelegenheit *f*; ~ bill *pol.* Antrag *m* e-s Abgeordneten; ~ citizen Privatmann *m*; ~ consumption Eigenverbrauch *m*; ~ gentleman Privatier *m*; ~ life Privatleben *n*; ~ person Privatperson *f*; ~ law *jur.* Privatrecht *n*; ~ liability persönliche Haftung. **2.** pri'vat, nicht öffentlich: to sell by ~ bargain (*od.* contract) unter der Hand verkaufen; at ~ sale unter der Hand (verkauft *etc*); ~ company a) *jur.* Personalgesellschaft *f*, b) *econ.* offene Handelsgesellschaft; ~ limited company *econ.* Gesellschaft *f* mit beschränkter Haftung; ~ eye *bes. Am. sl.*, ~ investigator (*od.* detective) Privatdetektiv *m*; ~ firm Einzelfirma *f*; ~ hotel Fremdenheim *n*; ~ road Privatweg *m*; ~ school Privatschule *f*; ~ theater (*Br.* theatre) Liebhabertheater *n*; ~ view → preview 1; → nuisance 3. **3.** al'lein, zu'rückgezogen, für sich allein, ungestört, einsam (*Person od. Ort*): to wish to be ~ den Wunsch haben, allein zu sein; ~ prayer stilles Gebet. **4.** pri'vat, der Öffentlichkeit nicht bekannt, nicht für die Öffentlichkeit bestimmt: ~ reasons a) private Gründe, b) Hintergründe. **5.** geheim, heimlich: to keep s.th. ~ etwas geheimhalten *od.* vertraulich behandeln; ~ negotiations geheime Verhandlungen; ~ parts → 12. **6.** vertraulich: ~ information; this is for your ~ ear dies sage ich Ihnen ganz im Vertrauen; to be ~ to s.th. in etwas eingeweiht sein, über etwas Bescheid wissen. **7.** nicht amtlich *od.* öffentlich, außeramtlich (*Angelegenheit*). **8.** nicht beamtet: ~ member *parl.* nicht beamtetes Parlamentsmitglied. **9.** *jur.* außergerichtlich: ~ arrangement gütlicher Vergleich. **10.** *mil.* ohne Dienstgrad: ~ soldier → 11. **II** *s* **11.** *mil.* gewöhnlicher *od.* gemeiner Sol'dat: ~ 1st class *Am.* Obergefreite(r) *m*. **12.** *pl* Geschlechtsteile *pl*. **13.** in ~ a) im Pri'vatleben, pri'vat(im), b) insgeheim, unter vier Augen (*sprechen*).

pri·va·teer [ˌpraivə'tir] **I** *s* **1.** Freibeuter *m*, Kaperschiff *n*. **2.** Kapi'tän *m* e-s Kaperschiffes. **3.** *pl* Mannschaft *f* e-s Kaperschiffes. **II** *v/i* **4.** Kape'rei treiben.

pri·vate·ly ['praivitli] *adv* **1.** pri'vat, als Pri'vatperˌson: ~-owned in Privatbesitz; to settle s.th. ~ etwas privat *od.* intern regeln. **2.** per'sönlich, vertraulich. **3.** heimlich, insgeheim.

pri·va·tion [prai'veiʃən] *s* **1.** Wegnahme *f*, Beraubung *f*, Entziehung *f*. **2.** Fehlen *n*, Mangel *m*. **3.** Not *f*, Entbehrung *f*.

priv·a·tive ['privətiv] **I** *adj* (*adv* ~ly) **1.** entziehend, beraubend. **2.** *bes. ling. philos.* priva'tiv, verneinend, negativ. **II** *s* **3.** *ling.* a) Ver'neinungsparˌtikel *f*, b) priva'tiver Ausdruck.

priv·et ['privit] *s bot.* Li'guster *m*.

priv·i·lege ['privilidʒ] **I** *s* **1.** Privi'leg *n*, Sonder-, Vorrecht *n*, Vergünstigung *f*: breach of ~ a) Übertretung *f* der Machtbefugnis, b) *parl.* Vergehen *n* gegen die Vorrechte des Parlaments; ~ of Parliament Immunität *f* (e-s Abgeordneten); ~ from arrest *jur.* persönliche Immunität; ~ of self-defence (*Am.* -defense) *jur.* (Recht *n* der) Notwehr *f*; with kitchen ~s mit Küchenbenutzung; ~ tax *econ.* Konzessionssteuer *f*; Committee of P~s *jur.* Ausschuß *m* zur Untersuchung von Rechtsübergriffen (*gegenüber dem Parlament*); bill of ~ *Br.* Antrag *m* e-s Pairs auf Aburteilung durch seinesgleichen. **2.** *fig.* (besonderer) Vorzug: to have the ~ of being admitted den Vorzug haben, zugelassen zu sein; it is a ~ to converse with him es ist e-e besondere Ehre, mit ihm sprechen zu dürfen. **3.** *Am.* (verbürgtes *od.* verfassungsmäßiges) Recht, Grundrecht *n*: this is his ~ das ist sein gutes Recht; it is my ~ to ... es steht mir frei zu ... **4.** *Börse*: Prämien- *od.* Stellgeschäft *n*: ~ broker *Am.* Prämienmakler *m*. **II** *v/t* **5.** privile'gieren, bevorrecht(i-g)en, bevorzugen, *j-m* das Vorrecht einräumen (to zu): to be ~d to do die Ehre *od.* den Vorzug haben zu tun. **6.** (from) ausnehmen, befreien (von).

priv·i·leged ['privilidʒd] *adj* privile'giert, bevorrechtet: the ~ classes die privilegierten Stände; ~ communication *jur.* vertrauliche Mitteilung; ~ debt bevorrechtigte (Schuld)Forderung; ~ motion Dringlichkeitsantrag *m*; ~ stock *econ.* Vorzugsaktie *f*.

priv·i·ly ['privili] *adv* insgeheim.

priv·i·ty ['priviti] *s* **1.** *jur.* a) (Inter'essen)Gemeinschaft *f*, b) Beteiligung *f*: ~ in estate gemeinsames Eigentum, *a.* Erbengemeinschaft. **2.** *jur.* Rechtsbeziehung *f*. **3.** *jur.* Rechtsnachfolge *f*. **4.** (*bes.* vertrauliches) Mitwissen, Mitwisserschaft *f*: with his ~ and consent mit s-m Wissen u. Einverständnis.

priv·y ['privi] **I** *adj* (*adv* → privily) **1.** a) eingeweiht (to in *acc*), b) vertraulich: many persons were ~ to it viele waren darin eingeweiht, viele wußten darum; he was made ~ to it er wurde (mit) ins Vertrauen gezogen. **2.** *jur.* (mit)beteiligt (to an *dat*). **3.** *meist poet.* heimlich, geheim: ~ parts Scham-, Geschlechtsteile; ~ stairs Hintertreppe *f*. **II** *s* **4.** *jur.* Beteiligte(r *m*) *f*, 'Mitinteresˌsent(in) (to an *dat*). **5.** (*bes.* Außen)Abort *m*, Abtritt *m*. ~ **coun·cil** *s meist* P~ C~ *Br.* (Geheimer) Staats-, Kronrat: Judicial Committee of the P~ C~ Justizausschuß *m* des Staatsrats (*höchste Berufungsinstanz für die Dominions*). **P~ Coun·cil·lor** *s Br.* Geheimer (Staats-)Rat (*Person*). ~ **purse** *s* **1.** königliche Pri'vatschaˌtulle. **2.** (Keeper of the) P~ P~ *Br.* Inten'dant *m* der Zi'villiste. ~ **seal** *s Br.* **1.** Geheimsiegel *n*, (*das*) Kleine Siegel. **2.** → Lord Privy Seal.

prize¹ [praiz] **I** *s* **1.** (Sieger)Preis *m* (*a. fig.*), Prämie *f*, Auszeichnung *f*: school ~ Schulpreis; the ~s of a profession die höchsten Stellungen in e-m Beruf. **2.** (*a.* Lotte'rie)Gewinn *m*: the first ~ das Große Los. **3.** Lohn *m*, Belohnung *f*. **4.** (*der, die, das*) Beste. **II** *adj* **5.** preisgekrönt, prämi'iert. **6.** Preis...: ~ medal. **7.** erstklassig, preiswürdig (*a. iro.*). **III** *v/t* **8.** (hoch)schätzen, würdigen: to ~ s.th. more than etwas höher (ein)schätzen als.

prize² [praiz] **I** *s* (Kriegs)Beute *f*, Fang *m* (*a. fig.*), *bes. jur. mar.* Prise *f* (*aufgebrachtes Schiff*), Seebeute *f*: to make ~ of → II. **II** *v/t mar.* aufbringen, kapern.

prize³ [praiz] *bes. Br.* **I** *v/t* **1.** (auf)stemmen: to ~ open (mit e-m Hebel) aufbrechen; to ~ up hochwuchten *od.*

-stemmen. **II** *s* **2.** Hebelwirkung *f*, -kraft *f*. **3.** Hebel *m*.

prize| com·pe·ti·tion *s* Preisausschreiben *n*. **~ court** *s mar*. Prisengericht *n*. **~ crew** *s mar*. 'Prisenkom,mando *n*. **~ fight** *s* Preisboxkampf *m*. **~ fight·er** *s* Preis-, Berufsboxer *m*. **~ giv·ing** *s ped. Br*. Verteilung *f* der Schulpreise. **~ list** *s* Gewinnliste *f*. **'~·man** [-mən] *s irr bes. univ*. Preisträger *m*, Gewinner *m* e-s Preises. **~ mon·ey** *s* **1.** *mar*. Prisengeld(er *pl*) *n*. **2.** Geldpreis *m*. **~ ring** *s* **1.** *Boxen*: a) Ring *m*, b) *weitS*. (*das*) Berufsboxen. **2.** *fig*. Preis-, Wettkampf *m*. **3.** Berufsboxer *pl* u. deren Anhänger *pl*. **~ win·ner** *s* Preisträger(in). **'~-'win·ning** *adj* preisgekrönt.

pro- [prou] *Wortelement mit den Bedeutungen* a) (eintretend) für, pro..., ...freundlich: **~-German**, b) stellvertretend, Vize..., Pro..., c) vor (*räumlich u. zeitlich*).

pro¹ [prou] **I** *pl* **pros** *s* **1.** Ja-Stimme *f*, Stimme *f* da'für. **2.** Für *n*, Pro *n*: **the ~s and cons** das Für u. Wider. **II** *adv*. **3.** (da)'für.

pro² [prou] (*Lat*.) *prep* für, pro, per: **~ hac vice** (nur) für dieses 'eine Mal; **~ tanto** soweit, bis dahin; → **pro forma, pro rata**.

pro³ [prou] *s sport colloq*. ‚Profi' *m*.

prob·a·bil·i·ty [ˌprɒbə'biliti] *s* **1.** Wahr'scheinlichkeit *f* (*a. math*.): **in all ~** aller Wahrscheinlichkeit nach, höchstwahrscheinlich; **theory of ~, ~ calculus** *math*. Wahrscheinlichkeitsrechnung *f*; **the ~ is that** es ist zu erwarten *od*. anzunehmen, daß. **2.** → **probable** 5.

prob·a·ble ['prɒbəbl] **I** *adj* (*adv* **probably**) **1.** wahr'scheinlich, vermutlich, mutmaßlich: **~ cause** *jur*. hinreichender (Tat)Verdacht. **2.** wahr'scheinlich, glaubhaft, -würdig, einleuchtend. **II** *s* **3.** wahr'scheinlicher Kandi'dat *od*. (*sport*) Teilnehmer. **4.** *mil*. wahr'scheinlicher Abschuß. **5.** (*etwas*) Wahr'scheinliches, Wahr'scheinlichkeit *f*.

pro·bang ['proubæŋ] *s med*. Schlundsonde *f*.

pro·bate ['proubeit] *jur*. **I** *s* **1.** gerichtliche (*bes*. Testa'ments)Bestätigung. **2.** Testa'mentseröffnung *f*. **3.** Abschrift *f* e-s gerichtlich bestätigten Testa'ments. **II** *v/t* **4.** *Am. ein Testament* a) bestätigen, b) eröffnen u. als rechtswirksam bestätigen lassen. **~ court** *s* Nachlaßgericht *n*, (*in USA a. zuständig in Sachen der freiwilligen Gerichtsbarkeit, bes. als*) Vormundschaftsgericht *n*. **~ du·ty** *s* Erbschaftssteuer *f*.

pro·ba·tion [prə'beiʃən] *s* **1.** (*bes*. Eignungs)Prüfung *f*, Probe *f*. **2.** Probezeit *f*: **on ~** auf Probe(zeit); **year of ~** Probejahr *n*. **3.** *jur*. a) Bewährungsfrist *f*, b) bedingte Freilassung: **to place s.o. on ~** j-m Bewährungsfrist zubilligen, j-n unter Zubilligung e-r Bewährungsfrist freilassen; **~ officer** Bewährungshelfer *m*, Überwachungsbeamte(r) *m*. **4.** *relig*. Novizi'at *n*. **pro'ba·tion·ar·y**, *a*. **pro'ba·tion·al** *adj* **1.** Probe... **2.** *jur*. a) bedingt freigelassen, b) Bewährungs...: **~ period** Bewährungsfrist *f*. **pro'ba·tion·er** *s* **1.** 'Probekandi,dat(in), Angestellte(r *m*) *f* auf Probe, *z. B*. Lernschwester *f*. **2.** *fig*. Neuling *m*. **3.** *relig*. No'vize *m*, *f*. **4.** *jur*. j-d, dessen Strafe zur Bewährung ausgesetzt ist.

pro·ba·tive ['proubətiv] *adj* als Beweis dienend (**of** für): **to be ~ of** beweisen; **~ facts** *jur*. beweiserhebliche Tatsachen; **~ force** Beweiskraft *f*.

probe [proub] **I** *v/t* **1.** *med*. son'dieren (*a. fig*.). **2.** *fig*. eindringen in (*acc*), erforschen, (gründlich) unter'suchen, *a. j-n* aushorchen. **II** *v/i* **3.** *fig*. (forschend) eindringen (**into** in *acc*): **to ~ into the subconscious mind; to ~ deep into a matter** e-r Angelegenheit auf den Grund gehen. **III** *s* **4.** *med*. Sonde *f*: **~ scissors** Wundschere *f*. **5.** *tech*. Sonde *f*, Tastkopf *m*. **6.** (*Mond- etc*)Sonde *f*, Ver'suchsra,kete *f*, 'Forschungssatel,lit *m*: **lunar ~; space ~** Raumsonde. **7.** *fig*. Son'dierung *f*. **8.** *aer*. Auftankstutzen *m*. **9.** *fig. bes. Am*. Unter'suchung *f*.

prob·i·ty ['proubiti; 'prɒb-] *s* Rechtschaffenheit *f*, Redlichkeit *f*.

prob·lem ['prɒbləm] **I** *s* **1.** Pro'blem *n*, proble'matische *od*. schwierige Aufgabe *od*. Frage, Schwierigkeit *f*: **to set a ~** ein Problem stellen; **this poses a ~ for me** das stellt mich vor ein Problem; **we are facing a ~** wir sehen uns vor ein Problem gestellt. **2.** *math*. Aufgabe *f*, Pro'blem *n* (*a. philos. Schach etc*). **3.** *fig*. Rätsel *n*: **it is a ~ to me** es ist mir unverständlich *od*. ein Rätsel. **II** *adj* **4.** proble'matisch: **~ drama** Problemdrama *n*; **~ child** Sorgenkind *n*; **~ play** Problemstück *n*.

prob·lem·at·ic [ˌprɒblə'mætik; -li-] *adj*; **ˌprob·lem'at·i·cal** [-kəl] *adj* (*adv* **~ly**) **1.** proble'matisch, zweifelhaft. **2.** fragwürdig, dunkel: **of ~ origin**.

pro·bos·cis [prə'bɒsis] *pl* **-cis·es** *s* **1.** *zo*. a) (Ele'fanten- *etc*)Rüssel *m*, b) (In'sekten-, Stech)Rüssel *m*. **2.** *fig. humor*. ‚Rüssel' *m* (*Nase*). **~ mon·key** *s zo*. Nasenaffe *m*.

pro·caine ['proukein; prou'kein] *s* [*chem*. Proka'in *n*.]

pro·cam·bi·um [prou'kæmbiəm] *s bot*. Pro'cambium *n* (*Bildungsgewebe der Leitbündel*).

pro·ce·dur·al [prə'siːdʒərəl] *adj* **1.** *jur*. prozessu'al, verfahrensrechtlich: **~ law** Verfahrensrecht *n*. **2.** Verfahrens...

pro·ce·dure [prə'siːdʒər] *s* **1.** *allg*. Verfahren *n* (*a. tech*.), Vorgehen *n*. **2.** *jur*. (*bes*. pro'zeßrechtliches) Verfahren: **rules of ~** Prozeßvorschriften, Verfahrensbestimmungen. **3.** Handlungsweise *f*, Verhalten *n*, (eingeschlagener) Weg.

pro·ceed I *v/i* [prə'siːd] **1.** weitergehen, -fahren *etc*, sich begeben (**to** nach). **2.** *fig*. weitergehen (*Handlung etc*), fortschreiten: **the play will now ~** das Spiel geht jetzt weiter. **3.** vor sich gehen, von'statten gehen. **4.** vor(wärts)gehen, vorrücken, *fig. a*. Fortschritte machen, vor'ankommen. **5.** fortfahren, weitermachen (**with**, in mit, in *s-r Rede etc*), s-e Arbeit *etc* fortsetzen: **to ~ on one's journey** s-e Reise fortsetzen, weiterreisen. **6.** fortfahren (zu sprechen): **he ~ed to say** er fuhr (in s-r Rede) fort, dann sagte er. **7.** (*bes. nach e-m Plan*) vorgehen, verfahren: **to ~ with s.th.** etwas durchführen *od*. in Angriff nehmen; **to ~ on the assumption that** davon ausgehen, daß. **8.** schreiten *od*. 'übergehen (**to** zu), sich machen (**to** an *acc*), sich anschicken (**to do** zu tun): **to ~ to attack** zum Angriff übergehen; **to ~ to business** an die Arbeit gehen, anfangen, beginnen; **to ~ to the election** zur Wahl schreiten; **to ~ to another subject** das Thema wechseln. **9.** (**from**) ausgehen, 'herrühren, kommen (von) (*Geräusch, Hoffnung, Resultat, Krankheit etc*), *e-r Hoffnung etc* entspringen. **10.** *jur*. (gerichtlich) vorgehen, e-n Pro'zeß anstrengen, prozes'sieren (**against** gegen). **11.** *Br*. promo'vieren (to zum), e-n aka'demischen Grad erlangen: **he ~ed to (the degree of) M. A.** er erlangte den Grad e-s Magisters. **II** *s* ['prousiːd] → **proceeds**.

pro·ceed·ing [prə'siːdiŋ] *s* **1.** a) Vorgehen *n*, Verfahren *n*, b) Maßnahme *f*, Handlung *f*. **2.** *pl jur*. Verfahren *n*, (Gerichts)Verhandlung(en *pl*) *f*: **to institute** (*od*. **take**) **~s against** ein Verfahren einleiten *od*. gerichtlich vorgehen gegen. **3.** *pl* (Tätigkeits-, Sitzungs)Berichte *pl*, (*jur*. Pro'zeß)-Akten *pl*.

pro·ceeds ['prousiːdz] *s pl* **1.** Erlös *m* (**from a sale** aus e-m Verkauf), Ertrag *m*, Gewinn *m*. **2.** Einnahmen *pl*.

proc·ess¹ [*Br*. 'prouses; *Am*. 'prɑses] **I** *s* **1.** *a. tech*. Verfahren *n*, Pro'zeß *m*: **~ of manufacture** a) Herstellungsverfahren, b) Herstellungsprozeß, -vorgang *m*, Werdegang *m*; **in ~ of construction** im Bau (befindlich); **~ annealing** *metall*. Zwischenglühung *f*; **~ average** mittlere Fertigungsgüte; **~ automation** Prozeß-Automatisierung *f*; **~ engineering** Verfahrenstechnik *f*. **2.** Vorgang *m*, Verlauf *m*, Pro'zeß *m* (*a. phys*.): **~ of combustion** Verbrennungsvorgang; **mental ~** Denkprozeß. **3.** Arbeitsgang *m*. **4.** Fortgang *m*, -schreiten *n*, (Ver)Lauf *m* (*der Zeit*): **in ~ of time** im Laufe der Zeit; **to be in ~** im Gange sein, sich abwickeln; **in ~ of** im Verlauf von (*od*. *gen*); **in the ~** dabei, unterdessen. **5.** *chem*. a) → 1 *u*. 2: **~ butter** Prozeßbutter *f* (*entranzte Butter*), b) Reakti'onsfolge *f*. **6.** *print*. photome'chanisches Reprodukti'onsverfahren: **~ printing** Drei- *od*. Vierfarbendruck *m*. **7.** *phot*. Überein'anderko,pieren *n*. **8.** *jur*. a) Zustellung(en *pl*) *f*, *bes*. Vorladung *f*, b) Rechtsgang *m*, (Gerichts)-Verfahren *n*: **due ~ of law** ordentliches Verfahren, rechtliches Gehör. **9.** *anat*. Fortsatz *m*. **10.** *bot*. Auswuchs *m*. **11.** *fig*. Vorsprung *m*. **12.** *math*. Auflösungsverfahren *n* (*e-r Aufgabe*). **II** *v/t* **13.** bearbeiten, behandeln, e-m Verfahren unter'werfen. **14.** verarbeiten, *Lebensmittel* haltbar machen, *Milch etc* sterili'sieren, (chemisch) behandeln, *Stoff* imprä'gnieren: **to ~ into** verarbeiten zu; **to ~ information** Daten verarbeiten; **~(ed) cheese** Schmelzkäse *m*. **15.** *jur*. a) vorladen, b) gerichtlich belangen. **16.** *phot*. (photome'chanisch) reprodu'zieren *od*. vervielfältigen. **17.** *fig. Am*. a) *j-n* ‚'durchschleusen', abfertigen, b) *j-s Fall etc* bearbeiten.

pro·cess² [prə'ses] *v/i colloq*. in e-r Prozessi'on (mit)gehen.

proc·ess·ing [*Br*. 'prousesiŋ; *Am*. 'prɑs-] *s* **1.** *tech*. Veredelung *f*: **~ industry** Veredelungsindustrie *f*, -wirtschaft *f*. **2.** *tech*. Verarbeitung *f*: **~ program(me)** (Daten)Verarbeitungsprogramm *n*; **~ unit** zentrale Recheneinheit. **3.** *bes. fig. Am*. Bearbeitung *f*.

pro·ces·sion [prə'seʃən] **I** *s* **1.** Prozessi'on *f*, (feierlicher) (Auf-, 'Um)Zug: **to go in ~** → 5; **funeral ~** Leichenzug. **2.** Reihe *f*, Reihenfolge *f*. **3.** *a*. **~ of the Holy Spirit** *relig*. Ausströmen *n* des Heiligen Geistes. **4.** *Rennsport*: müdes Rennen. **II** *v/i* **5.** e-e Prozessi'on *etc* (ab)halten, in e-r Prozession gehen. **III** *v/t* **6.** in (e-r) Prozessi'on ziehen durch. **pro'ces·sion·al I** *s relig*. a) Prozessi'onsbuch *n*, b) Prozessi'onshymne *f*. **II** *adj* Prozessions... **pro'ces·sion·ar·y I** *s* **1.** → processional I. **II** *adj* **2.** → processional II. **3.** *zo.* Prozessions..., Wander...: ~ **caterpillar.**

pro·ces·sor [prəˈsesər] *s* **1.** *tech.* a) Verarbeiter *m*, b) 'Hersteller *m*. **2.** *fig. Am.* (Sach)Bearbeiter *m*. **3.** *Datenverarbeitung*: Über'setzer *m*: ~ **storage** Hauptspeicher *m*; ~**-controller** Verarbeitungs- u. Steuereinheit *f*.

pro·claim [proˈkleim] *v/t* **1.** prokla'mieren, (öffentlich) verkünd(ig)en, kundgeben: to ~ **war** den Krieg erklären; to ~ **s.o. a traitor** j-n zum Verräter erklären; to ~ **s.o. king** j-n zum König ausrufen. **2.** erweisen als, kennzeichnen: **the dress** ~**s the man** Kleider machen Leute. **3.** a) den Ausnahmezustand verhängen über (*ein Gebiet etc*), b) unter Quaran'täne stellen. **4.** in die Acht erklären. **5.** *e-e Versammlung etc* verbieten. **proc·la·ma·tion** [ˌprɒkləˈmeiʃən] *s* **1.** Proklamati'on *f* (to an *acc*), (öffentliche *od.* feierliche) Verkündigung *od.* Bekanntmachung, Aufruf *m*: ~ **of martial law** Verhängung *f* des Standrechts. **2.** Erklärung *f*, Ausrufung *f* (*zum König etc*). **3.** Verhängung *f od.* Erklärung *f* des Ausnahmezustandes *od.* des Bannes. **pro·clam·a·to·ry** [proˈklæmətəri] *adj* verkündend, prokla'mierend.

pro·clit·ic [proˈklitik] *ling.* **I** *adj* pro'klitisch. **II** *s* pro'klitisches Wort.

pro·cliv·i·ty [proˈkliviti] *s* Neigung *f*, Hang *m* (to, toward zu).

pro·con·sul [prouˈkɒnsəl] *s* **1.** *antiq.* (*römischer*) Pro'konsul, Statthalter *m* (*e-r Provinz*). **2.** Statthalter *m* (*e-r Kolonie etc*).

pro·con·su·late [proˈkɒnsjulit] *s* Prokonsu'lat *n*, Statthalterschaft *f*.

pro·cras·ti·nate [proˈkræstiˌneit] **I** *v/i* zaudern, zögern. **II** *v/t* hin'auszögern, verschleppen. **proˌcras·ti'na·tion** *s* Verzögerung *f*, Verschleppung *f*. **pro'cras·tiˌna·tor** [-tər] *s* **1.** Zauderer *m*, Zögerer *m*. **2.** Verschlepper *m*.

pro·cre·ant [ˈproukriənt] *adj* (er)zeugend, erschaffend. **'pro·creˌate** [-ˌeit] *v/t* **1.** *a. fig.* (er)zeugen, her'vorbringen: to ~ **offspring**; to ~ **one's kind** sich fortpflanzen. **2.** *fig.* ins Leben rufen. **ˌpro·cre'a·tion** *s* (Er)Zeugung *f*, Her'vorbringen *n* (*a. fig.*), Fortpflanzung *f*. **'pro·creˌa·tive** *adj* **1.** zeugungsfähig, Zeugungs...: ~ **capacity** Zeugungsfähigkeit *f*. **2.** fruchtbar. **'pro·creˌa·tor** [-tər] *s* Erzeuger *m*.

Pro·crus·te·an [proˈkrʌstiən] *adj* **1.** Prokrustes... (*a. fig.*): ~ **bed. 2.** *fig.* gewaltsam, Zwangs...

proc·to·cele [ˈprɒktoˌsiːl] *s med.* Mastdarmbruch *m*, Rekto'zele *f*.

proc·tor [ˈprɒktər] **I** *s* **1.** *univ. Br.* a) Proktor *m*, Diszipli'narbeamte(r) *m*, b) Aufsichtführende(r) *m* (*bes. bei Prüfungen*): ~**'s man,** ~**'s (bull)dog** *sl.* Pedell *m*. **2.** *jur.* Anwalt *m* (*an Spezialgerichten u. geistlichen Gerichtshöfen*). **3.** *a.* **King's** (*od.* **Queen's**) ~ *jur.* Proku'rator *m* der Krone (*der verpflichtet ist, bei vermuteter Kollusion der Parteien in das Verfahren einzugreifen*). **II** *v/t* **4.** beaufsichtigen. **proc'to·ri·al** [-ˈtɔːriəl] *adj* Proktor... **'proc·torˌize** *v/t Br.* a) vor den Proktor zi'tieren, b) beaufsichtigen, c) bestrafen.

proc·tor·ship [ˈprɒktərˌʃip] *s* Amt *n* e-s Proktors *etc.*

proc·to·scope [ˈprɒktəˌskoup] *s med.* Rekto'skop *n*, Mastdarmspiegel *m*.

proc'tot·o·my [-ˈtɒtəmi] *s* Mastdarmeinschnitt *m*, Proktoto'mie *f*.

pro·cur·a·ble [proˈkju(ə)rəbl] *adj* beschaffbar, erhältlich, zu beschaffen(d).

proc·u·ra·tion [ˌprɒkjuˈreiʃən] *s* **1.** → procurement 1 *u.* 3. **2.** (Stell)Vertretung *f*. **3.** Bevollmächtigung *f*. **4.** *econ. jur.* Pro'kura *f*, Vollmacht *f*: **to give** ~ Prokura *od.* Vollmacht erteilen; **by** ~ per Prokura; **joint** ~ Gesamthandlungsvollmacht; **single** (*od.* **sole**) ~ Einzelprokura. **5.** *a.* ~ **fee,** ~ **money** *econ.* Makler-, Vermittlungsgebühr *f*. **6.** *jur.* → **procuring** 2.

proc·u·ra·tor [ˈprɒkjuˌreitər] *s jur.* **1.** Anwalt *m*: **P**~ **General** *Br.* Königlicher Anwalt des Schatzamtes; ~ **fiscal** *Scot.* Staatsanwalt. **2.** Sachwalter *m*, Bevollmächtigte(r) *m*.

pro·cure [proˈkjur] **I** *v/t* **1.** (sich) beschaffen, (sich) besorgen: to ~ **s.th. for s.o.** (*od.* **s.o. s.th.**) j-m etwas beschaffen *etc*; to ~ **evidence** Beweise liefern *od.* beibringen. **2.** erwerben, erlangen: to ~ **wealth**; to ~ **respect. 3.** *Mädchen* verkuppeln, ‚besorgen'. **4.** bewirken, veranlassen, her'beiführen, bewerkstelligen: to ~ **s.o. to commit a crime** j-n zu e-r Straftat anstiften. **II** *v/i* **5.** kuppeln, Zuhälte'rei treiben. **pro'cure·ment** *s* **1.** Besorgung *f*, Beschaffung *f*: ~ **of capital** Kapitalbeschaffung. **2.** Erwerbung *f*: ~ **of a patent. 3.** Vermittlung *f*. **4.** Veranlassung *f*, Bewerkstelligung *f*. **pro'cur·er** *s* **1.** Beschaffer(in), Vermittler(in). **2.** Kuppler *m*, Zuhälter *m*. **pro'cur·ess** [-ris] *s* Kupplerin *f*. **pro'cur·ing** *s* **1.** → procurement. **2.** Kuppe'lei *f*, Zuhälte'rei *f*.

prod [prɒd] **I** *v/t* **1.** stechen, stoßen, stacheln. **2.** *fig.* anstacheln, anspornen, antreiben (into zu): to ~ **one's memory** s-m Gedächtnis (*energisch*) nachhelfen. **II** *s* **3.** Stich *m*, Stechen *n*, Stoß *m* (*a. fig.*). **4.** *fig.* Ansporn *m*. **5.** spitzes Werkzeug, *bes.* Ahle *f*. **6.** Stachelstock *m*.

pro·de·li·sion [ˌproudiˈliʒən] *s ling.* Weglassen *n* des 'Anfangsvoˌkals (*z. B. in* I'm *für* I am).

prod·i·gal [ˈprɒdigəl] **I** *adj* (*adv* ~**ly**) **1.** verschwenderisch (of mit): **to be** ~ **of** → **prodigalize**; **the** ~ **son** *Bibl.* der verlorene Sohn. **II** *s* **2.** Verschwender(in) (*a. jur.*). **3.** reuiger Sünder. **ˌprod·i'gal·i·ty** [-ˈgæliti] *s* **1.** Verschwendung(ssucht) *f*. **2.** Üppigkeit *f*, (verschwenderische) Fülle (of an *dat*). **'prod·i·galˌize** *v/t* verschwenden, verschwenderisch 'umgehen mit.

pro·di·gious [prəˈdidʒəs] *adj* (*adv* ~**ly**) **1.** erstaunlich, wunderbar, großartig. **2.** gewaltig, ungeheuer.

prod·i·gy [ˈprɒdidʒi] *s* **1.** Wunder *n* (*meist Sache od. Person*) (of *gen od.* an *dat*): **a** ~ **of learning** ein Wunder der *od.* an Gelehrsamkeit; **the prodigies of the human race** die Wunder(werke) der Menschen. **2.** *meist* **infant** ~ Wunderkind *n*: **musical** ~ musikalisches Wunder(kind). **3.** *contp.* Ausgeburt *f*, Monstrum *n*.

prod·ro·mal [ˈprɒdrəməl] *adj med.* (*e-m Krankheitsausbruch etc*) vor'ausgehend, prodro'mal. **pro·drome** [ˈproudroum] *s med.* Pro'drom *n*, Prodro'malsymˌptom *n*.

pro·duce [prəˈdjuːs] **I** *v/t* **1.** *allg.* erzeugen: a) *Kinder, Werke etc* her'vorbringen, *Werke etc* schaffen, machen, b) *fig.* her'vorrufen, -bringen, bewirken, zeitigen, schaffen, *e-e Wirkung* erzielen: to ~ **an effect**; to ~ **a smile** ein Lächeln hervorrufen. **2.** *Waren etc* produ'zieren, erzeugen, 'herstellen, fertigen, *ein Buch* her'ausbringen *od.* verfassen, *Erz, Kohle etc* gewinnen, fördern. **3.** *bot. Früchte etc* her'vorbringen. **4.** *econ. e-n Gewinn etc* (ein)bringen, (-)tragen, abwerfen, erzielen: **capital** ~**s interest** Kapital trägt *od.* bringt Zinsen. **5.** her'aus-, her'vorziehen, -holen (from aus *der Tasche etc*). **6.** *s-n Ausweis etc* (vor)zeigen, vorlegen. **7.** *Zeugen, Beweis etc* beibringen: to ~ **evidence (witnesses). 8.** *Gründe* vorbringen, anführen, aufwarten mit. **9.** *e-n Film* produ'zieren, her'ausbringen, *ein Theaterstück, Hörod. Fernsehspiel* aufführen, 'einstuˌdieren, insze'nieren, *e-e Fernseh- od. Rundfunkaufnahme* leiten: **to** ~ **o.s.** *fig.* sich produzieren. **10.** *e-n Schauspieler* her'ausbringen, vorstellen. **11.** *math. e-e Linie* verlängern. **II** *v/i* **12.** produ'zieren. **13.** (ein)bringen. **14.** *bot.* (Früchte) tragen. **15.** *econ.* Gewinn(e) abwerfen. **III** *s* **prod·uce** [ˈprɒdjuːs] (*nur sg*) **16.** (*bes.* 'Boden-, 'Landes)Proˌdukte *pl*, (Na'tur)Erzeugnis(se *pl*) *n*: ~ **exchange** Produktenbörse *f*; ~ **market** Waren-, Produktenmarkt *m*. **17.** Ertrag *m*, Gewinn *m*. **18.** *tech.* (Erz)Ausbeute *f*. **19.** *tech.* Leistung *f*, Ausstoß *m*: **daily** ~.

pro·duc·er [prəˈdjuːsər] *s* **1.** Erzeuger(in), 'Hersteller(in) (*beide a. econ.*). **2.** *econ.* Produ'zent *m*, Fabri'kant *m*: ~**s' goods** Produktionsgüter. **3.** *Film etc*: a) Produ'zent *m*, b) Produkti'onsleiter *m*, Regis'seur *m*, c) *Radio, TV*: Spielleiter *m*. **4.** *tech.* Gene'rator *m*: ~ **gas** Generatorgas *n*. **pro'duc·i·ble** *adj* **1.** erzeugbar, 'herstellbar, produ'zierbar. **2.** vorzuzeigen(d), beizubringen(d), aufweisbar. **pro'duc·ing** *adj* Produktions..., Herstellungs...

prod·uct [ˈprɒdəkt; -dʌkt] *s* **1.** Pro'dukt *n*, Erzeugnis *n* (*a. econ. tech.*): **intermediate** ~ Zwischenprodukt; ~ **engineering** Fertigungstechnik *f*; ~ **line** a) Herstellungsprogramm *n*, b) Erzeugnisgruppe *f*; ~ **patent** Stoffpatent *n*; **national** ~ *econ.* Nationalprodukt *n* (*Gesamterzeugung*). **2.** *chem. math.* Pro'dukt *n*. **3.** *fig.* (*a.* 'Geistes-)Proˌdukt *n*, Ergebnis *n*, Resul'tat *n*, Frucht *f*, Werk *n*. **4.** *fig.* Pro'dukt *n* (*Person*): **he was the** ~ **of his time.**

pro·duc·tion [prəˈdʌkʃən] *s* **1.** (*z. B. Kälte-, Strom*)Erzeugung *f*, (*z. B. Rauch*)Bildung *f*: ~ **of current (smoke). 2.** *econ.* Produkti'on *f*, 'Herstellung *f*, Erzeugung *f*, Fabrikati'on *f*, Fertigung *f*: ~ **planning** Fertigungsplanung *f*; **to be in** ~ serienmäßig hergestellt werden; **to be in good** ~ genügend hergestellt werden; **to go into** ~ die Produktion aufnehmen (*Fabrik*). **3.** a) *chem. min. Bergbau*: Gewinnung *f*: ~ **of gold,** b) *Bergbau*: Förderungsleistung *f*. **4.** (Arbeits)Erzeugnis *n*, (*a.* Na'tur)Proˌdukt *n*, Fabri'kat *n*. **5.** *fig.* (*meist* lite'rarisches) Pro'dukt, Ergebnis *n*, Werk *n*, Schöpfung *f*, Frucht *f*. **6.** Her'vorbringen *n*, Entstehung *f*. **7.** Vorlegung *f*, -zeigung *f*, -lage *f* (*e-s Dokuments etc*), Beibringung *f* (*e-s Zeugen*), Erbringen *n* (*e-s Beweises*), Vorführen *n*, Aufweisen *n*. **8.** Her'vorholen *n*, -ziehen *n*. **9.** Verlängerung *f* (*a. bot. math. zo.*). **10.** *thea. etc* Vor-, Aufführung *f*, Insze'nierung *f*. **11.** *Film etc*: a) Re'gie *f*, künstlerische Leitung, Spielleitung *f*, b) Produkti'on *f*. **pro'duc·tion·al** *adj* Produktions...

pro·duc·tion| ca·pac·i·ty *s* Produkti'onskapaziˌtät *f*, Leistungsfähigkeit *f*. ~ **car** *s mot.* Serienwagen *m*. ~ **con·trol** *s* Produkti'onskonˌtrolle *f*. ~ **costs** *s pl* Gestehungskosten *pl*. ~ **di·rec·tor** *s Rundfunk, TV*: Sendeleiter *m*. ~

en·gi·neer *s* Be'triebsingeniˌeur *m.* **~ goods** *s pl econ.* Produkti'onsgüter *pl.* **~ line** *s tech.* Fertigungsstraße *f*, Fließband *n.* **~ man·ag·er** *s econ.* 'Herstellungsleiter *m.* **~ part** *s* Fertigungsteil *m, n.*

pro·duc·tive [prə'dʌktiv] *adj* (*adv* ~ly) **1.** her'vorbringend, erzeugend, schaffend (of *acc*): to be ~ of erzeugen, führen zu. **2.** produk'tiv, ergiebig, ertragreich, fruchtbar, ren'tabel: ~ labo(u)r produktive (*unmittelbar am Fabrikationsprozeß beteiligte*) Arbeitskräfte. **3.** produ'zierend, 'herstellend, leistungsfähig: ~ bed (*Bergbau*) abbauwürdige Lagerstätte. **4.** *fig.* produk'tiv, fruchtbar, schöpferisch: a ~ writer. **pro'duc·tive·ness, pro·duc·tiv·i·ty** [ˌproudʌk'tiviti; ˌprɒ-] *s* Produktivi'tät *f*: a) Rentabili'tät *f*, Ergiebigkeit *f*, b) *econ.* Leistungs-, Ertragsfähigkeit *f*, c) *fig.* Fruchtbarkeit *f.*

pro·em ['prouem] *s* Einleitung *f* (*a. fig.*), Vorrede *f.*

prof [prɒf] *sl. abbr. für* professor.

prof·a·na·tion [ˌprɒfə'neiʃən] *s* Entweihung *f*, Profa'nierung *f.*

pro·fane [prə'fein] **I** *adj* (*adv* ~ly) **1.** weltlich, pro'fan, nicht geistlich, ungeweiht: ~ building Profanbau *m*; ~ history Profangeschichte *f*; ~ literature weltliche Literatur. **2.** lästerlich, gottlos, gemein: ~ language. **3.** unheilig, heidnisch: ~ rites. **4.** uneingeweiht (to in *acc*), nicht zugelassen (to zu), außenstehend. **5.** gewöhnlich, pro'fan. **II** *v/t* **6.** entweihen, her'abwürdigen, profa'nieren, *e-n Feiertag etc* entheiligen. **pro'fan·i·ty** [-'fæniti] *s* **1.** Gott-, Ruchlosigkeit *f.* **2.** Weltlichkeit *f.* **3.** a) Fluchen *n*, b) *pl* Flüche *pl.*

pro·fess [prə'fes] *v/t* **1.** (*a.* öffentlich) erklären, *Interesse, Reue etc* bekunden, sich 'hinstellen *od.* bezeichnen (to be als): to ~ o.s. a communist sich zum Kommunismus bekennen. **2.** beteuern, versichern, *contp. a.* zur Schau tragen, heucheln. **3.** sich bekennen zu (*e-m Glauben etc*) *od.* als (*Christ etc*): to ~ christianity. **4.** eintreten für, *Grundsätze etc* vertreten: to ~ principles. **5.** (*als Beruf*) ausüben, betreiben: to ~ surgery (von Beruf) Chirurg sein. **6.** a) Fachmann sein in (*dat*), *ein Fachgebiet* beherrschen, b) sich als Fachmann ausgeben in (*dat*). **7.** *bes. Br.* Pro'fessor sein für, lehren: he ~es chemistry. **8.** *relig.* in e-n Orden aufnehmen. **pro'fessed** *adj* **1.** erklärt, ausgesprochen: a ~ enemy of liberalism; ~ Christian Bekenntnischrist(in). **2.** an-, vorgeblich, Schein...: ~ friendship. **3.** Berufs..., von Beruf, berufsmäßig. **4.** *relig.* (in e-n Orden) aufgenommen: ~ monk Profeß *m.* **pro'fess·ed·ly** [-idli] *adv* **1.** angeblich. **2.** erklärtermaßen, nach eigener Angabe. **3.** offenkundig.

pro·fes·sion [prə'feʃən] *s* **1.** (*bes.* aka'demischer *od.* freier) Beruf, Stand *m*: learned ~ gelehrter Beruf; the military ~ der Soldatenberuf; the ~s die akademischen Berufe; by ~ von Beruf. **2.** the ~ *collect.* der Beruf *od.* Stand, die (gesamten) Vertreter *pl od.* Angehörigen *pl* e-s Berufes *od.* Standes: the medical ~ die Ärzteschaft, die Mediziner *pl.* **3.** (Glaubens)Bekenntnis *n.* **4.** Bekundung *f*, (*a.* falsche) Versicherung *od.* Behauptung, Erklärung *f*, Beteuerung *f*: ~ of faith Treuebekenntnis *n*; ~ of friendship Freundschaftsbeteuerung. **5.** *relig.* Pro'feß *f*: a) (Ordens)Gelübde *n*, b) Ablegung *f* des (Ordens)Gelübdes.

pro·fes·sion·al [prə'feʃənl] **I** *adj* (*adv* ~ly) **1.** Berufs..., beruflich, Amts..., Standes...: ~ discretion Schweigepflicht *f* (*des Arztes etc*); ~ ethics Berufsethos *n*; ~ hono(u)r Standesehre *f*; ~ jealousy Brot-, Konkurrenzneid *m*; ~ pride Standesdünkel *m.* **2.** Fach..., Berufs..., fachlich: ~ school Fach-, Berufsschule *f*; ~ studies Fachstudium *n*; in a ~ way berufsmäßig, professio-nell; ~ man Mann *m* vom Fach (→ 4). **3.** Berufs..., professio'nell (*a. sport*): ~ player; ~ beauty Bühnen- *od.* Filmschönheit *f.* **4.** freiberuflich, aka'demisch: ~ man Angehörige(r) *m* e-s freien Berufes, Akademiker *m*, Geistesarbeiter *m* (→ 2); the ~ classes die höheren Berufsstände. **5.** gelernt, fachlich ausgebildet: ~ gardener. **6.** unentwegt, *contp.* ‚Berufs...‘: ~ patriot. **7.** *iro.* geübt, routi'niert: his ~ smile. **II** *s* **8.** *sport* Berufssportler(in) *od.* -spieler(in), ‚Profi‘ *m.* **9.** Berufskünstler(in), Künstler(in) vom Fach. **10.** Fachmann *m.* **11.** Geistesarbeiter *m.* **12.** *Golf*: Platzmeister *m.* **pro'fes·sion·alˌism** *s* **1.** Berufssportlertum *n*, -spielertum *n*, Professiona'lismus *m.* **2.** Routi'niertheit *f.* **pro'fes·sion·alˌize I** *v/i* **1.** Berufssportler(in) *etc* werden. **2.** zum Beruf werden. **II** *v/t* **3.** berufsmäßig ausüben, zum Beruf machen.

pro·fes·sor [prə'fesər] *s* **1.** Pro'fessor *m*, Profes'sorin *f*: → adjunct 6, assistant 2, associate 9, full professor. **2.** *Am.* Lehrer *m.* **3.** *colloq.* Fachmann *m*, Lehrmeister *m* (*a. humor.*). **4.** *bes. Am. od. Scot.* (*a.* Glaubens)Bekenner *m.* **pro'fes·sor·ate** [-rit] *s* **1.** → professorship. **2.** *collect.* (*die*) Profes'soren *pl*, Profes'sorenschaft *f* (*e-r Universität etc*). **pro·fes·so·ri·al** [ˌprɒfe'sɔːriəl; *Am. a.* ˌprou-] *adj* (*adv* ~ly) professo'ral, profes'sorenhaft, e-s Pro'fessors, Professoren...: ~ chair Lehrstuhl *m*, Professur *f*; ~ socialist Kathedersozialist *m.* ˌ**pro·fes'so·ri·ate** [-riit] *s* **1.** → professorate 2. **2.** → professorship. **pro'fes·sorˌship** *s* Profes'sur *f*, Lehrstuhl *m.*

prof·fer ['prɒfər] **I** *s selten* Anerbieten *n*, Angebot *n.* **II** *v/t* (an)bieten. **III** *v/i* sich erbieten *od.* anbieten.

pro·fi·cien·cy [prə'fiʃənsi] *s* (*nur sg*) (hohes) 'Leistungsniˌveau, (gute) Leistungen *pl*, Können *n*, Tüchtigkeit *f*, Fertigkeit *f.* **pro'fi·cient I** *adj* (*adv* ~ly) tüchtig, geübt, bewandert, erfahren (in, at in *dat*). **II** *s* Fachmann *m*, Meister *m*, Könner *m.*

pro·file ['proufail] **I** *s* **1.** Pro'fil *n*: a) Seitenansicht *f*, -bild *n*, b) 'Umriß(linien *pl*) *m*, Kon'tur *f*: in ~ im Profil. **2.** *a. arch. tech.* Pro'fil *n*, Längsschnitt *m*, (*bes.* senkrechter) 'Durchschnitt. **3.** Querschnitt *m* (*a. fig.*). **4.** 'Kurzbiograˌphie *f*, bio'graphische Skizze. **5.** (*historische etc*) Skizze. **6.** (*bes.* Per'sönlichkeits-, 'Leistungs)Diaˌgramm *n*, Kurve *f.* **II** *v/t* **7.** im Pro'fil darstellen, profi'lieren. **8.** *tech.* im Quer- *od.* Längsschnitt zeichnen. **9.** *tech.* a) profi'lieren, fasso'nieren, b) ko'pierfräsen. **10.** *fig.* e-e 'Kurzbiograˌphie schreiben über (*acc*). **~ cut·ter** *s tech.* Fas'sonfräser *m.* **~ drag** *s aer.* Pro'filˌwiderstand *m* (*der Tragfläche*). **~ mill·ing** *s* Fas'son-, 'Umrißfräsen *n.*

pro·fil·er ['proufailər], **'pro·fil·ing ma·chine** *s tech.* Ko'pierˌfräsmaˌschine *f.*

prof·it ['prɒfit] **I** *s* **1.** (*econ. oft pl*) Gewinn *m*, Pro'fit *m*: to leave a ~ (e-n) Gewinn abwerfen; to make a ~ on (*od.* out of) s.th. aus etwas (e-n) Gewinn ziehen; to sell at a ~ mit Gewinn verkaufen; ~ and loss account Gewinn- u. Verlustkonto *n*, Erfolgsrechnung *f*; ~ sharing Gewinnbeteiligung *f.* **2.** *oft pl* a) Ertrag *m*, Erlös *m*, b) Reinertrag *m.* **3.** *jur.* Nutzung *f*, Früchte *pl* (*aus Land*). **4.** (*a. geistiger*) Gewinn, Nutzen *m*, Vorteil *m*: to turn s.th. to ~ aus etwas Nutzen ziehen; to his ~ zu s-m Vorteil. **II** *v/i* **5.** (by, from) (e-n) Nutzen *od.* Gewinn ziehen (aus), profi'tieren (von): to ~ by sich *etwas* zunutze machen, *e-e Gelegenheit* ausnutzen. **6.** nutzen, nützen, vorteilhaft sein. **III** *v/t* **7.** *j-m* nützen *od.* nutzen, von Nutzen *od.* Vorteil sein für. **'prof·it·a·ble** *adj* (*adv* profitably) **1.** gewinnbringend, einträglich, lohnend, ren'tabel: to be ~ sich rentieren. **2.** vorteilhaft, nützlich (to für), nutzbringend. **'prof·it·a·ble·ness** *s* Einträglichkeit *f*, Nützlichkeit *f*, Rentabili'tät *f.*

prof·it·eer [ˌprɒfi'tiər] **I** *s* Pro'fitmacher *m*, (Kriegs- *etc*)Gewinnler *m*, ‚Schieber‘ *m*, Wucherer *m.* **II** *v/i* ‚Schieber-‘ *od.* Wuchergeschäfte machen, ‚schieben‘. ˌ**prof·it'eer·ing** *s* ‚Schieber-‘, Wuchergeschäfte *pl*, ˌPreistreibe'rei *f.*

pro·fit·er·ole [prə'fitəˌroul] *s* (*Art*) Mohrenkopf *m.*

prof·it·less ['prɒfitlis] *adj* **1.** nicht einträglich, ohne Gewinn, 'unrenˌtabel. **2.** nutzlos.

prof·li·ga·cy ['prɒfligəsi] *s* **1.** Lasterhaftigkeit *f*, Verworfenheit *f*, Liederlichkeit *f.* **2.** Verschwendung(ssucht) *f.* **'prof·li·gate** [-git; -ˌgeit] **I** *adj* (*adv* ~ly) **1.** lasterhaft, verworfen, liederlich, ausschweifend. **2.** verschwenderisch. **II** *s* **3.** lasterhafter Mensch, Verworfene(r *m*) *f*, ‚Liederjan‘ *m.* **4.** Verschwender(in).

pro for·ma [prou 'fɔːrmə] (*Lat.*) *adj u. adv* **1.** pro forma, (nur) der Form halber, zum Schein. **2.** *econ.* Proforma...: ~ invoice; ~ bill Proforma-, Gefälligkeitswechsel *m.*

pro·found [prə'faund] **I** *adj* **1.** tief (*meist fig.*): ~ bow (peace, sigh, sleep, *etc*). **2.** tiefschürfend, -gründig, -sinnig, inhaltsschwer, scharfsinnig, gründlich, pro'fund: ~ knowledge profundes Wissen. **3.** *fig.* unergründlich, dunkel: ~ poems. **4.** *bes. fig.* tief, groß: ~ indifference vollkommene Gleichgültigkeit; ~ interest starkes Interesse; ~ pain heftiger *od.* großer Schmerz; ~ respect große *od.* größte Hochachtung. **II** *s* **5.** *poet.* Tiefe *f*, Abgrund *m*: the ~ die Tiefe, das (tiefe) Meer. **pro'found·ly** *adv.* **1.** tief (*etc*; → profound I). **2.** äußerst, höchst: ~ glad. **3.** völlig: ~ deaf. **pro'found·ness, pro·fun·di·ty** [prə'fʌnditi] *s* **1.** (große) Tiefe, Abgrund *m* (*a. fig.*). **2.** Tiefgründigkeit *f*, -sinnigkeit *f.* **3.** Scharfsinn *m*, durch'dringender Verstand. **4.** *pl* tiefgründige Pro'bleme *pl od.* Theo'rien *pl.* **5.** *oft pl* Weisheit *f*, pro'funder Ausspruch. **6.** Stärke *f*, hoher Grad (*der Erregung etc*).

pro·fuse [prə'fjuːs] *adj* (*adv* ~ly) **1.** ('über)reich (of, in an *dat*), 'überfließend, üppig, ausgiebig. **2.** (*oft* allzu) freigebig, großzügig, verschwenderisch (of, in mit): to be ~ in one's thanks überschwenglich danken; ~ly illustrated reich(haltig) illustriert. **pro'fuse·ness, pro'fu·sion** [-'fjuːʒən] *s* **1.** ('Über)Fülle *f*, 'Überfluß *m* (of an *dat*): in ~ in Hülle u. Fülle. **2.** Verschwendung *f*, Luxus *m*, allzu große Freigebigkeit.

prog [prɒg] *Br. sl.* **I** *s* → proctor 1. **II** *v/t* → proctorize.

pro·gen·i·tive [prou'dʒenitiv] *adj* **1.** Zeugungs...: ~ act. **2.** zeugungsfähig. **pro'gen·i·tor** [-tər] *s* **1.** Vorfahr *m*, Ahn *m*. **2.** *fig.* Vorläufer *m*. **pro'gen·i·tress** [-tris] *s* Ahne *f*.

pro'gen·i·ture [-tʃər] *s* **1.** Zeugung *f*. **2.** Nachkommenschaft *f*. **prog·e·ny** ['prɒdʒəni] *s* **1.** Nachkommenschaft *f* (*a. bot.*), Nachkommen *pl*, Kinder *pl*, *zo.* (*die*) Jungen *pl*, Brut *f*. **2.** *fig.* Frucht *f*, Pro'dukt *n*, Ergebnis *n*. **3.** *fig.* Anhänger *pl*, Jünger *pl*.

prog·nath·ic [prɒg'næθik] → prognathous. **'prog·na,thism** [-nə,θizəm] *s med.* Progna'thie *f* (*starkes Hervorragen der Kiefer*). **prog'na·thous** [-'neiθəs; 'prɒgnə-] *adj* pro'gnath(isch): a) mit vorstehenden Backenknochen, b) vorspringend (*Kinn*).

prog·no·sis [prɒg'nousis] *pl* **-ses** [-si:z] *s bes. med.* Pro'gnose *f*, Vor'aus-, Vor'hersage *f*. **prog'nos·tic** [-'nɒstik] **I** *adj* **1.** *bes. med.* pro'gnostisch. **2.** vor'her-, vor'aussagend (of *acc*): ~ chart Wettervorhersagekarte *f*. **3.** warnend, vorbedeutend. **II** *s* **4.** Vor'aus-, Vor'hersage *f*, Prophe'zeiung *f*. **5.** (An-, Vor)Zeichen *n*, *bes. med.* Pro'gnostikum *n*. **prog'nos·ti,cate** [-,keit] *v/t u. v/i* **1.** vor'her-, vor'aussagen, prognosti'zieren, prophe'zeien. **2.** anzeigen, ankündigen. **prog,nos·ti'ca·tion** *s* **1.** Vor'her-, Vor'aussage *f*, Pro'gnose *f* (*a. med.*). **2.** Prophe'zeiung *f*. **3.** Vorzeichen *n*. **prog'nos·ti,ca·tor** [-tər] *s* Weissager(in).

pro·gram, *bes. Br.* **pro·gramme** ['prougræm] **I** *s* **1.** ('Studien-, Par'tei- *etc*)Pro,gramm *n*, Plan *m* (*a fig.*): what is the ~ for today? *colloq.* was steht heute auf dem Programm? **2.** *thea. etc* Pro'gramm *n*: a) Spielplan *m*, b) The'aterzettel *m*, c) Darbietung *f*: ~ music Programmusik *f*; ~ picture Beifilm *m*. **3.** *Rundfunk, TV*: Pro'gramm *n*: a) Sendefolge *f*, b) Sendung *f*. **4.** Tanzkarte *f*. **5.** *Elektronik*: Pro'gramm *n*: ~-controlled programmgesteuert; ~ exit Programmimpuls *m*; ~ sequence Programmfolge *f*; ~ step Programmschritt *m*, -gang *m*. **6.** ('Schul- *etc*)Pro,spekt *m*. **II** *v/t* **7.** ein Pro'gramm aufstellen für. **8.** auf das Pro'gramm setzen, planen, ansetzen. **9.** *Elektronik*: program'mieren. **,pro·gram'mat·ic** [-grə'mætik] *adj* (*adv* ~ally) **1.** program'matisch. **2.** pro'grammu,sikartig. **pro·gramme** *bes. Br. für* program. **'pro·gram·mer** *s* Program'mierer *m* (*e-s Computers*).

prog·ress I *s* [*Br.* 'prougres; *Am.* 'prɑg-] (*nur sg außer 8*) **1.** *fig.* Fortschritt *m*, -schritte *pl*: to make ~ → 11; ~ chart Ist-Leistungskurve *f*; ~ engineer Entwicklungsingenieur *m*; ~ report Tätigkeits-, Zwischenbericht *m*. **2.** *fig.* fortschreitende Entwicklung: in ~ im Werden (begriffen) (→ 5). **3.** Fortschreiten *n*, Vorrücken *n*. **4.** *mil.* Vordringen *n*, -gehen *n*. **5.** Fortgang *m*, (Ver)Lauf *m*: to be in ~ im Gange sein; in ~ of time im Laufe der Zeit. **6.** Über'handnehmen *n*, 'Umsichgreifen *n*: the disease made rapid ~ die Krankheit griff schnell um sich. **7.** *obs.* Reise *f*, Fahrt *f*: „The Pilgrim's P~" „Die Pilgerreise" (*Buch von J. Bunyan*). **8.** *meist hist. Br.* Rundreise *f* (*e-s Herrschers, Richters etc*). **II** *v/i* **pro·gress** [prə'gres] **9.** fortschreiten, weitergehen, s-n Fortgang nehmen. **10.** sich (fort-, weiter)entwickeln, gedeihen (to zu) (*Vorhaben etc*): to ~ towards completion s-r Vollendung entgegengehen. **11.** *fig.* Fortschritte machen, vor'an-, vorwärtskommen.

pro·gres·sion [prə'greʃən] *s* **1.** Vorwärts-, Fortbewegung *f*. **2.** Weiterentwicklung *f*, Verlauf *m*. **3.** (Aufein'ander)Folge *f*. **4.** Progressi'on *f*: a) *math.* Reihe *f*, b) Staffelung *f* (*e-r Steuer etc*). **5.** *mus.* a) Se'quenz *f* (*Motivversetzung*), b) Fortschreitung *f* (*Stimmbewegung*). **pro'gres·sion·al** *adj* **1.** fortschreitend. **2.** Fortschritts...

pro'gres·sion·ist, prog·ress·ist [*Br.* 'prougrəsist; *Am.* 'prɑg-] *s bes. pol.* Fortschrittler *m*.

pro·gres·sive [prə'gresiv] **I** *adj* **1.** fortschrittlich (*Person od. Sache*), progres'siv (*beide a. pol.*): ~ party Fortschrittspartei *f*; ~ jazz progressiver Jazz. **2.** fortschreitend, -laufend, sich weiterentwickelnd, progres'siv: a ~ step *fig.* ein Schritt nach vorn; ~ assembly (*od.* operations) *tech.* fließende Fertigung, Fließbandmontage *f*; ~ scanning *TV* Zeile-für-Zeile-Abtastung *f*; ~ wave *math. phys.* fortschreitende Welle; ~ whist progressives Whist. **3.** vorwärtsgerichtet, (all'mählich) vorrückend: ~ movement Vorwärtsbewegung *f*. **4.** gestaffelt, progres'siv: ~ tax *econ.* Progressivsteuer *f*; ~ total Staffelsumme *f*. **5.** (fort)laufend: ~ numbers. **6.** *a. med.* zunehmend, fortschreitend, progres'siv: ~ deterioration; ~ paralysis. **7.** *ling.* progres'siv: ~ assimilation *Anpassung an den vorangehenden Konsonanten*; ~ form Dauerform *f*. **II** *s* **8.** *a. pol.* Progres'sive(r) *m*, Fortschrittler *m*. **pro'gres·sive·ly** *adv* schritt-, stufenweise, nach u. nach, zunehmend, in zunehmendem Maße. **pro'gres·sive·ness** *s* Fortschrittlichkeit *f*.

pro·gres·siv·ism [prə'gresi,vizəm] *s* Grundsätze *pl* der Fortschrittler.

pro·hib·it [pro'hibit] *v/t* **1.** verbieten, unter'sagen (s.th. etwas; s.o. from doing j-m *etwas* zu tun): ~ed verboten, unzulässig; ~ed area Sperrgebiet *n*. **2.** verhindern, unter'binden (s.th. being done daß etwas geschieht). **3.** hindern (s.o. from doing s.th. j-n daran, etwas zu tun). **pro·hi·bi·tion** [,proui'biʃən] *s* **1.** Verbot *n*. **2.** Prohibiti'on *f*, Alkoholverbot *n*. **3.** → writ[1] 1. **,pro·hi'bi·tion·ist** *s* **1.** Prohibitio'nist *m*, Verfechter *m* des Alkoholverbots. **2.** *econ.* Schutzzöllner *m*.

pro·hib·i·tive [pro'hibitiv] *adj* (*adv* ~ly) **1.** verbietend, unter'sagend. **2.** *econ.* Prohibitiv..., Schutz..., Sperr...: ~ duty Schutzzoll *m*; ~ system Schutzzollsystem *n*; ~ tax Prohibitivsteuer *f*. **3.** unerschwinglich: ~ prices; ~ cost untragbare Kosten. **pro'hib·i·to·ry** → prohibitive.

pro·ject [prə'dʒekt] **I** *v/t* **1.** planen, entwerfen, projek'tieren. **2.** werfen, schleudern. **3.** *Bild, Licht, Schatten etc* werfen, proji'zieren. **4.** *chem. math.* proji'zieren: ~ing plane Projektionsebene *f*. **5.** *fig.* proji'zieren: to ~ o.s. (*od.* one's thoughts) into sich (hinein)versetzen in (*acc*); to ~ one's feelings into s-e Gefühle übertragen auf (*acc*). **6.** darlegen, aufzeigen, vermitteln. **7.** vorspringen lassen: ~ed piers *arch.* Vorlagen, Gurtbogen. **II** *v/i* **8.** vorspringen, -stehen, -ragen (over über *acc*): to ~ into hineinragen in (*acc*). **9.** *Am. colloq.* sich her'umtreiben. **III** *s* **proj·ect** ['prɒdʒekt] **10.** Pro'jekt *n*, Plan *m*, (*a.* Bau)Vorhaben *n*, Entwurf *m*: ~ engineer Entwurfsingenieur *m*. **11.** *ped. bes. Am.* Pro'jekt *n*, Planaufgabe *f* (*die den Schülern freie Gestaltungsmöglichkeit bietet*).

pro·jec·tile [*Br.* prə'dʒektail; *Am.* -til] **I** *s* **1.** *mil.* Geschoß *n*, Projek'til *n*. **2.** (Wurf)Geschoß *n*. **II** *adj* **3.** (an)treibend, Stoß..., Trieb...: ~ force. **4.** Wurf...: ~ anchor *mar.* Ankerrakete *f*.

pro·jec·tion [prə'dʒekʃən] *s* **1.** Vorsprung *m*, vorspringender Teil *od.* Gegenstand. **2.** *arch. etc* Auskragung *f*, -ladung *f*, 'Überhang *m*. **3.** Vorstehen *n*, (Her)'Vorspringen *n*, -ragen *n*. **4.** Fortsatz *m*. **5.** Werfen *n*, Schleudern *n*, (Vorwärts-, Vor)Treiben *n*. **6.** Wurf *m*, Stoß *m*, Schub *m*. **7.** *math.* Projekti'on *f*: upright ~ Aufriß *m*. **8.** ('Karten)Projekti,on *f*. **9.** *phot.* Projekti'on *f*: a) Proji'zieren *n* (*von Lichtbildern*), b) Lichtbild *n*: ~ tube *TV* Projektionsröhre *f*. **10.** Vorführen *n* (*von Filmen*): ~ booth (*od.* room) Vorführkabine *f*, -raum *m*; ~ screen Bild-, Projektionswand *f*, Bildschirm *m*. **11.** *psych.* Projekti'on *f*: a) Hin'ausverlegung *f* (*von Empfindungen etc*), Vergegenständlichen *n* (*von Vorstellungen etc*), b) Über'tragung *f* von Schuldgefühlen *etc* (*auf andere*). **12.** *fig.* 'Widerspieg(e)lung *f*. **13.** Planen *n*, Entwerfen *n*. **14.** Entwurf *m*. **15.** (Ein)Schätzung *f*, Zukunftsbild *n* (*auf Grund der herrschenden Tendenz*). **16.** *Meinungsforschung, Statistik*: Hochrechnung *f*. **pro·'jec·tion·al** *adj* Projektions... **pro·'jec·tion·ist** *s* Filmvorführer *m*.

pro·jec·tive [prə'dʒektiv] *adj* **1.** projek'tiv: ~ geometry; ~ relation. **2.** Projektions...: ~ plane. **3.** proji'zierend (*a. psych.*): ~ test *psych.* Projektionstest *m* (*zur Erfassung der Gesamtpersönlichkeit*).

pro·jec·tor [prə'dʒektər] *s* **1.** Projekti'onsappa,rat *m*, (Licht)Bildwerfer *m*, Pro'jektor *m*. **2.** *tech.* Para'bolspiegel *m*, Scheinwerfer *m*. **3.** a) Planer *m*, b) *contp.* Pläneschmied *m*, Pro'jektemacher *m*, c) Schwindler *m*.

pro·jet [prə'ʒɛ] (*Fr.*) *s* **1.** → project 10. **2.** *Völkerrecht*: Vertragsskizze *f*.

pro·lapse [pro'læps; 'proulæps] *med.* **I** *s* Vorfall *m*, Pro'laps(us) *m*. **II** *v/i* vorfallen, prola'bieren. **pro'lap·sus** [-səs] → prolapse I.

pro·late ['prouleit; pro'leit] *adj math.* gestreckt, flach.

pro·la·tive [pro'leitiv] *adj ling.* prola'tiv (*den Infinitiv erweiternd*).

prole ['prouli] *s Br. colloq. für* proletarian II.

pro·le·gom·e·non [,prouli'gɒminən] *pl* **-e·na** [-nə] *s meist pl* (einleitende) Vorbemerkungen *pl*, Einführung *f*.

pro·lep·sis [pro'lepsis] *pl* **-ses** [-si:z] *s Rhetorik*: Pro'lepsis *f*: a) Vor'ausbeantwortung *f* (*möglicher Einwände*), b) *Vorwegnahme e-s Adjektivs zur Einführung e-s vom Satze selbst erst angedeuteten Gedankens*.

pro·le·tar·i·an [,prouli'tɛ(ə)riən] **I** *adj* prole'tarisch, Proletarier... **II** *s* Prole'tarier(in). **,pro·le'tar·i·at(e)** [-riət] *s* **1.** Proletari'at *n*, Prole'tarier *pl*. **2.** *selten* Proletari'at *n* (*im alten Rom*).

pro·li·cide ['prouli,said] *s* Tötung *f* der Leibesfrucht, Abtreibung *f*.

pro·lif·er·ate [pro'lifə,reit] *biol.* **I** *v/i*

1. wuchern, prolife'rieren. **2.** sich fortpflanzen (*durch Zellteilung etc*). **3.** sich stark vermehren *od.* ausbreiten. **II** *v/t* **4.** (in schneller Folge) her'vorbringen. **pro,lif·er'a·tion** *s* **1.** Proliferati'on *f*: a) (Gewebs)Wucherung *f*, b) *bot.* (Aus)Sprossung *f*. **2.** Prolife'rieren *n*, Wuchern *n*, (starke) Vermehrung *od.* Ausbreitung: non-~ treaty *pol.* Atomsperrvertrag *m*.

pro·lif·ic [pro'lifik] *adj* (*adv* ~ally) **1.** (*bes. biol.* 'überaus) fruchtbar. **2.** *fig.* reich (of, in an *dat*). **3.** *fig.* fruchtbar, (sehr) produk'tiv: a ~ writer. **pro'lif·i·ca·cy** [-kəsi], **pro·li·fic·i·ty** [,prouli'fisiti] *s* **1.** (große) Fruchtbarkeit. **2.** *fig.* Reichtum *m* (of an *dat*). **3.** *fig.* Produktivi'tät *f*.

pro·lix ['prouliks; pro'liks] *adj* weitschweifig. **pro'lix·i·ty** *s* Weitschweifigkeit *f*.

pro·loc·u·tor [pro'lɒkjutər] *s* Wortführer *m*, Vorsitzende(r) *m*.

pro·log *bes. Am. für* prologue.

pro·log·ize ['proulɒ,gaiz; *Am. a.* -lə,dʒ-] *bes. Am. für* prologuize.

pro·logue ['proulɒg] **I** *s* **1.** *bes. thea.* Pro'log *m*, Einleitung *f*, Vorspruch *m*. **2.** *fig.* Einleitung *f*, Vorspiel *n*, Auftakt *m* (to zu). **II** *v/t* **3.** mit e-m Pro'log einleiten. **'pro·logu,ize** *v/i* e-n Pro'log verfassen *od.* sprechen.

pro·long [prə'lɒŋ] *v/t* **1.** verlängern, (aus)dehnen: ~ed anhaltend (*Applaus, Regen etc*), ausgedehnt, länger (*Zeitraum*); for a ~ed period längere Zeit. **2.** *econ. e-n Wechsel* prolon'gieren.

pro·lon·ga·tion [,proulɒŋ'geiʃən] *s* **1.** Verlängerung *f*, (Aus)Dehnung *f*. **2.** Prolon'gierung *f* (*e-s Wechsels etc*), Fristverlängerung *f*, Aufschub *m*: ~ business Prolongationsgeschäft *n*.

pro·lu·sion [pro'lju:ʒən] *s* **1.** Einführung *f*, Vorwort *n*. **2.** kurze Abhandlung. **3.** Vorspiel *n*.

prom [prɒm] *s* **1.** *Am. colloq.* (Stu'denten-, College)Ball *m*. **2.** → promenade concert.

pro me·mo·ri·a [prou mi'mɔ:riə] (*Lat.*) *s pol.* Denkschrift *f*.

prom·e·nade [,prɒmə'neid; -'nɑ:d] **I** *s* **1.** Prome'nade *f*: a) Spa'ziergang *m*, -fahrt *f*, -ritt *m*, b) Spa'zierweg *m*, Wandelhalle *f*. **2.** feierlicher Einzug der (Ball)Gäste, Polo'näse *f*. **3.** Prome'nade *f* (*Tanzfigur*). **4.** → prom 1. **5.** → promenade concert. **II** *v/i* **6.** prome'nieren, spa'zieren(gehen, -fahren, -reiten). **III** *v/t* **7.** prome'nieren *od.* (her'um)spa,zieren in (*dat*) *od.* auf (*dat*). **8.** spa'zierenführen, (um'her)führen. ~ **con·cert** *s mus.* Prome'nadenkon,zert *n*. ~ **deck** *s mar.* Prome'nadendeck *n*.

prom·e·nad·er [,prɒmə'neidər; -'nɑ:dər] *s* Spa'ziergänger(in).

Pro·me·the·an [prə'mi:θiən] **I** *adj* prome'theisch (*a. fig.*). **II** *s fig.* Pro'metheus *m*.

prom·i·nence ['prɒminəns] *s* **1.** (Her)'Vorragen *n*, -stehen *n*, -springen *n*. **2.** deutliche Sichtbarkeit, Auffälligkeit *f*. **3.** *fig.* Bedeutung *f*, Berühmtheit *f*: to bring into ~ a) berühmt machen, b) klar herausstellen, hervorheben; to come into ~ in den Vordergrund rücken, hervortreten. **4.** Vorsprung *m*, (Vor)Wölbung *f*, auffälliger Gegenstand, in die Augen fallende Stelle. **5.** *astr.* Protube'ranz *f*. **'prom·i·nent** *adj* (*adv* ~ly) **1.** vorstehend, -springend: ~ nose; the most ~ peak der höchste Gipfel. **2.** mar'kant, auffallend, in die Augen fallend, her'vorstechend (*Eigenschaft*). **3.** promi'nent: a) führend (*Persönlichkeit*), her'vorragend, b) berühmt.

prom·is·cu·i·ty [,prɒmis'kju:iti; *Am. a.* ,prou-] *s* **1.** Vermischt-, Verworrenheit *f*, Durchein'ander *n*. **2.** Wahllosigkeit *f*. **3.** Promiskui'tät *f*, wahllose *od.* ungebundene Geschlechtsbeziehungen *pl*. **pro·mis·cu·ous** [prə'miskjuəs] *adj* **1.** gemischt, verworren, bunt(gewürfelt). **2.** wahl-, 'unterschiedslos: ~ sexual relations → promiscuity 3. **3.** gemeinsam (*beider Geschlechter*): ~ bathing. **4.** nicht festgelegt, ungebunden: in a ~ sense bald in diesem, bald in jenem Sinne. **5.** *colloq.* zufällig. **pro'mis·cu·ous·ly** *adv* **1.** (kunter)bunt durchein'ander, in buntem Gemisch. **2.** wahllos.

prom·ise ['prɒmis] **I** *s* **1.** Versprechen *n*, Verheißung *f*, Zusage *f* (to s.o. j-m gegenüber): ~ of (*od.* to) help Versprechen zu helfen; conditional (absolute) ~ (un)bedingtes Versprechen; ~ to pay Zahlungsversprechen; to break (keep) one's ~ sein Versprechen brechen (halten); to make a ~ ein Versprechen geben; breach of ~ Bruch *m* des Eheversprechens; Land of P~ → Promised Land. **2.** *fig.* Hoffnung *f*, Aussicht *f* (of auf *acc*, zu *inf*), Erwartung *f*: a youth of (great) ~ ein vielversprechender *od.* hoffnungsvoller junger Mann; to show some ~ gewisse Ansätze zeigen. **II** *v/t* **3.** versprechen, zusagen, in Aussicht stellen, verheißen, geloben (s.o. s.th., s.th. to s.o. j-m etwas): I ~ you *colloq.* das kann ich Ihnen versichern; to be ~d (in die Ehe) versprochen sein. **4.** *fig.* versprechen, erwarten *od.* hoffen lassen, ankündigen: to ~ o.s. s.th. sich etwas versprechen *od.* erhoffen. **III** *v/i* **5.** versprechen, zusagen, ein Versprechen geben, Versprechungen machen. **6.** *fig.* Hoffnungen erwecken: he ~s well er läßt sich gut an; the weather ~s fine das Wetter verspricht gut zu werden.

Prom·ised Land ['prɒmist] *s Bibl. u. fig.* (*das*) Gelobte Land, Land *n* der Verheißung.

prom·is·ee [,prɒmi'si:] *s jur.* Promis'sar *m* (*Empfänger e-s Schuldscheins*), Versprechensempfänger(in).

prom·is·ing ['prɒmisiŋ] *adj* (*adv* ~ly) **1.** versprechend. **2.** *fig.* vielversprechend, hoffnungs-, verheißungsvoll, aussichtsreich, günstig.

prom·i·sor ['prɒmi,sɔ:r] *s jur.* Promit'tent *m* (*j-d, der e-e Promesse gibt*), Versprechensgeber(in).

prom·is·so·ry ['prɒmisəri] *adj* versprechend: to be ~ of s.th. etwas versprechen. ~ **note** *s econ. jur.* Pro'messe *f*, Schuldschein *m*, Eigen-, Solawechsel *m*.

prom·on·to·ry ['prɒməntəri] *s* **1.** Vorgebirge *n*. **2.** *anat.* vorspringender (Körper)Teil.

pro·mote [prə'mout] *v/t* **1.** fördern, unter'stützen. **2.** *contp.* Vorschub leisten (*dat*), fördern, verschlimmern. **3.** befördern: to be ~d befördert werden, avancieren; he was ~d (to be) colonel, he was ~d to the rank of colonel er wurde zum Oberst befördert. **4.** *Schach*: *e-n Bauern* verwandeln. **5.** *pol. e-n Gesetzesantrag* a) unter'stützen, b) einbringen. **6.** *econ. e-e Gesellschaft* gründen. **7.** *econ.* a) *den Verkauf* (durch Werbung) steigern *od.* fördern, b) werben für. **8.** *sport e-n Boxkampf etc* veranstalten. **9.** *jur. ein Verfahren* einleiten. **10.** *ped. Am. e-n Schüler* versetzen. **11.** *Am. sl.* ‚organi'sieren': to ~ a bottle of wine. **pro'mot·er** *s* **1.** Förderer *m*, Befürworter *m*. **2.** *econ.* Gründer *m*: ~'s shares Gründeraktien. **3.** *contp.* Anstifter(in). **4.** Pro'moter *m*, Veranstalter *m* (*e-s Boxkampfes etc.*) **pro'mo·tion** *s* **1.** Beförderung *f*: ~ list Beförderungsliste *f*; to get one's ~ befördert werden. **2.** Förderung *f*, Begünstigung *f*, Befürwortung *f*: export ~ *econ.* Exportförderung. **3.** *econ.* Gründung *f*. **4.** *econ. bes. Am.* Verkaufsförderung *f*, Werbung *f*: ~ manager Werbeleiter *m*. **5.** *Schach*: 'Umwandlung *f* (*e-s Bauern in e-e Dame etc*). **6.** *sport* Aufstieg *m*. **pro'mo·tion·al** *adj* **1.** Beförderungs... **2.** fördernd. **3.** *Am.* Reklame..., Werbe...: ~ campaign. **pro'mo·tive** *adj* fördernd, begünstigend (of *acc*).

prompt [prɒmpt] **I** *adj* (*adv* ~ly) **1.** unverzüglich, prompt, so'fortig, 'umgehend: ~ action; a ~ reply e-e prompte *od.* schlagfertige Antwort; assistance was ~ (die) Hilfe ließ nicht auf sich warten. **2.** schnell, rasch, prompt. **3.** bereit(willig). **4.** *econ.* a) pünktlich, b) bar, c) so'fort liefer- u. zahlbar: for ~ cash gegen sofortige Kasse. **II** *adv* **5.** pünktlich. **III** *v/t* **6.** *j-n* (an)treiben, bewegen, *a. etwas* veranlassen (to zu; to do zu tun). **7.** *Gedanken, Gefühle etc* eingeben, wecken. **8.** *j-m* das Stichwort geben, ein-, vorsagen, nachhelfen, einblasen. **9.** *thea. j-m* souf'flieren. **IV** *v/i* **10.** souf'flieren. **V** *s* **11.** *econ.* a) Ziel *n*, Zahlungsfrist *f*: at a ~ of 2 months gegen Zweimonatsziel, b) Kaufvertrag *m* mit Zahlungsziel. **12.** (erinnernde) Mahnung. **13.** *thea.* Souf'flieren *n*. '~,**book** *s thea.* Souf'flierbuch *n*. ~ **box** *s thea.* Souf'fleurkasten *m*. ~ **cop·y** → promptbook.

prompt·er ['prɒmptər] *s* **1.** *thea.* Souf'fleur *m*, Souf'fleuse *f*. **2.** Vorsager(in), Einbläser(in). **3.** Anreger(in), Urheber(in). **4.** *contp.* Anstifter(in). **'prompt·ing** *s* **1.** Vorsagen *n*, Souf'flieren *n*. **2.** Eingebung *f* (*e-s Gefühls etc*), Stimme *f* (*des Herzens*).

promp·ti·tude ['prɒmpti,tju:d], **'prompt·ness** *s* **1.** Promptheit *f*, Schnelligkeit *f*. **2.** Bereitwilligkeit *f*. **3.** Promptheit *f*, Pünktlichkeit *f*.

prompt| note *s econ.* Mahnzettel *m*. ~ **side** *s* (*Br.* rechte, *Am.* linke) Bühnenseite, auf der der Souf'fleur sitzt.

pro·mul·gate [*Br.* 'prɒməl,geit; *Am.* pro'mʌlgeit] *v/t* **1.** *ein Gesetz etc* (öffentlich) bekanntmachen *od.* verkünd(ig)en, veröffentlichen: to ~ a law. **2.** *e-e Lehre etc* verbreiten: to ~ a doctrine. **,pro·mul'ga·tion** *s* **1.** (öffentliche) Bekanntmachung *od.* -gabe, Verkünd(ig)ung *f*, Veröffentlichung *f*. **2.** Verbreitung *f*. **'pro·mul,ga·tor** [-tər] *s* **1.** Verkünd(ig)er *m*. **2.** Verbreiter *m*.

prone [proun] *adj* (*adv* ~ly) **1.** (vorn'über)geneigt *od.* (-)gebeugt. **2.** *fig.* (to) neigend, veranlagt (zu), anfällig (für). **3.** auf dem Bauch *od.* mit dem Gesicht nach unten liegend, (flach) 'hingestreckt (auf dem Bauch liegend): ~ position a) *a. sport* Bauchlage *f*, b) *mil. Am.* Anschlag *m* liegend. **4.** *physiol.* mit nach unten gedrehter Handfläche. **5.** abschüssig. **'prone·ness** *s* (to) Neigung *f*, Hang *m* (zu), Anfälligkeit *f* (für).

prong [prɒŋ] **I** *s* **1.** Zinke *f* (*e-r Heugabel etc*), Zacke *f*, Spitze *f*, Dorn *m*. **2.** Geweihsprosse *f*: ~ of antler Geweihzacken *m*, -ende *n*. **3.** Horn *n*. **4.** (Heu-, Mist- *etc*)Gabel *f*, Forke *f*. **II** *v/t* **5.** mit e-r Gabel stechen *od.* heben. **6.** aufspießen. **'~,buck** *s zo.* **1.** Springbock *m*. **2.** → pronghorn.

pronged [prɒŋd] *adj* gezinkt, zackig.

prong| hoe *s agr.* Karst *m*. **'~,horn** *s a.* ~ **antelope** *zo.* 'Gabelanti,lope *f*.

pro·nom·i·nal [pro'nɒminəl] *adj* (*adv* ~**ly**) *ling.* pronomi'nal, Pronominal...

pro·noun ['prounaun] *s ling.* Pro'nomen *n*, Fürwort *n*.

pro·nounce [prə'nauns] **I** *v/t* **1.** *a. ling.* aussprechen: **pronouncing dictionary** Aussprachewörterbuch *n*. **2.** erklären für, bezeichnen als. **3.** *ein Urteil* aussprechen, (feierlich) verkünden, *den Segen* erteilen: **to ~ sentence of death** das Todesurteil fällen, auf Todesstrafe erkennen. **4.** behaupten (**that** daß). **II** *v/i.* **5.** sich aussprechen *od.* erklären, s-e Meinung äußern (**on** über *acc*; **in favo[u]r of** zu'gunsten *gen*): **to ~ against s.th.** sich gegen etwas aussprechen. **6.** (aus)sprechen: **to ~ clearly. pro'nounce·a·ble** *adj* aussprechbar, auszusprechen(d). **pro'nounced** *adj* **1.** ausgesprochen, (scharf) ausgeprägt, deutlich (*Tendenz etc*). **2.** bestimmt, entschieden: **to have very ~ views. pro'nounc·ed·ly** [-idli] *adv* ausgesprochen (*gut, schlecht etc*). **pro·'nounce·ment** *s* **1.** Äußerung *f*, Ausspruch *m*. **2.** (*a.* öffentliche) Erklärung, (*jur.* Urteils)Verkünd(ig)ung *f*. **3.** Entscheidung *f*.

pron·to ['prɒntou] *adv Am. colloq.* ,fix', schnell, ,aber dalli'.

pro·nu·cle·us [pro'nju:kliəs] *pl* **-cle·i** [-kli,ai] *s biol.* Urzellkern *m*.

pro·nun·ci·a·men·to [prə,nʌnsiə'mentou; -ʃiə-] *pl* **-tos** *od.* **-toes** *s* **1.** Aufruf *m*. **2.** (revolutio'näres) Mani'fest.

pro·nun·ci·a·tion [prə,nʌnsi'eiʃən; -ʃi'ei-] *s* Aussprache *f*.

proof [pru:f] **I** *adj* **1.** fest (**against**, to gegen), 'undurchlässig, (*wasser- etc*)dicht, (*hitze*)beständig, (*kugel*)sicher. **2.** gefeit, gewappnet: **they are ~ against such weather** ein solches Wetter kann ihnen nichts anhaben. **3.** *a. fig.* unzugänglich: ~ **against bribes** unbestechlich; ~ **against entreaties** unerbittlich. **4.** Probe..., Prüf...: ~ **load** Probebelastung *f*; ~ **stress** Prüfspannung *f*. **5.** *chem.* probehaltig, nor'malstark (*alkoholische Flüssigkeit*). **6.** *Am. Feingold od. -silber betreffend, das die Münzämter der USA als Standard benutzen.* **II** *s* **7.** Beweis *m*, Nachweis *m*: **in ~ of ...** zum *od.* als Beweis (*gen*); ~ **to the contrary** Gegenbeweis; **to give ~ of** *etwas* beweisen, unter Beweis stellen; ~ **positive** eindeutiger Beweis. **8.** *jur.* Beweis(mittel *n od. pl*, -stück *n*) *m*, Beleg(e *pl*) *m*. **9.** *jur.* (schriftliche) (Beweis-, Zeugen)Aussage. **10.** Probe *f* (*a. math.*), (*a. tech.* Materi'al)Prüfung *f*: **to put to (the) ~** auf die Probe stellen; **the ~ of the pudding is in the eating** Probieren geht über Studieren. **11.** *print.* a) Korrek'turfahne *f*, -bogen *m*, b) Probedruck *m*, -abzug *m* (*a. phot.*): **clean ~** Revisionsbogen; **to correct ~s** Korrektur lesen. **12.** *Münzkunde*: Probeprägung *f*. **13.** Nor'malstärke *f* (*alkoholischer Getränke*). **14.** *mil.* Prüfstelle *f* (*für Waffen etc*). **III** *v/t* **15.** (*wasser- etc*)dicht *od.* (*hitze- etc*)beständig *od.* (*kugel- etc*)fest machen, imprä'gnieren. **16.** → **proofread II.**

proof| charge *s mil.* Versuchsladung *f*. ~ **mark** *s* Probestempel *m*, Stempelplatte *f* (*auf Gewehren*). ~ **pa·per** *s* Abzieh-, Ko'pierpa,pier *n*. ~ **plane** *s electr.* Prüfplatte *f*. ~ **press** *s print.* Abziehpresse *f*. **'~,read** *irr* **I** *v/i* Korrek'tur lesen. **II** *v/t* die Korrek'tur lesen von (*e-m Buch etc*). **'~,read·er** *s* Kor'rektor *m*. **'~,read·ing** *s* Korrek'turlesen *n*. ~ **sheet** → proof 11. ~ **spir·it** *s econ.* Nor'mal-, Probeweingeist *m*.

prop[1] [prɒp] **I** *s* **1.** Stütze *f* (*a. mar.*), (Stütz)Pfahl *m*. **2.** *fig.* Stütze *f*, Halt *m*: ~ **word** *ling.* Stützwort *n*. **3.** *arch. tech.* Stempel *m*, Stützbalken *m*, Strebe *f*. **4.** *tech.* Drehpunkt *m* (*e-s Hebels*). **5.** *pl sl.* ,Stelzen' *pl* (*Beine*). **II** *v/t* **6.** stützen (*a. fig.*). **7.** *a.* ~ **up** (ab)stützen, *tech. a.* absteifen, verstreben, *mot.* aufbocken. [*fig.*).]

prop[2] [prɒp] *s thea.* Requi'sit *n* (*a.*

prop[3] [prɒp] *s aer. sl.* ,Latte' *f*, Pro'peller *m*: ~**-driven airplane** Propellerflugzeug *n*; → **propjet.**

pro·pae·deu·tic [,proupi'dju:tik] **I** *adj* propä'deutisch, einführend (*wissenschaftlicher Kurs etc*). **II** *s* Propä'deutik *f*, Einführung(skurs *m*) *f*. **,pro·pae'deu·ti·cal** → **propaedeutic I. ,pro·pae'deu·tics** *s pl* (*als sg konstruiert*) Propä'deutik *f*, Vorkenntnisse *pl* zu e-r Wissenschaft.

prop·a·gan·da [,prɒpə'gændə] *s* **1.** *a. contp.* Propa'ganda *f*. **2.** *econ.* Werbung *f*, Re'klame *f*: ~ **week** Werbewoche *f*. **3.** P~, *a.* **Congregation of P~** *R.C.* Propa'gandakongregati,on *f* (*Kardinalskongregation, Zentrale für Weltmission*).

prop·a·gan·dism [,prɒpə'gændizəm] *s* **1.** Propa'ganda *f*: a) propagan'distische Tätigkeit, b) Propa'gandawesen *n*. **2.** Bekehrungssucht *f*. **,prop·a'gan·dist I** *s* Propagan'dist(in). **II** *adj* propagan'distisch. **,prop·a·gan'dis·tic** *adj* (*adv* ~**ally**) propagan'distisch. **,prop·a'gan·dize I** *v/t* **1.** Propa'ganda machen für, propa'gieren. **2.** Propa'ganda machen in (*e-m Lande etc*). **3.** durch Propa'ganda be'einflussen. **II** *v/i* **4.** Propa'ganda machen.

prop·a·gate ['prɒpə,geit] **I** *v/t* **1.** *biol., a. phys. Ton, Bewegung, Licht* fortpflanzen: **to ~ o.s., to be ~d** → 4. **2.** *e-e Nachricht etc* ver-, ausbreiten, propa'gieren. **3.** *e-e Krankheit, Bewegung etc* über'tragen. **II** *v/i* **4.** sich fortpflanzen *od.* vermehren. **,prop·a'ga·tion** *s* **1.** Fortpflanzung *f*, Vermehrung *f*. **2.** Ver-, Ausbreitung *f* (*e-r Nachricht etc*). **3.** Fortpflanzung *f* (*e-r Bewegung etc*), Über'tragung *f* (*e-r Krankheit etc*): ~ **time** Laufzeit *f* (*e-s elektronischen Signals etc*). **'prop·a,ga·tive** *adj* **1.** Fortpflanzungs..., (sich) fortpflanzend. **2.** ver-, ausbreitend. **'prop·a,ga·tor** [-tər] *s* **1.** Fortpflanzer *m*. **2.** Verbreiter *m*, Propagan'dist *m*. [*n*.]

pro·pane ['proupein] *s chem.* Pro'pan

pro·par·ox·y·tone [,proupæ'rɒksi,toun] *s ling.* Proparo'xytonon *n* (*auf der drittletzten Silbe betontes Wort*).

pro·pel [prə'pel] *v/t* (an-, vorwärts)treiben (*a. tech. u. fig.*). **pro'pel·lant I** *s* **1.** *mil. tech.* Treibstoff *m*, -mittel *n*: ~ **(charge)** Treibladung *f* (*e-r Rakete etc*); ~ **cutoff** Brennschluß *m*. **2.** *mil.* Treibladung *f*. **3.** *fig.* → **propellent 2. II** *adj* → **propellent I. pro'pel·lent I** *adj* **1.** (an-, vorwärts)treibend: ~ **gas** Treibgas *n*; ~ **power** Antriebs-, Triebkraft *f*. **II** *s* **2.** *fig.* treibende Kraft. **3.** → **propellant 1** *u.* **2.**

pro·pel·ler [prə'pelər] *s* **1.** Pro'peller *m*: a) Luftschraube *f*, b) Schiffsschraube *f*, c) *tech.* 'Antriebsgerät *n*, -aggre,gat *n*: ~**-driven** mit (Luft)-Schraubenantrieb. **2.** Schiff *n* mit Schraubenantrieb. ~ **blade** *s* **1.** *aer.* Luftschraubenblatt *n*. **2.** *mar.* Schraubenflügel *m*. ~ **disk** *s aer. mar.* Pro'peller-, Schraubenkreis *m*. ~ **pitch** *s aer. mar.* Pro'pellersteigung *f*. ~ **pump** *s tech.* Flügel-, Rotati'onspumpe *f*. ~ **shaft** *s* **1.** *aer. mar.* Pro'pellerwelle *f*. **2.** *tech. Am.* Kar'danwelle *f*. ~ **turbine** *s aer. mar.* Pro'peller-Turbotriebwerk *n*.

pro·pel·ling [prə'peliŋ] *adj* Antriebs..., Treib..., Trieb...: ~ **charge** Treibladung *f*, -satz *m* (*e-r Rakete etc*); ~ **nozzle** Schubdüse *f*; ~ **pencil** Drehbleistift *m*.

pro·pense [pro'pens] *adj obs.* neigend *od.* e-e Neigung habend (**to** zu).

pro·pen·si·ty [prə'pensiti] *s fig.* Hang *m*, Neigung *f* (**for, to** zu).

prop·er ['prɒpər] **I** *adj* **1.** richtig, passend, geeignet, angebracht, angemessen, zweckmäßig, ordnungsgemäß: ~ **adjustment** richtige Einstellung; **in ~ form** in gebührender *od.* angemessener Form; **in the ~ place** am rechten Platz; **all in its ~ time** alles zu s-r Zeit; **do as you think (it) ~** tun Sie, was Sie für richtig halten. **2.** wirklich, echt, richtig(gehend): ~ **fraction** *math.* echter Bruch. **3.** anständig, schicklich, kor'rekt, einwandfrei (*Benehmen etc*): **it is ~** es (ge)ziemt *od.* schickt sich; ~ **people** anständige *od.* feine Leute. **4.** a) tugendhaft, b) zimperlich, ,etepe'tete'. **5.** eigentümlich, eigen (**to** *dat*), besonder(er, e, es): **every animal has its ~ instincts; electricity ~ to vitreous bodies** Elektrizität, die Gegenständen aus Glas eigen ist. **6.** genau, ex'akt: **in the ~ meaning of the word** strenggenommen. **7.** (*meist nachgestellt*) eigentlich: **philosophy ~; in the Middle East ~** im Mittleren Osten selbst. **8.** gewöhnlich, nor'mal. **9.** maßgebend, zuständig: **the ~ authorities. 10.** *bes. Br. colloq.* ,ordentlich', ,anständig', ,tüchtig', ,gehörig', ,gründlich', ,richtig': **a ~ licking** e-e gehörige Tracht Prügel. **11.** *colloq.* ausgesprochen, ,richtig': **he is a ~ rascal. 12.** *ling.* a) Eigen...: ~ **name** (*od.* **noun**) Eigenname *m*, b) von e-m Eigennamen abgeleitet: **'Bostonian' is a ~ adjective. 13.** *astr.* Eigen...: ~ **motion. 14.** *her.* in na'türlichen Farben: **an eagle ~. 15.** *relig.* nur für besondere (Fest)Tage bestimmt (*Psalm etc*). **16.** eigen(er, e, es): **with my own ~ eyes. II** *adv* **17.** *dial. od. sl.* ,ordentlich', ,richtig(gehend)', sehr: **I am ~ glad. III** *s* **18.** *relig.* Of'fizium *n od.* Psalm *m etc* für e-n besonderen (Fest)Tag. **'prop·er·ly** *adv* richtig (*etc*; → **proper I**): **to behave ~** sich (anständig) benehmen; ~ **speaking** eigentlich, strenggenommen.

prop·er·tied ['prɒpərtid] *adj* besitzend, begütert: **the ~ classes.**

prop·er·ty ['prɒpərti] *s* **1.** Eigentum *n*, Vermögen *n*, Besitztum *n*, Besitz *m*, (Hab *n* u.) Gut *n*: **law of ~** Sachenrecht *n*; **man of ~** begüterter Mann; **damage to ~** Sachschaden *m*; **common ~** Gemeingut *n*; **intellectual ~** geistiges Eigentum; **left ~** Hinterlassenschaft *f*, Nachlaß *m*; **lost ~** Fundsache *f*; **personal ~** → **personalty;** → **industrial property, literary 2. 2.** *a.* **landed** (*od.* **real**) ~ (Grund-, Land)-Besitz *m*, Grundstück *n*, Liegenschaft *f*, Immo'bilien *pl*. **3.** *jur.* Eigentum(srecht) *n*: beneficial ~ Nießbrauch *m*. 4. *phys*. Eigenschaft *f*: ~ of material Werkstoffeigenschaft. 5. Fähigkeit *f*, Vermögen *n*: insulating ~ *electr*. Isolationsvermögen; sliding ~ *tech*. Gleitfähigkeit. 6. Eigenheit *f*, -art *f*, Merkmal *n* (*a. philos.*). 7. *meist pl* a) *thea*. Requi'sit(en *pl*) *n*, b) *TV Am*. De'kors *pl*. ~ **as·sets** *s pl econ*. Vermögenswerte *pl*. '~-'**in·cre·ment tax** *s* Vermögenszuwachssteuer *f*. ~ **in·sur·ance** *s econ*. Sachversicherung *f*. ~ **lev·y** *s econ*. Vermögensabgabe *f*. ~ **man** *s irr thea*. Requisi'teur *m*. ~ **mar·ket** *s econ*. Grundstücksmarkt *m*. ~ **mas·ter** → property man. ~ **room** *s thea*. Requi'sitenkammer *f*. ~ **tax** *s econ*. 1. Vermögenssteuer *f*. 2. Grundsteuer *f*.

pro·phase ['prouˌfeiz] *s biol*. Prophase *f* (*bei der Zellteilung*).

proph·e·cy ['prɒfisi] *s* Prophe'zeiung *f* (*a. fig.*), Weissagung *f*. '**proph·eˌsy** [-ˌsai] *v/t u. v/i a. fig*. prophe'zeien, weis-, vor'aussagen (s.th. for s.o. j-m etwas).

proph·et ['prɒfit] *s* 1. Pro'phet *m* (*a. fig.*): no ~ is accepted in his own country ein Prophet gilt nichts in s-m Vaterlande; the P~s *Bibl*. die Propheten (*Schriften des Alten Testaments*); the Major (Minor) P~s *Bibl*. die großen (kleinen) Propheten. 2. the P~ der Pro'phet: a) *Mohammed, Stifter des Islams*, b) *Joseph Smith, Gründer der Mormonen-Kirche*. '**proph·et·ess** *s* Pro'phetin *f*.

pro·phet·ic [prə'fetik] *adj*; **pro'phet·i·cal** [-kəl] *adj* (*adv* ~ly) pro'phetisch (*a. fig.*): to be ~ of s.th. etwas prophezeien *od*. ankündigen.

pro·phy·lac·tic [ˌprɒfi'læktik; *Am. a*. ˌprou-] **I** *adj* 1. *bes. med*. prophy'laktisch, vorbeugend, Vorbeugungs..., Schutz...: ~ station *Am*., ~ aid centre *Br*. Sanierungsstelle *f*. **II** *s* 2. *med*. Prophy'laktikum *n*, vorbeugendes Mittel. 3. vorbeugende Maßnahme. ˌ**pro·phy'lax·is** [-'læksis] *s med*. Prophy'laxe *f*, Präven'tivbehandlung *f*, Vorbeugung *f*.

pro·phyll ['proufil] *s bot*. Vorblatt *n*.

pro·pine [pro'piːn] *s Scot. od. obs*. 1. Trinkgeld *n*. 2. Geschenk *n*.

pro·pin·qui·ty [pro'piŋkwiti] *s* 1. Nähe *f*. 2. nahe Verwandtschaft. 3. Ähnlichkeit *f*.

pro·pi·ti·ate [prə'piʃiˌeit] *v/t* 1. versöhnen, besänftigen. 2. geneigt machen, günstig stimmen. **proˌpi·ti'a·tion** *s* 1. Versöhnung *f*, Besänftigung *f*. 2. *obs*. (Sühn)Opfer *n* (*bes. Christi*), Sühne *f*. **pro'pi·tiˌa·tor** [-tər] *s* Versöhner *m*, Mittler *m*. **pro'pi·ti·a·to·ry** *adj* (*adv* propitiatorily) versöhnend, sühnend: ~ sacrifice Sühnopfer *n*.

pro·pi·tious [prə'piʃəs] *adj* (*adv* ~ly) (to) 1. günstig, vorteilhaft (für). 2. gnädig, geneigt (*dat*). **pro'pi·tious·ness** *s* 1. Günstigkeit *f*, Vorteilhaftigkeit *f*. 2. Gunst *f*, Geneigtheit *f*.

'**propˌjet** *s aer*. 1. *a*. ~ engine Pro'pellerturˌbine(n-Triebwerk *n*) *f*, Pro'peller-Düsentriebwerk *n*. 2. *a*. ~ plane Flugzeug *n* mit Pro'pellerturˌbine(n).

'**prop-ˌman** [-ˌmæn] *s irr thea*. Requisi'teur *m*.

prop·o·lis ['prɒpəlis] *s* Propolis *f* (*Wabenbaustoff der Bienen*).

pro·po·nent [prə'pounənt] *s* 1. Vorschlagende(r *m*) *f*, Antragsteller(in). 2. *jur*. präsum'tiver Testa'mentserbe. 3. Befürworter(in), Verfechter(in).

pro·por·tion [prə'pɔːrʃən] **I** *s* 1. Verhältnis *n*: in ~ as in dem Maß wie, je nachdem wie; in ~ to im Verhältnis zu; to be out of all ~ to in keinem Verhältnis stehen zu. 2. richtiges Verhältnis, Gleich-, Ebenmaß *n*. 3. (verhältnismäßiger) Anteil: in ~ anteilig. 4. *chem. math*. Proporti'on *f*, Verhältnis *n*: law of multiple ~s Gesetz *n* der multiplen Proportionen. 5. *math*. a) Verhältnisgleichung *f*, Proporti'on *f*, b) *a*. rule of ~ Dreisatz(rechnung *f*) *m*, Regelde'tri *f*, c) *a*. geometric ~ Verhältnisgleichheit *f*. 6. *meist pl* Ausmaß(e *pl*) *n*, Größe(nverhältnisse *pl*) *f*, Dimensi'onen *pl*. 7. *mus*. a) Schwingungsverhältnis *n*, b) Rhythmus *m*. 8. *fig*. a) Symme'trie *f*, b) Harmo'nie *f*. **II** *v/t* 9. (to) in das richtige Verhältnis bringen (mit, zu), anpassen (*dat*). 10. verhältnis- *od*. anteilmäßig verteilen. 11. sym'metrisch *od*. har'monisch gestalten: well ~ed ebenmäßig, wohlgestaltet, -proportioniert. 12. proportio'nieren, bemessen, dimensio'nieren. **pro'por·tion·al I** *adj* (*adv* ~ly) 1. → proportionate. 2. proportio'nal (*a. math.*), verhältnismäßig, Proportions...: ~ compasses (*od*. dividers) Reduktionszirkel *m*; ~ control *tech*. P-Regelung *f*; ~ controller *tech*. Proportionalregler *m*; ~ numbers *math*. Proportionalzahlen; ~ representation *pol*. Verhältniswahl(system *n*) *f*. 3. anteil-, mengenmäßig: ~ distribution. 4. proportio'nal, im (gleichen) Verhältnis stehend (to mit, zu). 5. *math*. Proportionalitäts...: ~ calculus. **II** *s* 6. *math*. Proportio'nale *f*. **proˌpor·tion'al·i·ty** [-'næliti] *s* 1. Verhältnismäßigkeit *f*, ˌProportionali'tät *f*: ~ factor Verhältniszahl *f*. 2. Angemessenheit *f*.

pro·por·tion·ate I *adj* [prə'pɔːrʃənit] (*adv* ~ly) (to) im richtigen Verhältnis (stehend) (zu), angemessen, entsprechend (*dat*), proportio'nal: ~ share *econ*. Verhältnisanteil *m*, anteilmäßige Befriedigung, Quote *f*. **II** *v/t* [-ˌneit] angemessen machen, proportio'nal zuteilen. **pro'por·tion·ment** *s* 1. verhältnismäßige (Ver)Teilung. 2. Abmessung *f*, Bemessung *f*.

pro·pos·al [prə'pouzəl] *s* 1. Vorschlag *m*, *a. econ*. Angebot *n*, Antrag *m*: ~s of (*od*. for) peace Friedensangebote. 2. (Heirats)Antrag *m*. 3. Plan *m*.

pro·pose [prə'pouz] **I** *v/t* 1. vorschlagen (s.th. to s.o. j-m etwas; s.o. for j-n für *od*. als): to ~ marriage e-n Heiratsantrag machen. 2. *pol*. a) (als Kandi'daten) vorschlagen, aufstellen, b) unter'breiten, beantragen, *e-e Resolution* einbringen, *ein Mißtrauensvotum* stellen *od*. beantragen. 3. beabsichtigen, vorhaben, sich vornehmen, gedenken (to do zu tun): the ~d voyage die geplante Seereise. 4. *ein Rätsel* aufgeben, *e-e Frage* stellen. 5. e-n Trinkspruch *od*. Toast ausbringen auf (*acc*), trinken auf *etwas od*. auf das Wohl *j-s*: to ~ s.o.'s health auf j-s Gesundheit trinken. **II** *v/i* 6. planen: man ~s (but) God disposes der Mensch denkt, Gott lenkt. 7. e-n Heiratsantrag machen (to *dat*), anhalten (for um *j-n od. j-s Hand*). **pro'pos·er** *s pol*. Antragsteller *m*.

prop·o·si·tion [ˌprɒpə'ziʃən] **I** *s* 1. Vorschlag *m*, Antrag *m*. 2. (vorgeschlagener) Plan, Pro'jekt *n*, Vorhaben *n*. 3. *econ*. Angebot *n*. 4. Behauptung *f*. 5. *colloq*. ‚Sache' *f*: an easy ~ ‚kleine Fische', e-e Kleinigkeit; a tough ~ e-e harte Nuß, ein schwieriger Fall; he is a tough ~ er ist ein harter Bursche, mit ihm ist nicht gut Kirschen essen. 6. *colloq*. Geschäft *n*, Unter'nehmen *n*. 7. *Rhetorik*: Protasis *f*, Vor-, Hauptsatz *m*. 8. *Logik*: Satz *m*, Behauptung *f*. 9. *math*. (Lehr)Satz *m*, Theo'rem *n*. 10. *Dichtkunst*: Eingang *m* (*in dem der Autor das Thema angibt*). 11. *obs*. Darbringung *f*: altar of ~ Opferaltar *m*; loaves of ~ *Bibl*. Schaubrote. **II** *v/t* 12. *Am. sl*. *j-m* e-n Vorschlag machen, *bes. e-m Mädchen* e-n unsittlichen Antrag machen. ˌ**prop·o'si·tion·al** *adj math. etc* Satz...

pro·pound [prə'paund] *v/t* 1. *e-e Frage etc* vorlegen, -tragen (to *dat*). 2. vorschlagen. 3. to ~ a will *jur*. auf Anerkennung e-s Testa'ments klagen.

pro·pri·e·tar·y [prə'praiətəri] **I** *adj* 1. Eigentums..., Vermögens...: ~ right Eigentumsrecht *n*. 2. Eigentümer..., Besitzer..., Inhaber...: ~ company *bes. Br*. Gründergesellschaft *f*. 3. besitzend, begütert: the ~ classes die besitzenden Klassen. 4. *econ*. gesetzlich geschützt (*Arznei, Ware*): ~ article Markenartikel *m*; ~ name Markenbezeichnung *f*. **II** *s* 5. Eigentümer *m od. pl*: the landed ~ die Grundbesitzer. 6. Eigentum *n*, Besitz *m*: landed ~ Grundbesitz. 7. *jur*. Eigentumsrecht *n*. 8. *pharm*. medi'zinischer 'Markenarˌtikel, nicht re'zeptpflichtiges Medika'ment. 9. *hist. Br*. Gouver'neur *m* über e-e Kolo'nie (*in den heutigen USA*): ~ colony *Kolonie, deren Verwaltung von der brit. Krone Privatpersonen übertragen wurde*.

pro·pri·e·tor [prə'praiətər] *s* 1. Eigentümer *m*, Besitzer *m*, (Geschäfts)Inhaber *m*. 2. Anteilseigner *m*, Gesellschafter *m*: ~ in a joint-stock company Aktionär *m*. 3. → proprietary 9. **proˌpri·e'to·ri·al** [-'tɔːriəl] → proprietary 1 *u*. 2. **pro'pri·e·torˌship** *s* 1. Eigentum(srecht) *n* (in an *dat*). 2. Verlagsrecht *n*. 3. *Bilanz*: 'Eigenkapiˌtal *n*. 4. *a*. sole ~ 'Einzelunterˌnehmen *n*. **pro'pri·e·tress** [-tris] *s* Eigentümerin *f*.

pro·pri·e·ty [prə'praiəti] *s* 1. Schicklichkeit *f*, Anstand *m*. 2. *pl* Anstandsformen *pl*, -regeln *pl*, gute Sitten *pl*: it is not in keeping with the proprieties es schickt sich nicht. 3. Angemessenheit *f*, Richtigkeit *f*. 4. *obs*. a) Pri'vatbesitz *m*, b) Eigentumsrecht *n*.

props [prɒps] *s pl thea. sl*. 1. Requi'siten *pl* (*a. fig.*). 2. Requisi'teur *m*.

pro·pul·sion [prə'pʌlʃən] *s* 1. *tech*. Antrieb *m* (*a. fig.*), Antriebskraft *f*: ~ nozzle Rückstoßdüse *f*. 2. Fortbewegung *f*. **pro'pul·sive** [-siv] *adj* (an-, vorwärts)treibend (*a. fig.*): ~ charge Treibsatz *m*; ~ force Triebkraft *f*; ~ jet Treibstrahl *m*; **pro'pul·sor** [-sər] *s tech*. Treibmittel *n*, -satz *m*.

pro·pyl ['proupil] *s chem*. Pro'pyl *n*.

prop·y·lae·um [ˌprɒpə'liːəm] *pl* **-lae·a** [-'liːə] *s antiq. arch*. 1. the Propylaea *pl* die Propy'läen *pl* (*der Akropolis*). 2. → propylon. [Propy'len *n*.]

pro·pyl·ene ['proupəˌliːn] *s chem*.

prop·y·lon ['prɒpəˌlɒn] *s antiq. arch*. Propylon *n* (*Tempeleingang etc*).

pro ra·ta [prou 'reitə; 'rɑː-] (*Lat.*) *adj u. adv* verhältnis-, anteilmäßig, anteilig, pro rata.

pro·rate [prou'reit; 'prouˌreit] *bes. Am*. **I** *v/t* anteilmäßig ver- *od*. aufteilen. **II** *s* anteilige Prämie, Anteil *m*. **pro'ra·tion** [-'reiʃən] *s bes. Am*. Beschränkung *f* der produ'zierten Ölmenge auf e-n Bruchteil (der Er'zeugungskapaziˌtät).

pro·rec·tor [prou'rektər] *s univ*. Prorektor *m*.

pro·ro·ga·tion [ˌprourəˈgeiʃən] *s pol.* Vertagung *f.* **pro·rogue** [proˈroug] **I** *v/t* vertagen. **II** *v/i* sich vertagen, vertagt werden.
pro·sa·ic [proˈzeiik] *adj* (*adv* ~**ally**) **1.** Prosa... **2.** *fig.* proˈsaisch, allˈtäglich, phantaˈsielos, nüchtern, trocken. **proˈsa·iˌcism** [-ˌsizəm], **pro·sa·ism** [ˈprouzeiˌizəm] *s* Prosaˈismus *m*: a) proˈsaischer Chaˈrakter, b) proˈsaischer Ausdruck *od.* Stil. **ˈpro·sa·ist** *s* Proˈsaiker(in): a) Prosaschriftsteller(in), b) *fig.* nüchterner Mensch.
pro·sce·ni·um [proˈsiːniəm] *pl* **-ni·a** [-niə] *s thea.* **1.** Proˈszenium *n*, Vorderbühne *f.* **2.** *antiq.* Bühne *f.* ~ **box** *s* Proˈszeniumsloge *f.*
pro·scribe [proˈskraib] *v/t* **1.** ächten, für vogelfrei erklären, proskriˈbieren. **2.** *meist fig.* verbannen. **3.** *fig.* verurteilen, verbieten. **proˈscrip·tion** [-ˈskripʃən] *s* **1.** Ächtung *f*, Acht *f*, Proskriptiˈon *f* (*meist hist.*). **2.** Verbannung *f.* **3.** *fig.* Verbot *n*, Beschränkung *f* (*von Rechten etc*). **proˈscrip·tive** *adj* (*adv* ~**ly**) **1.** ächtend, Ächtungs... **2.** verbietend, Verbots...
prose [prouz] **I** *s* **1.** Prosa *f.* **2.** *fig.* Prosa *f*, Nüchternheit *f*, Allˈtäglichkeit *f.* **3.** *fig.* langweiliges *od.* allˈtägliches Gerede. **4.** *ped. bes. Br.* Überˈsetzung *f* (*in e-e Fremdsprache*). **II** *adj* **5.** Prosa...: ~ **drama**; ~ **writer** Prosaschriftsteller(in). **6.** *fig.* proˈsaisch, allˈtäglich, nüchtern. **III** *v/t* **7.** in Prosa schreiben. **8.** langweilig erzählen. **9.** langweilen.
pro·sec·tor [proˈsektər] *s med.* Proˈsektor *m*, pathoˈlogischer Anaˈtom.
pros·e·cute [ˈprɒsiˌkjuːt] **I** *v/t* **1.** *e-n Plan etc* verfolgen, weiterführen: to ~ **an action** e-n Prozeß führen *od.* betreiben. **2.** *ein Gewerbe, Studien etc* betreiben. **3.** *e-e Untersuchung* ˈdurchführen: to ~ **an investigation**. **4.** unterˈsuchen, erforschen: to ~ **a topic**. **5.** *jur.* a) strafrechtlich verfolgen, b) gerichtlich verfolgen, belangen, anklagen (**for** wegen), c) *e-e Forderung etc* einklagen: to ~ **a claim**; **prosecuting attorney** (*Br.* **counsel**) Anklagevertreter *m*, Staatsanwalt *m*; **prosecuting witness** (An)Kläger(in) (*Privatperson, im Strafverfahren*). **II** *v/i* **6.** *jur.* gerichtlich vorgehen. **7.** *jur.* als Kläger auftreten, die Anklage vertreten: **Mr. N. prosecuting said** Herr N., der Vertreter der Anklage, sagte.
pros·e·cu·tion [ˌprɒsiˈkjuːʃən] *s* **1.** Verfolgung *f*, Fortsetzung *f*, ˈDurchführung *f* (*e-s Planes etc*). **2.** Betreiben *n* (*e-s Gewerbes, von Studien etc*). **3.** Unterˈsuchung *f*, Erforschung *f*: ~ **of research problems**. **4.** *jur.* a) strafrechtliche Verfolgung, Strafverfolgung *f*, Anklage *f*, b) Einklagen *n* (*e-r Forderung etc*): **liable to** ~ strafbar; **Director of Public P**~**s** Leiter *m* der Anklagebehörde. **5. the** ~ *jur.* die Staatsanwaltschaft, die Anklage(behörde): **witness for the** ~ Zeuge *m od.* Zeugin *f* der Anklage, Belastungszeuge. **ˈpros·eˌcu·tor** [-tər] *s jur.* (An)Kläger *m*: **public** ~ Staatsanwalt *m*, öffentlicher Ankläger.
pros·e·lyte [ˈprɒsiˌlait] **I** *s* **1.** Proseˈlyt(in), Neubekehrte(r *m*) *f* (*a. fig.*), Converˈtit(in). **2.** *Bibl.* Proseˈlyt(in), zum Judentum ˈÜbergetretene(r *m*) *f.* **3.** *fig.* Anhänger(in). **II** *v/t* **4.** bekehren, zu(m) Proseˈlyten machen. **5.** *fig.* gewinnen (**to** für). **III** *v/i* **6.** Anhänger gewinnen (*a. fig.*). **ˈpros·eˌlyt·ism** [-ˌlaitizəm; -lit-] *s* Proselyˈtismus *m*: a) Bekehrungseifer *m*, *contp.* Proseˈlytenmacheˌrei *f*, b) Proseˈlytentum *n.* **ˈpros·e·lytˌize** [-laiˌtaiz; -liˌt-] → **proselyte** II *u.* III. **ˈpros·e·lytˌiz·er** *s* Proseˈlytenmacher(in), Bekehrer(in).
pro·sem·i·nar [prouˈsemiˌnɑːr] *s univ.* ˈPro-, ˈVorsemiˌnar *n.*
pros·en·ce·phal·ic [ˌprɒsensiˈfælik] *adj anat.* Vorderhirn... **ˌpros·enˈceph·aˌlon** [-ˈsefəˌlɒn] *pl* **-a·la** [-lə] *s* Prosenˈzephalon *n*, Vorderhirn *n.*
pros·en·chy·ma [prɒsˈeŋkimə] *s bot.* Prosenˈchym *n*, Fasergewebe *n.*
pros·er [ˈprouzər] *s* langweiliger Erzähler.
pros·i·fy [ˈprouziˌfai] *bes. humor.* **I** *v/t* proˈsaisch machen, in Prosa (ˈum)schreiben. **II** *v/i* (in) Prosa schreiben.
pros·i·ness [ˈprouzinis] *s* **1.** proˈsaischer Chaˈrakter, Eintönigkeit *f*, Langweiligkeit *f.* **2.** Weitschweifigkeit *f.*
pro·sod·ic [proˈsɒdik] *adj*; **proˈsod·i·cal** [-kəl] *adj* (*adv* ~**ly**) proˈsodisch.
pros·o·dist [ˈprɒsodist] *s* Prosoˈdiekundige(r *m*) *f.* **ˈpros·o·dy** [-di] *s* Prosoˈdie *f* (*Silbenmessungslehre*).
pro·so·po·poe·ia [*Br.* ˌprɒsəpəˈpiːə; *Am.* proˌsou-] *s Rhetorik*: Prosopopöˈie *f*: a) *Personifizierung lebloser Dinge*, b) *Einführung e-r abwesenden Person.*
pros·pect [ˈprɒspekt] **I** *s* **1.** (Aus)Sicht *f*, (-)Blick *m* (**of** auf *acc*). **2.** *fig.* Aussicht *f* (**of** auf *acc*; **of being** zu sein): **to be in** ~ in Aussicht stehen, zu erwarten sein; **to hold out a** ~ **of** in Aussicht stellen; **to have s.th. in** ~ auf etwas Aussicht haben; **no** ~ **of success** keine Erfolgsaussichten; **there is a** ~ **that** es besteht Aussicht, daß. **3.** Landschaft *f.* **4.** *fig.* Vor(ˈaus)schau *f* (**of** auf *acc*): **a** ~ **of future events**. **5.** a) *econ. etc* Interesˈsent *m*, Reflekˈtant *m*, b) *econ.* möglicher *od.* potentiˈeller Kunde *od.* Käufer, c) möglicher Kandiˈdat. **6.** *Bergbau*: a) (Erz- *etc*)Anzeichen *n*, b) Schürfprobe *f*, c) Stelle *f* mit (Erz- *etc*)Anzeichen, d) Schürfstelle *f*, Lagerstätte *f*, e) Schürfbetrieb *m.* **7.** *obs. fig.* ˈÜberblick *m* (**of** über *acc*): **on nearer** ~ bei näherer Betrachtung. **II** *v/t* [*Br. meist* prəsˈpekt] **8.** *ein Gebiet* durchˈforschen, unterˈsuchen (**for** nach *Gold etc*): **to** ~ **a district** e-e Gegend auf das Vorhandensein von Lagerstätten untersuchen. **9.** *min. e-e Fundstelle etc* versuchsweise erschürfen, auf Erz-, Goldhaltigkeit *etc* unterˈsuchen. **10.** *fig. auf Erfolgsaussichten hin* prüfen, unterˈsuchen. **III** *v/i* **11.** *min.* suchen *od.* schürfen *od.* graben (**for** nach): **to** ~ **for oil** nach Öl bohren; ~**ing license** Schürfrecht *n.* **12.** *min.* sich (*gut, schlecht*) (zur Ausbeute) eignen. **13.** *fig.* suchen, ˈUmod. Ausschau halten (**for** nach).
pro·spec·tive [prəˈspektiv] *adj* (*adv* ~**ly**) **1.** (zu)künftig, angehend, vorˈaussichtlich: ~ **buyer** Kaufinteressent *m*, potentieller Käufer; **the** ~ **professor** der angehende Professor; **he is my** ~ **son-in-law** er ist mein zukünftiger Schwiegersohn; ~ **mother** werdende Mutter. **2.** *fig.* vorˈausschauend.
pros·pec·tor [prəˈspektər; ˈprɒspek-] *s Am.* Proˈspektor *m*, Schürfer *m*, Goldsucher *m*: **oil** ~ Ölsucher.
pro·spec·tus [prəˈspektəs] *s* Proˈspekt *m*: a) Werbeschrift *f*, b) Ankündigung *f* (*e-s Buches etc*), c) *econ.* Subskriptiˈonsanzeige *f*, d) *Br.* ˈSchulproˌspekt *m*, (ˈUnterrichts)Proˌgramm *n.*
pros·per [ˈprɒspər] **I** *v/i* **1.** Glück *od.* Erfolg haben (**in** bei), vorwärtskommen. **2.** gedeihen (*a. bot.*), floˈrieren, blühen (*Unternehmen etc*): **a** ~**ing industry**. **3.** glücken, von Erfolg begleitet sein: **his venture** ~**ed**. **II** *v/t* **4.** begünstigen, *j-m* hold *od.* gewogen sein, *etwas* gelingen *od.* gedeihen lassen. **5.** segnen, *j-m* gnädig sein (*Gott*).
prosˈper·i·ty [-ˈperiti] *s* **1.** Wohlstand *m*, Gedeihen *n*, Glück *n.* **2.** *econ.* Wohlstand *m*, Prosperiˈtät *f*, Blüte(zeit) *f*, Aufschwung *m*, Konjunkˈtur *f*: **peak** ~ Hochkonjunktur; ~ **index** Wohlstandsindex *m*; ~ **phase** Konjunkturperiode *f.* **3.** *pl selten* glückliche Zeiten *pl.* **ˈpros·per·ous** *adj* (*adv* ~**ly**) **1.** gedeihend, blühend, erfolgreich, glücklich. **2.** wohlhabend. **3.** günstig.
pros·tate [ˈprɒsteit] *anat.* **I** *s a.* ~ **gland** Prostata *f*, Vorsteherdrüse *f.* **II** *adj* → **prostatic**.
pros·ta·tec·to·my [ˌprɒstəˈtektəmi] *s med.* Prostatektoˈmie *f*, Entfernung *f* der Vorsteherdrüse.
pros·tat·ic [prɒsˈtætik] *adj anat.* Prostata...: ~ **cancer**.
pro·ster·num [prouˈstəːrnəm] *s* Vorderbrust(schild *m*) *f* (*e-s Insekts*).
pros·the·sis [ˈprɒsθisis] *pl* **-ses** [-ˌsiːz] *s* **1.** *med.* Proˈthese *f*, künstliches Glied: **dental** ~ Zahnprothese. **2.** *med.* Anfertigung *f* e-r Proˈthese. **3.** *ling.* Prosˈthese *f* (*Vorsetzen e-s Buchstabens od. e-r Silbe vor ein Wort*). **prosˈthet·ic** [-ˈθetik] *adj* **1.** *med.* proˈthetisch, Prothesen...: ~ **dentistry** → **prosthodontia**. **2.** *ling.* prosˈthetisch, vor-, angesetzt (*Buchstabe od. Silbe*). **prosˈthet·ics** *s pl* (*a. als sg konstruiert*) *med.* Proˈthetik *f*, Glieder-, Zahnersatzkunde *f.* **ˈpros·the·tist** *s* Proˈthetiker *m*, Orthoˈpäde *m.*
pros·tho·don·ti·a [ˌprɒsθoˈdɒnʃiə] *s med.* zahnärztliche Proˈthetik, Zahnersatzkunde *f.* **ˌpros·thoˈdon·tist** [-tist] *s* ˈZahnproˌthetiker *m.*
pros·ti·tute [ˈprɒstiˌtjuːt] **I** *s* **1.** Prostituˈierte *f*, (gewerbsmäßige) Dirne. **II** *v/t* **2.** prostituˈieren: **to** ~ **o.s.** sich prostituieren *od.* verkaufen (*a. fig.*). **3.** *fig.* (für ehrlose Zwecke) ˈher-, preisgeben, entwürdigen, *sein Talent etc* wegwerfen. **ˌpros·tiˈtu·tion** *s* **1.** Prostitutiˈon *f*, (gewerbsmäßige) Unzucht, Dirnenwesen *n.* **2.** *fig.* Herˈab-, Entwürdigung *f*, Preisgabe *f.*
pros·trate **I** *v/t* [*Br.* prɒsˈtreit; *Am.* ˈprɑstreit] **1.** zu Boden werfen *od.* strecken, niederwerfen: **to** ~ **o.s.** *fig.* sich in den Staub werfen, sich demütigen (**before** vor *dat*). **2.** *fig.* unterˈwerfen, niederzwingen. **3.** entkräften, erschöpfen. **4.** *fig.* niederschmettern. **II** *adj* [ˈprɒstreit] **5.** ˈhingestreckt. **6.** *fig.* erschöpft (**with** vor *dat*), daˈniederliegend, kraftlos: **a** ~ **country** ein am Boden liegendes *od.* zugrunde gerichtetes Land; ~ **with grief** vom Gram gebrochen. **7.** *fig.* unterˈworfen, -ˈwürfig, demütig. **8.** *fig.* fußfällig, im Staube liegend. **9.** *bot. zo.* (nieder)liegend. **prosˈtra·tion** *s* **1.** Niederwerfen *n*, -fallen *n.* **2.** Fußfall *m* (*a. fig.*). **3.** *fig.* Niederwerfung *f*, Unterˈwerfung *f*, Demütigung *f.* **4.** *nervöse etc* Erschöpfung, Entkräftung *f*: **heat-**~ Hitzschlag *m.* **5.** *fig.* Niedergeschlagenheit *f.*
pro·style [ˈproustail] *s antiq. arch.* Prostylos *m*, (Tempel)Bau *m* mit offener Säulenvorhalle.
pros·y [ˈprouzi] *adj* (*adv* **prosily**) **1.** *fig.* langweilig, weitschweifig. **2.** nüchtern, proˈsaisch.
pro·syl·lo·gism [proˈsiləˌdʒizəm] *s*

philos. Prosyllo'gismus *m*, Einleitungs-, Vorschluß *m*.

pro·tag·o·nist [pro'tægənist] *s* **1.** *thea.* 'Hauptfiˌgur *f*, Held(in), Träger(in) der Handlung. **2.** *fig.* Protago'nist(in): a) 'Hauptperˌson *f*, b) Vorkämpfer(in).

pro·ta·mine ['proutəˌmiːn], *a.* **'pro·ta·min** [-min] *s biol.* Prota'min *n*.

prot·a·sis ['prɒtəsis] *pl* **-ses** [-ˌsiːz] *s* Protasis *f*: a) *ling.* Vordersatz *m*, (vorgestellter) Bedingungssatz, b) *antiq. thea.* Vorspiel *n*.

pro·te·an ['proutiən] *adj* **1.** P~ pro'teisch, Proteus... **2.** *fig.* pro'teisch, wandelhaft, vielgestaltig. **3.** *zo.* a'möbenartig: ~ **animalcule** Amöbe *f*.

pro·te·ase ['proutiˌeis] *s biol. chem.* Prote'ase *f*.

pro·tect [prə'tekt] *v/t* **1.** (be)schützen (**from** vor *dat*; **against** gegen): **to ~ interests** Interessen wahren; **~ed area** Naturschutzgebiet *n*; **~ed by copyright** urheberrechtlich geschützt; **~ed by letters patent** patentrechtlich geschützt; **~ed state** *pol.* Schutzstaat *m*. **2.** *econ. e-n Industriezweig etc (durch Schutzzölle)* schützen. **3.** *econ.* a) *e-n Wechsel mit Laufzeit* schützen, akzep'tieren, b) *e-n Sichtwechsel* einlösen, hono'rieren. **4.** *tech.* (ab)sichern, mit Sicherungsschutz versehen, abschirmen: **~ed machinery**; **~ed motor** *electr.* geschützter Motor. **5.** schonen. **6.** *e-e Schachfigur* decken.

pro·tec·tion [prə'tekʃən] *s* **1.** Schutz *m*, Beschützung *f* (**from** vor *dat*), Sicherheit *f*: ~ **of interests** Interessenwahrung *f*. **2.** *econ. jur.* (Rechts)Schutz *m*: ~ **of industrial property** gewerblicher Rechtsschutz; **legal ~ of registered designs** Gebrauchsmusterschutz. **3.** *econ.* Schutzzoll *m*. **4.** *econ.* 'Schutzzoll(poliˌtik *f*, -syˌstem *n*) *m*. **5.** *econ.* Hono'rierung *f* (*e-s Wechsels*): **to find due ~** honoriert werden; **to give ~ to a bill** e-n Wechsel honorieren. **6.** *jur. mar. Am.* Schutz-, Geleitbrief *m*. **7.** Protekti'on *f*, Gönnerschaft *f*. **8.** *Am.* a) ‚Protekti'on' *f* (*Schutz gegen Verfolgung durch Polizei od. Gangster*), b) *a.* ~ **money** Bestechungs-, Schmiergeld(er *pl*) *n*. **9.** *tech.* Schutz *m*, Abschirmung *f*. **pro'tec·tionˌism** *s econ.* Protektio'nismus *m*: a) 'Schutzzollpoliˌtik *f*, b) 'Schutzzollsyˌstem *n*. **pro'tec·tion·ist I** *s* Schutzzöllner *m*. **II** *adj* schutzzöllnerisch, Schutzzoll...

pro·tec·tive [prə'tektiv] *adj* (*adv* **~ly**) **1.** Schutz..., (be)schützend, schutzgewährend: ~ **coating** Schutzüberzug *m*, -anstrich *m*; ~ **colo(u)ring** *zo.* Schutzfärbung *f*; ~ **conveyance** *jur.* Sicherungsübereignung *f*; ~ **custody** Schutzhaft *f*; ~ **duty** Schutzzoll *m*. **2.** *econ.* Schutzzoll...: ~ **system**. **3.** fürsorglich, beschützerisch.

pro·tec·tor [prə'tektər] *s* **1.** Beschützer *m*, Schutz-, Schirmherr *m*, Gönner *m*. **2.** *tech. etc* Schutz(vorrichtung *f*, -mittel *n*) *m*, Schützer *m*, Schoner *m*. **3.** *hist.* a) Pro'tektor *m*, Reichsverweser *m*, b) → **Lord Protector**. **pro'tec·tor·al** *adj* Protektor..., schutzherrlich. **pro'tec·tor·ate** [-rit] *s* Protekto'rat *n*: a) Schutzherrschaft *f*, b) Schutzgebiet *n*, c) Pro'tektorwürde *f*, d) P~ *hist. Regierungszeit Oliver u. Richard Cromwells als* **Lord Protector**.

pro·tec·to·ry [prə'tektəri] *s* (Kinder-) Fürsorgeheim *n*.

pro·tec·tress [prə'tektris] *s* Beschützerin *f*, Schutz-, Schirmherrin *f*.

pro·té·gé ['prouteˌʒei] (*Fr.*) *s* Schützling *m*, Günstling *m*, Prote'gé *m*.

pro·te·id ['proutiid], **'pro·teˌide** [-ˌaid; -id] *s biol. chem.* Prote'id *n*.

pro·te·i·form [pro'tiːiˌfɔːrm] → **protean**.

pro·te·in ['proutiːn; -tiːin] (*Biochemie*) **I** *s* Prote'in *n*, Eiweiß(körper *m od. pl*) *n*. **II** *adj* prote'inartig, -haltig, Protein...

pro tem·po·re [prou 'tempəˌriː] (*Lat.*), **pro tem** *adv* 'einst'weilen, vorläufig.

pro·te·ol·y·sis [ˌprouti'ɒlisis] *s biol. chem.* Proteo'lyse *f*, Eiweißabbau *m*.

Prot·er·o·zo·ic [ˌprɒtəro'zouik] *geol.* **I** *adj* protero'zoisch. **II** *s* Protero'zoikum *n*.

pro·test I *s* ['proutest] **1.** Pro'test *m*, Ein-, 'Widerspruch *m*, Verwahrung *f*: **in ~, as a ~** zum *od.* als Protest; **to enter** (*od.* **lodge**) **a ~** Protest erheben *od.* Verwahrung einlegen (**with** bei); **to accept under ~** unter Vorbehalt *od.* Protest annehmen. **2.** *econ. jur.* ('Wechsel)Proˌtest *m*. **3.** *a.* **extended ~, ship's ~** *jur. mar.* 'Seeproˌtest *m*, Verklarung *f*: **to extend ~** Verklarung ablegen. **4.** *Br.* 'Minderheitsproˌtest *m* (*im Oberhaus, gegen e-n Antrag*). **II** *v/i* [prə'test] **5.** prote'stieren, Einspruch erheben, Verwahrung einlegen, sich verwahren (**against** gegen). **6.** a) e-e (feierliche) Erklärung abgeben, b) die Wahrheit (s-r Worte *etc*) beteuern. **III** *v/t* **7.** prote'stieren *od.* Einspruch erheben *od.* Verwahrung einlegen gegen, rekla'mieren. **8.** *econ. jur. e-n Wechsel* prote'stieren. **9.** beteuern (**s.th.** etwas; **that** daß): **to ~ one's loyalty**.

Prot·es·tant ['prɒtistənt] *relig.* **I** *s* Prote'stant(in). **II** *adj* prote'stantisch. **P~ E·pis·co·pal Church** *s die anglikanische Kirche in den USA*.

Prot·es·tant·ism ['prɒtistənˌtizəm] *s* Protestan'tismus *m*.

Prot·es·tant·ize ['prɒtistənˌtaiz] *v/t u. v/i* prote'stantisch machen (werden), (sich) zum Protestan'tismus bekehren.

prot·es·ta·tion [ˌprɒtes'teiʃən] *s* **1.** Beteuerung *f*. **2.** *selten* Pro'test *m*.

Pro·teus ['proutjuːs; -tiəs] **I** *npr* **1.** *myth.* Proteus *m* (*Meergott*). **II** *s* **2.** *fig.* 'Proteus(naˌtur *f*) *m*, wandlungsfähiger *od.* wetterwendischer Mensch. **3.** p~ *zo.* Olm *m*. **4.** p~ Proteus *m* (*Bakteriengattung*).

pro·tha·la·mi·um [ˌprouθə'leimiəm] *pl* **-mi·a** [-ə] *s* Hochzeitsgedicht *n*.

pro·thal·li·um [pro'θæliəm] *pl* **-li·a** [-liə] *s bot.* Pro'thallium *n*, Vorkeim *m*.

proth·e·sis ['prɒθisis] → **prosthesis** 3.

pro·tho·rax [prou'θɔːræks] *s zo.* erster Brustring (*der Insekten*), Pro'thorax *m*.

pro·tist ['proutist] *s biol.* Pro'tist *m*, Einzeller *m*. **pro'tis·ta** [-tə] *s pl* Pro'tisten *pl*, Einzeller *pl*.

pro·ti·um ['proutiəm; -ʃiəm] *s chem.* Protium *n* (*leichtes Wasserstoffisotop*).

proto- [prouto] *Wortelement mit den Bedeutungen* a) erst(er, e, es), b) Urform von ..., Ur..., Proto...

pro·to·blast ['proutoˌblæst] *s biol.* mem'branlose Zelle.

pro·to·col ['proutəˌkɒl] **I** *s* **1.** (Ver'handlungs)Protoˌkoll *n*, Sitzungsbericht *m*: **to record in ~** → 5. **2.** *pol.* Proto'koll *n*: a) *diplomatische Etikette*, b) Vorvertrag *m*, vorläufige Vereinbarungen *pl*. **3.** *pol.* Einleitungs- u. Schlußformeln *pl* (*e-r Urkunde etc*). **II** *v/i* **4.** das Proto'koll führen. **III** *v/t* **5.** protokol'lieren, zu Proto'koll nehmen. **~ state·ment** *s scient.* Proto'kollsatz *m*.

pro·to·gen·ic [ˌprouto'dʒenik] *adj geol.* proto'gen, pri'mär.

ˌpro·to-Ger'man·ic *ling.* **I** *adj* 'urgerˌmanisch. **II** *s* 'Urgerˌmanisch *n*, das Urgermanische.

pro·to·me·tal·lic [ˌproutomi'tælik] *adj chem. phys.* 'protomeˌtallisch.

pro·to·morph ['proutoˌmɔːrf] *s biol.* Urform *f*. **ˌpro·to'mor·phic** *adj* pri'mär, primi'tiv, ursprünglich.

pro·ton ['proutɒn] *s phys.* Proton *n* (*positiv geladenes Elementarteilchen*): ~ **ray** Protonenstrahl *m*.

pro·to·phyte ['proutəˌfait] *s bot.* Pro'tophyton *n*, Proto'phyte *f* (*einfachste einzellige Pflanze*).

pro·to·plasm ['proutəˌplæzəm] *s biol.* **1.** Proto'plasma *n* (*Grundsubstanz der Zelle*). **2.** Urschleim *m*. **ˌpro·to'plas·mic** [-mik] *adj* protoplas'matisch.

pro·to·plast ['proutəˌplæst] *s biol.* Proto'plast *m* (*Plasmakörper der Zelle*).

pro·to·salt ['proutəˌsɔːlt] *s chem.* Me'tallsalz *n* (*der 1. Oxydationsstufe*).

pro·to·troph·ic [ˌproutə'trɒfik] *adj biol.* auto'troph (*durch Photosynthese ernährbar*).

pro·to·typ·al ['proutəˌtaipəl] → **prototypical**.

pro·to·type ['proutəˌtaip] *s* Proto'typ *m* (*a. biol.*): a) Urbild *n*, Urtyp *m*, Urform *f*, b) Urmuster *n*, c) *tech.* ('Richt)MoˌdelI *n*, Ausgangsbautyp *m*. **ˌpro·to'typ·i·cal** *adj* proto'typisch, Ur...

pro·tox·ide [pro'tɒksaid; -sid] *s chem.* Proto'xyd *n* (*erste od. unterste Oxydationsstufe e-s Elements*): ~ **of iron** Eisenoxydul *n*.

pro·to·zo·a [ˌproutə'zouə] *s pl zo.* Proto'zoen *pl*, Einzeller *pl*, Urtiere *pl*. **ˌpro·to'zo·an I** *adj zo.* Protozoen... **II** *s* → **protozoon**. **ˌpro·to'zo·ic** *adj geol.* proto'zoisch. **ˌpro·to·zo'ol·o·gy** [-'ɒlədʒi] *s zo.* ˌProtozoolo'gie *f*. **ˌpro·to'zo·on** [-ɒn] *pl* **-'zo·a** [-ə] *s* Proto'zoon *n*, Urtierchen *n*, Einzeller *m*.

pro·tract [pro'trækt] *v/t* **1.** in die Länge ziehen, hin('aus)ziehen (*meist zeitlich*): **~ed illness** langwierige Krankheit; **~ed defence** (*Am.* **defense**) *mil.* hinhaltende Verteidigung. **2.** *math.* mit e-m Winkelmesser *od.* maßstab(s)getreu zeichnen *od.* auftragen. **3.** *Krallen* aus-, vorstrecken. **pro'trac·tile** [-til] *adj zo.* aus-, vorstreckbar. **pro'trac·tion** *s* **1.** Hin'ausschieben *n*, 'Hinziehen *n*, Verschleppen *n* (*a. med.*). **2.** *math.* maßstab(s)getreue *od.* winkeltreue Zeichnung. **3.** *zo.* (Her)'Vorstrecken *n*. **4.** *metr.* Silbendehnung *f*. **pro'trac·tor** [-tər] *s* **1.** *math. surv.* Transpor'teur *m*, Gradbogen *m*, Winkelmesser *m*. **2.** *anat.* Vorzieh-, Streckmuskel *m*.

pro·trude [pro'truːd] **I** *v/i* her'aus-, (her)'vorstehen, -ragen, -treten. **II** *v/t* her'ausstrecken, (her)'vortreten lassen. **pro'tru·si·ble** [-səbl], **pro'tru·sile** [-sil] *adj* vor-, ausstreckbar, verlängerungsfähig. **pro'tru·sion** [-ʒən] *s* **1.** Her'ausragen *n*, Her'vorstehen *n*, -treten *n*, Vorspringen *n*. **2.** Vorwölbung *f*, -sprung *m*, Ausbuchtung *f*, (her)'vorstehender Teil. **pro'tru·sive** *adj* vorstehend, her'vortretend.

pro·tu·ber·ance [pro'tjuːbərəns] *s* **1.** (her)'vortretende Stelle, Vorsprung *m*. **2.** Auswuchs *m*, Beule *f*, Höcker *m*, Protube'ranz *f*. **3.** *astr.* Protube'ranz *f*. **4.** (Her)'Vortreten *n*, -stehen *n*. **pro'tu·ber·ant** *adj* (*adv* **~ly**) (her)'vorstehend, -tretend, -quellend.

proud [praud] **I** *adj* (*adv* **~ly**) **1.** stolz (**of** auf *acc*; **to** *inf* zu *inf*): **that is nothing to be ~ of** darauf kann man sich wirklich nichts einbilden. **2.** dünkelhaft, hochmütig, eingebildet: **(as)**

~ as a peacock *fig.* stolz *od.* eitel wie ein Pfau. **3.** stolz (machend), mit Stolz erfüllend: a ~ day ein stolzer Tag (*für uns etc*). **4.** stolz, prächtig: a ~ ship. **5.** selbstbewußt. **6.** üppig *od.* wild (wachsend), wuchernd (*a. med.*): ~ flesh *med.* ‚wildes Fleisch', (wuchernde) Granulationen *pl.* **7.** *bes. Am. colloq. od. dial.* sehr erfreut. **8.** *poet.* feurig (*Pferd*). **9.** *obs. od. dial.* a) geil, lüstern, b) *zo.* brunftig. **II** *adv colloq.* **10.** stolz: to do s.o. ~ a) j-m große Ehre erweisen, b) j-n königlich bewirten; to do o.s. ~ es sich gutgehen lassen.

prov·a·ble ['pru:vəbl] *adj* (*adv* **provably**) nachweisbar, erweislich.

prove [pru:v] **I** *v/t* **1.** er-, nach-, beweisen: to ~ adultery beweisen, daß Ehebruch vorliegt; to ~ one's alibi sein Alibi nachweisen; to ~ one's case beweisen, daß man recht hat; to ~ by chemical tests chemisch nachweisen. **2.** *jur. ein Testament* bestätigen (lassen). **3.** bekunden, unter Beweis stellen, zeigen. **4.** *a. tech.* prüfen, erproben, e-r (Materi'al)Prüfung unter'ziehen: a ~d remedy ein erprobtes *od.* bewährtes Mittel; to ~ o.s. a) sich bewähren, b) sich erweisen als; → proving 1. **5.** *math.* die Probe machen auf (*acc*). **II** *v/i* **6.** sich her'ausstellen *od.* erweisen (als): to ~ (to be) necessary; he will ~ (to be) the heir es wird sich herausstellen, daß er der Erbe ist; to ~ true (false) a) sich als richtig (falsch) herausstellen, b) sich (nicht) bestätigen (*Voraussage etc*). **7.** sich bestätigen *od.* bewähren als. **8.** ausfallen, sich ergeben: it will ~ otherwise es wird anders kommen *od.* ausfallen. **9.** ~ up *Am.* beweisen, daß man ein Recht hat (on auf *acc*).

prov·en ['pru:vən; *a.* 'prouv-] *adj* **1.** be-, erwiesen, nachgewiesen: not ~ *jur. Scot.* Schuldbeweis nicht erbracht. **2.** bewährt, erprobt.

prov·e·nance ['prɒvinəns] *s* 'Herkunft *f*, Ursprung *m*, Proveni'enz *f*.

Prov·en·çal [ˌprɒvɑ̃'sɑ:l; *Am. a.* ˌprouvən-] **I** *s* **1.** Proven'zale *m*, Proven'zalin *f*. **2.** *ling.* Proven'zalisch *n*, das Provenzalische. **II** *adj* **3.** proven'zalisch.

prov·en·der ['prɒvəndər] *s* **1.** *agr.* (Trocken)Futter *n*. **2.** *colloq. humor.* ‚Futter' *n* (*Lebensmittel*).

pro·ve·ni·ence [pro'vi:niəns] → **provenance.**

pro·ven·tric·u·lus [ˌprouven'trikjuləs] *pl* **-u·li** [-ˌlai] *s zo.* **1.** Kaumagen *m* (*der Insekten*). **2.** Drüsenmagen *m* (*der Vögel*).

prov·erb ['prɒvərb] *s* **1.** Sprichwort *n* (*a. fig.*): he is a ~ for shrewdness s-e Schlauheit ist sprichwörtlich *od.* (*contp.*) berüchtigt. **2.** the (Book of) P~s *pl Bibl.* die Sprüche *pl* (Salo'monis). **pro·ver·bi·al** [prə'vɜ:rbiəl] *adj* (*adv* ~ly) sprichwörtlich (*a. fig.* for für, wegen).

pro·vide [prə'vaid] **I** *v/t* **1.** versehen, -sorgen, ausstatten, beliefern (with mit): the car is ~d with a radio der Wagen ist mit e-m Radio versehen *od.* ausgestattet; ~d with illustrations illustriert, mit Illustrationen versehen. **2.** ver-, beschaffen, besorgen, liefern, zur Verfügung stellen, (bereit)stellen: to ~ material; he ~s maintenance for them er sorgt für ihren Unterhalt; to ~ payment *econ.* Deckung anschaffen, für Zahlung sorgen; to ~ an opportunity e-e Gelegenheit schaffen *od.* bieten. **3.** *jur.* vorsehen, -schreiben, bestimmen (*a. Gesetz, Vertrag etc*). **II** *v/i* **4.** Vorsorge *od.* Vorkehrungen *od.* (geeignete) Maßnahmen treffen, vorsorgen, sich sichern (against vor *dat*, gegen): to ~ against a) (sich) schützen vor (*dat*), b) *etwas* unmöglich machen, verhindern. **5.** sorgen: to ~ for a) sorgen für (*j-n od. j-s Lebensunterhalt*), b) *Maßnahmen* vorsehen, c) *e-r Sache* Rechnung tragen, *Bedürfnisse* befriedigen, d) *Gelder etc* bereitstellen. **6.** *jur.* den Vorbehalt machen (that daß): unless otherwise ~d sofern nichts Gegenteiliges bestimmt ist; providing (that) → provided.

pro·vid·ed [prə'vaidid] *conj a.* ~ that **1.** vor'ausgesetzt (daß); unter der Vor'aussetzung *od.* Bedingung, daß. **2.** so'fern, wenn (über'haupt). ~ **school** *s Br.* Gemeindeschule *f*.

prov·i·dence ['prɒvidəns] *s* **1.** (göttliche) Vorsehung *od.* Fügung: by divine ~ a) von Gottes Gnaden, b) durch göttliche Fügung. **2.** the P~ die Vorsehung, Gott *m*. **3.** Sparsamkeit *f*. **4.** Vorsorge *f*, (weise) Vor'aussicht.

prov·i·dent ['prɒvidənt] *adj* (*adv* ~ly) **1.** vor'ausblickend, vor-, fürsorglich: God's ~ care die göttliche Fürsorge; ~ bank Sparkasse *f*; ~ fund Unterstützungs-, Hilfskasse *f*; ~ society Unterstützungs-, Hilfsverein *m*. **2.** haushälterisch, sparsam.

prov·i·den·tial [ˌprɒvi'denʃəl] *adj* **1.** durch die (göttliche) Vorsehung bestimmt *od.* bewirkt, schicksalhaft, göttlich. **2.** günstig, glücklich, gnädig (*Geschick etc*). ˌ**prov·i'den·tial·ly** *adv* **1.** durch (göttliche) Fügung, schicksalhaft. **2.** glücklicher'weise, durch die Gunst des Schicksals.

pro·vid·er [prə'vaidər] *s* **1.** Versorger(in), Ernährer *m* (*der Familie*): good ~ *colloq.* treusorgende(r) Mutter (Vater). **2.** *econ.* Liefe'rant *m*.

prov·ince ['prɒvins] *s* **1.** Pro'vinz *f*, (*großer*) (Verwaltungs)Bezirk. **2.** the P~s a) die Pro'vinz (*Ggs Stadt*), b) *Am. colloq.* Kanada *n*. **3.** Gebiet *n*, Land(strich *m*) *n*, Gegend *f*. **4.** *relig.* a) 'Kirchenproˌvinz *f* (*erzbischöflicher Gerichtsbezirk*), b) 'Ordensproˌvinz *f*. **5.** (*größeres*) (Wissens)Gebiet, Fach *n*: this is quite another ~. **6.** Fach *n*, Aufgabenbereich *m*, Wirkungskreis *m*, Amt *n*: that is not within my ~ a) das schlägt nicht in mein Fach, b) es ist nicht m-s Amtes.

pro·vin·cial [prə'vinʃəl] **I** *adj* (*adv* ~ly) **1.** Provinz..., provinzi'ell: ~ bank Provinz-, Provinzialbank *f*; ~ town Provinzstadt *f*. **2.** Provinz... (*Ggs. städtisch*), provinzi'ell, kleinstädtisch, ländlich, pro'vinzlerisch: ~ press Provinzpresse *f*. **3.** *fig.* provinzi'ell, engstirnig, beschränkt, spießbürgerlich. **4.** *fig.* pro'vinzlerisch, ungebildet, plump: ~ manners. **II** *s* **5.** Pro'vinzbewohner(in), j-d aus der Pro'vinz. **6.** *fig. contp.* Pro'vinzler(in). **7.** *relig.* ('Ordens)Provinziˌal *m*. **pro'vin·cial·ˌism** *s* Provinzia'lismus *m*: a) provinzi'elle Eigenart, b) mundartlicher Ausdruck, c) provinzi'elle Beschränktheit, Lo'kalpatrioˌtismus *m*, d) Kleingeiste'rei *f*, Pro'vinzlertum *n*, e) linkisches *od.* plumpes Benehmen *od.* Wesen. **proˌvin·ci'al·i·ty** [-ʃi'æliti] → **provincialism. pro'vin·cialˌize** *v/t* provinzi'ell machen, pro'vinzlerischen Cha'rakter geben (*dat*).

prov·ing ['pru:viŋ] *s* **1.** Prüfen *n*, Erprobung *f*: ~ flight Probe-, Erprobungsflug *m*; ~ ground *tech.* Versuchsfeld *n*, -gelände *n*. **2.** ~ of a will *jur.* Eröffnung *f* u. Bestätigung *f* e-s Testa'ments.

pro·vi·sion [prə'viʒən] **I** *s* **1.** a) Vorkehrung *f*, Vorsorge *f*, (vorsorgliche) Maßnahme, b) Vor-, Einrichtung *f*: to make ~ sorgen *od.* Vorkehrungen treffen (for für), sich schützen (against vor *dat od.* gegen). **2.** *jur.* Bestimmung *f*, Vorschrift *f*: to come within the ~s of the law unter die gesetzlichen Bestimmungen fallen. **3.** *jur.* Bedingung *f*, Vorbehalt *m*: under usual ~s unter üblichem Vorbehalt. **4.** Beschaffung *f*, Besorgung *f*, Bereitstellung *f*: ~ of funds *econ.* Kapitalbeschaffung, Deckung *f*. **5.** *pl* (Lebensmittel)Vorräte *pl*, (-)Vorrat *m* (of an *dat*), Nahrungs-, Lebensmittel *pl*, Provi'ant *m*: ~ dealer (*od.* merchant) Lebensmittel-, Feinkosthändler *m*. **6.** *oft pl* Rückstellungen *pl*, -lagen *pl*, Re'serven *pl*, (angelegter) Vorrat (of an *dat*). **7.** *econ.* a) Anschaffung *f* von Ri'messen, Deckung *f*, b) Ri'messe *f*. **II** *v/t* **8.** mit Lebensmitteln *od.* Provi'ant versorgen, verprovian'tieren.

pro·vi·sion·al [prə'viʒənl] **I** *adj* provi'sorisch, vorläufig, einstweilig, behelfsmäßig, Behelfs...: ~ agreement Vorvertrag *m*; ~ arrangement vorläufige *od.* einstweilige Anordnung, Provisorium *n*; ~ law Übergangsgesetz *n*; ~ patent vorläufiges Patent; ~ receipt Interimsquittung *f*; ~ regulations Übergangsbestimmungen; ~ result *sport* Zwischenergebnis *n*. **II** *s* Notausgabe *f* (*Briefmarke*). **pro'vi·sion·al·ly** [-nəli] *adv* provi'sorisch, vorläufig, einstweilen, bis auf weiteres.

pro·vi·so [prə'vaizou] *pl* **-sos** *s jur.* Bedingung *f*, (Bedingungs)Klausel *f*, Vorbehalt *m*: with the ~ that unter der Bedingung *od.* mit der Maßgabe, daß; to make it a ~ that zur Bedingung machen, daß; ~ clause Vorbehaltsklausel *f*.

pro·vi·sor [prə'vaizər] *s* **1.** *R.C.* Pro'visor *m* (*Inhaber e-r provisorischen Ernennung zu e-r Pfründe*). **2.** (Statute of) P~s *hist. Statut, das dem Papst das Recht auf Pfründenbesetzung nehmen soll.*

pro·vi·so·ri·ly [prə'vaizərəli] *adv* **1.** bedingt, unter *od.* mit Vorbehalt. **2.** → provisory 2. **pro'vi·so·ry** [-ri] *adj* **1.** bedingend, bedingt, vorbehaltlich. **2.** provi'sorisch, vorläufig, 'einst'weilig.

prov·o·ca·tion [ˌprɒvə'keiʃən] *s* **1.** Her'ausforderung *f*, Provokati'on *f* (*a. jur.*). **2.** Aufreizung *f*, (An)Reiz *m*, Erregung *f*, Provokati'on *f*. **3.** Verärgerung *f*, (*a.* Grund *m* zum) Ärger *m*: at the slightest ~ beim geringsten Anlaß.

pro·voc·a·tive [prə'vɒkətiv] **I** *adj* (*adv* ~ly) **1.** (*a. sexuell*) her'ausfordernd, aufreizend (of zu), erregend, provo'zierend (wirkend): to be ~ of → provoke 2; ~ test *med.* Reizprobe *f*. **2.** *fig.* a) anregend, stimu'lierend, b) reizvoll, interes'sant, c) kühn, provo'zierend: a ~ novel. **II** *s* **3.** Reiz(mittel *n*) *m*, Stimulans *n*, Antrieb *m* (of, for zu). **pro'voc·a·tive·ness** *s* her'ausforderndes *od.* aufreizendes Wesen.

pro·voke [prə'vouk] *v/t* **1.** *j-n* reizen, erzürnen, (ver)ärgern, aufbringen, provo'zieren: to be ~d aufgebracht sein. **2.** *etwas* her'vorrufen, her'aufbeschwören, provo'zieren, *ein Gefühl a.* erregen. **3.** *j-n* (*zum Handeln*) bewegen, provo'zieren, reizen, her'ausfordern: to ~ s.o. to do s.th. j-n dazu bewegen, etwas zu tun. **pro'vok·ing**

adj (*adv* ~ly) **1.** → provocative 1. **2.** unerträglich, unaus'stehlich.

prov·ost[1] ['prɒvəst] *s* **1.** *hist.* Vorsteher *m.* **2.** *univ.* Pro'vost *m*: a) *Br. Rektor gewisser Colleges*, b) *Am. hoher Verwaltungsbeamter.* **3.** *relig.* Propst *m.* **4.** *a.* Lord P~ *Scot.* Bürgermeister *m.*

pro·vost[2] [pro'vou] *s mil.* Offi'zier *m* der Mili'tärpoli͵zei, Pro'fos *m.* **~ mar·shal** *s mil.* Komman'deur *m* der Mili'tärpoli͵zei. **~ ser·geant** *s mil.* Feldwebel *m* der Mili'tärpoli͵zei.

prow[1] [prau] *s* **1.** *mar.* Bug *m*, Schiffsschnabel *m.* **2.** *aer.* Nase *f*, Bug *m* (*e-s Flugzeugs*). **3.** *poet.* Kiel *m.*

prow[2] [prau] *adj obs.* tapfer, kühn.

prow·ess ['prauis] *s* **1.** Tapferkeit *f*, (Helden)Mut *m.* **2.** Heldentat *f.* **3.** über'ragendes Können, Tüchtigkeit *f.*

prowl [praul] **I** *v/i* her'umschleichen, -streichen, -lungern. **II** *v/t* durch'streifen, streichen durch. **III** *s* Um'herstreifen *n*, Lauer *f*: to be on the ~ → I; ~ car *Am.* (Polizei)Streifenwagen *m.*

prowl·er ['praulər] *s* Her'umtreiber *m*, (-)Lungerer *m.*

prox·i·mal ['prɒksiməl] *adj* (*adv* ~ly) *anat.* proxi'mal, rumpf-, körpernah.

prox·i·mate ['prɒksimit] *adj* (*adv* ~ly) **1.** nächste(r, e, es), folgend(er, e, es), sich (unmittelbar) anschließend, unmittelbar: ~ cause unmittelbare Ursache. **2.** naheliegend. **3.** kurz bevorstehend: ~ event. **4.** annähernd: ~ estimate; ~ analysis *chem.* quantitative Analyse; ~ principles (*od.* substances) *chem.* ungefähre *od.* approximative Grundsubstanzen.

prox·i·me ac·ces·sit ['prɒksimi æk'sesit] (*Lat.*) *wörtlich: ‚er kam sehr nahe'* (*bei Wettkämpfen etc*): he was (got a) ~ er war (wurde) Zweiter.

prox·im·i·ty [prɒk'simiti] *s* **1.** Nähe *f*, Nachbarschaft *f*: close ~ nächste *od.* unmittelbare Nähe; ~ fuse (*Am.* fuze) Annäherungszünder *m.* **2.** *a.* ~ of blood Blutsverwandtschaft *f.*

prox·i·mo ['prɒksi͵mou] *adv* (*abbr.* prox) (des) nächsten Monats: on the 1st ~.

prox·y ['prɒksi] *s* **1.** (Stell)Vertretung *f*, (Handlungs)Vollmacht *f*: by ~ in Vertretung, auf Grund e-r Vollmacht (→ 2); marriage by ~ Ferntrauung *f.* **2.** (Stell)Vertreter(in), Bevollmächtigte(r *m*) *f*: by ~ durch e-n Bevollmächtigten (→ 1); to stand ~ for s.o. als Stellvertreter(in) fungieren für j-n. **3.** Vollmacht(surkunde) *f.*

prude [pru:d] *s* Prüde *f*, prüdes Mädchen, ‚Zimperliese' *f.*

pru·dence ['pru:dəns] *s* **1.** Klugheit *f*, Vernunft *f.* **2.** 'Um-, Vorsicht *f*, Besonnenheit *f*, Über'legtheit *f*: ordinary ~ *jur.* die im Verkehr erforderliche Sorgfalt. **3.** Maß-, Haushalten *n.*

pru·dent ['pru:dənt] *adj* (*adv* → prudently) **1.** klug, vernünftig. **2.** 'um-, vorsichtig, besonnen, über'legt.

pru·den·tial [pru(:)'denʃəl] **I** *adj* (*adv* ~ly) **1.** → prudent 1 *u.* 2: for ~ reasons aus Gründen praktischer Überlegung. **2.** (*a.* sach)verständig: ~ committee *Am.* beratender Ausschuß. **II** *s* **3.** *pl* wohlzuerwägende Dinge *pl.* **4.** *pl* kluge Erwägungen *pl.*

pru·dent·ly ['pru:dəntli] *adv* kluger-, vernünftigerweise, wohlweislich.

prud·er·y ['pru:dəri] *s* Prüde'rie *f*, Sprödigkeit *f*, Zimperlichkeit *f.*

prud·ish ['pru:diʃ] *adj* (*adv* ~ly) prüde.

prune[1] [pru:n] *s* **1.** *bot.* Pflaume *f.* **2.** Back-, Dörrpflaume *f.* **3.** *fig.* 'Purpurkar͵min *n.* **4.** *sl.* ‚blöder Heini', ‚Blödmann' *m*, ‚Flasche' *f.* **5.** ~s and prisms affek'tierte Redeweise.

prune[2] [pru:n] *v/t* **1.** *Bäume etc* (aus)putzen, beschneiden. **2.** *a.* ~ off, ~ away wegschneiden, abhauen. **3.** zu-('recht)stutzen, von 'Überflüssigem befreien, befreien (of von), säubern, *e-n Text etc* zs.-streichen. **4.** *fig.* entfernen, wegfallen lassen.

pru·nel·la[1] [pru(:)'nelə] *s econ.* Pru'nell *m*, Lasting *m* (*ein Kammgarngewebe*).

pru·nel·la[2] [pru(:)'nelə] *s med. obs.* Halsbräune *f.*

pru·nelle [pru(:)'nel] *s* Prü'nelle *f* (*getrocknete, entsteinte Pflaume*).

pru·nel·lo [pru(:)'nelou] *s* **1.** → prunelle. **2.** → prunella[1].

prun·ing ['pru:niŋ] *s* **1.** Ausputzen *n*, Beschneiden *n* (*von Bäumen etc*). **2.** *pl* Reisholz *n* (*beschnittener Bäume*). **~ hook** *s* Heckensichel *f.* **~ knife** *s irr* Baum-, Gartenmesser *n.* **~ shears** *s pl* Baumschere *f.*

prunt [prʌnt] *s* a) Glasschmuckperle *f* (*als Zierde für Vasen etc*), b) *Werkzeug zu ihrer Anbringung.*

pru·ri·ence ['pru(ə)riəns], **'pru·ri·en·cy** [-si] *s* **1.** Geilheit *f*, Lüsternheit *f*, Laszivi'tät *f.* **2.** Gier *f* (for nach), (Sinnen)Kitzel *m.* **'pru·ri·ent** *adj* (*adv* ~ly) geil, lüstern, las'ziv.

pru·rig·i·nous [pru'ridʒinəs] *adj med.* juckend. **pru'ri·go** [-'raigou] *s* Pru'rigo *m, f*: a) juckender Ausschlag, b) Jucken *n.* **pru'ri·tus** [-'raitəs] *s* (krankhaftes) Hautjucken.

Prus·sian ['prʌʃən] **I** *adj* preußisch. **II** *s* Preuße *m*, Preußin *f.* **~ blue** *s* Ber'linerblau *n.*

Prus·sian·ism ['prʌʃə͵nizəm] *s* Preußentum *n*, preußisches Wesen. **'Prus·sian͵ize** *v/t* preußisch machen.

prus·si·ate ['prʌʃi͵eit; -ʃiit] *s chem.* Prussi'at *n.* **~ of i·ron** *s chem.* Ber'linerblau *n.* **~ of pot·ash** *s chem.* 'Kaliumferrozya͵nid *n.*

prus·sic ac·id ['prʌsik] *s* Blausäure *f*, Zy'anwasserstoff(säure *f*) *m.*

pry[1] [prai] **I** *v/i* (neugierig) spähen, neugierig gucken *od.* sein: to ~ about herumspähen *od.* -schnüffeln; to ~ into s.th. a) etwas zu erforschen suchen, b) *contp.* s-e Nase in etwas stecken, sich in e-e Angelegenheit einmischen. **II** *v/t* ~ out a) ausfindig machen, b) ‚abluchsen'.

pry[2] [prai] *bes. Am. für* prize[3].

pry·ing ['praiiŋ] *adj* (*adv* ~ly) neugierig, naseweis, (her'um)schnüffelnd.

psalm [sɑ:m] *s* **1.** Psalm *m.* **2.** the (Book of) P~s *pl Bibl.* die Psalmen *pl.* **'~͵book** *s* Psalmenbuch *n*, Psalter *m.*

psalm·ist ['sɑ:mist] *s* Psal'mist *m*: the P~ der Psalmist (*bes. David*).

psal·mod·ic [sæl'mɒdik] *adj* psal'modisch. **psal·mo·dist** ['sælmədist; 'sɑ:m-] *s* **1.** Psalmo'dist *m*, Psalmensänger *m.* **2.** Psal'mist *m.* **'psal·mo͵dize** *v/i* psalmo'dieren. **'psal·mo·dy** *s* **1.** Psalmo'die *f*, Psalmensingen *n*, -gesang *m.* **2.** *collect.* Psalmen *pl.*

Psal·ter ['sɔ:ltər] *s* Psalter *m*, (Buch *n* der) Psalmen *pl.* **psal'te·ri·um** [-'ti(ə)riəm] *pl* **-ri·a** [-riə] *s zo.* Psalter *m*, Blättermagen *m* (*der Wiederkäuer*). **'psal·ter·y** [-təri] *s mus. hist.* Psal'terium *n*, Psalter *m* (*Hackbrett*).

psam·mite ['sæmait; 'ps-] *s geol.* Psam'mit *m*, Sandstein *m.*

pse·phol·o·gy [si:'fɒlədʒi; ps-] *s* (wissenschaftliche) Ana'lyse von Wahlergebnissen *od.* -trends.

pseu·do ['sju:dou; 'su:-; 'ps-] *adj* Pseudo..., falsch, unecht.

pseu·do·carp ['sju:do͵kɑ:rp; 'su:-; 'ps-] *s bot.* Scheinfrucht *f.*

͵pseu·do'clas·sic *adj* pseudoklassisch, klassi'zistisch. **͵pseu·do'clas·si͵cism** *s* Pseudoklassik *f*, Klassi'zismus *m.*

pseu·do·graph ['sju:do͵græ(:)f; 'su:-; 'ps-; *Br. a.* -͵grɑ:f] *s* (lite'rarische) Fälschung, fälschlich zugeschriebenes Werk.

pseu·do·nym ['sju:dənim; 'su:; 'ps-] *s* Pseudo'nym *n*, Deckname *m.* **͵pseu·do'nym·i·ty** *s* **1.** Pseudonymi'tät *f*, Erscheinen *n* unter e-m Pseudo'nym. **2.** Führen *n* e-s Pseudo'nyms. **pseu'don·y·mous** [-'dɒniməs] *adj* (*adv* ~ly) pseudo'nym.

pseu·do·pod ['sju:do͵pɒd; 'su:-; 'ps-], **͵pseu·do'po·di·um** [-'poudiəm] *pl* **-di·a** [-diə] *s zo.* Pseudo'podium *n*, Scheinfüßchen *n.*

pshaw [ʃɔ:; pʃɔ:] **I** *interj* pah! **II** *s* Pah *n.* **III** *v/i* ‚pah' sagen. **IV** *v/t* ‚pah' sagen über (*acc*) *od.* zu, verächtlich abtun.

psi [sai; psi:] *s* Psi *n* (*griechischer Buchstabe*).

psi·lan·thro·py [sai'lænθrəpi; ps-] *s relig.* Psilanthro'pismus *m* (*Lehre, daß Christus nur ein Mensch war*).

psi·lo·sis [sai'lousis; ps-] *s* **1.** *med.* Psi'losis *f*, Haarausfall *m.* **2.** → sprue[2]. **3.** *ling.* Psi'lose *f* (*Schwund des anlautenden h im Griechischen*).

psit·ta·co·sis [͵sitə'kousis; ͵ps-] *s med.* Psitta'kose *f*, Papa'geienkrankheit *f.*

pso·as ['souəs; 'ps-] *s anat.* Psoas *m*, Lendenmuskel *m.*

pso·ra ['sɔ:rə; 'ps-] *s med.* juckende Hautkrankheit, *bes.* a) → scab 1 *u.* 2, b) → psoriasis.

pso·ri·a·sis [so'raiəsis; ps-] *s med.* Pso'riasis *f*, Schuppenflechte *f.*

pso·ric ['sɔ:rik; 'ps-] *adj med.* krätzig.

pso·ro·sis [so'rousis; 'ps-] *s bot.* Gummifluß *m* (*bei Citrus-Arten*).

psy- [sai; ps-] *mil. Am. Kurzform für* psychological: ~war psychologische Kriegführung.

psy·chas·the·ni·a [͵saikæs'θi:niə; ͵ps-] *s psych.* Psychasthe'nie *f* (*schwächliche seelische Veranlagung*).

Psy·che ['saiki; 'ps-] *s* **1.** *antiq.* Psyche *f* (*Personifikation der Seele*). **2.** p~ Psyche *f*: a) Seele *f*, b) Geist *m.* **3.** p~ *zo.* Sackträger *m* (*Schmetterling*).

psy·che·del·ic [͵saiki'delik; ͵ps-] *adj* psyche'delisch, bewußtseinserweiternd.

psy·chi·at·ric [͵saiki'ætrik; ͵ps-] *adj*; **͵psy·chi'at·ri·cal** [-kəl] *adj* (*adv* ~ly) psychi'atrisch. **psy'chi·a·trist** [-'kaiətrist] *s med.* Psychi'ater *m.* **psy'chi·a·try** [-tri] *s med.* Psychia'trie *f.*

psy·chic ['saikik; 'ps-] **I** *adj* (*adv* ~ally) **1.** psychisch, seelisch(-geistig), Seelen... **2.** 'übersinnlich: ~ forces. **3.** tele'pathisch (veranlagt), hellseherisch, medi'al. **II** *s* **4.** für 'übersinnliche Einflüsse empfängliche Per'son, *bes.* Medium *n*, *allg.* Hellseher(in). **5.** (*das*) Psychische. **6.** *pl* (*als sg konstruiert*) a) Psycholo'gie *f*, Seelenkunde *f*, -forschung *f*, b) 'Parapsycholo͵gie *f.* **'psy·chi·cal** *adj* → psychic I: ~ research → psychic 6 b.

psycho- [saiko; ps-] *Wortelement mit den Bedeutungen* a) Psyche, Seele, Geist, b) psychisch.

͵psy·cho·a'nal·y·sis *s* Psychoana'lyse *f.* **͵psy·cho'an·a·lyst** *s* Psychoana'lytiker *m.* **͵psy·cho'an·a͵lyze** *v/t* psychoana'lytisch behandeln *od.* unter'suchen.

psy·cho·bi'ol·o·gy *s psych.* ͵Psychobiolo'gie *f.*

͵psy·cho'dra·ma *s psych.* Psycho'drama *n* (*Heilmethode, bei der die*

Patienten ihre Konfliktsituationen schauspielerisch darstellen).

ˌ**psy·choˈgen·e·sis** *s* **1.** *med.* Psychogeˈnie *f* (*psychologisch bedingte Krankheit*). **2.** *psych.* Psychogeˈnese *f*.

ˌ**psy·choˈgen·ic** *adj* psychoˈgen, seelisch bedingt. [psychogenesis 2.]

psy·chog·o·ny [saiˈkɒgəni; ps-] → psychogenesis 2.

psy·cho·gram [ˈsaikoˌgræm; ˈps-] *s* **1.** *Spiritismus:* Mitteilung *f* e-s Geistes. **2.** → psychograph 1. ˈ**psy·choˌgraph** [-ˌgræ(ː)f; *Br. a.* -ˌgrɑːf] *s* **1.** *psych.* Psychoˈgramm *n* (*Darstellung der psychologischen Eigenart e-s Menschen*). **2.** *Spiritismus:* Psychoˈgraph *m* (*Gerät zur Aufzeichnung der Mitteilungen von Geistern*).

psy·cho·log·ic [ˌsaikəˈlɒdʒik; ˌps-] → psychological. ˌ**psy·choˈlog·i·cal** *adj* (*adv* ~ly) psychoˈlogisch: the ~ moment der (psychologisch) richtige Augenblick; ~ warfare a) psychologische Kriegführung, b) *fig.* Nervenkrieg *m*.

psy·chol·o·gist [saiˈkɒlədʒist; ps-] *s* Psychoˈloge *m*, Psychoˈlogin *f*.

psy·chol·o·gy [saiˈkɒlədʒi; ps-] *s* **1.** Psycholoˈgie *f* (*Wissenschaft*). **2.** Psycholoˈgie *f*, Seelenleben *n*, Mentaliˈtät *f*: the ~ of the juvenile.

psy·chom·e·try [saiˈkɒmitri; ps-] *s* **1.** *Parapsychologie:* Psychomeˈtrie *f*. **2.** *psych.* Psychomeˈtrie *f*, (zeitliche) Messung geistiger Vorgänge.

ˌ**psy·choˈmo·tor** *adj physiol.* psychomoˈtorisch.

ˌ**psy·cho·neuˈro·sis** *pl* -ˈ**ro·ses** *s psych.* Psychoneuˈrose *f*.

psy·cho·path [ˈsaikoˌpæθ; ˈps-] *s* Psychoˈpath(in). ˌ**psy·choˈpath·ic I** *adj* psychoˈpathisch. **II** *s* Psychoˈpath(in).

ˌ**psy·cho·paˈthol·o·gy** *s* ˌPsychopathoˈlogie *f*.

psy·chop·a·thy [saiˈkɒpəθi; ps-] *s* Psychopaˈthie *f*: a) seelische Abnormiˈtät, b) seelisches Leiden.

ˌ**psy·choˈphys·i·cal** *adj* psychoˈphysisch, seelisch-leiblich. ˌ**psy·choˈphys·ics** *s pl* (*meist als sg konstruiert*) *psych.* Psychophyˈsik *f*.

ˌ**psy·choˈre·alˌism** *s Literatur:* psychoˈlogischer Reaˈlismus.

psy·cho·sis [saiˈkousis; ps-] *pl* **-cho·ses** [-siːz] *s* Psyˈchose *f* (*a. fig.*).

ˌ**psy·cho·soˈmat·ic** *adj med.* psychosoˈmatisch. ˌ**psy·cho·soˈmat·ics** *s pl* (*als sg konstruiert*) *med.* Psychosoˈmatik *f*.

ˌ**psy·choˈsur·ger·y** *s med.* **1.** Psychochirurˈgie *f* (*Gehirnchirurgie zur Behandlung von Geisteskrankheiten*). **2.** *engS.* Leukotoˈmie *f*.

ˌ**psy·choˌther·aˈpeu·tic** *adj med.* psychotheraˈpeutisch. ˌ**psy·choˌther·aˈpeu·tics** *s pl* (*meist als sg konstruiert*) *med.* Psychotheraˈpeutik *f*.

ˌ**psy·choˈther·a·pist** *s med.* Psychotheraˈpeut(in). ˌ**psy·choˈther·a·py** *s* Psychotheraˈpie *f*.

psy·chot·ic [saiˈkɒtik; ps-] *psych.* **I** *adj* psyˈchotisch. **II** *s* Psyˈchosekranke(r *m*) *f*.

psy·chrom·e·ter [saiˈkrɒmitər; ps-] *s phys.* Psychroˈmeter *n* (*Luftfeuchtigkeitsmesser*).

psy·chro·phyte [ˈsaikroˌfait; ˈps-] *s bot.* Psychroˈphyt *m*, kälteliebende Pflanze.

ptar·mi·gan [ˈtɑːrmigən] *pl* **-gans,** *bes. collect.* **-gan** *s orn.* Schneehuhn *n*.

PT boat *s mar. Am.* Schnellboot *n*.

pter·i·dol·o·gy [ˌteriˈdɒlədʒi; ˌpt-] *s bot.* Farnkunde *f*.

pter·o·dac·tyl [ˌteroˈdæktil; ˌpt-] *s zo.* Pteroˈdaktylus *m*, Flugsaurier *m*.

pter·o·pod [ˈterəˌpɒd; ˈpt-] *s zo.* Flügelschnecke *f*.

pter·o·saur [ˈterəˌsɔːr; ˈpt-] → pterodactyl.

pte·ryg·i·um [tiˈridʒiəm; pt-] *s anat.* Pteˈrygium *n*, Flügelfell *n* (*am Auge*).

pter·y·goid [ˈteriˌgɔid; ˈpt-] **I** *adj* **1.** flügelförmig. **2.** *anat.* Flügel... **II** *s* **3.** *anat.* a) *a.* ~ bone Flügel-, Keilbein *n*, b) *a.* ~ muscle Flügelmuskel *m*, c) ˈFlügelarˌterie *f*.

ptis·an [ˈtizən; tiˈzæn] *s* **1.** Ptiˈsane *f*, Gerstenschleim *m*. **2.** (schwacher) Heiltrank.

Ptol·e·ma·ic [ˌtɒliˈmeiik] *adj* ptoleˈmäisch.

pto·maine [ˈtoumein; toˈmein] *s chem.* Ptomaˈin *n* (*Leichengift*).

pto·sis [ˈtousis; ˈpt-] *s med.* Ptosis *f*, Augenlidlähmung *f*.

pty·a·lin [ˈtaiəlin; ˈpt-] *s biol. chem.* Ptyaˈlin *n* (*Speichelenzym*). ˈ**pty·aˌlism** *s med.* Speichelfluß *m*.

pub [pʌb] *s Br. colloq.* ‚Kneipe' *f*, (ˈBier)Loˌkal *n*, Wirtshaus *n*. ˈ~-ˌ**crawl** *sl.* **I** *s* Kneipenbummel *m*, ‚Sauftour' *f*. **II** *v/i* e-n Kneipenbummel machen.

pu·ber·al [ˈpjuːbərəl], **pu·ber·tal** [ˈpjuːbərtl] *adj* Pubertäts...

pu·ber·ty [ˈpjuːbərti] *s* Puberˈtät *f*: a) Geschlechtsreife *f*, b) *a.* age of ~ Pubertätsalter *n*. ~ **vo·cal change** *s* Stimmbruch *m*.

pu·bes [ˈpjuːbiːz] *s anat.* a) Pubes *f*, Schamgegend *f*, b) Schamhaare *pl*.

pu·bes·cence [pjuːˈbesns] *s* **1.** Geschlechtsreife *f*. **2.** *bot. zo.* feine Behaarung, Flaumhaar *n*. **puˈbes·cent** *adj* **1.** pubesˈzent, geschlechtsreif (werdend). **2.** Pubertäts... **3.** *bot. zo.* feinbehaart.

pu·bic [ˈpjuːbik] *adj anat.* Scham...: ~ bone; ~ arch Schambogen *m*; ~ symphysis Schambeinfuge *f*.

pu·bis [ˈpjuːbis] *s anat.* Schambein *n*.

pub·lic [ˈpʌblik] **I** *adj* (*adv* → publicly) **1.** öffentlich (*stattfindend*): ~ meeting; ~ proceedings; ~ protest; ~ notice öffentliche Bekanntmachung, Aufgebot *n*; ~ sale öffentliche Versteigerung, Auktion *f*; in the ~ eye im Lichte der Öffentlichkeit. **2.** öffentlich, allgemein bekannt: a ~ character; ~ figure prominente Gestalt; to make ~ (allgemein) bekanntmachen, publik machen. **3.** a) öffentlich: ~ bath (credit, education, holiday, institution, morals, road, safety, *etc*), b) Staats..., staatlich: ~ agency (bond, debt, loan, official, subsidy, *etc*); at the ~ expense auf Kosten des Steuerzahlers, c) Volks...: ~ library; → public health, d) Gemeinde..., Stadt...: P~ Assistance öffentliche Fürsorge; ~ charge Fürsorgeempfänger(in); ~ economy Volkswirtschaft(slehre) *f*; ~ enemy Volksfeind(in); ~ information Unterrichtung *f* der Öffentlichkeit; ~ law a) öffentliches Recht, b) internationales Recht; ~ spirit Gemeinsinn *m*; → nuisance 3, policy[1] 3, prosecutor. **4.** natioˈnal: ~ disaster. **5.** ˈinternatioˌnal. **6.** (*Oxford, Cambridge*) der gesamten Universiˈtät (*u. nicht nur e-s College etc*): a ~ lecture. **II** *s* **7.** Öffentlichkeit *f*: in ~ in der Öffentlichkeit, öffentlich. **8.** (*sg u. pl konstruiert*) (*die*) Öffentlichkeit, (*das*) Volk, (*die*) Leute *pl*, (*das*) Publikum, Kreise *pl*, Welt *f*: to appear in ~ an die Öffentlichkeit treten; to exclude the ~ *jur.* die Öffentlichkeit ausschließen. **9.** Staat *m*, Natiˈon *f*. **10.** *Br. colloq.* → pub.

pub·lic| ac·count·ant *s* öffentlicher ˈBücherreˌvisor. ~**-ad·dress sys·tem** *s* Lautsprecheranlage *f*.

pub·li·can [ˈpʌblikən] *s* **1.** *Br.* (Gast-)Wirt *m*. **2.** *hist., bes. Bibl.* Zöllner *m*.

pub·li·ca·tion [ˌpʌbliˈkeiʃən] *s* **1.** Bekanntmachung *f*, -gabe *f*. **2.** Veröffentlichung *f*: a) Herˈausgabe *f* (*von Druckwerken*), b) Publikatiˈon *f*, Verlagswerk *n*, (Druck)Schrift *f*: monthly ~ Monatsschrift; new ~s Neuerscheinungen, neuerschienene Werke; ~ price Ladenpreis *m*.

pub·lic| con·ven·ience *s* öffentliche Bedürfnisanstalt. ~ **cor·po·ra·tion** *s econ.* öffentliche Körperschaft. ~ **de·fend·er** *s jur. Am.* Pflichtverteidiger *m* (*für Unbemittelte*). ~ **do·main** *s jur.* **1.** *Am.* ˈStaatsländeˌreien *pl*. **2.** nicht durch Copyright *od.* Paˈtent geschützte Erzeugnisse *pl*. ~ **funds** *s pl econ.* **1.** öffentliche Gelder *pl*. **2.** *Br.* funˈdierte Staatsschuld. ~ **good** *s* Gemeinwohl *n*. ~ **health** *s* **1.** Volksgesundheit *f*, öffentliche Gesundheit. **2.** öffentliche Gesundheitspflege. **P~ Health Serv·ice** *s* öffentlicher Gesundheitsdienst. ~ **house** *s* Gast-, Wirtshaus *n*.

pub·li·cist [ˈpʌblisist] *s* **1.** Publiˈzist *m*, (*bes.* poˈlitischer) Tagesschriftsteller. **2.** *jur.* Völkerrechtler *m*. **3.** Reˈklame-, ˈPresseaˌgent *m*.

pub·lic·i·ty [pʌbˈlisiti] *s* **1.** Publiziˈtät *f*, Öffentlichkeit *f* (*a. jur. des Verfahrens*): to give s.th. ~ etwas allgemein bekanntmachen, etwas publik machen. **2.** *econ. u. allg.* Reˈklame *f*, (*bes.* indirekte) Werbung, Pubˈlicity *f*. **3.** Bekanntheit *f*, Berühmtheit *f*: to seek ~ bekannt werden wollen. ~ **a·gent** *s* ˈWerbeaˌgent *m*. ~ **cam·paign** *s* Werbefeldzug *m*. ~ **de·part·ment** *s econ.* ˈWerbeabˌteilung *f*. ~ **man** *s irr* Werbefachmann *m*. ~ **man·ag·er** *s* Werbeleiter *m*.

pub·li·cize [ˈpʌbliˌsaiz] *v/t* **1.** publiˈzieren, (öffentlich) bekanntmachen. **2.** Reˈklame machen für, propaˈgieren.

pub·lic·ly [ˈpʌblikli] *adv* **1.** öffentlich, in der Öffentlichkeit. **2.** von der Öffentlichkeit, vom Volk. **3.** für die Öffentlichkeit, für das Volk.

pub·lic| own·er·ship *s econ.* Gemeineigentum *n*. ˈ~-ˈ**pri·vate** *adj econ.* gemischtwirtschaftlich. ~ **re·la·tions I** *s pl* (Pflege *f* der) Beziehungen *pl* zur Öffentlichkeit, öffentliche Meinungspflege, Konˈtaktpflege *f*, Public Reˈlations *pl*. **II** *adj* Presse..., Werbe..., Public-Relations... ~ **rev·e·nue** *s* Staatseinkünfte *pl*. ~ **school** *s* **1.** *Am.* von der Öffentlichkeit unterˈhaltene u. (teilweise) beaufsichtigte Schule. **2.** *Br.* Public School *f* (*höhere, reichdotierte Privatschule, meist mit Internat*). ~ **serv·ant** *s* **1.** Staatsangestellte(r *m*) *f*. **2.** *Am.* ˈEinzelperˌson *f od.* Körperschaft *f*, die der Öffentlichkeit Dienste leistet. ~ **serv·ice** *s* **1.** Staatsdienst *m*. **2.** öffentliche Versorgung (*Gas, Elektrizität, Wasser etc*). ˈ~-ˈ**serv·ice cor·po·ra·tion** *s* öffentliche Versorgungsgesellschaft. ˈ~-ˈ**spir·it·ed** *adj* **1.** gemeinsinnig, soziˈal gesinnt. **2.** patriˈotisch. ~ **u·til·i·ty** *s* **1.** *a.* ~ company (*od.* corporation) gemeinwirtschaftlicher Nutzungsbetrieb, öffentlicher Versorgungsbetrieb (*Gas-, Wasser-, Elektrizitätswerk etc*), *pl a.* Stadtwerke *pl*. **2.** *pl econ.* Aktien *pl* öffentlicher Versorgungsbetriebe. ~ **works** *s pl* öffentliche Arbeiten *pl*.

pub·lish [ˈpʌbliʃ] *v/t* **1.** (offiziˈell) bekanntmachen, -geben, kundtun. **2.** (forˈmell) verkünd(ig)en. **3.** publiˈzieren, veröffentlichen. **4.** *Bücher etc* verlegen, her'ausbringen: **just ~ed** (so)eben erschienen; **~ed by Methuen** im Verlag *od.* bei Methuen erschienen; **~ed by the author** im Selbstverlag. **5.** *jur.* a) *Beleidigendes* (vor Dritten) äußern, verbreiten: **to ~ an insult,** b) *e-e Fälschung* in Verkehr bringen: **to ~ a forgery.** **'pub·lish·a·ble** *adj* **1.** zu veröffentlichen(d). **2.** zur Veröffentlichung geeignet.

pub·lish·er ['pʌbliʃər] *s* **1.** Verleger *m,* Her'ausgeber *m.* **2.** *pl* Verlag *m,* Verlagsanstalt *f.* **3.** *bes. Am.* Zeitungsverleger *m.* **4.** Verbreiter(in).

pub·lish·ing ['pʌbliʃiŋ] **I** *s* Her'ausgabe *f,* Verlag *m.* **II** *adj* Verlags... **~ business** *s* Verlagsgeschäft *n,* -buchhandel *m.* **~ house** → publisher 2.

puce [pjuːs] **I** *adj* braunrot. **II** *s* Braun-[rot *n.*]

puck [pʌk] *s* **1.** Kobold *m.* **2.** *fig.* Wildfang *m,* Range *m, f.* **3.** *Eishockey:* Puck *m,* Scheibe *f.* **4.** Andrückrolle *f* (*beim Tonbandgerät*).

puck·a ['pʌkə] *adj bes. Br. Ind.* **1.** echt, wirklich: **~ sahib** ein wirklicher Herr. **2.** erstklassig, tadellos.

puck·er ['pʌkər] **I** *v/t oft* **~ up** **1.** runzeln, fälteln, Runzeln *od.* Falten bilden in (*dat*). **2.** *den Mund, die Lippen etc* zs.-ziehen, spitzen, *a. die Stirn, e-n Stoff* kräuseln, *die Stirn* runzeln. **II** *v/i* **3.** sich kräuseln, sich zs.-ziehen, sich falten, Falten werfen, Runzeln bilden. **4.** die Stirn runzeln. **III** *s* **5.** Runzel *f,* Falte *f.* **6.** Bausch *m.* **7.** *fig. colloq.* Aufregung *f* (about über *acc,* wegen). **'puck·er·y** [-əri] *adj* **1.** runz(e)lig, faltig. **2.** leicht Falten bildend: **~ cloth.** **3.** bitter, den Mund zs.-ziehend.

puck·ish ['pʌkiʃ] *adj* koboldartig, mutwillig, boshaft.

pud [pʌd] *s* (*Kindersprache*) **1.** (Patsch-)Händchen *n.* **2.** Pfote *f.*

pud·den·ing ['pudəniŋ; 'pudniŋ] *s mar.* Tauwulst *m.*

pud·ding ['pudiŋ] *s* **1.** a) Pudding *m* (*Br. a. Art Fleischpastete*), b) (*feste*) Süßspeise: → proof 10. **2.** (*Art*) Wurst *f:* **white ~** (*Art*) Preßsack *m;* **black ~** Blutwurst. **3.** *mar.* → **puddening.** **~face** *s* ,Vollmondgesicht' *n.* **'~-,faced** *adj* mit e-m ,Vollmondgesicht'. **'~,head** *s sl.* Dummkopf *m.* **~ stone** *s min.* Puddingstein *m.*

pud·ding·y ['pudiŋi] *adj* **1.** puddingartig, schwabbelig. **2.** *fig.* dumm.

pud·dle ['pʌdl] **I** *s* **1.** Pfütze *f,* Lache *f.* **2.** Lehmstrich *m,* -schlag *m.* **3.** *colloq.* Durchein'ander *n,* Wirrwarr *m.* **4.** *fig.* Sumpf *m.* **II** *v/t* **5.** mit Pfützen bedecken. **6.** in Matsch verwandeln: **a field ~d by cattle.** **7.** *Wasser* trüben (*a. fig.*). **8.** *obs. fig.* verwirren. **9.** *Lehm* zu Lehmstrich verarbeiten. **10.** mit Lehm(strich) abdichten. **11.** *metall.* puddeln, im Flammofen frischen: **~(d) steel** Puddelstahl *m.* **III** *v/i* **12.** in Pfützen her'umplanschen *od.* -waten. **13.** *fig.* her'umpfuschen. **~ ball** *s tech.* Luppe *f.* **~ i·ron** *s tech.* Puddeleisen *n.* **~ jump·er** *s sl.* **1.** ,Klapperkasten' *m* (*altes Fahrzeug*). **2.** *aer. mil.* Aufklärungsflugzeug *n.* **3.** Motorboot *n* mit Außenbordmotor.

pud·dler ['pʌdlər] *s metall.* Puddler *m* (*Arbeiter od. Gerät*).

pud·dling ['pʌdliŋ] *s* **1.** *metall.* Puddeln *n,* Puddelverfahren *n.* **2.** *tech.* a) Lehm-, Tonschlag *m,* b) → puddle 2. **~ fur·nace** *s tech.* Puddelofen *m.*

pu·den·cy ['pjuːdənsi] *s* Verschämt-[heit *f.*]

pu·den·dal [pjuː'dendəl] *adj anat.* Scham...: **~ cleft** Schamspalte *f.*

pu'den·dum [-dəm] *pl* **-da** [-də] *s* (*meist im pl gebraucht*) *anat.* (*bes.* weibliche) äußere Geschlechtsteile *pl,* (weibliche) Scham, Vulva *f.*

pu·dent ['pjuːdənt] *adj* verschämt.

pudge [pʌdʒ] *s colloq.* ,Stöpsel' *m,* Dickerchen *n.* **'pudg·y** *adj* klein u. dick, unter'setzt, plump, dicklich.

pu·dic ['pjuːdik] → pudendal.

pud·sy ['pʌdsi] → pudgy.

pueb·lo ['pweblou] *pl* **-los** *s* **1.** Pu'eblo *m* (*Indianerdorf od. kleiner Ort*). **2.** P~ Pu'eblo-Indi,aner(in).

pu·er·ile [*Br.* 'pju(ə)rail; *Am.* -ril] *adj* (*adv* **~ly**) **1.** pue'ril, knabenhaft, kindlich. **2.** *contp.* kindisch. **,pu·er'il·i·ty** [-'riliti] *s* **1.** Puerili'tät *f,* kindisches Wesen. **2.** Kinde'rei *f.*

pu·er·per·al [pjuː'əːrpərəl] *adj* Kindbett...: **~ fever** (*od.* **sepsis**) Kindbettfieber *n;* **~ mania** Kindbettpsychose *f.*

,pu·er'pe·ri·um [-ər'pi(ə)riəm] *s med.* Puer'perium *n,* Wochenbett *n.*

Puer·to Ri·can ['pwertou 'riːkən] **I** *adj* portori'kanisch. **II** *s* Portori'kaner(in).

puff [pʌf] **I** *s* **1.** kurzer Atemzug, ,Schnaufer' *m.* **2.** leichter Windstoß, Hauch *m.* **3.** Zug *m* (*beim Rauchen*). **4.** Paffen *n* (*der Pfeife etc*). **5.** leichter Knall. **6.** (Rauch-, Dampf)Wölkchen *n:* **~ of smoke.** **7.** Schwellung *f,* Beule *f.* **8.** a) marktschreierische Anpreisung, aufdringliche Re'klame, b) lobhudelnde Kri'tik: **~ is part of the trade** Klappern gehört zum Handwerk. **9.** Angebe'rei *f,* Wichtigtue'rei *f.* **10.** a) leichtes Backwerk, *bes.* Windbeutel *m,* b) *Am. alkoholisches Mischgetränk.* **11.** Puderquaste *f.* **12.** Bausch *m,* Puffe *f* (*an Kleidern*). **13.** Steppdecke *f.* **II** *v/i* **14.** paffen (at an *e-r Zigarre etc*). **15.** Rauch- *od.* Dampfwölkchen ausstoßen. **16.** blasen, pusten. **17.** schnauben, schnaufen, keuchen, pusten: **to ~ and blow** keuchen u. schnaufen. **18.** (da'hin- *etc*)keuchen: **the train ~ed out of the station** der Zug dampfte aus dem Bahnhof. **19.** *meist* **~ out** (*od.* **up**) sich (auf-)blähen. **III** *v/t* **20.** blasen, pusten. **21.** *e-e Zigarre etc* paffen. **22.** (auf-)blähen, aufblasen: **~ed eyes** geschwollene Augen; **~ed sleeve** Puffärmel *m.* **23.** außer Atem bringen: **~ed** außer Atem. **24.** über'trieben loben. **25.** marktschreierisch anpreisen. **26.** pudern.

Verbindungen mit Adverbien:

puff| a·way I *v/t* **1.** wegblasen. **II** *v/i* **2.** drauf'lospaffen. **3.** abdampfen (*Zug*). **~ out I** *v/t* **1.** hin'ausblasen. **2.** *e-e Kerze etc* ausblasen, -pusten. **3.** → puff 22. **4.** *Worte* (her'vor)keuchen. **II** *v/i* **5.** hin'ausdampfen (*Zug*). **6.** → puff 19. **~ up I** *v/t* **1.** aufblähen, -blasen. **2.** *fig.* ,aufgeblasen' machen: **puffed up with pride** stolzgeschwellt. **II** *v/i* **3.** in Wölkchen hochsteigen. **4.** hin'aufkeuchen (*a. Zug*). **5.** → puff 19.

puff| ad·der *s zo.* Puffotter *f.* **'~,ball** *s bot.* **1.** Bofist *m.* **2.** *colloq.* Federkrone *f* (*des Löwenzahns*). **~ box** *s* Puderdose *f.*

puff·er ['pʌfər] *s* **1.** Paffer *m.* **2.** Marktschreier *m.* **3.** Lobhudler *m.* **4.** Preistreiber *m,* Scheinbieter *m* (*bei Auktionen*). **'puff·er·y** [-əri] *s* **1.** Lobhude'lei *f.* **2.** marktschreierische Anpreisung.

puf·fin ['pʌfin] *s orn.* Lund *m.*

puff·i·ness ['pʌfinis] *s* **1.** Kurzatmigkeit *f.* **2.** Aufgeblähtheit *f,* Aufgeblasenheit *f* (*a. fig.*). **3.** (Auf)Gedunsenheit *f.* **4.** Schwülstigkeit *f.*

puff·ing ['pʌfiŋ] *s* **1.** Aufbauschung *f,* Aufblähung *f.* **2.** → puff 8 a. **3.** Scheinbieten *n* (*bei Auktionen*), ,Preistreibe'rei *f.*

puff| paste *s* Blätterteig *m.* **~ pas·try** *s* Blätterteiggebäck *n.* **'~-,puff** *s* (*Kindersprache*) **1.** Lokomo'tive *f.* **2.** Zug *m.* **~ sleeve** *s* Puffärmel *m.*

puff·y ['pʌfi] *adj* (*adv* **puffily**) **1.** böig (*Wind*). **2.** kurzatmig, keuchend. **3.** aufgebläht, (an)geschwollen. **4.** bauschig, gebauscht. **5.** aufgedunsen, dick. **6.** *fig.* schwülstig, bom'bastisch. **7.** *fig.* aufgeblasen.

pug¹ [pʌg] *s* **1.** *a.* **~-dog** Mops *m.* **2.** *in Tierfabeln:* a) Fuchs *m,* b) *dial.* Lamm *n,* Hase *m,* Eichhörnchen *n.* **3.** *Br.* kleine Lokomo'tive.

pug² [pʌg] **I** *v/t* **1.** *Lehm etc* mischen u. kneten, schlagen. **2.** mit Lehmschlag *od.* Mörtel *etc* ausfüllen *od.* abdichten (*bes. zur Schalldämpfung*). **3.** mit Wasser knetbar machen. **II** *s* **4.** geknetet*er od.* geschlagener Lehm.

pug³ [pʌg] *s sl.* Boxer *m.*

pu·gil·ism ['pjuːdʒi,lizəm] *s* Boxen *n,* Faustkampf *m.* **'pu·gil·ist** *s* (Berufs-)Boxer *m,* Faustkämpfer *m.* **,pu·gil'is·tic** *adj* (*adv* **~ally**) Box..., Boxer..., boxerisch.

'pug,mill *s tech.* Mischmühle *f.*

pug·na·cious [pʌg'neiʃəs] *adj* (*adv* **~ly**) **1.** kampflustig, kämpferisch. **2.** streitsüchtig. **pug'na·cious·ness, pug'nac·i·ty** [-'næsiti] *s* **1.** Kampf(es)lust *f.* **2.** Streitsucht *f.*

pug| nose *s* Stupsnase *f.* **'~-'nosed** *adj* [stupsnasig.]

puis·ne ['pjuːni] **I** *adj jur.* **1.** jünger. **2.** rangjünger, 'untergeordnet: **~ judge** → 5. **3.** nachgeordnet. **II** *s* **4.** (*bes.* Rang)Jüngere(r) *m.* **5.** *jur.* beisitzender Richter, Beisitzer *m.*

pu·is·sance ['pjuːisəns; -'isəns; 'pwi-] *s* **1.** *poet.* Macht *f,* Gewalt *f.* **2.** *obs.* Kriegsmacht *f,* Heer *n.* **'pu·is·sant** *adj* (*adv* **~ly**) *poet.* mächtig, gewaltig.

pu·ja ['puːdʒɑː] *s* **1.** *Hinduismus:* a) Anbetung *f,* b) religi'öses Fest. **2.** *meist pl Br. Ind. sl.* Gebete *pl.*

puke [pjuːk] *v/t u. v/i* (sich) erbrechen, ,kotzen'.

puk·ka → pucka.

pul·chri·tude ['pʌlkri,tjuːd] *s bes. Am.* Schönheit *f.* **,pul·chri'tu·di·nous** [-dənəs] *adj Am.* (*körperlich*) schön.

pule [pjuːl] *v/i* winseln, wimmern.

pul·ing ['pjuːliŋ] *adj* **1.** winselnd, jammernd. **2.** wehleidig. **3.** kümmerlich.

Pul·itz·er prize ['pulitsər; 'pjuː-] *s* Pulitzerpreis *m* (*jährlich verliehener amer. Preis für hervorragende Leistungen in Literatur od. Journalistik*).

pull [pul] **I** *s* **1.** Ziehen *n,* Zerren *n.* **2.** Zug *m,* Ruck *m:* **to give a strong ~** (at) kräftig ziehen (an *dat*). **3.** *tech.* Zug(kraft *f*) *m.* **4.** Anziehungskraft *f* (*a. fig.*). **5.** *fig.* Zugkraft *f,* Werbewirksamkeit *f.* **6.** *electr.* Anzugskraft *f* (*e-s Relais*). **7.** Zug *m,* Schluck *m* (at aus). **8.** Zug(griff *m,* -leine *f*) *m:* **bell ~** Glockenzug. **9.** a) 'Ruderpar,tie *f,* Bootsfahrt *f,* b) Ruderschlag *m:* **to go for a ~** e-e Ruderpartie machen. **10.** *bes. Golf, Kricket:* Schlagen *n* (*des Balles*) in schiefer Richtung (*bes. nach links*). **11.** Zügeln *n,* Verhalten *n* (*e-s Pferdes*). **12.** ermüdende Steigung. **13.** (long **~** große) Anstrengung, ,Schlauch' *m, fig. a.* Durststrecke *f.* **14.** Vorteil *m* (over, of vor *dat,* gegen-'über). **15.** *sl.* (with) (*heimlicher*) Einfluß (auf *acc*), Beziehungen *pl* (zu). **16.** *print.* Fahne *f,* erster Abzug, Probeabzug *m.* **II** *v/t* **17.** ziehen. **18.** zerren (an *dat*), zupfen (an *dat*):

to ~ s.o.'s ears, to ~ s.o. by the ears j-n an den Ohren ziehen; to ~ a muscle sich e-e Muskelzerrung zuziehen; *siehe a. die Verbindungen mit den entsprechenden Substantiven, z.B.* face 2, leg *Bes. Redew.* **19.** reißen: to ~ apart auseinanderreißen; to ~ to (*od.* in) pieces a) in Stücke reißen, b) *fig.* (*in e-r Kritik etc*) ‚verreißen', ‚herunterreißen'. **20.** *e-e Pflanze* ausreißen. **21.** *e-n Zahn* ziehen. **22.** *Blumen, Äpfel etc* pflücken. **23.** *Flachs* raufen, zupfen. **24.** a) *e-e Gans etc* rupfen, b) *Leder* enthaaren. **25.** *e-e Bonbonmasse etc* (aus)ziehen. **26.** *Unterstützung, Kundschaft* gewinnen, sich sichern. **27.** *Golf, Kricket: den Ball* schief (*bes.* weit nach links) schlagen. **28.** a) *das Pferd* zügeln, b) *ein Rennpferd* ‚pullen', verhalten. **29.** to ~ one's punches (*Boxen*) verhalten schlagen, *fig.* sich zurückhalten; not to ~ one's punches vom Leder ziehen, kein Blatt vor den Mund nehmen. **30.** *mar.* rudern: to ~ a boat; to ~ a good oar gut rudern; → weight 3. **31.** *Riemen* haben: the boat ~s 4 oars das Boot führt 4 Riemen. **32.** *print. Fahnen* abziehen. **33.** *Am. sl. das Messer etc* ziehen: to ~ a pistol on s.o. j-n mit der Pistole bedrohen. **34.** *sl. etwas* ‚drehen', ausführen: to ~ the job ‚das Ding drehen'; → fast[1] 1. **35.** *sl. etwas* tun, hinter sich bringen, *Wache* ‚schieben'. **36.** *sl. s-n Rang etc* betonen, ‚'raushängen' (on s.o. j-m gegen'über). **37.** *Zuschauer etc* anziehen, anlocken. **38.** *Am. sl.* a) *e-n Streik* ausrufen, b) *e-n Betrieb* zum Streik aufrufen: to ~ a plant. **39.** *sl.* a) → pull in 4, b) e-e Razzia machen auf (*acc*), *e-e Spielhölle etc* ausheben.

III *v/i* **40.** ziehen (at an *dat*). **41.** zerren, reißen (at an *dat*). **42.** am Zügel reißen (*Pferd*). **43.** ziehen, saugen (at an *der Pfeife etc*). **44.** e-n Zug machen, trinken (at aus). **45.** sich vorwärtsbewegen *od.* -arbeiten, sich schieben: to ~ up the hill; to ~ into the station *rail.* (in den Bahnhof) einfahren; to ~ to the kerb (*Am.* curb) an den Bordstein heranfahren. **46.** *Kricket, Golf:* den Ball schief (*bes.* nach links) wegschlagen. **47.** *sport* sich nach vorn schieben. **48.** *sl.* ‚ziehen', Zugkraft haben (*Reklame etc*).

Verbindungen mit Adverbien:

pull| a·bout *v/t* her'umzerren. ~ **back I** *v/t* **1.** zu'rückziehen. **2.** *fig.* zu'rückwerfen, aufhalten. **II** *v/i* **3.** sich zu'rückziehen. ~ **down** *v/t* **1.** her'unterziehen, -reißen. **2.** *Gebäude etc* ab-, niederreißen. **3.** *fig.* a) her'unterreißen, b) her'absetzen. **4.** (*meist im pp*) a) schwächen, b) entmutigen. **5.** *Preise etc* drücken. **6.** *Am. sl. e-n Lohn etc* ‚kas'sieren', beziehen. ~ **in I** *v/t* **1.** her'einziehen. **2.** einziehen: → horn 2. **3.** *das Pferd* zügeln, pa'rieren. **4.** *sl. j-n* ‚hochnehmen', verhaften. **II** *v/i* **5.** anhalten, stehenbleiben. **6.** hin'einrudern. **7.** ankommen, *bes.* einfahren (*Zug*). ~ **off I** *v/t* **1.** wegziehen, -reißen. **2.** *den Hut* abnehmen (to vor *dat*), *die Schuhe etc* ausziehen. **3.** *den Preis, Sieg* gewinnen, da'vontragen. **4.** *colloq.* zu'wege bringen, ‚schaffen', ‚schaukeln'. **II** *v/i* **5.** sich in Bewegung setzen, abfahren. **6.** abstoßen (*Boot*). ~ **on** *v/t ein Kleid etc* anziehen. ~ **out I** *v/t* **1.** her'ausziehen. **2.** *aer. das Flugzeug* hochziehen, *aus dem Sturzflug* abfangen. **3.** dehnen. **4.** *fig.* in die Länge ziehen. **II** *v/i* **5.** hin'ausrudern. **6.** hin'ausdampfen, abfahren (*Zug*). **7.** *bes. Am.* abziehen, sich da'vonmachen. ~ **round** *colloq.* **I** *v/t j-n* wieder ‚'hinkriegen', wieder gesund machen. **II** *v/i* wieder auf die Beine kommen, sich erholen. ~ **through I** *v/t* **1.** a) *j-m* 'durchhelfen, b) *e-n Kranken, a. e-e Firma etc* 'durchbringen. **2.** *etwas* erfolgreich 'durchführen. **II** *v/i* **3.** *durch e-e Krankheit, Gefahr etc* 'durchkommen. ~ **to·geth·er I** *v/t* ~ o.s. together sich zs.-reißen, -nehmen. **II** *v/i* (gut) zs.-arbeiten, harmo'nieren, an 'einem Strang ziehen. ~ **up I** *v/t* **1.** (her)'auf-, hochziehen, *mar. Flagge* hissen. **2.** *das Flugzeug* hochziehen. **3.** ausreißen. **4.** *das Pferd, Fahrzeug* anhalten. **5.** zu'rückhalten, *j-m* Einhalt gebieten. **6.** *j-n* zur Rede stellen, ‚anranzen'. **II** *v/i* **7.** (an)halten. **8.** *fig.* bremsen. **9.** *sport* sich nach vorn schieben: to ~ with (*od.* to) s.o. j-n einholen. **10.** *aer.* abheben. **11.** *electr.* ansprechen (*Magnet*), anziehen (*Relais*).

'pull|,back *s* **1.** Hemmnis *n.* **2.** Rückschlag *m.* **3.** *bes. mil.* Abziehen *n*, Abzug *m* (*von Truppen*). **4.** *Am.* Reaktio'när *m.* **5.** Nach'hinten-Dra,pierung *f* der Falten (*bei Damenröcken*). **6.** *tech.* Rücksteller *m.* ~ **box** *s electr.* Anschlußkasten *m.* ~ **cord** *s* Zugleine *f*, -schnur *f.*

pulled| bread [puld] *s* gebähte Brotbrocken *pl.* ~ **chick·en** *s* Hühnerfleisch *n* in weißer Soße. ~ **figs** *s pl* getrocknete Tafelfeigen *pl.*

pull·er ['pulər] *s* **1.** *tech.* Ausziehvorrichtung *f*, (Korken- *etc*)Zieher *m*: ~ airscrew *aer.* Zugschraube *f*; ~ screw *tech.* Abziehschraube *f.* **2.** Puller *m* (*Pferd, das am Zaum nach vorn reißt*). **3.** *econ. sl.* zugkräftige Sache *od.* Per'son, ‚Schlager' *m.* **'~-'in** *s Am. colloq.* Anreißer(in), Kundenfänger(in).

pul·let ['pulit] *s* Hühnchen *n.*

pul·ley ['puli] *tech.* **I** *s* **1.** Rolle *f* (*bes. e-s Flaschenzugs*): rope ~ Seilrolle; block and ~, set of ~s Flaschenzug *m.* **2.** Flasche *f* (*Verbindung mehrerer Rollen*). **3.** Flaschenzug *m.* **4.** *mar.* Talje *f.* **5.** (Transmissi'ons)Scheibe *f*: belt ~ Riemenscheibe. **II** *v/t* **6.** mittels Flaschenzug *od.* Rollen bewegen. ~ **block** *s tech.* (Roll)Kloben *m.* ~ **chain** *s tech.* Flaschenzugkette *f.* ~ **drive** *s tech.* Riemenscheibenantrieb *m.*

'pull|-,fas·ten·er *s* Reißverschluß *m.* **'~-,in** *s* **1.** *Br.* Rasthaus *n* (*bes. für Fernlastfahrer*). **2.** → drive-in 2.

Pull·man (car), p~ ['pulmən] *pl* **-mans** *s rail.* Pullmanwagen *m* (*Salon- u. Schlafwagen*).

'pull|-,off I *s* **1.** *aer.* Lösen *n* des Fallschirms (*beim Absprung*). **2.** (*leichter etc*) Abzug (*bei Schußwaffen*). **II** *adj* **3.** *tech.* Abzieh...: ~ spring. **'~-,on I** *adj* Überzieh... **II** *s* Kleidungsstück *n* (*ohne Knöpfe etc*) zum 'Überziehen. **'~-,out I** *s* **1.** Faltblatt *n* (*e-s Buches*). **2.** *aer.* Hochziehen *n* (*aus dem Sturzflug*). **3.** *mil.* (Truppen)Abzug *m.* **II** *adj* **4.** ausziehbar: ~ seat Schiebesitz *m.* **'~-,o·ver I** *s* Pull'over *m*, 'Überziehjacke *f.* **II** *adj* Überzieh... ~ **sta·tion** *s* Feuermelder *m.* ~ **strap** *s* (Zug)Schlaufe *f*, (Stiefel)Strippe *f.* ~ **switch** *s electr.* Zugschalter *m.* **'~-,through** *s tech.* Reinigungskette *f* (*für Schußwaffen*).

pul·lu·late ['pʌlju,leit] *v/i* **1.** (her'vor)sprossen, knospen. **2.** Knospen treiben. **3.** keimen (*Samen*). **4.** *biol.* sich (*durch Knospung*) vermehren. **5.** *fig.* wuchern, sich rasch ausbreiten, gras'sieren. **6.** *fig.* wimmeln. **,pul·lu'la·tion** *s* **1.** Sprossen *n*, Knospen *n.* **2.** Keimen *n.* **3.** *biol.* Vermehrung *f* (*durch Knospung*). **4.** *fig.* massenhafte Vermehrung.

'pull-,up *s* **1.** *Br.* → pull-in 1. **2.** *sport* Klimmzug *m.* **3.** *aer.* (kurzes) Hochziehen (*des Flugzeugs*).

'pul·ly-,haul ['puli] *v/t u. v/i Br. colloq.* ziehen u. zerren. **'pul·ly-'haul·y** *Br. colloq.* **I** *adj* zerrend u. ziehend. **II** *s* Gezerre *n.*

pul·mo·bran·chi·a [,pʌlmo'bræŋkiə] *pl* **-chi·ae** [-ki,iː] *s zo.* Tra'cheen-, Fächerlunge *f.*

pul·mo·nar·y ['pʌlmənəri] *adj* Lungen...: ~ disease; ~ artery Lungenschlagader *f*; ~ circulation Lungenkreislauf *m*, kleiner Blutkreislauf.

pul·mo·nate ['pʌlmə,neit; -nit] *zo.* **I** *adj* Lungen..., mit Lungen (ausgestattet): ~ mollusc → II. **II** *s* Lungenschnecke *f.*

pul·mon·ic [pʌl'mɒnik] *adj* Lungen...

pulp [pʌlp] **I** *s* **1.** Fruchtfleisch *n*: orange ~. **2.** *bot.* Stengelmark *n.* **3.** weicher *od.* fleischiger Teil. **4.** *a.* dental ~ *anat.* (Zahn)Pulpa *f.* **5.** Brei *m*, breiige Masse: to reduce to (a) ~ a) → 10, b) *fig.* zu Brei schlagen; to be reduced to a ~ *fig.* ‚völlig erledigt sein'. **6.** *Papierherstellung:* a) Pulpe *f*, Pa'pierbrei *m*, *bes.* Ganzzeug *n*, b) Zellstoff *m*: ~ factory Holzschleiferei *f.* **7.** *Bergbau:* a) Schlich *n*, Wascherz *n*, b) Scheide-, Guterz *n* (*trocken aufbereitetes, zerkleinertes Erz*). **8.** Maische *f*, Schnitzel *pl* (*Zucker*). **9.** *bes. Am. colloq.* a) *a.* ~ magazine billige Zeitschrift, Schundblatt *n*, b) Schund *m.* **II** *v/t* **10.** in Brei verwandeln. **11.** *Druckerzeugnisse* einstampfen. **12.** *Früchte* entfleischen. **III** *v/i* **13.** breiig werden *od.* sein. **'~,board** *s* Zellstoffpappe *f.* ~ **cav·i·ty** *s anat.* Pulpahöhle *f.* ~ **en·gine** *s Papierherstellung:* (Ganzzeug)Holländer *m.*

pulp·er ['pʌlpər] *s* **1.** → pulp engine. **2.** *agr.* (Rüben)Breimühle *f.*

pulp·i·ness ['pʌlpinis] *s* **1.** Weichheit *f* u. Saftigkeit *f.* **2.** Fleischigkeit *f.* **3.** Schwammigkeit *f.* **4.** Matschigkeit *f.*

pul·pit ['pulpit] *s* **1.** Kanzel *f*: in the ~ auf der Kanzel; ~ orator Kanzelredner *m.* **2.** the ~ *collect.* a) die Prediger *pl*, die Kanzelredner *pl*, b) die Geistlichkeit. **3.** *fig.* Kanzel *f*, Plattform *f.* **4.** *tech.* Bedienungsstand *m.* **,pul·pit'eer** [-'tir] *oft contp.* **I** *s* Prediger *m.* **II** *v/i* predigen.

pulp·ous ['pʌlpəs] → pulpy.

'pulp,wood *s* Pa'pier-, Faserholz *n.*

pulp·y ['pʌlpi] *adj* (*adv* pulpily) **1.** weich u. saftig. **2.** fleischig. **3.** schwammig, quallig. **4.** breiig, matschig.

pul·que ['pulki; 'puːlke] *s* Pulque *m* (*gegorener Agavensaft; berauschendes mexikanisches Getränk*).

pul·sate [*Br.* pʌl'seit; *Am.* 'pʌlseit] *v/i* **1.** pul'sieren (*a. electr.*), (rhythmisch) pochen *od.* schlagen. **2.** vi'brieren. **3.** *fig.* pul'sieren.

pul·sa·tile ['pʌlsətil; *Br. a.* -,tail] *adj* **1.** pul'sierend. **2.** *mus.* Schlag...

pul·sat·ing [*Br.* pʌl'seitiŋ; *Am.* 'pʌlseitiŋ] *adj* **1.** pul'sierend (*a. electr. Strom etc*), stoßweise: ~ current; ~ load *electr.* stoßweise Belastung. **2.** *fig.* pul'sierend: ~ rhythm (tunes) beschwingter Rhythmus (beschwingte Weisen).

pul·sa·tion [pʌl'seiʃən] *s* **1.** Pul'sieren *n* (*a. electr. u. fig.*), Pochen *n*, Schlagen *n.* **2.** Pulsschlag *m* (*a. fig.*). **3.** Vi'brieren *n.*

pul·sa·to·ry ['pʌlsətəri] → pulsating.

pulse[1] [pʌls] **I** *s* **1.** Puls(schlag) *m* (*a. fig.*): rapid ~, quick ~ schneller Puls; ~ rate *med.* Pulszahl *f*; to feel s.o.'s ~ a) j-m den Puls fühlen, b) *fig.* j-m auf den Zahn fühlen, bei j-m vorfühlen. **2.** Pul'sieren *n* (*a. fig.*). **3.** *electr. phys.* Im'puls *m*, (Strom)Stoß *m*: ~ generator Impulsgenerator *m*, -geber *m*; ~-modulated impulsmoduliert; ~ shaping circuit Impulsformerschaltung *f*; ~ train Impulsserie *f.* **4.** *fig.* Vitali'tät *f*, Schwung *m.* **II** *v/i* **5.** → pulsate. **III** *v/t* **6.** *electr.* im'pulsweise (aus)strahlen *od.* senden.

pulse[2] [pʌls] *s* Hülsenfrüchte *pl.*

'pulse-ˌjet en·gine *s aer.* intermit'tierendes Luftstrahltriebwerk, IL-Triebwerk *n.*

pul·sim·e·ter [pʌl'simitər] *s med.* Pulsmesser *m.*

pul·som·e·ter [pʌl'sɒmitər] *s* **1.** → pulsimeter. **2.** Pulso'meter *n* (*kolbenlose Dampfdruckpumpe*).

pul·ver·iz·a·ble ['pʌlvəˌraizəbl] *adj* **1.** pulveri'sierbar. **2.** zerstäubbar.

ˌpul·ver·i'za·tion *s* **1.** Pulveri'sierung *f*, (Feinst)Mahlung *f.* **2.** Zerstäubung *f* (*von Flüssigkeiten*). **3.** *fig.* Zermalmung *f.*

pul·ver·ize ['pʌlvəˌraiz] **I** *v/t* **1.** pulveri'sieren, (*zu Staub*) zermahlen, -stoßen, -reiben. **2.** *Flüssigkeit* zerstäuben. **3.** *fig.* zermalmen, völlig vernichten. **II** *v/i* **4.** (in Staub) zerfallen, zu Staub werden. **'pul·verˌiz·er** *s* **1.** Zerkleinerer *m*, Pulveri'siermühle *f*, Mahlanlage *f.* **2.** *agr.* Krümelegge *f.* **3.** Zerstäuber *m.*

pul·ver·u·lent [pʌl'verjələnt] *adj* **1.** (fein)pulverig. **2.** (leicht) zerbröckelnd. **3.** staubig.

pu·ma ['pjuːmə] *s* **1.** *zo.* Puma *m.* **2.** Pumafell *n.*

pum·ice ['pʌmis] **I** *s a.* ~ stone Bimsstein *m.* **II** *v/t* mit Bimsstein abreiben *od.* glätten, (ab)bimsen.

pum·mel → pommel.

pump[1] [pʌmp] **I** *s* **1.** Pumpe *f*: (dispensing) ~ *mot.* Zapfsäule *f*; fuel ~ Kraftstoff-, Förderpumpe; the ~ blows die Pumpe lorcht *od.* zieht Luft. **2.** Pumpen(stoß *m*) *n.* **3.** *colloq.* ‚Pumpe' *f* (*Herz*). **4.** *fig.* Ausfrager(in), ‚Ausholer(in)'. **II** *v/t* **5.** pumpen: to ~ dry aus-, leerpumpen; to ~ out auspumpen (*a. fig. erschöpfen*); to ~ up a) hochpumpen, b) *e-n Reifen etc* aufpumpen (*a. fig.*); to ~ money into *econ.* Geld in *etwas* hineinpumpen; to ~ bullets into s.o. j-m Kugeln in den Leib jagen; ~ed storage station Pumpspeicherwerk *n.* **6.** a) *j-n* ‚ausholen', ausfragen, b) *Informationen* her'ausholen (out of aus). **7.** → pumphandle II. **8.** betätigen, *bes. Pedale* treten. **III** *v/i* **9.** pumpen (*a. fig. Herz etc*). **10.** (for) krampfhaft suchen *od.* forschen (nach), (*bes. Informationen*) zu erhalten suchen.

pump[2] [pʌmp] *s* Pumps *m* (*leichter Halbschuh*).

pum·per·nick·el ['pumpərˌnikl; 'pʌm-] *s* Pumpernickel *m.*

pump| gun *s* (*Jagd*)*Gewehr mit halbautomatischem Nachladeschloß.* **'~-ˌhan·dle I** *s* Pumpenschwengel *m.* **II** *v/t colloq. j-s Hand* 'überschwenglich schütteln.

pump·kin ['pʌmpkin; *Am. a.* 'pʌŋkin] *s* **1.** *bot.* (*bes.* Garten)Kürbis *m.* **2.** *colloq.* Tolpatsch *m.* **3.** *meist* some ~s *Am. colloq.* ‚(ein) großes Tier'.

pump| rod *s tech.* Pumpenstange *f.* **~ room** *s* **1.** Pumpenhaus *n.* **2.** Trinkhalle *f* (*in Kurbädern*). **~ stor·age sta·tion** *s tech.* Pumpspeicherwerk *n.*

pun[1] [pʌn] **I** *s* Wortspiel *n* (on über *acc*, mit). **II** *v/i* Wortspiele *od.* ein Wortspiel machen (upon über *acc*), witzeln.

pun[2] [pʌn] *v/t Br.* (fest)stampfen.

punch[1] [pʌntʃ] **I** *s* **1.** (Faust)Schlag *m*: verbal ~es *fig.* wohlgezielte Hiebe; with one ~ mit 'einem Schlag (*a. fig.*); → pull 29. **2.** Schlag(kraft *f*) *m*: → pack 27 a. **3.** *fig.* Schlagkraft *f*, Wucht *f*, Schwung *m*, Schmiß *m.* **4.** → punch line. **II** *v/t* **5.** (*mit der Faust*) schlagen, boxen, e-n Schlag versetzen (*dat*). **6.** (ein)hämmern auf (*acc*): to ~ the typewriter. **7.** *Am. Rinder* treiben.

punch[2] [pʌntʃ] *tech.* **I** *s* **1.** Stanzwerkzeug *n*, -stempel *m*, Lochstanze *f*, -eisen *n*, 'Durchschlag *m.* **2.** Lochzange *f.* **3.** (Pa'pier)Locher *m.* **4.** Prägestempel *m.* **5.** Pa'trize *f.* **6.** Lochung *f*, Stanzung *f.* **II** *v/t* **7.** a) durch'schlagen, lochen, b) *Zahlen, Buchstaben* punzen, stempeln, prägen, einschlagen, c) (aus)stanzen, lochstanzen, d) (an)körnen. **8.** *e-e* (*Fahr- etc*)*Karte* lochen, knipsen, zwicken. **9.** *auf Lochkarten* aufnehmen: to ~ data; ~ed card Lochkarte *f*; ~ed-card accounting department Lochkartenabteilung *f*; ~ed tape Lochstreifen *m.* **10.** *die Kontrolluhr* stechen: to ~ the time clock. **11.** *e-n Nagel, Stift* treiben: to ~ in eintreiben. **12.** durch'bohren.

punch[3] [pʌntʃ] *s* (*Art*) Punsch *m* (*Getränk*).

Punch[4] [pʌntʃ] *s* **1.** Punch *m*, Kasperle *n, m*, Hans'wurst *m*: ~-and-Judy show Kasperletheater *n*; → pleased. **2.** (*ohne art*) (die Zeitschrift) Punch *m* (*englisches satirisches Wochenblatt*).

punch[5] [pʌntʃ] *s Br.* **1.** kurzbeiniges, schweres Zugpferd. **2.** *dial.* ‚Stöpsel' *m* (*kleiner dicker Mensch*).

'punch|ˌboard *s* (*Art*) Lotte'riebrett *n.* **~ bowl** *s* **1.** Punschbowle *f.* **2.** *geogr.* Schüssel *f.* **~ card** *s* Lochkarte *f.* **'~-ˌdrunk** *adj* **1.** (von vielen Boxschlägen) blöde (geworden). **2.** angeschlagen, groggy, (wie) betäubt.

pun·cheon[1] ['pʌntʃən] *s* **1.** (Holz-, Stütz)Pfosten *m.* **2.** *tech.* → punch[2] 1.

pun·cheon[2] ['pʌntʃən] *s hist.* Puncheon *n* (*großes Faß, 324—540 l enthaltend*).

punch·er ['pʌntʃər] *s* **1.** Schläger *m* (*a. Boxer*). **2.** *tech.* Locheisen *n*, Locher *m.* **3.** *Am. colloq.* Cowboy *m.*

punch·ing| bag ['pʌntʃiŋ] *s Boxen*: Sandsack *m.* **~ ball** *s Boxen*: Punchingball *m*, (Mais)Birne *f.* **~ die** *s tech.* 'Stanzmaˌtrize *f.* **~ press** → punch press.

punch| la·dle *s* Punschlöffel *m.* **~ line** *s* 'Knallefˌfekt *m*, Pointe *f.* **~ pli·ers** *s pl* Lochzange *f.* **~ press** *s tech.* Loch-, Stanzpresse *f.*

punch·y[1] ['pʌntʃi] → podgy.

punch·y[2] ['pʌntʃi] *adj colloq.* **1.** *fig.* schlagkräftig, wuchtig, schwungvoll. **2.** → punch-drunk.

punc·tate ['pʌŋkteit], **'punc·tat·ed** [-tid] *adj* **1.** punk'tiert (*a. bot. zo.*). **2.** punktförmig. **3.** *med.* durch Pünktchen *od.* Tüpfelchen gekennzeichnet.

punc·ta·tion [pʌŋk'teiʃən] *s* **1.** Punk'tierung *f.* **2.** Tüpfelung *f.* **3.** Punkt *m*, Tüpfel *m, n.* **4.** *jur.* Punktati'on *f* (*nichtbindende Vereinbarung*).

punc·til·i·o [pʌŋk'tiliˌou] *pl* **-i·os** *s* **1.** kleine Förmlichkeit, Punkt *m* (*der Etikette*), Feinheit *f* (*des Benehmens etc*). **2.** heikler Punkt. **3.** Förmlichkeit *f*, pe'dantische Genauigkeit: ~ of hono(u)r Ehrenpunkt *m.* **punc'til·i·ous** *adj* (*adv* ~ly) **1.** peinlich genau, pe'dantisch. **2.** spitzfindig. **3.** (über'trieben) förmlich. **punc'til·i·ous·ness** → punctilio 3.

punc·tu·al ['pʌŋktʃuəl; *Br. a.* -tjuəl] *adj* (*adv* ~ly) **1.** pünktlich: ~ to the minute auf die Minute pünktlich; ~ payment; to be ~ in doing s.th. etwas pünktlich tun. **2.** *math.* punktförmig, Punkt...: ~ coordinate Punktkoordinate *f.* **ˌpunc·tu'al·i·ty** [-'æliti] *s* Pünktlichkeit *f.*

punc·tu·ate ['pʌŋktʃuˌeit; *Br. a.* -tju-] **I** *v/t* **1.** interpunk'tieren, Satzzeichen setzen in (*acc*). **2.** *fig.* (with) unter'brechen (durch, mit), durch'setzen (mit). **3.** unter'streichen, betonen. **II** *v/i* **4.** Satzzeichen setzen. **ˌpunc·tu'a·tion** *s* **1.** Interpunkti'on *f*, Zeichensetzung *f*: close ~ strikte Zeichensetzung; open ~ weniger strikte Zeichensetzung; ~ mark Satzzeichen *n.* **2.** Vo'kal- u. Zeichensetzung *f* (*im Hebräischen*). **3.** *fig.* Unter'brechung *f*, Durch'setzung *f.* **4.** Her'vorhebung *f*, Unter'streichung *f.* **'punc·tu·a·tive** [*Br.* -ətiv; *Am.* -ˌeitiv] *adj* Interpunktions...

punc·ture ['pʌŋktʃər] **I** *v/t* **1.** durch'stechen, -'bohren. **2.** *mot. colloq.* ein Loch bekommen in (*dat od. acc*): he ~d the new tire (*od.* tyre). **3.** *electr. e-e Isolation* 'durchschlagen. **4.** *med.* punk'tieren. **II** *v/i* **5.** ein Loch bekommen, platzen (*Reifen*). **6.** *electr.* 'durchschlagen. **III** *s* **7.** (Ein)Stich *m*, (kleines) Loch. **8.** Reifenpanne *f*: ~ outfit Flickzeug *n.* **9.** *electr.* 'Durchschlag *m.* **10.** *med.* Punkti'on *f*, Punk'tur *f.* **~ nee·dle** *s med.* Punkti'onsnadel *f.* **'~-ˌproof** *adj* **1.** nagel-, pannensicher (*Reifen*). **2.** *electr.* 'durchschlagsicher. **~ strength** *s electr.* 'Durchschlagfestigkeit *f.*

pun·dit ['pʌndit] *s* **1.** Pandit *m* (*brahmanischer Gelehrter*). **2.** *bes. humor.* a) ‚gelehrtes Haus', Gelehrte(r) *m*, b) weiser Mann, großer Ex'perte. **'pun·dit·ry** [-ri] *s* (brah'manische) Gelehrsamkeit.

pung [pʌŋ] *s Am. dial.* Kastenschlitten *m.*

pun·gen·cy ['pʌndʒənsi] *s* Schärfe *f* (*a. fig.*). **'pun·gent** *adj* (*adv* ~ly) **1.** scharf (*im Geschmack*). **2.** stechend, beißend, ätzend (*Geruch etc*). **3.** *fig.* beißend, sar'kastisch, scharf. **4.** *fig.* a) stechend (*Schmerz*), b) bitter (*Reue etc*). **5.** *fig.* prickelnd, pi'kant. **6.** *bes. bot.* stach(e)lig, spitzig.

Pu·nic ['pjuːnik] *adj* **1.** punisch. **2.** *fig.* verräterisch, treulos: ~ faith punische Treue, Treulosigkeit *f.*

pu·ni·ness ['pjuːninis] *s* **1.** Schwächlichkeit *f.* **2.** Kleinheit *f.* **3.** Armseligkeit *f.*

pun·ish ['pʌniʃ] *v/t* **1.** *j-n* (be)strafen (for für, wegen). **2.** *ein Vergehen etc* bestrafen, ahnden. **3.** *colloq.* a) *e-n Boxer, a. allg.* übel zurichten, arg ‚mitnehmen', b) ‚schlauchen', strapa'zieren, ‚fertigmachen': ~ing hart, strapaziös, mörderisch. **4.** *colloq.* ‚reinhauen' in (*e-e Speise etc*). **'pun·ish·a·ble** *adj* (*adv* punishably) strafbar. **'pun·ish·ment** *s* **1.** Bestrafung *f* (by durch). **2.** Strafe *f* (*a. jur.*): for (*od.* as) a ~ als *od.* zur Strafe. **3.** *colloq.* a) grobe Behandlung, b) *Boxen*: ‚Prügel' *pl*: to take ~ ‚einstecken', c) Stra'paze *f*, ‚Schlauch' *m*: to be subjected to heavy ~ arg mitgenommen *od.* strapaziert werden.

pu·ni·tive ['pjuːnitiv], **'pu·ni·to·ry** *adj* strafend, Straf...: ~ expedition; ~

damages *jur.* (zusätzliche) Buße (*über den Schadenersatz hinaus*); ~ justice Strafjustiz *f*; ~ law Strafgesetz *n*.

Pun·ja·bi [pʌnˈdʒɑːbi] *s* **1.** Bewohner(in) des Pandschˈab. **2.** *ling.* Pandschˈabi *n* (*vorderindische Sprache*).

punk [pʌŋk] *Am.* **I** *s* **1.** Zunderholz *n*, verfaultes Holz. **2.** a) Zunder *m*, b) Wundschwamm *m*. **3.** *sl.* a) Anfänger *m*, b) ‚Flasche' *f*, ‚Niete' *f*, c) ‚Knülch' *m*, ‚Heini' *m*, Kerl *m*, d) ‚Halbstarke(r)' *m*, junger Gaˈnove, e) ‚Quatschkopf' *m*, ‚Blödmann' *m*, f) ‚Homo' *m*. **4.** *obs. od. sl.* Dirne *f*, ‚Nutte' *f*. **5.** *sl.* ‚Mist' *m*: a) Schund *m*, b) ‚Quatsch' *m*. **II** *adj* **6.** *sl.* miseˈrabel, elend, ‚billig'.

pun·net [ˈpʌnit] *s* Spankorb *m*.

pun·ster [ˈpʌnstər] *s* Wortspielmacher(in), Witzbold *m*.

punt[1] [pʌnt] **I** *s bes. Br.* **1.** Punt *n*, Stakkahn *m*: ~ gun Entenflinte *f*. **II** *v/t* **2.** *ein Boot* staken. **3.** in e-m Punt befördern. **III** *v/i* **4.** im Punt fahren.

punt[2] [pʌnt] (*Rugby, amer. Fußball*) **I** *s* Falltritt *m*. **II** *v/t u. v/i* (den Ball) aus der Hand (ab)schlagen.

punt[3] [pʌnt] *v/i* **1.** *Kartenspiel*: gegen die Bank setzen. **2.** *colloq.* a) (*auf ein Pferd*) setzen, b) *allg.* wetten.

punt·er[1] [ˈpʌntər] *s* Puntfahrer(in), j-d, der ein Boot stakt.

punt·er[2] [ˈpʌntər] *s* **1.** ˈBörsenspekuˌlant *m*. **2.** a) Poinˈteur (*der gegen den Bankhalter spielt*), b) kleiner (berufsmäßiger) Wetter.

pu·ny [ˈpjuːni] *adj* (*adv* punily) **1.** schwächlich. **2.** klein, winzig. **3.** kümmerlich, armselig.

pup [pʌp] **I** *s* **1.** junger Hund: in ~ trächtig (*Hündin*); to sell s.o. a ~ *colloq.* ‚j-m etwas andrehen'. **2.** a) junger Seehund, b) junger Otter. **3.** *oft* young ~ *fig.* → puppy 3. **4.** *Am. sl.* ‚Niete' *f* (*wertlose Kapitalanlage etc*). **II** *v/t u. v/i* **5.** (Junge) werfen.

pu·pa [ˈpjuːpə] *pl* **-pae** [-piː] *s zo.* Puppe *f*. ˈ**pu·pal** *adj zo.* Puppen...

pu·pate [ˈpjuːpeit] *v/i zo.* sich verpuppen. **puˈpa·tion** *s zo.* Verpuppung *f*.

pu·pil[1] [ˈpjuːpl; -pil] *s* **1.** Schüler(in): ~ teacher a) *älterer Schüler, der zur Vorbereitung auf den Lehrberuf an e-r Volksschule unterrichtet*, b) → student teacher. **2.** *econ.* Praktiˈkant(in). **3.** *fig.* Schüler(in), Jünger(in). **4.** *jur.* Mündel *m, n*.

pu·pil[2] [ˈpjuːpl; -pil] *s anat.* Puˈpille *f*.

pu·pil·(l)age [ˈpjuːpilidʒ] *s* **1.** Schüler-, Lehrjahre *pl*, -zeit *f*. **2.** Minderjährigkeit *f*, Unmündigkeit *f*.

pu·pil·(l)ar [ˈpjuːpilər], ˈ**pu·pi(l)·lar·y** *adj* **1.** *jur.* Mündel... **2.** *anat.* Pupillen...: ~ reflex Pupillarreflex *m*.

Pu·pin coil [pju(ː)ˈpiːn] *s electr.* Puˈpinspule *f*.

pu·pin·ize [pju(ː)ˈpiːnaiz] *v/t electr.* pupiniˈsieren.

pu·pip·a·rous [pju(ː)ˈpipərəs] *adj zo.* puppengebärend.

pup·pet [ˈpʌpit] *s a. fig.* Marioˈnette *f*, Puppe *f*: ~ government Marionettenregierung *f*; ~ show (*od.* play) Marionetten-, Puppenspiel *n*; ~ state Satellit(enstaat) *m*; ~ valve *tech.* Tellerventil *n*. ˈ**pup·pet·ry** [-tri] *s* **1.** Puppenspielkunst *f*. **2.** *obs. fig.* Mummenschanz *m*. **3.** *Literatur*: konstruˈierte (*blutlose*) Charakˈtere *pl*.

pup·py [ˈpʌpi] *s* **1.** junger Hund. **2.** Junge(s) *n* (*verschiedener anderer Tiere*). **3.** *fig.* (junger) ‚Schnösel' *od.* Springinsfeld, eingebildeter ‚Fatzke'. ~ **dog** *s Kindersprache*: junger Hund.

pup·py·dom [ˈpʌpidəm] *s* **1.** Jugend-, Flegeljahre *pl*. **2.** Albernheit *f*.

ˈ**pup·pyˌfat** *s colloq.* ‚Babyspeck' *m*.

ˈ**pup·pyˌhood** → puppydom.

pup·py love → calf love.

pup tent *s* kleines (Zweimann)Zelt.

pur → purr.

pur·blind [ˈpəːrˌblaind] **I** *adj* **1.** *fig.* kurzsichtig, borˈniert, dumm. **2.** halbblind. **3.** *obs.* (ganz) blind. **II** *v/t* **4.** *fig.* kurzsichtig machen, blenden. ˈ**purˌblind·ness** *s* **1.** *fig.* Kurzsichtigkeit *f*. **2.** Schwachsichtigkeit *f*. **3.** *obs.* Blindheit *f*.

pur·chas·a·ble [ˈpəːrtʃəsəbl] *adj* käuflich (*a. fig.*).

pur·chase [ˈpəːrtʃəs] **I** *v/t* **1.** kaufen, erstehen, (käuflich) erwerben. **2.** erkaufen, erringen (with mit, durch): dearly ~d teuer erkauft. **3.** *fig.* ‚kaufen' (*bestechen*). **4.** *jur.* erwerben (*außer durch Erbschaft*). **5.** *mar. tech.* a) hochwinden, -ziehen, b) (mit Hebelkraft) heben *od.* bewegen. **II** *s* **6.** (An-, Ein)Kauf *m*: by ~ durch Kauf, käuflich; to make a ~ of s.th. etwas kaufen; to make ~s Einkäufe machen. **7.** ˈKauf(obˌjekt *n*) *m*, Anschaffung *f*. **8.** *Bilanz*: Wareneingänge *pl*. **9.** *jur.* Erwerbung *f* (*außer durch Erbschaft*). **10.** (Jahres)Ertrag *m*: at ten years' ~ zum Zehnfachen des Jahresertrags; his life is not worth a day's ~ er lebt keinen Tag mehr, er macht es nicht mehr lange. **11.** Hebevorrichtung *f*, *bes.* a) Flaschenzug *m*, b) *mar.* Talje *f*. **12.** Hebelkraft *f*, -wirkung *f*. **13.** guter Angriffs- *od.* Ansatzpunkt. **14.** *fig.* a) einflußreiche Positiˈon, Machtstellung *f*, b) Machtmittel *n*, Handhabe *f*. ~ **ac·count** *s econ.* Wareneingangskonto *n*. ~ **book,** ~ **jour·nal** *s econ.* Einkaufsbuch *n*. ~ **mon·ey** *s* Kaufsumme *f*: ~ mortgage (Rest)Kaufgeldhypothek *f*. ~ **price** *s* Kaufpreis *m*.

pur·chas·er [ˈpəːrtʃəsər] *s* **1.** Käufer(in), *econ. a.* Abnehmer(in). **2.** *jur.* Erwerber *m* (*außer durch Erbschaft*). **3.** → purchasing agent.

pur·chase tax *s Br.* Erwerbs-, Kaufsteuer *f*.

pur·chas·ing| a·gent [ˈpəːrtʃəsiŋ] *s econ.* Einkäufer *m* (*e-r Firma*). ~ **as·so·ci·a·tion** *s* Einkaufsgenossenschaft *f*. ~ **pow·er** *s* Kaufkraft *f*: excessive ~ Kaufkraftüberhang *m*.

pur·dah [ˈpəːrdə] *s Br. Ind.* **1.** a) *Vorhang zum Verhängen der Frauengemächer*, b) *System der haremartigen Absonderung der Frauen*. **2.** Vorhang *m*.

pure [pjur] *adj* (*adv* → purely) **1.** rein, pur, unvermischt: ~ silk; ~ alcohol reiner Alkohol; ~ gold reines *od.* pures Gold; ~ white reines Weiß. **2.** rein, makellos: ~ Italian reines Italienisch; a ~ friendship e-e reine Freundschaft. **3.** rein, sauber: ~ hands. **4.** (*moralisch*) rein: a) unschuldig, unbefleckt, b) unberührt, keusch: a ~ girl. **5.** unverfälscht. **6.** *mus.* a) (ton)rein, b) obertonfrei. **7.** klar: ~ style. **8.** *biol.* a) reinrassig, -blütig, b) homozyˈgot, reinerbig: ~ line reine Abstammungslinie. **9.** rein, theoˈretisch: ~ science reine Wissenschaft. **10.** rein (*Kunst*). **11.** pur, rein, völlig: ~ nonsense. **12.** rein, pur (*Zufall*): by ~ accident rein zufällig. **13.** rein (*Sprachlaut*).

ˈ**pure|ˌblood I** *adj* **1.** → purebred I. **II** *s* **2.** → purebred II. **3.** *Am.* ˈVollblutindiˌaner(in). ˈ~ˌ**blood·ed** → purebred I. ˈ~ˌ**bred I** *adj* reinrassig, rasserein. **II** *s* reinrassiges Tier. ~ **cul·ture** *s biol.* ˈReinkulˌtur *f*.

pu·rée [*Br.* ˈpju(ə)rei; *Am.* pjuˈrei] (*Fr.*) *s* **1.** Püˈree *n*. **2.** (Püˈree)Suppe *f*.

pure·ly [ˈpju(ə)rli] *adv* **1.** rein. **2.** rein, bloß, ganz: ~ accidental. **3.** ausschließlich.

pure·ness [ˈpju(ə)rnis] *s* Reinheit *f*.

pur·fle [ˈpəːrfl] *v/t* **1.** *bes. ein Kleid* mit e-r Schmuckborte verzieren. **2.** *bes. arch.* (am Rand) mit Ornaˈmenten verzieren.

pur·ga·tion [pəːrˈgeiʃən] *s* **1.** *bes. relig. u. fig., a. jur. hist.* Reinigung *f*. **2.** *med.* Darmentleerung *f*, Entschlackung *f*.

ˈ**pur·ga·tive** [-gətiv] **I** *adj* (*adv* ~ly) **1.** reinigend (*a. jur. hist.*). **2.** *med.* purˈgierend, abführend, Abführ... **II** *s* **3.** *pharm.* Abführmittel *n*. ˌ**pur·gaˈto·ri·al** [-ˈtɔːriəl] *adj relig.* **1.** Reinigungs..., Sühne... **2.** Fegefeuer...

pur·ga·to·ry [ˈpəːrgətəri] *s relig.* Fegefeuer *n* (*a. fig.*).

purge [pəːrdʒ] **I** *v/t* **1.** reinigen, säubern, befreien (of, from von). **2.** *fig.* *j-n* reinigen (of, from von), von Schuld *od.* Verdacht freisprechen: to ~ o.s. of a suspicion sich von e-m Verdacht reinigen. **3.** *e-e Flüssigkeit* klären, läutern. **4.** *med.* a) *bes. den Darm* abführen, entleeren, entschlacken, b) *j-m* (ein) Abführmittel geben. **5.** *ein Verbrechen* sühnen. **6.** *pol.* a) *e-e Partei etc* säubern, b) *j-n* (aus der Parˈtei *etc*) ausschließen, c) *j-n* liquiˈdieren (*töten*). **II** *v/i* **7.** sich läutern. **8.** *med.* a) abführen (*Medikament*), b) Stuhlgang haben. **III** *s* **9.** Reinigung *f*, Säuberung *f*. **10.** Entleerung *f*, Entschlakkung *f*. **11.** *pol.* ˈSäuberung(saktiˌon) *f*. **12.** *pharm.* Abführmittel *n*. **purgˈee** [-ˈdʒiː] *s* Opfer *n* e-r ˈSäuberungsaktiˌon.

pu·ri·fi·ca·tion [ˌpju(ə)rifiˈkeiʃən] *s* **1.** Reinigung *f* (*a. relig.*): P~ (of the Virgin Mary) Mariä Lichtmeß *f*, Mariä Reinigung (*2. Februar*). **2.** *tech.* Reinigung *f* (*a. metall.*), Klärung *f*, (Ab-)Läuterung *f*, *a.* Regeneˈrierung *f* (*von Altöl*).

pu·ri·fi·ca·tor [ˈpju(ə)rifiˌkeitər] *s* **1.** Reiniger *m*. **2.** *relig.* Purifikaˈtorium *n* (*Tuch zur Reinigung des Kelches*).

pu·rif·i·ca·to·ry [*Br.* ˈpju(ə)rifiˌkeitəri; *Am.* pjuˈrifikəˌtɔːri] *adj* reinigend, Reinigungs...

pu·ri·fi·er [ˈpju(ə)riˌfaiər] *s* **1.** Reiniger(in). **2.** *tech.* a) Reinigungsmittel *n*, Reiniger *m*, b) ˈReinigungsappaˌrat *m*.

pu·ri·fy [ˈpju(ə)riˌfai] **I** *v/t* **1.** *a. fig.* reinigen (of, from von). **2.** *tech.* reinigen, läutern, klären, aufbereiten, raffiˈnieren: ~ing plant Reinigungsanlage *f*; purified steel Frischstahl *m*. **II** *v/i* **3.** sich läutern.

Pu·rim [ˈpju(ə)rim; ˈpu(ə)rim] *s* Puˈrimfest *n* (*jüdisches Freudenfest*).

pur·ism [ˈpju(ə)rizəm] *s bes. ling. u. Kunst*: Puˈrismus *m*. ˈ**pur·ist** *s* Puˈrist *m*, *bes.* Sprachreiniger *m*.

Pu·ri·tan [ˈpju(ə)ritən] **I** *s* **1.** *hist.* Puriˈtaner(in). **2.** *meist* p~ *fig.* Puriˈtaner(in), sehr sittenstrenger Mensch. **II** *adj* **3.** *hist.* puriˈtanisch. **4.** *oft* p~ → puritanical. ˌ**pu·riˈtan·i·cal** [-ˈtænikəl] *adj* (*adv* ~ly) puriˈtanisch, (überˈtrieben) sittenstreng. ˈ**Pu·ri·tanˌism** *s* **1.** *hist.* Puritaˈnismus *m*. **2.** *oft* p~ *fig.* Puritaˈnismus *m*, Sittenstrenge *f*.

pu·ri·ty [ˈpju(ə)riti] *s* Reinheit *f*.

purl[1] [pəːrl] **I** *v/i* **1.** murmeln, rieseln (*Bach*). **2.** wirbeln, sich kräuseln. **II** *s* **3.** Murmeln *n*, Plätschern *n*.

purl[2] [pəːrl] **I** *v/t* **1.** → purfle 1. **2.** (um)ˈsäumen, einfassen. **3.** *etwas* linksstricken. **II** *v/i* **4.** linksstricken. **III** *s* **5.** Gold- *od.* Silberdrahtlitze *f*. **6.** a) Zäckchen(borte *f*) *n*, b) Häkelkante *f*, c) Linksstricken *n*.

purl[3] [pəːrl] I *v/i* **1.** *oft* ~ round her'umwirbeln. **2.** *colloq.* a) 'umkippen, b) kentern (*Boot*), c) vom Pferd stürzen. **II** *v/t* **3.** *colloq.* a) 'umkippen, -werfen, b) *e-n Reiter* abwerfen. **III** *s colloq.* **4.** Stoß *m.* **5.** (schwerer) Sturz.

purl[4] [pəːrl] *s hist.* **1.** Wermutbier *n.* **2.** gewürztes Warmbier mit Gin.

purl·er ['pəːrlər] *s colloq.* schwerer Sturz (*bes. vom Pferd*): to come (*od.* take) a ~ schwer stürzen, ‚koppheister' gehen.

pur·lieu ['pəːrljuː] *s* **1.** *Br. hist. aus e-m königlichen Forst ausgegliedertes, aber noch teilweise den Forstgesetzen unterworfenes Land.* **2.** 'Umgegend *f*, Randbezirk(e *pl*) *m.* **3.** a) (Lebens)Bereich *m*, b) *fig.* Jagdgründe *pl.* **4.** *pl* Grenzen *pl*: to keep within one's ~s. **5.** *obs.* schmutziges Viertel (*e-r Stadt*).

pur·lin ['pəːrlin] *s arch.* Pfette *f.*

pur·loin [pər'lɔin] *v/t u. v/i* entwenden, stehlen (*a. fig. plagiieren*). **pur'loin·er** *s* **1.** Dieb *m.* **2.** *fig.* Plagi'ator *m.*

pur·ple ['pəːrpl] **I** *s* **1.** Purpur *m.* **2.** Purpur(kleid *n*) *m.* **3.** *fig.* Purpur *m* (*Herrscher- od. Kardinalswürde*): to raise to the ~ zum Kardinal ernennen, *j-m* den Purpur verleihen. **II** *adj* **4.** purpurn, purpurrot, Purpur... **5.** *Stil*: a) bril'lant, ef'fektvoll, b) rhe'torisch, bom'bastisch: ~ passage, ~ patch Glanzstelle *f* (*a. iro.*). **6.** *Am.* zotig, nicht sa'lonfähig. **III** *v/t u. v/i* **7.** (sich) purpurn färben. ~ **air·way** *s Br.* Flugroute *f* e-r königlichen Ma'schine. ~ **em·per·or** *s zo.* Großer Schillerfalter. **P**~ **Heart** *s* **1.** *mil. Am.* Verwundetenabzeichen *n.* **2.** *pharm.* (stimu'lierende) Ta'blette, (*ein*) Weckmittel *n.*

pur·plish ['pəːrpliʃ], **'pur·ply** [-pli] *adj* purpurartig.

pur·port I *v/t* [pər'pəːrt] **1.** behaupten, vorgeben: to ~ to be (to do) angeblich sein (tun), sein (tun) wollen; the letter ~s to be written by him der Brief erweckt den Eindruck, als wäre er von ihm geschrieben; der Brief ist scheinbar von ihm geschrieben. **2.** besagen, be-inhalten, zum Inhalt haben, ausdrücken (wollen). **II** *s* ['pəːrpəːrt] **3.** Inhalt *m*, Bedeutung *f*, Sinn *m*, Tragweite *f.*

pur·pose ['pəːrpəs] **I** *v/t* **1.** beabsichtigen, vorhaben, bezwecken (s.th. etwas; doing *od.* to do zu tun). **II** *s* **2.** Zweck *m*: for this ~ zu diesem Zweck; for what ~? zu welchem Zweck?, wozu? **3.** (*angestrebtes*) Ziel. **4.** Absicht *f*, Vorhaben *n*: honesty of ~ Ehrlichkeit *f* der Absicht(en); novel with a ~, ~ novel Tendenzroman *m.* **5.** *a.* strength of ~ Entschlußkraft *f*, Zielbewußtheit *f*: weak of ~ ohne Entschlußkraft. **6.** (*wesentliche*) Sache. **7.** Wirkung *f.*

Besondere Redewendungen:
it will answer (*od.* serve) the ~ es wird dem Zweck entsprechen *od.* genügen; for all practical ~s praktisch (genommen *od.* gesehen); for the ~ of a) zwecks, um zu, b) im Sinne *des Gesetzes etc*; of set ~ absichtlich, *bes. jur.* vorsätzlich; on ~ absichtlich; to the ~ a) zur Sache (gehörig), sachlich, b) zweckdienlich; to be to little ~ wenig Zweck haben; to no ~ vergeblich, umsonst; to turn s.th. to good ~ etwas gut anwenden *od.* nützen; → intent[1] 1.

pur·pose·ful ['pəːrpəsfəl; -ful] *adj* (*adv* ~ly) **1.** zielbewußt, entschlossen. **2.** zweckmäßig, -voll. **3.** absichtlich.

pur·pose·less ['pəːrpəslis] *adj* (*adv* ~ly) **1.** zwecklos. **2.** ziel-, planlos. **3.** unentschlossen.

pur·pose·ly ['pəːrpəsli] *adv* absichtlich, vorsätzlich.

pur·pos·ive ['pəːrpəsiv] *adj* **1.** zweckmäßig, -voll, -dienlich. **2.** absichtlich, bewußt. **3.** zielstrebig, -bewußt. **'pur·pos·iv,ism** *s* Zwecklehre *f.*

'pur·pose-,trained *adj* mit Spezi'alausbildung.

pur·pres·ture [pəːr'prestʃər] *s jur.* 'widerrechtliche Aneignung fremden Grundbesitzes.

pur·pu·ra ['pəːrpjurə] *s med.* Purpura *f*, Blutfleckenkrankheit *f.*

pur·pu·ric [pər'pju(ə)rik] *adj* **1.** *med.* Purpura... **2.** *chem.* purpursauer: ~ acid Purpursäure *f.*

purr [pəːr] **I** *v/i* **1.** schnurren (*Katze etc*). **2.** *fig.* surren, summen (*Motor etc*). **3.** *fig.* vor Behagen schnurren. **II** *v/t* **4.** *etwas* ‚summen', ‚säuseln' (*sagen*). **III** *s* **5.** Schnurren *n.* **6.** *fig.* Surren *n*, Summen *n.*

pur·ree ['pʌri; 'pəːri] *s* Purree *n*, Indisches Gelb (*Farbstoff*).

pur sang [pyːr sɑ̃] (*Fr.*) *adj* reinblütig, (wasch)echt: a Conservative ~ ein waschechter Konservativer.

purse [pəːrs] **I** *s* **1.** a) Geldbeutel *m*, Börse *f*, Portemon'naie *n*, b) Brieftasche *f* (*a. fig.*), c) (Damen)Handtasche *f*: a light (long) ~ *fig.* ein magerer (voller) Geldbeutel; public ~ Staatssäckel *m*; one cannot make a silk ~ out of a sow's ear aus e-m Kieselstein kann man keinen Diamanten schleifen. **2.** Fonds *m*: common ~ gemeinsame Kasse. **3.** Geldsammlung *f*, Geldgeschenk *n*: to make up a ~ for Geld sammeln für. **4.** *sport* Börse *f* (*Geldpreis*). **II** *v/t* **5.** *a.* ~ up in Falten legen: to ~ one's brow die Stirn runzeln; to ~ one's lips die Lippen schürzen. **6.** *obs. Geld* einstecken. **III** *v/i* **7.** sich (in Falten) zs.-ziehen, sich runzeln. ~ **bear·er** *s* **1.** Kassenwart *m*, Säckelmeister *m.* **2.** *Br.* Großsiegelträger (*der dem Lordkanzler das Großsiegel voranträgt*). **'~-,proud** *adj* geldstolz, protzig.

purs·er ['pəːrsər] *s mar.* Zahl-, Provi'antmeister *m.*

purse| seine *s Fischfang*: Beutelnetz *n.* ~ **silk** *s* Kordo'nettseide *f.* ~ **strings** *s pl*: to hold the ~ den Geldbeutel verwalten; to tighten the ~ den Daumen auf dem Beutel halten.

purs·lane ['pəːrslin] *s bot.* Portulak(gewächs *n*) *m.*

pur·su·ance [pər'sjuːəns; -'suː-] *s* Ausführung *f*, Verfolgung *f*, Verfolg *m*: in ~ of a) im Verfolg (*gen*), b) → pursuant; in ~ of truth auf der Suche nach (der) Wahrheit. **pur'su·ant** *adj u. adv*: ~ to *e-r Vorschrift etc* gemäß *od.* entsprechend, laut *e-m Befehl etc*, gemäß *Paragraph 1 etc*: ~ to Section 1.

pur·sue [pər'sjuː; -'suː] **I** *v/t* **1.** verfolgen, *j-m* nachsetzen, *j-n* jagen: to ~ the enemy. **2.** *e-n Zweck, ein Ziel, e-n Plan* verfolgen. **3.** *nach Glück etc* streben, *dem Vergnügen etc* nachgehen. **4.** *bes. fig. e-n Kurs, Weg* einschlagen, folgen (*dat*). **5.** *Studien, e-n Beruf etc* betreiben, nachgehen (*dat*). **6.** weiterführen, fortsetzen, fortfahren in (*dat*). **7.** *ein Thema etc* weiterführen, verfolgen, weiterdisku'tieren. **8.** *jur. Scot.* anklagen. **II** *v/i* **9.** ~ after → 1. **10.** fortfahren (*bes. im Sprechen*), weitermachen. **pur'su·er** *s* **1.** Verfolger(in). **2.** *jur. bes. Scot.* (An)Kläger(in).

pur·suit [pər'sjuːt; -'suːt] *s* **1.** (of) Verfolgung *f* (*gen*), Jagd *f* (auf *acc*): to be in ~ of s.o. → pursue 1; ~ action *mil.* Verfolgungskampf *m*; in hot ~ in wilder Verfolgung, hart auf den Fersen. **2.** Streben *n*, Trachten *n*, Jagd (of nach *Glück etc*). **3.** Verfolgung *f*, Verfolg *m*, Betreibung *f* (*e-s Plans etc*). **4.** Beschäftigung *f*, Betätigung *f*, Beruf *m.* **5.** Ausübung *f* (*e-s Gewerbes etc*), Betreiben *n* (*von Studien etc*). **6.** *pl* Studien *pl*, Arbeiten *pl*, Geschäfte *pl.* **7.** Ziel *n*, Zweck *m.* **8.** → pursuit plane. ~ **in·ter·cep·tor** *s aer.* Zerstörer *m.* ~ **plane** *s* Jagdflugzeug *n*, Jäger *m.* ~ **race** *s Radsport*: Verfolgungsrennen *n.*

pur·sui·vant ['pəːrswivənt] *s* **1.** 'Unterherold *m* (*niederste Heroldsklasse*). **2.** *poet.* Begleiter *m.*

pur·sy[1] ['pəːrsi] *adj* **1.** kurzatmig. **2.** beleibt, korpu'lent. **3.** protzig.

pur·sy[2] ['pəːrsi] *adj* zs.-gekniffen (*Mund*).

pu·ru·lence ['pju(ə)ruləns], *a.* **'pu·ru·len·cy** [-si] *s med.* **1.** Eitrigkeit *f.* **2.** Eiter *m.* **'pu·ru·lent** *adj* (*adv* ~ly) *med.* eiternd, eit(e)rig: ~ discharge Eiterausfluß *m*; ~ matter Eiter *m.*

pur·vey [pər'vei] **I** *v/t* (to) *bes. Lebensmittel* liefern (an *acc*), (*j-n*) versorgen mit. **II** *v/i* (Lebensmittel) liefern (for an *acc*, für): to ~ for s.o. j-n beliefern, versorgen. **pur'vey·ance** *s* Lieferung *f*, Beschaffung *f* (*bes. von Lebensmitteln*). **pur'vey·or** [-ər] *s* **1.** Liefe'rant *m*: P~ to the Royal Household Königlicher Hoflieferant. **2.** *hist. Beamter, der Einkäufe etc für die Krone durchführte.*

pur·view ['pəːrvjuː] *s* **1.** *jur.* verfügender Teil (*e-s Gesetzes*). **2.** (Anwendungs)Bereich *m*, Geltungsgebiet *n* (*e-s Gesetzes etc*). **3.** *jur.* Zuständigkeit(sbereich *m*) *f.* **4.** Wirkungskreis *m*, Tätigkeitsfeld *n*, Sphäre *f*, Gebiet *n.* **5.** Gesichtskreis *m*, Blickfeld *n* (*a. fig.*).

pus [pʌs] *s* Eiter *m*: ~ focus Eiterherd *m.*

push [puʃ] **I** *s* **1.** Schub *m*, Stoß *m*: to give s.o. a ~ a) j-m e-n Stoß versetzen, b) *mot.* j-n anschieben; to give s.o. the ~ *Br. sl.* j-n ‚rausschmeißen' (*entlassen*); to get the ~ *sl.* ‚rausgeschmissen werden', ‚fliegen' (*entlassen werden*). **2.** *arch. geol. tech.* (horizon'taler) Druck, Schub *m.* **3.** Anstrengung *f*, Bemühung *f*: to make a ~ sich kräftig anstrengen; at the first ~ auf (den ersten) Anhieb. **4.** Vorstoß *m* (for auf *acc*) (*a. fig.*). **5.** *mil.* ('Groß)Offen,sive *f.* **6.** ('Werbe)Kam,pagne *f.* **7.** *fig.* Anstoß *m*, Antrieb *m.* **8.** Druck *m*, Drang *m* (*der Verhältnisse*). **9.** kritischer Augenblick. **10.** Notfall *m*: at a ~ im Notfall; to bring to the last ~ aufs Äußerste *od.* auf die Spitze treiben. **11.** *colloq.* Schwung *m*, Ener'gie *f*, Tatkraft *f*, Draufgängertum *n.* **12.** Protekti'on *f*: to get a job by ~. **13.** Menge *f*, Haufen *m* (*von Menschen*). **14.** *sl.* a) (exklu'sive) Clique, b) ‚Verein' *m*, ‚Bande' *f.*

II *v/t* **15.** stoßen, schieben, drücken: to ~ open aufstoßen. **16.** drängen: to ~ the enemy into the sea den Feind ins Meer treiben *od.* werfen; to ~ one's way ahead (through) sich vor-(durch)drängen. **17.** (an)treiben, drängen (to zu; to do zu tun): to ~ s.o. for j-n bedrängen wegen, j-m zusetzen wegen; to ~ s.o. for payment bei j-m auf Bezahlung drängen; I am ~ed for time ich befinde mich in Zeitnot *od.* im Gedränge; to be ~ed for money in Geldverlegenheit sein; to ~ s.th. on s.o. j-m etwas aufdrängen. **18.** *a.* ~ ahead (*od.* forward *od.* on) *e-e Angelegenheit* e'nergisch betreiben *od.* verfolgen, vor'antreiben: to ~ s.th. too far etwas zu weit treiben; to ~ one's fortune sein Glück erzwingen (wollen). **19.** *a.* ~ through *etwas* 'durchführen, -setzen, *e-n Anspruch* 'durchsetzen, -drücken, *e-n Vorteil* ausnutzen. **20.** Re'klame machen für, die Trommel rühren für. **21.** *sl.* verkaufen, *a. Rauschgift etc* vertreiben, weitergeben. **22.** *colloq.* sich *e-m Alter* nähern: he was ~ing seventy.

III *v/i* **23.** schieben, stoßen. **24.** drükken, drängen. **25.** (sich) vorwärtsdrängen, sich vor'ankämpfen. **26.** sich tüchtig ins Zeug legen. **27.** (rücksichtslos) vorwärtsstreben (*nach höherer Stellung etc*). **28.** *Billard*: schieben.

Verbindungen mit Adverbien:

push| a·round *v/t* her'umschubsen (*a. fig. schikanieren*). ~ **off I** *v/t* **1.** *Waren* abstoßen, losschlagen. **2.** *das Boot* abstoßen. **II** *v/i* **3.** *mar.* abstoßen (from von). **4.** *colloq.* ‚abhauen', sich da'vonmachen: ~! hau ab! **5.** ~! *colloq.* ‚schieß los'! (*erzähle*). ~ **on** *v/i* **1.** sich vorwärtsschieben, vor(wärts)dringen. **2.** weitergehen. ~ **out I** *v/t* **1.** hin'ausschieben, -stoßen. **2.** vorschieben. **3.** *Wurzeln etc* aussenden, *Äste etc* her'vortreiben. **II** *v/i* **4.** *mar.* in See stechen. **5.** hin'ausragen. ~ **up** *v/t* **1.** hoch-, hin'aufschieben, -stoßen. **2.** *Preise etc* hochtreiben.

'push|,ball *s* Pushball(spiel *n*) *m.* ~ **bi·cy·cle** *s Br.*, ~ **bike** *s Br. colloq.* Fahrrad *n* (*Ggs Motorrad*). **'~-,but·ton I** *s tech.* Druckknopf *m*, -taste *f.* **II** *adj* druckknopfgesteuert, Druckknopf...: ~ switch; ~ control Druckknopfsteuerung *f*; ~ tuning (*Radio*) Drucktasteneinstellung *f*; ~ warfare Druckknopf-Kriegführung *f.* **'~,cart** *s* **1.** a) Schiebewagen *m*, b) Schubkarre(n *m*) *f.* **2.** Kinderwagen *m.*

push·er ['puʃər] *s* **1.** *tech.* Schieber *m.* **2.** Kinderlöffel *m.* **3.** 'Schub-, 'Hilfslokomo,tive *f.* **4.** *a.* ~ airplane Flugzeug *n* mit Druckschraube. **5.** *colloq.* a) Streber *m*, ehrgeiziger Kerl, b) Draufgänger *m.* **6.** *Am. sl.* a) aggres'siver Verkäufer, b) Rauschgifthändler *m*, c) Falschgeldvertreiber *m.*

push·ful ['puʃful] *adj* (*adv* ~ly) e'nergisch, aggres'siv, draufgängerisch.

push·ing ['puʃiŋ] *adj* (*adv* ~ly) **1.** → pushful. **2.** streberisch. **3.** auf-, zudringlich.

'push|-,off *s* **1.** Abstoßen *n* (*vom Ufer*). **2.** *colloq.* Anfang *m*, Start *m.* **'~,o·ver** *s colloq.* **1.** leicht zu besiegender Gegner, Schwächling *m.* **2.** Gimpel *m*: he is a ~ for that darauf fällt er (immer) prompt herein. **3.** Kinderspiel *n*, Kleinigkeit *f*, ‚kleine Fische' *pl.* **'~-,pin** *s Am.* **1.** (*Art*) Reißzwecke *f od.* Bildernagel *m.* **2.** Nadelschieben *n* (*Kinderspiel*). **'~-,pram** *s bes. Br. colloq.* Kinderwagen *m.* **'~-'pull** *adj electr.* Gegentakt... **'~-to-'talk but·ton** *s Funk*: Sprechknopf *m.*

'push-,up *s sport* Liegestütz *m.*

pu·sil·la·nim·i·ty [,pju:silə'nimiti] *s* Kleinmut *m*, Kleinmütigkeit *f*, Verzagtheit *f.* **,pu·sil'lan·i·mous** [-'læniməs] *adj* kleinmütig, verzagt.

puss[1] [pus] *s* **1.** Mieze(kätzchen *n*) *f*, Katze *f*, Kätzchen *n* (*alle a. colloq. fig. Mädchen*): P~ in Boots gestiefelter Kater; ~ in the corner Kämmerchenvermieten *n* (*Spiel*). **2.** *Br.* Häs-chen *n.*

puss[2] [pus] *s sl.* ‚Fresse' *f* (*Gesicht, a. Mund*).

puss·l(e)y ['pusli] *s bot. Am.* Kohlportulak *m.*

puss·y ['pusi] *s* **1.** → puss[1] 1. **2.** → tipcat. **3.** (*etwas*) Weiches u. Wolliges, *bes. bot.* (Weiden)Kätzchen *n.* **4.** *sl. vulg.* a) Vulva *f*, weibliche Scham, b) Koitus *m.*

'puss·y|,cat *s* **1.** → puss[1] 1. **2.** → pussy willow. **'~,foot I** *v/i* **1.** (wie e-e Katze) schleichen. **2.** *fig. colloq.* leisetreten. **3.** *Am. sl.* (on) sich nicht festlegen (auf *acc*), her'umreden (um), la'vieren. **II** *pl* **-foots** *s* **4.** Schleicher *m*, Leisetreter *m.* **5.** *Am. sl.* j-d, der sich nicht festlegen will. **6.** *bes. Br. sl.* Absti'nenzler *m*, Alkoholgegner *m.* **III** *adj* **7.** *Am. sl.* sich nicht festlegend, absichtlich unklar. **8.** *sl.* absti'nenzlerisch, prohibitio'nistisch. **'~,foot·er** → pussyfoot II. **'~,foot·ing** *adj* **1.** leisetreterisch. **2.** *sl.* → pussyfoot III. ~ **wil·low** *s bot.* Verschiedenfarbige Weide.

pus·tu·lar [*Br.* 'pʌstjulər; *Am.* -tʃələr] *adj* **1.** pustelartig, Pustel... **2.** mit Pusteln bedeckt. **'pus·tu,late I** *v/t u. v/i* [-,leit] pustu'lös machen (werden). **II** *adj* [-lit; -,leit] pustu'lös, mit Pusteln bedeckt. **,pus·tu'la·tion** *s* Pustelbildung *f.*

pus·tule [*Br.* 'pʌstju:l; *Am.* -tʃu:l] *s* **1.** *med.* Pustel *f*, Eiterbläs-chen *n.* **2.** *bot. zo.* Warze *f.* **'pus·tu·lous** *adj* pustu'lös, pustelig.

put[1] [put] **I** *s* **1.** Stoß *m*, Wurf *m.* **2.** *Börse*: Rückprämie *f* (*beim Prämiengeschäft*): ~ and call Rück- u. Vorprämie, Stellagegeschäft *n*; ~ of more Nochgeschäft *n* ‚auf Geben'.

II *adj* **3.** *colloq.* ruhig, an Ort u. Stelle, unbeweglich: to stay ~ a) sich nicht (vom Fleck) rühren, b) festbleiben (*a. fig.*).

III *v/t pret u. pp* **put**, *pres p* **'put·ting** **4.** legen, stellen, setzen, tun: ~ it on the table lege es auf den Tisch; I shall ~ the matter before him ich werde ihm die Sache vorlegen; ~ the matter in(to) his hands lege die Angelegenheit in s-e Hände; I ~ him above his brother ich stelle ihn über s-n Bruder; *s. a. die Verbindungen mit den entsprechenden Substantiven.* **5.** stecken (in one's pocket in die Tasche; in prison ins Gefängnis). **6.** *j-n ins Bett, in e-e unangenehme Lage etc, etwas auf den Markt, in Ordnung etc* bringen: he ~ her across the river er brachte *od.* beförderte sie über den Fluß; to ~ the cow to the bull die Kuh zum Stier bringen; to ~ into shape in (geeignete) Form bringen; to ~ one's brain to it sich darauf konzentrieren, die Sache in Angriff nehmen; to ~ s.th. on paper etwas zu Papier bringen; to ~ s.o. right j-n berichtigen; → mind 2. **7.** *etwas in Kraft, in Umlauf, in Gang etc, j-n in Besitz, ins Unrecht, über ein Land etc* setzen: to ~ o.s. in a good light sich ins rechte Licht setzen; ~ the case that gesetzt den Fall, daß; → action 1 *u.* 2, end *Bes. Redew.*, foot 1, place 3, trust 1. **8.** ~ o.s. sich *in j-s Hände etc* begeben: to ~ o.s. under s.o.'s care sich in j-s Obhut begeben; ~ yourself in(to) my hands vertraue dich mir ganz an. **9.** unter'werfen, aussetzen (to *dat*): → death 1, expense *Bes. Redew.*, inconvenience 1, question 6, shame 2, sword 1, test[1] 2. **10.** ~ out of aus ... hin'ausstellen, verdrängen *od.* werfen aus, außer *Betrieb od. Gefecht etc* setzen: → action 13, running 2. **11.** *Land* bepflanzen (into, under mit): land was ~ under potatoes. **12.** (to) setzen (an *acc*), (an)treiben *od.* drängen *od.* zwingen (zu): to ~ s.o. to work j-n an die Arbeit setzen, j-n arbeiten lassen; to ~ to school zur Schule schicken; to ~ to trade *j-n* ein Handwerk lernen lassen; to ~ s.o. to a joiner j-n bei e-m Schreiner in die Lehre geben; to ~ the horse to (*od.* at) the fence das Pferd zum Sprung über den Zaun antreiben; to ~ s.o. to it j-m zusetzen, j-n bedrängen; to be hard ~ to it arg bedrängt werden; to ~ s.o. through a book j-n zum Durchlesen *od.* -arbeiten e-s Buches zwingen; to ~ s.o. through it j-n auf Herz u. Nieren prüfen; → blush 4, flight[2], pace[1] 5. **13.** veranlassen, verlocken (on, to zu). **14.** *in Furcht, Wut etc* versetzen: to ~ s.o. in fear of his life j-m e-e Todesangst einjagen; → countenance 2, ease 2, guard 10, mettle 2, temper 4. **15.** über'setzen, -'tragen (into French ins Fran'zösische). **16.** (*un*)*klar etc* ausdrücken, *klug etc* formu'lieren, *in Worte* fassen: I cannot ~ it into words ich kann es nicht in Worte fassen; how shall I ~ it? wie soll ich mich *od.* es ausdrücken?, → mild 1. **17.** schätzen (at auf *acc*): I ~ his income at £ 1,200 a year. **18.** (to) verwenden (für), anwenden (zu): to ~ s.th. to a good use etwas gut verwenden. **19.** *e-e Entscheidung etc* gründen (on auf *acc*). **20.** *e-e Frage, e-n Antrag etc* vorlegen, stellen: I ~ it to you a) ich appelliere an Sie, ich wende mich an Sie, b) ich stelle es Ihnen anheim; I ~ it to you that *bes. jur.* ich halte Ihnen vor, daß; geben Sie zu, daß; → question 1. **21.** *Geld* setzen, wetten (on auf *acc*). **22.** (into) *Geld* stecken (in *acc*), anlegen (in *dat*), inve'stieren (in *dat*): he ~ money into houses. **23.** *e-e Steuer etc* auferlegen, legen: to ~ a tax on s.th. etwas besteuern, e-e Steuer auf etwas legen. **24.** *die Schuld* zuschieben, geben (on *dat*): they ~ the blame on him. **25.** *die Uhr* stellen. **26.** hin'zufügen, (hin'ein)tun, geben: ~ sugar (in)to your coffee tu Zucker in d-n Kaffee. **27.** *bes. sport die Kugel, den Stein* stoßen. **28.** schleudern, werfen. **29.** *e-e Waffe* stoßen, *e-e Kugel* schießen (in, into in *acc*).

IV *v/i* **30.** sich begeben, fahren, gehen, *bes.* eilen (for nach): to ~ to land sich an Land begeben; to ~ to sea in See stechen; to ~ for home *Am. colloq.* sich ‚heimtrollen'. **31.** *mar.* segeln, steuern, fahren. **32.** *Am.* münden, sich ergießen, fließen (into in *acc*): the river ~s into a lake. **33.** ~ upon (*meist pass*) a) *j-m* zusetzen, *j-n* bedrängen, b) *j-n* ausnutzen, c) *j-n* betrügen, ‚her'einlegen'.

Verbindungen mit Adverbien:

put| a·bout I *v/t* **1.** *das Pferd etc, bes. mar. das Schiff* wenden. **2.** *ein Gerücht* verbreiten, in 'Umlauf setzen. **3.** a) beunruhigen, b) ärgern, c) aus der Fassung bringen, d) quälen. **II** *v/i* **4.** *mar.* wenden. ~ **a·cross** *v/t* **1.** *mar.* 'übersetzen. **2.** *sl. etwas* ‚schaukeln', erfolgreich 'durchführen, Erfolg haben mit: to put it across Erfolg haben, ‚es schaffen'. **3.** *sl. e-e Idee etc* ‚an den Mann bringen', ‚verkaufen', ‚ankommen mit', *etwas* 'durchsetzen (to bei). ~ **a·side** → put away 1 *u.* 3. ~ **a·way I** *v/t* **1.** weglegen, -stecken, -tun, bei'seite legen. **2.** auf-, wegräumen. **3.** *Geld* zu'rücklegen, ‚auf die hohe Kante legen'. **4.** *ein Laster etc* ablegen. **5.** sich trennen von, *engS. a.* sich scheiden lassen von. **6.** *sl. Speisen etc* 'verdrücken', *Getränke* 'runterstellen', 'sich zu Gemüte führen'. **7.** *colloq. j-n* 'einsperren', *in e-e Anstalt* tun. **8.** *colloq. j-n* 'beseitigen', 'aus dem Weg räumen' (*umbringen*). **9.** *sl. etwas* versetzen. **10.** *obs. od. Bibl. e-e Frau* verstoßen. **II** *v/i* **11.** *mar.* auslaufen (for nach). ~ **back I** *v/t* **1.** zu'rückschieben, -stellen, -tun. **2.** *die Uhr* zu'rückstellen, *den Zeiger* zu'rückdrehen. **3.** *fig.* aufhalten, hemmen. **4.** *ped. e-n Schüler* zu'rückversetzen. **5.** wieder'herstellen, in den ursprünglichen Zustand zu'rückversetzen. **II** *v/i* **6.** *bes. mar.* 'umkehren. ~ **by** *v/t* **1.** → put away 1 *u.* 3. **2.** *e-r Frage etc* ausweichen. **3.** *fig.* bei'seite schieben, *j-n* über'gehen. ~ **down I** *v/t* **1.** 'hin-, niederlegen, -stellen, -setzen: → foot 1. **2.** *j-n* (*auf der Fahrt*) absetzen, aussteigen lassen. **3.** *ein Flugzeug* aufsetzen, landen. **4.** a) einkellern, b) *e-n Weinkeller* anlegen. **5.** *j-n* (*von e-m Posten*) absetzen. **6.** *j-n* 'ducken', demütigen, her'untersetzen, kurz abweisen. **7.** zum Schweigen bringen. **8.** *e-n Aufstand* niederschlagen. **9.** *e-n Mißstand* unter'drücken, ausmerzen. **10.** *dial. ein Tier* töten. **11.** *Br. etwas* aufgeben. **12.** (auf-, nieder)schreiben, schriftlich niederlegen. **13.** (to) *econ.* a) (*j-m*) anschreiben, b) auf (*j-s*) Rechnung setzen: to put s.th. down to s.o.'s account. **14.** *econ.* a) *Preise* her'untersetzen, b) *Ausgaben* beschränken. **15.** *j-n* eintragen *od.* vormerken (for für): to put o.s. down sich eintragen. **16.** zuschreiben (to *dat*): I put it down to his inexperience. **17.** schätzen (at, for auf *acc*). **18.** (as, for) *j-n* einschätzen (als), halten (für). **19.** → put away 6. **II** *v/i* **20.** *aer.* landen. ~ **forth** *v/t* **1.** her'vor-, hin'auslegen, -stellen, -schieben, vorschieben. **2.** *die Hand etc* ausstrecken. **3.** zeigen, entwickeln, *Kraft etc* aufbieten. **4.** *bot. Knospen etc* treiben. **5.** veröffentlichen. **6.** *e-e Frage etc* vorbringen. **7.** behaupten. ~ **for·ward** *v/t* **1.** vorschieben. **2.** *die Uhr* vorstellen, *den Zeiger* vorrücken. **3.** *fig.* in den Vordergrund schieben, zur Geltung bringen: to put o.s. forward a) sich hervortun, b) sich vordrängen. **4.** *fig.* vor'anbringen, weiterhelfen (*dat*). **5.** *e-e Meinung etc* vorbringen, *etwas* vorlegen, unter'breiten. **6.** *e-e Theorie* aufstellen, zur De'batte stellen. ~ **in I** *v/t* **1.** her'ein-, hin'einlegen, -stellen, -setzen, -stecken. **2.** hin'eintun, -geben, -schütten. **3.** einschieben, -schalten: to ~ a word a) e-e Bemerkung einwerfen *od.* anbringen, b) ein Wort mitsprechen, c) ein Wort einlegen (for für); to ~ an extra hour's work e-e Stunde mehr arbeiten *od.* dransetzen. **4.** *e-n Schlag etc* anbringen. **5.** *Zeit* verbringen. **6.** *bes. jur.* a) *ein Gesuch etc* einreichen, *ein Dokument* vorlegen, (*e-n*) *Antrag* stellen (to auf *acc*), b) *e-n Anspruch* stellen, erheben (to, for auf *acc*). **7.** *j-n* ein-, anstellen: to ~ a butler. **8.** *e-e Annonce* einrücken. **II** *v/i* **9.** *mar.* einlaufen. **10.** einkehren (at in *e-m Gasthaus etc*). **11.** sich bewerben, nachsuchen (for um): he ~ for two days' leave er bat um zwei Tage Urlaub; to ~ for s.th. etwas fordern, etwas verlangen. ~ **off I** *v/t* **1.** weglegen, -stellen, bei'seite legen *od.* stellen. **2.** *Kleider*, *a. fig. Zweifel etc* ablegen. **3.** *etwas* ver-, aufschieben. **4.** *j-n* 'hinhalten, vertrösten, abspeisen (with mit). **5.** sich drücken vor (*dat*). **6.** *j-n* abbringen, *j-m* abraten (from von). **7.** *colloq. j-n* aus dem Kon'zept bringen, *j-n* 'drausbringen': that put me off da ist mir alles vergangen. **8.** *colloq. j-n* abstoßen. **9.** to put s.th. off (up)on s.o. j-m etwas 'andrehen'. **II** *v/i* **10.** *mar.* auslaufen. ~ **on** *v/t* **1.** *Kleider* anziehen, *den Hut, die Brille* aufsetzen. **2.** *Rouge* auflegen. **3.** *Fett* ansetzen: → weight 3. **4.** *Charakter, Gestalt* annehmen. **5.** vortäuschen, -spielen, (er)heucheln: → act 8, air[1] 9, dog *Bes. Redew.*; to put it on *colloq.* a) angeben, b) übertreiben, c) 'schwer draufschlagen' (*auf den Preis*), d) heucheln; to put it on thick *colloq.* dick auftragen; his modesty is all ~ s-e Bescheidenheit ist nur Mache. **6.** *e-e Summe* aufschlagen (on auf *den Preis*). **7.** *die Uhr* vorstellen, *den Zeiger* vorrücken. **8.** an-, einschalten, *Gas etc* aufdrehen, *Dampf* anlassen, *das Tempo* beschleunigen. **9.** *Kraft, a. Arbeitskräfte, e-n Sonderzug etc* einsetzen: to put s.o. on a job j-n an e-e Arbeit setzen, j-n mit e-r Sache betrauen. **10.** *e-e Schraube, Bremse* anziehen. **11.** *thea. ein Stück* ansetzen, her'ausbringen. **12.** to put s.o. on to j-m e-n Tip geben für, j-n auf *e-e Idee* bringen. **13.** *sport ein Tor etc* erzielen. **14.** *e-e Strafe etc* auferlegen. ~ **out I** *v/t* **1.** hin'auslegen, -stellen *etc.* **2.** *die Hand, e-n Fühler* ausstrecken, *die Zunge* her'ausstrekken. **3.** *e-e Ankündigung etc* aushängen. **4.** *sport* zum Ausscheiden zwingen, 'aus dem Rennen werfen'. **5.** *ein Glied* aus-, verrenken. **6.** *Feuer, Licht* (aus)löschen. **7.** a) verwirren, außer Fassung bringen, b) verstimmen, ärgern: to be ~ about s.th., c) *j-m* Ungelegenheiten bereiten, *j-n* stören. **8.** *Kraft etc* aufbieten. **9.** *Geld* ausleihen (at interest auf Zinsen), investieren. **10.** *ein Boot* aussetzen. **11.** *Augen* ausstechen. **12.** *e-e Arbeit, a. ein Kind, Tier* außer Haus geben, *econ. etwas* in Auftrag geben: to ~ to service in Dienst geben *od.* schicken; → grass *Bes. Redew.*, nurse 4. **13.** *Knospen etc* treiben. **II** *v/i* **14.** *mar.* auslaufen: to ~ (to sea) in See gehen. **15.** *Am. sl.* sich anstrengen. **16.** *Am. sl.* 'her'umhuren' (*Frau*). ~ **o·ver I** *v/t* **1.** *sl.* → put across 2 *u.* 3. **2.** *e-m Film etc* Erfolg sichern, popu'lär machen (*acc*): to put o.s. over sich durchsetzen, Anklang finden, 'ankommen'; to put it over das Publikum gewinnen. **3.** to put it over on *j-n* 'reinlegen'. **4.** *bes. jur. e-e Sache* aufschieben, vertagen. **II** *v/i* **5.** *mar.* hin'überfahren. ~ **through** *v/t* **1.** 'durch-, ausführen. **2.** *teleph. j-n* verbinden (to mit). **3.** weiterleiten (to an *acc*). ~ **to** *v/t ein Pferd* anspannen, *e-e Lokomotive* vorspannen. ~ **to·geth·er** *v/t* **1.** zs.-setzen, *a. ein Schriftwerk* zs.-stellen. **2.** konstru'ieren, bauen. **3.** zs.-zählen: all ~ alle(s) zusammen; → two 2. **4.** zs.-stecken: → head *Bes. Redew.* ~ **up I** *v/t* **1.** hin'auflegen, -stellen. **2.** hochschieben, -heben, -ziehen: → back[1] 1, shutter 1. **3.** *ein Bild, e-n Vorhang etc* aufhängen. **4.** *ein Plakat* anschlagen. **5.** *das Haar* hoch-, aufstecken. **6.** *den Schirm* aufspannen. **7.** aufstellen, errichten, erbauen: to ~ a tent ein Zelt aufschlagen. **8.** *colloq.* a) *etwas* 'aushecken', b) *etwas* 'hindrehen', fin'gieren. **9.** *ein Gebet* em'porsenden. **10.** *e-e Bitte etc* vorbringen. **11.** *e-n Gast* (bei sich) aufnehmen, 'unterbringen, beherbergen. **12.** weglegen, bei'seite legen. **13.** aufbewahren. **14.** ein-, verpacken (in in *acc od. dat*), zs.-legen. **15.** *das Schwert* einstecken. **16.** konser'vieren, einkochen, -machen. **17.** *thea. ein Stück* aufführen. **18.** *ein gutes Spiel etc* zeigen, *e-n* (*harten etc*) *Kampf* liefern, *Widerstand* leisten: to ~ a bluff bluffen. **19.** (als Kandi'daten) aufstellen. **20.** *Auktion*: an-, ausbieten: to ~ for sale meistbietend verkaufen. **21.** *den Preis etc* hin'aufsetzen, erhöhen. **22.** *Wild* aufjagen. **23.** *das Eheaufgebot* verkünden. **24.** bezahlen. **25.** (ein)setzen (*bei der Wette etc*). **26.** *j-n* anstiften (to s.th. zu etwas; to do zu tun). **27.** ~ to a) *j-n* infor'mieren über (*acc*), b) *j-m* e-n Tip geben für. **II** *v/i* **28.** absteigen, einkehren, sich 'einquar,tieren (at in *dat*). **29.** (for) sich aufstellen lassen, kandi'dieren (für), sich bewerben (um). **30.** (be)zahlen (for für). **31.** ~ with sich abfinden mit, sich gefallen lassen, ruhig 'hinnehmen: I'm not going to ~ with it das werde ich mir nicht gefallen lassen. [*u.* II.]

put[2] [pʌt] *pret u. pp* 'putt·ed → putt I

pu·ta·men [pjuː'teimin] *s* **1.** *bot.* (Stein)Kern *m* (*e-r Frucht*). **2.** *zo.* Schalenhaut *f* (*des Eies*).

pu·ta·tive ['pjuːtətiv] *adj* (*adv* ~ly) **1.** vermeintlich. **2.** mutmaßlich. **3.** *jur.* puta'tiv: ~ marriage Putativehe *f* (*in Unkenntnis vorhandener Hindernisse in gutem Glauben geschlossen*).

pute [pjuːt] *adj obs.* rein: pure (and) ~ rein, völlig.

put·log ['pʌt,lɒg; 'put-], *a.* '**put,lock** [-,lɒk] *s* Rüstbalken *m.*

'**put|-,off** [put] *s* **1.** Ausflucht *f*, Ausrede *f.* **2.** Verschiebung *f.* '**~-,on** *adj* vorgetäuscht, -gespiegelt. '**~-,out** *s sport* Ausschalten *n* (*des Gegners*).

put-put ['pʌt,pʌt] **I** *s* **1.** Tuckern *n* (*e-s Motors etc*). **2.** kleiner Motor, kleine Ma'schine *etc.* **II** *v/i* **3.** tuckern.

pu·tre·fa·cient [,pjuːtri'feiʃənt] → putrefactive. ,**pu·tre'fac·tion** [-'fækʃən] *s* **1.** Fäulnis *f*, Verwesung *f.* **2.** Faulen *n.* **3.** *fig.* Zersetzung *f*, Verfall *m.* '**pu·tre,fac·tive** [-,fæktiv] **I** *adj* **1.** faulig, Fäulnis...: ~ bacterium Fäulnisbakterium *n*; ~ fermentation Fäulnisgärung *f.* **2.** fäulniserregend. **II** *s* **3.** Fäulniserreger *m.* '**pu·tre,fy** [-,fai] **I** *v/i* (ver)faulen, in Fäulnis 'übergehen, verwesen. **II** *v/t* zum (Ver)Faulen bringen.

pu·tres·cence [pjuː'tresns] *s* **1.** (Ver)Faulen *n*, Fäulnis *f.* **2.** Fauligkeit *f.*

pu'tres·cent *adj* **1.** (ver)faulend, verwesend. **2.** faulig, Fäulnis...

pu·trid ['pjuːtrid] *adj* (*adv* ~ly) **1.** (ver)faulend, verfault, verwest, faul. **2.** Fäulnis..., Faul...: ~ fever *med.* Faulfieber *n.* **3.** faulig, stinkend. **4.** *fig.* verderbt, kor'rupt. **5.** *fig.* verderblich. **6.** *fig.* scheußlich, ekelhaft. **7.** *sl.* 'mise'rabel', 'saumäßig'. **pu'trid·i·ty,** '**pu·trid·ness** *s* **1.** Fäulnis *f.* **2.** *fig.* Verderbtheit *f*, Kor'ruptheit *f.* **3.** *fig.* Verderblichkeit *f.* **4.** *fig.* Scheußlichkeit *f.* [Staatsstreich *m.*]

putsch [putʃ] (*Ger.*) *s pol.* Putsch *m*,

putt [pʌt] *sport* **I** *v/t* **1.** *Golf*: *den Ball* putten, leicht schlagen. **2.** *die Kugel* stoßen. **II** *v/i* **3.** putten. **4.** (kugel)stoßen. **III** *s* **5.** Putten *n.* **6.** leichter Schlag (*zum Einlochen*). **7.** Stoß *m* (mit der Kugel).

put·tee ['pʌti] *s* 'Wickelga,masche *f.*

putt·er[1] ['pʌtər] *s Golf*: Putter *m* (*Einlochschläger*).

put·ter[2] ['pʌtər] → potter[2].

putt·ing green ['pʌtiŋ] *s* (*Golf*) **1.** Grün *n* (*Teil des Golfplatzes innerhalb* *e-s Radius von 20 Yards vom Loch aus).* **2.** *Rasenstück zum Üben des Puttens.*

put·to ['putou] *pl* **-ti** [-ti] (*Ital.*) *s Kunst*: Putte *f* (*Kindergestalt*).

put·tock ['pʌtək] *s orn. Br. dial.* **1.** Gabelweihe *f.* **2.** Bussard *m.*

put·ty ['pʌti] **I** *s* **1.** *tech.* Kitt *m*, Spachtel(masse *f*) *m*: (glaziers') ~ Glaserkitt; (plasterers') ~ Kalkkitt; (jewelers') ~ *tech.* Zinnasche *f.* **2.** *fig.* Wachs *n*: he is ~ in her hand. **3.** gelbliches Hellgrau. **II** *v/t* **4.** *a.* ~ up *tech.* (ver)kitten. ~ **knife** *s irr tech.* Spachtelmesser *n*, Spachtel *m, f.* ~ **med·al** *s humor.* ‚Blechorden' *m.*

'put|-,up [put] *adj colloq.* abgekartet: a ~ job e-e abgekartete Sache. **'~-up-,on** *adj* miß'braucht, ausgenützt.

puz·zle ['pʌzl] **I** *s* **1.** Rätsel *n* (*a. fig.*). **2.** Puzzle-, Geduldspiel *n* (*beide a. fig.*), Ve'xier-, Zu'sammensetzspiel *n.* **3.** schwierige Sache, kniffliges Pro'blem, ‚harte Nuß'. **4.** Verwirrung *f*, Verlegenheit *f*: to be in a ~ verwirrt sein. **II** *v/t* **5.** verwirren, vor ein Rätsel stellen, verdutzen, *j-m* zu denken geben, verwundern: it ~s me es ist mir ein Rätsel *od.* rätselhaft; he was ~d what to do er wußte nicht, was er tun sollte. **6.** *j-m* Kopfzerbrechen machen, *j-m* zu schaffen machen: to ~ one's brains (*od.* head) sich den Kopf zerbrechen. **7.** kompli'zieren, durchein'anderbringen, verwirren. **8.** ~ out *etwas* austüfteln, -knobeln, her'ausbekommen. **III** *v/i* **9.** verwirrt sein (over, about über *acc*). **10.** sich den Kopf zerbrechen (over über *acc*).

'puz·zle·dom → puzzlement.

'puz·zle|'head·ed *adj* wirrköpfig, kon'fus. ~ **lock** *s* Ve'xier-, Buchstabenschloß *n.*

puz·zle·ment ['pʌzlmənt] *s* Verwirrung *f.*

puz·zler ['pʌzlər] → puzzle 1 *u.* 3.

puz·zling ['pʌzliŋ] *adj* (*adv* ~ly) **1.** rätselhaft. **2.** verwirrend.

py·ae·mi·a, py·ae·mic → pyemia, pyemic.

'pye-,dog [pai] *s Br. Ind.* streunender Hundebastard.

py·e·li·tis [,paiə'laitis] *s med.* Pye'litis *f*, Nierenbeckenentzündung *f.*

py·e·mi·a [pai'iːmiə] *s med.* Pyä'mie *f* (*Blutvergiftung mit Eitererregern*). **py'e·mic** *adj* py'ämisch.

py·gal ['paigəl] *adj zo.* Steiß...

pyg·m(a)e·an [pig'miːən] → pygmy II.

pyg·my ['pigmi] **I** *s* **1.** P~ Pyg'mäe *m*, Pyg'mäin *f* (*Zwergmensch*). **2.** *fig.* Zwerg *m.* **3.** (*etwas*) Winziges. **II** *adj* **4.** Pygmäen... **5.** zwergenhaft, winzig, Zwerg... **6.** unbedeutend.

py·ja·mas [pə'dʒɑːməz] *s pl Br.* Schlafanzug *m*, Py'jama *m.*

pyk·nic ['piknik] **I** *adj* pyknisch, breit-, rundwüchsig. **II** *s* Pykniker(in).

py·lon ['pailɒn] *s* **1.** Py'lon *m* (*Eingangstor, bes. zum ägyptischen Tempel*). **2.** (freitragender) Mast (*für Hochspannungsleitungen etc*). **3.** *aer.* Orien'tierungsmast *m*, -turm *m*, *bes.* Wendeturm *m.*

py·lo·rus [pai'lɔːrəs] *s anat.* Pförtner *m* (*Magenausgang*).

py·or·rh(o)e·a [,paiə'riːə] *s med.* Eiterfluß *m*, *bes.* Paraden'tose *f.*

pyr·a·mid ['pirəmid] **I** *s* **1.** *arch.*, *a. math. etc* Pyra'mide *f* (*a. fig.*). **2.** *pl Br. ein Billardspiel mit* (*meist 15*) *farbigen u. e-r weißen Kugel.* **II** *v/i* **3.** pyra'midenförmig (aufgebaut *od.* angeordnet) sein. **4.** *econ. Gewinne aus e-r* (*noch nicht abgeschlossenen*) *Transaktion sofort zur Durchführung e-r weiteren größeren* (*u. so immer weiter*) *verwenden.* **III** *v/t* **5.** pyra'midenförmig aufbauen *od.* anordnen *od.* aufhäufen. **6.** *econ. Gewinne* zur Erzielung immer größerer Spekulati'onsgewinne verwenden.

py·ram·i·dal [pi'ræmidl] *adj* **1.** Pyramiden... **2.** pyrami'dal (*a. fig. gewaltig*), pyra'midenartig, -förmig.

pyre [paiər] *s* Scheiterhaufen *m.*

py·rene[1] ['pairiːn] *s chem.* Py'ren *n.*

py·rene[2] ['pairiːn] *s bot.* (einzelner) Kern (*e-r Beere etc*).

Pyr·e·ne·an [,pirə'niːən] *adj geogr.* pyre'näisch, Pyrenäen...

py·ret·ic [pai'retik] *adj med.* **1.** fieberhaft. **2.** Fieber... **pyr·e·to·gen·ic** [,pirəto'dʒenik; ,pai-] *adj med.* fiebererzeugend. **,pyr·e·to'ther·a·py** [-to'θerəpi] *s med.* 'Fiebertherа,pie *f.*

py·rex·i·a [pai'reksiə] *s med.* Pyre'xie *f*, Fieberzustand *m.*

pyr·i·form ['piri,fɔːrm] *adj* birnenförmig.

py·rite ['pairait] *s min.* Py'rit *m*, Schwefel-, Eisenkies *m.* **py·ri·tes** [pə'raitiːz; pai-] *s min.* Py'rit *m* (*allgemein für gewisse Sulfide*): copper ~ Kupferkies *m*; iron ~ → pyrite. **py'rit·ic** [-'ritik] *adj* py'ritisch.

py·ro ['pairou; 'pirou] *colloq. für* pyrogallol.

py·ro·cat·e·chol [,pairo'kæti,kɒl; -,koul; -,tʃoul; ,pir-], *a.* **,py·ro'cat·e·chin** [-tʃin; -kin] *s chem. phot.* Brenz-, Pyrocate'chin *n.*

py·ro·cel·lu·lose [,pairo'selju,lous; ,pir-] *s chem.* 'Nitrozellu,lose *f.*

py·ro·e·lec·tric [,pairoi'lektrik; ,pir-] *adj* pyroe'lektrisch. **,py·ro·e,lec'tric·i·ty** [-'trisiti] *s phys.* ,Pyroelektrizi'tät *f.*

py·ro·gal·late [,pairo'gæleit; ,pir-] *s chem.* Pyrogal'lat *n.* **,py·ro'gal·lic ac·id** [-lik] → pyrogallol. **,py·ro'gal·lol** [-loul] *s chem. phot.* Pyrogal'lol *n.*

py·ro·gen ['pairədʒən; 'pir-] *s med.* fiebererregender Stoff. **,py·ro'gen·ic** [-'dʒenik], **py'rog·e·nous** [-'rɒdʒənəs] *adj* **1.** a) wärmeerzeugend, b) durch Wärme erzeugt. **2.** *med.* a) fiebererregend, b) durch Fieber verursacht. **3.** *geol.* pyro'gen.

py·rog·ra·pher [pai'rɒgrəfər; pi-] *s* Pyro'graph *m.* **py'rog·ra·phy** [-'rɒgrəfi] *s* Pyrogra'phie *f*, ,Brandmale'rei *f.*

py·rol·a·try [pai'rɒlətri] *s* Feueranbetung *f.*

py·ro·lig·ne·ous [,pairo'ligniəs; ,pir-] *adj chem.* holzsauer. ~ **ac·id** *s* Holzessigsäure *f.* ~ **al·co·hol,** ~ **spir·it** *s* Me'thylalkohol *m.*

py·rol·y·sis [pai'rɒlisis] *s chem.* Pyro'lyse *f*, Zersetzung *f* durch Hitze. **,py·ro'lyt·ic** [-ro'litik] *adj* pyro'lytisch.

py·ro·ma·ni·a [,pairo'meiniə; ,pir-] *s* Pyroma'nie *f*, Brandstiftungstrieb *m.* **,py·ro'ma·ni,ac** [-,æk] *s* Pyro'mane *m*, Pyro'manin *f.*

py·ro·met·al·lur·gy [,pairo'metə,ləːr-dʒi; ,pir-] *s tech.* ,Pyrometallur'gie *f.*

py·rom·e·ter [pai'rɒmitər] *s phys.* Pyro'meter *n*, Hitzemesser *m.* **py'rom·e·try** [-tri] *s* Pyrome'trie *f.*

py·ro·phor·ic [,pairo'fɒrik; ,pir-] *adj chem.* pyro'phor, an der Luft sich selbst entzündend.

py·ro·sis [pai'rousis] *s med.* Py'rosis *f*, Sodbrennen *n.*

py·ro·tech·nic [,pairo'teknik; ,pir-], *a.* **,py·ro'tech·ni·cal** [-kəl] *adj* **1.** pyro'technisch. **2.** Feuerwerks..., feuerwerkartig (*a. fig.*). **3.** *fig.* bril'lant. **,py·ro'tech·nics** *s pl* (*meist als sg konstruiert*) **1.** Pyro'technik *f*, ,Feuerwerke'rei *f.* **2.** *fig.* Feuerwerk *n* (*von Witz etc*). **,py·ro'tech·nist** *s* Pyro'techniker *m*, Feuerwerker *m.* **'py·ro-,tech·ny** [-ni] → pyrotechnics 1.

py·rot·ic [pai'rɒtik] *med.* **I** *adj* **1.** kaustisch, ätzend. **2.** brennend. **II** *s* **3.** Ätzmittel *n.*

py·rox·y·lin [pai'rɒksilin] *s chem.* Kol'lodiumwolle *f*: ~ lacquer Nitro(zellulose)lack *m.*

Pyr·rhic[1] ['pirik] *adj* Pyrrhus...: ~ victory Pyrrhussieg *m.*

pyr·rhic[2] ['pirik] *metr.* **I** *s* Pyr'rhichius *m* (*aus zwei Kürzen bestehender Versfuß*). **II** *adj* pyrrhisch: ~ foot → I.

py·rus ['pairəs] *s bot.* Birnbaum *m.*

py·ru·vic| ac·id [pai'ruːvik; pi-] *s chem.* Brenztraubensäure *f.* ~ **al·de·hyde** *s chem.* He'thyl-Glyo,xal *n.*

Py·thag·o·re·an [*Br.* pai,θægə'riːən; *Am.* pi-] **I** *adj* pythago'reisch: ~ proposition, ~ theorem *math.* pythagoreischer Lehrsatz. **II** *s philos.* Pythago'reer *m.*

Pyth·i·an ['piθiən] **I** *adj* **1.** *antiq.* pythisch: ~ games Pythische Spiele, Pythien. **2.** *fig.* rasend, ek'statisch. **II** *s* **3.** the ~ a) der pythische Gott (*Apollo*), b) die Pythia.

py·thon ['paiθɒn] *s* **1.** *zo.* Pythonschlange *f*: Indian ~ Tigerschlange; rock ~ Felsenschlange. **2.** *zo. allg.* Riesenschlange *f.* **3.** P~ *antiq.* Python *m* (*ein von Apollo getöteter Drache*).

py·tho·ness ['paiθənis; 'piθ-] *s* **1.** *antiq.* Pythia *f*, pythische Priesterin. **2.** *fig.* a) Pythia *f*, Wahrsagerin *f*, b) Zauberin *f.*

py·u·ri·a [pai'ju(ə)riə] *s med.* Pyu'rie *f*, Eiterharnen *n.*

pyx [piks] **I** *s* **1.** *R.C.* Pyxis *f*: a) Hostienbehälter *m*, b) *hist.* Zi'borium *n.* **2.** *a.* ~ chest *Büchse in der königlichen brit. Münze, in der Musterstücke der geprägten Münzen zur Prüfung* (trial of the ~) *hinterlegt werden.* **II** *v/t* **3.** *e-e Münze* a) in der pyx hinter'legen, b) auf Gewicht u. Feinheit prüfen.

Q

Q, q [kjuː] **I** *pl* **Q's, Qs, q's, qs** [kjuːz] *s* **1.** Q, q *n* (*Buchstabe*). **2.** Q *Eislaufen*: Kantenwechsel *m* mit anschließendem Bogen. **3.** Q, q *n*, Q-förmiger Gegenstand. **II** *adj* **4.** siebzehnt(er, e, es). **5.** Q Q-..., Q-förmig.

'Q-ˌboat *s* U-Bootfalle *f*.

Q de·part·ment *s mil. Br.* Quar'tiermeisterabˌteilung *f*.

Q fe·ver *s med.* Q-Fieber *n*, Queensland-Fieber *n*.

'Q-ˌship → Q-boat.

qua [kwei] (*Lat.*) *adv* (*in der Eigenschaft*) als: ~ friend.

qua·bird ['kwɑːˌbəːrd] *s orn.* Nachtreiher *m*.

quack[1] [kwæk] **I** *v/i* **1.** quaken. **2.** *fig.* schnattern, schwatzen. **II** *s* **3.** Quaken *n* (*der Ente*). **4.** *fig.* Geschwätz *n*.

quack[2] [kwæk] **I** *s* **1.** *a.* ~ doctor Quacksalber *m*, Kurpfuscher *m*. **2.** Scharlatan *m*. **3.** Marktschreier *m*. **II** *adj* **4.** Quacksalber ..., quacksalberisch. **5.** marktschreierisch. **6.** Schwindel... **III** *v/i* **7.** quacksalbern. **8.** marktschreierisch auftreten. **IV** *v/t* **9.** quacksalbern *od.* her'umpfuschen an (*dat*). **10.** marktschreierisch anpreisen.

quack·er·y ['kwækəri] *s* **1.** ˌQuacksalbe'rei *f*, ˌKurpfusche'rei *f*. **2.** Scharlatane'rie *f*, Schwindel *m*.

quack grass *s bot.* Ackerquecke *f*.

quack·sal·ver ['kwækˌsælvər] → quack[2] I.

quad[1] [kwɒd] *colloq. für* quadrangle, quadrat, quadruplet 1.

quad[2] [kwɒd] *electr.* **I** *s* Adervierer *m*, Viererkabel *n*. **II** *v/t* zum Vierer verseilen: ~ded cable → I.

quad·ra·ble ['kwɒdrəbl] *adj math.* qua'drierbar.

quad·ra·ge·nar·i·an [ˌkwɒdrədʒi'nɛ(ə)riən] **I** *adj* vierzigjährig. **II** *s* Vierziger(in), Vierzigjährige(r *m*) *f*.

Quad·ra·ges·i·ma [ˌkwɒdrə'dʒesimə] *s* (Sonntag *m*) Quadra'gesima *f* (*1. Fastensonntag*). **ˌquad·ra'ges·i·mal** *adj* Fasten...

quad·ran·gle ['kwɒˌdræŋgl] *s* **1.** *math. u. weitS.* Viereck *n*. **2.** a) von Gebäuden um'schlossener viereckiger Hof (*bes. der Oxforder Colleges*), b) viereckiger Ge'bäudekomˌplex. **3.** *Am.* Landkartenviereck *n*. **quad'ran·gu·lar** [-gjulər] *adj* viereckig, -seitig.

quad·rant ['kwɒdrənt] *s* **1.** *math.* Qua'drant *m*: a) *Viertelkreis*, b) *Viertel des Kreisumfangs*, c) *Viertelebene zwischen den Achsen e-s ebenen Koordinatensystems*, d) *Viertelkugel*. **2.** *astr. mar.* Qua'drant *m* (*Instrument*). **3.** *tech.* Qua'drant *m* (*viertelkreisförmiger Teil*). **quad'ran·tal** [-'dræntl] *adj* **1.** Quadranten... **2.** viertelkreisförmig.

quad·rat ['kwɒdrət] *s print.* Qua'drat *n*, Geviert *n*, großer Ausschluß: ~s Quadraten; em ~ Geviert; en ~ Halbgeviert.

quad·rate ['kwɒdrit; -reit] **I** *adj* **1.** (annähernd) qua'dratisch. **2.** *anat.* Quadrat..., Viereck...: ~ bone → 3. **II** *s* **3.** *anat.* Qua'drat-, Viereckbein *n*. **III** *v/t* [-reit] **4.** (with, to) in Über'einstimmung bringen (mit), anpassen (an *acc*). **IV** *v/i* **5.** über'einstimmen.

quad·rat·ic [kwɒ'drætik] **I** *adj* (*adv* ~ally) **1.** qua'dratisch (*in der Form*). **2.** *math.* qua'dratisch, zweiten Grades: ~ equation; ~ curve Kurve *f* zweiter Ordnung. **II** *s pl* (*als sg konstruiert*) **3.** Lehre *f* von den qua'dratischen Gleichungen.

quad·ra·ture ['kwɒdrətʃər] *s* **1.** *math.* Quadra'tur *f* (of the circle des Kreises). **2.** *astr.* Quadra'tur *f* (*Stellung von 2 Himmelskörpern, wenn sie 90° voneinander entfernt sind*). **3.** *electr.* (Phasen)Verschiebung *f* um 90 Grad: ~ circuit Phasenschieberkreis *m*; ~ component Blindkomponente *f*.

quad·ren·ni·al [kwɒ'dreniəl] *adj* (*adv* ~ly) **1.** vierjährig, vier Jahre dauernd *od.* um'fassend. **2.** vierjährlich, alle vier Jahre stattfindend.

quad·ri·ga [kwɒ'draigə] *s* Qua'driga *f*, Viergespann *n*.

ˌquad·ri'lat·er·al I *adj* vierseitig. **II** *s math.* Vierseit *n*, -eck *n*.

ˌquad·ri'lin·gual *adj* viersprachig.

qua·drille [kwə'dril; kə-] *s* Qua'drille *f* (*Tanz od. die Musik dazu*).

quad·ril·lion [kwɒ'driljən] *s math.* **1.** *Br.* Quadrilli'on *f* (10^{24}). **2.** *Am.* Billi'arde *f* (10^{15}).

quad·ri·no·mi·al [ˌkwɒdri'noumiəl] *adj u. s math.* vierglied(e)rig(es Poly'nom).

ˌquad·ri'par·tite *adj* **1.** vierteilig. **2.** Vierer..., Viermächte..., zwischen vier Partnern abgeschlossen *etc*: ~ pact Viererpakt *m*. **3.** vierfach ausgefertigt (*Urkunde*).

ˌquad·ri·syl'lab·ic *adj* viersilbig.

'quad·riˌsyl·la·ble *s* viersilbiges Wort.

ˌquad·ri'va·lent *adj chem.* vierwertig.

quad·riv·i·um [kwɒ'driviəm] *s hist.* Qua'drivium *n* (*der höhere Teil der Freien Künste*: *Arithmetik*, *Geometrie*, *Musik*, *Astronomie*).

quad·roon [kwɒ'druːn] *s* Viertelneger(in), Terze'ron(in) ($^3/_4$ *weiß*, $^1/_4$ *schwarz*).

quad·ru·ped ['kwɒdruˌped] *zo.* **I** *adj* vierfüßig. **II** *s* Vierfüßer *m*. **quad'ru·pe·dal** [-'druːpidl] *adj zo.* **1.** vierfüßig. **2.** Vierfüßer...

quad·ru·ple ['kwɒdrupl] **I** *adj* **1.** *a.* ~ of (*od.* to) vierfach, -fältig, viermal so groß wie. **2.** Vierer...: Q~ Alliance *hist.* Quadrupelallianz *f*; ~ machine-gun *mil.* Vierlings-MG *n*; ~ measure (*od.* time) *mus.* Vierertakt *m*; ~ thread *tech.* viergängiges Gewinde. **II** *adv* **3.** vierfach. **III** *s* **4.** (*das*) Vierfache. **IV** *v/t* **5.** vervierfachen. **6.** viermal so groß *od.* so viel sein wie. **V** *v/i* **7.** sich vervierfachen.

quad·ru·plet ['kwɒdruplit] *s* **1.** Vierling *m* (*Kind*): ~s Vierlinge. **2.** Gruppe *f* von Vieren. **3.** *mus.* Quar'tole *f*.

quad·ru·plex ['kwɒdruˌpleks] *adj* **1.** vierfach, -fältig. **2.** *electr.* Quadruplex..., Vierfach...: ~ system Vierfachbetrieb *m*, Doppelgegensprechen *n*.

quad·ru·pli·cate I *v/t* [kwɒ'druːpliˌkeit] **1.** vervierfachen. **2.** *ein Dokument* vierfach ausfertigen. **II** *adj* [-kit; -ˌkeit] **3.** vierfach, -fältig. **III** *s* [-kit; -ˌkeit] **4.** vierfache Ausfertigung: in ~. **5.** *e-s von 4* (*gleichen*) *Dingen*: ~s 4 Exemplare.

quae·re ['kwi(ə)ri] (*Lat.*) **I** *v/imp* **1.** suche!, frage!, siehe! **2.** es fragt sich. **II** *s* **3.** Frage *f*.

quaff [kwɑːf; kwɒf; *Am. a.* kwæf] **I** *v/i* **1.** zechen, poku'lieren. **II** *v/t* **2.** trinken. **3.** in großen Zügen (aus)trinken, schlürfen: to ~ off *ein Getränk* hinunterstürzen.

quag [kwæg; kwɒg] → quagmire. **'quag·gy** *adj* **1.** sumpfig, mo'rastig. **2.** schwammig, weich. **'quagˌmire** [-ˌmair] *s* **1.** Mo'rast *m*, Moor(boden *m*) *n*, Sumpf(land *n*) *m*. **2.** *fig.* ‚Klemme' *f*: to be caught in a ~ in der Patsche sitzen.

qua·hog, *a.* **qua·haug** ['kwɔːhɒg; -ˌhɔːg] *s zo. Am.* Venusmuschel *f*.

quaich, quaigh [kweix] *s Scot.* kleiner flacher Becher.

quail[1] [kweil] *pl* **quails,** *bes. collect.* **quail** *s* **1.** *orn.* Wachtel *f*. **2.** *ped. Am. sl.* ‚Ische' *f* (*Mädchen, Mitschülerin*).

quail[2] [kweil] *v/i* **1.** verzagen, den Mut verlieren, zittern, (zu'rück)beben (before, to vor *dat*). **2.** sinken (*Mut*), erzittern (*Herz*): his courage ~ed ihm sank der Mut.

quaint [kweint] *adj* (*adv* ~ly) **1.** wunderlich, drollig, kuri'os. **2.** malerisch, anheimelnd (*bes. altmodisch*). **3.** seltsam, merkwürdig. **'quaint·ness** *s* **1.** Wunderlichkeit *f*. **2.** malerisches *od.* anheimelndes (*bes.* altmodisches) Aussehen. **3.** Seltsamkeit *f*.

quake [kweik] **I** *v/i* zittern, beben (with, for vor *dat*). **II** *s* Zittern *n*, (*a.* Erd)Beben *n*, Erschütterung *f*.

Quak·er ['kweikər] *s* **1.** *relig.* Quäker *m* (*Mitglied der* Society of Friends): ~ City Quäkerstadt *f* (*Spitzname von Philadelphia*); ~(s') meeting *fig.* schweigsame Versammlung. **2.** *a.* ~ gun *Am.* Ge'schützatˌtrappe *f*. **3.** q~, *a.* q~bird *orn.* schwarzer Albatros. **'Quak·er·dom** [-dəm] *s* **1.** Quäkertum *n*. **2.** *collect.* die Quäker *pl*. **'Quak·er·ess** [-ris] *s* Quäkerin *f*. **'Quak·erˌism** *s* Quäkertum *n*.

quak·ing grass ['kweikiŋ] *s bot.* (*ein*) Zittergras *n*.

qual·i·fi·ca·tion [ˌkwɒlifi'keiʃən] *s* **1.** Qualifikati'on *f*, Befähigung *f*, Eignung *f* (for für, zu): ~ test Eignungsprüfung *f*; to have the necessary ~s den Anforderungen entsprechen. **2.** Vorbedingung *f*, (notwendige) Vor'aussetzung (of, for für). **3.** Befähigungsnachweis *m*. **4.** Modifikati'on *f*, Einschränkung *f*: without any ~ ohne jede Einschränkung. **5.** Bezeichnung *f*, Klassifi'zierung *f*. **6.** *ling.* nähere Bestimmung. **7.** *econ.* 'Mindestaktienkapiˌtal *n* (*e-s Aufsichtsratsmitglieds*). **'qual·i·fiˌca·to·ry** [-ˌkeitəri] *adj* **1.** einschränkend. **2.** qualifi'zierend, befähigend.

qual·i·fied ['kwɒliˌfaid] *adj* **1.** qualifi'ziert, geeignet, befähigt (for für). **2.** befähigt, berechtigt: ~ for a post anstellungsberechtigt; ~ voter Wahlberechtigte(r *m*) *f*. **3.** eingeschränkt, bedingt, modifi'ziert: ~ acceptance *econ.* bedingte Annahme (*e-s Wechsels*); ~ sale Konditionskauf *m*; in a ~ sense mit Einschränkungen.

qual·i·fi·er ['kwɒliˌfaiər] *s* **1.** *bes. sport* j-d, der sich qualifi'ziert (hat). **2.** *ling.* näher bestimmendes Wort.

qual·i·fy ['kwɒliˌfai] **I** *v/t* **1.** qualifi'zieren, befähigen, geeignet machen (for für, zu; for being, to be zu sein): to ~ o.s. for die Eignung erwerben für *od.* zu. **2.** (*behördlich*) autori'sieren. **3.** berechtigen (for zu). **4.** bezeichnen, charakteri'sieren (as als). **5.** modifi'zieren, einschränken. **6.** abschwächen, mildern: to ~ a remark. **7.** *Getränke etc* vermischen, *bes.* verdünnen. **8.** *ling.* modifi'zieren, näher bestimmen. **II** *v/i* **9.** sich qualifi'zieren, sich eignen, sich als geeignet *od.* tauglich erweisen, die Eignung nachweisen *od.* besitzen, in Frage kommen (for für, zu; as als): ~ing examination Eignungsprüfung *f.* **10.** *sport* sich qualifi'zieren (for für): ~ing round Ausscheidungsrunde *f.* **11.** die nötigen Fähigkeiten erwerben. **12.** die (ju'ristischen) Vorbedingungen erfüllen, *bes. Am.* den Eid ablegen.

qua·lim·e·ter [kwə'limitər] *s phys.* Quali'meter *n*, Röntgenstrahlen(härte)messer *m.*

qual·i·ta·tive ['kwɒliˌteitiv] *adj* (*adv* ~ly) qualita'tiv: ~ analysis *chem.* qualitative Analyse.

qual·i·ty ['kwɒliti] *s* **1.** Eigenschaft *f*: (good) ~ gute Eigenschaft: in the ~ of (in der Eigenschaft) als. **2.** Beschaffenheit *f*, (Eigen)Art *f*, Na'tur *f.* **3.** *bes. econ.* a) Quali'tät *f*: in ~ qualitativ, b) (gute) Quali'tät, Güte *f*: ~ control Qualitätskontrolle *f*; ~ factor Gütefaktor *m*; ~ goods Qualitätswaren, c) Güte(sorte) *f*, Klasse *f.* **4.** Erstklassigkeit *f*, Klasse *f.* **5.** Ta'lent *n*, Fähigkeit *f.* **6.** Vornehmheit *f*, vornehmer Stand: person of ~ Standesperson *f*; the people of ~ die vornehme Welt. **7.** *mus. u. ling.* Klangfarbe *f.* **8.** *philos.* Quali'tät *f.*

qualm [kwɑːm; kwɔːm] *s* **1.** Übelkeit(sgefühl *n*) *f*, Schwäche(anfall *m*) *f.* **2.** *fig.* Skrupel *m*, Bedenken *pl*, Zweifel *pl*: ~s of conscience Gewissensbisse. **3.** *fig.* Anwandlung *f*, Anfall *m*: ~ of homesickness. **'qualm·ish** *adj* (*adv* ~ly) **1.** unwohl, sich übel fühlend. **2.** Übelkeits...: ~ feelings. **3.** Übelkeit erregend.

quan·da·ry ['kwɒndəri; -dri] *s* Verlegenheit *f*, Schwierigkeit *f*, verzwickte Lage: to be in a ~ in e-m Dilemma stecken, in der Klemme sein.

quant [kwænt; kwɒnt] *Br.* **I** *s Stakstange mit e-r Scheibe nahe dem unteren Ende* (*um das Einsinken im Schlamm zu verhindern*). **II** *v/t u. v/i mit e-m* quant *staken.*

quan·ta ['kwɒntə] *pl von* quantum.

quan·tic ['kwɒntik] *s math. ganze, rationale, homogene, algebraische Funktion von zwei od. mehr Veränderlichen.*

quan·ti·fi·a·ble ['kwɒntiˌfaiəbl] *adj* quantita'tiv bestimmbar, meßbar.

ˌquan·ti·fi'ca·tion [-fi'keiʃən] *s* **1.** Messung *f*, Quanti'tätsbestimmung *f.* **2.** *philos.* Quantifi'zierung *f.* **'quan·tiˌfy** [-ˌfai] *v/t* **1.** messen, quantita'tiv bestimmen. **2.** *philos.* quantifi'zieren.

quan·ti·ta·tive ['kwɒntiteitiv] *adj* (*adv* ~ly) quantita'tiv, mengenmäßig, Mengen...: ~ analysis *chem.* quantitative Analyse; ~ ratio Mengenverhältnis *n.*

quan·ti·ty ['kwɒntiti] *s* **1.** Quanti'tät *f*, Menge *f*, Größe *f* (*Ggs Qualität*). **2.** (bestimmte) Menge, Quantum *n*: a small ~ of beer; ~ of heat *phys.* Wärmemenge; a ~ of cigars e-e Anzahl Zigarren. **3.** große Menge: in ~, in (large) quantities in großer Menge, in großen Mengen; ~ discount *econ.* Mengenrabatt *m*; ~ production *econ.* Massenerzeugung *f*, Reihen-, Serienfertigung *f*; ~ purchase Großeinkauf *m.* **4.** *math.* Größe *f*: negligible ~ a) unwesentliche Größe, Quantité *f* négligeable, b) *fig.* völlig unwichtige Person *etc*; numerical ~ Zahlengröße; unknown ~ unbekannte Größe (*a. fig.*). **5.** *philos.* Quanti'tät *f.* **6.** *mus.* (Ton)Dauer *f*, Länge *f.* **7.** *metr.* Quanti'tät *f*, (Silben)Zeitmaß *n.* **8.** *ling.* Quanti'tät *f*, Lautdauer *f.* **9.** *pl Br. Maße, Kosten etc e-s Bauvorhabens*: bill of quantities Massenberechnung *f*, Baukostenvoranschlag *m*; ~ surveyor Bausachverständige(r) *m.*

quan·ti·za·tion [ˌkwɒnti'zeiʃən] *s math. phys.* Quantelung *f*: ~ noise (*Radio etc*) Quantisierungsgeräusch *n.* **'quanˌtize** [-ˌtaiz] *v/t* **1.** *phys.* quanteln. **2.** *Computer*: quanti'sieren (*in gleiche Stufen unterteilen*). **'quanˌtiz·er** *s Computer*: Ana'log-Digi'talˌumsetzer *m*, Größenwandler *m.*

quan·tom·e·ter [kwɒn'tɒmitər] *s phys.* Quanti'meter (*das die Energie e-r Strahlung in Abhängigkeit von der Wellenlänge bestimmt*).

quan·tum ['kwɒntəm] *pl* **-ta** [-tə] *s* **1.** Quantum *n*, Menge *f.* **2.** (An)Teil *m.* **3.** *phys.* Quant *n*: ~ of action Wirkungsquant. ~ **me·chan·ics** *s pl* (*als sg konstruiert*) *phys.* 'Quantenmeˌchanik *f.* ~ **or·bit,** ~ **path** *s phys.* Quantenbahn *f.* ~ **the·o·ry** *s phys.* 'Quantentheoˌrie *f.*

quar·an·tine ['kwɒrənˌtiːn] **I** *s* **1.** Quaran'täne *f* (*Isolierung von Krankheitsverdächtigen*): in ~ unter Quarantäne (stehend); to put under ~ → 5; ~ flag *mar.* Quarantäneflagge *f.* **2.** a) Quaran'tänestatiˌon *f*, b) Quaran'tänehafen *m*, c) Infekti'ons(kranken)haus *n.* **3.** *fig.* Iso'lierung *f.* **4.** a) Zeitraum *m* von 40 Tagen (*a. jur. in welchem e-e Witwe von den Erben ungestört im Haus ihres verstorbenen Gatten weiterwohnen darf*), b) *jur.* (*das*) *Recht der Witwe auf solchen ungestörten Weiterbesitz.* **II** *v/t* **5.** unter Quaran'täne stellen. **6.** *fig. e-e Nation* (*politisch u. wirtschaftlich*) völlig iso'lieren.

quar·rel[1] ['kwɒrəl] **I** *s* **1.** Streit *m*, Zank *m*, Hader *m* (with mit; between zwischen *dat*): to have no ~ with (*od.* against) keinen Grund zum Streit haben mit, nichts auszusetzen haben an (*j-m od. e-r Sache*); → pick[1] 23. **II** *v/i pret u. pp* **'quar·reled,** *bes. Br.* **'quar·relled 2.** (sich) streiten, (sich) zanken (with mit; for wegen; about über *acc*). **3.** sich entzweien. **4.** hadern (with one's lot mit s-m Schicksal). **5.** etwas auszusetzen haben (with an *dat*): → bread *Bes. Redew.*

quar·rel[2] ['kwɒrəl] *s* **1.** *obs. od. dial.* kleines viereckiges Stück, *bes.* kleine viereckige Fensterscheibe (*in Gitterfenstern*). **2.** 'Glaserdiaˌmant *m.* **3.** Steinmetzmeißel *m.*

quar·rel·er, *bes. Br.* **quar·rel·ler** ['kwɒrələr] *s* Zänker(in), Streitsüchtige(r *m*) *f*, ‚Streithammel' *m.* **'quar·rel·some** [-səm] *adj* zänkisch, zank-, streitsüchtig. **'quar·rel·some·ness** *s* Zank-, Streitsucht *f.*

quar·ri·er ['kwɒriər] *s* Steinbrecher *m*, [-hauer *m.*]

quar·ry[1] ['kwɒri] **I** *s* **1.** Steinbruch *m.* **2.** offene Grube, Halde *f.* **3.** *fig.* Fundgrube *f*, Quelle *f.* **II** *v/t* **4.** *Gestein* abbauen, brechen. **5.** *fig.* her'ausholen, ausgraben, zs.-tragen, (mühsam) erarbeiten: to ~ for stöbern *od.* graben nach. **III** *v/i* **6.** im Steinbruch arbeiten. **7.** Gestein abbauen. **8.** *fig.* wühlen *od.* graben (in in *dat*).

quar·ry[2] ['kwɒri] *s* **1.** *hunt.* verfolgtes Wild, Jagdbeute *f.* **2.** *fig.* Wild *n*, Beute *f*, Opfer *n.*

quar·ry[3] ['kwɒri] *s* **1.** rautenförmiges *od.* qua'dratisches Fach (*e-r Fensterscheibe*). **2.** Quaderstein *m.* **3.** 'unglaˌsierte Kachel.

'quar·ry|-, faced *adj* rauhflächig (*Mauerwerk*). **'~·man** [-mən] *s irr* → quarrier. **'~ˌstone** *s* Bruchstein *m.*

quart[1] [kwɔːrt] *s* **1.** *fenc.* Quart *f.* **2.** *Kartenspiel*: Quart *f* (*Sequenz*).

quart[2] [kwɔːrt] *s* **1.** Quart *n* (*Maß*): British (*od.* Imperial) ~ = 1,136 l (*Trocken- u. Flüssigkeitsmaß*); US dry ~ = 1,1 l (*Trockenmaß*); US liquid ~ 0,946 l (*Flüssigkeitsmaß*). **2.** Quartkrug *m.*

quar·tan ['kwɔːrtn] *med.* **I** *adj* viertägig: ~ fever → II. **II** *s* Quar'tan-, Vier'tagefieber *n.*

quar·ter ['kwɔːrtər] **I** *s* **1.** Viertel *n*, vierter Teil: ~ of a century Vierteljahrhundert *n*; for a ~ (of) the price zum viertel Preis; not a ~ as good as nicht annähernd so gut wie. **2.** *Am. od. Canad.* Vierteldollar *m* (= *25 Cents*). **3.** *a.* ~ of an hour Viertel(stunde *f*) *n*: a ~ to six (ein) Viertel vor sechs, dreiviertel sechs; a ~ past six (ein) Viertel nach sechs, viertel sieben. **4.** *a.* ~ of the year Vierteljahr *n*, Quar'tal *n.* **5.** *astr.* (Mond)Viertel *n.* **6.** *bes. Scot. od. Am.* ('Studien)Quarˌtal *n*, Viertel *n* des Schuljahres. **7.** *sport* (Spiel)Viertel *n.* **8.** *sport Am.* Abwehrspieler *m.* **9.** Viertelpfund *n* (*0,113 kg*). **10.** Viertelmeile *f*: he won the ~ *sport* er gewann die Viertelmeile. **11.** Quarter *n*: a) = *28 lb.* = *12,7 kg, Am. 25 lb.* = *11,34 kg* (*Handelsgewicht*), b) *Br.* = *2,91 hl* (*Hohlmaß*). **12.** *mar.* a) Kardi'nalpunkt *m*, Haupthimmelsrichtung *f* (*des Kompasses*), b) Viertelstrich *m* (*des Kompasses* = *2° 49′*). **13.** (Himmels-, Wind)Richtung *f*: what ~ is the wind in? woher *od.* von welcher Seite weht der Wind? (*a. fig.*). **14.** Gegend *f*, Teil *m* (*e-s Landes etc*): from all ~s von überall(her), aus allen (Himmels)Richtungen; in this ~ hierzulande, in dieser Gegend; → close quarters. **15.** Stelle *f*, Seite *f*, Quelle *f*: higher ~s höhere Stellen; in the proper ~ bei der zuständigen Stelle; in Government ~s in Regierungskreisen; from official ~s von amtlicher Seite; → informed 1. **16.** (Stadt)Viertel *n*, (-)Bezirk *m*: poor ~ Armenviertel; residential ~ Wohnbezirk. **17.** *meist pl mil.* Quar'tier *n*, ('Truppen)ˌUnterkunft *f*: to be confined to ~s Stubenarrest haben; to take up one's ~s sein Quartier aufschlagen. **18.** *meist pl* Quar'tier *n*, 'Unterkunft *f*, Wohnung *f*, Lo'gis *n*: to have free ~s umsonst wohnen, freie Wohnung haben. **19.** *bes. mil.* Par'don *m*, Schonung *f*: to find (give) no ~ keinen Pardon finden (geben); to call (*od.* cry) for ~ um Gnade flehen; to give fair ~ Nachsicht üben. **20.** (*bes.* 'Hinter)Viertel *n* (*e-s Schlachttiers*), Kruppe *f* (*e-s Pferdes*). **21.** Seitenteil *m*, *n*, Fersenleder *n* (*am Schuh*). **22.** *mar.* Achterschiff *n*: on the port ~ an Backbord achtern. **23.** *mar.* Posten *m*: to beat to ~s die Mannschaft auf ihre Posten rufen. **24.** *mar.* Raharm *m.* **25.** *her.* Quar'tier *n*, (Wappen)Feld *n.* **26.** *tech. od. arch.* Stollenholz *n*, Vierpaß *m.*
II *v/t* **27.** *etwas* in vier Teile teilen, vierteln. **28.** aufteilen, zerstückeln. **29.** *j-n* vierteilen. **30.** *j-n* beherbergen. **31.** *mil.* 'einquarˌtieren (on, upon bei), *Truppen* 'unterbringen: ~ed in barracks kaserniert; to be ~ed at (*od.* in) in Garnison liegen in (*dat*); to ~ o.s.

upon s.o. *fig.* sich bei j-m einquartieren. **32.** *e-e Gegend* durch'streifen, -'stöbern (*Jagdhunde*). **33.** *her. Wappenschild* vieren.
III *v/i* **34.** wohnen, leben. **35.** 'einquar,tiert sein, Quar'tier haben (at in *dat*). **36.** (um'her)streifen (*Jagdhunde*).

quar·ter·age ['kwɔːrtəridʒ] *s* Quar'talsgehalt *n*, Viertel'jahreszahlung *f*.

'quar·ter|,back *sport Am.* **I** *s* **1.** Abwehrspieler *m*. **II** *v/t* **2.** *die Angriffsreihe* diri'gieren. **3.** *fig. e-e Sache* leiten, diri'gieren. **~ bend** *s tech.* rechtwink(e)liger (Rohr)Krümmer. **~ bill** *s mar.* **1.** A'larm-, Gefechtsrolle *f*. **2.** Rollenbuch *n*. **~ bind·ing** *s Buchbinderei*: Halbfranz(band *m*) *n*. **~ cir·cle** *s math.* **1.** Viertelkreis *m*. **2.** *tech.* Abrundung *f*. **~ day** *s* Quar'talstag *m* (*für fällige Zahlungen*: *in England* 25. 3., 24. 6., 29. 9., 25. 12., *in U.S.A.* 1. 1., 1. 4., 1. 7., 1. 10.). **'~-,deck** *s mar.* **1.** Achterdeck *n*. **2.** *collect.* Offi'ziere *pl*. **~ ea·gle** *s e-e amer. Goldmünze* (**$** *2.50*). **~ face** *s paint.* verlorenes Pro'fil. **'~'fi·nal** *sport* **I** *s* (Spiel *n* im) 'Viertelfi,nale *n*. **II** *adj* Viertelfinal... **,~-'fi·nal·ist** *s sport* Teilnehmer(in) am 'Viertelfi,nale. **~ gun·ner** *s mar.* Geschützführer *m*. **~ horse** *s Am. Pferd mit guten Reiteigenschaften.* **~ hour** *s* Viertelstunde *f*.

quar·ter·ing ['kwɔːrtəriŋ] **I** *adj* **1.** *mar.* a) mit Backstagwind segelnd, b) Backstags...: **~ wind.** **2.** *tech.* e-n rechten Winkel bildend. **II** *s* **3.** *mar.* Segeln *n* mit Backstagswind. **4.** Vier-, Aufteilen *n*. **5.** *mil.* 'Einquar,tierung *f*. **6.** *astr.* Mondphasenwechsel *m*. **7.** *tech.* rechtwink(e)lige Verbindung.

quar·ter·ly ['kwɔːrtərli] **I** *adj* **1.** Viertel... **2.** vierteljährlich, Vierteljahres..., Quartals... **II** *adv* **3.** in *od.* nach Vierteln. **4.** vierteljährlich, quar'talsweise. **5.** *her.* geviertweise. **III** *s* **6.** Viertel'jahresschrift *f*.

'quar·ter|,mas·ter *s* **1.** *mil.* Quar'tiermeister *m*. **2.** *mar.* Quartermeister *m*: a) Steuerer *m* (*Handelsmarine*), b) Steuermannsmaat *m* (*Kriegsmarine*). **'~,mas·ter gen·er·al, 'Q~,mas·ter-'Gen·er·al** *pl* **'~,mas·ter gen·er·als** *s mil.* Gene,ralquar'tier,meister *m*. **~ mile** *s sport* Viertelmeile *f* (*402,34 m*). **~ mil·er** *s sport* Viertelmeilenläufer *m*. **'~-,mile race** *s sport* Viertelmeilenlauf *m*.

quar·tern ['kwɔːrtərn] *s bes. Br.* **1.** Viertel *n*, vierter Teil (*bes. e-s Maßes od. Gewichtes*): a) Viertelpinte *f*, b) Viertel *n* e-s englischen Pfundes. **2.** *a.* **~ loaf** vierpfündiges Brot.

quar·ter| note *s mus.* Viertelnote *f*. **'~,pace** *s* 'Viertelspo,dest *n* (*e-r Treppe*). **'~-,phase** *adj electr.* zweiphasig, Zweiphasen... **~ point** *s mar.* Viertel(kompaß)strich *m*. **~ round** *s arch.* Viertelstab *m*. **'~,saw** *v/t irr tech. den Stamm* (in vier gleiche Teile *od.* ganz) aufsägen. **~ sec·tion** *s surv. Am.* qua'dratisches Stück Land (*160 acres*). **~ ses·sions** *s pl jur.* **1.** *Br.* Krimi'nalgericht *n* (*mit vierteljährlichen Sitzungen, a. Berufungsinstanz für Zivilsachen*). **2.** *Am.* (*in einigen Staaten der USA*) *ein ähnliches Gericht für Strafsachen*). **'~,staff** *pl* **'~,staves** *s hist.* Bauernspieß *m* (*Bauernwaffe*). **~ step** *s mus.* Viertelton(schritt) *m*. **'~,stretch** *s sport* Zielgerade *f*. **~ tone** *s mus.* **1.** 'Vierteltoninter,vall *n*. **2.** Viertelton *m*. **~ wave** *s Radio*: Viertelwelle *f*. **'~-,wave plate** *s phys.* Polarisati'onsfilter *m, n*.

quar·tet, *Br. a.* **quar·tette** [kwɔːr'tet] *s* **1.** *mus.* Quar'tett *n*. **2.** *humor.* Quar'tett *n* (*4 Personen*). **3.** Vierergruppe *f*, Satz *m* von 4 Dingen.

quar·tic ['kwɔːrtik] *math.* **I** *adj* vierten Grades. **II** *s* alge'braische Funkti'on vierten Grades.

quar·tile ['kwɔːrtil] *s* **1.** *astr.* Quadra'tur *f*, Geviertschein *m*. **2.** *Statistik*: Quar'til *n*, Viertelswert *m*. **~ de·vi·a·tion** *s math.* Quar'tilsabstand *m*.

quar·to ['kwɔːrtou] *pl* **-tos** (*abbr. 4to od. 4°*) *print.* **I** *s* 'Quartfor,mat *n* ($9^1/_2 \times 12^1/_2$ *Zoll*). **II** *adj* im 'Quartfor,mat, Quart...

quartz [kwɔːrts] *s min.* Quarz *m*: **~ clock** *tech.* Quarzuhr *f*; **~ crystal** a) Quarzkristall *m*, b) *Radio*: Schwingkristall *m*; **~ lamp** a) Quarz(glas)lampe *f*, b) Quarzlampe *f* (*künstliche Höhensonne*).

quartz·ite ['kwɔːrtsait] *s geol.* Quar'zit *m*.

quartz·ose ['kwɔːrtsous] *adj min.* quarzig, quarzhaltig, Quarz...

quash^1 [kwɒʃ] *v/t jur.* **1.** *e-e Verfügung etc* aufheben, annul'lieren, verwerfen. **2.** *e-e Klage* abweisen. **3.** *das Verfahren* niederschlagen.

quash^2 [kwɒʃ] *v/t* **1.** zermalmen, -stören. **2.** bezwingen, unter'drücken.

Quash·ee, Quash·ie ['kwɒʃi] *s colloq.* (*bes.* westindischer) Neger.

qua·si ['kwɑːzi; 'kweisai] **I** *adj* e-m ... gleichend *od.* ähnlich, Quasi...: **~ contract** *jur.* vertragsähnliches Verhältnis; a **~ war** ein kriegsähnlicher Zustand. **II** *adv* (*meist mit Bindestrich*) quasi, gewissermaßen, sozusagen, gleichsam, ... ähnlich, Quasi..., Schein...: to **~-deify** gleichsam vergöttern; **~-judicial** quasigerichtlich; **~-official** halbamtlich; **~-public** halböffentlich, mit öffentlich-rechtlichen Befugnissen.

qua·ter·cen·te·nar·y [*Br.* ,kwætəsen'tiːnəri; *Am.* ,kweitər'sentə,neri; kwætər-] *s* vierhundertster Jahrestag, Vierhundert'jahrfeier *f*.

qua·ter·na·ry [kwə'tɜːrnəri] **I** *adj* **1.** aus vier bestehend: **~ number** Quarternärzahl *f* (*Zahl mit der Basis 4*). **2.** **Q~** *geol.* Quartär... **3.** *chem.* quar'tär, vierbindig. **II** *s* **4.** Gruppe *f* von 4 Dingen. **5.** Vier *f* (*Zahl*). **6.** *geol.* Quar'tär(peri,ode *f*) *n*.

qua·ter·ni·on [kwə'tɜːrniən] *s* **1.** Qua'ternio *f*, Vierergruppe *f*. **2.** *math.* a) Quaterni'on *f* (*die allgemeine komplexe Zahl*), b) *pl* Rechnen *n* mit 'hyperkom,plexen Zahlen.

quat·or·zain ['kætər,zein; kə'tɔːrz-] *s 14zeiliges Gedicht, dem Sonett ähnlich.*

quat·rain ['kwɒtrein] *s metr.* Vierzeiler *m*.

qua·tre [*Am.* 'kɑːtər; *Br.* 'kei-] *s* Vier *f* (*Spielkarte, Würfel etc*).

quat·re·foil ['kætər,fɔil; -trə-] *s* **1.** *arch.* Vierblatt *n*, -paß *m*. **2.** *bot.* vierblätt(e)riges (Klee)Blatt.

quat·tro·cen·to [,kwɑːtrou'tʃentou] *s* Quattro'cento *m* (*italienischer Kunststil des 15. Jhs., Frührenaissance*).

qua·ver ['kweivər] **I** *v/i* **1.** zittern, vi'brieren. **2.** *mus.* tremo'lieren, zittern (*beide a. weitS. beim Sprechen*), trillern. **II** *v/t meist* **~ out** **3.** *etwas* tremo'lierend *od.* mit über'triebenem Vi'brato singen. **4.** *etwas* mit zitternder Stimme sagen *od.* stammeln. **III** *s mus.* **5.** Triller *m*, Tremolo *n*. **6.** *Br.* Achtelnote *f*: **~ rest** Achtelpause *f*. **'qua·ver·y, 'qua·ver·ing** *adj* zitternd, tremo'lierend.

quay [kiː] *s mar.* Kai *m* (*Schiffslandeplatz*): on the **~** am Kai. **'quay·age** *s* **1.** *econ.* Kaigeld *n*, -gebühr *f*. **2.** *collect.* Kaianlagen *pl*.

quean [kwiːn] *s obs.* **1.** Weibsbild *n*, ‚Schlampe' *f*. **2.** Dirne *f*, Hure *f*.

quea·si·ness ['kwiːzinis] *s* **1.** Übelkeit *f*. **2.** ('Über)Empfindlichkeit *f*. **'quea·sy** *adj* **1.** zur Übelkeit neigend. **2.** ('über)empfindlich (*Magen etc*). **3.** Übelkeit *od.* Ekel erregend. **4.** unwohl, ‚kodd(e)rig': I feel **~** mir ist übel *od.* ‚komisch im Magen'. **5.** mäk(e)lig, heikel (*im Essen etc*). **6.** zart, über'trieben sen'sibel: **~ conscience.** **7.** bedenklich, zweifelhaft. **8.** unangenehm berührt.

queen [kwiːn] **I** *s* **1.** Königin *f*, Herrscherin *f* (*beide a. fig.*): **Q~ Anne is dead!** ‚so'n Bart!'; **Q~ of grace** *relig.* Gnadenmutter *f*; **~ of the seas** Königin der Meere (*Großbritannien*); → **English** 3, **evidence** 2, **heart** 9, **proctor** 3; → **King's Bench (Division), King's Counsel, King's Speech.** **2.** *fig.* Königin *f*, Schönste *f*: **Q~ of (the) May** Maikönigin; the **~ of watering-places** die Perle der Badeorte. **3.** *Am. sl.* ‚Prachtweib' *n*, ‚tolle Frau'. **4.** *sl.* ‚Schwule(r)' *m*, ‚Homo' *m*, ‚Tunte' *f* (*Homosexueller*). **5.** *zo.* Königin *f*: a) *a.* **~ bee** Bienenkönigin *f*, b) *a.* **~ wasp** Wespenkönigin *f*, c) *a.* **~ ant** Ameisenkönigin *f*. **6.** *Schach u. Kartenspiel*: Dame *f*: **~'s gambit** Damengambit *n*; **~'s pawn** Damenbauer *m*. **II** *v/i* **7.** *meist* **~ it** die große Dame spielen: to **~ it over** *j-n* beherrschen. **8.** *Schach*: in e-e Dame verwandelt werden (*Bauer*). **III** *v/t* **9.** zur Königin machen. **10.** *e-n Bienenstock* beweiseln. **11.** *Schach*: *e-n Bauern* (in e-e Dame) verwandeln. **Q~ Anne (style)** *s* Queen Anne Style *m* (*bes. Bau- u. Möbelstil zur Zeit der Königin Anna*: *frühes 18. Jh.*). **~ cake** *s* kleiner Ro'sinenkuchen. **~ dow·a·ger** *s* Königinwitwe *f*.

queen·hood ['kwiːn,hud] *s* Rang *m* e-r Königin.

queen·ing ['kwiːniŋ] *s bot.* Br. Re'nette *f* (*Apfelsorte*).

'queen,like, queen·ly ['kwiːnli] *adj u. adv* königlich, maje'stätisch, wie e-e Königin.

queen| moth·er *s* Königinmutter *f*. **~ post** *s arch. tech.* Hängesäule *f*. **~ re·gent** *s* re'gierende Königin.

queen's| met·al *s tech.* 'Weißme,tall *n*. **~ ware** *s* (*ein*) gelbes Steingut. **~ yel·low** *s* **1.** Zi'tronengelb *n*. **2.** *min.* gelbes schwefelsaures 'Quecksilbero,xyd.

queer [kwir] **I** *adj* (*adv* **~ly**) **1.** seltsam, sonderbar, eigenartig, kuri'os, wunderlich, ‚komisch': **~ fellow** (*od.* **fish**) komischer Kauz. **2.** *colloq.* fragwürdig, verdächtig, anrüchig, ‚faul', ‚komisch': a **~ business**; to be in **Q~ street** a) auf dem trockenen sitzen, b) ‚in der Tinte' sitzen, in ‚Schwulitäten' (geraten) sein. **3.** *colloq.* unwohl, ‚schwummerig': to feel **~** sich ‚komisch' fühlen. **4.** *a.* **~ in the head** *colloq.* leicht verrückt, ‚nicht ganz bei Trost'. **5.** *sl.* a) ‚besoffen', b) ‚schwul' (*homosexuell*). **6.** *sl.* gefälscht, falsch. **7.** *Am. sl.* scharf, wild, versessen (**for, about** auf *acc*). **II** *v/t* **8.** *sl.* ‚vermasseln', verderben: → **pitch**^{2} 27. **9.** *sl.* in ein schlechtes *od.* falsches Licht setzen (**with** bei). **III** *s* **10.** *sl.* ‚Schwule(r)' *m*, ‚Homo' *m* (*Homosexueller*). **11.** *sl.* ‚Blüte' *f* (*Falschgeld*). **'queer·ness** *s* **1.** Seltsamkeit *f*, Wunderlichkeit *f*. **2.** (*das*) Seltsame.

quell [kwel] *v/t poet.* **1.** *e-n Aufstand etc, a. Gefühle* unter'drücken, ersticken. **2.** unter'werfen, bezwingen. **3.**

Gefühle beschwichtigen, *Furcht* nehmen.
quench [kwentʃ] *v/t* **1.** *poet. u. rhet.* a) *Flammen etc* (aus)löschen, b) *den Durst* löschen, c) *ein Verlangen* stillen, d) *e-e Hoffnung* zu'nichte machen. **2.** *fig.* → quell 1. **3.** *Asche, Koks etc* (ab)löschen. **4.** *metall.* abschrecken, härten: ~**ing and tempering** (Stahl)-Vergütung *f*; ~**ing bath** Abschreckbad *n*. **5.** *electr. Funken, Lichtbogen* löschen: ~**ed spark gap** Löschfunkenstrecke *f*; ~**ing choke** Löschdrossel *f*. **6.** *electr. Schwingungen* abdämpfen, löschen: ~**ing frequency** Pendelfrequenz *f*. **7.** *fig. j-m* den Mund stopfen. **'quench·er** *s colloq.* Schluck *m*. **'quench·less** *adj* un(aus)löschlich.
que·nelle [kə'nel] *s Kochkunst*: (Fleisch-, Fisch)Knödel *m*.
quer·cine ['kwɜːrsain; -sin] *adj bot.* **1.** Eich(en)... **2.** eichenähnlich.
que·rist ['kwi(ə)rist], *a.* **'que·rent** [-rənt] *s* Fragesteller(in).
quern [kwɜːrn] *s* **1.** Hand(getreide)-mühle *f*. **2.** Handpfeffermühle *f*.
quer·u·lous ['kwerələs; -ru-] *adj* (*adv* ~**ly**) quengelig, nörgelnd, verdrossen, jammernd. **'quer·u·lous·ness** *s* **1.** Verdrossenheit *f*. **2.** Jammern *n*.
que·ry ['kwi(ə)ri] **I** *s* **1.** Frage *f*, Erkundigung *f*. **2.** *econ.* Rückfrage *f*: ~ (*abbr.* **qu.**), **was the money ever paid?** Frage, wurde das Geld jemals bezahlt? **3.** (an)zweifelnde *od.* unangenehme Frage. **4.** Zweifel *m*. **5.** *print.* (*anzweifelndes*) Fragezeichen. **II** *v/t* **6.** fragen. **7.** *etwas* in Zweifel ziehen, in Frage stellen, beanstanden. **8.** mit (e-m) Fragezeichen versehen. **9.** *j-n* (be-, aus)fragen. **10.** *tech.* abfragen.
quest [kwest] **I** *s* **1.** Suche *f*, Streben *n*, Trachten *n* (for, of nach): **in** ~ **of** auf der Suche nach. **2.** *a.* **knightly** ~ Auszug *m*, Ritterzug *m*: ~ **of the Holy Grail** Suche *f* nach dem Heiligen Gral. **3.** *obs.* Unter'suchung *f*, Nachforschung(en *pl*) *f*. **II** *v/i* **4.** suchen. **5.** *hunt.* Wild suchen (*Jagdhunde*). **III** *v/t* **6.** suchen *od.* streben *od.* trachten nach.
ques·tion ['kwestʃən] **I** *s* **1.** Frage *f* (*a. ling.*): **to beg the** ~ a) von e-r falschen Voraussetzung ausgehen, b) die Sache von vornherein als erwiesen ansehen; **to put a** ~ **to s.o., to ask s.o. a** ~ j-m e-e Frage stellen; **the** ~ **does not arise** die Frage ist belanglos; → **pop**[1] 9. **2.** Frage *f*, Pro'blem *n*, Thema *n*, (Streit)Punkt *m*: **the Negro Q**~ die Negerfrage; ~**s of the day** Tagesfragen; ~ **of fact** *jur.* Tatfrage; ~ **of law** *jur.* Rechtsfrage; **the point in** ~ die fragliche *od.* vorliegende *od.* zur Debatte stehende Sache; **to come into** ~ in Frage kommen, wichtig werden; **there is no** ~ **of s.th.** (*od.* **of doing**) es ist nicht die Rede von etwas (*od.* davon, daß etwas getan wird); ~! *parl.* zur Sache! **3.** Frage *f*, Sache *f*, Angelegenheit *f*: **only a** ~ **of time** nur e-e Frage der Zeit. **4.** Frage *f*, Zweifel *m*: **beyond (all)** ~ ohne Frage, fraglos; **to call in** ~ → 8; **there is no** ~ **but** (*od.* **that**) es steht außer Frage, daß; **out of** ~ außer Frage; **that is out of the** ~ das kommt nicht in Frage. **5.** *parl.* Anfrage *f*: **to put to the** ~ zur Abstimmung *e-r Sache* schreiten (→ 6). **6.** *jur.* Vernehmung *f*, Unter'suchung *f*: **to put to the** ~ *hist. j-n* foltern (→ 5). **II** *v/t* **7.** *j-n* (aus-, be)fragen, *jur.* vernehmen, -hören. **8.** *etwas* an-, bezweifeln, in Zweifel ziehen. **'ques·tion·a·ble** *adj* (*adv* **questionably**) **1.** fraglich, zweifelhaft, ungewiß. **2.** bedenklich, fragwürdig, anrüchig. **'ques·tion·ar·y** → **questionnaire**. **'ques·tion·er** *s* Fragesteller(in), Frager(in). **'ques·tion·ing I** *adj* (*adv* ~**ly**) fragend (*a. Blick, Stimme*). **II** *s* Befragung *f*, *jur.* Vernehmung *f*.
ques·tion| mark *s* Fragezeichen *n*. **'~-,mas·ter** *s Br.* Quizmaster *m*, Conféren'cier *m*, Leiter *m*.
ques·tion·naire [ˌkwestʃə'nɛr; *Br. a.* -tiə'n-] *s* Fragebogen *m*.
'ques·tion-,time *s parl.* Fragestunde *f*.
queue [kjuː] **I** *s* **1.** (Haar)Zopf *m*. **2.** *bes. Br.* Schlange *f*, Reihe *f* (*vor Geschäften etc*), *fig.* Warteliste *f*: **to stand** (*od.* **wait**) **in a** ~ Schlange stehen; → **jump** 31. **II** *v/i* **3.** *meist* ~ **up** *bes. Br.* e-e Schlange bilden, Schlange stehen, sich anstellen (**for** um). **'~-,jump·er** *s colloq.* j-d, der sich vordrängelt *od.* aus der Reihe tanzt.
quib·ble ['kwibl] **I** *s* **1.** Spitzfindigkeit *f*, ˌWortklaube'rei *f*, ˌHaarspalte'rei *f*, Ausflucht *f*, Kniff *m*. **2.** Kritte'lei *f*. **3.** Wortspiel *n*. **II** *v/i* **4.** her'umreden, Ausflüchte machen. **5.** spitzfindig sein, ‚Haarspalte'rei betreiben. **6.** (her'um)-kritteln. **'quib·bler** *s* **1.** Wortklauber(in), -verdreher(in). **2.** Wortwitzler(in). **'quib·bling** *adj* (*adv* ~**ly**) **1.** spitzfindig, haarspalterisch, wortklauberisch, tüftelig. **2.** krittelig.
quick [kwik] **I** *adj* (*adv* ~**ly**) **1.** schnell, rasch, prompt, so'fortig: ~ **answer** (**service**) prompte Antwort (Bedienung); ~ **returns** *econ.* schneller Umsatz. **2.** schnell, hurtig, flink, geschwind, rasch: **be** ~! mach schnell!, beeil(e) dich!; **to be** ~ **about s.th.** sich mit etwas beeilen. **3.** (geistig) gewandt, flink, aufgeweckt, schlagfertig, ‚fix': ~ **wit** Schlagfertigkeit *f*. **4.** schnell, ‚fix' (*prompt handelnd*). **5.** hitzig, aufbrausend: **a** ~ **temper**. **6.** scharf (*Auge etc*): **a** ~ **ear** ein feines Gehör. **7.** *obs.* scharf: ~ **pain (smell, taste)**. **8.** lose, treibend (*Sand etc*). **9.** aus lebenden Pflanzen bestehend: **a** ~ **hedge** e-e lebende Hecke. **10.** *obs.* lebend, le'bendig. **11.** lebhaft (*a. econ.*). **12.** *meist* ~ **with child** *obs.* hochschwanger. **13.** *econ.* flüssig, li'quid (*Anlagen, Aktiva*): ~ **assets**. **14.** *Bergbau*: erzhaltig, ergiebig. **II** *s* **15. the** ~ *obs.* die Lebenden *pl*: **the** ~ **and the dead**. **16.** *bot. Br.* heckenbildende Pflanze(n *pl*). **17.** empfindliches *od.* lebendes Fleisch (*bes. unter den Nägeln*). **18.** *fig.* Mark *n*: **to the** ~ a) bis ins Fleisch, b) *fig.* bis ins Mark, c) *fig.* durch u. durch; **to cut s.o. to the** ~ j-n tief verwunden; **a Tory to the** ~ ein Tory durch u. durch *od.* bis auf die Knochen; **to paint s.o. to the** ~ j-n malen, wie er leibt u. lebt. **19.** *Am.* Quecksilber *n*. **III** *adv* **20.** geschwind, schnell, so'fort. **'~-,ac·tion** *adj tech.* Schnell... ~ **ash** *s tech.* Flugasche *f*. **'~,beam** *s bot.* Vogelbeerbaum *m*, Eberesche *f*. **'~-,break** *adj electr.* Schnell..., Moment...: ~ **switch**; ~ **fuse** Schnell-, Hochleistungssicherung *f*. **'~-,change** *adj* **1.** ~ **artist** *thea.* Verwandlungskünstler(in). **2.** ~ **tool part** *tech.* rasch auswechselbares Werkzeugteil. **'~--,dry·ing** *adj* schnelltrocknend (*Lack*), ä'therisch (*Öl*). **'~-,eared** *adj* mit feinem Gehör.
quick·en ['kwikən] **I** *v/t* **1.** beschleunigen. **2.** (wieder) le'bendig machen, 'wiederbeleben. **3.** an-, erregen, beleben, stimu'lieren: **to** ~ **the imagination**. **4.** beleben, *j-m* neuen Auftrieb geben. **II** *v/i* **5.** sich beschleunigen (*Puls, Schritte etc*). **6.** belebt *od.* gekräftigt werden. **7.** (wieder) le'bendig werden. **8.** hochschwanger werden. **9.** sich bewegen (*Fötus*).
'quick|-,eyed *adj* scharfsichtig (*a. fig.*). ~ **fire** *s mil.* Schnellfeuer *n*. **'~-,fire**, **'~-,fir·ing** *adj mil.* Schnellfeuer... **'~-for'got·ten** *adj* schnell vergessen. **'~-'freeze I** *v/t irr* tiefkühlen. **II** *s* → **quick freezing**. ~ **freez·ing** *s tech.* (Schnell)Tiefkühlverfahren *n*. **'~-'fro·zen** *adj tech.* (schnell)tiefgekühlt.
quick·ie ['kwiki] *s colloq.* **1.** (*etwas*) ,'Hingehauenes', ‚fixe Sache', ‚auf die schnelle' gemachte Sache, *z. B.* billiger, improvi'sierter Film, rasch geschriebenes Buch *etc*. **2.** ‚kurze Sache', (*etwas*) Kurzdauerndes, *z. B.* kurzer Werbefilm, 'Kurzproˌgramm *n etc*. **3.** *Am.* ‚Schnäps-chen' *n*.
'quick|,lime *s chem.* gebrannter ungelöschter Kalk, Ätzkalk *m*. **'~-,lunch** *s Am.* Schnellgaststätte *f*. ~ **march** *s mil.* a) Eilmarsch *m*, b) → **quick time** 2. **'~,match** *s* (Schnell)Zündschnur *f*. ~ **mo·tion** *s tech.* Schnellgang *m*. **'~--,mo·tion cam·er·a** *s phot.* Zeitraffer(kamera *f*) *m*.
quick·ness ['kwiknis] *s* **1.** Schnelligkeit *f*. **2.** (geistige) Gewandtheit *od.* Flinkheit, Aufgewecktheit *f*, rasche Auffassungsgabe. **3.** Schärfe *f* (*der Beobachtung etc*): ~ **of sight** (gutes) Sehvermögen, scharfe Augen. **4.** Lebhaftigkeit *f*, Le'bendigkeit *f*. **5.** Hitzigkeit *f*: ~ **of temper**. **6.** Über'eiltheit *f*.
'quick|,sand *s geol.* Schwimm-, Flott-, Treibsand *m*. **'~,set** *bot. bes. Br.* **I** *adj* **1.** aus lebenden Pflanzen bestehend (*Hecke*). **II** *s* **2.** heckenbildende Pflanze, *bes.* Weißdorn *m*. **3.** lebende Hecke. **4.** Setzling *m*. **'~,sil·ver I** *s chem.* Quecksilber *n* (*a. fig.*). **II** *v/t e-n Spiegel* mit 'Zinnamalˌgam über'ziehen. **'~,step** *s* **1.** *mil.* Schnellschritt *m*. **2.** *mus.* Geschwindmarsch *m*. **3.** *mus.* Quickstep *m* (*schneller Foxtrott*). **'~-'tem·pered** *adj* hitzig, jäh, (leicht) aufbrausend. **'~,thorn** *s bot.* Hage-, Weißdorn *m*. ~ **time** *s mil.* **1.** schnelles Marschtempo. **2.** *exerziermäßiges Marschtempo von* a) *Br. 128 Schritt (zu je 33 inches) pro Minute*, b) *Am. 120 Schritt (zu je 30 inches)*. **3.** Gleichschritt *m*: ~ **march!** Im Gleichschritt, marsch! ~ **trick** *s Bridge*: sicherer Stich. **'~-'wit·ted** *adj* (geistig) flink, aufgeweckt, schlagfertig, ‚fix'.
quid[1] [kwid] *s* **1.** Priem *m*, Stück *n* 'Kauˌtabak. **2.** 'wiedergekäutes Futter.
quid[2] [kwid] *pl meist* **quid** *s Br. sl.* Pfund *n* (Sterling).
quid·di·ty ['kwiditi] *s* **1.** Es'senz *f*, Wesen *n*. **2.** feiner 'Unterschied, Feinheit *f*, Spitzfindigkeit *f*.
quid·dle ['kwidl] *v/i Am.* die Zeit verschwatzen *od.* vertrödeln.
quid·nunc ['kwidˌnʌŋk] *s* Neuigkeitskrämer *m*, Klatschtante *f*.
quid pro quo [ˌkwid prou 'kwou] *pl* **quid pro quos** (*Lat.*) *s* Gegenleistung *f*, Vergütung *f*.
qui·es·cence [kwai'esns], *a.* **qui'es·cen·cy** [-si] *s* Ruhe *f*, Stille *f*. **qui'es·cent** *adj* (*adv* ~**ly**) **1.** ruhig, ruhend, bewegungslos: ~ **anode current** *electr.* Anodenruhestrom *m*; ~ **state** Ruhezustand *m*. **2.** ruhig, still. **3.** *ling.* stumm (*Buchstabe*).
qui·et ['kwaiət] **I** *adj* (*adv* ~**ly**) **1.** ruhig, still (*a. fig. Person, See, Straße etc*). **2.** ruhig, leise, geräuschlos (*a. tech.*), *tech.* geräuschfrei: ~ **run** *tech.* ruhiger Gang; **be** ~! sei still *od.* ruhig!; ~, **please!** ich bitte um Ruhe!; Ruhe, bitte!; **to keep** ~ a) sich ruhig verhal-

ten, still sein, b) den Mund halten. **3.** ruhig, friedlich, behaglich, beschaulich: a ~ life; ~ times; a ~ evening; ~ conscience ruhiges Gewissen; → enjoyment 2. **4.** bewegungslos, still: ~ waters. **5.** *fig.* versteckt, geheim, heimlich, leise: a ~ resentment; to keep s.th. ~ etwas geheimhalten *od.* für sich behalten. **6.** ruhig, unauffällig, gedämpft: ~ colo(u)rs. **7.** *econ.* ruhig, still, flau: ~ business; ~ season. **II** *s* **8.** Ruhe *f.* **9.** Ruhe *f*, Stille *f*: on the ~ (*od.* on the q.t.) ‚klammheimlich'; ‚heimlich, still u. leise'. **10.** Ruhe *f*, Friede(n) *m.* **III** *v/t* **11.** beruhigen, zur Ruhe bringen. **12.** beruhigen, besänftigen. **13.** zum Schweigen bringen. **IV** *v/i* **14.** *meist* ~ down ruhig *od.* still werden, sich beruhigen.

qui·et·en ['kwaiətn] → quiet III *u.* IV.

qui·et·ism ['kwaiəˌtizəm] *s* **1.** *relig.* Quie'tismus *m.* **2.** (Gemüts)Ruhe *f.* **'qui·et·ist** *s* Quie'tist(in).

qui·et·ness ['kwaiətnis] *s* **1.** Geräuschlosigkeit *f.* **2.** → quietude. **'qui·e·ˌtude** [-ˌtju:d] *s* **1.** Stille *f*, Ruhe *f.* **2.** *fig.* Friede(n) *m.* **3.** (Gemüts)Ruhe *f.*

qui·e·tus [kwai'i:təs] *s* **1.** Ende *n*, Tod *m.* **2.** Todes-, Gnadenstoß *m*: to give s.o. his ~ j-m den Gnadenstoß geben *od.* den Garaus machen; to give a ~ to a rumo(u)r ein Gerücht endgültig zum Verstummen bringen. **3.** (restlose) Tilgung (*e-r Schuld*). **4.** *jur.* a) *Br.* Endquittung *f*, b) *Am.* Entlastung *f* (*des Nachlaßverwalters*).

quiff [kwif] *s Br. colloq.* **1.** (Stirn)Locke *f.* **2.** ‚Masche' *f*, Trick *m.*

quill [kwil] **I** *s* **1.** *a.* ~ feather *orn.* (Schwung-, Schwanz)Feder *f.* **2.** *orn.* Spule *f* (*unbefiederter Teil des Federkiels*). **3.** *a.* ~ pen Federkiel *m.* **4.** *zo.* Stachel *m* (*des Igels od. Stachelschweins*). **5.** *mus.* a) Plektrum *n*, b) *pl hist.* Panflöte *f.* **6.** Schwimmer *m* (*der Angel*). **7.** Zimtstange *f.* **8.** *tech.* a) Hohlwelle *f*, b) (Weber)Spule *f.* **II** *v/t* **9.** kräuseln, rund fälteln. **10.** *den Faden* aufspulen. **~bit** *s tech.* Hohlbohrer *m.* **~ cov·erts** *s pl bot.* Deckfedern *pl.* **~ driv·er** *s contp.* Federfuchser *m.*

quilt [kwilt] **I** *s* **1.** Steppdecke *f.* **2.** gesteppte (Bett)Decke. **II** *v/t* **3.** steppen, 'durchnähen. **4.** einnähen. **5.** wat'tieren, (aus)polstern. **6.** *oft* ~ together *fig. ein Buch etc* zs.-stoppeln.

quilt·ing ['kwiltiŋ] *s* **1.** 'Durchnähen *n*, Steppen *n*: ~ seam Steppnaht *f.* **2.** Füllung *f*, 'Füllmateriˌal *n*, Wat'tierung *f*: ~ cotton Polsterwatte *f.* **3.** gesteppte Arbeit. **4.** Pi'kee *n* (*Gewebe*).

qui·na ['ki:nə] *s bot.* **1.** China-, Fieberrinde *f.* **2.** Chi'nin *n.*

qui·na·ry ['kwainəri] *adj* aus fünf bestehend, Fünf(er)...

quin·ate¹ ['kwineit; 'kwaiˌneit] *s chem.* chinasaures Salz.

qui·nate² ['kwainit; -ˌneit] *adj bot.* fünffingerig (*Blatt*).

quince [kwins] *s bot.* Quitte *f.*

quin·cen·te·nar·y [ˌkwinsen'ti:nəri; *Br. a.* kwin'sentinəri] → quingentenary.

quin·dec·a·gon [kwin'dekəˌgɒn] *s math.* Fünfzehneck *n.*

quin·gen·te·nar·y [ˌkwindʒen'ti:nəri; *Br. a.* kwin'dʒentinəri] **I** *adj* fünfhundertjährig. **II** *s* fünfhundertster Jahrestag, Fünfhundert'jahrfeier *f.*

quin·i·a ['kwiniə] → quinine.

quin·ic ac·id ['kwinik] *s chem.* Chinasäure *f.*

qui·nine [*Br.* kwi'ni:n; *Am.* 'kwainain] *s chem. pharm.* Chi'nin *n.*

qui·nin·ism [*Br.* kwi'ni:nizəm; *Am.* 'kwainaiˌnizəm], *a.* **qui·nism** ['kwainizəm] *s med.* Chi'ninvergiftung *f.*

quin·oid ['kwinɔid] *s chem.* Chi'nonverbindung *f.*

qui·none [kwi'noun] *s chem.* **1.** Chi'non *n.* **2.** → quinoid.

quin·o·noid ['kwinəˌnɔid; kwi'nou-] *adj chem.* Chinon...

quin·qua·ge·nar·i·an [ˌkwiŋkwədʒə'nɛ(ə)riən; ˌkwin-] **I** *adj* fünfzigjährig, in den Fünfzigern. **II** *s* Fünfzigjährige(r *m*) *f*, Fünfziger(in). **quin'quag·e·nar·y** [-'kwædʒənəri] *s* fünfzigster Jahrestag.

Quin·qua·ges·i·ma, *a.* **~ Sun·day** [ˌkwiŋkwə'dʒesimə; ˌkwin-] *s* (Sonntag *m*) Quinqua'gesima *f* (*Sonntag vor Fastnacht*).

quinque- [kwinkwi; kwiŋk-] *Wortelement mit der Bedeutung* fünf.

quin·que'cos·tate *adj bot. zo.* fünfrippig. **ˌquin·que'dig·iˌtate** *adj* fünffingerig, -zehig.

quin·quen·ni·ad [kwin'kweniˌæd; kwiŋ'k-] → quinquennium. **quin'quen·ni·al** *adj* **1.** fünfjährig, fünf Jahre dauernd. **2.** fünfjährlich ('wiederkehrend), alle fünf Jahre stattfindend. **quin'quen·ni·um** [-niəm] *pl* **-ni·a** [-niə] *s* Zeitraum *m* von 5 Jahren. **'quin·queˌreme** [-ˌri:m] *s mar. hist.* Fünfruderer *m*, Ga'leere *f.*

ˌquin·que'va·lence, **ˌquin·que'va·len·cy** *s chem.* Fünfwertigkeit *f.* **ˌquin·que'va·lent** *adj chem.* fünfwertig.

quin·qui·na [kwin'kwainə; kin'ki:nə] [→ quina.]

quin·qui·va·lent [ˌkwinkwi'veilənt; ˌkwiŋk-] → quinquevalent.

quins [kwinz] *s pl colloq.* Fünflinge *pl.*

quin·sy ['kwinzi] *s med.* (Hals)Bräune *f*, Mandelentzündung *f.*

quint¹ [kwint; kint] *s* **1.** *Pikett*: Quinte *f* (*Sequenz von 5 Karten gleicher Farbe*). **2.** *mus.* Quint *f.*

quin·tain ['kwintin] *s hist.* **1.** Stechpuppe *f*, (Holz)Pfosten *m* mit 'Holzfiˌgur (*für ritterliche Übungen mit der Lanze*). **2.** Quin'tanrennen *n.*

quin·tal ['kwintl] *s* Doppelzentner *m.*

quin·tan ['kwintən] *med.* **I** *adj* fünftägig, jeden fünften Tag 'wiederkehrend: ~ fever → II. **II** *s* Fünf'tagefieber *n.*

quinte [kɛ̃:t] *s fenc.* Quinte *f.*

quin·tes·sence [kwin'tesns] *s* **1.** *chem.* 'Quintesˌsenz *f* (*a. philos. u. fig.*). **2.** Kern *m*, Inbegriff *m.* **3.** a) Urtyp *m*, b) klassisches Beispiel (of für, von), c) (höchste) Voll'kommenheit. **ˌquin·tes'sen·tial** [-'senʃəl] *adj* wesentlich, typisch, reinst(er, e, es).

quin·tet, *Br. a.* **quin·tette** [kwin'tet] *s* **1.** Gruppe *f* von fünf Dingen *od.* Per'sonen. **2.** *mus.* Quin'tett *n.* **3.** *sport* Basketballmannschaft *f.*

quin·tic ['kwintik] *adj math. Gleichung* fünften Grades.

quin·tile ['kwintil; -tail] *s astr.* Quin'til-, Gefünftschein *m.*

quin·til·lion [kwin'tiljən] *s* Quintilli'on *f* (*in USA* 10^{18}, *in England u. Deutschland* 10^{30}).

quin·tu·ple ['kwintjupl] **I** *adj* fünffach. **II** *s* (*das*) Fünffache. **III** *v/t u. v/i* (sich) verfünffachen. **'quin·tu·plet** [-plit] *s* **1.** Gruppe *f od.* Satz *m* von 5 Dingen. **2.** *pl* Fünflinge *pl.* **3.** *pl mus.* Quin'tole *f.* **quin'tu·pli·cate** [-'tu:plikit; -ˌkeit] **I** *adj* **1.** fünfmalig. **2.** fünffach. **3.** fünfteilig. **II** *s* **4.** fünftes Exem'plar. **5.** → quintuplet 1. **III** *v/t* [-ˌkeit] **6.** verfünffachen.

quip [kwip] **I** *s* **1.** witziger Einfall, geistreiche Bemerkung, Bon'mot *n.* **2.** treffender Hieb, Stich(e'lei *f*) *m.* **3.** Wortspiel *n*, Spitzfindigkeit *f.* **4.** Scherz *m.* **5.** Wunderlichkeit *f*, Schrulle *f.* **II** *v/i* **6.** witzeln, spötteln. **'quip·ster** [-stər] *s* Spötter(in), Stichler(in).

qui·pu ['ki:pu:; 'kwipu:] *s* Quipu *n* (*Knotenschrift der Altperuaner*).

quire¹ [kwair] *s* **1.** *print.* Buch *n* (*24 Bogen*). **2.** *Buchbinderei*: Lage *f.*

quire² [kwair] *obs. für* choir.

Quir·i·nal ['kwirinəl] **I** *npr* Quiri'nal *m* (*e-r der 7 Hügel Roms*). **II** *s* Quiri'nal *m*: a) *italienischer Königspalast auf dem Quirinal*, b) *fig. die italienische Regierung.*

quirk [kwə:rk] *s* **1.** → quip 1, 2, 3. **2.** Eigenart *f*, seltsame Angewohnheit. **3.** Zucken *n* (*des Mundes etc*). **4.** Kniff *m*, Trick *m*, Finte *f.* **5.** Schnörkel *m.* **6.** *arch.* Hohlkehle *f.*

quirt [kwə:rt] *s* geflochtene Reitpeitsche.

quis·ling ['kwizliŋ] *s pol. cont.* Quisling *m*, Kollabora'teur *m*, (Volks)Verräter *m.*

quit [kwit] **I** *v/t pret u. pp* **'quit·ted,** *bes. Am.* **quit** **1.** verzichten auf (*acc*), *a. e-e Stellung* aufgeben, *den Dienst* quit'tieren, sich vom *Geschäft* zu'rückziehen. **2.** *Am.* aufhören mit: to ~ work; ~ grumbling! hör' auf zu murren! **3.** verlassen: he ~(ted) Paris; she ~(ted) him in anger. **4.** *e-e Schuld etc* bezahlen, tilgen. **5.** *meist* ~ o.s. *obs.* sich benehmen, sich (s-r Pflichten) entledigen: ~ you like men! benehmt euch wie Männer! **6.** *obs.* befreien. **7.** ~ o.s. sich frei machen *od.* befreien (of von). **8.** *poet.* vergelten: to ~ love with hate; death ~s all scores der Tod macht alles gleich. **II** *v/i* **9.** aufhören. **10.** weggehen. **11.** ausziehen: to give notice to ~ *j-m* (die Wohnung) kündigen; notice to ~ Kündigung *f.* **III** *adj pred* **12.** frei: to go ~ frei ausgehen; to be ~ for davonkommen mit. **13.** frei, befreit, los (of von): ~ of charges *econ.* nach Abzug der Kosten, spesenfrei.

quitch (grass) [kwitʃ] *s bot.* Gemeine [Quecke.]

quit·claim ['kwitˌkleim] *s jur.* **1.** Verzicht(leistung *f*) *m* (*auf Rechte*). **2.** ~ deed a) Grundstückskaufvertrag *m*, b) *Am.* Abtretungsurkunde *f* (*beide: ohne Haftung für Rechts- od. Sachmängel*).

quite [kwait] *adv* **1.** ganz, völlig, vollständig: ~ alone ganz allein; ~ another ein ganz anderer; ~ wrong völlig falsch; ~ the reverse genau das Gegenteil. **2.** wirklich, tatsächlich, ziemlich: ~ a disappointment e-e ziemliche Enttäuschung; ~ good recht gut; ~ a few ziemlich viele; ~ a gentleman wirklich ein feiner Mann. **3.** *colloq.* ganz, durch'aus, sehr: ~ nice ganz *od.* recht nett; not ~ proper nicht ganz angebracht; that is ~ the thing a) das ist genau *od.* ganz das Richtige, b) das ist die (neueste) Mode; he isn't ~ *ellipt.* er ist nicht (so) ganz gesellschaftsfähig; ~ (so)! ganz recht.

quit rent *s jur.* Miet-, Pachtzins (*der den Mieter von anderweitigen Leistungen befreit*).

quits [kwits] *adj* quitt (*mit j-m*): to cry ~ aufgeben, genug haben; to get ~ with s.o. mit j-m quitt werden, es j-m heimzahlen; → double 11.

quit·tance ['kwitəns] *s* **1.** Vergeltung *f*, Entgelt *n.* **2.** Erledigung *f* (*e-r Schuld od. Verpflichtung*). **3.** *poet. od. obs.* Befreiung *f.* **4.** *econ.* Quittung *f.*

quit·ter ['kwitər] *s Am. od. colloq.* Drückeberger *m*, Feigling *m*.

quit·tor ['kwitər] *s vet.* Steingallen *pl.*

quiv·er[1] ['kwivər] **I** *v/i* **1.** beben, zittern (with vor *dat*). **II** *v/t* **2.** (er)zittern lassen. **3.** *die Flügel* flatternd schlagen (*Lerche*). **III** *s* **4.** Beben *n*, Zittern *n*: in a ~ of excitement *fig.* zitternd vor Aufregung.

quiv·er[2] ['kwivər] *s* Köcher *m*: to have an arrow left in one's ~ noch ein Eisen im Feuer haben; a ~ full of children e-e ganze Schar Kinder.

qui vive [ki 'viv; kiː 'viːv] (*Fr.*) *s*: to be on the ~ auf dem Quivive sein, aufpassen.

quix·ot·ic [kwik'sɒtik] *adj* (*adv* ~ally) donqui'chottisch, 'weltfremd-idea,listisch, schwärmerisch, närrisch.

quix·ot·ism ['kwiksəˌtizəm], '**quix·ot·ry** [-tri] *s* Donquichotte'rie *f*.

quiz [kwiz] **I** *v/t* **1.** *Am. j-n* prüfen, abfragen. **2.** ausfragen, ins (Kreuz)Verhör nehmen. **3.** *bes. Br.* aufziehen, hänseln. **4.** (spöttisch) anstarren, fi'xieren: ~zing glass Lorgnon *n*. **II** *pl* '**quiz·zes** *s* **5.** *bes. Am.* Prüfung *f*, Klassenarbeit *f*. **6.** a) *Radio, TV*: Quiz *n*: ~ game Ratespiel *n*, Quiz; ~ master Quizmaster *m*; ~ program(me), ~ show Quizsendung *f*, b) Denksportaufgabe *f*. **7.** Spottvogel *m*, Spötter *m*. **8.** *obs.* Foppe'rei *f*, Ulk *m*. **9.** *obs.* komischer Kauz.

quiz·zee [kwi'ziː] *s* Teilnehmer(in) an e-m Quiz.

quiz·zi·cal ['kwizikəl] *adj* (*adv* ~ly) **1.** seltsam, komisch. **2.** spöttisch.

quo·ad ['kwouæd], '**quo·ad hoc** [hɒk] (*Lat.*) *prep* was das betrifft.

quod [kwɒd] *s sl.* ,Loch' *n*, ,Kittchen' *n*, Gefängnis *n*.

quod·li·bet ['kwɒdliˌbet] *s mus.* Quodlibet *n*, (Lieder)Potpourri *n*.

quod vi·de [kwɒd 'vaidiː] (*Lat.*) *adv* (*abbr.* q.v.) siehe dort.

quoin [kɔin; kwɔin] **I** *s* **1.** *arch.* a) (vorspringende) Ecke (*e-s Hauses*), b) Eck-, Keilstein *m*. **2.** *print.* Schließkeil *m*. **3.** *mar.* Staukeil *m*. **II** *v/t* **4.** *print. die Druckform* schließen. **5.** *tech.* verkeilen. **6.** *arch. e-e Ecke* mit Keilsteinen versehen.

quoit [kwɔit] *s* **1.** eiserne Wurfscheibe, Wurfring *m*. **2.** *pl* (*als sg konstruiert*) Wurfringspiel *n*.

quon·dam ['kwɒndæm] *adj* ehemalig, früher(er, e, es): ~ friends.

Quon·set hut ['kwɒnsit] *s bes. Am.* (*e-e*) Nissenhütte *f*.

quo·rum ['kwɔːrəm] *s* **1.** beschlußfähige Anzahl *od.* Mitgliederzahl: to be (*od.* constitute) a ~ beschlußfähig sein. **2.** *jur.* handlungsfähige Besetzung e-s Gerichts. **3.** *jur. hist.* a) *Br. collect.* (*die*) Friedensrichter *pl*, b) *Auswahl von Friedensrichtern, die an Gerichtssitzungen teilnehmen dürfen.* **4.** *relig. Am. Vereinigung von Priestern gleichen Ranges bei den Mormonen.*

quo·ta ['kwoutə] *s* **1.** *bes. econ.* Quote *f*, (Verhältnis)Anteil *m*. **2.** *econ.* ('Einfuhr- *etc*)Kontin,gent *n*, Quote *f*, (Liefer- *etc*)Soll *n*: ~ goods kontingentierte Waren; ~ system Zuteilungssystem *n*. **3.** *jur.* Kon'kursdivi,dendenquote *f*. **4.** *Am.* Einwanderungsquote *f*. ~ **a·gent** *s econ.* Kontin'gentträger *m*.

quot·a·ble ['kwoutəbl] *adj* zi'tierbar.

quo·ta·tion [kwo'teiʃən] *s* **1.** Zi'tat *n*, Anführung *f*, Her'anziehung *f* (*a. jur.*): familiar ~s geflügelte Worte; ~ sampling *econ.* statistisch gelenkte Teilauslese. **2.** Beleg(stelle *f*) *m*. **3.** *econ.* ('Börsen-, 'Kurs)No,tierung *f*: final ~ Schlußnotierung. **4.** *econ.* Preis(angabe *f*) *m*. **5.** *print.* Steg *m*. ~ **marks** *s pl* Anführungszeichen *pl*, ,Gänsefüßchen' *pl*.

quote [kwout] **I** *v/t* **1.** zi'tieren (from (aus), (*a. als Beweis*) anführen, *weitS. a.* Bezug nehmen auf (*acc*), sich auf *ein Dokument etc* berufen, *e-e Quelle, e-n Fall* her'anziehen: ~: ... ich zitiere: ... **2.** *econ. e-n Preis* aufgeben, ansetzen, berechnen. **3.** *Börse*: no'tieren: to be ~d at (*od.* with) notieren *od.* im Kurs stehen mit. **4.** *Am.* in Anführungszeichen setzen. **II** *s colloq.* **5.** Zi'tat *n*. **6.** *meist pl* Anführungszeichen *pl*.

quoth [kwouθ] *obs.* (*vorangestellt*) *ich, er, sie, es* sprach, sagte.

quoth·a ['kwouθə] *interj obs. contp.* wahrlich!, für'wahr!

quo·tid·i·an [kwo'tidiən; kwɒ-] **I** *adj* **1.** täglich: ~ fever → 3. **2.** all'täglich, gewöhnlich. **II** *s* **3.** *med.* Quotidi'anfieber *n*.

quo·tient ['kwouʃənt] *s math.* Quoti'ent *m*.

quo war·ran·to [kwou wɒ'ræntou; wɔː'r-] *pl* **-tos** *s jur.* **1.** *hist. königlicher Brief, der e-n Amtsusurpator zwingt, die Berechtigung für die Ausübung s-s Amts od. Privilegs nachzuweisen.* **2.** *ähnlicher Brief, der ein Verfahren wegen Amtsanmaßung einleitet.* **3.** Verfahren *n* wegen Amtsanmaßung.

R

R, r [ɑːr] **I** *pl* **R's, Rs, r's, rs** [ɑːrz] *s* **1.** R, r *n* (*Buchstabe*): the three Rs Lesen *n*, Schreiben *n* u. Rechnen *n* (*reading,* [*w*]*riting,* [*a*]*rithmetic*). **2.** R R *n*, R-förmiger Gegenstand. **II** *adj* **3.** achtzehnt(er, e, es). **4.** R R-..., R-förmig.

rab·bet ['ræbit] **I** *s* **1.** *tech.* a) Fuge *f*, Falz *m*, Nut *f*, b) Falzverbindung *f*. **2.** *mar.* a) Sponung *f*, b) Kielfuge *f*. **II** *v/t* **3.** *tech.* einfügen, falzen, (zs.-)fugen. ~ **joint** *s tech.* Falzverbindung *f*, Fuge *f* (aus Nut u. Feder). ~ **plane** *s* Falzhobel *m*.

rab·bi ['ræbai] *s* **1.** Rabbi *m*: a) *hist. jüdischer Schriftgelehrter*, b) Herr *m*, Meister *m*. **2.** *relig.* Rab'biner *m*.

rab·bin ['ræbin] → rabbi.

rab·bin·ic [ræ'binik] *adj*; **rab'bin·i·cal** *adj* (*adv* ~ly) rab'binisch.

rab·bit[1] ['ræbit] *s* **1.** *zo.* Ka'ninchen *n*. **2.** *zo. Am. allg.* Hase *m*. **3.** → Welsh rabbit. **4.** *sport colloq.* Anfänger(in), ,Flasche' *f*.

rab·bit[2] ['ræbit] *v/t*: ~ it (*od.* me)! *vulg.* Verdammt!

rab·bit| fe·ver *s vet.* Hasenpest *f*. ~ **hutch** *s* Ka'ninchenstall *m*. ~ **punch** *s Boxen*: (kurzer) Schlag ins Genick.

rab·bit war·ren → warren 1 *u.* 3.

rab·bi·ty ['ræbiti] *adj* **1.** ka'ninchenartig, Kaninchen... **2.** *fig.* ängstlich.

rab·ble[1] ['ræbl] *s* **1.** Mob *m*, Pöbelhaufen *m*. **2.** the ~ *contp.* der Pöbel: ~-rousing aufwieglerisch, demagogisch; ~-rouser Aufrührer *m*, Demagoge *m*.

rab·ble[2] ['ræbl] *tech.* **I** *s* Rührstange *f*, Kratze *f*, Krücke *f*. **II** *v/t* 'umrühren.

Rab·e·lai·si·an [ˌræbə'leiziən] *adj* **1.** des Rabe'lais. **2.** im Stil des Rabe'lais (*grob-satirisch, geistvoll-frech, obszön*).

rab·id ['ræbid] *adj* (*adv* ~ly) **1.** wütend (*a. Haß etc*), rasend (*a. fig. Hunger etc*). **2.** fa'natisch, wild, rabi'at: a ~ anti-Semite. **3.** toll(wütig): a ~ dog.

ra·bid·i·ty [rə'biditi], '**rab·id·ness** *s* **1.** Rasen *n*, Wut *f*. **2.** (wilder) Fana'tismus, Tollheit *f*. [Tollwut *f*.]

ra·bies ['reibiːz; -biˌiːz] *s med. vet.*

rac·coon [ræ'kuːn] *s* **1.** *pl* **rac'coons**, *collect. a.* **rac'coon** *zo.* Waschbär *m*. **2.** Waschbär(pelz) *m*.

race[1] [reis] **I** *s* **1.** *sport* (Wett)Rennen *n*, (-)Lauf *m*: motor ~ Autorennen. **2.** *pl sport* Pferderennen *pl*: → play 23. **3.** *fig.* (for) Wettlauf *m*, Kampf *m* (um), Jagd *f* (nach): the armament ~ der Rüstungswettlauf, das Wettrüsten; ~ against time Wettlauf mit der Zeit. **4.** Lauf *m* (*der Gestirne, des Lebens, der Zeit*): his ~ is run er hat die längste Zeit gelebt. **5.** a) starke Strömung, b) Stromschnelle *f*, c) Strom-, Flußbett *n*, d) Ka'nal *m*, Gerinne *n*. **6.** *tech.* a) Laufring *m* (*des Kugellagers*), (Gleit)Bahn *f*, b) *Weberei*: Schützenbahn *f*. **7.** *aer.* → slip stream. **II** *v/i* **8.** an e-m Rennen teilnehmen, *bes.* um die Wette laufen *od.* fahren (with mit). **9.** (*im Rennen*) laufen (for um). **10.** (da'hin)rasen, rennen: his mind was racing *fig.* die Gedanken überschlugen sich in s-m Kopf. **11.** *tech.* 'durchdrehen (*Rad etc*), 'durchgehen (*Motor*). **III** *v/t* **12.** um die Wette laufen *od.* fahren mit. **13.** *Pferde* rennen *od.* (*in e-m Rennen*) laufen lassen. **14.** *ein Fahrzeug* rasen lassen, rasen mit. **15.** ('durch)hetzen, (-)jagen, *Gesetze* 'durchpeitschen. **16.** *tech.* a) *den Motor etc* 'durchdrehen lassen (*ohne Belastung*), b) *den Motor* hochjagen: to ~ up *e-n Flugzeugmotor* abbremsen.

race[2] [reis] *s* **1.** Rasse *f*: the white ~; ~ hatred Rassenhaß *m*. **2.** Rasse *f*: a) Rassenzugehörigkeit *f*, b) rassische Eigenart. **3.** Geschlecht *n*, Stamm *m*, Fa'milie *f*. **4.** Volk *n*, Nati'on *f*. **5.** Abstammung *f*: of noble ~ edler Abstammung, vornehmer Herkunft. **6.** *biol.* Rasse *f*, Gattung *f*, 'Unterart *f*. **7.** (*Menschen- etc*)Geschlecht *n*: the human ~. **8.** Kaste *f*, Schlag *m*: the ~ of politicians. **9.** Rasse *f* (*des Weins etc*).

race[3] [reis] *s* (Ingwer)Wurzel *f*.

race| boat *s sport* Rennboot *n*. ~ **card** *s* 'Rennpro,gramm *n*. '~,**course** *s* Rennbahn *f*. ~ **horse** *s* Rennpferd *n*.

ra·ceme [rə'siːm; rei-] *s bot.* Traube *f* (*Blütenstand*).

race meet·ing *s* (Pferde)Rennen *n*.

ra·ce·mic [rə'siːmik; -'sem-; rei-] *adj chem.* **1.** ra'cemisch. **2.** Trauben...

rac·e·mose ['ræsiˌmous] *adj* **1.** *bot.* a) traubig, b) e-e Traube tragend. **2.** *anat.* Trauben...

rac·er ['reisər] *s* **1.** a) (Wett)Läufer(in), b) Rennfahrer(in). **2.** Rennpferd *n*.

3. Rennfahrzeug *n*, Rennrad *n od.* -boot *n od.* -wagen *m etc.*

race| ri·ot *s* 'Rassenkra,wall *m.* ~ **su·i·cide** *s* Rassenselbstmord *m.* ~ **track** *s* Rennbahn *f*, -strecke *f.* '~,**way** *s* **1.** (Mühl)Gerinne *n.* **2.** *tech.* Laufring *m.*

ra·chis ['reikis] *pl* **rach·i·des** ['ræki,di:z; 'rei-] *s* **1.** *bot. zo.* Rhachis *f*, Spindel *f.* **2.** *anat.* Rückgrat *n.* **ra·chit·ic** [rə'kitik] *adj med.* ra'chitisch. **ra·chi·tis** [rə'kaitis] *s med.* Ra'chitis *f*, englische Krankheit.

ra·cial ['reiʃəl] *adj* (*adv* ~**ly**) **1.** rassisch. **2.** Rassen...: ~ **hatred. 3.** völkisch. '**ra·cial,ism** *s* **1.** Rassenvorurteil *n*, *bes.* 'Rassenhaß *m*, -fana,tismus *m.* **2.** → **racism.**

rac·i·ness ['reisinis] *s* **1.** Rassigkeit *f*, Rasse *f.* **2.** Urwüchsigkeit *f.* **3.** (*das*) Pi'kante, Würze *f.*

rac·ing ['reisiŋ] **I** *s* **1.** (Wett)Rennen *n.* **2.** (Pferde)Rennsport *m.* **II** *adj* **3.** Renn...: ~ **boat (car, saddle, skate)**; ~ **circuit** Rennbahn *f*, -strecke *f*; ~ **cyclist** Radrennfahrer *m*; ~ **driver** Rennfahrer *m*; ~ **man** Pferdesport-Liebhaber *m*; **the** ~ **world** die Rennwelt.

rac·ism ['reisizəm] *s* **1.** Rassenkult *m.* **2.** 'Rassenpoli,tik *f.* **3.** → **racialism** 1. '**rac·ist** *s* Anhänger(in) des Rassenkults, 'Rassenpo,litiker(in).

rack[1] [ræk] **I** *s* **1.** *agr.* Raufe *f*, Futtergestell *n.* **2.** (Rahmen)Gestell *n*, (*Gewehr-, Kleider-, Zeitungs- etc*)Ständer *m*, (Handtuch)Halter *m*, (Geschirr)-Brett *n*, *rail.* (Gepäck)Netz *n*: **clothes** ~; → **bomb rack. 3.** 'Fächerre,gal *n.* **4.** (Streck- *od.* Stütz)Rahmen *m.* **5.** *tech.* Zahnstange *f*: ~**(-and-pinion) gear** Zahnstangengetriebe *n.* **6.** Folter(bank) *f*, (Streck)Folter *f*: **on the** ~ *bes. fig.* auf der Folter; **to put on the** ~ *bes. fig.* j-n auf die Folter spannen. **7.** *fig.* (Folter)Qualen *pl*, Qual *f*, Folter *f.* **II** *v/t* **8.** (aus)recken, strecken. **9.** auf die (Streck)Folter spannen, foltern. **10.** *fig.* foltern, quälen, martern, peinigen: ~**ing pains** rasende Schmerzen; ~**ed with pain** schmerzgequält; **to** ~ **one's brains** sich den Kopf zermartern. **11.** a) *die Miete* (wucherisch) hochschrauben, b) von *j-m* Wucherzins erpressen, *j-n* ausbeuten, -saugen. **12.** auf *od.* in ein Gestell *od.* Re'gal legen. **13.** ~ **up** *e-m Pferd* die (Futter)Raufe füllen.

rack[2] [ræk] *s* Vernichtung *f*: **to go to** ~ **and ruin** völlig zugrunde gehen.

rack[3] [ræk] *s Am.* (schneller) Paß(gang).

rack[4] [ræk] **I** *s* fliegendes Gewölk, ziehende Wolkenmassen *pl.* **II** *v/i* (da'hin)ziehen (*Wolken*).

rack[5] [ræk] *v/t* **1.** *oft* ~ **off** *Wein etc* abziehen, abfüllen. **2.** *Bierfässer* füllen.

rack[6] [ræk] → **arrack.**

rack·et[1] ['rækit] *s* **1.** *sport* Ra'kett *n*, (Tennis- *etc*) Schläger *m.* **2.** *pl* (*als sg konstruiert*) Ra'kettspiel *n.* **3.** Schneereifen *m*, -teller *m.*

rack·et[2] ['rækit] **I** *s* **1.** Krach *m*, Ra'dau *m*, Spek'takel *m*, Lärm *m.* **2.** Wirbel *m*, Aufregung *f.* **3.** a) Rummel *m*, ‚tolle Party', rauschendes Fest, b) Vergnügungstaumel *m*, c) Trubel *m*, Betrieb *m* (*des Gesellschaftslebens*): **to go on the** ~ ‚auf die Pauke hauen', ‚(herum)sumpfen'. **4.** (harte) Nervenprobe, ‚Schlauch' *m*: **to stand the** ~ *colloq.* a) die Sache durchstehen, b) die Folgen zu tragen haben *od.* wissen. **5.** *sl.* a) Schwindel *m*, Gaune'rei *f*, ‚Schiebung' *f*, b) *Am.* organi'sierte Erpressung, c) *Am.* Erpresserbande *f*, d) *Am.* (einträgliches) Geschäft, ‚Masche' *f*, e) *bes. Am.* Beruf *m*, Branche *f*: **what's his** ~? **II** *v/i* **6.** Krach machen, lärmen. **7.** *meist* ~ **about** ‚(her'um)sumpfen'.

rack·et·eer [,ræki'tiər] **I** *s* **1.** *Am.* Gangster *m*, Erpresser *m.* **2.** Geschäftemacher *m*, ‚Schieber' *m.* **II** *v/i* **3.** organi'sierte Erpressung betreiben. **4.** dunkle Geschäfte machen. ,**rack·et'eer·ing** *s* **1.** Gangstertum *n*, organi'sierte Erpressung. **2.** Geschäftemache'rei *f.*

rack·et·y ['rækiti] *adj* **1.** lärmend. **2.** turbu'lent. **3.** ausgelassen, ausschweifend.

rack| punch *s* Arrakpunsch *m.* ~ **rail** *s tech.* Zahnschiene *f.* ~ **rail·way,** ~ **rail·road** *s* Zahnradbahn *f.* ~ **rent** *s* **1.** Wuchermiete *f*, wucherischer Pachtzins. **2.** *jur. Br.* Pachtzins *m* zum vollen Jahreswert des Grundstücks. '~-,**rent** *v/t* e-n Wucherzins von *j-m od.* für *etwas* verlangen. ~ **wheel** *s tech.* Zahnrad *n.*

ra·con ['reikɒn] *s aer. mar.* Antwort-Radarbake *f.*

rac·on·teur [rakɔ̃'tœ:r; ,rækɒn'tɜ:r] *s* (guter) Erzähler.

ra·coon → **raccoon.**

rac·quet → **racket**[1].

rac·y ['reisi] *adj* **1.** rassig (*a. fig.*): **a** ~ **horse (car, style,** *etc*). **2.** kernig, unverbildet: ~ **of the soil** urwüchsig, bodenständig. **3.** pi'kant, würzig (*Geschmack etc*; *a. fig.*). **4.** lebendig, geistreich, ‚spritzig': ~ **humo(u)r**; **a** ~ **story. 5.** *colloq. u. Am.* schlüpfrig, gewagt: ~ **anecdotes.**

rad[1] [ræd] *colloq. abbr. für* **radical** 9.

rad[2] [ræd] *s phys.* rad *n* (*Einheit der absorbierten Dosis*).

ra·dar ['reidɑ:r] **I** *s electr.* **1.** (*aus* **Radio Detecting and Ranging**) Radar *n*, Funkmeßtechnik *f*, -ortung *f.* **2.** *a.* ~ **set** Radargerät *n.* **II** *adj* **3.** Radar...: ~**-assisted** mit Radarhilfe; ~ **beacon** → **racon**; ~ **display** Radarschirmbild *n*; ~ **jamming** Radarstörung *f*, (*mit Folie*) Verdüppelung *f*; ~ **screen** Radarschirm *m.* '~**·man** [-mən; -,mæn] *s irr electr.* Bediener *m* e-s Radargerätes, Funkmeßmann *m.*

ra·dar·scope ['reidɑ:r,skoup] *s electr* Radar-Sichtgerät *n.*

rad·dle ['rædl] **I** *s* **1.** Rötel *m.* **II** *v/t* **2.** mit Rötel bemalen. **3.** rot anmalen.

ra·di·ac ['reidiæk] *s* (*aus* **Radioactivity Detection and Computation**) Anzeige *f* u. Berechnung *f* von ,Radioaktivi'tät. ~ **do·sim·e·ter** *s phys.* Strahlungsmesser *m.*

ra·di·al ['reidiəl; -djəl] **I** *adj* (*adv* ~**ly**) **1.** radi'al, Radial...: a) Strahlen..., strahlig (angeordnet), b) den Radius betreffend. **2.** *anat.* Speichen... **3.** *bot. zo.* radi'är, radi'alsym,metrisch. **II** *s* **4.** *anat.* a) → **radial artery,** b) → **radial nerve.** ~ **ar·ter·y** *s anat.* Speichenschlagader *f.* ~ **bear·ing** *s tech.* Querlager *n.* ~ **drill** *s tech.* Radi'albohrma,schine *f.* ~ **en·gine** *s tech.* Sternmotor *m.* '~-,**flow tur·bine** *s tech.* Radi'altur,bine *f.*

ra·di·al·ize ['reidiə,laiz] *v/t* strahlenförmig anordnen.

ra·di·al| nerve *s anat.* Radi'al-, Speichennerv *m.* ~ **route** *s* Ausfallstraße *f.*

ra·di·an ['reidiən] *s math.* Einheitswinkel *m*: ~ **measure** Bogenmaß *n.*

ra·di·ance ['reidiəns; -djəns], *a.* '**ra·di·an·cy** [-si] *s* **1.** Strahlen *n*, strahlender Glanz (*a. fig.*). **2.** → **radiation.**

ra·di·ant ['reidiənt; -djənt] **I** *adj* (*adv* ~**ly**) **1.** strahlend (*a. fig.* **with** vor *dat*, von): ~ **beauty**; **the** ~ **bride**; **a** ~ **smile**; ~ **with joy** freudestrahlend. **2.** *phys.* Strahlungs...: ~ **energy**; ~ **heating** *tech.* Flächenheizung *f*; ~ **point** → 4. **3.** strahlenförmig angeordnet. **II** *s* **4.** *phys.* a) Strahl(ungs)-punkt *m*, b) (*bes. Licht*)Quelle *f.* **5.** *astr.* Radi'ant *m.* **6.** *math.* Strahl *m.*

ra·di·ate ['reidi,eit] **I** *v/i* **1.** ausstrahlen (**from** von; *a. fig.*). **2.** strahlenförmig ausgehen (**from** von). **3.** strahlen, Strahlen *od.* Strahlungen aussenden. **4.** *a. fig.* strahlen, leuchten. **II** *v/t* **5.** *Licht, Wärme etc* ausstrahlen. **6.** *fig. Liebe etc* ausstrahlen, -strömen: **to** ~ **love**; **to** ~ **health** vor Gesundheit strotzen. **7.** *Radio*: ausstrahlen, senden. **III** *adj* **8.** radi'al, Strahl(en)... '**ra·di,at·ed** *adj* **1.** → **radiate** III. **2.** *phys.* ausgestrahlt, Strahlungs...

ra·di·a·tion [,reidi'eiʃən] *s* **1.** *phys.* (Aus)Strahlung *f*: **cosmic** ~ Höhenstrahlung; ~ **detection team** *mil.* Strahlenspürtrupp *m*; ~ **dose** *phys.* Strahlendosis *f*; ~ **injuries** Strahlenschäden. **2.** *fig.* Ausstrahlung *f* (*a. Radio*): **spiritual** ~; ~ **of pain. 3.** Bestrahlung *f.*

ra·di·a·tive ['reidi,eitiv] *adj* Strahlungs...

ra·di·a·tor ['reidi,eitər] *s* **1.** *tech.* a) Heizkörper *m*, Strahlkörper *m*, -ofen *m*, b) *mot. etc* Kühler *m*, c) *electr.* 'Raumstrahl-, 'Sendean,tenne *f.* **2.** radioak'tive Sub'stanz. ~ **coil** *s tech.* **1.** Schlangenkühler *m.* **2.** Kühl(er)-schlange *f.* ~ **core** *s mot.* Kühlerblock *m.* ~ **grid,** ~ **grill** *s tech.* **1.** 'Kühlerla,mellen *pl.* **2.** Kühlerschutzgitter *n.* ~ **mas·cot** *s mot.* 'Kühlerfi,gur *f.*

rad·i·cal ['rædikəl] **I** *adj* (*adv* → **radically**) **1.** (*pol. oft* R~) radi'kal, Radikal...: ~ **politician**; Radikal-, Roßkur *f*; **to undergo a** ~ **change** sich von Grund auf ändern. **2.** radi'kal, drastisch, extrem: ~ **measures. 3.** a) fundamen'tal, grundlegend, Grund...: ~ **difference,** b) eingewurzelt, ursprünglich: **the** ~ **evil** das Grund- *od.* Erbübel. **4.** *bot. math.* Wurzel...: ~ **hairs**; ~ **axis** *math.* Potenzlinie *f*; ~ **expression** *math.* Wurzelausdruck *m*; ~ **plane** *math.* Potenzebene *f*; ~ **sign** *math.* Wurzelzeichen *n.* **5.** *ling.* Wurzel..., Stamm...: ~ **word. 6.** *bot.* grundständig: ~ **leaves. 7.** *mus.* Grund(ton)...: ~ **bass** Grundbaß *m*; ~ **cadence** Grundkadenz *f.* **8.** *chem.* Radikal...: ~ **chain (reaction)** Radikalkette *f.* **II** *s* **9.** *a.* R~ *pol.* Radi'kale(r *m*) *f.* **10.** *math.* a) Wurzel *f*, b) Wurzelzeichen *n.* **11.** *mus.* Grundton *m* (*e-s Akkords*). **12.** *ling.* Wurzel(buchstabe *m*) *f.* **13.** *chem.* Radi'kal *n.* **14.** *fig.* Basis *f*, Grundlage *f.*

rad·i·cal·ism ['rædikə,lizəm] *s bes. pol.* Radika'lismus *m.*

rad·i·cal·ize ['rædikə,laiz] **I** *v/t* radikali'sieren. **II** *v/i* radi'kal werden.

rad·i·cal·ly ['rædikəli] *adv* **1.** radi'kal, von Grund auf, grundlegend. **2.** ursprünglich.

rad·i·ces ['reidi,si:z; 'ræd-] *pl von* **radix.**

rad·i·cle ['rædikl] *s* **1.** *bot.* a) Keimwurzel *f*, b) Würzelchen *n.* **2.** *anat.* (Gefäß-, Nerven)Wurzel *f.* **3.** *chem.* Radi'kal *n.*

ra·di·i ['reidi,ai] *pl von* **radius.**

ra·di·o ['reidi,ou] **I** *s* **1.** Radio *n*, Funk *m*, Funkbetrieb *m.* **2.** Rundfunk *m*, Radio *n*: **on the** ~ im Rundfunk. **3.** *bes. Am.* 'Radio- *od.* 'Rundfunkappa,rat *m*, -gerät *n*, Rundfunkempfänger *m.* **4.** 'Radiosender *m*, -stati,on *f.* **5.** Rundfunkgesellschaft *f.* **6.** 'Radioindu,strie *f.* **7.** *colloq.* Funkspruch *m.* **II** *v/t* **8.** (drahtlos) senden, funken, 'durchgeben. **9.** *j-m* e-e Funkmeldung 'durchgeben. **10.** *med.* a) röntgen, durch'leuchten, b) mit Röntgenstrahlen *od.* Radium behandeln.

radio- [reidio] *Wortelement mit den Bedeutungen* **1.** a) drahtlos, Funk, b) Radio, Rundfunk, c) funkgesteuert. **2.** a) Radium, b) radioaktiv. **3.** (*bes.* Röntgen)Strahlung. **4.** radial, Radius. **5.** *anat.* Speiche.

,ra·di·o'ac·ti,vate *v/t phys.* radioak['tiv machen.]

,ra·di·o'ac·tive *adj* radioak'tiv: ~ series (*od.* chain) *phys.* Zerfallsreihe *f*; ~ waste ‚Atom-Müll' *m.*

,ra·di·o·ac'tiv·i·ty *s* ,Radioaktivi'tät *f.*

ra·di·o| am·a·teur *s* 'Funk-, 'Radioama,teur *m*, Funkbastler *m.* ~ **as·tron·o·my** *s* 'Radioastrono,mie *f.* **,~·au'tog·ra·phy** *s phys.* 'Strahlungsphotogra,phie *f.* ~ **bal·loon** *s meteor.* Bal'lon-, Radiosonde *f.* ~ **bea·con** *s tech.* Funkbake *f*, -feuer *n.* ~ **beam** *s electr.* **1.** (Funk)Leitstrahl *m.* **2.** *Radio*: Richtstrahl *m.* ~ **bear·ing** *s tech.* **1.** Funkpeilung *f.* **2.** Peilwinkel *m.* **,~·bi'ol·o·gy** *s biol.* 'Strahlungsbiolo,gie *f.* ~ **car** *s Am.* Funkwagen *m.* **,~'car·bon** *s chem. phys.* C^{14} (*radioaktives Isotop des Kohlenstoffs*): ~ dating C^{14}-Altersbestimmung *f.* **,~'car·pal** *adj anat.* Radiokarpal... **,~'chem·is·try** *s chem.* 'Radio-, 'Strahlenche,mie *f.* ~ **com·mu·ni·ca·tion** *s* Funkverbindung *f*, -verkehr *m.* ~ **com·pass** *s aer. mar.* Funkpeilgerät *n.* ~ **con·trol** *s electr.* Funk(fern)steuerung *f.* **'~-con,trol** *v/t* fernsteuern. ~ **dra·ma** *s* Hörspiel *n.* **'~,el·e·ment** *s phys.* radioak'tives Ele'ment. ~ **en·gi·neer·ing** *s* Funktechnik *f.* ~ **fre·quen·cy** *s electr.* 'Hochfre,quenz *f*, HF.

ra·di·o·gen·ic [,reidio'dʒenik] *adj* (*adv* ~ally) *phys.* radioge'netisch.

ra·di·o·gram ['reidio,græm] *s* **1.** 'Funkmeldung *f*, -tele,gramm *n.* **2.** → radiograph I. **3.** *Br.* → radiogramophone.

,ra·di·o'gram·o,phone *s* 'Radioappa,rat *m* mit Plattenspieler, Mu'siktruhe *f*, Phonosuper *m.*

ra·di·o·graph ['reidio,græ(ː)f; *Br. a.* -,grɑːf] *med.* **I** *s* Radio'gramm *n*, *bes.* Röntgenaufnahme *f*, -bild *n.* **II** *v/t* ein Radio'gramm *etc* machen von. **,ra·di'og·ra·phy** [-'ɒgrəfi] *s* Röntgenogra'phie *f*: mass ~ Röntgenreihenuntersuchung *f.*

ra·di·o·lar·i·an [,reidio'lɛ(ə)riən] *s zo.* Strahlentierchen *n.*

ra·di·o| link *s electr.* Richtfunkstrecke *f.* **,~·lo'ca·tion** *s electr.* ('nichtnaviga,torische) Funkortung.

ra·di·o·log·i·cal [,reidio'lɒdʒikəl] *adj med.* radio'logisch, Röntgen... **,ra·di'ol·o·gist** [-'ɒlədʒist] *s* Radio'loge *m*, Röntgeno'loge *m.* **,ra·di'ol·o·gy** *s* Strahlen-, Röntgenkunde *f*, Radiolo'gie *f.*

ra·di·o| mark·er *s aer.* Mar'kierungs-, Funkbake *f*, Anflugbake *f.* ~ **mes·sage** *s* Funkmeldung *f*, -spruch *m.*

ra·di·om·e·ter [,reidi'ɒmitər] *s phys.* Strahlungsmesser *m.* **,ra·di'om·e·try** [-tri] *s* Radiome'trie *f.*

ra·di·o| op·er·a·tor *s* (*aer.* Bord)Funker *m.* ~ **pa·trol car** *s Am.* Funkstreife(nwagen *m*) *f.*

ra·di·o·phone ['reidio,foun] *s* **1.** *phys.* Radio'phon *n.* **2.** → radiotelephone I.

ra·di·o| pho·no·graph *s Am.* Mu'siktruhe *f.* **,~'pho·to,graph** *s tech.* Funkbild *n.* **,~·pho'tog·ra·phy** *s* Bildfunk *m.* ~ **range** *s* **1.** *electr.* Funkbereich *m.* **2.** *aer.* (Vier)Kursfunkfeuer *n.*

ra·di·o·scop·ic [,reidio'skɒpik] *adj med.* röntgeno'skopisch: ~ screen Durchleuchtungsschirm *m.* **,ra·di'os·co·py** [-'ɒskəpi] *s med.* Radiosko'pie *f*, 'Röntgendurch,leuchtung *f.*

,ra·di·o|'sen·si·tive *adj med.* strahlenempfindlich. ~ **set** *s* **1.** → radio 3. **2.** Funkgerät *n.* **'~,sonde** [-,sɒnd] *s meteor.* Radiosonde *f.* ~ **spec·trum** *s phys.* Strahlungsspektrum *n.* ~ **sta·tion** *s electr.* (Radio-, Rundfunk)Sender *m*, ('Rund)Funkstati,on *f.* ~ **stron·ti·um** *s chem. phys.* Strontium 90 *n.* **,~'tel·e,gram** *s electr.* 'Funktele,gramm *n.* **,~'tel·e,graph I** *v/t* 'funktele,graphisch über'mitteln, funken. **II** *v/i* ein 'Funktele,gramm senden. **,~·te'leg·ra·phy** *s* 'Funktelegra,phie *f*, drahtlose Telegra'phie. **,~'tel·e,phone** *electr.* **I** *s* Funkfernsprecher *m.* **II** *v/t* 'funktele,phonisch über'mitteln. **III** *v/i* 'funktele,phonisch anrufen. **,~·te'leph·o·ny** *s* drahtlose Telepho'nie, 'Funktelepho,nie *f.* ~ **tel·e·scope** *s astr.* 'Radiotele,skop *n.* **,~,ther·a'peu·tics** *s pl* (*oft als sg konstruiert*), **,~'ther·a·py** *s* 'Strahlen-, 'Röntgenthera,pie *f.* **,~'ther·mics** [-'θəːrmiks] *s phys.* Radio'thermik *f.* **'~,ther·my** [-,θəːrmi] *s med.* **1.** Wärmestrahlenbehandlung *f.* **2.** Kurzwellenbehandlung *f.* ~ **trans·mit·ter** *s electr.* **1.** (Rundfunk)Sender *m.* **2.** (Funk)Sender *m.* ~ **truck** *s Am.* Funk(geräte)wagen *m.* ~ **tube** *s electr.* Elek'tronen-, Radioröhre *f.* **'~,vi·sion** *s electr.* (Funk)Fernsehen *n.* ~ **war·fare** *s* Funkkrieg *m.*

rad·ish ['rædiʃ] *s bot.* **1.** *a.* large ~ Rettich *m.* **2.** *a.* red ~ Ra'dies-chen *n.*

ra·di·um ['reidiəm] *s chem.* Radium *n*: ~ emanation → radon.

ra·di·us ['reidiəs] *pl* **-di·i** [-di,ai] *od.* **-di·us·es** *s* **1.** Radius *m*, Halbmesser *m*: ~ of curvature Krümmungshalbmesser; ~ of turn *mot.* Wendehalbmesser. **2.** *tech.* a) Arm *m* (*e-s Sextanten*), b) (Rad)Speiche *f.* **3.** *anat.* Speiche(nknochen *m*) *f.* **4.** 'Umkreis *m.* **5.** (Wirkungs-, Einfluß)Bereich *m*, Wirkungskreis *m*: ~ (of action) Aktionsradius *m*, *mot.* Fahrbereich; flying ~ *aer.* Flugradius *m.* **6.** *tech.* Auslenkung *f*, Hub *m*, ,Exzentrizi'tät *f.* **7.** *bot.* a) Strahl *m* (*bes. e-r Dolde*), b) Strahl- *od.* Zungenblüte *f.*

ra·dix ['reidiks] *pl* **rad·i·ces** ['reidi,siːz] *s* **1.** *math.* Basis *f*, Grundzahl *f*: ~ point (*Computer*) Komma(stelle *f*) *n*; ~-two counter binäre Zähler. **2.** *bot.*, *a. ling.* Wurzel *f.*

ra·dome ['reidoum] *s* **1.** *aer.* Radarkuppel *f.* **2.** *electr.* Wetterschutz(haube *f*) *m.*

ra·don ['reidɒn] *s chem.* Radon *n.*

raf·fi·a ['ræfiə] *s* **1.** Raffiabast *m.* **2.** *meist* ~ palm Bambuspalme *f.*

raf·fin·ate ['ræfinit; -,neit] *s* Raffi'nat *n.*

raff·ish ['ræfiʃ] *adj* (*adv* ~ly) **1.** liederlich. **2.** pöbelhaft, ordi'när.

raf·fle ['ræfl] **I** *s* Tombola *f* (*Art Lotterie*), Verlosung *f.* **II** *v/t oft* ~ off *etwas* in e-r Tombola verlosen. **III** *v/i* losen (for um).

raft [*Br.* rɑːft; *Am.* ræ(ː)ft] **I** *s* **1.** a) Floß *n*, b) *aer.* Rettungsfloß *n.* **2.** *Am.* a) zs.-gebundene (Baum)Stämme *pl*, b) Ansammlung *f* von Treibholz u. Gerümpel (*auf e-m Fluß*), c) *colloq.* Unmenge *f*, ‚Haufen' *m.* **II** *v/t* **3.** flößen. **4.** zu e-m Floß zs.-binden. **5.** mit e-m Floß befahren. **III** *v/i* **6.** flößen. **7.** auf e-m Floß fahren.

raft·er[1] [*Br.* 'rɑːftər; *Am.* 'ræ(ː)ft-] *s* Flößer *m.*

raft·er[2] [*Br.* 'rɑːftər; *Am.* 'ræ(ː)ft-] *tech.* **I** *s* (Dach)Sparren *m*, (schräger) Dachbalken. **II** *v/t* mit Sparren(werk) versehen.

rafts·man [*Br.* 'rɑːftsmən; *Am.* 'ræ(ː)fts-] *s irr* Flößer *m.*

rag[1] [ræg] **I** *s* **1.** Fetzen *m*, Lumpen *m*, Lappen *m*: in ~s a) in Fetzen (*Stoff etc*), b) zerlumpt (*Person*); ~ of cloud *fig.* Wolkenfetzen; every ~ of sail *mar.* alle verfügbaren Segel; not a ~ of evidence nicht den geringsten Beweis; to chew the ~ a) ‚quatschen', plaudern, b) ‚meckern', murren; to cook to ~s (total) zerkochen; to tear to ~s *fig.* ‚(in der Luft) zerreißen'; it is a red ~ to him *fig.* es ist für ihn ein rotes Tuch. **2.** *meist in Zssgn* (*Wasch- etc*)Lappen *m*, (*Wisch- etc*)Tuch *n*, (Putz)Lumpen *m.* **3.** *pl Papierindustrie*: Hadern *pl*, Lumpen *pl.* **4.** *humor.* ‚Fetzen' *m* (*Kleid, Anzug*): → glad 4. **5.** *contp. od. humor.* ‚Fetzen' *m* (*Taschentuch, Vorhang etc*), ‚Lappen' *m* (*Geldschein*). **6.** *contp.* (Käse-, Wurst-) Blatt *n* (*Zeitung*). **7.** *Am. colloq.* a) ‚Wrack' *n*, ‚Leiche' *f* (*erschöpfte Person*), b) *contp.* ‚Waschlappen' *m.* **8.** → ragtag. **9.** *mus. colloq.* → ragtime I. **II** *v/t* **10.** *mus. sl.* ‚verjazzen'.

rag[2] [ræg] *s* **1.** rohe Schieferplatte. **2.** *Br.* rohgeschiefertes Gestein.

rag[3] [ræg] *sl.* **I** *v/t* **1.** ‚anschnauzen'. **2.** *j-n* aufziehen, ‚auf den Arm nehmen'. **3.** *j-m* e-n Schabernack spielen. **4.** *j-n* ‚piesacken', *j-m* übel mitspielen. **II** *v/i* **5.** sich toll aufführen, Ra'dau machen, randa'lieren. **III** *s* **6.** toller Streich *od.* Ra'dau, Kla'mauk *m*, (Stu'denten)Ulk *m.*

rag·a·muf·fin ['rægə,mʌfin] *s* **1.** zerlumpter Kerl. **2.** Gassenkind *n.*

rag| ba·by → rag doll. ~ **bag** *s* **1.** Lumpensack *m*: out of the ~ *fig.* aus der ‚Klamottenkiste'. **2.** *fig.* Sammel'surium *n.* ~ **bolt** *s tech.* Steinschraube *f.* ~ **book** *s* unzerreißbares Bilderbuch. ~ **car·pet** *s* Flickenteppich *m.* ~ **doll** *s* (ausgestopfte) Stoffpuppe.

rage [reidʒ] **I** *s* **1.** Wut(anfall *m*) *f*, Rase'rei *f*, Zorn *m*, Rage *f*: to be in a ~ vor Wut schäumen, toben; to fly into a ~ in Wut geraten. **2.** Wüten *n*, Toben *n*, Rasen *n* (*der Elemente, der Leidenschaft etc*). **3.** Sucht *f*, Ma'nie *f*, Gier *f* (for nach): a ~ for collecting things e-e Sammelwut. **4.** Begeisterung *f*, Taumel *m*, Rausch *m*, Ek'stase *f.* **5.** große Mode: it is (all) the ~ es ist jetzt die große Mode, alles ist wild darauf. **II** *v/i* **6.** *a. fig.* toben, rasen, wüten (at, against gegen).

rag fair *s* Trödelmarkt *m.*

rag·ged ['rægid] *adj* (*adv* ~ly) **1.** zerlumpt, abgerissen (*Person, Kleidung*): to ride s.o. ~ *Am. sl.* j-n ‚fertigmachen'. **2.** struppig, zottig (*Fell*), strubb(e)lig (*Bart*). **3.** zerfetzt, schartig, ausgefranst: a ~ wound. **4.** zackig, gezackt: ~ glass; ~ stones; on the ~ edge *fig.* am Rande des Abgrunds, am Ende. **5.** holp(e)rig: ~ rhymes. **6.** zs.-hanglos: ~ book; ~ speech. **7.** verwildert: a ~ garden. **8.** roh, unfertig, mangel-, fehlerhaft: a ~ piece of work. **9.** rauh: ~ sound; ~ voice.

rag·lan ['ræglən] *s* Raglan *m* (*Sport- od. Wettermantel mit Raglanärmeln*).

'rag,man [-,mæn] *s irr* Lumpensammler *m.*

ra·gout [ræ'guː] *s* Ra'gout *n.*

rag| pa·per *s Papierindustrie*: 'Hadernpa,pier *n.* **'~,pick·er** *s* Lumpensammler(in). '~ˌ**stone** *s geol.* Kieselsandstein *m.* '~ˌ**tag** *s contp.* **1.** Pöbel *m*, Gesindel *n*: ~ **and bobtail** Krethi u. Plethi. **2.** Ple'bejer(in). '~ˌ**time I** *s mus.* **1.** Ragtime *m* (*Jazzstil*). **II** *adj* **2.** *mus.* Ragtime... **3.** *colloq.* lustig. '~ˌ**weed** *s bot.* **1.** *Br. für* **ragwort. 2.** Am'brosiapflanze *f.* '~ˌ**wort** *s bot.* (*ein*) Kreuzkraut *n*, *bes.* Jakobs(kreuz)kraut *n.*

rah(-rah) ['rɑː(ˌrɑː)] *bes. Am. für* **hurrah.**

raid [reid] **I** *s* **1.** (feindlicher *od.* räuberischer) Ein- *od.* 'Überfall, Streifzug *m*, (plötzlicher) Angriff (**on, upon** auf *acc*). **2.** a) *mil.* 'Stoßtruppunterˌnehmen *n*, b) *mar.* Kaperfahrt *f*, c) *aer.* (Bomben-, Luft)Angriff *m.* **3.** a) (An)Sturm *m* (**on, upon** auf *acc*), b) *sport* Vorstoß *m.* **4.** (Poli'zei)Razzia *f* (**on, upon** auf *acc*). **5.** *econ.* Druck *m* auf die Preise. **II** *v/t* **6.** über'fallen, e-n 'Überfall machen auf (*acc*), angreifen (*a. aer.*). **7.** einfallen in (*acc*). **8.** stürmen, plündern. **9.** e-e Razzia machen auf (*acc*). **10. to** ~ **the market** *econ.* den Markt drücken. **III** *v/i* **11.** e-n 'Überfall machen (**on, upon** auf *acc*), einfallen (**into** in *acc*): **~ing party** *mil.* Stoßtrupp *m*; **~ing aircraft** angreifende Flugzeuge. **12.** e-e Razzia vornehmen (*Polizei*). '**raid·er** *s* **1.** Angreifer(in), *aer.* Angriffsflugzeug *n*, *mar.* Handelsstörer *m*: **~s past signal** (*Luftschutz*) Entwarnung *f.* **2.** Plünderer *m.* **3.** *mil.* 'Nahkampfspeziaˌlist *m* (*der US-Marineinfanterie*).

rail[1] [reil] **I** *s* **1.** *tech.* Schiene *f*, Riegel *m.* **2.** Geländer *n.* **3.** *a.* **main** ~ *mar.* Reling *f.* **4.** a) Schiene *f*, b) *pl* Gleis *n*, c) (Eisen)Bahn *f*: **by** ~ mit der Bahn; **off the ~s** *fig.* aus dem Geleise, durcheinander, *weitS.* auf dem Holzweg; *colloq.* verrückt (*Person*); **to run off the ~s** entgleisen; **on the ~s** *Am. fig.* in Schwung (*Sache*), auf dem rechten Weg (*Person*). **5.** *pl econ.* Eisenbahnaktien *pl.* **II** *v/t* **6.** *a.* ~ **in** mit e-m Geländer versehen *od.* um'geben: **to** ~ **off** durch ein Geländer (ab)trennen. **7.** *bes. Br.* mit der (Eisen)Bahn befördern.

rail[2] [reil] *s orn.* Ralle *f*: **common** (*od.* **water**) ~ Wasserralle *f.*

rail[3] [reil] *v/i* schimpfen, ,'herziehen' (**at, against** über *acc*).

'**rail**| **bus** *s* Schienenbus *m.* ~ **car** *s* Triebwagen *m.*

rail·er ['reilər] *s* Schmäher(in), Lästerer *m.*

'**railˌhead** *s* **1.** *mil.* 'Kopfstatiˌon *f*, Ausladebahnhof *m.* **2.** a) Schienenkopf *m*, b) im Bau befindliches Ende (*e-r neuen Strecke*).

rail·ing[1] ['reiliŋ] *s* **1.** *rail.* Schienen *pl.* **2.** Geländer *n*, Gitter *n*, Barri'ere *f.* **3.** *mar.* Reling *f.*

rail·ing[2] ['reiliŋ] *s* Geschimpfe *n.*

rail·ler·y ['reiləri] *s* Necke'rei *f*, Stiche'lei *f*, gutmütiger Spott.

'**rail-ˌmo·tor** *s Br.* Triebwagen *m.*

rail·road ['reilˌroud] *Am.* **I** *s* **1.** Eisenbahn *f*: a) Eisenbahnlinie *f*, b) *als Einrichtung od. Unternehmen.* **2.** *a.* ~ **company** Eisenbahn(gesellschaft) *f.* **3.** *pl* Eisenbahnaktien *pl.* **II** *adj* **4.** Eisenbahn...: ~ **accident. III** *v/t* **5.** mit der (Eisen)Bahn befördern. **6.** Eisenbahnen bauen in (*dat*): **to** ~ **a country. 7.** *colloq.* hastig *od.* rücksichtslos (vor'an)treiben, hetzen, *bes. e-n Gesetzesantrag* 'durchpeitschen. **8.** *sl. j-n* ,'aberˌvieren', ,sich *j-n* vom Hals schaffen', *j-n* (*durch falsche Beschuldigungen*) ,'reinhängen'. ~ **bridge** *s Am.* Eisenbahnbrücke *f.* ~ **car** *s Am.* Eisenbahnwagen *m.* ~ **junc·tion** *s Am.* (Eisen)Bahnknotenpunkt *m.* ~ **sick·ness** *s Am.* Eisenbahnkrankheit *f*, -fieber *n.* ~ **sta·tion** *s Am.* Bahnhof *m.*

rail train *s metall.* Walzenstraße *f.*

rail·way ['reilˌwei] **I** *s* **1.** *bes. Br. für* **railroad** 1 *u.* 2. **2.** Kleinbahn *f*, kleinere Neben- *od.* Lo'kalbahn. **II** *adj* **3.** *bes. Br.* Eisenbahn... ~ **car·riage** *s Br.* 'Eisenbahnwagˌgon *m* (*für Personen*). ~ **guard** *s Br.* Zugschaffner *m.* ~ **guide** *s Br.* Kursbuch *n.* ~ **junc·tion** *bes. Br. für* **railroad junction.** ~ **sick·ness** *bes. Br. für* **railroad sickness.**

rai·ment ['reimənt] *s poet.* Kleidung *f*, Gewand *n.*

rain [rein] **I** *s* **1.** Regen *m* (*a. fig.*): ~ **or shine** a) bei jedem Wetter, b) *fig.* unter allen Umständen; **as right as** ~ *colloq.* ganz richtig, (völlig) in Ordnung; **a** ~ **of blows** ein Hagel von Schlägen; **a** ~ **of sparks** ein Funkenregen; → **pour** 6. **2.** *pl* Regenfälle *pl*, -güsse *pl*: **heavy ~s**; **the ~s, the R~s** die Regenzeit (*in den Tropen*). **3.** Regen(wetter *n*) *m*: **we had nothing but** ~ **all day. 4. the R~s** *pl mar.* die Regenzone (*des Atlantik*). **II** *v/i* **5.** *impers* regnen: **it ~ed all night**; → **pour** 6. **6.** es regnen lassen, Regen (her'ab)senden: **the sky ~s. 7.** *fig.* regnen: **tears ~ed down her cheeks** Tränen strömten ihre Wangen herunter; **blows ~ed down** Schläge prasselten nieder. **III** *v/t* **8.** *Tropfen etc* (her)'niedersenden, regnen: **it ~s pitchforks** *colloq.* es gießt in Strömen; → **cat** *Bes. Redew.*; **it has ~ed itself out** es hat sich ausgeregnet. **9.** *fig.* (her'nieder)regnen *od.* (-)hageln lassen: **to** ~ **blows**; **to** ~ **favo(u)rs (abuse) upon s.o.** j-n mit Gefälligkeiten (Beschimpfungen) überschütten; **it ~ed gifts** es regnete *od.* hagelte Geschenke. '~ˌ**band** *s meteor.* Regenlinie *f*, -bande *f.* '~ˌ**bird** *s orn.* **1.** Regenkuckuck *m.* **2.** Regenvogel *m.* **3.** Koal *m.* **4.** *Br. dial.* Grünspecht *m.*

rain·bow ['reinˌbou] *s* **1.** Regenbogen *m* (*a. fig.*): **in all the colo(u)rs of the** ~ in allen Regenbogenfarben; **to chase** (*od.* **follow**) **a** ~ *fig.* e-m Trugbild nachjagen. **2.** *a.* **white** ~ weißer Regenbogen, Nebelbogen *m.* **3.** *orn.* (*ein*) Kolibri *m.* ~ **trout** *s ichth.* 'Regenbogenfoˌrelle *f.*

rain| **check** *s Am.* Einlaßkarte *f* für die Wieder'holung e-r verregneten Veranstaltung: **to take a** ~ **on an invitation** *fig.* sich e-e Einladung für später ,gutschreiben' lassen; **may I take a** ~ **on it?** darf ich darauf später einmal zurückkommen? '~ˌ**coat** *s* Regenmantel *m.* ~ **doc·tor** *s* Regenmacher *m* (*bei primitiven Völkern*). '~ˌ**drop** *s* Regentropfen *m.* '~ˌ**fall** *s* **1.** Regen(schauer) *m.* **2.** *meteor.* Niederschlagsmenge *f.* ~ **for·est** *s* Regenwald *m.* ~ **ga(u)ge** *s phys.* Niederschlagsmesser *m.* ~ **glass** *s* Baro'meter *n.*

rain·i·ness ['reininis] *s* **1.** Regenneigung *f.* **2.** Regenwetter *n.*

rain| **mak·er** → **rain doctor.** '~'**proof I** *adj* wasserdicht. **II** *s* Regenmantel *m.* **III** *v/t* wasserdicht machen. '~ˌ**storm** *s* heftiger Regen. '~ˌ**wa·ter** *s* Regenwasser *n.* '~ˌ**wear** *s* Regenbekleidung *f.*

rain·y ['reini] *adj* (*adv* **rainily**) **1.** regnerisch, verregnet, Regen...: ~ **weather**; ~ **season** Regenzeit *f*; **to save up for a** ~ **day** e-n Notgroschen zurücklegen, für Zeiten der Not vorsorgen. **2.** regenbringend, Regen...: ~ **wind.**

raise [reiz] **I** *v/t* **1.** *oft* ~ **up** (in die Höhe) heben, auf-, empor-, hoch-, erheben, *mit e-m Kran etc* hochwinden, -ziehen, *den Vorhang etc* hochziehen: **to** ~ **one's eyes** die Augen erheben, aufblicken; **to** ~ **one's glass to s.o.** das Glas auf j-n erheben; **to** ~ **one's hat to s.o.** den Hut lüften vor j-m; → **elbow** 1, **eyebrow, power** 14. **2.** aufrichten: **to** ~ **a fallen man**; **to** ~ **a ladder** e-e Leiter aufstellen. **3.** (auf)wecken: **to** ~ **from the dead** von den Toten erwecken. **4.** *e-n Geist* beschwören, zi'tieren: → **Cain, hell** 1. **5.** a) her'vorrufen: **to** ~ **a storm (laugh, smile,** *etc*), b) erwecken, erregen: **to** ~ **expectations (a suspicion,** *etc*), c) aufkommen lassen: **to** ~ **a rumo(u)r,** d) machen: **to** ~ **difficulties. 6.** *Blasen* ziehen: **to** ~ **blisters. 7.** *Staub etc* aufwirbeln: → **dust** 2. **8.** *e-e Frage* aufwerfen, *etwas* zur Sprache bringen: **to** ~ **a point. 9.** a) *e-n Anspruch* erheben, geltend machen, *e-e Forderung* stellen: **to** ~ **a claim,** b) *Einspruch* erheben, *e-n Einwand* geltend machen, vorbringen: **to** ~ **an objection,** c) *jur. Klage* erheben: **to** ~ **an action (with** bei). **10.** *Kohle etc* fördern. **11.** a) *Tiere* züchten, b) *Pflanzen* ziehen, anbauen. **12.** a) *e-e Familie* gründen, b) *bes. Am. Kinder* auf-, großziehen. **13.** *ein Haus etc* errichten, erstellen, (er)bauen, *e-n Damm* aufschütten. **14.** *die Stimme, ein Geschrei* erheben: **voices have been ~d here** Stimmen sind hier laut geworden. **15.** *die Stimme* erheben. **16.** *ein Lied* anstimmen. **17.** (*im Rang*) erheben: **to** ~ **to the throne (peerage)** auf den Thron (in den Pairsstand) erheben. **18.** *sozial etc* heben. **19.** beleben, anfeuern, anregen: **to** ~ **s.o.'s spirits**; **to** ~ **the morale** die Moral heben. **20.** verstärken, -größern, -mehren: **to** ~ **s.o.'s fame** j-s Ruhm vermehren. **21.** erhöhen, steigern, hin'aufsetzen: **to** ~ **the speed (temperature, bet). 22.** erhöhen, hin'aufsetzen: **to** ~ **the wages (price, value). 23.** den Preis *od.* Wert erhöhen von (*od. gen*). **24.** a) *j-n* aufwiegeln (**against** gegen), b) *e-n Aufruhr etc* anstiften, anzetteln: **to** ~ **a mutiny. 25.** *Steuern* erheben: **to** ~ **taxes. 26.** *e-e Anleihe, e-e Hypothek, e-n Kredit* aufnehmen, *Kapital* beschaffen. **27.** *Geld* sammeln, zs.-bringen, beschaffen. **28.** *ein Heer* aufstellen: **to** ~ **an army. 29.** *Farbe beim Färben* aufhellen. **30.** *Teig, Brot* gehen lassen, treiben: **~d pastry** Hefe(n)gebäck *n.* **31.** *Tuch* (auf)rauhen. **32.** *e-n Scheck etc* durch Eintragung e-r höheren Summe fälschen. **33.** a) *e-e Belagerung, Blockade, a. ein Verbot etc* aufheben, b) die Aufhebung (*e-r Belagerung*) erzwingen. **34.** *mar.* sichten: **to** ~ **land.**

II *v/i* **35.** *Poker etc*: den Einsatz erhöhen.

III *s* **36.** Erhöhung *f.* **37.** *Am.* Steigung *f* (*e-r Straße etc*). **38.** *Am. od. colloq.* Lohn- *od.* Gehaltserhöhung *f*, Aufbesserung *f.*

raised [reizd] *adj* **1.** erhöht: ~ **beach** *geol.* gehobene Strandlinie. **2.** gesteigert. **3.** erhaben: ~ **embroidery** Hochstickerei *f*; ~ **letters** erhabene Buchstaben. **4.** getrieben, gehämmert. **5.** Hefe...: ~ **cake.**

rais·er ['reizər] *s* **1.** (Er)Heber *m*: **morale** ~ *mil.* Maßnahme *f* zur Hebung der Kampfmoral. **2.** Errichter(in), Erbauer(in). **3.** Gründer(in). **4.** Züchter(in).

rai·sin ['reizn] *s* **1.** Ro'sine *f.* **2.** (*ein*) [dunkles Blaurot.]

rai·son| **d'é·tat** [rɛ'zɔ̃ de'ta] (*Fr.*) *s* 'Staatsräˌson *f.* ~ **d'ê·tre** ['dɛtr] (*Fr.*) *s* Daseinsberechtigung *f*, -zweck *m.*

rait [reit] → ret.
raj [rɑːdʒ] *s Br. Ind.* Herrschaft *f.*
ra·ja(h) ['rɑːdʒə] *s* Radscha *m (indischer od. malaiischer Fürst).*
rake[1] [reik] **I** *s* **1.** Rechen *m* (*a. des Croupiers etc*), Harke *f.* **2.** *tech.* a) Krücke *f*, Rührstange *f*, b) Kratze *f*, c) Schürhaken *m.* **II** *v/t* **3.** (glatt- *od.* zs.-)rechen, (-)harken: to ~ hay. **4.** a) (ausein'ander)kratzen, (-)scharren, b) auskratzen. **5.** → rake together 2. **6.** durch'stöbern (for nach). **7.** *mil.* (mit Feuer) bestreichen, ‚beharken'. **8.** (mit den Augen) absuchen, über'blicken. **III** *v/i* **9.** rechen, harken. **10.** her'umstöbern, (-)suchen (in in *dat*; among unter *dat*; for, after nach): to ~ into s.th. etwas durchstöbern. **11.** kratzen, scharren.
Verbindungen mit Adverbien:
rake| in → rake together 2. ~ **out** *v/t* **1.** her'auskratzen. **2.** auskundschaften. ~ **to·geth·er** *v/t* **1.** zs.-rechen, -harken, -scharren. **2.** *fig. Geld etc* zs.-scharren, -raffen. ~ **up** *v/t* **1.** → rake together. **2.** *fig. alte Geschichten* aufrühren.
rake[2] [reik] *s* Rou'é *m*, Wüstling *m*, Lebemann *m.*
rake[3] [reik] **I** *v/i* **1.** Neigung haben. **2.** *mar.* a) 'überhängen (*Steven*), b) Fall haben, nach hinten geneigt sein (*Mast, Schornstein*). **II** *v/t* **3.** (nach rückwärts) neigen: ~d chair Stuhl *m* mit geneigter Lehne. **III** *s* **4.** Neigung(swinkel *m*) *f*: at a ~ of bei e-r Neigung von. **5.** *mar.* a) 'Überhängen *n*, b) Fall *m* (*des Mastes od. Schornsteins*). **6.** *aer.* Abschrägung *f* der Tragflächenspitze. **7.** *tech.* Schnitt-, Schneid(e)winkel *m*: ~ angle Spanwinkel.
'rake-,off *s Am. sl.* Gewinnanteil *m*, [Provisi'on *f.*]
rak·ing ['reikiŋ] *adj* geneigt, schief.
rak·ish[1] ['reikiʃ] *adj* ausschweifend, liederlich, wüst.
rak·ish[2] ['reikiʃ] *adj* **1.** *mar. mot.* schnittig (gebaut). **2.** *fig.* flott, verwegen, keck.
râle [rɑːl] (*Fr.*) *s med.* Rasselgeräusch *n* (*der Lunge*).
ral·ly[1] ['ræli] **I** *v/t* **1.** *Truppen etc* (wieder) sammeln *od.* ordnen. **2.** vereinigen, scharen (round, to um). **3.** *j-n* aufrütteln, -muntern. **4.** *econ.* 'wiederbeleben, *Preise* festigen. **5.** *s-e Kräfte etc* sammeln, zs.-raffen. **II** *v/i* **6.** sich (wieder) sammeln. **7.** sich scharen (round, to um). **8.** sich anschließen (to *dat od.* an *acc*). **9.** *a.* ~ round neue Kräfte sammeln, sich zs.-reißen. **10.** sich erholen (*a. econ.*). **11.** *sport* sich (wieder) ‚fangen'. **12.** *Tennis*: a) e-n schnellen Ballwechsel ausführen, b) sich warmspielen. **III** *s* **13.** Sammeln *n.* **14.** Treffen *n*, Tagung *f*, Kundgebung *f*, (Massen)Versammlung *f.* **15.** Erholung *f* (*a. econ. der Preise, des Marktes*). **5.** *Tennis*: rascher Ballwechsel. **17.** *Boxen*: Schlagaustausch *m.* **18.** *mot.* Rallye *f*, Sternfahrt *f.*
ral·ly[2] ['ræli] *v/t* hänseln.
ral·lye ['ræli] → rally[1] 18.
ral·ly·ing ['ræliiŋ] *adj* Sammel...: ~ cry Parole *f*, Schlagwort *n*; ~ point Sammelpunkt *m*, -platz *m.*
ram [ræm] **I** *s* **1.** *zo.* Widder *m*, Schafbock *m.* **2.** R~ *astr.* Widder *m.* **3.** *mil. hist.* Sturmbock *m.* **4.** *tech.* a) Ramme *f*, Fallhammer *m*, b) Rammbock *m*, -bär *m*, c) hy'draulischer Widder, d) Druck-, Preßkolben *m*, e) Tauschkolben *m*: ~ effect *aer.* Stauwirkung *f*, Auftreffwucht *f*; ~ pressure Staudruck *m.* **5.** *mar.* Ramme *f*, Rammsporn *m.* **II** *v/t* **6.** *Erde etc* festrammen, -stampfen. **7.** *a.* ~ down (*od.* in) einrammen. **8.** (hin'ein)stopfen: to ~ s.th. into a trunk. **9.** rammen: ~ a ship; to ~ s.th. through *Am. fig.* e-e Sache ‚durchboxen' *od.* ‚-drücken'; → throat 1. **10.** *a.* ~ up a) vollstopfen, b) verstopfen, -rammeln. **11.** *fig.* einpauken, -trichtern: to ~ s.th. into s.o. j-m etwas einbleuen. **12.** schmettern, ‚knallen' (against, at gegen).
ra·mark ['reimɑːrk] *s* Radar(sende)-bake *f.*
ram·ble ['ræmbl] **I** *v/i* **1.** um'herwandern, -streifen, bummeln. **2.** a) sich schlängeln *od.* winden (*Pfad, Fluß etc*), b) sich 'hinziehen (*Wald etc*). **3.** *bot.* wuchern, üppig ranken. **4.** *fig.* (vom Thema) abschweifen, drauf'losreden. **5.** im Fieber reden, 'unzu,sammenhängend reden. **6.** *fig.* ‚her'umschnuppern' (*in Studienfächern etc*). **II** *s* **7.** Wanderung *f*, Streifzug *m* (*a. fig.*), Bummel *m.* **'ram·bler** *s* **1.** Wanderer *m*, Wand(r)erin *f*, Her'umtreiber(in), Bummler(in). **2.** *a.* ~ rose *bot.* Kletterrose *f.* **'ram·bling I** *adj* (*adv* ~ly) **1.** um'herwandernd, -streifend, bummelnd: ~ club Wanderverein *m.* **2.** *bot.* üppig rankend, wuchernd. **3.** *arch.* weitläufig, verschachtelt: a ~ mansion. **4.** *fig.* (vom Thema) abschweifend, weitschweifig, 'unzu,sammenhängend, planlos. **II** *s* **5.** Wandern *n*, Um'herschweifen *n.*
ram·bunc·tious [ræm'bʌŋkʃəs] *adj* (*adv* ~ly) *Am. sl.* **1.** laut, lärmend. **2.** wild.
ram·e·kin, *a.* **ram·e·quin** ['ræməkin] *s* **1.** *meist pl* Käseauflauf *m.* **2.** Auflaufform *f.*
ram·ie ['ræmi] *s* **1.** *bot.* Ra'mie *f.* **2.** Ra'miefaser *f.*
ram·i·fi·ca·tion [,ræmifi'keiʃən] *s* **1.** Verzweigung *f*, -ästelung *f* (*a. fig.*): the ~s of an organization; the ~s of an artery die Verästelungen e-r Arterie. **2.** *fig.* 'indi,rekte Folge, *pl a.* Weiterungen *pl.* **3.** Zweig *m* (*a. fig.*), Sproß *m.* **'ram·i,form** [-,fɔːrm] *adj* **1.** zweigförmig. **2.** verzweigt, -ästelt.
'ram·i,fy [-,fai] **I** *v/t* **1.** verzweigen (*a. fig.*). **II** *v/i* **2.** *a. fig.* sich verzweigen *od.* verästeln: to ~ into übergreifen auf (*acc*). **3.** *fig.* a) sich kompli'zieren, b) Weiterungen (zur Folge) haben.
ram-jet, ram-jet en·gine ['ræm,dʒet] *s tech.* Staustrahltriebwerk *n*: ramjet propulsion Staudüsenantrieb *m.*
ram·mer ['ræmər] *s* **1.** *tech.* a) (Hand)-Ramme *f*, b) Stampfer *m*, c) *Töpferei*: Erdschlegel *m*, d) Klopfhammer *m.* **2.** *mil. hist.* a) Ansetzer *m* (*bei Kanonen*), b) Ladestock *m.*
ra·mose [rə'mous; *Am. a.* 'reimous] *adj* verzweigt.
ramp[1] [ræmp] **I** *s* **1.** Rampe *f*, geneigte Fläche. **2.** (schräge) Auffahrt. **3.** (Lade)Rampe *f.* **4.** Krümmling *m* (*am Treppengeländer*). **5.** *arch.* Rampe *f*, Abdachung *f.* **6.** *Festungsbau*: Rampe *f* (*Auffahrt auf den Wall*). **7.** *aer.* (fahrbare) Treppe. **II** *v/i* **8.** a) sich (drohend) aufrichten, b) zum Sprung ansetzen (*Tier*). **9.** toben, wüten, rasen. **10.** *bot.* klettern, wuchern. **11.** *arch.* ansteigen (*Mauer*). **III** *v/t* **12.** *arch.* mit e-r Rampe versehen.
ramp[2] [ræmp] *s Br. sl.* Betrug *m.*
ram·page I *s* ['ræmpeidʒ; ræm'peidʒ] (Her'um)Toben *n*, Wüten *n*: to go (*od.* be) on the ~ (sich aus)toben. **II** *v/i* [ræm'peidʒ] her'umtoben, wüten.
ram'pa·geous [-dʒəs] *adj* (*adv* ~ly) wild, wütend, ungebärdig.
ramp·an·cy ['ræmpənsi] *s* **1.** Über'handnehmen *n*, 'Umsichgreifen *n*, Gras'sieren *n.* **2.** *fig.* wilde Ausgelassenheit, Wildheit *f.* **'ramp·ant** *adj* (*adv* ~ly) **1.** wild, zügellos, ausgelassen. **2.** über'handnehmend: to be ~ um sich greifen, grassieren. **3.** üppig, wuchernd (*Pflanzen*). **4.** (drohend) aufgerichtet, sprungbereit (*Tier*). **5.** *her.* aufsteigend: a lion ~.
ram·part ['ræmpɑːrt] **I** *s* **1.** *mil.* a) (Festungs)Wall *m*, b) Brustwehr *f.* **2.** Schutzwall *m* (*a. fig.*). **II** *v/t* **3.** mit e-m Wall um'geben.
ram·pi·on ['ræmpiən; -pjən] *s bot.* Ra'punzelglockenblume *f.*
ram·rod ['ræm,rɒd] *s* **1.** *mil. hist.* Ladestock *m*: as stiff as a ~ als hätte *er etc* e-n Ladestock verschluckt. **2.** *fig.* strenger Mensch, harter Vorgesetzter.
ram·shack·le ['ræm,ʃækl] *adj* **1.** baufällig, wack(e)lig. **2.** klapp(e)rig (*Fahrzeug*). **3.** *fig.* ‚windig', mise'rabel.
ram·son ['ræmsn; -zn] *s* **1.** *bot.* Bärenlauch *m.* **2.** *meist pl* Bärenlauchzwiebel *f.*
ran[1] [ræn] *pret von* run.
ran[2] [ræn] *s* 20 Fitzen *pl*, Docke *f* Bindfaden.
rance [ræns] *s min. blau u. weiß geäderter roter Marmor aus Belgien.*
ranch [ræntʃ; *Br. a.* rɑːntʃ] *bes. Am.* **I** *s* **1.** Ranch *f*, Viehfarm *f*, -wirtschaft *f.* **2.** *allg.* (*a. Hühner-, Pelztier- etc*)-Farm *f.* **II** *v/i* **3.** Viehzucht treiben. **4.** auf e-r Ranch arbeiten. **III** *v/t* **5.** *Rinder etc* züchten. **'ranch·er** *s Am.* **1.** Rancher *m*, Viehzüchter *m.* **2.** Farmer *m.* **3.** Rancharbeiter *m.* **4.** (*Pelztier- etc*)Züchter *m.*
ran·cid ['rænsid] *adj* **1.** ranzig (*Butter etc*). **2.** *fig.* widerlich. **ran'cid·i·ty** [-iti], **'ran·cid·ness** *s* Ranzigkeit *f.*
ran·cor, *bes. Br.* **ran·cour** ['ræŋkər] *s* Erbitterung *f*, Groll *m*, Haß *m.* **'ran·cor·ous** *adj* (*adv* ~ly) erbittert, boshaft, haßerfüllt, giftig, voller Groll.
ran·cour ['ræŋkər] *bes. Br. für* rancor.
rand[1] [rænd] *s* **1.** *tech.* Lederstreifen *m* zur Begradigung des (Schuh)Absatzes. **2.** Höhenzug *m*, Bergkette *f.* **3.** *obs. od. dial.* Rand *m*, Grenze *f.*
Rand[2] [rænd] *s econ.* Rand *n* (*südafrikanische Währungseinheit*).
ran·dan ['rændæn; ræn'dæn] *s* Jux *m*, ‚tolle Party', ‚Orgie' *f*: to go on the ~ ‚auf die Pauke hauen'.
ran·dem ['rændəm] *s* Randem *m* (*zweiräd[e]riger Wagen mit 3 voreinandergespannten Pferden*).
ran·dom ['rændəm] **I** *adj* wahl-, ziellos, zufällig, aufs Gerate'wohl (getan), willkürlich, Zufalls...: ~ error *math.* Zufallsfehler *m*; ~ mating *biol.* Zufallspaarung *f*; ~ motion *phys.* unkontrollierbare Bewegung; ~ number (*Computer*) beliebige Zahl, Zufallszahl *f*; ~ sample Stichprobe *f*; ~ sampling Stichprobenerhebung *f*; ~ shot Schuß *m* ins Blaue; ~-access memory (*Computer*) Speicher *m* mit wahlfreiem Zugriff. **II** *s*: at ~ aufs Gerate'wohl, auf gut Glück, blindlings: to talk at ~ ins Blaue hineinreden, (wild) drauflosreden.
ran·dom·i·za·tion [,rændəmai'zeiʃən; -mi'z-] *s* (*Statistik etc*) **1.** 'Herstellung *f* maxi'maler Zufallsstreuung. **2.** Anwendung *f* der 'Randomme,thode, die e-e unverfälschte Teilauswahl gewährleistet. **'ran·dom,ize** *v/t* zufallsmäßig verteilen.
rand·y ['rændi] *adj* **1.** ungehobelt, laut. **2.** geil.

ra·nee ['rɑːni] *s* Rani *f* (*indische Fürstin*).
rang [ræŋ] *pret von* ring[2].
range [reindʒ] **I** *s* **1.** Reihe *f*, Kette *f*: a ~ of trees. **2.** (Berg)Kette *f*: mountain ~. **3.** (Haushalts-, Koch-, Küchen)Herd *m*: kitchen ~. **4.** Schießstand *m*, -platz *m*: shooting ~. **5.** Entfernung *f* (zum Ziel), Abstand *m*: at a ~ of aus *od.* in e-r Entfernung von; at close ~ aus nächster Nähe; to find the ~ *mil.* sich einschießen; to take the ~ die Entfernung schätzen. **6.** *bes. mil.* Reich-, Trag-, Schußweite *f*, *mar.* Laufstrecke *f* (*e-s Torpedos*): out of (within) ~ außer (in) Schuß- *od.* Reichweite; → long-range. **7.** Ausdehnung *f*, 'Umfang *m*, Skala *f*: a narrow ~ of choice e-e kleine Auswahl; the ~ of his experience die Spannweite s-r Erfahrung. **8.** *econ.* Kollekti'on *f*: a wide ~ (of goods) e-e große Auswahl, ein großes Angebot. **9.** *fig.* Bereich *m*, Spielraum *m*, Grenzen *pl*, *a. tech. etc* (*z. B.* Hör-, Meß-, Skalen)Bereich *m*, *Radar*: Auffaßbereich *m*, *Radio*: (Fre'quenz-, Wellen)Bereich *m*, Senderreichweite *f*: ~ (of action) Aktionsbereich, -radius *m*, *aer.* Flugbereich; ~ (of activities) Betätigungsfeld *n*, Aktionsbereich; ~ of atom *phys.* Atombezirk *m*; ~ of application Anwendungsbereich; ~ of prices Preislage *f*, -klasse *f*; ~ of reception (*Funk*) Empfangsbereich; ~ of uses Verwendungsbereich, Anwendungen; boiling ~ Siedebereich; within ~ of vision in Sichtweite. **10.** *bot. zo.* Verbreitung(sgebiet *n*) *f*. **11.** *Statistik*: Streuungs-, Tole'ranzbreite *f*, Bereich *m*. **12.** *mus.* a) Ton-, Stimmlage *f*, b) 'Ton- *od.* 'Stimm,umfang *m*. **13.** Richtung *f*, Lage *f*. **14.** *bes. fig.* Bereich *m*, Gebiet *n*, Raum *m*: ~ of knowledge Wissensbereich; ~ of thought Ideenkreis *m*. **15.** *bes. Am.* offenes ('unkulti,viertes) Weide- *od.* Jagdgebiet. **16.** (ausgedehnte) Fläche. **17.** (sozi'ale) Klasse *od.* Schicht. **17.** *Am.* Treibhausanlage *f*. **18.** Streifzug *m*, Ausflug *m*.
II *v/t* **19.** (in Reihen) aufstellen *od.* anordnen, aufreihen. **20.** einreihen, -ordnen: to ~ o.s. on the side of (*od.* with) s.o. sich auf j-s Seite stellen, zu j-m halten. **21.** (syste'matisch) ordnen. **22.** einordnen, -teilen, klassifi'zieren. **23.** *print. Br. Typen* ausgleichen, zurichten. **24.** durch'streifen, -'wandern: to ~ the fields. **25.** *mar.* längs *der Küste* fahren. **26.** *die Augen* schweifen lassen (over über *acc*). **27.** *bes. Am. das Vieh* frei weiden lassen. **28.** *Teleskop etc* einstellen. **29.** *Ballistik*: a) die Flugbahn bestimmen für, b) *das Geschütz etc* richten, c) e-e Reichweite haben von, tragen.
III *v/i* **30.** e-e Reihe *od.* Linie bilden, in e-r Reihe *od.* Linie stehen (with mit). **31.** sich erstrecken. **32.** auf 'einer Linie *od.* Ebene liegen (with mit). **33.** sich (in e-r Reihe) aufstellen. **34.** ran'gieren (among unter *dat*), im gleichen Rang stehen (with mit), zählen, gehören (with zu). **35.** (um'her)streifen, (-)schweifen, wandern (*a. die Augen, die Blicke*) (over, along, through): as far as the eye could ~ so weit das Auge reichte. **36.** *bot. zo.* verbreitet sein, vorkommen. **37.** schwanken, vari'ieren, sich bewegen (from ... to ..., between ... and ... zwischen). **38.** *mil.* sich einschießen (*Geschütz*). **39.** die Entfernung messen.
range| an·gle *s aer. mil.* Vorhalte-, Wurfwinkel *m* (*e-r Bombe*). **~ find·er** *s mil. phot.* Entfernungsmesser *m*.
rang·er ['reindʒər] *s* **1.** *obs. od. Am.* Förster *m*, Jagdaufseher *m*. **2.** *Br.* Aufseher *m e-s* königlichen Forsts *od.* Parks (*Titel*). **3.** *bes. Am.* Angehörige(r) *m* e-r (berittenen) Schutztruppe. **4.** *meist* R~ *mil. Am.* Angehörige(r) *m* e-r Kom'mandotruppe: the R~s die Kommandotruppe. **5.** Ranger *m* (*ältere Pfadfinderin*).
rang·ette [,rein'dʒet] *s* (Gas- *od.* E'lektro)Kocher *m*.
rang·y ['reindʒi] *adj bes. Am.* **1.** a) schlaksig, langglied(e)rig, b) schlank, geschmeidig. **2.** weit(räumig). **3.** gebirgig.
ra·ni → ranee.
rank[1] [ræŋk] **I** *s* **1.** (*soziale*) Klasse, Schicht *f*, Rang *m*. **2.** Rang *m*, Stand *m*, (sozi'ale) Stellung, Würde *f*: a man of ~ ein Mann von Stand; pride of ~ Standesbewußtsein *n*; of second ~ zweitrangig; to take the ~ of den Vorrang haben vor (*dat*); to take ~ with s.o. mit j-m gleichrangig sein; to take high ~ e-n hohen Rang einnehmen; ~ and fashion die vornehme Welt. **3.** *mil. etc* Rang *m*, Dienstgrad *m*. **4.** *pl mil.* ('Unteroffi,ziere *pl* u.) Mannschaften *pl*: ~ and file der Mannschaftsstand (→ 5): to rise from the ~s aus dem Mannschaftsstand hervorgehen, von der Pike auf dienen (*a. fig.*). **5.** *a.* ~ and file (*der*) große Haufen: the ~ of workers die große Masse *od.* das Heer der Arbeiter; the ~ and file of a party das ‚Fußvolk' e-r Partei; ~-and-file member einfaches Mitglied. **6.** Aufstellung *f*: to form into ~s sich formieren *od.* ordnen. **7.** *mil.* Glied *n*, Linie *f*: to break ~s a) wegtreten, b) in Verwirrung geraten; to close the ~s die Reihen schließen; to fall in ~s antreten; to join the ~s in das Heer eintreten; to quit the ~s a) aus dem Glied treten, b) desertieren. **8.** Reihe *f*, Linie *f*, Kette *f*: → cab rank. **9.** *Schach*: waag(e)rechte Reihe.
II *v/t* **10.** in e-r Reihe *od.* in Reihen aufstellen. **11.** (ein)ordnen, einreihen. **12.** *e-e Truppe etc* antreten lassen *od.* aufstellen, for'mieren. **13.** einstufen, rechnen, zählen (with, among zu): I ~ him above Shaw ich stelle ihn über Shaw. **14.** *Am.* e-n höheren Rang einnehmen als.
III *v/i* **15.** e-e Reihe *od.* Reihen bilden, sich for'mieren *od.* ordnen. **16.** e-n Rang *od.* e-e Stelle einnehmen: to ~ equally gleichrangig sein; to ~ first den ersten Rang einnehmen; to ~ high e-n hohen Rang einnehmen; ~ing officer *Am.* rangältester Offizier. **17.** gehören, zählen (among, with zu), ran'gieren (above über *dat*; next to hinter *dat*, gleich nach): to ~ as gelten als; he ~s next to the President er kommt gleich nach dem Präsidenten. **18.** *bes. mil.* (in geschlossener Formati'on) mar'schieren: to ~ off abmarschieren. **19.** *econ. jur.* bevorrechtigt sein (*Gläubiger etc*).
rank[2] [ræŋk] *adj* (*adv* ~ly) **1.** a) üppig, geil wachsend (*Pflanzen*), b) üppig bewachsen, verwildert (*Garten etc*). **2.** fruchtbar, üppig, fett: ~ soil. **3.** stinkend, übelriechend, ranzig. **4.** widerlich, scharf: ~ smell (*od.* taste). **5.** kraß: ~ outsider; a ~ beginner ein blutiger Anfänger; ~ nonsense blühender Unsinn. **6.** ekelhaft, 'widerwärtig. **7.** unanständig, schmutzig: ~ language.
'rank-and-,filer *s Am.* einfaches Mitglied, j-d, der dem ‚Fußvolk' (*e-r Partei etc*) angehört.
rank·er ['ræŋkər] *s mil.* a) (einfacher) Sol'dat, b) aus dem Mannschaftsstand her'vorgegangener Offi'zier.
ran·kle ['ræŋkl] *v/i* **1.** eitern, schwären (*Wunde*). **2.** *fig.* nagen, weh tun: the words ~d (in his mind) die Worte nagten an s-m Herzen; it ~d in him es wurmte ihn.
ran·sack ['rænsæk] *v/t* **1.** durch'wühlen, -'stöbern. **2.** plündern, ausrauben.
ran·som ['rænsəm] **I** *s* **1.** Los-, Freikauf *m*, Auslösung *f*. **2.** Lösegeld *n*: a king's ~ e-e Riesensumme; to hold to ~ a) *j-n* bis zur Zahlung e-s Lösegelds gefangenhalten, b) *fig. j-n* erpressen. **3.** *relig.* Erlösung *f*. **II** *v/t* **4.** los-, freikaufen, auslösen. **5.** Lösegeld verlangen für *od.* von. **6.** *relig.* erlösen.
rant [rænt] **I** *v/i* **1.** toben, lärmen. **2.** schwadro'nieren, Phrasen dreschen. **3.** *obs.* geifern (at, against über *acc*). **II** *v/t* **4.** pa'thetisch vortragen. **III** *s* **5.** Schwulst *m*, ,Phrasendresche'rei *f*.
'rant·er *s* **1.** lauter *od.* pa'thetischer Redner. **2.** Schwadro'neur *m*, Großsprecher *m*. **3.** R~ *relig. hist.* a) *Angehöriger e-r antinomistischen Sekte unter Cromwell*, b) *Angehöriger e-r 1807—10 entstandenen methodistischen Bewegung.*
ra·nun·cu·lus [rə'nʌŋkjələs] *pl* **-lus·es, -,li** [-,lai] *s bot.* Ra'nunkel *f*, Hahnenfuß *m*.
rap[1] [ræp] **I** *v/t* **1.** klopfen *od.* pochen an *od.* auf (*acc*): to ~ s.o.'s fingers, to ~ s.o. over the knuckles j-m auf die Finger klopfen (*a. fig.*). **2.** (hart) schlagen. **3.** *Am. colloq.* scharf rügen *od.* kriti'sieren. **4.** *Am. sl.* a) e-n (Mein)Eid leisten auf (*acc*), b) *j-n* ‚schnappen', verhaften, c) *j-n* ‚verdonnern' (to zu *e-r Strafe*). **5.** ~ out a) *Spiritismus*: durch Klopfen mitteilen, b) her'auspoltern, *e-n Befehl etc* ‚bellen': to ~ out an order. **II** *v/i* **6.** klopfen, pochen, schlagen (at, on an (*acc*). **7.** knallen. **III** *s* **8.** Klopfen *n*, Pochen *n*. **9.** (harter) Schlag. **10.** *Am. sl.* a) Kri'tik *f*, Hieb *m*, b) Rüge *f*, ‚Zi'garre' *f*. **11.** *bes. Am. sl.* a) Schuld *f*, b) Anklage *f*, c) Strafe *f*: to beat the ~ sich 'rauswinden; to take the ~ (zu e-r Strafe) ‚verdonnert' werden, *fig.* den Sündenbock spielen (müssen); to let s.o. take the ~ j-n ‚'reinhängen'.
rap[2] [ræp] *s* Heller *m*, Deut *m*: I don't care a ~ (for it) es ist mir ganz egal; it is not worth a ~ es ist keinen Pfifferling wert.
rap[3] [ræp] *s* Strang *m* Garn von etwa 120 Yards.
ra·pa·cious [rə'peiʃəs] *adj* (*adv* ~ly) **1.** habgierig. **2.** raubgierig, räuberisch. **3.** Raub...: ~ animal; ~ bird. **ra'pa·cious·ness, ra·pac·i·ty** [rə'pæsiti] *s* **1.** Habgier *f*. **2.** Raubgier *f*.
rape[1] [reip] **I** *s* **1.** Vergewaltigung *f* (*a. fig.*), *bes. jur.* Notzucht *f*: ~ and murder Lustmord *m*; statutory ~ *jur. Am.* Unzucht *f* mit Minderjährigen. **2.** *poet. u. obs.* Entführung *f*, Raub *m*: the ~ of the Sabine women der Raub der Sabinerinnen. **II** *v/t* **3.** *e-e Frau* vergewaltigen. **4.** *obs. etwas* rauben. **5.** *obs. e-e Stadt etc* plündern.
rape[2] [reip] *s Br.* (Verwaltungs)Bezirk *m* in Sussex.
rape[3] [reip] *s bot.* Raps *m*.
rape[4] [reip] *s* **1.** Trester *pl*, Treber *pl*. **2.** *Essigherstellung*: Standfaß *n*.
'rape| oil *s* Rüb-, Rapsöl *n*. **'~,seed** *s* Rübsamen *m*: ~ oil → rape oil. **~ wine** *s* Tresterwein *m*.

Raph·a·el·esque [ˌræfiəˈlesk] *adj* raffaˈelisch.
ra·phe [ˈreifiː] *pl* **-phae** [-fiː] *s bot. med. zo.* Raphe *f*, Naht *f*.
ra·phi·a [ˈreifiə] → **raffia.**
rap·id [ˈræpid] **I** *adj* (*adv* ~**ly**) **1.** schnell, rasch, raˈpid(e), Schnell...: ~ **fire** *mil.* Schnellfeuer *n*; ~ **memory** (*Computer*) Schnellspeicher *m*; **a** ~ **river** ein reißender Fluß; ~ **transit** *Am.* Schnellnahverkehr *m*. **2.** jäh, steil (*Hang*). **3.** *phot.* a) lichtstark (*Objektiv*), b) hochempfindlich (*Film*). **II** *s* **4.** *meist pl* Stromschnelle *f*. ˈ~-ˈ**fire** *adj* **1.** schnell aufeinˈanderfolgend: ~ **questions. 2.** *mil.* Schnellfeuer...: ~ **gun.**
ra·pid·i·ty [rəˈpiditi] *s* Schnelligkeit *f*, Geschwindigkeit *f*.
ra·pi·er [ˈreipiər; -pjər] *s fenc.* Raˈpier *n*: ~**-thrust** a) Stoß *m* mit dem Rapier, b) *fig.* Nadelstich *m*.
rap·ine [*Br.* ˈræpain; *Am.* -pin] *s* Raub *m*, Plünderung *f*.
rap·ist [ˈreipist] *s Am.* (Frauen-) Schänder *m*: ~**-killer** Lustmörder *m*.
rap·pa·ree [ˌræpəˈriː] *s hist.* irischer Banˈdit *od.* Freibeuter (*bes. im 17. Jh.*).
rap·pee [ræˈpiː] *s* Rapˈpee *m* (*grober Schnupftabak*).
rap·port [ræˈpɔːrt; *Br. a.* -ˈpɔːr] *s* **1.** Beziehung *f*, Verhältnis *n*, Verbindung *f*: **to be in** (*od.* **en**) ~ **with** a) mit *j-m* in Verbindung stehen, b) gut harmonieren mit. **2.** (geistiger) Konˈtakt.
rap·proche·ment [raprɔʃˈmɑ̃; ræˈprɒʃmɑ̃; -ˈprɔːʃ-] (*Fr.*) *s bes. pol.* (ˌWieder)ˈAnnäherung *f*.
rap·scal·lion [ræpˈskæljən] *s* Haˈlunke *m*.
rapt [ræpt] *adj* (*adv* ~**ly**) **1.** versunken, -loren (in in *acc*): ~ **in thought. 2.** ˈhingerissen, entzückt (**with, by** von). **3.** verzückt: **a** ~ **smile. 4.** *bes. fig.* entrückt. **5.** gespannt (**upon** auf *acc*): **with** ~ **attention.**
rap·to·ri·al [ræpˈtɔːriəl] *zo.* **I** *adj* **1.** räuberisch, Raub...: ~ **birds. 2.** Greif...: ~ **claw** Greiffuß *m*, Fang *m* (*e-s Raubvogels*). **II** *s* **3.** Raubvogel *m*.
rap·ture [ˈræptʃər] **I** *s* **1.** Entzücken *n*, Verzückung *f*, Begeisterung *f*: **to be in** ~**s** hingerissen *od.* verzückt sein; **to go** (*od.* **fall**) **into** ~**s** in Verzückung geraten. **2.** *meist pl* Ausbruch *m* des Entzückens, Begeisterungstaumel *m*, Ekˈstase *f*. **3.** Entrückung *f*. **4.** Anfall *m*: **in a** ~ **of forgetfulness.** ˈ**rap·tured** *adj* verzückt, ˈhingerissen. ˈ**rap·tur·ous** *adj* **1.** → **raptured. 2.** stürmisch, leidenschaftlich: ~ **applause.**
ra·ra a·vis [ˈrɛ(ə)rə ˈeivis] *pl* **ra·rae a·ves** [ˈrɛ(ə)riː ˈeiviːz] (*Lat.*) *s* ‚seltener Vogel', Seltenheit *f*.
rare[1] [rɛr] *adj* (*adv* ~**ly**) **1.** selten, rar: **a** ~ **book** ein seltenes Buch; **it is** ~ **for s.o. to do** es ist selten, daß es j-d tut; **it is** ~(**ly**) **that he comes** er kommt selten. **2.** *bes. phys.* a) dünn (*Luft etc*), b) locker, poˈrös (*Materie*), c) schwach (*Strahlung etc*): ~ **earth** *chem.* seltene Erde; ~ **gas** Edelgas *n*. **3.** selten: a) ungewöhnlich: **of a** ~ **charm,** b) *colloq.* ausgezeichnet, köstlich, c) ‚toll', ‚mächtig': ~ **fun** ‚Mordsspaß' *m*; ~ **and hungry** sehr hungrig.
rare[2] [rɛr] *adj* halbgar, nicht ˈdurchgebraten (*Fleisch*).
rare·bit [ˈrɛrbit; ˈræbit] *s*: **Welsh** ~ überbackene Käseschnitte.
rar·ee show [ˈrɛ(ə)riː] *s* **1.** Guck-, Rariˈtätenkasten *m*. **2.** billige (ˈZirkus)Attraktiˌon (*auf der Straße*). **3.** *fig.* Schauspiel *n*.
rar·e·fac·tion [ˌrɛ(ə)riˈfækʃən] *s phys.* Verdünnung *f*. ˌ**rar·eˈfac·tive** [-tiv] *adj* verdünnend, Verdünnungs... ˈ**rar·eˌfy** [-ˌfai] **I** *v/t* **1.** verdünnen. **2.** *fig.* verfeinern, -geistigen. **II** *v/i* **3.** sich verdünnen.
rare·ness [ˈrɛrnis] → **rarity.**
ˈ**rareˌripe** *adj u. s bot. Br. dial. od. Am.* frühreif(e Frucht).
rar·ing [ˈrɛ(ə)riŋ] *adj*: ~ **to do** *Am. colloq.* (ganz) ‚wild' *od.* ‚scharf' darauf zu tun.
rar·i·ty [ˈrɛ(ə)riti] *s* **1.** Seltenheit *f*. **2.** Vorˈtrefflichkeit *f*. **3.** Verdünnung *f* (*bes. von Gas*).
ras·cal [*Br.* ˈrɑːskəl; *Am.* ˈræ(ː)s-] **I** *s* **1.** Schuft *m*, Schurke *m*, Haˈlunke *m*. **2.** *humor.* a) *oft* **old** ~ (alter) Gauner, b) Racker *m* (*Kind, Mädchen*). **II** *adj* **3.** → **rascally 1. rasˈcal·i·ty** [-ˈkæliti] *s* Schurkeˈrei *f*, Gemeinheit *f*. ˈ**rascal·ly** *adj u. adv.* **1.** schurkisch, gemein, niederträchtig. **2.** erbärmlich.
rase → **raze.**
rash[1] [ræʃ] *adj* (*adv* ~**ly**) **1.** hastig, überˈeilt, -ˈstürzt, vorschnell: **a** ~ **decision; to do s.th.** ~ e-e Dummheit begehen. **2.** unbesonnen, unvorsichtig, tollkühn.
rash[2] [ræʃ] *s med.* (Haut)Ausschlag *m*.
rash·er [ˈræʃər] *s* Speckschnitte *f*.
rash·ness [ˈræʃnis] *s* **1.** Hast *f*, Überˈeiltheit *f*, -ˈstürztheit *f*. **2.** Unbesonnenheit *f*, Tollkühnheit *f*.
ra·so·ri·al [rəˈsɔːriəl] *adj zo.* **1.** scharrend. **2.** Hühner...
rasp [*Br.* rɑːsp; *Am.* ræ(ː)sp] **I** *v/t* **1.** raspeln, feilen, schaben, (ab)kratzen. **2.** zerkratzen. **3.** *fig. Gefühle etc* verletzen, *das Ohr* beleidigen, *die Nerven* reizen. **4.** krächzen(d sagen). **II** *v/i* **5.** raspeln, feilen, schaben. **6.** a) kratzen (*Sache*), b) schnarren (*Stimme*), c) ratschen (*Maschine*): ~**ing sound** Kratzgeräusch *n*, rauher Ton. **III** *s* **7.** *tech.* Raspel *f*, Grobfeile *f*. **8.** Reibeisen *n*.
ras·pa·to·ry [*Br.* ˈrɑːspətəri; *Am.* ˈræ(ː)spəˌtɔːri] *s med.* Knochenschaber *m*.
rasp·ber·ry [*Br.* ˈrɑːzbəri; *Am.* ˈræ(ː)zˌberi] *s* **1.** *bot.* Himbeere *f*: ~ **vinegar** Himbeersirup *m*, -saft *m*. **2.** *a.* ~ **cane** *bot.* Himbeerstrauch *m*. **3.** dunkle Purpurfarbe. **4.** *sl.* a) Laut *m* der Verachtung, (verächtliche) Griˈmasse, b) *fig.* Rüffel *m*, ‚Ziˈgarre' *f*: **to give s.o. the** ~ j-m e-e (verächtliche) Grimasse schneiden, *fig.* j-n ‚abfahren lassen' *od.* auspfeifen. **5.** *Br. sl.* Furz *m*.
rasp·er [*Br.* ˈrɑːspər; *Am.* ˈræ(ː)s-] *s* **1.** → **rasp** 7 *u.* 8. **2.** *Jagdreiten*: hoher, schwer zu nehmender Zaun. ˈ**rasping I** *adj* (*adv* ~**ly**) **1.** kratzend, krächzend, rauh: ~ **voice. 2.** *fig.* unangenehm. **3.** *Jagdreiten*: schwer zu nehmen(d) (*Zaun etc*). **II** *s* **4.** Raspeln *n*. **5.** *meist pl* Raspelspan *m*. ˈ**rasp·y** *adj* **1.** → **rasping** 1 *u.* 2. **2.** reizbar, gereizt.
ras·ter [ˈræstər] *s opt. TV* Raster *m*.
rat [ræt] **I** *s* **1.** *zo.* Ratte *f*: **to smell a** ~ *fig.* Lunte *od.* den Braten riechen, Unrat wittern; ~**s!** *colloq.* Quatsch!; → **drown** 3. **2.** *pol.* ˈÜberläufer *m*, Verräter *m*. **3.** a) *allg.* Verräter *m*, b) *sl.* ‚Scheißkerl' *m*, ‚Schwein' *n*. **4.** Streikbrecher *m*. **5.** *Am. colloq.* Haarpolster *n*. **II** *v/i* **6.** a) *pol.* ˈüberlaufen, s-e Parˈtei im Stich lassen, b) *allg.* Verrat begehen: **to** ~ **on** a) *j-n* im Stich lassen *od.* verraten, b) *sl. s-e Kumpane* ‚verpfeifen', c) *Am. sl.* sich drücken vor, hinsichtlich *e-r Aussage etc* e-n Rückzieher machen. **7.** Ratten jagen *od.* fangen.
ra·ta [ˈrɑːtə] *s* **1.** *bot.* Ratabaum *m*. **2.** Rataholz *n*.
rat·a·bil·i·ty [ˌreitəˈbiliti] *s* **1.** (Ab-) Schätzbarkeit *f*. **2.** Verhältnismäßigkeit *f*. **3.** *bes. Br.* Steuerbarkeit *f*, ˈUmlagepflicht *f*. ˈ**rat·a·ble** *adj* (*adv* **ratably**) **1.** (ab)schätzbar, bewertbar. **2.** anteilmäßig, proportioˈnal. **3.** *bes. Br.* (kommuˈnal)steuerpflichtig: ~ **value** steuerbarer Wert.
rat·a·fi·a [ˌrætəˈfi(ː)ə], *a.* ˌ**rat·aˈfee** [-ˈfiː] *s* **1.** Raˈtafia *m* (*Fruchtlikör*). **2.** Bisˈkuit *m, n* mit Fruchtgeschmack.
rat·al [ˈreitl] *Br.* **I** *s* (Kommuˈnal)-Steuersatz *m*. **II** *adj* Steuer...
ra·tan → **rattan.**
rat·a·plan [ˌrætəˈplæn] *s* **1.** Trommelwirbel *m*. **2.** *fig.* a) (Huf)Getrappel *n*, b) Knattern *n*.
rat-a-tat [ˌrætəˈtæt] → **rat-tat.**
ˈ**rat**|ˌ**bite fe·ver** *s med.* Rattenbißfieber *n*. ˈ~ˌ**catch·er** *s* **1.** Rattenfänger *m*. **2.** *Br. sl.* nicht weidgerechte Jagdkleidung.
ratch·et [ˈrætʃit], *a.* **ratch** [rætʃ] *tech.* **I** *s* **1.** gezahnte Sperrstange. **2.** Sperrklinke *f*. **3.** Ratsche *f*, Sperrwerk *n*. **4.** → **ratchet wheel. II** *v/t* **5.** mit e-r Sperrstange *etc* versehen.
ratch·et| **brace** *s tech.* Bohrknarre *f*. ~ **cou·pling** *s tech.* Sperrklinkenkupplung *f*. ~ **drill** → **ratchet brace.** ~ **wheel** *s tech.* Sperrad *n*.
rate[1] [reit] **I** *s* **1.** (Verhältnis)Ziffer *f*, Quote *f*, Rate *f*: **birth** ~ Geburtenziffer; **death** ~ Sterblichkeitsziffer; ~ **of increase** *econ.* Zuwachsrate; **at the** ~ **of** im Verhältnis von (→ 2 *u.* 6). **2.** (*Diskont-, Lohn-, Steuer- etc*)Satz *m*, Kurs *m*, Taˈrif *m*: ~ **of exchange** *econ.* a) Umrechnungs-, Wechselkurs, b) Börsenkurs; ~ **of interest** Zinssatz -fuß *m*; ~ **of issue** Ausgabekurs; ~ **of the day** Tageskurs; **railroad** ~**s** (*Br.* **railway** ~**s**) Eisenbahntarif; (**insurance**) ~ Prämiensatz; **at the** ~ **of** zum Satze von (→ 1 *u.* 6). **3.** (*festgesetzter*) Preis, Betrag *m*, Taxe *f*: **at a cheap** (**high**) ~ zu e-m niedrigen (hohen) Preis; **at that** ~ unter diesen Umständen; **at any** ~ a) auf jeden Fall, unter allen Umständen, b) wenigstens, mindestens. **4.** (*Post-, Strom- etc*)Gebühr *f*, Porto *n*, (*Gas-, Strom*)Preis *m*, (Wasser)Zins *m*. **5.** *Br.* (Kommuˈnal)-Steuer *f*, (Gemeinde)Abgabe *f*: ~**s and taxes** Kommunal- u. Staatssteuern. **6.** (relaˈtive) Geschwindigkeit (*a. phys. tech.*), Tempo *n*: ~ **of energy** *phys.* Energiemenge *f* pro Zeiteinheit; ~ **of flow** *tech.* Durchflußgeschwindigkeit *od.* -menge *f*; ~ **of an engine** Motorleistung *f*; **at the** ~ **of** mit e-r Geschwindigkeit von (→ 1 *u.* 2). **7.** Grad *m*, (Aus)Maß *n*: **at a fearful** ~ in erschreckendem Ausmaß. **8.** Klasse *f*, Rang *m*, Grad *m*: → **first-rate** *etc.* **9.** *mar.* a) (Schiffs)Klasse *f*, b) Dienstgrad *m* (*e-s Matrosen*). **10.** Gang *m od.* Abweichung *f* (*e-r Uhr*).
II *v/t* **11.** (ab-, ein)schätzen, taˈxieren (at auf *acc*), bewerten, einstufen. **12.** *j-n* einschätzen, beurteilen: **to** ~ **s.o. high** j-n hoch einschätzen. **13.** betrachten als, halten für: **he is** ~**d a rich man** er gilt als reicher Mann. **14.** rechnen, zählen (**among** zu): **I** ~ **him among my friends. 15.** *e-n Preis etc* bemessen, ansetzen, *Kosten* veranschlagen: **to** ~ **up** höher einstufen *od.* versichern. **16.** *bes. Br.* a) (zur Steuer) veranlagen, b) besteuern. **17.** *mar.* a) *ein Schiff* klassen, b) *e-n Seemann* einstufen. **18.** *e-e Uhr* reguˈlieren. **19.**

Am. sl. etwas wert sein, verdienen, Anspruch *etc* haben auf (*acc*).
III *v/i* **20.** angesehen werden, gelten (as als): to ~ high (low) hoch (niedrig) ‚im Kurs stehen'. **21.** *mar.* ran'gieren (*Seemann*).

rate² [reit] **I** *v/t* ausschelten *od.* beschimpfen (about, for wegen). **II** *v/i* heftig schimpfen (at auf *acc*).

rate³ [reit] → ret.

rate·a·bil·i·ty *etc* → ratability *etc.*

rat·ed ['reitid] *adj* **1.** (gemeinde)steuerpflichtig. **2.** *tech.* Nenn...: ~ output, ~ power Nennleistung *f.*

ra·tel ['reitəl] *s zo.* Ratel *m*, Honigdachs *m.*

'rate|,pay·er *s Br.* (Gemeinde)Steuerzahler(in). **'~,pay·ing** *adj Br.* steuerzahlend.

rat·er ['reitər] *s mar. in Zssgn:* first-~ Schiff *n* höchster Klasse.

rath¹ [rɑːθ] (*Ir.*) *s hist.* **1.** *befestigter Wohnsitz e-s altirischen Häuptlings.* **2.** Hügelfestung *f.*

rath² [rɑːθ], *a.* **rathe** [reiθ] *adj poet. od. dial.* **1.** rasch, heftig. **2.** früh(zeitig), verfrüht (*bes. Pflanzen*): rathe-ripe *od.* rathripe a) frühreif(end), b) frühe Sorte.

rath·er [*Br.* 'rɑːðər; *Am.* 'ræ(ː)ð-] **I** *adv* **1.** ziemlich, recht, fast, etwas: ~ a success ein ziemlicher Erfolg; I would ~ think ich möchte fast glauben. **2.** lieber, eher: ~ good than bad eher gut als schlecht; green ~ than blue mehr *od.* eher grün als blau; from reason ~ than from love eher *od.* mehr aus Vernunftgründen als aus Liebe; I would ~ not (do it) ich möchte es lieber *od.* eigentlich nicht (tun); I would (*od.* had) much ~ (not) go ich möchte viel lieber (nicht) gehen. **3.** (or ~ oder) vielmehr, eigentlich: her dream or, ~, her idol ihr Traum oder, besser gesagt, ihr Idol; the contrary is ~ to be supposed vielmehr ist das Gegenteil anzunehmen; the ~ that um so mehr, da. **II** *interj* **4.** *bes. Br. colloq.* (ja) freilich!, allerdings!, ‚und ob'!

raths·kel·ler ['rɑːts,kelər] *s* 'Kellerrestau,rant *n.*

rat·i·cide ['ræti,said] *s* Rattenvertilgungsmittel *n.*

rat·i·fi·ca·tion [,rætifi'keiʃən] *s* **1.** Bestätigung *f*, (*nachträgliche*) Genehmigung. **2.** *pol.* Ratifi'zierung *f*: ~ of a treaty. **'rat·i,fy** [-,fai] *v/t* **1.** bestätigen, genehmigen, gutheißen. **2.** *pol.* ratifi'zieren.

rat·ing¹ ['reitiŋ] *s* **1.** (Ab)Schätzung *f*, Beurteilung *f*, Bewertung *f.* **2.** *mar.* a) Dienstgrad *m* (*e-s Matrosen*), b) *Br.* (einfacher) Ma'trose, c) *pl Br.* Leute *pl* e-s bestimmten Dienstgrads. **3.** *mil. Am.* Rang *m* e-s Spezia'listen: the ~ of a radarman. **4.** *econ.* Kre'ditwürdigkeit *f.* **5.** *Br.* a) (Gemeinde)Veranlagung *f*, b) Steuersatz *m.* **6.** *Am.* a) (Leistungs)Beurteilung *f*, b) Ni'veau *n*, (Leistungs- *etc*)Stand *m*, c) *ped.* (Zeugnis)Note *f*, d) *TV, Radio*: Populari'tätsindex *m.* **7.** *tech.* (Nenn)-Leistung *f*, Betriebsdaten *pl* (*e-r Maschine etc*): ~ plate Leistungsschild *n.* **8.** Ta'rif *m.*

rat·ing² ['reitiŋ] *s* Schelte(n *n*) *f*, Rüffel *m.*

ra·tio ['reiʃou; -ʃiou] *pl* **-tios** *s* **1.** *math. etc* Verhältnis *n*: in the ~ of four to three; ~ of distribution Verteilungsschlüssel *m*; ~ computer *tech.* Verhältnisrechner *m*; to be in the inverse ~ a) im umgekehrten Verhältnis stehen, b) *math.* umgekehrt proportional. **2.** *math.* Quoti'ent *m.* **3.** *econ.* Wertverhältnis *n* zwischen Gold u. Silber. **4.** *tech.* Über'setzungsverhältnis *n* (*e-s Getriebes*).

ra·ti·oc·i·nate [*Br.* ,ræti'ɒsi,neit; *Am.* ,ræʃi-] *v/i* (vernunftmäßig) schließen *od.* folgern. **,ra·ti,oc·i'na·tion** [-'neiʃən] *s* **1.** (vernunftmäßiges) Folgern. **2.** (Schluß)Folgerung *f.* **,ra·ti'oc·i·na·tive** [*Br.* -nətiv; *Am.* -,neitiv] *adj* vernunftmäßig (folgernd).

ra·tion ['ræʃən; *Am. a.* 'rei-] **I** *s* **1.** Rati'on *f*, Zuteilung *f*: ~ book *Br.* Lebensmittelkarten *pl*; ~ card Lebensmittelkarte *f*; off the ~ markenfrei; to be put on ~s auf Rationen gesetzt werden. **2.** *mar. mil.* 'Tagesrati,on *f*, Verpflegungssatz *m*: ~ strength Verpflegungsstärke *f.* **3.** *pl* Lebensmittel *pl*, Verpflegung *f.* **II** *v/t* **4.** ratio'nieren, (zwangs)bewirtschaften. **5.** *a.* ~ out (in Rati'onen) zuteilen. **6.** verpflegen: to ~ an army.

ra·tion·al ['ræʃənl] **I** *adj* (*adv* ~ly) **1.** vernünftig: a) vernunftmäßig, ratio'nal, b) vernunftbegabt, c) verständig, d) von der Vernunft ausgehend. **2.** zweckmäßig, ratio'nell, praktisch: ~ dress → 5. **3.** *math.* ratio'nal: ~ fraction; ~ number; ~ horizon *astr.* wahrer Horizont. **II** *s* **4.** (*das*) Ratio'nale *od.* Vernünftige. **5.** *pl hist.* zweckmäßige Kleidung, *bes.* Knickerbockers *pl* für Frauen.

ra·tion·ale [,ræʃə'nɑːli; -'neili; *Am. a.* -'næl] *s* **1.** logische Grundlage, 'Grundprin,zip *n.* **2.** vernunftmäßige Erklärung.

ra·tion·al·ism ['ræʃ(ə)nə,lizəm] *s* Rationa'lismus *m.* **'ra·tion·al·ist I** *s* Rationa'list *m.* **II** *adj* → rationalistic. **,ra·tion·al'is·tic** *adj* (*adv* ~ally) rationa'listisch.

ra·tion·al·i·ty [,ræʃə'næliti] *s* **1.** Vernünftigkeit *f*, Vernunft *f.* **2.** Vernunft *f*, Denkvermögen *n.* **3.** Rationa'lismus *m.*

ra·tion·al·i·za·tion [,ræʃ(ə)nəlai'zeiʃən; -li'z-] *s* **1.** a) Rationali'sieren *n*, 'Unterordnung *f* unter die Vernunft, b) → rationale 2. **2.** *econ.* Rationali'sierung *f.* **'ra·tion·al,ize I** *v/t* **1.** ratio'nal erklären. **2.** der Vernunft 'unterordnen: to ~ away als vernunftwidrig ablehnen. **3.** *econ.* rationali'sieren. **4.** *math.* in e-e rationale Gleichung 'umrechnen. **II** *v/i* **5.** ratio'nell verfahren. **6.** rationa'listisch denken.

ra·tion·ing ['ræʃəniŋ] *s* Ratio'nierung *f*, (Lebensmittel)Bewirtschaftung *f.*

rat·line, *a.* **rat·lin** ['rætlin], **'rat·ling** [-liŋ] *s mar.* Webeleine *f.*

RA·TO, ra·to ['reitou] *s aer.* Ra'ketenstart *m*, Start *m* mit Ra'ketenhilfe (*aus* rocket-assisted take-off).

ra·toon [ræ'tuːn] **I** *s* (Zuckerrohr)-Schößling *m.* **II** *v/i* Schößlinge treiben.

rat race *s sl.* **1.** ‚verrückte Hetze', ‚Hetzjagd' *f* (*des Lebens*). **2.** harter (Konkur'renz)Kampf. **3.** Teufelskreis *m.*

'rats,bane *s* **1.** Rattengift *n.* **2.** *bot. ein westafrikanischer Strauch.*

'rat,tail I *s* **1.** Rattenschwanz *m.* **2.** *fig.* a) wenig behaarter Pferdeschwanz, b) Pferd *n* mit wenig behaartem Schwanz. **II** *adj* **3.** rattenschwänzig: ~ spoon *Löffel mit schleifenförmig nach hinten gebogenem Griff.*

'rat-,tailed *adj* → rattail 3: ~ horse; ~ radish *bot.* Geschwänzter Rettich.

rat·tan [ræ'tæn] *s* **1.** *a.* ~ palm *bot.* Schilfpalme *f*, Rotang *m.* **2.** spanisches Rohr. **3.** Rohrstock *m.*

rat-tat [,ræt'tæt], *a.* **rat-tat-tat** [,rætə'tæt] **I** *s* Rattern *n*, Knattern *n*, Geknatter *n.* **II** *v/i* knattern, rattern.

rat·ten ['rætn] *v/i bes. Br.* die Arbeit sabo'tieren, Sabo'tage treiben. **'rat·ten·ing** *s bes. Br.* Sabo'tage *f.*

rat·ter ['rætər] *s* **1.** Rattenfänger *m* (*a. Hund*). **2.** → rat 2.

rat·tle ['rætl] **I** *v/i* **1.** rattern, klappern, rasseln, klirren: to ~ at the door an der Tür rütteln; to ~ off losrattern, davonjagen. **2.** a) röcheln, b) rasseln (*Atem*). **3.** *a.* ~ on, ~ away (drauf'los)plappern. **II** *v/t* **4.** rasseln mit *od.* an *e-r Kette etc*, mit *Geschirr etc* klappern, an *der Tür etc* rütteln. **5.** ~ off *e-e Rede etc* ‚her'unterrasseln'. **6.** *colloq.* aus der Fassung bringen, ner'vös machen, durchein'anderbringen: don't get ~d! nur nicht nervös werden! **7.** ~ up *j-n* aufrütteln. **III** *s* **8.** Rasseln *n*, Gerassel *n*, Rattern *n*, Klappern *n*, Geklapper *n.* **9.** Rassel *f*, (Kinder)Klapper *f*, Schnarre *f.* **10.** Klapper *f*, Rassel *f* (*der Klapperschlange*). **11.** Röcheln *n.* **12.** Lärm *m*, Krach *m*, Trubel *m.* **13.** *bot.* a) *a.* red ~ Sumpfläusekraut *n*, b) *a.* yellow ~ Klappertopf *m.* **14.** Geplapper *n*, Geschwätz *n.* **15.** Schwätzer(in).

'rat·tle|,box *s* **1.** Rassel *f*, Klapper *f.* **2.** *bot.* a) Gemeines Leimkraut, b) → rattle 13 a. **'~,brain** *s* Wirr-, Hohlkopf *m*, Schwätzer(in). **'~,brained** *adj* wirr-, hohlköpfig. **'~,pate, '~'pat·ed** → rattlebrain(ed).

rat·tler ['rætlər] *s* **1.** *j-d, der od. etwas, was rasselt od. klappert, bes. sl.* a) Klapperkasten *m* (*Fahrzeug*), b) (ratternder) Güterschnellzug, c) *allg.* (Eisenbahn)Zug *m.* **2.** *Br. sl.* a) ‚Mordskerl' *m*, b) ‚Mordsding' *n.* **3.** → rattletrap 2. **4.** a) *colloq. für* rattlesnake, b) → rattle 10.

'rat·tle|,snake *s zo.* Klapperschlange *f.* **'~,trap I** *s* **1.** Klapperkasten *m* (*Fahrzeug etc*). **2.** *colloq.* ‚Quatschmaul' *n*, Schwätzer(in). **3.** *sl.* ‚Klappe' *f* (*Mund*). **4.** *meist pl* (Trödel)Kram *m.* **II** *adj* **5.** klapp(e)rig.

rattling¹ ['rætliŋ] **I** *adj* **1.** rasselnd, ratternd. **2.** lebhaft: a ~ breeze. **3.** *colloq.* schnell: at a ~ pace in tollem Tempo. **4.** *colloq.* prächtig, ‚toll'. **II** *adv.* **5.** *colloq.* äußerst: ~ good prächtig, phantastisch (gut).

rat·tling² ['rætliŋ] → ratline.

'rat,trap *s* **1.** Rattenfalle *f.* **2.** *fig.* Mausefalle *f.* **3.** *sl.* ‚Maul' *n*, ‚Fresse' *f.* **4.** *Am. colloq.* ‚Hundehütte' *f*, ‚miese Bude'.

rat·ty ['ræti] *adj* **1.** rattenverseucht. **2.** rattenartig, Ratten... **3.** *Am. sl.* a) schäbig (aussehend), b) gereizt, bissig, c) niederträchtig.

rau·ci·ty ['rɔːsiti] → raucousness.

'rau·cous [-kəs] *adj* (*adv* ~ly) rauh, heiser. **'rau·cous·ness** *s* Rauheit *f*, Heiserkeit *f.*

raugh·ty ['rɔːti] *Br. für* rorty.

rauque [rɔːk] *Br. selten für* raucous.

rav·age ['rævidʒ] **I** *s* **1.** Verwüstung *f*, Verheerung *f.* **2.** *pl* verheerende (Aus)-Wirkungen *pl*: the ~s of time der Zahn der Zeit. **II** *v/t* **3.** a) verwüsten, -heeren, b) plündern. **4.** *fig.* entstellen: a face ~d by grief ein gramzerfurchtes Gesicht. **III** *v/i* **5.** Verheerungen anrichten. **'rav·ag·er** *s* Verwüster(in).

rave¹ [reiv] **I** *v/i* **1.** a) phanta'sieren, irrereden, b) rasen, toben (*a. fig. Sturm etc*). **2.** schwärmen (about, of, over von). **II** *v/t* **3.** im Wahnsinn *od.* De'lirium äußern, faseln, schreien. **III** *s* **4.** *sl.* Schwärme'rei *f*: a) Vernarrtheit *f*, b) 'überschwengliches Lob, begeisterte Worte *pl* (over für).

rave² [reiv] *s tech.* **1.** (Wagen)Leiter *f.*

2. *pl zusätzliche Leitern od. Seitenbretter.*

rav·el ['rævəl] **I** *v/t* **1.** *a.* ~ **out** ausfasern, aufdröseln, -trennen, entwirren (*a. fig.*). **2.** verwirren, -wickeln (*a. fig.*). **3.** *fig.* kompli'zieren. **II** *v/i* **4.** *oft* ~ **out** a) sich auftrennen *od.* auflösen, ausfasern (*Gewebe etc*), *fig.* sich entwirren, sich (auf)klären. **III** *s* **5.** Verwirrung *f*, Verwicklung *f*. **6.** (loser) Faden, loses Ende.

rave·lin ['rævlin] *s mil.* Vorschanze *f*.

ra·ven[1] ['reivn] **I** *s* **1.** *orn.* (Kolk)Rabe *m*. **2.** R~ *astr.* Rabe *m* (*Sternbild*). **II** *adj* **3.** (kohl)rabenschwarz.

rav·en[2] ['rævn] **I** *v/i* **1.** rauben, plündern: **to ~ after prey** auf Beute ausgehen. **2.** gierig (fr)essen. **3.** Heißhunger haben. **4.** lechzen (**for** nach). **II** *v/t* **5.** (gierig) verschlingen.

rav·en·ing ['ræv(ə)niŋ] *adj* (raub)gierig, wild. '**rav·en·ous** *adj* **1.** ausgehungert, heißhungrig (*beide a. fig.*). **2.** gierig (**for** auf *acc*): ~ **hunger** Bärenhunger *m*. **3.** gefräßig. **4.** raubgierig (*Tier*).

rav·in ['rævin] *s bes. poet.* **1.** Raub(en *n*) *m*: **beast of** ~ Raubtier *n*. **2.** (Raub)Gier *f*. **3.** Raub *m*, Beute *f*.

ra·vine [rə'vi:n] *s* (Berg)Schlucht *f*, Klamm *f*, Hohlweg *m*.

rav·ing ['reiviŋ] **I** *adj* (*adv* ~**ly**) **1.** tobend, rasend: ~ **madness** Tollwut *f*. **2.** phanta'sierend, deli'rierend: **to be** ~ → **rave**[1] 1. **3.** *colloq.* ‚toll', phan'tastisch: **a** ~ **beauty.** **II** *s* **4.** *meist pl* a) irres Gerede, Rase'rei *f*, b) Fieberwahn *m*, De'lirien *pl*.

rav·ish ['ræviʃ] *v/t* **1.** entzücken, 'hinreißen. **2.** *fig. j-n* hin'weg-, fortraffen. **3.** *e-e Frau* a) vergewaltigen, schänden, b) *obs.* entführen. **4.** *rhet.* rauben. '**rav·ish·er** *s* **1.** Schänder *m*. **2.** Entführer *m*. '**rav·ish·ing** *adj* (*adv* ~**ly**) 'hinreißend, entzückend. '**rav·ish·ment** *s* **1.** Entzücken *n*. **2.** Entführung *f*. **3.** *obs.* Schändung *f*.

raw [rɔ:] **I** *adj* **1.** roh. **2.** roh, ungekocht: ~ **egg (fruit, milk,** *etc*). **3.** *econ. tech.* roh, Roh..., unbearbeitet, *z. B.* a) ungebrannt: ~ **clay,** b) ungegerbt: ~ **leather,** c) ungewalkt: ~ **cloth,** d) ungesponnen: ~ **wool,** e) unvermischt, unverdünnt: ~ **spirits;** ~ **fibre** (*Am.* **fiber**) Rohfaser *f*; ~ **material** Rohmaterial *n*, -stoff *m* (*a. fig.*); ~ **oil** Rohöl *n*; ~ **silk** Rohseide *f*. **4.** *phot.* unbelichtet: ~ **stock** Rohfilm(e *pl*) *m*. **5.** noch nicht ausgewertet, unaufbereitet, roh: ~ **data;** ~ **statistics;** ~ **draft** Rohentwurf *m*. **6.** *Am.* 'unkulti,viert, unbebaut: ~ **land.** **7.** *Am.* roh, primi'tiv: **a** ~ **hut.** **8.** a) wund(gerieben): ~ **skin,** b) offen: ~ **wound.** **9.** roh, grob: a) geschmacklos: **a** ~ **picture,** b) *sl.* ungehobelt, wüst. **10.** unerfahren, ‚grün', neu: ~ **recruits.** **11.** unwirtlich, rauh, naßkalt: ~ **climate;** ~ **weather.** **12.** *Am.* (funkel)nagelneu. **13.** *Am.* (pudel)nackt. **14.** *sl.* gemein, unfair: **he gave him a** ~ **deal** er hat ihm übel mitgespielt. **II** *s* **15.** wund(gerieben)e Stelle. **16.** *fig.* wunder Punkt: **to touch s.o. on the** ~ j-n an s-r empfindlichen Stelle *od.* j-n empfindlich treffen. **17.** *econ.* a) Rohstoff *m*, -ware *f*, b) *meist pl* Rohzukker *m*. **18. in the** ~ a) im Natur- *od.* Rohzustand, b) nackt: **life in the** ~ das Leben, hart u. grausam wie es ist.

'**raw**|'**boned** *adj* hager, (grob)knochig. '~,**hide** *s* **1.** Rohhaut *f*, -leder *n*. **2.** Peitsche *f*.

raw·ness ['rɔ:nis] *s* **1.** Rohzustand *m*. **2.** Unerfahrenheit *f*. **3.** Wundsein *n*, Empfindlichkeit *f*. **4.** Rauheit *f* (*des Wetters*).

ray[1] [rei] **I** *s* **1.** (Licht)Strahl *m*. **2.** *fig.* (*Hoffnungs- etc*)Strahl *m*, Schimmer *m*, Spur *f*: **not a** ~ **of hope** kein Fünkchen Hoffnung. **3.** strahlenförmiger Streifen. **4.** *math. phys.* Strahl *m*: ~ **treatment** Strahlenbehandlung *f*, Bestrahlung *f*. **5.** *zo.* a) *ichth.* (Flossen)Strahl *m*, b) Radius *m* (*des Seesterns etc*). **6.** *bot.* a) Strahlenblüte *f*, b) gestielte Blüte (*e-r Dolde*), c) Markstrahl *m*. **II** *v/i* **7.** Strahlen aussenden. **8.** sich strahlenförmig ausbreiten. **III** *v/t* **9.** *a.* ~ **out,** ~ **forth** ausstrahlen. **10.** an-, bestrahlen. **11.** a) *med. phys.* bestrahlen, b) *med. colloq.* röntgen. **12.** mit Strahlen(schmuck) versehen.

ray[2] [rei] *s ichth.* Rochen *m*.

rayed [reid] *adj* **1.** strahlenförmig. **2.** *in Zssgn* ...strahlig.

ray| **fil·ter** *s phot.* Farbfilter *m*, *n*. ~ **flow·er** *s bot.* Strahlenblüte *f*. ~ **fun·gus** *s biol.* Strahlenpilz *m*.

ray·less ['reilis] *adj* **1.** strahlenlos. **2.** lichtlos, dunkel.

ray·on ['reiɒn] *tech.* **I** *s* **1.** Kunstseide *f*: ~ **staple** Zellwolle *f*. **2.** 'Kunstseidenpro,dukt *n*. **II** *adj* **3.** kunstseiden.

raze [reiz] *v/t* **1.** *e-e Festung etc* schleifen, *ein Gebäude* niederreißen, *e-e Stadt* 'vollkommen zerstören: **to** ~ **s.th. to the ground** etwas dem Erdboden gleichmachen. **2.** *fig.* ausmerzen, -löschen, tilgen. **3.** *obs.* ritzen, kratzen, streifen. **4.** *obs.* 'auskratzen, -ra,dieren.

ra·zee [rei'zi:] **I** *s* **1.** *mar. hist.* ra'siertes *od.* um ein Deck verkleinertes Schiff. **II** *v/t* **2.** *mar. hist. ein Schiff* ra'sieren. **3.** *fig.* beschneiden.

ra·zon (bomb) ['reizɒn] *s aer. mil.* (*Art*) ferngesteuerte Bombe.

ra·zor ['reizər] **I** *s* **1.** *a.* **straight** ~ Ra'siermesser *n*: ~ **blade** Rasierklinge *f*; **as sharp as a** ~ messerscharf (*a. fig.*); **to be on the** ~**'s edge** *fig.* auf des Messers Schneide stehen. **2.** *a.* **safety** ~ Ra'sierappa,rat *m*: **electric** ~ Elektrorasierer *m*. **II** *v/t* **3.** ra'sieren. '~-,**back I** *s* **1.** *a.* ~ **whale** *ichth.* Finnwal *m*. **2.** *Am.* spitzrückiges, halbwildes Schwein. **3.** scharfe Kante, Grat *m*. **II** *adj* **4.** scharfkantig, spitzrückig, mit scharfem Kamm. '~-,**backed** → razorback II. '~,**edge** *s* **1.** scharfer, äußerster Rand. **2.** *fig.* kritische Lage. '~-,**sharp** *adj* messerscharf (*a. fig. Verstand*). ~ **strop** *s* Streichriemen *m*.

razz [ræz] *Am. sl.* **I** *v/t* hänseln, aufziehen. **II** *v/i* spotten. **III** *s* → raspberry 4.

raz·(z)a·ma·taz(z) [,ræzəmə'tæz] → razzle(-dazzle).

raz·zi·a ['ræziə] *s* Raubzug *m*.

raz·zle(-daz·zle) ['ræzl(,dæzl)] *s sl.* **1.** ‚Rummel' *m*. **2.** *Am.* a) ‚Kuddelmuddel' *m*, *n*, b) ‚Wirbel' *m*, Tam'tam *n*. **3.** ‚Saufe'rei' *f*, Bummel *m*, ‚Orgie' *f*: **to go on the** ~ ‚auf die Pauke hauen'.

raz·zoo [ræ'zu:] *s Am. sl.* ‚Verhohnepipelung' *f*, Verhöhnung *f*.

'**r-,col·o(u)red** *adj ling.* mit r-Färbung (*von Vokalen mit nachfolgendem r, bes. im amer. Englisch*).

re[1] [rei; ri:] *s mus.* **1.** re *n* (*Solmisationssilbe*). **2.** D *n* (*bes. im französisch-italienischen System*).

re[2] [ri:] (*Lat.*) *prep* **1.** *jur.* in Sachen: ~ **John Adams.** **2.** a) *econ.* bezüglich, betrifft, betreffs, b) *colloq.* ‚betreffs', was ... anbelangt.

re- *Vorsilbe mit den Bedeutungen* **1.** [ri:] wieder, noch einmal, neu: **reprint, rebirth.** **2.** [ri] zurück, wider: **revert.**

'**re** [r] *colloq. abbr. für* **are**[1].

re·ab·sorb [,ri:əb'sɔ:rb] *v/t* resor'bieren. ,**re·ab'sorp·tion** [-'sɔ:rpʃən] *s* Resorpti'on *f*.

reach [ri:tʃ] **I** *v/t* **1.** ('hin-, 'her)reichen, über'reichen, geben (**s.th. to s.o.** j-m etwas). **2.** *j-m e-n Schlag* versetzen. **3.** ('her)langen, nehmen: **to** ~ **s.th. down** etwas herunterlangen *od.* -nehmen; **to** ~ **s.th. up** etwas hinaufreichen *od.* -langen. **4.** *oft* ~ **out,** ~ **forth** *die Hand etc* reichen, ausstrecken, *Zweige etc* ausbreiten, -strecken. **5.** reichen *od.* sich erstrecken *od.* gehen bis an (*acc*) *od.* zu: **his land** ~**es the hills; the water** ~**ed his knees** das Wasser ging ihm bis an die Knie. **6.** *e-e Zahl etc* erreichen, sich belaufen auf (*acc*): **he** ~**ed a great age** er erreichte ein hohes Alter. **7.** erreichen, erzielen, gelangen zu: **to** ~ **an understanding; to** ~ **no conclusion** zu keinem Schluß gelangen. **8.** *e-n Ort* erreichen, eintreffen *od.* ankommen in *od.* an (*dat*): **to** ~ **London; to** ~ **home** nach Hause gelangen; **to** ~ **s.o.'s ear** j-m zu Ohren kommen. **9.** *das Ziel etc* erreichen (*z. B. Geschoß, Teleskop, a. Stimme*): **her voice** ~**ed the audience.** **10.** *fig.* (ein)wirken auf (*acc*), beeinflussen, *j-n durch Argumente, Werbung etc* ansprechen *od.* gewinnen. **11.** *obs. od. poet.* verstehen, begreifen.

II *v/i* **12.** (mit der Hand) reichen *od.* greifen *od.* langen (**to** bis zu). **13.** *a.* ~ **out** langen, greifen (**after, for, at** nach). **14.** reichen, sich erstrecken *od.* ausdehnen (**to** bis [zu]): **as far as the eye can** ~ soweit das Auge reicht. **15.** sich belaufen (**to** auf *acc*). **16.** *mar.* mit Backstagbrise segeln.

III *s* **16.** Griff *m*: **to make a** ~ **for s.th.** nach etwas greifen *od.* langen. **17.** Reich-, Tragweite *f* (*e-s Geschosses, e-r Waffe, a. der Stimme etc*): **above** (*od.* **beyond** *od.* **out of**) **s.o.'s** ~ außer j-s Reichweite, für j-n unerreichbar *od.* unerschwinglich; **within** ~ erreichbar; **within s.o.'s** ~ in j-s Reichweite, für j-n erreichbar *od.* erschwinglich; **within easy** ~ **of the station** vom Bahnhof aus leicht zu erreichen. **18.** Ausdehnung *f*, Bereich *m*, 'Umfang *m*, Spannweite *f*: **to have a wide** ~ e-n weiten Spielraum haben, sich weit erstrecken. **19.** ausgedehnte Fläche: **a** ~ **of woodland** ein ausgedehntes Waldgebiet. **20.** *fig.* Weite *f*, (geistige) Leistungsfähigkeit *od.* Fassungskraft, (geistiger) Hori'zont: **the** ~ **of human intellect.** **21.** Einflußsphäre *f*, -bereich *m*: **it is not within my** ~ es steht nicht in m-r Macht. **22.** a) Ka'nalabschnitt *m* (*zwischen zwei Schleusen*), b) (über'schaubare) Flußstrecke. **23.** *tech.* Kupplungsdeichsel *f*. **24.** *Am. od. obs.* Vorgebirge *n*, Landzunge *f*.

reach·a·ble ['ri:tʃəbl] *adj* erreichbar.

'**reach-me-,down** *bes. Br. colloq.* **I** *adj* **1.** Konfektions..., ‚von der Stange'. **2.** *fig.* billig. **II** *s* **3.** *meist pl* Konfekti'onskleidung *f*, ‚Kleider *pl* von der Stange'.

re·act [ri'ækt] **I** *v/i* **1.** rea'gieren, ein-, zu'rückwirken, Rückwirkungen haben (**upon, on** auf *acc*); **to** ~ **on each other** sich gegenseitig beeinflussen. **2.** (**to**) rea'gieren (auf *acc*), (*etwas*) aufnehmen, sich verhalten (auf *e-e Sache* hin, bei): **he** ~**ed sharply** er reagierte heftig. **3.** rea'gieren, antworten, eingehen, ansprechen (**to** auf *acc*). **4.** entgegenwirken, wider'streben (**against** *dat*). **5.** (*zu e-m früheren Zustand etc*) zu'rückgehen, -kehren. **6.** *chem.* rea-

'gieren, e-e Reakti'on bewirken. **7.** *mil.* e-n Gegenschlag führen. **II** *v/t* **8.** *chem.* zur Reakti'on bringen.

re-act [riː'ækt] *v/t thea. etc* wieder'aufführen.

re·act·ance [ri'æktəns] *s electr.* Reak'tanz *f*, 'Blind,widerstand *m.*

re·ac·tion [ri'ækʃən] *s* **1.** (to) Reakti'on *f* (auf *acc*), Verhalten *n* (auf *e-e Sache* hin, bei), Stellungnahme *f* (zu). **2.** *pol.* Reakti'on *f* (*a. als Bewegung*), Rückschritt(lertum *n*) *m.* **3.** Rückwirkung *f*, -schlag *m* (from, against gegen), Ein-, Gegenwirkung *f* ([up]on auf *acc*). **4.** *econ.* rückläufige Bewegung, (*Kurs-, Preis- etc*)Rückgang *m.* **5.** *mil.* Gegenstoß *m*, -schlag *m.* **6.** *med.* Reakti'on *f*: a) Rückwirkung *f*, b) Probe *f*. **7.** *chem.* Reakti'on *f*, 'Umwandlung *f.* **8.** *phys.* a) Reakti'on *f*, Rückwirkung *f*, b) 'Kernreakti,on *f.* **9.** *electr.* Rückwirkung *f*, -kopp(e)lung *f*: ~ **capacitor** Rückkopplungskondensator *m.* **re'ac·tion·ar·y I** *adj bes. pol.* reaktio'när, rückschrittlich. **II** *s pol.* Reaktio'när(in).

re·ac·tion cou·pling *s electr.* Rückkopp(e)lung *f.*

re·ac·tion·ist [ri'ækʃənist] → **reactionary.**

re·ac·tion| en·gine *s tech.* Reakti'ons-, Rückstoßmotor *m.* ~ **time** *s psych.* Reakti'onszeit *f.*

re·ac·ti·vate [ri'ækti,veit] *v/t* reakti'vieren.

re·ac·tive [ri'æktiv] *adj* (*adv* ~ly) **1.** reak'tiv, rück-, gegenwirkend. **2.** empfänglich (to für), Reaktions... **3.** → **reactionary** I. **4.** *electr.* Blind... (*-strom, -last, -leistung etc*): ~ **coil** Drosselspule *f.*

re·ac·tor [ri'æktər] *s* **1.** *chem.* a) Reakti'onsmittel *n*, b) Reakti'onsgefäß *n.* **2.** *biol. med.* (*der, die, das*) positiv Rea'gierende. **3.** *phys.* ('Kern)Re,aktor *m*: ~ **blanket** Reaktorbrutmantel *m*; ~ **shell** Reaktorhülle *f.* **4.** *electr.* Drossel(spule) *f.*

read[1] [riːd] **I** *s* **1.** *bes. Br.* Lesen *n*, Lesepause *f.* **II** *v/t pret u. pp* **read** [red] **2.** lesen: to ~ **s.th. into** etwas in *e-n Text* hineinlesen; to ~ **off** ablesen; to ~ **out** a) *etwas* (laut) vorlesen, b) *ein Buch etc* auslesen, c) *fig. j-n* ausstoßen (of aus *e-r Partei etc*) (→ 11); to ~ **over** a) durchlesen, b) (*formell*) vor-, verlesen (*Notar etc*); **for 'Jean' ~ 'John'** statt ‚Jean' lies ‚John'. **3.** vorlesen, -tragen, *e-e Rede etc* ablesen: to ~ **s.th. to s.o.** j-m etwas vorlesen. **4.** *parl. e-e Vorlage* lesen: **the bill was read for the third time** die Gesetzesvorlage wurde in dritter Lesung behandelt. **5.** *e-e Kurzschrift etc* lesen (können): **he ~s** (*od.* **can ~**) **hieroglyphs**; **he ~s** (*od.* **can ~**) **the clock** er kennt die Uhr; to ~ **music** a) Noten lesen, b) nach Noten singen *od.* spielen. **6.** *e-n Traum etc* deuten: → **fortune** 3. **7.** *ein Rätsel* lösen: to ~ **a riddle. 8.** *j-s Charakter etc* durch'schauen: to ~ **s.o. like a book** in j-m lesen wie in e-m Buch; to ~ **s.o.'s face** in j-s Gesicht lesen; → **thought** 1. **9.** auslegen, auffassen, deuten, verstehen: **how do you ~ this sentence? 10.** a) (an)zeigen: **the thermometer ~s 20°**, b) ablesen. **11.** *Computer etc*: lesen, abtasten: to ~ **back from storage** *Daten* vom Speicher abrufen; to ~ **in** einspeichern; to ~ **out** ausspeichern (→ 2). **12.** *bes. Br.* stu'dieren, hören: → **law**[1] 5. **III** *v/i* **13.** lesen: **he has no time to ~** er hat keine Zeit zum Lesen. **14.** (vor)lesen: to ~ **to s.o.** j-m vorlesen. **15.** e-e (Vor)Lesung *od.* e-n Vortrag halten. **16.** (for) *bes. Br.* sich vorbereiten (auf *e-e Prüfung etc*), (*etwas*) stu'dieren: → **bar** 19; to ~ **up on** sich in *e-m Fachgebiet* einarbeiten, *etwas* studieren. **17.** sich *gut etc* lesen (lassen): **this book ~s well**; **it ~s like a translation** es liest sich *od.* klingt wie e-e Übersetzung. **18.** lauten, heißen: **the passage ~s as follows.**

read[2] [red] **I** *pret u. pp von* **read**[1]. **II** *adj* **1.** gelesen: **the most-~ book** das meistgelesene Buch. **2.** belesen, bewandert (in in *dat*): → **well-read.**

read·a·bil·i·ty [,riːdə'biliti] *s* **1.** Lesbarkeit *f.* **2.** Leserlichkeit *f.* **'read·a·ble** *adj* (*adv* **readably**) lesbar: a) lesenswert, b) leserlich. **'read·a·ble·ness** → **readability.**

re·ad·dress [,riːə'dres] *v/t* **1.** 'umadres,sieren. **2.** ~ **o.s.** sich nochmals wenden (to an *acc*).

read·er ['riːdər] *s* **1.** Leser(in). **2.** *bes. relig.* Vorleser(in). **3.** (Verlags)Lektor *m*, (Ver'lags)Lek,torin *f.* **4.** *print.* Kor'rektor *m.* **5.** *univ. bes. Br.* außerordentlicher Pro'fessor, Do'zent *m.* **6.** *ped. Am.* Korrek'turgehilfe *m.* **7.** *Am.* Auswerter *m* (*von Fachzeitschriften etc*). **8.** (*Strom- etc*)Ableser(in). **9.** *Computer etc*: Lesekopf *m.* **10.** a) *ped.* Lesebuch *n*, b) Anthologie *f*: **a G. B. Shaw ~. 'read·er,ship** *s* **1.** Vorleseramt *n.* **2.** *bes. Br.* Do'zentenstelle *f.* **3.** *collect.* Leser(kreis *m*) *pl.*

read·i·ly ['redili] *adv* **1.** so'gleich, prompt. **2.** bereitwillig, gern. **3.** leicht, ohne weiteres.

read·i·ness ['redinis] *s* **1.** Bereitschaft *f*: ~ **for war** Kriegsbereitschaft; **in ~** bereit, in Bereitschaft; **to place in ~** bereitstellen. **2.** Schnelligkeit *f*, Raschheit *f*, Promptheit *f*: ~ **of mind**, ~ **of wit** Geistesgegenwart *f*, schnelle Auffassungsgabe. **3.** Fertigkeit *f*, Leichtigkeit *f*, Gewandtheit *f.* **4.** Bereitwilligkeit *f*: ~ **to help others** Hilfsbereitschaft *f.*

read·ing ['riːdiŋ] **I** *s* **1.** Lesen *n.* **2.** Bücherstudium *n.* **3.** (Vor)Lesung *f*, Vortrag *m.* **4.** Belesenheit *f*: **a man of vast ~** ein sehr belesener Mann. **5.** Lek'türe *f*, Lesestoff *m*: **this book makes good ~** dieses Buch liest sich gut. **6.** Lesart *f*, Versi'on *f.* **7.** Deutung *f*, Auslegung *f*, Auffassung *f.* **8.** *parl. bes. Br.* Lesung *f* (*e-r Vorlage*). **9.** *tech.* Ablesung *f*, Anzeige *f* (*Barometer- etc*)Stand *m.* **II** *adj* **10.** Lese...

read·ing| desk *s* Lesepult *n.* ~ **glass** *s* Vergrößerungsglas *n*, Lupe *f.* ~ **head** *s Computer etc*: Lesekopf *m.* ~ **mat·ter** *s* **1.** redaktio'neller Teil (*e-r Zeitung*). **2.** Lesestoff *m.* ~ **no·tice** *s econ.* Werbetext *m od.* Anzeige *f* im redaktio'nellen Teil e-r Zeitung (*in Druck angeglichen*). ~ **pub·lic** *s* Leserschaft *f*, Leser *pl*; ~ **room** *s* Lesezimmer *n*, -saal *m.*

re·ad·just [,riːə'dʒʌst] **I** *v/t* **1.** wieder'anpassen. **2.** wieder in Ordnung bringen. **3.** *econ.* sa'nieren. **4.** *pol. etc* neu orien'tieren. **5.** *tech.* nachstellen, -richten, -regeln. **II** *v/i* **6.** sich wieder'anpassen. **,re·ad'just·ment** *s* **1.** Wieder'anpassung *f.* **2.** Neuordnung *f*, ,Reorganisati'on *f*, *econ. a.* (wirtschaftliche) Sa'nierung.

re·ad·mis·sion [,riːəd'miʃən] *s* Wieder'zulassung *f* (to zu). **,re·ad'mit** [-'mit] *pret u. pp* **-'mit·ted** *v/t* wieder'zulassen. **,re·ad'mit·tance** → **readmission.**

'read,out ['riːd-] *s* (*Computer*) **1.** Ausspeicherung *f*: ~ **pulse** Lese-, Abtastimpuls *m.* **2.** Lese-, Abfühleinheit *f.*

read·y ['redi] **I** *adj* (*adv* → **readily**) **1.** bereit, fertig (for s.th. zu etwas; to do zu tun): ~ **for action** *mil.* einsatzbereit; ~ **for service** (*od.* **operation**) *tech.* betriebsfertig; ~ **for use** gebrauchsfertig; ~ **for sea** *mar.* seeklar; ~ **for take-off** *aer.* startbereit, -klar; ~ **to serve** tafelfertig (*Speise*); **to be ~ with s.th.** etwas bereithaben *od.* -halten; **to get ~** (sich) bereit- *od.* fertigmachen; **Are you ~? Go!** *sport* Achtung—fertig—los! **2.** bereit, willens, geneigt (for s.th. zu etwas; to do zu tun): ~ **for death** zum Sterben bereit. **3.** schnell, rasch, prompt: **a ~ consent**; **to find a ~ market** (*od.* **sale**) *econ.* raschen Absatz finden, gut gehen. **4.** schlagfertig, prompt (*Antwort etc*), geschickt, gewandt: **a ~ reply**; **a ~ pen** e-e gewandte Feder; ~ **wit** Schlagfertigkeit *f.* **5.** schnell bereit *od.* bei der Hand: **he is too ~ to criticize others. 6.** im Begriff, nahe dar'an, drauf u. dran (to do zu tun). **7.** *econ.* verfügbar, greifbar (*Vermögenswerte*), bar (*Geld*): ~ **assets**; ~ **cash** (*od.* **money**) Bargeld *n*, -zahlung *f*; ~ **money business** Bar-, Kassageschäft *n.* **8.** bequem, leicht: ~ **to** (*od.* **at**) **hand** leicht zur Hand, gut zu handhaben. **II** *v/t* **9.** (o.s. sich) bereit- *od.* fertigmachen. **III** *s* **10.** *meist* **the ~** *sl.* Bargeld *n.* **11. at the ~** *mil.* schußbereit, -fertig. **IV** *adv* **12.** (*fast nur in comp u. sup*) → **readily. 13.** fertig: **~-built houses** Fertighäuser; **~-packed** fertig-, vorverpackt.

'read·y|-'made *adj* **1.** Konfektions..., ‚von der Stange': ~ **clothes** Konfektion(sbekleidung) *f*; ~ **shop** Konfektionshaus *n*, -geschäft *n.* **2.** gebrauchsfertig, Fertig... **3.** *fig.* schabloni'siert, ‚fertig', ‚vorgekaut'. ~ **reck·on·er** *s* 'Rechenta,belle *f.* **'~-to-'wear** → **ready-made** 1. **'~-'wit·ted** *adj* intelli'gent, ‚fix', schlagfertig.

re·af·firm [,riːə'fəːrm] *v/t* nochmals versichern *od.* bestätigen. **re·af·fir·ma·tion** [,riːæfər'meiʃən] *s* erneute Versicherung.

re·af·for·est [,riːə'fɒrist] *v/t* wieder'aufforsten. **,re·af,for·est'a·tion** *s* Wieder'aufforstung *f.*

re·a·gen·cy [ri'eidʒənsi] *s* Gegen-, Rückwirkung *f.*

re·a·gent [ri'eidʒənt] *s* **1.** *chem. phys.* Rea'gens *n*, *pl* Rea'genzien *pl.* **2.** *fig.* Gegenkraft *f*, -wirkung *f.* **3.** *psych.* 'Test-, Ver'suchsper,son *f.*

re·al[1] ['riːəl] **I** *adj* (*adv* → **really**) **1.** re'al, tatsächlich, wirklich, wahr, eigentlich: **taken from ~ life** aus dem (wirklichen) Leben gegriffen; **the R~ Presence** *relig.* die Realpräsenz (*wirkliche Gegenwart Christi im Altarssakrament*); **the ~ thing** *sl.* das (einzig) Wahre. **2.** echt, rein: ~ **silk**; ~ **feelings** echte *od.* aufrichtige Gefühle; **he is a ~ man** er ist ein echter *od.* wahrer Mann. **3.** *philos.* re'al: a) wirklich, b) abso'lut, unabhängig vom Bewußtsein (exi'stierend). **4.** *jur.* a) dinglich, b) unbeweglich, Real...: ~ **account** *econ.* Sach(wert)konto *n*; ~ **action** dingliche Klage; ~ **assets** unbewegliches Vermögen, Immobilien; ~ **estate** (*od.* **property**) Grundeigentum *n*, unbewegliches Vermögen, Liegenschaften, Immobilien, Grundstück(e *pl*) *n*; **~-estate agent** (*od.* **broker**) Grundstücksmakler *m*; ~ **stock** *econ.* Istbestand *m*; ~ **wage** *econ.* Reallohn *m.* **5.** *electr.* re'ell, ohmsch, Wirk...: ~ **power** Wirkleistung *f.* **6.** *math. phys.* re'ell: ~ **image**; ~ **number.**

II *s* **7.** the ~ *philos.* a) das Re'ale *od.* Wirkliche, b) die Reali'tät, die Wirklichkeit. **III** *adv* **8.** *bes. Am. vulg.* sehr, äußerst, ‚richtig'.

re·al[2] ['riːəl; re'ɑːl] *pl* **-als, -a·les** [-'ɑːles] *s* Re'al *m* (*ehemals spanische Silbermünze*).

re·al·ism ['riːəˌlizəm] *s* Rea'lismus *m* (*a. Kunst u. philos.*), Tatsachen-, Wirklichkeitssinn *m*, Sachlichkeit *f*. **'re·al·ist I** *s* Rea'list(in) (*a. philos. Kunst*), Tatsachenmensch *m*. **II** *adj* → **realistic.** ˌ**re·al'is·tic** *adj* (*adv* ~**ally**) rea'listisch (*a. philos. Kunst*), wirklichkeitsnah, -getreu, sachlich.

re·al·i·ty [ri'æliti] *s* **1.** Reali'tät *f*, Wirklichkeit *f* (*beide a. philos.*): to make s.th. a ~ etwas verwirklichen; in ~ in Wirklichkeit, tatsächlich. **2.** Wirklichkeits-, Na'turtreue *f*. **3.** Tatsache *f*, Gegebenheit *f*.

re·al·iz·a·ble ['riːəˌlaizəbl] *adj* (*adv* **realizably**) reali'sierbar: a) zu verwirklichen(d), aus-, 'durchführbar, b) *econ.* verwertbar, kapitali'sierbar, verkäuflich.

re·al·i·za·tion [ˌriːəlai'zeiʃən; -li'z-] *s* **1.** Reali'sierung *f*. Verwirklichung *f*, Aus-, 'Durchführung *f*: the ~ of a project. **2.** Vergegen'wärtigung *f*, Erkenntnis *f*. **3.** *econ.* a) Reali'sierung *f*, Verwertung *f*, Veräußerung *f*, b) Liquidati'on *f*, Glattstellung *f*: ~ account Liquidationskonto *n*, c) Erzielung *f* (*e-s Gewinns*).

re·al·ize ['riːəˌlaiz] **I** *v/t* **1.** (klar) erkennen, sich klarmachen, sich im klaren sein über (*acc*), begreifen, einsehen: he ~d that er sah ein, daß; es kam ihm zum Bewußtsein, daß. **2.** verwirklichen, reali'sieren, aus-, 'durchführen: to ~ a project. **3.** sich vergegen'wärtigen, sich (lebhaft) vorstellen: he could ~ the scene. **4.** *econ.* a) reali'sieren, verwerten, veräußern, zu Geld machen, flüssigmachen, b) *e-n Gewinn od. e-n Preis* erzielen, *e-e Summe* einbringen.

re·al·lo·cate [riː'æləˌkeit] *v/t* neu verteilen *od.* zuteilen. ˌ**re·al·lo'ca·tion** *s* Neuverteilung *f*.

re·al·ly ['riːəli] *adv* **1.** wirklich, tatsächlich, eigentlich: ~? wirklich?; not ~! nicht möglich! **2.** (*rügend*) ~! ich muß schon sagen!

realm [relm] *s* **1.** Königreich *n*. **2.** *fig.* Reich *n*: the ~ of dreams. **3.** Bereich *m, n*, (Fach)Gebiet *n*: in the ~ of physics im Bereich *od.* auf dem Gebiet der Physik.

Re·al·po·li·tik [re'ɑːlpoliˌtik] (*Ger.*) *s* Re'alpoliˌtik *f*.

're·al-ˌtime *adj Datenverarbeitung*: Echtzeit...

re·al·tor ['riːəltər; -ˌtɔːr] *s Am.* Grundstücksmakler *m*.

re·al·ty ['riːəlti] *s* **1.** Grundeigentum *n*. **2.** Grundstück *n*.

ream[1] [riːm] *s Papierhandel*: Ries *n* (*480 Bogen*): **printers'** ~, **long** ~ 516 Bogen Druckpapier; ~s (and ~s) of *fig.* zahllose, große Mengen (von).

ream[2] [riːm] *v/t tech.* **1.** erweitern. **2.** *oft* ~ out a) *e-e Bohrung* (auf-, aus)räumen, b) *das Kaliber* ausbohren, c) nachbohren.

ream[3] [riːm] *s obs. od. dial.* Rahm *m* (*auf Milch*), Schaum *m* (*auf Bier etc*).

ream·er ['riːmər] *s tech.* Reib-, Räumahle *f*.

re·an·i·mate [riː'æniˌmeit] *v/t* **1.** 'wiederbeleben. **2.** *fig.* neu beleben. ˌ**re·an·i'ma·tion** *s* **1.** 'Wiederbelebung *f*. **2.** *fig.* Neubelebung *f*.

reap [riːp] **I** *v/t* **1.** *Getreide etc* schneiden, mähen, ernten. **2.** *ein Feld* mähen, abernten. **3.** *fig.* ernten. **II** *v/i* **4.** mähen, ernten: **he ~s where he has not sown** *fig.* er erntet, wo er nicht gesät hat. **'reap·er** *s* **1.** Schnitter(in), Mäher(in): **the Grim R~** *fig.* der Sensenmann, der Schnitter Tod. **2.** (Ge'treide)Mähmaˌschine *f*.

re·ap·pear [ˌriːə'pir] *v/i* wieder erscheinen. ˌ**re·ap'pear·ance** *s* 'Wiedererscheinen *n*.

re·ap·pli·ca·tion [ˌriːæpli'keiʃən] *s* **1.** wieder'holte *od.* erneute Anwendung. **2.** erneutes Gesuch. **re·ap·ply** [ˌriːə'plai] **I** *v/t* **1.** wieder *od.* wieder'holt anwenden. **II** *v/i* **2.** wieder Anwendung finden. **3.** (for) (*etwas*) wieder'holt *od.* erneut beantragen, sich erneut bewerben (um).

re·ap·point [ˌriːə'pɔint] *v/t* 'wiederernennen, wieder'einsetzen, -'anstellen. ˌ**re·ap'point·ment** *s* 'Wiederernennung *f*, Wieder'anstellung *f*.

re·ap·prais·al [ˌriːə'preizəl] *s* Neubewertung *f*, Neubeurteilung *f*.

rear[1] [rir] **I** *s* **1.** 'Hinter-, Rückseite *f*: **at the ~ of the house** hinter dem Haus. **2.** 'Hintergrund *m*: **in the ~ of** im Hintergrund (*gen*). **3.** *mar. mot.* Heck *n*. **4.** *mar. mil.* Nachhut *f*: **to bring up the ~** die Nachhut bilden; **to take the enemy in the ~** den Feind im Rücken fassen. **5.** *Br. sl.* ‚Lokus' *m* (*Abort*). **II** *adj* **6.** hinter(er, e, es), Hinter..., Rück...: ~ **axle** Hinterachse *f*. **7.** *mar. mot.* Heck...: ~ **engine** Heckmotor *m*. **8.** *mil.* rückwärtig.

rear[2] [rir] **I** *v/t* **1.** *ein Kind* auf-, großziehen, *Tiere* züchten, *Pflanzen* ziehen, anbauen. **2.** *arch.* errichten, (er)bauen: **to ~ a cathedral. 3.** aufrichten, -stellen: **to ~ a ladder. 4.** (er)heben: **to ~ one's head (voice). 5.** ~ **o.s.** → 6. **II** *v/i* **6.** *a.* ~ **up** *fig.* sich aufbäumen. **7.** *oft* ~ **up** (auf-, hoch)ragen.

rear| ad·mi·ral *s mar.* 'Konteradmiˌral *m*. ~ **arch** *s arch.* innerer Bogen (*e-r Fenster- od. Türöffnung*). ~ **drive** *s mot.* Heckantrieb *m*. ~ **end** *s* **1.** hinter(st)er Teil, Ende *n*. **2.** *colloq.* 'Hinterteil *n*. **'~-'en·gined** *adj* mit Heckmotor *od.* -antrieb. ~ **guard** *s mar. mil.* Nachhut *f*: ~ **action** a) Nachhutgefecht *n* (*a. fig.*), b) *fig.* Verzögerungstaktik *f*. ~ **gun·ner** *s aer. mil.* Heckschütze *m*. ~ **lamp,** ~ **light** *s* Schlußlicht *n*, -leuchte *f*.

re·arm [riː'ɑːrm] *mil.* **I** *v/t* **1.** 'wiederbewaffnen. **2.** neu bewaffnen *od.* ausrüsten. **II** *v/i* **3.** wieder'aufrüsten. **re'ar·ma·ment** *s mil.* **1.** Ausrüstung *f* mit neuen Waffen. **2.** Wieder'aufrüstung *f*, 'Wiederbewaffnung *f*.

rear·most ['rirˌmoust] *adj* hinterst(er, e, es), letzt(er, e, es).

re·ar·range [ˌriːə'reindʒ] *v/t* **1.** neu ordnen, 'umordnen, ändern. **2.** *math.* 'umschreiben, -wandeln. **3.** *chem.* 'umlagern. ˌ**re·ar'range·ment** *s* **1.** 'Um-, Neuordnung *f*, Änderung *f*, Neugestaltung *f*. **2.** *chem.* 'Umlagerung *f*: **intermolecular** ~.

rear| sight *s mil.* Kimme *f*. ~ **sus·pen·sion** *s tech.* rückwärtige Aufhängung, *bes.* 'Hinterradfederung *f*, -aufhängung *f*. ~ **vault** *s arch.* innere (Fenster- *od.* Tür)Wölbung. ~ **view** *s* Rückansicht *f*. **'~ˌview mir·ror, '~-ˌvi·sion mir·ror** *s mot. etc* Rückspiegel *m*.

rear·ward ['rirwərd] **I** *adj* **1.** hinter(er, e, es), letzt(er, e, es), rückwärtig. **2.** Rück(wärts)... **II** *adv* **3.** nach hinten, rückwärts, zu'rück. **III** *s* → **rear**[1] 1 — 3. **'rear·wards** → **rearward** II.

rea·son ['riːzn] **I** *s* **1.** (Beweg)Grund *m* (of, for *gen od.* für), Ursache *f* (for *gen*), Anlaß *m* (for zu, für): **to have ~ to do s.th.** Grund *od.* Veranlassung haben, etwas zu tun; **the ~ why** (der Grund) weshalb; **for the same ~** aus dem gleichen Grund *od.* Anlaß; **for ~s of health** aus Gesundheitsgründen; **by ~ of** wegen, infolge (*gen*); **with ~** aus gutem Grund, mit Recht; **there is (no) ~ to suppose** es besteht (kein) Grund zu der Annahme; **there is every ~ to believe** alles spricht dafür (that daß). **2.** Begründung *f*, Rechtfertigung *f*: **woman's ~** weibliche Logik; ~ **of state** Staatsräson *f*. **3.** (*ohne art*) Vernunft *f*, Verstand *m*: **to lose one's ~** den Verstand verlieren; **to listen to ~** Vernunft annehmen; **it stands to ~** es leuchtet ein, es ist (doch wohl) klar. **4.** (*ohne art*) Vernunft *f*, Einsicht *f*, Rä'son *f*: **to bring s.o. to ~** j-n zur Vernunft *od.* Räson bringen; **in (all) ~** a) mit Maß u. Ziel, vernünftig, b) mit Recht; **there is ~ in what you say** was du sagst, hat Hand u. Fuß. **5.** *philos.* (*ohne art*) Vernunft *f* (*Ggs Verstand*): **Law of R~** Vernunftrecht *n*; → **age** 4. **6.** *Logik*: Prä'misse *f*.

II *v/i* **7.** logisch denken, vernünftig urteilen. **8.** (with) vernünftig reden (mit), (*j-m*) gut zureden, (*j-n*) zu über'zeugen suchen: **he is not to be ~ed with** er läßt nicht mit sich reden. **9.** schließen, folgern (from aus, von).

III *v/t* **10.** *oft* ~ **out** (logisch) durch'denken: ~**ed** wohldurchdacht (→ 16). **11.** schließen, zu dem Schluß kommen (that daß). **12.** ergründen (what was; why warum). **13.** (vernünftig) erörtern: **to ~ away** *etwas* wegdisputieren. **14.** *j-n* durch Argu'mente über'zeugen: **to ~ s.o. into (out of) s.th.** j-m etwas ein-(aus)reden. **15.** begründen. **16.** logisch formu'lieren.

rea·son·a·ble ['riːznəbl] *adj* (*adv* → **reasonably**) **1.** vernünftig: a) vernunftgemäß: **a ~ theory,** b) verständig, einsichtig (*Person*): **he is ~** er läßt mit sich reden, c) vernunftbegabt: **a ~ being,** d) angemessen, annehmbar, tragbar, zumutbar (*Bedingung, Frist, Preis etc*), billig (*Forderung*): ~ **doubt** berechtigter Zweifel; ~ **care and diligence** *jur.* die im Verkehr erforderliche Sorgfalt. **2.** *colloq.* billig: **strawberries are now ~. 'rea·son·a·ble·ness** *s* **1.** Vernünftigkeit *f*, Verständigkeit *f*. **2.** Angemessenheit *f*, Zumutbarkeit *f*, Billigkeit *f*. **'rea·son·a·bly** [-bli] *adv* **1.** vernünftig. **2.** vernünftiger-, billigerweise. **3.** ziemlich, leidlich, einigermaßen: ~ **good.**

rea·son·er ['riːznər] *s* logischer Geist *od.* Kopf (*Person*).

rea·son·ing ['riːzniŋ] **I** *s* **1.** Denken *n*, Folgern *n*, Urteilen *n*. **2.** *a.* **line of ~** Gedankengang *m*. **3.** Argumentati'on *f*, Beweisführung *f*. **4.** Schluß(folgerung *f*) *m*, Schlüsse *pl*. **5.** Argu'ment *n*, Beweis *m*. **II** *adj* **6.** Denk...: ~ **power** Denkfähigkeit *f*, Urteilskraft *f*.

re·as·sem·blage [ˌriːə'semblidʒ] *s* 'Wiederversammlung *f*. ˌ**re·as'sem·ble** [-bl] *v/t* **1.** (*v/i* sich) wieder versammeln. **2.** *tech.* wieder zs.-bauen.

re·as·sert [ˌriːə'səːrt] *v/t* **1.** erneut feststellen. **2.** wieder geltend machen.

re·as·sess [ˌriːə'ses] *v/t* **1.** nochmals *od.* neu (ab)schätzen, *fig. a.* neu beurteilen. **2.** neu veranlagen. ˌ**re·as'sess·ment** *s* **1.** neuerliche (Ab)Schätzung. **2.** Neuveranlagung *f*. **3.** *fig.* neue Beurteilung.

re·as·sign [ˌriə'sain] *v/t* **1.** wieder zuweisen *od.* zuteilen. **2.** *j-n* wieder ernennen. **3.** *econ. jur.* zu'rückzeˌdieren. **ˌre·as'sign·ment** *s* **1.** erneute Zuweisung *od.* Zuteilung. **2.** *econ. jur.* 'Rückübeˌtragung *f.*

re·as·sume [ˌriːə'sjuːm; -'suːm] → resume.

re·as·sur·ance [ˌriːə'ʃu(ə)rəns] *s* **1.** Beruhigung *f.* **2.** nochmalige *od.* erneute Versicherung. **3.** *econ.* → reinsurance. **ˌre·as'sure** *v/t* **1.** *j-n* beruhigen. **2.** *etwas* nochmals versichern *od.* beteuern. **3.** *econ.* → reinsure. **ˌre·as'sur·ing** *adj* (*adv* ~ly) beruhigend.

Re·au·mur, Ré·au·mur ['reiəˌmjur] *adj phys.* Reaumur...: 60° ~ (*od.* R.) 60° Reaumur *od.* R.

reave[1] [riːv] *pret u. pp* **reaved** [riːvd] *od.* **reft** [reft] *obs. od. poet.* **I** *v/t* **1.** *j-n* berauben (of *gen.*) **2.** *etwas* rauben, entreißen (from *dat*). **II** *v/i* **3.** rauben, plündern.

reave[2] [riːv] *pret u. pp* **reaved** [riːvd] *od.* **reft** [reft] *v/t u. v/i obs. od. dial.* zerreißen, -brechen.

reav·er ['riːvər] *s poet.* Räuber *m.*

re·bap·tism [riː'bæptizəm] *s* 'Wiedertaufe *f.* **re·bap·tize** [ˌriːbæp'taiz; riː'bæptaiz] *v/t* **1.** 'wiedertaufen. **2.** 'umtaufen.

re·bate[1] ['riːbeit; ri'beit] **I** *s* **1.** Ra'batt *m,* (Preis)Nachlaß *m,* Ermäßigung *f,* Abzug *m.* **2.** Zu'rückzahlung *f,* (Rück)-Vergütung *f*: a ~ of taxes. **II** *v/t* **3.** *selten* abstumpfen. **4.** *selten* vermindern, abschwächen. **5.** *obs. od. Am.* a) *e-n Betrag* abziehen, als Ra'batt gewähren, b) *den Preis etc* ermäßigen, c) *j-m* e-n Ra'batt *etc* gewähren.

re·bate[2] ['riːbeit; 'ræbit] → rabbet.

reb·el ['rebəl] **I** *s* **1.** Re'bell(in), Em'pörer(in) (*beide a. fig.*), Aufrührer(in). **2.** *Am. hist.* Anhänger *m* der Südstaaten (*im amer. Bürgerkrieg*). **II** *adj* **3.** re'bellisch, aufrührerisch. **4.** Rebellen... **III** *v/i* **re·bel** [ri'bel] **5.** rebel'lieren, sich em'pören *od.* auflehnen (against gegen). **reb·el·dom** ['rebəldəm] *s* **1.** Aufruhrgebiet *n.* **2.** Re'bellentum *n.*

re·bel·lion [ri'beljən] *s* **1.** Rebelli'on *f,* Aufruhr *m,* Em'pörung *f* (against, to gegen): the R~ *hist.* der amer. Bürgerkrieg (*1861—65*); → Great Rebellion. **2.** Auflehnung *f.*

re·bel·lious [ri'beljəs] *adj* (*adv* ~ly) **1.** re'bellisch: a) aufständisch, aufrührerisch, b) *fig.* aufsässig, 'widerspenstig (*a. Sache*). **2.** hartnäckig (*Krankheit*). **re'bel·lious·ness** *s* **1.** re'bellisches Wesen. **2.** *fig.* Aufsässigkeit *f.*

re·bind [riː'baind] *v/t irr ein Buch* neu (ein)binden.

re·birth [riː'bəːrθ; 'riːˌbəːrθ] *s* 'Wiedergeburt *f* (*meist fig.*).

re·bore [riː'bəːr] *v/t tech.* **1.** *das Bohrloch* nachbohren. **2.** *den Motorzylinder* ausschleifen.

re·born [riː'bəːrn] *adj* 'wiedergeboren, neu geboren (*a. fig.*).

re·bound[1] [ri'baund] **I** *v/i* **1.** zu'rückprallen, -schnellen. **2.** *fig.* zu'rückfallen (upon auf *acc*). **3.** *fig.* sich (wieder) erholen. **II** *v/t* **4.** zu'rückprallen lassen. **5.** *den Ton* zu'rückwerfen. **III** *s* [*a.* 'riːbaund] **6.** Zu'rückprallen *n.* **7.** Rückprall *m,* -sprung *m,* -stoß *m.* **8.** *sport* Abpraller *m.* **9.** 'Widerhall *m.* **10.** *fig.* Reakti'on *f* (*auf e-n Rückschlag etc*): on the ~ a) als Reaktion darauf, b) in e-r Krise (befindlich); to take s.o. on (*od.* at) the ~ j-s Enttäuschung *od.* seelische Lage ausnutzen.

re·bound[2] [ri'baund] *adj* neugebunden (*Buch*).

re·broad·cast [*Br.* riː'brɔːdˌkɑːst; *Am.* -ˌkæ(ː)st] (*Radio*) **I** *v/t irr* (→ broadcast) **1.** *e-e Sendung* wieder'holen. **2.** durch Re'lais(statiˌonen) über'tragen: ~(ing) station Ballsender *m.* **II** *s* **3.** Wieder'holungssendung *f.* **4.** Re'laisüberˌtragung *f.*

re·buff [ri'bʌf] **I** *s* **1.** (schroffe) Abweisung, Abfuhr *f*: to meet with a ~ abblitzen. **II** *v/t* **2.** abweisen, abblitzen lassen. **3.** zu'rücktreiben.

re·build [riː'bild] *v/t irr* **1.** wieder aufbauen. **2.** 'umbauen. **3.** *fig.* wieder'herstellen, -'aufbauen.

re·buke [ri'bjuːk] **I** *v/t* **1.** *j-n* (scharf) tadeln, rügen, rüffeln, zu'rechtweisen. **2.** *etwas* (scharf) tadeln, rügen. **II** *s* **3.** Rüge *f,* (scharfer) Tadel, Verweis *m,* Rüffel *m.* **re'buke·ful** [-ful] *adj* (*adv* ~ly) rügend, tadelnd, vorwurfsvoll.

re·bus ['riːbəs] *s* **1.** Rebus *m, n,* Bilderrätsel *n.* **2.** *her.* redendes Wappen.

re·but [ri'bʌt] **I** *v/t* (durch Beweise) wider'legen *od.* entkräften (*a. jur.*). **II** *v/i jur.* auf die Tri'plik antworten. **re'but·tal** *s bes. jur.* Wider'legung *f.* **re'but·ter** *s jur.* Quadru'plik *f.*

re·cal·ci·trance [ri'kælsitrəns], **re'cal·ci·tran·cy** [-si] *s* 'Widerspenstigkeit *f.* **re'cal·ci·trant I** *adj* (*adv* ~ly) 'widerspenstig, aufsässig (to gegen'über). **II** *s* 'Widerspenstige(r *m*) *f.* **re'cal·ciˌtrate** [-ˌtreit] *v/i* aufsässig sein, sich sträuben (against, at gegen).

re·ca·lesce [ˌriːkə'les] *v/i metall.* (beim Abkühlen) wieder'aufglühen. **ˌre·ca'les·cence** *s metall.* Rekales'zenz *f.*

re·call [ri'kɔːl] **I** *v/t* **1.** *j-n* zu'rückrufen, *e-n Gesandten etc* abberufen: to ~ an ambassador. **2.** sich erinnern an (*acc*), sich ins Gedächtnis zu'rückrufen: to ~ the past. **3.** *j-n* erinnern (to an *acc*): to ~ s.o. to his duty. **4.** (ins Gedächtnis) zu'rückrufen: to ~ s.th. to s.o. (*od.* s.o.'s mind) j-m etwas ins Gedächtnis zurückrufen, j-n an etwas erinnern. **5.** *j-s Aufmerksamkeit etc* erneut lenken (to auf *acc*). **6.** *ein Versprechen etc* zu'rücknehmen, wider'rufen, rückgängig machen. **7.** *econ. Kapital, e-n Kredit etc* (auf)kündigen: until ~ed bis auf Widerruf. **8.** *Gefühle etc* wieder wachrufen. **9.** *Computer: Daten aus dem Speicher* abrufen. **II** *s* [*a.* 'riːˌkɔːl] **10.** Zu'rückrufung *f,* Abberufung *f* (*e-s Gesandten etc*). **11.** 'Widerruf *m,* Zu'rücknahme *f*: beyond (*od.* past) ~ unwiderruflich, unabänderlich. **12.** *econ.* (Auf)Kündigung *f.* **13.** *teleph.* Rückruf *m.* **14.** *fig.* Wachrufen *n* (*von Erinnerungen etc*). **15.** *Marktforschung*: a) Erinnerungsindex *m,* b) Erinnerungstest *m.* **16.** *mil.* Si'gnal *n* zum Sammeln *od.* zur Rückkehr. **17.** *pol. Am.* Re'call *m* (*Verfahren od. Recht der Entfernung e-s gewählten Beamten durch die Wähler*). **re'call·a·ble** *adj* 'widerruflich, wider'rufbar.

re·cant [ri'kænt] **I** *v/t e-e Behauptung etc* (for'mell) zu'rücknehmen, (öffentlich) wider'rufen. **II** *v/i* (öffentlich) wider'rufen, Abbitte tun. **re·can·ta·tion** [ˌriːkæn'teiʃən] *s* (öffentliche) Wider'rufung.

re·cap[1] ['riːˌkæp; riː'kæp] *tech.* **I** *v/t Autoreifen* ('auf)vulkaniˌsieren, runderneuern. **II** *s* runderneuerter (Auto)-Reifen.

re·cap[2] ['riːkæp] *colloq. abbr. für* recapitulation, recapitulate.

re·cap·i·tal·i·za·tion [riːˌkæpitəlai'zeiʃən; -li'z-] *s econ.* 'Neukapitaliˌsierung *f.*

re·ca·pit·u·late [*Br.* ˌriːkə'pitjuˌleit; *Am.* -'pitʃə-] *v/t u. v/i* **1.** rekapitu'lieren, kurz zs.-fassen *od.* wieder'holen. **2.** *biol. Vorfahrenmerkmale* rekapitu'lieren.

re·ca·pit·u·la·tion [*Br.* ˌriːkəˌpitju'leiʃən; *Am.* -ˌpitʃə-] *s* **1.** ˌRekapitulati'on *f,* kurze Wieder'holung *od.* Zs.-fassung. **2.** *biol.* ˌRekapitulati'on *f* (*Wiederholung der Stammesentwicklung in der Keimesentwicklung*).

re·cap·tion [riː'kæpʃən] *s jur.* Wieder'wegnahme *f* (*e-s widerrechtlich vorenthaltenen Besitzes*).

re·cap·ture [riː'kæptʃər] **I** *v/t* **1.** 'wiedererlangen. **2.** 'wiederergreifen. **3.** *mil.* zu'rückerobern. **4.** *fig. e-e Stimmung etc* wieder'einfangen. **II** *s* **5.** 'Wiedernahme *f,* -erlangung *f.* **6.** 'Wiederergreifung *f.* **7.** *mil.* Zu'rückeroberung *f.* **8.** *jur. Am.* Enteignung *f* 'übermäßiger Gewinne durch den Staat.

re·cast [*Br.* riː'kɑːst; *Am.* -'kæ(ː)st] **I** *v/t irr* **1.** *tech.* 'umgießen. **2.** *fig. ein Werk* 'umarbeiten, -formen, neu-, 'umgestalten: to ~ a novel. **3.** *thea. ein Stück, e-e Rolle* 'umbesetzen, neu besetzen. **4.** *etwas* (noch einmal) 'durchrechnen. **II** *s* [*a.* 'riː-] **5.** *tech.* 'Umguß *m.* **6.** 'Umarbeitung *f,* -gestaltung *f.* **7.** *thea.* Neu-, 'Umbesetzung *f.*

rec·ce ['reki], **rec·co** ['rekou], **rec·cy** ['reki] *mil. sl. für* reconnaissance 1.

re·cede [ri'siːd] *v/i* **1.** zu'rücktreten, -gehen, -weichen: receding fliehend (*Kinn, Stirn*); to ~ into the background *fig.* in den Hintergrund treten. **2.** ent-, verschwinden. **3.** (from) a) zu'rücktreten (von): to ~ from an office (contract, *etc*), b) Abstand nehmen (von): to ~ from a project, c) aufgeben (*acc*): to ~ from an opinion. **4.** *bes. econ.* zu'rückgehen, im Wert fallen. **5.** *pol. Am.* die opposito'nelle Haltung im Kon'greß aufgeben.

re·ceipt [ri'siːt] **I** *s* **1.** *bes. econ.* Empfangsbestätigung *f,* -bescheinigung *f,* Quittung *f*: against (*od.* on) ~ gegen Quittung; ~ book a) Quittungsbuch *n,* b) Rezeptbuch *n*; ~ stamp Quittungsstempel(marke *f*) *m.* **2.** *pl econ.* Einnahmen *pl,* Eingänge *pl.* **3.** *bes. econ.* Empfang *m,* Erhalt *m* (*e-s Briefes, e-r Sendung*), Eingang *m* (*von Waren*): on ~ of bei *od.* nach Empfang *od.* Eingang (*gen*). **4.** ('Koch)Reˌzept *n.* **5.** ~ of custom *Bibl. od. hist.* Zollamt *n.* **II** *v/t* **6.** quit'tieren.

re·ceiv·a·ble [ri'siːvəbl] *adj* **1.** annehmbar, zulässig: to be ~ als gesetzliches Zahlungsmittel gelten. **2.** *econ.* ausstehend: accounts ~ Außenstände, Forderungen; bills ~, notes ~ Rimessen, Wechselforderungen. **re'ceiv·a·bles** *s pl econ. Am.* Außenstände *pl.*

re·ceive [ri'siːv] **I** *v/t* **1.** erhalten, bekommen, empfangen: to ~ a letter (an order, a name, an impression, *etc*); to ~ attention Aufmerksamkeit finden *od.* auf sich ziehen; to ~ a wound e-e Wunde empfangen; to ~ stolen goods Hehlerei treiben. **2.** an-, entgegennehmen, in Empfang nehmen: to ~ s.o.'s confession j-m die Beichte abnehmen. **3.** *Geld etc* einnehmen, vereinnahmen. **4.** *Radio, TV*: *e-e Sendung* empfangen. **5.** *e-e Last etc* auffangen, tragen, standhalten (*dat*). **6.** *e-e Schraube etc* aufnehmen: this hole is large enough to ~ three men. **7.** erleben, erfahren, erleiden: to ~ a refusal e-e Ablehnung erfahren, abgelehnt werden. **8.** *e-n Armbruch etc* da'vontragen: to ~ a broken arm. **9.** *j-n* bei sich aufnehmen. **10.** *e-e Nachricht etc* aufnehmen, rea'gieren auf (*acc*): how did he ~ this offer? **11.** *e-n Besucher etc* empfangen, begrüßen. **12.** *j-n* zulassen (to, into zu). **13.** *j-n* aufnehmen (into in *e-e Gemeinschaft*). **14.** (als gültig) anerkennen: to ~ a doctrine. **15.** *etwas* annehmen: to ~ s.th. as certain; to ~ s.th. as prophecy etwas als Prophezeiung auffassen. **II** *v/i* **16.** nehmen. **17.** (Besuch) empfangen. **18.** *Funk*: empfangen. **19.** a) *protestantische Kirche*: das Abendmahl empfangen, b) *R.C.* kommuni'zieren.

re·ceived [ri'siːvd] *adj* **1.** erhalten, empfangen: ~ with thanks dankend erhalten. **2.** (allgemein *od.* als gültig) anerkannt: ~ opinion; ~ text authentischer Text. **3.** vorschriftsmäßig, kor'rekt: in the ~ style. **4.** *electr. TV, Radio*: Empfangs...

re·ceiv·er [ri'siːvər] *s* **1.** Empfänger(in). **2.** *tech.* a) *Funk*: Empfänger *m*, Empfangsgerät *n*, b) *teleph.* Hörer *m*: ~ cap Hörmuschel *f*. **3.** *jur.* a) *a.* official ~ gerichtlich eingesetzter Zwangs- *od.* Kon'kursverwalter, b) amtlich bestellter Liqui'dator, c) Treuhänder *m*. **4.** *econ.* (*Zoll-, Steuer*)Einnehmer *m*. **5.** *a.* ~ of stolen goods Hehler(in). **6.** *tech.* (Auffang-, Sammel)Behälter *m*. **7.** Rezipi'ent *m*: a) *chem.* Sammelgefäß *n*, b) *phys.* Glocke *f* (*der Luftpumpe*).

re·ceiv·er·ship [ri'siːvərˌʃip] *s jur.* Zwangs-, Kon'kursverwaltung *f*.

re·ceiv·ing [ri'siːviŋ] *s* **1.** Annahme *f*. **2.** *Funk*: Empfang *m*. **3.** *jur.* Hehle'rei *f*. ~ **hop·per** *s tech.* Schüttrumpf *m*. ~ **of·fice** *s* Annahmestelle *f*. ~ **or·der** *s jur.* Kon'kurseröffnungsbeschluß *m*. ~ **set** → receiver 2a. ~ **sta·tion** *s Funk*: Emp'fangsstatiˌon *f*.

re·cen·cy ['riːsnsi] *s* Neuheit *f*.

re·cen·sion [ri'senʃən] *s* **1.** Prüfung *f*, Revisi'on *f*, 'Durchsicht *f* (*e-s Textes etc*). **2.** revi'dierter Text.

re·cent ['riːsnt] *adj* **1.** vor kurzem *od.* unlängst (geschehen *od.* entstanden *etc*), der jüngsten Vergangenheit, neueren *od.* jüngeren Datums: ~ events noch nicht lange zurückliegende Ereignisse; the ~ events die jüngsten Ereignisse. **2.** neu (entstanden), jung, frisch: of ~ date neueren *od.* jüngeren Datums; a ~ photo ein Photo jüngeren Datums. **3.** neu, mo'dern. **4.** *a.* R~ *geol.* neu(zeitlich). **5.** kürzlich *od.* eben (an)gekommen: ~ from Paris frisch von Paris. '**re·cent·ly** *adv* kürzlich, vor kurzem, unlängst, neulich: till ~ bis vor kurzem. '**re·cent·ness** → recency.

re·cept ['riːsept] *s psych.* Erfahrungsbegriff *m*, -bild *n*.

re·cep·ta·cle [ri'septəkl] *s* **1.** Behälter *m*, Gefäß *n*. **2.** *bot.* Fruchtboden *m*. **3.** *electr.* a) Steckdose *f*, b) *Radio*: Gerätebuchse *f*. **4.** 'Unterschlupf *m*, Aufenthaltsort *m*.

re·cep·ti·ble [ri'septibl] *adj selten* **1.** an-, aufnehmbar. **2.** aufnahmefähig, empfänglich (of für).

re·cep·tion [ri'sepʃən] *s* **1.** Empfang *m*, Annahme *f*: ~ desk Empfangstisch *m* (*im Hotel*). **2.** Zulassung *f*. **3.** Aufnahme *f*: his ~ into the Academy; the book met with a favo(u)rable ~ das Buch fand e-e günstige Aufnahme. **4.** (offizi'eller) Empfang, *a.* Empfangsabend *m*: to hold a ~ e-n Empfang geben; a warm (cool) ~ ein herzlicher (kühler) Empfang. **5.** *Funk*: Empfang *m*.

re·cep·tion·ist [ri'sepʃənist] *s* **1.** Empfangsdame *f od.* -chef *m*. **2.** *med.* Sprechstundenhilfe *f*.

re·cep·tion| or·der *s jur. bes. Br.* Einweisung(sschein *m*) *f* in e-e Heil- u. Pflegeanstalt. ~ **room** *s* Empfangszimmer *n*.

re·cep·tive [ri'septiv] *adj* (*adv* ~ly) **1.** aufnahmefähig, empfänglich (of für). **2.** rezep'tiv (*nur aufnehmend*): a mind more ~ than creative. **3.** *biol.* rezep'torisch, Empfängnis...: ~ spot Empfängnisfleck *m*. **re'cep·tive·ness, re·cep·tiv·i·ty** [ˌriːsep'tiviti] *s* Aufnahmefähigkeit *f*, Empfänglichkeit *f*.

re·cep·tor [ri'septər] *s biol.* Re'zeptor *m* (*Sinnesorgan*).

re·cess I *s* [ri'ses; 'riːses] **1.** (zeitweilige) Unter'brechung (*a. jur. der Verhandlung*), (*Am. a.* Schul)Pause *f*, *bes. Am. od. parl.* Ferien *pl*. **2.** Schlupfwinkel *m*. **3.** *arch.* (Wand)Vertiefung *f*, Nische *f*, Al'koven *m*. **4.** Ein-, Ausbuchtung *f*, Vertiefung *f*, *tech. a.* Aussparung *f*, Einschnitt *m*. **5.** *pl fig.* (*das*) Innere, Tiefe(n *pl*) *f*: the ~es of the heart die geheimen Winkel des Herzens. **II** *v/t* [ri'ses] **6.** in e-e Nische stellen, zu'rücksetzen. **7.** *e-e Wand etc* ausbuchten (*dat*). **8.** *tech.* aussparen, einsenken: ~ed switch Unterputzschalter *m*. **III** *v/i* **9.** *Am.* e-e Pause *od.* Ferien machen, die Verhandlung *od.* Sitzung unter'brechen, sich vertagen.

re·ces·sion [ri'seʃən] *s* **1.** Zu'rücktreten *n*. **2.** → recess 3 *u.* 4. **3.** *relig.* Auszug *m* (*der Geistlichen etc nach dem Gottesdienst*). **4.** *econ.* Rezessi'on *f*, Wirtschaftsflaute *f*, (Geschäfts-, Konjunk'tur)Rückgang *m*. **re'ces·sion·al I** *adj* **1.** *relig.* Schluß...: ~ hymn → 3. **2.** (Parla'ments)Ferien... **II** *s* **3.** *relig.* 'Schlußchoˌral *m*.

re·ces·sive [ri'sesiv] *adj* **1.** zu'rücktretend, -gehend. **2.** *biol.* rezes'siv. **3.** *ling.* rückläufig (*Akzent*).

re·charge [riː'tʃɑːrdʒ] *v/t* **1.** wieder (be)laden. **2.** *mil.* a) nachladen, b) von neuem angreifen. **3.** *electr. e-e Batterie* wieder'auf-, nachladen.

re·check [riː'tʃek] *v/t* nachprüfen.

re·cher·ché [rə'ʃerʃei] *adj* **1.** (sorgfältig) ausgesucht. **2.** gesucht, ausgefallen, prezi'ös: a ~ expression. **3.** exqui'sit, ele'gant.

re·chris·ten [riː'krisn] → rebaptize.

re·cid·i·vism [ri'sidiˌvizəm] *s bes. jur.* Rückfall *m*, -fälligkeit *f*. **re'cid·i·vist** *s* Rückfällige(r *m*) *f*, Rückfallverbrecher(in). **re'cid·i·vous** *adj* rückfällig.

rec·i·pe ['resipi] *s* **1.** ('Koch)ReˌZept *n*. **2.** *med. u. fig.* Re'zept *n* (for für).

re·cip·i·ence [ri'sipiəns], *a.* **re'cip·i·en·cy** [-si] *s* **1.** Aufnehmen *n*, -nahme *f*. **2.** Aufnahmefähigkeit *f*. **re'cip·i·ent I** *s* **1.** Empfänger(in): to be the ~ of s.th. etwas empfangen. **II** *adj* **2.** empfangend, aufnehmend: ~ country Empfängerland *n*. **3.** empfänglich, aufnahmefähig.

re·cip·ro·cal [ri'siprəkəl] **I** *adj* (*adv* ~ly) **1.** wechsel-, gegenseitig: ~ affection; ~ insurance *econ.* Versicherung *f* auf Gegenseitigkeit; ~ relationship Wechselbeziehung *f*; ~ trade agreement Handelsvertrag *m* auf Gegenseitigkeit. **2.** entsprechend, Gegen...: ~ service Gegendienst *m*. **3.** (entsprechend) 'umgekehrt: ~ ratio umgekehrtes Verhältnis; ~ly proportional umgekehrt proportional. **4.** *ling. math.* rezi'prok: ~ pronoun; ~ value → 6. **II** *s* **5.** Gegenstück *n*. **6.** *math.* Kehrwert *m*.

re·cip·ro·cate [ri'siprəˌkeit] **I** *v/t* **1.** *Gefühle etc* erwidern, vergelten. **2.** (gegenseitig) austauschen: to ~ courtesies. **3.** *tech.* 'hin- u. 'herbewegen. **II** *v/i* **4.** sich erkenntlich zeigen, sich revan'chieren (for für; with mit): glad to ~ zu Gegendiensten gern bereit. **5.** in Wechselbeziehung stehen. **6.** sich entsprechen. **7.** *tech.* sich 'hin- u. 'herbewegen: reciprocating engine Kolbenmotor *m*, -maschine *f*.

re·cip·ro·ca·tion [riˌsiprə'keiʃən] *s* **1.** Erwiderung *f*. **2.** Erkenntlichkeit *f*. **3.** Austausch *m*: ~ of courtesies. **4.** *tech.* ˌHinund'herbewegung *f*.

rec·i·proc·i·ty [ˌresi'prɒsiti] *s* **1.** Rezipro'zi'tät *f*, Gegen-, Wechselseitigkeit *f*, gegenseitige Beziehung. **2.** Austausch *m*, Zs.-arbeit *f*. **3.** *econ.* Gegenseitigkeit *f* (*in Handelsverträgen etc*): ~ clause Gegenseitigkeitsklausel *f*.

re·cit·al [ri'saitl] *s* **1.** a) Vortrag *m*, Vorlesung *f*, b) → recitation 1. **2.** *mus.* (Solo)Vortrag *m*, Kon'zert(abend *m*) *n*, (*Orgel- etc*)Kon'zert *n*: vocal ~, lieder ~ Liederabend *m*. **3.** Schilderung *f*, Bericht *m*, Erzählung *f*. **4.** Aufzählung *f*: ~ of details. **5.** *a.* ~ of fact *jur.* Darstellung *f* des Sachverhalts.

rec·i·ta·tion [ˌresi'teiʃən] *s* **1.** Auf-, 'Hersagen *n*, Rezi'tieren *n*. **2.** Vortrag *m*, Rezitati'on *f*. **3.** *ped. Am.* a) Abfragestunde *f*, b) regu'läre 'Unterrichtsstunde. **4.** Vortragsstück *n*.

rec·i·ta·tive [ˌresitə'tiːv] *mus.* **I** *adj* rezita'tivartig, Rezitativ... **II** *s* Rezita'tiv *n*, (*bes. dramatischer*) Sprechgesang.

re·cite [ri'sait] **I** *v/t* **1.** (auswendig) 'her-, aufsagen. **2.** rezi'tieren, vortragen, dekla'mieren: to ~ poems. **3.** *jur.* a) *den Sachverhalt* darstellen, b) anführen, zi'tieren. **4.** aufzählen. **5.** erzählen: to ~ anecdotes. **II** *v/i* **6.** *ped. Am.* s-e Lektion aufsagen. **7.** rezi'tieren, vortragen. **re'cit·er** *s* **1.** Rezi'tator *m*, Rezita'torin *f*, Vortragskünstler(in). **2.** Vortragsbuch *n*.

reck [rek] *bes. poet.* **I** *v/i* **1.** sich Sorgen machen (of, for um). **2.** achten (of auf *acc*). **3.** zählen, von Bedeutung sein. **II** *v/t* **4.** sich kümmern *od.* sorgen um. **5.** *j-n* kümmern, angehen.

reck·less ['reklis] *adj* (*adv* ~ly) **1.** unbesorgt, unbekümmert (of um): to be ~ of a danger sich um e-e Gefahr nicht kümmern. **2.** sorglos, leichtsinnig, -fertig, verwegen. **3.** a) rücksichtslos, b) *jur.* (bewußt) fahrlässig: ~ driving *Am.* grob fahrlässiges Fahren. '**reck·less·ness** *s* **1.** Unbesorgtheit *f*, Unbekümmertheit *f* (of um). **2.** Sorglosigkeit *f*, Leichtsinn *m*, -fertigkeit *f*, Verwegenheit *f*. **3.** Rücksichtslosigkeit *f*.

reck·on ['rekən] **I** *v/t* **1.** (be-, er)rechnen: to ~ a sum e-e Summe errechnen *od.* addieren: to ~ in einrechnen; to ~ over a) nachrechnen, b) → 2a. **2.** ~ up a) auf-, 'hersagen, b) *j-n* ab-, einschätzen. **3.** betrachten, ansehen (as, for als). **4.** halten für: I ~ him (to be) wise. **5.** rechnen, zählen (among, with, in zu, unter *acc*). **6.** kalku'lieren. **7.** der Meinung sein (that daß). **8.** I ~ (*in Parenthese*) *Am. colloq. od. Br. dial.* glaube ich, schätze ich. **9.** *obs.* zuerkennen (to *dat*). **II** *v/i* **10.** zählen, rechnen: to ~ with a) rechnen mit (*a. fig.*), b) abrechnen mit (*a. fig.*); to ~ (up)on *fig.* zählen auf *j-n*, *j-s Hilfe etc*; → host[2] 2. **11.** zählen, von Bedeutung sein. **12.** *dial.* denken, ver-

muten, meinen. **'reck·on·er** *s* **1.** Rechner(in). **2.** → ready reckoner.
reck·on·ing ['rekəniŋ] *s* **1.** Rechnen *n*, Zählen *n*. **2.** Berechnung *f*: to be out of (*od.* out in) one's ~ *fig.* sich verrechnet haben. **3.** *mar.* Gissung *f*: → dead reckoning. **4.** Abrechnung *f*: day of ~ a) Tag *m* der Abrechnung, b) *relig.* (*der*) Jüngste Tag. **5.** Zeche *f*.
re·claim [ri'kleim] **I** *v/t* **1.** *Eigentum, Rechte etc* zu'rückfordern, her'ausverlangen, rekla'mieren. **2.** *Land* urbar machen, trockenlegen. **3.** *Tiere* zähmen, abrichten. **4.** *ein Volk, Wilde* zivili'sieren. **5.** *fig.* a) *j-n* bekehren, bessern, b) *j-n* zu'rückbringen (from von; to zu): to ~ a young man from a dissolute course of life. **6.** *tech. aus Altmaterial* gewinnen: ~ed rubber regeneriertes Altgummi. **II** *v/i* **7.** prote'stieren, Einspruch erheben (against gegen). **8.** *jur. Scot.* Berufung einlegen. **III** *s* **9.** beyond ~ unverbesserlich.
re-claim [riː'kleim] *v/t* zu'rückverlangen, -fordern.
re·claim·a·ble [ri'kleiməbl] *adj* (*adv* reclaimably) **1.** verbesserungsfähig. **2.** kul'turfähig (*Land*). **3.** *tech.* regene'rierfähig. **re'claim·ant** *s bes. jur.* Beschwerdeführer(in).
rec·la·ma·tion [ˌreklə'meiʃən] *s* **1.** Reklamati'on *f*: a) Rückforderung *f*, b) Beschwerde *f*, Einspruch *m*. **2.** *fig.* Bekehrung *f*, Besserung *f*, Heilung *f* (from von). **3.** Urbarmachung *f*, Neugewinnung *f* (*von Land*). **4.** *chem. tech.* Rückgewinnung *f*.
ré·clame [re'klam] (*Fr.*) *s* **1.** Re'klame *f*. **2.** → showmanship 3.
re·cline [ri'klain] **I** *v/i* **1.** sich (an-, zu'rück)lehnen (on, upon an *acc*): reclining chair Lehnstuhl *m* (mit verstellbarer Rückenlehne). **2.** ruhen, liegen (on, upon an, auf *dat*): ~d liegend. **3.** *fig.* sich verlassen (upon auf *acc*). **II** *v/t* **4.** (an-, zu'rück)lehnen (on, upon auf *acc*, gegen). **5.** 'hinlegen (on auf *acc*).
re·cluse [ri'kluːs; *Am. a.* 'rekluːs] **I** *s* **1.** Einsiedler(in), Klausner(in). **II** *adj* **2.** einsam, abgeschieden (from von). **3.** einsiedlerisch: a ~ life. **re'cluse·ness** → reclusion 1. **re'clu·sion** [-ʒən] *s* **1.** Zu'rückgezogenheit *f*, Abgeschiedenheit *f* (from von). **2.** Einkerkerung *f*, *bes.* Einzelhaft *f*.
re·coal [riː'koul] *v/t u. v/i* (sich) mit neuen Kohlen versehen (*Schiff*).
re·coat [riː'kout] *v/t* neu über'ziehen *od.* anstreichen.
rec·og·ni·tion [ˌrekəg'niʃən] *s* **1.** ('Wieder)Erkennen *n*, Erkennung *f*: ~ light *aer.* Kennlicht *n*; ~ mark *zo.* Kennzeichen *n*; ~ vocabulary *ling.* passiver Wortschatz; past all ~ nicht wiederzuerkennen, (*adverbial*) bis zur Unkenntlichkeit *verstümmelt etc.* **2.** Erkenntnis *f*. **3.** Anerkennung *f*: in ~ of als Anerkennung für; to win ~ sich durchsetzen, Anerkennung finden. **4.** *pol.* (*völkerrechtliche, formelle*) Anerkennung (*e-s Staates etc*).
rec·og·niz·a·ble ['rekəgˌnaizəbl] *adj* ('wieder)erkennbar, kenntlich.
re·cog·ni·zance [ri'kɒgnizəns; -'kɒn-] *s.* **1.** *jur.* (*vor Gericht übernommene*) schriftliche Verpflichtung *od.* Anerkennung (*zur Verhandlung zu erscheinen etc*) *od.* (Schuld)Anerkenntnis. **2.** *jur.* Sicherheitsleistung *f*. **3.** *obs.* a) → recognition, b) (Kenn-, Merk)Zeichen *n*. **re'cog·ni·zant** *adj*: to be ~ of anerkennen.
rec·og·nize ['rekəgˌnaiz] **I** *v/t* **1.** ('wieder)erkennen (by an *dat*). **2.** *etwas* (klar) erkennen. **3.** *j-n, e-e Schuld etc, a. pol. e-e Regierung etc* anerkennen (as als). **4.** lobend anerkennen: to ~ services. **5.** zugeben, einsehen (that daß): to ~ defeat sich geschlagen geben. **6.** *j-n auf der Straße* grüßen. **7.** No'tiz nehmen von. **8.** *j-m* das Wort erteilen. **II** *v/i* **9.** *jur.* sich vor Gericht schriftlich verpflichten (in zu). **ˌrec·og'niz·ed·ly** [-zidli] *adv* anerkanntermaßen.
re·coil [ri'kɔil] **I** *v/i* **1.** zu'rückprallen. **2.** *mil.* zu'rückstoßen (*Gewehr, Rohr etc*). **3.** zu'rückschrecken, -schaudern, -fahren, -weichen (from vor *dat*). **4.** *fig.* zu'rückfallen (on auf *acc*). **5.** *obs.* zu'rückgehen, -weichen (before vor *dat*). **II** *s* [*a.* 'riːˌkɔil] **6.** Zu'rückschrecken *n*. **7.** Rückprall *m*: ~ atom *phys.* Rückstoßatom *n*. **8.** *mil.* Rückstoß *m* (*e-s Gewehrs*), b) (Rohr)Rücklauf *m* (*e-s Geschützes*): ~ brake Rücklaufbremse *f*; ~ cylinder Bremszylinder *m*. **9.** Rückwirkung *f*, Reakti'on *f*.
re·coil·less [ri'kɔillis; 'riːˌkɔil-] *adj mil.* rückstoßfrei.
re·coin [riː'kɔin] *v/t* wieder prägen, 'umprägen. **re'coin·age** *s* 'Umprägung *f*.
rec·ol·lect [ˌrekə'lekt] **I** *v/t* **1.** sich erinnern (*gen*) *od.* an (*acc*), sich besinnen auf (*acc*), sich ins Gedächtnis zu'rückrufen. **2.** ~ o.s. *bes. relig.* sich versenken: ~ed a) beschaulich, b) gesammelt, ruhig, gefaßt. **II** *v/i* **3.** sich erinnern.
re-col·lect [ˌriːkə'lekt] *v/t* wieder sammeln (*a. fig.*): to ~ o.s. a) sich (wieder) sammeln, b) sich fassen; to ~ one's courage wieder Mut fassen.
rec·ol·lec·tion [ˌrekə'lekʃən] *s* **1.** Erinnerung(svermögen *n*) *f*, Gedächtnis *n*: it is in my ~ that ich erinnere mich, daß; it is within my ~ es ist mir in Erinnerung; to the best of my ~ soweit ich mich (daran) erinnern kann. **2.** Erinnerung *f* (of an *acc*). **3.** *bes. relig.* (innere) Sammlung.
rec·ol·lec·tive [ˌrekə'lektiv] *adj* (*adv* ~ly) **1.** Erinnerungs... **2.** erinnerungsfähig. **3.** gesammelt, ruhig.
re·com·mence [ˌriːkə'mens] **I** *v/i* von neuem *od.* wieder anfangen, wieder beginnen. **II** *v/t etwas* wieder beginnen, wieder'aufnehmen, erneuern. **ˌre·com'mence·ment** *s* 'Wieder-, Neubeginn *m*.
rec·om·mend [ˌrekə'mend] *v/t* **1.** empfehlen, befürworten: to ~ s.th. to s.o. j-m etwas empfehlen; to ~ s.o. for a post j-n für e-n Posten empfehlen; the hotel is ~ed for its good food das Hotel empfiehlt sich durch s-e gute Küche; travel(l)ing by air has much to ~ it das Reisen per Flugzeug hat viel für sich. **2.** *j-m* raten, empfehlen: I ~ you to wait. **3.** empfehlen, anziehend machen: his manners ~ him. **4.** (an)empfehlen, anvertrauen: to ~ o.s. to s.o. **ˌrec·om'mend·a·ble** *adj* empfehlenswert, zu empfehlen(d), ratsam.
rec·om·men·da·tion [ˌrekəmen'deiʃən] *s* Empfehlung *f*: a) Befürwortung *f*: on (*od.* upon) the ~ of auf Empfehlung von (*od. gen*), b) Vorschlag *m*, c) *a.* letter of ~ Empfehlungsschreiben *n*, d) empfehlende Eigenschaft. **ˌrec·om'mend·a·to·ry** [-dətəri] *adj* **1.** empfehlend, Empfehlungs... **2.** als Empfehlung dienend.
re·com·mis·sion [ˌriːkə'miʃən] *v/t* **1.** wieder beauftragen, wieder'anstellen. **2.** *mil. Offizier* reakti'vieren. **3.** *mar. Schiff* wieder in Dienst stellen.
re·com·mit [ˌriːkə'mit] *v/t* **1.** wieder anvertrauen *od.* über'geben. **2.** *parl. e-e Vorlage* (an e-n Ausschuß) zu'rückverweisen. **3.** *jur.* a) *j-n* wieder *dem Gericht* über'antworten: to ~ s.o. to the court, b) *j-n* wieder *in e-e Heil- u. Pflegeanstalt, ins Gefängnis etc* einweisen. **4.** *ein Verbrechen etc* wieder begehen. **ˌre·com'mit·ment, ˌre·com'mit·tal** *s* **1.** *jur.* erneute Über'antwortung *od.* Einweisung. **2.** *parl.* Zu'rückverweisung *f* (an e-n Ausschuß).
rec·om·pense ['rekəmˌpens] **I** *v/t* **1.** *j-n* belohnen, entschädigen (for für). **2.** *etwas* vergelten, (be)lohnen (to s.o. j-m). **3.** *etwas* erstatten, ersetzen, wieder'gutmachen. **II** *s* **4.** Entschädigung *f*, Ersatz *m*. **5.** Vergeltung *f*, Lohn *m* (*beide a. weitS. Strafe*), Belohnung *f*.
re·com·pose [ˌriːkəm'pouz] *v/t* **1.** wieder zs.-setzen. **2.** neu (an)ordnen, 'umgestalten, -grupˌpieren. **3.** wieder in Ordnung bringen. **4.** *fig.* wieder beruhigen. **5.** *print.* neu setzen. **ˌre·com·po'si·tion** [-kɒmpə'ziʃən] *s* **1.** ˌWiederzu'sammenstellung *f*. **2.** 'Umbildung *f*, -grupˌpierung *f*, Neubearbeitung *f*. **3.** *print.* Neusatz *m*.
rec·on·cil·a·ble ['rekənˌsailəbl] *adj* (*adv* reconcilably) **1.** versöhnbar. **2.** vereinbar (with mit).
rec·on·cile ['rekənˌsail] *v/t* **1.** *j-n* ver-, aussöhnen (to, with mit): to ~ o.s. to, to become ~d to *fig.* sich versöhnen *od.* abfinden *od.* befreunden mit, sich in *sein Schicksal etc* fügen; to ~ o.s. to doing s.th. sich mit dem Gedanken befreunden, etwas zu tun. **2.** *e-n Streit etc* beilegen, schlichten. **3.** in Einklang bringen (with, to mit). **'rec·onˌcile·ment** → reconciliation. **ˌrec·onˌcil·i'a·tion** [-ˌsili'eiʃən] *s* **1.** Ver-, Aussöhnung *f* (to, with mit). **2.** Schlichtung *f*. **3.** Ausgleich(ung *f*) *m*, Einklang *m* (between zwischen, unter *dat*). **4.** *relig.* 'Wiederheiligung *f* (*entweihter Orte*). **ˌrec·on'cil·i·a·to·ry** [-'siliətəri] *adj* versöhnlich, Versöhnungs...
rec·on·dite ['rekənˌdait; ri'kɒn-] *adj* (*adv* ~ly) **1.** tief(gründig), ab'strus, dunkel: a ~ book. **2.** ob'skur: a ~ author. **3.** versteckt.
re·con·di·tion [ˌriːkən'diʃən] *v/t* **1.** *etwas* wieder in'stand setzen, über'holen, erneuern. **2.** a) *j-n* 'umschulen, b) *Gewohnheiten etc* ändern.
re·con·nais·sance, *a.* **re·con·nois·sance** [ri'kɒnisəns] *s* **1.** *mil.* a) Erkundung *f* (*des Geländes*), Aufklärung *f* (*gegen den Feind*): ~ in force gewaltsame Erkundung *od.* Aufklärung, b) *a.* ~ party (*od.* patrol) Spähtrupp *m*: ~ (car) Spähwagen *m*; ~ plane *aer.* Aufklärungsflugzeug *n*, Aufklärer *m*. **2.** *allg.* Erkundung *f*, *a. tech.* Unter'suchung *f*, Erforschung *f*, *geol. a.* Rekognos'zierung *f* (*e-s Geländes*).
rec·on·noi·ter, *bes. Br.* **rec·on·noi·tre** [ˌrekə'nɔitər; *Am. a.* ˌriː-] **I** *v/t* **1.** *mil. das Gelände etc* erkunden, *feindliche Stellungen etc* aufklären, auskundschaften, *den Feind* beobachten. **2.** *geol. ein Gebiet* rekognos'zieren. **3.** *fig. etwas* auskundschaften, erforschen. **II** *v/i* **4.** aufklären, rekognos'zieren. **III** *s* → reconnaissance.
re·con·quer [riː'kɒŋkər] *v/t* 'wieder-, zu'rückerobern. **re'con·quest** [-kwest] *s* 'Wieder-, Zu'rückeroberung *f*.
re·con·sid·er [ˌriːkən'sidər] *v/t* **1.** von neuem erwägen, nochmals über'legen

od. -ˈdenken, nachprüfen. **2.** *jur. pol. e-n Antrag etc* nochmals behandeln. **ˌre·conˌsid·er'a·tion** *s* nochmalige Überˈlegung *od.* Erwägung *od.* Prüfung.

re·con·stit·u·ent [*Br.* ˌriːkənˈstitjuənt; *Am.* -tʃu-] **I** *s med.* Wiederˈaufbaumittel *n*, Roborans *n*. **II** *adj bes. med.* wiederˈaufbauend.

re·con·sti·tute [riːˈkɒnstiˌtjuːt] *v/t* **1.** wiederˈeinsetzen. **2.** wiederˈherstellen, rekonstruˈieren: **~d milk** (in Wasser) gelöste Trockenmilch. **3.** neu bilden, ˈumorganiˌsieren.

re·con·struct [ˌriːkənˈstrʌkt] *v/t* **1.** wiederˈaufbauen (*a. fig. pol. etc; a. med. Gewebe etc*), wiederˈherstellen (*a. med. Organe etc*) **2.** ˈumbauen (*a. tech. neu konstruieren*). **3.** rekonstruˈieren: to **~ a past epoch**; to **~ a crime**. **4.** *fig. Am. j-n* bekehren. **ˌre·conˈstruc·tion** *s* **1.** Wiederˈaufbau *m*, -ˈherstellung *f*. **2.** a) ˈUmbau *m* (*a. tech.*), ˈUmformung *f*, b) *tech.* ˈNeukonstruktiˌon *f* (*Vorgang u. Ergebnis*), c) Reˈform *f*. **3.** Rekonstruktiˈon *f* (*e-s Verbrechens etc*). **4.** *econ.* Saˈnierung *f*, Wiederˈaufbau *m*. **5.** *R~ hist. Am.* Rekonstruktiˈon *f* (*Neuordnung der politischen Verhältnisse in den amer. Südstaaten nach dem Sezessionskrieg*). **ˌre·conˈstruc·tive** *adj* wiederˈaufbauend, Wiederaufbau...: **~ surgery** *med.* Wiederherstellungschirurgie *f*.

re·con·vene [ˌriːkənˈviːn] **I** *v/i* **1.** wieder zs.-kommen *od.* -treten. **II** *v/t* **2.** wieder sammeln. **3.** *ein Konzil etc* wieder einberufen.

re·con·ver·sion [ˌriːkənˈvɜːrʃən] *s* **1.** (ˈRück)ˌUmwandlung *f*. **2.** ˈUmstellung *f* (*bes. e-s Betriebs* auf ˈFriedensproduktiˌon *etc*). **3.** *relig.* ˈWiederbekehrung *f*. **ˌre·conˈvert I** *v/t* **1.** zuˈrückverwandeln, wieder verwandeln (into in *acc*). **2.** *e-e Industrie, e-n Betrieb* wieder auf ˈFriedensproduktiˌon ˈumstellen. **3.** *tech.* a) *e-e Maschine etc* wieder ˈumstellen, b) *metall.* nachblasen (*im Konverter etc*). **4.** *relig.* wieder bekehren. **II** *v/i* **5.** sich zuˈrückverwandeln. **6.** sich wieder ˈumstellen.

re·cord [riˈkɔːrd] **I** *v/t* **1.** schriftlich niederlegen, aufzeichnen, -schreiben: to **~ one's thoughts**. **2.** eintragen *od.* regiˈstrieren (lassen), erfassen, aufnehmen. **3.** *jur.* beurkunden, protokolˈlieren, zu Protoˈkoll *od.* zu den Akten nehmen. **4.** *fig.* aufzeichnen, festhalten, (der Nachwelt) überˈliefern. **5.** *tech. Meßwerte* regiˈstrieren, aufzeichnen (*a. Gerät*), *Computer*: *Daten* speichern. **6.** (auf Tonband, Schallplatte *etc*, *a.* photoˈgraphisch) aufnehmen *od.* festhalten, e-e Aufnahme machen von (*od. gen*): **~ed broadcast** (*Radio- od. Fernseh*)Aufzeichnung *f*. **7.** *obs. ein Lied* singen (*Vogel*). **8.** *s-e Stimme* abgeben. **9.** *obs.* bezeugen.
II *v/i* **10.** aufzeichnen (*etc* → I). **11.** sich *gut etc* aufnehmen lassen: **her voice ~s beautifully.**
III *s* **rec·ord** [*Br.* ˈrekɔːd; *Am.* -kərd] **12.** Aufzeichnung *f*, Niederschrift *f*: **on ~** a) (geschichtlich *etc*) verzeichnet *od.* nachgewiesen, schriftlich belegt, b) → 15, c) *das beste etc* aller Zeiten, bisher; **off the ~** *bes. Am.* inoffiziell, nicht für die Öffentlichkeit bestimmt; **on the ~** offiziell; **matter of ~** verbürgte Tatsache. **13.** (schriftlicher) Bericht. **14.** *a. jur.* Urkunde *f*, Dokuˈment *n*, ˈUnterlage *f*. **15.** *jur.* a) Protoˈkoll *n*, Niederschrift *f*, b) (Gerichts)Akte *f*, Aktenstück *n*: **on ~** aktenkundig, in den Akten; **on the ~ of the case** nach Aktenlage; **to go on ~** *fig. Am.* sich erklären *od.* festlegen; **to place on ~** aktenkundig machen, protokollieren; **court of ~** ordentliches Gericht; **~ office** Archiv *n*. **16.** Reˈgister *n*, Liste *f*, Verzeichnis *n*: **police** (*od.* **criminal**) **~** a) Strafregister, b) *weitS.* Vorstrafen(liste *f*) *pl* (*e-s Verbrechers*); **to have a (criminal) ~** vorbestraft sein; **to keep a ~ (of)** Buch führen (über *acc*). **17.** *a. tech.* Regiˈstrierung *f*, Aufzeichnung *f*. **18.** a) Ruf *m*, Leumund *m*, Vergangenheit *f*: **a bad ~**, b) *gute etc* Leistung(en *pl*) (*in der Vergangenheit*): **to have a brilliant ~ as an executive** hervorragende Leistungen als Geschäftsleiter vorweisen können, auf e-e brillante Karriere zurückblicken können. **19.** *fig.* Urkunde *f*, Zeugnis *n*: **to be a ~ of s.th.** etwas bezeugen. **20.** a) (Schall)Platte *f*, b) (Ton)Band *n*, c) (Band-*etc*)Aufnahme *f*, Aufzeichnung *f*: **~ changer** Plattenwechsler *m*; **~ library** Plattensammlung *f*, Diskothek *f*; **~ machine** *Am.* Musikautomat *m*. **21.** *sport, a. weitS.* Reˈkord *m*, Best-, Höchstleistung *f*: **to break** (*od.* **beat**) **the ~** den Rekord brechen; **to set (up)** *od.* **establish a ~** e-n Rekord aufstellen.
IV *adj* **rec·ord** [*Br.* ˈrekɔːd; *Am.* -kərd] **22.** *sport etc* Rekord...: **~ attendance**; **~ jump**; **~ prices**; **~ performance** *allg.* Spitzenleistung *f*; **in ~ time** in Rekordzeit.

re·cord·a·ble [riˈkɔːrdəbl] *adj* **1.** für e-e Aufnahme geeignet: **~ music. 2.** regiˈstrierbar. **3.** wert (*in e-r Aufnahme etc*) festgehalten zu werden.

ˈrec·ord-ˌbreak·ing → **record** 22.

re·cord·er [riˈkɔːrdər] *s* **1.** a) Regiˈstrator *m*, b) Archiˈvar *m*, c) Schrift-, Protoˈkollführer *m*, d) *weitS.* Chroˈnist *m*. **2.** *jur.* a) *Br.* Stadtrichter *m*, b) *Am.* (*Art*) Amtsrichter *m*. **3.** *electr. tech.* Aufnahmegerät *n*: a) Regiˈstrierappaˌrat *m*, Bild-, Kurven-, Selbstschreiber *m*: **~ chart** (*od.* **tape**) Registrierstreifen *m*, b) ˈTonˌwiedergabegerät *n*: → **tape recorder**. **4.** Blockflöte *f*. **reˈcord·ing I** *s* **1.** Aufzeichnung *f*, Regiˈstrierung *f* (*beide a. tech.*), Eintragung *f*. **2.** Protokolˈlierung *f*. **3.** *electr. tech. Radio etc*: Aufzeichnung *f*, (Ton)Aufnahme *f*. **4.** *Datenverarbeitung*: gespeicherte Informatiˈon. **II** *adj* **5.** aufzeichnend, regiˈstrierend: **~ angel** Engel, der die guten u. bösen Taten des Menschen aufzeichnet; **~ clerk** Protokoll-, Schriftführer *m*; **~ instrument** schreibendes *od.* registrierendes Meßgerät; **~ thermometer** Temperaturschreiber *m*; **~ van** Aufnahmewagen *m*.

re·count [riˈkaunt] *v/t* **1.** (im einzelnen) erzählen, eingehend berichten. **2.** aufzählen.

re-count [riːˈkaunt] **I** *v/t bes. Wahlstimmen* nachzählen. **II** *s* [*a.* ˈriːˌkaunt] nochmalige Zählung.

re·coup [riˈkuːp] *v/t* **1.** *etwas* ˈwiedergewinnen, *e-n Verlust etc* wiederˈeinbringen. **2.** *j-n* entschädigen, schadlos halten (for für): **to ~ o.s.** sich schadlos halten, sich (von e-m Verlust *etc*) erholen. **3.** *econ. jur.* einbehalten, abziehen. **reˈcoup·ment** *s* **1.** Wiederˈeinbringung *f*, ˈWiedergewinnung *f*. **2.** Entschädigung *f*, Schadloshaltung *f*. **3.** *econ. jur.* Zuˈrückbehaltung(srecht *n*) *f*.

re·course [riˈkɔːrs; *Am. a.* ˈriːkɔːrs] *s* **1.** Zuflucht *f* (to zu): **to have ~ to** s-e Zuflucht nehmen zu; **to have ~ to foul means** zu unredlichen Mitteln greifen; **to have ~ to a book** ein Buch konsultieren, in e-m Buch nachsehen. **2.** *econ. jur.* Reˈgreß *m*, Reˈkurs *m*, Ersatz-, Rückanspruch *m*: **with (without) ~** mit (ohne) Rückgriff; **liable to ~** regreßpflichtig; **right of ~** Regreß-, Rückgriffsrecht *n*.

re·cov·er [riˈkʌvər] **I** *v/t* **1.** (*a. fig. den Appetit, das Bewußtsein, die Fassung, s-e Stimme etc*) ˈwiedererlangen, -finden, *etwas* ˈwiederbekommen, zuˈrückerlangen, -erhalten, -bekommen, -gewinnen: **to ~ one's breath** wieder zu Atem kommen; **to ~ one's legs** wieder auf die Beine kommen; **to ~ land from the sea** dem Meer Land abringen. **2.** *obs.* a) *j-n* heilen (from von), b) sich erholen von, verwinden: **to ~ o.s.** → 11 *u.* 12; **to be ~ed from** wiederhergestellt sein von *e-r Krankheit*. **3.** *Verluste etc* wiederˈgutmachen, wiederˈeinbringen, wettmachen, ersetzen, *Zeit* wieder aufholen. **4.** ˈwieder-, zuˈrückerobern. **5.** ˈwiederentdecken: **to ~ a trail**; **6.** *jur.* a) *Schulden etc* ein-, beitreiben, b) *Eigentum* wieder in Besitz nehmen, c) *ein Urteil* erwirken (**against** gegen): **to ~ damages for** Schadenersatz erhalten für. **7.** *ein Fahrzeug, Schiff, e-e Raumkapsel etc* bergen, *ein Fahrzeug a.* abschleppen. **8.** *tech. aus Abfallprodukten etc* regeneˈrieren, ˈwiedergewinnen. **9.** (er)retten, befreien, erlösen (from aus, von). **10.** *fenc. mil. die Waffe* in (die) Ausgangsstellung bringen. **II** *v/i* **11.** genesen, wieder gesund werden: **he ~ed slowly. 12.** sich erholen (from, of von; *a. econ.*), *fig. a.* s-e Fassung ˈwiederfinden, sich (wieder) fangen *od.* fassen. **13.** das Bewußtsein ˈwiedererlangen, wieder zu sich kommen. **14.** *jur.* a) Recht bekommen, b) entschädigt werden, sich schadlos halten: **to ~ in one's (law)suit** s-n Prozeß gewinnen, obsiegen. **15.** *sport* in die Ausgangsstellung zuˈrückgehen. **III** *s* **16.** → **recovery** 9 a.

re-cov·er [riːˈkʌvər] *v/t* wieder bedecken, *bes. e-n Schirm, Sessel etc* neu beziehen.

re·cov·er·a·ble [riˈkʌvərəbl] *adj* **1.** ˈwiedererlangbar. **2.** wiederˈgutzumachen(d). **3.** *jur.* ein-, beitreibbar (*Schuld*). **4.** wiederˈherstellbar. **5.** *tech.* regeneˈrierbar.

re·cov·er·y [riˈkʌvəri] *s* **1.** (Zu)ˈRück-, ˈWiedererlangung *f*, -gewinnung *f*: **past** (*od.* **beyond**) **~** unwiederbringlich (verloren) (→ 7). **2.** *jur.* a) Ein-, Beitreibung *f* (*e-r Forderung etc*), b) *meist* **~ of damages** (Erlangung *f* von) Schadenersatz *m*. **3.** *tech.* Rückgewinnung *f*. **4.** ˈWiederentdeckung *f* (*e-r Spur etc*). **5.** *mar. etc* Bergung *f*, Rettung *f*: **~ vehicle** *mot.* Bergungsfahrzeug *n*. **6.** *fig.* Rettung *f*, Bekehrung *f* (*e-s Sünders etc*). **7.** Genesung *f*, Gesundung *f*, Erholung *f* (*a. econ.*), (*gesundheitliche*) Wiederˈherstellung: **to be past** (*od.* **beyond**) **~** unheilbar krank sein, hoffnungslos daniederliegen (→ 1); **~ time** *electr.* Erholzeit *f* (*e-s Transistors etc*), Umschaltzeit *f* (*e-r Diode etc*). **8.** Sich-ˈFangen *n*, ˈWiedergewinnung *f* des Gleichgewichts *od.* der norˈmalen Haltung. **9.** *sport* a) *fenc. etc* Zuˈrückgehen *n* in die Ausgangsstellung, b) *Golf etc*: Erholung *f* (*befreiender Schlag*).

rec·re·an·cy [ˈrekriənsi] *s* **1.** Feigheit *f*.

2. Abtrünnigkeit *f*, Falschheit *f*. '**rec·re·ant I** *adj* (*adv* ~ly) 1. feig(e), verzagt. 2. abtrünnig, treulos. **II** *s* 3. Feigling *m*, Memme *f*. 4. Abtrünnige(r *m*) *f*, Verräter(in).

rec·re·ate ['rekri,eit] **I** *v/t* 1. erquicken, erfrischen, *j-m* Erholung *od*. Entspannung gewähren. 2. erheitern, unter'halten, (*zur Erholung*) ablenken. 3. ~ o.s. a) ausspannen, sich erholen, b) sich erfrischen, c) sich ergötzen *od*. unter'halten: to ~ o.s. with games sich durch Sport Erholung schaffen. **II** *v/i* → 3.

re-cre·ate [,ri:kri'eit] *v/t* neu *od*. wieder (er)schaffen.

rec·re·a·tion [,rekri'eiʃən] *s* 1. Erholung *f*, Aus-, Entspannung *f*, Erfrischung *f*, Unter'haltung *f*, Belustigung *f*: ~ room Aufenthaltsraum *m*. 2. Spiel *n*, Sport *m*: ~ ground Spiel-, Sportplatz *m*. ,**rec·re'a·tion·al** *adj* Erholungs..., Entspannungs..., der Erholung dienend, *Ort etc* der Erholung, Freizeit...: ~ activities Freizeitgestaltung *f*; ~ reading Entspannungslektüre *f*. '**rec·re,a·tive** *adj* 1. erholsam, entspannend, erfrischend. 2. unter'haltend, amü'sant.

re·crim·i·nate [ri'krimi,neit] *v/i u. v/t* Gegenbeschuldigungen vorbringen (gegen). **re,crim·i'na·tion** *s* Gegenbeschuldigung *f*. **re'crim·i,na·tive** [-,neitiv], **re'crim·i·na·to·ry** [-nətəri] *adj* e-e Gegenbeschuldigung darstellend *od*. enthaltend.

re·cru·desce [,ri:kru:'des] *v/i* 1. wieder aufbrechen (*Wunde*). 2. sich wieder verschlimmern (*Zustand*). 3. *fig*. a) wieder'ausbrechen *od*. -'aufflackern (*latentes Übel etc*), b) wieder'aufleben. ,**re·cru'des·cence** *s* 1. Wieder'aufbrechen *n* (*e-r Wunde etc*). 2. neuerliche Verschlimmerung, Rückfall *m*. 3. *fig*. a) Wieder'ausbrechen *n* (*e-s Übels*), b) Wieder'aufleben *n*. ,**re·cru'des·cent** *adj* wieder'aufbrechend *etc*.

re·cruit [ri'kru:t] **I** *s* 1. *mil*. a) Re'krut *m*, b) (*seit 1948*) *niedrigster Dienstrang in der US Armee*. 2. neues Mitglied. 3. *a. contp*. Anfänger(in), Neuling *m*. 4. *obs*. a) Verstärkung *f* (*a. mil. obs*.), b) Zuwachs *m*. **II** *v/t* 5. *mil*. rekru'tieren: a) *Rekruten* ausheben, einziehen, b) anwerben, c) *e-e Einheit* ergänzen, verstärken, *a*. aufstellen: to ~ a regiment; to be ~ed from sich rekrutieren aus, *fig. a*. sich zs.-setzen *od*. ergänzen aus. 6. *Leute* her'anziehen, rekru'tieren: to ~ labo(u)r. 7. *den Vorrat etc* wieder auffüllen *od*. -frischen, ergänzen. 8. (wieder) versorgen (with mit). 9. (o.s. sich) stärken, erquicken. 10. *j-n*, *j-s Gesundheit* wieder'herstellen. **III** *v/i* 11. *mil*. Re'kruten ausheben *od*. anwerben. 12. sich erholen, neue Kräfte sammeln. **re'cruit·al** *s* Erholung *f*, Wieder'herstellung. **re'cruit·ing** *mil*. **I** *s* 1. Rekru'tierung *f*, Ausheben *n*, (An)Werben *n*: ~ and replacement (administration) Wehrersatzverwaltung *f*. 2. perso'nelle Ergänzung (*e-r Einheit etc*). **II** *adj* 3. Werbe..., Rekrutierungs...: ~ office Ersatzdienst-, Rekrutierungsstelle *f*; ~ officer Werbeoffizier *m*. **re'cruit·ment** *s* 1. Verstärkung *f*, Auffrischung *f*. 2. *mil*. Rekru'tierung *f*. 3. Stärkung *f*, Erholung *f*.

rec·tal ['rektəl] *adj* (*adv* ~ly) *anat*. rek'tal: ~ syringe Klistierspritze *f*.

rec·tan·gle ['rek,tæŋgl] *s math*. Rechteck *n*.

rec·tan·gu·lar [rek'tæŋgjulər] *adj math*. a) rechteckig, b) rechtwink(e)lig: ~ co-ordinates rechtwink(e)lige Koordinaten; ~ hyperbola gleichseitige Hyperbel.

rec·ti·fi·a·ble ['rekti,faiəbl] *adj* 1. zu berichtigen(d), korri'gierbar: a ~ error. 2. *chem. math. tech*. rektifi'zierbar. 3. *electr*. gleichrichtbar. ,**rec·ti·fi'ca·tion** [-fi'keiʃən] *s* 1. Berichtigung *f*, Korrek'tur *f*, Richtigstellung *f*. 2. *tech*. Korrek'tur *f*, (Null)Eichung *f*, richtige Einstellung (*e-s Instruments etc*). 3. Beseitigung *f*, Behebung *f* (*e-s Übels etc*). 4. *chem. math*. Rektifikati'on *f*. 5. *electr*. Gleichrichtung *f*. 6. *phot*. Entzerrung *f*. '**rec·ti,fi·er** [-,faiər] *s* 1. Berichtiger *m*. 2. *chem. tech*. Rektifi'zierappa,rat *m*. 3. *electr*. Gleichrichter *m*. 4. *phot*. Entzerrungsgerät *n*.

rec·ti·fy ['rekti,fai] *v/t* 1. berichtigen, korri'gieren, richtigstellen. 2. rektifi'zieren: a) *chem*. destil'lieren: to ~ spirit, b) *math*. die Länge berechnen (*gen*): to ~ an arc (a curve). 3. *electr*. gleichrichten.

rec·ti·lin·e·ar [,rekti'liniər], *a*. ,**rec·ti'lin·e·al** [-əl] *adj* (*adv* ~ly) geradlinig.

rec·ti·tude ['rekti,tju:d] *s* 1. (*charakterliche*) Geradheit, Redlichkeit *f*, Rechtschaffenheit *f*, Aufrichtigkeit *f*. 2. Kor'rektheit *f*: ~ of judg(e)ment.

rec·to ['rektou] *pl* **-tos** *s* 1. *print*. Schauseite *f*, rechte Seite (*e-s Buchs*). 2. Vorderseite *f* (*der Buchdecke*).

rec·tor ['rektər] *s* 1. *relig*. Pfarrer *m*: a) *anglikanische Kirche*: *Inhaber der Pfarre, der im Vollgenuß der Pfründe steht*, b) *allg. geistliches Oberhaupt der Kirchengemeinde*, 2. *univ*. Rektor *m* (*bes. in Deutschland*). 3. *Scot*. a) ('Schul)Di,rektor *m*, b) *meist* Lord R~ *ehrenamtlicher Präsident des* University Court *an Universitäten*. '**rec·tor·ate** [-rit] *s* 1. Rekto'rat *n* (*Amt od. Amtszeit e-s Rektors*). 2. *relig*. a) Pfarrstelle *f*, b) Amt *n od*. Amtszeit *f* e-s Pfarrers. **rec'to·ri·al** [-'tɔ:riəl] *adj* 1. *relig*. Pfarr... 2. *univ*. Rektorats... '**rec·tor,ship** → rectorate. '**rec·to·ry** [-təri] *s* Pfar'rei *f*, Pfarre *f*: a) Pfarrhaus *n*, b) *Br*. Pfarrstelle *f*, c) Kirchspiel *n*.

rec·tot·o·my [rek'tɒtəmi] *s med*. Mastdarmschnitt *m*, Rektoto'mie *f*.

rec·trix ['rektriks] *pl* **-tri·ces** [-'traisi:z] *s orn*. Schwanzfeder *f*.

rec·tum ['rektəm] *pl* **-ta** [-tə] *s anat*. Mastdarm *m*, Rektum *n*.

re·cum·ben·cy [ri'kʌmbənsi] *s* 1. liegende Stellung, Liegen *n*. 2. *fig*. Ruhe(lage, -stellung) *f*. **re'cum·bent** *adj* (*adv* ~ly) 1. (sich zu'rück)lehnend, liegend, *a. fig*. ruhend. 2. *fig*. untätig. 3. *bot. zo*. (zu'rück-, an)liegend: ~ hairs.

re·cu·per·ate [ri'kju:pə,reit] **I** *v/i* sich erholen (*a. fig*.). **II** *v/t j-n* wieder'herstellen, ‚wieder auf die Beine bringen'. **re,cu·per'a·tion** *s* Erholung *f* (*a. fig*.). **re'cu·per·a·tive** [-rətiv; -,reitiv] *adj* 1. stärkend, kräftigend. 2. Erholungs...: ~ capacity Erholungsfähigkeit *f*. **re'cu·per,a·tor** [-,reitər] *s tech*. 1. Rekupe'rator *m* (*Feuerungseinrichtung*). 2. Vorholer *m*: ~ spring Vorholfeder *f*.

re·cur [ri'kə:r] *v/i* 1. 'wiederkehren, sich wieder'holen, wieder'auftreten (*Ereignis, Erscheinung etc*): ~ring disease wiederkehrende Krankheit. 2. *fig*. (*in Gedanken, im Gespräch*) zu'rückkommen (to auf *acc*). 3. *fig*. 'wiederkehren (*Gedanken*). 4. *fig*. zu'rückgreifen (to auf *acc*). 5. *math*. (peri'odisch) 'wiederkehren: ~ring curve; ~ring decimal periodische Dezimalzahl; ~ring continued fraction (unendlicher) periodischer (Dezimal)Bruch. **re·cur·rence** [*Br*. ri'kʌrəns; *Am*. -'kə:r-] *s* 1. 'Wiederkehr *f*, Wieder'auftreten *n*. 2. Zu'rückgreifen *n* (to auf *acc*). 3. *fig*. Zu'rückkommen *n* (*im Gespräch etc*) (to auf *acc*). 4. Wieder'auftauchen *n* (*e-s Problems etc*). 5. *math*. Rekursi'on *f*. **re'cur·rent** *adj* (*adv* ~ly) 1. 'wiederkehrend, sich wieder'holend. 2. peri'odisch auftretend *od*. 'wiederkehrend: ~ fever *med*. Rückfallfieber *n*. 3. *anat. bot*. rückläufig. 4. *math*. peri'odisch.

re·cur·vate [ri'kə:rvit; -veit] *adj* zu'rückgebogen.

rec·u·san·cy ['rekjuzənsi; ri'kju:-] *s* 1. *relig. hist*. Reku'santentum *n* (*Ablehnung der anglikanischen Kirche*). 2. Aufsässigkeit *f*. '**rec·u·sant I** *adj* 1. *relig. hist*. dissen'tierend, die angli'kanische Kirche ablehnend. 2. aufsässig. **II** *s* 3. *relig. hist*. Reku'sant(in).

red [red] **I** *adj* 1. rot (*von roter Farbe*): → rag[1] 1. 2. rot, (*von Durchblutung*) gerötet: ~ with fury rot vor Wut. 3. rot(glühend). 4. rot(haarig). 5. *zo*. rot (*mit rotem Fell*), *bes*. fuchsfarben *od*. ka'stanienbraun. 6. rot(häutig). 7. blutbefleckt: with ~ hands. 8. *fig*. blutig: a ~ battle. 9. *oft* R~ *pol*. rot: a) revolutio'när, anar'chistisch, b) kommu'nistisch, c) so'wjetisch, bolsche'wistisch: R~ Army Rote Armee. 10. *Br*. britisch (*die auf brit. Landkarten gewöhnlich rot markierten brit. Gebiete betreffend*).

II *s* 11. Rot *n* (*rote Farbe, roter Farbstoff*): to see ~ *fig*. ‚rotsehen' (*wütend werden*). 12. Rot *n* (*rote Kleidung*): dressed in ~ rot *od*. in Rot gekleidet. 13. Rot *n*, Rouge *n* (*beim Roulettespiel etc*). 14. the ~ (*Billard*) der rote Ball. 15. (*der*) Rote, Rothaut *f* (*Indianer*). 16. *oft* R~ *pol*. Rote(r *m*) *f*: a) Revolutio'när(in), Anar'chist(in), b) Kommu'nist(in), c) Bolsche'wist(in), d) (So'wjet)Russe *m*. 17. *econ. Am*. a) (*für die Buchung von Defiziten gebrauchte*) rote Tinte, b) the ~ die Schulden- *od*. Debetseite (*e-s Kontos*), c) *fig*. Verlust *m*, Defizit *n*, Schulden *pl*: to be in the ~ ‚in der Kreide stehen', Schulden haben; to be out of the ~ aus den Schulden heraus sein.

re·dact [ri'dækt] *v/t* 1. redi'gieren, her'ausgeben. 2. *e-e Erklärung etc* abfassen. **re'dac·tion** *s* 1. Redakti'on *f*, Her'ausgabe *f*. 2. (Ab)Fassung *f*. 3. Neubearbeitung *f*. **re'dac·tor** [-tər] *s* 1. Her'ausgeber *m*. 2. Verfasser *m*.

red| ad·mi·ral *s zo*. Admi'ral *m* (*Schmetterling*). ~ **al·gae** *s pl bot*. Rotalgen *pl*.

re·dan [ri'dæn] *s mil*. Re'dan *m*, Flèche *f*, Pfeilschanze *f*.

red| ant *s zo*. Rote Waldameise. ~ **ash** *s bot*. Rotesche *f*. '~,**bait·er** *s Am. sl*. Kommu'nistenhasser(in). '~,**bait·ing** *s Am. sl*. Kesseltreiben *n* gegen Kommu'nisten, Kommu'nistenhetze *f*. ~ **bark** *s* rote Chinarinde. ~ **blind·ness** *s med*. Rotblindheit *f*, Protano'pie *f*. '~-'**blood·ed** *adj fig*. lebensprühend, e'nergisch, vi'tal, feurig: a ~ man; a ~ story e-e lebensprühende Geschichte. **R~ Book** *s* 1. 'Adelska,lender *m*. 2. *pol*. Rotbuch *n*. '~,**breast** *s* 1. *orn*. Rotkehlchen *n*. 2. → red-breasted bream. '~-,**breast·ed bream** *s ichth*. Sonnenfisch *m*. '~,**brick u·ni·ver·si·ty** *s* neuzeitliche (*später als Oxford u. Cambridge gegründete*) Universi'tät. '~-

ˌ**bud** *s bot.* Judasbaum *m.* ~ **cab·bage** *s bot.* Rotkohl *m*, Rot-, Blaukraut *n.* ˈ~ˌ**cap** *s* **1.** ‚Rotkäppchen' *n*: a) *Br. sl.* Miliˈtärpoliˌzist *m*, b) *Am.* (Bahnhofs)-Gepäckträger *m.* **2.** *orn.* Stieglitz *m*, Distelfink *m.* ~ **car·pet** *s* (*bei Empfängen ausgelegter*) roter Teppich: ~ reception (*od.* treatment) ‚großer Bahnhof'. ~ **clo·ver** *s bot.* Rotklee *m.* ˈ~ˌ**coat** *s hist.* Rotrock *m* (*brit. Soldat*). ~ **cor·al** *s zo.* ˈEdelkoˌralle *f.* ~ **cross** *s* **1.** R~ C~ Rotes Kreuz: a) *internationale Sanitätsdienstorganisation*, b) *ihr Abzeichen.* **2.** rotes Kreuz: a) Genfer Kreuz *n*, b) Georgskreuz *n* (*Wahrzeichen Englands*). **3.** R~ C~ *hist.* a) Kreuzritter *pl*, b) (*das von den Kreuzfahrern vertretene*) Christentum. ~ **cur·rant** *s bot.* Rote Joˈhannisbeere.

redd [red] *v/t Am. od. Scot.* **1.** *oft* ~ up aufräumen, in Ordnung bringen. **2.** *fig. e-e Sache* bereinigen.

red deer *s zo.* **1.** Edel-, Rothirsch *m.* **2.** Virˈginiahirsch *m* im Sommerkleid.

red·den [ˈredn] **I** *v/t* röten, rot färben. **II** *v/i* rot werden: a) sich röten, b) erröten (at über *acc*; with vor *dat*).

red·den·dum [riˈdendəm] *pl* **-da** [-də] *s jur.* Vorbehaltsklausel *f.*

red·der [ˈredər] *comp von* red.

red·dest [ˈredist] *sup von* red.

red·dish [ˈrediʃ] *adj* rötlich.

red·dle [ˈredl] → raddle.

rede [riːd] *poet. od. dial.* **I** *v/t* **1.** *j-m* raten (to do zu tun). **2.** *e-n Traum* deuten, *ein Rätsel* lösen. **II** *s* **3.** Rat *m.* **4.** Plan *m.* **5.** Geschichte *f.* **6.** Lösung *f* (*e-s Rätsels*), Deutung *f* (*e-s Traums*).

re·dec·o·rate [riːˈdekəˌreit] *v/t ein Zimmer etc* renoˈvieren, neu streichen. ˌ**re·dec·oˈra·tion** *s* Renoˈvierung *f.*

re·deem [riˈdiːm] *v/t* **1.** *e-e Verpflichtung* abzahlen, ablösen, amortiˈsieren, tilgen: to ~ a mortgage. **2.** zuˈrückkaufen. **3.** *econ. ein Staatspapier* auslosen. **4.** *ein Pfand* einlösen: to ~ a pawned watch. **5.** *Gefangene etc* los-, freikaufen. **6.** *ein Versprechen* erfüllen, einlösen, *e-r Verpflichtung* nachkommen. **7.** *e-n Fehler etc* wiederˈgutmachen, *e-e Sünde* abbüßen. **8.** *e-e schlechte Eigenschaft* aufwiegen, wettmachen, versöhnen mit: ~ing feature a) versöhnender Zug, b) ausgleichendes Moment. **9.** *s-e Ehre, Rechte* ˈwiedererlangen, wiederˈherstellen: to ~ one's hono(u)r. **10.** bewahren (from vor *dat*). **11.** (er)retten. **12.** befreien (from von). **13.** *bes. relig.* erlösen (from von). **14.** *verlorene Zeit* wettmachen. **reˈdeem·a·ble** *adj* (*adv* redeemably) **1.** a) abzahlbar, ablösbar, tilgbar, b) abzuzahlen(d), zu tilgen(d): ~ bonds kündbare Obligationen; ~ loan Tilgungsdarlehen *n.* **2.** zuˈrückkaufbar. **3.** *econ.* auslosbar (*Staatspapier*). **4.** einlösbar (*Pfand, a. Versprechen etc*). **5.** wiederˈgutzumachen(d) (*Fehler*), abzubüßen(d) (*Sünde*). **6.** ˈwiedererlangbar, wiederˈherstellbar: ~ rights. **7.** *bes. relig.* erlösbar.

reˈdeem·er *s* **1.** Einlöser(in) (*e-s Pfandes etc*). **2.** (Er)Retter(in), Befreier(in): the R~ *relig.* der Erlöser, der Heiland.

re·de·liv·er [ˌriːdiˈlivər] *v/t* **1.** *j-n* wieder befreien. **2.** *etwas* zuˈrückgeben. **3.** wieder aushändigen *od.* ausliefern, rückliefern.

re·demp·tion [riˈdempʃən] *s* **1.** Abzahlung *f*, Ablösung *f*, Tilgung *f*, Amortisatiˈon *f* (*e-r Schuld etc*): ~ fund *Am.* Tilgungsfonds *m*; ~ loan Ablösungsanleihe *f*, Tilgungsdarlehen *n*; ~ reserve Tilgungsrücklage *f*; ~ value Rückkaufs-, Tilgungswert *m.* **2.** Rückkauf *m.* **3.** Einkauf *m* (*Erwerb e-s Privilegs etc durch Kauf*). **4.** *econ.* a) Einlösbarkeit *f* (*von Banknoten*), b) Auslosung *f* (*von Staatspapieren*). **5.** Einlösung *f* (*e-s Pfandes*). **6.** Los-, Freikauf *m* (*e-r Geisel etc*). **7.** Einlösung *f* (*e-s Versprechens*). **8.** Wiederˈgutmachung *f* (*e-s Fehlers*), Abbüßung *f* (*e-r Sünde*). **9.** a) Wettmachen *n* (*e-s Nachteils*), Ausgleich *m* (of für), Versöhnung *f* (of mit *e-m schlechten Zug*), b) versöhnender Zug. **10.** ˈWiedererlangung *f*, Wiederˈherstellung *f* (*e-s Rechts etc*). **11.** Bewahrung *f*, (Er)-Rettung *f*, Befreiung *f* (from von): past ~, beyond ~ hoffnungslos *od.* rettungslos (verloren). **12.** *relig.* Erlösung *f*: in the year of our ~ 1648 im Jahre des Heils 1648.

re·demp·tion·er [riˈdempʃənər] *s hist.* Auslösling *m* (*europäischer Einwanderer in Amerika, der s-e Überfahrt nicht bezahlen konnte u. die Summe dann in Amerika abdiente*).

re·demp·tive [riˈdemptiv] *adj relig.* erlösend, Erlösungs...

Red En·sign *s die brit. Handelsflagge.*

re·de·ploy [ˌriːdiˈplɔi] *v/t* **1.** *bes. mil.* ˈumgrupˌpieren. **2.** *mil., a. econ.* verlegen. ˌ**re·deˈploy·ment** *s* **1.** *mil.* ˈUmgrupˌpierung *f* (*a. sport etc*), (Truppen)Verschiebung *f.* **2.** *mil., a. econ.* Verlegung *f.*

re·de·pos·it [ˌriːdiˈpɒzit] **I** *v/t* **1.** wieder depoˈnieren. **2.** *Geld* wieder einzahlen. **II** *s* **3.** neuerliche Depoˈnierung. **4.** Wiederˈeinzahlung *f.*

re·de·sign [ˌriːdiˈzain] *v/t* **1.** ˈumgestalten. **2.** ˈumkonstruˌieren, ˈumbauen.

re·de·vel·op·ment [ˌriːdiˈveləpmənt] *s* **1.** ˈWieder-, Neuentwicklung *f.* **2.** *phot.* Nachentwicklung *f.* **3.** *arch.* bauliche Neugestaltung (*nach Abbruch*).

ˈ**red|-ˌeye** *s Am. sl.* ‚Fusel' *m* (*billiger Whisky*). ˈ~-ˈ**eyed** *adj* **1.** *zo.* rotäugig (*bes. Vogel*). **2.** mit geröteten (*bes.* rotgeweinten) Augen. ~ **fir** *s bot. mehrere amer. Tannen, bes.* a) Prachttanne *f*, b) Douglastanne *f.* ~ **flag** *s* **1.** rote Fahne (*als Symbol der Revolution od. des Marxismus*) **2.** rote Siˈgnal- *od.* Warnungsflagge. ~ **fox** *s zo.* Rotfuchs *m.* ~ **grouse** *s orn.* Schottisches Moor-, Schneehuhn. ~ **gum** *s* **1.** *bot.* a) (*ein*) austral. Eukaˈlyptus(baum) *m*, *bes.* ˈRieseneukaˌlyptus *m*, b) Amer. Amberbaum *m.* **2.** a) Eukaˈlyptusholz *n*, b) Amberbaumholz *n.* **3.** getrockneter Eukaˈlyptussaft. ˈ~-ˈ**hand·ed** *adj*: to take s.o. ~ j-n auf frischer Tat ertappen. ~ **hat** *s* a) Kardiˈnalshut *m*, b) (*Spitzname für*) Kardiˈnal *m.* ~ **heat** *s* Rotglut *f.* ~ **her·ring** *s* **1.** Bückling *m.* **2.** *fig.* a) ˈAblenkungsmaˌnöver *n*, Finte *f*, b) falsche Spur *od.* Fährte: to draw a ~ across the path ein Ablenkungsmanöver durchführen, (*zur Irreführung*) e-e falsche Spur zurücklassen.

red·hi·bi·tion [ˌredhiˈbiʃən] *s jur.* Wandlung *f* (beim Kauf). **redˈhib·i·to·ry** [*Br.* -bitəri; *Am.* -bəˌtɔːri] *adj* Wandlungs...: ~ action Wandlungsklage *f*; ~ defect Fehler *m* der Sache beim Kauf.

ˈ**red|-ˈhot** *adj* **1.** rotglühend. **2.** *fig.* hitzig, jähzornig, wild. **3.** *fig.* allerneuest(er, e, es): ~ news. **R~ In·di·an** *s* (*bes.* nordamer.) Indiˈaner(in).

red·in·gote [ˈrediŋˌgout] *s* Redinˈgote *f* (*langer Überrock od. Damenmantel*).

red ink *s* **1.** rote Tinte. **2.** *fig.* → red 17.

red·in·te·grate [reˈdintiˌgreit] *v/t* **1.** wiederˈherstellen. **2.** erneuern. **red·ˌin·teˈgra·tion** *s* **1.** Wiederˈherstellung *f.* **2.** Erneuerung *f.*

re·di·rect [ˌriːdəˈrekt; -di-; -dai-] **I** *v/t* **1.** *e-n Brief etc* ˈumadresˌsieren *od.* nachsenden. **2.** e-e neue Richtung geben (*dat*), ˈumstellen (to auf *acc*). **II** *adj* **3.** ~ examination *jur. Am.* abermalige Vernehmung e-s Zeugen (*durch die ihn nennende Partei*) nach dem Kreuzverhör. ˌ**re·diˈrec·tion** *s* ˈUmadresˌsierung *f.*

red i·ron ore *s min.* Roteisenstein *m.*

re·dis·count [riːˈdiskaunt] *econ.* **I** *v/t* **1.** rediskonˈtieren. **II** *s* **2.** Rediskonˈtierung *f* (*e-s Wechsel etc*). **3.** Redisˈkont *m*: ~ rate *Am.* Rediskontsatz *m.* **4.** rediskonˈtierter Wechsel.

re·dis·cov·er [ˌriːdisˈkʌvər] *v/t* ˈwiederentdecken. ˌ**re·disˈcov·er·y** *s* ˈWiederentdeckung *f.*

re·dis·trib·ute [ˌriːdisˈtribjuːt] *v/t* **1.** neu verteilen. **2.** wieder verteilen. ˌ**re·dis·triˈbu·tion** [-ˈbjuːʃən] *s* Neuverteilung *f.*

red| lane *s colloq.* Speiseröhre *f*: to go down the ~ ‚in den Magen wandern'. ˈ~-ˈ**lat·tice** *adj hist.* **1.** Wirtshaus... **2.** ordiˈnär. ~ **lead** [led] *s chem.* Mennige *f.* ~ **lead ore** [led] *s min.* Rotbleierz *n.* ˈ~-ˈ**let·ter day** *s* **1.** Festtag *m.* **2.** *fig.* Freuden-, Glückstag *m*, denkwürdiger Tag. ~ **light** *s* **1.** rotes Licht (*als Warnungs-, Gefahren- od. Haltesignal*). **2.** *fig.* ˈWarnsiˌgnal *n.* ˈ~-ˈ**light dis·trict** *s* Borˈdellviertel *n.* ~ **man** *s* Rothaut *f*, Indiˈaner *m.* ~ **ma·ple** *s bot. Am.* Rot-Ahorn *m.* ~ **meat** *s* rotes Fleisch (*vom Rind u. Schaf*).

red·ness [ˈrednis] *s* **1.** Röte *f.* **2.** Rötung *f.*

re·do [riːˈduː] *v/t irr* **1.** nochmals tun *od.* machen. **2.** nochmals richten *etc*: to ~ one's hair sich nochmals frisieren.

red oak *s bot.* **1.** Roteiche *f.* **2.** Färbereiche *f.* **3.** Texas-Eiche *f.* **4.** Roteichenholz *n.*

red·o·lence [ˈredələns; -do-] *s* **1.** Duft *m*, Wohlgeruch *m.* **2.** *fig.* Anklang *m*, Erinnerung *f.* ˈ**red·o·lent** *adj* **1.** duftend (of, with nach). **2.** to be ~ of *fig. etwas* atmen, stark gemahnen an (*acc*), umwittert sein von.

re·dou·ble [riːˈdʌbl] **I** *v/t* **1.** verdoppeln: to ~ one's efforts. **2.** *e-n Schlag etc* wiederˈholen. **3.** *Bridge*: *dem Gegner* Reˈkontra geben. **4.** nochmals falten. **II** *v/i* **5.** sich verdoppeln. **6.** *Bridge*: Reˈkontra geben. **III** *s* **7.** *Bridge*: Reˈkontra *n.*

re·doubt [riˈdaut] *s mil.* **1.** Reˈdoute *f.* **2.** Schanze *f.* **reˈdoubt·a·ble** *adj* (*adv* redoubtably) *rhet. od. iro.* **1.** furchtbar, schrecklich. **2.** gewaltig, reˈspekteinflößend.

re·dound [riˈdaund] *v/i* **1.** ausschlagen *od.* gereichen (to zu *j-s Ehre, Vorteil etc*): it will ~ to our advantage. **2.** zuˈteil werden *od.* zufallen *od.* erwachsen (to, unto *dat*; from aus). **3.** zuˈrückfallen, -wirken (upon auf *acc*).

red| pen·cil *s* Rotstift *m.* ˈ~-ˌ**pen·cil** *v/t* **1.** *e-n Fehler etc* rot anstreichen. **2.** mit dem Rotstift über *e-n Text* gehen, korriˈgieren. ~ **pep·per** *s bot.* **1.** → cayenne (pepper). **2.** Ziegenpfeffer *m.*

re·draft **I** *s* [*Br.* ˈriːˌdrɑːft; *Am.* -ˌdræ(ː)ft] **1.** neuer Entwurf. **2.** *econ.* Rück-, Riˈkambiowechsel *m.* **II** *v/t* [riːˈd-] → redraw I.

re·draw [riːˈdrɔː] **I** *v/t irr* neu entwerfen. **II** *v/i econ.* zuˈrücktrasˌsieren (on, upon auf *acc*).

re·dress [riˈdres] **I** *v/t* **1.** *ein Unrecht* wiederˈgutmachen, *e-n Schaden* beheben: to ~ a wrong. **2.** *e-n Übelstand* abschaffen, beseitigen, *e-r Sache, e-m Leiden etc* abhelfen. **3.** *das Gleichgewicht etc* wieder'herstellen (*a. fig.*): to ~ the balance. **4.** *das Flugzeug* wieder aufrichten. **5.** *j-n* entschädigen. **II** *s* [*Am. a.* 'ri:dres] **6.** Wieder'gutmachung *f* (*e-s Unrechts, Fehlers etc*), Abhilfe *f* (*a. jur.*): legal ~ Rechtshilfe *f*; to obtain ~ from s.o. gegen j-n Regreß nehmen. **7.** Abschaffung *f*, Beseitigung *f*, Behebung *f* (*e-s Übelstandes*). **8.** Entschädigung *f* (for für).

re-dress [ri:'dres] **I** *v/t* **1.** wieder anziehen *od.* ankleiden. **2.** von neuem zurichten. **3.** *e-e Wunde* neu verbinden. **II** *v/i* **4.** sich wieder anziehen.

red| rib·bon *s* rotes Band (*des Bathordens*). **R~ Rose** *s hist.* Rote Rose: a) *das Haus Lancaster*, b) *sein Wahrzeichen.* ~ **san·dal·wood,** ~ **san·ders** *s bot.* rotes Sandelholz. **R~ Sea** *s* Rotes Meer. '~-'**short** *adj* rotbrüchig (*Eisen*). '~,**skin** *s* Rothaut *f* (*Indianer*). ~ **snow** *s* blutiger *od.* roter Schnee (*gefärbt durch e-e Blutalge*). ~ **spi·der** *s zo.* Blattspinnmilbe *f*, Rote Spinne. '~,**start** *s orn.* Rotschwänzchen *n.* ~ **tape** *s fig.* Amtsschimmel *m*, Büro-kra'tismus *m*, Pa'pierkrieg *m.* '~-,**tape** *adj* büro'kratisch. ,~-'**tap·ism** *s* Büro-kra'tismus *m.* ,~-'**tap·ist** *s* Büro-'krat(in).

re·duce [ri'dju:s] *v/t* **1.** her'absetzen, vermindern, -ringern, -kleinern, redu'zieren: ~d scale verjüngter Maßstab; on a ~d scale in verkleinertem Maßstab. **2.** *Preise* her'absetzen, ermäßigen: to sell at ~d prices zu herabgesetzten Preisen verkaufen; at a ~d fare zu ermäßigtem Fahrpreis. **3.** *im Rang, Wert etc* her'absetzen, -mindern, erniedrigen. **4.** *a.* ~ to the ranks *mil.* degra'dieren. **5.** schwächen, erschöpfen. **6.** (*finanziell*) erschüttern: → circumstance 3. **7.** (to) verwandeln (in *acc*, zu), machen (zu): to ~ kernels Kerne zermahlen *od.* zerstampfen *od.* zerkleinern; to ~ to a heap of rubble in e-n Schutthaufen verwandeln; ~d to a skeleton zum Skelett abgemagert; → pulp 5. **8.** bringen (to zu, in *acc*): to ~ to a form in e-e Form bringen; to ~ to a system in ein System bringen; to ~ to rules in Regeln fassen; to ~ to writing schriftlich niederlegen; to ~ theories into practice Theorien in die Praxis umsetzen. **9.** zu'rückführen, redu'zieren (to auf *acc*): to ~ to absurdity ad absurdum führen. **10.** zerlegen (to in *acc*). **11.** einteilen (to in *acc*). **12.** anpassen (to *dat od.* an *acc*). **13.** *chem. math.* redu'zieren: to ~ an equation e-e Gleichung auflösen; to ~ a fraction e-n Bruch reduzieren *od.* kürzen; to ~ to a common denominator auf e-n gemeinsamen Nenner bringen. **14.** *metall.* (aus)schmelzen (from aus). **15.** zwingen (to do zu tun), *zur Verzweiflung etc* bringen: to ~ to despair; to ~ to obedience zum Gehorsam zwingen, kirre machen; to ~ s.o. to poverty j-n an den Bettelstab bringen; he was ~d to sell(ing) his house er war gezwungen, sein Haus zu verkaufen; ~d to tears zu Tränen gerührt. **16.** unter'werfen, besiegen, erobern. **17.** beschränken (to auf *acc*). **18.** *Farben etc* verdünnen. **19.** *phot. ein Negativ etc* abschwächen. **20.** *Beobachtungen* redu'zieren (*auswerten*). **21.** *biol. e-e Zelle* redu'zieren. **22.** *med.* einrenken, (wieder) einrichten. **23.** *das Körpergewicht* verringern, schlank machen. **II** *v/i* **24.** (*an Gewicht*) abnehmen, e-e Abmagerungskur machen. **25.** *biol.* sich unter Chromo'somen-Redukti,on teilen.

re·duc·er [ri'dju:sər] *s* **1.** Verminderer *m*, Her'absetzer *m.* **2.** *chem.* Redukti'onsmittel *n.* **3.** *phot.* a) Abschwächer *m*, b) Entwickler *m.* **4.** *pharm.* Schlankheitsmittel *n.* **5.** *tech.* a) Redu'ziermaschine *f*, b) Redu'zierstück *n*, c) → reducing gear, d) → reducing valve.

re·duc·i·ble [ri'dju:sibl] *adj* **1.** redu'zierbar, zu'rückführbar (to auf *acc*): to be ~ to sich reduzieren *od.* zurückführen lassen auf (*acc*). **2.** verwandelbar (to, into in *acc*): it is ~ to es läßt sich verwandeln in (*acc*). **3.** her'absetzbar.

re·duc·ing| a·gent [ri'dju:siŋ] *s chem.* Redukti'onsmittel *n.* ~ **cou·pling** *s tech.* Redukti'ons(verbindungs)stück *n.* ~ **di·et** *s* Abmagerungskur *f.* ~ **gear** *s tech.* Unter'setzungsgetriebe *n.* ~ **glass** *s* Verkleinerungsglas *n.* ~ **press** *s tech.* Redu'zierpresse *f.* ~ **valve** *s tech.* Redu'zierven,til *n.*

re·duc·tase [ri'dʌkteis; -teiz] *s med.* Reduk'tase *f* (*Enzym*).

re·duc·tion [ri'dʌkʃən] *s* **1.** Her'absetzung *f*, Verminderung *f*, -ringerung *f*, -kleinerung *f*, Redu'zierung *f*: ~ in size Verkleinerung; ~ in (*od.* of) prices Preisherabsetzung, -ermäßigung *f*; ~ in (*od.* of) wages Lohnkürzung *f*; ~ of staff Personalabbau *m*; ~ of tariffs Abbau *m* der Zölle. **2.** *econ.* Ermäßigung *f*, (Preis)Nachlaß *m*, Abzug *m*, Ra'batt *m.* **3.** Verminderung *f*, Rückgang *m.* **4.** Verwandlung *f* (into, to in *acc*). **5.** Zu'rückführung *f*, Redu'zierung *f* (to auf *acc*). **6.** Zerlegung *f* (to in *acc*). **7.** *chem.* Redukti'on *f.* **8.** *math.* Redukti'on *f*, Kürzung *f* (*e-s Bruches*), Vereinfachung *f* (*e-s Ausdrucks*), Auflösung *f* (*von Gleichungen*). **9.** *Computer etc*: Redukti'on *f* (*Auswertung*). **10.** *metall.* (Aus)Schmelzung *f.* **11.** Unter'werfung *f* (to unter *acc*). **12.** Bezwingung *f*, *mil.* Niederkämpfung *f.* **13.** *phot.* Abschwächung *f* (*von Negativen*). **14.** *biol.* Redukti'on(steilung) *f.* **15.** *med.* Einrenkung *f.* **16.** verkleinerte Reprodukti'on (*e-s Bildes etc*). ~ **com·pass·es** *s pl* Redukti'onszirkel *m.* ~ **di·vi·sion** → reduction 14. ~ **gear** *s tech.* Redukti'ons-, Unter'setzungsgetriebe *n.* ~ **ra·tio** *s tech.* Unter'setzungsverhältnis *n.*

re·duc·tive [ri'dʌktiv] **I** *adj* (*adv* ~ly) **1.** vermindernd (of *acc*). **2.** *chem. math.* redu'zierend (of *acc*). **II** *s* **3.** *chem.* Redukti'onsmittel *n.*

re·dun·dan·cy [ri'dʌndənsi], *a.* **re'dun·dance** *s* **1.** 'Überfluß *m*, -fülle *f*, -maß *n.* **2.** 'Überflüssigkeit *f*, *econ. a.* Arbeitslosigkeit *f*: ~ of workers *econ.* überflüssig gewordene Arbeitskräfte (*wegen Arbeitsmangel*). **3.** a) Über'ladenheit *f* (*des Stils*), *bes.* Weitschweifigkeit *f*, b) unnötige Wieder'holung(en *pl*).

re·dun·dant [ri'dʌndənt] *adj* (*adv* ~ly) **1.** 'überreichlich, -mäßig. **2.** 'überschüssig, -zählig: ~ workers. **3.** 'überflüssig. **4.** üppig. **5.** 'überquellend, -fließend (of, with von). **6.** über'laden (*Stil etc*), *bes.* weitschweifig, *a.* pleo'nastisch. ~ **verb** *s ling.* Zeitwort *n* mit mehr als 'einer Form (*für e-e Zeit*).

re·du·pli·cate [ri'dju:pli,keit] *v/t* **1.** verdoppeln. **2.** wieder'holen. **3.** *ling.* redupli'zieren. **re,du·pli'ca·tion** *s* **1.** Verdopp(e)lung *f.* **2.** Wieder'holung *f.* **3.** *ling.* a) Reduplikati'on *f*, b) Reduplikati'onsform *f.* **re'du·pli,ca·tive** *adj* **1.** verdoppelnd. **2.** wieder'holend. **3.** *ling.* redupli'zierend.

'red|,ware *s* **1.** *bot.* Fingertang *m.* **2.** rote Töpferware. ~ **wa·ter** *s* **1.** (*bes. durch Eisenverbindungen*) rotes Wasser. **2.** (*durch Dinoflagellaten*) rotes Meerwasser. **3.** *med., bes. vet.* Blutharnen *n.* '~,**wood** *s bot.* **1.** Redwood *n*, Rotholz *n.* **2.** *rotholzliefernder Baum, bes.* a) 'Eibense,quoie *f*, b) Roter Sandholzbaum.

re·dye [ri:'dai] *pres p* -'**dy·ing** *v/t* **1.** nachfärben. **2.** 'umfärben.

ree [ri:] → reeve³.

re·ech·o [ri:'ekou] **I** *v/i* **1.** 'widerhallen (with von). **II** *v/t* **2.** 'widerhallen lassen. **3.** echoen, wieder'holen.

reed [ri:d] **I** *s* **1.** *bot.* Schilf(gras) *n*, *bes.* a) Schilfrohr *n*, Ried(gras) *n*, b) Schal'meien-, Pfahlrohr *n.* **2.** (*einzelnes*) (Schilf)Rohr: broken ~ *fig.* schwankes Rohr. **3.** *collect.* a) Schilf *n*, Röhricht *n*, b) Schilf(rohr) *n* (*als Material*). **4.** *Br.* (Dachdecker)Stroh *n.* **5.** *poet.* Pfeil *m.* **6.** *mus.* a) Rohr-, Hirtenflöte *f*, b) (Rohr)Blatt *n*, c) → reed stop, d) *a.* ~ instrument 'Rohrblatt-, 'Zungeninstru,ment *n*: the ~s die Rohrblattinstrumente (*e-s Orchesters*), e) Zunge *f* (*der Zungeninstrumente*). **7.** *arch.* Rundstab *m.* **8.** *electr. tech.* Zunge *f*, 'Zungenkon,takt *m.* **9.** *tech.* Weberkamm *m*, Blatt *n.* **II** *v/t* **10.** *das Dach* mit Schilf(rohr) decken. **11.** *arch.* mit Rundstäben verzieren. **12.** *mus.* mit e-m Rohrblatt versehen. '~,**buck** *pl* -,**bucks** *od. collect.* -,**buck** *s zo.* Riedbock *m.* ~ **bun·ting** *s orn.* Rohrammer *f.*

re-ed·it [ri:'edit] *v/t Bücher etc* neu her'ausgeben. **re-e·di·tion** [,ri:i'diʃən] *s* Neuausgabe *f.*

reed·ling ['ri:dliŋ] *s orn.* Schilf-, Bartmeise *f.*

reed| mace *s bot. Br.* (*bes.* Breitblättriger) Rohrkolben. ~ **or·gan** *s mus.* Har'monium *n.* ~ **pipe** *s mus.* Zungenpfeife *f* (*bes. der Orgel*). ~ **switch** *s electr.* Zungenschalter *m.* ~ **stop** *s mus.* Zungenstimme *f* (*der Orgel*). ~ **thrush** *s orn.* Drosselrohrsänger *m.*

re-ed·u·cate [*Br.* ,ri:'edju:,keit; *Am.* -'edʒə-] *v/t* 'umerziehen, -schulen. ,**re-ed·u'ca·tion** *s* 'Umerziehung *f*, 'Umschulung *f.*

reed| voice *s mus.* Zungenstimme *f* (*der Orgel*). ~ **war·bler** *s orn.* (*bes.* Teich)Rohrsänger *m.*

reed·y ['ri:di] *adj* **1.** schilfig, schilfbedeckt, -reich. **2.** *bes. poet.* Rohr... **3.** lang u. schlank. **4.** dünn, schwach. **5.** piepsig (*Stimme*).

reef¹ [ri:f] *s* **1.** *geol.* Riff *n.* **2.** *Bergbau*: a) Flöz *n*, b) Ader *f*, c) (*bes.* goldführender Quarz)Gang.

reef² [ri:f] *mar.* **I** *s* **1.** Reff *n*: to take (in) a ~ a) ein Segel reffen, b) *fig.* ‚bremsen', ‚kurztreten'. **II** *v/t* **2.** *Segel* reffen. **3.** *Stenge, Bugspriet* verkürzen.

reef·er ['ri:fər] *s* **1.** *mar.* a) Reffer *m*, b) *sl.* 'Seeka,dett *m*, c) Ma'trosenjacke *f*, d) Kühlschiff *n.* **2.** *Am.* 'Kühlwag,gon *m.* **3.** Reffknoten *m.* **4.** *bes. Am. sl.* Marihu'ana-Ziga,rette *f.*

reek [ri:k] **I** *s* **1.** Gestank *m*, (üble) Ausdünstung, (*bes.* starker u. schlechter) Geruch: ~ of blood Blutgeruch. **2.** schlechte, *bes.* muffige Luft. **3.** Dampf *m*, Dunst *m*, (*Zigarren- etc*)Qualm *m.* **4.** *Scot. od. poet.* Rauch *m.* **II** *v/i* **5.** stinken, (stark u. schlecht) riechen (of, with nach). **6.** dampfen, rauchen (with von). **7.** (of, with) *fig.* stark riechen (nach), geschwängert *od.* durch'drungen *od.* voll sein (von). **III** *v/t* **8.** *Rauch, Dampf etc* ausströmen (*a. fig.*). **'reek·y** *adj* **1.** dampfend, Dämpfe *od.* Dünste ausströmend. **2.** rauchig.

reel[1] [riːl] **I** *s* **1.** Haspel *f*, (Garn- *etc*)Winde *f*: **off the ~** a) in 'einem Zug, hintereinander weg, b) aus dem Handgelenk, sofort. **2.** (*Garn-, Kabel-, Papier-, Schlauch- etc*)Rolle *f*, (*Bandmaß-, Farbband-, Film-, Garn-, Tonband- etc*)Spule *f*. **3.** Rolle *f* (*zum Aufwinden der Angelschnur*). **4.** *Film*: a) Film(streifen) *m*, b) (Film)Akt *m*. **II** *v/t* **5. ~ up** aufspulen, -wickeln, -rollen, auf e-e Spule *od.* Rolle wikkeln. **6.** *meist* **~ in, ~ up** einholen: **to ~ in a fish. 7. ~ off** a) abhaspeln, abspulen, b) *fig.* ‚her'unterrasseln': **to ~ off a story.**

reel[2] [riːl] **I** *v/i* **1.** sich (schnell) drehen, wirbeln: **my head ~s** mir schwindelt. **2.** wanken, taumeln. **3.** ins Wanken geraten (*Truppen etc*). **II** *v/t* **4.** schnell (her'um)wirbeln. **III** *s* **5.** Wirbel(n *n*) *m*, Drehen *n*. **6.** Taumeln *n*, Wanken *n*. **7.** *fig.* Taumel *m*, Wirbel *m*.

reel[3] [riːl] **I** *s* Reel *m* (*schottischer Volkstanz*). **II** *v/i* (e-n) Reel tanzen.

re-e·lect [ˌriːi'lekt] *v/t* 'wiederwählen. **ˌre-e'lec·tion** *s* 'Wiederwahl *f*.

re-el·i·gi·ble [riː'elidʒəbl] *adj* 'wiederwählbar.

re-em·bark [ˌriːim'bɑːrk] *v/t u. v/i mar.* (sich) wieder einschiffen. **re-em·bar·ka·tion** [ˌriːˌembɑːr'keiʃən] *s mar.* Wieder'einschiffung *f*.

re-e·merge [ˌriːi'məːrdʒ] *v/i* **1.** wieder auftauchen. **2.** *fig.* wieder'auftauchen, -'auftreten. **ˌre-e'mer·gence** *s* Wieder'auftauchen *n*, -'auftreten *n*.

re-en·act [ˌriːi'nækt] *v/t* **1.** neu verordnen, wieder in Kraft setzen. **2.** *thea.* neu insze'nieren. **3.** wieder'holen. **ˌre-en'act·ment** *s* **1.** ˌWiederin'kraftsetzung *f*. **2.** *thea.* 'Neuinszeˌnierung *f*.

re-en·gage [ˌri'in'geidʒ] *v/t* **1.** *j-n* wieder an- *od.* einstellen. **2.** *tech.* wieder in Eingriff bringen.

re-en·list [ˌriːin'list] *v/t u. v/i* (sich) weiter- *od.* 'wiederverpflichten, (*nur v/i*) kapitu'lieren: **~ed man** Kapitulant *m*. **ˌre-en'list·ment** *s mar. mil.* Wieder'anwerbung *f*, Weiterverpflichtung *f*.

re-en·ter, re·ën·ter [riː'entər] **I** *v/t* **1.** wieder betreten, wieder eintreten in (*acc*). **2.** wieder eintragen (*in e-e Liste etc*). **3.** *fig.* wieder eintreten in (*acc*): **to ~ s.o.'s service. 4.** *tech.* a) *Sekundärfarben* auftragen (*beim Kattundruck*), b) *Kupferplatten* nachstechen. **II** *v/i* **5.** wieder eintreten (**into** in *acc*): **to ~ into one's rights** *jur.* wieder in s-e Rechte eintreten.

re-en·ter·ing, re·ën·ter·ing [riː'entəriŋ] *adj math.* einspringend: **~ angle.**

re-'en·trant, re'ën·trant [riː'entrənt] **I** *adj* → **re-entering. II** *s math.* einspringender Winkel. **re-'en·try, re'ën·try** [-tri] *s* **1.** Wieder'eintreten *n*, -'eintritt *m* (*a. jur.* in den Besitz). **2.** *a.* **~ card** (*Bridge, Whist*) Führungsstich *m*.

re-es·tab·lish [ˌriːis'tæbliʃ] *v/t* **1.** wieder'herstellen. **2.** wieder einführen, neu gründen.

reeve[1] [riːv] *s Br.* **1.** *hist.* Vogt *m*, Statthalter *m* (*Vertreter der Krone*). **2.** Gemeindevorsteher *m* (*a. in Kanada*). **3.** *obs.* Aufseher *m*.

reeve[2] [riːv] *v/t* **1.** *mar.* a) *das Tauende* (ein)scheren, b) *das Tau* ziehen (**around** um; **through** durch *etc*). **2.** sich (vorsichtig) hin'durchwinden durch: **the ship ~d the shoals.**

reeve[3] [riːv] *s orn.* Kampfschnepfe *f*.

re-ex·am·i·na·tion, re·ëx·am·i·na·tion [ˌriːigzæmi'neiʃən] *s* **1.** Nachprüfung *f*, Wieder'holungsprüfung *f*. **2.** *jur.* a) nochmalige (Zeugen)Vernehmung, b) nochmalige Unter'suchung. **ˌre-ex'am·ine, ˌre·ëx'am·ine** *v/t* **1.** nochmals prüfen. **2.** *jur.* a) *e-n Zeugen* nochmals vernehmen, b) *e-n Fall* nochmals unter'suchen.

re-ex·change, re·ëx·change [ˌriːiks'tʃeindʒ] *s* **1.** Rücktausch *m*. **2.** *econ.* a) Rück-, Gegenwechsel *m*, b) Rückwechselkosten *pl*.

re-ex·port *econ.* **I** *v/t* [ˌriːiks'pɔːrt] **1.** *importierte Waren* wieder'ausführen. **II** *s* [riː'eks-] **2.** → **re-exportation. 3.** wieder'ausgeführte Ware. **ˌre-ex·por'ta·tion** *s* Wieder'ausfuhr *f*.

ref [ref] *s sport sl. für* **referee** 1 a *u.* b.

re·face [riː'feis] *v/t arch.* mit e-r neuen Fas'sade versehen.

re·fash·ion [riː'fæʃən] *v/t* 'umgestalten, -modeln.

re·fec·tion [ri'fekʃən] *s* **1.** Erfrischung *f*, Stärkung *f*. **2.** Imbiß *m*.

re·fec·to·ry [ri'fektəri] *s* Refek'torium *n* (*Speiseraum in Klöstern etc*).

re·fer [ri'fəːr] **I** *v/t* **1.** verweisen, 'hinweisen (**to** auf *acc*): **this mark ~s the reader to a footnote. 2.** *j-n* (*bes. um Auskunft, Referenzen etc*) verweisen (**to** an *j-n*). **3.** (**to**) (zur Entscheidung *etc*) über'geben (*dat*), über'weisen (an *acc*): **to ~ a bill to a committee** *parl.* e-e Vorlage an e-n Ausschuß überweisen; **to ~ a patient to a specialist** e-n Patienten an e-n Facharzt überweisen; **to ~ back** *jur. e-e Rechtssache* zurückverweisen (**to** an *die Unterinstanz*); **~ to drawer** (*abbr.* R.D.) *econ.* an Aussteller zurück. **4.** (**to**) zuschreiben (*dat*), zu'rückführen (auf *acc*): **to ~ superstition to ignorance. 5.** (**to** *e-r Klasse etc*) zuordnen, zuweisen. **6.** *e-e Bemerkung etc, a. e-n Wert* beziehen (**to** auf *acc*): **~red to 100 degrees centigrade** bezogen auf 100° C. **II** *v/i* **7.** (**to**) verweisen, 'hinweisen, sich beziehen, Bezug haben (auf *acc*), betreffen (*acc*): **this footnote ~s to a later entry; to ~ to s.th. briefly** e-e Sache berühren *od.* kurz erwähnen; **~ring to my letter** Bezug nehmend auf mein Schreiben; **the point ~red to** der erwähnte *od.* betreffende Punkt. **8.** sich beziehen *od.* berufen, Bezug nehmen (**to s.o.** auf j-n): **you may ~ to me in your applications. 9.** (**to**) sich wenden (an *acc*), (*a. weitS. die Uhr, ein Buch etc*) befragen, konsul'tieren.

ref·er·a·ble [*Br.* ri'fəːrəbl; *Am.* 'refər-] *adj* (**to**) **1.** zuzuschreiben(d) (*dat*). **2.** zuzuordnen(d) (*dat*). **3.** sich beziehend (auf *acc*), bezüglich (*gen*).

ref·er·ee [ˌrefə'riː] **I** *s* **1.** a) *bes. jur. sport* Schiedsrichter *m*, b) *Boxen*: Ringrichter *m*, c) *jur.* Sachverständige(r) *m*, Bearbeiter *m*, Refe'rent *m*, d) *jur.* beauftragter Richter. **2.** *parl.* Refe'rent *m*, Berichterstatter *m*. **II** *v/t* **3.** als Schiedsrichter fun'gieren bei, *sport a. ein Spiel* als 'Unparˌteiischer *od.* Schiedsrichter leiten. **III** *v/i* **4.** als Schiedsrichter fun'gieren.

ref·er·ence ['ref(ə)rəns] **I** *s* **1.** Verweis(ung *f*) *m*, 'Hinweis *m* (**to** auf *acc*): **(list of) ~s** a) Liste *f* der Verweise, b) Quellenangabe *f*, Literaturverzeichnis *n*; **mark of ~** → 2 a *u.* 4. **2.** a) Verweiszeichen *n*, b) Verweisstelle *f*, c) Beleg *m*, 'Unterlage *f*. **3.** Bezugnahme *f* (**to** auf *acc*): **in** (*od.* **with**) **~ to** bezüglich (*gen*); **to have ~ to** sich beziehen auf (*acc*); **terms of ~** Richtlinien. **4.** *a.* **~ number** Akten-, Geschäftszeichen *n*. **5.** (**to**) Anspielung *f* (auf *acc*), Erwähnung *f* (*gen*): **to make ~ to s.th.** etwas erwähnen, auf etwas anspielen. **6.** (**to**) Zs.-hang *m* (mit), Beziehung *f* (zu): **to have no ~ to** nichts zu tun haben mit; **with ~ to him** was ihn betrifft. **7.** Berücksichtigung *f* (**to** *gen*): **without ~ to. 8.** (**to**) Nachschlagen *n*, -sehen (in *dat*), Befragen *n*, Konsul'tieren *n* (*gen*): **book** (*od.* **work**) **of ~** Nachschlagewerk *n*; **~ library** a) Nachschlagebibliothek *f*, b) (*öffentliche*) Handbibliothek; **for future ~** zur späteren Verwendung. **9.** (**to**) Befragung *f* (*gen*), Rückfrage *f* (bei): **without ~ to a higher authority. 10.** *jur.* Über'weisung *f* (*e-r Sache*) (**to** an *ein Schiedsgericht etc*). **11.** Zuständigkeit(sbereich *m*) *f*: **outside our ~. 12.** a) Refe'renz(en *pl*) *f*, Empfehlung(en *pl*) *f*: **for ~ please apply to** um Referenzen wenden Sie sich bitte an (*acc*), b) *allg.* Zeugnis *n*: **he had excellent ~s,** c) Refe'renz *f* (*Auskunftgeber*): **to give ~s** Referenzen angeben. **II** *v/t* **13.** Verweise anbringen in *e-m Buch*. **III** *adj* **14.** *bes. tech.* Bezugs...: **~ frequency; ~ line** a) *math.* Bezugslinie *f*, b) *Radar*: Basislinie *f*; **~ value** Bezugs-, Richtwert *m*.

ref·er·en·da·ry [ˌrefə'rendəri] *s jur. hist.* a) Beisitzer *m* (*e-r Kommission*), b) *Überprüfer der an den König gerichteten Bittschriften.*

ref·er·en·dum [ˌrefə'rendəm] *pl* **-dums** *s pol.* Refe'rendum *n*, Volksentscheid *m*, -befragung *f*.

ref·er·en·tial [ˌrefə'renʃəl] *adj* **1.** sich beziehend (**to** auf *acc*). **2.** Verweisungs...: **~ mark** Verweiszeichen *n*.

re·fill [riː'fil] **I** *v/t* wieder füllen, nach-, auffüllen. **II** *v/i* sich wieder füllen. **III** *s* ['riːfil] Nachfüllung *f*, *bes.* a) *pharm. etc* Ersatzpackung *f*, b) (*Bleistift-, Kugelschreiber*)Mine *f*, c) Einlage *f* (*in e-m Ringbuch*). **re'fill·a·ble** *adj* nachfüllbar.

re·fi·nance [ˌriːfi'næns; riː'fai-] *v/t econ.* **1.** neu finan'zieren. **2.** ˌrefinan'zieren.

re·fine [ri'fain] **I** *v/t* **1.** *chem. tech.* raffi'nieren, läutern, veredeln, *bes.* a) *Eisen* frischen, b) *Metall* feinen, c) *Stahl* gar machen, d) *Glas* läutern, d) *Petroleum, Zucker* raffi'nieren. **2.** *fig.* bilden, verfeinern, kulti'vieren, höher entwickeln: **to ~ one's style** s-n Stil verfeinern. **3.** *fig.* läutern, vergeistigen. **II** *v/i* **4.** sich läutern. **5.** sich verfeinern *od.* kulti'vieren. **6.** klügeln, (her'um)tüfteln (**on, upon** an *dat*). **7. ~ upon** weiterentwickeln, verbessern. **re'fined** *adj* **1.** *chem. tech.* geläutert, raffi'niert, Fein...: **~ copper** Garkupfer *n*; **~ iron** Raffinier-, Paketstahl *m*; **~ lead** Raffinat-, Weichblei *n*; **~ silver** Brand-, Blicksilber *n*; **~ steel** Edelstahl *m*; **~ sugar** Feinzucker *m*, Raffinade *f*. **2.** *fig.* gebildet, vornehm, fein, kulti'viert: **~ manners. 3.** *fig.* geläutert, vergeistigt. **4.** *fig.* raffi'niert, sub'til, verfeinert. **5.** ('über)fein, (-)genau. **re'fin·ed·ly** [-idli] *adv zu* **refined. re'fine·ment** *s* **1.** Feinheit *f*, Vornehmheit *f*, gebildetes Wesen, Kulti'viertheit *f*. **2.** Verfeinerung *f*: a) Höherentwicklung *f*, b) Vervollkommnung *f*. **3.** Feinheit *f* (*der Sprache etc*). **4.** Raffi'nesse *f* (*des Luxus etc*). **5.** Klüge'lei *f*, Spitzfindigkeit *f*. **6.** *tech.* → **refining** 1. **re'fin·er** *s* **1.** *tech.* a) (Eisen)Frischer *m*, b) Raffi'neur *m*, (Zucker)Sieder *m*, c) (Silber)Abtreiber *m*. **2.** Verfeinerer *m*. **3.** Klügler(in), Haarspalter(in). **re'fin·er·y** [-nəri] *s tech*. **1.** (*Öl-, Zucker- etc*)-Raffine'rie *f*. **2.** (Eisen-, Frisch)Hütte *f*. **re'fin·ing** *s* **1.** *chem. tech*. Raffi'nierung *f*, Läuterung *f*, Veredelung, *bes*. a) Frischen *n* (*des Eisens*), b) Feinen *n* (*des Metalls*), c) Läutern *n* (*des Glases*), d) Raffi'nieren *n* (*des Zuckers*): ~ **process** Veredelungsverfahren *n*; ~ **furnace** Frisch-, Feinofen *m*. **2.** *fig*. Verfeinerung *f*, Kulti'vierung *f*, Höherentwicklung *f*. **3.** *fig*. Läuterung *f*, Vergeistigung *f*.

re·fit [riː'fit] **I** *v/t* **1.** wieder in'stand setzen, ausbessern. **2.** neu ausrüsten *od*. ausstatten. **II** *v/i* **3.** wieder in'stand gesetzt werden, repa'riert *od*. über'holt werden. **4.** sich neu ausrüsten. **III** *s* [*a*. 'riːfit] **5.** Wiederin'standsetzung *f*, Ausbesserung *f*. **6.** Neuausrüstung *f*. **re'fit·ment** → refit III.

re·fla·tion [ri'fleiʃən] *s econ*. Wirtschaftsbelebung *f* durch inflatio'näre Mittel.

re·flect [ri'flekt] **I** *v/t* **1.** *Strahlen, Wellen etc* reflek'tieren, zu'rückwerfen, -strahlen: ~**ed wave** reflektierte Welle, Echowelle *f*; **to shine with** ~**ed light** *fig*. sich im Ruhm e-s anderen sonnen. **2.** *ein Bild etc* reflek'tieren, ('wider)spiegeln: ~**ing microscope** Spiegelmikroskop *n*; ~**ing telescope** Spiegelteleskop *n*. **3.** *fig*. ('wider)spiegeln, zeigen: **it** ~**s the ideas of the century**; **to be** ~**ed in** a) sich (wider)spiegeln in (*dat*), b) s-n Niederschlag finden in (*dat*); **our prices** ~ **your commission** unsere Preise enthalten Ihre Provision. **4.** einbringen (**on** *dat*): **to** ~ **credit on s.o.** j-m Ehre machen. **5.** nachdenken, über'legen (**that** daß; **how** wie). **6.** zu'rückbiegen. **II** *v/i* **7.** reflek'tieren. **8.** (**on, upon**) nachdenken *od*. -sinnen (über *acc*), über'legen (*acc*). **9.** ~ (**up**)**on** a) sich abfällig äußern über (*acc*), b) ein schlechtes Licht werfen auf (*acc*), c) (*etwas*) (ungünstig) beeinflussen, sich auswirken auf (*acc*).

re·flec·tion [ri'flekʃən] *s* **1.** *phys*. Reflexi'on *f*, Reflek'tierung *f*, Zu'rückwerfung *f*, -strahlung *f*: **plane of** ~ Reflexionsebene *f*. **2.** ('Wider)Spiegelung *f* (*a. fig*.), Re'flex *m*, 'Widerschein *m*: **a faint** ~ **of** *fig*. ein schwacher Abglanz (*gen*). **3.** Spiegelbild *n*. **4.** *fig*. Auswirkung *f*, Einfluß *m*. **5.** Über'legung *f*, Erwägung *f*: **on** ~ nach einigem Nachdenken, wenn ich (*etc*) es mir recht überlege; **to cause** ~ nachdenklich stimmen. **6.** Reflexi'on *f*: a) Betrachtung *f*, b) (tiefer) Gedanke *od*. Ausspruch: ~**s on love** Reflexionen *od*. Betrachtungen *od*. Gedanken über die Liebe. **7.** abfällige Bemerkung (**on** über *acc*). **8.** Anwurf *m*, Anschuldigung *f*: **to cast** ~**s upon** in ein schlechtes Licht setzen; **to be a** ~ **on s.th.** ein schlechtes Licht auf e-e Sache werfen. **9.** *bes. anat. zo*. a) Zu'rückbiegung *f*, b) zu'rückgebogener Teil. **10.** *physiol*. Re'flex *m*.

re·flec·tive [ri'flektiv] *adj* (*adv* ~**ly**) **1.** reflek'tierend, zu'rückwerfend, -strahlend. **2.** ('wider)spiegelnd. **3.** nachdenklich, besinnlich. **4.** gedanklich.

re·flec·tor [ri'flektər] *s* **1.** *phys*. Re'flektor *m* (*a. e-r Antenne*). **2.** a) Spiegel *m*, b) Rückstrahler *m*, Katzenauge *n* (*an Fahrzeugen*), c) Scheinwerfer *m*. **3.** Re'flektor *m*, 'Spiegeltele,skop *n*.

re·flex ['riːfleks] **I** *s* **1.** *physiol*. Re'flex *m*: ~ **movement** Reflexbewegung *f*; ~ **response** Reflexwirkung *f*, Reaktion *f* auf e-n Reiz. **2.** ('Licht)Re,flex *m*, 'Widerschein *m* (**from** von). **3.** *fig*. Abglanz *m* (**of** *gen*). **4.** Spiegelbild *n* (*a. fig*.): ~ **camera** *phot*. (Spiegel)-Reflexkamera *f*; **to be a** ~ **of** *fig. etwas* widerspiegeln. **5.** *electr*. Re'flexempfänger *m*. **II** *adj* **6.** *physiol*. Reflex... **7.** Rück..., Gegen... **8.** introspek'tiv, reflek'tierend (*Gedanken*). **9.** reflek'tiert, zu'rückgeworfen (*Licht etc*). **10.** zu'rückgebogen. **11.** *math*. einspringend: ~ **angle**. **12.** *electr*. Reflex...

re·flexed [ri'flekst] → reflex 10. **re'flex·i·ble** *adj* reflek'tierbar.

re·flex·ion → reflection.

re·flex·ive [ri'fleksiv] **I** *adj* (*adv* ~**ly**) **1.** *ling*. refle'xiv, rückbezüglich, Reflexiv... **2.** → reflective. **3.** → reflex 8. **II** *s* **4.** *ling*. a) rückbezügliches Fürwort *od*. Zeitwort, b) refle'xive Form.

re·float [riː'flout] *mar*. **I** *v/t ein Schiff* wieder flottmachen. **II** *v/i* wieder flott werden.

ref·lu·ence ['refluəns] → reflux 1. **'ref·lu·ent** *adj* zu'rückfließend, -flutend.

re·flux ['riːflʌks] *s* **1.** Zu'rückfließen *n*, -fluten *n*: → flux 4. **2.** *econ*. (*Kapital- etc*)Rückfluß *m*.

re·for·est [riː'fɒrist] → reafforest.

re·form[1] [ri'fɔːrm] **I** *s* **1.** *pol. etc* Re'form *f*, Verbesserung *f*. **2.** Besserung *f*: ~ **school** Besserungsanstalt *f*. **II** *v/t* **3.** refor'mieren, verbessern. **4.** *j-n* bessern. **5.** beseitigen: **to** ~ **an abuse**. **6.** *jur. Am. e-e Urkunde* berichtigen. **III** *v/i* **7.** sich bessern.

re·form[2], **re-form** [riː'fɔːrm] **I** *v/t* 'umformen, -gestalten, -bilden. **II** *v/i* sich 'umformen.

ref·or·ma·tion[1] [,refər'meiʃən] *s* **1.** Refor'mierung *f*. **2.** Besserung *f* (*des Lebenswandels etc*). **3. the R**~ *relig*. die Reformati'on. **4.** *jur. Am*. Berichtigung *f* (*e-r Urkunde*).

re·for·ma·tion[2], **re-for·ma·tion** [,riːfɔːr'meiʃən] *s* 'Umformung *f*, -bildung *f*, 'Um-, Neugestaltung *f*.

ref·or·ma·tion·al [,refər'meiʃənl] *adj* **1.** Reform..., Reformierungs... **2.** *relig*. Reformations...

re·form·a·tive[1] [ri'fɔːrmətiv] → reformational 1.

re·form·a·tive[2], **re-form·a·tive** [riː'fɔːrmətiv] *adj* neubildend, -gestaltend, Um-, Neugestaltungs...

re·form·a·to·ry [ri'fɔːrmətəri] **I** *adj* **1.** Besserungs...: ~ **measures** Besserungsmaßnahmen. **2.** Reform... **II** *s* **3.** Besserungsanstalt *f*.

re·formed [ri'fɔːrmd] *adj* **1.** verbessert. **2.** gebessert, bekehrt: ~ **drunkard** geheilter Trinker. **3. R**~ *relig*. refor'miert.

re·form·er [ri'fɔːrmər] *s* **1.** (*bes. kirchlicher*) Refor'mator. **2.** *pol*. Re'former(in), Refor'mist(in).

re·form·ist [ri'fɔːrmist] *s* **1.** *relig*. Refor'mierte(r *m*) *f*. **2.** → reformer.

re·found[1] [riː'faund] *v/t* wieder gründen, neu gründen.

re·found[2] [riː'faund] *v/t tech*. neu gießen, 'umgießen, 'umschmelzen.

re·fract [ri'frækt] *v/t* **1.** *phys. Strahlen, Wellen* brechen: ~**ed light** gebrochenes Licht. **2.** *chem. Salpeter* analy'sieren. **re'fract·ing** *adj phys*. (strahlen)brechend, Brechungs..., Refraktions...: ~ **angle** Brechungswinkel *m*; ~ **telescope** Refraktor *m*.

re·frac·tion [ri'frækʃən] *s phys*. **1.** (*Licht-, Strahlen*)Brechung *f*, Refrakti'on *f*. **2.** *opt*. Refrakti'onsvermögen *n*. **re'frac·tion·al** → refractive.

re·frac·tive [ri'fræktiv] *adj phys*. Brechungs..., Refraktions...: ~ **index**; ~ **power** → refractivity. **re·frac·tiv·i·ty** [,riːfræk'tiviti] *s phys*. Brechungsvermögen *n*. [*phys*. Refrakto'meter *n*.]

re·frac·tom·e·ter [,riːfræk'tɒmitər] *s*

re·frac·tor [ri'fræktər] *s phys*. **1.** brechendes Medium. **2.** Re'fraktor *m* (*Teleskop*).

re·frac·to·ri·ness [ri'fræktərinis] *s* **1.** 'Widerspenstigkeit *f*, Wider'setzlichkeit *f*. **2.** 'Widerstandskraft *f*, *bes*. a) *chem*. Strengflüssigkeit *f*, b) *tech*. Feuerfestigkeit *f*. **3.** *med*. a) 'Widerstandsfähigkeit *f*, b) Hartnäckigkeit *f* (*e-r Krankheit*).

re·frac·to·ry [ri'fræktəri] **I** *adj* (*adv* refractorily) **1.** wider'setzlich, aufsässig. **2.** *chem*. strengflüssig. **3.** *tech*. feuerfest, -beständig: ~ **clay** Schamotte(ton *m*) *f*. **4.** *med*. a) 'widerstandsfähig, b) hartnäckig (*Krankheit*), c) unempfindlich (*gegen Reiz etc*). **II** *s* **5.** *chem. tech*. a) feuerfestes Materi'al, Scha'motte *f*, b) *pl* Scha'mottesteine *pl*.

re·frain[1] [ri'frein] **I** *v/i* (**from**) Abstand nehmen (von), absehen (von), sich enthalten (*gen*), unter'lassen (*acc*): **to** ~ **from doing s.th.** etwas unterlassen; es unterlassen, etwas zu tun. **II** *v/t obs*. a) *Gefühle etc* unter'drücken, zügeln, b) ~ **o.s.** sich beherrschen. [reim *m*.]

re·frain[2] [ri'frein] *s* Re'frain *m*, Kehr-

re·fran·gi·ble [ri'frændʒəbl] *adj phys*. brechbar.

re·fresh [ri'freʃ] **I** *v/t* **1.** (**o.s.** sich) erfrischen, erquicken (*a. fig*.). **2.** auffrischen, erneuern: **to** ~ **one's memory** sein Gedächtnis auffrischen. **3.** a) *e-e Batterie* auffüllen, -laden, b) *e-n Vorrat* erneuern. **4.** (ab)kühlen. **II** *v/i* **5.** erfrischen. **6.** sich erfrischen, e-e Erfrischung *od*. Stärkung zu sich nehmen. **7.** frische Vorräte fassen (*Schiff etc*). **re'fresher** *s* **1.** Erfrischung *f*. **2.** *colloq*. ‚Gläs-chen' *n*. **3.** Mahnung *f*. **4.** Auffrischung *f*: ~ **course** Auffrischungskurs *m*, -lehrgang *m*; **paint** ~ Neu-, Glanzpolitur *f*. **5.** *jur. Br*. 'Nachschuß(hono,rar *n*) *m* (*e-s Anwalts*). **re'fresh·ing** *adj* (*adv* ~**ly**) erfrischend (*a. fig*.).

re·fresh·ment [ri'freʃmənt] *s* **1.** Erfrischung *f* (*a. Getränk etc*). ~ **car** *s* Erfrischungs-, Speisewagen *m*. ~ **room** *s* Erfrischungsraum *m*, ('Bahnhofs)-Bü,fett *n*.

re·frig·er·ant [ri'fridʒərənt] **I** *adj* **1.** *bes. med*. kühlend, Kühl...: ~ **drink** Kühltrank *m*. **II** *s* **2.** *med*. kühlendes Mittel, Kühltrank *m*, Re'frigerans *n*. **3.** *tech*. Kühlmittel *n*.

re·frig·er·ate [ri'fridʒə,reit] **I** *v/t tech*. kühlen, *Nahrungsmittel* tiefkühlen: ~**d cargo** *mar*. Kühlraumladung *f*; ~**d truck** Kühlwagen *m*. **II** *v/i* sich (ab)kühlen.

re·frig·er·at·ing| cham·ber [ri'fridʒə,reitiŋ] *s tech*. Kühlraum *m*. ~ **engine**, ~ **ma·chine** *s tech*. 'Kälte-, 'Kühlma,schine *f*. ~ **plant** *s tech*. Gefrieranlage *f*, Kühlwerk *n*.

re·frig·er·a·tion [ri,fridʒə'reiʃən] *s* **1.** a) Kühlung *f*, Kälteerzeugung *f*, b) Kältetechnik *f*: ~ **ton** Kühltonne *f* (*Einheit im Kühltransport*). **2.** *med*. a) (Ab)Kühlung *f*, b) Vereisung *f*.

re·frig·er·a·tor [ri'fridʒə,reitər] *s tech*. **1.** Kühlschrank *m*, -raum *m*, -kammer *f*, -anlage *f*: ~ **van** (*Am*. **car**) *rail*. Kühlwagen *m*; ~ **vessel** *mar*. Kühlschiff *n.* **2.** ˈKältemaˌschine *f.* **3.** Konden'sator *m* (*e-s Kühlsystems*). **4.** Kühler *m*, Kühlschlange *f.*

re·frig·er·a·to·ry [riˈfridʒərətəri] **I** *s* **1.** ˈKühlkondenˌsator *m* (*e-r Kälteanlage*). **2.** Kühlraum *m.* **II** *adj* **3.** kälteerzeugend, Kühl...

re·frin·gent [riˈfrindʒənt] → **refractive.**

reft [reft] *pret u. pp von* **reave**[1] *u.* [2].

re·fu·el [riːˈfuːəl] *v/t u. v/i aer. mot.* (auf)tanken. **reˈfu·el·(l)ing** *s* (Auf-, Nach)Tanken *n*: ~ **point** *aer.* Lufttank-Position *f.*

ref·uge [ˈrefjuːdʒ] **I** *s* **1.** Zuflucht *f* (*a. fig. Ausweg, a. Person, Gott*), Schutz *m* (**from** vor), A'syl *n*: **to seek** (**find** *od.* **take**) ~ Zuflucht suchen (finden) (**from** vor *dat*); **to take** ~ **in s.th.** *fig.* s-e Zuflucht zu etwas nehmen; **to seek** ~ **in flight** sein Heil in der Flucht suchen; **house of** ~ Obdachlosenasyl; **city of** ~ *Bibl.* Freistatt *f.* **2.** Zufluchtsstätte *f*, -ort *m.* **3.** *a.* ~ **hut** *mount.* Schutzhütte *f.* **4.** *Br.* Verkehrsinsel *f.* **II** *v/t* **5.** *j-m* Zuflucht gewähren. **III** *v/i* **6.** Schutz suchen. ˌ**ref·uˈgee** [-ˈdʒiː] **I** *s* Flüchtling *m.* **II** *adj* Flüchtlings...: ~ **camp**; ~ **government** Exilregierung *f.*

re·ful·gence [riˈfʌldʒəns] *s* Glanz *m*, Leuchten *n.* **reˈful·gent** *adj* (*adv* ~**ly**) glänzend, strahlend (*a. fig.*).

re·fund[1] [riːˈfʌnd] **I** *v/t* **1.** *Geld* zu'rückzahlen, -erstatten, *e-n Verlust, Auslagen* ersetzen, (zu)'rückvergüten. **2.** *j-m* Rückzahlung leisten, *j-m* s-e Auslagen ersetzen. **II** *v/i* **3.** Rückzahlung leisten. **III** *s* [ˈriːfʌnd] **4.** (Zu)'Rückzahlung *f*, -erstattung *f*, Rückvergütung *f.*

re·fund[2] [riːˈfʌnd] *v/t econ. e-e Anleihe etc* neu fun'dieren.

re·fund·ment [riˈfʌndmənt] → **refund**[1] 4.

re·fur·bish [riːˈfəːrbiʃ] *v/t* (wieder)ˈaufpoˌlieren (*a. fig.*), wieder auffrischen.

re·fur·nish [riːˈfəːrniʃ] *v/t* wieder *od.* neu ausstatten *od.* mö'blieren.

re·fus·al [riˈfjuːzəl] *s* **1.** Ablehnung *f*, Zu'rückweisung *f* (*e-s Angebots etc*): ~ **of acceptance** Annahmeverweigerung *f.* **2.** Verweigerung *f* (*e-r Bitte, e-s Befehls, des Gehorsams etc*). **3.** abschlägige Antwort: **he will take no** ~ er läßt sich nicht abweisen. **4.** Weigerung *f* (**to do s.th.** etwas zu tun). **5.** Abweisung *f* (*e-s Freiers*), Ablehnung *f* (*e-s Heiratsantrags*), ‚Korb' *m.* **6.** *Meinungsforschung*: Antwortverweigerung *f.* **7.** *econ.* Vorkaufsrecht *n*, Vorhand *f*: **first** ~ **of** erstes Anrecht auf (*acc*). **8.** *Kartenspiel*: Nichtbedienen *n.*

re·fuse[1] [riˈfjuːz] **I** *v/t* **1.** *ein Angebot, ein Amt, e-n Freier, Kandidaten etc* ablehnen, *ein Angebot a.* ausschlagen, *etwas od. j-n* zu'rückweisen, *j-n* abweisen, *j-m e-e Bitte* abschlagen: **to** ~ **an order** e-n Befehl verweigern; **to** ~ **a chance** von e-r Gelegenheit keinen Gebrauch machen; **to** ~ **s.o. permission** j-m die Erlaubnis verweigern. **2.** sich weigern, es ablehnen (**to do** zu tun): **he** ~**d to believe it** er wollte es einfach nicht glauben; **he** ~**d to be bullied** er ließ sich nicht schikanieren; **it** ~**d to work** es wollte nicht funktionieren *od.* gehen, es ‚streikte'. **3.** *den Gehorsam etc* verweigern: **to** ~ **control** sich der Kontrolle entziehen. **4.** *das Hindernis* verweigern (*Pferd*). **5.** *Kartenspiel*: *Farbe* nicht bedienen: **to** ~ **suit. II** *v/i* **6.** ablehnen. **7.** sich weigern, es ablehnen. **8.** ablehnen, absagen: **he was invited but he** ~**d. 9.** verweigern (*Pferd*). **10.** *Kartenspiel*: nicht bedienen.

ref·use[2] [ˈrefjuːz] **I** *s* **1.** Abfall *m*, Abfälle *pl*, Ausschuß *m.* **2.** (Küchen)Abfälle *pl*, Müll *m.* **3.** *fig.* Auswurf *m*, -schuß *m.* **II** *adj* **4.** Abfall..., Müll...: ~ **bin** Mülltonne *f.* **5.** wertlos.

ref·u·ta·ble [ˈrefjutəbl; riˈfjuː-] *adj* (*adv* **refutably**) wider'legbar. ˌ**ref·uˈta·tion** *s* Wider'legung *f.* **re·fute** [riˈfjuːt] *v/t* wider'legen.

re·gain [riˈgein] **I** *v/t* **1.** zu'rück-, ˈwiedergewinnen, *a. das Bewußtsein* ˈwiedererlangen: **to** ~ **one's feet** wieder auf die Beine kommen. **2.** ˈwiedergewinnen, wieder erreichen: **to** ~ **the shore. II** *s* **3.** ˈWiedergewinnung *f.*

re·gal[1] [ˈriːgəl] *adj* (*adv* ~**ly**) **1.** königlich, Königs... **2.** *fig.* königlich, fürstlich, prächtig.

re·gal[2] [ˈriːgəl] *s mus.* Re'gal *n* (*kleine tragbare Orgel*).

re·gale [riˈgeil] **I** *v/t* **1.** erfreuen, ergötzen. **2.** fürstlich bewirten. **3.** ~ **o.s.** (**on**) sich laben, sich gütlich tun (an *dat*), schwelgen (in *dat*). **II** *v/i* **4.** → 3. **III** *s* **5.** *obs.* a) erlesenes Mahl, Schmaus *m*, b) Leckerbissen *m*, c) Genuß *m.*

re·ga·li·a [riˈgeiliə; -ljə] *s pl* **1.** *hist.* Re'galien *pl*, königliche Hoheitsrechte *pl.* **2.** königliche In'signien *pl.* **3.** (*Amts- od. Ordens*)In'signien *pl.* **4.** Aufmachung *f*: **Sunday** ~ Sonntagsstaat *m.*

re·gal·ism [ˈriːgəˌlizəm] *s hist. Br.* Pri'mat *m* des Königs (*bes. in geistlichen Dingen*).

re·gal·i·ty [riˈgæliti] *s* **1.** Königswürde *f.* **2.** Königsherrschaft *f*, Souveräni'tät *f.* **3.** Re'gal *n*, königliches Hoheitsrecht. **4.** Königreich *n.* **5.** *hist. Scot.* a) von der Krone verliehene Gerichtshoheit, b) Gerichtsbezirk *m* e-s mit königlicher Gerichtshoheit betrauten Lords.

re·gard [riˈgɑːrd] **I** *v/t* **1.** (aufmerksam) betrachten, ansehen. **2.** ~ **as** betrachten als, halten für: **to be** ~**ed as** betrachtet werden als, gelten als. **3.** *fig.* betrachten (**with** mit *Abscheu etc*): **he** ~**ed him with horror**; **I** ~ **him kindly** ich bringe ihm freundschaftliche Gefühle entgegen. **4.** beachten, Beachtung schenken (*dat*). **5.** berücksichtigen, respek'tieren. **6.** achten, (hoch)schätzen. **7.** betreffen, angehen: **it does not** ~ **me**; **as** ~**s was ...** betrifft.

II *s* **8.** Blick *m.* **9.** ˈHinblick *m*, -sicht *f*: (**to** auf *acc*): **in this** ~ in dieser Hinsicht; **in** ~ **to** (*od.* **of**), **with** ~ **to** → **regarding**; **to have** ~ **to** a) sich beziehen auf (*acc*), b) in Betracht ziehen (*acc*), c) → 10. **10.** (**to, for**) Rücksicht(nahme) *f* (auf *acc*), Beachtung *f* (*gen*): ~ **must be paid** (*od.* **had**) **to his words** s-n Worten muß man Beachtung schenken; **to pay no** ~ **to s.th.** auf etwas nicht achten; **without** ~ **to** (*od.* **for**) ohne Rücksicht auf (*acc*); **to have no** ~ **for s.o.'s feelings** auf j-s Gefühle keine Rücksicht nehmen; **with due** ~ **to** (*od.* **for**) **his age** unter gebührender Berücksichtigung s-s Alters. **11.** (Hoch)Achtung *f* (**for** vor *dat*). **12.** *pl* (*bes. in Briefen*) Grüße *pl*, Empfehlungen *pl*: **with kind** ~**s to** mit herzlichen Grüßen an (*acc*); **give him my** (**best**) ~**s** grüße ihn (herzlich) von mir.

re·gard·ful [riˈgɑːrdful] *adj* (*adv* ~**ly**) **1.** achtsam, aufmerksam (**of** auf *acc*): **to be** ~ **of** → **regard** 4. **2.** rücksichtsvoll (**of** gegen): **to be** ~ **of** → **regard** 5.

re·gard·ing [riˈgɑːrdiŋ] *prep* bezüglich, ˈhinsichtlich (*gen*), betreffend (*acc*).

re·gard·less [riˈgɑːrdlis] **I** *adj* (*adv* ~**ly**) **1.** ~ **of** ungeachtet (*gen*), ohne Rücksicht auf (*acc*), unbekümmert um, trotz (*gen. od. dat*). **2.** unbekümmert, rücksichts-, bedenken-, achtlos. **II** *adv* **3.** *colloq.* unbekümmert, bedenkenlos, ‚ohne Rücksicht auf Verluste'.

re·gat·ta [riˈgætə] *s* Re'gatta *f.*

re·ge·late [ˈriːdʒiˌleit] *v/i phys.* wieder gefrieren. ˌ**re·geˈla·tion** *s* Regelati'on *f*, ˈWiedergefrieren *n.*

re·gen·cy [ˈriːdʒənsi] **I** *s* **1.** Re'gentschaft *f* (*Amt, Gebiet, Zeit*). **2.** R~ *hist.* Re'gentschaft(szeit) *f*, *bes.* a) Ré'gence *f* (*in Frankreich, des Herzogs Philipp von Orleans 1715—23*), b) *in England* (*1811—20*) *von Georg, Prinz von Wales* (*später Georg IV.*). **II** *adj* **3.** Regentschafts...

re·gen·er·ate [riˈdʒenəˌreit] **I** *v/t* **1.** regene'rieren (*a. biol. phys. tech.*): a) neu schaffen, ˈumgestalten, b) wieder erzeugen, c) erneuern, neu *od.* wieder bilden, d) neu beleben: **to be** ~**d** *relig.* wiedergeboren werden; **to** ~ **heat** *tech.* Wärme zurückgewinnen *od.* regenerieren. **2.** bessern, refor'mieren. **3.** *electr.* rückkoppeln. **II** *v/i* **4.** sich erneuern, neu aufleben. **5.** sich regene'rieren, sich erneuern, sich neu *od.* wieder bilden, nachwachsen (*Organ*). **6.** sich bessern, sich refor'mieren. **III** *adj* [-rit; -ˌreit] **7.** ge-, verbessert, refor'miert. **8.** erneuert, regene'riert. **9.** *relig.* ˈwiedergeboren.

re·gen·er·a·tion [riˌdʒenəˈreiʃən] *s* **1.** Regenerati'on *f*: a) Refor'mierung *f*, Besserung *f*, b) Neuschaffung *f*, ˈUmgestaltung *f*, c) ˈWiedererzeugung *f*, Erneuerung *f*, d) Neubelebung *f*, e) *relig.* ˈWiedergeburt *f.* **2.** *biol.* Regenerati'on *f*, Erneuerung *f* (*verlorengegangener Teile*). **3.** *electr.* Rückkopp(e)lung *f.* **4.** *tech.* Regene'rierung *f*, ˈWiedergewinnung *f.* **reˈgen·er·a·tive** [*Br.* -rətiv; *Am.* -ˌreitiv] *adj* (*adv* ~**ly**) **1.** (ver)bessernd, Reformierungs... **2.** neuschaffend, Umgestaltungs... **3.** (sich) erneuernd, Erneuerungs..., Verjüngungs... **4.** ˈwieder- *od.* neubelebend. **5.** *electr.* Rückkopp(e)lungs... **6.** *tech.* Regenerativ... **7.** *biol.* Regenerations...: ~ **capacity** Regenerationsvermögen *n.*

re·gen·er·a·tor [riˈdʒenəˌreitər] *s* **1.** Erneuerer *m.* **2.** *tech.* Regene'rator *m.*

re·gen·e·sis [riˈdʒenisis] *s* ˈWiedergeburt *f*, Erneuerung *f.*

re·gent [ˈriːdʒənt] **I** *s* **1.** Re'gent(in), Reichsverweser(in). **2.** *univ. hist.* a) (*in Oxford u. Cambridge*) Disputati'onsleiter *m*, b) *Scot.* Studienleiter *m*, c) Mitglied *n* des ˈAufsichtskomiˌtees. **II** *adj* **3.** (*dem Substantiv nachgestellt*) die Re'gentschaft innehabend; → **queen regent, prince** 2. ˈ**re·gentˌship** *s* Re'gentschaft *f.*

reg·i·cid·al [ˌredʒiˈsaidl] *adj* königsmörderisch. ˈ**reg·iˌcide** *s* **1.** Königsmörder *m.* **2. the** ~**s** *pl* die Königsmörder *pl*, *bes. die an der Verurteilung u. Hinrichtung Karls I. von England Beteiligten.* **3.** Königsmord *m.*

ré·gie [reˈʒi] (*Fr.*) *s* Re'gie *f*, ˈStaatsmonoˌpol *n.*

re·gime, *a.* ré·gime [reiˈʒiːm] *s* **1.** *pol.* Re'gime *n*, Re'gierungsform *f*, (Re'gierungs)Syˌstem *n.* **2.** (vor)herrschendes Syˈstem: **matrimonial** ~ *jur.* eheliches Güterrecht. **3.** → **regimen** 1.

reg·i·men [ˈredʒiˌmen] *s* **1.** *med.* geregelte *od.* gesunde Lebensweise, *bes.*

Di'ät *f.* **2.** Re'gierung *f*, Herrschaft *f.* **3.** *ling.* Rekti'on *f.*

reg·i·ment ['redʒimənt] **I** *s* **1.** *mil.* Regi'ment *n.* **2.** *fig.* große Zahl, Schar *f.* **II** *v/t* **3.** *mil.* a) zu Regi'mentern for'mieren' b) ein Regi'ment bilden aus, c) regimen'tieren, e-m Regi'ment zuteilen. **4.** *fig.* a) 'eingrup,pieren, -ordnen, b) organi'sieren, c) unter (*bes.* staatliche) Aufsicht stellen. **5.** *fig.* reglemen'tieren, kontrol'lieren, gängeln, bevormunden. ,**reg·i'men·tal** [-'mentl] *adj mil.* Regiments...: ~ **aid post** Truppenverband(s)platz *m*; ~ **combat team** Kampfgruppe *f*; ~ **hospital** Feldlazarett *n*; ~ **officer** *Br.* Truppenoffizier *m.* ,**reg·i'men·tal·ly** *adv mil.* regi'mentsweise. ,**reg·i'men·tals** *s pl mil.* (Regi'ments-, Traditi'ons)Uni,form *f.*

reg·i·men·ta·tion [,redʒimen'teiʃən] *s* **1.** Organi'sierung *f*, Einteilung *f* (in Gruppen). **2.** *fig.* Reglemen'tierung *f*, (behördliche) Kon'trolle, Bevormundung *f.*

Re·gi·na [ri'dʒainə] (*Lat.*) *s jur. Br.* (*die*) Königin (*offizieller Titel der Königin von England*), *weitS. a.* die Krone, der Staat: **Elizabeth** ~ Königin Elisabeth; ~ **versus John Doe.**

re·gion ['riːdʒən] *s* **1.** *allg.* Gebiet *n*, Bereich *m*, Gegend *f*, Regi'on *f*: **spectral** ~ *phys.* Spektralbereich; ~ **of high (low) pressure** *meteor.* Hoch-(Tief)druckgebiet; **in the** ~ **of** *fig.* von ungefähr, etwa. **2.** Gebiet *n*, Gegend *f*, Landstrich *m.* **3.** *bot. geogr. zo.* Regi'on *f*, Gebiet *n*: **tropical** ~**s** Tropengebiete. **4.** (Luft-, Meeres)Schicht *f*, Sphäre *f.* **5.** *fig.* Regi'on *f*, Reich *n* (*des Universums etc*): **the upper (lower)** ~**s** die höheren Regionen (die Unterwelt). **6.** *med.* (Körper)Gegend *f*: **cardiac** ~ Herzgegend. **7.** (Verwaltungs)Bezirk *m.*

re·gion·al ['riːdʒənl] *adj* (*adv* ~**ly**) **1.** regio'nal, gebiets-, strichweise, örtlich (begrenzt), *a. med.* lo'kal, örtlich: ~ **an(a)esthesia** *med.* örtliche Betäubung, Lokalanästhesie *f*; ~ **diagnosis** *med.* Herddiagnose *f.* **2.** Regional..., Bezirks..., Orts...: ~ **station** (*Radio*) Regionalsender *m.* '**re·gion·al,ism** *s* **1.** Regiona'lismus *m*, Lo'kalpatrio,tismus *m.* **2.** Heimatkunst *f*, -dichtung *f.*

reg·is·ter[1] ['redʒistər] **I** *s* **1.** Re'gister *n*, Eintragungsbuch *n*, (*amtliches*) Verzeichnis, (*Wähler-, etc*)Liste *f*: **church** (*od.* **parish**) ~ Kirchenbuch; ~ **of births, deaths and marriages** Personenstandsregister; ~ **of companies** Handelsregister; ~ **of patents** Patentrolle *f*; ~ **of taxes** Hebeliste *f*; **hotel** ~ Hotelregister, Fremdenbuch; **unpaid** ~ *econ.* Verzeichnis nicht eingelöster Schecks; (**ship's**) ~ *mar.* a) Registerbrief *m*, b) Schiffsregister *n*; ~ **tonnage** amtlicher Tonnengehalt; ~ **ton** Registertonne *f.* **2.** Regi'strierung *f*: a) Eintrag *m*, b) Eintragung *f.* **3.** a) Re'gister *n*, (Inhalts)Verzeichnis *n*, Index *m*, b) Buchzeichen *n.* **4.** *tech.* a) Regi'striervorrichtung *f*, Zählwerk *n*: → **cash register**, b) Regu'liervorrichtung *f*, Schieber *m*, Ven'til *n*, Klappe *f.* **5.** *mus.* a) ('Orgel)Re,gister *n*, b) Stimm-, Tonlage *f*, c) 'Stimm,umfang *m.* **6.** *print.* Re'gister *n*: **to be in** ~ Register halten. **7.** *phot.* genaue Einstellung.

III *v/t* **8.** regi'strieren, eintragen *od.* -schreiben (lassen), anmelden (**for school** zur Schule), *weitS.* (amtlich) erfassen, (*a. fig. e-n Erfolg etc*) verzeichnen, -buchen: **to** ~ **o.s.** *pol.* sich in die (Wahl)Liste eintragen; **to** ~ **a company** *econ.* e-e Gesellschaft (handelsgerichtlich) eintragen. **9.** *jur.* a) *ein Warenzeichen* anmelden, b) *e-n Artikel* gesetzlich schützen. **10.** *mail* einschreiben (lassen): **to** ~ **a letter. 11.** *Br. Gepäck* aufgeben. **12.** *tech. Meßwerte* regi'strieren, anzeigen, verzeichnen. **13.** *e-e Empfindung* zeigen, ausdrücken: **to** ~ **surprise. 14.** *print. Gedrucktes* in das Re'gister bringen. **15.** *mil. das Geschütz* einschießen.

III *v/i* **16.** sich (in das Ho'telre,gister, in die Wählerliste *etc*) eintragen (lassen). **17.** sich (an)melden (**at, with** bei *der Polizei etc*). **18.** *print.* Re'gister halten. **19.** rea'gieren. **20.** *tech.* sich decken, genau zu- *od.* aufeinander passen. **21.** *mil.* sich einschießen. **22.** *mus.* regi'strieren.

reg·is·ter[2] ['redʒistər] → **registrar.**

reg·is·tered ['redʒistərd] *adj* **1.** *allg.* regi'striert, eingetragen. **2.** *econ. jur.* a) (handelsgerichtlich) eingetragen: ~ **company (place of business, trademark,** *etc*), b) gesetzlich geschützt: ~ **design** (*od.* **pattern**) Gebrauchsmuster *n.* **3.** *econ.* regi'striert, Namens...: ~ **bonds** Namensschuldverschreibungen; ~ **capital** autorisiertes (Aktien)Kapital; ~ **share**, *Am.* ~ **stock** Namensaktie *f.* **4.** *mail* eingeschrieben, Einschreibe...: ~ **letter**; **R**~! Einschreiben! **5.** amtlich zugelassen: ~ **nurse** (staatlich) geprüfte Krankenschwester. **6.** *Tierzucht*: Zuchtbuch...

reg·is·trar [,redʒis'trɑːr; 'redʒis,trɑːr] *s* **1.** *bes. Br.* Standesbeamte(r) *m*: **R**~ **General** *Br.* oberster Standesbeamter; ~**'s office** a) Registratur *f*, b) Standesamt *n.* **2.** Regi'strator *m*, Archi'var *m*, Urkundsbeamte(r) *m*: ~ **in bankruptcy** *jur. Br.* Konkursrichter *m.* **3.** *univ.* a) *Br. höchster Verwaltungsbeamter*, b) *Am.* Regi'strator *m.*

reg·is·trar·y ['redʒistrəri] *s Br. höchster Verwaltungsbeamter der Universität Cambridge.*

reg·is·tra·tion [,redʒis'treiʃən] *s* **1.** (*bes.* standesamtliche, poli'zeiliche, 'Wahl- *etc*)Regi,strierung, Erfassung *f*, Eintragung *f* (*a. econ. e-r Gesellschaft, e-s Warenzeichens*), *mot.* Zulassung *f* (*e-s Fahrzeugs*). **2.** (poli'zeiliche, Ho'tel-, Schul- *etc*)Anmeldung, Einschreibung *f*: **compulsory** ~ (An)Meldepflicht *f*; ~ **certificate** Zulassung(spapier *n*) *f*; ~ **form** (An)Meldeformular *n.* **3.** Kreis *m od.* Zahl *f* der Erfaßten, (*das*) Regi'strierte *od.* Erfaßte. **4.** *mail* Einschreibung *f.* **5.** *a.* ~ **of luggage** *bes. Br.* (Gepäck)Aufgabe *f*: ~ **window** Gepäckschalter *m.* **6.** *mus.* Regi'strierung *f* (*bei der Orgel*). ~ **card** *s* **1.** Anmeldeschein *m.* **2.** Perso'nalkarte *f.* ~ **fee** *s* **1.** *econ.* a) Eintragungs-, Anmeldegebühr *f*, b) 'Umschreibungsgebühr *f.* **2.** *mail* Einschreib(e)gebühr *f.* ~ **of·fice** *s* Meldestelle *f*, Einwohnermeldeamt *n.*

reg·is·try ['redʒistri] *s* **1.** Regi'strierung *f* (*a. mar. e-s Schiffs*): **port of** ~ Registrierhafen *m.* **2.** Re'gister *n*, Verzeichnis *n.* **3.** *a.* ~ **office** a) Registra'tur *f*, b) Standesamt *n.* **4.** 'Stellenvermittlungsbü,ro *n.*

re·gi·us ['riːdʒiəs] (*Lat.*) *adj* königlich: **R**~ **Professor** *Br.* königlicher Professor (*durch königliches Patent ernannt*).

reg·let ['reglit] *s* **1.** *arch.* Leistchen *n.* **2.** *print.* a) Re'glette *f*, Steg *m*, b) ('Zeilen),Durchschuß *m.*

reg·nal ['regnəl] *adj* Regierungs...: ~ **year**; ~ **day** Jahrestag *m* des Regierungsantritts. '**reg·nant** *adj* **1.** (*nach dem Substantiv*) re'gierend: **prince** ~. **2.** *fig.* (vor)herrschend.

re·gorge [ri'gɔːrdʒ] **I** *v/t* **1.** wieder'ausspeien. **2.** zu'rückwerfen. **II** *v/i* **3.** zu'rückgeworfen *od.* ausgespien werden. **4.** zu'rückfließen.

re·grade [ri'greid] *v/t* neu einstufen.

re·grant [*Br.* ri'grɑːnt; *Am.* -'græ(ː)nt] **I** *v/t* 'wiederverleihen, von neuem bewilligen. **II** *s* 'Wiederverleihung *f*, erneute Bewilligung.

re·grate [ri'greit] *v/t hist.* **1.** (*zum Wiederverkauf*) aufkaufen. **2.** weiter-, 'wiederverkaufen. **re'grat·er** *s* **1.** *hist.* 'Wiederverkäufer *m*, Zwischenhändler *m.* **2.** *Br.* Aufkäufer *m.*

re·gress I *v/i* [ri'gres] **1.** *astr. u. fig.* zu'rückgehen. **II** *s* ['riːgres] **2.** Rückkehr *f.* **3.** *fig.* Rückgang *m.*

re·gres·sion [ri'greʃən] *s* **1.** → **regress** II. **2.** *biol.* Rückbildung *f*, Regressi'on *f.* **3.** *psych.* Regressi'on *f.* **4.** *math.* a) Regressi'on *f*, Beziehung *f*, b) Rückkehr *f* (*e-r Kurve*).

re·gres·sive [ri'gresiv] *adj* (*adv* ~**ly**) **1.** zu'rückgehend, rückläufig. **2.** rückwirkend: ~ **accent**; ~ **taxation. 3.** *biol. med.* regres'siv, (sich) zu'rückbildend.

re·gret [ri'gret] **I** *v/t* **1.** beklagen, trauern um, *j-m od. e-r Sache* nachtrauern: **to** ~ **one's vanished years. 2.** bedauern, bereuen. **3.** *etwas* bedauern: **it is to be** ~**ted** es ist bedauerlich; **I** ~ **to say** ich muß leider sagen. **II** *s* **4.** Schmerz *m*, Trauer *f* (**for** um). **5.** Bedauern *n*, Reue *f*: **to have no** ~**(s)** keine Reue empfinden. **6.** Bedauern *n* (at über *acc*): **to my** ~ zu m-m Bedauern, leider. **re'gret·ful** [-fəl; -ful] *adj* (*adv* ~**ly**) bedauernd, reue-, kummervoll. **re'gret·ta·ble** *adj* **1.** bedauerlich. **2.** bedauernswert, zu bedauern(d). **re'gret·ta·bly** [-bli] *adv* bedauerlicherweise.

re·grind [riː'graind] *v/t irr tech.* nachschleifen.

re·group [riː'gruːp] *v/t u. v/i* (sich) 'umgrup,pieren, neu grup'pieren; *econ. Kapital* umschichten.

reg·u·la·ble ['regjuləbl] *adj* regu'lier-, einstellbar.

reg·u·lar ['regjulər] **I** *adj* (*adv* ~**ly**) **1.** (zeitlich) regelmäßig, *rail. etc a.* fahrplanmäßig: ~ **customer** Stammgast *m*; **at** ~ **intervals** in regelmäßigen Abständen. **2.** regelmäßig (*in Form od. Anordnung*), ebenmäßig: ~ **features**; ~ **teeth. 3.** regu'lär, nor'mal, gewohnt: ~ **business** normaler Geschäftsverkehr, laufende Geschäfte; ~ **lot** (*Börse*) Normaleinheit *f*; ~**ly employed** fest angestellt, in ungekündigter Stellung. **4.** regel-, gleichmäßig, stetig: ~ **breathing. 5.** regelmäßig, geregelt, geordnet: **a** ~ **life**; ~ **habits** e-e geordnete Lebensweise. **6.** genau, pünktlich. **7.** *bes. jur. pol.* richtig, vorschriftsmäßig, formgerecht: ~ **session** ordentliche Sitzung. **8.** a) geprüft: **a** ~ **physician** ein approbierter Arzt, b) gelernt, richtig: **a** ~ **cook. 9.** richtig, recht, ordentlich: **he has no** ~ **profession. 10.** *colloq.* ‚richtig(gehend)', ‚mordsmäßig': **a** ~ **rascal**; **a** ~ **guy** *Am.* ein Pfundskerl. **11.** *math.* regu'lär, regelmäßig: ~ **triangle. 12.** *ling.* regelmäßig (*Wortform*). **13.** *mil.* a) regu'lär (*Kampftruppen*), b) ak'tiv, Berufs...: ~ **army**; ~ **soldier. 14.** *relig.* Ordens...: ~ **clergy. 15.** *pol. Am.* Partei(leitungs)...: ~ **ticket.**

II *s* **16.** Ordensgeistliche(r) *m.* **17.** *mil.* a) ak'tiver Sol'dat, Be'rufssol,dat *m*, b) *pl* regu'läre Truppe(n *pl*). **18.**

pol. Am. treuer Par'teianhänger. **19.** *colloq.* Stammkunde *m*, -kundin *f*, -gast *m*.
III *adv sl.* **20.** regelmäßig. **21.** ,richtig(gehend)', ,gehörig', ,tüchtig'.
reg·u·lar·i·ty [ˌregju'læriti] *s* **1.** Regelmäßigkeit *f*. **2.** Ordnung *f*, Richtigkeit *f*.
reg·u·lar·i·za·tion [ˌregjulərai'zeiʃən; -ri'z-] *s* (*a.* gesetzliche) Regelung. **'reg·u·larˌize** *v/t* **1.** e-r Regel unter'werfen. **2.** vereinheitlichen. **3.** (gesetzlich) regeln.
reg·u·late ['regjuˌleit] *v/t* **1.** regeln, lenken, ordnen: to ~ the traffic den Verkehr regeln. **2.** *jur.* (gesetzlich) regeln. **3.** *physiol. tech. etc* regu'lieren, regeln: to ~ the speed (digestion, etc). **4.** *tech. e-e Maschine, Uhr etc* (ein)stellen. **5.** anpassen (according to an *acc*). **'reg·uˌlat·ing** *adj* **1.** regu'lierend, regelnd. **2.** *tech.* Regulier..., (Ein)Stell...: ~ box, ~ resistance *electr.* Regelwiderstand *m*; ~ screw Stellschraube *f*; ~ unit Stellglied *n*.
reg·u·la·tion [ˌregju'leiʃən] **I** *s* **1.** Regelung *f*, Regu'lierung *f* (*beide a. physiol. u. tech.*), *tech.* Einstellung *f*. **2.** a) (Ausführungs)Verordnung *f*, Verfügung *f*, b) *pl* 'Durchführungsbestimmungen *pl*, c) *pl* Satzung(en *pl*) *f*, Sta'tuten *pl*, d) *pl* (Dienst-, Betriebs)Vorschrift *f*: works ~s Betriebsordnung *f*; traffic ~s Verkehrsvorschriften; according to ~s nach Vorschrift, vorschriftsmäßig. **II** *adj* **3.** vorgeschrieben, vorschriftsmäßig: of (the) ~ size. **4.** *bes. mil.* vorschriftsmäßig, Dienst...: ~ cap Dienstmütze *f*. **5.** üblich, gebräuchlich. **'reg·uˌla·tive** [-ˌleitiv] *adj* **1.** regula'tiv (*a. philos.*), regelnd, regu'lierend.
reg·u·la·tor ['regjuˌleitər] *s* **1.** *electr.* Regler *m*. **2.** *tech.* Regu'lator *m*: a) (Gang)Regler *m* (*e-r Uhr*), b) (*e-e*) *Wanduhr*. **3.** *tech.* Regu'lier-, Stellvorrichtung *f*: ~ valve Reglerventil *n*. **4.** *chem.* Regu'lator *m*. **'reg·uˌla·to·ry** *adj* Durch-, Ausführungs...: ~ provisions.
reg·u·line ['regjuˌlain; -lin] *adj chem.* regu'linisch: ~ metal kompaktes Metall.
reg·u·lus ['regjuləs] *pl* **-lus·es** *s* **1.** R~ *astr.* Regulus *m* (*Stern im Löwen*). **2.** *tech.* Regulus *m*: a) (Me'tall)König *m*, b) Speise *f* (*flüssiges Gußmetall*). **3.** *math.* Regulus *m*. **4.** *orn.* Goldhähnchen *n*.
re·gur·gi·tate [ri(ː)'gəːrdʒiˌteit] **I** *v/i* **1.** zu'rückfließen. **II** *v/t* **2.** zu'rückfließen lassen. **3.** wieder ausströmen *od.* -speien. **4.** *Essen* erbrechen. **reˌgur·gi'ta·tion** *s bes. med.* a) Rückfluß *m* (*bes. vom Blut*), b) Rückstauung *f*, Brech-, Würgbewegung *f*.
re·ha·bil·i·tate [ˌriːə'biliˌteit; ˌriːhə-] *v/t* **1.** rehabili'tieren: a) wieder'einsetzen (in in *acc*), b) *j-s* Ruf wieder'herstellen, c) *e-n Versehrten, Verbrecher etc* wieder ins gesellschaftliche Leben *od.* Berufsleben eingliedern. **2.** *etwas od. j-n* wieder'herstellen. **3.** *e-n Betrieb etc* sa'nieren. **ˌre·haˌbil·i'ta·tion** *s* **1.** ˌRehabilitati'on *f*, Rehabili'tierung *f*: a) Wieder'einsetzung *f* (*in frühere Rechte*), b) Ehrenrettung *f*, c) Resoziali'sierung *f* (*von Versehrten etc*): ~ center (*Br.* centre) Umschulungswerkstätte *f*. **2.** Wieder'herstellung *f*. **3.** Sa'nierung *f*: industrial ~ wirtschaftlicher Wiederaufbau.
re·han·dle [riː'hændl] *v/t ein Thema* neu bearbeiten, 'umarbeiten.
re·hash I *s* ['riːˌhæʃ] *fig.* **1.** (*etwas*) Aufgewärmtes, Wieder'holung *f*. **2.** Wieder'aufwärmen *n*. **II** *v/t* [riː'hæʃ] **3.** *fig.* (wieder)'aufwärmen, 'wiederkäuen.
re·hear [riː'hir] *v/t irr* **1.** erneut anhören. **2.** *jur.* neu verhandeln. **re'hear·ing** *s jur.* erneute Verhandlung.
re·hears·al [ri'həːrsl] *s* **1.** *mus. thea., a. fig.* Probe *f*: to be in ~ einstudiert werden; first ~ Leseprobe; full ~ Gesamtprobe; to take the ~s die Proben leiten. **2.** 'Einstuˌdierung *f*. **3.** Wieder'holung *f*. **4.** Aufzählung *f*, Lita'nei *f*: a ~ of grievances. **5.** Aufsagen *n*, Vortrag *m*. **re'hearse I** *v/t* **1.** *mus. thea.* proben (*a. fig.*), *e-e Rolle, ein Stück etc* 'einstuˌdieren. **2.** *j-n* einüben. **3.** wieder'holen. **4.** aufzählen. **5.** aufsagen, vortragen. **6.** erzählen, berichten. **II** *v/i* **7.** Probe abhalten, proben.
re·house [riː'hauz] *v/t* (wieder *od.* in e-r neuen Wohnung) 'unterbringen, (neuen) Wohnraum beschaffen für.
re·i·fi·ca·tion [ˌriːifi'keiʃən] *s* Vergegenständlichung *f*. **'re·iˌfy** [-ˌfai] *v/t* vergegenständlichen, konkreti'sieren.
reign [rein] **I** *s* **1.** Re'gierung(szeit) *f*: in (*od.* under) the ~ of unter der Regierung (*gen*). **2.** Herrschaft *f* (*a. fig. der Mode etc*): ~ of law Rechtsstaatlichkeit *f*; ~ of terror Schreckensherrschaft. **II** *v/i* **3.** re'gieren, herrschen (over über *acc*): the ~ing beauty die schönste (u. einflußreichste) Frau (*ihrer Zeit*). **4.** *fig.* herrschen: silence ~ed. **5.** vorherrschen, über'wiegen.
re·im·burs·a·ble [ˌriːim'bəːrsəbl] *adj* rückzahlbar. **ˌre·im'burse** *v/t* **1.** *econ. j-n* entschädigen (for für): you will be ~d for your expenses wir werden Ihnen Ihre Auslagen zurückerstatten; to ~ o.s. sich schadlos halten (for für). **2.** *etwas* zu'rückzahlen, *Auslagen* erstatten, vergüten, *Kosten* decken. **ˌre·im'burse·ment** *s econ.* **1.** ('Wieder)Erstattung *f*, (Rück)Vergütung *f*, (Kosten)Deckung *f*: ~ credit Rembourskredit *m*. **2.** Entschädigung *f*.
re·im·port [ˌriːim'pɔːrt] *econ.* **I** *v/t* **1.** wieder'einführen. **II** *s* **2.** → reimportation. **3.** *pl* wieder'eingeführte Waren *pl*. **ˌre·im·por'ta·tion** *s* 'Wiedereinfuhr *f*.
re·im·pres·sion [ˌriːim'preʃən] *s print.* Neu-, Nachdruck *m*.
rein [rein] **I** *s* **1.** *oft pl* Zügel *m*, *meist pl* (*a. fig.*): to draw ~ anhalten, zügeln (*a. fig.*); to give a horse the ~(s) die Zügel locker *od.* schießen lassen; to give free ~(s) to one's imagination s-r Phantasie freien Lauf lassen *od.* die Zügel schießen lassen; to keep a tight ~ on s.o. *fig.* j-n fest an die Kandare nehmen; with a loose ~ mit sanfter Zügelführung, *fig.* mit sanfter Hand; to take (*od.* assume) the ~s of government die Zügel (der Regierung) in die Hand nehmen. **II** *v/t* **2.** *das Pferd* aufzäumen. **3.** (mit dem Zügel) lenken: to ~ back (*od.* in *od.* up) a) verhalten, b) anhalten. **4.** *fig.* lenken. **5.** *fig.* zügeln, im Zaum halten: to ~ one's tongue. **III** *v/i* **6.** ~ back, ~ in, ~ up a) verhalten, b) anhalten.
re·in·car·nate [ˌriːin'kɑːrneit] **I** *v/t j-m* wieder fleischliche Gestalt geben. **II** *adj* [-nit; -neit] 'wiedergeboren. **ˌre·in·car'na·tion** *s* Reinkarnati'on *f*: a) (Glaube *m* an die) Seelenwanderung, b) 'Wiederverkörperung *f*, -geburt *f*, c) neue Verkörperung.
rein·deer ['reinˌdir] *pl* **-deers,** *bes. collect.* **-deer** *s zo.* Ren *n*, Renntier *n*.
re·in·force [ˌriːin'fɔːrs] **I** *v/t* **1.** *mil. u. weitS.* verstärken. **2.** *fig.* a) *s-e Gesundheit* kräftigen, b) *s-e Worte* bekräftigen, c) *e-n Eindruck* verstärken, d) *e-n Beweis* untermauern. **3.** *tech.* a) *allg.* verstärken, b) *Beton* ar'mieren: ~d concrete Eisen-, Stahlbeton *m*. **II** *s* **4.** *tech.* (Materi'al)Verstärkung *f*. **5.** *mil.* Rohrversteifung *f*. **ˌre·in'force·ment** *s* **1.** Verstärkung *f* (*a. tech.*), *tech.* Ar'mierung *f* (*von Beton*). **2.** *pl mil.* Verstärkungen *pl*. **3.** *fig.* Stärkung *f*.
reins [reinz] *s pl* **1.** *obs.* a) Nieren *pl*, b) Lenden *pl*. **2.** *Bibl.* Nieren *pl* (*Herz, Seele*).
reins·man ['reinzmən] *s irr Am.* Lenker *m* (*e-s Gespanns*), *bes.* erfahrener Jockei *od.* Trabrennfahrer.
re·in·stall [ˌriːin'stɔːl] *v/t* wieder'einsetzen. **ˌre·in'stal(l)·ment** *s* Wieder'einsetzung *f*.
re·in·state [ˌriːin'steit] *v/t* **1.** *j-n* wieder'einsetzen (in in *acc*). **2.** *etwas* (wieder) in'stand setzen. **3.** *j-n od. etwas* wieder'herstellen, *e-e Versicherung etc* wieder aufleben lassen. **ˌre·in'state·ment** *s* **1.** Wieder'einsetzung *f*. **2.** Wieder'herstellung *f*.
re·in·sur·ance [ˌriːin'ʃu(ə)rəns] *s econ.* Rückversicherung *f*. **ˌre·in'sure** *v/t* **1.** rückversichern. **2.** nachversichern.
re·in·te·grate [riː'intiˌgreit] *v/t* **1.** 'wiedervereinigen. **2.** wieder aufnehmen *od.* eingliedern (into in *acc*). **3.** wieder'herstellen. **ˌre·in·te'gra·tion** *s* **1.** 'Wiedervereinigung *f*. **2.** Wieder'aufnahme *f*, -'eingliederung *f*. **3.** Wieder'herstellung *f*.
re·in·vest [ˌriːin'vest] *v/t* **1.** *econ.* wieder anlegen: to ~ a profit. **2.** *j-n* wieder'einsetzen (in in *acc*), wieder bekleiden (with mit). **ˌre·in'ves·ti·ture** [-titʃər] *s* Wieder'einsetzung *f* (*in ein Amt od. in Rechte*), Wieder'einweisung *f* (*in Besitz*). **ˌre·in'vest·ment** *s econ.* Neu-, 'Wiederanlage *f*.
reis [reis] *s pl* Reis *pl* (*portugiesische od. brasilianische Rechnungsmünze*).
re·is·sue [riː'iʃuː; *Br. a.* -'isjuː] **I** *s* **1.** *print.* Neu-, Teilausgabe *f* (*in veränderter Aufmachung*). **2.** Neuausgabe *f* (*von Banknoten, Briefmarken etc*): ~ patent Abänderungspatent *n*. **II** *v/t* **3.** wieder *od.* neu ausgeben.
re·it·er·ate [riː'itəˌreit] *v/t* (ständig) wieder'holen. **reˌit·er'a·tion** *s* Wieder'holung *f*. **re'it·erˌa·tive I** *adj* **1.** (ständig) wieder'holend. **II** *s ling.* **2.** (Re)Itera'tivum *n*. **3.** redupli'ziertes Wort.
re·ject I *v/t* [ri'dʒekt] **1.** *j-n od. etwas* ab-, zu'rückweisen, *e-e Bitte* abschlagen, *etwas* verwerfen: to ~ a counsel e-n Rat verschmähen *od.* nicht annehmen; to ~ food Nahrung *od.* die Nahrungsaufnahme verweigern; to be ~ed a) *pol. od. thea.* durchfallen, b) ,e-n Korb bekommen' (*Freier*). **2.** (als wertlos *od.* unbrauchbar) ausscheiden, *tech. a.* ausstoßen. **3.** *med. Essen* wieder von sich geben (*Magen*). **II** *s* ['riːdʒekt] **4.** *mil.* Untaugliche(r) *m*, Ausgemusterte(r) *m*. **5.** 'Ausschußarˌtikel *m*: ~s Ausschuß *m*. **re'ject·a·ble** *adj* **1.** ablehnbar. **2.** abzulehnen(d).
reˌjec·ta'men·ta [-tə'mentə] *s pl* **1.** Abfälle *pl*. **2.** a) Anschwemmungen *pl* (*des Meeres*), b) Strandgut *n*. **3.** *physiol.* Exkre'mente *pl*. **re'jec·tion** *s* **1.** Ablehnung *f*, Zu'rückweisung *f*, Verwerfung *f*. **2.** *econ.* a) Abnahmeverweigerung *f*, b) → reject 5: ~ number Schlechtzahl *f* (*bei Gütekontrolle*). **3.** *pl* Exkre'mente *pl*. **re'jec-**

tor [-tər] *s a.* ~ **circuit** *electr.* Sperrkreis *m.*

re·joice [ri'dʒɔis] **I** *v/i* **1.** (hoch)erfreut sein, froh'locken (in, at über *acc*). **2.** ~ in sich *e-r Sache* erfreuen (*etwas besitzen*). **II** *v/t* **3.** erfreuen: to be ~d sich freuen (at, by über *acc*; to hear zu hören). **re'joic·ing I** *s* **1.** Freude *f*, Froh'locken *n*. **2.** *oft pl* (Freuden)Fest *n*, Lustbarkeit(en *pl*) *f*. **II** *adj* (*adv* ~ly) **3.** erfreut, froh (in, at über *acc*).

re·join[1] [riː'dʒɔin] **I** *v/t* **1.** sich wieder anschließen (*dat*) *od.* an (*acc*), wieder eintreten in (*acc*): to ~ a party. **2.** wieder zu'rückkehren zu, sich wieder gesellen zu, *j-n* 'wiedertreffen. **3.** 'wiedervereinigen, wieder zs.-fügen (to, with mit). **II** *v/i* **4.** sich wieder vereinigen. **5.** sich wieder zs.-fügen.

re·join[2] [ri'dʒɔin] *v/t u. v/i* **1.** erwidern. **2.** *jur.* dupli'zieren.

re·join·der [ri'dʒɔindər] *s* **1.** *jur.* Du'plik *f*. **2.** Erwiderung *f*.

re·ju·ve·nate [ri'dʒuːviˌneit] *v/t u. v/i* (sich) verjüngen (*a. geol.*). **reˌju·ve'na·tion** *s* Verjüngung *f*. **re'ju·veˌna·tor** [-tər] *s* Verjüngungsmittel *n*. **reˌju·ve'nesce** [-'nes] *v/t u. v/i bes. biol.* (sich) verjüngen. **reˌju·ve'nes·cence** *s* (*a. biol.* Zell)Verjüngung *f*. **reˌju·ve'nes·cent** *adj* **1.** sich verjüngend. **2.** verjüngend. **re'ju·veˌnize** *v/t* verjüngen.

re·kin·dle [riː'kindl] **I** *v/t* **1.** wieder anzünden. **2.** *fig.* a) *j-s Zorn etc* wieder entfachen, b) *etwas* neu beleben, c) *Hoffnung* wieder wecken. **II** *v/i* **3.** sich wieder entzünden. **4.** *fig.* wieder entbrennen, wieder'aufleben.

re·lapse [ri'læps] **I** *v/i* **1.** zu'rückfallen, wieder fallen (into in *acc*): to ~ **into stupor**. **2.** wieder verfallen (into in *acc*): to ~ **into barbarism**. **3.** rückfällig werden. **4.** *med.* e-n Rückfall bekommen. **II** *s* **5.** Rückfall *m*.

re·late [ri'leit] **I** *v/t* **1.** berichten, erzählen (to s.o. j-m). **2.** in Verbindung *od.* Zs.-hang bringen, verbinden (to, with mit). **II** *v/i* **3.** sich beziehen (to auf *acc*): **relating to** in bezug *od.* mit Bezug auf (*acc*), bezüglich (*gen*), betreffend (*acc*). **4.** (to, with) in Beziehung *od.* Verbindung stehen (zu, mit), gehören (zu), verwandt sein (mit). **re'lat·ed** *adj* **1.** verwandt (to, with mit) (*a. fig.*): ~ **sciences**; ~ **by blood (marriage)** blutsverwandt (verschwägert). **2.** verbunden, -knüpft (to mit). **re'lat·ed·ness** *s* Verwandtschaft *f*.

re·la·tion [ri'leiʃən] *s* **1.** Bericht *m*, Erzählung *f*. **2.** Beziehung *f*, (*a. Vertrags-, Vertrauens- etc*)Verhältnis *n*: **confidential** ~. **3.** (*kausaler etc*) Zs.-Hang. **4.** *pl* Beziehungen *pl*: **business** ~s Geschäftsbeziehungen; **to enter into** ~s **with s.o.** mit j-m in Beziehungen *od.* Verbindung treten; → **human 1, public relations**. **5.** Bezug *m*, Beziehung *f*: **in** ~ **to** in bezug *od.* im Hinblick auf (*acc*); **to bear no** ~ **to** (gar) nichts zu tun haben mit; **to have** ~ **to** sich beziehen auf (*acc*). **6.** a) Verwandte(r *m*) *f*: **what** ~ **is he to you?** wie ist er mit dir verwandt?, b) Verwandtschaft *f* (*a. fig.*). **7.** *math.* Relati'on *f*. **8.** *jur.* Rückbeziehung *f*: **to have** ~ **to April 1st** rückwirkend vom 1. April gelten. **9.** *jur.* Anzeige *f* (*beim Staatsanwalt*). **re'la·tion·al** *adj* **1.** verwandtschaftlich, Verwandtschafts... **2.** Beziehungs..., Bezugs...: ~ **words** *ling.* Beziehungswörter. **re'la·tionˌship** *s* **1.** Beziehung *f*, (*a. jur. Rechts*)Verhältnis *n* (to zu). **2.** Verwandtschaft *f* (*a. fig.*) (to mit): a) Verwandtschaftsverhältnis *n*: **degree of** ~ Verwandtschaftsgrad *m*, b) (*die*) Verwandten *pl*.

rel·a·ti·val [ˌrelə'taivəl] *adj ling.* rela'tivisch.

rel·a·tive ['relətiv] **I** *adj* (*adv* ~ly) **1.** rela'tiv, verhältnismäßig, Verhältnis...: **in** ~ **ease** verhältnismäßig *od.* relativ wohlhabend; ~ **humidity** relative (Luft)Feuchtigkeit; ~ **number** *math.* Verhältniszahl *f*; ~ **proportions** Mengen- *od.* Größenverhältnis *n*. **2.** bezüglich, sich beziehend (to auf *acc*): ~ **value** *math.* Bezugswert *m*; ~ **to** bezüglich, hinsichtlich (*gen*), betreffend (*acc*); ~ **evidence** einschlägiger Beweis. **3.** *ling.* Relativ..., bezüglich: ~ **pronoun**; ~ **clause** Relativsatz *m*. **4.** (to) abhängig (von), bedingt (durch): **price is** ~ **to demand**. **5.** gegenseitig, entsprechend, jeweilig. **6.** *mus.* paral'lel: ~ **key** Paralleltonart *f*. **7.** *relig.* 'indiˌrekt: ~ **worship** Bilderdienst *m*. **II** *s* **8.** Verwandte(r *m*) *f*. **9.** *chem.* verwandtes Deri'vat. **10.** *ling.* Rela'tivum *n*, Rela'tivproˌnomen *n*. **11. the** ~ das Relative. **'rel·a·tive·ness** *s* Relativi'tät *f*.

rel·a·tiv·ism ['relətiˌvizəm] *s philos.* Relati'vismus *m*. **'rel·a·tiv·ist I** *s* Relati'vist(in). **II** *adj* relati'vistisch.

rel·a·tiv·i·ty [ˌrelə'tiviti] *s* **1.** Relativi'tät *f*: **theory of** ~, ~ **theory** *phys.* (*Einsteins*) Relativitätstheorie *f*. **2.** (to) Abhängigkeit *f* (von), Bedingtheit *f* (durch).

re·la·tor [ri'leitər] *s* **1.** Erzähler(in). **2.** *jur.* Anzeigenerstatter(in).

re·lax [ri'læks] **I** *v/t* **1.** entspannen: **to** ~ **one's face (muscles, a spring)**. **2.** lockern (*a. fig.*): **to** ~ **one's grip**; **to** ~ **discipline (a rule,** *etc*). **3.** *fig.* nachlassen in (*dat*): **to** ~ **one's efforts**; **to** ~ **one's pace** sein Tempo herabsetzen. **4.** verweichlichen: ~**ed by prosperity**. **5.** ~ **the bowels** *med.* den Leib öffnen. **II** *v/i* **6.** sich entspannen (*Muskeln etc*; *a. Geist, Person*), ausspannen, sich erholen (*Person*), es sich bequem *od.* gemütlich machen, s-e Nervosi'tät ablegen: ~! a) mache es dir gemütlich!, b) reg' dich ab!; ~**ed** entspannt, gelöst; ~**ed atmosphere** zwanglose Atmosphäre. **7.** sich lockern (*Griff, Seil etc*; *a. fig. Disziplin etc*). **8.** nachlassen (in in *dat*): **attention** ~**ed**; **he** ~**ed in his efforts**. **9.** *med.* erschlaffen. **10.** freundlicher werden. **re·lax·a·tion** [ˌriːlæk'seiʃən] **I** *s* **1.** Entspannung *f*. **2.** *fig.* Aus-, Entspannung *f*, Erholung *f*. **3.** Lockerung *f* (*a. fig.*). **4.** Nachlassen *n*. **5.** Milderung *f*, Erleichterung *f* (*e-r Strafe etc*). **6.** *med.* Erschlaffung *f*. **II** *adj* **7.** *electr. phys.* Kipp...: ~ **circuit**; ~ **generator**; ~ **oscillation** Kippschwingung *f*; ~ **oscillator** Sägezahn-, Kippgenerator *m*.

re·lay ['riːlei; ri'lei] **I** *s* **1.** *electr.* Re'lais *n*: ~ **broadcast** Ballsendung *f*; ~ **station** Relaisstation *f*, Zwischensender *m*; ~ **switch** Schaltschütz *n*. **2.** *tech.* Hilfs-, Servomotor *m*. **3.** *mil. etc* Ablösung(smannschaft) *f*, neue Schicht (*von Arbeitern*): ~ **attack** *mil.* rollender Angriff; **in** ~**s** *mil.* in rollendem Einsatz; **to work in** ~**s** in Schichten arbeiten, schichten. **4.** *hunt.* frische Meute (*Hunde*). **5.** Ersatzpferde *pl*, frisches Gespann. **6.** Re'lais *n* (*Pferdewechsel, Umspannort*). **7.** *sport* a) *a.* ~ **race** Staffellauf *m*, *Schwimmsport*: Staffelschwimmen *n*, b) Staffel *f*, c) Teilstrecke *f*. **II** *v/t* **8.** *allg.* weitergeben. **9.** ablösen. **10.** *electr.* mit *od.* durch Re'lais(statiˌonen) steuern *od.* über'tragen.

re-lay [riː'lei] *v/t irr* neu (ver)legen.

re·lease [ri'liːs] **I** *v/t* **1.** (aus der Haft) entlassen, freilassen, auf freien Fuß setzen: **to** ~ **a prisoner**. **2.** (from) a) befreien, erlösen (von): **to** ~ **s.o. from pain**, b) entbinden (von *od. gen*): **to** ~ **s.o. from an obligation**. **3.** freigeben: **to** ~ **blocked assets**; **to** ~ **an article for publication** e-n Artikel zur Veröffentlichung freigeben; **to a** ~ **film** e-n Film (zur Aufführung) freigeben. **4.** *jur. ein Recht, Eigentum* aufgeben *od.* über'tragen: **to** ~ **a mortgage** e-e Hypothek löschen. **5.** *chem. phys.* freisetzen. **6.** *tech.* a) auslösen (*a. phot.*), b) ausschalten: **to** ~ **bombs** Bomben (ab)werfen *od.* ausklinken; **to** ~ **the clutch** *mot.* auskuppeln; **to** ~ **gas** Gas abblasen. **II** *s* **7.** (Haft)Entlassung *f*, Freilassung *f* (from aus). **8.** Befreiung *f*, Erlösung *f* (from von). **9.** Entlastung *f* (*a. e-s Treuhänders etc*), Entbindung *f* (from von *e-r Pflicht, Schuld etc*). **10.** Freigabe *f*: ~ **of a book**; **first** ~ (*Film*) Uraufführung *f*; **(press)** ~ Presseverlautbarung *f*; ~ **print** (*Film*) Verleihkopie *f*; ~ **of energy** Freiwerden *n* von Energie. **11.** *jur.* a) Verzicht(leistung *f od.* -urkunde *f*) *m*, b) ('Rechts)Überˌtragung *f*: ~ **of mortgage** Hypothekenlöschung *f*, c) Quittung *f*. **12.** *tech.* a) Auslöser *m* (*a. phot.*), b) Auslösung *f*: ~ **of bombs** *mil.* Bombenabwurf *m*; ~ **button** Auslösetaste *f*; ~ **cord** *aer.* Reißleine *f* (*am Fallschirm*).

re-lease [riː'liːs] *v/t* **1.** wieder vermieten *od.* verpachten. **2.** wieder mieten *od.* pachten.

re·leas·ee [riˌliː'siː] *s jur. j-d, dem ein Grundstück, das er besitzt, als Eigentum übertragen wird.*

re·leas·er [ri'liːsər] *s* **1.** *phot.* Auslöser *m*. **2.** Befreier *m*, Erlöser *m*. **re'leas·ing** *adj* **1.** befreiend: ~ **tricks** Befreiungsgriffe. **2.** *tech.* Auslöse...

re·lea·sor [ri'liːsər] *s jur. j-d der ein Grundeigentum (zugunsten e-s anderen) aufgibt.*

rel·e·gate ['reliˌgeit] *v/t* **1.** rele'gieren, verbannen (out of aus). **2.** verweisen (to in *acc*): to ~ **details to footnotes**. **3.** (to) verweisen (in *acc*), zuschreiben (*dat*): to ~ **to the sphere of legend** in das Reich der Fabel verweisen. **4.** verweisen, degra'dieren: **he was** ~**d to fourth place** *sport* er wurde auf den 4. Platz verwiesen; **the club was** ~**d** (*Fußball*) der Verein mußte absteigen. **5.** *etwas* (zur Entscheidung) über'weisen (to an *acc*). **6.** *j-n* verweisen (to an *acc*). **ˌrel·e'ga·tion** *s* **1.** Über'weisung *f* (to an *acc*). **2.** Verweisung *f*, -bannung *f*. **3.** *sport* Abstieg *m*.

re·lent [ri'lent] *v/i* **1.** weicher *od.* mitleidig werden, sich erweichen lassen, einlenken. **2.** nachlassen (*Wind etc*). **re'lent·ing** *adj* mitleidig. **re'lent·less** *adj* (*adv* ~ly) unbarmherzig, schonungslos, hart. **re'lent·less·ness** *s* Unbarmherzigkeit *f*.

rel·e·vance ['relivəns], **'rel·e·van·cy** [-si] *s* Rele'vanz *f*, (*a. jur.* Beweis)Erheblichkeit *f*, Bedeutung *f* (to für). **'rel·e·vant** *adj* (*adv* ~ly) **1.** anwendbar (to auf *acc*), einschlägig, zweck-, sachdienlich: **to be** ~ **to** sich beziehen auf (*acc*). **2.** rele'vant, belangvoll, (*jur.* beweis-, rechts)erheblich, von Belang (to für).

re·li·a·bil·i·ty [riˌlaiə'biliti] *s* Zuverlässigkeit *f* (*a. tech. Betriebssicher-*

heit), Verläßlichkeit *f*: ~ test *tech.* Zuverlässigkeitsprüfung *f*. **re'li·a·ble** *adj* (*adv* **reliably**) **1.** zuverlässig (*a. tech. betriebssicher*), verläßlich. **2.** glaubwürdig: a ~ witness. **3.** vertrauenswürdig, seri'ös, re'ell: a ~ firm.

re·li·ance [ri'laiəns] *s* **1.** Vertrauen *n*: to have ~ (up)on vertrauen auf (*acc*); to place (full) ~ on (*od.* in) s.o. (volles) Vertrauen auf j-n setzen; in ~ on unter Verlaß auf (*acc*), bauend auf (*acc*). **2.** Stütze *f*, Hilfe *f*. **re'li·ant** *adj* **1.** vertrauensvoll: ~ on vertrauend auf (*acc*). **2.** zuversichtlich.

rel·ic ['relik] *s* **1.** Re'likt *n*, ('Über)Rest *m*, 'Überbleibsel *n* (*a. contp.*). **2.** *fig.* Andenken *n* (of an *acc*): ~s of the past Zeugen der Vergangenheit, Altertümer. **3.** *meist pl relig.* Re'liquie *f*. **4.** *pl poet.* (sterbliche) 'Überreste *pl*, Gebeine *pl*.

rel·ict ['relikt] *s* **1.** *biol.* Re'likt *n* (*Restvorkommen*). **2.** *obs.* Witwe *f*.

re·lief[1] [ri'li:f] *s* **1.** Erleichterung *f* (*a. med.*). **2.** Wohltat *f* (to the eye für das Auge). **3.** Entspannung *f*, Abwechslung *f*, angenehme Unter'brechung. **4.** Trost *m*. **5.** Entlastung *f*: tax ~ Steuerbegünstigung *f*, -erleichterung *f*. **6.** Abhilfe *f*. **7.** a) Unter'stützung *f*, Hilfe *f*, b) *Br.* Fürsorge *f*: to be on ~ Fürsorge(unterstützung) beziehen; ~ fund Unterstützungsfonds *m*, -kasse *f*; ~ works Notstandsarbeiten. **8.** *mil.* a) Entsatz *m*, Entlastung *f*: ~ attack Entlastungsangriff *m*, b) *a. allg.* Ablösung *f*: ~ driver *mot.* Beifahrer *m*; ~ road Entlastungsstraße *f*; ~ train Entlastungs-, Vorzug *m*; ~ valve Überdruckventil *n*. **9.** Vertretung *f*, Aushilfe *f*: ~ secretary Aushilfssekretärin *f*. **10.** *jur.* a) Rechtshilfe *f*, b) Rechtsbehelf *m*: the ~ sought das Klagebegehren. **11.** *jur. hist.* Lehngeld *n*, -ware *f*.

re·lief[2] [ri'li:f] *s* **1.** Reli'ef *n* (*a. geogr.*), erhabene Arbeit: in high (low) ~ in Hoch(Flach)Relief; to stand out in (bold) ~ plastisch *od.* scharf hervortreten (*a. fig.*); to bring out the facts in full ~ die Tatsachen scharf herausarbeiten; to set into vivid ~ *fig.* etwas plastisch schildern; to throw into ~ (scharf) hervortreten lassen (*a. fig.*); be in ~ against sich (scharf) abheben gegen; ~ map Relief-, Höhenkarte *f*. **2.** *print.* Reli'efdruck *m*.

re·lieve [ri'li:v] **I** *v/t* **1.** *Schmerzen etc, a. das Gewissen* erleichtern, *Not, Qual* lindern: to ~ pain (one's conscience, *etc*); to ~ one's feelings s-n Gefühlen Luft machen; to ~ o.s. (*od.* nature) sich erleichtern, s-e Notdurft verrichten. **2.** *j-n* entlasten: to ~ s.o. from (*od.* of) j-m *etwas* abnehmen, *j-n* von *e-r Pflicht etc* entbinden, j-n *e-r Verantwortung etc* entheben, j-n von *etwas* befreien; to ~ s.o.'s mind of all doubt j-m jeden Zweifel nehmen; to ~ s.o. of s.th. *humor.* j-n um etwas ‚erleichtern', j-m etwas stehlen. **3.** *j-n* erleichtern, beruhigen. **4.** *Bedürftige* unter'stützen. **5.** *mil.* a) *e-n belagerten Platz* entsetzen, b) *e-e Kampftruppe* entlasten, c) *e-n Posten, e-e Einheit, a. allg.* ablösen. **6.** *e-r Sache* abhelfen. **7.** *j-m* Recht verschaffen. **8.** *etwas Eintöniges* beleben, Abwechslung bringen in (*acc*). **9.** *tech.* a) entlasten (*a. arch.*), *e-e Feder* entspannen, b) 'hinterdrehen. **10.** ab-, her'vorheben. **II** *v/i* **11.** sich abheben (against gegen; from von).

re·liev·ing| arch [ri'li:viŋ] *s arch.* Stütz-, Entlastungsbogen *m*. ~ **of·fi·cer** *s* Fürsorgebeamte(r) *m*.

re·lie·vo [ri'li:vou] *pl* **-vos** *s* Reli'ef(arbeit *f*) *n*.

re·li·gion [ri'lidʒən] *s* **1.** Religi'on *f*, Glaube: to get ~ *colloq.* fromm werden. **2.** Religiosi'tät *f*, Frömmigkeit *f*. **3.** *fig.* a) Ehrensache *f*, Herzenspflicht *f*, heiliger Grundsatz, b) *iro.* Fetisch *m*, Religi'on *f*: to make a ~ of s.th. etwas zur Religion erheben. **4.** mo'nastisches Leben: to be in ~ e-m Orden angehören; to enter into ~ in e-n Orden eintreten. **re'li·gion·er** *s* **1.** Mitglied *n* e-s religi'ösen Ordens. **2.** → religionist. **re'li·gion·ist** *s* **1.** frommer Mensch. **2.** religi'öser Schwärmer *od.* Eiferer. **re'li·gion,ize** **I** *v/t* fromm machen. **II** *v/i* sich fromm gebärden, frömmeln. **re'li·gion·less** *adj* glaubens-, religi'onslos. **re,lig·i'ose** [-dʒi'ous] *adj* über'trieben religi'ös, bi'gott. **re,lig·i'os·i·ty** [-'ɒsiti] *s* **1.** Religiosi'tät *f*. **2.** religi'öse Schwärme'rei, Frömme'lei *f*.

re·li·gious [ri'lidʒəs] **I** *adj* (*adv* ~ly) **1.** religi'ös, Religions...: ~ book; ~ wars Religionskriege. **2.** religi'ös, fromm. **3.** ordensgeistlich, Ordens...: ~ order geistlicher Orden. **4.** *fig.* äußerst gewissenhaft: with ~ care mit peinlicher Sorgfalt. **5.** *fig.* andächtig: ~ silence. **II** *s sg u. pl* **6.** a) Ordensmann *m od.* -frau *f*, Mönch *m od.* Nonne *f*, b) *pl* Ordensleute *pl*. **re'li·gious·ness** *s* Religiosi'tät *f*.

re·lin·quish [ri'liŋkwiʃ] *v/t* **1.** *e-n Plan etc* aufgeben, *e-e Hoffnung a.* fahrenlassen, *e-e Idee a.* fallenlassen. **2.** (to) *e-n Besitz, ein Recht* abtreten (*dat. od.* an *acc*), über'lassen (*dat*), preisgeben (*dat*). **3.** loslassen, fahrenlassen: to ~ one's hold on s.th. etwas loslassen. **re'lin·quish·ment** *s* **1.** Auf-, Preisgabe *f*, Über'lassung *f*. **2.** Verzicht *m* (of auf *acc*).

rel·i·quar·y ['relikwəri] *s* Re'liquienschrein *m*.

re·liq·ui·ae [ri'likwi,i:] (*Lat.*) *s pl bes. geol.* (or'ganische) 'Überreste *pl*.

rel·ish ['reliʃ] **I** *v/t* **1.** gern essen, sich schmecken lassen, (mit Appe'tit) genießen: I did not ~ the coffee der Kaffee war nicht nach m-m Geschmack. **2.** *fig.* Geschmack *od.* Gefallen finden an (*dat*), (mit Behagen) genießen: to ~ the beauties of a symphony; I do not much ~ the idea ich bin nicht gerade begeistert davon (of doing zu tun); I did not ~ it es sagte mir nicht zu. **3.** *fig.* würzen, schmackhaft machen (with mit). **II** *v/i* **4.** (of) a) schmecken (nach), b) *fig.* e-n Beigeschmack haben (von). **5.** schmecken, munden. **III** *s* **6.** (Wohl)Geschmack *m*. **7.** *fig.* Reiz *m*: to lose its ~. **8.** (for) Sinn *m* (für), Geschmack *m*, Gefallen *n* (an *dat*): with (great) ~ a) mit (großem) Appetit *essen*, b) mit (großem) Behagen *od.* Vergnügen, *bes. iro.* mit Wonne *tun*; to have no ~ for sich nichts machen aus *e-r Sache*. **9.** *a. fig.* a) Kostprobe *f*, b) Beigeschmack *m*, Anflug *m*, Hauch *m* (of von). **10.** a) Gewürz *n*, Würze *f* (*a. fig.*), b) Horsd'œuvre *n*, Appe'tithappen *m*.

re·live [ri:'liv] **I** *v/i* wieder (auf)leben. **II** *v/t etwas* noch einmal durch'leben.

re·load [ri:'loud] *v/t* **1.** *econ.* neu (be)laden, 'umladen: charges for ~ing Umladegebühren. **2.** *e-e Waffe* neu laden.

re·lo·ca·tion [,ri:lou'keiʃən] *s* **1.** *jur. Scot.* 'Wiederverpachtung *f*. **2.** 'Wiederentdeckung *f*. **3.** 'Umsiedlung *f*, Verlagerung *f*.

re·lu·cent [ri'lu:sənt; -'lju:-] *adj* leuchtend, strahlend.

re·luct [ri'lʌkt] *v/i obs.* **1.** sich auflehnen (against gegen; at gegen, bei). **2.** sich wider'setzen (to *dat*).

re·luc·tance [ri'lʌktəns] *s* **1.** Wider'streben *n*, Abneigung *f* (to gegen; to do s.th. etwas zu tun): with ~ → reluctantly; to show ~ to do s.th. wenig Neigung zeigen, etwas zu tun. **2.** *phys.* Reluk'tanz *f*, ma'gnetischer 'Widerstand. **re'luc·tant** *adj* 'widerwillig, wider'strebend, zögernd: to be ~ to do s.th. sich sträuben, etwas zu tun; etwas nur ungern tun; I am ~ to do that es widerstrebt mir, das zu tun; ich tue das nur zögernd *od.* ungern. **re'luc·tant·ly** *adv* wider'strebend, 'widerwillig, ungern, schweren Herzens.

rel·uc·tiv·i·ty [,reləkʼtiviti] *s phys.* Reluktivi'tät *f*, spe'zifischer ma'gnetischer 'Widerstand.

re·lume [ri'lu:m; -'lju:m] *v/t* **1.** wieder anzünden, neu entfachen (*a. fig.*). **2.** 'wiedererhellen.

re·ly [ri'lai] *v/i* **1.** ~ (up)on sich verlassen *od.* vertrauen *od.* bauen *od.* zählen auf (*acc*): I ~ upon you to do it ich verlasse mich darauf, daß du es tust; to have to ~ on s.o. auf j-n angewiesen sein; he can be relied upon man kann sich auf ihn verlassen. **2.** ~ (up)on sich berufen *od.* stützen auf (*e-e Quelle, ein Buch etc*): the author relies on earlier works der Autor lehnt sich an frühere Werke an.

rem [rem] *s phys.* rem *n* (*absorbierte Strahlendosis von der biologischen Wirksamkeit e-s rad; aus* roentgen equivalent man).

re·main [ri'mein] **I** *v/i* **1.** (übrig)bleiben, (*a. fig.* to s.o. j-m). **2.** (zu'rück-, ver)bleiben, noch übrig *od.* vor'handen *od.* geblieben sein: no other token of his art ~s kein anderes Beispiel s-r Kunst ist erhalten *od.* (uns) geblieben; only half of it ~s nur die Hälfte davon ist noch übrig *od.* vorhanden; nothing ~s (to him) but to confess es bleibt (ihm) nichts weiter übrig, als ein Geständnis abzulegen; little now ~s to be done es bleibt nur noch wenig zu tun; that ~s to be proved das wäre (erst) noch zu beweisen; that ~s to be seen das bleibt abzuwarten. **3.** (*mit Prädikatsnomen*) bleiben: he ~ed a bachelor; one thing ~s certain eins ist gewiß; to ~ firm *econ.* fest bleiben (*Preis*); she ~ed speechless sie war sprachlos; he ~ed standing er blieb stehen. **4.** (*mit Adverbiale*) weiter(hin) sein, bleiben: to ~ in existence weiterbestehen; to ~ in force in Kraft bleiben. **5.** bleiben, (ver)weilen: he ~ed in the house. **6.** verbleiben (*im Briefschluß*).

II *s pl* **7.** *a. fig.* Reste *pl*, 'Überreste *pl*, -bleibsel *pl*. **8.** (*die*) Über'lebenden *pl*, Überlebende(r *m*) *f*. **9.** *a.* literary ~s hinter'lassene Werke *pl*, lite'rarischer Nachlaß. **10.** (*die*) sterblichen 'Überreste *pl*.

re·main·der [ri'meindər] **I** *s* **1.** Rest *m*, (*das*) übrige. **2.** *econ.* a) Restbestand *m*, b) Restbetrag *m*. **3.** (*die*) übrigen *pl*, (*die*) anderen *pl*, (*die*) Übriggebliebenen *pl*. **4.** *tech.* Rückstand *m*. **5.** *pl* 'Überreste *pl*. **6.** *math.* a) Rest *m*, b) Restglied *n*. **7.** *jur.* a) Obereigentum *n*, b) beschränktes Eigentum, c) Nacherbenrecht *n*, d) Anwartschaft(srecht *n*) *f* (*auf Grundeigentum*): contingent ~

bedingte Anwartschaft; **vested ~** unentziehbare Anwartschaft. **8.** *a. pl Buchhandel*: Restbestand *m*, Remit'tenden *pl*. **II** *v/t* **9.** *Bücher* (als Remit'tenden) (*billig*) abgeben, abstoßen.
re'main·der·man [-mən] *s irr jur.* **1.** Nacherbe *m*. **2.** Anwärter *m*. **3.** Obereigentümer *m*.
re·main·ing [ri'meiniŋ] *adj* übrig(geblieben), Rest..., verbleibend, restlich.
re·make I *v/t irr* [riː'meik] wieder *od.* neu machen, neu schaffen. **II** *s* ['riːˌmeik] Remake *n*, Neuverfilmung *f*.
re·mand [*Br.* ri'mɑːnd; *Am.* -'mæ(ː)nd] *jur.* **I** *v/t* **1.** a) *j-n* (in Unter'suchungshaft) zu'rückschicken, b) *e-e Rechtssache* (an die untere In'stanz) zu'rückverweisen. **2.** (to) zu'rückschikken, über'weisen (an *acc*), über'geben (*dat*). **II** *s* **3.** (Zu'rücksendung *f* in die) Unter'suchungshaft *f*: **~ court** Haftprüfungsgericht *n*; **~ home** Vollzugsanstalt *f* für Jugendarrest; **~ prison** Untersuchungsgefängnis *n*; **prisoner on ~** Untersuchungsgefangene(r *m*) *f*; **to be brought up on ~** aus der Untersuchungshaft vorgeführt werden. **4.** Zu'rückverweisung *f* (an die untere In'stanz).
rem·a·nence ['remənəns] *s phys.* Rema'nenz *f*. **'rem·a·nent** *adj phys.* rema'nent: **~ magnetism.**
rem·a·net ['reməˌnet] (*Lat.*) *s* **1.** Rest *m*, Rückstand *m*. **2.** *jur. Fall, dessen Erledigung verschoben od. ausgesetzt worden ist.* **3.** *parl. Br.* unerledigte Gesetzesvorlage.
re·mark[1] [ri'mɑːrk] **I** *v/t* **1.** (be)merken, beobachten. **2.** bemerken, äußern, sagen (that daß). **II** *v/i* **3.** sich äußern, e-e Bemerkung *od.* Bemerkungen machen (on, upon über *acc*, zu). **III** *s* **4.** Bemerkung *f*, Äußerung *f*: **to make ~s to s.o. on s.th.** sich j-m gegenüber über etwas äußern. **5.** Kommen'tar *m*, Anmerkung *f*: **to give cause to ~** Aufsehen erregen; **without ~** kommentarlos; **worthy of ~** beachtenswert.
re·mark[2] → **remarque.**
re·mark·a·ble [ri'mɑːrkəbl] *adj* (*adv* **remarkably**) bemerkenswert: a) beachtlich (for wegen), b) ungewöhnlich, auffallend, außerordentlich: **with ~ skill. re'mark·a·ble·ness** *s* **1.** Ungewöhnlichkeit *f*, Merkwürdigkeit *f*. **2.** Bedeutsamkeit *f*.
re·marque [ri'mɑːrk] *s* **1.** Re'marque *f*, Re'mark *f* (*Probezeichnung am Rand der Kupferplatte*). **2.** Re'marquedruck *m*.
re·mar·riage [riː'mæridʒ] *s* 'Wiederverheiratung *f*. **re'mar·ry** *v/t u. v/i* (sich) wieder verheiraten.
Rem·brandt·esque [ˌrembræn'tesk] *adj* im Stile Rembrandts (gemalt).
re·me·di·a·ble [ri'miːdiəbl; -djəbl] *adj* (*adv* **remediably**) heilbar, abstellbar: **this is ~** dem ist abzuhelfen. **re'me·di·al** *adj* (*adv* **~ly**) **1.** Abhilfe schaffend: **~ measure** Abhilfemaßnahme *f*. **2.** heilend, Heil...: **~ gymnastics** Heilgymnastik *f*.
rem·e·di·less ['remidilis] *adj* (*adv* **~ly**) unheilbar, nicht wieder'gutzumachen(d).
rem·e·dy ['remidi] **I** *s* **1.** *med.* (Heil-)Mittel *n*, Arz'nei(mittel *n*) *f* (**for, against** für, gegen). **2.** *fig.* (Gegen-)Mittel *n* (**for, against** gegen), Abhilfe *f*: **beyond** (*od.* **past**) **~** nicht mehr zu beheben, hoffnungslos. **3.** *jur.* Rechtsmittel *n*, -behelf *m*. **4.** *Münzwesen*: Tole'ranz *f*. **5.** *ped. Br.* freier Nachmittag. **II** *v/t* **6.** *e-n Schaden, Mangel* beheben. **7.** *e-n Mißstand* abstellen, *e-r Sache* abhelfen, *etwas* in Ordnung bringen, korri'gieren. **8.** *med.* heilen.
re·mem·ber [ri'membər] **I** *v/t* **1.** sich entsinnen (*gen*), sich besinnen auf (*acc*), sich erinnern an (*acc*). **2.** sich merken, nicht vergessen, eingedenk sein (*gen*), denken an (*acc*), beherzigen: **~ what I tell you** denke daran *od.* vergiß nicht, was ich dir sage; **~!** wohlgemerkt; **be it ~ed** vergessen wir nicht. **3.** (auswendig) können *od.* wissen. **4.** denken an *j-n* (*weil man ihm etwas schenken will etc*). **5.** *j-n* (*mit e-m Geschenk, in s-m Testament*) bedenken: **to ~ s.o. in one's will. 6.** *j-s* (*im Gebet*) gedenken. **7.** *colloq. j-n* empfehlen, grüßen von: **please ~ me kindly to your wife** empfehlen Sie mich bitte Ihrer Frau Gemahlin. **II** *v/i* **8.** sich erinnern *od.* entsinnen: **if I ~ right** wenn ich mich recht entsinne; **not that I ~** nicht, daß ich wüßte.
re·mem·brance [ri'membrəns] *s* **1.** Erinnerung *f* (**of** an *acc*), Gedächtnis *n*: **to call s.th. to ~** etwas in die Erinnerung rufen; **to have s.th. in ~** etwas in Erinnerung haben; **to have no ~ of s.th.** keine Erinnerung an etwas haben; **within my ~** soweit ich mich erinnere. **2.** Gedenken *n*, Gedächtnis *n*, Andenken *n*, Erinnerung *f*: **~ service** Gedächtnisgottesdienst *m*; **in ~ of** zur Erinnerung *od.* zum Gedächtnis an (*acc*), im Gedenken an (*acc*), zu *j-s* Ehren; **R~ Day** Waffenstillstandstag *m*, Gefallenengedenktag *m* (*11. November*). **3.** Andenken *n* (*Sache*). **4.** *meist pl* (*aufgetragene*) Grüße *pl*, Empfehlungen *pl*: **give my kind ~s to all your family** herzliche Grüße an alle d-e Lieben. **re'mem·branc·er** *s* **1. Queen's (King's) R~** *Br.* a) *Beamter des* **Supreme Court,** b) *hist. Beamter des* **Court of Exchequer. 2.** *meist* **City R~** *parl.* Vertreter *m* der Londoner City.
re·mi·grate [riː'maigreit] *v/i* zu'rückwandern, -kehren. **ˌre·mi'gra·tion** *s* Rückwanderung *f*, -kehr *f*.
re·mil·i·ta·ri·za·tion [ˌriːmilitərai'zeiʃən] *s* ˌRemilitari'sierung *f*. **re'mil·i·taˌrize** *v/t* ˌremilitari'sieren, wieder'aufrüsten.
re·mind [ri'maind] *v/t j-n* erinnern (**of** an *acc*; **that** daß): **to ~ s.o. how** j-n daran erinnern, wie; **that ~s me** dabei) fällt mir ein. **re'mind·er** *s* Mahnung *f*, *fig. a.* Denkzettel *m*: **a gentle ~** ein (zarter) Wink. **re'mind·ful** [-ful] *adj* **1.** erinnernd (**of** an *acc*). **2.** sich erinnernd (**of** *gen od.* an *acc*).
rem·i·nisce [ˌremi'nis] *v/i* in Erinnerungen schwelgen, sich in Erinnerungen ergehen. **ˌrem·i'nis·cence** *s* **1.** Erinnerung *f*, Reminis'zenz *f*, Anek'dote *f* (aus s-m Leben). **2.** *pl* (Lebens)Erinnerungen *pl*, Reminis'zenzen *pl*, Memo'iren *pl*. **3.** Anklang *m* (*an Bekanntes*): **a ~ of the Greek type in her face** etwas Griechisches in ihrem Gesicht. **ˌrem·i'nis·cent** *adj* (*adv* **~ly**) **1.** sich erinnernd (**of** an *acc*), **2.** Erinnerungs...: **~ talk** Austausch *m* von Erinnerungen. **3.** Erinnerungen wachrufend (**of** an *acc*), erinnerungsträchtig. **4.** in Erinnerungen schwelgend, in der Vergangenheit lebend. **ˌrem·i·nis'cen·tial** [-'senʃəl] *adj* Erinnerungs...
re·mise[1] [ri'maiz] *jur.* **I** *v/t Ansprüche, Rechte etc* aufgeben, abtreten, über'tragen. **II** *s* Aufgabe *f* (*e-s Anspruchs*), Rechtsverzicht *m*.
re·mise[2] [ri'miːz] **I** *s* **1.** *obs.* a) Re'mise *f*, Wagenschuppen *m*, b) Mietkutsche *f*. **2.** *fenc.* Ri'messa *f*, Nachstoß *m*. **II** *v/i* **3.** *fenc.* nachstoßen.
re·miss [ri'mis] *adj* (nach)lässig, säumig, lax, träge: **to be ~ in one's duties** s-e Pflichten vernachlässigen.
re·mis·si·ble [ri'misəbl] *adj* **1.** erläßlich, zu erlassen(d). **2.** verzeihlich, *R.C.* läßlich: **~ sins.**
re·mis·sion [ri'miʃən] *s* **1.** *a.* **~ of sin(s)** Vergebung *f* (der Sünden). **2.** Nachlassen *n*. **3.** *med.* Remissi'on *f* (*vorübergehendes Abklingen*). **4.** a) (*a.* teilweiser) Erlaß (*e-r Strafe, Schuld, Gebühr*), b) Nachlaß *m*, Ermäßigung *f*. **5.** *parl. hist. Br.* Begnadigung *f*.
re·miss·ness [ri'misnis] *s* (Nach)Lässigkeit *f*, Trägheit *f*.
re·mit [ri'mit] **I** *v/t* **1.** vergeben: **to ~ sins. 2.** (ganz *od.* teilweise) erlassen: **to ~ a sentence (debt). 3.** a) hin'aus-, verschieben (**till, to** bis; **to** auf *acc*), b) *e-e Strafe* aussetzen (**to, till** bis). **4.** a) nachlassen in (*dat*): **to ~ one's attention (efforts),** b) *s-n Zorn etc* mäßigen, c) aufhören mit, einstellen, aufgeben: **to ~ a siege; to ~ one's work. 5.** *econ. Geld etc* über'weisen, -'senden. **6.** *bes. jur.* a) *e-n Fall etc* (*zur Entscheidung*) über'tragen, zuweisen (**to s.o.** j-m), b) → **remand** 1 b, c) *j-n* verweisen (**to** an *acc*). **7.** (*in früheren Zustand*) zu'rückführen, (*in frühere Rechte*) wieder'einsetzen, wieder setzen (**to, into** in *acc*). **II** *v/i* **8.** nachlassen, abklingen. **9.** *econ.* Zahlung leisten.
re·mit·tal [ri'mitl] → **remission.**
re·mit·tance [ri'mitəns] *s econ.* (Geld-, Wechsel)Sendung *f*, Über'weisung *f*, Ri'messe *f*: **~ account** Überweisungskonto *n*; **to make ~** remittieren, Dekkung anschaffen. **~ man** *s irr j-d, der im fremden Land, bes. in den Kolonien, von Geldsendungen aus der Heimat lebt.*
re·mit·tee [riˌmi'tiː] *s econ.* (Zahlungs-, Über'weisungs)Empfänger(in).
re·mit·tent [ri'mitənt] *bes. med.* **I** *adj* **1.** (vor'übergehend) nachlassend. **2.** absinkend, remit'tierend: **~ fever** → II. **II** *s* **3.** remit'tierendes Fieber.
re·mit·ter[1] [ri'mitər] *s econ.* Geldsender *m*, Über'sender *m*.
re·mit·ter[2] [ri'mitər] *s jur.* **1.** Heilung *f* e-s fehlerhaften Rechtstitels (*durch e-n höheren Titel des Besitzers*). **2.** Über'weisung *f* (*e-s Falls*) (**to** an *ein anderes Gericht*). **3.** Wieder'einsetzung *f* (**to** in *frühere Rechte etc*).
rem·nant ['remnənt] **I** *s* **1.** *a. fig.* 'Überbleibsel *n*, ('Über)Rest *m*, (kläglicher) Rest. **2.** *econ.* (Stoff)Rest *m*, *pl* Reste(r) *pl*: **~ sale** Resteverkauf *m*. **3.** *fig.* (letzter) Rest, Spur *f*. **4.** *phys.* Rest *m*, Re'siduum *n*. **II** *adj* **5.** übriggeblieben, restlich.
re·mod·el [riː'mɒdl] *v/t* 'umbilden, -bauen, -formen, -gestalten.
re·mold [riː'mould] *v/t* neu formen, 'umformen, -gestalten.
re·mon·e·ti·za·tion [riːˌmʌnitai'zeiʃən] *s* Wiederin'kurssetzung *f*. **re'mon·eˌtize** *v/t Am. Silber* wieder als (*zweites*) 'Währungsmeˌtall einführen.
re·mon·strance [ri'mɒnstrəns] *s* **1.** (Gegen)Vorstellung *f*, Ermahnung *f*, Einspruch *m*, Pro'test *m*. **2.** *hist.* Remon'stranz *f*, öffentliche Beschwerdeschrift: **Grand R~** *Memorandum des Unterhauses an den König* (*1641*). **re'mon·strant I** *adj* (*adv* **~ly**) **1.** ermahnend, remon'strierend. **2.** prote'stierend. **II** *s* **3. R~** *relig. hist.* Remon'strant(in) (*Mitglied e-r reformierten*

Sekte). **4.** Einsprucherheber *m.* **'re·mon·strate** [-streit] **I** *v/i* **1.** Einwände erheben, prote'stieren (against gegen). **2.** ernste Vorhaltungen *od.* Vorwürfe machen (on über *acc*; with s.o. j-m). **II** *v/t* **3.** einwenden, (da'gegen) vorbringen (to *od.* with s.o. j-m gegen'über; that daß). **ˌre·mon'stra·tion** → remonstrance 1. **re'mon·stra·tive** [-strətiv] *adj* prote'stierend, Beschwerde..., Protest...

re·mon·tant [ri'mɒntənt] *bot.* **I** *adj* remon'tierend, noch einmal *od.* mehrmals (im Jahr) blühend. **II** *s* remon'tierende Rose.

rem·o·ra ['remərə] *s* **1.** *ichth.* Schildfisch *m.* **2.** *fig.* Hindernis *n.*

re·morse [ri'mɔːrs] *s* **1.** Gewissensbisse *pl*, Reue *f*, Zerknirschung *f* (at über *acc*; for wegen). **2.** *obs.* Mitleid *n.* **re'morse·ful** [-ful] *adj* (*adv* ~ly) reumütig, reuig, reuevoll (for über *acc*). **re'morse·ful·ness** *s* Reumütigkeit *f.* **re'morse·less** *adj* (*adv* ~ly) unbarmherzig. **re'morse·less·ness** *s* Unbarmherzigkeit *f.*

re·mote [ri'mout] **I** *adj* (*adv* ~ly) **1.** (*räumlich*) fern, (weit) entfernt (from von): ~ country; ~ control *tech.* Fernsteuerung *f*; ~-controlled ferngesteuert, -gelenkt. **2.** abgelegen, entlegen, versteckt: a ~ village. **3.** (*zeitlich*) fern: ~ ages; ~ future; ~ antiquity graue Vorzeit. **4.** *fig.* (from) (weit) entfernt (von), wenig gemein *od.* zu tun habend (mit): an action ~ from his principles; to be ~ from the truth von der Wahrheit (weit) entfernt sein. **5.** entfernt, weitläufig (*Verwandter*): a ~ relative. **6.** mittelbar, 'indiˌrekt: ~ cause; ~ damages Folgeschäden. **7.** schwach, vage, entfernt: a ~ possibility; a ~ resemblance; not the ~st idea keine blasse Ahnung. **8.** zu'rückhaltend, unnahbar, distan'ziert. **II** *s bes. Am.* **9.** *Radio, TV*: 'Außenreporˌtage *f*, -aufnahme *f.* **re'mote·ness** *s* **1.** Ferne *f*, Entlegenheit *f.* **2.** Entferntheit *f* (*a. fig.*). **3.** zu'rückhaltendes *od.* unnahbares Wesen.

re·mould → remold.

re·mount [riː'maunt] **I** *v/t* **1.** wieder be- *od.* ersteigen: to ~ a mountain. **2.** wieder aufsitzen auf (*das Pferd*). **3.** *mil.* a) neue Pferde beschaffen für, b) *hist.* *j-m* wieder aufs Pferd helfen. **4.** *tech.* a) *e-e Maschine* wieder aufstellen *od.* mon'tieren, b) *e-e Karte etc* neu aufziehen. **II** *v/i* **5.** a) wieder aufsteigen, b) wieder aufsitzen (*Reiter*). **6.** *fig.* zu'rückgehen (to auf *acc*): to ~ to the Roman era. **III** *s* [*a.* 'riːˌmaunt] **7.** frisches Reitpferd, *mil.* Re'monte *f.*

re·mov·a·ble [ri'muːvəbl] *adj* (*adv* removably) **1.** absetzbar: a ~ mayor. **2.** *tech.* abnehmbar, auswechselbar: ~ parts; ~ lining ausknöpfbares Futter. **3.** entfernbar, wegzuschaffen(d). **4.** behebbar: ~ faults.

re·mov·al [ri'muːvəl] *s* **1.** Fort-, Wegschaffen *n*, Entfernen *n*, Beseitigung *f*, Abfuhr *f*, 'Abtransˌport *m.* **2.** a) 'Umzug *m*, b) Verlegung *f* (to in *acc*, nach): ~ of business Geschäftsverlegung; ~ van Möbelwagen *m.* **3.** a) Absetzung *f*, Entlassung *f* (from office aus dem Amt), (Amts)Enthebung *f*, b) (Straf)Versetzung *f.* **4.** *fig.* Beseitigung *f* (*e-s Fehlers etc, a. e-s Gegners*), Behebung *f*: ~ of a fault (difficulty, *etc*). **5.** *meist* ~ of causes *jur. Am.* Über'weisung *f* des Falles (to an *ein anderes, bes. Bundesgericht*).

re·move [ri'muːv] **I** *v/t* **1.** *allg.* (weg)nehmen, entfernen (from von, aus): to ~ a book from the shelf; to ~ from the agenda von der Tagesordnung absetzen; to ~ all apprehension (doubt) alle Befürchtungen (Zweifel) zerstreuen; to ~ the cloth (den Tisch) abdecken *od.* abräumen. **2.** *Kleidungsstück* ablegen, *den Hut* abnehmen. **3.** *tech.* abnehmen, 'abmonˌtieren, ausbauen. **4.** wegräumen, -schaffen, -bringen, fortschaffen, 'abtransporˌtieren: to ~ furniture (Wohnungs)Umzüge besorgen; to ~ mountains *fig.* Berge versetzen; to ~ o.s. sich entfernen; to ~ a prisoner e-n Gefangenen abführen (lassen); to ~ by suction *tech.* absaugen. **5.** *Möbel* 'umräumen, 'umstellen. **6.** *bes. fig.* aus dem Weg räumen, beseitigen: to ~ an adversary (an obstacle, *etc*). **7.** beseitigen, entfernen: to ~ a stain (all traces). **8.** *fig.* beseitigen, beheben: to ~ difficulties (the last doubts, the causes of poverty). **9.** *e-n Beamten* absetzen, entlassen, s-s Amtes entheben. **10.** bringen, schaffen, verlegen (to an *acc*, nach): he ~d his business to London. **11.** *ped. Br. e-n Schüler* versetzen.

II *v/i* **12.** (aus-, 'um-, ver)ziehen (to nach). **13.** sich fortbegeben. **14.** sich gut entfernen lassen: a bottle cap that ~s easily.

III *s* **15.** *bes. Br. selten* 'Umzug *m.* **16.** *ped. Br.* a) Versetzung *f*: to get one's ~ versetzt werden, b) Zwischenstufe *f.* **17.** *Br.* nächster Gang (*beim Essen*). **18.** Schritt *m*, Stufe *f*: but one ~ from anarchy nur (noch) e-n Schritt von der Anarchie entfernt. **19.** a) (Verwandtschafts)Grad *m*, b) Generati'on *f.* **20.** Entfernung *f*, Abstand *m*: at a ~ *fig.* mit einigem Abstand.

re·moved [ri'muːvd] *adj* **1.** (weit) entfernt (from von) (*a. fig.*). **2.** a) *um 'eine Generation verschieden*: a first cousin once ~ mein Onkel *od.* Neffe *od.* m-e Tante *od.* Nichte zweiten Grades. **3.** *Br.* gefolgt (by von), anschließend (*Speise*): boiled haddock ~ by hashed mutton.

re·mov·er [ri'muːvər] *s* **1.** Abbeizmittel *n.* **2.** (Flecken-, Nagellack- *etc*)Entferner *m*: nail varnish ~. **3.** ('Möbel)Spediˌteur *m.* **4.** *jur. Am.* Über'weisung *f* (*e-s Rechtsfalles*).

re·mu·ner·ate [ri'mjuːnəˌreit] *v/t* **1.** *j-n* entschädigen, belohnen (for für). **2.** *etwas* vergüten, ersetzen. **reˌmu·ner'a·tion** *s* **1.** Entschädigung *f*, Vergütung *f.* **2.** Belohnung *f.* **3.** Hono'rar *n*, Lohn *m*, Entgelt *n.* **re'mu·ner·a·tive** [*Br.* -rətiv; *Am.* -ˌreitiv] *adj* (*adv* ~ly) einträglich, lohnend, lukra'tiv, profi'tabel.

Ren·ais·sance [*Br.* rə'neisəns; *Am.* ˌrenə'sɑːns] *s* **1.** (*die*) Renais'sance (*des 15. u. 16. Jhs.*): ~ man Renaissancemensch *m.* **2.** r~ Renais'sance *f*, 'Wiedergeburt *f*, -erwachen *n.*

re·nal ['riːnl] *adj med.* Nieren...

re·name [riː'neim] *v/t* **1.** 'umbenennen. **2.** neu benennen.

re·nas·cence [ri'næsns] *s* **1.** 'Wiedergeburt *f*, Erneuerung *f.* **2.** R~ → Renaissance 1. **re'nas·cent** *adj* wieder'auflebend, 'wiedererwachend, neu.

ren·con·tre [ren'kɒntər], **ren'coun·ter** [-'kauntər] *obs.* *s* **1.** *mil.* Zs.-stoß *m*, Treffen *n*, Schar'mützel *n.* **2.** a) Wortgefecht *n*, b) Du'ell *n.* **3.** (zufälliges) Zs.-treffen.

rend [rend] *pret u. pp* **rent** [rent] **I** *v/t* **1.** (zer)reißen: to ~ apart (*od.* asunder *od.* in pieces) zer-, entzweireißen, in Stücke reißen; to ~ from s.o. j-m entreißen; to ~ one's hair sich die Haare raufen; shouts ~ the air Schreie gellen durch *od.* zerreißen die Luft. **2.** spalten (*a. fig.*). **II** *v/i* **3.** (zer)reißen, bersten.

ren·der ['rendər] **I** *v/t* **1.** *berühmt, schwierig, sichtbar,* (*un*)*nötig etc* machen: to ~ s.o. famous; to ~ s.th. difficult (necessary, visible, *etc*); to ~ possible möglich machen, ermöglichen. **2.** 'wiedergeben: a) spiegeln (*Spiegel*), zu'rückwerfen (*Echo*), b) (*künstlerisch*) interpre'tieren, gestalten: to ~ a quartet (role, *etc*). **3.** *sprachlich, sinngemäß* 'wiedergeben: a) über'setzen, -'tragen: to ~ a text in French, b) ausdrücken, formu'lieren. **4.** *a.* ~ back zu'rückgeben, zu'rückerstatten (to *dat*). **5.** *meist* ~ up a) her'ausgeben, b) *fig.* 'hingeben, opfern: to ~ one's life, c) *fig.* vergelten (good for evil Böses mit Gutem). **6.** über'geben: to ~ a fortress (a letter); to ~ to the earth *e-n Toten* der Erde übergeben. **7.** *e-n Dienst, Hilfe, Schadenersatz* leisten (to *dat*): for services ~ed für geleistete Dienste. **8.** *s-n Dank* abstatten (to *dat*). **9.** *Ehre, Gehorsam* erweisen (to *dat*): → homage 1. **10.** *Rechenschaft* ablegen, geben (to *dat*; of über *acc*): to ~ an account of s.th. über etwas berichten *od.* Bericht erstatten *od.* Rechenschaft ablegen. **11.** *econ. Rechnung* (vor)legen: to ~ (an) account; account ~ed a) vorgelegte Rechnung, b) laut Rechnung. **12.** *e-n Gewinn* abwerfen. **13.** *jur. das Urteil* fällen (upon über *acc*). **14.** *e-n Grund* angeben. **15.** *tech.* auslassen: to ~ fats. **16.** *arch.* roh bewerfen, berappen.

II *v/i* **17.** vergelten, (s-n) Lohn geben (to *dat*).

III *s* **18.** *jur. hist.* Gegenleistung *f.* **19.** *arch.* Rohbewurf *m.*

ren·der·ing ['rendəriŋ] *s* **1.** 'Übergabe *f*: ~ of account *econ.* Rechnungslegung *f.* **2.** 'Wiedergabe *f*: a) Über'tragung *f*, -'setzung *f*, b) (*künstlerische*) Interpretati'on, Gestaltung *f*, Ausführung *f*, Vortrag *m.* **3.** *arch.* Rohbewurf *m.*

ren·dez·vous [*Br.* 'rɒndiˌvuː; *Am.* 'rɑːndə-] *pl* **-vous** [-ˌvuːz], *a. obs.* **-vous·es I** *s* **1.** a) Rendez'vous *n*, Verabredung *f*, Stelldichein *n*, b) Zs.-kunft *f*, Treffen *n.* **2.** a) Treffpunkt *m*, b) *mil.* Sammelplatz *m*: ~ area Versammlungsraum *m.* **II** *v/i pret u. pp* **-voused** [-ˌvuːd] **3.** sich treffen. **4.** sich versammeln. **III** *v/t* **5.** *bes. mil.* versammeln, -einigen.

ren·di·tion [ren'diʃən] *s* **1.** → rendering 2. **2.** Auslieferung *f* (*e-s Gefangenen etc*). **3.** *jur. Am.* (Urteils)Fällung *f*, (-)Verkündung *f.*

ren·e·gade ['reniˌgeid] **I** *s* Rene'gat(in), Abtrünnige(r *m*) *f*, 'Überläufer(in). **II** *adj* abtrünnig, verräterisch. **III** *v/i* abtrünnig werden. **ˌren·e'ga·tion** *s* Abfall *m*, Aposta'sie *f.*

re·nege [ri'nig; -'niːg] **I** *v/i* **1.** a) sein Wort brechen, b) sich drücken (on vor *dat*). **2.** *Kartenspiel*: nicht bedienen. **II** *v/t* **3.** (ver)leugnen.

re·ne·go·ti·ate [ˌriːni'gouʃiˌeit] **I** *v/t* **1.** neu aushandeln. **2.** *Am. e-n Heereslieferungsvertrag* modifi'zieren (*zur Vermeidung übermäßiger Gewinne*). **II** *v/i* **3.** neu verhandeln.

re·negue [ri'niːg] → renege.

re·new [ri'njuː] **I** *v/t* **1.** erneuern: to ~ an attack (a vow, *etc*); to ~ an acquaintance; to ~ the tires (*od.* tyres) die Reifen erneuern *od.* wechseln. **2.** wieder'aufnehmen: to ~ a conversation (a correspondence); ~ed nochmalig, erneut; to ~ one's efforts erneute Anstrengungen machen. **3.** 'wiederbeleben, regene'rieren (*a. biol.*). **4.** 'wiedererlangen: to ~ one's strength (one's youth). **5.** *econ.* a) *e-n Vertrag, a. ein Patent etc* erneuern, verlängern, b) *e-n Wechsel* prolon'gieren. **6.** a) erneuern, b) restau'rieren, reno'vieren. **7.** ergänzen, (wieder)'auffüllen, ersetzen. **8.** wieder'holen. **II** *v/i* **9.** *econ.* a) (den Vertrag *etc*) verlängern, b) (den Wechsel) prolon'gieren. **10.** neu beginnen. **11.** sich erneuern. **re'new·a·ble** *adj* **1.** erneuerbar, zu erneuern(d). **2.** *econ.* a) verlängerungsfähig, b) prolon'gierbar (*Wechsel*). **re'new·al** *s* **1.** Erneuerung *f*. **2.** *econ.* a) Erneuerung *f*, Verlängerung *f*, b) Prolon'gierung *f*: ~ bill Prolongationswechsel *m*. **3.** *pl econ.* Neuanschaffungskosten *pl*.

ren·i·form ['reniˌfɔːrm; 'riː-] *adj* nierenförmig.

re·nig [ri'nig] *Am.* → renege.

re·nin ['riːnin] *s physiol.* Re'nin *n* (*Protein der Niere*).

ren·net[1] ['renit] *s* **1.** *zo.* Lab *n*. **2.** *biol. chem.* 'Lab(ferˌment) *n*.

ren·net[2] ['renit] *s bot. Br.* Re'nette *f* (*Apfelsorte*).

re·nounce [ri'nauns] **I** *v/t* **1.** verzichten auf (*acc*): to ~ a claim. **2.** aufgeben: to ~ a plan. **3.** sich lossagen von *j-m*, *j-n* verstoßen. **4.** verleugnen, *dem Glauben etc* abschwören, *die Freundschaft* aufsagen, *e-n Vertrag etc* kündigen. **5.** entsagen (*dat*): to ~ the world. **6.** *etwas* von sich weisen, ablehnen. **7.** *Kartenspiel*: *e-e Farbe* nicht bedienen (können). **II** *v/i* **8.** *bes. jur.* Verzicht leisten. **9.** *Kartenspiel*: passen. **III** *s* **10.** *Kartenspiel*: a) Nichtbedienen *n*, b) Re'nonce *f*, Fehlfarbe *f*. **re'nounce·ment** → renunciation.

ren·o·vate ['renəˌveit] *v/t* **1.** wieder'herstellen. **2.** reno'vieren, restau'rieren. **3.** erneuern. **ˌren·o'va·tion** *s* Reno'vierung *f*, Erneuerung *f*. **'ren·oˌva·tor** [-tər] *s* Erneuerer *m*.

re·nown [ri'naun] *s rhet.* Ruhm *m*, Berühmtheit *f*, hohes Ansehen, Ruf *m*: a man of (great) ~ ein (hoch)berühmter Mann. **re'nowned** *adj* berühmt, namhaft.

rent[1] [rent] **I** *s* **1.** a) (Wohnungs)Miete *f*, Mietzins *m*, b) Pacht(geld *n*, -zins *m*) *f*: ~-free miet- *od.* pachtfrei; ~ tax Hauszinssteuer *f*; to let for ~ verpachten; to take at ~ pachten. **2.** Leihgebühr *f*, Miete *f*: for ~ zu vermieten, zu verleihen. **3.** *a.* economic ~ *econ.* (Differenti'al-, Fruchtbarkeits)Rente *f*. **II** *v/t* **4.** vermieten. **5.** verpachten. **6.** mieten. **7.** (ab)pachten. **8.** Miete *od.* Pacht verlangen von. **9.** *Am.* a) *etwas* ausleihen, b) sich *etwas* ausleihen. **III** *v/i* **10.** vermietet *od.* verpachtet werden (for, at zu).

rent[2] [rent] *s* **1.** Riß *m*. **2.** Spalt *m*, Spalte *f*. **3.** *fig.* Spaltung *f*.

rent[3] [rent] *pret u. pp von* rend.

rent·a·ble ['rentəbl] *adj* (ver)mietbar, (ver)pachtbar.

rent·al ['rentl] *econ.* **I** *s* **1.** Miet-, Pachtbetrag *m*, -satz *m*. **2.** Miete *f*, Pacht(summe) *f*. **3.** (Brutto)Mietertrag *m*, Pachteinnahme(n *pl*) *f*. **4.** *Am.* Mietgegenstand *m*. **5.** → rent-roll 1. **II** *adj* **6.** Miet..., Pacht...: ~ charge → 1; ~ value Miet- *od.* Pachtwert *m*. **7.** Leih...: ~ library *Am.* Leihbücherei *f*; ~ car Mietwagen *m*; ~ fee Leihgebühr *f*.

rent charge *pl* **rents charge** *s* Grund- [rente *f*.]

rent·er ['rentər] *s bes. Am.* **1.** Pächter *m*, Mieter *m*. **2.** Verpächter *m*, -mieter *m*, -leiher *m*. **3.** *bes. Br.* Filmverleih(er) *m*.

'rent-ˌroll *s* **1.** Zinsbuch *n*, Rentenverzeichnis *n*. **2.** → rental 2 *u.* 3.

rent seck [sek] *pl* **rents seck** *s* Erbzins *m* (*ohne Pfändungsrecht*).

rent serv·ice *s econ. jur. Br.* Dienstrente *f*, (*persönliche*) Grunddienstbarkeit.

re·num·ber [riː'nʌmbər] *v/t* neu nume'rieren.

re·nun·ci·a·tion [riˌnʌnʃi'eiʃən; -si-] *s* **1.** (of) Verzicht *m* (auf *acc*), Aufgabe *f* (*gen*). **2.** Entsagung *f*, Selbstverleugnung *f*. **3.** Ablehnung *f*. **4.** *jur. Br.* Ablehnung *f* (*des Testamentsvollstreckerauftrags*). **re'nun·ci·a·tive** [*Br.* -ətiv; *Am.* -ˌeitiv] *adj* verzichtend, entsagungsvoll. **re'nun·ci·a·to·ry** [-ətəri] *adj* **1.** Verzicht(s)... **2.** → renunciative.

ren·voi, ren·voy [ren'vɔi] *s jur.* **1.** Ausweisung *f* (*aus e-m Staat*). **2.** *Internationales Privatrecht*: Über'weisung *f* (*e-s Falles*) an ein außenstehendes (*nicht örtlich zuständiges*) Gericht.

re·oc·cu·pa·tion [ˌriːɒkju'peiʃən] *s* (*militärische*) 'Wiederbesetzung. **re'oc·cuˌpy** [-ˌpai] *v/t* 'wiederbesetzen.

re·o·pen [riː'oupən] **I** *v/t* **1.** wieder (er)öffnen. **2.** wieder beginnen *od.* -'aufnehmen. **II** *v/i* **3.** sich wieder öffnen. **4.** wieder (er)öffnen, wieder aufmachen (*Geschäft etc*). **5.** wieder beginnen.

re·or·der [riː'ɔːrdər] **I** *s* **1.** *econ.* Neu-, Nachbestellung *f*. **II** *v/t* **2.** wieder ordnen, neu ordnen. **3.** *econ.* nachbestellen (*a. v/i*).

re·or·gan·i·za·tion [ˌriːɔːrgənai'zeiʃən] *s* **1.** ˌReorganisati'on *f*, 'Umbildung *f*, Neuordnung *f*, -gestaltung *f*. **2.** *econ.* Sa'nierung *f*. **re'or·ganˌize** *v/t* **1.** reorgani'sieren, neu ordnen, 'umbilden, -gliedern, 'umgestalten, neu gestalten. **2.** *econ.* sa'nieren.

re·o·ri·ent [riː'ɔːriənt], **re'o·ri·enˌtate** [-ˌteit] *v/t* neu orien'tieren, neu ausrichten.

rep[1] [rep] *s* Rips *m* (*Stoff*).

rep[2] [rep] *s ped. sl. für* repetition 2.

rep[3] [rep] *s sl.* Wüstling *m*, Lebemann *m*.

rep[4] [rep] *s obs. od. Am. sl.* Ruf *m*: (up)on ~! auf Ehre!

rep[5] [rep] *s sl. für* repertory theater.

rep[6] [rep] *s phys.* rep *n* (*Strahlungsmenge*; *aus* roentgen equivalent physical).

re·pack [riː'pæk] *v/t* 'umpacken.

re·paint [riː'peint] *v/t* **1.** neu *od.* wieder malen. **2.** über'malen. **3.** neu (an)streichen.

re·pair[1] [ri'pɛr] **I** *v/t* **1.** repa'rieren, (wieder) in'stand setzen. **2.** ausbessern. **3.** wieder'herstellen: to ~ s.o.'s health. **4.** wieder'gutmachen: to ~ a wrong. **5.** *e-n Verlust* ersetzen, Schadenersatz leisten für: to ~ an injury. **II** *s* **6.** Repara'tur *f*, In'standsetzung *f*, Ausbesserung *f*: to make ~s Reparaturen vornehmen; in need of ~ reparaturbedürftig; to be under ~ in Reparatur sein, repariert werden; ~ kit, ~ outfit Reparaturkasten *m*, Flickzeug *n*. **7.** *pl* In'standsetzungsarbeiten *pl*, Repara'turen *pl*. **8.** Wieder'herstellung *f*. **9.** (*bes.* guter) Zustand: in good ~ in gutem (baulichem) Zustand; out of ~ a) betriebsunfähig, b) baufällig.

re·pair[2] [ri'pɛr] **I** *v/i* **1.** sich begeben (to nach *e-m Ort*, zu *j-m*). **2.** oft *od.* in großer Zahl gehen. **II** *s* **3.** Zufluchtsort *m*, (beliebter) Aufenthaltsort. **4.** Treffpunkt *m*.

re·pair·a·ble [ri'pɛ(ə)rəbl] *adj* **1.** repara'turbedürftig. **2.** zu repa'rieren(d). **3.** → reparable.

re'pair|·man [-mən; -ˌmæn] *s irr bes. Am.* (Repara'tur)Meˌchaniker *m*: automobile ~ *Am.* Autoschlosser *m*, Kraftfahrzeugmechaniker *m*; **~ ship** *s mar.* Werkstattschiff *n*. **~ shop** *s* Repara'turwerkstatt *f*.

rep·a·ra·ble ['repərəbl] *adj* (*adv* reparably) **1.** repa'rabel, wieder'gutzumachen(d): ~ injury (mistake). **2.** ersetzbar: ~ loss.

rep·a·ra·tion [ˌrepə'reiʃən] *s* **1.** Wieder'gutmachung *f*: to make ~ Genugtuung leisten. **2.** Entschädigung *f*. **3.** *pol.* Wieder'gutmachungsleistung *f*, Reparati'onen *pl*: ~ payments Reparationszahlungen. **4.** Wieder'herstellung *f*. **5.** *biol.* Regenerati'on *f*. **6.** Ausbesserung *f*.

re·par·a·tive [ri'pærətiv], *a.* **re'par·a·to·ry** *adj* **1.** Heil... **2.** wieder'gutmachend. **3.** Entschädigungs...

rep·ar·tee [ˌrepɑːr'tiː] **I** *s* a) schlagfertige Antwort, b) *collect.* schlagfertige Antworten *pl*, c) Schlagfertigkeit *f*: quick at (*od.* in) ~ schlagfertig. **II** *v/i* schlagfertige Antworten geben.

re·par·ti·tion [ˌriːpɑːr'tiʃən] **I** *s* **1.** Auf-, Verteilung *f*. **2.** Neuverteilung *f*. **II** *v/t* **3.** (neu) ver-, aufteilen.

re·past [*Br.* ri'pɑːst; *Am.* -'pæ(ː)st] *s* **1.** Mahl *n*. **2.** Mahlzeit *f*.

re·pa·tri·ate [*Br.* riː'pætriˌeit; *Am.* -'pei-] **I** *v/t* repatri'ieren, (in die Heimat) zu'rückführen. **II** *s* [-it; -ˌeit] Repatri'ierte(r *m*) *f*, Heimkehrer(in). **ˌre·pa·tri'a·tion** *s* Repatri'ierung *f*, Rückführung *f*.

re·pay [ri(ː)'pei] *irr* **I** *v/t* **1.** zu'rückzahlen, (zu'rück)erstatten. **2.** *etwas* erwidern: to ~ a blow (a visit). **3.** *j-n* belohnen, *a. econ.* entschädigen (for für). **4.** *etwas* lohnen, vergelten (with mit). **5.** (heim)zahlen mit, vergelten mit (to s.o. j-m; for s.th. für *od.* wegen etwas). **II** *v/i* **6.** (nochmals) (be)zahlen. **re'pay·a·ble** *adj* rückzahlbar, zu'rückzuzahlen(d). **re'pay·ment** *s* **1.** Rückzahlung *f*. **2.** Erwiderung *f* (*z. B. e-s Besuchs*). **3.** Vergeltung *f*.

re·peal [ri'piːl] **I** *v/t* **1.** *ein Gesetz etc* aufheben, außer Kraft setzen. **2.** wider'rufen. **II** *s* **3.** 'Widerruf *m*. **4.** Aufhebung *f* (*von Gesetzen etc*). **re'peal·a·ble** *adj* aufhebbar. **Re'peal·er** *s hist. Gegner der Union mit Großbritannien (in Irland).*

re·peat [ri'piːt] **I** *v/t* **1.** wieder'holen: to ~ an attempt (an order, a year at school, *etc*); to ~ an experience etwas nochmals durchmachen *od.* erleben; to ~ an order (for s.th.) *econ.* (etwas) nachbestellen; her language will not bear ~ing ihre (*gemeinen*) Ausdrücke lassen sich nicht wiederholen; to ~ a pattern ein Muster wiederholen *od.* wiederkehren lassen; to be ~ed → 4. **2.** wieder'holen: a) weitererzählen, b) nachsprechen (s.th. after s.o. j-m etwas). **3.** *ped.* aufsagen: to ~ a poem. **II** *v/i* **4.** sich wieder'holen (*Vorgang*). **5.** *Am.* (*bei der Wahl widerrechtlich*) mehr als 'eine Stimme abgeben. **6.** repe'tieren (*Uhr, a. Gewehr*). **7.** aufstoßen (*Speisen*). **III** *s* **8.** Wieder'holung *f*: ~ key Wiederholtaste *f* (*am Tonbandgerät etc*); ~ performance *thea.* Wiederholung *f*. **9.** (*etwas*) sich Wieder'holendes, *bes.* Rap'port *m*. **10.** *mus.* a) Wieder'holung *f*, b) Wieder'holungszeichen *n*. **11.** oft ~ order *econ.* Nachbestellung *f*. **re·peat·ed** *adj* wieder'holt, mehrmalig, neuerlich. **re'peat·ed·ly** *adv* wieder'holt, mehrmals.

re·peat·er [ri'piːtər] *s* **1.** Wieder'holende(r *m*) *f*. **2.** Repe'tieruhr *f*. **3.** Repe'tier-, Mehrladegewehr *n*. **4.** *ped.* Repe'tent(in), Wieder'holer(in). **5.** *Am. Wähler, der widerrechtlich mehrere Stimmen abgibt.* **6.** *math.* peri'odischer Dezi'malbruch. **7.** *jur.* Rückfällige(r) *m*. **8.** *mar.* a) Tochterkompaß *m*, b) Wieder'holungswimpel *m* (*Signal*). **9.** *electr.* a) (Leitungs)Verstärker *m*, b) Re'laisstelle *f*: ~ circuit Verstärkerschaltung *f*; ~ station Relaissender *m*.

re·peat·ing [ri'piːtiŋ] *adj* wieder'holend: ~ decimal → repeater 6; ~ rifle → repeater 3; ~ watch → repeater 2.

re·pe·chage [rəpe'ʃɑːʒ; 'repəˌʃɑːʒ] *s sport* Hoffnungslauf *m*.

re·pel [ri'pel] *v/t* **1.** *den Feind etc* zu'rückschlagen, -treiben. **2.** *e-n Angriff etc* abschlagen, abweisen, *a. e-n Schlag etc* abwehren. **3.** *fig.* a) ab-, zu'rückweisen, b) ab-, ausschlagen: to ~ a request, c) von sich weisen: to ~ a suggestion, d) verwerfen: to ~ a dogma. **4.** zu'rückstoßen, -drängen. **5.** *phys.* abstoßen. **6.** *fig. j-n* abstoßen, anwidern. **re'pel·lent I** *adj* (*adv* ~ly) **1.** (*wasser- etc*)abstoßend. **2.** *fig.* abstoßend, widerlich. **II** *s* **3.** *tech.* Imprä'gniermittel *n*.

re·pent[1] [ri'pent] **I** *v/i* (of) bereuen (*acc*), Reue empfinden (über *acc*). **II** *v/t* bereuen: I ~ me of all *obs.* ich bereue alles.

re·pent[2] ['riːpənt] *adj bot. zo.* kriechend.

re·pent·ance [ri'pentəns] *s* Reue *f*. **re'pent·ant** *adj* (*adv* ~ly) reuig (of über *acc*), reumütig, bußfertig.

re·peo·ple [riː'piːpl] *v/t* wieder bevölkern (*a. mit Tieren*).

re·per·cus·sion [ˌriːpər'kʌʃən] *s* **1.** *meist pl fig.* Rück-, Nach-, Auswirkungen *pl* (of *gen*). **2.** Rückstoß *m*, -prall *m*. **3.** *a. mus.* 'Widerhall *m*, Echo *n*. **ˌre·per'cus·sive** [-siv] *adj* **1.** 'widerhallend. **2.** zu'rückwerfend.

rep·er·toire ['repərˌtwɑːr] *s thea.* Reper'toire *n* (*a. fig.*), Spielplan *m*.

rep·er·to·ry ['repərtəri] *s* **1.** *thea.* a) → repertoire, b) → repertory theater. **2.** → repository 4. ~ **the·a·ter,** *bes. Br.* ~ **the·a·tre** *s* Reper'toiretheˌater *n*, -bühne *f*.

rep·e·tend ['repəˌtend] *s* **1.** *math.* Peri'ode *f* (*e-s Dezimalbruchs*). **2.** *mus.* Re'frain *m*.

rep·e·ti·tion [ˌrepi'tiʃən] *s* **1.** Wieder'holung *f*: ~ order *econ.* Nachbestellung *f*; ~ work *tech.* Reihenfertigung *f*. **2.** a) Auswendiglernen *n*, b) *ped.* (Stück *n* zum) Aufsagen *n*. **3.** Ko'pie *f*, Nachbildung *f*. **ˌrep·e'ti·tion·al, ˌrep·e'ti·tion·ar·y** *adj* sich wieder'holend. **ˌrep·e'ti·tious** *adj* (*adv* ~ly) *bes. Am.* **1.** (sich) ständig wieder'holend. **2.** ewig gleichbleibend, mono'ton. **re·pet·i·tive** [ri'petitiv] *adj* (*adv* ~ly) **1.** (sich) wieder'holend, wieder'holt. **2.** → repetitious.

re·phrase [riː'freiz] *v/t* neu formu'lieren.

re·pine [ri'pain] *v/i* murren, klagen, 'mißvergnügt sein (at über *acc*). **re'pin·ing** *adj* (*adv* ~ly) unzufrieden, murrend, mürrisch.

re·place [ri'pleis] *v/t* **1.** ersetzen (by, with durch), an die Stelle treten von (*od. gen*). **2.** *j-n* ersetzen *od.* ablösen, an die Stelle treten von (*od. gen*): to be ~d by abgelöst werden von, ersetzt werden durch. **3.** (zu)'rückerstatten, ersetzen: to ~ a sum of money. **4.** wieder 'hinstellen, -legen, wieder an Ort u. Stelle bringen. **5.** *tech.* a) ersetzen, auswechseln, b) wieder einsetzen: to ~ a part; to ~ the receiver *teleph.* (den Hörer) auflegen. **6.** *math.* vertauschen. **re'place·a·ble** *adj* zu ersetzen(d), ersetzbar, *tech. a.* auswechselbar. **re'place·ment** *s* **1.** a) Ersetzen *n*, Ersetzung *f*, b) Ersatz *m*: ~ costs *econ.* Wiederbeschaffungskosten; ~ parts *tech.* Ersatzteile. **2.** *mil.* a) (*ausgebildeter*) Ersatzmann, b) Ersatz *m*, Auffüllung *f*, Verstärkung *f*: ~ unit Ersatztruppenteil *m*. **3.** *med.* Pro'these *f*.

re·plant [*Br.* riː'plɑːnt; *Am.* -'plæ(ː)nt] *v/t* **1.** neu pflanzen. **2.** ver-, 'umpflanzen (*a. fig.*). **3.** neu bepflanzen.

re·play [riː'plei] *sport* **I** *v/t das Spiel* wieder'holen. **II** *s* [*a.* 'riːplei] Wieder'holungsspiel *n*.

re·plen·ish [ri'pleniʃ] *v/t* **1.** (wieder) auffüllen, nachfüllen, *Vorräte* ergänzen (with mit). **2.** wieder füllen. **re'plen·ish·ment** *s* Auffüllung *f*, Ersatz *m*, Ergänzung *f*: ~ ship *mar. mil.* Versorgungsschiff *n*.

re·plete [ri'pliːt] *adj* **1.** (with) vollgepfropft (mit), (zum Platzen) voll (von). **2.** (with) (an)gefüllt, durch'tränkt, erfüllt (von), 'überreich (an *dat*). **re'ple·tion** *s* **1.** ('Über)Fülle *f*: full to ~ bis zum Rande voll, zum Bersten gefüllt. **2.** Über'sättigung *f*, Völle *f*: to eat to ~ sich vollessen.

re·plev·in [ri'plevin] *jur.* **I** *s* **1.** (Klage *f* auf) Her'ausgabe *f* gegen Sicherheitsleistung. **2.** einstweilige Verfügung (auf Her'ausgabe). **II** *v/t Am. für* replevy I. **re'plev·y I** *v/t entzogene od. gepfändete Sachen* gegen Sicherheitsleistung zu'rückerlangen. **II** *s* → replevin I.

rep·li·ca ['replikə] *s* **1.** *Kunst*: Re'plik *f*, Origi'nalkoˌpie *f*. **2.** Ko'pie *f*, Reprodukti'on *f*, Nachbildung *f*. **3.** *fig.* Ebenbild *n*.

rep·li·cate ['replikit] **I** *adj bes. bot.* zu'rückgekrümmt (*Blatt*). **II** *s mus.* Ok'tavverdopp(e)lung *f*.

rep·li·ca·tion [ˌrepli'keiʃən] *s* **1.** Entgegnung *f*, Erwiderung *f*. **2.** 'Widerhall *m*, Echo *n*. **3.** *jur.* Re'plik *f* (*des Klägers auf die Antwort des Beklagten*). **4.** Reprodukti'on *f*, Ko'pie *f*.

re·ply [ri'plai] **I** *v/i* **1.** antworten, erwidern (to s.o. j-m; to s.th. auf etwas) (*a. fig.*): he replied to our letter er beantwortete unser Schreiben; the enemy replied to our fire *mil.* der Feind erwiderte das Feuer. **2.** *jur.* repli'zieren, entgegnen. **II** *v/t* **3.** antworten, erwidern (that daß). **III** *s* **4.** Antwort *f*, Erwiderung *f*, Entgegnung *f*: in ~ to (als) Antwort auf (*acc*); in ~ to your letter in Beantwortung Ihres Schreibens; in ~ to my question auf m-e Frage (hin); ~-paid telegram Telegramm *n* mit bezahlter Rückantwort; ~ (postal) card (Post)Karte *f* mit Antwortkarte; to make a ~ → 1; to say in ~ zur Antwort geben.

re·pol·ish [riː'pɒliʃ] *v/t* 'aufpoˌlieren (*a. fig.*).

ré·pon·dez s'il vous plaît [repɔ̃'de sil vu 'plɛ] (*Fr.*) (*abbr.* R.S.V.P.) um Antwort wird gebeten (*abbr.* u.A.w.g.).

re·pop·u·late [riː'pɒpjuˌleit] *v/t* wieder bevölkern.

re·port [ri'pɔːrt] **I** *s* **1.** a) *allg.* Bericht *m* (on über *acc*), b) *econ.* (Geschäfts- *od.* Sitzungs-, Verhandlungs)Bericht *m*: market ~ Marktbericht; ~ stage Erörterungsstadium *n* (*e-r Vorlage*) (*vor der 3. Lesung*); to give a ~ Bericht erstatten; month under ~ Berichtsmonat *m*. **2.** Refe'rat *n*, Gutachten *n*. **3.** (Presse)Bericht *m*, (-)Meldung *f*, Nachricht *f*. **4.** *ped.* (Schul)Zeugnis *n*. **5.** Anzeige *f* (*a. jur.*), Meldung *f* (*zur Bestrafung*). **6.** *mil.* Meldung *f*. **7.** *jur.* → law report. **8.** Gerücht *n*: the ~ goes that es geht das Gerücht, daß. **9.** Ruf: to be of good (evil) ~ in gutem (schlechtem) Rufe stehen; through good and evil ~ *Bibl.* in guten u. bösen Tagen. **10.** Knall *m*: ~ of a gun.

II *v/t* **11.** berichten (to s.o. j-m): to ~ progress to s.o. j-m über den Stand der Sache berichten; to move to ~ progress *parl. Br.* die Debatte unterbrechen. **12.** berichten über (*acc*), Bericht erstatten über (*acc*) (*beide a. in der Presse, im Radio etc*), erzählen: it is ~ed that es heißt (daß); he is ~ed to be ill es heißt, er sei krank; er soll krank sein; he is ~ed as saying er soll gesagt haben; ~ed speech *ling.* indirekte Rede. **13.** melden: to ~ an accident (a discovery, results, *etc*): to ~ o.s. sich melden. **14.** (to) *j-n* (*zur Bestrafung*) melden (*dat*), anzeigen (bei *j-m*) (for wegen). **15.** *parl.* (*Am. a.* ~ out) *e-e Gesetzesvorlage* (wieder) vorlegen (*Ausschuß*).

III *v/i* **16.** berichten, e-n Bericht geben *od.* erstatten *od.* vorlegen (on, of über *acc*), refe'rieren (on über *acc*). **17.** als Berichterstatter arbeiten, schreiben (for für): he ~s for the 'Times'. **18.** Nachricht geben, sich melden. **19.** (to) sich melden, sich einfinden (bei), sich (*der Polizei etc*) stellen: to ~ for duty sich zum Dienst melden; to ~ back to work sich wieder zur Arbeit melden; to ~ sick sich krank melden. **20.** ~ to *Am. j-m* (*disziplinar*) unter'stehen, unter'stellt sein: he ~s to the company secretary.

re·port·a·ble [ri'pɔːrtəbl] *adj* **1.** zu berichten(d), zur Berichterstattung geeignet. **2.** *med.* anzeige-, meldepflichtig: a ~ disease. **re'port·age** *s* Repor'tage *f*. **re'port·ed·ly** *adv* wie verlautet: the president has ~ said der Präsident soll gesagt haben. **re'port·er** *s* **1.** Re'porter *m*, (Presse)Berichterstatter *m*. **2.** *Radio*, *TV*: Nachrichtensprecher *m*. **3.** *jur. etc* Berichterstatter *m*, Refe'rent *m*. **4.** Schrift-, Proto'kollführer *m*.

re·pose [ri'pouz] **I** *v/i* **1.** ruhen, schlafen (*beide a. fig.*). **2.** (sich) ausruhen. **3.** *fig.* beruhen (on auf *dat*). **4.** *fig.* (*liebevoll*) verweilen (on bei) (*Gedanken*). **5.** ~ in *fig.* vertrauen (auf *acc*). **II** *v/t* **6.** *j-m* Ruhe gewähren. **7.** (o.s. sich) zur Ruhe legen. **8.** ~ on legen *od.* betten (auf *acc*). **9.** ~ in *fig.* sein Vertrauen, s-e Hoffnung setzen auf *od.* in (*acc*). **10.** ~d (on) *pp* a) ruhend, liegend (auf *dat*), b) gebettet, gestützt (auf *acc*), c) sich lehnend, gelehnt (auf *acc*, gegen). **III** *s* **11.** Ruhe *f*: a) Ausruhen *n*, b) Schlaf *m*, c) Erholung *f*, d) Friede(n) *m*, Stille *f*, e) Stillstand *m*: to seek (take) ~ Ruhe suchen (finden); in ~ in Ruhe, untätig (*a. Vulkan*). **12.** (Gemüts)Ruhe *f*. **13.** *Kunst*: Harmo'nie *f*. **re'pose·ful** [-fəl; -ful] *adj* (*adv* ~ly) ruhig, ruhevoll.

re·pos·i·to·ry [ri'pɒzitəri] *s* **1.** Behälter *m*, Gefäß *n* (*a. fig.*), Verwahrungsort *m*. **2.** (Waren)Lager *n*, Niederlage *f*. **3.** Sammlung *f*, Mu'seum *n*. **4.** *fig.* Quelle *f*, Fundgrube *f*: ~ of information. **5.** a) Leichenhalle *f*, b) Gruft *f*. **6.** *fig.* Vertraute(r *m*) *f*.

re·pos·sess [ˌriːpə'zes] *v/t* **1.** wieder in

Besitz nehmen, 'wiedergewinnen, *fig.* *a.* zu'rückerobern. **2.** ~ of *j-n* wieder in den Besitz *e-r Sache* setzen. **ˌre·pos'ses·sion** *s* ˌWiederinbe'sitznahme *f*, 'Wiedergewinnung *f*.

re·post → riposte.

re·pous·sé [rəpu'se; rə'puːsei] (*Fr.*) *tech.* **I** *adj* getrieben (*Verzierung*). **II** *s* getriebene Arbeit.

repp → rep¹.

repped [rept] *adj* quer gerippt.

rep·re·hend [ˌrepri'hend] *v/t* tadeln, rügen. **ˌrep·re'hen·si·ble** *adj* (*adv* reprehensibly) tadelnswert, verwerflich. **ˌrep·re'hen·si·ble·ness** *s* (*das*) Tadelnswerte, Sträflichkeit *f*. **ˌrep·re'hen·sion** *s* Tadel *m*, Rüge *f*, Verweis *m*.

re·pre·sa [rə'presə] *s Am.* (Stau)-Damm *m* (*e-r Bewässerungsanlage*).

rep·re·sent [ˌrepri'zent] **I** *v/t* **1.** *j-n od. j-s Sache*, *a. e-n Wahlbezirk etc* vertreten: to ~ s.o.; to ~ s.o.'s interest; to be ~ed at bei *e-r Sache* vertreten sein. **2.** *e-n Staat*, *e-e Firma etc* vertreten, repräsen'tieren. **3.** *thea.* a) *e-e Rolle* darstellen, verkörpern, b) *ein Stück* aufführen, geben. **4.** *fig.* (*symbolisch*) darstellen, verkörpern, bedeuten, repräsen'tieren, *e-r Sache* entsprechen. **5.** (*bildlich*, *graphisch*) darstellen, abbilden: to ~ graphically. **6.** 'hin-, darstellen (as, to be als), behaupten, (*a.* entschuldigend) vorbringen. **7.** darlegen, -stellen, schildern, vor Augen führen (to s.o. j-m): to ~ to s.o. that j-m vorhalten, daß. **8.** to ~ to o.s. sich (*im Geiste*) vorstellen. **II** *v/i* **9.** repräsen'tieren. **10.** prote'stieren.

re-pre·sent [ˌriːpri'zent] *v/t* **1.** *etwas* wieder vorlegen. **2.** wieder vorführen. **3.** wieder *od.* neu darbieten.

rep·re·sen·ta·tion [ˌreprizen'teiʃən] *s* **1.** *a. econ. jur. pol.* Vertretung *f*: → proportional 2. **2.** Repräsentati'on *f*. **3.** Verkörperung *f*. **4.** (bildliche, graphische) Darstellung, Bild *n*. **5.** Schilderung *f*, Darstellung *f* (des Sachverhalts): false ~s *jur.* falsche Angaben, Vorspiegelung *f* falscher Tatsachen. **6.** *thea.* a) Aufführung *f* (*e-s Stücks*), b) Darstellung *f* (*e-r Rolle*). **7.** a) Pro'test *m*, b) *meist pl* Vorhaltung *f*, *pl* Vorstellungen *pl* (*a. Völkerrecht*): to make ~s to Vorstellungen erheben bei. **8.** *jur.* Rechtsnachfolge *f*, *bes.* Nacherbenschaft *f*. **9.** *Versicherungsrecht*: Risikobeschreibung *f*. **10.** *pl jur.* Vertragsabsprachen *pl*. **11.** *philos.* Vorstellung *f*, Begriff *m*. **ˌrep·re·sen'ta·tion·al** *adj* **1.** Vertretungs...: ~ power. **2.** *philos.* Vorstellungs..., begrifflich. **3.** *Kunst*: gegenständlich: ~ art.

rep·re·sent·a·tive [ˌrepri'zentətiv] **I** *s* **1.** (Stell)Vertreter(in), Beauftragte(r *m*) *f*, Repräsen'tant(in): authorized ~ Bevollmächtigte(r *m*) *f*; (commercial) ~ Handelsvertreter; diplomatic ~ diplomatischer Vertreter; personal ~ *jur.* Nachlaßverwalter *m*; real (*od.* natural) ~ *jur.* Erbe *m*, (Rechts)Nachfolger(in). **2.** *pol.* Abgeordnete(r *m*) *f*, (Volks)Vertreter(in). **3.** typischer Vertreter, Repräsen'tant *m*, Musterbeispiel *n* (of *gen*). **4.** *jur.* Ersatzerbe *m*. **II** *adj* (*adv* ~ly) **5.** (of) a) verkörpernd, (sym'bolisch) darstellend (*acc*), b) sym'bolisch (für): to be ~ of s.th. etwas verkörpern. **6.** darstellend (of *acc*): ~ arts. **7.** (of) vertretend (*acc*), stellvertretend (für): in a ~ capacity als Vertreter, stellvertretend. **8.** *bes. pol.* repräsenta'tiv: ~ government Repräsentativsystem *n*, parlamentarische Regierung. **9.** a) typisch, charakte'ristisch, kennzeichnend (of für), b) repräsenta'tiv: a ~ selection (*bes. Literatur*) e-e repräsentative Auswahl, (*Statistik*) ein repräsentativer Querschnitt; ~ sample *econ.* Durchschnittsmuster *n*. **10.** *philos.* Vorstellungs... **11.** *bot. zo.* (of) entsprechend (*dat*), ein Gegenstück bildend (zu). **ˌrep·re'sent·a·tive·ness** *s* **1.** Sym'bolchaˌrakter *m*, -kraft *f*. **2.** repräsenta'tiver Cha'rakter.

re·press [ri'pres] *v/t* **1.** unter'drücken, -'binden, *e-n Aufruhr* niederschlagen. **2.** *fig.* unter'drücken: to ~ a desire (a curt reply, tears). **3.** *fig.* zügeln, im Zaum halten. **4.** *psych.* verdrängen. **re'pres·sion** [-ʃən] *s* **1.** Unter'drückung *f*. **2.** *psych.* Verdrängung *f*. **re'pres·sive** [-siv] *adj* (*adv* ~ly) **1.** unter'drückend, repres'siv, Unterdrückungs... **2.** hemmend.

re·prieve [ri'priːv] **I** *v/t* **1.** *jur. j-m* Strafaufschub gewähren, *j-s* Urteilsvollstreckung aussetzen. **2.** *jur. j-m* e-e Gnadenfrist gewähren (*a. fig.*), *j-n* begnadigen. **3.** *fig.* a) *j-m* e-e Atempause gönnen, b) (vor'übergehend) retten (from vor *dat*). **II** *s* **4.** *jur.* a) Begnadigung *f*, b) (Straf-, Voll'streckungs)Aufschub *m*. **5.** a) Aufschub *m*, b) Gnadenfrist *f*, Atempause *f*. **6.** (knappe) Rettung.

rep·ri·mand [*Br.* 'repriˌmɑːnd; *Am.* -ˌmæ(ː)nd] **I** *s* Verweis *m*, Rüge *f*, Maßregelung *f* (for wegen, für). **II** *v/t j-m* e-n Verweis erteilen, *j-n* rügen *od.* maßregeln.

re·print I *v/t* [riː'print] **1.** neu drucken *od.* auflegen, nachdrucken. **II** *s* ['riːˌprint] **2.** *print.* a) Nach-, 'Umdruck *m*, b) Neudruck *m*, Neuauflage *f*. **3.** Nachdruck *m* (*e-r Briefmarkenserie*).

re·pris·al [ri'praizəl] *s* **1.** *a. pol.* Repres'salie *f*, Vergeltungsmaßnahme *f*: to make ~s (up)on Repressalien ergreifen gegen; in ~ als Vergeltungsmaßnahme. **2.** *hist.* autori'sierte Kaperung: to make ~ (up)on sich schadlos halten an (*dat*); → marque 1.

re·prise [ri'praiz] *s* **1.** *meist pl jur.* Jahreszinsen *pl*. **2.** [*a.* ri'priːz] *mus.* a) Re'prise *f* (*Wiederkehr des Anfangs od. ersten Teils*), b) Wieder'aufnahme *f*, -'holung *f* (*e-s Themas od. Teils*).

re·pri·vat·i·za·tion [ˌriːpraivətai'zeiʃən; -ti'z-] *s econ.* Reprivati'sierung *f*.

re·proach [ri'proutʃ] **I** *v/t* **1.** vorwerfen, -halten, zum Vorwurf machen (s.o. with s.th. j-m etwas). **2.** *j-m* (o.s. sich) Vorwürfe machen, *j-n* tadeln (for wegen). **3.** *etwas* tadeln, rügen. **4.** *fig.* ein Vorwurf sein für, diskredi'tieren. **II** *s* **5.** Vorwurf *m*, Tadel *m*: above (*od.* beyond) ~ über jeden Tadel erhaben, untadelig; without fear and ~ ohne Furcht u. Tadel; a look of ~ ein vorwurfsvoller Blick. **6.** Schande *f* (to für): to bring ~ (up)on s.o. j-m Schande *od.* wenig Ehre machen; to live in ~ and ignominy in Schimpf u. Schande leben. **7.** R~es *pl bes. R.C.* Impro'perien *pl* (*Teil der Karfreitagsliturgie*). **re'proach·ful** [-ful] *adj* (*adv* ~ly) vorwurfsvoll, tadelnd. **re'proach·less** → irreproachable.

rep·ro·bate ['reprəˌbeit] **I** *adj* **1.** lasterhaft, (mo'ralisch) verkommen. **2.** (*von Gott*) verworfen, verdammt. **II** *s* **3.** a) verkommenes Sub'jekt, b) Schurke *m*, c) Taugenichts *m*: the ~ of his family das schwarze Schaf der Familie. **4.** Verlorene(r *m*) *f*, (*von Gott*) Verworfene(r *m*) *f*. **III** *v/t* **5.** a) miß'billigen, verurteilen, b) verwerfen. **6.** verdammen (*Gott*). **ˌrep·ro'ba·tion** *s* **1.** 'Mißbilligung *f*, Verurteilung *f*. **2.** *relig.* Reprobati'on *f* (*Verworfensein*).

re·pro·duce [ˌriːprə'djuːs] **I** *v/t* **1.** *bes. biol.* a) (*a. fig.*) ('wieder)erzeugen, (wieder) her'vorbringen, b) züchten, c) (o.s. sich) fortpflanzen: to be ~d by sich fortpflanzen durch. **2.** *biol.* neu bilden, regene'rieren: to ~ a lost part. **3.** (wieder) (her'vor)bringen: to ~ happiness Glück wiederbringen. **4.** wieder'holen: to ~ an experiment. **5.** *ein Photo etc* reprodu'zieren: a) ko'pieren, b) abdrucken, 'wiedergeben, c) vervielfältigen, d) *a. tech.* nachbilden. **6.** (*akustisch od. optisch*) reprodu'zieren, 'wiedergeben. **7.** (sich) vergegen'wärtigen, im Geiste noch einmal erleben: to ~ an experience. **8.** *ein Theaterstück* neu insze'nieren, *a. ein Buch* neu her'ausbringen. **II** *v/i* **9.** *biol.* sich fortpflanzen, sich vermehren. **10.** (*gut*, *schlecht etc*) ausfallen (*Abdruck etc*). **ˌre·pro'duc·er** *s* **1.** *electr.* a) 'Tonˌwiedergabegerät *n*, b) Tonabnehmer *m*. **2.** *Datenverarbeitung*: (Loch)Kartendoppler *m*. **ˌre·pro'duc·i·ble** *adj* reprodu'zierbar.

re·pro·duc·tion [ˌriːprə'dʌkʃən] *s* **1.** *allg.* 'Wiedererzeugung *f*. **2.** *biol.* Fortpflanzung *f*. **3.** Reprodukti'on *f*: a) *print.* Nach-, Abdruck *m*, Vervielfältigung *f*, b) *phot.* Ko'pie *f*. **4.** *tech.* a) Nachbildung *f*, b) *electr.* (*akustische od. optische*) 'Wiedergabe (*a. mus.*). **5.** *ped.* Reprodukti'on *f*, Nacherzählung *f*. **6.** Reprodukti'on *f*: a) Nachbildung *f*, b) *paint.* Ko'pie *f*. **7.** Rekonstrukti'on *f*: ~ of an incident. ~ **proof** → repro proof.

re·pro·duc·tive [ˌriːprə'dʌktiv] *adj* (*adv* ~ly) **1.** sich vermehrend. **2.** *biol.* Fortpflanzungs...: ~ organs; ~ selection natürliche Zuchtwahl. **3.** *biol.* Regenerations... **4.** *electr.* Wiedergabe...: ~ devices. **5.** *psych.* reproduk'tiv, nachschöpferisch.

re·proof [ri'pruːf] *s* Tadel *m*, Rüge *f*, Verweis *m*: to speak in ~ of sich mißbilligend äußern über (*acc*).

re·pro proof ['riːprou] *s print.* reprodukti'onsfähiger Abzug.

re·prov·al [ri'pruːvəl] → reproof.

re·prove [ri'pruːv] *v/t j-n od. etwas* tadeln, rügen, *etwas* miß'billigen. **re'prov·ing·ly** *adv* miß'billigend, tadelnd.

reps [reps] → rep¹.

rep·tant ['reptənt] *adj bot. zo.* kriechend.

rep·tile [*Br.* 'reptail; *Am.* -til] **I** *s* **1.** *zo.* Kriechtier *n*, Rep'til *n*. **2.** *fig.* a) ‚Kriecher' *m*, b) gemeiner Mensch, c) (falsche) ‚Schlange'. **II** *adj* **3.** kriechend, Kriech... **4.** *fig.* a) kriecherisch, b) gemein, niederträchtig, tückisch.

rep·til·i·an [rep'tiliən] **I** *adj* **1.** *zo.* rep'tilienhaft, Reptil(ien)..., Kriechtier...: ~ age *geol.* Mesozoikum *n*. **2.** *fig.* → reptile 4 b. **II** *s* → reptile I.

rep·ti·lif·er·ous [ˌrepti'lifərəs] *adj geol.* (fos'sile) Rep'tilreste enthaltend. **rep'til·iˌform** [-ˌfɔːrm] *adj zo.* kriechtierförmig.

re·pub·lic [ri'pʌblik] *s pol.* Repu'blik *f*: the ~ of letters *fig.* a) die Gelehrtenwelt, b) die literarische Welt. **re'pub·li·can I** *adj* **1.** (*pol. Am.* R~) republi'kanisch. **2.** *orn.* gesellig. **II** *s* **3.** (*pol. Am.* R~) Republi'kaner *m*. **re'pub·li·canˌism** *s* **1.** republi'kanische Staatsform. **2.** Grundsätze *pl* der republi'kanischen Staatsverfassung. **3.** a) R~ die Grundsätze *pl od.* Poli'tik *f* (der

Par'tei) der Republi'kaner (*in den USA*), b) die Republi'kanische Par'tei. **4.** republi'kanische Gesinnung. **re'pub·li·can,ize** *v/t* ,republikani'sieren: a) zur Repu'blik machen, b) republi'kanisch machen.

re·pub·li·ca·tion [,riːpʌbli'keiʃən] *s* **1.** 'Wiederveröffentlichung *f*. **2.** Neuauflage *f* (*Vorgang u. Erzeugnis*). **re'pub·lish** [-liʃ] *v/t ein Buch, a. ein Gesetz, ein Testament* neu veröffentlichen.

re·pu·di·ate [ri'pjuːdi,eit] **I** *v/t* **1.** nicht anerkennen: to ~ authority; to ~ a public debt. **2.** *jur. e-n Vertrag* für unverbindlich erklären. **3.** zu'rückweisen: to ~ a gift. **4.** ablehnen, nicht glauben: to ~ a doctrine. **5.** *als unberechtigt* verwerfen, zu'rückweisen: to ~ a claim. **6.** *den Sohn, hist. a. die Ehefrau* verstoßen. **7.** bestreiten, in Abrede stellen. **II** *v/i* **8.** Staatsschulden nicht anerkennen. **re,pu·di'a·tion** *s* **1.** Nichtanerkennung *f* (*bes. e-r Staatsschuld*). **2.** Ablehnung *f*, Zu'rückweisung *f*, Verwerfung *f*. **3.** Verstoßung *f* (*e-s Sohnes etc*).

re·pugn [ri'pjuːn] *selten* **I** *v/t* **1.** wider'stehen (*dat*). **2.** *j-n* abstoßen, anwidern. **II** *v/i* **3.** sich wider'setzen (against *dat*). **re·pug·nance** [ri'pʌgnəns], *a.* **re'pug·nan·cy** [-si] *s* **1.** 'Widerwille *m*, Abneigung *f* (to, against gegen). **2.** Unvereinbarkeit *f*, (innerer) 'Widerspruch (of *gen od.* von; between zwischen *dat*; to, with mit). **re'pug·nant** *adj* (*adv* ~ly) **1.** widerlich, 'widerwärtig, zu'wider(laufend), wider'strebend (to *dat*). **2.** (to, with) wider'sprechend (*dat*), im 'Widerspruch stehend (zu), unvereinbar (mit). **3.** *bes. poet.* 'widerspenstig.

re·pulse [ri'pʌls] **I** *v/t* **1.** zu'rückschlagen, -werfen: to ~ the enemy. **2.** abschlagen *od.* abweisen: to ~ an attack. **3.** *j-n* abweisen: to ~ a suitor. **4.** *e-e Bitte* abschlagen. **II** *s* **5.** a) Abwehr *f*, b) Abfuhr *f*. **6.** Zu'rückweisung *f*, Absage *f*: to meet with a ~ abgewiesen werden, ‚sich e-e Abfuhr holen'. **7.** *phys.* Rückstoß *m*. **re'pul·sion** [-ʃən] *s* **1.** *phys.* Abstoßung *f*, Rückstoß *m*: ~ motor Repulsionsmotor *m*. **2.** Abneigung *f*, Abscheu *m, f*. **re'pul·sive** [-siv] *adj* (*adv* ~ly) **1.** *phys.* abstoßend, Repulsions... **2.** *fig.* abstoßend, 'widerwärtig. **re'pul·sive·ness** *s* 'Widerwärtigkeit *f*.

re·pur·chase [riː'pəːrtʃəs] **I** *v/t* 'wieder-, zu'rückkaufen. **II** *s econ.* Rückkauf *m*.

rep·u·ta·bil·i·ty [,repjutə'biliti] *s* Achtbar-, Ehrbarkeit *f*. **'rep·u·ta·ble** *adj* (*adv* reputably) **1.** achtbar, geachtet, angesehen. **2.** anständig. **3.** allgemein anerkannt (*Ausdruck*).

rep·u·ta·tion [,repju'teiʃən] *s* **1.** (guter) Ruf, Name *m*: a man of ~ ein Mann von Ruf *od.* Namen. **2.** Ruf *m*: good (bad) ~; to have the ~ of being im Rufe stehen, *etwas* zu sein; to have a ~ for bekannt sein für *od.* wegen.

re·pute [ri'pjuːt] **I** *s* **1.** Ruf *m*, Leumund *m*: by ~ dem Rufe nach, wie es heißt; of ill ~ von schlechtem Ruf, übelbeleumdet; house of ill ~ Bordell *n*. **2.** (guter) Ruf *od.* Name, (hohes) Ansehen, (gutes) Renom'mee: a scientist of ~ ein Wissenschaftler von Ruf; to be held in high ~ hohes Ansehen genießen. **II** *v/t* **3.** halten (für): to be ~d (to be) gelten als, gehalten werden für. **re'put·ed** *adj* **1.** angeblich: his ~ father; ~ manor *Br.* ehemaliges *od.* sogenanntes Rittergut. **2.** ungeeicht, landesüblich (*Maß*): ~ pint. **3.** bekannt, berühmt. **re'put·ed·ly** *adv* dem Vernehmen nach, angeblich, wie es heißt.

re·quest [ri'kwest] **I** *s* **1.** Bitte *f*, Wunsch *m*, (*a. formelles*) An-, Ersuchen, Gesuch *n*: ~ for payment *econ.* Zahlungsaufforderung *f*; at (*od.* by) (s.o.'s) ~ auf (j-s) Ansuchen *od.* Bitte hin, auf (j-s) Veranlassung; by ~ auf Wunsch; no flowers by ~ Blumenspenden dankend verbeten; ~ button (*Computer*) Rückfragetaste *f*; (musical) ~ program(me) Wunschkonzert *n*; ~ stop *rail. etc* Bedarfshaltestelle *f*. **2.** Nachfrage *f*: to be in (great) ~ *a. econ.* (sehr) gefragt *od.* begehrt sein; oil came into ~ *econ.* die Nachfrage nach Öl stieg. **II** *v/t* **3.** bitten um, ersuchen um: it is ~ed es wird gebeten; to ~ permission um (die) Erlaubnis bitten; to ~ s.th. from s.o. j-n um etwas ersuchen. **4.** *j-n* (höflich) bitten *od.* (*a. amtlich*) ersuchen (to do zu tun).

re·quick·en [riː'kwikən] *v/t u. v/i* zu neuem Leben erwecken (erwachen).

re·qui·em ['rekwiem; *Am. a.* 'riː-] *s R.C.* Requiem *n* (*a. mus.*), Totenmesse *f*, -amt *n*.

re·quire [ri'kwair] **I** *v/t* **1.** erfordern (*Sache*): the project ~s much time (work); to be ~d erforderlich sein; if ~d erforderlichenfalls, wenn nötig. **2.** brauchen, nötig haben, *e-r Sache* bedürfen: to ~ medical care. **3.** verlangen, fordern (of s.o. von j-m): a task which ~s to be done e-e Aufgabe, die noch getan werden muß. **4.** (s.o. to do s.th.) (j-n) auffordern (etwas zu tun), (von j-m) verlangen (daß er etwas tue): ~d subject *ped. Am.* Pflichtfach *n*. **5.** *Br.* wünschen. **6.** zwingen, nötigen. **II** *v/i* **7.** (es) verlangen: to do as the law ~s sich an das Gesetz halten. **re'quire·ment** *s* **1.** (An)Forderung *f*, Bedingung *f*, Vor'aussetzung *f*: to meet the ~s den Anforderungen entsprechen, die Bedingungen erfüllen; to place (*od.* impose) ~s on Anforderungen stellen an (*acc*). **2.** Erfordernis *n*, Bedürfnis *n*, *meist pl* Bedarf *m*: to meet s.o.'s ~s of raw materials *econ.* j-s Rohstoffbedarf decken.

req·ui·site ['rekwizit] **I** *adj* **1.** erforderlich, notwendig (to, for für). **II** *s* **2.** Erfordernis *n*, Vor'aussetzung *f* (for für). **3.** (Be'darfs-, Ge'brauchs)Ar,tikel *m*: office ~s Büroartikel. **'req·ui·site·ness** *s* Notwendigkeit *f*. **,req·ui'si·tion I** *s* **1.** Anforderung *f* (for an *dat*): ~ number Bestellnummer *f*. **2.** (amtliche) Aufforderung, (*a. völkerrechtliches*) Ersuchen. **3.** Erfordernis *n*, Vor'aussetzung *f*. **4.** Einsatz *m*, Beanspruchung *f*: to be in (constant) ~ (ständig) gebraucht *od.* beansprucht werden. **5.** *mil.* a) Requisiti'on *f*, Beschlagnahme *f*, b) In'anspruchnahme *f* (von Sach- *u.* Dienstleistungen) (*durch Besatzungs- od. Stationierungstruppen*). **II** *v/t* **6.** *mil.* requi'rieren, beschlagnahmen. **7.** (an)fordern. **8.** beanspruchen.

re·quit·al [ri'kwaitl] *s* **1.** Belohnung *f*, Lohn *m* (for für). **2.** Vergeltung *f* (of für). **3.** Vergütung *f* (for für). **re·quite** [ri'kwait] *v/t* **1.** belohnen: to ~ s.o. (for s.th.). **2.** vergelten (evil with good Böses mit Gutem): to ~ s.o. es j-m vergelten *od.* heimzahlen. **3.** entschädigen für, aufwiegen (*Sache*).

re·ra·di·a·tion [,riːreidi'eiʃən] *s* **1.** *phys.* Wieder'ausstrahlung *f*. **2.** *Radio*: a) (Oszil'lator)Störstrahlung *f*, b) Re'laissendung *f*.

re·read [riː'riːd] *v/t irr* wieder lesen, nochmals ('durch)lesen.

re·re·cord ['riːri,kɔːrd] *v/t ein Tonband* über'spielen: ~ing room Mischraum *m*.

rere·dos ['rirdɒs] *s arch.* **1.** Re'tabel *n* (*verzierter Altaraufsatz*). **2.** *obs.* (*verzierte*) Ka'minrückwand.

re·route [riː'ruːt] *v/t* **1.** *electr.* neu verlegen. **2.** *den Verkehr* 'umleiten.

re·run [riː'rʌn] **I** *v/t irr* **1.** nochmals *od.* wieder laufen lassen. **2.** *Computer*: wieder'holen. **II** *s* [*a.* 'riːrʌn] **3.** *Computer*: Wieder'holung *f*. **4.** *Film*: Re'prise *f*, nochmalige Aufführung.

res [riːz] *pl* **res** (*Lat.*) *s jur.* Sache *f*: → res gestae, res judicata, in re, in rem.

re·sale ['riːseil; riː'seil] *s* 'Wieder-, Weiterverkauf *m*: ~ price maintenance Preisbindung *f* der zweiten Hand.

re·scind [ri'sind] *v/t bes. jur.* **1.** *ein Gesetz, ein Urteil etc* aufheben. **2.** von *e-m Vertrag* zu'rücktreten: to ~ a contract. **3.** *e-n Kauf etc* rückgängig machen. **re'scind·a·ble** *adj* aufhebbar, anfechtbar.

re·scis·sion [ri'siʒən] *s jur.* **1.** Annul'lierung *f*, Rückgängigmachung *f*. **2.** Rücktritt *m* (*vom Vertrag*). **3.** Aufhebung *f* (*e-s Urteils etc*).

re·script ['riː,skript] *s* Erlaß *m*.

res·cue ['reskjuː] **I** *v/t* **1.** (from) retten (aus), befreien (von), *bes. etwas* bergen (aus, vor *dat*): to ~ from oblivion der Vergessenheit entreißen. **2.** *jur. j-n* (gewaltsam) befreien. **3.** (gewaltsam) zu'rückholen, wieder abjagen. **II** *s* **4.** Rettung *f*, Hilfe *f* (*a. fig.*), Bergung *f*: to come to s.o.'s ~ j-m zu Hilfe kommen. **5.** (gewaltsame) Befreiung. **6.** *jur.* (gewaltsame) ,Wiederinbe'sitznahme. **III** *adj* **7.** Rettungs..., Bergungs...: ~ breathing Mund-zu-Mund-Beatmung *f*; ~ home Fürsorgeheim *n* (*für sittlich gefährdete Mädchen*); ~ party, ~ squad Bergungs-, Rettungsmannschaft *f*; ~ vessel *mar.* Bergungsfahrzeug *n*; ~ work Fürsorge(arbeit) *f*.

res·cu·er ['reskjuːər] *s* Befreier *m*, Retter *m*.

re·search [ri'səːrtʃ; 'riːsəːrtʃ] **I** *s* **1.** *oft pl* Forschung(sarbeit) *f*, (wissenschaftliche) Unter'suchung (on über *acc*, auf dem Gebiet *gen*): ~ into s.th. Erforschung *f* e-r Sache. **2.** (genaue) Unter'suchung, Nachforschung *f* (after, for nach). **II** *v/i* **3.** forschen, Forschungen anstellen, wissenschaftlich arbeiten (on über *acc*). **III** *adj* **4.** Forschungs...: ~ engineer (laboratory, work, *etc*); ~ library wissenschaftliche (Leih)-Bibliothek; ~ professor *von der Vorlesungstätigkeit beurlaubter Professor mit Forschungsauftrag.* **re'search·er** *s* Forscher *m*.

re·seat [riː'siːt] *v/t* **1.** mit neuen Sitzen *od.* e-m neuen Sitz versehen. **2.** wieder (ein)setzen (in in *acc*), wieder setzen (on auf *acc*). **3.** *tech. Ventile* nachschleifen.

ré·seau [re'zo] (*Fr.*) *s* **1.** *astr. phot.* Gitternetz *n*. **2.** *Nadelarbeit*: Re'seau *n*, Netzgrund *m*.

re·sect [ri'sekt] *v/t med.* rese'zieren, her'ausschneiden. **re'sec·tion** *s* Resekti'on *f*.

re·se·da [ri'siːdə; 'residə] **I** *s* **1.** *bot.* Re'seda *f*, Wau *m*. **2.** Re'sedagrün *n*. **II** *adj* **3.** re'sedagrün.

re·seize [riː'siːz] *v/t* **1.** 'wiederergreifen. **2.** wieder in Besitz nehmen. **3.** beschlagnahmen.

re·sell [riː'sel] *v/t irr* wieder verkaufen,

'wiederverkaufen. **re'sell·er** *s* 'Wiederverkäufer *m.*

re·sem·blance [ri'zembləns] *s* Ähnlichkeit *f* (to mit; between zwischen *dat*): to bear (*od.* have) ~ to → resemble 1. **re'sem·ble** *v/t* **1.** *j-m od. e-r Sache* ähnlich sein *od.* sehen, gleichen, ähneln, Ähnlichkeit haben mit. **2.** *obs.* vergleichen (to mit).

re·sent [ri'zent] *v/t* übelnehmen, verübeln, sich ärgern über (*acc*). **re'sent·ful** [-ful] *adj* **1.** (against, of) aufgebracht (gegen), ärgerlich *od.* grollend *od.* voller Groll (auf *acc*). **2.** übelnehmerisch, reizbar, empfindlich. **3.** böse, ärgerlich, grollend (*Worte etc*). **re'sent·ment** *s* **1.** Ressenti'ment *n*, Groll *m* (against, at gegen). **2.** Verstimmung *f*, Unmut *m*, Unwille *m* (of über *acc*).

res·er·va·tion [ˌrezər'veiʃən] *s* **1.** *oft pl Am.* a) Reser'vierung *f*, Vorbestellung *f*, b) Zusage *f* (*der Reservierung*), Vormerkung *f.* **2.** Reser'vat *n*: a) Na'turschutzgebiet *n*, b) Indi'anerreservatiˌon *f.* **3.** *a. econ. jur.* a) Vorbehalt *m*, b) Vorbehaltsklausel *f*: without ~ vorbehaltlos, ohne Vorbehalt; with ~ as to vorbehaltlich (*gen*); → mental² 1. **4.** Zu'rück(be)halten *n.*

re·serve [ri'zəːrv] **I** *v/t* **1.** (sich) aufsparen *od.* aufbewahren, in Re'serve halten, (zu'rück)behalten. **2.** (sich) zu'rückhalten mit, warten mit, *etwas* ver-, aufschieben: comment is being ~d es wird vorläufig noch kein Kommentar gegeben; to ~ judg(e)ment *jur.* die Urteilsverkündung aussetzen; ~ your judg(e)ment *fig.* halte dich mit d-m Urteil zurück (till bis). **3.** reser'vieren (lassen), belegen, vorbestellen, vormerken (for, to für). **4.** *mil. j-n* zu'rückstellen. **5.** *bes. jur.* a) vorbehalten (to s.o. j-m), b) sich vorbehalten *od.* ausbedingen: to ~ the right to do (*od.* of doing) s.th. sich das Recht vorbehalten, etwas zu tun; all rights ~d alle Rechte vorbehalten. **6.** to be ~d to (*od.* for) s.o. *fig.* j-m vorbehalten bleiben (to do zu tun).

II *s* **7.** *allg.* Re'serve *f* (*a. fig.*), Vorrat *m*: ~ air *physiol.* Reserveluft *f*; ~ capacity *electr. tech.* Reserveleistung *f*; ~ of energy (*od.* strength) Kraftreserven *pl*; ~ food *biol.* Nährstoffvorrat; in ~ in Reserve, im Rückhalt, vorrätig; ~ ration *mil.* eiserne Ration; ~ seat Notsitz *m*; ~ tank Reservebehälter *m*, -tank *m.* **8.** Ersatz *m*: ~ depot *mil.* Ersatzteillager *n*; ~ part *tech.* Ersatzteil *n.* **9.** *econ.* Re'serve *f*, Rücklage *f*, -stellung *f*: ~ account Rückstellungskonto *n*; actual ~, ~ maintained Ist-Reserve; ~ fund Reserve(fonds *m*), Rücklage; hidden ~s stille Reserven; loss ~ Rücklage für laufende Risiken; ~ ratio Deckungssatz *m.* **10.** *mil.* a) Re'serve *f*, b) *pl* (*taktische*) Re'serven *pl*: ~ (battle) position Auffangstellung *f*; ~ officer Reserveoffizier *m.* **11.** *sport* Re'servespieler *m*, Ersatzmann, -spieler *m.* **12.** a) ('Eingeborenen)Reserˌvat *n*, b) Schutzgebiet *n*: ~ game geschützter Wildbestand. **13.** Vorbehalt *m* (*a. jur.*), Einschränkung *f*: ~ price *econ.* Mindestgebot *n* (*bei Versteigerungen*); with all ~ mit allem Vorbehalt; without ~ ohne Vorbehalt(e), vorbehalt-, rückhaltlos. **14.** Zu'rückhaltung *f*, zu'rückhaltendes Wesen, Re'serve *f*: to exercise (*od.* observe) ~ Zurückhaltung üben, sich reserviert verhalten; to receive the news with ~ die Nachricht mit Zurückhaltung aufnehmen. **15.** *Textildruck*: 'Vordruck-Reˌserve *f*, Deckpappe *f.*

re·served [ri'zəːrvd] *adj* **1.** zu'rückhaltend, reser'viert. **2.** reser'viert, vorbehalten: ~ rights. **3.** Reserve...: ~ list *mar. Br.* Reserveliste *f.* **re'serv·ed·ly** [-vidli] *adv.*

re·serv·ist [ri'zəːrvist] *s mil.* Reser'vist *m.*

res·er·voir ['rezərˌvwɑːr; *Am. a.* -ˌvɔːr] *s* **1.** ('Wasser)Reserˌvoir *n*: a) Wasserturm *m*, -speicher *m*, b) Stau-, Sammelbecken *n*, Bas'sin *n.* **2.** (*Benzin-, Öl- etc*) Behälter *m.* **3.** Speicher *m*, Lager *n.* **4.** *fig.* a) Reser'voir *n* (of an *dat*), b) Sammelbecken *n.*

re·set I *v/t irr* [riː'set] **1.** *e-n Edelstein* neu fassen. **2.** *print.* neu setzen: ~ting of the type Neusatz *m.* **3.** *Messer* neu abziehen. **4.** *tech.* a) (zu)'rückstellen, b) nachstellen, -richten, c) *Computer*: löschen: ~ button Rückstelltaste *f.* **II** *s* ['riːset] **5.** *print.* Neusatz *m.*

re·set·tle [riː'setl] **I** *v/t* **1.** *Land* wieder besiedeln. **2.** *j-n* wieder ansiedeln, 'umsiedeln. **3.** *Ruhe u. Ordnung etc* wieder'herstellen. **4.** wieder in Ordnung bringen. **II** *v/i* **5.** sich wieder ansiedeln. **6.** sich wieder setzen *od.* legen *od.* beruhigen. **re'set·tle·ment** *s* **1.** a) Wieder'ansiedlung *f*, b) 'Umsiedlung *f.* **2.** Neuordnung *f.*

res ges·tae [riːz 'dʒestiː] (*Lat.*) *s* Tatbestand *m*, (beweiserhebliche) Tatsachen *pl.*

re·shape [riː'ʃeip] *v/t* neu formen, 'umgestalten, -bilden.

re·ship [riː'ʃip] **I** *v/t* **1.** *Güter* wieder verschiffen. **2.** 'umladen. **II** *v/i* **3.** sich wieder anheuern lassen (*Seemann*). **re'ship·ment** *s* **1.** 'Wiederverladung *f*, Weiterversand *m.* **2.** Rückladung *f*, -fracht *f.*

re·shuf·fle [riː'ʃʌfl] **I** *v/t* **1.** *Spielkarten* neu mischen. **2.** *bes. pol.* 'umgrupˌpieren, -bilden. **II** *s* **3.** (*Kabinetts- etc*)-'Umbildung *f*, 'Umgrupˌpierung *f.*

re·side [ri'zaid] *v/i* **1.** wohnen, ansässig sein, s-n (ständigen) Wohnsitz haben (in, at in *dat*). **2.** (in) *fig.* a) wohnen (in *dat*), b) innewohnen (*dat*). **3.** (with, in) *fig.* liegen, ruhen (bei), zustehen (*dat*).

res·i·dence ['rezidəns] *s* **1.** Wohnsitz *m*, -ort *m*: permanent (*od.* legal *od.* fixed) ~ fester *od.* ständiger Wohnsitz; to take up one's ~ s-n Wohnsitz nehmen *od.* aufschlagen, sich niederlassen (in, at in *dat*). **2.** Sitz *m* (*e-r Behörde etc*). **3.** Aufenthalt *m*: permit of ~, ~ permit Aufenthaltsgenehmigung *f.* **4.** (herrschaftliches) Wohnhaus, (Land)Sitz *m*, Herrenhaus *n.* **5.** Wohnung *f*: official ~ a) Amtssitz *m*, b) Amtswohnung *f.* **6.** Wohnen *n.* **7.** Ortsansässigkeit *f*: ~ is required es besteht Residenzpflicht; in ~ am Amtsort ansässig (*Beamter*). **'res·i·den·cy** *s* **1.** Amtssitz *m*, Resi'denz *f.* **2.** Amtsbereich *m.* **3.** *hist. Amtssitz e-s brit. Residenten an e-m indischen Fürstenhof.* **'res·i·dent I** *adj* **1.** ortsansässig, (ständig) wohnhaft: ~ population Wohnbevölkerung *f.* **2.** im (Schul- *od.* Kranken- *etc*)Haus wohnend: a ~ tutor (surgeon). **3.** (in) *fig.* innewohnend (*dat*), liegend (bei): a right ~ in the people ein dem Volke zustehendes Recht. **4.** *zo.* seßhaft: ~ birds Standvögel. **II** *s* **5.** Ortsansässige(r *m*) *f*, Einwohner(in). **6.** *mot.* Anlieger *m.* **7.** *pol.* Resi'dent *m*: a) *a.* minister-~ Mi'nisterresiˌdent *m* (*Gesandter der 3. Rangklasse*), b) *hist. Vertreter der brit. Regierung, bes. an e-m indischen Fürstenhof.* **ˌres·i'den·tial** [-'denʃəl] *adj* **1.** Wohn...: ~ district Wohn- *od.* Villenviertel *n*; ~ estate Wohngrundstück *n*; ~ university Internatsuniversität *f.* **2.** Wohnsitz...: ~ allowance Ortszulage *f.* **3.** Residenz... **ˌres·i'den·ti·ar·y** [-ʃəri] **I** *adj* **1.** wohnhaft, ansässig. **2.** am Amtsort wohnend: canon ~ → 3. **II** *s* **3.** an Resi'denzpflicht gebundener Ka'noniker *od.* Geistlicher.

re·sid·u·al [*Br.* ri'zidjuəl; *Am.* -dʒu-] **I** *adj* **1.** *math.* zu'rückbleibend, übrig: ~ error → residuum 2; ~ quantity Differenz-, Restbetrag *m.* **2.** übrig(geblieben), Rest...: ~ air *phys.* Residualluft *f*; ~ oils Rückstandsöle; ~ product *chem. tech.* Nebenprodukt *n*; ~ soil *geol.* Eluvialboden *m*; **3.** *phys.* rema'nent: ~ magnetism. **II** *s* **4.** *math.* a) Re'siduum *n*, b) Rest(wert) *m*, Diffe'renz *f*, c) Abweichung *f*, Variati'on *f.* **5.** Rückstand *m*, Rest *m.* **re'sid·u·ar·y** [*Br.* -əri; *Am.* -ˌeri] *adj* übrig(geblieben), restlich: ~ estate *jur.* Reinnachlaß *m*; ~ legatee Nachvermächtnisnehmer *m.*

res·i·due ['reziˌdjuː] *s* **1.** Rest *m.* **2.** *chem. tech.* Rest *m*, Re'siduum *n* (*beide a. math.*), Rückstand *m.* **3.** *chem. Teil* (*bes. anorganischer Bestandteil*) *e-s Moleküls, der beim Abbau übrigbleibt.* **4.** *jur.* Reinnachlaß *m.* **re·sid·u·ent** [*Br.* ri'zidjuənt; *Am.* -dʒu-] *s chem.* 'Nebenproˌdukt *n*, Rückstand *m.* **re'sid·u·um** [-əm] *pl* **-u·a** [-ə] *s* **1.** *bes. chem.* Rest *m*, Rückstand *m.* **2.** *math.* Re'siduum *n*, Rest(betrag) *m.* **3.** Hefe *f* (*des Volkes etc*).

re·sign [ri'zain] **I** *v/t* **1.** aufgeben: to ~ hope (property, a right, *etc*). **2.** verzichten auf (*acc*): to ~ a claim. **3.** *ein Amt* niederlegen: to ~ an office. **4.** über'lassen (to *dat*): to ~ s.o. to his fate; to ~ a property to s.o. **5.** ~ o.s. sich 'hingeben (to *dat*): to ~ o.s. to meditation. **6.** ~ o.s. sich anvertrauen *od.* über'lassen: to ~ o.s. to s.o.'s guidance. **7.** ~ o.s. (to) sich ergeben (in *acc*), sich abfinden *od.* versöhnen (mit): to ~ o.s. to one's fate; to ~ o.s. to doing s.th. sich damit abfinden, daß man etwas tun muß. **II** *v/i* **8.** resi'gnieren, sich (in sein Schicksal) fügen. **9.** (from) a) zu'rücktreten *od.* abdanken (von *e-m Amt*), b) austreten (aus). **10.** verzichten. ['zeichnen.]

re-sign [riː'sain] *v/t* nochmals (unter)-

res·ig·na·tion [ˌrezig'neiʃən] *s* **1.** Aufgabe *f*, Verzicht *m.* **2.** a) Rücktritt *m*, Abdankung *f*, Abschied *m*, Amtsniederlegung *f*, b) Abschieds-, Rücktrittsgesuch *n*: to send in (*od.* tender) one's ~ s-n Rücktritt *od.* sein Abschiedsgesuch einreichen. **3.** Über'lassung *f* (to an *acc*). **4.** Resignati'on *f.*

re·signed [ri'zaind] *adj* **1.** resi'gniert, ergeben: to be ~ to s.th. sich mit etwas abgefunden haben, sich in etwas fügen. **2.** verabschiedet, abgedankt, außer Dienst: ~ major. **re'sign·ed·ly** [-nidli] *adv* resi'gniert, ergeben. **re'sign·ed·ness** *s* Resignati'on *f.*

re·sile [ri'zail] *v/i* **1.** a) zu'rückschnellen, b) die ursprüngliche Lage *od.* Form wieder einnehmen. **2.** zu'rücktreten (from a contract von e-m Vertrag). **re·sil·i·ence** [ri'ziliəns], *a.* **re'sil·i·en·cy** *s* **1.** Elastizi'tät *f*: a) *phys.* Prallkraft *f*, b) *fig.* Spannkraft *f*, Beweglichkeit *f.* **2.** Zu'rückschnellen *n*, -prallen *n.* **re'sil·i·ent** *adj* e'lastisch: a) federnd, zu'rückprallend, -schnellend, b) *fig.* spannkräftig, unverwüstlich.

res·in ['rezin] **I** *s* **1.** Harz *n.* **2.** → rosin I. **II** *v/t* **3.** *tech.* harzen, mit Harz behandeln. **'res·in,ate** [-,neit] **I** *s chem.* Resi'nat *n.* **II** *v/t* mit Harz imprä'gnieren. **,res·in'if·er·ous** [-'nifərəs] *adj* harzhaltig. **re·sin·i·fi·ca·tion** [ri,zinifi'keiʃən] *s* **1.** 'Harz,herstellung *f.* **2.** Verharzung *f.* **res·in·i·fy** [re'zini,fai] **I** *v/t* **1.** mit Harz behandeln. **2.** harzig *od.* zu Harz machen. **II** *v/i* **3.** harzig werden (*a. Öl*).

,res·in·o·e'lec·tric *adj electr. phys.* 'harze,lektrisch, negativ e'lektrisch.

res·in·ous ['rezinəs] *adj* **1.** harzig. **2.** Harz... **3.** → resinoelectric.

res·i·pis·cence [,resi'pisns] *s* **1.** Sinnesänderung *f.* **2.** Einsicht *f.*

re·sist [ri'zist] **I** *v/t* **1.** *e-r Sache* wider'stehen *od.* standhalten: to ~ an attack (a temptation *etc*); I cannot ~ doing it ich kann nicht widerstehen, ich muß es einfach tun. **2.** 'Widerstand leisten (*dat od.* gegen *etwas*): ~ing a public officer in the execution of his duty *jur.* Widerstand *m* gegen die Staatsgewalt. **3.** sich wider'setzen (*dat*), sich sträuben gegen. **4.** *tech.* beständig sein gegen: to ~ acid säurebeständig sein. **5.** 'widerstandsfähig sein gegen: to ~ infection. **6.** aufhalten, auf-, abfangen: to ~ a projectile. **7.** sich erwehren *od.* enthalten (*gen*): to ~ a smile. **II** *v/i* **8.** 'Widerstand leisten, sich wider'setzen. **III** *s* **9.** *tech.* Schutzpaste *f*, -lack *m*, Deckmittel *n.* **10.** *print.* Ätzgrund *m.* **11.** *phot.* Abdecklack *m.*

re·sist·ance [ri'zistəns] *s* **1.** 'Widerstand *m* (to gegen): in ~ to aus Widerstand gegen; to take the line of least ~ den Weg des geringsten Widerstandes einschlagen; ~ movement → 5; to offer ~ Widerstand leisten, sich widersetzen *od.* wehren. **2.** a) 'Widerstandskraft *f* (*a. med.*), b) *bes. med.* Resi'stenz *f.* **3.** *electr.* 'Widerstand *m* (*a. Bauteil*): ~ bridge Widerstands(meß)brücke *f*; ~ coil Widerstandswicklung *f*, -spule *f*; ~ welding *tech.* Widerstandsschweißung *f.* **4.** *tech.* (*Biegungs-, Säure-, Stoß- etc*)Festigkeit *f*, (*Hitze-, Kälte- etc*)Beständigkeit *f*: ~ to heat, heat ~; ~ to wear Verschleißfestigkeit. **5.** *oft* the R~ *pol.* die 'Widerstandsbewegung, der 'Widerstand. **re'sist·ant I** *adj* **1.** 'Widerstand leistend, wider'stehend, -'strebend. **2.** *tech.* 'widerstandsfähig, beständig (to gegen): ~ to light lichtecht. **II** *s* **3.** *tech.* → resist 9. **re'sist·er** *s* (passive ~) j-d, der (passiven) 'Widerstand leistet.

re·sist·i·ble [ri'zistəbl] *adj* **1.** zu wider'stehen(d). **2.** 'widerstandsfähig. **re'sis·tive** *adj* **1.** 'widerspenstig. **2.** 'widerstandsfähig. **3.** *tech.* Widerstands... **re·sis·tiv·i·ty** [,ri:zis'tiviti] *s* **1.** (*phys.* spe'zifische) 'Widerstandskraft. **2.** *electr.* spe'zifischer 'Widerstand. **re'sist·less** *adj* (*adv* ~ly) **1.** 'unwider,stehlich. **2.** wehr-, 'widerstands-, hilflos. **re'sis·tor** [-tər] *s electr.* 'Widerstand *m* (*als Bauteil*).

res ju·di·ca·ta [ri:z ,dʒu:di'keitə] (*Lat.*) *s jur.* rechtskräftig entschiedene Sache, *weitS.* (materi'elle) Rechtskraft.

re·sole [ri:'soul] *v/t* neu besohlen.

res·o·lu·ble ['rezəljubl] *adj* **1.** lösbar: a ~ problem. **2.** auflösbar, zerlegbar (into in *acc*).

res·o·lute ['rezə,lu:t; -,lju:t] *adj* (*adv* ~ly) entschieden, entschlossen, reso'lut, beherzt. **'res·o,lute·ness** *s* Entschiedenheit *f*, Entschlossenheit *f*, reso'lute Art.

res·o·lu·tion [,rezə'lu:ʃən; -'lju:-] *s* **1.** *econ. parl.* Beschluß(fassung *f*) *m*, Resoluti'on *f*, Entschließung *f*: to move a ~ e-e Resolution einbringen. **2.** Entschluß *m*, Vorsatz *m*: to form (*od.* make) a ~ e-n Entschluß fassen; good ~s gute Vorsätze. **3.** Entschlossenheit *f*, Entschiedenheit *f*, Entschlußkraft *f.* **4.** *a. chem. math. opt. phys.*, *a. Metrik*: Auflösung *f* (*a. mus. phot.*), Zerlegung *f* (into in *acc*): ~ of a picture a) *tech.* Rasterung *f* e-s Bildes, b) *TV* Bildauflösung. **5.** *Computer, Radar*: Auflösungsvermögen *n.* **6.** (Zu)'Rückführung *f* (into in *acc*; to auf *acc*). **7.** *med.* a) Lösung *f* (*e-r Lungenentzündung etc*), b) Zerteilung *f* (*e-s Tumors*). **8.** *fig.* Lösung *f*: ~ of a problem; ~ of a doubt Behebung *f* e-s Zweifels. **'res·o,lu·tive** [-tiv] **I** *adj bes. med. u. jur.* auflösend. **II** *s med.* zerteilendes Mittel, Solvens *n.*

re·solv·a·ble [ri'zɒlvəbl] *adj* (auf)lösbar (into in *acc*).

re·solve [ri'zɒlv] **I** *v/t* **1.** *a. chem. math. mus. opt.* auflösen (into in *acc*): to be ~d into sich auflösen in (*acc*); ~d into dust in Staub verwandelt; to be ~d into tears in Tränen aufgelöst sein; resolving power *opt. phot.* Auflösungsvermögen *n*; → committee 1. **2.** lösen: to ~ a problem (a riddle). **3.** *Zweifel* zerstreuen. **4.** a) sich entschließen, beschließen (to do s.th. etwas zu tun), b) entscheiden: be it ~d (*Formel*) wir haben die folgende Entschließung angenommen. **5.** analy'sieren. **6.** *med.* a) *e-n Tumor* zerteilen *od.* erweichen, b) *Lungenentzündung* lösen. **7.** *j-n* bestimmen *od.* bewegen (on *od.* upon doing s.th., to do s.th. etwas zu tun).

II *v/i* **8.** a) sich auflösen (into in *acc*; to zu), b) wieder werden (into, to zu): the tumo(u)r ~s *med.* die Geschwulst zerteilt sich. **9.** (on, upon) (*etwas*) beschließen, sich (zu *etwas*) entschließen.

III *s* **10.** Vorsatz *m*, Entschluß *m.* **11.** *Am.* → resolution 1. **12.** *bes. poet.* Entschlossenheit *f.*

re·solved [ri'zɒlvd] *adj* (fest) entschlossen (on s.th. zu etwas; to do s.th. etwas zu tun). **re'solv·ed·ly** [-vidli] *adv.*

re·sol·vent [ri'zɒlvənt] **I** *adj* **1.** *a. chem.* (auf)lösend. **2.** *med.* zerteilend. **II** *s* **3.** *bes. chem.* Lösungsmittel *n.* **4.** *med.* a) zerteilendes Mittel, b) Lösemittel *n*, (Re)Solvens *n.* **5.** *math.* Resol'vente *f.*

res·o·nance ['rezənəns] *s* **1.** *phys.* Reso'nanz *f* (*a. med. mus.*), Nach-, 'Widerhall *m*, Mitschwingen *n*: ~ box Resonanzkasten *m.* **2.** *Quantenmechanik*: Reso'nanz *f*: ~ neutron Resonanzneutron *n.* **3.** *fig.* Reso'nanz *f*, 'Widerhall *m.* **'res·o·nant** *adj* (*adv* ~ly) **1.** 'wider-, nachhallend (with von). **2.** volltönend: ~ voice. **3.** *phys.* mitschwingend, reso'nant, Resonanz...: ~ circuit *electr.* Resonanz-, Schwingkreis *m*; ~ rise Aufschaukeln *n.* **'res·o,nate** [-,neit] **I** *v/i phys.* mitschwingen: to ~ to einschwingen auf *e-e Wellenlänge.* **II** *v/t* auf Reso'nanz bringen. **'res·o,na·tor** [-tər] *s* **1.** *Akustik*: Reso'nator *m.* **2.** *electr.* Reso'nanzkreis *m.*

re·sorb [ri'sɔ:rb] *v/t* (wieder) aufsaugen, resor'bieren. **re'sorb·ence** *s* Resorpti'on *f.* **re'sorb·ent** *adj* resor'bierend.

re·sorp·tion [ri'sɔ:rpʃən] *s* Resorpti'on *f*, Aufsaugung *f.*

re·sort [ri'zɔ:rt] **I** *v/i* **1.** ~ to a) sich begeben zu *od.* nach, aufsuchen (*acc*), b) *e-n Ort* häufig besuchen. **2.** ~ to *fig.* s-e Zuflucht nehmen zu, greifen zu, zu'rückgreifen auf (*acc*), Gebrauch machen von: to ~ to force Gewaltmaßnahmen ergreifen, Gewalt anwenden. **II** *s* **3.** (beliebter Aufenthalts-, Erholungs)Ort: health ~ Kurort; seaside ~ Seebad *n*; summer ~ Sommerfrische *f*; winter ~ Wintersportplatz *m.* **4.** Zustrom *m* (von Besuchern): a place of popular ~ ein beliebter Treffpunkt. **5.** (Menschen)Menge *f.* **6.** Zuflucht *f* (to zu), (Auskunfts)Mittel *n*: to have ~ to → 2; without ~ to force ohne Gewaltanwendung; in the last ~ als letzter Ausweg.

re·sound [ri'zaund] **I** *v/i* **1.** (laut) erschallen, 'widerhallen (with, to von): ~ing(ly) schallend. **2.** erschallen, ertönen (*Klang*, *a. fig.*). **II** *v/t* **3.** 'widerhallen lassen. **4.** *poet.* verkünden.

re·source [ri'sɔ:rs; *Am. a.* 'ri:-] *s* **1.** Hilfsquelle *f*, -mittel *n.* **2.** *pl* a) Reichtümer *pl*, Mittel *pl*, Wirtschaftsquellen *pl*, Bodenschätze *pl* (*e-s Landes*), b) Geldmittel *pl.* **3.** *econ. Am.* Ak'tiva *pl.* **4.** (Auskunfts)Mittel *n*, Zuflucht *f*, Kunstgriff *m*, Ausweg *m*: as a last ~ als letztes Mittel, als letzter Ausweg; to be left to one's own ~s sich selbst überlassen bleiben; without ~ hoffnungs-, rettungslos. **5.** Unter'haltung *f*, Entspannung *f*, Erholung *f.* **6.** Findigkeit *f*, Wendigkeit *f*, Ta'lent *n*: he is full of ~ er weiß sich immer zu helfen. **re'source·ful** [-ful] *adj* (*adv* ~ly) **1.** reich an Hilfsquellen. **2.** findig, wendig, erfinderisch, einfallsreich. **re'source·ful·ness** → resource 6.

re·spect [ri'spekt] **I** *s* **1.** Beziehung *f*, 'Hinsicht *f*, 'Hinblick *m*: in every (some) ~ in jeder (in gewisser) Hinsicht; in ~ of (*od.* to), with ~ to (*od.* of) hinsichtlich, bezüglich, in Anbetracht (*alle gen*); to have ~ to sich beziehen auf (*acc*). **2.** (Hoch)Achtung *f*, Re'spekt *m*: to have (*od.* show) ~ for Achtung *od.* Respekt haben vor (*dat*); to be held in ~ geachtet sein. **3.** one's ~s s-e Grüße *pl od.* Empfehlungen *pl*: give him my ~s grüßen Sie ihn von mir; to pay one's ~s to s.o. a) j-n bestens grüßen, b) j-m s-e Aufwartung machen. **4.** Rücksicht(nahme) *f*: to have (*od.* to pay) ~ to s.th. e-r Sache Beachtung schenken; without ~ of persons ohne Ansehen der Person. **II** *v/t* **5.** (hoch)achten, schätzen, ehren: to ~ one's elders s-e Eltern ehren. **6.** respek'tieren, achten: to ~ s.o.'s wishes; to ~ neutrality die Neutralität respektieren; to ~ o.s. (etwas) auf sich halten. **7.** betreffen.

re·spect·a·bil·i·ty [ri,spektə'biliti] *s* **1.** Ehrbarkeit *f*, Achtbarkeit *f*, Solidi'tät *f.* **2.** Ansehen *n.* **3.** a) *pl* Re'spektsper,sonen *pl*, Honorati'oren *pl*, b) Re'spektsperson *f.* **4.** *pl* Anstandsregeln *pl*, Eti'kette *f.* **re'spect·a·ble** *adj* (*adv* respectably) **1.** ansehnlich, beachtlich, respek'tabel: a ~ sum. **2.** acht-, ehrbar, ehrenhaft: ~ motives. **3.** anständig, so'lide, seri'ös. **4.** angesehen, geachtet. **5.** schicklich, kor'rekt.

re·spect·er [ri'spektər] *s*: to be no ~ of persons ohne Ansehen der Person handeln, keine Unterschiede machen.

re·spect·ful [ri'spektful] *adj* (*adv* ~ly) re'spektvoll (*a. iro. Entfernung*), ehrerbietig, höflich: Yours ~ly (*als Briefschluß*) mit vorzüglicher Hochachtung. **re'spect·ing** *prep* betreffs (*gen*), 'hinsichtlich (*gen*), bezüglich (*gen*), über (*acc*).

re·spec·tive [ri'spektiv] *adj* jeweilig (*jedem einzelnen zukommend*), verschieden, entsprechend: each according to his ~ abilities jeder nach s-n (jeweiligen) Fähigkeiten; we went to our ~ places wir gingen jeder an s-n Platz. **re'spec·tive·ly** *adv* (*nachgestellt*) a) respek'tive, beziehungsweise, b) in dieser Reihenfolge.

re·spell [riː'spel] *v/t* **1.** *ling.* pho'netisch um'schreiben. **2.** (nochmals) buchsta'bieren.

re·spir·a·ble ['respirəbl; ri'spai(ə)r-] *adj* **1.** atembar (*Luft*). **2.** atemfähig.

res·pi·ra·tion [ˌrespə'reiʃən] *s* Atmung *f*, Atmen *n*. **'res·piˌra·tor** [-tər] *s* **1.** *Br.* Gasmaske *f*. **2.** Atemfilter *m*. **3.** *med.* a) Atemgerät *n*, Respi'rator *m*, b) 'Sauerstoffappaˌrat *m*.

re·spir·a·to·ry [ri'spai(ə)rətəri; 're-spir-] *adj biol. med.* Atmungs..., Atem...: ~ center (*Br.* centre) Atmungszentrum *n*; ~ exchange Gasaustausch *m*; ~ tract (*od.* passages) Atem-, Luftwege.

re·spire [ri'spair] **I** *v/i* **1.** atmen. **2.** *fig.* aufatmen. **II** *v/t* **3.** (ein)atmen. **4.** *poet.* atmen, ausströmen.

res·pi·rom·e·ter [ˌrespi'rɒmitər] *s* **1.** Respirati'onsappaˌrat *m*. **2.** Atemgerät *n* (*e-s Taucheranzugs*).

res·pite ['respit; *Br. a.* -pait] **I** *s* **1.** Frist *f*, (Zahlungs)Aufschub *m*, Stundung *f*: days of ~ *econ.* Respekttage. **2.** *jur.* a) Aussetzung *f* des Voll'zugs (*der Todesstrafe*), b) Strafaufschub *m*. **3.** (Atem-, Ruhe)Pause *f*: without ~ unablässig, ohne Unterlaß. **II** *v/t* **4.** auf-, verschieben. **5.** *j-m* Aufschub gewähren, e-e Frist einräumen. **6.** *jur.* die Voll'streckung des Urteils an *j-m* aufschieben, *j-n* begnadigen. **7.** Erleichterung verschaffen von (*Schmerz etc*).

re·splend·ence [ri'splendəns], *a.* **re'splend·en·cy** [-si] *s* Glanz *m* (*a. fig. Pracht*). **re'splend·ent** *adj* (*adv* ~ly) glänzend, strahlend, prangend.

re·spond [ri'spɒnd] **I** *v/i* **1.** antworten (to auf *acc*). **2.** *relig.* (*im Wechselgesang*) respon'dieren, antworten. **3.** *fig.* erwidern, antworten (with mit). **4.** (to) *fig.* ansprechen *od.* rea'gieren (auf *acc*) (*Person od. Sache*), empfänglich sein (für), eingehen (auf *acc*) (*Person*): to ~ to a call e-m Ruf Folge leisten. **5.** *electr. tech.* ansprechen (*Magnet, Relais, Motor, etc*) (to auf *acc*), gehorchen. **II** *s* **6.** *arch.* (*ein*) Wandpfeiler *m*. **7.** *relig.* a) → responsory, b) → response 4, c) *Gesang bei der Verlesung der Epistel*. **re'spond·ence,** *a.* **re'spond·en·cy** *s* **1.** → response 2a. **2.** Entsprechung *f*, Über'einstimmung *f*. **re'spond·ent I** *adj* **1.** (to) a) antwortend (auf *acc*), b) rea'gierend (auf *acc*), empfänglich (für). **2.** *jur.* beklagt. **II** *s* **3.** *jur.* a) (Scheidungs)-Beklagte(r *m*) *f*, b) (Berufungs)Beklagte(r *m*) *f*. **re'spond·er** *s a.* ~ beacon (*Radar*) Antwortbake *f*.

re·sponse [ri'spɒns] *s* **1.** Antwort *f*, Erwiderung *f*: in ~ to als Antwort auf (*acc*). **2.** *fig.* a) Reakti'on *f* (*a. biol. psych.*), Antwort *f*, b) 'Widerhall *m* (*alle*: to auf *acc*): to meet with a good ~ (starken) Widerhall *od.* e-e gute Aufnahme finden. **3.** *electr. mot. tech.* Ansprechen *n*: ~ (characteristic *od.* curve) a) Ansprechcharakteristik *f*, b) Frequenzgang *m*, c) Filterkurve *f*; ~ (to current) (Strom)Übertragungsfaktor *m*; ~ time Ansprechzeit *f* (*e-s Relais etc*). **4.** *relig.* Antwort(strophe) *f*.

re·spon·si·bil·i·ty [riˌspɒnsə'biliti] *s* **1.** Verantwortlichkeit *f*. **2.** Verantwortung *f* (for, of für): to accept (*od.* take) the ~ for s.th. die Verantwortung für etwas übernehmen; on one's own ~ auf eigene Verantwortung. **3.** *jur.* a) Zurechnungsfähigkeit *f*, b) Haftbarkeit *f*. **4.** a) Vertrauenswürdigkeit *f*, Verläßlichkeit *f*, b) *econ.* Zahlungsfähigkeit *f*. **5.** *oft pl* Verbindlichkeit *f*, Verpflichtung *f*. **re'spon·si·ble** *adj* (*adv* responsibly) **1.** verantwortlich (to *dat*, for für): to be ~ to s.o. for s.th. j-m (gegenüber) für etwas haften *od.* verantwortlich sein; ~ partner *econ.* persönlich haftender Gesellschafter. **2.** *jur.* a) zurechnungsfähig, b) geschäftsfähig, c) haftbar (for für). **3.** verantwortungsbewußt, zuverlässig, *econ.* so'lide, zahlungsfähig. **4.** verantwortungsvoll, verantwortlich: a ~ position; used to ~ work an selbständiges Arbeiten gewöhnt. **5.** (for) *bes. Am.* verantwortlich (für), schuld (an *dat*), die Ursache (von *od. gen*).

re·spon·sions [ri'spɒnʃənz] *s pl univ. Br.* (*Oxford*) *erstes der 3 Examen für den akademischen Grad des* Bachelor of Arts.

re·spon·sive [ri'spɒnsiv] *adj* (*adv* ~ly) **1.** antwortend, als Antwort (to auf *acc*), Antwort... **2.** (to) a) (leicht) rea'gierend (auf *acc*), b) empfänglich *od.* aufgeschlossen (für), (leicht) ansprechbar: to be ~ to a) ansprechen *od.* reagieren auf (*acc*) (*a. electr. tech. etc*), b) eingehen auf (*j-n od. etwas*), c) *e-m Bedürfnis etc* entgegenkommen. **3.** *tech.* e'lastisch (*Motor*). **re'spon·sive·ness** *s* **1.** Empfänglichkeit *f*, Verständnis *n* (to für). **2.** *tech.* Stabilisati'onsvermögen *n*.

re·spon·sor [ri'spɒnsər] *s Radar*: Antwortgerät *n*.

re·spon·so·ry [ri'spɒnsəri] *s relig.* Respon'sorium *n*, Wechselgesang *m*.

rest[1] [rest] **I** *s* **1.** (Nacht)Ruhe *f*: to have a good night's ~ gut schlafen; to go (*od.* retire) to ~ sich zur Ruhe begeben. **2.** Ruhe *f*, Rast *f*, Ruhepause *f*, Erholung *f*: day of ~ Ruhetag *m*; to give a ~ to a) *j-n, ein Pferd etc* ausruhen lassen, b) *e-e Maschine etc* ruhen lassen, c) *colloq. etwas* auf sich beruhen lassen; to take a ~ sich ausruhen. **3.** Ruhe *f* (*Untätigkeit*): volcano at ~ untätiger Vulkan. **4.** Ruhe *f* (*Frieden*): to be at ~ a) (aus)ruhen, b) beruhigt sein; to set s.o.'s mind at ~ j-n beruhigen; to set a matter at ~ e-e Sache (endgültig) erledigen. **5.** ewige *od.* letzte Ruhe: to be at ~ ruhen (*Toter*); to lay to ~ zur letzten Ruhe betten. **6.** *phys. tech.* Ruhe(lage) *f*: ~ mass *phys.* Ruhemasse *f*; ~ contact *electr.* Ruhekontakt *m*; to be at ~ *tech.* sich in Ruhelage befinden. **7.** Ruheplatz *m* (*a. Grab*). **8.** Raststätte *f*. **9.** Herberge *f*, Heim *n*: seaman's ~ Seemannsheim; travel(l)ers' ~ Touristenherberge. **10.** Wohnstätte *f*, Aufenthalt *m*. **11.** a) *tech.* Auflage *f*, Stütze *f*, b) (Fuß)Raste *f*, c) (Arm)-Lehne *f*, d) Sup'port *m* (*e-r Drehbank*), e) *mil.* (Gewehr)Auflage *f*, f) (Nasen)Steg *m* (*e-r Brille*), g) *teleph.* Gabel *f*. **12.** *mus.* Pause *f*. **13.** *metr.* Zä'sur *f*.

II *v/i* **14.** ruhen (*a. Toter*): to ~ (up)on a) ruhen auf (*dat*) (*a. Last, Blick, Schatten etc*), b) *fig.* beruhen *od.* sich stützen *od.* sich gründen auf (*acc*), c) *fig.* sich verlassen auf (*acc*); to let a matter ~ *fig.* e-e Sache auf sich beruhen lassen; the matter cannot ~ there damit kann es nicht sein Bewenden haben. **15.** (sich) ausruhen, rasten, e-e (Ruhe)Pause einlegen: to ~ from toil von der Arbeit ausruhen; he never ~ed until er ruhte (u. rastete) nicht, bis; to ~ up *Am. colloq.* (sich) ausruhen, sich erholen. **16.** ~ with *fig.* bei *j-m* liegen, in *j-s* Händen liegen, von *j-m* abhängen: the fault ~s with you die Schuld liegt bei *od.* an Ihnen; it ~s with you to propose terms es bleibt Ihnen überlassen *od.* es liegt an Ihnen, Bedingungen vorzuschlagen. **17.** *agr.* brachliegen (*Ackerland*). **18.** (against) sich stützen *od.* lehnen (gegen), *tech.* anliegen (an *dat*). **19.** sich verlassen (on auf *acc*): I ~ upon your promise. **20.** vertrauen (in auf *acc*): to ~ in God. **21.** *jur. Am.* → 28.

III *v/t* **22.** (aus)ruhen lassen: to ~ o.s. sich ausruhen. **23.** schonen: to ~ one's eyes (voice). **24.** Frieden geben (*dat*): God ~ his soul Gott hab' ihn selig. **25.** (on) legen (auf *acc*), lagern (auf *dat*). **26.** stützen, lehnen (against gegen; on auf *acc*). **27.** *fig.* stützen, gründen (on auf *acc*). **28.** to ~ one's case *jur. Am.* den Beweisvortrag abschließen (*Prozeßpartei*). **29.** *Am. colloq. den Hut, Mantel* ablegen.

rest[2] [rest] **I** *s* **1.** Rest *m*: ~-nitrogen *med.* Reststickstoff *m*. **2.** (*das*) übrige, (*die*) übrigen: and all the ~ of it und alles übrige; and the ~ of it und dergleichen; the ~ of it das Weitere; the ~ of us wir übrigen; for the ~ im übrigen. **3.** *econ. Br.* Re'servefonds *m*. **4.** *econ. Br.* a) Bilan'zierung *f*, b) Restsaldo *m*. **5.** *Tennis*: *Br.* langer Schlagwechsel. **II** *v/i* **6.** *in e-m Zustand* bleiben, weiterhin sein: the affair ~s a mystery die Angelegenheit bleibt ein Geheimnis; → assured 1.

rest[3] [rest] *s mil. hist.* Rüsthaken *m* (*Widerlager für Turnierlanze*): to lay (*od.* set) one's lance in ~ die Lanze einlegen.

res·tant ['restənt] *adj bot.* ausdauernd.

re·start [riː'stɑːrt] **I** *v/t* **1.** wieder in Gang setzen. **II** *v/i* **2.** wieder starten. **3.** wieder beginnen. **III** *s* **4.** erneuter Start, 'Wiederanlauf *m*. **5.** 'Wiederbeginn *m*, ˌWiederinbe'triebnahme *f*.

re·state [riː'steit] *v/t* neu (u. besser) formu'lieren. **re'state·ment** *s* neue Darstellung *od.* Formu'lierung.

res·tau·rant [*Br.* 'restəˌrɔ̃; *Am.* -rənt] *s* Restau'rant *n*, Gaststätte *f*: ~ car Speisewagen *m*.

rest| cure *s med.* Ruhe-, Liegekur *f*. ~ **day** *s* Ruhetag *m*.

rest·ed ['restid] *adj* ausgeruht, erholt.

rest·ful ['restful] *adj* (*adv* ~ly) **1.** ruhig, friedlich. **2.** erholsam, gemütlich. **3.** bequem.

'rest|ˌhar·row *s bot.* Hauhechel *f*. **'~ˌhouse** *s* Rasthaus *n*.

rest·ing place ['restiŋ pleis] *s* **1.** Ruheplatz *m*. **2.** (letzte) Ruhestätte, Grab *n*.

res·ti·tu·tion [ˌresti'tjuːʃən] *s* **1.** Restituti'on *f*: a) (Zu)'Rückerstattung *f*, b) Entschädigung *f*, c) Wieder'gutmachung *f*, d) Wieder'herstellung *f*: final ~ *relig.* Wiederaufrichtung *f* (*des Reiches Gottes*); to make ~ Genugtuung *od.* Ersatz leisten (of für); ~ of conjugal rights *jur. Br.* (Klage *f* auf) Wiederherstellung der ehelichen Rechte. **2.** *phys.* (e'lastische) Rückstellung. **3.** *phot.* Entzerrung *f*.

res·tive ['restiv] *adj* (*adv* ~ly) **1.** unruhig, ner'vös. **2.** störrisch, 'widerspenstig, bockig (*alle a. Pferd*), auf-

sässig. 'res·tive·ness *s* 1. Unruhe *f*. 2. 'Widerspenstigkeit *f*.
rest·less ['restlis] *adj* (*adv* ~ly) 1. ruhe-, rastlos. 2. unruhig. 3. schlaflos: a ~ night. 4. endlos: ~ change. '**rest·less·ness** *s* 1. Ruhe-, Rastlosigkeit *f*. 2. Schlaflosigkeit *f*. 3. (ner'vöse) Unruhe, Unrast *f*.
re·stock [riː'stɒk] I *v/t* 1. *econ.* a) *Lager* wieder auffüllen, b) *e-e Ware* wieder auf Lager nehmen. 2. *Gewässer* wieder mit Fischen besetzen. II *v/i* 3. neuen Vorrat einlagern.
re·stor·a·ble [ri'stɔːrəbl] *adj* wieder'herstellbar.
res·to·ra·tion [ˌrestə'reiʃən] *s* 1. Wieder'herstellung *f*: ~ of peace (the monarchy, *etc*); ~ of health, ~ from sickness gesundheitliche Wiederherstellung, Genesung *f*; universal (*od.* final) ~ *relig.* Wiederaufrichtung *f* (*des Reiches Gottes*). 2. Restau'rierung *f*: ~ of a cathedral (painting, *etc*). 3. *tech.* In'standsetzung *f*. 4. Rekonstrukti'on *f* (*a. rekonstruiertes Modell*). 5. Rückerstattung *f*, -gabe *f*. 6. Wieder'einsetzung *f* (to in *ein Amt, Rechte etc*). 7. the R~ *hist.* die Restaurati'on (*bes. die Wiedereinsetzung der Stuarts in England, 1660*).
re·stor·a·tive [ri'stɔːrətiv; *Br. a.* -'stɔr-] I *adj* (*adv* ~ly) 1. Wiederherstellungs..., Restaurierungs... 2. *med.* stärkend. II *s* 3. *med.* a) Stärkungsmittel *n*, b) 'Wiederbelebungsmittel *n*.
re·store [ri'stɔːr] *v/t* 1. *allg.* wieder'herstellen: to ~ an institution (s.o.'s health, order, *etc*); to ~ s.o. (to health) j-n wiederherstellen. 2. restau'rieren: to ~ a church (a painting). 3. *tech.* in'stand setzen. 4. rekonstru'ieren: to ~ a fossile (a text). 5. wieder'einsetzen (to in *ein Amt, Rechte etc*): to ~ a king (to the throne) e-n König wieder auf den Thron setzen; to ~ s.o. to liberty j-m die Freiheit wiedergeben; to ~ s.o. to life j-n ins Leben zurückrufen. 6. zu'rückerstatten, -bringen, -geben: to ~ s.th. to its place etwas an s-n Platz zurückbringen; to ~ the receiver *teleph.* (den Hörer) auflegen *od.* einhängen. **re'stor·er** *s* 1. Wieder'hersteller(in). 2. Restau'rator *m*. 3. Haarwuchsmittel *n*.
re·strain [ri'strein] *v/t* 1. zu'rückhalten, hindern: to ~ s.o. from doing s.th. j-n davon abhalten, etwas zu tun; ~ing order *jur.* Unterlassungsurteil *n*. 2. a) in Schranken halten, Einhalt gebieten (*dat*), b) *ein Pferd etc, a. fig.* im Zaum halten, bändigen, zügeln. 3. *Gefühle* unter'drücken, *s-e Neugier etc* bezähmen. 4. a) einsperren, -schließen, b) *e-n Geisteskranken* in e-r Anstalt 'unterbringen: to ~ s.o. of his liberty j-n s-r Freiheit berauben. 5. *Macht etc* be-, einschränken. **re'strain·a·ble** *adj* zu'rückzuhalten(d), bezähmbar. **re'strained** *adj* 1. zu'rückhaltend, beherrscht, maßvoll. 2. verhalten, gedämpft. **re'strain·ed·ly** [-nidli] *adv*.
re·strain·er [ri'streinər] *s phot.* Verzögerer *m* (*Chemikalie*).
re·straint [ri'streint] *s* 1. Einschränkung *f*, Beschränkung(en *pl*) *f*, Zwang *m*: ~ of (*od.* upon) liberty Beschränkung der Freiheit; ~ (of prices) *econ. obs.* Embargo *n*; ~ of trade *econ.* a) Beschränkung des Handels, b) Konkurrenzverbot *n*, Einschränkung des freien Wettbewerbs; ~ clause Konkurrenzklausel *f*; to lay ~ on s.o. j-m Beschränkung auferlegen; without ~ frei, ungehemmt, offen. 2. *jur.* Freiheitsbeschränkung *f*, Haft *f*: to place s.o. under ~ j-n unter Aufsicht stellen, j-n in Gewahrsam nehmen; under ~ entmündigt (*Geisteskranker*). 3. a) Beherrschtheit *f*, Zu'rückhaltung *f*, b) (künstlerische) Zucht.
re·strict [ri'strikt] *v/t* a) einschränken, b) beschränken (to auf *acc*): to be ~ed within narrow limits eng begrenzt sein; to be ~ed to doing sich darauf beschränken müssen, *etwas* zu tun; to ~ a road Geschwindigkeitsbegrenzung für e-e Straße einführen. **re'strict·ed** *adj* 1. eingeschränkt, beschränkt, begrenzt: ~ area Sperrgebiet *n*, *mot.* (Verkehrs)Zone *f* mit Geschwindigkeitsbegrenzung, *aer.* Gebiet *n* mit Flugbeschränkungen; ~ district Gebiet *n* mit bestimmten Baubeschränkungen. 2. *Am.* der Geheimhaltung unterliegend: ~ data; ~! Nur für den Dienstgebrauch! **re'stric·tion** *s* Ein-, Beschränkung *f* (of von *od. gen*): ~s on imports Einfuhrbeschränkung; ~ of space räumliche Beschränktheit; with some ~s mit gewissen Einschränkungen; without ~s uneingeschränkt. **re'stric·tive** I *adj* (*adv* ~ly) be-, einschränkend (of *acc*): ~ clause a) *ling.* einschränkender Relativsatz, b) *econ.* einschränkende Bestimmung; ~ endorsement *econ.* beschränktes Giro. II *s ling.* Einschränkung *f*.
rest room *s* 1. Aufenthalts-, Tagesraum *m*. 2. *Am.* Toi'lette *f*.
re·style [riː'stail] *v/t* 'umarbeiten, -gestalten.
re·sult [ri'zʌlt] I *s* 1. *a. math.* Ergebnis *n*, Resul'tat *n*: without ~ ergebnislos. 2. (gutes) Ergebnis, Erfolg *m*: to get ~s from a new treatment mit e-r neuen Behandlung Erfolge erzielen. 3. Folge *f*, Aus-, Nachwirkung *f*: as a ~ a) die Folge war, daß, b) folglich. II *v/i* 4. sich ergeben, resul'tieren (from aus): to ~ in enden mit, hinauslaufen auf (*acc*), zur Folge haben (*acc*), zeitigen (*acc*); ~ing → resultant 3. 5. (*logisch*) folgen (from aus). **re'sult·ant** I *s* 1. *math. phys.* Resul'tante *f*. 2. (End)Ergebnis *n*. II *adj* 3. sich ergebend, (da'bei *od.* dar'aus) entstehend, resul'tierend (from aus).
re·sume [ri'zjuːm] I *v/t* 1. wieder'aufnehmen, wieder anfangen, fortsetzen, -führen: to ~ (one's) work; he ~d painting er begann wieder zu malen, er malte wieder. 2. 'wiedererlangen: to ~ liberty. 3. wieder einnehmen: to ~ one's seat. 4. wieder annehmen: to ~ one's maiden name. 5. wieder über'nehmen: to ~ an office (the command). 6. resü'mieren, zs.-fassen. II *v/i* 7. s-e Tätigkeit wieder'aufnehmen. 8. weitermachen, (*a. in s-r Rede*) fortfahren. 9. wieder beginnen.
ré·su·mé [ˌrezu'mei; -zju-; 'rez-] *s* 1. Resü'mee *n*, Zs.-fassung *f*. 2. (kurzer) Lebenslauf.
re·sump·tion [ri'zʌmpʃən] *s* 1. a) Zu'rücknahme *f*, *a.* Wiederinbe'sitznahme *f*, b) *econ.* Li'zenzentzug *m*. 2. *jur.* Zu'rücknahme *f* e-s von der brit. Krone verliehenen Grundbesitzes. 3. Wieder'aufnahme *f* (*e-r Tätigkeit*). 4. 'Wiedererlangung *f*: ~ of power. 5. *econ.* (Wieder'aufnahme *f* der) Barzahlungen *pl*. **re'sump·tive** [-tiv] *adj* (*adv* ~ly) 1. resü'mierend, zs.-fassend. 2. wieder'holend.
re·sur·face [riː'sɜːrfis] I *v/t tech.* die Oberfläche (*gen*) neu bearbeiten, die Straßendecke erneuern von (*od. gen*). II *v/i* wieder auftauchen (*U-Boot*).
re·surge [ri'sɜːrdʒ] *v/i* 1. *bes. humor.* wieder auferstehen. 2. sich wieder erheben. 3. *fig.* 'wiedererwachen. **re'sur·gence** *s* 1. Wieder'aufleben *n*, -em'porkommen *n*, -'aufstieg *m*. 2. 'Wiedererweckung *f*. **re'sur·gent** I *adj* wieder'auflebend, 'wiedererwachend. II *s* Aufständische(r) *m*.
res·ur·rect [ˌrezə'rekt] I *v/t* 1. wieder'aufleben lassen: to ~ an ancient custom. 2. *e-e Leiche* ausgraben. 3. *colloq.* wieder zum Leben erwecken. II *v/i* 4. auferstehen. ˌ**res·ur'rec·tion** *s* 1. (*relig.* R~ *die*) Auferstehung. 2. Wieder'aufleben *n*, 'Wiedererwachen *n*. 3. Leichenraub *m*. ˌ**res·ur'rec·tion·al** *adj* Auferstehungs... ˌ**res·ur'rec·tion·ism** *s* Leichenraub *m*. ˌ**res·ur'rec·tion·ist** *s* 1. 'Wiedererwecker *m*. 2. j-d, der an die Auferstehung glaubt. 3. Leichenräuber *m*.
res·ur·rec·tion pie *s Br. sl.* 'Restepa-[ˌstete *f*.]
re·sus·ci·tate [ri'sʌsiˌteit] I *v/t* 1. 'wiederbeleben (*a. fig.*). 2. *fig.* wieder'aufleben lassen. II *v/i* 3. das Bewußtsein 'wiedererlangen. 4. *fig.* wieder'aufleben. **reˌsus·ci'ta·tion** *s* 1. 'Wiederbelebung *f* (*a. fig. Erneuerung*). 2. *relig.* Auferstehung *f*. **re'sus·ciˌta·tive** *adj* 'wiederbelebend, Wiederbelebungs... **re'sus·ciˌta·tor** [-tər] *s* 1. 'Wiedererwecker *m*. 2. 'Wiederbelebungs-, Sauerstoffgerät *n*.
ret [ret] I *v/t Flachs etc* rösten, rötten: to be ~ted → ret II. II *v/i* verfaulen.
re·ta·ble [ri'teibl] *s relig.* Re'tabel *n*, Al'taraufsatz *m*.
re·tail[1] ['riːteil] *econ.* I *s* Klein-, Einzelhandel *m*, Kleinverkauf *m*, De'tailgeschäft *n*: by (*Am.* at) ~ → III. II *adj* Einzel-, Kleinhandels..., Detail...: ~ business Einzelhandels-, Detailgeschäft *n*; ~ ceiling price Verbraucherhöchstpreis *m*; ~ dealer Einzel-, Kleinhändler *m*; ~ price Einzelhandels-, Ladenpreis *m*; ~ store *Am.* Ladengeschäft *n* (*e-s Konzerns etc*); ~ trade → I. III *adv* im Einzelhandel, einzeln, im kleinen, en de'tail: to sell (buy) ~. IV *v/t* [*a.* riː'teil] *Waren* im kleinen *od.* en de'tail verkaufen. V *v/i* [*a.* riː'teil] im kleinen *od.* en de'tail verkauft werden (*Waren*): it ~s at 50 cents es kostet im Einzelhandel 50 Cent.
re·tail[2] [ri(ː)'teil] *v/t* weitererzählen, verbreiten, ‚her'umtratschen'.
re·tail·er ['riːteilər; ri(ː)'teilər] *s* 1. *econ.* a) Einzel-, Kleinhändler *m*, b) 'Wiederverkäufer *m*. 2. Verbreiter(in), Erzähler(in): ~ of gossip Klatschmaul *n*, -tante *f*.
re·tain [ri'tein] *v/t* 1. zu'rück(be)halten, einbehalten. 2. *e-e Eigenschaft, e-n Posten etc* behalten: to ~ one's position; this cloth ~s its colo(u)r dieses Tuch verliert s-e Farbe nicht. 3. beibehalten: to ~ a custom. 4. bewahrt haben: rivers and hills ~ their Celtic names. 5. halten (to an *dat*; in in *dat*): to ~ s.o. in one's service. 6. *j-n* in s-n Diensten halten: to ~ a lawyer *jur.* sich e-n Anwalt halten *od.* nehmen; ~ing fee → retainer 3b. 7. (im Gedächtnis) behalten, sich merken: to ~ in one's mind (*od.* memory). 8. *tech.* halten, sichern, stützen, *Wasser* stauen. 9. *mil. Feindkräfte* binden.
re·tained ob·ject [ri'teind] *s ling. in der Passivkonstruktion beibehaltenes Objekt des entsprechenden Aktivsatzes* (*z. B.* me *in* the picture was shown me *aus* they showed me the picture).
re·tain·er [ri'teinər] *s* 1. *hist.* Gefolgsmann *m*. 2. old ~ *colloq.* altes Fak'to-

tum. **3.** *jur.* a) Verpflichtung *f* (*e-s Anwalts etc*), b) (Hono'rar)Vorschuß *m* (*an e-n Anwalt*), c) *a.* **general** ~ Pau'schalhono,rar *n*, d) Pro'zeßvollmacht *f*. **4.** *tech.* a) Befestigungsteil *n*, b) Laufrille *f* (*im Rollenlager*), c) Käfig *m* (*im Kugellager*), d) Haltebügel *m* (*bei Blattfedern*).

re·tain·ing [ri'teiniŋ] *adj electr. tech.* Halte...: ~ **circuit (clip, current,** *etc*); ~ **ring** Spreng- *od.* Überwurfring *m*; ~ **wall** Stütz- *od.* Staumauer *f*.

re·take I *v/t irr* [ri:'teik] **1.** wieder (an-, ein-, zu'rück)nehmen. **2.** *mil.* wieder einnehmen. **3.** *Film*: *e-e Szene etc* nochmals aufnehmen. **II** *s* ['ri:,teik] **4.** *Film*: Wieder'holungsaufnahme *f*.

re·tal·i·ate [ri'tæli,eit] **I** *v/i* Vergeltung üben, sich rächen (**upon s.o.** an j-m; **for s.th.** für etwas), zu'rückschlagen, es heimzahlen. **II** *v/t* (**upon s.o.**) vergelten, sich rächen für (an j-m), (j-m *etwas*) heimzahlen. **re,tal·i'a·tion** *s* Vergeltung *f*: **in** ~ als Vergeltung(smaßnahme); ~ **raid** *mil.* Vergeltungsangriff *m*. **re'tal·i·a·to·ry** [-ətəri] *adj* Vergeltungs...

re·tard [ri'tɑ:rd] **I** *v/t* **1.** verlangsamen, 'hinziehen, aufhalten, hemmen. **2.** *phys.* retar'dieren, verzögern, *Elektronen* bremsen: **to be** ~**ed** nacheilen. **3.** *biol.* retar'dieren. **4.** *j-s* Entwicklung hemmen: ~**ed child** zurückgebliebenes Kind. **5.** *mot. die Zündung* nachstellen: ~**ed ignition** a) verzögerte Zündung, b) Spätzündung *f*. **II** *v/i* **6.** sich verzögern, zu'rückbleiben. **III** *s* → **retardation. re·tar·da·tion** [,ri:tɑ:r'deiʃən] *s* **1.** Verzögerung *f* (*a. phys.*), Verlangsamung *f*, Verspätung *f*. **2.** *biol. math. phys.* Retardati'on *f*, *phys. a.* (*Elektronen*)Bremsung *f*. **3.** *psych.* a) Entwicklungshemmung *f*, Zu'rückbleiben *n*, b) 'Unterentwikkeltheit *f*. **4.** *mus.* a) Verlangsamung *f*, b) aufwärtsgehender Vorhalt.

re·tard·a·tive [ri'tɑ:rdətiv], **re'tard·a·to·ry** *adj* verzögernd, retar'dierend, verlangsamend, hemmend.

retch [*Br.* ri:tʃ; *Am.* retʃ] **I** *v/i* **1.** würgen (*beim Erbrechen*). **2.** sich erbrechen. **II** *s* **3.** Würgen *n*. **4.** Erbrechen *n*.

re·tell [ri:'tel] *v/t irr* **1.** nacherzählen, nochmals erzählen, wieder'holen. **2.** *e-e Nachricht* weitergeben.

re·ten·tion [ri'tenʃən] *s* **1.** Zu'rückhalten *n*: (**right of**) ~ *jur.* Zurückhaltungsrecht *n*. **2.** Einbehaltung *f*. **3.** Beibehaltung *f*: ~ **of a custom**; **colo(u)r** ~ Farbechtheit *f*. **4.** Bewahrung *f*. **5.** *med.* (*Harn- etc*)Verhaltung *f*: ~ **of urine. 6.** (Fest)Halten *n*, Halt *m*: ~ **pin** *tech.* Arretierstift *m*. **7.** Merken *n*, Behalten *n*, Merkfähigkeit *f*. **re'ten·tive** [-tiv] *adj* (*adv* ~**ly**) **1.** leicht behaltend, mit e-m guten Gedächtnis (begabt): ~ **memory** (*od.* **mind**) gutes Gedächtnis. **2.** (zu'rück)haltend (**of** *acc*). **3.** erhaltend, bewahrend: **to be** ~ **of s.th.** etwas bewahren. **4.** a) (fest)haltend, b) *med.* Halte... **5.** Wasser speichernd.

re·ti·ar·y ['ri:ʃiəri] **I** *adj* Netz...: ~ **spider** → II. **II** *s zo.* Netzspinne *f*.

ret·i·cence ['retisəns] *s* **1.** Verschwiegenheit *f*, Schweigsamkeit *f*. **2.** Zu'rückhaltung *f*. **'ret·i·cent** *adj* (*adv* ~**ly**) verschwiegen (**on, about** über *acc*), schweigsam, zu'rückhaltend.

ret·i·cle ['retikl] *s opt.* Fadenkreuz *n*.

re·tic·u·lar [ri'tikjulər] *adj* (*adv* ~**ly**) *bes. med. tech.* netzartig, -förmig, retiku'lär, Netz... **re'tic·u·late I** *adj* [-lit; -,leit] (*adv* ~**ly**) netzartig, -förmig: a) *zo.* genetzt (*netzartig gemustert*), b) *bot.* netzartig geädert. **II** *v/t* [-,leit] netzförmig mustern *od.* ädern *od.* anlegen. **III** *v/i* sich verästeln. **re'tic·u,lat·ed** *adj* → **reticular**: ~ **glass** Faden-, Filigranglas *n*. **re,tic·u'la·tion** *s* Netzwerk *n*.

ret·i·cule ['reti,kju:l] *s* **1.** → **reticle. 2.** *obs.* Ridi'kül *m, n*, Reti'kül *m, n* (*Damentasche od. Arbeitsbeutel*).

re·tic·u·lum [ri'tikjuləm] *pl* **-la** [-lə] *s* **1.** *zo.* Netzmagen *m* (*der Wiederkäuer*). **2.** *bes. anat.* Netz(werk) *n*, Geflecht *n*. **3.** *biol.* netzförmige 'Plasma-Struk,tur. **4.** *physiol.* a) retiku'lierte Mem'bran, b) retiku'läres Endo'thelgewebe.

re·ti·form ['ri:ti,fɔ:rm] *adj* netzförmig.

ret·i·na ['retinə] *pl* **-nas, -nae** [-,ni:] *s anat.* Retina *f*, Netzhaut *f*, (*des Auges*). **'ret·i·nal** *adj* Netzhaut... **,ret·i'ni·tis** [-'naitis] *s med.* Netzhautentzündung *f*, Reti'nitis *f*.

ret·i·no·scope ['retinə,skoup] *s med.* Augenspiegel *m*.

ret·i·nue ['reti,nju:] *s* Gefolge *n*.

re·tir·al [ri'tai(ə)rəl] *s* **1.** Ausscheiden *n* (*aus e-m Amt etc*), (,Sich-)Zu'rückziehen *n*. **2.** *econ.* Einlösung *f* (*e-s Wechsels*). **3.** Rückzug *m*.

re·tire [ri'tair] **I** *v/i* **1.** *allg.* sich zu'rückziehen (*a. mil.*): **to** ~ **into o.s.** *fig.* sich verschließen; **to** ~ (**to rest**) sich zur Ruhe begeben. **2.** *a.* ~ **from business** sich vom Geschäft zurückziehen, sich zur Ruhe setzen. **3.** *a.* ~ **on a pension** in Pensi'on gehen, sich pensio'nieren lassen, in den Ruhestand treten (*Beamter*). **4.** ab-, zu'rücktreten. **5.** *fig.* zu'rücktreten (*Hintergrund, Ufer, etc*). **II** *v/t* **6.** zu'rückziehen: **to** ~ **an army (a needle)**. **7.** *Zahlungsmittel* aus dem Verkehr ziehen. **8.** *Wechsel* einlösen. **9.** in den Ruhestand versetzen, verabschieden, pensio'nieren. **10.** *j-n* entlassen. **11.** *Kricket etc*: *j-n* ‚aus' machen. **III** *s* **12.** *mil.* Zu'rückziehen *n*: **to sound the** ~ a) das Signal zum Rückzug geben, b) den Zapfenstreich blasen.

re·tired [ri'taird] *adj* (*adv* ~**ly**) **1.** pensio'niert, im Ruhestand (lebend), außer Dienst, a.D.: ~ **general** General a.D. *od.* außer Dienst. **2.** im Ruhestand lebend: **a** ~ **merchant. 3.** zu'rückgezogen, einsam: ~ **life. 4.** abgelegen, einsam: **a** ~ **valley. 5.** Pensions...: ~ **pay** Pension(szahlung) *f*, Ruhegehalt *n*; **to be placed on the** ~ **list** *mil.* den Abschied erhalten.

re·tire·ment [ri'tairmənt] *s* **1.** (,Sich)Zu'rückziehen *n*. **2.** Ausscheiden *n*, Aus-, Rücktritt *m*. **3.** Ruhestand *m*: **to go into** ~ sich zur Ruhe setzen; ~ **age** Pensionierungsalter *n*. **4.** *j-s* Zu'rückgezogenheit *f*. **5.** Abgeschiedenheit *f*. **6.** Zufluchtsort *m*. **7.** *mil.* (planmäßige) Absetzbewegung, Rückzug *m*. **8.** *econ.* Einziehung *f*: ~**s** Abgänge.

re·tir·ing [ri'tai(ə)riŋ] *adj* (*adv* ~**ly**) **1.** zu'rückhaltend, bescheiden. **2.** unauffällig, de'zent: ~ **colo(u)r. 3.** (sich) zu'rückziehend: ~ **room** a) Privatzimmer *n*, b) Toilette *f*. **4.** Ruhestands..., Pensions...: ~ **age** Pensionierungsalter *n*; ~ **allowance** (*od.* **pension**) Ruhegehalt *n*.

re·tool·ing [ri:'tu:liŋ] *s tech.* Neuausrüstung *f* (*e-r Fabrik*) (mit Ma'schinen *etc*).

re·tort[1] [ri'tɔ:rt] **I** *v/t* **1.** vergelten, sich rächen für: **to** ~ **a wrong. 2.** *e-e Beleidigung etc* zu'rückgeben (**on s.o.** j-m): **to** ~ **an insult. 3.** erwidern (**with mit**). **4.** (dar'auf) antworten *od.* erwidern *od.* sagen. **II** *v/i* **5.** (scharf *od.* treffend) erwidern, entgegnen, es zu'rückgeben (**upon s.o.** j-m). **III** *s* **6.** (scharfe *od.* treffende) Entgegnung, (schlagfertige) Antwort. **7.** Erwiderung *f*.

re·tort[2] [ri'tɔ:rt] *s* Re'torte *f*: a) *chem.* Destil'lierkolben *m*, b) *tech.* (*ein*) *Ofen*: ~ **furnace** Muffelofen *m*.

re·tor·tion [ri'tɔ:rʃən] *s* **1.** (Sich)'Umwenden *n*, Zu'rückströmen *n*, -biegen *n*, -beugen *n*. **2.** *Völkerrecht*: Retorsi'on *f* (*Vergeltungsmaßnahme*).

re·touch [ri:'tʌtʃ] **I** *v/t* **1.** *bes. phot.* retu'schieren. **2.** *bes. tech.* nacharbeiten, über'arbeiten. **3.** *Haare* nachfärben, -tönen. **II** *s* **4.** *phot.* Re'tusche *f*. **5.** Über'arbeitung *f*. **6.** Nachfärben *n*, -tönung *f* (*von Haar*).

re·trace[1] [ri'treis] **I** *v/t* **1.** (*a. fig. s-n Stammbaum etc*) zu'rückverfolgen: **to** ~ **one's family line**; **to** ~ **one's steps** a) (denselben Weg) zurückgehen, b) die Sache rückgängig machen. **2.** rekonstru'ieren, im Geiste noch einmal durch'leben. **3.** noch einmal sorgfältig betrachten. **II** *s* **4.** *electr.* Rücklauf *m*.

re·trace[2] → **re-trace.**

re-trace [ri:'treis] *v/t* **1.** *Umrisse etc* nachziehen. **2.** nochmals zeichnen.

re·tract [ri'trækt] **I** *v/t* **1.** *e-e Behauptung etc* zu'rücknehmen. **2.** (*a. jur. e-e Aussage*) wider'rufen. **3.** zu'rückziehen (*a. fig.*): **to** ~ **an accusation (an offer)**. **4.** *Fühler, Krallen etc, a. aer. das Fahrgestell* einziehen. **II** *v/i* **5.** zu'rücktreten (**from** von): **to** ~ **from a resolve** e-n Entschluß aufgeben. **6.** wider'rufen, es zu'rücknehmen. **7.** sich zu'rückziehen. **8.** *tech. zo.* einziehbar sein. **re'tract·a·ble** *adj* **1.** einziehbar: ~ **landing gear. 2.** zu'rückziehbar. **3.** zu'rücknehmbar, zu wider'rufen(d). **re·trac·ta·tion** [,ri:træk'teiʃən] → **retraction** 1. **re'trac·tile** [*Br.* -tail; *Am.* -til] *adj* **1.** einziehbar. **2.** *a. anat.* zu'rückziehbar. **re'trac·tion** *s* **1.** Zu'rücknahme *f*, 'Widerruf *m*. **2.** Zu'rück-, Einziehen *n*. **3.** *med. zo.* Retrakti'on *f*. **re'trac·tor** [-tər] *s* **1.** *anat.* Retrakti'onsmuskel *m*. **2.** *med.* Re'traktor *m*, Wundhaken *m*.

re·train [ri:'trein] **I** *v/t* 'umschulen. **II** *v/i* sich 'umschulen (lassen).

re·tral ['ri:trəl] *adj* **1.** rückwärtig, hinter(er, e, es). **2.** Rückwärts...

re·trans·late [,ri:træns'leit] *v/t* (zu)'rücküber,setzen. **,re·trans'la·tion** *s* 'Rücküber,setzung *f*.

re·tread *tech.* **I** *v/t* [ri:'tred] *Reifen* runderneuern. **II** *s* ['ri:,tred] Runderneuerung *f*.

re·treat [ri'tri:t] **I** *s* **1.** *bes. mil.* Rückzug *m*: **to beat a** ~ *fig.* das Feld räumen, klein beigeben; **to sound the** (*od.* **a**) ~ zum Rückzug blasen. **2.** Sichzu'rückziehen *n*: ~ **from public life. 3.** Schlupfwinkel *m*, stiller Ort, Zufluchtsort *m*. **4.** Heim *n*, Anstalt *f* (*für Irre, Trinker etc*). **5.** Zu'rückgezogenheit *f*, Abgeschiedenheit *f*. **6.** *relig.* a) Freizeit *f*, b) *R.C.* Exer'zitien *pl*, Einkehrtage *pl*. **7.** *mil.* a) 'Rückzugssi,gnal *n*, b) 'Fahnenap,pell *m* (*am Abend*), Zapfenstreich *m*. **8.** *aer.* Rückstellung *f od.* Neigung *f* (gegen die Querachse). **II** *v/i* **9.** sich zu'rückziehen (*a. mil.*), sich entfernen: **to** ~ **within o.s.** sich in sich selbst zurückziehen, sich verschließen. **10.** zu'rückweichen (*z. B. Meer*): ~**ing chin (forehead)** fliehendes Kinn (fliehende Stirn. **11.** *aer.* (zu)'rückstellen. **III** *v/t* **12.** *bes. e-e Schachfigur* zu'rückziehen.

re-treat [ri:'tri:t] *v/t a. tech.* erneut behandeln.

re·trench [ri'trentʃ] I *v/t* 1. *Ausgaben etc* einschränken, *a. Personal* abbauen. 2. beschneiden, kürzen: to ~ a budget. 3. a) *e-e Textstelle* streichen, b) *ein Buch* zs.-streichen, kürzen. 4. *e-e Festung* mit inneren Verschanzungen versehen. II *v/i* 5. sich einschränken, Sparmaßnahmen 'durchführen, sparen. **re'trench·ment** *s* 1. Einschränkung *f*. 2. Beschränkung *f*, (*Gehalts- etc*)Kürzung *f*: ~ of salary. 3. (*Kosten-, Personal*)Abbau *m*: ~ of employees. 4. Sparmaßnahme *f*. 5. Streichung *f*, Kürzung *f*. 6. *Festungsbau*: a) Innenwerk *n*, b) Verschanzung *f*.

re·tri·al [riː'traiəl] *s* 1. nochmalige Prüfung. 2. *jur.* Wieder'aufnahmeverfahren *n*.

ret·ri·bu·tion [ˌretri'bjuːʃən] *s* Vergeltung *f*: a) Strafe *f*, b) Lohn *m*. **re·trib·u·tive** [ri'tribjutiv] *adj* (*adv* ~ly) Vergeltungs..., vergeltend, strafend: ~ justice ausgleichende Gerechtigkeit.

re·triev·a·ble [ri'triːvəbl] *adj* (*adv* retrievably) 1. 'wiederzugewinnen(d). 2. wieder'gutzumachen(d), repa'rierbar. **re'triev·al** *s* 1. 'Wiedergewinnung *f*, -erlangung *f*. 2. Wieder'herstellung *f*. 3. Wieder'gutmachung *f*. 4. → retrieve 13.

re·trieve [ri'triːv] I *v/t* 1. *hunt.* appor'tieren. 2. 'wiederfinden, -bekommen. 3. 'wiedergewinnen, -erlangen: to ~ freedom. 4. wieder'gutmachen: to ~ an error. 5. wettmachen: to ~ a loss. 6. *etwas* her'ausholen, -fischen (from aus). 7. *fig. etwas* her'ausfinden. 8. retten (from aus). 9. der Vergessenheit entreißen. 10. (sich) ins Gedächtnis zu'rückrufen. 11. *Tennis etc*: *e-n schwierigen Ball* zu'rückschlagen. II *v/i* 12. *hunt.* appor'tieren. III *s* 13. beyond (*od.* past) ~ unwiederbringlich dahin. 14. *Tennis*: Rückschlag *m* e-s schwierigen Balles. **re'triev·er** *s* 1. Re'triever *m* (*englischer Apportierhund*). 2. *allg.* Appor'tierhund *m*.

ret·ro·act [ˌretro'ækt] *v/i* 1. zu'rückwirken. 2. entgegengesetzt wirken. **ˌret·ro'ac·tion** *s* 1. *jur.* rückwirkende Kraft. 2. Rückwirkung *f*. **ˌret·ro'ac·tive** *adj* (*adv* ~ly) 1. *jur.* rückwirkend: with ~ effect from rückwirkend ab. 2. zu'rückwirkend.

ret·ro·cede [ˌretro'siːd] I *v/i bes. med.* a) zu'rückgehen, b) nach innen schlagen (*Ausschlag*). II *v/t bes. jur.* wieder abtreten (to an *acc*). **ˌret·ro'ced·ent** *adj* 1. *astr.* → retrograde 1. 2. *med.* a) zu'rückgehend, b) nach innen schlagend (*Ausschlag*). **ˌret·ro'ces·sion** [-'seʃən] *s* 1. a) Zu'rückgehen *n* (*a. med.*), b) *med.* Nach'innenschlagen *n*. 2. *bes. jur.* 'Wieder-, Rückabtretung *f*. **ˌret·ro'ces·sive** [-siv] → retrocedent.

re·tro·choir ['riːtroˌkwair; 'ret-] *s arch.* Retro'chorus *m* (*Raum hinter dem Hochaltar*).

ret·ro·flect·ed [ˌretro'flektid] → retroflex II. **ret·ro·flec·tion** → retroflexion. **'ret·roˌflex** I *v/t u. v/i* 1. (sich) nach hinten biegen. 2. *ling.* retroflek'tieren. II *adj* 3. zu'rückgebogen. 4. *ling.* retroflek'tiert. **'ret·roˌflexed** → retroflex II. **ˌret·ro'flex·ion** *s* Zu'rückkrümmung *f*, *med.* Retroflexi'on *f*.

ret·ro·gra·da·tion [ˌretrogrei'deiʃən] *s* 1. → retrogression 1. 2. Zu'rückgehen *n*. 3. Rück-, Niedergang *m*.

ret·ro·grade ['retroˌgreid] I *adj* 1. *astr. med. zo.* rückläufig: ~ motion a) *astr.* Rückläufigkeit *f* (*e-s Planeten*), b) *zo.* Krebs(gang) *m*. 2. a) zu'rückgehend, rückgängig, -läufig, b) Rückwärts...: ~ movement a) Rückwärtsbewegung *f*, b) *fig.* rückläufige Bewegung (*z. B. der Börsenkurse*). 3. rückschrittlich: ~ ideas; ~ step Rückschritt *m*. 4. Rückzugs..., 'hinhaltend: ~ action. 5. 'umgekehrt: ~ order. II *adv* 6. (nach) rückwärts, zu'rück. III *v/i* 7. a) rückläufig sein, b) zu'rückgehen (*a. mil. u. fig.*). 8. rückwärts schreiten. 9. *bes. biol.* entarten. IV *s* 10. Degene'rierte(r *m*) *f*. 11. → retrogression.

ret·ro·gress [*Br.* ˌretro'gres; *Am.* 'retrəˌgres] *v/i* zu'rückgehen (*a. fig.*). **ˌret·ro'gres·sion** [-ʃən] *s* 1. *astr.* rückläufige Bewegung. 2. *bes. biol.* a) Rückentwicklung *f*, b) Degenerati'on *f*. 3. Rückschritt *m*. 4. Rückgang *m*. 5. *mus.* Krebs *m*. **ˌret·ro'gres·sive** [-siv] *adj* (*adv* ~ly) 1. *bes. biol.* rückschreitend: ~ metamorphosis *biol.* Rückbildung *f*. 2. nach rückwärts gerichtet. 3. *fig.* a) rückschrittlich, b) zu'rückgehend.

ret·ro-rock·et ['retro'rɒkit] *s tech.* ['Bremsraˌkete *f*.]

ret·ro·spect ['retroˌspekt] *s* Rückblick *m*, -schau *f* (of, on auf *acc*): in (the) ~ rückschauend, im Rückblick. **ˌret·ro'spec·tion** *s* 1. Erinnerung *f*. 2. → retrospect. 3. Zu'rückblicken *n*, -schauen *n*. **ˌret·ro'spec·tive** *adj* (*adv* ~ly) 1. (zu)'rückblickend, -schauend, retrospek'tiv. 2. nach rückwärts *od.* hinten (gerichtet). 3. *jur.* rückwirkend.

ret·rous·sé [*Br.* rə'truːsei; *Am.* ˌretruː'sei] *adj* nach oben gebogen: ~ nose Stupsnase *f*.

ret·ro·ver·sion [ˌretro'vəːrʃən] *s* 1. a) Rückwendung *f*, b) Rückschau *f*. 2. *med.* Retroversi'on *f*, Rückwärtsbeugung *f* (*des Uterus*). 3. *ling.* 'Rückübeˌsetzung *f*. 4. *fig.* 'Umkehr *f*, Rückfall *m*. **ˌret·ro'vert** *v/t bes. med. den Uterus* rückwärts verlagern.

re·try [riː'trai] *v/t jur.* 1. *e-n Prozeß* erneut verhandeln. 2. neu verhandeln gegen *j-n*.

ret·ter·y ['retəri] *s tech.* (ˌFlachs)[Röste'rei *f*.]

re·turn [ri'təːrn] I *v/i* 1. zu'rückkehren, -kommen (to zu, nach), 'wiederkommen, -kehren (*a. fig.*), *fig* wieder auftreten (*Krankheit etc*): to ~ to *fig.* a) auf *ein Thema* zurückkommen: to ~ to a subject, b) auf *ein Vorhaben* zurückkommen: to ~ to a project, c) in *e-e Gewohnheit etc* zurückfallen, zurückkehren zu: to ~ to one's old habits, d) in *e-n Zustand* zurückkehren, zu *Staub etc* werden: to ~ to dust; to ~ to health wieder gesund werden. 2. zu'rückfallen (to an *acc*) (*Besitz*). 3. erwidern, antworten.

II *v/t* 4. erwidern: to ~ greetings (a kindness, s.o.'s love, a salute, a visit); to ~ fire *mil.* das Feuer erwidern; to ~ thanks a) danken, b) (dem Herrn) danken (*das Tischgebet sprechen*). 5. vergelten: to ~ like for like Gleiches mit Gleichem vergelten. 6. zu'rückgeben (to *dat*): to ~ an answer (a book, a look, *etc*). 7. *Geld* zu'rückzahlen, -erstatten, -geben. 8. zu'rückschicken, -senden: ~ed letter unzustellbarer Brief. 9. wieder (an s-n Platz) zu'rückstellen, -bringen, -tun: to ~ a book to its shelf. 10. einbringen, (er)bringen, *Gewinn* abwerfen, *Zinsen* tragen: to ~ interest (a profit); to ~ a result ein Ergebnis haben *od.* zeitigen. 11. *Bericht* erstatten. 12. *jur.* a) (Voll'zugs)Bericht erstatten über (*acc*), b) *e-n Gerichtsbefehl* (mit Voll'zugsbericht) rückvorlegen (to *dat*). 13. *jur.* a) *den Schuldspruch* fällen *od.* aussprechen (*Geschworene*): to ~ the verdict, b) *j-n schuldig etc* sprechen: to be ~ed guilty schuldig gesprochen werden. 14. *ein Votum* abgeben. 15. (*amtlich*) erklären für *od.* als, *j-n arbeitsunfähig etc* schreiben: to ~ s.o. unfit for work. 16. (*bes.* zur Steuerveranlagung) erklären, angeben (at mit): he ~ed his income at £ 5000. 17. (*amtlich*) melden. 18. *amtliche Liste etc* vorlegen *od.* veröffentlichen: to ~ a list of jurors. 19. *pol. Br.* a) *das Wahlergebnis* melden, b) *j-n* als Abgeordneten wählen (to Parliament ins Parlament). 20. 'umwenden, -kehren. 21. *sport den Tennisball etc* zu'rückschlagen, -geben. 22. *Echo, Strahlen* zu'rückwerfen. 23. *econ. e-n Scheck* zu'rückweisen. 24. *bes. tech.* zu'rückführen, -leiten. 25. *arch.* 'wiederkehren lassen: a) vorspringen lassen, b) zu'rücksetzen. 26. *Kartenspiel*: *Farbe* nachspielen.

III *s* 27. Rückkehr *f*, -kunft *f*, 'Wiederkehr *f* (*a. fig.*): by ~ of post postwendend, umgehend; on my ~ bei m-r Rückkehr; (I wish you) many happy ~s of the day herzlichen Glückwunsch zum Geburtstag. 28. Wieder'auftreten *n*: ~ of cold weather Kälterückfall *m*. 29. *colloq.* Rückfahrkarte *f*. 30. Rück-, Her'ausgabe *f*: on sale or ~ *econ.* in Kommission. 31. *oft pl* Rücksendung *f* (*a. Ware*): ~s a) Rückgut *n*, b) (*Buchhandel*) Remittenden. 32. zu'rückgewiesene *od.* zu'rückgesandte Sache. 33. *econ.* Rückzahlung *f*, -erstattung *f*: ~ (of premium) (*Versicherung*) Ristorno *n*, Prämienrückzahlung. 34. Entgelt *n*, Gegenleistung *f*, Vergütung *f*, Entschädigung *f*: in ~ dagegen, dafür; in ~ for (als Gegenleistung) für; without ~ unentgeltlich. 35. *oft pl econ.* a) 'Umsatz *m*: quick ~s rascher Umsatz, b) Ertrag *m*, Einnahme *f*, Gewinn *m*, Verzinsung *f*: customs ~s Zollerträge; to yield (*od.* bring) a ~ Nutzen abwerfen, sich rentieren. 36. Erwiderung *f* (*a. fig. e-s Grußes, der Liebe, e-s Schlages etc*): ~ of thanks a) Dank(sagung *f*) *m*, b) Dankgebet *n* nach Tisch. 37. (amtlicher) Bericht, (sta'tistischer) Ausweis, Aufstellung *f*: annual ~ Jahresbericht, -ausweis; bank ~ Bankausweis; official ~s amtliche Ziffern. 38. (*Steuer- etc*)Erklärung *f*: income tax ~. 39. *Meinungsforschung*: a) 'Umfrageergebnis *n*, b) Antwortenrücklauf *m*. 40. *jur.* a) Rückvorlage *f* (*e-s Vollstreckungsbefehls etc*) (mit Voll'zugsbericht), b) Voll'zugsbericht *m* (*des Gerichtsvollziehers etc*), c) Stellungnahme *f*. 41. *jur.* → return day. 42. *pol.* a) Wahlergebnis *n*, b) *Br.* Einzug *m* (ins Parla'ment), Wahl *f* (*e-s Abgeordneten*). 43. Zu'rückholen *n*, -bringen *n*. 44. *tech.* a) Rückführung *f*, -leitung *f*, b) Rücklauf *m*, -kehr *f*, c) *electr.* Rückleitung *f*. 45. Biegung *f*, Krümmung *f*. 46. *arch.* a) 'Wiederkehr *f*, b) vorspringender *od.* zu'rückgesetzter Teil, c) (Seiten)Flügel *m*, d) Kröpfung *f*. 47. *sport* Rückschlag *m*. 48. *sport* Rückspiel *n*. 49. *Kartenspiel*: Nachspielen *n* (*e-r Farbe*). 50. *pl Br.* (*ein*) heller, leichter Feinschnitt(tabak).

IV *adj* 51. Rück...: ~ cable *electr.* Rückleitung(skabel *n*) *f*; ~ cargo *econ.* Rückfracht *f*, -ladung *f*; ~ circuit *electr.* Rücklaufschaltung *f*; ~ copies (*Buchhandel*) Remittenden; ~ current *electr.* Rückstrom *m*; ~ journey Rückreise *f*; ~ postage Rückporto *n*; ~ pulley *tech.* Umlenkrolle *f*; ~ spring

Rückholfeder *f*; ~ **ticket** a) Rückfahrkarte *f*, b) *aer.* Rückflugschein *m*; ~ **valve** Rückschlagventil *n*; ~ **visit** Gegenbesuch *m*; ~ **wire** *electr.* Rückleiter *m*. **52.** zu'rückgebogen: ~ **bend** a) *tech.* U-Röhre *f*, b) Haarnadelkurve *f* (*e-r Straße*). **53.** wieder'holt, neuerlich: ~ **game**, ~ **match** *sport* Rückspiel *n*.

re·turn·a·ble [ri'tɜːrnəbl] *adj* **1.** *jur. etc* wieder zuzustellen(d), (mit Bericht) einzusenden(d). **2.** zu'rückzugeben(d). **3.** *econ.* rückzahlbar.

re·turn day *s jur.* Ver'handlungsterˌmin *m*.

re·turn·ing| board [ri'tɜːrniŋ] *s pol. Am.* Wahlausschuß *m*. ~ **of·fi·cer** *s pol. Br.* Wahlleiter *m*.

re·u·ni·fi·ca·tion [ˌriːjuːnifi'keiʃən] *s pol.* 'Wiedervereinigung *f*.

re·un·ion [riː'juːnjən] *s* **1.** *a. med. phys. pol.* 'Wiedervereinigung *f*. **2.** *fig.* Versöhnung *f*. **3.** Treffen *n*, Zs.-kunft *f*, 'Wiedersehen(sfeier *f*) *n*: **family** ~ Familientreffen.

Re·un·ion·ism [riː'juːnjəˌnizəm] *s auf Wiedervereinigung mit der römisch-katholischen Kirche gerichtete Bewegung in der englischen Staatskirche.*

re·u·nite [ˌriːjuː'nait] **I** *v/t* 'wiedervereinigen. **II** *v/i* sich wieder vereinigen.

re-up ['riːˌʌp] *v/i Am. sl.* sich erneut zum Wehrdienst verpflichten.

re·us·a·ble [riː'juːzəbl] *adj* 'wiederverwendbar.

rev [rev] *tech. colloq.* **I** *s* **1.** *mot.* Touren-, Drehzahl *f*. **II** *v/t* **2.** *meist* ~ **up** auf Touren bringen. **3.** ~ **down** her'untertouren, drosseln. **III** *v/i* **4.** laufen, auf Touren sein (*Motor*): **to** ~ **up** a) auf Touren kommen (*Motor*), b) aufdrehen, den Motor auf Touren bringen.

re·vac·ci·nate [riː'væksiˌneit] *v/t med.* 'wieder-, nachimpfen.

re·val·or·i·za·tion [ˌriːvælərai'zeiʃən; -ri'z-] *s econ.* (Geld)Aufwertung *f*. **re'val·orˌize** *v/t* aufwerten.

re·val·u·ate [riː'væljuˌeit] *v/t* 'umwerten. **ˌre·val·u'a·tion** *s* 'Umwertung *f*, Neubewertung *f*.

re·val·ue [riː'væljuː] *v/t* neu schätzen.

re·vamp [riː'væmp] *v/t* **1.** vorschuhen. **2.** *sl.* ,'aufpoˌlieren'.

re·veal [ri'viːl] **I** *v/t* **1.** *relig. u. fig.* offen'baren (to *dat*). **2.** enthüllen, zeigen (*a. fig. erkennen lassen*) (to *dat*). **3.** *fig. ein Geheimnis etc* enthüllen, aufdecken, verraten (to *dat*): **to** ~ **a secret.** **II** *s* **4.** *tech.* a) (innere) Laibung (*e-r Tür etc*), b) Einfassung *f*, c) (Fenster-)Rahmen *m* (*e-s Autos*). **re'veal·a·ble** *adj* enthüllbar, mitteilbar. **re'veal·ing** *adj* (*adv* ~**ly**) enthüllend, aufschlußreich.

re·veil·le [*Br.* ri'væli; *Am.* 'revəli] *s mil.* (Si'gnal *n* zum) Wecken *n*.

rev·el ['revl] **I** *v/i* **1.** (lärmend) feiern, ausgelassen sein. **2.** schmausen, zechen, schwelgen. **3.** (in) *fig.* a) schwelgen (in *dat*), b) sich weiden *od.* ergötzen (an *dat*). **II** *s* **4.** *oft pl* → **revelry.**

rev·e·la·tion [ˌrevi'leiʃən] *s* **1.** Enthüllung *f*, Offen'barung *f*: **it was a** ~ **to me** es fiel mir wie Schuppen von den Augen; **what a** ~! welch überraschende Entdeckung! **2.** *relig.* (*göttliche*) Offen'barung: **the R**~(**s**), **The R**~ **of St. John (the Divine)** *Bibl.* die (Geheime) Offenbarung des Johannes, die Offenbarung. **3.** *colloq.* (*e-e*) ,Offen'barung' (*etwas Ausgezeichnetes*) (to s.o. j-m). **ˌrev·e'la·tion·al** *adj* Offenbarungs...

rev·el·er, *bes. Br.* **rev·el·ler** ['revlər] *s* **1.** Feiernde(r *m*) *f*. **2.** Zecher(in). **3.** ,Nachtschwärmer(in)'.

rev·el·ry ['revlri] *s* **1.** lärmende Festlichkeit, Rummel *m*. **2.** Jubel *m*, Trubel *m*. **3.** Gelage *n*, Orgie *f*.

rev·e·nant [rəv'nɑ̃; 'revənənt] *s* **1.** (*nach langer Abwesenheit*) Zu'rückgekehrte(r *m*) *f*. **2.** Geist *m* (*e-s Verstorbenen*).

re·ven·di·ca·tion [riˌvendi'keiʃən] *s* **1.** *jur.* a) dingliche Klage, b) Klage *f* auf Her'ausgabe (*e-s noch unbezahlten Kaufobjekts*). **2.** Zu'rückgewinnung *f*.

re·venge [ri'vendʒ] **I** *v/t* **1.** *etwas, a. j-n* rächen: **to** ~ **o.s. (up)on s.o. for s.th.** sich an j-m für etwas rächen; **to be** ~**d** a) gerächt sein *od.* werden, b) sich rächen. **2.** sich rächen für, vergelten (**upon, on** an *dat*). **II** *s* **3.** Rache *f*: **to take one's** ~ Rache nehmen, sich rächen; **in** ~ **for it** (als Rache) dafür. **4.** Re'vanche *f* (*bes. beim Spiel*): **to give s.o. his** ~ j-m Gelegenheit zur Revanche geben; **to have one's** ~ sich revanchieren. **5.** Rachsucht *f*, -gier *f*. **re'venge·ful** [-ful] *adj* (*adv* ~**ly**) rachsüchtig. **re'venge·ful·ness** → **revenge** 5.

rev·e·nue ['reviˌnjuː] *s econ.* **1.** *a.* **public** ~, **national** ~ (ordentliche) öffentliche Einnahmen *pl*, Staatseinkünfte *pl*: **internal** ~ a) Steueraufkommen *n*, b) Staatskasse *f*, Fiskus *m*; **inland** ~ *Br.* Aufkommen *n* an Steuern u. Zöllen. **2.** a) Fi'nanzverwaltung *f*, b) Fiskus *m*: ~ **board** (*od.* **office**) Finanzamt *n*; → **defraud. 3.** *pl* Einnahmen *pl*, Einkünfte *pl*. **4.** Kapi'talrente *f*, Einkommen *n*, Rente *f*. **5.** Ertrag *m*, Nutzung *f*. **6.** Einkommensquelle *f*. ~ **cut·ter** *s mar.* Zollkutter *m*. ~ **of·fi·cer** *s* Zollbeamte(r) *m*. ~ **stamp** *s econ.* Bande'role *f*, Steuermarke *f*.

re·ver·ber·ant [ri'vɜːrbərənt] *adj poet. u. phys.* nach-, 'widerhallend: ~ **sound level** (*Akustik*) Nachhallpegel *m*. **re'ver·berˌate** [-ˌreit] **I** *v/i* **1.** *phys.* a) zu'rückstrahlen, b) *Akustik*: nach-, 'widerhallen. **II** *v/t* **2.** *phys.* zu'rückwerfen: **to** ~ **heat (light, sound,** *etc*). **3.** *metall.* reverbe'rieren. **reˌver·ber'a·tion** *s* **1.** 'Wider-, Nachhall *m*: ~ **time** (*Akustik*) Nachhallzeit *f*. **2.** a) Zu'rückwerfen *n*, -strahlen *n*, b) Rückstrahlung *f*. **3.** *metall.* Reverbe'rieren *n*. **re'ver·berˌa·tor** [-tər] *s tech.* **1.** Re'flektor *m*. **2.** Scheinwerfer *m*. **re'ver·ber·a·to·ry** [-rətəri] **I** *adj* **1.** *tech.* Reverberier... **2.** zu'rückgeworfen. **II** *s* **3.** *a.* ~ **furnace** *metall.* Flammofen *m*.

re·vere [ri'vir] *v/t* (ver)ehren.

rev·er·ence ['revərəns] **I** *s* **1.** Verehrung *f* (**for** für *od. gen*): **to hold** (*od.* **have**) **in (great)** ~ (hoch) verehren; **to pay** ~ **to s.o.** j-m Verehrung zollen. **2.** Ehrfurcht *f* (**for** vor *dat*). **3.** Ehrerbietung *f*. **4.** Reve'renz *f*: a) Verbeugung *f*, b) Knicks *m*. **5.** **Your (His) R**~ *dial. od. humor.* Euer (Seine) Ehrwürden. **II** *v/t* **6.** (ver)ehren. **'rev·er·end I** *adj* **1.** ehrwürdig. **2.** **R**~ *relig.* ehr-, hochwürdig (*im Titel der englischen Geistlichen*): **Very R**~ (*im Titel e-s Dekans*); **Right R**~ (*Bischof*); **Most R**~ (*Erzbischof*). **II** *s* **3.** Geistliche(r) *m*.

rev·er·ent ['revərənt] *adj* (*adv* ~**ly**), **ˌrev·er'en·tial** [-'renʃəl] *adj* (*adv* ~**ly**) ehrfürchtig, ehrfurchtsvoll, ehrerbietig.

rev·er·ie ['revəri] *s* **1.** (ˌTag)Träume'rei *f*: **to be lost in** ~ in (*s-n*) Träumen versunken sein. **2.** *mus.* Träume'rei *f* (*Titel*).

re·vers [ri'vir; -'vɛr] *pl* **re'vers** [-z] *s* Re'vers *n, m* (*Rock- od. Mantelaufschlag*).

re·ver·sal [ri'vɜːrsəl] *s* **1.** 'Umkehr(ung) *f*, 'Umschwung *m*, 'Umschlag *m*: ~ **of opinion** Meinungsumschwung. **2.** *jur.* (Urteils)Aufhebung *f*, 'Umstoßung *f*. **3.** *econ.* Stor'nierung *f*. **4.** *opt. phot.* 'Umkehrung *f*: ~ **finder** Umkehrsucher *m*; ~ **film** Umkehrfilm *m*; ~ **process** *phot.* Umkehrentwicklung *f*. **5.** *tech.* 'Umsteuerung *f*. **6.** *electr.* ('Strom)ˌUmkehr *f*: ~ **of polarity** Umpolung *f*.

re·verse [ri'vɜːrs] **I** *adj* (*adv* ~**ly**) **1.** 'umgekehrt, verkehrt, entgegengesetzt (to *dat*): ~ **current** *electr.* Gegen-, Sperrstrom *m*; ~ **flying** *aer.* Rückenflug *m*; ~ **grasp** *sport* Kammgriff *m*; ~ **power** *electr.* Rückleistung *f*; ~ **rotation** *tech.* Gegendrehung *f*; ~ **side** a) Rück-, Kehrseite *f*, b) linke (Stoff)Seite. **2.** rückläufig, Rückwärts...: ~ **curve** *rail.* S-Kurve *f*; ~ **gear** → 8; ~ **lever** *tech.* Umsteuerungshebel *m*; ~ **motion** *tech.* a) Rückwärtsgang *m*, b) Rückwärtsbewegung *f*, c) Rücklauf *m*. **3.** Rükken...: ~ **fire** *mil.* Rückenfeuer *n*.

II *s* **4.** Gegenteil *n*, (*das*) 'Umgekehrte: **the case is quite the** ~ der Fall liegt gerade umgekehrt. **5.** Rückschlag *m*: ~ **of fortune** Schicksalsschlag *m*. **6.** *mil.* Niederlage *f*, Schlappe *f*. **7.** a) Rückseite *f*, b) *bes. fig.* Kehrseite *f*: ~ **of a coin** Rückseite *od.* Revers *m* e-r Münze; **on the** ~ umstehend; **to take in** ~ *mil. den Feind* im Rücken packen; → **medal. 8.** *mot.* Rückwärtsgang *m*. **9.** *tech.* 'Umsteuerung *f*.

III *v/t* **10.** 'umkehren (*a. electr. math. phot.*; *a. fig.*), 'umwenden: **to** ~ **the order of things** die Weltordnung auf den Kopf stellen. **11.** *fig. s-e Politik* (ganz) 'umstellen, *s-e Meinung etc* (*völlig*) ändern *od.* revi'dieren: **to** ~ **one's policy (opinion). 12.** *jur. das Urteil* 'umstoßen, aufheben. **13.** *tech.* im Rückwärtsgang *od.* rückwärts fahren (lassen). **14.** *electr.* a) *a.* ~ **the polarity** 'umpolen, b) 'umsteuern, *ein Relais* 'umlegen. **15.** *econ.* stor'nieren.

IV *v/i* **16.** (*beim Walzer*) 'linksherˌum tanzen, wechseln. **17.** 'umsteuern, rückwärts fahren *od.* laufen. **re'vers·er** *s electr.* 'Umkehr-, Wendeschalter *m*.

re·vers·i·bil·i·ty [riˌvɜːrsə'biliti] *s* 'Umkehrbarkeit *f*. **re'vers·i·ble I** *adj* (*adv* **reversibly**) **1.** *a. chem. math. phys.* 'umkehrbar, rever'sibel: ~ **film** *phot.* Umkehrfilm *m*. **2.** doppelseitig, wendbar: ~ **cloth**; ~ **coat** → 5 b. **3.** *tech.* 'umsteuerbar. **4.** *jur.* 'umstoßbar. **II** *s* **5.** a) beidseitig zu tragendes Kleidungsstück, b) Wendemantel *m*.

re·vers·ing [ri'vɜːrsiŋ] *adj phys. tech.* Umkehr..., Umsteuerungs...: ~ **gear** *tech.* a) 'Umsteuerung *f*, b) Wendegetriebe *n*, c) Rückwärtsgang *m*; ~ **pole** *electr.* Wendepol *m*; ~ **switch** → **reverser.**

re·ver·sion [ri'vɜːrʃən; -ʒən] *s* **1.** *a. math.* 'Umkehrung *f*. **2.** *jur.* a) Heim-, Rückfall *m*, b) *a.* **right of** ~ Heimfallsrecht *n*: **estate in** ~ mit e-m Heimfallsrecht belastetes Vermögen. **3.** *jur.* a) Anwartschaft *f* (**of** auf *acc*), b) Anwartschaftsrente *f*. **4.** *econ.* Versicherungssumme *f* (*e-r Lebensversicherung im Todesfall*). **5.** *biol.* a) Rückartung *f*, b) Ata'vismus *m*. **6.** *electr.* 'Umpolung *f*. **7.** *electr. tech.* 'Umsteuerung *f*. **re-**

'**ver·sion·al** → reversionary. **re'ver·sion·ar·y** *adj* **1.** *jur.* anwartschaftlich, Anwartschafts...: ~ **annuity** Rente *f* auf den Überlebensfall; ~ **heir** Nacherbe *m.* **2.** *biol.* ata'vistisch. **re'ver·sion·er** *s jur.* **1.** Anwärter(in). **2.** Inhaber(in) e-s Heimfallsrechts. **3.** Nacherbe *m.*

re·vert [ri'vəːrt] **I** *v/i* **1.** zu'rückkehren (**to** zu *s-m Glauben etc*). **2.** zu'rückkommen (**to** auf *acc*): **to** ~ **to a letter (a topic)**. **3.** wieder zu'rückfallen (**to** in *acc*): **to** ~ **to barbarism**. **4.** *jur.* zu'rück-, heimfallen (**to s.o.** an j-n). **5.** *biol.* zu'rückschlagen (**to** zu). **II** *v/t* **6.** den Blick (zu'rück)wenden. **III** *s* **7.** *relig.* 'Wiederbekehrte(r *m*) *f.* **re'vert·i·ble** *adj jur.* heimfällig.

re·vet [ri'vet] *v/t tech. mit Mauerwerk etc* verkleiden, füttern. **re'vet·ment** *s* **1.** *tech.* Befestigung *f*, Verkleidung *f*, Futtermauer *f* (*e-s Ufers etc*). **2.** *mil.* a) Splitterschutzwand *f*, b) *aer.* Schutz-, Splitterboxe *f.*

re·view [ri'vjuː] **I** *s* **1.** (Buch)Besprechung *f*, Kri'tik *f*, Rezensi'on *f*: **book under** ~ zu besprechendes Buch. **2.** Rundschau *f*, (kritische) Zeitschrift. **3.** Nachprüfung *f*, (Über)'Prüfung *f*, Revisi'on *f*: **court of** ~ *jur.* Rechtsmittelgericht *n*; **to be under** ~ überprüft werden. **4.** *mil.* Pa'rade *f*, Truppenschau *f*: **naval** ~ *mar.* Flottenparade; ~ **order** a) Paradeanzug *m* u. -ordnung *f*, b) *fig.* Gala *f*, ‚voller Wichs'; **to pass in** ~ a) mustern, b) (vorbei)defilieren (lassen) (→ 5). **5.** Rückblick *m*, -schau *f* (**of** auf *acc*): **to pass in** ~ a) Rückschau halten über (*acc*), b) (*im Geiste*) Revue passieren lassen (→ 4). **6.** *ped.* Wieder'holung *f*, Repetiti'on *f* (*e-r Lektion*). **7.** Bericht *m*, 'Übersicht *f*, -blick *m* (**of** über *acc*): **market** ~ *econ.* Markt-, Börsenbericht; **month under** ~ Berichtsmonat *m.* **8.** 'Durchsicht *f.* **9.** *thea.* → revue. **II** *v/t* **10.** (über)'prüfen, nachprüfen, e-r Revisi'on unter'ziehen: **to** ~ **a case** *jur.* e-n Prozeß im Wege der Revision überprüfen; **in** ~**ing our books** *econ.* bei Durchsicht unserer Bücher. **11.** *ped.* wieder'holen, repe'tieren. **12.** *mil.* besichtigen, inspi'zieren, mustern: **to** ~ **troops**. **13.** *fig.* zu'rückblicken auf (*acc*): **to** ~ **one's life**. **14.** *fig.* über'blicken, -'schauen: **to** ~ **the situation**. **15.** e-n 'Überblick geben über (*acc*). **16.** besprechen, rezen'sieren: **to** ~ **a book**.

re·view·a·ble [ri'vjuːəbl] *adj* **1.** zu besprechen(d). **2.** zu über'prüfen(d). **3.** *jur.* im Wege der Berufung *od.* Revisi'on anfechtbar. **re'view·al** → review 1, 3, 7. **re'view·er** *s* Kritiker(in), Rezen'sent(in): ~**'s copy** Rezensionsexemplar *n.*

re·vile [ri'vail] *v/t u. v/i* schmähen, verunglimpfen. **re'vile·ment** *s* Schmähung *f*, Verunglimpfung *f.*

re·vin·di·cate [riː'vindiˌkeit] *v/t bes. jur.* zu'rückfordern (u. -nehmen).

re·vis·a·ble [ri'vaizəbl] *adj* zu über'prüfen(d), zu revi'dieren(d). **re'vis·al** *s* **1.** (Nach)Prüfung *f.* **2.** (nochmalige) 'Durchsicht. **3.** *print.* zweite Korrek'tur. **re'vise I** *v/t* **1.** revi'dieren: a) *s-e Ansicht* ändern, b) *ein Buch etc* über'arbeiten (u. verbessern): ~**d edition** verbesserte Auflage; **R**~**d Version (of the Bible)** *verbesserte britische Bibelausgabe* (*1885*), c) *print.* in zweiter Korrek'tur lesen. **2.** über'prüfen, (wieder) 'durchsehen. **II** *s* **3.** *a.* ~ **proof** *print.* Revisi'onsbogen *m*, Korrek'turabzug *m.* **4.** → revision. **re'vis·er** *s* **1.** *print.* Kor'rektor *m.* **2. the** ~**s** *pl* die Bearbeiter *pl* der Revised Version.

re·vi·sion [ri'viʒən] *s* **1.** Revisi'on *f*: a) 'Durchsicht *f*, Über'prüfung *f*, b) Über'arbeitung *f*, c) Korrek'tur *f.* **2.** *print.* verbesserte Ausgabe *od.* Auflage. **re'vi·sionˌism** *s* Revisio'nismus *m.* **re'vi·sion·ist** *s* Revisio'nist *m.*

re·vis·it [riː'vizit] *v/t* nochmals *od.* wieder besuchen: **London R**~**ed** Wiedersehen mit London (*als Titel*).

re·vi·tal·ize [riː'vaitəˌlaiz] *v/t* neu beleben, 'wiederbeleben.

re·viv·al [ri'vaivəl] *s* **1.** 'Wiederbelebung *f* (*a. econ., a. jur. von Rechten*): ~ **of business (rights)**; ~ **of architecture, Gothic** ~ Neugotik *f*; **R**~ **of Learning** (*od.* **Letters** *od.* **Literature**) *hist.* (*der*) Humanismus. **2.** Wieder'aufgreifen *n* (*e-s veralteten Wortes etc*), *thea.* Wieder'aufnahme *f* (*e-s vergessenen Stückes*): ~ **of an obsolete word (of a play)**. **3.** Wieder'aufleben *n*, -'aufblühen *n*, Erneuerung *f.* **4.** *relig.* (*bes. USA*) a) *a.* ~ **of religion** (religi'öse) Erweckung, b) Erweckungsversammlung *f.* **5.** *jur.* Wiederin'krafttreten *n.* **re'viv·alˌism** *s* **1.** (*bes. USA*) a) (religi'öse) Erweckungsbewegung, ˌEvangelisati'on *f*, b) Erweckungseifer *m.* **2.** *Neigung, Vergangenes wiederzubeleben.* **re'viv·al·ist** *s relig.* (*bes. USA*) Erweckungsprediger *m*, Evange'list *m.*

re·vive [ri'vaiv] **I** *v/t* **1.** 'wiederbeleben (*a. fig.*). **2.** wieder'aufleben lassen: **to** ~ **a claim (custom, feeling, hope, memory, quarrel, etc)**. **3.** *e-n Vertrag etc* erneuern. **4.** wieder'herstellen: **to** ~ **justice**. **5.** wieder'aufgreifen: **to** ~ **a topic**; **to** ~ **an old play** ein altes Stück wieder auf die Bühne bringen *od.* wiederaufgreifen. **6.** wieder'einführen. **7.** erquicken. **8.** wieder in Kraft treten lassen. **9.** *metall.* frischen. **II** *v/i* **10.** wieder (zum Leben) erwachen. **11.** das Bewußtsein 'wiedererlangen. **12.** *fig.* 'wiedererwachen, wieder'aufleben (*a. jur. Recht etc*): **hope** ~**d in her**. **13.** *bes. econ.* sich erholen. **14.** wieder'aufblühen. **15.** *fig.* wieder'aufkommen: **a practice** ~**s**. **16.** *jur.* wieder in Kraft treten. **re'viv·er** *s* **1.** *tech.* Auffrischungs-, Regene'rierungsmittel *n.* **2.** *sl.* (*alkoholische*) Stärkung.

re·viv·i·fi·ca·tion [riːˌvivifi'keiʃən] *s* **1.** → **revival** 1 *u.* 3. **2.** *chem. tech.* a) erneute Akti'vierung (*z. B. e-s Katalysators*), b) Redukti'on *f* (*e-s Metalles*). **re'viv·iˌfy** [-ˌfai] **I** *v/t* **1.** 'wiederbeleben. **2.** *fig.* wieder'aufleben lassen, neu beleben. **3.** *chem.* a) *Reagenzien etc* reinigen, b) *Metalloxyd* frischen. **II** *v/i* **4.** *chem.* (*als Reagenz*) wieder wirksam werden.

rev·i·vis·cence [ˌrevi'visns] *s* **1.** → **revival** 1 *u.* 3. **2.** Wieder'aufflackern *n* (*e-r Krankheit etc*). ˌ**rev·i'vis·cent** *adj* wieder'auflebend, wieder le'bendig (*a. fig.*).

re·vi·vor [ri'vaivər] *s jur. Br.* Wieder'aufnahmeverfahren *n.*

rev·o·ca·ble ['revəkəbl] *adj* (*adv* **revocably**) wider'ruflich. ˌ**rev·o'ca·tion** [-'keiʃən] *s jur.* Aufhebung *f*, 'Widerruf *m*: ~ **of licence** Lizenzentzug *m.* '**rev·o·ca·to·ry** [-kətəri] *adj bes. jur.* wider'rufend, Widerrufungs...

re·voke [ri'vouk] **I** *v/t* **1.** wider'rufen, zu'rücknehmen, rückgängig machen, aufheben. **II** *v/i* **2.** wider'rufen. **3.** *Kartenspiel*: nicht bedienen. **III** *s* **4.** *Kartenspiel*: Nichtbedienen *n.*

re·volt [ri'voult] **I** *s* **1.** Re'volte *f*, Aufruhr *m*, Aufstand *m*, Em'pörung *f.* **2.** (innere) Em'pörung, Abscheu *m, f.* **II** *v/i* **3.** a) *fig.* revol'tieren, sich em'pören, sich auflehnen (**against** gegen), b) abfallen (**from** von). **4.** *fig.* em'pört sein, 'Widerwillen empfinden (**at** über *acc*), sich sträuben *od.* em'pören (**against, at, from** gegen). **III** *v/t* **5.** *fig.* em'pören, mit Abscheu erfüllen, abstoßen: **to be** ~**ed** → 4. **re'volt·ed** *adj* **1.** aufständisch, revol'tierend. **2.** em'pört. **re'volt·er** *s* Re'bell(in), Aufständische(r *m*) *f.* **re'volt·ing** *adj* (*adv* ~**ly**) *fig.* em'pörend, abstoßend.

rev·o·lute ['revəˌluːt; -ˌljuːt] *adj bes. bot.* zu'rückgerollt.

rev·o·lu·tion [ˌrevə'luːʃən; -'ljuː-] *s* **1.** 'Umwälzung *f*, Um'drehung *f.* **2.** *astr.* a) Kreislauf *m* (*a. fig. des Jahres etc*), b) Um'drehung *f*, c) 'Umlauf(zeit *f*) *m.* **3.** *tech.* a) 'Umlauf *m*, Rotati'on *f* (*e-r Maschine etc*), b) Doppelhub *m* (*bei Kolbenmaschinen*): ~**s per minute** (*abbr.* **r.p.m.**) Umdrehungen pro Minute (*abbr.* U/min.), Dreh-, Tourenzahl *f*; ~ **counter** Drehzahlmesser *m*, Tourenzähler *m.* **4.** *fig.* Revoluti'on *f*: a) 'Umwälzung *f*, 'Umschwung *m*, radi'kale (Ver)Änderung, b) 'Umsturz *m.* ˌ**rev·o'lu·tion·ar·y I** *adj pol.* revolutio'när: a) Revolutions..., Umsturz..., b) 'umwälzend, e'pochemachend: **a** ~ **idea**. **II** *s* → **revolutionist**. ˌ**rev·o'lu·tion·ist** *s pol. u. fig.* Revolutio'när(in). ˌ**rev·o'lu·tionˌize** *v/t* **1.** *ein Volk etc* aufwiegeln, in Aufruhr bringen. **2.** *e-n Staat* revolutio'nieren. **3.** *fig.* revolutio'nieren, von Grund aus 'umgestalten.

re·volv·a·ble [ri'vɒlvəbl] *adj* drehbar.

re·volve [ri'vɒlv] **I** *v/i* **1.** *bes. math. phys. tech.* sich drehen, kreisen, ro'tieren (**on, about an axis** um e-e Achse; **round** um *e-n Mittelpunkt, die Sonne etc*). **2.** e-n Kreislauf bilden, (im Kreislauf) da'hinrollen (*Jahreszeiten etc*). **3.** *fig.* (im Kopf) her'umgehen: **an idea** ~**s in my mind**. **II** *v/t* **4.** drehen, ro'tieren lassen. **5.** *fig.* (hin u. her) über'legen, *Gedanken, Problem* wälzen.

re·volv·er [ri'vɒlvər] *s* Re'volver *m.*

re·volv·ing [ri'vɒlviŋ] *adj* **1.** a) sich drehend, kreisend, drehbar (**about, round** um), b) Dreh...: ~ **case** drehbares (Bücher)Regal; ~ **chair** Drehstuhl *m*; ~ **door** Drehtür *f*; ~ **light** *mar.* Drehfeuer *n*; ~ **pencil** Drehbleistift *m*; ~ **shutter** Rolladen *m*; ~ **stage** *thea.* Drehbühne *f.* **2.** *fig.* (*im Kreislauf*) da'hinrollend: ~ **year**. ~ **cred·it** *s econ.* (auto'matisch) sich erneuernder Kre'dit. ~ **fund** *s econ.* (*durch die Rückzahlungen sich selbst erneuernder*) Anleihefonds.

re·vue [ri'vjuː] *s* **1.** *thea.* Re'vue *f*, Ausstattungsstück *n.* **2.** sa'tirisches *od.* zeitkritisches Kaba'rett.

re·vul·sant [ri'vʌlsənt] *s* → **revulsive**. **re'vul·sion** [-ʃən] *s* **1.** *med.* Ableitung *f* (*z. B. von Schmerzen*). **2.** *fig.* 'Umschwung *m*, heftige Reakti'on. **re'vul·sive** [-siv] *adj u. s med.* ableitend(es Mittel).

re·ward [ri'wɔːrd] **I** *s* **1.** Entgelt *n.* **2.** Belohnung *f*, *a.* Finderlohn *m*: **to offer a** ~ e-e Belohnung aussetzen. **3.** Vergeltung *f*, (gerechter) Lohn. **II** *v/t* **4.** *j-n od. etwas* belohnen (*a. fig.*). **5.** *fig. j-m* vergelten (**for s.th.** etwas), *j-n od. etwas* bestrafen. **re'ward·ing** *adj* (*adv* ~**ly**) lohnend: **a** ~ **pastime**; **a** ~ **book** ein lesenswertes Buch; **a** ~ **task** e-e lohnende *od.* dankbare Aufgabe. **re'ward·less** *adj* **1.** unbelohnt. **2.** nicht lohnend.

re·wind [riː'waind] **I** *v/t u. v/i irr* **1.** *electr. phot. tech.* (Wickelung *od.* Film *od.* Tonband *etc*) 'umspulen. **II** *s* **2.** 'Umspuler *m* (*Gerät*): ~ motor Rückwickelmotor *m* (*am Tonbandgerät etc*). **3.** Rücklauf *m.* **re'wind·er** *s* **1.** *phot.* 'Umroller *m.* **2.** → rewind 2.

re·word [riː'wəːrd] *v/t* neu *od.* anders formu'lieren.

re·write I *v/t u. v/i irr* [riː'rait] **1.** nochmals *od.* neu schreiben. **2.** 'umschreiben. **3.** *Am. Presseberichte* redi'gieren, über'arbeiten. **II** *s* ['riːˌrait] **4.** Neufassung *f.* **5.** *Am.* redi'gierter (Zeitungs)Bericht: ~ man Überarbeiter *m.*

Rex [reks] (*Lat.*) *s bes. jur. Br.* (*der*) König (→ Regina).

reyn·ard ['renərd] *s*: R~ the Fox Reineke *m* Fuchs.

rhab·do·man·cy ['ræbdəˌmænsi] *s* Rhabdoman'tie *f*, (Wünschel)Rutengehen *n.*

Rhae·tian ['riːʃən] **I** *adj* **1.** rätisch. **2.** 'rätoroˌmanisch. **II** *s* **3.** Rätier(in).

Rhae·tic ['riːtik] *geol.* **I** *s* Rhät *n* (*oberste Stufe des Keupers*). **II** *adj* rhätisch.

ˌRhae·to-Ro'man·ic [ˌriːtou], *a.* **ˌRhae·to-Ro'mance I** *adj* 'rätoroˌmanisch. **II** *s ling.* 'RätoroˌmanischN *n*, das Rätoromanische.

rhap·sode ['ræpsoud] *s antiq.* Rhap'sode *m* (*wandernder Sänger*). **rhap'sod·ic** [-'sɒdik] *adj*; **rhap'sod·i·cal** *adj* (*adv* ~ly) *adj* **1.** rhap'sodisch. **2.** *fig.* begeistert, 'überschwenglich, ek'statisch.

rhap·so·dist ['ræpsədist] *s* **1.** → rhapsode. **2.** Rezi'tator *m.* **3.** *fig.* begeisterter Schwärmer. **'rhap·soˌdize I** *v/t* **1.** rhap'sodenartig vortragen. **II** *v/i* **2.** Rhapso'dien vortragen. **3.** *fig.* schwärmen (about, on von).

rhap·so·dy ['ræpsədi] *s* **1.** Rhapso'die *f* (*a. mus.*). **2.** *fig.* schwärmerische *od.* 'überschwengliche Äußerung *od.* Rede, Schwärme'rei *f*, (Wort)Schwall *m*: to go into rhapsodies over in Ekstase geraten über (*acc*).

Rhe·a ['riːə] **I** *npr* **1.** *myth.* Rhea *f* (*Mutter des Zeus*). **II** *s* **2.** r~ *zo.* Nandu *m*, Pampasstrauß *m.* **3.** *astr.* Rhea *f* (*5. Saturnmond*).

Rhe·mish ['riːmiʃ] *adj* Reimser, aus Reims (stammend).

Rhen·ish ['reniʃ; 'riː-] *adj* rheinisch, Rhein...: ~ wine Rheinwein *m.*

rhe·o·base ['riːəˌbeis] *s electr. physiol.* Rheo'base *f.*

rhe·o·log·ic [ˌriːə'lɒdʒik], **ˌrhe·o'log·i·cal** [-kəl] *adj chem.* Fließ...: ~ property Fließvermögen *n.* **rhe'ol·o·gy** [-'ɒlədʒi] *s* Rheolo'gie *f*, Fließlehre *f.*

rhe·o·stat ['riːəˌstæt] *s electr.* Rheo'stat *m*, 'Regelˌwiderstand *m.* **ˌrhe·o'stat·ic** *adj* mit regelbarem 'Widerstand: ~ braking Widerstandsbremsung *f*; ~ starter Regelanlasser *m.*

rhe·o·trope ['riːəˌtroup] *s electr.* Pol-, Stromwender *m.*

rhe·sus ['riːsəs] *s a.* ~ monkey *zo.* Rhesus(affe) *m.*

Rhe·sus fac·tor *s med.* Rhesusfaktor *m*, Rh-Faktor *m.*

rhet·o·ric ['retərik] *s* **1.** Rhe'torik *f*, Redekunst *f*, -stil *m.* **2.** a) Sti'listik *f*, b) (Schreib)Stil *m*, c) ef'fektvoller Stil. **3.** Rede-, Wortschwall *m.* **4.** Vokabu'lar *n*, (rhe'torisches) Reperto'ire: the ~ of liberalism. **5.** *fig.* (Sprach- *etc*)-Gewalt *f*, Über'zeugungskraft *f.* **6.** *fig. contp.* schöne Reden *pl*, leere Phrasen *pl*, Schwulst *m.* **7.** *ped. Am.* Stilübungen *pl.*

rhe·tor·i·cal [ri'tɒrikəl] **I** *adj* (*adv* ~ly) **1.** rhe'torisch, Redner... **2.** ef'fektvoll. **3.** *contp.* schönrednerisch, phrasenhaft, schwülstig. **II** *s* **4.** *pl ped. Am.* Rede-, Deklamati'onsübungen *pl.* ~ **ques·tion** *s* rhe'torische Frage.

rhet·o·ri·cian [ˌretə'riʃən] *s* **1.** Rhe'toriker *m*, Redekünstler *m.* **2.** *contp.* Schönredner *m*, Phrasendrescher *m.*

rheum [ruːm] *s med. Br. obs. od. Am.* **1.** Schnupfen *m.* **2.** wäßrige Flüssigkeit, Schleim *m.* **3.** *poet.* Tränen *pl.*

rheu·mat·ic [ruː'mætik] *med.* **I** *adj* (*adv* ~ally) **1.** rheu'matisch: ~ fever (akuter) Gelenkrheumatismus. **II** *s* **2.** Rheu'matiker(in). **3.** *pl dial.* Rheuma *n*, ‚Gliederreißen' *n.*

rheu·ma·tism ['ruːməˌtizəm] *s med.* Rheuma'tismus *m*, Rheuma *n*: acute (*od.* articular) ~ Gelenkrheumatismus.

rheu·ma·toid ['ruːməˌtɔid] *adj med.* **1.** rheumaartig. **2.** rheu'matisch. ~ **ar·thri·tis** *s med.* Ar'thritis *f* de'formans.

rheum·y ['ruːmi] *adj med.* **1.** katar'rhalisch. **2.** Schnupfen her'vorrufend, feucht (*Luft etc*). **3.** verschnupft.

Rh fac·tor ['ɑːr'eitʃ] → Rhesus factor.

rhi·nal ['rainl] *adj med.* Nasen...: ~ mirror.

rhine [riːn] *s Br. dial.* weiter offener Graben.

Rhine·land·er ['rainləndər] *s* Rheinländer(in).

rhi·nen·ceph·a·lon [ˌrainen'sefəˌlɒn] *pl* **-la** [-lə] *s anat.* Rhinen'zephalon *n*, Riechhirn *n.*

'rhineˌstone *s min.* (imi'tierter) Rheinkiesel (*Bergkristall*).

Rhine wine *s* Rheinwein *m.*

rhi·ni·tis [rai'naitis] *s med.* Rhi'nitis *f*, Ka'tarrh *m*, Schnupfen *m*: allergic (*od.* anaphylactic) ~ Heuschnupfen; chronic ~ Stockschnupfen.

rhi·no[1] ['rainou] *s sl.* ‚Zaster' *m* (*Geld*).

rhi·no[2] ['rainou] *pl* **-nos** *s* **1.** *colloq. für* rhinoceros. **2.** *a.* ~ ferry *mil. Am.* Pon'tonfähre *f.*

rhi·noc·er·os [rai'nɒsərəs] *pl* **-os·es,** *collect.* **-os** *s zo.* Rhi'nozeros *n*, Nashorn *n.* ~ **horn·bill** *s orn.* Nashornvogel *m.*

rhi·no·la·li·a [ˌraino'leiliə] *s med.* Näseln *n.*

rhi·no·log·i·cal [ˌrainə'lɒdʒikəl] *adj med.* rhino'logisch. **rhi'nol·o·gist** [-'nɒlədʒist] *s med.* Rhino'loge *m*, Nasenfacharzt *m.* **rhi'nol·o·gy** [-dʒi] *s med.* Rhinolo'gie *f.*

rhi·no·phar·yn·gi·tis [ˌrainoˌfærin'dʒaitis] *s med.* Rhinopharyn'gitis *f*, 'Nasen-'Rachen-Kaˌtarrh *m.*

rhi·no·scope ['rainəˌskoup] *s med.* Rhino'skop *n*, Nasenspiegel *m.*

rhiz- [raiz] → rhizo-.

rhi·zan·thous [rai'zænθəs] *adj bot.* ri'zanth, wurzelblütig.

rhizo- [raizo] *bot. zo. Wortelement mit der Bedeutung* Wurzel.

rhi·zome ['raizoum] *s bot.* Rhi'zom *n*, Wurzelstock *m.*

rhi·zoph·a·gous [rai'zɒfəgəs] *adj zo.* wurzelfressend.

rhi·zo·pod ['raizəˌpɒd] *s zo.* Rhizo'pode *m*, Wurzelfüßer *m.*

Rh-neg·a·tive ['ɑːr'eitʃ 'negətiv] *adj med.* rh-'negativ, rhesus'negativ.

rho [rou] *s* Rho *n* (*griechischer Buchstabe*) (*a. math.*).

Rho·de·si·an [ro'diːʃiən; -ziən; -ʒjən] **I** *adj* rho'desisch, Rhodesien... **II** *s* Rho'desier(in).

Rho·di·an ['roudiən] **I** *adj* **1.** rhodisch, der Insel Rhodos. **II** *s* **2.** Rhodier(in). **3.** Johan'niterritter *m.*

rho·di·um[1] ['roudiəm] *s chem.* Rhodium *n.*

rho·di·um[2] ['roudiəm] *s a.* ~ wood *bot.* **1.** Ka'narisches Rosenholz. **2.** Rhodium-Holz *n.*

rho·do·cyte ['roudəˌsait] *s med.* rotes Blutkörperchen.

rho·do·den·dron [ˌroudə'dendrən] *s bot.* Rhodo'dendron *n*, Alpenrose *f.*

rho·dop·sin [ro'dɒpsin] *s physiol.* Rhodop'sin *n*, Sehrot *n*, -purpur *m.*

rhomb [rɒm; rɒmb] → rhombus.

rhom·bic ['rɒmbik] *adj math.* rhombisch, rautenförmig: ~ aerial (*Am.* antenna) *electr.* Rhombusantenne *f*; ~ dodecahedron Rhombendodekaeder *n.*

rhom·bo·he·dral [ˌrɒmbo'hiːdrəl] *adj math. min.* rhombo'edrisch. **ˌrhom·bo'he·dron** [-'hiːdrən] *pl* **-'he·dra** [-drə], **-'he·drons** *s* Rhombo'eder *n.*

rhom·boid ['rɒmbɔid] **I** *s* **1.** *math.* Rhombo'id *n*, Parallelo'gramm *n.* **II** *adj* **2.** rhomben-, rautenförmig: ~ muscle *anat.* Rautenmuskel *m.* **3.** *math.* rhombo'idisch.

rhom·bus ['rɒmbəs] *pl* **-bus·es, -bi** [-bai] *s math.* Rhombus *m*, Raute *f.*

rho·pal·ic [ro'pælik] *adj antiq. metr.* rho'palisch: ~ verse Keulenvers *m.*

rho·ta·cism ['routəˌsizəm] *s* Rhota'zismus *m*: a) *Häufung od. zu starke Aussprache des r*, b) *schlechte od. falsche Aussprache des r*, c) *ling. lautgesetzliche Verwandlung* (*von s*) *in r.*

rhu·barb ['ruːbɑːrb] *s* **1.** *bot.* Rha'barber *m*: ~ pill *pharm.* Rhabarberpille *f.* **2.** *bes. Am. sl.* ‚Krach' *m*, Streit *m.* **3.** *Am. sl.* 'Hinterland *n*, gottverlassene Gegend. **4.** *thea.* ‚Rha'barber-Rha'barber' *n* (*Volksgemurmel*). **'rhu·barb·y** *adj* rha'barberartig, -ähnlich, Rhabarber...

rhumb [rʌm(b)] *s* **1.** Kompaßstrich *m.* **2.** *a.* ~ line *mar. math. etc* Loxo'drome *f.*

rhyme [raim] **I** *s* **1.** *metr.* Reim *m*: caudate ~, tailed ~ geschwänzter *od.* abwechselnder Reim; double ~, female ~, feminine ~ weiblicher *od.* klingender Reim; male ~, masculine ~ männlicher *od.* stumpfer Reim. **2.** *sg od. pl* a) Vers *m*, b) Reim *m*, Gedicht *n*, Lied *n.* **3.** *fig.* Reim *m*, Sinn *m*: neither ~ nor reason weder Sinn noch Verstand; without ~ or reason ohne Sinn u. Zweck. **II** *v/i* **4.** reimen, Verse machen. **5.** sich reimen (with mit; to auf *acc*). **III** *v/t* **6.** reimen, in Reime bringen: ~d verse Reimvers *m* (*Ggs. Blankvers*). **7.** *ein Wort* reimen lassen (with auf *acc*). **'rhyme·less** *adj* reimlos. **'rhym·er, 'rhyme·ster** [-stər] *s* Verseschmied *m.* **'rhym·ing** *s* Reimen *n*: ~ dictionary Reimwörterbuch *n.*

rhythm ['riðəm] *s* **1.** *metr. mus. u. fig.* Rhythmus *m*, Takt *m*: duple (*od.* two-part) ~ Zweiertakt; three-four ~ Dreivierteltakt; dance ~s Tanzrhythmen, beschwingte Weisen; to have (a sense of) ~ Rhythmus(gefühl) haben; ~ band, ~ section Rhythmus-, Schlagzeuggruppe *f*; ~ method *med.* Empfängnisverhütung *f* durch Ausnutzung der empfängnisfreien Tage. **2.** *metr.* Versmaß *n*, -form *f*: dactylic ~. **3.** *med.* Pulsschlag *m* (*a. fig.*). **rhyth·mic** ['riðmik] *adj*; **'rhyth·mi·cal** *adj* (*adv* ~ly) **1.** rhythmisch: a) *metr. mus.* taktmäßig, in Rhythmen *od.* in Versform: ~ prose rhythmische Prosa, b) *fig.* takt-, regelmäßig ('wiederkehrend). **'rhyth·mics** *s pl* (*als sg konstruiert*) *metr. mus.* Rhythmik *f*: a) 'Rhythmuslehre *f*, -syˌstem *n*, b) rhyth-

mischer Cha'rakter. '**rhythm·less** *adj* ohne Rhythmus, unrhythmisch.
rhy·zo·ton·ic [ˌraizo'tɒnik] *adj ling.* stammbetont.
ri·al ['raiəl] *s* Ri'al *m* (*Münzeinheit im Iran etc*).
Ri·al·to [ri'æltou] *s Am.* **1.** The'aterviertel *n* (*bes. in New York*). **2.** r~ *pl* **-tos** Börse *f*, Marktplatz *m*.
ri·ant ['raiənt] *adj* heiter, lächelnd: ~ landscape.
rib [rib] **I** *s* **1.** *anat.* Rippe *f*: to smite s.o. under the fifth ~ *Bibl.* j-n erstechen. **2.** *Kochkunst*: a) Rippenstück *n*, b) Rippe(n)speer *m*. **3.** *humor.* ‚Ehehälfte' *f*. **4.** *bot.* (Blatt)Rippe *f*, (-)Ader *f*. **5.** *zo.* Schaft *m* (*e-r Vogelfeder*). **6.** *tech.* Stab *m*, Stange *f*, (*a. Heiz- etc*) Rippe *f*. **7.** *arch. tech.* (Gewölbe)Rippe *f*, Strebe *f*. **8.** *mar.* a) (Schiffs)Rippe *f*, Spant *n*, b) Spiere *f*. **9.** *Bergbau*: a) Sicherungspfeiler *m*, b) (Erz)Trumm *n*. **10.** *mus.* Zarge *f* (*Seitenwand*). **11.** Rippe *f* (*im Stoff*; *a. beim Stricken*): ~ stitch (*Stricken*) linke Masche. **12.** (Berg)Rippe *f*, Vorsprung *m*. **13.** rippenartige Erhöhung, Welle *f*. **II** *v/t* **14.** mit Rippen versehen. **15.** *Stoff etc* rippen, mit Rippen(muster) versehen. **16.** *agr.* halbpflügen. **17.** *sl.* *j-n* ‚aufziehen', hänseln.
rib·ald ['ribəld] **I** *adj* **1.** frech, lästerlich. **2.** zotig, ob'szön, ‚saftig', derb. **II** *s* **3.** Spötter(in), Lästermaul *n*. **4.** Zotenreißer *m*. '**rib·ald·ry** [-ri] *s* ordi'näre Rede(n *pl*), ˌZoten(reiße'rei *f*) *pl*, ‚saftige' Späße *pl*.
rib·and ['ribənd] *s* (Zier)Band *n*.
rib·band ['ribˌbænd; 'ribənd; 'ribˌbənd] *s mar.* **1.** Führungsschwelle *f* (*der Holzschotten*). **2.** Sente *f* (*Innenverstärkung der Planken*).
ribbed [ribd] *adj* gerippt, geriffelt: ~ cooler *tech.* Rippenkühler *m*; ~ glass *tech.* Riffelglas *n*; ~ vault *arch.* Kreuzrippengewölbe *n*.
rib·bing ['ribiŋ] *s* **1.** *arch. tech.* Rippen(werk *n*) *pl*. **2.** Rippen(muster *n*) *pl*. **3.** *bot.* (Blatt)Rippen *pl*. **4.** *agr.* Halbpflügen *n*.
rib·bon ['ribən] **I** *s* **1.** Band *n*, Borte *f*: ~s Bandwaren. **2.** Ordensband *n*: → blue ribbon 1 a, red ribbon. **3.** (schmaler) Streifen. **4.** Fetzen *m*: to tear to ~s in Fetzen reißen; in ~s a) in Fetzen, b) *fig.* ganz ‚futsch'. **5.** Farbband *n* (*der Schreibmaschine etc*). **6.** *tech.* a) (*a.* Me'tall)Band *n*, (-)Streifen *m*, b) (Holz)Leiste *f*. **7.** *pl* Zügel *pl*: to handle the ~s die Zügel halten (*a. fig.*). **8.** *Spinnerei*: Strähn *m*, Strang *m*. **9.** *fig.* Band *n*: ~ road Serpentinenstraße *f*. **10.** *her.* Achtelsbinde *f*. **II** *v/t* **11.** mit Bändern schmücken, bebändern. **12.** streifen. **13.** in Streifen schneiden, in Fetzen reißen. **III** *v/i* **14.** sich (wie ein Band) da'hinziehen (*Straße etc*).
rib·bon| brake → band brake. ~ **build·ing,** ~ **de·vel·op·ment** *s arch. Br.* Zeilen-, Reihenbau *m*.
rib·boned ['ribənd] *adj* **1.** mit Bändern versehen *od.* geschmückt, bebändert. **2.** gebändert, gestreift.
rib·bon| jas·per *s min.* Bandjaspis *m*. '**R~man** [-mən] *s irr* Mitglied *n* der Ribbon Society. ~ **mi·cro·phone** *s electr.* 'Bändchenmikroˌphon *n*. ~ **saw** *s* Bandsäge *f*. ~ **seal** *s zo.* Streifenseehund *m*. ~ **snake** *s zo.* Bandnatter *f*. **R~ So·ci·e·ty** *s irischer katholischer Geheimbund in der 1. Hälfte des 19. Jhs.* ~ **trans·mit·ter** → ribbon microphone.
ri·bes ['raibiːz] *s sg u. pl bot.* Ribes *f*.
ri·bo·fla·vin [ˌraibo'fleivin] *s med.* Ribofla'vin *n* (*Vitamin B_2*).
ri·bo·nu·cle·ic ac·id [ˌraibonju'kliːik] *s chem.* Ribonucle'insäure *f*.
'**rib|ˌwork** → ribbing. '~ˌ**wort (plantain)** *s bot.* Spitzwegerich *m*.
Ri·car·di·an [ri'kɑːrdiən] *econ.* **I** *adj* Ri'cardisch (*nach dem englischen Volkswirtschaftler David Ricardo; 1772—1823*): ~ theory of rent Ricardische Grundrententheorie. **II** *s* Anhänger(in) Ri'cardos.
rice[1] [rais] **I** *s bot.* Reis *m*. **II** *v/t Am.* *Kartoffeln* 'durchpressen.
rice[2] [rais] *s obs. od. dial.* Reis *n*, (kleiner) Zweig.
'**rice|ˌbird** *s orn.* **1.** Reisvogel *m* (*Java*). **2.** *Am.* Reisstärling *m*. **3.** Reisammer *f* (*China*). ~ **bod·y** *s anat.* Reiskörper *m* (*im Gelenk*). ~ **crisp·ies** *s pl* ‚Reisknusperle' *pl*. ~ **flour** *s* Reismehl *n*. ~ **meal** *s* Reismehl *n*. ~ **milk** *s* Milchreis *m*, Reisbrei *m*. ~ **pa·per** *s* 'Reispaˌpier *n*.
ric·er ['raisər] *s Am.* Kar'toffelpresse *f*.
rice| rat *s zo.* (*e-e*) amer. Wasserratte. ~ **wa·ter** *s* Reiswasser *n*. ~ **wee·vil** *s zo.* Reiskäfer *m*. ~ **wine** *s* Reis(brannt)wein *m*.
rich [ritʃ] **I** *adj* (*adv* → richly) **1.** reich, wohlhabend, begütert. **2.** reich (in *od.* with an *dat*), reichhaltig: ~ in cattle vieh-, herdenreich; ~ in hydrogen wasserstoffreich; ~ in ideas ideenreich; ~ rhyme *metr.* reicher Reim. **3.** schwer (*Stoff*), prächtig, kostbar (*Seide, Schmuck etc*). **4.** reich geschmückt *od.* verziert: ~ furniture. **5.** reich(lich), ergiebig: ~ harvest. **6.** fruchtbar, fett: ~ soil. **7.** a) *geol.* (erz)reich, erzhaltig, fündig (*Lagerstätte*), b) *min.* reich, fett (*Erz*): to strike it ~ auf Öl *etc* stoßen, *fig.* zu Geld kommen, arrivieren, Erfolg haben. **8.** *chem. tech.* schwer (*Gas etc*), *mot.* fett, gasreich (*Luftgemisch*): ~ oil Schweröl *n*. **9.** schwer, nahrhaft, fett, kräftig: ~ food. **10.** schwer, kräftig, stark: ~ perfume; ~ wine. **11.** satt, voll: ~ colo(u)r. **12.** a) voll, satt: ~ tone, b) voll(tönend), klangvoll: ~ voice. **13.** inhalt(s)reich, -voll. **14.** *colloq.* ‚köstlich', ‚großartig', spaßig. **15.** ‚saftig' (*Ausdrucksweise*). **II** *adv* **16.** in *Zssgn* reich, prächtig: ~-bound; ~-clad. **III** *s* **17.** the ~ *collect.* die Reichen *pl*. [-tümer *pl*.]
rich·es ['ritʃiz] *s pl* Reichtum *m*,
rich·ly ['ritʃli] *adv* reich(lich), in reichem Maße.
rich·ness ['ritʃnis] *s* **1.** Reichtum *m*, Reichhaltigkeit *f*, Fülle *f*. **2.** Pracht *f*, Glanz *m*. **3.** Ergiebigkeit *f*. **4.** Nahrhaftigkeit *f*. **5.** (Voll)Gehalt *m*, Schwere *f* (*des Weins etc*). **6.** Sattheit *f* (*von Farben*). **7.** *mus.* (Klang)Fülle *f*.
ric·in·o·le·ic [ˌrisino'liːik; -'nouliik] *adj chem.* Ricinol..., Ricinusöl...
rick[1] [rik] *agr.* **I** *s* (Getreide-, Heu)Schober *m*. **II** *v/t* schobern.
rick[2] [rik] *bes. Br. für* wrick.
rick·ets ['rikits] *s* (*als sg od. pl konstruiert*) *med.* Ra'chitis *f*, englische Krankheit.
rick·et·y ['rikiti] *adj* **1.** *med.* ra'chitisch. **2.** schwach (*auf den Beinen*), gebrechlich, ‚wack(e)lig'. **3.** wack(e)lig (*Möbel*), klapp(e)rig (*Auto etc*). **4.** *fig.* ‚wack(e)lig', unsicher.
rick·rack ['rikˌræk] *s Näherei*: Zakkenlitzen(besatz *m*) *pl*.
rick·sha, rick·shaw ['rikʃɔː] *colloq. abbr. für* jinrikisha.
ric·o·chet [*Br.* 'rikəˌʃet; -ˌʃei; *Am.* ˌrikə'ʃei; -'ʃet] **I** *s* **1.** Abprallen *n*: ~ free kick *sport* indirekter Freistoß. **2.** *mil.* a) Abprallen *n*, Rikoschet'tieren *n*, b) *a.* ~ shot Abpraller *m*, Querschläger *m*: ~ fire Abprallerschießen *n*. **II** *v/i u. v/t* **3.** abprallen (lassen).
rid[1] [rid] *pret u. pp* **rid,** *obs.* '**rid·ded** *v/t* befreien, frei machen (of von): to get ~ of *j-n od. etwas* loswerden; to be ~ of *j-n od. etwas* los sein.
rid[2] [rid] *obs. pret u. pp von* ride II.
rid·dance ['ridəns] *s* Befreiung *f*, Erlösung *f*: (he is a) good ~ a) man ist froh, wenn man ihn (wieder) los ist, b) den wären wir (Gott sei Dank) los.
rid·del ['ridəl] *s relig.* Al'tarvorhang *m*.
rid·den ['ridn] **I** *pp von* ride II. **II** *adj* *in Zssgn* geplagt, gepeinigt, besessen (von): fever-~ vom Fieber geplagt; pest-~ von der Pest heimgesucht.
rid·dle[1] ['ridl] **I** *s* **1.** Rätsel *n* (*a. fig. Person od. Sache*): to speak in ~s → 4. **II** *v/t* **2.** enträtseln: ~ me! rate mal! **3.** *fig.* *j-n* vor ein Rätsel stellen. **III** *v/i* **4.** *fig.* in Rätseln sprechen.
rid·dle[2] ['ridl] **I** *s* **1.** grobes (Draht)Sieb, Schüttelsieb *n*, 'Durchwurf *m*, Rätter *m*, *f*. **2.** *tech.* Drahtziehplatte *f*. **II** *v/t* **3.** ('durch-, aus)sieben. **4.** *fig.* aussieben, sichten. **5.** durch'sieben, (wie ein Sieb) durch'löchern: to ~ s.o. with bullets. **6.** *fig. ein Argument etc* zerpflücken. **7.** *fig.* mit Fragen bestürmen.
ride [raid] **I** *s* **1.** a) Fahrt *f* (*bes. auf e-m Zweirad od. in e-m öffentlichen Verkehrsmittel*), b) Ritt *m*: to go for a ~, to take a ~ ausreiten *od.* ausfahren, e-n Ritt *od.* e-e Fahrt machen; to give s.o. a ~ j-n (*im Auto etc*) mitnehmen; to take s.o. for a ~ *sl.* a) j-n (im Auto entführen u.) umbringen, b) j-n 'reinlegen (*betrügen*), c) j-n ‚auf den Arm nehmen' (*veralbern*). **2.** Reitweg *m* (*bes. durch e-n Wald*). **3.** *mil.* Trupp *m* berittener Sol'daten. **II** *v/i pret.* **rode** [roud] *obs.* **rid** [rid], *pp* **rid·den** ['ridn] *obs.* **rid** **4.** reiten. **5.** *fig.* reiten, rittlings sitzen: to ~ on s.o.'s knee. **6.** fahren (on a bicycle auf e-m Fahrrad; in a train im Zug). **7.** sich fortbewegen, da'hinziehen (*a. Mond, Wolke etc*): the moon is riding high der Mond steht hoch am Himmel. **8.** (*auf dem od. im Wasser*) treiben, schwimmen: to ~ at anchor vor Anker liegen; he rode on the wave of popularity *fig.* er wurde von der Woge der Volksgunst getragen; she was riding on air *fig.* sie war selig (*vor Glück*). **9.** *fig.* ruhen, liegen, sich drehen (on auf *dat*). **10.** sich über'lagern (*z. B. med. Knochenfragmente*): the rope ~s *mar.* das Tau läuft unklar. **11.** a) e-e (*bestimmte*) Gangart haben, laufen (*Pferd*), b) fahren, laufen (*Fahrzeug*). **12.** zum Reiten (*gut etc*) geeignet sein: the ground ~s well. **13.** im Reitdreß wiegen: he ~s 12 st. **14.** *Am. sl.* s-n Lauf nehmen: let it ~! laß die Karre laufen!; he let the remark ~ er ließ die Bemerkung hingehen. **15.** → ride up.
III *v/t* **16.** reiten: to ~ a horse; to ~ to death zu Tode hetzen (*a. fig. e-e Theorie, e-n Witz etc*); to ~ a race an e-m Rennen teilnehmen. **17.** reiten *od.* rittlings sitzen auf (*dat*). **18.** reiten *od.* rittlings sitzen lassen: to ~ a child on one's knee; they rode him on their shoulders sie trugen ihn auf den Schultern. **19.** *Fahr-, Motorrad* fahren, lenken, fahren auf (*dat*). **20.** reiten *od.* schwimmen *od.* schweben *od.* liegen auf (*dat*): to ~ the waves auf den

Wellen reiten. **21.** aufliegen *od.* ruhen auf (*dat*). **22.** a) unter'jochen, tyranni'sieren, beherrschen, b) heimsuchen, plagen, quälen, *j-m* hart zusetzen, c) *Am. colloq. j-n* reizen, hänseln: the devil ~s him ihn reitet der Teufel; → ridden II. **23.** durch'reiten. **24.** *mar. ein Schiff* vor Anker liegen lassen. **25.** *ein Pferd beim Rennen* ('übermäßig) antreiben. **26.** *zo.* (*zur Paarung*) bespringen. **27.** → ride out I.
Verbindungen mit Präpositionen:
ride| at *v/t* zureiten auf (*acc*). ~ **for** *v/t* zustreben *od.* entgegeneilen (*dat*): → fall 1. ~ **o·ver** *v/t* **1.** *j-n* über'fahren. **2.** tyranni'sieren (*acc*). **3.** hochmütig behandeln (*acc*). **4.** rücksichtslos über *e-e Sache* hin'weggehen.
Verbindungen mit Adverbien:
ride| down *v/t* **1.** über'holen. **2.** a) niederreiten, b) über'fahren. ~ **out** I *v/t e-n Sturm etc* gut *od.* heil über'stehen (*a. fig.*). II *v/i colloq.* ausreiten. ~ **up** *v/i* hochrutschen (*Kragen etc*).
ri·deau [ri'do] (*Fr.*) *s* Bodenwelle *f*, kleine Erhebung.
rid·er ['raidər] *s* **1.** Reiter(in). **2.** a) Kunstreiter(in), b) Zureiter *m*. **3.** Fahrer(in) (*bes. e-s Fahr- od. Motorrads*). **4.** Mitfahrer(in), Passa'gier *m* (*im Zug etc*). **5.** Reiter *m*, Reiterchen *n* (*auf Karteikarten etc*). **6.** *tech.* Laufgewicht *n* (*der Waage*). **7.** *tech.* Reiter *m*, Brücke *f*. **8.** Oberteil *n*, Aufsatz *m*. **9.** a) Zusatz(klausel *f*) *m*, b) Beiblatt *n*, c) ('Wechsel)Al,longe *f*, d) zusätzliche Empfehlung (to zu *e-m Schuldspruch etc*). **10.** Zusatz *m*, zusätzliche Bemerkung, Einschränkung *f*. **11.** *mar.* a) Binnenspant *n*, b) oberste Lage (*e-r Ladungspartie*). **12.** *math.* a) Grundformelübung *f*, b) Zusatzaufgabe *f*. **13.** *Bergbau*: Salband *n*.
ridge [ridʒ] I *s* **1.** a) (Gebirgs)Kamm *m*, Grat *m*, Kammlinie *f*, b) Berg-, Hügelkette *f*, c) Wasserscheide *f*. **2.** (Dach)First *m*. **3.** Kamm *m* (*e-r Welle*). **4.** Rücken *m* (*der Nase, e-s Tieres etc*). **5.** *agr.* a) (Furchen)Rain *m*, Reihe *f*, b) erhöhtes Mistbeet. **6.** *tech.* Wulst *m*, Leiste *f*. **7.** *meteor.* schmaler Hochdruckkeil. II *v/t* **8.** (durch)'furchen. **9.** mit e-m First *etc* versehen: ~d roof Satteldach *n*. III *v/i* **10.** sich furchen. '~,**pole** *s* **1.** *arch.* Firstbalken *m*. **2.** Firststange *f* (*e-s Zeltes*). ~ **soar·ing** *s aer.* Hangsegeln *n*. ~ **tile** *s arch.* Firstziegel *m*. '~,**way** *s* Kammlinien-, Gratweg *m*.
ridg·y ['ridʒi] *adj* **1.** grat- *od.* kammartig. **2.** zerfurcht.
rid·i·cule ['ridi,kjuːl] I *s* Verspottung *f*, Spott *m*: to hold up to ~ → II; to turn (in)to ~ ins Lächerliche ziehen. II *v/t* lächerlich machen, verspotten.
ri·dic·u·lous [ri'dikjuləs] *adj* (*adv* ~ly) lächerlich. **ri'dic·u·lous·ness** *s* Lächerlichkeit *f*.
rid·ing¹ ['raidiŋ] I *s* **1.** a) Reiten *n*, b) Reitsport *m*. **2.** Fahren *n*. **3.** Reitweg *m* (*bes. durch Wald*). II *adj* **4.** Reit...: ~ boots (horse, school, whip, *etc*); ~ breeches Reithose *f*; ~ habit Reitkleid *n*. **5.** Fahr...: ~ comfort *mot.* Fahrkomfort *m*. **7.** reitend (*Bote etc*).
rid·ing² ['raidiŋ] *s Br.* Riding *n*, Verwaltungsbezirk *m*.
ri·dot·to [ri'dɒtou] *pl* **-tos** *s* Re'doute *f*, (Masken)Ball *m*.
rife [raif] *adj* **1.** weit verbreitet, häufig, vorherrschend: to be ~ (vor)herrschen, grassieren; to grow (*od.* wax) ~ überhandnehmen. **2.** (with) voll (von), angefüllt (mit).
Riff¹ [rif] I *s.* 'Rifka,byle *m* (*Bewohner des Er-Rif*; *Marokko*). II *adj* Rif...
riff² [rif] *s sl. Jazz*: (*Art*) Osti'nato *m, n*, ständig wieder'holtes Mo'tiv.
rif·fle ['rifl] I *s* **1.** *tech.* Riefelung *f*, Rille *f*. **2.** *Am.* a) seichter Abschnitt (*e-s Flusses*), b) Stromschnelle *f*. **3.** *Am.* kleine Welle. **4.** Stechen *n* (*Mischen von Spielkarten*). II *v/t* **5.** *tech.* riffeln. **6.** 'durchblättern. **7.** *Zettel etc* durchein'anderbringen. **8.** *Spielkarten* stechen (*mischen*).
riff·raff ['rif,ræf] I *s* **1.** Pöbel *m*, Gesindel *n*, Pack *n*. **2.** Abfall *m*, Ausschuß *m*. II *adj* **3.** Ausschuß..., minderwertig, wertlos.
ri·fle¹ ['raifl] I *s* **1.** Gewehr *n* (*mit gezogenem Lauf*), Büchse *f*. **2.** Geschütz *n* mit gezogenem Rohr. **3.** *pl mil.* Schützen *pl*. II *v/t* **4.** *e-n Gewehrlauf etc* ziehen.
ri·fle² ['raifl] *v/t* **1.** (aus)plündern. **2.** rauben, stehlen.
ri·fle| as·so·ci·a·tion *s* Schützenverein *m*. **R~ Bri·gade** *s mil. Br.* 'Schützenbri,gade *f*. ~ **corps** *s* (freiwilliges) Schützenkorps. ~ **green** *s* grünliches Khaki. ~ **gre·nade** *s* Ge'wehrgra,nate *f*. '~**·man** [-mən] *s irr* **1.** *mil.* Schütze *m*, Jäger *m*. **2.** (guter) Schütze. ~ **prac·tice** *s mil.* Schießübung *f*. ~ **range** *s* **1.** Schießstand *m*. **2.** Schußweite *f*. ~ **sa·lute** *s mil.* Präsen'tiergriff *m*.
ri·fling ['raifliŋ] *s* **1.** Ziehen *n* (*e-s Gewehrlaufs etc*). **2.** Züge *pl*, Drall *m*.
rift [rift] I *s* **1.** Spalte *f*, Spalt *m*, Ritze *f*. **2.** Sprung *m*, Riß *m*: a little ~ within the lute *fig.* der Anfang vom Ende. **3.** *fig.* Riß *m*, Spaltung *f*, Entzweiung *f*. II *v/t* **4.** (zer)spalten. III *v/i* **5.** sich spalten, Risse bekommen. ~ **saw** *s tech.* Gattersäge *f*. ~ **val·ley** *s geol.* Senkungsgraben *m*.
rift·y ['rifti] *adj* rissig.
rig¹ [rig] I *v/t* **1.** *bes. mar.* in Ordnung bringen, gebrauchsfertig machen. **2.** *mar.* a) *das Schiff* auftakeln, b) *das Segel* anschlagen. **3.** ~ out, ~ up a) ausrüsten, -statten, b) *colloq. j-n* ,auftakeln', 'ausstaf,fieren. **4.** *oft* ~ up (behelfsmäßig) 'herrichten, zs.-bauen, -basteln, mon'tieren. **5.** *aer.* (auf)rüsten, mon'tieren. II *s* **6.** *mar.* a) Takelung *f*, b) Take'lage *f*. **7.** (behelfsmäßige) Vorrichtung. **8.** Ausrüstung *f*, -stattung *f*. **9.** *aer.* (Auf)Rüstung *f*. **10.** *tech.* Bohranlage *f*, -turm *m*. **11.** *colloq.* Aufmachung *f*, -zug *m*. **12.** *Am. colloq.* Fuhrwerk *n*, Gespann *n*.
rig² [rig] I *v/t* **1.** *econ. pol.* manipu'lieren: to ~ an election (the market); to ~ up (down) the prices die Preise *od.* Kurse heraufschrauben (drücken). **2.** *sl. od. dial.* foppen. II *s* **3.** ('Schwindel)Ma,növer *n*, Schiebung *f*. **4.** *sl. od. dial.* a) Kniff *m*, Trick *m*, b) Possen *m*, Streich *m*: to run a ~ etwas aushecken.
rig·ger¹ ['rigər] *s* **1.** *mar.* a) Rigger *m*, Takler *m*, b) *pl* Deckmannschaft *f*, c) *in Zssgn* Schiff *n* mit ... Takelung. **2.** *aer.* Mon'teur *m*, ('Rüst)Me,chaniker *m*. **3.** *electr.* Kabelleger *m*. **4.** Schutzgerüst *n*. **5.** *tech.* Schnur-, Riemenscheibe *f*.
rig·ger² ['rigər] *s econ.* Kurstreiber *m*.
rig·ging ['rigiŋ] *s* **1.** *mar.* Take'lage *f*, Takelwerk *n*, Gut *n*. **2.** *aer.* a) Verspannung *f*, b) Geleine *n* (*e-s Ballons*). **3.** → rig¹ 6 *u.* 11. **4.** *fig.* Manipu'lieren *n*: election ~ Wahlschiebung *f*.
rig·ging| line *s aer.* Fallschirm(fang)leine *f*. ~ **loft** *s* **1.** *mar.* Takelboden *m*. **2.** *thea.* Schnürboden *m*.
right [rait] I *adj* (*adv* → III *u.* rightly) **1.** richtig, recht, angemessen: it is only ~ es ist nicht mehr als recht u. billig; he is ~ to do so er hat recht *od.* er tut recht daran (so zu handeln); he does not do it the ~ way er macht es nicht richtig; the ~ thing das Richtige; to say the ~ thing das rechte Wort finden; to think it ~ es für richtig *od.* angebracht halten; to know the ~ people die rechten Leute kennen, Beziehungen haben; → all *Bes. Redew.* **2.** richtig: a) kor'rekt, b) den Tatsachen entsprechend, wahr(heitsgemäß): the solution is ~ die Lösung stimmt *od.* ist richtig; is your watch ~? geht Ihre Uhr richtig?; am I ~ for? bin ich auf dem richtigen Weg nach?; to be ~ recht haben; ~ you are! richtig!, jawohl!; that's ~! ganz recht!, richtig!, stimmt! **3.** richtig, geeignet: he is the ~ man er ist der Richtige; the ~ man in the ~ place der rechte Mann am rechten Platz; Mr. (Miss) R~ *colloq.* der (die) Richtige (*als Ehepartner*). **4.** gesund: he is all ~ a) es geht ihm gut, er fühlt sich wohl, b) ihm ist nichts passiert; out of one's ~ mind, not ~ in one's (*od.* the) head *colloq.* nicht richtig (im Kopf), nicht ganz bei Trost; in one's ~ mind bei klarem Verstand. **5.** richtig, in Ordnung: to come ~ in Ordnung kommen; to put (*od.* set) ~ a) in Ordnung bringen, b) *j-n* (über den Irrtum) aufklären, c) *e-n Irrtum* richtigstellen, d) *j-n* gesund machen; to put o.s. ~ with s.o. a) sich vor j-m rechtfertigen, b) sich mit j-m gut stellen. **6.** recht(er, e, es), Rechts...: ~ arm a) rechter Arm, b) *fig.* ,rechte Hand'; ~ side a) rechte Seite, Oberseite *f* (*a. von Stoffen, Münzen etc*), b) *fig.* schöne(re) Seite; on (*od.* to) the ~ side rechts, rechter Hand; on the ~ side of 50 noch nicht 50 (Jahre alt). **7.** *obs.* rechtmäßig; the ~ heir; ~ cognac echter Kognak. **8.** *math.* a) rechter (*Winkel*), b) rechtwink(e)lig (*Dreieck*), c) gerade (*Linie*), d) senkrecht (*Figur*). **9.** *pol.* recht(er, e, es), rechtsgerichtet, Rechts... **10.** a) *colloq.* ,richtig', ,prima', ,in Ordnung', b) *sl.* ,gut dran', glücklich, in (bester) Form.
II *s* **11.** *bes. jur.* Recht *n*: of ~, by ~s von Rechts wegen, rechtmäßig, eigentlich; in the ~ im Recht; ~ or wrong Recht oder Unrecht; to do s.o. ~ j-m Gerechtigkeit widerfahren lassen; to give s.o. his ~s j-m sein Recht geben *od.* lassen. **12.** *jur.* a) (*subjektives*) Recht, Anrecht *n*, (Rechts)Anspruch *m* (to auf *acc*), b) Berechtigung *f*: ~ of inheritance Erbschaftsanspruch *m*; ~ of possession Eigentumsrecht; ~ of sale Verkaufs-, Vertriebsrecht; ~ to vote Wahl-, Stimmrecht; ~s and duties Rechte u. Pflichten; all ~s reserved alle Rechte vorbehalten; by ~ of kraft (*gen*), auf Grund (*gen*); in ~ of his wife a) im Namen s-r Frau, b) von seiten s-r Frau; to stand on one's ~(s) auf s-m Recht bestehen; in one's own ~ a) aus eigenem Recht, b) selbständig, für sich (allein), selbst; countess in her own ~ Gräfin *f* aus eigenem Recht (*durch Erbrecht, nicht durch Ehe*); to be within one's own ~s das Recht auf s-r Seite haben; ~ of way → right-of-way. **13.** *econ.* a) (Ankaufs-, Vorkaufs)Recht *n*, Berechtigung *f*, b) *oft pl* Bezugsrecht *n* (*auf Aktien od. Obligationen*), c) Bezug(s)schein *m*. **14.** (*das*) Recht *od.* Richtige: to do the ~. **15.** *pl* (richtige) Ordnung: to bring (*od.* put *od.* set) s.th. to ~s etwas (wieder) in Ordnung brin-

gen. **16.** *pl* wahrer Sachverhalt: to know the **~s of a case. 17.** (*die*) Rechte, rechte Seite (*a. von Stoff*): on (*od.* at *od.* to) the ~ zur Rechten, rechts; to turn to the ~ (sich) nach rechts wenden; to keep to the ~ sich rechts halten. **18.** rechte Hand, Rechte *f.* **19.** *Boxen*: a) Rechte *f* (*Faust*), b) Rechte(r *m*) *f* (*Schlag*). **20.** *meist* R~ *pol.* a) rechter Flügel, b) 'Rechtspar,tei *f.* **21.** *pl hunt.* unterste Enden *pl* (*des Hirschgeweihs*).

III *adv* **22.** gerade(wegs), (schnur)stracks, di'rekt, so'fort: **he went ~ into the room; ~ ahead, ~ on** geradeaus. **23.** völlig, ganz (u. gar), di'rekt: **to turn ~ round** sich rund herumdrehen; **rotten ~ through** durch u. durch faul. **24.** genau, gerade, di'rekt: **~ in the middle. 25.** *Am. a.* **~ away, ~ off** so'fort, (so)'gleich: **~ after dinner; ~ now** *Am.* jetzt (gleich), augenblicklich, im Moment. **26.** richtig, recht: **to act** (*od.* **do**) **~** richtig handeln; **to guess ~** richtig (er)raten. **27.** *obs.* recht, ganz: **to know ~ well** sehr wohl *od.* recht gut wissen. **28.** recht, richtig, gut: **nothing goes ~ with me** (bei) mir geht alles schief; **to turn out ~** gut ausgehen. **29.** rechts (**from** von; **to** nach), auf der rechten Seite, zur rechten Hand: **to turn ~** (sich) nach rechts wenden; **~ and left** rechts u. links, *fig. a.* von *od.* auf *od.* nach allen Seiten; **~ about face!** *mil.* (ganze Abteilung,) kehrt! **30.** *dial. od. colloq.* ‚richtig', ‚ordentlich': **I was ~ glad. 31.** hoch, sehr (*in Titeln*): → **honorable** 5, **reverend** 2.

IV *v/t* **32.** (aus-, auf)richten, in die richtige Lage bringen: **to ~ the machine** *aer.* die Maschine abfangen; **the boat ~s herself** das Schiff richtet sich wieder auf. **33.** *e-n Fehler, Irrtum* berichtigen: **to ~ itself** a) sich wieder ausgleichen, b) (wieder) in Ordnung kommen. **34.** *ein Zimmer etc* ('her)richten, in Ordnung bringen. **35.** *Unrecht, Schaden etc* wieder'gutmachen. **36.** a) *j-m* zu s-m Recht verhelfen, b) (o.s. sich) rehabili'tieren.

V *v/i* **37.** a) sich (wieder) aufrichten, b) in die richtige Lage kommen.

'right|·a,bout I *s* Kehrtwendung *f*, vollkommene Wendung: **to send s.o. to the ~** *colloq. j-m* ‚heimleuchten'. **II** *adj* Kehrt...: **~ face** (*od.* **turn**) a) Kehrtwendung *f* (*a. fig.*), b) *mar.* Drehung *f* auf Gegenkurs. **III** *adv* rechts'um, kehrt. **'~-and-'left I** *adj* **1.** rechts u. links (passend), Rechts-links... **2.** *hunt.* aus beiden Gewehrläufen: **~ shot** → 3 a. **II** *s* **3.** Du'blette *f*: a) *hunt.* Doppelschuß *m*, b) *Boxen*: Rechts-'Links-Schlag *m.* **'~-'an·gle(d)** *adj math.* rechtwink(e)lig. **'~-,bank** *aer.* **I** *v/i* e-e Rechtskurve machen *od.* drehen. **II** *v/t das Flugzeug* nach rechts wenden. **~ cen·ter,** *bes. Br.* **~ cen·tre** *s* **1.** rechte Mitte. **2.** *meist* R~ C~ *pol.* gemäßigte Rechte. **'~-'down** *adj u. adv* ‚regelrecht', ausgesprochen.

right·en ['raitn] *v/t obs. od. dial.* in Ordnung bringen.

right·eous ['raitʃəs] **I** *adj* (*adv* **~ly**) **1.** rechtschaffen, *bes. relig.* gerecht. **2.** gerecht(fertigt), berechtigt: **~ indignation at** gerechter Zorn über (*acc*); **a ~ cause** e-e gerechte Sache. **3.** *contp.* selbstgerecht, tugendhaft. **II** *s* **4. the ~** *bes. relig.* die Gerechten *pl.* **'right·eous·ness** *s* Rechtschaffenheit *f.*

right·ful ['raitful] *adj* (*adv* **~ly**) **1.** rechtmäßig: **the ~ owner; his ~ property. 2.** gerecht, berechtigt: **a ~ cause** e-e gerechte Sache. **'right·ful·ness** *s* **1.** Rechtmäßigkeit *f.* **2.** Rechtlichkeit *f.*

'right|-,hand *adj* **1.** recht(er, e, es): **~ glove; ~ man** a) *bes. mil.* rechter Nebenmann, b) *fig.* rechte Hand (*Vertrauensperson*). **2.** rechtshändig, mit der rechten Hand (ausgeführt): **~ blow** (*Boxen*) Rechte(r *m*) *f*; **~ snatch** (*Gewichtheben*) rechtsarmiges Reißen. **3.** *bes. tech.* rechtsgängig: **~ screw; ~ engine** rechtsläufiger Motor; **~ motion** Rechtsgang *m*; **~ twist** Rechtsdrall *m*; **~ thread** Rechtsgewinde *n.* **'~-'hand·ed I** *adj* **1.** rechtshändig (*Person*). **2.** → **right-hand** 2 *u.* 3. **II** *adv* **3.** mit der rechten Hand. **'~-'hand·er** *s colloq.* **1.** Rechtshänder *m.* **2.** *bes. sport* Rechte(r *m*) *f* (*Schlag*).

right·ist ['raitist] *pol.* **I** *s* **1.** 'Rechtspar,teiler *m*, Konserva'tive(r) *m.* **2.** Reaktio'när *m.* **II** *adj* **3.** rechtsstehend, -gerichtet.

right·ly ['raitli] *adv* **1.** richtig. **2.** mit Recht.

'right-'mind·ed *adj* rechtschaffen.

right·ness ['raitnis] *s* **1.** Richtigkeit *f.* **2.** Rechtmäßigkeit *f.* **3.** Angemessenheit *f.* **4.** Geradheit *f.*

right·o ['rai'tou] *interj. colloq.* in Ordnung!, schön!, ja'wohl!

'right|-of-'way, *a.* **~ of way** *pl* **'~s-of-'way,** *a.* **~s of way** *s* **1.** *Verkehr*: a) Vorfahrt(srecht *n*) *f*, b) Vorrang *m* (*e-r Straße etc*; *a. fig.*). **2.** Wege-, 'Durchfahrtsrecht *n.* **3.** öffentlicher Weg. **4.** *Am.* zu öffentlichen Zwecken beanspruchtes (*z. B.* Bahn)Gelände.

right·oh → **righto.**

right·ward ['raitwərd] **I** *adj bes. pol.* rechtsgerichtet. **II** *adv* nach rechts. **'right·wards** → **rightward** II.

right| whale *s zo.* Nordwal *m.* **~ wing** *s* **1.** *bes. mil. pol. sport* rechter Flügel. **2.** *sport* Rechts'außen *m.*

rig·id ['ridʒid] *adj* (*adv* **~ly**) **1.** starr, steif, unbiegsam. **2.** *bes. tech.* a) starr, unbeweglich, b) (stand-, form)fest, sta'bil: **~ suspension** starre Aufhängung; **~ frame** starrer Rahmen. **3.** *aer.* a) starr, b) starr, Trag...: **~ airship** Starrluftschiff *n*; **~ helicopter** Tragschrauber *m.* **4.** *fig.* a) streng: **~ discipline (faith, rules,** *etc*), b) starr: **~ policy; ~ prices,** c) genau, strikt: **~ control,** d) streng, hart, unbeugsam (**to** gegen). **5.** *relig.* streng(gläubig): **a ~ Catholic. 6.** *jur.* fest verankert: **~ constitution. ri'gid·i·ty** *s* **1.** Starr-, Steifheit *f* (*a. fig.*), Starre *f.* **2.** Härte *f.* **3.** *tech.* a) Starrheit *f*, Unbeweglichkeit *f*, b) (Stand-, Form)Festigkeit *f*, c) *a.* **coefficient of ~** Steifigkeitszahl *f.* **4.** *fig.* Strenge *f*, Härte *f*, Unnachgiebigkeit *f.*

rig·ma·role ['rigmə,roul] *s* **1.** (sinnloses) Geschwätz, Fase'lei *f*, Salbade'rei *f*: **to tell a long ~** lang u. breit erzählen. **2.** *iro. Am.* Hokus'pokus *m*: **the ~ of research laboratories.**

rig·or[1], *bes. Br.* **rig·our** ['rigər] *s* **1.** Strenge *f*, Härte *f.* **2.** Härte(akt *m*) *f.* **3.** Härte *f*, Strenge *f* (*des Winters*), Rauheit *f* (*des Klimas*): **the ~s of the weather** die Unbilden der Witterung. **4.** Ex'aktheit *f*, Schärfe *f.* **5.** Steif-, Starrheit *f.*

rig·or[2] ['rigər; 'raigɔːr] *s med.* **1.** Schüttel-, Fieberfrost *m.* **2.** Starre *f*: → **rigor mortis.**

rig·or·ism ['rigə,rizəm] *s* **1.** 'übermäßige Härte *od.* Strenge. **2.** strenge Genauigkeit (*im Stil*). **3.** Sitten-, Glaubensstrenge *f.* **4.** *philos.* Rigo'rismus *m* (*in der Ethik*). **'rig·or·ist I** *s* Rigo'rist *m.* **II** *adj* rigo'ristisch, streng.

ri·gor mor·tis ['raigɔːr 'mɔːrtis; 'rigər] *s med.* Leichenstarre *f.*

rig·or·ous ['rigərəs] *adj* (*adv* **~ly**) **1.** rigo'ros, streng, hart: **~ measures. 2.** (peinlich) genau, ex'akt, strikt: **~ accuracy** peinliche Genauigkeit. **3.** a) streng, hart (*Winter*), b) rauh, unfreundlich (*Klima etc*).

rig·our *bes. Br. für* **rigor**[1].

'rig-,out *Br.* → **rig**[1] 11.

Rigs·dag ['rigz,dɑːg] *s* Reichstag *m* (*dänisches Parlament*).

Rig-Ve·da [rig'veidə] *s* Rig'weda *m* (*altindische Hymnensammlung; erster Teil der Veden*).

Riks·dag ['riks,dɑːg] *s* Reichstag *m* (*schwedisches Parlament*).

rile [rail] *v/t colloq.* ärgern, reizen: **to be ~d at** aufgebracht sein über (*acc*).

ri·lie·vo [ri'ljɛvo] *pl* **-vi** [-vi] (*Ital.*) *s Kunst*: Reli'ef *n.*

rill[1] [ril] **I** *s* Bächlein *n*, Rinnsal *n.* **II** *v/i* rinnen, rieseln.

rill[2], **rille** [ril] *s astr.* Mondfurche *f*, [-graben *m.*]

ril·lett, ril·lette [ri'let] *s oft pl* Ra'gout(fleisch) *n* (*in Büchsen od. gesulzt*).

rim [rim] **I** *s* **1.** Rand *m*: **~ of a bowl (coin, ocean,** *etc*); **~-fire** *mil.* Randfeuer...; **~land** *geogr.* Randlandgebiet(e *pl*) *n.* **2.** Rand *m*, Krempe *f*: a) *e-s Huts*, b) *mil. e-r Patronenhülse.* **3.** *tech.* a) Felge *f*: **~ brake** Felgenbremse *f*, b) (Rad)Kranz *m*, Felgenband *n*, c) *Tischlerei*: Zarge *f*, d) *Spinnerei*: Aufwinder *m* (*der Mulemaschine*). **4.** (Brillen)Rand *m*, (-)Rahmen *m*, (-)Gestell *n.* **5.** *Am.* Arbeitsplatz *m* der ('Zeitungs)Korrek,toren. **II** *v/t* **6.** einfassen, um'randen, mit e-m Rand *etc* versehen. **7.** *tech. das Rad* (be)felgen. **8.** *sport den Golfball* um den Rand (*des Lochs*) her'umtreiben.

ri·ma ['raimə] *pl* **-mae** [-miː] (*Lat.*) *s anat. biol.* Ritze *f*, Spalt *m.* **~ glot·tidis** ['glɒtidis] *s* Glottis *f*, Stimmritze *f.*

rime[1] [raim] *meist poet.* **I** *s* **1.** *a.* **~ frost** (Rauh)Reif *m*, Rauhfrost *m.* **2.** Kruste *f.* **II** *v/t* **3.** mit Reif bedecken, bereifen: **~d** bereift.

rime[2] → **rhyme.**

ri·mer ['raimər] → **reamer.**

rim·less ['rimlis] *adj* randlos (*a. Brille*), ohne Rand.

rimmed [rimd] *adj* **1.** mit e-m Rand *od.* e-r Krempe (versehen): **gold-~ glasses** Brille *f* mit Goldrand, goldene Brille; **broad-~** breitrandig. **2.** *tech.* befelgt, mit Felgen (versehen) (*Rad*).

ri·mose ['raimous], **'rim·ous** [-məs] *adj bes. bot. zo.* rissig, zerklüftet.

'rim|,rock *s geol.* (*westliche USA*) Randfelsen *m.* **~ saw** *s tech.* Kreissäge *f* mit getrenntem Zahnkranz.

rim·y ['raimi] *adj* bereift, voll Reif.

rind [raind] **I** *s* **1.** *bot.* (Baum)Rinde *f*, Borke *f.* **2.** (Brot-, Käse)Rinde *f*, Kruste *f.* **3.** (Speck)Schwarte *f.* **4.** (Obst-, Gemüse)Schale *f.* **5.** *zo.* Haut *f* (*bes. von Walen*). **6.** Schale *f*, (*das*) Äußere. **II** *v/t* **7.** die Rinde *etc* entfernen von, (ab)schälen, *Bäume* entrinden.

ring[1] [riŋ] **I** *s* **1.** *allg.* Ring *m* (*a. bot. chem. u. fig.*): **~s of smoke** Rauchringe *od.* -kringel; **~ of atoms** *phys.* Atomring; **~ of forts** Festungsgürtel *m*, -ring; **to form a ~** e-n Kreis bilden (*Personen*); **to have (livid) ~s round one's eyes** (dunkle) Ringe um die Augen haben; **to run ~s round s.o.** *fig.* ‚j-n in die Tasche stecken'; → **Ring cycle. 2.** *tech.* a) Ring *m*, Glied *n* (*e-r Kette*), b) Öse *f*, Öhr *n.* **3.** *math.* Ring(fläche *f*) *m.* **4.** *astr.* Hof *m.* **5.** (Kräusel)Locke *f.* **6.** *sport* a) (Zirkus)Ring *m*, Ma'nege *f*, b) (Box)Ring *m*: the ~ *weitS.* das (Berufs)Boxen, der Boxsport, c) *fig. Am.* A'rena *f*, (*bes.* po'litisches) Kampffeld: to be in the ~ for kämpfen um. **7.** *Pferderennen*: a) Buchmacherplatz *m*, b) *collect.* (*die*) Buchmacher *pl.* **8.** *econ.* a) (Spekulati'ons)Ring *m*, Aufkäufergruppe *f*, b) Ring *m*, Kar'tell *n*, Syndi'kat *n*. **9.** a) (Verbrecher-, Spio'nage- *etc*)-Ring *m*, b) Clique *f*. **10.** *arch.* a) Bogenverzierung *f*, b) Riemchen *n* (*an Säulen*). **11.** Teller *m* (*am Skistock*). **II** *v/t* **12.** a) *meist* ~ in, ~ round, ~ about um'ringen, -'geben, -'kreisen, einkreisen, b) *Vieh* um'reiten, zs.-treiben. **13.** e-n Ring bilden aus. **14.** beringen, *e-m Tier* e-n Ring durch die Nase ziehen. **15.** in Ringe schneiden: to ~ onions. **16.** *e-n Baum* ringeln. **III** *v/i* **17.** sich im Kreis bewegen. **18.** *hunt.* kreisen (*Falke etc*).

ring² [riŋ] **I** *s* **1.** Geläute *n*: a) Glokkenklang *m*, -läuten *n*, b) Glockenspiel *n* (*e-r Kirche*). **2.** Läuten *n*, Klingeln *n* (*Rufzeichen*). **3.** (Tele'phon)-Anruf *m*: to give s.o. a ~ j-n anrufen. **4.** Erklingen *n*, Ertönen *n*, Schall *m*. **5.** Klingen *n*, Klang *m* (*e-r Münze, der Stimme etc*): the ~ of truth *fig.* der Klang der Wahrheit, der echte Klang; to have the ~ of truth (authenticity) wahr (echt) klingen. **II** *v/i pret* **rang** [ræŋ], *selten* **rung** [rʌŋ], *pp* **rung** [rʌŋ] **6.** a) läuten (*Glocke*), b) klingeln (*Glöckchen*): the bell ~s (*od.* is ~ing) es läutet; to ~ at the door klingeln, *fig.* um Einlaß bitten; to ~ for s.o. nach j-m klingeln. **7.** *oft* ~ out erklingen, (er)schallen, (er)tönen (*a. Schuß*). **8.** klingen (*Münze etc*): my ears ~ mir klingen die Ohren. **9.** *a.* ~ again *fig.* 'widerhallen (with von), nachklingen: his words rang true s-e Worte klangen wahr *od.* echt. **III** *v/t* **10.** *e-e Glocke* läuten: to ~ the bell a) klingeln, läuten, b) *fig.* → bell¹ 1, change 19. **11.** *ein Instrument, fig. j-s Lob etc* erklingen *od.* erschallen lassen: to ~ s.o.'s praises. **12.** *e-e Münze* klingen lassen.

Verbindungen mit Adverbien:

ring| back *v/i teleph.* zu'rückrufen. ~ **down I** *v/i* das (Klingel)Zeichen zum Fallen des Vorhangs geben, den Vorhang niedergehen lassen. **II** *v/t* ~ the curtain a) *thea.* → I, b) *fig.* ein Ende bereiten (on *dat*). ~ **in** *v/t* **1.** *ein Fest* einläuten: to ~ the new year. **2.** *bes. Am. colloq.* *j-n od. etwas* einschmuggeln. ~ **off** *v/i* **1.** *teleph.* (den Hörer) auflegen *od.* einhängen. **2.** *Br. sl.* den Mund zumachen. ~ **out I** *v/t* ausläuten: to ~ the old year. **II** *v/i* → ring² 7. ~ **up** *v/t* **1.** ~ the curtain a) *thea.* den Vorhang (durch Klingelzeichen) hochgehen lassen, b) *fig.* das (Start)Zeichen geben, anfangen. **2.** *teleph.* *j-n od.* bei *j-m* ‚anläuten', anrufen. **3.** *econ. u. fig. Am.* *e-n Verkauf* regi'strieren, verzeichnen: to ~ a sale (a record *etc*).

ring| ar·ma·ture *s electr.* Ringanker *m*. '~-**a**ˌ**round-a-'ros·y** *s* ‚Ma'riechen-saß-auf-einem-Stein' *n* (*Kinderspiel*). '~-ˌ**bark** *v/t e-n Baum* ringeln. ~ **boot** *s* Fesselschutz *m* (*für Pferde*). ~ **com·pound** *s chem.* Ringverbindung *f*. **R~ cy·cle** *s mus.* Ring(zyklus) *m*, Ring *m* des Nibelungen (*von Richard Wagner*). **R~ de·fence,** *Am.* ~ **de·fense** *s mil.* Flaksperrgürtel *m*. '~-ˌ**dove** *s orn.* **1.** Ringeltaube *f*. **2.** Lachtaube *f*. ~ **drop·per** *s sl.* Schwindler *m*.

ringed [riŋd] *adj* **1.** a) beringt (*Hand etc*), b) *fig.* verheiratet. **2.** *bot. zo.* Ringel...: ~ worm; ~ plover → ring plover; ~ turtle dove → ring-dove. **3.** um'ringt, eingeschlossen. **4.** ringförmig.

ring·er¹ ['riŋər] *s sport* a) *Wurfringspiel*: richtig geworfener Ring, b) *Hufeisenwerfen*: *Am.* richtig geworfenes Hufeisen, c) zählender Wurf, Treffer *m*.

ring·er² ['riŋər] *s* **1.** Glöckner *m*. **2.** *teleph.* Rufstromgeber *m*. **3.** *Am. sl.* a) *Pferderennen*: ‚Ringer' *m* (*vertauschtes Pferd*), b) *j-d, der sich in e-n Wettkampf etc einschmuggelt*, c) *meist* dead ~ *fig.* Doppelgänger(in), (genaues) Ebenbild, ‚Zwilling' *m* (for von).

ring| fence *s* Um'zäunung *f*. ~ **fin·ger** *s* Ringfinger *m*.

ring·ing ['riŋiŋ] **I** *s* **1.** (Glocken)Läuten *n*. **2.** Klingeln *n*. **3.** Klingen *n*: he has a ~ in his ears ihm klingen die Ohren. **4.** a) *TV* Bildverdopp(e)lung *f*, b) *Radio*: gedämpfte Schwingung. **II** *adj* (*adv* ~ly) **5.** klinge(l)nd, schallend, laut: ~ cheers brausende Hochrufe; ~ laugh schallendes Gelächter. **6.** *fig.* zündend: a ~ appeal. **7.** *electr. teleph.* Ruf(strom)...

'ringˌ**lead·er** *s* Rädelsführer *m*.

ring·let ['riŋlit] *s* **1.** Ringlein *n*. **2.** (Ringel)Löckchen *n*. **'ring·let·ed** *adj* lockig, gelockt.

ring| lu·bri·ca·tion *s tech.* Ringschmierung *f*. ~ **mail** *s mil. hist.* Kettenpanzer *m*. '~·**man** [-mən] *s irr Pferderennen*: *Br.* Buchmacher *m*. '~-ˌ**mas·ter** *s* 'Zirkusdiˌrektor *m*. '~-ˌ**neck** *s orn. für verschiedene Vögel mit farbigem Halsstreifen*: a) → ring plover, b) → ring-necked duck, c) → ring-necked pheasant.

'ring-ˌ**necked** *adj bes. orn.* mit farbigem Halsstreifen. ~ **duck** *s orn.* Amer. Kragenente *f*. ~ **pheas·ant** *s* 'Ringfaˌsan *m*.

ring| net *s* **1.** Ringnetz *n* (*zum Lachsfang*). **2.** Schmetterlingsnetz *n*. ~ **oil·er** *s tech.* Ringöler *m*. ~ **par·a·keet,** ~ **par·rot** *s orn.* Halsbandsittich *m*. ~ **plov·er** *s orn.* Halsbandregenpfeifer *m*. '~ˌ**side** *s* **1.** *Boxen*: Ringplatz *m*. **2.** guter Platz (*bei Veranstaltungen*). ~ **snake** *s zo.* Ringelnatter *f*. ~ **stand** *s chem.* Sta'tiv *n*.

ring·ster ['riŋstər] *s bes. pol. Am. colloq.* Mitglied *n* e-s Ringes *od.* e-r Clique.

'ring|-the-'bull *s Br.* Ringwerfen *n* (*Spiel*). ~ **thrush** *s orn.* Ringdrossel *f*. '~ˌ**wall** *s* Ringmauer *f*. '~ˌ**worm** *s med. vet.* Scherpilzflechte *f*: crusted ~ (Kopf)Grind *m*.

rink [riŋk] **I** *s* **1.** *a.* skating ~ a) (künstliche) Eisbahn, b) Rollschuhbahn *f*. **2.** abgegrenzte Spielfläche. **3.** Mannschaft *f*. **II** *v/i* **4.** Schlittschuh laufen. **5.** Rollschuh laufen.

rinse [rins] **I** *v/t* **1.** *oft* ~ out (ab-, aus-, nach)spülen, ausschwenken. **2.** *Wäsche etc* spülen. **3.** *chem.* entseifen. **4.** ~ down *fig.* *Speisen mit e-m Getränk* hin'unterspülen. **II** *s* **5.** Spülung *f*: to give s.th. a good ~ etwas gut (ab- *od.* aus)spülen. **6.** Spülmittel *n*. **7.** Farbfestiger *m* (*für Haar*): red ~. **'rins·ing** *s* **1.** (Aus)Spülen *n*, Spülung *f*. **2.** *meist pl* a) Spülwasser *n*, Spülicht *n*, b) ('Über)Rest *m* (*a. fig.*).

ri·ot ['raiət] **I** *s* **1.** *bes. jur.* Aufruhr *m*, Zs.-rottung *f*: R~ Act *Br. hist.* Aufruhrakte *f* (*1715*); to read the ~ act to s.o. j-m die Leviten lesen, j-n (ernstlich) warnen; ~ call *Am.* Hilfeersuchen *n* (*der Polizei bei Aufruhr*); ~ gun Straßenkampfwaffe *f* (*Art Schrotgewehr*); ~ squad *Am.* Überfallkommando *n*. **2.** Tu'mult *m*, Kra'wall *m*, Lärm *m*. **3.** *fig.* Aufruhr *m* (*der Gefühle*), Ausbruch *m* (*von Leidenschaften etc*). **4.** a) Zügellosigkeit *f*, Ausschweifung *f*, b) Schwelge'rei *f*, Orgie *f*, c) *fig.* Orgie *f*: ~ of colo(u)r; to run ~ (sich aus)toben (*Person*), *bot.* wuchern (*Pflanze*), *hunt.* e-e falsche Fährte verfolgen (*Jagdhund*), *fig.* durchgehen (*Phantasie etc*); he (it) is a ~ *Am. colloq.* er (es) ist einfach ‚toll', *meist* er (es) ist zum Schreien (komisch). **II** *v/i* **5.** a) an e-m Aufruhr teilnehmen, b) e-n Aufruhr anzetteln. **6.** randa'lieren, toben. **7.** in Saus u. Braus leben, schwelgen (*a. fig.*) (in in *dat*). **III** *v/t* **8.** *sein Leben etc* in Saus u. Braus zubringen. **'ri·ot·er** *s* **1.** Aufrührer *m*. **2.** Randa'lierer *m*, Kra'wallmacher *m*. **'ri·ot·ous** *adj* (*adv* ~ly) **1.** aufrührerisch: ~ assembly *jur.* Zs.-rottung *f*. **2.** tumultu'arisch, tobend, lärmend. **3.** ausgelassen, wild, toll. **4.** zügellos, ausschweifend, wild. **5.** üppig, ‚wild': ~ colo(u)rs.

rip¹ [rip] **I** *v/t* **1.** (zer)reißen, (-)schlitzen, *ein Kleid etc* zer-, auftrennen: to ~ up a) *a.* to ~ open aufreißen, -schlitzen, -trennen, b) *mar.* *ein altes Schiff* abwracken, c) *e-e alte Wunde* wieder aufreißen (*a. fig.*); to ~ up s.o.'s back *fig.* j-m in den Rücken fallen, j-n verleumden. **2.** a) *meist* ~ out (her)'austrennen, -reißen, b) *meist* ~ off los-, abtrennen, -reißen. **3.** ~ out *e-n Fluch etc* ausstoßen. **II** *v/i* **4.** reißen, (auf)platzen. **5.** *colloq.* sausen, rasen: to let s.th. ~ e-r Sache freien Lauf lassen; let her ~! *mot.* ‚drück auf die Tube!'; to ~ into *fig.* losgehen auf *j-n*. **6.** to ~ out with an oath e-n Fluch ausstoßen. **III** *s* **7.** Schlitz *m*, Riß *m*.

rip² [rip] *s mar.* Kabbelung *f*.

ri·par·i·an [rai'pɛ(ə)riən; ri-] **I** *adj* **1.** Ufer...: ~ owner → 3. **II** *s* **2.** Uferbewohner(in). **3.** *jur.* Uferanlieger *m*. **ri'par·i·ous** *adj bot. zo.* am Ufer lebend, Ufer...

rip cord *s aer.* Reißleine *f*.

ripe [raip] **I** *adj* (*adv* ~ly) **1.** reif: a) zeitig (*Getreide, Obst, Ernte*), b) ausgereift: ~ cheese; ~ port, c) voll entwickelt, her'angereift: a ~ girl; a ~ beauty e-e reife Schönheit, d) *med.* operati'onsreif: ~ cataract; ~ tumo(u)r. **2.** schlachtreif: ~ cattle. **3.** *hunt.* abschußreif: ~ game. **4.** schlagreif: ~ woods. **5.** *fig.* voll, blühend: ~ lips. **6.** *fig.* reif, gereift: at a ~ age in reifem Alter; a ~ artist ein vollendeter Künstler; ~ judg(e)ment reifes Urteil; a ~ plan ein ausgereifter Plan. **7.** reif: a) zeitlich reif *od.* günstig, b) voll'endet, *Bibl.* erfüllt: time is ~ die Zeit ist reif (for für). **8.** fertig, bereit, reif (for für). **9.** *sl.* ‚blau', betrunken. **II** *v/t u. v/i bes. poet. für* ripen.

rip·en ['raipən] **I** *v/i* **1.** *a. fig.* reifen, reif werden. **2.** sich (voll) entwickeln, her'anreifen (into zu). **II** *v/t* **3.** reifen lassen (*a. fig.*).

ripe·ness ['raipnis] *s* **1.** Reife *f*. **2.** *fig.* Reife *f*: a) Gereiftheit *f*, b) Voll'endung *f*.

ri·poste [ri'poust] **I** *s* **1.** *fenc.* Ri'poste *f*, Gegen-, Nachstoß *m*. **2.** *fig.* a) schlagfertige Erwiderung, b) Gegenschlag *m*. **II** *v/i* **3.** *fenc.* pa'rieren u. so'fort erwidern. **4.** *fig.* (schlagfertig *od.* schnell) kontern.

rip·per ['ripər] *s* **1.** Trennmesser *n*. **2.** *tech.* a) 'Trennmaˌschine *f*, b) 'Aufreißma,schine *f* (*für Straßenpflaster etc*); c) → ripsaw I. **3.** *meist* ~ act, ~ bill *jur. Am. sl. Gesetz, das Vollmacht zu einschneidenden (Personal)-Veränderungen gibt.* **4.** *sl.* a) 'Prachtexem,plar *n*, b) Prachtkerl *m*.

rip·ping ['ripiŋ] **I** *adj* (*adv* ~ly) **1.** spaltend, (auf)trennend, (-)schlitzend: ~ bar Brechstange *f*; ~ chisel Stemmeisen *n*, Stechbeitel *m*. **2.** *bes. Br. sl.* prächtig, ‚prima', ‚toll'. **II** *adv* **3.** *sl.* ‚mordsmäßig', 'überaus: ~ good ganz groß(artig).

rip·ple[1] ['ripl] **I** *v/i* **1.** (kleine) Wellen schlagen, sich kräuseln. **2.** (da'hin)-plätschern (*a. fig. Gespräch etc*), (da-'hin)rieseln, murmeln. **3.** (leicht) wogen (*Ährenfeld*): to ~ in the wind. **II** *v/t* **4.** *Wasser* leicht bewegen *od.* aufrühren, kräuseln. **5.** in wellenartige *od.* wogende Bewegung versetzen. **III** *s* **6.** a) Kräuselung *f* (*von Wasser, Sand*), b) *pl* kleine Wellen *pl*, Kabbelung *f*, c) → ripple mark: to cause a ~ *fig.* ein kleines Aufsehen erregen. **7.** Rieseln *n*, Plätschern *n*. **8.** *electr.* kleine Welle, Welligkeit *f*. **9.** *fig.* Da-'hinplätschern *n*, (sanftes) Auf u. Ab, Welle *f*: ~ of conversation munter dahinfließende Konversation; ~ of laughter leises Lachen. **IV** *adj* **10.** *electr.* pul'sierend, Brumm..., Welligkeits...: ~ voltage.

rip·ple[2] ['ripl] **I** *s* Riffelkamm *m*. **II** *v/t Flachs* riffeln.

rip·ple| cloth *s* Zibe'line *f* (*angerauhter Wollstoff*). ~ **cur·rent** *s electr.* Brummstrom *m*. ~ **mark** *s geol.* Rippelmarke *f*.

rip·ply ['ripli] *adj* **1.** wellig, gekräuselt. **2.** *fig.* murmelnd.

'rip|-'roar·ing *adj bes. Am. sl.* **1.** a) aufregend, b) ausgelassen. **2.** ‚toll', ‚e'norm'. ~**·sack** ['rip,sæk] *s zo.* Grauwal *m*. '~**,saw I** *s tech.* Spaltsäge *f*. **II** *v/t Holz* mit dem Strich sägen. '~**'snort·er** *s Am. sl.* a) ‚tolle Sache', b) ‚toller Kerl'. '~**'snort·ing** → rip-roaring. '~**,tide** *s mar. Am.* **1.** Stromkabbelung *f*. **2.** Ripptide *f*.

Rip·u·ar·i·an [,ripju̯ɛ(ə)riən] *hist.* **I** *adj* ripu'arisch: ~ Frank → II. **II** *s* ripu-'arischer Franke.

rise [raiz] **I** *v/i pret* **rose** [rouz] *pp* **ris·en** ['rizn] **1.** sich erheben, *vom Bett, Boden, Tisch etc* aufstehen: to ~ from one's bed; he could not ~; ~ and shine! raus aus den Federn! **2.** a) aufbrechen, b) die Sitzung schließen, sich vertagen. **3.** auf-, hoch-, em-'porsteigen (*Vogel, Rauch, Geruch etc; a. fig. Gedanke, Zorn etc*): the curtain ~s *thea.* der Vorhang geht auf; her colo(u)r rose a) die Röte stieg ihr ins Gesicht, b) ihre Wangen röteten sich (*an der Luft etc*); the fish ~s to the surface der Fisch schnappt nach dem Köder; his hair rose die Haare standen ihm zu Berge *od.* sträubten sich ihm; land ~s to view *mar.* Land kommt in Sicht; the spirits rose die Stimmung hob sich; the word rose to her lips das Wort kam ihr auf die Lippen. **4.** *relig.* (von den Toten) auferstehen. **5.** em'porsteigen, dämmern: morning ~s. **6.** *astr.* aufgehen: the sun ~s. **7.** ansteigen, berg'an gehen: the lane rose. **8.** (an)steigen: the fever (price, river, *etc*) rose; the barometer (*od.* glass) has ~n das Barometer ist gestiegen. **9.** sich erheben, em'porragen: the tower ~s to a height of 80 yds der Turm erreicht e-e Höhe von 80 Yds. **10.** steigen, sich bäumen (*Pferd*): to ~ to a fence zum Sprung über ein Hindernis ansetzen. **11.** aufgehen (*Saat, a. Hefeteig*). **12.** sich bilden: blisters ~ on his skin. **13.** sich erheben, aufkommen (*Wind, Sturm, Unruhe, Streit etc*). **14.** *a.* to ~ in rebellion sich erheben *od.* em'pören, revol'tieren, aufstehen: → arm[2] *Bes. Redew.*; my stomach ~s against this mein Magen sträubt sich dagegen, *a. fig.* es ekelt mich an. **15.** entstehen, -springen: the river ~s from a spring in the mountains der Fluß entspringt aus e-r Bergquelle. **16.** *fig.* sich erheben: a) erhaben sein (above über *acc*): to ~ above petty jealousies, b) sich em'porschwingen (*Geist*): to ~ above mediocrity über das Mittelmaß hinausragen; → occasion 4. **17.** (*beruflich od. gesellschaftlich*) aufsteigen: to ~ to a higher rank aufsteigen, befördert werden; to ~ in the world vorwärtskommen, es zu etwas bringen. **18.** (an)wachsen, sich steigern: the wind rose; his courage rose sein Mut wuchs. **19.** *mus. etc* (an)steigen, anschwellen (*Ton*), lauter werden (*Stimme*).

II *v/t* **20.** a) aufsteigen lassen, *e-n Fisch* an die Oberfläche bringen, b) aufsteigen sehen, *a. mar. ein Schiff* sichten.

III *s* **21.** (Auf)Steigen *n*, Aufstieg *m*. **22.** Aufstieg *m*, *astr.* Aufgang *m*: ~ of the moon. **23.** *relig.* Auferstehung *f* (*von den Toten*). **24.** a) Auftauchen *n*, Erscheinen *n*, b) Steigen *n* (*des Fisches*), Schnappen *n* (*nach dem Köder*): to get (*od.* take) a ~ out of s.o. *fig.* ‚j-n auf die Palme bringen'. **25.** *fig.* Aufstieg *m*: his ~ to fame; the ~ and fall of nations. **26.** (An)Steigen *n*: a) Anschwellen *n*: the ~ of the flood (his voice, *etc*), b) Anstieg *m*, Erhöhung *f*, Zunahme *f*: the ~ of his blood pressure (temperature, *etc*); ~ of (the) tide *mar.* Tidenhub *m*; ~ and fall Steigen u. Fallen, c) *allg.* (An)Wachsen *n*, Steigerung *f*. **27.** *econ.* a) (An)-Steigen *n*, Anziehen *n*: ~ (of prices), b) *Börse*: Aufschwung *m*, Hausse *f*, c) *bes. Br.* Aufbesserung *f*, Lohn-, Gehaltserhöhung *f*: on the ~ im Steigen begriffen (*Preise, Kurse*); ~ (of value) Wertsteigerung; to buy for a ~ auf Hausse spekulieren. **28.** Zuwachs *m*, Zunahme *f*: ~ in population Bevölkerungszuwachs. **29.** Ursprung *m* (*e-r Quelle od. fig.*), Entstehung *f*: to take (*od.* have) it's ~ entspringen, entstehen, s-n Ursprung nehmen. **30.** *fig.* Anlaß *m*, Ursache *f*: to give ~ to a) verursachen, hervorrufen, führen zu, b) *Verdacht etc* aufkommen lassen, Anlaß geben zu, erregen. **31.** a) Steigung *f* (*e-s Geländes*), b) Anhöhe *f*, Erhebung *f*. **32.** Höhe *f*: the ~ of a tower. **33.** *arch.* Pfeilhöhe *f*.

ris·en ['rizn] *pp von* rise.

ris·er ['raizər] *s* **1.** early ~ Frühaufsteher(in); late ~ Langschläfer(in). **2.** Futterstufe *f* (*e-r Treppe*). **3.** Zwischenstück *n*. **4.** *tech.* a) Heb(e)steigstück *n*, b) Steigrohr *n* (*Heizung, Gas*), c) *electr.* Steigleitung *f*. **5.** *Gießerei*: a) Gußzapfen *m*, b) Steiger *m*.

ris·i·bil·i·ty [,rizi'biliti] *s* **1.** Lachlust *f*. **2.** *pl Am.* Sinn *m* für Komik. '**ris·i·ble** *adj* **1.** lachlustig. **2.** Lach...: ~ muscles. **3.** lachhaft.

ris·ing ['raiziŋ] **I** *adj* **1.** (an-, auf-, em-'por-, hoch)steigend (*a. fig.*): ~ cloud *meteor.* Aufgleitwolke *f*; ~ diphthong *ling.* steigender Diphthong; ~ floor *tech.* Hebebühne *f*; ~ ground a) (Boden)Erhebung *f*, Anhöhe *f*, b) *arch.* Auffahrt *f*; ~ gust *aer.* Steigbö *f*; ~ main → riser 4 b *u.* c; ~ rhythm *metr.* steigender Rhythmus; ~ vote *parl.* Abstimmung *f* durch Sich-Erheben. **2.** *fig.* her'anwachsend, kommend: the ~ generation. **3.** *fig.* aufstrebend: a ~ lawyer. **II** *prep* **4.** *Am.* a) ~ of *colloq.* (etwas) mehr als, b) genau, gerade. **5.** *Am. dial.* (noch) nicht ganz: she is ~ 17. **III** *s* **6.** Aufstehen *n*. **7.** (An-, Auf)Steigen *n*. **8.** a) Steigung *f*, b) Anhöhe *f*. **9.** (An)Steigen *n*, Anschwellen *n* (*e-s Flusses etc*). **10.** *astr.* Aufgehen *n*. **11.** *Am.* a) Hefe *f*, b) zum Aufgehen bestimmte Teigmenge. **12.** *fig.* Erhebung *f*, Aufstand *m*. **13.** (An)-Steigen *n*, Erhöhung *f*, Zunahme *f*: ~ of prices (temperature, *etc*). **14.** *med.* a) (An)Schwellung *f*, Geschwulst *f*, b) Ausschlag *m*, Pustel *f*. **15.** Aufbruch *m* (*e-r Versammlung*).

risk [risk] **I** *s* **1.** Wagnis *n*, Gefahr *f*, Risiko *n*: at all ~s ohne Rücksicht auf Verluste; at one's own ~ auf eigene Gefahr; at the ~ of one's life unter Lebensgefahr; at the ~ of (*ger*) auf die Gefahr hin zu (*inf*); to run the ~ of doing s.th. Gefahr laufen, etwas zu tun; to run (*od.* take) a ~ ein Risiko eingehen *od.* auf sich nehmen; → calculated 1, security risk. **2.** *econ.* a) Risiko *n*, (Verlust)Gefahr *f*, b) versichertes Wagnis (*Ware od. Person*), c) *a.* amount at ~ Risikosumme *f*: accident ~ Unfallrisiko; fire ~, ~ of fire Feuers-, Brandgefahr; to be on ~ das Risiko tragen, haften; ~ capital Risikokapital *n*; ~ money a) Kaution *f*, b) Mankogeld *n*. **II** *v/t* **3.** ris'kieren, wagen: a) aufs Spiel setzen: to ~ one's life, b) sich getrauen: to ~ the jump. **4.** *e-n Verlust, e-e Verletzung etc* ris-'kieren, es ankommen lassen auf (*acc*). '**risk·ful** [-ful] → risky 1. '**risk·i·ness** *s* Gewagtheit *f*, (*das*) Ris'kante. '**risk·less** *adj* **1.** gefahrlos. **2.** *econ.* risikolos. '**risk·y** *adj* (*adv* riskily) **1.** ris'kant, gewagt, gefährlich. **2.** → risqué.

ris·qué [ris'kei; 'riskei] *adj* gewagt, schlüpfrig: a ~ story.

Riss [ris] *geol.* **I** *s* Riß-Eiszeit *f*. **II** *adj* Riß...: ~ time → Riss I.

ris·sole ['risoul] *s Kochkunst*: Ris'sole *f*, Briso'lett *n*.

ri·tar·dan·do [,ritɑːr'dændou] *mus.* **I** *adj u. adv* ritar'dando, langsamer werdend. **II** *pl* **-dos** *s* Ritar'dando *n*.

rite [rait] *s* **1.** *relig. etc, a. iro.* Ritus *m*, Zeremo'nie *f*, feierliche Handlung: ~s Riten, Zeremoniell *n*, Ritual *n*; funeral ~s Totenfeier *f*, Leichenbegängnis *n*; last ~s Sterbesakramente. **2.** *oft* R~ *relig.* Ritus *m*: a) Religi'onsform *f*, b) Litur'gie *f*. **3.** Gepflogenheit *f*, Brauch *m*.

rit·or·nel, rit·or·nelle [,ritər'nel], **,rit·or'nel·lo** [-lou] *pl* **-los, -loes, -li** [-liː] *s mus. hist.* Ritor'nell *n*: a) *Vor-, Zwischen- u. Nachspiel in Vokalwerken*, b) Re'frain *m*.

rit·u·al [*Br.* 'ritjuəl; *Am.* -tʃuəl] **I** *s* **1.** *relig. etc, a. fig.* Ritu'al *n*, Zeremo-ni'ell *n*. **2.** *relig.* a) Ritu'al *n*, Gottesdienstordnung *f*. b) Ritu'ale *n*, Ritu-'albuch *n*. **II** *adj* (*adv* ~ly) **3.** ritu'al, Ritual...: ~ murder Ritualmord *m*. **4.** ritu'ell, feierlich: ~ dance. '**rit·u·al,ism** *s relig.* **1.** Befolgung *f* des Ritu'als. **2.** (über'triebenes) Festhalten an ritu'ellen Formen. **3.** Ritua'lismus *m*, ,Anglokatholi'zismus *m*. **4.** Ritenkunde *f*. '**rit·u·al·ist** *s* **1.** Ritenkenner(in). **2.** j-d, der am kirchlichen Brauchtum hängt. **3.** Ritua'list(in), Anglokatho'lik(in). **,rit·u·al'is·tic** *adj* (*adv* ~ally) *relig.* ritua'listisch, Ritual... **'rit·u·al,ize** *v/t* **1.** ein Ritu'al machen aus. **2.** e-m Ritu'al unter-'werfen.

ritz·y ['ritsi] *adj Am. sl.* **1.** ‚stinkvornehm', ‚feu'dal'. **2.** angeberisch.

riv·age ['rividʒ] *s* **1.** *obs. od. poet.* Gestade *n.* **2.** *jur. hist. Br.* Flußzoll *m.*

ri·val ['raivəl] **I** *s* **1.** Ri'vale *m*, Ri-'valin *f*, Nebenbuhler(in), Konkur-'rent(in): to be ~s for rivalisieren um; to be a ~ of *fig.* → 4; without a ~ ohnegleichen, unerreicht. **II** *adj* **2.** rivali'sierend, konkur'rierend, wetteifernd: ~ firm *econ.* Konkurrenzfirma *f.* **III** *v/t* **3.** rivali'sieren *od.* wetteifern *od.* konkur'rieren mit, *j-m* den Rang streitig machen. **4.** *fig.* gleichwertig sein *od.* gleichkommen (*dat*), es aufnehmen mit. **'ri·val·ry** [-ri] *s* **1.** Rivali'tät *f*, Nebenbuhlerschaft *f.* **2.** Wettstreit *m*, -bewerb *m*, -eifer *m*, Konkur'renz *f*: to enter into ~ with s.o. mit j-m in Wettbewerb treten, j-m Konkurrenz machen. **'ri·val,ship** *s* Nebenbuhlerschaft *f.*

rive [raiv] *pret* **rived**, *pp* **rived** [raivd], **riv·en** ['rivən] **I** *v/t* **1.** (auf-, zer)spalten. **2.** zerreißen (*a. fig.*): ~n zerrissen (*Herz etc*). **II** *v/i* **3.** sich spalten, zerreißen. **4.** *fig.* brechen (*Herz*).

riv·er ['rivər] *s* **1.** Fluß *m*, Strom *m*: the ~ Thames die Themse; Hudson R~ der Hudson; down the ~ stromab(wärts); to sell s.o. down the ~ *sl.* j-n ‚verkaufen' *od.* verraten; up the ~ a) stromauf(wärts), b) *Am. sl.* ins *od.* im ‚Kittchen'. **2.** *fig.* Strom *m*, Flut *f*: a ~ of tears.

riv·er·ain ['rivə,rein] **I** *adj* Ufer..., Fluß... **II** *s* Ufer- *od.* Flußbewohner(in).

'riv·er|,bank *s* Flußufer *n.* ~ **ba·sin** *s geol.* Einzugsgebiet *n.* ~ **bed** *s* Flußbett *n.* ~ **dam** *s* **1.** Staudamm *m*, Talsperre *f.* **2.** Buhne *f.* ~ **driv·er** *s Am.* Flößer *m.* **'~,front** *s* (Fluß)Hafenviertel *n.* **'~-,god** *s* Flußgott *m.* **'~,head** *s* (Fluß)Quelle *f.* ~ **hog** *s zo.* Flußschwein *n.* ~ **horse** *s zo.* Flußpferd *n.*

riv·er·ine ['rivə,rain; -rin] *adj* am Fluß (gelegen *od.* wohnend), Fluß...

riv·er|·man ['rivərmən] *s irr* **1.** *j-d, der am Fluß arbeitet.* **2.** → river driver. ~ **nov·el** → roman-fleuve. ~ **po·lice** *s* 'Strom-, 'Wasserpoli,zei *f.* ~ **port** *s mar.* Flußhafen *m.* **'~,side I** *s* Flußufer *n.* **II** *adj* am Ufer (gelegen), Ufer...: a ~ villa.

riv·et ['rivit] **I** *s* **1.** *tech.* Niet *m*: ~ joint Nietverbindung *f.* **II** *v/t* **2.** *tech.* (ver)nieten: to ~ on annieten (to an *acc*). **3.** (to) befestigen, festmachen (an *dat*), (an)heften (an *acc*): ~ed hatred *fig.* eingewurzelter Haß; to stand ~ed to the spot wie angewurzelt stehen(bleiben). **4.** a) *den Blick, s-e Aufmerksamkeit etc* heften, richten (on auf *acc*), b) *j-s Aufmerksamkeit, a. j-n* fesseln. **'riv·et·er** *s tech.* **1.** Nieter *m.* **2.** 'Nietma,schine *f.* **'riv·et·ing** *s tech.* **1.** Nietung *f*, Nietnaht *f.* **2.** (Ver)Nieten *n*: ~ hammer Niethammer *m*; ~ machine Nietmaschine *f.*

ri·vière [ri'vjɛːr] (*Fr.*) *s* Rivi'ère *f* (*bes. mehrreihiges Halsband aus Diamanten etc*).

riv·ing| knife ['raiviŋ] *s irr tech.* Spaltmesser *n.* ~ **ma·chine** *s tech.* 'Spaltma,schine *f.*

riv·u·let ['rivjulit] *s* Flüßchen *n.*

roach[1] [routʃ] *s ichth.* Plötze *f*, Rotauge *n*: sound as a ~ kerngesund; ~-backed katzenbuck(e)lig.

roach[2] [routʃ] **I** *s* **1.** *mar.* Gilling *f* (*am Segel*). **II** *v/t* **2.** *mar.* mit e-r Gilling versehen. **3.** *Am.* a) *Haar etc* bogenförmig schneiden *od.* hochkämmen, b) *Pferdemähne* stutzen.

roach[3] [routʃ] → cockroach.

road [roud] **I** *s* **1.** (Land)Straße *f*: by ~ a) zu Fuß, b) auf dem Straßenweg, c) per Achse (*Fahrzeug*); one for the ~ *colloq.* ‚einen' (*Schnaps etc*) für unterwegs; to take to the ~ *Br. obs.* Straßenräuber werden; on the ~ → 2. **2.** a) (Verkehrs)Weg *m*, Strecke *f*, b) Fahrbahn *f* (*a. e-r Brücke*), c) Wasserstraße *f*, d) *rail. Am.* Bahn(strecke) *f*: rule of the ~ Straßenverkehrsordnung *f*, *mar.* Seestraßenordnung *f*; on the ~ a) auf der (Land)Straße, b) (*bes.* geschäftlich) unterwegs, auf Reisen, c) *thea.* auf Tournee; ~ up! (*Warnschild*) Straßenarbeiten!; to hold the ~ well *mot.* e-e gute Straßenlage haben; to take the ~ sich auf den Weg machen, aufbrechen. **3.** *fig.* Weg *m*: to be in s.o.'s ~ j-m im Wege stehen; to get s.th. out of the ~ etwas aus dem Weg räumen; the ~ to ruin (to success) der Weg ins Verderben (zum Erfolg). **4.** *meist pl mar.* Reede *f.* **5.** *Bergbau*: Förderstrecke *f.* **6.** *thea.* Gastspielgebiet *n.*

II *adj* **7.** Straßen...: ~ conditions Straßenzustand *m*; ~ contractor Fuhrunternehmer *m*; ~ haulage Güterkraftverkehr *m*; ~ junction Straßenknotenpunkt *m*, -einmündung *f*; ~ performance *mot.* Fahreigenschaften; ~ sign Straßenschild *n*, Wegweiser *m.*

III *v/t u. v/i* **8.** *hunt.* (*bes.* Flugwild) aufspüren.

road·a·bil·i·ty [,roudə'biliti] *s* Fahreigenschaften *pl*, *engS.* Straßenlage *f* (*e-s Autos*). **'road·a·ble** *adj* zum 'Straßentrans,port geeignet: ~ aircraft *aer.* Autoflugzeug *n.*

road| a·gent *s Am. colloq.* Straßenräuber *m.* **'~,bed** *s* **1.** *rail.* Bahnkörper *m.* **2.** *tech.* Straßenbettung *f.* ~ **block** *s* **1.** *bes. mil.* Straßensperre *f.* **2.** Verkehrshindernis *n.* **'~,book** *s* Reisehandbuch *n.* ~ **game** *n sport Am.* Tour'nee- *od.* Auswärtsspiel *n.* ~ **grad·er** *s tech.* Straßenhobel *m*, Pla'nierma,schine *f.* ~ **hog** *s* Straßenschwein *n*, Verkehrsrowdy *m*, *engS.* Fahrer, der stur in Straßenmitte fährt. **'~,hold·ing** *s mot.* Straßenlage *f.* ~ **hole** *s* Schlagloch *n.* **'~,house** *s* Rasthaus *n.* ~ **ma·chine** → road grader. **'~·man** [-mən] *s irr* **1.** Straßenarbeiter *m.* **2.** Straßenhändler *m.* **'~·man,ship** *s mot.* Fahrkunst *f.* ~ **map** *s* Straßen-, Auto-, Wanderkarte *f.* ~ **mend·er** → roadman 1. ~ **met·al** *s* Straßenbeschotterung *f*, -schotter *m.* ~ **roll·er** *s tech.* Straßenwalze *f.* ~ **scrap·er** → road grader. ~ **sense** *s mot.* Fahrverstand *m.* **'~,side I** *s* Straßen-, Wegrand *m*: by the ~ an der Landstraße, am Wege. **II** *adj* an der Landstraße (gelegen): ~ inn. **'~·stead** *s mar.* Reede *f.*

road·ster ['roudstər] *s* **1.** *mar.* Schiff *n* auf der Reede. **2.** *mot. Am.* Roadster *m*, (offener) Sportzweisitzer. **3.** Reisepferd *n.* **4.** *sport* (starkes) Tourenrad. **5.** Vaga'bund *m.*

road| test *tech.* **I** *s* Straßentest *m*, -tauglichkeitsprüfung *f*, Probefahrt *f.* **II** *v/t* mit *e-m Auto* Testfahrten machen. ~ **trac·tor** *s mot.* Sattelschlepper *m.* ~ **us·er** *s* Verkehrsteilnehmer(in). ~ **walk** *s sport* Gehen *n.* **'~,way** *s* **1.** Landstraße *f*, Fahrweg *m.* **2.** Straßen-, Fahrdamm *m*, Fahrbahn *f* (*a. e-r Brücke*). **'~,work** *s sport* Lauftraining *n* (*e-s Boxers etc*). **'~,wor·thy** *adj* **1.** verkehrssicher (*Auto*). **2.** reisefähig (*Person*).

roam [roum] **I** *v/i* **1.** (um'her)streifen, (-)wandern. **2.** *fig.* um'herstreifen (*Phantasie etc*). **II** *v/t* **3.** *a. fig.* durch-'streifen, -'wandern. **III** *s* **4.** Wandern *n*, Um'herstreifen *n.* **'roam·er** *s* **1.** Her'umtreiber(in). **2.** Wanderer *m*, Wand(r)erin *f.*

roan [roun] **I** *adj* **1.** rötlichgrau: ~ horse → roan 5 a. **2.** gefleckt. **3.** *Buchbinderei*: aus (sumachgegerbtem) Schafleder. **II** *s* **4.** Rotgrau *n.* **5.** *zo.* a) Rotschimmel *m*, b) rotgraue Kuh. **6.** (sumachgegerbtes) Schafleder.

roar [rɔːr] **I** *v/i* **1.** brüllen: to ~ at s.o. j-n anbrüllen; to ~ with pain brüllen vor Schmerz. **2.** (*vor Begeisterung od. Freude*) brüllen (at über *acc*): to ~ (with laughter) brüllen (vor Lachen). **3.** a) tosen, toben, brausen (*Wind, Meer*), b) (g)rollen, krachen (*Donner*), c) (er)dröhnen, donnern (*Geschütz, Motor, Maschine etc*), d) donnern, brausen (*Fahrzeug*), e) (er)dröhnen, brausen (*Ort*). **4.** *vet.* keuchen (*Pferd*). **II** *v/t* **5.** *etwas* brüllen: to ~ out *s-e Freude etc* hinausbrüllen, -schreien; to ~ s.o. down j-n niederbrüllen. **III** *s* **6.** Brüllen *n*, Gebrüll *n* (*a. fig.*): to set up a ~ ein Geschrei *od.* Gebrüll erheben; to set the table in a ~ (of laughter) die Gesellschaft in schallendes Gelächter versetzen. **7.** a) Tosen *n*, Toben *n*, Brausen *n* (*des Meeres, Windes etc*), b) Krachen *n*, Rollen *n* (*des Donners*), c) Donner *m* (*von Geschützen*), d) Lärm *m*, Dröhnen *n*, Donnern *n* (*von Motoren, Maschinen etc*), Getöse *n.* **'roar·er** *s* **1.** Schreihals *m.* **2.** *vet.* Lungenpfeifer *m* (*Pferd*). **'roar·ing I** *adj* (*adv* ~ly) **1.** brüllend (*a. fig.* with vor). **2.** lärmend, laut. **3.** tosend (*etc*, → roar 3): → forty 4. **4.** stürmisch, brausend: a ~ night (feast); ~ applause. **5.** *colloq.* großartig, ‚phan'tastisch', ‚toll': ~ business (*od.* trade) schwunghafter Handel; in ~ health vor Gesundheit strotzend. **II** *s* → roar 6 *u.* 7.

roast [roust] **I** *v/t* **1.** a) braten, rösten: ~ed apple Bratapfel *m*, b) schmoren (*a. fig. in der Sonne etc*): to be ~ed alive bei lebendigem Leibe verbrannt werden *od.* verbrennen, *fig.* vor Hitze fast umkommen. **2.** *Kaffee, Mais etc* rösten. **3.** *metall.* rösten, abschwelen: to ~ ore. **4.** *colloq. bes. Am.* a) *j-n* ‚durch den Ka'kao ziehen', lächerlich machen, b) *j-n* ‚fertigmachen' (*scharf kritisieren*). **II** *v/i* **5.** rösten, braten, schmoren: I am simply ~ing ich vergehe vor Hitze. **III** *s* **6.** Braten *m*: → rule 14. **7.** (Sorte *f*) Röstkaffee *m.* **8.** *Am. colloq.* a) Verspottung *f*, b) ‚Verriß' *m* (*Kritik*). **9.** *Am. colloq.* steak ~ (gemeinsames) Steakbraten (*am offenen Feuer*). **IV** *adj* **10.** geröstet, gebraten, Röst...: ~ beef Rost-, Rinderbraten *m*; ~ meat Braten *m*; ~ pork Schweinebraten *m.* **'roast·er** *s* **1.** Röster *m*, 'Röstappa,rat *m.* **2.** *metall.* Röstofen *m.* **3.** Kaffeetrommel *f.* **4.** a) Brathähnchen *n*, b) Spanferkel *n*, c) Bratapfel *m.* **5.** *colloq.* (glühend)heißer Tag. **'roast·ing** *adj* Röst..., Brat...: ~ charge *tech.* Röstgut *n*; ~ jack Bratenwender *m*; ~ pig Ferkel *n* zum Braten; ~ oven → roaster 2.

rob [rɒb] **I** *v/t* **1.** a) *etwas* stehlen, rauben, b) *ein Haus etc* ausrauben, (aus)plündern, c) *fig.* berauben (of *gen*). **2.** *j-n* berauben: to ~ s.o. of s.th. a) j-n e-r Sache berauben (*a. fig.*), b) j-n um etwas bringen, j-m etwas nehmen; the shock ~bed him of (his) speech der Schreck raubte ihm die Sprache; → Peter[1]. II v/i 3. rauben, plündern.

rob·ber ['rɒbər] s Räuber m. ~ **bar·on** s hist. Raubritter m. ~ **gull** s orn. Raubmöwe f.

rob·ber·y ['rɒbəri] s 1. a. jur. Raub m (from an dat), 'Raub,überfall m. 2. fig. Diebstahl m, Erpressung f, Wucher m.

robe [roub] I s 1. (Amts)Robe f, Ta'lar m (von Geistlichen, Juristen etc): ~s Amtstracht f; state ~ Amtskleid n; the gentlemen of the (long) ~ die Juristen. 2. Robe f: a) (wallendes) Gewand, b) Festgewand n, -kleid n, c) Abendkleid n, d) einteiliges Damenkleid, e) Bademantel m, langer Morgenrock: master of the ~s Oberkämmerer m; coronation ~s Krönungsornat m. 3. Tragkleidchen n (von Säuglingen). 4. Am. wärmende (Fell-etc)Decke. 5. fig. (Deck)Mantel m, Schutz m. II v/t 6. j-n (feierlich an)kleiden, j-m die Robe anlegen. 7. fig. (ein)hüllen. III v/i 8. die Robe etc anlegen. 9. fig. sich schmücken. ~-**de-cham·bre** [rəb də 'ʃɑ̃:br] (Fr.) s Morgenrock m, -kleid n.

Rob·ert[1] ['rɒbərt] s Br. colloq. obs. Poli'zist m.

rob·ert[2] ['rɒbərt] → herb Robert.

rob·in ['rɒbin] s orn. 1. Rotkehlchen n. 2. Am. Wanderdrossel f. R~ **Good-fel·low** ['gud,felou] s Hauskobold m, (Art) Heinzelmännchen n.

ro·bin·i·a [ro'biniə] s bot. Ro'binie f, 'Scheina,kazie f.

rob·in red·breast → robin.

rob·o·rant ['rɒbərənt] pharm. I adj stärkend. II s Stärkungsmittel n, Roborans n.

ro·bot ['roubɒt; 'rɒb-] I s 1. Roboter m (a. fig.): a) Ma'schinenmensch m, b) tech. Auto'mat m, auto'matische Vorrichtung od. Ma'schine. 2. → robot bomb. II adj 3. auto'matisch: ~ pilot aer. Selbststeuergerät n. ~ **bomb** s mil. selbstgesteuerte Bombe (z. B. V-Geschoß).

ro·bot·ism ['roubə,tizəm; 'rɒb-] s Robotertum n. '**ro·bot,ize** I v/i roboten. II v/t mechani'sieren. '**ro·bot·ry** [-tri] s Robotertum n.

Rob Roy (ca·noe) ['rɒb'rɔi] s leichtes Kanu (für 'eine Person, mit Doppelpaddel).

ro·bur·ite ['roubə,rait] s chem. Robu'rit m (Sprengstoff).

ro·bust [ro'bʌst; Am. a. 'roubʌst] adj (adv ~ly) 1. ro'bust: a) kräftig, stark: ~ body (health, man, scepticism, etc), b) kraftstrotzend, gesund, c) kernig, gerade: a ~ character, d) derb: a ~ sense of humo(u)r. 2. tech. sta'bil, 'widerstandsfähig: ~ design (furniture, etc). 3. hart, kräftig, schwer: ~ work. **ro'bus·tious** adj 1. ro'bust. 2. lärmend, laut. 3. ,wild', stürmisch. **ro'bust·ness** s Ro'bustheit f. 2. Derbheit f, Grobheit f.

roc [rɒk] s 1. myth. (Vogel m) Roch m. 2. mil. ferngesteuerte Bombe mit eingebauter Fernsehkamera.

roch·et ['rɒtʃit] s relig. Ro'chett n (Chorhemd).

rock[1] [rɒk] s 1. Fels(en) m: built (od. founded) on (the) ~ bes. fig. auf Fels gebaut. 2. collect. Felsen pl, Felsgestein n. 3. geol. Gestein n, Felsart f: effusive ~ Ergußgestein; secondary ~ Flözgebirge n; useless ~ taubes Gestein. 4. Klippe f (a. fig.): ~ ahead! mar. Klippe voraus!; on the ~s colloq. fig. a) ,pleite', bankrott, b) kaputt, in die Brüche gegangen (Ehe etc), c) mit Eiswürfeln, ,on the rocks' (Whisky etc). 5. the R~ Gi'braltar n: R~ English Gibraltar-Englisch n; R~ Scorpion (Spitzname für) Bewohner(in) von Gibraltar. 6. Am. Stein m: to throw ~s. 7. fig. Fels m, Zuflucht f, Schutz m: the Lord is my ~; the ~ of ages fig. a) Christus, b) der christliche Glaube. 8. pl bes. Br. Rocks pl (Bonbonsorte). 9. sl. Dia'mant m, Stein m. 10. Am. sl. a) Geldstück n, bes. Dollar m, b) pl ,Kies' m, Geld n. 11. → rock cake, rock candy.

rock[2] [rɒk] I v/t 1. wiegen, schaukeln: to ~ one's wings aer. (mit den Tragflächen) wackeln. 2. erschüttern, ins Wanken bringen (beide a. fig.), schütteln, rütteln: to ~ the boat fig. die Sache ins Wanken bringen od. gefährden. 3. ein Kind (in den Schlaf) wiegen: to ~ a child to sleep; to ~ in security in Sicherheit wiegen. 4. Sand, Sieb etc rütteln. 5. Gravierkunst: die Oberfläche (e-r Platte) aufrauhen. II v/i 6. (sich) schaukeln, sich wiegen. 7. (sch)wanken, wackeln, taumeln (a. fig.). 8. Am. colloq. ganz ,aus dem Häus-chen' sein (with vor Überraschung etc): to ~ with laughter sich vor Lachen biegen. 9. colloq. ,schwofen', (bes. Swing od. Rock 'n' Roll) tanzen. 10. a. ~drug Am. colloq. (da'hin)brausen, (-)gondeln.

rock[3] [rɒk] s hist. Spinnrocken m.

rock[4] → roc.

rock| and roll → rock 'n' roll. ~ **bed** s Felsengrund m. ~ **bot·tom** s colloq. (das) Allerniedrigste, Tiefpunkt m: to get down to ~ (e-r Sache) auf den Grund gehen; his supplies touched ~ s-e Vorräte waren (so gut wie) erschöpft. '~-'**bot·tom** adj colloq. allerniedrigst(er, e, es), äußerst: ~ prices. '~-,**bound** adj 1. von Felsen um'schlossen. 2. fig. eisern. ~ **cake** s hartgebackenes Plätzchen. ~ **can·dy** s Kandis(zucker) m. ~ **cork** s min. 'Bergas,best m, -kork m. ~ **cress** s bot. Gänsekresse f. ~ **crys·tal** s min. 'Bergkri,stall m. ~ **draw·ings** s pl Felszeichnungen pl. ~ **drill** s tech. Steinbohrer m.

rock·er ['rɒkər] s 1. Kufe f (e-r Wiege etc): off one's ~ sl. ,übergeschnappt', verrückt. 2. Am. Schaukelstuhl m. 3. Schaukelpferd n. 4. tech. a) Wippe f, b) Wiegemesser n, c) Schwing-, Kipphebel m, d) electr. Bürstenbrücke f. 5. min. Wiege f, Schwingtrog m (zur Goldwäsche). 6. Eislauf: a) Holländer(schlittschuh) m, b) Kehre f. 7. mar. bes. Am. Boot n mit e-m Bogenkiel. 8. pl Br. Rocker pl., ,Halbstarke' pl, ,Lederjacken' pl (Jugendliche). ~ **arm** s tech. Schwenkarm m, Kipphebel m. ~ **cam** s tech. Welldaumen m.

rock·er·y ['rɒkəri] s Steingarten m.

rock·et[1] ['rɒkit] I s 1. Ra'kete f (Feuerwerkskörper), 'Leuchtra,kete f (als Signal). 2. a) a. ~ engine, ~ motor tech. Ra'kete f, b) Ra'kete(ngeschoß n) f: intermediate-range ~ Mittelstreckenrakete. 3. fig. bes. Br. ,Anpfiff' m, ,Zi'garre' f. II adj 4. Raketen...: ~ aircraft, ~-driven airplane Raketenflugzeug n; ~-assisted take-off Raketenstart m; ~ projectile Raketengeschoß n. III v/i 5. (wie e-e Ra'kete) hochschießen. 6. hochschnellen (Preise). 7. hunt. steil aufsteigen (bes. Fasan). 8. fig. e-n ko'metenhaften Aufstieg nehmen: to ~ to stardom. 9. Am. colloq. brausen, rasen. IV v/t 10. mil. mit Ra'keten beschießen. 11. mit e-r Ra'kete befördern: to ~ a satellite into orbit.

rock·et[2] ['rɒkit] s bot. 1. 'Nachtvi,ole f. 2. → rocket salad. 3. Rauke f. 4. a. ~ cress (Echtes) Barbarakraut.

rock·et| base s Ra'keten(abschuß)basis f. ~ **bomb** s mil. Ra'ketenbombe f.

rock·et·eer [,rɒki'tir], **rock·et·er** ['rɒkitər] s 1. Ra'ketenkano,nier m. 2. Ra'ketenpi,lot m. 3. Ra'ketenforscher m, -fachmann m.

rock·et| gun s mil. Ra'ketenwaffe f: a) Ra'ketengeschütz n, b) → bazooka 1. ~ **jet** s aer. Ra'ketentriebwerk n. ~ **launch·er** s mil. Ra'ketenwerfer m (Waffe). '~-,**launch·ing site** Ra'ketenabschußbasis f. '~-,**pow·ered** adj tech. mit Ra'ketenantrieb. ~ **pro·jec·tor** s mil. (Ra'keten)Werfer m. ~ **pro·pul·sion** s tech. Ra'ketenantrieb m.

rock·et·ry ['rɒkitri] s tech. Ra'ketenforschung f od. -technik f.

rock·et sal·ad s bot. Senfkohl m.

'**rock|,fall** → rockslide. ~ **flour** s min. Bergmehl n. ~ **gar·den** s Steingarten m. ~ **goat** s zo. Steinbock m.

Rock·ies ['rɒkiz] s pl colloq. für Rocky Mountains.

rock·i·ness ['rɒkinis] s Felsigkeit f, felsige od. steinige Beschaffenheit.

rock·ing| chair ['rɒkiŋ] s Schaukelstuhl m. ~ **horse** s Schaukelpferd n. ~ **pier** s tech. schwingender Pfeiler. ~ **shaft** → rockshaft. ~ **turn** s Eislauf: Kehrtwendung f.

rock| leath·er → rock cork. ~ **lob·ster** s zo. Gemeine Lan'guste. ~ **lych·nis** s bot. Pechnelke f. ~ **mar·tin** s orn. Felsenschwalbe f. ~ **milk** s min. Bergmilch f. ~ **'n' roll** ['rɒkən'roul] s Rock 'n' Roll m (Tanz). ~ **oil** s min. bes. Br. Stein-, Erdöl n, Pe'troleum n, Naphtha n, f. ~ **plant** s bot. Felsen-, Alpen-, Steingartenpflanze f. '~-,**ribbed** adj 1. 'felsdurch,zogen: a ~ coast. 2. fig. Am. eisern. '~,**rose** s bot. 1. Cistrose f. 2. Sonnenrös-chen n. ~ **sal·mon** s ichth. 1. Br. Köhlerfisch m. 2. Am. Amberfisch m. ~ **salt** s chem. Steinsalz n. '~-,**shaft** s tech. schwingende Welle. '~-,**slide** s geol. Felssturz m, Steinschlag m. '~,**wood** s min. 'Holzas,best m. ~ **wool** s chem. tech. Stein-, Schlackenwolle f. '~,**work** s 1. Gesteinsmasse f. 2. arch. Quaderwerk n. 3. Gartenbau: a) Steingarten m, b) Grottenwerk n.

rock·y[1] ['rɒki] adj 1. felsig. 2. steinhart (a. fig.).

rock·y[2] ['rɒki] adj (adv rockily) colloq. wack(e)lig (a. fig.), wankend.

ro·co·co [rə'koukou] I s 1. Rokoko n. II adj 2. Rokoko... 3. schnörk(e)lig, über'laden. 4. veraltet, anti'quiert.

rod [rɒd] s 1. Rute f, Reis n, Gerte f. 2. Bibl. fig. Reis n: a) Abkomme m, b) Stamm m. 3. (Zucht)Rute f (a. fig.): to have a ~ in pickle for s.o. mit j-m noch ein Hühnchen zu rupfen haben; to kiss the ~ sich unter die Rute beugen; to make a ~ for one's own back fig. sich die Rute selber flechten; spare the ~ and spoil the child wer die Rute spart, verzieht das Kind. 4. a) Zepter n, b) (Amts)Stab m, c) fig. Amtsgewalt f, d) fig. Knute f, Tyran'nei f: with a ~ of iron mit eiserner Faust. 5. (Holz)Stab m, Stock m. 6. tech. a) Stab m, Stange f (Metall, als Material): ~s Rundeisen n, -stahl m, Walzdraht m, b) Stab m (als Bauelement), (Treib-, Zug-, Verbindungs-etc)Stange f: ~ aerial (Am. antenna) electr. Stabantenne f; ~ drive Stangenantrieb m. 7. a) a. fishing ~ Angelrute f, b) colloq. Angler m. 8. Meßlatte *f*, -stab *m*. **9.** a) Rute *f* (*Längenmaß*: 5½ yds), b) Qua'dratrute *f* (30¼ square yds). **10.** Stäbchen *n* (*der Netzhaut*). **11.** *biol.* 'Stäbchenbak,terie *f*. **12.** *Am. sl.* a) ‚Schießeisen' *n*, ‚Ka'none' *f* (*Pistole*), b) → hot rod 1.

rode [roud] *pret von* ride.

ro·dent ['roudənt] **I** *adj* **1.** *zo.* nagend, Nage...: ~ teeth Nagezähne. **2.** *med.* fressend: ~ ulcer. **II** *s* **3.** Nagetier *n*.

ro·de·o ['roudi,ou; ro'deiou] *pl* **-de·os** *s* Ro'deo *m*: a) Zs.-treiben *n* von Vieh (*zum Kennzeichnen*), b) *Sammelplatz für diesen Zweck*, c) Cowboy-Tur'nier *n*, d) 'Motorrad-, 'Autoro,deo *m*.

'rod,like *adj* stabförmig.

rod·o·mon·tade [,rɒdəmɒn'teid; -'tɑːd] **I** *s* Prahle'rei *f*, ,Aufschneide'rei *f*. **II** *adj* aufschneiderisch.

rod·ster ['rɒdstər] *s* Angler *m*.

roe[1] [rou] *s* **1.** *ichth.* a) *a.* hard ~ Rogen *m*, Fischlaich *m*: ~ corn (*einzelnes*) Fischei, b) *a.* soft ~ Milch *f* (*der männlichen Fische*). **2.** Eier *pl* (*vom Hummer etc*). **3.** (Holz)Maserung *f*.

roe[2] [rou] *pl* **roe**, *selten* **roes** *s zo.* **1.** Reh *n*. **2.** a) Ricke *f* (*weibliches Reh*), b) Hindin *f*, Hirschkuh *f*.

'roe|,buck *s zo.* Rehbock *m*. **~ deer** *s zo.* Reh *n*.

roent·gen ['rəːntgən; 'rent-; 'rɒntjən] *phys.* **I** *s* Röntgen *n* (*Maßeinheit*). **II** *adj meist* R~ Röntgen...: ~ diagnosis; ~ rays; ~ ray tube Röntgenröhre *f*. **III** *v/t* → roentgenize.

'roent·gen,ize *v/t med.* a) mit Röntgenstrahlen behandeln, bestrahlen, b) röntgen, durch'leuchten.

roent·gen·o·gram ['rəːntgəno,græm; 'rent-; 'rɒntjəno-] *s med. phys.* Röntgenbild *n*, -aufnahme *f*. **'roent·gen·o,graph** [-,græ(ː)f; *Br. a.* -,grɑːf] **I** *s* → roentgenogram. **II** *v/t* ein Röntgenbild machen von. **,roent·gen'og·ra·phy** [-'nɒgrəfi] *s* 'Röntgenphotogra,phie *f* (*Verfahren*). **,roent·gen·o'log·ic** [-o'lɒdʒik] *adj*; **,roent·gen·o'log·i·cal** *adj* (*adv* ~ly) röntgeno'logisch, Röntgen... **,roent·gen'ol·o·gist** [-'nɒlədʒist] *s* Röntgeno'loge *m*. **,roent·gen'ol·o·gy** [-dʒi] *s* Röntgenolo'gie *f*. **'roent·gen·o,scope** [-o,skoup] *s med.* 'Röntgen-, Durch'leuchtungsappa,rat *m*. **,roent·gen'os·co·py** [-'nɒskəpi] *s med.* 'Röntgenunter,suchung *f*, -durch,leuchtung *f*. **,roent·gen·o'ther·a·py** [-o'θerəpi] *s med.* 'Röntgenthera,pie *f*.

roe·stone ['rou,stoun] *s min.* Rogenstein *m*, Oo'lith *m*.

ro·ga·tion [ro'geiʃən] *s relig.* a) (Für-)Bitte *f*, ('Bitt)Lita,nei *f*, b) *meist pl* 'Bittgang *m*, -prozessi,on *f*. **R~ days** *s pl relig.* Bittage *pl*. **R~ Sun·day** *s relig.* (Sonntag *m*) Ro'gate *m*. **R~ week** *s relig.* Bittwoche *f*, Himmelfahrtswoche *f*.

rog·a·to·ry ['rɒgətəri] *adj jur.* Untersuchungs...: ~ commission; letters ~ Amtshilfeersuchen *n*.

Rog·er[1], **r~** ['rɒdʒər] *s* **1.** *oft* Jolly R~ (schwarze) Pi'ratenflagge. **2.** R~ de Coverly *alter englischer Volkstanz*.

Rog·er[2], *a.* **r~** ['rɒdʒər] *interj Am.* **1.** *Signalmeldung*: verstanden! **2.** *sl.* in Ordnung!

rogue [roug] *s* **1.** Schurke *m*, Gauner *m*, Schelm *m*: ~s' gallery Verbrecheralbum *n*; ~'s march *mil. hist. Br.* Trommelwirbel *m* bei der Ausstoßung e-s Soldaten aus dem Regiment. **2.** *humor.* Schelm *m*, Schlingel *m*, Spitzbube *m*, Strolch *m*. **3.** *obs.* Landstreicher *m*. **4.** *bot.* a) aus der Art schlagende Pflanze, b) 'Mißbildung *f*. **5.** *zo.* bösartiger Einzelgänger (*Elefant, Büffel etc*). **6.** a) bockendes Pferd, b) Ausreißer *m* (*Pferd od. Reiter*).

ro·guer·y ['rougəri] *s* **1.** Schurke'rei *f*, Gaune'rei *f*. **2.** Schelme'rei *f*, Spitzbübe'rei *f*.

ro·guish ['rougiʃ] *adj* (*adv* ~ly) **1.** schurkisch. **2.** schelmisch, schalkhaft, spitzbübisch. **3.** *bot.* entartet. **'ro·guish·ness** *s* **1.** Schurkenhaftigkeit *f*. **2.** Schalkhaftigkeit *f*.

roil [rɔil] *v/t Am.* **1.** *Wasser etc* aufrühren, -wühlen (*a. fig.*). **2.** ärgern, aufbringen.

roi·nek ['rɔinek; 'ruːi-] *s* **1.** (*bes. brit.*) Einwanderer *m* in Süd'afrika. **2.** (*im Burenkrieg*) englischer Sol'dat.

roist·er ['rɔistər] *v/i* **1.** kra'keelen, Ra'dau machen. **2.** (laut) prahlen, bramarba'sieren. **'roist·er·er** *s* **1.** Kra'keeler *m*. **2.** Großmaul *n*. **'roist·er·ous** *adj* **1.** lärmend, kra'keelend. **2.** großmäulig.

role, rôle [roul] *s thea. u. fig.* Rolle *f*: to play a ~ e-e Rolle spielen, e-e Funktion ausüben.

roll [roul] **I** *s* **1.** *hist.* Schriftrolle *f*, Perga'ment *n*. **2.** a) Urkunde *f*, b) (*bes.* Namens-, Anwesenheits)Liste *f*, Verzeichnis *n*, c) *jur.* Anwaltsliste *f*: to call the ~ die (Namens- *od.* Anwesenheits)Liste verlesen, Appell (ab)halten; to strike off the ~s von der (Anwalts- *etc*)Liste streichen, *e-m Arzt etc* die Zulassung entziehen; ~ of hono(u)r Ehren-, *bes.* Gefallenenliste, -tafel *f*. **3.** the R~s das 'Staatsar,chiv (*Gebäude in London*). **4.** (*Haar-, Kragen-, Papier- etc*)Rolle *f*: ~ of butter Butterröllchen *n*; ~ of tobacco Rolle Kautabak. **5.** Brötchen *n*, Semmel *f*. **6.** (*bes.* 'Fleisch)Rou,lade *f*. **7.** *arch.* a) Wulst *m*, Rundleiste *f*, b) *antiq.* Vo'lute *f*. **8.** Boden(sch)welle *f*. **9.** *tech.* Rolle *f*, Walze *f* (*bes. in Lagern*). **10.** Fließen *n*, Fluß *m* (*a. fig.*): the ~ of water; the ~ of speech (verse *etc*). **11.** a) Brausen *n*: the ~ of the waves; the ~ of an organ, b) Rollen *n* (*des Donners*), c) (Trommel)Wirbel *m*, d) Dröhnen *n*: the ~ of his voice. **12.** *orn.* Rollen *n*, Triller(n *n*) *m*: the ~ of a canary. **13.** *mar.* Rollen *n*, Schlingern *n* (*von Schiffen*). **14.** wiegender Gang, Seemannsgang *m*. **15.** *sport* Rolle *f* (*a. aer. Kunstflug*). **16.** *Am. sl.* a) zs.-gerolltes Geldscheinbündel, b) *fig.* (*e-e* Masse) Geld *n*.

II *v/i* **17.** rollen: to start ~ing ins Rollen kommen; to start the ball ~ing *fig.* den Stein ins Rollen bringen; some heads will ~ einige Köpfe werden rollen (*a. fig.*); → ball[1] *Bes. Redew.* **18.** rollen, fahren (*Fahrzeug od. Fahrer*). **19.** *a.* ~ along (da'hin)rollen, (-)strömen, sich (da'hin)wälzen: the river ~s; ~ing waters. **20.** (da'hin)ziehen: the clouds ~ along; time ~s on die Zeit vergeht; the seasons ~ away die Jahreszeiten gehen dahin. **21.** sich wälzen (*a. fig.*): to be ~ing in money *colloq.* im Geld schwimmen. **22.** *sport, a. aer.* e-e Rolle machen. **23.** *mar.* schlingern (*Schiff*). **24.** wiegend gehen: ~ing gait → 14. **25.** rollen, sich verdrehen (*Augen*). **26.** a) (g)rollen (*Donner*), b) dröhnen (*Stimme etc*), c) brausen (*Orgel*), d) wirbeln (*Trommel*), e) trillern (*Vogel*). **27.** sich rollen *od.* wickeln *od.* drehen (lassen). **28.** *metall.* sich walzen lassen. **29.** *print.* sich (unter der Walze) verteilen (*Druckfarbe*).

III *v/t* **30.** a) *ein Faß etc* rollen, b) (her'um)wälzen, (-)drehen: to ~ a barrel (wheel *etc*); to ~ one's eyes die Augen rollen; to ~ a problem round in one's mind *fig.* ein Problem wälzen. **31.** (da'hin)rollen, fahren. **32.** *Wassermassen* wälzen (*Fluß*). **33.** (zs.-, auf-, ein)rollen, (-)wickeln: to ~ o.s. into one's blanket sich in die Decke (ein)wickeln. **34.** (durch Rollen) formen, machen: to ~ a snowball; to ~ a cigarette (sich) e-e Zigarette drehen; to ~ paste for pies Kuchenteig ausrollen. **35.** walzen: to ~ a lawn (a road, *etc*); to ~ metal Metall walzen *od.* strecken; ~ed into one *colloq.* alles in 'einem, in 'einer Person. **36.** *print.* a) *Papier* ka'landern, glätten, b) *Druckfarbe* (mit e-r Walze) auftragen. **37.** rollen(d sprechen): to ~ one's r's. **38.** *die Trommel* wirbeln. **39.** *mar.* zum Rollen bringen: the waves ~ed the ship. **40.** *den Körper etc beim Gehen* wiegen. **41.** *Am. sl. e-n Betrunkenen* ‚ausnehmen', berauben.

Verbindungen mit Adverbien:

roll| a·long *v/i sl.* ‚abdampfen', sich da'vonmachen. **~ back** *v/t econ. Am. Preise* (*durch staatliche Anordnung*) zu'rückschrauben, senken. **~ in** *v/i* **1.** ‚her'einkommen', eintreffen (*Angebote, Geld etc*). **2.** *colloq.* ‚in die Klappe (*ins Bett*) gehen'. **3.** her'einrollen, -fahren. **~ out I** *v/t* **1.** hin'ausrollen, -fahren. **2.** *metall.* auswalzen, strekken. **3.** *Kuchenteig* ausrollen. **4.** a) *ein Lied etc* hin'ausschmettern, b) *Verse* dekla'mieren. **II** *v/i* **5.** hin'ausrollen -fahren. **6.** *metall.* sich auswalzen lassen. **7.** *print.* → roll 29. **~ o·ver I** *v/t* **1.** her'umwälzen, -drehen. **2.** *econ. Am. e-e fällig werdende Obligation durch Angebot e-s neuen Papiers derselben Art neu finanzieren.* **II** *v/i* **3.** sich (*im Bett etc*) her'umwälzen. **~ up I** *v/i* **1.** (her)'anrollen, (-)'anfahren. **2.** sich ansammeln *od.* (an)häufen. **3.** *colloq.* a) vorfahren, b) ‚aufkreuzen', auftauchen, c) sich zs.-rollen: to ~ in bed. **II** *v/t* **4.** (her)'anfahren. **5.** *sl.* ansammeln: to ~ a fortune. **6.** aufrollen, -wickeln. **7.** *mil. gegnerische Front* aufrollen.

roll·a·ble ['rouləbl] *adj* **1.** (auf)rollbar, wälzbar. **2.** *tech.* walzbar.

'roll|-a,way (bed) *s Am.* Klappbett *n*. **'~,back** *s Am.* **1.** *mil.* Zu'rückwerfen *n* (*des Feindes*). **2.** *fig.* Zu'rückführung *f*, Redu'zierung *f*, *bes.* (Lohn-, Preis-)Senkung *f*. **3.** (Perso'nal- *etc*)Abbau *m*. **~ call** *s* **1.** Namensaufruf *m*, -verlesung *f*. **2.** *mil.* 'Anwesenheitsap,pell *m*. **~ col·lar** *s* Rollkragen *m*.

rolled [rould] *adj* **1.** gerollt, gewälzt, Roll...: ~ ham Rollschinken *m*. **2.** *tech.* gewalzt, Walz...: ~ iron, ~ plate. **~ glass** *s* gezogenes Glas. **~ gold** *s* Walzgold *n*, 'Golddu,blee *n*.

roll·er ['roulər] *s* **1.** *tech.* a) Walzwerkarbeiter *m*, b) Fördermann *m*, Schlepper *m*. **2.** *tech.* a) (Gleit-, Lauf-, Führungs)Rolle *f*, b) (Gleit)Rolle *f*, Rädchen *n* (*unter Möbeln, an Rollschuhen etc*). **3.** *tech.* a) Walze *f*, b) Zy'linder *m*, Trommel *f*. **4.** (Stoff-, Garn- *etc*)Rolle *f*. **5.** *print.* Druckwalze *f*. **6.** *mus.* Walze *f* (*e-r Orgel etc*). **7.** Rollstab *m* (*zum Aufwickeln von Landkarten etc*). **8.** *med.* Rollbinde *f*. **9.** *mar.* Roller *m*, schwerer Brecher, Sturzwelle *f*. **10.** *orn.* a) Flug-, Tümmlertaube *f*, b) (*e-e*) Ra(c)ke: common ~ Blaura(c)ke, c) Harzer Roller *m*. **~ band·age** *s med.* Rollbinde *f*. **~ bear·ing** *s tech.* Rollen-, Wälzlager *n*. **~ clutch** *s tech.* Rollen-, Freilaufkupplung *f.* ~ **coast·er** *s bes. Am.* Berg-u.-'Tal-Bahn *f.* ~ **mill** *s tech.* **1.** Mahl-, Quetschwerk *n.* **2.** → rolling mill. ~ **press** *s tech.* Walzenaufziehpresse *f.* ~ **skate** *s* Rollschuh *m.* '~-,**skate** *v/i* Rollschuh laufen. ~ **skat·ing** *s* Rollschuhlaufen *n.* ~ **tow·el** *s* Rollhandtuch *n.*

roll| film *s phot.* Rollfilm *m.* '~-,**front cab·i·net** *s* Rollschrank *m.*

rol·lick ['rɒlik] **I** *v/i* **1.** a) ausgelassen sein, b) her'umtollen. **2.** das Leben genießen, schwelgen. **II** *s* **3.** Ausgelassenheit *f.* '**rol·lick·ing** *adj* ausgelassen, 'übermütig.

'**roll-,in** *s Hockey*: Einrollen *n* (*nach Ausball*).

roll·ing ['rouliŋ] **I** *s* **1.** Rollen *n.* **2.** Da'hinfließen *n.* **3.** Rollen *n* (*des Donners*). **4.** Brausen *n* (*des Wassers etc*). **5.** *metall.* Walzen *n*, Strecken *n.* **6.** *mar.* Schlingern *n.* **II** *adj* **7.** rollend (*etc*; → roll II). ~ **ad·just·ment** *s econ. Am.* Rezessi'onswelle *f.* ~ **bar·rage** *s mil.* Feuerwalze *f.* ~ **cap·i·tal** *s econ.* Be'triebskapi,tal *n.* ~ **chair** *s* (Kranken)Rollstuhl *m.* ~ **fric·tion** *s phys.* rollende Reibung. ~ **kitch·en** *s mil.* Feldküche *f.* ~ **mill** *s metall.* **1.** Walzwerk *n*, Hütte *f.* **2.** 'Walzma,schine *f.* **3.** Walz(en)straße *f.* ~ **pin** *s* Well-, Nudelholz *n.* ~ **plant** → rolling stock. ~ **press** *s* **1.** *print.* Walzenpresse *f.* **2.** Sati'nierma,schine *f* (*für Papier*). ~ **stock** *s rail.* rollendes Materi'al, Betriebsmittel *pl.* ~ **ti·tle** *s Film*: Rolltitel *m.*

roll| lathe *s tech.* Walzendrehbank *f.* '~-,**on** *s* Roll'on *m* (*ein Hüfthalter*). '~-,**top desk** *s* Rollpult *n.* ~ **train** *s metall.* Walzenstrecke *f.*

ro·ly-po·ly ['rouli,pouli] **I** *s* **1.** *a.* ~ **pudding** gerollter Pudding. **2.** ,Pummelchen' *n* (*Person*). **3.** *Am.* Stehaufmännchen *n* (*Spielzeug*). **II** *adj* **4.** pummelig, mollig.

rom [rɒm] *pl* '**ro·ma** [-mə] *s* Zi'geuner[*m.*]

Ro·ma·ic [ro'meiik] **I** *adj* ro'maisch, neugriechisch. **II** *s ling.* Neugriechisch *n*, das Neugriechische.

Ro·man[1] ['roumən] **I** *adj* **1.** römisch: ~ **calender**; ~ **law**; ~ **cement** *arch.* Wassermörtel *m*; ~ **holiday** *fig.* a) blutrünstiges Vergnügen, b) Vergnügen *n* auf Kosten anderer, c) Riesenskandal *m*, ,Kladderadatsch' *m*; ~ **nose** Römer-, Adlernase *f*; ~ **numeral** römische Ziffer; ~ **road** Römerstraße *f.* **2.** *relig.* (römisch-)ka'tholisch. **3.** *meist* r~ *print.* Antiqua... **II** *s* **4.** Römer(in). **5.** *meist* r~ a) An'tiquabuchstabe *m*, b) An'tiquaschrift *f.* **6.** *relig.* Romanhänger(in), Katho'lik(in). **7.** *ling.* La'tein *n*, das La'teinische.

ro·man[2] [rə'mɑ̃] (*Fr.*) *s hist.* ('Vers-)Ro,man *m* (*epische Erzählung*).

ro·man à clef [rə'mɑ̃ a 'kle] (*Fr.*) *s* 'Schlüsselro,man *m.*

Ro·man| arch *s arch.* ro'manischer Bogen. ~ **can·dle** *s* **1.** Leuchtkugel *f* (*Feuerwerk*). **2.** *aer. sl.* harte Landung.

Ro·man Cath·o·lic *relig.* **I** *adj* (römisch-)ka'tholisch. **II** *s* Katho'lik(in). ~ **Church** *s* Römische *od.* (Römisch-)Ka'tholische Kirche.

ro·mance[1] [ro'mæns; *Am. a.* 'roumæns] **I** *s* **1.** *hist.* 'Ritter-, 'Versro,man *m*: **Arthurian** ~ Artusroman. **2.** Ro'manze *f*: a) ro'mantische Erzählung, (romantischer) 'Abenteuer-*od.* 'Liebesro,man, b) *fig.* 'Liebeserlebnis *n*, -af,färe *f*, c) *mus. Lied od. lyrisches Instrumentalstück.* **3.** *fig.* Märchen *n*, phan'tastische Geschichte, Phantaste'rei *f.* **4.** Ro'mantik *f*: a) Zauber *m*: **the** ~ **of a summer night**, b) ro'mantische I'dee(n *pl*): **a girl full of** ~, c) Abenteuerlichkeit *f.* **II** *v/i* **5.** Ro'manzen dichten. **6.** *fig.* fabu'lieren, ,Ro'mane erzählen'. **7.** schwärmen.

Ro·mance[2] [ro'mæns] *bes. ling.* **I** *adj* ro'manisch: ~ **peoples** Romanen; ~ **philologist** Romanist(in). **II** *s* a) Ro'manisch *n*, b) *a.* ~ **languages** die ro'manischen Sprachen *pl.*

ro·manc·er [ro'mænsər] *s* **1.** Ro'manzendichter *m*, Verfasser *m* e-s ('Vers-)Ro,mans. **2.** *fig.* a) Phan'tast(in), Träumer(in), b) Aufschneider(in).

Rom·a·nes ['rɒmənes; -nez] *s* Zi'geunersprache *f.*

Ro·man·esque [,roumə'nesk] **I** *adj* **1.** *arch. ling.* ro'manisch. **2.** *ling.* proven'zalisch. **3.** r~ ro'mantisch, phan'tastisch. **II** *s* **4.** *a.* ~ **architecture** (*od.* **style**) ro'manischer (Bau)Stil, Ro'manik *f.* **5.** *ling.* → Romance[2] II.

ro·man-fleuve [rə'mɑ̃ 'flœːv] (*Fr.*) *s* Fa'milien-, 'Zyklenro,man *m.*

Ro·ma·ni·an [ro'meinjən; -niən] **I** *adj* ru'mänisch. **II** *s ling.* Ru'mänisch *n*, das Rumänische.

Ro·man·ic [ro'mænik] **I** *adj* **1.** *ling.* → Romance[2] I. **2.** römisch (*Kulturform*). **II** *s* → Romance[2] II.

Ro·man·ish ['roumәniʃ] *adj relig. contp.* römisch, pa'pistisch.

Ro·man·ism ['roumə,nizəm] *s* **1.** a) Roma'nismus *m*, römisch-ka'tholische Einstellung, b) Poli'tik *f od.* Gebräuche *pl* der römischen Kirche. **2.** *antiq.* Römertum *n.*

Ro·man·ist ['roumənist] *s* **1.** *relig.* a) Römisch-Ka'tholische(r *m*) *f*, b) Römling *m.* **2.** *jur., ling.* Roma'nist(in).

Ro·man·ize ['roumə,naiz] **I** *v/t* **1.** römisch machen. **2.** romani'sieren, latini'sieren. **3.** *meist* r~ in *od.* mit An'tiquabuchstaben schreiben *od.* drukken. **4.** *relig.* römisch-ka'tholisch machen. **II** *v/i* **5.** sich der römisch-ka'tholischen Kirche anschließen.

Romano- [romeino] *Wortelement mit der Bedeutung* römisch (und): ~-Byzantine römisch-byzantinisch.

Ro·mans(c)h [ro'mænʃ] *ling.* **I** *s* **1.** Ro'maunsch *n*, Ro'montsch *n*, (Grau)'Bündnerisch *n.* **2.** 'Rätoro,manisch *n*, das Rätoromanische. **II** *adj* **3.** (grau)'bündnerisch. **4.** 'rätoro,manisch.

ro·man·tic [ro'mæntik] **I** *adj* (*adv* ~**ally**) **1.** *allg.* ro'mantisch: a) *Kunst etc*: *die Romantik betreffend*: **the** ~ **movement** die Romantik, b) ro'manhaft, abenteuerlich, phan'tastisch (*a. iro.*): **a** ~ **tale**, c) ro'mantisch veranlagt: **a** ~ **girl**, d) phan'tastisch: ~ **ideas**, e) malerisch, voll Ro'mantik: **a** ~ **old town**, f) gefühlvoll: **a** ~ **scene**, g) geheimnisvoll, faszi'nierend: **he was a** ~ **figure**. **II** *s* **2.** *Kunst etc*: Ro'mantiker *m.* **3.** Ro'mantiker(in), Schwärmer(in). **4.** (*das*) Ro'mantische. **5.** *meist pl* ro'mantische I'deen *pl od.* Gefühle *pl.*

ro'man·ti,cism [-,sizəm] *s* **1.** *Kunst etc*: Ro'mantik *f.* **2.** (Sinn *m* für) Ro'mantik *f*, ro'mantische Veranlagung.

ro'man·ti·cist → romantic 2 *u.* 3.

ro'man·ti,cize **I** *v/t* **1.** ro'mantisch gestalten. **2.** in ro'mantischem Licht sehen. **II** *v/i* **3.** schwärmen, ro'mantische I'deen haben.

Rom·a·ny ['rɒməni] **I** *s* **1.** Zi'geuner *m.* **2.** *collect.* (*die*) Zi'geuner *pl.* **3.** Zi'geunersprache *f.* **II** *adj* **4.** Zigeuner...

Rome [roum] **I** *npr* Rom *n*: ~ **was not built in a day** Rom ist nicht an 'einem Tag erbaut worden; **to do in** ~ **as the Romans do** mit den Wölfen heulen, sich der Umgebung anpassen. **II** *s fig.* Rom *n*: a) *antiq. das Römerreich*, b) *relig. das Papsttum, die katholische Kirche*, c) *die italienische Regierung.*

Ro·me·o ['roumi,ou] *npr* Romeo *m* (*a. fig. Liebhaber*).

Rom·ish ['roumiʃ] *adj meist contp.* römisch-(ka'tholisch).

romp [rɒmp] **I** *v/i* **1.** um'hertollen, sich balgen: **to** ~ **through** *fig.* spielend hindurchkommen. **2.** *sl.* ,rasen', ,(da'hin)flitzen': **to** ~ **away** ,davonziehen' (*Rennpferd etc*); **to** ~ **in** (*od.* **home**) leicht gewinnen. **3.** *colloq.* ,pous'sieren', ,schmusen' (**with** mit). **II** *s* **4.** Wildfang *m*, Range *f.* **5.** Tollen *n*, Toben *n*, Balge'rei *f*: **to have a** ~ → 1. **6.** *colloq.* ,Techtel'mechtel' *n*, ,Geschmuse' *n.* **7.** *sport sl.* Spurt *m.*

'**romp·ers** *s pl* Spielanzug *m* (*für Kleinkinder*). '**romp·ish** *adj* (*adv* ~**ly**), '**romp·y** *adj* ausgelassen, wild.

ronde [rɒnd] *s print.* Ronde *f*, Rundschrift *f.*

ron·deau ['rɒndou] *pl* **-deaus** [-douz] *s metr.* Ron'deau *n*, Rundreim *m* (*meist 13- od. 10zeilige Strophe mit Kehrreim, der sich am Anfang, im Inneren u. am Ende wiederholt*).

ron·del ['rɒndl] *s metr.* **1.** vierzehnzeiliges Ron'deau. **2.** → rondeau.

ron·do ['rɒndou] *pl* **-dos** *s mus.* Rondo *n.*

ron·dure ['rɒndʒər] *s* Rund *n*, Run[dung *f*, Kreis *m.*]

Ron·e·o ['rouni,ou] (*TM*) *print. Br.* **I** *s* Roneo-Vervielfältiger *m.* **II** *v/t* (mit dem 'Roneo-Appa,rat) vervielfältigen.

rönt·gen, *a.* R~ *etc* → roentgen *etc.*

rood [ruːd] *s* **1.** *relig.* a) Kreuz *n*, Kruzi'fix *n* (*in Kirchen*), b) *obs.* Kreuzesstamm *m* (Christi). **2.** Viertelmorgen *m* (= 1/4 *acre*; *Flächenmaß*). **3.** Rute *f* (*Längenmaß*): a) *lokal verschieden = 7—8 yards*, b) → rod 9. ~ **al·tar** *s* 'Lettneral,tar *m.* ~ **arch** *s arch.* **1.** *Mittelbogen in e-m Lettner, auf dem das Kreuz angebracht ist.* **2.** Kreuznische *f* (*zwischen Kirchenschiff u. Chor*). ~ **loft** *s arch.* Chorbühne *f.* ~ **screen** *s* Lettner *m.* ~ **spire**, ~ **stee·ple** *s* Vierungsturm *m* (*mit Spitze*).

roof [ruːf] **I** *s* **1.** *arch.* (Haus)Dach *n*: **under my** ~ *fig.* unter m-m Dach, in m-m Haus; **to raise the** ~ *fig.* Krach schlagen. **2.** *mot.* Verdeck *n.* **3.** *fig.* (*Blätter-, Zelt- etc*)Dach *n*: ~ **of foliage**; ~ **of a tent**; ~ **of heaven** Himmelszelt *n*, -gewölbe *n*; ~ **of the mouth** *anat.* Gaumen(dach *n*) *m*; **the** ~ **of the world** das Dach der Welt. **4.** *Bergbau*: Hangendes *n.* **II** *v/i* **5.** mit e-m Dach versehen, bedachen: **to** ~ **in** (das Haus) (ein)decken; **to** ~ **over** überdachen; ~**ed-in**, ~**ed-over** überdacht, umbaut; **flat-**~**ed** mit Flachdach. **6.** *fig.* bedecken, über'dachen. '**roof·age** → roofing 2. '**roof·er** *s* **1.** Dachdecker *m.* **2.** *Br. colloq.* Dankbrief *m* (für e-e Einladung).

roof gar·den *s* Dachgarten *m* (*Am. a.* [*Restaurant*]).

roof·ing ['ruːfiŋ] **I** *s* **1.** Bedachen *n*, Dachdeckerarbeit *f.* **2.** *tech.* a) 'Deckmateri,alien *pl*, b) Dachwerk *n.* **II** *adj* **3.** Dach...: ~ **felt** Dachpappe *f.*

roof·less ['ruːflis] *adj* **1.** ohne Dach, unbedeckt. **2.** *fig.* obdachlos.

'**roof,tree** *s* **1.** *arch.* Firstbalken *m.* **2.** *fig.* Dach *n.*

roo·i·nek ['ruːi,nek] → roinek.

rook[1] [ruk] **I** *s* **1.** *orn.* Saatkrähe *f.* **2.** *fig.* Gauner *m*, Bauernfänger *m.* **II** *v/t* **3.** *j-n* betrügen.

rook[2] [ruk] *s Schachspiel*: Turm *m.*

rook·er·y ['rukəri] *s* **1.** a) Krähenhorst *m*, b) 'Krähenkolo,nie *f*. **2.** *orn. zo.* Brutplatz *m*. **3.** *fig.* a) 'Massen-, 'Elendsquar,tier *n*, b) 'Mietska,serne *f*.

rook·ie, *a.* **rook·y** ['ruki] *s sl.* **1.** *mil.* Re'krut *m*. **2.** Neuling *m*, Anfänger *m*.

room [ru:m; rum] **I** *s* **1.** Raum *m*, Platz *m*: to make ~ (for) Platz machen (für *od. dat*) (*a. fig.*); no ~ to swing a cat (in), no ~ to turn in scheußlich eng. **2.** Raum *m*, Zimmer *n*, Stube *f*: ~ heating Raumheizung *f*; ~ temperature (*a. normale*) Raum-, Zimmertemperatur. **3.** *pl* (Miet)Wohnung *f*. **4.** *fig.* (Spiel)Raum *m*, Gelegenheit *f*, Veranlassung *f*, Anlaß *m*: ~ for complaint Anlaß zur Klage; there is no ~ for hope es besteht keine Hoffnung; there is ~ for improvement es ließe sich manches besser machen. **5.** Stelle *f*: in the ~ of s.o. an j-s Stelle. **6.** *Bergbau*: Abbaustrecke *f*. **II** *v/i* **7.** *bes. Am.* wohnen, lo'gieren (at in *dat*; with bei). **III** *v/t* **8.** *bes. Am. j-n* (in e-m Zimmer *etc*) 'unterbringen. **roomed** [ru:md; rumd] *adj in Zssgn* ...zimmerig: double-~ zweizimmerig, Zweizimmer... **'room·er** *s bes. Am.* 'Untermieter(in).

room·ette [ru:'met; ru'met] *s Am.* 'Schlafwagenka,bine *f*.

room·ful ['ru:mful; 'rum-] *pl* **-fuls** *s*: a ~ of people ein Zimmer voll(er) Leute; the whole ~ das ganze Zimmer.

room·i·ness ['ru:minis; 'rum-] *s* Geräumigkeit *f*.

room·ing house ['ru:miŋ; 'rum-] *s Am.* Lo'gierhaus *n*.

'room,mate *s* Zimmergenosse *m*, -genossin *f*, 'Stubenkame,rad(in).

room·y ['ru:mi; 'rumi] *adj* (*adv* roomily) geräumig.

roor·back ['rurbæk] *s Am.* po'litische Zwecklüge (*um j-n zu diffamieren*).

roost[1] [ru:st] **I** *s* **1.** a) Schlafplatz *m*, -sitz *m* (*von Vögeln*), b) Hühnerstange *f*, c) Hühnerstall *m*: to be at ~ schlafen (*colloq. a. Mensch*); to go to ~ schlafen gehen; → rule 14. **2.** *fig.* Ruheplätzchen *n*, 'Unterkunft *f*. **II** *v/i* **3.** a) auf der Stange sitzen, b) sich zum Schlafen niederhocken (*Vögel*). **4.** (sich) schlafen (legen) (*Person*). **III** *v/t* **5.** *j-m* ein Nachtlager geben.

roost[2] [ru:st] *s* starke Gezeitenströmung.

roost·er ['ru:stər] *s* **1.** *orn.* (Haus-)Hahn *m*. **2.** *Am. colloq.* ‚(eitler) Gockel'.

root[1] [ru:t] **I** *s* **1.** *bot.* Wurzel *f* (*a. fig.*): to destroy s.th. ~ and branch etwas mit Stumpf u. Stiel ausrotten; to pull out by the ~ mit der Wurzel ausreißen (*a. fig. ausrotten*); to strike at the ~ of s.th. *fig.* etwas an der Wurzel treffen; to take (*od.* strike) ~ → 12; the ~s of a mountain der Fuß e-s Berges. **2.** a) Wurzelgemüse *n* (*Möhre, rote Rübe etc*), b) ‚Wurzel' *f* (*Wurzelstock, -knolle, Zwiebel etc*): Dutch ~s Blumenzwiebeln. **3.** *anat.* (*Haar-, Nagel-, Zahn-, Zungen- etc*)Wurzel *f*: ~ of the hair (nose, tongue). **4.** *fig.* a) Wurzel *f*, Quelle *f*, Ursache *f*: the ~ of all evil die Wurzel alles Bösen; to get at the ~s of things den Dingen auf den Grund gehen; to have its ~ in, to take ~ from → 13, b) Kern *m*: the ~ of the matter; ~ idea Grundidee *f*. **5.** a) Stammvater *m*, b) *bes. Bibl.* Wurzel *f*, Reis *n*, Sproß *m*: a ~ of Jesse. **6.** *math.* a) Wurzel *f*: ~ extraction Wurzelziehen *n*, b) eingesetzter *od.* gesuchter Wert (*e-r Gleichung*). **7.** *ling.* Stammwort *n*, Wurzel(wort *n*) *f*. **8.** *mus.* Grundton *m*. **9.** *astr. u. Zeitrechnung*: a) Ausgangspunkt *m* (*e-r Berechnung*), b) Ge'burtsa,spekt *m*. **10.** *tech.* Wurzel *f*, Kern *m*: ~ of gear tooth Zahnwurzel *f*; ~ section *aer.* Grunddurchschnitt *m* (*des Flügels*). **11.** *Am. sl.* Fußtritt *m*. **II** *v/i* **12.** Wurzel fassen *od.* schlagen, (ein)wurzeln (*a. fig.*): deeply ~ed tief eingewurzelt; to stand ~ed to the ground *fig.* wie angewurzelt (da)stehen. **13.** ~ in beruhen auf (*dat*), s-n Ursprung haben in (*dat*). **III** *v/t* **14.** tief einpflanzen, einwurzeln lassen: fear ~ed him to the ground *fig.* er stand vor Furcht wie angewurzelt. **15.** ~ up, ~ out, ~ away a) ausreißen, b) *fig.* ausrotten.

root[2] [ru:t] **I** *v/i* **1.** (*mit der Schnauze*) wühlen (for nach) (*Schwein*). **2.** ~ about *fig.* her'umwühlen. **II** *v/t* **3.** *den Boden* auf-, 'umwühlen. **4.** ~ out, ~ up ausgraben, aufstöbern (*a. fig.*), *fig.* her'vorzerren: to ~ out a letter; to ~ s.o. out of bed j-n aus dem Bett treiben.

root[3] [ru:t] *v/i* (for) *Am. sl.* a) *sport* (*j-n*) (durch Zurufe) anfeuern, (*j-m*) (anfeuernd) zubrüllen, b) *fig.* Stimmung machen (für *j-n od. etwas*), (*j-m*) zujubeln.

root·age ['ru:tidʒ] *s* **1.** Verwurzelung *f*. **2.** *fig.* Wurzel(n *pl*) *f*.

'root|-and-'branch *adj* radi'kal, restlos. ~ **beer** *s Am.* Kräuterwurzelgetränk *n*. ~ **ca·nal** *s anat.* 'Zahn-, 'Wurzelka,nal *m*. ~ **climb·er** *s bot.* Wurzelkletterer *m*. ~ **crop** *s* Wurzelgemüse *n*, Knollenfrucht(ernte) *f*, Rüben(ernte *f*) *pl*.

root·ed ['ru:tid] *adj* (fest) eingewurzelt (*a. fig.*). **'root·ed·ly** *adv* von Grund auf, zu'tiefst. **'root·ed·ness** *s* Verwurzelung *f*.

root·er ['ru:tər] *s Am. sl.* Anfeurer *m*, ‚Fa'natiker' *m*.

root·less ['ru:tlis] *adj* **1.** wurzellos (*a. fig.*). **2.** *fig.* entwurzelt, ohne festen Boden.

root·let ['ru:tlit] *s bot.* Würzelchen *n*, Wurzelfaser *f*.

'root|-mean-'square *s math.* qua'dratischer Mittelwert. **'~,stock** *s* **1.** *bot.* Wurzelstock *m*. **2.** Wurzelableger *m*. **3.** *fig.* Wurzel *f*, Ursprung *m*. ~ **tu·ber·cle** *s bot.* Wurzelknöllchen *n*. ~ **vole** *s zo.* Wühlmaus *f*.

root·y ['ru:ti] *adj* **1.** wurz(e)lig. **2.** wurzelartig, Wurzel...

rope [roup] **I** *s* **1.** Seil *n*, Strick *m*, Strang *m* (*a. zum Erhängen*): the ~ *fig.* der Strick (*Tod durch den Strang*); to be at the end of one's ~ mit s-m Latein am Ende sein; to know the ~s sich auskennen, den ‚Bogen raus' haben; to learn the ~s sich einarbeiten; to show s.o. the ~s j-m die Kniffe beibringen, j-n anlernen. **2.** *mar.* (Tau-)Ende *n*, Tau *n*. **3.** (Ar'tisten)Seil *n*: on the high ~s a) hochmütig, b) hochgestimmt. **4.** *mount.* a) (Kletter)Seil *n*, b) *a.* ~ team Seilschaft *f*: to put on the ~ sich anseilen. **5.** *Am.* Lasso *m, n*. **6.** *pl Boxen*: (Ring)Seile *pl*: to be on the ~s a) angeschlagen in den Seilen hängen, b) *fig. sl.* am Ende (s-r Kräfte) *od.* ‚fertig' sein; to have s.o. on the ~s *sl.* j-n ‚zur Schnecke' gemacht haben. **7.** *fig.* Strang *m* (*Tabak etc*), Bund *n* (*Zwiebeln etc*), Schnur *f* (*Perlen etc*): ~ of ova *zo.* Eischnur *f*; ~ of sand *fig.* Illusion *f*, trügerische Sicherheit. **8.** (langgezogener) Faden (*e-r Flüssigkeit*). **9.** *aer. mil.* (Radar)Düppel *pl*. **10.** *fig.* Bewegungs-, Handlungsfreiheit *f*: to give s.o. (plenty of) ~. **II** *v/t* **11.** (mit e-m Seil *etc*) zs.-binden. **12.** festbinden. **13.** *meist* ~ in (*od.* off, out) (durch ein Seil) absperren *od.* abgrenzen. **14.** *mount.* anseilen: to ~ down (up) *j-n* ab-(auf)seilen. **15.** *Am.* mit dem Lasso (ein)fangen. **16.** ~ in *sl.* a) *Wähler, Kunden etc* fangen, ‚an Land ziehen', *j-n* ‚keilen', b) sich *ein Mädchen etc* ‚anlachen': to ~ into hineinziehen in (*acc*). **17.** *Am. sl. j-n* übers Ohr hauen. **18.** *Br. sl. sein Pferd* zu'rückhalten. **III** *v/i* **19.** Fäden ziehen (*dicke Flüssigkeit*). **20.** *mount.* mit dem Seil klettern: to ~ down sich abseilen. **21.** *sport Br. sl.* a) das Pferd zu'rückhalten, b) ‚langsamtreten' (*Läufer*).

'rope|,danc·er *s* Seiltänzer(in). **'~,danc·ing** *s* Seiltanzen *n*. ~ **fer·ry** *s* Seilfähre *f*. ~ **lad·der** *s* **1.** Strickleiter *f*. **2.** *mar.* Seefallreep *n*. **'~,mak·er** *s tech.* Seiler *m*, Reepschläger *m*. ~ **mo(u)ld·ing** *s arch.* Seilleiste *f*. ~ **quoit** *s mar.* Seilring *m* (*zum Sport an Deck*). ~ **rail·way** → ropeway.

rop·er·y ['roupəri] *s* Seile'rei *f*.

rope's| end *s mar.* Tauende *n*. **'~-,end** *v/t* mit dem Tauende (ver)prügeln.

rope| stitch *s Stickerei*: Stielstich *m*. **'~,walk** *s tech.* Seiler-, Reeperbahn *f*. **'~,walk·er** → ropedancer. **'~,way** *s tech.* (Draht)Seilbahn *f*. **'~,yard** *s* Seile'rei *f*. ~ **yarn** *s* **1.** *tech.* Kabelgarn *n*. **2.** *fig.* Baga'telle *f*.

rop·i·ness ['roupinis] *s* Dickflüssigkeit *f*, Klebrigkeit *f*. **'rop·y** *adj* (*adv* ropily) **1.** klebrig, zäh, fadenziehend: ~ sirup. **2.** kahmig: ~ wine.

roque [rouk] *s sport amer. Form des Krocketspiels.*

ro·quet [*Br.* 'roukei; *Am.* ro'kei] **I** *v/t u. v/i Krocketspiel*: (e-n anderen Ball) treffen. **II** *s* Treffen *n* e-s anderen Balls.

ror·qual ['rɔ:rkwəl] *s zo.* Finnwal *m*.

ror·ty ['rɔ:rti] *adj sl.* fi'del, lustig.

ro·sace ['rouzeis] *s arch.* **1.** Ro'sette *f*. **2.** → rose window.

ro·sa·cean [ro'zeiʃən] *bot.* **I** *adj* → rosaceous 1 a. **II** *s* Rosa'zee *f*, Rosengewächs *n*. **ro'sa·ceous** [-ʃəs] *adj* **1.** *bot.* a) zu den Rosa'zeen gehörig, b) rosenblütig. **2.** rosenartig, Rosen...

ro·sar·i·an [ro'zɛ(ə)riən] *s* **1.** Rosenzüchter *m*. **2.** *R.C.* Mitglied *n* e-r Rosenkranzbruderschaft.

ro·sar·i·um [ro'zɛ(ə)riəm] (*Lat.*) *s* Rosengarten *m*.

ro·sa·ry ['rouzəri] *s* **1.** Rosenbeet *n*, -garten *m*. **2.** *oft* R~ *R.C.* (*a. Buddhismus*) Rosenkranz *m* (*Gebetsschnur u. Gebete*): to tell over the R~ (den) Rosenkranz beten; Fraternity of the R~ Rosenkranzbruderschaft *f*.

rose[1] [rouz] **I** *s* **1.** *bot.* Rose *f*: ~ of May Weiße Narzisse; ~ of Sharon a) *Bibl.* Sharon-Tulpe *f*, b) Großblumiges Johanniskraut; the ~ of *fig.* die Rose (*das schönste Mädchen*) von; to gather (life's) ~s die Rosen des Lebens pflücken, sein Leben genießen; it is not all ~s es ist nicht so rosig, wie es aussieht; on a bed of ~s auf Rosen gebettet; no bed of ~s kein Honiglecken; under the ~ im Vertrauen, insgeheim. **2.** Ro'sette *f*, Rös-chen *n* (*Zierat*). **3.** → rose window. **4.** *geogr. mar. phys.* Wind-, Kompaßrose *f*. **5.** *phys. tech.* Kreisskala *f*. **6.** Brause *f* (*e-r Gießkanne etc*). **7.** Ro'sette *f*, Rose *f* (*Edelsteinschliff od. so geschliffener Stein*). **8.** *tech.* Ro'sette *f*, Man'schette *f*. **9.** *zo.* Rose *f* (*Ansatzfläche*

des Geweihs). **10.** *her. hist. Br.* Rose *f* (*Wappenblume*): Wars of the R~s Rosenkriege; → Red Rose, White Rose 2. **11.** → rose colo(u)r. **II** *adj* **12.** Rosen... **13.** rosenfarbig, -rot.
rose² [rouz] *pret von* rise.
ro·se·ate ['rouziit] → rose-colo(u)red.
'rose|,bay *s bot.* **1.** Ole'ander *m.* **2.** *Am.* a) Große Alpenrose, b) Pontische Alpenrose. ~ **bit** *s tech.* Senkfräser *m.* '~,**bud** *s* Rosenknospe *f* (*a. fig. Mädchen*): gather ye ~s while ye may pflücke die Rose, eh' sie verblüht. ~ **bug** → rose chafer 2. '~,**bush** *s bot.* Rosenstock *m*, -strauch *m.* ~ **chaf·er** *s zo.* **1.** Rosenkäfer *m.* **2.** *Am.* Rosenlaubkäfer *m.* '~-,**cheeked** *adj* rotwangig, -backig. ~ **col·o(u)r** *s* Rosa-, Rosenrot *n*: life is not all ~ das Leben besteht nicht nur aus Annehmlichkeiten. '~-,**col·o(u)red** *adj* **1.** rosa-, rosenrot. **2.** *fig.* rosa(rot), rosig, opti'mistisch: to see things through ~ spectacles die Dinge durch e-e rosa(rote) Brille sehen. ~ **di·a·mond** *s* 'Rosendia,mant *m.* '~,**fish** *s* Rotbarsch *m.* '~-,**gall** *s bot.* Rosenapfel *m*, -schwamm *m.*
rose·mar·y ['rouzməri] *s bot.* Rosmarin *m.* ~ **pine** *s bot.* (*USA*) **1.** Sumpfkiefer *f.* **2.** Weihrauchkiefer *f.* **3.** Gelbkiefer *f.*
rose no·ble *s hist.* Rosenobel *m*, Ry'al *m* (*englische Münze im 15. u. 16. Jh.*).
ro·se·o·la [ro'ziːələ] *s med.* **1.** Rose'ole *f* (*Hautausschlag*). **2.** → German measles.
rose| pink *s* **1.** *tech.* a) Rosenlack(farbe *f*) *m*, b) rosa Farbstoff *m.* **2.** *bot.* Amer. Tausend'güldenkraut *n.* '~-'**pink** *adj* rosa, rosenrot (*a. fig.*). ~ **quartz** *s min.* Rosenquarz *m.* ~ **rash** → roseola. ~ **red** *s* Rosenrot *n*, Rosa(farbe *f*) *n.* '~-'**red** *adj* rosenrot, rosa.
ro·ser·y → rosary 1.
'rose|-,tint·ed → rose-colo(u)red. ~ **tree** *s* Rosenstock *m.*
ro·sette [ro'zet] *s* **1.** Ro'sette *f*: a) (Zier)Rose *f*, b) 'Rosenorna,ment *n*, c) Bandschleife *f.* **2.** *arch.* a) ('Mauer-)Ro,sette *f*, b) → rose window. **3.** *bot.* ('Blatt- *etc*)Ro,sette *f.* **4.** → rose diamond. **5.** *tech.* Pa'trone *f.* **6.** *tech.* Ro'sette(nkupfer *n*) *f.* **ro'set·ted** *adj* **1.** mit Ro'setten geschmückt. **2.** ro'settenförmig.
rose| wa·ter *s* **1.** Rosenwasser *n.* **2.** *fig.* a) Schmeiche'leien *pl*, b) Ge,fühlsduse'lei *f.* '~-,**wa·ter** *adj* **1.** nach Rosenwasser duftend. **2.** *fig.* a) ('über)fein, (-)zart, sanft, b) affek'tiert, c) süßlich, sentimen'tal. ~ **win·dow** *s arch.* ('Fenster)Ro,sette *f*, (-)Rose *f.* '~,**wood** *s bot.* Rosenholz *n.*
Ro·si·cru·cian [,rouzi'kruːʃən; -ʃjən] **I** *s* Rosenkreuzer *m* (*Mitglied e-r Geheimgesellschaft*). **II** *adj* Rosenkreuzer...
ros·in ['rɒzin] **I** *s* **1.** *chem.* (Terpen'tin-)Harz *n*, *bes.* Kolo'phonium *n*, Geigenharz *n.* **2.** → resin I. **II** *v/t* **3.** mit Kolo'phonium einreiben.
ros·i·ness ['rouzinis] *s* (*das*) Rosige, rosiges Aussehen.
ross [rɒs; *Am. a.* rɔːs] *bes. Am.* **I** *s* **1.** Borke *f.* **II** *v/t* **2.** *Bäume* abborken. **3.** *Borke* abschälen.
ros·ter ['rɒstər] *s* **1.** *mar. mil.* Dienst- *od.* Namensliste *f.* **2.** Dienstplan *m.* **3.** Liste *f*, Verzeichnis *n.*
ros·tral ['rɒstrəl] *adj* **1.** *anat. zo.* ro'stral, schnabelförmig. **2.** *zo.* zur Kopfspitze gehörig. **3.** *hist. mar.* Schiffsschnabel... **ros·trate** ['rɒstreit], '**ros·trat·ed** *adj* **1.** *bes. bot. zo.* geschnäbelt. **2.** → rostral 3. **ros'trif·er·ous** [-'trifərəs] *adj zo.* geschnäbelt. '**ros·tri,form** [-,fɔːrm] *adj zo.* schnabelförmig.
ros·trum ['rɒstrəm] *pl* **-tra** [-trə], *selten* **-trums** *s* **1.** a) Rednerbühne *f*, Podium *n*, b) Kanzel *f*, c) *fig.* Plattform *f.* **2.** *mar. antiq.* Schiffsschnabel *m.* **3.** *anat. bot. zo.* Schnabel *m.* **4.** *zo.* a) Kopfspitze *f*, b) Rüssel *m* (*von Insekten*).
ros·y ['rouzi] *adj* (*adv* rosily) **1.** rosenrot, -farbig: ~ red Rosenrot *n.* **2.** rosig, blühend: ~ cheeks. **3.** *fig.* → rose-colo(u)red 2. **4.** rosengeschmückt, Rosen... '~-,**col·o(u)red** → rose-colo(u)red.
rot [rɒt] **I** *v/i* **1.** (ver)faulen, (-)modern (*a. fig. im Gefängnis*), verrotten, verwesen. **2.** *geol.* verwittern. **3.** *fig.* (*a. moralisch*) verkommen, verrotten. **4.** *bot. vet.* an Fäule leiden. **5.** *Br. sl.* ‚quatschen', ‚Blech' *od.* Unsinn reden. **II** *v/t* **6.** faulen lassen. **7.** *bot. vet.* mit Fäule anstecken. **8.** *Br. sl. j-n* ‚anpflaumen', ‚aufziehen' (*hänseln*). **III** *s* **9.** a) Fäulnis *f*, Verwesung *f*, b) Fäule *f*, c) (*etwas*) Verfaultes: → dry rot. **10.** a) *bot. vet.* Fäule *f*, b) *vet.* → liver rot. **11.** *bes. Br. sl.* ‚Quatsch' *m*, Blödsinn *m*, Unsinn *m*: to talk ~. **12.** Versagerserie *f*, Pechsträhne *f* (*a. fig.*).
ro·ta ['routə] *s* **1.** → roster. **2.** *bes. Br.* a) Dienstturnus *m*, b) *a.* ~ system Turnusplan *m.* **3.** *meist* R~ *R.C.* Rota *f* (*oberster Gerichtshof der Kirche*).
Ro·tar·i·an [ro'tɛ(ə)riən] **I** *s* Ro'tarier *m*, Mitglied *n* e-s Rotary-Clubs. **II** *adj* Rotary..., Rotarier...
ro·ta·ry ['routəri] **I** *adj* **1.** ro'tierend, kreisend, sich drehend, 'umlaufend: ~ motion. **2.** Rotations..., Dreh..., Kreis..., Umlauf...: ~ crane *tech.* Dreh-, Schwenkkran *m*; ~ file Drehkartei *f*; ~ pump *tech.* Umlaufpumpe *f*; ~ switch *electr.* Drehschalter *m*; ~ traffic Kreisverkehr *m*; ~-wing aircraft *aer.* Drehflügelflugzeug *n.* **3.** *aer. tech.* Radial..., Sternmotor... **4.** *fig.* turnusmäßig. **II** *s* **5.** *tech. durch Rotation arbeitende Maschine, bes.* a) → rotary engine, b) → rotary machine, c) → rotary press, d) *electr.* → rotary converter. **6.** R~ → Rotary Club. **7.** Kreisverkehr *m.* **R~ Club** *s* Rotary-Club *m.* ~ **con·dens·er** *s electr.* 'Drehkonden,sator *m.* ~ **con·vert·er** *s electr.* 'Dreh,umformer *m.* ~ **cur·rent** *s electr.* Drehstrom *m.* ~ **en·gine** *s tech.* 'umlaufender Motor. ~ **hoe** *s agr.* Hackfräse *f.* **R~ In·ter·na·tion·al** *s* Weltvereinigung *f* der Rotary-Clubs. ~ **in·ter·sec·tion** → rotary 7. ~ **ma·chine** *s print.* Rotati'onsma,schine *f.* ~ **plough,** *Am.* ~ **plow** *s tech.* **1.** *a.* rotary snow plough (*Am.* plow) Schneefräse *f.* **2.** *agr.* Bodenfräse *f.* ~ **press** *s print.* Rotati'ons(druck)presse *f.* ~ **shut·ter** *s Film*: 'Umlaufblende *f.*
ro·tat·a·ble [*Br.* ro'teitəbl; *Am.* 'routeitəbl] *adj* drehbar.
ro·tate¹ [*Br.* ro'teit; *Am.* 'routeit] **I** *v/i* **1.** ro'tieren, kreisen, sich drehen, 'umlaufen. **2.** der Reihe nach *od.* turnusmäßig wechseln: to ~ in office. **II** *v/t* **3.** ro'tieren *od.* kreisen lassen. **4.** *math.* a) (um e-e Achse) drehen, b) 'umklappen. **5.** *Personal* turnusmäßig auswechseln. **6.** *agr. die Frucht* wechseln.
ro·tate² ['routeit] *adj bot. zo.* radförmig.
ro·tat·ing [*Br.* ro'teitiŋ; *Am.* 'routeitiŋ] *adj* → rotary 1: ~ field *electr. phys.* Drehfeld *n*, rotierendes Feld; ~-wing aircraft → rotorcraft.
ro·ta·tion [ro'teiʃən; *Am.* rou-] *s* **1.** *math. phys. tech.* Rotati'on *f*, ('Achsen-, Um')Drehung *f*, 'Um-, Kreislauf *m*, Drehbewegung *f*: ~ of the earth Erdrotation, (tägliche) Erdumdrehung. **2.** Wechsel *m*, Abwechslung *f*: in (*od.* by) ~ der Reihe nach, abwechselnd, im Turnus; ~ in office turnusmäßiger Wechsel im Amt. **3.** *a.* ~ of crops *agr.* Fruchtwechsel *m.* **ro'ta·tion·al** *adj* **1.** → rotary 1. **2.** (ab)wechselnd. **3.** im Turnus, turnusmäßig.
ro·ta·tive ['routətiv] *adj* **1.** → rotary 1. **2.** abwechselnd, regelmäßig 'wiederkehrend.
ro·ta·tor [*Br.* ro'teitər; *Am. a.* 'routeitər] *s* **1.** *pl* **-to·res** [,routə'tɔːriːz] *anat.* Ro'tator *m*, Dreh-, Rollmuskel *m.* **2.** *tech.* a) ro'tierender Appa'rat *od.* Ma'schinenteil, b) *electr.* schnellaufender E'lektromotor (*bes. mit Außenläufer*). **3.** *Quantentheorie*: Drillachse *f.* **ro·ta·to·ry** ['routətəri] *adj* **1.** → rotary 1. **2.** *fig.* abwechselnd *od.* turnusmäßig (aufein'anderfolgend): ~ assemblies. **3.** ~ muscle *anat.* → rotator 1.
rote [rout] *s* Rou'tine *f*: by ~ a) rein mechanisch, durch bloße Übung, b) auswendig; to learn s.th. by ~.
'rot,gut *s sl.* Fusel *m.*
ro·ti·fer ['routifər] *s zo.* Rädertier(chen) *n.*
ro·to·gra·vure ['routəgrə,vjur] *s print. Am.* **1.** Zy'lindertiefdruck *m*, Kupfer(tief)druck *m.* **2.** → roto section.
ro·tor ['routər] *s* **1.** *aer.* Drehflügel *m*, Tragschraube *f*, Rotor *m* (*des Hubschraubers*). **2.** *electr.* Rotor *m*, Läufer *m*: ~ circuit Läuferkreis *m.* **3.** *tech.* Rotor *m* (*Drehteil e-r Maschine*). **4.** *mar.* (Flettner-)Rotor *m.* '~,**craft,** '~,**plane** *s aer.* Drehflügelflugzeug *n.* ~ **ship** *s mar.* Rotorschiff *n.*
ro·to sec·tion ['routou] *s Am.* Kupfertiefdruckbeilage *f* (*e-r Zeitung*).
rot·ten ['rɒtn] *adj* (*adv* ~ly) **1.** faul, verfault: ~ egg faules Ei; ~ to the core a) kernfaul, b) *fig.* durch u. durch korrupt. **2.** morsch, mürbe. **3.** brandig, stockig: ~ wood. **4.** *med.* faul: ~ teeth. **5.** *fig.* a) verderbt, kor'rupt, b) niederträchtig, gemein: a ~ trick; something is ~ in the state of Denmark (*Shakespeare*) etwas ist faul im Staate Dänemark. **6.** *sl.* ‚('hunds)mise,rabel', ‚saumäßig': a ~ book; ~ luck Saupech *n*; ~ weather Sauwetter *n.* **7.** *vet.* mit der (Lungen-)Fäule behaftet (*Schaf*). ~ **bor·oughs** *s pl pol. hist.* a) *Wahlkreise mit verlassenen Orten*, b) *Wahlkreise, deren Bevölkerung nur aus Anhängern u. Abhängigen e-s einzigen Grundbesitzers bestand.*
rot·ten·ness ['rɒtnnis] *s* **1.** Fäule *f*, Fäulnis *f.* **2.** Morschheit *f* (*von Holz etc*). **3.** *fig.* Verderbtheit *f*, Kor'ruptheit *f.*
rot·ter ['rɒtər] *s Br. sl.* **1.** nichtsnutziger Kerl, ‚Gammler' *m.* **2.** widerlicher Kerl, ‚Scheißkerl' *m.*
ro·tum·bu·la·tor [ro'tʌmbjə,leitər] *s Film*: *Am.* Kamerawagen *m.*
ro·tund [ro'tʌnd] *adj* (*adv* ~ly) **1.** *obs.* rund, kreisförmig. **2.** rundlich, dicklich: a ~ man. **3.** *fig.* a) voll(tönend), klangvoll: ~ voice, b) pom'pös, hochtrabend, blumig: ~ phrases. **4.** *fig.* abgerundet, ausgewogen: ~ style.
ro·tun·da [ro'tʌndə] *s arch.* Ro'tunde *f*: a) Rundbau *m*, b) Rundhalle *f.*
ro·tun·date [ro'tʌndit; -deit] *adj bes. bot. zo.* abgerundet.

ro·tun·di·ty [ro'tʌnditi] *s* **1.** Rundheit *f.* **2.** Rundlichkeit *f.* **3.** Rundung *f,* (*das*) Runde. **4.** *fig.* Abgerundetheit *f,* Ausgewogenheit *f* (*des Stils etc*).

ro·tu·rier [rɔty'rje] *pl* **-riers** [-'rje] (*Fr.*) *s* Per'son *f* niederen Standes.

rou·ble → ruble.

rou·é [*Br.* 'ruːei; *Am.* ruː'ei] *s* Rou'é *m,* Wüstling *m,* Lebemann *m.*

rouge[1] [ruːʒ] **I** *s* **1.** Rouge *n,* (rote) Schminke. **2.** *tech.* Po'lierrot *n.* **3.** *bes. her.* Rot *n.* **II** *adj* **4.** *her.* rot. **III** *v/i* **5.** Rouge auflegen, sich schminken. **IV** *v/t* **6.** (rot) schminken.

rouge[2] [ruːdʒ] *s Eton-Fußball:* Gedränge *n.*

rouge roy·al mar·ble [ruːʒ] *s rötliche belgische Marmorart.*

rough [rʌf] **I** *adj* (*adv* → roughly) **1.** *allg.* rauh: ~ **cloth;** ~ **skin;** ~ **surface;** ~ **voice. 2.** rauh, struppig: ~ **hair. 3.** holp(e)rig, uneben: ~ **ground;** ~ **road. 4.** rauh, unwirtlich, zerklüftet: **a** ~ **landscape. 5.** a) rauh: **a** ~ **wind,** b) stürmisch: **a** ~ **passage;** ~ **weather;** ~ **sea** *mar.* grobe See. **6.** *fig.* a) grob, roh: **a** ~ **man;** ~ **manners,** b) rauhbeinig, ungehobelt: **a** ~ **man,** c) heftig: **a** ~ **temper,** d) rücksichtslos, hart: ~ **play;** ~ **stuff** *colloq.* Gewalttätigkeit(en *pl*) *f;* → rough-house I. **7.** rauh, barsch, schroff (*Person od. Redeweise*): **to have a** ~ **tongue** e-e rauhe Sprache sprechen, barsch sein. **8.** *colloq.* a) rauh: ~ **treatment; a** ~ **welcome,** b) hart: **a** ~ **day** (**life,** *etc*), c) garstig, böse: **it was** ~ es war e-e böse Sache; **she had a** ~ **time** es ist ihr schlecht ergangen; **that's** ~ **luck for him** da hat er aber Pech (gehabt). **9.** roh, grob: a) ohne Feinheit, b) unbearbeitet, im Rohzustand: → **rough diamond;** ~ **food** grobe Kost; ~ **rice** unpolierter Reis; ~ **stone** a) unbehauener Stein, b) un(zu)geschliffener (Edel)Stein; ~ **style** grober *od.* ungeschliffener Stil; ~ **work** grobe Arbeit; → **rough-and-ready. 10.** Grob..., grobe Arbeit verrichtend (*Arbeiter, Werkzeug*): ~ **carpenter** Grobtischler *m;* → **rough file. 11.** unfertig, Roh...: ~ **copy** Konzept *n;* ~ **draft,** ~ **sketch** Faustskizze *f,* Rohentwurf *m;* **in a** ~ **state** im Rohzustand, unfertig. **12.** *fig.* grob: a) annähernd (richtig), ungefähr, b) flüchtig, im 'Überschlag: ~ **analysis** Rohanalyse *f;* **a** ~ **guess** e-e grobe Schätzung; ~ **calculation** Überschlag(srechnung *f*) *m;* ~ **size** *tech.* Rohmaß *n.* **13.** *print.* unbeschnitten (*Buchrand*). **14.** primi'tiv, unbequem: ~ **accommodation. 15.** herb, sauer: ~ **wine. 16.** *pharm.* drastisch: ~ **remedies. 17.** *Br. sl.* schlecht: a) ungenießbar: ~ **fish,** b) verdorben.

II *s* **18.** Rauheit *f,* Unebenheit *f,* (*das*) Rauhe *od.* Unebene: **over** ~ **and smooth** über Stock u. Stein; **to take the** ~ **with the smooth** *fig.* das Leben nehmen, wie es (nun einmal) ist; **the** ~**(s) and the smooth(s) of life** *fig.* das Auf u. Ab des Lebens; → **rough-and-tumble** II. **19.** Rohzustand *m:* **to shape from the** ~ aus dem Rohen gestalten; **in the** ~ im Groben, im Rohzustand; **to take s.o. in the** ~ j-n nehmen, wie er ist. **20.** a) holp(e)riger Boden, b) *Golf:* unebener Boden am Rande des Fairway. **21.** Stollen *m* (*als Gleitschutz am Hufeisen des Pferdes*).

III *adv* **22.** roh, rauh, hart: **to play** ~; → **cut up** 8. **23.** grob, flüchtig.

IV *v/t* **24.** an-, aufrauhen. **25.** *oft* ~ **up** *j-n* bru'tal *od.* roh behandeln, grob anfassen, *j-m* übel mitspielen. **26.** *meist* ~ **out** *Material* roh *od.* grob bearbeiten, vorbearbeiten, *metall.* vorwalzen, *e-e Linse, e-n Edelstein* grob schleifen. **27.** *ein Pferd* zureiten. **28.** *e-n Pferdehuf* mit Stollen versehen. **29.** ~ **in,** ~ **out** entwerfen, flüchtig skiz'zieren: **to** ~ **out a plan. 30.** ~ **up** *Haare, Gefieder* gegen den Strich streichen: **to** ~ **s.o. up the wrong way** *fig.* j-n reizen *od.* verstimmen. **31.** *sport e-n Gegner* hart ‚nehmen', anschlagen.

V *v/i* **32.** rauh werden. **33.** *sport* (über'trieben) hart spielen. **34.** ~ **it** a) sich roh benehmen, b) sich (kümmerlich) 'durchschlagen, c) primi'tiv *od.* anspruchslos leben, ein spar'tanisches Leben führen.

rough·age ['rʌfidʒ] *s* **1.** *agr.* Rauhfutter *n.* **2.** grobe Nahrung. **3.** *biol.* unverdauliche Nährstoffe *pl* (*bes. Zellulose*).

'rough|-and-'read·y *adj* **1.** grob (gearbeitet), Not..., Behelfs...: **in a** ~ **manner** behelfsmäßig, mehr schlecht als recht; ~ **rule** Faustregel *f.* **2.** rauh *od.* grob, aber zuverlässig: **a** ~ **leader. 3.** schlud(e)rig: **a** ~ **worker.** **'~-and--'tum·ble I** *adj* **1.** wild, heftig, wirr: **a** ~ **fight. II** *s* **2.** wirres Handgemenge, wilde Keile'rei *f.* **3.** Wirren *pl* (*des Krieges, des Lebens etc*), Getümmel *n.* **'~,cast I** *s* **1.** a) Rohguß *m,* b) *fig.* flüchtiger *od.* roher Entwurf, Rohbau *m.* **2.** *arch.* Roh-, Rauhputz *m.* **II** *adj* **3.** im Entwurf, unfertig. **4.** *arch.* roh verputzt. **III** *v/t irr* **5.** im Entwurf anfertigen, flüchtig *od.* roh entwerfen *od.* skiz'zieren: **to** ~ **a story. 6.** *arch.* berappen. **~ coat** *s arch.* Roh- *od.* Rauhputz *m.* **~ cut** *s* Rohschnitt *m* (*e-s Films*). **~ di·a·mond** *s* **1.** ungeschliffener Dia'mant. **2.** *fig.* Mensch *m* mit gutem Kern in rauher Schale. **,~'draw** *v/t irr* (flüchtig) entwerfen, skiz'zieren. **~-dry I** *adj* ['rʌf,drai] nur getrocknet: ~ **clothes** Trockenwäsche *f.* **II** *v/t* [,rʌf'drai] *Wäsche* nur trocknen (*ohne sie zu bügeln od. mangeln*).

rough·en ['rʌfn] **I** *v/i* rauh(er) werden. **II** *v/t a.* ~ **up** an-, aufrauhen.

rough| file *s tech.* Schruppfeile *f.* **,~-'han·dle** *v/t* grob *od.* bru'tal behandeln, malträ'tieren. **,~'hew** *v/t irr tech.* **1.** roh behauen, grob bearbeiten. **2.** *fig.* in groben Zügen entwerfen *od.* gestalten. **,~'hewn** *adj* **1.** *tech.* roh behauen. **2.** *fig.* in groben Zügen gestaltet *od.* entworfen. **3.** *fig.* grobschlächtig, ungehobelt. **'~,house** *sl.* **I** *s* **1.** a) Ra'dau *m,* b) wüste Keile'rei, Schläge'rei *f.* **II** *v/t* **2.** *j-n* ‚piesacken'. **3.** *j-n* miß'handeln, übel zurichten. **III** *v/i* **4.** Ra'dau machen, toben.

rough·ing| mill ['rʌfiŋ] *s metall.* Vorstraße *f,* -walzwerk *n.* **~ rolls** *s pl metall.* Luppenwalzen *pl.*

rough·ly ['rʌfli] *adv* **1.** rauh, roh, grob. **2.** grob, ungefähr, annähernd: ~ **speaking** a) etwa, ungefähr, annähernd, b) ganz allgemein (gesagt).

,rough|-ma'chine *v/t tech.* grob bearbeiten. **'~,neck** *s Am. sl.* **1.** ‚Rauhbein' *n,* Grobian *m.* **2.** Rowdy *m,* Schläger *m.*

rough·ness ['rʌfnis] *s* **1.** Rauheit *f,* Unebenheit *f.* **2.** *tech.* rauhe Stelle. **3.** *fig.* Roheit *f,* Grobheit *f,* Ungeschliffenheit *f.* **4.** Wildheit *f,* Heftigkeit *f.* **5.** Herbheit *f* (*von Wein*).

rough|-'plane *v/t tech.* vorhobeln. **,~'rid·er** *s* **1.** Zureiter *m* (*von Pferden*). **2.** verwegener Reiter. **3.** *mil. Am. hist.* a) 'irregu,lärer Kavalle'rist, b) R~, *a.* Rough Rider *Angehöriger e-s im spanisch-nordamer. Krieg 1898 aufgestellten Kavallerie-Freiwilligenregiments.* **'~shod** *adj* scharf beschlagen (*Pferd*): **to ride** ~ *fig.* rücksichtslos dahinreiten (-fahren); **to ride** ~ **over** a) *j-n* rücksichtslos behandeln, *j-n* schurigeln, b) rücksichtslos über *etwas* hinweggehen. **,~-'turn** *v/t tech. Metall* vorschleifen, schruppen. **'~-,up** *s sl.* wüste Schläge'rei. **,~'wrought** *adj* grob be- *od.* gearbeitet.

rou·lade [ruː'lɑːd] *s mus.* Rou'lade *f,* Pas'sage *f,* Lauf *m.*

rou·lette [ruː'let] *s* **1.** Rou'lett *n:* a) *a.* ~ **wheel** Rou'lettschüssel *f,* b) Rou'lettspiel *n.* **2.** *tech.* Rollrädchen *n.* **3.** Lochlinie *f,* Perfo'rierung *f* (*zwischen Briefmarken*). **4.** *math.* Radlinie *f.*

Rou·man, Rou·ma·ni·an → Ruman, Rumanian.

Rou·mansh [ruː'mænʃ] → Romans(c)h.

round[1] [raund] **I** *adj* (*adv* → roundly) **1.** *allg.* rund: a) kugelrund, b) kreisrund, c) zy'lindrisch: ~ **bar** Rundstab *m,* d) (ab)gerundet, e) e-n Kreis beschreibend: ~ **line;** ~ **movement,** f) bogenförmig, gebogen: ~**-arched** *arch.* rundbogig, Rundbogen..., g) rundlich, voll: ~ **arms;** ~ **cheeks. 2.** *ling.* gerundet: ~ **vowel. 3.** *fig.* rund, voll, ganz: **a** ~ **dozen. 4.** *math.* ganz (*ohne Bruch*): **in** ~ **numbers** a) in ganzen Zahlen, b) auf- *od.* abgerundet. **5.** rund, annähernd *od.* ungefähr (*richtig*): **a** ~ **guess. 6.** rund, beträchtlich: **a** ~ **sum. 7.** *fig.* abgerundet: ~ **style. 8.** voll(tönend): ~ **voice. 9.** flott, scharf: **at a** ~ **pace. 10.** offen, unverblümt: **a** ~ **answer; a** ~ **lie** e-e freche Lüge. **11.** kräftig, derb, ‚saftig': **in** ~ **terms** unmißverständlich. **12.** weich, vollmundig (*Wein*).

II *s* **13.** Rund *n,* Kreis *m,* Ring *m:* **this earthly** ~ das Erdenrund. **14.** (*etwas*) Rundes, Rund(teil *m, n,* -bau *m*) *n.* **15.** a) (runde) Stange, b) Querstange *f,* c) (Leiter)Sprosse *f,* d) *tech.* Rundstab *m.* **16.** Rundung *f:* **out of** ~ *tech.* unrund. **17.** *Bildhauerei:* Rund-, Freiplastik *f* (*Ggs. Relief*): **in the** ~ a) plastisch, b) *fig.* vollkommen. **18.** *a.* ~ **of beef** Rindskeule *f.* **19.** *Br.* Scheibe *f,* Schnitte *f* (*Brot etc*). **20.** Kreislauf *m,* Runde *f:* **the** ~ **of the seasons; the daily** ~ der tägliche Trott. **21.** a) (Dienst)Runde *f,* Rundgang *m* (*von Polizisten, Briefträgern etc*), b) *mil.* Ronde *f,* c) *pl mil. collect.* Streife *f:* **to make the** ~ **of** e-n Rundgang machen um. **22.** a) (*bes.* Besichtigungs-, Inspekti'ons)Rundgang *m,* -fahrt *f,* b) Rundreise *f,* Tour *f.* **23.** Reihe *f,* Folge *f* (**of** von): ~ **of pleasures;** ~ **of duties. 24.** *Boxen, Golf etc:* Runde *f.* **25.** Runde *f,* Kreis *m* (*von Personen*): **to go** (*od.* **make**) **the** ~ die Runde machen, kursieren (**of** bei, in *dat*) (*Gerücht, Witz etc*). **26.** Runde *f,* Lage *f* (*Bier etc*): **to stand a** ~ **of drinks** e-e Runde stiften, ‚einen ausgeben'. **27.** *mil.* a) Salve *f,* b) Schuß *m:* **20** ~**s of cartridge** 20 Schuß Patronen; **he did not fire a single** ~ er gab keinen einzigen Schuß ab. **28.** *fig.* (Lach-, Beifalls)Salve *f:* ~ **after** ~ **of applause** nicht enden wollender Beifall. **29.** *mus.* a) Rundgesang *m,* Kanon *m,* b) Rundtanz *m,* Reigen *m.*

III *adv* **30.** *a.* ~ **about** 'rund-, 'rings-(her),um. **31.** 'rund(her),um, im ganzen 'Umkreis, 'überall, auf *od.* von *od.* nach allen Seiten: → **all** *Bes. Redew.* **32.** im 'Umfang, mit e-m Umfang von: **a tree 30 inches** ~. **33.** 'rundher,um: ~ **and** ~ immer rundherum; the wheels go ~ die Räder drehen sich; to hand s.th. ~ etwas herumreichen; to look ~ um sich blikken; to turn ~ sich umdrehen. **34.** außen her'um: a long way ~ ein weiter Umweg. **35.** (*zeitlich*) her'an: summer comes ~; winter comes ~ again der Winter kehrt wieder. **36.** (*e-e Zeit*) lang *od.* hin'durch: all the year ~ das ganze Jahr lang *od.* hindurch; the clock ~ rund um die Uhr, volle 24 Stunden. **37.** a) hin'über, b) her'über, her: to ask s.o. ~ j-n her(über)bitten; to order one's car ~ (den Wagen) vorfahren lassen; → bring (get, *etc*) round.

IV *prep* **38.** (rund) um: a tour ~ the world e-e Reise um die Welt. **39.** um (... her'um): to sail ~ the Cape; just ~ the corner gleich um die Ecke. **40.** in *od.* auf (*dat*) ... her'um: she chased us ~ all the shops sie jagte uns in allen Läden herum. **41.** um (... her'um), im 'Umkreis von (*od. gen*): shells burst ~ him um ihn herum platzten Granaten. **42.** um (... her'um): to write a book ~ a story; to argue ~ and ~ a subject um ein Thema herumreden. **43.** (*zeitlich*) durch, während (*gen*): ~ the day den ganzen Tag lang.

V *v/t* **44.** rund machen, abrunden (*a. fig.*): → rounded. **45.** um'kreisen. **46.** um'geben, -'schließen. **47.** a) *ein Eck etc* um'fahren, -'segeln, her'umfahren um, biegen um, b) *mot. e-e Kurve* ausfahren.

VI *v/i* **48.** rund werden, sich runden. **49.** *fig.* sich abrunden. **50.** a) die Runde machen (*Wache*), b) e-n 'Umweg machen. **51.** *mar.* drehen, wenden (*Schiff*). **52.** ~ on *colloq.* a) *j-n* ‚anfahren', b) über *j-n* 'herfallen.

Verbindungen mit Adverbien:

round| off *v/t* **1.** abrunden (*a. fig. vervollkommnen*). **2.** *fig.* krönen, beschließen. **3.** *math.* auf- *od.* abrunden: to ~ numbers. **4.** *mar.* drehen: to ~ the boat anluven; to round the boat off abfallen. **~ out I** *v/t* **1.** runden, ausfüllen. **2.** → round off 1. **II** *v/i* **3.** sich wieder erholen. **~ to** *v/i* **1.** *mar.* beidrehen. **2.** → round out 3. **~ up I** *v/t* **1.** *mar. bes. das Tau* einholen. **2.** zs.-treiben: to ~ cattle. **3.** *colloq.* a) *e-e Verbrecherbande* ‚ausheben': to ~ gangsters, b) *Leute etc* zs.-trommeln, ‚auftreiben': to ~ some reporters, c) *etwas* ‚auftreiben': to ~ some cars.

round² [raund] *bes. Br. obs.* **I** *v/i* raunen, wispern. **II** *v/t j-m etwas* zuraunen.

'round·a|bout I *adj* **1.** weitschweifig, 'umständlich: ~ explanations. **2.** 'umwegig: ~ way Umweg *m.* **3.** 'rund(her)|um laufend *od.* führend: ~ system of traffic → 8. **4.** rundlich, plump. **II** *s* **5.** 'Umweg *m.* **6.** *fig.* 'Umschweife *pl.* **7.** *bes. Br.* Karus'sell *n*: to lose on the swings what you make on the ~s *fig.* genauso weit sein wie am Anfang; you make up on the swings what you lose on the ~s was man hier verliert, macht man dort wieder wett. **8.** *Br.* (Platz *m* mit) Kreisverkehr *m.*

round| an·gle *s math.* Vollwinkel *m.* **~ arch** *s arch.* (ro'manischer) Rundbogen. **~ dance** *s* **1.** Rundtanz *m,* Reigen *m.* **2.** Dreher *m.*

round·ed ['raundid] *adj* **1.** (ab)gerundet, rund, Rund...: ~ edge abgerundete Kante; ~ number *math.* ab- *od.* aufgerundete Zahl. **2.** *fig.* abgerundet, voll'endet. **3.** *ling.* gerundet (gesprochen): ~ vowel.

roun·del ['raundl] *s* **1.** kleine runde Scheibe. **2.** *arch.* a) rundes Feld *od.* Fenster, b) runde Nische. **3.** *Kunst*: Rundplastik *f.* **4.** Medail'lon *n* (*a. her.*). **5.** *mil. hist. runde Platte an der Ritterrüstung.* **6.** *metr.* a) → rondel 1, b) *brit. Form des Rondeau* (*9 Zeilen mit 2 Refrains*). **7.** *mus. hist.* (*ein*) Rundtanz *m.*

roun·de·lay ['raundi|lei] *s* **1.** *mus.* a) (*ein*) Rundgesang *m,* b) (*ein*) Rundtanz *m.* **2.** (Vogel)Lied *n.*

round·er ['raundər] *s* **1.** j-d, der *od.* etwas, was (ab)rundet. **2.** *Am. sl.* a) Gewohnheitsverbrecher(in), b) Säufer(in), c) Stromer(in), d) Liederjan *m.* **3.** *sport Br.* a) *pl* (*als sg konstruiert*) Schlagball(spiel *n*) *m,* b) Lauf *m* (*e-s Spielers*).

round| file *s tech.* Rundfeile *f.* **~ game** *s* Gesellschaftsspiel *n.* **~ hand** *s* Rundschrift *f.* **'~|head** *s* **1.** R~ *hist.* Rundkopf *m* (*Spitzname für Puritaner im 17. Jh.*). **2.** Rundkopf *m*: ~ screw *tech.* Rundkopfschraube *f.* **'~|house** *s* **1.** *rail. Am.* Lokomo'tivschuppen *m.* **2.** *mar. hist.* Achterhütte *f.* **3.** *hist.* Gefängnis *n,* Turm *m.* **4.** *Am. sl.* (wilder) Schwinger (*Schlag*).

round·ing ['raundiŋ] **I** *adj* **1.** ein Rund bildend, rund(lich). **2.** *tech.* Rund...: ~ tool *tech.* Rundgesenk *n.* **II** *s* **3.** (Ab)Rundung *f* (*a. ling.*): ~-off Abrundung.

round·ish ['raundiʃ] *adj* rundlich.

round·ly ['raundli] *adv* **1.** rund, ungefähr. **2.** rundweg, 'rundher|aus, unverblümt. **3.** gründlich, gehörig, tüchtig.

round·ness ['raundnis] *s* **1.** Rundung *f,* (*das*) Runde. **2.** (*etwas*) Rundes. **3.** *fig.* (*das*) Abgerundete *od.* Voll'endete. **4.** Unverblümtheit *f.*

'round|,nose, '~'nosed *adj tech.* rund(nasig), Rund...: ~ pliers Rundzange *f.* **~ rob·in** *s Petition od. Denkschrift mit im Kreis herum geschriebenen Unterschriften* (*um deren Reihenfolge zu verheimlichen*). **~ shot** *s mil.* Ka'nonenkugel *f.*

rounds·man ['raundzmən] *s irr* **1.** *Am.* Poli'zei|unterwachtmeister *m.* **2.** *Br.* Austräger *m,* Laufbursche *m*: milk ~ Milchmann *m.*

round| steak *s Rindfleischstück direkt über dem Hinterschenkel.* **~ ta·ble** *s* **1.** runder Tisch. **2.** Tafelrunde *f*: the R~ T~ a) *der runde Marmortisch am Hof König Artus',* b) die Tafelrunde (des Königs Artus). **3.** Konfe'renztisch *m*: round-table conference Konferenz *f* am runden Tisch. **,~-the-'clock** *adj* 24stündig, ganztägig. **'~|top** *s mar.* Krähennest *n.* **~ tow·el** *s* Rollhandtuch *n.* **~ trip** *s* **1.** Rundreise *f,* -fahrt *f.* **2.** *Am.* 'Hin- u. 'Rückfahrt *f.* **'~-'trip** *adj* Rundreise..., *Am.* Rückfahr...: ~ ticket a) Rundreisekarte *f,* b) *Am.* Rückfahrkarte *f.* **~ turn** *s mar.* Rund-törn *m* (*Knoten*): to bring up with a ~ *fig.* jäh unterbrechen. **'~|up** *s* **1.** a) Zs.-treiben *n* (*von Vieh*), b) *collect. Am.* Zs.-treiber *pl* (*Männer u. Pferde*), c) zs.-getriebene Herde. **2.** *colloq.* a) Zs.-treiben *n,* Sammeln *n,* b) Razzia *f,* ‚Aushebung' *f* (*von Verbrechern etc*), c) Zs.-fassung *f,* 'Übersicht *f.* **'~|worm** *s zo.* (*ein*) Fadenwurm *m, bes. med.* Spulwurm *m.*

roup¹ [ruːp] *Scot. od. dial.* **I** *v/t* versteigern. **II** *s* Versteigerung *f.*

roup² [ruːp] *s vet.* a) Darre *f* (*der Hühner*), b) Pips *m.*

rouse¹ [rauz] **I** *v/t* **1.** *oft* ~ up wachrütteln, (auf)wecken (from aus). **2.** *Wild etc* aufstöbern, -jagen. **3.** *fig. j-n* auf-, wachrütteln, ermuntern: to ~ o.s. sich aufraffen. **4.** *fig. j-n* aufbringen, erzürnen. **5.** *fig. Gefühle etc* wachrufen, *Haß etc* entfachen, *Zorn* erregen. **6.** *tech. Bier etc* ('um)rühren. **7.** *mar.* steifholen. **II** *v/i* **8.** *meist* ~ up aufwachen (*a. fig.*). **9.** aufschrecken. **III** *s* **10.** *mil. bes. Br.* Wecken *n,* 'Wecksi|gnal *n.*

rouse² [rauz] *s Br. obs.* **1.** Trunk *m.* **2.** Toast *m*: to give a ~ to e-n Toast ausbringen auf (*acc*). **3.** Zechgelage *n.*

rouse³ [rauz] *v/t* einsalzen.

rous·er ['rauzər] *s* **1.** (*der, die, das*) Erregende. **2.** *colloq.* a) Sensati'on *f,* b) ‚tolles Ding'. **3.** *colloq.* faustdicke Lüge.

rous·ing ['rauziŋ] *adj* (*adv* ~ly) **1.** *fig.* aufrüttelnd, zündend, mitreißend: a ~ speech. **2.** brausend, stürmisch: ~ cheers. **3.** *fig.* aufregend, spannend, ‚wild': a ~ campaign. **4.** *colloq.* ‚toll', phan'tastisch, gewaltig, ungeheuer. **5.** *colloq.* ungeheuer, unverschämt (*Lüge*).

roust·a·bout ['raustə|baut] *s Am.* **1.** a) Schauermann *m,* Werft-, Hafenarbeiter *m,* b) (*oft contp.*) Gelegenheitsarbeiter *m.* **2.** Handlanger *m.*

rout¹ [raut] **I** *s* **1.** Rotte *f,* (wilder) Haufen, Mob *m.* **2.** *jur.* Zs.-rottung *f,* Auflauf *m.* **3.** *obs.* (große) Abendgesellschaft. **4.** *bes. mil.* a) wilde Flucht, b) Schlappe *f,* Niederlage *f*: to put to ~ → 5. **II** *v/t mil.* **5.** vernichtend *od.* in die Flucht schlagen.

rout² [raut] **I** *v/t* **1.** → root² II. **2.** ~ out, ~ up *j-n aus dem Bett od. e-m Versteck etc* (her'aus)treiben, (-)jagen. **3.** vertreiben. **4.** *tech.* ausfräsen (*a. print.*), ausschweifen. **II** *v/i* → root² I.

route [ruːt; *mil. u. Am. a.* raut] **I** *s* **1.** (Reise-, Fahrt)Route *f,* (-)Weg *m*: to go the ~ *fig.* bis zum Ende durchhalten; → en route. **2.** a) (Bahn-, Bus-*etc*)Strecke *f,* b) *aer.* (Flug)Strecke *f,* Route *f,* c) (Verkehrs)Linie *f,* d) *mar.* Schiffahrtsweg *m,* e) (Fern)Straße *f.* **3.** *mil.* a) Marschroute *f,* b) *Br.* Marschbefehl *m*: to get the ~ Marschbefehl erhalten; ~ march *Br.* Übungsmarsch *m, Am.* Marsch mit Marscherleichterung; ~ step, march! ohne Tritt(, marsch)! **4.** *fig.* Weg *m* (to zu). **5.** *electr.* Leit(ungs)weg *m.* **6.** *econ. Am.* Versand(art *f*) *m.* **II** *v/t* **7.** *mil.* in Marsch setzen: to ~ troops. **8.** *Güter etc* befördern, *a. weitS.* leiten, diri'gieren (via über *acc*). **9.** die Route *od. tech.* den Arbeits- *od.* Werdegang festlegen von (*od. gen*). **10.** *e-n Antrag etc* (auf dem Dienstweg) weiterleiten. **11.** a) *electr.* legen, führen: to ~ lines, b) *tel.* leiten.

rout·er ['rautər] *s tech.* **1.** Fräser *m* (*Person*). **2.** 'Stoß-, 'Fräs-, 'Nut-, 'Reißma|schine *f.* **3.** Grund-, Nuthobel *m.* **4.** Verti'kal|fräsma|schine *f.*

rou·tine [ruː'tiːn] **I** *s* **1.** a) (Ge'schäfts-, 'Amts- *etc*)Rou|tine *f,* b) (übliche) Proze'dur, (gleichbleibendes) Verfahren, gewohnheitsmäßiger Gang, c) laufende *od.* me'chanische Arbeit, d) Rou'tinesache *f,* (reine) Formsache, e) *contp.* Scha'blone *f,* f) *contp.* (alter) Trott: to make a ~ of *etwas* zur Regel werden lassen. **2.** *Am. sl.* a) *thea. etc* Nummer *f,* Akt *m,* b) *contp.* Geschwätz *n,* ‚Platte' *f.* **3.** *Computer etc*: Pro'gramm *n.* **4.** *Eiskunstlauf, Tanz etc*: Pflicht(übungen *pl*) *f.* **II** *adj* **5.** a) all'täglich, immer gleichbleibend, üblich, b) laufend, regel-, rou'tinemäßig: ~ check; ~ maintenance laufende Wartung; ~ order *mil.* Routine-, Dienstbefehl *m.* **6.** rou'tine-, gewohnheitsmäßig, me'chanisch, scha'blonenhaft, Routine...: ~ work.

rou·tin·ism [ruːˈtiːnizəm] *s* **1.** rou'tinemäßiges Arbeiten. **2.** (*das*) Rou'tinemäßige. **rou'tin·ist** *s* Gewohnheitsmensch *m.* **rou'tin,ize** *v/t* e-r Rou'tine *etc* unter'werfen, *etwas* zur Routine machen, *j-n* an e-e Routine gewöhnen.

rove[1] [rouv] **I** *v/i* **1.** *a.* ~ about um'herstreifen, -wandern, -schweifen (*a. fig. Augen etc*). **2.** *sport* mit lebendem Köder angeln. **II** *v/t* **3.** durch'streifen. **III** *s* **4.** a) Wanderschaft *f*, b) (Um'her)Wandern *n.*

rove[2] [rouv] **I** *v/t* **1.** *das Tau etc* anschlagen. **2.** *Wolle etc* ausfasern, *e-n Strumpf etc* aufreufeln. **3.** *tech.* vorspinnen. **II** *s* **4.** (Woll- *etc*)Strähne *f.* **5.** *tech.* → roving[1] 2.

rove[3] [rouv] *pret. u. pp von* reeve[2].

rov·er[1] [ˈrouvər] *s tech.* 'Vorspinnma,schine *f.*

rov·er[2] [ˈrouvər] *s* **1.** a) Wanderer *m*, b) Her'umtreiber(in). **2.** Seeräuber *m.* **3.** *zo.* Wandertier *n.* **4.** *Br.* Rover *m* (*Pfadfinder über 17*). **5.** *Bogenschießen*: a) gelegentliches Ziel in unbestimmter Entfernung, b) Fernziel *n*: to shoot at ~s *fig.* ins Blaue *od.* aufs Geratewohl schießen. **6.** *Rugby*: Außenspieler *m.*

rov·ing[1] [ˈrouviŋ] *s tech.* **1.** Vorspinnen *n.* **2.** (grobes) Vorgespinst.

rov·ing[2] [ˈrouviŋ] *adj* **1.** um'herziehend, -streifend: ~ life Vagabundenleben *n.* **2.** *fig.* (aus)schweifend: ~ fancy; a ~ eye ,unruhige' (*kokette*) Augen. **3.** *fig.* ,fliegend', beweglich: ~ police force Einsatztruppe *f* der Polizei; ~ judge Reiserichter *m*; ~ reporter ,fliegender' Reporter.

rov·ing| com·mis·sion *s* **1.** *jur.* (*Art*) 'Rechtshilfeman,dat *n* mit örtlich unbeschränkter Zuständigkeit. **2.** *mar.* (*Art*) Einsatz-Rahmenbefehl *m*, ,freie Jagd'. **~ frame** *s tech.* 'Vorspinnma,schine *f.* **~ head** *s tech.* 'Vorspinnma,schine *f* für Kammgarn. **~ machine** → roving frame.

row[1] [rau] *colloq.* **I** *s* Krach *m*: a) Kra'wall *m*, Spek'takel *m*, b) (lauter) Streit, c) Schläge'rei *f*: to get into a ~ ,eine aufs Dach bekommen'; to kick up (*od.* make) a ~ Krach *od.* Lärm machen, *weitS.* ,Krach schlagen'; what's the ~? was ist denn los?; family ~ Familienkrach. **II** *v/t j-n* ,zs.-stauchen'. **III** *v/i* randa'lieren.

row[2] [rou] **I** *s* **1.** (*Häuser-, Sitz- etc*)-Reihe *f*: in ~s a) in Reihen, reihenweise, b) *fig.* nacheinander; a hard (*od.* long) ~ to hoe *fig. Am.* e-e schwere Aufgabe, e-e schwierige Sache. **2.** Straße *f*: Rochester R~. **3.** *tech.* Bauflucht(linie) *f.* **4.** *colloq.* Reihe *f*, Folge *f*: a ~ of platitudes.

row[3] [rou] **I** *v/i* **1.** rudern. **2.** sich rudern (lassen): the boat ~s easily. **II** *v/t* **3.** *ein Rennen, Boot od. j-n* rudern: to ~ down *j-n* (beim Rudern) überholen; to ~ over *j-n* spielend überholen *od.* schlagen. **4.** rudern gegen, mit *j-m* (wett)rudern (for um). **III** *s* **5.** Rudern *n.* **6.** 'Ruderpar,tie *f*: to go for a ~ rudern gehen.

row·an [ˈrauən; ˈrou-] *s a.* ~ tree *bot.* Eberesche *f.* '~**,ber·ry** *s bot.* Vogelbeere *f.*

row·boat [ˈrou,bout] *s* Ruderboot *n.*

row-de-dow [ˈraudi,dau] *s* Spek'takel *m*, Krach *m.*

row·di·ness [ˈraudinis] *s* rüpelhaftes Benehmen, Gewalttätigkeit *f.*

row·dy [ˈraudi] **I** *s* Rowdy *m*, ,Ra'daubruder' *m*, Raufbold *m*, ,Schläger' *m*, ,Ra'bauke' *m.* **II** *adj* rüpel-, flegel-, rowdyhaft, gewalttätig. '**row·dy·ish** → rowdy II. '**row·dy,ism** *s* **1.** → rowdiness. **2.** Rüpe'lei *f*, Gewalttätigkeit *f.*

row·el [ˈrauəl] **I** *s* Spornrädchen *n.* **II** *v/t e-m Pferd* die Sporen geben.

row·en [ˈrauən] *s agr. Am. od. Br. dial.* Grummet *n.*

row·er [ˈrouər] *s* Ruderer *m.*

row·ing [ˈrouiŋ] **I** *s* Rudern *n*, Rudersport *m.* **II** *adj* Ruder...: ~ boat *bes. Br.* Ruderboot *n.*

row·lock [ˈrʌlək; ˈrou,lɒk] *s mar.* [Dolle *f.*]

roy·al [ˈrɔiəl] **I** *adj* (*adv* ~ly) **1.** königlich, Königs...: His (Her) R~ Highness Seine (Ihre) Königliche Hoheit; ~ prince Prinz *m* von königlichem Geblüt; → prince 2, princess 1. **2.** fürstlich (*a. fig.*): the ~ and ancient game das Golfspiel; a ~ beast ein königliches Tier. **3.** *fig.* (*a. colloq.*) prächtig, herrlich, groß(artig): in ~ spirits (in) glänzender Laune. **4.** edel (*a. chem.*): ~ gases Edelgase. **5.** *fig.* gewaltig, riesig: ~ dimensions; → battle royal. **II** *s* **6.** *colloq.* Mitglied *n* des Königshauses: the ~s die königliche Familie. **7.** *mar.* a) Oberbramsegel *n*, b) Oberbram-, Royalstenge *f.* **8.** → a) royal antler, b) royal stag, c) royal flush, d) royal palm, e) royal paper.

Roy·al| A·cad·e·my *s Br.* (*die*) Königliche Akade'mie der Künste. **~ Air Force** *s* (*die*) Royal Air Force, (*die*) (Königlich) Brit. Luftwaffe. **r~ an·te·lope** *s zo.* 'Zwerganti,lope *f.* **r~ antler** *s zo.* **1.** dritte Sprosse des Hirschgeweihs. **2.** Kapi'talhirschgeweih *n.* **r~ blue** *s* Königsblau *n* (*Farbe*). **r~ burgh** *s Scot.* korpo'rierte Stadt. **r~ coach·man** *s irr* Königskutscher *m* (*Angelfliege*). **r~ col·o·ny** *s* 'Kronkolo,nie *f.* **~ En·gi·neers** *s pl* (*das*) (Königlich) Brit. Pio'nierkorps. **~ Exchange** *s* (*die*) Londoner Börse (*Gebäude*). **r~ flush** *s Poker*: Royal Flush *m* (*die obersten 5 Karten e-r Farbe in 'einer Hand*). **~ Hu·mane So·ci·e·ty** *s* (*die*) (Königlich) Brit. Lebensrettungsgesellschaft. **~ In·sti·tu·tion** *s Königliches Institut zur Verbreitung der Naturwissenschaften.*

roy·al·ism [ˈrɔiə,lizəm] *s* **1.** Roya'lismus *m*, Königstreue *f.* **2.** Monar'chismus *m.* '**roy·al·ist I** *s* **1.** Roya'list(in), Königstreue(r *m*) *f.* **2.** *Am.* Unentwegte(r *m*) *f.* **II** *adj* **3.** roya'listisch, königstreu: to be more ~ than the King *fig.* päpstlicher als der Papst sein.

Roy·al| Oak *s hist.* Königseiche *f* (*in der Charles II sich nach s-r Niederlage 1651 verbarg*). **r~ oc·ta·vo** *s Format etwa von der Größe* $6^1/_2 \times 10$ *Zoll.* **r~ palm** *s bot.* Königspalme *f.* **r~ pa·per** *s* Roy'alpa,pier *n* (*Schreibpapier vom Format 19 × 24 Zoll od. Druckbogen vom Format 20 × 25 Zoll*). **~ Psalm·ist** *s Bibl.* (*der*) königliche Psalmensänger (*David*). **r~ purple** *s* tiefblauer Purpur. **r~ road** *s fig.* bequemer Weg: ~ to learning (*etwa*) Nürnberger Trichter *m*; there is no ~ to learning ohne Fleiß kein Preis. **r~ sail** *s mar.* Oberbramsegel *n.* **~ So·ci·e·ty (of Lon·don for the Ad·vance·ment of Sci·ence)** *s* (*die*) Königlich Brit. Akade'mie der Na'turwissenschaften, (*die*) Royal So'ciety. **r~ speech** *s* Thronrede *f.* **r~ stag** *s hunt.* Kapi'talhirsch *m.* **r~ ti·ger** *s zo.* Königstiger *m.*

roy·al·ty [ˈrɔiəlti] *s* **1.** *econ. jur.* (Au'toren- *etc*)Tanti,eme *f*, Gewinnanteil *m*: to get a ~ on e-e Tantieme erhalten auf (*acc*). **2.** *jur.* a) Li'zenzgebühr *f*, b) Li'zenz *f*: ~ fees Patentgebühren; subject to payment of royalties lizenzpflichtig. **3.** *jur. bes. hist.* Re'gal *n*, (*königliches od. staatliches*) Privi'leg: a) Schürfrecht *n*, b) Zehntrecht *n.* **4.** *jur. bes. hist.* Abgabe *f* an den Besitzer *od.* die Krone, Pachtgeld *n*, (*der*) Grundzehnte: mining ~ Bergwerksabgabe *f.* **5.** Krongut *n.* **6.** Königtum *n*: a) Königreich *n*, b) Königswürde *f*: insignia of ~ Kroninsignien. **7.** königliche Abkunft. **8.** a) fürstliche Per'sönlichkeit, Mitglied *n* des *od.* e-s Königshauses, b) *collect. od. pl* Fürstlichkeiten *pl*, c) Königshaus *n*, königliche Fa'milie. **9.** königliche Größe, Maje'stät *f* (*a. fig.*). **10.** *fig.* Großzügigkeit *f.* **11.** mon'archische Re'gierung.

Roys·ton crow [ˈrɔistən] *s orn. Br.* Nebelkrähe *f.*

rub [rʌb] **I** *s* **1.** (Ab)Reiben *n*, Abreibung *f*, Strich *m* (*mit der Bürste etc*): to give s.th. a ~ etwas reiben. **2.** *fig.* Schwierigkeit *f*, ,Haken' *m*: there's the ~! *colloq.* ,da liegt der Hase im Pfeffer', das ist der wunde Punkt; there's a ~ in it *colloq.* die Sache hat e-n Haken. **3.** Unannehmlichkeit *f*: the ~s of life. **4.** *fig.* Stiche'lei *f.* **5.** rauhe *od.* aufgeriebene Stelle. **6.** Unebenheit *f.* **7.** *Bowlingspiel etc*: a) Ablenkung *f* (*der Kugel*), b) Hindernis *n.*

II *v/t* **8.** reiben: to ~ one's hands *a. fig.* sich die Hände reiben; to ~ shoulders with *fig.* in nähere Berührung kommen mit, *j-m* nahestehen, verkehren mit; it ~s me the wrong way *fig.* es geht mir gegen den Strich; to ~ s.o. the wrong way *fig.* j-n ,verschnupfen' *od.* verstimmen. **9.** reiben, streichen: to ~ one's hand over mit der Hand fahren über (*acc*). **10.** einreiben (with mit *e-r Salbe etc*): → rub in. **11.** streifen, reiben an (*dat*). **12.** (wund) scheuern. **13.** a) scheuern, schaben, b) abwischen, c) po'lieren, d) wichsen, bohnern, e) abreiben, frot'tieren. **14.** *tech.* a) *Nadeln* streichen, b) (ab)schleifen, (ab)feilen: to ~ with emery (pumice) abschmirgeln (abbimsen). **15.** *print.* e-n Reli'efdruck machen von, abklatschen. **16.** *hunt. das Gehörn* fegen (*Rotwild etc*).

III *v/i* **17.** reiben, streifen (against, upon, on an *dat*, gegen). **18.** *fig.* sich mühen *od.* schlagen (through durch).

Verbindungen mit Adverbien:

rub| a·long *v/i* **1.** sich (mühsam) 'durchschlagen. **2.** auskommen. **~ a·way** *v/t* wegreiben, -wischen. **~ down** *v/t* **1.** abreiben, frot'tieren. **2.** *ein Pferd* striegeln. **3.** wegreiben. **~ in** *v/t* **1.** *a. e-e Zeichnung* einreiben. **2.** *sl.* ,her'umreiten' auf (*dat*): don't rub it in!; to rub it in ,es e-m unter die Nase reiben'. **~ off I** *v/t* **1.** abreiben, abschleifen. **2.** *fig. s-e Scheu etc* ablegen. **II** *v/i* **3.** sich weg- *od.* abreiben lassen. **4.** abgehen, abgerieben werden. **5.** *Am. colloq.* ,abhauen'. **6.** ,(ab)gehen', (*sich gut verkaufen lassen*). **~ out I** *v/t* **1.** 'ausra,dieren. **2.** wegwischen, -reiben. **3.** her'ausreiben. **4.** *colloq.* auslöschen, vernichten. **5.** *colloq.* ,'umlegen' (*töten*). **II** *v/i* **6.** sich wegreiben *od.* 'ausra,dieren lassen. **7.** sich 'durchreiben. **~ through I** *v/t* **1.** 'durchreiben. **II** *v/i*

2. → rub out 7. **3.** *fig.* → rub along. ~ **up** *v/t* **1.** ('auf)poˌlieren. **2.** *fig.* a) *Kenntnisse etc* auffrischen, *etwas* wieder in Erinnerung bringen, b) *das Gedächtnis etc* stärken. **3.** *Farben etc* verreiben.

rub-a-dub ['rʌbəˌdʌb] *s* ,Ta'ramtamtam' *n*, Trommelwirbel *m*, -schlag *m*.

rub·ber[1] ['rʌbər] **I** *s* **1.** (Na'tur)Kautschuk *m*, Gummi *n*, *m*. **2.** (Ra'dier)Gummi *m*. **3.** *a.* ~ **band** Gummiring *m*, -band *n*, (Dichtungs)Gummi *m*. **4.** *a.* ~ **tire** (*od.* **tyre**) Gummireifen *m*. **5.** *pl Am.* a) *colloq.* Gummischuhe *pl*, ('Gummi)ˌÜberschuhe *pl*, b) *sl.* Gummi(schutz) *m* (*Kondom*). **6.** a) Reiber *m*, b) Po'lierer *m*, c) Schleifer *m*. **7.** Mas'seur *m*, Mas'seuse *f*. **8.** 'Pferdemasˌseur *m*. **9.** Reibzeug *n*. **10.** *fig.* Stiche'lei *f*. **11.** Bohnerbürste *f*. **12.** a) Frot'tier(hand)tuch *n*, b) Frot'tierhandschuh *m*. **13.** a) Wischtuch *n*, b) Po'liertuch *n*, -kissen *n*, c) *Br.* Geschirrtuch *n*. **14.** Reibfläche *f* (*e-r Streichholzschachtel*). **15.** *tech.* Schleifstein *m*. **16.** *Buchbinderei*: Rückeneisen *n*. **17.** *tech.* a) Grobfeile *f*, b) Liegefeile *f* (*der Goldschmiede*). **18.** *tech.* a) *print.* Farbläufer *m*, Reiber *m*, b) 'Anreibmaˌschine *f* (*der Buchbinder*). **19.** *electr.* Reibkissen *n*. **20.** *tech.* 'Schmirgelpaˌpier *n*. **21.** *tech.* (weicher) Formziegel. **22.** *Eishockey*: Puck *m*. **23.** *Baseball*: (Hartgummi)Platte *f*. **24.** → rubberneck I. **II** *v/t* **25.** → rubberize. **III** *v/i* **26.** *Am. colloq.* → rubberneck III. **IV** *adj* **27.** Gummi...: ~ **solution** Gummilösung *f*.

rub·ber[2] ['rʌbər] *s Kartenspiel*: Robber *m*: a) *Folge von* (*meist drei*) *Partien*, b) *ausschlaggebende* (*meist dritte*) *Partie*.

rub·ber| boat *s* Schlauchboot *n*. ~ **cement** *s tech.* Gummilösung *f*. ~ **check** *s econ. Am. colloq.* geplatzter Scheck. '~-ˌ**coat·ing** *s* Gum'mierung *f*. ~ **dinghy** *s* Schlauchboot *n*. '~-ˌ**file** → rubber[1] 17.

rub·ber·ize ['rʌbəˌraiz] *v/t tech.* mit Gummi imprä'gnieren *od.* über'ziehen, gum'mieren.

'rub·ber|ˌneck *Am. sl.* **I** *s* **1.** Gaffer(in), Schaulustige(r *m*) *f*, Neugierige(r *m*) *f*. **2.** Tou'rist(in) (*bes. auf Besichtigungsfahrt*). **II** *adj* **3.** neugierig, schaulustig. **III** *v/i* **4.** neugierig gaffen, ,sich den Hals verrenken'. **5.** die Sehenswürdigkeiten e-r Stadt *etc* betrachten. **IV** *v/t* **6.** neugierig betrachten. ~ **plant** *s bot.* Kautschukpflanze *f*, *bes.* Gummibaum *m*. ~ **stamp** *s* **1.** Gummistempel *m*. **2.** *Am. colloq.* a) (*bloßer*) Jasager, bloßes Werkzeug, b) Nachbeter *m*. **3.** *Am.* a) Kli'schee *n*, (abgedroschene) Phrase, b) Scha'blone *f*, stereo'type Sache. ˌ~-'**stamp** *v/t* **1.** (ab)stempeln. **2.** *colloq. bes. Am.* (rou'tinemäßig) genehmigen. ~ **tree** *s bot.* **1.** Gummibaum *m*. **2.** Kautschukbaum *m*.

rub·ber·y ['rʌbəri] *adj* gummiartig, Gummi...

rub·bing ['rʌbiŋ] *s* **1.** *phys.* Frikti'on *f*, Reibung *f*. **2.** *print.* Reiberdruck *m*. **3.** *tech.* Abrieb *m*. ~ **con·tact** *s electr.* 'Reibe-, 'Schleifkonˌtakt *m*. ~ **cloth** *s* Wisch-, Scheuertuch *n*. '~ˌ**stone** *s* Schleif-, Wetz-, Reibestein *m*. ~ **varnish** *s tech.* Schleiflack *m*. ~ **wax** *s* Bohnerwachs *n*.

rub·bish ['rʌbiʃ] *s* **1.** Abfall *m*, Kehricht *m*, *n*, Müll *m*. **2.** (Gesteins)Schutt *m* (*a. geol.*). **3.** *colloq.* Schund *m*, Plunder *m*, Kitsch *m*. **4.** *colloq.* ,Quatsch' *m*, Blödsinn *m*. **5.** *Bergbau*: (*über Tage*) Abraum *m*, (*unter Tage*) Gangmasse *f*. ~ **chute** *s* Müllschlukker *m*.

rub·bish·y ['rʌbiʃi], *a.* '**rub·bish·ing** [-iŋ] *adj* **1.** *colloq.* Schund..., kitschig, wertlos. **2.** schuttbedeckt.

rub·ble ['rʌbl] *s* **1.** Bruchsteine *pl*, Schotter *m*. **2.** Bruchstein *m*. **3.** *geol.* (Stein)Schutt *m*, Geschiebe *n*. **4.** Feldstein- *od.* (rohes) Bruchsteinmauerwerk *n*. **5.** loses Packeis. ~ **ma·son·ry** → rubble 4. '~ˌ**stone** → rubble 2. '~ˌ**work** → rubble 4.

'rubˌdown *s* Abreibung *f* (*a. fig.*): **to have a** ~ sich abreiben *od.* frottieren.

rube [ru:b] *s Am. sl.* (*a.* Bauern)Trottel *m*.

ru·be·fa·cient [ˌru:bi'feiʃənt; -ʃiənt] *med.* **I** *adj* (*bes.* haut)rötend. **II** *s* (*bes.* haut)rötendes Mittel. ˌ**ru·be'fac·tion** [-'fækʃən] *s med.* Hautröte *f*, -rötung *f*.

'ru·beˌfy [-ˌfai] *v/t bes. med.* rot färben.

ru·bel·la [ru:'belə] *s med.* Röteln *pl*.

ru·be·o·la [ru:'bi:ələ] *s med.* **1.** Masern *pl*. **2.** → rubella.

Ru·bi·con ['ru:biˌkɒn] *npr*: **to pass** (*od.* **cross**) **the** ~ *fig.* den Rubikon überschreiten.

ru·bi·cund ['ru:bikənd] *adj poet.* rötlich, rot, rosig. ˌ**ru·bi'cun·di·ty** [-'kʌnditi] *s* Röte *f*, rosiges Aussehen.

ru·bi·fy → rubefy.

ru·big·i·nous [ru:'bidʒinəs] *adj* rostbraun.

ru·ble ['ru:bl] *s* Rubel *m* (*russische Münzeinheit*).

ru·bric ['ru:brik] **I** *s* **1.** *print.* Ru'brik *f*: a) (roter) Titelkopf *od.* -buchstabe, b) (besonderer) Abschnitt. **2.** *relig.* Ru'brik *f*, li'turgische Anweisung. **II** *adj* **3.** rot (gedruckt *etc*), rubri'ziert.

ru·bri·cate ['ru:briˌkeit] *v/t* **1.** rot bezeichnen: ~**d letters** *print.* Buchstaben in roter Schrift. **2.** rubri'zieren: a) mit Ru'briken versehen, b) in Ru'briken anordnen. '**ru·briˌca·tor** [-tər] *s* Rubri'kator *m*, *bes. hist.* Initi'alenmaler *m*.

'rubˌstone *s* Schleifstein *m*.

ru·by ['ru:bi] **I** *s* **1.** *a.* **true** ~, **Oriental** ~ *min.* Ru'bin *m*. **2.** (Wein-, Ru'bin)Rot *n*. **3.** *fig.* Rotwein *m*. **4.** *fig.* roter (Haut)Pickel. **5.** *Uhrmacherei*: Stein *m*. **6.** *print. Br.* Pa'riser Schrift *f* (*Fünfeinhalbpunktschrift*). **7.** *orn.* Ru'binkolibri *m*. **II** *adj* **8.** (kar'min-, ru'bin)rot. ~ **cop·per (ore)** *s min.* Cu'prit *m*, Rotkupfererz *n*. ~ **port** *s* dunkelroter Portwein.

ruche [ru:ʃ] *s* Rüsche *f*. **ruched** *adj* gerüscht, mit Rüschen besetzt. '**ruching** *s* **1.** *collect.* Rüschenbesatz *m*, Rüschen *pl*. **2.** Rüschenstoff *m*.

ruck[1] [rʌk] *s Pferderennen*: (*das*) Feld, (*der*) große Haufe (*a. fig.*): **to rise out of the** ~ sich über den Durchschnitt erheben.

ruck[2] [rʌk] **I** *s* Falte *f*, (Haut)Runzel *f*. **II** *v/t oft* ~ **up** hochschieben, zerknüllen, -knittern. **III** *v/i oft* ~ **up** sich runzeln, Falten werfen, hochrutschen.

ruck·sack ['rʌkˌsæk; 'ruk-] (*Ger.*) *s* Rucksack *m*.

ruck·us ['rʌkəs] *Am. sl. für* ruction.

ruc·tion ['rʌkʃən] *s colloq.* **1.** Tohuwa'bohu *n*, wildes Durchein'ander. **2.** Krach *m*, Kra'wall *m*, Streit *m*. **3.** Schläge'rei *f*.

rudd [rʌd] *s ichth.* Rotfeder *f*.

rud·der ['rʌdər] *s* **1.** *mar. tech.* (Steuer)Ruder *n*, Steuer *n* (*a. fig.*). **2.** *aer.* Seitenruder *n*, -steuer *n*: ~ **controls** Seitensteuerung *f*; ~ **unit** Seitenleitwerk *n*. **3.** *fig.* Richtschnur *f*. **4.** *Brauerei*: Rührkelle *f*. '**rud·der·less** *adj* **1.** ohne Ruder. **2.** *fig.* führer-, steuerlos.

rud·di·ness ['rʌdinis] *s* Röte *f*.

rud·dle ['rʌdl] **I** *s min.* Rötel *m*. **II** *v/t* mit Rötel (be)zeichnen, rot färben.

rud·dock ['rʌdək] *s orn. dial.* Rotkehlchen *n*.

rud·dy ['rʌdi] **I** *adj* (*adv* **ruddily**) **1.** rot, rötlich, gerötet. **2.** frisch, gesund (*Gesichtsfarbe*), rotbackig. **3.** *Br. sl.* ,verflixt', verdammt. **II** *v/t* **4.** rot färben *od.* machen.

rude [ru:d] *adj* (*adv* ~**ly**) **1.** grob, unverschämt. **2.** rüde, ungehobelt. **3.** ungeschlacht, plump. **4.** *allg.* primi'tiv: a) 'unziviliˌsiert, b) ungebildet, c) unwissend, d) kunstlos, e) behelfsmäßig. **5.** wirr (*Masse*): ~ **chaos** chaotischer Urzustand. **6.** unverarbeitet, Roh...: ~ **fare** Rohkost *f*; ~ **produce** Rohprodukt(e *pl*) *n*. **7.** heftig, wild: ~ **storm**; ~ **passions**. **8.** roh, derb, unsanft: **a** ~ **awakening** ein unsanftes Erwachen. **9.** rauh: ~ **climate**; **a** ~ **winter**. **10.** hart: **a** ~ **lot (time, work,** *etc*). **11.** holp(e)rig: **a** ~ **lane**. **12.** wild, zerklüftet: **a** ~ **landscape**. **13.** a) ungefähr, grob: ~ **estimate**, b) flüchtig: **a** ~ **sketch**; ~ **observer** oberflächlicher Beobachter. **14.** ro'bust, unverwüstlich (*Gesundheit*): **to be in** ~ **health** vor Gesundheit strotzen.

'rude·ness *s* **1.** Grobheit *f*, Unverschämtheit *f*: ~ **must be met with** ~ auf e-n groben Klotz gehört ein grober Keil. **2.** Roheit *f*. **3.** Heftigkeit *f*. **4.** Primitivi'tät *f*. **5.** Unebenheit *f* (*des Weges*). **6.** Rauheit *f*, Wildheit *f*.

ru·di·ment ['ru:dimənt] *s* **1.** erster Anfang, Ansatz *m*, Grundlage *f*. **2.** *pl* Anfangsgründe *pl*, Grundlagen *pl*, Rudi'mente *pl*: **the** ~**s of science**. **3.** *biol.* Rudi'ment *n*. **ru·di'men·tal** [-'mentl] → rudimentary. ˌ**ru·di'men·ta·ri·ness** *s* rudimen'tärer Zustand. ˌ**ru·di'men·ta·ry** [-təri] *adj* (*adv* **rudimentarily**) **1.** elemen'tar, Anfangs... **2.** rudimen'tär (*a. biol.*).

rue[1] [ru:] *s bot.* Gartenraute *f* (*Sinnbild der Reue*).

rue[2] [ru:] **I** *v/t* **1.** bereuen, bedauern, *ein Ereignis* verwünschen: **he will live to** ~ **it** er wird es noch bereuen. **II** *s obs. od. dial. od. Scot.* **2.** Reue *f*. **3.** Enttäuschung *f*. **4.** Mitleid *n*.

rue·ful ['ru:fəl; -ful] *adj* (*adv* ~**ly**) **1.** kläglich, jämmerlich: **the Knight of the R**~ **Countenance** der Ritter von der traurigen Gestalt (*Don Quichotte*). **2.** wehmütig, trübselig. **3.** reumütig. **4.** *obs.* mitleidig. '**rue·ful·ness** *s* **1.** Gram *m*, Traurigkeit *f*. **2.** Jammer *m*.

ru·fes·cent [ru:'fesnt] *adj* rötlich.

ruff[1] [rʌf] *s* **1.** Halskrause *f* (*a. orn. zo.*). **2.** Man'schette *f* (*um Blumentöpfe etc*). **3.** Rüsche *f*. **4.** *orn.* a) Haustaube *f* mit Halskrause, b) Kampfläufer *m*.

ruff[2] [rʌf] (*Kartenspiel*) **I** *s* **1.** Trumpfen *n*, Stechen *n*. **II** *v/t u. v/i* mit Trumpf stechen.

ruff[3], **ruffe** [rʌf] *s ichth.* Kaulbarsch *m*.

ruf·fi·an ['rʌfjən; -fiən] **I** *s* **1.** Rohling *m*, Raufbold *m*. **2.** Halsabschneider *m*, Schurke *m*. **II** *adj* **3.** roh, bru'tal, gewalttätig. **4.** wild. '**ruf·fi·anˌism** *s* Roheit *f*, Gewalttätigkeit *f*, Brutali'tät *f*. '**ruf·fi·an·ly** → ruffian II.

ruf·fle ['rʌfl] **I** *v/t* **1.** kräuseln: **to** ~ **the waves**; **to** ~ **cloth**. **2.** kraus ziehen: **to** ~ **one's brow**. **3.** *s-e Federn, Haare* sträuben: **to** ~ **one's feathers** sich aufplustern (*a. fig.*), sich aufregen. **4.** zerzausen: **to** ~ **s.o.'s hair**. **5.** *Papier etc* zerknüllen, -knittern. **6.** durchein-

'anderbringen, -werfen. **7.** *j-n* aus der Fassung bringen, aufregen, (ver)ärgern: to ~ s.o.'s temper j-n verstimmen. **8.** aufrauhen. **9.** schnell 'durchblättern: to ~ the pages. **10.** *Karten* mischen. **II** *v/i* **11.** sich kräuseln. **12.** die Ruhe verlieren. **13.** *fig.* sich aufplustern, sich aufspielen, anmaßend auftreten. **14.** zerknüllt *od.* zerzaust werden, in Unordnung geraten. **III** *s* **15.** Kräuseln *n.* **16.** Rüsche *f*, Krause *f.* **17.** *orn.* Halskrause *f.* **18.** a) Störung *f*, b) Aufregung *f*, Verwirrung *f*: without ~ or excitement in aller Ruhe. **19.** *tech.* Man'schette *f.*

ruf·fler ['rʌflər] *s obs.* Prahlhans *m.*

ru·fous ['ru:fəs] *adj* rötlich-, rotbraun.

rug [rʌg] *s* **1.** (kleiner) Teppich, (Ka'min-, Bett)Vorleger *m*, Brücke *f.* **2.** *bes. Br.* dicke wollene (Reise- *etc*)-Decke.

ru·ga ['ru:gə] *pl* '**ru·gae** [-dʒi:] *s anat.* Falte *f.* '**ru·gate** [-git; -geit] *adj* faltig.

Rug·by (foot·ball) ['rʌgbi] *s sport* Rugby *n* (*Ballspiel*).

rug·ged ['rʌgid] *adj* **1.** a) zerklüftet, wild: a ~ landscape, b) zackig, schroff: a ~ cliff, c) felsig: ~ mountain. **2.** durch'furcht (*Gesicht etc*), uneben (*Boden etc*), holp(e)rig (*Weg etc*), gefurcht (*Stirn*), runz(e)lig. **3.** rauh: ~ bark (cloth, *etc*). **4.** *fig.* rauh, grob, ruppig: a ~ game; ~ manners; ~ individualism krasser Individualismus; life is ~ das Leben ist hart. **5.** *bes. Am.* ro'bust, stark, sta'bil (*alle a. tech.*). '**rug·ged·ly** *adv* unsanft, heftig, ungestüm, grob. '**rug·ged·ness** *s* **1.** Schroff-, Wildheit *f.* **2.** Rauheit *f*, Derbheit *f.* **3.** *Am.* Ro'bustheit *f.*

Rug·ger ['rʌgər] *Br. colloq. für* Rugby (football).

ru·gose ['ru:gous; ru:'gous] *adj bes. bot.* runz(e)lig. **ru'gos·i·ty** [-'gɒsiti] *s* **1.** Runz(e)ligkeit *f.* **2.** Runzel *f.*

ru·in ['ru(:)in] **I** *s* **1.** Ru'ine *f* (*a. fig.*): ~ marble Florentiner Marmor *m.* **2.** *pl* a) Ru'inen *pl*, Trümmer *pl*, b) Ru'ine *f*: a castle in ~s ein verfallenes Schloß, e-e Burgruine; to lie in ~s in Trümmern liegen; to lay in ~s zertrümmern, in Schutt u. Asche legen. **3.** Verfall *m*: to go to ~ a) verfallen, b) zugrunde gehen. **4.** (*a. finanzieller*) Ru'in *od.* Zs.-bruch, Verderben *n*, 'Untergang *m*: drinking will be the ~ of him das Trinken wird ihn (noch) zugrunde richten; to bring to ~ → 6; the ~ of my hopes (plans) die Vernichtung m-r Hoffnungen (Pläne). **II** *v/t* **5.** vernichten, zerstören. **6.** *j-n, a. e-e Sache, j-s Gesundheit etc* rui'nieren, zu'grunde richten, *Hoffnungen, Pläne* zu'nichte machen, *Aussichten etc* verderben, *j-s Gesundheit* zerrütten: to ~ one's eyes sich die Augen verderben; to ~ good English die englische Sprache verhunzen. **7.** verführen, entehren: to ~ a girl. **III** *v/i* **8.** *bes. poet.* krachend einstürzen, zerfallen.

ru·in·ate ['ru(:)iˌneit] *v/t* → ruin 5 *u.* 6. ˌ**ru·in'a·tion** *s* **1.** Zerstörung *f*, Vernichtung *f.* **2.** *colloq.* Verderben *n*, 'Untergang *m.* **3.** Ru'in *m.*

ru·ined ['ru(:)ind] *adj* **1.** zer-, verfallen. **2.** rui'niert, zu'grunde gerichtet, verdorben.

ru·in·ous ['ru(:)inəs] *adj* (*adv* ~ly) **1.** verderblich, mörderisch, rui'nierend, rui'nös: ~ price a) ruinöser *od.* enormer Preis, b) Schleuderpreis *m.* **2.** zer-, verfallend, baufällig, ru'inenhaft. '**ru·in·ous·ness** *s* **1.** Verderblichkeit *f*, Heillosigkeit *f.* **2.** Baufälligkeit *f.*

rule [ru:l] **I** *s* **1.** Regel *f*, Nor'malfall *m*, (*das*) Übliche: as a ~ in der Regel, normalerweise; as is the ~ wie es allgemein üblich ist, wie gewöhnlich; to become the ~ zur Regel werden; to make it a ~ to do es sich zur Regel machen zu tun; my ~ is to, it is a ~ with me to ich habe es mir zur Regel gemacht zu; by all the ~s eigentlich; → exception 1. **2.** *sport etc* (Spiel)-Regel *f* (*a. fig.*), Richtschnur *f*, Grundsatz *m*: against the ~s regelwidrig; ~s of action (*od.* conduct) Verhaltungsmaßregeln, Richtlinien; ~ of thumb Faustregel; by ~ of thumb auf praktischem Wege, über den Daumen (gepeilt); to serve as a ~ als Richtschnur *od.* Maßstab dienen. **3.** *jur.* a) Vorschrift *f*, (gesetzliche) Bestimmung, Norm *f*, b) (gerichtliche) Entscheidung, c) Rechtsgrundsatz *m*: by ~, according to ~ laut Vorschrift; to work to ~ sich (peinlich) genau an die (Dienst)Vorschriften halten (*als Streikmittel*); ~s of the air Luftverkehrsregeln; → road 2. **4.** *pl* (Geschäfts-, Gerichts- *etc*)Ordnung *f*: (standing) ~s of court *jur.* Prozeßordnung; ~s of procedure a) Verfahrensordnung, b) Geschäftsordnung. **5.** *a.* standing ~ Satzung *f*: against the ~s satzungswidrig; the ~s (and by-laws) die Satzungen, die Statuten. **6.** *econ.* U'sance *f*, Handelsbrauch *m.* **7.** *math.* Regel *f*, Rechnungsart *f*: ~ of trial and error Regula *f* falsi; ~ of proportion, ~ of three Regeldetri *f*, Dreisatz *m*; ~ of sums Summenregel. **8.** *relig.* (Ordens)Regel *f.* **9.** Herrschaft *f*, Re'gierung *f*: during (*od.* under) the ~ of während (*od.* unter) der Regierung (*gen*); ~ of law Rechtsstaatlichkeit *f.* **10.** a) Line'al *n*, Maßstab *m*, b) *a.* folding ~ Zollstock *m*: → slide rule. **11.** *tech.* a) Richtscheit *n*, b) Winkel(eisen *n*, -maß *n*) *m.* **12.** *print.* a) (Messing)Linie *f*: ~ case Linienkasten *m*, b) Ko'lumnenmaß *n* (*Satzspiegel*), c) *Br.* Strich *m*: em ~ Gedankenstrich; en ~ Halbgeviert *n.* **13.** *meist pl hist.* a) *Gebiet in der Nähe mancher Gefängnisse, in dem sich Gefangene gegen Kaution aufhalten konnten*, b) *Erlaubnis, in e-m solchen Bezirk zu leben.*

II *v/t* **14.** *ein Land etc, a. fig. ein Gefühl etc* beherrschen, herrschen *od.* Gewalt haben über (*acc*), re'gieren: to ~ the roast (*od.* roost) *fig.* das Regiment *od.* Wort führen, herrschen; to ~ o.s. sich beherrschen. **15.** lenken, leiten: to be ~d by sich leiten lassen von *e-m Prinzip etc.* **16.** *fig.* (vor)herrschen in (*dat*). **17.** anordnen, verfügen, bestimmen, entscheiden (that daß): to ~ out a) *j-n od. etwas* ausschließen (*a. sport*), b) *etwas* ablehnen; to ~ s.th. out of order etwas nicht zulassen *od.* für regelwidrig erklären; to ~ s.o. out of order j-m das Wort entziehen. **18.** a) *Papier* li'nieren, b) *e-e Linie* ziehen: to ~ s.th. out etwas durchstreichen; ~d paper a) liniertes Papier, b) *Weberei*: Musterpapier *n.*

III *v/i* **19.** herrschen *od.* re'gieren (over über *acc*). **20.** entscheiden (in s.o.'s favo[u]r zu j-s Gunsten). **21.** *econ. hoch etc* stehen, liegen, no'tieren: to ~ high (low). **22.** vorherrschen. **23.** gelten, in Kraft sein (*Recht etc*).

rul·er ['ru:lər] *s* **1.** Herrscher(in). **2.** Line'al *n.* **3.** Richtscheit *n*, -maß *n.* **4.** *tech.* Li'niermaˌschine *f.*

rul·ing ['ru:liŋ] **I** *s* **1.** *jur.* (gerichtliche *od.* richterliche) Entscheidung. **2.** Linie *f*, Linien *pl.* **3.** Herrschaft *f.* **II** *adj* **4.** herrschend. **5.** *fig.* (vor)herrschend. **6.** *fig.* maßgebend, grundlegend: ~ case. **7.** *econ.* bestehend, laufend: ~ price Tagespreis *m.* ~ **pen** *s* Reißfeder *f.*

rum[1] [rʌm] *s* **1.** Rum *m.* **2.** *Am.* Alkohol *m.*

rum[2] [rʌm] *adj bes. Br. sl.* **1.** ‚komisch' (*eigenartig*): a ~ customer ein gefährlicher Bursche; ~ go dumme Geschichte *od.* Sache (*Vorkommnis*); a ~ one (*od.* un) a) ‚ein komischer Vogel', b) ‚was Komisches'; a ~ start e-e ‚tolle' Überraschung. **2.** ulkig, drollig.

Ru·ma·ni·an [ru:'meinjən; -njən], *a.* **Ru·man** ['ru:mən] **I** *adj* **1.** ru'mänisch. **II** *s* **2.** Ru'mäne *m*, Ru'mänin *f.* **3.** Ru'mänisch *n*, das Rumänische.

Ru·mansh [ru:'mænʃ] → Romans(c)h.

rum·ble[1] ['rʌmbl] **I** *v/i* **1.** poltern (*a. Stimme*), rattern (*Gefährt, Zug etc*), rumpeln, (g)rollen (*Donner*), knurren (*Magen*). **II** *v/t* **2.** *a.* ~ out *Worte* her'auspoltern. **3.** *ein Lied* grölen, brüllen. **4.** *tech.* in der Po'liertrommel bearbeiten. **III** *s* **5.** Poltern *n*, Gepolter *n*, Rattern *n*, Dröhnen *n*, Rumpeln *n*, Rollen *n* (*des Donners*). **6.** *fig.* Grollen *n*, Unruhe *f.* **7.** Rumpelgeräusch *n* (*des Schallplattentellers*). **8.** *tech.* Po'liertrommel *f.* **9.** a) Bedientensitz *m*, b) Gepäckraum *m*, c) → rumble seat. **10.** *Am. sl.* Straßenkampf *m* (*zwischen jugendlichen Banden*).

rum·ble[2] ['rʌmbl] *sl.* **I** *v/t* **1.** *j-n* durch'schauen. **2.** *etwas* ‚spitzkriegen' (*durchschauen, entdecken*). **3.** *Am. j-n* argwöhnisch machen. **II** *s* **4.** *Am.* a) Razzia *f*, b) Entlarvung *f.*

rum·ble| seat *s mot. Am.* Not-, Klappsitz *m.* '~-ˌ**tum·ble** *s* **1.** ‚Rumpelkasten' *m* (*Fahrzeug*). **2.** Gerumpel *n.*

rum·bus·tious [rʌm'bʌstʃəs] *adj colloq.* wild, ausgelassen, randa'lierend.

ru·men ['ru:men] *pl* **-mi·na** [-minə] *s zo.* Pansen *m.*

ru·mi·nant ['ru:minənt] **I** *adj* **1.** *zo.* 'wiederkäuend: ~ stomach Wiederkäuermagen *m.* **2.** *fig.* nachdenklich, grübelnd. **II** *s* **3.** *zo.* 'Wiederkäuer *m.*

ru·mi·nate ['ru:miˌneit] **I** *v/i* **1.** 'wiederkäuen. **2.** *fig.* grübeln (on, over über *acc*). **II** *v/t* **3.** 'wiederkäuen. **4.** *fig.* (*bes.* gründlich) über'legen. ˌ**ru·mi'na·tion** *s* **1.** 'Wiederkäuen *n.* **2.** *fig.* Nachsinnen *n*, Grübeln *n.* '**ru·miˌna·tive** *adj* (*adv* ~ly) nachdenklich, grüblerisch.

rum·mage ['rʌmidʒ] **I** *v/t* **1.** durch'stöbern, -'wühlen, wühlen *od.* kramen in (*dat*). **2.** *a.* ~ out, ~ up aus-, her'vorkramen. **II** *v/i* **3.** *a.* ~ about (her'um)-stöbern *od.* (-)wühlen *od.* (-)kramen (about, in in *dat*). **III** *s* **4.** *a.* ~ goods Ramsch *m*, Ausschuß(ware *f*) *m*, Restwaren *pl.* **5.** a) Durch'suchung *f*, b) 'Zollunterˌsuchung *f.* **6.** *obs. od. Am.* Wirrwarr *m.* ~ **sale** *s* **1.** Ramschverkauf *m.* **2.** ('Wohltätigkeits)Baˌzar *m.*

rum·mer ['rʌmər] *s* Römer *m*, ('Wein)Poˌkal *m.*

rum·my[1] ['rʌmi] *s* Rommé *n* (*ein Kartenspiel*).

rum·my[2] ['rʌmi] *s Am. sl.* **1.** Säufer(in). **2.** Schwarzbrenner *m.*

rum·my[3] ['rʌmi] → rum[2] 1.

rum·ness ['rʌmnis] *s* (*das*) ‚Komische' (of an *dat*).

ru·mor, *bes. Br.* **ru·mour** ['ru:mər] **I** *s* **1.** a) Gerücht *n*, b) Gerede *n*: ~ has it, the ~ runs es geht das Gerücht; ~monger Gerüchtemacher(in). **2.** *obs.* Geräusch *n*, Lärm *m.* **II** *v/t* **3.** (als Gerücht) verbreiten (*meist pass*): it is ~ed that man sagt *od.* munkelt *od.* es geht das Gerücht, daß.

rump [rʌmp] *s* **1.** a) *zo.* Steiß *m*, 'Hinterteil *n*, -keulen *pl*, b) *orn.* Bürzel *m*: ~ **bone** Steißbein *n*. **2.** *Schlächterei*: *bes. Br.* Schwanzstück *n*: ~ **steak** Rumpsteak *n*. **3.** Gesäß *n*, 'Hinterteil *n* (*des Menschen*). **4.** *fig.* kümmerlicher Rest, Rumpf *m*: **R~ Parliament, the R~** *hist.* das Rumpfparlament.

rum·ple ['rʌmpl] *v/t* **1.** zerknittern, -knüllen. **2.** *das Haar etc* zerwühlen.

rum·pus ['rʌmpəs] *s colloq.* **1.** Krach *m*, Spek'takel *m*, Kra'wall *m*. **2.** Trubel *m*, Tu'mult *m*. ~ **room** *s Am.* Hobbyraum *m*.

'rum|ˌrun·ner *s bes. Am. colloq.* Alkoholschmuggler *m*. **'~ˌshop** *s Am.* Schnapsladen *m*.

run [rʌn] **I** *s* **1.** Lauf *m* (*a. sport u. fig.*): **in the long ~** *fig.* auf die Dauer, am Ende, schließlich; **in the short ~** fürs nächste; **to be in the ~** *Am.* a) im Rennen liegen, b) *bei e-r Wahl etc* in Frage kommen *od.* kandidieren; **to come down with a ~** schnell *od.* plötzlich fallen (*a. Barometer, Preise etc*); **to go for** (*od.* **take**) **a ~** e-n Lauf machen. **2.** Laufen *n*, Rennen *n*: **to be on the ~** a) (immer) auf den Beinen (*tätig*) sein, b) auf der Flucht sein; **to have a ~ for one's money** sich abhetzen müssen; **to have s.o. on the ~** j-n herumhetzen *od.* -jagen. **3.** Laufschritt *m*: **at** (*od.* **on**) **the ~** im Laufschritt, im Dauerlauf. **4.** Anlauf *m*: **to take a ~** (e-n) Anlauf nehmen. **5.** *Kricket, Baseball*: (erfolgreicher) Lauf. **6.** *mar. mot.* Fahrt *f*. **7.** *oft* **short ~** Spa'zierfahrt *f*. **8.** Abstecher *m*, Ausflug *m* (**to** nach). **9.** *Reiten*: schneller Ga'lopp. **10.** *hunt.* Hatz *f*. **11.** *aer. mil.* (Bomben)Zielanflug *m*. **12.** Zulauf *m*, *bes. econ.* Ansturm *m*, Run *m* (**on** auf *e-e Bank etc*), stürmische Nachfrage (**on** nach *e-r Ware*). **13.** (Laich)Wanderung *f* (*der Fische*). **14.** *mus.* Lauf *m*. **15.** *Am.* (kleiner) Wasserlauf. **16.** *bes. Am.* Laufmasche *f* (*im Strumpf etc*). **17.** *fig.* (Ver)Lauf *m*, Fortgang *m*: **the ~ of events**; **~ of the play** Spielverlauf. **18.** Verlauf *m*: **the ~ of the hills.** **19.** *fig.* a) Ten'denz *f*, b) Mode *f*. **20.** (*a. sport* Erfolgs-, Treffer)Serie *f*, Folge *f*, Reihe *f*: **a ~ of bad (good) luck** e-e Pechsträhne (Glückssträhne). **21.** *Kartenspiel*: Se'quenz *f*. **22.** Auflage *f* (*e-r Zeitung etc*). **23.** *tech.* 'Herstellungsmaße *pl*, -größe *f*, (*Rohr-etc*)Länge *f*, (Betriebs)Leistung *f*, Ausstoß *m*; **~ of mine** a) Fördererz *n*, b) Rohkohle *f*. **24.** *Bergbau*: Ader *f*. **25.** *tech.* a) 'Durchlauf *m* (*e-s Beschickungsguts*), b) Charge *f*, (Beschickungs)Menge *f*. **26.** *tech.* a) 'Arbeitsperiˌode *f*, Gang *m*, b) Bedienung *f* (*e-r Maschine etc*). **27.** *thea., Film*: Laufzeit *f*: **the piece had a ~ of 44 nights** das Stück wurde 44mal hintereinander gegeben. **28.** (*a.* Amts)-Dauer *f*, (-)Zeit *f*: **~ of office**; **~ of validity** Gültigkeitsdauer. **29.** a) Strecke *f*, b) *aer.* Rollstrecke *f*, c) *mar.* Etmal *n* (*vom Schiff in je 24 Stunden zurückgelegte Strecke*). **30.** (**of**) *colloq.* a) freie Benutzung (*gen*), b) freier Zutritt (zu): **he has the ~ of their house** er geht in ihrem Hause ein u. aus. **31.** *bes. Br.* a) Weide *f*, Trift *f*, b) Auslauf *m*, (Hühner)Hof *m*. **32.** a) *hunt.* Wechsel *m*, (Wild)Bahn *f*, b) Maulwurfsgang *m*, Ka'ninchenröhre *f*. **33.** *sport* Bob-, Rodelbahn *f*. **34.** *tech.* a) Bahn *f*, b) Laufschiene *f*, -planke *f*. **35.** *tech.* Rinne *f*, Ka'nal *m*. **36.** *tech.* Mühl-, Mahlgang *m*. **37.** Art *f*, Sorte *f* (*a. econ.*). **38.** *meist* **common ~**, **general ~**, **ordinary ~** 'Durchschnitt *m*, die große Masse: **the common ~** (**of man**) der Durchschnittsmensch; **~ of (the) mill** Durchschnitt(sware *f*) *m*. **39.** Herde *f*. **40.** Schwarm *m* (*Fische*). **41.** *mar.* (Achter-, Vor)Piek *f*. **42.** Länge *f*, Ausdehnung *f*.

II *adj* **43.** geschmolzen: **~ butter** zerlassene Butter. **44.** gegossen, geformt: **~ with lead** mit Blei ausgegossen.

III *v/i pret* **ran** [ræn], *dial.* **run,** *pp* **run** *pres p* **'run·ning 45.** laufen, rennen, eilen, stürzen: **he who ~s may read it** *fig.* das kann man mühelos verstehen. **46.** da'vonlaufen, -rennen, Reiß'aus nehmen. **47.** *sport* a) (um die Wette) laufen, b) (an e-m Lauf *od.* Rennen) teilnehmen, c) *als Zweiter etc* einlaufen: **he ran second** er wurde *od.* war Zweiter; → **also I. 48.** (**for**) a) *pol.* kandi'dieren (für), b) *colloq.* sich bemühen (um). **49.** *fig.* laufen (*Blick, Feuer, Finger, Schauer etc*): **his eyes ran over it** sein Blick überflog es; **to ~ back over the past** Rückschau halten; **this tune (idea) keeps ~ning through my head** diese Melodie (Idee) geht mir nicht aus dem Kopf. **50.** fahren (*a. mar.*), *mar. a.* (*in den Hafen*) einlaufen: **to ~ into port**; **to ~ before the wind** vor dem Winde segeln; → **ashore. 51.** gleiten (*Schlitten etc*), ziehen, wandern (*Wolken etc*). **52.** zu den Laichplätzen ziehen *od.* wandern (*Fische*). **53.** *rail. etc* verkehren, (*auf e-r Strecke*) fahren, ‚gehen'. **54.** fließen, strömen (*beide a. fig.*), rinnen: → **blood** 1 *u.* 4. **55.** lauten (*Schriftstück*): **the letter ~s as follows. 56.** gehen (*Melodie*). **57.** vergehen, -streichen (*Zeit etc*). **58.** dauern: **school ~s from 8—12**; → **running** 15. **59.** laufen (*Theaterstück etc*), gegeben werden. **60.** verlaufen (*Straße etc, a. Vorgang*), sich erstrecken, gehen, führen (*Weg etc*): **a fence ~s along the border**; **my talent (taste) does not ~ that way** dafür habe ich keine Begabung (keinen Sinn). **61.** *tech.* laufen: a) gleiten: **the rope ~s in a pulley**, b) in Betrieb *od.* Gang sein, arbeiten (*Maschine, Motor etc*), gehen (*Uhr, Mechanismus etc*), funktio'nieren: **to ~ hot** sich heißlaufen. **62.** in Betrieb sein (*Hotel, Fabrik etc*). **63.** zer-, auslaufen (*Farbe*). **64.** triefen *od.* tropfen (**with** vor *Nässe etc*), fließen, laufen (*Nase*), 'übergehen, tränen (*Augen*): **to ~ with tears** in Tränen schwimmen. **65.** laufen, rinnen (*Gefäß*): **the jar ~s. 66.** schmelzen (*Metall etc*): **~ning ice** tauendes Eis. **67.** *med.* laufen, eitern. **68.** *oft* **~ up** a) wachsen, wuchern, b) klettern, ranken. **69.** fluten, wogen: **a heavy sea was ~ning** *mar.* es lief e-e schwere See. **70.** *Am.* laufen, fallen (*Maschen*), Laufmaschen bekommen (*Strumpf etc*), aufgehen (*Naht*). **71.** *econ.* a) laufen, b) fällig werden (*Wechsel etc*). **72.** *jur.* gelten, in Kraft sein *od.* bleiben, laufen: **the lease ~s for 7 years** der Pachtvertrag läuft auf 7 Jahre; **the period ~s** die Frist läuft. **73.** *jur.* verbunden *od.* gekoppelt sein: **the easement ~s with the land. 74.** (*mit adj*) werden, sein: **to ~ dry** a) versiegen (*Quelle*), b) austrocknen, c) keine Milch mehr geben (*Kuh*), d) *fig.* erschöpft sein, e) *fig.* sich ausgeschrieben haben (*Autor*); **to ~ short** (*od.* **low**) zur Neige gehen, knapp werden; → **high** 25, **riot** 4, **wild** 17. **75.** *econ.* sich stellen, stehen auf (*dat*) (*Preis, Ware*). **76.** (*im Durchschnitt*) sein, *klein etc* ausfallen: **to ~ small. 77.** geraten (*in e-n bestimmten Zustand*): **to ~ into trouble.**

IV *v/t* **78.** *e-n Weg etc* laufen, einschlagen, *e-e Strecke etc* durch'laufen (*a. fig.*), zu'rücklegen: **to ~ its course** *fig.* s-n Verlauf nehmen; **things must ~ their course** man muß den Dingen ihren Lauf lassen. **79.** fahren (*a. mar.*), *e-e Strecke* be-, durch'fahren: **to ~ 22 knots** *mar.* mit 22 Knoten fahren; **to ~ one's car against a tree** mit dem Wagen gegen e-n Baum fahren. **80.** *Rennen* austragen, laufen, *e-n Wettlauf* machen: **to ~ races** Wettrennen veranstalten. **81.** um die Wette laufen mit, laufen gegen. **82.** *fig.* sich messen mit: **to ~ s.o. close** dicht herankommen an j-n (*a. fig.*). **83.** *Pferd* a) treiben, hetzen, b) laufen lassen, (*für ein Rennen*) aufstellen. **84.** *pol. j-n* als Kandi'daten aufstellen (**for** für). **85.** *hunt.* jagen, *e-e Spur* verfolgen (*a. fig.*): **to ~ to earth** aufstöbern. **86.** *Botengänge od. Besorgungen* machen: **to ~ errands**; **to ~ messages** Botschaften überbringen. **87.** entfliehen (*dat*): **to ~ the country** außer Landes flüchten. **88.** pas'sieren: **to ~ the guard** ungesehen durch die Wache kommen; **to ~ a red light (stop sign)** ein rotes Licht (Haltezeichen) überfahren; → **blockade** 1. **89.** *Vieh* a) treiben, b) weiden lassen. **90.** *mar. rail. etc* fahren *od.* verkehren lassen. **91.** befördern, transpor'tieren. **92.** schmuggeln: **to ~ brandy. 93.** laufen *od.* gleiten lassen: **he ran his fingers over the keys**; **to ~ one's comb through one's hair** (sich) mit dem Kamm durchs Haar fahren. **94.** *tech.* laufen *od.* rollen *od.* gleiten lassen. **95.** *e-n Film* laufen lassen. **96.** *Am. e-e Annonce* veröffentlichen, bringen. **97.** *tech. e-e Maschine etc* laufen lassen, bedienen. **98.** *e-n Betrieb etc* verwalten, führen, leiten, *ein Geschäft, e-e Fabrik etc* betreiben: **to ~ the household** den Haushalt führen *od.* ‚schmeißen'; → **show** 15. **99.** hin'eingeraten (lassen) in (*acc*): **to ~ debts** Schulden machen; **to ~ a firm into debt** e-e Firma in Schulden stürzen; **to ~ the danger of** (*ger*) Gefahr laufen zu (*inf*); → **risk** 1. **100.** geben, fließen lassen, *Wasser etc* führen (*Leitung*): **this faucet ~s hot water. 101.** *Gold etc* (mit sich) führen (*Fluß*). **102.** *Fieber, Temperatur* haben: **to ~ a high temperature. 103.** a) *Metall* schmelzen, b) verschmelzen, c) *Blei etc* gießen. **104.** stoßen, stechen: **to ~ a splinter into one's finger** sich e-n Splitter in den Finger reißen; **to ~ one's head against the wall** *fig.* mit dem Kopf gegen die Wand rennen. **105.** *e-e Linie, e-n Graben, e-e Schnur etc* ziehen, *e-e Straße etc* anlegen, *e-e Brücke* schlagen. **106.** *Bergbau*: *e-e Strecke* treiben. **107.** *electr. e-e Leitung* verlegen, führen. **108.** laufen lassen: **to ~ clothes through a wringer. 109.** schieben, stechen, führen (**through** durch). **110.** (*bei Spielen*) *e-e bestimmte Punktzahl etc* hinterein'ander erzielen: **to ~ fifteen** auf fünfzehn (Punkte *etc*) kommen. **111.** *e-e Schleuse* öffnen: **to ~ dry** leerlaufen lassen. **112.** *e-e Naht etc* mit Vorderstich nähen, heften. **113.** *j-n* belangen (**for** wegen).

Verbindungen mit Präpositionen:

run| a·cross *v/i j-n* zufällig treffen, stoßen auf (*acc*). **~ aft·er** *v/i* hinter (*dat*) ˈherlaufen *od.* sein (*alle a. fig.*): he is greatly ~ er hat großen Zulauf. **~ a·gainst I** *v/i* **1.** zs.-stoßen mit, laufen *od.* fahren gegen: to ~ a rock. **2.** *pol.* kandiˈdieren gegen. **3.** *fig.* a) gegen ... sein, ungünstig sein für, b) anrennen gegen. **II** *v/t* mit *dem Kopf etc* stoßen gegen, mit *dem Wagen etc* fahren gegen. **~ at** *v/i* losstürzen auf (*acc*), angreifen. **~ for** *v/i* **1.** auf (*acc*) zulaufen *od.* losrennen, laufen nach. **2.** ~ it Reißˈaus nehmen. **3.** *fig. u. pol.* → run 48. **~ in·to I** *v/i* **1.** (hinˈein)laufen *od.* (-)rennen in (*acc*). **2.** *mar.* in *den Hafen* einlaufen. **3.** → run against 1. **4.** → run across. **5.** geraten *od.* sich stürzen in (*acc*): to ~ debt (trouble). **6.** werden *od.* sich entwickeln zu. **7.** sich belaufen auf (*acc*): it runs into millions das geht in die Millionen; to ~ money ins Geld laufen; → edition 3. **II** *v/t* **8.** *ein Messer etc* stoßen *od.* rennen in (*acc*). **9.** *etwas* stecken *od.* (ein)führen in (*acc*). **~ off** *v/i* herˈunterfahren *od.* -laufen von: → rail[1] 4. **~ on** *v/i* **1.** handeln von, sich drehen um, betreffen: the conversation ran on politics. **2.** (fortwährend) denken an (*acc*), sich beschäftigen mit. **3.** mit *e-m Treibstoff* fahren: to ~ petrol. **4.** → run across. **~ o·ver I** *v/i* **1.** laufen *od.* gleiten über (*acc*). **2.** überˈfliegen, ˈdurchgehen, -lesen. **II** *v/t* **3.** überˈfahren. **~ through** *v/i* **1.** → run over 2. **2.** kurz erzählen, streifen. **3.** ˈdurchmachen, erleben. **4.** sich hinˈdurchziehen durch. **5.** *ein Vermögen* ˈdurchbringen. **~ to** *v/i* **1.** sich belaufen auf (*acc*). **2.** (aus)reichen für: my money will not ~ that. **3.** sich entwickeln zu, neigen zu. **4.** herˈvorbringen (*a. fig.*). **5.** allzusehr *Blätter etc* treiben (*Pflanze*): to ~ leaves; → fat 7, seed 1. **6.** *colloq.* sich *etwas* leisten. **~ up·on** → run on. **~ with** *v/i* überˈeinstimmen mit.

Verbindungen mit Adverbien:

run| a·bout → run around. **~ a·long** *v/i* (daˈhin)fahren, (-)laufen: ~! *colloq.* ab mit dir!; I have got to ~ now! *colloq.* nun muß ich aber gehen! **~ a·round** *v/i* **1.** herˈum-, umˈherrennen. **2.** sich herˈumtreiben (with mit). **~ a·way** *v/i* daˈvonlaufen, ˈdurchgehen (*a. Pferd, Auto etc*) (from von *od. dat*): to ~ from a subject von e-m Thema abschweifen; to ~ with a) durchgehen mit (*e-r Sache od. j-m*) (*a. Phantasie, Temperament*), b) *e-e Beute* davontragen, c) *fig.* sich verrennen in (*e-e Idee etc*); don't ~ with the idea that glauben Sie ja nicht, daß. **~ down I** *v/i* **1.** herˈab-, hinˈunterlaufen (*a. Tränen etc*). **2.** ablaufen (*Uhr*). **3.** abfließen (*Flut, Wasser etc*). **4.** sinken, abnehmen (*Zahl, Wert etc*). **5.** *fig.* herˈunterkommen. **II** *v/t* **6.** niederrennen, überˈfahren (*a. fig.*). **7.** *mar.* in den Grund bohren. **8.** *j-n* einholen. **9.** *das Wild, a. e-n Verbrecher* zur Strecke bringen. **10.** erschöpfen, *e-e Batterie* zu stark entladen: to be ~ erschöpft *od.* ‚ab' sein. **11.** ausfindig machen, aufstöbern. **12.** herˈabsetzen: a) *Qualität, Preis etc* mindern, b) *fig.* schlecht machen. **13.** herˈunterwirtschaften: to ~ a factory. **~ in I** *v/i* **1.** hinˈein-, herˈeinlaufen: to ~ to s.o. j-n (kurz) besuchen. **2.** überˈeinstimmen (with mit). **3.** *print.* kürzer werden, einlaufen (*Manuskript*). **II** *v/t* **4.** hinˈeinlaufen lassen. **5.** hinˈeinstecken, -stechen. **6.** einfügen (*a. print.*). **7.** *colloq.* ‚einbuchten', einsperren: to ~ a thief. **8.** *tech. e-e Maschine* (sich) einlaufen lassen, *ein Auto etc* einfahren. **~ off I** *v/i* **1.** → run away. **2.** ablaufen, abfließen. **3.** *econ.* ablaufen, fällig werden (*Wechsel etc*). **4.** ~ with *Am. colloq.* ‚mitgehen' lassen *od.* heißen (*stehlen*). **II** *v/t* **5.** *etwas* ‚hinhauen', schnell erledigen. **6.** *ein Gedicht etc* herˈunterrasseln. **7.** ablaufen lassen. **8.** *print.* abdrucken, abziehen. **9.** *ein Rennen etc* a) starten, b) austragen, c) zur Entscheidung bringen. **10.** daˈvonjagen. **~ on I** *v/i* **1.** weiterlaufen. **2.** weitergehen, fortlaufen, fortgesetzt werden (to bis). **3.** daˈhingehen (*Jahre etc*). **4.** (*bes.* unaufhörlich) reden, (fort)plappern. **5.** (*in der Rede etc*) fortfahren. **6.** anwachsen (into zu). **7.** *print.* (ohne Absatz) fortlaufen. **II** *v/t* **8.** *print.* a) fortlaufend setzen, b) anhängen. **~ out I** *v/i* **1.** herˈaus-, hinˈauslaufen (*a. Flüssigkeit*): to ~ of a port *mar.* (aus e-m Hafen) auslaufen. **2.** (aus)laufen (*Gefäß*). **3.** ablaufen (*Zeit etc*), zu Ende gehen. **4.** a) ausgehen, knapp werden (*Vorrat*), b) keinen Vorrat (mehr) haben (of an *dat*): to have ~ of gasoline (*Br.* petrol) kein Benzin mehr haben; we have ~ of this article dieser Artikel ist uns ausgegangen. **5.** sich verausgaben, erschöpft sein. **6.** herˈvorstechen, herˈausragen. **7.** sich erstrecken. **8.** *print.* länger werden (*Text*). **9.** das Spiel *od.* den Kampf beenden (*auf bestimmte Weise*): to ~ a winner als Sieger hervorgehen. **10.** ~ on s.o. *colloq.* j-n im Stich lassen. **II** *v/t* **11.** zu Ende laufen, *e-n Lauf etc* be-, vollˈenden. **12.** hinˈausjagen, -treiben. **13.** *ein Kabel etc* ausrollen. **14.** erschöpfen: to run o.s. out bis zur Erschöpfung laufen; to be ~ a) (*vom Laufen*) ausgepumpt sein, b) ausverkauft sein. **~ o·ver I** *v/i* **1.** hinˈüberlaufen. **2.** ˈüberlaufen, -fließen. **II** *v/t* **3.** *mit dem Auto etc* überˈfahren. **4.** a) *etwas* rasch ˈdurchnehmen, proben, b) schnell ˈdurchgehen *od.* -sehen, (rasch) überˈfliegen. **~ through** *v/t* **1.** durchˈbohren, -ˈstoßen. **2.** *ein Wort* ˈdurchstreichen. **3.** *e-n Zug ohne Halt* ˈdurchfahren lassen. **4.** → run over 4. **~ up I** *v/i* **1.** herˈauf-, hinˈauflaufen, -fahren. **2.** *fig.* schnell anwachsen, hochschießen. **3.** anwachsen *od.* sich belaufen (to auf *acc*). **4.** zulaufen (to auf *acc*). **5.** einlaufen, -gehen (*Kleidung beim Waschen*). **II** *v/t* **6.** anwachsen lassen. **7.** *e-e Rechnung* auflaufen lassen. **8.** *den Preis etc* in die Höhe treiben. **9.** *e-e Mauer etc* errichten, *ein Haus etc* emˈportreiben, schnell aufbauen. **10.** *e-e Flagge etc* aufziehen, hissen. **11.** *tech.* a) *den Flugzeugmotor* abbremsen, b) *den Motor* warmlaufen lassen. **12.** rasch (zs.-)nähen. **13.** *Zahlen* schnell zs.-zählen.

run·a·bout [ˈrʌnəˌbaut] *s* **1.** Herˈumtreiber(in), Landstreicher(in). **2.** *a.* ~ car a) offener Sportzweisitzer, b) Kleinwagen *m.* **3.** leichtes Motorboot. **4.** *Am.* Kleinkind *n.* **~ tick·et** *s rail. Br.* Netzkarte *f.*

run·a·gate [ˈrʌnəˌgeit] *s obs.* **1.** Ausreißer(in). **2.** → runabout 1. **3.** → renegade I.

ˈrun|-aˌround *s Am. colloq.* **1.** *a. med. tech.* ˈUmlauf *m.* **2.** Umˈgehungsstraße *f*, -linie *f.* **3.** Ausflüchte *pl*: to give s.o. the ~ a) j-n von Pontius zu Pilatus schicken, b) j-n hinhalten, j-m ausweichen. **4.** *print.* (*der*) ein Kliˈschee umˈgebende Text. **ˈ~-aˌway I** *s* **1.** Ausreißer *m*, ˈDurchgänger *m* (*a. Pferd*). **2.** *phys.* ˈDurchgehen *n* (*e-s Atomreaktors*). **3.** überˈwältigender Sieg. **II** *adj* **4.** ˈdurchgegangen, flüchtig, entwichen (*Häftling etc*): ~ car Wagen, der sich ‚selbständig' gemacht hat; ~ soldier Deserteur *m*; ~ marriage (*od.* match) Heirat *f* e-s durchgebrannten Liebespaares; ~ race *sport* mühelos *od.* mit großem Vorsprung gewonnenes Rennen; ~ speed *tech.* Durchgangsdrehzahl *f*; ~ inflation *econ.* unaufhaltsame Inflation. **ˈ~-ˌback** *s Tennis*: Auslauf *m* hinter der Grundlinie.

run·dle [ˈrʌndl] *s* **1.** Rolle *f*, Welle *f.* **2.** (Leiter)Sprosse *f.*

rund·let [ˈrʌndlit] *s obs.* **1.** Fäßchen *n.* **2.** *altes brit. Flüssigkeitsmaß, meist 18 Gallonen* (*Wein*).

ˈrun-ˈdown I *adj* **1.** abgespannt, erschöpft, ‚erledigt', ‚ab'. **2.** baufällig. **3.** abgelaufen (*Uhr*). **4.** *electr.* erschöpft, verbraucht (*Batterie*). **II** *s* **5.** *Am.* genaue ˈÜbersicht *od.* Anaˈlyse *od.* Prüfung.

rune [ruːn] *s* **1.** Rune *f.* **2.** Runenspruch *m.* **3.** *pl* Runendichtung *f.* **4.** Runenzauber *m.* **5.** *fig.* Rätsel *n.* **6.** *poet.* Gedicht *n*, Lied *n.* **ˈ~ˌstaff** *s* **1.** Runenstab *m.* **2.** altertümlicher ˈKerbkaˌlender.

rung[1] [rʌŋ] *pret u. pp von* ring[2].

rung[2] [rʌŋ] *s* **1.** (*bes.* Leiter)Sprosse *f.* **2.** *fig.* Sprosse *f*, Stufe *f.* **3.** Querleiste *f.* **4.** (Rad)Speiche *f.* **5.** Runge *f* (*Wagenwandstütze*).

ru·nic [ˈruːnik] **I** *adj* **1.** runisch, Runen... **II** *s* **2.** Runeninschrift *f.* **3.** *print.* Runenschrift *f.*

ˈrun-ˌin *s* **1.** *sport* Einlauf *m.* **2.** *print.* Einschiebung *f.* **3.** *tech. Am.* a) Einfahren *n* (*von Autos, Motoren etc*), b) Einlaufen *n* (*von Maschinen*). **4.** *Am. sl.* ‚Krach' *m*, Zs.-stoß *m*, Streit *m.* **~ groove** *s* Einlaufrille *f* (*auf Schallplatten*).

run·let[1] [ˈrʌnlit] *s* Rinnsal *n.*

run·let[2] [ˈrʌnlit] → rundlet.

run·na·ble [ˈrʌnəbl] *adj* jagdbar.

run·nel [ˈrʌnl] *s* **1.** Rinnsal *n.* **2.** Rinne *f*, Rinnstein *m*, Kaˈnal *m.*

run·ner [ˈrʌnər] *s* **1.** (*a.* Wett)Läufer(in). **2.** Renner *m*, Rennpferd *n.* **3.** Bote *m*: (bank) ~ Bankbote. **4.** Laufbursche *m.* **5.** *Am.* a) ‚Schlepper' *m*, Kundenwerber *m*, b) *colloq.* Vertreter *m*, Handlungsreisende(r) *m.* **6.** *Br. dial. od. Am. colloq.* Schmuggler *m.* **7.** *mil.* Meldegänger *m*, Melder *m.* **8.** *hist. Br.* Poliˈzist *m.* **9.** *Am.* a) Fahrer *m*, b) Maschiˈnist *m.* **10.** *Am.* Geschäftsführer *m*, Unterˈnehmer *m.* **11.** *Am.* Laufmasche *f.* **12.** *econ. Am. colloq.* Verkaufsschlager *m.* **13.** Läufer *m* (*langer, schmaler Teppich*). **14.** Tischläufer *m* (*schmale Zierdecke*). **15.** (*Schlitten-, Schlittschuh- etc*)Kufe *f.* **16.** Schieber *m* (*am Schirm etc*). **17.** *tech.* a) Laufschiene *f*, b) Läufer-, Seilring *m*, c) (*Turbinen- etc*)Laufrad *n*, Läufer *m*, d) (Gleit-, Lauf)Rolle *f*, e) Rollwalze *f*, ˈUnterlegrolle *f* (*zum Bewegen schwerer Gegenstände*). **18.** *Spinnerei*: Läuferwalze *f.* **19.** *agr. tech.* Drillschar *f.* **20.** *mar. tech.* Drehreep *n.* **21.** *Gießerei*: a) Einguß *m*, b) Gießzapfen *m.* **22.** *bot.* a) Ausläufer *m*, b) Ausläuferpflanze *f*, c) Kletterpflanze *f.* **23.** *bot.* Stangenbohne *f.* **24.** *orn.* Ralle *f.* **25.** *ichth.* Goldstöcker *m.* **26.** *print.* Zeilenzähler *m*, Margiˈnalziffer *f.* **~ bean** *s bot. Br.* grüne Bohne. **ˈ~-ˈup** *s sport od. allg.* Zweite(r *m*) *f*, zweiter Sieger.

run·ning [ˈrʌniŋ] **I** *s* **1.** Laufen *n*, Lauf *m* (*a. tech.*). **2.** (Wett)Laufen *n*,

(-)Rennen *n*, Wettlauf *m* (*a. fig.*): to be in (out of) the ~ a) (nicht) mitlaufen *od.* teilnehmen, b) *a. fig.* (nicht) in Betracht kommen (for für), (keine) Aussichten haben; to put s.o. out of the ~ j-n aus dem Rennen werfen (*a. fig.*); to make the ~ a) das Rennen machen (*a. fig.*), b) das Tempo angeben; to take (up) the ~ sich an die Spitze setzen (*a. fig.*). **3.** (Lauf)Kraft *f*: to be still full of ~. **4.** *colloq.* ‚Spritztour' *f*, Abstecher *m.* **5.** Leitung *f*, Führung *f.* **6.** Über'wachung *f*, Bedienung *f* (*e-r Maschine*). **7.** Durch'brechen *n*: the ~ of a blockade. **II** *adj* **8.** laufend (*a. tech.*), fahrend: ~ jump Sprung *m* mit Anlauf. **9.** flüchtig: a ~ glance. **10.** laufend (*andauernd, ständig*): ~ debts (expenses, month). **11.** *econ.* laufend, offen: → running account. **12.** fließend: ~ water. **13.** laufend, eiternd (*Wunde*). **14.** flüssig. **15.** aufein'anderfolgend: for three days ~ drei Tage hintereinander. **16.** (fort)laufend: ~ pattern. **17.** laufend, gleitend (*Seil etc*). **18.** line'ar gemessen: per ~ meter (*Br.* metre) pro laufendes Meter. **19.** *bot* a) rankend, b) kriechend. **20.** *mus.* laufend: ~ passages Läufe.

run·ning| ac·count *s econ.* **1.** laufende *od.* offene Rechnung. **2.** laufendes Konto, Kontokor'rent *n.* ~ **board** *s tech.* Tritt-, Laufbrett *n.* ~ **com·men·tar·y** *s* **1.** laufender Kommen'tar. **2.** ('Funk)Repor,tage *f.* ~ **costs** *s pl* Betriebskosten *pl*, laufende Kosten *pl.* ~ **fight** *s mar. mil.* a) Rückzugsgefecht *n*, b) laufendes Gefecht (*a. fig.*). ~ **fire** *s mar. mil.* **1.** Trommelfeuer *n.* **2.** Lauffeuer *n.* ~ **fit** *s tech.* Laufsitz *m.* ~ **gear** *s tech.* Lauf-, Fahrwerk *n.* ~ **hand** *s* Kur'rentschrift *f.* ~ **head(·line)** *s print.* (lebender) Ko'lumnentitel. '~-**'in test** *s tech.* Probelauf *m.* ~ **knot** *s mar.* laufender Knoten. ~ **light** *s mar.* Positi'onslampe *f*, Fahrlicht *n.* ~ **mate** *s* **1.** *pol. Am.* 'Mitkandi,dat *m.* **2.** *Pferderennen*: Schrittmacher-Pferd *n.* **3.** *Am. colloq.* ständiger Begleiter. ~ **shoe** *s sport* Laufschuh *m.* ~ **shot** *s Film*: Fahraufnahme *f.* ~ **speed** *s tech.* **1.** 'Umlaufgeschwindigkeit *f.* **2.** Fahrgeschwindigkeit *f.* ~ **start** *s sport* fliegender Start. ~ **stitch** *s* Vorderstich *m.* ~ **text** *s print.* fortlaufender Text.

'run,off *s* **1.** *sport* Entscheidungslauf *m*, -rennen *n*, Stechen *n.* **2.** *geol. Am.* Abfluß *m.* **3.** *tech.* Abstich *m.* ~ **pri·ma·ry** *s pol. Am.* Stichwahl *f*, endgültige Vorwahl (*e-r Partei e-s amer. Bundesstaates*).

'run-of(-the)-'mill *adj* 'durchschnittlich, mittelmäßig, Durchschnitts...

'run-'on I *adj* **1.** *bes. print.* angehängt, fortlaufend gesetzt: ~ sentence a) zs.-gesetzter Satz, b) Bandwurmsatz *m.* **2.** *metr.* mit Versbrechung. **II** *s* **3.** angehängtes Wort.

'run,proof *adj* laufmaschenfest.

'run-,out groove *s* Auslaufrille *f* (*auf der Schallplatte*).

runt [rʌnt] *s* **1.** *zo.* Zwergrind *n*, -ochse *m.* **2.** a) (*contp.* lächerlicher) Zwerg, b) *contp. Am.* ‚Heini' *m*, ‚Knülch' *m.* **3.** *orn. große kräftige Haustaubenrasse.*

'run,through *s* **1.** kurze Zs.-fassung. **2.** *thea.* schnelle Probe.

'run|-,up *s aer.* **1.** *mil.* (Ziel)Anflug *m.* **2.** kurzer Probelauf (*der Motoren vor dem Start*). '~,**way** *s* **1.** *aer.* Start-, Lande-, Rollbahn *f.* **2.** *bes. Am.* Fahrbahn *f.* **3.** *sport* Ablauf-, Anlaufbahn *f.* **4.** *bes. Am.* Flußbett *n.* **5.** *hunt.* Wildpfad *m*, (Wild)Wechsel *m*: ~ watching Ansitzjagd *f.* **6.** *bes. Am.* Auslauf *m*, Hühnerhof *m.* **7.** *bes. Am.* Laufsteg *m.* **8.** *bes. Am.* Holzrutsche *f.*

ru·pee [ruː'piː] *s* Rupie *f* (*Währungseinheit in Indien, Pakistan u. Ceylon*).

rup·ture ['rʌptʃər] **I** *s* **1.** Bruch *m*, Riß *m* (*beide a. med.*): ~ of the follicle *physiol.* Follikelsprung *m*; ~ of muscle Muskelriß; ~ support Bruchband *n* (*bei Hernie*). **2.** Brechen *n* (*a. tech.*), Zerplatzen *n*, -reißen *n.* **3.** *fig.* a) Bruch *m*: to avoid an open ~, b) Abbruch *m*: diplomatic ~ Abbruch der diplomatischen Beziehungen. **II** *v/t* **4.** brechen (*a. fig.*), zersprengen, -reißen (*a. med.*): to be ~d → III; ~d duck *mil. Am. colloq.* Adlerabzeichen *n.* **5.** *med. j-m* e-n (*Unterleibs*)Bruch zufügen: to ~ o.s. → 8. **6.** *fig.* abbrechen, trennen. **III** *v/i* **7.** zerspringen, -reißen, e-n Riß bekommen, bersten. **8.** *bes. med.* e-n Bruch bekommen.

ru·ral ['ru(ə)rəl] *adj* (*adv* ~ly) **1.** ländlich, Land... **2.** landwirtschaftlich: ~ economy Landwirtschaft *f.* **3.** ländlich, rusti'kal, einfach.

ru·ral·ist ['ru(ə)rəlist], *Am.* **'ru·ral,ite** *s* **1.** Landbewohner(in). **2.** *j-d, der das Landleben dem Stadtleben vorzieht.*

ru'ral·i·ty [-'ræliti] *s* **1.** Ländlichkeit *f*, ländlicher Cha'rakter. **2.** ländliche Szene *od.* Um'gebung. **'ru·ral,ize I** *v/t* **1.** e-n ländlichen Cha'rakter geben (*dat*). **2.** auf das Landleben 'umstellen. **II** *v/i* **3.** auf dem Lande leben. **4.** sich auf das Landleben 'umstellen. **5.** ländlich werden, verbauern.

rur·ban ['rəːrbən; 'rur-] *adj* Vorstadt..., Landbezirks...

Ru·ri·ta·ni·a [,ru(ə)ri'teiniə] *s* Ruri'tanien *n* (*Phantasieland in e-m Roman von Anthony Hope; Schauplatz opernhafter Räuberromantik*).

ru·sa ['ruːsə] *s zo.* Rusahirsch *m.*

ruse [ruːz] *s* List *f*, Trick *m.*

ru·sé ['ruːzei] (*Fr.*) *adj* verschlagen, gerissen.

rush[1] [rʌʃ] **I** *v/i* **1.** stürmen, jagen, rasen, stürzen: to ~ at s.o. auf j-n losstürzen; to ~ in hereinstürzen, -stürmen; to ~ to conclusions *fig.* voreilige Schlüsse ziehen; to ~ into certain death in den sicheren Tod rennen; to ~ into extremes *fig.* ins Extrem verfallen; an idea ~ed into my mind (*od.* upon me) ein Gedanke schoß mir durch den Kopf; blood ~ed to her face das Blut schoß ihr ins Gesicht. **2.** da'hinbrausen, -fegen (*Wind*). **3.** *fig.* sich (*vorschnell*) stürzen (into in *od.* auf *acc*): → print 16. **4.** *Fußball*: stürmen, angreifen.

II *v/t* **5.** (an)treiben, drängen, hetzen, jagen: I refuse to be ~ed ich lasse mich nicht drängen; to ~ up prices *econ. Am.* die Preise in die Höhe treiben; to be ~ed for time *colloq.* unter Zeitdruck stehen. **6.** schnell *od.* auf dem schnellsten Wege ('hin)bringen *od.* (-)schaffen: to ~ s.o. to the hospital. **7.** *e-e Arbeit etc* her'unterhasten, ‚'hinhauen': to ~ a bill (through) e-e Gesetzesvorlage durchpeitschen. **8.** über'stürzen, -'eilen. **9.** losstürmen auf (*acc*), angreifen, anrennen gegen. **10.** im Sturm nehmen (*a. fig.*), erstürmen: to ~ s.o. off his feet j-n ‚überfahren'. **11.** hin'wegsetzen über (*ein Hindernis*). **12.** *amer. Fußball*: vorwärtsstürmen mit (*dem Ball*). **13.** *Am. sl.* mit Aufmerksamkeiten über'häufen, um'werben. **14.** *colloq.* ‚neppen' ($ 5 um 5 Dollar), ‚übers Ohr hauen'.

III *s* **15.** (Vorwärts)Stürmen *n*, Da'hinschießen *n*, -jagen *n.* **16.** Brausen *n* (*des Windes*). **17.** Eile *f*: at a ~, on the ~ *colloq.* in aller Eile, schnellstens; with a ~ plötzlich. **18.** *mil.* a) Sturm *m*, b) Sprung *m*: by ~es sprungweise. **19.** *Fußball, Rugby*: a) Vorstoß *m*, Angriff *m*, b) *Am.* Stürmer *m*: → rush line. **20.** *fig.* a) (An)Sturm *m* (for auf *acc*) (*a. econ.*), b) (Massen)Andrang *m*, c) *bes. econ.* stürmische Nachfrage (on, for nach): to make a ~ for losstürzen auf (*acc*). **21.** *med.* (Blut)Andrang *m.* **22.** *fig.* a) plötzlicher Ausbruch (*von Tränen etc*), b) plötzliche Anwandlung, Anfall *m*: ~ of pity. **23.** a) Drang *m* (*der Geschäfte*), ‚Hetze' *f*, b) Hochbetrieb *m*, -druck *m*, c) Über'häufung *f* (of mit *Arbeit etc*). **24.** *ped. Am.* (Wett)Kampf *m.* **25.** *pl Film*: 'Schnellko,pie *f.*

IV *adj* **26.** eilig, dringend, Eil... **27.** geschäftig, Hochbetriebs...

rush[2] [rʌʃ] **I** *s* **1.** *bot.* Binse *f.* **2.** *collect.* Binsen *pl.* **3.** *orn.* Binsenhuhn *n.* **4.** *fig.* Deut *m*: not worth a ~ keinen Pfifferling wert; I don't care a ~ es ist mir völlig schnurz. **II** *adj* **5.** Binsen...: ~-bottomed chair Binsenstuhl *m.*

rush| bas·ket *s* Binsenkorb *m.* ~ **bear·ing** *s Br.* Kirchweihfest *n* auf dem Lande. ~ **can·dle** *s* Binsenlicht *n.* ~ **hour** *s* Hauptgeschäfts-, Hauptverkehrszeit *f*, Stoßzeit *f.* ~ **job** *s* eilige Arbeit, dringende Sache. '~,**light** *s* **1.** → rush candle. **2.** *fig. contp.* kleiner Geist (*Person*). ~ **line** *s sport Am.* Stürmerreihe *f*, Sturm *m.* ~ **or·der** *s* Eilauftrag *m.* '~-,**ring** *adj* Binsenring...: a ~ wedding *fig.* e-e unsichere Verbindung.

rush·y ['rʌʃi] *adj* **1.** voller Binsen, binsenbestanden. **2.** mit Binsen bedeckt. **3.** Binsen...

rusk [rʌsk] *s* **1.** (*Art*) Zwieback *m.* **2.** Sandkuchengebäck *n.* **3.** *Am.* (*Art*) Semmelmehl *n.*

Rus·kin·i·an [rʌs'kiniən] *adj* nach (der) Art *od.* im Stile Ruskins.

Russ [rʌs] *s sg u. pl u. adj* → Russian.

rus·sel cord ['rʌsl] *s* Wollrips *m.*

rus·set ['rʌsit] **I** *adj* **1.** a) rostbraun, b) rotgelb, -grau. **2.** *obs.* bäu(e)risch, grob. **3.** *fig.* schlicht, einfach. **II** *s* **4.** a) Rostbraun *n*, b) Rotgelb *n*, -grau *n.* **5.** grobes handgewebtes Tuch. **6.** *rötlicher Winterapfel.* **'rus·set·y** → russet 1.

Rus·sia leath·er ['rʌʃə] *s* Juchten(leder *n*) *m*, *n.*

Rus·sian ['rʌʃən] **I** *s* **1.** Russe *m*, Russin *f.* **2.** *ling.* Russisch *n*, das Russische. **II** *adj* **3.** russisch. ~ **boots** *s pl* Russenstiefel *pl* (*für Damen*).

Rus·sian·ism ['rʌʃə,nizəm] *s* **1.** Vorherrschen *n* russischer I'deen. **2.** Neigung *f* zum Russischen. **3.** Rußlandfreundlichkeit *f.* **'Rus·sian,ize** *v/t* russifi'zieren, russisch machen.

Rus·si·fi·ca·tion [,rʌsifi'keiʃən] *s* Russifi'zierung *f.* **'Rus·si,fy** [-,fai] → Russianize.

Russ·ni·ak ['rʌsni,æk] → Ruthenian.

Russo- [rʌso] *Wortelement mit der Bedeutung* a) russisch, b) russisch-...

Rus·so·phile ['rʌso,fail] **I** *s* Russo'phile *m*, Russenfreund *m.* **II** *adj* russo'phil, russenfreundlich.

Rus·so·pho·bi·a [,rʌso'foubiə] *s* **1.** Russenfeindlichkeit *f.* **2.** Russenfurcht *f.*

rust [rʌst] **I** *s* **1.** Rost *m* (*a. fig.*):

~-free rostfrei; to gather ~ Rost ansetzen. **2.** a) Rostfleck *m*, b) Moder-, Stockfleck *m*. **3.** Rostbraun *n*. **4.** *bot.* a) Rost *m*, Brand *m*, b) *a.* ~ fungus Rostpilz *m*. **II** *v/i* **5.** (ein-, ver)rosten, rostig werden. **6.** *fig.* einrosten. **7.** *bot.* brandig werden. **III** *v/t* **8.** verrosten lassen, rostig machen. **9.** stockfleckig machen. **10.** *fig.* einrosten lassen. **11.** *bot.* brandig machen.

rus·tic ['rʌstik] **I** *adj* (*adv* ~ally) **1.** ländlich, Land..., Bauern..., rusti'kal. **2.** einfach, schlicht: ~ entertainment. **3.** grob, bäu(e)risch, ungehobelt: ~ manners. **4.** roh (gearbeitet). **5.** *arch.* a) Rustika..., b) mit Bossenwerk verziert. **6.** *print.* unregelmäßig geformt, Rustika... **II** *s* **7.** (einfacher) Bauer, Landmann *m*. **8.** *fig.* Bauer *m*. **9.** Pro'vinzler *m*. **rus·ti·cate** ['rʌsti,keit] **I** *v/i* **1.** aufs Land gehen. **2.** auf dem Land leben *od.* wohnen. **3.** a) ein ländliches Leben führen, b) *contp.* verbauern. **II** *v/t* **4.** aufs Land schicken. **5.** verländlichen. **6.** verbauern lassen. **7.** *univ. bes. Br.* rele'gieren, (zeitweilig) von der Universi'tät verweisen. **8.** *arch.* mit Bossenwerk verzieren. **,rus·ti'ca·tion** *s* **1.** Landaufenthalt *m*. **2.** Verbauerung *f*. **3.** *univ. bes. Br.* (zeitweise) Relegati'on. **4.** *arch.* Rustika *f*, Bossenwerk *n*. **rus'tic·i·ty** [-'tisiti] *s* **1.** ländlicher *od.* rusti'kaler Cha'rakter. **2.** bäu(e)risches Wesen, ungehobelte Art. **3.** (ländliche) Einfachheit.

rus·tic| ware *s* hellbraune Terra'kotta. ~ **work** *s* **1.** *arch.* Bossenwerk *n*, Rustika *f*. **2.** *roh gezimmerte Sommerhäuser, Gartenmöbel etc.*

rust·i·ness ['rʌstinis] *s* **1.** Rostigkeit *f*. **2.** *fig.* Eingerostetsein *n*. **3.** Rauheit *f*, Heiserkeit *f*.

rus·tle ['rʌsl] **I** *v/i* **1.** rascheln (*Blätter etc*), rauschen, knistern (*Seide etc*). **2.** *Am. sl.* ‚sich ranhalten', mit Hochdruck arbeiten. **II** *v/t* **3.** rascheln lassen, rascheln mit (*od.* in *dat*). **4.** *a.* ~ up a) *Am. sl.* rasch ‚'hinhauen', schnell erledigen, b) *colloq.* schnell beschaffen, auftreiben, ‚organi'sieren. **5.** *Am. sl. Vieh* stehlen. **III** *s* **6.** Rascheln *n*, Knistern *n*. **7.** *Am. sl.* ‚fixe' Arbeit. **'rus·tler** *s Am. sl.* **1.** rühriger Mensch, ‚Wühler' *m*. **2.** Viehdieb *m*.

rust·less ['rʌstlis] *adj* rostfrei: ~ steel nichtrostender Stahl.

'rust'proof *adj* rostbeständig, nichtrostend.

rust·y[1] ['rʌsti] *adj* (*adv* rustily) **1.** rostig, verrostet: to get ~ (ver)rosten. **2.** *fig.* eingerostet. **3.** rostfarben. **4.** *bot.* vom Rost(pilz) befallen. **5.** schäbig: ~ clothes. **6.** rauh: a ~ voice.

rust·y[2] ['rʌsti] *adj* a) störrisch, b) böse, ‚wild'.

rut[1] [rʌt] **I** *s* **1.** (Wagen-, Fahr)Spur *f*. **2.** Furche *f*. **3.** *fig.* (altes) Geleise, alter Trott: to get into a ~ in e-n (immer gleichen) Trott verfallen; to be in a ~ sich in e-m ausgefahrenen Geleise bewegen, stagnieren. **II** *v/t* **4.** furchen.

rut[2] [rʌt] *zo.* **I** *s* **1.** a) Brunft *f* (*des Hirsches*), b) *allg.* Brunst *f*. **2.** Brunstzeit *f*. **II** *v/i* **3.** brunften, brunsten. **III** *v/t* **4.** decken, bespringen.

ru·ta·ba·ga [,ru:tə'beigə] *s bot.* Schwedische Rübe, Gelbe Kohlrübe.

Ruth[1] [ru:θ] *s a.* Book of R~ *Bibl.* (das Buch) Ruth *f*.

ruth[2] [ru:θ] *s obs.* Mitleid *n*.

Ru·the·ni·an [ru:'θi:niən] **I** *s* **1.** Ru'thene *m*, Ru'thenin *f*. **2.** *ling.* Ru'thenisch *n*, das Ruthenische. **II** *adj* **3.** ru'thenisch.

ruth·er·ford ['rʌðərfərd] *s phys.* Rutherford *n* (*Maßeinheit der Strahlungswärme e-r radioaktiven Strahlungsquelle*).

ruth·less ['ru:θlis] *adj* (*adv* ~ly) **1.** unbarmherzig, grausam, hart. **2.** rücksichts-, skrupellos. **'ruth·less·ness** *s* **1.** Unbarmherzigkeit *f*. **2.** Rücksichts-, Skrupellosigkeit *f*.

rut·ting ['rʌtiŋ] **I** *s* Brunst *f*. **II** *adj* Brunst..., Brunft...: ~ time (*od.* season) Brunstzeit *f*. **'rut·tish** *adj* **1.** *zo.* brünstig. **2.** → rutty[2].

rut·ty[1] ['rʌti] *adj* **1.** durch'furcht, voller Furchen. **2.** ausgefahren.

rut·ty[2] ['rʌti] *adj* brünstig, geil.

rye [rai] *s* **1.** *bot.* Roggen *m*. **2.** *Am.* Roggenwhisky *m*. ~ **bread** *s* Roggenbrot *n*. ~ **grass** *s bot.* Englisches Raigras. **R~ House Plot** *s hist.* Rye-House-Verschwörung *f* (*1683 gegen Karl II und den späteren Jakob II*). **'~,peck** *s* Pfahl *m* zum Anbinden e-s Boots. ~ **whis·ky** → rye 2.

ry·ot ['raiət] *s Br. Ind.* (indischer) Bauer *od.* Pächter.

S

S, s [es] **I** *pl* **S's, Ss, s's, ss** ['esiz] *s* **1.** S, s *n* (*Buchstabe*). **2.** S *S n*, S-förmiger Gegenstand. **II** *adj* **3.** neunzehnt(er, e, es). **4.** S S-..., S-förmig: S curve S-Kurve *f*.

's[1] [z *nach Vokalen u. stimmhaften Konsonanten*; s *nach stimmlosen Konsonanten*] **1.** *colloq. für* is: he's here. **2.** *colloq. für* has: she's just come. **3.** *colloq. für* does: what's he think about it?

's[2] [z *nach Vokalen u. stimmhaften Konsonanten*; s *nach stimmlosen Konsonanten*; iz *nach Zischlauten*] *zur Bildung des Possessivs*: the boy's mother.

's[3] [s] *colloq. abbr. für* us: let's go!

Sab·a·oth ['sæbei,ɒθ; -bi-; sə'bei-] *s pl Bibl.* Zebaoth *pl*, Heerscharen *pl*: the Lord of ~ der Herr Zebaoth, der Herr der Heerscharen.

Sab·ba·tar·i·an [,sæbə'tɛ(ə)riən] *relig.* **I** *s* **1.** Sabba'tarier(in), Sabba'tist(in) (*Mitglied e-r christlichen Sekte*). **2.** Sabba'tierer(in) (*j-d, der den Sabbat heiligt*). **3.** *j-d, der den Sonntag streng einhält.* **II** *adj* **4.** sabba'tarisch.

Sab·bath ['sæbəθ] *s* **1.** *relig.* Sabbat *m*: to keep (break) the ~ den Sabbat heiligen (entheiligen). **2.** *relig.* Sonntag *m*, Ruhetag *m*: ~ of the tomb *fig.* Grabesruhe *f*. **3.** *meist* witches' ~ Hexensabbat *m*. **'~,break·er** *s* Sabbatschänder *m*. **'~,break·ing** *s* Sabbat- *od.* Sonntagsentheiligung *f*.

Sab·bat·ic [sə'bætik] *adj* (*adv* ~ally) → Sabbatical I.

Sab·bat·i·cal [sə'bætikəl] **I** *adj* (*adv* ~ly) **1.** Sabbat... **2.** *meist* s~ an jedem 7. Tag *od.* Monat *od.* Jahr *etc* 'wiederkehrend: ~ leave → sabbatical year 2. **II** *s* s~ → sabbatical year 2. **s~ year** *s* **1.** Sabbatjahr *n* (*der Juden*). **2.** *univ.* Ferienjahr *n* (*e-s Professors; alle 7 Jahre*), Studienurlaub *m*.

sa·ber, *bes. Br.* **sa·bre** ['seibər] **I** *s* **1.** Säbel *m*: to rattle the ~ *fig.* mit dem Säbel rasseln. **2.** *mil. hist.* Kavalle'rist *m*. **II** *v/t* **3.** niedersäbeln. **4.** mit dem Säbel verwunden. ~ **cut** *s* **1.** Säbelhieb *m*. **2.** Schmiß *m*. ~ **rat·tling** *s fig.* Säbelrasseln *n*. **'~-,toothed ti·ger** *s zo.* Säbel(zahn)tiger *m*.

sabin ['seibin; 'sæ-] *s Akustik*: Sabin *n* (*Einheit des Absorptionsvermögens*).

Sa·bine [*Br.* 'sæbain; *Am.* 'sei-] **I** *adj* sa'binisch. **II** *s* Sa'biner(in).

sa·ble ['seibl] **I** *s* **1.** *zo.* a) Zobel *m*, b) (*bes.* Fichten)Marder *m*. **2.** Zobelfell *n*, -pelz *m*. **3.** *bes. her.* Schwarz *n*. **4.** *meist pl poet.* Trauer(kleidung) *f*. **II** *adj* **5.** Zobel... **6.** *her.* schwarz. **7.** *poet.* schwarz, finster: his ~ Majesty der Fürst der Finsternis (*der Teufel*).

sa·bot ['sæbou] *s* **1.** Holzschuh *m*. **2.** *mil.* Geschoß- *od.* Führungsring *m*.

sab·o·tage ['sæbə,tɑ:ʒ] *bes. jur. mil.* **I** *s* Sabo'tage *f*: act of ~ Sabotageakt *m*. **II** *v/t* sabo'tieren. **III** *v/i* Sabo'tage treiben, sabo'tieren. **,sab·o'teur** [-'tə:r] *s* Sabo'teur *m*.

sa·bra ['sɑ:brə] *s* im Lande geborener Isra'eli.

sa·bre *etc bes. Br. für* saber *etc*.

sa·bre·tache ['sæbər,tæʃ; *Am. a.* 'sei-] *s mil.* Säbeltasche *f*.

sab·u·lous ['sæbjələs] *adj* sandig, Sand..., grießig: ~ urine *med.* Harngrieß *m*.

sa·bur·ra [*Br.* sə'bʌrə; *Am.* -'bɔ:rə] *s med.* fuligi'nöse Ablagerung, Sa'burra *f*.

sac [sæk] *s* **1.** *anat. bot. zo.* Sack *m*, Beutel *m*. **2.** → sack[1] 5.

sac·cade [sæ'keid] *s* Sac'cade *f*: a) *Reitkunst*: *ruckartiges Anhalten*, b) *mus.* starker Bogendruck.

sac·cate ['sækeit; -kit] *adj biol.* **1.** sack-, taschenförmig. **2.** in e-m Sack *od.* Beutel befindlich.

sac·cha·rate ['sækə,reit] *s chem.* Saccha'rat *n*. **'sac·cha,rat·ed** *adj* zucker-, saccha'rosehaltig.

sac·char·ic [sə'kærik] *adj chem.* Zukker...: ~ acid.

sac·cha·rif·er·ous [,sækə'rifərəs] *adj chem.* zuckerhaltig *od.* -erzeugend.

sac·char·i·fy [sə'kæri,fai; 'sækər-] *v/t* **1.** verzuckern, saccharifi'zieren. **2.** zuckern, süßen.

sac·cha·rim·e·ter [,sækə'rimitər] *s* Zucker(gehalts)messer *m*, Sacchari'meter *n*.

sac·cha·rin(e) ['sækərin] *s chem.* Saccha'rin *n*.

sac·cha·rine ['sækərin; -,ri:n] *adj* **1.** Zucker..., Süßstoff... **2.** *bes. fig.* süßlich: a ~ smile. **,sac·cha'rin·ic** [-'rinik] *adj chem.* Zucker...

sac·cha·roid ['sækə,rɔid] *chem. min.* **I** *adj* zuckerartig, körnig. **II** *s* zuckerartige Sub'stanz.

sac·cha·rom·e·ter [,sækə'rɒmitər] *s* Saccharo'meter *n*, Zuckermesser *m*.

sac·cha·rose ['sækə,rous] *s chem.* Rohrzucker *m*, Saccha'rose *f*.

sac·ci·form ['sæksi,fɔ:rm] *adj* sackartig, -förmig.

sac·cule ['sækju:l] *s bes. anat.* Säckchen *n*.

sac·er·do·cy ['sæsər,dousi] *s* Priestertum *n.* **'sac·er,do·tage** [-tidʒ] *s bes. contp.* **1.** Pfaffentum *n.* **2.** Pfaffenstaat *m.* **3.** Pfaffenherrschaft *f.* **,sac·er'do·tal** *adj* (*adv* ~**ly**) **1.** priesterlich, Priester... **2.** durch den Glauben an e-e von Gott berufene Priesterschaft gekennzeichnet. **,sac·er'do·tal,ism** *s* **1.** Priestertum *n.* **2.** *contp.* Pfaffentum *n.*

sa·chem ['seitʃəm] *s* **1.** Sachem *m* (*bei den nordamer. Indianern*): a) (*a.* Bundes)Häuptling *m*, b) Mitglied *n* des Rates (*des Irokesenbundes*). **2.** *Am. humor.* ‚großes Tier', *bes. pol.* ‚Par'teiboß' *m.* **3.** *Am.* Vorstandsmitglied *n* (*der* Tammany Society).

sa·chet [sæ'ʃei; *bes. Br.* 'sæʃei] *s* Duftkissen *n.*

sack[1] [sæk] **I** *s* **1.** Sack *m.* **2.** *sl.* Laufpaß *m*: to get the ~ *sl.* a) ‚fliegen', ‚an die Luft gesetzt (*entlassen*) werden', b) *von e-m Mädchen* ‚den Laufpaß' bekommen; to give s.o. the ~ → 8. **3.** Sack(voll) *m.* **4.** *Am.* (Verpakkungs)Beutel *m*, (Pa'pier)Sack *m*, Tüte *f.* **5.** a) 'Umhang *m*, b) (kurzer) loser Mantel, c) → sack coat, d) *hist.* Kon'tusche *f* (*loses Frauen- od. Kinderkleid des 18. Jhs.*), e) → sack dress. **6.** *Am. sl.* ‚Falle' *f*, ‚Klappe' *f* (*Bett, Hängematte od. Koje*): to hit the ~ sich ‚hinhauen'. **II** *v/t* **7.** einsacken, in Säcke *od.* Beutel (ab)füllen. **8.** a) *j-n* ‚an die Luft setzen' (*entlassen*), b) *e-m Liebhaber* ‚den Laufpaß geben'. **9.** *sport sl.* ‚vertrimmen' (*eindeutig schlagen*).

sack[2] [sæk] **I** *v/t e-e Stadt etc* (aus)plündern. **II** *s* Plünderung *f*: to put to ~ → I.

sack[3] [sæk] *s* heller Südwein: Canary ~ Kanarienwein.

sack|·but ['sæk,bʌt] *s mus. hist.* **1.** Po'saune *f.* **2.** *Bibl.* (*Art*) Harfe *f.* **'~,cloth** *s* Sackleinen *n*, -leinwand *f*: to mourn (repent) in ~ and ashes *meist fig.* in Sack u. Asche trauern (Buße tun). **~ coat** *s Am.* Sakko *m, n.* **~ dress** *s* Sackkleid *n.* **'~,ful** *s* Sack(voll) *m.*

sack·ing ['sækiŋ] → sackcloth.

sack race *s* Sackhüpfen *n.*

sacque → sack[1] 5.

sa·cral ['seikrəl] **I** *adj* **1.** *relig.* sa'kral, Sakral... **2.** *anat.* sa'kral, Sakral..., Kreuz(bein)... **II** *s anat.* **3.** Kreuz(bein)-, Sa'kralwirbel *m.* **4.** Sa'kralnerv *m.*

sac·ra·ment ['sækrəmənt] *s* **1.** *relig.* Sakra'ment *n* (*Gnadenmittel*): the S~, the ~ (of the altar), the Blessed S~ das Altar(s)sakrament, (*protestantische Kirche*) das (heilige) Abendmahl, *R.C.* das heilige Sakrament, die heilige Kommunion; the last ~ die Letzte Ölung; to administer (receive) the ~ das Abendmahl *od.* die Kommunion spenden (empfangen); to take the ~ zum Abendmahl *od.* zur Kommunion gehen. **2.** Zeichen *n*, Sym'bol *n* (of für). **3.** feierlicher *od.* heiliger Eid. **4.** My'sterium *n.* **,sac·ra'men·tal** [-'mentl] **I** *adj* (*adv* ~**ly**) **1.** sakramen'tal, Sakraments..., heilig: ~ acts. **2.** *fig.* feierlich, heilig. **3.** sym'bolhaft. **II** *s* **4.** *R.C.* a) heiliger *od.* sakramen'taler Ritus *od.* Gegenstand, b) *pl* Sakramen'talien *pl.*

sa·crar·i·um [sə'krɛ(ə)riəm] *pl* **sa'crar·i·a** [-riə] *s* **1.** *relig.* a) Chor *m*, ('Hoch)Al,tarstätte *f*, b) *R.C.* → piscina 2. **2.** *antiq.* Heiligtum *n.*

sa·cred ['seikrid] *adj* (*adv* ~**ly**) **1.** *relig.* heilig, geheiligt, geweiht (to *dat*). **2.** geweiht, gewidmet (to *dat*): a place ~ to her memory ein ihrem Andenken geweihter Ort; ~ to the memory of (*auf Grabsteinen*) dem Gedenken von ... geweiht. **3.** *fig.* heilig: ~ duty; ~ right; a ~ memory; to hold s.th. ~ etwas heilighalten. **4.** kirchlich, geistlich, Kirchen...: ~ music; a ~ building ein Sakralbau; ~ history a) biblische Geschichte, b) Religionsgeschichte *f*; ~ poetry geistliche Dichtung. **S~ Col·lege** *s R.C.* Heiliges Kol'legium, Kardi'nalskol,legium *n.* **~ cow** *s humor.* ‚heilige Kuh', (*der, die, das*) Unantastbare.

sa·cred·ness ['seikridnis] *s* Heiligkeit *f*, (*das*) Heilige.

sac·ri·fice ['sækri,fais] **I** *s* **1.** *relig.* a) Opfer *n*, Opferung *f*, b) Kreuzesopfer *n* (Jesu): S~ of the Mass Meßopfer. **2.** a) *relig. od. fig.* Opfer *n* (*das Geopferte*), b) *fig.* Opfer *n*, Aufopferung *f*, Verzicht *m* (of auf *acc*), Aufgabe *f*: to make ~s → 8; to make a ~ of s.th. etwas opfern; to make s.o. a ~ j-m ein Opfer bringen; at some ~ of accuracy unter einigem Verzicht auf Genauigkeit; the great (*od.* last) ~ das höchste Opfer, *bes.* der Heldentod. **3.** *econ.* Verlust *m*, Einbuße *f*: to sell at a ~ → 6. **II** *v/t* **4.** *relig.* opfern (to *dat*). **5.** opfern (*a. Schach*), 'hin-, aufgeben, verzichten auf (*acc*): to ~ o.s. sich (auf)opfern; to ~ one's life sein Leben opfern *od.* hingeben. **6.** *econ.* mit Verlust verkaufen. **III** *v/i* **7.** *relig.* opfern. **8.** *fig.* Opfer bringen. **9.** *Am. ein Tier* schmerzlos töten.

sac·ri·fi·cial [,sækri'fiʃəl] *adj* (*adv* ~**ly**) **1.** *relig.* Opfer...: ~ knife; ~ victim Opfer *n.* **2.** aufopferungsvoll.

sac·ri·lege ['sækrilidʒ] *s* Sakri'leg *n*: a) Kirchen- *od.* Tempelschändung *f*, *bes.* Kirchenraub *m*, b) Entweihung *f*, Schändung *f*, c) *allg.* Frevel *m.* **,sac·ri'le·gious** [-'lidʒəs; -'liː-] *adj* (*adv* ~**ly**) sakri'legisch: a) kirchenschänderisch, b) entweihend, c) *allg.* frevlerisch.

sa·cring ['seikriŋ] *s* **1.** Weihung *f* (*der Hostie u. des Weins zur Messe*). **2.** Weihe *f* (*e-s Geistlichen*). **3.** Salbung *f* (*e-s Herrschers*).

sac·ris·tan ['sækristən], *a.* **sa·crist** ['seikrist] *s relig.* Sakri'stan *m*, Mesner *m*, Küster *m.*

sac·ris·ty ['sækristi] *s relig.* Sakri'stei *f.*

sa·cro·lum·bar [,seikro'lʌmbər] *adj anat.* sakrolum'bal.

sac·ro·sanct ['sækro,sæŋkt] *adj a. iro.* sakro'sankt, hochheilig, unantastbar.

sa·crum ['seikrəm] *pl* **-cra** [-krə] *s anat.* Kreuzbein *n*, Sakrum *n.*

sad [sæd] *adj* (*adv* → sadly) **1.** (at) traurig (über *acc*), betrübt, niedergeschlagen (wegen *gen*): a ~der and a wiser man j-d, der durch Schaden klug geworden ist. **2.** melan'cholisch, schwermütig: the ~ light of the moon; in ~ earnest in bitterem Ernst. **3.** beklagenswert, traurig, tragisch: a ~ accident; a ~ duty e-e traurige Pflicht; ~ to say bedauerlicherweise. **4.** arg, schlimm: ~ havoc; in a ~ state. **5.** *contp.* elend, ‚mise'rabel', jämmerlich, arg, ‚furchtbar': a ~ coward ein elender Feigling; a ~ dog ein verkommenes Subjekt. **6.** dunkel, matt: ~ colo(u)r. **7.** teigig, klitschig: ~ bread.

'sad·den I *v/t* traurig machen *od.* stimmen, betrüben. **II** *v/i* traurig werden (at über *acc*).

sad·dle ['sædl] **I** *s* **1.** (*Pferde-, a. Fahrrad- etc*)Sattel *m*: in the ~ im Sattel, *fig.* fest im Sattel, im Amt, an der Macht; to put the ~ on the wrong (right) horse *fig.* die Schuld dem Falschen (Richtigen) zuschreiben. **2.** Rücken *m* (*des Pferdes*). **3.** Rücken(stück *n*) *m* (*beim Schlachtvieh*): ~ of mutton Hammelrücken. **4.** *orn.* Bürzel *m.* **5.** (Berg)Sattel *m.* **6.** *tech.* a) Lagerschale *f* (*e-r Achse*), b) *Buchbinderei*: Buchrücken *m*, c) *Schuhmacherei*: Seitenkappen *pl*, d) Querholz *n*, e) Bettschlitten *m*, Sup'port *m* (*an Werkzeugmaschinen*), f) *electr.* 'Sattelstütze *f* (*an Leitungsmasten*), g) Türschwelle *f.* **II** *v/t* **7.** *das Pferd* satteln. **8.** *bes. fig.* a) belasten (with mit), b) *e-e Aufgabe etc* aufbürden, -laden, -halsen (on, upon *dat*), c) *etwas* zur Last legen (on, upon *dat*): to ~ s.o. with a responsibility, to ~ a responsibility upon s.o. j-m e-e Verantwortung aufbürden *od.* -laden.

'sad·dle|,back I *s* **1.** Bergsattel *m.* **2.** *arch.* Satteldach *n.* **3.** *zo. Tier mit sattelförmiger Rückenzeichnung, bes.* a) Nebelkrähe *f*, b) männliche Sattelrobbe, c) Mantelmöwe *f.* **4.** hohlrückiges Pferd. **II** *adj* → saddle-backed. **'~-,backed** *adj* **1.** hohlrükkig (*Pferd etc*). **2.** sattelförmig. **'~,bag** *s* **1.** Satteltasche *f.* **2.** *ein Möbelbezugsstoff vom Muster u. von der Knüpfart orientalischer Satteltaschen.* **~ blan·ket** *s* Woilach *m.* **'~,cloth** *s* Scha'bracke *f*, Satteldecke *f.* **~ horse** *s* Reitpferd *n.* **'~,nose** *s* Sattelnase *f.*

sad·dler ['sædlər] *s* Sattler *m.*

sad·dle roof *s arch.* Satteldach *n.*

sad·dler·y ['sædləri] *s* Sattle'rei *f.*

Sad·du·ce·an [*Br.* ,sædju'siːən; *Am.* -dʒə's-] **I** *adj* saddu'zäisch. **II** *s* → Sadducee. **'Sad·du,cee** [-,siː] *s* Saddu'zäer *m.*

sad·ism ['seidizəm; 'sæd-; 'sɑːd-] *s psych.* Sa'dismus *m.* **'sad·ist I** *s* Sa'dist(in). **II** *adj* sa'distisch. **sa·dis·tic** [sə'distik] *adj* (*adv* ~**ally**) sa'distisch.

sad·ly ['sædli] *adv* **1.** traurig, betrübt. **2.** arg, äußerst, ‚schrecklich', schmählich: ~ neglected.

sad·ness ['sædnis] *s* Traurigkeit *f.*

sa·do·mas·och·is·tic [,seidou,mæsə'kistik, -,mæzə-] *adj* ,sadomaso'chistisch.

sad sack *s Am. sl.* **1.** *mil.* ‚Kompa'nietrottel' *m.* **2.** ‚Flasche' *f*, Trottel *m.*

sa·fa·ri [sə'fɑːri] *s* Sa'fari *f*, (*bes.* 'Jagd)Expediti,on *f*: on ~ auf Safari.

safe [seif] **I** *adj* (*adv* ~**ly**) **1.** sicher (from vor *dat*): a ~ place ein sicherer Ort; to keep s.th. ~ etwas sicher aufbewahren; you are ~ with him bei ihm bist du sicher aufgehoben; better to be ~ than sorry Vorsicht ist die ‚Mutter der Porzellankiste'. **2.** sicher, unversehrt, heil, außer Gefahr (*a. Patient*): he arrived ~ and sound er kam heil u. gesund an. **3.** sicher, ungefährlich, gefahrlos: ~ (to operate) *tech.* betriebssicher; ~ current maximal zulässiger Strom; ~ period *physiol.* (*die*) unfruchtbaren Tage (*der Frau*); ~ stress *tech.* zulässige Beanspruchung; the rope is ~ das Seil hält; is it ~ to go there? ist es ungefährlich, da hinzugehen?; in ~ custody → 7; as ~ as houses *colloq.* absolut sicher; it is ~ to say man kann ruhig sagen; to be on the ~ side (*Redew.*) um ganz sicher zu gehen; → play 16 *u.* 23. **4.** vorsichtig: a ~ estimate (policy *etc*). **5.** sicher, zuverlässig: a ~ leader (method, *etc*). **6.** sicher, vor'aussichtlich: a ~ winner; he is ~ to be there er wird sicher da sein. **7.** in sicherem Gewahrsam (*a. Gangster etc*). **II** *s* **8.** Safe *m*, Tre'sor *m*, Geldschrank *m.* **9.** → meat safe.

'safe|,blow·er → safecracker. **'~-**

-'**con·duct** *s* **1.** Geleitbrief *m.* **2.** freies *od.* sicheres Geleit. '~,**crack·er** *s* Geldschrankknacker *m.* ~ **de·pos·it** *s* Tre'sor *m.* '~-**de'pos·it box** *s* Tre'sor(fach *n*) *m*, Safe *m.* '~,**guard I** *s* **1.** Sicherung *f*: a) *allg.* Schutz *m*, b) Vorsichtsmaßnahme *f* (against gegen), c) Sicherheitsklausel *f*, d) *tech.* Schutzvorrichtung *f.* **2.** *obs.* a) Geleit-, Schutzbrief *m*, b) sicheres Geleit. **3.** Schutzwache *f.* **II** *v/t* **4.** schützen, sichern, *Interessen a.* wahrnehmen: ~ing duty *econ.* Schutzzoll *m.* '~-'**keep·ing** *s* sicherer Gewahrsam, sichere Verwahrung: it's in ~ with him bei ihm ist es gut aufgehoben. '~,**light** *s phot.* **1.** Dunkelkammerlampe *f.* **2.** Schutzfilter *n* (*von* 1).

safe·ness ['seifnis] → safety 1—3.

safe·ty ['seifti] **I** *s* **1.** Sicherheit *f*: to be in ~; to jump to ~ sich durch e-n Sprung in Sicherheit bringen. **2.** Sicherheit *f*, Gefahrlosigkeit *f*: ~ (of operation) *tech.* Betriebssicherheit; ~ in flight *aer.* Flugsicherheit; ~ on the road Verkehrssicherheit; ~ measure Sicherheitsmaßnahme *f*, -vorkehrung *f*; we cannot do it with ~ wir können es nicht ohne Gefahr tun; there is ~ in numbers zu mehreren ist man sicherer; to play for ~ sichergehen (wollen), Risiken vermeiden; ~ first! Sicherheit über alles!; ~ first scheme Unfallverhütungsprogramm *n.* **3.** Sicherheit *f*, Zuverlässigkeit *f*, Verläßlichkeit *f* (*e-s Mechanismus, Verfahrens etc*). **4.** Sicherung *f*, Schutz *m.* **5.** Schutz-, Sicherheitsvorrichtung *f*, Sicherung *f.* **6.** Sicherung(sflügel *m*) *f* (*am Gewehr etc*): at ~ gesichert. **7.** *sport* a) *amer. Fußball*: Sicherheits-Touchdown *n* (*durch e-n Spieler hinter s-r eigenen Torlinie; zählt 2 Punkte*), b) *a.* ~ man ‚Ausputzer' *m*, zu'rückgezogener Verteidiger.
II *adj* **8.** Sicherheits...: ~ chain; ~ device → 5.

safe·ty| belt *s* **1.** Rettungsgürtel *m.* **2.** *aer. mot. etc* Sicherheitsgurt *m.* ~ **bind·ing** *s* Sicherheitsbindung *f* (*am Ski*). ~ **bolt** *s tech.* **1.** Sicherheitsriegel *m.* **2.** Sicherungsbolzen *m* (*am Gewehr*). ~ **buoy** *s mar.* Rettungsboje *f.* ~ **catch** *s tech.* **1.** Sicherung *f* (*an Aufzügen etc*). **2.** Sicherheitsriegel *m.* **3.** Sicherungsflügel *m* (*am Gewehr etc*): to release the ~ entsichern. ~ **cur·tain** *s* eiserner Vorhang. ~ **fac·tor** *s tech.* Sicherheitsfaktor *m.* ~ **film** *s* Sicherheitsfilm *m*, nichtentzündlicher Film. ~ **fund** *s econ.* Sicherheitsfonds *m* (*bei Banken*). ~ **fuse** *s* **1.** *tech.* Sicherheitszünder *m*, -zündschnur *f.* **2.** *electr.* a) (Schmelz)Sicherung *f*, b) Sicherheitsausschalter *m.* ~ **glass** *s tech.* Sicherheitsglas *n.* ~ **is·land** *s* Verkehrsinsel *f.* ~ **lamp** *s Bergbau*: Gruben-, Sicherheitslampe *f.* ~ **lock** *s tech.* Sicherheitsschloß *n.* ~ **match** *s* Sicherheitszündholz *n.* ~ **pin** *s* Sicherheitsnadel *f.* ~ **ra·zor** *s* Ra'sierappa,rat *m.* ~ **stop** *s tech.* selbsttätige Hemmung. ~ **switch** *s electr.* Sicherheitsschalter *m.* ~ **valve** *s* **1.** *tech.* 'Überdruck-, 'Sicherheitsven,til *n.* **2.** *fig.* Ven'til *n*: to sit on the ~ Unterdrükkungspolitik treiben. ~ **zone** *s* Verkehrsinsel *f.*

saf·fi·an ['sæfiən] *s* Saffian(leder *n*) *m.*

saf·flow·er ['sæ,flauər] *s* **1.** *bot.* Sa'flor *m*, Färberdistel *f.* **2.** *pharm. tech.* getrocknete Sa'florblüten *pl*: ~ oil Safloröl *n.* **3.** Sa'florfarbstoff *m.*

saf·fron ['sæfrən] **I** *s* **1.** *bot.* Echter Safran. **2.** *pharm. u. Kochkunst*: Safran *m.* **3.** Safrangelb *n.* **II** *adj* **4.** Safran... **5.** safrangelb.

sag [sæg] **I** *v/i* **1.** sich (*bes.* in der Mitte) senken, 'durch-, absacken, *bes. tech.* 'durchhängen (*Brücke, Leitung, Seil etc*). **2.** abfallen, (her'ab)hängen: ~ging shoulders abfallende Schultern. **3.** sinken, fallen, absacken, nachlassen (*alle a. fig.*), *econ.* nachgeben (*Markt, Preise etc*): ~ging spirits sinkender Mut; the novel ~s towards the end der Roman fällt gegen Ende sehr ab. **4.** zs.-sacken: his face ~ged sein Gesicht verfiel. **5.** *mar.* (*meist* ~ to leeward nach Lee) (ab)treiben. **6.** zerlaufen (*Lack*). **II** *s* **7.** 'Durch-, Absacken *n.* **8.** Senkung *f.* **9.** *tech.* 'Durchhang *m.* **10.** *econ.* vor'übergehende Preisabschwächung. **11.** Sinken *n*, Nachlassen *n.*

sa·ga ['sɑːgə] *s* **1.** (*altnordische*) Saga. **2.** Sage *f*, (Helden)Erzählung *f.* **3.** *a.* ~ novel *fig.* Fa'milienro,man *m.*

sa·ga·cious [sə'geiʃəs] *adj* (*adv* ~ly) scharfsinnig, klug (*a. Tier*). **sa'gac·i·ty** [-'gæsiti] *s* Scharfsinn *m*, Klugheit *f.*

sage[1] [seidʒ] **I** *s* Weise(r) *m*: the Seven S~s of Greece; S~ of Chelsea *Beiname von Thomas Carlyle*; S~ of Concord *Beiname von Ralph Waldo Emerson*; S~ of Monticello *Beiname von Thomas Jefferson.* **II** *adj* (*adv* ~ly) weise, klug, verständig.

sage[2] ['seidʒ] *s bot.* Salbei *m, f*: ~ tea.

'**sage|,brush** *s bot.* (*ein*) nordamer. Beifuß *m.* ~ **green** *s* Salbeigrün *n.*

sag·gar, *a.* **sag·ger** ['sægər] *s Keramik*: Muffel *f*, Brennkapsel *f.*

Sa·git·ta [sə'dʒitə] *s* **1.** *astr.* Sa'gitta *f*, Pfeil *m* (*Sternbild*). **2.** s~ *zo.* Sa'gitta *f*, Pfeilwurm *m.* **3.** s~ *math.* Pfeilhöhe *f.*

sag·it·tal ['sædʒitl] *adj* sagit'tal (*bes. biol. med. phys.*), pfeilartig, Pfeil...

Sag·it·ta·ri·us [,sædʒi'tɛ(ə)riəs] *s astr.* Sagit'tarius *m*, Schütze *m* (*Sternbild u. Tierkreiszeichen*).

sag·it·tate ['sædʒi,teit] *adj bes. bot.* pfeilförmig.

sa·go ['seigou] *pl* **-gos** *s* Sago *m.*

Sa·ha·ra [sə'hɑːrə] **I** *npr* Sahara *f.* **II** *s fig.* Wüste *f.*

sa·hib ['sɑːib; sɑːb] *s* **1.** Sahib *m*, Herr *m.* **2.** *fig.* feiner Herr, Gentleman *m.*

said [sed] **I** *pret u. pp von* say[1]: he is ~ to have been ill er soll krank gewesen sein; es heißt, er sei krank gewesen. **II** *adj bes. jur.* vorerwähnt, besagt: ~ witness.

sai·ga ['saigə] *s* Saiga *f*, 'Steppen-[anti,lope *f.*]

sail [seil] **I** *s* **1.** *mar.* a) Segel *n*, b) *collect.* Segel(werk *n*) *pl*: to lower (*od.* strike) ~ die Segel streichen (*a. fig.*); to make ~ a) die Segel (bei)setzen, b) mehr Segel beisetzen, c) (*a.* to set ~) auslaufen (for nach); to take in ~ a) die Segel einholen, b) *fig.* ‚zurückstecken'; under ~ unter Segel, auf der Fahrt; under full ~ mit vollen Segeln. **2.** *mar.* (Segel)Schiff *n*: ~ ho! Schiff ho! (*in Sicht*). **3.** *mar.* (Segel)Schiffe *pl*: a fleet of 24 ~. **4.** (Segel)Fahrt *f*: to have a ~ segeln (gehen). **5.** *pl mar.* (*Spitzname für den*) Segelmacher. **6.** a) Segel *n* (*e-s Windmühlenflügels*), b) Flügel *m* (*e-r Windmühle*). **7.** *hunt. u. poet.* Flügel *m.* **8.** *zo.* a) Segel *n* (*Rükkenflosse der Seglerfische*), b) Ten'takel *m* (*e-s Nautilus*).
II *v/i* **9.** *mar.* a) *allg.* mit e-m Schiff *od.* zu Schiff fahren *od.* reisen, b) fahren (*Schiff*), c) *bes. sport* segeln. **10.** *mar.* a) auslaufen (*Schiff*), b) abfahren, absegeln (from von; for *od.* to nach): ready to ~ segelfertig, klar zum Auslaufen. **11.** *a.* ~ along *fig.* da'hingleiten, -schweben, segeln (*Wolke, Vogel*). **12.** *fig.* fliegen (*Luftschiff, Vogel*). **13.** *fig.* (*bes. stolz*) schweben, rauschen, segeln, schreiten: she ~ed down the corridor. **14.** ~ in *sl.* ‚'rangehen', zupacken. **15.** ~ into *sl.* a) *j-n od. etwas* attac'kieren, 'herfallen über (*acc*), b) *j-n* ‚her'unterputzen', c) *etwas* ‚her'unterreißen', d) ‚'rangehen' an (*acc*), *etwas* tüchtig anpacken.
III *v/t* **16.** *mar.* durch'segeln, befahren. **17.** *mar.* a) *allg. das Schiff* steuern, b) *ein Segelboot* segeln. **18.** *poet.* durch *die Luft* schweben.

sail·a·ble ['seiləbl] *adj mar.* **1.** schiffbar, befahrbar. **2.** segelfertig.

'**sail|,boat** *s bes. Am.* Segelboot *n.* '~,**cloth** *s mar.* Segeltuch *n.*

sail·er ['seilər] *s mar.* Segler *m* (*Schiff*).

sail·ing ['seiliŋ] **I** *s* **1.** *mar.* (Segel)-Schiffahrt *f*, Navigati'on *f*: plain (*od.* smooth) ~ *fig.* ‚klare' *od.* ‚glatte' Sache; from now on it's all plain ~ von jetzt an geht alles glatt. **2.** Segelsport *m*, Segeln *n.* **3.** Abfahrt *f* (for nach). **II** *adj* **4.** Segel... ~ **boat** *s bes. Br.* Segelboot *n.* ~ **mas·ter** *s mar.* Naviga'teur *m* (*e-r Jacht*). ~ **or·ders** *s pl mar.* **1.** Fahrtauftrag *m.* **2.** Befehl *m* zum Auslaufen. ~ **ship,** ~ **ves·sel** *s* Segelschiff *n.* [(*an Bord*).]

sail loft *s* Segelmacherwerkstatt *f*

sail·or ['seilər] *s* **1.** Ma'trose *m*, Seemann *m*: ~ hat → 3; ~ suit Matrosenanzug *m*; ~'s choice *ichth.* Seemanns Bester *m*; ~'s home Seemannsheim *n*; ~'s knot Schifferknoten *m.* **2.** *von Seereisenden*: to be a good ~ seefest sein; to be a bad ~ leicht seekrank werden. **3.** Ma'trosenhut *m* (*für Kinder etc*).

'**sail·or,man** [-,mæn] *s irr colloq. für* sailor 1.

'**sail|,plane I** *s* Segelflugzeug *n.* **II** *v/i* segelfliegen. ~ **yard** *s mar.* Segelstange *f*, Rah *f.*

sain [sein] *v/t obs. od. dial.* **1.** bekreuzigen. **2.** durch Gebet schützen (from vor *dat*). [Espar'sette *f.*]

sain·foin ['seinfɔin; *Br. a.* 'sæn-] *s bot.*

saint [seint; sənt] **I** *s* **1.** (*vor Eigennamen* S~, *meist abgekürzt* St *od.* S. [seint; sənt], *pl* Sts *od.* SS. [seints; sənts] *relig.* (*a. fig. u. iro.*) Heilige(r *m*) *f*: St Peter Sankt Petrus, der heilige Petrus; it is enough to provoke (*od.* to try the patience of) a ~ es könnte sogar e-n Heiligen verrückt machen; to lead the life of a ~ → 5a; young ~s old sinners Jugend sollte sich austoben. **2.** *relig.* Selige(r *m*) *f.* **II** *v/t* **3.** heiligsprechen. **4.** heiligen. **III** *v/i meist* ~ it **5.** a) wie ein Heiliger leben, b) den Heiligen spielen.

Saint Ag·nes's Eve ['ægnisiz] *s* Vorabend *m* des St.-Agnes-Tages (*Abend des 20. Januar*).

Saint An·drew ['ændruː] *npr* der heilige An'dreas (*Apostel; Schutzheiliger Schottlands*). **St An·drew's cross** *s* An'dreaskreuz *n.* **Saint Andrew's Day** *s* An'dreastag *m* (*der 30. November*).

St An·tho·ny's fire ['æntəniz; *Am. a.* -θə-] *s med.* a) Wundrose *f*, b) Gan'grän *n*, c) Ergo'tismus *m.*

St Bar·thol·o·mew [bɑːr'θɒlə,mjuː] *npr* der heilige Bartholo'mäus: ~'s *ein Krankenhaus in London*; the massacre of ~ die Bartholomäusnacht (*in Paris am 24. August 1572*).

Saint Ber·nard (dog) ['bəːrnərd] *s* Bernhar'diner *m* (*Hund*).

Saint Da·vid ['deivid] *npr* der heilige David (*Schutzheiliger von Wales*).

saint·ed ['seintid] *adj* **1.** *bes. relig.* heilig(gesprochen). **2.** heilig, fromm. **3.** anbetungswürdig. **4.** geheiligt, geweiht (*Ort*). **5.** selig (*Verstorbener*).
St El·mo's fire ['elmouz] *s meteor.* Elmsfeuer *n.*
Saint George [dʒɔːrdʒ] → George 1. **St George's** *s* **1.** *ein Krankenhaus in London.* **2.** ~, Hanover Square *eine für vornehme Hochzeiten bekannte Kirche in London.*
saint·hood ['seinthud] *s* **1.** (Stand *m* der) Heiligkeit *f* (*a. iro.*). **2.** *collect.* (*die*) Heiligen *pl.*
St James's ['dʒeimziz] *s* **1.** *a.* the Court of ~ (*od.* St James) *fig.* der britische Hof. **2.** *fig. vornehmes Londoner Viertel um den* ~ Palace. ~ **Pal·ace** *s ein Schloß in London (von 1697 bis 1837 Residenz der brit. Könige).*
Saint John of Je·ru·sa·lem [dʒɒn] *s* Johan'niterorden *m.*
St-John's-wort ['sindʒənzˌwəːrt; seint'dʒɒnz-] *s bot.* Jo'hanniskraut *n.*
St Leg·er ['ledʒər] *s* Saint Leger *n* (*e-e der wichtigsten Zuchtprüfungen für dreijährige Pferde*).
saint·like ['seintˌlaik] → saintly.
saint·li·ness ['seintlinis] *s* Heiligmäßigkeit *f*, Heiligkeit *f* (*a. iro.*).
St Luke's sum·mer [luːks; ljuːks] *s* Alt'weibersommer *m.*
saint·ly ['seintli] *adj* **1.** heilig, fromm. **2.** heiligmäßig: a ~ life.
St Mar·tin's sum·mer ['mɑːrtinz] *s* später Nachsommer (*um den 11. November*).
Saint Mon·day ['mʌndi] *s Br. colloq.* ‚blauer Montag'.
Saint Pat·rick ['pætrik] *npr* der heilige Patrick (*Schutzheiliger Irlands*). **Saint Pat·rick's Day** *s* Tag *m* des heiligen Patrick (*der 17. März*).
St Paul's [pɔːlz] *s* die 'Paulskatheˌdrale (*in London*).
St Pe·ter's Chair ['piːtərz] *s fig.* der Stuhl Petri, der Heilige Stuhl. **St Peter's (Church)** *s* die Peterskirche (*in Rom*).
Saint So·phi·a [sə'faiə] *s* die Hagia So'phia.
St Ste·phen's ['stiːvnz] *s Br. fig.* das Parla'ment (*nach der St Stephen's Chapel in Westminster*).
Saint Val·en·tine's Day ['vælənˌtainz] *s* Valentinstag *m.*
Saint Vi·tus's dance ['vaitəsiz] *s med.* Veitstanz *m.*
saith [seθ] *obs. od. poet. 3. sg pres von* say[1].
sake[1] [seik] *s* for the ~ of um ... (*gen*) willen, *j-m* zu'liebe, wegen (*gen*), halber (*gen*): for God's (heaven's) ~ um Gottes (Himmels) willen; for peace' ~ um des lieben Friedens willen; for his ~ ihm zuliebe, seinetwegen; for my own ~ as well as yours um meinetwillen ebenso wie um deinetwillen; for safety's ~ sicherheitshalber; for old ~'s ~ eingedenk alter Zeiten.
sa·ke[2] ['sɑːki] *s* Sake *m*, Reiswein *m.*
sa·ker ['seikər] *s* **1.** *orn.* Würgfalke *m.* **2.** *mil. hist. e-e alte Kanone.*
sa·ki ['sɑːki] *s zo.* Saki *m*, Schweifaffe *m.*
sal[1] [sæl] *s chem. pharm.* Salz *n*: ~ ammoniac Salmiaksalz.
sal[2] [sɑːl] *s* **1.** *bot.* Sal-, Saulbaum *m.* **2.** Sal *n*, Saul *n*, Surreyn *n* (*Holz von* 1).
sa·laam [sə'lɑːm] **I** *s* Selam *m*, Salem *m* (*orientalischer Gruß*). **II** *v/t u. v/i* mit e-m Selam *od.* e-r tiefen Verbeugung (be)grüßen.
sal·a·bil·i·ty, *bes. Br.* **sale·a·bil·i·ty** [ˌseilə'biliti] *s econ.* Gangbarkeit *f*, Verkäuflichkeit *f*, Marktfähigkeit *f.*
'sal·a·ble, *bes. Br.* **'sale·a·ble** *adj econ.* **1.** verkäuflich. **2.** marktfähig, gangbar.
sa·la·cious [sə'leiʃəs] *adj* (*adv* ~ly) **1.** geil, wollüstig. **2.** ob'szön, zotig. **sa'la·cious·ness,** *a.* **sa'lac·i·ty** [-'læsiti] *s* **1.** Geilheit *f*, Wollust *f.* **2.** Obszöni'tät *f.*
sal·ad ['sæləd] *s* **1.** Sa'lat *m.* **2.** *bot.* Sa'lat(gewächs *n*, -pflanze *f*) *m*, *bes. Am.* 'Gartensaˌlat *m.* **3.** *fig.* ‚Sa'lat' *m* (*Durcheinander*). ~ **days** *s pl*: in my ~ in m-n wilden Jugendtagen. ~ **dish** *s* Sa'latschüssel *f.* ~ **dress·ing** *s* Sa'latsoße *f.*
sal·a·man·der ['sæləˌmændər] *s* **1.** *zo.* Sala'mander *m.* **2.** Sala'mander *m* (*Feuergeist*). **3.** *j-d, der große Hitze ertragen kann.* **4.** a) rotglühendes (Schür)Eisen (*zum Anzünden*), b) *tech.* (*Bau*)*Ofen zur Verhinderung des Einfrierens von Zement etc*, c) *glühende* (*Eisen*)*Schaufel, die über Gebäck gehalten wird, um es zu bräunen.* **5.** *metall.* Ofensau *f.* ˌ**sal·a'man·drine** [-drin] *adj* sala'manderartig, Salamander...
sa·lar·i·at [sə'lɛ(ə)riˌæt] *s* (Klasse *f* der) Gehaltsempfänger *pl.*
sal·a·ried ['sælərid] *adj* **1.** (fest)bezahlt, (fest)angestellt: ~ employee Gehaltsempfänger(in). **2.** bezahlt: a ~ position.
sal·a·ry ['sæləri] **I** *s* Gehalt *n*, Besoldung *f.* **II** *v/t* (*mit e-m Gehalt*) bezahlen, besolden, *j-m* ein Gehalt zahlen.
sale [seil] *s econ.* **1.** Verkauf *m*, Veräußerung *f*: by private ~ unter der Hand; for ~, on ~ verkäuflich, zum Verkauf; not for ~ unverkäuflich; to put up for ~ zum Verkauf anbieten, feilbieten; → forced 1. **2.** *econ.* Verkauf *m*, Vertrieb *m*: → return 30. **3.** *econ.* Ab-, 'Umsatz *m*, Verkaufsziffer *f*: slow ~ schleppender Absatz; to meet with a ready ~ schnellen Absatz finden, gut ‚gehen'. **4.** *econ.* (Sai'son)Schlußverkauf *m*: summer ~(s). **5.** öffentliche Versteigerung, Aukti'on *f*: → put up 20. ˌ**sale·a'bil·i·ty, 'sale·a·ble** *bes. Br. für* salability, salable.
sal·e·ra·tus [ˌsæli'reitəs] *s chem. Am.* Natrium'bikarboˌnat *n.*
sale room *bes. Br. für* salesroom.
sales| ac·count [seilz] *s econ.* Warenausgangs-, Verkaufskonto *n.* ~ **a·gent** *s* (Handels)Vertreter *m.* ~ **ap·peal** *s econ.* Zugkraft *f*, Anziehungskraft *f* auf Kunden. '~ˌ**clerk** *s Am.* (Laden)Verkäufer(in). ~ **en·gi·neer** *s* **1.** Ver'triebsingeniˌeur *m.* **2.** technischer Kaufmann. '~ˌ**girl** *s* (Laden)Verkäuferin *f.* '~ˌ**la·dy** *Am.* → saleswoman. '~·**man** [-mən] *s irr* **1.** Verkäufer *m.* **2.** Großhändler *m.* **3.** (Handlungs)Reisende(r) *m.* **4.** *fig.* j-d, der ‚gut reden' kann, j-d, der e-e Idee *etc* gut ‚verkaufen' *od.* ‚an den Mann bringen' kann: he is a good ~ of liberalism. ~ **man·ag·er** *s* Verkaufsleiter *m.*
sales·man·ship ['seilzmənˌʃip] *s econ.* **1.** Verkaufstechnik *f.* **2.** Verkaufsgewandtheit *f*, Geschäftstüchtigkeit *f.* **3.** *fig.* Über'zeugungskunst *f*; wirkungsvolle Art, e-e Idee *etc* ‚an den Mann zu bringen'.
'sales|ˌpeo·ple *s pl econ.* Ver'kaufsperso,nal *n*, Verkäufer *pl.* '~ˌ**per·son** *s* Verkäufer(in). ~ **pro·mo·tion** *s* Verkaufsförderung *f.* ~ **re·sist·ance** *s* Kaufabneigung *f*, 'Widerstand *m* (*des potentiellen Kunden*). '~ˌ**room** *s* Ver'kaufs-, *bes.* Aukti'onsraum *m*, -loˌkal *n.* ~ **talk** *s* **1.** *econ.* Verkaufsgespräch *n.* **2.** *fig.* anpreisende Worte *pl*, Über'redungskünste *pl.* ~ **tax** *s* 'Umsatzsteuer *f.* '~ˌ**wom·an** *s irr* **1.** Verkäuferin *f.* **2.** Großhändlerin *f.* **3.** (Handlungs)Reisende *f.*
Sa·li·an ['seiliən] **I** *s* Salier(in), salischer Franke. **II** *adj* salisch.
Sal·ic[1] ['sælik] *adj* → Salian II: ~ Law *hist.* Salisches Gesetz, Lex *f* salica.
sal·ic[2] ['sælik] *adj min.* salisch.
sal·i·cin(e) ['sælisin] *s chem.* Sali'zin *n.*
sal·i·cyl ['sælisil] *s chem.* Sali'zyl *n.*
sal·i·cyl·ate ['sæliˌsileit; sə'lisiˌleit] **I** *s chem.* Salizy'lat *n.* **II** *v/t* mit Sali'zylsäure behandeln. **sal·i·cyl·ic** [ˌsæli'silik] *adj* Salizyl...: ~ acid.
sa·li·ence ['seiliəns], **'sa·li·en·cy** [-si] *s* **1.** Her'vorspringen *n*, Her'ausragen *n.* **2.** vorspringende Stelle, Vorsprung *m.* **3.** Bedeutung *f*: to give ~ to s.th. etwas herausstellen, e-r Sache Bedeutung beimessen.
sa·li·ent ['seiliənt] **I** *adj* (*adv* ~ly) **1.** (her)'vorspringend, her'ausragend: ~ angle ausspringender Winkel; ~ point *fig.* springender Punkt. **2.** *fig.* her'vorstechend, ins Auge springend: ~ characteristics. **3.** *her. od. humor.* springend. **4.** *poet.* (her'vor)sprudelnd. **II** *s* **5.** *math. mil.* vorspringender Winkel (*e-r Verteidigungslinie etc*), *mil.* Frontausbuchtung *f.*
sa·lif·er·ous [sə'lifərəs] *adj* **1.** salzbildend. **2.** *bes. geol.* salzhaltig. **sal·i·fi·a·ble** ['sæliˌfaiəbl] *adj chem.* salzbildend. **'sal·iˌfy** [-ˌfai] *v/t chem.* **1.** ein Salz *od.* Salze bilden mit. **2.** *e-e Säure od. Base* in das Salz über'führen.
sa·li·na [sə'lainə] *s* **1.** Salzsee *m od.* -sumpf *m od.* -quelle *f.* **2.** Sa'line *f*, Salzwerk *n.*
sa·line ['seilain] **I** *adj* **1.** salzig, salzhaltig, Salz... **2.** *pharm.* sa'linisch. **II** *s* [*Br. a.* sə'lain] **3.** → salina. **4.** a) sa'linisches Mittel, b) physio'logische Kochsalzlösung. **5.** *chem.* a) Salzlösung *f*, b) *pl* Salze *pl.* **sa·lin·i·ty** [sə'liniti] *s* **1.** Salzigkeit *f.* **2.** Salzhaltigkeit *f*, Salzgehalt *m.*
sal·i·nom·e·ter [ˌsæli'nɒmitər] *s chem. tech.* Salz(gehalt)messer *m*, Salzwaage *f.*
Sa·lique [sə'liːk] → Salic[1].
sa·li·va [sə'laivə] *s* Speichel(flüssigkeit *f*) *m.*
sal·i·var·y ['sælivəri] *adj* Speichel...
sal·i·vate ['sæliˌveit] *med.* **I** *v/t* **1.** (vermehrten) Speichelfluß her'vorrufen bei *j-m.* **II** *v/i* **2.** Speichelfluß haben. **3.** Speichel absondern. ˌ**sal·i'va·tion** *s med.* **1.** Speichelabsonderung *f.* **2.** vermehrter Speichelfluß.
sal·low[1] ['sælou] *s* (*bes.* Sal)Weide *f.*
sal·low[2] ['sælou] *adj* bläßlich, fahl.
sal·low·ness ['sælounis] *s* Fahlheit *f.*
sal·low thorn *s bot.* Sanddorn *m.*
sal·ly ['sæli] **I** *s* **1.** *mil.* Ausfall *m*: ~-port Ausfalltor *n.* **2.** Ausflug *m*, Abstecher *m.* **3.** *fig.* geistreicher Ausspruch *od.* Einfall, Geistesblitz *m.* **4.** *fig.* Ausbruch *m*: ~ of anger Zornesausbruch. **5.** *obs.* Eska'pade *f*, Streich *m.* **6.** *arch.* (Balken)Vorsprung *m.* **II** *v/i* **7.** *oft* ~ out *mil.* e-n Ausfall machen, her'vorbrechen. **8.** *meist* ~ forth (*od.* out) sich aufmachen, aufbrechen.
Sal·ly Lunn ['sæli 'lʌn] *s leichter Teekuchen.*
sal·ma·gun·di [ˌsælmə'gʌndi] *s* **1.** Ra'gout *n.* **2.** *fig.* Mischmasch *m*, Potpourri *n.*
sal·mi ['sælmi] *s* Salmi *n*, 'Wildraˌgout *n.*
salm·on ['sæmən] **I** *s* **1.** *pl* **-mons,**

collect. **-mon** *ichth.* Lachs *m*, Salm *m*. **2.** *a.* ~ colo(u)r Lachs(farbe *f*) *n*. **II** *adj* **3.** *a.* ~-colo(u)red lachsfarben, -rot. ~ **lad·der,** ~ **leap,** ~ **pass** *s* Lachsleiter *f*. ~ **peal,** ~ **peel** *s* junger Lachs. ~ **pink** → salmon 2. ~ **stair** → salmon ladder. ~ **trout** *s ichth.* **1.** 'Lachsfo,relle *f*. **2.** *amer.* 'Seefo,relle *f*.

sa·lon [sa'lɔ̃; *Br.* 'sælɔ̃ːŋ; *Am. a.* sə'lɑn] (*Fr.*) *s* **1.** Sa'lon *m*: a) Empfangs-, Gesellschaftszimmer *n*, b) Ausstellungsraum *m*, c) *fig.* schöngeistiger Treffpunkt, d) *econ.* vornehmes Geschäft. **2.** S~ Sa'lon *m* (*jährliche Kunstausstellung in Paris*). ~ **mu·sic** *s* Sa'lonmu,sik *f*.

sa·loon [sə'luːn] *s* **1.** Sa'lon *m* (*bes. in Hotels etc*), (Gesellschafts)Saal *m*: billiard ~ *Br.* Billardzimmer *n*; shaving ~ Rasiersalon; shooting ~ *Br.* Schießhalle *f*. **2.** *aer. mar.* a) Sa'lon *m* (*Aufenthaltsraum*), b) *a.* ~ cabin *mar.* Ka'bine *f* erster Klasse. **3.** *Br.* a) → saloon bar, b) → saloon car 1, c) *rail.* Sa'lonwagen *m*: dining ~ Speisesalon *m*; sleeping ~ (*bes.* Luxus)Schlafwagen *m*. **4.** *Am.* Kneipe *f*, Spe'lunke *f*. **5.** Sa'lon *m*, Empfangszimmer *n*. ~ **bar** *s Br.* Bar *f* erster Klasse (*e-r Gastwirtschaft*). ~ **car** *s Br.* **1.** *mot.* Limou'sine *f*. **2.** → saloon 3 c. ~ **car·riage** → saloon 3 c. ~ **deck** *s mar.* Sa'londeck *n*.

sa'loon,keep·er *s Am.* Kneipenwirt *m*.

sa·loon| pis·tol *s bes. Br.* 'Übungspi,stole *f*. ~ **ri·fle** *s bes. Br.* Übungsgewehr *n* (*für den Schießstand etc*).

Sa·lo·pi·an [sə'loupiən; -pjən] **I** *adj* Shropshire..., aus Shropshire. **II** *s* Bewohner(in) von Shropshire.

sal·pin·gi·tis [,sælpin'dʒaitis] *s med.* Eileiterentzündung *f*.

salt[1] [sɔːlt] **I** *s* **1.** (Koch)Salz *n*: to eat s.o.'s ~ *fig.* a) j-s Gast sein, b) von j-m abhängig sein; with a grain (*od.* pinch) of ~ *fig.* cum grano salis, mit Vorbehalt; in ~ (ein)gesalzen, (ein)gepökelt; not to be worth one's ~ nichts taugen, ,keinen Schuß Pulver wert sein'; the ~ of the earth *Bibl. u. fig.* das Salz der Erde. **2.** Salz(fäßchen) *n*: pass me the ~, please; above (below) the ~ am oberen (unteren) Ende der Tafel. **3.** *chem.* Salz *n*. **4.** *oft pl med.* a) (*bes.* Abführ)Salz *n*, b) → smelling salts, c) *colloq. für* epsom salt. **5.** *fig.* Würze *f*, Salz *n*: a speech full of ~ e-e gewürzte Rede. **6.** *fig.* Witz *m*, E'sprit *m*. **7.** *a.* old ~ (alter) Seebär. **II** *v/t* **8.** salzen, würzen (*beide a. fig.*). **9.** (ein)salzen, mit Salz bestreuen, *bes.* pökeln: ~ed meat Pökel-, Salzfleisch *n*. **10.** *phot.* Papier mit Fi'xiersalz behandeln. **11.** *dem Vieh* Salz geben. **12.** *chem.* a) mit (e-m) Salz behandeln, b) *meist* ~ out aussalzen. **13.** *fig.* durch'setzen mit: a party ~ed with businessmen. **14.** *econ. sl.* a) *e-e Rechnung etc* ,salzen', ,pfeffern', b) *die Geschäftsbücher etc* ,fri'sieren', c) *ein Bohrloch, e-e Mine etc* (betrügerisch) ,anreichern': to ~ a mine. **15.** ~ away, ~ down a) einsalzen, -pökeln, b) *sl. Geld etc* ,auf die hohe Kante legen'.

III *adj* **16.** Salz..., salzig: ~ water; ~ spring Salzquelle *f*. **17.** (ein)gesalzen, (ein)gepökelt, Salz..., Pökel...: ~ beef gepökeltes Rindfleisch. **18.** *bot.* Salz-..., halo'phil. **19.** *sl.* ,gesalzen', ,gepfeffert': ~ price.

salt[2] [sɔːlt] *adj obs.* geil.

sal·tant ['sæltənt] *adj her.* springend.

sal·ta·tion [sæl'teiʃən] *s* **1.** Springen *n*, Tanzen *n*. **2.** Sprung *m*. **3.** Springtanz *m*. **4.** plötzlicher 'Umschwung. **5.** *biol.* Erbsprung *m*. **'sal·ta·to·ry** [-tətəri] *adj* **1.** hüpfend, springend. **2.** Spring..., Sprung... **3.** Tanz... **4.** *fig.* sprunghaft.

salt| cake *s chem.* technisches 'Natriumsul,fat. **'~,cel·lar** *s* Salzfäßchen *n*: a) Salznäpfchen *n*, -streuer *m*, b) *colloq. Vertiefung über dem Schlüsselbein.*

salt·ed ['sɔːltid] *adj* **1.** a) gesalzen, b) → salt[1] 17. **2.** *sl.* a) abgehärtet, b) ,ausgekocht', gerieben, erfahren.

salt·er ['sɔːltər] *s* **1.** Salzsieder *m od.* -händler *m*. **2.** Salzarbeiter *m*. **3.** Einsalzer *m*.

salt·ern ['sɔːltərn] *s tech.* **1.** Sa'line *f*. **2.** Salzgarten *m* (*Verdunstungsbassins*).

sal·tier ['sæltir] *s her.* Schrägkreuz *n*.

salt·i·ness ['sɔːltinis] *s* Salzigkeit *f*.

sal·tire ['sæltair; 'sɔːl-; -tir] → saltier.

salt| junk *s colloq.* Salzfleisch *n*. ~ **lick** *s* Salzlecke *f* (*für Wild*). ~ **marsh** *s* **1.** Salzsumpf *m*. **2.** Butenmarsch *f*. ~ **mine** *s* Salzbergwerk *n*.

salt·ness ['sɔːltnis] *s* Salzigkeit *f*.

salt pan *s* **1.** *tech.* Salzsiedepfanne *f*. **2.** (*geol.* na'türliches) Ver'dunstungsbas,sin (*für Meerwasser*).

salt·pe·ter, *bes. Br.* **salt·pe·tre** [,sɔːlt'piːtər] *s chem.* Sal'peter *m*.

salt| pit *s* Salzgrube *f*. **S~ Riv·er** *s pol. Am. humor.* ,totes Gleis' (*für abgebaute Politiker etc*): to row up ~, to be sent up ~ ,in die Wüste geschickt' *od.* ,kaltgestellt' werden. ~ **shak·er** *s* Salzstreuer *m*. **'~,wa·ter** *adj* Salzwasser... ~ **well** *s* (Salz)Solequelle *f*. **'~,works** *s pl* (*oft als sg konstruiert*) Sa'line *f*.

salt·y ['sɔːlti] *adj* **1.** salzig. **2.** *fig.* gesalzen, gepfeffert: ~ remarks.

sa·lu·bri·ous [sə'luːbriəs] *adj* (*adv* ~ly) heilsam, gesund, zuträglich, bekömmlich: a ~ climate. **sa'lu·bri·ty** [-ti] *s* Heilsamkeit *f*, Zuträglichkeit *f*, Bekömmlichkeit *f*.

sal·u·tar·i·ness ['sæljutərinis] → salubrity. **'sal·u·tar·y** *adj* **1.** heilsam, gesund (*beide a. fig.*), zuträglich. **2.** *med.* Heil...

sal·u·ta·tion [,sælju'teiʃən] *s* **1.** Begrüßung *f*, Gruß *m*: in ~ zum Gruß; → angelic. **2.** Anrede *f* (*im Brief*). **3.** Gruß-, Begrüßungsformel *f*.

sa·lu·ta·to·ri·an [sə,ljuːtə'tɔːriən] *s Am. Student, der die Begrüßungsansprache hält.* **sa'lu·ta·to·ry I** *adj* Begrüßungs..., Gruß...: ~ oration → II. **II** *s ped. Am.* Begrüßungsrede *f*.

sa·lute [sə'luːt; sə'ljuːt] **I** *v/t* **1.** grüßen, *durch e-e Geste etc* begrüßen. **2.** *weitS.* empfangen, *j-m* begegnen: to ~ with an oath (a smile). **3.** *dem Auge od. Ohr* begegnen *od.* sich bieten: a strange sight ~d the eye. **4.** *mar. mil.* salu'tieren vor (*dat*), grüßen. **5.** *fig.* grüßen, ehren, feiern. **6.** *obs. od. poet.* küssen. **II** *v/i* **7.** grüßen (to *acc*). **8.** *mar. mil.* a) (to) salu'tieren (vor *dat*), grüßen (*acc*), b) Sa'lut schießen. **III** *s* **9.** Gruß *m* (*a. fenc.*), Begrüßung *f*. **10.** *mil.* a) Gruß *m*, Ehrenbezeigung *f*, b) *bes. mar.* Sa'lut *m* (of 7 guns von 7 Schuß): to stand at the ~ salutieren; to take the ~ a) den Gruß erwidern, b) die Parade abnehmen, c) die Front (der Ehrenkompanie) abschreiten. **11.** *obs. od. humor.* (Begrüßungs)Kuß *m*.

sal·va·ble ['sælvəbl] *adj* **1.** erlösbar, (er)rettbar. **2.** rettbar, zu bergen(d).

sal·vage ['sælvidʒ] **I** *s* **1.** *mar. etc* a) Bergung *f*, Rettung *f* (*e-s Schiffs od. s-r Ladung, a. brandgefährdeter Güter etc*), b) Bergungsgut *n*, c) *a.* ~ money Bergegeld *n*: ~ vessel Bergungsfahrzeug *n*, *a.* Hebeschiff *n*; ~ (work) Aufräumungsarbeiten *pl*. **2.** *Versicherung*: Wert *m* der bei e-m Brand geretteten Waren. **3.** *fig.* a) (Er)Rettung *f*, b) Gerettete *pl*. **4.** *tech.* a) 'Wiedergewinnung *f* u. -verwertung *f* (*von Industrieabfällen etc*), b) 'wiedergewonnenes u. verwertetes Materi'al, verwertbares 'Altmateri,al, c) ,Ausschlachtung' *f* (*e-s Autowracks etc*): ~ value Schrottwert *m*. **II** *v/t* **5.** bergen, retten (*a. fig.*). **6.** *Altmaterial* verwerten *od.* sammeln. **7.** *ein Autowrack etc* ,ausschlachten'. **8.** *Am. sl.* ,organi'sieren' (*entwenden*).

sal·va·tion [sæl'veiʃən] *s* **1.** (Er)Rettung *f*. **2.** Heil *n*, Rettung *f*, Retter *m*. **3.** *relig.* a) (Seelen)Heil *n*, Seelenrettung *f*, b) Erlösung *f*: to find ~ das Heil finden. **S~ Ar·my** *s* 'Heilsar,mee *f*.

sal·va·tion·ism [sæl'veiʃə,nizəm] *s relig.* **1.** Seelenrettungslehre *f*. **2.** S~ Salu'tismus *m* (*Grundsätze der Heilsarmee*). **sal'va·tion·ist** *s relig.* Mitglied *n* der 'Heilsar,mee.

salve[1] [sɑːv; sæv] **I** *s* **1.** (Heil)Salbe *f*. **2.** *fig.* Pflaster *n*, Balsam *m*, Trost *m*: a ~ for wounded feelings ein Trostpflästerchen. **3.** *fig.* Beruhigungsmittel *n* (*fürs Gewissen etc*). **II** *v/t* **4.** (ein)salben. **5.** *fig. das Gewissen etc* beschwichtigen: to ~ one's conscience. **6.** *fig.* beschönigen. **7.** *fig. e-n Schaden, Zweifel etc* beheben.

salve[2] [sælv] → salvage 5 *u.* 6.

sal·ver ['sælvər] *s* Ta'blett *n*, Präsen'tierteller *m*.

sal·vi·a ['sælviə] *s bot.* Salbei *m, f*.

sal·vo[1] ['sælvou] *pl* **-vos, -voes** *s* **1.** *mil.* a) Salve *f*, Lage *f*, b) *a.* ~ bombing *aer.* Schüttwurf *m*: ~ fire *mil.* Laufsalve, *mar.* Salvenfeuer *n*. **2.** *fig.* (*Beifalls*)Salve *f*, Ausbruch *m*.

sal·vo[2] ['sælvou] *pl* **-vos** *s* **1.** Ausrede *f*. **2.** *bes. jur.* Vorbehalt(sklausel *f*) *m*: with an express ~ of their rights unter ausdrücklicher Wahrung ihrer Rechte.

sal vo·la·ti·le [sæl vo'lætəli(ː)] (*Lat.*) *s pharm.* Hirschhornsalz *n*.

sal·vor ['sælvər] *s* **1.** Berger *m*. **2.** Bergungsschiff *n*.

Sam [sæm] *s Br. sl.*: to stand ~ die Zeche zahlen; upon my ~! *humor.* so wahr ich hier stehe!

sam·a·ra ['sæmərə] *s bot.* Flügel- [frucht *f*.]

Sa·mar·i·tan [sə'mæritən] **I** *s* **1.** Samari'taner(in), Sama'riter(in): the good ~ *Bibl.* der barmherzige Samariter. **2.** *a.* good ~ *fig.* barm'herziger Sama'riter (*guter Mensch*). **II** *adj* **3.** sama'ritisch. **4.** *fig.* barm'herzig.

sam·bo ['sæmbou] *pl* **-bos, -boes** *s* **1.** Zambo *m* (*in Mittelamerika ein Halbblut, bes. Mischling von Negern u. Indianern*). **2.** S~ *colloq.* Neger *m*.

Sam Browne (belt) ['sæm 'braun] *s mil.* ledernes (Offi'ziers)Koppel mit Schulterriemen.

same [seim] **I** *adj* (*mit vorhergehendem bestimmtem Artikel od. hinweisendem Fürwort*) **1.** selb(er, e, es), gleich, nämlich: on the ~ day; with this ~ knife mit ebendiesem Messer; at the ~ price as zu demselben Preis wie; the ~ thing as das gleiche wie; which is the ~ thing was dasselbe ist; it comes to the ~ thing es läuft auf dasselbe hinaus; the very (*od.* just the *od.* exactly the) ~ thing genau dasselbe; the two problems are really one and the ~ die beiden Probleme sind eigentlich ein u. dasselbe; he is no longer the ~ man er ist nicht mehr

der gleiche *od.* der alte; → **time** 6. **2.** (*ohne art*) *fig.* einförmig, eintönig: **the work is really a little** ~.
II *pron* **3.** der-, die-, das'selbe, der *od.* die *od.* das gleiche: **it is much the** ~ es ist (so) ziemlich das gleiche; ~ **here** *colloq.* so geht es mir auch, ‚ganz meinerseits'; **it is all the** ~ **to me** es ist mir ganz gleich *od.* einerlei. **4. the** ~ a) *a. jur.* der- *od.* die'selbe, die erwähnte *od.* besagte Per'son, b) *jur. relig.* er, sie, es, dieser, diese, dies(es). **5.** (*ohne art*) *econ. od. colloq.* der- *od.* die- *od.* das'selbe: **6 shillings for alterations to** ~.
III *adv* **6. the** ~ in der'selben Weise, genauso, ebenso (**as** wie): **all the** ~ gleichviel, trotzdem; **just the** ~ *colloq.* a) genauso, b) trotzdem; **(the)** ~ **to you** (*danke,*) gleichfalls.
same·ness ['seimnis] *s* **1.** Gleichheit *f*, Identi'tät *f*. **2.** Eintönigkeit *f*.
sam·ite ['sæmait; 'seim-] *s hist.* schwerer, mit Gold durch'wirkter Seidenstoff.
sam·let ['sæmlit] *s* junger Lachs.
Sam·my ['sæmi] *s colloq.* Sammy *m* (*Spitzname des amer. Soldaten*).
Sa·mo·an [sə'mouən] **I** *adj* **1.** samo'anisch, von den Sa'moa-Inseln. **II** *s* **2.** Samo'aner(in). **3.** *ling.* Samo'anisch *n*, das Samoanische.
samp [sæmp] *s Am.* Maisgrütze *f*.
sam·pan ['sæmpæn] *s* Sam'pan *m* (*chinesisches [Haus]Boot*).
sam·phire ['sæmfair] *s bot.* **1.** Meerfenchel *m*. **2.** Queller *m*.
sam·ple [*Br.* 'sɑːmpl; *Am.* 'sæ(ː)mpl] **I** *s* **1.** *econ.* a) (Waren-, Quali'täts)-Probe *f*, (Stück-, Typen)Muster *n*, b) Probepackung *f*, c) Ausstellungsmuster *n*, -stück *n*, d) *Gütekontrolle*: Stichprobe(nmuster *n*) *f*: ~**s only** Muster ohne Wert; **by** ~ **post** *mail* (als) Muster ohne Wert; **up to** ~ dem Muster entsprechend. **2.** *Statistik*: Sample *n*, Stichprobe *f*, Probeerhebung *f*, (Erhebungs)Auswahl *f*. **3.** *fig.* Musterbeispiel *n*, typisches Exem'plar. **4.** *fig.* Probe *f*: **a** ~ **of his courage; that's a** ~ **of her behavio(u)r** *colloq.* das ist typisch für sie. **5.** *TV* Abfragewert *m*. **II** *v/t* **6.** pro'bieren, e-e Probe nehmen von, *bes. Kochkunst*: kosten. **7.** e-e Stichprobe machen bei, (stichprobenweise) testen, e-e Auswahl erheben von. **8.** stichprobenweise ergeben. **9.** ein Gegenstück *od.* etwas Gleichwertiges finden für. **10.** ein (typisches) Beispiel sein für, als Muster dienen für. **11.** e-e Probe zeigen von. **12.** ko'pieren. **13.** *TV, Computer etc*: abtasten. **III** *adj* **14.** Muster..., Probe...: ~ **book** *econ.* Musterbuch *n*; ~ **card** *econ.* Muster-, Probekarte *f*. **15.** Stichproben..., Auswahl... '**sampler** *s* **1.** Pro'bierer(in), Prüfer(in). **2.** *Stickerei*: Sticktuch *n*. **3.** *TV* Abfrageschalter *m*. '**sam·pling** *s* **1.** *econ.* 'Musterkollekti͵on *f*. **2.** *econ.* Bemusterung *f*. **3.** *econ.* Werbung *f* durch Verteilung von Probepackungen. **4.** Stichprobenerhebung *f*, ('Umfrage *f od.* Prüfung *f* nach e-m) Auswahlverfahren *n*, Erhebung *f* e-r (repräsenta'tiven) Auswahl; ~ **inspection** Stichprobenkontrolle *f*. **5.** Muster(stück) *n*, Probe *f*. **6.** Pro'bieren *n* (*von Speisen etc*). **7.** *TV* 'Abfrageme͵thode *f*: ~ **rate** (*a. Computer*) Abtastfrequenz *f*.
Samp·son ['sæm(p)sn], **Sam·son** ['sæmsn] *s fig.* Samson *m*, Herkules *m*.
Sam·u·el ['sæmjuəl] *npr u. s Bibl.* (das Buch) Samuel *m*.
san·a·tive ['sænətiv] *adj* heilend, heilsam, heilkräftig, Heil(ungs)...
san·a·to·ri·um [͵sænə'tɔːriəm] *pl* **-ri·ums, -ri·a** [-riə] *s med.* **1.** Sana'torium *n*, *bes.* a) Lungenheilstätte *f*, b) Erholungsheim *n*. **2.** (*bes.* Höhen)-Luftkurort *m*.
san·a·to·ry ['sænətəri] → **sanative.**
sanc·ti·fi·ca·tion [͵sæŋktifi'keiʃən] *s relig.* **1.** Heilig(mach)ung *f*. **2.** Weihung *f*, Heiligung *f*. '**sanc·ti͵fied** [-͵faid] *adj* **1.** geheiligt, geweiht. **2.** heilig u. unverletzlich. **3.** → **sanctimonious.** '**sanc·ti͵fy** [-͵fai] *v/t* heiligen: a) weihen, b) (von Sünden) reinigen, c) rechtfertigen: **the end sanctifies the means** der Zweck heiligt die Mittel, d) heilig u. unverletzlich machen.
sanc·ti·mo·ni·ous [͵sæŋkti'mouniəs; -njəs] *adj* (*adv* ~**ly**) frömmelnd, scheinheilig, ölig. ͵**sanc·ti'mo·ni·ous·ness,** '**sanc·ti·mo·ny** [-məni] *s* Scheinheiligkeit *f*, Frömme'lei *f*.
sanc·tion ['sæŋkʃən] **I** *s* **1.** Sankti'on *f*, (*nachträgliche*) Billigung *od.* Zustimmung: **to give one's** ~ **to** → 3 a. **2.** *jur.* a) Sanktio'nierung *f* (*e-s Gesetzes etc*), b) *pol.* Sankti'on *f*, Zwangsmittel *n*, c) (gesetzliche) Strafe, d) *hist.* De'kret *n*. **II** *v/t* **3.** sanktio'nieren: a) billigen, gutheißen, b) dulden, c) *e-n Eid etc* bindend machen, d) Gesetzeskraft verleihen (*dat*).
sanc·ti·ty ['sæŋktiti] *s* **1.** Heiligkeit *f* (*a. Unverletzlichkeit*): → **odor** 3. **2.** *pl* heilige Dinge *pl*.
sanc·tu·a·ry [*Br.* 'sæŋktjuəri; *Am.* -tʃu͵eri] *s* **1.** Heiligtum *n* (*a. fig.*). **2.** *relig.* Heiligtum *n*, heilige Stätte. **3.** *relig. bes. Bibl.* Aller'heiligste(s) *n*. **4.** Sanktu'arium *n*, Freistätte *f*, A'syl *n*: **to seek** ~ (an e-r Freistätte) Schutz *od.* Zuflucht suchen. **5.** *a.* **rights of** ~ A'sylrecht *n*: **to break the** ~ das Asylrecht verletzen. **6.** *fig.* Zufluchts-, Freistätte *f*, A'syl *n*. **7.** *hunt.* a) Schonzeit *f*, b) Schongebiet *n*.
sanc·tum ['sæŋktəm] *pl* **-tums** *s* Heiligtum *n*: a) heilige Stätte, b) *fig.* Pri'vat-, Stu'dierzimmer *n*, Pri'vatgemach *n*, c) innerste Sphäre. ~ **sanc·to·rum** [sæŋk'tɔːrəm] *s relig. u. humor.* (*das*) Aller'heiligste.
sand [sænd] **I** *s* **1.** Sand *m*: **built on** ~ *fig.* auf Sand gebaut; → **rope** 7. **2.** *oft pl* a) Sandbank *f*, b) Sand(strecke *f*, -fläche *f*) *m*: **to plough** (*Am.* **plow**) **the** ~**(s)** *fig.* den Sand pflügen (*Nutzloses tun*). **3.** *meist pl* Sand(körner *pl*) *m*: **numberless as the** ~**(s)** zahllos wie (der) Sand am Meer; **his** ~**s are running out** s-e Tage sind gezählt. **4.** (Streu-, Scheuer-, Schleif)Sand *m*. **5.** *Am. sl.* ‚Mumm' *m*, ‚Schneid' *m*. **II** *v/t* **6.** mit Sand bestreuen. **7.** im Sand vergraben. **8.** schmirgeln, mit Sand scheuern.
san·dal[1] ['sændl] **I** *s* **1.** San'dale *f*, Riemenschuh *m*. **2.** Sanda'lette *f*. **II** *v/t* **3.** mit San'dalen bekleiden.
san·dal[2] ['sændl] *s* **1.** → **sandalwood.** **2.** → **sandal tree** 1.
san·dal| tree *s* **1.** *bot.* San'toribaum *m*. **2.** → **sandalwood** 1. '~͵**wood** *s* **1.** *a.* **white** ~ a) *bot.* Sandelbaum *m*, b) weißes *od.* echtes Sandelholz (*Holz von* a). **2.** *a.* **red** ~ a) *bot.* (*ein*) Flügelfruchtbaum *m*, b) rotes Sandelholz (*Holz von* a).
san·da·rac ['sændə͵ræk] *s* **1.** → **sandarac tree.** **2.** *bes. tech.* Sandarak *m* (*Harz*). ~ **tree** *s bot.* Sandarakbaum *m*.
'**sand|͵bag I** *s* **1.** Sandsack *m*. **II** *v/t* **2.** mit Sandsäcken befestigen. **3.** mit e-m Sandsack niederschlagen. '~͵**bank** *s* Sandbank *f*. ~ **bar** *s* längliche Sandbank. '~͵**blast** *tech.* **I** *s* **1.** Sandstrahl *m*. **2.** Sand(strahl)gebläse *n*. **II** *v/t* **3.** (mit Sandstrahl) abblasen. '~͵**box** *s* **1.** Sandkasten *m* (*a. Golf*). **2.** *hist.* Streusandbüchse *f*. **3.** *Gießerei*: Sandform *f*. **4.** Sandstreuer *m* (*e-r Lokomotive*). '~͵**boy** *s*: **as happy as a** ~ 'kreuzfi͵del. '~-͵**cast** *v/t irr tech.* in Sand gießen. ~ **cast·ing** *s* Sandguß *m*. ~ **cas·tle** *s* Sandburg *f* (*am Strand etc*). ~ **dol·lar** *s zo.* Sanddollar *m* (*Seeigel*). ~ **drift** *s geol.* Flugsand *m*. ~ **dune** *s* Sanddüne *f*.
sand·er ['sændər] *s tech.* **1.** → **sandbox** 4. **2.** Sandstrahlgebläse *n*. **3.** 'Schmirgel͵schleifma͵schine *f*.
sand·er·ling ['sændərliŋ] *s orn.* Sanderling *m*.
san·ders ['sændərz] → **sandalwood** 2.
sand|fly *s zo. e-e stechende Fliege, bes.* a) Sandfliege *f*, b) Gnitze *f*, c) Kriebelmücke *f*. '~͵**glass** *s* Sanduhr *f*, Stundenglas *n*. ~ **grass** *s bot.* Sand-, Küstengras *n*. ~ **grouse** *s orn.* Flughuhn *n*.
san·dhi ['sændiː] *s ling.* Sandhi *m* (*die lautliche Veränderung, die der An- od. Auslaut e-s Wortes durch e-n benachbarten Wortaus- od. -anlaut erleidet*).
'**sand|͵lot** *Am.* **I** *s* **1.** Sandplatz *m* (*Behelfsspielplatz von Stadtkindern*). **II** *adj* **2.** Sandplatz...: ~ **baseball** *auf e-m Sandplatz von nicht organisierten Mannschaften gespielter Baseball.* **3.** *hist. die politischen Praktiken des irischen Agitators Denis Kearney u. s-r kommunistischen Anhänger betreffend, die sich auf den ‚Sandplätzen' San Franciscos versammelten*: ~ **constitution** *unter dem Einfluß des Mobs entstandene Verfassung von Kalifornien (1879)*; ~ **party** *kalifornische sozialistische Partei (1877—80)*. '~͵**man** *s irr* Sandmann *m* (*Schlafbringer*). ~ **mar·tin** *s orn.* Uferschwalbe *f*. ~ **mon·i·tor** *s zo.* 'Wüstenwa͵ran *m*. '~-͵**pa·per I** *s* 'Sandpa͵pier *n*. **II** *v/t* (ab)-schmirgeln. ~ **par·tridge** *s orn.* Sandhuhn *n*. '~͵**pip·er** *s orn.* (*ein*) Schnepfenvogel *m*, *bes.* a) Flußuferläufer *m*, b) *a.* **spotted** ~ Drosseluferläufer *m*. ~ **pit** *s* Sandgrube *f*. ~ **shoe** *s* Strandschuh *m*. '~͵**spit** *s* sandige Landzunge. ~ **spout** *s* Wind-, Sandhose *f*. '~͵**stone** *s geol.* Sandstein *m*: **Old (New) Red S**~ *unter (über) dem Karbon liegende Sandsteinschicht in Britannien.* '~-͵**storm** *s* Sandsturm *m*. ~ **ta·ble** *s a. mil.* Sandkasten *m*.
sand·wich ['sæn(d)witʃ; *Br. a.* -widʒ] **I** *s* **1.** Sandwich *n* (*belegtes Doppelbrot*): **to sit** ~ *fig.* eingezwängt sitzen. **2.** *fig.* Nebenein'ander *n*. **3.** Sandwichman *m*, Pla'katträger *m*. **II** *v/t* **4.** einklemmen, -zwängen. **5.** *sport den Gegner* ‚in die Zange nehmen'. **6.** *a.* ~ **in** *fig.* einlegen, -schieben, da'zwischenschieben. ~ **film** *s* doppeltbeschichteter Film. ~ **man** → **sandwich** 3.
sand·y[1] ['sændi] *adj* **1.** sandig, Sand...: ~ **soil;** ~ **desert** Sandwüste *f*. **2.** *fig.* sandfarben, strohblond: ~ **hair.** **3.** sandartig, körnig. **4.** *fig.* unsicher. **5.** *Am. sl.* schneidig, frech.
Sand·y[2] ['sændi] *s* **1.** *meist Scot. abbr. für* Alexander. **2.** (*Spitzname für*) Schotte *m*.
'**sand-͵yacht** *s* Strandsegler *m*.
sane [sein] *adj* **1.** geistig gesund, nor'mal. **2.** vernünftig, gescheit.
San·for·ize ['sænfə͵raiz] (*TM*) *v/t* sanfori'sieren (*Gewebe schrumpfecht machen*).
sang [sæŋ] *pret u. pp von* **sing.**
san·ga·ree [͵sæŋgə'riː] *s* Sanga'ree *n*

(*Getränk aus Wein, Wasser u. Brandy, gesüßt u. gewürzt*).
sang de boeuf [sɑ̃ də 'bœf] (*Fr.*) **I** *s* Tiefrot *n*, blutrote Farbe (*auf altem chinesischem Porzellan*). **II** *adj* blut-, tiefrot, ochsenblutfarben.
sang·froid [sɑ̃'frwa] (*Fr.*) *s* Kaltblütigkeit *f*.
San·graal, San·grail [sæŋ'greil], **San·gre·al** ['sæŋgriəl] *s relig.* der Heilige Gral.
san·gui·fi·ca·tion [ˌsæŋgwifi'keiʃən] *s biol.* Blutbildung *f*.
san·gui·nar·y ['sæŋgwinəri] *adj* **1.** blutig, mörderisch: ~ **battle.** **2.** blutdürstig, grausam: a ~ **person;** ~ **laws.** **3.** blutig, Blut...
san·guine ['sæŋgwin] **I** *adj* (*adv* ~**ly**) **1.** heiter, lebhaft, leichtblütig. **2.** voll-, heißblütig, hitzig. **3.** zuversichtlich, opti'mistisch: **to be** ~ **of success** zuversichtlich auf Erfolg rechnen. **4.** rot, frisch, blühend, von gesunder Gesichtsfarbe. **5.** *med. hist.* sangu'inisch. **6.** (blut)rot. **II** *s* **7.** Rötelstift *m*. **8.** Rötelzeichnung *f*. **'san·guine·ness** *s* heiteres Tempera'ment, Zuversichtlichkeit *f*. **san'guin·e·ous** [-niəs] *adj* **1.** Blut..., blutig. **2.** → **sanguine** I.
San·he·drin ['sænidrin], *a.* **'San·he·drim** [-drim] *s hist.* **1.** Ratsversammlung *f* (*der Juden*). **2.** *a.* **Great** ~ Sanhe'drin *m*, Hoher Rat (*höchste altjüdische Staatsbehörde*). **3.** *a.* **Small** ~, **Lesser** ~ *e-r der altjüdischen Provinzräte*.
sa·ni·es ['seiniˌiːz] *s med.* pu'trider Eiter, Jauche *f*.
san·i·fy ['sæniˌfai] *v/t* sa'nieren.
san·i·tar·i·an [ˌsæni'tɛ(ə)riən] **I** *adj* **1.** → **sanitary** 1. **II** *s* **2.** Hygi'eniker *m*. **3.** ‚Ge'sundheitsaˌpostel' *m*.
san·i·tar·i·ness ['sænitərinis] *s* hygi'enische *od.* sani'täre Beschaffenheit.
san·i·tar·i·um [ˌsæni'tɛ(ə)riəm] *pl* **-'tar·i·ums, -'tar·i·a** [-riə] *s bes. Am.* **1.** Sana'torium *n*. **2.** Kurort *m*.
san·i·tar·y ['sænitəri] **I** *adj* (*adv* **sanitarily**) **1.** hygi'enisch, Gesundheits..., gesundheitlich, (*a. tech.*) sani'tär. **2.** hygi'enisch (einwandfrei), gesund. **II** *s* **3.** *Am.* a) öffentliche Bedürfnisanstalt, b) Klo'sett *n*, WC *n*. ~ **belt** *s* Bindengürtel *m*. ~ **nap·kin** *s bes. Am.* Damenbinde *f*. ~ **tam·pon** *s* ('Monats)Tamˌpon *m*. ~ **tow·el** *s bes. Br.* Damenbinde *f*.
san·i·tate ['sæniˌteit] *v/t* hygi'enisch machen, mit sani'tären Einrichtungen versehen.
san·i·ta·tion [ˌsæni'teiʃən] *s* **1.** Sa'nierung *f*. **2.** sani'täre Einrichtungen *pl* (*in Gebäuden*). **3.** Gesundheitspflege *f*, -wesen *n*, Hygi'ene *f*.
san·i·ty ['sæniti] *s* **1.** geistige Gesundheit, *bes. jur.* Zurechnungsfähigkeit *f*. **2.** gesunder Verstand.
sank [sæŋk] *pret von* **sink.**
sans [sɑ̃; sænz] *prep* ohne (*obs. außer in Ausdrücken französischer Herkunft*).
San·scrit → **Sanskrit.**
san·sei ['sɑːn'sei] *pl* **-sei, -seis** [-'seiz] *s* Enkelkind *n* ja'panischer Einwanderer in den US'A.
san·ser·if [sæn'serif] *s print.* Gro'tesk *f*.
San·skrit ['sænskrit] **I** *s* Sanskrit *n*. **II** *adj* Sanskrit... **San'skrit·ic** *adj* Sanskrit..., sans'kritisch. **'San·skrit·ist** *s* Sanskritforscher *m*.
San·ta Claus ['sæntə ˌklɔːz] *npr* der Weihnachtsmann, der Nikolaus.
san·tal ['sæntəl] *s* **1.** *bot.* rotes Sandelholz *od.* Kalia'turholz. **2.** *chem.* San'tal *m*.
Saor·stat [sə'jɔːrstəθ; 'sɛrstɑːt] (*Ir.*) *s* Freistaat *m*: ~ **Eireann** *hist.* der Irische Freistaat (*seit 29. Dez. 1937 durch* Eire *ersetzt*).
sap[1] [sæp] **I** *s* **1.** Saft *m* (*in Pflanzen*). **2.** *fig.* (Lebens)Saft *m*, (-)Kraft *f*, Mark *n*. **3.** *a.* ~**wood** Splint(holz *n*) *m*. **II** *v/t* **4.** entsaften, Saft abziehen aus.
sap[2] [sæp] **I** *s* **1.** *mil.* Sappe *f*, Grabenkopf *m*. **II** *v/t* **2.** unter'wühlen, -'höhlen. **3.** *mil.* (*a. fig. die Gesundheit etc*) unter'graben, -mi'nieren. **4.** *fig.* erschöpfen, schwächen.
sap[3] [sæp] *Br. sl.* **I** *s* **1.** Streber *m*, Büffler *m*. **2.** Büffe'lei *f*, ‚Ochsen' *n*. **II** *v/i* **3.** ‚ochsen', ‚büffeln', ‚pauken'.
sap[4] [sæp] *s colloq.* ‚Trottel' *m*.
sap[5] [sæp] *Am. sl.* **I** *s* Totschläger *m* (*Waffe*). **II** *v/t j-n* bewußtlos schlagen.
sap·a·jou ['sæpəˌdʒuː] *s zo.* Kapu'zineraffe *m*.
sa·pan·wood [*Br.* 'sæpənˌwud; *Am.* sə'pæn-] *s* **1.** Sappanholz *n* (*rotes Farbholz*). **2.** *bot.* Sappanbaum *m*.
'sapˌhead[1] → **sap**[4].
'sapˌhead[2] *s mil.* Sappenkopf *m*.
sap·id ['sæpid] *adj* **1.** e-n Geschmack habend. **2.** schmackhaft. **3.** *fig.* interes'sant. **sa·pid·i·ty** [sə'piditi] *s* Schmackhaftigkeit *f*.
sa·pi·ence ['seipiəns; -pjəns] *s* **1.** *meist iro.* Weisheit *f*. **2.** Scheinweisheit *f*. **'sa·pi·ent** *adj* (*adv* ~**ly**) *meist iro.* weise. **ˌsa·pi'en·tial** [-'enʃəl] *adj* Weisheit enthaltend, Weisheits...: ~ **books** *Bibl.* Bücher der Weisheit.
sap·less ['sæplis] *adj* saftlos (*a. fig. kraftlos*).
sap·ling ['sæpliŋ] *s* **1.** junger Baum, Schößling *m*. **2.** *fig.* ‚Grünschnabel' *m*, Jüngling *m*. **3.** junger Windhund (*im ersten Jahr*).
sap·o·na·ceous [ˌsæpo'neiʃəs] *adj* **1.** seifenartig, seifig. **2.** *fig.* glatt.
sa·pon·i·fi·ca·tion [səˌpɒnifi'keiʃən] *s chem. tech.* Verseifung *f*: ~ **number** Verseifungszahl *f*. **sa'pon·iˌfi·er** [-ˌfaiər] *s chem. tech.* **1.** Verseifungsmittel *n*. **2.** Ver'seifungsappaˌrat *m*. **sa'pon·iˌfy** [-ˌfai] *v/t u. v/i* verseifen.
sap·per[1] ['sæpər] *s mil.* Sap'peur *m*, Pio'nier *m*.
sap·per[2] ['sæpər] *s* An-, Abzapfer *m*.
Sap·phic ['sæfik] **I** *adj* **1.** sapphisch: ~ **ode.** **2.** *oft* **s**~ lesbisch: ~ **vice** → **Sapphism.** **II** *s* **3.** sapphischer Vers.
sap·phire ['sæfair] **I** *s* **1.** *min.* Saphir *m* (*a. am Plattenspieler*). **2.** *a.* ~ **blue** Saphirblau *n*. **3.** *orn.* Saphirkolibri *m*. **II** *adj* **4.** saphirblau. **5.** Saphir...
sap·phir·ine ['sæfəˌrain; -rin] **I** *adj* → **sapphire** II. **II** *s min.* Saphi'rin *m*. ~ **gur·nard** *s ichth.* Knurrhahn *m*, Seeschwalbe *f*.
Sap·phism ['sæfizəm] *s* lesbische Liebe.
sap·py ['sæpi] *adj* **1.** saftig. **2.** *fig.* kraftvoll, markig. **3.** *sl.* blöd, dämlich.
sa·pr(a)e·mi·a [sæ'priːmiə] *s med.* Toxikä'mie *f od.* Blutvergiftung *f* durch Fäulnisstoffe.
sap·ro·gen·ic [ˌsæpro'dʒenik], *a.* **sa·prog·e·nous** [sæ'prɒdʒinəs] *adj* sapro'gen: a) fäulniserregend, b) Fäulnis...
sap·ro·phyte ['sæproˌfait] *s biol.* Sapro'phyt *m*, Fäulnispflanze *f*.
sap·sa·go ['sæpsəˌgou] *s Am.* Schabziger *m* (*grüner Schweizer Kräuterkäse*).
'sapˌwood *s bot.* Splint(holz *n*) *m*.
sar [sɑːr] *s ichth. Br.* Seebrachsen *m*, -brassen *m*.
Sar·a·cen ['særəsən] **I** *s* Sara'zene *m*, Sara'zenin *f*. **II** *adj* sara'zenisch.
Sar·a·cen·ic [ˌsærə'senik] *adj* sara'zenisch, mohamme'danisch.
Sar·a·to·ga (trunk) [ˌsærə'tougə] *s* großer Reisekoffer (*bes. von Damen im 19. Jh. benützt*).
sar·casm ['sɑːrkæzəm] *s* Sar'kasmus *m*: a) beißender Spott, b) sar'kastische Bemerkung. **sar'cas·tic** *adj* (*adv* ~**ally**) sar'kastisch.
sar·co·carp ['sɑːrkoˌkɑːrp] *s bot.* **1.** Sarko'karp *n*, fleischige Fruchtwand. **2.** (*unkorrekt*) fleischige Frucht.
sar·code ['sɑːrkoud] *s zo.* Sar'kode *f* (*Protoplasma e-s Einzellers*).
sar·coid ['sɑːrkɔid] *s med.* Sarko'id *n*, sar'komähnlicher Tumor.
sar·co·ma [sɑːr'koumə] *pl* **-ma·ta** [-mətə] *od.* **-mas** *s med.* Sar'kom *n* (*bösartige Bindegewebsgeschwulst*).
sarˌco·ma'to·sis [-'tousis] *s* Sarkoma'tose *f*. **sar'co·ma·tous** *adj* Sarkom..., sar'komartig.
sar·coph·a·gous [sɑːr'kɒfəgəs] *adj zo.* fleischfressend.
sar·coph·a·gus [sɑːr'kɒfəgəs] *pl* **-gi** [-ˌdʒai] *s* **1.** Sarko'phag *m*, Steinsarg *m*. **2.** *antiq.* Sargstein *m*.
sar·co·plasm ['sɑːrkoˌplæzəm] *s biol.* Sarko'plasma *n* (*Substanz zwischen den Muskelfasern*).
sar·cous ['sɑːrkəs] *adj* fleischig, Fleisch...
sard [sɑːrd] *s min.* Sard(er) *m*.
sar·dine[1] [sɑːr'diːn] *pl* **sar'dines** *bes. collect.* **sar'dine** *s ichth.* Sar'dine *f*: **packed like** ~**s** zs.-gepfercht wie die Heringe.
sar·dine[2] ['sɑːrdain; -din] → **sard.**
Sar·din·i·an [sɑːr'diniən; -njən] **I** *adj* **1.** sar'dinisch. **II** *s* **2.** a) Sarde *m*, Sardin *f* (*Bewohner der Insel Sardinien*), b) Sar'dinier(in) (*Bewohner des historischen Königreichs Sardinien*). **3.** *ling.* Sardisch *n*, das Sardische.
sar·don·ic [sɑːr'dɒnik] *adj* (*adv* ~**ally**) sar'donisch, zynisch.
sar·do·nyx ['sɑːrdəniks] *s* **1.** *min.* Sar'donyx *m*. **2.** *her.* Blutrot *n*.
sar·gas·so [sɑːr'gæsou] *pl* **-sos** *od.* **-soes** *s bot.* Beerentang *m*. **S**~ **Sea** *s geogr.* Sar'gassomeer *n*.
sarge [sɑːrdʒ] *colloq. für* **sergeant** 1.
sa·ri ['sɑːriː] *s* Sari *m* (*Hauptgewand der Hindufrauen*).
sark [sɑːrk] *s Scot. od. dial.* Hemd *n*.
sar·men·tose [sɑːr'mentous], **sar'men·tous** [-təs] *adj bot.* (mit bewurzelten Ausläufern) kriechend.
sa·rong [sə'rɒŋ; *Am. a.* -'rɔːŋ] *s* Sarong *m* (*malaiisches Kleidungsstück*).
sar·sa·pa·ril·la [ˌsɑːrsəpə'rilə] *s* **1.** *bot.* Sarsapa'rille *f*. **2.** *med.* Sarsapa'rillwurzel *f*. **3.** Sarsapa'rillexˌtrakt *m*.
sar·sen ['sɑːrsən] *s geol.* großer Sandsteinblock.
sar·to·ri·al [sɑːr'tɔːriəl] *adj* (*adv* ~**ly**) **1.** Schneider...: ~ **effect** schnitttechnischer Effekt. **2.** Kleidung(s)...: ~ **elegance** Eleganz *f* der Kleidung.
sar·to·ri·us [sɑːr'tɔːriəs] *s anat.* Schneidermuskel *m*.
Sar·um ['sɛ(ə)rəm] *adj relig.* Salisbury...: ~ **use** Liturgie *f* von Salisbury.
sash[1] [sæʃ] *s* Schärpe *f*.
sash[2] [sæʃ] *s* **1.** (schiebbarer) Fensterrahmen. **2.** schiebbarer Teil (*des Schiebefensters*).
sa·shay [sæ'ʃei] *Am.* **I** *v/i* **1.** schas'sieren (*beim Tanz*). **2.** *sl.* tänzeln, hüpfen. **II** *s* **3.** *sl.* Ausflug *m* (*a. fig.*).
sash| saw *s tech.* Schlitzsäge *f*. ~ **win·dow** *s* Schiebe-, Fallfenster *n*.
sass [sɑːs; sæs] *Am.* **I** *s* **1.** *dial. für* **sauce.** **2.** *sl.* Frechheit *f*. **II** *v/t* **3.** *sl.* *j-m* frech antworten, *j-n* ‚auf die Schippe nehmen'.
sas·sa·fras ['sæsəˌfræs] *s* **1.** *bot.* Sassafras(baum, -lorbeer) *m*. **2.** getrocknete Sassafraswurzelrinde.

Sas·se·nach ['sæsənəx; -ˌnæk] (*Scot. od. Ir.*) **I** *s* ‚Sachse' *m*, Engländer *m*. **II** *adj* englisch.

sass·y ['sɑːsi; 'sæsi] *adj sl.* **1.** frech. **2.** forsch. **3.** fesch, schick.

sat [sæt] *pret u. pp von* **sit**.

Sa·tan ['seitən] *s* (*fig.* **s**~) Satan *m*, Teufel *m*.

sa·tan·ic [sei'tænik] *adj* (*adv* ~**ally**) sa'tanisch, teuflisch: **S**~ **school** satanische Schule (*literarische Schule, zu der Byron und Shelley gehörten*).

Sa·tan·ism ['seitəˌnizəm] *s* Sata'nismus *m*: a) teuflische Bosheit, b) Teufelskult *m*.

satch·el ['sætʃəl] *s* (Schul)Tasche *f*, (-)Mappe *f*, (*bes.* Schul)Ranzen *m*.

sate[1] [seit] *v/t* über'sättigen: **to be** ~**d with** übersättigt sein von.

sate[2] [sæt; seit] *obs. für* **sat**.

sa·teen [sæ'tiːn] *s* ('Baum)Wollsaˌtin *m*.

sate·less ['seitlis] *adj poet.* unersättlich.

sat·el·lite ['sætəˌlait] *s* **1.** a) *astr.* Satel'lit *m*, Tra'bant *m*, Mond *m*, b) *tech.* (*künstlicher*) ('Erd)Satelˌlit. **2.** Tra'bant *m*, Anhänger *m*, Gefolgsmann *m*, *contp.* Krea'tur *f*. **3.** *fig.* Anhängsel *n*, *bes.* a) *a.* ~ **state** (*od.* **nation**) *pol.* Satel'lit(enstaat) *m*, b) *a.* ~ **town** Tra'bantenstadt *f*, c) *a.* ~ **airfield** Ausweich-, Feldflugplatz *m*, d) *econ.* Zweigfirma *f*.

sa·tem lan·guag·es ['sɑːtem; 'sei-] *s pl ling.* Satemsprachen *pl*.

sa·ti·a·ble ['seiʃiəbl] *adj* zu sättigen(d), zu befriedigen(d). **'sa·tiˌate I** *v/t* [-ˌeit] **1.** über'sättigen. **2.** vollauf sättigen *od.* befriedigen. **II** *adj* [-it; -ˌeit] **3.** über'sättigt. **ˌsa·ti'a·tion** *s* **1.** Über'sättigung *f*. **2.** Befriedigung *f*.

sa·ti·e·ty [sə'taiəti] *s* **1.** (of) Über'sättigung *f* (mit), 'Überdruß *m* (an *dat*): **to** ~ bis zum Überdruß. **2.** Sattheit *f*.

sat·in ['sætin] **I** *s* **1.** Sa'tin *m*, Atlas *m* (*Stoff*). **2.** *a.* **white** ~ *sl.* Gin *m*, Wa'cholderschnaps *m*. **II** *adj* **3.** Satin... **4.** a) seidenglatt, b) glänzend. **III** *v/t* **5.** *tech.* sati'nieren, glätten.

sat·i·net(te) [ˌsæti'net] *s* Sati'net *m*, Halbatlas *m*.

sat·in| fin·ish *s tech.* ('Bürsten)Matˌtierung *f*. ~ **glass** *s tech.* sati'niertes Glas. ~ **pa·per** *s* sati'niertes Pa'pier, 'Atlaspaˌpier *n*. ~ **stitch** *s Stickerei*: Flachstich *m*. ~ **white** *s tech.* Sa'tinweiß *n* (*weiße Glanzpaste für Kunstdruckpapier*). **'~ˌwood** *s bot.* indisches Atlas- *od.* Sa'tinholz.

sat·in·y ['sætini] *adj* seidig.

sat·ire ['sætaiə*r*] *s* Sa'tire *f*, *bes.* a) Spottgedicht *n*, -schrift *f* (**upon, on** auf *acc*), b) sa'tirische Litera'tur, c) Spott *m*. **2.** *fig.* Hohn *m* (**upon, on** auf *acc*).

sa·tir·ic [sə'tirik] *adj*; **sa'tir·i·cal** *adj* (*adv* ~**ly**) sa'tirisch. **sat·i·rist** ['sætərist] *s* Sa'tiriker(in). **'sat·iˌrize** *v/t* Sa'tiren *od.* e-e Satire machen auf (*acc*), verspotten.

sat·is·fac·tion [ˌsætis'fækʃən] *s* **1.** Befriedigung *f*, Zu'friedenstellung *f*: **to find** ~ **in** Befriedigung finden in (*dat*); **to give** ~ befriedigen (→ 4). **2.** (**at, with**) Zu'friedenheit *f* (mit), Befriedigung *f*, Genugtuung *f* (über *acc*): **to the** ~ **of all** zur Zufriedenheit aller. **3.** *relig.* Sühne *f*. **4.** Satisfakti'on *f*, Genugtuung *f* (*Duell etc*): **to make** (*od.* **give**) ~ Genugtuung leisten. **5.** *jur.* a) Befriedigung *f*: ~ **of a claim**, b) Erfüllung *f*: ~ **of an obligation**, c) Tilgung *f*, Bezahlung *f*: ~ **of debt**; **in** ~ **of** zur Befriedigung *etc* (*gen*). **6.** Über'zeugung *f*, Gewißheit *f*: **to show to the court's** ~ *jur.* einwandfrei glaubhaft machen. **ˌsat·is'fac·to·ri·ness** [-tərinis] *s* (*das*) Befriedigende. **ˌsat·is'fac·to·ry** *adj* (*adv* **satisfactorily**) **1.** befriedigend, zu'friedenstellend, 'hinreichend. **2.** *relig.* sühnend, Sühne...

sat·is·fy ['sætisˌfai] **I** *v/t* **1.** befriedigen, zu'friedenstellen, genügen (*dat*): **to be satisfied with s.th.** mit etwas zufrieden sein; **to rest satisfied** sich zufriedengeben. **2.** a) *j-n* sättigen, b) *s-n Appetit, a. s-e Neugier* stillen, c) *e-n Wunsch etc* erfüllen, *ein Bedürfnis, e-e Nachfrage, a. e-n Trieb* befriedigen. **3.** a) *e-e Frage etc* 'hinreichend beantworten, b) *j-n* über'zeugen (**of** von): **I am satisfied that** ich bin davon (*od.* ich habe mich) überzeugt, daß; **to** ~ **o.s. that** sich überzeugen *od.* vergewissern, daß; **4.** a) *e-n Anspruch* befriedigen: **to** ~ **a claim**, b) *e-e Schuld* bezahlen, *e-r Verpflichtung* nachkommen: **to** ~ **an obligation**, c) *e-e Bedingung, jur. a. das Urteil* erfüllen, d) *e-n Gläubiger* befriedigen. **5.** a) *j-n* entschädigen, b) *etwas* wieder'gutmachen. **6.** *e-r Anforderung* entsprechen, genügen. **7.** *math. e-e Bedingung, e-e Gleichung* erfüllen, befriedigen. **II** *v/i* **8.** befriedigen, zu'friedenstellend sein. **9.** *relig.* sühnen. **'sat·isˌfy·ing** *adj* (*adv* ~**ly**) **1.** befriedigend, zu'friedenstellend. **2.** sättigend.

sa·trap ['seitræp; *Br. a.* 'sæt-] *s hist.* Sa'trap *m* (*a. fig.*), Statthalter *m*. **'sa·trap·y** [-trəpi] *s* Satra'pie *f*, Statthalterschaft *f*.

Sat·su·ma ['sætsuːmɑː; sæt'suː-], *a.* ~ **ware** *s* Satsuma *n* (*cremefarbene japanische Töpferware*).

sat·u·rant ['sætʃərənt] **I** *s* **1.** *chem.* neutrali'sierender Stoff. **2.** *med.* Mittel *n* gegen Magensäure. **II** *adj* **3.** *bes. chem.* sättigend.

sat·u·rate I *v/t* ['sætʃəˌreit] **1.** *bes. chem. phys. u. fig.* sättigen, satu'rieren. **2.** (durch)'tränken, durch'setzen: **to be** ~**d with** *fig.* erfüllt *od.* durchdrungen sein von. **3.** *mil.* mit Bombenteppichen belegen. **II** *adj* [-rit; -ˌreit] → **saturated** 1 *u.* 3. **'sat·uˌrat·ed** *adj* **1.** durch'tränkt, -'setzt, gesättigt. **2.** tropfnaß. **3.** satt: ~ **colo(u)rs**. **4.** *chem.* a) gesättigt: ~ **solution**; ~ **steam** Sattdampf *m*, b) reakti'onsträge.

sat·u·ra·tion [ˌsætʃə'reiʃən] *s* **1.** *chem. electr. phys. tech. u. fig.* Sättigung *f*. **2.** (Durch)'Tränkung *f*, Durch'setzung *f*. **3.** Durch'feuchtung *f*. **4.** Sattheit *f* (*e-r Farbe*). ~ **bomb·ing** *s mil.* Belegen *n* mit Bombenteppichen. ~ **point** *s* Sättigungspunkt *m*.

Sat·ur·day ['sætərdi] *s* Sonnabend *m*, Samstag *m*: **on** ~ am Sonnabend *od.* Samstag; **on** ~**s** sonnabends, samstags.

Sat·urn ['sætərn] **I** *npr* **1.** *antiq.* Sa'turn(us) *m* (*altrömischer Gott*). **II** *s* **2.** *astr.* Sa'turn *m* (*Planet*). **3.** *chem. hist.* Blei *n*. **4.** *her.* Schwarz *n*.

Sat·ur·na·li·a [ˌsætər'neiliə] *s pl* **1.** *antiq.* Satur'nalien *pl*. **2.** *oft* **s**~ (*a. als sg konstruiert*) *fig.* Orgie(n *pl*) *f*. **ˌSat·ur'na·li·an** *adj* **1.** *antiq.* satur'nalisch. **2.** **s**~ *fig.* orgi'astisch.

Sa·tur·ni·an [sə'təːrniən] *adj* **1.** *astr.* Saturn... **2.** *myth., a. fig. poet.* sa'turnisch: ~ **age** goldenes Zeitalter; ~ **reign** glückliche Regierungszeit. **3.** *metr.* sa'turnisch: ~ **verse**.

sat·ur·nine ['sætərˌnain] *adj* (*adv* ~**ly**) **1.** düster, finster: ~ **man**; ~ **face**. **2.** **S**~ im Zeichen des Sa'turn geboren. **3.** *min.* Blei...: ~ **red** Bleirot *n*; ~ **poisoning** *med.* Bleivergiftung *f*.

sat·yr ['sætər] *s* **1.** *oft* **S**~ *antiq.* Satyr *m* (*Waldgott*). **2.** *fig.* Satyr *m*, geiler Kerl. **3.** *med.* Satyro'mane *m*. **ˌsat·y'ri·a·sis** [-'raiəsis] *s med.* Saty'riasis *f* (*abnormer Geschlechtstrieb beim Mann*). **sa·tyr·ic** [sə'tirik] *adj* Satyr..., satyrartig: ~ **drama** *antiq.* Satyrspiel *n*.

sauce [sɔːs] **I** *s* **1.** Soße *f*, Sauce *f*, Tunke *f*: **what is** ~ **for the goose is** ~ **for the gander** was dem einen recht ist, ist dem andern billig; → **hunger** 1. **2.** *fig.* Würze *f*, Reiz *m*. **3.** *Am.* Kompott *n*. **4.** *colloq.* Frechheit *f*. **5.** *tech.* a) Beize *f*, b) (Tabak)Brühe *f*. **II** *v/t* **6.** mit Soße würzen *od.* zubereiten. **7.** würzen (*a. fig.*). **8.** *colloq.* unverschämt reden mit. **'~ˌboat** *s* Sauci'ère *f*, Soßenschüssel *f*. **'~ˌdish** *s bes. Am.* Kom'pottschüssel *f*, -schale *f*. **'~ˌpan** [-ˌpæn; -pən] *s* Kochtopf *m*, Kasse'rolle *f*.

sau·cer ['sɔːsər] *s* 'Untertasse *f*: → **flying saucer**. ~ **eye** *s* Kuller-, Glotzauge *n*. **'~-ˌeyed** *adj* glotzäugig.

sau·ci·ness ['sɔːsinis] *s* Frechheit *f*, Keßheit *f*. **'sau·cy** *adj* (*adv* **saucily**) **1.** frech, unverschämt. **2.** *colloq.* flott, keß, fesch: **a** ~ **hat**.

sauer·kraut ['saurˌkraut] *s* Sauerkraut *n*.

sault [sɑːlt; sɔːlt] *s Am. od. Canad.* Stromschnelle *f*.

sau·na ['saunə] *s* Sauna *f*.

saun·ter ['sɔːntər] **I** *v/i* **1.** schlendern, bummeln: **to** ~ **about** um'herschlendern, (-)bummeln. **II** *s* **2.** (Um'her)Schlendern *n*, Bummel *m*. **3.** Schlendergang *m*. **'saun·ter·er** *s* Schlenderer *m*, Bummler *m*.

sau·ri·an ['sɔːriən] *zo.* **I** *s* Saurier *m*: a) Eidechse *f*, b) Rep'til *n*. **II** *adj* Saurier..., Eidechsen...

Sau·rop·si·da [sɔː'rɒpsidə] *s pl zo.* Saurop'siden *pl* (*Huxleys Bezeichnung für Vögel u. Reptilien als zs.-gehörende Tiergruppe*).

sau·ry ['sɔːri] *s* Ma'krelenhecht *m*.

sau·sage ['sɒsidʒ] *s* **1.** Wurst *f*. **2.** *a.* ~ **balloon** *mil. sl.* 'Fesselbalˌlon *m*. **3.** *contp.* Deutsche(r *m*) *f*. ~ **meat** *s* Wurststeig *m*, -masse *f*, Brät *n*.

sau·té [*Br.* 'soutei; *Am.* sou'tei] (*Fr.*) **I** *adj* sau'té, sau'tiert (*in wenig Fett schnell gebraten*). **II** *s* Sau'té *n*.

sav·a·ble ['seivəbl] *adj* rettbar.

sav·age ['sævidʒ] **I** *adj* (*adv* ~**ly**) **1.** *allg.* wild: a) primi'tiv: ~ **tribes**, b) ungezähmt: ~ **beasts**, c) wüst, schroff: ~ **land**, d) bru'tal, grausam, e) grimmig, f) *colloq.* wütend, böse. **II** *s* **2.** Wilde(r *m*) *f*. **3.** Rohling *m*, Unmensch *m*. **4.** Bar'bar(in), ‚Halbwilde(r' *m*) *f*. **5.** bösartiges Tier, *bes.* bissiges Pferd. **III** *v/t* **6.** *j-n* bru'tal behandeln, *j-m* übel mitspielen. **7.** anfallen u. beißen *od.* niedertrampeln (*Pferd etc*), arg zurichten. **'sav·age·dom** *s* **1.** Wildheit *f*. **2.** die Wilden *pl*. **'sav·age·ness** *s* **1.** Wildheit *f*, Roheit *f*, Grausamkeit *f*. **2.** Wut *f*, Bissigkeit *f*. **'sav·age·ry** [-dʒri; -dʒəri] *s* **1.** 'Unziviliˌsiertheit *f*, Wildheit *f*. **2.** Roheit *f*, Grausamkeit *f*, Barba'rei *f*.

sa·van·na(h) [sə'vænə] *s geogr.* Sa'vanne *f*.

sa·vant ['sævənt; *Am. a.* sæ'vɑːnt] *s* (großer) Gelehrter.

sa·vate [sa'vat] (*Fr.*) *s sport* Sa'vate *f*, Fußboxen *n*.

save[1] [seiv] **I** *v/t* **1.** (er)retten (**from** von, vor *dat*): **to** ~ **s.o.'s life** j-m das Leben retten; → **bacon**. **2.** *mar.* bergen. **3.** bewahren, schützen (**from** vor *dat*): **God** ~ **the queen** Gott erhalte die Königin; **to** ~ **appearances** den Schein wahren; **to** ~ **the situation** die Situation retten; → **face** 6, **harmless**

2. **4.** *Geld etc* sparen, einsparen: to ~ fuel Treibstoff sparen; to ~ time Zeit gewinnen. **5.** aufbewahren, -heben, (auf)sparen: ~ it! *sl.* ‚geschenkt!', ‚halt's Maul!'; → **breath** 1. **6.** *a. die Augen* schonen, schonend *od.* sparsam 'umgehen mit. **7.** *j-m e-e Mühe etc* ersparen: he ~d me the trouble of reading it. **8.** *relig.* retten, erlösen. **9.** ausnehmen: ~ the mark! verzeihen Sie die Bemerkung!; ~ (*od.* saving) your presence (*od.* reverence) mit Verlaub. **10.** *a.* ~ up (auf)sparen. **II** *v/i* **11.** sparen. **12.** *sport* ‚retten', (den Ball) abwehren. **13.** *Am.* sich halten (*Lebensmittel*). **III** *s* **14.** *sport* (Ball)Abwehr *f*: full-length ~ Robinsonade *f*, Hechtsprung *m* (*des Torhüters*).

save[2] [seiv] *prep u. conj* außer (*dat*), mit Ausnahme von (*od. gen*), ausgenommen (*nom*), abgesehen von: all ~ him alle außer ihm; ~ for bis auf (*acc*); ~ that abgesehen davon, daß; nur, daß.

'save-ˌall *s* **1.** Sparvorrichtung *f*, *bes.* a) Sparbüchse *f*, b) *tech.* Auffang-, Sammelvorrichtung *f*, c) *mar.* Wassersegel *n od.* -fänger *m.* **2.** *dial.* Lätzchen *n.* **3.** *dial.* Arbeitsanzug *m.*

sav·e·loy ['sævəˌlɔi] *s* Zerve'latwurst *f.*

sav·er ['seivər] *s* **1.** Retter(in). **2.** Sparer(in). **3.** *fig.* sparsames Gerät *etc*: the new range is a coal-~ der neue Herd spart Kohlen.

sav·ing ['seiviŋ] **I** *adj* **1.** rettend, befreiend: life~ lebensrettend; a ~ humo(u)r ein befreiender Humor. **2.** *relig.* erlösend: ~ grace seligmachende Gnade. **3.** sparsam (of mit). **4.** ...sparend: money~; time~. **5.** ausgleichend: a ~ quality. **6.** *jur.* Vorbehalts...: ~ clause. **II** *s* **7.** (Er)Rettung *f.* **8.** a) Sparen *n*, b) Ersparnis *f*, Einsparung *f*: ~ of time Zeitersparnis. **9.** *pl* Ersparnis(se *pl*) *f*, Spargeld(er *pl*) *n*, Rücklage *f.* **10.** *jur.* Vorbehalt *m.* **III** *prep u. conj* **11.** → **save**[2]. **12.** unbeschadet (*gen*): → **save**[1] 9.

sav·ings| ac·count *s* Spar(kassen)konto *n*, Sparguthaben *n.* ~ **bank** *s* Sparkasse *f*: ~ (deposit) book Spar(kassen)buch *n.* ~ **de·pos·it** *s* Spareinlage *f.*

sav·ior, *bes. Br.* **sav·iour** ['seivjər] *s* (Er)Retter *m*, Erlöser *m*: the S~ *relig.* der Heiland *od.* Erlöser.

sa·voir-faire [savwaːr'fɛːr; ˌsævwaːr'fɛr] (*Fr.*) *s* Savoir-'faire *n*, Gewandtheit *f*, Takt(gefühl *n*) *m.* **sa·voir-'vi·vre** [-'vivr; -'viːvrə] (*Fr.*) *s* Savoir-'vivre *n*, feine Lebensart.

sa·vor, *bes. Br.* **sa·vour** ['seivər] **I** *s* **1.** (Wohl)Geschmack *m.* **2.** *bes. fig.* Würze *f*, Reiz *m.* **3.** *fig.* Beigeschmack *m*, Anstrich *m*, Anflug *m.* **II** *v/t* **4.** schmecken. **5.** *bes. fig.* genießen, auskosten. **6.** *bes. fig.* würzen, schmackhaft machen. **7.** *fig.* e-n Anstrich *od.* Beigeschmack haben von, schmecken nach. **III** *v/i* **8.** (of) a) *a. fig.* schmekken, riechen (nach), b) e-n Beigeschmack haben (von). **'sa·vor·i·ness,** *bes. Br.* **'sa·vour·i·ness** [-rinis] *s* Wohlgeschmack *m*, -geruch *m*, Schmackhaftigkeit *f.* **'sa·vor·less,** *bes. Br.* **'sa·vour·less** *adj* geschmack- *od.* geruchlos, fade.

sa·vor·y[1], *bes. Br.* **'sa·vour·y** ['seivəri] **I** *adj* **1.** wohlschmeckend, -riechend, schmackhaft. **2.** *a. fig.* appe'titlich, angenehm: not ~ → **unsavo(u)ry.** **3.** würzig, pi'kant (*a. fig.*). **II** *s* **4.** *Br.* pi'kante Vor- *od.* Nachspeise.

sa·vor·y[2] ['seivəri] *s bot.* Kölle *f*, Bohnenkraut *n.*

sa·vour *etc bes. Br. für* **savor** *etc.*

sa·voy [sə'vɔi] *s* Wirsing(kohl) *m.*

Sa·voy·ard [sə'vɔiɑːrd] **I** *s* Savoy'arde *m*, Savoy'ardin *f.* **II** *adj* savoy'ardisch.

sav·vy ['sævi] *sl.* **I** *v/t* (*unkonjugiert*) ‚ka'pieren', verstehen: ~? kapiert? **II** *s* ‚Grips' *m*, ‚Köpfchen' *n*, Verstand *m.*

saw[1] [sɔː] **I** *s* **1.** Säge *f*: singing (*od.* musical) ~ *mus.* singende Säge. **2.** *zo.* a) Säge *f* (*des Sägehais*), b) Legedorn *m* (*der Blattwespen*). **3.** *Whist*: Zwickmühle *f.* **II** *v/t pret* **sawed** *pp* **sawed** *od.* **sawn** [sɔːn] **4.** sägen: to ~ down a tree e-n Baum umsägen; to ~ off absägen; to ~ out boards Bretter zuschneiden; to ~ up zersägen; to ~ the air (with one's hands) (mit den Händen) in der Luft herumfuchteln. **5.** *e-e Melodie* ‚fiedeln', her'untergeigen. **III** *v/i* **6.** sägen. **7.** sich sägen lassen. **8.** *colloq.* (auf der Vio'line) ‚her'umkratzen', ‚fiedeln'.

saw[2] [sɔː] *pret von* **see**[1].

saw[3] [sɔː] *s* Sprichwort *n.*

'saw|ˌback *s* (gezackte) Bergkette. ~ **blade** *s* Sägeblatt *n.* **'~ˌbones** *s sl.* ‚Knochenbrecher' *m* (*Chirurg*). **'~ˌbuck** *s Am.* **1.** Sägebock *m.* **2.** *sl.* 10-Dollar-Note *f.*

saw·der ['sɔːdər] *colloq.* **I** *s meist* soft ~ ‚Schmus' *m*, Schmeiche'lei *f.* **II** *v/t j-m* schmeicheln.

'saw|ˌdust I *s* **1.** Sägemehl *n*: to let the ~ out of *fig.* die Hohlheit zeigen von, entlarven (*acc*). **II** *adj* **2.** Zirkus... **3.** *fig.* hohl. **'~ˌfish** *s* Sägefisch *m.* **'~ˌfly** *s zo.* Blattwespe *f.* ~ **frame,** ~ **gate** *s tech.* Sägegatter *n.* ~ **grass** *s bot. Am.* Riedgras *n.* **'~ˌhorse** *s* Sägebock *m.* **'~ˌmill** *s* Sägewerk *n*, -mühle *f.*

sawn [sɔːn] *pp von* **saw**[1] II.

Saw·ney ['sɔːni] *s colloq.* **1.** (*Spitzname für*) Schotte *m.* **2.** s~ Trottel *m.*

saw| set *s tech.* Schränkeisen *n.* **'~ˌtooth I** *s irr* **1.** Sägezahn *m.* **II** *adj* **2.** Sägezahn...: ~ roof Säge-, Scheddach *n.* **3.** *electr.* Sägezahn...: ~ voltage Sägezahn-, Kippspannung *f*; ~ wave Sägezahn-, Kippschwingung *f.* **'~-ˌtoothed** *adj* **1.** mit Sägezähnen (versehen). **2.** gezähnt (*Blatt etc*). **'~ˌwort** *s bot.* Färberdistel *f.*

saw·yer ['sɔːjər] *s* **1.** Säger *m.* **2.** *zo.* Holzbohrer *m.*

sax [sæks] *s* **1.** Spitzhacke *f.* **2.** *hist.* Sachs *m* (*zweischneidiges Schwert*).

sax·a·tile ['sæksətil; *Br. a.* -ˌtail] *adj bot. zo.* Felsen..., Stein...

Saxe [sæks] *s* **1.** Sächsischblau *n.* **2.** s~ *Br.* (*ein*) photo'graphisches Pa'pier.

sax·horn ['sæksˌhɔːrn] *s mus.* Saxhorn *n*, 'Saxtromˌpete *f.*

sax·i·frage ['sæksifridʒ] *s bot.* Steinbrech *m.*

Sax·on ['sæksn] **I** *s* **1.** Sachse *m*, Sächsin *f.* **2.** *hist.* (Angel)Sachse *m*, (Angel)Sächsin *f.* **3.** *ling.* Sächsisch *n*, das Sächsische: Old ~ Altsächsisch, das Altsächsische (*germanische Sprache*). **II** *adj* **4.** sächsisch. **5.** (alt-, angel)sächsisch, *ling. oft* ger'manisch: ~ genitive sächsischer Genetiv. ~ **blue** → **Saxe** 1.

sax·on·dom ['sæksndəm] *s* **1.** Angelsachsentum *n.* **2.** *collect.* die Angelsachsen *pl.* **'Sax·onˌism** *s* angelsächsische Spracheigenheit, angelsächsisches Wort. **'Sax·on·ist** *s* Kenner(in) des (Angel- *od.* Alt)Sächsischen.

Sax·o·ny ['sæksəni] *s* **1.** *geogr.* Sachsen *n.* **2.** s~, *a.* ~ cloth feiner glänzender Wollstoff.

sax·o·phone ['sæksəˌfoun] *s mus.* Saxo'phon *n.* **sax·o·phon·ist** ['sæksəˌfounist; *bes. Br.* sæk'sɔfənist] *s* Saxopho'nist(in).

sax·tu·ba ['sæksˌtjuːbə] *s* Saxtuba *f.*

say[1] [sei] **I** *v/t pret u. pp* **said** [sed] *2. sg pres obs. od. Bibl.* **say(e)st** ['sei(i)st], *3. sg pres* **says** [sez] *obs. od. poet.* **saith** [seθ] **1.** *etwas* sagen, sprechen: to ~ yes to s.th. **2.** sagen, äußern, vorbringen, berichten: to have s.th. to ~ to (*od.* with) etwas zu sagen haben in (*dat*) *od.* bei; he has nothing to ~ for himself a) er ist sehr zurückhaltend, b) *contp.* mit ihm ist nicht viel los; have you nothing to ~ for yourself? hast du nichts zu d-r Rechtfertigung zu sagen?; you may well ~ so das kann man wohl sagen; the Bible ~s die Bibel sagt, in der Bibel heißt es *od.* steht; people (*od.* they) ~ he is ill, he is said to be ill man sagt *od.* es heißt, er sei krank; er soll krank sein; → **nothing** *Bes. Redew.* **3.** sagen, behaupten, versprechen: you said you would come; → **soon** 2. **4.** a) *a.* ~ over *ein Gedicht etc* auf-, 'hersagen, b) *relig. ein Gebet* sprechen, c) *R.C. die Messe* lesen; → **grace**[1] 11. **5.** (be)sagen, bedeuten: that is to ~ das heißt; 500 $, ~, five hundred dollars 500 $, in Worten: fünfhundert Dollar; this is ~ing a great deal das will viel heißen. **6.** *colloq.* annehmen: (let us) ~ this happens angenommen *od.* nehmen wir (mal) an, das geschieht; a sum of, ~, 500 $ e-e Summe von sagen wir (mal) 500 $; a country, ~ India ein Land wie (z.B.) Indien; I should ~ ich würde sagen, ich dächte (schon).

II *v/i* **7.** sagen, meinen: it is hard to ~ es ist schwer zu sagen; what do you ~ (*oft* what ~ you) to ...? was hältst du von ...?, wie wäre es mit ...?; you don't ~ (so)! was du nicht sagst!; it ~s es lautet (*Schreiben etc*); it ~s here hier heißt es, hier steht (geschrieben); ~s he? *colloq.* sagt er?; ~s you! *sl.* das sagst du!, ‚denkste'! **8.** **I** ~ *interj* a) hör(en Sie) mal!, sag(en Sie) mal!, b) (*erstaunt od. beifällig*) Donnerwetter!, ich muß schon sagen!

III *s* **9.** Ausspruch *m*, Behauptung *f*: to have one's ~ (to, on) s-e Meinung äußern (über *acc od.* zu). **10.** Mitspracherecht *n*: to have a (no) ~ in s.th. etwas (nichts) zu sagen haben bei etwas; let him have his ~ laß(t) ihn (doch auch mal) reden! **11.** *a.* final ~ endgültige Entscheidung: who has the ~ in this matter? wer hat in dieser Sache zu entscheiden *od.* das letzte Wort (zu reden)?

say[2] [sei] *s ein feiner Wollstoff.*

say·est ['seiist] *obs. 2. sg pres von* **say**[1]: thou ~ du sagst.

say·ing ['seiiŋ] *s* **1.** Reden *n*, Sagen *n*: it goes without ~ es versteht sich von selbst, es ist selbstverständlich; there is no ~ man kann nicht sagen *od.* wissen (*ob, wann etc*). **2.** Ausspruch *m.* **3.** Sprichwort *n*, Redensart *f*: as the ~ goes (*od.* is) wie man sagt, wie es (im Sprichwort) heißt.

'say-ˌso *s Br. dial. od. Am. colloq.* **1.** (bloße) Behauptung: just on his ~ auf s-e bloße Behauptung hin. **2.** → **say**[1] 10 *u.* 11.

sayst [seist] → **sayest.**

'sblood [zblʌd] *interj obs. abbr. für* God's Blood! verflucht!

scab [skæb] **I** *s* **1.** *med.* a) Grind *m*, (Wund)Schorf *m*, b) Krätze *f.* **2.** *vet.* (*bes.* Schaf)Räude *f.* **3.** *bot.* Schorf *m.* **4.** *sl.* Ha'lunke *m.* **5.** *sl.* a) Streikbrecher(in), b) j-d, der sich nicht an die Ta'rifbestimmungen hält (*bes. der unter Tariflohn arbeitet*), c) Nichtgewerkschaft(l)er *m*: ~ **work** Schwarzarbeit *f*, *a.* Arbeit *f* unter Tariflohn. **6.** *tech.* Gußfehler *m.* **II** *v/i* **7.** verschorfen, (sich) verkrusten. **8.** *a.* ~ **it** *sl.* als Streikbrecher *od.* unter Ta'riflohn arbeiten.

scab·bard ['skæbərd] *s* (*Degen- etc*)-Scheide *f.*

scab·bed ['skæbid; skæbd] *adj* **1.** → **scabby. 2.** *bot.* schorfig.

scab·bi·ness ['skæbinis] *s* **1.** Grindigkeit *f*, Räudigkeit *f.* **2.** *colloq.* Schäbigkeit *f*, Gemeinheit *f.* '**scab·by** *adj* **1.** a) schorfig, grindig, b) mit Krätze behaftet. **2.** *vet.* räudig. **3.** *colloq.* schäbig, gemein.

sca·bi·es ['skeibi,i:z] → **scab** 1 *u.* 2.

sca·bi·ous[1] ['skeibiəs] *adj* **1.** *med.* skabi'ös, krätzig. **2.** *vet.* räudig.

sca·bi·ous[2] ['skeibiəs] *s bot.* Skabi'ose *f.*

sca·brous ['skeibrəs] *adj* **1.** rauh, schuppig (*Pflanze etc*). **2.** heikel, schwierig, kniff(e)lig: a ~ **question. 3.** *fig.* schlüpfrig, anstößig.

scad [skæd] *pl meist* **scad** *s* **1.** *ichth.* a) (*ein*) Stöckerfisch *m*, b) Cata'lufa(fisch) *m.* **2.** *meist pl Am. colloq.* ein ‚Haufen' *m*, e-e (Un)Menge: ~**s of money.**

scaf·fold ['skæfəld; -fould] **I** *s* **1.** (Bau-, Arbeits)Gerüst *n*, Gestell *n.* **2.** Blutgerüst *n*, (*a.* Tod *m* auf dem) Schaf'fott *n.* **3.** ('Redner-, 'Zuschauer)Tri,büne *f.* **4.** *thea.* Bühne *f*, *bes. hist.* Schaugerüst *n.* **5.** *anat.* a) Knochengerüst *n*, b) Stützgewebe *n.* **6.** *tech.* Ansatz *m* (*im Hochofen*). **II** *v/t* **7.** *ein Haus* (be)rüsten, mit e-m Gerüst versehen. **8.** auf e-m Gestell aufbauen. '**scaf·fold·ing** *s* **1.** (Bau)Gerüst *n.* **2.** 'Rüstmateri,al *n.* **3.** Errichten *n* des Gerüsts.

scagl·ia ['skæljə] *s* Scaglia *f* (*Kalksteinart*).

scagl·io·la [skæl'joulə] *s* Scagli'ola *f* (*marmorartiger Kunststein*).

scal·a·ble ['skeiləbl] *adj* ersteigbar.

scal·age ['skeilidʒ] *s* **1.** *econ.* Schwundgeld *n.* **2.** Holzmaß *n.*

sca·lar ['skeilər] *math.* **I** *adj* ska'lar, ungerichtet. **II** *s* Ska'lar *m*, ska'lare Größe.

scal·a·wag ['skælə,wæg] *s* **1.** Kümmerling *m* (*Tier*). **2.** *colloq.* Lump *m*, Taugenichts *m*, *pl* Gesindel *n.* **3.** *hist. Am. sl.* Scalawag *m* (*Schimpfname für e-n republikanerfreundlichen Weißen in den Südstaaten nach dem Sezessionskrieg*).

scald[1] [skɔ:ld; skɑ:ld] *s* Skalde *m* (*nordischer Sänger*).

scald[2] [skɔ:ld] **I** *v/t* **1.** verbrühen. **2.** *Milch etc* abkochen: ~**ing hot** kochend heiß; ~**ing tears** *fig.* heiße Tränen. **3.** *Obst etc* dünsten. **4.** *Geflügel, Schwein etc* (ab)brühen. **5.** *a.* ~ **out** auskochen. **II** *s* **6.** Verbrühung *f*, Verbrennung *f*, Brandwunde *f.* **7.** *bot.* Braunfleckigkeit *f* (*an Obst*).

scale[1] [skeil] **I** *s* **1.** *zo.* Schuppe *f*, *collect.* Schuppen *pl.* **2.** *med.* Schuppe *f*: **to come off in** ~**s** → 12; **the** ~**s fall from my eyes** *fig.* es fällt mir wie Schuppen von den Augen. **3.** *bot.* a) Schuppenblatt *n*, b) (*Erbsen- etc*)-Hülse *f*, Schale *f.* **4.** (*Messer*)Schale *f.* **5.** *zo.* Schildlaus *f.* **6.** Ablagerung *f*, *bes.* a) Kesselstein *m*, b) *med.* Zahnstein *m*: **to form** ~ → 13. **7.** *sg od. pl metall.* Zunder *m*: → **iron scale. II** *v/t* **8.** *a.* ~ **off** a) *e-n Fisch* (ab)schuppen, b) *e-e Schicht etc* ablösen, -schälen, -häuten: **to** ~ **almonds; to** ~ **peas. 9.** a) abklopfen, den Kesselstein entfernen aus, b) *Zähne* vom Zahnstein befreien. **10.** e-e Kruste *od.* Kesselstein ansetzen in (*dat*) *od.* an (*dat*). **11.** *metall.* ausglühen. **III** *v/i* **12.** *a.* ~ **off** sich (ab)schuppen *od.* lösen, abschilfern, abblättern. **13.** Kessel- *od.* Zahnstein ansetzen.

scale[2] [skeil] **I** *s* **1.** Waagschale *f* (*a. fig.*): ~**s of Justice** Waage *f* der Justitia *od.* Gerechtigkeit; **to hold the** ~**s even** gerecht urteilen; **to throw into the** ~ *fig. das Schwert etc* in die Waagschale werfen; **to turn** (*od.* **tip**) **the** ~**s** *fig.* den Ausschlag geben; **to turn the** ~**s at 100 lbs** 100 Pfund wiegen; **to weight the** ~**s in favo(u)r of s.o.** j-m e-n (unerlaubten) Vorteil verschaffen. **2.** *meist pl* Waage *f*: **a pair of** ~**s** e-e Waage; **to go to** ~ *sport* gewogen werden (*Boxer, Jockei*); **to go to** ~ **at 90 lbs** 90 Pfund wiegen. **3.** S~**s** *pl astr.* Waage *f.* **II** *v/t* **4.** wiegen. **5.** *colloq.* (ab-, aus)wiegen. **III** *v/i* **6.** *sport* gewogen werden: **to** ~ **in** (**out**) vor (nach) dem Rennen gewogen werden (*Jockei*).

scale[3] [skeil] **I** *s* **1.** a) Stufenleiter *f*, Staffelung *f*, b) Skala *f*, Ta'rif *m*: ~ **of fees** Gebührenordnung *f*; ~ **of salaries** Gehaltsstaffelung; ~ **of wages** Lohnskala, -tabelle *f.* **2.** Stufe *f* (*auf e-r Skala, Stufenleiter etc, a. fig.*): **social** ~ Gesellschaftsstufe; **to sink in the** ~ im Niveau sinken. **3.** *phys. tech.* Skala *f*: ~ **division** Gradeinteilung *f*; ~ **line** Teilstrich *m* e-r Skala. **4.** *geogr. math. tech.* a) Maßstab(sangabe *f*) *m*, b) loga'rithmischer Rechenstab: **enlarged** (**reduced**) ~ vergrößerter (verkleinerter *od.* verjüngter) Maßstab; **in** (*od.* **to**) ~ maßstab(s)getreu *od.* -gerecht; **at a** ~ **of 1 inch to 1 mile** im Maßstab 1 Zoll : 1 Meile; **drawn to a** ~ **of 1 : 5** im Maßstab 1 : 5 gezeichnet; ~ **model** maßstab(s)getreues Modell. **5.** *fig.* Maßstab *m*, Größenordnung *f*, 'Umfang *m*: **on a large** ~ in großem Umfang, im großen. **6.** *math.* (nu'merische) Zahlenreihe: **decimal** ~ Dezimalreihe. **7.** *mus.* a) Tonleiter *f*, Skala *f*, b) 'Ton,umfang *m* (*e-s Instruments*), c) ('Orgelpfeifen)Men,sur *f*: **to run over** (*od.* **learn**) **one's** ~**s** Tonleitern üben. **8.** *ped. psych.* Test(stufen)reihe *f.* **9. on a** ~ (*Börse*) zu verschiedenen Kurswerten; **to buy on a** ~ Teilkäufe machen (*bei sinkenden Preisen*); **to sell on a** ~ (*zu verschiedenen Kursen aufgekaufte Wertpapiere*) zu e-m Durchschnittskurs weiterverkaufen. **10.** *fig.* Leiter *f*, Treppe *f*: **a** ~ **to success.**

II *v/t* **11.** erklettern, erklimmen (*a. fig.*). **12.** *geogr. math. tech.* a) maßstab(s)getreu zeichnen: **to** ~ **off a length** *math.* e-e Strecke abtragen, b) maßstäblich ändern: **to** ~ **down** (**up**) maßstäblich verkleinern (vergrößern). **13.** *tech.* mit e-r Teilung versehen. **14.** einstufen: **to** ~ **down** *Löhne* herunterschrauben, drücken; **to** ~ **up** *die Preise etc* hochschrauben.

III *v/i* **15.** (*auf e-r Skala od. fig.*) klettern, steigen: **to** ~ **down** fallen; **to** ~ **up** steigen, in die Höhe klettern.

scale| ar·mo(u)r *s* Schuppenpanzer *m.* ~ **beam** *s* Waagebalken *m.* ~ **buy·ing** *s econ. Am.* (spekula'tiver) Aufkauf von 'Wertpa,pieren. '~-,**down** *s* (*nach e-r Skala vorgenommene*) Her'absetzung.

scaled [skeild] *adj* **1.** *zo.* schuppig. **2.** abgeschuppt: ~ **herring. 3.** mit e-r Skala versehen.

scale fern *s bot.* Schuppenfarn *m.*

scale·less ['skeillis] *adj* schuppenlos.

sca·lene [skei'li:n] **I** *adj math.* ungleichseitig (*Figur*), schief (*Körper*). **II** *s math.* schiefwink(e)liges Dreieck.

scal·er ['skeilər] *s* **1.** Zahnstein- *od. tech.* Kesselsteinschaber *m.* **2.** *electr. phys.* elek'tronisches (Im'puls)Zähl- u. Auslösegerät.

scale| rule *s* Maßstab *m*, -stock *m.* ~ **sell·ing** *s econ. Am.* Weiterverkauf *m* von (*zu verschiedenen Kurswerten aufgekauften*) 'Wertpa,pieren. '~-,**up** *s* (*nach e-r Skala vorgenommene*) Her'aufsetzung.

scal·i·ness ['skeilinis] *s* Schuppigkeit *f.*

scal·ing ['skeiliŋ] *s* **1.** (Ab)Schuppen *n*, Abblättern *n.* **2.** Kesselstein- *od.* Zahnsteinentfernung *f.* **3.** Erklettern *n*, Aufstieg *m* (*a. fig.*): ~ **ladder** a) *mil.* Sturmleiter *f*, b) Feuerleiter *f.* **4.** *econ. Am.* Auf- u. Verkauf *m* von 'Wertpa,pieren zu verschiedenen Kurswerten.

scall [skɔ:l] *s med.* (Kopf)Grind *m*, Schorf *m*: **dry** ~ Krätze *f.*

scal·la·wag → **scalawag.**

scal·lion ['skæljən] *s bot.* **1.** Scha'lotte *f.* **2.** Lauch *m.*

scal·lop ['skɒləp; 'skæləp] **I** *s* **1.** *zo.* Kammuschel *f.* **2.** *meist pl* Kammuschelfleisch *n* (*Delikatesse*). **3.** *a.* ~ **shell** Muschel(schale) *f* (*a. aus Porzellan zum Servieren von Ragouts etc*). **4.** *Näherei*: Lan'gette *f.* **II** *v/t* **5.** ausbogen, bogenförmig verzieren. **6.** *Näherei*: langet'tieren. **7.** *Speisen* in e-r (Muschel)Schale über'backen.

scal·ly·wag ['skæli,wæg] → **scalawag.**

scalp [skælp] **I** *s* **1.** *anat.* Kopfhaut *f.* **2.** Skalp *m* (*abgezogene Kopfhaut als Siegeszeichen*): **to take s.o.'s** ~ j-n skalpieren; **to be out for** ~**s** sich auf dem Kriegspfad befinden, *fig.* angriffslustig sein; **to clamo(u)r for s.o.'s** ~ *fig.* ‚j-s Kopf' fordern. **3.** *fig.* 'Siegestro,phäe *f.* **4.** *econ. Am. colloq.* kleiner Pro'fit. **5.** [*a.* skɑ:p] a) *Scot od. dial.* (Fels)Nase *f*, b) *poet.* Bergkuppe *f.* **II** *v/t* **6.** *j-n* skal'pieren. **7.** *econ. Am. colloq. Eintrittskarten etc* mit kleinem Pro'fit (schwarz) weiterverkaufen. **8.** *bes. Am. sl. e-n Gegner* ‚erledigen', ‚fertigmachen'. '**scalp·er** *s* **1.** *med.* Knochenschaber *m.* **2.** *econ. Am. colloq.* a) Schwarzhändler *m*, b) Speku'lant *m.*

scal·y ['skeili] *adj* **1.** schuppig, geschuppt. **2.** Schuppen... **3.** schuppenförmig. **4.** schilferig, sich abschuppend. **5.** *sl.* schäbig, gemein.

scam·mo·ny ['skæməni] *s* **1.** *bot.* Skam'monia *f.* **2.** *pharm.* Skam'monium(harz) *n.*

scamp [skæmp] **I** *s* **1.** Ha'lunke *m.* **2.** *humor.* Spitzbube *m.* **II** *v/t* **3.** schlud(e)rig ausführen, 'hinschlampen, verpfuschen.

scam·per ['skæmpər] **I** *v/i* **1.** *a.* ~ **about** (um'her)tollen, her'umhüpfen. **2.** hasten: **to** ~ **away** (*od.* **off**) sich da'vonmachen. **II** *s* **3.** Ga'lopp(tour *f*) *m*, Hetzjagd *f.* **4.** eilige Flucht.

scan [skæn] **I** *v/t* **1.** genau *od.* kritisch prüfen, forschend *od.* scharf ansehen. **2.** über'fliegen: **to** ~ **the headlines. 3.** *metr.* skan'dieren. **4.** *Computer, Radar, TV*: abtasten. **II** *v/i* **5.** *metr.* a) skan'dieren, b) sich *gut etc* skan'dieren (lassen).

scan·dal ['skændl] *s* **1.** Skan'dal *m*: a) skanda'löses Ereignis, b) (öffentliches) Ärgernis: **to cause** ~ Anstoß erregen, c) Schande *f*, Schmach *f* (**to** für). **2.** Verleumdung *f*, (böswilliger) Klatsch, Skan'dalgeschichten *pl*: **to talk** ~ klatschen; **"School for S~"** „Lästerschule" *f* (*Komödie von Sheri-*

dan). **3.** *jur.* üble Nachrede. **4.** ‚unmöglicher' Mensch.

scan·dal·ize[1] ['skændəˌlaiz] *v/t* Anstoß erregen bei (*dat*), *j-n* schoc'kieren: to be ~d at s.th. über etwas empört *od.* entrüstet sein.

scan·dal·ize[2] ['skændəˌlaiz] *v/t mar.* *Segel* verkleinern, ohne zu reffen.

scan·dal·mon·ger ['skændlˌmʌŋgər] *s* Lästermaul *n*, Klatschbase *f.*

scan·dal·ous ['skændələs] *adj* (*adv* ~ly) **1.** skanda'lös, anstößig, schoc'kierend, em'pörend: ~ behavio(u)r. **2.** schändlich, schimpflich. **3.** verleumderisch, Schmäh...: ~ stories Skandalgeschichten. **4.** klatschsüchtig (*Person*).

Scan·di·na·vi·an [ˌskændi'neiviən] **I** *adj* **1.** skandi'navisch. **II** *s* **2.** Skandi'navier(in). **3.** *ling.* a) Skandi'navisch *n*, das Skandinavische, b) Altnordisch *n*, das Altnordische.

scan·ner ['skænər] *s* **1.** *Computer, Radar*: Abtaster *m.* **2.** → scanning disk.

scan·ning ['skæniŋ] *s* Abtastung *f.* ~ **beam** *s* Abtaststrahl *m.* ~ **disk** *s TV* (Bild)Abtaster *m*, Abtastscheibe *f.* ~ **lines** *s pl TV* Rasterlinien *pl.*

scan·sion ['skænʃən] *s metr.* Skansi'on *f*, Skan'dierung *f.*

scan·so·ri·al [skæn'sɔːriəl] *adj zo.* **1.** Kletter...: ~ foot. **2.** zu den Klettervögeln gehörig.

scant [skænt] *adj* (*adv* ~ly) knapp (of an *dat*), spärlich, kärglich, gering, dürftig: a ~ chance e-e geringe Chance; ~ measure knappes Maß; ~ supply geringer Vorrat; a ~ 2 hours knapp 2 Stunden; ~ of breath kurzatmig. '**scant·ies** [-tiz] *s pl* kurzer (Damen)Schlüpfer. '**scant·i·ness** [-tinis] *s* **1.** Knappheit *f*, Kargheit *f.* **2.** Unzulänglichkeit *f.*

scant·ling ['skæntliŋ] *s* **1.** *tech.* a) Latte *f*, Sparren *m*, b) *collect.* zugeschnittenes Bauholz. **2.** (vorgeschriebene) Stärke *od.* Dicke (*von Bauholz, Steinen etc*). **3.** *tech.* Rahmenschenkel *m.* **4.** *tech.* Faßgestell *n.* **5.** kleine Menge *od.* (An)Zahl.

scant·ness ['skæntnis] → scantiness.

scant·y ['skænti] *adj* (*adv* scantily) **1.** kärglich, dürftig, spärlich, knapp. **2.** unzureichend, (zu) knapp. **3.** beengt, klein (*Raum etc*).

scape[1] [skeip] *s* **1.** *bot. zo.* Schaft *m.* **2.** *arch.* (Säulen)Schaft *m.*

scape[2] [skeip] *s u. v/t u. v/i obs. für* escape.

-scape [skeip] *Wortelement mit der Bedeutung* Landschaft, Bild: sandscape Wüstenlandschaft*f*; townscape Stadtbild *n.*

'**scape**|ˌ**goat** *s Bibl.* Sündenbock *m* (*a. fig.*). '~ˌ**grace** *s* Taugenichts *m*, Lump *m.*

scape·ment ['skeipmənt] → escapement.

scaph·oid ['skæfɔid] *anat.* **I** *adj* scapho'id, Kahn... **II** *s a.* ~ bone Scapho'id *n*, Kahnbein *n.*

scap·u·la ['skæpjulə] *pl* **-lae** [-ˌliː], **-las** *s anat.* Schulterblatt *n.*

scap·u·lar ['skæpjulər] **I** *adj* **1.** *anat.* Schulter(blatt)... **II** *s* **2.** *relig.* Skapu'lier *n.* **3.** *med.* Schulterbinde *f.* **4.** → scapula. **5.** *a.* ~ feather *orn.* Schulter(blatt)feder *f.* '**scap·u·lar·y** → scapular.

sca·pus ['skeipəs] *pl* **-pi** [-pai] *s* [*bot. orn.* Schaft *m.*]

scar[1] [skɑːr] **I** *s* **1.** *med.* Narbe *f* (*a. bot.*; *a. fig. psych.*), Schramme *f* (*a. fig.*). **2.** *fig.* (Schand)Fleck *m*, Makel *m.* **II** *v/t* **3.** schrammen, mit e-r Narbe *od.* Narben zeichnen. **4.** *fig.* bei *j-m* ein Trauma hinter'lassen. **5.** *fig.* entstellen, verunstalten. **III** *v/i* **6.** ~ over vernarben (*a. fig.*).

scar[2] [skɑːr] *s Br.* Klippe *f*, steiler (Felsen)Abhang.

scar·ab ['skærəb] *s* **1.** → scarabaeus. **2.** *zo. allg.* Mistkäfer *m.* ˌ**scar·a'bae·id** [-'biːid] *s zo.* Kotkäfer *m.* ˌ**scar·a'bae·oid** *s* **1.** → scarabaeid. **2.** stili'sierter *od.* imi'tierter Skara'bäus (*Schmuck etc*).

scar·a·bae·us [ˌskærə'biːəs] *pl* **-bae·us·es, -bae·i** [-'biːai] *s* **1.** *zo.* Skara'bäus *m.* **2.** *fig.* Skara'bäus *m* (*Amulett, Siegel, Schmuck etc*). '**scar·a**ˌ**bee** [-ˌbiː] → scarabaeus.

Scar·a·mouch ['skærəˌmautʃ; -ˌmuːʃ] *s* **1.** Skara'muz *m* (*italienische Lustspielgestalt*). **2.** *a.* s~ *fig.* Maulheld *m.*

scarce [skɛrs] **I** *adj* **1.** knapp, spärlich: ~ goods, ~ commodities *econ.* Mangelwaren. **2.** selten, rar: a ~ book; to make o.s. ~ *colloq.* a) ‚sich dünn(e) machen', b) ‚sich rar machen'. **II** *adv* **3.** *obs. od. poet. für* scarcely. '**scarce·ly** *adv* **1.** kaum, gerade erst: ~ anything kaum etwas, fast nichts; ~ ... when kaum ... als. **2.** wohl nicht, kaum, schwerlich: you can ~ expect that. '**scarce·ness,** '**scar·ci·ty** [-iti] *s* **1.** Knappheit *f*, Mangel *m* (of an *dat*). **2.** Lebensmittelmangel *m*, Teuerung *f.* **3.** Seltenheit *f*: ~ value Seltenheitswert *m.*

scare [skɛr] **I** *v/t* **1.** erschrecken, ängstigen, in Schrecken *od.* Panik versetzen, *j-m* e-n Schrecken einjagen: to be ~d of s.th. vor etwas Angst haben; to ~ s.o. into doing s.th. j-n (so) einschüchtern, daß er etwas tut. **2.** *a.* ~ away *Vögel etc, a. j-n* verscheuchen, -jagen. **3.** ~ up a) *Wild etc* aufscheuchen, b) *colloq. Geld etc* auftreiben. **II** *v/i* **4.** erschrecken: he does not ~ easily *colloq.* ‚er läßt sich nicht leicht ins Bockshorn jagen'. **III** *s* **5.** a) Schreck(en) *m*, Panik *f*, b) blinder A'larm: war ~ Kriegspsychose *f*; ~ buying Angstkäufe; ~ news Schreckensnachricht *f.* '~ˌ**crow** *s* **1.** Vogelscheuche *f* (*a. fig. Person*). **2.** *fig.* Schreckbild *n*, -gespenst *n*, Popanz *m.*

scared·y-cat ['skɛ(ə)rdi] *s colloq.* Angsthase *m.*

'**scare**|ˌ**head**(·**ing**) *s* Riesenschlagzeile *f.* '~ˌ**mon·ger** *s* Mies-, Bangemacher(in).

scarf[1] [skɑːrf] *pl* **scarfs** [-fs], **scarves** [-vz] *s* **1.** Hals-, Kopf-, Schultertuch *n*, Schal *m.* **2.** (breite) Kra'watte (*für Herren*). **3.** *mil.* Schärpe *f.* **4.** *relig.* (breite, schwarze) Seidenstola. **5.** Tischläufer *m.*

scarf[2] [skɑːrf] *pl* **scarfs I** *s* **1.** *tech.* a) Laschung *f* (*von 2 Hölzern*), b) *mar.* Lasch *m.* **2.** *tech.* zugeschärfter Rand. **3.** → scarf joint. **4.** *Walfang*: Einschnitt *m*, Kerbe *f.* **II** *v/t* **5.** *tech.* a) zs.-blatten, -laschen, b) *mar.* (ver)laschen. **6.** *tech. Leder etc* (zu)schärfen. **7.** *e-n Wal* aufschneiden.

scarf| **joint** *s tech.* Blattfuge *f.* '~ˌ**pin** *s* Kra'wattennadel *f.* '~ˌ**skin** *s anat.* Oberhaut *f.* '~ˌ**weld** *s tech.* über'lappte Schweißung.

scar·i·fi·ca·tion [ˌskærifi'keiʃən] *s med.* Hautritzung *f.* '**scar·i·fi**ˌ**ca·tor** [-tər] *s med.* Stichelmesser *n.* '**scar·i**ˌ**fi·er** [-ˌfaiər] *s* **1.** *med.* → scarificator. **2.** *agr.* Messeregge *f.* **3.** *tech.* Straßenaufreißer *m.*

scar·i·fy ['skæriˌfai; 'skɛ(ə)r-] *v/t* **1.** *die Haut* ritzen, aufreißen, *bes. med.* skarifi'zieren. **2.** *fig.* a) *Gefühle etc* verletzen, b) scharf kriti'sieren. **3.** *agr.* a) *den Boden* auflockern, b) *Samen* anritzen.

scar·la·ti·na [ˌskɑːrlə'tiːnə] *s med.* Scharlach(fieber *n*) *m.*

scar·let ['skɑːrlit] **I** *s* **1.** Scharlach(rot *n*) *m.* **2.** Scharlach(tuch *n*, -gewand *n*) *m.* **II** *adj* **3.** scharlachrot: to flush (*od.* turn) ~ puterrot werden. **4.** *fig.* unzüchtig. ~ **fe·ver** *s med.* Scharlach(fieber *n*) *m.* ~ **hat** *s* Kardi'nalshut *m.* ~ **let·ter** *s* Scharlachbuchstabe *m* (*scharlachrotes A als Abkürzung von* adultery = *Ehebruch*). ~ **run·ner** (**bean**) *s bot.* Scharlach-, Feuerbohne *f.* **S~ Wom·an,** *a.* **S~ Whore** *s* **1.** *Bibl.* (*die*) (scharlachrot gekleidete) Hure. **2.** *fig.* (*das*) heidnische *od.* päpstliche Rom.

scarp [skɑːrp] **I** *s* **1.** steile Böschung. **2.** *mil.* Grabenböschung *f.* **II** *v/t* **3.** abböschen. **scarped** *adj* steil, abschüssig.

scarp·er ['skɑːrpər] *v/i Br. sl.* ‚ab[hauen'.]

scarred [skɑːrd] *adj* narbig.

scarves [skɑːrvz] *pl von* scarf[1].

scar·y ['skɛ(ə)ri] *adj colloq.* **1.** erschrekkend, schaurig. **2.** furchtsam, schreckhaft.

scat[1] [skæt] *colloq.* **I** *interj* **1.** ‚hau ab!' **2.** Tempo! **II** *v/i* **3.** ‚abhauen'. **4.** sausen.

scat[2] [skæt] *s jur.* **1.** Grundsteuer *f* (*auf den Shetland- u. Orkney-Inseln*). **2.** *hist.* Steuer *f*, Tri'but *m.*

scat[3] [skæt] *dial.* **I** *s* **1.** Schlag *m*, Knall *m.* **2.** (Regen)Schauer *m.* **II** *adv* **3.** bank'rott: to go ~ zs.-brechen.

scat[4] [skæt] (*Jazz*) **I** *s* Scat *m* (*Verwendung zs.-hangloser Silben an Stelle von Worten beim Singen*). **II** *v/i* Scat singen.

scathe [skeið], *obs. od. dial.* **scath** [skæθ] **I** *v/t* **1.** vernichtend kriti'sieren. **2.** *poet.* versengen. **3.** *obs. od. Scot.* verletzen. **II** *s* **4.** Schaden *m*: without ~. **5.** Beleidigung *f.* '**scathe·less** *adj* unversehrt. **scath·ing** ['skeiðiŋ] *adj* (*adv* ~ly) **1.** ätzend, vernichtend: ~ criticism. **2.** verletzend.

sca·tol·o·gy [skə'tɒlədʒi] *s* **1.** *med.* Skatolo'gie *f*, Studium *n* der Faeces. **2.** *fig.* a) Wühlen *n* im Schmutz, b) Pornogra'phie *f.*

scatt → scat[2].

scat·ter ['skætər] **I** *v/t* **1.** (aus-, um'her-, ver)streuen. **2.** verbreiten, -teilen. **3.** bestreuen (with mit). **4.** zerstreuen: the army (crowd) was ~ed; to be ~ed to the four winds in alle Winde zerstreut werden *od.* sein. **5.** *fig. Pläne etc* zu'nichte machen. **6.** *phys. Licht etc* zerstreuen. **7.** *obs.* vergeuden: to ~ one's fortune; to ~ one's strength sich verzetteln. **II** *v/i* **8.** sich zerstreuen: the crowd ~ed. **9.** sich verbreiten. **10.** streuen (*Gewehr, Schrotschuß, a. Radio etc*). **III** *s* **11.** (Zer-, Ver)Streuen *n.* **12.** *bes. phys., a. Computer, Radio, Statistik etc*: Streuung *f.* '~ˌ**brain** *s* Wirrkopf *m.* '~ˌ**brained** *adj* wirr(köpfig), kon'fus. ~ **bomb** *s mil.* Streubrandbombe *f.*

scat·tered ['skætərd] *adj* **1.** ver-, zerstreut (liegend *od.* vorkommend *etc*). **2.** vereinzelt: ~ rain showers (riots, *etc*). **3.** *fig.* verzettelt, wirr, kon'fus: a ~ story; ~ thoughts. **4.** *phys.* dif'fus (*Licht etc*): ~ radiation Streustrahlung *f.*

scat·ter·ing ['skætəriŋ] *adj* (*adv* ~ly) **1.** sich ver- *od.* zerstreuend. **2.** → scattered: ~ angle *phys.* Streuwinkel *m.* **3.** *bes. pol.* zersplittert, sich zersplitternd.

scat·ter rug *s Am.* (kleine) Brücke.

scat·ty ['skæti] *adj* (*adv* **scattily**) *Br. sl.* verrückt. [Bergente *f.*}
scaup (duck) [skɑːp; skɔːp] *s orn.*}
scaup·er ['skɔːpər] *s tech.* Hohleisen *n.*
scaur [skɔːr] *bes. Scot. für* **scar**².
scav·enge ['skævindʒ] **I** *v/t* **1.** *Straßen etc* reinigen, säubern. **2.** *mot. Zylinder von Gasen* reinigen, (*mit Luft*) ausspülen: **scavenging air** Spülluft *f*; **scavenging stroke** Spültakt *m*, Auspuffhub *m.* **3.** *metall.* reinigen. **4.** *Am.* a) *Altmaterial* ('wieder)verwenden, b) *Autowracks etc* ‚ausschlachten'. **5.** *Am.* durch'stöbern.
sce·na ['ʃeinɑː; 'siːnə] *s mus.* **1.** Opernszene *f.* **2.** dra'matisches Rezita'tiv.
sce·na·ri·o [si'nɛ(ə)riˌou; si'nɑː-; ʃei'nɑː-] *pl* **-ri·os** *s* **1.** *thea.* Sze'nar(ium) *n* (*Textbuch mit Bühnenanweisungen*). **2.** *Film:* Drehbuch *n.* **sce·na·rist** [si'nɛ(ə)rist; -'nɑː-] *s Film:* Drehbuchautor *m.* **sce'na·rize** *v/t* zu e-m Drehbuch 'umarbeiten.
scene [siːn] *s* **1.** *thea.* a) Szene *f*, Auftritt *m*, b) Ort *m* der Handlung, Schauplatz *m* (*a. e-s Romans etc*), c) Ku'lisse *f*, d) → **scenery** b, e) *obs.* Bühne *f*: → **lay**¹ 10; **change of** ~ Szenenwechsel *m*, *fig.* ‚Tapetenwechsel' *m*; **behind the** ~**s** hinter den Kulissen (*a. fig.*). **2.** *Film, TV:* Szene *f.* **3.** Szene *f*, Epi'sode *f* (*in e-m Roman etc*). **4.** *paint.* Landschaftsbild *n.* **5.** Szene'rie *f*, 'Hintergrund *m* (*e-r Erzählung etc*). **6.** *fig.* Szene *f*, Schauplatz *m*: ~ **of accident (crime)** Unfallort *m* (Tatort *m*); **to be on the** ~(**s**) zur Stelle sein. **7.** Szene *f*, Anblick *m*: ~ **of destruction** Bild *n* der Zerstörung. **8.** Szene *f*: a) Vorgang *m*, -fall *m*, b) (heftiger) Auftritt: **to make** (s.o.) **a** ~ (j-m) e-e Szene machen. **9.** *fig.* Sektor *m*, Gebiet *n*: **the literary (motoring,** *etc*) ~. **10.** *fig.* (Welt)Bühne *f*: **to quit the** ~ von der Bühne abtreten (*sterben*). ~ **dock** *s thea.* Requi'sitenraum *m.* ~ **paint·er** *s* **1.** *thea.* Bühnenmaler(in). **2.** *Literatur:* Landschaftsschilderer *m.*
scen·er·y ['siːnəri] *s* Szene'rie *f*: a) Landschaft *f*, Gegend *f*, b) Bühnenbild *n*, -ausstattung *f*, Ku'lissen *pl.*
'**sceneˌshift·er** *s thea.* Ku'lissenschieber *m.*
sce·nic ['siːnik; 'sen-] **I** *adj* (*adv* ~**ally**) **1.** landschaftlich, Landschafts... **2.** landschaftlich schön, malerisch: **a** ~ **valley**; ~ **railway** in e-r künstlichen Landschaft angelegte Liliputbahn; ~ **road** *bes. Am.* Touristenstraße *f.* **3.** *thea.* a) szenisch, Bühnen..., b) dra'matisch (*a. paint. etc*): ~ **effects**, c) Ausstattungs...: ~ **artist** → **scene painter** 1. **II** *s* **4.** Na'turfilm *m.* '**sce·ni·cal** → **scenic** I.
sce·no·graph·ic [ˌsiːnə'græfik] *adj;* ˌ**sce·no'graph·i·cal** *adj* (*adv* ~**ly**) szeno'graphisch, perspek'tivisch. **sce'nog·ra·phy** [-'nɒgrəfi] *s* Szenogra'phie *f*: a) perspek'tivische Darstellung, b) *thea.* perspek'tivische 'Bühnenmaleˌrei.
scent [sent] **I** *s* **1.** (Wohl)Geruch *m*, Duft *m.* **2.** Par'füm *n.* **3.** *hunt.* a) Witterung *f*, b) Spur *f*, Fährte *f* (*a. fig.*): **to be on the (wrong)** ~ auf der (falschen) Fährte sein; **to follow up the** ~ der Spur folgen; **to put on the** ~ auf die Fährte setzen; **to put** (*od.* **throw**) **off the** ~ von der (richtigen) Spur ablenken. **4.** a) Geruchssinn *m*, b) *zo. u. fig.* Spür-, Witterungssinn *m*, *gute etc* Nase: **to have a** ~ **for s.th.** *fig.* e-e Nase *od.* e-n ‚Riecher' für etwas haben. **5.** *Schnitzeljagd:* a) Pa'pierschnitzel *pl*, b) Fährte *f.* **II** *v/t* **6.** *etwas* riechen. **7.** *a.* ~ **out** *hunt. od. fig.* wittern, (auf)spüren: **to** ~ **treachery** Verrat wittern. **8.** mit Wohlgeruch erfüllen. **9.** parfü'mieren. **III** *v/i* **10.** *hunt.* Witterung haben, e-e Fährte *od.* Spur verfolgen. ~ **bag** *s* **1.** *zo.* Duftdrüse *f.* **2.** *Fuchsjagd:* künstliche Schleppe. **3.** Duft-, Par'fümkissen *n.* ~ **bot·tle** *s* Riech-, Par'fümfläschchen *n.*
scent·ed ['sentid] *adj* **1.** duftend. **2.** parfü'miert. ~ **fern** *s bot.* Bergfarn *m.*
scent gland *s zo.* Duft-, Moschusdrüse *f.*
scent·less ['sentlis] *adj* **1.** geruchlos. **2.** *hunt.* ohne Witterung (*Boden*).
scep·sis ['skepsis] *s bes. philos.* **1.** Skepsis *f*, Zweifel *m.* **2.** Skepti'zismus *m.*
scep·ter, *bes. Br.* **scep·tre** ['septər] *s* Zepter *n*: a) Herrscherstab *n*: **to wield the** ~ das Zepter schwingen *od.* führen, herrschen, b) *fig.* Herrschergewalt *f.*
'**scep·tered,** *bes. Br.* '**scep·tred** *adj* **1.** zeptertragend, herrschend (*a. fig.*). **2.** königlich.
scep·tic, *bes. Am.* **skep·tic** ['skeptik] *s* **1.** (*philos. meist* **S**~) Skeptiker(in). **2.** *relig.* Zweifler(in), *allg.* Ungläubige(r *m*) *f*, Athe'ist(in). '**scep·ti·cal,** *bes. Am.* '**skep·ti·cal** *adj* (*adv* ~**ly**) **1.** *bes. philos.* skeptisch, zweifelnd, zweiflerisch: **to be** ~ **about** (*od.* **of**) **s.th.** etwas bezweifeln, an etwas zweifeln. **2.** skeptisch, 'mißtrauisch, ungläubig: **a** ~ **smile.** '**scep·tiˌcism,** *bes. Am.* '**skep·tiˌcism** [-ˌsizəm] *s bes. philos.* Skepti'zismus *m*, Skepsis *f.*
scep·tre *etc bes. Br. für* **scepter** *etc.*
schap·pe ['ʃɑːpə; ʃæp] *s* Schappe(seide) *f.*
sched·u·lar [*Br.* 'ʃedjulər; *Am.* 'skedʒu-] *adj* Tabellen..., Listen...
sched·ule [*Br.* 'ʃedjuːl; *Am.* 'skedʒul] **I** *s* **1.** Liste *f*, Ta'belle *f*, Aufstellung *f*, Verzeichnis *n*, *jur. a.* Kon'kurstaˌbelle *f.* **2.** *bes. jur.* 'Zusatzarˌtikel *m*, Anhang *m.* **3.** *bes. Am.* a) Zeitplan *m*, (Lehr-, Arbeits-, Stunden)Plan *m*, b) Fahrplan *m*: **behind** ~ verspätet, *weitS. a.* im Verzug; **on** ~ (fahr)planmäßig, pünktlich. **4.** a) Formblatt *n*, Formu'lar *n*, b) Fragebogen *m.* **5.** *econ.* a) 'Einkommensteuerformuˌlar *n*, b) Steuerklasse *f.* **6.** *obs.* Doku'ment *n.* **II** *v/t* **7.** *etwas* in e-r Liste *etc od.* tabel'larisch zs.-stellen. **8.** (in e-e Liste *etc*) eintragen, -fügen: **the train is** ~**d to leave at six** der Zug fährt fahrplanmäßig um 6 (ab). **9.** *bes. jur.* (als Anhang) beifügen (**to** *dat*). **10.** *bes. Am.* a) festlegen, -setzen, b) planen, vorsehen. **11.** klassifi'zieren.
sche·ma ['skiːmə] *pl* **-ma·ta** [-mətə] *s* **1.** Schema *n* (*a. philos. u. Rhetorik*). **2.** *Logik:* syllo'gistische Fi'gur. **3.** *Rhetorik:* Schema *n*, 'Redefiˌgur *f.* **sche'mat·ic** [-'mætik] **I** *adj* (*adv* ~**ally**) sche'matisch. **II** *s* sche'matische Darstellung. '**sche·maˌtism** *s* **1.** sche'matische Anordnung. **2.** *philos.* Schema'tismus *m* (*bei Kant*). '**sche·maˌtize** *v/t u. v/i* schemati'sieren.
scheme [skiːm] **I** *s* **1.** Schema *n*, Sy'stem *n*, Anlage *f*: ~ **of colo(u)r** Farbenzusammenstellung *f*, -skala *f*; ~ **of philosophy** philosophisches System. **2.** a) Schema *n*, Aufstellung *f*, Ta'belle *f*, b) 'Übersicht *f*, c) sche'matische Darstellung. **3.** Zeitplan *m.* **4.** Plan *m*, Pro'jekt *n*, Pro'gramm *n*: **irrigation** ~. **5.** (dunkler) Plan, In'trige *f*, Kom'plott *n.* **6.** *astr.* A'spektendarstellung *f.* **II** *v/t* **7.** *a.* ~ **out** entwerfen, planen. **8.** *contp. Böses* planen, aushecken. **9.** in ein Schema *od.* Sy'stem bringen. **III** *v/i* **10.** Pläne machen *od.* schmieden. **11.** intri'gieren, Ränke schmieden. '**schem·er** *s* **1.** Plänemacher *m.* **2.** Intri'gant *m*, Ränkeschmied *m.* '**schem·ing** *adj* (*adv* ~**ly**) intri'gierend, ränkevoll.
sche·moz·zle [ʃi'mɒzl] *s Am. sl.* **1.** verrücktes Durchein'ander. **2.** ‚Krach' *m* (*Streit*).
scher·zan·do [skerˈtsɑːndou; -'tsæn-; *bes. Br.* skɛə-; skɔː-] *adj u. adv mus.* scher'zando, heiter.
scher·zo ['skertsou; *bes. Br.* 'skɛə-; 'skɔː-] *pl* **-zos, -zi** [-tsiː] *s mus.* Scherzo *n.*
Schie·dam ['skiːdæm; 'skid-] *s* Schie'damer *m* (*holländischer Kornbranntwein*).
schil·ler ['ʃilər] *s min.* Schillerglanz *m.*
schism ['sizəm] *s* **1.** *fig.* Spaltung *f.* **2.** *relig.* a) Schisma *n*, Kirchenspaltung *f*, b) Lossagung *f.* **schis'mat·ic** [-'mætik] *bes. relig.* **I** *adj* (*adv* ~**ally**) schis'matisch, abtrünnig. **II** *s* Schis'matiker *m.* **schis'mat·i·cal** *adj* (*adv* ~**ly**) → **schismatic** I.
schist [ʃist] *s geol.* Schiefer *m.* '**schist·ose** [-tous] *adj geol.* schief(e)rig, Schiefer...
schist·ous ['ʃistəs] → **schistose.**
schi·zan·thus [skai'zænθəs; ski-] *s bot.* Spaltblume *f.*
schiz·o·carp [*Br.* 'skitsəˌkɑːrp; *Am.* 'skiz-] *s bot.* Spaltfrucht *f.*
schiz·o·gen·e·sis [*Br.* ˌskitsə'dʒenisis; *Am.* ˌskiz-] *s zo.* Schizogo'nie *f.* ˌ**schiz·o'gen·ic, schi·zog·e·nous** [*Br.* skit'sɒdʒənəs; ski'z-] *adj zo.* schizo'gen, durch Spaltung entstehend.
schiz·oid [*Br.* 'skitsɔid; *Am.* 'skiz-] *psych.* **I** *adj* schizo'id. **II** *s* schizo'ider Mensch.
schiz·o·my·cete [*Br.* ˌskitsomai'siːt; *Am.* ˌskiz-] *s bot.* Spaltpilz *m.* ˌ**schiz·o·my'co·sis** [-'kousis] *s med.* Spaltpilzerkrankung *f.*
schiz·o·phrene [*Br.* 'skitsəˌfriːn; *Am.* 'skiz-] *s psych.* Schizo'phrene(r *m*) *f.* ˌ**schiz·o'phre·ni·a** [-niə] *s psych.* Schizophre'nie *f.* ˌ**schiz·o'phren·ic** [-'frenik] *psych.* **I** *s* Schizo'phrene(r *m*) *f.* **II** *adj* schizo'phren.
schiz·o·phyte [*Br.* 'skitsəˌfait; *Am.* 'skiz-] *s bot.* Schizo'phyte *f*, Spaltpflanze *f.*
schiz·o·thy·mi·a [*Br.* ˌskitso'θaimiə; *Am.* ˌskiz-] *s psych.* Spaltung *f* der Per'sönlichkeit. ˌ**schiz·o'thy·mic** *adj psych.* schizo'thym.
schle·miel, schle·mihl [ʃlə'miːl] *s Am. sl.* **1.** Schle'mihl *m*, Pechvogel *m.* **2.** Trottel *m.*
schlen·ter ['ʃlentər] *S.Afr. sl.* **I** *adj* nachgemacht, unecht (*Diamant*). **II** *s* unechter Dia'mant. [Schlieren *pl.*}
schlie·ren ['ʃli(ə)rən] *s pl min. phys.*}
schmaltz [ʃmɔːlts] *Am. sl.* **I** *s* **1.** ‚Schmalz' *n*, Geˌfühlsduse'lei *f.* **2.** *mus.* 'Schmalz(muˌsik *f*) *n.* **3.** (sentimen'taler) Kitsch. **II** *v/t u. v/i* **4.** *Jazz:* schwunglos *od.* stur nach Noten spielen. [Schnapper *m.*}
schnap·per ['ʃnæpər; 'sn-] *s ichth.*}
schnap(p)s [ʃnæps] (*Ger.*) *s* Schnaps *m.*
schnor·kel ['ʃnɔːrkəl] → **snorkel.**
schnoz·zle ['ʃnɒzl] *s Am. sl.* ‚Zinken' *m* (*Nase*).
schol·ar ['skɒlər] *s* **1.** a) Gelehrte(r *m*) *f*, *bes.* Geisteswissenschaftler(in), b) Gebildete(r *m*) *f*: **a Shakespeare** ~ ein Shakespeare-Kenner *od.* -Forscher; **a** ~ **and a gentleman** ein Mann von Bildung. **2.** Stu'dierende(r *m*) *f*: **at 80 he was still a** ~ als Achtzigjähriger war er noch (immer) ein Lernender; **he is an apt** ~ er lernt gut;

he is a good French ~ im Französischen ist er gut beschlagen. **3.** *ped. univ.* Stipendi'at(in). **4.** des Lesens u. Schreibens Kundige(r *m*) *f*: I am not much of a ~ mit dem Lesen u. Schreiben hapert es bei mir. **5.** *obs. od. poet.* Schüler(in), Jünger(in): the ~s of Socrates. **6.** *obs. od. vulg.* (Volks)-Schüler(in). '**schol·ar·ly** [-li] *adj u. adv* **1.** gelehrt. **2.** gelehrtenhaft. '**schol·ar·ship** *s* **1.** Gelehrsamkeit *f*, ([geistes]wissenschaftliche) Forschung: classical ~ humanistische Bildung. **2.** *ped. univ.* Sti'pendium *n.*

scho·las·tic [skə'læstik; sko-; skɒ-] **I** *adj* (*adv* ~ally) **1.** (geistes)wissenschaftlich, aka'demisch: ~ education. **2.** schulisch, Schul..., Schüler... **3.** erzieherisch, päda'gogisch: ~ profession Lehr(er)beruf *m.* **4.** *oft* S~ *philos.* scho'lastisch: ~ theology. **5.** *fig.* scho'lastisch, schulmeisterlich, spitzfindig, pe'dantisch. **II** *s* **6.** *a.* S~ *philos.* Scho'lastiker *m.* **7.** *fig.* Schulmeister *m*, Pe'dant *m.* **scho'las·ti,cism** *s* **1.** *a.* S~ Scho'lastik *f.* **2.** *fig.* Pedante'rie *f.*

scho·li·ast ['skouli,æst] *s* **1.** *antiq.* Scholi'ast *m* (*Verfasser von Scholien*). **2.** *fig.* Kommen'tator *m* (an'tiker Schriftsteller). ,**scho·li'as·tic** *adj* scholi'astisch, erläuternd. '**scho·li·um** [-liəm] *pl* **-li·a** [-liə], **-li·ums** *s* **1.** Scholie *f* (*gelehrte Erläuterung*). **2.** *bes. math.* erläuternder Zusatz.

school[1] [sku:l] **I** *s* **1.** Schule *f* (*Institution*): at ~ auf der Schule (→ 4); → high school *etc.* **2.** (Schul)Stufe *f*: lower ~ Unterstufe; senior (*od.* upper) ~ Oberstufe, -klassen. **3.** Kurs *m*, Lehrgang *m.* **4.** (*meist ohne art*) ('Schul),Unterricht *m*, Schule *f*: at (*od.* in) ~ in der Schule; to go to ~ zur Schule gehen; to put to ~ einschulen; there is no ~ today heute ist schulfrei; → tale 5. **5.** Schule *f*, Schulhaus *n*, -gebäude *n.* **6.** *Am.* Hochschule *f*: the ~s die Universitäten. **7.** *univ.* Fakul'tät *f*, (selbständige) Ab'teilung innerhalb e-r Fakultät, (Studien)Fach *n* (*mit eigener Abschlußprüfung*): the medical ~ die medizinische Fakultät. **8.** *univ.* Prüfungssaal *m* (*in Oxford*). **9.** *pl univ.* ('Ab)Schlußex,amen *n* (*in Oxford*): in the ~s im (Schluß)Examen. **10.** *fig. harte etc* Schule, Lehre *f*: a severe ~. **11.** *paint. philos. etc* Schule *f*: other ~s of opinion andere Meinungsrichtungen; the Hegelian ~ *philos.* die hegelianische Schule *od.* Richtung, die Hegelianer; ~ of thought (geistige) Richtung; → old school. **12.** *univ. hist.* Hörsaal *m.* **13.** the ~s, the S~s *hist.* a) die Scho'lastiker *pl*, b) die Scho'lastik. **14.** *mar. mil.* a) Exer'ziervorschrift *f*, b) Drill *m.* **15.** *mus.* Schule *f*: a) Lehrbuch *n*, b) Lehre *f*, Sy'stem *n.* **II** *v/t* **16.** einschulen. **17.** schulen, ausbilden: ~ed geschult, geübt. **18.** *sein Temperament, s-e Zunge etc* zügeln, beherrschen. **19.** ~ o.s. (to) sich erziehen (zu), sich üben (in *dat*): to ~ o.s. to do s.th. lernen *od.* sich daran gewöhnen, etwas zu tun. **20.** *ein Pferd* dres'sieren. **21.** *obs.* tadeln.

school[2] [sku:l] *s ichth.* Schwarm *m* (*a. fig.*), Schule *f*, Zug *m* (*Wale etc*).

school·a·ble ['sku:ləbl] *adj* **1.** schulpflichtig. **2.** *obs.* schulungsfähig.

school| age *s* schulpflichtiges Alter. ~ **board** *s* (lo'kale) 'Schulkommissi,on. '~,**boy I** *s* Schüler *m*, Schuljunge *m.* **II** *adj* Schüler..., Schuljungen... ~ **bus** *s* Schulbus *m.* '~-,**dame** *s Br.* Schulvorsteherin *f* (*e-r privaten Grundschule*). ~ **day** *s* **1.** Schultag *m.* **2.** *pl* Schulzeit *f.* ~ **di·vine** → schoolman 3. ~ **di·vin·i·ty** *s* scho'lastische Theolo'gie. '~,**fel·low** → schoolmate. '~,**girl** *s* Schülerin *f.* '~,**girl·ish,** '~,**girl·y** *adj* backfischhaft. '~,**house** *s* **1.** → school[1] 5. **2.** *Br.* a) (Wohn)Haus *n* des Schulleiters, b) Hauptgebäude *n* (*e-r englischen* Public School).

school·ing ['sku:liŋ] *s* **1.** ('Schul),Unterricht *m.* **2.** Schulung *f.* **3.** Schulgeld *n.* **4.** *sport* Schulreiten *n.* **5.** *obs.* Tadel *m.*

school| leav·er *s meist pl bes. Br.* Schulentlassene(r *m*) *f.* ~ **leav·ing cer·tif·i·cate** *s* Abgangszeugnis *n.* '~,**ma'am** [-,mæm; -,mɑ:m] *s Am. colloq.* **1.** Lehrerin *f*, ‚Fräulein' *n.* **2.** *iro.* gouver'nantenhafte Dame. '~**man** [-mən] *s irr* **1.** Schulmann *m*, Päda'goge *m.* **2.** Schulgelehrte(r) *m.* **3.** *a.* S~ *hist.* Scho'lastiker *m.* '~,**marm** [-,mɑ:rm; -,mɑ:m] → schoolma'am. '~,**mas·ter I** *s* **1.** Schulleiter *m.* **2.** Lehrer *m*, Schulmeister *m* (*a. fig. contp.*). **II** *v/t u. v/i* **3.** schulmeistern. '~,**mas·ter·ly** *adj* schulmeisterlich. '~,**mate** *s* Mitschüler(in), 'Schulkame,rad(in). '~,**mis·tress** *s* **1.** Schulleiterin *f.* **2.** Lehrerin *f.* '~,**room** *s* Klassenzimmer *n.* ~ **ship** *s mar.* Schulschiff *n.* '~,**teach·er** *s* (Schul)-Lehrer(in). ~ **tel·e·vi·sion** *s* Schulfernsehen *n.* ~ **tie** *s*: old ~ *Brit.* a) Kra'watte *f* mit den Farben e-r Public School, b) *Spitzname für e-n ehemaligen Schüler e-r* Public School, c) sentimen'tale Bindung an die alte Schule, d) Einfluß *m* der Public Schools auf das öffentliche Leben in England. '~,**time** *s* **1.** 'Unterrichtszeit *f.* **2.** Schulzeit *f.* '~,**work** *s* (*in der Schule zu erledigende*) Arbeiten *pl od.* Aufgaben *pl.* '~,**yard** *s Am.* Schulhof *m.*

schoon·er ['sku:nər] *s* **1.** *mar.* Schoner *m.* **2.** *bes. Am. für* prairie schooner. **3.** a) *Am.* (Bier)Humpen *m*, großes Bierglas, b) *Br.* Biermaß *n* (*etwa* $^1/_3$ *l*).

schorl [ʃɔ:rl] *s min.* Schörl *m*, (schwarzer) Turma'lin.

schot·tische [*Br.* ʃɒ'ti:ʃ; *Am.* 'ʃɑtiʃ] *s mus.* Schottische(r) *m* (*a. Tanz*).

schuss [ʃus] (*Skisport*) **I** *s* Schuß(fahrt *f*) *m.* **II** *v/i* schußfahren.

schwa [ʃwɑ:] *s ling.* Schwa *n*: a) *kurzer Vokal von unbestimmter Klangfarbe*, b) *das phonetische Symbol* ə.

sci·a·gram ['saiə,græm], *Am.* '**ski·a·,gram** ['skai-], '**sci·a,graph,** *Am.* '**ski·a,graph** [-,græ(:)f; *Br. a.* -grɑ:f] *s med.* Röntgenbild *n.* **sci'ag·ra·phy,** *Am.* **ski'ag·ra·phy** [-'ægrəfi] *s* **1.** *med.* Röntgen *n*, 'Herstellung *f* von Röntgenaufnahmen. **2.** ,Schattenmale'rei *f*, Schattenriß *m.*

sci·am·a·chy [sai'æməki] *s* **1.** Scheingefecht *n.* **2.** ,Spiegelfechte'rei *f.*

sci·at·ic [sai'ætik] *adj anat. med.* **1.** Ischias...: ~ nerve; ~ pains. **2.** an Ischias leidend. **sci'at·i·ca** [-kə] *s med.* Ischias *f.*

sci·ence ['saiəns] *s* **1.** Wissenschaft *f*: man of ~ Wissenschaftler *m.* **2.** *a.* natural ~ *collect.* (*die*) Na'turwissenschaft(en *pl*) *f.* **3.** Wissenschaft *f*, Wissensgebiet *n*: historical ~ Geschichtswissenschaft; the ~ of optics die (Lehre von der) Optik; → dismal 1. **4.** *fig.* Kunst *f*, Lehre *f*, Kunde *f*: domestic ~ Hauswirtschaftslehre; ~ of gardening Gartenbaukunst. **5.** *philos. relig.* Wissen *n*, Erkenntnis *f* (of von). **6.** *bes. sport od. humor.* Kunst(fertigkeit) *f*, (gute) Technik. **7.** the ~ *sport sl.* a) das Boxen, b) das Fechten. **8.** S~ → Christian Science. **9.** *obs.* Wissen *n.* ~ **fic·tion** *s* 'Zukunftsro,mane *pl*, u'topische Ro'mane *pl*, Science-fiction *f.*

sci·en·ter [sai'entər] (*Lat.*) *jur.* **I** *adv* wissentlich. **II** *s* wissentliche Handlung.

sci·en·tif·ic [,saiən'tifik] *adj* **1.** (*engS.* na'tur)wissenschaftlich. **2.** ex'akt, syste'matisch: ~ management *econ.* wissenschaftliche Betriebsführung. **3.** *sport etc* kunstgerecht. ,**sci·en'tif·i·cal·ly** *adv* wissenschaftlich, auf wissenschaftliche Art, auf wissenschaftlicher Grundlage.

sci·en·tism ['saiən,tizəm] *s* Wissenschaftlichkeit *f.* '**sci·en·tist** *s* **1.** (Na'tur)Wissenschaftler(in), (-)Forscher(in). **2.** S~ → Christian Scientist.

scil·i·cet [*Br.* 'sailiset; *Am.* 'sil-] *adv* (*abbr.* scil. *od.* sc.) nämlich, das heißt (*abbr.* d.h.).

scil·la ['silə] *s* Scilla *f*, Meerzwiebel *f.*

scim·i·tar, scim·i·ter ['simitər] *s* (orien'talischer) Krummsäbel.

scin·til·la [sin'tilə] *s fig.* Fünkchen *n*, Spur *f*: not a ~ of truth nicht ein Fünkchen Wahrheit. '**scin·til·lant** [-lənt] *adj* funkelnd.

scin·til·late ['sinti,leit] **I** *v/i* **1.** Funken sprühen. **2.** funkeln (*a. Augen*), sprühen (*a. fig. Geist, Witz*). **3.** *phys.* szintil'lieren. **4.** *fig.* (*geistig*) glänzen, (vor Geist) sprühen. **II** *v/t* **5.** *Funken, a. fig. Geistesblitze* (ver)sprühen. ,**scin·til'la·tion** *s* **1.** Funkeln *n*, Glitzern *n.* **2.** *astr. phys.* Szintillati'on *f.* **3.** *fig.* Geistesblitz *m.*

sci·o·lism ['saiə,lizəm] *s* Halbwissen *n.* '**sci·o·list** *s* Halbgebildete(r *m*) *f*, -wisser(in).

sci·on ['saiən] *s* **1.** *bot.* Ableger *m*, Steckling *m*, (Pfropf)Reis *n.* **2.** *fig.* Sproß *m*, Sprößling *m.*

sci·re fa·ci·as ['sai(ə)ri: 'feiʃi,æs] (*Lat.*) *s a.* writ of ~ *jur. Gerichtsbefehl, Gründe anzugeben, warum ein Protokoll etc dem Antragsteller nicht bekanntgegeben od. der ihm daraus erwachsende Vorteil nicht gewährt werden sollte.*

scir·rhos·i·ty [ski'rɒsiti] *s med.* Scir'rhosis *f*, (Drüsen)Verhärtung *f.* '**scir·rhous** *adj med.* scir'rhös, verhärtet. '**scir·rhus** [-rəs] *pl* **-rhus·es** *s med.* Scirrhus *m*, harte Krebsgeschwulst.

scis·sel ['sisl] *s tech.* Me'tallabfall *m*, -späne *pl.*

scis·sile ['sisil; *Br. a.* -sail] *adj tech.* (leicht) schneid-, spaltbar.

scis·sion ['siʒən; -ʃən] *s* **1.** Schneiden *n*, Spalten *n.* **2.** Schnitt *m.* **3.** *fig.* Spaltung *f.*

scis·sor ['sizər] *v/t* **1.** (*mit der Schere*) (zer-, zu)schneiden. **2.** *a.* ~ out ausschneiden. **3.** scherenartig bewegen *etc.*

scis·sors ['sizərz] *s pl* **1.** *oft* pair of ~ Schere *f*: where are my ~? wo ist m-e Schere? **2.** (*als sg konstruiert*) *sport* a) Schere *f* (*Übung am Turnpferd etc*), b) *Hochsprung*: Scherensprung *m*, c) *Ringen*: Schere *f.* '~-,**grind·er** *s* **1.** Scherenschleifer *m.* **2.** *orn.* Ziegenmelker *m.* ~ **hold** *s Ringen*: Beinschere *f.* ~ **kick** *s Fußball, Schwimmen*: Scherenschlag *m.*

scis·sure ['siʒər; 'siʃ-] *s bes. med.* Fis'sur *f*, Riß *m.*

sci·u·rine ['saiju(ə),rain] *s zo.* Eichhörnchen *n.*

sclaff [sklæf] (*Golf*) **I** *v/t* **1.** den Boden streifen mit (*dem Schläger od. Schlag*). **2.** *den Boden* streifen. **II** *v/i* **3.** den

Boden streifen. **III** *s* **4.** Fehlschlag *m* auf den Boden.
scle·ra ['skli(ə)rə] *s anat.* Sklera *f*, Lederhaut *f* des Auges.
scle·ren·ce·pha·li·a [ˌskli(ə)rensi'feiliə] *s med.* Ge'hirnskleˌrose *f*.
scle·ren·chy·ma [skli(ə)'reŋkimə] *s* **1.** *bot.* Skleren'chym *n*, verhärtetes Zellgewebe. **2.** *zo.* → **scleroderm** 1 b.
scle·ri·a·sis [skli(ə)'raiəsis] *s med.* Skle'rose *f*, skle'rotische Verdickung.
scle·ri·tis [skli(ə)'raitis] → **sclerotitis.**
scle·ro·derm ['skli(ə)roˌdəːrm] *zo.* **I** *s* **1.** a) Panzerhaut *f*, b) Hartgewebe *n* der Ko'rallen. **2.** Harthäuter *m*. **II** *adj* **3.** harthäutig. ˌ**scle·ro'der·ma** [-mə] *s med.* Skleroder'mie *f*.
scle·ro·ma [skli(ə)'roumə] *pl* **-ma·ta** [-mətə] *od.* **-mas** *s med.* Skle'rom *n*, Verhärtung *f*.
scle·rom·e·ter [skli(ə)'rɒmitər] *s tech.* (Ritz)Härteprüfer *m*.
scle·ro·sis [skli(ə)'rousis] *pl* **-ro·ses** [-'rousiːz] *s* **1.** *med.* Skle'rose *f*, Verhärtung *f* (*des Zellgewebes*). **2.** *bot.* Verhärtung *f* (*durch Zellwandverdickung*).
scle·rot·ic [skli(ə)'rɒtik] **I** *adj* **1.** *anat.* skle'rotisch, Sklera... **2.** *bot. med.* verhärtet. **3.** *med.* an Skle'rose leidend. **II** *s* **4.** *anat.* → **sclera.**
scle·ro·ti·tis [ˌskli(ə)ro'taitis] *s med.* Skle'ritis *f*, Lederhautentzündung *f*.
scle·rous ['skli(ə)rəs] *adj bes. med.* skle'rös, verhärtet.
scobs [skɒbz] *s pl* Raspel-, Sägespäne *pl*.
scoff[1] [skɒf] **I** *s* **1.** Spott *m*, Hohn *m*. **2.** Gespött *n*, Zielscheibe *f* des Spotts. **II** *v/i* **3.** spotten (at über *acc*).
scoff[2] [skɒf] *sl.* **I** *s* ‚Futter' *n* (*Nahrung*). **II** *v/t u. v/i* ‚futtern', gierig essen.
scoff·er ['skɒfər] *s* Spötter(in).
scold [skould] **I** *v/t* **1.** *j-n* (aus)schelten, auszanken. **II** *v/i* **2.** (at) schelten (*acc*), schimpfen (über *acc*). **3.** *obs.* keifen. **III** *s* **4.** zänkisches Weib, Zankteufel *m*, (Haus)Drachen *m*. '**scold·ing** *s* **1.** Schelten *n*. **2.** Schelte *f*: to get a (good) ~ (tüchtig) gescholten werden.
sco·lex ['skouleks] *pl* **-le·ces** [-'liːsiːz] *s zo.* Scolex *m*, Bandwurmkopf *m*.
scol·lop ['skɒləp] *etc* → **scallop** *etc*.
scom·ber ['skɒmbər] *s* Ma'krele *f*.
sconce[1] [skɒns] *s* **1.** (Wand-, *a.* Kla'vier)Leuchter *m*. **2.** Kerzenhalter *m*.
sconce[2] [skɒns] *s mil.* Schanze *f*.
sconce[3] [skɒns] *univ.* **I** *v/t j-n zu e-r Strafe* verdonnern, *bes.* zu e-r Kanne Bier verurteilen (*Oxford*). **II** *s* Strafe *f*.
sconce[4] [skɒns] *s obs. sl.* ‚Birne' *f*, Schädel *m*.
scone [skɒn; skoun] *s* weiches Teegebäck.
scoop [skuːp] **I** *s* **1.** a) Schöpfkelle *f*, Schöpfer *m*, b) Schaufel *f*, Schippe *f*. **2.** *tech.* a) Wasserschöpfer *m*, b) Baggereimer *m*, -löffel *m*. **3.** Kohleneimer *m*, -korb *m*. **4.** (kleine) (*Mehl-, Zucker- etc*)Schaufel. **5.** *med.* Löffel *m*. **6.** (Äpfel-, Käse)Stecher *m*. **7.** (Aus)Höhlung *f*, Mulde *f*. **8.** (Aus)-Schöpfen *n*, (Aus)Schaufeln *n*. **9.** Schub *m*, Stoß *m*: at (*od.* in) one ~ mit 'einem Schub. **10.** *Hockey etc*: Schlenzen *n*. **11.** *sl.* ‚Schnitt' *m*, (großer) Fang, Gewinn *m*. **12.** *Zeitungswesen*: *sl.* (sensatio'nelle) Erst-, Exklu'sivmeldung, ‚Knüller' *m*. **13.** *Am. sl.* Informati'on *f*, Einzelheiten *pl*. **14.** (tiefer) runder Ausschnitt (*am Kleid*). **II** *v/t* **15.** schöpfen, schaufeln: to ~ up (auf)schaufeln, *weitS.* hochheben, -nehmen, zs.-raffen, *fig. Geld* scheffeln. **16.** *meist* ~ out ausschöpfen. **17.** *meist* ~ out aushöhlen, *ein Loch* (aus)graben. **18.** *oft* ~ in *sl. e-n Gewinn* einstecken, *Geld* scheffeln: to ~ in a good profit ‚e-n (guten) Schnitt machen'. **19.** *sl.* a) *die Konkurrenzzeitung etc* durch e-e Erstmeldung ausstechen, b) *allg.* schlagen, ausstechen, zu'vorkommen (*dat*). **20.** *Am. sl.* ergattern, ‚klauen'. **21.** *Fußball, Hockey*: *den Ball* schlenzen, (an)heben. ~ **net** *s Fischfang*: Streichnetz *n*. ~ **wheel** *s tech.* Schöpf-, Heberad *n*.
scoot [skuːt] *v/i colloq.* **1.** rasen, ‚flitzen'. **2.** ‚abhauen': ~! ‚hau ab!'
scoot·er ['skuːtər] **I** *s* **1.** (Kinder)Roller *m*. **2.** (Motor)Roller *m*. **3.** *sport Am.* Eisjacht *f*. **II** *v/i* **4.** (auf e-m) Roller fahren. **5.** *sport* mit e-r Eisjacht segeln.
scop [skɒp; skoup] *s hist.* Skop *m* (*altgermanischer Dichter od. Sänger*).
sco·pa ['skoupə] *pl* **-pae** [-piː] *s zo.* Fersenbürste *f* (*an den Beinen der Bienen*).
scope[1] [skoup] *s* **1.** (*jur.* Anwendungs)-Bereich *m*, Gebiet *n*: within the ~ of the law im Rahmen des Gesetzes; to come within the ~ of a law unter ein Gesetz fallen; that is beyond (within) my ~ das liegt außerhalb (innerhalb) m-s Bereichs; an undertaking of wide ~ ein großangelegtes Unternehmen. **2.** Ausmaß *n*, 'Umfang *m*, Reichweite *f*: ~ of authority *jur.* Vollmachtsumfang. **3.** Gesichtskreis *m*, (geistiger) Hori'zont. **4.** (Spiel)Raum *m*, Bewegungsfreiheit *f*: to give one's fancy full ~ s-r Phantasie freien Lauf lassen; to have free ~ freie Hand haben (for bei). **5.** Wirkungskreis *m*, Betätigungsfeld *n*. **6.** Länge *f*: the ~ of a cable. **7.** Schuß-, Reichweite *f*. **8.** a) Ausdehnung *f*, Weite *f*, b) (großes) Gebiet, (weiter) Landstrich.
scope[2] [skoup] *s electr. abbr. für* **microscope, oscilloscope,** *etc.*
-scope [skoup] *Wortelement mit der Bedeutung* Beobachtungsinstrument.
sco·pol·a·mine [sko'pɒləˌmiːn; -min] *s chem.* Scopola'min *n*.
-scopy [skəpi] *Wortelement mit der Bedeutung* Beobachtung, Untersuchung.
scor·bu·tic [skɔːr'bjuːtik] *med.* **I** *adj* (*adv* ~**ally**) **1.** skor'butisch, Skorbut... **2.** an Skor'but leidend. **II** *s* **3.** Skor'butkranke(r *m*) *f*.
scorch [skɔːrtʃ] **I** *v/t* **1.** versengen, -brennen. **2.** (aus)dörren. **3.** *electr.* verschmoren: ~**ed contact. 4.** *fig.* a) (durch scharfe Kri'tik *od.* beißenden Spott) verletzen, b) *j-n* heftig kriti'sieren. **5.** *mil.* verwüsten: ~**ed earth policy** Politik *f* der verbrannten Erde. **II** *v/i* **6.** versengt werden. **7.** *mot. etc colloq.* rasen. **III** *s* **8.** Versengung *f*, Brandfleck *m*. **9.** *colloq.* Rasen *n*, rasendes Tempo. '**scorch·er** *s* **1.** *colloq.* (*etwas*) sehr Heißes, *bes.* glühendheißer Tag. **2.** *sl.* ‚Ding' *n*: a) *beißende Bemerkung, scharfe Rüge, böser Brief etc*, b) ‚tolle Sache', Sensati'on *f*. **3.** *sl.* ‚toller Kerl', ‚tolle Frau'. **4.** *mot.* ‚Raser' *m*, wilder Fahrer. **5.** *sport sl.* ‚Bombenschuß' *m*, knallharter Schlag. '**scorch·ing I** *adj* (*adv* ~**ly**) **1.** brennend, sengend, glühend heiß. **2.** *fig.* vernichtend: ~ **criticism. II** *s* **3.** Versengen *n*. **4.** *colloq.* Rasen *n*, Sausen *n*.
score [skɔːr] **I** *s* **1.** Kerbe *f*, Einschnitt *m*, Rille *f*. **2.** (Mar'kierungs)Linie *f*. **3.** *sport* Start- *od.* Ziellinie *f*: to get off at full ~ a) losrasen; ‚'rangehen wie Blücher', b) ‚aus dem Häus-chen geraten'. **4.** *sport* a) (Spiel)Stand *m*, b) (*erzielte*) Punkt- *od.* Trefferzahl, (Spiel)Ergebnis *n*, (Be)Wertung *f*, c) Punktliste *f*: what is the ~? wie steht das Spiel?, *Am. fig.* wie ist die Lage?; to get the ~ das Spiel machen; to keep ~ die Punktliste führen; to know the ~ *colloq.* Bescheid wissen; ~ one for me! *colloq.* Eins zu Null für mich! **5.** Rechnung *f*, Zeche *f*: to run up a ~ Schulden machen, e-e Rechnung auflaufen lassen; to settle old ~s *fig.* e-e alte Rechnung begleichen; death pays all ~s der Tod begleicht alle Schulden; on the ~ of auf Grund (*gen*), wegen (*gen od. dat*); on that ~ in dieser Hinsicht; on what ~? aus welchem Grund? **6.** (Gruppe *f od.* Satz *m* von) zwanzig, zwanzig Stück: a ~ of apples 20 Äpfel; four ~ and seven 87. **7.** *pl* große (An)Zahl, Menge *f*: ~s of people; ~s of times hundertmal, x-mal. **8.** *colloq.* a) ‚Dusel' *m*, Glück *n*, b) Abfuhr *f*: to make a ~ off s.o. j-m ‚eins auswischen'. **9.** *mus.* Parti'tur *f*: full ~, orchestral ~ vollständige *od.* Orchesterpartitur; in ~ in Partitur (gesetzt *od.* herausgegeben).
II *v/t* **10.** *sport* a) *Punkte od. Treffer* erzielen, sammeln, *Tore* schießen, b) *die Punkte, den Spielstand etc* aufschreiben, c) *fig. Erfolge, Siege* verzeichnen, erringen, (für sich) buchen: to ~ a goal ein Tor schießen *od.* erzielen; to ~ a hit e-n Treffer erzielen, *fig.* e-n ‚Bombenerfolg' haben; to ~ off s.o. *Br. colloq.* j-m ‚eins auswischen'. **11.** *bes. sport* zählen: a try ~s 3 points. **12.** *ped. psych. j-s Leistung etc* bewerten. **13.** *mus.* a) in Parti'tur setzen, b) instrumen'tieren, setzen (for für). **14.** *Kochkunst*: *Fleisch etc* schlitzen. **15.** einkerben, -schneiden. **16.** mar'kieren: to ~ out aus- *od.* durchstreichen; to ~ under unterstreichen. **17.** *oft* ~ up *Schulden, e-e Zeche etc* anschreiben: to ~ (up) s.th. against (*od.* to) s.o. j-m etwas ankreiden (*a. fig.*). **18.** *bes. Am.* a) heftig kriti'sieren, scharf angreifen, b) tadeln.
III *v/i* **19.** *sport* a) e-n Punkt *od.* Treffer *od.* ein Tor erzielen, Punkte sammeln, Tore schießen, b) die Punkte zählen *od.* aufschreiben. **20.** *colloq.* Erfolg *od.* Glück haben, e-n Vorteil erzielen. **21.** gezählt werden, zählen: that ~s for us das zählt für uns. **22.** Linien *od.* Striche ziehen *od.* einkerben.
'**score**|ˌ**board** *s sport* **1.** Anschreibetafel *f*. **2.** Anzeige-, Spielstandtafel *f* (*im Stadion*). '~ˌ**book** *s* **1.** *sport* Anschreibebuch *n*. **2.** Schießbuch *n*. ~ **card** *s sport* Punkt-, Wertungsliste *f*. ~ **play·ing** *s mus.* Parti'turspiel *n*.
scor·er ['skɔːrər] *s* **1.** *sport* a) (Auf)-Schreiber *m*, b) Punktrichter *m*, c) Punktemacher *m*, d) Torschütze *m*, *weitS.* Torjäger *m*. **2.** *tech.* a) Kerb-, Ritz-, (An)Reißvorrichtung *f*, b) Kerb-, Reißschneide *f*.
sco·ri·a ['skɔːriə] *pl* **-ri·ae** [-riˌiː] *s* **1.** *tech.* (Me'tall)Schlacke *f*. **2.** *geol.* Gesteinsschlacke *f*. ˌ**sco·ri'a·ceous** [-'eiʃəs] *adj geol. tech.* schlackig.
sco·ri·fi·ca·tion [ˌskɔːrifi'keiʃən] *s tech.* Verschlackung *f*, Schlackenbildung *f*. '**sco·ri**ˌ**fy** [-ˌfai] *v/t tech.* (ver)-schlacken.
scor·ing ['skɔːriŋ] *s* **1.** *bes. geol.* Spalte *f*, Kerbe *f*, Einschnitt *m*. **2.** *mus.* a) Partitu'rierung *f*, b) Instrumen'tierung *f*.
scorn [skɔːrn] **I** *s* **1.** Verachtung *f*, Geringschätzung *f*: to think ~ of verachten. **2.** Spott *m*, Hohn *m*: to laugh to ~ verlachen. **3.** Gegenstand *m* des

Spottes *od.* der Verachtung, (*das*) Gespött (*der Leute etc*). **II** *v/t* **4.** verachten: a) geringschätzen, b) verschmähen. **5.** *obs.* verspotten, -höhnen. **'scorn·er** *s* **1.** Verächter *m*. **2.** Spötter *m*. **'scorn·ful** [-ful] *adj* (*adv* ~ly) **1.** verächtlich. **2.** spöttisch.

Scor·pi·o ['skɔːrpiˌou] *s astr.* Skorpi'on *m* (*Sternbild u. Tierkreiszeichen*).

scor·pi·on ['skɔːrpiən] *s* **1.** *zo.* Skorpi'on *m*. **2.** S~ *astr.* → Scorpio. **3.** *Bibl.* Skorpi'on *m*, Stachelpeitsche *f*. **4.** *fig.* Geißel *f*. **5.** *mil. hist.* Skorpi'on *m* (*Wurfmaschine*). ~ **fly** *s zo.* Skorpi'ons-, Schnabelfliege *f*.

Scot¹ [skɒt] *s* **1.** Schotte *m*, Schottin *f*. **2.** *hist.* Skote *m* (*ein Kelte*).

scot² [skɒt] *s* **1.** Zahlung *f*, Beitrag *m*: **to pay (for) one's** ~ *fig.* s-n Beitrag leisten. **2.** *a.* ~ **and lot** *hist.* Gemeindeabgabe *f*: **to pay** ~ *fig.* alles auf Heller u. Pfennig bezahlen.

Scotch¹ [skɒtʃ] **I** *adj* **1.** schottisch (*bes. Whisky etc*). **II** *s* **2. the** ~ *collect.* die Schotten *pl*. **3.** schottischer Whisky. **4.** *ling.* Schottisch *n*, das Schottische.

scotch² [skɒtʃ] **I** *v/t* **1.** (leicht) verwunden, schrammen. **2.** *etwas Gefährliches* unschädlich machen, unter'drücken, vernichten. **3.** *Rad etc mit e-m Bremsklotz* bloc'kieren. **II** *s* **4.** (Ein)Schnitt *m*, Kerbe *f*. **5.** *tech.* Bremsklotz *m*, Hemmschuh *m* (*a. fig.*). **6.** *Hüpfspiel*: (am Boden gezogene) Linie.

Scotch| and Eng·lish *s sport Scot. od. dial.* Barlaufspiel *n*. ~ **broth** *s* Graupensuppe *f* mit Fleischeinlage. ~ **col·lops** *s pl* gebratenes Steak mit Zwiebeln. ~ **fir** → Scotch pine. **'~-'Gael·ic** *s ling.* Gälisch *n*, das (*im schottischen Hochland gesprochene*) Gälische. **'~·man** [-mən] *s irr* (*von Nicht-Schotten gebrauchte Bezeichnung für*) Schotte *m*. ~ **mist** *s* dichter, nasser Nebel. ~ **peb·ble** *s min. in Schottland vorkommendes Geröll aus kryptokristallinem Quarz, das zu Schmucksteinen verarbeitet wird*. ~ **pine** *s bot.* Gemeine Kiefer, Waldkiefer *f*. ~ **tape** (*TM*) *s* 'durchsichtiger Klebestreifen. ~ **ter·ri·er** *s zo.* schottischer Terrier. **'~ˌwom·an** *s irr* Schottin *f*. ~ **wood·cock** *s Kochkunst*: *gekochte Eier mit An(s)chovis auf Toast*.

sco·ter ['skoutər] *s orn.* Trauerente *f*.

scot-'free *adj* **1.** unversehrt, unbehelligt. **2.** unbestraft: **to go** ~ ungeschoren davonkommen.

sco·ti·a ['skouʃiə; -ʃə] *s arch.* Sko'tie *f*, Hohlkehle *f*.

Sco·tism ['skoutizəm] *s philos.* Sco'tismus *m* (*Lehre des Duns Scotus*).

Scot·land Yard ['skɒtlənd] *s* Scotland Yard *m* (*die Londoner Kriminalpolizei*).

scoto-¹ [skɒto; skou-] *Wortelement mit der Bedeutung* Dunkelheit.

Scoto-² [skɒto; skou-] *Wortelement mit der Bedeutung* schottisch (und): ~-Irish schottisch-irisch.

scot·o·din·i·a [ˌskɒto'diniə; -'dai-; ˌskou-] *s med.* Skotodi'nie *f*, Schwarzwerden *n* vor den Augen.

Scots [skɒts] **I** *s ling.* → Scotch¹ 4. **II** *adj* schottisch. **'~·man** [-mən] *s irr* (*von Schotten gebrauchte Bezeichnung für*) Schotte *m*. **'~ˌwom·an** *s irr* Schottin *f*.

Scot·ti·cism ['skɒtiˌsizəm] *s* schottische (Sprach)Eigenheit. **'Scot·tiˌcize** *v/t* **1.** e-n schottischen Cha'rakter geben (*dat*). **2.** ins Schottische über'tragen.

Scot·tie ['skɒti] *s colloq.* → Scotch terrier.

Scot·tish ['skɒtiʃ] **I** *s* **1.** *ling.* → Scotch¹ 4. **2. the** ~ *collect. selten* die Schotten *pl*. **II** *adj* **3.** schottisch.

Scot·ty ['skɒti] *s colloq.* **1.** Schotte *m*. **2.** → Scotch terrier.

scoun·drel ['skaundrəl] *s* Schurke *m*, Schuft *m*, Ha'lunke *m*. **'scoun·drelˌism** *s* **1.** Niedertracht *f*, Gemeinheit *f*. **2.** Schurkenstreich *m*. **'scoun·drel·ly** [-li] *adj* schurkisch, niederträchtig, gemein.

scour¹ ['skaur] **I** *v/t* **1.** scheuern, schrubben, *Messer etc* (blank) putzen, po'lieren. **2.** säubern, reinigen (of, from von): **to** ~ **clothes**. **3.** *e-n Kanal etc* (aus)schwemmen, schlämmen, *ein Rohr etc* (aus)spülen. **4.** *ein Pferd etc* putzen, striegeln. **5.** *tech. Wolle* waschen, entfetten: ~**ing mill** Wollewäscherei *f*. **6.** *den Darm* entschlakken. **7.** *a.* ~ **away**, ~ **off** a) *Flecken etc* entfernen, *Schmutz* abreiben, b) *fig.* vertreiben, -jagen. **II** *v/i* **8.** scheuern, schrubben, putzen. **9.** reinigen, säubern. **III** *s* **10.** Scheuern *n* (*etc*). **11.** *Wasserbau*: a) Schlämmen *n*, b) Wegwaschung *f*, c) ausgehöhltes Flußbett. **12.** Reinigungsmittel *n* (*für Wolle etc*). **13.** *meist pl vet.* Ruhr *f*.

scour² ['skaur] **I** *v/i* **1.** *a.* ~ **about** (um'her)rennen, (-)jagen. **2.** (her'um)stöbern, (suchend) um'herstreifen. **II** *v/t* **3.** *ein Gebiet* durch'eilen, -'streifen. **4.** *ein Buch etc* durch'stöbern, -'suchen (for nach).

scourge [skəːrdʒ] **I** *s* **1.** Geißel *f*: a) Peitsche *f*, b) *fig.* Plage *f*: ~ **of mosquitoes** Moskitoplage; **the S~ of God** die Gottesgeißel (*Attila*). **II** *v/t* **2.** geißeln, (aus)peitschen. **3.** *fig.* a) *durch Kritik etc* geißeln, b) strafen, züchtigen, c) quälen, peinigen.

scour·ings ['skau(ə)riŋz] *s pl* (*beim Putzen entstehender*) Abfall.

scouse [skaus] *s* Labskaus *n*.

scout¹ [skaut] **I** *s* **1.** *bes. mil.* Kundschafter *m*, Späher *m*: → **talent** 2. **2.** *mil.* a) Erkundungs-, Aufklärungsfahrzeug *n*, b) *mar.* Aufklärungskreuzer *m*, c) *a.* ~ **(air)plane** *aer.* Aufklärer *m*. **3.** *bes. mil.* Kundschaften *n*, Erkundung *f*: **on the** ~ auf der Lauer *od.* Suche. **4.** Pfadfinder(in). **5. a good** ~ ein feiner Kerl. **6.** *univ.* Aufwärter *m* (*der Studenten in Oxford*). **7.** *mot. Br.* Pa'trouillenfahrer *m* (*e-s Automobilklubs*). **II** *v/i* **8.** kundschaften, spähen. **III** *v/t* **9.** auskundschaften, erkunden: ~**ing party** *mil.* Spähtrupp *m*. **10.** (wachsam) beobachten.

scout² [skaut] *v/t* verächtlich zu'rückweisen.

scout| car *s mil.* (Panzer)Spähwagen *m*. **'~ˌcraft** *s* Pfadfinderwesen *n*, -können *n*.

scout·er ['skautər] *s* **1.** Kundschafter *m*, Späher *m*. **2.** *Am. aktives, über 18 Jahre altes Mitglied der* Boy Scouts.

'scoutˌmas·ter *s* Führer *m* (*e-r Pfadfindergruppe*).

scow [skau] *s mar. Am. od. Scot.* (See)Leichter *m*, Schute *f*.

scowl [skaul] **I** *v/i* finster blicken: **to** ~ **at s.o.** j-n finster anblicken. **II** *v/t a.* ~ **down** *j-n* (durch finstere Blicke) einschüchtern. **III** *s* finsterer Blick, finsterer (Gesichts)Ausdruck. **'scowlˌing** *adj* (*adv* ~ly) finster, grollend, drohend.

scrab·ble ['skræbl] **I** *v/i* **1.** kratzen, scharren. **2.** *meist* ~ **about** *bes. fig.* (her'um)suchen (for nach). **3.** *fig.* sich (ab)plagen (for für, um): **to** ~ **for one's livelihood**. **4.** krabbeln. **5.** kritzeln. **II** *v/t* **6.** scharren nach. **7.** bekritzeln. **III** *s* **8.** Kratzen *n*, Scharren *n*. **9.** Gekritzel *n*. **10.** S~ Scrabble(spiel) *n*.

scrag [skræg] **I** *s* **1.** ‚Gerippe' *n*, ‚Knochengestell' *n* (*dürrer Mensch etc*). **2.** *meist* ~-**end (of mutton)** (Hammel)Hals *m*. **3.** *colloq.* ‚Kragen' *m*, Hals *m*. **II** *v/t* **4.** *sl.* a) *j-n* ‚abmurksen', *j-m* den Hals 'umdrehen, b) *j-n* (auf)hängen, c) *j-n* würgen. **'scrag·gi·ness** [-ginis] *s* Magerkeit *f*. **'scrag·gy** *adj* (*adv* **scraggily**) **1.** dürr, hager, knorrig. **2.** rauh, zerklüftet: ~ **land**.

scram [skræm] **I** *v/i sl.* ‚abhauen': ~! ‚hau ab!', ‚verdufte!', 'raus! **II** *s Atomphysik*: Schnellschluß *m*: ~ **button** Notschalter *m*.

scram·ble ['skræmbl] **I** *v/i* **1.** (*auf allen vieren*) krabbeln, klettern, kriechen: **to** ~ **to one's feet** ‚sich aufrappeln'; **to** ~ **into one's clothes** (hastig) die Kleider überwerfen. **2.** sich balgen, sich schlagen (for um): **to** ~ **for wealth** dem Reichtum nachjagen; **to** ~ **for a living** sich um s-n Lebensunterhalt abzappeln. **3.** sich unregelmäßig ausbreiten. **4.** *aer. mil.* im A'larmstart losbrausen. **II** *v/t* **5.** *oft* ~ **up**, ~ **together** zs.-scharren, -raffen: **to** ~ **up money**. **6.** *Geld* um'herstreuen. **7.** durchein'anderbringen, -werfen. **8.** *Eier* verrühren: **to** ~ **eggs** Rührei machen; ~**d eggs** Rührei *n*. **9.** *e-e Meldung etc* verwürfeln (*verschlüsseln*). **10.** *aer. mil.* (bei A'larm) starten lassen. **11.** *econ. Am. öffentliche u. private Industrie* mischen. **III** *s* **12.** (Her'um)Krabbeln *n*, (-)Kriechen *n*, (-)Klettern *n*. **13.** (for) *a. fig.* Balge'rei *f* (um), Jagd *f* (nach *Geld etc*). **14.** *aer.* a) A'larmstart *m*, b) *Br.* Luftkampf *m*. **'scram·bler** *s* Verwürfelungsgerät *n* (*am Telephon etc*), Sprachverzerrer *m*.

scran [skræn] *s colloq.* Speisereste *pl*.

scran·nel ['skrænl] *adj* **1.** mager. **2.** kreischend: **a** ~ **voice**.

scrap¹ [skræp] **I** *s* **1.** Stück(chen) *n*, Brocken *m*, Fetzen *m*, Schnitzel *n*, *m*: **a** ~ **of paper** ein Fetzen Papier (*a. fig.*); **not a** ~ **of** kein bißchen (*Nahrung etc*); **not a** ~ **of evidence** keine Spur von Beweis. **2.** *pl* Abfall *m*, (*bes.* Speise)Reste *pl*. **3.** (Zeitungs)Ausschnitt *m*. **4.** Bruchstück *n*: ~**s of knowledge**; ~**s of poetry**. **5.** *meist pl* (Fett)Grieben *pl*. **6.** *tech.* a) Schrott *m*, b) Ausschuß *m*, c) Abfall *m*. **II** *adj* **7.** Abfall..., Reste...: ~ **dinner** aus Resten bestehendes Essen. **8.** *tech.* Schrott... **III** *v/t* **9.** (als unbrauchbar) 'ausranˌgieren. **10.** *fig.* zum alten Eisen *od.* über Bord werfen: **to** ~ **methods**. **11.** *tech.* verschrotten.

scrap² [skræp] *sl.* **I** *s* **1.** Streit *m*. **2.** Schläge'rei *f*. **3.** Boxkampf *m*. **II** *v/i* **4.** sich streiten. **5.** sich prügeln. **6.** kämpfen (with mit).

'scrapˌbook *s* **1.** Sammelalbum *n*, Einklebebuch *n*. **2.** Buch *n* gemischten Inhalts. **3.** *fig.* allerlei Remini'szenzen *pl*.

scrape [skreip] **I** *s* **1.** Kratzen *n*, Scharren *n* (*beide a. als Geräusch*). **2.** Kratzfuß *m* (*Höflichkeitsbezeigung*). **3.** Kratzer *m*, Schramme *f*. **4.** ~ **of the pen** *fig. bes. Scot.* e-e Zeile, ein paar (*geschriebene*) Worte. **5.** Ausein'andersetzung *f*, Streit *m*. **6.** Verlegenheit *f*, ‚Klemme' *f*: **in a** ~ in der Klemme *od.* Patsche. **7.** dünn gekratzte Schicht (Butter): **bread and** ~ *colloq.* dünn geschmiertes Butterbrot.
II *v/t* **8.** kratzen, schaben: **to** ~ **off** abkratzen; **to** ~ **together** (*od.* **up**) (*a. fig. Geld etc*) zs.-kratzen; **to** ~ **one's chin** *colloq. humor.* sich rasieren; **to** ~

(an) acquaintance with s.o. *fig.* a) *contp.* sich bei j-m anbiedern, b) j-s Bekanntschaft machen. **9.** *mit den Füßen etc* kratzen *od.* scharren: to ~ one's feet; to ~ down *Br.* *e-n Redner* durch (Füße)Scharren zum Schweigen bringen. **10.** scheuern, reiben (against an *dat*). **11.** aufscheuern: to ~ one's knees.

III *v/i* **12.** kratzen, schaben, scharren. **13.** scheuern, sich reiben (against an *dat*). **14.** kratzen (on auf *e-r Geige etc*). **15.** *fig.* sich (mühsam) 'durchschlagen: to ~ through (an examination) mit Ach u. Krach (bei e-r Prüfung) durchkommen. **16.** ‚kratzen', sparen.

scrap·er ['skreipər] *s* **1.** *contp.* a) Geizhals *m*, Knicker *m*, b) Fiedler *m*, schlechter Geiger, c) Bartschaber *m* (*Friseur*). **2.** Fußabstreicher *m*. **3.** *tech.* a) Schaber *m*, Kratzer *m*, Streichmesser *n*, b) *arch. etc* Schrapper *m*, c) Pla'nierpflug *m*.

scrap heap *s* Abfall- *od.* Schrotthaufen *m*: to throw on the ~ *fig.* zum alten Eisen werfen (*a. j-n*), über Bord werfen; fit only for the ~ völlig wertlos.

scrap·ing ['skreipiŋ] *s* **1.** Kratzen *n*, Scharren *n*. **2.** *pl* Abschabsel *pl*, Späne *pl*, Abfall *m*. **3.** *pl fig.* Spargroschen *m od. pl*. **4.** *pl fig. contp.* Abschaum *m*.

scrap| i·ron *s tech.* (Eisen)Schrott *m*, Alteisen *n*. '~,**mer·chant** *s* Alteisenhändler *m*. ~ **met·al** → scrap iron.

scrap·per ['skræpər] *s sl.* Raufbold *m*.

scrap·ple ['skræpl] *s Am. Gericht aus zerkleinertem (Schweine)Fleisch, Kräutern u. Mehl.*

scrap·py[1] ['skræpi] *adj* (*adv* scrappily) **1.** aus (Speise)Resten ('hergestellt): a ~ dinner. **2.** bruchstückhaft. **3.** zs.-gestoppelt.

scrap·py[2] ['skræpi] *adj* (*adv* scrappily) *sl.* rauf-, kampflustig.

'scrap,yard *s* Schrottplatz *m*.

scratch[1] [skrætʃ] **I** *s* **1.** Kratzer *m*, Schramme *f* (*beide a. med.*), Riß *m*. **2.** Gekritzel *n*. **3.** (Zer)Kratzen *n*. **4.** Kratzen *n*, kratzendes Geräusch: by a ~ of the pen mit 'einem Federstrich. **5.** *sport* a) Startlinie *f*, b) nor'male Startbedingungen *pl*: to start from ~ ganz von vorn anfangen; to come (up) to (the) ~ sich stellen, s-n Mann stehen, *a.* den Erwartungen entsprechen; to keep s.o. up to (the) ~ j-n bei der Stange halten; to be up to ~ *fig.* auf der Höhe *od.* ‚auf Draht' sein; → toe 8. **6.** *Billard*: a) Fuchs *m*, Zufallstreffer *m*, b) Fehlstoß *m*. **7.** *pl* (*als sg konstruiert*) *vet.* Mauke *f*.

II *adj* **8.** zu Entwürfen (gebraucht): ~ paper Konzept-, Schmierpapier *n*. **9.** *sport* ohne Vorgabe. **10.** *bes. sport* (bunt) zs.-gewürfelt: a ~ team.

III *v/t* **11.** (zer)kratzen: to ~ the surface of s.th. *fig.* etwas (nur) an der Oberfläche ritzen; to ~ together (*od.* up) *bes. fig. Geld etc* zs.-kratzen. **12.** kratzen, *ein Tier* kraulen: to ~ a dog's neck den Hals e-s Hundes kraulen; to ~ one's head sich den Kopf kratzen (*aus Verlegenheit etc*); to ~ s.o.'s back *fig.* j-m um den Bart gehen; ~ my back and I will ~ yours *fig.* 'eine Hand wäscht die andere. **13.** ('hin)kritzeln. **14.** ~ out, ~ through, ~ off (aus-, 'durch)streichen. **15.** *sport ein Pferd etc, a. e-e Nennung* zu'rückziehen. **16.** *pol. Am.* a) *Wahlstimmen in der Hauptsache 'einer Partei geben*, b) *Kandidaten* streichen: to ~ a ticket e-e Parteiwahlliste durch Streichungen abändern.

IV *v/i* **17.** kratzen (*a. Schreibfeder etc*). **18.** sich kratzen *od.* scheuern. **19.** (*auf dem Boden*) scharren (for nach). **20.** ~ along, ~ through sich (mühsam) 'durchschlagen. **21.** *sport* s-e Meldung zu'rückziehen.

Scratch[2] [skrætʃ] *s colloq.* Teufel *m*.

scratch| race *s sport* Rennen *n* ohne Vorgabe. ~ **test** *s* **1.** *med.* Einreibeprobe *f* (*bei allergischen Personen*). **2.** *tech.* Ritzversuch *m*. '~,**work** *s arch.* Kratzputz *m*.

scratch·y ['skrætʃi] *adj* (*adv* scratchily) **1.** kratzend. **2.** zerkratzt. **3.** kritz(e)lig. **4.** *sport* a) unausgeglichen, b) bunt zs.-gewürfelt: a ~ crew. **5.** *vet.* an Mauke erkrankt.

scrawl [skrɔːl] **I** *v/t* **1.** ('hin)kritzeln, 'hinschmieren. **2.** bekritzeln. **II** *v/i* **3.** kritzeln. **III** *s* **4.** Gekritzel *n*, Geschreibsel *n*. **'scrawl·y** *adj* kritz(e)lig.

scraw·ny ['skrɔːni] *adj Am.* mager, dürr, knochig.

scray [skrei] *s orn. Br.* Seeschwalbe *f*.

scream [skriːm] **I** *v/i* **1.** schreien (*a. fig. Farbe etc*), gellen, kreischen: to ~ (out) aufschreien; to ~ with laughter vor Lachen brüllen. **2.** (*schrill*) pfeifen (*Lokomotive etc*), heulen (*Wind, Sirene etc*). **II** *v/t* **3.** *oft* ~ out (her'aus)schreien. **III** *s* **4.** (gellender) Schrei. **5.** Gekreische *n*: ~s of laughter brüllendes Gelächter. **6.** schriller Ton, Heulen *n* (*e-r Sirene etc*). **7.** *sl.* he (it) was a (perfect) ~ er (es) war zum Schreien (komisch). **'scream·er** *s* **1.** Schreier(in), Schreiende(r *m*) *f*. **2.** *sl.* ‚tolle Sache', *bes.* Geschichte *f etc* ‚zum Totlachen'. **3.** *print. sl.* Ausrufezeichen *n*. **4.** *Am. sl.* a) Riesenschlagzeile *f*, b) *TV etc*: ‚Reißer' *m*, ‚Krimi' *m*. **'scream·ing** *adj* (*adv* ~ly) **1.** schreiend, schrill, grell. **2.** *fig.* schreiend, grell: ~ colo(u)rs. **3.** *sl.* a) ‚toll', großartig, b) zum Schreien (komisch).

scree [skriː] *s geol. Br.* **1.** Geröll *n*. **2.** (Geröll)Halde *f*.

screech [skriːtʃ] **I** *v/t u. v/i* (gellend) schreien, kreischen (*a. weitS. Bremsen etc*). **II** *s* (gellender) Schrei. ~ **owl** *s orn.* **1.** *allg.* schreiende Eule. **2.** Zwergohreule *f*. **3.** *Br.* Schleiereule *f*.

screed [skriːd] *s* **1.** a) lange Aufzählung *od.* Liste, b) langatmige Rede, Ti'rade *f*. **2.** *a.* floating ~ *arch.* Abgleichbohle *f*. **3.** Landstreifen *m*.

screen [skriːn] **I** *s* **1.** (Schutz)Schirm *m*, (-)Wand *f*. **2.** *arch.* a) Zwischenwand *f*, b) Lettner *m* (*in Kirchen*). **3.** a) (Film-)Leinwand *f*, b) the ~ *collect.* der Film, das Kino: ~ star Filmstar *m*; on the ~ auf der Leinwand, im Film. **4.** *Radar, TV*: Bildschirm *m*. **5.** *Computer*: Schirm *m*. **6.** *med.* Röntgenschirm *m*. **7.** Drahtgitter *n*, -netz *n*. **8.** *tech.* (*großes*) (Gitter)Sieb (*für Sand etc*). **9.** Fliegenfenster *n*. **10.** *fig.* a) Schutz *m*, Schirm *m*, b) Tarnung *f*. **11.** *mil.* a) (*taktische*) Absicherung, (*mar.* Geleit-)Schutz *m*, b) Nebelwand *f*, c) Tarnung *f*. **12.** *phys.* a) *a.* optical ~ Filter *m, n*, Blende *f*, b) *a.* electric ~ (Ab)Schirmung *f*, Schirm(gitter *n*) *m*, c) *a.* ground ~ *electr.* Erdungsebene *f*. **13.** *phot. print.* Raster(platte *f*) *m*. **14.** *Kricket*: *e-e weiße Holz- od. Stoffwand, die dem Schläger bessere Sicht ermöglicht.* **15.** *mot.* Windschutzscheibe *f*.

II *v/t* **16.** (be)schirmen, (be)schützen (from vor *dat*). **17.** *a.* ~ off abschirmen, verdecken, *Licht* abblenden. **18.** *mil.* a) tarnen (*a. fig.*), b) einnebeln. **19.** *fig. j-n* decken. **20.** *tech. Sand etc* ('durch)sieben: ~ed coal Würfelkohle *f*. **21.** *phot. Bild* proji'zieren, auf die Leinwand werfen. **22.** a) für den Film bearbeiten, b) (ver)filmen, c) im Fernsehen bringen. **23.** *e-e Mitteilung* ans Anschlagebrett heften. **24.** *fig. Personen* ('durch)sieben, über'prüfen.

III *v/i* **25.** a) sich (ver)filmen lassen, b) sich für den Film eignen (*a. Person*).

screen grid *s electr.* Schirmgitter *n*: ~ valve (*od. Am.* tube) Schirmgitterröhre *f*.

screen·ing ['skriːniŋ] *s* **1.** ('Durch-)Sieben *n*, *fig. a.* Über'prüfung *f*. **2.** *phot.* a) Proji'zierung *f*, b) Rastern *n*. **3.** a) Verfilmung *f*, b) *TV* Erscheinen *n* auf dem Bildschirm. **4.** *pl* a) (*das*) ('Durch)Gesiebte, b) Abfall *m*. ~ **test** *s bes. mil.* Ausleseprüfung *f*.

'screen|·land [-lənd] *s Am.* Filmwelt *f*. '~,**play** *s Film*: Drehbuch *n*. ~ **wash·er** *s mot.* Scheibenwaschanlage *f*. '~,**writ·er** *s* Drehbuchautor *m*.

screeve [skriːv] *v/i sl.* den Bürgersteig bemalen. **'screev·er** *sl. für* pavement artist.

screw [skruː] **I** *s* **1.** *tech.* Schraube *f* (*ohne Mutter*): there is a ~ loose (somewhere) *fig.* da stimmt etwas nicht; he has a ~ loose *colloq.* ‚bei ihm ist e-e Schraube locker'. **2.** a) (Flugzeug- *od.* Schiffs)Schraube *f*, b) *mar.* Schraubendampfer *m*. **3.** *tech.* Spindel *f* (*e-r Presse*). **4.** Spi'rale *f*. **5.** *colloq.* Druck *m*: to apply the ~, to put the ~(s) on s.o. *fig.* j-n unter Druck setzen; to give another turn to the ~ *a. fig.* die Schraube anziehen. **6.** *bes. Br.* Tütchen *n* (*Tabak etc*). **7.** *bes. sport* Ef'fet *m*. **8.** Geizhals *m*, Knicker *m*. **9.** *Br.* alter Klepper (*Pferd*). **10.** *bes. Br. sl.* Lohn *m*, Gehalt *n*. **11.** Kork(en)zieher *m*. **12.** *sl.* (Gefängnis)Wärter *m*. **13.** *Am. sl.* a) Koitus *m*, b) Weibsbild *n*.

II *v/t* **14.** schrauben: to ~ down ein-, festschrauben; to ~ on anschrauben; to ~ up zuschrauben; his head is ~ed (on) the right way *colloq.* er ist nicht auf den Kopf gefallen. **15.** *fig. die Augen, den Körper* (ver)drehen, *den Mund, das Gesicht* verziehen. **16.** ~ down (up) *econ. die Preise* her'unter-(hin'auf)schrauben. **17.** *fig.* a) *j-n* unter Druck setzen, erpressen, aussaugen, b) *etwas* her'auspressen (out of s.o. aus j-m). **18.** *fig.* (ver)stärken: to ~ o.s. up sich aufraffen; to ~ up one's courage sich ein Herz fassen, sich zs.-raffen. **19.** *bes. sport dem Ball* e-n Ef'fet geben. **20.** *Am. sl.* a) 'reinlegen, ‚bescheißen', b) koi'tieren mit, c) *a.* ~ up *etwas* ‚vermasseln': ~ you! geh zum Teufel!

III *v/i* **21.** sich (ein)schrauben lassen. **22.** *fig.* sich drehen. **23.** *fig.* knausern, knickerig sein. **24.** *Am. sl.* a) ‚verduften', ‚abhauen', b) koi'tieren, c) ~ around sich her'umtreiben.

screw| ar·bor *s tech.* (Werkzeugspindel *f* mit) Gewindefutter *n*. ~ **au·ger** *s tech.* Schneckenbohrer *m*. '~,**ball** *bes. Am.* **I** *s* **1.** *Baseball*: Ef'fetball *m*. **2.** *sl.* ‚Spinner' *m*, verrückter Kerl. **II** *adj* **3.** verrückt. ~ **bolt** *s tech.* Schraubenbolzen *m*. ~ **cap** *s tech.* **1.** Schraubdeckel *m*, Verschlußkappe *f*. **2.** 'Überwurfmutter *f*. ~ **con·vey·er** *s tech.* Förderschnecke *f*. ~ **die** *s tech.* Gewindeschneideisen *n*. '~,**driv·er** *s tech.* Schraubenzieher *m*.

screwed [skruːd] *adj* **1.** verschraubt. **2.** mit Gewinde. **3.** verdreht, gewunden. **4.** *colloq. Br.* ‚blau', ‚besoffen'.

screw| gear(·ing) *s tech.* **1.** Schneckenrad *n*. **2.** Schneckengetriebe *n*. ~ **jack**

s 1. *tech.* Wagenheber *m.* 2. *med.* Zahnspange *f.* ~ **key** *s tech.* Schraubenschlüssel *m.* ~ **ma·chine** *s tech.* Fas'sondrehbank *f.* ~ **nut** *s tech.* Mutterschraube *f.* ~ **plug** *s tech.* Verschlußschraube *f.* ~ **press** *s tech.* 1. Spindelpresse *f.* 2. Schraubenpresse *f.* ~ **pro·pel·ler** → screw 2 a. ~ **punch** → screw press 1. ~ **steam·er** → screw 2 b. ~ **sur·face** *s math.* Heliko'ide *f*, Wendelfläche *f.* ~ **tap** *s tech.* Gewindebohrer *m.* ~ **wrench** *s tech.* Schraubenschlüssel *m.*

screw·y ['skru:i] *adj* 1. schraubenartig, gewunden. 2. *Br. colloq.* ‚beschwipst'. 3. *bes. Am. sl.* verrückt. 4. knickerig.

scrib·al ['skraibəl] *adj* Schreib(er)...: ~ error Schreibfehler *m.*

scrib·ble[1] ['skribl] **I** *v/t a.* ~ **down** ('hin)kritzeln, (-)schmieren: to ~ **over** bekritzeln. **II** *v/i* kritzeln. **III** *s* Gekritzel *n*, Geschreibsel *n.*

scrib·ble[2] ['skribl] *v/t Wolle* krempeln.

scrib·bler[1] ['skriblər] *s* 1. Kritzler *m*, Schmierer *m.* 2. Skri'bent *m*, Schreiberling *m.*

scrib·bler[2] ['skriblər] *s tech.* 'Krempelma,schine *f.*

scrib·bling| di·a·ry *s Br.* 'Vormerkka,lender *m*, Merkbuch *n.* '~-,**pa·per** *s Br.* No'tizzettel *m*, 'Schmierpa,pier *n.*

scribe [skraib] **I** *s* 1. (Ab)Schreiber *m*, Ko'pist *m.* 2. *hist.* Schreiber *m*, Sekre'tär *m.* 3. *Bibl.* Schriftgelehrte(r) *m.* 4. *humor.* a) Schriftsteller *m*, b) Journa'list *m.* 5. *a.* ~-awl Reißahle *f*, -nadel *f.* **II** *v/t* 6. *tech.* anreißen.

'**scrib·er** → scribe 5.

scrim [skrim] *s* leichter Leinen- *od.* Baumwollstoff.

scrim·mage ['skrimidʒ] **I** *s* 1. Handgemenge *n*, Getümmel *n.* 2. a) *amer. Fußball*: Ringen *n* um den Ball (*nach dem Anspiel*), b) *Rugby*: Gedränge *n.* **II** *v/i* 3. *amer. Fußball*: um den Ball kämpfen (*nach dem Anspiel*). 4. (her'um)kramen. **III** *v/t* 5. *amer. Fußball*: *den Ball* ins Gedränge werfen, anspielen.

scrimp [skrimp] **I** *v/t* 1. knausern mit, knapp bemessen. 2. *j-n* knapp-, kurzhalten (for mit). **II** *v/i* 3. knausern (on mit). **III** *adj* → scrimpy.

'**scrimp·y** *adj* 1. knauserig. 2. knapp, eng.

scrim·shank ['skrim,ʃæŋk] *v/i bes. mil. Br. sl.* ‚sich drücken'. '**scrim,shank·er** *s bes. mil. Br. sl.* ‚Drückeberger' *m.*

scrim·shaw ['skrim,ʃɔ:] *s* feine Schnitze'rei (*aus Elfenbein, Muscheln etc*).

scrip[1] [skrip] *s obs.* (Pilger-, Schäfer-)Tasche *f*, Ränzel *n.*

scrip[2] [skrip] *s* 1. *econ.* Berechtigungsschein *m.* 2. *econ.* a) Scrip *m*, Interimsschein *m*, -aktie *f*, b) *collect.* (*die*) Scrips *pl*, (*die*) Interimsaktien *pl.* 3. *Am.* (staatlicher) Landzuweisungsschein. 4. *a.* ~ **money** a) in Notzeiten ausgegebene Er'satzpa,piergeldwährung, b) *mil.* Besatzungsgeld *n.*

script [skript] **I** *s* 1. Handschrift *f.* 2. Schrift(zeichen *pl*) *f.* 3. Schrift(art) *f*: **phonetic** ~ Lautschrift *f.* 4. *print.* Schreibschrift *f.* 5. *jur.* Origi'nal *n*, Urschrift *f.* 6. Text *m.* 7. a) *thea. etc* Manu'skript *n*, b) *Film*: Drehbuch *n.* 8. *ped. Br.* (schriftliche) Prüfungsarbeit. **II** *v/t u. v/i* 9. das Drehbuch schreiben (für).

script girl *s Film*: Skriptgirl *n* (*Ateliersekretärin*).

script·er ['skriptər] → scriptwriter.

scrip·to·ri·um [skrip'tɔ:riəm] *pl* **-ri·a** [-riə] *s hist.* Schreibstube *f* (*e-s Klosters*).

scrip·tur·al ['skriptʃərəl] *adj* 1. Schrift... 2. *a.* S~ *relig.* biblisch, der Heiligen Schrift: ~ **doctrine.** '**scrip·tur·al,ism** *s relig.* strenge Bibelgläubigkeit.

scrip·ture ['skriptʃər] *s* 1. S~, *meist* **the** S~**s, the Holy** S~(**s**) die (Heilige) Schrift, die Bibel. 2. S~ 'Bibelzi,tat *n*, -stelle *f.* 3. heilige *od.* religi'öse Schrift: **Buddhist** ~. ~ **read·er** *s hist.* Bibelvorleser(in).

'**script,writ·er** *s* Drehbuchverfasser(in).

scrive·ner ['skrivnər] *s hist.* 1. (öffentlicher) Schreiber: ~**'s palsy** Schreibkrampf *m.* 2. No'tar *m.* 3. *econ. hist.* Geldleiher *m.*

scrod [skrɒd] *s Am.* junger, kochfertig geschnittener Fisch (*bes. Kabeljau*).

scrof·u·la ['skrɒfjulə] *s med.* Skrofu'lose *f.* '**scrof·u·lous** *adj med.* skrofu'lös.

scroll [skroul] **I** *s* 1. Schriftrolle *f.* 2. a) *arch.* Vo'lute *f*, Schnörkelverzierung *f*, b) *mus.* Schnecke *f* (*am Kopf e-s Streichinstruments*), c) Schnörkel *m* (*in der Schrift*), d) *her.* Streifen *m* (*für die Devise*). 3. *tech.* Triebkranz *m.* 4. Liste *f*, Verzeichnis *n.* ~ **chuck** *s tech.* Univer'salspannfutter *n.* ~ **gear** *s tech.* Schneckenrad *n.* ~ **lathe** *s tech.* Drechslerbank *f.* ~ **saw** *s tech.* Laubsäge *f.* '~,**work** *s* 1. Schneckenverzierung *f.* 2. Laubsägearbeit *f.*

scrooch [skru:tʃ] *v/i Am.* (~ **down** sich 'hin)kauern.

scro·tal ['skroutl] *adj anat.* skro'tal, Hodensack... '**scro·tum** [-təm] *pl* **-tums** *s anat.* Skrotum *n*, Hodensack *m.*

scrounge [skraundʒ] *v/t u. v/i sl.* 1. ‚organi'sieren': a) ‚klauen' (*stehlen*), b) beschaffen. 2. ‚schnorren', (er)betteln. '**scroung·er** *s sl.* 1. Spitzbube *m*, Dieb *m.* 2. ‚Schnorrer' *m.*

scrub[1] [skrʌb] **I** *v/t* 1. schrubben, scheuern, (ab)reiben. 2. *tech. Gas* reinigen. 3. *sl.* streichen, ausfallen lassen. **II** *v/i* 4. scheuern, schrubben, reiben. 5. *colloq.* sich abrackern. **III** *s* 6. Scheuern *n*, Schrubben *n*: **that wants a good** ~ das muß tüchtig gescheuert werden. 7. → **scrubber** 1. 8. *sport Am.* a) Re'servespieler *m*, b) *a.* ~ **team** zweite Mannschaft *od.* ‚Garni'tur', c) *a.* ~ **game** Spiel *n* der Re'servemannschaften.

scrub[2] [skrʌb] *s* 1. Gestrüpp *n*, Buschwerk *n.* 2. Busch *m* (*Gebiet*). 3. a) verkrüppelter Baum, b) Tier *n* minderwertiger *od.* unbekannter Abstammung, c) Knirps *m*, d) *fig. contp.* ‚Null' *f*, kleiner Mann.

scrub·ber ['skrʌbər] *s* 1. Schrubber *m*, (Scheuer)Bürste *f.* 2. *tech.* Skrubber *m*, Rieselturm *m* (*zur Gasreinigung*).

'**scrub(·bing) brush** ['skrʌbiŋ] *s* Scheuerbürste *f.*

scrub·by ['skrʌbi] *adj* 1. gestrüppreich. 2. verkümmert. 3. kümmerlich, schäbig. 4. strubb(e)lig (*Bart*).

scruff [skrʌf], *a.* ~ **of the neck** *s* (Hautfalten *pl* am) Genick *n*: **to take s.o. by the** ~ **of the neck** j-n im Genick *od.* beim Kragen packen.

scrum [skrʌm] *Br. abbr. für* **scrummage.**

scrum·mage ['skrʌmidʒ] *s* 1. → scrimmage 1. 2. *Rugby*: Gedränge *n.*

scrump·tious ['skrʌmpʃəs] *adj* (*adv* ~**ly**) *colloq.* ‚toll', ‚prima'.

scrunch [skrʌntʃ] **I** *v/t* 1. zerkauen. 2. zermalmen. **II** *v/i* 3. knirschen, krachen. **III** *s* 4. (Zer)Krachen *n*, Knirschen *n.*

scru·ple ['skru:pl] **I** *s* 1. Skrupel *m*, Zweifel *m*, Bedenken *n*: **to make no** ~ **to do s.th.** keine Bedenken haben, etwas zu tun; **to have** ~**s about doing s.th.** Bedenken tragen, etwas zu tun; **without** ~ skrupellos. 2. Skrupel *n* (*Apothekergewicht = 20 gran = 1,296 g*). **II** *v/t* 3. Skrupel *od.* Bedenken haben, zögern (**to do** zu tun). **III** *v/i* 4. Skrupel *od.* Bedenken haben.

,**scru·pu'los·i·ty** [-pju'lɒsiti] *s* (über'triebene) Gewissenhaftigkeit *od.* Genauigkeit, ('Über)Ängstlichkeit *f.*

'**scru·pu·lous** *adj* (*adv* ~**ly**) 1. voller Skrupel *od.* Bedenken, (allzu) bedenklich. 2. ('über)gewissenhaft, peinlich (genau). 3. vorsichtig, ängstlich. '**scru·pu·lous·ness** → scrupulosity.

scru·ti·neer [,skru:ti'nir] *s* (*pol.* Wahl-)Prüfer *m.*

scru·ti·nize ['skru:ti,naiz] *v/t* 1. unter'suchen, (genau) prüfen. 2. genau *od.* forschend betrachten, stu'dieren.

'**scru·ti·ny** [-ni] *s* 1. (genaue) Unter'suchung, Prüfung *f.* 2. *pol.* Wahlprüfung *f.* 3. Über'wachung *f.* 4. forschender *od.* prüfender Blick.

scry [skrai] *v/i* kri'stallsehen (*zum Wahrsagen*).

scu·ba ['skju:bə] *s Am.* ('Unterwasser-)Atemgerät *n*: ~ **diving** Sporttauchen *n.*

scud [skʌd] **I** *v/i* 1. eilen, jagen. 2. *mar.* lenzen. **II** *s* 3. Da'hinjagen *n.* 4. tieftreibende Wolkenfetzen *pl.* 5. a) (Wind)Bö *f*, b) treibender Nebel.

scuff [skʌf] **I** *v/i* 1. schlurfen(d gehen). **II** *v/t* 2. (mit den Füßen) ab- *od.* aufscharren. 3. *bes. Am.* abstoßen, abnutzen. 4. schlagen, boxen. **III** *s* 5. Schlurfen *n.* 6. Abnutzung *f*, abgestoßene Stelle. 7. *Am.* (*Art*) Pan'toffel *m.*

scuf·fle ['skʌfl] **I** *v/i* 1. sich balgen, raufen. 2. ziellos eilen. 3. schlurfen, scharren. **II** *s* 4. Balge'rei *f*, Raufe'rei *f*, Handgemenge *n.* 5. Schlurfen *n*, Scharren *n.*

scug [skʌg] *s Br. sl.* ‚Flasche' *f*, ‚Niete' *f.*

scull [skʌl] *mar.* **I** *s* 1. Heck-, Wriggriemen *m.* 2. Skullriemen *m.* 3. Skuller *m*, Skullboot *n.* **II** *v/t u. v/i* 4. wriggen. 5. skullen (*mit 2 Riemen rudern*).

'**scull·er** *s* 1. Ruderer *m.* 2. → scull 3.

scul·ler·y ['skʌləri] *s Br.* Spülküche *f.* ~ **maid** *s* Spül-, Küchenmädchen *n.*

scul·lion ['skʌljən] *s poet. Br.* Küchenjunge *m.*

sculp [skʌlp] *colloq. für* **sculpture** II *u.* III.

sculp·tor ['skʌlptər] *s* Bildhauer *m.* '**sculp·tress** [-tris] *s* Bildhauerin *f.*

sculp·tur·al ['skʌlptʃərəl] *adj* (*adv* ~**ly**) bildhauerisch, Skulptur...

sculp·ture ['skʌlptʃər] **I** *s* 1. Skulp'tur *f*, Plastik *f*: a) Bildhauerkunst *f*, Bildhaue'rei *f*, b) Bild(hauer)werk *n.* 2. *bot. zo.* Skulp'tur *f.* **II** *v/t* 3. formen, (her'aus)meißeln *od.* (-)schnitzen. 4. mit Skulp'turen *od.* Reli'efs schmükken. **III** *v/i* 5. bildhauern. ,**sculp·tur'esque** [-'resk] *adj* skulp'turartig, wie (aus)gemeißelt.

scum [skʌm] **I** *s* 1. *a. tech.* (Ab)Schaum *m.* 2. *fig.* Abschaum *m*, Auswurf *m*: **the** ~ **of the earth** der Abschaum der Menschheit. **II** *v/t* 3. abschäumen, den Schaum abschöpfen von. 4. e-n (Ab)Schaum bilden auf (*dat*). **III** *v/i* 5. schäumen, (Ab)Schaum bilden (*Flüssigkeit*).

scum·ble ['skʌmbl] *paint.* **I** *v/t* 1. *Farben, Umrisse etc* vertreiben, dämpfen. 2. *ein Bild* durch Vertreiben in s-n Farben u. 'Umrissen weicher machen. 3. *Lasur* in e-r hauchdünnen Schicht auftragen. **II** *s* 4. Gedämpftheit *f*, Weichheit *f.* 5. La'sur *f.*

scum·my ['skʌmi] *adj* **1.** schaumig. **2.** *fig.* gemein, schäbig, ‚fies'.
scup·per ['skʌpər] **I** *s* **1.** *mar.* Speigatt *n.* **2.** *arch.* Wasserabzug *m.* **II** *v/t mil. Br. sl.* **3.** niedermetzeln. **4.** *das Schiff* versenken. **5.** *fig.* a) ka'puttmachen, b) durchein'anderbringen, c) im Stich lassen.
scurf [skəːrf] *s* **1.** *med.* a) Schorf *m*, Grind *m*, b) *bes. Br.* (Kopf)Schuppen *pl.* **2.** abblätternde Kruste. **3.** Fetzen *pl*, Reste *pl.* '**scurf·i·ness** [-inis] *s med.* Schorfigkeit *f.* '**scurf·y** *adj* **1.** *med.* a) schorfig, grindig, b) schorfartig, c) schuppig. **2.** verkrustet.
scur·ril·i·ty [skə'riliti; *Br. a.* skʌ-] *s* **1.** zotige Scherzhaftigkeit. **2.** Zotigkeit *f.* **3.** Zote *f.* **scur·ril·ous** [*Br.* 'skʌriləs; *Am.* 'skəːr-] *adj* (*adv* ~**ly**) **1.** ordi'när-scherzhaft, ‚frech'. **2.** unflätig, zotig.
scur·ry [*Br.* 'skʌri; *Am.* 'skəːri] **I** *v/i* **1.** huschen, hasten. **II** *v/t* **2.** jagen, treiben. **III** *s* **3.** (eiliges) Getrippel, Hasten *n.* **4.** *sport* kurzes, schnelles Rennen. **5.** Schneetreiben *n.*
scur·vy ['skəːrvi] **I** *s med.* Skor'but *m.* **II** *adj* (*adv* **scurvily**) (hunds)gemein, ‚fies'. ~ **grass** *s bot.* Löffelkraut *n.*
scut [skʌt] *s* **1.** *hunt.* Blume *f*, kurzer Schwanz (*des Hasen*), Wedel *m* (*des Rotwilds*). **2.** Stutzschwanz *m.*
scu·tage ['skjuːtidʒ] *s mil. hist.* Schildpfennig *m* (*an Stelle von Heerfolge geleistete Steuer*).
scu·tate ['skjuːteit] *adj* **1.** *bot.* schildförmig (*Blatt*). **2.** *zo.* großschuppig.
scutch [skʌtʃ] *tech.* **I** *v/t* **1.** *Flachs* schwingen. **2.** *Baumwolle od. Seidenfäden* durch Schlagen entwirren. **II** *s* **3.** a) (Flachs)Schwingmesser *n*, b) ('Flachs)ˌSchwingmaˌschine *f.* **4.** Schwingwerg *n.* **5.** *tech.* Putzhammer *m.*
scutch·eon ['skʌtʃən] *s* **1.** → **escutcheon** 1. **2.** Namensschild *n.* **3.** *tech.* Schlüssellochklappe *f.* **4.** *zo.* → **scute.**
scutch·er ['skʌtʃər] → **scutch** 3 *u.* 5.
scute [skjuːt] *s zo.* Schuppe *f*, Schild *m.*
scu·tel·late ['skjuːtəˌleit; skjuː'telit; -eit] *adj zo.* **1.** schuppig. **2.** schuppenartig.
scu·tel·lum [skjuː'teləm] *pl* **-la** [-lə] *s bot. zo.* Schildchen *n.*
scu·ti·form ['skjuːtiˌfɔːrm] *adj* schildförmig.
scut·ter ['skʌtər] *Scot. od. dial. für* **scurry.**
scut·tle[1] ['skʌtl] *s* **1.** Kohlenkasten *m*, -eimer *m.* **2.** flacher Korb.
scut·tle[2] ['skʌtl] **I** *v/i* **1.** eilen, ‚flitzen'. **2.** *bes. fig.* sich verdrücken, sich da'vonmachen. **II** *s* **3.** Hasten *n*, ‚'Schweinsgaˌlopp' *m.* **4.** hastige Flucht. **5.** *fig.* eiliger Rückzug.
scut·tle[3] ['skʌtl] **I** *s* **1.** (Dach-, Boden-)Luke *f.* **2.** *mar.* (Spring)Luke *f.* **3.** *tech.* Stirnwand *f*, Spritzbrett *n.* **II** *v/t* **4.** *mar.* a) *das Schiff* anbohren *od.* die 'Bodenvenˌtile öffnen von (*e-m Schiff*), b) (selbst) versenken.
'**scut·tle|ˌbutt** *s* **1.** *mar.* a) (Trink-)Wassertonne *f*, b) Trinkwasseranlage *f.* **2.** *Am. sl.* Gerücht *n.*
scu·tum ['skjuːtəm] *pl* **-ta** [-tə] *s* **1.** *antiq. mil.* Schild *m.* **2.** *zo.* Scutum *n* (*Mittelteil des Rückenpanzers der Insekten*). **3.** *anat.* Kniescheibe *f.*
Scyl·la ['silə] *npr myth.* Szylla *f*: **between** ~ **and Charybdis** *fig.* zwischen Szylla u. Charybdis.
scy·phus ['saifəs] *pl* **-phi** [-fai] *s* **1.** *antiq.* Skyphos *m* (*Tongefäß*). **2.** *bot.* Becher *m*, Kelch *m.*
scythe [saið] **I** *s* **1.** *agr.* Sense *f.* **2.** *antiq.* Sichel *f* (*am Streitwagen*). **II** *v/t* **3.** *agr.* (ab)mähen.
Scyth·i·an ['siθiən; 'sið-] **I** *s* **1.** *antiq.* Skythe *m*, Skythin *f.* **2.** *ling.* Skythisch *n*, das Skythische. **II** *adj* **3.** skythisch.
sea [siː] *s* **1.** a) See *f*, Meer *n*, b) Ozean *m*, (Welt)Meer *n*: **the four** ~**s** die vier (*Großbritannien umgebenden*) Meere; **at** ~ *mar.* auf See; (**all**) **at** ~ *fig.* (völlig) ratlos; **beyond the** ~**s, over** ~(**s**) nach *od.* in Übersee; **to follow the** ~ *mar.* zur See fahren; **to go to** ~ *mar.* a) in See stechen, absegeln, b) zur See gehen (*Seemann werden*); **the high** ~**s** die hohe See, die Hochsee; **in the open** ~ auf hoher See; **on the** ~ a) auf See, zur See, b) an der See, an der Küste (gelegen). **2.** *mar.* See(gang *m*) *f*: **a heavy** ~; **long** (**short**) ~ lange (kurze) See. **3.** See *f*, hohe Welle: **half** ~**s over** *sl.* ‚beschwipst', betrunken; → **ship** 8. **4.** *fig.* Meer *n.*
sea| an·chor *s* **1.** *mar.* See- *od.* Treibanker *m.* **2.** *aer.* Wasseranker *m.* ~ **a·nem·o·ne** *s zo.* 'Seeaneˌmone *f.* ~ **bath·ing** ['beiðiŋ] *s* Baden *n* im Meer. ~ **bear** *s zo.* **1.** Eisbär *m.* **2.** Seebär *m.* **S~·bee** ['siːˌbiː] *s mil. Am.* Angehörige(r) *m* e-s schweren Pio'nierbatailˌlons (*der amer. Marine*). ~ **bird** *s* Meeres-, Seevogel *m.* ~ **bis·cuit** *s* Schiffszwieback *m.* '~ˌ**board** **I** *s* (Meeres-, See-)Küste *f.* **II** *adj* Küsten... ~ **boat** *s mar.* Seeschiff *n*, -boot *n.* '~-ˌ**born** *adj* **1.** aus dem Meere stammend. **2.** *poet.* meergeboren. '~-ˌ**borne** *adj* See..., auf dem Seewege befördert: ~ **goods** Seehandelsgüter; ~ **invasion** *mil.* Landungsunternehmen *n* von See aus; ~ **trade** Seehandel *m.* ~ **calf** *s irr* → **sea dog** 1 a. ~ **cap·tain** *s* **1.** 'See-, 'Schiffskapiˌtän *m.* **2.** *poet.* Seeheld *m*, berühmter Seemann. ~ **change** *s* **1.** vom Meer bewirkte Verwandlung. **2.** *fig.* große Wandlung. ~ **clam** *s zo.* Strandmuschel *f.* '~ˌ**coast** *s* Meeres-, Seeküste *f.* ~ **cock** *s* **1.** *mar.* 'Boden-, 'Bordvenˌtil *n.* **2.** *orn.* Kiebitzregenpfeifer *m.* ~ **cow** *s zo.* **1.** Seekuh *f*, Si'rene *f.* **2.** Walroß *n.* **3.** Flußpferd *n.* ~ **crow** *s orn.* Lachmöwe *f.* ~ **cu·cum·ber** *s zo.* Seewalze *f*, See-, Meergurke *f.* ~ **dev·il** *s* **1.** → **devilfish.** **2.** → **angelfish** 1. ~ **dog** *s* **1.** *zo.* a) Gemeiner Seehund, Meerkalb *n*, b) → **dogfish.** **2.** *fig.* alter Seebär. '~ˌ**drome** *s aer.* Wasserflughafen *m.* ~ **ea·gle** *s orn.* **1.** Seeadler *m.* **2.** Fisch-, Flußadler *m.* ~ **el·e·phant** *s zo.* 'See-Eleˌfant *m.* '~ˌ**far·er** *s mar.* Seefahrer *m*, -mann *m.* '~ˌ**far·ing** *mar.* **I** *adj* **1.** seefahrend: ~ **man** Seemann *m*; ~ **nation** Seefahrernation *f.* **2.** Seefahrts... **II** *s* **3.** Seefahrt *f.* ~ **fight** *s mar. mil.* Seegefecht *n*, -schlacht *f.* '~ˌ**flow·er** → **sea anemone.** ~ **food** *s collect. bes. Am.* Meeresfrüchte *pl*, eßbare Meerestiere *pl.* '~-ˌ**fowl** → **sea bird.** ~ **front** *s* Seeseite *f* (*von Städten od. Häusern*). ~ **gate** *s mar.* **1.** Zugang *m* zur See. **2.** *tech.* Flut-, Sicherheitstor *n* (*e-r Deichschleuse etc*). ~ **ga(u)ge** *s mar.* **1.** Tiefgang *m.* **2.** Lotstock *m.* '~ˌ**girt** *adj poet.* 'meerumˌschlungen. '~-ˌ**god** *s* Meeresgott *m.* '~ˌ**go·ing** *adj* **1.** *mar.* seetüchtig, Hochsee... **2.** *mar.* See(fahrts)... **3.** *bes. Am. fig.* wetterhart. ~ **grass** *s bot.* Seegras *n.* ~ **green** **I** *s* Meergrün *n.* **II** *adj* meergrün. ~ **gull** *s orn.* Seemöwe *f.* ~ **hare** *s zo.* Seehase *m.* ~ **hog** *s zo.* Schweinswal *m*, *bes.* Meerschwein *n*, Kleiner Tümmler. ~ **horse** *s* **1.** *zo.* a) Seepferdchen *n*, b) Walroß *n.* **2.** *myth.* Seepferd *n.* **3.** große schaumgekrönte Welle. '~-ˌ**is·land** *adj die der Küste von South Carolina u. Georgia vorgelagerten Inseln betreffend*: ~ **cotton** Sea-Island-Baumwolle *f.* ~ **kale** *s bot.* See-, Strandkohl *m.* ~ **king** *s hist.* Wikingerfürst *m.*
seal[1] [siːl] **I** *s* **1.** *pl* **seals,** *bes. collect. pl* **seal** *zo.* Robbe *f*, Flossenfüßer *m.* **2.** a) → **sealskin,** b) Seehundsleder *n.* **3.** Sealbraun *n*, rötliches Gelbbraun. **II** *v/i* **4.** auf Robbenjagd gehen.
seal[2] [siːl] **I** *s* **1.** Siegel *n*: **given under my hand and** ~ von mir unterzeichnet u. versiegelt; **to set one's** ~ **to s.th.** sein Siegel auf etwas drücken, *bes. fig.* etwas besiegeln (*bekräftigen*); **under the** ~ **of secrecy** (**of confession**) unter dem Siegel der Verschwiegenheit (des Beichtgeheimnisses). **2.** Siegel(prägung *f*) *n.* **3.** Siegel(stempel *m*) *n*, Petschaft *n*: **the** ~**s** die Amtssiegel (*bes. als Symbol der Amtsgewalt*); **to resign the** ~**s** das Amt niederlegen; → **great seal.** **4.** (*bes.* Zier)Stempel *m*: **Christmas** ~. **5.** *jur.* (Amts)Siegel *n.* **6.** Plombe *f*, (amtlicher) Verschluß: **under** ~ (*Zoll etc*) unter Verschluß. **7.** sicherer Verschluß. **8.** Garan'tie *f*, Zusicherung *f.* **9.** *fig.* Siegel *n*, Besiegelung *f*, Bekräftigung *f.* **10.** *fig.* Stempel *m*, Zeichen *n*: **he has the** ~ **of death in his face** sein Gesicht ist vom Tode gezeichnet. **11.** *tech.* a) (wasser-, luftdichter) Verschluß: **water** ~ Wasserverschluß, b) (Ab)Dichtung *f*, c) Versiegelung *f* (*von Holz, Kunststoff etc*).
II *v/t* **12.** siegeln, mit e-m Siegel versehen: **to** ~ **a document.** **13.** besiegeln, ratifi'zieren, bekräftigen: **to** ~ **a transaction.** **14.** *fig.* besiegeln (*endgültig entscheiden*): **his fate is** ~**ed.** **15.** autori'sieren, mit e-m Gültigkeitsstempel versehen. **16.** zeichnen, s-n Stempel *od.* sein Zeichen aufdrücken (*dat*): **he is** ~**ed for damnation** er ist zur Verdammnis bestimmt. **17.** versiegeln: ~**ed orders** *bes. mar.* versiegelte Order. **18.** *e-n Verschluß, Waggon etc* plom'bieren. **19.** *oft* ~ **up** her'metisch (*od. tech.* wasser-, vakuumdicht) verschließen *od.* abdichten: ~**ed cabin** *aer.* Höhenkabine *f*; **his lips were** ~**ed** *fig.* er mußte schweigen; **it is a** ~**ed book to me** es ist mir ein Buch mit 7 Siegeln; **a vessel** ~**ed in ice** ein eingefrorenes *od.* vom Eis festgehaltenes Schiff. **20.** ~ **off** *fig.* a) *mil. etc* abriegeln: **to** ~ **off the airport**; **to** ~ **off a breakthrough,** b) zu-, dichtmachen: **to** ~ **off the border.** **21.** *electr. den Stecker, Sockel etc* einrasten, einschnappen lassen. **22.** *tech.* a) *Holz, Kunststoff etc* versiegeln, b) grun'dieren, c) befestigen, 'einzemenˌtieren, d) zuschmelzen.
'**sea-ˌlane** *s mar.* Seeweg *m.*
seal·ant ['siːlənt] *s* Dichtungsmittel *n.*
sea| law·yer *s mar. colloq.* Queru'lant *m.* ~ **leath·er** *s* Leder *n* von Meerestieren (*Haifischen etc*). ~ **legs** *s pl mar. fig.* Seefestigkeit *f*: **to get one's** ~ seefest werden. ~ **leop·ard** *s zo.* **1.** 'Seeleoˌpard *m.* **2.** Weddellrobbe *f.* **3.** Gemeiner Seehund.
seal·er[1] ['siːlər] *s* **1.** Eichmeister *m.* **2.** *tech.* a) (Ver)Siegler *m* (*Person*), b) Ver'schließvorrichtung *f od.* -maˌschine *f*: **bag** ~, c) Ver'siegelungsˌüberzug *m*, -masse *f.*
seal·er[2] ['siːlər] *s mar.* Robbenfänger *m* (*Mann od. Schiff*).
seal·er·y ['siːləri] *s* **1.** Robbenfang *m*, -jagd *f.* **2.** Robbenfangplatz *m.*
sea| let·ter *s mar.* Seebrief *m*, Schiffspaß *m.* ~ **lev·el** *s* Meeresspiegel *m*,

-höhe *f*: corrected to ~ auf Meereshöhe umgerechnet.
seal fish·er·y → sealery.
sea| lil·y *s zo.* Seelilie *f.* ~ **line** *s* 'Meereshori,zont *m.*
seal·ing ['si:liŋ] *s* **1.** (Be)Siegeln *n.* **2.** Versiegeln *n*, *tech. a.* (Ab)Dichtung *f*, Verschluß *m*: ~ (compound) Dichtungs-, Vergußmasse *f*; ~ ring Dichtungsring *m*; ~ machine (*Beutel- etc*)-Verschließmaschine *f.* **3.** a) Verpackungsfolie *f*, b) (starkes) 'Packpa,pier. ~ **wax** *s* Siegellack *m.*
sea| li·on *s zo.* **1.** Seelöwe *m.* **2.** Mähnenrobbe *f.* ~ **liz·ard** *s zo.* Meerechse *f.* **S~ Lord** *s mar. Br.* Seelord *m* (*Amtsleiter in der brit. Admiralität*).
seal| ring *s* Siegelring *m.* ~ **rook·er·y** *s* Brutplatz *m* von Seehunden. '~,**skin** I *s* **1.** Seal(skin) *m*, *n*, Seehundsfell *n.* **2.** Sealjacke *f*, -mantel *m*, -cape *n.* **3.** Seehundsleder *n.* **II** *adj* **4.** Seal..., Seehunds...
sea lungs *s sg u. pl zo.* Rippenqualle *f.*
Sea·ly·ham ['si:liəm; -li,hæm], *a.* ~ **ter·ri·er** *s zo.* Sealyhamterrier *m.*
seam [si:m] I *s* **1.** Saum *m*, Naht *f* (*a. med.*): to burst at the ~s aus den Nähten platzen (*a. fig.*). **2.** *tech.* a) (Guß-, Schweiß)Naht *f*: ~ welding Nahtschweißen *n*, b) *bes. mar.* Fuge *f*, c) Riß *m*, Sprung *m*, d) Falz *m.* **3.** Narbe *f.* **4.** Furche *f*, Falte *f*, Runzel *f.* **5.** (Nutz)Schicht *f*, Flöz *n.* **II** *v/t* **6.** *a.* ~ up, ~ together zs.-nähen. **7.** säumen, mit e-r (Zier)Naht versehen. **8.** *bes. fig.* (durch)'furchen, (zer)schrammen: a face ~ed with worry ein von Gram durchfurchtes Gesicht; ~ed with cracks von Rissen durchzogen. **9.** *tech.* durch e-e (Guß-, Schweiß)-Naht verbinden. **III** *v/i* **10.** rissig werden. **11.** faltig werden.
sea·man ['si:mən] *s irr mar.* **1.** Seemann *m*, Ma'trose *m*: ordinary ~ Leichtmatrose. **2.** *mil. Am.* (Ma'rine)-Obergefreite(r) *m*: ~ apprentice (Marine)Gefreite(r); ~ recruit Matrose *m.* '**sea·man,like**, '**sea·man·ly** [-li] *adj u. adv* seemännisch. '**sea·man,ship** *s mar.* Seemannskunst *f.*
'**sea|,mark** *s mar.* **1.** Seezeichen *n.* **2.** Gezeitengrenze *f.* ~ **mark·er** *s mar.* Farbnotzeichen *n.* ~ **mew** *s orn.* Sturmmöwe *f.* ~ **mile** *s* Seemeile *f.* ~ **mine** *s mil.* Seemine *f.*
seam·less ['si:mlis] *adj* **1.** naht-, saumlos: ~-drawn tube nahtlos gezogene Röhre. **2.** fugenlos.
sea mon·ster *s* Meeresungeheuer *n.*
seam·stress [*Br.* 'semstris; *Am.* 'si:m-] *s* Näherin *f.*
sea mud *s* Seeschlamm *m*, Schlick *m.*
seam weld·ing *s* Nahtschweißung *f.*
seam·y ['si:mi] *adj* **1.** gesäumt: the ~ side a) die linke Seite, die Nahtseite, b) die Kehr- *od.* Schattenseite. **2.** faltig, gefurcht. **3.** narbig. **4.** *geol.* flözführend.
Sean·ad Eir·eann ['sænəd 'ɛ(ə)rən; 'ʃæn-] (*Ir.*) *s Oberhaus od. Senat des irischen Freistaates.*
se·ance, sé·ance ['seiɑ̃s; -ɑ:ns] *s* Sé'ance *f*, (spiri'tistische) Sitzung.
sea| ooze → sea mud. ~ **ot·ter** *s zo.* Seeotter *m.* ~ **pass** → sea letter. '~,**piece** *s paint.* Seestück *n.* ~ **pike** *s ichth.* Seehecht *m.* '~,**plane** *s aer.* See-, Wasserflugzeug *n.* '~,**port** *s* Seehafen *m*, Hafenstadt *f.* ~ **pow·er** *s* **1.** Seemacht *f.* **2.** Seestärke *f*, Stärke *f* der Ma'rine. '~,**quake** *s* Seebeben *n.*
sear[1] [sir] I *v/t* **1.** versengen, -brennen. **2.** *med.* (aus)brennen. **3.** mit e-m Brandmal (kenn)zeichnen. **4.** *fig.* brandmarken, zeichnen. **5.** *fig.* abstumpfen: a ~ed conscience. **6.** verdorren lassen. **7.** *Fleisch* anbraten. **II** *v/i* **8.** verdorren. **III** *s* **9.** Brandmal *n*, -wunde *f*, -zeichen *n.* **IV** *bes. Br.* **sere** *adj poet.* **10.** verdorrt, -welkt: the ~, the yellow leaf *fig.* der Herbst des Lebens.
sear[2] → sere[2].
search [sə:rtʃ] I *v/t* **1.** durch'suchen (for nach). **2.** *jur. ein Haus, e-e Person* durch'suchen. **3.** (über)'prüfen, unter'suchen. **4.** *fig.* (zu) ergründen (suchen), erforschen, prüfen: to ~ men's hearts. **5.** forschend betrachten: to ~ s.o.'s face. **6.** *meist* ~ out auskundschaften, ausfindig machen. **7.** *med.* son'dieren: to ~ a wound. **8.** durch'dringen (*Wind, Geschoß etc*). **9.** *mil.* mit (Tiefen)Feuer bestreichen. **10.** ~ me! *sl.* keine Ahnung! **II** *v/i* **11.** suchen, forschen (for nach): to ~ into untersuchen, ergründen. **12.** *jur.* fahnden (for nach). **13.** *Patentrecht*: recher'chieren. **14.** ~ after streben nach. **III** *s* **15.** Suche *f*, Suchen *n*, Forschen *n* (for, of nach): in ~ of auf der Suche nach; to go in ~ of auf die Suche gehen nach. **16.** *jur.* a) Fahndung *f* (for nach), b) Haussuchung *f*, c) ('Leibes)Visitati,on *f*, d) Einsichtnahme *f* (*in öffentliche Bücher*), e) *Patentwesen*: Re'cherche *f.* **17.** Unter'suchung *f*, Über'prüfung *f*: right of (visit and) ~ *mil.* Recht *n* auf Durchsuchung neutraler Schiffe. '**search·er** *s* **1.** Sucher *m*, (Er)Forscher *m.* **2.** Unter'sucher *m*, (Zoll- *etc*)Prüfer *m.* **3.** *med.* Sonde *f.* '**search·ing** *adj* (*adv* ~ly) **1.** gründlich, eingehend. **2.** forschend: ~ glance. **3.** 'durchdringend: a ~ wind; ~ fire *mil.* Tiefen-, Streufeuer *n*, *Artillerie*: Staffelfeuer *n*, *Marine*: Gabelgruppenschießen *n.*
'**search|,light** *s* **1.** (Such)Scheinwerfer *m.* **2.** Scheinwerferstrahl *m*, -kegel *m.* '~-,**par·ty** *s* Suchtrupp *m.* ~ **ra·dar** *s* Suchradar *m*, *n*, Radar-Suchgerät *n.* ~ **war·rant** *s* Haussuchungsbefehl *m.*
sea| res·cue *adj* Seenot...: ~ airplane; ~ service Seenotdienst *m.* ~ **risk** *s econ.* Seegefahr *f.* ~ **room** *s mar.* Seeräumte *f* (*gefahrenfreier Bereich außerhalb der Küste*). ~ **route** *s* Seeweg *m*, Schiffahrtsweg *m.* ~ **salt** *s* Meersalz *n.* '~,**scape** *s* **1.** (Aus)Blick *m* auf das Meer. **2.** *paint.* Seestück *n.* ~ **ser·pent** *s zo. u. myth.* Seeschlange *f.* '~,**shore** I *s* **1.** See-, Meeresküste *f.* **2.** *jur. mar.* Ufer *n* (*Küstenstreifen zwischen dem gewöhnlichen Hoch- u. Niedrigwasserstand*). **II** *adj* **3.** Küsten-... '~,**sick** *adj* seekrank. '~,**sick·ness** *s* Seekrankheit *f.* '~,**side** I *s* See-, Meeresküste *f*: at the ~ an der See *od.* Küste; to go to the ~ an die See gehen *od.* fahren. **II** *adj* an der See gelegen, See...: ~ place (*od.* resort) Seebad *n.*
sea·son ['si:zn] I *s* **1.** (Jahres)Zeit *f*: cold ~; the four ~s (of the year) die vier Jahreszeiten; dry (rainy) ~ Trokkenzeit (Regenzeit). **2.** a) (rechte) Zeit (*für etwas*), günstigste Zeit, b) (Reife)-Zeit *f*, c) *a.* pairing ~ *hunt.* Paarungszeit *f*, d) Zeitpunkt *m*: at that ~ zu diesem Zeitpunkt; in ~ (gerade) reif *od.* (günstig) auf dem Markt zu haben (*Früchte*), *hunt.* jagdbar, *zo.* brünstig (*Tier*), *fig.* rechtzeitig, zur rechten Zeit; in due ~ zu gegebener Zeit; cherries are now in ~ jetzt ist Kirschenzeit; a word in ~ ein Rat zur rechten Zeit; out of ~ der Jahreszeit nicht angemessen, nicht (auf dem Markt) zu haben, *hunt.* nicht jagdbar, *fig.* unpassend, zur Unzeit; in and out of ~ jederzeit; open (close) ~ *hunt.* Jagdzeit *f* (Schonzeit *f*); to everything there is a ~ alles zu s-r Zeit; for a ~ e-e Zeitlang. **3.** Sai'son *f*, Haupt(betriebs-, -geschäfts)zeit *f*: dull ~ *econ.* tote Jahreszeit, stille Saison; height of the ~, high ~ Hochsaison. **4.** (Ver'anstaltungs- *etc*)Sai,son *f*: baseball ~ Baseballsaison *od.* -spielzeit *f*; London ~, the ~ (Londoner) Season *f* (*Zeit von Mai bis Juli*); theatrical ~ Theatersaison, (Theater)-Spielzeit *f.* **5.** *Br.* Aufenthalt *m* zum Zwecke der Einführung in die Gesellschaft: his daughters are given a ~ in London. **6.** ('Ferien-, 'Bade-, 'Kur)-Sai,son *f*: holiday ~ Ferienzeit *f.* **7.** *Br.* Festzeit *f*, *bes.* Weihnachts-, Oster-, Pfingstzeit *f*: → compliment 3. **8.** *pl* (*Lebens*)Jahre *pl*, Lenze *pl*: a boy of 12 ~s. **9.** *colloq. Br.* → season ticket. **10.** *obs.* Würze *f*, Gewürz *n.*
II *v/t* **11.** *Speisen* würzen, anmachen. **12.** *fig.* würzen: ~ed with wit geistreich. **13.** (aus)reifen lassen: to ~ tobacco; ~ed wine ausgereifter *od.* abgelagerter Wein. **14.** *Holz* ablagern. **15.** *e-e Pfeife* anrauchen. **16.** gewöhnen (to an *acc*), abhärten: to be ~ed to a climate an ein Klima gewöhnt sein; ~ed soldiers fronterfahrene Soldaten; troops ~ed by battle kampfgewohnte Truppen. **17.** *obs.* mildern: mercy ~s justice.
III *v/i* **18.** reifen. **19.** ablagern, austrocknen (*Holz*).
sea·son·a·ble ['si:znəbl] *adj* (*adv* seasonably) **1.** der Jahreszeit angemessen (*bes. Wetter*). **2.** der Sai'son angemessen, zeitgemäß. **3.** rechtzeitig: his ~ arrival. **4.** *fig.* (*zeitlich*) passend *od.* günstig, angebracht, oppor'tun.
sea·son·al ['si:znl] *adj* (*adv* ~ly) **1.** jahreszeitlich. **2.** sai'sonbedingt, -gemäß, peri'odisch, Saison...: ~ articles Saisonartikel; ~ closing-out sale *econ.* Saisonschlußverkauf *m*; ~ trade Saisongewerbe *n*; ~ work(er) Saisonarbeit(er *m*) *f.*
sea·son·ing ['si:zniŋ] *s* **1.** Würze *f* (*a. fig.*), Gewürz *n.* **2.** Reifen *n* (*a. fig.*), Ablagern *n* (*von Holz etc*).
sea·son tick·et *s* **1.** *rail. etc Br.* Dauer-, Zeitkarte *f.* **2.** *thea. etc* Abbone'ment(skarte *f*) *n.*
seat [si:t] I *s* **1.** Sitz(gelegenheit *f*, -platz) *m.* **2.** Bank *f*, Stuhl *m*, Sessel *m.* **3.** (Stuhl-, Klo'sett- *etc*)Sitz *m.* **4.** (Sitz)Platz *m*: to take a ~ Platz nehmen, sich setzen; to take one's ~ s-n Platz einnehmen; take your ~s, please! a) bitte Platz nehmen!, b) *rail. etc* einsteigen, bitte! **5.** Platz *m*, Sitz *m* (*im Theater etc*): → book 19. **6.** (Thron-, Bischofs-, Präsi'denten- *etc*)-Sitz *m* (*fig. a. das Amt*): crown and ~ of France Krone u. Thron von Frankreich. **7.** Gesäß *n*, Sitzfläche *f.* **8.** Hosenboden *m.* **9.** *Reitsport etc*: *guter etc* Sitz (*Haltung*). **10.** *tech.* Auflage(fläche) *f*, Auflager *n*: valve ~ Ventilsitz *m.* **11.** (Amts-, Re'gierungs-, *econ.* Geschäfts)Sitz *m*: county ~. **12.** *fig.* Sitz *m* (*Mitgliedschaft*): he lost his ~ in Parliament; to have ~ and vote Sitz u. Stimme haben. **13.** Wohn-, Fa'milien-, Landsitz *m.* **14.** *fig.* Sitz *m*, Stätte *f*, Ort *m*, (Schau)Platz *m*: a ~ of learning e-e Stätte der Gelehrsamkeit; ~ of war Kriegsschauplatz. **15.** *med.* Sitz *m*, (*Krankheits-, a. Erdbeben*)Herd *m* (*a. fig.*).
II *v/t* **16.** *j-n* ('hin)setzen, *j-m* e-n Sitz *od.* Platz anweisen: to ~ o.s. sich set-

zen *od.* niederlassen; to be ~ed sitzen; be ~ed! nehmen Sie Platz! **17.** Sitzplätze bieten für: a hall that ~s 500 persons. **18.** mit Sitzplätzen ausstatten, bestuhlen. **19.** *e-n Stuhl* mit e-m (neuen) Sitz versehen. **20.** e-n (neuen) Hosenboden einsetzen in (*acc*). **21.** *tech.* a) auflegen, lagern (on auf *dat*), b) einpassen: to ~ a valve ein Ventil einschleifen. **22.** a) *j-n* auf den Thron erheben, b) *j-m* e-n Sitz (*bes. im Parlament*) verschaffen.

seat| belt *s aer. mot.* Sicherheitsgurt *m*: fasten ~s bitte anschnallen. ~ **bone** *s anat.* Sitzbein *n*.

seat·ed ['si:tid] *adj* **1.** a) sitzend, b) gelegen: → deep-seated. **2.** (*zwei- etc*)-sitzig: two-~.

seat·er ['si:tər] *s* (*in Zssgn*) ...sitzer *m* (*Auto, Flugzeug etc*): four-~ Viersitzer.

seat·ing ['si:tiŋ] **I** *s* **1.** a) Anweisen *n* von Sitzplätzen, b) Platznehmen *n*. **2.** Sitzgelegenheit(en *pl*) *f*, Bestuhlung *f* (*e-s Raums*). **3.** Stuhlzeug *n*, 'Polstermateri,al *n*. **4.** *tech.* → seat 10. **II** *adj* **5.** Sitz...: ~ accommodation → 2.

seat| mile *s* Per'sonenmeile *f* (*Rechnungseinheit bei Transportkosten*). '~-,**pack par·a·chute** *s aer.* am Gesäß angeschnallter Fallschirm.

'**sea|,train** *s mar.* **1.** Tra'jekt(schiff) *n*. **2.** *mil.* Nachschubfahrzeug *n*. ~ **trout** *s ichth.* **1.** 'Meer-, 'Lachsfo,relle *f*. **2.** (*ein*) amer. Seebarsch *m*. ~ **turn** *s* **1.** Seewind *m*. **2.** Seenebel *m*. ~ **tur·tle** *s zo.* Seeschildkröte *f*. ~ **ur·chin** *s zo.* Seeigel *m*. ~ **wall** *s mar.* Deich *m*, Kaimauer *f*, Hafendamm *m*.

sea·ward ['si:wərd] **I** *adj u. adv.* seewärts. **II** *s* Seeseite *f*. '**sea·wards** [-z] → seaward I.

'**sea|,ware** *s bot.* Seetang *m*. ~ **wa·ter** *s* See-, Meer-, Salzwasser *n*. '~,**way** *s* **1.** Seeweg *m*. **2.** Seegang *m*. **3.** *mar.* Fahrt *f*. **4.** Binnenschiffahrtsweg *m* für Ozeandampfer. '~,**weed** *s bot.* **1.** *allg.* Meerespflanze(n *pl*) *f*. **2.** (See)Tang *m*, Meeres-Alge *f*. **3.** Seegras *n*. '~,**wife** *s irr ichth.* Seeweibchen *n*, Lippfisch *m*. ~ **wolf** *s irr zo.* **1.** 'See-Ele,fant *m*. **2.** Seewolf *m* (*a. fig. Pirat*). '~,**worth·i·ness** *s* Seetüchtigkeit *f*. '~,**worth·y** *adj* seetüchtig: ~ boat; ~ packing seemäßige Verpackung. ~ **wrack** *s bot.* Tang *m*.

se·ba·ceous [si'beiʃəs] *adj physiol.* talgig, Talg...: ~ cyst *med.* Grützbeutel *m*; ~ duct Talggang *m*; ~ follicle Haarbalgdrüse *f*.

se·bes·tan, se·bes·ten [si'bestən] *s bot.* **1.** *a.* ~ plum Sebe'stane *f*, Brustbeere *f*. **2.** Brustbeerenbaum *m*.

se·bum ['si:bəm] *s biol.* **1.** Sebum *n*, (Haut)Talg *m*. **2.** Unschlitt *n*.

sec[1] [sɛk] (*Fr.*) *adj* sec, trocken, herb (*Wein*).

sec[2] [sek] *s abbr. für* a) secant, b) second[2].

se·cant ['si:kənt] **I** *s math.* Se'kante *f*, Schnittlinie *f*. **II** *adj* schneidend.

sec·a·teur [*Br.* 'sekə,tə:; *Am.* ,sekə'tə:r] *s meist* (a pair of) ~s *pl* Baumschere *f*.

sec·co ['sekko] (*Ital.*) **I** *adj* secco, trocken. **II** *s* 'Seccomale,rei *f*.

sec·co·tine ['sekə,ti:n] (*TM*) *Br.* **I** *s* (*ein*) Klebstoff *m*. **II** *v/t* kleben.

se·cede [si(:)'si:d] *v/i bes. pol. od. relig.* sich trennen *od.* lossagen, abfallen (from von). **se'ced·er** *s* **1.** Abtrünnige(r *m*) *f*, Separa'tist(in). **2.** S~ *relig.* Anhänger(in) der Secession Church.

se·cern·ent [si'sə:rnənt] *physiol.* **I** *adj* **1.** sekre'tierend. **II** *s* **2.** 'Absonderungsor,gan *n*. **3.** sekreti'onsförderndes Mittel.

se·ces·sion [si'seʃən] *s* **1.** (Ab)Spaltung *f*, Abfall *m*, Lossagung *f*, Sezessi'on *f*. **2.** *oft* S~ *hist.* Sezessi'on *f* (*Abfall der 11 amer. Südstaaten von der Union 1861*). **3.** S~ *relig.* schottische Kirchenspaltung (*1733*). **4.** 'Übertritt *m* (to zu). **se'ces·sion·al** *adj* Sonderbunds..., Sezessions... **se'ces·sion,ism** *s* Abfallsbestrebungen *pl*. **se'ces·sion·ist** *s* **1.** Abtrünnige(r *m*) *f*, Sonderbündler *m*, Sezessio'nist *m*. **2.** *oft* S~ *Am. hist.* Sezessio'nist *m*, Südstaatler *m*.

se·clude [si'klu:d] *v/t* (o.s. sich) ab-, ausschließen, absondern. **se'clud·ed** *adj* einsam, abgeschieden: a) zu'rückgezogen (*Lebensweise*), b) abgelegen (*Ort*).

se·clu·sion [si'klu:ʒən] *s* **1.** Abschließung *f*, Iso'lierung *f*. **2.** Zu'rückgezogenheit *f*, Abgeschiedenheit *f*: to live in ~ zurückgezogen leben. **3.** abgelegener Platz.

sec·ond[1] ['sekənd] **I** *adj* (*adv* → secondly) **1.** zweit(er, e, es): at ~ hand aus zweiter Hand; in the ~ place an zweiter Stelle, zweitens; ~ in height zweithöchst(er, e, es); a ~ time noch einmal; every ~ day jeden zweiten Tag, alle 2 Tage; ~ teeth zweite *od.* bleibende Zähne; a ~ Churchill *fig.* ein zweiter Churchill; it has become ~ nature with him es ist ihm zur zweiten Natur geworden *od.* in Fleisch u. Blut übergegangen; → self 1, sight 1, thought[1] 3, wind[1] 7. **2.** zweit(er, e, es): a) ander(er, e, es), nächst(er, e, es), b) zweitklassig, -rangig, 'untergeordnet (to *dat*): ~ cabin Kabine *f* zweiter Klasse; ~ cousin Vetter *m* zweiten Grades; ~ lieutenant *mil.* Leutnant *m*; to come ~ *fig.* an zweiter Stelle kommen; ~ to none unerreicht; he is ~ to none er ist unübertroffen; → fiddle 1. **II** *s* **3.** (*der, die, das*) Zweite. **4.** (*der, die, das*) Nächste *od.* 'Untergeordnete *od.* (Nach)Folgende: → second-in-command. **5.** *sport* Zweite(r *m*) *f*, zweiter Sieger: to be a good ~ nur knapp geschlagen werden; to run ~ den 2. Platz belegen. **6.** Sekun'dant *m* (*beim Duell od. Boxen*). **7.** Helfer(in), Beistand *m*. **8.** *mot.* (*der*) zweite Gang. **9.** *mus.* a) zweite Stimme, Begleitstimme *f*, b) Alt *m*. **10.** *meist pl econ.* Ware(n *pl*) *f* zweiter Quali'tät *od.* Wahl, zweite Wahl. **11.** *univ. Br.* 2. Klasse *f* (*in e-r Prüfung*). **12.** *colloq. rail.* (*die*) zweite Klasse. **13.** ~ of exchange *econ.* Se'kundawechsel *m*. **III** *adv* **14.** zweitens, als zweit(er, e, es), an zweiter Stelle: to come in (*od.* finish) ~ als zweiter durchs Ziel gehen, Zweiter werden. **IV** *v/t* **15.** unter'stützen (*a. parl.*), *j-m* beistehen. **16.** *j-m* (*beim Duell etc*) sekun'dieren (*a. fig.*). **17.** [*meist* si'kɒnd] *mil. Br.* e-n *Offizier* abstellen, 'abkomman,dieren: ~ed for special duty zu besonderer Verfügung (*abbr.* z. b. V.). **V** *v/i* **18.** sekun'dieren (*a. fig.*), Beistand leisten.

sec·ond[2] ['sekənd] *s* **1.** Se'kunde *f* (*Zeiteinheit, a. mus.*). **2.** *fig.* Se'kunde *f*, Augenblick *m*, Mo'ment *m*: wait a ~! **3.** *math.* ('Bogen)Se,kunde *f*.

Sec·ond| Ad·vent *s relig.* 'Wiederkunft *f* (Christi). ~ **Ad·vent·ist** *s relig.* Adven'tist(in).

sec·ond·ar·i·ness ['sekəndərinis] *s* Zweitrangigkeit *f*, (*das*) Sekun'däre.

sec·ond·ar·i·ly ['sekəndərili] *adv* **1.** in zweiter Linie, sekun'där. **2.** 'indi,rekt.

sec·ond·ar·y ['sekəndəri] **I** *adj* (*adv* → secondarily) **1.** nächstfolgend. **2.** zweitrangig, -klassig, nebensächlich, 'untergeordnet: this is a matter of ~ importance das ist Nebensache *od.* nebensächlich. **3.** *bes. phys.* sekun'där, Sekundär... **4.** Neben...: ~ axis; ~ circle; ~ colo(u)r; ~ effect; ~ electrode. **5.** *chem.* sekun'där: ~ alcohol (carbon, *etc*). **6.** *electr.* sekun'där, indu'ziert: ~ circuit → 14 a; ~ coil, ~ winding → 14 b. **7.** *geol.* a) sekun'där, b) S~ meso'zoisch. **8.** *ling.* a) sekun'där, (*aus e-r abgeleiteten Form*) abgeleitet, b) Neben...: ~ accent Nebenakzent *m*; ~ tense Nebentempus *n*. **9.** Hilfs..., Neben...: ~ line *rail.* Nebenbahn *f*. **10.** *ped.* Oberschul... **11.** ~ to (nach)folgend auf (*acc*), bedingt durch.
II *s* **12.** (*etwas*) 'Untergeordnetes. **13.** 'Untergeordnete(r *m*) *f*, Stellvertreter(in). **14.** *electr.* a) Sekun'där(strom)kreis *m*, b) Sekun'därwicklung *f*. **15.** *astr.* Satel'lit *m*. **16.** *orn.* Nebenfeder *f*. **17.** *amer. Fußball*: Spieler *m* in der zweiten Reihe.

sec·ond·ar·y| bat·ter·y *s electr.* Sekun'därbatte,rie *f*. ~ **de·pres·sion** *s meteor.* Randtief *n*. ~ **de·riv·a·tive** *s ling.* Sekun'därableitung *f*. ~ **ed·u·ca·tion** *s* **1.** höhere Schulbildung. **2.** höheres Schulwesen. ~ **ev·i·dence** *s jur.* unter'stützendes Be'weismateri,al. ~ **hem·or·rhage** *s med.* Nachblutung *f*. ~ **host** *s biol.* Zwischenwirt *m*. ~ **plan·et** *s astr.* Satel'lit *m*. ~ **school** *s ped.* höhere Schule. ~ **stress** *s ling.* 'Nebenak,zent *m*.

sec·ond| bal·lot *s pol.* Stichwahl *f*. ~ **best** *s* (*der, die, das*) Zweitbeste: to come off ~ *fig.* den kürzeren ziehen. '~-'**best** *adj* zweitbest(er, e, es). ~ **birth** *s relig.* 'Wiedergeburt *f* (*durch die Taufe*). ~ **cham·ber** *s parl.* Oberhaus *n*. ~ **child·hood** *s* ,zweite Kindheit' (*Senilität*). '~-'**class I** *adj* **1.** zweitklassig, -rangig: ~ mail *Am.* Postsachen *pl* zweiten Ranges (*Zeitungen etc*). **2.** *rail.* (*Wagen etc*) zweiter Klasse: ~ carriage. **II** *adv* **3.** zweite(r) Klasse: to travel ~. **S~ Com·ing** → Second Advent. '~-**de,gree** *adj* zweiten Grades: ~ burns; ~ murder *jur. Am.* Totschlag *m*. '~-,**draw·er** *adj* → second-rate.

sec·ond·er ['sekəndər] *s* Unter'stützer(in).

sec·ond| es·tate *s hist.* Zweiter Stand. ~ **floor** *s* **1.** *Br.* zweiter Stock. **2.** *Am.* erster Stock (*über dem Erdgeschoß*). '~-'**floor** *adj* im zweiten (*Am.* ersten) Stock (gelegen). ~ **gear** *s mot.* zweiter Gang. ,~-'**guess** *v/t u. v/i Am. colloq.* **1.** 'hinterher klug u. weise sein ('hinsichtlich *gen*). **2.** vor'aussehen *od.* -sagen. '~-'**hand I** *adj* **1.** über'nommen, *a. Wissen etc* aus zweiter Hand. **2.** 'indi,rekt. **3.** gebraucht, alt: ~ car Gebrauchtwagen *m*; ~ clothes getragene Kleidungsstücke. **4.** anti'quarisch: ~ books; ~ bookseller Antiquar *m*; ~ bookshop Antiquariat *n*; ~ dealer Altwarenhändler *m*. **II** *adv* **5.** gebraucht: to buy s.th. ~. **6.** 'indi,rekt: to know ~ aus zweiter Hand wissen. ~ **hand** *s* Se'kundenzeiger *m*. '~-**in-com'mand** *s* **1.** *mil.* stellvertretender Komman'deur. **2.** *mar.* erster Offi'zier.

sec·ond·ly ['sekəndli] *adv* zweitens.

sec·ond| mile *s*: to go the ~ *fig.* mehr *od.* ein übriges tun. ~ **pa·pers** *s pl Am. letzter Antrag e-s Ausländers auf amer. Staatsangehörigkeit.* '~-'**rate** *adj* zweitrangig, -klassig, mittelmäßig. ,~-'**rat·er** *s* mittelmäßige Per'son *od.* Sache.

se·cre·cy ['si:krəsi; -kri-] *s* **1.** Verborgenheit *f*. **2.** Heimlichkeit *f*: in all ~, with absolute ~ insgeheim. **3.** a) Verschwiegenheit *f*, b) Geheimhaltung(spflicht) *f*: official ~ Amtsverschwiegenheit; professional ~ Berufsgeheimnis *n*, Schweigepflicht *f*; to swear s.o. to ~ j-n eidlich zur Verschwiegenheit verpflichten. **4.** (Wahl- *etc*)Geheimnis *n*.
se·cret ['si:krit] **I** *adj* (*adv* → secretly) **1.** a) geheim, heimlich, b) Geheim...: ~ agent (diplomacy, door, drawer, *etc*); ~ partner *econ.* stiller Teilhaber; ~ reserves *econ.* stille Reserven; ~ service (staatlicher) Geheimdienst; ~ Society Geheimbund *m*; ~ ballot geheime Wahl; to keep s.th. ~ etwas geheimhalten. **2.** a) verschwiegen, b) verstohlen (*Person*). **3.** verschwiegen: a ~ place. **4.** verborgen, unerforschlich. **5.** in'tim, Geschlechts...: ~ parts. **II** *s* **6.** Geheimnis *n* (from vor *dat*): in ~ → secretly; to make no ~ of s.th. kein Geheimnis *od.* Hehl aus etwas machen; to be in the ~ (in das Geheimnis) eingeweiht sein; to let s.o. into the ~ j-n (in das Geheimnis) einweihen; → keep 10 *u.* 16. **7.** Geheimnis *n*, Schlüssel *m*: the ~ of success das Geheimnis des Erfolges, der Schlüssel zum Erfolg. **8.** *relig.* a) stilles Gebet, b) S~ *R.C.* Se'kret *f* (*Stillgebet*).
se·cré·taire [səkre'tɛ:r] (*Fr.*) → secretary 7.
sec·re·tar·i·al [ˌsekrə'tɛ(ə)riəl] *adj* **1.** Sekretärs... **2.** Schreib..., Büro...
sec·re·tar·i·at(e) [ˌsekrə'tɛ(ə)riət] *s* Sekretari'at *n*.
sec·re·tar·y ['sekrət(ə)ri] *s* **1.** Sekre'tär *m*: ~ of embassy Botschaftsrat *m*. **2.** Schriftführer *m* (*e-s Vereins etc*). **3.** Ver'waltungsdiˌrektor *m*. **4.** *econ.* a) Geschäftsführer *m*, b) Syndikus *m*. **5.** *pol. Am.* Mi'nister *m*: S~ of Defense (of the Interior, of the Treasury) Verteidigungs-(Innen-, Finanz)-minister; → Secretary of State 2 a. **6.** *pol. Br.* (*abbr. für* Secretary of State 1 a) Mi'nister *m*: Foreign S~ Außenminister. **7.** Sekre'tär *m* (*Schreibschrank*). ~ **bird** *s orn.* Sekre'tär *m*, Stelzgeier *m*. '~-'**gen·er·al** *pl* '**sec·re·tar·ies-'gen·er·al** *s* Gene'ralsekreˌtär *m*. **S~ of State** *s pol.* **1.** *Br.* a) Mi'nister *m* (*in folgenden Fällen*): ~ for Scotland; First ~ stellvertretender Premierminister; ~ for Foreign Affairs Außenminister; ~ for Home Affairs Innenminister; ~ for the Colonies Kolonialminister; ~ for Commonwealth Relations Minister für Commonwealth-Beziehungen; ~ for the Dominions *hist.* Dominion-Minister; ~ for War Heeresminister; ~ for Air Luftfahrtminister, b) 'Staatssekreˌtär *m*. **2.** *Am.* a) ('Bundes)-Außenmiˌnister *m*, b) 'Staatssekreˌtär *m* (*e-s Bundesstaates*).
sec·re·tar·y·ship ['sekrət(ə)riˌʃip] *s* **1.** Posten *m od.* Amt *n* e-s Sekre'tärs *etc.* **2.** Mi'nisteramt *n*.
sec·re·tar·y type *s* Kanz'leischrift *f*.
se·crete [si'kri:t] *v/t* **1.** *biol.* absondern. **2.** verbergen (from vor *dat*). **3.** *jur.* *Vermögensstücke* bei'seite schaffen.
se·cre·tin [si'kri:tin] *s* Sekre'tin *n*.
se·cre·tion [si'kri:ʃən] *s* **1.** *biol. med.* a) Sekreti'on *f*, Absonderung *f*, b) Se'kret *n*. **2.** Verheimlichung *f*, Verbergen *n*.
se·cre·tive [si'kri:tiv] *adj* (*adv* ~ly) verschwiegen, heimlichtuerisch, verstohlen: to be ~ about s.th. mit etwas geheimtun. **se'cre·tive·ness** *s* Verschwiegenheit *f*, ˌHeimlichtue'rei *f*, Verstohlenheit *f*.
se·cret·ly ['si:kritli] *adv* heimlich, (ins)-geheim, im geheimen.
'**se·cretˌmon·ger** *s* Geheimniskrämer-(in).
se·cre·to·ry [si'kri:təri] *physiol.* **I** *adj* sekre'torisch, Sekretions... **II** *s* sekre'torische Drüse.
sect [sekt] *s* **1.** Religi'onsgemeinschaft *f*. **2.** Sekte *f*. **3.** *fig.* Schule *f*: the Freudian ~.
sec·tar·i·an [sek'tɛ(ə)riən] **I** *adj* **1.** sek'tiererisch (*a. fig.*). **2.** Konfessions... **3.** *fig. contp.* bor'niert. **II** *s* **4.** Anhänger(in) e-r Sekte *od.* e-r Schule. **5.** Sek'tierer(in). **sec'tar·i·anˌism** *s* Sek'tierertum *n*.
sec·ta·ry ['sektəri] *s* Sek'tierer(in).
sec·tile ['sektil; *Br. a.* -tail] *adj* schneidbar.
sec·tion ['sekʃən] **I** *s* **1.** Ab-, Ausschnitt *m*, Teil *m* (*a. der Bevölkerung etc*). **2.** a) (*a. mikroskopischer*) Schnitt, b) Durch'schneidung *f*, c) *med.* Sekti'on *f*, Schnitt *m*. **3.** Abschnitt *m* (*e-s Buchs etc*). **4.** Teil *m*, Seite *f* (*e-r Zeitung*): sports ~. **5.** *jur.* Para'graph *m*. **6.** Para'graph(zeichen *n*) *m*. **7.** Teil *m*, *n*, Einzelteil *n*, Bestandteil *m*: ~s of a fishing rod. **8.** *math. tech.* (*a.* Quer)-Schnitt *m*, Schnittbild *n*, Pro'fil *n*: horizontal ~ Horizontalschnitt; → Golden section. **9.** Ab'teilung *f*, Refe'rat *n* (*in der Verwaltung*). **10.** (Arbeits)Gruppe *f*. **11.** *mil.* a) *Am.* Halbzug *m*, b) *Br.* Gruppe *f*, c) *Luftwaffe*: Halbstaffel *f*, d) staff ~ 'Stabsabˌteilung *f*. **12.** *mil.* (*taktischer*) Abschnitt. **13.** *rail. Am.* a) Streckenabschnitt *m*, b) Ab'teil *n* (*e-s Schlafwagens*). **14.** Bezirk *m*. **15.** *Am.* 'Landparˌzelle *f* von e-r Qua'dratmeile. **16.** *bot. zo.* 'Untergruppe *f* (*e-r Gattung od. Familie*). **II** *v/t* **17.** (ab-, unter)'teilen, (in Abschnitte) (ein)teilen. **18.** (*durch Schraffieren etc*) im einzelnen darstellen *od.* unter'teilen. **19.** *med.* a) inzi'dieren, b) mit dem Mikro'tom schneiden.
sec·tion·al ['sekʃənl] *adj* (*adv* ~ly) **1.** abschnittweise. **2.** Schnitt...: ~ drawing *tech.* Schnitt(zeichnung *f*) *m*. **2.** Teil...: ~ strike Teilstreik *m*; ~ view Schnitt-, Teilansicht *f*. **3.** lo'kal, regio'nal, *contp.* partikula'ristisch: ~ pride Lokalpatriotismus *m*. **4.** zs.-setzbar, mon'tierbar: ~ furniture Anbau-, Aufbaumöbel *pl*. **5.** *tech.* Form..., Profil...: ~ iron; ~ steel.
sec·tion·al·ism ['sekʃənəˌlizəm] *s bes. Am.* Partikula'rismus *m*. '**sec·tion·al·ist** *s* Partikula'rist(in), Lo'kalpatriˌot(in). '**sec·tion·alˌize** *v/t* **1.** (*a. tech. in Bauelemente*) unter'teilen: ~d design gegliederte Bauweise. **2.** *bes. Am.* nach lo'kalen Gesichtspunkten *od.* Inter'essen einteilen.
sec·tor ['sektər] *s* **1.** *math.* (Kreis- *od.* Kugel)Sektor *m*. **2.** *astr. math.* Sektor *m*. **3.** *mil.* Sektor *m*: a) *Teil e-r besetzten Stadt*, b) Frontabschnitt *m*. **4.** *fig.* Sektor *m*, Bereich *m*, Gebiet *n*. ~ **gear** *s tech.* **1.** 'Zahnsegˌment *n*. **2.** Seg'mentgetriebe *n*.
sec·to·ri·al [sek'tɔ:riəl] **I** *adj* **1.** Sektoren... **2.** *zo.* Reiß...: ~ tooth. **II** *s* **3.** *zo.* Reißzahn *m*.
sec·u·lar ['sekjulər] **I** *adj* (*adv* ~ly) **1.** weltlich: a) diesseitig, b) pro'fan: ~ music, c) nichtkirchlich: ~ education; ~ arm weltliche Gerichtsbarkeit. **2.** 'freireligiˌös, -denkerisch. **3.** *relig.* weltgeistlich, Säkular...: ~ clergy Weltgeistlichkeit *f*. **4.** säku'lar: a) hundertjährlich, b) hundertjährig, jahr'hundertelang: ~ acceleration *astr.* säkulare Beschleunigung; ~ fame ewiger Ruhm. **II** *s relig.* **5.** Laie *m*. **6.** Weltgeistliche(r) *m*.
sec·u·lar·ism ['sekjuləˌrizəm] *s* **1.** Säkula'rismus *m* (*a. philos.*), Weltlichkeit *f*. **2.** *pol.* ˌAntiklerika'lismus *m*. '**sec·u·lar·ist I** *s* Säkula'rist *m*, Kirchengegner *m*. **II** *adj* säkula'ristisch.
ˌ**sec·u'lar·i·ty** [-'læriti] *s* **1.** Diesseitigkeit *f*, Weltlichkeit *f*. **2.** *pl* weltliche Dinge *pl*.
sec·u·lar·i·za·tion [ˌsekjulərai'zeiʃən] *s* **1.** Säkulari'sierung *f*. **2.** Verweltlichung *f*. **3.** Entheiligung *f*. '**sec·u·larˌize** *v/t* **1.** kirchlichem Einfluß entziehen. **2.** säkulari'sieren: a) *kirchlichen Besitz* verstaatlichen, b) *e-n Ordensgeistlichen* zum Weltgeistlichen machen. **3.** verweltlichen. **4.** entheiligen: to ~ Sunday. **5.** mit freidenkerischen I'deen durch'dringen.
se·cund [*Br.* si'kʌnd; *Am.* 'si:kʌnd] *adj* **1.** *bot.* einseitswendig. **2.** *zo.* einseitig (angeordnet).
sec·un·dine ['sekənˌdain; -din] *s* **1.** *meist pl med.* Nachgeburt *f*. **2.** *bot.* inneres Integu'ment der Samenanlage.
se·cun·dum [si'kʌndəm] (*Lat.*) *prep* gemäß (*dat*): ~ artem kunstgerecht; ~ naturam naturgemäß; ~ quid in dieser (gewissen) Hinsicht.
se·cure [si'kjur] **I** *adj* (*adv* ~ly) **1.** sicher: a) geschützt, in Sicherheit (from, against vor *dat*): a ~ hiding-place ein sicheres Versteck, b) fest: a ~ foundation, c) *mil.* uneinnehmbar: a ~ fortress, d) gesichert: a ~ existence, e) gewiß: a ~ hope; victory is ~. **2.** ruhig, sorglos: a ~ life. **3.** in sicherem Gewahrsam (*Krimineller etc*). **II** *v/t* **4.** (o.s. sich) sichern, schützen (from, against vor *dat*, gegen). **5.** sichern, garan'tieren (s.th. to s.o., s.o. s.th. j-m etwas). **6.** sich sichern *od.* beschaffen: to ~ a seat. **7.** erreichen, erlangen. **8.** *jur.* erwirken: to ~ a judgment (patent, *etc*). **9.** *a. tech.* sichern, befestigen (to an *dat*): to ~ by bolts festschrauben. **10.** (fest) (ver)schließen: to ~ the door. **11.** sicherstellen, in Sicherheit bringen: to ~ valuables. **12.** festnehmen, dingfest machen. **13.** *mil.* sichern, befestigen. **14.** *bes. econ.* sicherstellen: a) *etwas* sichern, garan'tieren (on, by durch): ~d by mortgage hypothekarisch gesichert, b) *j-m* Sicherheit bieten: to ~ a creditor. **15.** *med.* abbinden: to ~ an artery. **16.** *mar. Am.* (*zur Freizeit*) wegtreten lassen. **III** *v/i* **17.** sich Sicherheit verschaffen (against gegen). **18.** *mar. Am.* wegtreten, Freizeit machen.
se·cu·ri·ty [si'kju(ə)riti] *s* **1.** Sicherheit *f* (*Zustand od. Schutz*) (against, from vor *dat*, gegen). **2.** (*soziale etc*) Sicherheit. **3.** (innere) Sicherheit, Sorglosigkeit *f*. **4.** Gewißheit *f*, Garan'tie *f*: in ~ for als Garantie für. **5.** *econ. jur.* a) Sicherheit *f*, Garan'tie *f*, Bürgschaft *f*, Kauti'on *f*, b) Bürge *m*: to give (*od.* put up, stand) ~ Bürgschaft leisten, Kaution stellen. **6.** *econ.* a) Schuldverschreibung *f*, b) Aktie *f*, c) *pl* 'Wertpaˌpiere *pl*, Ef'fekten *pl*: public securities Staatspapiere; ~ market Effektenmarkt *m*. **7.** *mil.* Abschirmung *f*: ~ classification Geheimhaltungsstufe *f*. ~ **bond** *s* Bürgschaftswechsel *m*. ~ **clear·ance** *s pol.* Unbedenklichkeitsbescheinigung *f*. **S~ Coun·cil** *s pol.* Sicherheitsrat *m* (*der Vereinten Nationen*). ~ **cur·tain** *s pol.* um'fassende Sicherheits- *od.* Geheimhaltungsvorkehrungen *pl*. ~ **risk** *s pol.* Sicherheits-

risiko *n*, po'litisch bedenkliche *od.* unzuverlässige Per'son (*im Staatsdienst*). ~ **screen·ing** *s pol.* 'Unbedenklichkeitsüber,prüfung *f.*

se·dan [si'dæn] *s* **1.** *mot. Am.* Limou'sine *f.* **2.** *a.* ~ **chair** Sänfte *f.*

se·date [si'deit] *adj* (*adv* ~**ly**) **1.** ruhig, gelassen. **2.** gesetzt, ernst. **se'date·ness** *s* **1.** Gelassenheit *f.* **2.** Gesetztheit *f.*

sed·a·tive ['sedətiv] **I** *adj* beruhigend, *pharm. a.* seda'tiv. **II** *s pharm.* Beruhigungsmittel *n*, Seda'tiv(um) *n.*

sed·en·tar·i·ness ['sed(ə)ntərinis] *s* **1.** sitzende Lebensweise. **2.** Seßhaftigkeit *f.*

sed·en·tar·y ['sed(ə)ntəri] **I** *adj* **1.** sitzend: ~ **occupation**; ~ **statue**; ~ **life** sitzende Lebensweise. **2.** seßhaft: ~ **tribes**. **3.** *zo.* a) festgewachsen (*Austern etc*), b) standorttreu: ~ **birds** Standvögel.

se·de·runt [si'di(ə)rənt] (*Lat.*) *s bes.* [*relig. Scot.* Sitzung *f.*]

sedge [sedʒ] *s bot.* **1.** Segge *f.* **2.** *allg.* Riedgras *n.* **'sedg·y** *adj* **1.** mit Riedgras bewachsen. **2.** riedgrasartig.

se·dil·i·a [si'diliə] *s pl relig.* Reihe *f* von (*meist 3*) Steinsitzen (*an der Südseite des Chors*).

sed·i·ment ['sedimənt] *s* Sedi'ment *n*: a) (Boden)Satz *m*, Niederschlag *m*, b) *geol.* Schichtgestein *n.* **,sed·i'men·ta·ry** [-'mentəri] *adj* sedimen'tär, Sediment... **,sed·i·men'ta·tion** *s* **1.** Sedi'mentbildung *f*, Sedimen'tierung *f.* **2.** *bes. geol.* ,Sedimentati'on *f*, Schichtenbildung *f.* **3.** *a.* **blood** ~ *med.* Blutsenkung *f*: ~ **rate** Senkungsgeschwindigkeit *f.*

se·di·tion [si'diʃən] *s* **1.** Aufwieg(e)lung *f*, Volksverhetzung *f.* **2.** Aufruhr *m.* **se'di·tion·a·ry I** *adj* → **seditious**. **II** *s* Aufwiegler *m.* **se'di·tious** *adj* (*adv* ~**ly**) aufwieglerisch, aufrührerisch, 'umstürzlerisch, staatsgefährdend.

se·duce [si'djuːs] *v/t* **1.** *e-e Frau etc* verführen (*a. fig. verleiten, verlocken*; **into, to** zu; **into doing** dazu, etwas zu tun). **2.** ~ **from** *j-n* von *s-r Pflicht etc* abbringen. **se'duce·ment** → **seduction**. **se'duc·er** *s* Verführer *m.*

se·duc·tion [si'dʌkʃən] *s* **1.** (*engS. sexuelle*) Verführung, Verlockung *f.* **2.** Versuchung *f*, Lockung *f*, verführerischer Reiz *od.* Zauber. **se'duc·tive** [-tiv] *adj* (*adv* ~**ly**) verführerisch. **se'duc·tive·ness** → **seduction 2**. **se'duc·tress** [-tris] *s* Verführerin *f.*

se·du·li·ty [si'djuːliti] *s* Emsigkeit *f*, emsiger Fleiß. **sed·u·lous** [*Br.* 'sedjuləs; *Am.* -dʒə-] *adj* (*adv* ~**ly**) emsig, (bienen)fleißig. **'sed·u·lous·ness** → **sedulity**.

se·dum ['siːdəm] *s bot.* Mauerpfeffer *m.*

see¹ [siː] *pret* **saw** [sɔː] *pp* **seen** [siːn] **I** *v/t* **1.** sehen: ~ **page 15** siehe Seite 15; **as I** ~ **it** *fig.* wie ich es sehe, in m-n Augen; **I** ~ **things otherwise** *fig.* ich sehe *od.* betrachte die Dinge anders; **I cannot** ~ **myself doing it** *fig.* ich kann mir nicht vorstellen, daß ich es tue; **I cannot** ~ **my way to doing it** ich weiß nicht, wie ich es anstellen soll; **I** ~ **myself obliged to do** ich sehe mich gezwungen zu tun; **I wonder what he** ~**s in her** ich möchte wissen, was er an ihr findet (*siehe weitere Verbindungen mit den entsprechenden Substantiva etc*). **2.** (ab)sehen, erkennen: **to** ~ **danger ahead**. **3.** entnehmen, ersehen (**from** aus *der Zeitung etc*). **4.** (ein)sehen: **I do not** ~ **what he means** ich verstehe nicht, was er meint; **I don't** ~ **the use of it** ich weiß nicht, wozu das gut sein soll; → **joke 2**. **5.** (sich) ansehen, besuchen: **to** ~ **a play**; **worth** ~**ing** sehenswert. **6.** her'ausfinden, nachsehen: ~ **who it is** sieh nach, wer es ist. **7.** dafür sorgen (, daß): ~ (**to it**) **that it is done** sorge dafür *od.* sieh zu, daß es geschieht; **to** ~ **justice done to s.o.** dafür sorgen, daß j-m Gerechtigkeit widerfährt. **8.** besuchen. **9.** aufsuchen, konsul'tieren (**about** wegen), sprechen (**on business** geschäftlich), *Am. colloq.* ,(mal) reden mit' *j-m* (*um ihn zu beeinflussen*): **we must** ~ **the judge**. **10.** empfangen: **he refused to** ~ **me**. **11.** begleiten, geleiten: **to** ~ **s.o. home** j-n heimbegleiten, j-n nach Hause bringen; **to** ~ **s.o. to bed** j-n zu Bett bringen; **to** ~ **s.o. to the station** j-n zum Bahnhof bringen *od.* begleiten; → **see off, see out 1**. **12.** sehen, erleben: **to live to** ~ erleben; **to** ~ **action** *mil.* im Einsatz sein, Kämpfe mitmachen; **he has** ~**n better days** er hat (schon) bessere Tage gesehen. **13.** *Poker*: halten (*durch Setzen e-s gleich hohen Betrags*).

II *v/i* **14.** sehen. **15.** einsehen, verstehen: **I** ~! (ich) verstehe!, aha!, ach so!; (**you**) ~, ... weißt du, wissen Sie ...; (**you**) ~? *colloq.* verstehst du?; **as far as I can** ~ soviel ich sehen kann. **16.** nachsehen: **go and** ~ (**for**) **yourself!** **17.** sehen, sich über'legen: **let us** ~! warte(n Sie) mal!, laß mich überlegen!; **let us** ~ **what can be done** (wir) wollen sehen, was sich machen läßt; **we'll** ~ wir werden sehen, mal sehen *od.* abwarten.

Verbindungen mit Präpositionen:

see| a·bout *v/i* sich kümmern um: **I will** ~ **it** a) ich werde mich darum kümmern, b) *colloq.* ich will es mir überlegen; ich werde sehen, was ich tun kann. ~ **aft·er** *v/i* **1.** sich kümmern um, sorgen für, sehen nach. **2.** *colloq. etwas* suchen. ~ **in·to** *v/i e-r Sache* auf den Grund gehen. ~ **o·ver** *v/i* sich ansehen: **to** ~ **a house**. ~ **through I** *v/i j-n od. etwas* durch'schauen. **II** *v/t j-m* über *e-e Schwierigkeit etc* hin'weghelfen. ~ **to** *v/i* sich kümmern um, dafür sorgen (, daß): → **see¹ 7**.

Verbindungen mit Adverbien:

see| off *v/t j-n* fortbegleiten, wegbringen. ~ **out** *v/t* **1.** *j-n* hin'ausbegleiten. **2.** *colloq. etwas* zu Ende sehen, bis zum Ende ansehen *od.* mitmachen. ~ **through I** *v/t* **1.** *j-m* 'durchhelfen (**with a th.** in e-r Sache). **2.** *etwas* (bis zum Ende) 'durchhalten *od.* -fechten. **II** *v/i* **3.** *colloq.* 'durchhalten.

see² [siː] *s relig.* **1.** (Erz)Bischofssitz *m*, (erz)bischöflicher Stuhl: **Apostolic** (*od.* **Holy**) **S**~ der Apostolische *od.* Heilige Stuhl. **2.** (Erz)Bistum *n*: **the** ~ **of Canterbury**. **3.** *obs.* (*bes.* Thron)-Sitz *m.*

see·catch ['siː,kætʃ], **,see'catch·ie** [-tʃi] *s* (*Alaska*) ausgewachsener männlicher Seehund.

seed [siːd] **I** *s* **1.** *bot.* a) Same *m*, b) (Obst)Kern *m*, c) *collect.* Samen *pl*, d) *agr.* Saat(gut *n*) *f*: **to go** (*od.* **run**) **to** ~ in Samen schießen, *bes. fig.* herunterkommen. **2.** *agr. bot.* Diaspore *f.* **3.** *physiol.* Samen *m*, Sperma *n.* **4.** *zo.* Ei *n od.* Eier *pl* (*bes. des Hummers u. der Seidenraupe*). **5.** Austernbrut *f.* **6.** *Bibl. collect.* Same *m*, Nachkommen(schaft *f*) *pl*: **the** ~ **of Abraham** der Same Abrahams (*die Juden*); **not of mortal** ~ nicht irdischer Herkunft. **7.** *pl fig.* Saat *f*, Keim *m*: **the** ~ **of reform** (**suspicion**) der Keim e-r Reform (des Argwohns); **to sow the** ~**s of discord** (die Saat der) Zwietracht säen. **8.** *med.* Radiumkapsel *f* (*zur Krebsbehandlung etc*). **9.** Bläs-chen *n* (*in Glas*). **10.** *sport colloq.* gesetzter Spieler. **II** *v/t* **11.** *Samen* (aus)säen. **12.** *den Acker etc* besäen. **13.** entsamen, *Obst* entkernen, *Flachs* riffeln. **14.** *sport* a) *Spieler* setzen, b) *die Spitzenkönner* (auf verschiedene Tur'niergruppen) verteilen. **III** *v/i* **15.** *bot.* a) Samen tragen, b) in Samen schießen, c) sich aussäen. **16.** *agr.* a) säen, b) pflanzen.

'seed|,bed *s* **1.** *bot.* Samen-, Treib-, Mistbeet *n.* **2.** *fig.* Pflanz-, *bes. contp.* Brutstätte *f.* **'~,cake** *s* Kümmelkuchen *m.* **'~,case** *s bot.* Samenkapsel *f.* ~ **coat** *s bot.* Samenschale *f.* ~ **corn** *s agr.* **1.** Saatkorn *n.* **2.** *Am.* Saatmais *m.* ~ **drill** *s agr.* 'Säma,schine *f.*

seed·er ['siːdər] *s* **1.** *agr.* 'Säma,schine *f.* **2.** (Frucht)Entkerner *m.* **3.** → **seed fish**.

seed fish *s ichth.* Laichfisch *m.*

seed·i·ness ['siːdinis] *s colloq.* **1.** Schäbigkeit *f.* **2.** Abgerissenheit *f*, her'untergekommenes Äußeres, verwahrloster Zustand. **3.** Flauheit *f* (*des Befindens*).

seed leaf *s irr bot.* Keimblatt *n.*

seed·ling ['siːdliŋ] *s bot.* **1.** Sämling *m.* **2.** Heister *m* (*Bäumchen*).

seed| oys·ter *s zo.* **1.** Saatauster *f.* **2.** *pl* Austernlaich *m.* ~ **pearl** *s* Staubperle *f.* ~ **plant** *s bot.* Samenpflanze *f.* ~ **plot** → **seedbed**. ~ **po·ta·to** *s* 'Saatkar,toffel *f.*

seeds·man ['siːdzmən] *s irr agr.* **1.** Sämann *m*, Säer *m.* **2.** Samenhändler *m.*

'seed|,time *s agr.* Zeit *f* der Aussaat. ~ **ves·sel** *s bot.* Samenkapsel *f.* ~ **wee·vil** *s zo.* Getreidespitzmäus-chen *n.* ~ **wool** *s* noch nicht entkernte Baumwolle.

seed·y ['siːdi] *adj* (*adv* **seedily**) **1.** *bot.* samentragend *od.* -reich. **2.** *ichth.* laichreif. **3.** *colloq.* a) schäbig, abgetragen, fadenscheinig, b) schäbig (angezogen), abgerissen, her'untergekommen (*Person*), c) ,flau', ,mies' (*Befinden*): **to look** ~ elend aussehen.

seeing ['siːiŋ] **I** *s* Sehen *n*: **a view worth** ~ ein sehenswerter Anblick; ~ **is believing** Sehen ist Glauben. **II** *conj a.* ~ **that** da doch; in Anbetracht dessen, daß. **III** *prep* angesichts (*gen*), in Anbetracht (*gen*): ~ **his difficulties**. **'~-,eye dog** *s Am.* Blindenhund *m.*

seek [siːk] *pret u. pp* **sought** [sɔːt] **I** *v/t* **1.** suchen. **2.** aufsuchen: **to** ~ **the shade**; **to** ~ **a fortuneteller**. **3.** (**of**) suchen (bei), erbitten (von): **to** ~ **s.o.'s advice** (**aid**, *etc*). **4.** begehren, erstreben, trachten *od.* streben nach: **to** ~ **fame** nach Ruhm trachten; → **life** *Bes. Redew.* **5.** *jur. etc* beantragen, begehren: **to** ~ **divorce**. **6.** (ver)suchen, trachten: **to** ~ **to convince s.o.** **7.** zu ergründen suchen: **to** ~ **through** durchforschen. **8.** **to be to** ~ *obs.* (noch) fehlen, nicht zu finden sein: **education is much to** ~ (*od.* **is much to be sought**) **with him** die Erziehung fehlt bei ihm in hohem Maße; **a solution is yet to** ~ e-e Lösung muß (erst) noch gefunden werden. **9.** **to be to** ~ (**in**) *obs.* ermangeln (*gen*). **10.** ~ **out** a) her'ausfinden, ausfindig machen, b) *fig.* aufs Korn nehmen. **II** *v/i* **11.** suchen, fragen, forschen (**for, after** nach): (**much**) **sought-after** (sehr) gefragt, (sehr) begehrt; **the reasons are not far to** ~ nach den Gründen muß man nicht lange suchen. **'seek·er** *s* **1.** Sucher(in) (*a.*

relig.): ~ after truth Wahrheitssucher. **2.** *med.* Sonde *f.* **3.** *aer. mil.* Zielanfluggerät *n.*

seel [siːl] *v/t* **1.** *die Augen* (*e-s Falken zum Abrichten*) zunähen. **2.** *fig.* hinters Licht führen.

seem [siːm] *v/i* **1.** (zu sein) scheinen, anscheinend sein, erscheinen: it ~s impossible to me es (er)scheint mir unmöglich; he ~s (to be) a good fellow er scheint ein guter Kerl zu sein; I ~ (to be) deaf today ich bin heute anscheinend taub. **2.** *mit inf* scheinen (*anscheinend tun*): you ~ to believe it Sie scheinen es zu glauben; apples do not ~ to grow here Äpfel wachsen hier anscheinend nicht; I ~ to hear voices mir ist, als hörte ich Stimmen. **3.** *impers* it ~s (that) es scheint, daß, anscheinend; it ~s as if (*od.* though) es sieht so aus *od.* es scheint so *od.* es hat den Anschein, als ob; it ~s (that) you were lying du hast anscheinend gelogen; it ~s to me (that) it will rain mir scheint, es wird regnen; it should (*od.* would) ~ that man sollte glauben, daß. **4.** *mit Negation* I can't ~ to open this door ich bringe diese Tür einfach nicht auf.

seem·ing ['siːmiŋ] **I** *adj* (*adv* ~ly) **1.** scheinbar: a ~ friend. **2.** anscheinend. **II** *s* **3.** (An)Schein *m*: the ~ and the real Schein u. Sein.

seem·li·ness ['siːmlinis] *s* Anstand *m*, Schicklichkeit *f.*

seem·ly ['siːmli] *adj* **1.** anständig, schicklich, passend. **2.** *obs. od. dial.* hübsch, nett.

seen [siːn] *pp von* see[1].

seep[1] [siːp] *v/i* **1.** ('durch)sickern (*a. fig.*): to ~ away versickern; to ~ in *a. fig.* einsickern, langsam eindringen. **2.** *fig.* durch'dringen (through s.o. j-n).

seep[2] [siːp] *s* Am'phibien-Jeep *m.*

seep·age ['siːpidʒ] *s* **1.** ('Durch-, Ver)Sickern *n.* **2.** 'Durchgesickertes *n.* **3.** Sickerstelle *f*, Leck *n.*

se·er[1] ['siːər] *s* **1.** Seher(in), Pro'phet(in). **2.** Wahrsager(in).

seer[2] → ser.

seer·suck·er ['sirˌsʌkər] *s* leichtes kreppartiges Leinen.

see·saw ['siːˌsɔː] **I** *s* **1.** Wippen *n*, Schaukeln *n.* **2.** Wippe *f*, Wippschaukel *f.* **3.** *fig.* ständiges Auf u. Ab *od.* Hin u. Her. **4.** Zwickmühle *f* (*beidseitiges Trumpfen beim Whist*). **II** *adj* **5.** schaukelnd, wippend: ~ motion Schaukelbewegung *f*; ~ policy *fig.* Schaukelpolitik *f.* **III** *v/i* **6.** wippen, schaukeln. **7.** sich hin u. her *od.* auf u. ab bewegen. **8.** *fig.* (hin u. her) schwanken. **IV** *v/t* **9.** schaukeln.

seethe [siːð] *v/i pret* **seethed** *obs.* **sod** [sɒd] *pp* **seethed** *obs.* **sod·den** ['sɒdən] **1.** kochen, sieden, wallen (*alle a. fig.*; with vor *dat*): seething with rage kochend vor Wut. **2.** gären (with vor *dat*). **III** *s* **3.** Sieden *n*, Kochen *n*, Brodeln. **4.** Erregung *f*, Aufruhr *m.*

'see-ˌthrough *adj* durchsichtig: ~ blouse; ~ package Klarsichtpackung *f.*

seg·ment ['segmənt] **I** *s* **1.** Abschnitt *m*, Teil *m*, *n.* **2.** *math.* (*Kreis-, Kugel- etc*)Seg'ment *n.* **3.** *biol.* a) *allg.* Seg'ment *n*, Glied *n*, b) Ring *m*, 'Körperseg ˌment *n* (*e-s Wurms etc*). **II** *v/t u. v/i* **4.** (sich) in Abschnitte *od.* Seg'mente teilen. **seg'men·tal** [-'mentl], **seg'men·tar·y** [-'mentəri] *adj* segmen'tär.

seg·men·ta·tion [ˌsegmən'teiʃən] *s* **1.** Segmentati'on *f*, Gliederung *f.* **2.** *biol.* (Ei)Furchung *f*, Zellteilung *f.*

seg·ment| gear *s tech.* Seg'ment(zahnrad)getriebe *n.* ~ **saw** *s tech.* **1.** Baumsäge *f.* **2.** Bogenschnittsäge *f.*

seg·re·gate ['segriˌgeit] **I** *v/t* **1.** trennen, absondern, iso'lieren. **2.** *tech.* (aus)saigern, ausscheiden. **II** *v/i* **3.** sich absondern *od.* abspalten (*a. fig.*). **4.** *chem.* 'auskristalliˌsieren, sich abscheiden. **5.** *biol.* sich aufspalten (*nach den Mendelschen Gesetzen*), mendeln. **III** *adj* [-git; -ˌgeit] **6.** iso'liert, abgesondert. **ˌseg·re'ga·tion** *s* **1.** Absonderung *f*, Abtrennung *f.* **2.** Rassentrennung *f.* **3.** abgespaltener Teil. **4.** *biol. Trennung von väterlichen u. mütterlichen Eigenschaften in der Reduktionsteilung.* **5.** *chem.* Abscheidung *f.* **ˌseg·re'ga·tion·ist I** *s* Anhänger(in) *od.* Verfechter(in) der 'Rassentrennung(spoliˌtik). **II** *adj* die Rassentrennung befürwortend. **'seg·reˌga·tive** *adj* sich absondernd, Trennungs...

seiche [seiʃ] *s* Seiche *f* (*periodische Niveauschwankung von Binnenseen*).

Seid·litz pow·der ['sedlits] *s* Seidlitzpulver *n* (*ein Brausepulver*).

sei·gneur [siːn'jəːr; sein-], **seign·ior** ['siːnjəːr; 'sein-] *s* **1.** *hist.* Leh(e)ns-, Feu'dalherr *m.* **2.** Herr *m.*

seign·ior·age ['siːnjəridʒ; 'sein-] *s econ.* **1.** Re'gal *n*, Vorrecht *n.* **2.** (*königliche*) Münzgebühr. **3.** Schlagschatz *m* (*Differenz zwischen Realwert u. Nennwert von Münzen*). **'seign·ior·al** [-rəl] → seignorial. **'seign·ior·al·ty** [-ti] *s hist.* Grund-, Leh(e)nsherrschaft *f.*

seign·ior·y ['siːnjəri; 'sein-] *s* **1.** Feu'dalrechte *pl.* **2.** (feu'dal)herrschaftliche Do'mäne. **sei'gno·ri·al** [-'njɔːriəl] *adj* feu'dalherrschaftlich.

seine [sein] *mar.* **I** *s* Schlagnetz *n.* **II** *v/t u. v/i* mit dem Schlagnetz fischen.

seise → seize 5.

sei·sin ['siːzin] *s jur.* **1.** Grundbesitz *m* in freiem, uneingeschränktem Eigentum. **2.** Besitzergreifung *f*: livery of ~ Zeremonie *f* der Besitzübergabe.

seis·mal ['saizməl] → seismic. **seis'mat·i·cal** [-'mætikəl] *adj geol. phys.* seismo'logisch. **'seis·mic** *adj* seismisch, Erdbeben...

seis·mo·gram ['saizməˌgræm] *s geol. phys.* Seismo'gramm *n.* **'seis·moˌgraph** [-ˌgræ(ː)f; *Br. a.* -ˌgrɑːf] *s* Seismo'graph *m*, Erdbebenschreiber *m.* **seis'mol·o·gist** [-'mɒlədʒist] *s* Seismo'loge *m.* **seis'mol·o·gy** [-dʒi] *s* Erdbebenkunde *f*, Seismik *f.*

seis·mom·e·ter [saiz'mɒmitər] *s phys.* Seismo'meter *n*, Erdbebenmesser *m.* **seis'mom·e·try** [-tri] *s* Seismome'trie *f.*

seis·mo·scope ['saizməˌskoup] *s phys.* Seismo'skop *n*, Erdbebenanzeiger *m.*

seiz·a·ble ['siːzəbl] *adj* **1.** ergreifbar. **2.** *jur.* pfändbar, der Beschlagnahme unter'liegend.

seize [siːz] **I** *v/t* **1.** *etwas od. j-n* (er)greifen, packen, fassen (*alle a. fig. Panik etc*): to ~ a weapon; to ~ s.o. by the neck; fear ~d the crowd Furcht ergriff die Menge; he was ~d with remorse er wurde von Reue gepackt; ~d with an illness von e-r Krankheit befallen; ~d with apoplexy vom Schlag getroffen. **2.** (ein)nehmen, erobern: to ~ a fortress. **3.** sich *e-r Sache* bemächtigen, an sich reißen: to ~ (the) power die Macht an sich reißen. **4.** *jur. etc* beschlagnahmen. **5.** *jur. j-n* in den Besitz setzen (*of gen od.* von): to be ~d with, to stand ~d of im Besitz *e-r Sache* sein. **6.** *j-n* ergreifen, festnehmen. **7.** *e-e Gelegenheit* ergreifen, wahrnehmen. **8.** *fig.* (*geistig*) erfassen, begreifen, verstehen. **9.** *mar.* a) zs.-binden, zurren, b) anbinden. **II** *v/i* **10.** ~ (up)on *e-e Gelegenheit* ergreifen, *e-e Idee etc* (begierig) aufgreifen. **11.** *meist* ~ up *tech.* sich festfressen.

sei·zin → seisin.

seiz·ing ['siːziŋ] *s* **1.** Ergreifen *n* (*etc*; → seize). **2.** *pl mar.* Zurrtau *n.*

sei·zure ['siːʒər] *s* **1.** Ergreifung *f.* **2.** Inbe'sitznahme *f.* **3.** *jur.* a) Beschlagnahme *f*, b) Festnahme *f.* **4.** *med.* (plötzlicher) Anfall.

se·jant ['siːdʒənt] *adj* (*nachgestellt*) *her.* sitzend.

se·la·chi·an [si'leikiən] *ichth.* **I** *s* Hai(fisch) *m.* **II** *adj* Haifisch...

se·lah ['siːlə] *s Bibl.* Sela *n.*

sel·dom ['seldəm] *adv* (*obs. a. adj*) selten.

se·lect [si'lekt] **I** *v/t* **1.** auswählen, -lesen. **II** *v/i* **2.** wählen. **III** *adj* **3.** ausgewählt: ~ committee *parl. Br.* Sonderausschuß *m.* **4.** a) erlesen: a ~ book (wine, *etc*); a few ~ spirits einige erlesene Geister, b) exklu'siv: a ~ party. **5.** wählerisch.

se·lect·ee [siˌlek'tiː] *s mil. Am.* Einberufene(r) *m.*

se·lec·tion [si'lekʃən] *s* **1.** Wahl *f.* **2.** Auswahl *f*, -lese *f.* **3.** *biol.* Selekti'on *f*, Zuchtwahl *f*: natural ~ natürliche Auslese.

se·lec·tive [si'lektiv] *adj* (*adv* ~ly) **1.** auswählend, Auswahl...: ~ assembly *tech.* Austauschbau *m.* **2.** Auslese...: ~ examination; ~ value. **3.** *electr.* trennscharf, selek'tiv: ~ circuit Trennkreis *m.* **4.** wählerisch. ~ **serv·ice** *s mil. Am.* **1.** Wehrpflicht *f*, -dienst *m.* **2.** Einberufung *f.* ~ **trans·mis·sion** *s tech.* **1.** Selek'tivgetriebe *n*, (Gang-)Wählgetriebe *n.* **2.** Getriebe *n* mit Druckknopfschaltung.

se·lec·tiv·i·ty [ˌsiːlek'tiviti] *s* **1.** Selektivi'tät *f.* **2.** *electr.* Selektivi'tät *f*, Trennschärfe *f.*

se'lect·man [-mən] *s irr* Stadtrat *m* (*in den Neuenglandstaaten*).

se·lec·tor [si'lektər] *s* **1.** Auswählende(r *m*) *f.* **2.** Sor'tierer(in). **3.** *tech.* a) Wähler *m* (*a. electr.*), b) Schaltgriff *m*, c) *mot.* Gangwähler *m*, d) *a.* ~ switch *electr.* Wahlschalter *m*, e) *Computer*: Se'lektor *m.*

sel·e·nate ['seliˌneit] *s chem.* Sele'nat *n.*

se·len·ic [si'lenik] *adj chem.* se'lensauer, Selen... **se'le·ni·ous** [-'liːniəs] *adj* se'lenig: ~ acid Selenigsäure *f.*

sel·e·nite ['seliˌnait] *s* **1.** *min.* Sele'nit *m*, Gips *m.* **2.** *chem.* Salz *n* der se'lenigen Säure.

se'le·ni·um [-'liːniəm] *s chem.* Se'len *n*: ~ cell *electr.* Selenzelle *f.*

sel·e·nog·ra·pher [ˌseli'nɒgrəfər] *s* Mondforscher *m.* **ˌsel·e'nog·ra·phy** [-fi] *s* Mondbeschreibung *f.* **ˌsel·e'nol·o·gist** [-'nɒlədʒist] → selenographer. **ˌsel·e'nol·o·gy** [-dʒi] *s astr.* Selenolo'gie *f*, Mondkunde *f.*

self [self] **I** *pl* **selves** [selvz] *s* **1.** Selbst *n*, Ich *n*: my better ~ mein besseres Selbst; his second ~ sein zweites Ich (*Freund od. Stütze*); my humble (*od.* poor) ~ m-e Wenigkeit; pity's ~ das Mitleid selbst; your good selves *econ. obs.* Ihre werte Firma, Sie; → former[2] 1. **2.** Selbstsucht *f*, das eigene *od.* liebe Ich. **3.** *philos.* Ich *n*, Sub'jekt *n*: the consciousness of ~ das Ich- *od.* Subjektsbewußtsein. **4.** *biol.* a) einfarbige Blume, b) Tier *n* von einheitlicher Färbung, c) auto'games Lebewesen. **II** *adj* **5.** einheitlich: a ~ trimming ein Besatz vom selben Material. **6.** *bes. bot.* einfarbig. **7.** *obs.* selbig(er, e, es). **III** *pron* **8.** *econ. od. colloq.* → myself *etc*: a cheque (*Am.* check) drawn to ~ ein auf ‚Selbst' ausgestellter Scheck; a ticket admitting ~ and friend e-e Karte für mich selbst und e-n Freund.

ˌself|-a'ban·don·ment *s* **1.** (Selbst)-Aufopferung *f*, (bedingungslose) 'Hingabe. **2.** *contp.* Zügellosigkeit *f*. **ˌ~-a'base·ment** *s* Selbsterniedrigung *f*. **ˌ~-ˌab·ne'ga·tion** *s* Selbstverleugnung *f*. **ˌ~-ab'sorbed** *adj* **1.** in sich selbst vertieft. **2.** ego'zentrisch. **ˌ~-a'buse** *s* Selbstbefleckung *f*, Ona'nie *f*. **ˌ~-ˌac·cu'sa·tion** *s* Selbstanklage *f*. **ˌ~-'act·ing** *adj bes. tech.* selbsttätig, auto'matisch. **ˌ~-ad'dressed** *adj* an sich selbst gerichtet *od.* adres'siert: ~ envelope Freiumschlag *m*; ~ card (*voradressierte*) Rückantwortkarte. **ˌ~-ad'just·ing** *adj* selbstregelnd (*a. tech.*). **ˌ~-ˌad·mi'ra·tion** *s* Selbstbewunderung *f*. **ˌ~-ˌaf·fir'ma·tion** *s psych.* Selbstbewußtsein *n*. **ˌ~-ag'gran·dize·ment** *s* Selbsterhöhung *f*, -verherrlichung *f*. **ˌ~-ap'point·ed** *adj* selbsternannt, (*nachgestellt*) von eigenen Gnaden. **ˌ~-as'sert·ing** *adj* (*adv* ~ly) **1.** auf s-e Rechte pochend. **2.** anmaßend, über'heblich. **ˌ~-as'ser·tion** *s* **1.** Geltendmachen *n* s-r Rechte. **2.** anmaßendes Auftreten. **ˌ~-as'sert·ive** → self-asserting. **ˌ~-as'sur·ance** *s* Selbstbewußtsein *n*, -sicherheit *f*. **ˌ~-as'sured** *adj* selbstbewußt, -sicher. **ˌ~-be'tray·al** *s* Selbstverrat *m*. **ˌ~-'bind·er** *s agr.* Selbstbinder *m*. **ˌ~-'cen·t(e)red** *adj* ichbezogen, ego'zentrisch. **ˌ~-'col·o(u)red** *adj* **1.** einfarbig. **2.** na'turfarben. **ˌ~-com'mand** *s* Selbstbeherrschung *f*. **ˌ~-com'pla·cent** *adj* (*adv* ~ly) selbstgefällig, -zufrieden. **ˌ~-con'ceit** *s* Eigendünkel *m*. **ˌ~-con'ceit·ed** *adj* dünkelhaft, eingebildet. **ˌ~-con'demned** *adj* selbstverurteilt. **ˌ~-'con·fi·dence** *s* **1.** Selbstvertrauen *n*, -bewußtsein *n*. **2.** (arro'gante) Selbstsicherheit. **ˌ~-'con·fi·dent** *adj* (*adv* ~ly) **1.** selbstsicher, -bewußt. **2.** über'heblich. **ˌ~-'con·scious** *adj* (*adv* ~ly) **1.** befangen, gehemmt, unsicher. **2.** *bes. philos.* sich s-r selbst bewußt. **ˌ~-'con·scious·ness** *s* **1.** Befangenheit *f*. **2.** *philos.* Selbstbewußtsein *n*. **ˌ~-con'sist·ent** *adj* (in sich selbst) konse'quent *od.* folgerichtig. **ˌ~-con'tained** *adj* **1.** (in sich) geschlossen, selbständig, unabhängig (*alle a. tech.*): ~ unit; ~ country Selbstversorgerland *n*; ~ house Einfamilienhaus *n*. **2.** zu'rückhaltend, reser'viert. **3.** (selbst)beherrscht. **ˌ~-con'tempt** *s* Selbstverachtung *f*. **ˌ~-ˌcon·tra'dic·tion** *s* innerer 'Widerspruch, Widerspruch *m* mit *od.* in sich selbst. **ˌ~-ˌcon·tra'dic·to·ry** *adj* 'widerspruchsvoll. **ˌ~-con'trol** *s* Selbstbeherrschung *f*. **'~-'cooled** *adj tech.* mit Selbstkühlung, eigenbelüftet. **ˌ~-de'ceit** *s* Selbsttäuschung *f*, -betrug *m*. **ˌ~-de'ceiv·er** *s* j-d, der sich selbst betrügt *od.* täuscht. **ˌ~-de'cep·tion** → self-deceit. **ˌ~-de'fence,** *Am.* **ˌ~-de'fense** *s* **1.** Selbstverteidigung *f*: the gentle art of ~ die edle Kunst der Selbstverteidigung (*Boxen*); → noble 3. **2.** *jur.* Notwehr *f*: in ~. **ˌ~-de'ni·al** *s* Selbstverleugnung *f*. **ˌ~-de'ny·ing** *adj* selbstverleugnend: ~ ordinance *parl. hist. Br.* Selbstentäußerungsakte *f*. **ˌ~-de'spair** *s* Verzweiflung *f* an sich selbst. **ˌ~-de'struc·tion** *s* Selbstvernichtung *f*, -mord *m*. **ˌ~-deˌter·mi'na·tion** *s* **1.** *bes. pol.* Selbstbestimmung *f*: right of ~ Selbstbestimmungsrecht *n*. **2.** *philos.* freier Wille. **ˌ~-de'vo·tion** → self-abandonment 1. **ˌ~-dis'trust** *s* Mangel *m* an Selbstvertrauen, 'Mißtrauen *n* gegen sich selbst. **'~-ˌdoubt** *s* Zweifel *pl* an sich selbst. **'~-'drive** *adj Br.* Selbstfahrer...: ~ car Mietwagen *m*; ~ cars for hire Autovermietung *f* für Selbstfahrer. **ˌ~-'driv·en** *adj tech.* selbstgetrieben, Selbstantrieb... **ˌ~-'ed·uˌcat·ed** → self-taught 1. **ˌ~-ef'face·ment** *s* Zu'rückhaltung *f*. **'~-em'ployed** *adj* selbständig (gewerbstätig), im eigenen Betrieb arbeitend. **ˌ~-es'teem** *s* **1.** Selbstachtung *f*. **2.** Eigendünkel *m*. **ˌ~-'ev·i·dent** *adj* selbstverständlich, augenscheinlich. **ˌ~-ˌex·ci'ta·tion** *s electr.* Selbst-, Eigenerregung *f*. **ˌ~-'ex·eˌcut·ing** *adj pol.* Ausführungsbestimmungen enthaltend: ~ treaty. **ˌ~-ex'ist·ence** *s* **1.** *philos. relig.* 'Selbstexiˌstenz *f*. **2.** unabhängige Exi'stenz. **ˌ~-ex'plan·a·to·ry** *adj* ohne Erläuterung(en) verständlich, für sich selbst sprechend. **ˌ~-ex'pres·sion** *s* Ausdruck *m* der eigenen Per'sönlichkeit. **ˌ~-'feed·er** *s tech.* **1.** Ma'schine *f* mit auto'matischer Brennstoff- *od.* Materi'alzufuhr. **2.** *agr.* 'Futterautoˌmat *m*. **ˌ~-'feed·ing** *adj tech.* sich selbst nachfüllend *od.* speisend, auto'matisch (*Material od. Brennstoff*) zuführend. **ˌ~-fer'til·i·ty** *s bot.* Eigenfruchtbarkeit *f*. **ˌ~-ˌfer·ti·li'za·tion** *s* Selbstbefruchtung *f*, Autoga'mie *f*. **ˌ~-'fer·tiˌlized** *adj* selbstbefruchtet. **ˌ~-for'get·ful** *adj* (*adv* ~ly) selbstvergessen, -los. **ˌ~-ful'fil(l)·ment** *s* Selbstverwirklichung *f*. **ˌ~-'gov·erned, ˌ~-'gov·ern·ing** *adj pol.* selbstverwaltet, unabhängig, auto'nom, selbständig, mit Selbstverwaltung. **ˌ~-'gov·ern·ment** *s pol.* 'Selbstverwaltung *f*, -reˌgierung *f*, Autono'mie *f*. **ˌ~-ˌgrat·i·fi'ca·tion** → self-indulgence. **ˌ~-'harden·ing** *adj metall.* selbsthärtend. **ˌ~-'help** *s* Selbsthilfe *f*.

'selfˌhood *s* **1.** ˌIndividuali'tät *f*, 'Eigenperˌsönlichkeit *f*. **2.** Selbstsucht *f*, Ichbezogenheit *f*, Ego'zentrik *f*.

ˌself|-ig'ni·tion *s* **1.** *phys.* Selbstentzündung *f*. **2.** *mot.* Selbstzündung *f*. **ˌ~-im'por·tance** *s* 'Selbstüberˌhebung *f*, ˌWichtigtue'rei *f*, Eigendünkel *m*. **ˌ~-im'por·tant** *adj* (*adv* ~ly) eingebildet, ‚aufgeblasen', wichtigtuerisch. **ˌ~-in'duced** *adj* **1.** *electr.* 'selbstinduˌziert. **2.** selbstverursacht. **ˌ~-in'duc·tion** *s electr.* 'Selbstinduktiˌon *f*. **ˌ~-in'duc·tive** *adj electr.* 'selbstindukˌtiv. **ˌ~-in'dul·gence** *s* **1.** Sich'gehenlassen *n*, Nachgiebigkeit *f* gegen sich selbst. **2.** Zügellosigkeit *f*, Genußsucht *f*. **ˌ~-in'dul·gent** *adj* **1.** nachgiebig gegen sich selbst, bequem, schwächlich. **2.** zügel-, hemmungslos. **ˌ~-in'fec·tion** *s med.* Selbstansteckung *f*. **ˌ~-in'flict·ed** *adj* selbstzugefügt, -beigebracht: ~ wounds *mil.* Selbstverstümmelung *f*. **ˌ~-in'sur·ance** *s* Selbstversicherung *f*. **ˌ~-'in·ter·est** *s* Eigennutz *m*, eigenes Inter'esse. **ˌ~-in'vit·ed** *adj* ungebeten.

self·ish ['selfiʃ] *adj* (*adv* ~ly) selbstsüchtig, selbstisch, ego'istisch, eigennützig. **'self·ish·ness** *s* Selbstsucht *f*, Ego'ismus *m*.

ˌself|-ˌjus·ti·fi'ca·tion *s* Selbstrechtfertigung *f*. **ˌ~-'knowl·edge** *s* Selbst(er)kenntnis *f*.

self·less ['selflis] *adj u. adv* selbstlos. **'self·less·ness** *s* Selbstlosigkeit *f*.

ˌself|-'liq·uiˌdat·ing *adj econ. Am.* sich kurzfristig abdeckend. **ˌ~-'load·ing** *adj* Selbstlade... **ˌ~-'lock·ing** *adj tech.* selbstsperrend. **ˌ~-'love** *s* Eigenliebe *f*. **ˌ~-'lu·briˌcat·ing** *adj tech.* selbstschmierend. **'~-ˌmade** *adj* selbstgemacht: ~ man j-d, der aus eigener Kraft emporgekommen ist, Selfmademan *m*. **ˌ~-'mur·der** *s* Selbstmord *m*. **'~-neg'lect** *s* **1.** Selbstlosigkeit *f*. **2.** Vernachlässigung *f* s-s Äußeren. **ˌ~-o'pin·ionˌat·ed** *adj* **1.** eingebildet, von sich selbst eingenommen. **2.** eigensinnig, rechthaberisch. **ˌ~-'pit·y** *s* Mitleid *n* mit sich selbst, Selbstbemitleidung *f*. **ˌ~-ˌpol·li'na·tion** *s* Selbstbestäubung *f*. **ˌ~-pol'lu·tion** *s* Selbstbefleckung *f*. **ˌ~-'por·trait** *s* 'Selbstporˌträt *n*, -bildnis *n*. **ˌ~-pos'sessed** *adj* **1.** selbstbeherrscht, gelassen, ruhig. **2.** geistesgegenwärtig. **ˌ~-pos'ses·sion** *s* **1.** Selbstbeherrschung *f*. **2.** Geistesgegenwart *f*. **ˌ~-'praise** *s* Eigenlob *n*: ~ is no recommendation Eigenlob stinkt. **ˌ~-ˌpres·er'va·tion** *s* Selbsterhaltung *f*: instinct of ~ Selbsterhaltungstrieb *m*. **ˌ~-pro'nounc·ing** *adj ling.* mit Aussprachebezeichnung im Wort selbst (*mittels diakritischer Zeichen*). **ˌ~-pro'pelled** *adj* **1.** durch sich selbst (vor)'angetrieben. **2.** *tech.* mit Eigenantrieb, selbstangetrieben, Selbstfahr... **ˌ~-pro'tec·tion** *s* Selbstschutz *m*. **ˌ~-'rais·ing flour** *s* mit Backpulver gemischtes Mehl. **ˌ~-ˌre·al·i'za·tion** *s* Selbstverwirklichung *f*. **ˌ~-re'cord·ing** *adj tech.* 'selbstregiˌstrierend, -schreibend. **ˌ~-re'gard** *s* **1.** Eigennutz *m*. **2.** Selbstachtung *f*. **ˌ~-'reg·is·ter·ing** → self-recording. **ˌ~-'reg·uˌlat·ing** *adj bes. tech.* selbstregelnd. **ˌ~-re'li·ance** *s* Selbstvertrauen *n*, -sicherheit *f*. **ˌ~-re'li·ant** *adj* selbstbewußt, -sicher. **ˌ~-re'proach** *s* Selbstvorwurf *m*. **ˌ~-re'spect** *s* Selbstachtung *f*. **ˌ~-re'spect·ing** *adj* sich selbst achtend: every ~ craftsman jeder Handwerker, der etwas auf sich hält. **ˌ~-re'straint** *s* Selbstbeherrschung *f*. **ˌ~-'right·eous** *adj* selbstgerecht. **ˌ~-'ris·ing** *adj* ohne Treibmittel gehend: ~ flour. **ˌ~-'sac·riˌfice** *s* Selbstaufopferung *f*. **ˌ~-'sac·riˌfic·ing** *adj* aufopferungsvoll. **'~ˌsame** *adj* ebenderselbe, -dieselbe, -dasselbe, ganz der *od.* die *od.* das nämliche. **ˌ~-'sat·isˌfied** *adj* selbstzufrieden. **ˌ~-'seal·ing** *adj tech.* selbst(ab)dichtend. **ˌ~-'seek·er** *s* Ego'ist(in). **ˌ~-'seek·ing I** *adj* selbstsüchtig, ego'istisch. **II** *s* Selbstsucht *f*. **ˌ~-'serv·ice I** *adj* mit Selbstbedienung, Selbstbedienungs...: ~ restaurant Automatenrestaurant *n*. **II** *s* Selbstbedienung *f*. **ˌ~-'start·er** *s tech.* Selbststarter *m*, (Selbst)Anlasser *m*. **ˌ~-'styled** *adj iro.* (*nachgestellt*) von eigenen Gnaden: ~ expert. **ˌ~-suf'fi·cien·cy** *s* **1.** Unabhängigkeit *f* (von fremder Hilfe). **2.** *econ.* Autar'kie *f*, wirtschaftliche Unabhängigkeit. **3.** Eigendünkel *m*. **ˌ~-suf'fi·cient** *adj* **1.** nicht auf fremde Hilfe angewiesen, unabhängig, selbstgenügsam. **2.** *econ.* aut'ark. **3.** dünkelhaft. **ˌ~-sug'ges·tion** *s psych.* Autosuggesti'on *f*. **'~-sup'pli·er** *s econ.* Selbstversorger *m*. **ˌ~-sup'port** *s* 'Selbstˌunterhalt *m*, -versorgung *f*. **ˌ~-sup'port·ing** *adj* **1.** sich selbst unter'haltend *od.* versorgend, Selbstversorger... **2.** *econ.* aut'ark. **3.** *tech.* freitragend: ~ mast. **ˌ~-'taught** *adj* **1.** autodi'daktisch: a ~ person ein Autodidakt. **2.** selbst erlernt. **'~-'tim·er** *s phot.* Selbstauslöser *m*. **ˌ~-'tor·ture** *s* ˌSelbstquäle'rei *f*. **ˌ~-'will** *s* **1.** Eigenwille *m*. **2.** Eigensinn *m*. **ˌ~-'willed** *adj*

1. eigenwillig. 2. eigensinnig. ˌ~-**-'wind·ing** *adj* auto'matisch (*Uhr*).

sell [sel] **I** *s* **1.** *colloq.* a) Schwindel *m*, b) Reinfall *m*, ‚Pleite' *f*: what a ~! **2.** *econ. Am. sl.* a) ‚Verkaufsmasche' *f*, Verkaufsgewandtheit *f*, b) Zugkraft *f* (*e-s Artikels*). **II** *v/t pret u. pp* **sold** [sould] **3.** verkaufen, -äußern (for für; to an *acc*), *econ. a.* absetzen: to ~, to be sold zu verkaufen; to ~ o.s. *fig. contp.* sich verkaufen; → life *Bes. Redew.*, pup 1. **4.** *econ. Waren* führen, vertreiben, handeln mit. **5.** *fig.* verkaufen, e-n guten Absatz sichern (*dat*): his name will ~ the book. **6.** ‚verkaufen', verraten: → pass¹ 1, river 1. **7.** *Am. sl. j-m etwas* ‚verkaufen', schmackhaft machen, ‚aufschwatzen': to ~ s.o. on s.th. j-m etwas ‚andrehen', j-n zu etwas überreden; to be sold on s.th. von etwas überzeugt *od.* begeistert sein, ganz für etwas sein. **8.** *sl. j-n* ‚beschummeln'. **9.** *Am. sl.* a) *j-n* zum Kaufen anreizen, b) sich *j-n* als Kunden sichern. **III** *v/i* **10.** verkaufen, Verkäufe tätigen. **11.** verkauft werden (at für). **12.** sich *gut etc* verkaufen (lassen), gehen. **13.** *colloq.* verfangen, ‚ziehen': that won't ~.

Verbindungen mit Adverbien:

sell| off *v/t econ.* ausverkaufen, *Lager* räumen: to be sold off ausverkauft sein. ~ **out I** *v/t* **1.** → sell off. **2.** *Aktien etc* auf dem freien Markt verkaufen. **3.** → sell up. **4.** *Am. sl.* → sell 6. **II** *v/i* **5.** *hist. Br.* durch Verkauf des Offi'zierspaˌtents aus der Ar'mee ausscheiden. **6.** *Am. sl.* ‚aussteigen', sich drücken. ~ **up** *v/t e-n Schuldner* auspfänden.

sell·er ['selər] *s* **1.** Verkäufer(in), Händler(in): ~s' market *econ.* verkaufsgünstiger Markt. **2.** good (*etc*) ~ *econ.* gut (*etc*) gehende Ware, zugkräftiger (*etc*) Ar'tikel.

sell·ing ['seliŋ] **I** *adj* **1.** gut *etc* verkäuflich. **2.** Verkaufs..., Absatz..., Vertriebs... **II** *s* **3.** Verkaufen *n*, Verkauf *m*: hard ~ aggressive Verkaufsmethoden *pl.* ~ **off,** ~ **out** *s* **1.** Ausverkauf *m.* **2.** *Am. sl.* Verrat *m.* '~-ˌ**plat·er** *s sport* ein bei e-m Verkaufsrennen laufendes Pferd. ~ **race** *s Rennsport*: Verkaufsrennen *n*.

'**sellˌout** *s sl.* **1.** Ausverkauf *m.* **2.** ausverkaufte Veranstaltung, volles Haus. **3.** Verrat *m.*

Selt·zer (wa·ter) ['seltsər] *s* Selters(wasser) *n*.

sel·vage, sel·vedge ['selvidʒ] *s Weberei*: Salband *n*, feste (Webe)Kante.

selves [selvz] *pl von* self.

se·man·teme [si'mæntiːm] *s ling.* Be'deutungseleˌment *n*.

se·man·tic [si'mæntik] *adj* (*adv* ~**ally**) *ling.* se'mantisch. **se'man·tics** *s pl* (*als sg konstruiert*) *ling.* Se'mantik *f*, (Wort)Bedeutungslehre *f*.

sem·a·phore ['seməˌfɔːr] **I** *s* **1.** *tech.* Sema'phor *n*: a) *bes. rail.* ('Flügel)Siˌgnalmast *m*, b) optischer Tele'graph. **2.** *mil.* (Flaggen)Winken *n*: ~ message Winkspruch *m.* **II** *v/t u. v/i* **3.** signali'sieren.

sem·blance ['sembləns] *s* **1.** äußere Gestalt, Form *f*, Erscheinung *f*: in the ~ of in Gestalt (*gen*). **2.** Ähnlichkeit *f* (to mit). **3.** (An)Schein *m*: the ~ of honesty; under the ~ of friendship unter dem Deckmantel der Freundschaft; without the ~ of an excuse ohne auch nur die Andeutung e-r Entschuldigung.

se·mé(e) [sə'mei] *adj her.* besät, bestreut (with, of mit).

se·mei·ol·o·gy [ˌsiːmai'ɒlədʒi] *s* Semi'otik *f*: a) *Lehre von den Zeichen*, b) *med.* ˌSymptomatolo'gie *f*. ˌ**se·mei'ot·ics** [-'ɒtiks] *s pl* (*als sg konstruiert*) → semeiology.

se·men ['siːmen] *s physiol.* Samen *m* (*a. bot. pharm.*), Sperma *n*.

se·mes·ter [si'mestər] *s* Se'mester *n*, Halbjahr *n*.

semi- [semi] *Wortelement mit der Bedeutung* halb..., Halb...

ˌ**sem·i'an·nu·al** *adj* halbjährlich.

ˌ**sem·iˌau·to'mat·ic I** *adj* 'halbautoˌmatisch. **II** *s* 'halbautoˌmatische Feuerwaffe.

'**sem·iˌbreve** *s mus.* ganze Note: ~ rest ganze Pause.

ˌ**sem·i·cen'ten·ni·al I** *s* Fünfzig'jahrfeier *f*. **II** *adj* fünfzigjährig.

'**sem·iˌcir·cle** *s* **1.** Halbkreis *m.* **2.** *math.* Winkelmesser *m*.

ˌ**sem·i'cir·cu·lar** *adj* halbkreisförmig: ~ canal *anat.* Bogengang *m* (*des inneren Ohrs*).

'**sem·iˌco·lon** *s* Semi'kolon *n*, Strichpunkt *m*.

ˌ**sem·i·con'duc·tor** *s electr.* Halbleiter *m*.

ˌ**sem·i'con·scious** *adj* nicht bei vollem Bewußtsein, halbbewußt.

ˌ**sem·i·de'tached** *adj* halb freistehend, (einseitig) angebaut: ~ houses alleinstehendes Doppelhaus.

ˌ**sem·i·di'am·e·ter** *s math.* Halbmesser *m*, Radius *m*.

ˌ**sem·i·doc·u'men·ta·ry** *s* Spielfilm *m* mit dokumen'tarischem 'Hintergrund.

'**sem·iˌdome** *s arch.* Halbkuppel *f*.

ˌ**sem·i'fi·nal** *sport* **I** *s* 'Halbfiˌnale *n*, Vorschlußrunde *f*. **II** *adj* Vorschlußrunden... ˌ**sem·i'fi·nal·ist** *s sport* Teilnehmer(in) am 'Halbfiˌnale.

ˌ**sem·i'fin·ished** *adj tech.* halbfertig: ~ product Halbfabrikat *n*.

ˌ**sem·i'flu·id I** *adj* halb-, zähflüssig. **II** *s* zähflüssige Masse.

ˌ**sem·i-'in·fi·nite** *adj math.* einseitig unendlich (*Größe*).

ˌ**sem·i-ˌman·u'fac·tured** → semifinished.

ˌ**sem·i·mo·no'coque** *s aer.* längsversteifter Schalenrumpf.

ˌ**sem·i'month·ly I** *adj u. adv* halbmonatlich. **II** *s* Halbmonatsschrift *f*.

sem·i·nal ['seminl; 'siː-] *adj* (*adv* ~**ly**) **1.** *biol. physiol.* Samen..., Sperma...: ~ duct Samengang *m*; ~ fluid Samenflüssigkeit *f*, Sperma *n*; ~ leaf *bot.* Keimblatt *n*; ~ power Zeugungsfähigkeit *f*. **2.** *fig.* zukunftsträchtig, grundlegend, schöpferisch, fruchtbar. **3.** *fig.* Entwicklungs..., noch unentwickelt: in the ~ state im Entwicklungsstadium.

sem·i·nar ['semiˌnɑːr; semi'nɑːr] *s univ.* Semi'nar *n*.

sem·i·nar·y ['seminəri] *s* **1.** (*relig.* 'Priester)Semiˌnar *n*, Bildungsanstalt *f*. **2.** *fig.* Schule *f*, Pflanzstätte *f*, *contp.* Brutstätte *f*.

sem·i·na·tion [ˌsemi'neiʃən] *s* (Aus)Säen *n*.

ˌ**sem·i-of'fi·cial** *adj* (*adv* ~**ly**) halbamtlich, offizi'ös.

se·mi·ol·o·gy [ˌsiːmi'ɒlədʒi], ˌ**se·mi'ot·ics** [-'ɒtiks] *s pl* (*als sg konstruiert*) → semeiology.

ˌ**sem·i'por·ce·lain** *s* 'Halbporzelˌlan *n*.

ˌ**sem·i'post·al** *s mail* Wohlfahrtsmarke *f*.

ˌ**sem·i'pre·cious** *adj* halbedel: ~ stone Halbedelstein *m*.

ˌ**sem·i'pri·vate** *adj* zweiter Klasse (*Krankenhauszimmer od. -bedienung*).

'**sem·iˌpro** [-ˌprou] *s sport colloq.* Halbprofi *m*.

'**sem·iˌqua·ver** *s mus. Br.* Sechzehntel(note *f*) *n*.

ˌ**sem·i'rig·id** *adj* halbstarr (*Luftschiff*).

ˌ**sem·i'skilled** *adj* angelernt: ~ worker.

'**sem·iˌsmile** *s* halbes Lächeln.

ˌ**sem·i'sol·id I** *adj* halbfest. **II** *s* halbfeste Sub'stanz.

'**sem·iˌsteel** *s tech.* **1.** Halbstahl *m.* **2.** *Am.* Puddelstahl *m*.

Sem·ite ['siːmait; 'sem-] **I** *s* Se'mit(in). **II** *adj* se'mitisch.

Se·mit·ic [si'mitik] **I** *adj* se'mitisch. **II** *s ling.* Se'mitisch *n*, das Semitische.

'**sem·iˌtone** *s mus.* Halbton *m*.

ˌ**sem·i'trail·er** *s tech.* Sattelschlepper(anhänger) *m*.

'**sem·iˌvow·el** *s* 'Halbvoˌkal *m*.

ˌ**sem·i'week·ly I** *adj u. adv* halbwöchentlich. **II** *s* halbwöchentlich erscheinende Veröffentlichung.

sem·o·li·na [ˌsemə'liːnə] *s* (Weizen)Grieß *m*, Grießmehl *n*.

sem·pi·ter·nal [ˌsempi'təːrnl] *adj* immerwährend, ewig.

semp·stress ['sem(p)stris] → seamstress.

sen [sen] *s* Sen *m* (*japanische Münze*).

sen·a·ry ['senəri; 'siː-] *adj* Sechser..., Sechs...

sen·ate ['senit] *s* **1.** Se'nat *m* (*a. univ.*). **2.** S~ *parl. Am.* Se'nat *m* (*Oberhaus*).

sen·a·tor ['senətər] *s* Se'nator *m*. ˌ**sen·a'to·ri·al** [-'tɔːriəl] *adj* (*adv* ~**ly**) **1.** sena'torisch, Senats... **2.** *pol. Am.* zur Wahl von Sena'toren berechtigt.

se·na·tus [se'neitəs] (*Lat.*) *s univ. Scot.* Se'nat *m*.

send¹ [send] **I** *v/t pret u. pp* **sent** [sent] **1.** *j-n* senden, schicken (to *dat*): to ~ s.o. to bed (to school, to prison) j-n ins Bett (auf e-e Schule, ins Gefängnis) schicken. **2.** *etwas, a. Grüße, Hilfe etc* senden, schicken, *Ware etc* (ver)senden, (-)schicken (to *dat od.* an *acc*): to ~ a letter; to ~ help. **3.** *den Ball, e-e Kugel etc* senden, jagen, schießen. **4.** *j-n* fortjagen, -schicken: → business 9, pack 35. **5.** (*mit adv od. pres p*) machen: to ~ s.o. mad j-n wahnsinnig machen; to ~ s.o. flying a) j-n verjagen, b) j-n zu Boden schleudern; to ~ s.o. reeling j-n taumeln machen *od.* lassen. **6.** (*von Gott, dem Schicksal etc*) a) senden, b) geben, gewähren, c) machen: God ~ it may not be so! gebe Gott, es möge nicht so sein! **7.** *e-n Blick etc* senden: to ~ a glance at s.o. j-m e-n Blick zuwerfen; → send forth. **8.** *electr.* senden, über'tragen. **9.** *sl. die Zuhörer etc* in Ek'stase versetzen, 'hinreißen, ‚fertigmachen': that ~s me! da bin ich ganz ‚weg' *od.* ‚fertig'. **II** *v/i* **10.** ~ for a) nach *j-m* schicken, *j-n* kommen lassen, *j-n* holen *od.* rufen (lassen), *j-n* zu sich bitten, b) sich *etwas* kommen lassen, *etwas* bestellen. **11.** Nachrichten senden *od.* geben (to s.o. j-m). **12.** *Rundfunk*: senden.

Verbindungen mit Adverbien:

send| aft·er *v/t* nachschicken, -senden. ~ **a·way** *v/t* **1.** fort-, wegschicken. **2.** entlassen. ~ **down** *v/t* **1.** hin'unterschicken. **2.** *univ. Br.* rele'gieren. **3.** *Boxen*: auf die Bretter schicken. **4.** *fig. die Preise, Temperatur etc* her'abdrücken. ~ **forth** *v/t* **1.** *j-n etc, a. Licht* aussenden, *Wärme etc* ausstrahlen. **2.** her'vorbringen, treiben: to ~ leaves. **3.** *e-n Laut etc* ausstoßen. **4.** veröffentlichen, verbreiten. ~ **in** *v/t* **1.** einsenden, -schicken, -reichen: to ~ an application; → name *Bes. Redew.* **2.** *sport e-n Ersatzmann* aufs Feld schicken. ~ **off** *v/t* **1.** absenden, abschicken. **2.** *j-n* aussenden. **3.** fort-, wegschicken. **4.** (herzlich) verabschieden, *j-m* (zum Abschied) das Geleit geben. **~ on** *v/t* vor'aus-, weitersenden. **~ out** *v/t* **1.** hin'ausschicken. **2.** → send forth 1 *u.* 2. **~ up** *v/t* **1.** hin'aufschicken, *a. den Ball etc* hin'aufsenden. **2.** in die Höhe treiben: to ~ the prices. **3.** *Am. sl.* ‚ins Kittchen stekken'.

send² [send] *s* **1.** *mar.* Triebkraft *f*, Druck *m* (*der Wellen*). **2.** *fig.* Im'puls *m*, Antrieb *m*.

sen·dal ['sendl] *s hist.* Zindeltaft *m*.

send·er ['sendər] *s* **1.** (Über)'Sender(in). **2.** Absender(in). **3.** a) *teleph.* Zahlengeber *m*, b) *tel.* Geber *m*.

'send-ˌoff *s colloq.* **1.** (herzliche) Verabschiedung, Abschied(sfeier *f*) *m*, Geleit(e) *n*. **2.** gute Wünsche *pl* zum Anfang, Ovati'on *f*. **3.** *fig.* a) Starthilfe *f*, b) Anstoß *m*, Im'puls *m*. **4.** *sport* 'Start(siˌgnal *n*) *m*.

Sen·e·gal·ese [ˌsenigə'li:z] **I** *adj* Senegal... **II** *s* Senegalneger(in).

se·nes·cence [si'nesns] *s* Altern *n*. **se'nes·cent** *adj* alternd.

sen·es·chal ['seniʃəl] *s hist.* Seneschall *m*, Major'domus *m*.

se·nile ['si:nail] *adj* **1.** se'nil: a) greisenhaft, altersschwach, b) blöd(e), kindisch. **2.** Alters...: ~ decay Altersschwäche *f*; ~ dementia *med.* Altersblödsinn *m*. **se·nil·i·ty** [si'niliti] *s* Senili'tät *f*.

sen·ior ['si:njər] **I** *adj* **1.** (*nachgestellt u. in England* sen., *in USA* Sr. *abgekürzt*) senior: Mr. John Smith sen. (*od.* Sr.) Herr John Smith sen. **2.** älter (to als): he is one year ~ to me. **3.** rang-, dienstälter, ranghöher, Ober...: a ~ man *Br.* ein höheres Semester (*Student*); ~ officer a) höherer Offizier, *mein etc* Vorgesetzter, b) Rangälteste(r) *m*; ~ lien *jur.* bevorrechtigtes Pfandrecht; ~ partner Hauptteilhaber *m*, Seniorchef *m*; the ~ service *Br.* die Kriegsmarine. **4.** *ped.* a) Ober...: the ~ classes, b) *Am.* im letzten Schuljahr (stehend): the ~ class die oberste Klasse. **5.** best(er, e, es), vor'züglich, reif: ~ classic *Br.* bester klassischer Philologe (*bei der honours-Prüfung an der Universität Cambridge*). **II** *s* **6.** Ältere(r *m*) *f*: he is my ~ by four years, he is four years my ~ er ist vier Jahre älter als ich. **7.** Älteste(r *m*) *f*. **8.** Rang-, Dienstältere(r *m*) *f*, Vorgesetzte(r *m*) *f*. **9.** *Br.* → senior fellow. **10.** *Am.* Stu'dent *m od.* Schüler *m* im letzten Studienjahr. **11.** Alte(r *m*) *f*, Greis(in). **~ fel·low** *s univ. Br.* rangältester Fellow. **~ high(·school)** *s Am. die obersten Klassen der auf die Elementarschule folgenden Schule* (*10. bis 12. Schuljahr*).

sen·ior·i·ty [si:n'jɒriti; -ni'ɒr-] *s* **1.** höheres Alter. **2.** höheres Dienstalter: to be promoted by ~ nach dem Dienstalter befördert werden. **3.** the ~ *Br.* die rangältesten Fellows *pl* (*e-s Colleges*).

sen·na ['senə] *s bot. pharm.* Sennesblätter *pl.*

sen·night, *a.* **se'n·night** ['senait] *s obs.* e-e Woche: Tuesday ~ Dienstag in e-r Woche.

sen·sate ['senseit] *adj* sinnlich (wahrgenommen).

sen·sa·tion [sen'seiʃən] *s* **1.** (Sinnes)Wahrnehmung *f*, (-)Empfindung *f*: ~ level Empfindungsschwelle *f*. **2.** Gefühl *n*: a pleasant ~; ~ of thirst Durstgefühl. **3.** Empfindungsvermögen *n*. **4.** (großer) Eindruck, Sensati'on *f*, Aufsehen *n*: to make (*od.* create) a ~ Aufsehen erregen, Sensation machen; he was the ~ of the day er war die Sensation des Tages. **5.** Sensati'on *f*, Über'raschung *f* (*Ereignis*). **6.** → sensationalism 2. **sen'sa·tion·al** *adj* (*adv* ~ly) **1.** sinnlich, Sinnes... **2.** sensatio'nell, Sensations...: a) aufsehenerregend, b) verblüffend, c) großartig, ‚toll', d) auf Efˌfekthasche'rei bedacht: a ~ writer. **3.** *philos.* sensua'listisch. **sen'sa·tion·alˌism** *s* **1.** Sensati'onsgier *f*, -lust *f*. **2.** ‚Sensati'onsmache' *f*. **3.** *philos.* Sensua'lismus *m*. **sen'sa·tion·al·ist I** *s* **1.** Sensati'onsschriftsteller(in), -redner(in), Ef'fekthascher(in). **2.** *philos.* Anhänger *m* des Sensua'lismus. **II** *adj* → sensational 1 d.

sense [sens] **I** *s* **1.** Sinn *m*, 'Sinnesorˌgan *n*: ~ of hearing (sight, smell, taste, touch) Gehör-(Gesichts-, Geruchs-, Geschmacks-, Tast)sinn; → sixth 1. **2.** *pl* Sinne *pl*, (klarer) Verstand: in (out of) one's ~s bei (von) Sinnen; to lose (*od.* take leave of) one's ~s den Verstand verlieren; to bring s.o. to his (*od.* her) ~s j-n wieder zur Besinnung bringen; to recover one's ~s wieder zur Besinnung kommen. **3.** *fig.* Vernunft *f*, Verstand *m*: a man of ~ ein vernünftiger *od.* kluger Mensch; common (*od.* good) ~ gesunder Menschenverstand; to have the ~ to do s.th. so klug sein, etwas zu tun. **4.** Sinne *pl*, Empfindungsvermögen *n*. **5.** Gefühl *n*: a) Empfindung *f* (of für): ~ of pain Schmerzgefühl; ~ of security Gefühl der Sicherheit, b) Ahnung *f*, unbestimmtes Gefühl. **6.** Sinn *m*, Gefühl *n* (of für): ~ of beauty Schönheitssinn; ~ of duty Pflichtgefühl; a keen ~ of justice ein ausgeprägter Gerechtigkeitssinn; ~ of humo(u)r (Sinn für) Humor *m*; ~ of locality Ortssinn; ~ of responsibility Verantwortungsgefühl, -bewußtsein *n*. **7.** Sinn *m*, Bedeutung *f*: figurative (literal, *etc*) ~; in every ~ in jeder Hinsicht; in a ~ in gewissem Sinne. **8.** Sinn *m*, (*etwas*) Vernünftiges: what is the ~ of doing this? was hat es für e-n Sinn, das zu tun?; it makes ~ es hat Hand u. Fuß, es klingt plausibel; it does not make ~ es hat keinen Sinn; to talk ~ vernünftig reden. **9.** (*bes.* allgemeine) Ansicht, Meinung *f*, Auffassung *f*: to take the ~ of the meeting die Meinung der Versammlung einholen. **10.** *math.* Richtung *f*: ~ of rotation Drehsinn *m*. **11.** *Funkpeilung*: (Peil)Seite *f*. **II** *v/t* **12.** empfinden, fühlen, spüren, ahnen. **13.** *Computer etc*: abtasten, abfühlen. **14.** *Am. colloq.* ‚ka'pieren', begreifen.

'sense|-ˌcen·ter, *bes. Br.* **'~-ˌcen·tre** *s biol.* Sinneszentrum *n*. **~ da·tum** *s irr psych.* Sinneseindruck *m*. **~ group** *s ling.* Sinngruppe *f* (*beim Sprechen*).

sense·less ['senslis] *adj* (*adv* ~ly) **1.** gefühllos, unempfindlich. **2.** bewußt-, besinnungslos. **3.** unvernünftig, dumm, verrückt (*Person*). **4.** sinnlos, unsinnig (*Sache*). **'sense·less·ness** *s* **1.** Unempfindlichkeit *f*. **2.** Bewußtlosigkeit *f*. **3.** Unvernunft *f*. **4.** Sinnlosigkeit *f*.

sense or·gan *s* 'Sinnesorˌgan *n*, -werkzeug *n*.

sen·si·bil·i·ty [ˌsensi'biliti] *s* **1.** Sensibili'tät *f*, Gefühl *n*, Empfindungsvermögen *n*. **2.** *phys. etc* Empfindlichkeit *f*: ~ to light Lichtempfindlichkeit. **3.** *fig.* Empfänglichkeit *f* (to für). **4.** *oft pl* Gefühl *n*, Empfinden *n* (to für). **5.** *sg od. pl* Sensibili'tät *f*, ('Über)Empfindlichkeit *f*, Empfindsamkeit *f*. **6.** *a. pl* Fein-, Zartgefühl *n*.

sen·si·ble ['sensəbl] *adj* (*adv* → sensibly) **1.** vernünftig (*Person od. Sache*). **2.** spür-, fühlbar, merklich. **3.** bei Bewußtsein. **4.** bewußt (of *gen*): to be ~ of s.th. a) sich e-r Sache bewußt sein, b) etwas empfinden. **5.** a) empfänglich (to für), b) empfindlich (to gegen). **'sen·si·ble·ness** *s* Vernünftigkeit *f*, Klugheit *f*. **'sen·si·bly** *adv* **1.** vernünftig (*etc*, → sensible). **2.** vernünftigerweise.

sens·ing ['sensiŋ] *s* **1.** *Computer etc*: Abtasten *n*, Abfühlen *n*: ~ element (Meß)Fühler *m*; ~ head Abtastkopf *m*. **2.** *Funkpeilung*: Seitenanzeige *f*.

sens·ism ['sensizəm] *s philos.* Sensua'lismus *m*.

sen·si·tive ['sensitiv] **I** *adj* (*adv* ~ly) **1.** fühlend: ~ creature. **2.** Empfindungs...: ~ nerves. **3.** sensi'tiv, ('über)empfindlich (to gegen). **4.** sen'sibel, empfindsam, feinfühlig. **5.** veränderlich, schwankend: ~ market *econ.* schwankender Markt. **6.** *fig.* a) empfindlich, b) *bes. mil.* gefährdet, expo'niert: ~ spot empfindliche Stelle, neuralgischer Punkt; a ~ subject ein heikles Thema. **7.** *bes. biol. chem.* empfindlich, rea'gibel (to auf *acc*): ~ fern *bot.* Perlfarn *m*; ~ plant Sinnpflanze *f*. **8.** *electr. phys. tech.* empfindlich: a ~ instrument; ~ to shock stoßempfindlich. **9.** *phot.* lichtempfindlich. **10.** *physiol.* sen'sorisch, Sinnes... **II** *s* **11.** sensi'tiver *od.* sen'sibler Mensch. **12.** *psych.* gutes Medium. **'sen·si·tive·ness** → sensitivity.

sen·si·tiv·i·ty [ˌsensi'tiviti] *s* **1.** Sensibili'tät *f* (to für): a) Empfindlichkeit *f* (*a. electr. etc*), b) *med. psych.* (Grad *m* der) Reakti'onsfähigkeit *f*. **2.** Empfindlichkeit *f* (to gegen): ~ to light *phys.* Lichtempfindlichkeit. **3.** Sensitivi'tät *f*, Feingefühl *n*.

sen·si·ti·za·tion [ˌsensitai'zeiʃən; -ti'z-] *s med., phot.* Sensibili'sierung *f*. **'sen·siˌtize** *v/t* sensibili'sieren, (*phot.* licht)empfindlich machen: ~d (*phot.* licht)empfindlich. **'sen·siˌtiz·er** *s phot.* Sensibili'sator *m*.

sen·si·tom·e·ter [ˌsensi'tɒmitər] *s opt. phot.* Sensito'meter *n*, Lichtempfindlichkeitsmesser *m*.

sen·sor ['sensər] *s electr. tech.* (Meß)Fühler *m*.

sen·so·ri·al [sen'sɔ:riəl] → sensory.

sen·so·ri·mo·tor [ˌsensəri'moutər] *adj physiol.* sen'sorisch-mo'torisch.

sen·so·ri·um [sen'sɔ:riəm] *pl* **-ri·ums, -ri·a** [-riə] *s med. psych.* **1.** Sen'sorium *n*, 'Sinnesappaˌrat *m*. **2.** Bewußtsein *n*, Sitz *m* des Empfindungsvermögens.

sen·so·ry ['sensəri] *adj* sen'sorisch, Sinnes...

sen·su·al ['senʃuəl; *Br. a.* -sju-] *adj* (*adv* ~ly) **1.** sinnlich, Sinnes... **2.** sinnlich, wollüstig, *bes. Bibl.* fleischlich. **3.** *philos.* sensua'listisch. **'sen·su·alˌism** *s* **1.** Sinnlichkeit *f*, Lüsternheit *f*. **2.** *philos.* a) Sensua'lismus *m*, b) *Ethik*: Hedo'nismus *m*. **'sen·su·al·ist** *s* **1.** sinnlicher Mensch. **2.** *philos.* Sensua'list *m*. **ˌsen·su'al·i·ty** [-'æliti] *s* Sinnlichkeit *f*. **'sen·su·alˌize** *v/t* **1.** *j-n* sinnlich machen. **2.** versinnlichen.

sen·su·ous ['senʃuəs; *Br. a.* -sju-] *adj* (*adv* ~ly) sinnlich: a) Sinnes..., b) sinnenfroh. **'sen·su·ous·ness** *s* Sinnlichkeit *f*.

sent [sent] *pret u. pp von* send¹.

sen·tence ['sentəns] **I** *s* **1.** *ling.* Satz(verbindung *f*) *m*: complex ~ Satzgefüge *n*; ~ stress Satzbetonung *f*. **2.** *jur.* a) (*bes.* Straf)Urteil *n*: to pass ~ (up)on das (*fig.* ein) Urteil fällen über (*acc*), verurteilen (*a. fig.*); under ~ of death zum Tode verurteilt, b) Strafe *f*: to serve a ~ of imprisonment e-e Freiheitsstrafe verbüßen *od.* absitzen. **3.** *obs.* Sen'tenz *f*, Aus-, Sinnspruch *m*. **II** *v/t* **4.** *jur. u. fig.* verurteilen (to zu).

sen·ten·tious [sen'tenʃəs] *adj* (*adv* ~ly) **1.** sententi'ös, prä'gnant, kernig. **2.** spruchreich, lehrhaft. **3.** *contp.* aufgeblasen, salbungsvoll, phrasenhaft. **sen'ten·tious·ness** *s* **1.** Prä'gnanz *f*. **2.** Spruchreichtum *m*, Lehrhaftigkeit *f*. **3.** *contp.* salbungsvolle Art, ˌGroßspreche'rei *f*.

sen·ti·ence ['senʃəns; -ʃiəns], *a.* **'sen·ti·en·cy** [-si] *s* **1.** Empfindung *f*. **2.** Empfindungsvermögen *n*. **'sen·tient** *adj* (*adv* ~ly) **1.** empfindungsfähig. **2.** fühlend.

sen·ti·ment ['sentimənt] *s* **1.** (seelische) Empfindung, (Gefühls)Regung *f*, Gefühl *n* (towards s.o. j-m gegenüber). **2.** *pl* Meinung *f*, Gedanken *pl*, (Geistes)Haltung *f*: noble ~s edle Gesinnung; you express my ~s exactly Sie sprechen mir aus der Seele; them's my ~s *humor.* (so) denke ich. **3.** (Zart-, Fein)Gefühl *n*, Innigkeit *f* (*a. in der Kunst*). **4.** *contp.* ˌSentimentali'tät *f*.

sen·ti·men·tal [ˌsenti'mentl] *adj* (*adv* ~ly) **1.** sentimen'tal: a) gefühlvoll, empfindsam: a ~ song; "A S~ Journey" „Yoricks empfindsame Reise" (*Buch von Laurence Sterne, 1768*), b) *contp.* rührselig, gefühlsduselig: a ~ schoolgirl. **2.** gefühlsmäßig, Gefühls...: for ~ reasons aus emotionellen Gründen; ~ value Liebhaberwert *m*. **ˌsen·ti'men·talˌism** [-təˌlizəm] *s* **1.** ˌSentimentali'tät *f*, Empfindsamkeit *f*. **2.** → sentimentality. **ˌsen·ti'men·tal·ist** *s* Sentimen'tale(r *m*) *f*, Gefühlsmensch *m*. **ˌsen·ti·men'tal·i·ty** [-'tæliti] *s* ˌSentimentali'tät *f*, Geˌfühlsduse'lei *f*, Rührseligkeit *f*. **ˌsen·ti'men·talˌize I** *v/t* sentimen'tal machen *od.* gestalten. **II** *v/i* in Gefühlen schwelgen, sentimen'tal werden (about, over bei, über *dat*).

sen·ti·nel ['sentinl] *s* **1.** Wächter *m*. **2.** *mil.* → sentry 2: to stand ~ Wache stehen; to stand ~ over bewachen. **3.** *Computer*: 'Trennsymˌbol *n*.

sen·try ['sentri] *s* **1.** → sentinel 1. **2.** *mil.* (Wach)Posten *m*, (Schild)Wache *f*: to stand ~ Wache *od.* Posten stehen. **~ box** *s mil.* Schilderhaus *n*. **~ go** *s* Wachdienst *m*.

se·pal [*Br.* 'sepəl; *Am.* 'siː-] *s bot.* Kelchblatt *n*.

sep·a·ra·bil·i·ty [ˌsepərə'biliti] *s* Trennbarkeit *f*. **'sep·a·ra·ble** *adj* (*adv* separably) (ab)trennbar, (ab)lösbar.

sep·a·rate I *v/t* ['sepəˌreit] **1.** trennen (from von): a) (ab)sondern, (ab-, aus)scheiden, b) *Freunde, a. Kämpfende etc* ausein'anderbringen, -reißen, c) unter'scheiden zwischen, d) *jur.* (ehelich) trennen: to ~ church and state; to ~ friends; ~d from his wife. **2.** spalten, auf-, zerteilen (into in *acc*). **3.** *chem. tech.* a) scheiden, trennen, (ab)spalten, b) sor'tieren, c) aufbereiten. **4.** *Milch* zentrifu'gieren, *Sahne* absetzen lassen. **5.** *mil. Am.* entlassen. **II** *v/i* **6.** sich trennen, scheiden (from von), ausein'andergehen. **7.** (from) sich lösen *od.* trennen (von), ausscheiden (aus). **8.** *chem. tech.* sich absondern. **9.** *jur.* sich (ehelich) trennen. **III** *adj* [-prit; -pərit] (*adv* ~ly) **10.** getrennt, (ab)gesondert, besonder(er, e, es), sepa'rat, Separat...: ~ account *econ.* Sonder-, Separatkonto *n*; ~ estate *jur.* eingebrachtes Sondergut (*der Ehefrau*); ~ maintenance *jur.* Alimente *pl* (*der getrennt lebenden Ehefrau*). **11.** einzeln, gesondert, getrennt, Einzel...: two ~ questions zwei Einzelfragen, zwei gesondert zu behandelnde Fragen; the ~ members of the body die einzelnen Glieder des Körpers; ~ rooms getrennte Zimmer, Einzelzimmer. **12.** einzeln, iso'liert: ~ confinement *jur.* Einzelhaft *f*. **IV** *s* [-prit; -pərit] **13.** (*der, die, das*) einzelne *od.* Getrennte. **14.** *print.* Sonder(ab)druck *m*. **15.** *pl* zweiteiliges Kleid (*aus Rock u. Pullover etc*). **'sep·a·rate·ness** *s* **1.** Getrenntheit *f*, Iso'liertheit *f*. **2.** Besonderheit *f*, Abgeschiedenheit *f*. **'sep·aˌrat·ing** *adj* Trenn..., Scheide...

sep·a·ra·tion [ˌsepə'reiʃən] *s* **1.** Trennung *f*, Absonderung *f*: ~ of powers *pol.* Trennung der Gewalten. **2.** Trennung *f*, Getrenntsein *n*. **3.** Trennungspunkt *m*, -linie *f*. **4.** *jur.* (eheliche) Trennung: judicial ~ (gerichtliche) Aufhebung der ehelichen Gemeinschaft; ~ from bed and board Trennung von Tisch u. Bett. **5.** *chem. tech.* a) Abscheidung *f*, Spaltung *f*, b) Klas'sierung *f* (*von Erzen*). **6.** *mil. Am.* Entlassung *f*. **~ al·low·ance** *s* Trennungszulage *f*.

sep·a·ra·tism ['sepərəˌtizəm] *s pol.* Separa'tismus *m*. **'sep·a·ra·tist I** *s* **1.** *pol.* Separa'tist(in), Sonderbündler(in). **2.** *relig.* Sek'tierer(in). **II** *adj* **3.** separa'tistisch. **'sep·a·ra·tive** *adj* trennend, Trennungs... **'sep·aˌra·tor** [-ˌreitər] *s* **1.** Trennende(r) *m*, Scheidende(r) *m*. **2.** *tech.* a) (Ab)Scheider *m*, b) (*bes.* 'Milch)Zentriˌfuge *f*, Trennschleuder *f*, c) *a.* ~ stage (*Radio*) Trennstufe *f*. **3.** *bes. med.* Spreizvorrichtung *f*.

Se·phar·di [si'fɑːrdiː] *s* Westjude *m*. **Se'phar·dim** [-dim] *s pl* Se'phardim *pl*, Westjuden *pl*.

se·pi·a ['siːpiə; -pjə] *pl* **-as, -ae** [-ˌiː] *s* **1.** *zo.* Sepia *f*, Gemeiner Tintenfisch. **2.** Sepia *f*: a) *Sekret des Tintenfischs*, b) *Farbstoff*. **3.** *paint.* a) Sepia *f* (*Farbe*), b) Sepiazeichnung *f*. **4.** *phot.* Sepiadruck *m*.

se·poy ['siːpɔi] *s Br. Ind.* Sepoy *m* (*indischer Soldat in europäischen Diensten*).

seps [seps] *s zo.* (*ein*) Skink *m* (*Eidechse*).

sep·sis ['sepsis] *s* Sepsis *f* (*Blutvergiftung*).

sept [sept] *s* Stamm *m*, Sippe *f* (*bes. in Irland*).

sep·ta ['septə] *pl von* septum.

sep·tan·gle ['sepˌtæŋgl] *s math.* Siebeneck *n*. **sep'tan·gu·lar** [-gjulər] *adj math.* siebeneckig.

sep·tate ['septeit] *adj* **1.** *anat. bot. zo.* durch e-e Scheidewand abgeteilt. **2.** *phys. tech.* durch e-e os'motische Mem'brane *od.* e-e Schallwand abgeteilt: ~ wave guide *electr.* Längssteg-Hohlleiter *m*.

Sep·tem·ber [sep'tembər] *s* Sep'tember *m*: in ~ im September.

sep·tem·i·a [sep'tiːmiə] → septic(a)emia.

sep·tem·par·tite [ˌseptem'pɑːrtait] *adj* siebenteilig.

sep·te·nar·y ['septiˌneri; *Br. a.* -nəri] **I** *adj* **1.** aus sieben bestehend, sieben. **2.** wöchentlich. **3.** → septennial. **II** *s* **4.** Gruppe *f* von sieben (*Dingen etc*). **5.** sieben Jahre *pl*. **6.** Siebenzahl *f*.

sep·ten·de·cil·lion [ˌseptendi'siljən] *s math.* Nonilli'on *f*.

sep·ten·nate [sep'tenit; -eit] *s* Zeitraum *m* von sieben Jahren. **sep'ten·ni·al** [-iəl] *adj* **1.** alle sieben Jahre ('wiederkehrend *od.* sich ereignend), siebenjährlich: ~ elections. **2.** sieben Jahre dauernd, siebenjährig.

sep·ten·tri·o·nal [sep'tentriənl] *adj* nördlich, Nord...

sep·tet(te) [sep'tet] *s* **1.** *mus.* Sep'tett *n*. **2.** → septenary 4.

sep·tic ['septik] **I** *adj* (*adv* ~ally) **1.** a) *med.* septisch, infi'ziert, b) faulend: a ~ finger ein vereiterter Finger; ~ sore throat septische Angina. **2.** fäulniserregend: ~ tank Faulbehälter *m*. **3.** *fig.* faul, verrottet. **4.** *sl.* ekelhaft. **II** *s* **5.** Fäulniserreger *m*.

sep·ti·c(a)e·mi·a [ˌsepti'siːmiə] *s med.* Blutvergiftung *f*, Sepsis *f*.

sep·ti·lat·er·al [ˌsepti'lætərəl] *adj* siebenseitig.

sep·til·lion [sep'tiljən] *s math.* Septilli'on *f* (*in USA 10^{24}, in England u. Deutschland 10^{42}*).

sep·ti·mal ['septiməl] *adj* auf die Zahl Sieben gegründet, Sieben(er)...

sep·ti·va·lent [ˌsepti'veilənt] *adj chem.* siebenwertig.

sep·tu·a·ge·nar·i·an [*Br.* ˌseptjuədʒi'nɛ(ə)riən; *Am.* -tʃuədʒə-] **I** *s* Siebzigjährige(r *m*) *f*, Siebziger(in). **II** *adj* siebzigjährig. **ˌsep·tu·ag·e·nar·y** [*Br.* -ə'dʒiːnəri; *Am.* -'ædʒəˌneri] **I** *adj* **1.** aus siebzig ... bestehend, siebzigteilig. **2.** → septuagenarian II. **II** *s* → septuagenarian I.

Sep·tu·a·ges·i·ma (Sun·day) [*Br.* ˌseptjuə'dʒesimə; *Am.* -tʃu-] *s* (Sonntag *m*) Septua'gesima *f* (*9. Sonntag vor Ostern*).

Sep·tu·a·gint [*Br.* 'septjuədʒint; *Am.* -tʃu-] *s* Septua'ginta *f* (*Übersetzung des Alten Testaments ins Griechische*).

sep·tum ['septəm] *pl* **-ta** [-tə] *s* **1.** *anat. bot.* (Scheide)Wand *f*, Septum *n*. **2.** *phys.* os'motische Mem'brane, *a.* Schallwand *f*.

sep·tu·ple ['septjupl] **I** *adj* **1.** siebenfach. **2.** *mus.* siebenteilig (*Takt*). **II** *s* **3.** (*das*) Siebenfache. **III** *v/t* **4.** versiebenfachen.

sep·ul·cher, *bes. Br.* **sep·ul·chre** ['sepəlkər] **I** *s* **1.** Grab(stätte *f*, -mal) *n*. **2.** *R.C.* a) *a.* Easter ~ Ostergrab *n*, b) Re'liquienschrein *m*. **II** *v/t* **3.** begraben (*a. fig.*), bestatten. **se·pul·chral** [si'pʌlkrəl] *adj* (*adv* ~ly) **1.** Grab..., Begräbnis... **2.** *fig.* düster, Grabes...: ~ voice Grabesstimme *f*. **'sep·ul·chre** *bes. Br. für* sepulcher.

sep·ul·ture ['sepəltʃər] *s* (Toten)Bestattung *f*.

se·qua·cious [si'kweiʃəs] *adj* **1.** gefügig, folgsam. **2.** folgerichtig.

se·quel ['siːkwəl] *s* **1.** (Aufein'ander)Folge *f*: in the ~ in der Folge. **2.** a) Folge(erscheinung) *f*, Konse'quenz *f*, (Aus)Wirkung *f*, b) *fig.* Nachspiel *n* (to auf *acc*): a judicial ~. **3.** (Ro'man- *etc*)Fortsetzung *f*, (*a.* Hörspiel)Folge *f*.

se·que·la [si'kwiːlə] *pl* **-lae** [-liː] (*Lat.*) *s med.* Folge(zustand *m*, -erscheinung) *f*.

se·quence ['siːkwəns] *s* **1.** (Aufein'ander)Folge *f*: ~ of tenses *ling.* Zeitenfolge; ~ counter (*Computer*) Programmschritt-Zähler *m*; ~ switch Folgeschalter *m*. **2.** (Reihen)Folge *f*: in ~ der Reihe nach. **3.** Folge *f*, Reihe *f*, Serie *f*. **4.** → sequel 2. **5.** Folgerichtigkeit *f*. **6.** Se'quenz *f*: a) *mus. Motivversetzung*, b) *R.C. liturgisches Chorlied nach dem Graduale*, c) *Kartenspiel*: Folge *f* (*von 3 od. mehr Karten der gleichen Farbe*). **7.** *Film*: Szene(nfolge) *f*. **8.** *fig.* Vorgang *m*, Epi'sode *f*.

se·quent ['siːkwənt] **I** *adj* **1.** (aufein'ander)folgend. **2.** logisch folgend, konse'quent. **II** *s* **3.** (*zeitliche od. logische*) Folge. **se'quen·tial** [-ʃəl] *adj* (*adv* ~**ly**) **1.** (*regelmäßig*) (aufein'ander)folgend: ~ control (*Computer*) Folgesteuerung *f*; ~ scanning *TV* fortlaufende Bildabtastung. **2.** folgend (to auf *acc*). **3.** folgerichtig, konse'quent.

se·ques·ter [si'kwestər] *v/t* **1.** (o.s. sich) absondern (from von). **2.** *jur.* beschlagnahmen: a) unter Treuhänderschaft stellen, b) konfis'zieren. **se'ques·tered** *adj* einsam, weltabgeschieden, zu'rückgezogen.

se·ques·trate [si'kwestreit] → sequester 2. **se·ques·tra·tion** [ˌsi:kwes'treiʃən] *s* **1.** Absonderung *f*, Ausschluß *m* (from von, *relig.* aus *der Kirche*). **2.** Zu'rückgezogenheit *f*. **3.** *jur.* Beschlagnahme *f*: a) Zwangsverwaltung *f*, b) Einziehung *f*.

se·ques·tra·tor ['si:kwesˌtreitər] *s jur.* Zwangsverwalter *m*.

se·ques·trum [si'kwestrəm] *pl* **-tra** [-trə] *s med.* Se'quester *m* (*abgestorbenes u. losgelöstes Gewebe-, bes. Knochenstück*).

se·quin ['si:kwin] *s* **1.** *hist.* Ze'chine *f*. **2.** Ziermünze *f*.

se·quoi·a [si'kwɔiə] *s* Mammutbaum *m*.

ser [sir] *s* Seer *n*, Sihr *n* (*ostindisches Handelsgewicht*).

sé·rac [se'rak] (*Fr.*) *s* Eiszacke *f* (*an Gletschern*).

se·ragl·io [si'rɑ:ljou; -'ræl-] *s* Se'rail *n*.

se·ra·i [se'rɑ:i; -'rai] *s* Karawanse'rei *f*.

se·ra·pe [se'rɑ:pe] *s* (*oft bunter*) 'Umhang (*von Spanisch-Amerikanern*).

ser·aph ['serəf] *pl* **'ser·aphs, 'ser·a·phim** [-fim] *s* Seraph *m* (*Engel*). **se·raph·ic** [si'ræfik] *adj* (*adv* ~**ally**) se'raphisch, engelhaft, Engels..., verzückt.

Serb [sə:rb], **'Ser·bi·an I** *adj* **1.** serbisch. **II 2.** Serbe *m*, Serbin *f*. **3.** *ling.* Serbisch *n*, das Serbische.

Ser·bo-Cro·a·tian [ˌsə:rbokro'eiʃən] **I** *s* **1.** Serbokro'ate *m*, -kro'atin *f*. **2.** *ling.* Serbokro'atisch *n*, das Serbokroatische. **II** *adj* **3.** serbokro'atisch.

Ser·bo·ni·an bog [sər'bouniən] *s* **1.** ser'bonischer Sumpf (*im alten Ägypten*). **2.** *fig.* ausweglose Lage.

sere[1] [sir] *bes. Br. für* sear[1] IV.

sere[2] [sir] *s* Abzugsstollen *m* (*am Schloß e-r Feuerwaffe*).

sere[3] [sir] *s Ökologie*: Sukzessi'onsfolge *f*.

se·rein [sə'rɛ̃] (*Fr.*) *s* feiner Regen aus wolkenlosem Himmel.

ser·e·nade [ˌseri'neid] *mus.* **I** *s* **1.** Sere'nade *f*, Ständchen *n*, 'Nachtmuˌsik *f*. **2.** Sere'nade *f* (*vokale od. instrumentale Abendmusik*). **II** *v/i u. v/t* (*j-m*) ein Ständchen bringen. ˌ**ser·e'nad·er** *s* j-d, der ein Ständchen bringt.

ser·e·na·ta [ˌseri'nɑ:tə] → serenade 2.

se·rene [sə'ri:n; si-] **I** *adj* (*adv* ~**ly**) **1.** heiter, klar (*Himmel, Wetter etc*), ruhig (*See etc*), friedlich (*Alter, Natur etc*): all ~ *sl.* alles klar, alles in Ordnung. **2.** heiter, gelassen (*Person, Gemüt etc*). **3.** S~ durch'lauchtig: His S~ Highness Seine Durchlaucht. **II** *s* **4.** ruhig-heitere Fläche (*der See etc*). **5.** *poet.* Heiterkeit *f* (*des Himmels etc*). **III** *v/t* **6.** *poet.* aufhellen, -heitern. **se'ren·i·ty** [-'reniti] *s* **1.** Heiterkeit *f*, Klarheit *f*. **2.** heitere (Gemüts)Ruhe, (heitere) Gelassenheit. **3.** S~ 'Durchlaucht *f* (*als Titel*): Your S~ Eure Durchlaucht.

serf [sə:rf] *s* **1.** Leibeigene(r *m*) *f*. **2.** *obs. od. fig.* Sklave *m*, Sklavin *f*. **'serf·age, 'serf·dom** *s* **1.** Leibeigenschaft *f*. **2.** *fig.* Sklave'rei *f*.

serge [sə:rdʒ] *s* Serge *f* (*ein Futterstoff*).

ser·geant ['sɑ:rdʒənt] *s* **1.** *mil.* a) Feldwebel *m*, b) (*Artillerie- u. Kavallerie*) Wachtmeister *m*: ~ first class *Am.* Oberfeldwebel; first ~ Hauptfeldwebel. **2.** Poli'zeiserˌgeant *m*. **3.** *Br. a.* serjeant a) Gerichtsdiener *m*, b) → sergeant at arms, c) *a.* ~-at-law *jur. hist. Br.* höherer Barrister (des Gemeinen Rechts), Ju'stizrat *m*. **4.** *hist. Br.* Lehnsmann *m*. ~ **at arms** *pl* **sergeants at arms** *s* Ordnungsbeamte(r) *m* (*in beiden Häusern der brit. u. USA-Legislativen*). ~ **ma·jor** *s mil.* Hauptfeldwebel *m*.

se·ri·al ['si(ə)riəl] **I** *s* **1.** in Fortsetzungen *od.* regelmäßiger Folge erscheinende Veröffentlichung, *bes.* 'Fortsetzungsroˌman *m*. **2.** (Veröffentlichungs)Reihe *f*, Serie *f*, peri'odisch erscheinende Zeitschrift, Serien-, Lieferungswerk *n*. **3.** a) Sendereihe *f*, b) (Hörspiel-, Fernseh)Folge *f*, Serie *f*, c) Film *m* in Fortsetzungen. **II** *adj* **4.** Serien..., Fortsetzungs...: ~ story Fortsetzungsgeschichte *f*; ~ rights Copyright *n* e-s Fortsetzungsromans. **5.** serienmäßig, Reihen..., Serien...: ~ manufacture; ~ digital computer *tech.* Serienrechner *m*; ~ number a) laufende Nummer, b) *econ.* Fabrikationsnummer *f*; ~ photograph Reihenbild *n*. **6.** *mus.* Zwölfton...

se·ri·al·i·za·tion [ˌsi(ə)riəlai'zeiʃən; -li'z-] *s* Veröffentlichung *f* in Fortsetzungen, peri'odische Veröffentlichung. **'se·ri·alˌize** *v/t* **1.** peri'odisch *od.* in Fortsetzungen veröffentlichen. **2.** reihenweise anordnen.

se·ri·ate I *adj* ['si(ə)riit; -ˌeit] → serial 4. **II** *v/t* [-ˌeit] reihenweise anordnen.

se·ri·a·tim [ˌsi(ə)ri'eitim] (*Lat.*) *adv* der Reihe nach.

se·ri·a·tion [ˌsi(ə)ri'eiʃən] *s* reihenweise Anordnung.

Ser·ic ['serik] *adj poet.* chi'nesisch.

se·ri·ceous [si'riʃəs] *adj* **1.** Seiden... **2.** seidig. **3.** *bot. zo.* seidenhaarig.

ser·i·cul·ture ['seriˌkʌltʃər] *s* Seidenraupenzucht *f*.

se·ries ['si(ə)ri:z; -riz] *s* **1.** Serie *f*, Reihe *f*, Folge *f*, Kette *f*: a ~ of events; a ~ of concerts e-e Konzertreihe; in ~ der Reihe nach (→ 4 *u.* 5). **2.** (Ar'tikel-, Buch- *etc*)Serie *f*, (-)Reihe *f*. **3.** *math.* Reihe *f*. **4.** *tech.* Serie *f*, Baureihe *f*: ~ production Reihen-, Serienbau *m*; in ~ serienmäßig. **5.** *a.* ~ connection *electr.* Serien-, Reihenschaltung *f*: ~ motor Reihen(schluß)motor *m*; ~ parallel circuit Reihenparallelschaltung *f*; ~-wound Reihenschluß...; (connected) in ~ in Reihe geschaltet. **6.** *chem.* homo'loge Reihe. **7.** *geol.* Schichtfolge *f*. **8.** *zo.* Ab'teilung *f*. **9.** (*Briefmarken- etc*)Serie *f*. **10.** *ling.* Reihe *f* von gleichgeordneten Satzteilen.

ser·if ['serif] *s print.* Haarstrich *m*.

ser·i·graph ['seriˌgræ(:)f; *Br. a.* -ˌgrɑ:f] *s print.* Serigra'phie *f*, (Seiden)Siebdruck *m*. **se·rig·ra·phy** [si'rigrəfi] *s* Serigra'phie *f* (*Farbendruckverfahren*).

ser·in ['serin] *s orn.* wilder Ka'narienvogel.

se·rin·ga [sə'riŋgə; si-] *s bot.* Kautschukbaum *m*.

se·ri·o·com·ic [ˌsi(ə)rio'kɒmik] *adj* (*adv* ~**ally**) ernst-komisch.

se·ri·ous ['si(ə)riəs] *adj* **1.** ernst(haft): a) feierlich, b) von ernstem Cha'rakter, seri'ös, c) schwerwiegend, bedeutend: ~ artist ernsthafter Künstler; ~ dress seriöse Kleidung; ~ face ernstes Gesicht; ~ music ernste Musik; ~ problem ernstes Problem. **2.** ernst(haft, -lich), ernstgemeint: ~ offer; ~ attempt ernsthafter Versuch; ~ studies ernsthaftes Studium; are you ~? meinst du das im Ernst? **3.** ernst zu nehmen(d), ernstlich, gefährlich, bedenklich: ~ illness; a ~ rival ein ernstzunehmender Gegner. **'se·ri·ous·ly** *adv* ernst(lich, -haft), im Ernst: ~ ill ernstlich krank; ~ wounded schwer verwundet; now, ~! im Ernst! **'se·ri·ous-ˌmind·ed** → serious 1 b.

se·ri·ous·ness ['si(ə)riəsnis] *s* **1.** Ernst *m*, Ernsthaftigkeit *f*. **2.** Wichtigkeit *f*, Bedeutung *f*.

ser·jeant ['sɑ:rdʒənt] *s jur.* **1.** *bes. Br. für* sergeant 3. **2.** Common S~ *Br.* Stadtsyndikus *m* (*in London*).

ser·mon ['sə:rmən] **I** *s* **1.** *relig.* Predigt *f*: S~ on the Mount *Bibl.* Bergpredigt. **2.** *iro.* Ser'mon *m*: a) (Mo'ral-, Straf)Predigt *f*, b) Ti'rade *f*, langweilige Rede. **II** *v/t u. v/i* → sermonize. **'ser·monˌize I** *v/t j-m* e-e (Mo'ral- *od.* Straf)Predigt halten. **II** *v/i a. iro.* predigen.

se·ro·log·ic [ˌsi(ə)rə'lɒdʒik], ˌ**se·ro'log·i·cal** [-kəl] *adj med.* sero'logisch. **se'rol·o·gist** [-'rɒlədʒist] *s med.* Sero'loge *m*. **se'rol·o·gy** *s med.* Serolo'gie *f*, Serumkunde *f*.

se·ros·i·ty [si'rɒsiti] *s med.* **1.** se'röser Zustand. **2.** se'röse Flüssigkeit.

ser·o·tine[1] ['serəˌtain; -tin] *adj bot. zo.* spät auftretend *od.* blühend.

ser·o·tine[2] ['serəˌtain; -tin] *s zo.* Spätfliegende Fledermaus.

se·rous ['si(ə)rəs] *adj med.* se'rös: a) serumähnlich: ~ fluid, b) serumabsondernd: ~ gland.

ser·pent ['sə:rpənt] *s* **1.** (*bes. große*) Schlange. **2.** *fig.* (Gift)Schlange *f* (*Person*). **3.** the (old) S~ *Bibl.* die (alte) Schlange (*Satan*). **4.** *mus.* Ser'pent *m*. **5.** S~ *astr.* Schlange *f* (*Sternbild*).

ser·pen·ti·form [sər'pentiˌfɔ:rm] → serpentine 1.

ser·pen·tine ['sə:rpənˌtain; -ˌti:n] **I** *adj* **1.** schlangenförmig, Schlangen... **2.** sich schlängelnd, sich windend, geschlängelt, Serpentinen...: ~ road. **3.** *fig.* falsch, tückisch. **II** *s* **4.** *geol. min.* Serpen'tin *m*. **5.** *Eislauf*: Schlangenbogen *m*. **6.** the S~ *Teich im Hyde Park.*

ser·pig·i·nous [sər'pidʒinəs] *adj med.* serpigi'nös, kriechend. **ser·pi·go** [sər'paigou] *s med.* fressende Flechte.

ser·ra ['serə] *pl* **'ser·rae** [-ri:] *s* **1.** *zo.* Säge *f* (*des Sägefischs etc*). **2.** → serration.

ser·ra·del·la [ˌserə'delə], ˌ**ser·ra'dil·la** [-'dilə] *s bot.* Sarra'della *f*, Ser(r)a'delle *f*.

ser·rate ['serit; -reit], *a.* **ser·rat·ed** [*Br.* se'reitid; *Am.* 'sereitid] *adj bes. biol. bot.* (sägeförmig) gezackt.

'ser·rate-'den·tate *adj bot.* gesägt-gezähnt.

ser·ra·tion [se'reiʃən] *s* (sägeförmige) Auszackung.

ser·ried ['serid] *adj* dicht (geschlossen): ~ ranks.

ser·ri·form ['seriˌfɔ:rm] → serrate.

ser·ru·late ['serjulit; -ˌleit; -ru-], *a.* **'ser·ruˌlat·ed** [-ˌleitid] *adj* fein gezackt.

ser·ry ['seri] **I** *v/i* sich eng anein'anderschließen. **II** *v/t* dicht schließen: to ~ ranks.

se·rum ['si(ə)rəm] *pl* **-rums, -ra** [-rə] *s med. physiol.* **1.** (Blut)Serum *n*. **2.** (Heil-, Schutz)Serum *n*.

ser·val ['sə:rvəl] *s* Serval *m* (*Buschkatze*).

serv·ant ['sə:rvənt] *s* **1.** *a.* domestic ~ (Haus)Diener *m*, (-)Angestellte(r *m*) *f*,

Bedienstete(r *m*) *f*, Dienstbote *m*, -mädchen *n*: outdoor ~ Angestellte(r) für Außenarbeiten (*Gärtner*, *Knecht etc*); the ~ question die Dienstbotenfrage; ~s' hall Gesindestube *f*. **2.** *bes.* public ~ Beamte(r) *m*, Angestellte(r) *m* (*im öffentlichen Dienst*): → civil servant, obedient 2. **3.** *fig.* Diener *m*: a ~ of God (mankind, art, *etc*). **4.** *jur.* (Handlungs)Gehilfe *m*, Angestellte(r *m*) *f* (*Ggs.* master 5 c). **5.** *hist.* Sklave *m* (*bes. in den USA*). ~ **girl,** ~ **maid** *s* Dienstmädchen *n*.

serve [səːrv] **I** *v/i* **1.** dienen, Dienst tun (*beide a. mil.*), in Dienst stehen, angestellt sein (with bei). **2.** (bei Tisch) ser'vieren, bedienen: to ~ at table. **3.** fun'gieren, am'tieren (as als): to ~ on a committee in e-m Amt tätig sein; to ~ on a jury als Geschworener fungieren. **4.** dienen, nützen: it ~s to do es dient dazu zu tun; it ~s to show his cleverness daran kann man s-e Klugheit erkennen. **5.** genügen: it will ~ das wird genügen *od.* den Zweck erfüllen; nothing ~s but ... hier hilft nichts als ... **6.** günstig sein, passen: as occasion ~s bei passender Gelegenheit. **7.** dienen (as, for als): a blanket ~d as a curtain. **8.** *econ.* bedienen: to ~ in a shop. **9.** *Tennis*: aufschlagen, geben, den Aufschlag machen. **10.** *R.C.* mini'strieren.

II *v/t* **11.** *j-m*, *a. Gott*, *s-m Land etc* dienen, im Dienst stehen bei: → memory 1. **12.** *j-m* dienlich sein, helfen (*Person od. Sache*). **13.** *s-e Dienstzeit* (*a. mil.*) ableisten, *s-e Lehrzeit* 'durchmachen, *jur. e-e Strafe* verbüßen, absitzen. **14.** a) *ein Amt* innehaben, ausüben: to ~ an office, b) Dienst tun in (*dat*), *ein Gebiet*, *e-n Personenkreis* betreuen, versorgen: the curate ~s two parishes. **15.** *e-r Sache*, *e-m Zweck* dienen, *e-r Sache* nützen: to ~ the purpose (of) den Zweck erfüllen (als); it ~s no purpose es hat keinen Zweck; to ~ some private ends privaten Zwecken dienen. **16.** genügen (*dat*), (aus)reichen für: that is enough to ~ us a month damit kommen wir e-n Monat (lang) aus. **17.** *j-n*, *a. econ. e-n Kunden* bedienen, *j-m* (bei Tisch) aufwarten. **18.** *a.* ~ up *Essen etc* ser'vieren, auftragen, reichen: the meat was ~d cold; dinner is ~d! es ist serviert *od.* angerichtet!; to ~ s.th. up *colloq. fig.* etwas ‚auftischen'. **19.** *mil.* bedienen: to ~ a gun. **20.** versorgen (with mit): to ~ the town with gas. **21.** *colloq.* a) *j-n schändlich etc* behandeln; he has ~d me shamefully, b) *j-m etwas* zufügen: to ~ s.o. a trick j-m e-n Streich spielen; to ~ s.o. out es j-m ‚besorgen' *od.* heimzahlen; (it) ~s him right! (das) geschieht ihm ganz recht! **22.** befriedigen, *e-m Verlangen* frönen: to ~ one's desire; to ~ the time sich der Zeit anpassen. **23.** *oft* ~ out aus-, verteilen. **24.** *zo. e-e Stute etc* decken. **25.** *Tennis*: *den Ball* aufschlagen. **26.** *jur. j-m e-e Vorladung etc* zustellen: to ~ s.o. (with) a writ, to ~ a writ on s.o. j-n vorladen. **27.** *tech.* um'wikkeln. **28.** *mar. das Tau* bekleiden.

III *s* **29.** *Tennis*: Aufschlag *m*.

serv·er ['səːrvər] *s* **1.** Ser'vierer(in). **2.** a) Ta'blett *n*, b) Warmhalteplatte *f*, c) Ser'viertischchen *n*. **3.** *R.C.* Mini'strant *m*. **4.** *Tennis*: Aufschläger *m*. **'serv·er·y** *s bes. Br.* Anrichte *f* (*Raum*).

serv·ice[1] ['səːrvis] **I** *s* **1.** Dienst *m*, Stellung *f* (*bes. von Hausangestellten*): to be in ~ in Stellung sein; to take s.o. into one's ~ j-n einstellen. **2.** Dienst *m*, Arbeit *f*: hard ~. **3.** Dienstleistung *f* (*a. econ. jur.*), Dienst *m* (to an *dat*): for ~s rendered für geleistete Dienste. **4.** (guter) Dienst, Hilfe *f*, Gefälligkeit *f*: to do (*od.* render) s.o. a ~ j-m e-n Dienst erweisen; at your ~ zu Ihren Diensten; to be (place) at s.o.'s ~ j-m zur Verfügung stehen (stellen); on her (his) Majesty's ~ *mail* (*abbr.* O.H.M.S.) frei durch Ablösung. **5.** *econ. etc* Bedienung *f*: prompt ~. **6.** Nutzen *m*: will it be of any ~ to you? kann es dir irgend etwas nützen? **7.** (*Nacht-*, *Nachrichten-*, *Presse-*, *Telephon- etc*)-Dienst *m*. **8.** a) Versorgung(sdienst *m*) *f*, b) Versorgungsbetrieb *m*: (gas) water ~ (Gas-)Wasserversorgung; essential ~s lebenswichtige Betriebe. **9.** (öffentlicher) Dienst, Staatsdienst *m*: → civil service, diplomatic 1, public service 1. **10.** Aufgabe *f*, Amt *n*, Funkti'on *f* (*e-s Staatsbeamten etc*). **11.** *mil.* a) (Wehr-, Mili'tär)Dienst *m*, b) *meist pl* Truppe *f*, Waffengattung *f*, c) Streitkräfte *pl*, d) *Br.* Ma'rine *f*: → active 8, armed[2] 1. **12.** *mil.* Akti'on *f*, Unter'nehmen *n*. **13.** *mil. Am.* (technische) Versorgungstruppe. **14.** *mil.* Bedienung *f*: ~ of a gun. **15.** *oft pl* Hilfsdienst *m*: medical ~(s). **16.** *tech.* a) Bedienung *f*, b) Betrieb *m* (*e-r Maschine etc*): in (out of) ~ in (außer) Betrieb; ~ conditions Betriebsbedingungen, -beanspruchung *f*; ~ life Lebensdauer *f*. **17.** *tech.* a) Wartung *f*, b) Kundendienst *m* (*a. als Einrichtung*). **18.** *rail. etc* Verkehr(sfolge *f*) *m*, Betrieb *m*: a twenty-minute ~ ein Zwanzig-Minuten-Verkehr. **19.** *relig.* a) Gottesdienst *m*, b) Litur'gie *f*. **20.** *mus.* musi'kalischer Teil (*der Liturgie*): Mozart's ~ Mozartmesse *f*. **21.** Ser'vice *n*, Tafelgeschirr *n*, -gerät *n*. **22.** *jur.* Zustellung *f*. **23.** *jur. hist.* a) (*Art*) Depu'tat *n*, Abgabe *f*, b) Dienstleistung *f* (*für e-n Herrn*). **24.** *mar.* Bekleidung *f* (*e-s Taues*). **25.** *bes. Tennis*: a) Aufschlag *m*, b) Aufschlagball *m*, c) *allg.* (Ball)Angabe *f*.

II *v/t* **26.** *tech.* a) warten, pflegen, abschmieren, b) über'holen, in'stand setzen: to ~ a car. **27.** *econ. bes. Am.* Kundendienst verrichten für *od.* bei, betreuen. **28.** *mit Material*, *Nachrichten etc* beliefern, versorgen.

serv·ice[2] ['səːrvis] *s bot.* **1.** Spierbaum *m*. **2.** *a.* wild ~ (tree) Elsbeerbaum *m*.

serv·ice·a·bil·i·ty [ˌsəːrvisə'biliti] → serviceableness. **'serv·ice·a·ble** *adj* (*adv* serviceably) **1.** verwend-, brauchbar, nützlich: a ~ tool. **2.** betriebs-, gebrauchs-, leistungsfähig: a ~ machine. **3.** zweckdienlich. **4.** strapa'zierfähig, haltbar, so'lide: a ~ cloth. **5.** *obs.* dienstbar. **'serv·ice·a·ble·ness** *s* **1.** Brauchbarkeit *f*, (gute) Verwendbarkeit. **2.** *tech.* Betriebsfähigkeit *f*.

serv·ice| a·re·a *s* **1.** *Radio*, *TV*: Sendebereich *m*. **2.** *mil.* rückwärtiges Gebiet. ~ **ball** *s Tennis*: Aufschlagball *m*. ~ **book** *s* Gebet-, Gesang-, Meßbuch *n*. ~ **box** *s electr.* Hauptanschluß(kasten) *m*. ~ **brake** *s tech.* Betriebsbremse *f*. ~ **cap** *s mil.* Dienstmütze *f*. ~ **charge** *s* **1.** *mil.* Gefechtsladung *f*. **2.** *econ.* Bedienungszuschlag *m*. ~ **club** *s* **1.** (*Art*) gemeinnütziger Verein. **2.** *mil.* Sol'datenklub *m*. ~ **com·pa·ny** *s mil.* Ver'sorgungskompaˌnie *f*. ~ **court** *s Tennis*: Aufschlagsfeld *n*. ~ **dress** *s mil.* Dienstanzug *m*. ~ **en·trance** *s* Dienstboteneingang *m*. ~ **flat** *s Br.* E'tagenwohnung *f* mit Bedienung. ~ **hatch** *s Br.* 'Durchreiche *f* (*für Speisen*). ~ **in·dus·try** *s* **1.** *meist pl* Dienstleistungsbetriebe *pl*. **2.** 'Zulieferinduˌstrie *f*. ~ **life** *s tech.* Lebensdauer *f*. ~ **line** *s Tennis*: Aufschlaglinie *f*. **'~·man** [-mən] *s irr* **1.** Wehrmachtsangehörige(r) *m*, Sol'dat *m*. **2.** *tech.* Kundendiensttechniker *m*, Service-Mann *m*. ~ **pipe** *s tech.* (Haupt)Anschlußrohr *n*. ~ **pis·tol** *s* 'Dienstpiˌstole *f*. ~ **road** *s* paral'lel zu e-r Fernverkehrsstraße verlaufende Nebenstraße. ~ **state** *s pol.* Wohlfahrtsstaat *m*. ~ **sta·tion** *s* **1.** a) Kundendienstwerkstatt *f*, b) Repara'turwerkstatt *f*. **2.** *mot.* (Groß)Tankstelle *f*. ~ **stripe** *s mil. Am.* Dienstaltersstreifen *m*. ~ **switch** *s electr.* Hauptschalter *m*. ~ **u·ni·form** *s mil.* Dienstanzug *m*. ~ **volt·age** *s electr.* Gebrauchsspannung *f*.

ser·vic·ing ['səːrvisiŋ] *s* **1.** *tech.* Wartung *f*, Pflege *f*: ~ schedule Wartungsvorschrift *f*, -plan *m*. **2.** Versorgung *f*.

ser·vi·ent ['səːrviənt] *adj* dienend, 'untergeordnet: ~ tenement *jur.* dienendes Grundstück.

ser·vi·ette [ˌsəːrvi'et] *s* Servi'ette *f*.

ser·vile [*Br.* 'səːrvail; *Am.* -vil] *adj* (*adv* ~ly) **1.** unter'würfig, kriecherisch, ser'vil. **2.** Sklaven...: ~ war. **3.** sklavisch: ~ obedience. **4.** *fig.* sklavisch (genau). **ser'vil·i·ty** [-'viliti] *s* **1.** (sklavische) Unter'würfigkeit. **2.** kriecherisches Wesen. **3.** Krieche'rei *f*. **4.** *obs.* Sklave'rei *f*.

serv·ing ['səːrviŋ] *s* **1.** Ser'vieren *n*. **2.** Porti'on *f*. **3.** *tech.* Um'wick(e)lung *f*. ~ **ta·ble** *s* Ser'viertischchen *n*.

ser·vi·tor ['səːrvitər] *s* **1.** *obs.* Diener(in) (*a. fig.*). **2.** *obs. od. poet.* Gefolgsmann *m*. **3.** *univ. hist.* Stipendi'at *m*.

ser·vi·tude ['səːrviˌtjuːd] *s* **1.** Sklave'rei *f*, Knechtschaft *f* (*a. fig.*). **2.** Zwangsarbeit *f*: penal ~ Zuchthaus(strafe *f*) *n*. **3.** *jur.* Servi'tut *n*, Nutzungsrecht *n*.

ser·vo ['səːrvou] **I** *s abbr. für* servomotor. **II** *adj* Servo...

'ser·vo|ˌbrake *s tech.* Servobremse *f*. ~ **con·trol** *s tech.* Servosteuerung *f*. **'~ˌmo·tor** *s* Servo-, Stellmotor *m*.

ses·a·me ['sesəmi] *s* **1.** *bot.* Indischer Sesam: ~ oil Sesamöl *n*. **2.** *a.* ~ seed Sesamsame *m*. **3.** → Open sesame.

ses·a·moid ['sesəˌmɔid] *anat.* **I** *adj* Sesam...: ~ bones Sesamknöchelchen *n*. **II** *s* Sesambein(chen) *n*.

ses·e·li ['sesəˌlai; -li] *s bot.* Sesel *m*, Bergfenchel *m*.

ses·qui·al·ter [ˌseskwi'æltər], **ˌses·qui'al·ter·al** *adj* im Verhältnis 3 : 2 *od.* $1^1/_2$: 1 stehend.

ses·qui·bas·ic [ˌseskwi'beisik] *adj chem.* anderthalbbasisch. **ˌses·qui·cen'ten·ni·al** [-sen'teniəl; -njəl] **I** *adj* 150jährig. **II** *s* 150-Jahrfeier *f*. **ˌses·qui·pe'da·li·an** [-pi'deiliən] *humor.* **I** *adj* **1.** sehr lang, mon'strös: ~ word. **2.** *fig.* bom'bastisch. **II** *s* **3.** Wortungeheuer *n*. **'ses·quiˌplane** [-ˌplein] *s aer.* Anderthalbdecker *m*.

ses·sile ['sesil; *Br. a.* -sail] *adj bot. zo.* ungestielt, sitzend.

ses·sion ['seʃən] *s* **1.** *jur. parl.* a) Sitzung *f*, b) 'Sitzungsperiˌode *f*: to be in ~ e-e Sitzung abhalten, tagen. **2.** *jur.* → petty sessions, quarter sessions. **3.** *jur.* a) Court of S~ *Scot.* Oberstes Gericht für Zivilsachen, b) Court of S~s *Am.* (einzelstaatliches) Gericht für Strafsachen. 4. (lange) Sitzung, Konfe'renz *f*. 5. *univ*. a) *Br*. aka'demisches Jahr, b) *Am*. ('Studien)Se,mester *n*. **'ses·sion·al** *adj* (*adv* ~ly) 1. Sitzungs... 2. *univ*. *Br*. ein aka'demisches Jahr (lang) dauernd: a ~ course.

ses·tet [ses'tet] *s* 1. *mus*. → sextet(te). 2. *metr*. sechszeilige Strophe.

ses·ti·na [ses'ti:nə] *pl* **-nas** [-nəz] *s* *metr*. Se'stine *f*.

set [set] I *s* 1. Satz *m* (*Briefmarken, Dokumente, Werkzeuge etc*), (*Möbel-, Toiletten- etc*)Garni'tur *f*, (*Speise- etc*)Ser'vice *n*: a ~ of colo(u)rs ein Farbensortiment *n*; a ~ of drills *tech*. ein Bohrsatz. 2. (Häuser- *etc*)Gruppe *f*, (Zimmer)Flucht *f*: a ~ of houses (rooms). 3. *econ*. Kollekti'on *f*: a ~ of articles. 4. Sammlung *f*, *bes*. a) mehrbändige Ausgabe (*e-s Autors*), b) (Schriften)Reihe *f*, (Ar'tikel)Serie *f*. 5. *tech*. a) (Ma'schinen)Satz *m*, (-)Anlage *f*, Aggre'gat *n*, b) (Radio- *etc*)Gerät *n*, Appa'rat *m*. 6. a) *thea*. Bühnenausstattung *f*, b) *Film*: Szenenaufbau *m*. 7. *Tennis*: Satz *m*. 8. *math*. a) Zahlenreihe *f*, b) Menge *f*. 9. ~ of teeth Gebiß *n*. 10. (Per'sonen)Kreis *m*: a) Gesellschaft(sschicht) *f*, (*literarische etc*) Welt, b) *contp*. Clique *f*, c) *ped*. 'Unterrichtsgruppe *f*: the fast ~ die Lebewelt. 11. Sitz *m*, Schnitt *m* (*von Kleidern*). 12. a) Form *f*, b) Haltung *f*. 13. Richtung *f*, (Ver)Lauf *m* (*e-r Strömung etc*): the ~ of the current; the ~ of the public opinion der Meinungstrend. 14. *fig*. Neigung *f*, Ten'denz *f* (toward zu). 15. *psych*. (innere) Bereitschaft (for zu). 16. *poet*. 'Untergang *m*: the ~ of sun; the ~ of day das Tagesende. 17. *tech*. Schränkung *f* (*e-r Säge*). 18. *tech*. → setting 10. 19. *arch*. Feinputz *m*. 20. *bot*. a) Ableger *m*, Setzling *m*, b) Fruchtansatz *m*. 21. *Kontertanz*: a) Tänzer(zahl *f*, -paare) *pl*, b) Tour *f*, 'Hauptfi,gur *f*: first ~ Quadrille *f*. 22. *mus*. Serie *f*, Folge *f*, Zyklus *m*. 23. *hunt*. Vorstehen *n* (*des Hundes*): to make a dead ~ at *fig*. a) *j-n* scharf aufs Korn nehmen, herfallen über *j-n*, b) es auf *e-n Mann* abgesehen haben (*Frau*). 24. *hunt*. (Dachs- *etc*)Bau *m*.

II *adj* 25. festgesetzt: at the ~ day. 26. a) bereit, b) fest entschlossen (on, upon doing zu tun): all ~ startklar. 27. vorgeschrieben, festgelegt: ~ rules. 28. 'wohlüber,legt, 'einstu,diert: a ~ speech. 29. feststehend: ~ phrases. 30. fest: ~ opinion; ~ hand(writing); → purpose *Bes. Redew*. 31. starr: a ~ smile (face). 32. *Am*. halsstarrig, ‚stur'. 33. konventio'nell, for'mell: a ~ party. 34. zs.-gebissen (*Zähne*). 35. (ein)gefaßt: a ~ gem. 36. *tech*. eingebaut: a ~ tube. 37. ~ piece Gruppenbild *n*. 38. ~ fair beständig (*auf dem Barometer*). 39. → hard-set. 40. (*in Zssgn*) ...gebaut, ...gestaltet: well-~.

III *v/t pret u. pp* **set** 41. setzen, stellen, legen: to ~ the glass to one's lips das Glas an die Lippen setzen; to ~ a match to ein Streichholz halten an (*acc*), *etwas* in Brand stecken; (*siehe a. die Verbindungen mit anderen entsprechenden Substantiven*). 42. *in e-n Zustand* (ver)setzen, bringen: to ~ s.o. free (*od*. at liberty) j-n auf freien Fuß setzen, j-n freilassen; → ease 2, right 5 *u*. 15 (*u. andere entsprechende Verbindungen*). 43. veranlassen zu: to ~ a party laughing (*od*. in a roar) e-e Gesellschaft zum Lachen bringen; to ~ going in Gang setzen; to ~ s.o. thinking j-m zu denken geben. 44. ein-, 'herrichten, (an)ordnen, zu'rechtmachen, *bes*. a) *thea*. *die Bühne* aufbauen: to ~ the stage, b) *den Tisch* decken: to ~ the table, c) *tech*. (ein)stellen, (-)richten, regu'lieren, d) *die Uhr, den Wecker* stellen, e) *e-e Säge* schränken, f) *ein Messer* abziehen, g) *med*. *e-n Bruch, Knochen* (ein)richten, h) *das Haar* legen. 45. *mus*. a) vertonen, b) arran'gieren. 46. *print*. absetzen. 47. *agr*. a) *Setzlinge* (an)pflanzen, b) *den Boden* bepflanzen. 48. a) *die Bruthenne* setzen, b) *Eier* 'unterlegen. 49. a) *e-n Edelstein* fassen, b) mit Edelsteinen *etc* besetzen. 50. *e-e Wache* aufstellen. 51. *e-e Aufgabe, Frage* stellen: to ~ a task. 52. *j-n* anweisen (to do s.th. etwas zu tun), *j-n* an *e-e Sache* setzen. 53. a) *etwas* vorschreiben, bestimmen, b) *e-n Zeitpunkt* festlegen, -setzen, c) *ein Beispiel etc* geben, aufstellen: to ~ a date; → fashion 1, pace[1] 1. 54. *den Hund etc* hetzen (on auf *j-n*): to ~ spies on s.o. j-n bespitzeln lassen. 55. *Flüssiges* fest werden lassen, *Milch* gerinnen lassen. 56. *die Zähne* zs.-beißen. 57. *den Wert* beimessen, festsetzen. 58. *e-n Preis* aussetzen (on auf *acc*). 59. *Geld, sein Leben etc* ris'kieren, aufs Spiel setzen. 60. *s-e Hoffnung, sein Vertrauen* setzen (on auf *acc*; in in *acc*).

IV *v/i* 61. 'untergehen (*Sonne etc*). 62. a) auswachsen (*Körper*), b) ausreifen (*Charakter*). 63. beständig werden (*Wetter etc*): → 38. 64. a) fest werden (*Flüssiges*), erstarren (*a. Gesicht, Muskel*), b) *tech*. abbinden (*Zement etc*), c) gerinnen (*Milch*), d) sich absetzen (*Rahm*). 65. brüten (*Glucke*). 66. sitzen (*Kleidung*): to ~ well. 67. *fig*. passen (with zu). 68. sich bewegen, fließen, strömen: the current ~s to the north. 69. wehen, kommen (from aus, von) (*Wind*). 70. sich neigen *od*. richten: opinion is ~ting against him die Meinung richtet sich gegen ihn. 71. *bot*. Frucht ansetzen (*Blüte, Baum*). 72. *zo*. sich festsetzen (*Austern*). 73. *tech*. sich verbiegen. 74. *hunt*. vorstehen (*Hund*). 75. *med*. sich einrenken.

Verbindungen mit Präpositionen:

set| a·bout *v/i* 1. sich an *etwas* machen, *etwas* in Angriff nehmen: to ~ doing s.th. sich daranmachen, etwas zu tun. 2. *colloq*. 'herfallen über (*j-n*). ~ **a·gainst** *v/t* 1. to set one's face (*od*. o.s.) against s.th. sich e-r Sache widersetzen. 2. *j-n* aufhetzen gegen. ~ **at** → set (up)on 1. ~ **(up·)on** *v/i* 1. anfallen, 'herfallen über (*acc*). 2. schwer bedrängen.

Verbindungen mit Adverbien:

set| a·part *v/t* 1. bei'seite legen, reser'vieren. 2. trennen. 3. set s.o. apart (from) j-n unter'scheiden (von) *od*. auszeichnen (vor). ~ **a·side** *v/t* 1. bei'seite setzen. 2. *fig*. *Geld etc* bei'seite legen. 3. *e-n Plan etc* aufgeben. 4. außer acht lassen, ausklammern. 5. verwerfen, abschaffen. 6. *bes. jur*. aufheben, annul'lieren. ~ **back** I *v/t* 1. zu'rück-, aufhalten, hindern. 2. *Uhr* zu'rückstellen. 3. *bes. Am. sl*. *j-n* zu'rückwerfen, e-n Rückschlag bedeuten für (*j-n*). II *v/i* 4. zu'rückfließen (*Flut etc*). ~ **by** *v/t* zu'rücklegen, aufsparen. ~ **down** I *v/t* 1. 'hinsetzen. 2. *etwas* abstellen, absetzen. 3. *e-n Fahrgast* absetzen. 4. *aer*. *das Flugzeug* absetzen, landen. 5. (schriftlich) niederlegen, aufzeichnen. 6. a) *j-m* e-n Dämpfer aufsetzen, b) *Stolz* dämpfen. 7. ~ as *j-n* abtun *od*. betrachten als. 8. *etwas* zuschreiben (to *dat*). 9. a) *etwas* festlegen, -setzen, b) *e-n Termin etc* anberaumen, ansetzen. II *v/i* 10. *aer*. aufsetzen, landen. ~ **forth** I *v/t* 1. bekanntmachen, -geben. 2. → set out 1. 3. zur Schau stellen. II *v/i* 4. aufbrechen, sich aufmachen: to ~ on a journey e-e Reise antreten. 5. *fig*. ausgehen (from von). ~ **for·ward** I *v/t* 1. *die Uhr* vorstellen. 2. a) *etwas* vor'antreiben, b) *j-n od. etwas* vor'an-, weiterbringen. 3. vorbringen, darlegen. II *v/i* 4. sich auf den Weg machen. ~ **in** I *v/t* 1. einsetzen. II *v/i* 2. einsetzen (*beginnen*): cold weather ~. ~ **off** I *v/t* 1. her'vortreten lassen, abheben, kontra'stieren: to be ~ voneinander abstechen. 2. her'vorheben, (aus)schmücken. 3. in Bewegung setzen, starten. 4. a) *e-e Rakete* abschießen, loslassen, b) *ein Feuerwerk* abbrennen, c) *e-e Sprengladung* zur Explosi'on bringen. 5. (against) *bes. jur*. a) als Ausgleich nehmen (für), b) *a. econ*. auf-, abrechnen (gegen). 6. ausgleichen, aufwiegen. II *v/i* 7. ein Gegengewicht bilden (against zu). 8. *fig*. anfangen, beginnen. 9. → set forth 4. 10. *print*. abschmieren. ~ **on** *v/t* 1. *j-n* anstiften, drängen, veranlassen (to do zu tun). 2. *den Hund etc* hetzen (to auf *acc*). ~ **out** I *v/t* 1. (ausführlich) darlegen, angeben, aufzeigen. 2. abgrenzen. 3. festsetzen. 4. anordnen, planen. 5. arran'gieren, 'herrichten, schmücken. II *v/i* 6. aufbrechen, sich aufmachen (for nach). 7. sich vornehmen, dar'angehen, sich dar'anmachen (to do zu tun). ~ **to** *v/i* 1. sich dar'anmachen, sich ‚da'hinterklemmen'. 2. ‚loslegen'. ~ **up** I *v/t* 1. aufstellen, errichten: to ~ a monument. 2. *tech*. aufstellen, mon'tieren: to ~ a machine. 3. gründen: to ~ a business (school, *etc*). 4. bilden, einsetzen: to ~ a government. 5. anordnen: to ~ judicial inquiries. 6. *j-m* zu e-m (guten) Start verhelfen, *j-n* eta'blieren: to set s.o. up in business; to set o.s. up as sich niederlassen als. 7. *jur*. a) *e-e Behauptung etc* aufstellen, vorbringen, b) *e-n Anspruch* erheben, geltend machen: to ~ a claim; to ~ negligence Fahrlässigkeit geltend machen; to ~ a good defence (*Am*. defense) e-e gute Verteidigung vorbringen. 8. *e-n Kandidaten* aufstellen. 9. *j-n* erhöhen (over über *acc*), *a. j-n* auf den Thron setzen. 10. *die Stimme, ein Geschrei etc* erheben. 11. verursachen. 12. a) *j-n* (*gesundheitlich*) wieder 'herstellen, b) kräftigen, c) in Form bringen. 13. *j-m* (finanzi'ell) ‚auf die Beine helfen'. 14. a) *j-n* stolz machen, b) *j-n* glücklich stimmen. 15. *e-e Theorie* aufstellen. 16. *j-n* versorgen, -sehen (with mit). 17. *j-n* aufhetzen (against gegen). 18. *print*. (ab)setzen: to ~ (in type). II *v/i* 19. sich niederlassen *od*. eta'blieren (as als): to ~ for o.s. sich selbständig machen. 20. ~ for sich ausgeben für *od*. als, sich aufspielen als.

se·ta·ceous [si'teiʃəs] *adj* borstig.

'set|-a,side *s* *Am*. Rücklage *f*. **'~,back** *s* 1. *fig*. Rückschlag *m*. 2. Niederlage *f*, Schlappe *f*. 3. *econ*. (Preis)Einbruch *m*. 4. *arch*. a) Rücksprung *m* (*e-r Wand*), b) zu'rückgesetzte Fas'sade. **'~,down** *s* Verweis *m*, Dämpfer *m*.

set ham·mer *s* Setzhammer *m*.

se·ti·form ['si:ti,fɔ:rm] *adj* borstig. **se-**

tig·er·ous [si'tidʒərəs] *adj* borstig, Borsten tragend.
set·off ['set,ɒf; -,ɔːf] *s* **1.** Kon'trast *m.* **2.** Schmuck *m*, Zierat *m.* **3.** *jur.* a) Gegenforderung *f*, b) Ausgleich *m.* **4.** (against) *fig.* Ausgleich *m* (für), Gegengewicht *n* (zu). **5.** *econ.* Aufrechnung *f.*
se·ton ['siːtn] *s med.* Haarseil *n.*
'set|,out *s* **1.** a) Auslage *f*, -stellung *f*, b) Aufmachung *f* (*a. Kleidung*). **2.** Ausstattung *f.* **3.** (Porzel'lan- *etc*)Ser,vice *n.* **4.** *colloq.* a) Vorführung *f*, b) Party *f.* **5.** a) Aufbruch *m*, b) Anfang *m.* ~ **piece** *s* **1.** *Kunst*: 'formvoll,endetes Werk. **2.** *mil.* sorgfältig geplante mili'tärische Operati'on. ~ **pin** *s tech.* Dübel *m.* ~ **point** *s* **1.** *Tennis*: Satzball *m.* **2.** *tech.* Sollwert *m.* '~,**screw** *s* Stellschraube *f.* ~ **square** *s* Winkel *m*, Zeichendreieck *n.*
sett [set] *s* **1.** → set I. **2.** Pflasterstein *m.*
set·tee [se'tiː] *s* **1.** Sitz-, Polsterbank *f.* **2.** kleineres Sofa: ~ bed Bettcouch *f.*
set·ter ['setər] *s* **1.** *allg.* (*meist in Zssgn*) Setzer(in), Einrichter(in): (type) ~ (Schrift)Setzer. **2.** *zo.* Setter *m* (*Vorstehhund*). **3.** *a.* ~-on Aufhetzer(in). **4.** *vulg.* (Poli'zei)Spitzel *m.* '~,**wort** → bear's-foot.
set the·o·ry *s math.* Mengenlehre *f.*
set·ting ['setiŋ] *s* **1.** (Ein)Setzen *n*, Einrichten *n*: ~ of type *print.* (Schrift)-Setzen; the ~ of a gem das (Ein)Fassen e-s Edelsteins. **2.** (Gold- *etc*)Fassung *f.* **3.** Schärfen *n*: ~ of a knife. **4.** 'Hintergrund *m*: a) Lage *f*, b) *fig.* Rahmen *m*, c) (Situati'on *f u.*) Schauplatz *m*: ~ of a novel. **5.** szenischer 'Hintergrund: a) *thea.* Bühnenbild *n*, b) *Film*: Ausstattung *f.* **6.** *mus.* a) Vertonung *f*, b) Satz *m*, Einrichtung *f.* **7.** *tech.* Bettung *f*, Sockel *m* (*e-r Maschine*). **8.** *tech.* a) Einstellung *f*: ~ of a thermostat, b) Ablese-, Meßwert *m.* **9.** *astr.* ('Sonnen- *etc*),Untergang *m.* **10.** *tech.* Abbinden *n* (*von Zement etc*): ~ point Stockpunkt *m.* **11.** Schränkung *f* (*e-r Säge*). **12.** *Gasgewinnung*: Re'tortensatz *m.* **13.** Gelege *n* (*alle für e-e Brut gelegte Eier*). ~ **lo·tion** *s* Haarfestiger *m.* ~ **rule** *s print.* Setzlinie *f.* ~ **stick** *s print.* Winkelhaken *m.* '~-,**up** *s* **1.** *bes. tech.* Aufstellen *n*, Einrichten *n.* **2.** ~ exercises *Am.* Freiübungen *pl.*
set·tle[1] ['setl] **I** *v/t* **1.** vereinbaren, (gemeinsam) festsetzen, sich einigen auf (*acc*): it is as good as ~d es ist so gut wie abgemacht; → hash 6. **2.** richten, in Ordnung bringen: to ~ a room. **3.** *a.* ~ up *econ.* erledigen, in Ordnung bringen, regeln: a) bezahlen, *e-e Rechnung etc* begleichen, b) *ein Konto* begleichen, c) abwickeln: to ~ a transaction, d) *e-n Anspruch* befriedigen: to ~ a claim; → account *Bes. Redew.* **4.** a) ansiedeln, ansässig machen: to ~ people, b) besiedeln, koloni'sieren: to ~ a land, c) errichten, eta'blieren: to ~ commercial colonies. **5.** a) *j-n beruflich, häuslich etc* eta'blieren, 'unterbringen, b) *ein Kind etc* versorgen, ausstatten, c) *s-e Tochter* verheiraten. **6.** *die Füße, den Hut etc* (fest) setzen (on auf *acc*). **7.** ~ o.s. sich niederlassen: he ~d himself in a chair. **8.** ~ o.s. to sich an *e-e Arbeit etc* machen, sich anschicken zu. **9.** *den Magen, die Nerven etc* beruhigen. **10.** *den Boden, a. fig. j-n, den Glauben, die Ordnung* festigen: to ~ order (one's faith); to ~ a road e-e Straße befestigen. **11.** a) *e-e Institution etc* gründen, aufbauen (on auf *dat*), b) *e-e Sprache* regeln. **12.** *e-e Frage etc* klären, regeln, entscheiden, erledigen: that ~s it a) damit ist der Fall erledigt, b) *iro.* jetzt ist es endgültig aus. **13.** a) *e-n Streit* beilegen, schlichten, b) *e-n strittigen Punkt* klären. **14.** *colloq. j-n* ‚fertigmachen', zum Schweigen bringen (*a. weitS. töten*). **15.** a) *e-e Flüssigkeit* ablagern lassen, klären, b) *Trübstoffe* sich setzen lassen. **16.** *den Inhalt e-s Sackes etc* sich setzen lassen, zs.-stauchen. **17.** *s-e Angelegenheiten* (*vor dem Tod*) ordnen, in Ordnung bringen, *den Nachlaß* regeln. **18.** (on, upon) *den Besitz etc* über'tragen (auf *acc*), b) (letztwillig) vermachen (*dat*), c) *ein Legat, e-e Rente etc* aussetzen (*dat od.* für). **19.** *die Erbfolge* regeln, bestimmen. **II** *v/i* **20.** sich niederlassen *od.* setzen: a bird ~d on a bough. **21.** a) sich *in e-m Land, e-r Stadt* ansiedeln *od.* niederlassen, b) *a.* ~ in *in ein Haus* einziehen, sich *in e-r Wohnung etc* einrichten, c) ‚sich einnisten'. **22.** *a.* ~ down a) sich *in e-m Ort* niederlassen, b) sich (häuslich) niederlassen, c) *a.* to marry and ~ down e-n Hausstand gründen, d) seßhaft werden, zur Ruhe kommen, sich einleben, e) es sich gemütlich machen. **23.** *meist* ~ down *fig.* sich beruhigen, sich legen: his anger ~d. **24.** ~ down to sich widmen (*dat*), sich an *e-e Arbeit etc* machen: he ~d down to his task. **25.** ~ on sich zuwenden (*dat*), sich konzen'trieren auf (*acc*), fallen auf (*acc*): his affection ~d on her. **26.** *med.* sich festsetzen (on, in in *dat*), sich legen (on auf *acc*). **27.** beständig(er) werden (*Wetter*): it ~d in for rain es regnete sich ein; it is settling for a frost es wird Frost geben. **28.** sich senken *od.* setzen (*Grundmauern etc*). **29.** *a.* ~ down *mar.* langsam absacken (*Schiff*). **30.** sich setzen (*Trübstoffe*), sich (ab)klären (*Flüssigkeit*). **31.** sich legen (*Staub*). **32.** ~ (up)on *fig.* sich entscheiden für, sich entschließen zu. **33.** ~ for sich zu'friedengeben mit. **34.** e-e Vereinbarung treffen. **35.** *econ.* a) zahlen, b) abrechnen, c) e-n Vergleich schließen, *Gläubiger* abfinden: he ~d with his creditors.
set·tle[2] ['setl] *s* Sitz-, Ruhebank *f* (*mit hoher Rückenlehne*).
set·tled ['setld] *adj* **1.** seßhaft: ~ people. **2.** besiedelt: ~ land. **3.** ruhig, gesetzt: a ~ man; a ~ life. **4.** fest, ständig: a ~ abode; ~ habit. **5.** versorgt, -heiratet. **6.** bestimmt, entschieden, fest: ~ opinions; ~ income festes Einkommen. **7.** feststehend, erwiesen: a ~ fact (*od.* thing). **8.** fest begründet: the ~ order of things. **9.** beständig (*Wetter*). **10.** *jur.* festgesetzt, vermacht: ~ estate a) Nießbrauchsgut *n*, b) abgewickelter Nachlaß.
set·tle·ment ['setlmənt] *s* **1.** Ansied(e)lung *f*: ~ of people. **2.** Besied(e)lung *f*: ~ of a land. **3.** a) Siedlung *f*, Niederlassung *f*: a ~ of Quakers, b) (Wohn)-Siedlung *f.* **4.** 'Unterbringung *f*, Versorgung *f* (*e-r Person*). **5.** Klärung *f*, Regelung *f*, Erledigung *f*, Bereinigung *f*: ~ of a question. **6.** Festsetzung *f*, (endgültige) Entscheidung. **7.** Schlichtung *f*, Beilegung *f*: ~ of a dispute. **8.** *econ.* a) Begleichung *f*, Bezahlung *f*: ~ of bills, b) Ausgleich(ung *f*) *m*: ~ of accounts, c) *Börse*: Abrechnung *f*, d) Abwick(e)lung *f*: ~ of a transaction, e) Vergleich *m*, Abfindung *f*: day of ~ *fig.* Tag *m* der Abrechnung; in ~ of all claims zum Ausgleich aller Forderungen. **9.** Über'einkommen *n*, Abmachung *f.* **10.** *jur.* a) ('Eigentums)-Über,tragung *f*, b) Vermächtnis *n*, c) Schenkung *f*, Stiftung *f*, d) Aussetzung *f* (*e-r Rente etc*), *a.* marriage ~ Ehevertrag *m.* **11.** a) ständiger Wohnsitz, b) Heimatberechtigung *f.* **12.** sozi'ales Hilfswerk. **13.** *pol.* Regelung *f* der Thronfolge: Act of S~ *brit. Parlamentsbeschluß des Jahres 1701, der die Thronfolge zugunsten der Sophia von Hannover u. ihrer Nachkommen regelte.* **14.** (Ab)Sacken *n*, Senkung *f.* ~ **day** *s econ.* Abrechnungstag *m.* ~ **house** → settlement 12.
set·tler ['setlər] *s* **1.** (An)Siedler(in), Kolo'nist(in), Pflanzer *m.* **2.** *colloq.* a) entscheidender Schlag, Volltreffer *m*, b) *fig.* Abfuhr *f*, c) vernichtendes Argu'ment.
set·tling ['setliŋ] *s* **1.** Festsetzen *n* (*etc*; → settle[1]). **2.** *tech.* Ablagerung *f.* **3.** *pl* (Boden)Satz *m.* ~ **day** *s econ.* Abrechnungstag *m.*
set·tlor ['setlər] *s jur.* **1.** Verfügende(r *m*) *f.* **2.** Stifter(in).
set-to ['set,tuː] *pl* **-tos** *s colloq.* **1.** *sport* (Box)Kampf *m.* **2.** Schläge'rei *f.* **3.** (kurzer) heftiger Kampf. **4.** heftiger Wortwechsel.
set·up ['set,ʌp] *s* **1.** Aufbau *m*, Organisati'on *f.* **2.** Anordnung *f* (*a. tech.*). **3.** *tech.* Aufbau *m*, Mon'tage *f.* **4.** *Film, TV*: a) (Kamera)Einstellung *f*, b) Bauten *pl*, Szene'rie *f.* **5.** *TV* Schwarzabhebung *f.* **6.** *Am.* a) Körperhaltung *f*, b) Konstituti'on *f.* **7.** *Am. colloq.* a) Situati'on *f*, Lage *f*, b) Pro'jekt *n*, Plan *m.* **8.** *Am. sl.* ‚Schiebung' *f*, abgekartete Sache.
sev·en ['sevn] **I** *adj* sieben: ~ deadly sins (*die*) 7 Todsünden; ~-league boots Siebenmeilenstiefel; S~ Sisters *astr.* Siebengestirn *n.* S~ Sleepers *relig.* Siebenschläfer; the S~ Years' War der Siebenjährige Krieg; he is ~ er ist sieben (Jahre alt). **II** *s* Sieben *f* (*Zahl, Spielkarte, Uhrzeit*): by ~s immer sieben auf einmal.
sev·en·teen ['sevn'tiːn] **I** *adj* siebzehn. **II** *s* Siebzehn *f*: sweet ~ ‚göttliche Siebzehn' (*Mädchenalter*). **'sev·en·'teenth** [-'tiːnθ] **I** *adj* **1.** siebzehnt(er, e, es). **II** *s* **2.** (*der, die, das*) Siebzehnte. **3.** Siebzehntel *n.*
sev·enth ['sevənθ] **I** *adj* **1.** siebent(er, e, es): → heaven 1. **2.** sieb(en)tel. **II** *s* **3.** (*der, die, das*) Sieb(en)te: the ~ of May der 7. Mai. **4.** Sieb(en)tel *n.* **5.** *mus.* Sep'time *f.* **'sev·enth·ly** *adv* sieb(en)tens.
sev·en·ti·eth ['sevntiiθ] **I** *adj* **1.** siebzigst(er, e, es). **II** *s* **2.** (*der, die, das*) Siebzigste. **3.** Siebzigstel *n.*
sev·en·ty ['sevnti] **I** *adj* **1.** siebzig. **II** *s* **2.** Siebzig *f*: the seventies a) die siebziger Jahre (*e-s Jahrhunderts*), b) die Siebziger(jahre) (*e-s Menschen*); he is in his seventies er ist in den Siebzigern.
sev·er ['sevər] **I** *v/t* **1.** (ab)trennen (from von). **2.** (zer-, 'durch)trennen, zerreißen. **3.** *fig.* lösen: to ~ a friendship. **4.** (vonein'ander) trennen, ausein'anderreißen. **5.** ~ o.s. (from) sich trennen *od.* lösen (von *j-m, e-r Partei etc*), (aus *der Kirche etc*) austreten. **6.** *jur. Besitz, Rechte etc* teilen. **II** *v/i* **7.** (zer)reißen. **8.** sich trennen *od.* lösen (from von). **9.** sich (vonein'ander) trennen. **'sev·er·a·ble** *adj* **1.** (zer)trennbar. **2.** (ab)trennbar, lösbar. **3.** *fig.* (auf)lösbar. **4.** *jur.* getrennt, unabhängig.
sev·er·al ['sevərəl; -vrəl] **I** *adj* (*adv* → severally) **1.** mehrere. **2.** verschieden,

getrennt: **three ~ occasions. 3.** einzeln, verschieden: **the ~ reasons**; each ~ **ship** jedes einzelne Schiff. **4.** eigen(er, e, es), besonder(er, e, es): **we went our ~ ways** wir gingen jeder s-n (eigenen) Weg; → **joint** 7. **II** *s* **5.** mehrere *pl*: ~ **of you.** '**sev·er·al·ly** *adv* **1.** einzeln, gesondert, getrennt: → **jointly. 2.** beziehungsweise.
sev·er·al·ty ['sevərəlti; -vrəl-] *s jur.* Eigenbesitz *m*: **estate held in ~** Sonderbesitztum *n*.
sev·er·ance ['sevərəns] *s* **1.** Trennung *f*, Teilung *f*. **2.** (Ab)Bruch *m*, Lösung *f* (*von Freundschaften etc*): ~ **pay** Abfindungsentschädigung *f* (*bei Entlassung*).
se·vere [si'vir] *adj* **1.** *allg.* streng: a) scharf, hart: ~ **criticism (judge, punishment,** *etc*), b) ernst, finster: ~ **face (look, man,** *etc*), c) rauh, hart: ~ **winter,** d) herb: ~ **beauty,** e) einfach, schlicht, schmucklos: ~ **style,** *etc*, f) ex'akt, strikt: ~ **conformity,** g) schwierig, schwer: **a ~ test. 2.** schlimm, schwer: ~ **illness**; ~ **losses**; **a ~ blow** ein harter *od.* (*a. fig.*) schwerer Schlag. **3.** heftig, stark: ~ **pain**; ~ **storm. 4.** scharf, beißend: ~ **remark.**
se'vere·ly *adv* **1.** streng, strikt: **to leave** (*od.* **let**) ~ **alone** nichts zu tun haben wollen mit. **2.** schwer, ernstlich: ~ **ill.**
se·ver·i·ty [si'veriti] *s* **1.** *allg.* Strenge *f*: a) Schärfe *f*, Härte *f*, b) Unfreundlichkeit *f*, Rauheit *f* (*a. des Wetters etc*), c) Ernst *m*, d) (herbe) Schlichtheit (*des Stils*), e) Ex'aktheit *f*. **2.** Heftigkeit *f*, Schwere *f*. **3.** Schwierigkeit *f*.
sew [sou] *pret* **sewed** [soud], *pp* **sewed** *od.* **sewn** [soun] **I** *v/t* **1.** nähen: **to ~ on a button** e-n Knopf annähen; **to ~ up** (zu-, ver)nähen. **2.** heften, bro'schieren: **to ~ books. 3.** ~ **up** *sl.* a) *Br.* ‚restlos fertigmachen' (*erschöpfen*), b) *Am.* sich *etwas* sichern, in die Hand bekommen, c) *j-n* ‚keilen' (*gewinnen*), sich *j-n* (*vertraglich etc*) ‚sichern', d) *etwas* ‚per'fekt machen': **to ~ up a deal**; ~**ed up** besoffen, ‚blau'. **II** *v/i* **4.** nähen.
sew·age ['sju:idʒ; 'su:] **I** *s* **1.** Abwasser *n*: ~ **farm** Rieselfeld *n*. **2.** → **sewerage** 1. **II** *v/t* **3.** (*zur Düngung*) mit Abwässern berieseln. **4.** kanali'sieren.
sew·er[1] ['souər] *s* **1.** Näher(in). **2.** *Buchbinderei*: Hefter(in). **3.** *tech.* 'Näh- *od.* 'Heftmaˌschine *f*.
sew·er[2] ['sju:ər; 'su:-] *tech.* **I** *s* **1.** 'Abwasserkaˌnal *m*, Klo'ake *f*: ~ **gas** Faulschlammgas *n*; ~ **pipe** Abzugsrohr *n*; ~ **rat** *zo.* Wanderratte *f*. **2.** Gosse *f*, (Straßen)Rinne *f*. **II** *v/t* **3.** kanali'sieren.
sew·er[3] ['sju:ər; 'su:-] *s hist.* Truchseß *m.*
sew·er·age ['sju:əridʒ; 'su:-] *s* **1.** Kanalisati'on *f* (*System u. Vorgang*). **2.** → **sewage** 1.
sew·in ['sju:in] *s ichth.* 'Lachsfoˌrelle *f*.
sew·ing ['souiŋ] *s* Näharbeit *f*, Nähe'rei *f*. ~ **ma·chine** *s* 'Nähmaˌschine *f*. ~ **press** *s Buchbinderei*: 'Heftmaˌschine *f*.
sex [seks] **I** *s* **1.** *biol.* (*natürliches*) Geschlecht. **2.** (*männliches od. weibliches*) Geschlecht (*als Gruppe*): **of both ~es** beiderlei Geschlechts; **the gentle** (*od.* **weaker** *od.* **softer**) ~ das zarte *od.* schwache Geschlecht; **the ~** *humor.* die Frauen; **the sterner ~** das starke Geschlecht. **3.** (*das*) Geschlechtliche, Sexus *m*, Sex *m*: a) Geschlechtstrieb *m*, b) e'rotische Anziehungskraft, Sex-Ap'peal *m*, c) Geschlechtsleben *n*. **II** *v/t* **4.** das Geschlecht bestimmen von: **to ~ a chicken. 5.** ~ **up** *colloq.* a) *e-n Film etc* ‚sexy' gestalten, b) *j-n* ‚scharf machen'. **III** *adj* **6.** a) geschlechtlich, sexu'ell, Sexual...: ~ **crime** Sexualverbrechen *n*; ~ **education** sexuelle Aufklärung, b) Geschlechts...: ~ **act (cell, chromosome, hormone, life, organ,** *etc*).
sex·a·ge·nar·i·an [ˌseksədʒi'nɛ(ə)riən] **I** *adj* sechzigjährig. **II** *s* Sechzigjährige(r *m*) *f*.
sex·ag·e·nar·y [sek'sædʒənəri] **I** *adj* **1.** Sechzig(er)..., sechzigteilig. **2.** sechzigjährig. **II** *s* **3.** *math.* Sexagesi'malbruch *m*. **4.** Sechzigjährige(r *m*) *f*.
Sex·a·ges·i·ma (Sun·day) [ˌseksə'dʒesimə] *s* (Sonntag *m*) Sexa'gesima *f* (*8. Sonntag vor Ostern*). ˌ**sex·a'ges·i·mal** *math.* **I** *adj* Sexagesimal... **II** *s math.* Sexagesi'malbruch *m*.
sex·an·gle ['sekˌsæŋgl] *s math.* Sechseck *n*. ˌ**sex'an·gu·lar** [-gjulər] *adj* (*adv* ~**ly**) sechseckig.
sex| an·tag·o·nism *s psych.* Feindschaft *f* zwischen den Geschlechtern. ~ **ap·peal** *s* Sex-Ap'peal *m*, e'rotische Anziehungskraft.
sex·cen·te·nar·y [seks'sentənəri; *Am. a.* -sen'tenəri] **I** *adj* sechshundertjährig. **II** *s* Sechshundert'jahrfeier *f*.
sex·de·cil·lion [ˌseksdi'siljən] *s math.* Sex'dezillion *f* (*in USA* 10^{51}, *in England u. Deutschland* 10^{96}).
sex·er ['seksər] *s* Geschlechtsbestimmer *m*: **chicken ~.**
sex·en·ni·al [sek'seniəl] *adj* (*adv* ~**ly**) **1.** sechsjährig. **2.** sechsjährlich ('wiederkehrend).
sex·il·lion [sek'siljən] *Br. für* **sextillion.**
sex·i·ness ['seksinis] *s* **1.** (*das*) E'rotische, Sinnlichkeit *f*. **2.** → **sex appeal.**
sex·i·va·lence [ˌseksi'veiləns] *s chem.* Sechswertigkeit *f*.
'**sex-ˌkit·ten** *s sl.* ‚Sexbömbchen' *n*, ‚Lo'lita' *f*.
sex·less ['sekslis] *adj* (*adv* ~**ly**) **1.** *biol.* geschlechtslos (*a. fig.*), ungeschlechtlich, a'gamisch. **2.** *fig.* fri'gid(e), 'uneˌrotisch.
'**sex|-ˌlink·age** *s biol.* Geschlechtsgebundenheit *f*. '~-ˌ**linked** *adj biol.* gengebunden.
sex·ol·o·gy [sek'sɒlədʒi] *s biol.* Sexolo'gie *f*, Sexu'alwissenschaft *f*.
sex·par·tite [seks'pɑ:rtait] *adj* sechsteilig.
sext [sekst] *s relig.* Sext *f* (*kanonisches Stundengebet*).
sex·tain ['sekstein] *s* sechszeilige *Strophe.*
sex·tant ['sekstənt] *s* **1.** *astr. mar.* Sex'tant *m* (*Winkelmeßgerät*). **2.** *math.* Kreissechstel *n*.
sex·tet(te) [seks'tet] *s mus.* Sex'tett *n*.
sex·til·lion [seks'tiljən] *s* Sextillion *f* (*in USA* 10^{21}, *in England u. Deutschland* 10^{36}).
sex·to ['sekstou] *pl* **-tos** *s print.* **1.** 'Sexto(forˌmat) *n*. **2.** Buch *n* im 'Sextoforˌmat.
sex·to·dec·i·mo [ˌsekstou'desimou] *pl* **-mos** (*abbr.* 16mo, 16°) *s* **1.** Se'dez(forˌmat) *n*. **2.** Buch *n* im Se'dezforˌmat.
sex·ton ['sekstən] *s relig.* Küster *m* (u. Totengräber *m*). ~ **bee·tle** *s zo.* Totengräber *m* (*Käfer*).
sex·tu·ple ['sekstju:pl] **I** *adj* **1.** sechsfach. **2.** *bes. mus.* sechsteilig, Sechser... **II** *v/t u. v/i* **3.** (sich) versechsfachen.
sex·u·al ['sekʃuəl; *Br. a.* -sjuəl] *adj* (*adv* ~**ly**) sexu'ell, sexu'al, Sexual..., geschlechtlich, Geschlechts...: ~ **desire** Geschlechtslust *f*, Libido *f*; ~ **generation** *biol.* Fortpflanzungsgeneration *f*; ~ **intercourse** Geschlechtsverkehr *m*; ~ **offence** (*Am.* **offense**) *jur.* Sittlichkeitsdelikt *n*. ˌ**sex·u'al·i·ty** [-'æliti] *s* **1.** Sexuali'tät *f*. **2.** Geschlechtsleben *n*. '**sex·u·alˌize** [-əˌlaiz] *v/t* geschlechtlich machen, sexuali'sieren.
sex·y ['seksi] *adj sl.* ‚sexy', ‚scharf'.
sfor·zan·do [sfor'tsando], **sfor'za·to** [-'tsato] (*Ital.*) *adj u. adv mus.* sfor'zando, sfor'zato, stark betont.
sfu·ma·to [sfu'mato] (*Ital.*) *adj paint.* verschwimmend (*Umriß*), inein'ander 'übergehend (*Farben*).
shab·bi·ness ['ʃæbinis] *s allg.* Schäbigkeit *f* (*a. fig.*).
shab·by ['ʃæbi] *adj* (*adv* **shabbily**) *allg.* schäbig: a) abgetragen: ~ **clothes,** b) abgenutzt: ~ **furniture,** c) ärmlich, her'untergekommen: ~ **person (house, district,** *etc*), d) gemein, niederträchtig: ~ **trick (villain,** *etc*), e) kleinlich, ‚schofel', f) geizig, filzig. '~-**gen'teel** *adj* vornehm, aber arm; e-e verblichene Ele'ganz zur Schau tragend: **the ~** die verarmten Vornehmen.
shab·rack ['ʃæbræk] *s mil.* Scha'bracke *f*, Satteldecke *f*.
shack[1] [ʃæk] *bes. Am.* **I** *s colloq.* **1.** Hütte *f*, Ba'racke *f* (*beide a. contp.*). **2.** a) Schuppen *m*, b) Raum *m*. **II** *v/t* **3.** ~ **up** *colloq. j-n* unterbringen. **III** *v/i* **4.** ~ **up** *sl.* zs.-leben, schlafen (**with** mit *j-m*).
shack[2] [ʃæk] *Am. colloq.* **I** *v/t e-m Ball* nachlaufen. **II** *v/i* (da'hin)trotten.
shack·le ['ʃækl] **I** *s* **1.** *meist pl* Fesseln *pl*, Ketten *pl* (*beide a. fig.*), Hand-, Beinschellen *pl*. **2.** *tech.* a) Gelenkstück *n* (*e-r Kette*), b) (Me'tall)Bügel *m*, c) Lasche *f*. **3.** *mar.* (Anker)Schäkel *m*. **4.** *electr.* a) Schäkel *m*, b) *a.* ~ **insulator** 'Schäkelisoˌlator *m*. **II** *v/t* **5.** fesseln (*a. fig. hemmen*). **6.** *mar. tech.* laschen.
'**shackˌtown** *s Am.* Ba'rackenstadt *f*.
shad [ʃæd] *pl* **shad,** *selten* **shads** *s ichth.* Alse *f*.
shad·dock ['ʃædək] *s bot.* Pampel'muse *f*.
shade [ʃeid] **I** *s* **1.** Schatten *m* (*a. fig.*): **to be in the ~** *fig.* im Schatten stehen, wenig bekannt sein; **to throw** (*od.* **put** *od.* **cast**) **into the ~** *fig.* in den Schatten stellen. **2.** *bes. pl* schattiges Plätzchen. **3.** *bes. pl* abgeschiedener Ort, Verborgenheit *f*. **4.** *myth.* a) Schatten *m* (*Totenseele*), b) *pl* Schatten(reich *n*) *pl*. **5.** Farbton *m*, Schat'tierung *f*. **6.** Schatten *m*, Schat'tierung *f*, dunkle Tönung: **without light and ~** a) ohne Licht u. Schatten, b) *fig.* eintönig. **7.** *fig.* Nu'ance *f*. **8.** *colloq.* Spur *f*, ‚I'dee' *f*: **a ~ better** ein (kleines) bißchen besser. **9.** (Schutz)Blende *f*, (Schutz-, Lampen-, Sonnen- *etc*)-Schirm *m*. **10.** *Am.* Rou'leau *n*. **11.** *pl* Weinkeller *m*. **12.** *obs.* Gespenst *n*.
II *v/t* **13.** beschatten, verdunkeln (*a. fig.*). **14.** verhüllen (**from** vor *dat*). **15.** (*vor Licht etc*) schützen, *die Augen etc* abschirmen. **16.** *paint.* a) schat'tieren, b) dunkel tönen, c) schraf'fieren. **17.** *a.* ~ **off** a) *fig.* abstufen, nuan'cieren (*a. mus.*), b) *econ. die Preise* nach u. nach senken, c) *a.* ~ **away** all'mählich 'übergehen lassen (**into, to** in *acc*), d) *a.* ~ **away** all'mählich verschwinden lassen.
III *v/i* **18.** *a.* ~ **off,** ~ **away** a) all'mählich 'übergehen (**into, to** in *acc*), b) nach u. nach verschwinden.
shade·less ['ʃeidlis] *adj* schattenlos.
shad·i·ness ['ʃeidinis] *s* **1.** Schattigkeit *f*. **2.** *colloq.* Anrüchigkeit *f*, (*das*) Zwielichtige.
shad·ing ['ʃeidiŋ] *s* **1.** *paint. u. fig.* Schat'tierung *f*, Abstufung *f*. **2.** *a.* ~

control *TV* Rauschpegelregelung *f*: ~ value Helligkeitsstufe *f*.
shad·ow ['ʃædou] **I** *s* **1.** Schatten *m* (*a. paint. u. fig.*), Schattenbild *n*: to be afraid of one's own ~ sich vor s-m eigenen Schatten fürchten; to live in the ~ im Verborgenen leben; he is but the ~ of his former self er ist nur noch ein Schatten s-s früheren Selbst; worn to a ~ zum Skelett abgemagert; coming events cast their ~s before kommende Ereignisse werfen ihre Schatten voraus; may your ~ never grow (*od.* be) less *fig.* möge es dir immer gutgehen. **2.** *pl* (Abend)Dämmerung *f*, Dunkel(heit *f*) *n*. **3.** *fig.* Schatten *m*, Schutz *m*: under the ~ of the Almighty. **4.** *fig.* Schatten *m*, Spur *f*: without a ~ of doubt ohne den geringsten Zweifel. **5.** Schemen *m*, Phan'tom *n*: to catch (*od.* grasp) at ~s Phantomen nachjagen. **6.** *fig.* Schatten *m*, Trübung *f* (*e-r Freundschaft etc*). **7.** *fig.* Schatten *m*: a) ständiger Begleiter, b) Verfolger *m*. **8.** *Radio*: Empfangsloch *n*. **9.** *phot. TV* dunkle Bildstelle.
II *v/t* **10.** beschatten, verdunkeln (*beide a. fig.*). **11.** *fig. j-n* beschatten (*verfolgen, überwachen*). **12.** *a.* ~ forth *fig.* a) dunkel andeuten, b) versinnbildlichen.
'shad·ow|ˌbox *v/i sport* schattenboxen (*a. fig.*). **'~ˌbox·ing** *s sport* Schattenboxen *n*, *fig. a.* ˌSpiegelfechte'rei *f*. **'~-ˌcab·i·net** *s pol.* 'Schattenkabiˌnett *n*. **~ fac·to·ry** *s tech.* Schatten-, Ausweichbetrieb *m*.
shad·ow·less ['ʃædoulis] *adj* schattenlos.
shad·ow| play, ~ show *s thea.* Schattenspiel *n*.
shad·ow·y ['ʃædoui] *adj* **1.** schattig: a) dämmrig, düster, b) schattenspendend. **2.** schattenhaft. **3.** unwirklich.
shad·y ['ʃeidi] *adj* **1.** → shadowy 1 *u.* 2: on the ~ side of fifty *fig.* über die Fünfzig hinaus. **2.** *colloq.* dunkel, anrüchig, zwielichtig, fragwürdig, zweifelhaft: ~ dealings.
shaft [*Br.* ʃɑːft; *Am. a.* ʃæ(ː)ft] *s* **1.** (*Pfeil- etc*)Schaft *m*. **2.** *poet.* Pfeil *m*, Speer *m*: ~s of satire *fig.* Pfeile des Spottes. **3.** (*Blitz-, Licht-, Sonnen*)-Strahl *m*. **4.** a) Stiel *m* (*e-s Werkzeugs etc*), b) Deichsel(arm *m*) *f*, c) Welle *f*, Spindel *f*. **5.** Fahnenstange *f*. **6.** *arch.* a) (Säulen)Schaft *m*, b) Säule *f*, c) Obe'lisk *m*. **7.** (Aufzugs-, Bergwerks-, Hochofen- *etc*)Schacht *m*: → sink 20. **8.** a) *bot.* Stamm *m*, b) *zo.* Schaft *m* (*e-r Feder*).
shag[1] [ʃæg] **I** *s* **1.** Zotte(l) *f*, zottiges Haar, grobe, zottige Wolle. **2.** (lange, grobe) Noppe (*e-s Stoffs*). **3.** Plüsch(stoff) *m*. **4.** Shag(tabak) *m*. **5.** *orn.* Krähenscharbe *f*. **II** *v/t* **6.** aufrauhen, zottig machen.
shag[2] [ʃæg] **I** *s ein hüpfender Tanzschritt.* **II** *v/i* Shag tanzen. **III** *v/t Am. colloq.* nachjagen (*dat*).
shag·gy ['ʃægi] *adj* (*adv* shaggily) **1.** zottig, struppig. **2.** rauhhaarig. **3.** *fig.* ungepflegt, verwahrlost. **4.** *fig.* a) verschroben, b) verschwommen. **'~-'dog sto·ry** *s* **1.** surrea'listischer Witz. **2.** lange, witzig sein sollende Geschichte.
sha·green [ʃæ'griːn] *s* Cha'grin(leder) *n*, Körnerleder *n*.
shah [ʃɑː] *s* Schah *m*.
shake [ʃeik] **I** *s* **1.** Schütteln *n*, Rütteln *n*: ~ of the hand Händeschütteln; ~ of the head Kopfschütteln; he gave it a good ~ er schüttelte es tüchtig; to give s.o. the ~ *Am. sl.* j-n ,abwimmeln' *od.* loswerden; in two ~s (of a lamb's tail) *colloq.* im Nu. **2.** (*a. seelische*) Erschütterung. **3.** Beben *n*: all of a ~ zitternd (wie Espenlaub), bebend; the ~s a) *med.* Schüttelfrost *m*, b) *fig. colloq.* Nervenkrise *f*, ,Rappel' *m*. **4.** Stoß *m*: ~ of wind Windstoß; no great ~s *colloq.* nichts Weltbewegendes; he (it) is no great ~s *colloq.* mit ihm (damit) ist es nicht weit her. **5.** *Am. colloq.* Erdbeben *n*. **6.** Riß *m*, Spalt *m*. **7.** *mus.* Triller *m*. **8.** *Am. colloq.* (Milch)Shake *m*. **9.** *colloq.* Augenblick *m*, Mo'ment *m*: wait a ~!
II *v/i pret* **shook** [ʃuk], *pp* **'shak·en** **10.** sich schütteln. **11.** (sch)wanken, beben: the earth shook. **12.** zittern, beben (with vor *Furcht, Kälte etc*). **13.** *mus.* trillern. **14.** *colloq.* sich die Hände schütteln *od.* geben: ~ on it! Hand darauf!
III *v/t* **15.** schütteln: to ~ one's head (over *od.* at s.th.) den Kopf (über etwas) schütteln; to ~ one's finger (a fist, a stick) at s.o. j-m mit dem Finger (mit der Faust, mit e-m Stock) drohen; → hand *Bes. Redew.*, leg *Bes. Redew.*, side 4. **16.** *a. fig. j-s Entschluß, den Gegner, j-s Glauben, j-s Zeugenaussage etc* erschüttern. **17.** rütteln an (*dat*) (*a. fig.*). **18.** *j-n* (seelisch) erschüttern: he was much shaken by (*od.* with *od.* at) the news die Nachricht erschütterte ihn sehr. **19.** *j-n* aufrütteln (*a. fig.*). **20.** *mus.* trillern. **21.** *Am. sl.* abschütteln, ,abwimmeln'.
Verbindungen mit Adverbien:
shake| down I *v/t* **1.** her'unterschütteln. **2.** *Stroh, Decken etc* zu e-m Nachtlager ausbreiten. **3.** *den Gefäßinhalt etc* zu'rechtschütteln. **4.** *Am. sl.* a) *j-n* ausplündern (*a. fig.*), b) erpressen, c) ,filzen', durch'suchen, d) redu'zieren, e) *ein Schiff etc* testen. **II** *v/i* **5.** sich setzen (*Masse*). **6.** a) sich ein (Nacht)Lager zu'rechtmachen, b) *colloq.* sich ,'hinhauen' (*zu Bett gehen*). **7.** *Am. colloq.* a) sich vor'übergehend niederlassen (*an e-m Ort*), b) sich einleben, c) sich ,einpendeln' (*Sache*). **8.** *Am. colloq.* sich redu'zieren *od.* beschränken (to auf *acc*). **~ off** *v/t* **1.** *Staub etc* abschütteln. **2.** *fig. das Joch, a. e-n Verfolger etc* abschütteln, *j-n od. etwas* loswerden. **~ out** *v/t* **1.** ausschütteln. **2.** her'ausschütteln. **3.** *e-e Fahne etc* ausbreiten. **~ up** *v/t* **1.** *Kissen etc* aufschütteln. **2.** 'durchschütteln. **3.** zs.-schütteln, mischen. **4.** *j-n* (*a.* seelisch) aufrütteln.
'shakeˌdown *s* **1.** Notlager *n*. **2.** *Am. colloq.* a) Ausplünderung *f*, b) Erpressung *f*, c) ,Filzung' *f*, Durch'suchung *f*. **~ cruise** *s mar. colloq.* Probefahrt *f*.
'shake-'hands *s* (*meist als sg konstruiert*) Händeschütteln *n*, -druck *m*.
shak·en ['ʃeikən] **I** *pp von* shake. **II** *adj* **1.** erschüttert, (sch)wankend (*a. fig.*): ~ confidence erschüttertes Vertrauen; (badly) ~ (arg) mitgenommen. **2.** (kern)rissig (*Holz*).
'shakeˌout *s econ. Am. sl.* **1.** (Börsen)-Panik *f*, Krise *f*. **2.** Rezessi'on *f*, (Konjunk'tur)Tief *n*.
shak·er ['ʃeikər] *s* **1.** *tech.* Schüttelvorrichtung *f*. **2.** (*Cocktail- etc*)Shaker *m*, Mixbecher *m*. **3.** S~ *relig.* Shaker *m*, Zitterer *m* (*Sektierer*).
Shake·spear·e·an, *bes. Br.* **Shake·spear·i·an** [ʃeik'spi(ə)riən] **I** *adj* shakespearisch, Shakespeare... **II** *s* Shakespeareforscher(in).
'shake-ˌup *s* **1.** *colloq.* Aufrüttelung *f*. **2.** 'Umwälzung *f*. **3.** 'Umbesetzung *f*, -grupˌpierung *f*.
shak·i·ness ['ʃeikinis] *s* Wack(e)ligkeit *f* (*a. fig. Gebrechlichkeit, Unsicherheit*).
shak·ing ['ʃeikiŋ] **I** *s* **1.** Schütteln *n*, Rütteln *n*. **2.** Erschütterung *f*. **II** *adj* **3.** Schüttel...: ~ grate Schüttelrost *m*; → palsy 1. **4.** wackelnd: ~ pudding ,Wackelpudding' *m*.
shak·o ['ʃækou] *pl* **-os** *s* Tschako *m* (*Helm*).
Shak·spe(a)r·e·an, -i·an → Shakespearean.
shak·y ['ʃeiki] *adj* (*adv* shakily) **1.** wack(e)lig (*a. fig.*): ~ chair; ~ credit (firm, health, old man, knowledge). **2.** zitt(e)rig, bebend: ~ hands; ~ voice. **3.** *fig.* (sch)wankend: ~ courage wankender Mut. **4.** *fig.* unsicher, zweifelhaft. **5.** (kern)rissig (*Holz*).
shale [ʃeil] *s geol. min.* Schiefer(ton) *m*: ~ oil Schieferöl *n*.
shall [ʃæl] *inf, Imperativ u. pp fehlen, 2. sg pres obs.* **shalt** [ʃælt], *3. sg pres* **shall,** *pret* **should** [ʃud], *2. sg pres obs.* **shouldst** [ʃudst], **'should·est** [-ist] *v/aux* (*mit folgendem inf ohne* to) **1.** *Futur*: *ich* werde, *wir* werden: I (we) ~ come tomorrow. **2.** (*in allen Personen zur Bezeichnung e-s Befehls, e-r Verpflichtung*): *ich, er, sie, es* soll, *du* sollst, *ihr* sollt, *wir, Sie, sie* sollen: ~ I come?; what ~ I answer?; he ~ open the door. **3.** (*zur verkürzenden Wiederholung e-s Fragesatzes mit* shall *in der Bedeutung*) nicht wahr, oder nicht?: he ~ come, ~ he not (*od. colloq.* shan't he)? **4.** (*zur Bildung e-r bejahenden od. verneinenden Antwort auf e-n Fragesatz mit* shall *od.* will): ~ (*od.* will) you come? (No,) I ~ not wirst du kommen *od.* kommst du? Nein; ~ (*od.* will) you be happy? (Yes,) I ~ wirst du glücklich sein? Ja. **5.** *jur.* (*zur Bezeichnung e-r Mußbestimmung, im Deutschen durch Indikativ wiedergegeben*): any person ~ be liable ... jede Person ist verpflichtet ... **6.** → should 1.
shal·loon [ʃæ'luːn] *s* Cha'lon *m* (*feiner geköperter Wollstoff*).
shal·lop ['ʃæləp] *s mar.* Scha'luppe *f*.
shal·lot [ʃə'lɒt] *s bot.* Scha'lotte *f*.
shal·low ['ʃælou] **I** *adj* (*adv* ~ly) **1.** seicht, flach: ~ water; ~ place → 3; ~ lens *opt.* flache Linse. **2.** *fig.* seicht, flach, oberflächlich. **II** *s* **3.** seichte Stelle, Untiefe *f*. **III** *v/t u. v/i* **4.** (sich) verflachen. **'~ˌbrained** *adj* seicht, oberflächlich, hohlköpfig.
shal·low·ness ['ʃælounis] *s* Seichtheit *f* (*a. fig.*).
shalt [ʃælt] *obs. 2. sg pres von* shall: thou ~ du sollst.
shal·y ['ʃeili] *adj geol.* schief(e)rig, schieferhaltig.
sham [ʃæm] **I** *s* **1.** (Vor)Täuschung *f*, (Be)Trug *m*, (leerer) Schein, ,fauler Zauber'. **2.** Schwindler(in), Scharlatan *m*. **3.** Heuchler(in). **4.** Nachahmung *f*, Fälschung *f*. **II** *adj* **5.** vorgetäuscht, fin'giert, Schein...: ~ battle Scheingefecht *n*. **6.** unecht, falsch: ~ jewel(le)ry; ~ piety. **III** *v/t* **7.** vortäuschen, -spiegeln, fin'gieren, simu'lieren. **IV** *v/i* **8.** sich verstellen, heucheln: to ~ ill sich krank stellen, simulieren; she is only ~ming sie verstellt sich nur, sie tut nur so.
sha·man ['ʃɑːmən; 'ʃæm-] *s* Scha'mane *m*, Medi'zinmann *m*.
sham·a·teur ['ʃæməˌtəːr; -ˌtʃur; -ˌtjur] *s colloq. sport* 'Scheinamaˌteur *m*.
sham·ble ['ʃæmbl] **I** *v/i* watscheln, schlurfen. **II** *s* watschelnder Gang.
sham·bles ['ʃæmblz] *s pl* (*oft als sg konstruiert*) **1.** Schlachthaus *n*, b)

Fleischbank *f.* **2.** *fig.* a) Schlachtfeld *n* (*a. iro. wüstes Durcheinander*), b) Trümmerfeld *n*, Bild *n* der Verwüstung.

shame [ʃeim] **I** *s* **1.** Scham(gefühl *n*) *f*: to feel ~ at sich schämen über (*acc*); from ~ of aus Scham vor (*dat*); for ~! pfui, schäme dich! **2.** Schande *f*, Schmach *f*: to be a ~ to → 5; ~ on you! schäme dich!, pfui!; it is (a sin and) a ~ es ist e-e (Sünde u.) Schande; to put s.o. to ~ a) j-n in Schande bringen, b) j-n beschämen (*übertreffen*); to cry ~ upon s.o. pfui über j-n rufen. **3.** Schande *f* (*Gemeinheit*): what a ~! a) es ist e-e Schande, b) es ist ein Jammer (*schade*). **II** *v/t* **4.** *j-n* beschämen, mit Scham erfüllen: to ~ s.o. into doing s.th. j-n so beschämen, daß er etwas tut. **5.** *j-m* Schande bereiten *od.* machen. **6.** Schande bringen über (*acc*), schänden.

shame·faced [ˈʃeimˌfeist] *adj* **1.** verschämt, schamhaft. **2.** schüchtern. **3.** schamrot. **4.** kleinlaut. ˌ**shame-ˈfac·ed·ly** [-idli] *adv*. ˌ**shameˈfac·ed·ness** [-idnis] *s* **1.** Verschämtheit *f*. **2.** Schüchternheit *f*.

shame·ful [ˈʃeimful] *adj* (*adv* ~ly) **1.** schmachvoll, schmählich, schändlich. **2.** schimpflich, entehrend. **3.** unanständig. ˈ**shame·ful·ness** *s* **1.** Schändlichkeit *f*. **2.** Schimpflichkeit *f*. **3.** Anstößigkeit *f*. ˈ**shame·less** *adj* (*adv* ~ly) schamlos (*a. fig. unverschämt*). ˈ**shame·less·ness** *s* **1.** Schamlosigkeit *f*. **2.** Unverschämtheit *f*.

sham·mer [ˈʃæmər] *s* Lügner(in), Schwindler(in), Heuchler(in), Simuˈlant(in).

sham·my (leath·er) [ˈʃæmi] → chamois 2 *u.* 3.

sham·poo [ʃæmˈpuː] **I** *v/t pret u. pp* -ˈ**pooed 1.** *den Kopf, das Haar* schampuˈnieren, waschen. **2.** *j-m* den Kopf *od.* das Haar waschen. **II** *s* **3.** Haarwäsche *f*. **4.** Shamˈpoo *n*, Haarwaschmittel *n*.

sham·rock [ˈʃæmrɒk] *s bot.* **1.** weißer Feldklee. **2.** Shamrock *m* (*Kleeblatt als Wahrzeichen Irlands*).

sham·us [ˈʃeiməs] *s Am. sl.* **1.** ‚Poˈlyp' *m*, Poliˈzist *m*. **2.** ‚Schnüffler' *m* (*Privatdetektiv*).

shan·dry·dan [ˈʃændriˌdæn] *s* **1.** *hist.* leichter zweirädriger Wagen. **2.** *humor.* ‚Klapperkasten' *m*.

shan·dy(·gaff) [ˈʃændi(ˌgæf)] *s* Getränk *n* aus Bier u. Ingwerbier *od.* Limoˈnade.

shang·hai [ʃæŋˈhai; ˈʃæŋhai] *v/t colloq.* **1.** *mar. j-n* schangˈhaien (*gewaltsam anheuern*). **2.** *fig. j-n* ‚verschaukeln'.

Shan·gri-la [ˈʃæŋgriˈlɑː] *s* **1.** paraˈdiesischer (abgeschiedener) Ort. **2.** *mil.* geheime (Operatiˈons)Basis.

shank [ʃæŋk] *s* **1.** ˈUnterschenkel *m*, Schienbein *n*. **2.** *colloq.* Bein *n*: to go on ~s' pony (*od.* mare) auf Schusters Rappen reiten. **3.** *bot.* Stengel *m*, Stiel *m*. **4.** Hachse *f* (*vom Schlachttier*). **5.** (*mar.* Anker-, *arch.* Säulen-, *tech.* Bolzen- *etc*)Schaft *m*. **6.** *mus.* gerader Stimmzug. **7.** (Schuh)Gelenk *n*. **8.** *print.* (Schrift)Kegel *m*. **shanked** *adj* **1.** ...schenk(e)lig, mit Schenkeln. **2.** gestielt.

shan't [*Br.* ʃɑːnt; *Am.* ʃæ(ː)nt] *colloq.* [*für* shall not.]

shant·ey [ˈʃænti] → chantey.

Shan·tung, *a.* **s~** [ʃænˈtʌŋ] *s* Schantung(seide *f*) *m*.

shan·ty[1] [ˈʃænti] *s bes. Am.* Hütte *f*, [Baˈracke *f*.]

shan·ty[2] [ˈʃænti] → chantey.

ˈ**shan·tyˌtown** *s bes. Am.* schäbige Vorstadt, Baˈrackenstadt *f*.

shap·a·ble [ˈʃeipəbl] *adj* formbar, gestaltungs-, bildungsfähig.

shape [ʃeip] **I** *s* **1.** Gestalt *f*, Form *f* (*a. fig.*): in the ~ of in Form (*gen*); in human ~ in Menschengestalt; in no ~ in keiner Weise. **2.** Fiˈgur *f*, Gestalt *f*: to put into ~ formen, gestalten. **3.** feste Form *od.* Gestalt: to get one's ideas into ~ s-e Gedanken ordnen; to take ~ (feste) Gestalt annehmen (*a. fig.*); → lick 1. **4.** (*körperliche od. geistige*) Verfassung, Form *f*: to be in (good) ~ in (guter) Form sein; to be in bad ~ in schlechter Verfassung *od.* Form sein, in schlechtem Zustand *od.* übel zugerichtet sein. **5.** *tech.* a) Form *f*, Moˈdell *n*, Fasˈson *f*, b) Formstück *n*, -teil *n*, c) *pl* Preßteile *pl*. **6.** *Kochkunst*: a) (Pudding- *etc*)Form *f*, b) Stürzpudding *m*.

II *v/t* **7.** gestalten, formen, bilden (into zu) (*alle a. fig.*): to ~ a child's character *fig.* den Charakter e-s Kindes formen. **8.** anpassen (to an *acc*). **9.** formuˈlieren. **10.** planen, entwerfen, ersinnen, schaffen: to ~ the course for *mar. u. fig.* den Kurs setzen auf (*acc*), ansteuern. **11.** *tech.* formen, fassoˈnieren.

III *v/i* **12.** Gestalt *od.* Form annehmen, sich formen. **13.** sich *gut etc* anlassen, sich entwickeln *od.* gestalten: things ~ right die Dinge entwickeln sich richtig; to ~ well vielversprechend sein. **14.** ~ up *colloq.* a) (endgültige) Gestalt annehmen, b) ‚sich machen', sich (gut) entwickeln: he is shaping up well. **15.** ~ up to a) Boxstellung einnehmen gegen, b) *fig. j-n* herˈausfordern.

shape·a·ble → shapable.

shaped [ʃeipt] *adj* **1.** geformt (*a. tech.*), gestaltet. **2.** ...geformt, ...förmig. ˈ**shape·less** *adj* **1.** form-, gestaltlos. **2.** unförmig, ˈmißgestaltet. ˈ**shape·less·ness** *s* **1.** Form-, Gestaltlosigkeit *f*. **2.** Unförmigkeit *f*. ˈ**shape·li·ness** *s* Wohlgestalt *f*, schöne Form, Ebenmaß *n*. ˈ**shape·ly** *adj* wohlgeformt, schön, hübsch. ˈ**shap·er** *s* **1.** Former(in), Gestalter(in). **2.** *tech.* a) ˈWaagrecht-ˈStoßmaˌschine *f*, ˈShapingmaˌschine *f*, b) Schnellhobler *m*: ~ tool Formstahl *m*. ˈ**shap·ing** *s* Formgebung *f*, (*tech. bes.* spanabhebende) Formung, Gestaltung *f*: ~ machine → shaper 2 a; ~ mill Vorwalzwerk *n*.

shard [ʃɑːrd] *s* **1.** (Ton)Scherbe *f*. **2.** *zo.* (harte) Flügeldecke (*e-s Insekts*).

share[1] [ʃɛr] **I** *s* **1.** (An)Teil *m* (of an *dat*): to fall to s.o.'s ~ j-m zufallen; for my ~ für m-n Teil. **2.** (An)Teil *m*, Beitrag *m*, Kontinˈgent *n*: to do one's ~ sein(en) Teil leisten; to go ~s with s.o. mit j-m (gerecht) teilen (in s.th. etwas); ~ and ~ alike zu gleichen Teilen; to have (*od.* take) a large ~ in großen Anteil haben an (*dat*); to take a ~ in sich beteiligen an (*dat*). **3.** *econ.* Beteiligung *f*, Geschäftsanteil *m*, Kapiˈtaleinlage *f*: ~ in a ship Schiffspart *m*. **4.** *econ.* a) Gewinnanteil *m*, b) *bes. Br.* Aktie *f*: to hold ~s in a company Aktionär e-r Gesellschaft sein, c) *a.* mining ~ Kux *m*. **5.** *econ.* (Markt)Anteil *m*. **II** *v/t* **6.** (*a. fig. sein Bett, e-e Ansicht, das Schicksal etc*) teilen (with mit). **7.** *meist* ~ out (among) ver-, austeilen (unter *acc*), zuteilen (*dat*). **8.** teilnehmen *od.* -haben an (*dat*), sich an *den Kosten etc* beteiligen: to ~ the costs; ~d gemeinsam, Gemeinschafts... **III** *v/i* **9.** ~ in → 8. **10.** sich teilen (in in *acc*).

share[2] [ʃɛr] *s agr. tech.* (Pflug)Schar *f*: ~ beam Pflugbaum *m*.

share|bro·ker *s econ. bes. Br.* Aktienmakler *m*. ~ **cer·tif·i·cate** *s econ. Br.* Anteilschein *m*, ˈAktie(nzertifiˌkat *n*) *f*. ˈ~ˌ**crop·per** *s agr. econ. Am.* kleiner Farmpächter (*der s-e Pacht mit e-m Teil der Ernte entrichtet*). ˈ~ˌ**hold·er** *s econ. bes. Br.* Aktioˈnär *m*, Aktieninhaber *m*. ˈ~-ˌ**list** *s econ. Br.* **1.** (ˈAktien)Kurszettel *m*. **2.** ˈAktienreˌgister *n*. ˈ~-ˌ**out** *s* Aus-, Verteilung *f*.

shar·er [ˈʃɛ(ə)rər] *s* **1.** (Ver)Teiler(in). **2.** Teilnehmer(in), -haber(in), Beteiligte(r *m*) *f*.

share war·rant *s Br.* (ˈInhaber)Aktienzertifiˌkat *n*.

shark [ʃɑːrk] **I** *s* **1.** *ichth.* Hai(fisch) *m*. **2.** *fig.* a) Gauner *m*, Betrüger *m*, b) Schmaˈrotzer *m*. **3.** *bes. Am. sl.* ‚Kaˈnone' *f* (*Könner*). **II** *v/i* **4.** betrügen. **III** *v/t* **5.** ergaunern. ˈ~ˌ**skin** *s* **1.** Haifischhaut *f*, -leder *n*. **2.** *Textilwesen*: a) glatter, köperartiger Kammgarnstoff, b) schweres, kreidefarbiges Kunstseidentuch.

sharp [ʃɑːrp] **I** *adj* (*adv* ~ly) **1.** scharf: ~ knife; ~ curve; ~ features. **2.** spitz: a ~ gable; a ~ ridge. **3.** steil, jäh: a ~ ascent. **4.** *fig. allg.* scharf: a) deutlich: ~ contrast (distinction, outlines, *etc*), b) herb, beißend: ~ smell (taste, *etc*), c) schneidend: ~ order (voice); ~ cry durchdringender Schrei, d) schneidend, beißend, scharf: ~ frost; ~ wind, e) stechend, heftig: ~ pain, f) ˈdurchdringend: ~ look, g) hart: ~ answer (criticism, *etc*), h) spitz: ~ remark; a ~ tongue, i) heftig, hitzig: a ~ desire (struggle, temper), j) schnell: ~ pace (play, *etc*); ~'s the word *colloq.* mach fix *od.* schnell!, ‚dalli!' **5.** scharf, wachsam: a ~ ear; a ~ eye. **6.** angespannt: ~ attention. **7.** a) scharfsinnig, b) aufgeweckt, ‚auf Draht', c) *colloq.* ‚gerissen', raffiˈniert: ~ practice Gaunerei *f*. **8.** *mus.* a) scharf (*im Klang*), b) (zu) hoch, c) (*durch Kreuz um e-n Halbton*) erhöht, d) groß, ˈübermäßig (*Intervall*), e) Kreuz...: C ~ Cis *n*. **9.** *ling.* stimmlos, scharf: ~ consonant.

II *v/t u. v/i* **10.** *mus.* a) zu hoch singen *od.* spielen. **11.** betrügen.

III *adv* **12.** scharf. **13.** jäh, plötzlich. **14.** pünktlich, genau: at three o'clock ~ Punkt 3 (Uhr). **15.** schnell: look ~! ‚dalli!' **16.** *mus.* zu hoch: to sing (*od.* play) ~.

IV *s* **17.** *pl* sehr feine (Näh)Nadeln *pl*. **18.** *colloq.* a) → sharper 1, b) Fachmann *m*. **19.** *mus.* a) Kreuz *n*, b) Erhöhung *f*, Halbton *m* (of über *dat*), c) nächsthöhere Taste.

ˈ**sharp|-ˈcut** *adj* **1.** scharf (geschnitten). **2.** *fig.* fest umˈrissen, klar, deutlich. ˈ~-ˌ**edged** *adj* scharfkantig.

sharp·en [ˈʃɑːrpən] **I** *v/t* **1.** schärfen, wetzen, schleifen. **2.** (an)spitzen: to ~ a pencil. **3.** *fig. j-n* scharfmachen, anreizen. **4.** *fig.* schärfen: to ~ the mind. **5.** anregen: to ~ s.o.'s appetite. **6.** a) verschärfen: to ~ a law (speech, *etc*), b) verstärken: to ~ the pain, c) *s-n Worten od. s-r Stimme* e-n scharfen Klang geben. **7.** *mus.* (*durch Kreuz*) erhöhen. **8.** scharf *od.* schärfer machen: to ~ vinegar; to ~ s.o.'s features. **II** *v/i* **9.** sich verschärfen, scharf *od.* schärfer werden (*a. fig.*). ˈ**sharp·en·er** *s* (*Bleistift- etc*)Spitzer *m*.

sharp·er [ˈʃɑːrpər] *s* **1.** Gauner(in), Schwindler(in), Betrüger(in). **2.** Falschspieler *m*.

ˈ**sharp-ˈeyed** *adj* scharfsichtig.

sharp·ness ['ʃɑːrpnis] *s* **1.** Schärfe *f* (*a. fig.* Herbheit *f*, Strenge *f*, Heftigkeit *f*). **2.** Spitzigkeit *f*. **3.** *fig.* a) Scharfsinn *m*, b) Aufgewecktheit *f*, c) Gerissenheit *f*. **4.** (*phot.* Rand-)Schärfe *f*.

'**sharp|-ˌset** *adj* **1.** scharf(kantig). **2.** (heiß)hungrig. **3.** *fig.* scharf, erpicht (on auf *acc*). '**~ˌshoot·er** *s* **1.** Scharfschütze *m* (*a. fig. sport etc*). **2.** *fig. Am.* a) skrupelloser Kerl, b) Geldraffer *m*. '**~ˌshoot·ing** *s* **1.** Scharfschießen *n*. **2.** *fig.* heftige *od.* 'hinterhältige At'tacke. '**~-'sight·ed** *adj* **1.** scharfsichtig. **2.** *fig.* scharfsinnig. '**~-ˌtongued** *adj fig.* spitzzüngig (*Person*). '**~-'wit·ted** *adj* scharfsinnig, gescheit.

shat·ter ['ʃætər] **I** *v/t* **1.** zerschmettern, -schlagen, -trümmern (*alle a. fig.*). **2.** zerstören, -rütten: to ~ s.o.'s health (nerves). **3.** *fig.* zerstören: to ~ s.o.'s hopes. **II** *v/i* **4.** zerbrechen, in Stücke brechen, zerspringen, -splittern: ~-proof a) bruchsicher, b) splitterfrei, -sicher (*Glas*). '**shat·ter·ing** *adj* (*adv* ~ly) **1.** vernichtend (*a. fig.*). **2.** *fig.* 'umwerfend, e'norm. **3.** (ohren)betäubend.

shave [ʃeiv] **I** *v/t pret u. pp* **shaved,** *pp a.* '**shav·en 1.** (o.s. sich) ra'sieren. **2.** *a.* ~ off 'abraˌsieren. **3.** (kurz) schneiden *od.* scheren: to ~ the lawn. **4.** (ab)schaben, abschälen. **5.** *Gerberei*: abschaben, abfalzen: to ~ hides. **6.** (glatt)hobeln: to ~ wood. **7.** streifen, *a.* knapp vor'beikommen an (*dat*). **8.** *econ. Am. sl.* zu hohem Dis'kont aufkaufen: to ~ a bill. **II** *v/i* **9.** sich ra'sieren. **10.** ~ through *colloq.* (gerade noch) ,'durchrutschen' (*in e-r Prüfung*). **III** *s* **11.** Ra'sur *f*: to have (*od.* get) a ~ sich rasieren (lassen); to have a close (*od.* narrow) ~ *colloq.* mit knapper Not entkommen; that was a close ~ *colloq.* ,das hätte ins Auge gehen können'; by a ~ um Haaresbreite, um ein Haar. **12.** *tech.* Schabeisen *n*. **13.** *Br.* Gaune'rei *f*: a clean ~ ein glatter Betrug. **14.** *econ. Am. sl.* Wucherzins *m*.

shave·ling ['ʃeivliŋ] *s obs. contp.* **1.** ,Pfaffe' *m*. **2.** Mönch *m*.

shav·en ['ʃeivn] **I** *pp von* shave. **II** *adj* **1.** ra'siert: clean-~ glattrasiert. **2.** (kahl)geschoren: a ~ head.

shav·er ['ʃeivər] *s* **1.** Bar'bier *m*. **2.** *meist* young ~ *colloq.* Grünschnabel *m*. **3.** (*bes.* e'lektrischer) Ra'sierappaˌrat.

'**shaveˌtail** *s* **1.** nicht zugerittenes Maultier. **2.** *mil. Am. sl.* frischgebackener Leutnant.

Sha·vi·an ['ʃeiviən] **I** *adj* Shawsch(er, e, es), für G.B. Shaw charakte'ristisch: ~ humo(u)r. **II** *s* Shaw-Verehrer(in), -Kenner(in).

shav·ing ['ʃeiviŋ] *s* **1.** Ra'sieren *n*, Scheren *n*: ~ brush Rasierpinsel *m*; ~ cream Rasiercreme *f*; ~ head Scherkopf *m*; ~ soap, ~ stick Rasierseife *f*. **2.** *meist pl* Schnitzel *m, n*, (Hobel)Span *m*.

shaw [ʃɔː] *s Br. obs. od. poet.* Dickicht *n*, Wäldchen *n*.

shawl [ʃɔːl] *s* Schal *m*, 'Umhängetuch *n*.

shawm [ʃɔːm] *s mus.* Schal'mei *f*.

shay [ʃei] *s dial. od. colloq.* Kutsche *f*.

she [ʃiː; ʃi] **I** *pron* **1.** a) sie (*3. sg für alle weiblichen Lebewesen*), b) *im Gegensatz zum Deutschen*: (*beim Mond*) er, (*bei Ländern*) es, (*bei Schiffen mit Namen*) sie, (*bei Schiffen ohne Namen*) es, (*bei Motoren u. Maschinen, wenn personifiziert*) er, es. **2.** sie, die(jenige): ~ that is coming. **3.** *contp.* die: not ~! die nicht! **II** *s* **4.** Sie *f*: a) Mädchen *n*, Frau *f*, b) Weibchen *n* (*Tier*): is the child a he or a ~? **III** *adj* (*in Zssgn*) **5.** *bes. zo.* weiblich: ~-bear Bärin *f*; ~-dog Hündin *f*; ~-fox Füchsin *f*; ~-goat Geiß *f*. **6.** *contp.* Weibs...: ~-devil Weibsteufel *m*.

shea [ʃiː] *s bot.* Schi(butter)baum *m*: ~ butter Schi-, Sheabutter *f*.

shead·ing ['ʃiːdiŋ] *s Br.* Verwaltungsbezirk *m* (*der Insel Man*).

sheaf [ʃiːf] **I** *pl* **-ves** [-vz] *s* **1.** *agr.* Garbe *f*. **2.** Bündel *n*: ~ of papers; ~ of fire Feuer-, Geschoßgarbe *f*; ~ of rays *phys.* Strahlenbündel. **II** *v/t pret u. pp* **sheaved 3.** in Garben binden.

shear [ʃir] **I** *v/t pret* **sheared** *od. obs.* **shore** [ʃɔːr], *pp* **sheared** *od. bes. als adj* **shorn 1.** scheren: to ~ sheep. **2.** *a.* ~ off (ab)scheren, abschneiden. **3.** *Blech, Glas etc* schneiden. **4.** *fig.* j-n berauben (of *gen*): → shorn. **5.** *fig.* j-n schröpfen. **6.** *poet.* (ab)hauen. **II** *v/i* **7.** (*mit e-r Sichel*) schneiden *od.* mähen. **8.** *poet.* (*mit dem Schwert etc*) schneiden *od.* hauen (through durch). **III** *s* **9.** a) *meist pl* große Schere, b) Scherenblatt *n*: a pair of ~s e-e (große) Schere. **10.** *tech.* Blechschere *f*. **11.** *meist pl* (Hobel[bank]-, Drehbank)-Bett *n*. **12.** → shear legs. **13.** *phys.* → a) shearing force, b) shearing stress. **14.** *dial.* → shearing 1. '**shear·er** *s* **1.** (Schaf)Scherer *m*. **2.** Schnitter(in). **3.** *tech.* a) 'Schermaˌschine *f*, b) 'Blechˌschneidemaˌschine *f*.

shear·ing ['ʃi(ə)riŋ] *s* **1.** Schur *f*: a) *Schafscheren*, b) *Schurertrag*. **2.** *geol. phys.* (Ab)Scherung *f*. **3.** *Scot. od. dial.* a) Mähen *n*, Mahd *f*, b) Ernte *f*. ~ **force** *s phys.* Scher-, Schubkraft *f*. ~ **strength** *s phys.* Scher-, Schubfestigkeit *f*. ~ **stress** *s phys.* Scherbeanspruchung *f*.

shear legs *s pl* (*a. als sg konstruiert*) *tech.* Scherenkran *m*.

shear·ling ['ʃirliŋ] *s* erst 'einmal geschorenes Schaf.

shear| pin *s tech.* Scherbolzen *m*. ~ **steel** *s* Gärbstahl *m*. ~ **stress** → shearing stress. '**~ˌwa·ter** *s orn.* Sturmtaucher *m*.

sheat·fish ['ʃiːtˌfiʃ] *s ichth.* Wels *m*.

sheath [ʃiːθ] *pl* **sheaths** [ʃiːðz] *s* **1.** Scheide *f*: ~ knife feststehendes Messer mit Scheide. **2.** Futte'ral *n*, Hülle *f*. **3.** *tech.* (*Kabel-, Elektroden*)Mantel *m*. **4.** *anat. bot.* Scheide *f*. **5.** Kon'dom *n*. **6.** *Mode*: Futte'ralkleid *n*. **7.** *zo.* Flügeldecke *f* (*e-s Käfers*).

sheathe [ʃiːð] *v/t* **1.** *das Schwert* in die Scheide stecken: → sword. **2.** in e-e Hülle *od.* ein Futte'ral stecken. **3.** *fig.* tief stoßen (in in *acc*): to ~ one's dagger in s.o.'s heart. **4.** *die Krallen* einziehen. **5.** *bes. tech.* um'hüllen, um'manteln, *Kabel* ar'mieren: ~d electrode *electr.* Mantelelektrode *f*.

sheath·ing ['ʃiːðiŋ] *s* **1.** *tech.* a) Verkleidung *f*, b) Mantel *m*, 'Überzug *m*, Beschlag *m*, c) Bewehrung *f* (*e-s Kabels*). **2.** *mar.* Bodenbeschlag *m*.

sheave¹ [ʃiːv] *v/t* in Garben binden.

sheave² [ʃiːv; ʃiv] *s tech.* Scheibe *f*, Rolle *f*: ~ pulley Umlenkrolle *f*.

sheaves [ʃiːvz] **1.** *pl von* sheaf. **2.** [*a.* ʃivz] *pl von* sheave².

she·bang [ʃə'bæŋ] *s Am. sl.* **1.** ,Bude' *f*, ,Laden' *m*. **2.** ,Appa'rat' *m* (*Sache*). **3.** Kram *m*: the whole ~ der ganze Plunder.

she·been [ʃi'biːn] *Ir. od. Scot.* **I** *s* 'illeˌgale ,Schnapsbude'. **II** *v/i* 'illeˌgal Branntwein ausschenken.

shed¹ [ʃed] *s* **1.** Schuppen *m*. **2.** Stall *m*. **3.** (kleine) Flugzeughalle. **4.** Hütte *f*.

shed² [ʃed] *v/t pret u. pp* **shed 1.** verschütten, *a. Blut, Tränen* vergießen. **2.** ausstrahlen, *a. Duft, Licht, Frieden etc* verbreiten: → light¹ 11. **3.** *Wasser* abstoßen (*Stoff*). **4.** *biol. Laub, Federn etc* abwerfen, *Hörner* abstoßen, *Zähne* verlieren: to ~ one's skin sich häuten. **5.** ablegen: to ~ one's winterclothes (a bad habit); to ~ one's old friends s-e alten Freunde ,ablegen'.

shed·der ['ʃedər] *s* **1.** j-d, der (*Tränen, Blut etc*) vergießt. **2.** *zo.* Krebs *m* im Häutungsstadium. **3.** weiblicher Lachs nach dem Laichen.

sheen [ʃiːn] *s* **1.** Glanz *m* (*bes. auf Stoffen*). **2.** *poet.* prunkvolle Kleidung. **3.** *Am. sl.* falsche Münze.

sheen·y¹ ['ʃiːni] *adj* glänzend.

sheen·y² ['ʃiːni] *s sl.* ,Itzig' *m*, Jude *m*.

sheep [ʃiːp] *s sg u. pl* **1.** *zo.* Schaf *n*: to cast ~'s eyes at s.o. j-m schmachtende Blicke zuwerfen; to separate the ~ and the goats *Bibl. u. fig.* die Böcke von den Schafen trennen; you might as well be hanged for a ~ as for a lamb ,wenn schon, denn schon'; → black sheep. **2.** *fig. contp.* ,Schaf' *n*. **3.** *pl fig.* Schäflein *pl*, Herde *f* (*Gemeinde e-s Pfarrers etc*). **4.** Schafleder *n*. '**~-ˌdip** *s* Desinfekti'onsbad *n* für Schafe. ~ **dog** *s* Schäferhund *m*. '**~-ˌfarm** *s Br.* Schaf(zucht)farm *f*. '**~ˌfarm·ing** *s Br.* Schafzucht *f*. '**~-ˌfold** *s* Schafhürde *f*. '**~ˌherd·er** *s Am.* Schäfer *m*.

sheep·ish ['ʃiːpiʃ] *adj* (*adv* ~ly) **1.** schüchtern. **2.** einfältig, blöd(e). '**sheep·ish·ness** *s* **1.** Schüchternheit *f*. **2.** Einfältigkeit *f*.

'**sheep|·man** [-mən] *s irr* Schafzüchter *m*. '**~ˌpen** *s* Schafhürde *f*. ~ **pox** *s vet.* Schafpocken *pl*. ~ **run** *s* Schafweide *f*. '**sheep|ˌshear·ing** *s* Schafschur *f*. '**~ˌskin** *s* **1.** Schaffell *n*. **2.** (*a.* Perga'ment *n* aus) Schafleder *n*. **3.** *colloq.* a) Di'plom *n*, b) Urkunde *f*. '**~ˌwalk** *s* Schafweide *f*. ~ **wash** → sheep-dip.

sheer¹ [ʃir] **I** *adj* **1.** bloß, rein, pur, nichts als: ~ waste; by ~ force durch bloße *od.* nackte Gewalt; ~ nonsense reiner *od.* barer Unsinn. **2.** völlig, rein, glatt: a ~ impossibility. **3.** hauchdünn (*Textilien*). **4.** steil, jäh. **5.** rein, unvermischt, pur: ~ ale. **II** *adv* **6.** völlig, ganz, gänzlich. **7.** senkrecht: to rise ~ from the water. **8.** di'rekt, schnurgerade.

sheer² [ʃir] **I** *s* **1.** *mar.* a) Ausscheren *n*, b) Sprung *m* (*Deckerhöhung*): ~ hulk Hulk *f, m* (*abgetakeltes Schiff*) mit Mastkran; ~ plan Längsriß *m*. **II** *v/i* **2.** *mar.* abscheren, (ab)gieren (*Schiff*). **3.** (from) *fig.* a) abweichen, abgehen (von), b) sich losmachen (von). **III** *v/t* **4.** *mar.* abdrängen. ~ **off** *v/i* **1.** → sheer² 2. **2.** *colloq.* abhauen. **3.** ~ from aus dem Wege gehen (*dat*).

sheet¹ [ʃiːt] **I** *s* **1.** Bettuch *n*, (Bett-)Laken *n*, Leintuch *n*: between the ~s *colloq.* ,in den *od.* in die Federn'; to stand in a white ~ *fig.* reumütig s-e Sünden bekennen; (as) white as a ~ kreidebleich. **2.** Bogen *m*, Blatt *n* (*Papier*): a blank ~ *a. fig.* ein unbeschriebenes Blatt; a clean ~ *fig.* e-e reine Weste. **3.** *print.* a) (Druck)Bogen *m*, b) *pl* (lose) Blätter *pl*: in (the) ~s (noch) nicht gebunden (*Buch*). **4.** Bogen *m* (*von Briefmarken*). **5.** Blatt *n*: a) Zeitung *f*: scandal ~ Skandalblatt, b) (Druck-, Flug)Schrift *f*. **6.** *metall.* (Fein)Blech *n*. **7.** *tech.* (dünne) (Blech-, Glas- *etc*)Platte. **8.** weite Fläche (*von Wasser, Eis etc*). **9.** (wogende *od.* sich bewegende) Masse, (Feuer-, Regen)-

Wand *f*: **the rain came down in ~s** es regnete in Strömen. **10.** *geol.* a) (Gesteins)Schicht *f*, b) (Eis)Scholle *f*. **II** *v/t* **11.** *das Bett* beziehen. **12.** (in ein Laken) (ein)hüllen. **13.** mit e-r (dünnen) Schicht bedecken. **14.** *tech.* mit Blech verkleiden.

sheet[2] [ʃiːt] *mar.* **I** *s* **1.** Schot(e) *f*, Segelleine *f*: **flowing ~s** fliegende Schoten; **to be** (*od.* **have**) **three ~s in the wind** *sl.* ‚sternhagelvoll sein'. **2.** *pl* Vorder- (u. Achter)teil *m* (*des Boots*). **II** *v/t* **3.** *a.* **~ home** *Segel* anholen: **to ~ it home to s.o.** *fig.* ‚es j-m besorgen'.

sheet| an·chor *s mar.* Notanker *m* (*a. fig.*). **~ cop·per** *s tech.* Kupferblech *n*. **~ glass** *s* Tafelglas *n*.

sheet·ing [ˈʃiːtiŋ] *s* **1.** Bettuchstoff *m*. **2.** *tech.* (Blech)Verkleidung *f*.

sheet| i·ron *s tech.* Eisenblech *n*. **~ lead** [led] *s tech.* Tafelblei *n*. **~ light·ning** *s* **1.** Wetterleuchten *n*. **2.** Flächenblitz *m*. **~ met·al** *s tech.* (Meˈtall)Blech *n*. **~ mu·sic** *s mus.* Noten *pl* (auf losen Blättern), Notenblätter *pl*. **~ steel** *s tech.* Stahlblech *n*.

Shef·field| goods [ˈʃefiːld] *s pl tech.* platˈtierte (Meˈtall)Waren *pl*. **~ plate** *s tech.* versilberte Meˈtallplatte (*aus Sheffield*).

sheik(h) [ʃiːk; *Br. a.* ʃeik] *s* **1.** Scheich *m*. **2.** *fig. colloq.* ‚Casaˈnova' *m*.

shek·el [ˈʃekl] *s* **1.** S(ch)ekel *m* (*hebräische Gewichts- u. Münzeinheit*). **2.** *pl colloq.* ‚Zaster' *m* (*Geld*).

shel·drake [ˈʃelˌdreik] *s orn.* Brandente *f*.

shelf [ʃelf] *pl* **shelves** [-vz] *s* **1.** (Bücher-, Wand-, Schrank)Brett *n*, (ˈBücher-, ˈWaren- *etc*)Reˌgal *n*, Bord *n*, Fach *n*, Sims *m*, *n*: **to be put** (*od.* **laid**) **on the ~** *fig.* a) ausrangiert werden (*a. Beamter etc*), b) auf die lange Bank geschoben werden (*Sache*); **to get on the ~** ‚sitzenbleiben' (*Mädchen*). **2.** Felsplatte *f*, Riff *n*. **3.** *mar.* a) Küstensockel *m*, Schelf *m*, *n*, b) Sandbank *f*. **4.** *geol.* Schelf *m*, *n*, Festlandssockel *m*.

shelf·ful [ˈʃelfful] *s* **a ~ of books** ein Regal (voll) Bücher.

shelf| life *s econ.* Lagerfähigkeit *f*. **~ warm·er** *s econ.* ‚Ladenhüter' *m*.

shell [ʃel] **I** *s* **1.** *allg.* Schale *f*. **2.** *zo.* a) Muschel(schale) *f*, b) Schneckenhaus *n*, c) Flügeldecke *f* (*e-s Käfers*), d) Panzer *m*, Rückenschild *m* (*der Schildkröte*). **3.** *fig.* (rauhe) Schale: **to come out of one's ~** aus sich herausgehen. **4.** (Eier)Schale *f*: **in the ~** a) (noch) unausgebrütet, b) *fig.* noch in der Entwicklung. **5.** *zo.* a) Muschelkalk *m*, b) Muschelschale *f*, c) Perlmutt *n*, d) Schildpatt *n*. **6.** *bot.* (*Nuß- etc*)Schale *f*, Hülse *f*, Schote *f*. **7.** *aer. mar.* Schale *f*, Außenhaut *f*, (Schiffs)Rumpf *m*. **8.** Gerüst *n*, Gerippe *n* (*a. fig.*), *arch. a.* Rohbau *m*. **9.** Kapsel *f*, (*Scheinwerfer- etc*)Gehäuse *n*, Mantel *m*. **10.** *mil.* a) Graˈnate *f*, b) (Geschoß-, Paˈtronen)Hülse *f*, c) *Am.* Paˈtrone *f* (*für Schrotgewehre*). **11.** (ˈFeuerwerks)Raˌkete *f*. **12.** *Kochkunst*: Paˈstetenhülle *f*, -schale *f*. **13.** *chem. phys.* (Elekˈtronen)Schale *f*. **14.** *mar. sport* Einmann-Renn(ruder)boot *n*, Einer *m*. **15.** (*das*) bloße Äußere. **16.** Innensarg *m*. **17.** (Degen- *etc*)Korb *m*. **18.** *typ.* Galˈvano *n*. **19.** *ped. Br.* Mittelstufe *f* (*an Privatschulen*).
II *v/t* **20.** enthülsen: **to ~ peas.** **21.** schälen: **to ~ nuts** Nüsse knacken. **22.** *Körner* von der Ähre entfernen. **23.** *mil.* (mit Graˈnaten) beschießen. **24.** mit Muscheln auslegen. **25. ~ out** *colloq.* ‚blechen' (*bezahlen*).
III *v/i* **26. ~ out** *colloq.* ‚blechen', (be)zahlen.

shel·lac [ʃəˈlæk] **I** *s* **1.** *chem. tech.* Schellack *m*. **II** *v/t pret u. pp* **shelˈlacked** **2.** mit Schellack behandeln. **3.** *Am. sl.* ‚vertrimmen' (*a. fig. vernichtend schlagen*).

ˈshell|ˌback *s mar. colloq.* (alter) Seebär. **~ eggs** *s* Frischei *n* (*Ggs. Eipulver*). **ˈ~ˌfish** *s zo.* Schal(en)tier *n*. **~ game** *s Am.* Falschspielertrick *m* (*a. fig.*).

shell·ing [ˈʃeliŋ] *s* **1.** Enthülsen *n*, Schälen *n*. **2.** *mil.* Beschuß *m*, (Artilleˈrie)Feuer *n*.

shell| jack·et *s* **1.** *mil. Br.* leichte Offiˈziersjacke. **2.** Messejacke *f*. **ˈ~-ˌout** *s* (*Art*) Billardspiel *n*. **ˈ~ˈproof** *adj mil.* beschußsicher. **~ shock** *s med. psych.* ˈKriegsneuˌrose *f*. **~ trans·form·er** *s electr. tech.* ˈMantel(kern)ˌtransforˌmator *m*. **ˈ~ˌwork** *s* Muschel(einlege)arbeit *f*.

shel·ta [ˈʃeltə] *s* Geˈheimjarˌgon *m* der Kesselflicker u. Ziˈgeuner *etc* (*bes. in Irland*).

shel·ter [ˈʃeltər] **I** *s* **1.** Schutzhütte *f*, -raum *m*, -dach *n*. **2.** Zufluchtsort *m*. **3.** Obdach *n*, Herberge *f*. **4.** Schutz *m*, Zuflucht *f*: **to take** (*od.* **seek**) **~** → 10; **to seek ~** *fig.* sich verstecken (**behind a fact** hinter e-r Tatsache). **5.** *mil.* a) Bunker *m*, ˈUnterstand *m*, b) (Luft)Schutzraum *m*, c) Deckung *f* (**from** vor *dat*). **II** *v/t* **6.** (be)schützen, beschirmen (**from** vor *dat*): **~ed trade** *econ. Br.* (*durch Zölle*) geschützter Handelszweig; **~ed zone** *aer.* Windschatten *m*. **7.** schützen, bedecken, überˈdachen. **8.** *j-m* Schutz *od.* Zuflucht gewähren: **to ~ o.s.** sich verstecken (**behind** hinter *j-m od. etwas*). **9.** *j-n* beherbergen. **III** *v/i* **10.** Zuflucht *od.* Schutz *od.* Obdach suchen. **11.** sich ˈunterstellen. **~ belt** *s* Shelterbelt *m* (*Waldstreifen als Windschirm*). **~ half** *s irr mil. Am.* Zeltbahn *f*. **~ tent** *s* (*kleines*) Schutzzelt.

shel·ty, *a.* **shel·tie** [ˈʃelti] *s bes. Scot.* Sheltie *n*, Shetlandpony *n*.

shelve[1] [ʃelv] *v/t* **1.** *Bücher* (in ein Reˈgal) einstellen, auf ein Bücherbrett legen *od.* stellen. **2.** *fig.* a) *etwas* zu den Akten legen, beiˈseite schieben, auf die lange Bank schieben, b) *j-n* ˈausranˌgieren, entlassen. **3.** mit Fächern *od.* Reˈgalen versehen.

shelve[2] [ʃelv] *v/i* sich (allˈmählich) senken, (sanft) abfallen.

shelves [ʃelvz] *pl von* **shelf**.

shelv·ing[1] [ˈʃelviŋ] *s* **1.** (Bretter *pl* für) Fächer *pl od.* Reˈgale *pl*. **2.** Auf- *od.* Abstellen *n* in Fächern *od.* Reˈgalen. **3.** *fig.* Auf-, Beiˈseiteschieben *n*, ˈAusranˌgieren *n*. [lend.]

shelv·ing[2] [ˈʃelviŋ] *adj* schräg, abfal-

she·nan·i·gan [ʃəˈnænəˌgæn] *s Am. sl. meist pl* **1.** Trick *m*. **2.** ‚Mumpitz' *m*, ‚fauler Zauber'. **3.** (Lausbuben)Streich *m*, ‚Blödsinn' *m*.

ˈshe-ˌoak *s bot.* Känguruhbaum *m*.

shep·herd [ˈʃepərd] **I** *s* **1.** (Schaf)Hirt *m*, Schäfer *m*. **2.** *fig. relig.* (Seelen)Hirt *m* (*Geistlicher*): **the** (**good**) **S~** *Bibl.* der Gute Hirte (*Christus*). **II** *v/t* **3.** *Schafe etc* hüten. **4.** *fig. e-e Menschenmenge* treiben, ‚bugˈsieren', führen. **5.** *fig.* (scharf) überˈwachen. **~ dog** *s* Schäferhund *m*.

shep·herd·ess [ˈʃepərdis] *s* Hirtin *f*, Schäferin *f* (*a. fig.*).

shep·herd's| crook *s* Hirtenstab *m*. **~ dog** *s* Schäferhund *m*. **~ pie** *s* in Karˈtoffelteig gebackene ˈFleischpaˌstete. **~ plaid** *s* schwarzweiß kaˈrierter Plaid. **ˈ~-ˈpurse** *s bot.* Hirtentäschel *n*. **ˈ~-ˈrod** *s bot.* Behaarte Kardendistel.

sher·ard·ize [ˈʃerərˌdaiz] *v/t tech.* sherardiˈsieren (*verzinken*).

Sher·a·ton [ˈʃerətn] **I** *s* Sheratonstil *m* (*englischer Möbelstil um 1800*). **II** *adj* Sheraton...

sher·bet [ˈʃəːrbət] *s* **1.** Sorˈbet(t) *n*, *m* (*Frucht-Eisgetränk*). **2.** (*ein*) (Speise)Eis *n*. **3.** *a.* **~ powder** Brausepulver *n*.

sherd [ʃəːrd] → **shard**.

she·rif, *a.* **she·reef** [ʃeˈriːf] *s* Scheˈrif *m*: a) *Nachkomme Mohammeds*, b) *Titel mohammedanischer Fürsten*.

sher·iff [ˈʃerif] *s jur.* Sheriff *m*: a) *in England u. Irland der höchste Verwaltungs- u. Polizeibeamte e-r Grafschaft*, b) *in den USA der gewählte höchste Exekutivbeamte e-s Bezirks etc*, c) *a.* **~ depute** oberster Grafschaftsrichter (*in Schottland*), d) *hist. Vertreter der Krone in e-r Grafschaft.* [Detekˈtiv *m*.]

sher·lock, *a.* **S~** [ˈʃəːrlɒk] *s colloq.*

sher·ry [ˈʃeri] *s* Sherry *m* (*südspanischer Wein*): **~-glass** Südweinglas *n*. **~ cob·bler** *s* Sherry Cobbler *m* (*Mischgetränk aus Sherry, Fruchtsaft, Wasser, Zucker u. gestoßenem Eis*).

she's [ʃiːz; ʃiz] *colloq. für* **she is** *od.* **she has**.

Shet·land| lace [ˈʃetlənd] *s* Shetlandspitze *f* (*durchbrochene Handarbeit aus Wolle*). **~ po·ny** → **shelty**. **~ wool** *s* Shetlandwolle *f*.

shew [ʃou] *obs. für* **show**. **ˈ~ˌbread** *s Bibl.* Schaubrot *n*.

shib·bo·leth [ˈʃibəˌleθ] *s fig.* **1.** Schibˈboleth *n*, Erkennungszeichen *n*, Losungswort *n*. **2.** Kastenbrauch *m*. **3.** Platiˈtüde *f*.

shield [ʃiːld] **I** *s* **1.** Schild *m*. **2.** Schutzschild *m*, -schirm *m*. **3.** *fig.* a) Schutz *m*, Schirm *m*, b) (Be)Schützer(in). **4.** *electr. tech.* Abschirmung *f*. **5.** *zo.* (Rücken)Schild *m*, Panzer *m*. **6.** Arm-, Schweißblatt *n*. **7.** *her.* (Wappen)Schild *m*. **II** *v/t* **8.** (be)schützen, (be)schirmen (**from** vor *dat*). **9.** *bes. contp. j-n* decken. **10.** *electr. tech.* abschirmen. **ˈ~-ˌbear·er** *s* Schildträger *m*, -knappe *m*. **~ fern** *s bot.* Schildfarn *m*. **~ forc·es** *s pl mil.* Schildstreitkräfte *pl*. **ˈ~-ˌhand** *s* Schildhand *f*, linke Hand.

shield·less [ˈʃiːldlis] *adj* **1.** ohne Schild. **2.** *fig.* schutzlos.

shiel·ing [ˈʃiːliŋ] *s Scot.* **1.** (Vieh)Weide *f*. **2.** Hütte *f*.

shift [ʃift] **I** *v/i* **1.** den Platz *od.* die Lage wechseln, sich bewegen: **to ~ from one foot to the other** von e-m Fuß auf den anderen treten. **2.** *fig.* sich verlagern (*a. jur. Beweislast*), sich verwandeln (*a. Schauplatz, Szene*), sich verschieben (*a. ling. Laut*), wechseln. **3.** die Wohnung wechseln, ˈumziehen. **4. to ~ for o.s.** a) auf sich selbst gestellt sein, b) sich selbst (weiter)helfen. **5.** *fig.* laˈvieren, sich ˈdurchwinden. **6.** *mot. tech.* schalten: **to ~ up** *mot.* heraufschalten. **7.** *sport* anspringen (*beim Kugelstoßen*). **8.** *mar.* sich verlagern, ˈüberschießen (*Ballast od. Ladung*). **9.** *oft* **~ round** sich drehen (*Wind*). **10.** *colloq.* a) *meist* **~ away** sich daˈvonstehlen, b) sich beeilen.
II *v/t* **11.** (ˈum-, aus)wechseln, (aus)tauschen, verändern: **to ~ one's lodging** → 3, → **ground**[1] 7. **12.** *a. fig.* verlagern, -schieben, -legen: **to ~ the scene to** den Schauplatz verlegen nach (→ 15); **he ~ed his attention to other matters** er wandte s-e Aufmerk-

samkeit anderen Dingen zu. **13.** *e-n Betrieb etc* ˈumstellen (to auf *acc*). **14.** *mil. das Feuer* verlegen. **15.** *thea. Kulissen* schieben. **16.** befördern, bringen (from, out of von; to nach). **17.** *oft* ~ about, ~ off *die Schuld, Verantwortung* (ab)schieben, abwälzen (upon, on auf *acc*). **18.** *j-n* loswerden. **19.** ˈumpflanzen. **20.** *mot.* schalten: to ~ gears a) schalten, b) *fig.* umschalten, wechseln. **21.** *tech.* verstellen, *e-n Hebel* ˈumlegen. **22.** *ling. e-n Laut* verschieben. **23.** *mar.* a) *die Ladung* ˈumstauen, b) *das Schiff* (*längs des Kais*) verholen. **24.** *die Kleidung* wechseln. **25.** *Am. colloq. Speise, Getränk* ‚wegputzen'. **26.** *sl. j-n* ‚ˈumlegen' (*ermorden*).
III *s* **27.** Wechsel *m*, Verschiebung *f*, -änderung *f*. **28.** (Arbeits)Schicht *f* (*Arbeiter od. Arbeitszeit*): ~ boss *Am.* Schichtmeister *m*. **29.** Ausweg *m*, Hilfsmittel *n*, Notbehelf *m*: to make (a) ~ a) sich durchschlagen, b) es fertigbringen (to do zu tun), c) sich behelfen (with mit; without ohne). **30.** Kniff *m*, List *f*, Trick *m*, Ausflucht *f*. **31.** ~ of crop *agr. bes. Br.* Fruchtwechsel *m*. **32.** *amer. Fußball*: Positiˈonswechsel *m*. **33.** *sport* Ansprung *m* (*beim Kugelstoßen*). **34.** *geol.* Verwerfung *f*. **35.** *mus.* a) Lagenwechsel *m* (*bei Streichinstrumenten*), b) Zugwechsel *m* (*Posaune*), c) Verschiebung *f* (*linkes Pedal beim Flügel etc*). **36.** *ling.* Lautverschiebung *f*. **37.** *obs.* (ˈUnter)Hemd *n* (*der Frau*).

shift·er [ˈʃiftər] *s* **1.** *thea.* Kuˈlissenschieber *m*. **2.** *fig.* schlauer Fuchs. **3.** *tech.* a) Schalter *m*, ˈUmleger *m*, b) Ausrückvorrichtung *f*.

shift·i·ness [ˈʃiftinis] *s* **1.** Gewandtheit *f*. **2.** Verschlagenheit *f*. **3.** Unzuverlässigkeit *f*.

shift·ing [ˈʃiftiŋ] *adj* wechselnd, veränderlich, sich verschiebend: ~ sand Treib-, Flugsand *m*.

shift key *s* ˈUmschalter *m* (*der Schreibmaschine*).

shift·less [ˈʃiftlis] *adj* (*adv* ~ly) **1.** hilflos (*a. fig. unfähig*). **2.** unbeholfen, einfallslos. **3.** träge, faul. ˈ**shift·less·ness** *s* **1.** Hilflosigkeit *f*. **2.** Unbeholfenheit *f*. **3.** Trägheit *f*.

shift work *s* **1.** Schichtarbeit *f*. **2.** *ped.* ˈSchichtˌunterricht *m*.

shift·y [ˈʃifti] *adj* (*adv* **shiftily**) **1.** einfallsreich, wendig. **2.** schlau, gerissen. **3.** verschlagen. **4.** *fig.* unstet.

shi·kar [ʃiˈkɑːr] *Br. Ind.* **I** *s* Jagd *f* (*als Sport*). **II** *v/t* jagen. **shiˈka·ri,** *a.* **shiˈka·ree** [-ri] *s Br. Ind.* (*a.* eingeborener) Jäger.

shill [ʃil], ˈ**shil·la·ber** [-ləbər] *s Am. sl.* Gehilfe *m* e-s Schaustellers *od.* Hauˈsierers.

shil·le·la(g)h [ʃiˈleilə] *s Ir.* (Eichen- *od.* Schlehdorn)Knüttel *m*.

shil·ling [ˈʃiliŋ] *s Br. Altes Währungssystem*: Schilling *m* (*abbr.* s): a ~ in the pound 5 Prozent; to pay twenty ~s in the pound s-e Schulden auf Heller u. Pfennig bezahlen; to take the King's (*od.* Queen's) ~ sich als Soldat anwerben lassen; to cut s.o. off with a ~ j-n enterben, j-m keinen Pfennig vermachen. ~ **shock·er** *s* ˈSchundroˌman *m*, ‚Krimi' *m*.

shil·ly-shal·ly [ˈʃiliˌʃæli] **I** *v/i* schwanken, sich nicht entscheiden können. **II** *s* Schwanken *n*, Zögern *n*. **III** *adj u. adv* schwankend, unentschlossen.

shi·ly → shyly.

shim [ʃim] *s tech.* Keil *m*, Ausgleichsscheibe *f*.

shim·mer [ˈʃimər] **I** *v/i* schimmern. **II** *s* Schimmer *m*, Schimmern *n*. ˈ**shim·mer·y** *adj* schimmernd.

shim·my, *a.* **shim·mey** [ˈʃimi] **I** *s* **1.** Shimmy *m* (*amer. Jazztanz*). **2.** *tech.* Flattern *n* (*der Vorderräder*). **3.** *colloq. od. dial.* Hemdchen *n*. **II** *v/i* **4.** Shimmy tanzen. **5.** *tech.* flattern (*Vorderräder*).

shin [ʃin] **I** *s* **1.** Schienbein *n*. **2.** ~ of beef *zo.* Rinderhachse *f*. **II** *v/i* **3.** klettern: to ~ up a tree e-n Baum hinaufklettern. **4.** *Am.* laufen. **III** *v/t* **5.** erklimmen. **6.** *j-n* ans Schienbein treten: to ~ o.s. sich das Schienbein verletzen. ˈ~ˌ**bone** *s* Schienbein(knochen *m*) *n*.

shin·dig [ˈʃindig] *s bes. Am. colloq.* **1.** ‚Schwof' *m*, Tanzvergnügen *n*. **2.** ‚Rummel' *m*, (‚tolle') Party. **3.** → shindy.

shin·dy [ˈʃindi] *s sl.* Krach *m*, Raˈdau[*m.*]

shine [ʃain] **I** *v/i pret u. pp* **shone** [ʃɒn; *Am. a.* ʃoun], *obs.* **shined 1.** scheinen (*Sonne etc*), leuchten, strahlen (*a. Augen etc*; with joy vor Freude): to ~ out hervorleuchten; to ~ up to s.o. *Am. sl.* sich bei j-m anbiedern. **2.** glänzen (*a. fig. sich hervortun* as als; in in *dat*). **II** *v/t* **3.** *pret u. pp meist* **shined** *colloq.* poˈlieren: to ~ shoes. **III** *s* **4.** (*Sonnen- etc*)Schein *m*: → rain 1. **5.** Glanz *m* (*a. fig.*): to take the ~ out of a) *e-r Sache* den Glanz nehmen, b) *etwas od. j-n* in den Schatten stellen, c) *j-n* ‚klein u. häßlich' erscheinen lassen. **6.** Glanz *m* (*bes. auf Schuhen*): have a ~? Schuhputzen gefällig? **7.** *colloq.* Krach *m*: to kick up a ~ Radau machen. **8.** *Am. colloq.* Streich *m*, Possen *m*. **9.** to take a ~ to s.o. *Am. sl.* an j-m Gefallen finden. **10.** *Am. sl. contp.* Nigger *m*.

shin·er [ˈʃainər] *s* **1.** glänzender Gegenstand. **2.** *sl.* a) Goldmünze *f* (*bes. Sovereign*), b) *pl* Moˈneten *pl* (*Geld*), c) Diaˈmant *m*. **3.** *sl.* ‚Veilchen' *n*, blau(geschlagen)es Auge. **4.** Glanzstelle *f*.

shin·gle[1] [ˈʃiŋgl] **I** *s* **1.** *arch.* (Dach)-Schindel *f*. **2.** Herrenschnitt *m* (*Damenfrisur*). **3.** *Am. colloq. humor.* (Firmen)Schild *n*: to hang out one's ~ sich (als Arzt *etc*) etablieren, ‚s-n eigenen Laden aufmachen'. **II** *v/t* **4.** *arch.* mit Schindeln decken. **5.** *Haar* (sehr) kurz schneiden: ~d hair → 2.

shin·gle[2] [ˈʃiŋgl] *s geol. Br.* **1.** grober Strandkies. **2.** Kiesstrand *m*.

shin·gle[3] [ˈʃiŋgl] *v/t metall.* zängen (*entschlacken*).

shin·gles [ˈʃiŋglz] *s sg od. pl med.* Gürtelrose *f*.

shin·gly [ˈʃiŋgli] *adj* kies(el)ig.

shin·ing [ˈʃainiŋ] *adj* (*adv* ~ly) **1.** leuchtend (*a. fig.*), strahlend, hell. **2.** glänzend (*a. fig.*): ~ example leuchtendes Beispiel; a ~ light e-e Leuchte (*Person*).

shin·ny[1] [ˈʃini] *s sport Br.* Shinny *n* (*Art Hockey*).

shin·ny[2] [ˈʃini] *v/i Am. colloq.* klet[tern.]

Shin·to [ˈʃintou], ˈ**Shin·toˌism** [-ˌizəm] *s* Schintoˈismus *m* (*japanische Staatsreligion*).

shin·y [ˈʃaini] *adj allg.* glänzend: a) leuchtend (*a. fig.*), b) funkelnd (*a. Auto etc*), c) strahlend: a ~ day, d) blank(geputzt), e) abgetragen: a ~ jacket.

ship [ʃip] **I** *s* **1.** *allg.* Schiff *n*: ~'s articles → shipping articles; ~'s company Besatzung *f*; ~'s husband Mitreeder *m*; ~'s papers Schiffspapiere; ~ of state *fig.* Staatsschiff; ~ of the desert *fig.* Schiff der Wüste (*Kamel*); to take ~ sich einschiffen (for nach); about ~! klar zum Wenden!; when my ~ comes home *fig.* wenn ich mein Glück mache. **2.** *mar.* Vollschiff *n* (*Segelschiff mit 3 od. mehr Masten mit Rahsegeln*). **3.** *sl.* (Renn)Boot *n*. **4.** *Am.* a) Luftschiff *n*, b) Flugzeug *n*, c) Raumschiff *n*. **II** *v/t* **5.** *mar.* a) an Bord bringen *od.* nehmen, verladen, b) *Passagiere* an Bord nehmen. **6.** *mar.* verschiffen, (mit dem Schiff) transporˈtieren. **7.** *econ. bes. Am.* a) verladen, b) transporˈtieren, verfrachten, -senden, liefern (*a. zu Lande*), c) *Ware* (*zur Verladung*) abladen, d) *mar. e-e Ladung* überˈnehmen. **8.** *mar. e-e Sturzwelle etc* ˈübernehmen: to ~ a sea e-e See übernehmen. **9.** *mar.* a) *Ruder* einlegen, b) *e-n Mast* einsetzen, c) *den Landungssteg* einholen: to ~ the oars die Riemen einlegen. **10.** *mar. Matrosen* (an)heuern, anmustern. **11.** *a.* ~ off *colloq.* fortschicken. **III** *v/i mar.* **12.** sich einschiffen. **13.** sich anheuern lassen.

ship| bis·cuit *s* Schiffszwieback *m*. ˈ~ˌ**board** *s mar.* Bord *m*: on ~ an Bord. ˈ~ˌ**borne air·craft** *s aer.* Bordflugzeug *n*. ~ **break·er** *s mar.* Schiffsverschrotter *m*. ˈ~ˌ**build·er** *s mar.* Schiffbauer *m*, ˈSchiffsarchiˌtekt *m*. ˈ~ˌ**build·ing** *s mar.* Schiffbau *m*. ~ **ca·nal** *s mar.* ˈSeekaˌnal *m* (*für Ozeanschiffe befahrbare künstliche Binnenwasserstraße zur Seeküste*). ~ **chan·dler** *s mar.* ˈSchiffsliefeˌrant *m*. ˈ~ˌ**load** *s mar.* (volle) Schiffsladung (*als Maß*). ˈ~ˌ**mas·ter** *s mar.* (ˈHandels)Kapiˌtän *m*. ˈ~ˌ**mate** *s* ˈSchiffskameˌrad *m*.

ship·ment [ˈʃipmənt] *s* **1.** *mar.* a) Verladung *f*, b) Verschiffung *f*, ˈSeetransˌport *m*, c) (Schiffs)Ladung *f*. **2.** *econ.* (*a. zu Lande*) a) Versand *m*, b) (Waren)Sendung *f*, Lieferung *f*.

ship| mon·ey *s hist.* Schiffsgeld *n* (*in England für Schiffsaufgebote im Krieg erhobene Steuer*). ~ **of the line** *s mil. hist.* Linienschiff *n*. ˈ~ˌ**own·er** *s* Reeder *m*.

ship·per [ˈʃipər] *s econ.* **1.** Verschiffer *m*, Ablader *m*. **2.** *Am.* a) Absender *m*, b) Frachter *m*, Spediˈteur *m*, c) → shipping clerk. **3.** *Am.* sich gut zum Versand eignende Ware. **4.** *Am.* → shipping case.

ship·ping [ˈʃipiŋ] *s* **1.** Verschiffung *f*. **2.** a) Abladung *f* (*Anbordnahme*), b) *bes. Am.* Verfrachtung *f*, Versand *m* (*a. zu Lande etc*): ~ carton Versandkarton *m*; ~ instructions Versandvorschriften. **3.** *mar. collect.* Schiffe *pl*, Schiffsbestand *m* (*e-s Landes etc*). ~ **a·gent** *s mar.* **1.** ˈSchiffsaˌgent *m*. **2.** Schiffsmakler *m*. ~ **ar·ti·cles** *s pl mar.* ˈSchiffsarˌtikel *pl*, Heuervertrag *m*. ~ **bill** *s mar.* Maniˈfest *n*, Zollfreischein *m*. ~ **case** *s econ.* Versandkiste *f*, -behälter *m*. ~ **clerk** *s econ.* Expediˈent *m*, Leiter *m* der Verˈsandabˌteilung. ~ **com·mis·sion·er** *s mar. Am.* ˈSeemannsˌamtskommisˌsar *m*. ~ **com·pa·ny** *s mar.* Reedeˈrei *f*. ~ **mas·ter** *s mar. Br.* ˈSeemannsˌamtskommisˌsar *m*. ~ **or·der** *s econ.* Versandauftrag *m*.

ship·pon [ˈʃipən] *s dial.* Kuhstall *m*.

ˈ**shipˌshape** *adv u. pred adj* in tadelloser Ordnung, blitzblank.

ˈ**ship|-to-ˈship** *adj mar.* Bord-Bord... ˈ~**-to-ˈshore** *adj mar.* Bord-Land... ˈ~ˌ**way** *s* **1.** *Schiffsbau*: Stapel *m*, Helling *f*. **2.** Trockendock(schiffs)stützen *pl*. **3.** → ship canal. ˈ~ˌ**wreck I** *s* **1.** schiffbrüchiges Schiff, Wrack *n*. **2.** Schiffbruch *m*. **3.** *fig.* Schiffbruch *m*, Scheitern *n* (*von Plänen, Hoffnungen etc*): to make ~ of → 5. **II** *v/t* **4.** scheitern lassen, durch Schiffbruch vernichten: to be ~ed schiffbrüchig werden *od.* sein. **5.** *fig.* zum Scheitern bringen, vernichten. **III** *v/i* **6.** Schiffbruch erleiden, scheitern (*beide a. fig.*). '~,**wrecked** *adj* gescheitert, schiffbrüchig (*beide a. fig.*). '~,**wright** *s* **1.** Schiffbauer *m*, Schiffbaumeister *m*. **2.** Schiffszimmermann *m*. '~,**yard** *s* (Schiffs)Werft *f*.

shir → shirr.

shire [ʃair] *s* **1.** *Br.* Grafschaft *f* (*meist in Zssgn*): the ~ a) *die englischen Grafschaften, die auf* -shire *enden*, b) *die Midlands*, c) *die wegen der Fuchsjagden berühmten Grafschaften* (*bes. Leicestershire, Rutland u. Northamptonshire*). **2.** (au'stralischer) Landkreis. **3.** S~, *a.* ~ horse Shire *m*, Shirehorse *n* (*Rasse schwerer englischer Zugpferde*). '~,**moot** *s Br. hist.* Grafschaftsgericht *n od.* -versammlung *f*.

shirk [ʃəːrk] **I** *v/t* **1.** sich drücken vor (*dat*). **2.** *a. e-m Blick* ausweichen. **3.** *a.* ~ off *Am. etwas* ,abschieben' (on auf *acc*). **II** *v/i* **4.** sich drücken (from vor *dat*). **III** *s* → shirker. '**shirk·er** *s* Drückeberger *m*.

shirr [ʃəːr] *bes. Am.* **I** *s* **1.** e'lastisches Gewebe, eingewebte Gummischnur, Zugband *n*. **2.** Fältelung *f*. **II** *v/t* **3.** kräuseln, fälteln. **4.** *Eier* in Sahne *etc* backen. **shirred** *adj* mit eingewebten Gummischnüren (versehen), e'lastisch, gekräuselt: ~ goods Gurtwaren. '**shirr·ing** *s* **1.** (fein) gefältelte Arbeit. **2.** Gurtwaren *pl*.

shirt [ʃəːrt] *s* **1.** (Herren-, Ober)Hemd *n*. **2.** *a.* ~ blouse (Damen)Hemdbluse *f*. **3.** 'Unterhemd *n*. **4.** Nachthemd *n* (*für Herren*).
Besondere Redewendungen:
to get s.o.'s ~ out *sl.* j-n ,auf die Palme bringen'; to give away the ~ off one's back for s.o. das letzte Hemd für j-n hergeben; to have one's ~ out *sl.* fuchsteufelswild sein; without a ~ to one's back ohne ein Hemd auf dem Leib; to keep one's ~ on *sl.* sich nicht aufregen; to lose one's ~ ,sein letztes Hemd verlieren'; to put one's ~ on alles auf *ein Pferd etc* setzen; near is my ~, but nearer is my skin das Hemd ist mir näher als der Rock; → bloody shirt.

shirt| frill *s* Hemdkrause *f*. ~ **front** *s* [Hemdbrust *f*.]

shirt·ing ['ʃəːrtiŋ] *s* Hemdenstoff *m*.

shirt·less ['ʃəːrtlis] *adj* **1.** ohne Hemd. **2.** bettelarm.

shirt| sleeve *s* Hemdsärmel *m*: in one's ~s in Hemdsärmeln. '~-,**sleeve** *adj fig.* ,hemdsärmelig', le'ger, ungezwungen: ~ diplomacy offene Diplomatie. '~,**stud** *s* Hemdenknopf *m*. '~,**tail** *s* Hemdenschoß *m*. '~,**waist** *s bes. Am.* (bes. Damen)Hemdbluse *f*.

shirt·y ['ʃəːrti] *adj sl.* fuchsteufelswild.

shit [ʃit] *vulg.* **I** *s* **1.** ,Scheiße' *f*, Dreck *m* (*beide a. fig.*): I don't give a ~! das ist mir ,scheißegal'! **2.** *pl* ,Scheiße'rei' *f*, 'Durchfall *m*. **II** *v/i pret u. pp* **shit** [ʃit] **3.** ,scheißen'.

shit·tah (tree) ['ʃitə] *s Bibl.* e-e Aka- [zie.]

shiv·a·ree [,ʃivə'riː] *Am. für* charivari.

shiv·er¹ ['ʃivər] **I** *v/i* **1.** a) zittern, (er)schauern, frösteln (with vor *dat*). **2.** *mar.* killen, flattern (*Segel*). **II** *v/t* **3.** *mar. Segel* killen lassen. **III** *s* **4.** Schauer *m*, Zittern *n*, Frösteln *n*: to be (all) in a ~ wie Espenlaub zittern; the ~s Fieberschauer, Schüttelfrost *m*, *colloq.* Gänsehaut *f*, kalter Schauer; it gave me the ~s mich packte das kalte Grausen.

shiv·er² ['ʃivər] **I** *s* **1.** Splitter *m*, (Bruch)Stück *n*, Scherbe *f*. **2.** *min.* Dachschiefer *m*. **3.** *tech.* Spleiß(e *f*) *m*. **II** *v/t* **4.** zersplittern, -schmettern. **III** *v/i* **5.** (zer)splittern.

shiv·er·ing ['ʃivəriŋ] *s* Schauer *m*: ~ attack, ~ fit Schüttelfrost *m*.

shiv·er·y ['ʃivəri] *adj* **1.** fröstelnd. **2.** zitt(e)rig. **3.** fiebrig.

shoal¹ [ʃoul] **I** *adj* **1.** seicht, flach. **II** *s* **2.** Untiefe *f*, seichte Stelle. **3.** Sandbank *f*. **4.** *fig.* Falle *f*, Klippe *f*. **III** *v/i* **5.** seicht(er) werden.

shoal² [ʃoul] **I** *s* **1.** Schwarm *m* (*bes. von Fischen*). **2.** Masse *f*, Unmenge *f*: ~s of people Menschenmassen. **II** *v/i* **3.** in Schwärmen auftreten. **4.** in Massen auftreten, sich drängen, wimmeln.

shoal·y ['ʃouli] *adj* seicht, voller Untiefen.

shoat [ʃout] *s bes. Am.* Ferkel *n*.

shock¹ [ʃɒk] **I** *s* **1.** (heftiger) Stoß, Erschütterung *f* (*a. fig. des Vertrauens etc*). **2.** *a. mil.* Zs.-prall *m*, -stoß *m*, Anprall *m*: the ~ of the waves der Anprall der Wellen. **3.** Schock *m*, Schreck *m*, (plötzlicher) Schlag (to für), (*seelische*) Erschütterung (to *gen*): to get the ~ of one's life a) zu Tode erschrecken, b) sein blaues Wunder erleben; with a ~ mit Schrecken. **4.** Schock *m*, Ärgernis *n* (to für). **5.** *electr.* Schlag *m*, (*a. med.* E'lektro)Schock *m*. **6.** *med.* a) (Nerven)Schock *m*, b) (Wund)Schock *m*, c) plötzliche Lähmung, d) *colloq.* Schlag(anfall) *m*. **7.** *psych.* 'Schockreakti,on *f*. **II** *v/t* **8.** erschüttern, erbeben lassen. **9.** *fig.* schoc'kieren, em'pören: ~ed empört *od.* entrüstet (at über *acc*; by durch). **10.** *fig.* *j-m* e-n Schock versetzen, *j-n* erschüttern, bestürzen: ~ed schokkiert, entgeistert; I was ~ed to hear zu m-m Entsetzen hörte ich. **11.** *j-m* e-n Nervenschock versetzen. **12.** *j-m* e-n (e'lektrischen) Schlag versetzen. **13.** *med.* schocken, e-r Schockbehandlung unter'ziehen. **III** *v/i* **14.** *mil.* zs.-stoßen, -prallen.

shock² [ʃɒk] **I** *s agr.* Mandel *f*, Hocke *f*, (aufgeschichteter) Garbenhaufen. **II** *v/t* in Mandeln aufstellen.

shock³ [ʃɒk] **I** *s* (~ of hair Haar)Schopf *m*. **II** *adj* zottig: ~ head Strubbelkopf *m*.

shock| ab·sorb·er *s tech.* **1.** Stoßdämpfer *m*. **2.** 'Schwingme,tall *n*. ~ **ab·sorp·tion** *s tech.* Stoßdämpfung *f*. ~ **ac·tion** *s mil.* Über'raschungsangriff *m*. ~ **bri·gade** *s* 'Stoßbri,gade *f* (*von Arbeitern in kommunistischen Ländern*).

shock·er ['ʃɒkər] *s colloq.* **1.** (*etwas*) Schoc'kierendes. **2.** böse Über'raschung. **3.** Sensati'on *f*. **4.** 'Schauerro,man *m*. **5.** *Br. ein* ,Graus' *m* (*etwas Abscheuliches*). **6.** Elektri'sierappa,rat *m*.

'**shock|'free** *adj tech.* stoßfrei. '~,**head·ed** *adj* strubbelig: ~ Peter (der) Struwwelpeter.

shock·ing ['ʃɒkiŋ] **I** *adj* (*adv* ~ly) **1.** schoc'kierend, em'pörend, unerhört, anstößig. **2.** entsetzlich, haarsträubend. **3.** *colloq.* scheußlich, schrecklich, mise'rabel: ~ weather. **II** *adv colloq.* **4.** schrecklich, unheimlich: a ~ big town.

'**shock|-'proof** *adj* **1.** *tech.* stoßfest, -sicher, erschütterungsfest. **2.** *fig.* nicht zu erschüttern. ~ **tac·tics** *s pl* (*als sg konstruiert*) *mil.* Stoß-, 'Durchbruchstaktik *f*. ~ **ther·a·py,** ~ **treat·ment** *s med.* 'Schockthera,pie *f*, -behandlung *f*. ~ **troops** *s pl mil.* Schock-, Stoßtruppen *pl*. ~ **wave** *s aer. phys.* Stoßwelle *f*. ~ **work·er** *s* Stoßarbeiter *m* (*in kommunistischen Ländern*).

shod [ʃɒd] **I** *pret u. pp von* shoe I. **II** *adj* **1.** beschuht. **2.** bereift (*Fahrzeug*). **3.** beschlagen (*Pferd, Stange etc*).

shod·dy ['ʃɒdi] **I** *s* **1.** Shoddy *n*, (langfaserige) Kunstwolle. **2.** Shoddytuch *n*. **3.** *fig.* Schund *m*, Kitsch *m*. **4.** *fig. Am.* Em'porkömmling *m*. **5.** *fig.* Protzentum *n*. **6.** *tech.* Regene'ratgummi *m*. **II** *adj* **7.** Shoddy... **8.** *fig.* unecht, falsch: ~ aristocracy Talmiaristokratie *f*. **9.** *fig.* kitschig, Schund...: ~ literature. **10.** *fig. Am.* protzig.

shoe [ʃuː] **I** *v/t pret u. pp* **shod** [ʃɒd] **1.** a) beschuhen, b) *Pferde, a. e-n Stock etc* beschlagen, *Schlittenkufen etc* beschienen. **II** *s* **2.** Schuh *m*. **3.** a) *bes. Br.* Halbschuh *m*, b) *Am.* Stiefel *m*. **4.** Hufeisen *n*. **5.** *tech.* Schuh *m* (*Schutzbeschlag*). **6.** *tech.* a) Bremsschuh *m*, -klotz *m*, b) Bremsbacke *f*. **7.** *tech.* (Reifen)Decke *f*. **8.** *electr.* Schleifstück *n* (*des Stromabnehmers*). **9.** *tech.* a) Anschlag(stück *n*) *m*, b) Verschleißstück *n*.
Besondere Redewendungen:
dead men's ~s *fig.* ungeduldig erwartetes Erbe; to be (*od.* stand) in s.o.'s ~s *fig.* in j-s Haut stecken; now the ~ is on the other foot *colloq.* jetzt will er (*etc*) plötzlich nichts mehr davon wissen; every ~ fits not every foot eines schickt sich nicht für alle; to know where the ~ pinches wissen, wo der Schuh drückt; to shake in one's ~s vor Angst schlottern; to step into s.o.'s ~s j-s Stelle einnehmen; that's another pair of ~s das sind zwei Paar Stiefel; → die¹ 1.

'**shoe|,black** *s* Schuhputzer *m*. '~,**brush** *s* Schuhbürste *f*. '~,**horn** *s* Schuhlöffel *m*. '~,**lace** *s* Schnürsenkel *m*. ~ **leath·er** *s* Schuhleder *n*.

shoe·less ['ʃuːlis] *adj* unbeschuht, barfuß.

'**shoe|-,lift** *s* Schuhanzieher *m*. '~,**mak·er** *s* Schuhmacher *m*: ~'s thread Pechdraht *m*. '~,**shine** *s bes. Am.* **1.** Schuhputzen *n*. **2.** Schuhputzer *m*: ~ parlor Schuhputzladen *m*. '~,**string** **I** *s* → shoelace: on a ~ *bes. Am. colloq.* mit ein paar Groschen, praktisch mit nichts *anfangen etc*. **II** *adj Am. colloq.* a) fi'nanzschwach, b) ,klein': ~ producers, c) dürftig, armselig. ~ **tree** *s* (Schuh)Leisten *m*.

sho·gun ['ʃou,gʌn; -,guːn] *s hist.* Sho'gun *m* (*Titel des japanischen Oberbefehlshabers u. eigentlichen Machthabers*).

shone [ʃɒn; *Am. a.* ʃoun] *pret u. pp von* [shine.]

shoo [ʃuː] **I** *interj* **1.** husch!, sch!, fort! **II** *v/t* **2.** *a.* ~ away weg-, verscheuchen. **3.** *Am. colloq.* *j-n* ,bug'sieren'. **III** *v/i* **4.** husch! *od.* sch! rufen. '~-,**in** *s Am. colloq.* sicherer Gewinner, aussichtsreicher Kandi'dat.

shook¹ [ʃuk] *bes. Am.* **I** *s* **1.** Bündel *n* Faßdauben. **2.** Pack *m* Kisten- *od.* Möbelbretter *etc*. **3.** → shock² I. **II** *v/t* **4.** zu e-m Bündel zs.-stellen, bündelweise ordnen.

shook² [ʃuk] *pret u. obs. pp von* shake.

shoot [ʃuːt] **I** *s* **1.** *hunt.* a) Jagd *f*, b) 'Jagd(re,vier *n*) *f*, c) Jagdgesellschaft *f*, d) *Am.* Strecke *f* (*erlegtes Wild*): the whole ~ *colloq.* der ,ganze Laden' *od.* ,Kram'. **2.** Wettschießen *n*. **3.** *Am.* Ra'ketenabschuß *m*, -start *m*. **4.** a) Schuß *m*, b) Schießen *n*, Feuer *n*. **5.** *bot.* a) Sprießen *n*, b) Schößling *m*, (Seiten)Trieb *m*. **6.** (*Holz- etc*)Rutsche *f*, Rutschbahn *f*. **7.** *fig.* Schuß *m*, Schießen *n*, Zucken *n* (*schnelle Bewegung*). **8.** Stromschnelle *f*. **9.** Schuttabladestelle *f*. **10.** *phot.* (Film)Aufnahme *f*. **II** *v/t pret u. pp* **shot** [ʃɒt] **11.** *e-n Pfeil, e-e Kugel etc* (ab)schießen (at nach, auf *acc*): to ~ **questions at s.o.** *fig.* j-n mit Fragen bombardieren; → **shoot off** I. **12.** a) *hunt.* schießen, erlegen, b) *j-n etc* anschießen, c) *j-n* erschießen (for wegen): to ~ **s.o. (dead)**; to ~ **o.s.** sich erschießen; **I'll be shot if** ich will (auf der Stelle) tot umfallen, wenn; → **shoot down.** **13.** *hunt.* in *e-m Revier* jagen. **14.** *fig.* schleudern, schnellen, stoßen: to ~ **a line** *sl.* angeben, ‚große Bogen spukken'. **15.** 'hinschießen über (*acc*): to ~ **a bridge** unter e-r Brücke hindurchschießen; to ~ **a rapid** über e-e Stromschnelle hinwegschießen; to ~ **the traffic lights** bei Rot(licht) über die Kreuzung fahren; to ~ **Niagara** *fig.* Kopf u. Kragen riskieren; → **chute** 7. **16.** *Strahlen etc* schießen, aussenden: to ~ **rays**; to ~ **a glance at** e-n schnellen Blick werfen auf (*acc*). **17.** (*mit Fäden*) durch'schießen, -'wirken. **18.** *Schutt, a. e-n Karren etc* abladen, auskippen. **19.** *a.* ~ **out**, ~ **forth** *bot.* *Knospen etc* treiben. **20.** *e-n Riegel etc* vorschieben: to ~ **the bolt.** **21.** *Bergbau*: sprengen. **22.** *tech. ein Brett etc* gerade-, abhobeln, *Holz* zurichten, *ein Faß* schroten. **23.** *sport den Ball, ein Tor* schießen: to ~ **the ball (a goal)**; to ~ **marbles** Murmeln spielen. **24.** *med.* (ein)spritzen. **25.** *phot.* a) photogra'phieren, aufnehmen, b) drehen (*filmen*): to ~ **a scene.** **III** *v/i* **26.** *a. sport* schießen, feuern (at nach, auf *acc*): to ~ **at** (*od.* **for**) **s.th.** *colloq.* auf etwas abzielen; ~! *bes. Am. sl.* schieß los (*sprich*)! **27.** schießen, jagen: **to go** ~**ing** auf die Jagd gehen; to ~ **over** (*od.* **to**) **dogs** mit Hunden jagen. **28.** (da'hin-, vor'bei- *etc*)schießen, (-)jagen, (-)rasen: **a car shot past**; **a sudden idea shot across his mind** ein Gedanke schoß ihm plötzlich durch den Kopf; → **shoot ahead.** **29.** stechen (*Schmerz, Glied*). **30.** ragen: **a cape** ~**s out into the sea** ein Kap ragt weit ins Meer hinein. **31.** *bot.* sprießen, sprossen, keimen. **32.** *phot.* a) photogra'phieren, b) e-e Szene drehen, filmen.

Verbindungen mit Adverbien:

shoot| a·head *v/i* nach vorn schießen, vor'anstürmen: to ~ **of** vorbeischießen an (*dat*), überholen (*acc*). ~ **down** *v/t* **1.** *j-n* niederschießen, abknallen. **2.** *ein Flugzeug etc* abschießen. ~ **off I** *v/t* **1.** *e-e Waffe* abschießen: to ~ **one's mouth** (*od.* **face**) → 3. **II** *v/i* **2.** stechen (*bei gleicher Trefferzahl*). **3.** *Am. sl.* ‚blöd da'herreden'. ~ **out I** *v/t* **1.** *ein Auge etc* ausschießen. **2.** **to shoot it out** die Sache mit ‚blauen Bohnen' entscheiden. **3.** her'ausschleudern, hin'auswerfen, -jagen. **4.** *die Faust, den Fuß* vorschnellen (lassen), *die Zunge* her'ausstrecken. **5.** her'ausragen lassen. **6.** *bot.* → **shoot** 19. **II** *v/i* **7.** *bot.* → **shoot** 31. **8.** vor-, her'ausschnellen. ~ **up I** *v/t* **1.** *bes. Am. sl.* a) *j-n* ‚zs.-schießen', b) *e-e Stadt etc* durch wilde Schieße'rei terrori'sieren. **II** *v/i* **2.** em'porschnellen (*a. econ. Preise*). **3.** in die Höhe schießen, rasch wachsen (*Pflanze, Kind*). **4.** jäh aufragen (*Klippe etc*). **5.** *Am. sl.* sich ‚spritzen' (*Narkotiker*).

shoot·a·ble ['ʃuːtəbl] *adj* schieß-, jagdbar. '**shoot·er** *s* **1.** Schütze *m*, Schützin *f*. **2.** *colloq.* ‚Schießeisen' *n*. **3.** *sport etc* Werfer *m*. **4.** *Kricket*: scharfer flacher Wurf.

shoot·ing ['ʃuːtiŋ] **I** *s* **1.** a) Schießen *n*, b) Schieße'rei *f*. **2.** Erschießung *f*. **3.** *fig.* Stechen *n* (*Schmerz*). **4.** *hunt.* a) Jagen *n*, Jagd *f*, b) Jagdrecht *n*, c) 'Jagdreˌvier *n*. **5.** Aufnahme(n *pl*) *f* (*zu e-m Film*), Dreharbeiten *pl*, Drehen *n*. **II** *adj* **6.** schießend, Schuß..., Schieß... **7.** *fig.* stechend: ~ **pains.** **8.** Jagd... ~ **box** *s* Jagdhütte *f*. '~-ˌ**brake** *s bes. Br.* Kombiwagen *m*. ~ **gal·ler·y** *s* **1.** Schießstand *m*. **2.** Schießbude *f*. ~ **i·ron** *s bes. Am. sl.* ‚Schießeisen' *n*. ~ **li·cence,** *bes. Am.* ~ **li·cense** *s* Jagdschein *m*. ~ **lodge** *s* Jagdhütte *f*. ~ **match** *s* Preis-, Wettschießen *n*. ~ **range** *s* Schießstand *m*. ~ **script** *s Film*: Drehplan *m*. ~ **star** *s astr.* Sternschnuppe *f*. ~ **stick** *s* Jagdstuhl *m*. ~ **war** *s* heißer Krieg, Schießkrieg *m*.

'**shoot-the-'chutes** *s pl* (*a. als sg konstruiert*) Wasserrutschbahn *f*.

shop [ʃɒp] **I** *s* **1.** (Kauf)Laden *m*, Geschäft *n*: **to keep** ~ ein Geschäft *od.* e-n Laden haben; **to set up** ~ ein Geschäft eröffnen; **to come to the wrong** ~ *colloq.* an die falsche Adresse geraten; **all over the** ~ *sl.* a) ‚in der ganzen Gegend (herum)', überall verstreut, b) in alle Himmelsrichtungen, c) wild, rasend; **to shut up** ~ das Geschäft schließen, ‚den Laden dicht machen'. **2.** Werkstatt *f*: **carpenter's** ~ Schreinerwerkstatt, Schreinerei *f*. **3.** a) *oft pl* Betrieb *m*, Fa'brik *f*, Werk *n*, b) ('Werks)Abˌteilung *f*: **to talk** ~ fachsimpeln; **to sink the** ~ *colloq.* a) nicht vom Geschäft reden, b) s-n Beruf verheimlichen; → **closed (open) shop.** **4.** *bes. Br. sl.* ‚Laden' *m* (*Institut*), *bes.* ‚Penne' *f* (*Schule*), ‚Uni' *f* (*Universität*): **the other** ~ die Konkurrenz. **5.** **the** ~ *Br. sl.* die Mili'tärakadeˌmie (*in Woolwich*). **II** *v/i* **6.** einkaufen, Einkäufe machen: **to go** ~**ping** einkaufen gehen; **to** ~ **for s.th.** *sl.* etwas suchen. **III** *v/t* **7.** *sl.* a) *j-n* ‚einlochen', einsperren, b) *e-n Komplicen* ‚verpfeifen', ‚ins Kittchen bringen'. ~ **as·sist·ant** *s Br.* Verkäufer(in). '~ˌ**boy** *s* Ladenjunge *m*. '~ˌ**break·ing** *s* Ladeneinbruch *m*. ~ **com·mit·tee** *s econ.* Betriebsrat *m*. '~ˌ**girl** *s* Verkäuferin *f*. '~ˌ**keep·er** *s* **1.** Ladenbesitzer(in), -inhaber(in), Krämer(in): **nation of** ~**s** *fig.* Krämervolk *n*. **2.** *sl.* ‚Ladenhüter' *m* (*Ware*). '~ˌ**keep·ing** *s* **1.** Kleinhandel *m*. **2.** Betrieb *m* e-s (Laden)Geschäfts. '~ˌ**lift·er** *s* Ladendieb(in). '~ˌ**lift·ing** *s* Ladendiebstahl *m*. '~·**man** [-mən] *s irr* **1.** Ladengehilfe *m*, Verkäufer *m*, Kom'mis *m*. **2.** → **shopkeeper** 1.

shop·per ['ʃɒpər] *s* **1.** (Ein)Käufer(in). **2.** *econ.* ‚Spi'on' *m* (*der die Warenangebote der Konkurrenz vergleicht*).

'**shop·ping I** *s* Einkauf *m*, Einkaufen *n* (*in Läden*): **to do one's** ~ (s-e) Einkäufe machen. **II** *adj* Laden..., Einkaufs...: ~ **center** (*Br.* **centre**) Einkaufszentrum *n*; ~ **goods** *econ.* Konsumgüter, die erst nach genauem Vergleich verschiedener Angebote gekauft werden. '**shop·py** [-pi] *adj* **1.** krämer-, phi'listerhaft. **2.** voller Läden *od.* Geschäfte, Geschäfts...: ~ **street.** **3.** fachlich: ~ **talk** Fachsimpelei *f*.

'**shop|-ˌsoiled** *bes. Br. für* **shopworn.** ~ **stew·ard** *s* Betriebsrat *m*, Vertrauensmann *m*. '~ˌ**talk** *s* ˌFachsimpe'lei *f*, Fachsimpeln *n*. '~ˌ**walk·er** *s bes. Br.* Aufsichtsherr *m od.* -dame *f*. '~'**win·dow** *s* Schaufenster *n*: **to put all one's goods in the** ~ *fig.* ganz ‚auf Wirkung machen'. '~ˌ**worn** *adj* **1.** angestaubt *od.* beschädigt (*Ware*). **2.** *fig.* abgenutzt.

sho·ran ['ʃɔːræn] *s aer.* Shoran *n* (*von* **short range navigation** *Nahbereichs-Radar-Navigation*).

shore[1] [ʃɔːr] **I** *s* Küste *f*, Ufer *n*, Strand *m*, Gestade *n*: **my native** ~ *fig.* mein Heimatland; **on** ~ an(s) Land; **in** ~ in Küstennähe. **II** *adj* Küsten..., Strand..., Land...: ~ **battery** *mil.* Küstenbatterie *f*; ~ **leave** Landurlaub *m*; ~ **patrol** *mil. Am.* Küstenstreife *f*.

shore[2] [ʃɔːr] **I** *s* **1.** Strebebalken *m*, Stütze *f*, Strebe *f*. **2.** *mar.* Schore *f* (*Spreizholz*). **II** *v/t* **3.** *meist* ~ **up** a) abstützen, b) *fig.* (unter)'stützen.

shore·less ['ʃɔːrlis] *adj* ohne Ufer, uferlos (*a. poet. fig.*).

shore·ward ['ʃɔːrwərd] **I** *adj* ufer- *od.* küstenwärts gelegen *od.* gerichtet *etc.* **II** *adv* ufer-, küstenwärts, (nach) der Küste zu. '**shore·wards** → **shoreward** II.

shor·ing ['ʃɔːriŋ] *s* **1.** *collect.* Stützbalken *pl*. **2.** (Ab)Stützen *n*.

shorn [ʃɔːrn] *pp von* **shear**: ~ **of** *fig.* *e-r Sache* beraubt.

short [ʃɔːrt] **I** *adj* (*adv* → **shortly**) **1.** (*räumlich u. zeitlich*) kurz: **a** ~ **life (memory, street,** *etc*); **a** ~ **time ago** vor kurzer Zeit, vor kurzem; **to be on the** ~ **list** *fig.* in der engeren Wahl stehen; **to get the** ~ **end of the stick** *Am. colloq.* schlecht wegkommen (*bei e-r Sache*); → **hair** *Bes. Redew.*, **shrift** 2. **2.** kurz, klein (von Gestalt). **3.** kurz, knapp: **a** ~ **speech.** **4.** kurz angebunden, barsch (**with s.o.** gegen j-n). **5.** knapp: ~ **rations**; **a** ~ **hour**; **to run** ~ knapp werden, zur Neige gehen (→ 8). **6.** **to fall** (*od.* **come**) ~ **of** *fig.* *etwas* nicht erreichen, *den Erwartungen etc* nicht entsprechen, hinter *e-r Sache* zu'rückbleiben. **7.** geringer, weniger (of als): **little** ~ **of 10 dollars** nicht ganz 10 Dollar; **nothing** ~ **of** nichts weniger als, geradezu. **8.** knapp (of an *dat*): ~ **of breath** kurzatmig; ~ **of cash** knapp bei Kasse; **they ran** ~ **of bread** das Brot ging ihnen aus. **9.** mürbe (*Gebäck etc*): ~ **pastry** Mürbeteig(gebäck *n*) *m*. **10.** brüchig (*Metall etc*). **11.** *bes. econ.* kurzfristig, auf kurze Sicht: ~ **bill**; ~ **loan**; **at** ~ **date** kurzfristig; → **notice** 4. **12.** *econ.* Blanko..., Baisse... **13.** a) klein, in e-m kleinen Glas ser'viert, b) stark, unverdünnt: ~ **drinks.**

II *adv* **14.** kurz(erhand), plötzlich, jäh, ab'rupt: **to cut s.o.** ~, **to take s.o. up** ~ j-n (jäh) unterbrechen; **to be taken** ~ *colloq.* ‚plötzlich (verschwinden *od.* austreten) müssen'; **to stop** ~ jäh innehalten (→ 16). **15.** zu kurz: **to throw** ~. **16.** ~ **of** a) (kurz *od.* knapp) vor (*dat*), b) abgesehen von, außer (*dat*), c) beinahe, fast: ~ **of lying** ehe ich lüge; **it was little** ~ **of a miracle** es grenzte an ein Wunder; **to stop** ~ **of** zurückschrecken vor (*dat*). **17.** *econ.* ungedeckt: **to sell** ~ ohne Deckung verkaufen, auf Baisse spekulieren.

III *s* **18.** (*etwas*) Kurzes, *z. B.* a) Kurzfilm *m*, b) *mus.* kurzer Ton, c) *metr.* kurze Silbe, d) *ling.* Kürze *f*, kurzer Laut, e) (*Morse*)Punkt *m*, kurzes Zeichen; → **long**[1] 23. **19.** Kurzform *f*: **'phone'** is ~ **for 'telephone'**; **he is called Bill for** ~ er wird kurz *od.* der Kürze halber Bill genannt; **in** ~ kurz(um). **20.** Fehlbetrag *m*, Manko *n*. **21.** *pl* a) Shorts *pl*, kurze (Sport)Hose, b) kurze ('Herren)ˌUnterhose. **22.**

electr. ,Kurze(r)' *m* (*Kurzschluß*). **23.** *econ.* 'Baissespeku,lant *m.* **24.** *pl econ.* a) ohne Deckung verkaufte Waren *pl od.* 'Wertpa,piere *pl*, b) zur Deckung benötigte 'Wertpa,piere *pl* (*beim Blankoverkauf*). **25.** *pl tech.* 'Abfall- *od.* 'Nebenpro,dukte *pl.* **26.** *pl* feine (Weizen)Kleie.

IV *v/t* **27.** *electr. colloq. für* **short-circuit** 1.

short·age ['ʃɔːrtidʒ] *s* **1.** (of) Knappheit *f*, Verknappung *f*, Mangel *m* (an *dat*), *bes. econ.* Engpaß *m* (in *dat*). **2.** *bes. econ.* Fehlbetrag *m*, Defizit *n.* **3.** Abgang *m*, Gewichtsverlust *m.*

'short|,bread → **shortcake** 1. **'~,cake** *s* **1.** Mürbe-, Teekuchen *m*, Mürbegebäck *n.* **2.** *Am.* a) Nachspeise *f* aus Mürbeteig mit süßen Früchten, b) kaltes Gericht aus Semmeln mit 'Hühnerfrikas,see *etc.* **,~'change** *v/t Am. colloq.* **1.** *j-m* zu wenig (Wechselgeld) her'ausgeben. **2.** *fig. j-n* ,übers Ohr hauen'. **~ cir·cuit** *s electr.* Kurzschluß *m.* **,~-'cir·cuit** *v/t* **1.** *electr.* a) e-n Kurzschluß verursachen in (*dat*) (*als Defekt*), b) kurzschließen (*als Betriebsmaßnahme*). **2.** *Am. fig.* a) *etwas* ,ka'puttmachen', ,torpe'dieren', b) *etwas* ausschalten *od.* um'gehen. **'~-,com·ing** *s* **1.** Unzulänglichkeit *f.* **2.** Mangel *m*, Fehler *m.* **3.** Pflichtversäumnis *n.* **4.** Fehlbetrag *m*, Defizit *n.* **~ cov·er·ing** *s econ.* Deckungskauf *m.* **~ cut** *s* **1.** Abkürzung(sweg *m*) *f.* **2.** *fig.* abgekürztes Verfahren. **'~-'dat·ed** *adj econ.* kurzfristig. **'~-'dis·tance** *adj* Nah...

short·en ['ʃɔːrtn] **I** *v/t* **1.** kürzer machen, (ab-, ver)kürzen, *a. Bäume etc* stutzen. **2.** *fig.* verringern. **3.** *den Teig* mürbe machen. **4.** *mar. die Segel* reffen. **II** *v/i* **5.** kürzer werden. **6.** fallen (*Preise etc*). **'short·en·ing** *s* **1.** (Ab-, Ver)Kürzung *f.* **2.** (Ver)Minderung *f.* **3.** *Kochkunst*: Backfett *n.*

'short|,fall *s* Fehlbetrag *m*, Defizit *n.* **'~,hand I** *s* **1.** Kurzschrift *f*, Stenogra'phie *f*: **to take down in ~** (mit)stenographieren. **II** *adj* **2.** Kurzschrift...: **~ typist** Stenotypistin *f*; **~ writer** Stenograph(in). **3.** in Kurzschrift (geschrieben), stenogra'phiert: **~ expression** Kurzschriftzeichen *n*, *a.* Kürzel *n.* **'~'hand·ed** *adj econ.* knapp an Arbeitskräften. **~ haul** *s* 'Nahverkehr *m*, -trans,port *m.* **'~-'haul** *adj* Nahverkehrs..., Nah... **'~,head** *s* **1.** *Anthropologie*: Kurzkopf *m*, Rundschädel *m.* **2.** *Pferderennen*: Abstand *m* von weniger als e-r Pferdekopflänge. **'~-'head·ed** *adj* kurzköpfig. **'~,horn** *s* **1.** *zo.* Shorthorn *n*, Kurzhornrind *n.* **2.** *Am. sl.* Anfänger *m.*

short·ish ['ʃɔːrtiʃ] *adj* etwas *od.* ziemlich kurz.

'short-'lived *adj* kurzlebig, von kurzer Dauer.

short·ly ['ʃɔːrtli] *adv* **1.** in kurzem, (als)bald: **~ after** a) kurz danach, b) kurz nach, c) (*mit ger*) kurz nachdem. **2.** in kurzen Worten. **3.** kurz (angebunden), schroff.

short·ness ['ʃɔːrtnis] *s* **1.** Kürze *f.* **2.** Schroffheit *f.* **3.** Knappheit *f*, Mangel *m* (of an *dat*): **~ of breath** Kurzatmigkeit *f*; **~ of memory** Gedächtnisschwäche *f.* **4.** Mürbigkeit *f* (*von Gebäck etc*). **5.** Brüchigkeit *f* (*von Metall etc*).

short| or·der *s* Schnellgericht *n* (*im Restaurant*): **in ~** schnell. **'~-'range** *adj* Kurzstrecken..., Nah..., *mil. a.* Nahkampf... **~ rib** *s anat.* falsche Rippe. **~ sale** *s econ.* Verkauf *m* ohne Deckung, Blankoabgabe *f.* **~ sea** *s mar.* kurze (harte) See. **~ sell·er** *s econ.* Blankoverkäufer *m.* **~ sell·ing** → **short sale.** **'~-,short sto·ry** *s* Kurzgeschichte *f.* **~ shunt** *s electr.* 'Ankerparal,lelschaltung *f.* **~ sight** → **shortsightedness.** **'~'sight·ed** *adj* (*adv* **~ly**) kurzsichtig (*a. fig.*). **,~'sight·ed·ness** *s* Kurzsichtigkeit *f* (*a. fig.*). **'~-'spo·ken** *adj colloq.* kurz angebunden, schroff. **'~,stop** *s* **1.** *Baseball*: Spieler *m* zwischen dem 2. u. 3. Mal. **2.** *a.* **~ bath** *phot.* Unter'brechungsbad *n.* **~ sto·ry** *s* Erzählung *f.* **~ suit** *s Whist*: kurze Farbe. **~ tem·per** *s* Reizbarkeit *f*, Heftigkeit *f.* **'~-'tem·pered** *adj* reizbar, (leicht) aufbrausend. **'~-'term** *adj.* **1.** *econ.* kurzfristig: **~ credit.** **2.** kurzzeitig (*a. tech.*), auf kurze Sicht. **~ time** *s econ.* verkürzte Arbeitszeit. **'~-'time** *adj* Kurzzeit...: **~ work** Kurzarbeit *f.* **~ ton** *s econ. bes. Am.* Tonne *f* (= *2000 lbs* = *907,18 kg*). **'~-'waist·ed** *adj* 'kurz-, 'hochtail,liert (*Kleid*). **~ wave** *s electr. phys.* Kurzwelle *f.* **'~,wave** *adj electr. phys.* **1.** kurzwellig. **2.** Kurzwellen...: **~ transmitter.** **~ weight** *s* Fehlgewicht *n.* **~ wind** [wind] *s* Kurzatmigkeit *f* (*a. fig.*). **'~-'wind·ed** *adj* kurzatmig. **,~-'wind·ed·ness** → **short wind.**

short·y, *a.* **short·ie** ['ʃɔːrti] *s colloq.* **1.** ,Knirps' *m.* **2.** a) kleines Ding, b) kurze Sache.

Sho·sho·ne, *a.* **Sho·sho·nee, Sho·sho·ni** [ʃo'ʃouni] *s* **1.** Scho'schone *m* (*Indianer*). **2.** *ling.* Scho'schonisch *n*, das Schoschonische.

shot[1] [ʃɒt] *s* **1.** Schuß *m* (*a. Knall*): **to take a ~ at** schießen auf (*acc*); → **long shot** 2 *u.* 3. **2.** Abschuß *m.* **3.** Schußweite *f*: **out of (within) ~** außer (in) Schußweite. **4.** *a.* **small ~** a) Schrotkugel *f*, b) *collect.* Schrot(kugeln *pl*) *m*: **a charge of ~** e-e Schrotladung. **5.** Geschoß *n*, (Ka'nonen)Kugel *f*: **a ~ in the locker** *colloq.* Geld in der Tasche, e-e letzte Reserve; **like a ~** *colloq.* a) wie der Blitz, sofort, b) wie aus der Pistole geschossen. **6.** *guter etc* Schütze: **an excellent ~**; → **big shot.** **7.** *bes. sport* Schuß *m*, Wurf *m*, Stoß *m*, Schlag *m.* **8.** *sport* Kugel *f*: **putting the ~** Kugelstoßen *n.* **9.** *fig.* Versuch *m*: **at the third ~** beim dritten Versuch; **to have a ~ at s.th.** es (einmal) mit etwas versuchen. **10.** *fig.* (Seiten)Hieb *m.* **11.** *fig.* Vermutung *f*: **a ~ in the dark** ein Schuß ins Blaue. **12.** *sl.* Spritze *f*, Injekti'on *f*: **a ~ in the arm** *fig.* ,Spritze' *f* (*bes. finanzielle Hilfe*). **13.** *colloq.* a) Schuß *m* (*Rum etc*), b) ,Gläs-chen' *n* (*Schnaps etc*): **to stand ~** die Zeche (für alle) bezahlen. **14.** a) (Film)Aufnahme *f*, Szene *f*, Schuß *m*, b) *phot. colloq.* Aufnahme *f*: → **long shot** 1. **15.** *tech.* a) Schuß *m*, Sprengung *f*, b) Sprengladung *f.* **16.** *Am. sl.* Chance *f*: **a 10 to 1 ~.**

shot[2] [ʃɒt] **I** *pret u. pp von* **shoot. II** *adj* **1.** *a.* **~ through** (*mit Fäden*) durch'schossen. **2.** chan'gierend, schillernd (*Stoff, Farbe*). **3.** *tech.* geschweißt. **4.** *sl.* ka'putt (*erschöpft od. ruiniert*). **5.** *sl.* ,besoffen'.

shote → **shoat.**

'shot|,gun I *s* **1.** Schrotflinte *f.* **II** *adj* **2.** *colloq.* erzwungen: **~ marriage** ,Mußheirat' *f.* **3.** *Am. colloq.* a) gestreut: **~ propaganda,** b) mannigfaltig. **'~-,put** [-,put] *s sport* **1.** Kugelstoßen *n.* **2.** Stoß *m* (*mit der Kugel*). **'~-,put·ter** *s sport* Kugelstoßer(in).

shot·ted ['ʃɒtid] *adj* **1.** (scharf) geladen (*Waffe*). **2.** mit e-r Kugel *od.* mit Kugeln beschwert.

shot·ten ['ʃɒtn] *adj ichth.* gelaicht habend: **~ herring** Laichhering *m.*

shot weld·ing *s tech.* Schußschweißung *f.*

should [ʃud] **1.** *pret. von* **shall,** *a. konditional futurisch*: *ich, er, sie, es* sollte, *du* solltest, *wir, Ihr, Sie, sie* sollten: **~ it prove false** sollte es sich als falsch erweisen. **2.** *konjunktivisch*: *ich* würde, *wir* würden: **I ~ go if ...; I ~ not have come if** ich wäre nicht gekommen, wenn; **I ~ like to** ich würde *od.* möchte gern; **it is incredible that he ~ have failed** es ist unglaublich, daß er versagt hat.

shoul·der ['ʃouldər] **I** *s* **1.** Schulter *f*, Achsel *f*: **~ to ~** Schulter an Schulter (*a. fig.*); **to put one's ~ to the wheel** *fig.* sich tüchtig ins Zeug legen; **(straight) from the ~** *fig.* geradeheraus, unverblümt, ins Gesicht; **over the ~(s)** *fig.* über die Schulter (hinweg), ironisch; **to give s.o. the cold ~** *fig.* j-m die kalte Schulter zeigen, j-n kühl *od.* abweisend behandeln; **he has broad ~s** *fig.* er hat e-n breiten Rükken, er kann allerhand verkraften; → **chip**[1] 1, **clap**[1] 6, **head** *Bes. Redew.*, **old** 9, **rub** 8. **2.** Bug *m*, Schulterstück *n*: **~ of mutton** Hammelkeule *f.* **3.** *a.* **~ joint** Schultergelenk *n.* **4.** *weitS.* Schulter *f*, Vorsprung *m.* **5.** *tech.* Schulter *f*, Stoß *m* (*e-r Achse*). **6.** *print.* Achselfläche *f* (*e-r Type*). **7.** 'Schulter(par,tie *f*, -teil *n*) *f* (*e-s Kleids etc*). **8.** a) Ban'kett *n* (*Straßenrand*), b) *aer.* 'Übergangsstreifen *m* (*auf e-m Flugplatz*).

II *v/t* **9.** (mit der Schulter) stoßen *od.* drängen: **to ~ one's way through the crowd** sich (mit den Schultern) e-n Weg durch die Menge bahnen. **10.** schultern, *das Gewehr* 'übernehmen: → **arm**[2] *Bes. Redew.* **11.** *fig. e-e Aufgabe, e-e Verantwortung etc* auf sich nehmen: **to ~ the responsibility.** **12.** (an)stoßen, (an)grenzen an (*acc*).

III *v/i* **13.** (mit der Schulter) stoßen (at an *acc*; **against** gegen). **14.** sich (mit den Schultern) 'durchdrängen (**through** durch).

shoul·der| bag *s* 'Umhäng(e)tasche *f* (*für Damen*). **~ belt** *s mil.* Schulterriemen *m.* **~ blade** *s anat.* Schulterblatt *n.* **~ knot** *s* **1.** Achselband *n* (*e-r Livree*). **2.** *mil.* Schulterstück *n.* **~ loop** *s mil.* Schulterstück *n*, Achselklappe *f.* **~ mark** *s mar. Am.* Schulterklappe *f.* **~ patch** *s*, **~ sleeve in·sig·ni·a** *s pl mil. Am.* Oberarmabzeichen *n* (*Division etc*). **~ strap** *s* **1.** Träger(band *n*) *m* (*bes. an Damenunterwäsche*). **2.** Tragriemen *m.* **3.** *mil.* Schulterstück *n.* **~ weap·on** *s mil.* Schulterwaffe *f.* **~ win** *s Ringen*: Schultersieg *m.*

should·n't ['ʃudnt] *colloq. für* **should not.**

shout [ʃaut] **I** *v/i* **1.** (laut) rufen, schreien (**for** nach): **to ~ for s.o.** nach j-m rufen; **to ~ to s.o.** j-m zurufen. **2.** schreien, brüllen (**with laughter** vor Lachen; **with pain** vor Schmerz): **to ~ at s.o.** j-n anschreien; **to ~ s.o. on** j-n durch Schreie anspornen; **to ~ s.o. up** *colloq.* j-n herrufen. **3.** jauchzen (**with joy** vor Freude). **4.** *Am. fig.* schreien (*Farbe etc*): **~ing need** schreiende Not. **5.** *Am. colloq.* ,e-n Wirbel' *od.* ein ,Tam'tam' machen (**about** um *acc*, wegen *gen*). **II** *v/t* **6.** *etwas* (laut) rufen, schreien: **to ~ disapproval** laut sein Mißfallen äußern; **to ~ o.s. hoarse** sich heiser schreien; **to ~ s.o. down**

j-n niederbrüllen; to ~ out a) herausschreien, b) *e-n Namen etc* ausrufen. **7.** *Austral. sl.* a) *j-n* freihalten, b) *Getränke* ‚spen'dieren'. **III** *s* **8.** Schrei *m*, Ruf *m*: **to give a ~** aufschreien; **I'll give you a ~** *colloq.* ich werde von mir hören lassen. **9.** Geschrei *n*, Gebrüll *n*: **a ~ of laughter** brüllendes Lachen. **10. my ~!** *Austral. sl.* jetzt bin ich dran! (*bes. zum Stiften von Getränken*). **'shout·er** *s* Schreier(in). **'shout·ing** *s* Schreien *n*, Geschrei *n*: **all is over but the ~** die Schlacht ist gewonnen.

shove [ʃʌv] **I** *v/t* **1.** (*beiseite etc*) schieben, stoßen: **to ~ aside. 2.** (achtlos *od.* rasch) schieben, stecken, stopfen. **II** *v/i* **3.** schieben, stoßen. **4.** (sich) dränge(l)n. **5. ~ off** a) (*vom Ufer*) abstoßen, b) *sl.* ‚abschieben', sich da'vonmachen. **III** *s* **6.** Stoß *m*, Schubs *m* (*a. fig.*): **to give s.o. a ~ (off)** j-m weiterhelfen.

shov·el ['ʃʌvl] **I** *s* **1.** Schaufel *f*, Schippe *f*. **2.** *tech.* a) Löffel *m* (*e-s Löffelbaggers*), b) Löffelbagger *m*, c) Schaufel *f*. **3.** (*e-e*) Schaufel(voll). **II** *v/t* **4.** schaufeln: **to ~ up** (*od.* **in**) **money** Geld scheffeln. **III** *v/i* **5.** schaufeln. **'~ˌboard** → **shuffleboard.**

shov·el·er, *bes. Br.* **shov·el·ler** ['ʃʌvlər] *s* **1.** Schaufler *m*. **2.** *orn.* Löffelente *f*.

shov·el·ful ['ʃʌvlful] *s* (*e-e*) Schaufel(voll).

shov·el hat *s* Schaufelhut *m* (*breitrandiger Hut der anglikanischen Geistlichen*).

shov·el·ler ['ʃʌvlər] *bes. Br. für* **shoveler.**

show [ʃou] **I** *s* **1.** ('Her)Zeigen *n*: **to vote by ~ of hands** durch Handzeichen wählen; **~ of teeth** Zähnefletschen *n*. **2.** Schau *f*, Zur'schaustellung *f*: **a ~ of force** *fig.* e-e Demonstration der Macht. **3.** (*künstlerische etc*) Darbietung, Vorführung *f*, Vorstellung *f*, Schau *f*: **to put on a ~** *fig.* ‚e-e Schau abziehen', sich aufspielen; **to steal the ~** *fig.* (*j-m*) ‚die Schau stehlen' (*j-n in den Schatten stellen*). **4.** *colloq.* (The'ater-, Film)Vorstellung *f*. **5.** Schau *f*, Ausstellung *f*: **on ~** ausgestellt, zu besichtigen(d). **6.** *Am.* (*Radio-, Fernseh*)Sendung *f*. **7.** (*prunkvoller*) 'Umzug. **8.** *fig.* Schauspiel *n*, Anblick *m*: **a grand ~;** **to make a sorry ~** e-n traurigen Eindruck hinterlassen; **to make a good ~** ‚e-e gute Figur machen'. **9.** *colloq. gute etc* Leistung: **good ~!** gut gemacht!, bravo!; **bad ~!** schlecht! **10.** Protze'rei *f*, Angebe'rei *f*: **for ~** um Eindruck zu machen, (nur) fürs Auge; **to be fond of ~** gern großtun. **11.** (*leerer*) Schein: **in outward ~** nach außen (hin); **to make a ~ of rage** sich wütend stellen. **12.** Spur *f*: **no ~ of a bud. 13.** Zirkus-, The'atertruppe *f*. **14.** *Am. colloq.* Chance *f*: **to give s.o. a fair ~** j-m e-e echte Chance geben. **15.** *sl.* ‚Laden' *m*, ‚Kiste' *f*, ‚Kram' *m*, Sache *f*: **a dull (poor) ~** e-e langweilige (armselige) Sache; **to run the ~** *sl.* ‚den Laden *od.* die Sache schmeißen'; **to give the (whole) ~ away** *colloq.* den ganzen Schwindel verraten. **16.** *Pferderennen*: *sl.* dritter Platz. **17.** *mil. sl.* ‚Zauber' *m*, ‚Ra'batz' *m* (*Einsatz, Krieg*).

II *v/t pret* **showed,** *a. bes. Br.* **shewed** [ʃoud], *pp* **shown,** *a. bes. Br.* **shewn** [ʃoun] *od. selten* **showed 18.** zeigen (**s.o. s.th., ~ s.th. to s.o.** j-m etwas), sehen lassen, *Ausweis, Fahrkarte etc a.* vorzeigen, -weisen: **to ~ o.s.** a) sich zeigen, sich sehen lassen, b) *fig.* sich *grausam etc* zeigen, sich erweisen als; → **card**[1] 1 (*u. andere Substantive*); **never ~ your face again!** laß dich hier nie wieder blicken! **19.** *j-m* zeigen *od.* erklären: **to ~ s.o. how to write** j-n schreiben lehren, j-m das Schreiben beibringen. **20.** zeigen, an den Tag legen: **to ~ one's knowledge. 21.** ausstellen, auf e-r Ausstellung zeigen: **to ~ cats. 22.** *thea. etc* zeigen, vorführen. **23.** *j-n ins Zimmer etc* führen, geleiten, bringen: **to ~ s.o. about the town** j-m die Stadt zeigen, j-n in der Stadt herumführen; **to ~ s.o. over the house** j-n durch das Haus führen; **to ~ s.o. round** j-n (herum)führen. **24.** kundtun, offen'baren: **to ~ one's intentions. 25.** (auf)zeigen, darlegen: **to ~ one's plans. 26.** zeigen, beweisen: **to ~ the truth of a statement; you'll have to ~ me!** *colloq.* das wirst du mir (erst) beweisen müssen! **27.** *jur.* nachweisen, vorbringen: **to ~ proof** *jur.* den Beweis erbringen; → **cause** 4. **28.** *phys. tech.* (an)zeigen: **the speedometer ~ed 70. 29.** *Gefühle* zeigen, sich anmerken lassen: **to ~ one's anger. 30.** zeigen, erkennen lassen, verraten: **to ~ bad taste. 31.** *e-e Gunst etc* erweisen, (er)zeigen: **to ~ s.o. a favo(u)r; to ~ gratitude to s.o.** sich j-m gegenüber dankbar erweisen.

IV *v/i* **32.** sichtbar werden *od.* sein, sich zeigen: **the blood ~s through her skin** man sieht das Blut durch ihre Haut; **it ~s** man sieht es; → **time** 1. **33.** *colloq.* sich zeigen, erscheinen. **34.** aussehen (**like** wie): **to ~ to advantage** vorteilhaft aussehen. **35. to be ~ing** gezeigt werden, laufen (*Film*).

Verbindungen mit Adverbien:

show| forth *v/t* darlegen, kundtun. **~ in** *v/t* her'einführen. **~ off I** *v/t* protzen *od.* angeben mit. **II** *v/i* angeben, protzen (**with** mit), sich aufspielen. **~ out** *v/t* hin'ausgeleiten, -führen, -bringen. **~ up I** *v/t* **1.** her'auf- *od.* hin'aufführen. **2.** *colloq.* a) *j-n* bloßstellen, entlarven, b) *etwas* aufdecken: **to ~ a fraud. II** *v/i* **3.** *colloq.* ‚aufkreuzen', auftauchen, erscheinen. **4.** vorteilhaft erscheinen. **5.** sich abheben (**against** gegen).

show| bill *s econ.* 'Werbe-, Re'klameplaˌkat *n*. **~ biz** *colloq. für* **show business. ~ board** *s* kleine Anschlagtafel. **'~ˌboat** *s* The'aterschiff *n*. **~ busi·ness** *s* Unter'haltungsinduˌstrie *f*, ‚Schaugeschäft' *n*. **~ card** *s econ.* **1.** Musterkarte *f*. **2.** 'Werbeplaˌkat *n*, Aufsteller *m*. **'~ˌcase** *s* Schaukasten *m*. **'~ˌdown** *s* **1.** Aufdecken *n* der Karten (*a. fig.*). **2.** *fig.* entscheidende Kraftprobe, endgültige Ausein'andersetzung *od.* Bereinigung.

show·er ['ʃauər] **I** *s* **1.** (*Regen-, Hagel- etc*)Schauer *m*: **~ of meteors** Meteorenschauer, -schwarm *m*. **2.** a) (*Funken-, Kugel- etc*)Regen *m*, b) (Geschoß-, Stein)Hagel *m*, c) Unmenge *f*, Masse *f*: **a ~ of questions; in ~s** in rauhen Mengen. **3.** *Am.* a) Brautgeschenke *pl*, b) *a.* **~ party** Party *f* zur Über'reichung der Brautgeschenke. **4.** → **shower bath. II** *v/t* **5.** begießen, über'schütten. **6.** *j-n* (ab)brausen, duschen. **7.** *Hagel etc* niederprasseln lassen. **8.** *j-n mit Geschenken etc* über'häufen: **to ~ gifts upon s.o.; to ~ s.o. with hono(u)rs. III** *v/i* **9.** strömen, gießen: **to ~ down** herabströmen, niederprasseln (*a. Geschosse*). **~ bath** *s* **1.** Dusche *f*: a) Brausebad *n*, b) Brause *f* (*Vorrichtung*). **2.** Duschraum *m*.

show·er·y ['ʃauəri] *adj* **1.** regnerisch. **2.** schauerartig.

show| girl *s* Re'vuegirl *n*. **~ glass** *s* **1.** → **showcase. 2.** (Zauber)Spiegel *m*.

show·i·ness ['ʃouinis] *s* **1.** Prunkhaftigkeit *f*, Gepränge *n*. **2.** Auffälligkeit *f*, Protzigkeit *f*. **3.** pom'pöses Auftreten.

show·ing ['ʃouiŋ] *s* **1.** Zeigen *n*, Zur'schaustellung *f*. **2.** Ausstellung *f*. **3.** Vorführung *f* (*e-s Films etc*): **first ~** Erstaufführung *f*. **4.** Darlegung *f*. **5.** Erklärung *f*: **on** (*od.* **by**) **your own ~** nach d-r eigenen Darstellung; **upon proper ~** *jur.* nach erfolgter Glaubhaftmachung. **6.** Beweis(e *pl*) *m*. **7.** Stand *m* der Dinge, Anschein *m*: **on present ~** so wie es derzeit aussieht.

show·man ['ʃoumən] *s irr* **1.** Schausteller *m*. **2.** *thea. etc* Produ'zent *m*. **3.** geschickter Propagan'dist, wirkungsvoller Redner (*etc*), j-d, der sich *od.* etwas gut in Szene zu setzen *od.* ‚zu verkaufen' versteht, *contp.* ‚Schauspieler' *m*, j-d, der ‚auf Wirkung macht'. **'show·manˌship** *s* **1.** ef'fektvolle Darbietung. **2.** Efˌfekthasche'rei *f*. **3.** *fig.* propagan'distisches Ta'lent, (*die*) Kunst, sich gut in Szene zu setzen, Publikumswirksamkeit *f*.

shown [ʃoun] *pp von* **show.**

'show|-ˌoff *s* **1.** ‚Angabe' *f*, Protze'rei *f*. **2.** *colloq.* ‚Angeber(in)'. **'~ˌpiece** *s* Schau-, Pa'radestück *n*. **~ place** *s* **1.** Ausstellungsort *m*. **2.** a) Ort *m* mit vielen Sehenswürdigkeiten, b) Sehenswürdigkeit *f*. **'~ˌroom** *s* **1.** Ausstellungsraum *m*. **2.** Vorführungssaal *m*. **~ tent** *s* Ausstellungszelt *n*. **~ win·dow** *s bes. Am.* Schaufenster *n* (*a. fig.*).

show·y ['ʃoui] *adj* (*adv* **showily**) **1.** prächtig, prunkvoll. **2.** auffällig. **3.** glänzend. **4.** protzig.

shrank [ʃræŋk] *pret von* **shrink.**

shrap·nel ['ʃræpnl; -nəl] *s mil.* **1.** Schrap'nell *n*. **2.** Schrap'nelladung *f*. **3.** Gra'natsplitter *pl*.

shred [ʃred] **I** *s* **1.** Fetzen *m* (*a. fig.*), Lappen *m*: **in ~s** in Fetzen; **to tear to ~s** a) → 4, b) *fig. ein Argument etc* zerpflücken, -reißen; **~s of clouds** Wolkenfetzen. **2.** Schnitzel *n*, *m*, Stückchen *n*. **3.** Spur *f*, Fünkchen *n*: **without a ~ of common sense; not a ~ of doubt** nicht der leiseste Zweifel. **II** *v/t* **4.** zerfetzen, in Fetzen reißen. **5.** in (schmale) Streifen schneiden, (*Kochkunst a.*) schnetzeln. **III** *v/i* **6.** zerreißen, in Fetzen *od.* Stücke gehen. **'shred·der** *s* **1.** *tech.* a) Reißwolf *m*, b) 'Schneidemaˌschine *f*. **2.** *Kochkunst*: a) Reibeisen *n*, b) 'Schnitzelmaˌschine *f*, -einsatz *m*. **'~ˌout** *s Am.* Teilgebiet *n*, Ausschnitt *m*.

shrew[1] [ʃruː] *s* Xan'thippe *f*, zänkisches Weib: **"The Taming of the S~"** „Der Widerspenstigen Zähmung" (*Shakespeare*).

shrew[2] [ʃruː] *s zo.* Spitzmaus *f*.

shrewd [ʃruːd] *adj* (*adv* **~ly**) **1.** schlau, pfiffig, gewiegt, gerieben. **2.** scharfsinnig, klug, gescheit: **a ~ face; a ~ remark; a ~ observer** ein scharfer Beobachter; **this was a ~ guess** das war gut geraten. **3.** scharf, heftig: **a ~ blow (pain, wind). 'shrewd·ness** *s* **1.** Schlauheit *f*. **2.** Scharfsinn *m*, Klugheit *f*.

shrew·ish ['ʃruːiʃ] *adj* (*adv* **~ly**) zänkisch, boshaft, giftig. **'shrew·ish·ness** *s* zänkisches Wesen.

shriek [ʃriːk] **I** *s* **1.** schriller *od.* spitzer Schrei. **2.** Gekreisch(e) *n*, Kreischen *n* (*a. von Bremsen etc*): **~s of laughter** kreischendes Lachen. **3.** schriller Ton *od.* Pfiff. **II** *v/i* **4.** schreien, schrille Schreie ausstoßen. **5.** (gellend) aufschreien (with vor *dat*): to ~ with pain; to ~ (with laughter) kreischen (vor Lachen). **6.** schrill klingen, kreischen (*Bremsen etc*). **III** *v/t* **7.** *a.* ~ out *etwas* kreischen *od.* gellen.

shriev·al·ty ['ʃriːvəlti] *s jur.* **1.** Sheriffamt *n*, -würde *f*. **2.** Amtszeit *f od.* Gerichtsbarkeit *f* des Sheriffs.

shrieve [ʃriːv] *obs. für* sheriff.

shrift [ʃrift] *s* **1.** *relig. hist.* Beichte *f* (u. Absoluti'on *f*). **2.** short ~ *fig.* Galgenfrist *f*: to give short ~ to kurzen Prozeß machen mit.

shrike [ʃraik] *s orn.* Würger *m*.

shrill [ʃril] **I** *adj* (*adv* shrilly) **1.** schrill, gellend: ~-voiced mit schriller Stimme. **2.** *fig.* grell, schreiend: ~ colo(u)rs; ~ light. **3.** *fig.* heftig, schrill: ~ criticism. **II** *v/t* **4.** *etwas* kreischen *od.* gellen. **III** *v/i* **5.** schrillen, gellen. **IV** *s* **6.** schriller Ton, Schrillen *n*. '**shrill·ness** *s* (*das*) Schrille, schriller Klang, schrille Stimme.

shrimp [ʃrimp] **I** *s* **1.** *pl* **shrimps,** *bes. collect.* **shrimp** *zo.* Gar'nele *f*. **2.** *fig. contp.* Knirps *m*, ‚Gartenzwerg' *m*. **3.** *a.* ~ pink (*od.* red) gelbliches Rot. **II** *v/i* **4.** Gar'nelen fangen. '**shrimp·er** *s* Gar'nelenfischer *m*.

shrine [ʃrain] **I** *s* **1.** *relig.* a) (Re'liquien)Schrein *m*, b) Heiligengrab *n*. **2.** *fig.* Heiligtum *n*. **II** *v/t* **3.** (wie) in e-m Schrein bewahren.

shrink [ʃriŋk] **I** *v/i pret* **shrank** [ʃræŋk], *a.* **shrunk** [ʃrʌŋk], *pp* **shrunk,** *selten* '**shrunk·en** **1.** zu'rückweichen (from vor *dat*): to ~ from doing s.th. etwas widerwillig tun; to ~ into o.s. *fig.* sich in sich selbst zurückziehen. **2.** *a.* ~ back zu'rückschrecken, -schaudern (from, at vor *dat*). **3.** sich scheuen *od.* fürchten (from vor *dat*). **4.** (zs.-, ein)schrumpfen. **5.** einlaufen, -gehen (*Stoff*). **6.** abnehmen, schwinden: to ~ with age alt und runz(e)lig werden. **II** *v/t* **7.** (ein-, zs.-)schrumpfen lassen. **8.** *fig.* zum Schwinden bringen. **9.** *Textilien* einlaufen lassen, krump(f)en. **10.** ~ on *tech.* aufschrumpfen, *Reifen etc* warm aufziehen: ~ fit Schrumpfsitz *m*. '**shrink·age** *s* **1.** (Zs.-, Ein)Schrumpfen *n*. **2.** Schrumpfung *f*. **3.** Verminderung *f*, Schwund *m* (*a. tech.*), Abnahme *f*. **4.** Einlaufen *n* (*von Textilien*). '**shrink·ing** *adj* (*adv* ~ly) **1.** schrumpfend. **2.** abnehmend. **3.** zu'rückschreckend. **4.** scheu. **5.** 'widerwillig. '**shrink,proof** *adj* nicht einlaufend (*Gewebe*).

shrive [ʃraiv] *pret* **shrove** [ʃrouv], *pp* **shriv·en** ['ʃrivn] *v/t relig. obs. j-m* die Beichte abnehmen u. Absoluti'on erteilen.

shriv·el ['ʃrivl] **I** *v/t* **1.** *a.* ~ up a) (ein-, zs.-)schrumpfen lassen, b) runzeln. **2.** (ver)welken lassen, ausdörren. **3.** *fig.* a) verkümmern lassen, b) unfähig *od.* hilflos machen. **II** *v/i* **4.** *oft* ~ up (ein-, zs.-)schrumpfen, schrumpeln. **5.** runz(e)lig werden. **6.** (ver)welken. **7.** *fig.* verkümmern. **8.** *fig.* vergehen.

shriv·en ['ʃrivn] *pp von* shrive.

shroff [ʃrɒf] *s* **1.** Geldwechsler *m* (*in Indien*). **2.** Geldprüfer *m* (*in China etc*).

shroud [ʃraud] **I** *s* **1.** Leichentuch *n*, Totenhemd *n*. **2.** *fig.* Hülle *f*, Schleier *m*. **3.** *pl mar.* Wanten *pl*. **4.** *tech.* Um'mantelung *f*. **5.** *a.* ~ line *aer.* Fang-, Trageleine *f* (*am Fallschirm*). **II** *v/t* **6.** in ein Leichentuch (ein)hüllen. **7.** *tech.* um'manteln. **8.** *fig. in Nebel, Geheimnis etc* hüllen. **9.** *fig.* verschleiern.

shrove [ʃrouv] *pret von* shrive.

Shrove| Mon·day [ʃrouv] *s* Rosenmontag *m*. '~**,tide** *s* Fastnachtszeit *f*. ~ **Tues·day** *s* Fastnachtsdienstag *m*.

shrub[1] [ʃrʌb] *s* Strauch *m*, Busch *m*.

shrub[2] [ʃrʌb] *s* **1.** (*Art*) Punsch *m*. **2.** *Am.* Getränk *n* aus Fruchtsaft u. Eiswasser.

shrub·ber·y ['ʃrʌbəri] *s bot.* Strauchwerk *n*, Gesträuch *n*, Gebüsch *n*.

shrub·by ['ʃrʌbi] *adj bot* **1.** strauchig, buschig, Strauch..., Busch... **2.** voller Gesträuch *od.* Gebüsch, dicht(bewachsen).

shrug [ʃrʌg] **I** *v/t* **1.** *die Achseln* zukken: she ~ged her shoulders. **2.** mit e-m Achselzucken kundtun: to ~ one's low opinion; to ~ off *etwas* mit e-m Achselzucken abtun, kühl ignorieren. **II** *v/i* **3.** die Achseln zucken. **III** *s* **4.** *a.* ~ of the shoulders Achselzucken *n*: to give a ~ → 3. **5.** *Am.* Bo'lerojacke *f*.

shrunk [ʃrʌŋk] **I** *pp von* shrink. **II** *adj* **1.** (ein-, zs.-)geschrumpft. **2.** eingelaufen, deka'tiert (*Stoff*). '**shrunk·en** *adj* **1.** abgemagert, abgezehrt: a ~ hand. **2.** eingefallen: ~ cheeks. **3.** → shrunk 1.

shuck [ʃʌk] **I** *s bes. Br. dial. od. Am.* **1.** Hülse *f*, Schote *f* (*von Bohnen etc*). **2.** grüne Schale (*von Nüssen etc*). **3.** Liesch *m* (*Vorblatt am Maiskolben*). **4.** *pl colloq.* I don't care ~s es ist mir ‚piepegal'; ~s! Quatsch!; she can't sing for ~s sie kann überhaupt nicht singen. **5.** *Am.* Austernschale *f*. **II** *v/t bes. Am.* **6.** schälen. **7.** enthülsen, -schoten.

shud·der ['ʃʌdər] **I** *v/i* schaudern, (er)zittern, (er)beben (at bei; with vor *dat*): to ~ away from s.th. vor etwas zurückschaudern; I ~ at the thought, I ~ to think of it mich schaudert bei dem Gedanken. **II** *s* Schauder(n *n*) *m*: it gives me the ~s ich finde es gräßlich.

shuf·fle ['ʃʌfl] **I** *s* **1.** Schlurfen *n*, schlurfender Gang *od.* Schritt. **2.** a) Schleifschritt *m*, b) Schleifer *m* (*Tanz*). **3.** *fig.* Ausflucht *f*, Trick *m*, Schwindel *m*. **4.** (Karten)Mischen *n*. **II** *v/i* **5.** schlurfen, (mit den Füßen) scharren: to ~ along dahinschlurfen; to ~ through s.th. *fig.* etwas flüchtig erledigen. **6.** (beim Tanzen) die Füße schleifen lassen. **7.** sich schwerfällig (hin'ein)winden (into in *acc*): to ~ into one's clothes. **8.** sich (ein)schmuggeln (into in *acc*). **9.** sich her'auswinden *od.* -halten (out of aus). **10.** Ausflüchte machen, sich her'auszuwinden suchen (out of aus). **11.** (die Karten) mischen. **III** *v/t* **12.** schleifen *od.* schlurfen lassen: to ~ one's feet → 5. **13.** *e-n Tanz* mit schleifenden Schritten tanzen. **14.** *die Karten etc* mischen: to ~ the cards *fig.* s-e Taktik ändern. **15.** *fig.* 'hin- u. 'herschieben, ‚jon'glieren' mit. **16.** hin'einprakti,zieren (into in *acc*). **17.** her'ausschmuggeln (out of aus). **18.** *etwas* durchein'anderwerfen. **19.** vermischen, -mengen (among, with mit).

Verbindungen mit Adverbien:

shuf·fle| a·way *v/t* 'wegprakti,zieren. ~ **off** *v/t* **1.** *Kleider* abstreifen, sich her'auswinden aus. **2.** *fig.* abschütteln, sich *e-r Sache* entledigen. **3.** sich *e-r Verpflichtung etc* entziehen. **4.** *e-e Schuld etc* abwälzen (upon, on auf *acc*). ~ **on** *v/t ein Kleid etc* mühsam anziehen. ~ **to·geth·er** *v/t* zs.-werfen, -raffen.

'**shuf·fle,board** *s* **1.** Beilkespiel *n*. **2.** *mar. ein 1 ähnliches Bordspiel.*

shuf·fler ['ʃʌflər] *s* **1.** Schlurfende(r *m*) *f*. **2.** Kartenmischer(in). **3.** Ausflüchtemacher(in). **4.** Schwindler(in).

'**shuf·fling** *adj* (*adv* ~ly) **1.** schlurfend, schleppend. **2.** unaufrichtig, unredlich. **3.** ausweichend: a ~ answer.

shun [ʃʌn] *v/t* (ver)meiden, *j-m od. e-r Sache* ausweichen, sich fernhalten von.

'**shun!** [ʃʌn] *interj mil. colloq.* stillgestanden!, Achtung! (*aus* attention!).

shunt [ʃʌnt] **I** *v/t* **1.** bei'seite schieben. **2.** *fig. etwas* aufschieben, zu'rückstellen. **3.** *j-n* nicht zum Zuge kommen lassen, ‚kaltstellen'. **4.** *electr.* nebenschließen, shunten. **5.** *rail. e-n Zug etc* ran'gieren, verschieben. **6.** abzweigen. **II** *v/i* **7.** *rail.* ran'gieren. **8.** *fig. von e-m Thema, Vorhaben etc* abkommen, abspringen. **III** *s* **9.** *electr.* a) Nebenschluß *m*, b) 'Neben,widerstand *m*, Shunt *m*: ~ capacitor Parallelkondensator *m*; ~ current Nebenschlußstrom *m*; ~-fed parallelgespeist; ~ switch Umgehungsschalter *m*; ~-wound motor Nebenschlußmotor *m*. **10.** *rail.* a) Ran'gieren *n*, b) Weiche *f*.

shunt·er ['ʃʌntər] *s* **1.** *rail.* a) Weichensteller *m*, b) Ran'gierer *m*, c) Ran'gierlokomo,tive *f*. **2.** *Br. colloq. für* arbitrager. '**shunt·ing** *rail.* **I** *s* **1.** Ran'gieren *n*. **2.** Weichenstellen *n*. **II** *adj* **3.** Rangier..., Verschiebe...: ~ engine; ~ station.

shush [ʃʌʃ] **I** *interj* sch!, pst! **II** *v/i* sch! *od.* pst! machen. **III** *v/t j-n* zum Schweigen bringen.

shut [ʃʌt] **I** *v/t pret u. pp* **shut** **1.** (ver)schließen, zumachen: to ~ one's mind (*od.* heart) to s.th. sich gegen etwas verschließen; to ~ one's door against s.o. j-m die Tür verschließen; → eye 1, mouth 1. **2.** einschließen, -sperren (into, in, within in *dat*, *acc*). **3.** ausschließen, -sperren (out of aus). **4.** *Finger etc* (ein)klemmen. **5.** zuklappen, zumachen: to ~ the book (jack-knife, *etc*). **II** *v/i* **6.** sich schließen, zugehen: the door ~ with a bang die Tür knallte zu. **7.** (sich) schließen (lassen): the window ~s well.

Verbindungen mit Adverbien:

shut| down **I** *v/t* **1.** *Fenster etc* schließen. **2.** *e-e Fabrik etc* schließen, stillegen. **II** *v/i* **3.** sich schließen, 'undurch,dringlich werden (*Nebel etc*). **4.** die Arbeit *od.* den Betrieb einstellen, ‚zumachen'. **5.** ~ (up)on *Am. colloq.* ein Ende machen mit. ~ **in** *v/t* **1.** einschließen: a) einsperren, b) *fig.* um'geben: to shut o.s. in sich einschließen. **2.** *die Aussicht etc* versperren. ~ **off** **I** *v/t* **1.** *Wasser, Gas etc, a. den Motor, e-e Maschine* abstellen: to ~ the supply ‚den Hahn zudrehen'. **2.** abschließen (from von). **II** *v/i* **3.** *tech.* abschalten. ~ **out** *v/t* **1.** *j-n, a. Licht, Luft etc* ausschließen, -sperren. **2.** *e-e Landschaft etc* den Blicken entziehen. **3.** *etwas* unmöglich machen. **4.** *sport Am. den Gegner* (ohne Gegentor *etc*) ausschalten. ~ **to** **I** *v/t* → shut 1. **II** *v/i* → shut 6. ~ **up** **I** *v/t* **1.** *das Haus etc* (fest) verschließen, verriegeln: → shop 1. **2.** *j-n* einsperren: to shut o.s. up sich einschließen. **3.** *j-m* den Mund stopfen. **II** *v/i* **4.** *vulg.* ‚den Mund *od.* das Maul halten': ~! ‚halt's Maul!' **5.** *vulg.* Schluß machen.

'**shut|,down** *s* **1.** Arbeitseinstellung *f*. **2.** (Betriebs)Stillegung *f*. '~**,eye** *s sl.* Schlaf *m*: to catch some ~ ein Schläfchen machen. '~**,in** **I** *adj* **1.** a) ans (Kranken)Haus *od.* Bett gefesselt: ~ invalids, b) in e-r Anstalt 'untergebracht. **2.** *psych.* sich abkapselnd, verschlossen. **3.** eingeschlossen (*a. fig.*). **II** *s* **4.** j-d, der ans Haus *od.* Bett gefesselt ist, Kranke(r *m*) *f.* **'~,off** *s* **1.** *tech.* Abstell-, Absperrvorrichtung *f*: ~ **valve** Abschaltventil *n*, Abstellhahn *m.* **2.** *hunt.* Schonzeit *f.* **'~,out** *s* **1.** Ausschließung *f.* **2.** *sport* a) Zu-'Null-Niederlage *f*, b) Zu-'Null-Sieg *m.*

shut·ter ['ʃʌtər] **I** *s* **1.** Fensterladen *m*, Rolladen *m*, Jalou'sie *f*: **to put up the ~s** *fig.* das Geschäft (*am Abend od. für immer*) schließen, ‚zumachen'. **2.** Klappe *f*, Schieber *m*, Verschluß *m.* **3.** *phot.* Verschluß *m*: ~ **speed** Verschlußgeschwindigkeit *f.* **4.** *arch.* Schalung *f.* **5.** *Wasserbau*: Schütz(e *f*) *n.* **6.** *mus.* Jalou'sie *f* (*der Orgel*). **II** *v/t* **7.** mit Fensterläden versehen *od.* verschließen. **'~,bug** *s bes. Am. sl.* ‚Photonarr' *m.*

shut·tle ['ʃʌtl] **I** *s* **1.** *tech.* a) Weberschiff(chen) *n*, (Web)Schütze(n) *m*, b) Schiffchen *n* (*der Nähmaschine*). **2.** *tech.* Schützentor *n* (*e-r Schleuse*). **3.** *Am. für* **shuttle train. 4.** a) Pendelverkehr *m*, b) Pendelroute *f.* **II** *v/t* **5.** (schnell) 'hin- u. 'herbewegen *od.* -befördern. **III** *v/i* **6.** sich (schnell) 'hin- u. 'herbewegen. **7.** 'hin- u. 'herfahren *od.* -eilen (*etc*), *rail. etc* pendeln (**between** zwischen). ~ **bomb·ing** *s aer. mil.* Bombar'dierung *f* im Pendelflug. ~ **bus** *s* im Pendelverkehr eingesetzter Bus. **'~,cock I** *s* **1.** *sport* a) Federball *m*, b) Federballspiel *n.* **2.** *fig.* Spielball *m*, Zankapfel *m.* **II** *v/t* **3.** (wie e-n Federball) 'hin- u. 'herjagen. ~ **race** *s sport* Pendelstaffel(lauf *m*) *f.* ~ **serv·ice** *s* Pendelverkehr *m.* ~ **train** *s* Pendel-, Vorortzug *m.*

shy[1] [ʃai] **I** *adj* (*adv* ~**ly**) *comp.* **'shy·er** *od.* **'shi·er,** *sup* **'shy·est** *od.* **'shi·est** **1.** scheu (*Tier*). **2.** scheu, schüchtern. **3.** zu'rückhaltend: **to be** (*od.* **fight**) ~ **of s.o.** j-m aus dem Weg(e) gehen (→ 5). **4.** 'mißtrauisch. **5.** zaghaft: **to be** (*od.* **fight**) ~ **of doing s.th.** etwas vorsichtig *od.* zögernd tun. **6.** abgelegen (*Ort*). **7.** *Am. sl.* knapp (**of, on** an *dat*): ~ **of money** knapp bei Kasse. **8.** ~ (**of**) *sl.* ärmer um, *10 Dollar etc* los. **9.** *bes. Am. sl.* unfähig, den erforderlichen Einsatz zu bezahlen (*bes. beim Pokerspiel*). **10.** kümmerlich (*Pflanze, Tier*). **11.** *colloq.* anrüchig: **a** ~ **night club. II** *v/i* **12.** scheuen (*Pferd etc*). **13.** *fig.* zu'rückscheuen (**at** vor *dat*). **III** *s* **14.** Scheuen *n* (*Pferd etc*).

shy[2] [ʃai] **I** *v/t* **1.** werfen, schleudern. **II** *v/i* **2.** werfen. **III** *s* **3.** Wurf *m.* **4.** *fig.* a) Hieb *m*, Stiche'lei *f*, b) Versuch *m*: **to have a** ~ **at a)** *j-n* verspotten, b) es (einmal) mit *etwas* versuchen.

shy·ly ['ʃaili] *adv* scheu, schüchtern.

shy·ness ['ʃainis] *s* **1.** Scheu *f.* **2.** Schüchternheit *f*, Zu'rückhaltung *f.* **3.** 'Mißtrauen *n.*

shy·ster ['ʃaistər] *s bes. Am. sl.* **1.** 'Winkeladvo,kat *m.* **2.** *fig.* Gauner *m.*

si [siː] *s mus.* Si *n* (*Solmisationssilbe*).

Si·a·mese [,saiə'miːz] **I** *adj* **1.** sia'mesisch. **2.** *fig.* unzertrennlich, ähnlich, Zwillings... **II** *s sg u. pl* **3.** a) Sia'mese *m*, Sia'mesin *f*, b) *pl* Sia'mesen *pl.* **4.** *ling.* Sia'mesisch *n*, das Siamesische. ~ **cat** *s zo.* Siamkatze *f.* ~ **twins** *s pl* **1.** Sia'mesische Zwillinge *pl.* **2.** *fig.* unzertrennliche Freunde *pl.*

sib [sib] *adj* verwandt (**to** mit).

Si·be·ri·an [sai'bi(ə)riən] **I** *adj* si'birisch. **II** *s* Si'birier(in).

sib·i·lance ['sibiləns], **'sib·i·lan·cy** [-si] → **sibilation. 'sib·i·lant I** *adj* **1.** zischend. **2.** *ling.* Zisch...: ~ **sound. II** *s* **3.** *ling.* Zischlaut *m.* **'sib·i,late** [-,leit] **I** *v/i* **1.** zischen. **II** *v/t* **2.** zischend aussprechen. **3.** *thea. etc* auszischen. **,sib·i'la·tion** *s* **1.** Zischen *n.* **2.** *ling.* Zischlaut *m.*

sib·ling ['sibliŋ] *s* **1.** a) Bruder *m od.* Schwester *f*, b) *pl* Geschwister *pl.* **2.** *biol.* Nachkommenschaft *f* e-s Elternpaares aus verschiedenen Eizellen.

sib·yl ['sibil] *s* **1.** *antiq.* Si'bylle *f.* **2.** *fig.* a) Seherin *f*, b) Hexe *f.*

sib·yl·line ['sibi,lain; -lin] *adj* **1.** sibyl'linisch. **2.** pro'phetisch, geheimnisvoll, dunkel.

sic [sik] (*Lat.*) *adv* sic, so.

sic·ca·tive ['sikətiv] **I** *adj* trocknend. **II** *s* Trockenmittel *n*, Sikka'tiv *n.*

sice [sais] *s* Sechs *f* (*auf Würfeln*).

Si·cil·i·an [si'siljən] **I** *adj* si'zilisch, sizili'anisch. **II** *s* Si'zilier(in), Sizili'aner(in).

sick[1] [sik] **I** *adj* **1.** (*Br. nur attr*) krank (**of an** *dat*): ~ **to death** todkrank; **to fall** ~ krank werden, erkranken; **to go** ~ *bes. mil.* sich krank melden; **the S~ Man (of Europe, of the East)** *hist.* der Kranke Mann am Bosporus (*die Türkei*). **2.** Brechreiz verspürend: **to be** ~ sich erbrechen *od.* übergeben (müssen); **I feel** ~ mir ist schlecht *od.* übel; **she turned** ~ ihr wurde übel, sie mußte (sich er)brechen; **it makes me** ~ a) mir wird übel davon (*a. fig.*), b) *fig.* es ekelt *od.* ‚kotzt' mich an. **3.** Kranken..., Krankheits...: ~ **diet** Krankenkost *f.* **4.** *fig.* krank (**of** von *dat*; **for** nach): ~ **at heart** a) todunglücklich, b) angsterfüllt. **5.** *fig.* a) wütend (**with s.o.** über j-n; **at s.th.** über etwas), b) enttäuscht (**at s.th.** von etwas). **6.** (**of**) *sl.* angewidert (von), 'überdrüssig (*gen*): **I am** ~ (**and tired**) **of it** ich habe es (gründlich) satt, es hängt mir zum Hals heraus. **7.** *fig.* blaß, fahl: ~ **colo(u)r;** ~ **light. 8.** matt, gezwungen: **a** ~ **smile. 9.** *mar.* schadhaft. **10.** schlecht: ~ **eggs (air,** *etc*). **11.** *econ. sl.* flau: ~ **market. 12.** *colloq.* grausig, ma'kaber: ~ **jokes;** ~ **humo(u)r** ‚schwarzer' Humor.

II *s* **13. the** ~ die Kranken. **14.** Übelkeit *f*: **that's enough to give one the** ~ *vulg.* ‚das ist (ja) zum Kotzen'.

sick[2] [sik] *v/t hunt. u. fig. den Hund etc* hetzen (**on, at** auf *acc*): **to** ~ **the police on s.o.** j-m die Polizei auf den Hals hetzen; ~ **him!** faß!

sick| bay *s* **1.** *mar.* ('Schiffs)Laza,rett *n.* **2.** ('Kranken)Re,vier *n.* **'~,bed** *s* **1.** Krankenbett *n.* **2.** *fig.* Krankenlager *n.* **'~-'ben·e·fit** *s Br.* Krankengeld *n.* ~ **call** *s* **1.** *mar. mil.* Re'vierstunde *f*: **to go on** ~ sich krank melden. **2.** Ruf *m* (*e-s Arztes etc*) an ein Krankenlager. **3.** Krankenbesuch *m.* ~ **cer·tif·i·cate** *s* Krankenschein *m.*

sick·en ['sikn] **I** *v/i* **1.** erkranken, krank werden: **to be ~ing for s.th.** etwas in den Gliedern haben. **2.** kränkeln. **3.** sich ekeln (**at** vor *dat*). **4.** 'überdrüssig *od.* müde sein *od.* werden (**of** *gen*): **to be ~ed with** *e-r Sache* überdrüssig sein, *etwas* satt haben. **II** *v/t* **5.** *j-m* Übelkeit verursachen. **6.** anekeln, anwidern. **'sick·en·er** *s fig.* **1.** Brechmittel *n*: a) ekelhafte Sache, b) Ekel *n* (*Person*). **2.** furchtbarer Schlag. **'sick·en·ing** *adj* (*adv* ~**ly**) **1.** Übelkeit erregend: **this is** ~ da(bei) kann einem (ja) übel werden. **2.** *fig.* ekelhaft, gräßlich.

sick·er ['sikər] *adj u. adv bes. Scot.* sicher, zuverlässig.

sick| flag *s mar.* (*gelbe*) Quaran'täneflagge. ~ **fund** *s* Krankenkasse *f.* ~ **head·ache** *s med.* **1.** Kopfschmerz(en *pl*) *m* mit Übelkeit. **2.** Mi'gräne *f.* ~ **in·sur·ance** *s* Krankenversicherung *f*, -kasse *f.*

sick·ish ['sikiʃ] *adj* (*adv* ~**ly**) **1.** kränklich, unpäßlich, unwohl. **2.** → **sickening.**

sick·le ['sikl] *s agr. u. fig.* Sichel *f*: ~ **cell** *med.* Sichelzelle *f*; ~ **feather** *orn.* Sichelfeder *f* (*des Haushahns*).

sick leave *s* Krankheitsurlaub *m.*

sick·li·ness ['siklinis] *s* **1.** Kränklichkeit *f.* **2.** kränkliches Aussehen. **3.** Ungesundheit *f* (*des Klimas etc*).

sick list *s mar. mil.* Krankenliste *f*: **to be on the** ~ krank (gemeldet) sein.

sick·ly ['sikli] **I** *adj u. adv* **1.** kränklich, schwächlich. **2.** krank(haft), kränklich, blaß: ~ **face. 3.** matt, schwach: **a** ~ **smile. 4.** ungesund: ~ **climate. 5.** 'widerwärtig: **a** ~ **smell. 6.** *fig.* wehleidig, süßlich, unangenehm: ~ **sentimentality. II** *v/t* **7.** krank machen: **'sicklied o'er with the pale cast of thought'** von des Gedankens Blässe angekränkelt.

sick·ness ['siknis] *s* **1.** Krankheit *f*: ~ **insurance** → **sick insurance. 2.** Übelkeit *f*, Erbrechen *n.*

sick| nurse *s* Krankenschwester *f*, -pflegerin *f.* ~ **pay** *s* Krankengeld *n.* ~ **re·port** *s mar. mil.* **1.** Krankenbericht *m*, -liste *f.* **2.** Krank(en)meldung *f.* **'~,room** *s* Krankenzimmer *n*, -stube *f.*

side [said] **I** *s* **1.** *allg.* Seite *f*: ~ **by** ~ Seite an Seite; **at** (*od.* **by**) ~ **of** an der Seite von (*od. gen*), neben (*dat*), *fig. a.* verglichen mit; (**on**) **off** ~ *sport* (nicht) abseits; **on all ~s** überall; **on the** ~ *sl.* nebenbei (*verdienen etc*); **on the** ~ **of** a) auf der Seite von, b) seitens (*gen*); **on this (the other)** ~ (**of**) diesseits (jenseits) (*gen*); (**on**) **this** ~ **the grave** hienieden, im Diesseits; **this** ~ **up!** Vorsicht, nicht stürzen!; **to stand by s.o.'s** ~ *fig.* j-m zur Seite stehen; **to be on the small** ~ ziemlich klein sein; **to keep on the right** ~ **of s.o.** sich mit j-m gut stellen; **to cast to one** ~ *fig.* über Bord werfen; **to put to one** ~ *e-e Frage etc* zurückstellen, ausklammern; → **dark 4, err 1, right 6, safe 3, sunny 2, wrong 2. 2.** *math.* Seite *f* (*a. e-r Gleichung*), *a.* Seitenlinie *f*, -fläche *f.* **3.** (Seiten)Rand *m.* **4.** (Körper)Seite *f*: **to shake** (*od.* **split**) **one's ~s with laughter** sich schütteln vor Lachen. **5.** (*Speck-, Hammel- etc*)Seite *f*: ~ **of bacon. 6.** Seite *f*, Teil *m*, *n*: **the east** ~ **of the city** der Ostteil der Stadt. **7.** Seite *f*: a) (Ab)Hang *m*, Flanke *f*, *a.* Wand *f* (*e-s Berges*), b) Ufer(seite *f*) *n.* **8.** Seite *f*, (Cha'rakter)Zug *m.* **9.** Seite *f*: a) Par'tei *f* (*a. jur. od. sport*), b) *sport* Spielfeld(hälfte *f*) *n*: **to be on s.o.'s** ~ auf j-s Seite stehen; **to change ~s** ins andere Lager überwechseln, *sport* die Seiten wechseln; **to take ~s** → 20; **to win s.o. over to one's** ~ j-n auf s-e Seite ziehen. **10.** *sport Br.* Mannschaft *f.* **11.** Seite *f*, Abstammungslinie *f*: **on one's father's** ~, **on the paternal** ~ väterlicherseits. **12.** *jur.* ('Rechts)Ab,teilung *f*: **criminal-law** ~ Strafrechtsabteilung. **13.** *ped. Br.* (Studien)Zweig *m*: **classical** ~ humanistische Abteilung. **14.** *thea. sl.* Rolle *f.* **15.** *sl.* ‚Angabe' *f*, Al'lüren *pl*: **to put on** ~ ‚angeben', großtun. **16.** *Billard*: *Br.* Ef'fet *n.*

II *adj* **17.** seitlich (liegend *od.* stehend *etc*), Seiten...: ~ **elevation** Seitenriß *m*; ~ **pocket** Seitentasche *f.* **18.** von der

Seite (kommend), Seiten...: ~ **blow** Seitenhieb *m.* **19.** Seiten..., Neben...: ~ **door**; ~ **brake** *mot.* Handbremse *f.* **III** *v/i* **20.** (with) Par'tei ergreifen (*gen od.* für), es halten (mit).

side| aisle *s arch.* Seitenschiff *n* (*e-r Kirche*). ~ **arms** *s pl mar. mil.* Seitenwaffen *pl.* ~ **band** *s Radio*: 'Seiten(fre,quenz)band *n.* ~ **bet** *s* Zusatzwette *f.* '~,**board** *s* **1.** Anrichtetisch *m.* **2.** Sideboard *n*: a) Bü'fett *n*, b) Anrichte *f.* **3.** Seitenbrett *n.* **4.** *pl sl.* → **sideburns.** ~ **box** *s thea.* Seitenloge *f.* '~,**burns** *s pl Am.* Kote'letten *pl*, Backenbart *m.* '~,**car** *s* **1.** Beiwagen *m*: ~ **combination** (*od.* **motorcycle**) Beiwagen-, Seitenwagenmaschine *f.* **2.** → **jaunting car. 3.** *Am.* (*ein*) Cocktail *m.* ~ **chain** *s* **1.** *tech.*, *a. biol.* Seitenkette *f.* **2.** *chem.* Seitenring *m* (*e-s Molekülrings*). '~-,**cut** *s* 'Seitenstraße *f*, -weg *m*, -ka,nal *m.*

sid·ed ['saidid] *adj* (*meist in Zssgn*) ...seitig: **four-~.**

side| dish *s* **1.** Zwischengericht *n.* **2.** Beigericht *n*, Beilage *f.* ~ **drum** *s* kleine (Wirbel)Trommel. ~ **ef·fect** *s* Nebenwirkung *f*, Begleiterscheinung *f.* ~ **face** *s* Seitenansicht *f*, Pro'fil *n.* ~ **fre·quen·cy** *s Radio*: 'Seitenfre,quenz *f.* ~ **glance** *s* Seitenblick *m* (*a. fig.*). '~,**head** *s* **1.** *tech.* Seitenschlitten *m* (*der Drehbank*). **2.** *print.* Margi'naltitel *m.* '~'**hill** *Am. für* **hillside.** ~ **horse** *s sport* Seitpferd *n.* ~ **is·sue** Nebenfrage *f*, -sache *f*, 'Randpro,blem *n.* '~-,**kick**, *a.* '~,**kick·er** *s Am. sl.* **1.** Kum'pan *m*, ‚Spezi' *m.* **2.** Helfer *m.* '~,**light** *s* **1.** Seitenlicht *n.* **2.** Seitenleuchte *f.* **3.** a) *mar.* Seitenlampe *f*, b) *aer.* Positi'onslicht *n*, c) *mot.* Begrenzungslicht *n.* **4.** Seitenfenster *n.* **5.** *fig.* Streiflicht *n.* ~ **line** *s* **1.** Seitenlinie *f.* **2.** *rail.* Nebenbahn *f*, -strecke *f.* **3.** a) Nebenbeschäftigung *f*, -verdienst *m*, b) Nebenzweig *m* (*e-s Gewerbes*), c) *econ. a.* 'Nebenar,tikel *m.* **4.** *sport* a) Seitenlinie *f* (*des Spielfelds*), b) *meist pl* Außenfeld *n*: **on the ~s** am Spielfeldrand, als Zuschauer. '~,**long I** *adv* seitwärts, seitlich, quer. **II** *adj* Seitwärts..., seitlich, schräg: ~ **motion**; ~ **glance** Seitenblick *m.* '~,**note** *s print.* Randbemerkung *f.*

si·de·re·al [sai'di(ə)riəl] *adj astr.* si'derisch, Stern(en)...: ~ **day (time, year)** Sterntag *m* (-zeit *f*, -jahr *n*).

sid·er·ite ['sidə,rait] *s chem. min.* **1.** Side'rit *m*, Eisenspat *m.* **2.** Mete'orgestein *n.*

sid·er·og·ra·phy [,sidə'rɒgrəfi] *s* Stahlstich *m*, -stecherkunst *f.* '**sid·er·o·,lite** [-rə,lait] *s min.* Sidero'lith *m.*

sid·er·o·sis [,sidə'rousis] *s med.* Side'rosis *f* (*Ablagerung von Eisenstaub in der Lunge, den Augen etc*).

'**side|,sad·dle I** *s* Damensattel *m.* **II** *adv* im Damensitz. ~ **scene** *s thea.* **1.** 'Seitenku,lisse *f.* **2.** Randszene *f.* ~ **show** *s* **1.** Nebenvorstellung *f*, -ausstellung *f.* **2.** kleine Schaubude. **3.** *fig.* a) Nebensache *f*, b) Epi'sode *f* (am Rande). '~,**slip I** *v/i* **1.** seitwärts rutschen. **2.** *aer.* seitlich abrutschen. **3.** *mot.* schleudern. **II** *s* **4.** seitliches Ausrutschen. **5.** *aer.* Slippen *n*, seitliches Abrutschen. **6.** *mot.* Schleudern *n.*

sides·man ['saidzmən] *s irr* Kirchenrat(smitglied *n*) *m.*

'**side|,split·ter** *s* etwas zum Totlachen, ‚Mords-ulk' *m.* '~,**split·ting** *adj* zwerchfellerschütternd. ~ **step** *s* Seit(en)schritt *m.* '~-,**step I** *v/t* **1.** *Boxen*: *e-m Schlag* (durch Seitschritt) ausweichen. **2.** ausweichen (*dat*) (*a. fig.*). **II** *v/i* **3.** e-n Seit(en)schritt machen. **4.** ausweichen (*a. fig.*). ~ **stroke** *s sport* Seitenschwimmen *n.* '~,**swipe I** *v/t u. v/i Am. colloq.* **1.** seitwärts schlagen. **2.** *mot.* a) hart streifen, b) seitlich abdrängen (*beim Überholen*). **II** *s* **3.** heftiger Schlag von der Seite. **4.** *mot.* Streifen *n.* **5.** *fig.* Seitenhieb *m.* '~-,**track I** *s* **1.** → **siding** 1. **2.** *fig.* ‚totes Gleis'. **II** *v/t* **3.** *rail. e-n Waggon* auf ein Nebengleis schieben. **4.** *colloq.* a) *etwas* ‚abbiegen', b) *j-n* ablenken, c) *j-n* ‚kaltstellen'. **III** *v/i* **5.** (vom Hauptthema) ablenken. ~ **view** *s* Seitenansicht *f.* '~,**walk** *s bes. Am.* Bürgersteig *m*, Gehweg *m*: ~ **superintendent** *humor.* (besserwisserischer) Zuschauer (*bei Bauarbeiten*).

side·ward ['saidwərd] **I** *adj* seitlich. **II** *adv* seitwärts, nach der Seite. '**side·wards** → **sideward** II.

'**side|,ways** → **sideward.** '~,**wheel** *s mar.* Schaufelrad *n.* '~-'**wheel·er** *s mar.* Raddampfer *m.* '~,**wise** [-,waiz] → **sideward.**

sid·ing ['saidiŋ] *s* **1.** *rail.* Neben-, Anschluß-, Ran'giergleis *n.* **2.** *arch. Am.* (*äußere*) Seitenwandung (*von Holzhäusern*). **3.** *Am.* Zuschneiden *n* (*von Holz*). **4.** Par'teinahme *f.*

si·dle ['saidl] *v/i* sich schlängeln, schleichen: **to ~ away** sich davonschleichen, -stehlen; **to ~ up to s.o.** sich an j-n heranmachen.

siege [siːdʒ] **I** *s* **1.** *mil.* Belagerung *f*: **state of ~** Belagerungszustand *m*; **to lay ~ to** a) *e-e Stadt etc* belagern, b) *fig. j-n* bestürmen, ‚bearbeiten'; **to raise the ~** die Belagerung aufheben. **2.** *fig.* a) Bestürmen *n*, heftiges Zusetzen, b) Zermürbung *f*, c) zermürbende Zeit. **3.** *tech.* a) Werkbank *f*, b) Glasschmelzofenbank *f.* **4.** *obs.* Sitz *m.* **II** *adj* **5.** Belagerungs...: ~ **gun. S~ Per·il·ous** *s* (*Artussage*) Platz *m* der Gefahr (*leerer Platz an der Tafelrunde, der für alle Ritter tödlich war, außer für den, welchem die Suche nach dem Gral gelingen sollte*). ~ **train** *s mil.* Belagerungs(geschütz)park *m.*

Si·en·ese [,siːe'niːz] **I** *s sg u. pl* a) Sie'nese *m*, Sie'nesin *f*, b) *pl* Sie'nesen *pl.* **II** *adj* sie'nesisch: ~ **school** (Maler)-Schule *f* von Siena.

si·en·na [si'enə] *s paint.* Si'ena(erde) *f*: **raw ~** hellgelber Ocker.

Si·en·nese → **Sienese.**

si·er·ra [si'erə] *s* Si'erra *f*, Gebirgskette *f.*

si·es·ta [si'estə] *s* Si'esta *f*, Mittagsruhe *f*, -schlaf *m.*

sieve [siv] **I** *s* **1.** Sieb *n*, *tech. a.* 'Durchwurf *m*, Rätter *m*: **to fetch** (*od.* **carry**) **water in a ~** *fig.* Wasser in ein Sieb schöpfen. **2.** *fig.* ‚Waschweib' *n.* **3.** Weidenkorb *m* (*a. Maß*). **II** *v/t* **4.** ('durch-, aus)sieben. **III** *v/i* **5.** sieben.

sift [sift] **I** *v/t* **1.** ('durch)sieben: **to ~ flour. 2.** (durch ein Sieb *etc*) streuen: **to ~ sugar on a cake. 3.** *fig.* sichten, sorgfältig (über)'prüfen *od.* unter'suchen. **4.** *meist* ~ **out** a) aussieben, absondern, b) erforschen, ausfindig machen. **II** *v/i* **5.** sieben. **6.** 'durchrieseln, -dringen (*a. Licht etc*). **7.** *fig.* (sorgfältige) Unter'suchungen anstellen. '**sift·er** *s* **1.** Sieber(in). **2.** Sieb(vorrichtung *f*) *n.* '**sift·ing** *s* **1.** ('Durch)Sieben *n.* **2.** *fig.* Sichten *n*, Unter'suchung *f.* **3.** *pl* a) (*das*) 'Durchgesiebte, b) Siebabfälle *pl.*

sigh [sai] **I** *v/i* **1.** (auf)seufzen, tief (auf)atmen. **2.** schmachten, seufzen (**for** nach): **~ed-for** heißbegehrt. **3.** *fig.* seufzen, ächzen (*Wind*). **II** *v/t* **4.** *oft* ~ **out** seufzen(d äußern). **III** *s* **5.** Seufzer *m*: **a ~ of relief** ein Seufzer der Erleichterung, ein erleichtertes Aufatmen; → **heave** 13.

sight [sait] **I** *s* **1.** Sehvermögen *n*, -kraft *f*, Auge(nlicht) *n*: **good ~** gute Augen; **long (near) ~** Weit-(Kurz)-sichtigkeit *f*; **second ~** zweites Gesicht; **to lose one's ~** das Augenlicht verlieren. **2.** (An)Blick *m*, Sicht *f*: **at** (*od.* **on**) ~ auf Anhieb, beim ersten Anblick, sofort; **to shoot s.o. at ~** j-n sofort *od.* ohne Warnung niederschießen; **at the ~ of** beim Anblick (*gen*); **at first ~** auf den ersten Blick; **to play (sing, translate) at ~** vom Blatt spielen (singen, übersetzen); **to catch ~ of** erblicken; **to know by ~** vom Sehen kennen; **to lose ~ of** a) aus den Augen verlieren (*a. fig.*), b) *fig. etwas* übersehen. **3.** *fig.* Auge *n*: **in my ~** in m-n Augen; **in the ~ of God** vor Gott; **to find favo(u)r in s.o.'s ~** Gnade vor j-s Augen finden. **4.** Sicht(weite) *f*: **(with)in ~** a) in Sicht(weite), b) *fig.* in Sicht; **within ~ of the victory** den Sieg (dicht) vor Augen; **out of ~** außer Sicht; **out of ~, out of mind** aus den Augen, aus dem Sinn; **out of my ~!** geh mir aus den Augen!; **to come in ~** in Sicht kommen; **to put out of ~** a) wegtun, b) *colloq. Essen* ‚wegputzen'. **5.** *econ.* Sicht *f*: **payable at ~** bei Sicht fällig; **bill payable at ~** Sichtwechsel *m*; **30 days (after) ~** 30 Tage (nach) Sicht; **to buy s.th. ~ unseen** etwas unbesehen kaufen. **6.** Anblick *m*: **a sorry ~**; **a ~ for sore eyes** e-e Augenweide; **to be** (*od.* **look**) **a ~** *colloq.* gräßlich *od.* komisch aussehen; **I did look a ~** *colloq.* ich sah vielleicht aus; **what a ~ you are!** *colloq.* wie siehst du denn aus!; → **god** 1. **7.** Sehenswürdigkeit *f*: **his roses were a ~ to see** s-e Rosen waren e-e Sehenswürdigkeit; **to see the ~s of a town** die Sehenswürdigkeiten e-r Stadt besichtigen. **8.** *colloq.* Menge *f*, Masse *f*, Haufen *m* (*Geld etc*): **a long ~ better** zehnmal besser; **not by a long ~** bei weitem nicht. **9.** *astr. hunt. mil. tech.* Vi'sier(einrichtung *f*) *n*: **to take (a careful) ~** (genau) (an)visieren *od.* zielen; → **full sight. 10.** *astr. mar.* (*mit Winkelinstrument gemessene od. bestimmte*) Höhe (*e-s Gestirns*). **11.** *Am. sl.* Aussicht *f*, Chance *f.*

II *v/t* **12.** sichten, erblicken. **13.** *mil.* a) 'anvi,sieren (*a. astr. mar.*), b) *das Geschütz* richten, c) *e-e Waffe etc* mit e-m Vi'sier versehen. **14.** *econ. e-n Wechsel* a) mit Sicht versehen, b) präsen'tieren.

III *v/i* **15.** zielen, vi'sieren.

sight| bill, ~ **draft** *s econ.* Sichtwechsel *m*, -tratte *f.*

sight·ed ['saitid] *adj* **1.** (*in Zssgn*) ...sichtig. **2.** *mil.* mit e-m Vi'sier (versehen).

sight glass *s tech.* Schauglas *n.*

sight·ing ['saitiŋ] *adj mil.* Ziel..., Visier...: ~ **line** Visierlinie *f*; ~ **mechanism** Visier-, Zieleinrichtung *f*, Zielgerät *n*; ~ **shot** Anschuß *m* (*Probeschuß*); ~ **telescope** Zielfernrohr *n.*

sight·less ['saitlis] *adj* (*adv* **~ly**) **1.** blind. **2.** *poet.* unsichtbar.

sight·li·ness ['saitlinis] *s* Schönheit *f*, Stattlichkeit *f.* '**sight·ly** *adj* **1.** ansehnlich, gut aussehend, stattlich. **2.** *bes. Am.* a) e-e schöne Aussicht bietend, b) weithin sichtbar.

sight| read·er *s* **1.** *mus.* Blattsänger(in), -spieler(in). **2.** *ling.* j-d, der vom Blatt über'setzt. ~ **read·ing** *s* (Vom-)

'Blattsingen *n od.* -spielen *n.* ~ **rhyme** *s metr.* Augenreim *m.* '~-ˌ**see·ing I** *s* **1.** Besichtigung *f* von Sehenswürdigkeiten. **II** *adj* **2.** schaulustig. **3.** Besichtigungs...: ~ bus Rundfahrtautobus *m*; ~ tour (Stadt)Rundfahrt *f.* '~-ˌ**se·er** [-ˌsiːər] *s* Tou'rist(in), Schaulustige(r *m*) *f.* ~ **sing·ing** *s mus.* (Vom-)'Blattsingen *n.*

sig·il ['sidʒil] *s* **1.** Siegel *n.* **2.** astro'logisches *od.* magisches Zeichen.

sig·il·late ['sidʒilit; -ˌleit] *adj bot. u. Keramik*: mit siegelartigen Mustern.

sig·ma ['sigmə] *s* Sigma *n* (*griechischer Buchstabe*).

sig·moid ['sigmɔid] **I** *adj* **1.** a) Σ-, s-förmig, b) c-, halbmondförmig. **II** *s* **2.** *a.* ~ flexure *anat.* Sigmo'id *n* (*Dickdarmkrümmung*). **3.** s-förmige Kurve.

sign [sain] **I** *s* **1.** a) Zeichen *n*, Sym'bol *n* (*a. fig.*), b) *a.* ~ of the cross *relig.* Kreuzzeichen *n*: in ~ of zum Zeichen (*gen*). **2.** (Schrift)Zeichen *n.* **3.** *math. mus.* (Vor)Zeichen *n*: ~ digit (*Computer*) Vorzeichen(ziffer *f*) *n.* **4.** Zeichen *n*, Wink *m*: to give s.o. a ~, to make a ~ to s.o. j-m ein Zeichen geben. **5.** Zeichen *n*, Si'gnal *n.* **6.** Anzeichen *n*, Sym'ptom *n* (*a. med.*): no ~ of life kein Lebenszeichen; to make no ~ sich nicht rühren; the ~s of the times die Zeichen der Zeit. **7.** Kennzeichen *n.* **8.** (Aushänge-, Wirtshaus- *etc*)Schild *n*: at the ~ of the White Hart im (Wirtshaus zum) Weißen Hirsch. **9.** *astr.* (Tierkreis)Zeichen *n.* **10.** *bes. Bibl.* (Wunder)Zeichen *n*: ~s and wonders Zeichen u. Wunder. **11.** *Am.* Spur *f* (*a. hunt.*).
II *v/t* **12.** unter'zeichnen, -'schreiben, *a. paint. u. print.* si'gnieren: to ~ a letter; ~ed, sealed and delivered (ordnungsgemäß) unterschrieben und ausgefertigt. **13.** mit (*s-m Namen*) unter'zeichnen. **14.** ~ away über'tragen, -'schreiben, abtreten: to ~ away property. **15.** *a.* ~ on (*od. colloq.* ~ up) (vertraglich) verpflichten, anstellen, anmustern. **16.** *relig.* das Kreuzzeichen machen über (*acc od. dat*), segnen. **17.** *j-m* bedeuten (to do zu tun), *j-m etwas* (durch Zeichen *od.* Gebärden) zu verstehen geben: to ~ one's assent.
III *v/i* **18.** unter'schreiben, -'zeichnen: → dot² 4. **19.** *econ.* zeichnen. **20.** Zeichen geben, (zu)winken (to *dat*). **21.** ~ on (off) den Beginn (das Ende) e-r (Radio)Sendung ansagen. **22.** ~ in *Am.* a) sich anmelden (*im Hotelregister etc*), b) sich (*mit der Stechkarte etc*) zur Arbeit melden. **23.** ~ off *colloq.* a) (s-e Rede) schließen, b) sich zu'rückziehen, ‚aussteigen'. **24.** ~ out *Am.* sich abmelden. **25.** ~ on, *colloq.* ~ up a) sich (vertraglich) verpflichten (for zu), (e-e) Arbeit annehmen, b) *mil.* sich zum Wehrdienst verpflichten.

sig·nal ['signl] **I** *s* **1.** *a. mil. etc* Si'gnal *n*, (*a.* verabredetes) Zeichen: call (distress, light) ~ Ruf-(Not-, Leucht)-zeichen. **2.** *electr. mar. mil. tech.* (Funk)Spruch *m*: Royal Corps of S~s, the S~s *Br.* (die) Fernmeldetruppe. **3.** *fig.* Si'gnal *n*, (auslösendes) Zeichen (for für, zu): this was the ~ for revolt. **4.** *Kartenspiel*: Si'gnal *n.* **II** *adj* (*adv* ~ly) **5.** Signal...: ~ arm *rail.* Signalarm *m*; S~ Corps *Am.* Fernmeldetruppe *f*; ~ beacon Signalbake *f*; ~ communications *mil.* Fernmeldewesen *n*; ~ engineering Fernmeldetechnik *f*; ~ code Zeichenschlüssel *m.* **6.** beachtlich, un-, außergewöhnlich. **III** *v/t* **7.** *j-n* durch Zeichen *od.* Si'gnal(e) verständigen, *j-m* Zeichen geben, *j-m* winken. **8.** *fig.* zu verstehen geben. **9.** *e-e Nachricht etc* signali'sieren, über'mitteln, *etwas* melden. **IV** *v/i* **10.** signali'sieren, Zeichen machen *od.* geben. ~ **book** *s mar.* Si'gnalbuch *n.* ~ **box** *s rail.* Stellwerk *n.*

sig·nal·er, *bes. Br.* **sig·nal·ler** ['signələr] *s* Si'gnalgeber *m*, *bes.* a) *mil.* Blinker *m*, Melder *m*, b) *mar.* Si'gnalgast *m.*

sig·nal| flag *s mar.* Si'gnal-, Winkerflagge *f.* ~ **gun** *s mil.* **1.** Si'gnalgeschütz *n.* **2.** Si'gnalschuß *m.* ~ **hal·yard** *s mar.* Flaggleine *f.*

sig·nal·ing, *bes. Br.* **sig·nal·ling** ['signəliŋ] *adj* Signal...

sig·nal·ize ['signəˌlaiz] **I** *v/t* **1.** aus-, kennzeichnen: to ~ o.s. by sich hervortun durch. **2.** her'vorheben. **3.** ankündigen, signali'sieren. **II** *v/i* → signal IV.

sig·nal·ler *etc bes. Br. für* signaler *etc.*

'**sig·nal|·man** [-mən] *s irr* **1.** *rail.* Stellwärter *m.* **2.** *mar.* Si'gnalgast *m.* ~ **of·fi·cer** *s mil. Am.* **1.** 'Fernmeldeoffiˌzier *m.* **2.** Leiter *m* des Fernmeldedienstes (*in Verbänden über Regimentsebene*). ~ **pis·tol** *s mil.* 'Leuchtpiˌstole *f.* ~ **rock·et** *s mil.* Leuchtkugel *f.* ~ **tow·er** *s tech.* **1.** Si'gnalturm *m.* **2.** *rail. Am.* Stellwerk *n.*

sig·na·ry ['signəri] *s* ('Schrift)ˌZeichensyˌstem *n.*

sig·na·to·ry ['signətəri] **I** *adj* **1.** unter'zeichnend, vertragschließend, Signatar...: ~ powers → 3 c. **2.** *econ.* Zeichnungs...: ~ power Unterschriftsvollmacht *f.* **II** *s* **3.** a) ('Mit)Unterˌzeichner(in), b) *pol.* Signa'tar *m*, Unter'zeichnerstaat *m*, c) *pl pol.* Signa'tarmächte *pl* (to a treaty e-s Vertrags).

sig·na·ture ['signətʃər; -ni-] *s* **1.** 'Unterschrift(sleistung) *f*, Namenszug *m.* **2.** Signa'tur *f* (*e-s Buchs etc*). **3.** *mus.* Signa'tur *f*, Vorzeichnung *f*: key ~ Vorzeichen *n od. pl.* **4.** *a.* ~ tune (*Radio*) 'Kennmeloˌdie *f.* **5.** *pharm.* Signa'tur *f*, Aufschrift *f.* **6.** *a.* ~ mark *print.* a) Signa'tur *f*, Bogenzeichen *n*, b) (Signa'tur)Bogen *m.* **7.** *fig. obs.* (Kenn)Zeichen *n.*

'**signˌboard** *s* (*bes.* Firmen-, Aushänge)Schild *n.*

sign·er ['sainər] *s* Unter'zeichner(in).

sig·net ['signit] *s* Siegel *n*, Petschaft *n*: privy ~ Privatsiegel des Königs; → writer 3. ~ **ring** *s* Siegelring *m.*

sig·nif·i·cance [sig'nifikəns], **sig'nif·i·can·cy** [-si] *s* **1.** Bedeutung *f*, (tieferer) Sinn. **2.** Bedeutung *f*, Bedeutsamkeit *f*, Wichtigkeit *f*: of no ~ nicht von Belang.

sig·nif·i·cant [sig'nifikənt] *adj* **1.** bezeichnend (of für): to be ~ of bezeichnend sein für, hinweisen auf (*acc*). **2.** bedeutsam, wichtig, von Bedeutung. **3.** wesentlich, merklich. **4.** *fig.* vielsagend: a ~ gesture. **5.** *math.* geltend (*Dezimalstelle*). **sig'nif·i·cant·ly** *adv* **1.** bedeutsam. **2.** bezeichnenderweise. **3.** wesentlich: not ~ reduced.

sig·ni·fi·ca·tion [ˌsignifi'keiʃən] *s* **1.** (*bestimmte*) Bedeutung, Sinn *m.* **2.** Bezeichnung *f*, Andeutung *f.*

sig·nif·i·ca·tive [sig'nifikətiv] *adj* (*adv* ~ly) **1.** Bedeutungs..., bedeutsam. **2.** bezeichnend, kennzeichnend (of für).

sig·ni·fy ['signiˌfai] **I** *v/t* **1.** an-, bedeuten, zu verstehen geben. **2.** bedeuten, ankündigen: a halo signifies rain. **3.** bedeuten: this signifies nothing. **II** *v/i* **4.** bedeuten: it does not ~ es hat nichts zu bedeuten.

si·gnior ['siːnjɔːr] *anglisierte Form für* signor.

sign| lan·guage *s* Zeichen-, *bes.* Fingersprache *f.* ~ **man·u·al** *s* (eigenhändige) 'Unterschrift, Handzeichen *n.*

si·gnor ['sinjor] (*Ital.*) *s* Signor *m*, Herr *m.*

sign| paint·er *s* Schilder-, Pla'katmaler *m.* '~ˌ**post I** *s* **1.** Wegweiser *m.* **2.** (Straßen)Schild *n*, (Verkehrs)Zeichen *n.* **II** *v/t* **3.** mit Wegweiser(n) versehen, *Straßen* beschildern. **4.** *j-n* orien'tieren.

Sikh [siːk] *s* Sikh *m.*

si·lage ['sailidʒ] *agr.* **I** *s* Silofutter *n*: ~ cutter Futterschneidemaschine *f.* **II** *v/t Gärfutter* si'lieren.

si·lence ['sailəns] **I** *s* **1.** (Still)Schweigen *n* (*a. fig.*), Ruhe *f*, Stille *f*: to keep ~ a) schweigen, still *od.* ruhig sein, b) Stillschweigen wahren (on über *acc*); to break the ~ das Schweigen brechen (*a. fig.*); to impose ~ a) Ruhe gebieten, b) (on s.o. j-m) (Still)-Schweigen auferlegen; in ~ still, im stillen, (still)schweigend; to pass over in ~ *fig.* stillschweigend übergehen; ~ gives consent wer schweigt, stimmt zu; ~! Ruhe!; → silver 1. **2.** Schweigsamkeit *f.* **3.** Verschwiegenheit *f.* **4.** Vergessenheit *f*: to pass into ~ in Vergessenheit geraten. **5.** *tech.* Geräuschlosigkeit *f.* **II** *v/t* **6.** zum Schweigen bringen (*a. mil. u. fig.*). **7.** *fig.* beschwichtigen, beruhigen: to ~ the voice of conscience. **8.** *tech.* dämpfen, geräuschlos machen. '**si·lenc·er** *s* **1.** *mil. tech.* Schalldämpfer *m.* **2.** *mot. Br.* Schalldämpfer *m*, Auspufftopf *m.*

si·lent ['sailənt] **I** *adj* (*adv* ~ly) **1.** still, ruhig, schweigsam: to be (*od.* remain) ~ (sich aus)schweigen (on über *acc*); be ~! sei(d) still!; history is ~ upon (*od.* as to) this darüber schweigt die Geschichte. **2.** still (*Gebet etc*), stumm (*Schmerz etc*; *a. ling. Buchstabe*). **3.** *fig.* stillschweigend, heimlich: ~ consent. **4.** *a. tech.* leise, geräuschlos. **5.** untätig: ~ volcano; → partner 2. **6.** *med.* la'tent: a ~ disease. **7.** Stummfilm...: ~ star; ~ film → 8. **II** *s* **8.** Stummfilm *m.* ~ **but·ler** *s* (*ein*) Abfallgefäß *n.* ~ **serv·ice** *s colloq.* **1.** Ma'rine *f.* **2.** *bes. Am.* 'Unterseebootdienst *m.*

si·le·sia [sai'liːʃiə; -ʃə; *Br. a.* -ziə] *s* (schlesische) Leinwand, Li'non *m.*

Si·le·sian [sai'liːʃiən; -ʃən; *Br. a.*-ziən] **I** *adj* schlesisch. **II** *s* Schlesier(in).

sil·hou·ette [ˌsilu'et] **I** *s* **1.** Silhou'ette *f*: a) Schattenbild *n*, -riß *m*, b) 'Umriß *m* (*a. fig.*): to stand out in ~ (against) → 4; this year's ~ die diesjährige Modelinie. **2.** *a.* ~ target *mil.* Kopfscheibe *f.* **II** *v/t* **3.** silhouet'tieren: to be ~d → 4. **III** *v/i* **4.** sich (als Silhou'ette) abheben (against gegen).

sil·i·ca ['silikə] *s chem.* **1.** Kieselerde *f.* **2.** Quarz(glas *n*) *m.*

sil·i·cate ['silikit; -ˌkeit] *s chem.* Sili'kat *n*, kieselsaures Salz. '**sil·iˌcat·ed** [-ˌkeitid] *adj* sili'ziert.

si·li·ceous [si'liʃəs] *adj* **1.** kiesel(erde-, -säure)haltig, -artig, Kiesel...: ~ earth Kieselgur *m.* **2.** kalkfliehend, Urgesteins...: ~ plants.

si·lic·ic [si'lisik] *adj chem.* Kiesel(erde)..., Silizium...: ~ acid a) (Ortho)-Kieselsäure *f*, b) Metakieselsäure *f.*

si·lic·i·fy [si'lisiˌfai] *v/t u. v/i chem. geol. min.* verkieseln.

si·li·cious → siliceous.

si·li·ci·um [si'liʃiəm; -'lis-], **sil·i·con** ['silikən] *s chem.* Si'lizium *n.*

sil·i·cone ['siliˌkoun] *s chem.* Sili'con *n.*

sil·i·con·ize ['silikəˌnaiz] *v/t chem. tech.* sili'zieren.

sil·i·co·sis [ˌsili'kousis] *s med.* Sili'kose *f*, Staublunge *f.*

si·lique [si'liːk; 'silik] *s bot.* Schote *f.* **sil·i·quose** ['siliˌkwous] *adj* schotentragend, -artig.

silk [silk] **I** *s* **1.** Seide *f*: a) Seidenfaser *f*, b) Seidenfaden *m*, c) Seidenstoff *m*, -gewebe *n*: **spun** ~ Gespinstseide; **thrown** ~ Organsin(seide) *m, n*; **to hit the** ~ *aer. sl.* mit dem Fallschirm abspringen. **2.** Seide(nkleid *n*) *f*: **in** ~**s and satins** in Samt u. Seide. **3.** *pl* Seidenwaren *pl.* **4.** *jur. Br.* a) 'Seidentaˌlar *m* (*e-s* King's *od.* Queen's Counsel), b) *colloq.* Kronanwalt *m*, Ju'stizrat *m*: **to take** ~ Kronanwalt werden. **5.** *fig.* Seide *f*, *zo. bes.* Spinnfäden *pl.* **6.** *bot. Am.* Seide *f*: **in** ~ blühend (*Mais*). **7.** Seidenglanz *m*: ~ **of a juwel.** **II** *adj* **8.** seiden, Seiden...: **to make a** ~ **purse out of a sow's ear** *fig.* aus e-m Kieselstein e-n Diamanten schleifen; ~ **culture** Seiden(raupen)zucht *f.* **9.** → **silky** 1.

silk·en ['silkən] *adj* **1.** seiden, Seiden...: ~ **veil.** **2.** → **silky** 1 *u.* 2. **3.** *fig.* a) verwöhnt, reich, b) verweichlicht.

'silk|-'fin·ish *v/t* merzeri'sieren. ~ **gland** *s zo.* Spinndrüse *f* (*der Seidenraupe*). ~ **gown** → **silk** 4. '~ˌ**grow·er** *s* Seiden(raupen)züchter *m.* ~ **hat** *s* Zy'linder(hut) *m.*

silk·i·ness ['silkinis] *s* **1.** (*das*) Seidige *od.* Weiche, seidenartige Weichheit. **2.** *fig.* Sanftheit *f*, Zartheit *f.*

silk| moth *s zo.* Seidenspinner *m.* '~-**-'screen** *print.* **I** *s* (Seiden)Siebdruck(gewebe *n*) *m.* **II** *v/t* im (Seiden)Siebdruckverfahren 'herstellen. '~-'**screen print·ing** *s print.* Seidensiebdruck *m.* ~ **stock·ing** *s* **1.** Seidenstrumpf *m.* **2.** *Am. fig.* a) 'hocheleˌgante Per'son, b) Aristo'krat(in), c) Pluto'krat(in). **3.** *hist. Am. colloq.* Födera'list *m.* '~-'**stock·ing** *adj fig. Am.* vornehm, ele'gant. '~ˌ**worm** *s zo.* Seidenraupe *f.*

silk·y ['silki] **I** *adj* (*adv* **silkily**) **1.** seidig (glänzend, *a. bot.*), seidenartig, -weich: ~ **hair**; ~ **willow** *bot.* a) Silberweide *f*, b) Seidige Weide (*Nordamerika*). **2.** *fig.* sanft, (ein)schmeichelnd, zärtlich, *contp.* (aal)glatt, ölig: ~ **person**; ~ **voice.** **3.** lieblich (*Wein*). **II** *s* **4.** *orn.* Seidenhuhn *n.*

sill [sil] *s* **1.** (Tür)Schwelle *f.* **2.** Fensterbrett *n*, -bank *f.* **3.** *tech.* Schwellbalken *m.* **4.** *geol.* Lagergang *m.*

sil·la·bub ['siləˌbʌb] *s Getränk aus Sahne, Wein u. Gewürzen.*

sil·li·ness ['silinis] *s* **1.** Dummheit *f*, Albernheit *f.* **2.** Verrücktheit *f.*

sil·ly ['sili] **I** *adj* (*adv* **sillily**) **1.** dumm, blöd(e), ‚dämlich'. **2.** dumm, verrückt, albern. **3.** unklug, leichtfertig. **4.** betäubt, benommen (*nach e-m Schlag etc*). **II** *s* **5.** *colloq.* Dummkopf *m*, Dummerchen *n.* ~ **point** *s Kricket: ganz dicht beim Schläger stehender Fänger.* ~ **sea·son** *s* ‚Saure'gurkenzeit' *f.*

si·lo ['sailou] **I** *pl* **-los** *s* **1.** *agr.* a) Silo *m*, b) Erdsilo *m*, Getreide-, Futtergrube *f.* **2.** *tech.* (*bes.* Ze'ment)Silo *m.* **3.** *a.* **launching** ~ 'unterirdische Ra'ketenabschußrampe. **II** *v/t* **4.** *agr. Futter* a) in e-m Silo aufbewahren, b) einmieten.

sil·phid ['silfid] *s zo.* Aaskäfer *m.*

silt [silt] **I** *s* **1.** Treibsand *m*, Schlamm *m*, Schlick *m.* **II** *v/i* **2.** *meist* ~ **up** verschlammen, -sanden. **3.** 'durchsickern. **III** *v/t* **4.** *meist* ~ **up** verschlammen. **'silt·y** *adj* verschlammt.

Si·lu·ri·an [si'lju(ə)riən; sai-] **I** *adj* **1.** *hist.* Silurer... **2.** *geol.* si'lurisch, Silur... **II** *s* **3.** *hist.* Si'lurer(in). **4.** *geol.* Si'lur(formatiˌon *f*, -zeit *f*) *n.*

sil·van → **sylvan.**

sil·ver ['silvər] **I** *s* **1.** *chem. min.* Silber *n*: **speech is** ~ **but silence is golden** Reden ist Silber, Schweigen ist Gold. **2.** a) Silber(geld *n*, -münzen *pl*) *n*, b) *allg.* Geld *n.* **3.** Silber(geschirr, -zeug) *n.* **4.** Silber(farbe *f*, -glanz *m*) *n.* **5.** *phot.* 'Silbersalz *n*, -niˌtrat *n.* **II** *adj* **6.** *bes. chem.* silbern, Silber...: ~ **basis** *econ.* Silberwährung *f*, -basis *f*; ~ **ore** Silbererz *n.* **7.** silb(e)rig, silberglänzend, -hell. **8.** *fig.* silberhell: ~ **voice.** **9.** *fig.* beredt: ~ **tongue.** **10.** *fig.* zweitbest(er, e, es). **III** *v/t* **11.** versilbern, mit Silber über'ziehen. **12.** silbern färben. **IV** *v/i* **13.** silberweiß werden (*Haar etc*).

sil·ver| age *s antiq.* silbernes Zeitalter. ~ **bath** *s phot.* Silberbad *n.* ~ **bro·mide** *s chem. phot.* 'Silberbroˌmid *n.* ~ **fir** *s bot.* Edel-, Weißtanne *f.* '~ˌ**fish** *s ichth.* Silberfisch *m.* ~ **foil** *s* **1.** Silberfolie *f.* **2.** 'Silberpaˌpier *n.* ~ **fox** *s zo.* Silberfuchs *m.* ~ **gilt** *s* vergoldetes Silber. ~ **glance** *s* Schwefelsilber *n.* '~-'**gray,** '~-'**grey** *adj* silbergrau. '~-'**haired** *adj* mit silberweißem Haar. '~ˌ**leaf** *s irr bot.* silberblätt(e)rige Pflanze, *bes.* Silberpappel *f.* ~ **leaf** *s irr tech.* Blattsilber *n.*

sil·ver·ling ['silvərliŋ] *s Bibl.* Silberling *m* (*Münze*).

sil·ver| lin·ing *s fig.* Silberstreifen *m* (am Hori'zont), Lichtblick *m*: **every cloud has its** ~ jedes Unglück hat auch sein Gutes. ~ **ni·trate** *s chem. med. phot.* 'Silberniˌtrat *n*, *bes. med.* Höllenstein *m.* ~ **pa·per** *s phot. tech.* 'Silberpaˌpier *n.* ~ **plate** *s* Silber(geschirr, -zeug) *n*, Tafelsilber *n.* '~-'**plat·ed** *adj* versilbert. ~ **point** *s paint.* Silberstiftzeichnung *f.* ~ **print·ing** *s phot. print.* Silberdruck(verfahren *n*) *m.* ~ **screen** *s* **1.** (Film)Leinwand *f.* **2.** *collect.* Film *m.* '~ˌ**smith** *s* Silberschmied *m.* ~ **spoon** *s* Silberlöffel *m*: **to be born with a** ~ **in one's mouth** *fig.* a) ein Glückskind sein, b) ein Kind reicher Eltern sein. ~ **stand·ard** *s econ.* Silberwährung *f.* **S~ Star (Med·al)** *s mil. Am. e-e Kriegsauszeichnung.* '~-ˌ**stick** *s mil. Br.* Offi'zier der Leibwache, der Dienst bei Hof tut. '~-'**tongued** *adj* beredt, redegewandt. '~ˌ**ware** *Am. für* **silver plate.** ~ **wed·ding** *s* silberne Hochzeit.

sil·ver·y ['silvəri] → **silver** 7 *u.* 8.

sil·vi·cul·ture ['silviˌkʌltʃər] *s* Waldbau *m*, 'Forstkulˌtur *f.*

si·mar [si'mɑːr] *s* 'Überwurf *m*, (leichtes) Frauenkleid.

sim·i·an ['simiən] *zo.* **I** *adj* affenartig, Affen... **II** *s* (*bes.* Menschen)Affe *m.*

sim·i·lar ['similər] **I** *adj* (*adv* → **similarly**) **1.** ähnlich (*a. math.*), (annähernd) gleich (**to** *dat*). **2.** gleichartig, entsprechend. **3.** *electr. phys.* gleichnamig. **II** *s* **4.** (*das*) Ähnliche *od.* Gleichartige, Ebenbild *n.* **5.** *pl* ähnliche *od.* gleichartige Dinge *pl.* ˌ**sim·i'lar·i·ty** [-'læriti] *s* **1.** Ähnlichkeit *f* (**to** mit), Gleichartigkeit *f.* **2.** *pl* Ähnlichkeiten *pl*, ähnliche Züge *pl.* '**sim·i·lar·ly** *adv* ähnlich, in ähnlicher Weise, entsprechend.

sim·i·le ['simili; -ˌliː] *s* Simile *n*, Gleichnis *n*, Vergleich *m* (*rhetorische Figur*).

si·mil·i·tude [si'miliˌtjuːd] *s* **1.** Ähnlichkeit *f* (*a. math.*). **2.** Gleichnis *n*, Vergleich *m.* **3.** (*etwas*) Gleichartiges. **4.** (Eben)Bild *n*, Gestalt *f.*

sim·i·lize ['simiˌlaiz] **I** *v/t* durch Vergleiche *od.* Gleichnisse erläutern. **II** *v/i* in Gleichnissen reden.

sim·mer ['simər] **I** *v/i* **1.** leicht kochen, sieden, wallen, brodeln (*a. fig.*). **2.** *fig.* kochen (**with** vor *dat*), gären (*Gefühl, Aufstand*): **to** ~ **down** *colloq.* ‚sich abregen' *od.* beruhigen. **II** *v/t* **3.** zum Wallen *od.* Sieden bringen. **III** *s* **4.** Sieden *n*: **at a** ~, **on the** ~ am Kochen.

sim·nel ['simnl] *s* **1.** *a.* ~ **cake** *bes. Br.* feiner Ro'sinenkuchen. **2.** *Am.* a) *a.* ~ **cake** Früchtebrot *n*, b) *a.* ~ **bread** feines Weißbrot, *a.* Weißmehlsemmel *f.*

si·mo·le·on [si'mouliən] *s Am. sl.* Dollar *m.*

Si·mon ['saimən] *npr* **1.** *Bibl.* Simon *m*: ~ (**Peter**) Simon (Petrus) *m* (*Apostel*). **2.** → **Simple Simon.**

si·mon·ize ['saiməˌnaiz] (*TM*) *v/t das Auto* (*mit e-r patentierten Autopolitur*) po'lieren.

Si·mon| Le·gree [li'griː] *s fig.* Menschenschinder *m* (*nach der Gestalt aus "Uncle Tom's Cabin" von Beecher-Stowe*). ~ **Pure** [pjur] *s meist* **the real** ~ *colloq.* ‚der wahre Jakob'.

sim·o·ny ['saiməni; 'sim-] *s* Simo'nie *f*, Pfründenschacher *m*, Ämterkauf *m.*

si·moom [si'muːm] *s* Samum *m* (*heißer Wüstenwind*).

simp [simp] *s sl.* Simpel *m.*

sim·per ['simpər] **I** *v/i* albern *od.* affek'tiert lächeln. **II** *v/t* mit albernem Lachen äußern. **III** *s* einfältiges *od.* affek'tiertes Lächeln.

sim·ple ['simpl] **I** *adj* (*adv* → **simply**) **1.** einfach, simpel: **a** ~ **explanation**; **a** ~ **task.** **2.** einfach, schlicht: **a** ~ **life**; **a** ~ **person**; ~ **diet.** **3.** einfach, schlicht: a) schmucklos, kunstlos, b) ungekünstelt: ~ **style**; ~ **beauty** schlichte Schönheit. **4.** einfach, niedrig: **of** ~ **birth.** **5.** rein, unverfälscht: **the** ~ **truth.** **6.** simpel: a) einfältig, töricht, b) ‚unbedarft', ungebildet, c) na'iv, leichtgläubig. **7.** einfach, 'unkompliˌziert: **a** ~ **design**; ~ **fracture** *med.* einfacher *od.* glatter (Knochen)-Bruch. **8.** einfach: ~ **equation (fruit, larceny)**; ~ **fraction** *math.* einfacher *od.* gemeiner Bruch; ~ **majority** *parl.* einfache Mehrheit; **the** ~ **forms of life** *biol.* die einfachen *od.* niederen Lebensformen. **9.** einfach, gering(fügig), unbedeutend: ~ **efforts.** **10.** glatt, rein: ~ **madness.** **11.** *mus. allg.* einfach (*Takt, Ton, Blasrohr etc*). **II** *s* **12.** *pharm.* Heilkraut *n*, -pflanze *f.*

sim·ple| con·tract *s jur.* formloser (*mündlicher od. schriftlicher*) Vertrag. '~'**heart·ed** → **simple-minded.** ~ **hon·o(u)rs** *s pl Bridge*: einfache Hon'neurs *pl.* ~ **in·ter·est** *s econ.* Kapi'talzins(en *pl*) *m.* '~-'**mind·ed** *adj* **1.** einfach, schlicht. **2.** → **simple** 6. ˌ~-**-'mind·ed·ness** *s* **1.** Einfalt *f*, Schlichtheit *f.* **2.** Dummheit *f.* **3.** Naivi'tät *f.* **S~ Si·mon** *s colloq.* Einfaltspinsel *m.* ~ **time** *s mus.* 2- *od.* 3teiliger Takt.

sim·ple·ton ['simpltən] *s* Einfaltspinsel *m.*

sim·plex ['simpleks] **I** *s* **1.** *ling.* Simplex *n*, einfaches *od.* nicht zs.-gesetztes Wort. **2.** *electr. tel. teleph.* a) Simplex-, Einfachbetrieb *m*, b) 'Simplex-, 'Einfachtelegraˌphie *f.* **II** *adj* **3.** einfach, nicht zs.-gesetzt. **4.** *electr.* Simplex..., Einfach...: ~ **circuit**; ~ **operation** → 2a; ~ **telegraphy** → 2b.

sim·pli·ci·ter [sim'plisitər] (*Lat.*) *adv* **1.** einfach, schlechthin. **2.** *jur. bes. Scot.* abso'lut, ausschließlich.

sim·plic·i·ty [sim'plisiti] *s* **1.** Einfachheit *f*: a) 'Unkompliˌziertheit *f*, b) Schlichtheit *f.* **2.** Einfalt *f*, Naivi'tät *f.*

sim·pli·fi·ca·tion [ˌsimplifi'keiʃən] *s*

1. Vereinfachung *f.* 2. *tech. econ. Am.* Rationali'sierung *f,* Nor'mierung *f.* **'sim·pli·fi,ca·tive** [-tiv] *adj* vereinfachend. **'sim·pli,fy** [-,fai] *v/t* 1. vereinfachen (*a. erleichtern; a. als einfach hinstellen*). 2. erleichtern, leichter (verständlich) machen.

sim·plism ['simplizəm] *s* gesuchte *od.* betonte Einfachheit. **sim'plis·tic** *adj* (zu) stark vereinfachend.

sim·ply ['simpli] *adv* 1. einfach (*etc;* → **simple**). 2. bloß, nur: ~ **and solely** einzig u. allein. 3. *colloq.* einfach (*wundervoll etc*).

sim·u·la·crum [,simju'leikrəm] *pl* **-cra** [-krə] *s* 1. (Ab)Bild *n.* 2. Scheinbild *n,* Abklatsch *m.* 3. leerer Schein, hohle Form.

sim·u·lant ['simjulənt] *adj bes. biol.* ähnlich aussehend (of wie).

sim·u·late ['simju,leit] *v/t* 1. vortäuschen, (vor)heucheln, *bes. e-e Krankheit* simu'lieren: **~d account** *econ.* fingierte Rechnung. 2. nachahmen, imi'tieren: **~d** *econ. bes. Am.* Imitations-..., Kunst... 3. *bes. mil.* simu'lieren, *Bedingungen* nachahmen *od.* annehmen: **under ~d combat conditions** gefechtsmäßig. 4. (genau) nachbilden. 5. ähneln (*dat*). 6. *ling.* sich (*durch falsche Etymologie*) angleichen an (*acc*). **,sim·u'la·tion** *s* 1. Vorspiegelung *f.* 2. Heuche'lei *f,* Verstellung *f.* 3. Nachahmung *f.* 4. Simu'lieren *n,* Krankspielen *n.* **'sim·u,la·tor** [-tər] *s* 1. Heuchler(in). 2. Nachahmer(in). 3. Simu'lant(in). 4. Simu'lator *m:* a) *phys. etc Testgerät, in dem bestimmte Bedingungen herstellbar sind,* b) *Computer:* Nachbildner *m,* c) *aer. mil. mot. etc* Ausbildungsgerät *n* (*z. B. stationäre Flugzeugführerkabine*).

si·mul·cast [*Br.* 'saiməl,kɑːst; 'sim-; *Am.* -,kæ(ː)st] *s* Simul'tansendung *f* (*über Hörfunk u. Fernsehen*).

si·mul·ta·ne·i·ty [,saiməltə'niːəti; ,sim-] *s* Gleichzeitigkeit *f.*

si·mul·ta·ne·ous [,saiməl'teiniəs] *adj* (*adv* **~ly**) gleichzeitig, simul'tan (with mit): ~ **game** (*Schach*) Simultanspiel *n;* ~ **interpreting** Simultandolmetschen *n.*

sin [sin] **I** *s* 1. Sünde *f:* **cardinal ~** Hauptsünde; **deadly** (*od.* **mortal, capital**) ~ Todsünde; **original ~** Erbsünde; → **besetting** 1, **omission** 2; **like ~** *sl.* ,höllisch', wie der Teufel; **to live in** (**open**) ~ im Ehebruch *od.* in wilder Ehe leben; ~ **against the Holy Ghost** Sünde wider den Heiligen Geist; ~ **offering** Sünd-, Sühneopfer *n.* 2. (**against**) *fig.* Sünde *f,* Verstoß *m* (gegen), Frevel *m,* Versündigung *f* (an *dat*). **II** *v/i* 3. sündigen, fehlen. 4. (**against**) sündigen, verstoßen (gegen), sich versündigen (an *dat*). **III** *v/t* 5. *e-e Sünde etc* begehen.

sin·a·pism ['sinə,pizəm] *s med.* Senf-[pflaster *n.*]

'sin,bin *s sport Am.* Strafbank *f.*

since [sins] **I** *adv* 1. seit'dem, -'her: **ever ~** seitdem; **long ~** seit langem; **how long ~?** seit wie langer Zeit?; **a short time ~** vor kurzem. 2. in'zwischen, 'mittler'weile: **he has ~ returned.** **II** *prep* 3. seit: ~ **1945**; ~ **Friday**; ~ **seeing you** seitdem ich dich sah; ~ **when ...?** *colloq.* seit wann ...? **III** *conj* 4. seit('dem): **how long is it ~ it happened?** wie lange ist es her, daß das geschah?; **ever ~ he was a child** (schon) seit s-r Kindheit. 5. da (ja), weil.

sin·cere [sin'sir] *adj* 1. aufrichtig, ehrlich, offen: **a ~ friend** ein wahrer Freund. 2. aufrichtig, echt: **a ~ wish;** ~ **affection.** 3. lauter, rein, unverfälscht. **sin'cere·ly** *adv* aufrichtig: **Yours ~** Ihr (sehr) ergebener (*als Briefschluß*). **sin'cere·ness** → **sincerity** 1 *u.* 2.

sin·cer·i·ty [sin'seriti] *s* 1. Aufrichtigkeit *f.* 2. Lauterkeit *f,* Echtheit *f.* 3. echtes *od.* aufrichtiges Gefühl.

sin·ci·put ['sinsi,pʌt] *s anat.* 1. Schädeldach *n.* 2. Vorderhaupt *n.*

sine[1] [sain] *s math.* Sinus *m:* ~ **curve** Sinuskurve *f;* ~ **of angle** Winkelsinus; ~ **wave** *phys.* Sinuswelle *f.*

si·ne[2] ['saini] (*Lat.*) *prep* ohne.

si·ne·cure ['saini,kjur; 'sin-] *s* Sine'kure *f:* a) *relig. hist.* Pfründe *f* ohne Seelsorge, b) (einträglicher) Ruheposten. **'si·ne,cur·ist** *s* Inhaber *m* e-r Sine'kure.

si·ne| di·e ['saini 'daii(ː)] (*Lat.*) *adv jur.* auf unbestimmte Zeit. ~ **qua non** [kwei nɒn] (*Lat.*) *s* Con'ditio *f* sine qua non, unerläßliche Bedingung.

sin·ew ['sinjuː] *s* 1. *anat.* Sehne *f,* Flechse *f.* 2. *pl* Muskeln *pl,* (Muskel)-Kraft *f.* 3. *fig.* Hauptstütze *f,* Lebensnerv *m:* **~s of war** das Geld *od.* die Mittel (zur Kriegführung *etc*). **'sin·ewed** → **sinewy.** **'sin·ew·less** *adj* 1. ohne Sehnen. 2. *fig.* kraftlos, schwach. **'sin·ew·y** *adj* 1. sehnig. 2. zäh (*a. fig.*). 3. *fig.* kräftig, kraftvoll (*a. Stil*).

sin·ful ['sinful] *adj* (*adv* **~ly**) sündig, sündhaft. **'sin·ful·ness** *s* Sündhaftigkeit *f.*

sing [siŋ] **I** *v/i pret* **sang** [sæŋ] *selten* **sung** [sʌŋ] *pp* **sung** [sʌŋ] 1. singen: **to ~ to s.o.** j-m vorsingen; **to ~ small** klein beigeben, kleinlaut werden. 2. summen (*Biene, Wasserkessel etc*). 3. zirpen (*Grille*). 4. krähen (*Hahn*). 5. *fig.* pfeifen, sausen, schwirren (*Geschoß etc*). 6. heulen, pfeifen (*Wind*). 7. klingen (*Ohren*). 8. *poet.* singen, dichten: **to ~ of** besingen. 9. sich (*gut etc*) singen lassen (*Melodie etc*). 10. ~ **out** *colloq.* (laut) rufen. 11. *a.* ~ **out** *sl.* ,singen', alle(s) verraten, gestehen (*Verbrecher*). **II** *v/t* 12. singen: **to ~ another song** (*od.* **tune**) *fig.* e-n anderen Ton anschlagen; **to ~ the same song** (*od.* **tune**) *fig.* ins gleiche Horn blasen *od.* stoßen; **to ~ sorrow** jammern. 13. ~ **out** ausrufen, schreien. 14. *poet.* besingen. 15. *j-n* durch Singen beruhigen (*etc*): **to ~ s.o. to rest;** **to ~ a child to sleep** ein Kind in Schlaf singen. **III** *s* 16. *Am. colloq.* (Gemeinschafts)Singen *n.* **'sing·a·ble** *adj* singbar, zu singen(d).

singe [sindʒ] **I** *v/t* 1. ver-, ansengen: **to ~ one's feathers** (*od.* **wings**) *fig.* ,sich die Finger verbrennen'; **a ~d cat** *Am. j-d, der nicht so schlecht ist, wie er aussieht;* **his reputation is a little ~d** sein Ruf ist ein bißchen angeknackst. 2. *Geflügel, Schweine* sengen. 3. *meist* ~ **off** *Borsten etc* absengen. 4. *Haar* sengen (*Friseur*). 5. *Tuch* sengen, (ab)flammen. **II** *v/i* 6. versengen. **III** *s* 7. (leichte) Verbrennung. **'singe·ing** *s* (Ver-, Ab-, An)Sengen *n.*

sing·er ['siŋər] *s* Sänger(in) (*a. poet. Dichter*).

Sin·gha·lese [,siŋgə'liːz] **I** *s sg u. pl* 1. a) Sing(h)a'lese *m,* Sing(h)a'lesin *f* (*Mischling auf Ceylon*), b) *pl* Sing(h)a'lesen *pl.* 2. *ling.* Sing(h)a'lesisch *n,* das Sing(h)alesische. **II** *adj* 3. sing(h)a'lesisch.

sing·ing ['siŋiŋ] **I** *adj* 1. singend (*etc;* → **sing** I). 2. Sing..., Gesangs...: ~ **lesson.** 3. *phys.* tönend: ~ **arc;** ~ **flame;** ~ **glass** *phys.* Resonanzglas *n.* **II** *s* 4. Singen *n,* Gesang *m.* 5. *fig.* Klingen *n,* Summen *n,* Pfeifen *n* (*a. electr. etc*), Sausen *n:* **a ~ in the ears** (ein) Ohrensausen. ~ **bird** *s* Singvogel *m.* **'~-,man** [-,mæn] *s irr Br.* (bezahlter) Sänger (*im Kirchenchor*). **'~-,mas·ter** *s* 1. Gesang(s)lehrer *m.* 2. *relig. Am.* Vorsänger *m.* ~ **voice** *s* Singstimme *f.*

sin·gle ['siŋgl] **I** *adj* (*adv* → **singly**) 1. einzig: **not a ~ one** kein einziger. 2. einzeln, einfach, Einzel... Ein(fach)..., ein(fach)...: **~-decker** *aer.* Eindecker *m;* **~-engined** einmotorig (*Flugzeug*); **~-pole switch** einpoliger Schalter; **~-stage** einstufig; **~-thread** a) eindrähtig (*Garn*), b) eingängig (*Gewinde*); **~(-trip) ticket** → 12; → **bookkeeping.** 3. einzeln, al'lein, Einzel...: ~ **bed** Einzelbett *n;* ~ **family house** Einfamilienhaus *n;* ~ **game** *sport* Einzel(spiel) *n;* ~ **parts** Einzelteile; ~ **room** Einzel-, Einbettzimmer *n.* 4. al'lein: a) einsam, für sich (lebend *etc*), b) al'leinstehend, ledig, unverheiratet, c) ohne fremde Hilfe: ~ **life** a) einsames Leben, b) Ledigen-, Junggesellenstand *m;* ~ **man** Alleinstehende(r) *m,* Junggeselle *m;* ~ **woman** Alleinstehende *f,* Junggesellin *f;* → **blessedness** 2. 5. einmalig: ~ **payment.** 6. *fig.* einmalig, einzigartig: **of a ~ beauty.** 7. ungeteilt, einzig: ~ **purpose; to have a ~ eye for** nur Sinn haben für, nur denken an (*acc*); **with a ~ voice** wie aus 'einem Munde. 8. *bot.* einfach, ungefüllt (*Blüte*). 9. *tech.* einfach, nur 'einen Arbeitsgang verrichtend (*Maschine*). 10. *fig.* aufrichtig: ~ **devotion.**

II *s* 11. (*der, die, das*) Einzelne *od.* Einzige. 12. einfache Fahrkarte. 13. *meist pl bes. Tennis:* Einzel(spiel) *n:* **men's ~s** Herreneinzel. 14. a) *Baseball: Schlag, der den Spieler nur bis zum ersten Mal gelangen läßt,* b) *Kricket:* Schlag *m* für 'einen Lauf. 15. *hunt. Br.* Wedel *m,* Ende *n* (*des Rehwilds*).

III *v/t* 16. *meist* ~ **out** a) auslesen, -suchen, -wählen (**from** aus), b) bestimmen (**for** für *e-n Zweck*), c) her'ausheben.

'sin·gle|-'act·ing *adj tech.* einfachwirkend. **,~-'ac·tion** *adj tech.* Einfach... (*nur 'einen Arbeitsgang verrichtend*): ~ **rifle** Spannschloßgewehr *n.* **'~-'bar·rel(l)ed** *adj* einläufig: ~ **gun.** ~ **bill** *s econ.* Solawechsel *m,* trockener Wechsel. **'~-'breast·ed** *adj* einreihig: ~ **suit.** ~ **com·bat** *s* Zweikampf *m,* Kampf *m* Mann gegen Mann. ~ **court** *s Tennis etc:* Platz *m* für Einzel (*nur für 2 Spieler*). **'~-'cut** *adj tech.* einhiebig (*Feile*). ~ **en·try** *s econ.* 1. einfache Buchung. 2. einfache Buchführung. **'~-'eyed** → **single-minded.** ~ **file** *s* Einzelreihe *f,* Gänsemarsch *m.* **'~'hand·ed** *adj u. adv* (*adv a.* **~ly**) 1. einhändig. 2. mit 'einer Hand (arbeitend *etc*). 3. *fig.* eigenhändig, al'lein, selbständig, ohne (fremde) Hilfe, auf eigene Faust. 4. *bes. tech.* mit 'einer Hand zu bedienen(d), Einmann... **'~'heart·ed** → **single-minded.** ~ **house** *s* 'Einfa,milienhaus *n.* **'~-'mind·ed** *adj* 1. aufrichtig, redlich. 2. zielstrebig, -bewußt. **,~-'mind·ed·ness** *s* 1. Aufrichtigkeit *f.* 2. Zielstrebigkeit *f.* **'~-,name pa·per** *s econ. Am.* 1. Schuldschein *m.* 2. → **single bill.**

sin·gle·ness ['siŋglnis] *s* 1. Einmaligkeit *f.* 2. Ehelosigkeit *f.* 3. Einsamkeit *f.* 4. *a.* ~ **of purpose** Zielstrebigkeit *f.* 5. *fig.* Aufrichtigkeit *f.*

'sin·gle|-'phase *adj electr.* einphasig, Einphasen... **~ price** *s econ.* Einheitspreis *m.* **'~-'seat·er** *bes. aer.* **I** *s* Einsitzer *m.* **II** *adj* Einsitzer..., einsitzig. **~ stand·ard** *s econ. Am.* 'monometal|listische Währung. **'~|stick** *sport* **I** *s* a) 'Stockra|pier *n,* b) Stockfechten *n.* **II** *v/i* stockfechten.

sin·glet ['siŋglit] *s bes. Br.* 'Unterjacke *f,* -hemd *n,* Tri'kot(hemd) *n.*

sin·gle tax *s econ.* Einheitssteuer *f.*

sin·gle·ton ['siŋgltən] *s* **1.** *Kartenspiel:* Singleton *m (einzige Karte e-r Farbe).* **2.** a) Einzelkind *n,* b) ‚Einspänner' *m.*

'sin·gle|-'track *adj* **1.** *rail.* eingleisig, -spurig. **2.** einspurig *(Tonband).* **3.** → one-track 2. **'~-'val·ued** *adj math.* einwertig, -deutig. **'~-'valve** *adj electr.* Einröhren...: **~ set.** **'~-'wire** *adj electr.* eindrähtig, Einader...

sin·gly ['siŋgli] *adv* **1.** einzeln, al'lein. **2.** → **singlehanded** 3.

'sing|song I *s* **1.** Singsang *m,* Geleier *n.* **2.** *Br.* Gemeinschaftssingen *n.* **II** *adj* **3.** im Leierton, eintönig. **III** *v/t u. v/i* **4.** eintönig sprechen *od.* singen, leiern.

sin·gu·lar ['siŋgjulər] **I** *adj (adv* **~ly)** **1.** *fig.* einzigartig, einmalig: **a ~ success.** **2.** *fig.* eigentümlich, seltsam: **a ~ man.** **3.** *ling.* singu'larisch, Singular...: **~ number** → 7. **4.** einzig, al'lein. **5.** *math. philos.* singu'lär. **6.** *bes. jur.* einzeln, gesondert: **all and ~** jeder (jede, jedes) einzelne. **II** *s* **7.** *ling.* Singular *m,* (Wort *n* in der) Einzahl *f.* **‚sin·gu'lar·i·ty** [-'læriti] *s* **1.** Besonderheit *f,* Eigentümlichkeit *f,* Seltsamkeit *f.* **2.** Einzigartigkeit *f.* **3.** *math.* Singulari'tät *f.* **'sin·gu·lar|ize** *v/t* **1.** vereinzeln, her'ausstellen. **2.** *ling.* (fälschlich) in die Einzahl setzen.

sin·is·ter ['sinistər] *adj (adv* **~ly)** **1.** böse, drohend, unheilvoll, schlimm. **2.** finster, unheimlich. **3.** *her.* link(er, e, es).

sin·is·tral ['sinistrəl] *adj (adv* **~ly)** **1.** link(er, e, es), linksseitig. **2.** *zo.* linkswendig *(Schneckenhaus).*

sink [siŋk] **I** *v/i pret* **sank** [sæŋk] *selten* **sunk** [sʌŋk], *pp* **sunk** [sʌŋk], *obs. außer als adj* **sunk·en** ['sʌŋkən] **1.** sinken, 'untergehen *(Schiff etc; a. Gestirn):* **~ or swim** *fig.* auf Biegen oder Brechen. **2.** (her'ab-, nieder)sinken: **his head sank; to ~ into a chair; to ~ into the grave** ins Grab sinken. **3.** ver-, 'unter-, einsinken: **to ~ in the deep snow.** **4.** sich senken: a) her'absinken *(Dunkelheit, Wolke etc),* b) abfallen *(Gelände),* c) einsinken *(Haus, Grund).* **5.** sinken, fallen, sich senken *(Preise, Wasserspiegel, Zahl etc).* **6.** zs.-, 'umsinken. **7.** erliegen **(beneath, under** unter *dat).* **8.** (ein)dringen, (ein)sickern **(into** in *acc).* **9.** **(into)** *fig.* (in *j-s Geist)* eindringen, sich einprägen *(dat):* **he allowed his words to ~ in** er ließ s-e Worte wirken. **10.** *fig. in Ohnmacht, Schlaf etc* (ver)fallen, (ver)sinken. **11.** nachlassen, abnehmen, schwächer werden: **the storm is ~ing; the ~ing flames** die verlöschenden Flammen. **12.** sich dem Ende nähern, schwächer werden *(Kranker):* **the patient is ~ing fast** der Kranke verfällt zusehends. **13.** (ab)sinken, *in Armut, Vergessenheit etc* geraten, *dem Laster etc* verfallen: **to ~ into oblivion (poverty).** **14.** *(im Wert etc)* sinken. **15.** sich senken *(Stimme, Blick).* **16.** sinken *(Mut),* verzagen *(Herz).*

II *v/t* **17.** zum Sinken bringen. **18.** versenken: **to ~ a ship.** **19.** ver-, einsenken: **to ~ a pipe (a post).** **20.** *e-e Grube etc* ausheben, *e-n Brunnen, ein Loch* bohren: **to ~ a shaft** *(Bergbau)* e-n Schacht abteufen. **21.** *tech.* a) einlassen, -betten, b) 'eingra|vieren, -schneiden, c) *Stempel* schneiden. **22.** *den Wasserspiegel etc, a. den Preis, e-n Wert* senken. **23.** *den Blick, Kopf, a. die Stimme* senken: **to ~ one's head on one's chest** den Kopf auf die Brust sinken lassen. **24.** *(im Preis od. Wert)* her'absetzen. **25.** vermindern, -ringern. **26.** *fig. das Niveau, den Stand* her'abdrücken. **27.** zu'grunde richten, rui'nieren: **we are sunk** *sl.* wir sind ‚erledigt' *od.* ‚geliefert'. **28.** *e-e Tatsache etc* verheimlichen, vertuschen. **29.** sich hin'wegsetzen über *(acc):* **to ~ one's differences** den Streit begraben *od.* beilegen; → **shop** 3. **30.** *econ.* a) *Kapital* fest *(bes.* ungünstig *od.* falsch) anlegen, b) *(bes.* durch 'Fehlinvesti|ti|on) verlieren. **31.** *econ. e-e Schuld* tilgen. **32.** *e-n Anspruch, Namen etc* aufgeben.

III *s* **33.** Ausguß(becken *n od.* -loch *n) m,* Spülstein *m (in der Küche):* **to go down the ~** *colloq. fig.* zum Teufel gehen, ‚flötengehen'. **34.** Abfluß *m,* Abwasserrohr *n.* **35.** a) *fig.* Pfuhl *m,* Sumpf *m:* **a ~ of iniquity** ein Sündenpfuhl, e-e Lasterhöhle. **36.** *geol.* a) Bodensenke *f,* b) Endsee *m od.* Binnendelta *n,* c) Erosi'onstrichter *m.* **37.** *thea.* Versenkung *f.*

sink·a·ble ['siŋkəbl] *adj* zu versenken(d), versenkbar.

sink·er ['siŋkər] *s* **1.** *Bergbau:* Abteufer *m.* **2.** *tech.* Stempelschneider *m.* **3.** *Weberei:* Pla'tine *f.* **4.** a) *mar.* Senkblei *n (Lot),* b) Senkgewicht *n (am Fischnetz etc):* → **hook** 3. **5.** *Am. sl. (Art)* Krapfen *m (Gebäck).*

sink·ing ['siŋkiŋ] **I** *s* **1.** (Ein-, Ver-)Sinken *n.* **2.** Versenken *n.* **3.** Schwächegefühl *n:* a) *meist* **~ of the heart** Angstgefühl *n,* Beklommenheit *f,* b) *meist* **~ in the stomach** flaues Gefühl im Magen *(a. fig.).* **4.** *med.* Senkung *f (e-s Organs).* **5.** *econ.* Tilgung *f (e-r Schuld).* **II** *adj* **6.** sinkend *(a. Kräfte, Mut etc):* **~ feeling** → 3. **7.** *econ.* Tilgungs...: **~ fund** Tilgungs-, Ablösungsfonds *m.*

sin·less ['sinlis] *adj (adv* **~ly)** sünd(en)los, unschuldig, schuldlos. **'sin·less·ness** *s* Sündlosigkeit *f.*

sin·ner ['sinər] *s* Sünder(in) *(a. fig. Missetäter[in]; a. humor. Halunke).*

Sinn| Fein ['ʃin 'fein] *s pol.* **1.** Sinn Fein *m (nationalistische Bewegung u. Partei in Irland, 1905—21).* **2.** → **Sinn Feiner.** **~ Fein·er** *s* Sinnfeiner(in).

Sino- [saino; sino] *Wortelement mit der Bedeutung* chinesisch, China...: **~-American** chinesisch-amerikanisch.

Sin·o·log·i·cal [|saino'lɒdʒikəl; |sin-] *adj* sino'logisch, chinakundlich. **Si'nol·o·gist** [-'nɒlədʒist], **'Sin·o|logue** [-|lɒg] *s* Sino'loge *m,* -'login *f.* **Si'nol·o·gy** [-dʒi] *s* Sinolo'gie *f:* a) Chinakunde *f,* b) Kenntnis *f od.* Studium *n* des Chi'nesischen.

sin·ter ['sintər] **I** *s geol. u. metall.* Sinter *m.* **II** *v/t Erz* sintern.

sin·u·ate ['sinjuit; -|eit] *adj bes. bot.* gebuchtet *(Blatt).*

sin·u·os·i·ty [|sinju'ɒsiti] *s* **1.** Biegung *f,* Krümmung *f,* Windung *f.* **2.** Gewundenheit *f (a. fig.).* **3.** *fig. (das)* Verwickelte.

sin·u·ous ['sinjuəs] *adj (adv* **~ly)** **1.** gewunden, wellenförmig, sich schlängelnd: **~ line** Wellen-, Schlangenlinie *f;* **~ flow** *phys.* Wirbelströmung *f.* **2.** *math.* sinusförmig gekrümmt. **3.** *fig.* verwickelt. **4.** *fig.* krumm, winkelzügig. **5.** geschmeidig.

si·nus ['sainəs] *pl* **'si·nus, 'si·nus·es** *s* **1.** Krümmung *f,* Kurve *f.* **2.** Ausbuchtung *f (a. bot. e-s Blattes).* **3.** *anat. med.* Sinus *m:* a) (Knochen-, Neben-)Höhle *f,* b) *(im Hirn)* ve'nöser Sinus, c) Ausbuchtung *f (in Gefäßen u. Gängen),* d) Fistelgang *m.*

si·nus·i·tis [|sainə'saitis] *s med.* Sinu'(s)itis *f,* Nebenhöhlenentzündung *f:* **frontal ~** Stirnhöhlenkatarrh *m.*

si·nus·oi·dal [|sainə'sɔidl] *adj electr. math. phys.* sinusförmig, Sinus...: **~ wave** Sinuswelle *f.*

Siou·an ['suːən] *bes. ling.* **I** *adj* Sioux... **II** *s* Sioux *n, (die)* Sprache der Sioux.

Sioux [suː] **I** *s sg u. pl* [suː; suːz] a) 'Sioux(indi|aner[in]) *m, f,* b) *pl* 'Sioux(indi|aner) *pl.* **II** *adj* Sioux... **~ State** *s Am. (Beiname für)* North Da'kota *n.*

sip [sip] **I** *v/t* **1.** nippen an *(dat) od.* von, schlürfen *(a. fig.).* **II** *v/i* **2.** **(of)** nippen (an *dat od.* von), schlückchenweise trinken (von). **III** *s* **3.** Nippen *n.* **4.** Schlückchen *n.*

si·phon ['saifən] **I** *s* **1.** Saugheber *m,* Siphon *m.* **2.** *a.* **~ bottle** Siphonflasche *f.* **3.** *tech.* Unter'führung *f (e-r Wasserleitung etc).* **4.** *zo.* Sipho *m (Atem-, Kloakenöffnung).* **II** *v/t* **5.** *a.* **~ out** *(a. med. den Magen)* aushebe(r)n, entleeren. **6.** *a.* **~ off** a) absaugen, b) *fig.* abziehen: **to ~ (off) labo(u)r (traffic,** *etc),* c) *fig.* weiterleiten, d) *fig.* abschöpfen: **to ~ (off) profits.** **III** *v/i* **7.** *(durch e-n Heber)* aus-, ablaufen. **'si·phon·age** *s bes. phys.* **1.** Aushebern *n.* **2.** Heberwirkung *f.*

sip·pet ['sipit] *s* **1.** (Brot-, Toast)Brokken *m (zum Eintunken).* **2.** geröstete Brotschnitte.

sir [səːr] **I** *s* **1.** (mein) Herr! *(respektvolle Anrede):* **yes, ~** ja(wohl) (Herr Lehrer, Herr Oberst, Herr Maier *etc);* **no, ~** a) nein (mein Herr *etc),* b) *iro.* nein, mein Lieber!, nichts da, mein Freund!; **my dear ~!** *iro.* mein Verehrtester!; **(Dear) S~(s)** *Anrede in Briefen (im Deutschen unübersetzt).* **2.** **S~** *Br.* Sir *m (Titel e-s* **baronet** *od.* **knight):** **S~ W. Churchill, S~ Winston Churchill,** *(vertraulicher)* **S~ Winston.** **3.** *Br. Anrede für den* **Speaker** *im Unterhaus.* **4.** Herr *m (Titel für antike Helden).* **5.** *obs.* Herr *m (in Verbindung mit dem Titel):* **~ knight.** **II** *v/t* **6.** *j-n* mit ‚Sir' anreden: **don't ~ me!**

sir·car ['səːrkaːr] *s Br. Ind.* **1.** *hist.* indische Re'gierung. **2.** (Haus)Herr *m.* **3.** Sirkar *m,* (eingeborener) Hausverwalter.

sir·dar ['səːrdaːr; sər'daːr] *s mil.* Sir'dar *m:* a) *(in Indien etc)* Befehlshaber *m,* b) *hist. (in Ägypten)* brit. Ar'mee-Oberbefehlshaber *m.*

sire [saiər] **I** *s* **1.** *poet.* a) Vater *m,* Erzeuger *m,* b) Vorfahr *m.* **2.** Vater(tier *n) m,* männliches Stammtier, *bes.* Beschäler *m,* Zuchthengst *m.* **3.** **S~!** Sire!, Eure Maje'stät *(Anrede).* **II** *v/t* **4.** zeugen.

si·ren ['sai(ə)rən] **I** *s* **1.** *myth.* Si'rene *f (a. fig. verführerische Frau od. bezaubernde Sängerin).* **2.** *tech.* Si'rene *f.* **3.** *zo.* a) Armmolch *m,* b) → **sirenian.** **II** *adj* **4.** Sirenen..., *bes. fig.* lockend, verführerisch: **~ song** Sirenengesang *m.*

si·re·ni·an [sai(ə)'riːniən] *s zo.* Si'rene *f,* Seekuh *f.*

si·ri·a·sis [si'raiəsis] *s med.* Sonnenstich *m.*

sir·kar → **sircar.**

sir·loin ['səːrlɔin] *s* Lenden-, Nieren-

stück *n* (*des Rinds*): ~ steak Lendensteak *n*.
si·roc·co [si'rɒkou] *s* Schi'rokko *m* (*Wind im Mittelmeergebiet*).
sir·rah ['sirə] *s obs. od. dial.* **1.** Kerl *m*, Bursche *m*. **2.** *interj contp.* Du da!
sir·ree [ˌsəː'riː] *s Am. colloq. od. dial.* mein Lieber!: yes ~! aber klar!; no ~! nee, nee!
ˌ**sir-'rev·er·ence** *s obs.* **1.** mit Verlaub (*bes. entschuldigend*). **2.** Kot *m*.
sir·up, sir·up·y → syrup, syrupy.
sis [sis] *s* **1.** *Am. colloq.* Schwester *f*. **2.** *colloq.* Mädel *n*. **3.** *sl.* → sissy.
si·sal (hemp) ['saisəl; 'sisəl] *s* **1.** *bot.* 'Sisalaˌgave *f*. **2.** Sisal(hanf) *m*.
sis·kin ['siskin] *s orn.* (Erlen)Zeisig *m*.
sis·si·fied ['sisiˌfaid] *adj Am. colloq.* → sissy 4.
sis·sy ['sisi] **I** *s* **1.** *colloq.* Weichling *m*, ‚Heulsuse' *f*. **2.** *Am. sl.* ‚warmer Bruder', ‚Tunte' *f* (*Homosexueller*). **3.** *Am. colloq.* Mädel *n*, Mädchen *n*. **II** *adj* **4.** *colloq.* weibisch, verweichlicht.
sis·ter ['sistər] **I** *s* **1.** Schwester *f* (*a. fig. Genossin*): the Fatal (*od.* Three) S~s die drei Schicksalsschwestern. **2.** *relig.* a) (Ordens)Schwester *f*, b) *pl* Schwestern(schaft *f*) *pl*: ~s of Mercy Barmherzige Schwestern. **3.** *med.* a) Oberschwester *f*, b) *colloq.* (Kranken)-Schwester *f*. **4.** *fig.* Schwester *f* (*etwas Gleichartiges*): prose, the younger ~ of verse. **II** *adj* **5.** Schwester... (*a. fig.*): ~ cells (city, ship, *etc*). '~-'**german** *s* leibliche Schwester.
sis·ter·hood ['sistərˌhud] *s* **1.** (*das*) Schwestersein. **2.** schwesterliches Verhältnis. **3.** *relig.* Schwesternschaft *f*.
'**sis·ter-in-ˌlaw** *pl* '**sis·ters-in-ˌlaw** *s* Schwägerin *f*.
sis·ter·less ['sistərlis] *adj* schwesterlos, ohne Schwester(n). '**sis·ter·ly** *adj* schwesterlich.
Sis·tine ['sistiːn; -tain] *adj* six'tinisch: ~ Chapel Sixtinische Kapelle.
Sis·y·phe·an [ˌsisi'fiːən] *adj*: ~ task, ~ labo(u)r Sisyphusarbeit *f*.
sit *pret* **sat** [sæt] *obs.* **sate** [sæt; seit], *pp* **sat** [sæt] *obs.* **sit·ten** ['sitn] *pres p* **sit·ting** ['sitiŋ] **I** *v/i* **1.** sitzen: to ~ at s.o.'s feet (*als Schüler*) zu j-s Füßen sitzen; to ~ at work über der Arbeit sitzen; to ~ on one's hands nicht applaudieren; → fence 1, pretty 9, tight 15. **2.** sich ('hin)setzen. **3.** liegen, gelegen sein. **4.** sitzen, brüten (*Henne*). **5.** liegen, lasten. **6.** sitzen, sich (in e-r bestimmten Lage *od.* Stellung) befinden: ~s the wind there? *fig.* daher weht der Wind? **7.** e-e Sitzung (ab)halten, tagen. **8.** (*in e-m Amt*) sitzen, e-n Sitz (inne)haben (in Parliament *etc* im Parla'ment *etc*): to ~ on a committee e-m Ausschuß angehören; → sit for 2. **9.** (to s.o. j-m) (Mo'dell *od.* Por'trät) sitzen: → sit for 3. **10.** sitzen, passen (*Kleidung etc*) (*dat*), *fig. a.* (*j-m*) *gut etc* zu Gesichte stehen: this coat ~s well; his imperiousness ~s him well. **11.** *colloq.* → sit in 1.
II *v/t* **12.** ~ o.s. sich setzen: → sit down 8. **13.** (*im Sattel*) sitzen auf (*dat*): to ~ a horse well gut zu Pferd sitzen. **14.** Sitzplatz bieten für, aufnehmen: the car will ~ 6 persons. **15.** setzen: to ~ a hen on eggs e-e Glucke setzen.
Verbindungen mit Präpositionen:
sit| for *v/i* **1.** *e-e Prüfung* machen. **2.** *parl. e-n Wahlkreis* vertreten. **3.** ~ one's portrait sich porträ'tieren lassen. ~ **on** → sit upon. ~ **o·ver** *v/i* sitzen über *od.* an (*e-r Arbeit*). ~ **un·der** *v/i* **1.** *relig. j-s* Gottesdienst(*regelmäßig*) besuchen. **2.** *j-s* Schüler sein, (Vorlesungen) hören bei. ~ **up·on** *v/i* **1.** lasten auf (*j-m*), *im Magen* liegen. **2.** Sitzung halten *od.* beraten über (*acc*). **3.** → sit 8. **4.** *sl. j-m* ‚aufs Dach steigen'. **5.** *e-e Nachricht etc* zu'rückhalten, unter'drücken.
Verbindungen mit Adverbien:
sit| back *v/i* **1.** sich zu'rücklehnen. **2.** *fig.* die Hände in den Schoß legen. ~ **by** *v/i* untätig zuschauen. ~ **down I** *v/i* **1.** sich ('hin-, nieder)setzen, Platz nehmen: to ~ to work sich an die Arbeit machen. **2.** *aer.* aufsetzen, landen. **3.** ~ before *mil.* belagern. **4.** sich festsetzen *od.* niederlassen. **5.** *fig.* (müde *od.* befriedigt) innehalten. **6.** ~ (up)on *sl.* → sit upon 4. **7.** ~ under *e-e Beleidigung etc* 'hinnehmen *od.* einstecken. **II** *v/t* **8.** *j-n* ('hin)setzen. ~ **in** *v/i* **1.** den Babysitter machen. **2.** *bes. Am. colloq.* mitmachen (at, on bei). **3.** ~ for *Br. für j-n* einspringen. ~ **out I** *v/t* **1.** *e-r Vorstellung* bis zu Ende beiwohnen. **2.** länger bleiben *od.* aushalten als (*ein anderer Besucher etc*). **3.** *ein Spiel, e-n Tanz etc* auslassen. **II** *v/i* **4.** aussetzen, (*bei e-m Spiel etc*) nicht mitmachen. **5.** draußen *od.* im Freien sitzen. ~ **o·ver** *v/i* zur Seite rücken. ~ **up** *v/i* **1.** aufrecht sitzen. **2.** sich aufsetzen: to ~ and beg ‚schönmachen' (*Hund*). **3.** sich *im Bett etc* aufrichten. **4.** a) aufbleiben, b) wachen (with bei *e-m Kranken*). **5.** *a.* ~ and take notice *colloq.* aufhorchen, aufmerksam werden: to make s.o. ~ a) j-n aufhorchen lassen, b) j-n aufrütteln, c) j-n ‚schwer 'rannehmen'.
'**sit-ˌdown I** *s Am.* Sitzstreik *m*. **II** *adj* im Sitzen (eingenommen): a ~ meal. ~ **strike** *s* Sitzstreik *m*.
site [sait] **I** *s* **1.** Lage *f* (*e-r Baulichkeit, Stadt etc*): ~ plan Lageplan *m*. **2.** Stelle *f*, Örtlichkeit *f*: ~ assembly *tech.* Montagebauverfahren *n*; on ~ a) an Ort u. Stelle *liefern etc*, b) auf der Baustelle. **3.** Stelle *f*, Stätte *f*, Schauplatz *m* (*e-s Vorgangs*): the ~ of the excavations die Ausgrabungsstätte; the ~ of a crime der Tatort; the ~ of the fracture *med.* die Bruchstelle; strike at selected ~s Punktstreik *m*. **4.** Bauplatz *m*, -gelände *n*, Grundstück *n*. **5.** Sitz *m* (*e-r Industrie*). **6.** *econ.* (Ausstellungs)Gelände *n*. **II** *v/t* **7.** pla'cieren, legen, aufstellen, an-, 'unterbringen, *e-r Sache* e-n Platz geben: well-~d gut gelegen, in schöner Lage (*Haus*).
sith [siθ] *Bibl. od. obs. für* since.
'**sit-ˌin** *s* **1.** Sitzstreik *m*. **2.** *bes. Am.* 'Sit-in *n*, Demonstrati'on *f* durch ostenta'tives Platznehmen.
si·tol·o·gy [sai'tɒlədʒi] *s med.* Di'ätkunde *f*, Ernährungswissenschaft *f*.
ˌ**si·to'pho·bi·a** [-to'foubiə] *s* Sitopho'bie *f*, krankhafte Angst vor dem Essen.
sit·ter ['sitər] *s* **1.** Sitzende(r *m*) *f*. **2.** a) Glucke *f*, b) brütender Vogel: a bad ~ e-e schlechte Brüterin. **3.** *paint.* Mo'dell *n*. **4.** *a.* ~-in *colloq.* Babysitter *m*. **5.** *sl.* a) *hunt.* leichter Schuß, b) *fig.* Leichtigkeit *f*, c) ‚todsichere Sache', d) leichtes Opfer.
sit·ting ['sitiŋ] **I** *s* **1.** Sitzen *n*. **2.** *bes. jur. parl.* Sitzung *f*, Tagung *f*: all-night ~ Nachtsitzung. **3.** *paint. phot. etc* Sitzung *f*: at a ~ *fig.* auf 'einen Sitz, in 'einem Zug. **4.** a) Brutzeit *f*, b) Gelege *n*. **5.** *relig. thea.* Sitz *m*, Platz *m*. **II** *adj* **6.** sitzend. **7.** Tagungs..., Sitzungs..., tagend: the ~ members. **8.** brütend: ~ hen Glucke *f*. **9.** Sitz...: ~ place Sitz(platz) *m*. ~ **duck** *s fig.* leichtes Opfer, (*e-e*) Kleinigkeit (for für). ~ **room** *s* **1.** Platz *m* zum Sitzen. **2.** Wohnzimmer *n*.
sit·u·ate [*Br.* 'sitjuˌeit; *Am.* -tʃu-] **I** *v/t* **1.** aufstellen, *e-r Sache* e-n Platz geben, den Platz (*gen*) bestimmen *od.* festlegen. **2.** in e-e Lage bringen. **II** *adj* [-it; -ˌeit] *jur. od. obs. für* situated 1. '**sit·uˌat·ed** [-ˌeitid] *adj* **1.** gelegen: to be ~ liegen, (gelegen) sein (*Haus*). **2.** in e-r *schwierigen etc* Lage (befindlich): well ~ gutsituiert, wohlhabend; thus ~ in dieser Lage.
sit·u·a·tion [*Br.* ˌsitju'eiʃən; *Am.* -tʃu-] *s* **1.** Lage *f* (*e-s Hauses etc*). **2.** Platz *m*. **3.** *fig.* Situati'on *f*: a) Lage *f*, Zustand *m*, b) Sachlage *f*, 'Umstände *pl*: a difficult ~; the economic ~ of a country; ~ map *mil.* Lagekarte *f*, *tech.* Situationsplan *m*; ~ report *mil.* Lagebericht *m*. **4.** *thea.* dra'matische Situati'on, Höhepunkt *m*. **5.** Stellung *f*, Stelle *f*, Posten *m*: ~s vacant (*in Zeitungen etc*) Stellenangebote; ~s wanted Stellengesuche. ˌ**sit·u'a·tion·al** *adj* Situations..., Lage..., *a.* Umwelts...
si·tus ['saitəs] *s* **1.** *med.* Situs *m*, (ana'tomische) Lage (*e-s Organs*). **2.** Sitz *m*, Lage *f*, Ort *m*: in situ an Ort u. Stelle.
sitz| bath [sits] *s* **1.** Sitzbadewanne *f*. **2.** Sitzbad *n*. '~ˌ**krieg** [-ˌkriːg] *s mil.* ‚Sitzkrieg' *m*. '~ˌ**mark** *s Skisport*: ‚Badewanne' *f*.
Si·va ['siːvə; 'ʃiːvə] *npr* Schiwa *m* (*ein Hauptgott des Hinduismus*). '**Si·vaˌism** [-ˌizəm] *s relig.* Schiwa'ismus *m*.
six [siks] **I** *adj* **1.** sechs: ~ years; we are ~; he is ~ er ist sechs (Jahre alt); it is ~ (o'clock) es ist sechs (Uhr); ~ to one sechs zu eins, ‚todsicher'; two and ~ (2/6) zwei Schilling u. Sixpence; it is ~ of one and half-a-dozen of the other *fig.* das ist gehupft wie gesprungen; ~ and eight(pence) *Br.* a) sechs Schilling u. acht Pence (*früher übliches Anwaltshonorar*), b) *fig.* Honorar *n*, Gebühr *f*. **2.** (*in Zssgn*) sechs...: ~-cylinder(ed) sechszylindrig, Sechszylinder... (*Motor*). **II** *s* **3.** Sechs *f*: a) *Zahl*, b) *Spielkarte etc*: the ~ of spades die Pik Sechs; a rowing ~ e-e Sechsermannschaft (*beim Rudern*); at ~es and sevens a) ganz durcheinander, auf dem Kopf stehend, b) uneins, sich in den Haaren liegend.
six·ain ['siksein] *s metr.* Sechszeiler *m*.
'**six|-ˌday race,** *colloq.* ~ **days** *s Radsport*: Sechs'tagerennen *n*.
six·fold ['siksˌfould] *adj u. adv* sechsfach.
'**six|-'foot** *adj* sechs Fuß lang. '~-'**footer** *s colloq.* sechs Fuß langer Mensch, ‚baumlanger Kerl'. '~·**pence** [-pəns] *s Br. Altes Währungssystem*: Sixpence(stück *n*) *m*: it does not matter (a) ~ das ist ganz egal. '~·**pen·ny** [-pəni] *adj* **1.** e-n Sixpence wert, Sixpenny...: ~ bit Sixpenny-Stück *n* (*Münze*). **2.** armselig, billig. '~-'**shoot·er** *s colloq.* sechsschüssiger Re'volver.
six·teen ['siks'tiːn] **I** *s* Sechzehn *f*. **II** *adj* sechzehn.
six·teen·mo [ˌsiks'tiːnmou] *pl* **-mos** → sextodecimo.
six·teenth ['siks'tiːnθ] **I** *adj* **1.** sechzehnt(er, e, es). **2.** sechzehntel. **II** *s* **3.** (*der, die, das*) Sechzehnte. **4.** Sechzehntel *n*. **5.** *a.* ~ note *mus.* Sechzehntel(note *f*) *n*. ~ **rest** *s mus.* Sechzehntelpause *f*.
sixth [siksθ] **I** *adj* **1.** sechst(er, e, es): ~ sense *fig.* sechster Sinn. **II** *s* **2.** (*der, die, das*) Sechste. **3.** Sechstel *n*. **4.** *mus.* Sext *f*: ~ chord Sextakkord *m*. ~ **col-**

umn *s pol. Am.* Sechste Ko'lonne: a) *Gruppe, die die Untergrundtätigkeit der Fünften Kolonne unterstützt,* b) *organisierte Gruppe zur Bekämpfung der Fünften Kolonne.*
sixth·ly ['siksθli] *adv* sechstens.
six·ti·eth ['sikstiiθ] **I** *adj* **1.** sechzigst(er, e, es). **2.** sechzigstel. **II** *s* **3.** (*der, die, das*) Sechzigste. **4.** Sechzigstel *n.*
Six·tine ['sikstin] → Sistine.
six·ty ['siksti] **I** *adj* **1.** sechzig. **II** *s* **2.** Sechzig *f.* **3.** *pl* a) (*die*) sechziger Jahre *pl* (*e-s Jahrhunderts*), b) (*die*) Sechziger(jahre) *pl* (*des Menschen*). **'~-'four dol·lar ques·tion** *s Am. colloq.* (*die*) ‚große Preisfrage'. **ˌ~-'four·mo** [-'fɔːrmou] *pl* **-mos** *s print.* ˌVierund'sechzigstelforˌmat *n* (*abbr.* 64mo, 64°). **'~-'six** *s* **1.** 'Sechsund'sechzig *f* (*Zahl*). **2.** 'Sechsund'sechzig *n* (*Kartenspiel*).
'six|-'wheel·er *s tech.* Dreiachser *m.* **'~-ˌyear-ˌold I** *s* Sechsjährige(r *m*) *f.* **II** *adj* sechsjährig.
siz·a·ble, *bes. Br.* **size·a·ble** ['saizəbl] *adj* (ziemlich) groß, ansehnlich, beträchtlich.
siz·ar ['saizər] *s univ. Br.* Stipendi'at *m* (*in Cambridge od. Dublin*). **'siz·ar·ˌship** *s Br.* Sti'pendium *n.*
size[1] [saiz] **I** *s* **1.** Größe *f,* Maß *n,* For'mat *n,* 'Umfang *m, tech. a.* Abmessung(en *pl*) *f*: all of a ~ (alle) gleich groß; of all ~s in allen Größen; the ~ of so groß wie; that's about the ~ of it *colloq.* (genau)so ist es; → next 3. **2.** (Schuh-, Kleider- *etc*)Größe *f,* Nummer *f*: children's ~s Kindergrößen; two ~s too big zwei Nummern zu groß; she takes ~ 7 in gloves sie hat Handschuhgröße 7. **3.** *fig.* a) Größe *f,* Ausmaß *n,* Bedeutung *f,* b) (*geistiges etc*) For'mat (*e-s Menschen*): to cut s.o. down to ~ j-m e-n Dämpfer aufsetzen. **II** *v/t* **4.** nach Größen sor'tieren *od.* ordnen. **5.** *bes. tech.* bemessen, in e-r (bestimmten) Größe anfertigen. **6.** *Holz etc* zuschneiden. **7.** *meist* ~ up *colloq.* ab-, einschätzen, ('ein)taˌxieren (*alle a. fig.*). **III** *v/i* **8.** ~ up *colloq.* gleichkommen (to, with *dat*).
size[2] [saiz] **I** *s* **1.** (*paint.* Grun'dier-) Leim *m,* Kleister *m.* **2.** a) *Weberei*: Schlichte *f,* Appre'tur *f,* b) *Hutmacherei*: Steife *f.* **II** *v/t* **3.** leimen, mit Leim über'streichen. **4.** *paint.* grun'dieren. **5.** a) *Stoff* schlichten, appre'tieren, b) *Hutfilz* steifen.
size[3] [saiz] → sized.
size·a·ble *bes. Br. für* sizable.
sized [saizd] *adj* (*in Zssgn*) ...groß, von *od.* in ... Größe: full-~ in voller Größe; small-~ klein.
siz·er[1] ['saizər] *s* **1.** Sor'tierer(in). **2.** *tech.* ('Größen)Sorˌtiermaˌschine *f.* **3.** *tech.* 'Zuschneidemaˌschine *f* (*für Holz*).
siz·er[2] ['saizər] *s tech.* **1.** Leimer *m.* **2.** Schlichter *m.*
siz·y ['saizi] *adj* klebrig, zähflüssig.
siz·zle ['sizl] **I** *v/i* **1.** zischen, brutzeln. **2.** *Radio etc*: knistern. **II** *s* **3.** Zischen *n.* **4.** *Radio etc*: Knistern *n.* **'siz·zling** *adj* **1.** zischend, brutzelnd. **2.** glühend heiß.
sjam·bok ['ʃæmbɒk] *s* Nilpferdpeitsche *f.*
skald → scald[1].
skat [skɑːt] *s* Skat *m* (*Kartenspiel*).
skate[1] [skeit] *pl* **skates,** *collect.* **skate** *s ichth.* Rochen *m.*
skate[2] [skeit] **I** *s* **1.** Schlittschuh *m* (*a. mit Stiefel*). **2.** Rollschuh *m.* **II** *v/i* **3.** Schlittschuh *od.* Rollschuh laufen: → ice 1. **4.** *fig.* gleiten: to ~ over leicht *od.* geschickt hinweggehen über (*acc*).
skate[3] [skeit] *s Am. sl.* **1.** alter Klepper (*Pferd*). **2.** a) ‚Knülch' *m,* Bursche *m,* b) *contp.* ‚Dreckskerl' *m.*
skat·er ['skeitər] *s* **1.** Eis-, Schlittschuhläufer(in). **2.** Rollschuhläufer(in).
skate sail·ing *s sport* Eissegeln *n.*
skat·ing ['skeitiŋ] *s* **1.** Schlittschuh-, Eislaufen *n,* Eis(kunst)lauf *m.* **2.** Rollschuhlauf(en *n*) *m.* ~ **rink** *s* **1.** Eisbahn *f.* **2.** Rollschuhbahn *f.*
skean [skiːn; 'skiːən] *s hist. Ir. u. Scot.* Dolch *m.* **'~-'dhu** ['duː] *s* Dolchmesser *n* (*der Hochlandschotten*).
ske·dad·dle [ski'dædl] *colloq.* **I** *v/i* ‚türmen', ‚abhauen'. **II** *s* Ausreißen *n.*
skee-ball ['skiːˌbɔːl] (*TM*) *s Am. Spiel, bei dem Hartgummibälle auf e-r Holzbahn in Löcher gerollt werden müssen.*
skeet (shoot·ing) [skiːt] *s* Wurftauben-, Tontaubenschießen *n.*
skein [skein] *s* **1.** Strang *m,* Docke *f* (*Wolle etc*). **2.** Skein *n,* Warp *n* (*Baumwollmaß*). **3.** Kette *f,* Schar *f,* Schwarm *m* (*Wildenten etc*). **4.** *fig.* Gewirr *n,* Durchein'ander *n.*
skel·e·tal ['skelitl] *adj* **1.** Skelett... **2.** ske'lettartig.
skel·e·tog·e·nous [ˌskeli'tɒdʒənəs] *adj med.* knochenbildend. **ˌskel·e'tol·o·gy** [-'tɒlədʒi] *s* Knochenlehre *f.*
skel·e·ton ['skelitn] **I** *s* **1.** Ske'lett *n,* Knochengerüst *n,* Gerippe *n* (*a. fig. magere Person etc*): ~ in the cupboard, family ~ dunkler Punkt, (streng gehütetes) Familiengeheimnis; ~ at the feast Gespenst *n* der Vergangenheit, Freudenstörer *n.* **2.** *tech.* (*Stahl- etc*)Ske'lett *n,* (*a. Schiffs-, Flugzeug*)Gerippe *n,* Rohbau *m,* (*a. Schirm*)Gestell *n.* **3.** *bot.* Rippenwerk *n* (*des Blatts*), 'Blattskeˌlett *n.* **4.** *fig.* a) Rohbau *m,* Entwurf *m,* b) Rahmen *m*: ~ **sketch** schematische Zeichnung. **5.** a) 'Stamm(persoˌnal *n*) *m,* b) *mil.* Kader *m,* Stammtruppe *f.* **6.** Skeleton *m* (*Rennschlitten*). **II** *adj* **7.** Skelett...: ~ construction Skelett-, Stahlbauweise *f.* **8.** *econ. jur.* Rahmen...: ~ law; ~ agreement Rahmenabkommen *n*; ~ bill Wechselblankett *n*; ~ wage-agreement Manteltarif *m.* **9.** *mil.* Stamm...: ~ crew. **'~-ˌface type** *s print.* Ske'lettschrift *f.*
skel·e·ton·ize ['skelitəˌnaiz] *v/t* **1.** skelet'tieren. **2.** *fig.* skiz'zieren, entwerfen, in großen 'Umrissen *od.* sche'matisch darstellen. **3.** *mil.* den nor'malen Bestand (*e-r Truppe*) redu'zieren.
skel·e·ton| key *s tech.* Dietrich *m* (*Nachschlüssel*). ~ **proof** *s print. Abzug, bei dem die Schrift nur in Haarstrichen angegeben ist.*
skelp [skelp] *colloq.* **I** *s* Klaps *m,* Schlag *m.* **II** *v/t* schlagen, stoßen.
skene [skiːn] → skean.
skep [skep] *s* **1.** (Weiden)Korb *m.* **2.** Bienenkorb *m.*
skep·tic *etc bes. Am. für* **sceptic** *etc.*
sker·ry ['skeri] *s bes. Scot.* **1.** Schäre *f,* Riff *n.* **2.** Klippenküste *f.*
sketch [sketʃ] **I** *s* **1.** *paint. etc* Skizze *f,* Studie *f.* **2.** Grundriß *m,* Schema *n,* Entwurf *m.* **3.** *fig.* (*a. literarische*) Skizze. **4.** *thea.* Sketch *m.* **5.** *mus.* (Ton)Skizze *f.* **II** *v/t* **6.** *oft* ~ in, ~ out skiz'zieren. **7.** *fig.* skiz'zieren, entwerfen, in großen Zügen darstellen. **8.** andeuten. **III** *v/i* **9.** e-e Skizze *od.* Skizzen machen. ~ **block** *s* Skizzenblock *m.* **'~ˌbook** *s* **1.** Skizzenbuch *n.* **2.** *Am.* Sammlung *f* lite'rarischer Skizzen.
sketch·er ['sketʃər] *s* Skizzenzeichner(in).
sketch·i·ness ['sketʃinis] *s* Skizzenhaftigkeit *f,* Oberflächlichkeit *f.*
sketch map *s geogr.* Faustskizze *f.*
sketch·y ['sketʃi] *adj* (*adv* **sketchily**) **1.** skizzenhaft, flüchtig, leicht 'hingeworfen. **2.** *fig.* oberflächlich. **3.** *fig.* unzureichend: a ~ meal. **4.** *fig.* unklar, vage.
skew [skjuː] **I** *v/i* **1.** *colloq.* schräg gehen. **2.** schielen (*a. fig.*). **II** *v/t* **3.** seitwärts wenden, schief legen. **4.** *tech.* abschrägen. **5.** *fig. Tatsachen* verdrehen. **III** *adj* **6.** schief, schräg: ~ **bridge.** **7.** abschüssig. **8.** *math.* 'asymˌmetrisch. **IV** *s* **9.** *bes. math.* Asymme'trie *f,* Schiefe *f.* **10.** *arch.* a) schräger Kopf (*e-s Strebepfeilers*), b) 'Untersatzstein *m.* **'~ˌback** *s arch.* schräges 'Widerlager. **'~ˌbald** *adj* scheckig (*bes. Pferd*). ~ **bev·el gear·ing** → skew gearing. ~ **curve** *s math.* mehrfach gekrümmte Raumkurve.
skewed [skjuːd] *adj* schief, abgeschrägt, verdreht.
skew·er ['skjuːər] **I** *s* **1.** a) Fleischspieß *m,* Span *m,* b) Speil(er) *m* (*Wurstverschluß*). **2.** *fig. bes. humor.* Dolch *m,* Schwert *n.* **3.** *tech.* Räumnadel *f.* **II** *v/t* **4.** *Fleisch* spießen, *Wurst* speilen. **5.** *fig.* aufspießen.
'skew|-ˌeyed *adj Br.* schielend. ~ **gear·ing** *s tech.* Stirnradgetriebe *n.*
skew-gee [ˌskjuː'dʒiː] *colloq.* **I** *adj* verdreht, schielend. **II** *s* Schielen *n.*
skew·ness ['skjuːnis] *s* **1.** Schiefe *f,* Schrägheit *f.* **2.** Asymme'trie *f.* **3.** *Statistik*: Abweichung *f*: **positive** (**negative**) ~ Abweichung nach oben (unten).
ski [skiː; *Br. a.* ʃiː] **I** *pl* **ski, skis** *s* **1.** Schi *m,* Ski *m,* Schneeschuh *m.* **2.** *aer.* (Schnee)Kufe *f.* **II** *adj* **3.** Schi...: ~ binding (boot, lift, *etc*). **III** *v/i pret u. pp Br.* **ski'd,** *Am.* **skied 3.** Schi *od.* Ski laufen.
ski·a·gram ['skaiəˌgræm] *etc* → sciagram *etc.*
skid [skid] **I** *s* **1.** Stützbalken *m.* **2.** *tech.* a) Rolle *f* (*für Lasten*), b) Ladebalken *m,* -bock *m,* Gleitschiene *f.* **3.** Bremsklotz *m.* **4.** *aer.* Gleitkufe *f,* Sporn(rad *n*) *m.* **5.** *mar.* a) *pl* Holzfender *m,* b) Bootsschlitten *m.* **6.** *a. mot.* Rutschen *n,* Schleudern *n*: to go into a ~ → 10; ~ **chain** *mot.* Schneekette *f*; ~ **mark** Schleuder-, Bremsspur *f*; **he is on the** ~**s** *Am. sl.* es geht abwärts mit ihm. **II** *v/t* **7.** auf e-r Gleitschiene *od.* auf Rollen fortbewegen. **8.** *ein Rad* bremsen, hemmen. **III** *v/i* **9.** rutschen, (ab-, aus)gleiten. **10.** schleudern, ins Schleudern geraten (*Auto etc*). **11.** *aer.* seitlich abrutschen. **12.** *fig.* flüchtig hin'weggehen (over über *acc*).
skid·doo [ski'duː] *v/i sl.* ‚abhauen'.
'skid|-ˌlid *s Br. sl.* Sturzhelm *m.* **'~-'proof** *adj* rutschfest, gleitsicher (*Autoreifen*). ~ **road** *s Am.* Holzrutsche *f.* ~ **row** *s sl.* billiges Vergnügungsviertel. **'~ˌway** → skid road.
ski·er ['skiːər; *Br. a.* 'ʃiː-] *s* Schi-, Skiläufer(in).
skies [skaiz] *pl von* sky.
skiff [skif] *s mar.* Skiff *n* (*Ruderboot*).
skif·fle ['skifl] *s* Skiffle *n* (*Jazzmusik, oft auf Behelfsinstrumenten gespielt*).
ski·ing ['skiːiŋ; *Br. a.* 'ʃiː-] *s* Schi-, Skilauf *m,* -laufen *n,* -fahren *n,* -sport *m.*
ski|jor·ing [skiː'dʒɔːriŋ; *Br. a.* ʃiː-] *s sport* Skikjöring *n.* ~ **jump** *s* **1.** Schi-, Skisprung *m.* **2.** Sprungschanze *f.* ~ **jump·ing** *s* Schi-, Skispringen *n,* Sprunglauf *m.*
skil·ful, *bes. Am.* **skill·ful** ['skilfəl; -ful] *adj* (*adv* ~ly) geschickt: a) gewandt,

b) kunstgerecht: ~ operation, c) geübt, kundig (at, in in *dat*): to be ~ at sich verstehen auf (*acc*). '**skil·ful·ness,** *bes. Am.* '**skill·ful·ness** → skill[1].

skill[1] [skil] *s* Geschick(lichkeit *f*) *n*: a) Gewandtheit *f*, b) (Kunst)Fertigkeit *f*, Können *n*, c) (Fach-, Sach-)Kenntnis *f*, Erfahrenheit *f* (at, in in *dat*).

skill[2] [skil] *v/i impers obs.* **1.** ins Gewicht fallen: it ~s not. **2.** nützen: what ~s talking?

skilled [skild] *adj* **1.** geschickt, gewandt, erfahren (at, in in *dat*). **2.** Fach...: ~ labo(u)r Facharbeiter *pl*; ~ trades Fachberufe; ~ workman gelernter (Fach)Arbeiter.

skil·let ['skilit] *s* **1.** a) (*tech.* Schmelz-)Tiegel *m*, b) Kasse'rolle *f*. **2.** *Am.* Bratpfanne *f*.

skill·ful *etc bes. Am. für* skilful *etc*.

skil·ly ['skili] *s Br. sl.* dünne (Hafer-)Grütze, Wassersuppe *f*.

skim [skim] **I** *v/t* **1.** (*a. fig. Gewinne*) abschöpfen: to ~ the cream off den Rahm abschöpfen (*oft fig.*). **2.** abschäumen. **3.** *Milch* entrahmen. **4.** *fig.* ('hin)gleiten über (*acc*). **5.** *fig.* über'fliegen, flüchtig lesen: to ~ a book. **II** *v/i* **6.** gleiten, streichen (over über *acc*, along entlang). **7.** ~ over *fig.* → 5. '**skim·mer** *s* **1.** Schaum-, Rahmkelle *f*. **2.** *tech.* Abstreicheisen *n*. **3.** *mar. Br.* leichtes Rennboot. **4.** *Am. sl.* flacher, breitrandiger Strohhut.

skim(·med) milk *s* entrahmte Milch, Magermilch *f*.

skim·ming ['skimiŋ] *s* **1.** *meist pl* (*das*) Abgeschöpfte. **2.** *pl* Schaum *m* (*auf Koch-, Schmelz- od. Siedegut*). **3.** *pl metall.* Schlacken *pl*. **4.** Abschöpfen *n*, Abschäumen *n*: ~ of excess profit *econ.* Gewinnabschöpfung *f*. **5.** *pl mar.* (*Seetransportversicherung*) *oberste, beschädigte Schicht in e-m Sack* (*z.B. Kaffee, Erbsen etc*).

skimp [skimp] *etc* → scrimp *etc*.

skin [skin] **I** *s* **1.** Haut *f* (*a. biol.*): he is only ~ and bone er ist bloß noch Haut u. Knochen; wet to the ~ bis auf die Haut durchnäßt; by the ~ of one's teeth *fig.* um Haaresbreite, mit knapper Not; to be in s.o.'s ~ in j-s Haut stecken; to get under s.o.'s ~ *colloq.* a) j-m ‚an die Nieren gehen', j-m nahegehen, b) j-m auf die Nerven gehen; to get under the ~ of s.th. etwas richtig verstehen; to have a thick (thin) ~ dickfellig (zartbesaitet) sein; to save one's ~ mit heiler Haut davonkommen; → jump 17. **2.** Fell *n*, Pelz *m*, Balg *m*, Decke *f* (*von Tieren*). **3.** Haut *f*, (Kar'toffel-, Obst- *etc*)Schale *f*, Hülse *f*, Schote *f*, Rinde *f*. **4.** *bes. tech.* Haut *f*, dünne Schicht: ~ on milk Haut auf der Milch. **5.** *allg.* Oberfläche *f*, *bes.* a) *aer. mar.* Außenhaut *f*, b) *aer.* (Bal'lon)Hülle *f*, Bespannung *f*, c) *arch.* Außenwand *f*, d) *arch.* (Außen)Verkleidung *f* (*Aluminiumplatten etc*). **6.** (Wasser-, Wein)Schlauch *m*. **7.** *bes. Am. sl.* a) Gauner *m*, b) Geizhals *m*, c) Klepper *m* (*Pferd*). **II** *v/t* **8.** enthäuten, (ab)häuten, schälen: to keep one's eyes ~ned die Augen offenhalten. **9.** sich *das Knie etc* aufschürfen. **10.** *a.* ~ out *ein Tier* abbalgen, abziehen: to ~ alive a) bei lebendigem Leibe enthäuten, b) *colloq. j-n* ‚fix u. fertig machen'; to ~ and salt s.o. *colloq.* j-n ‚bös in die Pfanne hauen'. **11.** *sl. j-n* ‚ausnehmen' *od.* ‚rupfen' (*beim Spiel etc*). **12.** *e-n Strumpf etc* abstreifen. **13.** *electr.* 'abiso,lieren. **III** *v/i* **14.** ~ out *Am. sl.* sich da'vonmachen. **15.** *meist* ~ over (zu)heilen, vernarben (*Wunde*).

skin| boat *s* Fellboot *n*. '~-'**deep** *adj u. adv* oberflächlich (*a. fig.*). ~ **disease** *s med.* Hautkrankheit *f*. ~ **div·er** *s* Schwimm-, Sporttaucher *m*. ~ **diving** *s* Schwimmtauchen *n*. ~ **ef·fect** *s electr.* 'Skin-Ef,fekt *m*, Hautwirkung *f*. '~,**flint** *s* Knicker *m*, Geizhals *m*. ~ **fric·tion** *s phys.* Oberflächenreibung *f*.

skin·ful ['skinful] *s* **1.** Schlauch(voll) *m* (*Wein od. Wasser*). **2.** *sl.* Bauchvoll *m*: he had got(ten) a ~ ‚er hatte schwer geladen' (*war betrunken*).

skin| game *s bes. Am. sl.* Schwindel *m*, ,Bauernfänge'rei *f*. ~ **graft** *s med.* 'Hauttransplan,tat *n*. '~-,**graft·ing** *s med.* 'Hautüber,tragung *f*.

skin·less ['skinlis] *adj* **1.** hautlos, ohne Haut. **2.** ohne Fell, nackt. **3.** *fig.* zartbesaitet.

skinned [skind] *adj* **1.** häutig. **2.** enthäutet. **3.** (*in Zssgn*) ...häutig, ...fellig.

skin·ner ['skinər] *s* **1.** Abdecker *m*. **2.** Pelzhändler *m*, Kürschner *m*. **3.** *colloq.* Betrüger *m*. **4.** *Am. colloq.* a) Maultier-, Pferdetreiber *m*, b) Bedienungsmann *m* (*e-s Baggers etc*).

skin·ny ['skini] *adj* **1.** häutig. **2.** mager, abgemagert, dünn. **3.** *fig.* knauserig.

skint [skint] *adj sl.* ‚pleite'.

skin| test *s med.* Hauttest *m*. '~'**tight I** *adj* hauteng. **II** *s a. pl* hautenges Kleid, *a.* Tri'kot *n*. ~ **wool** *s* Haut-, Schlachtwolle *f*.

skip[1] [skip] **I** *v/i* **1.** hüpfen, hopsen, springen. **2.** seilhüpfen. **3.** *fig.* Sprünge machen, Seiten über'springen, über'schlagen (*in e-m Buch*): to ~ off abspringen, abschweifen (*von e-m Thema etc*); to ~ over *etwas* übergehen. **4.** aussetzen, e-n Sprung tun (*Herz, Maschine etc*), *mot.* e-e Fehlzündung haben. **5.** *Am.* e-e (Schul)Klasse über'springen. **6.** *meist* ~ out, ~ up *colloq.* ‚abhauen': to ~ (over) to e-n Abstecher machen nach. **II** *v/t* **7.** springen über (*acc*): to ~ a ditch; to ~ (a) rope seilhüpfen. **8.** *fig.* über'springen, auslassen, sich schenken, *e-e Buchseite* über'schlagen: ~ it! *Am. colloq.* laß (es) gut sein!, ‚geschenkt!' **9.** *Am. sl.* a) ‚sich von *e-r Verabredung etc* drücken', *die Schule etc* schwänzen, b) aus *e-r Stadt etc* verschwinden: to ~ it abhauen. **III** *s* **10.** Hüpfen *n*, Hopser *m*, Sprung *m*. **11.** *colloq.* ‚Schwof' *m*, Tänzchen *n*. **12.** *fig.* Über'gehen *n*, -'springen *n*, Auslassung *f*. **13.** *mus.* Sprung *m*.

skip[2] [skip] *s sport* Mannschaftsführer *m* (*bes. beim Bowling- u. Curlingspiel*).

skip[3] [skip] *s* (Stu'denten)Diener *m* (*bes. im* Trinity College, Dublin).

skip[4] [skip] *s* **1.** *tech.* Förderkorb *m*. **2.** *Zuckerfabrikation*: Pfanne(voll) *f* Sirup *od.* Zuckersaft.

'**skip| bomb·ing** *s mil.* Abpraller-Bombenabwurf *m*. ~ **dis·tance** *s electr. phys.* tote Zone. '~,**jack** *s* **1.** *pl* **-jacks,** *bes. collect.* **-jack** *ichth.* a) Thunfisch *m*, b) Blaufisch *m*. **2.** *zo.* Springkäfer *m*. **3.** Stehaufmännchen *n* (*Spielzeug*).

skip·per ['skipər] **I** *s* **1.** *mar.* Schiffer *m*, Kapi'tän *m*. **2.** *aer.* 'Flugkapi,tän *m*. **3.** *sport* 'Mannschaftskapi,tän *m*. **II** *v/t* **4.** führen, Kapi'tän sein auf (*dat*).

skip·pet ['skipit] *s* Kapsel *f* (*zum Schutz e-s Siegels*).

skip·ping ['skipiŋ] **I** *adj* hüpfend. **II** *s* Hüpfen *n*, (*bes.* Seil)Springen *n*. ~ **rope** *s* Springseil *n*.

skip zone *s Radio*: stille Zone.

skirl [skəːrl] *Scot od. dial.* **I** *v/i* schrill klingen, pfeifen. **II** *s* Pfeifen *n* (*des Dudelsacks*).

skir·mish ['skəːrmiʃ] **I** *s* **1.** *mil. u. fig.* Schar'mützel *n*, Geplänkel *n*: ~ line Schützenlinie *f*. **2.** *fig.* Wortgeplänkel *n*. **II** *v/i* **3.** *mil.* plänkeln (*a. fig.*). '**skir·mish·er** *s mil.* Schütze *m*, Plänkler *m* (*a. fig.*).

skir·ret ['skirit] *s bot.* Merk *m*.

skirt [skəːrt] **I** *s* **1.** (Frauen-, *a.* 'Unter-)Rock *m*. **2.** *vulg.* a) *a.* bit of ~ ‚Weibsbild' *n*, ‚Schürze' *f*, b) the ~ *obs. collect.* ‚die Weiber' *pl*. **3.** (Rock-, Hemd- *etc*)Schoß *m*. **4.** Saum *m*, Rand *m*, Einfassung *f* (*fig. oft pl*): on the ~s of the wood am Waldrand *od.* Waldessaum. **5.** *meist pl* Außenbezirk *m*, Randgebiet *n*. **6.** kleine Satteltasche. **7.** (*Art*) Kutteln *pl*: ~ of beef (*Art*) Rindskutteln. **II** *v/t* **8.** a) (um)'säumen, b) *fig.* sich entlangziehen an (*dat*): trees ~ the plain. **9.** a) entlang- *od.* (außen) her'umgehen um, b) *fig.* um'gehen: to ~ a problem, c) *e-r Gefahr etc* (knapp) entgehen. **III** *v/i* **10.** am Rande sein *od.* liegen *od.* leben. **11.** ~ along am Rande entlanggehen *od.* -fahren, sich entlangziehen. **12.** *hunt.* eigene Wege gehen (*Jagdhund*). ~ **dance** *s hist.* Serpen'tintanz *m*.

skirt·ed ['skəːrtid] *adj* **1.** e-n Rock tragend. **2.** (*in Zssgn*) mit *langem etc* Rock: long-~. **3.** *fig.* (ein)gesäumt.

skirt·ing ['skəːrtiŋ] *s* **1.** Rand *m*, Saum *m*. **2.** Rockstoff *m*. **3.** *meist* ~-board *arch.* (*bes.* Fuß-, Scheuer)Leiste *f*.

skit [skit] **I** *s* **1.** Stiche'lei *f*, (Seiten-)Hieb *m*. **2.** Paro'die *f*, Sa'tire *f* (on, upon über *acc*, auf *acc*). **II** *v/i* **3.** ironi'sieren (at *acc*). **III** *v/t* **5.** sticheln gegen.

skit·ter ['skitər] *v/i* **1.** *bes. Am.* da'hinjagen. **2.** den Angelhaken an der Wasseroberfläche 'hinziehen. **3.** dicht über der Wasseroberfläche flattern (*Wildenten etc*).

skit·tish ['skitiʃ] *adj* (*adv* ~ly) **1.** ungebärdig, scheu (*Pferd*). **2.** ner'vös, ängstlich. **3.** a) lebhaft, wild, b) (kindisch) ausgelassen (*bes. Frau*), c) fri'vol, zügellos, d) sprunghaft, kaprizi'ös.

skit·tle ['skitl] **I** *s* **1.** *bes. Br.* Kegel *m*. **2.** *pl* (*als sg konstruiert*) Kegeln *n*, Kegelspiel *n*: to play (at) ~s kegeln; → beer[1] 1. **II** *interj colloq.* **3.** ‚Quatsch!', Unsinn! **III** *v/t* **4.** ~ out (*Kricket*) *e-n Schläger od. e-e Mannschaft* (rasch) ‚erledigen'. **IV** *v/i* **5.** kegeln, Kegel spielen. ~ **al·ley,** ~ **ground** *s* Kegelbahn *f*.

skive [skaiv] **I** *v/t* **1.** *Leder, Fell* spalten, (ab)schaben, *Gummi* abschälen. **2.** *Edelstein* abschleifen. **II** *s* **3.** Dia'mantenschleifscheibe *f*. '**skiv·er** *s* **1.** Lederspaltmesser *n*. **2.** Spaltleder *n*.

skiv·vy ['skivi] *s Br. colloq.* ‚Dienstbolzen' *m* (*Dienstmädchen*).

sku·a ['skjuːə] *s orn.* (great ~ Riesen-)Raubmöwe *f*.

skul·dug·ger·y [skʌl'dʌgəri] *s* Gaune'rei *f*, Schwindel *m*.

skulk [skʌlk] *v/i* **1.** sich verstecken, lauern. **2.** (um'her)schleichen: to ~ after s.o. j-m nachschleichen. **3.** *fig.* sich drücken. '**skulk·er** *s* **1.** Schleicher(in). **2.** Drückeberger(in). '**skulk·ing** *adj* (*adv* ~ly) feige.

skull [skʌl] *s* **1.** *anat.* Schädel(dach *n*) *m*, Hirnschale *f*: fractured ~ *med.* Schädelbruch *m*. **2.** Totenschädel *m*: ~ and crossbones a) Totenkopf *m* (*über zwei gekreuzten Knochen*) (*Gift-, Warnungszeichen*), b) *hist.* Totenkopf-, Piratenflagge *f*. **3.** *fig.* Schädel *m* (*Verstand*): to have a thick ~ ein

Brett vor dem Kopf haben. '~ˌ**cap** *s* **1.** Käppchen *n.* **2.** *anat.* Schädeldach *n,* -decke *f.* **3.** *bot.* Helmkraut *n.* ~ **crack·er** *s Am. colloq. schwere Stahlkugel zum Abbruch von Gebäuden etc.* '~ˌ**guard** *s tech.* Schutzhelm *m.* '~-ˌ**pan** → **skullcap** 2.

skunk [skʌŋk] **I** *s* **1.** *zo.* Skunk *m,* Stinktier *n.* **2.** Skunk(s)pelz *m.* **3.** *sl.* ‚(gemeiner) Hund', ‚Schwein' *n.* **II** *v/t* **4.** *Am. sl.* ‚fertigmachen', schlagen, besiegen. **5.** *Am. sl. j-n* ‚bescheißen' (*betrügen*). ~ **bear** *Am. für* **wolverine** 1.

skunk·er·y ['skʌŋkəri] *s Am.* Skunk(s)farm *f.*

sky [skai] **I** *s* **1.** *oft pl* (*Wolken*)Himmel *m*: **in the** ~ am Himmel; **out of a clear** ~ *bes. fig.* aus heiterem Himmel. **2.** *oft pl* Himmel *m* (*a. fig.*), Himmelszelt *n*: **if the** ~ **fall we shall catch larks** wenn der Himmel einstürzt, geht davon die Welt nicht unter; **under the open** ~ unter freiem Himmel; **in the skies** *fig.* (wie) im Himmel; **to praise to the skies** *fig.* ‚in den Himmel heben'; **the** ~ **is the limit** *colloq.* nach oben sind keine Grenzen gesetzt. **3.** a) Klima *n,* Witterung *f,* b) Himmelsstrich *m,* Gegend *f.* **4.** *aer. mil.* Luft(raum *m*) *f.* **5.** *colloq.* oberste Bilderreihe (*in e-r Gemäldeausstellung*). **II** *v/t* **6.** *den Ball etc* hoch in die Luft werfen *od.* schlagen. **7.** *ein Bild* (*in e-r Ausstellung*) (zu) hoch aufhängen. ~ **ad·ver·tis·ing** *s econ.* Luftwerbung *f.* '~-'**blue** *adj* himmelblau. '~ˌ**bus** → **skycoach**. '~-ˌ**clad** *adj humor.* im 'Adams- *od.* 'Evaskoˌstüm (*nackt*). '~ˌ**coach** *s Am.* ‚Airbus' *m* (*Passagierflugzeug ohne Service*).

Skye (ter·ri·er) [skai] *s zo.* Skyeterrier *m.*

'**sky**|-'**high** *adj u. adv* **1.** himmelhoch (*a. fig.*): **to blow** ~ a) sprengen, b) *fig. e-e Theorie etc* über den Haufen werfen. **2.** *Am. colloq.* a) irrsinnig teuer, b) riesig: ~ **sums.** ~ **hook (balloon)** *s Am. colloq.* Bal'lonsonde *f.* '~ˌ**jack·er** [-ˌdʒækər] *s* 'Luftpiˌrat *m.* '~ˌ**lab** *s Am.* 'Raumstatiˌon *f,* -labˌor *n.* '~ˌ**lark I** *s* **1.** *orn.* Feldlerche *f.* **2.** Spaß *m,* Ulk *m.* **II** *v/i* **3.** um'hertollen, Ulk *od.* ‚Blödsinn' treiben. '~ˌ**lift** *s aer.* Luftbrücke *f.* '~ˌ**light** *s* Oberlicht *n,* Dachfenster *n,* -luke *f.* '~ˌ**like** *adj* **1.** himmelblau. **2.** wie der Himmel. '~-ˌ**line** *s* Hori'zont(linie *f*) *m,* (*Stadt- etc*)Silhou'ette *f.* '~ˌ**liner** → **airliner**. ~ **lob·by** *s* 'Fahrstuhl-'Umsteigebahnhof *m* (*in Wolkenkratzern*). '~·**man** [-mən] *s irr aer. colloq.* Fallschirmjäger *m.* ~ **par·lo(u)r** *s* Dachstube *f.* ~ **pi·lot** *s sl.* ‚Schwarzrock' *m* (*Geistlicher*). '~ˌ**rock·et I** *s Feuerwerk*: Ra'kete *f.* **II** *v/i bes. Am. colloq.* in die Höhe schießen (*bes. Preise*). '~ˌ**sail** *s mar.* Skysegel *n.* '~·**scape** [-skeip] *s a. paint.* Wolkenlandschaft *f.* '~ˌ**scrap·er** *s* **1.** Wolkenkratzer *m,* Hochhaus *n.* **2.** *fig. humor.* (*etwas*) Riesiges. **3.** *mar.* Mondsegel *n.* '~ˌ**scrap·ing** *adj* himmelhoch (ansteigend). ~ **shade** *s phot.* Gegenlichtblende *f.* ~ **sign** *s econ.* 'Lichtreˌklame *f* (*auf Häusern etc*). ~ **train** *s aer.* ‚fliegender Güterzug'. ~ **troops** *s pl aer. mil.* Luftlandetruppen *pl.* ~ **truck** *s aer. Am.* Trans'portflugzeug *n,* ‚fliegender Güterwagen'.

sky·ward ['skaiwərd] **I** *adv* himmel'an, -wärts. **II** *adj* himmelwärts gerichtet.

'**sky·wards** → **skyward** I.

'**sky**|ˌ**way** *s bes. Am.* **1.** *aer.* Luftroute *f.* **2.** Hochstraße *f.* '~ˌ**writ·er** *s* Himmelsschreiber *m.* '~ˌ**writ·ing** *s* Himmelsschrift *f.*

slab[1] [slæb] **I** *s* **1.** (Me'tall-, Stein-, Holz- *etc*)Platte *f,* Fliese *f,* Tafel *f*: ~ **(of concrete)** Betonsockel *m,* -platte. **2.** *colloq.* a) Operati'onstisch *m,* b) Leichensockel *m*: **on the** ~ im Leichenschauhaus. **3.** (dicke) Scheibe (*Brot, Fleisch etc*). **4.** *tech.* Schwarten-, Schalbrett *n.* **5.** *metall.* Bramme *f* (*Roheisenblock*). **6.** *Baseball*: *Am. sl.* Schlagmal *n.* **7.** (*westliche USA*) Be'tonstraße *f.* **8.** *Am.* flaches, langgezogenes Gebäude. **II** *v/t* **9.** *tech.* a) *e-n Baumstamm* abschwarten, b) in Platten *od.* Bretter zersägen. **10.** mit Platten auslegen. **11.** *Am.* dick auftragen, schmieren.

slab[2] [slæb] *adj* **1.** *Br. obs. od. dial.* klebrig, dick(flüssig). **2.** *Am. colloq.* kitschig.

slab·ber ['slæbər] → **slobber**.

'**slab**ˌ**stone** *s* **1.** leicht spaltbares Gestein. **2.** *tech.* Steinfliese *f.*

slack[1] [slæk] **I** *adj* (*adv* ~**ly**) **1.** schlaff, locker, lose (*a. fig.*): ~ **rope** schlaffes Seil; **to keep a** ~ **rein** (*od.* **hand**) die Zügel locker lassen (*a. fig.*). **2.** a) flau: **a** ~ **breeze**, b) langsam, träge: **a** ~ **current.** **3.** *econ.* flau, lustlos: ~ **season** Flaute *f,* stille Saison. **4.** *fig.* (nach)lässig, lasch, schlaff, träge: **to be** ~ **in one's duties** s-e Pflichten vernachlässigen; ~ **pace** gemächliches Tempo; ~ **performance** schlappe Leistung, ‚müde' Vorstellung. **5.** *ling.* locker: ~ **vowel** offener Vokal. **II** *adv* **6.** (*in Zssgn*) leicht, ungenügend: ~**-dried**; ~**-baked** nicht durchgebacken. **III** *s* **7.** *bes. mar.* Lose *f,* loses (*Tau- etc*)Ende. **8.** Flaute *f* (*a. econ.*). **9.** *mar.* Stillwasser *n.* **10.** *colloq.* (Ruhe)Pause *f.* **11.** *pl* a) (lange) (bequeme) (Damen-)Hose, b) *mil. sl.* lange Hose. **12.** *tech.* Spiel *n*: **to take up the** ~ Druckpunkt nehmen (beim Schießen). **13.** *tech.* Kabelzuschlag *m* (*Vorratslänge*). **14.** *metr.* unbetonte Silbe(n *pl*). **15.** *sl.* ‚Nutte' *f,* Hure *f.* **IV** *v/t* **16.** ~ **off** → **slacken** 1. **17.** *oft* ~ **up** → **slacken** 2 *u.* 3. **18.** *tech. Kalk* löschen. **V** *v/i* **19.** → **slacken** 5. **20.** *meist* ~ **off** a) nachlassen, b) *colloq.* trödeln, bummeln. **21.** ~ **up** langsamer werden *od.* fahren.

slack[2] [slæk] *s a.* ~ **coal** *tech.* Kohlengrus *m.*

slack·en ['slækən] **I** *v/t* **1.** *Muskeln, Seil etc* lockern, locker machen, entspannen. **2.** lösen, *ein Segel* lose machen. **3.** verlangsamen, vermindern, her'absetzen: **to** ~ **one's pace** (efforts, *etc*). **4.** nachlassen *od.* nachlässig werden in (*dat*). **II** *v/i* **5.** schlaff *od.* locker werden, sich lockern. **6.** nachlassen, (nach)lässig werden. **7.** *fig.* erlahmen. **8.** *econ.* stocken. **9.** langsamer werden.

slack·er ['slækər] *s* Drückeberger *m,* Faulpelz *m.*

slack| **jaw** *s* loser Mund, freche Reden *pl.* ~ **lime** *s* Löschkalk *m.*

slack·ness ['slæknis] *s* **1.** Schlaffheit *f,* Lockerheit *f.* **2.** Flaute *f,* Stille *f* (*des Winds od. fig.*). **3.** *econ.* Flaute *f,* Unlust *f,* (Geschäfts)Stockung *f*: ~ **of business.** **4.** Schlaffheit *f,* Mattigkeit *f.* **5.** Saumseligkeit *f.* **6.** (Nach)Lässigkeit *f,* Trägheit *f.* **7.** *tech.* Spiel *n,* toter Gang.

slack| **suit** *s Am.* (bequemer) Sport- *od.* Hausanzug. ~ **wa·ter** *s mar.* Stillwasser *n.* ~ **weath·er** *s* ‚müdes' Wetter.

slag [slæg] **I** *s* **1.** *tech.* Schlacke *f*: ~ **concrete** Schlackenbeton *m*; ~ **furnace**, ~ **hearth** Schlackenofen *m.* **2.** *geol.* (vul'kanische) Schlacke. **II** *v/t u. v/i* **3.** verschlacken. '**slag·gy** *adj* schlackig.

slain [slein] *pp von* **slay**[1].

slake [sleik] *v/t* **1.** *den Durst* löschen, stillen. **2.** *e-e Begierde etc* stillen, befriedigen. **3.** *tech. Kalk* löschen: ~**d lime** Löschkalk *m.* '**slake·less** *adj poet.* unstillbar.

sla·lom ['slɑːləm; 'slei-] *s sport* Slalom *m,* Torlauf *m.*

slam[1] [slæm] **I** *v/t* **1.** *a.* ~ **to** *die Tür, den Deckel etc* zuschlagen, zuknallen: **to** ~ **the door in s.o.'s face** j-m die Tür vor der Nase zuschlagen. **2.** *etwas auf den Tisch etc* knallen: **to** ~ **s.th. down** etwas hinknallen *od.* -schmettern. **3.** *j-n* (heftig) schlagen, hauen. **4.** *sport sl. j-n* ‚über'fahren', schlagen. **5.** *sl. j-n od. etwas* ‚her'untermachen', ‚in die Pfanne hauen'. **II** *v/i* **6.** *a.* ~ **to** zuschlagen (*Tür, Deckel*). **7.** knallen, krachen (**into** in *acc,* gegen). **III** *s* **8.** Knall *m,* Krach *m.* **9.** *Am.* scharfe Kri'tik, ‚Verriß' *m.* **IV** *interj* **10.** bum(s)!, peng!, zack!

slam[2] [slæm] *s Kartenspiel*: Schlemm *m*: **grand** ~ (*Bridge*) Groß-Schlemm (*Gewinnen von 13 Stichen*); **little** ~, **small** ~ (*Bridge*) Klein-Schlemm (*12 von 13 Stichen*).

'**slam**|ˌ**bang** *Am. colloq.* **I** *s* **1.** lauter Krach. **II** *adj* **2.** krachend, laut. **3.** wuchtig, zackig. **4.** ‚bombig', ‚toll'. '~-'**bang I** *adv* **1.** krachend. **2.** ‚wild', wie verrückt. **II** *v/i* **3.** Ra'dau machen. **III** *v/t* **4.** verprügeln.

slan·der [*Br.* 'slɑːndər; *Am.* 'slæ(ː)n-] **I** *s* **1.** *jur.* (*mündliche*) Verleumdung, üble Nachrede. **2.** *allg.* Verleumdung *f,* Klatsch *m.* **II** *v/t* **3.** *j-n* verleumden. **III** *v/i* **4.** Verleumdungen verbreiten. '**slan·der·er** *s* Verleumder(in). '**slan·der·ous** *adj* (*adv* ~**ly**) verleumderisch.

slang [slæŋ] **I** *s* **1.** Slang *m,* Jar'gon *m,* Sonder-, Berufssprache *f*: **artistic (racing, schoolboy)** ~ Künstler-(Renn-, Schüler)sprache *f*; **thieves'** ~ Gaunersprache *f,* Rotwelsch *n.* **2.** Slang *m,* Jar'gon *m,* sa'loppe 'Umgangssprache. **II** *adj* **3.** Jargon..., Slang...: ~ **expression.** **III** *v/t* **4.** *j-n* wüst beschimpfen: ~**ing match** Schimpferei *f.* '**slang·ism** *s* Slang-Ausdruck *m.* **slan·guage** ['slæŋwidʒ] *s colloq.* sa'loppe Ausdrucksweise, (derber) Jar'gon. '**slang·y** *adj* slangartig, Slang..., Jargon...

slank [slæŋk] *obs. pret u. pp von* **slink**.

slant [*Br.* slɑːnt; *Am.* slæ(ː)nt] **I** *s* **1.** Schräge *f,* schräge Fläche *od.* Richtung *od.* Linie: **on the** ~, **on a** ~ schräg, schief. **2.** Abhang *m.* **3.** *colloq.* a) Ten'denz *f,* ‚Färbung' *f,* b) Einstellung *f,* Sicht *f,* Gesichtspunkt *m*: **you have a wrong** ~ **on the problem** du siehst das Problem ganz falsch. **4.** *Am. sl.* (Seiten)Blick *m*: **to take a** ~ **at** e-n Seitenblick werfen auf (*acc*). **5.** *mar.* (leichte *od.* kurze) Brise. **II** *adj* (*adv* ~**ly**) **6.** schräg, schief. **7.** *fig. Am.* einseitig, beeinflußt. **III** *v/i* **8.** schräg *od.* schief liegen, sich neigen, kippen. **9.** *fig. Am.* ten'dieren (**toward** zu *etwas* hin). **IV** *v/t* **10.** schräg legen, kippen, (*dat*) e-e schräge Richtung geben: ~**ed** schräg, schief. **11.** *colloq. e-e Nachricht etc* ‚färben', ‚fri'sieren', e-e Ten'denz geben (*dat*). '~-ˌ**eye** *s* Schlitzauge *n* (*Asiate etc*). '~-ˌ**eyed** *adj* schlitzäugig.

slant·ing [*Br.* 'slɑːntiŋ; *Am.* 'slæ(ː)n-] *adj* (*adv* ~**ly**) schräg, schief, geneigt.

'**slant**ˌ**ways**, '**slant**ˌ**wise** *adj u. adv* schräg, schief.

slap [slæp] **I** *s* **1.** Schlag *m,* Klaps *m*: **a** ~ **in the face** e-e Ohrfeige, ein Schlag ins Gesicht (*a. fig.*). **2.** *fig. colloq.* Versuch *m*: at a ~ mit 'einem Schlag; to have a ~ at es mit *etwas* versuchen. **3.** *fig.* Stich *m*, Beleidigung *f*. **II** *v/t* **4.** schlagen, e-n Klaps geben (*dat*): to ~ s.o. on the back j-m (anerkennend) auf den Rücken klopfen; to ~ s.o.'s face j-n ohrfeigen. **5.** *etwas auf den Tisch etc* knallen, ‚schmeißen': to ~ down hinschmeißen; to ~ s.o. into jail j-n ins Gefängnis werfen; to ~ together *Am. colloq. etwas* rasch zs.-stoppeln. **6.** *sl.* heftig tadeln. **III** *v/i* **7.** schlagen, klatschen (*a. Regen etc*). **IV** *adv* **8.** *colloq.* plötzlich, gerade(n)-wegs, ‚zack', ‚peng': I ran ~ into him; **'~-'bang** *colloq.* **I** *adv* **1.** ‚par'dauz', ‚bums', ‚peng'. **2.** spornstreichs, Knall u. Fall. **II** *adj* **3.** ‚zackig', ungestüm. **'~ˌdash I** *adv* **1.** blindlings, Hals über Kopf. **2.** hoppla'hopp, ‚auf die Schnelle', schlampig. **3.** aufs Gerate-'wohl. **II** *adj* **4.** hastig, ungestüm. **5.** schlampig, schlud(e)rig: ~ work. **III** *s* **6.** *colloq.* ‚Hoppla'hopp' *n*, Schlampe'rei *f*. **'~ˌhap·py** *adj sl.* **1.** → punch-drunk. **2.** ausgelassen, 'übermütig. **3.** verrückt. **'~ˌjack** *s* **1.** *Am.* Pfannkuchen *m*. **2.** *Kartenspiel für Kinder.*

slap·ping ['slæpiŋ] *adj u. adv Am. colloq.* **1.** schnell. **2.** riesig. **3.** ‚toll', ‚prima'.

'slap|ˌstick I *s* **1.** (Narren)Pritsche *f*. **2.** *thea. etc* a) Situati'onskomik *f*, Kla'mauk *m*, Clowne'rie *f*, b) Ra'dauko'mödie *f*, Schwank *m*, ‚Kla'motte' *f*. **II** *adj* **3.** Radau..., Klamauk...: ~ comedy → 2b; ~ picture Filmschwank *m*; ~ humo(u)r hanswursthafter Humor. **'~-'up** *adj bes. Br. sl.* ‚piekfein', ‚prima', ‚todschick'.

slash [slæʃ] **I** *v/t* **1.** (auf)schlitzen, (-)reißen. **2.** *ein Kleid etc* schlitzen: ~ed sleeve Schlitzärmel *m*. **3.** zerhauen, zerfetzen. **4.** a) peitschen, b) *die Peitsche* knallen lassen. **5.** *e-n Ball etc* heftig schlagen. **6.** reißen, zerren. **7.** *fig.* stark *od.* drastisch kürzen, zs.-streichen: to ~ appropriations. **8.** *fig.* geißeln, kriti'sieren, ‚her'unterreißen'. **II** *v/i* **9.** hauen (at nach): to ~ at a) → 8, b) losschlagen gegen, attackieren; to ~ out um sich hauen (*a. fig.*). **10.** peitschen (*a. fig. Regen, Wind*). **III** *s* **11.** Hieb *m*, Streich *m*. **12.** Schnitt(wunde *f*) *m*, klaffende Wunde. **13.** Schlitz *m* (*a. Kleidermode*). **14.** Holzschlag *m*. **15.** *oft pl Am.* (verstrüpptes) Sumpfgelände. **16.** a) (drastische) Kürzung, Abstrich *m*, b) Preisnachlaß *m*: ~ price stark herabgesetzter Preis. **17.** Schrägstrich *m*. **'slash·ing I** *s* **1.** (Auf)Schlitzen *n*. **2.** (Drein)-Hauen *n*. **3.** *mil.* Verhau *m*. **II** *adj* **4.** schlitzend, schneidend: ~ weapon Hiebwaffe *f*. **5.** *fig.* vernichtend, beißend, scharf: ~ criticism. **6.** *colloq.* a) prächtig, ‚prima', b) gewaltig, ‚Mords...'

slat[1] [slæt] **I** *v/t u. v/i* klatschen, knallen, heftig schlagen. **II** *s* ‚Patsch' *m*, heftiger Schlag.

slat[2] [slæt] *s* **1.** Leiste *f*, (*a.* Jalou'sie)-Stab *m*. **2.** *pl sl.* Rippen *pl*.

slate[1] [sleit] **I** *s* **1.** *geol.* Schiefer *m*. **2.** (Dach)Schiefer *m*, Schieferplatte *f*: ~ roof Schieferdach *n*; he has a ~ loose *sl.* ‚er hat e-n leichten Dachschaden'. **3.** Schiefertafel *f* (*zum Schreiben*): to have a clean ~ *fig.* e-e weiße Weste haben; to clean the ~ *fig.* reinen Tisch machen; on the ~ *sl.* ‚auf Pump'; → wipe 7. **4.** *Film:* Klappe *f*. **5.** *pol. etc Am.* Kandi'datenliste *f*. **6.** Schiefergrau *n* (*Farbe*). **II** *v/t* **7.** *das Dach* mit Schiefer decken. **8.** a) *Kandidaten etc* (vorläufig) aufstellen *od.* nomi'nieren, b) *j-n od. etwas* vorsehen für: to be ~d for für *e-n Posten etc* vorgesehen sein. **9.** *Am.* (*zeitlich*) festsetzen: elections ~d for July. **10.** *tech. Felle* enthaaren. **III** *adj* **11.** schieferartig, -farbig, Schiefer...: ~ roof Schieferdach *n*.

slate[2] [sleit] *v/t sl.* **1.** ‚vermöbeln', prügeln. **2.** *fig. bes. Br.* a) ‚zerreißen' (*kritisieren*), b) *j-n* abkanzeln.

slate| blue *s* Schieferblau *n*. **'~-'blue** *adj* schieferblau. **~ clay** *s min.* Schieferton *m*. **~ club** *s Br.* Hilfskasse *f* (*Sparverein*). **'~-'gray, '~-'grey** *adj* schiefergrau. **~ pen·cil** *s* Griffel *m*. **~ quar·ry** *s* Schieferbruch *m*.

slat·er ['sleitər] *s* **1.** Schieferdecker *m*. **2.** *zo.* (Keller)Assel *f*.

slath·er ['slæðər] *Am. colloq.* **I** *v/t* **1.** dick schmieren *od.* auftragen. **2.** verschwenden. **II** *s* **3.** *meist pl* (*e-e*) große Menge.

slat·ing[1] ['sleitiŋ] *s arch.* **1.** Schieferdecken *n*. **2.** Schieferbedachung *f*.

slat·ing[2] ['sleitiŋ] *s sl.* **1.** ‚Verriß' *m*, beißende Kri'tik. **2.** Standpauke *f*.

slat·ted ['slætid] *adj* mit Leisten *od.* Latten versehen, Latten...

slat·tern ['slætərn] *s* **1.** Schlampe *f*, Schlumpe *f*. **2.** *Am.* ‚Nutte' *f*, Hure *f*. **'slat·tern·li·ness** [-linis] *s* Schlampigkeit *f*. **'slat·tern·ly** *adj u. adv* schlampig, schmudd(e)lig.

slat·y ['sleiti] *adj* schief(e)rig.

slaugh·ter ['slɔːtər] **I** *s* **1.** Schlachten *n*. **2.** *fig.* a) Abschlachten *n*, Niedermetzeln *n*, b) Gemetzel *n*, Blutbad *n*: → innocent 6. **II** *v/t* **3.** *Vieh* schlachten. **4.** *fig.* abschlachten (*a. weitS. besiegen od. kritisieren*). **5.** *econ. Am. sl.* verschleudern. **'slaugh·ter·er** *s* Schlächter *m* (*a. fig. Mörder*).

'slaugh·terˌhouse *s* **1.** Schlachthaus *n*. **2.** *fig.* Schlachtbank *f*.

slaugh·ter·ous ['slɔːtərəs] *adj* (*adv* ~ly) mörderisch, verheerend.

Slav [slɑːv; slæv] **I** *s* Slawe *m*, Slawin *f*. **II** *adj* slawisch, Slawen...

slave [sleiv] **I** *s* **1.** Sklave *m*, Sklavin *f*: to make ~s of zu Sklaven machen. **2.** *fig.* Sklave *m*, Arbeitstier *n*, Kuli *m*: to work like a ~ → 6. **3.** *fig.* Sklave *m*, Krea'tur *f*, Knecht *m*. **4.** *fig.* Sklave *m* (to, of *gen*): a ~ to one's passions; a ~ to drink dem Trunk verfallen. **5.** *tech.* a) 'Nebenaggreˌgat *n*, b) Fernbedienungsgerät *n* (*für Arbeiten mit radioaktivem Material*). **II** *v/i* **6.** schuften, wie ein Kuli arbeiten. **'~ˌborn** *adj* als Sklave geboren, unfrei. **~ clock** *s tech.* Nebenuhr *f*. **~ driv·er** *s* **1.** Sklavenaufseher *m*. **2.** *fig.* Leuteschinder *m*. **~ la·bo(u)r** *s* **1.** Sklavenarbeit *f*. **2.** *pol.* Zwangsarbeit *f*. **~ mar·ket** *s* Sklavenmarkt *m*.

slav·er[1] ['sleivər] *s* **1.** Sklavenschiff *n*. **2.** Sklavenhändler *m*.

slav·er[2] ['slævər; 'slei-] **I** *v/i* **1.** geifern, sabbern, sabbeln (*alle a. fig.*). **II** *v/t* **2.** begeifern, besabbern. **III** *s* **3.** Geifer *m*, Speichel *m*. **4.** *fig.* Geplapper *n*. **5.** ‚Speichellecke'rei *f*.

slav·er·er ['slævərər; 'slei-] *s* **1.** Geiferer *m*. **2.** *fig.* Speichellecker *m*.

slav·er·y ['sleivəri] *s* **1.** Sklave'rei *f* (*a. fig.*): ~ to *fig.* sklavische Abhängigkeit von. **2.** Sklavenarbeit *f*, *fig.* Placke'rei *f*.

slave| ship *s* Sklavenschiff *n*. **~ States** *s pl hist.* Sklavenstaaten *pl* (*USA*). **~ sta·tion** *s Radio:* Nebenstelle *f*, -sender *m*. **~ trade** *s* Sklavenhandel *m*. **~ trad·er** *s* Sklavenhändler *m*.

slav·ey ['sleivi; 'slævi] *s bes. Br. colloq.* ‚dienstbarer Geist'.

Slav·ic ['slɑːvik; 'slæv-] **I** *adj* slawisch. **II** *s ling.* Slawisch *n*, das Slawische.

slav·ish ['sleiviʃ] *adj* (*adv* ~ly) **1.** sklavisch, Sklaven... **2.** *fig.* knechtisch, kriecherisch, unter'würfig. **3.** *fig.* sklavisch: ~ imitation. **'slav·ish·ness** *s* (*das*) Sklavische, sklavische Gesinnung.

Slav·ism ['slɑːvizəm; 'slæv-] *s* Slawentum *n*. **'Slav·ist** *s* Sla'wist(in).

'Slav·o-Ger'man·ic ['slɑːvo-] *adj* 'slawisch-ger'manisch.

Sla·vo·ni·an [slə'vouniən; -njən] **I** *adj* **1.** sla'wonisch. **2.** slawisch. **II** *s* **3.** Sla'wone *m*, Sla'wonin *f*. **4.** Slawe *m*, Slawin *f*. **5.** → Slavic II. **Sla'von·ic** [-'vɒnik] **I** *adj* → Slavonian I. **II** *s* → Slavic II. **Slav·o·phile** ['slɑːvofail; -fil; 'slæv-], *a.* **'Slav·o·phil** [-fil] **I** *adj* slawo'phil, slawenfreundlich. **II** *s* Slawo'phile *m*, Slawenfreund(in).

slaw [slɔː] *s Am.* 'Krautsaˌlat *m*.

slay[1] [slei] *pret* **slew** [sluː] *pp* **slain** [slein] *oft poet.* **I** *v/t* töten, erschlagen, ermorden. **II** *v/i* morden.

slay[2] → sley.

slay·er ['sleiər] *s* Totschläger(in), Mörder(in).

sleave [sliːv] **I** *v/t* **1.** *tech. Garn, bes. Seide* fachen. **II** *s* **2.** Faser *f*, Strähne *f*. **3.** *Weberei:* Flockseide *f*.

slea·zy ['sliːzi; 'sleizi] *adj* **1.** dünn (*a. fig.*): ~ cloth; a ~ story. **2.** → shabby.

sled [sled] → sledge[1]. **'sled·ding** *s bes. Am.* 'Schlittenfahren *n*, -transˌport *m*: hard (smooth) ~ *fig.* schweres (glattes) Vorankommen.

sledge[1] [sledʒ] **I** *s* **1.** a) Schlitten *m* (*a. tech.*), b) (Rodel)Schlitten *m*. **2.** *bes. Br.* (leichterer) Pferdeschlitten. **II** *v/t* **3.** mit e-m Schlitten befördern *od.* fahren. **III** *v/i* **4.** Schlitten fahren, rodeln.

sledge[2] [sledʒ] *s tech.* **1.** Vorschlag-, Schmiedehammer *m*. **2.** schweres Treibfäustel. **3.** *Bergbau:* Schlägel *m*.

sledge| ham·mer → sledge[2] 1. **'~ˌham·mer** *adj fig.* a) Holzhammer...: ~ arguments; ~ methods, b) wuchtig, vernichtend: ~ blow, c) ungeschlacht: ~ style.

sleek [sliːk] **I** *adj* (*adv* ~ly) **1.** glatt, glänzend: ~ hair. **2.** geschmeidig, glatt (*Körper etc; a. fig. Wesen*). **3.** *fig. contp.* aalglatt, ölig. **4.** a) gepflegt, ele'gant, schick: a ~ young man, b) schnittig: a ~ car. **II** *v/t* **5.** *a. tech.* glätten. **6.** *Haar* glatt kämmen *od.* bürsten. **7.** *Leder* schlichten. **'sleek·ness** *s* Glätte *f*, Geschmeidigkeit *f* (*a. fig.*). **'sleek·y** → sleek I.

sleep [sliːp] **I** *v/i pret. u. pp* **slept** [slept] **1.** schlafen: to ~ like a dormouse (*od.* log *od.* top) schlafen wie ein Murmeltier; to ~ on (*od.* upon *od.* over) a question ein Problem überschlafen. **2.** schlafen, nächtigen, über'nachten: to ~ in (out) *bes. Br.* im Hause (außer Hause) schlafen (*Personal*). **3.** (with) schlafen (mit *od.* bei *j-m*) (*Beischlaf*). **4.** *fig.* schlafen, ruhen (*Dorf, Fähigkeiten, Streit, Toter etc*): their hatred never slept ihr Haß kam nie zur Ruhe. **5.** stehen (*Kreisel*).

II *v/t* **6.** schlafen: to ~ the ~ of the just den Schlaf des Gerechten schlafen. **7.** ~ away, ~ out *Zeit* verschlafen. **8.** ~ off ausschlafen: to ~ off one's headache; to ~ it off s-n Rausch (*etc*) ausschlafen. **9.** Schlafgelegenheit bieten *od.* Betten haben für, *j-n* zum Schlafen 'unterbringen: we can ~ 10 people.

III *s* **10.** Schlaf *m*, Ruhe *f* (*beide a.*

fig.): **full of ~** schläfrig, verschlafen; **in one's ~** im Schlaf; **broken ~** gestörter Schlaf; **the last ~** *fig.* der ewige Schlaf; **to get some ~** ein wenig schlafen; **to go to ~** a) einschlafen (*a. fig. sterben*), b) schlafen gehen; **to put to ~** einschläfern (*a. fig. bewußtlos schlagen, vergiften etc*). **11.** *zo.* Winterschlaf *m.* **12.** *bot.* Schlafbewegung *f.*

sleep·er ['sliːpər] *s* **1.** Schläfer(in): **to be a light (sound) ~** e-n leichten (festen) Schlaf haben. **2.** *zo.* (Winter-, Sommer)Schläfer *m.* **3.** *rail.* a) Schlafwagen *m*, b) *Br.* (Eisenbahn)Schwelle *f.* **4.** *mot. Am.* Wagen *m* mit Schlafgelegenheit. **5.** *Am.* a) ('Kinder)Py,jama *m*, b) Schlafsack *m.* **6.** *Am. sl.* a) über'raschender Erfolg *od.* Gewinner, b) ‚Zeitbombe' *f.* **7.** *econ. Am. sl.* Ladenhüter *m.*

sleep·i·ness ['sliːpinis] *s* **1.** Schläfrigkeit *f.* **2.** Verschlafenheit *f.*

sleep·ing ['sliːpiŋ] *adj* **1.** schlafend. **2.** Schlaf...: **~ accommodation** Schlafgelegenheit *f*; **~ hour** Schlafenszeit *f.* **~ bag** *s* Schlafsack *m.* **S~ Beau·ty** *s* Dornröschen *n.* **~ car,** *bes. Br.* **~ car·riage** *s rail.* Schlafwagen *m.* **~ draught** *s med.* Schlaftrunk *m*, -mittel *n.* **~ part·ner** *s econ. bes. Br.* stiller Teilhaber. **~ sick·ness** *s med.* Schlafkrankheit *f.* **~ suit** *s* (*bes.* einteiliger Kinder)Schlafanzug.

sleep·less ['sliːplis] *adj* (*adv* **~ly**) **1.** schlaflos. **2.** *fig.* rast-, ruhelos. **3.** *fig.* wachsam. **'sleep·less·ness** *s* **1.** Schlaflosigkeit *f.* **2.** *fig.* Rast-, Ruhelosigkeit *f.* **3.** *fig.* Wachsamkeit *f.*

'sleep|,walk·er *s* Nachtwandler(in). **'~,walk·ing I** *s* **1.** Nacht-, Schlafwandeln *n.* **II** *adj* **2.** schlafwandelnd. **3.** nachtwandlerisch.

sleep·y ['sliːpi] *adj* (*adv* **sleepily**) **1.** schläfrig, müde. **2.** schläfrig, verschlafen, schlafmützig, träge. **3.** verschlafen, verträumt: **a ~ little village.** **4.** einschläfernd: **a ~ tune.** **5.** teigig, 'überreif: **a ~ pear.** **'~,head** *s fig.* Schlafmütze *f.* **~ sick·ness** *s med. bes. Br.* Schlafsucht *f.*

sleet [sliːt] **I** *s* **1.** Graupel(n *pl*) *f*, Schloße(n *pl*) *f.* **2.** *Wetterdienst*: a) *Br.* Schneeregen *m*, b) *Am.* Graupelschauer *m.* **3.** *colloq.* 'Eis,überzug *m* (*auf Bäumen etc*). **II** *v/impers* **4.** graupeln. **'sleet·y** *adj* graupelig, Graupel...

sleeve [sliːv] **I** *s* **1.** Ärmel *m*: **to have s.th. up** (*od.* **in**) **one's ~** a) etwas bereit *od.* auf Lager *od.* in petto haben, b) etwas im Schilde führen; → **card**[1] 1; **to laugh in one's ~** sich ins Fäustchen lachen; **to roll up one's ~s** (sich) die Ärmel hochkrempeln (*a. fig.*). **2.** *tech.* Muffe *f*, Hülse *f*, Buchse *f*, Man'schette *f*: **~ joint** Muffenverbindung *f.* **3.** (Schutz)Hülle *f.* **II** *v/t* **4.** mit Ärmeln, Muffen (*etc*) versehen. **sleeved** *adj* **1.** mit Ärmeln. **2.** (*in Zssgn*) ...ärmelig: **long-~.** **'sleeve·less** *adj* ärmellos.

sleeve| link *s* Man'schettenknopf *m.* **~ tar·get** *s mil.* Schleppsack *m* (*Übungsziel*). **~ valve** *s tech.* 'Muffenven,til *n.*

sleigh [slei] **I** *s* **1.** (Pferde- *od.* Last-)Schlitten *m.* **2.** *mil.* 'Schlittenla,fette *f.* **II** *v/i* **3.** (im) Schlitten fahren. **~ bell** *s* Schlittenschelle *f.*

sleight [slait] *s* **1.** Geschicklichkeit *f.* **2.** Kunstgriff *m*, Trick *m*, List *f.* **~ of hand** *s* **1.** (Taschenspieler)Kunststück *n*, (-)Trick *m* (*a. fig.*). **2.** (Finger)Fertigkeit *f.*

slen·der ['slendər] *adj* (*adv* **~ly**) **1.** schlank: **a ~ girl.** **2.** schmal, dünn, schmächtig: **a ~ boy (figure, tree).** **3.** *fig.* schmal, dürftig: **a ~ income.** **4.** *fig.* gering, schwach: **a ~ hope.** **5.** mager, karg: **~ diet.** **'slen·der,ize** [-,raiz] *v/t u. v/i* schlank(er) machen (werden). **'slen·der·ness** *s* **1.** Schlankheit *f*, Schmalheit *f*, Schmächtigkeit *f.* **2.** *fig.* Spärlichkeit *f.* **3.** *fig.* Geringfügigkeit *f.* **4.** Kargheit *f* (*des Essens*).

slept [slept] *pret u. pp von* **sleep.**

sleuth [sluːθ; sljuːθ] **I** *s a.* **~hound** Spürhund *m* (*bes. fig. Detektiv*). **II** *v/i* (her'um)schnüffeln (*Detektiv*). **III** *v/t j-s* Spur verfolgen.

slew[1] [sluː] *pret von* **slay**[1].

slew[2] [sluː] *s Am. od. Canad.* Sumpf(land *n*, -stelle *f*) *m.*

slew[3] → **slue**[1].

slew[4] [sluː] *s Am. colloq.* (*große*) Menge, Haufe(n) *m*: **a ~ of people.**

sley [slei] *s tech.* Weberkamm *m.*

slice [slais] **I** *s* **1.** Scheibe *f*, Schnitte *f*, Stück *n*: **a ~ of bread.** **2.** *fig.* Stück *n* (*Land etc*), (An)Teil *m*: **a ~ of the profits** ein Anteil am Gewinn; **a ~ of luck** e-e Portion Glück. **3.** *fig.* Aus-, Querschnitt *m.* **4.** (*bes.* Fisch)Heber *m*, Schaufel *f.* **5.** *tech.* Spachtel *m, f*, Spatel *m, f.* **6.** *Golf*: Schlag *m* mit Rechtsdrall. **II** *v/t* **7.** *a.* **~ up** in Scheiben schneiden, aufschneiden: **to ~ off** *ein Stück* abschneiden (**from** von). **8.** (*fig. a. die Luft, die Wellen*) durch'schneiden. **9.** *fig.* aufteilen. **10.** *bes. tech.* spachteln. **11.** *Golf*: *dem Ball* e-n Rechtsdrall geben. **III** *v/i* **12.** (Scheiben, Stücke *etc*) schneiden. **~ bar** *s* Schüreisen *n.*

slic·er ['slaisər] *s* **1.** (*Brot-, Gemüse- etc*)'Schneidema,schine *f*, (Gurken-, Kraut- *etc*)Hobel *m.* **2.** → **slice** 6.

slick [slik] **I** *adj* (*adv* **~ly**) **1.** glatt, glitschig. **2.** *bes. Am.* glänzend, Hochglanz...: **~ paper** → 13. **3.** *colloq.* a) geschickt, raffi'niert (*Person u. Sache*), gekonnt, ‚schick' (*Sache*), b) (aal)glatt (*Person*), c) flott, ‚prima': **a ~ play.** **4.** *sl.* ‚schick', ‚süß': **a ~ girl.** **II** *adv* **5.** geschickt. **6.** flugs, ‚wie geschmiert'. **7.** *colloq.* ‚peng', genau: **~ in the eye.** **III** *v/t* **8.** *das Haar* glätten, ‚anklatschen'. **9.** glätten. **10.** *a.* **~ up** *colloq.* ‚auf Hochglanz bringen'. **IV** *s* **11.** glatte *od.* glänzende (Ober)Fläche. **12.** Ölfleck *m*, -fläche *f* (*auf dem Wasser*). **13.** *Am. sl.* ele'gante Zeitschrift. **14.** → **slicker** 2a.

slick·er ['slikər] *s Am.* **1.** (langer) Regenmantel. **2.** *colloq.* a) Schwindler(in), raffi'nierter Kerl, b) ‚Stadtfrack' *m.*

slid [slid] *pret u. pp von* **slide.**

slid·a·ble ['slaidəbl] *adj* verschiebbar.

slide [slaid] **I** *v/i pret* **slid** [slid] *pp* **slid, slid·den** ['slidn] **1.** gleiten (*a. Riegel etc*), rutschen: **to ~ down** herunter- *od.* hinunterrutschen, -gleiten; **to ~ from** entgleiten (*dat*); **to ~ out** (heraus- *od.* hinaus)gleiten, (-)rutschen; **to let things ~** *fig.* die Dinge laufen lassen. **2.** (aus)gleiten, (-)rutschen. **3.** (*auf Eis*) schlittern. **4.** gleiten, schlüpfen: **to ~ into the room.** **5. ~ over** *fig.* leicht über *ein Thema* hin'weggehen *od.* 'hingleiten. **6. ~ into** *fig.* in *etwas* hin'einschlittern.

II *v/t* **7.** gleiten lassen, schieben: **to ~ one's hand into one's pocket.** **8. ~ in** *fig. ein Wort* einfließen lassen. **9.** *mus.* hin'überziehen.

III *s* **10.** Rutschen *n*, Gleiten *n.* **11.** Schlittern *n* (*auf Eis*). **12.** a) Schlitterbahn *f*, b) Rodelbahn *f*, c) (*a.* Wasser)Rutschbahn *f.* **13.** Erd-, Fels-, Schneerutsch *m.* **14.** *bes. tech.* Rutsche *f*, Gleitfläche *f.* **15.** *tech.* a) Schieber *m*, b) Schlitten *m* (*e-r Drehbank etc*), c) Führung *f*, d) → **slideway.** **16.** Ob'jektträger (*am Mikroskop*). **17.** Schieber *m* (*e-s Rechenschiebers*). **18.** *phot.* Dia('positiv) *n*: **~ lecture** Lichtbildervortrag *m.* **19.** *mil.* Vi'sierschieber *m.* **20.** *mus.* a) Schleifer *m* (*Verzierung*), b) Hin'überziehen *n* (*zwischen Tönen*), c) Zug *m* (*der Posaune etc*). **21.** (*bes. Haar- od. Gürtel*)Spange *f.*

slide·a·ble → **slidable.**

slide| bar *s tech.* Gleitschiene *f.* **~ cal·i·per** *s tech.* Schublehre *f.* **~ fas·ten·er** *s* Reißverschluß *m.*

slid·er ['slaidər] *s* **1.** *tech.* Schieber *m*, Gleitstück *n.* **2.** *electr.* Schleifer *m.*

slide| rest *s tech.* Sup'port *m.* **~ rod** *s tech.* Führungsstange *f.* **~ rule** *s tech.* Rechenschieber *m*, -stab *m.* **~ trom·bone** *s mus.* 'Zugpo,saune *f.* **~ valve** *s tech.* 'Schieber(ven,til *n*) *m.* **'~,way** *s tech.* **1.** Gleit-, Schiebebahn *f.* **2.** Geradführungsstück *n.* **'~-,wire** *s electr.* Schleifdraht *m.*

slid·ing ['slaidiŋ] *adj* (*adv* **~ly**) **1.** rutschend, gleitend. **2.** Schiebe...: **~ door**; **~ weight** Laufgewicht *n* (*e-r Waage*). **~ bow** [bou] *s electr.* Schleifbügel *m.* **~ cal·i·per** → **slide caliper.** **~ fit** *s tech.* Gleitsitz *m.* **~ gear** *s tech.* Schieberad *n*, Schub(rad)getriebe *n.* **~ mi·cro·tome** *s biol. med.* 'Schlittenmikro,tom *n.* **~ rule** → **slide rule.** **~ roof** *s mot. etc* Schiebedach *n.* **~ scale** *s econ.* **1.** gleitende (Lohn- *od.* Preis-)Skala. **2.** 'Staffelta,rif *m.* **~ seat** *s Rudern*: Gleit-, Rollsitz *m.* **~ ta·ble** *s* **1.** Ausziehtisch *m.* **2.** *tech.* Tischschlitten *m.*

sli·er ['slaiər] *comp zu* **sly.**

sli·est ['slaiist] *sup zu* **sly.**

slight [slait] **I** *adj* (*adv* → **slightly**) **1.** leicht, gering(fügig): **the ~est hesitation** ein kaum merkliches Zögern; **the ~est irritation** ein Anflug von Ärger; **not the ~est** nicht im geringsten. **2.** schmächtig, dünn. **3.** schwach: **a ~ framework.** **4.** leicht, schwach: **a ~ odo(u)r.** **5.** *geistig* schwach, unbedeutend. **6.** oberflächlich. **II** *v/t* **7.** *j-n* geringschätzig behandeln, kränken: **to ~ a guest.** **8.** *etwas* ‚auf die leichte Schulter nehmen'. **9.** *e-e Arbeit etc* (nach)lässig erledigen. **III** *s* **10.** Kränkung *f.* **11.** Geringschätzung *f*, 'Mißachtung *f.* **'slight·ing** *adj* (*adv* **~ly**) **1.** kränkend. **2.** abschätzig, her'absetzend. **'slight·ly** *adv* leicht, schwach, etwas, ein bißchen. **'slight·ness** *s* **1.** Geringfügigkeit *f.* **2.** Bedeutungslosigkeit *f.* **3.** Schmächtigkeit *f.* **4.** Schwäche *f.*

sli·ly → **slyly.**

slim [slim] **I** *adj* (*adv* **~ly**) **1.** schlank, dünn. **2.** *fig.* gering, dürftig, schwach: **a ~ chance.** **3.** *Br.* schlau, gerieben. **II** *v/t* **4.** schlank(er) machen. **III** *v/i* **5.** schlank(er) werden. **6.** e-e Schlankheitskur machen.

slime [slaim] **I** *s* **1.** Schlamm *m.* **2.** *bes. bot. zo.* Schleim *m.* **3.** As'phalt *m.* **4.** *fig.* Schmutz *m.* **II** *v/t* **5.** mit Schlamm *od.* Schleim über'ziehen *od.* bedecken. **III** *v/i* **6.** *Br. sl.* schleichen, sich winden: **to ~ out of it** sich herauswinden; **to ~ past** sich vorbeidrücken.

slim·i·ness ['slaiminis] *s* **1.** Schleimigkeit *f*, (*das*) Schleimige. **2.** Schlammigkeit *f.*

slim·mer ['slimər] *comp von* **slim.**

slim·mest ['slimist] *sup von* **slim.**

slim·ming ['slimiŋ] **I** *s* **1.** Schlankwerden *n*, Abnehmen *n.* **2.** Schlankheitskur *f.* **II** *adj* **3.** Schlankheits...:

~ cure; ~ diet. **'slim·ness** *s* **1.** Schlankheit *f.* **2.** *fig.* Dürftigkeit *f.* **'slim·sy** [-zi], *a.* **'slimp·sy** [-psi] *adj Am. colloq.* dünn, schwach.

slim·y ['slaimi] *adj* (*adv* **slimily**) **1.** schleimig, schmierig, glitschig. **2.** *med.* mu'kös, Schleim... **3.** schlammig. **4.** ekelhaft. **5.** *fig.* a) schmierig, schmutzig, b) kriecherisch, ‚schleimig'.

sling[1] [sliŋ] **I** *s* **1.** Schleuder *f.* **2.** → slingshot. **3.** (Schleuder)Wurf *m.* **II** *v/t pret u. pp* **slung** [slʌŋ] **4.** schleudern: to ~ ink *sl.* ‚Tinte verspritzen', schriftstellern; → hook 1.

sling[2] [sliŋ] **I** *s* **1.** Schlinge *f* (*zum Heben von Lasten*). **2.** *med.* (Arm-)Schlinge *f*, Binde *f.* **3.** Trag-, *a.* Gewehrriemen *m*, Gurt *m.* **4.** *meist pl mar.* Stropp *m*, Tauschlinge *f.* **II** *v/t pret u. pp* **slung** [slʌŋ] **5.** e-e Schlinge legen um (*e-e Last*). **6.** (an e-r Schlinge) aufhängen: to be slung from hängen *od.* baumeln von. **7.** *e-e Last* hochziehen. **8.** *das Gewehr etc* 'umhängen: ~ arms! *mil.* Gewehr umhängen! **9.** *med. den Arm* in die Schlinge legen.

sling[3] [sliŋ] *s colloq.* (*Art*) Punsch *m.*

'sling|,shot *s Am.* (Stein)Schleuder *f*, Kata'pult *m, n.* ~ **trot** *s sport* Lokkerungs(lauf)schritt *m.*

slink [sliŋk] **I** *v/i pret* **slunk** [slʌŋk] *obs.* **slank** [slæŋk] *pp* **slunk 1.** schleichen, sich stehlen: to ~ off wegschleichen, sich fortstehlen. **2.** fehlgebären, *bes.* verkalben (*Kuh*). **II** *v/t* **3.** *Junges* vor der Zeit werfen. **III** *s* **4.** *vet.* Fehl-, Frühgeburt *f* (*bes. Kalb*). **'slink·y** *adj sl.* **1.** verstohlen. **2.** geschmeidig. **3.** hauteng, ‚gewagt': ~ dress.

slip[1] [slip] **I** *s* **1.** (Aus)Gleiten *n*, (-)Rutschen *n.* **2.** Fehltritt *m* (*a. fig.*). **3.** 'Mißgeschick *n*, ‚Panne' *f*: there is many a ~ 'twixt the cup and the lip zwischen Lipp' und Kelches Rand schwebt der dunklen Mächte Hand. **4.** (Flüchtigkeits)Fehler *m*, ‚Schnitzer' *m*, Lapsus *m*: ~ of the pen Schreibfehler; ~ of the tongue ‚Versprecher' *m*; it was a ~ of the tongue ich habe mich (er hat sich *etc*) versprochen. **5.** Fehler *m*, Fehlleistung *f*, ‚Panne' *f.* **6.** 'Unterkleid *n*: your ~ is showing ‚es blitzt'. **7.** *Br.* (Kinder)Lätzchen *n.* **8.** *Br.* Badehose *f.* **9.** (Kissen)Bezug *m.* **10.** *hunt.* Koppel *f*, (Hunde)Leine *f*: to give s.o. the ~ *fig.* j-m entwischen. **11.** *mar.* a) (Schlipp)Helling *f* (*für den Stapellauf*), b) *Am.* Schlippe *f* (*Gang in e-m Dock*). **12.** *tech.* Schlupf *m* (*Nacheilen der Drehzahl*). **13.** *tech. Nachbleiben der Fördermenge bei Pumpen.* **14.** *Kricket*: a) Eckmann *m*, b) *Stellung zur Linken hinter dem Dreistab.* **15.** *geol.* kleine Verwerfung, Erdrutsch *m.* **16.** *aer.* Slip *m* (*Seitwärtsbewegung des Flugzeugs, um Höhe zu verlieren*).

II *v/i* **17.** gleiten, rutschen: to ~ from *der Hand etc* entgleiten; to ~ from one's mind j-m entfallen; it ~ped from my lips es ist mir ‚herausgerutscht'; to let ~ (sich) ‚verplappern', *etwas* verraten; to let an opportunity ~ sich e-e Gelegenheit entgehen lassen; to ~ into bad language in Obszönitäten abgleiten. **18.** ausgleiten, -rutschen. **19.** sich (hoch- *etc*)schieben, (ver)rutschen. **20.** sich lösen (*Knoten*). **21.** (hin'ein)schlüpfen: to ~ into a dress (room, *etc*). **22.** (e-n) Fehler machen, sich ‚vertun', ‚stolpern'. **23.** *colloq.* nachlassen (*Kräfte etc, a. econ. Preise etc*): he is ~ping er läßt nach.

III *v/t* **24.** gleiten lassen, (*bes.* heimlich) stecken *od.* tun: to ~ one's hand into the drawer; to ~ s.o. s.th. j-m etwas zustecken; → slip in II. **25.** *e-n Ring, ein Kleid etc* 'überstreifen *od.* abstreifen: to ~ a dress on (off); to ~ a lens on e-e Linse aufstecken. **26.** *ein Hundehalsband, a. e-e Fessel etc* abstreifen; → collar 2. **27.** *e-n Hund etc* loslassen. **28.** *etwas* loslassen. **29.** *j-m* entwischen, -kommen. **30.** *j-s Aufmerksamkeit* entgehen: to have ~ped s.o.'s memory (*od.* mind) j-m entfallen sein. **31.** *e-n Knoten* lösen. **32.** → slink 3. **33.** *med.* auskugeln, verrenken: to ~ one's shoulder; ~ped disc Bandscheibenvorfall *m.*

Verbindungen mit Adverbien:

slip| a·way *v/i* **1.** entschlüpfen, entwischen, sich da'vonmachen. **2.** verstreichen (*Zeit*). ~ **by** → slip away 2. ~ **in I** *v/i* **1.** sich einschleichen (*a. fig. Fehler*), hin'einschlüpfen. **II** *v/t* **2.** hin'eingleiten lassen. **3.** *fig. e-e Bemerkung* einfließen lassen. ~ **on** *v/t e-n Ring, ein Kleid etc* 'überstreifen, *tech.* aufstecken. ~ **out I** *v/i* hin'ausschlüpfen, -gleiten. **II** *v/t* her'ausziehen aus. ~ **up** *v/i colloq.* → slip[1] 22.

slip[2] [slip] *s* (*ohne pl u. art*) geschlemmte Tonmasse.

slip[3] [slip] *s* **1.** Pfropfreis *n*, Ableger *m*, Setzling *m.* **2.** *fig.* Sprößling *m.* **3.** Streifen *m*, Stück *n* (*Holz, Papier etc*), Zettel *m*: a ~ of a boy *fig.* ein schmächtiges Bürschchen; a ~ of a room *fig.* ein winziges Zimmer. **4.** (Kon'troll)-Abschnitt *m*: bank ~ *econ.* Giroabschnitt. **5.** *print.* Fahne *f.*

'slip|,case *s* **1.** ('Bücher)Kas,sette *f.* **2.** → slipcover. **'~,cov·er** *s* **1.** Schonbezug *m* (*für Möbel*). **2.** Schutzhülle *f* (*für Bücher*). ~ **fu·el tank** *s aer.* abwerfbarer Brennstoffbehälter. ~ **joint** *s tech.* Gleitfuge *f*, -verbindung *f.* **'~knot** *s* Laufknoten *m.* **'~-,on I** *s* Kleidungsstück *n* zum 'Überstreifen, *bes.* a) Slipon *m* (*Mantel*), b) Pull'over *m*, c) Schlupfjacke *f.* **II** *adj* a) Umhänge..., Überzieh..., b) *tech.* Aufsteck...: ~ cap (lens, *etc*). **'~,o·ver** *s* **1.** 'Überzug *m.* **2.** 'Herrenpull,over *m.*

slip·page ['slipidʒ] *s tech.* **1.** Schlupf *m*, Schlüpfung *f.* **2.** Schlüpfungsverlust *m.*

slip·per ['slipər] **I** *s* **1.** a) Pan'toffel *m*, b) Slipper *m* (*leichter Haus- od. Straßenschuh*). **2.** *tech.* Hemmschuh *m.* **II** *v/t* **3.** *j-n* mit dem Pan'toffel schlagen.

slip·per·i·ness ['slipərinis] *s* **1.** Schlüpfrigkeit *f* (*a. fig. Unsicherheit*). **2.** *fig. contp.* ‚Gerissenheit' *f.*

'slip·per-'slop·per [-'slɒpər] *adj Br. colloq.* kitschig, sentimen'tal.

slip·per·y ['slipəri] *adj* (*adv* **slipperily**) **1.** schlüpfrig, glatt, glitschig: a ~ road (rope, *etc*); ~ carriageway!, *Am.* ~ when wet! Vorsicht, Schleudergefahr! **2.** *fig.* aalglatt, gerissen: a ~ fellow. **3.** zweifelhaft, unsicher: a ~ position. **4.** heikel: a ~ subject. **5.** verschwommen: ~ style.

slip·py ['slipi] *adj colloq.* **1.** schlüpfrig, glatt. **2.** *bes. Br.* fix, flink: look ~! mach fix!

slip| ring *s electr.* Schleifring *m.* **'~,road** *s* Um'gehungsstraße *f.* **'~-,shod** *adj fig.* schlampig, schlud(e)rig. **'~,slop I** *s colloq.* ‚labberiges Zeug' (*Getränk; a. fig. leeres Gewäsch*). **II** *adj* ‚labberig' (*a. fig.*). **'~,sole** *s* Einlegesohle *f* (*für Schuhe*). **'~,stick** *s Am.* Rechenschieber *m.* ~ **stream** *s aer.* Luftschraubenstrahl *m.* **'~-,up** *s colloq.* → slip[1] 4 *u.* 5. **'~,way** *s mar.* Helling *f.*

slit [slit] **I** *v/t pret u. pp* **slit 1.** aufschlitzen, -schneiden. **2.** zerschlitzen. **3.** in Streifen schneiden. **4.** spalten. **5.** ritzen. **II** *v/i* **6.** e-n Riß bekommen, reißen, schlitzen. **III** *s* **7.** Schlitz *m.* **'~-,eyed** *adj* schlitzäugig.

slith·er ['sliðər] **I** *v/i* **1.** gleiten, rutschen, schlittern. **2.** (schlangenartig) gleiten (*gehen*). **II** *s* **3.** Gleiten *n*, Rutschen *n.* **'slith·er·y** *adj* schlüpfrig.

slit| skirt *s* geschlitzter (Damen)Rock. ~ **trench** *s mil.* Splittergraben *m.*

sliv·er ['slivər] **I** *s* **1.** Splitter *m*, Span *m.* **2.** Stück(chen) *n.* **3.** *Spinnerei*: a) Kammzug *m*, b) Florband *n.* **II** *v/t* **4.** *e-n Span etc* abspalten, zersplittern. **5.** *Spinnerei*: *Wolle etc* teilen. **III** *v/i* **6.** zersplittern.

slob [slɒb] *s* **1.** *bes. Ir.* Schlamm *m*, Mo'rast *m.* **2.** *bes. Am. contp.* a) ‚Ochse' *m*, b) Rüpel *m.* **3.** *Am. sl.* Kerl *m*: fat ~ Fettwanst *m.*

slob·ber ['slɒbər] **I** *v/i* **1.** sabbern. **2.** ~ over *fig.* kindisch schwärmen von: he ~ed ‚s-e Lippen sprühten'. **3.** schlampen (*bei der Arbeit*). **II** *v/t* **4.** besabbern. **5.** ‚abschlecken', abküssen. **6.** *etwas* mit Schaum vor dem Munde äußern. **III** *s* **7.** Geifer *m*, Speichel *m.* **8.** Salbade'rei *f*, Fase'lei *f.* **9.** sentimen'tales Gewäsch. **'slob·ber·y** *adj* **1.** sabbernd. **2.** besabbert, speichelnaß. **3.** *fig.* gefühlsduselig. **4.** schlampig.

sloe [slou] *s bot.* **1.** Schlehe *f.* **2.** *a.* ~bush, ~tree Schleh-, Schwarzdorn *m.* **3.** *einige Arten amer. wilder Pflaumen.* **'~-,eyed** *adj* dunkeläugig. ~ **gin** *s* 'Schlehenli,kör *m.* **'~-,worm** *Br. für* slowworm.

slog [slɒg] *colloq.* **I** *v/t* **1.** (heftig) schlagen. **2.** verprügeln. **II** *v/i* **3.** schlagen, ‚dreschen'. **4.** ~ away, ~ on a) sich da'hinschleppen, (mühsam) stapfen, b) *fig.* sich ‚'durchbeißen'. **5.** sich plagen, schuften. **III** *s* **6.** harter Schlag. **7.** *fig.* Schinde'rei *f.*

slo·gan ['slougən] *s* **1.** *Scot.* Schlachtruf *m.* **2.** Slogan *m*: a) Schlagwort *n*, b) Werbespruch *m.* **,slo·gan'eer** [-'nir] *s* **1.** Erfinder *m od.* eifriger Verwender von Schlagwörtern. **2.** Werbetexter *m.* **'slo·gan,ize** *v/t* **1.** in Schlagwortform bringen. **2.** (werbe)wirksam ausdrücken.

slog·ger ['slɒgər] *colloq. s* **1.** *sport* harter Schläger. **2.** *fig.* ‚Arbeitstier' *n.*

sloid, slojd → sloyd.

sloop [sluːp] *s mar.* **1.** Scha'luppe *f.* **2.** (*Art*) Geleit-, Poli'zeiboot *n.* ~ **of war** *s mar. hist. Br.* Ka'nonenboot *n.*

slop[1] [slɒp] **I** *s* **1.** Pfütze *f*, Nässe *f.* **2.** *meist pl*, labb(e)riges Zeug', ‚Spülwasser' *n.* **3.** *meist pl* a) Spülicht *n*, b) Schmutzwasser *n*, c) Exkre'mente *pl.* **4.** Schweinetrank *m.* **5.** Krankensüppchen *n.* **6.** Matsch *m.* **7.** *Am. sl.* rührseliges Zeug. **II** *v/t* **8.** verschütten. **9.** bespritzen. **10.** ('hin)klatschen. **11.** *a.* ~ up geräuschvoll essen *od.* trinken. **III** *v/i* **12.** *oft* ~ over, ~ out Wasser verschütten. **13.** ~ over 'überschwappen. **14.** ('hin)klatschen. **15.** ~ over *colloq. bes. Am.* 'überschwenglich schwärmen. **16.** (durch Schlamm) patschen, waten. **17.** *Am.* ‚her'umhängen' (*Person*).

slop[2] [slɒp] *s* **1.** Kittel *m*, lose Jacke. **2.** *pl* billige Konfekti'onskleider *pl.* **3.** *pl dial.* Pluderhose(n *pl*) *f.* **4.** *mar.*

Kleidung *f* u. Bettzeug *n*, ‚Kla'motten' *pl*. **5.** *pl hist.* weite Hose.
slop[3] [slɒp] *s Br. sl.* ‚Po'lyp' *m* (*Polizist*).
slop| ba·sin, ~ bowl *s* **1.** (*Art*) 'Untersatz *m*. **2.** Schmutzwasserbehälter *m*.
slope [sloup] **I** *s* **1.** (Ab)Hang *m*. **2.** Böschung *f*. **3.** a) Neigung *f*, Gefälle *n*, b) Schräge *f*, geneigte Ebene: at the ~ *mil.* mit Gewehr über; on the ~ schräg, abfallend. **4.** *geol.* Senke *f*. **5.** *math.* 'Richtungskoeffizi,ent *m*. **6.** *Bergbau*: schräger Stollen. **II** *v/i* **7.** sich neigen, (schräg) abfallen. **8.** *bes. Am. colloq.* a) *a.* ~ off ‚abhauen', b) *a.* ~ about her'umschlendern. **III** *v/t* **9.** neigen, senken. **10.** abschrägen (*a. tech.*). **11.** (ab)böschen. **12.** *mil. das Gewehr* 'übernehmen: → **arm**[2] *Bes. Redew.* **'slop·ing** *adj* schräg, abfallend, ansteigend.
slop pail *s* Toi'letteneimer *m*.
slop·pi·ness ['slɒpinis] *s* **1.** Nässe *f*, Matschigkeit *f*. **2.** Schlampigkeit *f*. **3.** *colloq.* Ge,fühlsduse'lei *f*.
slop·py ['slɒpi] *adj* (*adv* **sloppily**) **1.** matschig, naß: ~ **ground**. **2.** naß, bespritzt: ~**table**. **3.** ‚labb(e)rig': ~ **food**. **4.** *colloq.* rührselig, sentimen'tal. **5.** *colloq.* nachlässig, sa'lopp (*a. Sprache*), schlud(e)rig, schlampig.
'slop|,shop *s* Laden *m* mit billiger Konfekti'onsware. **'~,work** *s* **1.** *econ.* a) 'Herstellung *f* von Konfekti'onsware, b) Konfekti'onskleidung *f*. **2.** Schlamparbeit *f*.
slosh [slɒʃ] **I** *s* **1.** → **slush** 1 *u.* 2. **2.** Schuß *m* (*e-r Flüssigkeit*). **3.** Schlag *m*. **II** *v/i* **4.** im (Schmutz)Wasser her'umpatschen. **5.** quatschen (*Wasser, Schuh*). **6.** schwappen (over über *acc*). **III** *v/t* **7.** durchs Wasser ziehen. **8.** *sl.* *j-n* ‚verdreschen'. **9.** dick schmieren.
sloshed *adj Br. sl.* ‚besoffen'.
slot[1] [slɒt] **I** *s* **1.** Schlitz(einwurf) *m* (*e-s Automaten etc*), Spalte *f*. **2.** *tech.* Nut *f*, Kerbe *f*: ~ **and key** Nut u. Feder. **3.** *Am.* enger Raum. **4.** *Am. colloq.* Platz *m*, Stellung *f*. **II** *v/t* **5.** *tech.* schlitzen, nuten: ~**ting machine** Nuten-, Senkrechtstoßmaschine *f*.
slot[2] [slɒt] *s bes. hunt.* Spur *f*.
slot[3] [slɒt] *s Br.* **1.** (Tür)Riegel *m*. **2.** (Me'tall)Stange *f*. **3.** Latte *f*.
sloth [slouθ; *Am. a.* slɔːθ *u.* slɑθ] *s* **1.** Faulheit *f*. **2.** *zo.* Faultier *n*. **'sloth·ful** [-fəl; -ful] *adj* (*adv* ~**ly**) faul, träge. **'sloth·ful·ness** → sloth 1.
slot ma·chine *s* ('Waren-, 'Spiel-) Auto,mat *m*.
slot·ted screw ['slɒtid] *s tech.* Schlitzschraube *f*.
slouch [slautʃ] **I** *s* **1.** krumme, nachlässige Haltung. **2.** latschiger Gang. **3.** *fig.* Laxheit *f*. **4.** a) her'abhängende Hutkrempe, b) Schlapphut *m*. **5.** *bes. Am. sl. contp.* a) Tölpel *m*, b) Nichtstuer *m*, c) ‚Niete' *f*, ‚Flasche' *f*: **he is no** ~ **(at)** ‚er ist auf Draht' (in *dat*); **the show is no** ~ ‚das Stück ist nicht ohne'. **II** *v/i* **6.** krumm dastehen *od.* -sitzen. **7.** *a.* ~ **along** latschig gehen, latschen. **8.** her'abhängen (*Krempe etc*). **III** *v/t* **9.** *die Krempe* her'unterbiegen. **10.** *die Schultern* hängenlassen. ~ **hat** *s* Schlapphut *m*.
slouch·ing ['slautʃiŋ], **'slouch·y** [-tʃi] *adj* **1.** krumm (*Haltung*), latschig (*Gang, Haltung, Person*). **2.** her'abhängend (*Krempe*). **3.** schlotterig, schlampig (*Kleidung*). **4.** lax, faul.
slough[1] [slau] *s* **1.** Sumpf-, Schmutzloch *n*. **2.** Mo'rast *m* (*a. fig.*): **the S~ of Despond** der Sumpf der Verzweiflung, der Sündenpfuhl. **3.** [sluː] *bes. Am. od. Canad.* Sumpf *m*, *bes.* (sumpfige) Flußbucht.
slough[2] [slʌf] **I** *s* **1.** abgestreifte Haut (*bes. der Schlange*). **2.** *fig.* (*etwas*) Abgetanes. **3.** *med.* Schorf *m*, tote Haut. **II** *v/i* **4.** *oft* ~ **away**, ~ **off** a) sich häuten, b) *med.* sich ablösen (*Schorf*). **5.** ~ **off** *fig. Am.* nachlassen. **III** *v/t* **6.** *a.* ~ **off** a) *Haut etc* abstreifen, abwerfen, b) *fig. etwas* loswerden, *e-e Gewohnheit etc* ablegen. **7.** *Bridge*: *e-e Karte* abwerfen.
slough·y[1] ['slaui] *adj* sumpfig.
slough·y[2] ['slʌfi] *adj med.* schorfig.
Slo·vak ['slouvæk; slo'væk], **Slo'va·ki·an** [-kiən] **I** *s* **1.** Slo'wake *m*, Slo'wakin *f*. **2.** *ling.* Slo'wakisch *n*, das Slowakische. **II** *adj* **3.** slo'wakisch.
slov·en ['slʌvn] *s* a) Schlamper *m*, b) Schlampe *f*.
Slo·vene [slo'viːn; 'slouviːn], **Slo've·ni·an** [-niən; -njən] **I** *s* **1.** Slo'wene *m*, Slo'wenin *f*. **2.** *ling.* Slo'wenisch *n*, das Slowenische. **II** *adj* **3.** slo'wenisch.
slov·en·li·ness ['slʌvnlinis] *s* Schlampigkeit *f*. **'slov·en·ly** *adj u. adv* schlampig, schlud(e)rig.
slow [slou] **I** *adj* (*adv* ~**ly**) **1.** *allg.* langsam: ~ **and sure** langsam, aber sicher; **to be** ~ **in arriving** lange ausbleiben, auf sich warten lassen; **to be** ~ **to write** sich mit dem Schreiben Zeit lassen; **to be** ~ **to take offence** nicht leicht etwas übelnehmen; **not to be** ~ **to do s.th.** etwas prompt tun, nicht lange mit etwas fackeln; **the clock is 10 minutes** ~ die Uhr geht 10 Minuten nach. **2.** all'mählich, langsam: ~ **growth**. **3.** träge, langsam, bedächtig: **a** ~ **worker**. **4.** säumig (*a. Zahler*), unpünktlich. **5.** schwerfällig, begriffsstutzig, schwer von Begriff: **to be** ~ **in learning s.th.** etwas nur schwer lernen; **to be** ~ **of speech** e-e schwere Zunge haben. **6.** schwach (*Feuer, Hitze*). **7.** schleichend (*Fieber, Gift*). **8.** *econ.* schleppend, schlecht: ~ **sale**; ~ **business**. **9.** schleppend, langsam vergehend (*Zeit*). **10.** langweilig, fad(e). **11.** langsam (*Rennbahn*), schwer (*Boden*). **12.** *mot.* Leerlauf... **13.** *phot.* lange Belichtung erfordernd (*Linse, Filter, Film*). **14.** *Atomphysik*: langsam: ~ **neutron**; ~ **reactor**. **II** *adv* **15.** langsam: ~! *mot.* langsam fahren!; **to go** ~ *fig.* ‚langsam treten' (*vorsichtig vorgehen od. langsam arbeiten*). **III** *v/t* **16.** *meist* ~ **down**, ~ **off**, ~ **up** a) *die Geschwindigkeit* verlangsamen, -ringern, b) *etwas* verzögern. **IV** *v/i* **17.** *meist* ~ **down**, ~ **off**, ~ **up** sich verlangsamen, langsamer werden.
'slow|-,act·ing *adj electr.* langsam (wirkend), träge (ansprechend), Langzeit... ~ **as·sets** *s pl econ.* feste Anlagen *pl*. **'~-'burn·ing stove** *s* Dauerbrandofen *m*. ~ **coach** *s colloq.* Langweiler *m*. **'~,down** *s* **1.** Verlangsamung *f*. **2.** → go-slow. ~ **match** *s mil. tech.* Zündschnur *f*, Lunte *f*. ~ **mo·tion** *s phot.* Zeitlupe(ntempo *n*) *f*: **in** ~ im Zeitlupentempo. **'~-,mo·tion** *adj* Zeitlupen...: ~ **picture** Zeitlupe(naufnahme) *f*; ~ **dial** Feinstellskala *f*. **'~-'mov·ing** *adj* **1.** langsam (gehend). **2.** *econ.* → slow 8.
slow·ness ['slounis] *s* **1.** Langsamkeit *f*. **2.** Schwerfälligkeit *f*. **3.** Begriffsstutzigkeit *f*. **4.** Langweiligkeit *f*.
'slow|,poke *Am. für* **slow coach**. ~ **time** *s mil.* (langsames) Marschtempo. ~ **train** *s* Per'sonenzug *m*. **'~-'wit·ted** → slow 5. **'~,worm** *s zo.* Blindschleiche *f*.
sloyd [slɔid] *s ped.* 'Werk,unterricht *m* (*bes. Schnitzen*).
slub [slʌb] *tech.* **I** *v/t* grob vorspinnen. **II** *s* Vorgespinst *n*. **'slub·ber** *s tech.* 'Vorspinnma,schine *f*.
sludge [slʌdʒ] *s* **1.** Schlamm *m*, Schlick *m*, (*a.* Schnee)Matsch *m*. **2.** *tech.* Schlamm *m*, Bodensatz *m*. **3.** Klärschlamm *m*. **4.** *tech.* Pochschlamm *m*. **5.** Treibeis *n*. **6.** *med.* Blutklumpen *m*. **'sludg·y** *adj* **1.** schlammig, matschig. **2.** mit Eisschollen bedeckt.
slue[1] [sluː] **I** *v/t a.* ~ **round** her'umdrehen, -schwenken, um s-e Achse drehen. **II** *v/i* sich her'umdrehen.
slue[2] → **slew**[4].
slug[1] [slʌg] **I** *s* **1.** *zo.* (Weg)Schnecke *f*. **2.** *obs.* Faulpelz *m*. **II** *v/i* **3.** faulenzen.
slug[2] [slʌg] *s* **1.** Stück *n* 'Rohme,tall. **2.** a) *hist.* Mus'ketenkugel *f*, b) (Luftgewehr-, *Am.* Pi'stolen)Kugel *f*, c) grobes Schrot. **3.** *Am.* Me'tallscheibe *f* (*falsche Münze*). **4.** *print.* a) 'Durchschuß *m*, Re'glette *f*, b) 'Setzma,schinenzeile *f*, c) Zeilenguß *m*. **5.** *phys.* Masseneinheit *f*. **6.** *Am. colloq.* Gläschen *n* (*Schnaps etc*).
slug[3] [slʌg] **I** *s bes. Am.* **1.** (harter) Schlag. **II** *v/t* **2.** hart schlagen. **3.** *j-m* ‚e-e knallen', *j-n* treffen (*mit der Faust etc*). **4.** *j-n* ‚verdreschen'. **III** *v/i* **5.** aufein'ander einschlagen. **6.** *a.* ~ **on** fig. sich ‚durchbeißen'.
slug·a·bed ['slʌgə,bed] *s* Langschläfer(in).
slug·gard ['slʌgərd] **I** *s* Faulpelz *m*. **II** *adj* (*adv* ~**ly**) faul.
slug·ger ['slʌgər] *s Am. colloq.* **1.** *Boxen u. Baseball*: harter Schläger. **2.** Berufsboxer *m*.
slug·gish ['slʌgiʃ] *adj* (*adv* ~**ly**) **1.** träge (*a. med. Organ*), langsam, schwerfällig. **2.** *econ. etc* schleppend, träge fließend (*Fluß etc*). **'slug·gish·ness** *s* Trägheit *f*, Langsamkeit *f*, Schwerfälligkeit *f*.
sluice [sluːs] **I** *s tech.* **1.** Schleuse *f* (*a. fig.*). **2.** Stauwasser *n*. **3.** 'Schleusenka,nal *m*. **4.** 'Abflußka,nal *m*. **5.** (Gold- *od.* Erz)Waschrinne *f*. **6.** *colloq.* gründliche (Ab)Waschung. **II** *v/t* **7.** *Wasser* ablassen. **8.** (aus)spülen. **9.** *min. Erz etc* waschen. **III** *v/i* **10.** (aus)strömen. ~ **gate** *s tech.* Schleusentor *n*. **'~,way** → sluice 3.
slum[1] [slʌm] **I** *s* **1.** schmutzige Gasse. **2.** *meist pl* Slums *pl*, Elendsviertel *n od. pl*: ~ **clearance** (Städte)Sanierung *f*. **II** *v/i* **3.** *meist* **go** ~**ming** die Slums aufsuchen.
slum[2] [slʌm] *s chem. bes. Br. unlösliches Oxydationsprodukt des rohen Schmieröls.*
slum[3] [slʌm] → **slumgullion**.
slum·ber ['slʌmbər] **I** *v/i* **1.** *bes. poet.* schlummern (*a. fig.*). **2.** da'hindösen. **II** *v/t* **3.** ~ **away** *Zeit* verschlafen, -dösen. **III** *s meist pl* **4.** Schlummer *m*: ~**-wear** Nachtgewand *n*. **5.** Da'hindösen *n*. **'slum·ber·ous** *adj* (*adv* ~**ly**) **1.** schläfrig. **2.** einschläfernd.
slum·brous ['slʌmbrəs] → slumberous.
slum·gul·lion [slʌm'gʌljən] *s sl.* **1.** ‚Plempe' *f*, wäßriges ‚Gesöff'. **2.** *Am.* Eintopf(gericht *n*) *m*. **3.** *Am.* mit Fett u. Meerwasser vermischtes Blut (*an Deck e-s Walfängers*).
slump [slʌmp] **I** *v/i* **1.** (hin'ein)plumpsen. **2.** *meist* ~ **down** (in sich) zs.-sacken (*Person*). **3.** *econ.* stürzen (*Preise*). **4.** völlig versagen. **5.** *geol.* rutschen. **II** *s* **6.** *econ.* a) (Preis)Sturz *m*, Baisse *f* (*an der Börse*), b) (Wirtschafts)Krise *f*. **7.** *allg.* plötzlicher Rückgang, (Ab)Sturz *m*. **8.** *sport*

'Schwächeperi,ode *f.* **9.** *geol.* Rutschung *f.*

slung [slʌŋ] *pret u. pp von* **sling**[1] *u.* [2].

slung shot *s Am.* Schleudergeschoß *n.*

slunk [slʌŋk] *pret u. pp von* **slink.**

slur[1] [slɜːr] **I** *v/t* **1.** her'absetzen, verleumden. **2.** *obs.* beflecken (*a. fig.*). **II** *s* **3.** Makel *m*, (Schand)Fleck *m*: to put (*od.* cast) a ~ upon a) *j-n* verunglimpfen *od.* verleumden, b) *j-s Ruf etc* Abbruch tun. **4.** Verleumdung *f.*

slur[2] [slɜːr] **I** *v/t* **1.** a) undeutlich schreiben, b) *print.* schmitzen, verwischen. **2.** *ling.* *e-e Silbe etc* verschlucken, -schleifen, undeutlich aussprechen. **3.** *mus.* a) *Töne* binden, le'gato spielen, b) *Noten* mit Bindebogen bezeichnen. **4.** *oft* ~ over (leicht) über *ein Thema etc* hin'weggehen. **II** *v/i* **5.** undeutlich schreiben. **6.** ‚nuscheln', undeutlich sprechen. **7.** *mus.* le'gato singen *od.* spielen. **8.** *print.* schmitzen. **III** *s* **9.** Undeutlichkeit *f*, ‚Genuschel' *n.* **10.** *mus.* a) Bindung *f*, Le'gato *n*, b) Bindebogen *m.* **11.** *print.* Schmitz *m.*

slush [slʌʃ] **I** *s* **1.** Schneematsch *m.* **2.** Schlamm *m*, Matsch *m.* **3.** *geol.* Schlammeis *n.* **4.** *tech.* Schmiermittel *n.* **5.** *tech.* Pa'pierbrei *m.* **6.** Ge,fühlsduse'lei *f*, Schwärme'rei *f.* **7.** Schund *m*, Kitsch *m.* **II** *v/t* **8.** bespritzen. **9.** (ein)schmieren: ~ing oil Rostschutzöl *n.* **10.** *a.* ~ up *e-e Fuge* verstreichen. **11.** abspritzen, abspülen. **III** *v/i* → slosh II. ~ **fund** *s Am. sl.* Schmiergelderfonds *m.*

slush·y ['slʌʃi] *adj* **1.** matschig, schlammig, schmutzig (*a. fig.*). **2.** sentimen'tal, kitschig.

slut [slʌt] *s* **1.** Schlampe *f.* **2.** ‚Nutte' *f*, Hure *f.* **3.** *humor.* ‚kleines Luder' (*Mädchen*). **4.** *bes. Am.* Hündin *f.* **'slut·tish** *adj* (*adv* ~ly) **1.** schlampig, liederlich. **2.** schmutzig. **'slut·tish·ness** *s* Schlampigkeit *f* (*etc*).

sly [slai] *comp* **'sli·er** *od.* **'sly·er** *sup* **'sli·est** *od.* **'sly·est** *adj* (*adv* → slyly, *a.* slily) **1.** schlau, verschlagen, listig. **2.** verstohlen, heimlich, 'hinterhältig: on the ~ insgeheim, ‚klammheimlich'; → dog 4. **3.** verschmitzt, durch'trieben, pfiffig. '~**,boots** *s humor.* ‚Schlauberger' *m*, ‚Pfiffikus' *m.*

sly·ly ['slaili] *adv von* sly. **'sly·ness** *s* Schlauheit *f* (*etc*).

slype [slaip] *s arch.* (über'dachter) Verbindungsgang (*zwischen Querschiff u. Pfarrhaus*).

smack[1] [smæk] **I** *s* **1.** (Bei)Geschmack *m* (of von). **2.** *fig.* Beigeschmack *m*, Anflug *m* (of von). **3.** Prise *f* (*Salz etc*). **4.** Häppchen *n*, Bissen *m.* **II** *v/i* **5.** schmecken (of nach). **6.** *fig.* schmekken *od.* riechen (of nach).

smack[2] [smæk] **I** *s* **1.** Klatsch *m*, Klaps *m*, klatschender Schlag: a ~ in the eye a) ein Schlag ins Gesicht (*a. fig.*), b) *fig.* ‚ein Schlag ins Kontor'; to have a ~ at s.th. es (einmal) mit etwas versuchen. **2.** Schmatzen *n*, Schnalzen *n.* **3.** (*bes.* Peitschen)Knall *m.* **4.** Schmatz *m* (*Kuß*). **II** *v/t* **5.** knallen mit: to ~ a whip. **6.** *etwas* schmatzend genießen. **7.** ~ one's lips a) schmatzen, b) sich die Lippen lecken. **8.** *etwas* 'hinklatschen. **9.** klatschend schlagen (auf *acc*). **10.** *die Hände etc* zs.-schlagen. **11.** *j-m* e-n Klaps geben. **III** *v/i* **12.** schmatzen. **13.** klatschend schlagen (on auf *acc*). **14.** knallen (*Peitsche etc*). **15.** 'hinklatschen (on auf *acc*). **IV** *adv u. interj colloq.* **16.** klatsch(!), platsch(!) (*a. gerade, direkt*): to run ~ into s.th.

smack[3] [smæk] *s mar.* Schmack(e) *f* (*vollgedecktes Fischerboot*).

smack·er ['smækər] *s* **1.** *colloq.* Schmatz *m.* **2.** Klatsch *m*, Knall *m.* **3.** *Br. sl.* ‚tolles Ding'. **4.** *Am. sl.* Dollar *m.*

smack·ing ['smækiŋ] *s* (Tracht *f*) Prügel *pl.*

small [smɔːl] **I** *adj* **1.** *allg.* klein: to make o.s. ~ sich klein machen. **2.** klein, schmächtig: a ~ boy. **3.** klein, gering (*Anzahl, Grad etc*): they came in ~ numbers es kamen nur wenige; ~ and early (party) kleine, kurze Party. **4.** wenig: ~ blame to him ihn trifft kaum e-e Schuld; ~ wonder kein Wunder; to have ~ cause for kaum Anlaß zu *Dankbarkeit etc* haben. **5.** klein, armselig, dürftig. **6.** klein, mit wenig Besitz: ~ farmer Kleinbauer *m*; ~ tradesman kleiner Geschäftsmann. **7.** klein, (sozi'al) niedrig: ~ people kleine Leute. **8.** unbedeutend, klein: a ~ poet; a ~ man. **9.** bescheiden, klein: a ~ beginning. **10.** klein, trivi'al: the ~ worries die kleinen Sorgen; a ~ matter e-e Kleinigkeit *od.* Bagatelle; in a ~ way a) bescheiden *leben etc*, b) im Kleinen *handeln etc.* **11.** *contp.* kleinlich: it was ~ of him to remind me of it. **12.** *contp.* niedrig: his ~ spiteful nature. **13.** ‚klein', beschämt: to feel ~ sich schämen; to make s.o. feel ~ j-n beschämen. **14.** schwach, klein (*Stimme*): the ~ voice of conscience die Stimme des Gewissens. **15.** dünn (*Bier*).

II *adv* **16.** fein, klein: to cut ~ kleinschneiden. **17.** ängstlich, (nur) schwach: → sing 1. **18.** töricht: to look ~. **19.** auf bescheidene Art. **20.** gering(schätzig): to think ~ of s.o. auf j-n herabsehen.

III *s* **21.** (*das*) Kleine, (*etwas*) Kleines: by ~ and ~ nach u. nach; in ~ im kleinen; in the ~ in kleinen Mengen *etc.* **22.** schmal(st)er *od.* verjüngter Teil: the ~ of the back das Kreuz (*Körperteil*). **23.** *pl* Leib-, 'Unterwäsche *f*, Kurzwaren *pl.* **24.** *pl Br. colloq. erstes Examen der Kandidaten für das Bakkalaureat an der Universität Oxford.*

small ad *s colloq.* Kleinanzeige *f.*

small·age ['smɔːlidʒ] *s bot.* Sellerie *m, f.*

small| arms *s pl mil.* Hand(feuer)waffen *pl.* ~ **beer** *s* **1.** *obs.* Dünnbier *n.* **2.** *bes. Br.* a) Lap'palie *f*, ‚kleine Fische' *pl*, b) ‚Null' *f*, unbedeutende Per'son: to think no ~ of o.s. *colloq.* e-e hohe Meinung von sich haben; to chronicle ~ *colloq.* ‚aus e-r Mücke e-n Elefanten machen'. ~ **cap·i·tals,** ~ **caps** *s pl print.* Kapi'tälchen *pl.* ~ **cat·tle** *s* Kleinvieh *n.* ~ **change** *s* **1.** Kleingeld *n.* **2.** (leere) Redensarten *pl.* **3.** → small beer 2. ~ **cir·cle** *s math.* Kleinkreis *m* (*e-r Kugel*). '~**,clothes** *s pl hist.* Kniehosen *pl.* ~ **coal** *s* Feinkohle *f*, Grus *m.* ~ **deer** *s* **1.** *hunt.* Kleinwild *n.* **2.** *fig. colloq.* ‚Kroppzeug' *n.* ~ **fry** *s* **1.** junge *od.* kleine Fische *pl.* **2.** → fry[2] 3. **3.** → small beer 2. ~ **hand** *s* gewöhnliche Schreibschrift. '~**,hold·er** *s jur. Br.* Kleinbauer *m.* ~ **hold·ing** *s jur. Br.* Kleinlandbesitz *m.* ~ **hours** *s pl* (*die*) frühen Morgenstunden *pl.*

small·ish ['smɔːliʃ] *adj* ziemlich klein.

small| let·ter *s* Kleinbuchstabe *m.* '~-'**mind·ed** *adj* engstirnig, kleinlich, bor'niert.

small·ness ['smɔːlnis] *s* **1.** Kleinheit *f.* **2.** geringe Anzahl. **3.** Geringfügigkeit *f.* **4.** Kleinlichkeit *f.* **5.** niedrige Gesinnung.

small| pi·ca *s print.* kleine Cicero(schrift) (*11 Punkt*). ~ **po·ta·toes** *s pl* (*oft als sg konstruiert*) *bes. Am. colloq.* → small beer 2. '~**,pox** *s med.* Pocken *pl*, Blattern *pl.*

smalls ['smɔːlz] → small 23 *u.* 24.

'**small|-,scale** *adj* in kleinem Rahmen, klein. '~-**,screen** *adj Br. colloq.* Fernseh... ~ **shot** *s* Schrot *m, n.* '~**,sword** *s fenc.* Flo'rett *n.* ~ **talk** *s* oberflächliche Konversati'on, (belangloses) Geplauder: he has no ~ er kann nicht (unverbindlich) plaudern. '~-**,time** *adj sl.* klein, unbedeutend, ‚Schmalspur...' '~-**,tim·er** *s Am. sl.* ‚kleiner Mann', unbedeutender (*z.B.* Geschäfts)Mann. '~**,ware** *s econ. Br.* Galante'riewaren *pl.*

smalt [smɔːlt] *s* **1.** *chem.* S(ch)malte *f*, Kobaltblau *n.* **2.** Kobaltglas *n.*

smar·agd ['smæræɡd] *s* Sma'ragd *m.*

smarm·y ['smɑːrmi] *adj colloq.* **1.** kriecherisch. **2.** ölig, schmeichlerisch. **3.** kitschig, sentimen'tal.

smart [smɑːrt] **I** *adj* (*adv* ~ly) **1.** klug, gescheit, pa'tent, intelli'gent. **2.** gewandt, geschickt. **3.** geschäftstüchtig. **4.** gerissen, raffi'niert: to play it ~ *colloq.* schlau sein. **5.** witzig, geistreich. **6.** *contp.* a) geistreichelnd, b) ‚superklug', klugschnackend. **7.** schmuck, gepflegt. **8.** a) ele'gant, schick, fesch, b) modisch, auffallend schick, ('hyper)mo,dern: the ~ set die elegante Welt. **9.** forsch, schneidig: a ~ pace. **10.** flink, fix. **11.** hart, scharf, empfindlich: a ~ blow; a ~ punishment. **12.** scharf, heftig: ~ pain; ~ criticism. **13.** schlagfertig, keß, frech: a ~ answer. **14.** *colloq.* beträchtlich. **II** *s* **15.** stechender Schmerz. **16.** *fig.* Schmerz *m*, Pein *f.* **17.** Geck *m.* **III** *v/i* **18.** schmerzen, brennen, weh(e) tun. **19.** Schmerzen leiden (from, under unter *dat*): he ~ed under the insult die Kränkung nagte an s-m Herzen; you shall ~ for it das sollst du (mir) büßen.

smart| al·eck ['ælek; -ik] *s bes. Am. colloq.* ‚Klugscheißer' *m.* '~-'**al·eck·y** *adj colloq.* → smart 6 b.

smart·en ['smɑːrtn] **I** *v/t* **1.** *oft* ~ up her'ausputzen, schönmachen. **2.** *fig.* *j-n* aufwecken, ‚auf Draht' bringen. **II** *v/i meist* ~ up **3.** sich schönmachen, sich ‚in Schale werfen'. **4.** *fig.* aufwachen. **5.** sich verschärfen.

smart mon·ey *s* **1.** *jur. mil.* Schmerzensgeld *n*, Buße *f.* **2.** *econ. Am.* gute Geldanlage (*auf Grund e-s sicheren Tips etc*).

smart·ness ['smɑːrtnis] *s* **1.** Klugheit *f*, Gescheitheit *f.* **2.** Gewandtheit *f.* **3.** Gerissenheit *f.* **4.** (flotte) Ele'ganz, Schick *m.* **5.** Forschheit *f.* **6.** Schärfe *f*, Heftigkeit *f.* **'smart·y** *s bes. Am. sl.* **1.** → smart aleck. **2.** ‚schlauer Fuchs'.

smash [smæʃ] **I** *v/t* **1.** *oft* ~ up zerschlagen, -trümmern, -schmettern, in Stücke schlagen: to ~ atoms *phys.* Atome zertrümmern; to ~ in einschlagen. **2.** *die Faust, e-n Stein etc, a. den Tennisball* schmettern: to ~ a stone through the window. **3.** a) *j-n* zs.-schlagen, b) *den Feind* vernichtend schlagen, c) *e-n Gegner* ‚fertigmachen', d) *fig. ein Argument etc* restlos wider'legen. **4.** *j-n* finanzi'ell ka'puttmachen *od.* rui'nieren. **II** *v/i* **5.** zersplittern, in Stücke springen. **6.** krachen, knallen (against gegen; into in *acc*; through durch). **7.** zs.-stoßen, -krachen (*Autos etc*). **8.** *aer.* Bruch machen. **9.** *oft* ~ up ‚zs.-krachen', bank'rott gehen. **10.** *fig.* (gesundheitlich) ka'puttgehen. **11.** *fig.*

zu'schanden werden. **III** *adj* **12.** *Am. sl.* ‚toll', sensatio'nell: a ~ success. **IV** *adv u. interj* **13.** krachend, bums(!), krach(!). **V** *s* **14.** Zerkrachen *n.* **15.** Krach *m.* **16.** → smashup 2—4. **17.** (*a.* finanzi'eller) Zs.-Bruch, Ru'in *m*: to go ~ ‚kaputtgehen': a) völlig zs.-brechen, b) → 9. **18.** *Tennis*: Schmetterball *m.* **19.** *Am. sl.* a) ‚Kies' *m* (*Geld*), b) (*a.* falsche) Münze. **20.** *kaltes Branntwein-Mischgetränk.* **21.** *Am. sl.* ‚toller' Erfolg. '**~-and-'grab raid** *s* Schaufenstereinbruch *m.*

smash·er ['smæʃər] *s sl.* **1.** schwerer Schlag (*a. fig.*). **2.** vernichtendes Argu'ment. **3.** ‚Mordsding' *n*, ‚tolle Sache', ‚Wucht' *f.* **4.** *Tennis*: Schmetterer *m.*

smash hit *s Am. sl.* ‚Schlager' *m*, Bombenerfolg *m.*

smash·ing ['smæʃiŋ] *adj* **1.** *sl.* ‚toll', e'norm, 'umwerfend, 'hinreißend: a ~ success. **2.** heftig: a ~ blow. **3.** vernichtend: ~ defeat.

'**smash,up** *s* **1.** völliger Zs.-bruch. **2.** Bank'rott *m.* **3.** *mot. etc* Zs.-stoß *m.* **4.** *aer.* Bruch(landung *f*) *m.*

smat·ter ['smætər] *v/t* her'umpfuschen *od.* -stümpern in (*dat*). '**smat·ter·er** *s* Stümper(in), Halbwisser(in), Dilet'tant(in). '**smat·ter·ing** *s* oberflächliche Kenntnis, Halbwissen *n*: he has a ~ of French er kann etwas Französisch.

smaze [smeiz] *s* (*aus* smoke *u.* haze) ['rauchdurch,setzter Nebel.

smear [smir] **I** *v/t* **1.** schmieren: to ~ an axle. **2.** *Fett* (auf)schmieren (on auf *acc*). **3.** *die Haut etc* einschmieren. **4.** *etwas* beschmieren: a) bestreichen (with mit), b) besudeln. **5.** *Schrift etc* verschmieren, -wischen. **6.** *fig.* a) *j-s Ruf* besudeln, b) *j-n* verleumden, ‚durch den Dreck ziehen'. **7.** *Am. sl.* *j-n* ‚schmieren', bestechen. **II** *v/i* **8.** schmieren, sich verwischen. **III** *s* **9.** Schmiere *f.* **10.** (Fett-, Schmutz)Fleck *m.* **11.** *fig.* Besudelung *f*, Verunglimpfung *f.* **12.** *med.* Abstrich *m.* ~ **cam·paign** *s* Ver'leumdungskam,pagne *f.* '**~,case** [-,keis] *s Am.* Quark *m.* ~ **cul·ture** *s med.* 'Ausstrichkul,tur *f.* '**~-,sheet** *s* Skan'dal-, Dreckblatt *n* (*Zeitung*). ~ **word** *s* ehrenrührige Bezeichnung.

smear·y ['smi(ə)ri] *adj* **1.** schmierig. **2.** verschmiert.

smeg·ma ['smegmə] *s physiol.* Smegma *n* (*Drüsensekret*).

smell [smel] **I** *v/t pret u. pp* **smelled** *od.* **smelt 1.** *etwas* riechen. **2.** *fig. Verrat etc* wittern: → rat 1. **3.** riechen an (*dat*), beriechen: ~ this rose! **4.** *fig. etwas* beriechen, sich genauer ansehen. **5.** ~ out *hunt.* aufspüren (*a. fig. entdecken, ausschnüffeln*). **II** *v/i* **6.** riechen (at an *dat*). **7.** riechen, e-n Geruchssinn haben: can bees ~? **8.** *meist* ~ about (*od.* round) *fig.* her'umschnüffeln. **9.** *gut etc* riechen, duften. **10.** (übel) riechen, stinken (*colloq. a. fig. unangenehm sein*): his breath ~s er riecht aus dem Mund. **11.** ~ of riechen nach (*a. fig.*): it ~s of nepotism. **III** *s* **12.** Geruch(ssinn) *m.* **13.** Geruch *m*: a) Duft *m*, b) Gestank *m.* **14.** *fig.* Anflug *m* (of von): a ~ of anarchy. **15.** Riechen *n*: to take a ~ at (*od. Am.* of) s.th. *fig.* etwas beriechen. '**smell·er** *s* **1.** *zo.* Tast-, Schnurrhaar *n.* **2.** *sl.* ‚Riechkolben' *m* (*Nase*). **3.** *sl.* Schlag *m* auf die Nase.

smell·ing| bot·tle ['smeliŋ] *s* Riechfläschchen *n.* ~ **salts** *s pl* Riechsalz *n.*

smell·y ['smeli] *adj colloq.* übelriechend, stinkend, muffig.

smelt[1] [smelt] *pl* **smelts,** *collect. a.* **smelt** *s ichth.* Stint *m.*

smelt[2] [smelt] *v/t metall.* **1.** *Erz* (ein)schmelzen, verhütten. **2.** *Kupfer etc* ausschmelzen.

smelt[3] [smelt] *pret u. pp von* smell.

smelt·er ['smeltər] *s* **1.** Schmelzer *m.* **2.** → smeltery. '**smelt·er·y** *s tech.* Schmelzhütte *f.* '**smelt·ing** *s tech.* Verhüttung *f*: ~ furnace Schmelzofen *m.*

smew [smjuː] *s orn.* Kleiner Säger.

smi·lax ['smailæks] *s* Stechwinde *f.*

smile [smail] **I** *v/i* **1.** lächeln (*a. fig. Sonne etc*): to ~ at a) *j-n* anlächeln, *j-m* zulächeln, b) *etwas* belächeln, lächeln über (*acc*); to come up smiling *fig.* die Sache leicht überstehen. **2.** ~ (up)on *fig. j-m* lächeln *od.* hold sein: fortune ~d on him. **II** *v/t* **3.** to ~ approval (consent) beifällig (zustimmend) lächeln. **4.** ~ away *Tränen etc* hin'weglächeln. **III** *s* **5.** Lächeln *n.* **6.** *meist pl fig.* Lächeln *n*, Gunst *f.* '**smil·ing** *adj* (*adv* ~ly) **1.** lächelnd (*a. fig.*). **2.** *fig.* huldvoll.

smirch [smɜːrtʃ] **I** *v/t* **1.** beschmieren, besudeln (*a. fig.*). **II** *s* **2.** (Schmutz)Fleck *m.* **3.** *fig.* Schandfleck *m.*

smirk [smɜːrk] **I** *v/i* affek'tiert *od.* blöde lächeln, grinsen. **II** *s* affek'tiertes Lächeln, Grinsen *n.*

smite [smait] *pret* **smote** [smout], *obs.* **smit** [smit] *pp* **smit·ten** ['smitn], **smote,** *obs.* **smit I** *v/t* **1.** *Bibl. rhet., a. humor.* schlagen (*a.* = erschlagen *od.* heimsuchen): → rib 1. **2.** befallen: smitten with the plague von der Pest befallen *od.* dahingerafft. **3.** *fig.* pakken: smitten with desire von Begierde gepackt. **4.** *fig.* 'hinreißen: he was smitten with her charms er war hingerissen von ihrem Charme; → smitten 2. **5.** plagen, quälen: his conscience smote him sein Gewissen schlug ihm. **6.** *obs. od. poet. allg.* schlagen. **II** *v/i* **7.** schlagen. **8.** ~ upon *fig.* an *das Ohr etc* schlagen.

smith [smiθ] *s* Schmied *m.*

smith·er·eens [,smiðə'riːnz] *s pl* Stükke *pl*, Fetzen *pl*, Splitter *pl*: to smash to ~ in (tausend) Stücke schlagen.

smith·er·y ['smiθəri] *s* **1.** Schmiedearbeit *f.* **2.** Schmiedehandwerk *n.*

smith·y ['smiði; 'smiθi] *s* Schmiede *f.*

smit·ten ['smitn] **I** *pp von* smite. **II** *adj* **1.** betroffen, befallen. **2.** (by) *colloq.* ‚verknallt' (in *j-n*), ‚ganz weg', 'hingerissen (von *j-m*).

smock [smɒk] **I** *s* **1.** (Arbeits)Kittel *m.* **2.** (Kinder)Kittel *m.* **3.** *obs.* Frauenhemd *n.* **II** *v/t* **4.** *e-e Bluse etc* smoken, mit Smokarbeit verzieren. ~ **frock** *s* (*Art*) Russen-, Fuhrmannskittel *m.*

smock·ing ['smɒkiŋ] *s* **1.** Smokarbeit *f.* **2.** Smokstiche *pl.*

smog [smɒg] *s* (*aus* smoke *u.* fog) Smog *m*, Dunstglocke *f*, 'rauchdurch,setzter Nebel.

smok·a·ble ['smoukəbl] *adj* rauchbar.

smoke [smouk] **I** *s* **1.** Rauch *m* (*a. phys. u. chem.*): like ~ *sl.* wie der Teufel, im Handumdrehen; no ~ without a fire irgend etwas ist immer dran (*an e-m Gerücht*). **2.** Rauchwolke *f*, Qualm *m*, Dunst *m*: to end (*od.* go up) in ~ *fig.* sich in nichts auflösen, zu Wasser werden. **3.** *mil.* (Tarn)Nebel *m.* **4.** Rauchen *n* (*e-r Zigarre etc*): to have a ~ ‚eine' rauchen. **5.** Ziga'rettenpause *f.* **6.** *colloq.* ‚Glimmstengel' *m*, Zi'garre *f od.* Ziga'rette *f.* **II** *v/i* **7.** qualmen, rauchen (*Schornstein, Ofen etc*). **8.** dampfen (*a. Pferd*). **9.** (*Tabak*) rauchen, ‚qualmen'. **III** *v/t* **10.** *Tabak, Pfeife etc* rauchen. **11.** *Fisch, Fleisch, Holz etc* räuchern: ~d ham geräucherter Schinken. **12.** *Glas etc* rußig machen, schwärzen. **13.** ~ out ausräuchern (*a. fig.*). **14.** ~ out *Am.* ans Licht bringen. ~ **ball** *s* **1.** *mil.* 'Nebelgra,nate *f.* **2.** *Tontauben-Schießen*: Dampfkugel *f.* **3.** Gummiball *m* (*e-s Inhalators*). ~ **bomb** *s mil.* Nebel-, Rauchbombe *f.* ~ **con·sum·er** *s* Rauchverzehrer *m.* '**~-,dried** *adj* geräuchert: ~ meat. ~ **hel·met** *s* Rauchhelm *m.* '**~,house** *s* **1.** Räucherhaus *n.* **2.** *Gerberei*: Schwitzkammer *f.* '**~,jack** *s* (*durch Rauch angetriebener*) Bratenwender.

smoke·less ['smouklis] *adj* (*adv* ~ly) rauchlos (*a. mil.*): ~ powder.

smok·er ['smoukər] *s* **1.** Raucher(in): ~'s cough Raucherhusten *m*; ~'s heart *med.* Raucher-, Nikotinherz *n.* **2.** Räucherer *m.* **3.** *rail.* 'Raucherab,teil *n.* **4.** *Br.* → smoking concert. **5.** zwangloses Beisammensein.

smoke| room *bes. Br. für* smoking room. ~ **screen** *s* **1.** *mil.* Rauch-, Nebelschleier *m.* **2.** *fig.* 'Tarnma,növer *n*, Nebel *m.* '**~,stack** *s* Schornstein *m.*

smok·ing ['smoukiŋ] **I** *adj* **1.** Rauch... **2.** Raucher... **II** *s* **3.** Rauchen *n*: no ~ Rauchen verboten, *rail.* Nichtraucher. ~ **car,** ~ **car·riage,** ~ **com·part·ment** *s* 'Raucherab,teil *n.* ~ **con·cert** *s Br. Konzert, bei dem Rauchen gestattet ist.* ~ **jack·et** *s* Hausrock *m.* ~ **room** *s* Herren-, Rauchzimmer *n*: smoking-room talk Herrengespräche *pl*, -witze *pl.* ~ **to·bac·co** *s* (Rauch)Tabak *m.*

smok·y ['smouki] *adj* **1.** qualmend. **2.** dunstig, qualmig, verräuchert: ~ room. **3.** rauchgrau. **4.** rauchig: ~ voice; ~ taste Rauchgeschmack *m.* ~ **quartz** *s min.* Rauchquarz *m.*

smol·der, *bes. Br.* **smoul·der** ['smouldər] **I** *v/i* **1.** glimmen, schwelen (*a. fig. Feindschaft etc*). **2.** glühen, glimmen (*a. fig.*): his eyes ~ed with hatred. **II** *s* **3.** Rauch *m*, Qualm *m.* **4.** schwelendes Feuer.

smolt [smoult] *s ichth.* (*flußabwärtsziehender*) Lachs, Salm *m.*

smooch[1] [smuːtʃ] *Am.* **I** *v/t* beschmieren. **II** *s* (Schmutz)Fleck *m.*

smooch[2] [smuːtʃ] *Am. sl.* **I** *s* Schmatz *m*, Kuß *m.* **II** *v/i* sich ‚abknutschen'.

smooth [smuːð] **I** *adj* (*adv* ~ly) **1.** *allg.* glatt: ~ hair (surface, *etc*); ~ muscle *anat.* glatter Muskel. **2.** eben: ~ terrain. **3.** glatt, ruhig: ~ sea; a ~ passage e-e ruhige Überfahrt; I am now in ~ water *fig.* jetzt habe ich es geschafft; → sailing 1. **4.** glatt, geschmeidig, nicht klumpig: ~ salad dressing. **5.** *tech.* ruhig, stoßfrei: ~ running. **6.** *mot.* zügig: ~ driving; ~ shifting of gears. **7.** *aer.* glatt: ~ landing. **8.** glatt, reibungslos: to make things ~ for s.o. j-m den Weg ebnen. **9.** sanft, weich: a ~ voice; ~ notes. **10.** *fig.* flüssig, ele'gant, schwungvoll: a ~ melody (style, *etc*). **11.** *fig.* glatt, geschliffen, fließend: a ~ speech. **12.** (*contp.* aal)glatt, gewandt: ~ manners; a ~ talker; a ~ tongue e-e glatte Zunge. **13.** *Am. sl.* a) fesch, schick, b) ‚sauber', prima. **14.** mild, lieblich (*Wein*). **15.** *ling.* ohne Aspirati'on.

II *adv* **16.** glatt, ruhig: things have gone ~ with me *fig.* bei mir ging alles glatt.

III *v/t* **17.** glätten (*a. fig.*): to ~ the way for *j-m od. e-r Sache* den Weg ebnen. **18.** *fig.* besänftigen. **19.** *math.* abrunden: to ~ a curve. **20.** *Statistik*: ausgleichen: to ~ irregularities. **21.** *ling.* monophthon'gieren.

IV *v/i* **22.** sich glätten, sich beruhigen.
V *s* **23.** Glätten *n*: to give a ~ to glattstreichen. **24.** glatter Teil: → rough 18.
Verbindungen mit Adverbien:
smooth| a·way *v/t Schwierigkeiten etc* wegräumen, ‚ausbügeln'. ~ **down** I *v/i* **1.** sich glätten *od.* beruhigen (*Meer etc; a. fig.*). II *v/t* **2.** glattstreichen. **3.** besänftigen. **4.** *e-n Streit* schlichten. ~ **out** *v/t e-e Falte* glattstreichen, ausplätten (from aus). ~ **o·ver** *v/t e-n Fehler etc* bemänteln.
'smooth|,bore *adj u. s* (Gewehr *n*) mit glattem Lauf. ~ **breath·ing** *s ling.* Spiritus *m* lenis.
smooth·er ['smu:ðər] *s* **1.** Glätter(in). **2.** *tech.* a) 'Schleif-, Po'lierma,schine *f*, b) Glättpresse *f* (*für Papier*), c) Spa(ch)tel *m, f.*
'smooth|-'faced *adj* **1.** a) bartlos, b) 'glattra,siert. **2.** glatt, katzenfreundlich. ~ **file** *s tech.* Schlichtfeile *f*.
smooth·ie ['smu:ði] *s Am. colloq.* **1.** a) schickes Mädchen, b) ‚toller' *od.* schicker Kerl. **2.** aalglatter Bursche.
smooth·ing| ca·pac·i·tor ['smu:ðiŋ] *s electr.* 'Abflach-, Be'ruhigungskonden,sator *m.* ~ **i·ron** *s* Plätt-, Bügeleisen *n.* ~ **plane** *s tech.* Schlichthobel *m.*
smooth·ness ['smu:ðnis] *s* **1.** Glätte *f* (*a. fig.*). **2.** glatter Fluß, Ele'ganz *f* (*e-r Rede etc*). **3.** Schliff *m*, Gewandtheit *f*, Glätte *f* (*im Benehmen*). **4.** Sanftheit *f*. **5.** Glattzüngigkeit *f*. **6.** Reibungslosigkeit *f* (*a. fig.*).
'smooth|-'shav·en *adj* 'glattra,siert. **'~-'spo·ken, '~-'tongued** *adj fig.* glattzüngig, schmeichlerisch.
smooth·y → smoothie.
smote [smout] *pret von* smite.
smoth·er ['smʌðər] I *s* **1.** Rauch *m*, dicker Qualm, stickige Luft. **2.** schwelendes Feuer. **3.** Dampf-, Dunst-, Staub-, Schneewolke *f*, Sprühnebel *m*. **4.** (wirre *od.* erdrückende) Masse. II *v/t* **5.** ersticken (*a. fig.*): to ~ **a child (a fire, a rebellion, a cry,** *etc*). **6.** *bes. fig.* über'häufen (**with** mit *Arbeit etc*): to ~ **s.o. with kisses** j-n abküssen; to ~ **in** (*od.* **with**) *etwas* völlig bedecken mit, einhüllen in (*dat*), begraben unter (*Blumen, Decken etc*). **7.** *oft* ~ **up** unter'drücken: to ~ **a yawn (one's rage, a secret,** *etc*); to ~ **a scandal** e-n Skandal vertuschen; to ~ **a bill** e-e Gesetzesvorlage zu Fall bringen *od.* unterdrücken. **8.** *Brote etc* dick belegen *od.* gar'nieren. **9.** *sport colloq.* über'rennen, vernichtend schlagen. III *v/i* **10.** ersticken. **11.** unter'drückt *od.* erstickt werden. ~ **love** *s* Affenliebe *f*.
smoul·der *bes. Br. für* smolder.
smudge [smʌdʒ] I *s* **1.** (Schmutz)Fleck *m*, Klecks *m.* **2.** *bes. Am. a.* ~ **fire** qualmendes Feuer (*gegen Mücken, Frost etc*). II *v/t* **3.** verschmieren. **4.** vollklecksen, ver-, beschmieren. **5.** *fig. j-s Ruf etc* besudeln. III *v/i* **6.** schmieren (*Papier, Tinte etc*). **7.** beschmiert *od.* schmutzig werden. **8.** qualmen.
'smudg·y *adj* (*adv* **smudgily**) **1.** verschmiert, schmierig, schmutzig. **2.** unsauber: ~ **impression. 3.** qualmend.
smug [smʌg] I *adj* (*adv* **smugly**) **1.** *obs.* schmuck. **2.** ‚geschniegelt u. gebügelt'. **3.** selbstgefällig, bla'siert. II *s* **4.** bla'sierter Kerl. **5.** *univ. Br. sl.* ‚Büffler' *m*, Streber *m.*
smug·gle ['smʌgl] I *v/t Waren, a. weitS. e-n Brief, j-n etc* schmuggeln: to ~ **in** einschmuggeln. II *v/i* schmuggeln. **'smug·gler** *s* **1.** Schmuggler *m.* **2.** Schmuggelschiff *n.* **'smug·gling** *s* Schmuggel *m*, Schleichhandel *m.*
smut [smʌt] I *s* **1.** Ruß-, Schmutzflocke *f od.* -fleck *m.* **2.** *fig.* Zote(n *pl*) *f*, Schmutz *m*, Schweine'rei(en *pl*) *f*: **to talk** ~ Zoten reißen, ‚schweinigeln'. **3.** *bot.* (*bes.* Getreide)Brand *m*: ~ **fungus** Brandpilz *m.* II *v/t* **4.** beschmutzen. **5.** *bot.* brandig machen.
smutch [smʌtʃ] I *v/t* beschmutzen, schwarz machen. II *s* schwarzer Fleck.
smut·ti·ness ['smʌtinis] *s* **1.** Schmutzigkeit *f* (*a. fig.*). **2.** *bot.* Brandigkeit *f*.
'smut·ty *adj* (*adv* **smuttily**) **1.** schmutzig, rußig. **2.** *fig.* schmutzig, unanständig, zotig, ob'szön: ~ **joke** Zote *f*, unanständiger Witz. **3.** *bot.* brandig.
snack [snæk] *s* **1.** (kleiner) Imbiß. **2.** Happen *m*, Bissen *m.* **3.** (An)Teil *m*: **to go** ~**s** (unterein'ander) teilen. ~ **bar** *s* Imbißstube *f.* ~ **ta·ble** *s* Eßtischchen *n* (*für 1 Person*).
snaf·fle ['snæfl] I *s* **1.** *a.* ~ **bit** Trense *f*, Gebiß *n.* II *v/t* **2.** a) *e-m* die Trense anlegen, b) mit der Trense lenken. **3.** *fig.* im Zaum halten. **4.** *dial.* ‚mausen', stehlen.
sna·fu [,snæ'fu:] *Am. sl.* (*aus* **situation normal - all fucked up**) I *adj* in heillosem Durchein'ander, ‚beschissen'. II *s* ‚beschissene Lage'. III *v/t* ‚versauen'.
snag [snæg] I *s* **1.** Knorren *m*, Aststumpf *m.* **2.** *bes. Am.* Baumstumpf (*in Flüssen*). **3.** a) Zahnstumpf *m*, b) *Am.* Raffzahn *m.* **4.** *fig.* ‚Haken' *m*: **to strike a** ~ auf Schwierigkeiten stoßen; **there must be a** ~ **in it somewhere** die Sache muß e-n Haken haben. II *v/t* **5.** *bes. Am. ein Boot etc* gegen e-n Stumpf fahren lassen. **6.** *e-n Fluß* von Baumstümpfen befreien. **7.** *fig.* behindern. **8.** *Am. colloq.* (sich) schnappen. **9.** sich verfangen.
snag·ged ['snægid], **'snag·gy** *adj* **1.** ästig, knorrig. **2.** *bes. Am.* voller Baumstümpfe (*Fluß*) *od.* Hindernisse (*Flußlauf*).
snail [sneil] *s* **1.** *zo.* Schnecke *f* (*a. fig. lahmer Kerl, Faulpelz*): **at a** ~**'s pace** (*od.* **gallop**) im Schneckentempo. **2.** → **snail wheel.** ~ **cloud** *s* Strato-'kumulus *m* (*Wolke*). **'~-,paced** [-,peist] *adj* sich im Schneckentempo bewegend. ~ **shell** *s* Schneckenhaus *n.* ~ **wheel** *s* Schnecke(nrad *n*) *f* (*der Uhr*).
snake [sneik] I *s* **1.** Schlange *f* (*a. fig.*): ~ **in the grass** a) falsche Schlange, b) verborgene Gefahr; **to warm** (*od.* **cherish**) **a** ~ **in one's bosom** e-e Schlange am Busen nähren; **to see** ~**s** *colloq.* ‚weiße Mäuse sehen' (*Säufer*). II *v/t* **2.** schlängelnd zu'rücklegen: **to** ~ **one's way** sich schlängelnd s-n Weg bahnen. **3.** *Am.* schleifen, zerren: **to** ~ **a log.** III *v/i* **4.** sich schlängeln. **5.** zucken, schnellen (*Arm, Zunge etc*). ~ **charm·er** *s* Schlangenbeschwörer *m.* ~ **fence** *s Am.* zickzackförmige Einfriedung. ~ **pit** *s* Schlangengrube *f* (*a. fig. Irrenanstalt, Chaos etc*). **'~,skin** *s* **1.** Schlangenhaut *f*. **2.** Schlangenleder *n.*
snak·y ['sneiki] *adj* **1.** Schlangen... **2.** schlangenreich. **3.** schlangenartig, gewunden, sich schlängelnd. **4.** *fig.* falsch, 'hinterhältig.
snap [snæp] I *v/i* **1.** schnappen (**at** nach): **to** ~ **at s.o.** → 16; **to** ~ **out** *fig.* aufbrausen. **2.** schnappen, hastig greifen (**at** nach) (*a. fig.*): **to** ~ **at the chance** zugreifen, die Gelegenheit beim Schopf packen. **3.** knallen (*Peitsche etc*). **4.** zuschnappen (*Verschluß etc*), klicken. **5.** zerkrachen, brechen, zerspringen, -reißen, entzweigehen: **his nerves** ~**ped** s-e Nerven versagten. **6.** schnellen: **he** ~**ped forward; to** ~ **to attention** *mil.* ‚Männchen bauen', Haltung annehmen; ~ **into it!** *Am. colloq.* mach Tempo!; ~ **out of it!** *Am. colloq.* komm, komm!, laß das (sein)! **7.** blitzen (*vor Zorn*): **her eyes** ~**ped. 8.** *phot.* knipsen.
II *v/t* **9.** (er)schnappen, beißen: **to** ~ **off** abbeißen; **to** ~ **s.o.'s head** (*od.* **nose**) **off** → 16. **10.** schnell greifen nach, schnappen nach: **to** ~ **s.o.'s bag from s.o.** j-m die Tasche entreißen. **11.** ~ **up** a) auf-, wegschnappen, b) (gierig) an sich reißen: **to** ~ **up the offer** das Angebot schnell annehmen. **12.** schnalzen mit: **to** ~ **one's fingers; to** ~ **one's fingers at s.o.** j-n verhöhnen, verlachen, j-m ‚e-e lange Nase machen'. **13.** knallen mit: **to** ~ **a whip. 14.** (auf- *od.* zu)schnappen *od.* (-)knallen lassen: **to** ~ **a lid. 15.** ~ **up** *j-n* barsch unter'brechen, *j-n* kurz abfertigen. **16.** *j-n* grob ‚anschnauzen' *od.* anfahren. **17.** *a.* ~ **out** ‚bellen': **to** ~ **out a remark (order,** *etc*). **18.** zerknicken, -knacken, -brechen, -reißen: **to** ~ **off** abbrechen. **19.** *meist* ~ **up** *Kricket: den Schlagmann* hart nehmen. **20.** *phot.* knipsen.
III *adj* **21.** Schnapp... **22.** Schnell...: ~ **judg(e)ment** (vor)schnelles Urteil; **a** ~ **vote** e-e Blitzabstimmung. **23.** leicht: ~ **course** leichter Kurs.
IV *adv u. interj* **24.** knacks(!), krach(!), schwapp(!).
V *s* **25.** Knacken *n*, Krachen *n*, Knacks *m*, Klicken *n.* **26.** (Peitschen-*etc*)Knall *m.* **27.** Reißen *n*, (Zer)Brechen *n.* **28.** (Zu)Schnappen *n*, Biß *m.* **29.** *phot.* Schnappschuß *m.* **30.** Schnappschloß *n*, Schnapper *m.* **31.** *fig. colloq.* ‚Schmiß' *m*, Schwung *m.* **32.** barsches Wort. **33.** *colloq.* (*ein*) bißchen: **I don't care a** ~ es ist mir völlig schnuppe. **34.** *bes. Am. sl.* a) ‚schlauer' Posten, b) Kleinigkeit *f*, leichte Sache, c) ‚todsichere' Sache. **35.** *bes. Br.* (knuspriges) Plätzchen: **lemon** ~. **36.** kurze Zeit: **in a** ~ im Nu; **cold** ~ Kälteeinbruch *m*, -welle *f*. **37.** (*Art*) Schnipp-Schnapp *n* (*Kartenspiel*). **38.** → **snapshot.**
snap| bolt → snap lock. ~ **catch** *s tech.* Schnapper *m.* **'~,drag·on** *s* **1.** *bot.* Löwenmaul *n.* **2.** Ro'sinenfischen *n* (*aus brennendem Branntwein; Weihnachtsspiel*). ~ **fas·ten·er** *s* Druckknopf *m.* ~ **hook** *s tech.* Kara'binerhaken *m.* ~ **link** *s tech.* Kettenglied *n* mit Schnappverschluß. ~ **lock** *s tech.* Schnappschloß *n.*
'snap-'on *adj* **1.** mit Schnappverschluß. **2.** mit Druckknopf (befestigt).
snap·pish ['snæpiʃ] *adj* (*adv* ~**ly**) **1.** bissig: ~ **dog. 2.** *fig.* a) bissig, reizbar, barsch, b) schnippisch.
snap·py ['snæpi] *adj* (*adv* **snappily**) **1.** → **snappish. 2.** knisternd, knakkend. **3.** *colloq.* a) schnell, fix, b) forsch, flott, ‚zackig': **make it** ~ *colloq.* mach (mal) fix!, c) schwungvoll, schmissig, d) schick: ~ **clothes. 4.** *phot.* scharf.
snap| shot *s mil.* Schnellschuß *m.* **'~,shot** *phot.* I *s* Schnappschuß *m*, Mo'mentaufnahme *f*. II *v/t* e-n Schnappschuß machen von, *etwas* knipsen. ~ **switch** *s tech.* Schnappschalter *m.*
snare [snɛr] I *s* **1.** Schlinge *f*, Fallstrick

m, Falle f (alle a. fig.): to set a ~ for s.o. j-m e-e Falle stellen. 2. med. Schlinge f. 3. mus. Schnarrsaite f (e-r Trommel). II v/t 4. mit e-r Schlinge fangen. 5. fig. ergattern, sich ‚angeln'. 6. fig. um'stricken, fangen, j-m e-e Falle stellen. ~ **drum** s mus. Kleine Trommel, Schnarrtrommel f.

snar·er ['snɛ(ə)rər] s Schlingenleger m.

snark [snɑːrk] s Fabeltier, halb Schlange, halb Hai (nach Lewis Carroll).

snarl[1] [snɑːrl] bes. Am. od. dial. I s 1. Knoten m, ‚Fitz' m (in Garn, Haar etc). 2. fig. a) wirrer Knäuel, wirres Durchein'ander, Gewirr n: traffic ~ Verkehrschaos n, -stockung f, b) Verwick(e)lung f. II v/t 3. verwickeln, -wirren. III v/i 4. sich verwirren od. ‚verfitzen'.

snarl[2] [snɑːrl] I v/i wütend knurren, die Zähne fletschen (Hund, a. Person): to ~ at s.o. fig. j-n anfauchen. II v/t etwas wütend knurren od. her'vorstoßen. III s Knurren n, Zähnefletschen n.

snatch [snætʃ] I v/i 1. schnappen, greifen (at nach): to ~ at the offer fig. mit beiden Händen zugreifen. II v/t 2. etwas schnappen, ergreifen, packen: to ~ up aufraffen. 3. etwas schnappen, (er)haschen, fangen: to ~ the ball. 4. fig. e-e Gelegenheit etc ergreifen, etwas, a. Schlaf ergattern: to ~ a hurried meal rasch etwas zu sich nehmen. 5. etwas an sich reißen: to ~ a kiss e-n Kuß rauben; to ~ a weight sport ein Gewicht hochreißen. 6. ~ (away) from j-m etwas, j-n dem Meer, dem Tod etc entreißen: he was ~ed away from us by premature death er wurde uns durch e-n (allzu) frühen Tod entrissen. 7. ~ off weg-, her'unterreißen. 8. Am. sl. ein Kind etc rauben, entführen. III s 9. Schnappen n, schneller (Zu)Griff: to make a ~ at s.th. → 2—4. 10. kurzer Augenblick: ~es of sleep. 11. meist pl Bruchstück n, Brocken m, (etwas) Aufgeschnapptes: ~es of conversation; by (od. in) ~es a) hastig, ruckweise, b) ab u. zu. 12. colloq. (Raub m durch) Entreißen n. 13. Am. sl. Kindes-, Menschenraub m. 14. Am. vulg. a) Va'gina f, b) Koitus m. 15. Gewichtheben: Reißen n.

snatch·y ['snætʃi] adj (adv snatchily) abgehackt, in Absätzen, ruckweise, spo'radisch.

sneak [sniːk] I v/i 1. (sich) schleichen: to ~ about (od. round) herumschleichen, -schnüffeln; to ~ away sich davonschleichen, sich ‚verkrümeln'; to ~ up on s.o. (sich) an j-n heranschleichen; to ~ out of s.th. fig. sich von etwas drücken. 2. huschen, wi(t)schen. 3. fig. a) ‚leisetreten', b) kriechen, katzbuckeln. 4. ped. Br. sl. ‚petzen': to ~ on s.o. j-n ‚verpetzen'. II v/t 5. etwas heimlich schmuggeln (into in acc). 6. sl. ‚sti'bitzen', stehlen. 7. Radio, TV: sl. langsam ein- od. ausblenden: to ~ in (out). III s 8. contp. Schleicher m, ‚Leisetreter' m. 9. ped. Br. sl. ‚Petze' f. 10. Kricket: (schneller) Roller. 11. on the ~ colloq. ‚klammheimlich'. IV adj 12. heimlich: ~ attack mil. Überraschungsangriff m; ~ current electr. Fremdstrom m. '**sneak·ers** s pl Am. colloq. leichte Segeltuch-, Turnschuhe pl. '**sneak·ing** adj (adv ~ly) 1. verstohlen. 2. 'hinterlistig, gemein. 3. heimlich: ~ sympathy; ~ suspicion leiser Verdacht.

sneak| pre·view s colloq. inoffizielle erste Vorführung e-s neuen Films (zum Testen der Publikumsreaktion). ~ **thief** s irr (Einsteig-, Gelegenheits)-Dieb m.

sneak·y ['sniːki] → sneaking.

sneer [snir] I v/i 1. höhnisch grinsen, hohnlächeln, ‚feixen' (at über acc). 2. spötteln, spotten (at über acc). II v/t 3. etwas höhnen(d äußern). III s 4. Hohnlächeln n, höhnische Gri'masse. 5. Hohn m, Spott m, höhnische Bemerkung. '**sneer·er** s Spötter(in), ‚Feixer' m. '**sneer·ing** adj (adv ~ly) höhnisch, spöttisch, ‚feixend'.

sneeze [sniːz] I v/i 1. niesen. 2. (at) colloq. ‚husten' (auf acc), verachten (acc): not to be ~d at nicht zu verachten. II s 3. Niesen n. '~ˌ**wood** s bot. Niesholz n. '~ˌ**wort** s bot. Nieskraut n.

snell [snel] s Am. (Stück n) (Darm- od. Roßhaar)Schnur f (zur Befestigung des Hakens an der Angel).

snick [snik] I v/t 1. schneiden. 2. (ein)kerben. 3. Kricket: den Ball leicht (schneidend) anschlagen. II s 4. Kerbe f. 5. Kricket: leichter (geschnittener) Schlag.

snick-a-snee ['snikə'sniː] → snickersnee.

snick·er ['snikər] I v/i 1. kichern. 2. wiehern. II v/t 3. colloq. etwas kichern(d sagen). III s 4. Kichern n. '~ˌ**snee** [-ˌsniː] s 1. obs. ˌMessersteche'rei f. 2. Dolch m, langes Messer.

snide [snaid] sl. I adj 1. unecht, nachgemacht, falsch. 2. Am. a) betrügerisch, b) gemein. II s 3. etwas Nachgemachtes, z. B. falsches Geldstück, unechter Edelstein. 4. Gauner m.

sniff [snif] I v/i 1. schnuppern, schnüffeln (at an dat): to ~ (a)round fig. herumschnüffeln. 2. schniefen, die Nase hochziehen. 3. fig. die Nase rümpfen (at über acc). II v/t 4. a. ~ in (od. up) durch die Nase einziehen. 5. schnuppern an (dat). 6. riechen (a. fig. wittern): to ~ out ausschnüffeln. 7. naserümpfend sagen. 8. Kokain etc schnupfen. III s 9. Schnüffeln n. 10. kurzer Atemzug. 11. Naserümpfen n.

snif·fle ['snifl] I v/i 1. → sniff 2. 2. greinen, ‚heulen', ‚schniefen'. II s 3. Schnüffeln n. 4. pl laufende Nase, Schnupfen m.

sniff·y ['snifi] adj 1. colloq. naserümpfend, hochnäsig, verächtlich. 2. muffig.

snif·ter ['sniftər] s 1. Am. Kognakschwenker m. 2. colloq. Schnäps-chen n, ‚Gläs-chen' n. 3. kleine Menge, ‚Schuß' m. 4. pl Schnupfen m.

snift·ing valve ['sniftiŋ], a. '**snift·er valve** s tech. 'Schnüffelvenˌtil n.

snig·ger ['snigər] bes. Br. für snicker.

snig·gle ['snigl] v/t u. v/i Aale etc mit Ködern fangen.

snip [snip] I v/t 1. schnippeln, schnipseln, schneiden: to ~ off, to ~ away ab-, wegschneiden, abschnipseln. 2. Fahrkarte knipsen. II v/i 3. schnippeln, schnipseln. III s 4. Schnipsel m, n, Schnippel m. 5. Schnitt m. 6. obs. colloq. Schneider m. 7. Am. colloq. a) Knirps m, b) Frechdachs m. 8. Br. sl. ‚todsichere' Sache. 9. pl tech. (Hand)-Blechschere f.

snipe [snaip] I s 1. orn. Schnepfe f. 2. mil. Schuß m aus dem 'Hinterhalt. 3. Am. sl. ‚Hugo' m, (Zi'garren- etc)-Stummel m. II v/i 4. hunt. Schnepfen jagen od. schießen. 5. mil. aus dem 'Hinterhalt schießen. III v/t 6. mil. abschießen, ‚wegputzen'.

snip·er ['snaipər] s mil. Scharf-, Hecken-, Baumschütze m. '~ˌ**scope** s mil. Infra'rotviˌsier n.

snip·pet ['snipit] s 1. (Pa'pier)Schnipsel m, n. 2. pl fig. Bruchstücke pl, ‚Brocken' pl.

snip·py ['snipi], a. '**snip·pet·y** [-iti] adj 1. (bruch)stückartig, (winzig) klein. 2. colloq. a) schroff, barsch, b) → sniffy 1.

snip-snap ['snip'snæp] I s 1. Schnippschnapp n (der Schere etc). 2. colloq. schlagfertige Antwort. II adv 3. schnippschnapp.

snip·snap·sno·rum [ˌsnipˌsnæp'snɔːrəm] s Schnippschnapp n (Kartenspiel).

snitch [snitʃ] sl. I v/t ‚klauen', ‚sti'bitzen'. II v/i ‚petzen': to ~ on j-n ‚verpetzen'. III s ‚Petze' f.

sniv·el ['snivl] I v/i 1. schniefen, die Nase hochziehen. 2. greinen, plärren. 3. wehleidig tun. 4. scheinheilig tun. II v/t 5. etwas (her'aus)schluchzen. III s 6. Gewimmer n, Geplärr n. 7. Schniefen n, Schnüffeln n. 8. weinerliches od. scheinheiliges Getue. 9. ‚Rotz' m. '**sniv·el·er**, bes. Br. '**sniv·el·ler** s Heulsuse f. '**sniv·el·ing**, bes. Br. '**sniv·el·ling** I s 1. → snivel 6—8. II adj 2. triefnasig, schniefend. 3. wehleidig, weinerlich.

snob [snɒb] s 1. Snob m (Vornehmtuer): ~ appeal Anziehungskraft f für Snobs. 2. Br. obs. a) Mensch niederer Herkunft, b) vul'gärer Kerl. '**snob·ber·y** [-əri] s (a. schöngeistiger) Sno'bismus, ˌVornehmtue'rei f. '**snob·bish** adj (adv ~ly) sno'bistisch, versnobt. '**snob·bish·ness** s sno'bistische Art. '**snob·bism** → snobbery.

snook [snuːk] Br. sl. I s: to cock a ~ at s.o. j-m e-e lange Nase machen'. II interj ~s! bäh!

snook·er (pool) ['snuːkər] s (Art) Billardspiel n.

snoop [snuːp] colloq. I v/i 1. a. ~ around fig. her'umschnüffeln. II v/t 2. bes. Am. ausschnüffeln. III s 3. Schnüffe'lei f. 4. ‚Schnüffler' m. '**snoop·er** s colloq. ‚Schnüffler' m.

snoop·er·scope ['snuːpərˌskoup] s mil. Infra'rotviˌsier n mit Bildwandler.

snoop·y ['snuːpi] adj colloq. schnüffelnd, neugierig.

snoot [snuːt] s Am. colloq. 1. ‚Schnauze' f (Gesicht). 2. ‚Rüssel' m (Nase). 3. ‚Schnute' f, Gri'masse f. '**snoot·y** adj colloq. ‚großkotzig', hochnäsig.

snooze [snuːz] colloq. I v/i 1. ein Nickerchen machen. 2. dösen. II v/t 3. ~ away Zeit vertrödeln. III s 4. Nickerchen n.

snore [snɔːr] I v/i schnarchen. II v/t a. ~ away, ~ out Zeit (ver)schlafen. III s Schnarchen n. '**snor·er** s Schnarcher m.

snor·kel ['snɔːrkəl] s mar. mil. Schnorchel m: ~ mask sport Schnorchel, Tauchmaske f.

snort[1] [snɔːrt] I v/i 1. (a. wütend od. verächtlich) schnauben. 2. prusten. II v/t 3. oft ~ out Worte (wütend) schnauben. 4. ausprusten. III s 5. Schnauben n, Prusten n.

snort[2] [snɔːrt] Br. für snorkel.

snort·er ['snɔːrtər] s 1. Schnaubende(r m) f. 2. colloq. heftiger Sturm. 3. colloq. a) ‚Mordsding' n, ‚tolle Sache', b) ‚Mordskerl' m. 4. sl. Schlag m auf die Nase. 5. sl. → snifter 2.

snort·y ['snɔːrti] adj 1. gereizt. 2. naserümpfend.

snot [snɒt] s vulg. 1. ‚Rotz' m. 2. ‚Rotznase' f (frecher Kerl).

snot·ty ['snɒti] sl. I adj 1. rotzig, Rotz... 2. ‚dreckig', gemein. 3. ‚saugrob'. 4. a) patzig, schnodd(e)rig, b) → snooty. II s 5. mar. bes. Br. sl. 'Seekaˌdett m.

snout [snaut] *s* **1.** *zo.* Schnauze *f.* **2.** *colloq.* a) ‚Rüssel' *m* (*Nase*), b) ‚Schnauze' *f*, Vorderteil *n* (*des Autos etc*). **3.** *tech.* Schnabel *m*, Tülle *f.* **4.** *geol.* Gletscherzunge *f.*

snow [snou] **I** *s* **1.** Schnee *m.* **2.** *pl* Schneefälle *pl.* **3.** *pl* Schneemassen *pl.* **4.** *poet.* Silberhaar *n.* **5.** *poet.* Blütenschnee *m.* **6.** *poet.* Schneeweiß *n.* **7.** *chem.*, *a. TV* Schnee *m.* **8.** *sl.* ‚Koks' *m*, Koka'in *n.* **9.** *Kochkunst*: Schnee *m*, Schaum *m.* **II** *v/i* **10.** schneien: to ~ in hereinschneien (*a. fig.*). **III** *v/t* **11.** ~ed in (*od.* up *od.* under) eingeschneit. **12.** ~ under (*meist im pp*) *fig. bes. Am. colloq.* a) *pol. e-n Kandidaten* vernichtend schlagen, b) *mit Arbeit etc* über'häufen, ‚zudecken': ~ed under by worries von Sorgen fast erdrückt, c) *sl. j-n* mit viel Gerede ‚einwickeln'. **13.** *fig.* regnen, hageln.

'snow|,ball I *s* **1.** Schneeball *m.* **2.** *fig.* La'wine *f*: ~ system Schneeballsystem *n.* **3.** *Br. Fonds, der sich durch Werben neuer Mitglieder ständig vergrößert.* **4.** *Br.* (*Art*) (Apfel)Reispudding *m.* **5.** *bot.* Schneeball *m.* **II** *v/t* **6.** Schneebälle werfen auf (*acc*). **III** *v/i* **7.** (sich) schneeballen. **8.** *fig.* la'winenartig anwachsen. **'~,bank** *s* Schneeverwehung *f.* **'~,bird** *s* **1.** *orn.* → snow bunting. **2.** *sl.* Koka'inschnupfer(in). **'~-,blind** *adj* schneeblind. **'~,blink** *s* Schneeblink *m.* **'~,bound** *adj* eingeschneit, durch Schnee(massen) abgeschnitten. **'~,break** *s geol.* **1.** Schneerutsch *m.* **2.** Schneebruch *m* (*Baumbruch od. Gebiet*). **3.** (Wald)Schutzstreifen *m* (*gegen Schneeverwehungen*). **~ bun·ny** *s colloq.* ‚Skihaserl' *n.* **~ bun·ting** *s orn.* Schneeammer *f.* **'~,cap** *s orn.* (*ein*) Kolibri *m.* **'~-,capped** *adj* schneebedeckt. **~ chain** *s* Schneekette *f.* **'~,drift** *s* Schneewehe *f.* **'~,drop** *s* **1.** *bot.* Schneeglöckchen *n.* **2.** *bot.* (*e-e*) amer. Ane'mone. **3.** *Am. colloq.* Mili'tärpoli,zist *m.* **'~,fall** *s* Schneefall *m*, -menge *f.* **'~,flake** *s* **1.** Schneeflocke *f.* **2.** *bot.* Großes Schneeglöckchen. **'~,flow·er** → snowdrop 1 *u.* 2. **~ gnat** *s* Zuckmücke *f.* **~ gog·gles** *s pl* Schneebrille *f.* **~ goose** *s irr orn.* Schneegans *f.* **~ grouse** *s orn.* Schneehuhn *n.* **~ ice** *s geol.* Schnee-Eis *n.* **~ job** *s Am. sl.* Versuch *m*, j-n mit e-r Flut von Daten *etc* ‚'rumzukriegen'. **~ line,** *a.* **~ lim·it** *s* Schneegrenze *f.* **'~,man** [-,mæn] *s irr* **1.** Schneemann *m.* **2.** *meist* abominable ~ Schneemensch *m* (*sagenhafter Tiermensch im Himalaja*). **'~·mo,bile** *s* Motorschlitten *m.* **~ pel·lets** *s pl* Graupeln *pl*, (Hagel)Schloßen *pl.* **'~-,plough,** *Am.* **'~,plow** *s* Schneepflug *m* (*a. Skisport*). **'~,shoe I** *s* Schneeschuh *m.* **II** *v/i* Schneeschuh laufen. **'~,slide** *s* Schneerutsch *m*, La'wine *f.* **'~,storm** *s* Schneesturm *m.* **'~,suit** *s* (einteiliger) Kinder-Schneeanzug. **'~-'white** *adj* schneeweiß. **S~ White** *npr* Schnee'wittchen *n.*

snow·y ['snoui] *adj* (*adv* snowily) **1.** schneeig. **2.** schneebedeckt, Schnee... **3.** schneeweiß.

snub[1] [snʌb] **I** *v/t* **1.** *j-n* verächtlich behandeln, ‚ducken'. **2.** *j-n* rüffeln, ‚her'unterputzen': to ~ s.o. into silence j-n barsch zum Schweigen bringen. **3.** *j-n* ‚abfahren lassen', kurz abfertigen. **II** *s* **4.** schroffe Abfertigung, Rüffel *m*, Verweis *m*: to meet with a ~ kurz abgefertigt werden.

snub[2] [snʌb] *adj* a) stumpf, b) *a.* ~-nosed stupsnasig: ~ nose Stupsnase *f.*

snuff[1] [snʌf] **I** *v/t* **1.** *a.* ~ up durch die Nase einziehen. **2.** beschnüffeln. **3.** *etwas* schnuppern, riechen. **II** *v/i* **4.** schnuppern, schnüffeln. **5.** Schnupftabak nehmen, schnupfen. **III** *s* **6.** Schnüffeln *n*, Atemzug *m*: to be up to ~ *sl.* ‚schwer auf Draht sein'. **7.** Schnupftabak *m*, Prise *f*: to give s.o. ~ *colloq.* j-m ‚Saures geben'.

snuff[2] [snʌf] **I** *s* **1.** Schnuppe *f* (*verkohlter Kerzendocht*). **II** *v/t* **2.** *e-e Kerze* putzen. **3.** a) auslöschen (*a. fig.*), b) *fig.* ersticken, vernichten. **III** *v/i* **4.** *colloq.* sterben: to ~ out ‚abkratzen' (*sterben*).

'snuff|-and-'but·ter *s Br.* Braungelb *n* (*Farbe*). **'~,box** *s* (Schnupf)Tabaksdose *f*, Tabati'ere *f.* **'~,col·o(u)red** *adj* gelbbraun, tabakfarben.

snuff·er ['snʌfər] *s* (Tabak)Schnupfer(in).

snuff·ers ['snʌfərz] *s pl* Lichtputzschere *f.*

snuf·fle ['snʌfl] **I** *v/i* **1.** schnüffeln, schnuppern. **2.** schniefen, die Nase hochziehen. **3.** (*a.* scheinheilig) näseln. **II** *v/t* **4.** *meist* ~ out *etwas* näseln. **III** *s* **5.** Schnüffeln *n.* **6.** (*a.* scheinheiliges) Näseln. **7.** the ~s *pl med.* chronischer Schnupfen. **'snuf·fler** *s fig.* Scheinheilige(r *m*) *f.*

'snuff|-,tak·er → snuffer. **'~-,tak·ing** *s* (Tabak)Schnupfen *n.*

snuff·y ['snʌfi] *adj* **1.** schnupftabakartig. **2.** beschmutzt mit *od.* voll Schnupftabak. **3.** *fig.* ‚verschnupft', ‚eingeschnappt'.

snug [snʌg] **I** *adj* (*adv* ~ly) **1.** gemütlich, traulich, behaglich. **2.** kom'pakt. **3.** ordentlich, sauber. **4.** angenehm. **5.** geborgen, gut versorgt: (as) ~ as a bug in a rug *colloq.* wie die Made im Speck. **6.** ‚hübsch', auskömmlich: a ~ fortune. **7.** *mar.* a) schmuck: a ~ ship, b) seetüchtig, c) dicht. **8.** eng anliegend: a ~ dress; ~ fit a) guter Sitz (*e-s Kleids etc*), b) *tech.* Paßsitz *m.* **9.** verborgen: to keep s.th. ~ etwas geheimhalten; to lie ~ sich versteckt halten. **II** *adv* **10.** behaglich, gemütlich. **III** *v/i* **11.** → snuggle 1. **IV** *v/t* **12.** *oft* ~ down gemütlich *od.* bequem machen. **13.** *meist* ~ down *mar. das Schiff* auf Sturm vorbereiten.

snug·ger·y ['snʌgəri] *s bes. Br.* **1.** kleine, behagliche Bude, warmes Nest (*Zimmer etc*). **2.** Nebenzimmer *n* (*im Wirtshaus*).

snug·gle ['snʌgl] **I** *v/i* **1.** sich anschmiegen *od.* kuscheln ([up] in a blanket in e-e Decke; up to s.o. an j-n): to ~ down sich behaglich niederlegen. **II** *v/t* **2.** an sich drücken *od.* schmiegen, (lieb)kosen. **3.** *j-n* (warm) einhüllen.

so [sou] **I** *adv* **1.** (*meist vor adj u. adv*) so, dermaßen: ~ surprised; ~ great a man ein so großer Mann; it is only ~ much rubbish es ist ja alles Blödsinn; not ~ ... as nicht so ... wie; → much *Bes. Redew.* **2.** (*meist exklamatorisch*) so (sehr), ja so (*überaus*): I am ~ glad ich freue mich (ja) so; you are ~ right! ganz richtig! **3.** so (... daß): it was ~ hot I took my coat off. **4.** so, in dieser Weise: ~ it is (genau) so ist es, stimmt; is that ~? wirklich?; ~ as to so daß, um zu; ~ that so daß; or ~ etwa, oder so; and ~ forth (*od.* on) und so weiter; why ~? warum?, wieso?; how ~? wie (kommt) das?; ~ saying mit *od.* bei diesen Worten; ~ Churchill so (sprach) Churchill; → even[1] 4, if 1. **5.** (*als Ersatz für ein Prädikativum od. e-n Satz*) a) es, das: I hope ~ ich hoffe (es); I have never said ~ das habe ich nie behauptet; I told you ~ ich habe es dir ja (gleich) gesagt, b) auch: you are tired and ~ am I du bist müde und ich (bin es) auch; I am stupid! ~ you are ich bin dumm! allerdings (das bist du)! **6.** also: ~ you came after all du bist also doch (noch) gekommen; ~ what? *sl.* na und?, na wenn schon? **II** *conj* **7.** daher, folglich, deshalb, also, und so, so ... denn: he was sick ~ they were quiet; it was necessary ~ we did it es war nötig, und so taten wir es (denn). **8.** so: as the tree falls ~ must it lie. **III** *interj* **9.** so!

soak [souk] **I** *v/i* **1.** sich vollsaugen, durch'tränkt werden: ~ing wet tropfnaß. **2.** (ein-, 'durch)sickern: to ~ in (through). **3.** ~ in (to s.o.'s mind) (j-m) langsam ins Bewußtsein eindringen. **4.** *sl.* ‚saufen'. **II** *v/t* **5.** *etwas* einweichen. **6.** durch'tränken, -'nässen, -'feuchten: ~ed in blood bluttgetränkt, -triefend. **7.** *tech.* tränken, imprä'gnieren (in mit). **8.** ~ in einsaugen: to ~ up a) aufsaugen, b) *fig.* ‚schlucken' (*Profit etc*), c) *fig. Wissen etc* in sich aufnehmen. **9.** ~ o.s. in s.th. *fig.* sich ganz in etwas versenken. **10.** *sl.* ‚saufen'. **11.** *Am. sl.* a) *j-n* ‚verdreschen', b) *fig.* ‚es *j-m* besorgen'. **12.** *sl. j-n* schröpfen *od.* ‚ausnehmen'. **III** *s* **13.** Einweichen *n*, Durch'tränken *n.* **14.** *tech.* Imprä'gnieren *n.* **15.** Einweichflüssigkeit *f.* **16.** *sl.* a) Säufer *m*, b) Saufe'rei *f.* **17.** *colloq.* ‚Dusche' *f*, Regenguß *m.* **18.** *Am. sl.* schwerer Schlag.

soak·age ['soukidʒ] *s* **1.** Ein-, Aufsaugen *n.* **2.** 'Durchsickern *n.* **3.** 'durchgesickerte Flüssigkeit, Sickerwasser *n.*

soak·er ['soukər] *s colloq.* → soak 17.

'so-and-,so *pl* **-,sos** *s* **1.** Soundso *m, f*: Mr. ~ Herr Soundso. **2.** *colloq. contp.* ‚Hund' *m*, Ha'lunke *m.*

soap [soup] **I** *s* **1.** Seife *f.* **2.** *chem.* Seife *f*, Al'kalisalze *pl* der Fettsäuren. **II** *v/t* **3.** ein-, abseifen. **4.** *a.* ~ down *fig.* → soft-soap. **~ boil·er** *s tech.* Seifensieder *m.* **'~,box I** *s* **1.** 'Seifenkiste *f*, -kar,ton *m.* **2.** *sl.* ‚Seifenkiste' *f* (*improvisierte Rednerbühne*). **III** *adj* **3.** Seifenkisten...: ~ orator Volks-, Straßenredner *m*; ~ derby Seifenkistenrennen *n.* **~ bub·ble** *s* Seifenblase *f* (*a. fig.*). **~ dish** *s* Seifenschale *f*, -halter *m.* **~ earth** *s min.* Tonseife *f.* **~ op·er·a** *s Am.* rührseliges Hörspiel *od.* Fernsehspiel. **~ pow·der** *s* Seifenpulver *n.* **'~,stone** *s min.* Seifen-, Speckstein *m.* **'~,suds** *s pl* Seifenlauge *f*, -wasser *n.* **'~-,works** *s pl tech.* ,Seifensiede'rei *f.*

soap·y ['soupi] *adj* (*adv* soapily) **1.** Seifen...: ~ water. **2.** seifig, seifenartig. **3.** *sl.* ölig, schmeichlerisch.

soar [sɔːr] **I** *v/i* **1.** (hoch) aufsteigen, sich erheben (*Vogel, Berge etc*). **2.** in großer Höhe fliegen *od.* schweben: ~ing eagle. **3.** *aer.* segeln, segelfliegen, gleiten. **4.** *fig.* sich em'porschwingen (*Geist, a. Stimme etc*): ~ing thoughts hochfliegende Gedanken. **5.** in die Höhe schnellen (*Preise etc*). **II** *s* **6.** Hochflug *m* (*a. fig.*). **'soar·ing I** *adj* (*adv* ~ly) **1.** hochfliegend (*a. fig.*). **2.** *fig.* a) em'porstrebend, b) erhaben. **II** *s* **3.** *aer.* Segeln *n*, Segelfliegen *n.*

sob [sɒb] **I** *v/i* schluchzen. **II** *v/t* (her'aus)schluchzen. **III** *s* Schluchzen *n*, schluchzender Laut: ~ sister *Am. sl.* a) rührseliges Weibsbild, b) Verfasserin *f* rührseliger Romane *etc*; ~ stuff *Am. sl.* rührseliges Zeug.

so·be·it [sou'biːit] *conj obs.* wenn nur, wo'fern.

so·ber ['soubər] **I** *adj* (*adv* ~ly) **1.** nüchtern (*nicht betrunken*): as ~ as a judge stocknüchtern. **2.** mäßig (*Person*). **3.** nüchtern, sachlich: a ~ businessman; a ~ mind; ~ facts nüchterne Tatsachen; in ~ fact nüchtern betrachtet. **4.** gesetzt, so'lide, ernsthaft, vernünftig (*Person*). **5.** nüchtern, unauffällig, gedeckt: ~ colo(u)rs. **II** *v/t* **6.** ernüchtern: to have a ~ing effect on s.o. auf j-n ernüchternd wirken; ~ingly ernüchternd. **III** *v/i* **7.** *oft* ~ down (*od.* up) nüchtern werden. **8.** *fig.* zu Sinnen kommen, vernünftig werden. **'~-ˌmind·ed** *adj* nüchtern, besonnen, vernünftig. **'~ˌsides** *s* ‚Trauerkloß' *m*, fader Kerl, Spießer *m*.

so·bri·e·ty [so'braiəti] *s* **1.** Nüchternheit *f* (*a. fig.*). **2.** Mäßigkeit *f*. **3.** Besonnenheit *f*. **4.** Ernst(haftigkeit *f*) *m*.

so·bri·quet ['soubriˌkei] *s* Spitz-, Beiname *m*.

soc·age ['sɒkidʒ] *s jur. hist.* **1.** (*nicht zum Ritter- u. Heeresdienst verpflichtende*) Lehensleistung. **2.** Belehnung *f* (*auf dieser Grundlage*), Frongut *n*.

'so-'called *adj* sogenannt (*a. angeblich*).

soc·cage → socage.

soc·cer ['sɒkər] *sport colloq.* **I** *s* (Verbands)Fußball *m* (*Spiel*). **II** *adj* Fußball...: ~ team; ~ ball Fußball *m*.

so·cia·bil·i·ty [ˌsouʃə'biliti] *s* Geselligkeit *f*, 'Umgänglichkeit *f*.

so·cia·ble ['souʃəbl] **I** *adj* (*adv* sociably) **1.** gesellig, 'umgänglich, freundlich. **2.** ungezwungen, gemütlich, gesellig: a ~ evening. **3.** → social 1. **II** *s* **4.** *hist.* Kremser *m*, offener, vierrädriger Kutschwagen (*mit Längssitzen*). **5.** Zweisitzer *m* (*Dreirad etc*). **6.** Plaudersofa *n*. **7.** → social 9. **'so·cia·ble·ness** → sociability.

so·cial ['souʃəl] **I** *adj* (*adv* ~ly) **1.** *zo. etc* gesellig: man is a ~ animal der Mensch ist ein geselliges Wesen; ~ bees soziale *od.* staatenbildende Bienen. **2.** gesellig: ~ activities. **3.** → sociable 1. **4.** sozi'al, gesellschaftlich: ~ position, ~ rank gesellschaftlicher Rang, soziale Stellung. **5.** sozi'al, Gesellschafts...: ~ criticism Sozialkritik *f*; ~ legislation soziale Gesetzgebung. **6.** *pol.* sozia'listisch, Sozial...: S~ Democrat Sozialdemokrat(in). **7.** *med.* Volks..., Sozial...: ~ diseases *euphem.* Geschlechtskrankheiten. **8.** for'mell. **II** *s* **9.** geselliges Bei'sammensein.

so·cial| climb·er *s j-d, der versucht, gesellschaftlich emporzukommen.* ~ **con·tract** *s hist.* Con'trat *m* soci'al, Gesellschaftsvertrag *m*. ~ **con·trol** *s sociol.* sozi'ale Kon'trolle, (zwingende) Einflußnahme der Gesellschaft. ~ **danc·ing** *s* Gesellschaftstanz *m*. ~ **dis·tance** *s sociol.* sozi'ale Disˌtanz. ~ **en·gi·neer·ing** *s sociol.* angewandte Sozi'alwissenschaft. ~ **e·vil** *s* Prostituti'on *f*. ~ **in·sur·ance** *s econ.* Sozi'alversicherung *f*: ~ benefits Sozialversicherungsleistungen; ~ contributions Sozialversicherungsbeiträge.

so·cial·ism ['souʃəˌlizəm] *s* Sozia'lismus *m*.

so·cial·ist ['souʃəlist] **I** *s* Sozia'list(in). **II** *adj* sozia'listisch. **ˌso·cial'is·tic** *adj* (*adv* ~ally) sozia'listisch.

so·cial·ite ['souʃəˌlait] *s Am. colloq.* Angehörige(r *m*) *f* der oberen Zehn'tausend, Promi'nente(r *m*) *f*, Dame *f* der Gesellschaft.

so·ci·al·i·ty [ˌsouʃi'æliti] *s* **1.** Geselligkeit *f*. **2.** Geselligkeitstrieb *m*.

so·cial·i·za·tion [ˌsouʃəlai'zeiʃən; -li'z-] *s pol.* Soziali'sierung *f*. **'so·cialˌize** *v/t* **1.** gesellig machen. **2.** *econ. pol.* soziali'sieren, verstaatlichen, vergesellschaften. **3.** *ped.* gemeinsam erarbeiten (lassen): to ~ a recitation.

so·cial| or·gan·i·za·tion *s sociol.* Ge'sellschaftsstrukˌtur *f*. ~ **reg·is·ter** *s Am.* Promi'nentenliste *f* (*Nachschlagewerk*). ~ **sci·ence** *s* Sozi'alwissenschaft *f*. ~ **sec·re·tar·y** *s* Pri'vatsekreˌtär(in). ~ **se·cu·ri·ty** *s* **1.** sozi'ale Sicherheit. **2.** *oft* S~ S~ *Am.* Sozi'alversicherung *f*. ~ **stud·ies** *s pl* Gesellschafts- *od.* Gemeinschaftskunde *f*. ~ **work** *s* Sozi'al-, Fürsorgearbeit *f*. ~ **work·er** *s* Fürsorger(in).

so·ci·e·tal [sə'saiətl] *adj* Gesellschafts..., gesellschaftlich.

so·ci·e·ty [sə'saiəti] *s* **1.** *allg.* Gesellschaft *f*: a) Gemeinschaft *f*: human ~; ~ of nations Familie *f* der Nationen, b) gesellschaftliche 'Umwelt, c) *sociol.* Kul'turkreis *m*. **2.** (die große *od.* ele'gante) Gesellschaft *od.* Welt: not fit for good ~ nicht salon- *od.* gesellschaftsfähig; ~ lady Dame *f* der großen Gesellschaft; the leaders of ~ die Spitzen der Gesellschaft; ~ column Gesellschaftsspalte *f* (*in e-r Zeitung*). **3.** Gesellschaft *f*: a) (gesellschaftlicher) 'Umgang, Verkehr *m*: he is cut off from all ~, b) Anwesenheit *f*. **4.** Gesellschaft *f*, Vereinigung *f*, Verein *m*: building ~ Baugenossenschaft *f*; S~ of Friends Gesellschaft der Freunde, (*die*) Quäker *pl*; ~ of Jesus Gesellschaft Jesu, (*der*) Jesuitenorden. **5.** *bot.* Pflanzengesellschaft *f*. **6.** *relig. Am.* Ortskirchenverwaltung *f* (*der Kongregationalisten*). ~ **verse** *s* Sa'lonlyrik *f*.

socio- [sousio; -ʃio] *Wortelement mit den Bedeutungen* a) Gesellschafts..., Sozial..., b) soziologisch: ~political sozialpolitisch; ~psychology Sozialpsychologie *f*.

so·ci·og·e·ny [ˌsousi'ɒdʒəni; -ʃi-] *s* Wissenschaft *f* vom Ursprung der menschlichen Gesellschaft.

so·ci·o·gram ['sousiəˌgræm; -ʃi-] *s* Sozio'gramm *n*.

so·ci·og·ra·phy [ˌsousi'ɒgrəfi; -ʃi-] *s* Soziogra'phie *f*.

so·ci·o·log·i·cal [ˌsousiə'lɒdʒikəl; -ʃi-] *adj* (*adv* ~ly) sozio'logisch. **ˌso·ci'ol·o·gist** [-'ɒlədʒist] *s* Sozio'loge *m*. **ˌso·ci'ol·o·gy** [-dʒi] *s* Soziolo'gie *f*.

sock[1] [sɒk] **I** *s* **1.** *pl econ.* **sox** Socke *f*: to pull up one's ~s *Br. sl.* ‚in die Hände spucken', sich anstrengen; put a ~ in it! *Br. sl.* hör auf!, halt's Maul! **2.** *Br.* Einlegesohle *f*. **3.** Soccus *m*: a) *antiq. Schuh der Komödienspieler*, b) *Sinnbild für die Komödie*. **II** *v/t* **4.** ~ in *aer. sl.* am Abflug hindern.

sock[2] [sɒk] *sl.* **I** *v/t* **1.** *j-m ins Auge etc* ‚knallen', (hart) schlagen. **2.** *j-n* ‚verdreschen'. **3.** ~ it to s.o. *Am.* j-m ‚Bescheid stoßen'. **II** *s* **4.** harter Schlag, ‚eine in die Fresse': give him ~s! ‚gib ihm Saures!'; to have a ~ at s.th. es mit etwas versuchen. **5.** *Am.* Schlagkraft *f*. **III** *adj* **6.** *Am.* ‚toll', ‚Bomben...': a ~ play.

sock[3] [sɒk] *s ped. Br. sl.* Süßigkeiten *pl*.

sock·dol·a·ger, sock·dol·o·ger [ˌsɒk'dɒlədʒər] *s Am. sl.* **1.** entscheidender Schlag. **2.** *fig.* a) ‚Volltreffer' *m*, b) ‚Mordsding' *n*, ‚dicker Hund'.

sock·et ['sɒkit] **I** *s* **1.** *anat.* a) (*Augen-, Zahn*)Höhle *f*, b) Gelenkpfanne *f*. **2.** *tech.* Steckhülse *f*, Muffe *f*, Rohransatz *m*. **3.** *electr.* a) Steckdose *f*, b) Fassung *f* (*e-r Glühlampe*), c) Sockel *m* (*für Röhren etc*). **4.** *Golf*: *Stelle der Schlägerfläche, die an den Schaft grenzt.* **II** *v/t* **5.** mit e-r Muffe *etc* versehen. **6.** in e-e Muffe *od.* Steckdose tun. **7.** *Golf*: *den Ball* socke'tieren. ~ **joint** *s anat. tech.* Kugelgelenk *n*. ~ **wrench** *s tech.* Steckschlüssel *m*.

so·cle ['sɒkl; 'soukl] *s arch.* Sockel *m*.

So·crat·ic [so'krætik; sɒ-] **I** *adj* (*adv* ~ally) so'kratisch: ~ irony; ~ method. **II** *s* So'kratiker *m*.

sod[1] [sɒd] **I** *s* **1.** Grasnarbe *f*: under the ~ unterm Rasen (*tot*). **2.** Rasenstück *n*. **II** *v/t* **3.** mit Rasen bedecken.

sod[2] [sɒd] *s vulg.* ‚Schwein' *n*, ‚Saukerl' *m*.

so·da ['soudə] *s chem.* **1.** Soda *f*, *n*, kohlensaures Natrium: (bicarbonate of) ~ → sodium bicarbonate. **2.** → sodium hydroxide. **3.** 'Natriumoˌxyd *n*. **4.** Soda(wasser *n*) *f*, *n*: whisky and ~. **5.** → soda water 2. ~ **ash** *s* **1.** *econ.* Soda *f*, *n*. **2.** *chem.* Sodaasche *f*. ~ **crack·er** *s Am.* Keks *m* (*mit Backpulver gebacken*). ~ **foun·tain** *s* **1.** Mine'ralwassersiphon *m*. **2.** *Am.* Erfrischungshalle *f*, Eisbar *f*. ~ **jerk(·er)** *s Am. colloq.* Mixer *m* in e-r Eisbar. ~ **lime** *s chem.* Natronkalk *m*.

so·dal·i·ty [so'dæliti] *s R.C.* karita'tive Bruderschaft.

so·da| lye *s* Natronlauge *f*. ~ **pop** *s* Limo'nade *f*. ~ **wa·ter** *s* **1.** Sodawasser *n*. **2.** Mine'ral-, Selterswasser *n*, Sprudel *m*.

sod·den[1] ['sɒdn] **I** *obs. pp von* seethe. **II** *adj* **1.** durch'näßt, -'weicht. **2.** teigig, kli(e)tschig: ~ bread. **3.** aufgedunsen, -geschwemmt: ~ face. **4.** ‚voll', ‚besoffen'. **5.** a) ‚blöd(e)', b) fad(e), c) träge. **6.** anrüchig.

sod·den[2] ['sɒdn] **I** *v/t* **1.** durch'nässen, -'tränken. **2.** *j-n* aufschwemmen. **3.** a) *j-n* träge machen, b) *j-n* ‚verblöden' lassen. **II** *v/i* **4.** durch'näßt *od.* aufgeweicht werden.

so·di·um ['soudiəm] *s chem.* Natrium *n*. ~ **bi·car·bon·ate** *s chem.* Natrium'bicarboˌnat *n*, doppeltkohlensaures Natrium. ~ **car·bon·ate** *s chem.* Soda *f*, *n*, 'Natriumkarboˌnat *n*. ~ **chlo·ride** *s chem.* Kochsalz *n*, 'Natriumchloˌrid *n*. ~ **hy·drox·ide** *s chem.* 'Natriumhydroˌxyd *n*, Ätznatron *n*. ~ **hy·po·chlo·ride** *s chem.* Natrium'hypochloˌrit *n*. ~ **lamp** → sodium-vapo(u)r lamp. ~ **ni·trate** *s chem.* 'Natriumniˌtrat *n*, 'Natron-, 'Chilesalˌpeter *m*. **'~-'va·po(u)r lamp** *s electr.* Natriumdampflampe *f*.

Sod·om ['sɒdəm] *s* **1.** *Bibl.* Sodom *n*. **2.** *fig.* Sodom *n* (u. Go'morrha *n*) (*lasterhafter Ort*). **'sod·omˌite** *s* Sodo'mit(in). **'sod·om·y** *s* Sodo'mie *f*, 'widernaˌtürliche Unzucht.

so·ev·er [so'evər; sou-] *adv* (*wer etc*) auch immer.

so·fa ['soufə] *s* Sofa *n*. ~ **bed** *s* Bett-[couch *f*.]

sof·fit ['sɒfit] *s arch.* Laibung *f*.

soft [sɒft; sɔːft] **I** *adj* (*adv* ~ly) **1.** *allg.* weich: as ~ as silk seidenweich; ~ prices *econ.* nachgiebige Preise; ~ rays *phys.* weiche Strahlen. **2.** *tech.* weich, *bes.* a) ungehärtet (*Eisen*), b) schmiedbar (*Metall*), c) bröck(e)lig (*Gestein*), d) enthärtet (*Wasser*). **3.** glatt, weich: ~ hair; ~ skin. **4.** mild, lieblich: ~ wine. **5.** *fig.* weich, sanft: ~ eyes (heart, words, *etc*). **6.** leise, sacht: ~ movements (noise, talk, *etc*). **7.** sanft, gedämpft: ~ colo(u)rs (light, music, *etc*). **8.** schwach, verschwommen: ~ outlines; ~ negative *phot.* weiches Negativ. **9.** mild, sanft: ~ climate; ~ rain. **10.** *Br.* schwül, regnerisch, feucht. **11.** sanft: ~ answer (punishment, sleep, touch, *etc*): to be ~ with s.o. sanft umgehen mit j-m. **12.** ruhig, höflich, gewinnend:

~ manners; ~ nothings Schmeicheleien, zärtliche Worte. **13.** leicht beeinflußbar. **14.** gefühlvoll, empfindsam. **15.** schlaff, verweichlicht. **16.** *colloq.* leicht, angenehm, gemütlich: a ~ job; a ~ thing e-e ‚ruhige Sache', e-e ‚Masche'. **17.** *colloq.* alkoholfrei: ~ drinks. **18.** *a.* ~ in the head *colloq.* leicht ‚bescheuert', ‚doof'. **19.** *ling.* a) stimmhaft: ~ mutes stimmhafte Verschlußlaute, b) als Zischlaut gesprochen, c) palatali'siert.
II *adv* **20.** sanft, leise.
III *s* **21.** (*das*) Weiche *od.* Sanfte. **22.** *colloq.* Trottel *m.*

soft| an·neal·ing *s tech.* Weichglühen *n.* '~ˌ**ball** *s sport Am. Abart des Baseball, mit weicherem u. größerem Ball.* ~ **coal** *s tech.* Weichkohle *f.* ~ **cur·ren·cy** *s econ.* weiche Währung.

sof·ten ['sɒfn; 'sɔːfn] **I** *v/t* **1.** weich *od.* biegsam machen. **2.** *Farbe, Stimme, Ton* dämpfen. **3.** *Wasser* enthärten. **4.** *fig.* mildern. **5.** *j-n* erweichen, *j-s Herz* rühren. **6.** *j-n* verweichlichen. **7.** *a.* ~ up *mil.* a) *den Gegner* zermürben, weichmachen (*a. fig.*), b) *e-e Festung etc* sturmreif schießen. **8.** *econ. die Preise* drücken. **II** *v/i* **9.** weich(er) *od.* sanft(er) *od.* mild(er) werden. '**sof·ten·er** *s* **1.** Enthärtungsmittel *n.* **2.** Weichmacher *m* (*bei Kunststoffen etc*). '**sof·ten·ing** *s* **1.** Erweichen *n*: ~ agent *tech.* Weichmacher *m*; ~ point *tech.* Erweichungspunkt *m*; ~ of the brain *med.* Gehirnerweichung *f.* **2.** *ling.* Erweichung *f* (*e-s Lautes*).

soft| goods *s pl Br.* Tex'tilien *pl.* '~ˌ**head** *s* Schwachkopf *m.* '~ˌ**head·ed** *adj* schwachsinnig, blöd(e). '~'**heart·ed** *adj* weichherzig. ~ **lead** [led] *s* Weichblei *n.* ~ **mon·ey** *s econ. colloq.* Pa'piergeld *n.*

soft·ness ['sɒftnis; 'sɔːft-] *s* **1.** Weichheit *f.* **2.** Sanftheit *f*, Milde *f.* **3.** *contp.* Weichlichkeit *f.*

soft| ped·al *s* **1.** *mus.* Pi'ano-Peˌdal *n* (*linkes Klavierpedal*). **2.** *Am. sl.* ‚Maulkorb' *m*, ‚Dämpfer' *m.* '~-'**ped·al** *v/t* **1.** (*a. v/i*) mit dem Pi'ano-Peˌdal spielen. **2.** *Am. sl. j-m* ‚e-n Dämpfer aufsetzen'. **3.** *etwas* mildern, dämpfen, weniger laut vorbringen. ~ **roe** *s ichth.* Milch *f.* '~ˌ**sell·ing** *s econ. Vertrieb ohne aggressive Verkaufs- u. Werbemethoden.* '~-ˌ**shelled** *adj zo.* weichschalig: ~ crab; ~ turtle Weichschildkröte *f.* ~ **soap** *s* **1.** *chem.* Schmierseife *f.* **2.** *sl.* ‚Schmus' *m*, Schmeiche'lei(en *pl*) *f*, Kompli'mente *pl.* ˌ~-'**soap** *v/t sl. j-n* ‚pous'sieren', *j-n* ‚einwickeln'. ~ **sol·der** *s tech.* Weich-, Schnellot *n.* '~-'**spo·ken** *adj* **1.** leise sprechend. **2.** gewinnend, freundlich. '~ˌ**ware** *s Computer*: ‚Software' *f* (*Programme etc; Ggs* hardware 3). '~-ˌ**wood** *s* **1.** Weichholz *n.* **2.** Baum *m* mit weichem Holz. **3.** Nadel(baum)holz *n.*

soft·y ['sɒfti; 'sɔːfti] *s colloq.* **1.** Trottel *m.* **2.** Schwächling *m*, ‚Schlappschwanz' *m.*

sog·gy ['sɒgi] *adj* **1.** feucht, sumpfig. **2.** durch'näßt, -'weicht. **3.** kli(e)tschig: ~ bread. **4.** *colloq.* a) blöd(e), ‚doof', b) fad(e).

soi-di·sant [swadi'zɑ̃] (*Fr.*) *adj* sogenannt, angeblich.

soi·gné *m*, **soi·gnée** *f* [swa'ɲe] (*Fr.*) *adj* soi'gniert, gepflegt.

soil[1] [sɔil] **I** *v/t* **1.** beschmutzen: a) verunreinigen, b) *bes. fig.* besudeln, beflecken. **II** *v/i* **3.** schmutzig werden, *leicht etc* schmutzen. **III** *s* **4.** Verschmutzung *f.* **5.** Schmutzfleck *m.* **6.** Schmutz *m.* **7.** Dung *m.* **8.** *hunt. obs.* Suhle *f*: to go (*od.* run) to ~ Zuflucht suchen (*Wild*).

soil[2] [sɔil] *s* **1.** (Erd)Boden *m*, Erde *f*, Grund *m.* **2.** *fig.* (Heimat)Erde *f*, Scholle *f*, Land *n*: on British ~ auf britischem Boden.

soil[3] [sɔil] *v/t Vieh* mit Grünfutter [füttern.]

soil·age ['sɔilidʒ] *s agr.* Grünfutter *n.*

soil| pipe *s tech.* Abflußrohr *n* (*bes. am Klosett*). '~-**reˌsist·ing** *adj* schmutzabstoßend.

soi·ree, soi·rée [*Br.* 'swɑːrei; *Am.* swɑː'rei] *s* Soi'ree *f*, Abendgesellschaft *f.*

so·journ [*Br.* 'sɒdʒɜːrn; *Am.* so'dʒ-; 'soudʒ-] **I** *v/i* **1.** sich (vor'übergehend) aufhalten, (ver)weilen (in in *od.* an *dat*; with bei). **II** *s* [*Am.* 'soudʒɜːrn] **2.** (vor'übergehender) Aufenthalt. **3.** Aufenthaltsort *m.*

so·journ·er [*Br.* 'sɒdʒɜːrnər; *Am.* so'dʒ-; 'soudʒ-] *s* Gast *m*, Besucher(in).

soke [souk] *s jur. Br. hist.* **1.** Gerichtsbarkeit *f.* **2.** Gerichtsbarkeitsbezirk *m.* '~·**man** [-mən] *s irr* Lehnsmann *m.*

Sol[1] [sɒl] (*Lat.*) *s* **1.** *humor.* Sonne *f.* **2.** *antiq.* Sonnengott *m.*

sol[2] [sɒl; soul] (*Ital.*) *s mus.* sol *n* (*Solmisationssilbe*).

sol[3] [soul] *pl* **sols,** '**so·les** [-leiz] (*Span.*) *s* Sol *m* (*peruanische Währungseinheit*).

sol[4] [sɒl; soul] *s chem.* Sol *n* (*kolloide Lösung*).

so·la ['soulə] *s bot.* Solastrauch *m.*

sol·ace ['sɒlis] **I** *s* **1.** Trost *m*: she found ~ in religion. **II** *v/t* **2.** trösten: to ~ o.s. (with s.th.) sich (mit etwas) trösten. **3.** mildern, lindern: to ~ grief.

so·lan ['soulən] *s a.* ~ goose *orn.* Tölpel *m.*

so·la·num [so'leinəm] *s bot.* Nacht- [schatten *m.*]

so·lar ['soulər] *adj* **1.** *astr.* Sonnen...: ~ day (energy, spectrum, system, time, *etc*); ~ constant Solarkonstante *f*; ~ eclipse Sonnenfinsternis *f*; ~ motion Bewegung *f* des Sonnensystems; ~ plexus *anat.* a) Solarplexus *m*, b) *colloq.* Magengrube *f.* **2.** *tech.* durch 'Sonnenenerˌgie angetrieben: ~ battery Sonnenbatterie *f*; ~ power station Sonnenkraftwerk *n.*

so·lar·i·um [so'lɛ(ə)riəm] *pl* **-i·a** [-iə] *s med.* Sonnenliegehalle *f.*

so·lar·i·za·tion [ˌsoulərai'zeiʃən; -ri'z-] *s phot.* Solarisati'on *f.* '**so·larˌize** *phot.* **I** *v/t* 'überbelichten. **II** *v/i* 'überbelichtet werden.

so·la·ti·um [so'leiʃiəm] *pl* **-ti·a** [-ʃiə] *s* **1.** Trostpreis *m.* **2.** *jur.* Entschädigung *f.*

sold [sould] *pret u. pp von* sell.

sol·der ['sɒdər; 'sɒldər] **I** *s* **1.** *tech.* Lot *n*, 'Lötmeˌtall *n*: → hard (soft) solder. **2.** *fig.* Kitt *m*, Bindemittel *n.* **II** *v/t* **3.** *tech.* (ver)löten: ~ed joint Lötstelle *f*; ~ing iron Lötkolben *m*; ~ing paste Lötpaste *f.* **4.** *fig.* zs.-schweißen, verbinden. **III** *v/i* **5.** löten.

sol·dier ['souldʒər] **I** *s* **1.** *bes. mil.* Sol'dat *m* (*a. weitS. Feldherr*): ~ of Christ Streiter *m* Christi; old ~ a) *colloq.* ‚alter Hase', b) *sl.* leere Flasche, c) *sl.* Zigarrenstummel *m*; ~ of fortune Glücksritter *m.* **2.** *mil.* (einfacher) Sol'dat, Schütze *m*, Mann *m.* **3.** *sl.* Drückeberger *m.* **4.** *zo.* Krieger *m*, Sol'dat *m* (*bei Ameisen etc*). **II** *v/i* **5.** (als Sol'dat) dienen: to go ~ing Soldat werden. '~ˌ**like** *adj* sol'datisch.

sol·dier·ly ['souldʒərli] *adj* **1.** sol'datisch, mili'tärisch, kriegerisch. **2.** Soldaten...

sol·dier·ship ['souldʒərˌʃip] *s* **1.** (*das*) Sol'datische. **2.** Sol'datentum *n.*

sol·dier·y ['souldʒəri] *s* **1.** Mili'tär *n.* **2.** Sol'daten *pl.* **3.** *contp.* Solda'teska *f.*

sole[1] [soul] **I** *s* **1.** (Fuß)Sohle *f.* **2.** (Schuh)Sohle *f*: ~ leather Sohl(en)leder *n.* **3.** *tech.* Bodenfläche *f*, Sohle *f.* **4.** *sport* 'Unterfläche *f* des Golfschlägers. **II** *v/t* **5.** besohlen.

sole[2] [soul] *adj* (*adv* → solely) **1.** einzig, al'leinig, Allein...: the ~ reason der einzige Grund; ~ agency Alleinvertretung *f*; ~ bill *econ.* Solawechsel *m*; ~ heir Allein-, Universalerbe *m.* **2.** *bes. jur.* unverheiratet: → feme sole.

sole[3] [soul] *pl* **soles,** *bes. collect.* **sole** *s ichth.* Seezunge *f.*

sol·e·cism ['sɒliˌsizəm] *s* Verstoß *m*, ‚Schnitzer' *m*: a) *ling.* Sprachsünde *f*, b) Faux'pas *m*, ‚Sünde' *f.* ˌ**sol·e'cis·tic** *adj* **1.** *ling.* 'unkorˌrekt. **2.** ungehörig.

sole·ly ['soulli] *adv* (einzig u.) al'lein, ausschließlich, lediglich, nur.

sol·emn ['sɒləm] *adj* (*adv* ~ly) **1.** *allg.* feierlich, ernst, so'lenn. **2.** feierlich: ~ oath; ~ contract *jur.* formeller Vertrag; ~ declaration *jur.* eidesstattliche Erklärung. **3.** ehrwürdig, hehr, erhaben: a ~ cathedral. **4.** festlich, feierlich: ~ state dinner Staatsbankett *n.* **5.** gewichtig, ernst(haft), eindringlich: a ~ warning. **6.** *contp.* wichtigtuerisch, ‚feierlich'.

so·lem·ni·ty [sə'lemniti] *s* **1.** Feierlichkeit *f*, (feierlicher *od.* würdevoller) Ernst. **2.** Steifheit *f.* **3.** *oft pl* feierliches Zeremoni'ell. **4.** *bes. relig.* Festlichkeit *f*, Feierlichkeit *f.* **5.** *jur.* Förmlichkeit *f.* **sol·em·nize** ['sɒləmˌnaiz] *v/t* **1.** feierlich begehen. **2.** *e-e Trauung* (feierlich) voll'ziehen.

so·le·noid ['souliˌnɔid] *s electr. tech.* Soleno'id *n*, Zy'linderspule *f*: ~ brake Solenoidbremse *f.* ˌ**so·le'noi·dal** *adj* soleno'idisch.

sol-fa [ˌsɒl'fɑː; *Am. a.* ˌsoul-] *mus.* **I** *s* **1.** *a.* ~ syllables Solmisati'onssilben *pl.* **2.** Tonleiter *f.* **3.** Solmisati'on(sübung) *f.* **II** *v/t* **4.** auf Solmisati'onssilben singen. **III** *v/i* **5.** solmi'sieren.

sol·fa·ta·ra [ˌsɒlfɑː'tɑːrɑː] (*Ital.*) *s* Solfa'tare *f* (*Schwefeldampfquelle in Vulkangebieten*).

so·lic·it [sə'lisit] **I** *v/t* **1.** sich bemühen um: to ~ an office (orders, *etc*); to ~ customers Kundschaft werben. **2.** dringend bitten (s.o. j-n; s.th. um etwas; s.o. for s.th. *od.* s.th. of. s.o. j-n um etwas). **3.** *Männer* ansprechen, belästigen (*Prostituierte*). **4.** *jur.* anstiften. **II** *v/i* **5.** dringend bitten. **6.** Aufträge sammeln. **7.** *a.* ~ for the purpose of prostitution *jur.* sich anbieten (*Prostituierte*). **soˌlic·i'ta·tion** *s* **1.** dringende Bitte, Drängen *n.* **2.** Bewerbung *f*, Ansuchen *n*, *econ.* (Auftrags-, Kunden)Werbung *f.* **3.** *jur.* Anstiftung *f* (of zu). **4.** Ansprechen *n* (*durch Dirnen*).

so·lic·i·tor [sə'lisitər] *s* **1.** *jur.* Anwalt *m* (*der nur vor bestimmten niederen Gerichten plädieren darf u. die Schriftsätze für den* barrister *vorbereitet*). **2.** *jur. Am.* 'Rechtsrefeˌrent *m*: city ~. **3.** *Am.* A'gent *m*, Werber *m.* ~ **gen·er·al** *pl* **so·lic·i·tors gen·er·al** *s jur.* a) *Br.* zweiter Kronanwalt, b) *Am.* stellvertretender Ju'stizmiˌnister, c) *Am.* oberster Ju'stizbeamter (*in einigen Staaten*).

so·lic·it·ous [sə'lisitəs] *adj* (*adv* ~ly) **1.** besorgt (about, for um, wegen), betulich. **2.** (of) eifrig bedacht, erpicht (auf *acc*), begierig (nach). **3.** bestrebt, eifrig bemüht (to do zu tun). **so'lic·iˌtude** [-ˌtjuːd] *s* **1.** Besorgtheit *f*, Sorge *f.* **2.** *pl* Sorgen *pl.* **3.** über'triebener Eifer.

sol·id ['sɒlid] **I** *adj* (*adv* **~ly**) **1.** *allg.* fest: **~ food (fuel, ice, wall,** *etc*); **~ body** Festkörper *m*; **~ lubricant** *tech.* Starrschmiere *f*; **~ state** *phys.* fester (Aggregat)Zustand; on **~ ground** auf festem Boden (*a. fig.*). **2.** hart, kom'pakt. **3.** dicht, geballt: **~ masses of clouds. 4.** sta'bil, mas'siv (gebaut): **~ buildings. 5.** derb, fest, sta'bil, kräftig: a **~ fabric; ~ build** kräftiger Körperbau; **~ leather** Kernleder *n*; a **~ meal** ein kräftiges Essen. **6.** mas'siv (*Ggs hohl*), Voll...: **~ axle** Vollachse *f*; **~ tire** (*od.* **tyre**) Vollgummireifen *m.* **7.** mas'siv, gediegen: **~ gold. 8.** *fig.* so'lid(e), gründlich: **~ learning. 9.** geschlossen, zs.-hängend: a **~ row of buildings. 10.** *colloq.* voll, ‚geschlagen': **for a ~ hour. 11.** a) einheitlich (*Farbe*), b) einfarbig: a **~ background. 12.** echt, wirklich: **~ comfort. 13.** gewichtig, triftig: **~ reasons; ~ arguments** handfeste Argumente. **14.** *fig.* so'lid(e), zuverlässig, gediegen (*Person*). **15.** *econ.* so'lid(e). **16.** *math.* a) körperlich, räumlich, b) Kubik..., Raum...: **~ capacity; ~ angle** räumlicher Winkel; **~ geometry** Stereometrie *f*; **~ measure** Raummaß *n*; a **~ foot** ein Kubikfuß. **17.** *print.* kom'preß, ohne 'Durchschuß. **18.** kräftig, tüchtig: **a good ~ blow** ein kräftiger Schlag. **19.** geschlossen, einmütig, so'lidarisch (**for** für *j-n od. etwas*): **to go** (*od.* **be**) **~ for s.o., to be ~ly behind s.o.** geschlossen hinter j-m stehen; **the ~ South** der einmütige Süden (*der USA, der ständig für die Demokraten stimmt*); a **~ vote** e-e einstimmige Wahl. **20.** *Am. colloq.* auf gutem Fuß, ‚dick' (**with s.o.** mit j-m). **21.** *Am. sl.* ‚prima', ‚Klasse', erstklassig.
II *s* **22.** *math.* Körper *m.* **23.** *phys.* Festkörper *m.* **24.** *pl* feste Bestandteile *pl*: **the ~s of milk.**

sol·i·dar·i·ty [ˌsɒli'dæriti] *s* Solidari'tät *f*, Zs.-gehörigkeitsgefühl *n*, Zs.-halt *m.*

'sol·id|-ˌdrawn *adj tech.* gezogen: **~ axle; ~ tube** nahtlos gezogenes Rohr. **'~-ˌfu·el(l)ed** *adj* mit festem Treibstoff: **~ rocket** Feststoffrakete *f.* **'~-ˌhoofed** *adj zo.* einhufig.

so·lid·i·fi·ca·tion [səˌlidifi'keiʃən] *s phys. etc* Erstarrung *f*, Festwerden *n.*

so'lid·iˌfy [-ˌfai] **I** *v/t* **1.** fest werden lassen. **2.** verdichten. **3.** *fig.* festigen, konsoli'dieren. **II** *v/i* **4.** fest werden, erstarren. **5.** *fig.* sich festigen.

so·lid·i·ty [sə'liditi] *s* Festigkeit *f* (*a. fig.*), kom'pakte *od.* mas'sive *od.* sta'bile Struk'tur, Dichtigkeit *f.*

sol·id·un·gu·late [ˌsɒli'dʌŋgjulit; -ˌleit] *adj zo.* einhufig.

sol·i·dus ['sɒlidəs] *pl* **-di** [-ˌdai] (*Lat.*) *s* **1.** *antiq.* Solidus *m* (*Goldmünze*). **2.** a) Schilling *m*, b) Schrägstrich *m* (*bes. zwischen* **shillings** *u.* **pence** *bei Preisangaben*).

so·lil·o·quize [sə'liləˌkwaiz] **I** *v/i* Selbstgespräche führen. **II** *v/t etwas* zu sich selbst sagen. **so'lil·o·quy** [-kwi] *s* Selbstgespräch *n.*

sol·i·ped ['sɒliˌped] *zo.* **I** *s* Einhufer *m.* **II** *adj* einhufig.

sol·ip·sism ['sɒlipˌsizəm] *s philos.* Solip'sismus *m* (*Lehre, daß nur das Ich wirklich ist*).

sol·i·taire [ˌsɒli'tɛr; 'sɒliˌtɛr] *s* **1.** Soli'tär(-Spiel) *n.* **2.** Pati'ence *f.* **3.** Soli'tär *m* (*einzeln gefaßter Edelstein*).

sol·i·tar·y ['sɒlitəri] *adj* (*adv* **solitarily**) **1.** einsam: **a ~ life (walk,** *etc*). **2.** einzeln, einsam: a **~ rider (tree,** *etc*); → **confinement** 2. **3.** *fig.* einzig: a **~ exception. 4.** *bot. zo.* soli'tär: **~ bees.**

'sol·iˌtude [-ˌtjuːd] *s* **1.** Einsamkeit *f*, Abgeschiedenheit *f.* **2.** (Ein)Öde *f.*

sol·ler·et ['sɒləˌret; ˌsɒlə'ret] *s hist.* Eisenschuh *m* (*der Ritterrüstung*).

so·lo ['soulou] **I** *pl* **-los, -li** [-liː] *s* **1.** *bes. mus.* Solo(gesang *m*, -spiel *n*, -tanz *m etc*) *n.* **2.** *Kartenspiel*: Solo(spiel) *n.* **3.** *aer.* Al'leinflug *m.* **II** *adj* **4.** *bes. mus.* Solo... **5.** al'lein: **~ entertainer** *thea.* Alleinunterhalter *m*; **~ run** *sport* Alleingang *m*; a **~ flight** → 3. **III** *adv* **6.** al'lein, ‚solo': **to fly ~** e-n Alleinflug machen. **'so·lo·ist** *s mus.* So'list(in).

Sol·o·mon ['sɒləmən] *npr Bibl.* Salomon *m* (*a. fig. Weiser*). **ˌSol·o'mon·ic** [-'mɒnik] *adj* salo'monisch, weise.

sol·stice ['sɒlstis] *s* **1.** *astr.* (*Sommer-, Winter*)Sonnenwende *f.* **2.** *fig.* Höhe-, Wendepunkt *m.* **sol'sti·tial** [-'stiʃəl] *adj* Sonnenwende...

sol·u·bil·i·ty [ˌsɒlju'biliti] *s* **1.** *chem.* Löslichkeit *f.* **2.** *fig.* Lösbarkeit *f.*

sol·u·ble ['sɒljubl] *adj* **1.** *chem.* löslich, lösbar. **2.** *fig.* (auf)lösbar. **~ glass** *s chem.* Wasserglas *n.*

so·lus ['souləs] (*Lat.*) *adj* al'lein (*bes. bei Bühnenanweisungen*).

sol·ute [*Br.* sə'ljuːt; *Am.* 'sɑljuːt *u.* 'souluːt] **I** *s* **1.** *chem.* aufgelöster Stoff. **II** *adj* **2.** gelöst. **3.** *bot.* lose.

so·lu·tion [sə'luːʃən; -'ljuː-] *s* **1.** *math. etc* (Auf)Lösung *f.* **2.** *chem.* a) (Auf)Lösung *f*, b) Lösung *f*: **(rubber) ~** Gummilösung; **held in ~** gelöst; **in ~** *fig.* noch in der Schwebe. **3.** a) *med.* Lysis *f*, Wendung *f* (*e-r Krankheit*), b) *bes. med.* Unter'brechung *f.* **so'lu·tion·ist** *s* (Zeitungs)Rätsellöser *m.*

sol·u·tize ['sɒljuˌtaiz] *v/t mot.* (*dat*) Anti'klopfmittel zusetzen.

solv·a·ble ['sɒlvəbl] → **soluble.**

solve [sɒlv] *v/t* **1.** *e-e Aufgabe, ein Problem* lösen. **2.** lösen, e-e Erklärung finden für: **to ~ a mystery. 3.** *Zweifel* beheben.

sol·ven·cy ['sɒlvənsi] *s econ.* Zahlungsfähigkeit *f.*

sol·vent ['sɒlvənt] **I** *adj* **1.** *chem.* (auf)lösend. **2.** *fig.* zersetzend. **3.** *fig.* erlösend: **the ~ power of laughter. 4.** *econ.* zahlungsfähig, sol'vent, kre'ditwürdig. **II** *s* **5.** *chem.* Lösungsmittel *n.* **6.** *fig.* zersetzendes Ele'ment.

so·ma[1] ['soumə] *s* **1.** *bot.* Soma(pflanze *f*) *n.* **2.** *relig.* Soma *m* (*Hinduismus; Opfertrank u. Gottheit*).

so·ma[2] ['soumə] *pl* **'so·ma·ta** [-mətə] *s biol.* Soma *n*: a) Körper *m*, b) Körperzelle *f.*

so·mat·ic [so'mætik] *adj* (*adv* **~ally**) *biol. med.* **1.** körperlich: **~ cell** Soma-, Körperzelle *f.* **2.** so'matisch.

so·ma·to·gen·ic [ˌsoumәto'dʒenik] *adj physiol.* somato'gen. **ˌso·ma·to'log·ic** [-'lɒdʒik], **ˌso·ma·to'log·i·cal** *adj* somato'logisch. **ˌso·ma'tol·o·gist** [-'tɒlədʒist] *s* Somato'loge *m.* **ˌso·ma'tol·o·gy** [-dʒi] *s med.* Somatolo'gie *f*, Körperlehre *f.* **ˌso·ma·to'psy·chic** [-'saikik] *adj med. psych.* psychoso'matisch.

som·ber, *bes. Br.* **som·bre** ['sɒmbər] *adj* (*adv* **~ly**) **1.** düster, trüb(e) (*a. fig.*). **2.** dunkelfarbig. **3.** *fig.* trübsinnig, melan'cholisch. **'som·ber·ness,** *bes. Br.* **'som·bre·ness** *s* **1.** Düsterkeit *f*, Trübheit *f.* **2.** Schwermut *f.*

some [sʌm] **I** *adj* **1.** (*vor Substantiven*) (irgend)ein: **~ day** eines Tages; **~ day (or other)** irgendwann (einmal), mal; **~ person** irgendeiner, jemand. **2.** (*vor pl*) einige, ein paar: **~ few** einige, wenige. **3.** manche: **~ people are optimistic. 4.** ziemlich (viel), beträchtlich. **5.** gewiss(er, e, es): **to ~ extent** in gewissem Grade, einigermaßen. **6.** etwas, ein wenig, ein bißchen: **~ bread; take ~ more** nimm noch etwas. **7.** ungefähr, gegen, etwa: **a village of ~ 80 houses. 8.** *sl.* beachtlich, ‚toll', ‚ganz hübsch': **~ player!; that was ~ race!** das war vielleicht ein Rennen! **II** *adv* **9.** *bes. Am.* etwas, ziemlich. **10.** *colloq.* ‚e'norm', ‚toll'. **III** *pron* **11.** (irgend)ein(er, e, es): **~ of these days** dieser Tage, demnächst. **12.** etwas: **~ of it** etwas davon; **~ of these people** einige dieser Leute; **will you have ~?** möchtest du welche *od.* davon haben? **13.** *bes. Am. sl.* dar'über hin'aus, noch mehr. **14. ~ ..., ~ ...** die einen ..., die anderen.

some|·bod·y ['sʌmˌbɒdi] **I** *pron* jemand, (irgend)einer: **~ else** jemand anders. **II** *s* bedeutende Per'sönlichkeit: **he thinks he is ~** er bildet sich ein, er sei jemand. **'~ˌday** *adv* eines Tages. **'~ˌhow** *adv oft* **~ or other 1.** irgendwie, auf irgendeine Weise. **2.** aus irgendeinem Grund(e), ‚irgendwie': **~ (or other) I don't trust him. '~ˌone I** *pron* (*nur sg*) jemand, (irgend)einer: **~ or other** irgend jemand. **II** *s* → **somebody** II. **'~ˌplace** *adv bes. Am.* irgendwo('hin).

som·er·sault ['sʌmərˌsɔːlt] **I** *s* a) Salto *m*, b) Purzelbaum *m* (*beide a. fig.*): **to turn a ~** → II. **II** *v/i* a) e-n Salto machen, b) e-n Purzelbaum schlagen.

Som·er·set House ['sʌmərˌsit; -ˌset] *s Verwaltungsgebäude in London mit Personenregister, Notariats- u. Inlandsteuerbehörden.*

'someˌthing I *s* **1.** (irgend) etwas, was: **~ or other** irgend etwas; **a certain ~** ein gewisses Etwas; **there is ~ in what you say** da ist etwas dran. **2. ~ of** so etwas *od.* etwas Ähnliches wie: **I am ~ of a carpenter** ich bin so etwas wie ein Zimmermann. **II** *adv* **3. ~ like** a) so etwas wie, so ungefähr, b) *colloq.* wirklich, mal, aber: **that's ~ like a pudding!; that's ~ like!** das lasse ich mir gefallen. **4.** etwas, ziemlich.

'someˌtime I *adv* irgend(wann) ein'mal (*bes. in der Zukunft*), irgendwann. **II** *adj* **3.** ehemalig(er, e, es), weiland: **~ professor.**

'someˌtimes *adv* manchmal, hie u. da, dann u. wann, gelegentlich, zu'weilen: **~ gay, ~ sad** mal lustig, mal traurig.

'someˌway(s) *adv bes. Am.* irgendwie.

'someˌwhat *adv* etwas, ein wenig, ein bißchen: **~ of a shock** ein ziemlicher Schock; **he is ~ of a bore** er ist ein ziemlich langweiliger Mensch.

'someˌwhere *adv* **1.** a) irgendwo, b) irgendwo'hin: **~ else** sonstwo(hin), woanders(hin). **2. ~ about** so etwa, um ... her'um: **this happened ~ about 1900.**

so·mite ['soumait] *s biol.* So'mit *m*, ['Urseg,ment *n.*]

som·nam·bu·late [sɒm'næmbjuˌleit] *v/i* schlaf-, nachtwandeln. **somˌnam·bu'la·tion** *s* Schlaf-, Nachtwandeln *n.* **som'nam·buˌlism** *s med.* Somnambu'lismus *m*, Schlaf-, Nachtwandeln *n.* **som'nam·bu·list** *s* Somnam'bule *m, f*, Schlafwandler(in). **somˌnam·bu'lis·tic** *adj* schlaf-, nachtwandlerisch, somnam'bul.

som·ni·fa·cient [ˌsɒmni'feiʃənt] *adj u. s* → **soporific. som'nif·er·ous** [-'nifərəs], **som'nif·ic** *adj* einschläfernd.

som·nil·o·quence [sɒm'niləkwəns], **som'nil·oˌquism, som'nil·o·quy** [-kwi] *s* Schlafreden *n.*

som·no·lence ['sɒmnələns] *s* **1.** Schläfrigkeit *f*. **2.** *med.* Schlafsucht *f*. **'som·no·lent** *adj* **1.** schläfrig, schlaftrunken. **2.** einschläfernd. **3.** *med.* im Halbschlaf (befindlich).

son [sʌn] *s* **1.** Sohn *m* (of *od.* to s.o. j-s): ~ **and heir** Stammhalter *m*; S~ **of God** (*od.* **Men**) *relig.* Gottes- *od.* Menschensohn (*Christus*); ~**s of men** *Bibl.* Menschenkinder. **2.** *fig.* Sohn *m*, Abkomme *m*: ~ **of a bitch** *vulg.* ‚Scheißkerl' *m*, *Am. a.* ‚Scheißding' *n*; ~ **of a gun** *humor.* a) ‚alter Gauner', b) ‚toller Hecht'. **3.** *pl collect.* Nachfolger *pl*, Schüler *pl*, Jünger *pl*, Söhne *pl* (*e-s Volks etc*). **4.** → **sonny**.

so·nance ['sounəns] *s* **1.** *ling.* Stimmhaftigkeit *f*. **2.** Laut *m*. **'so·nant** *ling.* **I** *adj* stimmhaft. **II** *s* a) So'nant *m*, b) stimmhafter Laut.

so·nar ['sounɑːr] *s mar. Am.* Sonar *n*, S-Gerät *n* (*Unterwasserortungsgerät; aus* **sound navigation ranging**).

so·na·ta [sə'nɑːtə] *s mus.* So'nate *f*.

so·na·ti·na [ˌsɒnə'tiːnə] *s mus.* Sona'tine *f*.

sone [soun] *s Akustik:* Sone *n* (*Lautstärkeeinheit*).

song [sɒŋ] *s* **1.** *mus.* Lied *n*: **part** ~ mehrstimmiges Lied; **the S~ of Solomon** (*od.* **S~s**) *Bibl.* das Hohelied (Salomonis), das Lied der Lieder; **the S~ of the Three Children** *Bibl.* der Gesang der drei Jünglinge im Feuerofen; **he got it for a (mere)** ~ *fig.* ‚er bekam es für ein Butterbrot'. **2.** → **song hit**. **3.** a) Lied *n*, Gedicht *n*, b) Poe'sie *f*, Dichtung *f*. **4.** Singen *n*, Gesang *m* (*a. von Vögeln*): **to break** (*od.* **burst**) **into** ~ zu singen anheben. **5.** *a.* ~ **and dance** *colloq.* (*das*) Getue (about wegen): **that's nothing to make a** ~ **about** davon braucht man kein Aufhebens zu machen. **'~ˌbird** *s* **1.** Singvogel *m*. **2.** *fig.* ‚Nachtigall' *f* (*Sängerin*). **'~ˌbook** *s mus.* Liederbuch *n*. ~ **hit** *s* Schlagerlied *n*.

song·ster ['sɒŋstər] *s* **1.** *mus.* Sänger(in). **2.** Singvogel *m*. **3.** *Am.* (*bes.* volkstümliches) Liederbuch. **'song·stress** [-stris] *s* Sängerin *f*.

song thrush *s orn.* Singdrossel *f*.

son·ic ['sɒnik] *adj phys.* Schall... ~ **bar·ri·er** *s phys.* Schallmauer *f*. ~ **boom,** *a.* ~ **bang** *s aer. phys.* 'Überschall-Knall *m*, Düsenknall *m*. ~ **depth find·er** *s mar.* Echolot *n*. ~ **mine** *s mar.* Schallmine *f*.

'son-in-ˌlaw *pl* **'sons-in-ˌlaw** *s* Schwiegersohn *m*.

son·net ['sɒnit] *s metr.* So'nett *n*. **son·net·eer** [ˌsɒni'tir] **I** *s meist contp.* So'nettdichter *m*, Dichterling *m*. **II** *v/i* So'nette schreiben.

son·ny ['sʌni] *s* Kleine(r) *m*, Junge *m* (*Anrede*).

son·o·buoy ['sɒnoˌbɔi; *Am. a.* -ˌbuːi] *s mar.* Schall-, Geräuschboje *f*.

so·nom·e·ter [so'nɒmitər] *s phys.* Sono'meter *m*, Schallmesser *m*.

so·no·rant [so'nɔːrənt] *s ling.* So'nor(laut) *m*.

so·nor·i·ty [so'nɒriti] *s* **1.** Klangfülle *f*, (Wohl)Klang *m*. **2.** *ling.* (Ton)Stärke *f* (*e-s Lauts*).

so·no·rous [so'nɔːrəs] *adj* (*adv* ~**ly**) **1.** tönend, reso'nant (*Holz etc*). **2.** volltönend (*a. ling.*), klangvoll, so'nor (*Sprache, Stimme etc*). **3.** *phys.* Schall..., Klang...

son·sy ['sɒnsi] *adj Scot. od. Ir.* **1.** drall, hübsch: **a** ~ **girl**. **2.** gutmütig.

soon [suːn] *adv* **1.** bald, unverzüglich: **at the** ~**est** frühestens. **2.** (sehr) bald, (sehr) schnell: **no** ~**er than ...** kaum ... als; **no** ~**er said than done** gesagt, getan; → **mend** 3. **3.** bald, früh: **as** (*od.* **so**) ~ **as** so bald wie *od.* als; ~**er or later** früher oder später; **the** ~**er, the better** je früher, desto besser. **4.** gern: **(just) as** ~ ebensogut; **I would** ~**er ... than ...** ich möchte lieber *od.* würde eher ... als...

soon·er[1] ['suːnər] *adv* (*comp von* **soon**) a) früher, eher, b) schneller, c) lieber: → **soon** 2—4.

soon·er[2] ['suːnər] *s Am. sl.* **1.** *Siedler, der sich auf Regierungsgelände vor dessen Freigabe niederläßt.* **2.** ‚Raffke' *m*. **3.** S~ (*Spitzname für e-n*) Bewohner von Okla'homa: **S~ State** Oklahoma *n*.

soot [sut] **I** *s* Ruß *m*. **II** *v/t* be-, verrußen.

sooth [suːθ] *s Br. obs.*: **in** ~ für'wahr.

soothe [suːð] *v/t* **1.** besänftigen, beruhigen, beschwichtigen, trösten. **2.** *Schmerz etc* mildern, lindern.

sooth·fast ['suːθˌfɑːst; -fæst] *adj obs.* wahrhaft, treu, verläßlich.

sooth·ing ['suːðiŋ] *adj* (*adv* ~**ly**) **1.** besänftigend (*etc*; → **soothe** 1). **2.** lindernd.

sooth|·say ['suːθˌsei] *v/i irr* prophe'zeien, wahrsagen. **'~ˌsay·er** *s hist.* Wahrsager(in). **'~ˌsay·ing** *s* **1.** Wahrsagen *n*. **2.** *hist.* Wahrsagung *f*.

soot·i·ness ['sutinis] *s* Rußigkeit *f*, Schwärze *f*. **'soot·y** *adj* (*adv* **sootily**) **1.** rußig. **2.** geschwärzt. **3.** schwarz(braun).

sop [sɒp] **I** *v/t* **1.** eintunken, -tauchen. **2.** durch'tränken, -'nässen, -'weichen: ~**ped to the skin** klitschnaß. **3.** *meist* ~ **up** *Wasser* aufnehmen, -wischen. **II** *s* **4.** eingetunkter *od.* eingeweichter Bissen (*Brot etc*): ~ **in the pan** geröstetes Brot, in Bratenfett *etc* eingetunkt. **5.** (*etwas*) Durch'weichtes, Matsch *m*. **6.** *fig.* ‚Brocken' *m*, Beschwichtigungsmittel *n*, ‚Schmiergeld' *n*: **to give a** ~ **to Cerberus, to throw s.o. a** ~ j-m e-n Brocken hinwerfen, damit er e-e Weile Frieden gibt. **7.** (*etwas*) Durch'tränktes.

soph [sɒf] *colloq. für* **sophomore**.

soph·ism ['sɒfizəm] *s* **1.** So'phismus *m*, Spitzfindigkeit *f*, 'Scheinarguˌment *n*. **2.** Trugschluß *m*. **'Soph·ist** *s* **1.** *philos.* So'phist *m*. **2.** s~ *fig.* So'phist *m*, spitzfindiger Mensch. **'soph·ist·er** *s* **1.** *obs.* So'phist *m*. **2.** *univ. Br. hist. Student im* a) *2. od. 3. Jahr* (*Cambridge*), b) *3. od. 4. Jahr* (*Dublin*).

so·phis·tic [sə'fistik] *adj*; **so'phis·ti·cal** *adj* (*adv* ~**ly**) so'phistisch (*a. fig. spitzfindig*).

so·phis·ti·cate [sə'fistiˌkeit] **I** *v/t* **1.** *j-m* die Na'türlichkeit nehmen, verbilden. **2.** *j-n* weltklug machen, (geistig) verfeinern. **3.** kompli'zieren. **4.** *e-n Text, a. Nahrungsmittel* verfälschen. **II** *v/i* **5.** So'phismen gebrauchen. **III** *s* [*a.* -kit] **6.** weltkluge (*etc*) Per'son (→ **sophisticated** 1 *u.* 2). **so'phis·tiˌcat·ed** [-ˌkeitid] *adj* **1.** erfahren, weltklug, intellektu'ell, (geistig) anspruchsvoll (*Person*). **2.** *contp.* bla'siert, ‚hochgestochen', ‚auf mo'dern *od.* intellektu'ell machend': **a** ~ **student**. **3.** anspruchsvoll, verfeinert, kulti'viert, raffi'niert, sub'til: **a** ~ **style**. **4.** anspruchsvoll, exqui'sit, ... mit ‚Pfiff': **a** ~ **novel**. **5.** gekünstelt, unecht. **6.** kompli'ziert: ~ **techniques**; **a** ~ **equipment**. **7.** hochentwickelt, -gezüchtet, ... mit allen Raffi'nessen: **a** ~ **machine**. **8.** verfälscht: ~ **oil**; ~ **text**. **soˌphis·ti'ca·tion** *s* **1.** Weltklugheit *f*, Intellektua'lismus *m*, (geistige) Differen'ziertheit, Kulti'viertheit *f*. **2.** Bla'siertheit *f*, ‚hochgestochene' Art. **3.** (*das*) *geistig* Anspruchsvolle. **4.** (Ver)Fälschung *f*. **5.** → **sophistry**.

soph·ist·ry ['sɒfistri] *s* **1.** Spitzfindigkeit *f*, Sophiste'rei *f*. **2.** So'phismus *m*, Trugschluß *m*.

soph·o·more ['sɒfəˌmɔːr] *s ped. Am.* 'College-StuˌdentinI im 2. Jahr.

so·po·rif·er·ous [ˌsoupə'rifərəs] *adj* einschläfernd. **ˌso·po'rif·ic I** *adj* einschläfernd. **II** *s bes. pharm.* Schlafmittel *n*.

sop·ping ['sɒpiŋ] *adj a.* ~ **wet** patschnaß, triefend (naß). **'sop·py** *adj* (*adv* **soppily**) **1.** völlig naß, durch'weicht: ~ **soil**. **2.** regnerisch: ~ **weather**. **3.** *Br. colloq.* ‚schmalzig', rührselig: **to be** ~ **on s.o.** ‚in j-n verknallt sein'.

so·pra·nist [sə'prɑːnist; *Am. a.* -'præ(ː)n-] *s mus.* Sopra'nist(in), So'pransänger(in). **so'pra·no** [-nou] **I** *pl* **-nos** *s* **1.** So'pran *m* (*oberste Singstimme*). **2.** So'pranstimme *f*, -parˌtie *f* (*e-r Komposition*). **3.** → **sopranist**. **II** *adj* **4.** Sopran...

so·ra ['sɔːrə], ~ **rail** *s* Sumpfhuhn *n*.

Sorb[1] [sɔːrb] *s* Sorbe *m*, Wende *m*.

sorb[2] [sɔːrb], *a.* ~ **ap·ple** *s bot.* Speierling *m*, Spierling *m*.

sor·bate ['sɔːrbit; -beit] *s chem.* Sor'bat *n*.

sor·be·fa·cient [ˌsɔːrbi'feiʃənt] *med.* **I** *adj* absor'bierend, absorpti'onsfördernd. **II** *s* Ab'sorbens *n*.

sor·bet ['sɔːrbit] → **sherbet**.

Sor·bi·an ['sɔːrbiən] **I** *adj* sorbisch. **II** *s ling.* Sorbisch *n*, das Sorbische.

sor·bi·tol ['sɔːrbiˌtɒl; -ˌtoul] *s chem.* Sor'bit *n* (*Zuckeralkohol*).

sorb·ose ['sɔːrbous] *s chem.* Sor'bose *f* (*einfacher Zucker*).

sor·cer·er ['sɔːrsərər] *s* Zauberer *m*, Hexenmeister *m*. **'sor·cer·ess** *s* Zauberin *f*, Hexe *f*. **'sor·cer·ous** *adj* Zauber..., Hexen... **'sor·cer·y** *s* Zaube'rei *f*, Hexe'rei *f*.

sor·des ['sɔːrdiːz] *s pl* (*a. als sg konstruiert*) *med.* **1.** Schmutz *m*. **2.** Lippen- *od.* Zahnbelag *m* (*bei Schwerkranken*).

sor·did ['sɔːrdid] *adj* (*adv* ~**ly**) **1.** schmutzig. **2.** *fig.* schmutzig, gemein, unerquicklich. **3.** schäbig, geizig, selbstsüchtig. **4.** *bes. bot. zo.* schmutzfarben. **'sor·did·ness** *s* Schmutzigkeit *f* (*a. fig.*), Gemeinheit *f*, Unlauterkeit *f*.

sor·dine ['sɔːrdiːn; -din], **sor'di·no** [-'diːnou] *pl* **-ni** [-niː] *s mus.* Dämpfer *m*, Sor'dine *f*.

sore [sɔːr] **I** *adj* (*adv* → **sorely**) **1.** weh(e), wund: ~ **feet**; ~ **heart** *fig.* wundes Herz, Leid *n*; → **spot** 5, **sight** 6. **2.** entzündet, schlimm, böse: ~ **finger**; **a** ~ **throat** e-e Halsentzündung. **3.** a) mürrisch, brummig, bärbeißig, gereizt: **bear with a** ~ **head** ‚Brummbär' *m*, b) *colloq.* ‚eingeschnappt', verärgert, beleidigt, böse (about über *acc*, wegen). **4.** *fig.* heikel: **a** ~ **subject**. **5.** *obs. od. poet.* schlimm, arg, groß: **in** ~ **distress**. **II** *s* **6.** Wunde *f*, Entzündung *f*, wunde Stelle: **an open** ~ a) e-e offene Wunde (*a. fig.*), b) *fig.* ein altes Übel, ein ständiges Ärgernis. **III** *adv obs. od. poet.* **7.** sehr, arg, schlimm.

'soreˌhead *Am. colloq.* **I** *s* **1.** mürrischer Mensch. **2.** *bes. pol.* grollender 'durchgefallener Kandi'dat, 'Mißgünstige(r) *m*, Enttäuschte(r) *m*. **II** *adj* **3.** enttäuscht, verärgert.

sor·el ['sɔːrəl] → **sorrel**[1].

sore·ly ['sɔːrli] *adv* **1.** arg, ‚bös(e)': a) sehr, äußerst, bitter: ~ **disappointed**, b) schlimm: ~ **wounded**. **2.** bitterlich: **she wept** ~.

sor·ghum ['sɔːrgəm] *s* **1.** *bot.* Sorghum *n, bes.* Durra *f,* Mohrenhirse *f.* **2.** Sirup *m* der Zuckerhirse. **'sor·go** [-gou] *pl* **-gos** *s bot.* Chi'nesisches Zuckerrohr.

so·ri·tes [so'raitiːz] *s philos.* So'rites *m,* Kettenschluß *m.*

so·rop·ti·mist [sə'rɒptimist; so-; sɒ-] *s* Soropti'mistin *f* (*Mitglied des Damen-Rotary-Clubs*).

so·ror·i·ty [sə'rɒriti] *s* **1.** *ped. Am. Verbindung von College-Studentinnen.* **2.** *relig.* Schwesternschaft *f.*

so·ro·sis [sə'rousis] *pl* **-ses** [-siːz] *s* **1.** *bot.* zs.-gesetzte Beerenfrucht (*z. B. Ananas*). **2.** *Am.* Frauenverein *m.*

sorp·tion ['sɔːrpʃən] *s chem. phys.* (Ab)Sorpti'on *f.*

sor·rel[1] ['sɒrəl] **I** *s* **1.** Rotbraun *n.* **2.** (Rot)Fuchs *m* (*Pferd*). **3.** *hunt. zo.* geringer Schaufler (*dreijähriger Damhirsch*). **II** *adj* **4.** rotbraun.

sor·rel[2] ['sɒrəl] *s bot.* **1.** Sauerampfer *m.* **2.** Sauerklee *m.*

sor·row ['sɒrou] **I** *s* **1.** Kummer *m,* Leid *n* (at über *acc;* for um): much ~, many ~s viel Leid *od.* Unglück; Man of S~s *relig.* Mann *m* der Schmerzen (*Christus*); „The S~s of Werther" „Die Leiden des jungen Werthers"; to my ~ zu m-m Kummer *od.* Leidwesen. **2.** Reue *f* (for über *acc*). **3.** Klage *f,* Jammer *m.* **4.** *bes. iro.* Bedauern *n:* without much ~. **II** *v/i* **5.** sich grämen *od.* härmen (at, over, for über *acc,* wegen, um). **6.** klagen, trauern (after, for um, über *acc*). **'sor·row·ful** [-ful] *adj* (*adv* ~ly) traurig: a) sorgen-, kummervoll, b) klagend: a ~ song, c) beklagenswert: a ~ accident.

sor·ry ['sɒri] **I** *adj* **1.** betrübt, bekümmert: I was (*od.* felt) ~ for him er tat mir leid; to be ~ for o.s. *colloq.* sich selbst bedauern; (I am) (so) ~! (es) tut mir (so) leid!, (ich) bedaure!, Verzeihung!; I am ~ to say ich muß leider sagen. **2.** reuevoll: to be ~ about s.th. etwas bereuen *od.* bedauern. **3.** *contp.* traurig, erbärmlich, jämmerlich: a ~ excuse ‚e-e faule Ausrede'; in a ~ state in e-m traurigen *od.* kläglichen Zustand. **II** *interj* **4.** ~! Verzeihung!, Entschuldigung!

sort[1] [sɔːrt] *s obs.* **1.** Los *n,* Schicksal *n.* **2.** Weissagung *f* (*durch das Los*).

sort[2] [sɔːrt] **I** *s* **1.** Sorte *f,* Art *f,* Klasse *f,* Gattung *f, econ. a.* Marke *f,* Quali'tät *f:* all ~s of people alle möglichen Leute; all ~s of things alles mögliche. **2.** Art *f:* after a ~ gewissermaßen; nothing of the ~ nichts dergleichen; what ~ of a tree? was für ein Baum?; these ~ of men *colloq.* diese Art Leute, solche Leute; something of the ~ so etwas, etwas Derartiges; a ~ of stockbroker *colloq.* (so) e-e Art Börsenmakler; I ~ of expected it *colloq.* so etwas habe ich irgendwie *od.* halb erwartet; he ~ of hinted er machte so e-e (vage) Andeutung; he is a good ~ *colloq.* er ist ein guter *od.* anständiger Kerl; he is not my ~ er ist nicht mein Fall *od.* Typ; he is not the ~ of man who ... er ist nicht der Mann, der (*so etwas tut*). **3.** of a ~, of ~s *contp.* so etwas wie: a politician of ~s; (a) ~ of a peace so etwas wie ein Frieden. **4.** out of ~s *colloq.* nicht auf der Höhe, unwohl, verstimmt. **5.** *print.* 'Schriftgarni͵tur *f:* out of ~s ausgegangen. **II** *v/t* **6.** sor'tieren, (ein)ordnen. **7.** *oft* ~ out 'auslesen, -sor͵tieren, sichten. **8.** zs.-stellen, -tun (with, together mit). **III** *v/i* **9.** *obs. gut, schlecht* passen (with zu).

sort·er ['sɔːrtər] *s* **1.** Sor'tierer(in). **2.** *Computer etc:* Sor'tierer *m* (*Vorrichtung*).

sor·tie ['sɔːrti(ː)] *s mil.* **1.** Ausfall *m.* **2.** *aer.* (Einzel)Einsatz *m,* Feindflug *m.* **3.** *mar.* Auslaufen *n.*

sor·ti·lege ['sɔːrtilidʒ] *s* Wahrsagen *n* (aus Losen).

S O S *s* **1.** *mar.* SO'S *n* (*Morse-Hilferuf von Schiffen in Seenot*). **2.** *colloq.* Hilferuf *m,* Notschrei *m.*

'so-͵so, *a.* **so so** *adj u. adv colloq.* so('so) la'la (*mäßig, leidlich*).

sot [sɒt] **I** *s* Trunkenbold *m,* Säufer *m.* **II** *v/i* (sich be)saufen.

so·te·ri·ol·o·gy [so͵ti(ə)ri'ɒlədʒi] *s* Soteriolo'gie *f* (*Lehre von der Erlösung durch Christus*).

sot·tish ['sɒtiʃ] *adj* (*adv* ~ly) **1.** ‚versoffen'. **2.** ‚besoffen'. **3.** ‚blöd' (*albern*). **'sot·tish ness** *s* **1.** ‚Versoffenheit' *f.* **2.** ‚Blödheit' *f.*

sot·to vo·ce ['sotto 'votʃe; 'sɒtou 'voutʃi] (*Ital.*) *adv mus.* leise, gedämpft (*a. fig. halblaut*).

sou·brette [suː'bret] *s thea.* Sou'brette *f.*

sou·bri·quet ['suːbri͵kei] → sobriquet.

sou·chong ['suː'ʃɒŋ; -'tʃɒŋ] *s* Souchon(g) *m* (*Teesorte*).

Sou·da·nese → Sudanese.

souf·fle ['suːfl] *s med.* Geräusch *n.*

souf·flé ['suːflei; suː'flei] (*Fr.*) *s* Auflauf *m,* Souf'flé *n.*

sough [sau; sʌf] **I** *s* Sausen *n,* Stöhnen *n* (*des Windes*). **II** *v/i* heulen.

sought [sɔːt] *pret u. pp von* seek.

soul [soul] *s* **1.** *relig. philos.* Seele *f:* 'pon my ~ ganz bestimmt! **2.** Seele *f,* Herz *n,* Gemüt *n,* (*das*) Innere: he has a ~ above mere moneygrubbing er hat auch noch Sinn für andere Dinge als Geldraffen; in my ~ of ~s ganz tief in m-m Herzen. **3.** *fig.* Seele *f* (*Triebfeder, Mittelpunkt*): he was the ~ of the enterprise. **4.** *fig.* Geist *m* (*Person*): the greatest ~s of the past. **5.** Seele *f* (*Mensch*): the ship went down with 100 ~s; a good ~ e-e gute Seele, e-e Seele von e-m Menschen; poor ~ armer Kerl; not a ~ keine Menschenseele. **6.** Inbegriff *m,* Muster *n:* he is the ~ of generosity er ist die Großzügigkeit selbst *od.* in Person. **7.** Kraft *f,* Inbrunst *f, a.* (künstlerischer) Ausdruck: he has no ~ er hat keine Energie; his pictures lack ~ s-n Bildern fehlt Leben. **8.** S~ *Christian Science:* Seele *f* (*Gott*).

'soul-de͵stroy·ing *adj* seelentötend.

souled ['sould] *adj* (*in Zssgn*) ...herzig, ...gesinnt: high-~ hochherzig.

soul·ful ['soulful] *adj* (*adv* ~ly) seelenvoll (*a. fig. u. iro.*). **soul·less** ['soullis] *adj* (*adv* ~ly) seelenlos (*a. fig. gefühllos, egoistisch, a. ausdruckslos*).

'soul|-͵stir·ring *adj* ergreifend.

sound[1] [saund] **I** *adj* (*adv* ~ly) **1.** gesund: ~ in mind and body körperlich u. geistig gesund; → bell[1] 1, mind 2. **2.** gesund, in'takt, fehlerfrei, tadellos: ~ fruit unverdorbenes Obst. **3.** *econ.* gesund, so'lid(e), sta'bil: a ~ company (currency, *etc*); ~ credit sicherer Kredit; he is ~ on sherry *colloq.* sein Sherry ist gut. **4.** gesund, vernünftig, gut: ~ investment (policy, *etc*). **5.** gut, brauchbar: ~ advice. **6.** folgerichtig: ~ argument. **7.** gut (fun'diert), so'lid: ~ knowledge. **8.** *jur.* rechtmäßig, begründet, gültig: a ~ title. **9.** zuverlässig: a ~ friend; he is ~ er ist in Ordnung. **10.** gut, tüchtig: a ~ strategist (thinker, *a.* sleeper, *etc*). **11.** kräftig, tüchtig, gehörig: a ~ beating e-e gehörige Tracht Prügel; ~ sleep tiefer *od.* gesunder Schlaf. **II** *adv* **12.** fest, tief: to sleep ~.

sound[2] [saund] *s* **1.** Sund *m,* Meerenge *f:* the ~ der Sund (*zwischen Schweden u. Dänemark*). **2.** *ichth.* Fischblase *f.*

sound[3] [saund] **I** *v/t* **1.** *bes. mar.* (aus)loten, peilen. **2.** *tech. den Meeresboden etc* erforschen. **3.** *oft* ~ out a) *etwas* son'dieren (*a. med.*), erkunden, erforschen: to ~ s.o.'s view, b) *j-n* ‚ausholen'. **II** *v/i* **4.** *bes. mar.* loten. **5.** auf Grund gehen (*Wal*). **6.** *fig.* son'dieren. **III** *s* **7.** *med.* Sonde *f.*

sound[4] [saund] **I** *s* **1.** Schall *m,* Laut *m,* Ton *m:* ~ amplifier Lautverstärker *m;* faster than ~ mit Überschallgeschwindigkeit; ~ and fury *fig.* a) Schall u. Rauch, b) hohles Getöse; within ~ in Hörweite. **2.** Klang *m:* musical ~. **3.** Ton *m,* Laut *m,* Geräusch *n:* without a ~ geräusch-, lautlos. **4.** *fig.* Ton *m,* Klang *m,* Tenor *m:* I don't like the ~ of it! die Sache gefällt mir nicht! **5.** *ling.* Laut *m.* **II** *v/i* **6.** (er)schallen, (-)klingen. **7.** *fig.* klingen: that ~s strange. **8.** ~ off *Am. sl.* ‚loslegen' (*laut sprechen, schimpfen*). **9.** ~ in *jur.* auf *Schadenersatz etc* lauten (*Klage*): to ~ in damages. **III** *v/t* **10.** *s-e Trompete etc* erschallen *od.* erklingen lassen: to ~ s.o.'s praises *fig.* j-s Lob singen. **11.** äußern: to ~ a note of fear. **12.** *ling.* (aus)sprechen: the h in 'hono(u)r' is not ~ed. **13.** verkünden: the bell ~s noon die Glocke schlägt 12 Uhr (mittags); to ~ the alarm Alarm schlagen; → retreat 1. **14.** *a. med.* abhorchen, abklopfen.

'sound|-ab͵sorb·ing *adj tech.* schalldämpfend, -schluckend. ~ **bar·ri·er** *s aer. phys.* Schallgrenze *f,* -mauer *f:* to break the ~ die Schallmauer durchbrechen. **'~͵board** *s* **1.** *mus.* Reso'nanzboden *m,* Schallbrett *n.* **2.** → sounding board 2 *u.* 3. ~ **booth** *s Film etc:* 'Tonka͵bine *f.* ~ **box** *s* **1.** Schalldose *f.* **2.** *mus.* Reso'nanzkasten *m.* **3.** *Film etc:* 'Tonka͵bine *f.* ~ **broad·cast·ing** *s* Hörfunk *m,* Tonrundfunk *m.* ~ **cam·er·a** *s tech.* (Ma'gnet)Tonkamera *f.* **'~-con͵di·tion** *v/t tech.* mit guter A'kustik versehen. ~ **con·duc·tiv·i·ty** *s tech.* Schalleitfähigkeit *f.* ~ **dra·ma** *s* Hörspiel *n.* ~ **ef·fects** *s pl Film, Radio, TV:* 'Tonef͵fekte *pl,* Geräusche *pl.* ~ **en·gi·neer** *s Radio etc:* Tonmeister *m.*

sound·er[1] ['saundər] *s tel.* Klopfer *m.*

sound·er[2] ['saundər] *s mar.* **1.** a) Lotkörper *m,* b) *Kriegsmarine:* Lotsgast *m.* **2.** Lot *n:* → echo sounder.

soun·der[3] ['saundər] *s Br.* Wildschweinrudel *n.*

sound film *s* Tonfilm *m.*

sound·ing[1] ['saundiŋ] *adj* (*adv* ~ly) **1.** tönend, schallend. **2.** wohlklingend, so'nor. **3.** *contp.* lautstark, bom'bastisch.

sound·ing[2] ['saundiŋ] *s mar.* **1.** *oft pl* Loten *n.* **2.** *pl* (ausgelotete *od.* auslotbare) Wassertiefe: out of (*od.* off) ~s a) auf nicht lotbarer Wassertiefe, b) *fig.* ohne sicheren Boden unter den Füßen; to take a ~ a) loten, b) *fig.* sondieren.

sound·ing| bal·loon *s* Ver'suchsbal͵lon *m,* Bal'lonsonde *f.* ~ **board** *s* **1.** *mus.* → soundboard 1. **2.** Schallmuschel *f* (*für Orchester etc im Freien*). **3.** Schalldämpfungsbrett *n.* **4.** *fig.* Podium *n,* Tri'büne *f.* ~ **line** *s mar.* Lotleine *f.* ~ **rock·et** *s* Ra'ketensonde *f.* ~ **tube** *s mar.* Peilrohr *n.*

sound·less[1] ['saundlis] *adj* laut-, geräuschlos.

sound·less² ['saundlis] *adj* unergründlich, grundlos.
sound| lo·ca·tor *s mil.* Horchgerät *n.* ~ **mix·er** *s Film etc*: Tonmeister *m.* ~ **mo·tion pic·ture** *s bes. Am.* Tonfilm *m.* '~-ₗon *adj Film*: **1.** *allg.* Ton-(film)...: ~-film system Lichttonverfahren *n.* **2.** ~-disk Nadelton... ~ **pro·jec·tor** *s Film*: Bandspieler *m*, 'Ton-(film)proₗjektor *m.* '~'**proof I** *adj* schalldicht. **II** *v/t* schalldicht machen, iso'lieren. '~'**proof·ing** *s* 'Schalldämpfung *f*, -schutz *m.* ~ **rang·ing I** *s mil.* Schallmessen *n.* **II** *adj* Schallmeß... ~ **re·cor·der** *s* Tonaufnahmegerät *n.* ~ **shift(·ing)** *s ling.* Lautverschiebung *f.* ~ **track** *s Film*: Tonspur *f.* ~ **trap** *s TV* Saugkreis *m.* ~ **truck** *s Am.* Lautsprecherwagen *m.* ~ **wave** *s phys.* Schallwelle *f.*
soup [suːp] **I** *s* **1.** Suppe *f*, Brühe *f*: to be in the ~ *colloq.* ‚in der Patsche' *od.* ‚Tinte' sitzen; from ~ to nuts *colloq.* von A bis Z. **2.** *fig.* dicker Nebel, ‚Waschküche' *f.* **3.** *phot. sl.* Entwickler *m.* **4.** *mot. sl.* Pferdestärke *f.* **5.** *mot. Am. sl.* ‚Super' *m* (*Spezialkraftstoff*). **6.** *Am. sl.* Nitroglyze'rin *n* (*zum Geldschrankknacken*). **II** *v/t* **7.** ~ up *Am. sl.* a) *den Motor* ‚fri'sieren': souped-up car → hot rod 1, b) *allg.* verstärken, ‚aufmöbeln', c) Dampf hinter *e-e Sache* machen.
soup| kitch·en *s* Armenküche *f.* '~ₗ**mix** *s* kochfertige Suppe. ~ **plate** *s* Suppenteller *m.*
sour [sauər] **I** *adj* (*adv* ~ly) **1.** sauer (*a. Geruch, Milch*), herb, bitter: ~ grapes *fig.* ‚saure Trauben'; to turn ~ sauer werden; to turn (*od.* go) ~ (on) *fig.* → 11. **2.** (übel)riechend, sauer. **3.** *fig.* sauertöpfisch, säuerlich, verdrießlich, mürrisch, bitter: a ~ man; a ~ face ein saures Gesicht. **4.** *fig.* naßkalt: ~ weather. **5.** *agr.* sauer (*kalkarm, naß*): ~ soil. **6.** schwefelhaltig: ~ fuel. **II** *s* **7.** Säure *f.* **8.** Bitternis *f*: the sweet and ~ of life Freud u. Leid (des Lebens); to take the sweet with the ~ das Leben nehmen, wie es (eben) ist. **9.** *Am.* (saurer) Cocktail: gin ~. **III** *v/i* **10.** sauer werden. **11.** *fig.* a) verbittert *od.* ‚sauer' werden, b) die Lust verlieren (on an *e-r Sache*), (on s.th. e-e Sache) ‚über' kriegen, c) ‚mies' werden. **IV** *v/t* **12.** säuern. **13.** *fig.* verbittern.
source [sɔːrs] *s* **1.** Quelle *f*, *poet.* Quell *m.* **2.** Quellfluß *m.* **3.** *poet.* Strom *m.* **4.** *fig.* (*Licht-, Strom- etc*)Quelle *f*: ~ of light; ~ of strength Kraftquell *m.* **5.** *fig.* Quelle *f*, Ursprung *m*: ~ of information Nachrichtenquelle; from a reliable ~ aus zuverlässiger Quelle; to have its ~ in s-n Ursprung haben in (*dat*). **6.** (*literarische*) Quelle. **7.** *econ.* (*Einnahme-, Kapital- etc*)Quelle *f*: ~ of supply Bezugsquelle; to levy a tax at the ~ e-e Steuer an der Quelle erheben. ~ **book** *s* Quellenbuch *n.* ~ **ma·te·ri·al** *s* **1.** 'Quellenmateriₗal *n.* **2.** *phys.* Ausgangsstoff *m.*
sour·dine [su(ə)r'diːn] *s mus.* → sordine.
'**sourₗdough** *s Am. dial. od. Canad.* **1.** *a. Br. dial.* Sauerteig *m.* **2.** A'laska-Schürfer *m.*
sour·ing ['sau(ə)riŋ] *s chem.* Aussäuerung *f.* '**sour·ish** *adj* säuerlich, angesäuert. '**sour·ness** *s* **1.** Herbheit *f*, Säure *f.* **2.** *fig.* Bitterkeit *f*, Griesgrämigkeit *f.*
'**sourₗpuss** *s sl.* ‚Miesepeter' *m.*
souse¹ [saus] **I** *s* **1.** Pökelfleisch *n.* **2.** Pökelbrühe *f*, Lake *f.* **3.** Eintauchen *n.* **4.** a) Sturz *m* ins Wasser, b) ‚Dusche' *f*, Regenguß *m.* **5.** *sl.* a) Saufe'rei *f*, b) *Am.* Säufer *m*, c) ‚Suff' *m.* **II** *v/t* **6.** eintauchen. **7.** durch'tränken. **8.** *Wasser etc* ausgießen (over über *acc*). **9.** (ein)pökeln. **10.** *sl. Wein etc* ‚saufen': ~d ‚voll', ‚besoffen'. **III** *v/i* **11.** durch'näßt werden. **12.** *sl.* ‚saufen'.
souse² [saus] **I** *s* **1.** *hunt. obs.* a) Aufsteigen *n*, b) Her'abstoßen *n* (*des Falken*). **2.** Plumps *m.* **II** *adv u. interj* **3.** plumps(!), ‚wupp'(!).
sou·tane [suː'tɑːn] *s R.C.* Sou'tane *f.*
sou·ten·eur [sut'nœːr] (*Fr.*) *s* Zuhälter *m.*
south [sauθ] **I** *s* **1.** Süden *m*: in the ~ of im Süden von; to the ~ of → 7; from the ~ aus dem Süden. **2.** *a.* S~ Süden *m*, südlicher Landesteil: the S~ of Germany Süddeutschland *n*; the S~ der Süden, die Südstaaten (*der USA*). **3.** *poet.* Südwind *m.* **II** *adj* **4.** südlich, Süd... **III** *adv* **5.** nach Süden, südwärts. **6.** aus dem Süden (*bes. Wind*). **7.** ~ of südlich von. **IV** *v/i* **8.** nach Süden gehen *od.* fahren. **9.** kulmi'nieren (*Mond etc*). **S~ Af·ri·can I** *adj* 'südafriₗkanisch. **II** *s* 'Südafriₗkaner(in): ~ Dutch Afrikaander(in). ~ **by east** *s* Südsüd'ost *m.* ~ **by west** *s* Südsüd'west *m.* '**S~ₗdown** [-ₗdaun] *s zo.* Southdownschaf *n.* ₗ~'**east I** *s* Süd'osten *m.* **II** *adj* süd'östlich, Südost... **III** *adv* süd'östlich, nach Süd'osten.
south|·east·er [ₗsauθ'iːstər] *s* Süd'ostwind *m.* ₗ~'**east·er·ly I** *adj* süd'östlich, Südost... **II** *adv* von *od.* nach Süd'osten. ₗ~'**east·ern** → southeast II. '~'**east·ward** [-wərd] *adj u. adv* nach Süd'osten, süd'östlich.
south·er ['sauθər; -ðər] *s* Südwind *m*, -sturm *m.*
south·er·ly ['sʌðərli] **I** *adj* südlich, Süd... **II** *adv* von *od.* nach Süden.
south·ern ['sʌðərn] *adj* **1.** südlich, Süd...: S~ Cross *astr.* Kreuz *n* des Südens; ~ lights *astr.* Südlicht *n.* **2.** S~ südstaatlich, ... der Südstaaten (*der USA*). '**south·ern·er** *s* **1.** Bewohner(in) des Südens (*e-s Landes*). **2.** S~ Südstaatler(in) (*in den USA*).
south·ern·ly ['sʌðərnli] → southerly.
'**south·ernₗmost** [-ₗmoust] *adj* südlichst(er, e, es).
'**south·ernₗwood** *s bot.* Stabwurz *f.*
south·ing ['sauðiŋ; -θiŋ] *s* **1.** Südrichtung *f*, südliche Fahrt. **2.** *astr.* a) Kulminati'on *f* (*des Mondes etc*), b) südliche Deklinati'on (*e-s Gestirns*). **3.** *mar.* 'Breitenₗunterschied *m* bei e-r Fahrt nach Süden.
south|·most ['sauθmoust] *adj* südlichst(er, e, es). '~ₗ**paw** *sport Am.* **I** *adj* linkshändig: ~ stance (*Boxen*) Rechtsauslage *f.* **II** *s* Linkshänder *m*, (*Boxen*) Rechtsausleger *m.* '~-ₗ**po·lar** *adj* Südpol..., ant'arktisch. **S~ Pole** *s* Südpol *m.*
south·ron ['sʌðrən] **I** *s* **1.** → southerner 1. **2.** *meist* S~ *Scot.* a) Engländer(in), b) *pl* (*die*) Engländer *pl.* **II** *adj* **3.** *bes. Scot.* südlich, *bes.* englisch.
South Sea *s* Südsee *f.* ~ **Bub·ble** *s Br. hist.* Südseeschwindel *m* (*1720*).
'**south|-ₗsouth'east I** *adj* südsüd'östlich, Südsüdost... **II** *adv* nach *od.* aus Südsüd'osten. **III** *s* Südsüd'osten *m.* '~·**ward** [-wərd] *adj u. adv* nach Süden, südlich, südwärts. '~·**wards** *adv* → southward. ₗ~'**west I** *adj* süd'westlich, Südwest... **II** *adv* nach *od.* aus Süd'westen. **III** *s* Süd'westen *m.*
south|·west·er [ₗsauθ'westər] *s* **1.** Süd'westwind *m.* **2.** → sou'wester 1. ₗ~'**west·er·ly** *adj* nach *od.* aus Süd'westen. ₗ~'**west·ern** *adj* süd'westlich, Südwest... ₗ~'**west·ward** [-wərd] *adj u. adv* nach Süd'westen, süd'westlich, süd'westwärts. ₗ~'**west·wards** *adv* → southwestward.
sou·ve·nir [ₗsuːvə'nir; 'suːvəₗnir] *s* Andenken *n* (*a. fig.*), Souve'nir *n.*
sou'·west·er [sau'westər] *s* **1.** Süd'wester *m* (*wasserdichter Ölhut*). **2.** → southwester 1.
sov·er·eign ['sɒvrin] **I** *s* **1.** Souve'rän *m*, Mon'arch(in), Landesherr(in). **2.** souve'räner Herrscher. **3.** (*die*) Macht im Staat (*Person od. Gruppe*). **4.** souve'räner Staat. **5.** *fig.* König(in). **6.** Sovereign *m* (*alte brit. Goldmünze von 20 Schilling*): half a ~, half ~ 10-Schillingmünze *f.* **II** *adj* **7.** höchst(er, e, es), oberst(er, e, es): the ~ good das höchste Gut. **8.** 'unumₗschränkt, souve'rän, königlich: ~ power. **9.** souve'rän (*Staat*). **10.** äußerst(er, e, es), größt(er, e, es). **11.** 'unüberₗtrefflich.
'**sov·er·eign·ty** [-ti] *s* **1.** oberste *od.* höchste (Staats)Gewalt. **2.** Souveräni'tät *f*, Landeshoheit *f*, Eigenstaatlichkeit *f.* **3.** Oberherrschaft *f*: consumer ~ *econ. Am.* (*der*) beherrschende Einfluß des Verbrauchers.
so·vi·et ['souviₗet; souvi'et] **I** *s oft* S~ **1.** So'wjet *m*: a) Arbeiter- u. Sol'datenrat *m*, b) *allg.* Behörde *f*: Supreme S~ Oberster Sowjet (*Volksvertretung*). **2.** the S~ das So'wjetsyₗstem. **3.** *pl* (*die*) So'wjets *pl.* **II** *adj* **4.** S~ so'wjetisch, Sowjet... '**so·vi·etₗism** *s* So'wjetsyₗstem *n.* ₗ**so·vi·et·i'za·tion** *s* Sowjeti'sierung *f.* '**so·vi·etₗize** *v/t* sowjeti'sieren. ₗ**so·vi·et'ol·o·gist** [-'tɒlədʒist] *s* Sowjeto'loge *m.*
sov·ran ['sɒvrən] → sovereign.
sow¹ [sau] *s* **1.** Sau *f*, (Mutter)Schwein *n*: to get the wrong ~ by the ear a) den Falschen erwischen, b) sich gründlich irren. **2.** *metall.* a) Mulde *f*, (Ofen)Sau *f*, b) Massel *f* (*gegossener Barren*).
sow² [sou] *pret u. pp* **sowed,** *pp a.* **sown I** *v/t* **1.** säen, ausstreuen (*a. fig.*): you must reap what you have ~n was man sät, erntet man; to ~ the wind and reap the whirlwind *Bibl.* Wind säen u. Sturm ernten; → oat 1, seed 7. **2.** *Land* besäen, einsäen. **3.** *etwas* verstreuen. **II** *v/i* **4.** säen.
so·war [so'wɑːr; sʌ-] *s Br. Ind.* indischer Kavalle'rist.
'**sow|ₗback** ['sau-] *s* niedriger Kies- *od.* Sandrücken. '~ₗ**bread** *s bot.* Erdscheibe *f*, Saubrot *n.* ~ **bug** *s zo.* Kellerassel *f.*
sow·er ['souər] *s* **1.** Säer *m*, Sämann *m*: he is a ~ of discord *fig.* er stiftet *od.* sät Zwietracht. **2.** 'Sämaₗschine *f.*
sown [soun] *pp von* sow².
sox [sɒks] *pl econ. von* sock¹ 1.
soy [sɔi] *s* **1.** Sojabohnenöl *n.* **2.** → soybean. **so·ya (bean)** ['sɔiə], '**soyₗbean** *s bot.* Sojabohne *f.*
soz·zled ['sɒzld] *adj Br. sl.* ‚to'tal besoffen', ‚blau'.
spa [spɑː] *s* **1.** Mine'ralquelle *f.* **2.** Badekurort *m*, Bad *n.*
space [speis] **I** *s* **1.** *math. philos.* Raum *m* (*Ggs Zeit*): to disappear into ~ sich in Luft auflösen; to look into ~ ins Nichts *od.* Leere starren. **2.** (Welt)-Raum *m*, Weltall *n.* **3.** Raum *m*, Platz *m*: to require much ~. **4.** (Zwischen)-Raum *m*, Stelle *f*, Lücke *f.* **5.** *aer. rail. etc* Platz *m.* **6.** Zwischenraum *m*, Abstand *m.* **7.** Zeitraum *m*: a ~ of three hours; after a ~ nach e-r Weile; for a ~ e-e Zeitlang. **8.** *print.* Spatium

n, Ausschluß(stück *n*) *m*. **9.** *tel.* Abstand *m*, Pause *f*. **10.** *Am. sl.* a) Raum *m* für Re'klame (*in Zeitschriften*), b) 'Anzeigenforˌmat *n*, c) *Radio, TV* (Werbe)Zeit *f*. **II** *v/t* **11.** räumlich *od.* zeitlich einteilen. **12.** in Zwischenräumen anordnen. **13.** *meist* ~ out *print.* a) ausschließen, b) weit(läufig) setzen, sperren. **14.** *a.* ~ out gesperrt schreiben (*auf der Schreibmaschine*).

'space|ˌband *s print.* (Spatien)Keil *m*. ~ **bar** *s* Leertaste *f*. ~ **bomb** *s mil.* Raumbombe *f*. ~ **charge** *s electr.* Raumladung *f*: ~ grid Raumladegitter *n*. ~ **fic·tion** *s* 'Weltraumroˌmane *pl*. ~ **flight** *s* (Welt)Raumflug *m*. ~**heat·er** *s* Raumstrahler *m*. ~**key** → space bar. ~ **lab·o·ra·to·ry** *s* 'Raumstatiˌon *f*, -labˌor *n*. '~-ˌ**lat·tice** *s phys.* Raumgitter *n*. '~·**man** [-mən] *s irr* **1.** (Welt)Raumfahrer *m*, Astro'naut *m*. **2.** Weltraumbewohner *m*. ~ **med·i·cine** *s* 'Raummediˌzin *f*. ~ **op·er·a** *s Am. colloq.* **1.** Weltraumstory *f*. **2.** → space fiction. ~ **plat·form** → space station. '~ˌ**port** *s* Startanlage *f* für Raumschiffe.

spac·er ['speisər] *s tech.* **1.** Di'stanzstück *n*. **2.** → space bar.

space| race *s* Wettlauf *m* um die Eroberung des Weltalls. ~ **rock·et** *s* 'Raumraˌkete *f*. ~ **rule** *s print.* Querlinie *f*. '~-ˌ**sav·ing I** *adj* raum-, platzsparend. **II** *s* Platzersparnis *f*. '~ˌ**ship** *s* Raumschiff *n*. ~ **sta·tion** *s* ('Welt-)Raumstatiˌon *f*. '~-ˌ**suit** *s* Raumanzug *m*. '~-ˌ**time I** *s math. philos.* Zeit-Raum *m*. **II** *adj* Raum-Zeit... ~ **trav·el** *s* Raumfahrt *f*. ~ **type** *s print.* Sperrdruck *m*. ~ **writ·er** *s Am.* Zeitungsschreiber, der nach dem 'Umfang s-s Beitrags bezahlt wird.

spa·cial → spatial.

spac·ing ['speisiŋ] *s* **1.** Einteilen *n* (*in Abständen*). **2.** (*a. zeitlicher*) Abstand. **3.** *print. etc* a) Sperren *n*, b) Zwischenraum *m*, Zeilenabstand *m*.

spa·cious ['speiʃəs] *adj* (*adv* ~ly) **1.** geräumig, weit, ausgedehnt. **2.** *fig.* weit, 'umfangreich, um'fassend. '**spa·cious·ness** *s* **1.** Geräumigkeit *f*. **2.** *fig.* Weite *f*, 'Umfang *m*, Ausmaß *n*.

spade[1] [speid] **I** *s* **1.** Spaten *m*: to call a ~ a ~ *fig.* das Kind beim (richtigen) Namen nennen; to dig the first ~ den ersten Spatenstich tun. **2.** *mil.* La'fettensporn *m*. **3.** *colloq.* Schwarze(r) *m*, Neger *m*. **II** *v/t* **4.** 'umgraben. **5.** den Speck abschälen von (*e-m Wal*). **III** *v/i* **6.** graben, mit dem Spaten arbeiten.

spade[2] [speid] *s* **1.** Pik(karte *f*) *n*, Schippe *f* (*des französischen Blatts*), Grün *n* (*des deutschen Blatts*): seven of ~s Pik-Sieben *f*. **2.** *meist pl* Pik(farbe *f*) *n*. [(voll) *m*.]

spade·ful ['speidˌful] *s* (*ein*) Spaten-

spade| hus·band·ry *s agr.* 'Spatenkulˌtur *f*. '~ˌ**work** *s fig.* mühevolle Vorarbeit, Klein-, Pio'nierarbeit *f*.

spadg·er ['spædʒər] *s Br. colloq.* Spatz *m*.

spa·di·ceous [spei'diʃəs] *adj* **1.** rötlichbraun. **2.** *bot.* kolbig. [*n*.]

spa·dille [spə'dil] *s Kartenspiel*: Pik-As

spa·dix ['speidiks] *pl* **-di·ces** [-'daisiːz] *s bot.* (Blüten)Kolben *m*.

spa·do ['speidou] *pl* **-do·nes** [-'douniːz] (*Lat.*) *s* **1.** a) Ka'strat *m*, b) Impo'tente(r) *m*. **2.** ka'striertes Tier.

spake [speik] *obs. pret. von* speak.

spald·er ['spɔːldər; 'spɔːd-] *s* Stein-, Erzhauer *m*.

spall [spɔːl] **I** *s* **1.** (Stein-, Erz)Splitter *m*. **II** *v/t* **2.** *tech. Erz* zerstückeln. **III** *v/i* **3.** zerbröckeln, absplittern. **4.** *phys.* abspalten. [*m*.]

spal·peen [spæl'piːn] *s Ir.* Nichtsnutz

spam [spæm] (*TM*) *s* (*aus* spiced ham) Dosenfleisch *n* (aus gewürztem u. kleingeschnittenem Schinken).

span[1] [spæn] **I** *s* **1.** Spanne *f*: a) *gespreizte Hand*, b) *englisches Maß* (= *9 inches*). **2.** *arch.* a) Spannweite *f* (*e-s Bogens*), b) Stützweite *f* (*e-r Brücke*), c) (*einzelner*) (Brücken)Bogen. **3.** *aer.* Spannweite *f*. **4.** *mar.* Spann *n*, Haltetau *n*, -kette *f*. **5.** *fig.* Spanne *f*, 'Umfang *m*. **6.** *bes. med. psych.* (*Gedächtnis-, Seh- etc*)Spanne *f*: memory ~. **7.** (kurze) Zeitspanne. **8.** Lebensspanne *f*, -zeit *f*. **9.** (*Art*) Gewächshaus *n*. **10.** *bes. Am.* Gespann *n*. **II** *v/t* **11.** abmessen. **12.** um'spannen. **13.** sich erstrecken über (*e-n Fluß etc; a. fig.*), über'spannen. **14.** über'brücken. **15.** *fig.* über'spannen, um'fassen.

span[2] [spæn] *obs. pret von* spin.

span·cel ['spænsl] **I** *s* Fußfessel *f* (*für Tiere*). **II** *v/t* mit e-m Strick fesseln.

span·drel ['spændrəl] *s* **1.** *arch.* Span'drille *f*, (Gewölbe-, Bogen)Zwickel *m*. **2.** *tech.* Hohlkehle *f*.

span·gle ['spæŋgl] **I** *s* **1.** Flitter(plättchen *n*) *m*, Pail'lette *f*, Glitzerschmuck *m*. **2.** *bot.* Gallapfel *m*. **II** *v/t* **3.** mit Flitter besetzen. **4.** *fig.* schmücken, über'säen: the ~d heavens der gestirnte Himmel. '**span·gly** [-gli] *adj* glitzernd, Flitter...

Span·iard ['spænjərd] *s* Spanier(in).

span·iel ['spænjəl] *s* **1.** *zo.* Spaniel *m*, Wachtelhund *m*. **2.** *fig.* ‚Kriecher' *m*.

Span·ish ['spæniʃ] **I** *adj* **1.** spanisch: ~ America; War of the ~ Succession *hist.* (*der*) Spanische Erbfolgekrieg. **II** *s* **2.** *collect.* (*die*) Spanier *pl*. **3.** *ling.* Spanisch *n*, das Spanische. ~ **A·mer·i·can I** *adj* 'spanisch-ameri'kanisch, la'teinameriˌkanisch. **II** *s* La'teinameriˌkaner(in). ~ **chest·nut** *s bot.* 'Eßkaˌstanie *f*. ~ **fly** *s zo.* Spanische Fliege. ~ **Main** *s* **1.** Nord'ostküste *f* 'Südaˌmerikas. **2.** (*unkorrekt*) südliche Ka'ribische See. ~ **pa·pri·ka** *s bot.* Spanischer Pfeffer, Paprika *m*.

spank [spæŋk] *colloq.* **I** *v/t* **1.** verhauen, *j-m* ‚den Hintern versohlen'. **2.** *Pferde etc* antreiben. **II** *v/i* **3.** *a.* ~ along (da'hin)flitzen. **III** *s* **4.** Schlag *m*, Klaps *m*.

'**spank·er** *s* **1.** *colloq.* Renner *m* (*schnelles Pferd*). **2.** *colloq.* a) 'Prachtexemˌplar *n*, b) Prachtkerl *m*. **3.** *mar.* Be'san *m*. '**spank·ing I** *adj* (*adv* ~ly) **1.** *colloq.* schnell, flink. **2.** *colloq.* scharf, tüchtig, stark: ~ breeze steife Brise. **3.** *colloq.* prächtig, ‚mächtig', ‚toll'. **II** *adv* **4.** *colloq.* → 3. **III** *s* **5.** *colloq.* ‚Haue' *f*, Schläge *pl*.

span·ner ['spænər] *s* **1.** *tech.* Schraubenschlüssel *m*: to throw a ~ in(to) the works *colloq.* ‚e-n Knüppel zwischen die Beine werfen', ‚querschießen'. **2.** *tech.* Querverstrebung *f*.

spar[1] [spɑːr] *s min.* Spat *m*.

spar[2] [spɑːr] **I** *s* **1.** *mar.* Rundholz *n*, Spiere *f*. **2.** *aer.* Holm *m*. **II** *v/t* **3.** *mar.* mit Spieren versehen.

spar[3] [spɑːr] **I** *v/i* **1.** *Boxen*: a) sparren: to ~ at Scheinhiebe machen nach; to ~ for time *fig.* Zeit schinden, b) boxen. **2.** (mit Sporen) kämpfen (*Hähne*). **3.** sich streiten (with mit), sich ein Wortgefecht liefern. **II** *s* **4.** *Boxen*: Sparring *n*, Übungskampf *m*. **5.** Hahnenkampf *m*. **6.** *fig.* Wortgefecht *n*.

spare [spɛ(ː)r] **I** *v/t* **1.** *j-n od. etwas* verschonen, *e-n Gegner, j-s Gefühle, j-s Leben* schonen: to ~ s.o.'s feelings; ~ his blushes! bring ihn doch nicht in Verlegenheit!; if we are ~d wenn wir verschont bleiben. **2.** sparsam 'umgehen mit, schonen: don't ~ the paint spare nicht mit (der) Farbe; → expense *Bes. Redew.*, rod 3. **3.** *j-m etwas* ersparen, *j-n* verschonen mit: ~ me the trouble erspare mir die Mühe; ~ me these explanations verschone mich mit diesen Erklärungen; (not) to ~ o.s. sich (nicht) schonen. **4.** entbehren: we cannot ~ him just now. **5.** erübrigen, übrig haben: can you ~ me a cigarette (a moment)? hast du e-e Zigarette (e-n Augenblick Zeit) für mich (übrig)?; no time to ~ keine Zeit (zu verlieren); → enough II. **II** *v/i* **6.** sparen. **III** *adj* **7.** Ersatz..., Reserve...: ~ tire (*od.* tyre) Ersatzreifen *m*; ~ part → 12. **8.** 'überflüssig, -schüssig, übrig: ~ moment freier Augenblick; ~ room Gästezimmer *n*; ~ time (*od.* hours) Freizeit *f*, Mußestunden *pl*; ~-time activities Freizeitgestaltung *f*. **9.** sparsam, kärglich. **10.** sparsam (*Person*). **11.** mager (*Person*). **IV** *s* **12.** *tech.* Ersatz-, Re'serveteil *m*, *n*. **13.** *Bowling*: Spare *m* (*Abräumen mit 2 Würfen*).

spare·ness ['spɛrnis] *s* **1.** Magerkeit *f*. **2.** Dürftigkeit *f*.

'**spareˌrib** *s* Rippe(n)speer *m*.

sparg·er ['spɑːrdʒər] *s tech.* **1.** (Wasser)Sprenggerät *n*. **2.** *Brauerei*: Sprenkler *m*.

spar·ing ['spɛ(ə)riŋ] *adj* (*adv* ~ly) **1.** sparsam (in, of mit), karg, mäßig: to be ~ of sparsam umgehen mit, kargen mit (*a. fig.*). **2.** sparsam (*mit Worten*), knapp. **3.** spärlich, dürftig, knapp. '**spar·ing·ness** *s* Sparsamkeit *f*, Kargheit *f*, Dürftigkeit *f*.

spark[1] [spɑːrk] **I** *s* **1.** Funke(n) *m* (*a. fig.*): the vital ~ der Lebensfunke; to strike ~s out of s.o. j-n ‚in Fahrt bringen'; ~s flew Funken stoben. **2.** *fig.* Funke(n) *m*, Spur *f* (of von *Intelligenz, Leben etc*). **3.** funkelnder Gegenstand, *bes.* Dia'mant *m*. **4.** *electr.* a) (e'lektrischer) Funke, b) Entladung *f*, c) (Licht)Bogen *m*. **5.** *mot.* (Zünd)Funke *m*: to advance (retard) the ~ die Zündung vorstellen (zurückstellen). **6.** *Radio*: a) → spark transmitter, b) → spark transmission. **II** *v/i* **7.** Funken sprühen. **8.** funkeln. **9.** *tech.* zünden. **III** *v/t* **10.** *j-n* befeuern. **11.** ~ off *fig. etwas* auslösen.

spark[2] [spɑːrk] **I** *s* **1.** flotter (junger) Kerl. **2.** Ga'lan *m*, Schwerenöter *m*. **II** *v/t* **3.** *Am. colloq. j-m* den Hof machen. **III** *v/i* **4.** *Am. colloq.* (miteinander) ‚pous'sieren'.

spark| ad·vance *s tech.* Vor-, Frühzündung *f*. ~ **ar·rest·er** *s electr.* Funkenlöscher *m*. ~ **coil** *s* **1.** *electr.* 'Funkeninˌduktor *m*. **2.** *mot.* Zündspule *f*. ~ **dis·charge** *s electr.* Funkenentladung *f*. ~ **gap** *s electr.* Funkenstrecke *f*.

spark·ing ['spɑːrkiŋ] *s electr. tech.* Funkenbildung *f*. ~ **plug** *s mot. Br.* Zündkerze *f*.

spar·kle ['spɑːrkl] **I** *v/i* **1.** funkeln (*a. fig.*): her eyes ~d with anger ihre Augen blitzten vor Zorn; his conversation ~d with wit s-e Unterhaltung sprühte vor Witz. **2.** *fig.* a) funkeln, sprühen (*Witz, Geist*), b) bril'lieren, glänzen (*Person*). **3.** Funken sprühen. **4.** perlen (*Wein*). **II** *v/t* **5.** *Licht* sprühen. **III** *s* **6.** Funkeln *n*, Glanz *m*. **7.** Funke(n) *m*. **8.** Bril'lanz *f*. '**spar·kler** [-klər] *s* **1.** (*etwas*) Funkelndes. **2.** *sl.* Dia'mant *m*. **3.** Wunderkerze *f* (*Feuerwerk*). **4.** funkelnder Geist (*Per-

son). 'spark·let [-klit] *s* 1. Fünkchen *n* (*a. fig.*). 2. glitzernder Stein (*an Gewändern*). 3. Kohlen'dio,xydkapsel *f* (*für Siphonflaschen*). 'spar·kling [-kliŋ] *adj* (*adv* ~ly) 1. funkelnd, sprühend (*beide a. fig. Witz etc*). 2. *fig.* geistsprühend, spritzig (*Person, a. Dialog etc*). 3. schäumend, mous'sierend: ~ wines Schaumweine; ~ water Sprudel *m*.

'spark|,o·ver *s electr.* 'Überschlag *m* (*e-s Funkens*). ~ **plug** *s Am.* 1. *mot.* Zündkerze *f*. 2. *colloq.* ,Motor' *m*, treibende Kraft (*Person*).

Sparks [spɑːrks] *s mar.* (*Spitzname für*) Funker *m*.

spark| trans·mis·sion *s* Über'tragung *f* mittels Funkensender. ~ **trans·mit·ter** *s Radio*: Funkensender *m*.

spar·ring ['spɑːriŋ] *s* 1. *Boxen*: Sparring *n*, Übungsboxen *n*: ~ partner Sparringpartner *m*. 2. (Wort)Geplänkel *n*.

spar·row ['spærou] *s orn.* Spatz *m*, Sperling *m*. ~ **bill** *s* Schuhzwecke *f*. '~,**grass** *s colloq.* Spargel *m*. ~ **hawk** *s orn.* Sperber *m*.

spar·ry ['spɑːri] *adj min.* spatig.

sparse [spɑːrs] *adj* (*adv* ~ly) 1. spärlich, dünn (gesät): a ~ population. 2. dünn, spärlich: ~ hair. '**sparse·ness**, '**spar·si·ty** *s* Spärlichkeit *f*, Seltenheit *f*.

Spar·tan ['spɑːrtən] *antiq. u. fig.* I *adj* spar'tanisch. II *s* Spar'taner(in). '**Spar·tan,ism** *s* Spar'tanertum *n*.

spar·te·ine ['spɑːrti,iːn; -tiin] *s chem.* Sparte'in *n*.

spasm ['spæzəm] *s* 1. *med.* Krampf *m*, Spasmus *m*, Zuckung *f*. 2. Anfall *m*: ~ of fear; a ~ of coughing ein Hustenanfall. **spas·mod·ic** [spæz'mɒdik] *adj* (*adv* ~ally) 1. *med.* krampfhaft, -artig, spas'modisch. 2. sprunghaft, vereinzelt. **spas·mo·lyt·ic** [,spæzmo'litik] *adj med.* krampflösend.

spas·tic ['spæstik] *med.* I *adj* (*adv* ~ally) spastisch, Krampf...: ~ paralysis krampfartige Lähmung. II *s* Spasmuskranke(r *m*) *f*.

spat[1] [spæt] *zo.* I *s* 1. Muschel-, Austernlaich *m*. 2. a) *collect.* junge Schaltiere *pl*, b) junge Auster *od.* Muschel. II *v/i* 3. laichen.

spat[2] [spæt] *s meist pl* Ga'maschen *pl*.

spat[3] [spæt] *colloq.* I *s* 1. Klaps *m*, Schlag *m*. 2. ,Krach' *m*, Streit *m*. II *v/i* 3. *Am.* sich streiten. 4. klatschen.

spat[4] [spæt] *pret u. pp von* spit[1].

spatch·cock ['spætʃ,kɒk] I *s* eiligst geschlachtetes u. gekochtes Geflügel. II *v/t colloq. Worte etc* einflicken.

spate [speit] *s* 1. *Br.* Über'schwemmung *f*, Hochwasser *n*. 2. *fig.* (Wort)Schwall *m*, Flut *f*.

spathe [speið] *s* Blütenscheide *f*.

spa·tial ['speiʃəl] *adj* räumlich, Raum... ,**spa·ti'al·i·ty** [-ʃi'æliti] *s* räumlicher Cha'rakter.

spa·ti·o·tem·po·ral [,speiʃio'tempərəl] *adj* Raum-Zeit...

spat·ter ['spætər] I *v/t* 1. bespritzen, beschmutzen (with mit). 2. (ver)spritzen. 3. *fig.* a) *Verleumdungen* ausstreuen, b) *j-s Namen* besudeln, c) *j-n* ,mit Dreck bewerfen'. II *v/i* 4. spritzen. 5. (her'nieder)prasseln. III *s* 6. Spritzen *n*. 7. Klatschen *n*, Prasseln *n*. 8. Geknatter *n*. 9. Spritzer *m*, Spritzfleck *m*. '~,**dash** *s meist pl* Ga'maschen *pl*. '~,**dock** *s bot.* 1. Gelbe Teichrose (*Nordamerika*). 2. a) Seerose *f*, b) Teichrose *f*. '~,**work** *s tech.* Spritzarbeit *f*, ,Spritzmale'rei *f*.

spat·u·la [*Br.* 'spætjulə; *Am.* -tʃələ] *s* 1. *med. tech.* Spa(ch)tel *m*, *f*. 2. *orn.* Löffelente *f*. '**spat·u·late** [-lit; -,leit] *adj* spatelförmig.

spav·in ['spævin] *s vet.* Spat *m* (*Pferdekrankheit*). '**spav·ined** *adj* spatig, lahm.

spawn [spɔːn] I *s* 1. *ichth.* Laich *m*. 2. *bot.* My'zel(fäden *pl*) *n*. 3. *fig. contp.* Brut *f*, Gezücht *n*. II *v/i* 4. *ichth.* laichen. 5. *fig. contp.* a) sich wie Ka'ninchen vermehren, b) wie Pilze aus dem Boden schießen. III *v/t* 6. *ichth. den Laich* ablegen. 7. *contp. Kinder* massenweise in die Welt setzen. 8. *fig.* ausbrüten, her'vorbringen. '**spawn·er** *s* Rog(e)ner *m*, Fischweibchen *n* zur Laichzeit. '**spawn·ing** I *s* 1. Laichen *n*. II *adj* 2. laichend. 3. Laich...: ~ time. 4. *fig.* sich stark vermehrend: the ~ slums.

spay [spei] *v/t vet. zo.* die Eierstöcke entfernen.

speak [spiːk] *pret* **spoke** [spouk], *obs.* **spake** [speik] *pp* **spo·ken** ['spoukən], *obs.* **spoke** I *v/i* 1. reden, sprechen (to mit, zu; about über *acc*): spoken *thea.* gesprochen (*Regieanweisung*); the portrait ~s *fig.* das Porträt ist sprechend ähnlich; so to ~ sozusagen; → speak of *u.* to; → speaking. 2. (öffentlich) reden, sprechen. 3. miteinander sprechen. 4. feststellen, sagen (*in Schriftstücken etc*). 5. ertönen (*Trompete etc*). 6. *bes. Br.* anschlagen, Laut geben (*Hund*). 7. *mar.* signali'sieren.

II *v/t* 8. sprechen, sagen. 9. aussprechen, sagen, äußern: to ~ the truth die Wahrheit sagen; → mind 4. 10. verkünden (*Trompete etc*). 11. *e-e Sprache* sprechen (können): he ~s French er spricht *od.* kann Französisch. 12. *fig. e-e Eigenschaft etc* verraten. 13. *obs.* (an)zeigen: his conduct ~s him generous sein Verhalten zeigt s-e Großzügigkeit. 14. *mar. ein Schiff* ansprechen (*durch Signale*).

Verbindungen mit Präpositionen:

speak| for *v/t* 1. sprechen *od.* eintreten für: to ~ o.s. a) selbst sprechen, b) s-e eigene Meinung äußern; that speaks for itself das spricht für sich selbst; that speaks well for him das spricht für ihn. 2. zeugen von. ~ **of** *v/t* 1. sprechen von *od.* über (*acc*): nothing to ~ nicht der Rede wert, nichts Erwähnenswertes; not to ~ ganz zu schweigen von. 2. *etwas* verraten, zeugen von. ~ **to** *v/t* 1. *j-n* ansprechen, mit *j-m* (*a.* mahnend *etc*) sprechen *od.* reden. 2. bestätigen, bezeugen. 3. zu sprechen kommen auf (*acc*).

Verbindungen mit Adverbien:

speak| out I *v/i* 1. → speak up 1 *u.* 2. 2. *fig.* sich zeigen, deutlich werden. II *v/t* 3. aussprechen. ~ **up** *v/i* 1. laut u. deutlich sprechen: ~! (sprich) lauter! (→ 2). 2. ,kein Blatt vor den Mund nehmen': ~! heraus mit der Sprache! (→ 1). 3. sich einsetzen (for für).

'speak,eas·y *s Am. sl.* ,Flüsterkneipe' *f*.

speak·er ['spiːkər] *s* 1. Sprecher(in), Redner(in). 2. S~ *parl.* Sprecher *m*, Präsi'dent *m*: the S~ of the House of Commons der Präsident *od.* Sprecher des Unterhauses; Mr. S~! Herr Vorsitzender!; to catch the S~'s eye das Auge des Vorsitzenden auf sich lenken, sich erfolgreich zu Wort melden. 3. *Am.* (*Art*) Vortragsbuch *n*. 4. *electr.* Lautsprecher *m*. '**speak·er,ship** *s parl.* Amt *n* des Speaker.

speak·ing ['spiːkiŋ] I *adj* (*adv* ~ly) 1. sprechend, redend: ~! *teleph.* am Apparat!; Brown ~! *teleph.* (hier) Brown!; the English-~ countries die englischsprechenden Länder; ~ acquaintance flüchtige(r) Bekannte(r); to have a ~ knowledge of *e-e Sprache* (nur) sprechen können; → term 11. 2. (*adverbial*) gesprochen: generally ~ allgemein (gesprochen *od.* gesagt); legally ~ juristisch betrachtet. 3. *fig.* sprechend: a ~ likeness. 4. Sprech..., Sprach...: a ~ voice e-e (gute) Sprechstimme. 5. Vortrags... II *s* 6. Sprechen *n*, Reden *n*. ~ **choir** *s* Sprechchor *m*. ~ **trum·pet** *s* Sprachtrichter *m*, -rohr *n*. ~ **tube** *s* 1. Sprechverbindung *f* zwischen zwei Räumen *etc*. 2. → speaking trumpet.

spear[1] [spir] I *s* 1. a) (Wurf)Speer *m*, b) Lanze *f*, Spieß *m*: ~ side männliche Linie (*e-r Familie*). 2. *poet.* Speerträger *m*. II *v/t* 3. durch'bohren, aufspießen.

spear[2] [spir] I *s bot.* Gras-, Getreidehalm *m*, Sproß *m*. II *v/i* (auf)sprießen.

'spear|,fish I *s ichth.* Speerfisch *m*. II *v/i* mit dem Speer (unter Wasser) fischen. ~ **gun** *s* Har'punenbüchse *f*. ~ **grass** *s bot.* 1. Straußgras *n*. 2. Gemeine Quecke. 3. Spartgras *n*. '~,**head** I *s* 1. Lanzenspitze *f*. 2. *mil.* Angriffsspitze *f*, Stoßkeil *m*. 3. *fig.* a) Anführer *m*, Vorkämpfer *m*, b) Spitze *f*, beherrschendes Ele'ment. II *v/t* 4. *mil.* vor'ausgehen, vor'anstürmen (*dat*). 5. *fig.* die Spitze (*gen*) bilden, an der Spitze (*gen*) stehen. '~,**mint** *s bot.* Grüne Minze.

spec [spek] *s* (*abbr. für* speculation) *colloq.* Spekulati'on *f*: on ~ auf gut Glück.

spe·cial ['speʃəl] I *adj* (*adv* → specially) 1. spezi'ell, (ganz) besonder(er, e, es): ~ ability; his ~ charm; my ~ friend. 2. spezi'ell, Spezial..., Fach...: ~ knowledge Fachkenntnis *f*, -wissen *n*; this is too ~ das ist zu speziell. 3. a) Sonder...: ~ case (court, jury, permission, tax, train, *etc*), b) Extra..., Ausnahme...: ~ constable → 5 a; ~ correspondent → 5 e; ~ edition → 5 c. 4. spezi'ell, bestimmt: on ~ days an bestimmten Tagen. II *s* 5. (*j-d od. etwas*) Besonderes, *bes.* a) 'Hilfspoli,zist *m*, b) Sonderzug *m*, c) Sonderausgabe *f*, Extrablatt *n*, d) Sonderprüfung *f*, e) Sonderberichterstatter *m*, f) *econ. Am.* Sonderangebot *n*, g) *Am.* ('Tages)Speziali,tät *f* (*im Restaurant*).

spe·cial| a·gent *s econ. jur.* 'Sonderbe,vollmächtigte(r *m*) *f*. ~ **a·re·a** *s Br.* Notstandsgebiet *n*. ~ **bar·gain** *s econ.* Sonderangebot *n*. ~ **con·tract** → specialty 3. ~ **de·liv·er·y** *s mail Am.* Eilzustellung *f*, ,durch Eilboten'. ~ **div·i·dend** *s econ.* 'Extradivi,dende *f*. ~ **en·dorse·ment** *s econ.* Vollgiro *n*.

spe·cial·ist ['speʃəlist] I *s* 1. Spezia'list *m*: a) Fachmann *m*, b) *med.* Facharzt *m* (in für). II *adj* → specialistic. ,**spe·cial'is·tic** *adj* speziali'siert, Fach..., Spezial... ,**spe·ci'al·i·ty** [-ʃi'æliti] *s bes. Br.* 1. Besonderheit *f*. 2. a) besonderer Punkt, b) *pl* Einzelheiten *pl*. 3. besonderes Merkmal. 4. *a. econ.* Speziali'tät *f*. 5. → specialty 1—3. ,**spe·cial·i'za·tion** *s* Speziali'sierung *f*. '**spe·cial,ize** I *v/i* 1. sich speziali'sieren (in, on auf *acc*). 2. *biol.* sich besonders entwickeln (*Organe*). II *v/t* 3. speziali'sieren: ~d → specialistic. 4. näher bezeichnen. 5. *biol. Organe* besonders entwickeln.

spe·cial li·cence *s jur. Br. Sondergenehmigung zur Eheschließung ohne Aufgebot an e-m beliebigen Ort u. zu e-r beliebigen Zeit.*

spe·cial·ly ['speʃəli] *adv* 1. im besonderen, besonders. **2.** eigens, ausdrücklich, extra.

spe·cial| part·ner *s econ.* beschränkt haftender Teilhaber, Kommandi'tist *m.* ~ **plead·er** *s* **1.** *jur.* Anwalt *m* (*der sich auf die Abfassung von Anträgen etc spezialisiert hat*). **2.** Tatsachen-, Rechtsverdreher *m.* ~ **plead·ing** *s* **1.** *jur.* a) Sonderschriftsatz *m* (*der sich speziell mit dem Tatbestand befaßt*), b) Vorbringen *n* von 'Nebenmateri,al. **2.** *fig.* Spitzfindigkeit *f.* ~ **serv·ice school** *s mil.* Waffenschule *f.*

spe·cial·ty ['speʃəlti] *s bes. Am.* **1.** Spezi'alfach *n*, -gebiet *n*. **2.** *econ.* a) Spezi'alar,tikel *m*, Speziali'tät *f*, b) Neuheit *f*. **3.** *jur. a. Br.* a) formgebundener Vertrag, b) besiegelte Urkunde. **4.** → speciality 2 a, 3, 4.

spe·cial ver·dict *s jur. Urteil der Geschworenen über 'eine Tatfrage allein.*

spe·cie ['spi:ʃi(:)] *s* **1.** Hartgeld *n*, Münze *f*. **2.** Bargeld *n*: ~ payments Barzahlung *f*; in ~ a) in bar, b) in natura, c) *fig.* in gleicher Münze.

spe·cies ['spi:ʃi(:)z] *s sg u. pl* **1.** Art *f*, Sorte *f*. **2.** *biol.* Art *f*, Spezies *f*: the (*od.* our) ~ die Menschheit. **3.** *Logik*: Art *f*, Klasse *f*. **4.** Vorstellung *f*, Bild *n*. **5.** *relig.* (sichtbare) Gestalt (von Brot u. Wein) (*beim Abendmahl*).

spe·cif·ic [spi'sifik] **I** *adj* (*adv* ~ally) **1.** spe'zifisch, spezi'ell, bestimmt(er, e, es): a ~ function. **2.** bestimmt, defini'tiv, prä'zis(e): a ~ statement. **3.** eigen(tümlich) (to *dat*): a style ~ to that school. **4.** typisch, besonder(er, e, es). **5.** wesentlich. **6.** *biol.* Art...: ~ name. **7.** *med.* a) spe'zifisch (wirkend): a ~ remedy (*od.* medicine) → 9, b) spe'zifisch: a ~ disease. **8.** *phys.* a) spe'zifisch: ~ energy, b) Einheits... **II** *s* **9.** *med.* spe'zifisches Heilmittel, Spe'zifikum *n*.

spec·i·fi·ca·tion [,spesifi'keiʃən] *s* **1.** Spezifi'zierung *f*, Spezifikati'on *f*. **2.** genaue Aufzählung, Spezifikati'on *f*. **3.** *meist pl* Einzelangaben *pl od.* -vorschriften *pl*, *bes.* a) *arch.* Baubeschrieb *m*, b) technische Beschreibung. **4.** *jur.* Pa'tentbeschreibung *f*, -schrift *f*. **5.** *jur.* Spezifikati'on *f* (*Eigentumserwerb durch Verarbeitung*).

spe·cif·ic| char·ac·ter *s biol.* Artmerkmal *n.* ~ **du·ty** *s econ.* Stückzoll *m.* ~ **grav·i·ty** *s phys.* spe'zifisches Gewicht, Wichte *f.* ~ **per·form·ance** *s jur.* effek'tive Vertragserfüllung.

spec·i·fy ['spesi,fai] **I** *v/t* **1.** (einzeln) angeben *od.* aufführen *od.* (be)nennen, spezifi'zieren. **2.** (in e-r Aufstellung) besonders anführen. **3.** bestimmen, (im einzelnen) festsetzen. **II** *v/i* **4.** genaue Angaben machen.

spec·i·men ['spesimin] *s* **1.** Exem'plar *n*: a fine ~. **2.** Muster *n* (*a. print.*), Probe(stück *n*) *f*, *tech. a.* Prüfstück *n*: a ~ of s.o.'s handwriting e-e Handschriftenprobe (von j-m). **3.** Probe *f*, Beispiel *n* (of *gen*). **4.** *colloq. contp.* ‚Exem'plar' *n*: a) ‚Muster' *n* (of an *dat*), b) ‚Type' *f*, komischer Kauz. ~ **cop·y** *s print.* 'Probeexem,plar *n.* ~ **page** *s print.* Probeseite *f*.

spe·cious ['spi:ʃəs] *adj* (*adv* ~ly) bestechend, (äußerlich) blendend, trügerisch: ~ argument Scheinargument *n*; ~ prosperity scheinbarer Wohlstand. '**spe·cious·ness** *s* **1.** (*das*) Bestechende. **2.** trügerischer Schein.

speck[1] [spek] **I** *s* **1.** Fleck(en) *m*, Fleckchen *n*. **2.** Stückchen *n*, (*das*) bißchen: a ~ of dust ein Stäubchen. **3.** faule Stelle (*im Obst*). **4.** Pünktchen *n*. **II** *v/t* **5.** sprenkeln, tüpfeln.

speck[2] [spek] *s Am. dial. od. S.Afr.* **1.** Speck *m*, Fett *n*. **2.** Walspeck *m*. **3.** *nur. S.Afr.* Nilpferdfett *n*, -speck *m*.

speck·le ['spekl] **I** *s* Fleck(en) *m*, Sprenkel *m*, Tupfen *m*, Punkt *m*. **II** *v/t* → speck[1] 5. '**speck·led** *adj* **1.** gefleckt, gesprenkelt, getüpfelt. **2.** (bunt)scheckig.

speck·less ['speklis] *adj* (*adv* ~ly) fleckenlos, sauber, rein (*alle a. fig.*).

speck·tion·eer, *a.* **speck·sion·eer** [,spekʃə'nir] *s Walfang*: leitender Harpu'nier.

specs [speks] *s pl colloq.* Brille *f*.

spec·ta·cle ['spektəkl] *s* **1.** Schauspiel *n* (*a. fig.*). **2.** Schaustück *n*: to make a ~ of o.s. sich zur Schau stellen, (unangenehm) auffallen. **3.** Ausstattungsfilm *m*. **4.** Anblick *m*: a sorry ~. **5.** *pl* (*a.* a pair of ~s) (e-e) Brille. **6.** a pair of ~s (*Kricket*) *doppeltes Nullresultat des gleichen Spielers in beiden* innings. '**spec·ta·cled** *adj* **1.** bebrillt, brillentragend, ... mit Brille. **2.** *zo.* Brillen...: ~ bear; ~ cobra Brillenschlange *f*.

spec·tac·u·lar [spek'tækjulər] **I** *adj* (*adv* ~ly) **1.** Schau..., schauspielartig. **2.** spektaku'lär, sensatio'nell, aufsehenerregend, impo'sant. **II** *s* **3.** (*das*) Sensatio'nelle (*etc*). **4.** *Am.* große (Fernseh)Schau, 'Galare,vue *f*.

spec·ta·tor [spek'teitər; *Am. a.* 'spek-] *s* **1.** Zuschauer *m*. **2.** The S~ *Titel verschiedener Zeitschriften.* **spec'ta·tress** [-'teitris] *s* Zuschauerin *f*.

spec·ter, *bes. Br.* **spec·tre** ['spektər] *s* **1.** Geist *m*, Gespenst *n*. **2.** *fig.* a) (Schreck)Gespenst *n*, b) Hirngespinst *n.* ~ **in·sect** *s zo.* Gespenstheuschrecke *f.* ~ **le·mur** *s zo.* Koboldmaki *m*.

spec·tra ['spektrə] *pl von* spectrum.

spec·tral ['spektrəl] *adj* (*adv* ~ly) **1.** geisterhaft, gespenstisch. **2.** *phys.* Spektral...: ~ analysis; ~ colo(u)r Spektral-, Regenbogenfarbe *f*.

spec·tre *bes. Br. für* specter.

spec·tro·chem·is·try [,spektro'kemistri] *s* ,Spektroche'mie *f*.

spec·tro·col·or·im·e·try [,spektro,kʌlə'rimitri] *s phys.* Spek'tralfarbenmessung *f*.

spec·tro·gram ['spektro,græm] *s phys.* Spektro'gramm *n.* '**spec·tro,graph** [-,græ(:)f; *Br. a.* -,grɑ:f] *s phys.* **1.** Spektro'graph *m*. **2.** Spektro'gramm *n*.

spec·trol·o·gy [spek'trɒlədʒi] *s* (Wissenschaft *f* der) Spek'tralana,lyse *f*.

spec·trom·e·ter [spek'trɒmitər] *s phys.* Spektro'meter *n*. ,**spec·tro'met·ric** [-tro'metrik] *adj* spektro'metrisch.

spec·tro·mi·cro·scope [,spektro'maikrə,skoup] *s phys.* Spek'tralmikro,skop *n*.

spec·tro·scope ['spektrə,skoup] *s phys.* Spektro'skop *n*. ,**spec·tro'scop·ic** [-'skɒpik] *adj*; ,**spec·tro'scop·i·cal** *adj* (*adv* ~ly) spek'tralana,lytisch, spektro'skopisch.

spec·trum ['spektrəm] *pl* **-tra** [-trə] *s* **1.** *phys.* Spektrum *n*: ~ analysis Spektralanalyse *f*: ultraviolet ~ Ultraviolett-Spektrum. **2.** *a.* radio ~ (Fre'quenz)Spektrum *n*. **3.** *a.* ocular ~ *opt.* Nachbild *n*. **4.** *fig.* Skala *f*: the whole ~ of fear.

spec·u·la ['spekjulə] *pl von* speculum.

'**spec·u·lar** *adj* **1.** spiegelnd, Spiegel...: ~ iron *min.* Eisenglanz *m*; ~ stone *min.* Marienglas *n*. **2.** *med.* Spekulum...

spec·u·late ['spekju,leit] *v/i* **1.** nachsinnen, -denken, grübeln, Vermutungen anstellen, theoreti'sieren, ‚speku'lieren' (on, upon, about über *acc*). **2.** *econ.* speku'lieren (for, on auf *Baisse etc*; in in *Kupfer etc*). ,**spec·u'la·tion** *s* **1.** Nachdenken *n*, -sinnen *n*, Grübeln *n*. **2.** Betrachtung *f*, Theo'rie *f*, Spekulati'on *f* (*a. philos.*). **3.** Vermutung *f*, Mutmaßung *f*, Rätselraten *n*, Spekulati'on *f*: mere ~. **4.** *econ.* Spekulati'on *f*.

spec·u·la·tive ['spekju,leitiv; *Br. a.* -lə-] *adj* (*adv* ~ly) **1.** *philos.* spekula'tiv. **2.** theo'retisch. **3.** nachdenkend, grüblerisch. **4.** forschend, abwägend: a ~ glance. **5.** *econ.* spekula'tiv, Spekulations... ~ **ge·om·e·try** *s math.* spekula'tive Geome'trie.

spec·u·la·tor ['spekju,leitər] *s econ.* Speku'lant *m*.

spec·u·lum ['spekjuləm] *pl* **-la** [-lə] *s* **1.** (Me'tall)Spiegel *m* (*bes. für Teleskope*). **2.** *med.* Spekulum *n*, Spiegel *m*. **3.** *zo.* Spiegel *m* (*Fleck*). ~ **met·al** *s tech.* 'Spiegelme,tall *n*.

sped [sped] *pret u. pp von* speed.

speech [spi:tʃ] **I** *s* **1.** Sprache *f*, Sprechvermögen *n*: to recover one's ~ die Sprache wiedergewinnen. **2.** Reden *n*, Sprechen *n*: freedom of ~ Redefreiheit *f*; → figure 7. **3.** Rede *f*, Äußerung *f*: to direct one's ~ to das Wort richten an (*acc*). **4.** Gespräch *n*: to have ~ of s.o. mit j-m reden. **5.** Rede *f*, Ansprache *f*, Vortrag *m*, *jur.* Plädo'yer *n*. **6.** a) (Landes)Sprache *f*, b) Dia'lekt *m*. **7.** Sprech- *od.* Ausdrucksweise *f*, Art *f* zu sprechen, Sprache *f*: in common ~ in der Umgangssprache, landläufig. **8.** Klang *m* (*e-s Instruments*). **II** *adj* **9.** Sprach..., Sprech..., Rede...: ~ area *ling.* Sprachraum *m*; ~ center (*Br.* centre) *anat.* Sprechzentrum *n*; ~ clinic *med.* Sprachklinik *f*; ~ community *ling.* Sprachgruppe *f*; ~ defect Sprachfehler *m*; ~ island *ling.* Sprachinsel *f*; ~ map Sprachenkarte *f*; ~ melody *ling.* Sprachmelodie *f*, Intonation *f*; ~ reading Lippenlesen *n*; ~ record Sprechplatte *f*; ~ rhythm *ling.* Sprechrhythmus *m*; ~ sound *ling.* Sprachlaut *m*, Phonem *n.* ~ **day** *s ped. Br.* (Jahres)Schlußfeier *f*.

speech·i·fi·ca·tion [,spi:tʃifi'keiʃən] *s contp.* Schwätzen *n*, Redenschwingen *n*. '**speech·i,fi·er** [-,faiər] *s* Vielredner(in), Schwätzer(in). '**speech·i,fy** [-,fai] *v/i* Reden schwingen, viele Worte machen.

speech·less ['spi:tʃlis] *adj* (*adv* ~ly) **1.** *fig.* sprachlos (with vor). **2.** stumm, wortkarg. **3.** *fig.* unsäglich: ~ grief. '**speech·less·ness** *s* Sprachlosigkeit *f*.

'**speech,mak·er** *s humor.* Redner *m*.

speed [spi:d] **I** *s* **1.** Geschwindigkeit *f*, Tempo *n*, Schnelligkeit *f*, Eile *f*: at a ~ of mit e-r Geschwindigkeit von; at full ~ eiligst, mit äußerster Geschwindigkeit; to go at full ~ sich mit größter Geschwindigkeit bewegen; full ~ ahead *mar.* volle Kraft voraus; at the ~ of light mit Lichtgeschwindigkeit. **2.** *tech.* a) Drehzahl *f*, b) *mot. etc* Gang *m*: three-~ bicycle Fahrrad *n* mit Dreigangschaltung. **3.** *phot.* a) Lichtempfindlichkeit *f* (*des Objektivs*), b) Verschlußgeschwindigkeit *f*, Öffnung *f*. **4.** *obs.* Glück *n*: good ~! viel Glück! **II** *v/t pret u. pp* **sped** [sped] **5.** (an)treiben. **6.** rasch befördern. **7.** *s-n Lauf etc* beschleunigen, *s-n Weg* schnell gehen *od.* zu'rücklegen. **8.** *pret u. pp* '**speed·ed** *meist* ~ up a) *e-e Sache* beschleunigen, vor'antreiben, *die Produktion* erhöhen, b) *e-e Maschine* beschleunigen. **9.** *Pfeil* abschießen. **10.** *j-n* fortschicken, schnell verabschieden, *j-m* Lebe'wohl sagen. **11.** *obs.* *j-m* beistehen: God ~ you! Gott sei mit dir! **III** *v/i* **12.** (da'hin)eilen, rasen (*a. Zeit*). **13.** *mot.* (zu) schnell fahren: → speeding. **14.** ~ up (*pret u. pp* '**speed·ed**) die Geschwindigkeit erhöhen.

'**speed|**ˌ**boat** *s mar.* Renn-, Schnellboot *n.* ~ **cone** *s tech.* **1.** Stufenscheibe *f.* **2.** (stufenlos regelbares) Riemenkegelgetriebe. ~ **con·trol** *s tech.* **1.** Geschwindigkeitsregelung *f.* **2.** Drehzahlregelung *f.* ~ **cop** *s colloq.* motori'sierter Ver'kehrspoliˌzist. ~ **count·er** *s tech.* Drehzahlmesser *m*, Tourenzähler *m.*

speed·er ['spiːdər] *s* **1.** Geschwindigkeitsregler *m.* **2.** *rail. Am.* Drai'sine *f.* **3.** *mot.* ‚Raser' *m.*

speed in·di·ca·tor *s* **1.** → speedometer. **2.** → speed counter.

speed·i·ness ['spiːdinis] *s* Schnelligkeit *f*, Eile *f.*

speed·ing ['spiːdiŋ] *s mot.* zu schnelles Fahren, Ge'schwindigkeitsüberˌtretung *f*: no ~! Schnellfahren verboten!

speed| lathe *s tech.* Schnelldrehbank *f.* ~ **lim·it** *s* zulässige Höchstgeschwindigkeit, Geschwindigkeitsbeschränkung *f.* '~-ˌ**mer·chant** *s bes. Br. sl.* ‚Raser' *m.*

speed·om·e·ter [spiː'dɒmitər] *s tech.* **1.** Geschwindigkeitsmesser *m*, Tacho'meter *n.* **2.** Kilo'meterzähler *m.*

speed skat·ing *s sport* Eisschnellauf *m.*

speed·ster ['spiːdstər] *s bes. Am.* **1.** *mot.* ‚Raser' *m.* **2.** Renn-, Sportwagen *m.*

speed| trap *s* Autofalle *f.* '~-ˌ**up** *s* **1.** Beschleunigung *f*, Temposteigerung *f.* **2.** Produkti'onserhöhung *f.* '~ˌ**way** *s* **1.** (Auto-, *bes.* Motorrad)Rennbahn *f.* **2.** *Am.* Schnellstraße *f.* [preis *n*, *m.*]

speed·well ['spiːdwel] *s bot.* Ehren-

speed·y ['spiːdi] *adj* (*adv* speedily) schnell, zügig, rasch, prompt: ~ recovery baldige Genesung.

speiss [spais] *s chem.* Speise *f* (*Gemenge von Arseniden*).

spe·le·ol·o·gist [ˌspiːli'ɒlədʒist] *s* Höhlenforscher *m.* ˌ**spe·le'ol·o·gy** [-dʒi] *s* Speläolo'gie *f*, Höhlenforschung *f.*

spel·i·can ['spelikən] → spillikin.

spell¹ [spel] *pret u. pp* **spelled** *od.* **spelt** [spelt] **I** *v/t* **1.** buchsta'bieren: to ~ backward a) rückwärts buchstabieren, b) *fig.* völlig verdrehen. **2.** (ortho'graphisch richtig) schreiben. **3.** bilden, ergeben: l-e-d ~s led. **4.** bedeuten: it ~s trouble. **5.** ~ out, ~ over (mühsam) entziffern. **6.** *oft* ~ out *fig.* a) her'ausfinden, b) *Am. colloq.* (to s.o. j-m) *etwas* ‚ausein'anderklauben'. **II** *v/i* **7.** (richtig) schreiben. **8.** geschrieben werden, sich schreiben: cad ~s c-a-d.

spell² [spel] **I** *s* **1.** Zauber(wort *n*) *m.* **2.** *fig.* Zauber *m*, Bann *m*, Faszinati'on *f*: to be under a ~ fasziniert *od.* gebannt sein; to break the ~ a) den (Zauber)Bann brechen, b) *fig.* den Bann *od.* das Eis brechen; to cast a ~ on → 3. **II** *v/t* **3.** *j-n* bezaubern, faszi'nieren.

spell³ [spel] **I** *s* **1.** Arbeit(szeit) *f*, Beschäftigung *f* (at mit): to have a ~ at s.th. sich e-e Zeitlang mit etwas beschäftigen. **2.** (Arbeits)Schicht *f*: to give s.o. a ~ → 8. **3.** *Am. colloq.* Anfall *m*: a ~ of coughing ein Hustenanfall; a ~ of depression e-e vorübergehende Depression. **4.** *colloq.* a) Zeit(abschnitt *m*) *f*, b) kurze Zeit, (*ein*) Weilchen *n.* **5.** *Am. colloq.* ‚Katzensprung' *m* (*kurze Strecke*). **6.** *meteor.* Peri'ode *f*: a ~ of fine weather e-e Schönwetterperiode; hot ~ Hitzewelle *f.* **7.** *Austral.* Ruhe(pause) *f*, Feierabend *m.* **II** *v/t* **8.** *Am.* *j-n* (bei s-r Arbeit) ablösen.

'**spell|**ˌ**bind** *v/t irr* → spell² 3. '~ˌ**bind·er** *s colloq.* faszi'nierender Redner *etc.* '~ˌ**bound** *adj u. adv* (wie) gebannt, faszi'niert, gefesselt.

spell·er ['spelər] *s* **1.** to be a good ~ in der Orthogra'phie gut beschlagen sein. **2.** *Am.* Fibel *f.* '**spell·ing** *s* a) Buchsta'bieren *n*, b) Rechtschreibung *f*, Orthogra'phie *f*: ~ bee Rechtschreibewettbewerb *m*; ~ book → speller 2; ~ pronunciation *ling.* buchstabengetreue Aussprache.

spelt¹ [spelt] *s bot.* Spelz *m*, Dinkel(weizen) *m.*

spelt² [spelt] *pret u. pp von* **spell**¹.

spel·ter ['speltər] *s* **1.** *econ.* (Handels-, Roh)Zink *n.* **2.** *a.* ~ solder *tech.* Messingschlaglot *n.*

spe·lunk [spi'lʌŋk; spe-] *v/i Am.* Höhlen erforschen (*als Hobby*). **spe'lunk·er** *s* Höhlenforscher *m.*

spence [spens] *s Br. dial.* Speisekammer *f od.* -schrank *m.*

spen·cer¹ ['spensər] *s hist. u. Damenmode*: Spenzer *m* (*kurze Überjacke*).

spen·cer² ['spensər] *s mar. hist.* Gaffelsegel *n.* [gewehr.]

Spen·cer³ ['spensər] *s amer.* Repetier-

Spen·ce·ri·an [spen'si(ə)riən] **I** *adj* (Herbert) Spencer betreffend, Spencerisch. **II** *s* Spenceri'aner *m.*

spend [spend] *pret u. pp* **spent** [spent] **I** *v/t* **1.** verbrauchen, aufwenden, ausgeben: to ~ money; → penny 1. **2.** verwenden, anlegen (on, upon für): to ~ time on one's work Zeit für *od.* auf s-e Arbeit verwenden. **3.** vertun, -geuden, -schwenden, 'durchbringen, unnütz ausgeben: to ~ a fortune in gaming ein Vermögen verspielen. **4.** *Zeit* zu-, verbringen. **5.** (o.s. sich) erschöpfen, verausgaben: the storm is spent der Sturm hat sich gelegt. **II** *v/i* **6.** Geld ausgeben, Ausgaben machen. **7.** laichen (*Fische*). '**spend·er** *s* Verschwender(in).

spend·ing ['spendiŋ] *s* **1.** (*das*) Geldausgeben: she has the ~ sie verfügt über das Geld. **2.** Ausgabe(n *pl*) *f*: government ~ Staatsausgaben. ~ **mon·ey** *s* Taschengeld *n.* ~ **pow·er** *s* Kaufkraft *f.* ~ **u·nit** *s econ.* Verbrauchereinheit *f.*

spend·thrift ['spendˌθrift] **I** *s* Verschwender(in). **II** *adj* verschwenderisch.

Spen·se·ri·an [spen'si(ə)riən] **I** *adj* (Edmund) Spenser betreffend, Spenser... **II** *s* Spenseri'aner *m.* ~ **stan·za** *s metr.* Spenserstanze *f* (*Reimschema a b a b b c b c c*).

spent [spent] **I** *pret u. pp von* spend. **II** *adj* **1.** matt, verausgabt, erschöpft, entkräftet: ~ bullet matte Kugel; ~ liquor *tech.* Ablauge *f.* **2.** verbraucht. **3.** *zo.* (*von Eiern od. Samen*) entleert (*Insekten, Fische*): ~ herring Hering *m* nach dem Laichen.

sperm¹ [spəːrm] *s biol.* **1.** Sperma *n*, Samenflüssigkeit *f.* **2.** Samenzellen *pl.* **3.** Samenkörperchen *n.*

sperm² [spəːrm] *s* **1.** → spermaceti. **2.** *zo.* → sperm whale. **3.** → sperm oil. [Walrat *m*, *n.*]

sper·ma·ce·ti [ˌspəːrmə'seti; -'siːti] *s*

sper·ma·ry ['spəːrməri] *s physiol.* Keimdrüse *f.*

sper·mat·ic [spər'mætik] *adj biol.* sper'matisch, Samen... ~ **cord** *s* Samenstrang *m.* ~ **fil·a·ment** *s* Samenfaden *m.* ~ **flu·id** → sperm¹ 1.

sper·ma·tid ['spəːrmətid] *s biol.* Sperma'tide *f.*

sper·ma·to·blast ['spəːrmətoˌblæst] *s biol.* Ursamenzelle *f.* ˌ**sper·ma·to'gen·e·sis** [-'dʒenisis] *s biol.* Samenbildung *f.* ˌ**sper·ma·to·ge'net·ic** [-dʒi'netik], ˌ**sper·ma'tog·e·nous** [-'tɒdʒinəs] *adj biol.* spermato'gen.

sper·ma·to·phore ['spəːrmatoˌfɔːr] *s zo.* Samenträger *m*, -kapsel *f.* '**sper·ma·to**ˌ**phyte** [-ˌfait] *s bot.* Samenpflanze *f.* ˌ**sper·ma·tor'rh(o)e·a** [-'riːə] *s med.* Samenfluß *m.* ˌ**sper·ma·to'zo·id** [-'zouid] *s biol.* Spermatozo'id *n.* ˌ**sper·ma·to'zo·on** [-'zouɒn] *pl* **-zo·a** [-'zouə] *s biol.* Spermato'zoon *n*, Spermium *n.*

sperm| cell *s biol.* **1.** Samenzelle *f.* **2.** Samenfaden *m*, -tierchen *n.* ~ **nu·cle·us** *s biol.* Samenkern *m.*

sperm oil *s* Walratöl *n.*

sper·mo·log·i·cal [ˌspəːrmo'lɒdʒikəl] *adj* **1.** *med.* spermato'logisch. **2.** *bot.* samenkundlich.

sperm whale *s zo.* Pottwal *m.*

spew [spjuː] **I** *v/i* sich erbrechen, ‚spucken', ‚speien'. **II** *v/t meist* ~ forth (*od.* out, up) erbrechen, (aus)speien, (aus)spucken, auswerfen. **III** *s* (*das*) Erbrochene, ‚Kotze' *f.*

sphac·e·late ['sfæsiˌleit] *v/t u. v/i med.* brandig machen (werden). ˌ**sphac·e'la·tion** *s med.* Brandbildung *f.* '**sphac·e·lous** *adj med.* gangrä'nös.

sphaero- [sfi(ə)ro] *Wortelement mit der Bedeutung* Kugel, Sphäro...

sphag·num ['sfægnəm] *pl* **-na** [-nə], **-nums** *s bot.* Torf-, Sumpfmoos *n.*

sphal·er·ite ['sfæləˌrait] *s min.* Zinkblende *f.*

sphene [sfiːn] *s min.* Tita'nit *m.*

sphe·nic ['sfiːnik] *adj* keilförmig.

sphe·no·gram ['sfiːnoˌgræm] *s* Keilschriftbuchstabe *m.* **sphe'nog·ra·phy** [-'nɒgrəfi] *s* Keilschriftkunde *f.* '**sphe·noid I** *adj* **1.** keilförmig. **2.** *anat.* Keilbein... **II** *s* **3.** *min.* Spheno'id *n.* **sphe'noi·dal** *adj* **1.** *anat.* Keilbein... **2.** *min.* sphenoi'dal.

sphere [sfir] **I** *s* **1.** Kugel *f* (*a. math.*; *a. sport colloq. Ball*): doctrine of the ~ *math.* sphärische Trigonometrie, Sphärik *f.* **2.** kugelförmiger Körper, *bes.* Himmelskörper *m.* **3.** Erd- *od.* Himmelskugel *f.* **4.** *antiq. astr.* Sphäre *f*: music of the ~s Sphärenmusik *f.* **5.** *poet.* Himmel *m*, Sphäre *f.* **6.** (*Einfluß-, Interessen- etc*)Sphäre *f*, Gebiet *n*, Bereich *m*: ~ of influence (of interest); ~ (of activity) (Wirkungs)-Kreis *m.* **7.** *fig.* (gesellschaftliche) Um'gebung, Mili'eu *n.* **II** *v/t* **8.** um'geben, um'kreisen. **9.** (kugel)rund machen. **10.** *poet.* in den Himmel heben.

spher·ic ['sferik] **I** *adj* **1.** *poet.* himmlisch. **2.** kugelförmig. **3.** sphärisch. **II** *s pl* → spherics¹. '**spher·i·cal** *adj* (*adv* ~ly) **1.** kugelförmig. **2.** *math.* a) Kugel...: ~ sector (segment, *etc*), b) sphärisch: ~ angle (astronomy, geometry, *etc*); ~ triangle sphärisches Dreieck, Kugeldreieck *n.*

sphe·ric·i·ty [sfe'risiti; sfi(ə)-] *s* Kugelgestalt *f.*

spher·ics¹ ['sferiks] *s pl* (*als sg konstruiert*) *math.* Sphärik *f*, Kugellehre *f.*

spher·ics² ['sferiks] *s pl* (*als sg konstruiert*) Wetterbeobachtung *f* mit elek'tronischen Geräten.

sphe·roid ['sfi(ə)rɔid] **I** *s math.* Sphäro'id *n.* **II** *adj* → spheroidal.

sphe·roi·dal [sfi(ə)'rɔidl] *adj* (*adv* ~ly) sphäro'idisch, kugelig.

sphe·roi·dic [sfi(ə)'rɔidik] *adj*; **sphe-**

'roi·di·cal *adj* (*adv* ~**ly**) → **spheroidal.** [weichglühen.]
sphe·roid·ize ['sfi(ə)rɔiˌdaiz] *v/t*
spher·ule ['sferuːl] *s* Kügelchen *n.*
spher·u·lite ['sferuˌlait] *s min.* Sphäro'lith *m.*
spher·y ['sfi(ə)ri] *adj poet.* **1.** sphärisch, Sternen... **2.** Kugel...
sphex [sfeks] *pl* **sphe·ges** ['sfiːdʒiːz] *s zo.* Sand-, Grabwespe *f.*
sphinc·ter ['sfiŋktər] *anat.* **I** *s a.* ~ **muscle** Schließmuskel *m.* **II** *adj* Schließ(muskel)...
sphinx [sfiŋks] *pl* **'sphinx·es** *s* **1.** *meist* S~ *myth. u. arch.* Sphinx *f* (*a. fig. rätselhafter Mensch*). **2.** *a.* ~ **moth** *zo.* Sphinx *f* (*Nachtfalter*). **3.** *a.* ~ **baboon** *zo.* Sphinxpavian *m.* **'~ˌlike** *adj* sphinxartig (*a. fig.*).
sphra·gis·tics [sfrə'dʒistiks] *s pl* (*als sg konstruiert*) Sphra'gistik *f*, Siegelkunde *f.*
sphyg·mic ['sfigmik] *adj med.* Puls...
sphyg·mo·gram ['sfigmoˌgræm] *s med.* Pulskurve *f.* **'sphyg·moˌgraph** [-ˌgræ(ː)f; *Br. a.* -ˌgrɑːf] *s med.* Pulsschreiber *m.* **ˌsphyg·mo·ma'nom·e·ter** [-mə'nɒmitər] *s med.* Blutdruckmesser *m.* **sphyg'mom·e·ter** [-'mɒmitər] *s med.* Pulskurvenschreiber *m.*
spi·ca ['spaikə] *pl* **-cae** [-siː] *s* **1.** *bot.* Ähre *f.* **2.** S~ *astr.* Spika *f* (*Stern*). **3.** *med.* Kornährenverband *m.* **'spi·cate** [-keit] *adj bot.* a) ährentragend (*Pflanze*), b) ährenförmig (angeordnet) (*Blüte*).
spice [spais] **I** *s* **1.** a) Gewürz *n*, Würze *f*, b) *collect.* Gewürze *pl.* **2.** *fig.* Würze *f.* **3.** *fig.* Beigeschmack *m*, Anflug *m.* **II** *v/t* **4.** würzen (*a. fig.*). **'~ˌbush** *s bot.* **1.** Falscher Ben'zolstrauch. **2.** Gewürzstrauch *m.*
spiced [spaist] → **spicy** 1 u. 2.
spic·er·y ['spaisəri] *s* **1.** *collect.* Gewürze *pl*, Speze'reiwaren *pl.* **2.** *fig.* Würze *f.*
'spiceˌwood → **spicebush.**
spic·i·ness ['spaisinis] *s a. fig.* (*das*) Würzige, (*das*) Pi'kante.
spick-and-span *adj* **1.** *a.* ~ **new** funkelnagelneu. **2.** a) blitzsauber, b) ‚wie aus dem Ei gepellt' (*Person*).
spic·u·lar ['spikjulər] *adj* **1.** *zo.* nadelförmig. **2.** *bot.* ährchenförmig.
spic·ule ['spikjuːl; 'spai-] *s* **1.** (Eis-*etc*)Nadel *f.* **2.** *zo.* nadelartiger Fortsatz, *bes.* a) Ske'lettnadel *f* (*e-s Schwammes etc*), b) Stachel *m.* **3.** *bot.* Ährchen *n.*
spic·y ['spaisi] *adj* (*adv* **spicily**) **1.** gewürzt, würzig. **2.** würzig, aro'matisch: a ~ **perfume.** **3.** Gewürz...: ~ **isles.** **4.** *fig.* gewürzt, witzig: ~ **article.** **5.** *fig.* pi'kant, ‚gepfeffert', schlüpfrig: a ~ **anecdote.** **6.** *sl.* a) ‚gewieft', geschickt, b) schick.
spi·der ['spaidər] **I** *s* **1.** *zo.* Spinne *f.* **2.** *bes. Am.* Bratpfanne *f.* **3.** *Am.* Dreifuß *m* (*Untersatz*). **4.** *tech.* a) Armkreuz *n*, b) Drehkreuz *n*, c) Armstern *m* (*e-s Rades*). **5.** *electr.* a) Ständerkörper *m*, b) Zen'trierungsfeder *f* (*im Lautsprecher*). **II** *v/t* **6.** mit e-m Netz feiner Linien *od.* Risse bedecken. ~ **catch·er** *s orn.* **1.** Spinnenfresser *m.* **2.** Mauerspecht *m.* ~ **crab** *s zo.* (*e-e*) Spinnenkrabbe. **'~ˌlike** *adj* spinnenartig. ~ **line** *s meist pl opt. tech.* Faden(kreuz *n*) *m*, Ableselinie *f.* ~ **monkey** *s zo.* (*ein*) Klammeraffe *m.*
spi·der's web → **spider web.**
spi·der| web *s* Spinn(en)gewebe *n* (*a. fig.*). **'~ˌwork** *s* mit feinen Fäden über'sponnene Spitzen- *od.* Fi'letarbeit.
spi·der·y ['spaidəri] *adj* **1.** spinnenartig, Spinnen... **2.** spinnwebartig. **3.** voll von Spinnen.
spiel [spiːl] *bes. Am. sl.* **I** *s* **1.** Gequatsche *n*, Geschichte *f.* **2.** ‚Platte' *f*, Anpreisung *f*, Verkaufsgespräch *n.* **II** *v/i* **3.** quatschen. **'spiel·er** *s sl.* **1.** Gauner *m.* **2.** *Am.* Marktschreier *m.* **3.** *Radio, TV* (Werbe)Ansager *m.*
spiff·ing ['spifiŋ] *adj sl.* ‚(tod)schick', ‚toll'.
spif·fli·cate *etc* **spiflicate** *etc.*
spiff·y ['spifi] → **spiffing.**
spif·li·cate ['spifliˌkeit] *v/t sl.* **1.** ‚es *j-m* besorgen'. **2.** den Garaus machen (*dat*). **3.** *j-n* durchein'anderbringen. **ˌspif·li'ca·tion** *s sl.* (*das*) ‚Fertigmachen'.
spig·ot ['spigət] *s tech.* **1.** (Faß)Zapfen *m.* **2.** Zapfen *m* (*e-s Hahns*). **3.** (Faß-, Leitungs)Hahn *m.* **4.** Muffenverbindung *f* (*bei Röhren*).
spike[1] [spaik] *s* **1.** (Gras-, Korn)Ähre *f.* **2.** *bot.* (Blüten)Ähre *f.*
spike[2] [spaik] **I** *s* **1.** Stift *m*, Spitze *f*, Stachel *m*, Dorn *m.* **2.** *tech.* (Haken-, Schienen)Nagel *m*, Bolzen *m.* **3.** Eisenspitze *f* (*am Zaun*). **4.** *pl sport* a) Laufdorn *m*, b) *pl* Spikes *pl* (*Rennschuhe etc*). **5.** *pl mot.* Spikes *pl* (*am Reifen*). **6.** *hunt.* Spieß *m* (*e-s Junghirsches*). **7.** *med.* Zacke *f* (*in der Fieberkurve etc*). **8.** *electr.* a) nadelförmiger Im'puls, b) *a. Radio, TV* 'Überschwingspitze *f.* **9.** *ichth.* junge Ma'krele. **10.** *Br. colloq.* ‚eiserner Hochkirchler'. **II** *v/t* **11.** festnageln. **12.** mit (Eisen)Spitzen *etc* versehen. **13.** aufspießen. **14.** *sport* mit den Spikes verletzen. **15.** *mil. Geschütz* vernageln: **to** ~ **s.o.'s guns** *fig.* j-m e-n Strich durch die Rechnung machen. **16.** *fig. Am.* ‚erledigen'. **17.** *Am.* a) e-n Schuß Alkohol geben in (*ein Getränk*), b) *fig.* würzen, ‚pfeffern'.
spiked[1] [spaikt] *adj bot.* ährentragend.
spiked[2] [spaikt] *adj* mit Nägeln *od.* (Eisen)Spitzen (versehen): ~ **shoes** → **spike**[2] 4b; ~ **helmet** Pickelhaube *f.*
spike| heel *s* Pfennigabsatz *m* (*am Damenschuh*). ~ **lav·en·der** *s bot.* Spieke *f.*
spike·nard ['spaiknɑːrd] *s* **1.** La'vendelöl *n.* **2.** *bot.* Indische Narde. **3.** *bot.* Traubige A'ralie.
spike oil → **spikenard** 1.
spik·y ['spaiki] *adj* **1.** spitz, stach(e)lig. **2.** *Br. colloq.* ‚verbohrt' (*Anglikaner*).
spile [spail] **I** *s* **1.** *bes. dia* . (Faß)Zapfen *m*, Spund *m.* **2.** Pflock *m*, Pfahl *m.* **II** *v/t* **3.** verspunden. **4.** *Am. od. dial.* anzapfen. **'~ˌhole** *s tech. od. dial.* Spundloch *n.*
spil·i·kin → **spillikin.**
spill[1] [spil] *s* **1.** (Holz)Splitter *m.* **2.** Fidibus *m.*
spill[2] [spil] **I** *v/t pret u. pp* **spilled** [spild] *od.* **spilt** [spilt] **1.** ver-, ausschütten, 'überlaufen lassen: → **milk** 1. **2.** *Blut* vergießen. **3.** ver-, um'herstreuen: **to** ~ **sand.** **4.** *mar. Segel* killen lassen. **5.** *colloq.* a) *e-n Reiter* abwerfen, b) *j-n* schleudern, kippen. **6.** *sl.* ausplaudern: → **bean** 1. **II** *v/i* **7.** 'überlaufen, verschüttet werden. **8.** *a.* ~ **over** *a. fig.* sich ergießen (**into** in *acc*). **9.** ~ **over** *fig.* wimmeln (**with** von). **III** *s* **10.** Vergießen *n.* **11.** 'Überschwappen *n* (*a. fig.*). **12.** Pfütze *f.* **13.** Sturz *m* (*vom Pferd etc*; *a. Börse*).
spill·age ['spilidʒ] *s* (*das*) Vergossene *od.* 'Übergelaufene.
spil·li·kin ['spilikin] *s* **1.** (*bes.* Mi'kado)Stäbchen *n.* **2.** *pl* Mi'kado-, Federspiel *n.* **3.** *fig.* Splitter *m*, Stück *n.*
'spillˌway *s tech.* 'Abflußkaˌnal *m*, 'Überlauf(rinne *f*) *m.*
spilt [spilt] *pret u. pp von* **spill**[2].
spin [spin] **I** *v/t pret* **spun** [spʌn], *obs.* **span** [spæn], *pp* **spun** **1.** *bes. tech.* (zu Fäden) spinnen: **to** ~ **flax** (**wool,** *etc*). **2.** spinnen: **to** ~ **thread** (**yarn**). **3.** *tech.* (durch e-e Düse) spinnen: **to** ~ **synthetic fibres.** **4.** *tech.* (*meist im pp*) *Gold, Glas etc* fadendünn ausziehen: **spun gold.** **5.** schnell drehen, (her'um)wirbeln, *e-n Kreisel* drehen: **to** ~ **a top.** **6.** *aer. das Flugzeug* trudeln lassen. **7.** *Wäsche* schleudern. **8.** *e-e Schallplatte* ‚laufen lassen'. **9.** *e-e Münze* hochwerfen. **10.** *fig.* a) sich *etwas* ausdenken, erzählen: **to** ~ **a yarn** ‚Seemannsgarn spinnen', b) *e-n Plan* aushecken. **11.** *meist* ~ **out** in die Länge ziehen, ausspinnen, ‚strecken': **to** ~ **out a story.** **12.** ~ **out** *e-e Suppe etc* ‚strecken'. **13.** ~ **out** *obs. Zeit etc* verzubringen. **14.** mit künstlichem Köder angeln. **15.** *Br. sl. e-n Kandidaten* ‚'durchrasseln' lassen. **II** *v/i* **16.** spinnen. **17.** *a.* ~ **round** her'umwirbeln: **to send s.o.** ~**ning** j-n hinschleudern; **my head** ~**s** mir dreht sich alles. **18.** *a.* ~ **along** da'hinsausen. **19.** *fig.* schnell vergehen: **time** ~**s away.** **20.** *aer.* trudeln. **21.** *Br. sl.* ‚'durchrasseln' (*Prüfungskandidat*). **III** *s* **22.** (*das*) Her'umwirbeln. **23.** schnelle Drehung, Drall *m.* **24.** *phys.* Spin *m*, Drall *m* (*des Elektrons*). **25.** **to go for a** ~ *colloq.* e-e Spritztour machen. **26.** *aer.* a) (Ab)Trudeln *n*, b) 'Sturzspiˌrale *f*: **to go into a** ~ abtrudeln.
spin·ach, *obs.* **spin·age** ['spinidʒ; *Am. a.* -nitʃ] *s* **1.** *bot.* Spi'nat *m.* **2.** *Am. sl.* a) ekelhaftes Zeug, b) Gestrüpp *n*, *bes.* Bart *m*, c) ‚Mist' *m.*
spi·nal ['spainl] *adj anat.* spi'nal, Rückgrat..., Wirbel..., Rückenmarks... ~ **ar·ter·y** *s* 'Rückenmarkarˌterie *f.* ~ **col·umn** *s* Wirbelsäule *f*, Rückgrat *n.* ~ **cord** *s* Rückenmark *n.* ~ **cur·va·ture** *s* Krümmung *f* der Wirbelsäule. ~ **mar·row** → **spinal cord.** ~ **nerve** *s* Spi'nalnerv *m.*
spin·dle ['spindl] **I** *s* **1.** *tech.* a) (Hand-)Spindel *f*, b) Welle *f*, Achszapfen *m*, c) Drehbankspindel *f*, d) Triebstock *m.* **2.** *Garnmaß*: a) *für Baumwolle* = *15 120 yards*, b) *für Leinen* = *14 400 yards.* **3.** *tech.* Hydro'meter *n.* **4.** *biol.* Kernspindel *f.* **5.** *bot.* Spindel *f.* **II** *v/i* **6.** (auf)schießen (*Pflanze*). **7.** in die Höhe schießen (*Person*). **'~-ˌleg·ged** *adj* storch-, spindelbeinig. **'~ˌlegs,** ~ **shanks** *s pl* **1.** lange, dürre Beine *pl.* **2.** (*als sg konstruiert*) dünnbeiniger Mensch. ~ **side** *s* mütterliche Seite (*e-r Familie*).
spin·dling ['spindliŋ], **'spin·dly** *adj* lang u. dünn, spindeldürr.
'spin-ˌdri·er *s Br.* Wäscheschleuder *f.*
spin·drift ['spinˌdrift] *s mar.* Nebel *m* (*von zerstäubtem Wasser*): ~ **clouds** leichte Federwolken.
spine [spain] *s* **1.** *bot. zo.* Stachel *m.* **2.** *anat.* Wirbelsäule *f*, Rückgrat *n* (*a. fig. fester Charakter*). **3.** (Gebirgs-)Grat *m.* **4.** *tech.* Buchrücken *m.*
spined *adj* **1.** stach(e)lig, Stachel... **2.** Rückgrat..., Wirbel...
spi·nel [spi'nel; 'spinəl] *s min.* Spi'nell *m.*
spine·less ['spainlis] *adj* **1.** stachellos. **2.** ohne Rückgrat, rückgratlos (*a. fig.*). **3.** geschmeidig.
spin·et ['spinit; spi'net] *s* Spi'nett *n.*
spi·nif·er·ous [spai'nifərəs] *adj* stach(e)lig, stacheltragend.

spi·ni·form ['spaini,fɔːrm] *adj* dornen-, stachelförmig, spitz(ig).

spin·na·ker ['spinəkər] *s mar.* Spinnaker *m*, großes Dreiecksegel.

spin·ner ['spinər] *s* **1.** *poet. od. dial.* Spinne *f.* **2.** Spinner(in). **3.** *tech.* 'Spinnma,schine *f.* **4.** Kreisel *m.* **5.** (Po'lier)Scheibe *f.* **6.** *aer.* Luftschraubenhaube *f.* **7.** Blinker *m*, Spinner *m* (*der Angel*). **8.** a) *Kricket*: Drehball *m*, b) *amer. Fußball*: Drehung *f* (*Täuschungsmanöver*). **9.** *zo.* → **spinneret** 1. **10.** *zo.* → **goatsucker.**

spin·ner·et ['spinə,ret] *s* **1.** *zo.* Spinndrüse *f.* **2.** *tech.* Spinndüse *f.*

spin·ner·y ['spinəri] *s tech.* Spinne'rei *f.*

spin·ney ['spini] *s Br.* Dickicht *n.*

spin·ning ['spiniŋ] *s* **1.** Spinnen *n.* **2.** Gespinst *n.* **3.** Wirbeln *n.* **4.** *aer.* Trudeln *n.* ~ **e·lec·tron** *s phys.* 'umlaufendes Elektron. ~ **frame** *s tech.* 'Spinnma,schine *f.* ~ **jen·ny** *s tech.* 'Feinspinnma,schine *f.* ~ **mill** *s* Spinne'rei *f.* ~ **wheel** *s tech.* Spinnrad *n.*

spi·nose ['spainous; spai'nous] *adj* stach(e)lig. **spi'nos·i·ty** [-'nɒsiti] *s* Dornigkeit *f*, Stach(e)ligkeit *f.*

spi·nous ['spainəs] *adj bot. zo.* stach(e)lig.

spin·ster ['spinstər] *s* **1.** älteres Fräulein, alte Jungfer; ~ **aunt** unverheiratete Tante. **2.** *jur. Br.* a) unverheiratete Frau, b) (*nach dem Namen*) ledig: Miss Jones, ~. **'spin·ster,hood** *s* **1.** Altjüngferlichkeit *f.* **2.** Altjungfernstand *m.* **3.** lediger Stand (*der Frau*). **'spin·ster·ish** *adj* altjüngferlich. **'spin·ster·ly** *adj u. adv* altjüngferlich.

spi·nule ['spainjuːl; 'spin-] *s bot. zo.* Dörnchen *n*, Stachel *m.* **spin·u·lose** ['spinju,lous; 'spai-], **'spin·u·lous** [-ləs] *adj bot. zo.* dornentragend, Stachel...

spin·y ['spaini] *adj* **1.** *bot. zo.* dornig, stach(e)lig. **2.** *fig.* heikel, schwierig. ~ **lob·ster** *s zo.* Lan'guste *f.*

spi·ra·cle ['spai(ə)rəkl] *s* **1.** Atem-, Luftloch *n*, *bes. zo.* Tra'chee *f.* **2.** *zo.* Spritzloch *n* (*bei Walen etc*). **spi'rac·u·lar** [-'rækjulər] *adj* Atem-, Luftloch...

spi·rae·a [spai(ə)'riːə; -'riə] *s bot.* Spi'räe *f*, Geißbart *m.*

spi·ral ['spai(ə)rəl] **I** *adj* (*adv* ~**ly**) **1.** gewunden, schrauben-, schneckenförmig, spi'ral, Spiral...: ~ **balance** (Spiral)Federwaage *f*; ~ **conveyor** → 5a; ~ **gear(ing)** *tech.* Schraubenradgetriebe *n*; ~ **nebula** → 7; ~ **spring** → 5b; ~ **staircase** Wendeltreppe *f.* **2.** *math.* spi'ralig, Spiral... **II** *s* **3.** a) Spi'rale *f*, b) Windung *f* (e-r Spi'rale). **4.** *math.* Spi'rale *f*, Spi'ral-, Schneckenlinie *f.* **5.** *tech.* a) Förderschnecke *f*, b) Spi'ralfeder *f.* **6.** *electr.* a) Spule *f*, Windung *f*, b) Wendel *m* (*bei Glühlampen*). **7.** *astr.* Spi'ralnebel *m.* **8.** *aer.* Spi'rale *f*, Spi'ralflug *m.* **9.** *econ.* (*Lohn-, Preis- etc*)Spi'rale *f.* **III** *v/t* **10.** spi'ralig machen. **11.** *Preise etc* hin'auf- *od.* her'unterschrauben. **IV** *v/i* **12.** sich spi'ralförmig (nach oben *od.* unten) bewegen (*a. fig. Preise, Kosten etc*). **13.** spi'ralförmig aufwärts *od.* abwärts fliegen.

spi·rant ['spai(ə)rənt] *ling.* **I** *s* Spirans *f*, Reibelaut *m.* **II** *adj* spi'rantisch.

spire[1] [spair] *s* **1.** → **spiral** 3. **2.** *zo.* Gewinde *n.*

spire[2] [spair] **I** *s* **1.** (Dach-, Turm-, *a.* Baum-, Berg)Spitze *f.* **2.** Kirchturm *m.* **3.** spitz zulaufender Körper *od.* Teil, *z. B. zo.* (Geweih)Gabel *f.* **4.** *bot.* a) (Blüten)Ähre *f*, b) Sprößling *m*, c) Grashalm(spitze *f*) *m.* **II** *v/i* **5.** spitz zulaufen, gipfeln. **6.** *dial.* aufschießen (*Pflanze*). **III** *v/t* **7.** ~ **up** auftürmen. **8.** mit e-r Spitze versehen, spitz zulaufen lassen.

spi·re·a → **spiraea.**

spired[1] [spaird] *adj* spi'ralförmig.

spired[2] [spaird] *adj* **1.** spitz (zulaufend). **2.** spitztürmig.

spi·rem(e) ['spai(ə)riːm] *s biol.* Knäuelstadium *n*, Spi'rem *n* (*in der Zellteilung*).

spi·ril·lum [spai(ə)'riləm] *pl* **-la** [-lə] *s med.* 'Schraubenbak,terie *f*, Spi'rille *f.*

spir·it ['spirit] **I** *s* **1.** *allg.* Geist *m.* **2.** Geist *m*, Odem *m*, Lebenshauch *m.* **3.** Geist *m*: a) Seele *f* (*e-s Toten*), b) Gespenst *n.* **4.** S~ (göttlicher) Geist. **5.** Geist *m*, (innere) Vorstellung: in (the) ~ im Geiste (*nicht wirklich*). **6.** (*das*) Geistige, Geist *m*: **the world of the** ~ die geistige Welt. **7.** Geist *m*: a) Gesinnung *f*, (*Gemein- etc*)Sinn *m*, b) Cha'rakter *m*, c) Sinn *m*: **the** ~ **of the law; that's the** ~! *colloq.* so ist's recht!; → **enter into** 4. **8.** *meist pl* Gemütsverfassung *f*, Stimmung *f*: **in high (low)** ~**s** in gehobener (gedrückter) Stimmung. **9.** *fig.* Feuer *n*, Schwung *m*, E'lan *m*, Mut *m*, *pl a.* Lebensgeister *pl*: **full of** ~**s** voll Feuer, voller Schwung. **10.** (Mann *m* von) Geist *m*, Kopf *m.* **11.** *fig.* Seele *f*, treibende Kraft (*e-s Unternehmens etc*). **12.** (Zeit)Geist *m*: **the** ~ **of the age. 13.** *chem.* a) Spiritus *m*: ~ **lamp**, b) Destil'lat *n*, Geist *m*, Spiritus *m*: ~ **of ether** *pharm.* Hoffmannstropfen *pl*; ~**(s) of hartshorn** Hirschhorn-, Salmiakgeist; ~**(s) of turpentine** Terpentinöl *n*; ~**(s) of wine** Weingeist. **14.** *pl* alko'holische *od.* geistige Getränke *pl*, Spiritu'osen *pl.* **15.** *a. pl chem. Am.* Alkohol *m.* **16.** *Färberei*: (*bes.* Zinn)Beize *f.*

II *v/t* **17.** *a.* ~ **up** aufmuntern, anstacheln. **18.** ~ **away**, ~ **off** hin'wegschaffen, -zaubern, verschwinden lassen.

spir·it·ed ['spiritid] *adj* (*adv* ~**ly**) **1.** le'bendig, lebhaft, tempera'mentschwungvoll. **2.** e'nergisch, kühn, beherzt. **3.** feurig (*Pferd etc*). **4.** (geist)sprühend, le'bendig (*Rede, Buch etc*). **5.** (*in Zssgn*) a) ...gesinnt: → **public-spirited**, b) (*hoch- etc*)gestimmt: **high-**~. **'spir·it·ed·ness** *s* **1.** Lebhaftigkeit *f*, Le'bendigkeit *f*, Tempera'ment *n.* **2.** Ener'gie *f*, Forschheit *f.* **3.** (*in Zssgn*) ...sinn *m*: **low-**~ Niedergeschlagenheit *f*; **public-**~ Gemeinsinn *m.*

spir·it·ism ['spiri,tizəm] *s* Spiri'tismus *m.* **'spir·it·ist** *s* Spiri'tist *m.* **,spir·it·'is·tic** *adj* spiri'tistisch.

spir·it·less ['spiritlis] *adj* (*adv* ~**ly**) **1.** geistlos. **2.** schwunglos, schlapp. **3.** lustlos. **4.** mutlos. **'spir·it·less·ness** *s* **1.** Geistlosigkeit *f.* **2.** Lust-, Schwunglosigkeit *f.* **3.** Mutlosigkeit *f.*

spir·it lev·el *s tech.* Nivel'lier-, Wasserwaage *f.*

spi·ri·to·so [spiri'toso] (*Ital.*) *adj u. adv mus.* lebhaft, munter.

spir·it rap·per *s* Spiri'tist(in). ~ **rap·ping** *s* Geister-, Tischklopfen *n.*

spir·it·u·al ['spiritʃuəl; *Br. a.* -t'uəl] **I** *adj* (*adv* ~**ly**) **1.** geistig, unkörperlich. **2.** geistig, innerlich, seelisch: ~ **life** Seelenleben *n.* **3.** vergeistigt. **4.** göttlich (inspi'riert): **the** ~ **law** das göttliche Recht; **the** ~ **man** a) die innerste, eigentliche Natur des Menschen, b) *Bibl.* der wiedergeborene, erlöste Mensch. **5.** a) religi'ös, b) kirchlich, c) geistlich: ~ **court (song, etc)**; ~ **director** *R.C.* geistlicher Ratgeber; ~ **incest** *relig.* geistlicher Inzest; **lords** ~ geistliche Lords (*des Oberhauses*). **6.** intellektu'ell, geistig. **7.** geistreich, -voll. **8.** geistig: ~ **father. II** *s* **9.** *mus.* (Neger)Spiritual *n.* **10.** *pl* geistige *od.* geistliche Dinge *pl.* **'spir·it·u·al,ism** *s* **1.** Geisterglaube *m*, Spiri'tismus *m.* **2.** *philos.* a) Spiritua'lismus *m*, b) meta'physischer Idea'lismus. **3.** (*das*) Geistige. **'spir·it·u·al·ist** *s* **1.** Spiritua'list *m*, Idea'list *m.* **2.** Spiri'tist *m.* **,spir·it·u·al'is·tic** *adj* **1.** *philos.* spiritua'listisch. **2.** spiri'tistisch.

spir·it·u·al·i·ty [,spiritʃu'æliti; *Br. a.* -tju-] *s* **1.** (*das*) Geistige. **2.** (*das*) Geistliche. **3.** Unkörperlichkeit *f*, geistige Na'tur. **4.** *oft pl hist.* geistliche Rechte *pl od.* Einkünfte *pl.* **'spir·it·u·al,ize** [-əlaiz] *v/t* **1.** vergeistigen. **2.** im über'tragenen Sinne deuten.

spir·it·u·ous ['spiritʃuəs; *Br. a.* -tju-] *adj* **1.** alko'holisch: ~ **liquors** a) Spirituosen, b) Bier *n.* **2.** destil'liert.

spi·ro·ch(a)ete ['spai(ə)ro,kiːt] *s med. zo.* Spiro'chäte *f.*

spi·rom·e·ter [spai(ə)'rɒmitər] *s med.* Spiro'meter *n*, Atmungsmesser *m.* **'spi·ro,phore** [-,fɔːr] *s med.* 'Sauerstoffappa,rat *m.*

spirt → **spurt**[2].

spir·y[1] ['spai(ə)ri] *adj* spi'ralförmig, gewunden.

spir·y[2] ['spai(ə)ri] *adj* **1.** spitz zulaufend. **2.** vieltürmig.

spit[1] [spit] **I** *v/i pret u. pp* **spat** [spæt], *selten* **spit 1.** spucken (on auf *acc*): **to** ~ **(up)on** (*od.* **at**) **s.o.** a) j-n anspucken, b) *fig.* j-n schändlich behandeln. **2.** spritzen, klecksen (*Federhalter*). **3.** sprühen (*Regen*). **4.** fauchen, zischen (*Katze etc*). **5.** her'aussprudeln, -spritzen (*kochendes Wasser etc*). **II** *v/t* **6.** *a.* ~ **out** (aus)spucken. **7.** *Feuer etc* speien, spucken. **8.** *oft* ~ **out** *fig. Worte* (heftig) her'vorstoßen, fauchen, zischen: ~ **it out!** *colloq.* nun sag's schon! **III** *s* **9.** Spucke *f*, Speichel *m*: ~ **and polish** *mar. mil. sl.* a) Putz- u. Flickstunde *f*, b) peinliche Sauberkeit, c) Leuteschinderei *f*; ~**-and-polish** ‚wie aus dem Ei gepellt'. **10.** Fauchen *n* (*e-r Katze*). **11.** Sprühregen *m.* **12.** *colloq.* Eben-, Abbild *n*: **she is the very** ~ **(and image) of her mother** sie ist ihrer Mutter wie aus dem Gesicht geschnitten.

spit[2] [spit] **I** *s* **1.** (Brat)Spieß *m.* **2.** *geogr.* Landzunge *f.* **3.** spitz zulaufende Sandbank. **II** *v/t* **4.** an e-n Bratspieß stecken. **5.** aufspießen.

spit[3] [spit] *s* Spatenstich *m.*

'spit,ball *s Am. sl.* **1.** (*gekautes*) Pa'pierkügelchen (*als Wurfgeschoß*). **2.** *Baseball*: einseitig mit Speichel angefeuchteter Ball.

spitch·cock ['spitʃ,kɒk] **I** *s* Brat-, Röstaal *m.* **II** *v/t e-n Aal etc* zerlegen u. zubereiten.

spite [spait] **I** *s* **1.** Boshaftigkeit *f*, Bosheit *f*, Gehässigkeit *f*: **from pure** (*od.* **in** *od.* **out of**) ~ aus reiner Bosheit; ~ **fence** als reine Schikane errichteter Zaun; ~ **marriage** Heirat *f* aus Trotz (*gegenüber e-m Dritten*). **2.** Groll *m*: **to have a** ~ **against s.o.** j-m grollen. **3.** (in) ~ **of** trotz, ungeachtet (*gen*): **in** ~ **of that** dessenungeachtet, trotzdem; **in** ~ **of o.s.** unwillkürlich. **II** *v/t* **4.** *j-m* ‚eins auswischen'; → **nose** *Bes. Redew.* **'spite·ful** [-ful] *adj* (*adv* ~**ly**) boshaft, gehässig. **'spite·ful·ness** → **spite** 1.

'spit,fire I *s* **1.** Hitzkopf *m*, *bes.* ‚Drachen' *m* (*streitsüchtige Frau*). **2.** Feuer-

speier *m.* **II** *adj* **3.** hitzköpfig. **4.** feuerspeiend.
spit·ting im·age ['spitiŋ] → spit¹ 12.
spit·tle ['spitl] *s* Spucke *f*, Speichel *m.*
spit·toon [spi'tu:n] *s* Spucknapf *m.*
spitz (dog) [spits] *s zo.* Spitz *m* (*Haushund*).
spiv [spiv] *s Br. sl.* Nichtstuer *m*, Schieber *m*, Schwarzhändler *m.*
splanch·nic ['splæŋknik] *adj anat.* Eingeweide...: ~ **nerve** Splanchnikus *m.*
splanch·nol·o·gy [splæŋk'nɒlədʒi] *s med.* Eingeweidelehre *f*, Splanchnolo'gie *f.*
splash [splæʃ] **I** *v/t* **1.** (mit Wasser *od.* Schmutz *etc*) bespritzen. **2.** *Wasser etc* spritzen, gießen (on, over über *acc*). **3.** *s-n Weg* patschend bahnen. **4.** (be)sprenkeln. **5.** *colloq.* (*in der Zeitung*) in großer Aufmachung bringen, groß her'ausstellen. **6.** *riesige Plakate etc* anbringen. **7.** *a.* ~ **out** *Am.* ,'hinhauen', skiz'zieren. **II** *v/i* **8.** spritzen. **9.** platschen, planschen, plumpsen. **10.** klatschen (*Regen*). **III** *adv u. interj* **11.** platschend, p(l)atsch(!), klatsch(!). **IV** *s* **12.** Spritzen *n.* **13.** Platschen *n*, Klatschen *n*, ,Platsch' *m.* **14.** Schwapp *m*, Guß *m.* **15.** Spritzer *m*, (Spritz)Fleck *m.* **16.** (Farb-, Licht)Fleck *m.* **17.** *colloq.* a) Aufsehen *n*, Sensati'on *f*: **to make a** ~ Aufsehen erregen, Furore machen, b) große Aufmachung (*in der Presse etc*), c) protziger Aufwand. **18.** *Br. colloq.* Schuß *m* Sodawasser. **19.** *colloq.* Gesichtspuder *m*, -schminke *f.* **'~,board** *s tech.* Schutzblech *n*, -brett *n.* **'~,down** *s* Wasserung(sstelle) *f e-s Raumfahrzeugs.*
splash·er ['splæʃər] *s* **1.** Spritzende(r *m*) *f.* **2.** Schutzblech *n.* **3.** Wandschoner *m.*
splash| guard *s mot. etc* Spritzschutz *m* (*am Hinterrad*). ~ **lu·bri·ca·tion** *s tech.* Tauch(bad)schmierung *f.* ~ **par·ty** *s Am.* Gartenfest *n* am Swimming-Pool. **'~,proof** *adj tech.* spritzwassergeschützt. ~ **wa·ter** *s tech.* Schwallwasser *n.*
splash·y ['splæʃi] *adj* **1.** spritzend. **2.** platschend. **3.** bespritzt. **4.** matschig. **5.** *colloq.* sensatio'nell, ,toll'.
splat·ter ['splætər] *Br. dial. od. Am.* **I** *v/t* **1.** (be-, um'her)spritzen. **2.** beschmutzen. **3.** sprenkeln. **II** *v/i* **4.** spritzen. **5.** platschen, planschen. **6.** undeutlich sprechen, ,nuscheln'.
splay [splei] **I** *v/t* **1.** ausbreiten, -dehnen. **2.** *arch.* ausschrägen. **3.** (ab)schrägen. **4.** *bes. vet. Schulterknochen* ausrenken (*bei Pferden*). **II** *v/i* **5.** ausgeschrägt sein. **III** *adj* **6.** breit u. flach. **7.** gespreizt, auswärts gebogen: → **splayfoot** I. **8.** linkisch. **9.** schief, schräg. **IV** *s* **10.** *arch.* Ausschrägung *f.*
splayed → splay 7 *u.* 9.
'splay|,foot I *s irr med.* Spreiz-, Plattfuß *m.* **II** *adj med.* mit Spreizfüßen (behaftet). **'~,foot·ed** *adj* **1.** → splayfoot II. **2.** *fig.* plump, linkisch.
spleen [spli:n] **I** *s* **1.** *anat.* Milz *f.* **2.** *fig.* schlechte Laune, Ärger *m.* **3.** *obs.* Hypochon'drie *f*, Melancho'lie *f.* **4.** *obs.* Spleen *m*, ,Tick' *m.* **'spleen·ful** [-ful], **'spleen·ish** *adj* (*adv* ~ly) **1.** mürrisch, griesgrämig, übelgelaunt. **2.** hypo'chondrisch, melan'cholisch.
sple·nal·gi·a [spli(:)'nældʒiə] *s med.* Milzschmerz *m*, Seitenstechen *n.*
splen·dent ['splendənt] *adj min. od. fig.* glänzend, leuchtend.
splen·did ['splendid] *adj* (*adv* ~ly) **1.** glänzend, großartig, herrlich, prächtig (*alle a. colloq.*): ~ **isolation** *pol. hist.* Splendid isolation (*Bündnislosigkeit Englands im 19. Jh.*). **2.** glorreich: ~ **victory.** **3.** wunderbar, her'vorragend: ~ **talents.** **'splen·did·ness** *s* **1.** Glanz *m*, Pracht *f.* **2.** Großartigkeit *f.*
splen·dif·er·ous [splen'difərəs] *adj colloq. od. humor.* herrlich, prächtig.
splen·dor, *bes. Br.* **splen·dour** ['splendər] *s* **1.** heller Glanz. **2.** Pracht *f*, Herrlichkeit *f.* **3.** Prunk *m.* **4.** Großartigkeit *f*, Bril'lanz *f.*
sple·net·ic [spli(:)'netik] **I** *adj* (*adv* ~ally) **1.** *anat.* Milz... **2.** *med.* milzkrank. **3.** *fig.* verdrießlich, übellaunig, reizbar. **4.** *obs.* melan'cholisch. **II** *s* **5.** *med.* Milzkranke(r *m*) *f.* **6.** *fig.* Hypo'chonder *m.*
splen·ic ['splenik; 'spli:-] *adj med.* Milz...: ~ **fever** Milzbrand *m.*
sple·ni·us ['spli:niəs] *pl* **-ni·i** [-ni,ai] *s anat.* Spleniusmuskel *m.*
splen·i·za·tion [,spleni'zeiʃən; ,spli:-] *s med.* Splenisati'on *f* (*milzartige Verdichtung der Lunge*).
sple·no·cele ['spli:no,si:l] *s* Milzbruch *m.*
splice [splais] **I** *v/t* **1.** *mar. tech.* **1.** zs.-splissen, spleißen: → **main brace.** **2.** durch Falz verbinden. **3.** (*an den Enden*) mitein'ander verbinden, zs.-fügen, *bes. Filmstreifen etc* (zs.-)kleben: **to** ~ **in** einfügen; **splicing tape** Klebeband *n.* **4.** *e-n Strumpf etc* (*an Ferse u. Zehen*) verstärken. **5.** *colloq.* verheiraten: **to get** ~**d** getraut werden. **II** *s* **6.** *mar. tech.* Spleiß *m*, Splissung *f*: **to sit on the** ~ (*Kricket*) (zu) vorsichtig spielen. **7.** *tech.* (Ein)Falzung *f.* **8.** *tech.* Klebestelle *f* (*an Filmen etc*). **9.** *colloq.* Hochzeit *f.*
spline [splain] **I** *s* **1.** längliches, dünnes Stück Holz *od.* Me'tall. **2.** (*Art*) 'Kurvenline,al *n.* **3.** *tech.* a) Keil *m*, Splint *m*, b) (Längs)Nut *f.* **II** *v/t* **4.** *tech.* a) verkeilen, b) (längs)nuten.
splint [splint] **I** *s* **1.** *med.* Schiene *f*: **in** ~**s** geschient. **2.** *anat.* → **splint bone** 1. **3.** *tech.* Span *m.* **4.** *vet.* a) → **splint bone** 2, b) Knochenauswuchs *m od.* Tumor *m* (*am Pferdefuß*). **5.** *min.* Schieferkohle *f.* **6.** *hist.* Armschiene *f* (*e-r Rüstung*). **II** *v/t* **7.** schienen.
splint| bas·ket *s* Spankorb *m.* ~ **bone** *s* **1.** *anat.* Wadenbein *n.* **2.** *vet. Knochen des Pferdefußes hinter dem Schienbein.* ~ **coal** → splint 5.
splin·ter ['splintər] **I** *s* **1.** (*a.* Bomben-, Knochen- *etc*)Splitter *m*, Span *m.* **2.** *fig.* Splitter *m*, Bruchstück *n.* **II** *v/t* **3.** zersplittern. **III** *v/i* **4.** zersplittern. ~ **bar** *s tech.* Ortscheit *n.* ~ **par·ty** *s pol.* 'Splitterpar,tei *f.* **'~,proof** *adj* splittersicher.
splin·ter·y ['splintəri] *adj* **1.** *bes. min.* splitt(e)rig, schief(e)rig. **2.** leicht splitternd. **3.** Splitter...
split [split] **I** *v/t pret u. pp* **split**, *selten* **'split·ted** **1.** (zer-, auf)spalten, (zer)teilen, schlitzen: **to** ~ **straws** (allzu) pedantisch sein; → **hair** *Bes. Redew.* **2.** zerreißen: → **side** 4. **3.** *fig.* zerstören. **4.** (unterein'ander) (auf)teilen, sich in *etwas* teilen: **to** ~ **the profits**; **to** ~ **a bottle** e-e Flasche zusammen trinken; **to** ~ **the difference** a) *econ.* sich in die Differenz teilen, b) sich auf halbem Wege einigen; **to** ~ **shares** (*Am.* **stocks**) Aktien splitten; **to** ~ **one's vote(s)** (*od.* **ticket**) *pol. bes. Am.* panaschieren; **to** ~ **up** a) auf-, untergliedern, b) auseinanderreißen. **5.** trennen, entzweien, *e-e Partei etc* spalten: **to be** ~ (**on the issue**) uneinig *od.* gespalten sein (in der Sache). **6.** *sl.* ,verpfeifen', verraten. **7.** *Am. colloq. Whisky etc* ,spritzen', mit Wasser verdünnen. **8.** *phys.* a) *Atome etc* (auf)spalten, b) *Licht* zerlegen: **to** ~ **off** abspalten. **II** *v/i* **9.** sich (auf)spalten, reißen. **10.** zerspringen, (-)platzen, bersten: **my head is** ~**ting** *fig.* ich habe rasende Kopfschmerzen. **11.** a) zerschellen (*Schiff*), b) *fig.* scheitern. **12.** sich entzweien *od.* spalten (on, over wegen *gen*): **to** ~ **off** sich abspalten. **13.** sich spalten *od.* teilen (into in *acc*). **14.** ab-, losgetrennt werden. **15.** *sl.* sich teilen (on in *acc*). **16.** *sl.* alles verraten: **to** ~ **on s.o.** j-n ,verpfeifen'. **17.** *colloq.* vor Lachen bersten. **18.** *pol. bes. Am.* pana'schieren. **III** *s* **19.** Spalt *m*, Riß *m*, Sprung *m.* **20.** abgespaltener Teil, Bruchstück *n.* **21.** *fig.* Spaltung *f* (*e-r Partei etc*). **22.** *fig.* Entzweiung *f*, Zerwürfnis *n*, Bruch *m.* **23.** Splittergruppe *f.* **24.** Mischgetränk *n.* **25.** *colloq.* Split *m*, Fruchteisbecher *m*: **banana** ~. **26.** *colloq.* halbe Flasche (*Mineralwasser etc*). **27.** *colloq.* halbgefülltes (Schnaps-*etc*)Glas. **28.** *oft pl* a) *Akrobatik, Tanz etc*: Spa'gat *m*, b) *Turnen*: Grätsche *f.* **29.** *tech.* Schicht *f* (*von Spaltleder*). **30.** *sl.* a) (Poli'zei)Spitzel *m*, b) Denunzi'ant *m.* **IV** *adj* **31.** zer-, gespalten, geteilt, Spalt... **32.** *fig.* gespalten, zerrissen. **33.** *econ.* geteilt: ~ **quotation** in Sechzehnteln gegebene Notierung.
split| bear·ing, ~ **box** *s tech.* Schalenlager *n.* ~ **cloth** *s med.* Binde *f* mit mehreren Enden. ~ **hide** *s* Spaltleder *n.* ~ **in·fin·i·tive** *s ling.* gespaltener Infinitiv. **'~-,lev·el** *adj arch.* mit Zwischenstockwerken (versehen). ~ **peas(e)** *s pl* halbe Erbsen *pl* (*für Püree etc*). ~ **per·son·al·i·ty** *s psych.* gespaltene Per'sönlichkeit. **'~-,phase mo·tor** *s electr.* Wechselstrommotor *m* mit Spaltphase. ~ **S** *s aer.* Abschwung *m.* ~ **sec·ond** *s* Bruchteil *m* e-r Se'kunde. **'~-,sec·ond watch** *s sport* Stoppuhr *f* mit zwei Se'kundenzeigern (*für volle u. Bruchteile von Sekunden*).
split·ter ['splitər] *s* **1.** Spalter *m.* **2.** *tech.* a) Spalteisen *n*, b) 'Spaltma,schine *f.* **3.** *fig.* Haarspalter(in).
split tick·et *s pol. Am.* Wahlzettel *m* mit Kandi'daten mehrerer Par'teien.
split·ting ['splitiŋ] **I** *adj* **1.** (*ohren- etc*)zerreißend. **2.** heftig, rasend: **a** ~ **headache.** **3.** blitzschnell. **4.** zwerchfellerschütternd: **a** ~ **farce.** **II** *s* **5.** *tech.* (Zer)Spaltung *f*: **the** ~ **of the atom** die Atomspaltung. **6.** *econ. Am.* a) Aktienteilung *f*, b) Splitting *n* (*Besteuerung e-s Ehepartners zur Hälfte des gemeinsamen Einkommens*).
'split-,up *s* **1.** → split 21. **2.** → split 22. **3.** *econ.* (Aktien)Split *m.*
splodge [splɒdʒ], **splotch** [splɒtʃ] **I** *s* (Schmutz)Fleck *m*, Klecks *m.* **II** *v/t* beklecksen. **'splotch·y** *adj* fleckig, schmutzig.
splurge [splə:rdʒ] *colloq.* **I** *s* **1.** protziges Getue, ,Angabe' *f*, ,Schau' *f.* **2.** verschwenderischer Aufwand, ,klotzige' Sache. **3.** Luxus *m*, Extrava'ganz *f.* **II** *v/i* **4.** protzen, ,angeben', e-e ,Schau abziehen'. **5.** prassen, ,Orgien feiern'. **III** *v/t* **6.** *Geld* hemmungslos ausgeben. **'splurg·y** *adj Am. colloq.* **1.** angeberisch, protzig. **2.** extrava'gant.
splut·ter ['splʌtər] **I** *v/i* **1.** stottern, ,schnabbeln'. **2.** ,stottern', ,kotzen' (*Motor*). **3.** zischen (*Braten etc*). **4.** klecksen (*Schreibfeder*). **5.** spritzen, platschen (*Wasser etc*). **II** *v/t* **6.** *Worte*

her'aussprudeln, -stottern. **7.** verspritzen. **8.** bespritzen, ‚bekleckern'. **9.** *j-n* (beim Sprechen) bespucken. **III** *s* **10.** Geplapper *n.* **11.** Spritzen *n.* **12.** Sprudeln *n.* **13.** Zischen *n.* **14.** *mot.* ‚Stottern' *n.*

Spode, *a.* **s~** [spoud] *s* verziertes Porzel'lan (*aus Staffordshire*).

spoil [spɔil] **I** *v/t pret u. pp* **spoiled** [spɔild], *a.* **spoilt** [spɔilt] **1.** *etwas, a. j-m den Appetit, den Spaß etc* verderben, rui'nieren, vernichten, *e-n Plan* vereiteln. **2.** a) *j-s Charakter etc* verderben, b) *ein Kind* verwöhnen, -ziehen: **a ~ed brat** ein verzogener Fratz; **the ~ed child of fortune** Fortunas Lieblingskind. **3.** (*pret u. pp nur* **~ed**) berauben (**of** *gen*), (aus)plündern. **II** *v/i* **4.** verderben, ‚ka'puttgehen', schlecht werden (*Obst etc*). **5. to be ~ing for** brennen auf (*acc*): **~ing for a fight** streitlustig. **6.** plündern, rauben. **III** *s* **7.** *meist pl* (Sieges)Beute *f*, Raub *m.* **8.** Beute(stück *n*) *f.* **9.** *meist pl bes. Am.* a) Ausbeute *f*, b) *pol.* Gewinn *m*, Einkünfte *pl* (*e-r Partei nach dem Wahlsieg*): **the ~s of office** der Profit aus e-m öffentlichen Amt. **10.** *fig.* Errungenschaft *f*, Gewinn *m*, Schatz *m.* **11.** *pl* 'Überreste *pl* (*von den Mahlzeiten e-s Tieres*). **12.** unentschiedenes Spiel (*beim* spoilfive).

spoil·age ['spɔilidʒ] *s* **1.** *print.* Makula'tur *f*, Fehldruck *m.* **2.** *bes. econ.* Verderb *m* (*von Waren*).

spoil·er ['spɔilər] *s* **1.** Plünderer *m*, Räuber *m.* **2.** Verderber *m*, Verwüster *m.* **3.** *aer.* Störklappe *f.*

'spoil,five *s Kartenspiel, von 3 bis 10 Personen mit je 5 Karten gespielt.*

'spoils·man [-mən] *s irr pol. Am.* j-d, der nach der Futterkrippe strebt, Postenjäger *m.*

'spoil,sport *s* Spielverderber(in).

spoils sys·tem *s pol. Am.* 'Futterkrippensy,stem *n.*

spoilt [spɔilt] *pret u. pp von* spoil.

spoke[1] [spouk] **I** *s* **1.** (Rad)Speiche *f.* **2.** (Leiter)Sprosse *f.* **3.** *mar.* Spake *f* (*des Steuerrads*). **4.** Bremsvorrichtung *f*: **to put a ~ in s.o.'s wheel** *fig.* ‚j-m e-n Knüppel zwischen die Beine werfen'. **II** *v/t* **5.** *das Rad* a) verspeichen, b) (ab)bremsen.

spoke[2] [spouk] *pret u. obs. pp von* speak.

spoke bone *s anat.* Speiche *f.*

spo·ken ['spoukən] **I** *pp von* speak. **II** *adj* **1.** gesprochen, mündlich: **~ English** gesprochenes Englisch. **2.** (*in Zssgn*) ...sprechend.

'spokes·man [-mən] *s irr* Wortführer *m*, Sprecher *m*, Vertreter *m.*

spo·li·ate ['spouli,eit] **I** *v/t* (aus)plündern, berauben. **II** *v/i* plündern.

spo·li·a·tion [,spouli'eiʃən] *s* **1.** Plünderung *f*, Beraubung *f.* **2.** *mar. mil.* a) *kriegsrechtliche Plünderung neutraler Schiffe*, b) Vernichtung *f* der ('Schiffs)Pa,piere (*zur Verschleierung von Ziel u. Ladung des Schiffs*). **3.** *jur.* unberechtigte Änderung (*e-s Dokuments*).

spon·da·ic [spɒn'deiik] *adj metr.* spon'deisch. **'spon·dee** [-di:] *s metr.* Spon'deus *m.*

spon·du·lic(k)s, spon·du·lix [spɒn'dju:liks] *s Am. sl.* ‚Zaster' *m.*

spon·dyl(e) ['spɒndil] *s anat. zo.* Wirbelknochen *m.*

spon·dy·li·tis [,spɒndi'laitis] *s med.* Wirbelentzündung *f.*

spon·dy·lus ['spɒndiləs] *s* **1.** *anat.* (Rücken)Wirbel *m.* **2.** *zo.* Klappmuschel *f.*

sponge [spʌndʒ] **I** *s* **1.** *zo., a. weitS.* Schwamm *m*: **to pass the ~ over** *fig.* aus dem Gedächtnis löschen, vergessen; **to throw** (*od.* **chuck**) **up the ~** a) (*Boxen*) das Handtuch werfen, b) *fig.* es aufgeben, sich geschlagen geben. **2.** *fig.* Schma'rotzer *m*, ‚Nassauer' *m* (*Person*). **3.** *Kochkunst*: a) aufgegangener Teig, b) Schwammpudding *m*, c) → **spongecake. 4.** *med.* Tupfer *m.* **5.** *mil.* Wischer *m* (*zum Reinigen des Geschützes*). **II** *v/t* **6.** (mit e-m Schwamm) reinigen: **to ~ off** (*od.* **away**) weg-, abwischen. **7.** *meist* **~ out** auslöschen (*a. fig.*). **8. ~ up** *Wasser etc* (mit e-m Schwamm) aufsaugen, -nehmen. **9.** (kostenlos) ‚ergattern', ‚schnorren': **to ~ a dinner. III** *v/i* **10.** sich vollsaugen. **11.** Schwämme sammeln. **12.** schma'rotzen, ‚nassauern': **to ~ on s.o.** auf j-s Kosten leben. **~ bag** *s Br.* Toi'lettenbeutel *m.* **~ bath** → **sponge-down. '~'cake** *s* Bis'kuitkuchen *m.* **~ cloth** *s* (*Art*) Frot'tee *n.* **'~-,down** *s* Abreibung *f* (mit dem Schwamm).

spong·er ['spʌndʒər] *s* **1.** Reiniger *m.* **2.** *tech.* a) Deka'tierer *m*, b) Deka'tierma,schine *f.* **3.** Schwammtaucher *m*, -sammler *m.* **4.** → sponge 2.

sponge| rub·ber *s* Schaumgummi *n, m.* **~ tent** *s med.* ('Schwamm)Tam,pon *m.*

spon·gi·form ['spʌndʒi,fɔ:rm] *adj* schwammartig, -förmig.

spon·gi·ness ['spʌndʒinis] *s* Schwammigkeit *f*, Porosi'tät *f.*

spong·ing house ['spʌndʒiŋ] *s jur. hist. Wohnung e-s Gerichtsdieners, in der ein Schuldgefangener vorübergehend untergebracht wurde.*

spon·gy ['spʌndʒi] *adj* **1.** Schwamm..., schwamm(art)ig. **2.** schwammig, po'rös. **3.** locker. **4.** sumpfig, matschig.

spon·sal ['spɒnsəl] *adj* hochzeitlich, Hochzeits...

spon·sion ['spɒnʃən] *s* **1.** ('Übernahme *f* e-r) Bürgschaft *f.* **2.** *jur. pol.* (*von e-m nicht bes. bevollmächtigten Vertreter*) *für den Staat übernommene Verpflichtung.*

spon·son ['spɒnsn] *s* **1.** *mar.* Radgehäuse *n.* **2.** *mar. mil.* seitliche Geschützplattform. **3.** *aer.* Stützschwimmer *m.* **4.** seitlicher Ausleger (*e-s Kanus*).

spon·sor ['spɒnsər] **I** *s* **1.** Bürge *m*, Bürgin *f.* **2.** (Tauf)Pate *m*, (-)Patin *f*: **to stand ~ to** (*od.* **for**) Pate stehen bei *j-m.* **3.** Förderer *m*, Gönner(in), Schirmherr(in). **4.** Geldgeber *m*, Sponsor *m* (*bes. Auftraggeber für Werbesendungen*). **II** *v/t* **5.** bürgen für. **6.** *Radio-, Fernsehsendung* als Sponsor finan'zieren *od.* veranstalten: **~ed program(me)** Sponsor-, Patronatssendung *f.* **spon'so·ri·al** [-'sɔ:riəl] *adj* Paten... **'spon·sor,ship** *s* **1.** Bürgschaft *f.* **2.** Patenschaft *f.* **3.** Gönnerschaft *f.* **4.** Schirmherrschaft *f.*

spon·ta·ne·i·ty [,spɒntə'ni:iti] *s* **1.** Spontanei'tät *f*, Freiwilligkeit *f*, eigener freier Antrieb. **2.** (*das*) Impul'sive, impul'sives *od.* spon'tanes Handeln. **3.** Ungezwungenheit *f*, Na'türlichkeit *f.*

spon·ta·ne·ous [spɒn'teiniəs; -njəs] **I** *adj* (*adv* **~ly**) **1.** spon'tan: a) plötzlich, impul'siv, b) freiwillig, von innen her'aus (erfolgend), c) ungekünstelt, ungezwungen. **2.** unwillkürlich. **3.** *bot.* wildwachsend. **4.** selbsttätig, spon'tan, von selbst (entstanden): **~ combustion** *phys.* Selbstverbrennung *f*; **~ generation** *biol.* Urzeugung *f*; **~ ignition** *tech.* Selbstentzündung *f*; **~ly inflammable** selbstentzündlich. **spon'ta·ne·ous·ness** → **spontaneity.**

spon·toon [spɒn'tu:n] *s mil. hist.* Spon'ton *m* (*Halbpike*).

spoof [spu:f] *bes. Br. sl.* **I** *s* Humbug *m*, Schwindel *m.* **II** *adj* falsch, Schwindel... **III** *v/t* beschwindeln. **IV** *v/i* ‚flunkern'.

spook [spu:k] **I** *s* **1.** Spuk *m*, Gespenst *n.* **2.** *Am. sl.* a) ‚komischer Kauz', b) → **ghostwriter. II** *v/t* **3.** *Am. sl.* *j-m* e-n Schrecken einjagen. **4.** *Am. sl. ein Buch* als Ghostwriter schreiben (**for** s.o. für j-n). **III** *v/i* **5.** (her'um)geistern, spuken, 'umgehen. **6.** *Am. sl.* (in panischer Furcht) da'vonhetzen. **'spook·y,** *a.* **'spook·ish** *adj* spukhaft, gespenstisch, schaurig.

spool [spu:l] **I** *s* Spule *f*: **a ~ of thread** e-e Rolle Zwirn. **II** *v/t u. v/i* (sich) (auf)spulen.

spoon [spu:n] **I** *s* **1.** Löffel *m.* **2.** *bes. mar.* Löffelruder(blatt) *n.* **3.** *a.* **~ bait** (*Angeln*) Blinker *m.* **4.** *sport* Spoon *m* (*Golfschläger*). **5.** *mar. mil.* Führungsschaufel *f* (*am Torpedorohr*). **6.** *univ. Br. der schlechteste Student im mathematischen* **tripos. 7.** *colloq.* Einfaltspinsel *m.* **8.** *sl.* **to be ~s on s.o.** ‚in j-n verknallt sein'. **II** *v/t* **9.** *meist* **~ up, ~ out** auslöffeln. **10.** löffelartig aushöhlen *od.* formen. **11.** *sport den Ball* schlenzen. **III** *v/i* **12.** mit e-m Blinker angeln. **13.** *sl.* ‚schmusen', ‚pous'sieren'. **~ bait** → **spoon** 3. **'~,bill** *s orn.* **1.** Löffelreiher *m.* **2.** Löffelente *f.* **~ bit** *s tech.* Löffelbohrer *m.* **~ bread** *s Am.* (*Art*) Auflauf *m.* **~ chis·el** *s tech.* Hohlmeißel *m.*

spoon·er·ism ['spu:nə,rizəm], **'spoon·er** *s* Schüttelreim *m* (*nach Rev. W. A. Spooner*).

'spoon|-,fed *adj* auf-, hochgepäppelt (*a. fig.*). **'~-,feed** *v/t* **1.** mit dem Löffel füttern. **2.** auf-, hochpäppeln (*a. fig.*). **3.** *fig. j-m etwas* a) ‚vorkauen', b) eintrichtern. **'~,ful** [-,ful] *s* (*ein*) Löffel(voll) *m.* **~ meat** *s* (Kinder-, Kranken)Brei *m*, ‚Papp' *m.*

spoon·y ['spu:ni] *adj sl.* **1.** verliebt, ‚verknallt' (**on** in *j-n*). **2.** *bes. Br.* läppisch, blöd(e).

spoor [spur; spɔ:r] *hunt.* **I** *s* Spur *f*, Fährte *f.* **II** *v/t* aufspüren. **III** *v/i* e-e Spur verfolgen.

spo·rad·ic [spɒ'rædik; spo-] *adj* (*adv* **~ally**) spo'radisch, gelegentlich, vereinzelt (auftretend).

spo·range [spɒ'rændʒ; spo-], **spo'ran·gi·um** [-dʒiəm] *pl* **-gi·a** [-dʒiə] *s* Spo'rangium *n*, Sporenträger *m*, -kapsel *f.*

spore [spɔ:r] *s* **1.** *biol.* Spore *f*, Keimkorn *n.* **2.** *fig.* Keim(zelle *f*) *m.* **~ case** → **sporange. ~ fruit** *s bot.* Sporenfrucht *f.*

spo·rif·er·ous [spɔ:'rifərəs] *adj bot.* sporentragend, -bildend.

spo·ro·gen·e·sis [,spɔ:ro'dʒenisis] *s biol.* Sporoge'nese *f*, Entstehung *f* von Sporen. **spo'rog·e·nous** [spɔ:'rɒdʒinəs] *adj* **1.** *bot.* sporo'gen, sporenbildend. **2.** *zo.* sich durch Sporen fortpflanzend.

spo·ro·zo·a [,spɔ:rə'zouə] *s pl* Sporo'zoen *pl*, Sporentierchen *pl.*

spor·ran ['spɒrən] *s* beschlagene Felltasche (*Schottentracht*).

sport [spɔ:rt] **I** *s* **1.** Vergnügen *n*, Belustigung *f* (*im Freien*), *bes.* a) Spiel *n*, Rennen *n*, b) *oft pl allg.* Sport(veranstaltung *f*) *m*, Wettkampf *m*: **to go in for ~s** Sport treiben. **2.** a) 'Sport(art *f*, -diszi,plin *f*) *m*, b) *engS.* Jagd- *od.* Angelsport *m.* **3.** Kurzweil *f*, Zeitvertreib *m*, ‚Sport' *m.* **4.** Spaß *m*, Scherz *m*, Ulk *m*: **in ~** zum Scherz, im Spaß.

5. Spott *m*: to make ~ of sich lustig machen über (*acc*). 6. Zielscheibe *f* des Spottes. 7. *fig*. Spielball *m*: the ~ of Fortune. 8. *colloq*. Sportsmann *m*, feiner *od*. anständiger Kerl, ‚Pfundskerl' *m*: be a good ~ a) sei kein Spielverderber, b) sei ein guter Kerl, nimm es nicht übel. 9. *Am*. *colloq*. a) Sportbegeisterte(r) *m*, *bes*. Spieler *m*, b) Genießer *m*, Lebemann *m*. 10. *biol*. Spiel-, Abart *f*. 11. *obs*. Liebe'lei *f*.
II *adj* 12. sportlich, Sport...
III *v/i* 13. sich belustigen. 14. sich tummeln, her'umtollen. 15. scherzen, sich lustig machen (at, over, upon über *acc*). 16. *biol*. mu'tieren. 17. *obs*. tändeln.
IV *v/t* 18. *colloq*. stolz (zur Schau) tragen, sich sehen lassen mit, protzen mit: he ~ed a green tie; → oak 4.

sport| clothes *s pl* Sport(be)kleidung *f*, sportliche Kleidung. ~ **coat** → sports coat.

sport·ing ['spɔːrtiŋ] *adj* (*adv* ~ly) 1. Sport..., Jagd...: ~ editor Sportredakteur *m*; ~ gun Jagdgewehr *n*; ~ news Sportbericht *m*. 2. sportlich, sporttreibend. 3. sportlich, fair, anständig. 4. unter'nehmungslustig, mutig. ~ **chance** *s* 1. winzige *od*. entfernte Chance. 2. e-e gewagte, aber aussichtsreiche Sache. ~ **house** *s colloq*. 1. Freudenhaus *n*. 2. *obs*. Spielbank *f*.

spor·tive ['spɔːrtiv] *adj* (*adv* ~ly) 1. a) mutwillig, b) verspielt. 2. spaßhaft, lustig.

sports [spɔːrts] *adj* Sport... ~ **car** *s* Sportwagen *m*. '~ˌ**cast** *s Radio, TV* Sportsendung *f*. ~ **clothes** → sport clothes. ~ **coat** *s* Sportsakko *m*. ~ **ed·i·tor** *s* 'Sportredakˌteur *m*. ~ **jack·et** *s* Sportsakko *m*. '~ˌ**man** [-ˌmæn] *s irr* 1. Sportsmann *m*: a) Sportler *m*, *bes*. Jäger *m*, Angler *m*, b) *fig*. fairer *od*. anständiger Kerl. 2. 'Spieler(naˌtur *f*) *m*, Wagemutige(r) *m*. '~·**manˌlike** *adj* 1. sportlich, fair. 2. *hunt*. weidmännisch. '~·**manˌship** *s* sportliches Benehmen, Fairneß *f*, Ritterlichkeit *f*. '~ˌ**view** *s TV* Sportschau *f*. '~ˌ**wear** *s* 'Sportkleidung *f*, -arˌtikel *pl*. '~ˌ**wom·an** *s irr* Sportlerin *f*. '~ˌ**writ·er** *s* 'Sportjournaˌlist *m*.

sport·y ['spɔːrti] *adj bes*. *Am*. *colloq*. 1. angeberisch, auffallend. 2. modisch. 3. vergnügungssüchtig. 4. sportlich, fair.

spor·u·late ['spɒrjuˌleit] *v/i bot*. Sporen bilden. '**spor·ule** [-juːl] *s biol*. (kleine) Spore.

spot [spɒt] I *s* 1. (Schmutz-, Rost- *etc*)-Fleck(en) *m*. 2. *fig*. Schandfleck *m*, Makel *m*: without a ~ makellos. 3. (Farb)Fleck *m*, Tupfen *m* (*a*. *zo*.): → leopard 1. 4. *med*. a) Leberfleck *m*, Hautmal *n*, b) Pustel *f*, Pickel *m*. 5. Stelle *f*, Fleck *m*, Ort *m*, Platz *m*: on the ~ a) auf der Stelle, vom Fleck weg, sofort, b) an Ort u. Stelle, c) zur Stelle, da, d) auf dem Posten, ‚auf Draht', e) *Am*. *sl*. in (Lebens)Gefahr, f) *sl*. *a*. in a ~ ‚in der Klemme'; to put s.o. on the ~ *Am*. *sl*. a) j-n in Verlegenheit bringen, b) j-n ‚umlegen' (*töten*); in ~s *Am*. *colloq*. a) stellenweise, b) in gewisser Weise; soft ~ *fig*. Schwäche *f* (for für); sore (*od*. tender) ~ *fig*. wunder Punkt, empfindliche Stelle, Achillesferse *f*; on the ~ of four Punkt 4 Uhr; → high spot. 6. Fleckchen *n*, Stückchen *n*: a ~ of ground. 7. *thea*. *colloq*. (Pro'gramm)Nummer *f*, Auftritt *m*. 8. *colloq*. a) Bißchen *n*, Häppchen *n*, b) Tropfen *m*, Schluck *m*: a ~ of whisky, c) (*ein*) bißchen: a ~ of rest. 9. *Am*. *colloq*. Nachtklub *m*, Lo'kal *n*. 10. *Radio, TV* (Werbe)Spot *m*, kurze 'Werbeˌdurchsage *od*. -einblendung. 11. a) *Billard*: Point *m*, b) *Am*. Auge *n* (*auf Würfeln etc*). 12. *orn*. Maskentaube *f*. 13. *ichth*. Umberfisch *m*. 14. → spotlight. 15. → sunspot. 16. *pl econ*. Lokowaren *pl*.
II *adj* 17. *econ*. a) so'fort lieferbar, b) so'fort zahlbar (*bei Lieferung*), c) bar, Bar...: ~ goods → 16. 18. örtlich begrenzt, lo'kal. 19. gezielt, Punkt...: → spot check.
III *v/t* 20. beflecken (*a*. *fig*.). 21. tüpfeln, sprenkeln. 22. *colloq*. entdecken, erspähen, her'ausfinden. 23. pla'cieren: to ~ a billiard ball. 24. *mil*. genau ausmachen. 25. von Flecken reinigen. 26. *Bäume* anschalmen.
IV *v/i* 27. e-n Fleck *od*. Flecke machen. 28. flecken, fleckig werden.

spot| an·nounce·ment → spot 10. ~ **ball** *s Billard*: auf dem Point stehender Ball. ~ **busi·ness** *s econ*. Lokogeschäft *n*. ~ **cash** *s econ*. Barzahlung *f*, so'fortige Kasse. ~ **check** *s* Stichprobe *f*.

spot·less ['spɒtlis] *adj* (*adv* ~ly) *a*. *fig*. fleckenlos, rein, unbefleckt. '**spot·less·ness** *s* Fleckenlosigkeit *f*, Makellosigkeit *f* (*a*. *fig*.).

'**spot|ˌlight** I *s* 1. *thea*. (Punkt)Scheinwerfer(licht *n*) *m*. 2. *fig*. Rampenlicht *n* (der Öffentlichkeit): in the ~ im Brennpunkt des Interesses. 3. *mot*. Suchscheinwerfer *m*. II *v/t* 4. anstrahlen. 5. *fig*. die Aufmerksamkeit lenken auf (*acc*), *etwas od*. *j-n* groß her'ausstellen. ~ **news** *s pl* Kurznachrichten *pl*. '~-'**on** *adj Br*. *colloq*. haargenau, tadellos. ~ **price** *s econ*. Kassapreis *m*, -kurs *m*.

spot·ted ['spɒtid] *adj* 1. gefleckt, getüpfelt, gesprenkelt, scheckig. 2. *fig*. befleckt, besudelt. 3. *med*. Fleck...: ~ fever a) Fleckfieber *n*, b) Genickstarre *f*.

spot·ter ['spɒtər] *s* 1. *Am*. *colloq*. (Pri'vat)Detekˌtiv *m*. 2. *mil*. (Luft)Aufklärer *m*, Artille'riebeobachter *m*. 3. *Luftschutz*: Flugmelder *m*.

spot test *s* Stichprobe *f*.

spot·ti·ness ['spɒtinis] *s* 1. (*das*) Fleckige, Fleckigkeit *f* (*a*. *TV*). 2. *fig*. (*das*) Uneinheitliche.

spot·ting ['spɒtiŋ] *s* 1. Fleckenbildung *f*. 2. Erspähen *n*, Entdecken *n*. 3. *mil*. a) Schußbeobachtung *f*, b) Aufklärung *f*.

spot·ty ['spɒti] *adj* (*adv* spottily) 1. → spotted 1. 2. pickelig. 3. uneinheitlich, spo'radisch, lückenhaft.

'**spot-ˌweld** *v/t tech*. punktschweißen.

spous·al ['spauzəl] I *adj* 1. bräutlich, Hochzeits..., ehelich. II *s* 2. *meist pl* Hochzeit *f*. 3. *obs*. Ehe(stand *m*) *f*.

spouse [spauz] *s* 1. (*a*. *jur*. Ehe)Gatte *m*, Gattin *f*, Gemahl(in). 2. *relig*. a) Seelenbräutigam *m* (*Gott, Christus*), b) Braut *f* Christi (*Kirche, Nonne*). '**spouse·less** *adj* 1. ohne Gatten *od*. Gattin. 2. unverehelicht.

spout [spaut] I *v/t* 1. *Wasser etc* (aus)speien, (her'aus)spritzen. 2. *fig*. dekla'mieren: to ~ verses. 3. *sl*. versetzen, -pfänden. II *v/i* 4. Wasser speien, spritzen (*a*. *Wal*). 5. her'vorsprudeln, her'ausschießen, -spritzen (*Wasser etc*). 6. a) dekla'mieren, b) sal'badern. III *s* 7. Tülle *f*, Schnabel *m*, Schnauze *f* (*e-r Kanne etc*). 8. Abfluß-, Speirohr *n*. 9. *tech*. a) Schütte *f*, Rutsche *f*, b) Spritzdüse *f*. 10. Wasserstrahl. 11. *zo*. a) Fon'täne *f* (*e-s Wals*), b) → spout hole. 12. → waterspout. 13. *obs*. Pfandhaus *n*: to go up the ~ *colloq*. a) versetzt werden, b) ‚futschgehen'. '**spout·er** *s* 1. Ölquelle *f*, -strahl *m*. 2. *fig*. ‚Redenschwinger' *m*. 3. *zo*. (spritzender) Wal. 4. *mar*. Walfänger *m* (*Schiff*). [*Wals*).]

spout hole *s zo*. Spritzloch *n* (*des*

sprag[1] [spræg] *s* 1. Bremsklotz *m*, -keil *m*. 2. *tech*. Spreizholz *n*.

sprag[2] [spræg] *s ichth*. Dorsch *m*.

sprain [sprein] *med*. I *v/t* sich *den Knöchel etc* verstauchen *od*. verzerren: don't ~ anything! *iro*. ‚brich dir keinen ab'! II *s* Verstauchung *f*, -zerrung *f*, -renkung *f*.

sprang [spræŋ] *pret von* spring.

sprat [spræt] *s ichth*. Sprotte *f*: ~ day *Br*. der Lord Mayor's Tag (*9. November*); to throw a ~ to catch a whale (*od*. herring *od*. mackerel) *fig*. mit der Wurst nach der Speckseite werfen.

sprawl [sprɔːl] I *v/i* 1. ausgestreckt daliegen: to send s.o. ~ing j-n zu Boden strecken. 2. sich am Boden wälzen. 3. ‚sich ('hin)rekeln' *od*. ‚(-)lümmeln'. 4. krabbeln, kriechen. 5. sich spreizen. 6. *bot*. wuchern. 7. sich (unregelmäßig) ausbreiten, viel Raum einnehmen: ~ing hand ausladende Handschrift; ~ing town sich wirr ausdehnende Stadt. II *v/t* 8. *meist* ~ out (aus)spreizen, (unregelmäßig) ausbreiten: ~ed out (weit) auseinandergezogen. III *s* 9. Spreizen *n*, ‚Rekeln' *n*. 10. (unregelmäßige) Ausbreitung (*des Stadtgebiets etc*): urban ~.

spray[1] [sprei] I *s* 1. Gischt *m*, Schaum *m*, Sprühwasser *n*, -nebel *m*, -regen *m*. 2. *pharm*. *tech*. a) Spray *m*, zerstäubte Flüssigkeit *od*. Zerstäuberflüssigkeit *f*, b) Zerstäuber *m*, Sprühdose *f*, -gerät *n*. 3. *fig*. Regen *m*. II *v/t* 4. zer-, verstäuben, versprühen, *vom Flugzeug* abregnen. 5. *a*. ~ on *tech*. aufsprühen, -spritzen. 6. besprühen, bespritzen. 7. *tech*. 'spritzlacˌkieren.

spray[2] [sprei] *s* 1. Zweig(lein *n*) *m*, Reis *n*. 2. *collect*. a) Gezweig *n*, b) Reisig *n*. 3. Blütenzweig *m*. 4. Zweigverzierung *f*.

spray·er ['spreiər] → spray[1] 2 b.

spray·ey ['spreii] *adj* verästelt.

spray| gun *s tech*. 'Spritzpiˌstole *f*. ~ **noz·zle** *s* 1. (Gießkannen)Brause *f*. 2. Brause *f*. 3. *tech*. Spritzdüse *f*.

spread [spred] I *v/t pret u. pp* **spread** 1. *oft* ~ out a) *allg*. ausbreiten: to ~ a carpet (one's arms, hands, wings, *etc*), b) ausstrecken: to ~ one's arms; to ~ the table den Tisch decken; the peacock ~s its tail der Pfau schlägt ein Rad. 2. *oft* ~ out *die Beine etc* spreizen (*a*. *tech*.). 3. *oft* ~ out ausdehnen. 4. bedecken, über'säen, -'ziehen (with mit). 5. ausbreiten, verteilen, streuen. 6. *Butter etc* aufstreichen, *Farbe, Mörtel etc* auftragen. 7. *Brot* streichen, schmieren. 8. ausein'anderpressen. 9. breitschlagen. 10. ver-, ausbreiten: to ~ a disease (a fragrance); to ~ fear Furcht verbreiten. 11. *a*. ~ abroad *e-e Nachricht* verbreiten, *ein Gerücht a*. ausstreuen, -sprengen. 12. (*zeitlich*) verteilen (over a period über e-e Zeitspanne). 13. ~ o.s. *sl*. a) ‚sich (*als Gastgeber etc*) mächtig anstrengen', b) ‚angeben', ‚dicketun'.
II *v/i* 14. *a*. ~ out sich ausbreiten *od*. verteilen. 15. sich ausbreiten (*Fahne etc; a. Lächeln etc*), sich entfalten. 16. sich (*vor den Augen*) ausbreiten *od*. erstrecken *od*. ausdehnen: the plain ~ before our eyes. 17. *bes*. *tech*. sich strecken *od*. dehnen lassen (*Werkstoff*

etc). **18.** sich streichen *od.* auftragen lassen (*Butter, Farbe etc*): the paint ~s well. **19.** sich ver- *od.* ausbreiten (*Geruch, Pflanze, Krankheit, Gerücht, Idee etc*), 'übergreifen (to auf *acc*) (*Feuer, Epidemie etc*). **20.** breit- *od.* ausein'andergedrückt werden.
III *s* **21.** Ausbreitung *f*, -dehnung *f*. **22.** Ver-, Ausbreitung *f*: the ~ of learning (of the disease, *etc*). **23.** Ausdehnung *f*, Breite *f*, Weite *f*, 'Umfang *m*. **24.** behäbiger 'Körper,umfang, Körperfülle *f*. **25.** (weite) Fläche: a ~ of land. **26.** *aer. orn.* (Flügel)Spanne *f*. **27.** (Zwischen)Raum *m*, Abstand *m*, Lücke *f* (*a. fig.*). **28.** Dehnweite *f*. **29.** *math. phys., a. Ballistik*: Streuung *f*. **30.** (*a.* Zeit)Spanne *f*. **31.** *Am.* (Bett-*etc*)Decke *f*, Tuch *n*. **32.** fürstliches Mahl. **33.** (Brot)Aufstrich *m*. **34.** *Zeitungswesen*: a) (*oft* ganzseitige) (Werbe)Anzeige, b) Aufschlagseite *f*. **35.** *Statistik*: Abweichung *f*. **36.** *econ. bes. Am.* Stel'lagegeschäft *n* (*an der Börse*). **37.** *econ. Am.* Marge *f*, (Verdienst)-Spanne *f*, Diffe'renz *f*.
IV *adj* **38.** ausgebreitet, verbreitet. **39.** gespreizt. **40.** gedeckt (*Tisch*). **41.** Streich...: ~ cheese.

spread| ea·gle *s* **1.** *her.* Adler *m*. **2.** *Am. colloq.* a) Hur'rapatri,ot *m*, b) Hur'rapatrio,tismus *m*. **3.** *Am. colloq.* ,Angeber' *m*. **4.** *Eiskunstlauf*: Mond *m* (*Figur*). **5.** *colloq.* aufgeschnittenes u. schnell gebratenes Geflügel. **'~-,eagle I** *adj* **1.** ausgebreitet, gespreizt. **2.** *Am. colloq.* angeberisch. **3.** *Am. colloq.* hur'rapatri,otisch. **II** *v/t* **4.** ausbreiten, spreizen. **5.** *sport Am. colloq.* vernichtend schlagen. **III** *v/i* **6.** *Eiskunstlauf*: e-n Mond laufen. **'~-,eagle,ism** → spread eagle 2b.

spread·er ['spredər] *s* **1.** Streu- *od.* Spritzgerät *n*, *bes.* a) ('Dünger)Streuma,schine *f*, b) Zerstäuber *m*, 'Spritzpi,stole *f*, c) Brause *f*, Spritzdüse *f*, d) Spachtel *m*, e) (Butter-, Streich)-Messer *n*, f) *Spinnerei*: 'Auflegma,schine *f*. **2.** *tech.* Spreizer *m*, Abstandsstütze *f*.

spree [spriː] *s colloq.* **1.** a) lustiger Abend, Jux *m*: to go on a ~ ,auf den Bummel gehen', b) ,Orgie' *f*, Saufe'rei *f*. **2.** (*Kauf- etc*) ,Orgie' *f*, Welle *f*: buying ~.

sprig [sprig] **I** *s* **1.** *bot.* Zweiglein *n*, Schößling *m*. **2.** *humor. od. contp.* Sprößling *m*, ,Ableger' *m*. **3.** Bürschchen *n*. **4.** → spray² 4. **5.** Zwecke *f*, Stift *m*. **II** *v/t* **6.** mit e-m Zweigmuster verzieren. **7.** anheften. **'sprig·gy** *adj* mit kleinen Zweigen besetzt *od.* verziert.

spright·li·ness ['spraitlinis] *s* Lebhaftigkeit *f*, Munterkeit *f*. **'spright·ly** *adj u. adv* munter, ,spritzig', ,aufgekratzt'.

spring [spriŋ] **I** *v/i pret* **sprang** [spræŋ] *od.* **sprung** [sprʌŋ] *pp* **sprung** **1.** springen: to ~ at (*od.* [up]on) s.o. auf j-n losstürzen; to ~ to the eyes *fig.* in die Augen springen. **2.** *oft* ~ up aufspringen, -fahren. **3.** (da'hin)springen, (-)schnellen, hüpfen. **4.** *meist* ~ back zu'rückschnellen: the branch sprang back; the door ~s open die Tür springt auf; the trap sprang die Falle schnappte zu. **5.** *oft* ~ forth, ~out a) her'ausschießen, (-)sprudeln (*Wasser, Blut etc*), b) (her'aus)sprühen, springen (*Funken etc*). **6.** *meist* ~ up a) (plötzlich) aufkommen (*Wind etc*), b) *fig.* plötzlich entstehen *od.* aufkommen, aus dem Boden schießen (*Industrie, Idee etc*). **7.** aufschießen (*Pflanzen etc*). **8.** (from) entspringen (*dat*): a) quellen (aus), b) *fig.* 'herkommen, stammen (von): his actions sprang from a false conviction s-e Handlungen entsprangen e-r falschen Überzeugung; where did you ~ from? wo kommst du plötzlich her?; to be sprung from entstanden sein aus. **9.** abstammen (from von). **10.** *arch.* sich wölben (*Bogen*). **11.** (hoch) aufragen. **12.** auffliegen (*Rebhühner etc*). **13.** *tech.* a) sich werfen *od.* biegen, b) springen, aufplatzen (*Holz*). **14.** *mil.* explo'dieren, losgehen (*Mine*). **II** *v/t* **15.** springen lassen. **16.** *etwas* zu'rückschnellen lassen. **17.** *e-e Falle* zuschnappen lassen. **18.** *ein Werkzeugteil etc* her'ausspringen lassen. **19.** zerbrechen, spalten. **20.** *e-n Riß etc, mar. ein Leck* bekommen: to ~ a leak. **21.** (mit Gewalt) biegen. **22.** explo'dieren lassen: → mine² 10. **23.** *fig.* mit *e-r Neuigkeit etc* ,her'ausplatzen': to ~ s.th. on s.o. j-m *etwas* plötzlich eröffnen. **24.** *e-e Quelle etc* freilegen. **25.** *hunt.* aufscheuchen. **26.** *arch. e-n Bogen* wölben. **27.** *tech.* (ab)federn. **28.** *Br. colloq. Geld etc* ,springen lassen'. **29.** *Br. colloq. j-n* ,erleichtern' (for um): to ~ s.o. for a pound. **30.** *sl. j-n* ,'rausholen', befreien.
III *s* **31.** Sprung *m*, Satz *m*: he took a ~ er nahm e-n Anlauf. **32.** Zu'rückschnellen *n*, -schnappen *n*. **33.** Elastizi'tät *f*, Sprung-, Schnellkraft *f*. **34.** *fig.* (geistige) Spannkraft. **35.** a) Sprung *m*, Riß *m*, Spalt *m*, b) Krümmung *f* (*e-s Brettes etc*). **36.** (*a. Mineral-, Öl*)Quelle *f*, Brunnen *m*: hot ~s heiße Quellen. **37.** *fig.* Quelle *f*, Ursprung *m*. **38.** *fig.* Triebfeder *f*, Beweggrund *m*. **39.** *arch.* a) (Bogen)Wölbung *f*, b) Gewölbeanfang *m*. **40.** *tech.* (*bes.* Sprung)Feder *f*. **41.** Frühling *m*, Lenz *m* (*a. fig.*): the ~ of life.
IV *adj* **42.** Frühlings... **43.** a) federnd, e'lastisch, b) Feder... **44.** Sprung... **45.** Schwung...

spring| back *s Buchbinderei*: Klemmrücken *m*. **~ bal·ance** *s tech.* Federwaage *f*. **~ bar·ley** *s agr.* Sommergerste *f*. **~ bed** *s* 'Sprungfederma,tratze *f*. **'~,board** *s sport* Sprungbrett *n* (*a. fig.*), Federbrett *n*: ~ diving Kunstspringen *n*. **'~,bok** [-,bɒk] *s* **1.** *pl* **-,boks**, *bes. collect.* **-,bok** *zo.* Springbock *m*. **2.** S~s *pl Br.* 'Südafri,kaner *pl* (*Spitzname*). **~ bows** [bouz] *s pl tech.* Federzirkel *m*. **,~-'clean·ing** *s* Frühjahrs(haus)putz *m*.

springe [sprindʒ] **I** *s* **1.** *hunt.* Schlinge *f*. **2.** *fig.* Fallstrick *m*, Falle *f*. **II** *v/t* **3.** mit e-r Schlinge fangen. **III** *v/i* **4.** Schlingen legen.

spring·er ['spriŋər] *s* **1.** *a.* ~ spaniel *zo.* Springerspaniel *m*. **2.** *arch.* (Bogen)-Kämpfer *m*. **3.** Brathühnchen *n*.

spring| fe·ver *s* **1.** Frühjahrsmüdigkeit *f*. **2.** (rastlose) Frühlingsgefühle *pl*. **~ gun** *s* Selbstschuß *m*. **'~,head** *s* Quelle *f*, Ursprung *m* (*a. fig.*). **~ hook** *s tech.* Kara'binerhaken *m*.

spring·i·ness ['spriŋinis] → spring 33.

spring leaf *s irr tech.* Federblatt *n*.

'spring|-,load·ed *adj tech.* unter Federdruck (stehend). **~ lock** *s tech.* Schnappschloß *n*. **~ mat·tress** → spring bed. **~ scale** *s tech. Am.* Federwaage *f*. **~ sus·pen·sion** *s tech.* federnde Aufhängung, Federung *f*. **~ steel** *s tech.* Federstahl *m*. **'~,tide** → springtime. **~ tide** *s* **1.** *mar.* Springtide *f*, -flut *f*. **2.** *fig.* Flut *f*, Über'schwemmung *f*. **'~,time** *s* Frühling(s-zeit *f*) *m*, Frühjahr *n*. **~ wa·ter** *s* Quell,- Brunnenwasser *n*. **~ wheat** *s agr.* Sommerweizen *m*. **'~,wort** *s* Springwurz(el) *f*.

spring·y ['spriŋi] *adj* (*adv* **springily**) **1.** federnd, e'lastisch. **2.** *fig.* schwungvoll.

sprin·kle ['spriŋkl] **I** *v/t* **1.** *Wasser* sprenkeln, (ver)sprengen (on auf *acc*). **2.** *Salz, Pulver etc* sprenkeln, streuen. **3.** (ver-, zer)streuen, verteilen (*a. fig.*). **4.** besprenkeln, besprengen, bestreuen (with mit). **5.** *Stoff etc* sprenkeln, (be)tüpfeln (with mit). **II** *v/i* **6.** sprenkeln. **7.** (nieder)sprühen (*Regen etc*). **III** *s* **8.** (Be)Sprengen *n*, (Be)Sprenkeln *n*. **9.** a) Sprühregen *m*, b) leichter Schneefall. **10.** Prise *f Salz etc.* **11.** → sprinkling 3.

sprin·kler ['spriŋklər] *s* **1.** *tech.* a) Spreng-, Be'rieselungsappa,rat *m od.* -anlage *f*, (Rasen)Sprenger *m*, b) Brause *f*, Gießkanne(nkopf *m*) *f*, Sprühdüse *f*, c) Feuerlöschbrause *f*, d) Sprengwagen *m*. **2.** *R.C.* Weih(wasser)wedel *m*. **~ head** → sprinkler 1b. **~ sys·tem** *s* auto'matische Berieselungs- *od.* Feuerschutzanlage.

sprin·kling ['spriŋkliŋ] *s* **1.** Spritzer *m*, Gesprengsel *n*. **2.** → sprinkle 8—10. **3.** *a.* ~ of *fig.* ein bißchen, etwas, e-e Spur, ein paar *Leute etc*, ein wenig *Zucker etc.*

sprint [sprint] **I** *v/i* **1.** rennen. **2.** *sport* sprinten (*Läufer*), *allg.* spurten. **II** *s* **3.** *a.* ~ race *sport* a) Sprint *m*, Kurzstreckenlauf *m*, b) *allg.* Spurt *m*, c) *Radsport*: Fliegerrennen *n*. **4.** *fig.* (End)Spurt *m*. **'sprint·er** *s sport* **1.** Sprinter(in), Kurzstreckler(in). **2.** *Radsport*: Flieger *m*.

sprit [sprit] *s mar.* Spriet *n*.

sprite [sprait] *s* **1.** Elfe *f*, Fee *f*, Kobold *m*. **2.** Schemen *m*, Geist *m*.

'sprit,sail *s mar.* Sprietsegel *n*.

sprock·et ['sprɒkit] *s tech.* **1.** Zahn *m* e-s (Ketten)Rads. **2.** *a.* ~ wheel Ketten(zahn)rad *n*. **3.** ('Film)Trans,porttrommel *f*.

sprout [spraut] **I** *v/i* **1.** sprießen, (auf)-schießen, aufgehen. **2.** keimen. **3.** Knospen treiben. **4.** schnell wachsen, sich schnell entwickeln. **II** *v/t* **5.** (her'vor)treiben, wachsen *od.* keimen lassen, entwickeln. **III** *s* **6.** Sproß *m*, Sprößling *m* (*a. fig.*), Schößling *m*. **7.** *pl* → Brussels sprouts.

spruce¹ [spruːs] *s* **1.** *a.* ~ fir *bot.* Fichte *f*, Rottanne *f*. **2.** Fichte(nholz *n*) *f*. **3.** *a.* ~ beer Sprossenbier *n* (*aus Rottannenextrakt*).

spruce² [spruːs] **I** *adj* (*adv* ~ly) **1.** schmuck, (blitz)sauber, a'drett. **2.** *contp.* ,geschniegelt', ,affig'. **II** *v/t* **3.** *oft* ~ up *colloq. j-n* feinmachen, (her'aus)putzen: to ~ o.s. up → 4. **III** *v/i* **4.** *oft* ~ up *colloq.* sich feinmachen, ,sich in Schale werfen'.

spruce·ness ['spruːsnis] *s* **1.** Sauberkeit *f*, A'drettheit *f*. **2.** *contp.* ,Affigkeit' *f*.

sprue¹ [spruː] *s tech.* **1.** Gießloch *n*. **2.** Gußzapfen *m*.

sprue² [spruː] *s* Sprue *f* (*Tropenkrankheit*).

sprung [sprʌŋ] **I** *pret u. pp von* spring. **II** *adj* **1.** *Am. colloq.* beschwipst. **2.** *tech.* gefedert. **3.** rissig (*Holz*).

spry [sprai] *adj Am. od. dial.* **1.** flink, hurtig. **2.** lebhaft, munter.

spud [spʌd] **I** *s* **1.** *agr.* a) Jät-, Reutspaten *m*, b) Stoßeisen *n*. **2.** Spachtel *m*. **3.** *sl. od. dial.* Kar'toffel *f*. **4.** *bes. dial.* Knirps *m*. **5.** *Br. sl.* ,Kumpel' *m*, ,Spezi' *m*. **II** *v/t* **6.** *meist* ~ up, ~ out ausgraben, -stechen, -jäten. **7.** *e-e Ölquelle* anbohren.

spue → spew.

spume [spjuːm] **I** *s* Schaum *m*, Gischt *m*. **II** *v/i* schäumen. **III** *v/t* ausstoßen, absondern. **spu'mes·cence** [-'mesns] *s* Schäumen *n*. **spu'mes·cent, 'spu·mous, 'spum·y** *adj* schäumend, schaumig.

spun [spʌn] **I** *pret u. pp von* **spin**. **II** *adj* gesponnen: ~ **glass** Glasgespinst *n*; ~ **gold** Goldgespinst *n*; ~ **silk** Schappseide *f*; ~ **sugar** Zuckerwatte *f*; ~ **yarn** *mar.* Schiemannsgarn *n*.

spunk [spʌŋk] *s* **1.** Zunderholz *n*. **2.** Zunder *m*, Lunte *f*. **3.** *colloq.* a) Feuer *n*, Schwung *m*, b) ‚Mumm' *m*, Ener'gie *f*, c) Hitzköpfigkeit *f*. **'spunk·y** *adj* **1.** feurig, lebhaft. **2.** mutig, draufgängerisch. **3.** *Am. od. dial.* hitzig, wild.

'spun-ˌout *adj* in die Länge gezogen, [langatmig.]

spur [spɜːr] **I** *s* **1.** (Reit)Sporn *m*: ~**s** Sporen; ~ **rowel** Sporenrädchen *n*; **to put** (*od.* **set**) ~**s to** → 9; **to win one's** ~**s** *fig.* sich die Sporen verdienen. **2.** *fig.* Ansporn *m*, Antrieb *m*, Stachel *m*: **on the** ~ **of the moment** e-r Eingebung des Augenblicks folgend, ohne Überlegung, spontan. **3.** *bot.* a) Dorn *m*, Stachel *m* (*kurzer Zweig etc*), b) Sporn *m* (*Nektarbehälter*). **4.** *zo.* Sporn *m* (*von Vögeln, bes. des Hahns*). **5.** Steigeisen *n*. **6.** *geogr.* Ausläufer *m*. **7.** *arch.* a) Strebe *f*, Stütze *f*, b) Strebebalken *m*, c) (Mauer)Vorsprung *m*. **8.** *mil. hist.* Vorwerk *n*. **II** *v/t* **9.** spornen, *e-m Pferd* die Sporen geben. **10.** *oft* ~ **on** *fig. j-n* anspornen, anstacheln (**to** do zu tun). **11.** mit Sporen versehen, Sporen (an)schnallen an (*acc*). **III** *v/i* **12.** (das Pferd) spornen, (dem Pferd) die Sporen geben. **13.** a) sprengen, eilen, b) *a.* ~ **on**, ~ **forth** *fig.* (vorwärts-, weiter)drängen.

spurge [spɜːrdʒ] *s bot.* Wolfsmilch *f*.

spur| gear *s tech.* **1.** Stirnrad *n*. **2.** → **spur gearing**. ~ **gear·ing** *s* Stirnradgetriebe *n*.

spurge lau·rel *s* Lorbeer-Seidelbast [*m*.]

spu·ri·ous ['spju(ə)riəs] *adj* (*adv* ~**ly**) **1.** falsch, unecht, Pseudo..., Schein... **2.** nachgemacht, ver-, gefälscht. **3.** unehelich. **4.** *bot. zo.* Schein...: ~ **fruit**. **5.** *electr.* wild, Stör..., Neben...: ~ **oscillations**. **'spu·ri·ous·ness** *s* Unechtheit *f*.

spurn [spɜːrn] **I** *v/t* **1.** mit dem Fuß (weg)stoßen. **2.** verschmähen, verächtlich zu'rückweisen, *j-n a.* abweisen. **II** *v/i* **3.** Verachtung zeigen (**at** gegen).

spurred [spɜːrd] *adj* gespornt, sporentragend (*a. bot. zo.*).

spur·rey, spur·ry [*Br.* 'spʌri; *Am.* 'spɜːri] *s bot.* Spörgel *m*.

spurt[1] [spɜːrt] **I** *s* **1.** *sport* (*a.* Zwischen)Spurt *m*. **2.** Ruck *m*, plötzliche ruckartige Anstrengung. **3.** *econ.* a) plötzliches Anziehen (*von Kursen, Preisen etc*), b) plötzliche Geschäftszunahme. **II** *v/i* **4.** *sport* spurten. **5.** e-e kurze, heftige Anstrengung machen.

spurt[2] [spɜːrt] **I** *v/t u. v/i* (her'aus)spritzen. **II** *s* (*Wasser- etc*)Strahl *m*.

spur| track *s rail.* Neben-, Seitengleis *n*. ~ **wheel** → **spur gear** 1.

sput·ter ['spʌtər] → **splutter**.

spu·tum ['spjuːtəm] *pl* **-ta** [-tə] *s med.* Sputum *n*, Auswurf *m*.

spy [spai] **I** *v/t* **1.** *oft* ~ **out** 'ausspioˌnieren, -spähen, -kundschaften. **2.** *a.* ~ **out** ausfindig machen. **3.** erspähen, entdecken. **II** *v/i* **4.** *mil.* spio'nieren, Spio'nage treiben: **to** ~ (**up**)**on** *j-m* nachspionieren, *j-n* bespitzeln. **5.** spähen, aufpassen. **6.** *fig.* her'umspioˌnieren: **to** ~ **into s.th.** etwas untersuchen *od.* erkunden. **III** *s* **7.** Späher(in), Kundschafter(in). **8.** *mil.* Spi'on(in). **9.** *fig.* Spi'on(in), Aufpasser(in), Spitzel *m*. **'**~**ˌglass** *s* Fernglas *n*. **'**~**ˌhole** *s* Guckloch *n*.

squab [skwɒb] **I** *s* **1.** (noch nicht flügger) Jungvogel. **2.** *fig.* Kü(c)ken *n*, junges Ding (*Mädchen*). **3.** a) Sofakissen *n*, Polster(stuhl *m*, -bank *f*) *n*, b) *bes. Br.* Rückenlehne *f* (*des Autositzes*). **4.** ‚Dickwanst' *m*. **II** *adj* **5.** unter'setzt, feist, plump. **6.** *orn.* noch nicht flügge, ungefiedert.

squab·ble ['skwɒbl] **I** *v/i* sich zanken *od.* (katz)balgen *od.* ‚kabbeln'. **II** *v/t print.* verquirlen. **III** *s* Zank *m*, Händel *pl*, ‚Kabbe'lei' *f*. **'squab·bler** *s* ‚Streithammel' *m*.

squab·by ['skwɒbi] → **squab** 5.

squab| chick *s* noch nicht *od.* eben flügge gewordenes Hühnchen. ~ **pie** *s* **1.** 'Taubenpaˌstete *f*. **2.** *Pastete aus Hammelfleisch, Äpfeln u. Zwiebeln.*

squac·co ['skwækou] *pl* **-cos** *s orn.* Rallenreiher *m*.

squad [skwɒd] **I** *s* **1.** *mil.* Gruppe *f*, Korpo'ralschaft *f*: ~ **drill** Grundausbildung *f*; **awkward** ~ a) ‚patschnasse' Rekruten, b) *fig.* ‚Flaschenverein' *m*. **2.** (Arbeits- *etc*)Gruppe *f*: **rescue** ~ Rettungsmannschaft *f*. **3.** (*Überfall- etc*)Kom'mando *n* (*Polizei*): ~ **car** *Am.* (Funk)Streifenwagen *m*; → **murder** 1, **riot** 1. **4.** *sport bes. Am.* Mannschaft *f*, (Turn)Riege *f*. **II** *v/t* **5.** in Gruppen einteilen.

squad·ron ['skwɒdrən] *s* **1.** *mil.* a) ('Reiter)Schwaˌdron *f*, b) ('Panzer)Batailˌlon *n*. **2.** *mar. mil.* (Flotten)Geschwader *n*: **flying** ~ Eingreifgeschwader. **3.** *aer. mil.* Staffel *f*: a) *Br. 10—18 Flugzeuge*, b) *Am. 3 Schwärme von je 3—6 Flugzeugen*. **4.** *allg.* Gruppe *f*, Ab'teilung *f*, Mannschaft *f*. ~ **lead·er** *s aer. mil.* ('Flieger)Maˌjor *m*.

squail [skweil] *s* **1.** *pl* Flohspiel *n*. **2.** Spielplättchen *n* zum Flohspiel.

squal·id ['skwɒlid] *adj* (*adv* ~**ly**) **1.** schmutzig, verkommen (*beide a. fig.*), verwahrlost. **2.** erbärmlich. **squa'lid·i·ty, 'squal·id·ness** *s* Schmutz *m*, Verkommenheit *f* (*beide a. fig.*), Verwahrlosung *f*.

squall[1] [skwɔːl] **I** *s* **1.** *meteor.* Bö *f*, heftiger Windstoß: **black** ~ Sturmbö mit schwarzem Gewölk; **white** ~ Sturmbö aus heiterem Himmel. **2.** *colloq.* ‚Sturm' *m*, ‚Gewitter' *n*: **to look out for** ~**s** die Augen offenhalten. **II** *v/i* **3.** stürmen.

squall[2] [skwɔːl] **I** *v/i* kreischen, schreien. **II** *v/t oft* ~ **out** *etwas* kreischen. **III** *s* schriller Schrei: ~**s** Geschrei *n*.

squall·er ['skwɔːlər] *s* Schreihals *m*.

'squall·y *adj* **1.** böig, stürmisch. **2.** *Am. colloq.* ‚stürmisch': ~ **home life**.

squa·loid ['skweilɔid] *adj ichth.* Haifisch...

squal·or ['skwɒlər] → **squalidness**.

squa·ma ['skweimə] *pl* **-mae** [-miː] *s anat. bot. zo.* Schuppe *f*, schuppenartige Or'ganbildung (*Feder, Knochenteil etc*). **squa·mate** ['skweimeit; -mit] *adj* schuppig.

squa·mif·er·ous [skwə'mifərəs] *adj biol.* schuppentragend.

squa·mous ['skweiməs] *adj anat. biol.* squa'mös, schuppig.

squan·der ['skwɒndər] *v/t oft* ~ **away** *Geld, Zeit etc* verschwenden, -geuden: **to** ~ **o.s.** sich verzetteln *od.* ‚verplempern'. **'squan·der·er** *s* Verschwender(in). **'squan·der·ing I** *adj* verschwenderisch. **II** *s* Verschwendung *f*, -geudung *f*.

squan·der·ma·ni·a [ˌskwɒndər'meiniə] *s* Verschwendungssucht *f*.

square [skwɛr] **I** *s* **1.** *math.* Qua'drat *n* (*Figur*). **2.** Qua'drat *n*, Viereck *n*, qua'dratisches Stück (*Glas, Stoff etc*), Karo *n*. **3.** Feld *n* (*des Schach- od. Damebretts*). **4.** *Am.* Häuserblock *m*, -viereck *n*. **5.** (öffentlicher) Platz: **Trafalgar S**~. **6.** *tech.* a) Winkel(maß *n*) *m*, Anschlagwinkel *m*, b) *bes. Zimmerei*: Geviert *n*: **T** ~ *tech.* Reißschiene *f*; **by the** ~ *fig.* genau, exakt; **on the** ~ im rechten Winkel, *colloq. fig.* ehrlich, anständig, in Ordnung; **out of** ~ nicht rechtwink(e)lig, *fig.* nicht in Ordnung. **7.** *math.* Qua'drat(zahl *f*) *n*: **in the** ~ im Quadrat. **8.** *mil.* Kar'ree *n*. **9.** ('Wort-, 'Zahlen)Quaˌdrat *n*: **word** ~ Quadraträtsel *n*. **10.** *arch.* Säulenplatte *f*. **11.** *Buchbinderei*: vorspringender Rand. **12.** Drehzapfen *m* (*der Uhr*). **13.** *sl.* Spießer *m*. **II** *v/t* **14.** qua'dratisch *od.* rechtwink(e)lig machen. **15.** *a.* ~ **off** in Qua'drate einteilen, *Papier etc* ka'rieren: ~**d paper** *Br.* Millimeterpapier *n*. **16.** *math.* a) den Flächeninhalt berechnen von (*od. gen*), b) *e-e Zahl* qua'drieren, ins Qua'drat erheben, c) *e-e Figur* qua'drieren, in ein Qua'drat verwandeln: → **circle** 1. **17.** auf s-e Abweichung vom rechten Winkel *od.* von der Geraden *od.* von der Ebene prüfen. **18.** *tech.* a) vierkantig formen *od.* behauen *od.* zuschneiden, *Holz* abvieren, b) im rechten Winkel anbringen. **19.** *mar. Rahen* vierkant brassen. **20.** *die Schultern* straffen. **21.** ausgleichen. **22.** *sport den Kampf* unentschieden beenden. **23.** *econ.* a) *Konten* aus-, abgleichen: → **account** *Bes. Redew.*, b) *e-e Schuld* begleichen, c) *Gläubiger* befriedigen. **24.** *fig.* in Einklang bringen (**with** mit), anpassen (**to** an *acc*). **25.** *sl.* a) *j-n* ‚schmieren', bestechen, b) *e-e Sache* ‚regeln', ‚in Ordnung bringen'.

III *v/i* **26.** *oft* ~ **up**, *Am.* ~ **off** in Boxerstellung *od.* in Auslage gehen: **to** ~ **up to s.o.** ‚sich vor j-m aufpflanzen'; **to** ~ **up to a problem** ein Problem anpacken. **27.** (**with**) in Einklang stehen (mit), passen (zu). **28.** s-e Angelegenheiten in Ordnung bringen: **to** ~ **up** *econ.* abrechnen (*a. fig.*). **29.** *a.* ~ **by the lifts and braces** *mar.* vierkant brassen.

IV *adj* (*adv* ~**ly**) **30.** *math.* qua'dratisch, Quadrat...: ~ **inch** Quadratzoll *m*; ~ **pyramid** quadratische Pyramide; ~ **unit** Flächeneinheit *f*. **31.** *math.* ... im Qua'drat: **a table 3 feet** ~. **32.** rechtwink(e)lig, im rechten Winkel (stehend) (**to** zu). **33.** (vier)eckig: **a** ~ **table**. **34.** *tech.* Viereck..., Vierkant...: → **peg** 1. **35.** breit(schulterig), vierschrötig, stämmig (*Person*). **36.** *mar.* Vierkant..., ins Kreuz gebraßt. **37.** gleichmäßig, gerade, eben: **a** ~ **surface**. **38.** *fig.* in Einklang (stehend) (**with** mit), in Ordnung, stimmend: **to get things** ~ die Sache in Ordnung bringen. **39.** *Golf etc*: gleichstehend. **40.** *econ.* a) abgeglichen (*Konten*), b) quitt: **to get** ~ **with s.o.** mit j-m quitt werden (*a. fig.*). **41.** *colloq.* a) re'ell, anständig, b) ehrlich, offen: → **deal**[1] 15. **42.** klar, deutlich: **a** ~ **refusal**; **the problem must be faced** ~**ly** das Problem muß klar ins Auge gefaßt werden. **43.** *colloq.* ‚ordentlich', reichlich: **a** ~ **meal**. **44.** zu viert: ~ **game**; ~ **party**. **45.** *sl.* altmodisch, ‚spießig': ~ **John** *Am.* braver Bürger.

V *adv* **46.** qua'dratisch, (recht-, vier)eckig. **47.** *colloq.* anständig, ehrlich. **48.** *Am.* gerade, mitten, di'rekt. **'square|-ˌbash·ing** *s mil. Br. sl.* Drill *m*, ‚Schleifen' *n.* ~ **brack·et** *s print.* eckige Klammer. **'~-ˌbuilt** *adj* → square 35. ~ **dance** *s* **1.** Qua'drille *f.* **2.** Volkstanz *m.* **'~-'deal·ing** *adj colloq.* ehrlich (handelnd), re'ell. **'~-ˌhead** *s Am. colloq.* 'Qua'dratschädel' *m* (*Skandinavier, Holländer, Deutscher in USA u. Kanada*). **'~-'head·ed** *adj tech.* vierkantig, Vierkant... **'~-ˌlaw** *adj electr.* qua'dratisch: ~ **rectifier.** ~ **leg** *s Kricket*: Fänger *m* (*od.* dessen Platz *m*) rechtwink(e)lig links vom Schläger. ~ **meas·ure** *s* Flächenmaß *n.* ~ **mile** *s* Qua'dratmeile *f.*

square·ness ['skwɛrnis] *s* **1.** (*das*) Qua'dratische *od.* Rechteckige *od.* Viereckige. **2.** Vierschrötigkeit *f.* **3.** Ehrlichkeit *f.*

square| num·ber *s math.* Qua'dratzahl *f.* ~ **pi·an·o** *s mus.* 'Tafelklaˌvier *n.* **'~-'rigged** *adj mar.* vollgetakelt. **'~-'rig·ger** *s mar.* Rahsegler *m.* ~ **root** *s math.* (Qua'drat)Wurzel *f.* ~ **sail** *s mar.* Rahsegel *n.* ~ **shoot·er** *s Am. colloq.* ehrlicher *od.* anständiger Kerl. **'~-ˌshoul·dered** *adj* breitschult(e)rig. **'~-ˌtoed** *adj* **1.** mit breiten Kappen (*Schuh*). **2.** *fig.* a) altmodisch, b) steif, pe'dantisch. **'~-ˌtoes** *s pl* (*als sg konstruiert*) *humor.* **1.** altmodischer Mensch. **2.** Pe'dant(in).

squar·ish ['skwɛ(ə)riʃ] *adj* fast *od.* ungefähr qua'dratisch.

squar·rose ['skwærous; 'skwɒr-] *adj* **1.** *bot.* sparrig. **2.** *zo.* vorstehend.

squar·son ['skwɑːrsn] *s Br. humor.* ‚Junkerpfarrer' *m* (*Geistlicher, der zugleich* squire *ist*).

squash[1] [skwɒʃ] **I** *v/t* **1.** (zu Brei) zerquetschen, zs.-drücken. **2.** breitschlagen. **3.** *fig. e-n Aufruhr etc* niederschlagen, (im Keim) ersticken, *Hoffnungen* zerstören. **4.** *colloq. j-n* ‚fertigmachen'. **II** *v/i* **5.** zerquetscht werden. **6.** zs.-gequetscht werden, sich zs.-quetschen (lassen). **7.** *colloq.* glucksen (*Fuß im Morast etc*). **8.** *aer.* absacken. **III** *s* **9.** Matsch *m*, Brei *m*, breiige Masse. **10.** Gedränge *n.* **11.** *Br.* (Zi'tronen- *etc*)Saft *m.* **12.** Glucksen *n*, Quatschen *n.* **13.** *sport* a) Squash-(Tennis) *n* (*Spiel auf e-m mit hohen Wänden umgebenen Spielfeld*), b) → **squash rackets.**

squash[2] [skwɒʃ] *s bot.* Kürbis *m.*

squash| hat *s* Schlapphut *m.* ~ **rack·ets** *s pl sport dem Squash-Tennis ähnliches Spiel; die Schläger haben e-e kleinere Schlagfläche u. e-n längeren Stiel; der Ball ähnelt e-m Golfball.* ~ **ten·nis** → squash[1] 13a.

squash·y ['skwɒʃi] *adj* (*adv* **squashily**) **1.** weich, breiig. **2.** matschig (*Boden*).

squat [skwɒt] **I** *v/i pret u. pp* **squat, 'squat·ted 1.** hocken, kauern. **2.** sich ducken (*Tier*). **3.** *oft* ~ **down** *colloq.* ‚sich ('hin)hocken'. **4.** sich ohne Rechtstitel ansiedeln. **5.** *Austral.* sich auf re'gierungseigenem Land niederlassen. **II** *v/t* **6.** ~ o.s. ‚sich 'hinhokken', sich zs.-kauern. **III** *adj* **7.** unter'setzt, vierschrötig. **8.** flach, platt(gedrückt). **IV** *s* **9.** Hocken *n*, Kauern *n.* **10.** Hocke *f* (*a. sport*), Hockstellung *f.* **11.** Platz *m*, Sitz *m.* **'squat·ter** *s* **1.** Hockende(r *m*) *f.* **2.** *Am.* Squatter *m*, Ansiedler *m* ohne Rechtstitel. **3.** *Am. od. Austral.* Squatter *m*: a) Siedler *m* auf re'gierungseigenem Land, b) (*bes.* Schaf)Herdenbesitzer *m*: S~ **State** (*Spitzname für*) Kansas *n.*

squaw [skwɔː] *s* **1.** Squaw *f*, Indi'anerfrau *f*, Indi'anerin *f.* **2.** *Am. contp.* Frau *f.*

squawk [skwɔːk] **I** *v/i* **1.** kreischen, quäken. **2.** *sl.* ‚meckern', zetern. **II** *v/t* **3.** *etwas* schreien, kreischen. **III** *s* **4.** Kreischen *n*, Quäken *n*, (gellender) Schrei. **5.** *sl.* ‚Gemecker' *n.*

squaw| man *s irr mit e-r Indianerin verheirateter Weißer.* ~ **win·ter** *s meteor. Am.* kurzer Wintereinbruch im Herbst.

squeak [skwiːk] **I** *v/i* **1.** quiek(s)en, piep(s)en. **2.** quietschen (*Türangel, Schuh etc*). **3.** *sl.* → **squeal** 4. **4.** *a.* ~ **by** (*od.* **through**) *Am. colloq.* mit knapper Not 'durchkommen (*in e-r Prüfung etc*). **II** *v/t* **5.** *etwas* quiek(s)en. **III** *s* **6.** Gequiek(s)e *n.* **7.** Quietschen *n.* **8. a narrow** (*od.* **close**) ~ *colloq.* ein knappes Entrinnen: **to have a narrow** ~ gerade noch davonkommen. **9.** *Am. sl.* Chance *f.* **'squeak·y** *adj* (*adv* **squeakily**) **1.** quiek(s)end. **2.** quietschend.

squeal [skwiːl] **I** *v/i* **1.** grell schreien, winseln. **2.** quieken, quietschen. **3.** *colloq.* zetern, schimpfen (**against** gegen). **4.** *sl.* ‚singen', ‚petzen': **to** ~ **on s.o.** j-n ‚verpfeifen' *od.* ‚verpetzen'. **II** *v/t* **5.** *etwas* quäken, kreischen. **III** *s* **6.** langer schriller Schrei, Quieken *n.* **'squeal·er** *s* **1.** Schreier *m*, Winsler *m.* **2.** a) Täubchen *n*, b) *allg.* junger Vogel. **3.** *sl.* Verräter *m.*

squeam·ish ['skwiːmiʃ] *adj* (*adv* ~**ly**) **1.** ('über)empfindlich, zimperlich. **2.** pe'nibel, 'übergewissenhaft. **3.** heikel (*im Essen etc*). **4.** (leicht) Ekel empfindend: **I felt** ~ mir wurde komisch im Magen. **'squeam·ish·ness** *s* **1.** ('Über)Empfindlichkeit *f*, Zimperlichkeit *f.* **2.** 'Übergewissenhaftigkeit *f.* **3.** heikle Art. **4.** Ekel *m*, Übelkeit *f.*

squee·gee ['skwiːdʒiː; skwiː'dʒiː] *s* **1.** Gummischrubber *m* (*für Fenster etc*). **2.** *phot.* (Gummi)Quetschwalze *f.*

squeez·a·ble ['skwiːzəbl] *adj* **1.** *fig.* nachgiebig, gefügig. **2.** zs.-drückbar.

squeeze [skwiːz] **I** *v/t* **1.** zs.-drücken, (-)pressen: **to** ~ **s.o.'s hand** j-m die Hand drücken. **2.** a) *e-e Frucht* ausquetschen, -pressen, *e-n Schwamm* ausdrücken, b) *colloq. j-n* ‚ausnehmen', schröpfen. **3.** *oft* ~ **out** *Saft* (her)'auspressen, -quetschen (**from** aus): **to** ~ **a tear** *fig.* e-e Träne zerdrücken, ‚ein paar Krokodilstränen weinen'. **4.** drücken, quetschen, zwängen (**into** in *acc*): **to** ~ **in** einklemmen; **to** ~ **o.s.** (*od.* **one's way**) **into** (**through**) sich hinein-(hindurch)zwängen. **5.** *colloq.* fest *od.* innig an sich drücken. **6.** *colloq.* a) ‚unter Druck setzen', erpressen, b) *Geld etc* her'auspressen, *Vorteil etc* her'ausschinden (**out of** aus). **7.** *Bridge*: zum Abwerfen zwingen. **8.** abklatschen, e-n Abdruck machen von (*e-r Münze etc*).

II *v/i* **9.** quetschen, drücken, pressen. **10.** sich zwängen *od.* quetschen: **to** ~ **through** (**in, out**) sich durch-(hinein-, hinaus)zwängen. **11.** sich (aus)quetschen *od.* (-)pressen lassen.

III *s* **12.** Druck *m*, Pressen *n*, Quetschen *n.* **13.** Händedruck *m.* **14.** (innige) Um'armung. **15.** Gedränge *n.* **16.** ausgepreßter Saft. **17.** *colloq.* ‚Klemme' *f*, Druck *m*, (*bes.* Geld)Verlegenheit *f*: **to be in a tight** ~ schwer im Druck sein. **18.** *Bridge*: *Spiel od. Situation, wo man e-e Farbe od. e-e wichtige Karte aufgeben muß.* **19.** *colloq.* ‚Druck' *m*, Erpressung *f*: **to put the** ~ **on s.o.** j-n unter Druck setzen. **20.** *econ.* a) (*a.* Geld)Knappheit *f*, wirtschaftlicher Engpaß, b) *Börse*: Zwang *m* zu Deckungskäufen: **credit** ~ Kreditbeschränkung *f.* **21.** (*bes.* Wachs)Abdruck *m*, (-)Abguß *m.* **22.** *sl.* a) Gurgel *f*, b) Seide *f*, c) (knappes) Entkommen.

squeeze| bot·tle *s* (Plastik)Spritzflasche *f.* **'~-ˌbox** *s* → **squiffer.**

squeez·er ['skwiːzər] *s* **1.** (Frucht)-Presse *f*, Quetsche *f.* **2.** *tech.* a) ('Aus)-Preßmaˌschine *f*, b) Quetsch-, Schotterwerk *n*, c) 'Preßformmaˌschine *f.*

squelch [skweltʃ] *colloq.* **I** *v/t* **1.** zermalmen. **2.** *j-n* ‚kurz fertigmachen'. **II** *v/i* **3.** p(l)atschen. **4.** glucksen (*Schuh im Morast etc*). **III** *s* **5.** Matsch *m.* **6.** glucksender Laut. **7.** → **squelcher** 2. **'squelch·er** *s colloq.* **1.** vernichtender Schlag. **2.** vernichtende Antwort.

squib [skwib] **I** *s* **1.** a) Frosch *m*, (Feuerwerks)Schwärmer *m*, b) *allg. Br.* (Hand)Feuerwerkskörper *m.* **2.** *Bergbau*: Zündladung *f* (*a. mil. hist.*). **3.** (po'litische) Sa'tire, Spottgedicht *n.* **II** *v/i* **4.** Spottgedichte *od.* Sa'tiren schreiben. **III** *v/t* **5.** *j-n* mit Spottgedichten angreifen, bespötteln.

squid [skwid] *s* **1.** *pl* **squids,** *bes. collect.* **squid** *zo.* (*ein*) zehnarmiger Tintenfisch, *bes.* Kalmar *m.* **2.** *künstlicher Köder in Tintenfischform.* **3.** *mar. mil.* mehrrohriger Wasserbombenwerfer.

squiffed [skwift] → **squiffy.**

squif·fer ['skwifər] *s mus. Br. sl.* ‚'Quetschkomˌmode' *f*, 'Schifferklaˌvier *n.*

squif·fy ['skwifi] *adj bes. Br. sl.* ‚angesäuselt'.

squig·gle ['skwigl] **I** *s* **1.** Schnörkel *m* (*beim Schreiben*). **II** *v/i* **2.** kritzeln. **3.** sich winden.

squil·gee ['skwildʒiː; skwil'dʒiː] → **squeegee.**

squill [skwil] *s* **1.** *bot.* a) Meerzwiebel *f*, b) Blaustern *m.* **2.** *zo.* Heuschrekkenkrebs *m.*

squinch [skwintʃ] *s arch.* Stützbogen *m.*

squint [skwint] **I** *v/i* **1.** schielen (*a. weitS. schräg blicken*). **2.** blinzeln, zwinkern. **3.** ~ **at** *fig.* a) schielen nach, b) (rasch) e-n Blick werfen auf (*acc*), c) scheel *od.* 'mißgünstig *od.* argwöhnisch blicken auf (*acc*). **II** *v/t* **4.** *die Augen* a) verdrehen, b) zs.-kneifen: **to** ~ **one's eyes.** **III** *s* **5.** Schielen *n* (*a. fig.*): **convergent** ~ Einwärtsschielen; **divergent** ~ Auswärtsschielen. **6.** *colloq.* a) schräger Seitenblick, b) (rascher *od.* verstohlener) Blick: **to have a** ~ **at** → 3b. **IV** *adj* **7.** schielend. **8.** schief, schräg. **'~-ˌeyed** *adj* **1.** schielend. **2.** *fig.* scheel, böse.

squir·arch·y → **squirearchy.**

squire [skwair] **I** *s* **1.** (*englischer*) Landjunker, -edelmann, *a.* Gutsherr *m*, Großgrundbesitzer *m.* **2.** *bes. colloq.* (*in England u. USA Ehrentitel für*) a) (Friedens)Richter *m*, b) *andere Person mit lokaler Obrigkeitswürde.* **3.** *hist.* Edelknabe *m*, (Schild)Knappe *m.* **4.** Kava'lier *m*: a) Begleiter *m* (*e-r Dame*), b) *colloq.* Ga'lan *m*, Liebhaber *m*: ~ **of dames** Frauenheld *m.* **II** *v/t u. v/i* **5.** a) (*e-r Dame*) Ritterdienste leisten *od.* den Hof machen, b) (*e-e Dame*) begleiten.

squire·arch·y ['skwai(ə)rɑːrki] *s* Junkertum *n*: a) *collect.* (*die*) (Land)Junker *pl*, b) (Land)Junkerherrschaft *f.*

squir·een [skwai'riːn] *s* kleiner (*bes.* irischer) Gutsbesitzer.

squire·hood ['skwaɪrˌhud] *s* Rang *m od.* Würde *f* e-s squire.
squire·let ['skwaɪrlɪt], **'squire·ling** [-lɪŋ] *s* Krautjunker *m.* **'squire·ly** [-li] *adj* junkerlich.
squirm [skwəːrm] **I** *v/i* **1.** sich krümmen, sich winden (*a. fig.* with vor *Scham etc*): to ~ out of a) sich (mühsam) aus *e-m Kleid* herausschälen, b) *fig.* sich aus *e-r Notlage etc* herauswinden. **II** *s* **2.** Krümmen *n*, Sich'winden *n.* **3.** *mar.* Kink *f* (*im Tau*). **'squirm·y** *adj* **1.** sich windend. **2.** *fig.* eklig.
squir·rel [*Br.* 'skwɪrəl; *Am.* 'skəːrəl] *s* **1.** *zo.* Eichhörnchen *n*: → flying squirrel. **2.** Feh *n*, Grauwerk *n* (*Pelz*). ~ **cage** *s electr.* Käfiganker *m.* '~-ˌ**cage** *adj electr.* Käfig..., Kurzschluß... '~ˌ**fish** *s* (*ein*) Stachelfisch *m.* ~ **mon·key** *s zo.* Totenkopfäffchen *n.*
squirt [skwəːrt] **I** *v/i* **1.** spritzen. **2.** her'vorspritzen, -sprudeln. **II** *v/t* **3.** (her'vor-, her'aus)spritzen: to ~ water. **4.** bespritzen. **III** *s* **5.** (Wasser- *etc*)-Strahl *m.* **6.** Spritze *f*: ~ can *tech.* Spritzkanne *f.* **7.** *a.* ~ gun 'Wasserpiˌstole *f.* **8.** *colloq.* a) (junger) ‚Spritzer', ‚Affe' *m*, b) Mistkerl *m.*
squish [skwɪʃ] *colloq.* **I** *s* **1.** a) Matsch *m*, Schmiere *f*, b) Marme'lade *f.* **2.** → squelch 6. **II** *v/t* **3.** ‚zermatschen'. **III** *v/i* **4.** glucksen, zischen. **'squish·y** *adj* matschig.
squit [skwɪt] *s bes. Br. sl.* **1.** ‚kleiner Scheißer'. **2.** ‚Gauner' *m.* **3.** ‚Mist' *m.*
St., St *abbr.* → saint 1 (*etc*).
stab [stæb] **I** *v/t* **1.** *j-n* a) stechen, mit e-m Messer *etc* verletzen, b) *a.* ~ to death erstechen, erdolchen. **2.** *ein Messer etc* bohren, stoßen (into in *acc*). **3.** *fig. j-n* (*seelisch*) verletzen: to ~ s.o. in the back j-m in den Rücken fallen, j-n verleumden; to ~ s.o.'s reputation an j-m Rufmord begehen. **4.** *etwas* durch'bohren, aufspießen, stechen in (*acc*). **5.** *tech. e-e Mauer* rauh hauen. **6.** *Buchteile* vorstechen. **II** *v/i* **7.** stechen (at s.o. nach j-m). **8.** (*mit den Fingern etc*) stoßen (at nach, auf *acc*). **9.** stechen (*Schmerz*). **10.** stechen, dringen (*Strahlen etc*). **III** *s* **11.** Stich *m*, (Dolch- *etc*)Stoß *m.* **12.** Stich(wunde *f*) *m*: ~ in the back *fig.* Dolchstoß *m*, hinterhältiger Angriff. **13.** *fig.* Stich *m* (*scharfer Schmerz, jähes Gefühl*). **14.** spitzer (Licht- *etc*)-Strahl. **15.** *sl.* Versuch *m*: to make a ~ at es probieren mit. ~ **cell** *s biol.* Stabzelle *f.*
sta·bile I *adj* ['steɪbɪl; 'stæbɪl; *Br. a.* -baɪl] **1.** fest(stehend), statio'när. **2.** sta'bil (*a. med.*). **II** *s* ['steɪbiːl; -baɪl; -bɪl] **3.** Stabile *n* (*abstrakte Freiplastik*).
sta·bil·i·ty [stə'bɪlɪtɪ] *s* **1.** *allg.* Stabili'tät *f*: a) Standfestigkeit *f*, b) Festigkeit *f*, 'Widerstandsfähigkeit *f*, (Wert)-Beständigkeit *f*, c) Unveränderlichkeit *f* (*a. math.*), d) *chem.* Resi'stenz *f*: economic ~ wirtschaftliche Stabilität; ~ of prices *econ.* Preis- *od.* Kursstabilität. **2.** *fig.* Beständigkeit *f*, Standhaftigkeit *f*, (Cha'rakter)Festigkeit *f.* **3.** a) *tech.* Kippsicherheit *f*, b) *aer.* dy'namisches Gleichgewicht.
sta·bi·li·za·tion [ˌsteɪbɪlaɪ'zeɪʃən] *s allg. bes. econ. tech.* Stabili'sierung *f.* **'sta·biˌlize** *v/t* stabili'sieren (*a. aer. mar. tech.*): a) festigen, stützen, b) kon'stant halten, c) im Gleichgewicht halten: to ~ prices *econ.* die Preise *od.* Kurse stabilisieren; ~d warfare *mil.* Stellungskrieg *m.* **'sta·biˌliz·er** *s* **1.** *aer. mar. mot. tech., a. chem.* Stabili'sator *m.* **2.** *aer.* Stabili'sierungsflosse *f.* **3.** *electr.* a) Glättungsröhre *f*, b) 'Spannungskonˌstanthalter *m.* **4.** *tech.* Stabili'sierungsmittel *n* (*für Kunststoffe etc*).
sta·ble[1] ['steɪbl] **I** *s* **1.** (Pferde-, Kuh)-Stall *m.* **2.** Stall(bestand) *m.* **3.** Rennstall *m* (*bes. collect. Pferde od. Leute*). **4.** *fig.* ‚Stall' *m* (*Mannschaft, Künstlergruppe etc*). **5.** *pl mil. Br.* a) Stalldienst *m*, b) Si'gnal *n* zum Stalldienst. **II** *v/t* **6.** *Pferde* einstallen. **III** *v/i* **7.** im Stall stehen (*Pferd*). **8.** *contp.* hausen.
sta·ble[2] ['steɪbl] *adj* (*adv* stably) **1.** sta'bil: a) standfest, -sicher (*a. phys. tech.*), b) 'widerstandsfähig, fest: ~ structure, c) (wert)beständig, fest, dauerhaft, haltbar, d) unveränderlich (*a. math.*), kon'stant, gleichbleibend (*a. electr.*): ~ voltage, e) *chem.* resi'stent: ~ in water wasserbeständig, f) statio'när: ~ equilibrium *phys.* stabiles Gleichgewicht. **2.** *econ. pol.* sta'bil: ~ currency. **3.** *fig.* beständig, gefestigt: (emotionally) ~ charakterlich gefestigt.
'sta·ble|ˌboy *s* Stalljunge *m.* ~ **com·pan·ion** *s* Stallgefährte *m* (*a. colloq. fig.*). ~ **fly** *s zo.* **1.** Gemeine Stechfliege. **2.** Stallfliege *f.* '~**·man** [-mən] *s irr* Stallknecht *m.*
sta·ble·ness ['steɪblnɪs] → stability.
sta·bling ['steɪblɪŋ] *s* **1.** Einstallung *f.* **2.** Stallung(en *pl*) *f*, Ställe *pl.*
sta·bly ['steɪblɪ] *adv zu* stable[2].
stac·ca·to [stə'kɑːtoʊ] *adj u. adv* **1.** *mus.* stak'kato. **2.** *fig.* abgehackt.
stack [stæk] **I** *s* **1.** *agr.* Schober *m*, Feim *m*: wheat ~. **2.** Stoß *m*, Stapel *m*: a ~ of books. **3.** *colloq.* ‚Haufen' *m*, Masse *f.* **4.** *Br.* Stack *n* (*Maßeinheit für Holz u. Kohlen*: $108\ ft^3 = 3{,}05814\ m^3$). **5.** *Am.* ('Bücher)Reˌgal *n.* **6.** *oft pl* a) Gruppe *f* von Re'galen, b) ('Haupt)-Magaˌzin *n* (*e-r Bibliothek*). **7.** *tech.* a) *a. rail.* Schornstein *m*, b) *mot.* Auspuffrohr *n*, c) (Schmiede)Esse *f*, d) *electr.* (gestockte) An'tennenkombinatiˌon, e) Satz *m*, Aggre'gat *n*: → blow 29 b. **8.** *mil.* (Ge'wehr)Pyraˌmide *f.* **9.** (*vor den Orkneys u. Schottland*) Felssäule *f.* **10.** *Kartenspiel*: Haufen *m* Spielmarken. **II** *v/t* **11.** *Heu etc* aufsetzen, -schobern. **12.** (auf)stapeln, (auf-, überein'ander)schichten. **13.** vollstapeln. **14.** *mil. die Gewehre* zs.-setzen: to ~ arms. **15.** to ~ the cards *Am.* a) die Karten ‚packen' (*betrügerisch mischen*), b) *sl.* mogeln. **16.** *aer. das Flugzeug* in e-e Wartezone einweisen. **III** *v/i* **17.** ~ up *Am. sl.* a) sich anlassen *od.* entwickeln: as things ~ up now, b) sich halten (against gegen).
stack·er ['stækər] *s* Stapler *m* (*Person u. Vorrichtung*).
stad·dle ['stædl] *s* **1.** Ständer *m*, Gestell *n.* **2.** *Forstwesen*: Hegereis *n* (*junger Baum*).
sta·di·a[1] ['steɪdɪə] *pl von* stadium.
sta·di·a[2] ['steɪdɪə] *s a.* ~ rod *surv.* Vermessungsstange *f*, Meßlatte *f.*
sta·di·um ['steɪdɪəm] *pl* **-di·a** [-dɪə], **-di·ums** *s* **1.** *antiq.* Stadion *n* (*Kampfbahn od. Längenmaß*). **2.** (*pl meist* **-ums**) *sport* Stadion *n.* **3.** *bes. biol. med.* Stadium *n.*
staff[1] [*Br.* stɑːf; *Am.* stæ(ː)f] **I** *pl* **staffs,** *a.* **staves** [steɪvz] *s* **1.** Stab *m*, Stecken *m*, Stock *m.* **2.** (Amts-, Kom'mando)Stab *m.* **3.** *bes.* pastoral ~ Bischofs-, Hirtenstab *m.* **4.** (Fahnen)-Stange *f*, *mar.* Flaggenstock *m.* **5.** *fig.* a) Stütze *f*: the ~ of his old age, b) (*das*) Wichtigste *od.* Nötigste: ~ of life Brot *n*, Nahrung *f.* **6.** *surv.* Meßstab *m.* **7.** *tech.* Unruhwelle *f* (*der Uhr*). **8.** a) (Mitarbeiter)Stab *m*, b) Beamtenstab *m*, c) *ped.* Lehrkörper *m*, ('Lehrer)Kolˌlegium *n*, d) Perso'nal *n*, (*die*) Angestellten *pl*, Belegschaft *f*: editorial ~ Redaktion(sstab *m*) *f*, Schriftleitung *f*; medical ~ Arztpersonal (*e-s Krankenhauses*); to be on the ~ of zum Stab *od.* Lehrkörper *od.* Personal (*gen*) gehören, fest angestellt sein bei, Mitarbeiter sein bei. **9.** *mil.* Stab *m*: ~ order Stabsbefehl *m.* **10.** (*pl* staves) *mus.* 'Noten(linien)syˌstem *n.*
II *adj* **11.** Personal... **12.** *mil.* a) Stabs..., b) Gelände...: ~ walk Geländebesprechung *f.*
III *v/t* **13.** (mit Perso'nal) besetzen: well ~ed gut besetzt. **14.** mit e-m Stab *od.* Lehrkörper *etc* versehen. **15.** den Lehrkörper *e-r Schule* bilden.
staff[2] [*Br.* stɑːf; *Am.* stæ(ː)f] *s tech.* *Baustoff aus Gips u.* (*Hanf*)*Fasern.*
staff| car *s mil.* Befehlsfahrzeug *n.* ~ **col·lege** *s mil.* Gene'ralstabsakadeˌmie *f.* ~ **no·ta·tion** *s mus.* Liniennotenschrift *f.* ~ **of·fi·cer** *s mil.* 'Stabsoffiˌzier *m.* ~ **ride** *s mil.* Geländefahrt *f* (*zur Geländebesprechung*). ~ **ser·geant** *s mil.* (*Br.* Ober)Feldwebel *m.*
stag [stæg] **I** *s* **1.** *zo.* a) Rothirsch *m*, b) Hirsch *m.* **2.** *bes. dial. zo.* Männchen *n.* **3.** *nach der Reife kastriertes männliches Tier.* **4.** *bes. Am. colloq.* a) ‚Unbeweibte(r)' *m*, Herr *m* ohne Damenbegleitung, b) → stag party. **5.** *econ. Br.* a) Kon'zertzeichner *m*, b) Speku'lant, der Neuausgaben von Aktien aufkauft. **II** *adj* **6.** *colloq.* Herren...: ~ dinner. **III** *adv* **7.** *bes. Am. sl.* ‚unbeweibt', ‚solo': to go ~ → 9. **IV** *v/i* **8.** *econ. Br. sl.* in neu ausgegebenen Aktien speku'lieren. **9.** *bes. Am. sl.* ohne Damenbegleitung *od.* ‚solo' gehen. **V** *v/t* **10.** *econ. Br. sl. den Markt* durch Kon'zertzeichnung beeinflussen. **11.** *sl. j-m* ‚nachsteigen'. ~ **bee·tle** *s zo.* Hirschkäfer *m.*
stage [steɪdʒ] **I** *s* **1.** *tech.* Bühne *f*, Gerüst *n*: hanging ~ Hängegerüst; landing ~ Landungsbrücke *f.* **2.** Podium *n.* **3.** *thea.* Bühne *f* (*a. fig. Theaterwelt od. Bühnenlaufbahn*): the ~ *fig.* die Bühne, das Theater; to be on the ~ Schauspieler(in) *od.* beim Theater sein; to go on the ~ zur Bühne gehen; to hold the ~ sich (auf der Bühne) halten (*Theaterstück*); to put (*od.* bring) on the ~ → 16. **4.** *fig.* Bühne *f*, Schauplatz *m*: the political ~. **5.** *hist.* a) ('Post)Statiˌon *f*, b) Postkutsche *f.* **6.** a) Haltestelle *f*, b) (Fahr-, Teil)-Strecke *f* (*Bus etc*). **7.** (Reise)Abschnitt *m*, E'tappe *f* (*a. fig.*): by *od.* in (easy) ~s etappenweise. **8.** *a. biol. econ. med.* Stadium *n*, Stufe *f*, Phase *f*: critical ~ kritisches Stadium; experimental (initial, intermediate) ~ Versuchs-(Anfangs-, Zwischen)stadium; at this ~ zum gegenwärtigen Zeitpunkt; ~s of appeal *jur.* Instanzenweg *m*; in ~s stufenweise. **9.** *arch.* (Bau)Abschnitt *m.* **10.** *geol.* Stufe *f* (*e-r Formation*). **11.** Ob'jekttisch *m* (*am Mikroskop*). **12.** *electr.* Verstärkerstufe *f.* **13.** *tech.* Stufe *f* (*a. e-r Rakete*). **14.** *tech.* Farbläufer *m.* **15.** *Am.* Höhe *f* des Wasserspiegels (*e-s Flusses*).
II *v/t* **16.** a) auf die Bühne bringen, insze'nieren, b) für die Bühne bearbeiten. **17.** a) *allg.* veranstalten: to ~ an exhibition, b) insze'nieren, arran'gieren, aufziehen: to ~ a demonstration. **18.** *tech.* (be)rüsten. **19.** *mil. Am.* 'durchschleusen.
stage| box *s thea.* Pro'szeniumsloge *f.* '~ˌ**coach** *s hist.* Postkutsche *f.* '~ˌ**craft**

s Bühnenkunst *f*, -technik *f*, -erfahrung *f*. ~ **di·rec·tion** *s* Bühnen-, Re'gieanweisung *f*. ~ **di·rec·tor** *s* Regis'seur *m*. ~ **door** *s* Bühneneingang *m*. ~ **ef·fect** *s* 1. 'Bühnenwirkung *f*, -efˌfekt *m*. 2. *fig*. Thea'tralik *f*. ~ **fe·ver** *s* Drang *m* zur Bühne, The'aterbesessenheit *f*. ~ **fright** *s* Lampenfieber *n*. '~**ˌhand** *s* Bühnenarbeiter *m*. '~ˌ**house** *s hist*. 'Poststatiˌon *f*. '~-ˌ**man·age** → stage 17. ~ **man·age·ment** *s* Spielleitung *f*, Re'gie *f*. ~ **man·ag·er** *s* Regis'seur *m*, Spielleiter *m*. ~ **mas·ter** *s* technischer Spielleiter. ~ **name** *s* Bühnen-, Künstlername *m*. ~ **play** *s* Bühnenstück *n* (*Ggs Lesedrama*).

stag·er ['steidʒər] *s meist* old ~ alter Praktikus, ‚alter Hase'.

stage| rights *s pl jur*. Aufführungs-, Bühnenrechte *pl*. ~ **set·ting** *s* Bühnenbild *n*. '~-ˌ**struck** *adj* the'aterbesessen. ~ **wag·(g)on** *s hist*. Packwagen *m*. ~ **wait** *s* dra'matische Pause. ~ **whis·per** *s* 1. *thea*. nur für das Publikum bestimmtes Flüstern. 2. *fig*. weithin hörbares Geflüster. '~ˌ**wor·thy** *adj* bühnengerecht, -fähig: ~ play.

stage·y → stagy.

stag·fla·tion [stæg'fleiʃən] *s* Stag-flati'on *f*.

stag·gard ['stægərd], '**stag·gart** [-gərt] *s hunt*. Hirsch *m* im vierten Jahr, Sechsender *m*.

stag·ger ['stægər] **I** *v/i* 1. (sch)wanken, taumeln, torkeln: to ~ to one's feet sich schwankend erheben. 2. wanken, (zu'rück)weichen (*Truppen*). 3. *fig*. wanken(d werden). **II** *v/t* 4. ins Wanken bringen, (sch)wankend machen, erschüttern (*alle a. fig*.). 5. *fig*. a) verblüffen, b) *stärker*: 'umwerfen, über'wältigen. 6. *tech*., *a. aer*. gestaffelt *od*. versetzt anordnen. 7. *Arbeitszeit etc* staffeln: to ~ holidays. **III** *s* 8. (Sch)Wanken *n*, Taumeln *n*. 9. *pl* (*als sg konstruiert*) a) *med*. Schwindel *m*, b) *vet*. Schwindel *m* (*bei Rindern*), Koller *m* (*bei Pferden*), Drehkrankheit *f* (*bei Schafen*). 10. *aer*. Staffelung *f* (*a. fig*.), versetzte Anordnung. '**stag·gered** *adj* 1. *tech*. versetzt (angeordnet), gestaffelt. 2. gestaffelt: ~ (working) hours. '**stag·ger·ing** *adj* (*adv* ~ly) 1. (sch)wankend, taumelnd. 2. wuchtig, heftig: a ~ blow. 3. *fig*. a) 'umwerfend, über'wältigend, phan'tastisch, b) schwindelerregend: ~ prices.

'**stagˌhound** *s hunt. hist*. Hirschhund *m*.

stag·i·ness ['steidʒinis] *s* Thea'tralik *f*.

stag·ing ['steidʒiŋ] *s* 1. *thea*. a) Insze'nierung *f*, b) Bühnenbearbeitung *f*. 2. *fig*. a) Veranstaltung *f*, b) Insze'nierung *f*, 'Durchführung *f*. 3. (Bau)Gerüst *n*. 4. *mar*. Hellinggerüst *n*. ~ **a·re·a** *s mil*. 1. Bereitstellungsraum *m*. 2. Auffangsraum *m*. ~ **camp** *s Am*. 'Durchgangslager *n*. ~ **post** *s aer*. 'Zwischenlandestatiˌon *f*.

Stag·i·rite ['stædʒiˌrait] *s*: the ~ der Stagi'rit (*Aristoteles*).

stag·nan·cy ['stægnənsi] *s* Stagnati'on *f*: a) Stockung *f*, Stillstand *m*, b) *bes. econ*. Stille *f*, Flauheit *f*, c) *fig*. Trägheit *f*. '**stag·nant** *adj* (*adv* ~ly) sta'gnierend: a) stockend, stillstehend, b) abgestanden (*Wasser*), stehend (*Gewässer*), c) *bes. econ*. still, flau, schleppend, d) *fig*. träge. '**stag·nate** [-neit] *v/i* sta'gnieren, stocken, stillstehen. **stag'na·tion** → stagnancy.

stag par·ty *s* (*meist feucht-fröhlicher*) Herrenabend.

stag·y ['steidʒi] *adj* 1. bühnenmäßig, Bühnen... 2. *fig*. thea'tralisch, ef'fekthaschend.

staid [steid] **I** *obs. pret u. pp von* stay¹. **II** *adj* (*adv* ~ly) 1. gesetzt, seri'ös. 2. ruhig (*a. Farben*), gelassen. '**staid·ness** *s* 1. Gesetztheit *f*. 2. Ruhe *f*, Gelassenheit *f*.

stain [stein] **I** *s* 1. (Schmutz-, *a*. Farb)Fleck *m*. 2. *fig*. Schandfleck *m*, Makel *m*. 3. Färbung *f*. 4. *tech*. a) Farbe *f*, Färbemittel *n*, b) (Holz)Beize *f*. 5. *physiol*. Mal *n*, Fleck *m*. **II** *v/t* 6. beschmutzen, beflecken, besudeln (*alle a. fig*.). 7. färben, *Holz* beizen, *Glas etc* bemalen. 8. *Tapeten, Stoff etc* bedrucken. **III** *v/i* 9. Flecken verursachen. 10. Flecken bekommen, schmutzen.

stained *adj* 1. be-, verschmutzt, fleckig: blood~ blutbefleckt. 2. *fig*. besudelt. 3. bunt, bemalt, Farb...: ~ glass; ~-glass a) Buntglas..., b) *fig*. frömmelnd. '**stain·er** *s tech*. 1. Färber *m*, Beizer *m*. 2. Farbstoff *m*, Beize *f*. '**stain·ing I** *s* 1. (Ver)Färbung *f*. 2. Verschmutzung *f*. 3. *bes. tech*. Färben *n*, Beizen *n*: ~ of glass Glasmalerei *f*. **II** *adj* 4. Färbe... '**stain·less** *adj* (*adv* ~ly) 1. *bes. fig*. fleckenlos, unbefleckt. 2. *tech*. nichtrostend, rostfrei: ~ steel.

stair [stɛr] *s* 1. Treppe *f*, Stiege *f*. 2. (Treppen)Stufe *f*. 3. *pl* Treppe(nhaus *n*) *f*: below ~s a) unten, b) beim Hauspersonal; down (up) ~s → downstairs (upstairs); a flight of ~s e-e Treppe. 4. *pl* Landungssteg *m*. ~ **carpet** *s* Treppenläufer *m*.

stair·case ['stɛrˌkeis] *s* Treppe *f*, Treppenhaus *n*, -aufgang *m*. ~ **curve**, ~ **pol·y·gon** *s math*. 'Treppenpolyˌgon *n*. ~ **vol·tage** *s* Treppenspannung *f*.

'**stair|ˌhead** *s oberster* Treppenabsatz, Austritt *m*. ~ **rod** *s* (Treppen)Läuferstange *f*. '~ˌ**way** → staircase. ~ **well** *s* Treppenschacht *m*.

staith [steið] *s Br*. 1. *dial*. Landeplatz *m*. 2. *pl mar*. Lade-, Kippbrücke *f*.

staithe → staith 1.

stake¹ [steik] **I** *s* 1. (*a*. Grenz)Pfahl *m*, Pfosten *m*: to pull up ~s *Am. colloq*. ‚abhauen'. 2. Marter-, Brandpfahl *m*: the ~ *fig*. der (Tod auf dem) Scheiterhaufen. 3. Pflock *m* (*zum Anbinden von Tieren*). 4. a) (Wagen)Runge *f*, b) (*Art*) Pritschenwagen *m*. 5. Absteckpfahl *m*, -pflock *m*. 6. kleiner (Hand)Amboß. 7. *Reitsport*: Hindernisstange *f*. **II** *v/t* 8. *oft* ~ off, ~ out abstecken (*a. fig*.): to ~ out a claim *fig*. e-e Forderung umreißen *od*. aufstellen; to ~ in (*od*. out) mit Pfählen einzäunen; to ~ off durch Pfähle abtrennen. 9. *e-e Pflanze* mit e-m Pfahl stützen. 10. *ein Tier* anpflocken. 11. a) (mit e-m Pfahl) durch'bohren, b) pfählen (*als Strafe*).

stake² [steik] **I** *s* 1. (Wett)Einsatz *m*: to place one's ~s on setzen auf (*acc*). 2. *fig*. Inter'esse *n*, Anteil *m*, Beteiligung *f* (*a. econ*.): to have a ~ in interessiert *od*. beteiligt sein an (*dat*); to have a ~ in the country am Wohlergehen des Staates interessiert sein. 3. *pl Pferderennen*: a) Preis *m*, Gewinn *m*, Einlage *f*, b) (Wett)Rennen *n*: trial ~s Proberennen; to sweep the ~s den ganzen Gewinn einstreichen. 4. *fig*. Einsatz *m*: to be at ~ auf dem Spiel stehen; to play for high ~s a) ein hohes Spiel spielen (*a. fig*.), b) *fig*. allerhand riskieren. 5. *Am. colloq. für* grubstake. **II** *v/t* 6. *Geld* setzen (on auf *acc*). 7. *fig*. einsetzen, wagen, aufs Spiel setzen. 8. *fig. sein Wort etc* verpfänden (on für). 9. *Am. sl. j-m* (*mit Geld*) ‚unter die Arme greifen'.

'**stake|ˌhold·er** *s* 'Unparˌteiischer, der die Wetteinsätze verwahrt. ~ **net** *s mar*. Staknetz *n*.

Sta·kha·no·vism [stə'kɑːnoˌvizəm] *s* Sta'chanow-Syˌstem *n*. **Sta'kha·noˌvite** [-ˌvait] *s* Sta'chanowarbeiter(in).

sta·lac·tic [stə'læktik] → stalactitic. **sta'lac·tiˌform** [-ˌfɔːrm] *adj min*. stalak'titenförmig. **sta·lac·tite** ['stæləkˌtait; *Am. a*. stə'læktait] *s min*. Stalak'tit *m*, hängender Tropfstein. **stal·ac·tit·ic** [ˌstælək'titik] *adj* (*adv* ~ly) stalak'titisch, Stalaktiten...

sta·lag·mite ['stæləgˌmait; *Am. a*. stə'lægmait] *s min*. Stalag'mit *m*, stehender Tropfstein. **stal·ag·mit·ic** [ˌstæləg'mitik] *adj* (*adv* ~ally) stalag'mitisch.

stale¹ [steil] **I** *adj* (*adv* ~ly) 1. alt (*Ggs frisch*), *bes*. a) schal, abgestanden: ~ beer, b) alt(backen): ~ bread, c) schlecht, verdorben: ~ food. 2. schal: ~ smell (taste, *a. fig*. pleasure *etc*). 3. verbraucht, muffig: ~ air. 4. *fig*. fad(e), abgedroschen, (ur)alt: ~ jokes. 5. a) verbraucht, über'anstrengt, *sport a*. 'übertraiˌniert, ‚ausgebrannt', b) ‚eingerostet', aus der Übung (gekommen). 6. *jur*. verjährt, unwirksam *od*. gegenstandslos (geworden): ~ affidavit; ~ debt. **II** *v/i* 7. schal *etc* werden. **III** *v/t* 8. schal machen, abnützen.

stale² [steil] *zo*. **I** *v/i* stallen, harnen (*Vieh*). **II** *s* Harn *m*.

stale·mate ['steilˌmeit] **I** *s* 1. *Schach*: Patt *n*. 2. *fig*. Sackgasse *f*, Stillstand *m*, toter Punkt. **II** *v/t* 3. patt setzen. 4. *fig*. matt setzen, ausschalten.

stale·ness ['steilnis] *s* 1. Schalheit *f* (*a. fig*.). 2. *fig*. a) Abgedroschenheit *f*, b) Verbrauchtheit *f*.

Sta·lin·ism ['stɑːliˌnizəm] *s pol*. Stali'nismus *m*. '**Sta·lin·ist I** *s* Stali'nist(in). **II** *adj* stali'nistisch.

stalk¹ [stɔːk] *s* 1. *bot*. Stengel *m*, Stiel *m*, Halm *m*. 2. *biol. zo*. Stiel *m* (*Träger e-s Organs*). 3. *zo*. Federkiel *m*. 4. Stiel *m* (*e-s Weinglases etc*). 5. hoher Schornstein. 6. *arch*. Stengel *m* (*an Säulen*).

stalk² [stɔːk] **I** *v/i* 1. *hunt*. a) sich anpirschen, b) pirschen, auf die Pirsch gehen. 2. *oft* ~ along a) (ein'her)stolˌzieren, (-)schreiten, b) staken, steif(beinig) gehen. 3. 'umgehen (*Gespenst, Krankheit etc*). 4. *obs*. schleichen. **II** *v/t* 5. *hunt. u. fig*. sich her'anpirschen an (*acc*). 6. *hunt*. durch'pirschen, -'jagen. 7. verfolgen, hinter *j-m* 'herschleichen. **III** *s* 8. *hunt*. Pirsch(jagd) *f*. 9. Stol'zieren *n*, stolzer *od*. steifer Gang.

stalked [stɔːkt] *adj bot. zo*. gestielt, ...stielig: long-~ langstielig.

stalk·er ['stɔːkər] *s hunt*. Pirschjäger *m*.

'**stalk-ˌeyed** *adj zo*. stieläugig.

'**stalk·ing-ˌhorse** ['stɔːkiŋ-] *s* 1. *hunt. hist*. Versteckpferd *n*. 2. *fig*. Vorwand *m*, Deckmantel *m*: to make s.o. a ~ j-n vorschieben. 3. *pol. fig*. Strohmann *m*.

stalk·less ['stɔːklis] *adj* 1. ungestielt. 2. *bot*. sitzend, stengellos.

stalk·let ['stɔːklit] *s* Stielchen *n*.

stalk·y ['stɔːki] *adj* 1. stengel-, stielartig. 2. hochaufgeschossen. 3. *sl*. ‚gerissen'.

stall¹ [stɔːl] **I** *s* 1. (Pferde)Stand *m*, Box *f* (*im Stall*). 2. *bes. Br*. (Verkaufs)Stand *m*, (Markt)Bude *f*: ~ money Standgeld *n*. 3. *bes. Br*. a) Chor(herren)-, Kirchenstuhl *m*, b) Chorherrenwürde *f*. 4. *bes. thea. Br*. Sperrsitz *m*, Vorderplatz *m* im Par'kett. 5. Hülle *f*, Schutz *m*, *bes*. → fingerstall. 6. *Bergbau*: Arbeitsstand *m*. 7. Platz *m* zum Parken (*e-s Fahrzeugs*). 8. *aer*. Sackflug *m*. **II** *v/t* 9. *Tier* a) einstallen,

b) im Stall füttern *od.* mästen. **10.** mit Boxen *od.* Ständen versehen. **11.** a) *e-n Wagen* festfahren, b) *den Motor* ‚abwürgen', c) *aer.* über'ziehen. **III** *v/i* **12.** steckenbleiben (*Wagen etc*). **13.** aussetzen (*Motor*). **14.** *aer.* abrutschen.

stall² [stɔːl] **I** *s* **1.** *Am. sl.* Ausflucht *f*, 'Hinhaltema‚növer *n.* **2.** Dieb(e)shelfer *m.* **II** *v/i* **3.** *Am. sl.* Ausflüchte machen, sich nicht festlegen (wollen), ausweichen, Zeit schinden. **4.** *sport* ‚kurztreten', auf Zeit spielen. **III** *v/t* **5.** *oft* ~ **off** *Am. sl.* a) 'hinhalten, verschleppen, b) ‚abwimmeln'.

stall·age ['stɔːlidʒ] *s Br.* **1.** Standgeld *n.* **2.** Standplatz *m* (*für Buden*).

stall| bar *s Turnen*: Sprossenwand *f.* '**~-‚feed** *v/t irr* **1.** *ein Tier* im Stall füttern. **2.** *ein Schlachttier* durch Trockenfütterung mästen.

stall·ing speed ['stɔːliŋ] *s aer.* kritische Geschwindigkeit.

stal·lion ['stæljən] *s* (Zucht)Hengst *m.*

stal·wart ['stɔːlwərt] **I** *adj* (*adv* **~ly**) **1.** stramm, kräftig, ro'bust, (hand)fest. **2.** tapfer, beherzt. **3.** *bes. pol.* unentwegt, treu: **S~ Republican. II** *s* **4.** strammer *od.* handfester Kerl. **5.** *bes. pol.* treuer Anhänger, Unentwegte(r *m*) *f.*

sta·men ['steimən; -men] *s bot.* Staubblatt *n*, -gefäß *n*, -faden *m.*

stam·i·na ['stæminə] *s* **1.** a) Lebenskraft *f* (*a. fig.*), b) Vitali'tät *f.* **2.** Stärke *f*, Kraft *f.* **3.** Zähigkeit *f*, Ausdauer *f.* **4.** 'Widerstandskraft *f* (*a. mil.*), 'Durchhalte-, Stehvermögen *n* (*a. sport*). '**stam·i·nal** *adj* **1.** konstitutio'nell. **2.** Lebens..., vi'tal. **3.** Widerstands... **4.** *bot.* Staubblatt... '**stam·i·nate** [-nit; -‚neit], ‚**stam·i'nif·er·ous** [-'nifərəs] *adj bot.* männlich.

stam·mer ['stæmər] **I** *v/i* (*v/t a.* **~ out**) stottern, stammeln. **II** *s* Stammeln *n*, Stottern *n*, Gestammel *n.* '**stam·mer·er** *s* Stotterer *m*, Stammler *m.* '**stam·mer·ing I** *adj* (*adv* **~ly**) stammelnd, stotternd. **II** *s* → **stammer** II.

stamp [stæmp] **I** *v/t* **1.** a) stampfen, b) aufstampfen mit, c) stampfen auf (*acc*): **to ~ one's foot** aufstampfen; **to ~ down** a) feststampfen, b) niedertrampeln; **to ~ out** a) austreten: **to ~ out a fire**, b) zertrampeln, c) *fig.* ausmerzen, d) niederschlagen, ersticken: **to ~ out a rebellion. 2.** prägen: **to ~ money. 3.** aufprägen (**on** auf *acc*). **4.** *fig.* (fest) einprägen: **to ~ s.th. on s.o.'s mind** j-m etwas fest einprägen; **~ed upon s.o.'s memory** unverrückbar in j-s Erinnerung. **5.** *e-e Urkunde etc* stempeln. **6.** *e-n Stempel* aufdrükken. **7.** *Gewichte etc* eichen. **8.** *e-n Brief etc* fran'kieren, freimachen, e-e Briefmarke (auf)kleben auf (*acc*): **~ed envelope** Freiumschlag *m.* **9.** e-e Steuer- *od.* Gebührenmarke (auf)kleben auf (*acc*). **10.** kennzeichnen (*a. fig.*): **to be ~ed with** gekennzeichnet sein durch. **11.** *fig.* (**as** *od. acc*) kennzeichnen *od.* charakteri'sieren (als), stempeln (zu). **12.** *tech.* a) *a.* **~ out** (aus)stanzen, b) pressen, c) *Lumpen etc* einstampfen, d) *Erz* pochen. **13.** *Butter* formen.

II *v/i* **14.** aufstampfen. **15.** stampfen, trampeln (**upon** auf *acc*).

III *s* **16.** (*Dienst- etc*)Stempel *m.* **17.** *fig.* Stempel *m* (*der Wahrheit etc*), Gepräge *n*: **the ~ of truth; to bear the ~ of** den Stempel des *Genies etc* tragen, das Gepräge *j-s od. e-r Sache* haben. **18.** Briefmarke *f*, (Post)Wertzeichen *n.* **19.** (Stempel-, Steuer-, Gebühren)Marke *f*: **revenue ~. 20.** *a.* **trading ~** *econ.* Ra'battmarke *f.* **21.** (Firmen)Zeichen *n*, Eti'kett *n.* **22.** *fig.* Art *f*, Schlag *m*: **a man of his ~** ein Mann s-s Schlages; **of a different ~** aus e-m anderen Holz geschnitzt. **23.** *tech.* a) Stempel *m*, b) Prägestempel *m*, c) Stanze *f*, d) Stanzeisen *n* (*des Buchbinders*), e) Stampfe *f*, f) Presse *f*, g) Pochstempel *m*, h) Pa'trize *f.* **24.** Prägung *f.* **25.** Aufdruck *m.* **26.** a) Eindruck *m*, b) Spur *f.* **27.** (Auf)Stampfen *n.*

stamp| al·bum *s* Briefmarkenalbum *n.* **~ col·lect·or** *s* Briefmarkensammler *m.* **~ du·ty** *s econ.* Stempelgebühr *f*: **exempt from ~** stempelfrei; **subject to ~** stempel(gebühren)pflichtig.

stam·pede [stæm'piːd] **I** *s* **1.** a) wilde, panische Flucht, Panik *f*, b) wilder Ansturm. **2.** *fig.* (Massen)Ansturm *m*, Welle *f.* **3.** *pol. Am.* a) 'Meinungs‚umschwung *m*, b) ‚Erdrutsch' *m*, Wählerflucht *f.* **4.** *Am. colloq.* Volksfest *n* (*mit Cowboydarbietungen etc*). **II** *v/i* **5.** in wilder Flucht da'vonstürmen, 'durchgehen. **6.** (in Massen) losstürmen. **III** *v/t* **7.** in wilde Flucht jagen. **8.** a) in Panikstimmung versetzen, b) treiben (**into doing s.th.** dazu, etwas zu tun), c) über'rumpeln, d) *pol. Am.* e-n ‚Erdrutsch' her'vorrufen bei: **to ~ a convention.**

stamp·er ['stæmpər] *s tech.* **1.** Stampfe(r *m*) *f*, Ramme *f.* **2.** Stößel *m*, Stempel *m.*

stamp·ing ['stæmpiŋ] *s tech.* **1.** Ausstanzen *n.* **2.** Stanzstück *n.* **3.** Preßstück *n.* **4.** Prägung *f.* **~ die** *s tech.* 'Schlagma‚trize *f.* **~ ground** *s bes. Am. colloq.* Re'vier *n*, Tummelplatz *m* (*a. von Tieren*).

stamp(·ing) mill *s tech.* **1.** Stampfmühle *f.* **2.** Pochwerk *n.*

stance [stæns] *s* **1.** *a. sport* Stellung *f*, Haltung *f* (*a. fig.*). **2.** *Bergsteigen*: (sicherer) Stand.

stanch¹ [*Br.* stɑːntʃ; *Am.* stæ(ː)ntʃ] *v/t* **1.** *Blut*(*ung*) stillen. **2.** *fig.* Einhalt gebieten (*dat*).

stanch² [stɑːntʃ], *bes. Br.* **staunch** [stɔːntʃ; stɑːntʃ] *adj* (*adv* **~ly**) **1.** (ge)treu, zuverlässig. **2.** standhaft, fest, eisern. **3.** wasserdicht, seetüchtig (*Schiff*). **4.** so'lid(e) (gearbeitet), stark.

stan·chion [*Br.* 'stɑːnʃən; *Am.* 'stæ(ː)n-] **I** *s* **1.** Pfosten *m*, Stütze *f* (*a. mar.*). **2.** (Wagen)Runge *f.* **II** *v/t* **3.** a) (ab)stützen, b) verstärken. **4.** *agr.* an e-n Pfosten binden: **to ~ a cow.**

stanch·ness ['stɑːntʃnis], *bes. Br.* **staunch·ness** ['stɔːntʃnis; 'stɑːntʃ-] *s* Zuverlässigkeit *f*, Festigkeit *f*, Treue *f.*

stand [stænd] **I** *s* **1.** a) Stehen *n*, b) Stillstand *m*, Halt *m.* **2.** a) (Stand)Platz *m*, Standort *m*, b) *fig.* Standpunkt *m*: **to take one's ~** sich aufstellen (**at** bei, **auf** *dat*), *fig.* Stellung beziehen; **to take one's ~ on** *fig.* sich stützen auf (*acc*). **3.** *fig.* Eintreten *n*: **to make a ~ against** sich entgegenstellen *od.* -stemmen (*dat*); **to make a ~ for** sich einsetzen für. **4.** a) ('Zuschauer)Tri‚büne *f*, b) Podium *n.* **5.** *jur. Am.* Zeugenstand *m*: **to take the ~** a) den Zeugenstand betreten, b) als Zeuge aussagen; **to take the ~ on s.th.** etwas beschwören. **6.** *econ.* (Verkaufs)Stand *m.* **7.** Stand(platz) *m* (*für Fahrzeuge*). **8.** (*Kleider-, Noten- etc*)Ständer *m.* **9.** Gestell *n*, Re'gal *n.* **10.** a) Sta'tiv *n*, b) Stütze *f.* **11.** (Baum)Bestand *m.* **12.** *agr.* Stand *m* (*des Getreides etc*), (zu erwartende) Ernte: **~ of wheat** stehender Weizen. **13.** *thea.* Gastspiel(ort *m*) *n.* **14. ~ of arms** *mil.* (vollständige) Ausrüstung (*e-s Soldaten*).

II *v/i pret u. pp* **stood** [stud] **15.** *allg.* stehen: **to ~ alone** a) (*mit e-r Ansicht etc*) allein (da)stehen, b) unerreicht dastehen *od.* sein; **to ~ fast** (*od.* **firm**) fest *od.* hart bleiben (→ 17); **to ~ or fall** stehen *od.* fallen, siegen *od.* untergehen; **to ~ gasping** keuchend dastehen; **to ~ on one's head** a) e-n Kopfstand machen, kopfstehen, b) *fig.* (*vor Freude etc*) ‚kopfstehen'; **to ~ to lose (to win)** (mit Sicherheit) verlieren (gewinnen); **as matters ~** nach Lage der Dinge; **I want to know where I ~** ich will wissen, woran ich bin; **the thermometer ~s at 78** das Thermometer steht auf 78 Grad (Fahrenheit); **the wind ~s in the west** der Wind weht von Westen; **to ~ well with s.o.** (sich) mit j-m gut stehen. **16.** stehen, liegen, sich befinden *od.* sein (*Sache*). **17.** sein: **to ~ accused (aghast, ready,** *etc*); **to ~ convicted** überführt sein (**of** *gen*); **to ~ in need of help** Hilfe nötig haben; → **correct** 2. **18.** *a.* **~ still** stehenbleiben, stillstehen: **~! halt!; ~ fast!** *mil.* a) *Br.* stillgestanden!, b) *Am.* Abteilung Halt! **19.** bleiben: **to ~ neutral (unchallenged); and so it ~s** und dabei bleibt es. **20.** sich stellen, treten: **to ~ back** (*od.* **clear**) zurücktreten; **to ~ on the defensive** sich verteidigen; **to ~ on the offensive** zum Angriff antreten. **21.** (groß) sein, messen: **he ~s six feet (tall). 22.** zu vereinbaren sein (**with mit**): **if it ~s with hono(u)r. 23.** sich behaupten, bestehen (**against** gegen): **to ~ through s.th.** etwas überstehen *od.* -dauern. **24.** *fig.* fest bleiben. **25.** *a.* **~ good** (weiterhin) gelten: **my offer ~s** mein Angebot bleibt bestehen; **to let s.th. ~** etwas gelten *od.* bestehen bleiben lassen. **26.** *mar.* (*auf e-m Kurs*) liegen *od.* sein, steuern, halten. **27.** zu'statten kommen (**to** *dat*). **28.** *hunt.* vorstehen (**upon** *dat*) (*Hund*): **to ~ upon game. 29.** *Kartenspiel*: halten, nicht passen. **30.** lauten: **the sentence must ~ thus.**

III *v/t* **31.** stellen: **to ~ a plane on its nose** *aer.* ‚Kopfstand machen'. **32.** standhalten (*dat*), aushalten: **he can't ~ the climate** er kann das Klima nicht (v)ertragen; **I could not ~ the pain** ich konnte den Schmerz nicht aushalten *od.* ertragen; **I can't ~ him** ich kann ihn nicht ausstehen; → **racket²** 4. **33.** sich *etwas* gefallen lassen, dulden, ertragen: **I won't ~ it any longer. 34.** sich *e-r Sache* unter'ziehen: → **trial** 2. **35.** bestehen: **to ~ the test** die Probe bestehen, sich bewähren. **36.** a) *Pate* stehen, b) *Bürgschaft etc* leisten: → **security** 5, **sponsor** 2, **surety** 1. **37.** *colloq.* a) aufkommen für, b) (*j-m*) *ein Essen etc* spen'dieren: **to ~ a drink** ‚einen' ausgeben *od.* spendieren; → **Sam, shot¹** 13, **treat** 11. **38.** *e-e Chance* haben.

Verbindungen mit Präpositionen:

stand| by *v/t* **1.** *j-m* zur Seite stehen, zu *j-m* halten *od.* stehen. **2.** stehen zu, treu bleiben (*dat*): **to ~ one's principles (word,** *etc*). **3.** sich bereithalten *od.* stehen bei. **~ for** *v/t* **1.** stehen für, bedeuten. **2.** eintreten für, vertreten: **to ~ birth control. 3.** *bes. Br.* sich bewerben um: **to ~ an office. 4.** *bes. Br.* kandi'dieren für: **to ~ a constituency. 5.** *Am. colloq.* → **stand** 33. **~ in** *v/i bes. Br. colloq. j-n etwas* kosten. **~ on** *v/t* **1.** halten *od.* achten auf (*acc*): **to ~ ceremony** a) die Etikette beachten, b) (sehr) förmlich sein; don't ~ ceremony mach doch keine Umstände. **2.** pochen auf (*acc*): to ~ one's rights. **3.** beruhen auf (*dat*). **4.** *mar. den Kurs* beibehalten. ~ **o·ver** *v/t* über'wachen, aufpassen auf (*acc*). ~ **to** *v/t* **1.** → stand by 1. **2.** stehen zu (*s-m Versprechen etc*), bei *s-m Wort* bleiben: to ~ one's duty (treu) s-e Pflicht tun; to ~ one's oars sich (kräftig) in die Riemen legen; → gun 1. **3.** ~ it (that) da'bei bleiben (, daß). ~ **up·on** → stand on.

Verbindungen mit Adverbien:

stand| a·loof, ~ **a·part** *v/i* **1.** a) abseits *od.* für sich stehen, b) sich ausschließen, nicht mitmachen. **2.** *fig.* sich distan'zieren (from von). ~ **a·side** *v/i* **1.** bei'seite treten. **2.** *fig.* (*zu j-s Gunsten*) verzichten *od.* zu'rücktreten. **3.** → stand aloof. ~ **by** *v/i* **1.** da'beisein *od.* -stehen u. zusehen (müssen), (ruhig) zusehen. **2.** a) *bes. mil.* bereitstehen, sich in Bereitschaft halten, b) *mar.* sich klar halten: ~! *mil.* Achtung!, *mar.* klar zum Manöver! **3.** *Funk*: a) auf Empfang bleiben, b) sendebereit sein. ~ **down** *v/i* **1.** (*vom Zeugenstand*) abtreten. **2.** ab-, zu'rücktreten. **3.** *sport* ausscheiden. **4.** *mil.* abtreten. ~ **in** *v/i* **1.** (als Ersatz) einspringen (for s.o. für j-n). **2.** mitmachen. **3.** ~ with a) unterstützen, mitmachen bei, b) sich gut stellen mit *j-m*, c) ‚unter e-r Decke stecken mit'. **4.** *mar.* landwärts anliegen. ~ **off** *colloq.* **I** *v/i* **1.** sich entfernt halten (from von). **2.** zu'rücktreten: ~! weg da!, Platz da! **3.** *fig.* Abstand halten (*im Umgang*). **4.** *fig.* sich entziehen *od.* verschließen (from *dat*). **5.** *mar.* seewärts anliegen: to ~ and on ab und zu liegen. **II** *v/t* **6.** *Br. j-n* vor'übergehend entlassen. **7.** a) sich *j-n* vom Leibe halten, b) *j-n* 'hinhalten. ~ **out I** *v/i* **1.** (*a. fig.* deutlich) her'vortreten, -springen. **2.** abstehen (*Ohren*). **3.** *fig.* her'ausragen, her'vorstechen. **4.** sich gut abheben (against gegen *od.* von). **5.** aus-, 'durchhalten, nicht nachgeben. **6.** sich hartnäckig wehren (against gegen). **7.** ~ for eintreten für. **II** *v/t* **8.** aushalten, standhalten (*dat*). ~ **o·ver** *v/i* **1.** (to auf *acc*) a) sich vertagen, b) verschoben werden. **2.** liegenbleiben, warten: the accounts can ~ till next week. ~ **to** *v/i* **1.** *mil.* die Posten beziehen: ~! an die Gewehre! **2.** *sport* sich bereithalten: ~! (*Rudern*) an die Riemen! ~ **up I** *v/i* **1.** aufstehen, sich erheben (*beide a. fig.*). **2.** sich aufrichten (*Stachel etc*). **3.** ~ against angehen gegen. **4.** ~ for eintreten *od.* sich einsetzen für. **5.** ~ to (mutig) gegen'übertreten (*dat*), Pa'roli *od.* die Stirn bieten (*dat*). **6.** (under, to) sich (gut) halten (unter, gegen), standhalten (*dat*): evidence that stands up in court Beweismaterial, das der gerichtlichen Prüfung standhält. **II** *v/t* **7.** *Am. colloq.* a) *j-n* ‚versetzen', b) *e-n Liebhaber* ‚sitzenlassen'.

stand·ard[1] ['stændərd] **I** *s* **1.** Standard *m*, Norm *f*. **2.** Muster *n*, Vorbild *n*. **3.** Maßstab *m*: to apply another ~ e-n anderen Maßstab anlegen; ~ of value Wertmaßstab; by present-day ~s nach heutigen Begriffen. **4.** Richt-, Eichmaß *n*, Standard *m*. **5.** Richtlinie *f*: code of ~s Richtlinien. **6.** (Mindest)Anforderungen *pl*: to be up to (below) ~ den Anforderungen (nicht) genügen *od.* entsprechen; to set a high ~ viel verlangen, hohe Anforderungen stellen; ~s of entry *ped.* Aufnahmebedingungen; ~ of living Lebensstandard. **7.** *econ.* 'Standard(quali,tät *f od.* -ausführung *f*) *m*. **8.** (*Gold- etc*)Währung *f*, (-)Standard *m*. **9.** Standard *m*: a) Feingehalt *m*, Feinheit *f* (*der Edelmetalle*), b) *a.* monetary ~ gesetzlicher Feingehalt (*der Münzen*), Münzfuß *m*. **10.** Stand *m*, Ni'veau *n*, Grad *m*: to be of a high ~ ein hohes Niveau haben; ~ of knowledge Bildungsgrad, -stand; ~ of prices Preisniveau, -spiegel *m*. **11.** *ped. bes. Br.* Stufe *f*, Klasse *f*. **12.** Standard *m* (*Holzmaß*).

II *adj* **13.** a) Norm...: ~ part; ~ specifications Normvorschriften, b) nor'mal: ~ type *print.* normale Schrift(form), c) Normal...: ~ atmosphere (candle, clock, film, time, *etc*), d) Standard..., Einheits..., *tech.* a. Serien...: ~ model, e) Durchschnitts...: ~ value; ~ rate *econ.* Grund-, Einheitsgebühr *f*, *a.* Normalsatz *m*; ~ weight Normal-, Eichgewicht *n*, *a.* Gewichtseinheit *f*. **14.** gültig, maßgebend, Standard...: ~ edition; S~ German *ling.* Hochdeutsch *n*. **15.** klassisch: ~ novel; ~ author Klassiker *m*.

stand·ard[2] ['stændərd] **I** *s* **1.** a) *mil. pol.* Stan'darte *f*, b) Fahne *f*, Flagge *f*, c) Wimpel *m*. **2.** *fig.* Banner *n*. **3.** *tech.* a) Ständer *m*, b) Pfosten *m*, Pfeiler *m*, Stütze *f*, c) Gestell *n*. **4.** *agr.* a) Hochstämmchen *n* (*freistehender Strauch*), b) Hochstamm *m*, Baum *m* (*Obst*). **5.** *orn.* Fahne *f* (*Federteil*). **II** *adj* **6.** stehend, Steh...: ~ lamp Stehlampe *f*. **7.** *agr.* hochstämmig: ~ rose.

'stand·ard|-,bear·er *s* **1.** *mil.* a) Fahnenträger *m*, b) *hist.* Fähnrich *m*. **2.** *fig.* (An)Führer *m*, Bannerträger *m*. **'~,bred** *adj agr.* aus Herdbuchzucht (stammend): ~ horse. ~ **de·vi·a·tion** *s Statistik*: Standardabweichung *f*. ~ **dol·lar** *s* (Gold)Dollar *m*. **S~ Eng·lish** *s* hochsprachliches Englisch. ~ **ga(u)ge** *s rail.* Nor'malspur *f*.

stand·ard·i·za·tion [,stændərdai'zeiʃən] *s* **1.** Normung *f*, Nor'mierung *f*, Vereinheitlichung *f*, Standardi'sierung *f*: ~ committee Normenausschuß *m*. **2.** *chem.* Standardi'sierung *f*, Ti'trierung *f*. **3.** Eichung *f*. **'stand·ard,ize** [-,daiz] *v/t* **1.** normen, standardi'sieren, nor'mieren. **2.** *chem.* standardi'sieren, ti'trieren. **3.** eichen.

'stand-,by I *pl* **-bys** *s* **1.** Stütze *f*, Beistand *m*, Hilfe *f* (*Person od. Sache*). **2.** *meist* old ~ altbewährte Sache (auf die man zu'rückgreifen kann). **3.** (A'larm- *etc*)Bereitschaft *f*. **4.** *tech.* Not-, Re'servegerät *n*. **5.** Ersatz *m*. **II** *adj* **6.** Hilfs..., Not..., Ersatz..., Reserve...: ~ unit *electr.* Notaggregat *n*. **7.** Bereitschafts...: ~ duty, ~ service Bereitschaftsdienst *m*; ~ position *mil.* Wartestellung *f*; ~ station (*Radio*) Bereitschaftsstelle *f*; at ~ in Bereitschaft.

stand| cam·er·a *s phot. Br.* Sta'tivkamera *f*. **'~-,down** *s* Pause *f*, *a.* vor'übergehende Arbeitseinstellung. **'~-,eas·y** *s* **1.** *mil.* Rührt-Euch *n* (*Kommando*). **2.** Ruhepause *f*.

stand·ee [stæn'di:] *s Am. colloq.* Stehplatzinhaber(in).

stand·er-by ['stændər'bai] *s* Da'beistehende(r *m*) *f*, Zuschauer(in).

'stand,fast *s* **1.** Angelpunkt *m*. **2.** Ruhelage *f*. **3.** feste Positi'on.

'stand-,in *s Am.* **1.** *bes. Film*: Double *n*. **2.** Ersatzmann *m*, Vertreter(in). **3.** *sl.* a) gute Stellung, b) ‚gute Nummer' (with s.o. bei j-m).

stand·ing ['stændiŋ] **I** *s* **1.** a) Stand *m*, Rang *m*, Stellung *f*, b) Ansehen *n*, Ruf *m*: person of high ~ hochangesehene *od.* hochstehende Persönlichkeit. **2.** Dauer *f*: of long ~ seit langem bestehend, alt (*Brauch, Freundschaft etc*). **3.** Stehen *n*: no ~ keine Stehplätze. **II** *adj* **4.** stehend (*a. fig.*): ~ water; ~ army *mil.* stehendes Heer; ~ corn Getreide *n* auf dem Halm; ~ jump *sport* Sprung *m* aus dem Stand; ~ position *mil.* (im) Anschlag stehend; a ~ rule e-e (fest)stehende Regel; all ~ *mar.* a) unter vollen Segeln, b) *sl.* hilflos. **5.** *fig.* ständig: ~ nuisance; → committee 1. **6.** *econ.* laufend: ~ charge laufende Unkosten. **7.** Steh...: ~ desk; ~ matter *print.* Stehsatz *m*. **8.** üblich, gewohnt: a ~ dish. **9.** bewährt, alt: a ~ joke. ~ **group** *s pol.* Standing Group *f* (*Führungsgremium der* Nato). ~ **or·der** *s* **1.** *econ.* a) Dauerauftrag *m*, b) (*Zeitungs- etc*)Abonne'ment *n*. **2.** *pl parl.* etc Geschäftsordnung *f*. **3.** *mil.* Dauerbefehl *m*. ~ **room** *s* **1.** Platz *m* zum Stehen. **2.** Stehplatz *m*. ~ **wave** *s electr.* stehende Welle.

stand·ish ['stændiʃ] *s obs.* 'Schreib-[tischgarni,tur *f*.]

'stand|,off I *s Am.* **1.** Distan'zierung *f*: ~ bomb Luft-Boden-Mittelstreckenrakete *f*. **2.** Ausgleich *m*. **3.** a) *sport* Unentschieden *n*, b) *fig.* toter Punkt. **II** *adj* → standoffish. **,~'off·ish** *adj* **1.** reser'viert, (sehr) ablehnend, unnahbar. **2.** hochmütig. ~ **oil** *s tech.* Standöl *n*. **'~,out** *s Am.* **1.** (*etwas*) Her'vorragendes. **2.** her'ausragende Per'sönlichkeit. **'~,pat** *pol. Am. colloq.* **I** *s* sturer Konserva'tiver. **II** *adj* (starr) konserva'tiv. **,~'pat·ter** → standpat I. **'~,pipe** *s tech.* **1.** Standrohr *n*. **2.** Wasserturm *m*. **'~,point** *s* Standpunkt *m* (*a. fig.*): from the historical ~. **'~,still I** *s* Stillstand *m*: to be at a ~ stillstehen, stocken, ruhen, auf dem toten Punkt angelangt sein; from ~ *mot. etc* aus dem Stand; to come (bring) to a ~ zum Stillstand kommen (bringen). **II** *adj* stillstehend: ~ agreement *pol.* Stillhalteabkommen *n*. **'~-,up** *adj* **1.** stehend: ~ collar Stehkragen *m*. **2.** *colloq.* im Stehen eingenommen: ~ supper kaltes Büfett. **3.** regelrecht, erbittert: ~ fight.

stang [stæŋ] *pret obs. von* sting.

stan·hope ['stænəp; -houp] *s* **1.** Stanhope *m* (*ein offener Einspänner*). **2.** *a.* S~ press *print.* Stanhopepresse *f*.

stan·iel ['stænjəl] → kestrel.

sta·nine ['steinain] *s aer. mil.* (*mit 1 bis 9 Punkten bewerteter Grad der*) Fliegertauglichkeit *f*.

stank[1] [stæŋk] *s Scot. od. dial.* **1.** Teich *m*, Weiher *m*. **2.** Wassergraben *m*. **3.** 'Wasserreser,voir *n*. **4.** a) Damm *m*, b) Wehr *n*, c) Schleuse *f*.

stank[2] [stæŋk] *pret von* stink.

stan·na·ry ['stænəri] *tech. Br.* **I** *s* **1.** Zinngrubengebiet *n*. **2.** a) Zinngrube *f*, b) Zinnofen *m*. **II** *adj* **3.** Zinn(gruben)...

stan·nate ['stæneit] *s chem.* Stan'nat *n*.

stan·nel ['stænl] → kestrel.

stan·nic ['stænik] *adj chem.* Zinn..., Stanni...

stan·nif·er·ous [stæ'nifərəs] *adj* zinnhaltig. **'stan·nite** [-ait] *s chem.* **1.** *min.* Zinnkies *m*, Stan'nin *n*. **2.** Stan'nit *n*. **3.** *min.* Stan'nit *m*. **'stan·nous** *adj chem.* Zinn..., Stanno...

stan·za ['stænzə] *pl* **-zas** (*Ital.*) *s metr.* **1.** Strophe *f*. **2.** Stanze *f*. **'stan·za'd, 'stan·zaed** [-zəd] *adj* ...strophig: eight-~. **stan'za·ic** [-'zeiik] *adj* strophisch.

sta·pe·di·al [stə'pi:diəl] *adj anat.* Steigbügel...: ~ bone → stapes.

sta·pes ['steipi:z] (*Lat.*) *s anat.* Steigbügel *m*, Stapes *m* (*Gehörknöchelchen*).

sta·ple[1] ['steipl] **I** *s* **1.** *econ.* 'Haupterzeugnis *n*, -pro,dukt *n*: the ~s of a country. **2.** *econ.* Stapelware *f*: a) 'Hauptar,tikel *m*, b) Massenware *f*. **3.** *econ.* Rohstoff *m*. **4.** *tech.* Stapel *m*: a) *Qualität od. Länge des Fadens*, b) *Büschel Schafwolle*: of short ~ kurzstapelig. **5.** *tech.* a) Rohwolle *f*, b) Faser *f*: ~ fibre (*Am.* fiber) Zellwolle. **6.** *fig.* Hauptgegenstand *m*, -thema *n*. **7.** *econ.* a) Stapelplatz *m*, b) Handelszentrum *n*. **8.** *hist.* Markt *m* mit Stapelrecht. **II** *adj* **9.** *econ.* Stapel...: ~ goods (port, right, trade). **10.** Haupt...: ~ food (industry, *etc*); ~ subject of conversation → 6. **11.** *econ.* a) Haupthandels..., b) (markt)gängig, c) Massen... **12.** *hist.* Monopol... **III** *v/t* **13.** (nach Stapel) sor'tieren: to ~ cotton.

sta·ple[2] ['steipl] *tech.* **I** *s* **1.** (Draht)Öse *f*. **2.** Krampe *f*. **3.** Heftdraht *m*, -klammer *f*. **4.** *mus.* Messingröhrchen *n* (*im Oboenmundstück*). **II** *v/t* **5.** (mit Draht) heften: stapling-machine → stapler[1]. **6.** (fest)klammern (to an *acc*).

sta·pler[1] ['steiplər] *s tech.* ('Draht)Heftma,schine *f*.

sta·pler[2] ['steiplər] *s econ.* **1.** ('Baumwoll)Sor,tierer *m*. **2.** Stapelkaufmann *m*.

star [stɑ:r] **I** *s* **1.** *astr.* a) Stern *m*, b) *meist* fixed ~ Fixstern *m*, c) Gestirn *n*. **2.** Stern *m*: a) sternähnliche Fi'gur, b) *fig.* Größe *f*, Berühmtheit *f* (*Person*), c) Orden *m*, d) *print.* Sternchen *n* (*Hinweiszeichen*), e) weißer Stirnfleck (*bes. e-s Pferdes*): S~s and Stripes Sternenbanner *n* (*Nationalflagge der USA*); a literary ~ *fig.* ein Stern am literarischen Himmel; to see ~s *colloq.* ‚Sterne sehen' (*nach e-m Schlag*). **3.** a) Stern *m* (*Schicksal*), b) *a.* lucky ~ Glücksstern *m*, guter Stern: unlucky ~ Unstern *m*; his ~ is in the ascendant (is *od.* has set) sein Stern ist im Aufgehen (ist untergegangen); to follow one's ~ s-m (Glücks)Stern vertrauen; you may thank your ~s Sie können von Glück sagen (‚daß). **4.** (Bühnen-, *bes.* Film)Star *m*. **5.** *sport etc* Star *m*: football ~. **6.** *electr.* Stern *m*.

II *adj* **7.** Stern...: ~ map (*od.* chart); ~ time. **8.** Haupt...: ~ prosecution witness *jur.* Hauptbelastungszeuge *m*. **9.** *thea., a. sport etc* Star...: ~ player Star *m*; ~ performance Elitevorstellung *f*; ~ turn Hauptattraktion *f*. **10.** her'vorragend, Star...: ~ reporter.

III *v/t* **11.** mit Sternen schmücken *od.* besäen. **12.** *j-n* als Star her'ausbringen, (in e-r Hauptrolle) zeigen. **13.** *print.* mit Sternchen versehen.

IV *v/i* **14.** als Hauptdarsteller auftreten: to ~ in a film; to ~ as *fig.* Hervorragendes leisten als, glänzen als; ~ring with mit ... in der Hauptrolle.

star| ap·ple *s bot.* Sternapfel *m*. **'~-,blind** *adj med.* halbblind.

star·board ['stɑ:rbərd; -,bɔ:rd] *mar.* **I** *s* Steuerbord *n*. **II** *adj a.* ~ hand Steuerbord... **III** *adv* nach *od.* auf der Steuerbordseite. **IV** *v/t u. v/i* nach Steuerbord halten.

Star| Boat *s mar.* Starboot *n*. **s~ bomb** *s mil.* Leuchtbombe *f*.

starch [stɑ:rtʃ] **I** *s* **1.** Stärke *f*: a) Stärkemehl *n*, b) Wäschestärke *f*, c) Stärkekleister *m*, d) *chem.* A'mylum *n*: ~ blue Stärke-, Kobaltblau *n*; printing ~ Druckkleister *m*. **2.** *pl* stärkereiche Nahrungsmittel *pl*, 'Kohle(n)hy,drate *pl*. **3.** *fig.* Steifheit *f*, Förmlichkeit *f*. **4.** *Am. sl.* ‚Mumm' *m* (*Energie*). **II** *v/t* **5.** *Wäsche* stärken, steifen. **6.** *a.* ~ up *fig.* steifer *od.* förmlicher machen.

Star| Cham·ber *s hist.* Sternkammer *f* (*nur dem König verantwortliches Willkürgericht bis 1641*). **'s~-'cham·ber** *adj* **1.** S~-C~ *hist.* Sternkammer... **2.** Willkür(justiz)...

starched [stɑ:rtʃt] *adj* **1.** gestärkt, gesteift. **2.** *fig.* steif, förmlich. **'starch·i·ness** *s fig.* Steifheit *f*, Förmlichkeit *f*. **'starch·y** *adj* (*adv* starchily) **1.** stärkehaltig. **2.** Stärke... **3.** gestärkt. **4.** *fig.* steif, förmlich.

Star| Class *s mar.* Star-, Sternbootklasse *f*. **s~ cloud** *s astr.* Sternnebel *m*. **s~ con·nec·tion** *s electr.* Sternschaltung *f*. **'s~-,crossed** *adj poet.* unglückselig. **'s~-'del·ta** *adj electr.* Sterndreieck...

star·dom ['stɑ:rdəm] *s* **1.** Welt *f* der Stars. **2.** Stars *pl*. **3.** Startum *n*.

star| drift *s astr.* Sterndrift *f*. **~ dust** *s astr.* **1.** Sternnebel *m*. **2.** kosmischer Staub.

stare [stɛr] **I** *v/i* **1.** (~ at an)starren, (-)stieren: to ~ after s.o. j-m nachstieren *od.* -blicken. **2.** große Augen machen, erstaunt blicken, ‚glotzen', gaffen: to ~ at angaffen, anstaunen; to make s.o. ~ j-n in Erstaunen versetzen. **II** *v/t* **3.** ~ s.o. out of countenance (*od.* down) j-n so lange anstarren, bis er verlegen wird; to ~ s.o. into silence j-n mit e-m (strengen) Blick zum Schweigen bringen. **4.** ~ s.o. in the face *fig.* a) j-m in die Augen springen, b) j-m deutlich vor Augen stehen *od.* vor der Nase liegen: bankruptcy ~d him in the face der Bankrott stand ihm drohend vor Augen. **III** *s* **5.** (starrer *od.* erstaunter) Blick, Starrblick *m*, Starren *n*. **'star·er** *s* Gaffer *m*, Anstarrer *m*.

star| finch *s orn.* Rotschwänzchen *n*. **'~,fish** *s zo.* Seestern *m*. **'~,flow·er** *s bot.* **1.** Milchstern *m*. **2.** Siebenstern *m*. **'~,gaz·er** *s humor.* Sterngucker *m*. **'~,gaz·ing** *s* **1.** ‚Sterngucke'rei *f*. **2.** *fig.* Verträumtheit *f*.

star·ing ['stɛ(ə)riŋ] **I** *adj* (*adv* ~ly) **1.** stier, starrend: ~ eyes. **2.** auffallend: a ~ tie. **3.** grell: a ~ red. **II** *adv* **4.** → stark 7.

stark [stɑ:rk] **I** *adj* (*adv* ~ly) **1.** steif, starr: ~ and stiff stocksteif. **2.** rein, völlig: ~ folly; ~ nonsense barer Unsinn. **3.** (splitter)nackt. **4.** *fig.* rein sachlich: ~ report; ~ facts nackte Tatsachen. **5.** kahl, öde: ~ landscape. **6.** *poet.* stark. **II** *adv* **7.** völlig, ganz: ~ (staring) mad ‚total verrückt'; ~-naked splitternackt.

star·less ['stɑ:rlis] *adj* sternlos.

star·let ['stɑ:rlit] *s* **1.** Sternchen *n*. **2.** Starlet *n*, Filmsternchen *n*.

'star,light **I** *s* Sternenlicht *n*. **II** *adj* → starlit.

star·ling[1] ['stɑ:rliŋ] *s orn.* Star *m*.

star·ling[2] ['stɑ:rliŋ] *s* Pfeilerkopf *m* (*Eisbrecher an e-r Brücke*).

'star|,lit *adj* **1.** sternhell, -klar. **2.** (nur) von den Sternen beleuchtet. **~ point** *s electr.* Stern-, Nullpunkt *m*.

starred [stɑ:rd] *adj* **1.** gestirnt: the ~ sky. **2.** sternengeschmückt. **3.** *print.* mit (e-m) Sternchen bezeichnet.

star·ry ['stɑ:ri] *adj* **1.** Sternen..., Stern... **2.** → a) starlit, b) starred 2. **3.** strahlend: ~ eyes. **4.** sternförmig. **5.** *bot. zo.* Stern... **6.** *fig.* hochfliegend, über'spannt: a ~ scheme. **'~-,eyed** *adj* **1.** mit strahlenden Augen. **2.** *fig.* a) wirklichkeitsfremd, unpraktisch, b) ro'mantisch, verträumt.

'star| shell *s mil.* Leuchtkugel *f*, -geschoß *n*. **'~-,span·gled** *adj* **1.** sternenbesät: The S~-S~ Banner das Sternenbanner (*Nationalflagge od. -hymne der USA*). **2.** *Am.* (*contp.* hur'ra)patri,otisch.

start [stɑ:rt] **I** *s* **1.** Start *m* (*a. fig.*): ~ in life a) Eintritt *m od.* Start ins Leben, b) ‚Starthilfe' *f*, (berufliche) Förderung; to give s.o. a ~ (in life) j-m beim Eintritt ins Leben behilflich sein; → false start. **2.** Startzeichen *n* (*a. fig.*): to give the ~. **3.** a) Aufbruch *m*, b) Abreise *f*, c) Abfahrt *f*, d) *aer.* Abflug *m*, Start *m*, e) Abmarsch *m*. **4.** Beginn *m*, Anfang *m*: at the ~ am Anfang; from the ~ von Anfang an; from ~ to finish von Anfang bis Ende; to make a fresh ~ e-n neuen Anfang machen, noch einmal von vorn anfangen. **5.** *sport* a) Vorgabe *f*: to give s.o. 10 yards ~, b) Vorsprung *m* (*a. fig.*): to get (*od.* have) the ~ of one's rivals s-n Rivalen zuvorkommen. **6.** a) Auffahren *n*, -schrecken *n*, Zs.-fahren *n*, b) Schreck *m*: to give a ~ → 18; to give s.o. a ~ j-n auf- *od.* erschrecken; with a ~ jäh, schreckhaft, erschrocken. **7.** (neuer) Anlauf, Ruck *m*: → fit[2] 2. **8.** *colloq.* Über'raschung *f*: a rum (*od.* queer) ~ e-e ‚komische' Sache. **9.** a) Anwandlung *f*, Laune *f*, b) Ausbruch *m*, c) (Geistes)Blitz *m*.

II *v/i* **10.** sich auf den Weg machen, aufbrechen, sich aufmachen (for nach): to ~ on a journey e-e Reise antreten. **11.** a) abfahren, abgehen (*Zug*), b) *mar.* auslaufen (*Schiff*), c) *aer.* abfliegen, starten (for nach), d) *sport* starten. **12.** *mot. tech.* anspringen (*Motor*), anlaufen (*Maschine*). **13.** anfangen, beginnen (on mit *e-r Arbeit etc*; on doing damit, *etwas* zu tun): now don't you ~! *colloq.* fang (doch) nicht schon wieder *od.* auch noch (damit) an!; to ~ in business ein Geschäft anfangen *od.* eröffnen; to ~ on a book mit e-m Buch anfangen; to ~ with (*Redew.*) a) erstens, als erstes, b) von vornherein, c) überhaupt, d) um es gleich zu sagen. **14.** *fig.* ausgehen (from von *e-m Gedanken etc*). **15.** entstehen, aufkommen. **16.** (los)stürzen (for auf *acc*): to ~ back zurückweichen, -schrecken (from vor *dat*) (*a. fig.*). **17.** aufspringen: to ~ from one's seat. **18.** a) auffahren, hochschrecken, b) zs.-fahren, -zucken (at vor *dat*, bei *e-m Geräusch etc*). **19.** stutzen (at bei). **20.** aus den Höhlen treten (*Augen*): his eyes seemed to ~ from their sockets die Augen quollen ihm fast aus dem Kopf. **21.** (her'vor)quellen (from aus) (*Blut, Tränen*). **22.** sich (los)lösen *od.* lokkern.

III *v/t* **23.** in Gang *od.* in Bewegung setzen, in Gang bringen, *tech. a.* anlassen: to ~ an engine; to ~ a fire ein Feuer anzünden *od.* in Gang bringen; to ~ something a) etwas unternehmen, b) *colloq.* etwas anrichten, Ärger machen. **24.** *e-n Vorgang* einleiten. **25.** a) anfangen, beginnen: to ~ a letter (a quarrel); to ~ work(ing) zu arbeiten anfangen, b) *e-e Aktion* starten: to ~ a publicity campaign, c) gründen, aufmachen, ins Leben rufen: to ~ a business. **26.** a) *e-e Frage* aufwerfen, b) *ein Thema* anschneiden, c) *ein Gerücht* in 'Umlauf setzen. **27.** *j-m* zu e-m Start verhelfen: to ~ s.o. in business. **28.** *sport* a) starten (lassen): to ~ the runners, b) *ein Pferd, e-n Läufer* aufstellen, nomi'nieren, an den Start schicken. **29.** abfahren lassen: to ~ a train. **30.** *a.* ~ off schicken (on a voyage auf e-e Reise, to nach, zu). **31.** *j-n* veranlassen, lassen: this ~ed her talking das brachte sie zum Reden. **32.** lockern, lösen. **33.** *hunt.* aufstöbern, -scheuchen.

Verbindungen mit Adverbien:

start| in (*Am.* **out**) *v/i colloq.* sich dar'anmachen, anfangen (to do s.th. etwas zu tun). ~ **up I** *v/i* **1.** → start 12, 17 *u.* 18a. **2.** *fig.* auftauchen. **II** *v/t* **3.** → start 23.

start·er ['stɑːrtər] **I** *s* **1.** *sport* a) Starter *m*, b) (Renn)Teilnehmer(in). **2.** *rail.* Fahrdienstleiter *m*. **3.** *fig.* Initi'ator *m*. **4.** *Am. colloq.* erster Schritt: as (*od.* for) a ~ für den Anfang. **5.** *electr. mot.* Starter *m*, Anlasser *m*. **II** *adj* **6.** *tech.* → starting 5.

start·ing ['stɑːrtiŋ] **I** *s* **1.** Starten *n*, Start *m*, Ablauf *m*. **2.** *tech.* Anlassen *n*, In'gangsetzen *n*, Starten *n*: cold ~ Kaltstart *m*. **II** *adj* **3.** Start...: ~ line (pistol, shot, *etc*); ~ block *sport* Startblock *m*. **4.** Anfangs...: ~ capital; ~ salary. **5.** *mot. tech.* Anlaß..., Anlasser...: ~ crank Anlaßkurbel *f*; ~ current Anlaufstrom *m*; ~ motor Anlaßmotor *m*; ~ torque *electr.* Anzugsmoment *n*. ~ **gate** *s Pferderennen:* 'Startma,schine *f*. ~ **point** *s* Ausgangspunkt *m* (*a. fig.*). ~ **post** *s Pferderennen:* Startpfosten *m*. ~ **price** *s* **1.** *Pferderennen:* letzter Kurs (*auf ein Pferd*) vor dem Start. **2.** *econ.* Einsatzpreis *m* (*Auktion*).

star·tle ['stɑːrtl] **I** *v/t* **1.** erschrecken. **2.** aufschrecken, -scheuchen. **3.** *fig.* aufrütteln. **4.** über'raschen: a) bestürzen, b) verblüffen. **II** *s* **5.** Schreck *m*. **6.** Bestürzung *f*, Über'raschung *f*. **'star·tling** [-tliŋ] *adj* (*adv* ~ly) **1.** erschreckend, bestürzend, alar'mierend: ~ news. **2.** über'raschend, verblüffend, aufsehenerregend.

star·va·tion [stɑːr'veiʃən] *s* **1.** Hungern *n*: ~ diet völlig unzureichende Ernährung; ~ wages Hungerlohn *m*, -löhne *pl*. **2.** Hungertod *m*, Verhungern *n*.

starve [stɑːrv] **I** *v/i* **1.** *a.* ~ to death verhungern, Hungers sterben; I am simply starving *colloq.* ich komme fast um vor Hunger. **2.** hungern, Hunger leiden. **3.** Not leiden. **4.** *fig.* hungern, lechzen (for nach). **5.** fasten. **6.** *fig.* verkümmern. **7.** *obs. u. dial.* a) erfrieren, b) frieren. **II** *v/t* **8.** *a.* ~ to death verhungern lassen. **9.** aushungern. **10.** hungern *od.* (*a. fig.*) darben lassen: to be ~d a) Hunger leiden, ausgehungert sein (*a. fig.*), b) *fig.* → 4; to be ~d of knapp sein an (*dat*). **11.** *fig.* verkümmern lassen. **12.** to be ~d with cold vor Kälte schier umkommen. **'starve·ling** [-liŋ] **I** *s* **1.** Hungerleider *m*. **2.** *fig.* Kümmerling *m*. **II** *adj* **3.** hungrig. **4.** ausgehungert. **5.** 'unterernährt, mager. **6.** kümmerlich.

star wheel *s tech.* Sternrad *n*.

stash [stæʃ] *sl.* **I** *v/t* **1.** verstecken: to ~ away beiseite tun, horten. **2.** (an)halten: ~ it! halt's Maul! **II** *v/i* **3.** aufhören, es aufstecken. **III** *s* **4.** Versteck *n*. **5.** (geheimes) Lager, Vorrat *m*.

sta·sis ['steisis; 'stæsis] *pl* **-ses** [-siːz] *s* **1.** *med.* Stase *f*, (*Blut- etc*)Stauung *f*. **2.** *phys.* Stauung *f*. **3.** *fig.* Stagnati'on *f*.

stat·a·ble ['steitəbl] *adj* feststellbar.

stat·coul·omb ['stæt,kuːlɒm] *s electr.* 'Statcou,lomb *n*.

state [steit] **I** *s* **1.** *meist* S~ *pol.* Staat *m*: → affair 2; Department of S~ → S~ Department. **2.** *pol.* *USA* (Bundes-, Einzel)Staat *m*: ~ law Rechtsordnung *f* des Einzelstaates; ~'s attorney Staatsanwalt *m*; → state's evidence. **3.** the S~s *colloq.* die (Vereinigten) Staaten *pl* (*die USA*). **4.** Zustand *m*: ~ of health Gesundheitszustand; ~ of inertia *phys.* Beharrungszustand; (low) general ~ (schlechter) Allgemeinzustand; in a ~ *colloq.* in miserablem Zustand (→ 5 b); maternity ~ *med.* Schwangerschaft *f*; in a ~ of nature a) im Naturzustand, b) *relig.* im Zustand der Sünde; ~ of the Union message *Am.* (*jährlicher*) Rechenschaftsbericht (*des Präsidenten*) an die Nation; ~ of war *mil.* Kriegszustand; → aggregation 2, emergency I, equilibrium. **5.** a) *a.* ~ of mind, emotional ~ (Geistes-, Gemüts)Zustand *m*, (-)Verfassung *f*, b) *colloq.* Erregung *f*: in (quite) a ~ ,ganz aus dem Häus-chen' (over wegen). **6.** Stand *m*, Lage *f*: ~ of the art (*Patentrecht*) Stand der Technik; ~ of facts *jur.* Tatbestand *m*; ~ of grace *relig.* Stand der Gnade; → affair 2. **7.** (Per'sonen-, Fa'milien)Stand *m*: married ~ Ehestand *m*. **8.** *philos.* Sein *n*, Dasein *n*: the future ~ das zukünftige Leben; ~ of being Seinsweise *f*. **9.** *med. zo. etc* Stadium *n*. **10.** (gesellschaftliche) Stellung, Stand *m*: in a style befitting one's ~ standesgemäß. **11.** Pracht *f*, Staat *m*: carriage of ~ Staatskarosse *f*; chair of ~ Thron *m*; in ~ mit großem Zeremoniell *od.* Pomp; to lie in ~ feierlich aufgebahrt liegen; to live in ~ großen Aufwand treiben. **12.** *pl pol. hist.* (Land)Stände *pl*. **13.** *pol. gesetzgebende Körperschaft auf Jersey u. Guernsey.* **14.** a) Erhaltungszustand *m* (*e-s Buches etc*), b) Teilausgabe *f*. **15.** *Kupferstecherei:* (Zustands-, Ab)Druck *m*: a first ~ ein Erstdruck. **16.** *mil.* Stärkemeldung *f*.

II *adj* **17.** staatlich, Staats...: ~ capitalism Staatskapitalismus *m*; ~ prison Strafanstalt *f* (*in USA e-s Bundesstaates*); ~ prisoner Staatsgefangene(r *m*) *f*, politischer Häftling; ~ property Staatseigentum *n*; ~ religion Staatsreligion *f*. **18.** Staats..., Prunk..., Parade..., feierlich: ~ apartment Staatsgemach *n*, Prunkzimmer *n*; ~ bed Parade-, Prunkbett *n*; ~ carriage Prunk-, Staatskarosse *f*; ~ occasion besonderer *od.* feierlicher Anlaß.

III *v/t* **19.** festsetzen, -legen: → stated 1. **20.** erklären: a) darlegen: to ~ one's views, b) *jur.* (aus)sagen, *e-n Grund, e-e Klage etc* vorbringen: → case[1] 6. **21.** angeben, anführen: to ~ full particulars; to ~ the facts die Tatsachen anführen; to ~ the reason why erklären *od.* den Grund angeben, weshalb. **22.** erwähnen, bemerken. **23.** feststellen, konsta'tieren. **24.** *ein Problem etc* stellen. **25.** *math.* (mathe'matisch) ausdrücken.

state| aid *s Am.* staatliche Unterstützung. **'~-con'trolled** *adj* unter staatlicher Aufsicht. **'~,craft** *s pol.* Staatskunst *f*.

stat·ed ['steitid] *adj* **1.** festgesetzt: at ~ times; at ~ intervals in regelmäßigen Abständen; ~ meeting *Am.* ordentliche Versammlung. **2.** (ausdrücklich) bezeichnet, (*a.* amtlich) anerkannt. **3.** angegeben: as ~ above; ~ account *econ.* spezifizierte Rechnung; ~ capital *econ.* ausgewiesenes (Gesellschafts-)Kapital. **4.** ~ case *jur.* Sachdarstellung *f*. **5.** festgestellt: ~ value.

State| De·part·ment *s pol. Am.* Auswärtiges Amt, 'Außenmini,sterium *n*. ~ **guard** *s Am.* Mi'liz *f* (*e-s Bundesstaates*).

state·hood ['steithud] *s pol. bes. Am.* Eigenstaatlichkeit *f*, Souveräni'tät *f*.

'State,house *s pol. Am.* Parla'mentsgebäude *n od.* Kapi'tol *n* (*e-s Bundesstaats*).

state·less ['steitlis] *adj pol.* staatenlos: ~ person Staatenlose(r *m*) *f*. **'state·less·ness** *s* Staatenlosigkeit *f*.

state·li·ness ['steitlinis] *s* **1.** Stattlichkeit *f*. **2.** Vornehmheit *f*. **3.** Würde *f*. **4.** Pracht *f*. **'state·ly I** *adj* **1.** stattlich, impo'sant, prächtig. **2.** würdevoll. **3.** erhaben, vornehm. **II** *adv* **4.** würdevoll.

state·ment ['steitmənt] *s* **1.** (*a.* amtliche *etc*) Erklärung, Verlautbarung *f*: to make a ~ e-e Erklärung abgeben. **2.** a) (Zeugen- *etc*)Aussage *f*, b) Angabe(n *pl*) *f*: false ~; ~ of facts Sachdarstellung *f*, Tatbestand *m*; ~ of contents Inhaltsangabe *f*. **3.** Behauptung *f*. **4.** *bes. jur.* (schriftliche) Darlegung, (Par'tei)Vorbringen *n*: ~ of claim Klageschrift *f*; ~ of defence (*Am.* defense) a) Klagebeantwortung *f*, b) Verteidigungsschrift *f*. **5.** Bericht *m*, Aufstellung *f*, *bes. econ.* a) (Geschäfts-, Monats-, Rechenschafts- *etc*)Bericht *m*: monthly ~, b) (Bank-, Gewinn-, Jahres- *etc*)Ausweis *m*: annual (bank, *etc*) ~; ~ of affairs *econ.* Situationsbericht *m*, Status *m* (*e-r Firma*); ~ of account Kontoauszug *m*; financial ~ Gewinn- u. Verlustrechnung *f*. **6.** *econ. Am.* Bi'lanz *f*: ~ of assets and liabilities; ~ of condition. **7.** Darstellung *f*, Darlegung *f* (*e-s Sachverhalts*). **8.** *econ.* Lohn *m*, Ta'rif *m*. **9.** *Kunst:* Aussage *f*. **10.** *mus.* Einführung *f* des Themas.

'State|-,Right·er *s pol.* (amer.) Födera'list *m*. ~ **rights** *s pl pol.* Staatsrechte *pl* (*Rechte der Bundesstaaten der USA*).

'state,room *s* **1.** *mar.* ('Einzel)Ka,bine *f*. **2.** *rail. Am.* Pri'vatab,teil *n* (*mit Betten*). **3.** Staats-, Prunkzimmer *n*.

state's ev·i·dence *s jur. Am.* **1.** Kronzeuge *m* (*als Belastungszeuge auftretender Mitschuldiger*): to turn ~ als Kronzeuge auftreten, gegen s-e Komplizen aussagen. **2.** belastendes (Be'weis)Materi,al.

'state,side, S~ *Am.* **I** *adj* **1.** ameri'kanisch, Heimat... **II** *adv* **2.** in den Staaten, in der Heimat. **3.** nach den *od.* in die Staaten (zu'rück).

states·man ['steitsmən] *s irr* **1.** *pol.* Staatsmann *m*: → elder statesmen. **2.** (bedeutender) Po'litiker. **3.** *dial. Br.* Bauer *m* (*mit eigenem Land*). **'states·man,like, 'states·man·ly** *adj* staatsmännisch. **'states·man,ship** *s* Staatskunst *f*.

States of the Church → Papal States.

States'| Right·er → State-Righter. ~ **rights** → State rights.

states·wom·an ['steits,wumən] *s irr* Po'litikerin *f*.

'state-'wide *adj Am.* über den ganzen Staat verbreitet.

stat·ic ['stætik] **I** *adj* (*adv* ~ally) **1.** *phys.* statisch: ~ calculation (electricity, pressure, *etc*); ~ friction Haftreibung *f*; ~ sense *physiol.* Gleichgewichtssinn *m*; ~ tube *aer.* Staurohr *n*. **2.** *electr.* (e,lektro)'statisch: ~ charge. **3.** *Funk:* a) atmo'sphärisch (*Störung*): ~ interference, b) Störungs...: ~ suppression Entstörung *f*. **4.** (fest)stehend, ortsfest. **5.** *allg.* statisch, gleichbleibend.

II *s* **6.** statische Elektrizi'tät. **7.** *Funk*: atmo'sphärische *od.* statische Störungen *pl.* **8.** *pl* (*als sg konstruiert*) *phys.* Statik *f.*

sta·tion ['steiʃən] **I** *s* **1.** Platz *m*, Posten *m* (*a. sport*): to take up one's ~ s-n Platz *od.* Posten einnehmen. **2.** a) (*Rettungs-, Unfall- etc*)Stati'on *f*: **first-aid** ~, b) (*Beratungs-, Dienst-, Tank- etc*)Stelle *f*: **petrol** ~, c) (Tele'graphen)Amt *n*, d) *teleph.* Sprechstelle *f*: **call** ~, e) *pol.* ('Wahl)Loˌkal *n*: **polling** ~, f) (Handels)Niederlassung *f*: **trading** ~, g) (*Feuer-, Polizei- etc*)Wache *f.* **3.** ('Forschungs)Statiˌon *f*, (Erdbeben)Warte *f.* **4.** *electr.* a) 'Funkstatiˌon *f*, b) *mil.* Funkstelle *f*, c) ('Rundfunk)Sender *m*, (-)Statiˌon *f*, d) Kraftwerk *n*: **power** ~. **5.** *mail* (Zweig)Postamt *n.* **6.** *rail.* a) Bahnhof *m*, b) ('Bahn)Statiˌon *f.* **7.** *Am.* (Bus- *etc*)Haltestelle *f.* **8. naval** ~ *mar.* a) Flottenstützpunkt *m*, b) Stati'on *f.* **9.** *mil.* a) Posten *m*, Stützpunkt *m*, b) Standort *m*, c) *aer. Br.* (Flieger)Horst *m.* **10.** *biol.* Standort *m.* **11.** Dienstort *m* (*e-s Beamten etc*). **12.** *aer. mar.* Positi'on *f*: **to leave** ~ ausscheren. **13.** (gesellschaftliche *etc*) Stellung: ~ **in life; to marry below one's** ~ nicht standesgemäß heiraten; **men of** ~ Leute von Rang. **14.** Stati'on *f*, Rast(ort *m*) *f* (*auf e-r Reise etc*). **15.** *relig.* a) Stati'on *f* (*der Gottesdienst des Papstes an besonderen Tagen*), b) Stati'onskirche *f.* **16.** *a.* ~ **of the cross** *relig.* ('Kreuzweg)Statiˌon *f.* **17.** *a.* ~ **day** *relig.* Wochen-Fasttag *m.* **18.** *surv.* a) Stati'on *f* (*Ausgangspunkt*), b) Basismeßstrecke *f* von 100 Fuß. **19.** *astr.* statio'närer Punkt. **20.** *agr. Austral.* Rinder- *od.* Schaf(zucht)farm *f.* **21.** *hist.* (*Brit.-Indien*) a) (englische) Kolo'nie, b) Euro'päerviertel *n.* **22.** *Bergbau*: Füllort *m.*

II *v/t* **23.** (o.s. sich) aufstellen, po'stieren. **24.** *mar. mil.* statio'nieren: **to** ~ **troops (ships, rockets); to be** ~**ed** stehen.

sta·tion·ar·y ['steiʃənəri] *adj* **1.** *tech. etc* statio'när (*a. astr. u. med.*), ortsfest, fest(stehend): ~ **run** *sport* Laufen *n* am Ort; ~ **treatment** *med.* stationäre Behandlung; ~ **warfare** *mil.* Stellungskrieg *m.* **2.** seßhaft. **3.** gleichbleibend, statio'när: **to remain** ~ unverändert sein *od.* bleiben; ~ **population** (*Statistik*) stationäre Bevölkerung. **4.** (still)stehend: **to be** ~ stehen. ~ **dis·ease** *s med.* lo'kal auftretende u. jahreszeitlich bedingte Krankheit. ~ **tan·gent** *s math.* 'Wendetanˌgente *f* (*e-r Kurve*). ~ **wave** *s electr. phys.* stehende Welle.

sta·tion·er ['steiʃənər] *s* **1.** Pa'pier-, Schreibwarenhändler *m*: ~**'s (shop)** Papier-, Schreibwarenhandlung *f.* **2.** *obs.* Buchhändler *m*: **S**~**s' Company** *Londoner Innung der Buchhändler, Verleger u. Papierwarenhändler*; **S**~**s' Hall** *Sitz der* **Stationers' Company; to enter at S**~**s' Hall** *ein Buch* registrieren (u. damit gegen Nachdruck schützen) lassen; **S**~**s' Register** *von der* **Stationers' Company** *geführtes u. der Sicherung der Urheberrechte dienendes Verzeichnis der in England neu erscheinenden Bücher.* **'sta·tion·er·y I** *s* **1** Schreib-, Pa'pierwaren *pl*: **office** ~ Büromaterial *n.* **2.** 'Brief-, 'Schreibpaˌpier *n.* **II** *adj* **3.** Schreib-, Papierwaren...

sta·tion| hos·pi·tal *s med. mil.* 'Standort-, Re'servelazaˌrett *n.* ~ **house** *s* **1.** *Am.* Poli'zeiwache *f*, -reˌvier *n.* **2.** *rail.* Stati'onsgebäude *n.* **'**~**ˌmas·ter** *s rail.* Stati'onsvorsteher *m.* ~ **pole,** ~ **rod** *s surv.* Nivel'lierstab *m.* ~ **se·lec·tor** *s electr.* Stati'onswähler *m*, Sendereinstellung *f.* ~ **wag·on** *s mot.* Kombi(wagen) *m.*

stat·ism ['steitizəm] *s econ. pol.* Diri'gismus *m*, Planwirtschaft *f.*

stat·ist ['steitist] **I** *s* **1.** Sta'tistiker *m.* **2.** *pol.* a) Anhänger *m* der Planwirtschaft, b) *obs.* Po'litiker *m.* **II** *adj* **3.** *pol.* diri'gistisch.

sta·tis·tic [stə'tistik] *adj*; **sta'tis·ti·cal** *adj* (*adv* ~**ly**) sta'tistisch. **stat·is·ti·cian** [ˌstætis'tiʃən] *s* Sta'tistiker *m.* **sta'tis·tics** *s pl* **1.** (*als sg konstruiert*) Sta'tistik *f* (*Wissenschaft od. Methode*). **2.** (*als pl konstruiert*) Sta'tistik(en *pl*) *f.*

sta·tor ['steitər] *s tech.* Stator *m*: ~ **current** *electr.* Ständerstrom *m.*

stat·o·scope ['stætoˌskoup] *s aer. phys.* Stato'skop *n.*

stat·u·ar·y [*Br.* 'stætjuəri; *Am.* -tʃuˌəri] **I** *s* **1.** Bildhauerkunst *f*, ˌBildhaue'rei *f.* **2.** (Rund)Plastiken *pl*, Statuen *pl*, Skulp'turen *pl.* **3.** Bildhauer *m.* **II** *adj* **4.** Bildhauer... **5.** (rund)plastisch, fi'gürlich. **6.** Statuen...: ~ **marble.**

stat·ue [*Br.* 'stætjuː; *Am.* -tʃuː] *s* Statue *f*, Standbild *n*, Plastik *f.* **'stat·ued** *adj* mit Statuen geschmückt.

stat·u·esque [*Br.* ˌstætju'esk; *Am.* -tʃu-] *adj* statuenhaft (*a. fig.*). **ˌstat·u'ette** [-'et] *s* Statu'ette *f.*

stat·ure ['stætʃər] *s* **1.** Sta'tur *f*, Wuchs *m*, Gestalt *f*, Größe *f.* **2.** *fig.* (*geistige etc*) Größe, For'mat *n*, Ka'liber *n.*

sta·tus ['steitəs; 'stæt-] *s* **1.** *jur.* a) Status *m*, (Rechts)Stellung *f*, b) *a.* **legal** ~ Rechtsfähigkeit *f*, c) Ak'tivlegitimatiˌon *f*: ~ **of ownership** Eigentumsverhältnisse; **equality of** ~ (politische) Gleichberechtigung; **national** ~ Staatsangehörigkeit *f.* **2.** *a.* **military** ~ (Wehr)Dienstverhältnis *n.* **3.** (Fa'milien- *od.* Per'sonen)Stand *m*: **civil** (*od.* **personal**) ~. **4.** (gesellschaftliche *etc*)Stellung, Rang *m*: **social** ~; **his** ~ **among novelists. 5.** (*gesellschaftliches etc*) Pre'stige, Status *m*: ~ **seeker** j-d, der auf gesellschaftliches Prestige erpicht ist; ~ **symbol** Statussymbol *n.* **6.** (geschäftliche) Lage: **financial** ~ *econ.* Vermögenslage. **7.** *a. med.* Zustand *m*, Status *m*: **nutritional** ~ Ernährungszustand. ~ **quo** [kwou] *s* (*der*) Status quo (*der jetzige Zustand*). ~ **quo an·te** ['ænti] (*Lat.*) *s* (*der*) Status quo ante (*der vorherige Zustand*).

stat·u·ta·ble [*Br.* 'stætjutəbl; *Am.* -tʃu-] → **statutory** 1—4, 6.

stat·ute [*Br.* 'stætjuːt; *Am.* -tʃuːt] *s* **1.** *jur.* a) Gesetz *n* (*vom Parlament erlassene Rechtsvorschrift*), b) Gesetzesbestimmung *f*, -vorschrift *f*, c) Parla'mentsakte *f*: ~ **of bankruptcy** Konkursordnung *f*; **declaratory** ~, **regulatory** ~ Ausführungsbestimmung *f.* **2.** *a.* ~ **of limitations** *jur.* (Gesetz *n* über) Verjährung *f*: **not subject to the** ~ unverjährbar; **to plead the** ~ Verjährung geltend machen. **3.** *jur.* Sta'tut *n*, Satzung *f*: ~ **of Westminster** *pol. hist.* Statut von Westminster (*durch das 1931 das* **British Commonwealth of Nations** *anerkannt wurde*). **'**~**ˌbarred** *adj jur.* verjährt. ~ **book** *s jur.* Gesetzessammlung *f.* ~ **law** *s jur.* Gesetzesrecht *n*, geschriebenes Recht (*Ggs* **common law**). ~ **mile** *s* (gesetzliche) Meile (*1,60933 km*).

stat·u·to·ry [*Br.* 'stætjutəri; *Am.* -tʃuˌtɔːri] *adj* (*adv* **statutorily**) **1.** *jur.* gesetzlich: ~ **heir (holiday, restrictions,** *etc*); ~ **corporation** Körperschaft *f* des öffentlichen Rechts; ~ **declaration** eidesstattliche Erklärung; ~ **guardian** (amtlich eingesetzter) Vormund; ~ **law** → **statute law**; ~ **meeting** *econ.* ordentliche Versammlung. **2.** *jur.* gesetzlich vorgeschrieben: ~ **reserve** *econ.* gesetzliche Rücklage. **3.** Gesetzes... **4.** *jur.* (dem Gesetz nach) strafbar: ~ **offence** (*Am.* **offense**) strafbare Handlung; → **rape**[1] 1. **5.** *jur.* Verjährungs...: ~ **period** Verjährung(sfrist) *f.* **6.** satzungsgemäß.

stave [steiv] **I** *s* **1.** (Faß)Daube *f.* **2.** (Leiter)Sprosse *f*, Runge *f.* **3.** Stock *m*, Knüttel *m.* **4.** *metr.* a) Strophe *f*, Vers *m*, b) (Reim)Stab *m.* **5.** *mus.* 'Noten(linien)syˌstem *n.* **II** *v/t* **6.** a) *meist* ~ **in** einschlagen, b) *ein Loch* schlagen, c) *ein Faß* zerschlagen. **7.** ~ **off** a) *j-n* 'hinhalten *od.* abweisen, b) *ein Unheil etc* abwenden, abwehren, c) *etwas* aufschieben. **8.** mit Dauben *od.* Sprossen versehen. **III** *v/i* **9.** *Am. od. Scot.* jagen, rasen, eilen. ~ **rhyme** *s metr.* Stabreim *m.*

staves [steivz] *pl von* **staff**[1].

staves·a·cre ['steivzˌeikər] *s* **1.** *bot.* Scharfer Rittersporn. **2.** *pharm.* Stephanskörner *pl.*

stay[1] [stei] **I** *v/i pret u. pp* **stayed** *od. obs.* **staid** [steid] **1.** bleiben (**with s.o.** bei j-m): **to** ~ **away** fernbleiben; **to** ~ **behind** zurückbleiben; **to come to** ~ (für immer) bleiben; **a fashion that has come to** ~ e-e Mode, die bleiben wird; **to** ~ **in** zu Hause *od.* drinnen bleiben; **to** ~ **on** (noch länger) bleiben; **to** ~ **out** draußen bleiben, wegbleiben, nicht heimkommen; **to** ~ **for** (*od.* **to**) **dinner** zum Essen bleiben; ~! halt!; → **put**[1] 3. **2.** sich (vor'übergehend) aufhalten, wohnen, weilen (**at, in** in *dat*; **with s.o.** bei j-m). **3.** (sich) verweilen. **4.** stehenbleiben. **5.** warten (**for s.o.** auf j-n). **6.** *bes. sport colloq.* 'durchhalten. **7.** ~ **with** *bes. sport Am. colloq.* mithalten (können): **to** ~ **with it** es durchhalten, ‚dranbleiben'.

II *v/t* **8.** a) aufhalten, Halt gebieten (*dat*), hemmen, b) anhalten, c) zu'rückhalten (**from** von), d) (fest)halten: **to** ~ **one's hand** sich zurückhalten. **9.** *jur.* a) *die Urteilsvollstreckung, ein Verfahren* aussetzen: **to** ~ **a judgement (the proceedings)**, b) *ein Verfahren, die Zwangsvollstreckung* einstellen. **10.** *j-s Hunger etc* stillen. **11.** *sport* 'durchhalten. **12.** ~ **out** a) über'leben, b) länger bleiben als. **13.** *a.* ~ **up** a) stützen (*a. fig.*), b) *fig. j-m* ‚den Rücken steifen'. **14.** *tech.* a) absteifen, b) ab-, verspannen, c) verankern.

III *s* **15.** (vor'übergehender) Aufenthalt: **to make a long** ~ **in London** sich längere Zeit in London aufhalten. **16.** a) Halt *m*, Stockung *f*, b) Hemmnis *n* (**upon** für): **to put a** ~ **on** *s-e Gedanken etc* zügeln. **17.** *jur.* Aussetzung *f*, Einstellung *f*, (Voll'streckungs)Aufschub *m.* **18.** *colloq.* Ausdauer *f*, Stehvermögen *n.* **19.** *tech.* a) Stütze *f*, b) Strebe *f*, c) Verspannung *f*, d) Verankerung *f.* **20.** *pl bes. Br.* Kor'sett *n.* **21.** *fig.* Stütze *f.*

stay[2] [stei] *mar.* **I** *s* **1.** Stag *n*: **to be (hove) in** ~**s** → 4; **to miss the** ~**s** das Wenden verfehlen. **II** *v/t* **2.** *den Mast* stagen. **3.** *das Schiff* durch *od.* gegen den Wind wenden. **III** *v/i* **4.** über Stag gehen, wenden.

'stay|-at-ˌhome I *s* Stubenhocker(in). **II** *adj* stubenhockerisch, da'heimgeblieben. ~ **bolt** *s tech.* **1.** Stehbolzen *m.* **2.** Ankerbolzen *m.* **'**~**-ˌdown strike** *s Br.* Sitzstreik *m* (*der Bergleute*).

stay·er ['steiər] *s* **1.** j-d, der bleibt (*etc*).

2. *sport* Steher *m*: a) *Wettkämpfer, a. Pferd von großem Stehvermögen*, b) *Radfahrer hinter e-m Schrittmacher.*

'stay-'foreˌsail *s mar.* Fockstagsegel *n.*

stay·ing pow·er ['steiiŋ] *s* Stehvermögen *n*, Ausdauer *f.*

'stay-ˌin (strike) *s* Sitzstreik *m.*

'stay|ˌlace *s* Kor'settschnur *f.* **'~ˌmak·er** *s* Kor'sett-, 'Miederfabriˌkant *m.* **'~ˌsail** *s mar.* Stagsegel *n.* **~ tube** *s tech.* Standrohr *n.*

stead [sted] *s* **1.** Stelle *f*: in his ~ an s-r Statt, statt seiner; in (the) ~ of an Stelle von (*od. gen*), anstatt (*gen*). **2.** Nutzen *m*: to stand s.o. in good ~ j-m (gut) zustatten kommen.

stead·fast ['stedfəst; -ˌfɑːst; -ˌfæst] *adj* (*adv* ~ly) **1.** fest, unverwandt: a ~ gaze. **2.** fest: a) unbeweglich, b) dauerhaft. **3.** fest, unerschütterlich: a) standhaft, unentwegt, treu (*Person*), b) unabänderlich: ~ decision (faith, *etc*). **'stead·fast·ness** *s* Standhaftigkeit *f*, Festigkeit *f*: ~ of purpose Zielstrebigkeit *f.*

stead·i·ness ['stedinis] *s* **1.** Festigkeit *f.* **2.** Beständigkeit *f*, Beharrlichkeit *f*, Stetigkeit *f.* **3.** Rechtschaffenheit *f*, so'lide Art.

stead·y ['stedi] **I** *adj* (*adv* steadily) **1.** (stand)fest, sta'bil: a ~ ladder; he was not ~ on his legs er stand nicht fest auf den Beinen; ~ prices *econ.* feste *od.* stabile Preise. **2.** gleichbleibend, -mäßig, stetig, ständig, unveränderlich: ~ girl friend feste Freundin; ~ pace gleichmäßiges Tempo; ~ progress stetige *od.* ständige Fortschritte. **3.** gewohnheits-, regelmäßig: ~ customer Stammkunde *m*; to go ~ with *bes. Am. colloq.* mit *e-m Mädchen* ‚gehen' *od.* fest befreundet sein. **4.** → steadfast 1. **5.** a) → steadfast 3, b) ordentlich, so'lid(e): a ~ man; to lead a ~ life, c) nüchtern, gesetzt, d) zuverlässig: a ~ friend (player, *etc*). **6.** ruhig, sicher: a ~ aim (eye, hand). **II** *interj* **7.** sachte!, ruhig Blut! **8.** ~ on! halt! **III** *v/t* **9.** festigen, fest *od.* sicher *od.* ruhig (*etc*) machen: to ~ o.s. a) sich stützen, b) *fig.* sich beruhigen. **10.** *ein Pferd* zügeln. **11.** *j-n* zur Vernunft bringen, ernüchtern. **IV** *v/i* **12.** fest *od.* sicher *od.* ruhig (*etc*) werden, Halt gewinnen, sich festigen (*a. econ. Preise etc*). **13.** *oft* ~ down vernünftig werden. **V** *s* **14.** Stütze *f.* **15.** *bes. Am. colloq.* feste Freundin *od.* fester Freund. **'~-'go·ing** *adj* **1.** gleichbleibend, beständig: ~ devotion. **2.** so'lid(e), gesetzt.

steak [steik] *s* **1.** Steak *n.* **2.** ('Fisch)Koteˌlett *n*, (-)Fiˌlet *n.* **3.** Frika'delle *f.*

steal [stiːl] **I** *v/t pret* **stole** [stoul], *pp* **stol·en** ['stoulən] **1.** stehlen (*a. fig.*), entwenden. **2.** *fig.* stehlen, erlisten, erhaschen: to ~ a kiss e-n Kuß rauben; to ~ a look e-n verstohlenen Blick werfen; → march¹ *Bes. Redew.*, show 3, thunder 1. **3.** *fig.* stehlen, plagi'ieren. **4.** *fig.* schmuggeln (into in *acc*). **5.** *sport etc den Ball, Punkte etc* ergattern. **II** *v/i* **6.** stehlen. **7.** schleichen, sich stehlen: to ~ away sich davonstehlen. **8.** ~ over (*od.* [up]on) *j-n* beschleichen: anxiety was ~ing over her. **III** *s* **9.** *Am. colloq.* a) Diebstahl *m*, b) Schiebung *f*, c) ‚Masche' *f.*

stealth [stelθ] *s* Heimlichkeit *f*: by ~ heimlich, verstohlen. **'stealth·i·ness** *s* Heimlichkeit *f.* **'stealth·y** *adj* (*adv* stealthily) verstohlen, heimlich.

steam [stiːm] **I** *s* **1.** (Wasser)Dampf *m*: at full ~ mit Volldampf (*a. fig.*); full ~ ahead Volldampf voraus; to get up ~ a) Dampf aufmachen, b) *fig. colloq.* (s-e) Kräfte sammeln; to let (*od.* blow) off ~ Dampf ablassen, *fig. a.* sich *od.* s-m Zorn Luft machen; to put on ~ a) Dampf anlassen, b) *fig.* ‚Dampf dahinter machen'. **2.** Dampf *m*, Dunst *m*, Schwaden *pl*; on one's own ~ mit eigener Kraft. **3.** *fig.* Kraft *f*, Wucht *f.* **4.** Dampfer *m*: they travel by ~. **II** *v/i* **5.** dampfen (*a. Pferd etc*). **6.** verdampfen. **7.** *mar. rail.* dampfen (*fahren*). **8.** *colloq.* ‚dampfen', brausen, sausen. **9.** *meist* ~ ahead, ~ away *colloq.* a) ‚sich (mächtig) ins Zeug legen', b) gut vor'ankommen. **10.** ~ up (*od.* over) (sich) beschlagen (*Glas etc*). **11.** *colloq.* vor Wut kochen. **III** *v/t* **12.** a) *Speisen etc* dämpfen, dünsten, b) *Holz etc* dämpfen, *Stoff* deka'tieren. **13.** *Dampf, Gas* ausströmen. **14.** ~ up *Glas etc* beschlagen. **15.** ~ up *colloq.* a) ankurbeln, auf Touren bringen: to ~ the industry, b) *j-n* in Rage bringen: to be ~ed up *colloq.* → 11. **~ blow·er** *s tech.* Dampfgebläse *n.* **'~ˌboat** *s* Dampfboot *n*, (*bes.* Fluß)Dampfer *m.* **~ boil·er** *s* Dampfkessel *m.* **~ box** *s* **1.** *tech.* Schieberkasten *m.* **2.** Dampfkochtopf *m.* **~ en·gine** *s* **1.** 'Dampfmaˌschine *f.* **2.** Lokomo'tive *f.*

steam·er ['stiːmər] *s* **1.** *mar.* Dampfer *m*, Dampfschiff *n.* **2.** *tech.* 'Dampfmaˌschine *f.* **3.** a) Dampfkochtopf *m*, b) 'Dämpfappaˌrat *m.* **~ rug** *s* grobe Wolldecke.

steam| fit·ter *s* 'Heizungsinstallaˌteur *m.* **~ ga(u)ge** *s* Mano'meter *n.* **~ ham·mer** *s* Dampfhammer *m.* **~ heat** *s* **1.** durch Dampf erzeugte Hitze. **2.** *phys.* spe'zifische Verdampfungswärme. **~ heat·er** *s* **1.** Dampfheizungskörper *m.* **2.** Dampfheizung *f.* **~ heat·ing** *s* Dampfheizung *f.* **~ nav·vy** *Br. für* steam shovel. **~ ra·di·o** *s colloq.* Hörfunk *m*, *engS.* Hausfrauensendungen *pl.* **'~ˌroll·er** [-ˌroulər] **I** *s* **1.** Dampfwalze *f* (*a. fig.*). **II** *v/t* **2.** glattwalzen. **3.** *fig.* a) *die Opposition etc* niederwalzen, ‚über'fahren', b) *e-n Antrag etc* 'durchpeitschen, -drücken, c) *j-n* unter Druck setzen (into doing daß er *etwas* tut). **'~ˌship** → steamer 1. **~ shov·el** *s tech.* (Dampf)Löffelbagger *m.* **~ ta·ble** *s* **1.** *dampfbeheizte Theke zum Warmhalten von Speisen.* **2.** *tech.* 'Dampftaˌbelle *f.* **'~'tight** *adj tech.* dampfdicht. **~ tug** *s mar.* Schleppdampfer *m.* **~ whis·tle** *s* Dampfpfeife *f.*

steam·y ['stiːmi] *adj* (*adv* steamily) **1.** dampfig, dampfend, Dampf... **2.** *fig.* nebu'lös.

ste·a·rate ['stiːəˌreit] *s chem.* Stea'rat *n.*

ste·ar·ic [sti'ærik; 'sti(ː)ərik] *adj chem.* Stearin... **ste·a·rin** ['sti(ː)ərin] *s* **1.** Stea'rin *n.* **2.** *der feste Bestandteil e-s Fettes, Ggs Olein.*

ste·a·tite ['sti(ː)əˌtait] *s min.* Stea'tit *m.*

ste·a·to·ma [ˌsti(ː)ə'toumə] *s med.* **1.** Stea'tom *n*, Fettgeschwulst *f.* **2.** Li'pom *n.*

ste·a·to·sis [ˌsti(ː)ə'tousis] *s med.* Stea'tose *f*, Verfettung *f.*

steed [stiːd] *s rhet.* (Streit)Roß *n.*

steel [stiːl] **I** *s* **1.** Stahl *m*: ~s a) Stähle, b) *Börse*: Stahlaktien; of ~ → 5. **2.** (*Gegenstand aus*) Stahl *m*, *bes.* a) Wetzstahl *m*, b) Feuerstahl *m*, c) Kor'settstäbchen *n.* **3.** *a.* cold ~ kalter Stahl, Schwert *n*, Dolch *m.* **4.** *fig.* Kraft *f*, Härte *f.* **II** *adj* **5.** stählern: a) Stahl..., aus Stahl, b) *fig.* (stahl)hart, eisern. **III** *v/t* **6.** *tech.* (ver)stählen. **7.** *fig.* stählen, wappnen: to ~ o.s. for (against) s.th. sich für (gegen) etwas wappnen; he ~ed his heart against compassion er verschloß sich dem Mitleid. **'~-'blue** *adj* stahlblau. **'~-ˌclad** *adj* stahlgepanzert. **'~-ˌdrawn** *adj* aus gezogenem Stahl. **'~-en'graved** *adj* in Stahl gestochen. **~ en·grav·ing** *s* Stahlstich *m* (*Bild u. Technik*). **'~-'gray,** *bes. Br.* **'~-ˌgrey** *adj* stahlgrau.

steel·i·fy ['stiːliˌfai] *v/t tech. Eisen* in Stahl verwandeln.

steel·i·ness ['stiːlinis] *s tech.* Härte *f* (*a. fig.*), Stahlartigkeit *f.*

steel| mill *s tech.* Stahl(walz)werk *n.* **~ wool** *s* Stahlspäne *pl*, -wolle *f.* **~ work** *s* **1.** Stahlarbeit *f*, Stahlteile *pl.* **2.** 'Stahlkonstruktiˌon *f.* **~ works** *s pl* (*a. als sg konstruiert*) Stahlwerk(e *pl*) *n.*

steel·y ['stiːli] → steel 5.

steel·yard ['stiːlˌjɑːrd; 'stiljərd] *s* Laufgewichtswaage *f.*

steen·bok ['stiːnˌbɒk] *s zo.* Steenbok *m.*

steep¹ [stiːp] **I** *adj* (*adv* ~ly) **1.** steil, jäh, abschüssig. **2.** *fig.* jäh. **3.** *colloq.* a) ‚happig', ‚gepfeffert': ~ prices, b) e'norm: a ~ task, c) ‚toll', unglaublich: a ~ story. **II** *s* **4.** jäher Abhang.

steep² [stiːp] **I** *v/t* **1.** eintauchen, -weichen, *Tee* aufbrühen. **2.** (in, with) (durch)'tränken, imprä'gnieren (mit). **3.** (in) *fig.* durch'tränken, -'dringen (mit), erfüllen (von): to ~ o.s. in a subject sich ganz in ein Thema versenken; ~ed in versunken *od.* tief in (*dat*); ~ed in crime verbrecherisch. **II** *s* **4.** Einweichen *n*, -tauchen *n.* **5.** a) Lauge *f*, Bad *n*, b) Einweichgefäß *n.*

steep·en ['stiːpən] *v/t u. v/i* steil(er) machen (werden), (sich) erhöhen.

stee·ple ['stiːpl] *s* **1.** Kirchturm *m.* **2.** Spitzturm *m.* **3.** Kirchturmspitze *f.* **'~ˌchase** *s* **1.** Steeplechase *f*, Hindernis-, Jagdrennen *n* (*zu Pferd*). **2.** Hindernislauf *m.*

stee·pled ['stiːpld] *adj* **1.** mit e-m Turm (versehen), betürmt. **2.** vieltürmig (*Stadt*).

stee·ple jack *s* Schornstein-, Turmarbeiter *m.*

steep·ness ['stiːpnis] *s* **1.** Steilheit *f*, Steile *f.* **2.** steile Stelle.

steer¹ [stir] **I** *v/t* **1.** steuern, lenken (*beide a. fig.*). **2.** *e-n Weg etc* verfolgen, einschlagen, *e-n Kurs* steuern. **3.** *j-n* lotsen, ‚bug'sieren'. **II** *v/i* **4.** steuern: to ~ clear of *fig.* (ver)meiden, aus dem Weg gehen (*dat*). **5.** *mar. mot. etc* sich *gut etc* steuern *od.* lenken lassen. **6.** *mar. etc* gesteuert werden *od.* fahren: to ~ for lossteuern auf (*acc*) (*a. fig.*). **III** *s* **7.** *Am. sl.* ‚Tip' *m.*

steer² [stir] *s* **1.** Ochse *m.* **2.** männliches Schlachtvieh.

steer·a·ble ['sti(ə)rəbl] *adj* lenkbar.

steer·age ['sti(ə)ridʒ] *s* **1.** *bes. mar.* (*das*) Steuern. **2.** *mar. etc* a) Steuerung *f* (*Vorrichtung*), b) Steuerwirkung *f*, c) Reakti'on(sfähigkeit) *f*, d) Zwischendeck *n.* **'~ˌway** *s mar.* Steuerfahrt *f*, -fähigkeit *f.*

steer·er ['sti(ə)rər] *s* **1.** *bes. mar.* Steuerer *m.* **2.** Steuergerät *n.* **3.** *Am. sl.* ‚Schlepper' *m* (*zu Nachtklubs etc*).

steer·ing ['sti(ə)riŋ] **I** *s* **1.** Steuern *n.* **2.** Steuerung *f*, Lenkung *f* (*a. fig.*). **II** *adj* **3.** Steuer... **~ col·umn** *s mot.* Lenksäule *f.* **~ com·mit·tee** *s pol. etc* Lenkungsausschuß *m.* **~ gear** *s* **1.** *mot.* Steuerung *f*, Lenkung *f*, Lenkgetriebe *n.* **2.** *mar.* Steuergerät *n.* **~ knuck·le** *s mot. Am.* Achsschenkel *m.* **~ lock** *s mot.* Lenkungseinschlag *m.* **~ play** *s mot.* toter Gang der Lenkung. **~ wheel** *s* **1.** *mar.* Steuerrad *n.* **2.** *mot.* Steuer-, Lenkrad *n.*

steers·man ['stirzmən] *s irr. mar.* Rudergänger *m.*

steeve[1] [stiːv] *v/t mar.* traven, *e-e Ballenladung* (fest) zs.-pressen.
steeve[2] [stiːv] *s mar.* Steigung *f* (*des Bugspriets*).
stein [stain] (*Ger.*) *s bes. Am.* Bier-, Maßkrug *m.*
stein·bock ['stainˌbɒk] *s zo.* Steinbock *m.*
stein·bok ['stainˌbɒk] → **steenbok.**
ste·le ['stiːli(ː)] *pl* **-lae** [-liː], **-les** *s antiq.* Stele *f* (*Bild- od. Grabsäule*).
stel·lar ['stelər] *adj astr.* stel'lar, Stern(en)...
stel·late ['stelit; -eit] *adj* sternförmig: ~ **leaves** *bot.* quirlständige Blätter. **'stel·lat·ed** [-eitid], **stel'lif·er·ous** [-'lifərəs] *adj* **1.** → **stellate. 2.** gestirnt. **'stel·lu·lar** [-ljulər] *adj* sternchenförmig.
stem[1] [stem] **I** *s* **1.** (Baum)Stamm *m.* **2.** *bot.* a) Stengel *m,* b) (Blüten-, Blatt-, Frucht)Stiel *m,* c) Halm *m:* ~ **leaf** Stengelblatt *n.* **3.** Bündel *n* Ba'nanen. **4.** *allg.* (Pfeifen-, Weinglas- *etc*)Stiel *m.* **5.** a) (Lampen)Fuß *m,* b) (Ven'til)Schacht *m,* c) (Thermo'meter)Röhre *f,* d) (Aufzieh)Welle *f* (*e-r Uhr*). **6.** Geschlecht *n,* Stamm *m.* **7.** *ling.* (Wort)Stamm *m.* **8.** *mus.* (Noten)Hals *m.* **9.** *print.* Grund-, Abstrich *m.* **10.** *mar.* (Vorder)Steven *m:* **from ~ to stern** von vorn bis achtern. **II** *v/t* **11.** entstielen. **III** *v/i* **12.** *bes. Am.* stammen, ('her)kommen (**from** von).
stem[2] [stem] **I** *v/t* **1.** eindämmen (*a. fig.*). **2.** *fig.* a) aufhalten, Einhalt gebieten (*dat*), b) sich entgegen'stemmen (*dat*), ankämpfen gegen (*a. mar.*). **3.** *ein Loch etc* abdichten, abdämmen. **4.** *e-e Blutung* stillen. **5.** *den Ski* zum Stemmbogen ansetzen. **II** *v/i* **6.** *Skisport:* stemmen.
stem·less ['stemlis] *adj* stengellos, ungestielt.
stem·ple ['stempl] *s Bergbau:* Stempel *m,* Stützholz *n.*
stem| turn *s Skisport:* Stemmbogen *m.* **'~-'wind·er** *s* **1.** Remon'toiruhr *f.* **2.** *Am. sl.* a) ‚tolle Sache', b) ‚Mordskerl' *m.* **'~-'wind·ing** *adj* mit Aufziehwelle: ~ **watch** → **stem-winder** 1.
stench [stentʃ] *s* Gestank *m.* **'~-ˌtrap** *s* Siphon *m,* Geruchsverschluß *m.*
sten·cil ['stensl] **I** *s* **1.** a) *a.* ~ **plate** ('Maler)Schaˌblone *f,* b) *print.* ('Wachs)Maˌtrize *f.* **2.** a) Scha'blonenzeichnung *f,* -muster *n,* b) Ma'trizenabzug *m.* **II** *v/t* **3.** schablo'nieren, mittels Scha'blone be- *od.* aufmalen. **4.** auf Ma'trize(n) schreiben.
Sten gun [sten] *s mil.* leichtes Ma'schinengewehr, LMG *n.*
steno ['stenou] *v/t u. v/i colloq.* stenogra'phieren.
sten·o·car·di·a [ˌsteno'kɑːrdiə] *s med.* Stenokar'die *f,* Herzkrampf *m.*
sten·o·graph ['stenəˌgræ(ː)f; *Br. a.* -ˌgrɑːf] **I** *s* **1.** Steno'gramm *n.* **2.** Kurzschriftzeichen *n.* **3.** Stenogra'phiermaˌschine *f.* **II** *v/t* **4.** stenogra'phieren.
ste'nog·ra·pher [-'nɒgrəfər] *s* Steno'graph(in). **ˌsten·o'graph·ic** [-'græfik] *adj* (*adv* ~**ally**) steno'graphisch. **ste'nog·ra·phist** → **stenographer. ste'nog·ra·phy** [-fi] *s* Stenogra'phie *f,* Kurzschrift *f.*
ste·not·ic [sti'nɒtik] *adj med.* (krankhaft) verengend *od.* verengt.
sten·o·type ['stenəˌtaip] → **stenograph** 2 *u.* 3. **'sten·oˌtyp·ist** *s j-d, der e-e Stenographiermaschine bedient.* **'sten·oˌtyp·y** *s* Stenoty'pie *f.*
sten·to·ri·an [sten'tɔːriən] *adj* 'überlaut: ~ **voice** Stentorstimme *f.*
step [step] **I** *s* **1.** Schritt *m* (*a. Geräusch u. Maß*): **a ~ forward** ein Schritt vorwärts (*a. fig.*); **~ by ~** Schritt für Schritt (*a. fig.*); **to take a ~** e-n Schritt machen. **2.** Fußstapfen *m:* **to tread in s.o.'s ~s** *fig.* in j-s Fußstapfen treten. **3.** (*eiliger etc*) Schritt, Gang *m.* **4.** (Tanz)Schritt *m.* **5.** (Mar'schier-, Gleich)Schritt *m:* **in ~** im Gleichschritt; **in ~ with** *fig.* im Einklang mit; **out of ~** außer Tritt; **to break ~** aus dem Schritt kommen; **to fall in ~** Tritt fassen; **to keep ~ with** Schritt halten mit (*a. fig.*); → **retrace**[1] 1. **6.** (*ein*) paar Schritte *pl,* ‚Katzensprung' *m:* **it is only a ~ to my house. 7.** Schritt *m,* Maßnahme *f:* **to take ~s** Schritte unternehmen; **to take legal ~s against s.o.** gegen j-n gerichtlich vorgehen; **a false ~** ein Fehltritt, e-e Dummheit; **watch** (*od.* **mind**) **your ~!** Vorsicht!, paß auf, was du tust! **8.** *fig.* Schritt *m,* Stufe *f.* **9.** Stufe *f* (*e-r Treppe etc*), (Leiter)Sprosse *f.* **10.** Trittbrett *n* (*am Fahrzeug*). **11.** *pl, a.* **pair of ~s** Trittleiter *f.* **12.** *geogr.* Stufe *f,* Ter'rasse *f.* **13.** *mus.* a) (Ton-, Inter'vall)Schritt *m,* b) Inter'vall *n,* c) (Tonleiter)Stufe *f:* **half ~** Halbton(schritt) *m.* **14.** *electr. tech.* (Schalt-, *a.* Verstärker)Stufe *f,* Schaltschritt *m.* **15.** a) (Rang)Stufe *f,* Grad *m,* b) *bes. mil.* Beförderung *f:* **when did he get his ~?** wann wurde er befördert?
II *v/i* **16.** schreiten, treten: **to ~ into a fortune** *fig.* unverhofft zu e-m Vermögen kommen. **17.** (*zu Fuß*) gehen, treten: **~ in!** herein!; **will you ~ this way, please** kommen Sie bitte hier entlang. **18.** (tüchtig) ausschreiten (*bes. Pferd*). **19.** treten ([up]on auf *acc*): **~ on it!** *colloq.* Tempo!; → **gas** 5 b.
III *v/t* **20.** a) *e-n Schritt* machen, b) *e-n Tanz* tanzen: **to ~ it** zu Fuß gehen, tanzen. **21.** *a.* **~ off, ~ out** *e-e Entfernung etc* a) abschreiten, b) abstecken. **22.** abstufen. **23.** mit Stufen versehen. **24.** *tech.* stufenweise ändern.
Verbindungen mit Adverbien:
step| a·side *v/i* **1.** zur Seite treten. **2.** *fig.* zu'rücktreten. **~ back I** *v/i* zu'rücktreten (*a. fig.*). **II** *v/t* abstufen. **~ down I** *v/i* **1.** her-, hin'unterschreiten. **2.** *fig.* ab-, zu'rücktreten. **II** *v/t* **3.** verringern, -zögern. **4.** *electr.* her'untertransforˌmieren. **~ in** *v/i* **1.** eintreten, -steigen. **2.** *fig.* eingreifen. **~ out I** *v/i* **1.** her'austreten, aussteigen. **2.** (*tüchtig*) ausschreiten. **3.** *Am. colloq.* (viel) ausgehen. **4. ~ on** *Am. colloq. Ehepartner* betrügen. **II** *v/t* **5.** → **step** 21 a. **~ up I** *v/i* **1.** hin'auf-, her'aufsteigen. **2.** zugehen (**to** auf *acc*). **3.** sich steigern. **4.** *Am. colloq.* befördert werden. **II** *v/t* **5.** steigern, *die Produktion etc* ankurbeln. **6.** *electr.* 'hochtransforˌmieren. **7.** *Am. colloq. j-n* (im Rang) befördern.
step- [step] *Wortelement mit der Bedeutung* Stief...: ~**brother;** ~**child.**
'step|-ˌby-'~ *adj* schrittweise. **'~-ˌcline** *s biol.* gestufter 'Merkmalsgradiˌent. **'~ˌdame** *obs. für* **stepmother. ~ dance** *s* Step(tanz) *m.* **'~ˌdaugh·ter** *s* Stieftochter *f.* **'~-ˌdown I** *adj electr.* Umspann...: **~ ratio** Untersetzungsverhältnis *n;* **~ transformer** Abwärtstransformator *m.* **II** *s* Verringerung *f.* **'~ˌfa·ther** *s* Stiefvater *m.* **'~-ˌin I** *adj* **1.** zum Hin'einschlüpfen, Schlupf...: **~ dress; ~ mocassins** (*od.* **shoes**) → 3. **II** *s* **2.** *a. pl* (Damen)Schlüpfer *m.* **3.** *pl* Slipper *pl.* **'~ˌlad·der** *s* Trittleiter *f.* **'~ˌmoth·er** *s* Stiefmutter *f, fig. a.* Rabenmutter *f.* **'~ˌmoth·er·ly** *adj* stiefmütterlich.
step·ney ['stepni] *s mot. Br. hist.* Ersatzrad *n.*
'step|-ˌoff *s* Steilabhang *m.* **'~ˌpar·ents** *s pl* Stiefeltern *pl.*
steppe [step] *s geogr.* Steppe *f.*
stepped [stept] *adj a. tech.* (ab)gestuft, Stufen...
step·per ['stepər] *s* **1.** Renner *m,* guter Gänger (*Pferd*). **2.** *Am. colloq.* Tänzer(in).
step·ping stone ['stepiŋ] *s* **1.** (Tritt)Stein *m* (*im Wasser etc*). **2.** *fig.* Sprungbrett *n.*
step| rock·et *s* 'Stufenraˌkete *f.* **'~ˌsis·ter** *s* Stiefschwester *f.* **'~ˌson** *s* Stiefsohn *m.*
stept [stept] *poet. pret u. pp von* **step.**
'step-ˌup I *adj* stufenweise erhöhend: **~ transformer** *electr.* Aufwärtstransformator *m.* **II** *s* Steigerung *f.*
'stepˌwise *adj u. adv* schritt-, stufenweise.
ster·co·ra·ceous [ˌstəːrkə'reiʃəs], **'ster·co·ral** [-rəl] *adj* Kot..., kotartig.
ster·e·o ['sti(ə)riˌou; 'ster-] *colloq.* **I** *s* **1.** → **stereotype** 1. **2.** → **stereoscope. 3.** *Radio etc:* Stereo *n.* **II** *adj* → **stereoscopic.**
ster·e·o·chem·is·try [ˌsti(ə)rio'kemistri; ˌster-] *s* 'Stereo-, 'Raumcheˌmie *f.*
'ster·e·oˌchro·my [-ˌkroumi] *s* Stereochro'mie *f* (*Wandmalerei mit Wasserfarben*).
ster·e·o·gram ['sti(ə)rioˌgræm; 'ster-] *s phys.* **1.** Raumbild *n.* **2.** → **stereograph** I. **'ster·e·oˌgraph** [-ˌgræ(ː)f; *Br. a.* -ˌgrɑːf] **I** *s* stereo'skopisches Bild. **II** *v/t u. v/i* ˌstereophotogra'phieren. **ster·e·og·ra·phy** [ˌsti(ə)ri'ɒgrəfi; ˌster-] *s math.* Stereogra'phie *f,* Körperzeichnung *f.*
ster·e·om·e·ter [ˌsteri'ɒmitər] *s phys.* Stereo'meter *n.* **ˌster·e'om·e·try** [-tri] *s* **1.** *phys.* Stereome'trie *f.* **2.** *math.* Geome'trie *f* des Raumes.
ster·e·o·phon·ic [ˌsti(ə)rio'fɒnik; ˌster-] *adj* stereo'phonisch, Stereoton..., Raum...: **~ sound** Raumton *m;* **~ tape** Stereophonieband *n.*
ster·e·o·plate *s print.* Stereo'typplatte *f,* Stereo *n.*
ster·e·o·scope ['sti(ə)riəˌskoup; 'ster-] *s* Stereo'skop *n.* **ˌster·e·o'scop·ic** [-'skɒpik] *adj* (*adv* ~**ally**) stereo'skopisch: **~ camera** Stereokamera *f;* **~ vision** räumliches Sehen. **ster·e·os·co·py** [ˌsti(ə)ri'ɒskəpi] *s* **1.** Stereosko'pie *f.* **2.** räumliches Sehen.
ster·e·o·type ['sti(ə)riəˌtaip; 'ster-] **I** *s* **1.** *print.* a) Stereoty'pie *f,* Plattendruck *m,* b) Stereo'type *f,* Druckplatte *f.* **2.** *fig.* Kli'schee *n,* Scha'blone *f.* **II** *v/t* **3.** *print.* stereoty'pieren. **4.** *fig.* stereo'typ wieder'holen. **5.** sich e-e Kli'scheevorstellung bilden von. **6.** in e-e feste Form bringen. **'ster·e·oˌtyped** *adj* **1.** *print.* stereoty'piert. **2.** *fig.* a) stereo'typ, unveränderlich, b) kli'schee-, scha'blonenhaft. **'ster·e·oˌtyp·er; 'ster·e·oˌtyp·ist** *s print.* Stereoty'peur *m,* Materngießer *m.* **ˌster·e·o·ty'pog·ra·phy** [-tai'pɒgrəfi] *s print.* Stereo'typdruck(verfahren *n*) *m.* **'ster·e·oˌtyp·y** [-ˌtaipi] *s* Stereoty'pie *f:* a) *print. Druckverfahren,* b) *med.* Reiterati'on *f* (*häufige Wiederholung derselben Bewegungen od. Ausdrücke*).
ster·ic ['sterik] *adj chem.* sterisch.
ster·ile [*Br.* 'sterail; *Am.* -ril] *adj* **1.** *med.* ste'ril, keimfrei: **~ bandage. 2.** *biol. u. fig.* unfruchtbar, ste'ril: **~ cow** (**soil, mind,** *etc*); **a ~ seed** *bot.* ein tauber *od.* nicht keimfähiger Same. **3.** *fig.* fruchtlos: **a ~ discussion; ~ capital** totes Kapital. **4.** *fig.* leer, ge-

dankenarm: ~ **style.** **5.** *fig.* 'unproduk,tiv: a ~ **writer.** [(*a. fig.*).]

ste·ril·i·ty [ste'riliti] *s* Sterili'tät *f*

ster·i·li·za·tion [,sterilai'zeiʃən] *s* **1.** Sterilisati'on *f*: a) *med.* Entkeimung *f*, b) Unfruchtbarmachung *f*. **2.** Sterili'tät *f*. **'ster·i,lize** *v/t* **1.** *med.* sterili'sieren: a) entkeimen, keimfrei machen, b) unfruchtbar machen (*a. fig.*). **2.** *den Boden* ausmergeln. **3.** *fig.* abtöten, ‚ka'strieren'. **4.** *Kapital etc* nicht gewinnbringend anlegen. **'steri,liz·er** *s* Sterili'sator *m* (*Apparat*).

ster·let ['stəːrlit] *s ichth.* Sterlet *m*.

ster·ling ['stəːrliŋ] **I** *adj* **1.** Sterling(...): **ten pounds** ~ 10 Pfund Sterling; ~ **area** Sterlinggebiet *n*, -block *m*. **2.** von Standardwert (*Gold, Silber*). **3.** *fig.* lauter, echt, gediegen, bewährt: a ~ **character** ein lauterer Charakter; ~ **merit** hervorragendes Verdienst. **II** *s* **4.** Sterling *m* (*Währung*). **5.** *Br.* Standardfeingehalt *m* (*für Münzen*). **6.** Sterlingsilber *n*. **7.** Sterlingsilberwaren *pl*.

stern¹ [stəːrn] *adj* (*adv* ~**ly**) **1.** streng, hart (to mit, gegen): ~ **necessity** bittere Notwendigkeit. **2.** unnachgiebig, eisern: a ~ **resolve.** **3.** finster, streng, abschreckend.

stern² [stəːrn] *s* **1.** *mar.* Heck *n*, Achterschiff *n*: ~ **on** mit dem Heck nach vorn; (**down**) **by the** ~ hecklastig; → **stem¹** 10. **2.** a) 'Hinterteil *n*, Gesäß *n*, b) *zo.* Schwanz *m*. **3.** *allg.* Heck *n*, hinterer Teil.

ster·nal ['stəːrnl] *adj anat.* Brustbein...

stern| chas·er *s mar. hist.* Heckgeschütz *n*. ~ **fast** *s mar.* Achtertau *n*. **,~'fore,most** *adv* **1.** *mar.* über Steuer, rückwärts. **2.** *fig.* ungeschickt. ~ **frame** *s mar.* **1.** Spiegelspant *n*. **2.** 'Hintersteven *m*. **'~,most** [-,moust] *adj* (zu)'achterst.

stern·ness ['stəːrnnis] *s* **1.** Strenge *f*, Härte *f*. **2.** Unbeugsamkeit *f*. **3.** Düsterkeit *f*.

ster·no·cos·tal [,stəːrno'kɒstl] *adj anat.* sternoko'stal (*Brustbein u. Rippen betreffend*).

'stern|,post *s mar.* Achtersteven *m*. ~ **rope** → **stern fast.** ~ **sheets** *s pl mar.* Achtersitze *pl* (*e-s Boots*).

ster·num ['stəːrnəm] *pl* **-nums, -na** [-nə] *s anat.* Brustbein *n*.

ster·nu·ta·tion [,stəːrnju'teiʃən] *s med.* Niesen *n*.

'stern|,way *s mar.* Heckfahrt *f*. ~ **wheel** *s mar.* Heckrad *n*. **'~-'wheel·er** *s* Heckraddampfer *m*.

ster·ol ['sterɒl; -roul] *s chem.* Ste'rin *n*.

ster·to·rous ['stəːrtərəs] *adj* (*adv* ~**ly**) schnarchend, röchelnd.

stet [stet] (*Lat.*) *print.* **I** *interj* bleibt!, stehen lassen! **II** *v/t* mit ‚stet' *od.* Pünktchen mar'kieren.

steth·o·scope ['steθə,skoup] *med.* **I** *s* Stetho'skop *n*, Hörrohr *n*. **II** *v/t* abhorchen. **,steth·o'scop·ic** [-'skɒpik] *adj* (*adv* ~**ally**) stetho'skopisch. **ste'thos·co·py** [-'θɒskəpi] *s* Stethosko'pie *f*.

stet·son ['stetsn] *s* Schlapphut *m* (*der Cowboys u. im 1. Weltkrieg der austral. u. neuseeländischen Soldaten*).

ste·ve·dore ['stiːvi,dəːr] *s mar.* **1.** Schauermann *m*, Stauer *m*. **2.** Stauer *m*, Schiffsbelader *m* (*Unternehmer*).

stew¹ [stjuː] **I** *v/t* **1.** schmoren, dämpfen, langsam kochen: → **stewed.** **2.** ~ **up** *Am. colloq.* aufregen. **II** *v/i* **3.** schmoren: → **juice** 1. **4.** *fig.* schmoren, braten, ‚vor Hitze fast 'umkommen'. **5.** *colloq.* sich aufregen. **III** *s* **6.** Eintopf-, Schmorgericht *n*. **7.** *sl. Br. obs. od. Am.* Bor'dell *n*. **8.** *Am. colloq.* Elendsviertel *n*. **9.** *colloq.* Aufregung *f*: to be in a ~ in ‚Schwulitäten' sein.

stew² [stjuː] *s* **1.** *Br.* Fischteich *m*, -behälter *m*. **2.** künstliche Austernbank.

stew·ard ['stjuːərd] *s* **1.** Verwalter *m*. **2.** In'spektor *m*, Aufseher *m*. **3.** Haushofmeister *m*. **4.** Butler *m*. **5.** Tafelmeister *m*, Kämmerer *m* (*e-s College, Klubs etc*). **6.** *mar.* a) Provi'antmeister *m*, b) Steward *m*. **7.** (Fest- *etc*)Ordner *m*, *mot.* 'Rennkommis,sar *m*. **'stew·ard·ess** *s* **1.** a) *mar.* Stewardeß *f*, b) *aer.* Stewardeß *f*, Flugbegleiterin *f*. **2.** Verwalterin *f*. **'stew·ard,ship** *s* **1.** Verwalteramt *n*. **2.** Verwaltung *f*.

stewed [stjuːd] *adj* **1.** geschmort, gedämpft, gedünstet. **2.** zu stark (*Tee*). **3.** *sl.* ‚besoffen'.

'stew|,pan *s* Schmorpfanne *f*, Kasse'rolle *f*. **'~,pot** *s* Schmortopf *m*.

sthe·ni·a [sθə'naiə; 'sθiːniə] *s med.* Sthe'nie *f*, (Reakti'ons)Kraft *f*. **sthen·ic** ['sθenik] *adj med.* sthenisch, kräftig.

stib·i·al ['stibiəl] *adj chem. min.* spießglanzartig, Antimon... **'stib·ine** [-iːn; -ain; -in] *s chem.* Sti'bin *n*. **'stib·i·um** [-iəm] *s chem.* Anti'mon *n*.

stich [stik] *s metr.* Vers *m*, Zeile *f*.

stich·o·myth·i·a [,stiko'miθiə] *s* Stichomy'thie *f* (*Form des Dialogs, bei der Rede u. Gegenrede auf je e-n Vers verteilt sind*).

stick¹ [stik] **I** *s* **1.** a) Stecken *m*, Stock *m*, (trockener) Zweig, b) *pl* Klein-, Brennholz *n*: (**dry**) ~**s** (dürres) Reisig. **2.** Scheit *n*, Stück *n* Holz. **3.** Gerte *f*, Rute *f*. **4.** Stengel *m*, Stiel *m* (*Rhabarber, Sellerie*). **5.** Stock *m* (*a. fig. Schläge*), Stab *m*, Knüttel *m*, Prügel *m*: **he wants the** ~ er verdient e-e Tracht Prügel; **any** ~ **to beat a dog** *fig.* ein Vorwand ist bald gefunden; **to get (give) the** ~ e-e Tracht Prügel bekommen (verabreichen); **he got hold of the wrong end of the** ~ a) er hat es *od.* die Sache falsch verstanden, b) er wurde schwer benachteiligt; **not a** ~ (**of furniture**) kein Stück, nicht ein Möbelstück; **in a cleft** ~ in der Klemme. **6.** *mus.* a) Taktstock *m*, b) (Trommel)Schlegel *m*, c) (Geigen)Bogen *m*. **7.** (Spa'zier)Stock *m*. **8.** (Besen- *etc*)Stiel *m*. **9.** a) (Zucker-, Siegellack)Stange *f*, b) (Stück *n*) Ra'sierseife *f*, c) (Lippen- *etc*)Stift *m*. **10.** (Dyna'mit)Ladung *f*. **11.** Amtsstab *m*. **12.** *sport* a) (*bes.* Hockey)Schläger *m*: ~**s** Stockfehler *m*, b) Hürde *f*. **13.** *aer.* Steuerknüppel *m*. **14.** *print.* Winkelhaken *m*. **15.** *aer. mil.* a) (Bomben)Reihe *f*: ~ **bombing** Reihenwurf *m*, b) Gruppe *f* (abspringender) Fallschirmjäger. **16.** *pl Am. colloq.* hinterste Pro'vinz. **17.** *colloq.* a) ‚Stock(fisch)' *m*, Fadian *m*, b) *allg.* Kerl *m*: **a queer** ~ ein ‚komischer Kauz'. **18.** *Am.* Schuß *m* (*Alkohol*).

II *v/t* **19.** *e-e Pflanze* mit e-m Stock stützen. **20.** *print. Typen* a) setzen, b) in e-m Winkelhaken anein'anderreihen.

stick² [stik] **I** *s bes. Am.* **1.** Stich *m*, Stoß *m*. **2.** a) Stillstand *m*, b) Hindernis *n*. **3.** a) Haftvermögen *n*, b) klebrige Sub'stanz.

II *v/t pret u. pp* **stuck** [stʌk] **4.** a) durch'stechen, -'bohren, b) erstechen. **5.** (ab)stechen: to ~ **pigs.** **6.** stechen mit (in, into in *acc*; through durch): to ~ **a pin into a balloon.** **7.** stecken, stoßen: to ~ **a knife into s.th.** **8.** stekken: to ~ **a flower in one's buttonhole.** **9.** spicken: **a coat stuck with badges.** **10.** stecken, aufspießen: to ~ **a potato on a fork.** **11.** stecken, strekken: to ~ **one's head out of the window;** to ~ **out one's arm (chest, tongue)** den Arm (die Brust, die Zunge) herausstrecken. **12.** anstecken, anheften. **13.** kleben: to ~ **a stamp on a letter;** to ~ **together** zs.-kleben. **14.** *Photos* (ein)kleben. **15.** bekleben. **16.** zum Stecken bringen, festfahren: **to be stuck** a) *im Schlamm etc* stekkenbleiben, b) *a. fig.* festsitzen, nicht mehr weiterkönnen; **to be stuck on** *colloq.* vernarrt sein in (*acc*); **to be stuck with s.th.** etwas ‚am Hals' haben. **17.** *colloq.* verwirren, in Verlegenheit bringen: **he stuck me with a puzzle; to be stuck for s.th.** verlegen sein um etwas. **18.** *colloq.* *j-n* ‚blechen lassen' (for für). **19.** *sl.* *j-n* ‚leimen', prellen. **20.** *sl. etwas od. j-n* (v)ertragen, ausstehen, -halten: **I can't** ~ **him.** **21.** ~ **it (out)** *Br. colloq.* es aushalten, 'durchhalten. **22.** ~ **it on** *colloq.* a) e-n Preis verlangen, b) ‚dick auftragen', über'treiben.

III *v/i* **23.** stecken: **a nail** ~**s in the wall.** **24.** (fest)kleben, haften (to an *dat*): **it does not** ~ es klebt *od.* hält nicht; to ~ **together** zs.-kleben. **25.** (to) sich halten *od.* (fest)klammern (an *dat*), sich heften (an *acc*): **she** ~**s like a bur** sie hängt sich an wie e-e Klette; **they stuck to his heels** sie hefteten sich an s-e Fersen. **26.** haften(bleiben), hängenbleiben (*a. fig.*): **some of it will** ~ etwas (*von e-r Verleumdung*) bleibt immer hängen; to ~ **in the mind** im Gedächtnis haftenbleiben; **that name stuck to him** dieser Name blieb an ihm hängen; **to make s.th.** ~ *fig.* dafür sorgen, daß etwas sitzt. **27.** ~ **to** bei *j-m od. e-r Sache* bleiben, sich an *j-n* halten, *j-m* nicht von der Seite weichen, zu *j-m, s-m Wort etc* stehen, bei *s-r Ansicht* bleiben, *j-m od. e-r Sache* treu bleiben: to ~ **to the point** bei der Sache bleiben; to ~ **to it** dranbleiben, es durchhalten; to ~ **together** zs.-halten; → **gun** 1. **28.** steckenbleiben: **it stuck in my throat;** to ~ **fast** hoffnungslos festsitzen; → **mud** 2. **29.** a) verwirrt sein, b) zögern, sich stoßen (at an *dat*), c) zu'rückschrecken (at vor *dat*): to ~ **at nothing** vor nichts zurückschrecken. **30.** her'vorstehen (from, out of aus), stehen (up in die Höhe).

Verbindungen mit Adverbien:

stick| a·round *v/i* **1.** dableiben, in der Nähe bleiben, sich verfügbar halten. **2.** her'umlungern. ~ **out I** *v/i* **1.** ab-, her'vor-, her'ausstehen. **2.** *fig.* auffallen: → **mile** 1. **3.** bestehen (for auf *dat*). **4.** *Am. sl.* streiken. **II** *v/t* **5.** her'ausst(r)ecken: → **stick²** 11, **neck** *Bes. Redew.* **6.** → **stick²** 21. ~ **up I** *v/t* **1.** *sl.* über'fallen, ausrauben: to ~ **a bank.** **II** *v/i* **2.** in die Höhe stehen. **3.** ~ **for** *colloq.* sich einsetzen für. **4.** ~ **to** 'Widerstand entgegensetzen (*dat*).

'stick|-at-'noth·ing *adj colloq.* skrupellos. ~ **con·trol** *s aer.* **1.** Knüppelsteuerung *f*. **2.** Steuerknüppel *m*.

stick·er ['stikər] *s* **1.** a) Stecher *m*, Schweineschlächter *m*, b) Schlachtmesser *n*. **2.** Pla'katankleber *m*. **3.** a) Klebestreifen *m*, b) (Auf)Klebezettel *m*, c) *mot. Am.* ‚Zettel' *m* (*polizeiliche Vorladung*). **4.** zäher Kerl. **5.** treue Seele, Unentwegte(r *m*) *f*. **6.** *colloq.* ‚Hocker' *m*, (zu) lange bleibender Gast. **7.** *econ. colloq.* Ladenhüter *m*. **8.** ‚harte Nuß', kniffliges Pro'blem.

stick·i·ness ['stikinis] *s* **1.** Klebrigkeit

f. **2.** Schwüle *f.* **3.** Unnachgiebigkeit *f.* **4.** Schwierigkeit *f.*

stick·ing| place ['stikiŋ] *s* **1.** Anschlag *m,* Haltepunkt *m* (*e-r Schraube etc*). **2.** *fig.* (*das*) Äußerste: to the ~ zum Äußersten *od.* Letzten. ~ **plas·ter** *s* Heftpflaster *n.* ~ **point** → sticking place.

'stick-in-the-'mud I *adj* **1.** träge, schlafmützig. **II** *s* **2.** ,Schlafmütze' *f.* **3.** Rückschrittler *m,* 'Ultrakonserva-ˌtive(r *m*) *f.*

'stick|-ˌjaw *s bes. Br. colloq.* **1.** ,Plombenzieher' *m* (*zäher Bonbon etc*). **'~-ˌlac** *s* Stocklack *m.*

stick·le ['stikl] *v/i* **1.** hartnäckig zanken *od.* streiten (for um): to ~ for s.th. etwas hartnäckig verfechten. **2.** Bedenken äußern.

stick·le·back ['stiklˌbæk] *s ichth.* Stichling *m.*

stick·ler ['stiklər] *s* **1.** Eiferer *m.* **2.** Verfechter(in) (for *gen*). **3.** Kleinigkeitskrämer(in), Pe'dant(in), j-d, der es ganz genau nimmt (for mit): a ~ for detail; I am no ~ for ceremony ich bestehe nicht auf Förmlichkeit. **4.** → sticker 8.

stick-to-it·ive [ˌstik'tuːitiv] *adj Am. colloq.* zäh, hartnäckig. **ˌstick-'to-it·ive·ness** *s Am. colloq.* Zähigkeit *f.*

stick·um ['stikəm] *s Am. colloq.* Kleister *m,* Klebstoff *m.*

'stick|-ˌup I *adj* **1.** in die Höhe stehend: ~ collar → 4. **2.** Kleb(e)... **3.** *sl.* Raub...: ~ man → 5b. **II** *s* **4.** Stehkragen *m.* **5.** *sl.* a) ('Raub)ˌÜberfall *m,* b) Ban'dit *m.*

stick·y ['stiki] *adj* **1.** klebrig: ~ charge *mil.* Haftladung *f*; ~ label *Br.* Klebezettel *m.* **2.** schwül, stickig: ~ weather. **3.** verklemmt: ~ windows. **4.** *colloq. fig.* a) eklig, unangenehm, b) schwierig, heikel: a ~ problem, c) heikel, kritisch (about hinsichtlich *gen*): to be ~ about doing s.th. etwas nur ungern tun, d) starr, unnachgiebig: ~ prices, e) schleppend: ~ supply, f) schwer verkäuflich: ~ merchandise, g) kitschig: a ~ death scene, h) hölzern, steif (*Person*).

stiff [stif] **I** *adj* (*adv* ~ly) **1.** *allg.* steif, starr: ~ collar (face, *etc*); ~ neck steifer Hals; → lip 1. **2.** zäh, dick, steif: ~ dough. **3.** steif (*Brise*), stark (*Wind, Strömung*). **4.** a) stark, scharf (*alkoholische Getränke*), *bes.* steif (*Grog*), b) stark (*Medizin*). **5.** *fig.* starr(köpfig) (*Person*). **6.** *fig.* a) hart: ~ adversary (fight, *etc*), b) scharf: ~ competition (opposition), c) hartnäckig: ~ resistance. **7.** schwierig, hart: a ~ task. **8.** hart: a ~ penalty. **9.** *econ.* a) sta'bil, fest, b) über'höht: ~ prices; a ~ market e-e stabile Marktlage. **10.** steif, for'mell, gezwungen. **11.** a) steif, linkisch, b) starr, sche'matisch: a ~ style. **12.** *colloq.* unglaublich: a bit ~ ziemlich stark, ,allerhand'. **13.** *colloq.* ,zu Tode' (*gelangweilt, erschrocken*): bored (scared) ~. **14.** *Am. sl.* ,blau', ,besoffen'.
II *s sl.* **15.** Leiche *f.* **16.** ,müder Klepper' (*Rennpferd*). **17.** a) Langweiler *m,* Fadian *m,* b) *a.* big ~ ,Blödmann' *m.* **18.** *Am.* a) ,Lappen' *m* (*Banknote*), b) ,Blüte' *f* (*Falschgeld*), c) ,Fetzen' *m* (*Dokument*), d) ,Kas'siber' *m* (*im Gefängnis*). **19.** *Am.* ,Besoffene(r' *m*) *f.* **'~-'backed** *adj* **1.** mit steifem Rükken. **2.** *fig.* äußerst kor'rekt *od.* for'mell.

stiff·en ['stifn] **I** *v/t* **1.** (ver)steifen, (ver)stärken, *Stoff etc* steifen, stärken. **2.** steif *od.* starr machen (*Flüssigkeit, Glieder*), verdicken (*Flüssigkeit etc*). **3.** *fig.* (be)stärken, *j-m* den Nacken *od.* Rücken steifen. **4.** *fig.* a) (ver)stärken, b) verschärfen: to ~ the competition. **5.** *econ.* festigen. **II** *v/i* **6.** sich versteifen *od.* verstärken *od.* verschärfen (*alle a. fig.*). **7.** steif *od.* starr werden. **8.** *fig.* sich versteifen *od.* verhärten, hart *od.* unnachgiebig werden. **9.** *fig.* werden (into zu). **10.** steif *od.* förmlich werden. **11.** *econ.* sich festigen. **'stiff·en·er** *s* **1.** Versteifung *f.* **2.** *colloq.* ,Seelenwärmer' *m,* Stärkung *f* (*Schnaps etc*). **'stiff·en·ing** *s* Versteifung *f*: a) Steifwerden *n,* b) 'Steifmateriˌal *n.*

'stiff-'necked *adj fig.* halsstarrig.

stiff·ness ['stifnis] *s* **1.** Steifheit *f* (*a. fig.*), Starrheit *f.* **2.** Zähigkeit *f,* Dickflüssigkeit *f.* **3.** *fig.* Härte *f,* Schärfe *f.*

sti·fle¹ ['staifl] **I** *v/t* **1.** ersticken: to ~ s.o. (a fire, revolt, *etc*). **2.** ersticken, unter'drücken: to ~ a cry (yawn, oath, *etc*). **II** *v/i* **3.** (*weitS.* schier) ersticken.

sti·fle² ['staifl] *s zo.* **1.** *a.* ~ joint Kniegelenk *n* (*Pferd, Hund*): ~ bone Kniescheibe *f* (*des Pferdes*). **2.** *vet.* Kniegelenkgalle *f* (*Pferd*).

sti·fling ['staifliŋ] *adj* (*adv* ~ly) erstickend (*a. fig.*), stickig.

stig·ma ['stigmə] *pl* **-mas, -ma·ta** [-mətə] *s* **1.** Brandmal *n,* Schandfleck *m,* Stigma *n.* **2.** Merkmal *n.* **3.** *med.* Sym'ptom *n.* **4.** (*pl* -mata) Stigma *n*: a) *med.* (Wund)Mal *n* (*periodisch blutend*), b) *meist pl R.C.* Wundmal(e *pl*) *n* (Christi). **5.** *zo.* Stigma *n*: a) Augenfleck *m* (*der Flagellaten*), b) Luftloch *n* (*der Insekten*). **6.** *bot.* Narbe *f,* Stigma *n* (*der Blüte*). **stig'mat·ic** [-'mætik] **I** *adj* **1.** stig'matisch, gezeichnet, gebrandmarkt. **2.** *bot.* narbenartig. **3.** *opt.* (ana)stig'matisch. **II** *s* → stigmatist. **'stig·ma·tist** *s R.C.* Stigmati'sierte(r *m*) *f.* **ˌstig·ma·ti'za·tion** *s* Stigmati'sierung *f.* **'stig·maˌtize** *v/t* **1.** *bes. fig.* brandmarken, (kenn)zeichnen. **2.** *med. R.C.* stigmati'sieren.

stil·bite ['stilbait] *s min.* Stil'bit *m.*

stile¹ [stail] *s* Zauntritt *m.*

stile² [stail] *s* Seitenstück *n* (*e-r Täfelung*), Höhenfries *m* (*e-r Tür*).

sti·let·to [sti'letou] *pl* **-tos** *s* **1.** Sti'lett *n.* **2.** Schnürlochstecher *m.* ~ **heel** *s* Pfennigabsatz *m.*

still¹ [stil] **I** *adj* (*adv* stilly) **1.** still, reg(ungs)los, unbeweglich: to stand ~ stillstehen. **2.** still, ruhig, lautlos: keep ~! sei(d) still! **3.** still, leise. **4.** ruhig, friedlich, still. **5.** still: a ~ lake; ~ waters run deep stille Wasser sind tief. **6.** nicht schäumend: ~ wine Stillwein *m.* **7.** *phot.* Stand..., Steh..., Einzel(aufnahme)... **II** *s* **8.** *poet.* Stille *f*: in the ~ of night. **9.** *phot.* Standphoto *n,* Einzelaufnahme *f* (*Ggs Film*). **10.** → still alarm. **III** *v/t* **11.** *Geräusche etc* zum Schweigen bringen. **12.** *den Wind, e-e Leidenschaft etc* beruhigen, stillen. **IV** *v/i* **13.** still werden, sich beruhigen.

still² [stil] **I** *adv* **1.** (immer) noch, noch immer, bis jetzt: points ~ unsettled bis jetzt *od.* noch (immer) ungeklärte Fragen. **2.** (*beim comp*) noch, immer: ~ higher (*od.* higher ~) noch höher; ~ more so because um so mehr als. **3.** dennoch, doch. **4.** *poet. od. dial.* immer, stets. **II** *conj* **5.** und doch, (und) dennoch, in'des(sen).

still³ [stil] **I** *s* **1.** a) Destil'lierkolben *m,* b) Destil'lierappaˌrat *m.* **2.** → distillery. **II** *v/t u. v/i* **3.** *obs. od. poet.* destil'lieren.

still·age ['stilidʒ] *s* Gestell *n.*

still| a·larm *s bes. Am.* stiller 'Feuer-aˌlarm. **'~ˌbirth** *s* Totgeburt *f.* **'~ˌborn** *adj* totgeboren (*a. fig.*). **'~-ˌfish** *v/i* vom verankerten Boot aus angeln. ~ **hunt** *s Am.* **1.** Pirsch(jagd) *f.* **2.** *colloq.* heimliche Jagd (for auf *acc*), *pol.* heimliche Kam'pagne. **'~-ˌhunt** *Am.* **I** *v/i* pirschen. **II** *v/t* anpirschen. ~ **life** *s irr paint.* Stilleben *n.*

still·ness ['stilnis] *s* Stille *f.*

'stillˌroom *s bes. Br.* **1.** *hist.* Destillati'onsraum *m.* **2.** a) Vorratskammer *f,* b) Ser'vierraum *m.*

Still·son wrench ['stilsn] *s tech. Am.* (*ein*) Gelenk-Hakenschlüssel *m.*

still·y ['stili] *adj poet. u. adv* still, ruhig.

stilt [stilt] *s* **1.** Stelze *f*: on ~s a) auf Stelzen (*a. fig.*), b) *fig.* → stilted 1. **2.** *arch.* Pfahl *m,* Pfeiler *m.* **3.** *a.* ~ bird *orn.* Stelzenläufer *m.* **'stilt·ed** *adj* (*adv* ~ly) **1.** gestelzt, gespreizt, geschraubt: ~ style. **2.** *arch.* erhöht. **'stilt·ed·ness** *s* Gespreiztheit *f etc.*

stim·u·lant ['stimjulənt] **I** *s* **1.** *med.* Stimulans *n,* Anregungs-, Reiz-, Weckmittel *n.* **2.** Genußmittel *n, bes.* Alkohol *m.* **3.** Anreiz *m* (of für). **II** *adj* → stimulating 1.

stim·u·late ['stimjuˌleit] **I** *v/t* **1.** *med. etc, a. fig.* stimu'lieren, anregen, beleben, (*durch Alkohol a.*) ani'mieren, *fig. a.* anspornen (s.o. into j-n zu *etwas*). **2.** *fig. etwas* ankurbeln, in Schwung bringen: to ~ production. **II** *v/i* **3.** anregen, beleben. **'stim·u-ˌlat·ing** *adj* **1.** *a. fig.* anregend, belebend, stimu'lierend. **2.** *fig.* anspornend. **ˌstim·u'la·tion** *s* **1.** Anreiz *m,* Antrieb *m,* Anregung *f,* Belebung *f.* **2.** angeregter Zustand. **3.** *med.* Reiz *m,* Reizung *f.* **'stim·uˌla·tive** *adj* → stimulating: to be ~ of (*od.* to) → stimulate. **'stim·uˌla·tor** [-tər] *s* **1.** Beleber *m.* **2.** → stimulant 1. **3.** Anreiz *m.* **'stim·u·lus** ['stimjuləs] *pl* **-li** [-ˌlai] *s* **1.** Stimulus *m*: a) (An)Reiz *m,* Antrieb *m,* Ansporn *m*: under the ~ of getrieben von, b) *med.* Reiz *m*: ~ threshold Reizschwelle *f.* **2.** → stimulant 1. **3.** *bot.* Nesselhaar *n.*

sti·my → stymie.

sting [stiŋ] **I** *v/t pret* **stung** [stʌŋ] *od. obs.* **stang** [stæŋ], *pp* **stung 1.** stechen. **2.** beißen, brennen in *od.* auf (*dat*). **3.** schmerzen, weh tun (*Schlag etc*), peinigen: stung with remorse von Reue geplagt. **4.** anstacheln, reizen (into zu). **5.** *sl. j-n* ,neppen', betrügen (for um *Geld etc*). **II** *v/i* **6.** stechen. **7.** brennen, beißen (*Pfeffer etc*). **8.** schmerzen, weh tun (*a. fig.*). **III** *s* **9.** Stachel *m* (*e-s Insekts*; *a. fig.*): the ~ of death (jealousy, *etc*). **10.** Stich *m,* Biß *m*: ~ of conscience Gewissensbiß *od.* -bisse. **11.** Pointe *f,* Spitze *f* (*e-s Epigramms etc*). **12.** Schwung *m,* Wucht *f,* ,Gift' *n.* **13.** *bot.* → stimulus 3.

sting·a·ree ['stiŋəˌriː; ˌstiŋə'riː] → stingray.

sting·er ['stiŋər] *s* **1.** a) stechendes In'sekt, b) stechende Pflanze. **2.** *colloq.* a) schmerzhafter Schlag, b) beißende Bemerkung. **3.** *Am.* Cocktail *m* aus Brandy u. Li'kör.

stin·gi·ness ['stindʒinis] *s* Geiz *m.*

sting|·ing ['stiŋiŋ] *adj* (*adv* ~ly) **1.** *bot. zo.* stechend. **2.** *fig.* a) schmerzhaft: a ~ blow, b) schneidend, beißend: ~ cold (wind), c) beißend, scharf, verletzend: a ~ remark. ~ **net·tle** *s bot.* Brennessel *f.*

sting·less ['stiŋlis] *adj biol.* stachellos.

'stingˌray *s ichth.* Stachelrochen *m.*

stin·gy ['stindʒi] *adj* (*adv* stingily) **1.**

geizig, ,knick(e)rig': to be ~ of s.th. mit etwas knausern. 2. dürftig.

stink [stiŋk] I *v/i pret* **stank** [stæŋk], **stunk** [stʌŋk], *pp* **stunk** 1. stinken, unangenehm *od.* übel riechen (of nach): he ~s of money *sl.* ,er stinkt vor Geld'. 2. *fig.* verrufen sein, ,stinken': it stinks to heaven es stinkt zum Himmel; → nostril. 3. *fig. colloq.* ('hunds)mise,rabel sein. II *v/t* 4. *oft* ~ up verstänkern. 5. *meist* ~ out a) ausräuchern, b) *j-n* durch Gestank vertreiben. 6. *sl.* riechen. III *s* 7. Gestank *m.* 8. *Am. colloq.* (billiges) Par'füm. 9. *pl Br. sl.* Che'mie *f.* 10. *Am. colloq.* Skan'dal *m,* (Mords)Krach *m.*

stink·ard ['stiŋkərd] *s* 1. *zo.* Stinktier *n.* 2. *sl.* Dreckskerl *m.*

'stink|,ball *s mar. hist.* Stinkbombe *f.* ~ **bomb** *s* Stinkbombe *f.*

stink·er ['stiŋkər] *s* 1. ,Stinker' *m.* 2. a) ,Stinka'dores' *m* (*Käse*), b) ,Stinka'dores' *f* (*Zigarre*). 3. *sl.* ,Ekel' *n,* Dreckskerl *m.* 4. *sl.* a) gemeiner Brief, b) böse Bemerkung *od.* Kri'tik, c) ,böse' (*schwierige*) Sache, d) *Am.* mise'rable Sache.

stink·ing ['stiŋkiŋ] *adj* (*adv* ~ly) 1. übelriechend, stinkend. 2. *vulg.* a) widerlich, gemein, b) mise'rabel. 3. *sl.* → stinko. ~ **badg·er** *s* Stinkdachs *m.*

stinko ['stiŋkou] *adj Am. sl.* ,stinkbesoffen'.

'stink,pot *s mar. hist.* Stinktopf *m.*

stint[1] [stint] I *v/t* 1. *j-n od. etwas* einschränken, *j-n* kurz- *od.* knapphalten (in, of mit): to ~ o.s. of sich einschränken mit, sich *etwas* versagen. 2. knausern *od.* kargen mit: to ~ food (money, praise). II *s* 3. Be-, Einschränkung *f*: without ~ ohne Einschränkung, reichlich, rückhaltlos. 4. *obs.* a) (vorgeschriebenes) Maß, b) (zugewiesene) Arbeit, Pensum *n*: to do one's daily ~ sein Tagespensum erledigen. 5. *Bergbau*: Schicht *f.*

stint[2] [stint] *s orn.* (*ein*) Strandläufer *m.*

stint·ed ['stintid] *adj* (*adv* ~ly) knapp, karg.

sti·pate ['staipeit] *adj bot.* (dicht) gedrängt.

stipe [staip] *s bot.* Stiel *m* (*a. zo.*), Stengel *m,* Strunk *m.*

sti·pel ['staipl] *s bot.* sekun'däres Nebenblättchen.

sti·pend ['staipend] *s* 1. Gehalt *n* (*bes. e-s Geistlichen od. Lehrers od. Magistratsbeamten*). 2. Pensi'on *f.*

sti·pen·di·ar·y [*Br.* stai'pendjəri; *Am.* -di,eri] I *adj* 1. besoldet: ~ magistrate → 3. 2. Gehalts... II *s* 3. *Br.* Poli'zeirichter.

stip·i·tate ['stipi,teit] *adj bot. zo.* gestielt.

stip·ple ['stipl] I *v/t* 1. *paint.* tüpfeln, in Punk'tierma,nier malen *od.* stechen, punk'tieren. II *s* 2. *paint.* Punk'tierma,nier *f,* Pointil'lismus *m.* 3. Punk'tierung *f.* 4. *fig.* 'Tüpfelef,fekt *m.* **'stip·pler** *s* 1. Punk'tierer *m,* Pointil'list *m.* 2. Punk'tiernadel *f.*

stip·u·lar ['stipjulər], **'stip·u·lar·y** *adj bot.* nebenblattartig, mit Nebenblättern versehen.

stip·u·late ['stipju,leit] *bes. econ. jur.* I *v/i* 1. (for) a) e-e Vereinbarung treffen (über *acc*), b) (*etwas*) zur Bedingung machen. II *v/t* 2. festsetzen, vereinbaren, ausbedingen: as ~d wie vereinbart. 3. *jur.* *e-n Tatbestand* einverständlich außer Streit stellen. **,stip·u'la·tion** *s* 1. *econ. jur.* (vertragliche) Abmachung, Über'einkunft *f.* 2. *jur.* Klausel *f,* Bedingung *f.* 3. *jur.* Par'teienüber,einkunft *f.* **'stip·u,la·tor** [-tər] *s jur.* Ver'tragspar,tei *f,* Kontra'hent *m.*

stip·ule ['stipju:l] *s bot.* Nebenblatt *n.*

stir[1] [stə:r] I *v/t* 1. ('um)rühren: to ~ up a) gut durch- *od.* umrühren, b) *Schlamm* aufwühlen. 2. *das Feuer* (an)schüren. 3. *Glied etc* rühren, bewegen: → finger 1. 4. (leicht) bewegen: the wind ~red the leaves. 5. ~ up *fig.* *j-n* auf-, wachrütteln. 6. ~ up *fig.* a) *j-n* aufreizen, -hetzen, b) *Neugier etc* erregen, c) *Streit etc* entfachen, d) *Erinnerungen* wachrufen; to ~ up s.o.'s blood j-s Blut in Wallung bringen. 7. *fig.* bewegen, erregen, aufwühlen.

II *v/i* 8. sich rühren, sich bewegen, sich regen: not to ~ from the spot sich nicht von der Stelle rühren. 9. sich rühren (lassen): the starch paste ~s easily. 10. sich rühren *od.* regen, rührig *od.* geschäftig sein: he never ~red abroad (*od.* out of house) er ging nie aus. 11. a) im 'Umlauf *od.* Gange sein, laut werden, b) geschehen, sich ereignen. 12. wach *od.* rührig werden, erwachen (*a. fig.*): he is not ~ring yet er ist noch nicht auf(gestanden).

III *s* 13. Rühren *n,* Bewegen *n.* 14. Bewegung *f*: not a ~ nicht die geringste Bewegung. 15. Aufregung *f,* Aufruhr *m,* Tu'mult *m.* 16. Betriebsamkeit *f,* reges Treiben. 17. Aufsehen *n,* Sensati'on *f*: to make (*od.* create) a ~ Aufsehen erregen. 18. *fig.* (An)Stoß *m,* Aufrüttelung *f.*

stir[2] [stə:r] *s sl.* ,Kittchen' *n,* ,Knast' *m* (*Gefängnis*).

stir·a·bout ['stə:rə,baut] *s* 1. *Br.* Porridge *n, m.* 2. → stir[1] 16.

stirk [stə:rk] *s Br.* 1. junges (*einjähriges*) Rind. 2. *fig.* ,Ochse' *m.*

stir·pi·cul·ture ['stə:rpi,kʌltʃər] *s biol.* Rassenzüchtung *f,* -pflege *f.*

stirps [stə:rps] *pl* **stir·pes** ['stə:rpi:z] (*Lat.*) *s* 1. Stamm *m,* Fa'milie(nzweig *m*) *f.* 2. *jur.* a) Stammvater *m,* b) Stamm *m*: per stirpes Erbfolge nach Stämmen. 3. *biol.* Gattung *f.*

stir·rer ['stə:rər] *s* a) Rührholz *n,* -löffel *m,* b) Rührwerk *n.* **'stir·ring** I *s* 1. → stir[1] 13—16. II *adj* 2. bewegt. 3. *fig.* rührig, tätig, geschäftig. 4. aufwühlend, erregend: ~ events; a ~ speech e-e mitreißende Rede; ~ times bewegte Zeiten. 5. *tech.* Rühr...

stir·rup ['stirəp; *Am. a.* 'stə:r-] *s* 1. Steigbügel *m.* 2. *tech.* Bügel *m.* 3. *mar.* Springpferd *n* (*Haltetau*). ~ **bone** *s anat.* Steigbügel *m* (*im Ohr*). ~ **cup** *s bes. Br.* Abschiedstrunk *m* (*im Sattel*). ~ **i·ron** *s* Steigbügel *m* (*ohne Steigriemen*). ~ **leath·er,** ~ **strap** *s* Steig(bügel)riemen *m.*

stitch [stitʃ] I *s* 1. *Nähen etc*: Stich *m*: a ~ in time saves nine (*Sprichwort*) gleich getan ist viel gespart; to put a ~ (*od.* ~es) in *e-e Wunde etc* (ver)nähen. 2. *Stricken etc*: Masche *f*: to take up a ~ e-e Masche aufnehmen. 3. Strick-, Häkel-, Stickart *f,* Stich(art *f*) *m.* 4. *colloq.* Faden *m*: he has not a dry ~ on him er hat keinen trockenen Faden am Leib; without a ~ on splitternackt. 5. a) Stich *m,* Stechen *n* (*Schmerz*), b) *a.* ~ in the side Seitenstechen *n.* 6. *Buchbinderei*: Heftung *f.* II *v/t* 7. nähen, steppen, (be)sticken. 8. *meist* ~ up zs.-, vernähen (*a. med.*), (zs.-)flicken. 9. (zs.-)heften, bro'schieren: to ~ cartons. III *v/i* 10. nähen, sticken, heften.

stitch·ing ['stitʃiŋ] *s* Nähen *n* (*etc*; → stitch II). ~ **ma·chine** *s tech.* 'Stepp-, 'Heftma,schine *f.* ~ **nee·dle** *s* Heft-, Sticknadel *f.* ~ **silk** *s* Näh-, Stickseide *f.*

stith·y ['stiði] *obs. für* smithy.

sti·ver ['staivər] *s* 1. *hist.* Stüber *m* (*kleine holländische Münze*). 2. *fig.* Heller *m*: not a ~; I don't care a ~ es ist mir völlig gleich(gültig).

sto·a ['stouə] *pl* **-ae** [-i:], **-as** *s antiq.* Stoa *f*: a) *arch.* Säulenhalle *f,* b) S~ *philos.* stoische Philoso'phie.

stoat[1] [stout] *s zo.* 1. Herme'lin *n.* 2. Wiesel *n.*

stoat[2] [stout] *v/t* (mit unsichtbaren Stichen) zs.-nähen.

stock [stɒk] I *s* 1. (*Baum-, Pflanzen-*)Strunk *m.* 2. *fig.* ,Klotz' *m* (*steifer Mensch*). 3. *bot.* Lev'koje *f.* 4. *bot.* Wurzelstock *m.* 5. *agr.* ('Pfropf),Unterlage *f.* 6. (*Peitschen-, Werkzeug- etc*)Griff *m.* 7. *mil.* a) (Gewehr)Schaft *m,* b) (M'G-)Schulterstütze *f,* c) La'fettenbalken *m.* 8. *tech.* a) 'Unterlage *f,* Block *m,* b) (Amboß)Klotz *m,* c) Kluppe *f,* Schneideisenhalter *m,* d) (Hobel)Kasten *m.* 9. *agr.* (Pflug)Stock *m.* 10. *hist.* Stock *m* (*Strafmittel*). 11. *pl mar.* Helling *f,* Stapel *m*: off the ~s a) vom Stapel (gelaufen), b) *fig.* fertig, vollendet; to have s.th. on the ~s *fig.* etwas in Arbeit haben; on the ~s im Bau, im Werden (*a. fig.*). 12. *tech.* (Grund-, Werk)Stoff *m,* (Ver'arbeitungs)Materi,al *n,* (*Füll- etc*)Gut *n*: paper ~ Papiergespinst *n.* 13. (Fleisch-, Gemüse)Brühe *f* (*als Suppengrundlage*). 14. a) *bes. hist.* steifer Kragen, b) *bes. mil.* Halsbinde *f.* 15. (Bienen)Stock *m.* 16. *biol.* a) Urtyp *m,* b) Rasse *f.* 17. a) Rasse *f,* (Menschen)Schlag *m,* b) Fa'milie *f,* 'Her-, Abkunft *f*: of puritan ~. 18. *ling.* a) Sprachstamm *m,* b) Sprachengruppe *f.* 19. a) *allg.* Vorrat *m,* Bestand *m* (of an *dat*), b) *econ.* (Waren)Lager *n,* Inven'tar *n*: ~ (on hand) Warenbestand; in (out of) ~ (nicht) vorrätig *od.* auf Lager; to take ~ Inventur machen, *a. fig.* (e-e) Bestandsaufnahme machen; to take ~ of *fig.* sich klarwerden über (*acc*), *j-n od. etwas* abschätzen. 20. *econ.* Ware(n *pl*) *f.* 21. *fig.* (*Wissens- etc*)Schatz *m*: a ~ of information. 22. a) *a.* live ~ Vieh(bestand *m*) *n,* b) *a.* dead ~ totes Inven'tar, Materi'al *n*: fat ~ Schlachtvieh; → rolling stock. 23. *econ.* a) 'Anleihekapi,tal *n,* b) 'Wertpa,piere *pl* (*über Anleihekapital*). 24. *econ.* a) *Br.* 'Grundkapi,tal *n,* b) *Am.* 'Aktienkapi,tal *n,* c) Geschäftsanteil *m.* 25. *econ.* a) *Am.* Aktie *f,* b) *pl* Aktien *pl,* c) *pl* Ef'fekten *pl,* 'Wertpa,piere *pl*: his ~ has gone up s-e Aktien sind gestiegen (*a. colloq. fig.*). 26. *econ.* a) Schuldverschreibung *f,* b) *pl Br.* 'Staatspa,piere *pl.* 27. *thea.* a) Reper'toire *n,* b) Reper'toirethe,ater *n.* 28. *Am.* → stock car.

II *adj* 29. stets vorrätig, Lager..., Serien...: ~ model Serienmodell *n*; ~ size Standardgröße *f.* 30. Lager...: ~ clerk Lagerverwalter *m.* 31. *fig.* a) stehend, stereo'typ: ~ phrases, b) *contp.* abgedroschen. 32. Vieh(zucht)..., Zucht...: ~ farm Viehfarm *f*; a ~ mare e-e Zuchtstute. 33. *bes. econ. Am.* Aktien... 34. *thea.* Repertoire...: ~ plays; ~ actors.

III *v/t* 35. ausstatten, versorgen, -sehen, füllen (with mit): well-~ed gut ausgestattet. 36. *a.* ~ up auf Lager legen *od.* haben, e-n Vorrat halten von, (auf)speichern. 37. *econ.* *Ware* vorrätig haben, führen. 38. *agr.* a) *e-e Farm* (*bes.* mit Vieh) ausstatten, b) *a.* ~ down *Land* (*bes.* mit Gras) bepflanzen: to ~ a stream with trout e-n

Bach mit Forellen besetzen. **39.** *ein Gewehr, Werkzeug etc* schäften. **40.** *hist. j-n* in den Stock legen (*als Bestrafung*). **IV** *v/i* **41.** *oft* ~ up sich eindecken [(on mit).

stock ac·count *s econ. Br.* Kapi'tal-, Ef'fektenkonto *n*, -rechnung *f*.

stock·ade [stɒ'keid] **I** *s* **1.** Sta'ket *n*, Einpfählung *f*. **2.** *mil.* a) Pali'sade *f*, b) *Am.* (*provisorisches*) Mili'tärgefängnis. **II** *v/t* **3.** einpfählen, mit e-m Sta'ket um'geben.

stock| book *s econ.* **1.** Lagerbuch *n*. **2.** *Am.* Aktio'närsbuch *n*. **3.** → **studbook.** '**~ˌbreed·er** *s agr.* Viehzüchter *m*. '**~ˌbro·ker** *s econ.* Ef'fekten-, Börsenmakler *m*. '**~ˌbro·king** *s econ.* Ef'fektengeschäft *n*. **~ car** *s mot.* Serienwagen *m*. '**~ˌcar** *s rail.* Viehwagen *m*. **~ cer·tif·i·cate** *s econ.* Kapi'talanteilschein *m*, 'Aktienzertifiˌkat *n*. **~ com·pa·ny** *s* **1.** *econ.* Aktiengesellschaft *f*. **2.** *thea.* (ständiges) En'semble, Reper'toiregruppe *f*. **~ cor·po·ra·tion** *s econ. Am.* Kapi'tal-, Aktiengesellschaft *f*. **~ div·i·dend** *s econ. Am.* Gratisaktien *pl*. **~ dove** *s orn.* Hohltaube *f*.

stock·er ['stɒkər] *s agr. Am.* Masttier *n*, *bes.* Mastochse *m*.

stock| ex·change *s econ.* **1.** (Ef'fekten-, Aktien)Börse *f*. **2.** the S~ E~ die Londoner Börse. **~ farm·er** *s* Viehzüchter *m*. **~ farm·ing** *s* Viehzucht *f*. '**~ˌfish** *s* Stockfisch *m*. '**~ˌhold·er** *s* **1.** *econ. bes. Am.* Aktio'när *m*. **2.** Ef'fektenbesitzer *m*. **3.** *obs. u. Austral.* Viehbesitzer *m*. '**~ˌhold·ing** *s econ.* Aktienbesitz *m*.

stock·i·net [ˌstɒki'net] *s* Stocki'nett *n*, Tri'kot(gewebe) *n*.

stock·ing ['stɒkiŋ] *s* **1.** Strumpf *m*: in one's ~ feet in Strümpfen. **2.** *a.* elastic ~ *med.* Gummistrumpf *m*. **3.** *zo.* (*Färbung am*) Fuß *m*. '**stock·inged** *adj* bestrumpft, (nur) in Strümpfen.

stock·ing| frame, ~ loom *s tech.* 'Strumpfwirkmaˌschine *f*.

stock'-in-'trade *s* **1.** *econ.* a) Warenbestand *m*, b) Betriebsmittel *pl*, c) 'Arbeitsmateriˌal *n*, Werkzeug *n*. **2.** *fig.* a) Rüstzeug *n*, b) ‚Reper'toire' *n*, (übliche) ‚Masche'.

stock·ist ['stɒkist] *s econ.* Fachgeschäft *n*, -händler *m*.

'stock|ˌjob·ber *s econ.* **1.** *Am. bes. contp.* 'Börsenspekuˌlant *m*. **2.** *Br.* Börsenhändler *m* (*der mit Maklern zs.-arbeitet*). '**~ˌjob·bing** *s econ.* Ef'fekten-, Spekulati'onsgeschäfte *pl*, 'Börsenspekulatiˌon *f*. **~ list** *s econ.* (Aktien- *od.* Börsen)Kurszettel *m*. **~ lock** *s* Riegel-, Einsteckschloß *n*. '**~·man** [-mən] *s irr* **1.** a) *Am. od. Austral.* Viehzüchter *m*, b) Viehhüter *m*. **2.** *econ. Am.* Lagerverwalter *m*, Lage'rist *m*. **~ mar·ket** *s econ.* **1.** ('Wertpaˌpier)Börse *f*, Ef'fektenmarkt *m*. **2.** Börsenkurse *pl*: the ~ fell. **~ op·tion** *s* Aktienbezugsrecht *n* (*bes. für Betriebsangehörige*). '**~ˌpile I** *s* **1.** Schotterhalde *f* (*zur Straßeninstandhaltung*). **2.** Vorrat *m* (*bes. mil., a. fig.*), Stapel *m*. **II** *v/t* **3.** e-n Vorrat anlegen von, aufstapeln. **III** *v/i* **4.** e-n Vorrat anlegen. '**~ˌpil·ing** *s* Vorratswirtschaft *f*, -schaffung *f*. '**~ˌpot** *s* Topf *m* (*für Suppenbereitung*). '**~ˌrid·er** *s Austral.* berittener Hirte, Cowboy *m*. **~ room** *s* Lager(raum *m*) *n*. **~ shot** *s phot.* Ar'chivaufnahme *f*. **~ so·lu·tion** *s phot.* Vorratslösung *f*. '**~-'still** *adj* stocksteif, -still. '**~ˌtak·ing** *s econ.* Bestandsaufnahme *f* (*a. fig.*), Inven'tur *f*. '**~-ˌturn** *s econ. Am.* 'Lagerˌumsatz *m*.

stock·y ['stɒki] *adj* stämmig, unter'setzt.

'stockˌyard *s* Viehhof *m*.

stodge [stɒdʒ] **I** *v/i u. v/t* **1.** *sl.* sich (*den Magen*) vollstopfen. **II** *s colloq.* **2.** a) dicker Brei, b) schwerverdauliches Zeug (*a. fig.*). **3.** Langweiler *m*.

'stodg·y *adj* (*adv* stodgily) **1.** a) dick, zäh, b) unverdaulich (*a. fig. Stil etc*). **2.** *fig.* schwerfällig (*Stil etc, a. Person*). **3.** ‚zäh', langweilig. **4.** ‚spießig', bor'niert.

stoep [stu:p] *s SAfr.* Ve'randa *f*.

sto·gie, sto·gy ['stougi] *s Am.* **1.** (billige) lange Zi'garre. **2.** plumper Schuh.

Sto·ic ['stouik] **I** *adj a.* s~ → **stoical. II** *s philos., a. fig.* s~ Stoiker *m*. '**sto·i·cal** *adj* (*adv* ~ly) **1.** stoisch, gleichmütig, unerschütterlich. **2.** S~ *philos.* stoisch.

stoi·chi·om·e·try [ˌstɔikai'ɒmitri] *s chem.* Stöchiome'trie *f*.

Sto·i·cism ['stouiˌsizəm] *s* Stoi'zismus *m*: a) *philos.* (Lehre *f* der) Stoa *f*, b) s~ *fig.* Gleichmut *m*.

stoke [stouk] **I** *v/t* **1.** *das Feuer etc* schüren (*a. fig.*). **2.** *den Ofen etc* (an)heizen, beschicken. **3.** *colloq.* a) vollstopfen, b) *Essen etc* hin'einstopfen. **II** *v/i* **4.** schüren, stochern. **5.** heizen, feuern. **6.** *colloq.* sich vollessen *od.* -stopfen. '**~ˌhold** *s mar.* Heizraum *m*. '**~ˌhole** *s* **1.** → **stokehold. 2.** Schürloch *n*.

stok·er ['stoukər] *s* **1.** Heizer *m*. **2.** *tech.* (auto'matische) Brennstoffzuführung.

stole¹ [stoul] *s relig. u. Damenmode:* Stola *f*.

stole² [stoul] → **stolon.**

stole³ [stoul] *pret u. obs. pp von* **steal.**

sto·len ['stoulən] *pp von* **steal.**

stol·id ['stɒlid] *adj* (*adv* ~ly) **1.** stur, stumpf. **2.** gleichmütig, unerschütterlich. **sto·lid·i·ty** [stə'liditi], '**stol·id·ness** *s* **1.** Stur-, Stumpfheit *f*. **2.** Gleichmut *m*, Unerschütterlichkeit *f*.

sto·lon ['stoulɒn] *s bot.* Stolo *m*, Ausläufer *m*.

sto·ma ['stoumə] *pl* **-ma·ta** ['stɒmətə; 'stou-] *s* **1.** *bot.* Stoma *n*, Spaltöffnung *f*. **2.** *zo.* Atmungsloch *n* (*der Insekten*).

stom·ach ['stʌmək] **I** *s* **1.** Magen *m*: a strong ~ ein guter Magen (*a. fig.*); on an empty ~ auf leeren Magen, nüchtern. **2.** Bauch *m*, Leib *m*. **3.** Appe'tit *m* (for auf *acc*). **4.** Lust *f* (for zu): he had no ~ for further fighting. **5.** *obs.* a) Laune *f*, b) Stolz *m*. **II** *v/t* **6.** verdauen (*a. fig.*). **7.** *fig.* a) vertragen, -kraften, b) ‚einstecken', 'hinnehmen. '**~-ˌache** *s med.* Magen-, Leibschmerz(en *pl*) *m*, Bauchweh *n*.

stom·ach·al ['stʌməkl] → **stomachic.**

stom·ach·er ['stʌməkər] *s hist.* Mieder *n*.

sto·mach·ic [sto'mækik] **I** *adj* **1.** Magen..., gastrisch. **2.** magenstärkend, verdauungsfördernd. **II** *s* **3.** *med.* Magenmittel *n*.

sto·ma·ta ['stɒmətə; 'stou-] *pl von* [**stoma.**

sto·ma·ti·tis [ˌstɒmə'taitis; ˌstou-] *s med.* Stoma'titis *f*, Mundschleimhautentzündung *f*.

sto·ma·tol·o·gy [ˌstɒmə'tɒlədʒi] *s* Stomatolo'gie *f*. '**stom·a·toˌscope** [-ˌskoup] *s med.* Stomato'skop *n*, Mundspiegel *m*.

stomp [stɒmp] *Am.* → **stamp** I *u.* II.

stone [stoun] **I** *v/t* **1.** mit Steinen bewerfen. **2.** (*zu Tode*) steinigen. **3.** mit Steinen auslegen, pflastern. **4.** schleifen, glätten. **5.** *e-e Frucht* entsteinen, -kernen. **6.** ~ o.s. *Am. sl.* sich ‚besaufen': → **stoned** 3. **II** *adj* **7.** steinern, Stein... **8.** irden, Stein...: ~ jar. **III** *s* **9.** Stein *m*: → *Bes. Redew.* **10.** (Grab-, Schleif- *etc*)Stein *m*. **11.** *a.* precious ~ (Edel)Stein *m*. **12.** (*pl* ~) *brit. Gewichtseinheit* (*14 lb = 6,35 kg*). **13.** (*Pfirsich- etc*)Stein *m*, (Dattel- *etc*)Kern *m*. **14.** *med.* a) (Nieren-, Blasen-, Gallen)Stein *m*, b) Steinleiden *n*. **15.** (Hagel)Korn *n*. **16.** *Lithographie:* Stein *m*. **17.** *a.* imposing ~ *print.* Schließplatte *f*. **18.** (*Domino-, Dame- etc*)Stein *m*. **19.** *pl vulg. obs.* ‚Eier' *pl*, Hoden *pl*.

Besondere Redewendungen:
a rolling ~ gathers no moss ein rollender Stein setzt kein Moos an; to leave no ~ unturned nichts unversucht lassen; ~s will cry out die Steine erbarmen sich; to throw ~s (*od.* a ~) at s.o. *fig.* mit Steinen nach j-m werfen; to give a ~ for bread *Bibl.* e-n Stein für Brot bieten.

stone| age *s meist* S~ A~ Steinzeit *f*. '**~-'blind** *adj* stockblind. **~ blue** *s min.* Smalte *f*, Smaltblau *n*. '**~ˌbreak** *s bot.* Steinbrech *m*. **~ break·er** *s* **1.** Steinklopfer *m*. **2.** 'Steinbrechmaˌschine *f*. '**~-'broke** *adj sl.* ‚pleite', ‚völlig abgebrannt'. '**~ˌcast** *s* Steinwurf *m*, ‚Katzensprung' *m* (*kurze Entfernung*). **~ cell** *s bot.* Steinzelle *f*. '**~ˌchat** *s orn.* **1.** Schwarzkehlchen *n*. **2.** → **blue titmouse. ~ cir·cle** *s Archäologie:* Steinkreis *m*. **~ coal** *s min.* Steinkohle *f*, *bes.* Anthra'zit *m*. **~ crush·er** *s tech.* 'Steinbrechmaˌschine *f*. '**~ˌcut·ter** *s tech.* **1.** Steinmetz *m*, -schleifer *m*. **2.** 'Steinschneidemaˌschine *f*.

stoned [stound] *adj* **1.** steinig, Stein... **2.** entsteint, -kernt. **3.** *Am. sl.* ‚besoffen'.

'stone|-'dead *adj* mausetot. '**~-'deaf** *adj* stocktaub. **~ dress·er** → **stonecutter. ~ fence** *s Am. sl. Mischgetränk, bes. Whisky mit Apfelmost.* **~ fruit** *s* Steinfrucht *f*, *collect.* Steinobst *n*.

stone·less ['stounlis] *adj* steinlos: ~ fruit.

stone| lil·y *s* fos'sile Seelilie. **~ marten** *s zo.* Steinmarder *m*. '**~ˌma·son** *s* Steinmetz *m*. **~ pit** *s* Steinbruch *m*. ˌ**~'wall I** *v/i* **1.** *sport* ‚mauern' (*defensiv spielen*). **2.** *pol.* Obstrukti'on treiben. **II** *v/t* **3.** *pol.* durch Obstrukti'on zu Fall bringen: to ~ a motion. ˌ**~'wall·ing** *s* **1.** *sport* ‚Mauern' *n*. **2.** *pol.* Obstrukti'on *f*, Verschleppungstaktik *f*. '**~ˌware** *s* Steingut *n*. '**~ˌwork** *s* Steinmetzarbeit *f*.

ston·i·ness ['stouninis] *s* **1.** steinige Beschaffenheit. **2.** *fig.* Härte *f*.

ston·ing ['stouniŋ] *s* Steinigung *f*.

stonk [stɒŋk] *s mil. sl.* schweres Bombarde'ment.

ston·y ['stouni] *adj* **1.** steinig: ~ ground. **2.** steinern, Stein... **3.** *fig.* steinern: a ~ heart. **4.** *fig.* starr, eisig: a ~ stare. **5.** → **stone-broke.** '**~-'broke** *adj colloq.* ‚pleite', ‚völlig abgebrannt'.

stood [stud] *pret u. pp von* **stand.**

stooge [stu:dʒ] *sl.* **I** *s* **1.** *thea. bes.* Stichwortgeber *m* (*der dem Conférencier Witze u. Pointen zuspielt*). **2.** Handlanger *m*, Helfershelfer *m*, Krea'tur *f*. **3.** *Am.* (Poli'zei-, Lock)Spitzel *m*. **4.** *Br.* ‚Flasche' *f*, ‚Heini' *m*. **II** *v/i* **5.** dem Conférenci'er Pointen zuspielen. **6.** Handlangerdienste tun. **7.** *meist* ~ around *aer.* her'umfliegen.

stook [stuk] *bes. dial. für* **shock²**.

stool [stu:l] **I** *s* **1.** Hocker *m*, (Bü'ro-, Kla'vier- *etc*)Stuhl *m*: to fall between two ~s ‚sich zwischen zwei Stühle setzen'. **2.** Schemel *m*. **3.** Nachtstuhl *m*. **4.** *med.* Stuhl *m*: a) Kot *m*, b) Stuhlgang *m*: to go to ~ Stuhlgang haben. 5. *bot.* a) (Wurzel)Schößling(e *pl*) *m*, b) Wurzelstock *m*, c) Baumstumpf *m* (*der Wurzelschößlinge treibt*). 6. *bes. Am.* Lockvogel *m*. II *v/i* 7. *bot.* Schößlinge treiben. ~ **pi·geon** *s* 1. Lockvogel *m* (*a. fig.*). 2. *bes. Am. sl.* (Poli'zei-, Lock)Spitzel *m*.

stoop[1] [stu:p] I *v/i* 1. sich bücken, sich (vorn'über)beugen. 2. gebeugt gehen *od.* sein, sich krumm halten. 3. *fig. contp.* a) sich her'ablassen, b) sich erniedrigen, die Hand reichen (to zu; to do zu tun). 4. sich unter'werfen, nachgeben. 5. her'abstoßen (*Vogel*). II *v/t* 6. neigen, beugen, *die Schultern* hängenlassen. III *s* 7. (Sich)Beugen *n*. 8. gebeugte *od.* krumme Haltung. 9. krummer Rücken. 10. Niederstoßen *n* (*e-s Vogels*).

stoop[2] [stu:p] *s Am.* offene Ve'randa, Vorhalle *f*. -platz *m*.

stoop·ing·ly ['stu:piŋli] *adv* gebückt, gebeugt, krumm.

stop [stɒp] I *v/t pret u. pp poet.* **stopt** 1. aufhören (doing zu tun): to ~ doing s.th. etwas bleibenlassen; do ~ that noise hör (doch) auf mit dem Lärm; ~ it hör auf (damit). 2. a) *allg.* aufhören mit, b) *Besuche etc, econ. s-e Zahlungen, e-e Tätigkeit, jur. das Verfahren* einstellen: to ~ one's visits (payment, the proceedings), c) abbrechen: to ~ the fight (the negotiations, *etc*). 3. a) *allg.* ein Ende machen *od.* bereiten, Einhalt gebieten (*dat*), b) aufhalten, zum Halten *od.* Stehen bringen, stoppen: to ~ an attack (progress, an opponent, the traffic), c) stoppen, anhalten: to ~ the car (train, ball), d) *e-e Maschine, a. das Gas etc* abstellen, e) *e-e Fabrik* stillegen, f) *Lärm etc* unter'binden. 4. sperren: to ~ a cheque (*Am.* check). 5. unter'brechen: to ~ a speaker. 6. *sport* a) *fenc., Boxen: e-n Hieb* pa'rieren, b) *e-n Gegner* besiegen *od.* stoppen: to ~ a bullet e-e Kugel ‚verpaßt' bekommen. 7. (from) abhalten (von), hindern (an *dat*). 8. ~ up ver-, zustopfen: to ~ a leak; to ~ one's ears; to ~ s.o.'s mouth *fig.* j-m (*durch Bestechung*) den Mund stopfen; → gap 6. 9. versperren, -stopfen, bloc'kieren. 10. *Blut, a. e-e Wunde* stillen. 11. *e-n Zahn* plom'bieren, füllen. 12. *Börse*: e-n limi'tierten Auftrag an den Makler geben für (*Aktien*). 13. *Bridge*: stoppen, dekken. 14. *mus.* a) *e-n Ton od. e-e Saite* greifen, b) *ein Griffloch* zuhalten, schließen, c) *das Blasinstrument, den Ton* stopfen. 15. *ling.* interpunk'tieren. 16. ~ down *phot. das Objektiv* abblenden. 17. ~ out (*Ätzkunst*) abdecken.

II *v/i* 18. (an)halten, haltmachen, stehenbleiben, stoppen. 19. aufhören, an-, innehalten, e-e Pause machen: to ~ short plötzlich aufhören; he ~ped in the middle of a sentence er hielt mitten in e-m Satz inne; he'll ~ at nothing er schreckt vor nichts zurück; → dead 38. 20. aufhören: the noise has ~ped; his annuity ~s. 21. ~ off *bes. Am.* kurz haltmachen. 22. ~ over *Am. od. Br. colloq.* die Fahrt unter'brechen. 23. ~ by *Am.* rasch bei *j-m* ‚reinschauen'. 24. bleiben: to ~ in bed (at home, *etc*); to ~ in daheim bleiben; to ~ out ausbleiben.

III *s* 25. a) Halt *m*, Stillstand *m*, b) Ende *n*: to come to a ~ anhalten, *weitS.* zu e-m Ende kommen, aufhören: to put a ~ to, to bring to a ~ → 3 a. 26. Pause *f*. 27. *rail. etc* Aufenthalt *m*, Halt *m*. 28. a) *rail.* ('Zug)Stati,on *f*, b) (Bus)Haltestelle *f*, c) *mar.* Anlegestelle *f*. 29. 'Absteigequar,tier *n*. 30. Hemmnis *n*, Hindernis *n*. 31. *tech.* Anschlag *m*, Sperre *f*, Hemmung *f*. 32. *econ.* a) Sperrung *f*, Sperrauftrag *m* (*für Scheck etc*), b) → stop order. 33. *mus.* a) Griff *m*, Greifen *n* (*e-r Saite etc*), b) Griffloch *n*, c) Klappe *f*, d) Ven'til *n*, e) Re'gister *n* (*e-r Orgel etc*), f) Re'gisterzug *m*: to pull out the pathetic ~ *fig.* pathetisch werden, ‚das pathetische Register ziehen'. 34. *ling.* a) Knacklaut *m*, b) Verschlußlaut *m*. 35. *phot.* f-stop-Blende *f* (*als Einstellmarke*). 36. a) Satzzeichen *n*, b) Punkt *m*.

'**stop|-and-'go** *adj* 1. durch Verkehrslichter geregelt: ~ driving (highways, *etc*). 2. *fig.* gelenkt, diri'gistisch. '~-,**cock** *s tech.* Absperrhahn *m*.

stope [stoup] *Bergbau*: *s* Strosse *f*, Erzkammer *f*.

'**stop|,gap** I *s* 1. Lückenbüßer *m*, Notbehelf *m*, Ersatz *m*. 2. *bes. econ.* Über'brückung *f*. II *adj* 3. Not..., Behelfs... 4. *bes. econ.* Überbrückungs...: ~ aid (credit, *etc*). ~ **key** *s* 1. *tech.* Einsatzschlüssel *m*. 2. *mus.* → stop 33 f. ~ **knob** → stop 33 f. ~ **light** *s tech.* 1. *mot.* Stopp-, Bremslicht *n*. 2. rotes (Verkehrs)Licht. '~-,**loss** *adj econ.* zur Vermeidung weiterer Verluste (bestimmt): ~ order → stop order. ~ **mo·tion** *s* 1. *tech.* Abstellvorrichtung *f*. 2. *phot.* Zeitraffer *m*: ~ camera. ~ **or·der** *s econ.* limi'tierte Order. '~,**o·ver** *s Am.* 1. a) 'Fahrtunter,brechung *f*, (kurzer) Aufenthalt, b) *aer.* Zwischenlandung *f*. 2. ('Zwischen)Stati,on *f*.

stop·page ['stɒpidʒ] *s* 1. a) (An)Halten *n*, b) Stillstand *m*, c) Aufenthalt *m*. 2. (*Verkehrs- etc*)Stockung *f*. 3. *tech.* a) (Betriebs)Störung *f*, Hemmung *f* (*a. e-r Pistole etc*), b) Verstopfung *f* (*a. med. e-s Organs*). 4. Gehalts-, Lohnabzug *m*: ~ at source Besteuerung *f* an der Quelle. 5. *jur.* a) Festnahme *f* (*e-s Reisenden*), b) Beschlagnahme *f*, Sperrung *f* (*von Waren*): ~ in transit(u) Anhalten *n* von bereits abgeschickten Waren seitens des Absenders. 6. (Arbeits-, Betriebs-, Zahlungs)Einstellung *f*.

stop pay·ment *s* Zahlungssperre *f* [(*für Schecks etc*).]

stop·per ['stɒpər] I *s* 1. Hemmnis *n*: to put a ~ on s.th. e-r Sache ein Ende setzen. 2. a) Stöpsel *m*, Pfropf(en) *m*, b) Stopfer *m*. 3. *tech.* Absperrvorrichtung *f*, Hemmer *m*, *mar.* Stopper *m*: ~ circuit *electr.* Sperrkreis *m*. 4. *econ. sl.* Blickfang *m*. 5. *bot.* Eu'genie *f*. II *v/t* 6. zustöpseln.

stop·ping ['stɒpiŋ] *s* 1. (An-, Auf)Halten *n* (*etc*; → stop I). 2. *med.* a) Plom'bieren *n*, b) Plombe *f*, Füllung *f*. ~ **dis·tance** *s mot.* Bremsweg *m*. ~ **place** *s* Haltestelle *f*, Stati'on *f*. ~ **train** *s bes. Br.* Bummelzug *m*.

stop plate *s tech.* Endanschlag *m*.

stop·ple ['stɒpl] I *s* Stöpsel *m*. II *v/t* zustöpseln.

'**stop|-,press** *s Br.* (Spalte *f* für) letzte (nach Redakti'onsschluß eingelaufene) Meldungen *pl*. ~ **screw** *s tech.* Anschlagschraube *f*. ~ **sign** *s mot.* Haltschild *n*. ~ **street** *s mot.* Stoppstraße *f*.

stopt [stɒpt] *poet. pret u. pp von* stop.

stop| valve *s tech.* 'Absperrven,til *n*. ~ **vol·ley** *s Tennis*: Stoppflugball *m*. ~ **watch** *s* Stoppuhr *f*.

stor·a·ble ['stɔ:rəbl] I *adj* lagerfähig, Lager... II *s econ.* lagerfähige Ware.

stor·age ['stɔ:ridʒ] *s* 1. (Ein)Lagerung *f*, Lagern *n*, Speicherung *f* (*a. electr. u. Computer*): in ~ auf Lager; → cold storage. 2. Lager(raum *m*) *n*, De'pot *n*. 3. Lagergeld *n*. ~ **bat·ter·y** *s electr.* Akku(mu'lator) *m*, Sammler *m*. ~ **cam·er·a** *s phot.* Speicherkamera *f*: ~ tube *TV* Bildspeicherröhre *f*. ~ **cell** *s* 1. *electr.* Akkumu'latorzelle *f*. 2. *Computer*: Speicherzelle *f*. ~ **tube** *s Computer*: (*TV* Bild)Speicherröhre *f*.

sto·rax ['stɔ:ræks] *s* 1. Styrax *m*, Storax *m* (*Harz*). 2. *bot.* Storaxbaum *m*.

store [stɔ:r] I *s* 1. (Vorrats)Lager *n*, Vorrat *m*: in ~ auf Lager, vorrätig; to be in ~ for s.o. *fig.* j-m bevorstehen, auf j-n warten; to have (*od.* hold) in ~ for s.o. *e-e Überraschung etc* für j-n bereithalten, j-m *e-e Enttäuschung etc* bringen. 2. *pl* a) Vorräte *pl*, Ausrüstung *f* (u. Verpflegung *f*), Provi'ant *m*, b) *a.* military ~s Militärbedarf *m*, Versorgungsgüter *pl*, c) *a.* naval ~s, ship's ~s *mar.* Schiffsbedarf *m*, d) ('Roh)Materi,al *n*. 3. *bes. Br.* Kauf-, Warenhaus *n*. 4. Lagerhaus *n*. 5. (große) Menge, Fülle *f*, Schatz *m*, Reichtum *m* (of an *dat*): his great ~ of knowledge sein großer Wissensschatz; to set great (little) ~ by s.th. *fig.* a) großen (geringen) Wert legen auf (*acc*), b) etwas hoch (gering) einschätzen. 6. *Computer*: *bes. Br.* Speicher *m*. II *v/t* 7. ausstatten, eindecken, versorgen (with mit), *ein Schiff* verprovian'tieren: to ~ one's mind with facts s-n Kopf mit Tatsachen anfüllen. 8. *a.* ~ up, ~ away a) einlagern, (auf)speichern, auf Lager nehmen, *die Ernte* einbringen, b) *fig.* im Gedächtnis bewahren. 9. (*in ein Lager*) einstellen, lagern. 10. fassen, aufnehmen. 11. *electr. phys., a. Computer*: speichern. III *v/i* 12. sich *gut etc* halten, lagern lassen: food that ~s well. ~ **cat·tle** *s* Magervieh *n*. '~,**front** *s* Ladenfront *f*. '~,**house** *s* 1. Lagerhaus *n*. 2. *fig.* Fundgrube *f*. '~,**keep·er** *s* 1. Lagerverwalter *m*. 2. a) *mil.* Kammer-, Geräteverwalter *m*, b) *mar.* Vorratsverwalter *m*, Küper *m*. 3. *bes. Am.* Ladenbesitzer(in). '~**man** [-mən] *s irr Am.* 1. → storekeeper 1. 2. Lagerarbeiter *m*. '~,**room** *s* 1. Lagerraum *m*, Vorratskammer *f*. 2. Verkaufsraum *m*. '~,**ship** *s mar.* Versorgungsschiff *n*.

sto·rey, *bes. Am.* **sto·ry** ['stɔ:ri] *s* Stock(werk *n*) *m*, Geschoß *n*, E'tage *f*: he is a little wrong in the upper ~ *sl.* ‚er ist nicht ganz richtig im Oberstübchen'. '**sto·reyed**, *bes. Am.* '**sto·ried** *adj* mit Stockwerken: a two-~ house ein zweistöckiges Haus.

sto·ri·at·ed ['stɔ:ri,eitid] *adj* kunstvoll geschmückt. ,**sto·ri'a·tion** *s* künstlerischer Schmuck (*mit Darstellungen historischer Gegenstände*).

sto·ried[1] ['stɔ:rid] *adj* 1. geschichtlich, berühmt. 2. 'sagenum,woben. 3. mit Bildern aus der Geschichte geschmückt: a ~ frieze.

sto·ried[2] *bes. Am. für* storeyed.

sto·ri·ette [,stɔ:ri'et] *s* Geschichtchen *n*.

sto·ri·ol·o·gy [,stɔ:ri'ɒlədʒi] *s* Märchen-, Sagenkunde *f*.

stork [stɔ:rk] *s orn.* Storch *m*. '~'**s-,bill** *s bot.* Storchschnabel *m*.

storm [stɔ:rm] I *s* 1. Sturm *m* (*a. fig.*), Unwetter *n*: S~ and Stress *hist.* Sturm und Drang; ~ in a teacup ‚Sturm im Wasserglas'. 2. (Hagel-, Schnee)Sturm *m*, Gewitter *n*. 3. *mar.* Sturm *m* (*Windstärke 11*). 4. *mil.* (An)Sturm *m*: to take by ~ im Sturm nehmen *od.* erobern (*a. fig.*). 5. *fig.* Schauer *m*, Hagel *m*: a ~ of missiles. 6. *fig.* (*Bei-*

falls- etc)Sturm *m*, Ausbruch *m*. **II** *v/i* **7.** stürmen, wüten, toben (*Wind etc*; *a. fig.* at gegen, über *acc*). **8.** *mil.* stürmen, angreifen. **9.** stürmen, stürzen, hasten. **III** *v/t* **10.** *fig.* bestürmen. **11.** *mil.* (er)stürmen. **12.** *fig.* stürmen, donnern (*wütend sagen*). **'~-ˌbeat·en** *adj* sturmgepeitscht. **'~ˌbird** → stormy petrel. **'~ˌbound** *adj* **1.** vom Sturm am Auslaufen gehindert (*Schiff*). **2.** vom Sturm aufgehalten *od.* von der Außenwelt abgeschnitten. **~ cen·ter,** *bes. Br.* **~ cen·tre** *s* **1.** *meteor.* Sturmzentrum *n*. **2.** *fig.* Unruheherd *m*. **~ cloud** *s* Gewitterwolke *f* (*a. fig.*). **~ cone** *s mar.* Sturmkegel *m* (*Signal*).

storm·ing par·ty ['stɔːrmiŋ] *s mil.* Sturmtrupp *m*.

storm| lane → storm track. **~ pet·rel** → stormy petrel. **'~ˌproof** *adj* sturmfest, -sicher. **~ rub·ber** *s Am.* (niedriger) 'Gummiˌüberschuh. **'~-ˌtossed** *adj* sturmgepeitscht. **~ track** *s meteor.* Sturmbahn *f*. **~ troop·er** *s hist.* S'A-Mann *m* (*Nazi*). **~ troops** *s pl* **1.** *mil.* Schock-, Sturmtruppe(n *pl*) *f*. **2.** *hist.* 'Sturmabˌteilung *f*, S'A *f*.

storm·y ['stɔːrmi] *adj* stürmisch (*a. fig.*). **~ pet·rel** *s orn.* Sturmschwalbe *f*.

sto·ry[1] ['stɔːri] *s* **1.** (*a.* amü'sante) Geschichte, Erzählung *f*: the same old ~ *fig.* das alte Lied; that's another ~ *fig.* das ist etwas anderes, das steht auf e-m anderen Blatt. **2.** Fabel *f*, Handlung *f*, Story *f* (*e-s Dramas etc*). **3.** (Lebens)Geschichte *f*, Story *f*: the Glenn Miller-S~. **4.** Geschichte *f*, Bericht *m*: the ~ goes man erzählt sich; to cut a long ~ short um es kurz zu machen, kurz u. gut. **5.** ('Zeitungs)-Arˌtikel *m*, (-)Story *f*. **6.** *fig.* (*die*) 'Hintergründe *pl*, alle Tatsachen *pl*: to get the whole ~. **7.** *colloq.* a) (Lügen-, Ammen)Märchen *n*, ‚Geschichte' *f*, b) → storyteller 3.

sto·ry[2] *bes. Am. für* storey.

'sto·ry|ˌbook *s* Geschichten-, Märchenbuch *n*. **'~ˌtell·er** *s* **1.** (Märchen-, Geschichten)Erzähler(in). **2.** Erzähler *m* (*Autor*). **3.** Flunkerer *m*, Lügenbold *m*. **'~ˌtell·ing** *s* **1.** (Geschichten)Erzählen *n*. **2.** Erzählkunst *f*.

stoup [stuːp] *s* **1.** *R.C.* Weihwasserbecken *n*. **2.** *Scot.* Eimer *m*. **3.** *obs. od. dial.* Becher *m*, Krug *m*.

stout [staut] **I** *adj* (*adv* ~ly) **1.** stämmig, kräftig. **2.** dick, korpu'lent, beleibt. **3.** ausdauernd, zäh, hartnäckig. **4.** mannhaft, wacker, tapfer, beherzt. **5.** heftig: a ~ attack (wind, *etc*). **6.** kräftig, sta'bil (*Material etc*). **II** *s* **7.** *starkes Porterbier.* **'stout·en** *v/t u. v/i* stark *od.* dick machen (werden). **'stout'heart·ed** → stout 4. **'stout·ish** *adj* etwas *od.* ziemlich stark *od.* kräftig *od.* beleibt. **'stout·ness** *s* **1.** Stärke *f*, Festigkeit *f*. **2.** Stämmigkeit *f*. **3.** Beleibtheit *f*, Korpu'lenz *f*. **4.** Tapferkeit *f*, Mannhaftigkeit *f*. **5.** Ausdauer *f*.

stove[1] [stouv] **I** *s* **1.** Ofen *m*, (Koch)-Herd *m*. **2.** *tech.* a) Brennofen *m*, b) Trockenkammer *f*. **3.** *bes. Br.* Treibhaus *n*. **II** *v/t* **4.** a) warmhalten, b) trocknen, erhitzen. **5.** *bes. Br.* im Treibhaus ziehen.

stove[2] [stouv] *pret u. pp von* stave.

stove| en·am·el *s* Einbrennlack *m*. **'~ˌpipe** *s* **1.** Ofenrohr *n*. **2.** *a.* ~ hat *colloq.* Zy'linder *m*, ‚Angströhre' *f*.

sto·ver ['stouvər] *s agr.* (Mais- *etc*)-Stroh *n* (*als Viehfutter*).

stow [stou] **I** *v/t* **1.** *mar.* (ver)stauen. **2.** verstauen, packen: to ~ away a) wegräumen, -stecken, b) *colloq.* ‚verdrücken': to ~ away a steak. **3.** vollfüllen, (be)laden. **4.** *sl.* sich *etwas* aufsparen. **5.** *sl.* aufhören mit: ~ it! hör auf (damit)!, halt's Maul! **II** *v/i* **6.** ~ away sich an Bord schmuggeln, als blinder Passa'gier mitreisen. **'stow·age** *s bes. mar.* **1.** Stauen *n*: ~ certificate Stauungsattest *n*. **2.** Laderaum *m*. **3.** Ladung *f*. **4.** Staugeld *n*. **'stow·aˌway** *s* **1.** blinder Passa'gier. **2.** Abstellraum *m*. **3.** Versteck *n*.

stra·bis·mal [strə'bizməl], **stra'bis·mic** [-mik] *adj med.* schielend, Schiel... **stra'bis·mus** [-məs] *s* Stra'bismus *m*, Schielen *n*. **stra'bot·o·my** [-'bɒtəmi] *s med.* 'Schieloperatiˌon *f*.

Strad [stræd] *colloq. für* Stradivarius.

strad·dle ['strædl] **I** *v/i* **1.** a) breitbeinig *od.* mit gespreizten Beinen gehen *od.* stehen *od.* sitzen, b) die Beine spreizen, grätschen, c) rittlings sitzen. **2.** sich (ausein'ander)spreizen. **3.** sich (aus)strecken. **4.** *Am. colloq.* schwanken, es mit beiden Par'teien halten. **5.** *econ.* Arbi'trage betreiben. **II** *v/t* **6.** rittlings sitzen auf (*dat*): to ~ a horse. **7.** mit gespreizten Beinen stehen über (*dat*): to ~ a ditch. **8.** *die Beine* spreizen. **9.** *fig.* sich nicht festlegen wollen bei *e-r Streitfrage etc*: to ~ an issue. **10.** *mil. das Ziel* eingabeln. **11.** *Kartenspiel*: *den Einsatz* verdoppeln. **III** *s* **12.** (Beine)Spreizen *n*. **13.** a) breitbeiniges *od.* ausgreifendes Gehen, b) breitbeiniges (Da)Stehen, c) Rittlingssitzen *n*. **14.** Schrittweite *f*. **15.** *fig. Am.* ausweichende *od.* unentschlossene Haltung. **16.** *econ. Am.* Stel'lagegeschäft *n* (*Börse*). **'~-ˌleg·ged** *adj u. adv* breitbeinig.

Strad·i·var·i·us [ˌstrædi'vɛ(ə)riəs; -'vɑːr-] *s mus.* Stradi'vari *f* (*Geige*).

strafe [strɑːf; *Am. a.* streif] *sl.* **I** *v/t aer. mil.* a) im Tiefflug mit Bordwaffen angreifen, b) schwer bombar'dieren. **II** *s* → strafing. **'straf·ing** *s sl.* **1.** Feuer *n*, (Bordwaffen)Beschuß *m*. **2.** *fig.* ‚Anpfiff' *m*.

strag·gle ['strægl] *v/i* **1.** um'herstreifen. **2.** (hinter'drein- *etc*)bummeln, (-)zotteln. **3.** a) sich verirren, b) *mil.* versprengt werden. **4.** wuchern (*Pflanze etc*), sich unregelmäßig ausbreiten. **5.** zerstreut liegen *od.* stehen (*Häuser etc*), sich 'hinziehen (*Vorstadt etc*). **6.** *fig.* abschweifen. **'strag·gler** *s* **1.** Bummler(in), Um'herirrende(r *m*) *f*. **2.** Nachzügler *m* (*a. mar.*). **3.** *mil.* Versprengte(r) *m*. **4.** *bot.* wilder Schößling. **'strag·gling** *adj* (*adv* ~ly), *a.* **'strag·gly** *adj* **1.** (*beim Marsch etc*) zu'rückgeblieben. **2.** (weit) ausein'andergezogen (*Kolonne*). **3.** wuchernd (*Pflanze etc*), sich unregelmäßig ausbreitend. **4.** zerstreut (liegend), weitläufig. **5.** 'widerspenstig, lose: ~ hair.

straight [streit] **I** *adj* (*adv* ~ly) **1.** gerade: ~ legs; ~ hair glattes Haar; ~ line gerade Linie, *math.* Gerade *f*; to keep a ~ face das Gesicht nicht verziehen. **2.** gerade, di'rekt: a ~ hit. **3.** in Ordnung, ordentlich: to put ~ in Ordnung bringen; to put things ~ Ordnung schaffen. **4.** gerade, offen, ehrlich, re'ell: a ~ businessman; → die[2] 1. **5.** anständig: a ~ life. **6.** *colloq.* zuverlässig, sicher: a ~ tip. **7.** ehrlich, re'ell: a ~ fight. **8.** geradlinig, folgerichtig: ~ thinking. **9.** *pol. Am.* ‚'hundertproˌzentig': a ~ Republican. **10.** *Am.* pur, unverdünnt: whisky ~. **11.** a) *thea.* konventio'nell (*Stück*), b) *thea.* ef'fektlos (*Spiel*), c) gewöhnlich, nor'mal: a ~ novel. **12.** *Kartenspiel*: e-e Se'quenz bildend. **13.** *econ. Am. sl.* mit festem Preis, ohne 'Mengenraˌbatt: cigars ten cents ~. **14.** *mot. tech.* Reihen..., gestreckt: ~ engine. **II** *adv* **15.** gerade('aus): to go ~ on. **16.** richtig: he does not see ~; to get s.o. ~ *sl.* j-n richtig verstehen. **17.** di'rekt, gerade, gerade(s)wegs, unmittelbar: he comes ~ from London; → horse 1, shoulder 1. **18.** *oft* ~ out 'rundherˌaus, ‚klipp u. klar': he told him ~ out. **19.** ehrlich, anständig, ordentlich: to live ~; to go ~ *colloq.* ‚keine krummen Sachen mehr machen'. **20.** ~ away, ~ off so'fort, auf der Stelle, ohne weiteres. **III** *s* **21.** Geradheit *f*: out of the ~ krumm, schief. **22.** *sport* (Ziel)Gerade *f*. **23.** *sport* (Erfolgs-, Treffer- *etc*)-Serie *f*. **24.** *Kartenspiel*: Straight *m*, Se'quenz *f* von 5 Karten. **25.** the ~ of it *Am. sl.* die (reine) Wahrheit.

straight| an·gle *s math.* gestreckter Winkel (*180°*). **'~·aˌway I** *adj* gerade, geradlinig (*a. fig.*). **II** *adv Br.* so'fort, auf der Stelle. **III** *s sport* Gerade *f*. **'~ˌedge** *s math. tech.* Line'al *n*, Richtscheit *n*.

straight·en ['streitn] **I** *v/t* **1.** geradmachen, (gerade-, aus)richten, (aus)strecken, *tech. Draht* recken, *mil. die Front* begradigen: to ~ one's face e-e ernste Miene aufsetzen. **2.** *oft* ~ out (*od.* up) a) *etwas* in Ordnung bringen: to ~ one's affairs, b) *j-n* (wieder) auf die rechte Bahn bringen, ‚zu'rechtbiegen'. **3.** *oft* ~ out entwirren, klarstellen. **II** *v/i* **4.** gerade werden. **5.** ~ up *Am.* a) sich aufrichten, b) *colloq.* ein anständiges Leben beginnen.

'straight|-ˌfaced *adj* mit unbewegtem Gesicht. **~ fight** *s pol.* di'rekter Kampf zwischen 2 'Gegenkandiˌdaten. **~ flush** → straight 24. **ˌ~'for·ward I** *adj* (*adv* ~ly) **1.** gerade'aus gerichtet. **2.** freimütig, di'rekt, offen. **3.** ehrlich, redlich, aufrichtig. **4.** einfach, 'unkompliˌziert. **II** *adv* **5.** gerade'aus. **6.** → I. **ˌ~'for·ward·ness** *s* Di'rektheit *f*, Geradheit *f*, Offenheit *f*, Aufrichtigkeit *f*. **'~-from-the-'shoul·der** *adj* unverblümt. **'~-ˌline** *adj math. phys. tech.* geradlinig, line'ar (*a. econ.*): ~ depreciation *econ.* lineare Abschreibung; ~ method *econ.* gleichmäßige Abschreibung vom Anschaffungswert. **'~-ˌline mo·tion** *s* **1.** *phys.* geradlinige Bewegung. **2.** *tech.* Geradführung *f*.

straight·ness ['streitnis] *s* Geradheit *f*: a) Geradlinigkeit *f*, b) *fig.* Aufrichtigkeit *f*, Ehrlichkeit *f*.

'straight|-ˌout *adj Am. colloq.* **1.** rückhaltlos, kompro'mißlos. **2.** offen, aufrichtig. **'~ˌway** *adv obs.* stracks, so'gleich.

strain[1] [strein] **I** *v/t* **1.** (an)spannen, (straff) (an)ziehen: to ~ a rope. **2.** *e-n Muskel, e-e Sehne etc* zerren, *das Handgelenk* verstauchen, *s-e Augen etc* (*a. sich*) über'anstrengen. **3.** *die Augen, das Herz etc* über'anstrengen. **4.** (bis zum äußersten) anstrengen *od.* anspannen: to ~ one's ears (eyes); to ~ o.s.; → nerve 7. **5.** *tech.* defor'mieren, verformen, -dehnen, -ziehen. **6.** *fig. etwas* über'spannen, strapa'zieren, *j-s Geduld, Kräfte etc* über'fordern, auf e-e harte Probe stellen: to ~ s.o.'s patience (strength, *etc*). **7.** *fig. e-n Sinn, ein Recht* strapa'zieren, vergewaltigen, Gewalt antun (*dat*), *Befugnisse etc* über'schreiten: to ~ the meaning of a word; to ~ a point zu weit gehen; a ~ed interpretation e-e forcierte Auslegung; **8.** ('durch)-seihen, pas'sieren, filtern, fil'trieren: to ~ out (*od.* off) abseihen. **9.** (fest) drücken *od.* pressen: to ~ s.o. to one's breast (heart) j-n an s-e Brust ziehen (ans Herz drücken).

II *v/i* **10.** sich (bis zum äußersten) anstrengen (to do zu tun): to ~ after sich abmühen um, streben nach; to ~ after effect nach Effekt haschen. **11.** sich (an)spannen. **12.** ~ at zerren an (*dat*): → gnat 1. **13.** (*a.* beim Stuhlgang) pressen, drücken: to ~ at stool. **14.** *tech.* sich verziehen, -formen, -dehnen. **15.** a) 'durchlaufen, -tropfen, -sickern (*Flüssigkeit*), b) sich *gut etc* (ab)seihen *od.* filtern lassen.

III *s* **16.** Spannung *f*, Beanspruchung *f*, Zug *m*. **17.** *tech.* verformende Spannung, Verdehnung *f*. **18.** *med.* Zerrung *f*, Über'anstrengung *f*. **19.** Anstrengung *f*, Anspannung *f*, Kraftaufwand *m*. **20.** (on) (starke) Anstrengung, Stra'paze *f* (für), Über'anstrengung *f* (*gen*), (*nervliche, a. finanzielle*) Belastung (für), Druck *m* (auf *acc*), Last *f* (*der Verantwortung etc*): to be a ~ on s.o.'s nerves j-n Nerven kosten; to put a great ~ on stark beanspruchen *od.* belasten; it is a ~ es nimmt einen mit; under a ~ mitgenommen, mit den Nerven herunter. **21.** *meist pl* Weise *f*, Melo'die *f*: to the ~s of unter den Klängen (*gen*). **22.** Vers *m*, Pas'sage *f*: poetic ~s. **23.** *fig.* Ton(art *f*) *m*, Ma'nier *f*, Stil *m*: a humorous ~. **24.** Laune *f*, Stimmung *f*: he was in a philosophizing ~ er war zum Philosophieren aufgelegt.

strain[2] [strein] *s* **1.** Geschlecht *n*, Linie *f*. **2.** Abstammung *f*. **3.** *biol.* a) Rasse *f*, b) (Ab-, Spiel)Art *f*. **4.** Beimischung *f*, (Rassen)Merkmal *n*, Zug *m*: a ~ of Greek blood ein Schuß griechischen Bluts. **5.** (Erb)Anlage *f*, (Cha'rakter)Zug *m*. **6.** Spur *f*, Anflug *m* (of von).

strained [streind] *adj* **1.** gezwungen, 'unna,türlich: a ~ smile. **2.** gespannt: ~ relations. **'strain·ed·ly** [-nidli] *adv.*

'strain·er *s* **1.** Seiher *m*, Sieb *n*, Filter *m*. **2.** *tech.* Streck-, Spannvorrichtung *f*.

strait [streit] **I** *s* **1.** *oft pl* Straße *f*, Meerenge *f*: the S~s of Dover die Straße von Dover; S~s Settlements *ehemalige brit. Kronkolonie* (*Malakka, Penang, Singapur*); the S~s a) (*früher*) die Straße *od.* Meerenge von Gibraltar, b) (*heute*) die Malakkastraße. **2.** *oft pl* Not *f*, (*bes.* finanzi'elle) Verlegenheit, ‚Klemme' *f*, ‚Engpaß' *m*: reduced to great ~s in e-r Zwangslage. **II** *adj* **3.** *obs.* a) eng, schmal: the ~ gate *Bibl.* die enge Pforte, b) streng, hart. **'strait·en** *v/t* beschränken, beengen: in ~ed circumstances in beschränkten Verhältnissen; ~ed for verlegen um.

strait| jack·et *s* Zwangsjacke *f* (*a. fig.*). **'~-'laced** *adj* sittenstreng, puri'tanisch, prüde, engherzig.

strait·ness ['streitnis] *s* **1.** Enge *f*. **2.** Strenge *f*, Härte *f*. **3.** Bedrängnis *f*.

'strait-,waist·coat → strait jacket.

strake [streik] *s mar.* (Planken)Gang *m*.

stra·min·e·ous [strə'miniəs] *adj* **1.** strohern, Stroh... **2.** strohfarben.

stra·mo·ni·um [strə'mouniəm], *a.* **stram·o·ny** ['stræməni] *s* **1.** *bot.* Stechapfel *m*. **2.** *pharm.* Stra'monium *n*.

strand[1] [strænd] **I** *v/t* **1.** *mar.* auf den Strand setzen, auf Grund treiben. **2.** *fig.* stranden *od.* scheitern lassen: (left) ~ed a) gestrandet (*a. fig.*), b) *mot.* stecken- *od.* liegengeblieben, c) *fig.* ‚auf dem trocknen sitzend'. **II** *v/i* **3.** stranden (*a. fig.*). **III** *s* **4.** *bes. poet.* Strand *m*, Ufer *n*.

strand[2] [strænd] **I** *s* **1.** Strang *m*, Ducht *f* (*e-s Taus od. Seils*). **2.** Seil *n*, Tau *n*. **3.** *tech.* (Draht-, Seil)Litze *f*. **4.** *biol.* (Gewebe)Faser *f*. **5.** (Haar)-Strähne *f*. **6.** (Perlen)Schnur *f*. **7.** *fig.* Faden *m*, Ele'ment *n*, Zug *m* (*e-s Ganzen*). **II** *v/t* **8.** *ein Seil* drehen. **9.** *electr. ein Kabel* verseilen: ~ed wire Litzendraht *m*; ~ cable vielsträhniges Drahtkabel. **10.** *Tau etc* brechen.

strange [streindʒ] **I** *adj* (*adv* ~ly) **1.** seltsam, eigenartig, sonderbar, merkwürdig, ‚komisch': ~ to say seltsamerweise. **2.** fremd, neu, unbekannt, ungewohnt, nicht geläufig (to s.o. j-m). **3.** (to) nicht gewöhnt (an *acc*), nicht vertraut (mit). **4.** reser'viert, kühl, ‚fremd'. **II** *adv* → 1. **'strange·ness** *s* **1.** Seltsamkeit *f*, (*das*) Merkwürdige. **2.** Fremdartigkeit *f*, Fremdheit *f*.

stran·ger ['streindʒər] *s* **1.** Fremde(r *m*) *f*, Unbekannte(r *m*) *f*, Fremdling *m*: I am a ~ here ich bin hier fremd; to make a ~ of s.o. j-n wie e-n Fremden behandeln; you are quite a ~ Sie sind ein seltener Gast; he is no ~ to me er ist mir kein Fremder; I spy (*od.* see) ~s *parl. Br.* ich beantrage die Räumung der (Besucher)Galerie. **2.** Neuling *m* (to in *dat*): to be a ~ to nicht vertraut sein mit; he is no ~ to poverty die Armut ist ihm nicht unbekannt. **3.** *jur.* Dritte(r *m*) *f*, Unbeteiligte(r *m*) *f*.

stran·gle ['stræŋgl] **I** *v/t* **1.** erwürgen, erdrosseln, strangu'lieren. **2.** *j-n* würgen, *den Hals* einschnüren (*Kragen etc*). **3.** *fig.* ersticken: a) abwürgen: to ~ local initiative, b) unter'drücken: a ~d sigh. **II** *v/i* **4.** ersticken. **~ hold** *s sport u. fig.* Würgegriff *m*.

stran·gles ['stræŋglz] *s pl* (*meist als sg konstruiert*) *vet.* Druse *f*.

stran·gu·late ['stræŋgju,leit] *v/t* **1.** *med. Gefäß etc* abschnüren, abbinden. **2.** → strangle 1. **,stran·gu'la·tion** *s* **1.** Erdrosselung *f*, Strangu'lierung *f* (*a. fig.*). **2.** *med.* Einschnürung *f*, -klemmung *f*.

stran·gu·ry ['stræŋgju(ə)ri] *s med.* Harnzwang *m*, -drang *m*.

strap [stræp] **I** *s* **1.** (Leder-, *a.* Trag-, *tech.* Treib)Riemen *m*, Gurt *m*, Band *n*: the ~ Züchtigung *f* mit dem Riemen. **2.** a) Schlaufe *f*, Halteriemen *m* (*im Bus etc*), b) (Stiefel)Strippe *f*. **3.** Streichriemen *m*. **4.** a) (Schulter- *etc*)-Streifen *m*, (Achsel)Klappe *f*, b) Träger *m* (*an Kleidern*), c) Steg *m* (*an der Hose*). **5.** *tech.* a) (Me'tall)Band *n*, b) Gelenkplatte *f*, c) Bügel *m* (*am Kopfhörer*). **6.** *mar.* Stropp *m*. **7.** *bot.* Blatthäutchen *n*. **II** *v/t* **8.** festschnallen (to an *acc*): to ~ o.s. in sich festschnallen; ~ped trousers Steghose *f*. **9.** 'umschnallen. **10.** (an e-m Streichriemen) abziehen: to ~ a razor. **11.** mit e-m Riemen schlagen. **12.** *med.* a) Heftpflaster kleben auf (*e-e Wunde*), b) *a.* ~ up *j-m* e-n Heftpflasterverband machen. **'~,hang·er** *s colloq.* Stehplatzinhaber(in) (*im Bus etc*). **~ i·ron** *s tech. Am.* Bandeisen *n*.

strap·less ['stræplis] *adj* schulterfrei (*Kleid*), trägerlos (*Badeanzug, Kleid*).

strap·pa·do [strə'peidou; -'pɑː-] *pl* **-does** *s hist.* (Folterung *f* mittels) Wippe *f*.

strap·per ['stræpər] *s* **1.** a) strammer Bursche, b) strammes *od.* dralles Mädchen. **2.** Stallknecht *m*. **'strap·ping** **I** *adj* **1.** stramm, stämmig: a ~ girl ein dralles Mädchen. **II** *s* **2.** Riemen *pl*. **3.** Tracht *f* Prügel. **4.** *med.* Heftpflaster(verband *m*) *n*.

'strap,work *s arch.* verschlungene Bandverzierung.

stra·ta ['streitə; 'strɑːtə; 'strætə] *pl von* stratum.

strat·a·gem ['strætədʒəm] *s* **1.** Kriegslist *f*. **2.** List *f*, Trick *m*.

stra·tal ['streitl] *adj geol.* Schichten...

stra·te·gic [strə'tiːdʒik] *adj* (*adv* ~ally) *mil.* stra'tegisch: a) *die Strategie betreffend*: ~ plans; ~ bomber force, b) stra'tegisch wichtig: ~ point (target, *etc*), c) kriegswichtig: ~ goods, d) Kriegs... **stra'te·gics** *s pl* (*als sg konstruiert*) → strategy. **strat·e·gist** ['strætidʒist] *s* Stra'tege *m*. **'strat·e·gy** [-dʒi] *s* Strate'gie *f*: a) Feldherrn-, Kriegskunst *f*, b) (Art *f* der) Kriegsführung *f*, c) *fig.* Taktik *f* (*a. sport*), d) List *f*.

strath [stræθ] *s Scot.* breites (Fluß)Tal.

strath·spey [stræθ'spei] *s ein lebhafter schottischer Tanz.*

stra·tic·u·late [strə'tikjulit; -,leit] *adj geol.* dünn geschichtet.

strat·i·fi·ca·tion [,strætifi'keiʃən] *s* **1.** *geol. etc* Schichtung *f*, Schichtenbildung *f*. **2.** *fig.* Schichtung *f*, Gliederung *f*. **'strat·i,fied** [-,faid] *adj* geschichtet, schichtförmig: ~ rock Schichtgestein *n*; ~ sample (*Statistik*) geschichtete Stichprobe. **'strat·i,form** [-,fɔːrm] *adj* schichtenförmig. **'strat·i,fy** [-,fai] **I** *v/t* **1.** *bes. geol.* schichten, stratifi'zieren. **II** *v/i* **2.** *bes. geol.* a) Schichten bilden, b) in Schichten liegen. **3.** (gesellschaftliche) Schichten entwickeln.

stra·tig·ra·phy [strə'tigrəfi] *s geol.* Formati'onskunde *f*.

,stra·to-'cir·rus [,streito-] *s meteor.* niedriger u. dichter Zirro'stratus.

stra·toc·ra·cy [strə'tɒkrəsi] *s* Mili'tärherrschaft *f*.

strat·o·cruis·er ['strætoˌkruːzər], **'strat·o,lin·er** [-,lainər] *s aer.* Strato'sphärenflugzeug *n*.

strat·o·sphere ['strætoˌsfir; 'strei-] *s* Strato'sphäre *f*. **,strat·o'spher·ic** [-'sferik] *adj* **1.** strato'sphärisch. **2.** *fig. Am.* a) ‚astro'nomisch', e'norm, b) phan'tastisch, über'spannt.

strat·o·vi·sion ['strætoˌviʒən] *s TV* Stratovisi'on *f*.

stra·tum ['streitəm; 'strɑː-; 'stræt-] *pl* **-ta** [-tə], **-tums** *s* **1.** *allg.* (*a.* Gewebe-, Luft)Schicht *f*, Lage *f*. **2.** *geol.* Schicht *f*, Formati'on *f*. **3.** *fig.* (gesellschaftliche *etc*) Schicht.

stra·tus ['streitəs] *pl* **-ti** [-tai] *s* Stratus *m*, Schichtwolke *f*.

straw [strɔː] **I** *s* **1.** Strohhalm *m*: to draw ~s Strohhalme ziehen (*als Lose*); to catch (*od.* clutch, grasp) at a ~ sich an e-n Strohhalm klammern; the last ~ that breaks the camel's back der Tropfen, der das Faß zum Überlaufen bringt; that's the last ~! das hat gerade noch gefehlt!, jetzt reicht's mir aber!; he doesn't care a ~ es ist ihm völlig schnuppe. **2.** Stroh *n*: in the ~ *obs.* im Wochenbett; → man 3. **3.** Trinkhalm *m*. **4.** Strohhut *m*. **II** *adj* **5.** strohern, Stroh... **6.** strohfarben. **7.** *fig.* wertlos, Schein...

straw·ber·ry ['strɔːbəri] **I** *s* **1.** *bot.* Erdbeere *f*. **2.** *a.* crushed ~ Erdbeerrot *n* (*Farbe*). **II** *adj* **3.** Erdbeer...: ~ jam. **~ blond** *adj* rotblond. **~ leaf** *s irr* **1.** *bot.* Erdbeerblatt *n*. **2.** *meist pl* Herzogskrone *f*, *fig.* -würde *f*. **~ mark** *s med.* rotes Muttermal. **~ tongue** *s med.* Himbeerzunge *f* (*bei Scharlach*).

straw| bid *s econ. Am. colloq.* Scheingebot *n*. **~ bid·der** *s econ. Am. colloq.*

Scheinbieter *m.* '~ˌ**board** *s* **1.** Strohpappe *f.* **2.** Preßspan(platte *f*) *m.* ~ **boss** *s Am. colloq.* **1.** Vorarbeiter *m.* **2.** Stellvertreter *m* des Chefs. '~-ˌ**col·o(u)red** *adj* strohfarbig, -farben. '~-ˌ**flow·er** *s bot.* Strohblume *f.* ~ **hat** *s* **1.** Strohhut *m.* **2.** *a.* ~ **theater** *Am. colloq.* 'Freilichttheˌater *n.* ~ **man** *s irr* **1.** Strohpuppe *f.* **2.** *fig.* Strohmann *m.* ~ **mat·tress** *s* Strohsack *m.* ~ **plait** *s* Strohgeflecht *n* (*bes. für Hüte*). ~ **stem** *s* **1.** aus der Schale her'ausgezogener Weinglasfuß. **2.** *Weinglas mit solchem Fuß.* ~ **stuff** *s tech.* Stroh(zell)stoff *m* (*für Papier*). ~ **vote** *s pol. bes. Am.* Probeabstimmung *f.*

straw·y ['strɔːi] *adj* **1.** strohern. **2.** mit Stroh bestreut.

stray [strei] **I** *v/i* **1.** (um'her)strolchen, (-)streunen (*a. Tier*). **2.** (um'her)streifen: **to** ~ **to** hinlaufen zu, *j-m* zulaufen. **3.** weglaufen (**from** von). **4.** a) abirren (**from** von), irren, sich verlaufen, b) *fig.* vom rechten Weg abkommen. **5.** *fig.* abschweifen (*Gedanken etc*). **6.** *electr.* streuen, vagabun'dieren. **II** *s* **7.** verirrtes *od.* streunendes Tier. **8.** (Her'um)Irrende(r *m*) *f*, Heimatlose(r *m*) *f.* **9.** herrenloses Gut. **10.** *pl electr.* atmo'sphärische Störungen *pl.* **III** *adj* **11.** verirrt, streunend: **a** ~ **dog (child)**; ~ **bullet** *mil.* verirrte Kugel. **12.** vereinzelt: ~ **customers.** **13.** beiläufig: **a** ~ **remark.** **14.** *electr.* Streu...: ~ **power** Verlustleistung *f.*

streak [striːk] **I** *s* **1.** Streif(en) *m*, Strich *m.* **2.** (Licht)Streifen *m*, (-)Strahl *m*: ~ **of lightning** Blitzstrahl, Wetterleuchten *n*; **like a** ~ **(of lightning)** *colloq.* wie der Blitz. **3.** Streifen *m*, Lage *f* (*z.B. im Speck*): **bacon with** ~**s of fat and lean** durchwachsener Speck. **4.** Maser *f*, Ader *f* (*im Holz*). **5.** *fig.* Anlage *f*, Spur *f*, Anflug *m*, Zug *m*, *humoristische etc* Ader: **a** ~ **of humo(u)r.** **6.** *Am. colloq.* ‚Strähne' *f*: ~ **of (bad) luck** (Pech-) Glückssträhne; **a winning** ~ e-e Gewinnserie *f.* **7.** *min.* Strich *m.* **8.** *Bakteriologie*: Aufstreich-Impfung *f*: ~ **culture** Strichkultur *f.* **9.** *chem.* Schliere *f.* **II** *v/t* **10.** streifen. **11.** ädern. **III** *v/i* **12.** streifig werden. **13.** *colloq.* rasen, flitzen.

streaked [striːkt] *adj* **1.** streifig, gestreift. **2.** gemasert (*Holz*). **3.** durch'wachsen (*Speck*). **4.** geschichtet.

'**streak·y** *adj* (*adv* **streakily**) **1.** → **streaked.** **2.** *Am. colloq.* a) ner'vös, ängstlich, b) 'unterschiedlich, c) wechselhaft.

stream [striːm] **I** *s* **1.** Wasserlauf *m*, Fluß *m*, Strom *m*, Bach *m.* **2.** Strom *m*, Strömung *f*: **against (with) the** ~ gegen den (mit dem) Strom (*a. fig.*); **down** ~ stromabwärts; **up** ~ stromaufwärts. **3.** *oft pl* (*a. Blut-, Gas-, Menschen- etc*)Strom *m*, (*Licht-, Tränen- etc*)Flut *f*: ~ **of air** Luftstrom; ~ **of words** Wortschwall *m*; ~ **of consciousness** *psych.* Bewußtseinsstrom; ~**-of-consciousness novel** Bewußtseinsstromroman *m.* **4.** *fig.* Strömung *f*, Richtung *f.* **5.** *ped. Br.* Zug *m*, Richtung *f.* **6.** Gang *m*, Lauf *m* (*der Zeit etc*). **II** *v/i* **7.** strömen, fluten (*a. Licht, Menschen etc*). **8.** (**with**) strömen (von), triefen (vor *dat*) (*Augen, Fensterscheiben etc*): ~**ing with tears** tränenüberströmt. **9.** *im Wind* flattern: ~**ing flags.** **10.** fließen (*Haare*). **11.** da'hinschießen (*Meteor*). **III** *v/t* **12.** aus-, verströmen. **13.** *mar.* auswerfen, -setzen: **to** ~ **the buoy.** **14.** *ped. Br.* in verschiedene (Lern)Züge einteilen. '**stream·er** *s* **1.** Wimpel *m*, flatternde Fahne. **2.** (langes, flatterndes) Band, Pa'pierschlange *f.* **3.** Spruchband *n*, Pla'katstreifen *m.* **4.** *fig. allg.* Streifen *m*, Band *n*, Fahne *f*, *bes.* Wolken-, Nebelstreif(en) *m.* **5.** Lichtstreifen *m* (*bes. des Nordlichts*). **6.** *pl electr.* unbestimmte Strahlungen *pl*: ~ **discharge** strahlartige Entladung. **7.** *Zeitung*: 'Balkenˌüberschrift *f*, (-)Schlagzeile *f.* **8.** *a.* ~ **fly** *e-e Angelfliege mit langen Federn.* '**stream·ing I** *s* **1.** Strömen *n.* **2.** *biol.* Fließen *n* (*Protoplasmabewegung*). **3.** *mar.* Schleppgeld *n.* **4.** *ped. Br.* Einteilung *f* in verschiedene (Lern)Züge. **II** *adj* **5.** strömend. **6.** triefend.

stream·less ['striːmlis] *adj* **1.** ohne Flüsse, wasserarm (*Gegend*). **2.** stehend (*Gewässer*). '**stream·let** [-lit] *s* Flüßchen *n*, Bächlein *n.*

'**stream|ˌline I** *s* **1.** *a.* ~ **shape** *tech.* Stromlinienform *f.* **2.** ele'gante *od.* schnittige Form. **3.** Strömungslinie *f.* **4.** *phys.* Stromlinie *f*: ~ **flow** laminare Strömung. **II** *adj* **5.** → **streamlined** 1. **III** *v/t* **6.** Stromlinienform geben (*dat*), stromlinienförmig konstru'ieren, windschnittig gestalten *od.* verkleiden. **7.** schnittig *od.* ele'gant gestalten. **8.** *fig.* a) moderni'sieren, b) rationali'sieren, 'durchorganiˌsieren, c) verbessern, wirkungsvoller *od.* zügiger *od.* reibungsloser gestalten, d) *bes. pol. Am.* ‚gleichschalten'. '~ˌ**lined** *adj* **1.** *phys. tech.* stromlinienförmig, windschnittig, -schlüpfig, Stromlinien... **2.** schnittig, ele'gant (u. zweckmäßig), formschön: ~ **office equipment.** **3.** *fig.* a) moderni'siert, fortschrittlich, b) ratio'nell, 'durchorganiˌsiert, c) *pol. Am.* ‚gleichgeschaltet'. '~ˌ**lin·er** *s bes. Am.* Stromlinienzug *m*, *a.* -(auto)bus *m*, -flugzeug *n.*

street [striːt] **I** *s* **1.** Straße *f*: **in** (*Am. a.* **on**) **the** ~ auf der Straße; **not in the same** ~ **with** *colloq.* nicht zu vergleichen mit; ~**s ahead** *colloq.* haushoch überlegen (**of** *dat*); **this is not up my** ~ *colloq.* a) das geht mich nichts an, b) das liegt mir nicht; **on the** ~**s** ‚auf dem Strich' (*Prostituierte*); **to go on the** ~**s** ‚auf den Strich' gehen; → **man** 3. **2. the** ~ a) *econ.* das Hauptgeschäfts- *od.* Börsenviertel, b) *Br.* → **Fleet Street**, c) *Am.* → **Wall Street**, d) Fi'nanzwelt *f.* **II** *adj* **3.** Straßen...: ~ **lighting.** **4.** *Börse*: a) Freiverkehrs..., b) *Br.* nach Börsenschluß (erledigt).

street| Ar·ab *s* Gassenjunge *m.* ~ **bro·ker** *s econ.* freier Makler. '~ˌ**car** *s Am.* Straßenbahn(wagen *m*) *f.* ~ **cer·tif·i·cate** *s econ. Am.* formlos über'tragene Aktie. ~ **clean·er** *s bes. Am.* **1.** Straßenkehrer *m.* **2.** 'Straßenkehrmaˌschine *f.* ~ **door** *s* Haustür(e) *f.* ~ **mar·ket** *s econ.* **1.** Freiverkehrsmarkt *m.* **2.** *Br.* Nachbörse *f.* ~ **or·der·ly** *s Br.* Straßenkehrer *m.* ~ **or·gan** *s mus.* Drehorgel *f*, Leierkasten *m.* ~ **ref·uge** *s Br.* Verkehrsinsel *f.* ~ **sprin·kler** *s Am.* Sprengwagen *m.* ~ **sweep·er** *bes. Br. für* **street cleaner.** '~ˌ**walk·er** *s* Straßendirne *f*, Prostitu'ierte *f.*

street·ward ['striːtwərd] *adj u. adv* nach der Straße zu *od.* an der Straße (gelegen).

strength [streŋθ; -ŋkθ] *s* **1.** Kraft *f*, Stärke *f*, Kräfte *pl*: ~ **of body** Körperkraft, -kräfte; ~ **of mind (will)** Geistes-(Willens)stärke, -kraft. **2.** *fig.* Stärke *f*: **this is not his** ~; **his** ~ **is** (*od.* **lies**) **in endurance** s-e Stärke ist Ausdauer. **3.** Macht *f*, Gewalt *f*: **the** ~ **of public opinion.** **4.** (Beweis-, Über'zeugungs)Kraft *f*: **on the** ~ **of** auf Grund (*gen*), kraft (*gen*), auf ... hin. **5.** *bes. mil.* (Kopf-, Truppen)Stärke *f*: **actual** ~ Iststärke; **required** ~ Sollstärke; ~ **report,** ~ **return** Stärkemeldung *f*; **in full** ~ in voller Stärke, vollzählig; **on the** ~ *Br. colloq.* auf der *od.* die Stammrolle. **6.** *mil.* Stärke *f*, (Heeres)Macht *f*, Schlagkraft *f.* **7.** *bes. phys. tech.* Stärke *f*, (*Bruch-, Zerreiß- etc*)Festigkeit *f*: **tearing** ~. **8.** *chem. electr. phys.* (*Strom-, Feld- etc*)Stärke *f*, Wirkungsgrad *m*: ~ **of an acid**; ~ **of field.** **9.** Stärke *f*, Gehalt *m* (*e-s Getränks*). **10.** Stärke *f*, Intensi'tät *f* (*von Farben, Sinneseindrücken etc*). **11.** *fig.* Stärke *f*, Kraft(quelle) *f*: **God is our** ~. **12.** *Börse*: Festigkeit *f.*

strength·en ['streŋθən; -ŋkθ-] **I** *v/t* **1.** stärken, stark machen: **to** ~ **s.o.'s hand** *fig.* j-m Mut machen. **2.** *fig.* bestärken, bekräftigen. **3.** (*zahlenmäßig*) verstärken (*a. math. u. electr.*). **II** *v/i* **4.** stark werden, erstarken. **5.** sich verstärken, stärker werden. '**strength·en·er** *s* **1.** *fig.* Stärkung *f.* **2.** *med.* Stärkungsmittel *n.* **3.** *tech.* Verstärkung(steil *n*) *f.* '**strength·en·ing I** *s* **1.** Stärkung *f.* **2.** Verstärkung *f* (*a. electr. tech.*). **3.** Vermehrung *f* (*a. math.*). **II** *adj* **4.** stärkend, kräftigend. **5.** verstärkend, Verstärkungs...

strength·less ['streŋθlis; -ŋkθ-] *adj* kraftlos, matt.

stren·u·ous ['strenjuəs] *adj* (*adv* ~**ly**) **1.** emsig, rührig. **2.** eifrig, tatkräftig, tüchtig. **3.** e'nergisch: ~ **opposition.** **4.** anstrengend, angestrengt, mühsam. '**stren·u·ous·ness** *s* **1.** Emsigkeit *f.* **2.** Eifer *m*, Tatkraft *f.* **3.** Ener'gie *f.* **4.** (*das*) Anstrengende *od.* Mühsame.

strep·to·ba·cil·lus [ˌstreptobə'siləs] *pl* **-li** [-lai] *s med.* 'Streptobaˌzillus *m.* ˌ**strep·to'coc·cus** [-'kɒkəs] *pl* **-ci** [-'kɒksai] *s med.* Strepto'kokkus *m.* ˌ**strep·to'my·cin** [-'maisin] *s med.* Streptomy'cin *n.*

stress [stres] **I** *v/t* **1.** a) *ling. metr. mus.* betonen, den Ak'zent legen auf (*acc*) (*beide a. fig.*), b) *fig.* her'vorheben, unter'streichen, Nachdruck legen auf (*acc*). **2.** *phys. tech.* beanspruchen. **3.** *fig.* beanspruchen, be-, über'lasten. **II** *s* **4.** Nachdruck *m*: **to lay** ~ **(up)on** → 1. **5.** *ling. metr. mus.* a) Ton *m*, ('Wort-, 'Satz)Akˌzent *m*, b) Betonung *f*, c) *metr.* betonte Silbe: **main** ~ Hauptton; ~ **accent** (reiner) Betonungsakzent; ~ **group** Akzentgruppe *f.* **6.** *phys. tech.* a) Beanspruchung *f*, Belastung *f* (*a. electr.*), b) (e'lastische) Spannung, c) Kraft *f*: ~ **analyst** Statiker *m*; ~**-strain diagram** Spannung/ Dehnung-Schaubild *n.* **7.** *fig.* (*nervliche, seelische etc*) Belastung, Anspannung *f*, Druck *m*, *med.* Streß *m*: ~ **disease** Streß-, Managerkrankheit *f.* **8.** Zwang *m*, Druck *m*: **the** ~ **of poverty** die drückende Armut; **under the** ~ **of circumstances** unter dem Druck der Umstände. **9.** Ungestüm *n*: **the** ~ **of the weather** die Unbilden der Witterung; → **storm** 1.

stretch [stretʃ] **I** *v/t* **1.** *oft* ~ **out** (aus)strecken, *bes. den Kopf od. Hals* rekken: **to** ~ **o.s. (out)** → 14; → **leg** *Bes. Redew.* **2.** *j-n* niederstrecken. **3.** *sl. j-n* (auf)hängen. **4.** ~ **out** *die Hand etc* aus-, 'hinstrecken. **5.** *ein Tuch, Seil, e-e Saite etc* spannen (**over** über *dat od. acc*), straffziehen, *e-n Teppich etc* ausbreiten. **6.** strecken, (*Hand*)*Schuhe etc* (aus)weiten, *bes. Hosen* spannen. **7.** *phys. tech.* spannen, dehnen, (st)rekken. **8.** *Nerven, Muskeln* anspannen. **9.** aus-, über'dehnen, ausbeulen. **10.** *fig.* über'spannen, -'treiben: **to** ~ **a**

principle. **11.** *fig.* es mit *der Wahrheit, e-r Vorschrift etc* nicht allzu genau nehmen: to ~ **the truth**; to ~ **a point** a) ein wenig zu weit gehen, b) es nicht allzu genau nehmen, ‚ein Auge zudrücken', fünf gerade sein lassen; to ~ **a word** *etc* e-n Begriff dehnen, e-m Wort *etc* e-e weite Auslegung geben. **12.** 'überbeanspruchen, *Befugnisse, e-n Kredit etc* über'schreiten. **13.** *e-n Vorrat etc* ‚strecken'.

II *v/i* **14.** sich (aus)strecken, sich dehnen *od.* rekeln. **15.** langen (for nach). **16.** sich erstrecken, sich 'hinziehen (to [bis] zu) (*Gebirge etc, a. Zeit*): to ~ **down to** *fig.* zurückreichen *od.* -gehen (bis) zu *od.* in (*acc*) (*Zeitalter, Erinnerung etc*). **17.** sich dehnen (lassen). **18.** *meist* ~ **out** a) ausschreiten, b) *sport* im gestreckten Ga'lopp reiten. **19.** *colloq.* sich ins Zeug legen. **20.** *colloq.* ‚baumeln', hängen. **21.** *colloq.* flunkern, über'treiben.

III *s* **22.** (Sich-)'Dehnen *n*, (-)'Strekken *n*, Rekeln *n*: to give a ~ → 14. **23.** Strecken *n*, (Aus)Dehnen *n*, (-)Weiten *n*: ~ **properties** *tech.* Dehnungseigenschaften, Elastizität *f.* **24.** Spannen *n.* **25.** Anspannung *f*, (Über)-'Anstrengung *f*: **by any** ~ **of the English language** bei großzügiger Auslegung der englischen Sprache; **by every** ~ **of imagination** unter Aufbietung aller Phantasie; **on** (*od.* **at**) **the** ~ angespannt, angestrengt. **26.** *fig.* Über'spannen *n*, -'treiben *n*, Strapa'zierung *f.* **27.** Über'schreiten *n* (*von finanziellen Mitteln, Befugnissen etc*). **28.** (Weg)Strecke *f*, Fläche *f*, Ausdehnung *f.* **29.** *Pferderennen*: (Ziel)Gerade *f.* **30.** *Segelsport*: Strecke *f*, Schlag *m.* **31.** Spa'ziergang *m.* **32.** Zeit(raum *m*, -spanne) *f*: **a** ~ **of 10 years; 8 hours at a** ~ 8 Stunden hintereinander. **33.** a) *colloq.* ‚Knast' *m*, (Freiheits)Strafe *f*, b) *Br. sl.* ‚ein Jahr': **to do a** ~ (*Br.* ein Jahr) ‚brummen' *od.* ‚sitzen'.

IV *adj* **34.** dehnbar, Stretch...: ~ **nylon** Stretchnylon *n.*

stretch·er ['stretʃər] *s* **1.** *med.* (Trag)-Bahre *f*, Krankentrage *f*: ~**-bearer** Krankenträger *m*; ~ **case** nicht gehfähiger Verletzter. **2.** (*Schuh- etc*)-Spanner *m.* **3.** *tech.* Streckvorrichtung *f.* **4.** Rippe *f* (*e-s Regenschirms*). **5.** *paint.* Keilrahmen *m.* **6.** *mar.* Fußleiste *f* (*im Ruderboot*). **7.** *arch.* a) Läufer *m* (*längs liegender Mauerstein*), b) Stretchbalken *m*: ~ **bond** Läuferverband *m.* **8.** *Am. sl.* Flunke'rei *f.*

stretch-ˌout *s econ. Am. colloq.* **1.** 'Arbeitsintensiˌvierung *f* ohne entsprechende Lohnerhöhung. **2.** Produkti'onsstreckung *f.*

stretch·y ['stretʃi] *adj* dehnbar, e'lastisch.

strew [struː] *pret u. pp* **strewed,** *pp a.* **strewn** [struːn] *v/t* **1.** (aus)streuen. **2.** bestreuen.

stri·a ['straiə] *pl* **stri·ae** ['straiiː] *s* **1.** Streifen *m*, Furche *f.* **2.** *pl med.* Striae *pl*: a) Striemen *pl*, b) Schwangerschaftsstreifen *pl.* **3.** *zo.* Stria *f*, Falte *f.* **4.** *pl geol.* (Gletscher)Schrammen *pl.* **5.** *arch.* Riffel *m*, Furche *f* (*an Säulen*). **6.** *electr.* leuchtender Streifen. '**stri·ate I** *v/t* [-ˌeit] **1.** streifen, furchen, riefeln. **2.** *geol.* kritzen. **II** *adj* [-it; -ˌeit] → **striated.** '**stri·at·ed** [-eitid] *adj* **1.** gestreift, geriefelt: ~ **muscle** *anat.* gestreifter *od.* willkürlicher Muskel. **2.** *geol.* gekritzt.

stri·a·tion [strai'eiʃən] *s* **1.** Streifen-, Riefenbildung *f*, Furchung *f*, Riefung *f.* **2.** Streifen *m* (*pl*), Riefe(n *pl*) *f*: ~ **of pregnancy** → **stria** 2 b. **3.** *geol.* Schramme(n *pl*) *f.* '**stri·a·ture** [-ətʃər] → **striation.**

strick·en ['strikən] **I** *pp von* **strike.** **II** *adj* **1.** *obs.* verwundet. **2.** (with) heimgesucht, schwer betroffen (von *Not, Unglück etc*), befallen (von *Krankheit*), ergriffen, gepackt (von *Schrecken, Schmerz etc*), schwer geprüft, leidend: **a** ~ **man;** ~ **seafarers** in Not befindliche Seefahrer. **3.** *fig.* niedergeschlagen, (gram)gebeugt, wund: **a** ~ **look** ein verzweifelter Blick; ~ **in years** vom Alter gebeugt, hochbetagt. **4.** *allg.* angeschlagen: **a** ~ **ship.** **5.** gestrichen (voll): **a** ~ **measure of corn.** **6.** ‚geschlagen', voll: **for a** ~ **hour.**

strick·le ['strikl] **I** *s* **1.** Abstreichlatte *f.* **2.** Streichmodel *m.* **II** *v/t* **3.** ab-, glattstreichen.

strict [strikt] *adj* **1.** strikt, streng: ~ **discipline (man, neutrality, observance, truth,** *etc*); **in** ~ **confidence** streng vertraulich; **to keep a** ~ **watch over s.o.** j-n streng bewachen. **2.** streng: ~ **law (morals, investigation,** *etc*). **3.** streng, genau: **in the** ~ **sense** im strengen Sinn; ~**ly speaking** genaugenommen. **4.** streng, ex'akt, prä'zise. **5.** *mus.* streng: ~ **counterpoint.** '**strict·ly** *adv* **1.** streng (*etc*). **2.** genaugenommen. **3.** völlig, ausgesprochen. '**strict·ness** *s* Strenge *f*: a) Härte *f*, b) (peinliche) Genauigkeit.

stric·ture ['striktʃər] *s* **1.** *oft pl* (on, upon) scharfe Kri'tik (an *dat*), kritische Bemerkung (über *acc*). **2.** *med.* Strik'tur *f*, Verengung *f.* '**stric·tured** *adj med.* striktu'riert, verengt.

strid·den ['stridn] *pp von* **stride.**

stride [straid] **I** *v/i pret* **strode** [stroud], *pp* **strid·den** ['stridn], *obs. pret u. pp* **strid** **1.** schreiten. **2.** *a.* ~ **out** (tüchtig) ausschreiten. **II** *v/t* **3.** *etwas* entlang-, abschreiten. **4.** über-, durch'schreiten, -'queren. **5.** mit gespreizten Beinen gehen über (*acc*) *od.* stehen über (*dat*). **6.** rittlings sitzen auf (*dat*). **III** *s* **7.** Schreiten *n*, gemessener Schritt. **8.** langer *od.* großer Schritt. **9.** a) Schritt(weite *f*) *m*, b) Gangart *f* (*e-s Pferdes*): **to get into** (*od.* **hit** *od.* **strike**) **one's** ~ (richtig) in Schwung *od.* Fahrt kommen; **to take s.th. in one's** ~ etwas spielend (leicht) schaffen. **10.** *meist pl fig.* (Fort)Schritte *pl*: **with rapid** ~**s** mit Riesenschritten.

stri·dence ['straidns], '**stri·den·cy** [-si] *s* **1.** Schrillheit *f*, (*das*) Schneidende *od.* Grelle. **2.** Knirschen *n.* '**stri·dent** *adj* (*adv* ~**ly**) **1.** schrill, 'durchdringend, schneidend, grell. **2.** knirschend, knarrend. **3.** *fig.* scharf, heftig.

strid·u·late [*Br.* 'stridjuˌleit; *Am.* -dʒə-] *v/i zo.* zirpen, schwirren. ˌ**strid·u'la·tion** *s* Zirpen *n*, Schwirren *n.* '**strid·uˌla·tor** [-tər] *s* zirpendes Insekt.

strife [straif] *s* Streit *m*: a) Zwist *m*, Hader *m*, b) Kampf *m*: **to be at** ~ sich streiten, uneins sein.

strig [strig] *s* Stiel *m.*

stri·gose ['straigous; stri'gous] *adj* **1.** *bot.* Borsten..., striegelig. **2.** *zo.* fein gestreift.

strike [straik] **I** *s* **1.** Schlag *m*, Hieb *m*, Stoß *m.* **2.** (Glocken)Schlag *m.* **3.** Schlag(werk *n*) m (*e-r Uhr*). **4.** *econ.* Streik *m*, Ausstand *m*: **to be on** ~ streiken; **to go on** ~ in Streik *od.* in den Ausstand treten; **on** ~ ausständig, streikend. **5.** *Baseball*: (Verlustpunkt *m* bei) Schlagfehler *m.* **6.** *Bowling*: Strike *m* (*Abräumen beim 1. Wurf*). **7.** *Angelsport*: a) Ruck *m* mit der Angel, b) Anbeißen *n* (*des Fisches*). **8.** *Münzherstellung*: Prägungsbetrag *m.* **9.** *Bergbau*: a) Streichen *n* (*der Schichten*), b) (Streich)Richtung *f.* **10.** *colloq.* ‚Treffer' *m*, Glücksfall *m*: **a lucky** ~ ein Glückstreffer. **11.** *mil.* a) (*bes.* Luft)Angriff *m*, b) A'tomschlag *m*, c) Einsatzgeschwader *n.* **12.** *Am. sl.* Er'pressungsversuch *m*, -maˌnöver *n* (*a. pol.*). **13.** *chem. electr.* a) dünnes Elek'trodendepoˌsit, b) *dazu verwendeter Elektrolyt.*

II *v/t pret* **struck** [strʌk], *pp* **struck, strick·en** ['strikən], *obs.* **strook** [struk], '**struck·en.** **14.** schlagen, Schläge *od.* e-n Schlag versetzen (*dat*), *allg.* treffen: **to** ~ **s.o. in the face** j-n ins Gesicht schlagen; **to** ~ **together** zs.-, aneinanderschlagen; **struck by a stone** von e-m Stein getroffen; → **iron** 1. **15.** *das Messer etc* stoßen (into in *acc*). **16.** *e-n Schlag* führen: → **blow**[2] 1. **17.** *mus. e-n Ton, a. e-e Glocke, Saite, Taste* anschlagen: → **note** 9 *u.* 11. **18.** a) *ein Zündholz, Licht* entzünden, b) *Feuer, Funken* schlagen. **19.** *den Kopf, Fuß etc* (an)stoßen, schlagen (against gegen). **20.** stoßen *od.* schlagen gegen *od.* auf (*acc*), zs.-stoßen mit, *mar.* auflaufen auf (*acc*), einschlagen in (*acc*) (*Geschoß, Blitz*). **21.** fallen auf (*acc*) (*Licht*), auftreffen auf (*acc*), *das Auge od. Ohr* treffen: **a sound struck his ear** ein Laut schlug an sein Ohr; **to** ~ **s.o.'s eye** j-m ins Auge fallen. **22.** *fig. j-m* einfallen *od.* in den Sinn kommen: **an idea struck him** ihm kam *od.* er hatte e-e Idee. **23.** *j-m* auffallen: **what struck me was ...** was mir auffiel *od.* worüber ich staunte, war ... **24.** Eindruck machen auf (*acc*), *j-n* beeindrucken: **to be struck by** beeindruckt *od.* hingerissen sein von; **to be struck on a girl** *sl.* in ein Mädchen ‚verknallt' sein; → **fancy** 2. **25.** *j-m gut etc* vorkommen: **how does it** ~ **you?** was hältst du davon?; **it struck her as ridiculous** es kam ihr lächerlich vor. **26.** stoßen auf (*acc*), (zufällig) treffen *od.* entdecken, *Gold etc* finden: → **oil** 1, **rich** 7. **27.** *Wurzeln* schlagen: → **root**[1] 1. **28.** *thea. Kulissen etc* fortnehmen, wechseln. **29.** *das Lager, Zelt* abbrechen. **30.** *mar.* a) *die Flagge, Segel* streichen, b) (weg)fieren: → **flag**[1] 1, **sail** 1. **31.** *den Fisch* mit e-m Ruck (der Angel) auf den Haken spießen. **32.** a) *s-e Beute* schlagen (*Habicht etc*), b) die Giftzähne schlagen in (*acc*) (*Schlange*). **33.** *tech.* glattstreichen. **34.** a) *math. den Durchschnitt, das Mittel* nehmen, b) *econ. die Bilanz, den Saldo* ziehen, c) *econ. e-e Dividende* ausschütten: → **average** 1, **balance** 7, **mean**[3] 4. **35.** (*bes. von e-r Liste*) streichen: → **roll** 2, **strike off** 1, **strike through.** **36.** *e-e Münze, Medaille* schlagen, prägen. **37.** *die Stunde etc* schlagen (*Uhr*). **38.** *fig. j-n* schlagen, heimsuchen, treffen (*Unglück, Not etc*), befallen (*Krankheit*). **39.** a) ~ **into** *j-m e-n Schrecken* einjagen, b) (with mit *Schrecken, Schmerz etc*) erfüllen: **to** ~ **s.o. with fear.** **40.** *j-n blind, taub etc* machen: ~ **me dead!** *vulg.* so wahr ich hier stehe!; → **blind** 1. **41.** *ein Tempo, e-e Gangart* anschlagen. **42.** *e-e Haltung od. Pose* an-, einnehmen: **to** ~ **an attitude.** **43.** *econ. e-n Handel* abschließen: → **bargain** *Bes. Redew.* **44.** **to** ~ **work** die Arbeit niederlegen: a) *econ.* in Streik treten, b) Feierabend machen.

III *v/i* **45.** (zu)schlagen, (-)stoßen.

46. schlagen, treffen: to ~ at a) *j-n od.* nach *j-m* schlagen, b) *fig.* zielen auf (*acc*): → root[1] 1. **47.** a) sich schlagen, kämpfen (for für), b) zuschlagen, angreifen. **48.** zubeißen (*Schlange*). **49.** (on, upon) a) (an)schlagen, stoßen (an *acc*, gegen), b) *mar.* auflaufen (auf *acc*), (auf *Grund*) stoßen. **50.** fallen (*Licht*), auftreffen (*Lichtstrahl, Schall etc*) (on, upon auf *acc*). **51.** ~ (up)on auf *Öl, Erz etc* stoßen (→ 26). **52.** schlagen (*Uhrzeit, Uhr*): → hour 3. **53.** sich entzünden (*Streichholz*). **54.** *electr.* sich (*plötzlich*) entladen (*Funke*): to ~ across überspringen. **55.** einschlagen, treffen (*Blitz, Geschoß*). **56.** *bot.* Wurzel schlagen. **57.** den Weg *nach rechts etc* einschlagen, sich (plötzlich) *nach links etc* wenden: to ~ to the right; to ~ for home *colloq.* heimzu gehen; to ~ into a) einbiegen in (*acc*), *e-n Weg* einschlagen, b) *fig.* plötzlich verfallen in (*acc*), *etwas* beginnen; to ~ into a gallop in Galopp verfallen; to ~ into a subject sich e-m Thema zuwenden. **58.** *econ.* streiken (for um; against gegen). **59.** *mar.* die Flagge streichen (to vor *dat*) (*a. fig.*). **60.** *geol.* streichen (*Schicht*). **61.** *Angeln:* a) anbeißen (*Fisch*), b) den Fisch mit e-m Ruck auf den Angelhaken spießen. **62.** ('durch)dringen (to zu; into in *acc*; through durch) (*Kälte etc*).

Verbindungen mit Adverbien:

strike| back *v/i* zu'rückschlagen (*a. fig.*). ~ **be·low** *v/t mar.* (weg)fieren. ~ **down I** *v/t* niederschlagen, -strecken (*a. fig.*). **II** *v/i* her'abprallen, stechen (*Sonne*). ~ **in** *v/i* **1.** beginnen, anfangen, einfallen (*a. mus.*). **2.** *med.* (sich) nach innen schlagen (*Krankheit*). **3.** einfallen, unter'brechen (with mit *e-r Frage etc*). **4.** sich einmischen *od.* einschalten. **5.** mitmachen (with bei). **6.** ~ with sich richten nach. ~ **in·wards** → strike in 2. ~ **off** *v/t* **1.** abschlagen, abhauen. **2.** *Wort etc* (aus)streichen, löschen, tilgen: → roll 2. **3.** *ein Bild, Gedicht etc* ,'hinhauen'. **4.** *etwas* genau 'wiedergeben. **5.** *tech.* glattstreichen. **6.** *print.* abziehen. ~ **out I** *v/t* **1.** → strike off 2. **2.** *fig.* (mit leichter Hand) entwerfen, ersinnen, ausdenken. **3.** *meist fig. e-n Weg* einschlagen. **4.** *Baseball: den Schläger* ,aus' machen. **II** *v/i* **5.** los-, zuschlagen. **6.** (zum Schlag) ausholen. **7.** ausschreiten, ,loslegen' (*a. fig.*), *a.* losschwimmen (for nach, auf *e-n Ort* zu): to ~ for o.s. s-e eigenen Wege gehen (*a. fig.*). **8.** *beim Schwimmen etc* ausgreifen. ~ **through** *v/t* 'durchstreichen. ~ **up I** *v/i* **1.** *mus.* einsetzen (*Spieler, Melodie*). **II** *v/t* **2.** *mus.* a) *ein Lied etc* anstimmen, b) *die Kapelle* einsetzen lassen. **3.** *colloq. e-e Freundschaft od. Bekanntschaft* anknüpfen, schließen (with mit): to ~ a conversation ein Gespräch anknüpfen.

strike| air·craft *s aer. mil.* Kampfflugzeug *n.* ~ **bal·lot** *s*: to take a ~ e-e Urabstimmung abhalten. ~ **ben·e·fit** → strike pay. '~,**bound** *adj* bestreikt. '~,**break·er** *s econ.* Streikbrecher *m.* ~ **meas·ure** → struck measure. ~ **pay** *s econ.* Streikgeld(er *pl*) *n*, -lohn *m.*

strik·er ['straikər] *s* **1.** Schläger(in). **2.** *econ.* Streikende(r *m*) *f*, Ausständige(r *m*) *f.* **3.** Schläger *m*, Schlagwerkzeug *n.* **4.** Hammer *m*, Klöppel *m* (*in Uhren*). **5.** *mil.* Schlagbolzen *m.* **6.** *electr.* Zünder *m.* **7.** *mil. Am. colloq.* (Offi'ziers)Bursche *m.* '~-'**out** *s Tennis etc*: Rückschläger(in).

strik·ing ['straikiŋ] *adj* (*adv* ~ly) **1.** schlagend, Schlag...: ~ clock Schlaguhr *f.* **2.** *fig.* a) bemerkenswert, auffallend, eindrucksvoll: a ~ feature; ~ progress, b) über'raschend, verblüffend: ~ likeness, c) treffend: a ~ example. **3.** streikend, ausständig. ~ **cir·cle** *s Hockey*: Schußkreis *m.* ~ **dis·tance** *s* Schlagweite *f* (*a. electr. tech.*). ~ **force** *s mil.* Eingreiftruppe(n *pl*) *f*, -verband *m.*

strik·ing·ness ['straikiŋnis] *s* (*das*) Auffallende *od.* Treffende *od.* Über'raschende.

string [striŋ] **I** *s* **1.** Schnur *f*, Bindfaden *m.* **2.** (Schürzen-, Schuh- *etc*)Band *n*, Kordel *f*: to have s.o. on a ~ j-n am Gängelband *od.* am Bändel *od.* in s-r Gewalt haben. **3.** *Puppenspiel*: Faden *m*, Draht *m*: to pull the ~s *fig.* die Fäden in der Hand halten, der Drahtzieher sein. **4.** Schnur *f* (*von Perlen, Zwiebeln etc*): a ~ of pearls e-e Perlenschnur. **5.** *fig.* Reihe *f*, Kette *f*: ~ of islands Inselkette; a ~ of questions e-e Reihe von Fragen; a ~ of vehicles e-e Kette von Fahrzeugen. **6.** Koppel *f* (*von Pferden etc*). **7.** *mus.* a) Saite *f*, b) *pl* 'Streichinstru,mente *pl*, (*die*) Streicher *pl*: to touch a ~ *fig.* e-e Saite zum Erklingen bringen; → harp 3. **8.** (Bogen)Sehne *f*: to have two ~s (to one's bow) zwei Eisen im Feuer haben; to be a second ~ das zweite Eisen im Feuer sein (→ 12). **9.** *bot.* a) Faser *f*, Fiber *f*, b) Faden *m* (*der Bohnen*). **10.** *zo. obs.* Flechse *f.* **11.** *arch.* a) → string course, b) (Treppen)Wange *f.* **12.** *bes. sport* (*erste etc*) Garni'tur: to be a second ~ a) zur 2. Garnitur gehören, b) *fig.* ,die zweite Geige spielen' (→ 8). **13.** *meist pl bes. Am. colloq.* ,Haken' *m*: to have a ~ (attached) to it e-n Haken haben; no ~s attached ohne Bedingungen.

II *adj* **14.** *mus.* Saiten..., Streich(er)...: ~ department, ~ group, ~ section Streicher(gruppe *f*) *pl*; ~ quintet Streichquintett *n.*

III *v/t pret u. pp* **strung** [strʌŋ], *pp selten* **stringed 15.** mit Schnüren *od.* Bändern versehen. **16.** *e-e Schnur etc* spannen. **17.** (zu-, ver)schnüren, zubinden. **18.** *Perlen etc* aufreihen. **19.** *fig.* anein'anderreihen, verknüpfen. **20.** *mus.* a) besaiten, bespannen (*a. e-n Tennisschläger*), b) *das Saiteninstrument* stimmen. **21.** *den Bogen* a) mit e-r Sehne versehen, b) spannen. **22.** behängen: to ~ a room with festoons. **23.** ~ up *bes. pp j-n, j-s Nerven* anspannen: to ~ o.s. up to a) sich in *e-e Erregung etc* hineinsteigern, b) sich aufraffen zu *etwas od. etwas zu tun*; → high-strung. **24.** ~ up *colloq. j-n* ,aufknüpfen'. **25.** *Am. sl. j-n* ,aufziehen', ,verkohlen'. **26.** ~ along *colloq.* a) *j-n* 'hinhalten, b) *j-n* ,einwickeln', täuschen (with mit). **27.** *bes. Bohnen* abziehen.

IV *v/i* **28.** ~ along a) sich in e-r Reihe bewegen (*Personen, Fahrzeuge*), b) *Am. colloq.* sich anschließen (with s.o. j-m), mitmachen. **29.** Fäden ziehen (*Flüssigkeit*).

string| bag *s* Einkaufsnetz *n.* ~ **band** *s mus.* 'Streichka,pelle *f.* ~ **bean** *s bes.* Gartenbohne *f*, *pl a. Am.* grüne Bohnen *pl.* '~,**course** *s arch.* Fries *m*, Sims *m*, *n* (*um ein Gebäude*). ~ **de·vel·op·ment** → ribbon building.

stringed [striŋd] *adj* **1.** *mus.* Saiten..., Streich...: ~ instruments; ~ music Musik *f* für Streicher. **2.** *mus.* (*in Zssgn*) ...saitig. **3.** aufgereiht (*Perlen etc*).

strin·gen·cy ['strindʒənsi] *s* **1.** Härte *f*, Schärfe *f.* **2.** Bündigkeit *f*, zwingende Kraft: the ~ of an argument. **3.** *econ.* (Geld-, Kre'dit)Verknappung *f*, Knappheit *f*: ~ on the money market Gedrücktheit *f* des Geldmarktes.

'**strin·gent** *adj* (*adv* ~ly) **1.** streng, hart, scharf: ~ rules. **2.** zwingend: ~ necessity. **3.** zwingend, über'zeugend, bündig: ~ arguments **4.** *bes. econ.* knapp (*Geld*), gedrückt (*Geldmarkt*). **5.** streng, scharf, herb: ~ taste.

string·er ['striŋər] *s* **1.** *mus.* Saitenaufzieher *m.* **2.** *rail.* Langschwelle *f.* **3.** *arch.* → string 11 b. **4.** *tech.* Längs-, Stütz-, Streckbalken *m.* **5.** *aer.* Längsversteifung *f.* **6.** *mar.* Stringer *m.*

string·i·ness ['striŋinis] *s* **1.** Faserigkeit *f.* **2.** Zähigkeit *f.*

string| or·ches·tra *s mus.* 'Streichor,chester *n.* ~ **or·gan** *s mus.* 'Orgelkla,vier *n.* ~ **pea** *s bot.* Zuckererbse *f.* ~ **quar·tet(te)** *s mus.* 'Streichquar,tett *n.* ~ **stop** *s mus.* 'Streichre,gister *n*, -stimme *f* (*der Orgel*). ~ **tie** *s Am.* schmale Kra'watte.

string·y ['striŋi] *adj* **1.** fadenartig, sich (lang) 'hinziehend. **2.** flechsig, zäh: ~ meat. **3.** sehnig: a ~ fellow. **4.** zäh(flüssig), Fäden ziehend: ~ syrup. **5.** *mus.* dünn u. na'sal (*Ton*).

stri·o·la ['straiolə] *pl* **-lae** [-,liː] *s biol.* Streifchen *n.* '**stri·o,late** [-,leit], '**stri·o,lat·ed** *adj* feingestreift.

strip [strip] **I** *v/t* **1.** *Haut etc* abziehen, abstreifen, (ab)schälen, *Farbe von der Wand* abkratzen, *Früchte* enthülsen: to ~ a bed ein Bett abziehen; to ~ a tree e-n Baum abrinden. **2.** a) ~ off *ein Kleid etc* ausziehen, abstreifen, b) *j-n* ausziehen (to the skin bis auf die Haut): → stripped. **3.** *fig.* entblößen, berauben (of *gen*), (aus)plündern: to ~ s.o. of his office j-n s-s Amtes entkleiden; ~ped of his power s-r Macht beraubt. **4.** *a.* ~ off wegnehmen, entfernen. **5.** *ein Haus etc* ausräumen, *e-e Fabrik* demon'tieren. **6.** *mar.* abtakeln. **7.** *tech.* zerlegen, ausein'andernehmen. **8.** *electr. e-n Draht* 'abiso,lieren. **9.** *tech. das Gewinde* über'drehen. **10.** *chem.* die flüchtigen Bestandteile *od.* das Ben'zol abtreiben von. **11.** *Tabakblätter* a) entstielen, b) entrippen. **12.** *agr.* ausmelken: to ~ a cow.

II *v/i* **13.** sich ausziehen. **14.** sich (ab)schälen, sich lösen. **15.** *tech.* sich lockern.

III *s* **16.** Streifen *m*, schmales, langes Stück: a ~ of cloth (bacon, land). **17.** Reihe *f* (*von 3 od. mehr*) Briefmarken. **18.** Bilderserie *f.* **19.** *aer.* Start- u. Landestreifen *m.* **20.** *tech.* a) Walzrohling *m*, b) Bandeisen *n*, -stahl *m.* **21.** *chem. tech.* Abbeizbad *n.*

strip| art·ist → stripteaser. ~ **build·ing** *s Br.* Reihenbauweise *f.* ~ **car·toon** → comic strips.

stripe [straip] **I** *s* **1.** *meist* (*anders*)*farbiger* Streifen (*a. zo.*), Strich *m.* **2.** *bes. mil.* Tresse *f*, (Ärmel)Streifen *m*: to get one's ~s (zum Unteroffizier) befördert werden; to lose one's ~s degradiert werden. **3.** Striemen *m.* **4.** (Peitschen- *etc*)Hieb *m.* **5.** *fig. Am.* Art *f*, Sorte *f*, Schlag *m*: of the same political ~ derselben politischen Richtung; a man of quite a different ~ ein Mann von ganz anderem Schlag. **II** *v/t* **6.** streifen: ~d gestreift, streifig.

strip light(·ing) *s* Sof'fittenbeleuchtung *f.*

strip·ling *s* Bürschchen *n.*

stripped [stript] **I** *pp von* strip. **II** *adj*

1. nackt (*a. Draht*), entblößt (*a. fig.*). 2. *phys.* abgestreift: ~ neutrons; ~ atom hochionisiertes Atom.

strip·per ['stripər] *s* 1. *tech.* a) 'Schälma,schine *f*, b) *Spinnerei*: Arbeitswalze *f*, c) Abstreifer *m*, Stripper *m*. 2. *colloq.* → stripteaser. '**strip·ping** *s* 1. Schälen *n*, Abstreifen *n*. 2. (*das*) Abgestreifte *od.* Abgezogene. 3. *Atomphysik*: Extrakti'on *f*, Stripping *n*. 4. *pl* Nachmilch *f*, letzte Milch. 5. *chem. tech.* 'Entplat,tierung *f*.

strip| po·ker *s Pokerspiel, bei dem man für jeden Verlust ein Kleidungsstück ablegen muß.* '~,**tease** I *s* Striptease *n*, Entkleidungsnummer *f*. II *adj* Striptease... '~,**teas·er** *s* Nackttänzerin *f*.

strip·y ['straipi] *adj* gestreift, streifig.

strive [straiv] *pret* **strove** [strouv], *selten* **strived,** *pp* **striv·en** ['strivn], *a.* **strived,** *selten* **strove** *v/i* 1. sich (be)mühen, bestrebt sein (to do zu tun). 2. (for, after) streben (nach), ringen, sich mühen (um). 3. (erbittert) kämpfen (against gegen; with mit), ringen (with mit). 4. *obs.* wetteifern (with s.o. mit j-m; for s.th. um etwas).

striv·en ['strivn] *pp von* strive.

strobe [stroub] *s* 1. *phot.* Röhrenblitz *m*. 2. *Radar*: Schwelle *f*. '**strob·ing** *s Radar*: Si'gnalauswertung *f*.

strob·o·scope ['strɒbə,skoup] *s med. phys.* Strobo'skop *n*.

strode [stroud] *pret von* stride.

stroke[1] [strouk] I *s* 1. (*a. Blitz-, Flügel-, Schicksals*)Schlag *m*, Hieb *m*, Streich *m*, Stoß *m*: ~ of fate (lightning, wing); at a (*od.* one) ~ mit 'einem Schlag, auf 'einen Streich (*a. fig.*); a good ~ of business ein gutes Geschäft; ~ of (good) luck Glückstreffer *m*, -fall *m*; he has not done a ~ of work er hat (noch) keinen Strich getan. 2. (Glokken-, Hammer-, Herz- *etc*)Schlag *m*: on the ~ pünktlich; on the ~ of nine Schlag *od.* Punkt neun. 3. *med.* Anfall *m*, *bes.* Schlag(anfall) *m*. 4. *tech.* a) (Kolben)Hub *m*, b) Hubhöhe *f*, c) Takt *m*. 5. *sport* a) *Schwimmen*: Stoß *m*, (Bein)Schlag *m*, (Arm)Zug *m*, b) (Ruder-, Golf- *etc*)Schlag *m*, c) (Schlag- *etc*)Art *f*: to set the ~ (*Rudern*) den (Takt)Schlag angeben; to row ~ → 16. 6. *Rudern*: Schlagmann *m*. 7. (Pinsel-, Feder)Strich *m* (*a. print.*), (Feder)Zug *m*: to put (*od.* add) the finishing ~(s) to s.th. e-r Sache (den letzten) Schliff geben, die letzte Hand an etwas legen; with a ~ of the pen mit e-m Federstrich (*a. fig.*); a ~ above *colloq.* ein gutes Stück besser als. 8. *fig.* (Hand)Streich *m*, Ma'növer *n*, (*energische*) Maßnahme: a clever ~ ein geschickter Schachzug. 9. (*glänzender*) Einfall, (großer) Wurf, Leistung *f*: ~ of genius ein Geniestreich. 10. Stil *m*, Ma'nier *f*, Art *f*. 11. *mus.* a) Schlag(bewegung *f*) *m* (*des Dirigenten etc*), b) Bogenstrich *m*, c) (Tasten)Anschlag *m*, d) (Noten)Balken *m*. 12. *math.* Pfeil *m*, Vektor *m*. 13. Streicheln *n*.
II *v/t* 14. mit e-m Strich *od.* mit Strichen kennzeichnen. 15. *meist* ~ out (aus)streichen. 16. to ~ a boat (a crew, a race) als Schlagmann e-s Bootes (e-r Mannschaft, in e-m Rennen) rudern. 17. streichen über (*acc*): to ~ one's hair; to ~ s.o. the wrong way j-n reizen. 18. streicheln.
III *v/i* 19. *Tennis etc*: schlagen. 20. (at mit *e-r bestimmten Schlagzahl*) rudern.

stroke[2] [strouk] *pret u. obs. pp von* strike.

strokes·man ['strouksmən] *s irr* → stroke[1] 6.

stroll [stroul] I *v/i* 1. schlendern, (um'her)bummeln, spa'zieren(gehen): to ~ out hinausschlendern. 2. um'herziehen: ~ing gypsies; ~ing player → stroller 4. II *s* 3. Spa'ziergang *m*, ‚Bummel' *m*: to go for a ~, to take a ~ e-n Bummel machen. '**stroll·er** *s* 1. ‚Bummler(in)', Spa'ziergänger(in). 2. *bes. Scot.* Landstreicher(in). 3. *Am.* leichter (*oft* zs.-klappbarer) Kinderwagen. 4. Wander-, Schmierenschauspieler(in).

stro·ma ['stroumə] *pl* **-ma·ta** [-mətə] *s anat.* Stroma *n* (*a. bot.*), Grundgewebe *n*. **stro·mat·ic** [stro'mætik] *adj* stro'matisch.

strong [strɒŋ] I *adj* (*adv* → strongly) 1. *allg.* a) stark: ~ blow (feeling, lens, light, nerves, poison, position, prejudice, resemblance, suspicion, team, *etc*), b) kräftig: ~ colo(u)rs (health, voice, word, *etc*); ~ man *pol.* starker Mann; ~ mind scharfer Verstand, kluger Kopf; to have ~ feelings about s.th. sich über etwas erregen; → point 24. 2. *fig.* tüchtig, gut, stark (in in *dat*): ~ in mathematics. 3. *fig.* stark, fest: ~ faith (conviction, *etc*); to be ~ against s.th. entschieden gegen etwas sein; ~ face energisches *od.* markantes Gesicht. 4. stark, mächtig: ~ nation; a company 200 ~ *mil.* e-e 200 Mann starke Kompanie. 5. *fig.* stark, aussichtsreich: a ~ candidate. 6. *fig.* gewichtig, über'zeugend, zwingend: ~ argument. 7. *fig.* e'nergisch, stark, gewaltsam: ~ efforts; ~ measures; with a ~ hand mit starker Hand; to use ~ language Kraftausdrücke gebrauchen; ~ word Kraftausdruck *m*. 8. über'zeugt, eifrig: a ~ Tory. 9. stark, schwer: ~ drinks (cigar). 10. stark: ~ perfume (smell, taste). 11. scharf *od.* übel riechend *od.* schmeckend: ~ flavo(u)r scharfer *od.* strenger Geschmack; ~ butter ranzige Butter. 12. *econ.* a) fest: ~ market, b) lebhaft: ~ demand, c) anziehend: ~ prices. 13. *ling.* stark: ~ declination; ~ verb. II *adv* 14. stark, nachdrücklich, e'nergisch. 15. *sl.* tüchtig, ‚mächtig': to be going ~ ‚gut in Schuß' *od.* in Form sein; to come (*od.* go) it ~ sich (mächtig) ins Zeug legen; to come it too ~ *sl.* dick auftragen, übertreiben.

strong|-arm *bes. Am. colloq.* I *adj* ['-,ɑːrm] 1. gewaltsam, Gewalt...: ~ methods; ~ man Schläger *m*. II *v/t* ['-'ɑːrm] 2. Gewalt anwenden gegen. 3. über'fallen, berauben. 4. erpressen. '~,**bod·ied** *adj* stark: ~ wine. '~,**box** *s* ('Geld-, 'Stahl)Kas,sette *f*, Tre'sorfach *n*. ~ **breeze** *s mar.* starker Wind (*Windstärke 6*). ~ **gale** *s mar.* Sturm *m* (*Windstärke 9*). '~'**head·ed** *adj* 1. starrköpfig, eigensinnig. 2. *Br.* 'hochintelli,gent. '~,**hold** *s* 1. *mil.* Feste *f*, Festung *f*. 2. *fig.* Bollwerk *n*, Hochburg *f*.

strong·ly ['strɒŋli] *adv* 1. kräftig, stark. 2. gewaltsam, heftig: to feel ~ about sich erregen über (*acc*). 3. nachdrücklich.

'**strong|-'mind·ed** *adj* 1. willensstark, e'nergisch. 2. *oft contp.* emanzi'piert (*Frau*). ~ **point** *s* 1. *mil.* Stützpunkt *m*. 2. *fig.* → point 24. ~ **room** *s* Panzergewölbe *n*, Tre'sor(raum) *m*. '~-'**willed** *adj* 1. willensstark, e'nergisch. 2. hartnäckig, eigenwillig.

stron·ti·a ['strɒnʃiə], '**stron·ti·an** [-ən] *s chem.* 1. Stronti'an(erde *f*) *n*. 2. 'Strontium,hydro,xyd *n*. '**stron·ti·um** [-əm] *s chem. med.* Strontium *n*.

strop [strɒp] I *s* 1. Streichriemen *m* (*für Rasiermesser*). 2. *mar.* Stropp *m*. II *v/t* 3. abziehen: to ~ a razor.

stro·phe ['stroufi] *s metr.* Strophe *f*.

stroph·ic ['strɒfik] *adj* strophisch.

stroph·oid ['strɒfɔid] *s math.* Stropho'ide *f*, Stropho'id *n*.

stroud [straud] *s Am. hist.* grobe Wolldecke, grobes Gewand.

strove [strouv] *pret u. selten pp von* strive.

struck [strʌk] I *pret u. pp von* strike. II *adj econ. Am.* bestreikt. ~ **ju·ry** *s jur. Geschworene, die gewählt werden, indem beide Parteien unerwünschte Personen von der Vorschlagsliste streichen.* ~ **meas·ure** *s econ.* gestrichenes Maß.

struc·tur·al ['strʌktʃərəl] *adj* (*adv* ~ly) 1. struktu'rell (bedingt), Struktur... (*a. fig.*), *fig. a.* or'ganisch: ~ changes Strukturwandlungen; ~ unemployment strukturelle Arbeitslosigkeit; ~ psychology Strukturpsychologie *f*. 2. baulich, Bau..., Konstruktions...: ~ element (*od.* member) Bauteil *n*, -element *n*; ~ engineering Bautechnik *f*; ~ steel Baustahl *m*. 3. *biol.* a) morpho'logisch, Struktur..., b) or'ganisch: ~ cell Strukturzelle *f*; ~ disease organische Krankheit. 4. *geol.* tek'tonisch: ~ geology Geotektonik *f*. 5. *chem.* Struktur...: ~ formula.

struc·ture ['strʌktʃər] *s* 1. Struk'tur *f* (*a. biol. chem. geol. phys. psych.*), (Auf)Bau *m*, Gefüge *n*, Gliederung *f* (*alle a. fig.*): economic ~ Wirtschaftsstruktur; ~ of a sentence Satzbau; price ~ *econ.* Preisstruktur, -gefüge. 2. *arch. tech.* Bau(art *f*) *m*, Konstrukti'on *f*. 3. Bau(werk *n*) *m*, Gebäude *n* (*a. fig.*), *pl* Bauten *pl*. 4. *fig.* Gebilde *n*. '**struc·tured** *adj selten* (or'ganisch) gegliedert, struktu'riert. '**struc·ture·less** *adj* struk'turlos.

strug·gle ['strʌgl] I *v/i* 1. (against, with) kämpfen (gegen, mit), ringen (mit) (for um *Atem, Macht etc*). 2. sich winden, zappeln, sich sträuben (against gegen). 3. sich (ab)mühen (with mit; to do zu tun), sich anstrengen *od.* (ab)quälen: to ~ through sich durchkämpfen; to ~ to one's feet mühsam aufstehen, sich ‚hochrappeln'. II *s* 4. Kampf *m*, Ringen *n*, Streit *m* (for um; with mit): ~ for existence (*od.* life) a) *biol.* Kampf ums Dasein, b) Existenzkampf. 5. Streben *n*, Anstrengung(en *pl*) *f*. '**strug·gler** *s* Kämpfer *m*.

struld·brug ['strʌldbrʌg] *s* Almosenempfänger(in).

strum [strʌm] I *v/t* 1. (her'um)klimpern auf (*dat*): to ~ a guitar. 2. *e-e Melodie* (her'unter)klimpern. II *v/i* 3. klimpern (on auf *dat*). III *s* 4. Geklimper *n*.

stru·ma ['struːmə] *pl* **-mae** [-miː] *s med.* 1. Struma *f*, Kropf *m* (*a. fig.*). 2. Skrofel *f*. '**stru·mose** [-mous], '**stru·mous** [-məs] *adj* 1. *med.* stru'mös, skrofu'lös, Kropf... 2. *bot.* kropfig.

strum·pet ['strʌmpit] *s* Dirne *f*, Hure *f*, Metze *f*.

strung [strʌŋ] *pret u. pp von* string.

strut[1] [strʌt] I *v/i* 1. (ein'her)stol,zieren. 2. sich brüsten, sich spreizen. II *s* 3. stolzer Gang, Ein'herstol,zieren *n*. 4. Sich'brüsten *n*. 5. Gespreiztheit *f*.

strut[2] [strʌt] *arch. tech.* I *s* Strebe *f*, Stütze *f*, Spreize *f*, Verstrebung *f*. II *v/t* verstreben, abspreizen, abstreifen, abstützen.

strut·ter ['strʌtər] *s* Prahler(in).

strut·ting[1] ['strʌtiŋ] **I** *adj* sich brüstend, prahlerisch, eitel. **II** *s* → strut[1] II.

strut·ting[2] ['strʌtiŋ] *s tech.* Versteifung *f*, -strebung *f*.

strych·nic ['striknik] *adj chem. pharm.* Strychnin...

strych·nin(e) ['strikni:n; -nin] *s chem. pharm.* Strych'nin *n*. **'strych·nin,ism** [-ni,nizəm], *Br. a.* **'strych·nism** *s med.* Strych'ninvergiftung *f*.

stub [stʌb] **I** *s* **1.** (Baum)Stumpf *m*, (-)Strunk *m*. **2.** (*Bleistift-*, *Kerzen- etc*)-Stummel *m*, Stumpf *m*. **3.** (Ziga'retten-, Zi'garren)Stummel *m*, ,Kippe' *f*. **4.** kurzer stumpfer Gegenstand, *z.B.* a) Kuppnagel *m*, b) stumpfe Feder: ~ **axle** *tech.* Achsschenkel *m*; ~ **bolt** Stiftschraube *f*; ~ (**tenon**) Fußzapfen *m*. **5.** *bes. Am.* Kon'trollabschnitt *m* (*e-r Eintrittskarte etc*). **II** *v/t* **6.** *Land* roden, von Baumstrünken *etc* säubern. **7.** ~ **up** *Bäume etc* ausroden. **8.** (an)stoßen: **to** ~ **one's toe** a) sich an der Zehe stoßen, b) *fig.* ,sich die Finger verbrennen'. **9.** zerschlagen, (zer)quetschen: **to** ~ **stones. 10.** *meist* ~ **out** *e-e Zigarette etc* ausdrücken.

stub·ble ['stʌbl] *s* **1.** Stoppel *f*. **2.** *collect.* (Getreide-, Bart- *etc*)Stoppeln *pl*: ~ **plough** (*Am.* **plow**) *agr.* Stoppelpflug *m*. **3.** *a.* ~ **field** Stoppelfeld *n*. **'stub·bly** *adj* stopp(e)lig, Stoppel...

stub·born ['stʌbərn] *adj* (*adv* ~**ly**) **1.** eigensinnig, halsstarrig, störrisch, dickköpfig. **2.** hartnäckig: ~ **resistance. 3.** standhaft, unbeugsam. **4.** 'widerspenstig: ~ **hair**; ~ **material. 5.** spröde, hart, zäh: ~ **ore** strengflüssiges Erz. **'stub·born·ness** *s* **1.** Eigen-, Starrsinn *m*, Halsstarrigkeit *f*. **2.** Hartnäckigkeit *f*. **3.** Standhaftigkeit *f*. **4.** Sprödigkeit *f*, 'Widerspenstigkeit *f*, *metall.* Strengflüssigkeit *f*.

stub·by ['stʌbi] *adj* **1.** stummelartig, kurz. **2.** kurz u. dick, unter'setzt. **3.** stopp(e)lig.

stuc·co ['stʌkou] *arch.* **I** *pl* **-coes, -cos** *s* **1.** Stuck *m* (*Gipsmörtel*). **2.** (*Art*) Mörtel *m*, Verputz *m*. **3.** Stuck(arbeit *f*, -verzierung *f*) *m*, Stukka'tur *f*. **II** *v/t* **4.** mit Stuck verzieren, stuc'kieren. **'~,work** → stucco 3.

stuck [stʌk] *pret u. pp von* **stick**[2].

'stuck-'up *adj colloq.* ,hochnäsig'.

stud[1] [stʌd] **I** *s* **1.** Beschlagnagel *m*, Knopf *m*, Knauf *m*, Buckel *m*. **2.** *arch.* Ständer *m*, (Wand)Pfosten *m*. **3.** *tech.* a) Kettensteg *m*, b) Stift *m*, Zapfen *m*, c) Stiftschraube *f*, d) Schrauben-, Stehbolzen *m*. **4.** *mil.* (Führungs)-Warze *f* (*e-s Geschosses*). **5.** Kragen-, *bes. Am.* Man'schettenknopf *m*. **6.** *electr.* a) Kon'taktbolzen *m*, b) Brücke *f*. **II** *v/t* **7.** mit Pfosten versehen *od.* stützen. **8.** mit Beschlagnägeln *od.* Knöpfen *etc* beschlagen *od.* verzieren. **9.** *a. fig.* besetzen, über'säen, sprenkeln (**with** mit). **10.** verstreut sein über (*acc*): **rocks** ~**ded the field.**

stud[2] [stʌd] **I** *s* **1.** *collect.* Stall *m* (*Pferde e-s Gestüts etc*): **royal** ~ königlicher Marstall. **2.** Gestüt *n*: **at** ~ auf *od.* zur Zucht. **3.** *Am.* a) (Zucht)-Hengst *m*, b) *allg.* männliches Zuchttier. **4.** *collect.* Zucht *f* (*Tiere*). **II** *adj* **5.** Zucht...: ~ **mare** Zuchtstute *f*. **6.** Pferde..., Stall...

stud| bolt *s tech.* Stehbolzen *m*. **'~,book** *s* **1.** Gestütbuch *n* (*für Pferde*). **2.** *allg.* Zuchtstammbuch *n*.

stud·ding sail ['stʌdiŋ] *s mar.* Bei-, Leesegel *n*.

stu·dent ['stju:dənt] *s* **1.** a) *univ.* Stu'dent(in), b) *ped. u. allg.* Schüler(in), c) Lehrgangs-, Kursteilnehmer(in): ~ **of law, law** ~ Student der Rechte. **2.** Gelehrte(r *m*) *f*, (Er)Forscher(in). **3.** Beobachter(in): **to be a** ~ **of** *das Leben etc* studieren. **4.** *Br.* Stipendi'at(in) *od.* Mitglied *n* (*mancher Colleges*). ~ **in·ter·pret·er** *s Br. Anwärter des diplomatischen Dienstes mit od. in der erforderlichen sprachlichen Ausbildung.* ~ **lamp** *s hist.* Stu'dierlampe *f*. ~ **pi·lot** *s aer.* Flugschüler(in).

stu·dent·ship ['stju:dənt,ʃip] *s* **1.** Stu'dentsein *n*, Stu'dentenzeit *f*. **2.** *bes. Br.* Sti'pendium *n*.

stu·dent teach·er *s* Stu'dent, der als Lehrer (*an Volksschulen etc*) beschäftigt wird.

stud| farm *s* Gestüt *n*. ~ **horse** *s* Zuchthengst *m*.

stud·ied ['stʌdid] *adj* (*adv* ~**ly**) **1.** gesucht, gekünstelt, gewollt: ~ **politeness. 2.** 'wohlüber,legt: **a** ~ **reply. 3.** geflissentlich: **a** ~ **insult. 4.** bewandert, beschlagen (**in** in *dat*).

stu·di·o ['stju:di,ou] **I** *s* **1.** *paint. phot. etc* Ateli'er *n*, (*Künstler-*, *Schauspiel-*, *Tanz- etc*)Studio *n*. **2.** ('Film)-Ateli,er *n*. **3.** (Fernseh-, Rundfunk)-Studio *n*, Aufnahme-, Senderaum *m*, -saal *m*, ('Ton)Ateli,er *n*. **II** *adj* **4.** Atelier..., Studio...: ~ **broadcast** Studiosendung *f*; ~ **couch** Doppelbettcouch *f*; ~ **shot** (*Film*) Atelieraufnahme *f*.

stu·di·ous ['stju:diəs] *adj* (*adv* ~**ly**) **1.** dem Studium ergeben, gelehrtenhaft. **2.** fleißig, lernbegierig, beflissen. **3.** eifrig bedacht (**of** auf *acc*), bemüht (**to do** zu tun). **4.** sorgfältig, peinlich (gewissenhaft). **5.** → studied. **'stu·di·ous·ness** *s* **1.** Fleiß *m*, (Stu'dier)Eifer *m*, Beflissenheit *f*. **2.** Sorgfalt *f*, Gewissenhaftigkeit *f*.

stud·y ['stʌdi] **I** *s* **1.** Stu'dieren *n*. **2.** (wissenschaftliches) Studium: **studies** Studien *pl*, Studium; **to make a** ~ **of s.th.** etwas sorgfältig studieren; **to make a** ~ **of doing s.th.** *fig.* bestrebt sein, etwas zu tun; **in a (brown)** ~ in Gedanken versunken, geistesabwesend. **3.** Studie *f*, Unter'suchung (**of**, **in** über *acc*, zu). **4.** 'Studienfach *n*, -zweig *m*, -ob,jekt *n*, Studium *n*: **the proper** ~ **of mankind is man** das eigentliche Studienobjekt der Menschheit ist der Mensch; **his face was a perfect** ~ *iro.* sein Gesicht war sehenswert. **5.** Stu'dier-, Arbeits-, Herrenzimmer *n*. **6.** *Kunst, Literatur*: Studie *f* (**in** in *dat*), Entwurf *m*. **7.** *mus.* E'tüde *f*. **8. to be a good (slow)** ~ *thea. sl.* s-e Rolle leicht (schwer) lernen.

II *v/i* **9.** stu'dieren (**for** *acc*). **10.** (**for**) *obs.* über'legen (*acc*), suchen (nach).

III *v/t* **11.** *allg.* stu'dieren: a) *ein Fach etc* erlernen: **to** ~ **law**, b) unter'suchen, prüfen, *a.* genau lesen: **to** ~ **a map** e-e Karte studieren; **to** ~ **out** *sl.* ausknobeln, c) mustern, prüfen(d ansehen); *sport etc e-n Gegner* abschätzen: **to** ~ **an opponent; to** ~ **s.o.'s face; to** ~ **s.o.'s wishes** j-s Wünsche zu erraten suchen. **12.** *e-e Rolle etc* 'einstu,dieren. **13.** *Br. colloq.* aufmerksam *od.* rücksichtsvoll sein gegen'über *j-m*. **14.** sich bemühen um *etwas* (*od.* **to do** zu tun), bedacht sein auf (*acc*): → **interest** 7.

stud·y| group *s* Arbeitsgruppe *f*, -gemeinschaft *f*. ~ **hall** *s* Studien-, Lesesaal *m*, Arbeitsraum *m*. ~ **home** *s Am.* psychi'atrische Kinderklinik.

stuff [stʌf] **I** *s* **1.** Stoff *m*, Materi'al *n*, Masse *f*. **2.** ('Roh)Stoff *m*, (-)Materi,al *n*. **3.** a) (Woll)Stoff *m*, Zeug *n*, Gewebe *n*, b) *Br.* (*bes.* Kamm)Wollstoff *m*. **4.** Zeug *n*, Sachen *pl* (*Gepäck, Ware etc, a. Nahrungsmittel etc*): **household** ~ Hausrat *m*, -gerät *n*; **green**~, **garden** ~ Gemüse *n*, Grünzeug *n*; **this is good** ~ *colloq.* das ist was Gutes. **5.** *fig.* Zeug *n*, Stoff *m*: **dull** ~ fades Zeug; **he is (made) of sterner** ~ er ist aus härterem Holz geschnitzt; **he has good** ~ **in him** er hat das rechte Zeug in sich; **the** ~ **that heroes are made of** das Zeug, aus dem Helden gemacht sind; **good** ~! *colloq.* bravo!, prima!; **that's the** ~ (**to give them**)! so ist's richtig!; **he knows his** ~ er kennt sich aus; **do your** ~! *colloq.* ,laß mal sehen!', ,auf geht's!'; **he did his** ~ er tat s-e Arbeit; → **rough** 6. **6.** (wertloses) Zeug, Plunder *m*, Kram *m* (*a. fig.*): **take that** ~ **away!** nimm das Zeug weg!; ~ **and nonsense!** dummes Zeug! **7.** *colloq.* ,Zeug' *n*, ,Stoff' *m* (*Schnaps etc*). **8.** *sl.* Getue *n*, ,Sums' *m*: **grandstand** ~ Angeberei *f*. **9. the** ~ *colloq.* ,das nötige Kleingeld'. **10.** Lederschmiere *f*. **11.** *tech.* Ganzzeug *n*, Pa'piermasse *f*: ~ **engine** Holländer *m*. **12.** *tech.* Bauholz *n*.

II *v/t* **13.** (*a. fig. sich den Kopf mit Tatsachen etc*) vollstopfen, -pfropfen, (an)füllen: **to** ~ **o.s. (on)** sich (mit *Essen*) vollstopfen; **to** ~ **a pipe** e-e Pfeife stopfen; **to** ~ **s.o. (with lies)** *sl.* ,j-m die Hucke vollügen'. **14.** *a.* ~ **up** ver-, zustopfen: **to** ~ **a hole. 15.** *ein Sofa etc* polstern. **16.** *a.* ~ **out** *fig. ein Buch etc* füllen, ,ausstopfen', ,gar'nieren' (**with** mit). **17.** über'füllen, -'laden: **to** ~ **a car with people. 18.** *j-n* über'füttern, **19.** *Geflügel* a) nudeln, stopfen: **to** ~ **a goose**, b) *Kochkunst*: füllen, far'cieren. **20.** *Tiere* ausstopfen: **a** ~**ed owl. 21.** *pol. Am. sl. die Wahlurne* mit gefälschten Stimmzetteln füllen. **22.** *etwas* stopfen (**into** in *acc*). **23.** (zs.-)pressen, (-)stopfen. **24.** *Leder* mit Fett imprä'gnieren.

III *v/i* **25.** sich *beim Essen* vollstopfen.

stuffed shirt [stʌft] *s Am. colloq.* **1.** ,eingebildeter Fatzke', Wichtigtuer *m*. **2.** Spießer *m*.

stuff gown *s Br.* **1.** 'Wollta,lar *m* (*des jüngeren plädierenden Anwalts*). **2.** jüngerer plä'dierender Anwalt.

stuff·i·ness ['stʌfinis] *s* **1.** Dumpfheit *f* (*a. fig.*), Schwüle *f*, Stickigkeit *f*. **2.** Langweiligkeit *f*. **3.** *colloq.* a) Beschränktheit *f*, b) Spießigkeit *f*, c) Verstaubtheit *f*. **4.** *Am. colloq.* ,Muffigkeit' *f*, Verdrießlichkeit *f*.

stuff·ing ['stʌfiŋ] *s* **1.** Füllen *n*, (Aus)-Stopfen *n*. **2.** Füllung *f*, 'Füllmateri,al *n*. **3.** 'Polstermateri,al *n*, Füllhaar *n* (*für Sofas etc*): **to knock the** ~ **out of** a) *j-n* ,zur Schnecke machen', *j-n* ,fix u. fertig machen', b) *j-n* (*gesundheitlich*) kaputtmachen, c) *ein Argument etc* glatt ,erledigen'. **4.** *Kochkunst*: Füllsel *n*, (Fleisch)Füllung *f*, Farce *f*. **5.** Lederschmiere *f*. **6.** *sl.* (*literarisches*) ,Füllsel'. ~ **box** *s tech.* Stopfbüchse *f*.

stuff·y ['stʌfi] *adj* (*adv* **stuffily**) **1.** dumpf, schwül, muffig, stickig. **2.** langweilig, fad(e). **3.** *colloq.* a) beschränkt, spießig, b) pe'dantisch, steif, c) ,verstaubt', ,verknöchert'. **4.** *Am. colloq.* ,muffig', verdrießlich.

stul·ti·fi·ca·tion [,stʌltifi'keiʃən] *s* **1.** Verdummung *f*, Veralberung *f*. **2.** Bla'mage *f*. **'stul·ti,fy** [-,fai] *v/t* **1.** verdummen, -albern. **2.** als unglaubwürdig erweisen. **3.** wirkungs- *od.* nutzlos machen. **4.** *jur.* für unzurechnungsfähig erklären.

stum [stʌm] *s* **1.** ungegorener Traubensaft. **2.** Most *m*.

stum·ble ['stʌmbl] **I** *v/i* **1.** stolpern, straucheln (at, over über *acc*) (*a. fig.*): to ~ in(to) *fig.* in *e-e Sache* (hinein)stolpern *od.* (-)schlittern; to ~ (up)on (*od.* across) zufällig stoßen auf (*acc*). **2.** (ein'her)stolpern, taumeln, wanken: to ~ along. **3.** *fig.* a) e-n Fehltritt tun, straucheln, sündigen, b) e-n Fehler machen, ‚stolpern'. **4.** stottern, sich verhaspeln: to ~ through a speech e-e Rede herunterstottern. **5.** sich stoßen, Anstoß nehmen (at an *dat*). **II** *s* **6.** Stolpern *n*, Straucheln *n*, *fig. a.* Fehltritt *m*. **7.** Fehler *m*, ‚Schnitzer' *m*, ‚Bock' *m*.

stum·bling block ['stʌmbliŋ] *s* Stein *m* des Anstoßes, Hindernis *n*, Hemmschuh *m* (to für).

stu·mer ['stjuːmər] *s Br. sl.* **1.** ‚Blüte' *f* (*Falschgeld*). **2.** gefälschter *od.* ungedeckter Scheck. **3.** Pleite *f*. **4.** ‚Versager' *m*.

stump [stʌmp] **I** *s* **1.** (Baum-, Kerzen-, Zahn- *etc*)Stumpf *m*, Stummel *m*, (Baum-, Ast)Strunk *m*: to buy timber in (*od.* at, *Br.* on) the ~ Holz auf dem Stamme kaufen; amputation-~ *med.* Amputationsstumpf; ~ foot *med.* Klumpfuß *m*; up a ~ *Am. sl.* ‚in der Klemme', ‚aufgeschmissen'. **2.** *pl sl.* ‚Stelzen' *pl* (*Beine*): to stir one's ~s ‚Tempo machen'. **3.** Stampfen *n*, Stapfen *n*. **4.** *bes. Am.* a) 'Rednertri͵büne *f*, b) 'Wahlpropa͵ganda *f*: to go on (*od.* take) the ~ e-e Propagandareise machen, von Ort zu Ort reisen u. (Wahl-)Reden halten. **5.** *Kricket*: Torstab *m*: to draw (the) ~s das Spiel abbrechen. **6.** *paint.* Wischer *m*. **II** *v/t* **7.** *Am. colloq. die Zehen etc* stoßen (against an *dat od.* gegen). **8.** *colloq.* stampfen, stapfen über (*acc*). **9.** *colloq.* verblüffen, ratlos machen: a problem that ~ed me (*od.* had me ~ed) ein Problem, mit dem ich einfach nicht fertig wurde; he was ~ed er war verblüfft *od.* ‚aufgeschmissen' *od.* ratlos; ~ed for verlegen um (*e-e Antwort etc*). **10.** *Am. colloq. j-n* her'ausfordern (to do zu tun). **11.** *bes. Am. colloq. e-e Gegend etc* als Wahlredner bereisen: to ~ it → 16. **12.** *a.* ~ out *Kricket*: *den Schläger* ‚aus' machen. **13.** *e-e Zeichnung* (mit dem Wischer) abtönen. **14.** ~ up *Br. colloq.* ‚berappen', ‚blechen', bar (be)zahlen: ~ed ‚völlig abgebrannt'.
III *v/i* **15.** (da'her)stampfen, (-)stapfen. **16.** *Am. colloq.* Wahlreden halten. **17.** ~ up → 14. **'stump·er** *s* **1.** *colloq.* ‚harte Nuß'. **2.** *Am. colloq.* a) Wahlredner *m*, b) po'litischer Agi'tator. **3.** *Kricket*: Torhüter *m*.

stump| or·a·tor, ~ speak·er → stumper 2. **~ speech** *s Am.* Volks-, Wahlrede *f*.

stump·y ['stʌmpi] *adj* (*adv* stumpily) **1.** stumpfartig. **2.** *colloq.* unter'setzt, gedrungen. **3.** plump.

stun [stʌn] *v/t* **1.** betäuben. **2.** *fig.* betäuben: a) verblüffen, b) niederschmettern, c) über'wältigen: ~ned wie betäubt *od.* gelähmt, ganz verblüfft *od.* überwältigt.

stung [stʌŋ] *pret u. pp von* sting.

stunk [stʌŋk] *pret u. pp von* stink.

stun·ner ['stʌnər] *s sl.* a) ‚toller Kerl', b) ‚tolle Frau', c) ‚tolle Sache'. **'stun·ning** *adj* (*adv* ~ly) **1.** betäubend (*a. fig.* niederschmetternd). **2.** *sl.* ‚toll', ‚phan'tastisch'.

stun·sail, stun·s'l(e) ['stʌnsl] → studding sail.

stunt[1] [stʌnt] *v/t* **1.** (im Wachstum, in der Entwicklung *etc*) hemmen, hindern: to ~ a child (industry, *etc*); to become ~ed verkümmern. **2.** verkümmern lassen, verkrüppeln: ~ed verkümmert, verkrüppelt.

stunt[2] [stʌnt] *colloq.* **I** *s* **1.** Kunststück *n*, Kraftakt *m*. **2.** Sensati'on *f*: a) Schaunummer *f*, b) Bra'vourstück *n*, c) Schlager *m*. **3.** *aer.* Flugkunststück *n*: ~s Kunstflug *m*. **4.** (toller) (Re'klame- *etc*)Trick, ‚Kunststückchen' *n*. **5.** ‚tolle Masche', ‚tolles Ding'. **II** *v/i* **6.** *bes. aer.* (Flug)Kunststücke machen, kunstfliegen. **7.** ‚tolle Stückchen' machen.

stunt·er ['stʌntər] *s colloq.* **1.** Akro'bat(in). **2.** *aer.* Kunstflieger(in).

stunt fly·ing *s aer.* Kunstflug *m*.

stunt man *s irr Film*: *Am.* Double *n* (*für gefährliche Szenen*).

stupe[1] [stjuːp] *med.* **I** *s* heißer 'Umschlag *od.* Wickel. **II** *v/t* a) *j-m* warme 'Umschläge machen, b) heiße 'Umschläge legen auf (*acc*).

stupe[2] [stjuːp] *s sl.* blöder Kerl.

stu·pe·fa·cient [͵stjuːpi'feiʃənt] **I** *adj* betäubend, abstumpfend. **II** *s med.* Betäubungsmittel *n*. **͵stu·pe'fac·tion** [-'fækʃən] *s* **1.** Betäubung *f*, Abstumpfung *f*. **2.** Abgestumpftheit *f*. **3.** Bestürzung *f*, Verblüffung *f*. **'stu·pe͵fy** [-͵fai] *v/t* **1.** betäuben: ~ing drugs. **2.** verdummen. **3.** abstumpfen. **4.** verblüffen, bestürzen.

stu·pen·dous [stju(ː)'pendəs] *adj* (*adv* ~ly) **1.** erstaunlich. **2.** riesig, gewaltig, e'norm, 'umwerfend.

stu·pid ['stjuːpid] **I** *adj* (*adv* ~ly) **1.** dumm, stu'pid(e). **2.** stumpfsinnig, fad(e), ‚blöd', langweilig, stu'pid(e). **3.** betäubt, benommen. **II** *s* **4.** Dummkopf *m*. **stu'pid·i·ty** *s* **1.** Dummheit *f* (*a. Handlung, Idee*). **2.** Stumpfsinn *m*.

stu·por ['stjuːpər] *s* **1.** Erstarrung *f*, Betäubung *f*. **2.** Eingeschlafensein *n* (*e-s Gliedes*). **3.** *med. psych.* Stupor *m*: a) Benommenheit *f*, b) Stumpfsinn *m*. **'stu·por·ous** *adj* **1.** erstarrt, benommen, stumpf. **2.** *med.* stuporartig.

stur·died ['stəːrdid] *adj vet.* drehkrank (*Schaf etc*).

stur·di·ness ['stəːrdinis] *s* **1.** Stärke *f*, Ro'bustheit *f*. **2.** Standhaftigkeit *f*. **3.** 'Widerstandsfähigkeit *f* (*von Sachen*).

stur·dy[1] ['stəːrdi] *adj* (*adv* sturdily) **1.** ro'bust, kräftig, sta'bil. **2.** *fig.* standhaft, entschlossen.

stur·dy[2] ['stəːrdi] *s vet. Br.* Drehkrankheit *f* (*der Schafe etc*).

stur·geon ['stəːrdʒən] *pl* **'stur·geons,** *collect.* **'stur·geon** *s ichth.* Stör *m*.

stut·ter ['stʌtər] **I** *v/i* stottern. **II** *v/t a.* ~ out (her'vor)stottern. **III** *s* Stottern *n*. **'stut·ter·er** *s* Stotterer *m*.

sty[1] [stai] **I** *s* **1.** Schweinestall *m* (*a. fig.*). **2.** *fig.* Pfuhl *m*, Lasterhöhle *f*. **II** *v/t pret u. pp* **stied** [staid] **3.** in e-n Schweinestall sperren.

sty[2], *a.* **stye** [stai] *s med.* Gerstenkorn *n*.

Styg·i·an ['stidʒiən] *adj* **1.** stygisch. **2.** finster. **3.** höllisch.

style [stail] **I** *s* **1.** Stil *m*, Art *f*, Typ *m*. **2.** Stil *m*, Art *f* u. Weise *f*, Ma'nier *f*: ~ of singing Gesangsstil; in the ~ of in der Manier *od.* im Stil von (*od. gen*); in superior ~ in überlegener Manier, souverän; → cramp[2] 7. **3.** (guter) Stil: in ~ stilvoll (→ 5, 6, 7). **4.** *sport* Stil *m*, Technik *f*. **5.** (Lebens-)Stil *m*, Lebensart *f*: in good ~ stil-, geschmackvoll; in bad ~ stil-, geschmacklos; to live in great ~ auf großem Fuße leben. **6.** vornehme Lebensart, Ele'ganz *f*, Stil *m*: in ~ vornehm; to put on ~ *Am. colloq.* vornehm tun. **7.** Mode *f*, Stil *m*: the latest ~; in ~ modisch. **8.** (Mach)Art *f*, Ausführung *f*, Fas'son *f*, Stil *m*: in all sizes and ~s in allen Größen u. Ausführungen. **9.** (lite'rarischer) Stil: commercial ~ Geschäftsstil; he has no ~ er hat keinen Stil. **10.** (Kunst-, Bau)Stil *m*: to be in the ~ of sich im Stil anlehnen an (*acc*); in proper ~ stilecht. **11.** a) Titel *m*, Anrede *f*, (*a.* Berufs)Bezeichnung *f*, b) *econ. jur.* Firma *f*, (Firmen)Bezeichnung *f*: under the ~ of unter dem Namen ..., *econ.* unter der Firma ... **12.** a) *antiq.* Stilus *m*, (Schreib)Griffel *m*, b) (Schreib-, Ritz)Stift *m*, c) Ra'diernadel *f*, Stichel *m*, d) (Grammo'phon-)Nadel *f*, e) Feder *f* (*e-s Dichters*). **13.** *med.* Sonde *f*. **14.** Zeiger *m* der Sonnenuhr. **15.** Zeitrechnung *f*, Stil *m*: Old (New) S~. **16.** *print.* (Schrift)Stil *m* u. Orthogra'phie *f*. **17.** *bot.* Griffel *m*. **18.** *anat.* Griffelfortsatz *m*.
II *v/t* **19.** betiteln, anreden, (be)nennen, bezeichnen. **20.** a) (nach der neuesten Mode) entwerfen, (modisch) zuschneiden, b) *econ. tech.* entwerfen, gestalten: to ~ the car body, c) *econ. Am. colloq.* in Mode bringen, (dem Käufer) schmackhaft machen: to ~ up (im Stil *od.* Schnitt *etc*) verbessern, ‚aufpolieren'. **'styl·er** *s bes. Am.* **1.** Modezeichner(in), -schöpfer(in). **2.** *tech.* (Form)Gestalter *m*.

sty·let ['stailit] *s* **1.** Sti'lett *n* (*kleiner Dolch*). **2.** (Gra'vier)Stichel *m*. **3.** *med.* a) (kleine) Sonde, b) Man'drin *m*, Sondenführer *m*. **4.** → style 18.

sty·li·form ['staili͵fɔːrm] *adj bot. zo.* griffelförmig.

styl·ing ['stailiŋ] *s* **1.** sti'listische Über'arbeitung, Stili'sieren *n*. **2.** *econ. tech. Am.* (gefällige) Aufmachung, *bes. mot.* Formgebung *f*.

styl·ish ['stailiʃ] *adj* (*adv* ~ly) **1.** stilvoll. **2.** modisch, ele'gant, flott, schnittig. **3.** *contp.* 'hyperele͵gant, ‚affig'. **'styl·ish·ness** *s* **1.** (*das*) Stilvolle. **2.** (*das*) Modische, Ele'ganz *f*.

styl·ist ['stailist] *s* **1.** Sti'list(in). **2.** → styler. **sty'lis·tic I** *adj* (*adv* ~ally) sti'listisch, Stil... **II** *s oft pl* (*meist als sg konstruiert*) Sti'listik *f*.

sty·lite ['stailait] *s relig.* Sty'lit *m*, Säulenheilige(r) *m*.

styl·ize ['stailaiz] *v/t* **1.** *allg.* stili'sieren. **2.** e-m Stil angleichen. **3.** der Konventi'on unter'werfen.

sty·lo ['stailou] *pl* **-los** *s colloq. abbr. für* stylograph.

sty·lo·graph ['stailə͵græ(ː)f; *Br. a.* -͵grɑːf] *s* **1.** (*Art*) Tintenkuli *m*, Füllstift *m*. **2.** Füll(feder)halter *m*. **͵sty·lo'graph·ic** [-'græfik] *adj* (*adv* ~ally) stylo'graphisch: ~ pen → stylograph.

sty·loid ['stailɔid] *anat.* **I** *adj* stylo'id, griffelförmig: ~ process → II. **II** *s* Griffelfortsatz *m*.

sty·lus ['stailəs] *s* **1.** → style 12 a, 14, 17, 18. **2.** Ko'pierstift *m*. **3.** (Grammo'phon)Nadel *f*. **4.** Schreiber *m*, (Schreib)Stift *m* (*e-s Registriergeräts*).

sty·mie ['staimi] **I** *s* (*Golf*) **1.** *Situation, wenn der gegnerische Ball zwischen dem Ball des Spielers u. dem Loch liegt, auf das er spielt.* **2.** *Lage des gegnerischen Balles wie in* 1. **II** *v/t* **3.** *Golf*: *den Gegner* (*durch die Ballage von* 1) hindern. **4.** *fig.* a) *e-n Plan etc* vereiteln, (ver)hindern, b) *e-n Gegner* matt setzen, lahmlegen.

styp·tic ['stiptik] *adj u. s pharm.* blutstillend(es Mittel): ~ pencil Alaunstift *m*.

sty·rax ['stai(ə)ræks] → storax 2.

sty·rene ['stai(ə)riːn; 'sti(ə)r-] *s chem.* Sty'rol *n.* ~ **res·in** *s* Polysty'rol *n.*
Styr·i·an ['stiriən] **I** *adj* stei(e)risch, steiermärkisch. **II** *s* Steiermärker(in).
sty·ro·lene ['stai(ə)rəˌliːn] → **styrene.**
Styx [stiks] *npr myth.* Styx *m* (*Fluß der Unterwelt*): to cross the ~ sterben; **black as** ~ schwarz wie die Nacht.
Sua·bi·an → **Swabian.**
su·a·ble ['sjuːəbl] *adj bes. jur. Am.* **1.** (ein)klagbar (*Sache*). **2.** (passiv) pro'zeßfähig (*Person*).
sua·sion ['sweiʒən] *s* **1.** (moral ~ gütliches) Zureden. **2.** Über'redung(sversuch *m*) *f.* **'sua·sive** [-siv] *adj* (*adv* ~**ly**) **1.** über'redend, zuredend. **2.** über'zeugend.
suave [swɑːv; sweiv] *adj* (*adv* ~**ly**) **1.** verbindlich, höflich, zu'vorkommend, sanft. **2.** lieblich, mild (*Wein etc*). **'suave·ness, 'suav·i·ty** [-iti] *s* **1.** Höflichkeit *f*, Verbindlichkeit *f*, Freundlichkeit *f.* **2.** Lieblichkeit *f*, Milde *f.* **3.** *pl* a) Höflichkeiten *pl*, Artigkeiten *pl*, b) Annehmlichkeiten *pl.*
sub[1] [sʌb] *colloq.* **I** *s abbr. für* **subaltern, subeditor, sublieutenant, submarine, subordinate, subscription, substitute, subway,** *etc.* **II** *adj* Aushilfs..., Not... **III** *v/i* (for) einspringen (für), vertreten (*acc*).
sub[2] [sʌb] (*Lat.*) *prep* unter: ~ **finem** am Ende (*e-s zitierten Kapitels*); ~ **judice** (noch) anhängig, (noch) nicht entschieden (*Rechtsfall*); ~ **rosa** unter dem Siegel der Verschwiegenheit, vertraulich; ~ **voce** unter dem angegebenen Wort (*in e-m Lexikon etc*).
sub- [sʌb] *Wortelement mit den Bedeutungen* a) unterhalb, Unter..., Grund..., Sub..., b) untergeordnet, Neben..., Sub..., Unter..., c) angrenzend, d) annähernd, e) *chem.* basisch, f) *math.* umgekehrt.
sub'ac·eˌtate *s chem.* basisch essigsaures Salz.
sub'ac·id *adj* säuerlich (*a. fig.*).
su·ba·dar → **subahdar.**
sub'a·e·ri·al *adj* **1.** *bot.* unmittelbar an der Erdoberfläche wachsend *od.* gelegen. **2.** *geol.* suba'erisch.
sub'a·gen·cy *s* **1.** *econ.* 'Unteragenˌtur *f.* **2.** *jur.* Nebenvollmacht *f.* **sub'a·gent** *s* **1.** *econ.* a) 'Untervertreter *m*, b) 'Zwischenspediˌteur *m.* **2.** *jur.* 'Unterbevollmächtigte(r *m*) *f.*
su·bah·dar [ˌsuːbɑː'dɑːr] *s Br. Ind.* **1.** Vizekönig *m*, Statthalter *m* (*e-r Provinz*). **2.** eingeborener Kompa'nieführer.
sub'al·pine *bot. zo.* **I** *adj* subal'pin(isch). **II** *s* a) subal'pines Tier, b) subal'pine Pflanze.
sub·al·tern ['sʌbəlˌtəːrn; *Br. a.* 'sʌbltən] **I** *adj* **1.** subal'tern (*a. Logik*), 'untergeordnet, Unter... **2.** *mil. bes. Br.* Subaltern... **II** *s* **3.** Subal'terne(r *m*) *f*, Unter'gebene(r *m*) *f*, 'Unterbeamte(r) *m.* **4.** *mil. bes. Br.* Subal'ternoffiˌzier *m* (*bis einschließlich Oberleutnant*).
ˌsub·a'quat·ic *adj* Unterwasser..., *bot. zo. a.* suba'quatisch.
sub'a·que·ous *adj* Unterwasser...
'subˌarch *s arch.* Archi'volte *f.*
sub'arc·tic *adj geogr.* sub'arktisch.
'subˌa·re·a *s* Teilgebiet *n.*
ˌsub·as'sem·bly *s tech.* **1.** 'Teilmonˌtage *f.* **2.** 'Untergruppe *f.*
sub'at·om *s chem. phys.* Bestandteil *m* (e-s A'toms), subato'mares Teilchen. **ˌsub·a'tom·ic** *adj* subato'mar.
sub'au·di·ble *adj* **1.** *phys.* unter der Hörbarkeitsgrenze. **2.** kaum hörbar.
sub·au'di·tion *s* **1.** stillschweigendes Mitverstehen *od.* Ergänzen (*von nicht Ausgesprochenem*), Lesen *n* zwischen den Zeilen. **2.** (*etwas*) (stillschweigend) Ergänztes. **3.** Nebenbedeutung *f.*
ˌsub'au·di·o *adj electr.* 'infraaˌkustisch.
'subˌbase·ment *s* Kellergeschoß *n.*
sub'cal·i·ber, *bes. Br.* **sub'cal·i·bre** *mil.* **I** *adj* **1.** Kleinkaliber... **2.** *Artillerie*: Abkommkaliber... **II** *s* **3.** 'Kleinkaˌliber *n.* **4.** *Artillerie*: 'Abkommkaˌliber *n.*
sub'car·bon·ate *s chem.* basisches [Karbo'nat.]
sub'cat·e·go·ry *s* Untergruppe *f.*
'subˌclaim *s jur.* (*bes.* Pa'tent)ˌUnteranspruch *m.*
'subˌclass *s biol. math. etc* 'Unter-[klasse *f.*]
sub'cla·vi·an *anat.* **I** *adj* unter dem Schlüsselbein (gelegen). **II** *s* → **subclavian artery, subclavian muscle.** ~ **ar·ter·y** *s* 'Unterschlüsselbeinschlagader *f.* ~ **mus·cle** *s* Schlüsselbeinmuskel *m.*
'sub·comˌmit·tee *s* 'Unterausschuß *m.*
sub'con·scious *psych.* **I** *adj* (*adv* ~**ly**) **1.** 'unterbewußt. **2.** halbbewußt. **II** *s* **3.** 'Unterbewußtsein *n*, (*das*) 'Unterbewußte. **sub'con·scious·ness** *s* 'Unterbewußtsein *n.*
sub'con·ti·nent *s* 'Subkontiˌnent *m.*
sub·con·tract I *s* [sʌb'kɒntrækt] **1.** Nebenvertrag *m.* **II** *v/t* [ˌsʌbkən'trækt] **2.** als 'Unterliefeˌrant über'nehmen. **3.** an 'Unterliefeˌrant(en) vergeben. **ˌsub·con'trac·tor** *s econ.* **1.** Nebenvertragsnehmer *m.* **2.** 'Unterliefeˌrant *m.*
sub'con·tra·ry *math. philos.* **I** *adj* subkon'trär. **II** *s* subkon'trärer Satz.
sub'cos·tal *adj anat.* subko'stal.
sub'crit·i·cal *adj electr. phys.* 'unterkritisch: ~ **mass.**
sub'cul·ture *s* 'Subkulˌtur *f.*
ˌsub·cu'ta·ne·ous *adj anat. zo.* subku'tan, unter der *od.* die Haut.
sub'cu·tis *s anat.* 'Unterhaut(zellgewebe *n*) *f*, Sub'kutis *f.*
sub'dea·con *s relig.* 'Subdiaˌkon *m.*
'subˌdean *s relig.* 'Unterdeˌchant *m.*
sub·deb ['sʌbˌdeb; ˌsʌb'deb] *s Am. colloq.* **1.** → **subdebutante. 2.** Backfisch *m.* **ˌsub·deb·u'tante** *s Am.* noch nicht in die Gesellschaft eingeführtes junges Mädchen.
sub·de'riv·a·tive *s ling.* von e-m Deriva'tiv abgeleitetes Wort.
ˌsub·di'vide *v/t u. v/i* (sich) unter'teilen. **ˌsub·di'vi·sion** *s* **1.** Unter'teilung *f*, Aufgliederung *f.* **2.** 'Unterabˌteilung *f.* **3.** *econ.* 'Unterfachgruppe *f.* **4.** *Am.* Par'zelle *f.*
sub'dom·i·nant *mus.* **I** *s* 'Subdomiˌnante *f.* **II** *adj* 'subdomiˌnantisch.
sub'du·al *s* Unter'werfung *f.*
sub·due [səb'djuː] *pres p* **sub'du·ing** *v/t* **1.** a) unter'werfen (to *dat*), unter'jochen, b) bezwingen, über'winden, -'wältigen. **2.** *fig.* bändigen, zähmen. **3.** *Farbe, Licht, Stimmen etc, a. fig. j-s Begeisterung, Stimmung etc* dämpfen. **4.** *fig. j-m* e-n Dämpfer aufsetzen. **5.** *agr. Land* urbar machen. **sub'dued** *adj* (*adv* ~**ly**) **1.** unter'worfen, -'jocht. **2.** gebändigt, gezähmt. **3.** gedämpft (*a. fig.*): ~ **colo(u)rs (light, spirits, voice,** *etc*). **sub'du·er** *s* **1.** Unter'werfer(in), -'jocher(in). **2.** Bändiger(in).
sub'ed·it *v/t e-e Zeitung etc* als zweiter Schriftleiter her'ausgeben. **sub'ed·i·tor** *s* **1.** zweiter Schriftleiter *od.* Redak'teur. **2.** *Br. für* **copyreader.**
su·ber ['sjuːbər] *s* **1.** 'Kork(subˌstanz *f*, -holz *n*) *m.* **2.** Korkrinde *f.* **su·be·re·ous** [sju'bi(ə)riəs] *adj* **1.** korkig, Kork... **2.** korkartig. **su'ber·ic** [-'berik] *adj* Kork... **su·ber·in** ['sjuːbərin] *s chem.* Sube'rin *n*, Korkstoff *m.* **'su·berˌose** [-ˌrous], *a.* **'su·ber·ous** [-rəs] → **subereous.**
sub'fam·i·ly *s bes. zo.* 'Unterfaˌmilie *f.*
sub'fe·brile *adj med.* subfe'bril, fast fieb(e)rig.
sub·fusc [sʌb'fʌsk] *adj* **1.** dunkel(farbig), düster. **2.** *Br. sl.* unbedeutend.
ˌsub·ge'ner·ic *adj* (*adv* ~**ally**) e-e 'Untergattung betreffend. **sub'ge·nus** *s irr bes. biol.* 'Untergattung *f.*
sub'gla·cial *adj geol.* **1.** 'unterglaziˌal. **2.** teilweise glazi'al.
'subˌgrade *s Straßenbau*: Packlagenoberfläche *f.*
'subˌgroup *s biol. etc* 'Untergruppe *f.*
'subˌhead, sub'head·ing *s* **1.** *print.* 'Unter-, Zwischentitel *m.* **2.** 'Unterabˌteilung *f* (*e-s Buches etc*).
sub'hu·man *adj* **1.** halbtierisch, fast menschlich. **2.** 'untermenschlich, menschenunwürdig.
sub·ja·cent [sʌb'dʒeisənt] *adj* **1.** dar'unterliegend. **2.** tiefer gelegen. **3.** Untergrund... **4.** *fig.* zu'grundeliegend.
sub·ject ['sʌbdʒikt] **I** *s* **1.** (*Gesprächs-etc*)Gegenstand *m*, Thema *n*, Stoff *m*: ~ **of conversation**; a ~ **for debate** ein Diskussionsthema; **to change the** ~ das Thema wechseln, von etwas anderem reden; **on the** ~ **of** über (*acc*), bezüglich (*gen*); **S**~: (*in Briefen*) Betrifft, *meist abbr.* Betr. **2.** *ped. univ.* (Lehr-, Schul-, Studien)Fach *n*, Fachgebiet *n*: **the** ~ **of physics. 3.** Grund *m*, Anlaß *m* (**for complaint** zur Beschwerde). **4.** Gegenstand *m*, Ob'jekt *n*: **the** ~ **of ridicule** der Gegenstand des Spottes. **5.** *mus.* Thema *n.* **6.** *Kunst*: Vorwurf *m*, Thema *n*, Su'jet *n.* **7.** a) 'Untertan(in), b) Staatsbürger(in), -angehörige(r *m*) *f*: **a British** ~. **8.** *ling.* Sub'jekt *n*, Satzgegenstand *m.* **9.** *med. etc* a) (Ver'suchs)Obˌjekt *n*, b) Ver'suchsperˌson *f od.* -tier *n*, c) Leichnam *m* (*für Sektionszwecke*), d) Pati'ent(in). **10.** (*ohne art*) die betreffende Per'son (*in Informationen*). **11.** *Logik*: Sub'jekt(sbegriff *m*) *n.* **12.** *philos.* a) Sub'stanz *f*, b) Sub'jekt *n*, Ich *n*: ~ **and object** Subjekt u. Objekt, Ich u. Nicht-Ich.
II *adj pred* **13.** 'untertan, unter'geben (**to** *dat*). **14.** abhängig (**to** von) (*Staat etc*). **15.** ausgesetzt (**to** *dat*): ~ **to ridicule. 16.** (**to**) unter'worfen, -'liegend (*dat*), abhängig (von), vorbehaltlich (*gen*): ~ **to approval** genehmigungspflichtig; ~ **to consent** vorbehaltlich Ihrer Zustimmung; ~ **to duty** zollpflichtig; ~ **to change without notice** Änderungen vorbehalten; ~ **to being unsold,** ~ **to (prior) sale** *econ.* freibleibend, Zwischenverkauf vorbehalten; ~ **to the laws of nature** den Naturgesetzen unterworfen. **17.** (**to**) neigend (zu), anfällig (für): ~ **to headaches.**
III *v/t* [səb'dʒekt] **18.** (**to**) unter'werfen, -'jochen, 'untertan machen (*dat*), abhängig machen (von). **19.** *fig.* unter'werfen, -'ziehen, aussetzen (**to** *dat*): **to** ~ **s.o. to a test** j-n e-r Prüfung unterwerfen *od.* -ziehen; **to** ~ **o.s. to ridicule** sich dem Gespött aussetzen.
sub·ject| cat·a·logue (*Am. a.* **cat·a·log**) *s* 'Schlagwortkataˌlog *m.* ~ **head·ing** *s* Ru'brik *f* in e-m 'Sachreˌgister. ~ **in·dex** *s* 'Sachreˌgister *n.*
sub·jec·tion [səb'dʒekʃən] *s* **1.** Unter'werfung *f*, -'jochung *f.* **2.** Unter'worfensein *n.* **3.** Abhängigkeit *f* (**to** von): **to be in** ~ **to s.o.** von j-m abhängig sein, j-m unterstehen.

sub·jec·tive [səb'dʒektiv] **I** *adj* (*adv* ~**ly**) **1.** *allg., a. med. philos. psych.* subjek'tiv. **2.** *ling.* Subjekts..., des Sub'jekts: ~ **case** → 3. **II** *s* **3.** *ling.* Nominativ *m.* **sub'jec·tive·ness** *s* Subjektivi'tät *f.*

sub·jec·tiv·ism [səb'dʒektiˌvizəm] *s bes. philos.* Subjekti'vismus *m.*

sub·jec·tiv·i·ty [ˌsʌbdʒek'tiviti] *s* Subjektivi'tät *f.*

sub·ject| mat·ter *s* **1.** Gegenstand *m* (*e-r Abhandlung etc, jur. e-r Klage etc*). **2.** Stoff *m*, Inhalt *m* (*Ggs Form*). '~-**-'ob·ject** *s philos.* subjek'tives Ob'jekt (*der Erkenntnis*). ~ **ref·er·ence** *s* Sachverweis *m.*

sub'join *v/t* **1.** hin'zufügen. **2.** beilegen, -fügen.

sub·ju·gate ['sʌbdʒuˌgeit] *v/t* **1.** unter'jochen, -'werfen (to *dat*). **2.** *bes. fig.* bezwingen, bändigen, zähmen. ˌ**sub·ju'ga·tion** *s* Unter'werfung *f*, -'jochung *f.* '**sub·juˌga·tor** [-tər] *s* Unter'jocher *m.*

sub·junc·tive [səb'dʒʌŋktiv] *ling.* **I** *adj* **1.** konjunktiv(isch). **II** *s* **2.** *a.* ~ **mood** Konjunktiv *m.* **3.** Konjunktivform *f.*

sub·late [sʌb'leit] *v/t* (*Logik*) **1.** verneinen, leugnen. **2.** (*dat*) wider'sprechen. **3.** aufheben.

sub·lease I *s* ['sʌbˌliːs] 'Untermiete *f*, -pacht *f*, -vermietung *f*, -verpachtung *f.* **II** *v/t* [ˌ-'liːs] 'unter-, weitervermieten, -verpachten (to s.o. an j-n). ˌ**sub·les'see** *s* 'Untermieter(in), -pächter(in). **sub·les·sor** [sʌb'lesɔːr; ˌsʌble'sɔːr] *s* 'Untervermieter(in), -verpächter(in).

sub'let *v/t u. v/i irr* 'unter-, weitervermieten.

ˌ**sub·lieu'ten·ant** *s mar. mil. Br.* Oberleutnant *m* zur See: **acting** ~ Leutnant *m* zur See.

sub·li·mate I *v/t* ['sʌbliˌmeit] **1.** *chem.* subli'mieren. **2.** *fig.* subli'mieren (*a. psych.*), veredeln, -geistigen, läutern. **II** *s* [-mit; -ˌmeit] **3.** *chem.* Subli'mat *n.* **III** *adj* **4.** subli'miert. ˌ**sub·li'ma·tion** *s* **1.** *chem.* Sublimati'on *f.* **2.** *fig.* Subli'mierung *f* (*a. psych.*), Veredelung *f*, -geistigung *f*, Läuterung *f.*

sub·lime [sə'blaim] **I** *adj* (*adv* ~**ly**) **1.** erhaben, hehr, sub'lim: ~ **language** gehobene Sprache; ~ **truths** hehre Wahrheiten. **2.** erhebend, großartig, grandi'os, gewaltig: ~ **scenery.** **3.** *colloq.* großartig, wunderbar: **a** ~ **husband.** **4.** *iro.* a) großartig: ~ **ignorance,** b) kom'plett: **a** ~ **idiot,** c) kraß: ~ **indifference.** **II** *s* **5. the** ~ das Erhabene. **6.** *fig.* Gipfel *m*: **the** ~ **of folly.** **III** *v/t* **7.** → **sublimate** I. **IV** *v/i* **8.** *chem.* subli'miert werden: ~ **sulfur** Schwefelblume *f.* **9.** *phys.* sich verflüchtigen. **10.** *fig.* sich veredeln *od.* läutern.

Sub·lime Porte [pɔːrt] *s pol. hist.* (Hohe) Pforte (*Hof od. Regierung des osmanischen Reichs*).

sub·lim·i·nal [sʌb'liminl] *adj med. psych.* **1.** 'unterbewußt: ~ **self** (*das*) Unterbewußte. **2.** 'unterschwellig: ~ **advertising** (**stimulus,** *etc*).

sub·lim·i·ty [sə'blimiti] *s* **1.** Erhabenheit *f.* **2.** Großartigkeit *f.* **3.** Gipfel *m.*

sub'lin·gual *anat.* **I** *adj* unter der Zunge (gelegen), sublingu'al. **II** *s* sublingu'ale Drüse *etc.*

'**sub-ˌlit·er·a·ture** *s* **1.** drittrangige *od.* trivi'ale Litera'tur. **2.** vervielfältigte Schriftstücke *pl* für in'ternen Gebrauch.

sub'lit·to·ral *adj* **1.** tiefer als die Küste (gelegen). **2.** nahe der Küste (gelegen *od.* lebend).

'**sub·lu·nar·y,** *a.* **sub'lu·nar** *adj* sublu'nar(isch): a) unter dem Mond (befindlich), b) *fig.* irdisch.

ˌ**sub·ma'chine gun** *s mil.* Ma'schinenpiˌstole *f.*

'**subˌman** [-ˌmæn] *s irr* 'Untermensch *m.*

sub'mar·gin·al *adj* **1.** *bot. zo.* fast am Rand (befindlich). **2.** *econ.* nicht mehr ren'tabel.

sub·ma·rine I *s* ['sʌbməˌriːn] **1.** *mar. mil.* 'Unterseeboot *n*, U-Boot *n.* **2.** (*etwas*) 'Unterseeisches, *bes.* a) *bot.* 'Unterwasserpflanze *f*, b) *zo.* Seetier *n.* **II** *adj* [ˌ-mə'riːn] **3.** 'unterseeisch, Untersee..., subma'rin: ~ **cable** (Tief-, Unter)Seekabel *n.* **4.** *mar. mil.* Unterseeboot..., U-Boot...: ~ **warfare;** ~ **chaser** U-Bootjäger *m*; ~ **pen** Unterseebootbunker *m.* **III** *v/t* ['-məˌriːn] **5.** *mar. mil. colloq.* mit U-Boot(en) angreifen. '**sub·maˌrin·ing** *s* U-Bootkrieg *m.*

sub·max·il·lar·y [*Br.* ˌsʌbmæk'siləri; *Am.* sʌb'mæksəˌleri] *anat.* **I** *adj* submaxil'lar: ~ **gland** Unterkieferdrüse *f.* **II** *s* 'Unterkieferarˌterie *f*, -knochen *m etc.*

sub·merge [səb'məːrdʒ] **I** *v/t* **1.** ein-, 'untertauchen, versenken. **2.** über'schwemmen, unter Wasser setzen. **3.** *fig.* a) unter'drücken, verschütten, b) über'tönen. **II** *v/i* **4.** 'untertauchen, -sinken. **5.** *mar.* tauchen (*U-Boot*). **sub'merged** *adj* **1.** 'untergetaucht. **2.** *mar. mil. Angriff etc* unter Wasser. **3.** über'schwemmt. **4.** *fig.* unter'drückt, verschüttet. **5.** *bot.* → **submersed** 2. **6.** *fig.* verelendet, verarmt: **the** ~ **tenth** das verelendete Zehntel (*der Bevölkerung*). **sub'mer·gence** *s* **1.** Ein-, 'Untertauchen *n*, Versenken *n.* **2.** Über'schwemmung *f.* **3.** (*geistige*) Versunkenheit.

sub·mersed [səb'məːrst] *adj* **1.** → **submerged** 1—3. **2.** *bes. bot.* Unterwasser...: ~ **plants.** **sub'mers·i·ble I** *adj* **1.** versenkbar, 'untertauchbar. **2.** über'schwemmbar. **3.** *mar.* a) tauchfähig (*U-Boot etc*), b) Untersee..., Tauch... **II** *s* **4.** *mar.* 'Untersee-, Tauchboot *n.* **sub'mer·sion** [-ʃən] → **submergence.**

sub'mi·cron *s chem. phys.* Submi'kron *n* (*nur im Ultramikroskop sichtbares Teilchen*).

ˌ**sub·mi·cro'scop·ic** *adj chem. phys.* submikro'skopisch.

sub·mis·sion [səb'miʃən] *s* **1.** (to) Unter'werfung *f* (unter *acc*), Ergebenheit *f* (in *acc*). **2.** Unter'würfigkeit *f*: **with all due** ~ mit allem schuldigen Respekt. **3.** *bes. jur.* Vorlage *f* (*e-s Dokuments etc*), Unter'breitung *f* (*e-r Frage etc*). **4.** *jur.* a) Sachvorlage *f*, Behauptung *f*, b) Kompro'miß *m, n*, Schiedsvertrag *m.* **sub'mis·sive** [-siv] *adj* (*adv* ~**ly**) **1.** ergeben, gehorsam. **2.** unter'würfig. **sub'mis·sive·ness** *s* **1.** Ergebenheit *f.* **2.** Unter'würfigkeit *f.*

sub·mit [səb'mit] **I** *v/t* **1.** *j-n od. etwas* unter'werfen, -'ziehen, aussetzen (to *dat*): **to** ~ **o.s.** (**to**) → 4. **2.** *bes. jur.* unter'breiten, vortragen, -legen (to *dat*). **3.** *bes. jur.* a) beantragen, b) behaupten, zu bedenken geben, *bes. parl.* ergebenst bemerken. **II** *v/i* **4.** (to) gehorchen (*dat*), sich fügen (*dat od.* in *acc*), sich *j-m, e-m Urteil etc* unter'werfen, sich *e-r Operation etc* unter'ziehen. **sub'mit·tal** → **submission** 1 *u.* 3.

sub'mon·tane *adj* am Fuße e-s Berges *od.* Gebirges (gelegen), vorgelagert.

sub'mul·ti·ple *math.* **I** *adj* (*in e-r Zahl ohne Rest*) mehrmals enthalten. **II** *s* höhere (*als zweite*) Wurzel, in e-r Zahl enthaltener Faktor.

ˌ**sub·nar'cot·ic** *adj med.* leicht nar'kotisch *od.* betäubend.

sub'nor·mal I *adj* **1.** 'unternorˌmal. **2.** *math.* subnor'mal. **3.** *psych.* (*bes.* geistig) minderwertig. **II** *s* **4.** (geistig) minderwertiger Mensch. **5.** *math.* Subnor'male *f.*

sub'or·der *s biol.* 'Unterordnung *f.*

sub'or·di·nar·y *s her.* 'untergeordnetes Wappenbild.

sub·or·di·nate [sə'bɔːrdinit] **I** *adj* (*adv* ~**ly**) **1.** 'untergeordnet (to *dat*): a) unter'stellt (to *dat*), Unter...: ~ **position** untergeordnete Stellung, b) nebensächlich, zweitrangig, Neben...: **to be** ~ **to s.th.** e-r Sache an Bedeutung nachstehen. **2.** *ling.* abhängig, Neben...: ~ **clause.** **3.** *obs.* unter'würfig. **II** *s* **4.** Unter'gebene(r *m*) *f.* **5.** (*etwas*) Nebensächliches *od.* 'Untergeordnetes. **III** *v/t* [-ˌneit] **6.** *a. ling.* 'unterordnen (to *dat*). **7.** zu'rückstellen (to hinter *acc*). **subˌor·di'na·tion** *s* **1.** 'Unterordnung *f* (to unter *acc*). **2.** *obs.* Unter'würfigkeit *f.* **sub'or·di·na·tive** [-nətiv] *adj* **1.** *bes. ling.* 'unterordnend. **2.** Unterordnungs...

sub·orn [sʌ'bɔːrn] *v/t jur. j-n* (*bes.* zum Meineid) anstiften: **to** ~ **s.o. to commit perjury;** to ~ **witnesses** Zeugen bestechen. **sub·or·na·tion** [ˌsʌbɔːr'neiʃən] *s jur.* Anstiftung *f*, Verleitung *f* (of zum *Meineid*, zu *falscher Zeugenaussage*), Zeugenbestechung *f*: ~ **of perjury;** ~ **of witnesses.** **sub'orn·er** *s bes. jur.* Anstifter(in) (**of perjury** zum Meineid).

ˌ**sub·ox·i'da·tion** *s chem.* unvollständige Oxydati'on. **sub'ox·ide** *s chem.* Oxy'dul *n.*

sub·pe·na *bes. Am. für* **subpoena.**

'**subˌplot** *s* Nebenhandlung *f.*

sub·poe·na [səb'piːnə; sə'p-] *jur.* **I** *s* (Vor)Ladung *f* (unter Strafandrohung). **II** *v/t* (unter Strafandrohung) vorladen.

sub'po·lar *adj* **1.** *geol.* subpo'lar. **2.** *astr.* unter dem Himmelspol (gelegen).

'**subˌre·gion** *s* **1.** *bot. geogr. zo.* 'SubregiˌonF *f*, 'Untergebiet *n.* **2.** *math.* Teilbereich *m.* **sub're·gion·al** *adj* 'subregioˌnal.

sub·rep·tion [səb'repʃən] *s* **1.** *bes. jur.* Erschleichung *f.* **2.** (arglistig her'beigeführter) Irrtum.

sub·ro·gate ['sʌbroˌgeit] *v/t jur. j-n* einsetzen (for **s.o.** an j-s Stelle; **to the rights of s.o.** in j-s Rechte). ˌ**sub·ro'ga·tion** *s jur.* 'Forderungsˌübergang *m* (kraft Gesetzes): ~ **of a creditor** Ersetzung *f* e-s Gläubigers durch e-n anderen; ~ **of rights** Rechtseintritt *m.*

'**sub·rouˌtine** *s Computer:* 'Unterpro'gramm *n.*

sub'scap·u·lar *adj anat.* subskapu'lar, unter dem Schulterblatt (gelegen).

sub·scribe [səb'skraib] **I** *v/t* **1.** unter'zeichnen, -'schreiben, ('unterschriftlich) anerkennen: **to** ~ **a contract.** **2.** *etwas* mit (*s-m Namen etc*) (unter)'zeichnen. **3.** *e-n Geldbetrag* zeichnen (**for shares** für Aktien; **to a fund** für e-n Fonds). **4.** *allg.* beisteuern, spenden. **II** *v/i* **5.** e-n Geldbetrag zeichnen (**for, to** für). **6.** vorbestellen, abon'nieren (**for, to** *acc*): **he** ~**d for the book** (**to a magazine**). **7.** Geld beisteuern, spenden. **8.** unter'schreiben, -'zeichnen (**to** *acc*). **9.** ~ **to** *fig.* (*etwas*) unter'schreiben, billigen, gutheißen (*acc*), beipflichten (*dat*). **sub'scrib·er** *s* **1.** Unter'zeichner(in), -'zeichnete(r *m*) *f* (**to** *gen*). **2.** Befürworter(in) (**to** *gen*). **3.** a) Subskri'bent(in), Abon'nent(in) (*e-r Zeitung etc*), b) *teleph.* Teilnehmer(in): ~ **trunk dialling** *Br.* Selbstwählfernverkehr *m.* **4.** Zeichner(in), Spender(in) (to *e-s Geldbetrages*).

sub·script ['sʌbskript] **I** *adj* **1.** dar'untergeschrieben. **II** *s* **2.** *chem. math.* tiefgestellter Index, Tiefzahl *f.* **3.** (*etwas*) Dar'untergeschriebenes. **sub·scrip·tion** [səb'skripʃən] *s* **1.** (to) Beitrag *m* (zu, für), Spende *f* (für), (gezeichneter) Betrag. **2.** *Br.* Mitgliedsbeitrag *m.* **3.** (*teleph.* Grund)Gebühr *f* (to für). **4.** (to) Abonne'ment *n*, Vorbestellung *f*, Subskripti'on *f* (*gen*), Bezugsrecht *n* (auf *acc*). **5.** Subskripti'onssumme *f*, Fonds *m.* **6.** a) Unter'zeichnung *f*, b) 'Unterschrift *f.* **7.** (to) ('unterschriftliche) Einwilligung (in *acc*) *od.* Zustimmung (zu). **8.** *econ.* Zeichnung *f*: ~ **of a sum** (**of a loan,** *etc*); ~ **for shares** Aktienzeichnung; **open for** ~ zur Zeichnung aufgelegt; **to invite** ~**s for a loan** e-e Anleihe (zur Zeichnung) auflegen. **III** *adj* **9.** Subskriptions..., Abonnements..., *econ.* Zeichnungs...: ~ **edition** Subskriptionsausgabe *f*; ~ **library** beitragspflichtige Leihbibliothek; ~ **list** a) *econ.* Subskriptionsliste *f*, b) (*Zeitung*) Zeichnungsliste *f*; ~ **price** Bezugspreis *m.*

sub'sec·tion *s* 'Unterab,teilung *f*, [-abschnitt *m.*]

sub·sel·li·um [sʌb'seliəm] *pl* **-li·a** [-ə] (*Lat.*) *s* (niedrige) (Kirchen)Bank.

sub'sen·si·ble *adj* mit den Sinnen nicht mehr wahrnehmbar.

sub·se·quence ['sʌbsikwəns] *s* **1.** späteres Eintreten. **2.** (*das*) Nachfolgende. **3.** Folge(erscheinung) *f.* **4.** *math.* Teilfolge *f.* '**sub·se·quent** *adj* (nach)folgend, nachträglich, später, Nach...: ~ **charges** nachträglich entstehende *od.* entstandene Kosten; ~ **events** spätere *od.* nachfolgende Ereignisse; ~ **treatment** Nachbehandlung *f*; ~ **to** a) später als, b) nach, im Anschluß an (*acc*), folgend (*dat*); ~ **upon** a) infolge (*gen*), b) (*nachgestellt*) (daraus) entstehend *od.* entstanden, (daraufhin) erfolgend. '**sub·se·quent·ly** *adv* **1.** 'hinterher, nachher. **2.** anschließend, in der Folge. **3.** später.

sub·serve [səb'sɜːrv] *v/t* dienlich *od.* förderlich sein (*dat*). **sub'ser·vi·ence** [-viəns; -vjəns] *s* **1.** Unter'würfigkeit *f* (to gegen'über). **2.** Dienlichkeit *f*, Nützlichkeit *f* (to für). **3.** Abhängigkeit *f* (to von). **sub'ser·vi·ent** *adj* (*adv* ~**ly**) **1.** dienstbar, 'untergeordnet (to *dat*). **2.** unter'würfig (to gegen'über). **3.** dienlich, förderlich (to *dat*).

sub·side [səb'said] *v/i* **1.** sich senken: a) sinken (*Flut etc*), b) (ein)sinken, absacken (*Boden etc*), sich setzen (*Haus etc*). **2.** *chem.* sich (ab)setzen, sich niederschlagen. **3.** *fig.* abklingen, abflauen, nachlassen, sich legen: **the storm** (**fever,** *etc*) ~**d**; **to** ~ **into** in *etwas* verfallen. **4.** *colloq.* sich fallen lassen, sinken: **he** ~**d into a chair.**

sub·sid·ence [səb'saidəns; *Br. a.* 'sʌbsid-] *s* **1.** (Erd)Senkung *f*, Absinken *n.* **2.** *fig.* Nachlassen *n*, Abflauen *n.* **3.** *chem.* (Boden)Satz *m.*

sub·sid·i·ar·y [səb'sidjəri] **I** *adj* **1.** Hilfs..., Unterstützungs...: ~ **treaty** Subsidienvertrag *m*; **to be** ~ **to** ergänzen, unterstützen (*acc*). **2.** 'untergeordnet (to *dat*), Neben...: ~ **company** → 4; ~ **stream** Nebenfluß *m*; ~ **subject** Nebenfach *n.* **II** *s* **3.** *oft pl* Beistand *m*, Hilfe *f*, Stütze *f.* **4.** *econ.* Tochtergesellschaft *f.*

sub·si·di·za·tion [,sʌbsidi'zeiʃən] *s* Subventio'nierung *f.* '**sub·si,dize** [-,daiz] *v/t* **1.** subventio'nieren, e-n Zuschuß *od.* Zuschüsse gewähren (*dat*). **2.** *j-n* durch Hilfsgelder verpflichten, *Truppen* unter'halten. '**sub·si·dy** [-di] *s* **1.** Beihilfe *f* (aus öffentlichen Mitteln), Subventi'on *f.* **2.** *oft pl pol.* Sub'sidien *pl*, Hilfsgelder *pl.* **3.** (geldliche) Unter'stützung. **4.** *Br. hist.* parlamen'tarische Zuwendung (*aus Steuergeldern*) an die Krone.

sub·sist [səb'sist] **I** *v/i* **1.** exi'stieren, bestehen. **2.** weiterbestehen, fortdauern, bleiben. **3.** sich ernähren *od.* erhalten, leben (**on, upon** von; **by** durch). **4.** *philos.* a) (selbständig) bestehen, b) denkbar sein. **II** *v/t* **5.** *j-n* ernähren, erhalten, unter'halten. **sub'sist·ence** *s* **1.** Bestehen *n*, Dasein *n*, Exi'stenz *f.* **2.** Auskommen *n*, ('Lebens),Unterhalt *m*, Exi'stenz(möglichkeit) *f*: ~ **minimum** (*od.* **level**) Existenzminimum *n*; ~ **homestead** Kleinbauernhof *m* (*zur Deckung des Eigenbedarfs*); ~ **theory** *econ.* Existenzminimum-Theorie *f.* **3.** *bes. mil.* Versorgung *f*, Verpflegung *f.* **4.** *a.* ~ **money** (*od.* **allowance**) a) (Lohn)Vorschuß *m*, b) Trennungszulage *f*, c) 'Unterhaltsbeihilfe *f*, -zuschuß *m.* **5.** *philos.* a) Wesen *n*, b) Subsi'stenz *f.* **6.** Innewohnen *n.*

'**sub,soil** *s* 'Untergrund *m.*

sub'so·lar *adj* **1.** unter der Sonne (befindlich). **2.** *geogr.* tropisch.

sub'son·ic *adj phys.* mit 'Unterschallgeschwindigkeit, Unterschall...

sub'spe·cies *s biol.* 'Unterart *f*, Sub'spezies *f.* ,**sub·spe'cif·ic** *adj* zu e-r 'Unterart gehörig.

sub'spher·i·cal *adj* fast rund.

sub·stance ['sʌbstəns] *s* **1.** Sub'stanz *f*, Ma'terie *f*, Stoff *m*, Masse *f.* **2.** *fig.* Sub'stanz *f*: a) Wesen *n*, b) (*das*) Wesentliche, wesentlicher Inhalt *od.* Bestandteil, Kern *m*, c) Gehalt *m*: **this essay lacks** ~; **in** ~ im wesentlichen; **arguments of little** ~ wenig stichhaltige Argumente. **3.** *philos.* a) Sub'stanz *f*, b) Wesen *n*, Ding *n.* **4.** Gegenständlichkeit *f*, Wirklichkeit *f.* **5.** Vermögen *n*, Kapi'tal *n*: **a man of** ~ ein vermögender Mann. **6.** *Christian Science*: Gott *m.*

sub'stand·ard *adj* **1.** unter der (gültigen) Norm: ~ **goods** Waren, die unter Qualitätsnorm liegen; ~ **film** Schmalfilm *m*; ~ **risk** (*Versicherung*) anomales Risiko. **2.** *ling.* nicht hochsprachlich, 'umgangssprachlich.

sub·stan·tial [səb'stænʃəl] *adj* (*adv* → **substantially**) **1.** materi'ell, stofflich, wirklich (vor'handen). **2.** nahrhaft, kräftig: **a** ~ **meal.** **3.** beträchtlich, wesentlich: ~ **difference** (**progress,** *etc*); ~ **reasons** gewichtige Gründe; **a** ~ **sum** e-e namhafte *od.* stattliche Summe. **4.** wesentlich: **in** ~ **agreement** im wesentlichen übereinstimmend; **a** ~ **victory** im großen u. ganzen ein Sieg. **5.** gediegen, zuverlässig. **6.** stichhaltig, fun'diert: ~ **arguments** (**evidence,** *etc*). **7.** vermögend, kapi'talkräftig: ~ **traders.** **8.** *bes. philos.* substanti'ell, wesentlich. **sub,stan·ti'al·i·ty** [-ʃi'æliti] *s* **1.** Wirklichkeit *f*, Stofflichkeit *f*, Greifbarkeit *f.* **2.** Gediegenheit *f.* **3.** Gewichtigkeit *f*, Stichhaltigkeit *f.* **4.** Festigkeit *f.* **5.** a) Nahrhaftigkeit *f*, b) *collect.* nahrhafte Dinge *pl.* **6.** *philos.* Substantiali'tät *f.* **sub'stan·tial,ize** [-ʃə,laiz] **I** *v/t* **1.** verkörpern. **2.** → **substantiate** 2. **II** *v/i* **3.** Sub'stanz gewinnen, sich verstofflichen. **4.** sich verwirklichen. **sub'stan·tial·ly** *adv* **1.** dem Wesen nach. **2.** im wesentlichen, **3.** beträchtlich, wesentlich, in hohem Maße, weitgehend. **sub'stan·ti,ate** [-ʃi,eit] *v/t* **1.** a) begründen, b) beweisen, erhärten, *jur. a.* glaubhaft machen. **2.** Gestalt *od.* Wirklichkeit verleihen (*dat*), konkreti'sieren. **3.** stärken, festigen. **sub,stan·ti'a·tion** *s* **1.** a) Begründung *f*, b) Erhärtung *f*, Beweis *m*, *jur. a.* Glaubhaftmachung *f*: **in** ~ **of** zur Erhärtung *od.* zum Beweis von (*od. gen*). **2.** Verwirklichung *f*, Konkreti'sierung *f.*

sub·stan·ti·val [,sʌbstən'taivəl] *adj* (*adv* ~**ly**) *ling.* substantivisch, Substantiv... '**sub·stan·tive** [-tiv] **I** *s* **1.** *ling.* a) Substantiv *n*, Hauptwort *n*, b) substantivisch gebrauchte Form. **II** *adj* (*adv* ~**ly**) **2.** *ling.* a) substantivisch (gebraucht), b) das Sein ausdrückend: ~ **verb.** **3.** selbständig, unabhängig. **4.** wesentlich. **5.** wirklich, re'al. **6.** fest: ~ **rank** *mil.* Dienstgrad *m* mit Patent. **7.** *jur.* materi'ell: ~ **law.** **8.** ~ **dye** *tech.* substantiver Farbstoff.

'**sub,sta·tion** *s* **1.** Neben-, Außenstelle *f.* **2.** *electr.* 'Unterwerk *n.* **3.** *teleph.* (Teilnehmer)Sprechstelle *f.*

sub·stit·u·ent [*Br.* sʌb'stitjuənt; *Am.* -tʃ-] *s chem.* Substitu'ent *m.*

sub·sti·tute ['sʌbsti,tjuːt] **I** *s* **1.** Ersatz(mann) *m*, (Stell)Vertreter(in): **to act as a** ~ **for s.o.** j-n vertreten. **2.** Ersatz(stoff *m*, -mittel *n*) *m*, Surro'gat *n.* **3.** *ling.* Ersatzwort *n.* **4.** *mil. hist.* Ersatzmann *m.* **II** *adj* **5.** Ersatz...: ~ **driver**; ~ **food**; ~ **material** *tech.* Austausch(werk)stoff *m*; ~ **power of attorney** *jur.* Untervollmacht *f.* **III** *v/t* **6.** (for) einsetzen (für, an'stelle von), an die Stelle setzen (von *od. gen*), *bes. chem. math. etc* substitu'ieren (für). **7.** *contp.* 'unterschieben (for statt *gen*). **8.** *j-n* ersetzen, an *j-s* Stelle treten. **9.** (for) ersetzen (durch), austauschen (gegen). **IV** *v/i* **10.** (for) als Ersatz dienen, als Stellvertreter fun'gieren (für), an die Stelle treten (von *od. gen*). '**sub·sti·tut·ed** *adj* Ersatz..., ersatzweise.

sub·sti·tu·tion [,sʌbsti'tjuːʃən] *s* **1.** Einsetzung *f* (*a. jur. e-s Ersatzerben etc*): ~ **of an heir.** **2.** *contp.* Unter'schiebung *f*: ~ **of a child.** **3.** Ersatz *m*, Ersetzung *f*, (ersatzweise) Verwendung. **4.** Stellvertretung *f.* **5.** *chem. math.* Substituti'on *f.* **6.** *ling.* ('Laut)Substituti,on *f.* **7.** *psych.* Verdrängung *f*: ~ **neurosis** Ersatzneurose *f.* ,**sub·sti'tu·tion·al** *adj* (*adv* ~**ly**); ,**sub·sti'tu·tion·ar·y**, '**sub·sti,tu·tive** [-tiv] *adj* **1.** Stellvertretungs... **2.** Ersatz...

sub·strate ['sʌbstreit] *s* **1.** → **substratum.** **2.** *biol. chem.* Sub'strat *n.*

sub'strat·o,sphere *s aer.* 'Substrato-,sphäre *f.*

sub'stra·tum *pl* **-ta** *s* **1.** 'Unter-, Grundlage *f* (*a. fig.*). **2.** *geol.* 'Unterschicht *f.* **3.** *biol. chem.* Träger *m*, Medium *n.* **4.** *biol.* Nähr-, Keimboden *m*, Sub'strat *n.* **5.** *ling.* Sub'strat *n.* **6.** *philos.* Sub'stanz *f.* **7.** *phot.* Grundschicht *f.*

sub·struc·tion [sʌb'strʌkʃən], **sub'struc·ture** *s* **1.** *arch.* Funda'ment *n*, 'Unterbau *m* (*a. rail.*). **2.** *fig.* Grundlage *f.*

sub·sume [səb'sjuːm] *v/t* **1.** zs.-fassen, 'unterordnen (**under** unter *dat od. acc*). **2.** einordnen, -schließen (**in** in *acc*). **3.** *philos.* (*als Prämisse*) vor'ausschicken. **sub'sump·tion** [-'sʌmpʃən] *s* **1.** Zs.-fassung *f* (**under** unter *dat od. acc*). **2.** Einreihung *f*, -ordnung *f.* **3.** *Logik*: a) Subsumti'on *f* (*e-s Begriffes*), b) 'Untersatz *m* (*beim Schluß*).

sub'sur·face **I** *s* **1.** *agr.* Erdschicht *f*

(zwischen Humusschicht u. 'Unterboden). **2.** (Wasser)Schicht (unter der Oberfläche). **II** *adj* **3.** unter der Oberfläche (befindlich). **4.** a) Untergrund..., b) Unterwasser...

sub'tan·gent *s math.* 'Subtanˌgente *f.*

sub'tem·per·ate *adj geogr.* den nördlichen Teil der gemäßigten Zone betreffend.

sub'ten·an·cy *s* 'Untermiete *f*, -pacht *f.*

sub'ten·ant *s* 'Untermieter *m*, -pächter *m.*

sub·tend [səb'tend] *v/t* gegen'überliegen (*dat*).

sub·ter·fuge ['sʌbtərˌfjuːdʒ] *s* **1.** Vorwand *m*, Ausflucht *f.* **2.** List *f.*

sub·ter·ra·ne·an [ˌsʌbtə'reiniən; -njən] **'sub·ter'ra·ne·ous** *adj* **1.** 'unterirdisch (*a. fig.*). **2.** versteckt, heimlich.

sub·tile ['sʌtl; 'sʌbtil], **sub·til·i·ty** [sʌb'tiliti] → **subtle, subtlety. sub·til·i·za·tion** [ˌsʌtilai'zeiʃən; ˌsʌb-] *s* **1.** Verfeinerung *f.* **2.** Spitzfindigkeit *f.* **3.** *chem.* Verflüchtigung *f.* **'sub·tilˌize I** *v/t* **1.** verfeinern. **2.** spitzfindig disku'tieren *od.* erklären, ausklügeln. **3.** verdünnen, -flüchtigen. **II** *v/i* **4.** klügeln, spitzfindig argumen'tieren.

'subˌti·tle I *s* 'Untertitel *m.* **II** *v/t e-n Film* mit 'Untertiteln versehen.

sub·tle ['sʌtl] *adj* (*adv* → **subtly**) **1.** *allg.* fein: ~ **aroma (distinction, smile,** *etc*). **2.** fein(sinnig), 'hintergründig, sub'til: ~ **irony;** a ~ **hint** ein leiser *od.* zarter Wink. **3.** heikel, schwierig: a ~ **point. 4.** scharf(sinnig), spitzfindig. **5.** a) geschickt, b) gerissen, raffi'niert. **6.** (heim)tückisch, schleichend: a ~ **poison. 'sub·tle·ty** [-ti] *s* **1.** Feinheit *f*, sub'tile Art, (*das*) Subtile. **2.** Spitzfindigkeit *f.* **3.** Scharfsinn(igkeit *f*) *m.* **4.** a) Geschicklichkeit *f*, b) Gerissenheit *f*, Raffi'nesse *f.* **5.** Tücke *f.* **6.** schlauer Einfall, Fi'nesse *f.* **'sub·tly** [-li] *adv* fein (*etc*), auf feine (*etc*) Weise (→ **subtle**).

sub'ton·ic I *s* **1.** *ling.* 'Halbvoˌkal *m.* **2.** *mus.* Leitton *m.* **II** *adj* **3.** *ling.* 'halbvoˌkalisch.

sub·to·pi·a [sʌb'toupjə] *s* Randgebiete *pl* der Großstadt, zersiedelte Landschaft.

sub'to·tal *s econ. math.* Zwischen-, Teilsumme *f.*

sub·tract [səb'trækt] **I** *v/t* **1.** wegnehmen (**from** von). **2.** *math.* abziehen, subtra'hieren (**from** von). **II** *v/i* **3.** (**from**) Abstriche machen (von), schmälern (*acc*). **4.** *math.* subtra'hieren. **sub'trac·tion** *s* **1.** *math.* Subtrakti'on *f*, Abziehen *n.* **2.** *fig.* Abzug *m.*

sub'trac·tive *adj* **1.** abziehend. **2.** *math.* abzuziehen(d).

sub·tra·hend ['sʌbtrəˌhend] *s math.* Subtra'hend *m.*

'subˌtribe *s bot. zo.* 'Unterstamm *m*, -klasse *f.*

sub'trip·li·cate *adj math.* Kubikwurzel...

sub'trop·i·cal *adj geogr.* subtropisch.

sub'trop·ics *s pl geogr.* Subtropen *pl.*

'subˌtype *s biol.* **1.** 'untergeordneter Typus. **2.** Formati'onsglied *n.*

su·bu·late ['sjuːbjulit; -ˌleit] *adj* **1.** pfriemenförmig. **2.** *bot.* pfriemlich.

sub·urb ['sʌbəːrb] *s* **1.** Vorstadt *f*, -ort *m*, *pl a.* Randbezirke *pl.* **2.** (Stadt)Randsiedlung *f.* **sub·ur·ban** [sə'bəːrbən] **I** *adj* **1.** vorstädtisch, Vorstadt..., Vorort(s)... **2.** *contp.* provinzi'ell, spießig. **II** *s* **3.** → **surburbanite. 4.** *mot. Am.* Kombiwagen *m.* **sub'ur·banˌite** *s* Vorstädter(in). **sub'ur·banˌize** *v/t* zum Vorort machen, eingemeinden. **sub'ur·bi·a, S~** [-biə] *s* **1.** Vorstadt *f*, Randbezirke *pl* (e-r Stadt), Stadtrand(siedlungen *pl*) *m.* **2.** *collect.* Vorstadtbewohner *pl.* **3.** Leben(sstil *m*) *n* in der Vorstadt.

ˌsub·va'ri·e·ty *s bot. zo.* 'untergeordnete Abart.

sub·ven·tion [səb'venʃən] *s* (staatliche) Subventi'on, (finanzi'elle) Beihilfe.

sub'ven·tioned *adj* subventio'niert.

sub·ver·sion [səb'vəːrʃən] *s* **1.** *pol.* a) ('Um)Sturz *m*, b) Staatsgefährdung *f*, Verfassungsverrat *m*: ~ **of a government** Sturz e-r Regierung. **2.** Unter'grabung *f*, Zerrüttung *f*, -setzung *f.*

sub'ver·sive [-siv] **I** *adj* (*adv* ~**ly**) **1.** 'umstürzlerisch, subver'siv, staatsgefährdend, Wühl...: ~ **activities. 2.** zerstörerisch, zerrüttend. **II** *s* **3.** 'Umstürzler(in).

sub·vert [səb'vəːrt; sʌb-] *v/t* **1.** *pol.* a) stürzen: **to ~ the government,** b) 'umstoßen: **to ~ the law; to ~ the constitution** die Verfassung gewaltsam ändern. **2.** unter'graben, zerrütten, -setzen. **3.** 'umwerfen, zerstören.

'subˌway *s* **1.** *Am. od. Scot.* 'Untergrundbahn *f*, U-Bahn *f.* **2.** ('Straßen-, 'Fußgänger)Unterˌführung *f.* **3.** Leitungstunnel *m.* ~ **cir·cuit** *s Am. colloq.* (*die*) New 'Yorker 'Vorstadtthe'ater *pl.*

suc·cade [sʌ'keid] *s meist pl* (*in Zucker*) eingemachte *od.* kan'dierte Frucht.

suc·ceed [sək'siːd] **I** *v/i* **1.** glücken, erfolgreich sein *od.* verlaufen, gelingen, Erfolg haben (*Sache*). **2.** Erfolg haben, erfolgreich sein, sein Ziel erreichen (*Person*; **as** als; **in** mit *etwas*; **with** bei *j-m*): **he ~ed in doing s.th.** es gelang ihm, etwas zu tun; **to ~ in action** *jur.* obsiegen; **he ~ed very badly** es gelang ihm sehr schlecht. **3.** (**to**) a) Nachfolger werden (in *e-m Amt etc*), b) erben (*acc*): **to ~ to the throne** auf dem Thron folgen; **to ~ to s.o.'s rights** in j-s Rechte eintreten. **4.** (**to**) (*unmittelbar*) folgen (*dat od.* auf *acc*), nachfolgen (*dat*). **II** *v/t* **5.** (nach)folgen (*dat*), folgen (*dat od.* auf *acc*), *j-s* (Amts- *od.* Rechts)Nachfolger werden, *j-n* beerben: **to ~ s.o. in office** j-s Amt übernehmen.

suc·cès d'es·time [syk'sɛ dɛs'tim] (*Fr.*) *s* Achtungserfolg *m.*

suc·cess [sək'ses] *s* **1.** (guter) Erfolg, Gelingen *n*: **with ~** erfolgreich; **without ~** erfolglos; **to be a ~** ein Erfolg sein, (gut) einschlagen (*Sache u. Person*): → **crown** 20. **2.** Erfolg *m*, (Glanz)Leistung *f.* **3.** (beruflicher *etc*) Erfolg: ~ **story** Geschichte *f* vom Erfolg *od.* Aufstieg e-s kleinen Mannes. **suc'cess·ful** [-ful] *adj* (*adv* ~**ly**) **1.** erfolgreich: **to be ~** → **succeed** 1 *u.* 2; **to be ~ in doing (s.th.)** (etwas) mit Erfolg tun, Erfolg haben (bei *od.* mit etwas). **2.** gelungen, geglückt, erfolgreich: a ~ **experiment. suc'cess·ful·ness** *s* Erfolg *m.*

suc·ces·sion [sək'seʃən] *s* **1.** (Aufein'ander-, Reihen)Folge *f*: **in ~** nach-, auf-, hintereinander; **in rapid ~** in rascher Folge. **2.** Reihe *f*, Kette *f*, ('ununterˌbrochene) Folge (**of** *gen od.* von). **3.** Nach-, Erbfolge *f*, Sukzessi'on *f*: **~ to the throne** Thronfolge; **in ~ to George II** als Nachfolger von Georg II.; **to be next in ~ to s.o.** als nächster auf j-n folgen; **~ to an office** Übernahme *f* e-s Amtes, Nachfolge in e-m Amte; **Apostolic S~** *relig.* Apostolische Sukzession *od.* Nachfolge; **the War of the Spanish S~** *hist.* der Spanische Erbfolgekrieg. **4.** *jur.* a) Rechtsnachfolge *f*, b) Erbfolge *f*, c) *a.* **order of ~** Erbfolgeordnung *f*, d) *a.* **law of ~** (*objektives*) Erbfolgerecht, e) ~ **to** 'Übernahme *f od.* Antritt *m* (*e-s Erbes*): ~ **duties** Erbschaftssteuer *f* (*für unbewegliches Vermögen*); ~ **rights** (*subjektive*) Erbrechte. **5.** *collect.* a) Nachfolger *pl*, b) Nachkommenschaft *f*, c) Erben *pl.* **6.** *biol.* Abstammungsfolge *f* (*e-r Art etc*). **7.** *bot.* Sukzessi'on *f.* **suc'ces·sion·al** *adj* **1.** (nach)folgend, Nachfolge... **2.** aufein'anderfolgend, zs.-hängend. **suc'ces·sion·ist** *s relig.* Verfechter *m* der Apo'stolischen Nachfolge. **suc'ces·sive** [-siv] *adj* **1.** (aufein'ander)folgend, sukzes'siv: **3 ~ days** 3 Tage hintereinander. **2.** nachein'ander entstanden *od.* geordnet, fortlaufend, stufenweise. **suc'ces·sive·ly** *adv* der Reihe nach, nach-, hinterein'ander. **suc'ces·sive·ness** *s* (Reihen)Folge *f*, Nachein'ander *n.* **suc'ces·sor** [-sər] *s* Nachfolger(in) (**to, of** *j-s*, für *j-n*): ~ (**in interest** *od.* **title**) Rechtsnachfolger(in); ~ **to the throne** Thronfolger(in).

suc·cinct [sək'siŋkt] *adj* (*adv* ~**ly**) **1.** kurz (u. bündig), knapp, la'konisch, prä'gnant. **2.** kurz (angebunden), barsch. **suc'cinct·ness** *s* **1.** Kürze *f*, Knappheit *f*, Prä'gnanz *f.* **2.** Barschheit *f.*

suc·cor, *bes. Br.* **suc·cour** ['sʌkər] **I** *s* **1.** Hilfe *f*, Beistand *m.* **2.** *mil.* Entsatz *m.* **II** *v/t* **3.** *j-m* beistehen *od.* zu Hilfe kommen. **4.** *mil.* entsetzen.

suc·co·ry ['sʌkəri] *s* Zi'chorie *f.*

suc·co·tash ['sʌkəˌtæʃ] *s Am.* (*indianischer*) Mais- u. Bohneneintopf.

suc·cour *bes. Br. für* **succor.**

suc·cu·bus ['sʌkjubəs] *pl* **-bi** [-ˌbai] *s* Sukkubus *m*, Inkubus *m.*

suc·cu·lence ['sʌkjuləns], **'suc·cu·len·cy** [-si] *s* **1.** Saftigkeit *f.* **2.** *agr.* Grün-, Silofutter *n.* **'suc·cu·lent** *adj* (*adv* ~**ly**) **1.** saftig, *bot. a.* fleischig, sukku'lent: ~ **plants;** ~ **feed** → **succulence** 2. **2.** *fig.* kraftvoll, saftig.

suc·cumb [sə'kʌm] *v/i* **1.** zs.-brechen (**to** unter *dat*). **2.** (**to**) a) (*j-m*) unter'liegen, b) (*e-r Krankheit etc, a. der Versuchung etc*) erliegen: **he ~ed to temptation. 3.** (**to, under, before**) nachgeben (*dat*), weichen (*dat od.* vor *dat*).

suc·cur·sal [sə'kəːrsəl] *adj* Hilfs...: ~ church.

suc·cus·sion [sə'kʌʃən] *s* Schütteln *n*, Erschütterung *f* (*a. med.*).

such [sʌtʃ] **I** *adj* **1.** solch(er, e, es), derartig(er, e, es): ~ **a man** ein solcher Mann; **no ~ thing** nichts dergleichen; **there are ~ things** so etwas gibt es *od.* kommt vor; ~ **a life as they live** ein Leben, wie sie es führen; ~ **people as you see here** die(jenigen) *od.* alle Leute, die man hier sieht; **a system ~ as this** ein derartiges System; ~ **a one** ein solcher, e-e solche, ein solches; **Mr. ~ and ~** Herr Soundso; ~ **and ~ persons** die u. die Personen. **2.** ähnlich, derartig(er, e, es): **silk and ~ luxuries. 3.** *pred* so (beschaffen), derart(ig), von solcher Art (**as to** daß): ~ **is life** so ist das Leben; ~ **as it is** wie es nun einmal ist; ~ **being the case** da es sich so verhält. **4.** solch(er, e, es), so (groß *od.* klein *etc*), dermaßen: **he got ~ a fright that** er bekam e-n derartigen Schrecken, daß; ~ **was the force of the explosion** so groß war die Gewalt der Explosion. **5.** *colloq.* so (gewaltig), solch: **we had ~ fun!** wir hatten (ja) so e-n Spaß!

II *adv* **6.** so, derart: ~ **a nice day** so ein schöner Tag; ~ **a long time** e-e so lange Zeit.

III *pron* **7.** solch(er, e, es), der, die, das, die *pl*: ~ **as** a) diejenigen welche, alle die, solche die, b) wie (zum Beispiel); ~ **was not my intention** das war nicht m-e Absicht; **man as** ~ der Mensch als solcher; **all** ~ alle dieser Art; **and** ~ **(like)** u. dergleichen. **8.** *colloq. od. econ.* der-, die-, das'selbe, die'selben *pl.* '~ˌ**like** *adj u. pron* der'gleichen.

suck [sʌk] **I** *v/t* **1.** saugen (from, out of aus *dat*). **2.** saugen an (*dat*), aussaugen (*a. fig.*): **to** ~ **an orange. 3.** *a.* ~ **in,** ~ **up** aufsaugen, -nehmen (*a. fig.*). **4.** ~ **in** a) einsaugen, verschlingen, b) *Br. sl. j-n* ,anschmieren'. **5.** lutschen an (*dat*): **to** ~ **one's thumb** (am) Daumen lutschen; **to** ~ **sweets** Bonbons lutschen. **6.** *a.* ~ **down** schlürfen: **to** ~ **soup. 7.** *fig.* holen, gewinnen, ziehen: **to** ~ **advantage out of** Vorteil ziehen aus. **8.** *fig.* aussaugen, -pressen: **to** ~ **s.o.'s brain** j-n ,ausholen', j-m s-e Ideen stehlen. **II** *v/i* **9.** saugen, lutschen (at an *dat*): **he** ~**ed at his pipe** er sog an s-r Pfeife. **10.** an der Brust trinken *od.* saugen. **11.** Luft saugen *od.* ziehen (*Pumpe*). **12.** ~ **up to** *Br. sl. j-m* ,in den Arsch kriechen'. **III** *s* **13.** Saugen *n*, Lutschen *n*: **to give** ~ **to** → **suckle** 1; **to take a** ~ **at** (kurz) saugen an (*dat*). **14.** Sog *m*, Saugkraft *f*. **15.** saugendes Geräusch. **16.** Wirbel *m*, Strudel *m*. **17.** *colloq.* kleiner Schluck. **18.** *sl.* a) ,Reinfall' *m*, b) ,Schwindel' *m*.

suck·er ['sʌkər] **I** *s* **1.** saugendes Jungtier (*bes. Spanferkel*). **2.** *zo.* a) Saugrüssel *m*, b) Saugnapf *m*. **3.** *ichth.* a) (*ein*) Karpfenfisch *m*, b) Neunauge *n*, c) Lumpenfisch *m*. **4.** *tech.* a) Saugkolben *m*, b) 'Saugvenˌtil *n*, c) Saugrohr *n*. **5.** *bot.* (*a.* Wurzel)Schößling *m*. **6.** Lutscher *m* (*Bonbon am Stiel*). **7.** *colloq.* Dumme(r *m*) *f*, Gimpel *m*, (gutgläubiger) Trottel: **to play** (*od.* **have**) **s.o. for a** ~ j-n ,anschmieren'; **to be a** ~ **for** *Am.* a) stets hereinfallen auf (*acc*), b) verrückt sein nach; **there's a** ~ **born every minute** *Am.* die Dummen werden nicht alle. **8.** S~ (*Spitzname für e-n*) Einwohner *m* von Illinois. **II** *v/t* **9.** *e-e Pflanze* von Schößlingen befreien. **III** *v/i* **10.** Schößlinge treiben.

suck·ing ['sʌkiŋ] *adj* **1.** saugend, Saug...: ~ **infant** Säugling *m*. **2.** noch nicht flügge, (sehr) jung: ~ **dove. 3.** angehend, Anfänger..., ,grün': **a** ~ **barrister** ein angehender Rechtsanwalt. ~ **coil** *s tech.* Tauchkernspule *f*. ~ **disk** → **sucker** 2 b. ~ **list** *s Am. sl.* Liste *f* wahrscheinlicher Spender *od.* Käufer *etc.* ~ **pig** *s* Spanferkel *n*.

suck·le ['sʌkl] **I** *v/t* **1.** säugen (*a. zo.*), *ein Kind* stillen, *e-m Kind* die Brust geben. **2.** *fig.* nähren, pflegen. **II** *v/i* **3.** stillen, säugen (*a. zo.*). '**suck·ling** [-liŋ] *s* **1.** Säugling *m*. **2.** (*noch nicht entwöhntes*) Jungtier. **3.** *fig.* Anfänger *m*.

su·cre ['su:kre] *s* Sucre *m* (*goldene Münzeinheit u. Silbermünze Ecuadors*).

su·crose ['sju:krous] *s chem.* Rohr-, Rübenzucker *m*, Su'crose *f*.

suc·tion ['sʌkʃən] **I** *s* **1.** (An)Saugen *n*, *tech. a.* Saugwirkung *f*, -leistung *f*. **2.** *phys.* Saugfähigkeit *f*. **3.** *phys. tech.* Sog *m*, 'Unterdruck *m*. **4.** *mot.* Hub(höhe *f od.* -kraft *f*) *m*. **II** *adj* **5.** Saug...: ~ **pump (valve).** ~ **clean·er** → **suction sweeper.** ~ **cup** *s tech.* Saugnapf *m*. ~ **pipe** *s tech.* Ansaugleitung *f*. ~ **plate** *s med.* Saugplatte *f* (*für e-e Zahnprothese*). ~ **stop** *s ling.* Schnalzlaut *m*. ~ **stroke** *s tech.* (An)Saughub *m*. ~ **sweep·er** *s* Staubsauger *m*.

suc·to·ri·al [sʌk'tɔ:riəl] *adj* Saug...

Su·da·nese [ˌsu:də'ni:z] **I** *adj* suda'nesisch, Sudan... **II** *s* a) Suda'nese *m*, Suda'nesin *f*, b) *pl* Suda'nesen *pl*.

su·dar·i·um [sju(:)'dɛ(ə)riəm; su:-] *s relig.* Schweißtuch *n* (der Heiligen Ve'ronika). **su·da·to·ri·um** [ˌsju:də'tɔ:riəm; ˌsu:-] *pl* **-ri·a** [-riə] → **sudatory** 3. '**su·da·to·ry** [-təri] **I** *adj* **1.** Schwitz(bad)... **2.** *pharm.* schweißtreibend. **II** *s* **3.** Schwitzbad *n*, -kasten *m*. **4.** *pharm.* schweißtreibendes Mittel.

sudd [sʌd] *s* treibende Pflanzenmasse (*auf dem Weißen Nil*).

sud·den ['sʌdn] **I** *adj* (*adv* ~**ly**) **1.** plötzlich, jäh, über'raschend, unvermutet: ~ **death** a) plötzlicher Tod, b) *colloq. Entscheidung durch e-n einzigen Münzenwurf*, c) *sport colloq. Entscheidung e-s Tennisspiels durch den nächsten Punkt od. das nächste Spiel.* **2.** jäh, hastig, ab'rupt. **3.** über'stürzt, jäh. **II** *adv* **4.** *poet.* plötzlich. **III** *s* **5.** (**all**) **of a** ~, **on a** ~ (ganz) plötzlich. '**sudden·ness** *s* Plötzlichkeit *f*.

Su·de·ten [su:'deitən] **I** *s pl* (*als sg konstruiert*) Su'detendeutsche(r *m*) *f*. **II** *adj* Sudeten...

su·dor·if·er·ous [ˌsju:də'rifərəs] *adj physiol.* Schweiß absondernd, Schweiß...: ~ **gland.** ˌ**su·dor'if·ic** *adj u. s pharm.* schweißtreibend(es Mittel).

Su·dra ['su:drə] *s Br. Ind.* Sudra *m*: a) *niedrigste indische Kaste*, b) *Angehöriger dieser Kaste.*

suds [sʌdz] *s pl* **1.** Seifenwasser *n*, -lauge *f*. **2.** *Am. sl.* Bier *n*. '**suds·y** *adj Am.* schaumig, seifig.

sue [sju:; su:] **I** *v/t* **1.** *jur. j-n* (gerichtlich) belangen, verklagen (for auf *acc*, wegen); → **capacity** 9. **2.** *a.* ~ **out** *jur. e-n Gerichtsbeschluß* beantragen *od.* erwirken. **3.** *j-n* bitten (for um). **4.** *obs.* werben um *j-n*. **II** *v/i* **5.** *jur.* klagen (for auf *acc*): **to** ~ **for a divorce; to** ~ **for a debt** e-e Schuld einklagen. **6.** a) nachsuchen (to s.o. bei j-m; for s.th. um etwas), b) bitten, flehen (for um).

suède [sweid] *s* **1.** Wildleder *n*, Ve'lours(leder) *n*. **2.** *a.* ~ **cloth** Ve'lours(stoff) *m*.

su·er ['sju:ər; 'su:ər] *s* **1.** Antragsteller(in). **2.** *jur.* Kläger(in).

su·et ['sju(:)it; 'su(:)it] *s* Nierenfett *n*, Talg *m*: ~ **pudding** *Pudding aus Mehl, Talg, Brotkrumen etc.* '**su·et·y** *adj* talgig, Talg...

suf·fer ['sʌfər] **I** *v/i* **1.** leiden (from an *dat*). **2.** *weitS.* leiden (under, from unter *dat*): **trade** ~**s from war. 3.** (Schaden) (er)leiden, in Mitleidenschaft gezogen werden: **the engine** ~**ed severely** der Motor wurde stark mitgenommen; **your reputation will** ~ dein Ruf wird leiden. **4.** *mil.* Verluste erleiden. **5.** büßen, bestraft werden, bezahlen müssen: **you will** ~ **for your foolishness. 6.** 'hingerichtet werden, den Tod erleiden. **II** *v/t* **7.** erleiden: **to** ~ **death (a penalty, losses,** *etc*). **8.** *Durst etc* leiden, *etwas* erdulden. **9.** *etwas* erfahren, erleiden: **to** ~ **a change. 10.** *etwas od. j-n* ertragen, aushalten: **how can you** ~ **him? 11.** dulden, (zu)lassen, erlauben, gestatten: **he** ~**ed their presence** er duldete ihre Gegenwart; **he** ~**ed himself to be cheated** er ließ sich betrügen. '**suf·fer·a·ble** *adj* (*adv* **sufferably**) erträglich. '**suf·fer·ance** *s* **1.** Duldung *f*, Einwilligung *f*: **on** ~ unter stillschweigender Duldung, nur geduldet(erweise); **it is beyond** ~ es übersteigt alles Erträgliche. **2.** *econ. Br.* Zollvergünstigung *f*. **3.** *obs.* a) (Er)Dulden *n*, b) Leiden *n*, Not *f*: **to remain in** ~ *econ.* weiter Not leiden (*Wechsel*). '**suf·fer·er** *s* **1.** Leidende(r *m*) *f*, Dulder(in): **to be a** ~ **by** (*od.* **from**) leiden durch (*od.* an *dat*). **2.** Geschädigte(r *m*) *f*. **3.** Märtyrer(in). '**suf·fer·ing I** *s* Leiden *n*, Dulden *n*: **the** ~**s of Christ** *relig.* das Leiden Christi. **II** *adj* leidend.

suf·fice [sə'fais] **I** *v/i* genügen, ('hin-, aus)reichen: ~ **it to say** es genüge zu sagen. **II** *v/t j-m* genügen.

suf·fi·cien·cy [sə'fiʃənsi] *s* **1.** 'Hinlänglichkeit *f*, Angemessenheit *f*. **2.** 'hinreichende Menge *od.* Zahl: **a** ~ **of money** genug *od.* genügend Geld. **3.** 'hinreichendes Auskommen. **suf'fi·cient I** *adj* **1.** genügend, genug, aus-, 'hinreichend (for für): **to be** ~ genügen, (aus)reichen. **2.** *obs.* tauglich, fähig (*Person*). **II** *s* **3.** *colloq.* genügende Menge, genug. **suf'fi·cient·ly** *adv* genügend (*etc*; → **sufficient** 1), zur Genüge, 'hinlänglich.

suf·fix ['sʌfiks] **I** *s* **1.** *ling.* Suf'fix *n*, Nachsilbe *f*. **II** *v/t* [*a.* sə'fiks] **2.** *ling.* als Suf'fix anfügen. **3.** anfügen, anhängen.

suf·fo·cate ['sʌfəˌkeit] **I** *v/t* **1.** ersticken (*a. fig. unterdrücken*): **to be** ~**d with** erstickt werden von. **2.** würgen. **II** *v/i* **3.** (with) ersticken (an *dat*), 'umkommen (vor *dat*). '**suf·foˌcat·ing** *adj* (*adv* ~**ly**) erstickend: ~ **air** stickige Luft; ~ **sound** erstickter Laut. ˌ**suf·fo'ca·tion** *s* **1.** Ersticken *n*, Erstickung *f*. **2.** *med.* Atembeklemmung *f*.

Suf·folk ['sʌfək] *s* **1.** Suffolk(schaf) *n*. **2.** *a.* ~ **punch** Suffolk(pferd) *n*. **3.** a) Suffolk(schwein) *n* (*schwarzes englisches Schwein*), b) hellfarbige amer. Schweinerasse.

suf·fra·gan ['sʌfrəgən] *relig.* **I** *adj* Hilfs..., Suffragan... **II** *s a.* ~ **bishop** Suffra'gan(bischof) *m*.

suf·frage ['sʌfridʒ] *s* **1.** *pol.* Wahl-, Stimmrecht *n*: **female** ~, **woman** ~ Frauenstimmrecht; **manhood** ~ allgemeines Stimmrecht (der Männer); **universal** ~ allgemeines Wahlrecht. **2.** (Wahl)Stimme *f*. **3.** Abstimmung *f*, Wahl *f*. **4.** Zustimmung *f*. **5.** *meist pl relig.* Bittgebet *n*, Fürbitte *f*. ˌ**suf·fra'gette** [-rə'dʒet] *s* Suffra'gette *f*, Stimmrechtlerin *f*. '**suf·fra·gist** *s* Stimmrechtler(in).

suf·fuse [sə'fju:z] *v/t* **1.** a) über'gießen, -'strömen, benetzen, b) über'ziehen (**with** mit *e-r Farbe*), c) durch'fluten (*Licht*): **a face** ~**d with blushes** ein von Schamröte übergossenes Gesicht. **2.** zerstreuen. **suf'fu·sion** [-ʒən] *s* **1.** Über'gießung *f*, -'flutung *f*. **2.** Übergossensein *n*, 'Überzug *m*. **3.** *med.* 'Blutunterˌlaufung *f*. **4.** *fig.* (Scham)Röte *f*.

sug·ar ['ʃugər] **I** *s* **1.** Zucker *m* (*a. chem. u. physiol.*). **2.** *chem.* 'Kohlehyˌdrat *n*. **3.** *Am.* a) Stückchen *n* Zucker, b) Löffel(voll) *m* Zucker. **4.** *Am.* → **sugar bowl. 5.** Schmeiche'lei *f*, honigsüße Worte *pl*. **6.** *sl.* ,Zaster' *m*, Geld *n*. **7.** *sl.* ,Süße' *f*, ,Schätzchen' *n*. **8.** *bes. interj Am. sl.* ,Mist' *m*, ,Käse' *m*. **II** *v/t* **9.** zuckern, süßen. **10.** über'zuckern, mit Zucker bestreuen. **11.** *a.* ~ **over** (*od.* **up**) *fig.* → **sugar-coat** 2. **III** *v/i* **12.** kristalli'sieren. ~ **ba·sin** *s Br.* Zuckerdose *f*. ~ **beet** *s bot.* Zuckerrübe *f*. ~ **bowl** *s* Zuckerdose *f*: **the S**~ **B**~ **(of the World)** *fig.* Kuba *n*. ~ **can·dy** *s* **1.** Kandis(zucker) *m*. **2.** *fig.* (*etwas*) Süßes. '~-'**can·dy** *adj bes. fig.* zuckersüß. ~ **cane** *s bot.* Zuckerrohr *n*. '~-ˌ**coat** *v/t* **1.** mit Zucker(guß) über'ziehen, über'zuckern: ~**ed pill** *pharm.* Dragée *n*, verzuckerte Pille (*a. fig.*). **2.** *fig.* a) versüßen, b) beschönigen. '~-ˌ**coat·ing** *s* **1.** Zuckerguß *m.* **2.** *fig.* a) Versüßen *n*, b) Beschönigung *f.* ~ **dad·dy** *s sl.* (*von e-r Kokotte ausgebeuteter*) ‚Geldonkel'.

sug·ared ['ʃugərd] *adj* **1.** gezuckert, gesüßt. **2.** mit Zuckerguß. **3.** süß. **4.** → sugary 3.

sug·ar·i·ness ['ʃugərinis] *s* **1.** Süßigkeit *f*, Zuckerhaltigkeit *f.* **2.** Süßlichkeit *f.*

sug·ar| loaf *s irr* Zuckerhut *m* (*a. fig. Berg*). '~-ˌ**loaf** *adj* zuckerhutförmig. ~ **ma·ple** *s bot.* Zuckerahorn *m.* ~ **pea** *s bot.* Zuckererbse *f.* '~ˌ**plum** *s* **1.** Zuckererbse *f*, *allg.* Süßigkeit *f*, Bonbon *m*, *n.* **2.** *fig.* a) Schmeiche'lei *f*, süße Worte *pl*, b) Lockspeise *f.* '~-**re**ˌ**fin·er·y** *s* 'Zuckerraffineˌrie *f.* '~-ˌ**teat**, *a.* '~-ˌ**tit** *s* Lutschbeutel *m* (*mit Zucker*). ~ **tongs** *s pl* Zuckerzange *f.* '~ˌ**works** *s pl* (*a. als sg konstruiert*) 'Zuckerfaˌbrik *f.*

sug·ar·y ['ʃugəri] *adj* **1.** zuckerhaltig, zuck(e)rig, süß, Zucker... **2.** süßlich (*a. fig.*): ~ **melodies.** **3.** *fig.* zuckersüß: ~ **smile (words,** *etc*).

sug·gest [*Br.* sə'dʒest; *Am. a.* səg'dʒest] *v/t* **1.** *etwas od. j-n* vorschlagen, empfehlen, *etwas* anregen, *etwas* nahelegen (to s.o. j-m), Anlaß geben zu. **2.** *e-e Idee etc* eingeben, -flüstern, sugge'rieren: **to ~ itself** sich aufdrängen, in den Sinn kommen (to s.o. j-m). **3.** 'hindeuten *od.* -weisen auf (*acc*), schließen lassen auf (*acc*). **4.** denken lassen *od.* erinnern *od.* gemahnen an (*acc*): **the scene ~s Elizabethan times.** **5.** andeuten, anspielen auf (*acc*), sagen wollen, zu verstehen geben, die Ansicht äußern (that daß): **I ~** wenn ich bemerken darf, m-r Ansicht nach. **6.** *a. jur.* unter'stellen, behaupten (that daß). **7.** → **suggestionize. sug**ˌ**gest·i·'bil·i·ty** *s* Beeinflußbarkeit *f*, ˌSuggestibili'tät *f.* **sug'gest·i·ble** *adj* **1.** beeinflußbar, sugge'stibel. **2.** sugge'rierbar.

sug·ges·tion [*Br.* sə'dʒestʃən; *Am. a.* səg'dʒest-] *s* **1.** Vorschlag *m*, Anregung *f*: **at the ~ of** auf Vorschlag von (*od. gen*). **2.** Wink *m*, 'Hinweis *m.* **3.** Anflug *m*, Spur *f*, Hauch *m*, ‚I'dee' *f*: **not even a ~ of fatigue** nicht die leiseste Spur von Müdigkeit; **a ~ of blue in the gray** e-e Idee Blau im Grau. **4.** Vermutung *f*: **a mere ~.** **5.** Erinnerung *f* (of an *acc*). **6.** Her'vor-, Wachrufen *n.* **7.** Andeutung *f*, Anspielung *f* (of auf *acc*). **8.** Eingebung *f*, -flüsterung *f.* **9.** *psych.* Suggesti'on *f*, (hyp'notische) Beeinflussung. **sug'ges·tion**ˌ**ism** *s psych.* sugge'stive Behandlung. **sug'ges·tion**ˌ**ize** *v/t psych.* sugge'rieren, *j-n* durch Suggesti'on beeinflussen.

sug·ges·tive [*Br.* sə'dʒestiv; *Am. a.* səg'dʒest-] *adj* **1.** (of) andeutend (*acc*), erinnernd *od.* gemahnend (an *acc*): **to be ~ of** → **suggest** 3 *u.* 4. **2.** anregend, gehaltvoll: **a ~ speech.** **3.** a) vielsagend: **a ~ glance,** b) *contp.* zweideutig, anzüglich, schlüpfrig: **a ~ song.** **4.** *psych.* sugge'stiv, Suggestiv... **sug'ges·tive·ly** *adv* andeutungsweise. **sug'ges·tive·ness** *s* **1.** (*das*) Anregende, Gedanken-, Beziehungsreichtum *m.* **2.** (*das*) Vielsagende. **3.** Zweideutigkeit *f*, Schlüpfrigkeit *f.*

su·i·cid·al [ˌsju:i'saidl; ˌsu:-] *adj* selbstmörderisch (*a. fig.*), Selbstmord... ˌ**su·i'cid·al·ly** *adv* in selbstmörderischer Weise.

su·i·cide ['sju:iˌsaid; 'su:-] **I** *s* **1.** Selbstmord *m* (*a. fig.*), Freitod *m*, Sui'zid *m*: **to commit ~** Selbstmord begehen. **2.** Selbstmörder(in). **II** *adj* **3.** Selbstmord...: ~ **clause.** **III** *v/i* **4.** *Am.* Selbstmord begehen. **IV** *v/t* **5.** **to ~ o.s.** *Am.* → 4.

su·i| ge·ne·ris ['sju:ai 'dʒenəris; 'su:-] (*Lat.*) *adv* eigener Art, besonders: **a case ~** ein Fall für sich. ~ **ju·ris** ['dʒu(ə)ris] (*Lat.*) *adv jur.* **1.** aus eigenem Recht. **2.** unabhängig, mündig, geschäftsfähig.

su·int [swint; 'sju:-; 'su:-] *s* Wollfett *n*, -schweiß *m.*

suit [sju:t; su:t] **I** *s* **1.** a) *a.* ~ **of clothes** (Herren)Anzug *m*, b) ('Damen)Koˌstüm *n*: **to cut one's ~ according to one's cloth** *fig.* sich nach der Decke strecken. **2.** Garni'tur *f*, Satz *m*: ~ **of armo(u)r** *hist.* Rüstung *f*; ~ **of sails** *mar.* Satz (Segel). **3.** *Kartenspiel*: Farbe *f*: ~ **of spades** Pikfarbe; ~ **of cards** ganze Farbe, ‚Flöte' *f*; **long (short) ~** lange (kurze) Farbe *od.* Hand; **to follow ~** a) Farbe bekennen, b) *fig.* dasselbe tun, ‚nachziehen', dem Beispiel folgen. **4.** *jur.* Rechtsstreit *m*, Pro'zeß *m*, Klage(sache) *f*, Verfahren *n*: **civil ~** Zivilklage, -prozeß; **to bring (***od.* **institute) a ~** Klage erheben, e-n Prozeß einleiten *od.* anstrengen; **in ~** strittig. **5.** Werbung *f*, (Heirats)Antrag *m.* **6.** Anliegen *n*, Bitte *f.*

II *v/t* **7.** *j-n* kleiden. **8.** (to) anpassen (*dat od.* an *acc*), abstimmen (auf *acc*): **to ~ the action to the word** das Wort in die Tat umsetzen; **a task ~ed to his powers** e-e s-n Kräften angemessene Aufgabe. **9.** passen zu, *j-m* stehen, *j-n* kleiden. **10.** passen für, sich eignen zu *od.* für: **he is not ~ed for (***od.* **to be) a teacher** er eignet sich nicht zum Lehrer; **the book is not ~ed to (***od.* **for) children** das Buch eignet sich nicht für Kinder; **to ~ s.o.'s purpose** j-s Zwecken entsprechen. **11.** sich schicken *od.* ziemen für *j-n.* **12.** *j-m* bekommen, zusagen: **the climate ~s me.** **13.** zu'friedenstellen, *j-m* gefallen: **to try to ~ everybody** es allen Leuten recht machen wollen; **to ~ o.s.** nach Belieben handeln; ~ **yourself** tu, was dir beliebt; **it ~s me (fine)** das paßt mir (großartig); → **book** 1; **are you ~ed?** haben Sie etwas Passendes gefunden?

III *v/i* **14.** (with, to) passen (zu), über'einstimmen (mit). **15.** passen, (an)genehm sein (with *dat*): **this date ~s very well (with me)** dieses Datum paßt (mir) sehr gut; **he is hard to ~** er ist schwer zufriedenzustellen.

suit·a·bil·i·ty [ˌsju:tə'biliti; ˌsu:t-] *s* **1.** Eignung *f*, Angemessenheit *f.* **2.** Schicklichkeit *f.* **3.** Über'einstimmung *f.* **'suit·a·ble** *adj* (*adv* **suitably**) **1.** passend, geeignet (to, for für, zu): **to be ~** passen, sich eignen. **2.** angemessen, schicklich (to, for für): **to be ~** sich schicken. **3.** entsprechend. **'suit·a·ble·ness** → **suitability.**

'suitˌ**case** *s* Handkoffer *m.*

suite [swi:t] *s* **1.** Gefolge *n.* **2.** Satz *m*, Serie *f*, Folge *f*, Reihe *f.* **3.** a) *a.* ~ **of rooms** Zimmerflucht *f*, b) Apparte'ment *n.* **4.** ('Möbel)Garniˌtur *f*, (Zimmer)Einrichtung *f.* **5.** Fortsetzung *f* (*e-s Romans etc*). **6.** *mus.* Suite *f.*

suit·ed ['sju:tid; 'su:t-] *adj* **1.** passend, geeignet: → **suit** 10. **2.** (*in Zssgn*) gekleidet. **'suit·ing** *s* (Herren)Anzugstoff *m.*

suit·or ['sju:tər; 'su:t-] *s* **1.** Freier *m.* **2.** *jur.* Kläger *m*, (Pro'zeß)Parˌtei *f.* **3.** Bittsteller *m.*

Suk·koth [suk'ouθ], *a.* **Suk·kos** ['sukəs] *s pl relig.* Laubhüttenfest *n.*

sul·cal ['sʌlkəl] *adj* **1.** *anat.* Furchen... **2.** *ling.* a) gefurcht (*Zunge*), b) mit gefurchter Zunge artiku'liert. **'sul·cate** [-keit], **'sul·cat·ed** *adj* **1.** *bes. bot.* gefurcht. **2.** *zo.* gespalten (*Huf etc*). **'sul·cus** [-kəs] *pl* **-ci** [-sai] *s anat.* (*a.* Gehirn)Furche *f.*

sul·fa drugs ['sʌlfə] *s pl pharm.* Sulfona'mide *pl.*

sulf·am·ate [sʌlf'æmeit; 'sʌlfəˌmeit] *s chem.* sulfa'midsaures Salz.

sulf·am·ic [sʌlf'æmik] *adj chem.* sulfa'minsauer, Sulfamin...

sulf·am·ide [sʌlf'æmid; -aid; 'sʌlfəˌmaid; -mid], *a.* **sulf'am·id** [-id] *s chem.* Sulfa'mid *n.*

sulf·a·mine [ˌsʌlfə'mi:n; sʌlf'æmin], *a.* **sulf'am·in** [-'æmin] → **sulfamyl.**

sulf·a·min·ic [ˌsʌlfə'minik] → **sulfamic.**

sul·fa·myl ['sʌlfəmil] *s chem.* Sulfa['mylgruppe *f.*]

sul·fate ['sʌlfeit] *chem.* **I** *s* **1.** schwefelsaures Salz, Sul'fat *n*: **acid ~** Bisulfat; ~ **of alumina** schwefelsaure Tonerde, Aluminiumsulfat; ~ **of copper** Kupfersulfat, -vitriol *n*; ~ **of iron, ferrous ~** Eisenvitriol *n*, Ferrosulfat; ~ **of magnesium** Bittersalz *n*, Magnesiumsulfat; ~ **of potash** schwefelsaures Kali, Kaliumsulfat; ~ **of sodium** (*od.* **soda**) schwefelsaures Natrium, Glaubersalz *n*, Natriumsulfat. **II** *v/t* **2.** sulfa'tieren. **3.** *electr.* vitrioli'sieren.

sul·fide ['sʌlfaid] *s chem.* Sul'fid *n.*

sul·fite ['sʌlfait] *s chem.* Sul'fit *n*, schwefelsaures Salz.

sul'fit·ic [-'fitik] *adj chem.* schwefligsauer, Sulfit...

sulfo- [sʌlfo] *chem. Wortelement mit den Bedeutungen* a) Sulfo... (*die Gruppe* SO_3H *enthaltend*), b) Sulfon... (*das Radikal* SO_2 *enthaltend*), c) Schwefel(säure)... (H_2SO_4 *enthaltend*).

sul·fon·a·mide [sʌl'fɒnəˌmaid; -mid] *s pharm.* Sulfona'mid *n.*

sul·fo·nate ['sʌlfəˌneit] *s chem.* **I** *s* Sulfo'nat *n.* **II** *v/t* sulfu'rieren.

sul·fon·ic [sʌl'fɒnik] *adj chem.* Sulfo..., sul'fonsauer.

sul·fo·nyl ['sʌlfənil; -ˌni:l] *chem.* **I** *s* Sul'fon *n.* **II** *adj* Sulfonyl...

sul·fo·vi·nate [ˌsʌlfo'vaineit] *s chem.* Sulfovi'nat *n*, schwefelweinsaures Salz.

sul·fur ['sʌlfər] → **sulphur.**

sul·fu·rate ['sʌlfjəˌreit; -fə-] **I** *v/t* → **sulfurize.** **II** *adj* → **sulfurated.** **'sul·fu**ˌ**rat·ed** *adj* **1.** (ein-, aus)geschwefelt. **2.** vulkani'siert.

sul·fu·re·ous [sʌl'fju(ə)riəs] *adj* **1.** → **sulfurous.** **2.** schwefelfarben.

sul·fu·ret ['sʌlfjərit] *chem.* **I** *s* Sul'fid *n.* **II** *v/t* [-ˌret] schwefeln: ~**(t)ed** geschwefelt; ~**(t)ed hydrogen** Schwefelwasserstoff *m.*

sul·fu·ric [sʌl'fju(ə)rik] *adj chem* Schwefel...

sul·fu·rize ['sʌlfjəˌraiz] *v/t chem.* **1.** (ein-, aus)schwefeln. **2.** vulkani'sieren.

sul·fu·rous ['sʌlfərəs; sʌl'fju(ə)rəs] *adj* **1.** *chem.* (*vierwertigen*) Schwefel enthaltend, schwef(e)lig, Schwefel...: ~ **acid** schweflige Säure. **2.** *fig.* a) höllisch, b) hitzig, wild.

sul·fur·y ['sʌlfəri] *adj* **1.** → **sulfurous.** **2.** schwefelfarben.

sulk [sʌlk] **I** *v/i* schmollen (with mit), trotzen, schlechter Laune *od.* ‚eingeschnappt' sein. **II** *s meist pl* Schmollen *n*, (Anfall *m* von) Trotz *m*, schlechte Laune: **to be in the ~s** → I. **'sulk·i·ness** [-inis] *s* **1.** Schmollen *n*, Trotzen *n*, schlechte Laune, mürrisches Wesen. **2.** *fig.* Düsterkeit *f.* **'sulk·y I** *adj* (*adv* sulkily) **1.** mürrisch, verdrießlich. **2.** schmollend, trotzend. **3.** *fig.* düster, trübe: a ~ **day.** **4.** *Am.* für 'eine Per'son bestimmt: a ~ **set of China.** **5.** *agr. tech. Am.* mit Fahrersitz: ~ **plow.** **II** *s Am.* **6.** a) *sport* Sulky *n*, Traberwagen *m*, b) zweirädriger, einsitziger Einspänner, c) *agr. tech.* Pflug *m etc* mit Fahrersitz.

sul·lage ['sʌlidʒ] *s* **1.** Abwasser *n*, Jauche *f*. **2.** Schlamm *m*, Ablagerung *f* (*in Flüssen etc*). **3.** *metall.* Schlacke *f*, Schaum *m*.

sul·len ['sʌlən; -in] *adj* (*adv* ~ly) **1.** mürrisch, grämlich, verdrossen. **2.** düster, trübe: ~ **colo(u)rs (face, sky,** *etc*); ~ **sound** dumpfer Laut. **3.** 'widerspenstig, störrisch (*bes. Tiere u. Dinge*). **4.** langsam, träge: ~ **stream.** **'sul·len·ness** *s* **1.** mürrisches Wesen, Verdrossenheit *f*. **2.** Düsterkeit *f*, Dumpfheit *f*. **3.** 'Widerspenstigkeit *f*. **4.** Trägheit *f*.

sul·ly ['sʌli] *v/t meist fig.* beflecken, besudeln.

sul·pha drugs, sul·pha·mate *etc* → **sulfa drugs, sulfamate,** *etc.*

sul·phur ['sʌlfər] *s* **1.** *chem. min.* Schwefel *m*: **flower of** ~ Schwefelblüte *f*; **milk of** ~ Schwefelmilch *f*. **2.** *a.* ~ **yellow** Schwefelgelb *n*. **3.** *zo.* (*ein*) Weißling *m*.

sul·tan ['sʌltən] *s* **1.** Sultan *m*. **2.** Des'pot *m*, Ty'rann *m*. **3.** *orn.* a) Sultanshuhn *n*, b) → **sultana** 3. **4.** *a.* **sweet** ~, **yellow** ~ *bot.* Moschus-Flockenblume *f*. **sul'ta·na** [-'tɑːnə; *Am. a.* -'tænə] *s* **1.** Sultanin *f*. **2.** a) Mä'tresse *f*, b) Kurti'sane *f*. **3.** *orn.* Sultans-, Purpurhuhn *n*. **4.** *a.* ~ **raisin** Sulta'nine *f*. **'sul·tan·ate** [-tə͵neit; -nit] *s* Sulta'nat *n*. **'sul·tan·ess** *s* Sultanin *f*. **'sul·tan͵ship** *s* Sultanswürde *f*: **his** ~ *iro.* Seine Herrlichkeit.

sul·tri·ness ['sʌltrinis] *s* Schwüle *f*. **'sul·try** [-tri] *adj* (*adv* sultrily) **1.** schwül (*a. fig. erotisch*): ~ **day;** ~ **actress (music,** *etc*). **2.** *fig.* heftig, hitzig: ~ **temper.**

sum [sʌm] **I** *s* **1.** *allg.* Summe *f*: a) ~ **total** (Gesamt-, End)Betrag *m*, b) (Geld)Betrag *m*, c) *fig.* Ergebnis *n*, Fazit *n*, d) *fig.* Gesamtheit *f*: **the** ~ **of experience;** in ~ insgesamt, *fig.* mit 'einem Wort. **2.** *math.* Zahlen-, Additi'onsreihe *f*. **3.** *colloq.* Rechenaufgabe *f*: **to do** ~**s** rechnen; **he is good at** ~**s** er kann gut rechnen. **4.** *a.* ~ **and substance** Inbegriff *m*, Kern *m*, Sub'stanz *f*. **5.** Zs.-fassung *f*. **6.** *fig. obs.* Gipfel *m*, Höhe(punkt *m*) *f*. **II** *v/t* **7.** ~ **up** sum'mieren, ad'dieren, zs.-zählen. **8.** ~ **up** *ein Ergebnis* ausmachen: **10 victories** ~**med up his record.** **9.** ~ **up** *j-n* kurz ein- *od.* abschätzen, mit Blicken messen. **10.** ~ **up** (kurz) zs.-fassen (**in a word** in 'einem Wort), rekapitu'lieren, resü'mieren. **III** *v/i* **11.** *meist* ~ **up** sich belaufen (**to, into** auf *acc*). **12.** ~ **up** (das Gesagte) zs.-fassen, resü'mieren.

su·mac(h) ['ʃuːmæk; 'sjuː-; 'suː-] *s* **1.** *bot.* Sumach *m*, Färberbaum *m*. **2.** Schmack *m* (*Gerbstoff des Sumach*).

Su·me·ri·an [sju(ː)'mi(ə)riən; su(ː)-] **I** *s* **1.** Su'merer(in). **2.** *ling.* Su'merisch *n*, das Sumerische. **II** *adj* **3.** su'merisch.

sum·less ['sʌmlis] *adj poet.* unzählig, unermeßlich.

sum·ma·ri·ness ['sʌmərinis] *s* (*das*) Sum'marische, Kürze *f*.

sum·ma·rize ['sʌmə͵raiz] *v/t u. v/i* (kurz) zs.-fassen.

sum·ma·ry ['sʌməri] **I** *s* Zs.-fassung *f*, (gedrängte) 'Übersicht, Abriß *m*, (kurze) Inhaltsangabe. **II** *adj* (*adv* summarily) sum'marisch: a) knapp, gedrängt, zs.-fassend: ~ **account,** b) *bes. jur.* abgekürzt, Schnell...: ~ **procedure (court,** *etc*); ~ **offence** (*Am.* **offense**) Übertretung *f*, c) oberflächlich, (allzu) fix: ~ **treatment;** ~ **dismissal** fristlose Entlassung.

sum·ma·tion [sʌ'meiʃən] *s* **1.** Zs.-zählen *n*. **2.** Sum'mierung *f*. **3.** (Gesamt-)Summe *f*. **4.** *jur.* Resü'mee *n*.

sum·mer[1] ['sʌmər] **I** *s* **1.** Sommer *m*: **in (the)** ~ im Sommer. **2.** Lenz *m*, (Lebens)Jahr *n*: **a lady of 30** ~**s.** **3.** *fig.* Höhepunkt *m*, Blüte *f*. **II** *v/t* **4.** *Vieh etc* über'sommern lassen. **III** *v/i* **5.** den Sommer verbringen: **to** ~ **in Italy.** **6.** über'sommern (*Vieh etc*). **IV** *adj* **7.** sommerlich, Sommer...: ~ **day.**

sum·mer[2] ['sʌmər] *s arch.* **1.** Oberschwelle *f*. **2.** Trag-, Kragstein *m*, Kon'sole *f* (*auf Pfeilern*). **3.** Tragbalken *m*.

sum·mer| cap·i·tal *s* 'Sommerresi͵denz *f* (*des amer. Präsidenten*). ~ **com·plaint,** ~ **di·ar·rhe·a** *s med. Am. colloq.* 'Sommerdiar͵rhöe *f*. ~ **corn** *s* Sommergetreide *n*. ~ **fal·low** *s agr.* Sommerbrache *f*. **'~-͵fal·low** *agr.* **I** *v/t Land* im Sommer brachen. **II** *adj* sommerbrach. **'~͵house** *s* **1.** Gartenhaus *n*, (-)Laube *f*. **2.** Landhaus *n*, Sommersitz *m*.

sum·mer·ings ['sʌməriŋz] *s pl arch.* erste Lage Mauerwerk auf e-m Pfeiler *etc.*

sum·mer| light·ning *s* Wetterleuchten *n*. **'~͵like** → **summerly.**

sum·mer·li·ness ['sʌmərlinis] *s* (*das*) Sommerliche. **'sum·mer·ly** *adj u. adv* sommerlich.

sum·mer re·sort *s* Sommerfrische *f*, -kurort *m*.

sum·mer·sault → **somersault.**

sum·mer| school *s univ.* Ferien-, Sommerkurs *m*. ~ **set** → **somersault I.** ~ **term** *s univ.* 'Sommerse͵mester *n*. **'~͵time,** *a.* **'~͵tide** *s* Sommer(szeit *f*) *m*. ~ **time** *s* Sommerzeit *f* (*um 1 Stunde vorgerückte Uhrzeit*): **double** ~ doppelte Sommerzeit. **'~-͵weight** *adj* sommerlich, Sommer...: ~ **clothes.** ~ **wheat** *s agr.* Sommerweizen *m*.

sum·mer·y ['sʌməri] *adj* sommerlich.

sum·ming up ['sʌmiŋ] *s* **1.** Zs.-fassung *f*. **2.** *jur.* Resü'mee *n*. **3.** *fig.* Bi'lanz *f*.

sum·mist ['sʌmist] *s* Verfasser *m* e-r ‚Summa', Kom'pendienschreiber *m*.

sum·mit ['sʌmit] *s* **1.** (höchster) Gipfel, Kuppe *f* (*e-s Berges*), Spitze *f* (*e-s Masts etc*), Scheitel *m* (*e-r Kurve etc*), Kamm *m* (*e-r Welle etc*), Kappe *f*, Krone *f* (*e-s Dammes etc*). **2.** *fig.* Gipfel *m*, Höhe(punkt *m*) *f*: **at the** ~ **of power** auf dem Gipfel der Macht. **3.** *pol.* Gipfel *m*, höchste Ebene: ~ **conference,** ~ **talks** Gipfelkonferenz *f*; ~ **meeting** Gipfeltreffen *n*.

sum·mon ['sʌmən] *v/t* **1.** auffordern, -rufen (**to do** zu tun). **2.** rufen, (zu sich) bestellen, kommen lassen, her'beizi͵tieren. **3.** *teleph.* her'beirufen. **4.** *jur.* (vor)laden. **5.** *e-e Konferenz etc* zs.-, einberufen. **6.** *oft* ~ **up** *s-e Kraft, s-n Mut etc* zs.-nehmen, aufbieten. **7.** *euphem.* (aus dem Leben) abberufen. **'sum·mon·er** *s* (*hist.* Gerichts)Bote *m*.

sum·mons ['sʌmənz] **I** *s* **1.** Ruf *m*, Berufung *f*. **2.** Aufforderung *f*, Aufruf *m*. **3.** *jur.* (Vor)Ladung *f*: **to take out a** ~ **against s.o.** j-n (vor)laden lassen. **4.** Einberufung *f*. **II** *v/t* **5.** *j-n* vorladen (lassen).

sump [sʌmp] *s* **1.** Sammelbehälter *m*, Senkgrube *f*. **2.** *mot. tech.* Ölwanne *f*. **3.** *Gießerei*: Vorherd *m*. **4.** *Bergbau*: (Schacht)Sumpf *m*.

sump·si·mus ['sʌmpsiməs] *s ein pedantisch korrekter Ausdruck als Ersatz für e-n fehlerhaften der Umgangssprache.*

sump·ter ['sʌmptər] **I** *s* Saumtier *n*. **II** *adj* Pack...: ~ **horse;** ~ **saddle.**

sump·tion ['sʌmpʃən] *s philos.* **1.** Prä'misse *f*. **2.** Obersatz *m* (*im Syllogismus*).

sump·tu·ar·y [*Br.* 'sʌmptjuəri; *Am.* -tʃu͵eri] *adj* Aufwands..., Luxus...: ~ **law** (*od.* **regulation)** *hist.* Luxusgesetz *n*.

sump·tu·os·i·ty [*Br.* ͵sʌmptju'ɒsiti; *Am.* -tʃu-] → **sumptuousness.** **'sump·tu·ous** *adj* (*adv* ~ly) **1.** kostspielig. **2.** kostbar, prächtig, herrlich. **3.** üppig. **'sump·tu·ous·ness** *s* **1.** Kostspieligkeit *f*. **2.** Kostbarkeit *f*, Pracht *f*. **3.** Üppigkeit *f*, Aufwand *m*, Luxus *m*.

sun [sʌn] **I** *s* **1.** (*oft als m konstruiert*) Sonne *f*: **a place in the** ~ *fig.* ein Platz an der Sonne; **his** ~ **is set** sein Stern ist erloschen; **with the** ~ mit der Sonne, im Uhrzeigersinn; **to take** (*od.* **shoot) the** ~ *mar.* die Sonne schießen; **under the** ~ *fig.* unter der Sonne, auf Erden. **2.** Sonnenwärme *f*, -licht *n*, -schein *m*, Sonne *f*: **to take the** ~ sich sonnen; **to have the** ~ **in one's eyes** *sl.* ‚beduselt' sein. **3.** *poet.* a) Tag *m*, b) Jahr *n*. **4.** *astr.* a) Sonne *f* (*Himmelskörper mit Eigenlicht*), b) Nebensonne *f*. **II** *v/t u. v/i* **5.** (sich) sonnen.

'sun|-and-'plan·et (mo·tion) *s tech.* Pla'netengetriebe *n*. ~ **an·i·mal·cule** *s zo.* Sonnentierchen *n*. ~ **arc** → **sun lamp** 2. **'~-͵baked** *adj* von der Sonne ausgedörrt *od.* getrocknet. ~ **bath** *s* Sonnenbad *n*. **'~-͵bathe** *v/i* ein Sonnenbad *od.* Sonnenbäder nehmen. **'~͵beam** *s* Sonnenstrahl *m*. ~ **blind** *s Br.* Mar'kise *f*. **'~͵break** → **sunburst.** **'~͵burn** *s* **1.** Sonnenbrand *m*, -bräune *f*. **2.** *bot.* Ergrünungsfleck *m* (*an e-r Kartoffel*). **3.** *bot.* → **sunscald.** **'~-͵burned, '~͵burnt** *adj* sonnverbrannt. **'~͵burst** *s* **1.** plötzlicher 'Durchbruch der Sonne. **2.** Sonnenbanner *n* (*Japans*). **3.** Brilli'antenro͵sette *f* (*Schmuckstück*). **'~-͵cure** *v/t Tabak etc* an der Sonne trocknen.

sun·dae ['sʌndei; -di] *s Am.* Eisbecher *m* mit Früchten.

Sun·day ['sʌndi] **I** *s* **1.** Sonntag *m*: **on** ~ (am) Sonntag; **on** ~(s) sonntags; ~ **evening,** ~ **night** Sonntagabend *m*; **a month of** ~**s** *fig.* schrecklich lange, ewig; **to look two ways to find** ~ *sl.* schielen. **II** *adj* **2.** sonntäglich, Sonntags...: ~ **best** *colloq.* Sonntagsstaat *m*, -kleider *pl*; ~**-go-to-meeting** *colloq.* Sonntags...; ~ **saint** *colloq.* ‚Sonntagschrist(in)'; ~ **school** Sonntagsschule *f*. **3.** *colloq.* Sonntags...: ~ **driver;** ~ **painter.** **III** *v/i Am. colloq.* **4.** den Sonntag verbringen.

sun deck *s* **1.** Sonnendeck *n* (*auf e-m Schiff*). **2.** 'Sonnenter͵rasse *f*.

sun·der ['sʌndər] *poet.* **I** *v/t* **1.** trennen, sondern (**from** von). **2.** losreißen. **3.** teilen, spalten. **4.** *fig.* entzweien. **II** *v/i* **5.** sich trennen, getrennt werden. **III** *s* **6.** in ~ entzwei, ausein'ander.

'sun|͵di·al *s* Sonnenuhr *f*. **'~͵dog** *s astr.* **1.** → **sun** 4 b. **2.** kleiner Halo (*am Nebensonnenkreis*). **'~͵down** *s* **1.** → **sunset** 1. **2.** *Am.* breitkrempiger (Damen)Hut. **'~͵down·er** *s* **1.** *Austral. colloq.* Landstreicher *m*. **2.** *bes. Br. sl.* Dämmerschoppen *m*. **3.** *mar. sl.* strenger Kapi'tän. **4.** *Am.* a) Nachtarbeiter

m, b) Abendschüler *m*. ˈ~ˌ**dress** *s* Strandkleid *n*. ˈ~-ˌ**dried** *adj* an der Sonne getrocknet *od*. gedörrt.
sun·dries [ˈsʌndriz] *s pl* Diˈverses *n*, Verschiedenes *n*, allerlei Dinge *pl*, *a*. diverse Unkosten *pl*, *econ*. *a*. Kurz-, Gemischtwaren *pl*.
sun·dry [ˈsʌndri] *adj* verschiedene, diˈverse, allerlei, allerhand: all and ~ all u. jeder, alle miteinander; ~-colo(u)red verschiedenfarbig.
ˈ**sun**|ˌ**fast** *adj Am*. lichtecht (*Stoff*). ˈ~ˌ**fish I** *s ichth*. **1.** Sonnenfisch *m*. **2.** Klumpfisch *m*. **3.** Mondfisch *m*. **4.** Riesenhai *m*. **II** *v/i Am*. **5.** bocken (*Pferd*). ˈ~ˌ**flow·er** *s bot*. Sonnenblume *f*.
sung [sʌŋ] *pret u. pp von* sing.
sun| **gear** → sun wheel. ˈ~ˌ**glass·es** *s pl a*. pair of ~ Sonnenbrille *f*. ˈ~ˌ**glow** *s meteor*. **1.** Morgen-, Abendröte *f*. **2.** Sonnenhof *m*. ~ **hat** *s* Sonnenhut *m*. ~ **hel·met** *s* Tropenhelm *m*.
sunk[1] [sʌŋk] **I** *pret u. pp von* sink. **II** *adj* **1.** vertieft. **2.** *bes. tech*. eingelassen, versenkt: ~ screw; ~ fence Grenzgraben *m* (*statt Zaun*).
sunk[2] [sʌŋk] *s Scot*. **1.** Rasenbank *f*. **2.** *meist pl* Strohkissen *n*.
sunk·en [ˈsʌŋkən] **I** *obs. pp von* sink. **II** *adj* **1.** versunken. **2.** eingesunken: ~ rock blinde Klippe. **3.** a) tiefliegend, vertieft (angelegt), b) *tech*. → sunk[1] 2. **4.** *fig*. hohl, eingefallen: ~ cheeks; ~ eyes hohle Augen; a ~ face ein eingefallenes Gesicht.
sun lamp *s* **1.** *med*. (künstliche) Höhensonne. **2.** *Film etc*: Jupiterlampe *f*.
sun·less [ˈsʌnlis] *adj* sonnenlos.
ˈ**sun**|ˌ**light** *s* Sonnenschein *m*, -licht *n*. ˈ~ˌ**like** *adj* **1.** sonnenähnlich, Sonnen... **2.** strahlend, leuchtend. ˈ~ˌ**lit** *adj* sonnenbeschienen. ˈ~-ˌ**lounge** *s Br*. ˈGlasveˌranda *f*.
sunn [sʌn] *s* **1.** *bot*. Sunnhanf *m*. **2.** *a*. ~ hemp Sunn(hanf) *m* (*Faser von* 1).
Sun·na(h) [ˈsʌnə; ˈsunə] *s relig*. Sunna *f* (*orthodoxe Überlieferung des Islam neben dem Koran*).
sun·ni·ness [ˈsʌninis] *s* **1.** Sonnigkeit *f*, Helle *f*. **2.** *fig*. (*das*) Sonnige, Heiterkeit *f*.
sun·ny [ˈsʌni] *adj* (*adv* sunnily) **1.** sonnig, Sonnen...: ~ exposure Sonnenlage *f*; ~ side Sonnenseite *f* (*a. fig. des Lebens*). **2.** *fig*. sonnig, heiter: a ~ smile; to be on the ~ side of forty noch nicht 40 Jahre alt sein; to look on the ~ side of things das Leben von s-r heiteren Seite betrachten.
sun| **par·lor** *s Am*. ˈGlasveˌranda *f*. ~ **pow·er** *s astr. phys*. ˈSonnenenerˌgie *f*. ˈ~ˈ**proof** *adj* **1.** für Sonnenstrahlen ˈunˌdurchlässig. **2.** lichtfest. ˈ~ˌ**ray** *s* Sonnenstrahl *m*. ˈ~ˌ**rise** *s* Sonnenaufgang *m*: at ~ bei Sonnenaufgang. ˈ~-ˌ**scald** *s bot*. Sonnen-, Rinderbrand *m*. ˈ~ˌ**set** *s* **1.** ˈSonnenˌuntergang *m*: at ~ bei Sonnenuntergang; ~ sky Abendrot *n*, -himmel *m*. **2.** Abend *m* (*a. fig*.): ~ of life Lebensabend. **3.** *fig*. Niedergang *m*. ˈ~ˌ**shade** *s* **1.** Sonnenblende *f*, -schirm *m*. **2.** Marˈkise *f*. **3.** *phot*. Gegenlichtblende *f*. ˈ~ˌ**shine I** *s* **1.** Sonnenschein *m* (*a. fig*.): ~ roof *mot*. Schiebedach *n*. **2.** sonniges Wetter. **II** *adj* **3.** *fig*. sonnig, glücklich, heiter. ˈ~ˌ**shin·y** *adj* sonnig (*a. fig*.). ~ **show·er** *s colloq*. leichter Schauer bei Sonnenschein. ~ **spot** → sun lamp 2. ˈ~ˌ**spot** *s* **1.** *astr*. Sonnenfleck *m*. **2.** Sommersprosse *f*. ˈ~ˌ**stroke** *s med*. Sonnenstich *m*, Hitzschlag *m*. ˈ~-ˌ**struck** *adj med*. vom Sonnenstich *od*. Hitzschlag getroffen: to be ~ e-n Sonnenstich haben. ~ **tan** *s* **1.** (Sonnen)Bräune *f*: sun-tan lotion Sonnenöl *n*. **2.** Rotbraun *n*. ˈ~ˌ**up** *s dial*. Sonnenaufgang *m*. ~ **valve** *s tech*. (*Art*) Photozellenschalter *m*. ~ **vi·sor** *s mot*. *Am*. Sonnenblende *f*.
sun·ward [ˈsʌnwərd] *adj u. adv* sonnenwärts, der Sonne zu(gewendet). ˈ**sun·wards** [-z] *adv*.
sun| **wheel** *s tech*. Sonnenrad *n* (*im Planetengetriebe*). ˈ~ˌ**wise** *adj u. adv* mit der Sonne, im Uhrzeigersinn. ~ **wor·ship·(p)er** *s* Sonnenanbeter(in).
sup[1] [sʌp] **I** *v/i* zu Abend essen: they ~ped off (*od*. on) cold meat sie hatten kaltes Fleisch zum Abendessen. **II** *v/t j-n* zum Abendessen bewirten.
sup[2] [sʌp] **I** *v/t* **1.** *a*. ~ off, ~ out löffeln, schlürfen. **2.** *fig*. (gründlich) auskosten, erfahren: to ~ sorrow a) leiden, b) Sorgen haben, c) bereuen. **II** *v/i* **3.** nippen, löffeln. **III** *s* **4.** Mundvoll *m*, (kleiner) Schluck (at a bottle aus e-r Flasche): a bite and a ~ etwas zu essen u. zu trinken; neither bit (*od*. bite) nor ~ ‚nichts zu nagen u. zu beißen'.
supe [sjuːp; suːp] *sl*. **I** *s sl. für* super 1. **II** *v/t a*. ~ up *aer*. ‚friˈsieren'. **III** *v/i* → super 9.
super- [sjuːpər; suː-] *Wortelement mit den Bedeutungen* a) übermäßig, Über..., b) oberhalb (*gen od*. von *dat*) *od*. über (*dat*) befindlich, c) *bes. scient*. Super..., d) übergeordnet, Ober...
su·per [ˈsjuːpər; ˈsuː-] **I** *s* **1.** *thea*. Staˈtist(in). **2.** *colloq. abbr. für* a) super-film, b) superintendent, c) supernumerary, d) *Am*. supermarket, e) superhet(erodyne). **3.** *econ. sl*. a) Spitzenklasse *f*, b) Qualiˈtätsware *f*. **4.** *Buchbinderei*: (Heft)Gaze *f*. **II** *adj* **5.** *colloq. abbr. für* a) superficial 2, b) superfine 1. **6.** Super...: ~ bomb. **7.** *iro*. Super..., hundertˈfünfzigproˌzentig: a ~ patriot. **8.** *colloq*. ‚super', ‚toll', ‚prima'. **III** *v/i* **9.** *thea*. als Staˈtist(in) mitspielen.
su·per·a·ble [ˈsjuːpərəbl; ˈsuː-] *adj* überˈwindbar, besiegbar.
ˌ**su·per**|·**aˈbound** *v/i* **1.** im ˈÜberfluß vorˈhanden sein. **2.** in noch größerem Maße vorˈhanden sein. **3.** e-e ˈÜberfülle haben (in, with an *dat*). ˌ~·**aˈbun·dance** *s* ˈÜberfülle *f*, -fluß *m* (of an *dat*). ˌ~·**aˈbun·dant** *adj* (*adv* ~ly) **1.** ˈüberreichlich. **2.** ˈüberschwenglich, überˈtrieben. ˌ~ˈ**ac·id** *adj chem*. überˈsäuert. ˌ~ˈ**add** *v/t* (noch) hinˈzufügen (to zu): to be ~ed (to) noch dazukommen (zu *etwas*). ˌ~·**adˈdi·tion** *s* weitere Hinˈzufügung, Zusatz *m*: in ~ (to) noch obendrein, zusätzlich (zu). ˈ~ˌ**al·tar** *s relig. hist*. **1.** (*oft tragbare*) steinerne *etc* Alˈtarplatte. **2.** Alˈtarstein *m*.
su·per·an·nu·ate [ˌsjuːpərˈænjuˌeit; ˌsuː-] *v/t* **1.** (*wegen Erreichung der Altersgrenze*) pensioˈnieren, in den Ruhestand versetzen. **2.** als zu alt *od*. als veraltet bezeichnen *od*. zuˈrückweisen *od*. ausscheiden. ˌ**su·perˈan·nuˌat·ed** *adj* **1.** a) pensioˈniert, ausgedient, b) überˈaltert (*Person*). **2.** veraltet, überˈholt. **3.** abgetragen, ausgedient: ~ clothes. ˌ**su·perˌan·nuˈa·tion** *s* **1.** a) Pensioˈnierung *f*, b) Ruhestand *m*. **2.** Ruhegehalt *n*, Pensiˈon *f*, Alterszulage *f*: ~ contribution Altersversicherungsbeitrag *m*; ~ fund Pensionskasse *f*.
ˌ**su·perˈau·di·ble** *adj phys*. ˈultra-[aˌkustisch.]
su·perb [sjuːpəːrb; su-] *adj* (*adv* ~ly) **1.** herrlich, prächtig, großartig. **2.** herˈvorragend, ausgezeichnet, vorˈzüglich. **3.** *bot. zo*. prächtig gefärbt, Pracht...
su·per|·**bi·par·tient** [ˌsjuːpərbaiˈpɑːrʃənt; ˌsuː-] *adj math*. im Verhältnis (von) 5:3 (stehend). ˌ~·**biˈquin·tal** [-baiˈkwintəl] *adj math*. im Verhältnis (von) 7:5 (stehend). ˌ~·**biˈter·tial** [-baiˈtəːrʃəl] → superbipartient. ˌ~ˈ**cal·en·der** (*Papierherstellung*) **I** *s* ˈHochkaˌlander *m*. **II** *v/t* ˈhochsatiˌnieren. ˌ~ˈ**car·go** *pl* **-goes** *od*. **-gos** *s* Frachtaufseher *m*, Superˈkargo *m*. ˌ~ˈ**charge** *v/t* **1.** überˈladen, zusätzlich beladen. **2.** *mot*. vor-, ˈüberverdichten: ~d engine Lader-, Kompressormotor *m*. **3.** → pressurize. ˈ~ˌ**charg·er** *s tech*. Vorverdichter *m*, (Auflade)Gebläse *n*, Komˈpressor *m*.
su·per·cil·i·ous [ˌsjuːpərˈsiliəs; ˌsuː-] *adj* (*adv* ~ly) hochmütig, -näsig, herˈablassend. ˌ**su·perˈcil·i·ous·ness** *s* Hochmut *m*, -näsigkeit *f*, Herˈablassung *f*.
ˌ**su·per**|ˈ**civ·iˌlized** *adj* ˈüberziviliˌsiert. ˈ~ˌ**class** *s zo*. ˈÜberklasse *f*. ˌ~·**conˈduc·tive** *adj phys*. supraleitend. ˌ~·**conˈduc·tor** *s phys*. Supraleiter *m*. ˌ~ˈ**con·scious** *adj psych*. **1.** ˈüberbewußt. **2.** das Bewußtsein überˈschreitend. ˌ~ˈ**cooled** *adj phys*. unterˈkühlt. ˌ~·**creˈta·ceous** *adj geol*. über der Kreide (liegend). ˌ~ˈ**dom·i·nant** *s mus*. sechste Stufe. ˌ~ˈ**dread·nought** *s mar*. Großkampfschiff *n*. ˈ~-ˈ**du·per** [-ˈdjuːpər; -ˈduː-] *adj sl*. ‚supertoll'. ˈ~-ˈ**du·ty** *adj tech*. Höchstleistungs..., für höchste Beanspruchung. ˌ~ˈ**e·go** *s psych*. ˈÜber-Ich *n*. ˌ~ˌ**el·eˈva·tion** *s* **1.** *tech*. Überˈhöhung *f* (*e-r Kurve etc*). **2.** *TV* Abhebung *f*. ˌ~ˈ**em·i·nence** *s* **1.** Vorrang(stellung *f*) *m*. **2.** überˈragende Bedeutung *od*. Qualiˈtät, Vorˈtrefflichkeit *f*, Großartigkeit *f*. ˌ~ˈ**em·i·nent** *adj* (*adv* ~ly) herˈvorragend, vorˈzüglich, überˈragend (for wegen).
su·per·er·o·ga·tion [ˌsjuːpərˌerəˈgeiʃən; ˌsuː-] *s* **1.** Mehrleistung *f*: works of ~ *relig*. überschüssige (gute) Werke. **2.** *fig*. ˈÜbermaß *n* (of an *dat*): work of ~ Arbeit *f* über die Pflicht hinaus.
ˌ**su·per·eˈrog·a·to·ry** [-iˈrɒgətəri] *adj* **1.** über das Pflichtmaß hinˈausgehend, ˈübergebührlich. **2.** ˈüberflüssig.
su·per·ette [ˌsjuːpəˈret; ˌsuː-] *s bes. Am*. kleiner Supermarkt.
su·per|ˈ**ex·cel·lence** *s* höchste Vorˈtrefflichkeit. ˌ~ˈ**ex·cel·lent** *adj* (*adv* ~ly) höchst vorˈtrefflich, ˈunüberˌtrefflich. ˌ~ˈ**fam·i·ly** *s zo*. ˈOberfaˌmilie *f*. ˌ~ˌ**fe·cunˈda·tion** *s biol. med*. ˈÜberbefruchtung *f*.
su·per·fe·ta·tion [ˌsjuːpərfiːˈteiʃən; suː-] *s* **1.** Empfängnis *f* während der Schwangerschaft. **2.** → superfecundation. **3.** Häufung *f*. **4.** ˈÜberproduktiˌon *f* (of an *dat*).
su·per·fi·cial [ˌsjuːpərˈfiʃəl; ˌsuː-] *adj* (*adv* ~ly) **1.** oberflächlich, Oberflächen... **2.** Flächen..., Quadrat...: ~ measurement Flächenmaß *n*; 50 ~ feet 50 Quadratfuß. **3.** äußerlich, äußer(er, e, es). **4.** *fig*. oberflächlich: a) flüchtig, b) seicht. ˌ**su·perˌfi·ciˈal·i·ty** [-ʃiˈæliti] *s* **1.** Oberflächenlage *f*. **2.** *fig*. Oberflächlichkeit *f*, (*das*) Oberflächliche. ˌ**su·perˈfi·ciˌes** [-ʃiˌiːz; -ʃiːz] *s* **1.** (Ober)Fläche *f*. **2.** *fig*. Oberfläche *f*, äußerer Anschein.
ˈ**su·per**|-ˌ**film** *s* Monumenˈtalfilm *m*. ˈ~ˌ**fine I** *adj* **1.** *bes. econ*. extra-, super-, hochfein. **2.** überˈfeinert, preziˈös. **II** *s* **3.** *pl econ*. extrafeine Ware. ˈ~ˌ**flu·id** *s* suprafl üssiges Helium, Helium *n* II.
su·per·flu·i·ty [ˌsjuːpərˈfluːiti; ˌsuː-] *s* **1.** ˈÜberfluß *m*, Zuˈviel *n* (of an *dat*).

2. *meist pl* Entbehrlichkeit *f*, 'Über-flüssigkeit *f*. **su·per·flu·ous** [sju'pəːrfluəs; su-] *adj* (*adv* ~**ly**) **1.** 'überreichlich (vor'handen). **2.** 'überflüssig, unnötig. **3.** verschwenderisch.

'**su·per|ˌfort,** '~ˌ**for·tress** *s aer. mil.* Superfestung *f* (*amer. Bomber*). '~-'**group** *s Computer*: 'Übergruppe *f*. ˌ~'**heat** *v/t tech.* über'hitzen. ˌ~'**heater** *s tech.* ('Dampf)Überˌhitzer *m*. ˌ~'**het(·er·oˌdyne)** *Radio*: **I** *adj* Überlagerungs..., Superhet... **II** *s* Über'lagerungsempfänger *m*, Super(het) *m*. '~'**high fre·quen·cy** *s electr.* superhohe Fre'quenz. ˌ~'**high-'fre·quen·cy** *adj electr.* Höchstfrequenz... ˌ~'**highˌway** *s Am.* Autobahn *f*. ˌ~'**hu·man** *adj* 'übermenschlich: ~ **beings**; ~ **efforts.** ˌ~·**im'pose** *v/t* **1.** dar'auf-, dar'übersetzen *od.* -stellen *od.* -legen. **2.** setzen, legen, lagern, schichten (on auf *od.* über *acc*). **3.** hin'zufügen (on zu), folgen lassen (on *dat*), anein'anderreihen. **4.** *electr. phys.* über'lagern. ˌ~·**im'posed** *adj* **1.** dar'auf-, dar'übergelegt *od.* -liegend: **one** ~ **upon the other** übereinandergelagert. **2.** hin'zugefügt. **3.** *phys.* über'lagert. ˌ~ˌ**impreg'na·tion** → superfetation 1. ˌ~-**in·'cum·bent** *adj* **1.** oben'auf liegend. **2.** lastend. ˌ~·**in'duce** *v/t* **1.** (noch) hin'zufügen (zu). **2.** (zusätzlich) einführen (on, upon zu). **3.** (oben'drein) her'beiführen. **4.** *fig.* aufpfropfen.

su·per·in·tend [ˌsjuːprin'tend; suː-; -pər-] *v/t* die (Ober)Aufsicht haben über (*acc*), beaufsichtigen, über'wachen, verwalten. ˌ**su·per·in'tend·ence** *s* (Ober)Aufsicht *f* (over über *acc*), Verwaltung *f*, Leitung *f* (of *gen*). ˌ**su·per·in'tend·ent I** *s* **1.** Leiter *m*, Vorsteher *m*, Di'rektor *m*: ~ **of public works. 2.** Oberaufseher *m*, Aufsichtsbeamte(r) *m*, In'spektor *m*: ~ **of schools** Schulinspektor. **3.** *bes. Br.* Poli'zeichef *m*. **4.** Verwalter *m*. **5.** *relig.* Superinten'dent *m*. **II** *adj* **6.** aufsichtführend, leitend, Aufsichts...

su·pe·ri·or [su'pi(ə)riər; *Br. a.* sju-] **I** *adj* (*adv* ~**ly**) **1.** höherstehend, höher(er, e, es), Ober..., vorgesetzt: ~ **court** *jur.* Obergericht *n*, höhere Instanz; ~ **officer** vorgesetzter *od.* höherer Beamter *od.* Offizier, Vorgesetzte(r) *m*. **2.** über'legen, -'ragend, souve'rän: ~ **man**; ~ **skill**; → **style** 2. **3.** höher(er, e, es), um'fassend(er, e, es): ~ **genus**; ~ **wisdom. 4.** höher(er, e, es), besser (to als), her'vorragend, erlesen: ~ **quality**; ~ **beings** höhere Wesen; ~ **performance** hervorragende Leistung. **5.** (to) größer, stärker (als), über'legen (*dat*): ~ **in number** zahlenmäßig überlegen, in der Überzahl; ~ **forces** *mil.* Übermacht *f*; ~ **title to an estate** *jur.* höherer Rechtsanspruch auf ein Gut. **6.** *fig.* über'legen, -'heblich: ~ **smile. 7.** *iro.* vornehm: ~ **persons** bessere *od.* feine Leute. **8.** erhaben (to über *acc*): ~ **to prejudice**; **to rise** ~ **to s.th.** sich über etwas erhaben zeigen. **9.** höherliegend, ober(er, e, es): ~ **planets** *astr.* äußere Planeten. **10.** *print.* hochgestellt.

II *s* **11. to be s.o.'s** ~ **in thinking** (**courage**, *etc*) j-m im Denken (an Mut *etc*) überlegen sein; **he has no** ~ **in courage** an Mut übertrifft ihn keiner. **12.** *a.* ~ **in rank** Vorgesetzte(r *m*) *f*. **13.** *relig.* a) (*a.* **Father S**~ Vater *m*) Su'perior *m*, b) (*a.* **Lady** *od.* **Mother S**~ Schwester *f*) Oberin *f*. **suˌpe·ri'or·i·ty** [-'ɒriti] *s* **1.** Erhabenheit *f* (to, over über *acc*). **2.** Über'legenheit *f*, 'Übermacht *f* (to, over über *acc*; in in *od.* an *dat*). **3.** Vorrecht *n*, -rang *m*, -zug *m*. **4.** Über'heblichkeit *f*: ~ **complex** *psych.* Superioritätskomplex *m*.

su·per·ja·cent [ˌsjuːpər'dʒeisnt; suː-] *adj geol.* dar'auf-, dar'überliegend.

su·per·la·tive [sju'pəːrlətiv; su-] **I** *adj* **1.** höchst(er, e, es): ~ **beauty** (**praise**, **wisdom**, *etc*). **2.** 'unüberˌtrefflich, über'ragend. **3.** *ling.* superlativisch, Superlativ...: ~ **degree** → 5. **II** *s* **4.** höchster Grad, höchste Stufe, Gipfel *m* (*a. contp.*), *contp.* Ausbund *m* (of an *dat*). **5.** *ling.* Superlativ *m*: **to talk in** ~**s** *fig.* in Superlativen reden. **su'per·la·tive·ly** *adv* **1.** im höchsten Grade. **2.** → **superlative. su'per·la·tive·ness** *s* **1.** höchster Grad. **2.** 'Unüberˌtrefflichkeit *f*.

ˌ**su·per|'lu·na·ry,** *a.* ˌ~'**lu·nar** *adj* **1.** jenseits des Mondes (gelegen). **2.** 'überirdisch. **3.** *fig.* über'spannt. '~ˌ**man** [-ˌmæn] *s irr* **1.** *philos. u. fig.* 'Übermensch *m*. **2. S**~ *Am. Gestalt e-r Comic-Strip-Serie.* **3.** *iro.* Supermann *m*. '~ˌ**mar·ket** *s Am.* Supermarkt *m*. ˌ~'**mol·eˌcule** *s chem.* 'Makromoleˌkül *n*.

su·per·nac·u·lum [ˌsjuːpər'nækjuləm; suː-] **I** *adv* **1. to drink** ~ *obs.* bis auf die Nagelprobe austrinken. **2.** vollständig. **II** *s* **3.** Wein *m* bester Quali'tät. **4.** *fig.* köstliche Sache.

su·per·nal [sju'pəːrnl; su-] *adj* (*adv* ~**ly**) 'überirdisch, himmlisch.

ˌ**su·per|'nat·u·ral I** *adj* 'übernaˌtürlich. **II** *s* **the** ~ das 'Übernaˌtürliche. ˌ~'**nat·u·ralˌism** *s* **1.** *philos. relig.* ˌSupranatura'lismus *m*, Offen'barungsglaube *m*. **2.** Wunderglaube *m*. ˌ~'**nor·mal** *adj* **1.** 'überˌdurchschnittlich, über das Nor'male hin'ausgehend. **2.** außer-, ungewöhnlich. ˌ~'**no·va** *s astr.* Supernova *f*. ˌ~'**nu·mer·ar·y I** *adj* **1.** 'überzählig, außerplanmäßig, extra. **2.** 'überflüssig. **II** *s* **3.** 'überzählige Per'son *od.* Sache. **4.** außerplanmäßiger Beamter *od.* Offi'zier. **5.** Hilfskraft *f*, -arbeiter(in). **6.** *thea.* Sta'tist(in). ˌ~'**ox·ide** *s chem.* 'Super-, 'Peroˌxyd *n*. ˌ~'**person·al** *adj* 'überperˌsönlich. ˌ~'**phosphate** *s chem.* 'Superphosˌphat *n*.

su·per·pose [ˌsjuːpər'pouz; ˌsuː-] *v/t* **1.** (auf)legen, lagern, schichten (on, upon über *od.* auf *acc*). **2.** überein'ander anordnen *od.* anbringen, überein'anderlegen, -schichten, -lagern. **3.** *math.* überein'anderlagern, superpo'nieren: **to be** ~**d** sich decken. **4.** *electr.* über'lagern. ˌ**su·per·po'si·tion** [-pə'ziʃən] *s* **1.** Aufschichtung *f*, -lagerung *f*. **2.** Auf-, Überein'andersetzen *n*. **3.** *bes. geol.* Schichtung *f*: **the law of** ~ *geol. Gesetz, nach dem die unterliegende Schicht älter ist als die obere.* **4.** *bot. math.* Superpositi'on *f*. **5.** *electr. phys.* Über'lagerung *f*.

ˌ**su·per|'pow·er** *s* **1.** *pol.* a) Supermacht *f* (*Nation*), b) 'überstaatliche Macht. **2.** *electr.* Höchstleistung *f* (*von großen Verbundnetzen*): ~ **station** Großkraftwerk *n*; ~ **transmitter** Größtsender *m*. '~ˌ**race** *s pol.* Herrenvolk *n*. ˌ~'**roy·al** *s* 'Großroyˌalpaˌpier *n* (*brit. Schreib- od. Zeichenpapier, Format 19 × 27 Zoll*; *amer. Schreibpapier, Format 20 × 28 Zoll*; *Druckbogen, Format 20½ × 27½ Zoll*). ˌ~'**sat·uˌrate** *v/t chem. med. tech.* über'sättigen. ˌ~ˌ**sat·u'ra·tion** *s* Über'sättigung *f*. ˌ~'**scribe** *v/t* **1.** *s-n Namen etc* oben'ansetzen. **2.** beschriften, über'schreiben. '~ˌ**script I** *s* **1.** → **superscription** 2. **2.** *math.* hochgestellter Index. **II** *adj* **3.** über'schrieben. ˌ~'**scrip·tion** *s* **1.** Über'schreiben *n*. **2.** *obs.* 'Über-, Auf-, Inschrift *f*.

su·per·sede [ˌsjuːpər'siːd; ˌsuː-] *v/t* **1.** *j-n od. etwas* ersetzen (by durch). **2.** abschaffen, beseitigen, *ein Gesetz etc* aufheben. **3.** *j-n* absetzen, des Amtes entheben. **4.** *j-n in der Beförderung etc* über'gehen. **5.** verdrängen, ersetzen, 'überflüssig machen: **new methods** ~ **old ones. 6.** an die Stelle treten von (*od. gen*), *j-n od. etwas* ablösen, *j-s* Nachfolger werden: **to be** ~**d by** abgelöst werden von. ˌ**su·per'se·de·as** [-diæs] *s* **1.** *jur.* (Anordnung *f* der) Aussetzung *f* des Verfahrens, Si'stierungsbefehl *m*, 'Widerruf *m* (*e-r Anordnung*). **2.** *fig.* Hemmnis *n*. ˌ**su·per'sed·ence,** ˌ**su·per'se·dure** [-dʒər] → **supersession.**

ˌ**su·per|'sen·si·ble I** *adj* 'übersinnlich. ˌ~'**sen·si·tive** *adj* 'überempfindlich. ˌ~'**serv·ice·a·ble** *adj obs.* (allzu) dienstbeflissen, 'übereifrig.

su·per·ses·sion [ˌsjuːpər'seʃən] *s* **1.** Ersetzung *f* (by durch). **2.** Absetzung *f*. **3.** Aufhebung *f*. **4.** Abschaffung *f*. **5.** Verdrängung *f* (by durch).

'**su·per|ˌsize I** *s* 'Riesenforˌmat *n*, 'Übergröße *f*. **II** *adj* 'übergroß, riesig. ˌ~'**son·ic I** *adj* **1.** *phys.* 'ultraschallfreˌquent, Ultraschall... **2.** *aer. phys.* Überschall...: ~ **aircraft**; **at** ~ **speed** mit Überschallgeschwindigkeit; ~ **boom**, ~ **bang** → **sonic boom. 3.** *sl.* „supertoll". **II** *s* **4.** *phys.* a) Ultraschallwelle *f*, b) *pl* (*als sg konstruiert*) Fachgebiet *n* des Ultraschalls. '~ˌ**sound** *s* Ultraschall *m*. '~ˌ**state** → **superpower** 1.

su·per·sti·tion [ˌsjuːpər'stiʃən; ˌsuː-] *s* **1.** Aberglaube(n) *m*. **2.** abergläubischer Brauch. ˌ**su·per'sti·tious** [-ʃəs] *adj* (*adv* ~**ly**) abergläubisch. ˌ**su·per'sti·tious·ness** *s* (*das*) Abergläubische, Aberglaube(n) *m*.

ˌ**su·per|'stra·tum** *pl* **-ta** *s geol.* obere Schicht. '~ˌ**struc·ture** *s* **1.** Ober-, Aufbau *m*: ~ **work** *arch.* Hochbau *m*. **2.** *mar.* Deckaufbauten *pl*. **3.** *fig.* Oberbau *m*. ˌ~'**sub·tle** *adj* über'feinert, -'spitzt. '~ˌ**tax** *s econ.* **1.** → **surtax** 1. **2.** *bes. Br.* Einkommensteuerzuschlag *m*. ˌ~'**tem·po·ral**[1] *adj* 'überzeitlich, ewig. ˌ~'**tem·po·ral**[2] *adj anat.* über dem Schläfenbein (gelegen). ˌ~·**ter'ra·ne·an,** ˌ~·**ter'ra·ne·ous,** ˌ~·**ter'rene** *adj* über *od.* auf der Erde *od.* Erdoberfläche (befindlich). ˌ~·**ter'res·tri·al** *adj* über der Erde (befindlich), 'überirdisch. ˌ~'**ton·ic** *s mus.* zweite Stufe (*der Tonleiter*).

su·per·vene [ˌsjuːpər'viːn; ˌsuː-] *v/i* **1.** (noch) hin'zukommen (upon, on zu). **2.** sich plötzlich einstellen, (unvermutet) eintreten, da'zwischenkommen. **3.** (unmittelbar) folgen, sich ergeben. ˌ**su·per'ven·ience** [-jəns] → **supervention.** ˌ**su·per'ven·ient** *adj* **1.** (noch) hin'zukommend (to zu). **2.** unvermutet eintretend, da'zwischenkommend. **3.** (unmittelbar) folgend. ˌ**su·per'ven·tion** [-'venʃən] *s* **1.** Hin'zukommen *n* (on zu). **2.** unvermutetes Eintreten, Da'zwischenkommen *n*.

su·per·vise ['sjuːpərˌvaiz; 'suː-] *v/t* beaufsichtigen, über'wachen, die (Ober)Aufsicht haben *od.* führen über (*acc*). ˌ**su·per'vi·sion** [-'viʒən] *s* **1.** Beaufsichtigung *f*, Über'wachung *f*. **2.** (Ober)Aufsicht *f*, Inspekti'on *f*, Leitung *f*, Kon'trolle *f* (of über *acc*): **police** ~ Polizeiaufsicht. **3.** *ped.* 'Schulinspektiˌon *f*. '**su·perˌvi·sor** [-ˌvaizər] *s* **1.** Aufseher *m*, Kontrol'leur *m*, Leiter *m*, Aufsichtsbeamte(r) *m*, Aufsichtführende(r) *m*. **2.** *Am.* (leitender) Beamter e-s Stadt- *od.* Kreisverwaltungsvorstandes. **3.** *ped.* Fachbeauftragte(r) *m* e-r Schulbehörde. **4.** *univ.* ,Doktorvater' *m.* **ˌsu·per'vi·so·ry** [-zəri] *adj* Aufsichts..., Überwachungs...: in a ~ capacity aufsichtführend.

su·pi·na·tion [ˌsjuːpi'neiʃən; ˌsuː-] *s* **1.** Supinati'on *f*, Aufwärtsdrehung *f* (*von Handteller od. Fußsohle*). **2.** Rückenlage *f.*

su·pine¹ ['sjuːpain; 'suː-] *s ling.* Su['pinum *n.*]

su·pine² [sjuː'pain; suː-] *adj* (*adv* ~ly) **1.** auf dem Rücken liegend, aus-, 'hingestreckt: ~ position Rückenlage *f.* **2.** mit der Innenfläche nach oben (*Hand, Fuß etc*). **3.** *poet.* zu'rückgelehnt, geneigt. **4.** *fig.* nachlässig, untätig, träge.

su·pine·ness [sjuː'painnis; suː-] *s fig.* (Nach)Lässigkeit *f*, Trägheit *f.*

sup·per ['sʌpər] *s* **1.** Abendessen *n*, -brot *n*: to have ~ zu Abend essen. **2.** the S~ *relig.* a) *a.* the Last S~ das letzte Abendmahl (*Christi*), b) *a.* the Lord's S~ das Heilige Abendmahl, *R.C.* die Heilige Kommuni'on. **'sup·per·less** *adj* ohne Abendessen.

sup·plant [*Br.* sə'plɑːnt; *Am.*-'plæ(ː)nt] *v/t j-n od. etwas* verdrängen, ersetzen, *e-n Rivalen* ausstechen.

sup·ple ['sʌpl] **I** *adj* (*adv* supply) **1.** geschmeidig: a) biegsam, e'lastisch, b) *fig.* beweglich: a ~ mind. **2.** *fig.* fügsam, nachgiebig. **3.** kriecherisch. **II** *v/t* **4.** geschmeidig *etc* machen. **5.** *ein Pferd* zureiten. **III** *v/i* **6.** geschmeidig *etc* werden.

sup·ple·ment I *s* ['sʌplimənt] **1.** Ergänzung *f*, Zusatz *m* (to zu). **2.** Nachtrag *m*, Anhang *m* (*zu e-m Buch*), Ergänzungsband *m.* **3.** Beilage *f* (*zu e-r Zeitung etc*): commercial ~ Handelsbeilage. **4.** *math.* Ergänzung *f* (*auf 180 Grad*). **II** *v/t* [ˌsʌpli'ment] **5.** ergänzen. **ˌsup·ple'men·tal** [-'mentl] *adj* (*adv* ~ly) → supplementary 1. **ˌsup·ple·men'tar·i·ly** [-tərili] *adv.* **ˌsup·ple'men·ta·ry I** *adj* **1.** ergänzend, Ergänzungs..., zusätzlich, Zusatz..., Nach(trags)...: to be ~ to s.th. etwas ergänzen; ~ agreement *econ. pol.* Zusatzabkommen *n*; ~ cost *econ.* allgemeine Unkosten; ~ entry *econ.* Nachtragsbuchung *f*; ~ estimates *econ.* Nachtragsetat *m*; ~ order Nachbestellung *f*; ~ proceedings *jur.* a) Zusatzverfahren *n*, b) Offenbarungsverfahren *n* (*zwecks Vollstreckung*); to take a ~ ticket (e-e Fahrkarte) nachlösen. **2.** *math.* supplemen'tär: ~ angle Supplementärwinkel *m.* **3.** *bes. tech.* Hilfs..., Ersatz..., Zusatz... **II** *s* **4.** Nachtrag *m*, Ergänzung *f.* **ˌsup·ple·men'ta·tion** *s* Ergänzung *f*: a) Nachtragen *n*, b) Nachtrag *m*, Zusatz *m.*

sup·ple·ness ['sʌplnis] *s* **1.** Geschmeidigkeit *f* (*a. fig.*). **2.** Fügsamkeit *f.* **3.** Unter'würfigkeit *f.*

sup·ple·tion [sə'pliːʃən] *s ling.* Suppleti'on *f.*

sup·ple·to·ry ['sʌplitəri] → supple[mentary 1.]

sup·pli·ant ['sʌpliənt] **I** *s* (demütiger) Bittsteller. **II** *adj* (*adv* ~ly) flehend, demütig (bittend).

sup·pli·cant ['sʌplikənt] → suppliant. **'sup·pliˌcat** [-ˌkæt] *s univ. Br.* Gesuch *n* (*bes. um Immatrikulation*). **'sup·pliˌcate** [-ˌkeit] **I** *v/i* **1.** demütig *od.* dringlich bitten, flehen (for um). **II** *v/t* **2.** anflehen, demütig bitten (s.o. for s.th. j-n um etwas). **3.** erbitten, erflehen, bitten um. **ˌsup·pli'ca·tion** *s* **1.** demütige Bitte (for um), Flehen *n.* **2.** (Bitt)Gebet *n.* **3.** Gesuch *n.* **'sup·pli·ca·to·ry** [-kətəri] *adj* flehend, Bitt...

sup·pli·er [sə'plaiər] *s* Liefe'rant(in), Versorger(in), *a. pl* Lieferfirma *f*, Zulieferer *m* (to an *acc*).

sup·ply¹ [sə'plai] **I** *v/t* **1.** a) *allg.* liefern: to ~ electricity (goods, proof, *etc*), b) beschaffen, bereitstellen, sorgen für, zuführen: to ~ the necessary equipment. **2.** *j-n od. etwas* beliefern, versorgen, ausstatten, versehen, *electr. tech.* speisen (with mit). **3.** ergänzen: to ~ missing words. **4.** ausgleichen, ersetzen: to ~ a loss; to ~ a deficit ein Defizit decken. **5.** *ein Bedürfnis* befriedigen: to ~ a want e-m Mangel abhelfen; to ~ the demand *econ.* die Nachfrage decken. **6.** *e-e Stelle* ausfüllen, einnehmen, *ein Amt* vor'übergehend versehen: to ~ the place of s.o. j-n vertreten. **7.** *econ.* nachschießen, -zahlen.
II *s* **8.** Lieferung *f* (to an *acc*), Zufuhr *f*, Beschaffung *f*, Bereitstellung *f*: power ~ Energie-, Stromversorgung *f.* **9.** Belieferung *f*, Versorgung *f* (with mit), Bedarfsdeckung *f.* **10.** *electr.* Anschluß *m* (an das Netz). **11.** Ergänzung *f*, Zuschuß *m*, Beitrag *m.* **12.** *econ.* Angebot *n*: ~ and demand Angebot u. Nachfrage; to be in short ~ knapp sein. **13.** *meist pl* Vorrat *m*, Lager *n*, Bestand *m.* **14.** *meist pl mil.* Nachschub *m*, Ver'sorgung(smateriˌal *n*) *f*, Provi'ant *m.* **15.** *pl econ.* Ar'tikel *pl*, Bedarf *m*: office supplies Bürobedarf; operating supplies Betriebsstoffe. **16.** a) Stellvertreter(in), Ersatz *m*, b) Stellvertretung *f*: on ~ in Vertretung. **17.** *meist pl parl.* bewilligter E'tat: Committee of S~ Haushaltsausschuß *m.*
III *adj* **18.** Versorgungs..., Lieferungs..., Liefer...: ~ plant Lieferwerk *n*; ~ price *econ.* äußerster *od.* niedrigster Preis. **19.** *mil.* a) Versorgungs...: ~ area (bomb, officer, ship), b) Nachschub...: ~ base Versorgungs-, Nachschubbasis *f*; ~ lines Nachschubverbindungen; ~ sergeant Kammerunteroffizier *m.* **20.** *electr. tech.* Speise...: ~ circuit (current, line, relay); ~ pipe Zuleitung(srohr *n*) *f*; ~ station *Br.* Kraftwerk *n*; ~ voltage Netz-, Speisespannung *f.* **21.** Aushilfs..., Ersatz...: ~ teacher Hilfslehrer *m.*

sup·ply² ['sʌpli] *adv zu* supple.

sup·port [sə'pɔːrt] **I** *v/t* **1.** tragen, (ab)stützen, (aus)halten: to ~ a wall (weight, *etc*). **2.** ertragen, (er)dulden, aushalten. **3.** *j-n* unter'stützen, stärken, *j-m* beistehen: what ~ed him was hope nur die Hoffnung hielt ihn aufrecht. **4.** erhalten, unter'halten, sorgen für, ernähren (on von): to ~ a family; to ~ o.s. on sich ernähren *od.* erhalten von; inability to ~ o.s. Erwerbsunfähigkeit *f.* **5.** aufkommen für, finan'zieren: to ~ a project. **6.** in Gang halten: to ~ the conversation. **7.** eintreten für, unter'stützen, fördern, befürworten: to ~ a policy (a candidate). **8.** vertreten: to ~ a theory. **9.** beweisen, begründen, erhärten, rechtfertigen. **10.** *econ.* a) *e-e Währung* decken, b) *den Preis* halten, stützen. **11.** *thea.* a) *e-e Rolle* spielen, b) als Nebendarsteller auftreten mit (*e-m Star etc*).
II *s* **12.** *allg.* Stütze *f*: to walk without ~. **13.** *arch. tech.* a) Stütze *f*, Halter *m*, Träger *m*, Ständer *m*, b) Strebe *f*, Absteifung *f*, c) Lagerung *f*, Bettung *f*, d) Sta'tiv *n*, e) *arch.* 'Durchzug *m.* **14.** *mil.* (Gewehr)Auflage *f.* **15.** (*a. mil. taktische*) Unter'stützung, Beistand *m*, Rückhalt *m*: to give ~ to → 3; in ~ of zur Unterstützung (*gen*). **16.** Unter'haltung *f* (*e-r Einrichtung*). **17.** ('Lebens)ˌUnterhalt *m.* **18.** *fig.* Stütze *f*, (Rück)Halt *m.* **19.** Aufrechterhaltung *f.* **20.** Bekräftigung *f*, Erhärtung *f*, Beweis *m*: in ~ of zur Bestätigung von (*od. gen*). **21.** *mil.* Re'serve *f*, Verstärkung *f.* **22.** *thea.* a) Partner(in) (*e-s Stars*), b) Unter'stützung *f* (*e-s Stars*) (durch das En'semble), c) En'semble *n.* **23.** *phot.* Träger *m.*

sup·port·a·ble [sə'pɔːrtəbl] *adj* (*adv* supportably) **1.** haltbar, vertretbar: ~ view. **2.** erträglich, zu ertragen(d).

sup'port·er *s* **1.** *arch. tech.* Stütze *f*, Träger *m.* **2.** *fig.* Beistand *m*, Helfer(in), Unter'stützer(in), Stütze *f.* **3.** Erhalter(in). **4.** Anhänger(in), Verfechter(in), Vertreter(in), Befürworter(in). **5.** *med.* Stütze *f*, Tragbinde *f.* **6.** *her.* Wappen-, Schildhalter *m.* **sup'port·ing** *adj* **1.** tragend, stützend, Stütz..., Trag...: ~ surfaces *aer.* Tragwerk *n.* **2.** unter'stützend, Unterstützungs...: ~ actor *thea.* Nebendarsteller *m*; ~ bout (*Boxen*) Rahmenkampf *m*; ~ fire *mil.* Unterstützungsfeuer *n*; ~ program(me) Beiprogramm *n.* **3.** erhärtend, bekräftigend: ~ document Unterlage *f*, Beleg *m*; ~ evidence zusätzliche Beweise.

sup·pos·a·ble [sə'pouzəbl] *adj* **1.** anzunehmen(d), denkbar. **2.** vor'aussetzbar. **3.** vermutlich.

sup·pos·al [sə'pouzəl] → supposition.

sup·pose [sə'pouz] **I** *v/t* **1.** (als möglich *od.* gegeben) annehmen, vor'aussetzen, sich vorstellen: ~ (*od.* supposing *od.* let us ~) angenommen, gesetzt den Fall; it is to be ~d that es ist anzunehmen, daß. **2.** *imp.* (*e-n Vorschlag einleitend*) wie wäre es, wenn (*wir e-n Spaziergang machten*?): ~ we went for a walk! **3.** vermuten, glauben, meinen: they are British, I ~ es sind wohl *od.* vermutlich Engländer; I ~ so ich nehme (es) an, wahrscheinlich, vermutlich. **4.** (*mit acc u. inf*) halten für: I ~ him to be a painter, he is ~d to be rich er soll reich sein. **5.** (mit Notwendigkeit) vor'aussetzen: creation ~s a creator. **6.** (*pass mit inf*) sollen: isn't he ~d to be at home? sollte er nicht (eigentlich *od.* von Rechts wegen) zu Hause sein?; a grammarian is ~d to know (the) grammar von e-m Grammatiker erwartet man, daß er die Grammatik kennt; you are not ~d to know everything du brauchst nicht alles zu wissen. **II** *v/i* **7.** denken, glauben, vermuten. **sup·posed** *adj* **1.** angenommen: a ~ case. **2.** vermutlich. **3.** vermeintlich, angeblich. **sup'pos·ed·ly** [-id-] *adv.*

sup·po·si·tion [ˌsʌpə'ziʃən] *s* **1.** Vor'aussetzung *f*, Annahme *f*: on the ~ that unter der Voraussetzung *od.* in der Annahme, daß. **2.** Vermutung *f*, Mutmaßung *f.* **3.** *Logik*: Begriffsinhalt *m.* **ˌsup·po'si·tion·al** *adj* (*adv* ~ly), *a.* **ˌsup·po'si·tion·ar·y** *adj* auf Annahme beruhend, angenommen, hypo'thetisch. **sup·pos·i·ti·tious** [səˌpɒzi'tiʃəs] *adj* **1.** unecht, gefälscht, vorgeblich. **2.** 'untergeschoben (*Kind, Absicht etc*), erdichtet. **3.** → suppositional. **sup'pos·i·tive** [-tiv] → suppositional.

sup·pos·i·tory [sə'pɒzitəri] *s med.* (Stuhl)Zäpfchen *n*, Supposi'torium *n.*

sup·press [sə'pres] *v/t* **1.** *allg.* unter'drücken: to ~ a rebellion (a cough, feeling, *electr.* a radio noise, *etc*);

~ed laughter unterdrücktes Lachen. **2.** *etwas* abstellen, abschaffen, *e-r Sache* ein Ende machen. **3.** a) *ein Buch etc* verbieten *od.* unter'drücken, b) *e-e Textstelle* streichen. **4.** verheimlichen, -schweigen, unter'schlagen, vertuschen: **to ~ evidence** *jur.* Beweismaterial unterschlagen. **5.** *med.* a) *e-e Blutung* stillen, b) *Durchfall* stopfen. **6.** *psych.* verdrängen. **sup'press·i·ble** *adj* unter'drückbar, zu verheimlichen(d). **sup'pres·sion** [-ʃən] *s* **1.** Unter'drückung *f* (*a. fig. u. electr.*): **~ of interference** (*Radio*) Entstörung *f.* **2.** Aufhebung *f*, Abschaffung *f.* **3.** Verschweigen *n*, -tuschung *f*, -heimlichung *f*, Unter'drückung *f.* **4.** *med.* a) (Blut)Stillung *f*, b) Stopfung *f*, c) (Harn-, Stuhl)Verhaltung *f.* **5.** *psych.* Verdrängung *f.* **sup'pres·sive** [-siv] *adj* unter'drückend, Unterdrückungs... **sup'pres·sor** [-sər] *s* **1.** Unter'drücker(in). **2.** Verhehler(in). **3.** *electr.* a) Sperrgerät *n*, b) Entstörer *m*: **~ grid** Bremsgitter *n.*

sup·pu·rate ['sʌpju(ə)ˌreit] *v/i med.* eitern. **ˌsup·pu'ra·tion** *s* Eiterung *f*, Eiterbildung *f.* **'sup·pu·ra·tive** [-rətiv] *adj* eiternd, eitrig, Eiter...

su·pra ['sjuːprə; 'suː-] (*Lat.*) *adv* oben (*bei Verweisen in e-m Buch etc*).

supra- [sjuːprə; suː-] *Wortelement mit den Bedeutungen* a) *bes. scient.* über, oberhalb, b) früher, vorhergehend, c) über ... hinaus.

ˌsu·pra·con'duc·tor *s* Supraleiter *m.*

ˌsu·pra'lim·i·nal *adj psych.* bewußt, 'überschwellig.

ˌsu·pra·mo'lec·u·lar *adj chem.* ˌsupramoleku'lar.

ˌsu·pra·mun·dane *adj* 'überweltlich, -irdisch. [-staatlich.]

ˌsu·pra'na·tion·al *adj* 'übernatioˌnal,

ˌsu·pra'nat·u·ral → supernatural.

ˌsup·ra'pro·test *s a.* **acceptance ~** *econ. jur.* Interventi'onsakˌzept *n*, Ehrenannahme *f.*

ˌsu·pra're·nal *anat.* **I** *adj* suprare'nal, Nebennieren...: **~ extract** Nebennierenextrakt *m.* **II** *s* Nebenniere(ndrüse) *f.*

su·prem·a·cy [sju'preməsi; su-] *s* **1.** Oberhoheit *f*: a) *pol.* höchste Gewalt, Souveräni'tät *f*, b) Supre'mat *m, n*, Oberhoheit *f* (*in Kirchensachen*): **Act of S~** Suprematsakte *f* (*Gesetz, durch welches das Staatsoberhaupt zum Haupte der englischen Kirche erklärt wurde; 1535*); **oath of ~** Suprematseid *m.* **2.** *fig.* Vorherrschaft *f*, 'Übergewicht *n*, Über'legenheit *f*: **air ~** Luftherrschaft *f*; **naval ~** Vormachtstellung *f* zur See; **his ~ among dramatists** sein Vorrang unter den Dramatikern.

su·preme [sju'priːm; su-] **I** *adj* **1.** höchst(er, e, es), oberst(er, e, es), Ober...: **~ authority** höchste (Regierungs)Gewalt; **~ command** *mil.* Oberbefehl *m*, -kommando *n*; **~ commander** *mil.* Oberbefehlshaber *m*; **S~ Court** *Am.* a) Oberstes Bundesgericht, b) oberstes Gericht (*e-s Bundesstaates*); → **judicature** 1; **S~ Soviet** Oberster Sowjet; **to reign ~** herrschen (*a. fig.*). **2.** höchst(er, e, es), größt(er, e, es), äußerst(er, e, es), über'ragend: **~ courage**; **S~ Being** → 6; **the ~ good** *philos.* das höchste Gut; **the ~ punishment** die Todesstrafe; **he stands ~ among poets** er nimmt unter den Dichtern den höchsten Rang ein. **3.** letzt(er, e, es): **~ moment** Augenblick *m* des Todes; **~ sacrifice** Hingabe *f* des Lebens. **4.** entscheidend, kritisch: **the ~ hour in the history of a nation.** **II** *s* **5.** **the ~** der *od.* die *od.* das Höchste. **6.** **the S~** der Allerhöchste, Gott *m.* **7.** *fig.* Gipfel *m*: **the ~ of folly.** **su'preme·ly** *adv* höchst, im höchsten Grad, 'überaus.

sur-[1] [səːr; sər] *Wortelement mit der Bedeutung* über, auf.

sur-[2] [sər] → **sub-**.

su·ra[1] ['su(ə)rə] *s relig.* Sure *f* (*Abschnitt des Korans*).

su·ra[2] ['su(ə)rə] *s Br. Ind.* gegorener Palmensaft.

su·rah[1] → **sura**[1].

su·rah[2] ['sju(ə)rə; *Am. a.* 'su-] *s* Surah *m*, Seidenköper *m.* [Waden...]

su·ral ['sju(ə)rəl; *Am. a.* 'su-] *adj*

su·rat [su'ræt; 'su(ə)-] *s* **1.** Su'ratbaumwolle *f.* **2.** minderwertiger Baumwollstoff.

sur·base ['səːrˌbeis] *s arch.* Kranz(gesims *n*) *m*, Rand *m.*

sur·cease [səːr'siːs] *obs.* **I** *v/i* **1.** ablassen (**from** von). **2.** aufhören. **II** *v/t* **3.** ablassen von. **4.** unter'brechen. **III** *s* **5.** Ende *n*, Aufhören *n.* **6.** Unter'brechung *f*, Pause *f.*

sur·charge I *s* ['səːrˌtʃɑːrdʒ] **1.** *bes. fig.* Über'lastung *f*, -'bürdung *f.* **2.** *econ.* a) Über'forderung *f* (*a. fig.*), zu'viel berechnete Gebühr, b) 'Überpreis *m*, c) (Steuer)Zuschlag *m*, d) Zuschlag(sgebühr *f*) *m*, e) Nachporto *n.* **3.** 'Über-, Aufdruck *m* (*auf Briefmarken etc*). **II** *v/t* [səːr'tʃɑːrdʒ] **4.** über'fordern, -'lasten, -'bürden. **5.** *econ.* a) mit Zuschlag *od.* Nachporto (*etc*) belegen, b) *ein Konto* zusätzlich belasten. **6.** *Briefmarken etc mit neuer Wertangabe* über'drucken. **7.** über'füllen, -'sättigen.

sur·cin·gle ['səːrˌsiŋgl] **I** *s* **1.** Sattel-, Packgurt *m.* **II** *v/t* **2.** *e-m Pferd* e-n Sattel- *od.* Packgurt anlegen. **3.** mit e-m Gurt befestigen.

sur·coat ['səːrˌkout] *s* **1.** *hist.* a) Wappenrock *m*, b) 'Überrock *m* (*der Frauen*). **2.** Freizeitjacke *f*, Anorak *m.*

surd [səːrd] **I** *adj* **1.** *math.* irratio'nal: **~ number.** **2.** *ling.* stimmlos. **3.** sinnlos. **II** *s* **4.** *math.* irratio'nale Größe, *a.* Wurzelausdruck *m.* **5.** *ling.* stimmloser Laut.

sure [ʃur] **I** *adj* (*adv* → **surely**) **1.** *nur pred* (**of**) sicher, gewiß (*gen*), über'zeugt (von): **are you ~ (about it)?** bist du (dessen) sicher?; **I feel ~ of getting my money back** ich bin überzeugt, daß ich mein Geld zurückerhalte; **if one could be ~ of living to 80** wenn man sicher wüßte, daß man 80 Jahre alt wird; **I am not quite ~ that** ich bin nicht ganz sicher, daß; **he is** (*od.* **feels**) **~ of success** er ist sich s-s Erfolges sicher; **I'm ~ I didn't mean to hurt you** ich wollte Sie ganz gewiß nicht verletzen; **she was not ~ that she had heard** es war ihr so, als hätte sie gehört; **are you ~ you won't come?** wollen Sie wirklich nicht kommen? **2.** *nur pred* sicher, gewiß, (ganz) bestimmt, zweifellos (*objektiver Sachverhalt*): **he is ~ to come** er kommt sicher *od.* bestimmt; **man is ~ of death** dem Menschen ist der Tod gewiß *od.* sicher; **to make ~ that** sich (davon) überzeugen, daß; **to make ~ of s.th.** a) sich von etwas überzeugen, sich e-r Sache vergewissern, b) sich etwas sichern; **to make ~** (*Redew.*) um sicherzugehen; **be ~ to** (*od.* **and**) **shut the window!** vergiß nicht, das Fenster zu schließen!; **for ~** *colloq.* sicher, bestimmt; **to be ~** (*Redew.*) sicher(lich), natürlich (*a. einschränkend = freilich, allerdings*). **3.** sicher, untrüglich: **~ proof.** **4.** sicher, unfehlbar: **a ~ cure**; **a ~ shot**; **~ thing** *Am. colloq.* (tod)sicher, (aber) klar; → **slow** 1. **5.** verläßlich, zuverlässig. **6.** sicher, fest: **a ~ footing**; **~ faith** *fig.* fester Glaube. **II** *adv* **7.** *colloq.* sicher(lich): **~ enough** a) ganz bestimmt, b) tatsächlich; **~!** (aber) klar!, aber sicher!, und ob!; → **egg**[1] 1. **8.** *Am. colloq.* wirklich: **it ~ was cold** es war kalt, aber wie!

'sure|-ˌfire *adj colloq.* (tod)sicher, zuverlässig. **'~-'foot·ed** *adj* **1.** sicher (auf den Füßen *od.* Beinen). **2.** *fig.* sicher.

sure·ly ['ʃurli] *adv* **1.** sicher(lich), gewiß, bestimmt, zweifellos. **2.** a) (ganz) bestimmt *od.* gewiß: **it ~ cannot have been he**, b) doch (wohl): **it ~ can't be true.** **3.** sicher: **slowly but ~** langsam, aber sicher. **4.** (*in Antworten*) gewiß, na'türlich, selbstverständlich, (aber) sicher.

sure·ness ['ʃurnis] *s* Sicherheit *f*: a) Gewißheit *f*, feste Über'zeugung, b) Zuverlässigkeit *f*, c) Entschiedenheit *f.*

sure·ty ['ʃurti] *s* **1.** *bes. jur.* a) Sicherheit *f*, Bürgschaft *f*, Kauti'on *f*, b) Bürge *m*: **to stand ~** bürgen *od.* Bürgschaft leisten (**for** für *j-n*); **~ bond** Kautionsverpflichtung *f*, Garantieschein *m*; **~ company** *Am.* Kautionsversicherungsgesellschaft *f.* **2.** Gewähr(leistung) *f*, Garan'tie *f.* **3.** *obs.* Gewißheit *f*: **of a ~** gewiß, ohne Zweifel. **'sure·tyˌship** *s bes. jur.* Bürgschaft(sleistung) *f.*

surf [səːrf] **I** *s* **1.** Brandung *f.* **II** *v/i* **2.** a) in der Brandung baden, b) wellenreiten. **3.** branden (*a. fig.*).

sur·face ['səːrfis] **I** *s* **1.** *allg.* Oberfläche *f*: **a smooth ~**; **~ of water** Wasseroberfläche, -spiegel *m*; **to come** (*od.* **rise**) **to the ~** an die Oberfläche kommen (*a. fig.*). **2.** *fig.* Oberfläche *f*, (*das*) Äußere: **on the ~** a) äußerlich, b) vordergründig, c) oberflächlich betrachtet; **to bring to the ~** zutage fördern; **to lie on the ~** zutage liegen. **3.** *math.* a) (Ober)Fläche *f*, b) Flächeninhalt *m*: **lateral ~** Seitenfläche. **4.** Straßenbelag *m*, -decke *f.* **5.** *aer.* Tragfläche *f*: **control ~** Steuerfläche *f.* **6.** *Bergbau*: Tag *m*: **on the ~** über Tag, im Tagebau. **II** *adj* **7.** Oberflächen... (*a. tech.*): **~ hardening.** **8.** *mar.* Überwasser...: **~ vessel.** **9.** Land...: **~ transport(ation).** **10.** *Bergbau*: im Tagebau. **11.** *fig.* oberflächlich: a) flüchtig: **~ impressions**, b) vordergründig: **~ realism**, c) äußerlich, unaufrichtig, Schein...: **~ politeness.** **III** *v/t* **12.** *tech. allg.* die Oberfläche behandeln *od.* bearbeiten von (*od. gen*). **13.** a) glätten, b) *tech.* plandrehen, c) *Lackierung* spachteln. **14.** mit e-m (Oberflächen)Belag versehen: **to ~ a road.** **15.** *ein U-Boot* auftauchen lassen. **IV** *v/i* **16.** an die Oberfläche kommen. **17.** auftauchen (*U-Boot*).

'sur·face|-'ac·tive *adj phys.* 'oberflächenakˌtiv. **~ car** *s Am.* Straßenbahn *f.* **~ charge** *s electr.* (Ober)Flächenladung *f.* **~ craft** *s mar.* 'Überwasserfahrzeug *n.* **~ dive** *s sport* Tauchen *n* aus der Schwimmlage. **~ga(u)ge** *s tech.* (Plan)Flächenlehre *f.* **~ in·te·gral** *s math.* ('Ober)Flächeninteˌgral *n.* **~ mail** *s Br.* gewöhnliche Post (*Ggs Luftpost*). **'~·man** [-mən] *s irr* **1.** *rail.* Streckenarbeiter *m.* **2.** *Bergbau*: Arbeiter *m* im Tagebau. **~ noise** *s* Nadelgeräusch *n* (*am Plattenspieler*). **~ print·ing** *s print.* Reli'ef-, Hochdruck *m.*

sur·fac·er ['səːrfisər] *s tech.* **1.** a) 'Plandrehmaˌschine *f*, b) ('Plan)Hobelmaˌschine *f.* **2.** Spachtelmasse *f.*

'sur·face| ten·sion *s phys.* Oberflächenspannung *f.* **'~-to-'air mis·sile** *s mil.* Fla-Flugkörper *m.* **'~-to-'surface mis·sile** *s mil.* Boden-Boden-Flugkörper *m.* **~ wa·ter** *s geol.* Oberflächenwasser *n.*

'surf|ˌboard *sport* **I** *s* Brett *n* zum Wellenreiten. **II** *v/i* wellenreiten. **'~-ˌboat** *s mar.* Brandungsboot *n.*

sur·feit ['sɜːrfit] **I** *s* **1.** 'Übermaß *n* (of an *dat*). **2.** *a. fig.* Über'fütterung *f*, -'sättigung *f* (of mit). **3.** 'Überdruß *m*, Ekel *m*: to (a) ~ bis zum Überdruß. **II** *v/t* **4.** über'sättigen, -'füttern (with mit). **5.** über'füllen, -'laden. **III** *v/i* **6.** (of, with) sich über'sättigen (mit), bis zum 'Überdruß essen *od.* trinken (von).

sur·fi·cial [sɜːr'fiʃəl] *adj geol.* (Erd)-[Oberflächen...]

'surf-ˌrid·ing *s sport* a) Wellenreiten *n*, b) Brandungsschwimmen *n.*

surf·y ['sɜːrfi] *adj* brandend, Brandungs...

surge [sɜːrdʒ] **I** *s* **1.** Woge *f*, (hohe) Welle (*beide a. fig.*), Sturzsee *f.* **2.** *a. fig.* Wogen *n*, (An)Branden *n.* **3.** *fig.* (Auf)Wallung *f*: a ~ of emotion. **4.** *electr.* Spannungsstoß *m*: ~ voltage Stoßspannung *f.* **II** *v/i* **5.** wogen, hochgehen, -branden (*alle a. fig. Gefühle etc*), *fig.* (auf)wallen. **6.** (*auf den Wellen*) wogen, reiten (*Schiff*). **7.** *fig.* a) wogen, (vorwärts)drängen (*Menschenmenge etc*), b) brausen (*Orgel, Verkehr etc*). **8.** *electr.* a) plötzlich ansteigen (*Spannung od. Strom*), b) heftig schwanken (*Spannung etc*).

sur·geon ['sɜːrdʒən] *s* **1.** Chir'urg *m*: ~ dentist, dental ~ Facharzt *m* für Kieferkrankheiten, Zahnarzt *m.* **2.** *mil.* leitender Sani'tätsoffiˌzier: ~ general *pl* ~s general *Br.* Stabsarzt *m*; S~ General *Am.* a) General(stabs)-arzt *m*, b) Marineadmiralarzt *m*; ~ major *Br.* Oberstabsarzt *m.* **3.** *mar.* Schiffsarzt *m.* **4.** *hist.* Wundarzt *m*, Bader *m.* **'sur·ger·y** [-əri] *s* **1.** *med.* Chirur'gie *f.* **2.** *med.* chir'urgische Behandlung, chirurgischer *od.* opera'tiver Eingriff. **3.** Operati'onssaal *m.* **4.** Sprechzimmer *n.* **5.** *fig.* drastischer Eingriff. **'sur·gi·cal** [-ikəl] *adj* (*adv* ~ly) **1.** *med.* chir'urgisch. **2.** (e-e) chir'urgische Behandlung erfordernd, opera'tiv: ~ appendix. **3.** von e-r Operati'on 'herrührend, Operations...: ~ wound; ~ fever septisches Fieber. **4.** *fig.* einschneidend, scharf.

surg·ing ['sɜːrdʒiŋ] **I** *s* **1.** *a. fig.* Wogen *n*, Branden *n.* **2.** *electr.* Pendeln *n* (*der Spannung etc*). **II** *adj* → surgy. **'surg·y** *adj* wogend, brandend (*a. fig.*).

su·ri·cate ['sju(ə)riˌkeit; 'su(ə)r-] *s zo.* Suri'kate *f.*

sur·li·ness ['sɜːrlinis] *s* **1.** Verdrießlichkeit *f*, mürrisches Wesen. **2.** Bärbeißigkeit *f.*

sur·ly ['sɜːrli] *adj* (*adv* surlily) **1.** verdrießlich, mürrisch, griesgrämig. **2.** grob, bärbeißig. **3.** zäh: ~ soil. **4.** rauh, düster: ~ weather.

sur·mise I *s* [sər'maiz; 'sɜːrmaiz] **1.** Vermutung *f*, Mutmaßung *f.* **2.** Argwohn *m.* **II** *v/t* [sər'maiz] **3.** mutmaßen, vermuten, sich (etwas) einbilden. **4.** argwöhnen. **III** *v/i* **5.** Mutmaßungen anstellen.

sur·mount [sər'maunt] *v/t* **1.** a) über'steigen, b) besteigen. **2.** *fig.* über'winden. **3.** krönen, bedecken: ~ed by gekrönt *od.* überdeckt *od.* überragt von. **sur'mount·a·ble** *adj* **1.** über'steigbar, ersteigbar. **2.** *fig.* über'windbar, zu über'winden(d).

sur·mul·let [sər'mʌlit] *s ichth.* See-[barbe *f.*]

sur·name ['sɜːrˌneim] **I** *s* **1.** Fa'milien-, Nach-, Zuname *m.* **2.** *obs.* Beiname *m.* **II** *v/t* **3.** *j-m* den Bei- *od.* Zunamen ... geben: ~d a) mit Zunamen ..., b) mit dem Beinamen ...

sur·pass [*Br.* sər'pɑːs; *Am.* -'pæ(ː)s] *v/t* **1.** über'treffen (in an *dat*): to ~ o.s. sich selbst übertreffen; not to be ~ed unübertrefflich. **2.** *j-s Kräfte etc* über'steigen. **sur'pass·ing** *adj* (*adv* ~ly) her'vorragend, 'unüberˌtrefflich, unerreicht.

sur·plice ['sɜːrplis] *s relig.* Chorrock *m*, -hemd *n*: ~ choir Chorhemden tragender (Sänger)Chor; ~ fee Stolgebühr *f* (*für e-e Taufe etc*). **'sur·pliced** *adj* mit e-m Chorrock bekleidet.

sur·plus ['sɜːrpləs] **I** *s* **1.** 'Überschuß *m*, Rest *m.* **2.** *econ.* a) 'Überschuß *m*, Mehr(betrag *m*) *n*, b) Mehrertrag *m*, 'überschüssiger Ertrag *od.* Gewinn, c) (unverteilter) Reingewinn, d) Mehrwert *m.* **II** *adj* **3.** 'überschüssig, Über(schuß)..., Mehr...: ~ account *econ.* Gewinn(überschuß)konto *n*; ~ population Bevölkerungsüberschuß *m*; ~ weight Mehr-, Übergewicht *n*; ~ value Mehrwert *m* (*Marxismus*). **'surplus·age** *s* **1.** 'Überschuß *m*, -fülle *f* (of an *dat*). **2.** (*etwas*) 'Überflüssiges *od.* Unwesentliches. **3.** *jur.* unerhebliches Vorbringen.

sur·pris·al [sər'praizəl] *s obs.* Über-['raschung *f.*]

sur·prise [sər'praiz] **I** *v/t* **1.** *allg.* über'raschen: a) ertappen: to ~ a burglar, b) verblüffen, in Erstaunen (ver)setzen: to be ~d at s.th. über etwas erstaunt sein, sich über etwas wundern; I should not be ~d if es sollte mich nicht wundern, wenn, c) *a. mil.* über'rumpeln, -'fallen: to ~ the enemy; to ~ s.o. into (doing) j-n zu *etwas* verleiten, j-n dazu verleiten, *etwas* zu tun. **2.** befremden, em'pören, schoc'kieren: I am ~d at your behavio(u)r. **II** *s* **3.** Über'raschung *f*, -'rump(e)lung *f*: to take by ~ *j-n, den Feind etc* überrumpeln, überraschen, *e-e Festung etc* im Handstreich nehmen. **4.** Über'raschung *f*: I have a ~ for you; it came as a great ~ (to him) es kam (ihm) sehr überraschend; ~, ~! *colloq.* a) da staunst du, was?, b) ätsch! **5.** Über'raschung *f*, Verblüffung *f*, Erstaunen *n*, Verwunderung *f*, Bestürzung *f*: to my ~ zu m-r Überraschung; to stare in ~ große Augen machen. **III** *adj* **6.** a) über'raschend, b) Überraschungs...: ~ attack (party, visit, *etc*). **sur'prised·ly** [-idli] *adv* über'rascht. **sur'prising** *adj* über'raschend, erstaunlich. **sur'pris·ing·ly** *adv* über'raschend(erweise), erstaunlich(erweise).

sur·ra(h) ['suːrə; 'sʌrə] *s vet.* Surra *f* (*Haustierkrankheit*).

sur·re·al·ism [sə'riːəˌlizəm] *s* Surrea'lismus *m.* **sur're·al·ist I** *s* Surrea'list(in). **II** → surrealistic. **surˌre·al'is·tic** *adj* (*adv* ~ally) surrea'listisch.

sur·re·but [*Br.* ˌsʌri'bʌt; *Am.* ˌsɜːr-] *v/i jur.* e-e Quintu'plik vorbringen. **ˌsur·re'but·ter** *s jur.* Quintu'plik *f.*

sur·re·join [*Br.* ˌsʌri'dʒɔin; *Am.* ˌsɜːr-] *v/i jur.* tripli'zieren, der Du'plik des Beklagten antworten. **ˌsur·re'join·der** [-dər] *s jur.* Tri'plik *f.*

sur·ren·der [sə'rendər] **I** *v/t* **1.** *etwas* über'geben, ausliefern, -händigen (to *dat*): to ~ o.s. (to) *fig.* → 6. **2.** *mil. die Festung etc* über'geben (to the enemy dem Feind). **3.** *ein Amt, Vorrecht etc* aufgeben, *etwas* abtreten, verzichten auf (*acc*), preisgeben: to ~ an office (a privilege); to ~ hopes die Hoffnung aufgeben; to ~ an insurance policy *econ.* e-e Versicherungspolice zum Rückkauf bringen. **4.** *jur.* a) *ein Recht* aufgeben, b) *e-e Sache* her'ausgeben, c) *e-n Verbrecher* ausliefern. **II** *v/i* **5.** (to) *mil. u. fig.* sich ergeben (*dat*), kapitu'lieren, die Waffen strekken (vor *dat*). **6.** sich *der Verzweiflung etc* 'hingeben *od.* über'lassen: to ~ to despair; to ~ to the inevitable sich ins Unvermeidliche fügen *od.* schicken. **7.** sich *dem Gericht, der Polizei* stellen. **III** *s* **8.** 'Übergabe *f*, Auslieferung *f*, -händigung *f.* **9.** *mil.* 'Übergabe *f*, Kapitulati'on *f.* **10.** (of) Auf-, Preisgabe *f* (*gen*), Verzicht *m* (auf *acc*): ~ of a privilege. **11.** 'Hingabe *f*, Sichüber'lassen *n.* **12.** Aufgabe *f* e-r Versicherung: ~ value Rückkaufswert *m.* **13.** *jur.* a) Aufgabe *f* (*e-s Rechtes etc*), b) Her'ausgabe *f* (*e-r Sache*), c) Auslieferung *f* (*e-s Verbrechers*).

sur·rep·ti·tious [*Br.* ˌsʌrəp'tiʃəs; *Am.* ˌsɜːr-] *adj* (*adv* ~ly) **1.** erschlichen, durch Betrug erlangt, betrügerisch. **2.** heimlich, verstohlen: a ~ glance; ~ edition unerlaubter Nachdruck. **3.** unecht, gefälscht: a ~ passage.

sur·rey [*Br.* 'sʌri; *Am.* 'sɜːri] *s Am.* leichter vierräd(e)riger Kutschwagen.

sur·ro·gate [*Br.* 'sʌrəgit; -ˌgeit; *Am.* 'sɜːr-] *s* **1.** Stellvertreter *m* (*bes. e-s Bischofs*). **2.** *jur. Am.* Nachlaß- u. Vormundschaftsrichter *m.* **3.** Ersatz *m*, Surro'gat *n.*

sur·round [sə'raund] **I** *v/t* **1.** um'geben, um'ringen: ~ed by a crowd; ~ed by danger von Gefahr umringt, mit Gefahr verbunden; ~ed by luxury von Luxus umgeben; circumstances ~ing s.th. (Begleit)Umstände e-r Sache. **2.** *mil. etc* um'zingeln, um'stellen, einkreisen, -schließen. **II** *s* **3.** Um'randung *f*, Einfassung *f*, *bes. Br.* Boden(schutz)belag *m* zwischen Wand u. Teppich. **4.** Ring *m*: ~ of guards. **5.** *hunt. Am.* Kesseltreiben *n.* **sur'round·ing I** *adj* **1.** um'gebend, 'umliegend: ~ country → 2 a. **II** *s* **2.** Um'gebung *f*: a) 'Umgegend *f*, 'Umkreis *m*, b) 'Umwelt(sbedingungen *pl*) *f.* **3.** äußere 'Umstände *pl*, Begleiterscheinungen *pl.*

sur·tax ['sɜːrˌtæks] *econ.* **I** *s* **1.** Steuerzuschlag *m.* **2.** Einkommensteuerzuschlag *m.* **II** *v/t* **3.** mit e-m Steuerzuschlag belegen.

sur·tout [sər'tuː; 'sɜːrtuː; *Am.* -tuːt] *s hist.* Sur'tout *m*, (einreihiger) 'Überzieher.

sur·veil·lance [sər'veiləns] *s* Über'wachung *f*, Aufsicht *f*: under police ~ unter Polizeiaufsicht; ~ radar Rundsichtradar(gerät) *n.*

sur·vey [sər'vei] **I** *v/t* **1.** über'blicken, -'schauen. **2.** sorgfältig prüfen, genau betrachten, mustern. **3.** abschätzen, begutachten: to ~ an estate. **4.** besichtigen, inspi'zieren. **5.** *Land etc* vermessen, aufnehmen. **6.** *fig.* e-n 'Überblick geben über (*acc*): to ~ the situation. **II** *v/i* **7.** e-e (sta'tistische) Erhebung vornehmen. **III** *s* ['sɜːrvei; sər'vei] **8.** *bes. fig.* 'Überblick *m*, -sicht *f* (of über *acc*). **9.** Besichtigung *f*, Inspekti'on *f*, Prüfung *f.* **10.** Schätzung *f*, Begutachtung *f.* **11.** Gutachten *n*, (Prüfungs)Bericht *m.* **12.** (Land)Vermessung *f*, Aufnahme *f.* **13.** (Lage)-Plan *m*, (-)Karte *f.* **14.** a) (sta'tistische) Erhebung, 'Umfrage *f*, b) *med.* 'Reihenunterˌsuchung *f.* **sur'vey·ing** *s* **1.** (Land-, Feld)Vermessung *f*, Vermessungskunde *f*, -wesen *n.* **2.** Vermessen *n*, Aufnehmen *n* (*von Land etc*). **3.** Besichtigung *f.*

sur·vey·or [sər'veiər] *s* **1.** Land-, Feldmesser *m*, Geo'meter *m*: **~'s chain** Meßkette *f*. **2.** (amtlicher) In'spektor *od*. Verwalter *od*. Aufseher: **~ of highways** Straßenmeister *m*; **Board of S~s** Baubehörde *f*. **3.** *Am*. Zollaufseher *m*. **4.** *Br*. (ausführender) Archi'tekt. **5.** Sachverständige(r) *m*, Gutachter *m*.

sur·viv·al [sər'vaivəl] *s* **1.** Über'leben *n*: **~ of the fittest** *biol*. Überleben des Tüchtigsten; **~ kit** *mil*. Überlebensausrüstung *f*; **~ rate** Geburtenüberschuß *m*; **~ shelter** atomsicherer Bunker; **~ time** *mil*. Überlebenszeit *f*; **~ value** *biol*. Erhaltungswert *m*. **2.** Weiter-, Fortleben *n*. **3.** Fortbestand *m*. **4.** 'Überbleibsel *n*, -rest *m*. **5.** Über'lebsel *n* (*Rest alten Brauchtums od. alter Kulturen*). **sur'vive I** *v/i* **1.** noch leben *od*. bestehen, übriggeblieben sein. **2.** weiterleben, fortleben, -bestehen. **3.** am Leben bleiben, übrigbleiben. **II** *v/t* **4.** *j-n od. etwas* über'leben, -'dauern, länger leben als. **5.** *etwas* über'leben, -'stehen: **to ~ a disaster.** **sur'viv·ing** *adj* **1.** über'lebend: **the ~ wife.** **2.** hinter'blieben: **~ dependents** Hinterbliebene. **3.** übrigbleibend, Rest...: **~ debts** *econ*. Restschulden. **sur'vi·vor** [-vər] *s* **1.** Über'lebende(r) *m*. **2.** *jur*. Über'lebender, auf den nach Ableben der Miteigentümer das Eigentumsrecht 'übergeht. **sur'vi·vor·ˌship** *s* **1.** Über'leben *n*. **2.** *jur*. Recht *n* e-s *od*. der Über'lebenden auf das Eigentum nach Ableben der übrigen Miteigentümer.

sus·cept·ance [sə'septəns] *s* *electr*. Blindleitwert *m*.

sus·cep·ti·bil·i·ty [səˌseptə'biliti] *s* **1.** Empfänglichkeit *f*, Anfälligkeit *f* (to für): **~ to colds**; **~ to corrosion** *tech*. Korrosionsneigung *f*. **2.** Empfindlichkeit *f*, Beeindruckbarkeit *f*. **3.** *pl* (leicht verletzbare) Gefühle *pl*, empfindliche Stelle. **4.** a) *phys*. Magneti'sierbarkeit *f*, b) *electr*. ˌSuszeptibili'tät *f*. **sus'cep·ti·ble** *adj* (*adv* **susceptibly**) **1.** anfällig (to für). **2.** empfindlich (to gegen): **~ to pain** schmerzempfindlich; **~ to injuries** leicht verletzlich. **3.** empfänglich (to für): **~ to flatteries.** **4.** (leicht) zu beeindrucken(d): **~ minds.** **5. to be ~ of** (*od*. to) *etwas* zulassen: **the passage is ~ of a different interpretation.**

sus·cep·tive [sə'septiv] *adj* **1.** aufnehmend, rezep'tiv. **2.** → **susceptible.**

sus·cep·tiv·i·ty [ˌsʌsep'tiviti] *s* **1.** Aufnahmefähigkeit *f*. **2.** → **susceptibility.**

sus·lik ['sʌslik] *s* **1.** *zo*. Ziesel *n*. **2.** Suslik *m*, Ziesel(pelz) *m*.

sus·pect [sə'spekt] **I** *v/t* **1.** *j-n* verdächtigen (of *gen*), im Verdacht haben (of doing *etwas* zu tun *od*. daß er *etwas* tut): **to be ~ed of doing** (*od*. **having done**) **s.th.** im Verdacht stehen *od*. verdächtigt werden, etwas getan zu haben. **2.** argwöhnen, befürchten. **3.** halb *od*. fast glauben: **I ~ him to be a liar.** **4.** vermuten, glauben, den Verdacht haben (that daß): **I ~ (that) you once thought otherwise.** **5.** *etwas* anzweifeln, miß'trauen (*dat*). **II** *v/i* **6.** (e-n) Verdacht *od*. Argwohn hegen, argwöhnisch sein. **III** *s* ['sʌspekt; *a*. sə's-] **7.** Verdächtige(r *m*) *f*, verdächtige Per'son, *jur. a*. Ver'dachtsperˌson *f*: **political ~** politisch Verdächtige(r); **smallpox ~** *med*. Pockenverdächtige(r). **IV** *adj* ['sʌspekt; *a*. sə's-] **8.** verdächtig, su'spekt (*a. fig. fragwürdig*). **sus'pect·ed** *adj* **1.** verdächtigt (of *gen*). **2.** verdächtig.

sus·pend [sə'spend] *v/t* **1.** *a. tech*. aufhängen (from an *dat*). **2.** *chem*. suspen'dieren, schwebend halten: **dust ~ed in the air** in der Luft schwebender Staub. **3.** *fig. e-e Frage* in der Schwebe *od*. unentschieden lassen, offenlassen: **to ~ one's opinion** sich *od*. s-e Meinung noch nicht festlegen. **4.** (*einstweilen*) auf-, verschieben, *jur. das Verfahren, die Vollstreckung* aussetzen: **to ~ a sentence** *jur*. a) die Urteilsverkündung aufschieben, b) e-e Strafzeit *od*. den Strafvollzug unterbrechen. **5.** (zeitweilig) aufheben *od*. außer Kraft setzen, suspen'dieren: **to ~ a regulation.** **6.** *die Arbeit, mil. die Feindseligkeiten, econ. die Zahlungen* (zeitweilig) einstellen: **to ~ hostilities**; **to ~ payment(s).** **7.** *j-n* suspen'dieren, (zeitweilig) des Amtes entheben. **8.** (zeitweilig) ausschließen: **to ~ a member of a club.** **9.** *sport j-n* sperren. **10.** mit *s-r Meinung etc* zu'rückhalten. **11.** *mus. e-n Ton* vorhalten. **sus'pend·ed** *adj* **1.** hängend, aufgehängt, Hänge...: **to be ~** hängen (by, from an *dat*); **~ roof** Hängedecke *f*. **2.** schwebend, fein verteilt: **~ material** *biol*. Schwebestoff *m*. **3.** unter'brochen, ausgesetzt, zeitweilig eingestellt: **~ proceedings**; **~ animation** *med*. Scheintod *m*. **4.** aufgehoben. **5.** zeitweilig des Amtes enthoben, suspen'diert. **sus'pend·er** *s* **1.** *pl Am*. Hosenträger *pl*. **2.** *Br*. a) *a*. **~ belt** Strumpfhalter *m*, b) Sockenhalter *m*. **3.** *tech*. Aufhängevorrichtung *f*. **4.** Hängevase *f*.

sus·pense [sə'spens] *s* **1.** Spannung *f*. Ungewißheit *f*: **anxious ~** Hangen *n* u. Bangen *n*; **in ~** gespannt, voller Spannung. **2.** Ungewißheit *f*, Unentschiedenheit *f*, Schwebe *f*: **to be in ~** in der Schwebe sein; **to keep in ~** a) *j-n* im ungewissen lassen, in Spannung halten, b) *etwas* in der Schwebe lassen; **~ account** *econ*. Interimskonto *n*; **~ entry** transitorische Buchung. **3.** Spannung *f* (*e-s Romans etc*): **full of ~, ~-packed** spannend, spannungsgeladen. **4.** *jur*. → **suspension** 6: **to place in ~** → **suspend** 5. **sus'pen·si·ble** *adj* **1.** auf-, verschiebbar, aufzuschieben(d). **2.** *chem. phys*. suspen'dierbar. **sus'pen·sion** [-ʃən] *s* **1.** Aufhängen *n*. **2.** *bes. tech*. Aufhängung *f*: **front-wheel ~**; **~ bridge** Hängebrücke *f*; **~ railway** Schwebebahn *f*; **~ spring** Tragfeder *f*. **3.** *tech*. Federung *f*. **4.** *chem. phys*. Suspensi'on *f*: a) Schweben *n*, b) Aufschlämmung *f*. **5.** (einstweilige) Einstellung: **~ of arms** (*od*. **hostilities**) *mil*. Einstellung der Feindseligkeiten; **~ of payment(s)** *econ*. Zahlungseinstellung *f*; **~ periods** (*od*. **points**) Auslassungspunkte. **6.** *jur*. Aussetzung *f*, Aufschub *m*, vor'übergehende Aufhebung (*e-s Rechts*): **~ of the statute of limitations** Hemmung *f* der Verjährung. **7.** Aufschub *m*, Verschiebung *f*. **8.** *bes. relig*. Suspen'dierung *f* (from von), (Dienst-, Amts)Enthebung *f*. **9.** *sport univ*. (zeitweiliger) Ausschluß, *sport a*. Sperre *f*. **10.** *mus*. Vorhalt *m*. **sus'pen·sive** [-siv] *adj* **1.** aufschiebend, suspen'siv: **~ condition**; **~ veto** *parl*. suspensives Veto. **2.** unter'brechend, hemmend. **3.** unschlüssig. **4.** unbestimmt.

sus·pen·soid [sə'spensɔid] *s* *chem. phys*. Suspenso'id *n*, dis'perse Phase.

sus·pen·sor [sə'spensər] *s* **1.** *med*. Suspen'sorium *n*. **2.** *bot*. Sus'pensor *m*, (Embryo)Träger *m*. **sus'pen·so·ry I** *adj* **1.** hängend, Schwebe..., Hänge... **2.** *anat*. Aufhänge...: **~ bone.** **3.** *econ. jur*. → **suspensive** 1. **II** *s* **4.** *anat*. a) *a*. **~ ligament** Aufhängeband *n*, b) *a*. **~ muscle** Aufhängemuskel *m*. **5.** *med*. a) *a*. **~ bandage** Suspen'sorium *n*, b) Bruchband *n*.

sus·pi·cion [sə'spiʃən] **I** *s* **1.** Argwohn *m*, 'Mißtrauen *n* (of gegen). **2.** (of) Verdacht *m* (gegen *j-n*), Verdächtigung *f* (*gen*): **above ~** über jeden Verdacht erhaben; **on ~ of murder** unter Mordverdacht; **to be under ~** unter Verdacht stehen, verdächtigt werden; **to cast a ~ on** e-n Verdacht auf *j-n* werfen; **to have** (*od*. **entertain**) **a ~ that** den Verdacht haben *od*. hegen, daß. **3.** Vermutung *f*: **no ~** keine Ahnung. **4.** *fig*. Spur *f*: **a ~ of brandy** (**of arrogance**); **a ~ of a smile** der Anflug e-s Lächelns. **II** *v/t bes. Am. dial*. → **suspect** 1 *u*. 2.

sus·pi·cious [sə'spiʃəs] *adj* (*adv* **~ly**) **1.** 'mißtrauisch, argwöhnisch (of s.o. gegen j-n): **a ~ glance**; **to be ~ of s.th.** etwas befürchten. **2.** verdächtig, verdachterregend: **~ person** → **suspect** 7. **sus'pi·cious·ness** *s* **1.** 'Mißtrauen *n*, Argwohn *m* (of gegen), 'mißtrauisches Wesen. **2.** (*das*) Verdächtige.

sus·pi·ra·tion [ˌsʌspi'reiʃən] *s bes. poet*. **1.** Seufzer *m*, Seufzen *n*. **2.** tiefes Atemholen. **sus·pire** [sə'spaiər] *v/i bes. poet*. **1.** sich sehnen, schmachten (for, after nach). **2.** seufzen. **3.** tief atmen.

Sus·sex ['sʌsiks] *s zo*. **1.** Sussex(rind) *n* (*rotbraune englische Rinderrasse*). **2.** Sussex *n* (*Haushuhnrasse*).

sus·tain [sə'stein] *v/t* **1.** stützen, tragen: **~ing wall** Stützmauer *f*. **2.** aushalten: **to ~ pressure.** **3.** *fig*. aushalten, ertragen: **to ~ burdens**; **to ~ comparison** den Vergleich aushalten, e-m Vergleich standhalten; **to ~ an attack** e-m Angriff standhalten. **4.** erleiden, da'vontragen: **to ~ damages** (**an injury, a loss**, *etc*); **to ~ a defeat** e-e Niederlage erleiden. **5.** *etwas* (aufrecht)erhalten, in Gang halten, *das Interesse etc* wachhalten: **~ing member** förderndes Mitglied; **~ing program** *Radio, TV Am*. Programm *n* ohne Reklameeinblendungen. **6.** a) *j-n* erhalten, unter'halten, versorgen, *e-e Familie etc* ernähren, *e-e Armee* verpflegen, b) *e-e Institution* unter'halten. **7.** *j-n* aufrechterhalten, stärken, *j-m* Kraft geben. **8.** *j-n od. j-s Forderung* unter'stützen. **9.** *bes. jur*. als rechtsgültig anerkennen, *e-m Antrag, Einwand, Klagebegehren etc* stattgeben. **10.** bestätigen, erhärten, rechtfertigen: **to ~ a theory.** **11.** *mus. e-n Ton* (aus)halten. **sus'tained** *adj* **1.** anhaltend (*a. Interesse etc*), (an)dauernd, Dauer...: **~ fire** *mil*. Dauerfeuer *n*; **~ speed** Dauergeschwindigkeit *f*. **2.** *mus*. a) (aus)gehalten (*Ton*), b) getragen. **3.** *phys*. ungedämpft: **~ oscillation.** **4.** *jur. parl*. angenommen: **motion ~.** **sus'tain·ed·ly** [-nidli] *adv*. **sus'tain·er** *s* **1.** Träger *m*, Stütze *f* (*a. fig.*). **2.** Erhalter(in). **3.** *tech*. Marschtriebwerk *n* (*e-r Rakete*).

sus·te·nance ['sʌstinəns] *s* **1.** ('Lebens)ˌUnterhalt *m*, Auskommen *n*. **2.** Nahrung *f*. **3.** Nährkraft *f*. **4.** Erhaltung *f*, Ernährung *f*, Versorgung *f*: **for the ~ of our bodies** für unser leibliches Wohl. **5.** *fig*. Beistand *m*, Stütze *f*.

sus·ten·tac·u·lar [ˌsʌsten'tækjulər] *adj anat*. stützend, Stütz...: **~ tissue.** **ˌsus·ten'tac·u·lum** [-ləm] *pl* **-la** [-lə] *s anat*. 'Stützorˌgan *n*, -gerüst *n*.

sus·ten·ta·tion [ˌsʌsten'teiʃən] *s* **1.** → **sustenance** 1, 2, 4. **2.** Unter'haltung *f* (*e-s Instituts etc*). **3.** (Aufrecht)Erhaltung *f*. **4.** Unter'stützung *f*. **5.** Stütze *f*, Halt *m*.

su·sur·rant [*Br.* sju'sʌrənt; su-; *Am.* -'sɜːr-] *adj* **1.** flüsternd, säuselnd. **2.** leise rauschend, raschelnd. **su·sur·ra·tion** [ˌsjuːsə'reiʃən; ˌsuː-] *s* **1.** Flüstern *n*, Säuseln *n*. **2.** leises Rauschen, Rascheln *n*. **su'sur·rous** → **susurrant.**

sut·ler ['sʌtlər] *s mil.* Marke'tender(in), Kan'tinenwirt(in).

sut·tee ['sʌtiː; sʌ'tiː] *s hist.* (*in Indien*) **1.** Sati *f*, Suttee *f* (*Witwe, die sich mit dem Leichnam ihres Mannes verbrennen ließ*). **2.** → **sutteeism.** '**sut·tee·ˌism** *s* (*freiwilliger*) Feuertod e-r Witwe.

su·tur·al ['sjuːtʃərəl] *adj* **1.** mit e-r Naht versehen. **2.** Naht... '**su·tur·al·ly** *adv* mittels (e-r) Naht, durch Nähte.

su·ture ['sjuːtʃər] **I** *s* **1.** *med.* a) Naht *f*, b) Nähen *n* (*e-r Wunde*), c) 'Nahtmateriˌal *n*, Faden *m*: **clip** ~ Klammernaht *f*. **2.** *anat.* Naht *f* (*feste Knochenverbindung*). **3.** *bot.* Naht *f*, Verwachsungslinie *f*. **4.** *allg.* Verbindungsnaht *f*, Naht(stelle) *f* (*a. fig.*). **II** *v/t* **5.** *bes. med.* (zu-, ver)nähen.

su·ze·rain ['suːzəˌrein; -rin; 'sjuː-] **I** *s* **1.** Oberherr *m*, Suze'rän *m*. **2.** *pol.* Pro'tektor-Staat *m*. **3.** *hist.* Oberlehnsherr *m*. **II** *adj* **4.** oberhoheitlich. **5.** *hist.* oberlehnsherrlich. '**su·zeˌrain·ty** [-ti] *s* **1.** Oberhoheit *f*. **2.** *hist.* Oberlehnsherrlichkeit *f*.

sva·ra·bhak·ti [ˌsvʌrə'bʌkti(ː)] *s ling. Sanskrit*: Svara'bhakti *f*, 'Sproßvoˌkal *m*.

svelte [svelt] *adj* (gerten)schlank, [gra'zil.]

swab [swɒb] **I** *s* **1.** a) Scheuerlappen *m*, b) Schrubber *m*, c) Mop *m*, d) Handfeger *m*, e) *mar.* Schwabber *m*. **2.** *med.* a) Wattebausch *m*, Tupfer *m*, b) Abstrichtupfer *m*, c) Abstrich *m*. **3.** *mar. sl.* (Offi'ziers)Epauˌlette *f*. **4.** *sl.* Trottel *m*. **II** *v/t* **5.** *a.* ~ **down** aufwischen, *mar. das Deck* schrubben: **to** ~ **up** aufwischen. **6.** *med.* a) *Blut* abtupfen, b) *e-e Wunde* betupfen. '**swab·ber** *s mar.* Schwabberer *m*, Schiffsreiniger *m*.

Swa·bi·an ['sweibiən] **I** *s* **1.** Schwabe *m*, Schwäbin *f*. **2.** *ling.* Schwäbisch *n*, das Schwäbische. **II** *adj* **3.** schwäbisch.

swad¹ [swɒd] *s mil. sl.* ,Landser' *m*.

swad² [swɒd] *s Am. sl.* **1.** Klumpen *m*. **2.** (Menschen)Masse *f*.

swad·dle ['swɒdl] **I** *v/t* **1.** wickeln, in Windeln legen: **to** ~ **a baby. 2.** um'wickeln, einwickeln. **II** *s* **3.** *Am.* Windel *f*.

swad·dling ['swɒdliŋ] *s* **1.** Wickeln *n* (*e-s Babys*). **2.** Um'wickeln *n*. **3.** *pl* a) Windeln *pl*, b) Binden *pl*. ~ **band** *s* Wickelband *n*. ~ **clothes** *s pl* Windeln *pl*: **to be still in one's** ~ *fig.* ,noch in den Windeln liegen', noch in den Anfängen stecken.

swad·dy ['swɒdi] → **swad**¹.

Swa·de·shi [swɑː'deiʃi] (*Ind.*) *s* Swa'deschi(bewegung) *f*: a) (*bes. wirtschaftliches*) *Unabhängigkeitsstreben*, b) *Boykott ausländischer, bes. brit. Waren.*

swag [swæg] *s* **1.** Gir'lande *f* (*Verzierung*). **2.** *bes. Austral.* (Reise)Bündel *n*, Ranzen *m*. **3.** *sl.* Beute *f*, Raub *m*.

swage [sweidʒ] *tech.* **I** *s* **1.** (Doppel)-Gesenk *n*: **bottom** ~ Untergesenk. **2.** Präge *f*, Stanze *f*. **3.** *a.* ~ **block** Gesenkblock *m*. **II** *v/t* **4.** im Gesenk bearbeiten.

swag·ger ['swægər] **I** *v/i* **1.** (ein'her)-stolˌzieren. **2.** großspurig auftreten, prahlen, ,aufschneiden', schwadro'nieren, renom'mieren (about mit). **II** *s* **3.** stol'zierender *od.* wiegender Gang. **4.** ,Großtue'rei *f*, Prahle'rei *f*, ,Aufschneiden' *n*, Schwadro'nieren *n*, großspuriges Auftreten. **III** *adj* **5.** *colloq.* ,piekfein', ele'gant: ~**-cane,** ~**-stick** *mil. Br.* Offiziersstöckchen *n*; ~ **coat** schicker kurzer Mantel. '**swag·ger·er** *s* Prahler *m*, ,Aufschneider' *m*, Schwadro'neur *m*. '**swag·ger·ing** *adj* **1.** stol'zierend. **2.** prahlerisch, großspurig, schwadro'nierend.

Swa·hi·li [swɑː'hiːliː] **I** *s* **1.** Sua'heli *m*, *f od. pl*, Swa'hili *m*, *f od. pl.* **2.** *ling.* Kisua'heli *n*. **II** *adj* **3.** Suaheli...

swain [swein] *s* **1.** *meist poet.* Bauernbursche *m*, Schäfer *m*, Seladon *m*. **2.** *poet. od. humor.* Liebhaber *m*, Verehrer *m*.

swale [sweil] *s* **1.** schattige Stelle. **2.** *bes. Am.* (*sumpfige*) Senke, Mulde *f*.

swal·low¹ ['swɒlou] **I** *v/t* **1.** *a.* ~ **up** (ver)schlucken, verschlingen: **to** ~ **down** hinunterschlucken. **2.** *fig.* verschlingen: **to** ~ **a book. 3.** ,schlucken', sich einverleiben: **to** ~ **a territory. 4.** *meist* ~ **up** *fig. j-n, ein Schiff etc, a. Geld, Zeit* verschlingen. **5.** *colloq.* ,schlucken', für bare Münze nehmen: **she** ~**ed his every word. 6.** ,einstekken', ,schlucken': **to** ~ **an insult. 7.** a) *Tränen, Ärger* ,hin'unterschlucken', b) *Lachen, Erregung* unter'drücken. **8.** *s-e Worte etc* zu'rücknehmen: **to** ~ **one's words. II** *v/i* **9.** schlucken (*a. vor Erregung*): **to** ~ **the wrong way** sich verschlucken. **III** *s* **10.** Schlund *m*, Kehle *f*. **11.** Schluck *m*. **12.** *geol. Br.* Schluckloch *n*.

swal·low² ['swɒlou] *s orn.* **1.** Schwalbe *f*: **one** ~ **does not make a summer** e-e Schwalbe macht noch keinen Sommer; ~ **dive** (*Kunstspringen*) Schwalbensprung *m*. **2.** Mauersegler *m*.

'**swal·low|ˌtail** *s* **1.** *orn. u. fig.* Schwalbenschwanz *m* (*a. Schmetterling*). **2.** *orn.* Schwalbenschwanz-Kolibri *m*. **3.** *a. pl colloq.* Frack *m*. **4.** schwalbenschwanzartiger Wimpel. '~**-ˌtailed** *adj bes. orn. zo.* schwalbenschwanzartig, Schwalbenschwanz...: ~ **coat** Frack *m*. '~**ˌwort** *s bot.* **1.** (*ein*) St.-Lorenzkraut *n*. **2.** Schwalbenwurz *f*.

swam [swæm] *pret von* **swim.**

swa·mi ['swɑːmi] *s* **1.** Meister *m* (*Anrede, bes. für Brahmanen*). **2.** *Am.* Fakir *m*.

swamp [swɒmp] **I** *s* **1.** Sumpf *m*. **2.** (Flach)Moor *n*. **3.** Mo'rast *m*. **II** *v/t* **4.** über'schwemmen (*a. fig.*): **to be** ~**ed with** *fig.* mit *Arbeit, Einladungen etc* überhäuft werden *od.* sein, sich nicht mehr retten können vor (*dat*). **5.** *fig.* über'wältigen. **6.** *pol. Am. ein Gesetz* zu Fall bringen. **7.** *mar. ein Boot* vollaufen lassen, zum Sinken bringen. **8.** *e-n Weg* durch den Wald hauen. **III** *v/i* **9.** *mar.* vollaufen, versinken. **10.** über'schwemmt werden. '**swamp·y** *adj* sumpfig, mo'rastig, Sumpf..., Moor...

swa·my → **swami.**

swan [swɒn] **I** *s* **1.** *orn.* Schwan *m*: **S**~ **of Avon** *fig. Beiname von Shakespeare*; ~ **knight** Schwan(en)ritter *m*; ~ **dive** *sport Am.* Schwalbensprung *m*. **2.** **S**~ *astr.* Schwan *m* (*Sternbild*). **II** *v/i* **3.** *meist* ~ **around** *Am. sl.* ,um'hergondeln'. ~ **goose** *s irr orn.* Schwanengans *f*. '~**ˌherd** *s* Schwanenwärter *m*.

swank [swæŋk] *colloq.* **I** *s* ,Angabe' *f*, Protze'rei *f*. **II** *v/i oft* ~ **it** protzen, prahlen, ,angeben'. **III** *adj* → **swanky.** '**swank·y** *adj colloq.* **1.** protzig, ,angeberisch'. **2.** ,(tod)schick', ,piekfein'.

'**swan|ˌlike** *adj u. adv* schwanengleich, -artig. ~ **maid·en** *s myth.* Schwan(en)-jungfrau *f*. '~**ˌneck** *s* Schwanenhals *m* (*a. fig. u. tech.*).

swan·ner·y ['swɒnəri] *s* Schwanenteich *m*.

'**swan's-ˌdown** *s* **1.** Schwanendaune(n *pl*) *f*. **2.** *meist* **swansdown** a) weicher, dicker Wollstoff, b) Swandown *m*, (*ein*) 'Baumwollflaˌnell *m*.

swan| shift *s myth.* Schwanenhemd *n*. ~ **shot** *s hunt.* grober Schrot. '~**ˌskin** *s* Swanskin *m*, feiner geköperter Fla'nell. ~ **song** *s bes. fig.* Schwanengesang *m*. '~**-ˌup·ping** *s Br. Einfangen u. Kennzeichnen der jungen Schwäne* (*bes. auf der Themse*).

swap [swɒp] *colloq.* **I** *v/t* **1.** (ein-, aus)-tauschen (s.th. for etwas für). **2.** tauschen, wechseln: **to** ~ **horses; to** ~ **stories** Geschichten austauschen. **II** *v/i* **3.** tauschen. **III** *s* **4.** Tausch(geschäft *n*, -handel) *m*. **5.** *econ.* De'visenswap *m*.

swa·raj [swə'rɑːdʒ] *s Br. Ind.* **1.** Swa'radsch *n*, natio'nale 'Selbstreˌgierung. **2.** **S**~ Swa'radsch-Parˌtei *f*.

sward [swɔːrd] *s* Rasen *m*, Grasnarbe *f*. '**sward·ed,** '**sward·y** *adj* mit Rasen bedeckt, rasig.

sware [swɛr] *pret obs. von* **swear.**

swarm¹ [swɔːrm] **I** *s* **1.** (Bienen- *etc*)-Schwarm *m*. **2.** Schwarm *m*, Schar *f*, Horde *f*, ,Haufen' *m*: **a** ~ **of children (soldiers,** *etc*). **3.** *fig.* ,Haufen' *m*, Masse *f*: **a** ~ **of letters. 4.** *biol. frei schwimmende Kolonie von Schwärmsporen.* **II** *v/i* **5.** *a.* ~ **off** schwärmen (*Bienen*). **6.** schwärmen, wimmeln (**with von**): **the market place** ~**s with people;** ~**ing** wimmelnd, übervölkert. **7.** (um'her)schwärmen, (zs.-)strömen: **beggars** ~ **in that town** in dieser Stadt wimmelt es von Bettlern; **to** ~ **out** a) ausschwärmen, b) hinausströmen; **to** ~ **to a place** zu e-m Ort hinströmen. **III** *v/t* **8.** um'schwärmen, um'drängen. **9.** *e-n Ort* in Schwärmen über'fallen, heimsuchen. **10.** *e-n Bienenschwarm* einfangen: **to** ~ **a hive.**

swarm² [swɔːrm] **I** *v/t a.* ~ **up** hochklettern an (*dat*). **II** *v/i* klettern.

swarm| cell, ~ **spore** *s biol.* Schwärmspore *f*.

swart [swɔːrt] *obs. od. poet. od. dial. für* **swarthy.**

swarth·i·ness ['swɔːrðinis] *s* dunkle Gesichtsfarbe, Schwärze *f*, Dunkelbraun *n*. '**swarth·y** *adj* dunkel(häutig, -braun), schwärzlich.

swash [swɒʃ] **I** *v/i* **1.** platschen, klatschen, schwappen (*Wasser etc*). **2.** planschen (*im Wasser*). **3.** *mit dem Säbel etc* rasseln. **4.** prahlen, schwadro'nieren, poltern. **II** *v/t* **5.** *Wasser* spritzen, platschen lassen, schütten. **6.** bespritzen. **7.** *allg.* klatschen, heftig werfen. **III** *s* **8.** Platschen *n*, Klatschen *n*, Schwappen *n*. **9.** Platsch *m*, Klatsch *m* (*Geräusch*). '~**ˌbuck·le** → **swash** 4. '~**ˌbuck·ler** *s* Säbelraßler *m*, Schwadro'neur *m*, Bra'marbas *m*. '~**ˌbuck·ling I** *s* Renom'mieren *n*, Säbelrasseln *n*, Schwadro'nieren *n*. **II** *adj* schwadro'nierend, prahlerisch.

swash·er ['swɒʃər] → **swashbuckler.**

swash·ing ['swɒʃiŋ] *adj* **1.** klatschend, wuchtig: **a** ~ **blow. 2.** schwadro'nierend.

swash| let·ter *s print. großer, verschnörkelter Kursivbuchstabe.* ~ **plate** *s tech.* Taumelscheibe *f*.

swas·ti·ka ['swɒstikə; 'swæs-] *s* Hakenkreuz *n*.

swat¹ [swɒt] *bes. Am.* **I** *v/t* zerquetschen, -malmen. **II** *s* (zerschmetternder) Schlag.

swat² [swɒt] *pret u. pp obs. von* **sweat.**

swat³ → **swot.**

swatch [swɒtʃ] *s Scot.* (*bes.* Stoff)-Muster *n.*

swath [swɔːθ; swɒθ] *pl* **swaths** *s* **1.** Schwade(n *m*) *f* (*Getreide*). **2.** Reihe *f od.* Streifen *m* zwischen den Schwaden. **3.** abgemähter Raum. **4.** Schwung *m* der Sense, Schnitt *m.*

swathe[1] [sweið] **I** *v/t* **1.** (um)'wickeln (with mit), einwickeln. **2.** (*wie e-n Verband*) her'umwickeln. **3.** einhüllen. **II** *s* **4.** Binde *f*, Verband *m.* **5.** (Wickel)-Band *n.* **6.** *med.* 'Umschlag *m.*

swathe[2] [sweið] → swath.

swat·ter ['swɒtər] *s* **1.** Fliegenklappe *f*, -klatsche *f.* **2.** *Baseball*: *sl.* guter Schläger.

sway [swei] **I** *v/i* **1.** schwanken: a) sich wiegen, schaukeln, b) taumeln. **2.** sich neigen. **3.** *fig.* sich zuneigen (to *dat*). **4.** herrschen. **II** *v/t* **5.** *etwas* schwenken, schaukeln, wiegen. **6.** neigen. **7.** *meist* ~ up *mar. Masten etc* aufheißen. **8.** *fig.* beeinflussen, lenken, beherrschen: to ~ the masses; to ~ the audience das Publikum mitreißen; his speech ~ed the elections s-e Rede beeinflußte die Wahlen; ~ing arguments unwiderlegliche Argumente. **9.** *bes. poet. das Zepter etc* schwingen. **10.** beherrschen, herrschen über (*acc*). **III** *s* **11.** Schwanken *n*, Wiegen *n.* **12.** Schwung *m*, Wucht *f.* **13.** 'Übergewicht *n.* **14.** Einfluß *m*, Bann *m*: under the ~ of unter dem Einfluß *od.* im Banne (*gen*) (→ 15). **15.** Herrschaft *f*, Gewalt *f*: to hold ~ over → 10; under the ~ of a dictator in der Gewalt *od.* unter der Herrschaft e-s Diktators.

swear [swɛr] **I** *v/i pret* **swore** [swɔːr], *obs.* **sware** [swɛr], *pp* **sworn** [swɔːrn] **1.** schwören, e-n Eid leisten (on the Bible auf die Bibel): to ~ by a) bei *Gott etc* schwören, b) *colloq.* schwören auf (*acc*), felsenfest glauben an (*acc*); to ~ by all that's holy Stein u. Bein schwören; to ~ off *e-m Laster* abschwören; to ~ to s.th. a) etwas geloben, b) etwas beschwören. **2.** fluchen (at auf *acc*). **II** *v/t* **3.** *e-n Eid* schwören, leisten: to ~ an oath; → affidavit. **4.** beschwören, eidlich bekräftigen: to ~ out *jur. Am. e-n Haftbefehl* durch (eidliche) Strafanzeige erwirken. **5.** schwören: to ~ allegiance (revenge, *etc*); I ~ to speak (*od.* tell) the truth, the whole truth, and nothing but the truth *jur.* ich schwöre, die reine Wahrheit zu sagen, nichts zu verschweigen u. nichts hinzuzufügen (*Eidesformel*). **6.** *j-n* schwören lassen, *j-m* e-n Eid abnehmen: to ~ s.o. in j-n vereidigen; to ~ s.o. into an office j-n in ein Amt einschwören; → secrecy 3. **'swear·ing** *s* **1.** Schwören *n.* **2.** *jur.* Eid(esleistung *f*) *m*: ~-in Vereidigung *f.*

'swear,word *s colloq.* Fluch(wort *n*) *m.*

sweat [swet] **I** *v/i pret u. pp* **sweat, 'sweat·ed,** *obs.* **swat** [swɒt] **1.** schwitzen (with vor *dat*). **2.** *phys. tech. etc* schwitzen, anlaufen, ausdünsten. **3.** gären (*Tabak*). **4.** *colloq.* schwitzen, sich abmühen. **5.** *econ.* für e-n Hungerlohn arbeiten. **6.** *colloq.* büßen: he must ~ for it.

II *v/t* **7.** (aus)schwitzen: to ~ gum; to ~ blood Blut schwitzen; to ~ out a) *e-e Krankheit etc* (her)ausschwitzen, b) *fig. etwas* mühsam hervorbringen; to ~ it out *Am. sl.* die Sache mit Hangen u. Bangen durchstehen. **8.** *a.* ~ through 'durchschwitzen. **9.** schwitzen lassen, in Schweiß bringen: to ~ down a) *j-n* durch e-e Schwitzkur abnehmen lassen, b) *Am. fig.* verringern, drastisch verkleinern. **10.** *fig.* ‚schuften lassen', ausbeuten: to ~ one's employees. **11.** *sl. j-n* ‚bluten lassen', auspressen. **12.** *sl. j-n* (*im Verhör*) schwitzen lassen, ‚in die Mache nehmen'. **13.** *tech.* schwitzen *od.* gären lassen. **14.** *metall.* a) (~ out aus)seigern, b) schmelzen, c) (heiß-, weich)-löten. **15.** *Kabel* schweißen. **III** *s* **16.** Schwitzen *n*, Schweißausbruch *m*: nightly ~s Nachtschweiß *m.* **17.** Schweiß *m*: cold ~ kalter Schweiß, Angstschweiß; in a ~, *colloq.* all of a ~ a) in Schweiß gebadet, b) vor Angst schwitzend; to get into a ~ in Schweiß geraten; by the ~ of one's brow im Schweiße s-s Angesichts. **18.** *med.* Schwitzkur *f.* **19.** *phys. tech.* Feuchtigkeit *f*, Ausschwitzung *f.* **20.** *colloq.* Placke'rei *f.* **21.** old ~ *sl.* ‚alter Knochen' (*Soldat*).

'sweat|,band *s* Schweißleder *n*, -band *n* (*in Hüten*). **'~,box** *s tech. u. fig. colloq.* Schwitzkasten *m.* **~ duct** *s anat.* 'Schweißgang *m*, -ka,nal *m.*

sweat·ed ['swetid] *adj econ.* **1.** für Hungerlöhne 'hergestellt. **2.** ausgebeutet, 'unterbezahlt: ~ workers.

sweat·er ['swetər] *s* **1.** Sweater *m*, Pull'over *m*: ~ blouse Strickbluse *f*; ~ girl *colloq.* ‚kurvenreiches' Mädchen. **2.** Leuteschinder *m*, Ausbeuter *m.*

sweat gland *s anat.* Schweißdrüse *f.*

sweat·i·ness ['swetinis] *s* Verschwitztheit *f*, Schweißigkeit *f.*

sweat·ing ['swetiŋ] **I** *s* **1.** Schwitzen *n*, Schweißabsonderung *f.* **2.** *fig.* Ausbeutung *f.* **3.** *tech.* Flammenlötung *f.* **II** *adj* **4.** schwitzend. **5.** Schwitz...: ~ bath; ~ room. **~ sick·ness** *s med. hist.* Schweißfieber *n.* **~ sys·tem** *s econ.* 'Ausbeutungssy,stem *n.* **~ pants** *s pl* Trainingshose(n *pl*) *f.* **~ shirt** *s sport* Trainingsbluse *f.* **'~,shop** *s econ. sl.* Ausbeutungsbetrieb *m.* **~ suit** *s* Trainingsanzug *m.*

sweat·y ['sweti] *adj* (*adv* sweatily) **1.** schweißig, verschwitzt, schweißnaß. **2.** Schweiß... **3.** *fig.* mühsam, sauer.

Swede [swiːd] *s* **1.** Schwede *m*, Schwedin *f.* **2.** s~ *bes. Br. für* Swedish turnip.

Swed·ish ['swiːdiʃ] **I** *adj* **1.** schwedisch: ~ drill, ~ gymnastics → Swedish movements. **II** *s* **2.** *ling.* Schwedisch *n*, das Schwedische. **3.** the ~ *collect.* die Schweden *pl.* **~ box** *s sport* Kasten *m.* **~ mas·sage** *s med.* schwedische Bewegungsbehandlung. **~ move·ments** *s pl med.* schwedische Gym'nastik. **~ tur·nip** *s agr. bot. Br.* Schwedische (Steck)Rübe.

swee·ny ['swiːni] *s vet. Am.* 'Muskelatro,phie *f* (*bei Pferden*).

sweep [swiːp] **I** *v/t pret u. pp* **swept** [swept] **1.** kehren, fegen: to ~ away (off, up) weg-(fort-, auf)kehren; to ~ away *fig.* hinwegfegen; swept and garnished *Bibl.* gekehrt u. geschmückt. **2.** frei machen, säubern (of von; *a. fig.*): to ~ a path (channel, *etc*); to ~ the sea of enemy ships. **3.** jagen, treiben (*bes. fig.*): to ~ the enemy before one den Feind vor sich hertreiben; a wave of fear swept the country e-e Welle von Angst ging durchs Land; it swept the opposition into office es brachte die Opposition ans Ruder. **4.** (hin'weg)streichen *od.* (-)fegen über (*acc*) (*Wind etc*). **5.** *a.* ~ away (*od.* off) fort-, mitreißen: the river ~s away the bridge; he swept his audience along with him er riß s-e Zuhörerschaft mit (sich fort); to ~ s.o. off his feet j-n hinreißen. **6.** (aus dem Weg) räumen, beseitigen: to ~ away *fig. e-m Übelstand etc* abhelfen, aufräumen mit; to ~ aside *fig. etwas* abtun, beiseite schieben, hinwegwischen; to ~ off *j-n* hinweg-, dahinraffen (*Tod, Krankheit*). **7.** (*mit der Hand*) fahren *od.* streichen über (*acc*). **8.** *Geld* einstreichen: → board[1] 8. **9.** kehren *od.* fegen mit (*e-m Besen etc*). **10.** a) *ein Gebiet* durch'streifen, b) ('hin)gleiten *od.* schweifen über (*acc*) (*Blick etc*), c) (*mit Scheinwerfern od. Radar*) absuchen (for nach). **11.** *mil. Gelände mit Feuer* bestreichen. **12.** *mus.* a) *Instrument, Saiten, Tasten* (be)rühren, (an)-schlagen, ('hin)gleiten über (*acc*), b) *Töne* entlocken (from an instrument e-m Instru'ment).

II *v/i* **13.** kehren, fegen: → broom 1. **14.** fegen, stürmen, jagen (*Wind, Regen etc*; *a. Armee, Krieg etc*), fluten (*Wasser, a. Truppen etc*), durchs Land gehen (*Epidemie etc*): to ~ along (by, down, over, past) entlang- *od.* einher-(hernieder-, darüber hin-, vorüber)fegen *etc*; to ~ down on sich (herab)stürzen auf (*acc*); fear swept over him Furcht überkam ihn. **15.** (maje'stätisch) ein'herschreiten: she swept from the room sie rauschte aus dem Zimmer. **16.** in weitem Bogen gleiten. **17.** sich (da)'hinziehen (*Küste, Straße etc*). **18.** *mar.* dreggen (for nach): to ~ for mines Minen suchen *od.* räumen.

III *s* **19.** Kehren *n*, Fegen *n*: to give s.th. a ~ etwas kehren; at one ~ mit 'einem Schlag; to make a clean ~ of ‚reinen Tisch machen' *od.* aufräumen mit. **20.** Da'hinfegen *n*, -stürmen *n*, Brausen *n* (*des Windes etc*): onward ~ *fig.* mächtige Fortschritte. **21.** Schleppen *n*, Rauschen *n*: the ~ of her long skirt. **22.** a) schwungvolle (Hand- *etc*) Bewegung, b) Schwung *m* (*e-r Sense, Waffe etc*), c) (Ruder)Schlag *m.* **23.** *fig.* Reichweite *f*, Bereich *m*, Spielraum *m*, weiter (geistiger) Hori'zont. **24.** *fig.* a) Schwung *m*, Gewalt *f* b) mächtige Bewegung, Strom *m.* **25.** Schwung *m*, Bogen *m*: the ~ of the road (roof, *etc*). **26.** ausgedehnte Strecke, weite Fläche. **27.** Auffahrt *f* (*zu e-m Haus*). **28.** *meist pl* Kehricht *m, n*, Müll *m.* **29.** Ziehstange *f* (*e-s Ziehbrunnens*). **30.** *mar.* a) langes Ruder, b) Dreggtau *n* (*zum Ankerfischen*), c) Räumgerät *n* (*zum Minensuchen*), d) Gillung *f* (*e-s Segels*). **31.** *electr.* Kipp *m*, 'Hinlauf *m* (*in Kathodenstrahlröhren*). **32.** *Radar etc*: a) Abtastung *f*, b) Abtaststrahl *m.* **33.** *bes. Br.* (*bes.* Schornstein)Feger *m.* **34.** *Kartenspiel*: Gewinnen *n* aller Stiche *od.* Karten. **35.** → sweepstake(s) 1. **IV** *adj* **36.** *electr.* Kipp..., (Zeit)Ablenk...

'sweep,back *aer.* **I** *s* Pfeilform *f*, -stellung *f* (*der Tragflächen*). **II** *adj* pfeilförmig, Pfeil...: ~ wing.

sweep·er ['swiːpər] *s* **1.** (Straßen)Kehrer(in), Feger(in). **2.** 'Kehrma,schine *f.* **3.** *mar.* Such-, Räumboot *n.* **4.** *a.* ~-up *Fußball*: Ausputzer *m.*

sweep| gen·er·a·tor *s electr.* **1.** 'Kippgene,rator *m.* **2.** Fre'quenzwobbler *m.* **~ hand** → sweep-second.

sweep·ing ['swiːpiŋ] **I** *adj* (*adv* ~ly) **1.** kehrend, Kehr... **2.** brausend, stürmisch (*Wind etc*). **3.** um'fassend, ausgedehnt. **4.** schwungvoll: a) ausladend: ~ gesture, b) mitreißend: ~ melodies; ~ lines schwungvolle Linien, schnittige Form. **5.** 'durchschlagend, über'wältigend: ~ success (victory, *etc*). **6.** 'durchgreifend, radi'kal: ~ changes. **7.** weitreichend, um'fassend, *a.* (zu) stark verallge'meinernd, sum'marisch: ~ statement; ~ powers umfassende Vollmachten. **II** *s pl* **8.** a) Kehricht *m, n,* b) *fig. contp.* Auswurf *m,* Abschaum *m.*

sweep| net *s* **1.** *mar.* großes Schleppnetz. **2.** Schmetterlingsnetz *n.* '~-ˌ**sec·ond** *s* **1.** Zen'tralseˌkundenzeiger *m.* **2.** Uhr *f* mit Zen'tralseˌkundenzeiger. ~ **seine** → sweep net 1. '~ˌ**stake(s)** *s sport* **1.** a) (*Art*) Toto *n,* b) Rennen *n,* in dem die Pferdebesitzer den ganzen Einsatz machen: a lucky draw at a ~. **2.** (*nur* sweepstakes) aus allen Einsätzen gebildeter Preis. ~ **tick·et** *s sport* Totokarte *f.*

sweet [swi:t] **I** *adj* (*adv* ~ly) **1.** süß. **2.** süß *od.* lieblich (duftend), duftig: to be ~ with duften nach. **3.** frisch: ~ butter (meat, milk). **4.** Frisch..., Süß...: ~ water. **5.** süß, lieblich: ~ melody (voice, *etc*). **6.** süß, angenehm: ~ dreams (slumber, *etc*). **7.** süß, lieb: a ~ face; at her own ~ will ganz nach ihrem Köpfchen; → seventeen II. **8.** lieb, nett, freundlich, reizend (to zu *od.* gegen'über *j-m*), sanft: ~ temper (*od.* nature *od.* disposition) freundliche Veranlagung, Gutmütigkeit *f*; to be ~ on s.o. *colloq.* in j-n verliebt sein. **9.** *colloq.* ‚süß', ‚goldig', entzückend, reizend (*alle a. iro.*): what a ~ hat! **10.** *colloq.* a) tadellos, einwandfrei, b) mühelos, glatt, ruhig, c) leicht, bequem. **11.** *chem.* a) säurefrei: ~ minerals, b) schwefelfrei: ~ petrol. **12.** *agr.* nicht sauer: ~ soil. **13.** *Jazz*: melodi'ös, ‚sweet'. **II** *adv* **14.** süß: to taste (smell) ~. **15.** *fig.* süß, lieblich, angenehm. **III** *s* **16.** Süße *f.* **17.** *bes. Br.* a) Bon'bon *m, n,* Süßigkeit *f,* b) *pl* Süßigkeiten *pl.* **18.** *oft pl Br.* Süßspeise *f,* süßer Nachtisch. **19.** *meist pl fig.* Annehmlichkeit *f*: the ~(s) of life; → sour 8. **20.** (*meist in der Anrede*) Süße(r *m*) *f,* Schatz *m.* '~ˌ**bread** *s* (Kalbs)Bries-chen *n.* '~ˌ**bri·er,** *a.* '~ˌ**bri·ar** *s bot.* Schottische Zaunrose. ~ **chest·nut** *s bot.* 'Edelkaˌstanie *f.* ~ **corn** *s* **1.** *bot.* Zuckermais *m.* **2.** grüne Maiskolben *pl* (*als Gemüse*).

sweet·en ['swi:tn] **I** *v/t* **1.** süßen. **2.** *fig.* versüßen, angenehm(er) machen. **3.** mildern. **4.** beschwichtigen. **5.** *sl.* ‚schmieren', bestechen. **6.** *econ. sl.* hochwertige Sicherheiten gewähren auf (*acc*): to ~ loans. **II** *v/i.* **7.** süß(er) werden. '**sweet·en·er** *s* **1.** (*der, die, das*) Versüßende. **2.** Beschwichtigungsmittel *n.* **3.** Schmiergeld *n.* '**sweet·en·ing** *s* **1.** (Ver)Süßen *n.* **2.** *tech.* a) Versüßungsmittel *n,* b) Dämpfungsmittel *n.*

sweet| flag *s bot.* Gemeiner Kalmus. ~ **gale** *s bot.* Heidemyrte *f.* '~ˌ**heart** *s* Schatz *m,* Liebste(r *m*) *f.* ~ **herbs** *s pl* Küchen-, Gewürzkräuter *pl.*

sweet·ie ['swi:ti] *s* **1.** *colloq.* Schätzchen *n,* ‚Süße' *f.* **2.** *meist pl Br.* Näsche'rei *f,* Bon'bon *m, n.*

sweet·ing ['swi:tiŋ] *s bot.* Jo'hannisapfel *m,* Süßling *m.*

sweet·ish ['swi:tiʃ] *adj* süßlich.

'**sweet|ˌmeat** *s meist pl* Bon'bon(s *pl*) *m, n.* '~-'**na·tured** → sweet 8.

sweet·ness ['swi:tnis] *s* **1.** Süße *f,* Süßigkeit *f.* **2.** süßer Duft. **3.** Frische *f.* **4.** *fig.* (*etwas*) Angenehmes, Annehmlichkeit *f,* (*das*) Süße. **5.** Freundlichkeit *f,* Liebenswürdigkeit *f,* Sanftheit *f.* **6.** Lieblichkeit *f.*

sweet| oil *s* Speise-, O'livenöl *n.* ~ **pea** *s bot.* Gartenwicke *f.* ~ **po·ta·to** *s* **1.** *bot.* 'Süßkarˌtoffel *f,* Ba'tate *f.* **2.** *mus. Am. colloq.* Oka'rina *f.* '~-'**scent·ed** *adj bot.* wohlriechend, duftend. '~ˌ**shop** *s bes. Br.* Süßwarenladen *m,* -warengeschäft *n.* ~ **sing·er** *s* Dichter *m,* Sänger *m*: the S~ S~ of Israel *relig.* der Psalmist, König David. '~-'**tem·pered** *adj.* sanft(mütig), gutmütig. '~-'**tongued** *adj.* schmeichlerisch, ‚honigsüß'. ~ **tooth** *s colloq.* Vorliebe *f* für Lecke'reien: she has a ~ sie ist ein Leckermäulchen. ~ **wil·liam** *s bot.* Stu'denten-, Bartnelke *f.* '~ˌ**wood** *s bot.* **1.** (Edler) Lorbeerbaum. **2.** *Name mehrerer tropischer Pflanzen, bes.* a) Nek'tandra *f,* b) Balsampflanze *f,* c) Zypernholzbaum *m.*

sweet·y → sweetie 2.

swell [swel] **I** *v/i pret* **swelled** *pp* **swol·len** ['swoulən], *selten* **swelled,** *obs.* **swoln** [swouln] **1.** *a.* ~ up, ~ out (an-, auf)schwellen (into, to zu), dick werden. **2.** sich aufblasen *od.* -blähen (*a. fig. contp.*). **3.** anschwellen, (an)steigen (*Wasser etc; a. fig. Anzahl, Preise etc*). **4.** sich wölben: a) ansteigen (*Land etc*), b) sich ausbauchen *od.* bauschen, gebaucht *od.* geschweift sein (*Mauerwerk, Möbel etc*), c) *mar.* sich blähen (*Segel*). **5.** her'vorbrechen (*Quelle, Tränen*). **6.** (auf)quellen (*Getreide, Holz etc*). **7.** *bes. mus.* a) anschwellen (into zu), b) (an- u. ab)schwellen (*Ton, Orgel etc*). **8.** *fig.* bersten (wollen) (with vor *dat*): his heart ~s with indignation. **9.** aufwallen, sich steigern (into zu) (*Gefühl*). **10.** sich aufplustern: to ~ with pride stolzgeschwellt sein.

II *v/t* **11.** *a.* ~ up, ~ out *a. fig. ein Buch etc* anschwellen lassen. **12.** aufblasen, -blähen, -treiben: to ~ the belly (a tin-can, *etc*). **13.** *bes. mus.* a) anschwellen lassen, b) (an- u. ab)schwellen lassen. **14.** *fig.* aufblähen (with vor *dat*): ~ed with pride stolzgeschwellt.

III *s* **15.** (An)Schwellen *n.* **16.** Schwellung *f, med. a.* Geschwulst *f.* **17.** *mar.* Dünung *f.* **18.** Wölbung *f,* Ausbuchtung *f,* -bauchung *f.* **19.** kleine Anhöhe, sanfte Steigung. **20.** a) Bom'bage *f,* Auftreiben *n* (*von verdorbenen Konservenbüchsen*), b) aufgetriebene Kon'servenbüchse. **21.** *fig.* Anschwellen *n,* Anwachsen *n,* (An)Steigen *n.* **22.** *mus.* a) (An- u. Ab)Schwellen *n,* Schwellton *m,* b) Schwellzeichen *n* (< >), c) Schwellwerk *n* (*der Orgel etc*). **23.** *colloq.* a) ‚großes Tier', ‚Größe' *f,* b) ‚feiner Pinkel', c) ‚Ka'none' *f,* ‚Mordskerl' *m* (at in *dat*).

IV *adj u. adv* **24.** *sl.* (*a. interj*) ‚prima'(!), ‚Klasse'(!). **25.** *colloq.* ‚(tod)schick', ‚piekfein', ‚stinkvornehm', feu'dal.

swelled [sweld] *adj* **1.** (an)geschwollen, aufgebläht: ~ head *colloq.* Aufgeblasenheit *f.* **2.** geschweift (*Möbel*), ausgebuchtet.

swell·ing ['sweliŋ] **I** *s* **1.** (*a. mus. u. fig.* An)Schwellen *n.* **2.** *med. vet.* Schwellung *f,* Geschwulst *f, a.* Beule *f,* Ö'dem *n*: glandular ~ Drüsenschwellung; hunger ~ Hungerödem. **3.** (Auf)Quellen *n.* **4.** Wölbung *f*: a) Erhöhung *f,* b) *arch.* Ausbauchung *f,* c) *Tischlerei*: Schweifung *f.* **5.** (Gefühls)Aufwallung *f.* **II** *adj* (*adv* ~ly) **6.** (an)schwellend (*a. fig.*). **7.** ‚geschwollen' (*Stil etc*).

swell| key·board, ~ **man·u·al** *s mus.* 'Schwellmanuˌal *n* (*der Orgel*). ~ **mob** *s sl. collect.* (*die*) Hochstapler *pl.* ~ **or·gan** *s mus.* Schwellwerk *n* (*Manual*). ~ **ped·al** *s mus.* Pe'dal-, Fußschweller *m* (*der Orgel*). ~ **rule** *s print.* englische Linie.

swel·ter ['sweltər] **I** *v/i* **1.** vor Hitze (schier) verschmachten *od.* ‚'umkommen'. **2.** in Schweiß gebadet sein. **3.** *fig.* (vor Hitze) kochen (*Stadt etc*). **II** *s* **4.** drückende Hitze, Schwüle *f.* **5.** Schweißausbruch *m.* **6.** *fig.* Hetze *f.* **7.** Hexenkessel *m.* '**swel·ter·ing,** '**swel·try** [-tri] *adj* **1.** vor Hitze vergehend, verschmachtend. **2.** in Schweiß gebadet. **3.** drückend, schwül, kochend.

swept [swept] *pret u. pp von* sweep. '~-ˌ**back wing** *s aer.* Pfeilflügel *m.* ~ **vol·ume** *s mot.* Hubraum *m.* ~ **wing** → swept-back wing.

swerve [swə:rv] **I** *v/i* **1.** sich (plötzlich) seitwärts wenden, ab-, ausbiegen (*Auto etc*), seitlich ausbrechen (*Pferd*). **2.** ausweichen. **3.** *mot.* schleudern. **4.** *fig.* abweichen, abgehen (from von). **II** *v/t* **5.** ablenken (*a. fig.*). **6.** *sport den Ball* schneiden. **III** *s* **7.** (plötzliche) Seitenbewegung. **8.** *sport* seitgeschnittener Ball.

swift [swift] **I** *adj* (*adv* ~ly) **1.** *allg.* schnell, rasch. **2.** flüchtig, rasch da'hineilend (*Zeit, Stunde etc*). **3.** rasch: a) geschwind, eilig, b) plötzlich, unerwartet: his ~ death. **4.** flink, hurtig, *a.* geschickt: a ~ worker; ~ wit flinker Verstand. **5.** rasch, eilfertig, schnell bereit: ~ to anger jähzornig; ~ to take offence leicht beleidigt. **6.** jäh, hastig: ~ anger Jähzorn *m.* **II** *adv* **7.** (*meist poet. od. in Zssgn*) schnell, geschwind, rasch: ~-passing. **III** *s* **8.** *orn.* (*bes.* Mauer)Segler *m.* **9.** *a.* ~ moth *orn. e-e brit. Taubenrasse.* **10.** *zo.* → newt. **11.** *tech.* Haspel *f,* (Garn-, Draht)Winde *f.* ~ **boat** *Br. für* flyboat. '~ˌ**foot·ed** *adj* schnellfüßig, flink. '~-ˌ**hand·ed** *adj* **1.** schnell (handelnd). **2.** schnell: ~ revenge.

swift·ness ['swiftnis] *s* Schnelligkeit *f,* Geschwindigkeit *f.*

swig[1] [swig] *colloq.* **I** *v/t* (aus-, hin'unter)trinken. **II** *v/i* ‚saufen', e-n kräftigen Zug tun (at aus, von). **III** *s* (kräftiger) Zug *od.* Schluck.

swig[2] [swig] *v/t oft* ~ up *mar. Segel* hissen *od.* straffen.

swill [swil] **I** *v/t* **1.** *bes. Br.* (ab)spülen: to ~ out ausspülen. **2.** ‚saufen', hin'unterschütten: to ~ beer. **II** *v/i* **3.** ‚saufen'. **III** *s* **4.** (Ab)Spülen *n.* **5.** Spülicht *n* (*a. fig. contp.*). **6.** Schweinetrank *m.* **7.** a) ‚Gesöff' *n,* b) ‚Saufraß' *m.*

swim [swim] **I** *v/i pret* **swam** [swæm], *obs. od. dial.* **swum** [swʌm], *pp* **swum** **1.** schwimmen. **2.** schwimmen (*Gegenstand*), treiben. **3.** schweben, (sanft) gleiten: the moon ~s in the sky; she swam into the room. **4.** a) schwimmen (in in *dat*), b) über'schwemmt *od.* voll sein, 'überfließen (with von): the meat ~s in gravy das Fleisch schwimmt in der Soße; his eyes were ~ming with tears s-e Augen schwammen in Tränen; to ~ in *fig.* schwimmen in (*Geld etc*). **5.** (ver)schwimmen (before one's eyes vor den Augen), sich drehen: my head ~s mir ist schwind(e)lig.

II *v/t* **6.** a) schwimmen: to ~ a mile, b) durch'schwimmen: to ~ the Channel; to ~ a race um die Wette schwimmen. **7.** *j-n, ein Pferd etc, e-e Sache* schwimmen lassen. **8.** mit *j-m* um die Wette schwimmen.

III *s* **9.** Schwimmen *n,* Bad *n*: to go

for a ~ schwimmen gehen; to have (*od.* take) a ~ baden, schwimmen. **10.** *fig.* Schweben *n*, (sanftes) Gleiten. **11.** *colloq.* Strom *m od.* Gang *m* der Ereignisse: to be in (out of) the ~ a) (nicht) auf dem laufenden *od.* im Bilde sein, b) (nicht) dabeisein, (nicht) mithalten können; in the ~ with vertraut mit. **12.** *Angelsport*: tiefe u. fischreiche Stelle (*e-s Flusses*). **13.** Schwindel(anfall) *m*. ~ **blad·der** *s ichth.* Schwimmblase *f.*

swim·mer ['swimər] *s* **1.** Schwimmer(in). **2.** *zo.* 'Schwimmor,gan *n.*

swim·mer·et ['swimə,ret] *s zo.* Schwimmfuß *m* (*bei Krebsen*).

swim·ming ['swimiŋ] **I** *s* **1.** Schwimmen *n*. **2.** *a.* ~ of the head Schwindel(gefühl *n*) *m*. **II** *adj* (*adv* → swimmingly) **3.** schwimmend. **4.** Schwimm...: ~ bird; ~ instructor *sport* Schwimmlehrer *m*. **5.** *fig.* reibungslos, glatt. '~-,**bath** *s bes. Br.* Schwimmbad *n*. ~ **blad·der** *s ichth.* Schwimmblase *f.*

swim·ming·ly ['swimiŋli] *adv fig.* glatt, reibungslos, spielend: to go on ~ glatt (vonstatten) gehen.

swim·ming pool *s* **1.** Schwimmbecken *n*, Swimming-pool *m*. **2.** a) Freibad *n*, b) *a.* indoor ~ Hallenbad *n.*

'**swim,suit** *s* Badeanzug *m.*

swin·dle ['swindl] **I** *v/i* **1.** betrügen, mogeln. **II** *v/t* **2.** *j-n* beschwindeln, betrügen (out of s.th. um etwas). **3.** *etwas* erschwindeln, ergaunern (out of s.o. von j-m). **III** *s* **4.** Schwindel *m*, Schwinde'lei *f*, Betrug *m*. '**swin·dler** *s* Schwindler(in), Betrüger(in).

swine [swain] *s sg u. pl* **1.** *agr. zo. poet. od. obs.* Schwein *n*: a ~; several ~. **2.** *bes. Br.* a) Rüpel *m*, b) ,Schwein' *n*. ~ **fe·ver** *s vet.* **1.** (Virus)Schweinepest *f*. **2.** → swine plague. '~,**herd** *s poet.* Schweinehirt *m*. ~ **plague** *s vet.* Schweineseuche *f*. ~ **pox** *s* **1.** *med. hist.* Schafs-, Wasserpocken *pl*. **2.** *vet.* Schweinepocken *pl.*

swin·er·y ['swainəri] *s* **1.** Sau-, Schweinestall *m*. **2.** *fig.* Schweine'rei *f.*

swing [swiŋ] **I** *v/t pret* **swung** [swʌŋ] *obs. od. dial.* **swang** [swæŋ], *pp* **swung** **1.** schwingen: to ~ a sword (a lasso). **2.** schwingen, ('hin- u. 'her)schwenken: to ~ a bell; to ~ one's arms mit den Armen schlenkern; to ~ out *tech.* ausschwenken; to ~ s.o. round j-n herumwirbeln *od.* -schwenken; to ~ round the circle a) *fig.* (*der Reihe nach*) jede Meinung haben, häufig die Front wechseln, b) *pol. Am.* die verschiedenen Wahlkreise bereisen (*Wahlkandidat*); to ~ the propeller den Propeller durchdrehen *od.* anwerfen; → lead[2] 2, room 1. **3.** baumeln *od.* pendeln lassen, aufhängen (from an *dat*): to ~ a hammock e-e Hängematte aufhängen; to ~ one's legs mit den Beinen baumeln; to ~ a gate open (to) ein Tor auf-(zu)stoßen. **4.** *j-n* (*in e-r Schaukel*) schaukeln. **5.** *bes. mil.* (~ in *od.* out ein- *od.* aus)schwenken lassen. **6.** *mar.* (rund)schwojen. **7.** *auf die Schulter etc* (hoch)schwingen. **8.** *tech.* Spielraum lassen für: a lathe that ~s 12 inches. **9.** *Am. colloq.* a) *etwas* ,schaukeln', ,'hinkriegen': to ~ the job, b) *die Wähler etc* ,her'umkriegen', c) *e-e Wahl etc* entscheiden(d beeinflussen). **II** *v/i* **10.** ('hin- u. 'her)schwingen, pendeln, ausschlagen (*Pendel, Zeiger*): to ~ into motion in Schwung *od.* Gang kommen; to ~ into action *fig.* loslegen. **11.** schweben, baumeln (from an *dat*) (*Glocke etc*). **12.** (sich) schaukeln. **13.** *colloq.* ,baumeln' (*gehängt werden*): he must ~ for it. **14.** sich (*in den Angeln*) drehen (*Tür etc*): the door ~s on its hinges; to ~ open (to) auffliegen (zuschlagen); he swung round er drehte sich ruckartig um. **15.** *mar.* schwojen. **16.** schwenken, mit schwungvollen *od.* flotten Bewegungen gehen, *a. mil.* (flott) mar'schieren: to ~ into line *mil.* einschwenken. **17.** mit Schwung *od.* in großem Bogen fahren: the car ~s out of a side street. **18.** sich in weitem Bogen 'hinziehen: the road ~s north. **19.** a) schwanken, b) *tech.* Schwingungen haben. **20.** *fig.* Schwung haben, schwungvoll sein. **21.** (zum Schlag) ausholen: to ~ at s.o. nach j-m schlagen. **22.** *mus.* swingen, Swing spielen *od.* tanzen.

III *s* **23.** ('Hin- u. 'Her)Schwingen *n*, Schwingung *f*, Pendeln *n*, Ausschlagen *n* (*e-s Pendels od. Zeigers*), *tech. a.* Schwungweite *f*, Ausschlag *m*: the ~ of the pendulum der Pendelschlag (*a. fig. u. pol.*); free ~ Bewegungsfreiheit *f*, Spielraum *m* (*beide a. fig.*); to give full ~ to a) *e-r Sache* freien Lauf lassen, b) *j-m* freie Hand lassen; in full ~ ,in Schwung', in vollem Gang. **24.** Schaukeln *n*. **25.** a) Schwung *m* (*beim Gehen, Skilauf etc*), schwingender Gang, Schlenkern *n*, b) *metr. mus.* Schwung *m* (*a. fig.*), schwingender Rhythmus: with a ~ schwungvoll; to get into the ~ of things *colloq.* ,den Bogen rauskriegen'; to go with a ~ Schwung haben, *a.* wie am Schnürchen gehen. **26.** Schwung(kraft *f*) *m* (*a. fig.*): at full ~ in vollem Schwung, in voller Fahrt. **27.** *econ. Am. sl.* Konjunk'turperi,ode *f*. **28.** *colloq.* (Arbeits)Schicht *f*. **29.** *Boxen*: Schwinger *m*. **30.** *pol. Am.* Wahlrundreise *f*. **31.** Schwenkung *f*. **32.** Schaukel *f*: → roundabout 7. **33.** *tech.* a) Spielraum *m*, Spitzenhöhe *f* (*e-r Drehbank*), b) (Rad)Sturz *m*. **34.** *mus.* Swing *m* (*Jazz*).

'**swing**|,**back** *s* **1.** *phot.* Einstellscheibe *f*. **2.** *pol. Am.* 'Umschwung *m*, Reakti'on *f*, Rückkehr *f* (to zu). ~ **boat** *s Br.* Schiffsschaukel *f*. ~ **bridge** *s tech.* Drehbrücke *f*. ~ **cred·it** *s econ.* 'Swingkre,dit *m*. ~ **door** *s* Drehtür *f.*

swinge [swindʒ] *v/t obs.* 'durchprügeln. '**swinge·ing** *adj colloq.* **1.** wuchtig: a ~ blow. **2.** gewaltig, riesig.

swing| **gate** *s* Drehtor *n*. ~ **glass** *s* Drehspiegel *m.*

swing·ing[1] ['swiŋiŋ] **I** *s* **1.** Schwingen *n*, Schaukeln *n*, Pendeln *n*. **2.** Schwenken *n*. **3.** *mar.* Schwojen *n*. **4.** *electr.* a) (Fre'quenz)Schwankung(en *pl*) *f*, b) Schwund *m*. **II** *adj* (*adv* ~ly) **5.** schwingend, schaukelnd, pendelnd, Schwing... **6.** *bes. tech.* Schwenk...: ~ lever Schwenkarm *m*. **7.** schwankend: ~ temperature *med.* Temperaturschwankungen *pl*. **8.** *fig.* schwungvoll: a) rhythmisch, b) kraftvoll, c) lebenslustig.

swin·gle ['swiŋgl] *tech.* **I** *s* (Flachs-, Hanf)Schwinge *f*. **II** *v/t* schwingeln. '~,**tree** *s* Wagenschwengel *m.*

swing| **mu·sic** *s* 'Swing(mu,sik *f*) *m*. '~-,**out** *adj tech.* ausschwenkbar. '~-,**plough,** *bes. Am.* ~ **plow** *s agr.* Schwingpflug *m* (*ohne Räder*). ~ **shift** *s Am. colloq.* Spätschicht *f* (*von 16 bis 24 Uhr*).

swin·ish ['swainiʃ] *adj* (*adv* ~ly) schweinisch, säuisch.

swipe [swaip] **I** *s* **1.** *sport colloq.* Hieb *m*, starker Schlag. **2.** *pl Br. sl.* Dünnbier *n*. **II** *v/t* **3.** *sport den Ball* hart schlagen. **4.** *sl.* ,klauen', stehlen. **III** *v/i* **5.** zu-, dreinschlagen. **6.** *Kricket*: aus vollem Arm schlagen.

swirl [swəːrl] **I** *v/i* **1.** wirbeln (*Wasser*; *a. fig. Kopf*), e-n Strudel bilden. **2.** (her'um)wirbeln. **II** *v/t* **3.** *etwas* her'umwirbeln. **III** *s* **4.** Wirbel *m* (*a. fig.*), Strudel *m*. **5.** *Am.* (Haar)Wirbel *m*. **6.** Ast *m* (*im Holz*). **7.** Wirbel(n *n*) *m* (*Drehbewegung*).

swish [swiʃ] **I** *v/i* **1.** schwirren, sausen, zischen. **2.** rascheln (*Seide etc*). **3.** plätschern. **II** *v/t* **4.** sausen *od.* schwirren lassen. **5.** ~ off abhauen. **6.** *Br.* 'durchprügeln. **III** *s* **7.** Sausen *n*, Zischen *n*. **8.** Rascheln *n*. **9.** *Br.* (Ruten)Streich *m*, Peitschenhieb *m*. **10.** Strich *m*. **IV** *adj* **11.** *Br. sl.* ele'gant, schick. **V** *interj* **12.** ffft!, wutsch!

Swiss [swis] **I** *s sg u. pl* **1.** Schweizer(in), Schweizer *pl*. **2.** s~ → Swiss muslin. **II** *adj* **3.** schweizerisch, Schweizer(...): ~ darning Kunststopfen *n*. ~ **cheese** *s* Schweizerkäse *m*. ~ **franc** *s econ.* Schweizerfranken *m*. ~ **Ger·man I** *adj* schweizerdeutsch. **II** *s ling.* Schweizerdeutsch *n*. ~ **guards** *s pl* Schweizergarde *f.*

swiss·ing ['swisiŋ] *s Textilwesen*: 'Druckka,landern *n.*

Swiss| **mus·lin** *s* 'Schweizermusse,lin *m* (*Stoff*). ~ **roll** *s* Bis'kuitrou,lade *f*. ~ **tea** *s pharm.* Schweizertee *m.*

switch [switʃ] **I** *s* **1.** Rute *f*, Gerte *f*. **2.** (Ruten)Streich *m*. **3.** falscher Zopf. **4.** Schwanzquaste *f* (*e-s Rindes*). **5.** *electr.* a) Schalter *m*, b) Schalten *n*. **6.** *rail* a) Weiche *f*, b) Stellen *n* (*e-r Weiche*). **7.** *econ.* 'Umstellung *f* (*bei Kapitalanlagen etc*). **8.** (to) *fig.* 'Umstellung *f* (auf *acc*), 'Übergang *m*, Wechsel *m* (zu). **9.** a) Vertauschung *f*, b) Verwandlung *f* (to in *acc*). **10.** *Bridge*: 'Übergehen *n* zu e-r anderen Farbe. **II** *v/t* **11.** peitschen, ,fitzen'. **12.** zucken mit: to ~ a muscle. **13.** mit *dem Schwanz* schlagen (*Kuh etc*). **14.** *electr. tech.* ('um)schalten: to ~ on einschalten, *das Licht* anschalten; to ~ off ab-, ausschalten; to ~ to anschließen an (*acc*). **15.** *rail.* a) *den Zug* ran'gieren, b) *Waggons* 'umstellen. **16.** *fig.* a) 'umstellen (to auf *acc*): to ~ (over) production, b) wechseln: to ~ methods (the topic, *etc*), c) 'überleiten: to ~ the talk to another topic auf ein anderes Thema überleiten. **17.** aus-, vertauschen. **III** *v/i* **18.** *electr. tech.* (*a.* ~ over 'um)schalten: to ~ off abschalten, *teleph.* trennen. **19.** *rail.* ran'gieren. **20.** *fig.* 'umstellen: to ~ (over) to übergehen zu, sich umstellen auf (*acc*), *univ.* umsatteln auf (*acc*). **21.** *Bridge*: die Farbe wechseln.

'**switch**|,**back** *s* **1.** Zickzackstraße *f*, -bahn *f*. **2.** *Br.* Berg-u.'Tal-Bahn *f*, Achterbahn *f*. **3.** *fig. Br.* Zickzackkurs *m*, wildes Hin u. Her. '~,**blade knife** *s irr* Springmesser *n*. '~,**board** *s electr.* **1.** Schaltbrett *n*, -tafel *f*. **2.** *teleph.* Klappenschrank *m*: ~ operator Telephonist(in). ~ **box** *s electr.* Schaltkasten *m*. ~ **clock** *s tech.* Schaltuhr *f.*

switch·er·oo [,switʃə'ruː] *s Am. sl.* **1.** unerwartete Wendung *od.* Verwandlung. **2.** Vertauschung *f.*

'**switch,gear** *s* Schaltvorrichtung *f.*

switch·ing ['switʃiŋ] **I** *s* **1.** *electr. tech.* ('Um)Schalten *n*: ~-on Einschalten; ~-off Ab-, Ausschalten. **2.** *rail.* Ran'gieren *n*. **II** *adj* **3.** *electr. tech.* (Um)Schalt...: ~ relay; ~ time Schaltzeit *f*. **4.** *rail.* Rangier...: ~ engine.

switch| le·ver *s* **1.** *electr. tech.* Schalthebel *m.* **2.** Weichenhebel *m.* **'~·man** [-mən] *s irr rail.* Weichensteller *m.* **'~ₗo·ver** → switch 8. **~ plug** *s electr. tech.* Schaltstöpsel *m.* **~ sig·nal** *s electr. tech.* 'Schaltsiₗgnal *n.* **~ tend·er** *s Am.* → switchman. **'~ₗyard** *s rail. Am.* Ran'gier-, Verschiebebahnhof *m.*

swith [swiθ], **swithe** [swaið] *adv obs.* schnell, gleich, so'fort.

Switz·er ['switsər] *s obs.* Schweizer *m.*

swiv·el ['swivl] **I** *s* **1.** *tech.* Drehzapfen *m*, -ring *m*, -gelenk *n*, (*a. mar.* Ketten)Wirbel *m.* **2.** *mar. mil.* Drehstütze *f.* **II** *v/t* **3.** drehen *od.* schwenken. **4.** mit e-m Drehzapfen versehen. **III** *v/i* **5.** sich drehen. **IV** *adj* **6.** dreh-, schwenkbar, Dreh..., Schwenk...: **~ axis** Schwenkachse *f.* **~ bridge** *s tech.* (beweglicher Teil e-r) Drehbrücke *f.* **~ chair** *s* Drehstuhl *m.* **~ con·nec·tion** *s tech.* schwenkbare Verbindung. **'~ₗeye** *s sl.* Schielauge *n.* **'~ₗeyed** *adj sl.* schieläugig. **~ gun** *s mil. hist.* Drehbasse *f* (*Geschütz*). **~ joint** *s tech.* Drehgelenk *n.*

swiz(z) [swiz] *s Br. colloq.* **1.** ‚Schwindel' *m*, Betrug *m.* **2.** bittere Enttäuschung.

swiz·zle ['swizl] *s* **1.** *sl. Art Cocktail.* **2.** *Br.* → swiz(z). **~ stick** *s colloq.* Rührstäbchen *n* (*für Cocktails etc*), Sektquirl *m.*

swob → swab.

swol·len ['swoulən] **I** *pp von* swell. **II** *adj med. u. fig.* geschwollen.

swoon [swu:n] **I** *v/i* **1.** *oft* ~ away in Ohnmacht fallen (with vor *dat*). **2.** *poet.* schwinden (*Musik etc*). **II** *s* **3.** Ohnmacht(sanfall *m*) *f.*

swoop [swu:p] **I** *v/i* **1.** *oft* ~ down (upon, on, at) a) her'abstoßen, -sausen, sich stürzen (auf *acc*), b) *fig.* 'herfallen (über *acc*). **II** *v/t* **2.** *meist* ~ up *colloq.* packen, ‚schnappen'. **III** *s* **3.** Her'abstoßen *n* (*e-s Raubvogels*). **4.** *fig.* a) 'Überfall *m*, b) Stoß *m*, Schlag *m*: at one (fell) ~ mit 'einem Schlag.

swop → swap.

sword [sɔ:rd] *s* Schwert *n* (*a. fig. Gewalt, Krieg, Tod*), Säbel *m*, Degen *m*, *allg.* Waffe *f*: to cross ~s die Klingen kreuzen (*a. fig.*); to draw (sheathe) the ~ a) das Schwert ziehen (in die Scheide stecken), b) *fig.* den Kampf beginnen (beenden); to put to the ~ über die Klinge springen lassen, hinrichten; a ~ over our heads ein Damoklesschwert (, das über uns schwebt); → measure 18. **'~-and--'cloak** *adj* Ritter... (*Roman etc*). **~ arm** *s* rechter Arm. **~ bay·o·net** *s mil.* langes, breites Bajo'nett. **~ belt** *s* **1.** Schwertgehenk *n.* **2.** *mil.* Degenkoppel *n.* **~ cane** *s* Stockdegen *m.* **~ dance** *s* Schwert(er)tanz *m.* **'~ₗfish** *s* Schwertfisch *m.* **~ guard** *s mil.* Stichblatt *n.* **~ hand** *s* rechte Hand. **~ hilt** *s* Schwert-, Degengriff *m.* **~ knot** *s mil.* Degen-, Säbelquaste *f.* **~ lil·y** *s bot.* Schwertel *m*, Siegwurz *f.* **'~ₗplay** *s* **1.** (Degen-, Säbel)Kampf *m.* **2.** Fechtkunst *f.* **3.** *fig.* Gefecht *n*, Du'ell *n.*

swords·man ['sɔ:rdzmən] *s irr* **1.** Fechter *m.* **2.** *poet.* Kämpfer *m*, Streiter *m.* **'swords·manₗship** *s* Fechtkunst *f.*

'swordₗstick → sword cane.

swore [swɔ:r] *pret von* swear.

sworn [swɔ:rn] **I** *pp von* swear. **II** *adj* **1.** *econ. jur.* (gerichtlich) vereidigt, beeidigt: ~ expert (interpreter, *etc*). **2.** eidlich, beeidet: ~ statement. **3.** geschworen: ~ enemies Todfeinde. **4.** verschworen: ~ friends; ~ brothers (*bes.* Waffen)Brüder.

swot [swɒt] *bes. ped. Br. sl.* **I** *v/i* **1.** ‚büffeln', ‚pauken'. **II** *v/t* **2.** *meist* ~ up *etwas* schnell ‚büffeln'. **III** *s* **3.** ‚Büffler(in)', Streber(in). **4.** ‚Büffe'lei' *f*, ‚Pauke'rei' *f.* **5.** hartes Stück Arbeit.

swum [swʌm] *pp u. obs. od. dial. pret von* swim.

swung [swʌŋ] *pret u. pp von* swing. **~ dash** *s ling.* Tilde *f.*

syb·a·rite ['sibəₗrait] **I** *s fig.* Syba'rit *m*, Schlemmer *m*, Genüßling *m.* **II** *adj* → sybaritic. **ₗsyb·a'rit·ic** [-'ritik] *adj* syba'ritisch, verweichlicht, genußsüchtig. **'syb·a·ritₗism** [-raiₗtizəm] *s* Genußsucht *f*, Schwelge'rei *f.*

syb·il *irrtümlich für* sibyl.

syc·a·mine ['sikəmin; -ₗmain] *s Bibl.* Maulbeerbaum.

syc·a·more ['sikəₗmɔ:r] *s bot.* **1.** *Am.* Pla'tane *f.* **2.** *a.* ~ maple *Br.* Bergahorn *m.* **3.** *a.* ~ fig, Egyptian ~, Oriental ~ Syko'more *f*, Maulbeerfeigenbaum *m.*

sy·cee (sil·ver) [sai'si:] *s econ.* feines Silber (*in Barren; Tauschmittel in China*).

sy·co·ni·um [sai'kouniəm] *pl* **-ni·a** [-niə] *s bot.* Schein-, Sammelfrucht *f.*

syc·o·phan·cy ['sikəfənsi] *s* Syko'phantentum *n*, ‚Krieche'rei' *f*, ₗSpeichelecke'rei *f.* **'syc·o·phant** *s* Syko'phant *m*, Schmeichler *m*, ‚Kriecher' *m*, Speichellecker *m.* **ₗsyc·o'phan·tic** [-'fæntik] *adj* (*adv* ~ally) syko'phantisch, kriecherisch, schmeichlerisch.

sy·co·sis [sai'kousis] *s med.* Sy'kose *f*, Bartflechte *f.*

syl·la·bar·y ['siləbəri] *s* 'Silbentaₗbelle *f.*

syl·la·bi ['siləₗbai] *pl von* syllabus.

syl·lab·ic [si'læbik] *adj* (*adv* ~ally) **1.** syl'labisch, Silben...: ~ accent. **2.** silbenbildend, silbisch. **3.** (*in Zssgn*) ...silbig. **4.** *metr.* silbenzählend.

syl·lab·i·cate [si'læbiₗkeit] *v/t ling.* sylla'bieren: a) Silben bilden aus, in Silben teilen *od.* trennen, b) Silbe für Silbe aussprechen. **sylₗlab·i(·fi)'ca·tion** [-(fi)'keiʃən] *s ling.* Silbenbildung *f od.* -teilung *f od.* -trennung *f.* **syl'lab·iₗfy** [-ₗfai] → syllabicate.

syl·la·bism ['siləₗbizəm] *s ling.* **1.** 'Silben(schrift)chaₗrakter *m* (*e-r Sprache*). **2.** Silbentrennung *f.* **'syl·laₗbize** → syllabicate.

syl·la·ble ['siləbl] **I** *s* **1.** *ling.* Silbe *f*: not to breathe (*od.* tell) a ~ keine Silbe verlauten lassen, kein Sterbenswörtchen sagen. **2.** *mus.* Tonsilbe *f*: ~ name Solmisationssilbe *f.* **II** *v/t* **3.** → syllabicate b. **4.** *poet.* a) stammeln, b) aussprechen. **'syl·la·bled** *adj* ...silbig, Silben...

syl·la·bub → sillabub.

syl·la·bus ['siləbəs] *pl* **-bus·es, -bi** [-ₗbai] *s* **1.** Abriß *m*, Auszug *m*, zs.-fassende Inhaltsangabe, Syllabus *m.* **2.** *jur.* Kom'pendium *n* (*von richtungweisenden Entscheidungen*). **3.** (*bes.* Vorlesungs)Verzeichnis *n*, 'Unterrichts-, Lehrplan *m.* **4.** *R.C.* Syllabus *m* (*der verdammten Lehren*).

syl·lep·sis [si'lepsis] *s ling.* Syl'lepsis *f*, Syl'lepse *f*: a) *Nichtübereinstimmung e-s Wortes mit 'einem od. mehreren s-r Bezugswörter*, b) *Gebrauch bes. des Prädikats im wörtlichen u. figürlichen Sinn in e-m Satz.* **syl'lep·tic** [-tik] *adj*; **syl'lep·ti·cal** *adj* (*adv* ~ly) syl'leptisch.

syl·lo·gism ['siləₗdʒizəm] *s philos.* Syllo'gismus *m*, (Vernunft)Schluß *m.* **ₗsyl·lo'gis·tic** *adj*; **ₗsyl·lo'gis·ti·cal** *adj* (*adv* ~ly) syllo'gistisch. **'syl·loₗgize** [-ₗdʒaiz] **I** *v/i* syllogi'sieren, schließen, folgern. **II** *v/t* durch Schluß folgern.

sylph [silf] *s* **1.** Sylphe *m*, Luftgeist *m.* **2.** *fig.* Syl'phide *f*, gra'ziles Mädchen. **'sylph·ish, 'sylphₗlike, 'sylph·y** *adj* sylphenhaft, gra'zil.

syl·van ['silvən] *adj* **1.** Wald(es)...: ~ deities Waldgötter. **2.** bewaldet, waldig, Wald...

syl·vi·cul·ture → silviculture.

sym- [sim] → syn-.

sym·bi·ont ['simbaiₗɒnt; -bi-], *a.* **'sym·biₗon** [-ₗɒn] *s biol.* Symbi'ont *m*, Partner *m* e-r Symbi'ose.

sym·bi·o·sis [ₗsimbai'ousis; -bi-] *s biol. u. fig.* Symbi'ose *f*: antagonistic ~, antipathetic ~ Schmarotzertum *n.* **ₗsym·bi'ot·ic** [-'ɒtik] *adj*; **ₗsym·bi'ot·i·cal** *adj* (*adv* ~ly) *biol.* symbi'o(n)tisch.

sym·bol ['simbl] *s* **1.** Sym'bol *n* (*a. psych. u. relig.*), Sinnbild *n*, Zeichen *n.* **2.** Sym'bol *n*, (graphisches) Zeichen.

sym·bol·ic [sim'bɒlik] *adj*; **sym'bol·i·cal** [-kəl] *adj* (*adv* ~ly) sym'bolisch, sym'bolhaft, sinnbildlich (of für): to be ~ of s.th. etwas versinnbildlichen; ~ logic *math. philos.* symbolische Logik, Logistik *f.* **sym'bol·ics** *s pl* (*meist als sg konstruiert*) **1.** Studium *n* alter Sym'bole. **2.** *relig.* Sym'bolik *f.*

sym·bol·ism ['simbəₗlizəm] *s* **1.** Sym'bolik *f* (*a. relig.*), sym'bolische Darstellung, *math.* Forma'lismus *m.* **2.** sym'bolischer Cha'rakter, symbolische Bedeutung. **3.** *collect.* Sym'bole *pl.* **4.** *paint. etc* Symbo'lismus *m.* **'sym·bol·ist I** *s* **1.** Sym'boliker *m* (*a. relig.*). **2.** *paint. etc* Symbo'list(in). **II** *adj* → symbolistic. **ₗsym·bol'is·tic** *adj*; **ₗsym·bol'is·ti·cal** *adj* (*adv* ~ly) symbo'listisch.

sym·bol·i·za·tion [ₗsimbəlai'zeiʃən; -li'z-] *s* **1.** Symboli'sierung *f*, sinnbildliche Darstellung, Versinnbildlichung *f.* **2.** sym'bolische Bedeutung. **'symbolₗize** [-ₗlaiz] **I** *v/t* **1.** symboli'sieren: a) versinnbildlichen, b) sinnbildlich darstellen. **2.** sym'bolisch auffassen. **II** *v/i* **3.** Sym'bole gebrauchen.

sym·bol·o·gy [sim'bɒlədʒi] *s* Symbolo'gie *f*, Sym'bolik *f.*

sym·met·ric [si'metrik] *adj*; **sym'met·ri·cal** *adj* (*adv* ~ly) sym'metrisch, eben-, gleichmäßig: ~ axis *math.* Symmetrieachse *f.* **'sym·meₗtrize** [-miₗtraiz] *v/t* sym'metrisch machen.

sym·me·try ['simitri] *s* Symme'trie *f* (*a. fig. Ebenmaß*).

sym·pa·thet·ic [ₗsimpə'θetik] **I** *adj* (*adv* ~ally) **1.** mitfühlend, teilnehmend: ~ strike Sympathiestreik *m.* **2.** einfühlend, verständnisvoll: a ~ heart. **3.** sym'pathisch, angenehm (to *dat*), ansprechend, gewinnend. **4.** im Einklang stehend (to mit): ~ clock *tech.* synchronisierte Uhr. **5.** gleichgesinnt, -gestimmt, kongeni'al. **6.** (to, toward) *colloq.* wohlwollend (gegen['über]), günstig gesinnt (*dat*). **7.** sympa'thetisch (geheimkräftig): ~ cure; ~ ink sympathetische *od.* unsichtbare Tinte. **8.** *med. physiol.* sym'pathisch: a) zum Sym'pathikus gehörig: ~ nerve → 10 a; ~ nervous system → 10 b, b) *miterlitten*: ~ pain. **9.** *mus. phys.* mitschwingend: ~ string; ~ resonance a) sympathetische Resonanz, b) *phys.* Oberwellenresonanz *f*; ~ vibration Sympathieschwingung *f.* **II** *s* **10.** *physiol.* a) Sym'pathikus(nerv) *m*, b) Sym'pathikussyₗstem *n.* **11.** *Hypnose*: gutes Medium.

sym·pa·thize ['simpəₗθaiz] *v/i* **1.** (with)

a) sympathi'sieren (mit), gleichgesinnt sein (*dat*), b) mitfühlen, -leiden, -empfinden (mit), c) über'einstimmen (mit), wohlwollend gegen'überstehen (*dat*). **2.** sein Mitgefühl *od.* Beileid ausdrükken (**with** s.o. j-m). **3.** *med.* in Mitleidenschaft gezogen werden (**with** von). **'sym·paˌthiz·er** *s* **1.** j-d, der (*mit j-m od. etwas*) sympathi'siert, Anhänger(in), Sympathi'sant(in), (*Kommunisten- etc*)Freund(in). **2.** a) Mitfühlende(r *m*) *f*, b) Kondo'lent(in).

sym·pa·thy ['simpəθi] *s* **1.** Sympa'thie *f*, Zuneigung *f* (**for** für): ~ **strike** Sympathiestreik *m*. **2.** Seelenverwandtschaft *f*, Gleichgestimmtheit *f*. **3.** Mitleid *n*, -gefühl *n* (**with** mit; **for** für): **to feel ~ for** (*od.* **with**) a) Mitleid haben mit *j-m*, b) Anteil nehmen an *e-r Sache*. **4.** *pl* (An)Teilnahme *f*, Beileid *n*: **to offer one's sympathies to s.o.** j-m s-e Teilnahme aussprechen, j-m kondolieren; **letter of ~** Beileidsschreiben *n*. **5.** *med.* Mitleidenschaft *f*. **6.** Wohlwollen *n*, Zustimmung *f*. **7.** Über'einstimmung *f*, Einklang *m*: **to be in ~ with** im Einklang stehen mit. **8.** *biol. psych.* Sympa'thie *f*, Wechselwirkung *f* (*a. phys.*).

sym·pet·al·ous [sim'petələs] *adj bot.* 'sympeˌtal.

sym·phon·ic [sim'fɒnik] *adj* (*adv* **~ally**) *mus.* sin'fonisch, sym'phonisch, Sinfonie..., Symphonie...: ~ **ode** sinfonisches Werk für Chor u. Orchester; ~ **poem** sinfonische Dichtung, Tondichtung *f*.

sym·pho·ni·ous [sim'founiəs] *adj* har'monisch.

sym·pho·nist ['simfənist] *s mus.* Sin'foniker *m*, Sym'phoniker *m*.

sym·pho·ny ['simfəni] **I** *s* **1.** *mus.* Sinfo'nie *f*, Sympho'nie *f*, b) → **symphony orchestra**. **2.** *mus. obs.* (har'monischer) Zs.-klang. **3.** (*Farben- etc*)Sympho'nie *f*: **a ~ of colo(u)r**. **4.** *fig.* (*häusliche etc*) Harmo'nie, Zs.-klang *m*. **II** *adj* **5.** Sinfonie..., Symphonie...: ~ **concert**. ~ **or·ches·tra** *s* Sinfo'nie-, Sympho'nieorˌchester *n*.

sym·phy·sis ['simfisis] *pl* **-ses** [-ˌsiːz] *s* **1.** *med.* a) Sym'physe *f*, (Knochen)-Fuge *f*, b) Scham(bein)fuge *f*. **2.** *bot.* Verwachsung *f*.

sym·pi·e·som·e·ter [ˌsimpii'zɒmitər] *s tech.* **1.** (*Art*) 'Flüssigkeitsbaroˌmeter *n* mit Gasfüllung. **2.** (*Art*) Strömungsdruckmesser *m*.

sym·po·di·um [sim'poudiəm] *pl* **-di·a** [-ə] *s bot.* Scheinachse *f*, Sym'podium *n*.

sym·po·si·um [sim'pouziəm; -zjəm] *pl* **-si·a** [-ə], **-si·ums** *s* **1.** *antiq.* Sym'posion *n*: a) Gastmahl *n*, b) *Titel philosophischer Dialoge*. **2.** *bes. Am.* Sym'posion *n*, Sym'posium *n*, Tagung *f* (*von Fachgelehrten*). **3.** (wissenschaftliche) Diskussi'on. **4.** Sammlung *f* von Beiträgen.

symp·tom ['simptəm] *s med. u. fig.* Sym'ptom *n*, (An)Zeichen *n* (**of** für, von). ˌ**symp·to'mat·ic** [-'mætik] *adj*; ˌ**symp·to'mat·i·cal** *adj* (*adv* **~ly**) *bes. med.* sympto'matisch (*a. fig. bezeichnend*) (**of** für). '**symp·tom·aˌtize** [-məˌtaiz] *v/t* sympto'matisch sein für. ˌ**symp·tom·a'tol·o·gy** [-mə'tɒlədʒi] *s med.* ˌSymptomatolo'gie *f*.

syn- [sin] *Wortelement mit der Bedeutung* mit, zusammen.

syn·aer·e·sis [*Br.* si'ni(ə)risis; *Am.* -'ner-] *s ling.* Synä'rese *f*, Syn'äresis *f* (*Vereinigung zweier Vokale zu 'einer Silbe*).

syn·a·gogue ['sinəˌgɒg] *s relig.* Syna'goge *f*.

syn·a·loe·pha [ˌsinə'liːfə] *s ling. metr.* Syna'loiphe *f*, Verschleifung *f* (*z. B.* **he's** *für* **he is**).

syn·an·ther·ous [si'nænθərəs] *adj bot.* syn'andrisch: ~ **plant** Komposite *f*, Korbblüt(l)er *m*.

sync [siŋk] *abbr. für* a) **synchronization 1**, b) **synchronize 5**.

syn·carp ['sinkɑːrp] *s bot.* Sammelfrucht *f*. **syn'car·pous** *adj* syn'karp.

synch → **sync**.

syn·chro·flash ['siŋkroˌflæʃ] *phot.* **I** *adj* Synchronblitz... **II** *s* Syn'chronblitz(licht *n*) *m*.

syn·chro·mesh ['siŋkroˌmeʃ] *tech.* **I** *adj* Synchron... **II** *s a.* ~ **gear** Syn'chrongetriebe *n*.

syn·chro·nism ['siŋkrəˌnizəm] *s* **1.** Synchro'nismus *m*, Gleichzeitigkeit *f*. **2.** Synchronisati'on *f*. **3.** synchro'nistische (Ge'schichts)Taˌbelle. **4.** *phys.* Gleichlauf *m*. ˌ**syn·chro'nis·tic** [-'nistik] *adj* (*adv* **~ally**) **1.** synchro'nistisch (*Gleichzeitiges zs.-stellend*). **2.** → **synchronous**. ˌ**syn·chro·ni'za·tion** *s* **1.** *bes. Film, TV* Synchronisati'on *f*, Synchroni'sierung *f*. **2.** Gleichzeitigkeit *f*, zeitliches Zs.-fallen.

syn·chro·nize ['siŋkrəˌnaiz] **I** *v/i* **1.** gleichzeitig sein, zeitlich zs.-fallen *od.* über'einstimmen. **2.** syn'chron gehen (*Uhr*) *od.* laufen (*Maschine*). **3.** *bes. Film, TV* synchroni'siert sein. **II** *v/t* **4.** *Uhren, Maschinen* synchroni'sieren, auf Gleichlauf bringen: **~d shifting** *mot. etc* Synchron(gang)schaltung *f*. **5.** *Film, TV* synchroni'sieren. **6.** *Ereignisse* synchro'nistisch darstellen, *Gleichzeitiges* zs.-stellen. **7.** *Geschehnisse* (zeitlich) zs.-fallen lassen *od.* aufein'ander abstimmen: **to ~ events (factory operations,** *etc*); **~d swimming** Wasserballett *n*. **8.** *mus.* a) zum (genauen) Zs.-spiel bringen: **to ~ the orchestra**, b) genau zu'sammen ausführen (lassen): **to ~ a passage**. '**syn·chroˌniz·er** *s* **1.** *tech.* Synchroni'sierungsgerät *n*. **2.** *phot.* Synchroni'sator *m*. '**syn·chroˌniz·ing** *s electr.* Synchroni'sierung *f*: ~ **discriminator** Gleichlauffrequenzgleichrichter *m*; ~ **pulse** *TV* Gleichlaufimpuls *m*.

syn·chro·nol·o·gy [ˌsiŋkrə'nɒlədʒi] *s* synchro'nistische Anordnung.

syn·chro·nous ['siŋkrənəs] *adj* (*adv* **~ly**) **1.** gleichzeitig (**with** mit), (zeitlich) zs.-fallend: **to be ~** (zeitlich) zs.-fallen. **2.** syn'chron: a) *electr. tech.* gleichlaufend (*Maschine etc*), gleichgehend (*Uhr*), b) *electr. phys.* von gleicher Phase u. Schwingungsdauer: ~ **capacitor** Phasenschieber *m*; ~ **computer** Synchronrechner *m*; ~ **motor** Synchronmotor *m*; ~ **speed** synchrone Drehzahl. **3.** synchro'nistisch.

syn·chro·ny ['siŋkrəni] → **synchronism**.

syn·cli·nal [siŋ'klainl; sin-] **I** *adj* synkli'nal, muldenförmig. **II** *s* → **syncline**. '**syn·cline** [-klain] *s geol.* Synkli'nale *f*, Mulde *f*.

syn·co·pal ['siŋkəpəl] *adj* **1.** syn'kopisch. **2.** *med.* Ohnmachts...

syn·co·pate ['siŋkəˌpeit] **I** *v/t* **1.** *ling. ein Wort* synko'pieren, zs.-ziehen. **2.** *mus.* synko'pieren. **II** *v/i* **3.** synko'pieren. '**syn·coˌpat·ed** *adj* syn'kopisch, Synkopen... ˌ**syn·co'pa·tion** *s* **1.** *ling.* → **syncope 1**. **2.** *mus.* a) Synko'pierung *f*, b) Syn'kope(n *pl*) *f*, c) syn'kopische Mu'sik.

syn·co·pe ['siŋkəpi(ː)] *s* **1.** *ling.* a) Syn'kope *f*, b) Synko'pierung *f*, Kontrakti'on *f* (*im Wortinneren*). **2.** *mus.* Syn'kope *f*. **3.** *med.* Syn'kope *f*, tiefe Ohnmacht. **syn·cop·ic** [sin'kɒpik] *adj* syn'kopisch.

syn·cre·tism ['siŋkriˌtizəm] *s* **1.** *philos. relig.* Synkre'tismus *m* (*Verschmelzung gegensätzlicher Lehren, Religionen etc*). **2.** *ling.* ('Kasus)Synkreˌtismus *m* (*Zs.-fall verschiedener Kasus in 'einem*).

syn·cro·mesh *bes. Br. für* **synchromesh**.

syn'cy·ti·um [sin'siʃiəm; -tiəm] *pl* **-ti·a** [-ə] *s biol.* Syn'zytium *n* (*durch Zellenfusion entstandene Plasmamasse*).

syn·dac·tyl(e) [sin'dæktil] *med. zo.* **I** *adj* mit verwachsenen Zehen *od.* Fingern. **II** *s* Vogel *m od.* Tier *n* mit verwachsenen Zehen. **syn'dac·tylˌism** *s* Syndakty'lie *f*.

syn·det·ic [sin'detik] *adj bes. ling.* syn'detisch: a) verbindend, Binde..., b) (durch Bindewort) verbunden.

syn·dic ['sindik] *s jur.* **1.** Syndikus *m*, Rechtsberater *m*. **2.** Bevollmächtigte(r) *m*. **3.** *univ.* Se'natsmitglied *n* (*Cambridge*). '**syn·di·calˌism** *s* Syndika'lismus *m* (*radikaler Gewerkschaftssozialismus*).

syn·di·cate I *s* ['sindikit] **1.** *econ. jur.* Syndi'kat *n*, Kon'sortium *n*. **2.** *econ.* Ring *m*, (Unter'nehmer)Verband *m*, 'Absatzkarˌtell *n*. **3.** Syndi'kat *n* (*Amt od. Würde e-s Syndikus*). **4.** a) 'Zeitungssyndiˌkat *n*, b) Gruppe *f* zs.-gehöriger Zeitungen. **5.** *Am.* Verbrecherring *m*, ‚Syndi'kat' *n*. **II** *v/t* [-ˌkeit] **6.** *econ. jur.* zu e-m Syndi'kat vereinigen, e-m Syndikat anschließen. **7.** a) *e-n Artikel* in mehreren Zeitungen zu'gleich veröffentlichen, b) *Pressematerial* über ein Syndi'kat verkaufen, c) *Zeitungen* zu e-m Syndi'kat zs.-schließen. **III** *v/i* **8.** ein Syndi'kat bilden. **IV** *adj* [-kit] **9.** *econ. jur.* Konsortial... ˌ**syn·di'ca·tion** *s econ. jur.* Syndi'katsbildung *f*.

syn·drome ['sindroum; -drəmi] *s med.* Syn'drom *n*, Sym'ptomenkomˌplex *m*.

syn·ec·do·che [si'nekdəki] *s Rhetorik*: Syn'ekdoche *f* (*Vertauschung von Teil u. Ganzem, z. B.* **sail** *für* **ship**).

syn·er·e·sis → **synaeresis**.

syn·er·gic [si'nəːrdʒik] → **synergistic**.

syn·er·gism ['sinərˌdʒizəm] *s* **1.** *biol. med.* Syner'gie *f*, Zs.-wirken *n*. **2.** *relig.* Syner'gismus *m*. ˌ**syn·er'gis·tic** *adj bes. biol. med.* syner'gistisch (*a. relig.*), zs.-wirkend. '**syn·er·gy** [-dʒi] → **synergism 1**.

syn·e·sis ['sinisis] *s ling.* Synesis *f*.

syn·ga·my ['siŋgəmi] *s* **1.** *biol.* Ga'metenverschmelzung *f*. **2.** *bot.* planlose Kreuzung verwandter Pflanzen.

syn·gen·e·sis [sin'dʒenisis] *s biol.* geschlechtliche Vermehrung.

syn·i·ze·sis [ˌsini'ziːsis] *s* **1.** *metr.* Syni'zese *f*, Syn'izesis *f* (*Zs.-ziehung zweier Vokale zu 'einer Silbe*). **2.** *biol.* Mas'sierung *f* des Chroma'tins.

syn·od ['sinəd] *s* **1.** *relig.* Syn'ode *f*: (o)**ecumenical ~**, **general ~** Generalsynode. **2.** *allg.* (beratende) Versammlung, Tagung *f*. '**syn·od·al** *adj*; **sy'nod·ic** [-'nɒdik] *adj*; **syn'od·i·cal** *adj* (*adv* **~ly**) syn'odisch (*a. astr.*), Synoden...

syn·o·nym ['sinənim] *s* **1.** *ling.* Syno'nym *n*, sinnverwandtes Wort. **2.** *fig.* (gleichbedeutende) Bezeichnung (**for** für): **to be a ~ for** gleichbedeutend sein mit. ˌ**syn·o'nym·ic**, ˌ**syn·o'nym·i·cal** *adj* syno'nym(isch). **syn'on·y·mous** *adj* (*adv* **~ly**) **1.** *ling.* syno'nym(isch), bedeutungsgleich, sinnverwandt. **2.** *allg.* gleichbedeutend (**with** mit). **syn'on·y·my** [-mi] *s* **1.** *ling.*

a) Synony'mie *f*, Sinnverwandtschaft *f*, Bedeutungsgleichheit *f*, b) Syno'nymik *f* (*Lehre od. Sammlung*). **2.** *bot. zo.* Zs.-stellung *f* der wissenschaftlichen Namen.
syn·op·sis [si'nɒpsis] *pl* **-ses** [-si:z] *s* **1.** Syn'opse *f*: a) *allg.* 'Übersicht *f*, Zs.-fassung *f*, Abriß *m*, b) *relig.* (vergleichende) Zs.-schau. **syn'op·tic** [-tik] **I** *adj* (*adv* ~**ally**) **1.** syn'optisch, 'übersichtlich, zs.-fassend, Übersichts... **2.** um'fassend: ~ **genius. 3.** *oft* S~ *relig.* syn'optisch: S~ **Gospels** synoptische Evangelien, Synopse *f*. **II** *s* **4.** *oft* S~ *relig.* → **Synoptist. syn'op·ti·cal** *adj* (*adv* ~**ly**) → **synoptic I. Syn'op·tist,** *a.* **s**~ [-tist] *s relig.* Syn'optiker *m* (*Matthäus, Markus u. Lukas*).
syn·o·vi·a [si'nouviə] *s physiol.* Syn'ovia *f*, Gelenkschmiere *f*. **syn'o·vi·al** *adj physiol.* synovi'al, Synovial...: ~ **fluid** → **synovia.** ˌ**syn·o'vi·tis** [-nə'vaitis] *s med.* Syno'vitis *f*, Gelenkentzündung *f*.
syn·tac·tic [sin'tæktik] *adj*; **syn'tac·ti·cal** [-kəl] *adj* (*adv* ~**ly**) syn'taktisch, Syntax...
syn·tax ['sintæks] *s* **1.** *ling.* Syntax *f*: a) Satzbau *m*, b) Satzlehre *f*. **2.** *math. philos.* Syntax *f*, Be'weistheoˌrie *f*.
syn·the·sis ['sinθisis] *pl* **-ses** [-ˌsi:z] *s allg.* Syn'these *f*. **'syn·the·sist** *s* Syn'thetiker *m*. **'syn·theˌsize** *v/t* **1.** zs.-fügen, verbinden, -schmelzen, durch Syn'these aufbauen. **2.** syn'thetisch verfahren mit (*e-r Sache*). **3.** *chem. tech.* syn'thetisch *od.* künstlich 'herstellen.
syn·thet·ic [sin'θetik] **I** *adj* (*adv* ~**ally**) **1.** syn'thetisch: a) *bes. ling. philos.* zs.-setzend, -fügend: ~ **language** *ling.* synthetische Sprache, b) *chem.* künstlich, Kunst...: ~ **rubber**; ~ **fiber** (*bes. Br.* **fibre**) Kunstfaser *f*. **2.** *contp.* syn'thetisch, künstlich, unecht. **3.** *bes. mil.* nachgeahmt: ~ **flight instruction** *aer.* Bodenausbildung *f*; ~ **trainer** Ausbildungsgerät *n*, (Flug)Simulator *m*. **II** *s* **4.** *chem.* Kunststoff *m*. **syn'thet·i·cal** *adj* (*adv* ~**ly**) → **synthetic I. syn'thet·iˌcism** [-ˌsizəm] *s* **1.** syn'thetisches Verfahren. **2.** syn'thetische Grundsätze *pl*.
syn·the·tize ['sinθiˌtaiz] → **synthesize.**
syn·ton·ic [sin'tɒnik] *adj* (*adv* ~**ally**) **1.** *electr.* (auf gleicher Fre'quenz) abgestimmt. **2.** *psych.* extraver'tiert.
syn·to·nize ['sintəˌnaiz] *v/t* abstimmen *od.* einstellen (to auf *e-e bestimmte Frequenz*). **'syn·to·ny** [-ni] *s* **1.** *electr.* (Fre'quenz)Abstimmung *f*, Reso'nanz *f*. **2.** *psych.* Extraversi'on *f*.
sy·pher ['saifər] *v/t tech. Planken etc* mittels 'Schrägüberˌlappung (bündig) verbinden.
syph·i·lis ['sifilis] *s med.* Syphilis *f*. ˌ**syph·i'lit·ic** [-'litik] **I** *adj* syphi'litisch. **II** *s* Syphi'litiker(in). **'syph·iˌlize** *v/t* **1.** mit Syphilis infi'zieren. **2.** mit e-m Syphilisserum impfen. **'syph·iˌloid** *adj* syphilo'id, syphilisähnlich.
sy·phon → **siphon.**
sy·ren → **siren.**
Syr·i·ac ['siriˌæk] **I** *adj* (alt)syrisch. **II** *s ling.* (Alt)Syrisch *n*, das (Alt)Syrische.
Syr·i·an ['siriən] **I** *adj* syrisch. **II** *s* Syr(i)er(in).
sy·rin·ga [si'riŋgə] *s bot.* Sy'ringe *f*, Flieder *m*.
syr·inge ['sirindʒ; si'r-] **I** *s* **1.** *med. u. tech.* Spritze *f*. **II** *v/t* **2.** (ein)spritzen. **3.** *das Ohr* ausspritzen. **4.** *e-e Pflanze etc* ab-, bespritzen. **III** *v/i* **5.** spritzen.
syr·in·gi·tis [ˌsirin'dʒaitis] *s med.* Syrin'gitis *f*, ('Ohr)ˌTubenkaˌtarrh *m*.
syr·inx ['siriŋks] *pl* **-ing·es** [-'rindʒi:z], **-inx·es** *s* **1.** *anat.* Eu'stachische Röhre. **2.** *med.* Fistel *f*. **3.** *orn.* Syrinx *f*, unterer Kehlkopf. **4.** *myth.* Syrinx *f*, Pan-, Hirtenflöte *f*. **5.** enger Felsengang (*in ägyptischen Grabmälern*).
Syro- [sai(ə)ro] *Wortelement mit der Bedeutung* Syro..., syrisch.
syr·tis ['sə:rtis] *pl* **-tes** [-ti:z] *s* Syrte *f*, Treib-, Triebsand *m*.
syr·up ['sirəp; *Am. a.* 'sə:r-] *s* **1.** Sirup *m*, Zuckersaft *m*. **2.** *fig. contp.* sentimen'taler Kitsch, süßliches Zeug. **'syr·up·y** *adj* **1.** sirupartig, dickflüssig, klebrig. **2.** *fig.* süßlich, sentimen'tal.
sys·tal·tic [sis'tæltik] *adj med.* sy'staltisch.
sys·tem ['sistim] *s* **1.** *allg.* Sy'stem *n*: a) Aufbau *m*, Gefüge *n*, b) Einheit *f*, geordnetes Ganzes, c) Anordnung *f*: **mountain** ~ Gebirgssystem. **2.** (Eisenbahn-, Straßen-, Verkehrs- *etc*)Netz *n*. **3.** *tech.* Sy'stem *n*, Anlage *f*, Aggre'gat *n*: **electrical** ~; **cooling** ~ Kühlanlage, Kühlung *f*. **4.** *scient.* Sy'stem *n*, Lehrgebäude *n*: ~ **of philosophy. 5.** Sy'stem *n*: a) Ordnung *f*, Form *f*, b) Verfahren *n*, Me'thode *f*, Plan *m*: **electoral** ~ Wahlsystem, -verfahren; **legal** ~ Rechtssystem, -ordnung; **savings-bank** ~ Sparkassenwesen *n*; **social** ~ Gesellschaftsordnung; ~ **of government** Regierungssystem, Staatsform; **a** ~ **by which to win at roulette** ein Gewinnsystem beim Roulett; **to have** ~ **in one's work** System in der Arbeit haben; **to lack** ~ kein System haben. **6.** ('Maß-, Ge'wichts)Syˌstem *n*: **metric** ~. **7.** *astr.* Sy'stem *n*: **solar** ~; **the** ~, **this** ~ das Weltall. **8.** *math.* a) (Be'zugs)Syˌstem *n*, b) Sy'stem *n*, Schar *f* (*von Geraden*): ~ **of coordinates** Koordinatensystem; ~ **of lines** Geradenschar. **9.** *anat. physiol.* a) (Or'gan)Syˌstem *n*, b) **the** ~ der Orga'nismus, der Körper: **digestive** ~ Verdauungssystem, -apparat *m*; **nervous** ~ Nervensystem; **to get s.th. out of one's** ~ *fig. colloq.* etwas loswerden. **10.** *bot. zo.* (Klassifikati'ons)Syˌstem *n*. **11.** *geol.* Formati'on *f*. **12.** *chem. phys.* Sy'stem *n*.
sys·tem·at·ic [ˌsisti'mætik] *adj* (*adv* ~**ally**) **1.** syste'matisch: a) plan-, zweckmäßig, -voll: ~ **work**, b) me'thodisch (*vorgehend od. geordnet*): ~ **investigation**; ~ **theology** systematische Theologie. **2.** *bot. zo.* syste'matisch, Klassifikations... ˌ**sys·tem'at·ics** *s pl* (*als sg konstruiert*) Syste'matik *f*: a) syste'matische Darstellung, b) *bot. zo.* Klassifikati'on *f*.
sys·tem·a·tism ['sistiməˌtizəm] *s* **1.** Systemati'sierung *f*. **2.** Sy'stemtreue *f*. **'sys·tem·a·tist** *s* Syste'matiker(in). ˌ**sys·tem·a·ti'za·tion** *s* Systemati'sierung *f*. **'sys·tem·aˌtize** *v/t* systemati'sieren, in ein Sy'stem bringen.
sys·tem·ic [sis'temik] *adj* (*adv* ~**ally**) *physiol.* Körper..., Organ...: ~ **circulation** großer Blutkreislauf; ~ **disease** Allgemein-, Systemerkrankung *f*; ~ **heart** Körperherz *n*, linkes Herz.
sys·tem·ize ['sistiˌmaiz] → **systematize.**
sys·tems an·a·lyst *s* Sy'stemanaˌlytiker *m*.
sys·to·le ['sistəli(:)] *s* Systole *f*: a) *med. Zs.-ziehung des Herzmuskels*, b) *metr. Verkürzung e-r langen Silbe.* **sys'tol·ic** [-'tɒlik] *adj med.* sy'stolisch.
sys·tyle ['sistail] *adj arch.* dicht beiein'anderstehend (*Säulen*).
syz·y·gy ['sizidʒi] *s* Syzy'gie *f*, Sy'zygium *n*: a) *meist pl astr. Zs.-kunft u. Gegenschein von 2 Planeten*, b) *metr. Verbindung von 2 Versfüßen.*

T

T, t [ti:] **I** *pl* **T's, Ts, t's, ts** [ti:z] *s* **1.** T, t *n* (*Buchstabe*): **to a T** (*od.* **t**) haargenau, aufs Haar genau; **it suits me to a T** das paßt mir ausgezeichnet; **to cross the T's** (*od.* **t's**) *fig.* a) peinlich genau sein, b) es klar u. deutlich sagen. **2.** *tech.* T-Stück *n*, T-förmiger Gegenstand, T-förmiges Zeichen: (**flanged**) **T** *tech.* T-Stück *n*. **II** *adj* **3.** T T, zwanzigst(er, e, es). **4.** T T-..., T-förmig: **T-shaped** T-förmig; **T-square** *tech.* Reißschiene *f*.
ta [tɑ:] *interj Br. colloq.* danke (*Kindersprache*).
Taal [tɑ:l] *s ling.* Afri'kaans *n* (*der frühen Zeit*).
tab [tæb] **I** *s* **1.** Streifen *m*, Klappe *f*, kurzes Stück, *bes.* a) Schlaufe *f*, (Mantel)Aufhänger *m*, b) Lappen *m*, Zipfel *m*, c) Ohrklappe *f* (*an der Mütze*), d) Lasche *f* (*am Schuh*), (Stiefel)Strippe *f*, e) Dorn *m* (*am Schnürsenkel*), f) *mil. Br.* (Kragen)Spiegel *m*. **2.** *print.* (Index)Zunge *f*. **3.** Eti'kett *n*, Schildchen *n*, Anhänger *m*, (Kar'tei)Reiter *m*. **4.** *tech.* Nase *f*. **5.** *aer.* Hilfs-, Trimmruder *n*. **6.** *bes. Am. colloq.* a) Rechnung *f*, b) Kosten *pl*, c) Kon'trolle *f*: **to keep a** ~ **on, to keep** ~**s on** kontrollieren, sich auf dem laufenden halten über (*acc*), beobachten. **7.** *Am. colloq.* a) → **tabloid**, b) → **tabulator. II** *v/t* **8.** mit Streifen *etc* versehen. **9.** *Am. colloq.* a) bezeichnen (**as** als), b) bestimmen (**for** für).
tab·ard ['tæbərd] *s hist.* Wappen- *od.* Heroldsrock *m*.
tab·a·ret ['tæbərit] *s* seidener gestreifter 'Möbeldaˌmast.
tab·a·sheer, tab·a·shir [ˌtæbə'ʃir] *s bot.* Taba'xir *m*.
tab·bi·net → **tabinet.**
tab·by ['tæbi] **I** *s* **1.** *a.* ~ **cat** *zo.* a) getigerte *od.* gescheckte Katze, b) (weibliche) Katze. **2.** *colloq.* a) alte Jungfer, b) Klatschbase *f*. **3.** Moi'ré *m*, *n* (*Stoff*). **4.** (*Art*) Kalkmörtel *m*. **II** *adj* **5.** gestreift, gescheckt. **6.** Moiré... **III** *v/t* **7.** *Seide etc* moi'rieren.
tab·e·fac·tion [ˌtæbi'fækʃən] *s med.* Auszehrung *f*.
tab·erd·ar ['tæbərˌdɑ:r] *s univ. Stipendiat von Queen's College, Oxford.*
tab·er·nac·le ['tæbərˌnækl] **I** *s* **1.** *Bibl.* Hütte *f*, Zelt *n*. **2.** T~ *relig.* Stiftshütte *f* (*der Juden*): **Feast of T**~**s** Laubhüttenfest *n*. **3.** *relig.* a) (*jüdischer*) Tempel, b) *Br.* Bethaus *n* (*der Dissenters*), c) Kirche *f* (mit geräumigem Schiff), d) T~ Mor'monentempel *m* (*in Salt Lake City*). **4.** Taber'nakel *n*:

a) über'dachte Nische (*für e-e Statue*): ~ **work** *arch.* Maßwerk *n* mit *od.* Reihe *f* von Tabernakeln, b) *R.C.* Sakra'mentshäus-chen *n.* **5.** Leib *m* (*als Wohnsitz der Seele*). **6.** *mar.* Mastbock *m.* **II** *v/i* **7.** weilen, s-e Zelte aufschlagen. **III** *v/t* **8.** *fig.* (vor'übergehend) beherbergen. ˌ**tab·er'nac·u·lar** [-kjələr] *adj arch. relig.* Tabernakel...

ta·bes ['teibiːz] *s med.* Tabes *f*: a) *a.* ~ **dorsalis** Rückenmarksschwindsucht *f*, b) *allg.* Auszehrung *f.* **ta·bes·cence** [tə'besns] *s med.* Auszehrung *f.* **ta'bes·cent** *adj* **1.** *med.* auszehrend, verfallend. **2.** *bot.* (ver)welkend.

ta·bet·ic [tə'betik; -'biː-] *med.* **I** *s* Ta'betiker(in). **II** *adj* tabisch, tabeskrank.

tab·id ['tæbid] → tabetic II.

tab·i·net ['tæbinit] *s* (*Art*) (gewässerte) Pope'line (*Möbelbezugstoff*).

tab·la·ture ['tæblətʃər] *s* **1.** Bild *n*: a) Tafelgemälde *n*, b) bildliche Darstellung (*a. fig.*). **2.** *mus. hist.* Tabula'tur *f.*

ta·ble ['teibl] **I** *s* **1.** (Eß-, Spiel)Tisch *m.* **2.** Tafel *f*, Tisch *m*: a) gedeckter Tisch, b) Mahl(zeit *f*) *n*, Kost *f*, Essen *n*: at ~ bei Tisch, beim Essen; to set (*od.* lay *od.* spread) the ~ (den Tisch) decken; to clear the ~ (den Tisch) abdecken; to sit down to ~ sich zu Tisch setzen; to take the head of the ~ bei Tisch obenan sitzen; under the ~ *colloq.* heimlich, unter dem Ladentisch; to drink s.o. under the ~ ,j-n unter den Tisch trinken'; to keep (*od.* set) a good ~ e-e gute Küche führen; to turn the ~s (on s.o.) ,den Spieß umdrehen' (j-m gegenüber); the ~s are turned ,das Blatt hat sich gewendet'; the Lord's T~ *relig.* der Tisch des Herrn, das (Heilige) Abendmahl. **3.** *parl.* Tisch *m* des Hauses: to lay on the ~ → 20. **4.** (Tisch-, Tafel)Runde *f*: → round table. **5.** Komi'tee *n*, Ausschuß *m.* **6.** *geogr. geol.* Tafel(land *n*) *f*, Pla'teau *n*: ~ mountain Tafelberg *m.* **7.** *arch.* a) Tafel *f*, Platte *f*, b) Sims *m, n*, Fries *m.* **8.** (Holz-, Stein- *etc*, *a.* Gedenk- *etc*)Tafel *f*: the (two) ~s of the law *relig.* die (beiden) Gesetzestafeln. **9.** Ta'belle *f*, Verzeichnis *n*, Liste *f*: ~ of contents Inhaltsverzeichnis, Sachregister *n*; ~ of exchanges *econ.* Kurstabelle; ~ of wages Lohntabelle. **10.** *math.* Tafel *f*, Ta'belle *f*: ~ of logarithms Logarithmentafel; multiplication ~ Einmaleins *n*; to learn one's ~s rechnen lernen. **11.** *anat.* Tafel *f*, Tabula *f* (*des Schädeldaches*). **12.** *mus.* a) Schallbrett *n* (*der Orgel*), b) Decke *f* (*e-s Saiteninstruments*). **13.** a) Tafel *f* (*große oberste Schlifffläche am Edelstein*), b) Tafelstein *m.* **14.** *tech.* Tisch *m*, Auflage *f* (*an Werkzeugmaschinen etc*). **15.** *med. colloq.* (Operati'ons)Tisch *m.* **16.** *opt.* Bildebene *f.* **17.** *print.* Ta'belle(nsatz *m*) *f.* **18.** *Chiromantie*: Handteller *m.* **II** *v/t* **19.** auf den Tisch legen (*a. fig. vorlegen*). **20.** *bes. parl.* a) *Br. e-n Antrag etc* einbringen, (zur Diskussi'on) stellen, b) *Am.* zu'rückstellen, *bes. e-e Gesetzesvorlage* ruhenlassen: to ~ a bill, c) *Am.* verschieben. **21.** in e-e Ta'belle eintragen, ein Verzeichnis anlegen von, (tabel'larisch) verzeichnen. **22.** *mar. Stoßlappen* an ein Segel setzen. **23.** *Erz* aufbereiten. **III** *v/i* **24.** (with) *obs.* in Kost sein (bei), tafeln (mit).

tab·leau ['tæblou] *pl* '**tab·leaux** [-louz] *s* **1.** Bild *n*: a) Gemälde *n.* b) anschauliche Darstellung. **2.** → tableau vivant. **3.** *Br.* über'raschende Szene: ~! man stelle sich die Situation vor!, Tableau! ~ **vi·vant** [ta'blo vi'vɑ̃] *pl* **ta·bleaux vi·vants** [ta'blo vi'vɑ̃] (*Fr.*) *s* **1.** lebendes Bild. **2.** *fig.* Ta'bleau *n*, malerische Szene.

'**ta·ble|-ˌbeer** *s Br.* leichtes Bier. ~ **board** *s Am.* Verpflegung *f*, Kost *f* (*ohne Wohnung*). ~ **book** *s math. tech.* Ta'bellenbuch *n.* ~ **clamp** *s* Tischklammer *f.* '~ˌ**cloth** *s* Tischtuch *n*, -decke *f.* '~-ˌ**cut** *adj* mit Tafelschnitt (versehen): ~ gem.

ta·ble d'hôte ['tɑːbl 'dout; *Am. a.* 'tæbl] *pl* **ta·bles d'hôte** ['tɑːbl(z); *Am. a.* 'tæb-] *s* **1.** Table d'hôte *f*, Wirtstafel *f* (*an der man in England u. Amerika die Speisenfolge selbst wählen kann*). **2.** gemeinschaftliche Tafel (mit fester Speisenfolge).

'**ta·ble|-ˌhop** *v/i* von e-m Tisch zum andern gehen (*im Restaurant etc*). '~-ˌ**knife** *s irr Br.* Tafel-, Tischmesser *n.* '~-ˌ**lamp** *s* Tischlampe *f.* '~ˌ**land** *s geogr. geol.* Tafelland *n.* '~-ˌ**leaf** *s irr Br.* Tischklappe *f*, Zwischenplatte *f.* '~-ˌ**lift·ing** → table turning. '~-ˌ**mat** *s* 'Untersatz *m.* ~ **plate** *s* Tafelsilber *n.* ~ **rap·ping** *s Spiritismus*: Tischklopfen *n.* '~-ˌ**run·ner** *s* Tischläufer *m.* ~ **salt** *s* Tafelsalz *n.* ~ **set** *s Radio, TV* Tischgerät *n.* '~ˌ**spoon** *s* Eßlöffel *m.* '~ˌ**spoon·ful** *pl* **-fuls** *s ein* Eßlöffel(voll) *m.*

tab·let ['tæblit] *s* **1.** Täfelchen *n*, Tafel *f.* **2.** (Gedenk-, Wand- *etc*)Tafel *f.* **3.** *hist.* Schreibtafel *f.* **4.** (No'tiz-, Schreib-, Zeichen)Block *m.* **5.** Stück *n* (*Seife*), Tafel *f* (*Schokolade*). **6.** *pharm.* Ta'blette *f*: coated ~ Dra'gee *n.* **7.** *Br.* Plätzchen *n.* **8.** *arch.* Kappenstein *m.*

ta·ble| talk *s* Tischgespräch *n.* ~ **ten·nis** *s sport* Tischtennis *n.* ~ **tilt·ing,** ~ **tip·ping** → table turning. '~-ˌ**top** *s* Tischplatte *f.* ~ **turn·ing** *s Spiritismus*: Tischrücken *n.* '~ˌ**ware** *s* Tafelgeschirr *n.* ~ **wa·ter** *s* Tafel-, Mine'ralwasser *n.* ~ **wine** *s* Tischwein *m.*

tab·loid ['tæblɔid] **I** *s* **1.** → tablet. **2.** Bildzeitung *f*, *bes.* Sensati'ons-, Re'volverblatt *n*, *pl a.* Boule'vardpresse *f.* **3.** *Am.* a) (Informati'ons)Blatt *n*, b) 'Übersicht *f*, Zs.-fassung *f.* **4.** *fig.* konzen'trierte Dosis, Kurzfassung *f.* **II** *adj* **5.** konzen'triert: in ~ form. **6.** *Am.* Sensations...: ~ press.

ta·boo [tə'buː; tæ-] **I** *adj* ta'bu: a) geheiligt, b) unantastbar, c) verboten, d) verpönt. **II** *s* Ta'bu *n*: to break a ~ ein Tabu durchbrechen *od.* zerstören; to put under ~ → III. **III** *v/t etwas* für ta'bu erklären, tabu'ieren.

ta·bor ['teibər] *s mus.* Tambu'rin *n* (*ohne Schellen*).

tab·o(u)·ret ['tæbərit] *s* **1.** Hocker *m*, Tabu'rett *n.* **2.** Stickrahmen *m.*

tab·ret ['tæbrit] *s mus. hist.* kleine Handtrommel, Tambu'rin *n.*

ta·bu → taboo.

tab·u·lar ['tæbjulər] *adj* (*adv* ~ly) **1.** tafelförmig, Tafel..., flach. **2.** dünn. **3.** blätt(e)rig, geschichtet. **4.** tabel'larisch, Tabellen...: ~ bookkeeping amer. Buchführung *f*; ~ key Tabulatortaste *f*; ~ standard *econ.* Preisindexwährung *f*; ~ summary *econ.* Übersichtstabelle *f.*

ta·bu·la ra·sa ['tæbjulə 'reizə] (*Lat.*) *s* Tabula *f* rasa: a) völlige Leere, b) *fig.* ,unbeschriebenes Blatt' (*Person*), c) *fig.* reiner Tisch: to make ~ of reinen Tisch machen mit.

tab·u·lar·ize ['tæbjuləˌraiz] → tabulate 1.

tab·u·late I *v/t* ['tæbjuˌleit] **1.** tabellari'sieren, tabel'larisch (an)ordnen: to be ~d verzeichnet sein (*in e-r Tabelle*). **2.** abflachen. **II** *adj* [-lit; -ˌleit] → tabular. ˌ**tab·u'la·tion** *s* **1.** Tabellari'sierung *f.* **2.** Ta'belle *f.* **3.** *Statistik*: Auszählung *f*, -wertung *f.* '**tab·uˌla·tor** [-tər] *s* **1.** Tabellari'sierer *m.* **2.** *tech.* a) Tabu'lator *m* (*an der Schreibmaschine*), b) *Computer*: Tabel'lierma,schine *f.*

tac·a·ma·hac ['tækəməˌhæk] *s bot. chem. pharm.* **1.** Takama'hak(harz) *n.* **2.** Pappelharz *n.* **3.** Kiefernharz *n.* **4.** Balsampappel *f.*

tac-au-tac [ˌtækou'tæk] *s fenc.* **1.** Pa'rade *f* mit Ri'poste. **2.** schnelle Folge von Stoß u. Gegenstoß.

tach·ism ['tæʃizəm] *s paint.* Ta'chismus *m.*

tach·o·graph ['tækəˌgræ(ː)f, *Br. a.* -ˌgrɑːf] *s tech.* Tacho'graph *m*, Drehzahlschreiber *m.*

ta·chom·e·ter [tæ'kɒmitər] *s tech.* Tacho'meter *n*, Geschwindigkeitsmesser *m.*

tach·y·car·di·a [ˌtæki'kɑːrdiə] *s med.* Tachykar'die *f*, hohe 'Pulsfreˌquenz.

ta·chym·e·ter [tæ'kimitər] *s surv.* Tachy'meter *n.* **ta'chym·e·try** [-tri] *s* Tachyme'trie *f*, Schnellmessung *f.*

tac·it ['tæsit] *adj* (*adv* ~ly) *bes. jur.* stillschweigend: ~ approval; ~ mortgage *Am.* gesetzliche Hypothek.

tac·i·turn ['tæsiˌtəːrn] *adj* (*adv* ~ly) schweigsam, wortkarg, verschlossen. ˌ**tac·i'tur·ni·ty** *s* Schweigsamkeit *f*, Verschlossenheit *f.*

tack[1] [tæk] **I** *s* **1.** (Nagel)Stift *m*, Reißnagel *m*, Zwecke *f.* **2.** *Näherei*: Heftstich *m.* **3.** (An)Heften *n.* **4.** *mar.* a) Halse *f*, b) Haltetau *n.* **5.** *mar.* Schlag *m*, Gang *m* (*beim Lavieren od. Kreuzen*): to be on the port ~ nach Backbord lavieren. **6.** *mar.* La'vieren *n* (*a. fig.*). **7.** Zickzackkurs *m* (*zu Lande*). **8.** *fig.* Kurs *m*, Weg *m*, Richtung *f*: on the wrong ~ auf dem Holzweg; to try another ~ es anders versuchen. **9.** *parl. Br.* 'Zusatzantrag *m*, -arˌtikel *m.* **10.** Klebrigkeit *f*, Klebkraft *f.* **II** *v/t* **11.** *a.* ~ on heften (to an *acc*). **12.** *a.* ~ down festmachen. **13.** ~ together anein'anderfügen, (mitein'ander) verbinden (*a. fig.*): to ~ mortgages *econ. Br.* Hypotheken verschiedenen Ranges zs.-schreiben; to ~ securities *jur. Br.* Sicherheiten zs.-fassen. **14.** (on, to) anfügen (an *acc*), hin'zufügen (zu): to ~ a rider to a bill *pol. Br.* e-e (*aussichtsreiche*) Vorlage mit e-m Zusatzantrag koppeln. **15.** *tech.* heftschweißen. **16.** *mar. das Schiff* a) durch den Wind wenden, b) la'vieren. **III** *v/i* **17.** *mar.* a) wenden, b) la'vieren: to ~ down wind in den Wind halsen. **18.** a) e-n Zickzackkurs verfolgen, b) *fig.* la'vieren, s-n Kurs (*plötzlich*) ändern.

tack[2] [tæk] *s* Nahrung *f*, Zeug *n*: soft ~ Weißbrot *n*, gute Kost; → hardtack.

'**tack-ˌham·mer** *s* Zweckenhammer *m.*

tack·le ['tækl] **I** *s* **1.** Gerät *n*, (Werk)Zeug *n*, Ausrüstung *f*: fishing ~ Angelgerät. **2.** (Pferde)Geschirr *n.* **3.** *a.* block and ~ *tech.* Flaschenzug *m.* **4.** *mar.* a) Talje *f*, Takel-, Tauwerk *n.* **5.** *Fußball*: Angreifen *n*, Angehen *n* (*e-s Gegners im Ballbesitz*). **6.** *amer. Fußball*: (Halb)Stürmer *m.* **II** *v/t* **7.** *j-n od. etwas* packen. **8.** *j-n* angreifen, anein'andergeraten mit. **9.** *fig. j-n* (*mit Fragen etc*) angehen (on wegen; for um): **10.** *Rugby etc*: *den Gegner im Ballbesitz* angreifen, angehen, stoppen. **11.** *ein Problem etc* a) in Angriff nehmen, anpacken, angehen, b) lösen,

fertig werden mit: to ~ a task. **12.** *sl.* sich 'hermachen über (*acc*): to ~ a bottle of whisky.
tack| riv·et *s tech.* Heftniete *f.* '~-,**weld** *v/t* heftschweißen.
tack·y[1] ['tæki] *adj* klebrig, zäh.
tack·y[2] ['tæki] *Am.* **I** *s dial.* **1.** Schindmähre *f.* **2.** verwahrloster Mensch. **II** *adj sl.* **3.** a) verwahrlost, b) schäbig. **4.** ordi'när. **5.** ,affig'. **6.** unschön. **7.** ~ party Lumpenball *m.*
tac·node ['tæknoud] *s math.* Selbstberührungspunkt *m* (*e-r Kurve*).
tact [tækt] *s* **1.** Takt *m*, Takt-, Zartgefühl *n.* **2.** Feingefühl *n* (of für). **3.** *mus.* Takt(schlag) *m.* '**tact·ful** [-ful] *adj* (*adv* ~ly) taktvoll. '**tact·ful·ness** → tact 1.
tac·ti·cal ['tæktikəl] *adj* (*adv* ~ly) *mil.* taktisch (*a. fig. planvoll, klug*): ~ unit taktische Einheit, Kampfeinheit *f.*
tac·ti·cian [tæk'tiʃən] *s* Taktiker *m.*
tac·tics ['tæktiks] *s pl* **1.** (*als sg od. pl konstruiert*) *mil.* Taktik *f.* **2.** (*nur als pl konstruiert*) *fig.* Taktik *f*, planvolles Vorgehen: a clever stroke of ~ e-e kluge Taktik; to change ~ die (*od.* s-e) Taktik ändern.
tac·tile [*Br.* 'tæktail; *Am.* -til] *adj* **1.** tak'til, Tast... **2.** greifbar, tastbar. ~ **cell** *s biol.* Tastsinneszelle *f.* ~ **cor·pus·cle** *s anat.* (Meißnersches) Tastkörperchen. ~ **hair** *s* Spür-, Tasthaar *n.* ~ **sense** *s* Tastsinn *m.*
tac·til·i·ty [tæk'tiliti] *s* Fühlbarkeit *f*, Tastbarkeit *f.*
tact·less ['tæktlis] *adj* (*adv* ~ly) taktlos. '**tact·less·ness** *s* Taktlosigkeit *f.*
tac·tu·al [*Br.* 'tæktjuəl; *Am.* -tʃuəl] *adj* (*adv* ~ly) tastbar, Tast...: ~ sense *biol.* Tastsinn *m.*
tad [tæd] *s Am. colloq.* ,Steppke' *m*, [kleiner Junge.]
tad·pole ['tæd,poul] *s* Kaulquappe *f.*
tael [teil] *s* Tael *n*: a) *chinesische Geldeinheit*, b) *ostasiatisches Gewicht* (*meist 37,78 g*).
ta'en [tein] *abbr. für* taken.
tae·ni·a ['ti:niə] *s* **1.** *antiq.* Tänie *f*, Stirnband *n.* **2.** *arch.* Regula *f.* **3.** *anat.* (Muskel- *etc*)Band *n*, Tänie *f.* **4.** *zo.* Bandwurm *m.* '**tae·ni,oid** *adj* **1.** bandförmig. **2.** *zo.* bandwurmartig, Bandwurm...
taf·fa·rel, taf·fer·el ['tæfə,rel] → [taffrail.]
taf·fe·ta ['tæfətə], '**taf·fe·ty** [-ti] **I** *s* **1.** Taft *m.* **II** *adj* **2.** Taft... **3.** *obs.* a) blumig, über'laden: ~ style, b) affek'tiert.
taff·rail ['tæf,reil] *s mar.* Heckreling *f.*
taf·fy[1] ['tæfi] *s Am.* **1.** → toffee. **2.** *colloq.* ,Schmus' *m*, Schmeiche'lei *f.*
Taf·fy[2] ['tæfi] *s* (*Spitzname für*) Wa'liser *m u. pl.*
taf·i·a ['tæfiə] *s* (*Art*) Rum *m.*
tag[1] [tæg] **I** *s* **1.** (loses) Ende, Anhängsel *n*, Zipfel *m*, Fetzen *m*, Lappen *m.* **2.** Troddel *f*, Quaste *f.* **3.** Eti'kett *n*, Anhänger *m*, Schildchen *n*, (Ab)Zeichen *n*, Pla'kette *f*: ~-day *Am.* Sammeltag *m.* **4.** a) Schlaufe *f* (*am Stiefel*), (Schnürsenkel)Stift *m*, Dorn *m.* **5.** *tech.* Lötklemme *f*, -stift *m.* **6.** *Angeln*: Glitzerschmuck *m* (*an der künstlichen Fliege*). **7.** a) Schwanzspitze *f* (*bes. e-s Fuchses*), b) Wollklunker *f*, *m* (*des Schafes*). **8.** *fig.* ,Schwanz' *m*, Zusatz *m.* **9.** Re'frain *m*, Kehrreim *m.* **10.** Schlußwort *n*, Po'inte *f*, Mo'ral *f.* **11.** stehende Redensart, bekanntes Zi'tat. **12.** Bezeichnung *f*, Beiname *m.* **13.** → ragtag. **14.** *tech.* Lötfahne *f.* **15.** *Computer*: Marke *f.* **16.** *Am.* Strafzettel *m.* **II** *v/t* **17.** mit e-m Anhänger *od.* Eti'kett *etc* versehen, etiket'tieren, *Waren* auszeichnen. **18.** mar'kieren: ~ged atoms. **19.** *e-e Rede etc* a) mit e-m Schlußwort *od.* e-r Mo'ral versehen, b) verbrämen, ,gar'nieren'. **20.** *fig.* abstempeln (as als). **21.** anfügen, anhängen (to an *acc*). **22.** *Am. colloq.* a) *j-m* e-n Strafzettel ans Auto stecken, b) *j-n* anklagen (for wegen). **23.** *e-m Schaf* die Klunkerwolle abscheren. **24.** *colloq.* hinter *j-m* ,'hersteigen'. **III** *v/i* **25.** *oft* ~ along hinter'herlaufen: to ~ after → 24.
tag[2] [tæg] **I** *s* Fangen *n*, Haschen *n.* **II** *v/t* haschen, schlagen.
tag| dance *s* Tanz *m*, bei dem abgeklatscht werden darf. ~ **end** *s colloq.* **1.** Schluß *m*, Ende *n*, ,Schwanz' *m.* **2.** a) (letzter) Rest, b) Stückchen *n.*
ta·ge·tes [tə'dʒi:ti:z] *s bot.* Stu'denten-, Samtblume *f.*
tag·gers ['tægərz] *s pl tech.* dünnes Weiß- *od.* Eisenblech.
'**tag,rag I** *s* **1.** Fetzen *m*, Lumpen *m.* **2.** → ragtag. **II** *adj* **3.** zerlumpt.
Ta·hi·ti·an [tɑ:'hi:tiən] **I** *s* **1.** Ta'hitier(in). **2.** *ling.* Ta'hitisch *n*, das Tahitische. **II** *adj* **3.** ta'hitisch.
tai·ga ['taigə] *s geogr.* Taiga *f.*
tail[1] [teil] **I** *s* **1.** *zo.* Schweif *m*, Schwanz *m*: the ~ wags the dog *fig.* der Unbedeutendste *od.* Dümmste führt das Regiment; to turn ~ ausreißen, davonlaufen; to twist s.o.'s ~ j-n piesacken; (close) on s.o.'s ~ j-m (dicht) auf den Fersen; with one's ~ between one's legs *fig.* mit hängenden Ohren; ~s up hochgestimmt, fidel; keep your ~ up! laß dich nicht unterkriegen! **2.** *colloq.* Hinterteil *n*, Steiß *m*: to sit on one's ~. **3.** *fig.* Schwanz *m*, (hinteres *od.* unteres) Ende, Schluß *m*: ~ of a comet Kometenschweif *m*; ~ of a letter Briefschluß; ~ of a note *mus.* Notenhals *m*; out of the ~ of his eye aus den Augenwinkeln; ~ of a page unterer Rand *od.* Fuß *m* e-r (Druck)Seite; ~ of a storm (*ruhigeres*) Ende e-s Sturmes. **4.** Haarzopf *m*, -schwanz *m.* **5.** *meist pl* Rück-, Kehr-, Wappenseite *f* (*e-r Münze*). **6.** a) Schleppe *f* (*e-s Kleides*), b) (Rock-, Hemd)Schoß *m.* **7.** *pl colloq.* a) Gesellschaftsanzug *m*, b) Frack *m.* **8.** Schleife *f* (*e-s Buchstabens*). **9.** *electr. tech.* a) 'Nachim,puls *m*, b) Si'gnalschwanz *m.* **10.** *Radar*: Nachleuchtschleppe *f.* **11.** Sterz *m.* **12.** *metr.* Koda *f.* **13.** *anat.* a) Sehnenteil *m* (*e-s Muskels*), b) Pankreasschwanz *m*, c) Nebenhoden *m.* **14.** *aer.* a) Leitwerk *n*, b) Heck *n*, Schwanz *m.* **15.** a) Gefolge *n*, b) Anhang *m* (*e-r Partei*), c) große Masse (*e-r Gemeinschaft*), d) ,Schwanz' *m*, (*die*) Letzten *pl od.* Schlechtesten *pl*: the ~ of the class. **16.** *Am. sl.* ,Beschatter' *m* (*Detektiv etc*): to put a ~ on s.o. j-n beschatten lassen. **II** *v/t* **17.** mit e-m Schwanz versehen: to ~ a kite. **18.** den Schwanz *od.* das ,Schlußlicht' bilden (*gen*): dogs ~ing the procession. **19.** *a.* ~ on (to) befestigen (an *dat*), anhängen (an *acc*). **20.** *Früchte* zupfen, entstielen. **21.** stutzen: to ~ a dog. **22.** am Schwanz packen. **23.** *j-n* beschatten, (heimlich) verfolgen.
III *v/i* **24.** sich 'hinziehen, e-n Schwanz bilden: to ~ away (*od.* off) a) abflauen, abnehmen, sich verlieren, b) zurückbleiben, -fallen, c) sich auseinanderziehen (*Kolonne* etc). **25.** *oft* ~ on, ~ along *colloq.* hinter'herlaufen (after s.o. j-m). **26.** *arch.* (*mit dem Ende*) eingelassen sein (in, into in *acc od. dat*).
tail[2] [teil] *jur.* **I** *s* Beschränkung *f* (*der Erbfolge*), beschränktes Erb- *od.* Eigentumsrecht: heir in ~ Vorerbe *m*; issue in ~ erbberechtigte Nachkommenschaft; tenant in ~ Eigentümer *m*, dessen Rechte durch Nacherbenbestimmungen beschränkt sind; estate in ~ male Fideikommiß *n.* **II** *adj* beschränkt: estate ~.
'**tail|,board** *s mot. etc* Ladeklappe *f.* ~ **cen·ter,** *bes. Br.* ~ **cen·tre** *s tech.* Reitstockspitze *f.* ~ **chute** *s aer.* Bremsfallschirm *m.* ~ **coat** *s* Frack *m.*
tailed [teild] *adj* **1.** geschwänzt. **2.** schwanzlos. **3.** (*in Zssgn*) ...schwänzig: long-~. ~ **rhyme** *s metr.* Schweifreim *m.*
tail| end *s* **1.** Schluß *m*, (Schwanz)-Ende *n.* **2.** *colloq.* Hinterteil *n*, Steiß *m.* ,~'**end·er** *s sport etc Am. colloq.* ,Schlußlicht' *n* (*Letzter*). ~ **fin** *s aer.* Seitenflosse *f* (*am Leitwerk*). ~ **fly** *s Angeln*: *Am.* Fliege *f.* ~ **gate** *s* **1.** Niedertor *n* (*e-r Schleuse*). **2.** *Am.* hintere (Wagen)Klappe. **3.** *rail. Am.* (*Art*) Rampe *f* (*am Waggonende*). ~ **group** *s aer.* Leitwerk *n.* ~ **gun** *s aer. mil.* Heckwaffe *f.* '~-,**heav·y** *adj aer.* schwanzlastig.
tail·ing ['teiliŋ] *s* **1.** *arch.* eingelassenes Ende. **2.** *pl* Rückstände *pl*, Abfälle *pl*, *bes.* a) Erzabfälle *pl*, b) Ausschußmehl *n.* **3.** zerlaufene Stelle (*im Kattunmuster*).
tail| lamp *s mot. etc* Rück-, Schlußlicht *n.* ~ **land·ing** *s aer.* Schwanzlandung *f.*
tail·less ['teillis] *adj* schwanzlos: ~ airplane Nurflügelflugzeug *n.*
'**tail,light** *s* **1.** → tail lamp. **2.** *aer.* Hecklicht *n.*
tai·lor ['teilər] **I** *s* **1.** Schneider *m*: lady's ~ Damenschneider; the ~ makes the man Kleider machen Leute. **II** *v/t* **2.** schneidern. **3.** schneidern für (*j-n*). **4.** *j-n* kleiden, 'ausstaf,fieren. **5.** nach Maß zuschneiden *od.* arbeiten. **6.** (to) *fig.* zuschneiden (für *j-n*, auf *etwas*). **III** *v/i* **7.** schneidern. '**tai·lored** *adj* **1.** nach Maß angefertigt, gut sitzend (*Kleid etc*), tadellos gearbeitet, Schneider...: ~ costume Schneiderkostüm *n*; ~ suit Maßanzug *m.* **2.** *fig.* zugeschnitten (to auf *acc*). '**tai·lor·ess** *s* Schneiderin *f.* '**tai·lor·ing** *s* **1.** Schneidern *n.* **2.** Schneiderarbeit *f.*
'**tai·lor|-'made I** *adj* **1.** → tailored 1. **2.** ele'gant gekleidet (*Dame*). **3.** auf Bestellung angefertigt. **4.** (genau) zugeschnitten *od.* abgestimmt (for auf *acc*). **5.** *colloq.* ,ak'tiv' (*Zigarette*; *Ggs selbstgedreht*). **II** *s* **6.** 'Schneiderko,stüm *n.* **7.** *colloq.* ,Ak'tive' *f* (*Fabrikzigarette*). '~'**make** *v/t* nach Maß *od.* auf Bestellung anfertigen.
'**tail|,piece** *s* **1.** Schwanzstück *n*, Anhang *m.* **2.** *print.* 'Schlußvi,gnette *f.* **3.** *mus.* Saitenhalter *m.* '~,**pin** *s* **1.** *tech.* Reitstockstift *m.* **2.** *mus.* Fuß *m*, Bodenstück *n* (*bei Saiteninstrumenten*). ~ **pipe** *s* **1.** *tech.* Saugrohr *n* (*e-r Pumpe*). **2.** a) *mot.* Auspuffrohr *n*, b) *aer.* Ausstoßrohr *n.* ~ **plane** *s aer.* Höhen-, Dämpfungsflosse *f.* ~ **rhyme** *s metr.* Schweifreim *m.* ~ **shaft** *s tech.* Schraubenwelle *f.* ~ **skid** *s aer.* Schwanzsporn *m.* ~ **slide** *s aer.* Abrutschen *n* über den Schwanz. ~ **spin** *s* **1.** *aer.* (Ab)Trudeln *n.* **2.** *fig.* a) Panik *f*, b) Chaos *n.* ~ **spin·dle** *s tech.* Pi'nole *f.* '~,**stock** *s tech.* Reitstock *m* (*e-r Drehbank*). ~ **sur·face** *s aer.* Schwanzfläche *f.* ~ **twist·ing** *s sl.* Schi'kane(n *pl*) *f.* ~ **u·nit** *s aer.* (Schwanz)Leitwerk *n.* ~ **wheel** *s aer.* Spornrad *n.* ~ **wind** *s aer.* Rückenwind *m.*
tain [tein] *s* Zinnfolie *f.*

taint [teint] **I** *s* **1.** Fleck *m*. **2.** *fig.* (Schand)Fleck *m*, Makel *m*, (*krankhafter etc*) Zug: a ~ of suspicion ein Schatten *m* von Mißtrauen. **3.** *med.* a) (verborgene) Ansteckung, b) Seuche *f*, c) (verborgene) Anlage (*zu e-r Krankheit*): a ~ of insanity; hereditary ~ erbliche Belastung. **4.** *fig.* verderblicher Einfluß, Gift *n*. **II** *v/t* **5.** (with) verderben (durch), vergiften (mit) (*beide a. fig.*): to be ~ed with behaftet sein mit. **6.** anstecken. **7.** besudeln, beflecken: ~ed goods *econ. Br.* von nicht (gewerkschaftlich) organisierten Arbeitern hergestellte Waren. **III** *v/i* **8.** verderben, schlecht werden (*Fleisch*). **'taint·less** *adj* (*adv* ~ly) unbefleckt, makellos.

take [teik] **I** *s* **1.** *Fischerei*: Fang *m*. **2.** *bes. thea.* Einnahme(n *pl*) *f*, Kasse *f*. **3.** *hunt.* a) Beute *f*, b) Erbeutung *f*. **4.** *sl.* Fang *m*, Beute *f*. **5.** *Film*: Szene(naufnahme) *f*. **6.** *typ.* Porti'on *f*, Manu'skript *n*. **7.** *med.* Verbindung *f*, Anwachsen *n*. **8.** *fig.* Reakti'on *f*: → double take. **9.** *Br.* Pachtland *n*. **10.** *Schach*: Wegnehmen *n* (*e-r Figur*). **II** *v/t irr* **11.** *allg., a. Abschied, e-n Partner, Unterricht etc* nehmen: ~ it or leave it *sl.* mach was du willst; ~n all in all im großen (u.) ganzen; taking one thing with another eins zum anderen gerechnet (*siehe die Verbindungen mit den betreffenden Substantiven*). **12.** (weg)nehmen. **13.** nehmen, fassen, packen, ergreifen. **14.** *Fische etc* fangen. **15.** *Verbrecher etc* fangen, ergreifen. **16.** *mil.* gefangennehmen, *Gefangene* machen. **17.** *mil. e-e Stadt, Stellung etc* (ein)nehmen, *a. Land* erobern, *Schiff* kapern. **18.** *j-n* erwischen, ertappen (stealing beim Stehlen; in a lie bei e-r Lüge). **19.** nehmen, sich aneignen, Besitz ergreifen von, sich bemächtigen (*gen*). **20.** *e-e Gabe etc* (an-, entgegen)nehmen, empfangen. **21.** bekommen, erhalten, *Geld, Steuer etc* einnehmen, *e-n Preis etc* gewinnen. **22.** (her'aus)nehmen (from, out of aus), *a. fig. Zitat etc* entnehmen (from *dat*): I ~ it from s.o. who knows ich habe (*weiß*) es von j-m, der es genau weiß. **23.** *e-e Speise etc* zu sich nehmen, *e-e Mahlzeit* einnehmen, *Gift, Medizin etc* nehmen. **24.** *sich e-e Krankheit* holen *od.* zuziehen: to be ~n ill krank werden. **25.** *allg.* nehmen: a) auswählen: I am not taking any *sl.* ‚ohne mich'!, b) kaufen, c) mieten, d) *e-e Eintritts-, Fahrkarte* lösen, e) *e-e Frau* heiraten, f) *e-r Frau* beischlafen, g) *e-n Weg* wählen. **26.** mitnehmen: ~ me with you nimm mich mit; you can't ~ it with you *fig.* im Grabe nützt (dir) aller Reichtum nichts mehr. **27.** ('hin- *od.* weg)bringen, *j-n wohin* führen: business took him to London; he was ~n to the hospital er wurde in die Klinik gebracht. **28.** *j-n durch den Tod* nehmen, wegraffen. **29.** *math.* abziehen (from von). **30.** *j-n* treffen, erwischen (*Schlag*). **31.** *ein Hindernis* nehmen. **32.** *j-n* befallen, packen (*Empfindung, Krankheit*): to be ~n with a disease e-e Krankheit bekommen; ~n with fear von Furcht gepackt. **33.** *ein Gefühl* haben, bekommen, *Mitleid etc* empfinden, *Mut* fassen, *Anstoß* nehmen, *Ab-, Zuneigung* fassen (to gegen, für): to ~ alarm beunruhigt sein (at über *acc*); to ~ comfort sich trösten; → fancy 7, pride 2. **34.** *Feuer* fangen. **35.** *e-e Bedeutung, e-n Sinn, e-e Eigenschaft, Gestalt* annehmen, bekommen: to ~ a new meaning. **36.** *e-e Farbe, e-n Geruch od. Geschmack* annehmen. **37.** *sport u. Spiele*: a) *Ball, Punkt, Figur, Stein* abnehmen (from *dat*), b) *Stein* schlagen, c) *Karte* stechen, d) *das Spiel* gewinnen. **38.** *jur. etc* erwerben, *bes.* erben. **39.** *e-e Ware, Zeitung* beziehen, *econ. e-n Auftrag* her'einnehmen. **40.** nehmen, verwenden: ~ 4 eggs man nehme 4 Eier. **41.** *e-n Zug, ein Taxi etc* nehmen, benutzen. **42.** *e-e Gelegenheit, e-n Vorteil* ergreifen, wahrnehmen; → chance 5. **43.** (*als Beispiel*) nehmen. **44.** *e-n Platz* einnehmen: ~n besetzt. **45.** *fig. j-n, das Auge, den Sinn* gefangennehmen, fesseln, (für sich) einnehmen: to be ~n with (*od.* by) begeistert *od.* entzückt sein von. **46.** *den Befehl, die Führung, e-e Rolle, e-e Stellung, den Vorsitz* über'nehmen. **47.** *e-e Mühe, Verantwortung* auf sich nehmen. **48.** leisten: a) *e-e Arbeit, e-n Dienst* verrichten, b) *e-n Eid, ein Gelübde* ablegen, c) *ein Versprechen* (ab)geben. **49.** *e-e Notiz, Aufzeichnung* machen, niederschreiben, *ein Diktat, Protokoll* aufnehmen. **50.** *phot. etwas* aufnehmen, *ein Bild* machen. **51.** *e-e Messung, Zählung etc* vornehmen, 'durchführen. **52.** *wissenschaftlich* ermitteln, *e-e Größe, die Temperatur etc* messen, *Maß* nehmen. **53.** machen, tun: to ~ a look e-n Blick tun *od.* werfen; to ~ a swing schaukeln. **54.** *e-e Maßnahme* ergreifen, treffen. **55.** *e-e Auswahl* treffen. **56.** *e-n Entschluß* fassen. **57.** *e-e Fahrt, e-n Spaziergang, a. e-n Sprung, e-e Verbeugung, Wendung etc* machen, *Anlauf* nehmen. **58.** *e-e Ansicht* vertreten; → stand 2, view 13. **59.** a) verstehen, b) auffassen, auslegen, c) *etwas gut etc* aufnehmen: do you ~ me? verstehen Sie (, was ich meine)?; I ~ it that ich nehme an, daß; may we ~ it that ...? dürfen wir es so verstehen, daß?; to ~ s.th. ill of s.o. j-m etwas übelnehmen; to ~ it seriously es ernst nehmen. **60.** ansehen *od.* betrachten (as als), halten (for für): I took him for an honest man. **61.** sich *Rechte, Freiheiten* (her'aus)nehmen. **62.** a) *e-n Rat, e-e Auskunft* einholen, b) *e-n Rat* annehmen, befolgen. **63.** *e-e Wette, ein Angebot* annehmen. **64.** glauben: you may ~ it from me verlaß dich drauf! **65.** *e-e Beleidigung, e-n Verlust etc, a. j-n* 'hinnehmen, *Strafe, Folgen* auf sich nehmen, *sich etwas* gefallen lassen: to ~ people as they are die Leute nehmen, wie sie (eben) sind. **66.** *etwas* ertragen, aushalten: can you ~ it? kannst du das aushalten?; to ~ it *colloq.* es ‚kriegen', es ausbaden (müssen). **67.** *med.* sich *e-r Behandlung etc* unter'ziehen. **68.** *ped. univ. e-e Prüfung* machen, ablegen: to ~ French Examen im Französischen machen; → degree 8. **69.** *e-e Rast, Ferien etc* machen, *Urlaub, a. ein Bad* nehmen. **70.** *Platz, Raum* ein-, wegnehmen, beanspruchen. **71.** a) *Zeit, Material etc, a. fig. Geduld, Mut etc* brauchen, erfordern, kosten, *gewisse Zeit* dauern: it took a long time es dauerte *od.* brauchte lange; it ~s a man to do that das kann nur ein Mann (fertigbringen); he took a little convincing es bedurfte (bei ihm) einiger Überredung, b) *j-n etwas* kosten, *j-m etwas* abverlangen: it took him (*od.* he took) 3 hours es kostete ihn *od.* er brauchte 3 Stunden. **72.** *e-e Kleidergröße, Nummer* haben: which size in hats do you ~? **73.** *ling.* a) *grammatische Form* annehmen, *im Konjunktiv etc* stehen, b) *e-n Akzent, e-e Endung, ein Objekt etc* bekommen. **74.** aufnehmen, fassen, Platz bieten für. **III** *v/i* **75.** *bot. Wurzel* schlagen. **76.** *bot. med.* anwachsen (*Pfropfreis, Steckling, Transplantat*). **77.** *med.* wirken, anschlagen (*Droge etc*). **78.** *colloq.* ‚ankommen', ‚ziehen', ‚einschlagen', Anklang finden (*Buch, Theaterstück etc*). **79.** *jur.* das Eigentumsrecht erlangen, *bes.* erben, (als Erbe) zum Zuge kommen. **80.** sich *gut etc* photogra'phieren (lassen). **81.** Feuer fangen. **82.** anbeißen (*Fisch*). **83.** *tech.* an-, eingreifen.

Verbindungen mit Präpositionen:

take| aft·er *v/i* **1.** *j-m* nachschlagen, -geraten, ähneln (*dat*): he takes after his father. **2.** es *j-m* nachmachen. ~ **a·gainst** *v/i Br.* (e-e) Abneigung empfinden gegen *j-n*. ~ **from I** *v/t* **1.** (*j-m*) *etwas* wegnehmen. **2.** *math.* abziehen von. **II** *v/i* **3.** Abbruch tun (*dat*), *etwas* schmälern, her'absetzen. **4.** *etwas* beeinträchtigen, mindern. ~ **to** *v/i* **1.** a) sich begeben in (*acc*) *od.* nach *od.* zu, b) sich flüchten in (*acc*) *od.* zu, c) *fig.* Zuflucht nehmen zu: to ~ the stage zur Bühne gehen. **2.** a) (her'an)gehen *od.* sich begeben an (*s-e Arbeit etc*), b) sich *e-r Sache* widmen, sich abgeben mit: to ~ doing s.th. dazu übergehen, etwas zu tun. **3.** anfangen, sich ergeben (*dat*), sich verlegen auf (*acc*): to ~ bad habits schlechte Gewohnheiten annehmen; to ~ begging (drink) sich aufs Betteln (Trinken) verlegen. **4.** rea'gieren auf (*acc*), *etwas* (willig) annehmen. **5.** sich 'hingezogen fühlen zu, Gefallen finden an (*j-m*). **6.** *med.* sich legen auf (*acc*), angreifen: the disease took to the heart. ~ **up·on** *v/t*: to ~ o.s. *etwas* auf sich nehmen; to take it upon o.s. to do s.th. a) es auf sich nehmen, etwas zu tun, b) sich berufen fühlen, etwas zu tun.

Verbindungen mit Adverbien:

take| a·back *v/t* verblüffen, über'raschen: → aback 2. ~ **a·bout** *v/t j-n* her'umführen. ~ **a·long** *v/t* mitnehmen. ~ **a·part** *v/t* **1.** *etwas* ausein'andernehmen. **2.** *colloq. fig. e-n Gegner, e-e Theorie etc* ‚ausein'andernehmen'. ~ **a·side** *v/t j-n* bei'seite nehmen. ~ **a·way I** *v/t* **1.** wegnehmen (from s.o. j-m; from s.th. von etwas). **2.** *j-n* (hin)'wegraffen (*Tod*). **II** *v/i* **3.** ~ from → take from II. **4.** (*nach dem Essen*) abräumen. ~ **back** *v/t* **1.** wieder nehmen. **2.** zu'rücknehmen (*a. fig. sein Wort*). **3.** zu'rückgewinnen, -erobern. **4.** *j-n* wieder einstellen. **5.** (im Geist) zu'rückversetzen (to in *e-e Zeit*). ~ **down** *v/t* **1.** her'unter-, abnehmen. **2.** *Gebäude* abbrechen, abreißen, abtragen, *ein Gerüst* abnehmen. **3.** *tech.* zerlegen: to ~ an engine. **4.** *e-n Baum* fällen. **5.** *print. Typenmaterial* verteilen. **6.** *Arznei etc* (hin'unter)schlucken. **7.** *colloq. j-n* ‚ducken', demütigen. **8.** *meist pass j-n* niederwerfen (*Krankheit*): he was taken down with fever. **9.** nieder-, aufschreiben, no'tieren. **10.** aufzeichnen (*Tonbandgerät etc*). ~ **for·ward** *v/t* weiterführen, -bringen. ~ **in** *v/t* **1.** (her)'einlassen: to ~ water; to ~ gas (*Br.* petrol) *mot.* tanken. **2.** *Gast etc* a) einlassen, b) aufnehmen. **3.** *e-e Dame* zu Tisch führen. **4.** *Heimarbeit* annehmen: to ~ a typing job. **5.** *Br. e-e Zeitung* halten. **6.** a) *fig. etwas* in sich aufnehmen, b) von oben bis unten betrachten.

7. *die Lage* über'schauen. 8. *etwas* glauben, ‚schlucken'. 9. her'einnehmen, einziehen, *mar. Segel* einholen. 10. kürzer *od.* enger machen: to ~ a dress. 11. *fig.* einschließen, um'fassen. 12. *Am.* ‚mitnehmen', sich ansehen: to ~ a monument (a movie, *etc*). 13. *colloq. j-n* ‚'reinlegen': to be taken in a) ‚'reinfallen', b) ‚'reingefallen' sein. ~ **off I** *v/t* 1. wegnehmen, -bringen, -schaffen, *a. Flecken etc* entfernen. 2. *j-n* fortführen, -bringen: to take o.s. off sich fortmachen. 3. (*durch den Tod*) 'hinraffen. 4. aus dem Verkehr ziehen. 5. *den Hut etc* abnehmen, ziehen, *Kleidungsstück* ablegen, ausziehen. 6. sich freinehmen, *e-n Tag etc* Urlaub machen. 7. *econ.* a) *Rabatt etc* abziehen, b) *Steuer etc* senken. 8. austrinken. 9. *thea. Stück* absetzen. 10. aufstellen, vorbereiten: to ~ a trial balance *econ.* e-e Rohbilanz aufstellen. 11. anfertigen: to ~ 200 copies. 12. *j-n* abbilden, porträ'tieren. 13. *colloq. j-n* nachmachen, ko'pieren. **II** *v/i* 14. *sport* abspringen. 15. *aer.* aufsteigen, abfliegen, starten. 16. fortgehen, sich fortmachen. 17. abzweigen (*Straße etc*). ~ **on I** *v/t* 1. *Fleisch* ansetzen. 2. *Arbeit etc* annehmen, über'nehmen. 3. *Waren, Passagiere* aufnehmen, an Bord nehmen. 4. *Arbeiter* ein-, anstellen, *Mitglieder* aufnehmen. 5. a) *j-n* (als Gegner) annehmen, sich auf e-n Kampf einlassen mit, b) es aufnehmen mit *j-m*. 6. *e-e Wette* eingehen. 7. *e-e Eigenschaft, Gestalt, a. e-e Farbe* annehmen. 8. *e-e Sprache, Kultur etc* über'nehmen, sich zu eigen machen. **II** *v/i* 9. *colloq.* ‚sich haben', ein großes The'ater machen, sich aufregen. 10. sich aufspielen. 11. ‚ziehen', einschlagen (*Buch, Schlager etc*). 12. in Dienst treten. ~ **out** *v/t* 1. a) her'ausnehmen, b) wegnehmen, entfernen (of von, aus). 2. *e-n Fleck* her'ausmachen, entfernen (of aus). 3. *Geld* abheben. 4. *econ. jur.* a) *ein Patent, e-e Vorladung etc* erwirken, b) *e-e Versicherung* abschließen: to ~ an insurance policy. 5. ‚erledigen', ausschalten. 6. to take it out sich schadlos halten (in an *e-r Sache*), sich rächen: to take it out of a) sich rächen *od.* schadlos halten für (*e-e Beleidigung etc*), b) *j-n* ‚fertigmachen', erschöpfen; to take it out on s.o. s-n Zorn *od.* es an j-m auslassen. 7. *etwas* austreiben (of s.o. j-m): to take the nonsense out of s.o. 8. *j-n zum Abendessen etc* ausführen: to take s.o. out to dinner. 9. *Bridge*: *den Gegner* über'bieten. ~ **o·ver I** *v/t* 1. *ein Amt, e-e Aufgabe, die Macht etc, a. e-e Idee etc* über'nehmen. **II** *v/i* 2. die Amtsgewalt *od.* die Leitung *od.* die Re'gierung *od.* die Macht über'nehmen: to ~ for s.o. j-s Stelle übernehmen. 3. die Sache in die Hand nehmen. 4. in den Vordergrund treten, an die Spitze gelangen, in Mode kommen, ‚dran' sein. ~ **up I** *v/t* 1. aufheben, -nehmen. 2. hochheben. 3. nach oben bringen. 4. *Straße* aufreißen. 5. *ein Gerät, e-e Waffe* erheben, ergreifen. 6. *Flüssigkeit* aufnehmen, -saugen. 7. *Reisende* mitnehmen. 8. *e-e Tätigkeit* aufnehmen, *e-n Beruf* ergreifen. 9. sich befassen mit, sich verlegen auf (*acc*). 10. *e-n Fall, e-e Idee etc* aufgreifen. 11. to take s.o. up on s.th. bei j-m wegen e-r Sache einhaken (→ 22). 12. *e-e Erzählung etc* fortführen, fortfahren in (*dat*). 13. *Platz, Zeit, Gedanken etc* ausfüllen, beanspruchen: to ~ time (s.o.'s attention) Zeit (j-s Aufmerksamkeit) in Anspruch nehmen; taken up with in Anspruch genommen von. 14. a) *s-n Wohnsitz* aufschlagen, b) *e-e Wohnung* beziehen. 15. *e-e Stelle* antreten. 16. *e-n Posten* einnehmen. 17. *e-n Verbrecher* aufgreifen, verhaften. 18. *e-e Haltung* einnehmen. 19. sich zu eigen machen: to ~ current opinions. 20. *e-e Masche beim Stricken* aufnehmen. 21. *econ.* a) *Kapital, e-e Anleihe* aufnehmen, b) *Aktien* zeichnen, c) *e-n Wechsel* einlösen. 22. *e-e Wette, Herausforderung etc* annehmen: to take s.o. up on it j-s Herausforderung annehmen. 23. a) *e-m Redner* ins Wort fallen, b) *j-n* zu'rechtweisen, korri'gieren. 24. *j-n* schelten, tadeln. 25. *med. ein Gefäß* abbinden. **II** *v/i* 26. *colloq.* ‚anbändeln' *od.* sich einlassen (with mit *j-m*). 27. a) (wieder) anfangen, b) weitermachen. 28. ~ for eintreten *od.* sich einsetzen für *j-n*. 29. *dial.* sich bessern (*Wetter*). ~ **with** *v/i* verfangen bei: that won't ~ me das verfängt *od.* ‚zieht' bei mir nicht.

'take-a,part → takedown 1.

'take|,down I *adj* 1. zerlegbar, ausein'andernehmbar. **II** *s* 2. Zerlegen *n*. 3. *mil. tech.* leicht zerlegbare Feuerwaffe. 4. *Ringen*: Niederwurf *m*. 5. *colloq.* Demütigung *f*. '~-,**home (pay)** *s econ.* Nettolohn *m*, -gehalt *n*. '~-,**in** *s colloq.* 1. Schwindel *m*, ‚Beschiß' *m*. 2. ‚Reinfall' *m*. 3. Betrüger(in).

tak·en ['teikən] *pp von* take.

'take|-,off *s* 1. Wegnehmen *n*. 2. *aer.* Start *m* (*a. mot.*), Abflug *m*: ~ speed Abhebegeschwindigkeit *f*; → assist 2. 3. *tech.* Abnahmestelle *f*. 4. *sport* a) Absprung *m*, b) Absprungstelle *f*: ~ board Absprungbalken *m*. 5. *fig.* Sprungbrett *n*, Start *m*, Ausgangspunkt *m*. 6. *colloq.* Nachahmung *f*, Karika'tur *f*. '~-,**o·ver** *s* 1. *econ.* 'Übernahme *f* (*Erwerb der Aktienmajorität*). 2. *pol.* 'Macht,übernahme *f*.

tak·er ['teikər] *s* 1. (Ab-, Auf-, Ein-, Weg- *etc*)Nehmer(in). 2. *econ.* Abnehmer(in), Käufer(in). 3. j-d, der e-e Wette *od.* ein Angebot annimmt, Interes'sent(in).

'take-,up *s* 1. Spannen *n*, Anziehen *n*. 2. *tech.* Spannvorrichtung *f*. 3. *bes. phot.* a) Aufwick(e)lung *f*, b) *a.* ~ spool Aufwickelspule *f*.

tak·ing ['teikiŋ] **I** *s* 1. (An-, Ab-, Auf-, Ein-, Ent-, 'Hin-, Weg- *etc*)Nehmen *n*. 2. Inbe'sitznahme *f*. 3. *jur.* Wegnahme *f*. 4. *mil.* Einnahme *f*, Eroberung *f*. 5. *mar.* Aufbringung *f*: ~ of a ship. 6. *mil.* Gefangennahme *f*. 7. Festnahme *f*: ~ of a criminal. 8. Fang *m*, Beute *f*. 9. *colloq.* a) *med.* Anfall *m*, b) Aufregung *f*: in a great ~ ‚ganz aus dem Häus-chen'. 10. *phot.* Aufnahme *f*. 11. *pl econ.* Einnahme(n *pl*) *f*. **II** *adj* (*adv* ~ly) 12. fesselnd. 13. einnehmend, anziehend, gewinnend. 14. *colloq.* ansteckend. ~ **a·way** *s* Wegnahme *f*. ~ **back** *s* 1. Zu'rücknahme *f*. 2. *econ.* Rücknahme *f*. ~ **o·ver** *s* 'Übernahme *f*.

ta·la·ri·a [tə'lɛ(ə)riə] (*Lat.*) *s pl antiq. myth.* Ta'larien *pl*, Flügelschuhe *pl* (*des Hermes od. Merkur*).

tal·bot ['tɔːlbət] *s* Talbot *m* (*ausgestorbene Jagdhundrasse*).

talc [tælk] *s* Talk(um *n*) *m*. '**talck·y**, '**talc·ose** [-kous] *adj* talkig.

tal·cum ['tælkəm] *s* Talk *m*: ~ powder Körperpuder *m*.

tale [teil] *s* 1. Erzählung *f*, Bericht *m*: it tells its own ~ *fig.* es spricht für sich selbst. 2. Erzählung *f*, Geschichte *f*: old wives' ~s Altweibergeschichten, Ammenmärchen; thereby hangs a ~ damit ist e-e Geschichte verknüpft. 3. Sage *f*, Märchen *n*. 4. Lüge(ngeschichte) *f*, ‚Märchen' *n*. 5. Klatschgeschichte *f*: to tell (*od.* carry *od.* bear) ~s klatschen; to tell ~s (out of school) *fig.* aus der Schule plaudern. 6. *obs. od. poet.* (An-, Gesamt)Zahl *f*. '~,**bear·er** *s* Zwischen-, Zuträger(in), Klatschmaul *n*. '~,**bear·ing I** *s* Zuträge'rei *f*, Klatsch(e'rei *f*) *m*. **II** *adj* klatschsüchtig, Klatsch...

tal·ent ['tælənt] *s* 1. Ta'lent *n*, Begabung *f* (*beide a. Person*), Gabe *f*: ~ for music musikalisches Talent; of great ~ sehr talentiert. 2. *collect.* Ta'lente *pl*, talen'tierte Per'sonen *pl*: ~ scout Talentsucher *m*; ~ show *TV etc* Sendung *f* für junge Talente; to engage the best ~ die besten Kräfte verpflichten. 3. *Bibl.* Pfund *n*. 4. *antiq.* Ta'lent *n* (*Gewichts- od. Münzeinheit*). '**tal·ent·ed** *adj* talen'tiert, begabt. '**tal·ent·less** *adj* 'untalen,tiert.

ta·les ['teiliːz] *s pl jur.* Ersatzgeschworene *pl*. **ta·les·man** ['teiliːzmən; 'teilz-] *s irr* Ersatzgeschworene(r) *m*.

'tale,tell·er *s* 1. Märchen-, Geschichtenerzähler *m*. 2. Flunkerer *m*. 3. → talebearer.

tal·i·ped ['tæli,ped] *med. zo.* **I** *adj* 1. defor'miert (*Fuß*). 2. klumpfüßig. **II** *s* 3. Klumpfuß *m* (*Person*). '**tal·i,pes** [-,piːz] *s med.* Klumpfuß *m*.

tal·i·pot (palm) ['tæli,pɒt], *a.* '**tal·i,put (palm)** [-,pʌt] *s bot.* Schattenpalme *f*.

tal·is·man ['tælizmən; -lis-] *pl* **-mans** *s* Talisman *m*. ,**tal·is'man·ic** [-'mænik] *adj* magisch.

talk [tɔːk] **I** *s* 1. Reden *n*. 2. Gespräch *n*: a) Unter'haltung *f*, Plaude'rei *f*, b) *a. pol.* Unter'redung *f*: to have a ~ with s.o. mit j-m reden *od.* plaudern, sich mit j-m unterhalten. 3. Aussprache *f*. 4. *Radio etc*: a) Plaude'rei *f*, b) Vortrag *m*: to give a ~ on e-n Vortrag halten über (*acc*). 5. Gerede *n*: a) Geschwätz *n*, b) Klatsch *m*: he is all ~ er ist ein großer Schwätzer; to end in ~ im Sand verlaufen; there is ~ of his being bankrupt man spricht davon, daß er bankrott sei; → small talk. 6. Gesprächsgegenstand *m*: to be the ~ of the town Stadtgespräch sein. 7. Sprache *f*, Art *f* zu reden: → baby talk.

II *v/i* 8. reden, sprechen: to ~ round s.th. um etwas herumreden; → big 14. 9. reden, sprechen, plaudern, sich unter'halten (about, on über *acc*; of von; with mit): to ~ at s.o. j-n indirekt ansprechen, j-n meinen; to ~ to s.o. a) mit j-m sprechen *od.* reden, b) *colloq.* j-m die Meinung sagen; ~ing of da wir gerade von ... sprechen; you can ~! *colloq.* du hast gut reden!; now you are ~ing! *sl.* das läßt sich schon eher hören! 10. *contp.* reden: a) schwatzen, b) klatschen: to ~ ill of s.o. schlecht über j-n reden.

III *v/t* 11. *etwas* reden: to ~ nonsense; to ~ sense (treason, wisdom) vernünftig (landesverräterisch, weise) reden. 12. *e-e Sprache* sprechen: to ~ French. 13. reden *od.* sprechen über (*acc*): to ~ business (politics, religion); → shop 3. 14. reden: to ~ o.s. hoarse; to ~ s.o. into believing s.th. j-n etwas glauben machen; to ~ s.o. into (out of) s.th. j-m etwas ein-(aus)reden; to ~ to death *Am. für* talk out 1.

Verbindungen mit Adverbien:

talk| a·way *v/t Zeit* verplaudern.

~ **back** *v/i* e-e freche Antwort geben. ~ **down I** *v/t* **1.** *j-n* ‚unter den Tisch reden'. **2.** *j-n* niederschreien. **3.** *ein Flugzeug* her'untersprechen (*bei der Landung*). **II** *v/i* **4.** (to) sich dem (*niedrigen*) Ni'veau (*e-r Zuhörerschaft*) anpassen: to ~ to one's audience. **5.** her'ablassend reden (to zu). ~ **out** *v/t* **1.** *parl.* ‚totreden', die Annahme (*e-r Gesetzesvorlage etc*) durch Hin'ausziehen der De'batte bis zur Vertagung verhindern: to ~ a bill. **2.** to talk it out sein Herz ausschütten. ~ **o·ver** *v/t* **1.** *j-n* über'reden. **2.** besprechen, 'durchsprechen: to ~ a plan. ~ **round** → talk over 1. ~ **up** *bes. Am. colloq.* **I** *v/t* **1.** *etwas* rühmen, anpreisen, her'ausstreichen. **2.** *etwas* frei her'aussagen. **II** *v/i* **3.** laut u. deutlich reden.

talk·a·thon ['tɔːkəˌθɒn] *s Am. sl.* Marathonsitzung *f.*

talk·a·tive ['tɔːkətiv] *adj* (*adv* ~ly) geschwätzig, gesprächig, redselig. '**talk·a·tive·ness** *s* Redseligkeit *f.*

'**talk-ˌback** *electr.* **I** *s* Gegen-, Wechselsprechanlage *f.* **II** *adj* Gegensprech...

talk·ee-talk·ee ['tɔːki'tɔːki] *s colloq.* **1.** Kauderwelsch *n.* **2.** Geschwätz *n.*

talk·er ['tɔːkər] *s* **1.** Schwätzer(in). **2.** Sprechende(r *m*) *f*: he is a good ~ er kann (gut) reden.

talk·fest ['tɔːkˌfest] *s Am. sl.* großes Pa'laver.

talk·ie ['tɔːki] *s colloq.* **1.** Tonfilm *m.* **2.** *pl* ('Ton)Filmindu,strie *f.*

talk·ing ['tɔːkiŋ] **I** *s* **1.** Sprechen *n*, Reden *n.* **2.** Geschwätz *n*, Gerede *n.* **3.** Unter'haltung *f*: → do¹ 2. **II** *adj* **4.** sprechend (*a. fig.*): ~ doll; ~ parrot; ~ eyes. **5.** *electr. teleph.* Sprech...: ~ current. ~ **film** *s* Tonfilm *m.* ~ (**mo·tion**) **pic·ture** *s* Tonfilm *m.* ~ **point** *s* **1.** Gesprächsstoff *m.* **2.** (gutes) Argu'ment. '~-ˌ**to** *pl* -ˌ**tos** *s* to give s.o. a ~ *colloq.* j-m e-e Standpauke halten.

talk·y ['tɔːki] *adj* geschwätzig (*a. fig.*). '~-ˌ**talk** *s colloq.* (leeres) Geschwätz.

tall [tɔːl] **I** *adj* **1.** groß, hochgewachsen: six feet ~ sechs Fuß groß. **2.** hoch: a ~ tree ein hoher Baum. **3.** lang (u. dünn). **4.** *sl.* a) ‚toll', b) großsprecherisch, -spurig, c) über'trieben, unglaublich: a ~ story; that is a ~ order das ist ein bißchen viel verlangt. **II** *adv* **5.** *sl.* großspurig: to talk ~ ‚große Töne spucken'.

tal·lage ['tælidʒ] *s Br. hist.* (Gemeinde)Steuer *f.*

'**tallˌboy** *s* **1.** *Br.* Kom'mode *f* mit Aufsatz. **2.** *Am.* hochstieliges Weinglas.

tal·li·age ['tæliidʒ] → tallage.

tall·ish ['tɔːliʃ] *adj* ziemlich groß.

tall·ness ['tɔːlnis] *s* Größe *f*, Höhe *f*, Länge *f.*

tal·low ['tælou] **I** *s* **1.** Talg *m*: vegetable ~ Pflanzentalg. **2.** *tech.* Schmiere *f.* **3.** Talg-, Unschlittkerze *f.* **II** *v/t* **4.** (ein)talgen, schmieren. **5.** *Tiere* mästen. '~-ˌ**faced** *adj* bleich, käsig. '~-ˌ**top** *s* mug(e)liger Edelstein.

tal·low·y ['tæloui] *adj* talgig.

tal·ly¹ ['tæli] **I** *s* **1.** *hist.* Kerbholz *n.* **2.** Strichliste *f.* **3.** *econ.* a) (Ab)Rechnung *f*, b) (Gegen)Rechnung *f*, c) Kontogegenbuch *n* (*e-s Kunden*), d) Warenliste *f.* **4.** Dupli'kat *n*, Seiten-, Gegenstück *n* (of zu). **5.** a) Zählstrich *m*, b) Stückmaß *n*, -zahl *f*: to buy by the ~ *econ.* nach dem Stück kaufen. **6.** Eti'kett *n*, Marke *f*, Kennzeichen *n* (*auf Kisten etc*). **7.** Ku'pon *m.* **8.** Zählung *f.* **9.** *sport* a) Punktzahl *f*, b) Punkt *m.* **II** *v/t* **10.** (stückweise) nachzählen, regi'strieren, buchen, kontrol'lieren. **11.** *oft* ~ up berechnen. **12.** mitein'ander in Über'einstimmung bringen. **13.** *Waren* be-, auszeichnen. **14.** *sport etc e-n Punkt od. Punkte* a) erzielen, b) no'tieren. **III** *v/i* **15.** (with) über'einstimmen (mit), entsprechen (*dat*). **16.** aufgehen, stimmen.

tal·ly² ['tæli] *v/t mar. Schoten* beiholen.

tal·ly·ho *hunt.* **I** *interj* [ˌtæli'hou] hallo!, ho! (*Jagdruf beim Erblicken des Fuchses*). **II** *s* ['tæliˌhou] *pl* **-hos** Hallo *n.* **III** *v/i* ['tæliˌhou] ‚hallo' rufen.

'**tal·ly|·man** [-mən] *s irr econ. Br.* Inhaber *m* e-s Abzahlungsgeschäftes. ~ **sheet** *s bes. Am.* Zähl-, Rechnungsbogen *m.* ~ **shop** *s econ. bes. Br.* Abzahlungsgeschäft *n.* ~**sys·tem**, ~**trade** *s econ. bes. Br.* 'Abzahlungsgeschäft *n*, -syˌstem *n.*

tal·ma ['tælmə] *s hist.* langer, capeartiger 'Umhang.

tal·mi gold ['tælmi; 'tɑːlmi] *s* Talmigold *n.*

Tal·mud ['tælmʌd; -mud] *s relig.* Talmud *m.* **Tal'mud·ic, Tal'mud·i·cal** *adj* tal'mudisch. '**Tal·mud·ist** *s* Talmu'dist *m.*

tal·on ['tælən] *s* **1.** *orn. u. fig.* Klaue *f*, Kralle *f.* **2.** *arch.* Kehlleiste *f.* **3.** *Kartenspiel*: Ta'lon *m.* **4.** *econ.* Ta'lon *m*, Erneuerungsschein *m* (*an Wertpapieren*), ('Zins)Kuˌpon *m.* '**tal·oned** *adj* mit Krallen *od.* Klauen (versehen).

ta·lus¹ ['teiləs] *pl* **-li** [-lai] *s* **1.** *anat.* Talus *m*, Sprungbein *n.* **2.** Fußgelenk *n.* **3.** *med.* Klumpfuß *m.*

ta·lus² ['teiləs] *s* **1.** Abhang *m*, Böschung *f.* **2.** *geol.* Schutthalde *f.*

tam [tæm] → tam-o'-shanter.

tam·a·ble ['teiməbl] *adj* (be)zähmbar.

tam·a·rack ['tæməˌræk] *s bot.* **1.** Nordamer. Lärche *f.* **2.** Tamarakholz *n.*

tam·a·rind ['tæmərind] *s bot.* Tama'rinde *f.*

tam·a·risk ['tæmərisk] *s bot.* Tama'riske *f.*

tam·bour ['tæmbuər] **I** *s* **1.** (große) Trommel. **2.** *a.* ~ frame Stickrahmen *m.* **3.** Tambu'riersticke,rei *f*: ~ lace auf Tüll gestickte Spitze; ~ stitch Tamburierstich *m.* **4.** *arch.* a) Säulentrommel *f*, b) Tambour *m* (*zylindrischer Unterbau e-r Kuppel*). **5.** *Festungsbau*: Tambour *m.* **6.** *tech.* Trommel *f.* **II** *v/t* **7.** *Stoff* tambu'rieren.

tam·bou·rin [tɑ̃bu'rɛ̃; 'tæmbu(ə)rin] *s mus.* Tamb(o)u'rin *n.* **tam·bou·rine** [ˌtæmbə'riːn] *s mus.* (flaches) Tamb(o)u'rin.

tame [teim] **I** *adj* (*adv* ~ly) **1.** *a. allg.* zahm: a) gezähmt: a ~ lion, b) friedlich: a ~ fellow, c) folgsam, ‚brav', d) harmlos: a ~ joke, e) lahm, fad(e): a ~ affair; a ~ retort. **2.** *bot.* veredelt: ~ berries. **II** *v/t* **3.** *a. fig.* zähmen, bändigen. '**tame·a·ble** → tamable. '**tame·less** *adj poet.* **1.** un(be)zähmbar. **2.** ungezähmt, ungebändigt. '**tame·ness** *s* **1.** Zahmheit *f* (*a. fig.*). **2.** Folgsamkeit *f.* **3.** Unter'würfigkeit *f.* **4.** Harmlosigkeit *f.* **5.** Langweiligkeit *f.* '**tam·er** *s* (Be)Zähmer(in), Bändiger(in).

Tam·il ['tæmil] **I** *s* **1.** Ta'mile *m* (*Sprecher des Tamil*). **2.** *ling.* Ta'mil *n*, Ta'mulisch *n.* **II** *adj* **3.** ta'mulisch. **Ta·mil·i·an** [tə'miliən] → Tamil.

Tam·ma·ny ['tæməni] *s pol. Am.* **1.** *abbr. für* a) Tammany Hall, b) Tammany Society. **2.** *fig.* po'litische Korrupti'on. ~ **Hall** *s pol. Am.* **1.** *Versammlungshaus der* Tammany Society *in New York.* **2.** *fig.* → Tammany Society. ~ **So·ci·e·ty** *s pol. Am. organisierte demokratische Partei in New York.*

tam-o'-shan·ter [ˌtæmə'ʃæntər] *s* runde Wollmütze (*der Schotten*), (*e-e*) Baskenmütze *f.*

tamp [tæmp] **I** *v/t* **1.** *tech.* besetzen, abdämmen, zustopfen: to ~ a drill hole. **2.** a) feststampfen: to ~ the soil, b) *Beton* rammen. **II** *s* **3.** *tech.* Stampfer *m.*

tamp·er¹ ['tæmpər] *s tech.* **1.** Besetzer *m* (*von Bohrlöchern; Person*). **2.** Stampfer *m* (*Gerät*).

tam·per² ['tæmpər] *v/i* (with) **1.** a) sich (ein)mischen (in *acc*), b) hin'einpfuschen (in *acc*). **2.** her'umpfuschen (an *dat*): to ~ with a document e-e Urkunde verfälschen *od.* ‚frisieren'. **3.** a) (mit *j-m*) intri'gieren *od.* heimlich verhandeln, b) (*j-n*) (zu) bestechen *od.* (zu) beeinflussen (suchen): to ~ with a witness.

tam·pi·on ['tæmpiən] *s mil.* Mündungspfropfen *m.*

tam·pon ['tæmpɒn] **I** *s* **1.** *med.* Tam'pon *m*, Wattebausch *m*, Gazestreifen *m.* **2.** *print.* Tam'pon *m* (*zum Einfärben*). **3.** *allg.* Pfropfen *m.* **4.** *mus.* Doppelschlegel *m.* **II** *v/t* **5.** *med. u. print.* tampo'nieren.

tam·pon·ade [ˌtæmpə'neid], '**tam·pon·age** [-nidʒ], '**tam·pon·ment** [-mənt] *s med.* Tampo'nieren *n.*

tam-tam ['tʌmˌtʌm] → tom-tom.

tan [tæn] **I** *s* **1.** *tech.* a) Lohe *f*, b) Gerbsäure *f*, c) → tannin. **2.** *chem.* Gerbstoff *m.* **3.** Lohfarbe *f.* **4.** (gelb)braunes Kleidungsstück (*bes. Schuh*). **5.** Sonnenbräunung *f*, Bräune *f* (*der Haut*). **II** *v/t* **6.** *tech.* a) *Leder* gerben, b) beizen. **7.** *phot.* gerben. **8.** *die Haut* bräunen. **9.** *colloq. j-m* ‚das Fell gerben'. **III** *v/i* **10.** sich gerben lassen (*Leder*). **11.** sich bräunen (*Haut*). **IV** *adj* **12.** lohfarben, gelbbraun. **13.** Gerb...

ta·na¹ ['tɑːnə; -nɑː] *s Br. Ind.* Poli'zeiod. Mili'tärstatiˌon *f.*

ta·na² ['tɑːnə; -nɑː] *s zo.* Tana *m*, Spitzhörnchen *n.*

tan·a·ger ['tænədʒər] *s orn.* Tan'gara *m*, Prachtmeise *f.*

tan·dem ['tændəm] **I** *adv* **1.** hinterein'ander (angeordnet) (*Pferde, Maschinen etc*): to drive ~ zweie lang fahren. **II** *s* **2.** Tandem *n* (*Pferdegespann, Wagen, Fahrrad*). **3.** *tech.* Reihe *f*, Tandem *n.* **4.** *electr.* Kas'kade *f.* **III** *adj* **5.** Tandem..., hinterein'ander angeordnet: ~ airplane Tandemflugzeug *n*; ~ arrangement *tech.* Reihenanordnung *f*, Tandem *n*; ~ bicycle Tandem *n*; ~ connection *tech.* Kaskadenschaltung *f*; ~ compound (engine) Reihenverbundmaschine *f.*

tang¹ [tæŋ] **I** *s* **1.** *tech.* a) Griffzapfen *m* (*e-s Messers etc*), b) Angel *f*, c) Dorn *m.* **2.** a) scharfer Geruch *od.* Geschmack, b) Beigeschmack *m* (of von) (*a. fig.*). **II** *v/t* **3.** *tech.* mit e-m Heftzapfen *etc* versehen.

tang² [tæŋ] **I** *s* (scharfer) Klang. **II** *v/t u. v/i* (laut) ertönen (lassen).

tang³ [tæŋ] *s bot.* Seetang *m.*

tan·gen·cy ['tændʒənsi], *selten* '**tan·gence** *s math.* Berührung *f*, Tan'genz *f.*

tan·gent ['tændʒənt] **I** *adj math.* **1.** → tangential 1. **II** *s* **2.** *math.* Tan'gente *f*: ~ balance *tech.* Neigungsgewichtswaage *f*; ~ sight *mil.* Geschützaufsatz *m*; to go (*od.* fly) off at a ~ plötzlich (vom Thema) abspringen. **3.** *mus.* Tan'gente *f* (*am Klavichord*). **4.** *Am. colloq.* geradlinige Eisenbahnstrecke.

tan·gen·tial [tæn'dʒenʃəl] *adj* (*adv* ~ly) **1.** *math.* a) Tangential..., Berührungs..., b) tangenti'al, berührend: to be ~ to s.th. etwas berühren. **2.** *fig.* a) sprunghaft, flüchtig, b) ziellos, c) abschweifend. ~ **co-or·di·nate** *s math.*

ˈLinienkoordiˌnate *f.* ~ **force** *s phys.* Tangentiˈalkraft *f.* ~ **plane** *s math.* Berührungsebene *f.*

Tan·ge·rine [ˌtændʒəˈriːn] **I** *s* **1.** Bewohner(in) von Tanger. **2.** t~ *bot.* Mandaˈrine *f.* **II** *adj* **3.** aus Tanger.

tan·gi·ble [ˈtændʒibl] **I** *adj* (*adv* tangibly) greifbar: a) fühlbar, b) *fig.* handgreiflich, -fest, c) *econ.* reˈal: ~ **assets** greifbare Aktiva; ~ **property** → II. **II** *s pl econ.* Sachvermögen *n.*

tan·gle [ˈtæŋgl] **I** *v/t* **1.** verwirren, -wickeln, durcheinˈanderbringen (*alle a. fig.*). **2.** verstricken (*a. fig.*). **II** *v/i* **3.** sich verirren *od.* verheddern. **4.** *sl.* sich (in e-n Kampf) einlassen, ‚anbinden' (**with** mit). **III** *s* **5.** Gewirr *n,* wirrer Knäuel. **6.** Verwirrung *f,* -wicklung *f,* Durcheinˈander *n.* **7.** *bot.* (Riemen)Tang *m.* ˈ~ˌ**foot** *s irr. Am. sl.* Schnaps *m, bes.* Whisky *m.*

tan·gly [ˈtæŋgli] *adj* verwickelt, -worren.

tan·go [ˈtæŋgou] **I** *pl* **-gos** *s* Tango *m.* **II** *v/i pret u. pp* **-goed** Tango tanzen.

tan·gram [ˈtæŋgrəm] *s chinesisches Zs.-setzspiel.*

tang·y [ˈtæŋi] *adj* mit scharfem Beigeschmack, scharf.

tan·ist [ˈtænist] *s hist.* gewählter Nachfolger des Häuptlings (*bei keltischen Völkern*).

tank[1] [tæŋk] **I** *s* **1.** Tank *m,* (großer) Behälter. **2.** (Wasser)Becken *n,* Ziˈsterne *f.* **3.** *rail.* a) Wasserkasten *m* (*des Tenders*), b) ˈTenderlokomoˌtive *f.* **4.** → **tanker** 1. **5.** *phot.* Bad *n.* **6.** *Computer:* Schleifenspeicher *m.* **7.** *mil.* Panzer(wagen) *m,* Tank *m.* **8.** *Am. sl.* a) (Haft)Zelle *f,* b) ‚Kittchen' *n.* **II** *v/t u. v/i* **9.** tanken. **10.** *a.* ~ **up** *Am. sl.* ‚saufen', ‚tanken': ~**ed up** ‚voll', ‚besoffen'.

tank[2] [tæŋk] *s sg od. pl Br. Ind.* Tänk *n od. pl:* a) *Handelsgewicht in Bombay* (= *4,410 g*), b) *Perlengewicht* (= *2,916 g*).

tank·age [ˈtæŋkidʒ] *s* **1.** Fassungsvermögen *n* e-s Tanks. **2.** (Gebühr *f* für die) Aufbewahrung in Tanks. **3.** *agr.* Fleischmehl *n* (*Düngemittel*).

tank·ard [ˈtæŋkərd] *s* Deckelkanne *f, bes.* Bierkrug *m.*

tank| bust·er *s mil. sl.* **1.** Panzerknakker *m.* **2.** Jagdbomber *m* zur Panzerbekämpfung. ~ **car** *s rail.* Kesselwagen *m.* ~ **cir·cuit** *s electr.* Oszilˈlatorschwingkreis *m.* ~ **de·stroy·er** *s mil.* Sturmgeschütz *n.* ˈ~ˌ**doz·er** *s mil.* Räumpanzer *m.* ~ **dra·ma** *s thea.* Sensatiˈonsstück *n.* ~ **en·gine** → tank[1] 3 b.

tank·er [ˈtæŋkər] *s* **1.** *mar.* Tanker *m,* Tankschiff *n.* **2.** *aer.* Tankflugzeug *n.* **3.** *mot.* Tankwagen *m.* **4.** *mil.* ˈPanzersolˌdat *m.*

tank| farm *s mil. tech.* Tanklager *n.* ~ **i·ron** *s tech.* mittelstarkes Eisenblech. ˈ~ˌ**ship** → tanker 1. ~ **town** *s Am. colloq.* ‚kleines Kaff'. ~ **trap** *s mil.* Panzerfalle *f.* ~ **truck** *s* Tankwagen *m.*

tan liq·uor *s tech.* Beizbrühe *f.*

tan·nage [ˈtænidʒ] *s* **1.** Gerbung *f.* **2.** Gerbstoff *m.*

tan·nate [ˈtæneit] *s chem.* Tanˈnat *n.*

tanned [tænd] *adj* **1.** *tech.* lohgar. **2.** sonn(en)verbrannt, gebräunt.

tan·ner[1] [ˈtænər] *s* (Loh)Gerber *m.*

tan·ner[2] [ˈtænər] *s Br. sl.* Sixpence(stück *n*) *m.*

tan·ner·y [ˈtænəri] *s* (ˌLoh)Gerbeˈrei *f.*

tan·nic [ˈtænik] *adj chem.* Gerb…: ~ **acid.** **tan·nif·er·ous** [tæˈnifərəs] *adj chem.* gerbsäurehaltig. **tan·nin** [ˈtænin] *s* Gerbsäure *f,* Tanˈnin *n.*

tan·ning [ˈtæniŋ] *s* **1.** Gerben *n.* **2.** *sl.* (Tracht *f*) Prügel *pl.*

tan| ooze, ~ **pick·le** → tan liquor. ~ **pit** *s* Lohgrube *f.*

tan·rec [ˈtænrek] → **tenrec.**

tan·sy [ˈtænzi] *s bot.* **1.** Rainfarn *m.* **2.** Gänsefingerkraut *n.*

tan·ta·late [ˈtæntəˌleit] *s chem.* tanˈtalsaures Salz. **tanˈtal·ic** [-ˈtælik] *adj chem.* tanˈtalsauer, Tantal…

tan·ta·li·za·tion [ˌtæntəlaiˈzeiʃən; -liˈz-] *s* **1.** Quälen *n,* ‚Zappelnlassen' *n.* **2.** (Tantalus)Qual *f.* ˈ**tan·taˌlize** [-ˌlaiz] *v/t fig.* peinigen, quälen, ‚zappeln' lassen. ˈ**tan·taˌliz·ing** *adj* (*adv* ~**ly**) quälend, aufreizend, verlockend, ˈunwiderˌstehlich.

tan·ta·lum [ˈtæntələm] *s chem.* Tantal *n.*

tan·ta·lus [ˈtæntələs] *s* verschließbarer Flaschenhalter *od.* -ständer. **T~ cup** *s phys.* Veˈxierbecher *m.*

tan·ta·mount [ˈtæntəˌmaunt] *adj* gleichbedeutend (to mit): to be ~ to gleichkommen (*dat*), hinauslaufen auf (*acc*).

tan·ta·ra [ˈtæntərə; tænˈtɑːrə] *s* Fanfarenstoß *m.*

tan·tiv·y [tænˈtivi] **I** *s* **1.** schneller Gaˈlopp. **2.** Hussa *n* (*Jagdruf*). **3.** T~ *hist.* royaˈlistischer Stellenjäger (*zur Zeit Jakobs II.*). **II** *adv* **4.** spornstreichs. **III** *adj* **5.** schnell. **IV** *interj* **6.** traˈra! (*Klang des Horns*). **7.** trapp-ˈtrapp (*Geräusch des Galopps*).

tan·tra [ˈtæntrə; ˈtɑːn-] *s relig.* Tantra *n* (*hinduistischer Text*). ˈ**tan·trism** *s* Tanˈtrismus *m.*

tan·trum [ˈtæntrəm] *s colloq.* **1.** schlechte Laune. **2.** Wut(anfall *m*) *f:* **to fly into a** ~ e-n Koller kriegen.

Tao·ism [ˈtɑːoˌizəm; ˈtauizəm] *s relig.* Taoˈismus *m* (*chinesische Volksreligion*). ˈ**Tao·ist** *s* Taoˈist *m.*

tap[1] [tæp] **I** *s* **1.** Zapfen *m,* Spund *m,* (Faß)Hahn *m:* **on** ~ a) angestochen, angezapft (*Faß*), b) *fig.* (sofort) verfügbar, auf Lager, zur Hand. **2.** *Br.* a) (Wasser-, Gas)Hahn *m,* b) Wasserleitung *f.* **3.** *colloq.* (Getränke)Sorte *f.* **4.** *med.* Punktiˈon *f.* **5.** *sl.* ‚Pumpversuch' *m.* **6.** *Br.* → **taproom.** **7.** *tech.* a) Gewindebohrer *m,* b) (Ab)Stich *m,* c) Abzweigung *f.* **8.** *electr.* a) Stromabnehmer *m,* b) Anzapfung *f,* c) Zapfstelle *f.* **II** *v/t* **9.** mit e-m Zapfen *od.* Hahn versehen. **10.** abzapfen: **to** ~ **a fluid.** **11.** anzapfen, anstechen: **to** ~ **a barrel.** **12.** *med.* punkˈtieren. **13.** *electr.* anzapfen: **to** ~ **the wire(s)** a) Strom stehlen *od.* abzapfen, b) Telephongespräche abhören, die Leitung(en) anzapfen. **14.** a) *electr. die Spannung* abgreifen, b) anschließen. **15.** *tech.* mit (e-m) Gewinde versehen. **16.** *metall. die Schlacke* abstechen. **17.** *fig. Hilfsquellen etc* erschließen. **18.** *Vorräte etc* angreifen, anbrechen, anzapfen. **19.** *sl. j-n* ‚anpumpen' (**for** um).

tap[2] [tæp] **I** *v/t* **1.** leicht schlagen *od.* klopfen *od.* pochen an (*acc*) *od.* auf (*acc*) *od.* gegen, *etwas* beklopfen. **2.** klopfen mit. **3.** antippen. **4.** *e-n Schuh* flicken. **II** *v/i* **5.** klopfen, pochen (**on,** at gegen, an *acc*). **6.** *hunt.* trommeln (*Hase od. Kaninchen*). **III** *s* **7.** leichter Schlag, Klaps *m.* **8.** *pl mil. Am.* Zapfenstreich *m.* **9.** Stück *n* Leder, Flikken *m.*

tap| dance *s* Steptanz *m.* ˈ~-ˌ**dance** *v/i* steppen. ~ **danc·er** *s* Steptänzer(in). ~ **danc·ing** *s* Steppen *n,* Steptanz *m.*

tape [teip] **I** *s* **1.** schmales (Leinen)Band, Zwirnband *n.* **2.** (*Isolier-, Meß-, Metall- etc*)Band *n,* (*Papier-, Klebetc*)Streifen *m.* **3.** *electr.* a) *Telegraphie:* Paˈpierstreifen *m,* b) *Computer, Fernschreiber:* Lochstreifen *m,* c) (Magnetoˈphon-, Ton)Band *n.* **4.** *sport* Zielband *n:* **to breast the** ~ das Zielband durchreißen. **II** *v/t* **5.** mit e-m Band versehen. **6.** (mit Band) umˈwickeln *od.* binden. **7.** mit Heftpflaster verkleben: **to** ~ **a wound.** **8.** *Buchteile* heften. **9.** mit dem Bandmaß messen: **to have s.o. (s.th.)** ~**d** *colloq.* klarsehen mit j-m (etwas). **10.** auf (Ton)Band aufnehmen: ~**d music.** ˈ~ˌ**line** → **tape measure.** ~ **ma·chine** *s* **1.** *bes. Br.* Fernschreiber *m.* **2.** → **tape recorder.** ~ **meas·ure** *s* Meßband *n,* Bandmaß *n.* ~ **mi·cro·phone** *s* ˈBandmikroˌphon *n.*

ta·per [ˈteipər] **I** *s* **1.** *obs.* (dünne) Wachskerze. **2.** Wachsstock *m.* **3.** *tech.* Verjüngung *f,* Spitzˈzulaufen *n,* Koniziˈtät *f.* **4.** konischer Gegenstand. **5.** *fig.* langsames Nachlassen, Abnehmen *n.* **6.** *electr.* ˈWiderstandsverteilung *f.* **II** *adj* **7.** spitz zulaufend, konisch, sich verjüngend: ~ **file** Spitzfeile *f.* **III** *v/t* **8.** verjüngen, zuspitzen, konisch machen. **9.** ~ **off** *fig. colloq. die Produktion* auslaufen lassen. **IV** *v/i* **10.** *oft* ~ **off** spitz zulaufen, sich verjüngen. **11.** allˈmählich dünn werden. **12.** ~ **off** *colloq.* allˈmählich aufhören, auslaufen.

ˈ**tape|-reˌcord** → tape 10. ~ **re·cord·er** *s electr.* Tonbandgerät *n.* ~ **re·cord·ing** *s* (Ton)Bandaufnahme *f,* (Band)Aufzeichnung *f.*

ta·per·ing [ˈteipəriŋ] → taper 7.

ta·per| pin *s tech.* konischer Stift. ~ **roll·er bear·ing** *s tech.* Kegelrollenlager *n.* ~ **tap** *s tech.* Gewindebohrer *m.*

tap·es·tried [ˈtæpistrid] *adj* gobeˈlingeschmückt.

tap·es·try [ˈtæpistri] *s* **1.** Gobeˈlin *m,* Wandteppich *m,* gewirkte Taˈpete. **2.** Dekoratiˈonsstoff *m.* **3.** Tapisseˈrie *f.* ~ **car·pet** *s* Wandteppich *m.*

ˈ**tapeˌworm** *s zo.* Bandwurm *m.*

ˈ**tap|ˌhole** *s metall.* (Ab)Stichloch *n.* ˈ~ˌ**house** *s* Wirtshaus *n,* Schenke *f.*

tap·i·o·ca [ˌtæpiˈoukə] *s* Tapiˈoka *f.*

ta·pir [ˈteipər] *s zo.* Tapir *m.*

tap·is [ˈtæpi(ː); -pis] (*Fr.*) *s obs.* Teppich *m:* **to bring (up)on the** ~ *fig.* ‚aufs Tapet' *od.* zur Sprache bringen.

ta·pote·ment [tapɔtˈmɑ̃; təˈpoutmənt] (*Fr.*) *s med.* ˈKlopfmasˌsage *f.*

tap·pet [ˈtæpit] *s tech.* **1.** Daumen *m,* Mitnehmer *m.* **2.** (Wellen)Nocke *f.* **3.** (Venˈtil- *etc*)Stößel *m.* **4.** Steuerknagge *f.* ~ **gear** *s* Nockensteuerung *f.*

tap·ping[1] [ˈtæpiŋ] *s* **1.** (An-, Ab)Zapfen *n.* **2.** *tech.* a) (Ab)Stich *m,* b) Abzweigung *f,* c) Gewindebohren *n,* -schneiden *n:* ~ **drill** Gewindebohrer *m.* **3.** *electr.* a) Anzapfung *f,* b) Abgriff *m:* ~ **contactor** Anzapf-, Stufenschütz *n.* **4.** *med.* a) Punkˈtieren *n,* b) Beklopfen *n.* **5.** *fig.* Erschließen *n:* **the** ~ **of natural resources.**

tap·ping[2] [ˈtæpiŋ] *s* (Be)Klopfen *n.*

tap| rate *s econ. Br.* Disˈkontsatz *m* für kurzfristige Schatzwechsel. ˈ~ˌ**room** *s* Schankstube *f.* ˈ~ˌ**root** *s bot.* Pfahlwurzel *f.*

tap·ster [ˈtæpstər] *s* Schankkellner *m.*

tar [tɑːr] **I** *s* **1.** Teer *m.* **2.** *colloq.* Teerjacke *f* (*Matrose*). **II** *v/t* **3.** teeren: **to** ~ **and feather** j-n teeren u. federn; ~**red with the same brush** (*od.* **stick**) *fig.* genau dasselbe, kein Haar besser.

tar·a·did·dle [ˈtærəˌdidl] *colloq.* **I** *s* Flunkeˈrei *f,* Flause(n *pl*) *f.* **II** *v/i* flunkern.

ta·ran·tu·la [*Br.* təˈræntjulə; *Am.* -tʃələ] *s zo.* Taˈrantel *f.*

ta·rax·a·cum [tə'ræksəkəm] *s bot.* Löwenzahn *m.*

'**tar|ˌboard** *s* Dach-, Teerpappe *f.* '**~-ˌbrush** *s* Teerpinsel *m*: he has a touch (*od.* lick) of the ~ er hat Neger- *od.* Indianerblut in den Adern.

tar·di·ness ['tɑːrdinis] *s* **1.** Langsamkeit *f.* **2.** Unpünktlichkeit *f*, Säumigkeit *f.* **3.** Verspätung *f.* '**tar·dy** *adj* (*adv* **tardily**) **1.** langsam, träge. **2.** säumig, saumselig, unpünktlich. **3.** spät, verspätet: to be ~ zu spät kommen.

tare[1] [tɛr] *s* **1.** *bot.* (*bes.* Futter)Wicke *f.* **2.** *Bibl.* Unkraut *n.*

tare[2] [tɛr] *econ.* **I** *s* Tara *f*: ~ and tret Tara u. Gutgewicht *n.* **II** *v/t* ta'rieren.

targe [tɑːrdʒ] *s hist.* Tartsche *f* (*Schild*).

tar·get ['tɑːrgit] **I** *s* **1.** (Schieß-, Ziel)Scheibe *f.* **2.** Trefferzahl *f.* **3.** *mil.* Ziel *n*: ~ of opportunity plötzlich auftauchendes Ziel. **4.** *fig.* Zielscheibe *f* (*des Spottes etc*). **5.** *fig.* (*Leistungs-, Produktions- etc*)Ziel *n*, (-)Soll *n.* **6.** 'Weichensiˌgnal *n.* **7.** *surv.*, *Radar*: Ziel *n*, 'Meßobˌjekt *n.* **8.** *electr.* a) 'Fangelekˌtrode *f*, b) 'Antikaˌthode *f* (*von Röntgenröhren*), c) 'Photokaˌthode *f* (*e-r Aufnahmeröhre*). **9.** *Kernphysik*: a) Target *n*, Auffänger *m*, b) Zielkern *m.* **10.** *bes. her.* runder Schild. **II** *v/t* **11.** *fig.* 'anviˌsieren, ins Auge fassen, planen. **III** *adj* **12.** Ziel...: ~ area *mil.* Zielbereich *m*; ~ blip (*Radar*) Zielzeichen *n*; ~ bombing gezielter Bombenwurf; ~ date Stichtag *m*, Termin *m*; ~ electrode → 8 a; ~ figures Sollzahlen; ~ language *ling.* Zielsprache *f* (*in die man übersetzt*); ~ pick-up *mil.* Zielerfassung *f*; ~ pistol Übungspistole *f*; ~ practice Scheiben-, Übungsschießen *n*; ~-seeking *mil.* zielsuchend (*Rakete etc*); ~ ship Zielschiff *n.*

tar·get·eer, tar·get·ier [ˌtɑːrgi'tir] *s hist.* mit Schild bewaffneter 'Fußsolˌdat.

Tar·heel ['tɑːrˌhiːl], '**Tarˌheel·er** *s Am. colloq.* (*Spitzname für die*) Bewohner *pl* (der Fichtenheiden) von 'Nord-Karoˌlina (*USA*).

tar·iff ['tærif] **I** *s* **1.** 'Zolltaˌrif *m.* **2.** Zoll(gebühr *f*) *m*, Zölle *pl.* **3.** (Ge'bühren-, 'Kosten- *etc*)Taˌrif *m.* **4.** *Br.* Preisverzeichnis *n* (*im Hotel etc*). **II** *v/t* **5.** e-n Ta'rif aufstellen für. **6.** *Ware* mit Zoll belegen. **7.** *Ware* auszeichnen. ~ **pro·tec·tion** *s* Zollschutz *m.* ~ **rate** *s* **1.** Ta'rifsatz *m.* **2.** Zollsatz *m.* ~ **reform** *s* **1.** *Br.* 'Schutzzollpoliˌtik *f.* **2.** *Am.* 'Freihandelspoliˌtik *f.* ~ **wall** *s* Zollschranke *f* (*e-s Staates*).

tar·mac ['tɑːrmæk] *s* **1.** 'Teermakaˌdam(straße *f*) *m.* **2.** *aer.* a) makadami'sierte Rollbahn, b) Hallenvorfeld *n.*

tar mac·ad·am (road) → tarmac 1.

tarn [tɑːrn] *s* kleiner Bergsee.

tar·nal ['tɑːrnl], **tar'na·tion** [-'neiʃən] *adj, adv u. interj Am. sl.* verdammt.

tar·nish ['tɑːrniʃ] **I** *v/t* **1.** trüben, matt *od.* blind machen, *e-r Sache* den Glanz nehmen. **2.** *fig.* besudeln, beflecken. **3.** *tech.* mat'tieren. **II** *v/i* **4.** matt *od.* trübe werden. **5.** anlaufen (*Metall*). **III** *s* **6.** Trübung *f.* **7.** Beschlag *m*, Anlaufen *n* (*von Metall*). **8.** *fig.* Makel *m*, Fleck *m.*

tar·ot [*Br.* 'tærou; *Am.* -rət] *s oft pl* Ta'rock *n*, *m* (*Kartenspiel*).

tarp [tɑːrp] → tarpaulin.

tar·pan ['tɑːrpæn] *s zo.* Tar'pan *m.*

tar pa·per *s* 'Teerpaˌpier *n*, -pappe *f.*

tar·pau·lin [tɑːr'pɔːlin] *s* **1.** *mar.* a) Per'senning *f* (*geteertes Segeltuch*), b) Ölzeug *n* (*bes. Hose, Mantel*). **2.** Plane *f*, Wagendecke *f.* **3.** Zeltbahn *f.*

tar·ra·did·dle → taradiddle.

tar·ra·gon [*Br.* 'tærəgən; *Am.* -ˌgɑn] *s bot.* Estragon *m.*

tar·rock ['tærək] *s orn. Br.* **1.** Stummelmöwe *f.* **2.** → tern[1].

tar·ry[1] ['tɑːri] *adj* teerig.

tar·ry[2] ['tæri] **I** *v/i* **1.** zögern, zaudern, säumen. **2.** (ver)weilen, bleiben. **II** *v/t* **3.** *obs.* abwarten.

tar·sal ['tɑːrsl] *anat.* **I** *adj* **1.** Fußwurzel... **2.** (Augen)Lidknorpel... **II** *s* **3.** *a.* ~ bone Fußwurzelknochen *m.* **4.** (Augen)Lidknorpel *m.*

tar·si·a ['tɑːrsiə] *s* In'tarsia *f*, Einlegearbeit *f* in Holz.

tar·sus ['tɑːrsəs] *pl* **-si** [-sai] *s* **1.** *anat.* → tarsal 3 *u.* 4. **2.** *orn.* Laufknochen *m.* **3.** *zo.* Fußglied *n.*

tart[1] [tɑːrt] *adj* (*adv* ~ly) **1.** sauer, scharf, herb. **2.** *fig.* scharf, beißend: a ~ reply.

tart[2] [tɑːrt] **I** *s* **1.** *Am.* (Frucht-, Creme)Törtchen *n.* **2.** *Br.* Obstkuchen *m*, (Obst)Torte *f.* **3.** *sl.* Hure *f*, ‚Nutte' *f.* **II** *v/i* **4.** ~ up *Br. sl.* ‚aufdonnern'.

tar·tan[1] ['tɑːrtən] **I** *s* Tartan *m*: a) Schottentuch *n*, b) Schottenmuster *n.* **II** *adj* Tartan..., Schotten...: ~ plaid.

tar·tan[2] ['tɑːrtən] *s mar.* Tar'tane *f* (*gedecktes einmastiges Fischereifahrzeug im Mittelmeer*).

tar·tan[3] ['tɑːrtən] *s Sport*: 'Tartan *n* (*Bahnbelag*): ~ track Tartanbahn *f.*

Tar·tar[1] ['tɑːrtər] **I** *s* **1.** Ta'tar(in). **2.** *a.* t~ Wüterich *m*, böser *od.* unangenehmer Kerl: to catch a ~ an den Unrechten kommen. **II** *adj* **3.** tar'tarisch.

tar·tar[2] ['tɑːrtər] *s* **1.** *chem. pharm.* Weinstein *m*: ~ emetic *pharm.* Brechweinstein. **2.** *med.* Zahnstein *m.*

Tar·tar·e·an [tɑːr'tɛ(ə)riən] *adj* höllisch, (aus) der 'Unterwelt.

tart·let ['tɑːrtlit] *s* (Obst)Törtchen *n.*

tart·ness ['tɑːrtnis] *s* Schärfe *f*: a) Säure *f*, Herbheit *f*, b) Schroffheit *f*, Bissigkeit *f.*

tar·trate ['tɑːrtreit; -trit] *s chem.* wein(stein)saures Salz, Tar'trat *n.*

ta·sim·e·ter [tə'simitər] *s electr. phys.* Tasi'meter *n* (*Gerät zur Messung von Druckschwankungen*).

task [*Br.* tɑːsk; *Am.* tæ(ː)sk] **I** *s* **1.** (*a.* schwierige) Aufgabe: to set s.o. a ~ j-m e-e Aufgabe stellen; to take to ~ *fig. j-n* ‚ins Gebet nehmen' (for wegen). **2.** Pflicht *f*, (auferlegte) Arbeit, Pensum *n.* **3.** Schularbeit *f*, -aufgabe *f.* **II** *v/t* **4.** *j-m* Arbeit auferlegen *od.* aufbürden *od.* zuweisen, *j-n* beschäftigen. **5.** *j-m* e-e Aufgabe stellen. **6.** *fig. j-s Kräfte etc* stark beanspruchen: to ~ one's memory sein Gedächtnis anstrengen. ~ **force** *s* **1.** *mar. mil.* (*gemischter*) Kampfverband (*für Sonderunternehmen*). **2.** *Am. fig.* Ex'pertenteam *n.* '**~ˌmas·ter** *s* **1.** (*bes.* strenger) Arbeitgeber *od.* Aufseher: severe ~ strenger Zuchtmeister. **2.** → tasksetter 1. '**~ˌset·ter** *s econ. Am.* **1.** (Arbeit)Anweiser *m.* **2.** Arbeiter, dessen Leistung zur allgemeinen Norm gemacht wird. ~ **time** *s econ. Am.* Zeitnorm *f.* ~ **wage** *s econ.* Ak'kordlohn *m.* '**~ˌwork** *s econ.* Ak'kord-, Stückarbeit *f.*

Tas·ma·ni·an [tæz'meiniən; -njən] **I** *adj* tas'manisch. **II** *s* Tas'manier(in).

tas·sel ['tæsl] **I** *s* **1.** Quaste *f*, Troddel *f.* **2.** *bot. Am.* Narbenfäden *pl* (*des Maiskolbens*). **3.** (eingeheftetes) Lesezeichen. **II** *v/t* **4.** mit Quasten schmücken. **5.** *Am.* die Narbenfäden entfernen von (*Mais*). **III** *v/i* **6.** *bot.* blühen (*Mais*). ~ **grass** *s bot.* Salde *f.*

tast·a·ble, *bes. Br.* **taste·a·ble** ['teistəbl] *adj* schmeckbar, zu schmecken(d).

taste [teist] **I** *v/t* **1.** *Speisen etc* kosten, (ab)schmecken, pro'bieren (*a. fig.*): → blood 1. **2.** kosten, *Essen* anrühren: he had not ~d food for days. **3.** *etwas* (her'aus)schmecken: to ~ the garlic in a sausage. **4.** *fig.* kosten, kennenlernen, erleben, erfahren. **5.** *fig.* genießen. **II** *v/i* **6.** schmecken (of nach). **7.** ~ of *fig.* riechen *od.* schmecken nach. **8.** kosten, versuchen, pro'bieren (of von *od. acc*). **9.** ~ of *fig.* → 4.
III *s* **10.** Geschmack *m*: to leave a bad ~ in one's mouth *bes. fig.* e-n üblen Nachgeschmack hinterlassen. **11.** Geschmackssinn *m.* **12.** (Kost)Probe *f* (of von *od. gen*): a) kleiner Bissen, Happen *m*, b) Schlückchen *n.* **13.** *fig.* (Kost)Probe *f*, Vorgeschmack *m.* **14.** *fig.* Beigeschmack *m*, Anflug *m* (of von). **15.** *fig.* (künstlerischer *od.* guter) Geschmack: a man of ~ ein Mann von gutem Geschmack; a matter of ~ Geschmackssache *f*; each to his ~ jeder nach s-m Geschmack; in bad ~ geschmacklos (*a. weitS. unfein, taktlos*); in good ~ a) geschmackvoll, b) taktvoll. **16.** Geschmacksrichtung *f*, Mode *f.* **17.** (for) a) Neigung *f*, Vorliebe *f*, Sinn *m* (für): a ~ for music, b) Geschmack *m*, Gefallen *n* (an *dat*): not to my ~ nicht nach m-m Geschmack.

taste·a·ble *bes. Br. für* tastable.

taste| bud, ~ **bulb** *s anat.* Geschmacksbecher *m*, -knospe *f.* ~ **cell,** ~ **cor·pus·cle** *s anat.* Geschmackskörperchen *n* (*der Zunge*).

taste·ful ['teistful] *adj* (*adv* ~ly) *fig.* geschmackvoll. '**taste·ful·ness** *s fig.* guter Geschmack (*e-r Sache*), (*das*) Geschmackvolle.

taste·less ['teistlis] *adj* (*adv* ~ly) **1.** unschmackhaft, fad(e). **2.** *fig.* geschmacklos. '**taste·less·ness** *s* **1.** Unschmackhaftigkeit *f.* **2.** *fig.* Geschmack-, Taktlosigkeit *f.*

tast·er ['teistər] *s* **1.** (berufsmäßiger Tee-, Wein- *etc*)Schmecker, Koster *m.* **2.** *hist.* Vorkoster *m.* **3.** Pro'biergläschen *n* (*für Wein*). **4.** (Käse)Stecher *m.* **5.** Pi'pette *f.* **6.** *Br. colloq.* (Verlags)Lektor *m.* **7.** *Br. colloq.* Porti'on *f* Eiscreme.

tast·i·ness ['teistinis] *s* **1.** Schmackhaftigkeit *f.* **2.** *fig.* → tastefulness.

tast·y ['teisti] *adj* (*adv* tastily) *colloq.* **1.** schmackhaft. **2.** *fig.* geschmackvoll, stilvoll.

tat[1] [tæt] **I** *v/i* Frivoli'tätenarbeit machen. **II** *v/t* in Frivoli'tätenarbeit 'herstellen.

tat[2] [tæt] *s Br. Ind.* rauhe indische Leinwand.

ta-ta ['tæ'tɑː; 'tɑː-] *interj Kindersprache*: auf 'Wiedersehen!, ‚Tschüs'!

Ta·tar ['tɑːtər] **I** *s* Ta'tar(in). **II** *adj* ta'tarisch. **Ta'tar·i·an** [-'tɛ(ə)riən], **Ta'tar·ic** [-'tærik] *adj* ta'tarisch.

tat·ter ['tætər] *s* Lumpen *m*, Fetzen *m*: in ~s in Fetzen, zerfetzt; to tear to ~s zerfetzen, -reißen (*a. fig. Argument etc*).

tat·ter·de·mal·ion [ˌtætərdi'meiljən; -'mæl-] **I** *s* zerlumpter Kerl. **II** *adj* → tattered 1.

tat·tered ['tætərd] *adj* **1.** zerlumpt, abgerissen. **2.** zerrissen, -fetzt.

Tat·ter·sall's ['tætərˌsɔːlz] *s* Tattersall *m* (*englische Pferdebörse mit Renn- u. Wettbüro in der Nähe von Hyde-Park-Corner in London*).

tat·ting ['tætiŋ] *s* Frivoli'täten-, Schiffchenarbeit *f.*

tat·tle ['tætl] **I** *v/i* schwatzen, klatschen, ‚tratschen'. **II** *v/t* ausplaudern. **III** *s* Klatsch *m*, ‚Tratsch' *m*. **'tat·tler** *s* **1.** Klatschbase *f*, Schwätzer(in). **2.** *orn.* (*ein*) Wasserläufer *m*.

tat·too[1] [tæ'tuː] **I** *s* **1.** *mil.* a) Zapfenstreich *m* (*Signal*), b) 'Abendpaˌrade *f* mit Mu'sik, Vorführungen *pl.* **2.** Trommeln *n*, Klopfen *n*: to beat the devil's ~ ungeduldig mit den Fingern trommeln. **II** *v/i* **3.** den Zapfenstreich blasen *od.* trommeln. **4.** *fig.* trommeln.

tat·too[2] [tæ'tuː] **I** *v/t pret u. pp* **tat'tooed 1.** *Haut* täto'wieren. **2.** *ein Muster* 'eintätoˌwieren (on in *acc*). **II** *s* **3.** Täto'wierung *f*.

tat·ty ['tæti] *adj* billig, ‚schäbig'.

tau [tɔː; tau] *s* Tau *n* (*griechischer Buchstabe*).

taught [tɔːt] *pret u. pp von* teach.

taunt[1] [tɔːnt] **I** *v/t* verhöhnen, -spotten, schmähen: to ~ s.o. with s.th. j-m etwas (höhnisch) vorwerfen. **II** *v/i* höhnen, spotten. **III** *s* Spott *m*, Hohn *m*, Schmähung *f*.

taunt[2] [tɔːnt] *adj mar.* (sehr) hoch (*Mast*).

taunt·ing ['tɔːntiŋ] *adj* (*adv* ~ly) spottend, höhnisch.

tau·rine[1] ['tɔːrain; -rin] **I** *adj* **1.** *zo.* a) rinderartig, Rinder..., b) Stier... **2.** *astr.* Stier... **II** *s* **3.** Stier *m*. ['rin *n*.]

tau·rine[2] ['tɔːriːn; -rin] *s chem.* Tau-

tau·rom·a·chy [tɔː'rɒməki] *s bes. paint.* Stierkampf *m*, Tauroma'chie *f*.

Tau·rus ['tɔːrəs] *gen* **-ri** [-rai] *s astr.* Stier *m* (*Sternbild u. Tierkreiszeichen*).

taut [tɔːt] *adj* (*adv* ~ly) **1.** straff, stramm (*Seil etc*), angespannt (*a. Gesicht, Nerven*). **2.** schmuck. **'taut·en I** *v/t* **1.** strammziehen, straff anspannen. **2.** *Glied* strecken. **II** *v/i* **3.** sich straffen *od.* spannen.

tau·to·chrone ['tɔːtoˌkroun] *s math.* Tauto'chrone *f*.

tau·to·log·ic [ˌtɔːtə'lɒdʒik] *adj*; **tau·to'log·i·cal** [-kəl] *adj* (*adv* ~ly) tauto'logisch. **tau'tol·oˌgize** [-'tɒləˌdʒaiz] *v/i* unnötig das'selbe wieder'holen, Tautolo'gien gebrauchen. **tau'tol·o·gy** [-dʒi] *s* Tautolo'gie *f*, Doppelaussage *f*.

tau·to·mer ['tɔːtəmər] *s chem.* Tauto'mere *n*. **tau'tom·erˌism** [-'tɒməˌrizəm] *s chem.* Tautome'rie *f*.

tav·ern ['tævərn] *s* Wirtshaus *n*, Schenke *f*.

taw[1] [tɔː] *v/t* weißgerben.

taw[2] [tɔː] *s* **1.** Murmel *f*. **2.** Murmelspiel *n*. **3.** Ausgangslinie *f*.

taw·dri·ness ['tɔːdrinis] *s* **1.** Flitterhaftigkeit *f*, grelle Buntheit, Kitsch *m*, (*das*) Kitschige. **2.** Wertlosigkeit *f*.

taw·dry ['tɔːdri] *adj* (*adv* tawdrily) **1.** flitterhaft, bunt, Flitter... **2.** geschmacklos aufgeputzt, ‚aufgedonnert'. **3.** kitschig, billig.

tawed [tɔːd] *adj* a'laungar (*Leder*). **'taw·er** *s* Weißgerber *m*. **'taw·er·y** [-əri] *s* ˌWeißgerbe'rei *f*.

taw·ni·ness ['tɔːninis] *s* Lohfarbe *f*.

taw·ny ['tɔːni] *adj* lohfarben, gelbbraun. ~ **owl** *s orn.* Waldkauz *m*.

taws(e) [tɔːz] *bes. Scot.* **I** *s* Peitsche *f*. **II** *v/t* peitschen.

tax [tæks] **I** *v/t* **1.** *j-n od. etwas* besteuern, *j-m* e-e Steuer *od.* Abgabe auferlegen. **2.** *jur. die Kosten etc* ta'xieren, schätzen, ansetzen (at auf *acc*). **3.** *fig.* belasten. **4.** *fig.* stark in Anspruch nehmen, anstrengen, anspannen, strapa'zieren. **5.** auf e-e harte Probe stellen. **6.** *j-n* zu'rechtweisen (with wegen). **7.** beschuldigen, bezichtigen (s.o. with s.th. j-n e-r Sache). **II** *s* **8.** (Staats)Steuer *f* (on auf *acc*), Abgabe *f*: ~ on land, land ~ Grundsteuer; ~ on real estate *Am.* Grund(stücks)steuer; after (before) ~es besteuert (unbesteuert); $ 200 in ~es 200 Dollar an Steuern. **9.** Besteuerung *f* (on *gen*). **10.** Gebühr *f*, Taxe *f*. **11.** Beitrag *m*. **12.** *fig.* a) Bürde *f*, Last *f*, b) Belastung *f*, Beanspruchung *f* (on *gen od.* von): a heavy ~ on his time e-e starke Inanspruchnahme s-r Zeit. ~ **a·bate·ment** *s econ.* Steuernachlaß *m*.

tax·a·bil·i·ty [ˌtæksə'biliti] *s* **1.** Steuerbarkeit *f*. **2.** Steuerpflichtigkeit *f*. **3.** *jur.* Gebührenpflichtigkeit *f*. **'tax·a·ble** *adj* **1.** besteuerungsfähig. **2.** steuerpflichtig: ~ income. **3.** Steuer...: ~ value; ~ capacity Steuerkraft *f*; **4.** *jur.* gebührenpflichtig.

tax·a·tion [tæk'seiʃən] *s econ.* **1.** Besteuerung *f*: profits before (after) ~ unbesteuerte (besteuerte) Gewinne. **2.** *collect.* Steuern *pl.* **3.** Steuereinkünfte *pl.* **4.** *jur.* Schätzung *f*, Ta'xierung *f*: ~ of costs.

tax| **a·void·ance** *s jur.* 'Steuerhinterˌziehung *f*. ~ **bill** *s econ. Am.* **1.** Steuerbescheid *m*. **2.** *pol.* Steuervorlage *f*. ~ **cer·tif·i·cate** *s* Grunderwerbssteuerbescheid *m*. ~ **col·lec·tor** *s econ.* Steuereinnehmer *m*. ~ **dodg·er** *s* 'Steuerhinterˌzieher *m*. **'~ˌeat·er** *s econ.* Unter'stützungsempfänger(in). **'~-e'va·sion** → tax avoidance. **'~-ex'empt, '~-ˌfree** *adj econ.* steuerfrei.

tax·i ['tæksi] **I** *pl* **'tax·is** *s* **1.** *abbr. für* taxicab. **II** *v/i* **2.** mit e-m Taxi fahren. **3.** *aer.* rollen. **III** *v/t* **4.** in e-m Taxi befördern. **5.** *aer. das Flugzeug* rollen lassen, fahren. **'~ˌcab** *s* Taxi *n*, (Auto)-Taxe *f*, (-)Droschke *f*. ~ **danc·er** *s bes. Am.* **1.** Taxigirl *n*. **2.** Eintänzer *m*.

tax·i·der·mal [ˌtæksi'dəːrməl], **ˌtax·i'der·mic** [-mik] *adj* taxi'dermisch. **'tax·iˌder·mist** *s* ('Tier)Präpaˌrator *m*, Ausstopfer *m*. **'tax·iˌder·my** *s* Taxider'mie *f*.

tax·i| **driv·er** *s* 'Taxichaufˌfeur *m*, -fahrer *m*. ~ **girl** → taxi dancer 1. **'~ˌman** [-ˌmæn] *irr* → taxi driver. **'~ˌme·ter** *s* **1.** Taxa'meter *m*, Zähler *m*, Fahrpreisanzeiger *m*. **2.** → taxicab.

tax·i·plane ['tæksiˌplein] *s bes. Am.* Lufttaxi *n*, Mietflugzeug *n*.

tax·i rank *s* Taxi-, Droschkenstand *m*.

tax·is ['tæksis] *s* **1.** *biol.* Taxis *f*, Ta'xie *f*, taktische Bewegung. **2.** *biol.* Klassifi'zierung *f*. **3.** *med.* Taxis *f*: a) *unblutiges Zurückbringen e-s Eingeweidebruches*, b) Wieder'einrichtung *f* (*e-s Gelenks etc*). **4.** *ling. rhet.* Anordnung *f*.

tax·i| **stand** → taxi rank. ~ **strip,** ~ **track, '~ˌway** *s aer.* Rollbahn *f*.

tax| **li·en** *s* Steuerpfandrecht *n*. ~ **list** *s econ.* Hebeliste *f*.

tax·o·nom·ic [ˌtæksə'nɒmik] *adj*; **ˌtax·o'nom·i·cal** [-kəl] *adj* (*adv* ~ly) *biol.* **1.** taxo'nomisch, Klassifizierungs... **2.** klassifi'zierend. **tax'on·o·my** [-'sɒnəmi] *s* Syste'matik *f*, Taxono'mie *f*.

'tax|**ˌpay·er** *s econ.* Steuerzahler(in). ~ **rate** *s econ.* Steuersatz *m*. ~ **re·turn** *s econ.* Steuererklärung *f*. ~ **sale** *s econ. Am. Verkauf von Vermögensteilen durch die Behörde zur Bezahlung von Steuerschulden.* ~ **ti·tle** *s jur. Am. ein bei e-m* tax sale *erworbener Besitztitel.*

T band·age *s med.* T-Binde *f*.

T bar *s tech.* T-Eisen *n*.

'T-ˌbone steak *s Am. Steak mit T-förmigem Knochen.*

te [tiː] *s mus.* ti *n* (*Solmisationssilbe*).

tea [tiː] **I** *s* **1.** *bot.* Chi'nesischer Teestrauch. **2.** Tee *m*. **3.** Tee(mahlzeit *f*) *m*: five-o'clock ~ Fünfuhrtee; high ~, meat ~ frühes Abendbrot mit Tee. **II** *v/i* **4.** *colloq.* Tee trinken. **III** *v/t* **5.** *colloq.* mit Tee bewirten. ~ **bag** *s* Teebeutel *m*. ~ **ball** *s Am.* Tee-Ei *n*. ~ **bread** *s* (*Art*) Teekuchen *m*. ~ **cad·dy** *s bes. Br.* Teebüchse *f*. ~ **cake** → tea bread, **'~ˌcart** *s* Teewagen *m*.

teach [tiːtʃ] *pret u. pp* **taught** [tɔːt] **I** *v/t* **1.** *ein Fach* lehren, unter'richten *od.* 'Unterricht geben in (*dat*). **2.** *j-n etwas* lehren, *j-n* unter'richten, -'weisen in (*dat*). **3.** *j-m etwas* zeigen, beibringen: to ~ s.o. to whistle j-m das Pfeifen beibringen; to ~ s.o. better j-n e-s Besser(e)n belehren; to ~ s.o. manners j-m Manieren beibringen; I will ~ you to steal *colloq.* dich werd' ich das Stehlen lehren! **4.** *ein Tier* dres'sieren, abrichten: you can't ~ an old dog new tricks *colloq.* was Hänschen nicht lernt, lernt Hans nimmermehr. **5.** to ~ school *Am.* an e-r Schule unter'richten. **II** *v/i* **6.** unter'richten, 'Unterricht geben, Lehrer(in) sein.

'teach·a·ble *adj* **1.** lehrbar (*Fach etc*). **2.** gelehrig (*Person*). **'teach·a·ble·ness** *s* **1.** Lehrbarkeit *f*. **2.** Gelehrigkeit *f*.

teach·er ['tiːtʃər] *s* Lehrer(in): ~s college *Am.*, ~ training college *Br.* Lehrerbildungsanstalt *f*; ~'s pet *colloq.* ‚Liebling' *m* (*des Lehrers*).

'teach-ˌin *s univ. sl.* Teach-in *n* (*öffentliche Diskussion*).

teach·ing ['tiːtʃiŋ] **I** *s* **1.** 'Unterricht *m*, Lehren *n*. **2.** *oft pl* Lehre *f*, Lehren *pl*. **3.** Lehrberuf *m*. **II** *adj* **4.** lehrend, unter'richtend: ~ aid Hilfsmittel *n* für den Unterricht; ~ profession a) → 3, b) (*der*) Lehrerstand, (*die*) Lehrer *pl*; ~ staff Lehrkörper *m*.

tea| **clip·per** *s mar.* Teeklipper *m*. ~ **cloth** *s* **1.** kleine Tischdecke. **2.** Geschirrtuch *n*. ~ **co·sy,** ~ **co·zy** *s* Teehaube *f*, -wärmer *m*. **'~ˌcup** *s* **1.** Teetasse *f*. **2.** → teacupful. **'~·cupˌful** *pl* **-ˌfuls** *s* (*e-e*) Teetasse(voll). ~ **dance** *s bes. Am. colloq.* Tanztee *m*. ~ **fight** *s sl.* Teegesellschaft *f*. ~ **gar·den** *s* **1.** 'Gartenrestauˌrant *n*. **2.** Teepflanzung *f*. ~ **gown** *s* Nachmittagskleid *n*.

Teague [tiːg; teig] *s obs.* (*Spitzname für*) Ire *m*.

'teaˌhouse *s* Teehaus *n* (*in China u. Japan*).

teak [tiːk] *s* **1.** *bot.* Teakholzbaum *m*. **2.** Teak-, Ti(e)kholz *n*.

'teaˌket·tle *s* Tee-, Wasserkessel *m*.

teak| **tree** → teak 1. **'~ˌwood** → teak 2.

teal [tiːl] *s orn.* Krickente *f*.

tea leaf *s irr* **1.** Teeblatt *n*. **2.** *pl* Teesatz *m*.

team [tiːm] **I** *s* **1.** (*Pferde- etc*)Gespann *n* (*Am. a. mit Wagen etc*): a ~ of horses. **2.** *sport u. fig.* Mannschaft *f*, Team *n*: ~ captain Mannschaftskapitän *m*; ~ event Mannschaftswettbewerb *m*; ~ game Mannschaftsspiel *n*. **3.** (Arbeits- *etc*)Gruppe *f*, Team *n*: a ~ of scientists; by a ~ effort mit vereinten Kräften. **4.** Ab'teilung *f*, Ko'lonne *f* (of workmen von Arbeitern). **5.** *orn.* Flug *m*, Zug *m*: a ~ of partridges. **6.** *dial.* a) Brut *f*: a ~ of ducks, b) Vieh(bestand *m*) *n*. **II** *v/t* **7.** *Zugtiere* zs.-spannen. **8.** *colloq. Arbeit* an Unter'nehmer vergeben. **III** *v/i* **9.** ~ up *colloq.* sich zs.-tun, -schließen (with s.o. mit j-m). **'~ˌmate** *s* **1.** *sport* 'Mannschaftskameˌrad(in), ‚Stallgefährte' *m*. **2.** 'Arbeitskameˌrad(in). ~ **play** *s sport* Mannschafts-, Zs.-spiel *n*. ~ **spir·it** *s* **1.** *sport* Mannschaftsgeist *m.* **2.** *fig.* Gemeinschafts-, Korpsgeist *m.*

team·ster ['tiːmstər] *s* Fuhrmann *m*, Lastwagenfahrer *m.*

'team,work *s* **1.** → team play. **2.** kordi'nierte *od.* gute Zs.-arbeit, Teamwork *n.*

tea| par·ty *s* **1.** Teegesellschaft *f*: the Boston T~ P~ der Teesturm von Boston (*1773*). **2.** *Am. fig.* ,wilde *od.* heiße Sache'. **'~,pot** *s* Teekanne *f.*

tea·poy ['tiːpɔi] *s* **1.** dreifüßiges Tischchen. **2.** Teetischchen *n.*

tear¹ [tir] *s* **1.** Träne *f*: in ~s weinend, in Tränen (aufgelöst), unter Tränen; → burst 4, fetch 5, squeeze 3. **2.** *pl* Tränen *pl*, Leid *n.* **3.** Tropfen *m*: ~ of resin Harztropfen; ~ of glass *tech.* (Glas)Träne *f.*

tear² [tɛr] **I** *s* **1.** (Zer)Reißen *n*: → wear¹ 15. **2.** Riß *m.* **3.** rasendes Tempo: at full ~ in vollem Schwung; in a ~ in wilder Hast. **4.** to go on a ~ ,auf die Pauke hauen'.

II *v/t pret* **tore** [tɔːr] *obs.* **tare** [tɛr] *pp* **torn** [tɔːrn] **5.** zerreißen: to ~ one's shirt sich das Hemd zerreißen; to ~ in two entzweireißen; to ~ in (*od.* to) pieces in Stücke reißen; to ~ open aufreißen; to ~ a page out of a book e-e Seite aus e-m Buch herausreißen; that's torn it, that ~s it *sl.* jetzt ist es aus *od.* passiert! **6.** *die Haut etc* aufreißen: to ~ one's hand sich die Hand aufreißen. **7.** (ein)reißen: to ~ a hole in one's coat (sich) ein Loch in die Jacke reißen. **8.** zerren an (*dat*), (aus)reißen: to ~ one's hair sich die Haare (aus)raufen. **9.** wegreißen, gewaltsam entfernen (from von). **10.** entreißen (s.th. from s.o. j-m etwas). **11.** *fig.* zerreißen, -fleischen: a party torn by internal strife e-e durch innere Streitigkeiten zerrissene Partei; torn between hope and despair zwischen Hoffnung u. Verzweiflung hin- u. hergerissen; a heart torn with anguish ein schmerzgequältes Herz.

III *v/i* **12.** (zer)reißen. **13.** reißen, zerren (at an *dat*). **14.** *colloq.* stürmen, jagen, rasen, fegen: to ~ about (*Am.* around) (in der Gegend) herumsausen; to ~ into s.o. über j-n herfallen. **15.** *colloq.* wüten, toben.

Verbindungen mit Adverbien:

tear| a·way *v/t* weg-, losreißen: to tear o.s. away sich losreißen (*a. fig.*). **~ down** *v/t* **1.** her'unterreißen (*a. fig. kritisieren*). **2.** nieder-, 'umreißen. **~ off I** *v/t* **1.** ab-, wegreißen. **2.** sich *ein Kleid* vom Leibe reißen. **3.** *Am. colloq.* etwas ,'hinhauen' (*schnell machen*). **II** *v/i* **4.** losstürmen. **~ out** *v/t* (her)'ausreißen. **~ up** *v/t* **1.** aufreißen: to ~ the floor. **2.** ausreißen: to ~ a tree. **3.** zerreißen, in Stücke reißen: to ~ a letter. **4.** *fig.* unter'graben, zerstören.

tear·a·way ['tɛ(ə)rə,wei] *adj* ungestüm, ,wild'.

tear| bomb [tir] *s* Tränengasbombe *f.* **'~,drop** *s* **1.** Träne *f.* **2.** Anhänger *m* (*am Ohrring*). **~ duct** *s anat.* 'Tränenka,nal *m.*

tear·er ['tɛ(ə)rər] *s Am. sl.* ,tolles Ding'.

tear·ful ['tirful] *adj* (*adv* ~ly) **1.** tränenvoll. **2.** weinend, in Tränen: to be ~ weinen. **3.** *contp.* weinerlich. **4.** traurig: a ~ event.

tear| gas [tir] *s chem.* Tränengas *n.* **~ gland** *s anat.* Tränendrüse *f.* **~ grenade** *s mil.* 'Tränengasgra,nate *f.*

tear·ing ['tɛ(ə)riŋ] **I** *adj* **1.** (zer)reißend. **2.** rasant: a) stürmend, b) heftig, wütend: a ~ rage. **3.** *bes. Br. colloq.* prächtig, ,toll'. **II** *adv* **4.** *colloq.* wütend, rasend. **'~ strength** *s* Zerreißfestigkeit *f.*

'tear,jerk·er ['tir-] *s Am. colloq.* ,Schnulze' *f*, ,Schmachtfetzen' *m.*

tear·less ['tirlis] *adj* tränenlos.

tear-off ['tɛ(ə)rɒf] **I** *s* Abriß *m* (*e-r Eintrittskarte etc*). **II** *adj* Abreiß...: ~ calendar.

'tea|,room *s* Tea-room *m*, Teestube *f.* **~ rose** *s bot.* Teerose *f.*

tear sheet [tɛr] *s econ.* Belegbogen *m*, -seite *f* (*bei Zeitungsannoncen etc*).

tear| shell [tir] *s mil.* 'Tränengasgra,nate *f.* **'~-,stained** *adj* **1.** tränennaß. **2.** verweint (*Augen*).

tear·y ['ti(ə)ri] *adj* **1.** tränennaß. **2.** zu Tränen rührend.

tease¹ [tiːz] **I** *v/t* **1.** hänseln, necken, aufziehen, foppen. **2.** quälen: a) ärgern, b) belästigen, bestürmen, *j-m* ,in den Ohren liegen' (for wegen). **3.** (auf)reizen. **4.** *tech.* a) *Wolle* kämmen, krempeln, b) *Flachs* hecheln, c) *Werg* auszupfen. **5.** *tech. Tuch* (auf)rauhen, kar'dieren. **6.** *biol.* zerlegen: to ~ a specimen for microscopic examination. **II** *v/i* **7.** sticheln. **8.** lästig *od.* aufdringlich sein. **9.** reizen. **III** *s* **10.** Necken *n*, Sticheln *n*, Necke'rei *f*, Stiche'lei *f.* **11.** *colloq.* a) → teaser 1 *u.* 2, b) Plage *f*, lästige Sache. **12.** *Am. sl.* ,Kies' *m* (*Geld*).

tease² [tiːz] *v/t tech. das Feuer e-s Glasschmelzofens* schüren.

tea·sel ['tiːzl] **I** *s* **1.** *bot.* (*bes.* Weber)Karde *f.* **2.** *Weberei*: (Rau-, Tuch)Karde *f.* **II** *v/t* **3.** *Tuch* karden, krempeln. **'tea·sel·er** *s* (Tuch)Rauher *m.*

teas·er ['tiːzər] *s* **1.** Hänsler *m*, Necker *m.* **2.** Quäl-, Plagegeist *m.* **3.** *sl.* Frau, die ,alles verspricht, aber nichts hält'. **4.** *colloq.* ,harte Nuß', schwierige Sache. **5.** *colloq.* (*etwas*) Verlockendes. **6.** *tech.* a) (Woll)Kämmer *m*, b) (Flachs)Hechler *m*, c) (Werg)Auszupfer *m*, d) (Tuch)Rauher *m.* **7.** *Spinnerei*: Reißwolf *m.* **8.** *orn.* Raubmöwe *f.*

tea| serv·ice, ~ set *s* 'Teeser,vice *n.* **~ shop** *s* **1.** kleines 'Teerestau,rant. **2.** *Br.* Imbißstube *f.*

teas·ing·ly ['tiːziŋli] *adv* **1.** neckend, hänselnd. **2.** quälerisch. **3.** aufreizend.

'tea|,spoon *s* Teelöffel *m.* **'~·spoon,ful** *pl* **-,fuls** *s* Teelöffel(voll) *m.*

teat [tiːt] *s* **1.** *anat.* Brustwarze *f* (*der Frau*). **2.** *zo.* Zitze *f.* **3.** (Gummi)Sauger *m* (*e-r Babyflasche*). **4.** *tech.* Warze *f.*

tea| ta·ble *s* (niedriger) Teetisch. **'~-,ta·ble** *adj meist fig.* Teetisch...: ~ conversation zwanglose Plauderei, Plausch *m.* **'~-,things** *s pl* Teegeschirr *n.* **~ time** *s* Teestunde *f.* **~ tray** *s* 'Teebrett *n.* **~ trol·ley** *bes. Br. für* tea wag(g)on. **~ urn** *s* **1.** 'Teema,schine *f.* **2.** Gefäß *n* zum Heißhalten des Teewassers. **~ wag·(g)on** *s* Teewagen *m.*

tea·zel, tea·zle → teasel.

tec [tek] *s sl.* Detek'tiv *m.*

tech·nic ['teknik] **I** *adj* **1.** → technical. **II** *s* **2.** → technicality 3, 4, 5. **3.** *meist pl* a) → technique, b) → technology.

tech·ni·cal ['teknikəl] *adj* (*adv* → technically) **1.** *allg.* technisch: a) *die Technik betreffend*: ~ problems, b) *engS.* betriebs-, verfahrenstechnisch: ~ data; ~ department technische Betriebsabteilung; ~ director technischer Leiter, c) *das Technische e-s Fachgebiets, e-s Kunstzweigs, e-r Sportart betreffend*: ~ skill technisches Geschick, gute Technik, d) *der Technik dienend*: ~ college Technische Hochschule; ~ highschool *Am.* (*Art*) Gewerbeschule *f*; ~ school Polytechnikum *n*, e) fachmännisch, fachgemäß, Fach..., Spezial...: ~ dictionary Fachwörterbuch *n*; ~ man Fachmann *m*; ~ staff technisches Personal, Fachpersonal *n*; ~ term Fachausdruck *m.* **2.** *fig.* technisch: a) sachlich, b) rein for'mal, theo'retisch: ~ knockout *sport* technischer K.O.; on ~ grounds *jur.* aus formaljuristischen *od.* (verfahrens)technischen Gründen. **3.** *econ.* manipu'liert: ~ market; ~ price.

tech·ni·cal·i·ty [,tekni'kæliti] *s* **1.** (*das*) Technische. **2.** technische Einzelheit *od.* Besonderheit: technicalities technische Einzelheiten. **3.** Fachausdruck *m.* **4.** technische Förmlichkeit (*e-s Verfahrens etc*). **5.** reine Formsache, (for'male) Spitzfindigkeit.

tech·ni·cal·ly ['teknikəli] *adv* **1.** technisch. **2.** eigentlich, genaugenommen.

tech·ni·cian [tek'niʃən] *s* **1.** Techniker *m*, (technischer) Fachmann. **2.** *weitS.* Techniker *m*, Virtu'ose *m*: this artist is an excellent ~ dieser Künstler hat e-e brillante Technik. **3.** *mil. Am.* Techniker *m* (*Dienstrang für Spezialisten*).

tech·ni·col·or ['tekni,kʌlər] (*TM*) **I** *s tech.* Techniko'lor(verfahren) *n.* **II** *adj* Technikolor...

tech·nics ['tekniks] *s pl* **1.** (*meist als sg konstruiert*) Technik *f*, *bes.* Ingeni'eurwissenschaft *f.* **2.** technische Einzelheiten *pl.* **3.** Fachausdrücke *pl.* **4.** (*meist als sg konstruiert*) → technique.

tech·ni·phone ['tekni,foun] *s mus.* stummes ('Übungs)Kla,vier.

tech·nique [tek'niːk] *s* **1.** Technik *f*, (Arbeits)Verfahren *n*: ~ of welding schweißtechnisches Verfahren, Schweißtechnik. **2.** *mus. paint. sport etc* Technik *f*: a) Me'thode *f*, b) Art *f* der Ausführung, c) Geschicklichkeit *f*, Kunstfertigkeit *f.*

tech·no·chem·is·try [,tekno'kemistri] *s* Indu'striechemie *f.*

tech·noc·ra·cy [tek'nɒkrəsi] *s* Technokra'tie *f.* **'tech·no,crat** [-no,kræt] *s* Techno'krat *m.*

tech·no·log·ic [,teknə'lɒdʒik] *adj*; **,tech·no'log·i·cal** [-kəl] *adj* (*adv* ~ly) **1.** techno'logisch, technisch: ~ dictionary technisches Fachwörterbuch; ~ school Technikum *n.* **2.** *econ.* durch Techni'sierung *od.* technische 'Umstellung bedingt: ~ unemployment.

tech'nol·o·gist [-'nɒlədʒist] *s* Techno'loge *m.* **tech'nol·o·gy** *s* **1.** Technolo'gie *f.* **2.** technische 'Fachterminolo,gie. **3.** angewandte Na'turwissenschaft.

tech·no·psy·chol·o·gy [,teknosai'kɒlədʒi] *s* angewandte Psycholo'gie.

tech·y ['tetʃi] → testy.

tec·ti·bran·chi·ate [,tekti'bræŋkiit; -ki,eit] *zo.* **I** *adj* mit bedeckten Kiemen (versehen). **II** *s* Bedecktkiemer *m.*

tec·tol·o·gy [tek'tɒlədʒi] *s biol.* Struk'turlehre *f.*

tec·ton·ic [tek'tɒnik] *adj* (*adv* ~ally) **1.** *bes. arch. geol.* tek'tonisch. **2.** *biol.* struktu'rell. **tec'ton·ics** *s pl* (*meist als sg konstruiert*) **1.** Tek'tonik *f* (*Lehre von der Gliederung von Bau- u. Kunstwerken*). **2.** *geol.* ('Geo)Tek,tonik *f* (*Lehre vom Bau u. von den Bewegungen der Erdkruste*).

tec·to·ri·al [tek'tɔːriəl] *adj anat.* Schutz..., Deck...: ~ membrane Deckmembran(e) *f.*

tec·tri·ces [tek'traisiːz] *s pl orn.* Deckfedern *pl.*

ted [ted] *v/t agr. Gras* zum Trocknen

ausbreiten. '**ted·der** *s agr.* Heuwender *m* (*Maschine od. Arbeiter*).

Ted·dy| bear ['tedi] *s* Teddy(bär) *m.* ~ **boy** *s Br.* Halbstarke(r *m*). ~ **girl** *s Br.* Halbstarke *f.*

te·di·ous ['tiːdiəs] *adj* (*adv* ~**ly**) **1.** langwierig, ermüdend. **2.** langweilig, öd(e). **3.** weitschweifig. '**te·di·ous·ness,** '**te·di·um** [-əm] *s* **1.** Langwierigkeit *f.* **2.** Langweiligkeit *f.* **3.** Weitschweifigkeit *f.*

tee[1] [tiː] **I** *s* **1.** T, t *n* (*Buchstabe*). **2.** T *n*, T-förmiger Gegenstand, *bes. tech.* a) T-Stück *n*, b) T-Eisen *n.* **II** *adj* **3.** T-..., T-förmig. **III** *v/t* **4.** *electr.* abzweigen: to ~ across in Brücke schalten; to ~ together parallelschalten.

tee[2] [tiː] **I** *s* **1.** *sport* Ziel *n*, Mal *n* (*z. B. beim Curling*): to a ~ *fig.* aufs Haar (genau). **2.** *Golf*: (*oft* künstlich erhöhte) Abschlagstelle: ~ shot Abschlag *m.* **II** *v/t* **3.** *Golf*: a) *den Ball* auf die Abschlagstelle legen, b) ~ off *den Ball* von der Abschlagstelle schlagen. **III** *v/i* **4.** ~ off a) *Golf*: abschlagen, das Spiel eröffnen, b) *fig.* anfangen.

tee[3] [tiː] *s* schirmförmiger dekora'tiver 'Überbau (*von Pagoden*).

teem[1] [tiːm] *v/i* **1.** wimmeln, ('über)voll sein (with von): the roads are ~ing with people; this page ~s with mistakes diese Seite strotzt von Fehlern. **2.** reichlich vor'handen sein: fish ~ in that river in dem Fluß wimmelt es von Fischen. **3.** *obs.* a) *zo.* Junge gebären, b) *bot.* Früchte tragen. **4.** *obs.* a) gebären, b) schwanger sein.

teem[2] [tiːm] **I** *v/t* **1.** ausleeren. **2.** *tech.* a) *flüssiges Metall* abstechen, (aus)gießen, b) *e-e Form* mit geschmolzenem Me'tall vollgießen. **II** *v/i* **3.** gießen: ~ing rain strömender Regen.

teem·ing ['tiːmiŋ] *adj* **1.** wimmelnd, gedrängt voll, strotzend (with von). **2.** ('überaus) fruchtbar.

teen[1] [tiːn] → teen-age.

teen[2] [tiːn] *s dial.* **1.** Schaden *m.* **2.** Schmerz *m.* **3.** Kummer *m.* **4.** Ärger *m.*

-teen [tiːn] *Wortelement mit der Bedeutung* ...zehn (*in den Zahlen von 13 bis 19*).

teen age → teens. '**teen-ˌage** *adj* jugendlich, halbwüchsig, her'anwachsend, Teenager...: ~ crime Jugendkriminalität *f.* '**teen-ˌag·er** *s* Teenager *m*, Jugendliche(r *m*) *f* (*vom 13. bis 19. Lebensjahr*).

teen·er ['tiːnər] → teen-ager.

teens [tiːnz] *s pl* Jugendjahre *pl* (*vom 13. bis 19. Lebensjahr*): to be in one's ~ ein Teenager sein.

tee·ny ['tiːni], *a.* '**tee·ny-'wee·ny** [-'wiːni] *adj* ‚klitzeklein', winzig.

tee shirt → T shirt.

tee·ter ['tiːtər] *Am. colloq. od. Br. dial.* **I** *v/i* **1.** schaukeln, wippen. **2.** (sch)wanken. **II** *v/t* **3.** schaukeln.

teeth [tiːθ] *pl von* tooth.

teethe [tiːð] *v/i med.* zahnen, (die) Zähne bekommen.

teeth·ing ['tiːðiŋ] *s med.* Zahnen *n.* ~ **ring** *s* Beißring *m.* ~ **trou·bles** *s pl* **1.** → teething. **2.** *fig.* Kinderkrankheiten *pl.*

teeth·ridge ['tiːθˌridʒ] *s anat.* Zahnfleisch *n.*

tee·to·tal [tiː'toutl] *adj* (*adv* ~**ly**) **1.** absti'nent, Abstinenz..., Abstinenzler... **2.** *Br. dial. od. Am. colloq.* to'tal, gänzlich. **tee'to·tal·(l)er** *s* Absti'nenzler(in). **tee'to·talˌism** *s* **1.** Absti'nenz *f.* **2.** Absti'nenzprinˌzip *n.*

tee·to·tum [tiː'toutəm; *Br. a.* 'tiːtou'tʌm] *s* Drehwürfel *m*, (vierflächiger) Kreisel.

teg [teg] *s* Schaf *n* im 2. Jahr.

teg·men ['tegmen] *pl* '**teg·mi·na** [-minə] *s* **1.** Decke *f*, Hülle *f.* **2.** *bot.* innere Samenschale. **3.** *anat.* Decke *f*, Dach *n.* '**teg·u·lar** ['tegjulər] *adj* **1.** ziegelartig, Ziegel... **2.** *zo.* Flügelschuppen...

teg·u·ment ['tegjumənt] *s* **1.** Hülle *f*, Decke *f.* **2.** *anat.* (Ober)Haut *f*, Integu'ment *n.* **3.** *bot.* Integu'ment *n* (*der Samenanlage*). **4.** *zo.* Flügeldecke *f* (*von Insekten*). ˌ**teg·u'men·tal** [-'mentl], ˌ**teg·u'men·ta·ry** *adj* Dekken..., Haut...

te-hee [tiː'hiː] **I** *interj* hi'hi! **II** *s* Kichern *n.* **III** *v/i* kichern.

teil [tiːl], *a.* ~ **tree** *s bot.* Linde *f.*

teind [tiːnd] *s Scot.* (*der*) Zehnte.

tel·au·to·graph [tel'ɔːtəˌgræ(ː)f; *Br. a.* -ˌgrɑːf] *s* Tel(e)auto'graph *m*, Bildbriefsender *m.*

tel·e ['teli] *abbr. für* **television.**

tel·e-ar·chics [ˌteli'ɑːrkiks] *s pl* (*meist als sg konstruiert*) *aer.* drahtlose Fernsteuerung.

tel·e·ba·rom·e·ter [ˌtelibə'rɒmitər] *s phys.* 'Telebaroˌmeter *n.*

tel·e·cam·er·a [ˌteli'kæmərə] *s TV* Fernsehkamera *f* (*zur direkten Bildübertragung*).

tel·e·cast [*Br.* 'teliˌkɑːst; *Am.* -ˌkæ(ː)st] *colloq.* **I** *v/t pret u. pp* ~ˌ**cast** *od.* ~ˌ**cast·ed** im Fernsehen über'tragen *od.* bringen. **II** *s* Fernsehsendung *f.* '**tel·eˌcast·er** *s TV* **1.** Fernsehansager(in) *od.* -sprecher(in). **2.** Schauspieler(in) in e-r Fernsehsendung.

tel·e·cin·e ['teliˌsini] *s* Fernsehfilm *m*: ~ projector Fernsehbildprojektor *m.*

tel·e·com·mu·ni·ca·tion [ˌtelikəˌmjuːni'keiʃən] **I** *s* **1.** Fernmeldeverkehr *m od.* -verbindung *f.* **2.** fernmeldetechnische Über'tragung. **3.** *meist pl* Fernmeldetechnik *f*, Nachrichtenwesen *n.* **II** *adj* **4.** Fernmelde...: ~ network.

tel·e·con·trol ['telikənˌtroul] *s* Fernsteuerung *f*, -lenkung *f.*

tel·e·cord ['teliˌkɔːrd] *s teleph.* Gesprächsaufnahme(gerät *n*) *f.*

tel·e·course ['teliˌkɔːrs] *s TV* Fernsehlehrgang *m*, -kurs *m.*

tel·e·film ['teliˌfilm] *s* Fernsehfilm *m.*

tel·e·gen·ic [ˌteli'dʒenik] *adj TV* tele'gen, bildwirksam.

te·leg·o·ny [ti'legəni] *s biol.* Telego'nie *f*, Fernzeugung *f.*

tel·e·gram ['teliˌgræm] *s* Tele'gramm *n*: by ~ telegraphisch.

tel·e·graph ['teliˌgræ(ː)f; *Br. a.* -ˌgrɑːf] **I** *s* **1.** Tele'graph *m.* **2.** Sema'phor *m*, *n.* **3.** → telegraph board. **II** *v/t* **4.** telegra'phieren (s.th. to s.o., s.o. s.th. j-m etwas). **5.** *j-n* tele'graphisch benachrichtigen. **6.** a) (*durch Zeichen*) zu verstehen geben, signali'sieren, b) *Boxen*: *sl. e-n Schlag* ‚telegra'phieren' (*erkennbar ansetzen*). **7.** *bes. sport den Spielstand etc* auf e-r Tafel anzeigen. **III** *v/i* **8.** telegra'phieren (to *dat od.* an *acc*). **9.** Zeichen geben. ~ **board** *s bes. sport* Anzeigetafel *f.* ~ **code** *s* Tele'grammschlüssel *m.*

te·leg·ra·pher [ti'legrəfər] *s* Telegra'phist(in).

tel·e·graph·ese [ˌteligræ(ː)'fiːz; *Br. a.* -ˌgrɑː'f-] *s* Tele'grammstil *m.*

tel·e·graph·ic [ˌteli'græfik] *adj* (*adv* ~**ally**) **1.** tele'graphisch: ~ acceptance *econ.* Drahtakzept *n*; ~ address Telegrammadresse *f*, Drahtanschrift *f.* **2.** *fig.* tele'grammartig, im Tele'grammstil.

te·leg·ra·phist [ti'legrəfist] *s* Telegra'phist(in).

tel·e·graph| key *s electr.* (Tele'graphen-, Morse)Taste *f.* ~ **line** *s* Tele'graphenleitung *f.* ~ **pole,** *bes. Br.* ~ **post** *s* Tele'graphenstange *f*, -mast *m.*

te·leg·ra·phy [ti'legrəfi] *s* Telegra'phie *f.*

tel·e·ki·ne·sis [ˌteliki'niːsis; -kai-] *s psych.* Teleki'nese *f.* ˌ**tel·e·ki'net·ic** [-'netik] *adj* teleki'netisch.

tel·e·me·chan·ics [ˌtelimi'kæniks] *s pl* (*als sg konstruiert*) *tech.* Teleme'chanik *f*, me'chanische Fernsteuerung.

te·lem·e·ter [ti'lemitər] *s* Tele'meter *n*: a) *tech.* Entfernungsmesser *m*, b) *electr.* Fernmeßgerät *n.*

tel·e·o·log·ic [ˌteliə'lɒdʒik] *adj*; ˌ**tel·e·o'log·i·cal** [-kəl] *adj* (*adv* ~**ly**) *philos.* teleo'logisch: ~ argument teleologischer Gottesbeweis. ˌ**tel·e'ol·o·gy** [-'ɒlədʒi] *s* Teleolo'gie *f.*

tel·e·ost ['teliˌɒst], *a.* ˌ**tel·e'os·te·an** [-tiən] *s ichth.* Knochenfisch *m.*

tel·e·path·ic [ˌteli'pæθik] *adj* (*adv* ~**ally**) tele'pathisch. **te·lep·a·thist** [ti'lepəθist] *s* **1.** Tele'path *m.* **2.** j-d, der an Telepa'thie glaubt. **te'lep·aˌthize** **I** *v/t* tele'pathisch beeinflussen. **II** *v/i* Telepa'thie betreiben. **te'lep·a·thy** [-θi] *s* Telepa'thie *f*, Ge'dankenüberˌtragung *f.*

tel·e·phone ['teliˌfoun] **I** *s* **1.** Tele'phon *n*, Fernsprecher *m*: at the ~ am Apparat; by ~ telephonisch; on the ~ telephonisch, durch das *od.* am Telephon; to be on the ~ a) Telephonanschluß haben, b) am Telephon sein; over the ~ durch das *od.* per Telephon. **II** *v/t* **2.** *j-n* anrufen, 'antelephoˌnieren. **3.** *etwas* telepho'nieren, tele'phonisch über'mitteln (s.th. to s.o., s.o. s.th. j-m etwas). **III** *v/i* **4.** telepho'nieren. ~ **booth,** ~ **box** *s* Tele'phon-, Fernsprechzelle *f.* ~ **call** *s* Tele'phongespräch *n*, (tele'phonischer) Anruf. ~ **con·nec·tion** *s* Fernsprech-, Tele'phonanschluß *m.* ~ **di·rec·to·ry** *s* Tele'phon-, Fernsprechbuch *n.* ~ **ex·change** *s* Fernsprechamt *n*, Tele'phonvermittlung *f*, -zenˌtrale *f.* ~ **op·er·a·tor** *s* Telepho'nist(in). ~ **re·ceiv·er** *s* (Tele'phon)Hörer *m.* ~ **sub·scrib·er** *s* Fernsprechteilnehmer(in).

tel·e·phon·ic [ˌteli'fɒnik] *adj* (*adv* ~**ally**) tele'phonisch, fernmündlich, Telephon... **tel·e·pho·nist** [ti'lefənist; 'teliˌfounist] *s* Telepho'nist(in). **te·leph·o·ny** [ti'lefəni] *s* Telepho'nie *f*, Fernsprechen *n.*

tel·e·phote ['teliˌfout] *s phot.* Tele'phot *m*, photoe'lektrische Fernkamera.

tel·e·pho·to [ˌteli'foutou] *phot.* **I** *adj* **1.** Telephoto(graphie)..., Fernaufnahme...: ~ lens Fernlinse *f*, Teleobjektiv *n.* **II** *s* **2.** 'Telephoto(graˌphie *f*) *n*, Fernbild *n.* **3.** 'Bildteleˌgramm *n.* **4.** 'Funkbild(überˌtragung *f*) *n.* ˌ**tel·e'pho·toˌgraph** [-təˌgræ(ː)f; *Br. a.* -ˌgrɑːf] → telephoto II. ˌ**tel·eˌpho·to'graph·ic** [-'græfik] *adj* (*adv* ~**ally**) **1.** *phot.* 'fernphotoˌgraphisch. **2.** 'bildteleˌgraphisch. ˌ**tel·e·pho'tog·ra·phy** [-fə'tɒgrəfi] *s* **1.** 'Tele-, 'Fernphotograˌphie *f.* **2.** 'Bildtelegraˌphie *f.*

tel·e·print·er ['teliˌprintər] *s* Fernschreiber *m.*

tel·e·prompt·er ['teliˌprɒmptər] *s TV, Film*: optisches Souf'fliergerät, Textband *n.*

tel·e·ran ['teliˌræn] *s aer.* Tele'ran *n* (*aus* television and radar navigation *Blindflugverfahren mit Fernsehkursanweisung vom Boden*).

tel·e·re·cord·ing ['teliriˌkɔːrdiŋ] *s* (Fernseh)Aufzeichnung *f.*

tel·e·scope ['teliˌskoup] **I** *s* **1.** Tele'skop *n*, Fernrohr *n.* **II** *v/t* **2.** zs.-, ineinanderschieben. **3.** *fig.* verkürzen.

III *v/i* **4.** sich inein'anderschieben (lassen): **telescoping** → **telescopic** 3. **IV** *adj* → **telescopic.** ~ **eye** *s zo.* Tele'skopauge *n.* ~ **fish** *s ichth.* Tele'skopfisch *m.* ~ **sight** *s mil.* Zielfernrohr *n.* ~ **word** *s ling.* Schachtelwort *n.*

tel·e·scop·ic [ˌteli'skɒpik] *adj* (*adv* ~**ally**) **1.** tele'skopisch: a) Fernrohr...: ~ **sight** *mil.* Zielfernrohr *n,* b) *nur durch ein Fernrohr sichtbar:* ~ **stars. 2.** weitsehend. **3.** inein'anderschiebbar, ausziehbar, Auszieh..., Teleskop...: ~ **brolly** Taschenschirm *m;* ~ **shock absorber** Teleskopgabel *f.*

tel·e·screen ['teliˌskriːn] *s TV* Fernseh-, Bildschirm *m.*

tel·e·scrip·tor [ˌteli'skriptər] *s electr.* Fernschreiber *m.*

tel·e·sis ['telisis] *s sociol.* zielbewußter u. geplanter Fortschritt.

tel·e·ther·mom·e·ter [ˌteliθər'mɒmitər] *s phys.* 'Fern-, 'Telethermoˌmeter *n.*

tel·e·thon ['teliˌθɒn] *s TV* Mammutsendung *f.*

tel·e·type ['teliˌtaip] *electr.* **I** *s* **1.** Fernschreiber *m* (*Gerät*). **2.** *a.* ~ **message** Fernschreiben *n.* **II** *v/i* **3.** fernschreiben. **III** *v/t* **4.** durch Fernschreiber über'mitteln. ˌ**tel·e'type**ˌ**set·ter** *s print.* 'Fernsetzmaˌschine *f.* ˌ**tel·e'type**ˌ**writ·er** *s* Fernschreiber *m* (*Gerät*).

tel·e·view ['teliˌvjuː] *electr.* **I** *v/t* sich *etwas* (im Fernsehen) ansehen. **II** *v/i* fernsehen. '**tel·e**ˌ**view·er** *s* Fernsehteilnehmer(in).

tel·e·vise ['teliˌvaiz] *v/t* **1.** → **telecast. 2.** → **teleview** I.

tel·e·vi·sion ['teliˌviʒən] **I** *s* Fernsehen *n:* **on** ~ im Fernsehen. **II** *adj* Fernseh...: ~ **receiver** (*od.* **set**) Fernsehempfänger *m,* -gerät *n,* -apparat *m.* ˌ**tel·e'vi·sion·al** *adj* (*adv* ~**ly**) Fernseh...

tel·e·vi·sor ['teliˌvaizər] *s TV* **1.** 'Fernsehgerät *n,* -appaˌrat *m.* **2.** → **telecaster. 3.** → **televiewer.**

tel·e·vis·u·al [ˌteli'viʒuəl; *Br. a.* -'vizjuəl] *adj* **1.** Fernseh... **2.** → **telegenic.**

tel·ex ['teleks] *s electr.* Fernschreibnetz *n,* Telex *n.*

tel·fer → **telpher.**

tel·ford ['telfərd] *adj tech.* Telford...

tel·ic ['telik] *adj* **1.** zweckbestimmt. **2.** *ling.* Absichts..., Zweck...: ~ **clause** Absichtssatz *m.*

tell [tel] *pret u. pp* **told** [tould] **I** *v/t* **1.** sagen, erzählen (**s.o. s.th., s.th. to s.o.** j-m etwas): **I (can)** ~ **you that ...** ich kann Sie *od.* Ihnen versichern, daß ...; **I have been told** mir ist gesagt worden; **you're** ~**ing me!** *sl.* wem sagen Sie das!; ~ **me another** *sl.* das machst du mir nicht weis; **I told you so!** ich habe es (dir) ja gleich gesagt!, ‚siehste'!; **to** ~ **the world** *colloq.* (es) hinausposaunen. **2.** erzählen: **to** ~ **a story. 3.** mitteilen, berichten, sagen, nennen: **to** ~ **a lie** lügen; **to** ~ **one's name** s-n Namen nennen; **to** ~ **the reason** den Grund angeben; **to** ~ **the truth** die Wahrheit sagen; **to** ~ **the time** die Zeit anzeigen (*Uhr*). **4.** mit Worten ausdrücken: **I cannot** ~ **my grief. 5.** verraten: **to** ~ **a secret. 6.** (mit Bestimmtheit) sagen: **it is difficult to** ~ es ist schwer zu sagen. **7.** erkennen (**by, from** an *dat*): **I cannot** ~ **who that person is** ich kann nicht feststellen *od.* sagen, wer diese Person ist; **to** ~ **by (the) ear** mit dem Gehör feststellen, hören. **8.** unter'scheiden (**one from the other** eines vom andern): **to** ~ **apart** auseinanderhalten. **9.** sagen, befehlen: **to** ~ **s.o. to do s.th.** j-m sagen, er solle etwas tun; j-n etwas tun heißen; **do as you are told** tu, wie dir geheißen; tu, was ich gesagt habe. **10.** (ab)zählen: **to** ~ **the votes** *parl.* die Stimmen zählen; **all told** alles in allem; → **bead** 2. **11.** ~ **off** a) abzählen, b) *mil.* 'abkommanˌdieren, c) *colloq.* *j-m* ‚Bescheid stoßen', d) *Am. colloq.* *j-m* e-n Tip geben.

II *v/i* **12.** berichten, erzählen (**of** von; **about** über *acc*). **13.** (**of**) ein Zeichen *od.* Beweis sein (für, von), beweisen (*acc*), verraten (*acc*). **14.** erkennen, wissen: **how can you** ~**?** wie können Sie das wissen *od.* sagen?; **you never can** ~ man kann nie wissen. **15.** *colloq.* ‚petzen': **to** ~ **on s.o.** j-n verraten *od.* ‚verpetzen'; **don't** ~**!** nicht verraten! **16.** wirken, sich auswirken (**on** bei, auf *acc*): **every blow (word)** ~**s** jeder Schlag (jedes Wort) ‚sitzt'; **the hard work began to** ~ **on him** die harte Arbeit hinterließ allmählich ihre Spuren bei ihm; **his troubles have told on him** s-e Sorgen haben ihn sichtlich mitgenommen; **that** ~**s against you** das spricht gegen Sie. **17.** sich (deutlich) abheben (**against** gegen, von), (deutlich) her'vortreten, zur Geltung kommen.

tell·a·ble ['teləbl] *adj* **1.** erzählbar, mitteilbar. **2.** erzählenswert.

tell·er ['telər] *s* **1.** Erzähler(in). **2.** *tech.* Si'gnalappaˌrat *m.* **3.** Zähler(in). **4.** *bes. parl.* Stimmenzähler *m.* **5.** Kassen-, Schalterbeamte(r) *m,* Kas'sierer *m* (*e-r Bank*): ~**'s department** Hauptkasse *f.*

tell·ing ['teliŋ] *adj* (*adv* ~**ly**) wirkungsvoll, wirksam, eindrucksvoll: **a** ~ **blow** ein wirkungsvoller Schlag; ~ **effect** durchschlagende Wirkung; ~ **success** durchschlagender Erfolg.

'**tell**ˌ**tale** **I** *s* **1.** Klatschbase *f,* Zuträger(in), Ohrenbläser(in), ‚Petze' *f.* **2.** verräterisches (Kenn)Zeichen. **3.** *tech.* selbsttätige Anzeigevorrichtung, *bes.* Kon'trolluhr *f.* **4.** *mar.* a) Axio'meter *n* (*e-s Ruders*), b) Hängekompaß *m* (*in der Kapitänskajüte*). **II** *adj* **5.** klatschsüchtig, schwatzhaft. **6.** verräterisch: **a** ~ **tear. 7.** sprechend: ~ **resemblance. 8.** *tech.* a) Anzeige..., b) Warnungs...: ~ **clock** Kontrolluhr *f;* ~ **lamp** Kontrollampe *f.*

tel·lu·rate ['teljuˌreit] *s chem.* tel'lursaures Salz.

tel·lu·ri·an[1] [te'lju(ə)riən] **I** *adj* irdisch, Erd... **II** *s* Erdbewohner(in).

tel·lu·ri·an[2] [te'lju(ə)riən] *s* Tel'lurium *n* (*Instrument zur Veranschaulichung der Entstehung von Tag u. Nacht etc durch die Erdrotation*).

tel·lu·ric[1] [te'lju(ə)rik] → **tellurian**[1] I.

tel·lu·ric[2] [te'lju(ə)rik] *adj chem.* tel'lurisch, tel'lursauer, Tellur...: ~ **acid** Tellursäure *f.*

tel·lu·ride ['teljuˌraid; -rid] *s chem.* Tellu'rid *n.*

tel·lu·rite ['teljuˌrait] *s* **1.** *chem.* Tellu'rit *n.* **2.** *min.* Tel'lurˌdioˌxyd *n.*

tel·lu·ri·um [te'lju(ə)riəm] *s chem.* Tel'lur *n.*

tel·lu·rous ['teljurəs] *adj chem.* tel'lurig, Tellur...

tel·ly ['teli] *bes. Br. colloq.* **1.** ‚Fernseher' *m* (*Gerät*). **2.** (*das*) Fernsehen.

tel·o·cen·tric [ˌtelo'sentrik] *adj u. s biol.* telo'zentrisch(es Chromo'som).

tel·o·type ['teloˌtaip] *s electr.* **1.** e'lektrischer 'Schreib- *od.* 'Drucktelegraph. **2.** auto'matisch gedrucktes Tele'gramm.

tel·pher ['telfər] *tech.* **I** *s* **1.** Wagen *m* e-r (E'lektro)Hängebahn. **2.** → **telpherage. II** *adj* **3.** (Elektro)Hängebahn...: ~ **line** → **telpherway.** '**tel·pher·age** *s* auto'matische (e'lektrische) Lastenbeförderung. '**tel·pher**ˌ**way** *s tech.* Telpherbahn *f,* (E'lektro)Hängebahn *f.*

tel·son ['telsn] *s zo.* Schwanzfächer *m.*

Tel·u·gu ['teluˌguː] **I** *pl* **-gu** *od.* **-gus** *s* **1.** Telugu *m* (*Angehöriger e-s drawidischen Volkes*). **2.** *ling.* Telugu *n.* **II** *adj* **3.** Telugu...

tem·blor [tem'blɔːr] *s Am.* Erdbeben *n.*

tem·er·ar·i·ous [ˌtemə'rɛ(ə)riəs] *adj* (*adv* ~**ly**) **1.** tollkühn, verwegen. **2.** unbesonnen.

te·mer·i·ty [ti'meriti] *s* **1.** Tollkühnheit *f,* Verwegenheit *f.* **2.** Unbesonnenheit *f.* **3.** *contp.* Kühnheit *f,* Frechheit *f.*

tem·per ['tempər] **I** *s* **1.** Tempera'ment *n,* Natu'rell *n,* Veranlagung *f,* Gemüt(sart *f*) *n,* Cha'rakter *m:* **even** ~ Gleichmut *m;* **quick** ~ hitziges Temperament. **2.** Stimmung *f,* Laune *f:* **in a bad** ~ schlechter Laune. **3.** Gereiztheit *f,* Zorn *m,* Wut *f:* **to be in a** ~ gereizt *od.* wütend sein; **to fly** (*od.* **get**) **into a** ~ in Wut geraten. **4.** Gemütsruhe *f:* (*obs. außer in den Redewendungen*): **to keep one's** ~ ruhig bleiben; **to lose one's** ~ in Wut geraten, die Geduld verlieren; **out of** ~ übellaunig; **to put s.o. out of** ~ j-n wütend machen. **5.** Zusatz *m,* Beimischung *f, bes. metall.* Härtemittel *n.* **6.** *bes. tech.* richtige Mischung. **7.** *metall.* Härte(grad *m*) *f.* **8.** *obs.* a) Kompro'miß *m, n,* b) Mittelding *n.* **9.** *obs.* körperliche Beschaffenheit, Konstituti'on *f.* **II** *v/t* **10.** mildern, mäßigen, abschwächen (**with** durch). **11.** *tech.* mischen, anmachen: **to** ~ **mortar. 12.** *tech.* a) tempern, härten, anlassen: **to** ~ **steel,** b) ablöschen: **to** ~ **iron,** c) adou'zieren: **to** ~ **cast iron,** d) rasch abkühlen: **to** ~ **glass. 13.** *mus.* tempe'rieren: **to** ~ **a piano. III** *v/i* **14.** *metall. tech.* den richtigen Härtegrad erreichen *od.* haben.

tem·per·a ['tempərə] *s* ˌTempera(male'rei) *f.*

tem·per·a·ment ['tempərəmənt] *s* **1.** → **temper** 1. **2.** Tempera'ment *n,* Leidenschaftlichkeit *f.* **3.** richtige *od.* innere Beschaffenheit. **4.** *mus.* Tempera'tur *f,* tempe'rierte Stimmung: **to set the** ~ die Temperatur setzen *od.* festlegen. ˌ**tem·per·a'men·tal** [-'mentl] *adj* (*adv* ~**ly**) **1.** mit starken per'sönlichen Zügen, eigenwillig. **2.** a) reizbar, launisch, b) leicht erregbar. **3.** veranlagungsmäßig, konstitutio'nell, von Na'tur, Temperaments...

tem·per·ance ['tempərəns; -prəns] *s* **1.** Mäßigkeit *f,* Enthaltsamkeit *f.* **2.** a) Mäßigkeit *f* im Alkoholgenuß, b) Absti'nenz *f* vom Alkoholgenuß. **3.** *obs.* Selbstbeherrschung *f.* ~ **ho·tel** *s* alkoholfreies Hotel. ~ **move·ment** *s* Absti'nenzbewegung *f.* ~ **so·ci·e·ty** *s* Absti'nenzverein *m.*

tem·per·ate ['tempərit; -prit] *adj* (*adv* ~**ly**) **1.** gemäßigt, maßvoll: ~ **language. 2.** zu'rückhaltend, (selbst)beherrscht. **3.** mäßig: ~ **enthusiasm. 4.** a) mäßig, enthaltsam (*bes. im Essen u. Trinken*), b) absti'nent (*geistige Getränke meidend*). **5.** gemäßigt, mild: ~ **climate;** **T**~ **Zone** *geogr.* gemäßigte Zone. '**tem·per·ate·ness** *s* **1.** Gemäßigtheit *f.* **2.** Beherrschtheit *f.* **3.** geringes Ausmaß. **4.** a) Mäßigkeit *f,* Enthaltsamkeit *f,* Mäßigung *f* (*bes. im Essen u. Trinken*), b) Absti'nenz *f* (*von geistigen Getränken*). **5.** Milde *f* (*des Klimas etc*).

tem·per·a·ture ['tempərətʃər; -prə-; -pri-] *s* **1.** *phys.* Tempera'tur *f*: at a ~ of 50 degrees bei e-r Temperatur von 50 Grad. **2.** *physiol.* ('Körper-)Temperaˌtur *f*: to take s.o.'s ~ j-s Temperatur messen, j-n messen; to have (*od.* run) a ~ Fieber *od.* (erhöhte) Temperatur haben. ~ **curve** *s* Tempera'tur-, *med.* Fieberkurve *f.*

tem·pered ['tempərd] *adj* **1.** (*bes. in Zssgn*) gestimmt, gelaunt: even-~ gleichmütig. **2.** gemäßigt. **3.** *mus.* tempe'riert. **4.** *tech.* gehärtet. '**tem·per·er** *s tech.* **1.** Mischer *m* (*Person od. Gerät*). **2.** 'Tonknetmaˌschine *f.*

tem·per·ing| box ['tempəriŋ; -priŋ] *s tech.* Glühtopf *m.* ~ **fur·nace** *s* Anlaß-, Temperofen *m.*

tem·pest ['tempist] *s* **1.** (wilder) Sturm: "The T~" „Der Sturm" (*Shakespeare*). **2.** *fig.* Sturm *m*, (heftiger) Ausbruch. **3.** Gewitter *n.* '~-ˌ**beat·en,** '~-ˌ**tossed** *adj* sturmgepeitscht.

tem·pes·tu·ous [*Br.* tem'pestjuəs; *Am.* -tʃuəs] *adj a. fig.* stürmisch, ungestüm, heftig. **tem'pes·tu·ous·ness** *s* Ungestüm *n*, Heftigkeit *f.*

Tem·plar ['templər] *s* **1.** *hist.* Templer *m*, Tempelherr *m*, -ritter *m.* **2.** Tempelritter *m* (*ein Freimaurer*). **3.** *oft* Good ~ Guttempler *m* (*ein Temperenzler*). **4.** t~ *Br. Jurastudent am Londoner* Temple.

tem·plate ['templit] *s* **1.** *tech.* Scha'blone *f*, Lehre *f*: ~ casting *metall.* Schablonenguß *m.* **2.** *arch.* a) 'Unterleger *m* (*Balken*), b) (Dach)Pfette *f*, c) Kragholz *n.* **3.** *mar.* Mallbrett *n.*

tem·ple[1] ['templ] *s* **1.** Tempel *m* (*a. fig.*). **2.** Gotteshaus *n.* **3.** T~ *jur.* Temple *m* (*in London*; *früher Ordenshaus der Tempelritter, jetzt Sitz zweier Rechtskollegien*: the Inner T~ *u.* the Middle T~).

tem·ple[2] ['templ] *s anat.* Schläfe *f.*

tem·ple[3] ['templ] *s Weberei*: Tömpel *m.*

tem·plet → template.

tem·po ['tempou] *pl* **-pi** [-piː] *od.* **-pos** *s* Tempo *n*: a) *mus.* Zeitmaß *n*, b) *fig.* Geschwindigkeit *f*: ~ turn (*Skisport*) Temposchwung *m.*

tem·po·ral[1] ['tempərəl; -prəl] *adj* (*adv* ~ly) **1.** zeitlich: a) Zeit... (*Ggs räumlich*), b) irdisch. **2.** weltlich (*Ggs geistlich*): ~ courts; Lords ~ *parl. Br.* die weltlichen Mitglieder des Oberhauses. **3.** *ling.* tempo'ral, Zeit...: ~ adverb Umstandswort *n* der Zeit; ~ clause Temporalsatz *m.*

tem·po·ral[2] ['tempərəl; -prəl] *anat.* **I** *adj* **1.** Schläfen... **2.** Schläfenbein... **II** *s* **3.** Schläfenbein *n.*

tem·po·ral·i·ty [ˌtempə'ræliti] *s* **1.** Zeitbedingtheit *f*, Zeitweiligkeit *f.* **2.** (*etwas*) Zeitliches *od.* Vor'übergehendes: temporalities *jur.* zeitliche Güter. **3.** *pl relig.* Tempo'ralien *pl*, weltlicher Besitz.

tem·po·ral·ty ['tempərəlti; -prəl-] *s obs.* **1.** weltlicher Besitz. **2.** Laienstand *m.*

tem·po·rar·i·ness ['tempərərinis; -prər-] *s* Einst-, Zeitweiligkeit *f*, zeitweilige Dauer.

tem·po·rar·y ['tempərəri; -prəri] *adj* (*adv* temporarily) provi'sorisch: a) vorläufig, einst-, zeitweilig, vor'übergehend, tempo'rär, b) Not..., Hilfs..., Interims...: ~ bridge Behelfs-, Notbrücke *f*; ~ credit *econ.* Zwischenkredit *m.*

tem·po·rize ['tempəˌraiz] *v/i* **1.** Zeit zu gewinnen suchen, abwarten, sich nicht festlegen, la'vieren: to ~ with s.o. j-n hinhalten. **2.** sich anpassen, mit dem Strom schwimmen, ‚s-n Mantel nach dem Wind hängen'. **3.** ein(en) Kompro'miß schließen (with mit). '**tem·poˌriz·er** *s* **1.** j-d, der Zeit zu gewinnen sucht *od.* der sich nicht festlegt. **2.** Opportu'nist(in). '**tem·poˌriz·ing** *adj* (*adv* ~ly) **1.** 'hinhaltend, abwartend. **2.** opportu'nistisch.

tempt [tempt] *v/t* **1.** *relig. u. allg. j-n* versuchen, in Versuchung führen. **2.** *j-n* verlocken, -leiten, dazu bringen (to do zu tun): to be ~ed to do s.th. versucht *od.* geneigt sein, etwas zu tun. **3.** reizen, locken: this offer ~s me. **4.** her'ausfordern, versuchen: to ~ God; to ~ one's fate.

temp·ta·tion [temp'teiʃən] *s* Versuchung *f*, -führung *f*, -lockung *f* (*a. Sache*): to resist (yield to) ~ der Versuchung widerstehen (unterliegen); to lead into ~ in Versuchung führen. '**tempt·er** *s* Versucher *m*, -führer *m*: the T~ *relig.* der Versucher. '**tempt·ing** *adj* (*adv* ~ly) verführerisch, -lokkend. '**tempt·ing·ness** *s* (*das*) Verführerische. '**tempt·ress** *s* Versucherin *f*, Verführerin *f.*

ten [ten] **I** *adj* **1.** zehn: ~ times zehnmal (*a. fig. um vieles*); ~ to one zehn zu eins. **II** *s* **2.** Zehn *f* (*Zahl, Gruppe, Spielkarte*): the upper ~ *fig.* die oberen Zehntausend; ~s of thousands Zehntausende; by (*od.* in) ~s (in Gruppen) zu zehn. **3.** *colloq.* Zehner *m* (*Geldschein etc*). **4.** zehn (Uhr). **5.** to take ~ *Am. colloq.* e-e kurze Pause machen.

ten·a·ble ['tenəbl] *adj* (*adv* tenably) **1.** haltbar: a ~ argument; a ~ fortress. **2.** verliehen (for für, auf *acc*): an office ~ for two years. '**ten·a·ble·ness** *s* Haltbarkeit *f.*

ten·ace ['teneis; -nis] *s Bridge, Whist etc*: *Kombination der besten u. der drittbesten Karte e-r Farbe in 'einer Hand*: major ~ As u. Dame; minor ~ König u. Bube; double ~ As, Dame u. Zehn.

te·na·cious [ti'neiʃəs] *adj* (*adv* ~ly) **1.** zäh(e), hartnäckig: to be ~ of s.th. zäh an etwas festhalten; ~ of life zählebig; ~ ideas zählebige *od.* schwer auszurottende Ideen. **2.** verläßlich, gut: a ~ memory. **3.** zäh, klebrig. **4.** *phys.* fest, zäh: ~ metal. **te'na·cious·ness, te'nac·i·ty** [-'næsiti] *s* **1.** *allg.* Zähigkeit *f*: a) Klebrigkeit *f*, b) *phys.* Reiß-, Zugfestigkeit *f*, c) *fig.* Hartnäckigkeit *f*: ~ of life zähes Leben; ~ of purpose Zielstrebigkeit *f.* **2.** Verläßlichkeit *f*: ~ of memory.

te·nac·u·lum [ti'nækjələm] *pl* **-la** [-lə] *s med.* Te'nakel *n*, Halter *m.* [*n.*]

te·nail(le) [te'neil] *s mil.* Zangenwerk

ten·an·cy ['tenənsi] *s jur.* **1.** Pacht-, Mietverhältnis *n*: ~ at will jederzeit beid(er)seitig kündbares Pachtverhältnis. **2.** a) Pacht-, Mietbesitz *m*, b) Eigentum *n*: ~ in common Miteigentum. **3.** Pacht-, Mietdauer *f.*

ten·ant ['tenənt] **I** *s* **1.** *jur.* Pächter *m*, Mieter *m*: ~ farmer (Guts)Pächter *m*, Pachtbauer *m.* **2.** *jur.* Inhaber *m* (*von Realbesitz, Renten etc*). **3.** Insasse *m*, Bewohner *m.* **4.** *jur. hist.* Lehnsmann *m*: ~ in chief Kronvasall *m.* **II** *v/t* **5.** *jur.* in Pacht *od.* Miete haben. **6.** *jur.* innehaben. **7.** bewohnen. **8.** beherbergen: this house ~s five families in diesem Haus wohnen 5 Familien. '**ten·ant·a·ble** *adj* **1.** *jur.* pacht-, mietbar. **2.** bewohnbar. '**ten·ant·less** *adj* **1.** unverpachtet. **2.** unvermietet, leer(stehend): ~ flats. '**ten·ant·ry** [-tri] *s* **1.** (*meist als pl konstruiert*) *collect.* Pächter *pl*, Mieter *pl.* **2.** → tenancy.

'**ten-'cent** *adj Am. colloq.* billig (*a. fig.*): ~ store billiges Warenhaus.

tench [tentʃ] *pl* '**tench·es,** *bes. collect.* **tench** *s ichth.* Schlei(e *f*) *m.*

tend[1] [tend] *v/i* **1.** sich *in e-r bestimmten Richtung* bewegen, ('hin)streben (to, toward[s] nach, auf ... zu): to ~ from wegstreben von. **2.** *fig.* a) ten'dieren, neigen (to, towards zu), b) dazu neigen (to do zu tun). **3.** *fig.* dazu führen *od.* beitragen (to s.th. zu etwas; to do zu tun), hin'auslaufen (to auf *acc*). **4.** *mar.* schwoien.

tend[2] [tend] **I** *v/t* **1.** *tech.* bedienen: to ~ a machine. **2.** sorgen für, sich kümmern um, nach *j-m* sehen: to ~ a patient e-n Kranken pflegen; to ~ a flock e-e Herde hüten. **3.** *obs.* als Diener begleiten. **4.** *obs.* achten auf (*acc*). **II** *v/i* **5.** aufwarten (on, upon *dat*).

ten·den·cious → tendentious.

tend·en·cy ['tendənsi] *s* **1.** *allg.* Ten'denz *f*: a) Richtung *f*, Strömung *f*, 'Hinstreben *n*, b) (bestimmte) Absicht, Zweck *m*, c) Hang *m*, Zug *m* (to, toward zu), Neigung *f* (to für), d) *biol.* Anlage *f.* **2.** Gang *m*, Lauf *m*: the ~ of events. **3.** *econ.* (*Börsen*)Ten'denz *f.*

ten·den·tious [ten'denʃəs] *adj* (*adv* ~ly) tendenzi'ös, Tendenz... **ten'den·tious·ness** *s* tendenzi'öser Cha'rakter.

ten·der[1] ['tendər] *adj* (*adv* ~ly) **1.** zart, weich, mürbe: ~ meat. **2.** *allg.* zart: ~ age (colo[u]r, health, *etc*); ~ passion Liebe *f.* **3.** zart, empfindlich (*a. fig.*), *fig. a.* sen'sibel: a ~ conscience; ~ feet; a ~ plant ein zartes Pflänzchen (*a. fig.*); → spot 5. **4.** *fig.* heikel, ‚kitzlig': a ~ subject. **5.** *fig.* sanft, zart, zärtlich: the ~ touch of her hand. **6.** zärtlich, liebevoll: a ~ lover (glance, *etc*). **7.** weich, gütig. **8.** (of, over) bedacht (auf *acc*), besorgt (um). **9.** *mar.* rank, 'unstaˌbil, topplastig.

ten·der[2] ['tendər] **I** *v/t* **1.** (for'mell) anbieten: to ~ an averment *jur.* e-n Beweis anbieten; → oath *Bes. Redew.*, resignation 2 b. **2.** anbieten, zur Verfügung stellen: to ~ one's services. **3.** aussprechen, zum Ausdruck bringen: to ~ s.o. one's thanks; to ~ one's apologies sich entschuldigen. **4.** *econ. jur.* als Zahlung (*e-r Verpflichtung*) anbieten. **II** *v/i* **5.** *econ.* sich an e-r *od.* der Ausschreibung beteiligen, ein Angebot machen: to ~ and contract for a supply e-n Lieferungsvertrag abschließen. **III** *s* **6.** Anerbieten *n*, Angebot *n*: to make a ~ of → 2. **7.** *econ.* (legal ~ gesetzliches) Zahlungsmittel. **8.** *econ.* Angebot *n*, Of'ferte *f* (*bei e-r Ausschreibung*): to invite ~s for a project ein Projekt ausschreiben; to put to ~ in freier Ausschreibung vergeben; by ~ in Submission. **9.** *econ.* Kostenanschlag *m.* **10.** *econ. jur.* Zahlungsangebot *n.*

tend·er[3] ['tendər] *s* **1.** Wärter(in), Pfleger(in). **2.** *mar.* a) Tender *m*, Begleitschiff *n*, Leichter *m*, b) *mil.* Mutterschiff *n.* **3.** *rail.* Tender *m*, Kohle-, Begleitwagen *m.* **4.** *mot.* Anhänger *m.*

ten·der·er ['tendərər] *s econ.* Angebotssteller *m*, Bewerber *m.*

'**ten·derˌfoot** *pl* **-ˌfeet** *od.* **-ˌfoots** *s Am. colloq.* **1.** Anfänger *m*, Greenhorn *n.* **2.** Weichling *m*, ‚Schlappschwanz' *m.* **3.** neu aufgenommener Pfadfinder.

'**ten·der'heart·ed** *adj* (*adv* ~ly) weichherzig.

ten·der·ize ['tendəˌraiz] *v/t* weich *od.* zart machen: to ~ meat.

'ten·derˌloin *s Am.* **1.** zartes Lendenstück, ('Rinds- *od.* 'Schweins)FiˌIet *n.* **2.** T~ *Vergnügungs- u. Verbrecherviertel, bes. von New York.*

ten·der·ness ['tendərnis] *s* **1.** Zartheit *f*, Weichheit *f* (*a. fig.*). **2.** Zartheit *f*, Schwächlichkeit *f*, Empfindlichkeit *f* (*a. e-s Körperteils, des Gewissens etc*). **3.** Zärtlichkeit *f* (to gegen). **4.** Güte *f*, Freundlichkeit *f*.

ten·di·nous ['tendinəs] *adj* **1.** sehnig, flechsig. **2.** *anat.* Sehnen...

ten·don ['tendən] *s anat.* Sehne *f*, Flechse *f*: ~ **sheath** Sehnenscheide *f*.

ten·dril ['tendril] *s bot.* Ranke *f*.

ten·e·brous ['tenibrəs] *adj* dunkel, finster, düster.

'ten-'eight·y *s chem.* fluressigsaures Natrium (*ein Rattengift*).

ten·e·ment ['tenimənt] *s* **1.** Wohnhaus *n.* **2.** *a.* ~ **house** Miet(s)haus *n*, *bes.* 'MietskaˌserneT *f.* **3.** Mietwohnung *f.* **4.** Wohnung *f.* **5.** *jur.* a) (Pacht)Besitz *m*, b) beständiger Besitz, beständiges Privi'legium: **dominant (servient)** ~ herrschendes (dienendes) Grundstück.

ˌten·e'men·tal [-'mentl], **ˌten·e'men·ta·ry** *adj* Pacht..., Miet...

te·nes·mus [ti'nezməs] *s* Te'nesmus *m*, (schmerzhafter) Drang: **rectal** ~ Stuhldrang; **vesical** ~ Harndrang.

ten·et ['tiːnet; 'tenit] *s* **1.** (Grund-, Lehr)Satz *m*, Lehre *f*, Dogma *n.* **2.** *obs.* Meinung *f*.

'tenˌfold *adj u. adv* zehnfach.

'ten-ˌgal·lon hat *s Am. dial.* breitrandiger Cowboyhut.

ten·ner ['tenər] *s* a) *Am. sl.* Zehn'dollarnote *f*, b) *Br. colloq.* Zehn'pfundnote *f*.

ten·nis ['tenis] *s sport* Tennis(spiel) *n.* ~ **arm** *s med.* Tennisarm *m.* ~ **ball** *s sport* Tennisball *m.* ~ **court** *s sport* **1.** Tennisplatz *m.* **2.** *obs.* Ballhaus *n.* ~ **el·bow** → **tennis arm.** ~ **rack·et** *s sport* (Tennis)Schläger *m.*

ten·on ['tenən] *tech.* **I** *s* Zapfen *m*: ~ **saw** Ansatzsäge *f*, Fuchsschwanz *m.* **II** *v/t* verzapfen.

ten·or ['tenər] *s* **1.** Verlauf *m*, (Fort)Gang *m.* **2.** Tenor *m*, (wesentlicher) Inhalt, Sinn *m*, Gedankengang *m.* **3.** Wesen *n*, Na'tur *f*, Beschaffenheit *f*. **4.** Absicht *f*. **5.** *econ.* Laufzeit *f* (*e-s Vertrags, e-s Wechsels*). **6.** *jur.* Abschrift *f*, Ko'pie *f*. **7.** *mus.* Te'nor *m*: a) *a.* ~ **voice** Te'norstimme *f*, b) *a.* ~ **part** Te'norparˌtie *f* (*e-r Komposition*), c) *a.* ~ **violin** Te'norinstruˌment *n*, *bes.* Bratsche *f*, d) *a.* ~ **singer,** ~ **player** → **tenorist**, e) ('Chor)TeˌnorT *m.* **'ten·or·ist** [-rist] *s mus.* Teno'rist *m*: a) Te'norsänger *m*, b) Spieler(in) e-s Te'norinstruˌments, *bes.* Brat'schist(in).

ten|·pence ['tenpəns] *s* (*Summe od. Wert von*) zehn Pence *pl.* '~ˌ**pin** *s Am.* **1.** Kegel *m.* **2.** *pl* (*als sg konstruiert*) Kegelspiel *n* mit 10 Kegeln.

ten·rec ['tenrek] *s zo.* Tanrek *m*, Borstenigel *m.*

tense¹ [tens] *s ling.* Tempus *n*, Zeitform *f*.

tense² [tens] **I** *adj* (*adv* ~**ly**) **1.** straff, gespannt. **2.** *fig.* a) (an)gespannt (*Person, Nerven etc*), b) ('über)nerˌvös, verkrampft (*Person*), c) spannungsgeladen: a ~ **moment,** d) zermürbend: a ~ **game.** **3.** *ling.* gespannt, geschlossen: a ~ **sound.** **II** *v/t* **4.** (an)spannen, straffen. **III** *v/i* **5.** sich straffen *od.* (an)spannen. **6.** *fig.* (vor Nervosi'tät *etc*) starr werden.

tense·ness ['tensnis] *s* **1.** Straffheit *f*. **2.** *fig.* (ner'vöse) Spannung.

ten·si·bil·i·ty [ˌtensi'biliti] *s* Dehnbarkeit *f*. **'ten·si·ble** *adj* spann-, dehnbar.

ten·sile [*Br.* 'tensail; *Am.* -sil] *adj* **1.** dehn-, streckbar. **2.** *phys.* Spannungs..., Zug..., Dehn(ungs)...: ~ **strength (stress)** Zug-, Dehnfestigkeit *f* (-beanspruchung *f*).

ten·sim·e·ter [ten'simitər] *s tech.* Gas-, Dampf(druck)messer *m.*

ten·si·om·e·ter [ˌtensi'ɒmitər] *s tech.* Zugmesser *m.*

ten·sion ['tenʃən] **I** *s* **1.** Spannung *f* (*a. electr.*). **2.** *med. phys.* Druck *m.* **3.** *phys.* a) Dehnung *f*, b) Zug-, Spannkraft *f*: ~ **spring** Zug-, Spannfeder *f*. **4.** *tech.* Spannvorrichtung *f*. **5.** *fig.* (ner'vöse) Spannung, (An)Gespanntheit *f*. **6.** *fig.* gespanntes Verhältnis, Spannung *f*: **political** ~. **II** *v/t* **7.** (an)spannen. **'ten·sion·al** *adj* Dehn..., Spann(ungs)...

ten·sive ['tensiv] *adj* Spannung verursachend.

ten·son ['tensn] *s* Ten'zone *f* (*Streitgedicht der Troubadours*).

ten·sor ['tensər] *s* **1.** *anat.* Streck-, Spannmuskel *m.* **2.** *math.* Tensor *m.*

'ten|-ˌspot *s Am. sl.* **1.** *Kartenspiel*: Zehn *f*, Spielkarte *f* mit zehn Augen. **2.** Zehn-'Dollar-Note *f*. '~-ˌ**strike** *s Am.* **1.** → **strike** 6. **2.** *colloq. fig.* ‚Volltreffer' *m.*

tent¹ [tent] **I** *s* **1.** Zelt *n*: **to pitch one's** ~**s** s-e Zelte aufschlagen (*a. fig.*). **2.** *fig.* Wohnung *f*, Wohnstätte *f*. **3.** *med.* Zelt *n*: **oxygen** ~. **II** *v/t* **4.** in Zelten 'unterbringen. **III** *v/i* **5.** zelten. **6.** wohnen.

tent² [tent] *med.* **I** *s* Tam'pon *m.* **II** *v/t* durch e-n Tam'pon offenhalten.

tent³ [tent] *s* Tintowein *m.*

ten·ta·cle ['tentəkl] *s* **1.** *zo.* a) Ten'takel *m*, *n*, Fühler *m*, b) Fang-, Greifarm *m* (*e-s Polypen etc*). **2.** *bot.* Ten'takel *m*, *n.* **3.** *fig.* Fühler *m*: **to stretch out a** ~. **'ten·ta·cled** *adj bot. zo.* mit Ten'takeln (versehen). **ten'tac·u·lar** [-'tækjulər] *adj* Fühler..., Tentakel... **ten'tac·u·late** [-lit; -ˌleit], **ten'tac·uˌlat·ed** [-ˌleitid] *adj* **1.** mit Ten'takeln (versehen). **2.** ten'takelförmig.

ten·ta·tive ['tentətiv] **I** *adj* **1.** a) versuchend, versuchsweise, b) Versuchs... **2.** vorsichtig, zögernd, zaghaft. **II** *s* **3.** Versuch *m.* **'ten·ta·tive·ly** *adv* **1.** versuchsweise, als Versuch. **2.** zögernd.

tent bed *s* **1.** Himmelbett *n.* **2.** Feldbett *n.*

ten·ter ['tentər] *s tech.* Spannrahmen *m* (*für Tuch*). '~ˌ**hook** *s tech.* Spannhaken *m*: **to be on** ~**s** *fig.* ‚wie auf (glühenden) Kohlen sitzen', auf die Folter gespannt sein; **to keep s.o. on** ~**s** *fig.* j-n auf die Folter spannen.

tenth [tenθ] **I** *adj* **1.** zehnt(er, e, es). **2.** zehntel. **II** *s* **3.** (*der, die, das*) Zehnte. **4.** Zehntel *n*: a ~ **of a millimeter** ein zehntel Millimeter. **5.** *hist.* Zehnt *m.* **6.** *mus.* De'zime *f*. **'tenth·ly** [-li] *adv* zehntens.

tent| peg *s* Zeltpflock *m*, Hering *m.* ~ **peg·ging** *s Kavallerieübung, bei der in vollem Galopp Pflöcke mit der Lanze aus dem Boden geholt werden müssen.* ~ **pole** *s* Zeltstange *f*. ~ **stitch** *s Stikkerei*: Perlstich *m.*

ten·u·is ['tenjuis] *pl* **'ten·uˌes** [-ˌiːz] *s ling* Tenuis *f* (*stimmloser, nicht aspirierter Verschlußlaut*).

te·nu·i·ty [te'njuːiti] *s* **1.** Dünnheit *f* (*a. der Substanz*). **2.** Schlankheit *f*. **3.** Zartheit *f*. **4.** *fig.* a) Schlichtheit *f*, b) Dürftigkeit *f*.

ten·u·ous ['tenjuəs] *adj* **1.** dünn. **2.** zart, fein. **3.** schlank. **4.** *phys.* dünn, verdünnt. **5.** spärlich, dürftig.

ten·ure ['tenjər] *s* **1.** (Grund)Besitz *m.* **2.** *jur.* a) Besitzart *f*, b) Besitztitel *m*: ~ **by lease** Pachtbesitz *m*; **feudal** ~ *hist.* Lehnsbesitz *m.* **3.** Besitzdauer *f*. **4.** Innehaben *n*, Bekleidung *f* (*e-s Amtes*): ~ **of office** Amtsdauer *f*. **5.** Anstellung *f*, Amt *n.* **6.** *fig.* Genuß *m* (*e-r Sache*). **ten'u·ri·al** [-'ju(ə)riəl] *adj* (Land)Besitz...

te·nu·to [te'nuto] (*Ital.*) *adj u. adv* ausgehalten (*Note, Ton*).

te·pee ['tiːpiː] *s* Indi'anerzelt *n*, Wigwam *m.*

tep·e·fy ['tepiˌfai] *v/t u. v/i* lauwarm machen (werden).

teph·rite ['tefrait] *s geol.* Te'phrit *m.*

tep·id ['tepid] *adj* (*adv* ~**ly**) lauwarm, lau (*a. fig.*).

te·pid·i·ty [te'piditi], *a.* **tep·id·ness** ['tepidnis] *s* Lauheit *f* (*a. fig.*).

ter·a·toid ['terəˌtɔid] **I** *adj* mon'strös, 'mißgeburtähnlich. **II** *s* → **teratoma.**

ter·a·tol·o·gy [ˌterə'tɒlədʒi] *s* **1.** Märchen *n* von Ungeheuern, Wundergeschichte *f*. **2.** *med.* Teratolo'gie *f* (*Lehre von den Mißbildungen*).

terce [təːrs] → **tierce.**

ter·cel ['təːrsəl], **terce·let** ['təːrslit] *s orn.* männlicher Falke.

ter·cen·te·nar·y [*Br.* ˌtəːsen'tiːnəri; *Am.* təːr'sentiˌneri], *a.* ˌ**ter·cen'ten·ni·al** [-'teniəl; -njəl] **I** *adj* **1.** dreihundertjährig. **II** *s* **2.** dreihundertster Jahrestag. **3.** Dreihundert'jahrfeier *f*.

ter·cet ['təːrsit] *s* **1.** *metr.* Ter'zine *f*. **2.** *mus.* Tri'ole *f*.

ter·e·binth ['teribinθ] *s bot.* Tere'binthe *f*.

ter·gal ['təːrgəl] *adj zo.* Rücken...

ter·gi·ver·sate ['təːrdʒivərˌseit] *v/i* **1.** Ausflüchte machen, sich drehen u. wenden. **2.** sich wider'sprechen. **3.** abfallen, abtrünnig werden. ˌ**ter·gi·ver'sa·tion** *s* **1.** Ausflucht *f*, Finte *f*, Winkelzug *m.* **2.** Abfall *m.* **3.** Wankelmut *m.* **'ter·gi·verˌsa·tor** [-tər] *s* **1.** j-d, der Ausflüchte *od.* Winkelzüge macht. **2.** Rene'gat *m*, Abtrünnige(r) *m.*

term [təːrm] **I** *s* **1.** (*bes.* fachlicher) Ausdruck, Bezeichnung *f*: **technical** ~ Fachausdruck; ~ **of reference** *Br.* Abgrenzung *f*, Bereich *m* (*e-r Untersuchung etc*), Aufgabe *f*, Programm *n.* **2.** *pl* Ausdrucksweise *f*, Worte *pl*: **in** ~**s** ausdrücklich, in Worten; **in** ~**s of** a) in Form von (*od. gen*), b) im Sinne (*gen*), c) hinsichtlich (*gen*), bezüglich (*gen*), d) vom Standpunkt (*gen*), von ... her, e) verglichen mit, im Verhältnis zu; **in** ~**s of approval** beifällig; **in** ~**s of literature** literarisch (betrachtet), vom Literarischen her; **to think in** ~**s of money** (nur) in Mark u. Pfennig denken; **in plain** ~**s** rundheraus (gesagt). **3.** *pl* Wortlaut *m*: **the exact** ~**s**; **to be in the following** ~**s** folgendermaßen lauten. **4.** a) Zeit *f*, Dauer *f*: ~ **(of imprisonment)** *jur.* Freiheitsstrafe *f*; ~ **of office** Amtszeit, -dauer, -periode *f*; **for a** ~ **of four years** für die Dauer von vier Jahren, b) (*Zahlungs- etc*)Frist *f*: ~ **of payment**; **on** ~ *econ.* auf Zeit; **on** (*od.* **in**) **the long** ~ auf lange Sicht; ~ **insurance** *econ.* Kurzversicherung *f*. **5.** *econ.* a) Laufzeit *f*: ~ **of a contract**, b) Ter'min *m*: **to set a** ~ e-n Termin festsetzen; **at** ~ zum festgelegten Termin. **6.** *jur.* a) *Br.* Quar'talsterˌmin *m* (*vierteljährlicher Zahltag für Miete, Zinsen etc*), b) *Br.* (*halbjährlicher*) Lohn-, Zahltag (*für Dienstboten*). **7.** *jur.* 'Sitzungsperiˌode *f*. **8.** *ped. univ.* Quar'tal *n*, Tri'mester *n*, Se'mester *n*, Kol'legienzeit *f*: **end of** ~

Schul- *od.* Semesterschluß *m*; to keep ~s *Br.* Jura studieren. **9.** *pl* (Vertrags- *etc*)Bedingungen *pl*, Bestimmungen *pl*: ~s of delivery *econ.* Liefer(ungs)-bedingungen; ~s of trade Austauschverhältnis *n* (*im Außenhandel*); on easy ~s zu günstigen Bedingungen; on equal ~s unter gleichen Bedingungen; on the ~s that unter der Bedingung, daß; to come to ~s a) handelseinig werden, sich einigen, b) nachgeben, die Bedingungen annehmen; to bring to ~s j-n zur Annahme der Bedingungen bringen. **10.** *pl* Preise *pl*, Hono'rar *n*: what are your ~s? was verlangen Sie?; cash ~s Barpreis *m*; inclusive ~s Pauschalpreis *m*; I'll give you special ~s ich mache Ihnen e-n Sonderpreis. **11.** *pl* Beziehungen *pl*, Verhältnis *n* (*zwischen Personen*): to be on good (bad) ~s with auf gutem (schlechtem) Fuße stehen mit; they are not on speaking ~s sie sprechen nicht (mehr) miteinander. **12.** *pl* gute Beziehungen *pl*: to be on ~s with s.o. mit j-m gut stehen. **13.** *math.* a) Glied *n*: ~ of a sum Summand *m*, b) Ausdruck *m*: ~ of an equation, c) *Geometrie*: Grenze *f*: ~ of a line. **14.** *Logik*: Begriff *m*: major ~ Oberbegriff; → contradiction 3. **15.** *arch.* Grenzstein *m*, -säule *f*. **16.** *physiol.* a) nor'male Schwangerschaftszeit: to carry to (full) ~ *ein Kind* austragen, b) *obs.* Menstruati'on *f*. **II** *v/t* **17.** (be)nennen, bezeichnen als.

ter·ma·gant ['tɜːrmәgәnt] **I** *adj* zänkisch, keifend, böse. **II** *s* Weibs-, Zankteufel *m*, (Haus)Drachen *m*.

ter·mi·na·bil·i·ty [ˌtɜːrminә'biliti] *s* **1.** Begrenzbarkeit *f*, Bestimmbarkeit *f*. **2.** (zeitliche) Begrenzung, Befristung *f*.

'ter·mi·na·ble *adj* (*adv* terminably) **1.** begrenz-, bestimmbar. **2.** befristet, zeitlich begrenzt, kündbar: ~ agreement.

ter·mi·nal ['tɜːrminl] **I** *adj* **1.** Grenz..., begrenzend: ~ figure → term 15. **2.** letzt(er, e, es), End..., (Ab)Schluß...: ~ airport → 10 c; ~ amplifier *electr.* Endverstärker *m*; ~ examination *ped.* Abschlußprüfung *f*; ~ station Endstation *f*, Kopfbahnhof *m*; ~ syllable *ling.* Endsilbe *f*; ~ value *math.* Endwert *m*; ~ voltage *electr.* Klemmenspannung *f*. **3.** *univ.* Semester... *od.* Trimester... **4.** (schließlich) den Tod her'beiführend: ~ pneumonia. **5.** *bot.* end-, gipfelständig. **II** *s* **6.** Endstück *n*, -glied *n*, Ende *n*, Spitze *f*. **7.** *ling.* Endsilbe *f*, -buchstabe *m*, -wort *n*. **8.** *electr.* a) Klemmschraube *f*, b) (Anschluß)-Klemme *f*, Pol *m*, c) Endstecker *m*, d) Kabelschuh *m*. **9.** *arch.* Endglied *n*, -verzierung *f*. **10.** *Am.* a) *rail. etc* 'Endstatiˌon *f*, Kopfbahnhof *m*, b) End- *od.* Ausgangspunkt *m* (*e-r Transportlinie etc*), c) *aer.* Bestimmungsflughafen *m*, d) (zen'traler) 'Umschlagplatz. **11.** *univ.* Se'mesterprüfung *f*.

'ter·mi·nal·ly [-nәli] *adv* **1.** zum Schluß, am Ende. **2.** ter'minweise. **3.** *univ.* se'mesterweise.

ter·mi·nate ['tɜːrmiˌneit] **I** *v/t* **1.** (*räumlich*) begrenzen. **2.** beendigen, abschließen. **3.** *econ. jur.* beendigen, aufheben, kündigen: to ~ a contract. **II** *v/i* **4.** (in) end(ig)en (in *dat*), aufhören (mit). **5.** *econ. jur.* endigen, ablaufen (*Vertrag etc*). **6.** *ling.* enden (in auf *acc*). **III** *adj* [-nit; -ˌneit] **7.** begrenzt. **8.** *math.* endlich. **ˌter·mi'nation** *s* **1.** Aufhören *n*. **2.** Ende *n*, Schluß *m*. **3.** Abschluß *m*, Beendigung *f*. **4.** *jur.* Beendigung *f*: a) Ablauf *m*, Erlöschen *n*, b) Aufhebung *f*, Kündigung *f*: ~ of a contract. **5.** *ling.* Endung *f*. **ˌter·mi'na·tion·al** *adj* **1.** → terminative 1. **2.** *ling.* durch Flexi'on der Endung gebildet: ~ comparison germanische Steigerung. **'ter·miˌna·tive** *adj* (*adv* ~ly) **1.** beendigend, End..., (Ab)Schluß... **2.** *ling.* den Abschluß e-r Handlung anzeigend.

ter·min·ism ['tɜːrmiˌnizәm] *s philos. relig.* Termi'nismus *m*.

ter·mi·no·log·i·cal [ˌtɜːrminә'lɒdʒikәl] *adj* (*adv* ~ly) termino'logisch: ~ inexactitude *humor.* Schwindelei *f*. **ˌter·mi'nol·o·gy** [-'nɒlәdʒi] *s* Terminolo'gie *f*, Fachsprache *f*, -ausdrücke *pl*.

ter·mi·nus ['tɜːrminәs] *pl* **-ni** [-ˌnai] (*Lat.*) *s* **1.** Endpunkt *m*, Ziel *n*, Ende *n*. **2.** *rail. etc bes. Br.* 'End-, 'Kopfstatiˌon *f*. **3.** *Am.* → terminal 10. ~ **ad quem** [æd 'kwem] *s* Zeitpunkt *m*, bis zu dem (gerechnet wird). ~ **a quo** [ei 'kwou] *s* Zeitpunkt *m*, von dem ab (gerechnet wird).

ter·mi·tar·y ['tɜːrmitәri] *s zo.* Ter'mitenbau *m*, -hügel *m*. **ter·mite** ['tɜːrmait] *s zo.* Ter'mite *f*.

term·less ['tɜːrmlis] *adj* **1.** unbegrenzt. **2.** bedingungslos.

term·or ['tɜːrmәr] *s jur.* Besitzer *m* auf (Lebens)Zeit.

'termˌtime *s* Schul- *od.* Se'mesterzeit *f* (*Ggs Ferien*).

tern[1] [tɜːrn] *s orn.* Seeschwalbe *f*.

tern[2] [tɜːrn] *s* **1.** Gruppe *f od.* Satz *m* von dreien. **2.** *Lotterie*: Terne *f*.

ter·nal ['tɜːrnl] → ternary 1.

ter·na·ry ['tɜːrnәri] *adj* **1.** aus (je) drei bestehend, dreifältig: ~ code Dreieralphabet *n*; ~ number Dreizahl *f*. **2.** *a. bot.* dreizählig, ter'när. **3.** *metall.* dreistoffig, Dreistoff...: ~ alloy. **4.** aus 3 A'tomen bestehend. **5.** *math.* ter'när.

ter·nate ['tɜːrnit; -neit] → ternary 1 *u.* 2.

terne(·plate) ['tɜːrn(ˌpleit)] *s metall.* [Mattweißblech *n*.]

ter·pene ['tɜːrpiːn] *s chem.* Ter'pen *n*.

Terp·sich·o·re [tɜːrp'sikәri] *npr* Ter'psichore *f* (*Muse des Tanzes*). **ˌterp·si·cho're·an** [-'riːәn] *adj* Tanz...

ter·ra ['terә] (*Lat.*) *s* Erde *f*, Land *n*.

ter·race ['terәs] **I** *s* **1.** *geol.* Ter'rasse *f*, Geländestufe *f*. **2.** *arch.* a) Ter'rassen-, Flachdach *n*, b) Ter'rasse *f*. **3.** *bes. Br.* Häuserreihe *f* an erhöht gelegener Straße. **4.** *Am.* Grünstreifen *m*, -anlage *f* (*in der Straßenmitte*). **5.** *sport Br.* (Zuschauer)Rang *m* (*im Stadion*): the ~s die Ränge (*a. die Zuschauer*). **II** *v/t* **6.** ter'rassenförmig anlegen, terras'sieren. **7.** mit Ter'rassen versehen. **'ter·raced** *adj* **1.** ter'rassenförmig (angelegt), **2.** flach (*Dach*).

ter·ra|·cot·ta ['terә 'kɒtә] **I** *s* **1.** Terra'kotta *f*. **2.** Terra'kottafiˌgur *f*. **II** *adj* **3.** Terrakotta... ~ **fir·ma** ['fɜːrmә] (*Lat.*) *s* festes Land, fester Boden.

ter·rain [te'rein; 'terein] *bes. mil.* **I** *s* Ter'rain *n*, Gelände *n*. **II** *adj* Gelände...

ter·ra in·cog·ni·ta ['terә in'kɒgnitә] *pl* **'ter·rae in'cog·niˌtae** [-riː -ˌtiː] *s* Terra *f* in'cognita, unerforschtes Land, *fig.* (völliges) Neuland.

ter·rane [te'rein; 'terein] *s geol.* Formati'on(engruppe) *f*.

ter·ra·ne·ous [tә'reiniәs] *adj bot.* auf dem Lande wachsend, Land...

ter·ra·pin ['terәpin] *s zo.* Dosenschildkröte *f*.

ter·ra·que·an [te'reikwiәn], **ter'ra·que·ous** [-kwiәs] *adj* aus Land u. Wasser bestehend.

ter·raz·zo [tә'rætsou; -'rɑː-; -tsou] *s* Ter'razzo *m*, Ze'mentmosaˌik *n*.

ter·rene [te'riːn] *adj* **1.** irdisch. **2.** Erd..., erdig.

terre·plein ['tɛrˌplein] *s* Wallgang *m*.

ter·resˌtri·al [ti'restriәl] **I** *adj* **1.** irdisch, weltlich. **2.** Erd...: → globe 3. **3.** *geol.* ter'restrisch, (Fest)Land... **4.** *bot. zo.* Land..., Boden... **II** *s* **5.** Erdbewohner(in).

ter·ret ['terit] *s* Zügelring *m* (*am Pferdegeschirr*).

ter·ri·ble ['terәbl] *adj* (*adv* terribly) schrecklich, furchtbar, fürchterlich (*alle a. colloq. fig. außerordentlich*).

'ter·ri·ble·ness *s* Schrecklichkeit *f*, Fürchterlichkeit *f*.

ter·ri·er[1] ['teriәr] *s* **1.** Terrier *m* (*Hunderasse*). **2.** *colloq. für* territorial 4 a.

ter·ri·er[2] ['teriәr] *s jur.* Flurbuch *n*.

ter·rif·ic [tә'rifik] *adj* (*adv* ~ally) **1.** fürchterlich, schrecklich (*beide a. colloq.*). **2.** *colloq.* ‚toll', phan'tastisch, gewaltig.

ter·ri·fied ['teriˌfaid] *adj* (zu Tode) erschrocken, entsetzt, verängstigt: to be ~ of schreckliche Angst haben vor (*dat*).

ter·ri·fy ['teriˌfai] *v/t* erschrecken, *j-m* Angst *od.* e-n (tödlichen) Schreck(en) einjagen.

'ter·riˌfy·ing → terrific 1.

ter·rig·e·nous [tә'ridʒinәs] *adj geol.* terri'gen, vom Festland stammend.

ter·rine [te'riːn] *s* irdenes Gefäß (*zum Einmachen od. Servieren*).

ter·ri·to·ri·al [ˌteri'tɔːriәl] **I** *adj* (*adv* ~ly) **1.** Grund..., Land...: ~ property. **2.** territori'al, Landes..., Gebiets...: T~ Army, T~ Force *mil.* Territorialarmee *f*, Landwehr *f*; ~ claims *pol.* territoriale Forderungen; ~ jurisdiction *jur.* örtliche Zuständigkeit; ~ waters Hoheitsgewässer. **3.** T~ Territorial..., ein Terri'torium (*der USA*) betreffend. **II** *s* **4.** T~ *mil.* a) Territori'alsolˌdat *m*, Landwehrmann *m*, b) *pl* Territori'altruppen *pl*, -arˌmee *f*. **ˌter·ri'to·ri·alˌize** *v/t* **1.** territori'al machen. **2.** zum Terri'torium *od.* Staatsgebiet machen.

ter·ri·to·ry ['teritәri] *s* **1.** Gebiet *n*, Terri'torium *n* (*beide a. fig.*), *fig. a.* Bereich *m*. **2.** *pol.* Hoheits-, Staatsgebiet *n*: Federal T~ Bundesgebiet *n*; on British ~ auf brit. Gebiet. **3.** T~ *pol.* Terri'torium *n* (*Schutzgebiet*). **4.** *econ.* (Vertrags-, Vertreter)Gebiet *n*. **5.** *sport* Spielfeldhälfte *f*.

ter·ror ['terәr] *s* **1.** (tödlicher) Schrekken, Entsetzen *n*, schreckliche Angst (of vor *dat*): to strike with ~ in Angst u. Schrecken versetzen; deadly ~ Todesangst *f*. **2.** Schrecken *m* (*schrekkeneinflößende Person od. Sache*). **3.** Terror *m*, Gewalt-, Schreckensherrschaft *f*. **4.** *colloq.* a) ‚Ekel' *n*, ‚Landplage' *f*, widerliche Per'son, b) Schreckgespenst *n*, Alptraum *m*, c) (schreckliche) Plage (to für). **'ter·rorˌism** *s* **1.** → terror 3. **2.** Terro'rismus *m*. **3.** Terrori'sierung *f*. **'ter·ror·ist I** *s* Terro'rist(in). **II** *adj* terro'ristisch, Terror... **'ter·rorˌize** *v/t* **1.** terrori'sieren. **2.** einschüchtern.

'ter·ror|-'strick·en, '~-'struck *adj u. adv* schreckerfüllt.

ter·ry ['teri] **I** *s* **1.** ungeschnittener Samt *od.* Plüsch. **2.** samt- *od.* frot'teeartiger Stoff. **3.** Schlinge *f* (*des ungeschnittenen Samtes etc*). **II** *adj* **4.** ungeschnitten (*Samt*), frot'teeartig: ~ cloth → 2; ~ velvet Halbsamt *m*.

terse [tɜːrs] *adj* (*adv* ~ly) knapp, kurz u. bündig, markig, prä'gnant. **'terse·ness** *s* Knappheit *f*, Kürze *f*, Prä'gnanz *f*.

ter·tial ['tɜːrʃәl] *s orn.* Schwungfeder *f* der dritten Reihe.

ter·tian ['tɜːrʃәn] *med.* **I** *adj* dreitägig,

Tertian...: ~ **ague,** ~ **fever,** ~ **malaria** → II. **II** *s* Terti'an-, Andertagsfieber *n.*
ter·ti·ar·y ['tɜːrʃəri] **I** *adj* **1.** *allg.* (*geol.* T~) terti'är, Tertiär...: ~ **winding** *electr.* Tertiärwicklung *f.* **2.** *med.* terti'är, dritten Grades (*bes. Syphilis*). **II** *s* **3.** T~ *geol.* Terti'är *n.* **4.** *a.* T~ *relig.* Terti'arier(in).
ter·va·lent [təːr'veilənt] *adj chem.* triva'lent, dreiwertig.
ter·y·lene ['teriliːn] *s* Terylene *n* (*Gewebe aus synthetischer Faser*).
ter·za ri·ma ['tertsa 'rima] *pl* **ter·ze ri·me** ['tertse 'rime] (*Ital.*) *s metr.* Ter'zine *f* (*Strophenform aus drei jambischen, elffüßigen Versen mit dem Reimschema aba bcb cdc etc*).
ter·zet·to [ter'tsettəː] *pl* **-tos, ti** [-tiː] *s mus.* (vo'kales) Ter'zett *od.* Trio.
Tes·la ['teslə] *adj electr.* Tesla...
tes·sel·late I *v/t* ['tesiˌleit] **1.** tessel'lieren, mit Mosa'iksteinchen auslegen, mosa'ikartig zs.-setzen. **II** *adj* [-lit; -ˌleit] **2.** → **tessellated. 3.** *bot.* gewürfelt. **'tes·selˌlat·ed** *adj* gewürfelt, mosa'ik-, schachbrettartig, Mosaik...: ~ **floor,** ~ **pavement** Mosaik(fuß)boden *m.* **ˌtes·sel'la·tion** *s* Mosa'ik(arbeit *f*) *n.*
tes·ser·a ['tesərə] *pl* **-ser·ae** [-ˌriː] *s* (Mosa'ik)Steinchen *n,* (viereckiges) Täfelchen.
test[1] [test] **I** *s* **1.** *allg., a. tech.* Probe *f,* Versuch *m,* Test *m.* **2.** a) Prüfung *f,* Unter'suchung *f,* Stichprobe *f,* b) *fig.* Probe *f,* Prüfung *f*: **a severe** ~ e-e strenge Prüfung, *fig.* e-e harte Probe; **to put to the** ~ auf die Probe stellen; **to put to the** ~ **of experience** praktisch erproben; **to stand the** ~ die Probe bestehen; → **crucial** 1. **3.** Prüfstein *m,* Prüfungsmaßstab *m,* Kri'terium *n*: **success is not a fair** ~. **4.** *ped. psych.* Test *m,* (Eignungs-, Leistungs)Prüfung *f.* **5.** *med.* (*Blut- etc*)Probe *f,* Test *m*: **skin** ~ Hauttest. **6.** *chem.* a) Ana'lyse *f,* b) Rea'gens *n,* c) Nachweis *m,* Prüfbefund *m*: **qualitative** ~ qualitative Analyse. **7.** *metall.* a) Versuchstiegel *m,* Ka'pelle *f,* b) Treibherd *m.* **8.** Probebohrung *f* (*nach Öl*). **9.** *colloq. für* **test match. 10.** *Br. hist.* Testeid *m*: T~ **act** Testakte *f* (*Gesetz von 1673*); **to take the** ~ den Testeid leisten. **II** *v/t* **11.** (**for** s.th. auf etwas [hin]) prüfen (*a. ped.*) *od.* unter'suchen, erproben, e-r Prüfung unter'ziehen, testen (*alle a. tech.*): **to** ~ **out** *colloq.* ausprobieren. **12.** auf die Probe stellen: **to** ~ **s.o.'s patience. 13.** *ped. psych. j-n* testen. **14.** *chem.* analy'sieren. **15.** *electr. e-e Leitung* prüfen *od.* abfragen. **16.** *math.* die Probe machen auf (*acc*). **17.** *mil.* anschießen: **to** ~ **a gun. III** *adj* **18.** Probe..., Versuchs..., Prüf(ungs)..., Test...: ~ **flight;** ~ **circuit** *electr.* Meßkreis *m*; ~ **game** → **test match;** ~ **word** *psych.* Reizwort *n.*
test[2] [test] *s* **1.** *zo.* harte Schale (*von Mollusken etc*). **2.** *bot.* Samenschale *f.*
test·a·ble ['testəbl] *adj* **1.** prüf-, untersuchbar. **2.** *jur.* a) letztwillig verfügbar, b) bezeugbar, c) als Zeuge zuverlässig.
tes·ta·cean [tes'teiʃən] *zo.* **I** *adj* hartschalig, Schaltier... **II** *s* Schaltier *n.*
tes'ta·ceous [-ʃəs] *adj zo.* hartschalig, Schalen...
tes·ta·cy ['testəsi] *s jur.* Testa'ments-[hinterˌlassung *f.*]
tes·ta·ment ['testəmənt] *s* **1.** *meist* **last will and** ~ *jur.* Testa'ment *n,* letzter Wille. **2.** *obs. außer relig.* Bund *m.* **3.** T~ *Bibl.* a) (*Altes od. Neues*) Testa'ment, b) *colloq.* (Neues) Testa'ment (*einzelnes Exemplar*). **ˌtes·ta'men·ta·ry** [-'mentəri] *adj jur.* testamen'tarisch: a) letztwillig, b) durch Testa'ment (vermacht *od.* bestimmt): ~ **disposition** letztwillige Verfügung; ~ **guardian** durch Testament eingesetzter Vormund; ~ **capacity** Testierfähigkeit *f.*
tes·ta·mur [tes'teimər] (*Lat.*) *s univ. Br.* Prüfungszeugnis *n.*
tes·tate ['testeit; -tit] *adj jur.*: **to die** ~ unter Hinter'lassung e-s Testa'ments sterben, ein Testament hinter'lassen.
tes'ta·tor [-tər] *s jur.* 'Erbˌlasser *m.*
tes'ta·trix [-triks] *pl* **-tri·ces** [-triˌsiːz] *s* 'Erbˌlasserin *f.*
'test|-ˌbed *s tech.* Prüfstand *m.* ~ **case** *s* **1.** Muster-, Schulbeispiel *n.* **2.** *jur.* a) 'Musterproˌzeß *m,* b) Präze'denzfall *m.*
test·ed ['testid] *adj* geprüft, erprobt (*a. weitS. bewährt*).
tes·tee [tes'tiː] *s ped. psych.* 'Testperˌson *f,* Prüfling *m.*
test·er[1] ['testər] *s* **1.** Prüfer *m.* **2.** Prüfgerät *n,* Testvorrichtung *f.*
tes·ter[2] ['testər] *s* **1.** *arch.* Baldachin *m.* **2.** (Bett)Himmel *m.*
tes·tes ['testiːz] *pl von* **testis.**
'test|-ˌfly *v/t aer. ein Flugzeug* ein-, probefliegen. ~ **glass** → **test tube.**
tes·ti·cle ['testikl] *s anat.* Te'stikel *m,* Hode *m, f,* Hoden *m.* **tes'tic·u·lar** [-julər] *adj* Hoden... **'tes·tiˌfy** [-ˌfai] **I** *v/i* **1.** *jur.* (als Zeuge) aussagen: **to** ~ **against** a) aussagen gegen (*j-n*), b) *Bibl.* Zeugnis ablegen wider (*j-n*); **to** ~ **to** a) *etwas* bezeugen, b) *fig.* → 3. **II** *v/t* **2.** *jur.* aussagen, bezeugen. **3.** *fig.* bezeugen: a) zeugen von, b) kundtun.
tes·ti·mo·ni·al [ˌtesti'mouniəl; -njəl] **I** *s* **1.** (*Führungs- etc*)Zeugnis *n.* **2.** Empfehlungsschreiben *n.* **3.** (Zeichen *n* der) Anerkennung *f, bes.* Ehrengabe *f.* **II** *adj* **4.** Anerkennungs..., Ehren...
tes·ti·mo·ny ['testiməni] *s* **1.** Zeugnis *n*: a) *jur.* (mündliche) Zeugenaussage, b) Beweis *m*: **in** ~ **whereof** *jur.* urkundlich dessen; **to bear** ~ **to** bezeugen (*a. fig.*); **to call s.o. in** ~ *jur.* j-n als Zeugen aufrufen, *fig.* j-n zum Zeugen anrufen; **to have s.o.'s** ~ **for** j-n zum Zeugen haben für. **2.** *collect.* Zeugnis(se *pl*) *n,* Berichte *pl*: **the** ~ **of history. 3.** *Bibl.* Zeugnis *n*: a) Gesetzestafeln *pl,* b) *meist pl* (göttliche) Offen'barung, *a.* Heilige Schrift.
tes·ti·ness ['testinis] *s* Gereiztheit *f.*
test·ing ['testiŋ] **I** *s* **1.** Probe *f,* Erprobung *f,* Versuch *m.* **2.** Prüfung *f,* Unter'suchung *f,* Testen *n.* **II** *adj* **3.** *bes. tech.* Probe..., Prüf..., Versuchs..., Meß..., Test... (*a. psych. etc*): ~ **circuit** *electr.* Prüfstrom-, Meßkreis *m*; ~ **engineer** Prüf(feld)ingenieur *m*; ~ **ground** *tech.* Prüffeld *n.*
tes·tis ['testis] *pl* **-tes** [-tiːz] (*Lat.*) → **testicle.**
test| lamp *s tech.* Prüflampe *f.* ~ **load** *s* Probebelastung *f.* ~ **match** *s Kricket*: Internatio'naler Vergleichskampf. ~ **mod·el** *s tech.* Ver'suchsmoˌdell *n.*
tes·ton, *a.* **tes·toon** ['testən; tes'tuːn] *s hist.* **1.** Te'ston *m* (*französische Silbermünze im 16. Jh.*). **2.** a) Schilling *m* (*in England zur Zeit Heinrichs VIII.*), b) Sixpencestück *n.*
tes·tos·ter·one [tes'tɒstəˌroun] *s biol. chem.* Testoste'ron *n* (*männliches Sexualhormon*).
test| pa·per *s* **1.** *ped.* a) Prüfungsbogen *m,* b) schriftliche (Klassen)Arbeit. **2.** *chem.* Rea'genz-, 'Lackmuspaˌpier *n.* **3.** *jur. Am.* Handschriftenprobe *f.* ~ **pat·tern** *s TV* Testbild *n.* ~ **pi·lot** *s aer.* 'Testpiˌlot *m.* ~ **print** *s phot.* Probeabzug *m.* ~ **so·lu·tion** *s chem.* Ti'trierlösung *f.* ~ **stand** *s tech.* Prüfstand *m.* ~ **tube** *s biol. chem.* Rea'genzglas *n.* **'~-ˌtube** *adj* **1.** in der Re'torte entwickelt *od.* produ'ziert: ~ **fabrics. 2.** *med.* durch künstliche Befruchtung erzeugt: ~ **babies.**
tes·tu·din·e·ous [ˌtestjuː'diniəs; -njəs] *adj zo.* schildkrötenartig.
tes·ty ['testi] *adj* (*adv* **testily**) gereizt, reizbar, unwirsch.
te·tan·ic [ti'tænik] *adj med.* te'tanisch, starrkrampfartig. **tet·a·nism** ['tetəˌnizəm] *s med.* gesteigerter Muskeltonus. **'tet·aˌnize** *v/t* tetani'sieren, Starrkrampf erzeugen bei (*j-m*) *od.* in (*e-m Organ*). **tet·a·nus** ['tetənəs] *s med.* Tetanus *m*: a) (*bes.* Wund)Starrkrampf *m,* b) te'tanischer Krampfanfall, c) Starrkrampferzeuger *m.*
tetch·i·ness ['tetʃinis] *s* Reizbarkeit *f.*
'tetch·y *adj* (*adv* **tetchily**) empfindlich, reizbar.
tête-à-tête ['teitɑː'teit] **I** *adj u. adv* **1.** vertraulich, unter vier Augen. **2.** ganz al'lein (**with** mit). **II** *s* **3.** Tête-à-'tête *n.*
teth·er ['teðər] **I** *s* **1.** Haltestrick *m,* (-)Seil *n.* **2.** *fig.* a) Spielraum *m,* b) (geistiger) Hori'zont: **to be at the end of one's** ~ am Ende s-r (*a. finanziellen*) Kräfte sein, sich nicht mehr zu helfen wissen, am Ende s-r Geduld sein. **II** *v/t* **3.** *Vieh* anbinden (**to** an *acc*). **4.** (**to**) *fig.* binden (an *acc*), beschränken (auf *acc*).
tetra- [tetrə] *Wortelement mit der Be-*[*deutung* vier.]
ˌtet·ra'bas·ic *adj chem.* vierbasisch.
ˌtet·ra'chlo·ride *s* Tetrachlo'rid *n.*
'tet·raˌchord *s mus.* Tetra'chord *n.*
tet·rad ['tetræd] *s* **1.** Vierzahl *f.* **2.** (*die Zahl*) Vier *f.* **3.** *chem.* vierwertiges A'tom *od.* Ele'ment. **4.** *biol.* ('Sporen)-Teˌtrade *f.*
tet·ra·gon ['tetrəˌgɒn] *s math.* Tetra'gon *n,* Viereck *n.*
te·trag·o·nal [te'trægənl] *adj* **1.** *math.* viereckig, tetrago'nal. **2.** *bot.* vierkantig.
te·trag·y·nous [te'trædʒinəs] *adj bot.* tetra'gynisch, mit 4 Griffeln *od.* Narben (*Blüte*).
tet·ra·he·dral [ˌtetrə'hiːdrəl] *adj math. min.* vierflächig, tetra'edrisch: ~ **angle** Vierkant *m.* **ˌtet·ra'he·dron** [-drən] *pl* **-he·drons, -he·dra** [-drə] *s math.* Tetra'eder *n,* Vierflächner *m.*
tet·ra·hex·a·he·dral [ˌtetrə'heksə'hiːdrəl] *adj math.* teˌtrakishexa'edrisch, vierundzwanzigflächig.
te·tral·o·gy [te'trælədʒi] *s* Tetralo'gie *f.*
te·tram·e·ter [te'træmitər] *s metr.* Te'trameter *m.*
te·tran·drous [te'trændrəs] *adj bot.* te'trandrisch, viermännig.
tet·ra·pet·al·ous [ˌtetrə'petələs] *adj bot.* tetrape'talisch, mit 4 Blütenblättern.
tet·ra·ploid ['tetrəˌplɔid] *adj biol.* tetraplo'id (*mit vierfachem Chromosomensatz*).
tet·ra·pod ['tetrəˌpɒd] *zo.* **I** *adj* vierfüßig. **II** *s* Tetra'pod *m,* Vierfüßer *m.*
te·trarch ['tiːtrɑːrk; 'tet-] *s hist.* **1.** Te'trarch *m,* Vierfürst *m.* **2.** *mil.* 'Unterbefehlshaber *m.*
tet·ra·tom·ic [ˌtetrə'tɒmik] *adj chem.* 'viera,tomig.
tet·ra·va·lent [ˌtetrə'veilənt] *adj. chem.* vierwertig.
tet·rode ['tetroud] *s electr.* Te'trode *f,* Vierpolröhre *f.*
tet·ter ['tetər] *s med.* Flechte *f.*
Teu·ton ['tjuːtən] **I** *s* **1.** Ger'mane *m,* Ger'manin *f.* **2.** *pl* **-to·nes** [-toˌniːz] Teu'tone *m,* Teu'tonin *f.* **3.** *colloq.* Deutsche(r *m*) *f.* **II** *adj* → **Teutonic I.**

Teu'ton·ic [-'tɒnik] **I** *adj* **1.** ger'manisch. **2.** teu'tonisch. **3.** Deutschordens...: ~ **Knights** Deutschordensritter *pl*; ~ **Order** Deutschritterorden *m.* **II** *s* **4.** *ling.* Ger'manisch *n*, das Germanische. **'Teu·tonˌism** [-təˌnizəm] *s* **1.** Ger'manentum *n*, ger'manisches Wesen. **2.** Teuto'nismus *m*, Glaube *m* an die Über'legenheit der ger'manischen Rasse. **3.** *ling.* Germa'nismus *m.* **'Teu·tonˌize** *v/t u. v/i* (sich) germani'sieren.

Tex·an ['teksən] **I** *adj* te'xanisch, aus Texas. **II** *s* Te'xaner(in).

Tex·as ['teksəs] *s sg u. pl* 'Texasindiˌaner *m u. pl.* ~ **fe·ver** *s vet.* Texasfieber *n*, 'Rindermaˌlaria *f.* ~ **Rang·ers** *s pl berittene Staatspolizeitruppe von Texas.* ~ **tow·er** *s mil.* Radarvorwarnturm *m.*

text [tekst] *s* **1.** (Ur)Text *m*, (genauer) Wortlaut. **2.** *print.* Text(abdruck, -teil) *m* (*Ggs Illustrationen etc*). **3.** (Lied-*etc*)Text *m.* **4.** Thema *n*: **to stick to one's** ~ bei der Sache bleiben. **5.** *Am.* → **textbook** 1. **6.** a) Bibelstelle *f*, -sprache *f*, b) Bibeltext *m.* **7.** → **text hand.** **8.** *print.* a) Text *f* (*Schriftgrad von 20 Punkt*), b) Frak'turschrift *f.* **'~ˌbook** *s* **1.** Lehrbuch *n*, Leitfaden *m.* **2.** *mus.* Li'bretto *n.* ~ **hand** *s* große Hand-, Schreibschrift.

tex·tile [*Br.* 'tekstail; *Am.* -til] **I** *s* **1.** a) Gewebe *n*, Webstoff *m*, b) *pl* Web-, Tex'tilwaren *pl*, Tex'tilien *pl.* **2.** Faserstoff *m.* **II** *adj* **3.** gewebt, Textil..., Stoff..., Gewebe...: ~ **industry** Textilindustrie *f*; ~ **goods** → 1 b.

tex·tu·al [*Br.* 'tekstjuəl; *Am.* -tʃuəl] *adj* (*adv* ~**ly**) **1.** Text..., textlich: ~ **criticism** (Bibel)Textkritik *f*; ~ **reading** Lesart *f.* **2.** wortgetreu, wörtlich. **'tex·tu·alˌism** *s* strenges Festhalten am Wortlaut (*bes. der Bibel*).

tex·tur·al ['tekstʃərəl] *adj* (*adv* ~**ly**) **1.** Gewebe... **2.** Struktur..., struktu'rell: ~ **changes.**

tex·ture ['tekstʃər] *s* **1.** Gewebe *n.* **2.** *a. geol.* Struk'tur *f*, Gefüge *n.* **3.** Struk'tur *f*, Beschaffenheit *f.* **4.** *biol.* Tex'tur *f* (*Gewebezustand*). **5.** Maserung *f* (*des Holzes*).

T gird·er *s tech.* T-Träger *m.*

Thai [tai] **I** *s* **1.** Thai *pl* (*Völkergruppe Hinterindiens*). **2.** *ling.* a) Thai-Sprachen *pl*, b) Sia'mesisch *n.* **II** *adj* **3.** Thai... **4.** sia'mesisch.

thal·a·mus ['θæləməs] *pl* **-mi** [-ˌmai] *s* **1.** *anat.* Thalamus *m*, Sehhügel *m.* **2.** *bot.* Fruchtboden *m.*

thal·lic ['θælik] → **thallous.**

thal·li·um ['θæliəm] *s chem.* Thallium *n.*

thal·lous ['θæləs] *adj chem.* Thal[lium...]

thal·lus ['θæləs] *pl* **-li** [-lai], **-lus·es** *s bot.* Thallus *m*, Lager *n.*

Thames [temz] *npr* Themse *f*: **he won't set the** ~ **on fire** *fig.* er hat das Pulver nicht erfunden.

than [ðæn] *conj* (*nach e-m Komparativ*) als: **younger** ~ **he** jünger als er; **she would rather lie** ~ **admit it** lieber log sie, als es zuzugeben; **more** ~ **was necessary** mehr als nötig; **none other** ~ **you** niemand anders als Sie; **a man** ~ **whom no one was more beloved** ein Mann, den niemand an Beliebtheit übertraf.

than·age ['θeinidʒ] *s hist.* **1.** Thanswürde *f*, -rang *m.* **2.** Lehnsgut *n od.* -pflichten *pl* e-s Thans.

than·a·tol·o·gy [ˌθænə'tɒlədʒi] *s* Thanatolo'gie *f*, Todeslehre *f.*

thane [θein] *s* **1.** *hist.* a) Gefolgsadlige(r) *m* (*bei den Angelsachsen u. Dänen*), b) Than *m*, Lehnsmann *m* (*der schottischen Könige*). **2.** *allg.* schottischer Adlige(r).

thank [θæŋk] **I** *s pl* a) Dank *m*, b) Dankesbezeigung(en *pl*) *f*, Danksagung(en *pl*) *f*: **to give** ~**s to God** Gott danken; **letter of** ~**s** Dankbrief *m*; **in** ~**s for** zum Dank für; **with** ~**s** dankend, mit Dank; ~**s to** *a. fig. u. iro.* dank (*gen*); **small** ~**s to her, we succeeded** ohne ihre Hilfe gelang es uns; ~**s** danke; **no,** ~**s** nein, danke; (**many**) ~**s** vielen Dank; **small** ~**s I got** schlecht hat man es mir gedankt. **II** *v/t j-m* danken, sich bedanken bei: (**I**) ~ **you** danke; **no,** ~ **you** nein, danke; (**yes,**) ~ **you** ja, bitte; **I will** ~ **you** *oft iro.* ich wäre Ihnen sehr dankbar (**for doing, to do** wenn Sie täten); ~ **you for nothing** *iro.* ich danke (dafür); **he has only himself to** ~ **for that** *iro.* das hat er sich selbst zuzuschreiben.

thank·ee ['θæŋki] *sl. für* **thank you.**

thank·ful ['θæŋkful] *adj* (*adv* ~**ly**) dankbar (to s.o. j-m): **I am** ~ **that** ich bin (heil)froh, daß. **'thank·ful·ness** *s* Dankbarkeit *f.*

thank·less ['θæŋklis] *adj* (*adv* ~**ly**) undankbar (*Person*; *fig. a. Aufgabe etc*): **a** ~ **task.** **'thank·less·ness** *s* Undankbarkeit *f.*

thank of·fer·ing *s Bibl.* Sühneopfer *n.*

'thanks|ˌgiv·er *s* Danksager(in). **ˌ~-'giv·ing** *s* **1.** Danksagung *f*, *bes.* Dankgebet *n.* **2.** *bes. Am.* **T**~ (**Day**) (Ernte-)Dankfest *n* (*letzter Donnerstag im November*).

'thank|ˌwor·thy *adj* dankenswert. **'~-ˌyou** *s* Danke(schön) *n.*

that[1] [ðæt] **I** *pron u. adj* (*hinweisend*) *pl* **those** [ðouz] **1.** (*ohne pl*) das: ~ **is true** das stimmt; ~**'s all** das ist alles; ~**'s it!** so ist es recht!; ~**'s what it is** das ist es ja gerade; ~**'s that** *colloq.* das wäre erledigt, ‚damit basta'; ~ **is** (**to say**) das heißt; **and** ~ und zwar; **at** ~ a) zudem, (noch) obendrein, b) *colloq.* dabei; **let it go at** ~ *colloq.* lassen wir es dabei bewenden; **for all** ~ trotz alledem; **like** ~ so; ~**'s what he told me** so hat er es mir erzählt. **2.** (*bes. von weiter entfernten Personen etc sowie zur Betonung*) jener, jene, jenes, der, die, das, der-, die-, dasjenige: **this cake is much better than** ~ (**one**) dieser Kuchen ist viel besser als jener; ~ **car over there** jenes *od.* (*meist*) das Auto da drüben; ~ **there man** *vulg.* der Mann da; **those who** diejenigen welche; ~ **which** das was; **those are his friends** das sind s-e Freunde. **3.** solch(er, e, es): **to** ~ **degree that** in solchem Ausmaße *od.* so sehr, daß. **II** *adv* **4.** *colloq.* so (sehr), dermaßen: ~ **much** so viel: ~ **far** so weit; ~ **small** so klein; ~ **furious** so *od.* dermaßen wütend.

that[2] [ðæt] *pl* **that** *relative pron* **1.** (*bes. in einschränkenden Sätzen; e-e prep darf nie davorstehen*) der, die, das, welch(er, e, es): **the book** ~ **he wanted** das Buch, das er wünschte; **the man** ~ **I spoke of** der Mann, von dem ich sprach; **the day** ~ **I met her** der Tag, an dem ich sie traf; **any house** ~ jedes Haus, das; **no one** ~ keiner, der; **Mrs. Jones, Miss Black** ~ **was** *colloq.* Frau J., geborene B.; **Mrs. Quilp** ~ **is** die jetzige Frau Q. **2.** (*nach* **all, everything, nothing,** *etc*) was: **all** ~ alles, was; **the best** ~ das Beste, was.

that[3] [ðæt] *conj.* **1.** (*in Subjekts- u. Objektssätzen*) daß: **it is a pity** ~ **he is not here** es ist schade, daß er nicht hier ist; **it is 5 years** ~ **he went away** es sind nun 5 Jahre her, daß *od.* seitdem er fortging; **I am not sure** ~ **it will be there** ich bin nicht sicher, ob *od.* daß es dort ist *od.* sein wird. **2.** (*in Konsekutivsätzen*) daß: **so** ~ so daß; **I was so tired** ~ **I went to bed** ich war so müde, daß ich zu Bett ging. **3.** (*in Finalsätzen*) da'mit, daß: **we went there** ~ **we might see it** wir gingen hin, damit wir es sehen könnten. **4.** (*in Kausalsätzen*) weil, da (ja), daß: **not** ~ **I have any objection** nicht daß ich etwas dagegen hätte: **it is rather** ~ es ist eher deshalb, weil; **in** ~ a) darum weil, b) insofern als. **5.** (*in Wunschsätzen u. Ausrufen*) daß: **O** ~ **I could believe it!** daß ich es doch glauben könnte! **6.** (*nach Adverbien der Zeit*) da, als: **now** ~ jetzt da; **at the time** ~ **I was born** zu der Zeit, als ich geboren wurde.

thatch [θætʃ] **I** *s* **1.** Dachstroh *n*, 'Deckmateriˌal *n* (*Stroh, Binsen etc*). **2.** Stroh-, Rohrdach *n.* **3.** *colloq.* Haarwald *m.* **II** *v/t* **4.** mit Stroh *etc* decken: ~**ed cottage** kleines strohgedecktes Landhaus; ~**ed roof** Strohdach *n.*

thau·ma·tol·o·gy [ˌθɔːmə'tɒlədʒi] *s* Wunderlehre *f*, Thaumatolo'gie *f.*

thau·ma·trope ['θɔːməˌtroup] *s phys.* Wunderscheibe *f*, Thauma'trop *m.*

thau·ma·turge ['θɔːməˌtəːrdʒ] *s* Thauma'turg *m*: a) Zauberer *m*, b) Wundertäter *m.* **'thau·maˌtur·gy** [-dʒi] *s* Thaumatur'gie *f.*

thaw [θɔː] **I** *v/i* **1.** (auf)tauen, schmelzen: **the ice** ~**s.** **2.** tauen (*Wetter*): **it is** ~**ing** es taut. **3.** *fig.* ‚auftauen' (*Person*). **II** *v/t* **4.** schmelzen, auftauen, zum Tauen bringen. **5.** *a.* ~ **out** *fig. j-n* ‚auftauen lassen'. **III** *s* **6.** (Auf-)Tauen *n.* **7.** Tauwetter *n* (*a. fig. pol.*). **8.** *fig.* ‚Auftauen' *n*, ‚Warmwerden' *n.*

the[1] [*unbetont vor Konsonanten*: ðə; *unbetont vor Vokalen*: ði; *betont od. alleinstehend*: ðiː] **1.** (*bestimmter Artikel*) der, die, das, *pl* die (*u. die entsprechenden Formen im acc u. dat*): ~ **book on** ~ **table** das Buch auf dem Tisch; ~ **England of today** das England von heute; ~ **Browns** die Browns, die Familie Brown. **2.** *vor Maßangaben*: **one dollar** ~ **pound** e-n Dollar das Pfund; **wine at 5 shillings** ~ **bottle** Wein zu 5 Schilling die Flasche. **3.** [ðiː] 'der, 'die, 'das (*hervorragende od. geeignete etc*): **he is** ~ **painter of the century** er ist 'der Maler des Jahrhunderts.

the[2] [ði] *adv* (*vor comp*) desto, um so: **the ... the** je ... desto; ~ **sooner** ~ **better** je eher, desto besser; **so much** ~ **better** um so besser; **so much** ~ **more** um so (viel) mehr; **not any** ~ **better** um nichts besser; ~ **more so as** um so mehr als.

the·an·dric [θi'ændrik], **the·an·throp·ic** [ˌθiːæn'θrɒpik] *adj relig.* thean'thropisch, gottmenschlich. **the'an·throˌpism** [-θrəˌpizəm] *s* **1.** Gottmenschentum *n* (*Christi*). **2.** Theanthro'pie *f*, Vermenschlichung *f* Gottes.

the·ar·chy ['θiːɑːrki] *s* **1.** Theokra'tie *f*, Gottesherrschaft *f.* **2.** *collect.* Götter(himmel *m*, -welt *f*) *pl.*

the·a·ter, *bes. Br.* **the·a·tre** ['θi(ː)ətər] *s* **1.** The'ater *n*: a) Schauspielhaus *n*, b) The'aterpublikum *n*, (*die*) Bühne, (*das*) Drama (*als Kunstgattung*): **the English** ~. **2.** *collect.* Bühnenwerke *pl.* **3.** *fig.* (**of war** Kriegs)Schauplatz *m*: → **operation** 10. **4.** (Hör)Saal *m*: **lecture** ~; **operating** ~ *med.* Operationssaal *m.* '~,**go·er** *s* The'aterbesucher(in). '~,**go·ing** *s* The'aterbesuch(e *pl*) *m.*

the·a·tre *bes. Br. für* theater.

the·at·ri·cal [θi'ætrikəl] **I** *adj* (*adv* ~**ly**) **1.** Theater..., Bühnen..., bühnenmäßig. **2.** *fig.* thea'tralisch. **II** *s* **3.** *pl* The'ater-, *bes.* Liebhaberaufführungen *pl.* **the,at·ri'cal·i·ty** [-'kæliti] *s* (*das*) Thea'tralische. **the'at·ri·cal,ize** *v/t* dramati'sieren. **the'at·rics** *s pl* (*als sg konstruiert*) The'ater(re,gie)kunst *f.*

The·ban ['θiːbən] **I** *adj* the'banisch: the ~ Bard Pindar *m.* **II** *s* The'baner(in).

the·ci·tis [θi'saitis] *s med.* Sehnenscheidenentzündung *f.*

thé dan·sant [te dɑ̃'sɑ̃] *pl* **thé dansants** [te dɑ̃'sɑ̃] (*Fr.*) *s* Tanztee *m.*

thee [ðiː] *pron* **1.** *obs. od. poet. od. Bibl.* a) dich, b) dir: of ~ dein(er, e, es). **2.** *dial.* (*u. in der Sprache der Quäker*) du. **3.** *obs. od. poet. reflex* a) dich, b) dir.

theft [θeft] *s* Diebstahl *m* (from aus; from s.o. an j-m). '~,**proof** *adj* diebstahlsicher.

the·ine ['θiːiːn; -in], *a.* '**the·in** [-in] *s* [*chem.* The'in *n.*]

their [ðɛr] *pron* (*pl zu* him, her, it) **1.** ihr, ihre: ~ books ihre Bücher. **2.** *colloq.* (*nach* everybody *etc statt* his *od.* her) sein, seine: everybody took ~ pencil.

theirs [ðɛrz] *pron* der *od.* die *od.* das ihrige *od.* ihre: this book is ~ dieses Buch ist das ihre *od.* gehört ihnen; a friend of ~ ein Freund von ihnen; the fault was ~ die Schuld lag bei ihnen.

the·ism ['θiːizəm] *s* The'ismus *m.* '**the·ist** *relig.* **I** *s* The'ist(in). **II** *adj* the'istisch. **the'is·tic,** *a.* **the'is·ti·cal** *adj* the'istisch.

them [ðem] *pron* **1.** (*acc u. dat von* they) a) sie (*acc*), b) ihnen: they looked behind ~ sie blickten hinter sich. **2.** *colloq. od. dial.* sie (*nom*): ~ as diejenigen, die; ~ are the ones we saw das sind die, die wir gesehen haben. **3.** *dial. od. vulg.* diese: ~ guys.

the·mat·ic [θi'mætik] *adj* (*adv* ~**ally**) **1.** *bes. mus.* the'matisch. **2.** *ling.* Stamm..., Thema...: ~ vowel.

theme [θiːm] *s* **1.** Thema *n* (*a. mus.*), Gegenstand *m*, Stoff *m*: to have s.th. for (a) ~ etwas zum Thema haben. **2.** *bes. Am.* (Schul)Aufsatz *m*, (-)Arbeit *f.* **3.** *ling.* (Wort)Stamm *m.* **4.** *Radio*: 'Kennmelo,die *f.* **5.** *hist.* 'Versimprovisati,on *f* (*über ein vom Publikum gestelltes Thema*). ~ **song** *s* **1.** *mus.* 'Hauptmelo,die *f*, -schlager *m* (*e-s Films etc*). **2.** → theme 4. **3.** *colloq. j-s* ‚alte Leier'.

them·selves [ðəm'selvz] *pron* **1.** (*emphatisch*) (sie) selbst: they ~ said it sie selbst sagten es. **2.** *reflex* sich (selbst): they washed ~ sie wuschen sich; the ideas in ~ die Ideen an sich.

then [ðen] **I** *adv* **1.** damals: long before ~ lange vorher. **2.** dann: ~ and there auf der Stelle, sofort. **3.** dann, hierauf, darauf: what ~? was dann? **4.** dann, ferner, außerdem: and ~ some *Am. sl.* und noch viel mehr; but ~ aber andererseits, aber freilich. **5.** dann, in dem Falle: if ... ~ wenn ... dann. **6.** denn: well ~ nun gut (denn). **7.** denn: how ~ did he do it? wie hat er es denn (dann) getan? **8.** also, folglich, dann: ~ you did not expect me? du hast mich also nicht erwartet?; I think, ~ I exist ich denke, also bin ich. **II** *adj* **9.** damalig: the ~ president. **III** *s* **10.** diese bestimmte Zeit: by ~ bis dahin, inzwischen; from ~ von da an; till ~ bis dahin *od.* dann; not till ~ erst von da ab, erst dann. **11.** Damals *n.*

the·nar ['θiːnɑːr] *s anat.* **1.** Handfläche *f.* **2.** Daumenballen *m.* **3.** Fußsohle *f.*

thence [ðens] *adv* **1.** *a.* from ~ von da, von dort. **2.** (*zeitlich*) von da an, seit jener Zeit, von der Zeit an: a week ~ e-e Woche darauf. **3.** daher, deshalb. **4.** daraus, aus dieser Tatsache: ~ it follows. '~'**forth,** '~'**for·ward(s)** *adv* von da an, seit der Zeit, seit'dem.

the·oc·ra·cy [θi(ː)'ɒkrəsi] *s* Theokra'tie *f.* **the·o·crat·ic** [,θiːə'krætik] *adj* (*adv* ~**ally**) theo'kratisch.

the·od·i·cy [θi(ː)'ɒdisi] *s philos.* Theodi'zee *f.*

the·od·o·lite [θi(ː)'ɒdə,lait] *s surv.* [Theodo'lit *m.*]

the·og·o·ny [θi(ː)'ɒgəni] *s* Theogo'nie *f*, (Lehre *f* von der *od.* Gedicht *n* über die) Abstammung der Götter.

the·o·lo·gi·an [,θi(ː)ə'loudʒjən; -dʒən] *s* Theo'loge *m.* ,**the·o'log·i·cal** [-'lɒdʒikəl] *adj* (*adv* ~**ly**) theo'logisch. **the'ol·o,gize** [-'ɒlə,dʒaiz] **I** *v/i* theologi'sieren. **II** *v/t ein Problem* theo'logisch behandeln. '**the·o,logue** [-ə,lɒg] *s Am. colloq.* Theo'loge *m.* **the'ol·o·gy** [-'ɒlədʒi] *s* Theolo'gie *f.*

the·om·a·chy [θi(ː)'ɒməki] *s* **1.** Theoma'chie *f*, Kampf *m* der Götter. **2.** Kampf *m* gegen die Götter *od.* gegen Gott. ,**the·o'mor·phic** [-ə'mɔːrfik] *adj* theo'morph(isch), in göttlicher Gestalt, gottähnlich. **the'oph·a·ny** [-'ɒfəni] *s* Theopha'nie *f*, Erscheinung *f* (e-s) Gottes.

the·or·bo [θi(ː)'ɔːrbou] *pl* **-bos** *s mus. hist.* The'orbe *f* (*Baßlaute*).

the·o·rem ['θi(ː)ərəm] *s math. philos.* Theo'rem *n*, (Grund-, Lehr)Satz *m*: ~ of the cosine Kosinussatz.

the·o·ret·ic [,θi(ː)ə'retik] *adj*; ,**the·o'ret·i·cal** [-kəl] *adj* (*adv* ~**ly**) **1.** theo'retisch. **2.** spekula'tiv. ,**the·o·re'ti·cian** [-'tiʃən] *s oft contp.* (reiner) Theo'retiker. ,**the·o'ret·ics** *s pl* (*meist als sg konstruiert*) Theo'retik *f.*

the·o·rist ['θi(ː)ərist] *s* Theo'retiker(in). '**the·o,rize** *v/i* theoreti'sieren, Theo'rien aufstellen.

the·o·ry ['θi(ː)əri] *s* **1.** Theo'rie *f*, Lehre *f*: ~ of chances Wahrscheinlichkeitsrechnung *f*; ~ of evolution *biol.* Evolutionstheorie. **2.** Theo'rie *f*, theo'retischer Teil (*e-r Wissenschaft*): ~ of music Musiktheorie. **3.** Theo'rie *f* (*Ggs Praxis*): in ~ theoretisch. **4.** Theo'rie *f*, I'dee *f*: his pet ~ s-e Lieblingsidee.

the·o·soph·ic [,θi(ː)ə'sɒfik] *adj*; ,**the·o'soph·i·cal** [-kəl] *adj* (*adv* ~**ly**) *relig.* theo'sophisch. **the'os·o·phist** [-'ɒsəfist] **I** *s* Theo'soph(in). **II** *adj* → theosophic. **the'os·o·phy** *s* Theoso'phie *f.*

ther·a·peu·tic [,θerə'pjuːtik] *adj*; ,**ther·a'peu·ti·cal** [-kəl] *adj* (*adv* ~**ly**) thera'peutisch. ,**ther·a'peu·tics** *s pl* (*meist als sg konstruiert*) Thera'peutik *f*, Thera'pie(lehre) *f.* ,**ther·a'peu·tist,** *a.* '**ther·a·pist** *s* Thera'peut(in). '**ther·a·py** *s* Thera'pie *f*: a) Behandlung *f*, b) Heilverfahren *n.*

there [ðɛr] **I** *adv* **1.** da, dort: down (up, over, in) ~ da *od.* dort unten (oben, drüben, drinnen); I have been ~ before *sl.* das weiß ich alles schon; to have been ~ *sl.* ‚dabeigewesen sein', genau Bescheid wissen; ~ and then a) hier u. jetzt, b) auf der Stelle, sofort; to be not all ~ *colloq.* ‚nicht ganz richtig (im Oberstübchen) sein'; ~ it is! a) da ist es!, b) *fig.* so steht es!; ~ you are (*od.* go)! siehst du!, da hast du's!; you ~! (*Anruf*) du da!, he! **2.** (da-, dort)hin: down (up, over, in) ~ (da *od.* dort) hinunter (hinauf, hinüber, hinein); ~ and back hin u. zurück; to get ~ a) hingelangen, -kommen, b) *sl.* ‚es schaffen'; to go ~ hingehen. **3.** darin, in dieser Sache *od.* 'Hinsicht: ~ I agree with you darin stimme ich mit dir überein. **4.** *fig.* da, hier, an dieser Stelle (*in e-r Rede etc*). **5.** es: ~ is, *pl* ~ are es gibt *od.* ist *od.* sind: ~ is a God; ~ was once a king es war einmal ein König; ~ was dancing es wurde getanzt; ~ arises the question es erhebt sich die Frage; ~ is no saying es läßt sich nicht sagen; ~'s a good boy (girl, fellow)! a) sei doch (so) lieb!, b) (so) ist's) brav! **II** *interj* **6.** da!, schau (her)!, na!: ~, ~! (*tröstend*) (sei) ruhig!; ~ now! na, bitte!

'**there|·a,bout,** *a.* '~·**a,bouts** *adv* **1.** da her'um, etwa da: somewhere ~ da irgendwo. **2.** *fig.* so ungefähr, so etwa: five hundred people or ~s so etwa *od.* ungefähr fünfhundert Leute; ten pounds or ~s etwa um 10 Pfund (herum). ~'**aft·er** *adv* **1.** da'nach, her'nach, später. **2.** seit'her. **3.** demgemäß, danach. ,~·**a'nent** *adv bes. Scot.* diesbezüglich. ~'**at** *adv obs. od. jur.* **1.** da'selbst, dort. **2.** bei dieser Gelegenheit, dabei, da. ~'**by** *adv* **1.** dadurch, auf diese Weise. **2.** da'bei, dar'an, davon. **3.** nahe da'bei. ~'**for** *adv* dafür: the reasons ~. '~·**fore** *adv u. conj* **1.** deshalb, -wegen, darum, daher. **2.** demgemäß, folglich. ~'**from** *adv* davon, daraus, daher. ~'**in** *adv* **1.** dar'in, da drinnen. **2.** *fig.* 'darin, in dieser 'Hinsicht. ,~·**in'aft·er** *adv bes. jur.* (weiter) unten, später, nachstehend (*in e-r Urkunde etc*). ~'**of** *adv obs. od. jur.* **1.** davon. **2.** dessen, deren. ~'**on** *adv* dar'auf, dar'an, dar'über. ~'**to** *adv obs.* **1.** da'zu, dar'an, da'für. **2.** außerdem, noch da'zu. ~'**un·der** *adv* dar'unter. ,~·**un'to** *adv obs.* (noch) da'zu, über'dies. ,~·**up'on** *adv* **1.** darauf, hierauf, da'nach. **2.** darauf'hin, demzufolge, darum. **3.** *obs.* (*örtlich*) dar'auf, drauf. ~'**with** *adv* **1.** damit. **2.** → thereupon 1 *u.* 2. ,~·**with'al** *adv obs.* **1.** über'dies, außerdem. **2.** damit.

the·ri·ac ['θi(ə)ri,æk] *s med. hist.* Theriak *m*, Gegengift *n.*

the·ri·o·mor·phic [,θi(ə)rio'mɔːrfik] *adj* therio'morphisch, tiergestaltig.

therm [θəːrm] *s phys.* **1.** *unbestimmte Wärmeeinheit*: a) kleine Kalo'rie, 'Gramm-Kalo,rie *f*, b) große Kalo'rie, 'Kilo(gramm)-Kalo,rie *f*, c) 1000 große Kalo'rien. **2.** *Br.* 100 000 Wärmeeinheiten (*zur Messung des Gasverbrauchs*).

ther·mae ['θəːrmiː] (*Lat.*) *s pl* Thermen *pl*: a) *antiq.* öffentliche Bäder *pl*, b) *med.* Ther'malquellen *pl*, -bad *n.*

ther·mal ['θəːrməl] **I** *adj* (*adv* ~**ly**) **1.** *phys.* thermisch, Wärme..., Hitze...: ~ barrier *aer.* Hitzemauer *f*; ~ current → 4; ~ efficiency Wärmewirkungsgrad *m*; ~ equator *meteor.* thermischer Äquator; ~ expansion Wärmeausdehnung *f*; ~ unit Wärmeeinheit *f*; ~ value Heizwert *m* (*von Brennstoffen*). **2.** warm, heiß: ~ water heiße Quelle. **3.** *med.* ther'mal, Thermal...: ~ spring Thermalquelle *f.* **II** *s* **4.** *pl aer. phys.* Thermik *f.*

ther·mic ['θəːrmik] *adj* (*adv* ~**ally**) thermisch, Wärme..., Hitze...: ~ fever *med.* Sonnenstich *m.*

therm·i·on·ic [,θəːrmai'ɒnik; -mi-]

adj thermi'onisch: ~ current *electr.* Thermionenstrom *m*; ~ emission *electr. phys.* thermische Emission; ~ valve (*Am.* tube) Elektronenröhre *f*.
ˌtherm·i'on·ics *s pl* (*als sg u. pl konstruiert*) *electr. phys.* Lehre *f* von den Elek'tronenröhren.
therm·is·tor [ˌθəːr'mistər] *s electr.* Thermi'stor *m*, Heißleiter *m*.
ther·mite ['θəːrmait], *a.* '**ther·mit** [-mit] *s chem. tech.* Ther'mit *n*.
thermo- [θəːrmo] *Wortelement mit den Bedeutungen* a) Wärme, Hitze, Thermo..., b) thermoelektrisch.
ˌther·mo'chem·is·try *s chem.* Thermoche'mie *f*.
'**ther·moˌcou·ple** *s electr. phys.* Thermoele'ment *n*.
'**ther·moˌcur·rent** *s electr.* thermoe'lektrischer Strom.
ˌther·mo·dy'nam·ics *s pl* (*als sg konstruiert*) *phys.* Thermody'namik *f*, Wärmelehre *f*.
ˌther·mo·e'lec·tric *adj* (*adv* ~ally) thermoe'lektrisch, 'wärmeeˌlektrisch: ~ battery Thermosäule *f*; ~ couple → thermocouple.
ˌther·mo·eˌlec'tric·i·ty *s* 'Thermo-, 'Wärmeelektriziˌtät *f*.
ther·mo·gram ['θəːrmoˌgræm] *s phys.* Thermo'gramm *n*. '**ther·moˌgraph** [-ˌgræ(ː)f; *Br. a.* -ˌgrɑːf] *s phys.* Thermo'graph *m*, Wärme(grad)schreiber *m*.
ther·mom·e·ter [θər'mɒmitər] *s phys.* Thermometer *n*, Tempera'tur-, Wärmemesser *m*: clinical ~ Fieberthermometer; ~ bulb (stem, well) Thermometerkugel *f* (-schaft *m*, -hülse *f*); ~ reading Thermometerablesung *f*, -stand *m*. **ther·mo·met·ric** [ˌθəːrmo'metrik] *adj*; **ˌther·mo'met·ri·cal** *adj* (*adv* ~ly) *phys.* thermo'metrisch, Thermometer...
ˌther·mo'nu·cle·ar *adj phys.* thermonukle'ar: ~ bomb Wasserstoffbombe *f*.
ther·mo·phore ['θəːrməˌfɔːr] *s tech.* Thermo'phor *m* (*Art Heizgerät*).
'**ther·moˌpile** *s chem. electr. phys.* Thermosäule *f*.
ˌther·mo'plas·tic *chem.* **I** *adj* thermo'plastisch, warm verformbar. **II** *s* Thermo'plast *m*.
ˌther·mo·re'sist·ant *adj chem. med.* hitzebeständig.
Ther·mos (bot·tle) ['θəːrmɒs] (*TM*) *s* Thermosflasche *f*.
'**ther·moˌset·ting** *adj* hitzehärtbar, duro'plastisch.
Ther·mos flask → Thermos (bottle).
ther·mo·stat ['θəːrməˌstæt] *s electr. tech.* Thermo'stat *m*, *bes.* Tempera'turfühler *m*. **ˌther·mo'stat·ic** *adj* (*adv* ~ally) thermo'statisch.
ˌther·mo'ther·a·py *s med.* Thermothera'pie *f*, Wärmebehandlung *f*.
the·roid ['θi(ə)rɔid] *adj* tierisch, vertiert.
the·sau·rus [θi'sɔːrəs] *pl* **-ri** [-rai] (*Lat.*) *s* The'saurus *m*: a) Wörterbuch *n*, b) (Wort-, Wissens-, Sprach)Schatz *m*.
these [ðiːz] *pl von* this.
the·sis ['θiːsis] *pl* **-ses** [-siːz] *s* **1.** These *f*: a) Behauptung *f*, b) (Streit)Satz *m*, Postu'lat *n*. **2.** a) Thema *n* (*e-s Aufsatzes etc*), b) *ped.* Aufsatz *m*. **3.** *univ.* a) Dissertati'on *f*, b) *allg.* wissenschaftliche Arbeit. **4.** ['θesis] *metr.* a) *antiq.* Thesis *f* (*betonter Teil e-s Versfußes*), b) Senkung *f*, unbetonte Silbe. ~ **nov·el** *s* Ten'denzroˌman *m*. ~ **play** *s* Pro'blemstück *n*.
Thes·pi·an ['θespiən] **I** *adj* **1.** thespisch. **2.** Schauspiel..., Tragödien..., dra'matisch, tragisch. **II** *s* **3.** *oft humor.* Thespisjünger(in) (*Schauspieler*).
Thes·sa·lo·ni·an [ˌθesə'louniən] **I** *s* **1.** Thessa'lonicher(in). **2.** *pl* (*als sg konstruiert*) *Bibl.* (Brief *m* des Paulus an die) Thessa'lonicher *pl*. **II** *adj* **3.** thessa'lonisch.
the·ta ['θiːtə; *Am. a.* 'θeitə] *s* Theta *n* (*griechischer Buchstabe*).
thews [θjuːz] *s pl* **1.** Muskeln *pl*, Sehnen *pl*. **2.** *fig.* Kraft *f*.
they [ðei] *pron* **1.** (*pl zu* he, she, it) sie: ~ go. **2.** man: ~ say man sagt. **3.** es: Who are ~? ~ are Americans Wer sind sie? Es *od.* sie sind Amerikaner. **4.** (*auf Kollektiva bezogen*) er, sie, es: the police ..., they ... die Polizei..., sie (*sg*). **5.** ~ who diejenigen, welche.
they'd [ðeid] *colloq. abbr. für* they had *u.* they would.
they'll [ðeil] *colloq. abbr. für* they will.
they're [ðeiər] *colloq. abbr. für* they are.
they've [ðeiv] *colloq. abbr. für* they have.
thi·a·mine ['θaiəˌmiːn; -min] *s chem.* Thia'min *n*, Aneu'rin *n*, Vita'min B_1 *n*.
thick [θik] **I** *adj* (*adv* ~ly) **1.** dick: a ~ slice of bread; a board 2 inches ~ ein zwei Zoll dickes Brett. **2.** dick, massig: a ~ neck. **3.** *Bergbau*: mächtig (*Flöz*). **4.** *Br. sl.* dick, geschwollen: a ~ ear e-e dicke Backe. **5.** dicht: ~ crowds (fog, hair, *etc*). **6.** ~ with über u. über bedeckt von: ~ with dust. **7.** ~ with voll von, voller, reich an (*dat*): the air is ~ with snow die Luft ist voll(er) Schnee. **8.** dick(flüssig). **9.** neblig, trüb(e): ~ weather. **10.** schlammig: ~ puddles Schlammpfützen. **11.** dumpf, belegt, heiser: ~ voice. **12.** dumm. **13.** dicht (aufein'anderfolgend). **14.** *fig.* reichlich, massenhaft: as ~ as peas wie Sand am Meer. **15.** *sl.* ‚stark', frech: that's a bit ~! das ist ein bißchen stark! **16.** *colloq.* ‚dick' (befreundet): they are as ~ as thieves sie halten zusammen wie Pech u. Schwefel. **II** *s* **17.** dickster Teil, dick(st)e Stelle. **18.** *fig.* dichtester Teil, Mitte *f*, Brennpunkt *m*: in the ~ of mitten in (*dat*); in the ~ of it mittendrin; in the ~ of the fight(ing) im dichtesten Kampfgetümmel; the ~ of the crowd das dichteste Menschengewühl; through ~ and thin durch dick u. dünn. **19.** *sl.* Dummkopf *m*. **III** *adv* **20.** dick: to spread ~ *Butter etc* dick aufstreichen *od.* auftragen; to lay it on ~ *sl.* ‚dick auftragen'; ~-flowing dickflüssig. **21.** dicht *od.* rasch (aufein'ander): the blows came fast and ~ die Schläge kamen hageldicht. **22.** schwerfällig, undeutlich. '**~-and-'thin** *adj* treu (wie Gold), (ganz) zuverlässig: a ~ friend ein Freund, der mit e-m durch dick u. dünn geht.
thick·en ['θikn] **I** *v/t* **1.** dick(er) machen, verdicken. **2.** eindicken: to ~ a sauce (a paint, *etc*); to ~ a soup e-e Suppe legieren. **3.** dicht(er) machen, verdichten. **4.** verstärken, -mehren: to ~ the ranks. **5.** trüben: fumes ~ the air. **II** *v/i* **6.** dick(er) werden. **7.** dick(flüssig) werden. **8.** dicht(er) werden, sich verdichten. **9.** sich trüben. **10.** *fig.* sich verwickeln *od.* verwirren: the plot ~s der Knoten (*im Drama etc*) schürzt sich. **11.** sich vermehren, zunehmen. **12.** heftiger werden (*Kampf*). **13.** undeutlich werden (*Stimme*). '**thick·en·er** *s chem.* **1.** Eindicker *m*. **2.** Verdicker *m*, Absetzbehälter *m*. **3.** Verdickungsmittel *n*. '**thick·en·ing** *s* **1.** Verdickung *f*: a) Verdicken *n*, b) verdickte Stelle. **2.** Eindickung *f*. **3.** Eindickmittel *n*. **4.** Verdichtung *f*. **5.** *med.* Anschwellung *f*, Schwarte *f*.
thick·et ['θikit] *s* Dickicht *n*. '**thick·et·ed** *adj* voller Dickicht(e).
'**thick|ˌhead** *s* Dummkopf *m*. '**~'head·ed** *adj* **1.** dickköpfig. **2.** *fig.* begriffsstutzig, dumm.
thick·ness ['θiknis] *s* **1.** Dicke *f*, Stärke *f*. **2.** Dichte *f*. **3.** Verdickung *f*. **4.** Lage *f*, Schicht *f*: two ~es of silk. **5.** Dickflüssigkeit *f*. **6.** Undeutlichkeit *f*: ~ of speech schwere Zunge.
thick|·set ['θik'set] *adj* **1.** dicht (gepflanzt): a ~ hedge. **2.** dicht besetzt: ~ with jewels. **3.** unter'setzt, stämmig: a ~ man. '**~-'skinned** *adj* **1.** dickhäutig. **2.** dickschalig. **3.** *zo.* Dickhäuter... **4.** *fig.* dickfellig. '**~'skulled** *adj* **1.** dickköpfig. **2.** *fig.* → thick-witted. '**~-'walled** *adj biol.* dickwandig. '**~-'wit·ted** *adj* dumm, begriffsstutzig.
thief [θiːf] *pl* **thieves** [θiːvz] *s* **1.** Dieb(in): stop ~! haltet den Dieb!; to set a ~ to catch a ~ den Bock zum Gärtner machen; thieves' Latin Gaunersprache *f*. **2.** Lichtschnuppe *f* (*an Kerzen*). **3.** → thief tube. '**~ˌproof** *adj* diebessicher. ~ **tube** *s tech.* Stechheber *m*.
thieve [θiːv] *v/t u. v/i* stehlen.
thiev·er·y ['θiːvəri] *s* **1.** Diebe'rei *f*, Diebstahl *m*. **2.** Diebesgut *n*, -beute *f*.
thieves [θiːvz] *pl von* thief.
thiev·ish ['θiːviʃ] *adj* (*adv* ~ly) **1.** diebisch, Dieb(e)s... **2.** heimlich, verstohlen. '**thiev·ish·ness** *s* diebisches Wesen.
thigh [θai] *s* **1.** *anat.* (Ober)Schenkel *m*. **2.** *zo.* Femur *m*. '**~ˌbone** *s anat.* (Ober)Schenkelknochen *m*.
thighed [θaid] *adj* (*in Zssgn*) ...-schenk(e)lig.
thill [θil] *s* Gabeldeichsel *f*. '**thill·er,** *a.* **thill horse** *s* Deichselpferd *n*.
thim·ble ['θimbl] *s* **1.** *Näherei*: a) Fingerhut *m*, b) Nähring *m*. **2.** *tech.* a) Me'tallring *m*, b) (Stock)Zwinge *f*. **3.** *mar.* Kausche *f*. '**~ˌful** *pl* **-ˌfuls** *s* **1.** Fingerhut(voll) *m*, Schlückchen *n*. **2.** *fig.* Kleinigkeit *f*. '**~ˌrig I** *s* Becherspiel *n* (*bei dem e-e Erbse unter e-m von drei Bechern verborgen wird; Spieler setzen auf den Becher, unter dem sie diese vermuten*). **II** *v/t pret u. pp* **-ˌrigged** *a. allg.* betrügen. '**~ˌrig·ger** *s* **1.** Becherspieler *m*. **2.** Taschenspieler *m*. **3.** *fig.* Gauner *m*. '**~ˌrig·ging** *s* **1.** Becherspiel *n*. **2.** ˌTaschenspiele'rei *f*. **3.** Gaune'rei *f*.
thin [θin] **I** *adj* (*adv* ~ly) **1.** *allg.* dünn: ~ air (arms, blood, clothes, syrup, wire, *etc*); a ~ line e-e dünne *od.* schmale *od.* feine Linie. **2.** dünn, schmächtig, mager: → lath 1. **3.** dünn, licht: ~ hair (woods, *etc*); ~ rain feiner Regen. **4.** *fig.* spärlich, dünn: ~ attendance spärlicher Besuch, geringe Beteiligung; ~ profits geringer Profit; ~ vegetation spärliche Vegetation; a ~ house *thea.* e-e schwach besetzte Vorstellung. **5.** dünn, schwach: ~ beer; ~ sound; ~ voice. **6.** *agr.* mager: ~ soil. **7.** *fig.* mager, dürftig, spärlich: he had a ~ time *colloq.* es ging ihm ‚mies'. **8.** *fig.* fadenscheinig: a ~ excuse (argument, *etc*). **9.** seicht, sub'stanzlos: a ~ treatise. **10.** *phot.* kon'trastarm, undeutlich: a ~ print. **II** *v/t* **11.** *oft* ~ down, ~ off, ~ out a) dünn(er) machen, b) *e-e Flüssigkeit* verdünnen, c) *fig.* verringern, *e-e Bevölkerung* dezi'mieren, d) *e-e Schlachtreihe, e-n Wald etc* lichten, e) *Pflanzen* weiter ausein'andersetzen. **III** *v/i* **12.** *oft* ~

down, ~ off, ~ out a) dünn(er) werden, b) sich verringern, c) sich lichten, *fig.* spärlicher werden, abnehmen: his hair is ~ning sein Haar lichtet sich; to ~ out *geol.* sich auskeilen (*Flöz*).

thine [ðain] *pron obs. od. Bibl. od. poet.* **1.** (*substantivisch*) der *od.* die *od.* das dein(ig)e, dein(e, er). **2.** (*adjektivisch vor Vokalen od. stummem h für* thy) dein(e): ~ eyes.

thing[1], *oft* **T~** [θiŋ] *s parl.* Thing *n* (*in Skandinavien u. Island: Reichstag od. Volksgerichtsversammlung*).

thing[2] [θiŋ] *s* **1.** (*konkretes*) Ding, Sache *f*, Gegenstand *m* (*etwas Konkretes*): the law of ~s *jur.* das Sachenrecht; ~s personal (real) *jur.* (un)bewegliche Sachen; just the ~ I wanted genau (das), was ich haben wollte. **2.** *colloq.* Ding *n*, Dings(da) *n*. **3.** Ding *n*, Sache *f*, Angelegenheit *f*: above all ~s vor allen Dingen, vor allem; another ~ etwas anderes; ~s political politische Dinge, alles Politische; the best ~ to do das Beste (,was man tun kann); a foolish ~ to do e-e Torheit; a pretty ~ *iro.* e-e schöne Geschichte; for one ~ (erstens) einmal; latest ~ in hats das Neueste in *od.* an Hüten; in all ~s in jeder Hinsicht; no small ~ keine Kleinigkeit; no such ~ nichts dergleichen; not a ~ (rein) gar nichts; of all ~s ausgerechnet (*dieses etc*); taking one ~ with the other im großen (u.) ganzen; it's one of those ~s da kann man nichts machen; to do great ~s große Dinge tun, Großes vollbringen; to get ~s done etwas zuwege bringen; to know a ~ or two Bescheid wissen (about über *acc*); → first 1. **4.** *pl* Dinge *pl*, 'Umstände *pl*, (Sach)Lage *f*: ~s are improving die Dinge *od.* Verhältnisse bessern sich; ~s look black for me es sieht schwarz aus für mich. **5.** *pl* Sachen *pl*, Zeug *n* (*Gepäck, Gerät, Kleider etc*): swimming ~s Badesachen, -zeug; tea-~s Teegeschirr *n*; to put on one's ~s sich anziehen. **6.** *pl* Sachen *pl* (*Getränke, Essen, Medizin*): a lot of good ~s viele gute Sachen (zum Essen u. Trinken). **7.** Wesen *n*, Geschöpf *n*: dumb ~s. **8.** a) Ding *n* (*Mädchen etc*): young ~, b) Kerl *m*: (the) poor ~ das arme Ding, der arme Kerl; poor ~! der *od.* die Ärmste!, du *od.* Sie Ärmste(r)!; the dear old ~ ,die gute alte Haut'; → old 10.

thing·a·my ['θiŋəmi], *a.* '**thing·a·ma·ˌbob** [-əməˌbɒb], '**thing·a·maˌjig** [-ˌdʒig] → thingumbob.

ˌthing-in-it'self *s philos.* Ding *n* an sich.

thing·um·bob ['θiŋəmˌbɒb], *a.* '**thing·um·aˌbob** [-məˌbɒb], '**thing·um·a·ˌjig** [-ˌdʒig], '**thing·um·my** [-mi] *s colloq.* (*der, die, das*) ,Dings(da *od.* -bums)'.

think [θiŋk] *pret u. pp* **thought** [θɔːt] **I** *v/t* **1.** *etwas* denken: to ~ base thoughts gemeine Gedanken hegen; to ~ away wegdenken; to ~ out a) sich *etwas* ausdenken, b) *ein Problem* zu Ende denken; to ~ over sich *etwas* überlegen *od.* durch den Kopf gehen lassen; to ~ up *colloq. e-n Plan etc* aushecken, sich ausdenken. **2.** über'legen, nachdenken über (*acc*). **3.** denken, sich vorstellen: one cannot ~ the infinite. **4.** bedenken: ~ what your father has done for you! **5.** denken, meinen, glauben, vermuten. **6.** a) halten *od.* erachten für, b) *etwas* halten (of von): I ~ him (he is thought) to be a poet ich halte (man hält) ihn für e-n Dichter; he ~s the lecture very interesting er findet die Vorlesung sehr interessant; to ~ o.s. clever sich für klug halten; I ~ it best to go now ich halte es für das beste, jetzt zu gehen; to ~ it advisable es für ratsam halten *od.* erachten. **7.** denken an (*acc*): the child thought no harm das Kind dachte an nichts Böses. **8.** gedenken, beabsichtigen, vorhaben (of doing, to do zu tun): to ~ (to do) no harm. **II** *v/i* **9.** denken (of an *acc*): to ~ aloud, to ~ out loud laut denken; to ~ to o.s. bei sich denken. **10.** ~ of a) sich besinnen auf (*acc*), sich erinnern an (*acc*): try to ~ of all that has happened, b) *etwas* bedenken: ~ of it! denke daran!, c) sich *etwas* denken *od.* vorstellen, d) *e-n Plan etc* ersinnen, sich *etwas* ausdenken, e) daran denken, erwägen, im Sinne haben: to ~ of marrying ans Heiraten denken; I shouldn't ~ of doing such a thing so etwas würde mir nicht im Traum einfallen, f) halten von: to ~ nothing of wenig halten von, *a.* sich nichts machen aus, sich nichts dabei denken (to do zu tun); to ~ much (highly, well) of viel halten von, e-e hohe Meinung haben von, große Stücke halten auf (*acc*); → better[1] 6. **11.** über'legen, nachdenken (about, over über *acc*): let me ~ a moment!; only ~! denk dir nur!, stell dir nur vor!; I cannot ~ how you do it *colloq.* es ist mir schleierhaft, wie du das machst. **12.** denken, glauben, meinen: I ~ so ich glaube (schon), ich denke; I should ~ so! ich denke doch!, das will ich meinen! **III** *s colloq.* **13.** a) (Nach)Denken *n*, b) Gedanke *m*: he has another ~ coming! da hat er sich schwer verrechnet! **IV** *adj* **14.** *Am. sl.* intellektu'ell, ,hochgestochen'.

think·a·ble ['θiŋkəbl] *adj* denkbar: a) begreifbar, b) möglich. '**think·er** *s* Denker(in).

think·ing ['θiŋkiŋ] **I** *adj* (*adv* ~ly) **1.** denkend, vernünftig: a ~ being ein denkendes Wesen; all ~ men jeder vernünftig Denkende; clear-~ klardenkend. **2.** Denk... **II** *s* **3.** Denken *n*: way of ~ Denkart *f*; to do some hard ~ scharf nachdenken; to put on one's ~ cap *colloq.* (mal) nachdenken. **4.** Nachdenken *n*, Über'legen *n*. **5.** Meinung *f*: in (*od.* to) my (way of) ~ m-r Meinung *od.* Ansicht nach, nach m-m Dafürhalten. **6.** *pl* Über'legung(en *pl*) *f*, Gedanken(gang *m*) *pl*. '**~-maˌchine** *s colloq.* Elek'tronengehirn *n*.

'**think|-ˌso** *s colloq.* (grundlose *od.* bloße) Vermutung. '**~-tank** *s Am. sl.* ,'Denkfabˌrik' *f*.

thin·ner[1] ['θinər] *s* **1.** Verdünner *m* (*Arbeiter od. Gerät*). **2.** (*bes.* Farben-)Verdünner *m*, (-)Verdünnungsmittel *n*.

thin·ner[2] ['θinər] *comp von* thin.

thin·ness ['θinnis] *s* **1.** Dünne *f*, Dünnheit *f*. **2.** Magerkeit *f*. **3.** Feinheit *f*. **4.** Spärlichkeit *f*, Seltenheit *f*. **5.** *fig.* Dürftigkeit *f*, Seichtheit *f*.

thin·nest ['θinist] *sup von* thin.

thin| seam *s geol.* Schmitze *f*. '**~-'skinned** *adj* **1.** dünnhäutig. **2.** *fig.* a) feinfühlig, b) empfindlich, reizbar. '**~-'sown** *adj* **1.** dünn gesät (*a. fig.*). **2.** *fig.* schwach bevölkert.

thi·ol ['θaiɒl; -oul] *chem.* **I** *s* Thi'olalkohol *m*. **II** *adj* Thiol...

thi·on·ic [θai'ɒnik] *adj chem.* Thio..., Thion..., Schwefel...

third [θəːrd] **I** *adj* (*adv* → thirdly) **1.** dritt(er, e, es): ~ best (*der, die, das*) Drittbeste. **II** *s* **2.** Drittel *n*. **3.** (*der, die, das*) Dritte. **4.** *mot. colloq.* (*der*) Dritte, dritter Gang. **5.** *mus.* Terz *f*. **6.** *pl jur.* a) Drittel *n* der Hinter'lassenschaft des Mannes, b) *allg.* Witwengut *n*. **7.** Terz *f* (*sechzigster Teil e-r Zeit- od. Bogensekunde*). **8.** *Baseball*: → third base. **9.** *pl Papierherstellung*: *Kartenformat* $1^1/_2 \times 3$ *Zoll*. **10.** *pl econ.* drittklassige Ware, Waren *pl* dritter Güte. **11.** *colloq.* → third class. **~ base** *s Baseball*: drittes Laufmal. **~ class** *s allg., a. rail. etc, a. mail Am.* dritte Klasse. '**~-'class** *adj u. adv* **1.** *allg.* drittklassig: ~ mail *Am.* Postsachen *pl* dritter Klasse (*Drucksachen außer Zeitschriften*). **2.** *rail. etc Abteil etc* dritter Klasse: to travel ~ dritter Klasse reisen. **~ de·gree** *s* **1.** dritter Grad. **2.** *bes. Am. colloq.* ,dritter Grad', Folterverhör *n*. **3.** *Freimaurerei*: Meistergrad *m*. '**~-de'gree I** *adj* dritten Grades: ~ burns; ~ arson *jur. Am.* einfache Brandstiftung. **II** *v/t Am. colloq.* *j-n* e-m Folterverhör unter'ziehen, *j-n* ,in die Mache nehmen'. **~ es·tate** *s pol. hist.* dritter Stand (*Bürgertum*). **~ force** *s fig.* dritte Kraft. '**~-'hand** *adj* aus dritter Hand (erworben). **~ house** *s pol. Am. Clique, die Einfluß auf die Gesetzgebung hat.*

third·ly ['θəːrdli] *adv* drittens.

third| par·ty *s* **1.** *econ. jur.* Dritte(r) *m*. **2.** *pol.* dritte Par'tei *od.* Kraft (*in e-m Zweiparteiensystem*). '**~-ˌpar·ty** *adj econ. jur.* Dritt...: ~ debtor; ~ insurance Haftpflichtversicherung *f*; insured against ~ risks haftpflichtversichert. **~ per·son** *s* **1.** *ling.* dritte Per'son. **2.** *econ. jur.* Dritte(r) *m*. '**~-ˌpro·gramme** *adj Br.* (betont) intellektu'ell, ,hochgestochen'. **~ rail** *s* Stromschiene *f*. '**~-'rate** *adj* **1.** drittrangig, -klassig (*a. fig.*). **2.** *fig.* minderwertig. **T~ Reich** *s hist.* (*das*) Dritte Reich (*Hitlerregime*). **~ sex** *s colloq.* (*das*) ,dritte Geschlecht', (*die*) Homosexu'ellen *pl*. **~ wire** *s electr.* Mittelleiter *m*. **T~ World** *s pol.* (*die*) Dritte Welt.

thirst [θəːrst] **I** *s* **1.** Durst *m*. **2.** *fig.* Durst *m*, Gier *f*, Verlangen *n*, Sucht *f* (for, of, after nach): ~ for blood Blutdurst; ~ for knowledge Wissensdurst; ~ for power Machtgier. **II** *v/i* **3.** dürsten, durstig sein, Durst haben. **4.** *fig.* dürsten, lechzen (for, after nach): to ~ for revenge; to ~ to do s.th. darauf brennen, etwas zu tun. '**thirst·i·ness** *s* Durst(igkeit *f*) *m*. '**thirst·y** *adj* (*adv* thirstily) **1.** durstig: to be ~ Durst haben, durstig sein. **2.** ,durstig', trinkfreudig: a ~ man. **3.** *agr.* dürr, trocken: ~ season; ~ soil. **4.** *colloq.* ,durstig': ~ work (e-e) Arbeit, die Durst macht. **5.** *fig.* begierig, lechzend (for, after nach): to be ~ for s.th. nach etwas lechzen.

thir·teen ['θəːr'tiːn] **I** *adj* dreizehn. **II** *s* Dreizehn *f*. '**thir'teenth** [-θ] **I** *adj* **1.** dreizehnt(er, e, es). **II** *s* **2.** (*der, die, das*) Dreizehnte. **3.** Dreizehntel *n*. **4.** *mus.* 'Terzeˌzime *f*. ˌ**thir'teenth·ly** *adv* dreizehntens.

thir·ti·eth ['θəːrtiiθ] **I** *adj* **1.** dreißigst(er, e, es). **II** *s* **2.** (*der, die, das*) Dreißigste. **3.** Dreißigstel *n*.

thir·ty ['θəːrti] **I** *adj* **1.** dreißig: ~ all, *colloq.* ~ up (*Tennis*) dreißig beide; T~ Years' War *hist.* Dreißigjähriger Krieg. **II** *s* **2.** Dreißig *f*: the thirties a) die Dreißiger(jahre) (*des Lebens*), b) die dreißiger Jahre (*e-s Jahrhunderts*). **3.** *Journalismus*: *Am. sl.* Ende *n* (*30 als Schlußzeichen e-s Artikels etc*).

ˌ**thir·ty-'twoˌmo** [-'tuːˌmou] *print.* **I** *s* Zweiund'dreißigerforˌmat *n* (*abbr. 32mo, 32⁰*). **II** *adj* im Zweiund-'dreißigerforˌmat: a ~ book.

this [ðis] *pl* **these** [ðiːz] **I** *pron.* **1.** a) dieser, diese, dieses, b) dies, das: all ~ dies alles, all das; ~ and that dies u. das, allerlei; for all ~ deswegen, darum; like ~ so; these are his children das sind s-e Kinder; ~ is what I expected (genau) das habe ich erwartet; ~ is what happened folgendes geschah. **2.** dieses, dieser Zeitpunkt, dieses Ereignis: after ~ danach; at ~ dabei, daraufhin; before ~ zuvor; by ~ bis dahin, mittlerweile. **II** *adj* **3.** dieser, diese, dieses: ~ book. **4.** der *od.* die *od.* das (da): look at ~ dog! schau den Hund (da) an! **5.** der (die, das) naheliegende *od.* hiesige: in ~ country hier(zulande). **6.** dies(er, es), *bes. econ.* der (das) laufende (*Jahr, Monat*): of ~ month dieses Monats; ~ day week heute in e-r Woche; ~ morning heute morgen; ~ time diesmal. **7.** dieser, diese, dieses, letzt(er, e, es): all ~ week die ganze (letzte) Woche; (for) these 3 weeks die letzten 3 Wochen, seit 3 Wochen. **III** *adv* **8.** so: ~ far; ~ much. '**this·ness** *s philos.* (*das*) Dies-und-nichts-anderes-sein.

this·tle ['θisl] *s bot.* Distel *f* (*a. her. das Emblem Schottlands*): Order of the T~ Distel-, Andreasorden *m.* '~ˌ**down** *s bot.* Distelwolle *f.* ~ **finch** *s orn.* Distelfink *m.*

this·tly ['θisli] *adj* **1.** distelig, voller Disteln. **2.** stach(e)lig.

thith·er ['ðiðər; *Am. a.* 'θiðər] *obs. od. poet.* **I** *adv* dorthin, dahin, in der Richtung: → hither 1. **II** *adj* jenseitig, ander(er, e, es): the ~ bank of a stream.

tho *bes. Am. für* though.

thole¹ [θoul] *obs od. dial.* **I** *v/t* **1.** erdulden. **2.** dulden. **II** *v/i* **3.** dulden.

thole² [θoul], '**tholeˌpin** *s mar.* Dolle *f*, Ruderpflock *m.*

Thom·as ['tɒməs] **I** *npr Bibl.* Thomas *m* (*Apostel*). **II** *s meist* doubting ~ *fig.* ungläubiger Thomas.

Tho·mism ['toumizəm] *s philos. relig.* Tho'mismus *m* (*Lehre des Thomas von Aquin u. s-r Schule*).

thong [θɒŋ] **I** *s* **1.** (Leder)Riemen *m* (*Halfter, Zügel, Peitschenschnur etc*). **II** *v/t* **2.** mit Riemen versehen *od.* befestigen. **3.** (mit e-m Riemen) peitschen.

tho·rac·ic [θɔː'ræsik] *adj anat.* thora'kal, Brust...: ~ aorta Brustschlagader *f*; ~ duct Milchbrustgang *m.*

tho·rax ['θɔːræks] *pl* **-rax·es** *s* **1.** *anat.* Brust(korb *m*, -kasten *m*) *f*, Thorax *m.* **2.** *zo.* Mittelleib *m* (*bei Gliederfüßlern*).

thor·ic ['θɒrik] *adj chem.* Thorium...

tho·rite ['θɔːrait] *s min.* Tho'rit *m.*

thorn [θɔːrn] *s* **1.** Dorn *m*: a ~ in the flesh (*od.* side) ein Pfahl im Fleische, ein Dorn im Auge; to be (*od.* sit) on ~s ‚(wie) auf (glühenden) Kohlen sitzen'. **2.** *bot.* Dornstrauch *m*, *bes.* Weißdorn *m.* **3.** Dorn *m* (*der altenglische u. isländische Buchstabe þ*). ~ **ap·ple** *s bot.* Stechapfel *m.* '~ˌ**back** *s* **1.** *ichth.* Nagelrochen *m.* **2.** *zo.* Meerspinne *f.*

thorned [θɔːrnd] *adj* dornig.

thorn·i·ness ['θɔːrninis] *s* **1.** Stach(e)ligkeit *f.* **2.** *fig.* Mühseligkeit *f*, (*das*) Qualvolle. **3.** (*das*) Heikle. '**thorn·less** *adj* dornenlos. '**thorn·y** *adj* **1.** dornig, stach(e)lig. **2.** *fig.* dornenvoll, mühselig, schwierig. **3.** qualvoll. **4.** heikel: a ~ problem.

thor·o *Am. für* thorough.

thor·ough [*Br.* 'θʌrə; *Am.* 'θɔːrou] **I** *adj* (*adv* → thoroughly) **1.** *allg.* gründlich: a) sorgfältig: a ~ man; a ~ test, b) genau, eingehend: a ~ investigation; ~ knowledge gründliche Kenntnisse *pl*, c) 'durchgreifend: a ~ reform. **2.** voll'endet: a) voll'kommen, per'fekt, meisterhaft, b) echt, durch u. durch: a ~ politician, c) völlig: a ~ delight e-e reine Freude, d) *contp.* ausgemacht: a ~ rascal. **II** *prep u. adv* **3.** *obs.* durch. **III** *s* **4.** T~ *hist. die Gewaltpolitik Lord Straffords u. Erzbischof Lauds unter Karl I.* **5.** Ge'waltmaßnahme *f*, -poliˌtik *f.* ~ **bass** [beis] *s mus.* Gene'ralbaß *m.* '~ˌ**bred** **I** *adj* **1.** *biol. zo.* reinrassig, Vollblut... **2.** *fig.* a) rassig, b) ele'gant, c) kulti'viert. **3.** *fig.* → thorough 2b. **4.** rassig, schnittig: a ~ sports car. **II** *s* **5.** a) Vollblut(pferd) *n*, b) T~ englisches Vollblut. **6.** reinrassiges Tier. **7.** rassiger *od.* kulti'vierter Mensch. **8.** *mot.* rassiger *od.* erstklassiger Wagen. '~ˌ**fare** *s* **1.** 'Durchgangsstraße *f*, Hauptverkehrsstraße *f*, Verkehrsader *f.* **2.** 'Durchfahrt *f*: no ~! **3.** Wasserstraße *f.* '~'**go·ing** *adj* **1.** → thorough 1. **2.** radi'kal, kompro'mißlos.

thor·ough·ly [*Br.* 'θʌrəli; *Am.* 'θɔːroli] *adv* **1.** gründlich (*etc*). **2.** gänzlich, völlig, vollkommen, to'tal. **3.** äußerst: ~ delighted. '**thor·ough·ness** *s* **1.** Gründlichkeit *f.* **2.** Voll'kommenheit *f.* **3.** Voll'endung *f.*

'**thor·ough**|ˌ**paced** *adj* **1.** in allen Gangarten geübt (*Pferd*). **2.** *fig.* → thorough 2b. **3.** *contp.* ‚ausgekocht', abgefeimt.

thorp(e) [θɔːrp] *s* Dorf *n* (*bes. bei Ortsnamen*).

those [ðouz] *pron pl zu* that¹.

thou¹ [ðau] **I** *pron poet. od. dial. od. Bibl.* du. **II** *v/t j-n* mit thou anreden, duzen.

thou² [θau] *s Am. sl.* ‚Mille' *n*, Tausend *n*, *bes.* 1000 Dollar *pl.*

though [ðou] **I** *conj* **1.** ob'wohl, ob'gleich, ob'schon. **2.** *a.* even ~ wenn auch, selbst wenn, wenn'gleich, zwar: important ~ it is so wichtig es auch ist; what ~ the way is long was macht es schon aus, wenn der Weg lang ist. **3.** je'doch, doch. **4.** as ~ als ob, wie wenn. **II** *adv* **5.** *colloq.* (*am Satzende*) aber, trotzdem, dennoch, aller'dings, immer'hin: I wish you had told me, ~.

thought¹ [θɔːt] *s* **1.** a) Gedanke *m*, Einfall *m*: a happy ~, b) Gedankengang *m*, c) Gedanken *pl*, Denken *n*: lost in ~ in Gedanken verloren; ~ experiment *scient.* Gedankenexperiment *n*; to read s.o.'s ~s j-s Gedanken lesen; quick as ~ blitzschnell; his one ~ was how to get away er dachte nur daran, wie er fortkommen könnte; it never entered my ~s es kam mir nie in den Sinn. **2.** *nur sg* Denken *n*, Denkvermögen *n*: to stimulate ~ zum Denken anregen; are animals capable of ~? können Tiere denken?; a beauty beyond ~ e-e unvorstellbare Schönheit. **3.** Über'legung *f*: to give ~ to sich Gedanken machen über (*acc*); to take ~ how to do s.th. sich überlegen, wie man etwas tun könnte; after serious ~ nach ernsthafter Erwägung; he acts without ~ er handelt, ohne zu überlegen; on second ~ a) nach reiflicher Überlegung, b) wenn ich es mir recht überlege. **4.** (Für)-Sorge *f*, Rücksicht(nahme) *f*: to take ~ for Sorge tragen für *od.* um (*acc*); to take no ~ to (*od.* for) nicht achten auf (*acc*). **5.** Absicht *f*: we had (some) ~s of coming wir trugen uns mit dem Gedanken zu kommen; he had no ~ of doing er dachte nicht daran zu tun. **6.** *meist pl* Gedanke *m*, Meinung *f*, Ansicht *f.* **7.** *nur sg* Denken *n*: a) Denkweise *f*: scientific ~, b) Gedankenwelt *f*: Greek ~. **8.** *fig.* ‚I'dee' *f*, Spur *f*: he is a ~ smaller er ist e-e Idee kleiner.

thought² [θɔːt] *pret u. pp von* think.

thought·ful ['θɔːtful] *adj* (*adv* ~ly) **1.** gedankenvoll, nachdenklich, besinnlich (*a. Buch etc*). **2.** achtsam (of auf *acc*). **3.** rücksichtsvoll, aufmerksam, zu'vorkommend. '**thought·ful·ness** *s* **1.** Nachdenklichkeit *f*, Besinnlichkeit *f.* **2.** Achtsamkeit *f.* **3.** Rücksichtnahme *f*, Aufmerksamkeit *f.*

thought·less ['θɔːtlis] *adj* (*adv* ~ly) **1.** gedankenlos, 'unüberˌlegt, unbesonnen, unbekümmert. **2.** rücksichtslos, unaufmerksam. '**thought·less·ness** *s* **1.** Gedankenlosigkeit *f*, Unbesonnenheit *f*, Unbekümmertheit *f.* **2.** Rücksichtslosigkeit *f*, Unaufmerksamkeit *f.*

'**thought**|**-ˌout** *adj* ('wohl)durchˌdacht. ~ **read·er** *s* Gedankenleser(in). ~ **read·ing** *s* Gedankenlesen *n.* ~ **trans·fer·ence** *s* Ge'dankenüberˌtragung *f.* ~ **wave** *s* (*telepathische*) Gedankenwelle.

thou·sand ['θauzənd] **I** *adj* **1.** tausend: The T~ and One Nights Tausendundeine Nacht. **2.** *a.* ~ and one *fig.* tausend, unzählige, zahllose: a ~ apologies; a ~ times tausendmal; a ~ thanks tausend Dank. **II** *s* **3.** Tausend *n*: ~s Tausende; many ~s of times vieltausendmal; they came in their ~s (*od.* by the ~) sie kamen zu Tausenden; one in a ~ ein(er, e, es) unter Tausend. **4.** Tausend *f* (*Zahlzeichen*). '**thou·sandˌfold** [-ˌfould] **I** *adj* tausendfach, -fältig. **II** *adv meist* a ~ tausendmal, -fach.

thou·sandth ['θauzəndθ] **I** *s* **1.** (*der, die, das*) Tausendste. **2.** Tausendstel *n.* **II** *adj* **3.** tausendst(er, e, es).

thral·dom → thralldom.

thrall [θrɔːl] *s obs. od. hist.* **1.** Leibeigene(r *m*) *f*, Hörige(r *m*) *f.* **2.** *fig.* Sklave *m*, Knecht *m.* **3.** → thralldom: in ~ in der Gewalt, im Bann. '**thrall·dom** *s* **1.** Leibeigenschaft *f.* **2.** *fig.* Knechtschaft *f.*

thrash [θræʃ] **I** *v/t* **1.** → thresh. **2.** *j-n* verdreschen, -prügeln. **3.** *fig.* (vernichtend) schlagen, besiegen. **II** *v/i* **4.** *a.* ~ about a) sich *im Bett etc* hin u. her werfen, b) (mit den Armen *od.* Beinen) schlegeln, um sich schlagen. **5.** *mar.* knüppeln (*gegen Wind u. Wellen segeln*). **6.** einschlagen (at auf *acc*). **III** *s* **7.** Schlag *m*, Schlagen *n.* **8.** *Schwimmen*: Beinschlag *m.* '**thrash·er** → thresher. '**thrash·ing** *s* **1.** ‚Dresche' *f*, (Tracht *f*) Prügel *pl*: to give s.o. a ~ j-n verdreschen. **2.** Abfuhr *f*, (vernichtende) Niederlage.

thra·son·i·cal [θrei'sɒnikəl] *adj* prahlerisch, aufschneidend.

thread [θred] **I** *s* **1.** Faden *m*, Zwirn *m*, Garn *n*: ~ (of life) *fig.* Lebensfaden; he has not a dry ~ on him er hat keinen trockenen Faden am Leib; to hang by a ~ an e-m Faden hängen; ~ and thrum Faden u. Trumm (*Gutes u. Schlechtes durcheinander*). **2.** Faden *m*, Faser *f*, Fiber *f.* **3.** *tech.* (Schrauben)Gewinde *n*, Gewindegang *m.* **4.**

fig. (dünner) Strahl, Strich *m*. **5.** dünne (Kohlen-, Erz)Ader. **6.** *fig*. Faden *m*, Zs.-hang *m*: he lost the ~ (of his story) er verlor den Faden; to resume (*od.* take up) the ~ den Faden wiederaufnehmen. **II** *v/t* **7.** *e-e Nadel* einfädeln. **8.** *Perlen etc* (auf e-n Faden) aufreihen. **9.** mit Fäden durch'ziehen. **10.** *fig*. durch'ziehen, -'dringen, erfüllen. **11.** sich winden durch: to ~ one's way (through) → 15. **12.** *tech*. Gewinde schneiden in (*acc*). **13.** *electr*. ein Kraftfeld bilden um (*e-n Leiter*). **14.** *phot*. e-n Film einlegen in (*acc*). **III** *v/i* **15.** sich (hin'durch)schlängeln (through durch). '~ˌ**bare** *adj* **1.** fadenscheinig, abgetragen. **2.** schäbig (gekleidet). **3.** *fig*. dürftig, schäbig. **4.** *fig*. abgedroschen: a ~ word. '~ˌ**bare·ness** *s* **1.** Fadenscheinigkeit *f*, Schäbigkeit *f* (*a. fig.*). **2.** *fig*. Abgedroschenheit *f*.

thread·ed ['θredid] *adj tech*. Gewinde...: ~ flange. '**thread·er** *s* **1.** Einfädler(in). **2.** 'Einfädelmaˌschine *f*. **3.** *tech*. Gewindeschneider *m*.

thread·ing lathe ['θrediŋ] *s tech*. Gewindeschneidebank *f*.

thread| lace *s* Leinen-, Baumwollspitze *f*. '~ˌ**like** *adj* fadenförmig. ~ **mark** *s* Faserzeichen *n* (*im Papiergeld*). ~ **pitch** *s tech*. (Gewinde)Steigung *f*. '~ˌ**worm** *s zo*. Fadenwurm *m*.

thread·y ['θredi] *adj* **1.** fadenartig, faserig. **2.** Fäden ziehend. **3.** *fig*. schwach, dünn: ~ voice; ~ pulse *med*. Fadenpuls *m*.

threat [θret] *s* **1.** Drohung *f* (of mit; to gegen). **2.** (to) Bedrohung *f* (*gen*), Gefahr *f* (für): a ~ to peace; there was a ~ of rain es drohte zu regnen.

threat·en ['θretn] **I** *v/t* **1.** (with) *j-m* drohen (mit), *j-m* androhen (*acc*), *j-n* bedrohen (mit). **2.** *etwas* androhen (to *dat*): he ~ed punishment to all of us. **3.** drohend ankündigen: the sky ~s a storm. **4.** (damit) drohen (to do zu tun): she ~ed to buy a car. **5.** *etwas* bedrohen, gefährden. **II** *v/i* **6.** drohen. **7.** *fig*. drohen: a) drohend be'vorstehen: a catastrophe was ~ing, b) Gefahr laufen (to do zu tun). '**threat·en·ing** *adj* (*adv* ~ly) **1.** drohend, Droh...: ~ letter Drohbrief *m*. **2.** *fig*. bedrohlich.

three [θriː] **I** *adj* **1.** drei. **II** *s* **2.** Drei *f* (*Ziffer, Anzahl, Spielkarte, Würfel etc*): T~ in One *relig*. (*die*) Dreieinigkeit *od*. Dreifaltigkeit; → rule 7. **3.** drei Uhr: at ~-twenty um 3 Uhr 20. **4.** *Eiskunstlauf*: Dreier *m*. **5.** *pl econ. colloq*. 'dreiproˌzentige Pa'piere *pl*. '~-ˌ**col·o(u)r** *adj* dreifarbig, Dreifarben...: ~ process Dreifarbendruck(verfahren *n*) *m*. '~-'**cor·nered** *adj* **1.** dreieckig: ~ hat Dreispitz *m*. **2.** zu dreien: a ~ discussion. '~-'**deck·er** *s* **1.** *mar*. Dreidecker *m*. **2.** (*etwas*) Dreiteiliges, *bes. colloq*. dreibändiger Ro'man, *allg*. ‚dicker Wälzer'. **3.** *colloq*. ‚Mordsding' *n*. '~-'**dig·it** *adj math*. dreistellig: ~ number; ~ group (*Computer*) Trigramm *n*. '~-**di'men·sion·al** *adj* 'dreidimensioˌnal: ~ curve Raumkurve *f*; ~ sound Raumton *m*.

three·fold ['θriːˌfould] **I** *adj* dreifach, dreimalig, dreiteilig. **II** *adv* dreifach, dreimal (so viel).

'**three|-ˌfoot,** '~-'**foot·ed** *adj* drei Fuß (lang). ~-**half·pence** [θri'heipəns] *s* anderthalb Pence. '~-'**hand·ed** *adj* **1.** dreihändig. **2.** von drei Per'sonen gespielt: ~ whist. '~-ˌ**lane** *adj* mit 3 Fahrbahnen. '~-'**leg·ged** *adj* dreibeinig: ~ race Dreibein-Wettlaufen *n*. '~-'**mast·er** *s mar*. Dreimaster *m*. '~-ˌ**mile** *adj* Dreimeilen...: ~ limit; ~ zone.

three|·pence ['θrepəns; 'θri-; 'θrʌ-] *s pl* **1.** drei Pence *pl*. **2.** (*altes Währungssystem*) Drei'pencestück *n*. '~·**pen·ny** [-pəni] *adj* **1.** drei Pence wert, Dreipence... **2.** *fig*. billig, wertlos.

three| per·cents → three 5. '~-ˌ**phase** *adj electr*. dreiphasig, Dreiphasen...: ~ current Drehstrom *m*, Dreiphasenstrom *m*. '~-ˌ**piece** *adj* dreiteilig: ~ suit. '~-ˌ**pin** *adj electr*. dreipolig: ~ plug. '~-ˌ**ply I** *adj* **1.** dreifach (*Garn, Seil etc*). **2.** dreischichtig (*Holz etc*). **II** *s* **3.** dreischichtiges Sperrholz. '~-ˌ**point** *adj bes. aer. tech*. Dreipunkt...: ~ bearing; ~ landing; ~ switch Dreiwegschalter *m*. '~-'**quarter I** *adj* dreiviertel: ~ face Halbprofil *n*. **II** *s a*. ~ back (*Rugby*) Drei'viertelspieler *m*. '~'**score** *adj* sechzig.

three·some ['θriːsəm] **I** *adj* **1.** zu dreien, Dreier... **II** *s* **2.** Dreiergruppe *f*, *bes. humor*. ‚Trio' *n*. **3.** *Golf etc*: Dreier(spiel *n*) *m*.

'**three|-'speed gear** *s tech*. Dreiganggetriebe *n*. '~-'**square** *adj tech*. dreikantig. '~-ˌ**stage** *adj* **1.** *tech*. dreistufig: ~ amplifier; ~ rocket. **2.** *Radio, TV* Dreiröhren...: ~ receiver. '~-ˌ**way** *adj tech*. Dreiwege...: ~ cock; ~ switch. '~-**year**-ˌ**old I** *adj* dreijährig, drei Jahre alt. **II** *s* Dreijährige(r *m*) *f* (*bes. Rennpferd*).

thre·node ['θriːnoud; 'θren-] → threnody. **thre·no·di·al** [θri'noudiəl], **thre'nod·ic** [-'nɒdik], **thre'nod·i·cal** *adj* Klage..., Trauer... **thren·o·dist** ['θrenədist] *s* Dichter(in) *od*. Sänger(in) von Klageliedern. **thren·o·dy** ['θrenədi; 'θriːn-] *s* Klagelied *n*.

thresh [θreʃ] **I** *v/t* **1.** dreschen: to ~ (over old) straw *fig*. leeres Stroh dreschen; to ~ out *fig*. gründlich erörtern, klären. **II** *v/i* **2.** dreschen. **3.** → thrash 4. '**thresh·er** *s* **1.** Drescher *m*. **2.** 'Dreschmaˌschine *f*. **3.** *a*. ~ shark *ichth*. Fuchshai *m*. '**thresh·ing I** *s* Dreschen *n*. **II** *adj* Dresch...: ~ machine; ~ floor Dreschboden *m*, Tenne *f*.

thresh·old ['θreʃ(h)ould] **I** *s* **1.** (Tür)Schwelle *f*. **2.** *fig*. Schwelle *f*, Beginn *m*, Eingang *m*: on the ~ of manhood an der Schwelle zum Mannesalter. **3.** *med./psych. phys. etc* Schwelle *f*: ~ of audibility Hör(barkeits)schwelle; ~ of consciousness Bewußtseinsschwelle; ~ of pain Schmerzgrenze *f*, -schwelle; stimulus ~ Reizschwelle. **II** *adj* **4.** Schwellen...: ~ frequency; ~ value; ~ dose *med*. kritische Menge.

threw [θruː] *pret von* throw.

thrice [θrais] *adv* **1.** dreimal. **2.** sehr, 'überaus, über...

thrift [θrift] *s* **1.** Sparsamkeit *f*: a) Sparsinn *m*, b) Wirtschaftlichkeit *f*: ~ account Sparkonto *n*; ~-priced preisgünstig; ~ society *Am*. Sparvereinigung *f*. **2.** *bot*. Grasnelke *f*. '**thrift·i·ness** → thrift 1. '**thrift·less** *adj* (*adv* ~ly) verschwenderisch. '**thrift·less·ness** *s* Verschwendung *f*. '**thrift·y** *adj* (*adv* thriftily) **1.** sparsam (of, with mit): a) haushälterisch, b) wirtschaftlich (*a. Sachen*), c) knauserig. **2.** *poet*. gedeihend, blühend, erfolgreich.

thrill [θril] **I** *v/t* **1.** erschauern lassen, erregen, packen, begeistern, elektri'sieren, entzücken. **2.** *j-n* durch'laufen, -'schauern, über'laufen (*Gefühl*). **II** *v/i* **3.** (er)beben, erschauern, zittern (with vor *dat*). **4.** (to) sich begeistern (für), gepackt *od*. elektri'siert werden (von). **5.** durch'laufen, -'schauern, -'rieseln (through *acc*). **6.** zittern, (er)beben, vi'brieren. **III** *s* **7.** Zittern *n*, Erregung *f*: a ~ of joy e-e Welle der Freude, ein freudiges Erbeben. **8.** (*das*) Spannende *od*. Erregende *od*. Packende. **9.** a) (Nerven)Kitzel *m*, b) Sensati'on *f*. **10.** Beben *n*, Zucken *n*, Vibrati'on *f*. '**thrill·er** *s colloq*. ‚Reißer' *m*, Thriller *m* (*Kriminalfilm, -roman etc*). '**thrill·ing** *adj* **1.** auf-, erregend, packend, spannend, sensatio'nell. **2.** 'hinreißend, begeisternd.

thrips [θrips] *s zo*. Blasenfüßer *m*.

thrive [θraiv] *pret*. **throve** [θrouv] *od*. **thrived** [θraivd], *pp* **thriv·en** ['θrivn] *od*. **thrived** [θraivd] *v/i* **1.** gedeihen (*Pflanze, Tier*). **2.** *fig*. gedeihen: a) blühen, flo'rieren (*Geschäft etc*), b) Erfolg haben, reich werden (*Person*), c) sich entwickeln: vice was thriving. '**thriv·ing** *adj* (*adv* ~ly) *fig*. gedeihend, blühend.

thro' [θruː] *abbr. für* through.

throat [θrout] **I** *s* **1.** *anat*. Kehle *f*, Gurgel *f*, Rachen *m*, Schlund *m*: the words stuck in my ~ die Worte blieben mir im Halse stecken; to lie in one's ~ lügen wie gedruckt; to thrust (*od*. ram) s.th. down s.o.'s ~ j-m etwas aufzwingen; → sore 2. **2.** Hals *m*: to cut s.o.'s ~ j-m den Hals abschneiden; to take s.o. by the ~ j-n an der Gurgel packen; to cut one's own ~ sich selbst ruinieren. **3.** *fig*. 'Durch-, Eingang *m*, verengte Öffnung, (Trichter)Hals *m*: ~ of a vase Hals e-r Vase; ~ of a furnace *tech*. Gicht *f* e-s Hochofens. **4.** *arch*. Hohlkehle *f*. **5.** *mar*. a) Kehle *f* e-s Knieholzes, b) Klauohr *n* (*obere vordere Ecke e-s Stagsegels*), c) Klau *f* e-r Gaffel. **II** *adj* **6.** a) Hals..., Rachen..., b) *a. electr*. Kehlkopf...: ~ microphone. '**throat·ed** *adj* (*bes. in Zssgn*) ...kehlig. '**throat·y** *adj* (*adv* throatily) **1.** kehlig, guttu'ral. **2.** heiser, rauh.

throb [θrɒb] **I** *v/i* **1.** (heftig) klopfen, pochen, hämmern (*Herz etc*): ~bing pains klopfende *od*. pulsierende Schmerzen. **2.** (heftig) beben *od*. zittern. **II** *s* **3.** Klopfen *n*, Pochen *n*, Hämmern *n*, (Puls)Schlag *m*. **4.** Erregung *f*, Erbeben *n*, Wallung *f*.

throe [θrou] *s meist pl* **1.** heftiger Schmerz: a) *pl* (Geburts)Wehen *pl*, b) *pl* Todeskampf *m*, Ago'nie *f*, c) *fig*. (Seelen)Qual(en *pl*) *f*. **2.** *fig*. heftiger Kampf: in the ~s of mitten in (*etwas Unangenehmem*), im Kampfe mit.

throm·bo·cyte ['θrɒmboˌsait] *s med*. Blutplättchen *n*, Thrombo'zyt *m*.

throm·bo·sis [θrɒm'bousis] *s med*. Throm'bose *f*. **throm'bot·ic** [-'bɒtik] *adj med*. throm'botisch, Thrombose...

throne [θroun] **I** *s* **1.** a) Thron *m* (*e-s Königs etc*), b) Stuhl *m* (*des Papstes, e-s Bischofs*). **2.** *fig*. Thron *m*: a) Herrschaft *f*: to come to the ~ auf den Thron kommen, b) Herrscher(in). **II** *v/t* **3.** auf den Thron setzen. **III** *v/i* **4.** thronen. '**throne·less** *adj* thronlos.

throng [θrɒŋ] **I** *s* **1.** (Menschen)Menge *f*. **2.** Gedränge *n*, Andrang *m*. **3.** Menge *f*, Masse *f* (*Sachen*). **II** *v/i* **4.** sich drängen *od*. (zs.-)scharen, (her'bei-, hin'ein- *etc*)strömen. **III** *v/t* **5.** sich drängen in (*dat*): people ~ed the streets. **6.** bedrängen, um'drängen.

throp·ple ['θrɒpl] *Scot. od. dial.* **I** *s anat. zo*. Luftröhre *f*, Kehle *f*. **II** *v/t* → throttle II.

thros·tle ['θrɒsl] *s* **1.** *a*. ~-frame *tech*. 'Drossel(spinn)maˌschine *f*. **2.** *orn. poet. od. dial*. (Sing)Drossel *f*.

throt·tle ['θrɒtl] **I** *s* **1.** Kehle *f*, Gurgel *f*. **2.** *mot. tech.* a) *a.* ~ **lever** Gashebel *m*, b) *a.* ~ **valve** 'Drosselklappe *f*: at full ~ mit Vollgas, *fig. a.* mit Volldampf; to open the ~ Gas geben. **II** *v/t* **3.** a) würgen, b) erdrosseln. **4.** *fig.* ersticken, abwürgen, unter'drücken: to ~ free speech. **5.** *oft* ~ **down** *mot. tech.* (ab)drosseln (*a. fig.*). **III** *v/i* **6.** *meist* ~ **back** (*od.* **down**) *mot. tech.* drosseln, Gas wegnehmen.

through [θruː] **I** *prep* **1.** (*räumlich*) durch, durch ... hin'durch: to pass ~ a tunnel; to bore ~ a board. **2.** zwischen ... hin'durch, durch: ~ the trees. **3.** durch, in (*überall umher*): to roam (all) ~ the country das (ganze) Land durchstreifen; I searched ~ the whole house ich durchsuchte das ganze Haus. **4.** (*e-n Zeitraum*) hin'durch, während: all ~ his life sein ganzes Leben hindurch; the whole summer ~ den ganzen Sommer lang. **5.** *Am.* (von ...) bis: Monday ~ Friday. **6.** (*bis zum Ende od. ganz*) durch, fertig (mit): when shall you get ~ your work? **7.** *fig.* durch: I saw ~ his hypocrisy ich durchschaute s-e Heuchelei; to get ~ an examination e-e Prüfung bestehen, durch e-e Prüfung kommen; to have been ~ s.th. etwas erlebt haben. **8.** durch, mittels: it was ~ him we found out durch ihn kamen wir darauf. **9.** aus, vor, durch, in-, zu'folge, wegen: ~ fear aus *od.* vor Furcht; ~ neglect infolge *od.* durch Nachlässigkeit.

II *adv* **10.** durch: ~ and ~ durch u. durch; to push a needle ~ e-e Nadel durchstechen; he would not let us ~ er wollte uns nicht durchlassen; you are ~! *teleph.* Sie sind verbunden!; wet ~ durch u. durch naß. **11.** (ganz) durch: this train goes ~ to Boston dieser Zug fährt (durch) bis Boston; the bad weather lasted all ~ das schlechte Wetter dauerte die ganze Zeit (hindurch) an. **12.** (ganz) durch (*von Anfang bis Ende*): to read a letter ~; to carry a matter ~ e-e Sache durchführen. **13.** fertig, durch: he is not yet ~; ~ with fertig mit (*Personen od. Sachen*); I am ~ with him *colloq.* mit ihm bin ich fertig; I am ~ with it ‚ich habe es satt'; are you ~ with that job? bist du mit dieser Arbeit fertig?

III *adj* **14.** 'durchgehend, Durchgangs...: ~ **bolt** *tech.* durchgehender Bolzen; ~ **carriage**, ~ **coach** Kurswagen *m*; ~ **dial(l)ing** *teleph.* Durchwahl *f*; ~ **ticket** für Strecken verschiedener Eisenbahngesellschaften gültige Fahrkarte; ~ **traffic** Durchgangsverkehr *m*; a ~ **train** ein durchgehender Zug.

through'out I *prep* **1.** über'all in: ~ the country im ganzen Land. **2.** während (*gen*): ~ the year das ganze Jahr hindurch. **II** *adv* **3.** durch u. durch, ganz u. gar, 'durchweg: rotten ~ ganz u. gar verfault; a sound policy ~ e-e durch u. durch vernünftige Politik. **4.** über'all. **5.** die ganze Zeit.

'**through|,put** *s* Verarbeitungsmenge *f*, 'Durchsatz *m*. ~ **rate** *s econ.* 'Durchfracht *f*, 'Durchgangsta,rif *m*. ~**street**, ~ **way** *s Am.* 'Umgehungsstraße *f*.

throve [θrouv] *pret von* thrive.

throw [θrou] **I** *s* **1.** Werfen *n*, (*Speer- etc*)Wurf *m*. **2.** (einzelner) Wurf, Wurfweite *f*. **3.** *fig.* Wurf *m*, Coup *m*, Wagnis *n*. **4.** *tech.* a) (Kolben)Hub *m*, b) Kröpfung *f* (*e-r Kurbelwelle*). **5.** *tech.* (Regler- *etc*)Ausschlag *m*. **6.** *tech.* (Projekti'ons)Entfernung *f*. **7.** (Damen)Schal *m*. **8.** leichte (Woll)Decke. **9.** *Würfelspiel*: Wurf *m* (*Werfen u. gewürfelte Zahl*). **10.** *Ringen*: Schwung *m*, Wurf *m*.

II *v/t pret* **threw** [θruː] *pp* **thrown** [θroun] **11.** werfen, schleudern. **12.** zuwerfen (s.o. s.th. j-m etwas) (*a. fig.*): to ~ s.o. a ball (a glance, a kiss, *etc*); to ~ o.s. at (the head of) s.o. sich j-m an den Hals werfen. **13.** *das Netz, die Angel etc* auswerfen. **14.** *Kleidungsstücke* werfen (over, on über *acc*): to ~ a shawl over one's shoulders sich e-n Schal über die Schultern werfen; he threw on his coat er warf s-n Mantel über. **15.** *fig.* (*in Entzücken, Verwirrung etc*) versetzen: to ~ into confusion; to be thrown out of work arbeitslos werden; he was thrown with bad companions er geriet in schlechte Gesellschaft. **16.** *tech.* *e-n Hebel* 'umlegen, *die Kupplung* ein- *od.* ausrücken, *e-n Schalter* ein- *od.* ausschalten: to ~ a lever (a clutch, a switch). **17.** *Gefäße auf e-r Töpferscheibe* formen, drehen. **18.** *Kartenspiel*: a) ausspielen, b) ablegen. **19.** (zu Boden) werfen, *sport den Gegner* werfen (*beim Ringen*), *den Reiter* abwerfen (*Pferd*). **20.** *Am. colloq.* *e-n Wettkampf etc* mit betrügerischer Absicht verlieren: to ~ the race. **21.** a) *Würfel* werfen, b) *e-e Zahl* würfeln. **22.** *zo. Junge* werfen. **23.** *zo. die Haut etc* abwerfen. **24.** *Seide etc* zwirnen, mouli'nieren. **25.** *e-e Brücke* schlagen (over, across über *acc*). **26.** *colloq.* *e-e Gesellschaft* geben, *e-e Party* ‚schmeißen'. **27.** *sl.* *e-n Wutanfall etc* bekommen: to ~ a fit.

III *v/i* **28.** werfen. **29.** würfeln.

Verbindungen mit Präpositionen:

throw| in·to *v/t* **1.** (hin'ein)werfen in (*acc*): to ~ the battle *Truppen* in die Schlacht werfen; to throw s.o. into prison j-n ins Gefängnis werfen; to throw one's heart (and soul) into s.th. ganz in e-r Sache aufgehen; to ~ the bargain (*beim Kauf*) dreingeben. **2.** to throw o.s. into *fig.* sich in *die Arbeit, den Kampf etc* stürzen. ~ **on,** ~ **up·on** *v/t* **1.** werfen auf (*acc*): to be thrown upon o.s. (*od.* upon one's own resources) (ganz) auf sich selbst angewiesen sein. **2.** to throw o.s. (up)on sich auf *die Knie etc* werfen: they threw themselves upon the mercy of God sie vertrauten sich der Gnade Gottes an.

Verbindungen mit Adverbien:

throw| a·way *v/t* **1.** fort-, wegwerfen: to throw o.s. away *fig.* sich wegwerfen (on s.o. an j-n). **2.** *Geld, Zeit* verschwenden, -geuden ([up]on an *acc*). **3.** *e-e Gelegenheit etc* verpassen, -schenken. **4.** *etwas* verwerfen, über Bord werfen. ~ **back I** *v/t* **1.** *e-n Ball, ein Bild etc, a. weitS. Truppen* zu'rückwerfen (*a. fig. aufhalten, hemmen*): to be thrown back upon angewiesen sein auf (*acc*). **2.** zu'rückgeben, erwidern. **II** *v/i* **3.** (to) *fig.* zu'rückkehren (zu), zu'rückverfallen (auf *acc*, in *acc*). **4.** *biol.* rückarten. ~ **by** *v/t* bei'seite legen *od.* werfen, 'ausran,gieren. ~ **down** *v/t* **1.** (o.s. sich) niederwerfen. **2.** 'umstürzen, vernichten. **3.** *chem.* fällen. ~ **in I** *v/t* **1.** (hin)'einwerfen. **2.** *e-e Bemerkung etc* einflechten, -werfen, -schalten. **3.** da'zugeben, *etwas* mit in den Kauf geben, dreingeben. **4.** *tech. den Gang etc* einrücken. **II** *v/i* **5.** ~ with *Am. sl.* gemeinsame Sache machen mit (*j-m*), sich mit *j-m* zs.-tun. ~ **off I** *v/t* **1.** (*a. fig. sein Schamgefühl etc*) von sich werfen. **2.** *ein Kleid, e-e Maske* ablegen. **3.** *das Joch etc* abwerfen, abschütteln: to ~ a yoke. **4.** *j-n, e-e Krankheit etc* loswerden. **5.** *e-n Verfolger, a. e-n Jagdhund* von der Fährte abbringen, abschütteln. **6.** in die Irre führen. **7.** *ein Gedicht etc* schnell 'hinwerfen, ‚aus dem Ärmel schütteln'. **8.** *tech.* a) kippen, 'umlegen, b) auskuppeln, -rücken. **9.** *print.* abziehen. **II** *v/i* **10.** die Jagd beginnen. **11.** beginnen, anfangen. ~ **o·pen** *v/t* **1.** *die Tür etc* aufreißen, -stoßen. **2.** allgemein *od.* öffentlich zugänglich machen. ~ **out I** *v/t* **1.** *a. j-n, e-n Beamten etc* hin'auswerfen. **2.** *bes. parl.* verwerfen. **3.** *arch.* vorbauen, *e-n Flügel etc* anbauen (to an *acc*). **4.** *e-e Bemerkung* fallenlassen, *e-n Vorschlag etc* äußern, *e-n Wink* geben. **5.** a) *etwas* über den Haufen werfen, b) *j-n* aus dem Kon'zept bringen. **6.** *Licht etc* von sich geben, aussenden, -strahlen. **7.** *tech.* auskuppeln, -rücken. **8.** *Fühler etc* ausstrecken: to ~ a chest *sl.* sich in die Brust werfen. ~ **o·ver** *v/t* **1.** *etwas* über den Haufen werfen. **2.** *e-n Plan etc* über Bord werfen, aufgeben. **3.** *e-n Freund etc* sitzen- *od.* fallenlassen, im Stich lassen. ~ **to·geth·er** *v/t* **1.** zs.-werfen: to be thrown together zs.-kommen. **2.** *fig.* *etwas* zs.-stoppeln. ~ **up I** *v/t* **1.** hochwerfen, heben. **2.** *etwas* aufgeben, 'hinwerfen, -schmeißen, ‚an den Nagel hängen'. **3.** erbrechen. **4.** hastig errichten, *e-e Schanze etc* aufwerfen. **5.** *bes. print.* her'vorheben. **6.** *j-m etwas* vorwerfen. **II** *v/i* **7.** sich erbrechen *od.* über'geben. **8.** *hunt.* den Kopf heben (*Hund, wenn er die Fährte verloren hat*).

'**throw|·a,way** *s* **1.** (*etwas*) Weggeworfenes *od.* Abgelehntes *od.* Vergeudetes, *z.B.* stark verbilligte Eintrittskarte. **2.** (*etwas*) zum Wegwerfen, *z.B.* Re'klamezettel *m*. '~**,back** *s* **1.** *biol.* Ata'vismus *m*, *a. fig.* Rückkehr *f* (to zu). **2.** *colloq.* a) Rückschlag *m*, b) Rückschritt *m*. **3.** *Film etc*: Rückblende *f*. '~**,down** *s sport* Schiedsrichterball *m*.

throw·er ['θrouər] *s* **1.** Werfer(in). **2.** *Töpferei*: Dreher(in), Former(in). **3.** → throwster.

'**throw-,in** *s sport* Einwurf *m*.

throw·ing ['θrouiŋ] **I** *s* Werfen *n*, (*Speer- etc*)Wurf *m*: ~ the javelin. **II** *adj* Wurf...

throw lathe *s tech.* kleine Handdrehbank.

thrown [θroun] **I** *pp von* throw. **II** *adj* gezwirnt: ~ **silk** Seidengarn *n*.

'**throw|,off** *s* **1.** *hunt.* Aufbruch *m* zur Jagd. **2.** Beginn *m*. **3.** a) → throwout 1, b) *print.* Druckabsteller *m*. '~**,out** *s* **1.** *tech.* Ausschaltvorrichtung *f*, Ausschaltung *f*. **2.** *mot.* Ausrückvorrichtung *f*: ~ **lever** (Kupplungs)Ausrückhebel *m*. **3.** Auswerfer *m*. **4.** *print.* Faltblatt *n*.

throw·ster ['θroustər] *s* Seidenzwirner(in).

thru [θruː] *abbr. für* through.

thrum[1] [θrʌm] **I** *v/i* **1.** *mus.* klimpern (on auf *dat*). **2.** (mit den Fingern) trommeln. **II** *v/t* **3.** *mus.* a) klimpern auf (*e-m Instrument*), b) *e-e Melodie* klimpern. **4.** (mit den Fingern) trommeln auf (*acc*). **III** *s* **5.** Klimpern *n*, Geklimper *n*.

thrum[2] [θrʌm] **I** *s* **1.** *Weberei*: a) Trumm *n*, *m* (*am Ende der Kette*), b) *pl* (Reihe *f* von) Fransen *pl*, Saum *m*. **2.** Franse *f*, loser Faden. **3.** *oft pl* Garnabfall *m*, Fussel *f*, *m*. **II** *v/t* **4.** befransen.

thrush[1] [θrʌʃ] *s orn.* Drossel *f*.

thrush² [θrʌʃ] *s* **1.** *med.* Soor *m*, Mundfäule *f*. **2.** *vet.* Strahlfäule *f*.

thrust [θrʌst] **I** *v/t pret u. pp* **thrust** **1.** *e-e Waffe etc* stoßen (into in *acc*). **2.** *allg.* stecken, schieben: to ~ one's hand into one's pocket; to ~ s.th. on etwas hastig überwerfen *od.* anziehen. **3.** stoßen, drängen, treiben, werfen: to ~ aside zur Seite stoßen; to ~ s.o. into prison j-n ins Gefängnis werfen; to ~ on vorwärts-, antreiben; to ~ o.s. into sich werfen *od.* drängen in (*acc*); to ~ out a) (her- *od.* hin)ausstoßen, b) *die Zunge* herausstrecken, c) *die Hand* ausstrecken; to ~ s.th. upon s.o. j-m etwas aufdrängen. **4.** *meist* ~ through *j-n* durch'bohren. **5.** ~ in *ein Wort* einwerfen. **II** *v/i* **6.** stoßen (at nach). **7.** stoßen, drängen (at gegen; into in *acc*). **8.** sich schieben, sich drängen. **9.** sich werfen (at auf *acc*; between zwischen *acc*). **III** *s* **10.** Stoß *m*. **11.** Hieb *m* (*a. fig.*). **12.** *mil.* Vorstoß *m*. **13.** *allg. u. tech.* Druck *m*. **14.** *aer. phys. tech.* Schub(kraft *f*) *m*. **15.** *arch. tech.* (Horizon'tal-, Seiten)-Schub *m*. **16.** *geol.* Schub *m*. ~ **bear·ing** *s tech.* **1.** Drucklager *n*. **2.** Querstück *n*.

thrust·er ['θrʌstər] *s* **1.** Stoßende(r *m*) *f*. **2.** *fig.* a) j-d, der vorprellt *od.* andere zur Seite drängt, b) *contp.* Em'porkömmling *m*.

thrust| per·form·ance *s aer. tech.* Schubleistung *f*. ~ **weap·on** *s mil.* Stich-, Stoßwaffe *f*.

thrus·tor ['θrʌstər] *s* Servomotor *m*.

thud [θʌd] **I** *s* dumpfer (Auf)Schlag, ,Bums' *m*. **II** *v/i* dumpf (auf)schlagen, ,bumsen', dröhnen.

thug [θʌg] *s* **1.** *oft* T~ *hist.* Thug *m*, Würger *m* (*Mitglied e-r geheimen Mordbande in Nordindien*). **2.** a) (Gewalt)Verbrecher *m*, Raubmörder *m*, b) *bes. Am.* Rowdy *m*, ,Schläger' *m*, c) *fig.* ,Gangster' *m*, Halsabschneider *m*. **thug·gee** ['θʌgiː], *a.* **T~** *s hist.* Thug-Unwesen *n*. '**thug·ger·y** [-əri] *s* **1.** → thuggee. **2.** ˌHalsabschneide'rei *f*. '**thug·gish** *adj Am.* bru'tal, halsabschneiderisch.

thu·ja ['θjuːdʒə] *s bot.* Lebensbaum *m*.

thumb [θʌm] **I** *s* **1.** Daumen *m* (*a. im Handschuh*): a ~('s breadth) e-e Daumenbreite; under s.o.'s ~ in j-s Gewalt, unter j-s Fuchtel; ~s up! Kopf hoch!; under the ~ ,an der Kandare'; to travel on the ~s per ,Anhalter' reisen; to turn ~s down on *fig.* *etwas* verwerfen *od.* ablehnen *od.* verdammen; → finger 1, rule 2. **II** *v/t* **2.** *ein Buch etc* abgreifen, beschmutzen: (well-)~ed abgegriffen. **3.** *Buchseiten* 'durchblättern. **4.** ~ a lift (*Am.* ride) *colloq.* per Anhalter fahren (wollen): to ~ a car ein Auto anhalten, sich mitnehmen lassen. **5.** ~ one's nose at s.o. *Am.* j-m e-e lange Nase machen. '~-ˌ**blue** *s Br.* Waschblau *n*. ~ **in·dex** *s print.* Daumenindex *m*. '~ˌ**mark** *s* Daumenabdruck *m*, Schmutzfleck *m*. '~ˌ**nail I** *s* Daumennagel *m*. **II** *adj fig.* rasch 'hingeworfen, flüchtig: ~ sketch. ~ **nut** *s tech.* Flügelmutter *f*. '~ˌ**print** *s* Daumenabdruck *m*. ~ **rule** *s* Faustregel *f*. '~ˌ**screw** *s* **1.** *tech.* Flügelschraube *f*. **2.** *hist.* Daumenschraube *f* (*Folterinstrument*). '~ˌ**stall** *s* Däumling *m* (*Schützer*). '~ˌ**tack** *s Am.* Reißnagel *m*.

thumb·y ['θʌmi] *adj* tappig.

thump [θʌmp] **I** *s* **1.** dumpfer Schlag, ,Plumps' *m*, ,Bums' *m*. **2.** (Faust)-Schlag *m*, Puff *m*, Knuff *m*. **3.** Pochen *n*. **II** *v/t* **4.** (heftig) schlagen *od.* hämmern *od.* pochen gegen *od.* auf (*acc*), *Kissen* aufschütteln. **5.** ,plumpsen' *od.* ,bumsen' gegen *od.* auf (*acc*). **6.** *colloq.* *j-n* ,verdreschen'. **7.** *colloq.* *e-e Melodie* her'unterhämmern. **III** *v/i* **8.** (auf)-schlagen, ,plumpsen', ,bumsen' (on auf *acc*; at gegen). **9.** (laut) pochen (*Herz*). '**thump·er** *s colloq.* **1.** ,Mordsding' *n*, (*e-e*) ,Wucht'. **2.** faustdicke Lüge. '**thump·ing** *colloq.* **I** *adj* kolos'sal, ,Mords...' **II** *adv* ,mordsmäßig'.

thun·der ['θʌndər] **I** *s* **1.** Donner *m*: to steal s.o.'s ~ *fig.* j-m den Wind aus den Segeln nehmen. **2.** *obs. od. poet.* Blitz(strahl) *m*, Ungewitter *n*. **3.** *pl fig.* Donner *m*, Getöse *n*: ~s of applause donnernder Beifall. **4.** *a. pl fig.* ,Donnerwetter' *n*, donnernde Rede. **II** *v/i* **5.** donnern (*a. fig. Kanone, Zug etc*). **6.** *fig.* wettern, donnern. **III** *v/t* **7.** *etwas* donnern. '**~-and-'light·ning** *adj* grell, in auffälligen Farben (*Kleid etc*).

thun·der·a·tion [ˌθʌndə'reiʃən] *s od. interj Am. sl.* Donner u. Doria!

'**thun·der|ˌbolt** *s* **1.** Blitz (u. Donnerschlag) *m*, Blitzstrahl *m* (*a. fig.*): to fall like a ~ *fig.* wie e-e Bombe einschlagen. **2.** *myth.*, *a. geol.* Donnerkeil *m*. '~ˌ**clap** *s* Donnerschlag *m* (*a. fig.*). '~ˌ**cloud** *s* Gewitterwolke *f*. '~-ˌ**head** *s* Gewitterwolke *f* (*a. fig.*).

thun·der·ing ['θʌndəriŋ] **I** *adj* (*adv* ~ly) **1.** donnernd (*a. fig.*). **2.** *colloq.* gewaltig, ungeheuer: a ~ lie e-e faustdicke Lüge. **II** *adv* **3.** *colloq.* ,riesig', ,mächtig': I was ~ glad.

thun·der·ous ['θʌndərəs] *adj* (*adv* ~ly) **1.** gewitterschwül, gewittrig. **2.** *fig.* donnernd. **3.** *fig.* gewaltig, ungeheuer.

'**thun·der|ˌshow·er** *s* Gewitterschauer *m*. '~ˌ**storm** *s* Gewitter *n*, Unwetter *n*. '~ˌ**struck** *adj u. adv* **1.** (*fig.* wie) vom Blitz getroffen. **2.** *fig.* wie vom Donner gerührt.

thun·der·y ['θʌndəri] → thunderous 1: ~ showers gewittrige Schauer.

thu·ri·ble ['θju(ə)ribl] *s relig.* (Weih)-Rauchfaß *n*.

Thu·rin·gi·an [θju(ə)'rindʒiən] **I** *adj* thüringisch, Thüringer(...) **II** *s* Thüringer(in).

Thurs·day ['θəːrzdi] *s* Donnerstag *m*: on ~ am Donnerstag; on ~s donnerstags.

thus [ðʌs] *adv* **1.** so, folgendermaßen. **2.** so'mit, also, folglich. **3.** so, demgemäß. **4.** so, in diesem Maße: ~ far soweit, bis jetzt; ~ much so viel. '**thus·ly** *adv colloq.* so.

thwack [θwæk] **I** *v/t* **1.** (derb) schlagen. **2.** ,'durchwalken', verprügeln. **II** *s* **3.** derber Schlag, Puff *m*.

thwart [θwɔːrt] **I** *v/t* **1.** *e-n Plan etc* durch'kreuzen, vereiteln, hinter'treiben. **2.** *j-m* entgegenarbeiten, *j-m* e-n Strich durch die Rechnung machen. **II** *s mar.* **3.** Ruderbank *f*, Ducht *f*. **III** *adj* **4.** querliegend, schräg, Quer... **5.** ungünstig, widrig.

'**thwartˌship** *adj mar.* querschiffs liegend. '**thwartˌships** *adv* querschiffs, dwars.

thy [ðai] *adj obs. od. poet.* dein, deine: ~ neighbo(u)r dein Nächster.

thy·la·cine ['θailəˌsain; -sin] *s zo.* Beutelwolf *m*.

thyme [taim] *s bot.* Thymian *m*.

thym·ic¹ ['taimik] *adj* Thymian...

thy·mic² ['θaimik] *adj anat.* Thymus-(drüsen)...

thy·mus ['θaiməs], *a.* ~ **gland** *s anat.* Thymus(drüse *f*) *m*.

thy·ra·tron ['θai(ə)rəˌtrɒn] *s electr.* Thyratron *n*, Stromtor *n*.

thy·roid ['θairɔid] **I** *adj anat.* **1.** Schilddrüsen... **2.** Schildknorpel...: ~ cartilage → 4. **II** *s* **3.** *a.* ~ gland Schilddrüse *f*. **4.** Schildknorpel *m*. **5.** 'Schilddrüsenarˌterie *f od.* -vene *f*. **6.** 'Schilddrüsenpräpaˌrat *n*. '**thy·roidˌism** *s med.* Thyreoi'dismus *m* (*Über- od. Unterfunktion der Schilddrüse*). ˌ**thy·roid'i·tis** [-'daitis] *s med.* Thyreoi'ditis *f*, Schilddrüsenentzündung *f*.

thy·rox·ine [θai'rɒksiːn; -sin], *a.* **thy'rox·in** [-sin] *s chem. physiol.* Thyro'xin *n*.

thyr·sus ['θəːrsəs] *pl* **-si** [-sai] *s* Thyrsus *m*: a) *antiq.* Bac'chantenstab *m*, b) *bot.* Strauß *m* (*ein Blütenstand*).

thy·self [ðai'self] *pron obs. poet. od. dial.* **1.** du (selbst). **2.** *dat* dir (selbst). **3.** *acc* dich (selbst).

ti [tiː] *s mus.* Ti *n* (*Solmisationssilbe*).

ti·ar·a [ti'ɑːrə; *Am. a.* tai'ɛrə] *s* **1.** Ti'ara *f* (*Papstkrone od. -würde*). **2.** Dia'dem *n*, Stirnreif *m* (*für Damen*).

Ti·bet·an [ti'betən] **I** *adj* **1.** tibetisch. **II** *s* **2.** Tibeter(in). **3.** *ling.* Tibetisch *n*, das Tibetische.

tib·i·a ['tibiə] *pl* **-ae** [-ˌiː] *od.* **-as** *s anat.* Schienbein *n*, Tibia *f*. '**tib·i·al** *adj anat.* Schienbein..., Unterschenkel...

tic [tik] *s med.* Tic(k) *m*, (ner'vöses) (Muskel- *od.* Gesichts)Zucken. ~ **dou·lou·reux** [dulu'rø] (*Fr.*) *s med.* Schmerztic(k) *m*.

tick¹ [tik] **I** *s* **1.** Ticken *n*: to (*od.* on) the ~ (auf die Sekunde) pünktlich. **2.** *colloq.* Augenblick *m*, Mo'ment *m*. **3.** Haken *m*, Häkchen *n* (*Vermerkzeichen*). **II** *v/i* **4.** ticken: to ~ (away) verrinnen, -gehen; to ~ over *mot.* leerlaufen. **5.** *colloq.* funktio'nieren: what makes him ~? was treibt ihn?, was hält ihn (so) in Schwung? **III** *v/t* **6.** ticken, durch Ticken anzeigen. **7.** *in e-r Liste* anhaken: to ~ off a) abhaken, b) *sl.* *j-n* ,zs.-stauchen', c) *Am. sl.* *j-m* e-n Tip geben, *der Polizei* auf die Sprünge helfen.

tick² [tik] *s zo.* Zecke *f*.

tick³ [tik] *s* **1.** (Kissen- *etc*)Bezug *m*. **2.** a) Inlett *n*, b) Ma'tratzenbezug *m*. **3.** *colloq.* Drillich *m*.

tick⁴ [tik] *s colloq.* Kre'dit *m*, ,Pump' *m*: to buy on ~ auf Borg *od.* Pump kaufen; to go ~ Schulden machen.

tick·er ['tikər] *s* **1.** auto'matischer 'Schreibteleˌgraph, *bes.* 'Börsenteleˌgraph *m*. **2.** *sl.* ,Wecker' *m* (*Uhr*). **3.** *sl.* Herz *n*. ~ **tape** *s* (*in Börsentelegraphen verwendeter*) Pa'pierstreifen.

tick·et ['tikit] **I** *s* **1.** (Ausweis-, Eintritts-, Lebensmittel-, Mitglieds-, The'ater- *etc*)Karte *f*, *rail. etc* Fahrkarte *f*, -schein *m*, *aer.* Flugkarte *f*: to take a ~ e-e Karte lösen; to work one's ~ die Reisekosten abarbeiten. **2.** (*bes.* Gepäck-, Pfand)Schein *m*. **3.** Lotte'rielos *n*. **4.** Eti'kett *n*, Schildchen *n*, (*Preis- etc*)Zettel *m*. **5.** *econ.* (Kassen)-Beleg *m*: sales ~. **6.** a) Strafzettel *m*, b) gebührenpflichtige Verwarnung (*für Autofahrer*). **7.** *aer. mar.* Li'zenz *f*. **8.** *pol. bes. Am.* a) (Wahl-, Kandi'daten)Liste *f*, b) ('Wahl-, Par'tei)Proˌgramm *n*: to vote a straight ~ die Liste (e-r Partei) unverändert wählen; to write one's own ~ *Am. colloq.* (ganz) s-e eigenen Bedingungen stellen; → split 4, split ticket. **9.** *colloq.* (*das*) Richtige: that's the ~! **10.** ~ of leave *jur. Br.* (Schein *m* über) bedingte Freilassung auf Bewährung: to be on ~ of leave bedingt freigelassen sein. **II** *v/t* **11.** etiket'tieren, mit e-m Eti'kett *od.* Schildchen versehen, *Waren* auszeichnen. **12.** *Am.* *j-m* e-e

(Fahr- *etc*)Karte aushändigen. **13.** *Am. fig.* bestimmen (for für).
tick·et| a·gen·cy *s* **1.** 'Reisebü,ro *n*, Fahrkartenverkaufsstelle *f.* **2.** Vorverkaufsstelle *f* (*für Theaterkarten etc*). **~ col·lec·tor** *s* Bahnsteigschaffner *m.* **~ day** *s Börse*: Tag *m* vor dem Abrechnungstag. **~ in·spec·tor** *s* 'Fahrkartenkontrol,leur *m.* **~ night** *s* Bene'fizvorstellung *f.* **~ of·fice** *s bes. Am.* Fahrkartenschalter *m.* **'~-of--'leave man** *s irr Br.* bedingt Strafentlassene(r) *m.* **~ punch** *s* (Fahrkarten)Lochzange *f.*
tick·ing ['tikiŋ] *s* Drell *m*, Drillich *m.*
tick·le ['tikl] **I** *v/t* **1.** kitzeln (*a. fig. angenehm erregen*): to ~ the soles of s.o.'s feet j-n an den Fußsohlen kitzeln. **2.** *fig.* a) freudig erregen: ~d pink *sl.* ,ganz weg' (vor Freude), b) amü'sieren: I'm ~d to death *colloq.* ich könnte mich totlachen (*a. iro.*), c) schmeicheln (*dat*): it ~d his vanity. **3.** *meist* ~ up anreizen, aufmuntern. **II** *v/i* **4.** kitzeln. **5.** jucken. **III** *s* **6.** Kitzeln *n.* **7.** Kitzel *m* (*a. fig.*). **8.** Jucken *n*, Juckreiz *m.* **'tick·ler** *s* **1.** (*der, die, das*) Kitzelnde. **2.** *Am.* Vormerk-, No'tizbuch *n*, Ter'minka,lender *m*: ~ file Wiedervorlagemappe *f.* **3.** *colloq.* ,kitz(e)lige' Sache, (schwieriges) Pro'blem. **4.** *a.* ~ coil *electr.* Rückkopplungsspule *f.*
'tick·lish *adj* (*adv* ~ly) **1.** kitz(e)lig. **2.** *fig.* a) ,kitz(e)lig', heikel, schwierig, gefährlich: a ~ job, b) la'bil, unsicher. **3.** ('über)empfindlich (*Person*).
tick·tack ['tik,tæk] *s* **1.** Ticktack *n.* **2.** *Br. sl.* geheimes Zeichengeben (*bei Pferderennen*): ~ man Buchmachergehilfe *m.*
tick·tock ['tik,tɒk] **I** *s* Ticken *n*, Ticktack *n* (*e-r Uhr*). **II** *v/i* ticken.
tid·al ['taidl] *adj* **1.** Gezeiten... **2.** von den Gezeiten abhängig, sich nach den Gezeiten richtend: a ~ steamer. **3.** Flut...: ~ harbo(u)r. **~ air** *s med.* Atmungsluft *f.* **~ ba·sin** *s mar.* Tidebecken *n.* **~ in·let** *s* Priel *m.* **~ lift** *s* Tidenhub *m.* **~ pow·er plant** *s tech.* Gezeitenkraftwerk *n.* **~ riv·er** *s mar.* dem Wechsel der Gezeiten unter'worfener Fluß. **~ wave** *s* **1.** *mar.* Flutwelle *f* (*a. fig.*). **2.** *fig.* Welle *f*, Woge *f*: a ~ of enthusiasm.
tid·bit ['tid,bit] *Am. für* titbit.
tid·dl(e)y ['tidli] *Br. sl.* **I** *adj* beschwipst. **II** *s* ,Gesöff' *n.*
tid·dly·winks ['tidli,wiŋks] *s pl* Floh(hüpf)spiel *n.*
tid·dy ['tidi] *adj Br. dial.* winzig.
tide[1] [taid] **I** *s* **1.** a) Gezeit(en *pl*) *f*, Tide(n *pl*) *f*, Ebbe *f* u. Flut *f*, b) Flut *f*: low ~ → low water; → high tide 1; the ~ is coming in (going out) die Flut steigt (fällt); the ~ is out es ist Ebbe; turn of the ~ Flutwechsel *m*, *fig.* Umschwung *m*; the ~ turns *fig.* das Blatt wendet sich. **2.** Gezeitenstrom *m.* **3.** *bes. fig.* Strom *m*, Strömung *f*, Lauf *m*: the ~ of events der Gang der Ereignisse; to swim against the ~ gegen den Strom schwimmen. **4.** *fig.* (*das*) Auf u. Ab, (*das*) Wechselhafte: the ~ of popular interest. **5.** (*in Zssgn*) a) Zeit *f*: winter~, b) *relig.* (Fest)Zeit *f.* **6.** günstiger Augenblick, (*die*) rechte Zeit. **II** *v/i* **7.** fließen, strömen. **8.** (mit dem Strom) treiben, *mar.* mit der Tide ein- *od.* auslaufen. **9.** ~ over *fig.* hin'wegkommen über (*acc*). **III** *v/t* **10.** treiben. **11.** ~ over *fig.* *j-m* hin'weghelfen (über *acc*), *j-n* ,über Wasser halten' (während *gen*): to ~ it over ,sich über Wasser halten', ,über die Runden kommen'.
tide[2] [taid] *v/i obs.* sich ereignen.
tide| day *s mar.* Gezeitentag *m.* **~ gate** *s mar. tech.* Flut(schleusen)tor *n.* **~ ga(u)ge** *s mar. tech.* (Gezeiten)Pegel *m.* **'~,land** *s geogr.* Watt *n.*
tide·less ['taidlis] *adj* gezeitenlos.
'tide|,mark *s* **1.** Gezeitenmarke *f.* **2.** Pegelstand *m.* **'~-,rode** *adj mar.* stromgerecht. **~ ta·ble** *s mar.* Gezeitentafel *f.* **'~,wait·er** *s hist.* Hafenzollbeamte(r) *m.* **'~,wa·ter** *s* **1.** Flut- *od.* Gezeitenwasser *n*: ~ district Wattengebiet *n.* **2.** *allg.* Flutgebiet *n* der Meeresküste. **~ wave** *s* Gezeiten-, Flutwelle *f.* **'~,way** *s* Priel *m.*
ti·di·ness ['taidinis] *s* **1.** Sauberkeit *f*, Ordnung *f.* **2.** Nettigkeit *f.*
ti·dings ['taidiŋz] *s pl* (*als sg od. pl konstruiert*) Nachricht(en *pl*) *f*, Neuigkeit(en *pl*) *f*, Botschaft *f*, Kunde *f.*
ti·dy ['taidi] **I** *adj* (*adv* tidily) **1.** sauber, reinlich, ordentlich. **2.** nett, schmuck. **3.** *colloq.* ,ordentlich', beträchtlich: a ~ sum of money, a ~ penny ein hübsches Sümmchen, e-e Stange Geld. **II** *v/t* **4.** in Ordnung bringen, säubern, richten. **5.** *oft* ~ up aufräumen. **III** *v/i* **6.** ~ up aufräumen, Ordnung machen, saubermachen. **IV** *s* **7.** Fächerkasten *m*, (Arbeits-, Flick- *etc*)Beutel *m.* **8.** Abfallkorb *m od.* -sieb *n.* **9.** (Sofa- *etc*)Schoner *m*, Schutzdeckchen *n.*
tie [tai] **I** *s* **1.** (Schnür)Band *n.* **2.** a) Schlips *m*, Kra'watte *f*, b) Halstuch *n*, c) schmales 'Pelzkolli,er. **3.** *Am.* Schnürschuh *m.* **4.** Schleife *f*, Masche *f.* **5.** *fig.* Band *n*: the ~(s) of friendship. **6.** *colloq.* (lästige) Fessel, Last *f.* **7.** Verbindung *f*, Befestigung *f.* **8.** *arch. tech.* a) Verbindung(sstück *n*) *f*, b) Anker *m*, c) → tie beam. **9.** *rail. Am.* Schwelle *f.* **10.** *parl. pol.* (Stimmen)Gleichheit *f*: to end in a ~ stimmengleich enden. **11.** *sport* a) Punktgleichheit *f*, Gleichstand *m*, b) Unentschieden *n*, c) Ausscheidungsspiel *n*, d) Stechen *n*, Wieder'holung *f.* **12.** *mus.* Bindebogen *m*, Liga'tur *f.*
II *v/t* **13.** an-, festbinden (to an *acc od. dat*). **14.** a) binden, schnüren, b) *a. fig.* fesseln: to ~ s.o.'s hands *bes. fig.* j-m die Hände binden; to ~ s.o.'s tongue j-m die Zunge binden, j-n zum Schweigen verpflichten. **15.** (sich) *die Schuhe, Krawatte, e-e Schleife etc* binden. **16.** (zs.-)knoten, (-)knüpfen: to ~ a cord. **17.** *fig.* verknüpfen, -binden. **18.** *arch. tech.* verankern, befestigen. **19.** hemmen, hindern. **20.** (to) *j-n* binden (an *acc*), verpflichten (zu). **21.** *j-n* in Anspruch nehmen (*Pflichten etc*). **22.** *pol. sport* gleichstehen *od.* -ziehen mit. **23.** *mus. Noten* (anein'ander)binden.
III *v/i* **24.** *parl. pol.* gleiche Stimmenzahl haben. **25.** *sport* a) punktgleich sein, gleichstehen, b) unentschieden spielen *od.* kämpfen.
Verbindungen mit Adverbien:
tie| down *v/t* **1.** fesseln, niederhalten. **2.** an-, festbinden. **3.** *fig.* a) (to) binden (an *acc*), b) *j-n* festlegen auf (*acc*). **~ in I** *v/i* (with) über'einstimmen (mit), passen (zu). **II** *v/t* (with) verbinden *od.* kombi'nieren *od.* koppeln (mit), einbauen (in *acc*). **~ up I** *v/t* **1.** (an-, ein-, ver-, zs.-, zu)binden. **2.** *mar. Schiff* auflegen. **3.** *fig.* fesseln, hindern, hemmen. **4.** *fig.* festhalten, beschäftigen. **5.** *fig.* lahmlegen, *e-e Industrie, die Produktion* stillegen, *Vorräte etc* bloc'kieren. **6.** festlegen: a) *econ. Geld* fest anlegen, b) *jur. bes. Erbgut* e-r Verfügungsbeschränkung unter'werfen: the will tied up the estate das Testament legte den Besitz fest. **7.** to tie it up *Am. sl.* die Sache erledigen. **II** *v/i* **8.** sich verbinden (with mit).
tie| bar *s* **1.** a) *rail.* Verbindungsstange *f* (*e-r Weiche*), b) *tech.* Spurstange *f.* **2.** *print.* Bogen *m* (*über 2 Buchstaben*). **~ beam** *s arch. tech.* Zugbalken *m.*
tied house [taid] *s Br. Gasthaus, in dem nur das Bier 'einer (sie verpachtenden od. mitfinanzierenden) Brauerei ausgeschenkt werden darf.*
'tie|-,in I *s* **1.** *econ.* kombi'nierte *od.* aufein'ander abgestimmte Werbung (*zweier Firmen etc*). **2.** geheimer Zu'sammenhang. **II** *adj* **3.** *econ.* gekoppelt: ~ sale Kopplungsverkauf *m.* **'~-,on** *adj* zum Anbinden, Anhänge...: ~ label Anhängezettel *m.* **~ plate** *s* **1.** *arch. tech.* Ankerplatte *f.* **2.** *rail.* Stoßplatte *f.*
tier [tiʳ] **I** *s* **1.** Reihe *f*, Lage *f*: in ~s in Reihen übereinander, lagenweise. **2.** *thea.* a) (Sitz)Reihe *f*, b) Rang *m.* **II** *v/t* **3.** *oft* ~ up reihen- *od.* schichtenweise anordnen, aufein'anderschichten.
tierce [tiʳs] *s* **1.** a) Tierce *f* (*altes Weinmaß; 42 gallons*), b) *Faß mit diesem Inhalt.* **2.** *relig.* Terz *f* (*3. Stufe des Breviergebets; um 9 Uhr*). **3.** *fenc.* Terz *f.* **4.** *Kartenspiel*: Terz *f*, Se'quenz *f* von 3 Karten.
tier·cel ['tiʳsəl; 'tɜːr-] → tercel.
tier·ce·ron ['tiʳsərən] *s arch.* Nebenrippe *f.*
tier·cet ['tiʳsit; 'tɜːr-] → tercet.
tie rod, 'tie,rod *s tech.* **1.** Zugstange *f.* **2.** Kuppelstange *f.* **3.** *rail.* Spurstange *f.*
tiers é·tat [tjɛrze'ta] (*Fr.*) *s* dritter Stand, Bürgertum *n.*
'tie-,up *s* **1.** *allg.* Verbindung *f.* **2.** Koppelung *f*, Kombinati'on *f.* **3.** Zs.-hang *m.* **4.** *bes. econ.* a) Lahm-, Stillegung *f*, b) Streik *m.* **5.** (*a.* Verkehrs)Stockung *f*, Stillstand *m.*
tiff [tif] *s* **1.** Reibe'rei *f*, ,Kabbe'lei' *f*, kleine Meinungsverschiedenheit. **2.** schlechte Laune: in a ~ übelgelaunt, ärgerlich.
tif·fa·ny ['tifəni] *s* **1.** Seidengaze *f.* **2.** Mull(stoff) *m*, Flor *m.*
tif·fin ['tifin] *s Br. Ind.* Gabelfrühstück *n.*
tiff·ish ['tifiʃ] *adj colloq.* 'mißgestimmt, übelnehmerisch.
tige [tiːʒ] (*Fr.*) *s* **1.** Säulenschaft *m.* **2.** *bot.* Stengel *m*, Stiel *m.*
ti·ger ['taigəʳ] *s* **1.** *zo.* (*bes.* Ben'galischer *od.* Königs)Tiger (*a. fig. Wüterich*): American ~ Jaguar *m*; red ~ → cougar; to rouse the ~ in s.o. das Tier in j-m wecken; three cheers and a ~ *Am. sl.* hoch!, hoch!, und nochmals hoch! **2.** *sl. obs.* li'vrierter Diener, Page *m.* **~ cat** *s zo.* **1.** Tigerkatze *f.* **2.** getigerte (Haus)Katze. **'~,flow·er** *s bot.* Tigerblume *f.*
ti·ger·ish ['taigəriʃ] *adj* (*adv* ~ly) **1.** tigerartig. **2.** blutdürstig. **3.** wild, grausam.
ti·ger| lil·y *s bot.* **1.** Tigerlilie *f.* **2.** a) Pantherlilie *f*, b) Phila'delphia-Lilie *f.* **~ moth** *s zo.* Bärenspinner *m.* **~ shark** *s ichth.* Tigerhai *m.* **'~,wood** *s bot.* Lettern-, Tigerholz *n.*
tight [tait] **I** *adj* (*adv* ~ly) **1.** dicht, nicht leck: a ~ barrel. **2.** fest(sitzend): ~ stopper; ~ knot fester Knoten; ~ screw festangezogene Schraube. **3.** a) straff, (an)gespannt: a ~ muscle; ~ ropes, b) *fig.* verkniffen, zs.-gepreßt: ~ lips. **4.** knapp, (zu) eng: ~ fit a) knapper Sitz (*e-s Kleides etc*), b) *tech.*

Feinpassung *f*, Haftsitz *m*; ~ **shoes** enge Schuhe; ~ **trousers** enganliegende Hosen. **5.** a) eng, dicht (gedrängt), b) *colloq.* kritisch, ‚mulmig': → **corner** 4. **6.** prall (voll): **the bag is** ~. **7.** *sport* a) geschlossen, engmaschig: **to play a** ~ **game**, b) *colloq.* knapp: **a** ~ **race** ein Brust-an-Brust-Rennen. **8.** *colloq.* ‚knick(e)rig', geizig. **9.** *econ.* a) knapp: **money is** ~, b) angespannt (*Marktlage*): **a** ~ **money market** e-e angespannte Lage auf dem Geldmarkt. **10.** a) verdichtet, kompri'miert, b) gedrängt, knapp (*Stil*), c) hieb- u. stichfest: **the argument is absolutely** ~. **11.** *obs.* schmuck: **a** ~ **lass.** **12.** *bes. Kunst*: eng, am Kleinen klebend, allzu konventio'nell. **13.** *sl.* ‚blau', ‚besoffen'. **II** *adv* **14.** eng, knapp. **15.** *a. tech.* fest: **to hold** ~ festhalten; **to sit** ~ a) fest im Sattel sitzen, b) sich nicht vom Fleck rühren, c) *fig.* sich eisern behaupten, sich nicht beirren lassen.

tight·en ['taitn] **I** *v/t* **1.** *a.* ~ **up** zs.-ziehen. **2.** *e-e Schraube, die Zügel etc* fest-, anziehen, *e-e Feder, e-n Gurt etc* spannen: **to** ~ **one's belt** ‚(sich) den Gürtel enger schnallen'; **to make s.o.** ~ **his** (*od.* **her**) **belt** ‚j-m den Brotkorb höher hängen'. **3.** straffen: **to** ~ **a muscle (a rope,** *etc*); **to** ~ **one's grip** fester zupacken, den Druck verstärken (*a. fig.*). **4.** (ab)dichten: ~**ing compound** *tech.* Dichtungsmasse *f*. **II** *v/i* **5.** sich straffen. **6.** fester werden: **his grip** ~**ed.** **7.** *a.* ~ **up** sich fest zs.-ziehen. **8.** *econ.* sich versteifen (*Markt*).

'tight·en·er *s tech.* a) Spanner *m*, b) Spannschloß *n*, c) Spannscheibe *f*, -rolle *f*.

'tight|'fist·ed → **tight** 8. **'~ˌfit·ting** *adj* **1.** → **tight** 4. **2.** *tech.* genau an- *od.* eingepaßt, Paß... **'~-ˌlaced** *adj* **1.** fest geschnürt. **2.** *fig.* engherzig, puri'tanisch. **'~-ˌlipped** *adj* **1.** schmallippig, verkniffen. **2.** *fig.* verschlossen.

tight·ness ['taitnis] *s* **1.** Dichte *f*. **2.** Festigkeit, strammer Sitz. **3.** Enge *f*. **4.** Knappheit *f*. **5.** Gedrängtheit *f*. **6.** Straffheit *f*. **7.** *econ.* a) (Geld-)Knappheit *f*, b) Festigkeit *f* (*der Börse*). **8.** Geiz *m*, ‚Knicke'rei' *f*.

'tightˌrope I *s* (Draht)Seil *n* (*der Artisten*). **II** *adj* (Draht)Seil...: ~ **dancer,** ~ **walker** Seiltänzer(in).

tights [taits] *s pl* **1.** ('Tänzer-, Ar'tisten-)TriˌKot *m, n*. **2.** Strumpfhose *f*.

'tightˌwad *s Am. sl.* Geizkragen *m*.

ti·gon ['taigən] *s* Kreuzung *f* aus Tiger u. Löwin.

ti·gress ['taigris] *s* **1.** Tigerin *f*. **2.** *fig.* Me'gäre *f*, Weibsteufel *m*. **'ti·grine** [-grain; -grin] *adj* **1.** tigerartig. **2.** *bot. zo.* getigert.

tike → **tyke.**

ti·ki ['tiːki] *s Maorikult*: **1.** Ahnen-, Götterbild *n*. **2.** T~ a) der erste Mensch, b) Schöpfergottheit *f*.

til·bu·ry ['tilbəri] *s leichter zweirädriger Wagen.*

til·de ['tildə] *s ling.* Tilde *f*: a) *Zeichen auf dem palatalisierten spanischen n*, b) *Ersatzzeichen für ein zu wiederholendes Wort.*

tile [tail] **I** *s* **1.** (Dach)Ziegel *m*: **he has a** ~ **loose** *sl.* ‚bei ihm ist e-e Schraube locker'; **to be (out) (up)on the** ~**s** *sl.* ‚herumsumpfen'. **2.** (Stein- *od.* Kunststein)Platte *f*, (Fußboden-, Wand-)Fliese *f*, (Ofen-, Wand)Kachel *f*. **3.** *collect.* Ziegel *pl*, Fliesen(fußboden *m*) *pl*, Fliesen(ver)täfelung *f*. **4.** *arch.* Hohlstein *m*. **5.** *tech.* Tonrohr *n*. **6.** *colloq.* a) ‚Angströhre' *f* (*Zylinder*), b) ‚Deckel' *m*, ‚Koks' *m* (*steifer Hut*). **II** *v/t* **7.** (mit Ziegeln) decken. **8.** mit Fliesen *od.* Platten auslegen, kacheln. **'~-ˌburn·er** *s* Ziegelbrenner *m*. ~ **kiln** *s* (Ziegel)Brennofen *m*. ~ **ore** *s min.* Rotkupfererz *n*.

til·er ['tailər] *s* **1.** Dachdecker *m*. **2.** Plattenleger *m*. **3.** Ziegelbrenner *m*. **4.** Logenhüter *m* (*Freimaurer*).

'tile|ˌstone *s geol.* Fliesen-, Sandstein *m*. **'~ˌwork** *s tech.* **1.** *pl* Ziege'lei *f*. **2.** Kachel-, Fliesenarbeit *f*.

til·i·a·ceous [ˌtili'eiʃəs] *adj* Linden...

til·ing ['tailiŋ] *s* **1.** Dachdecken *n*. **2.** Fliesen-, Plattenlegen *n*, Kacheln *n*. **3.** Ziegelbedachung *f*. **4.** (Fußboden-, Wand)Platten *pl*, Kacheln *pl*.

till[1] [til] **I** *prep* **1.** bis: ~ **Monday**; ~ **now** bis jetzt, bisher; ~ **then** bis dahin *od.* nachher. **2.** bis zu: ~ **death** bis zum Tod, bis in den Tod. **3.** **not** ~ erst: **not** ~ **yesterday** erst gestern. **II** *conj.* **4.** bis (*zeitlich*). **5.** **not** ~ erst als (*od.* wenn).

till[2] [til] *agr.* **I** *v/t den Boden* bebauen, bestellen. **II** *v/i* pflügen, den Boden bestellen.

till[3] [til] *s* **1.** Laden(tisch)kasse *f*: ~ **money** Kassenbestand *m*. **2.** Geldschublade *f*.

till[4] [til] *s geol.* Geschiebelehm *m*, Mo'ränenschutt *m*.

till·a·ble ['tiləbl] *adj agr.* anbaufähig.

till·age ['tilidʒ] *s* **1.** Bodenbestellung *f*: **in** ~ bebaut. **2.** Ackerbau *m*. **3.** Ackerland *n*.

till·er[1] ['tilər] *s* **1.** *oft* ~ **of the soil** Pflüger *m*, Ackerbauer *m*. **2.** Ackerfräse *f*.

till·er[2] ['tilər] *s* **1.** *mar.* Ruderpinne *f*. **2.** *tech.* Griff *m*.

till·er[3] ['tilər] *dial.* **I** *s* Wurzelsproß *m*, Schößling *m*. **II** *v/i* Schößlinge treiben.

till·er rope *s mar.* Steuerreep *n*.

tilt[1] [tilt] **I** *v/t* **1.** a) *allg.* kippen, neigen, schräglegen, -stellen, b) *Film, TV die Kamera* (senkrecht) schwenken. **2.** 'umkippen, 'umstoßen. **3.** *tech.* recken. **4.** *mar. das Schiff* krängen. **5.** *hist.* (*im Turnier*) a) (mit eingelegter Lanze) anrennen gegen, b) *die Lanze* einlegen. **II** *v/i* **6.** *a.* ~ **over** a) sich neigen, kippen, b) ('um)kippen, 'umfallen. **7.** *mar.* krängen (*Schiff*). **8.** *hist.* im Tur'nier kämpfen: **to** ~ **at** a) anreiten gegen, b) mit der Lanze stechen nach, c) *fig.* losziehen gegen, *j-n* attackieren. **III** *s* **9.** Kippen *n*. **10.** *Film, TV* (senkrechter) Schwenk: **to give a** ~ **to** → 1 b. **11.** Schräglage *f*, Neigung *f*: **on the** ~ auf der Kippe. **12.** a) *hist.* ('Ritter)TurˌNier *n*, Lanzenbrechen *n*: b) *sport* Tur'nier *n*: **baseball** ~. **13.** (Wort)Gefecht *n*, Strauß *m*: **to have a** ~ **with s.o.** mit j-m e-n Strauß ausfechten. **14.** (Lanzen)Stoß *m*. **15.** (Angriffs)Wucht *f*: **(at) full** ~ mit voller Wucht.

tilt[2] [tilt] **I** *s* **1.** (Wagen- *etc*)Plane *f*, Verdeck *n*. **2.** *mar.* Sonnensegel *n*. **3.** Sonnendach *n* (*über Verkaufsständen etc*). **4.** *obs.* Zelt(plane *f*) *n*. **II** *v/t* **5.** (mit e-r Plane) bedecken.

tilt| boat *s mar.* mit e-m Sonnensegel bedecktes Boot. ~ **cart** *s tech.* Kippwagen *m*.

tilt·er ['tiltər] *s* **1.** *hist.* Tur'nierkämpfer *m*. **2.** *tech.* (Kohlen- *etc*)Kipper *m*, Kippvorrichtung *f*, *Walzwerk*: Wipptisch *m*. **3.** *tech.* Schwarzhammerarbeiter *m*.

tilth [tilθ] → **tillage.**

tilt ham·mer *s tech.* Schwarzhammer *m*.

tilt·ing ['tiltiŋ] *adj* **1.** schwenk-, kippbar, Kipp...: ~ **bearing** Kipplager *n*; ~ **cart** → **tilt cart**; ~ **table** a) *tech.* Wippe *f*, b) *vet.* Kipptisch *m*. **2.** *tech.* Reck...: ~ **hammer** → **tilt hammer.** **3.** *hist.* Turnier...

tilt| mill *s tech.* Hammerwerk *n*. **'~ˌyard** *s* Tur'nierplatz *m*.

tim·bal ['timbəl] *s* **1.** *mus. hist.* (Kessel)Pauke *f*. **2.** *zo.* 'Schrillmemˌbran(e) *f* (*der Zikaden*).

tim·bale ['timbəl; ˌtɛ̃'bɑːl] *s* (*Kochkunst*) **1.** Pa'stete *f*. **2.** Tim'bale *f*.

tim·ber ['timbər] **I** *s* **1.** (Bau-, Zimmer-, Nutz)Holz *n*: **standing** ~ Holz auf dem Stamm. **2.** *collect.* (Nutzholz)Bäume *pl*, Baumbestand *m*, Wald(bestand) *m*. **3.** *Br.* a) Bauholz *n*, b) Schnittholz *n*. **4.** *mar.* Inholz *n*: ~**s of a ship** Spantenwerk *n* e-s (Holz-)Schiffes. **5.** *fig. Am.* Holz *n*, Ka'liber *n*, Schlag *m*: **a man of his** ~; **he is of presidential** ~ er hat das Zeug zum Präsidenten. **II** *v/t* **6.** (ver)zimmern. **7.** *Holz* abvieren. **8.** *Graben etc* absteifen. **III** *adj* **9.** Holz... ~ **cruis·er** *s Am.* Holzmesser *m* (*der den Ertrag e-s Waldes schätzt*).

tim·bered ['timbərd] *adj* **1.** gezimmert. **2.** Fachwerk... **3.** bewaldet.

tim·ber| for·est *s* Hochwald *m*. ~ **frame** *s tech.* Bundsäge *f*. ~ **fram·ing** *s tech.* Holzfachwerk *n*.

tim·ber·ing ['timbəriŋ] *s* **1.** Zimmern *n*, Ausbau *m*. **2.** *tech.* Verschalung *f*, Holzverkleidung *f*. **3.** Bau-, Zimmerholz *n*. **4.** a) Gebälk *n*, b) Fachwerk *n*.

'tim·ber|ˌland *s Am.* Waldland *n* (*das Nutzholz liefert*). ~ **line** *s bes. Am.* Baumgrenze *f*. **'~·man** [-mən] *s irr* **1.** Holzfäller *m*, -arbeiter *m*. **2.** *Bergbau*: Stempelsetzer *m*. ~ **tree** *s* Nutzholzbaum *m*. ~ **wolf** *s irr zo. ein amer. Wolf.* **'~ˌwork** *s tech.* Gebälk *n*, Holzwerk *n*. **'~ˌyard** *s* **1.** Zimmerplatz *m*, Bauhof *m*. **2.** *Kricket*: *Br. sl.* Tor *n* des Schlägers.

tim·bre [tɛ̃br; 'timbər] *s mus.* Timbre *n*, Klangfarbe *f* (*a. ling.*).

tim·brel ['timbrəl] *s* Tambu'rin *n*.

time [taim] **I** *s* **1.** Zeit *f*: ~ **past, present, and to come** Vergangenheit, Gegenwart u. Zukunft; **for all** ~ für alle Zeiten; **in the course of** ~, **as** ~ **went on** im Laufe der Zeit; ~ **will show** die Zeit wird es lehren; **Father T**~ die Zeit (*personifiziert*). **2.** (endliche *od.* irdische) Zeit (*Ggs Ewigkeit*). **3.** *astr.* Zeit *f*: **apparent** (*od.* **solar**) ~ wahre Sonnenzeit; **astronomical** ~ astronomische Zeit. **4.** Zeit *f*, Uhr(zeit) *f*: **what's the** ~?, **what** ~ **is it?** wieviel Uhr ist es?, wie spät ist es?; **at this** ~ **of day** a) zu dieser (späten) Tageszeit, zu so später Stunde, b) *fig.* so spät, in diesem späten Stadium; **to bid** (*od.* **pass**) **s.o. the** ~ **of (the) day, to pass the** ~ **of day with s.o.** *colloq.* j-n grüßen; **to know the** ~ **of day** *colloq.* wissen, was die Glocke geschlagen hat; **so that's the** ~ **of day!** *sl.* so steht es also!; **some** ~ **about noon** etwa um Mittag; **this** ~ **tomorrow** morgen um diese Zeit; **this** ~ **twelve months** heute übers Jahr; **to keep good** ~ richtig gehen (Uhr). **5.** Zeit(dauer) *f*, Zeitabschnitt *m*, (*a. phys.* Fall- *etc*)Dauer *f*, *econ. a.* Arbeitszeit *f* (*im Herstellungsprozeß etc*): **a long** ~ lange Zeit; **some** ~ **longer** noch einige Zeit; **to be a long** ~ **in doing s.th.** lange (Zeit) dazu brauchen, etwas zu tun; ~ **of a draft** *econ.* Laufzeit *f* e-s Wechsels. **6.** Zeit(punkt *m*) *f*: ~ **of arrival** Ankunftszeit; **at the** ~ a) zu dieser Zeit, damals, b) gerade; **at the present** ~ derzeit, gegenwärtig; **at the same** ~ a) gleichzeitig, zur selben Zeit, b) gleichwohl, zugleich, andererseits; **at any ~, at all ~s** zu jeder Zeit, jederzeit; **at no ~** nie; **at that ~** zu der Zeit; **at one ~** einst, früher (einmal); **at some ~** irgendwann, irgendeinmal; **for the ~** für den Augenblick; **for the ~ being** a) vorläufig, fürs erste, b) unter den gegenwärtigen Umständen. **7.** *oft pl* Zeit(alter *n*) *f*, Zeiten *pl*, E'poche *f*: **at** (*od.* **in**) **the ~ of Queen Anne** zur Zeit der Königin Anna; **in our ~** in unserer Zeit; **the good old ~s** die gute alte Zeit. **8.** *pl* Zeiten *pl*, Zeitverhältnisse *pl*: **hard ~s** schwere Zeiten. **9. the ~s** die Zeit: **behind the ~s** hinter der Zeit zurück, rückständig; **to move with the ~s, to be abreast of the ~s** mit der Zeit gehen. **10.** Frist *f*, (zugemessene) Zeit: **~ of delivery** *econ.* Lieferfrist, -zeit; **~ for payment** Zahlungsfrist; **to ask ~** *econ.* um Frist(verlängerung) bitten; **you must give me ~** Sie müssen mir Zeit geben *od.* lassen. **11.** (verfügbare) Zeit: **to have no ~** keine Zeit haben; **to have no ~ for s.o.** *fig.* nichts übrig haben für j-n; **to gain ~** Zeit gewinnen; **to kill ~** die Zeit totschlagen; **to lose (no) ~** (keine) Zeit verlieren; **to take (the) ~** sich die Zeit nehmen (**to do** zu tun); **to take one's ~** sich Zeit lassen; **to waste ~** Zeit vergeuden; **~ is up!** die Zeit ist um *od.* abgelaufen!; **~, gentlemen, please! time! closing ~!** es wird geschlossen!; **time!** *sport* Zeit! (= a) anfangen!, b) aufhören!); **~!** *parl.* Schluß!; → **forelock**[1]. **12.** (*oft* schöne) Zeit, Erlebnis *n*: **to have a good ~, to have a ~ of it** es schön haben, es sich gut gehen lassen, sich gut amüsieren; **to have the ~ of one's life** sich großartig amüsieren, leben wie ein Fürst; **to have a hard ~** Schlimmes durchmachen (müssen). **13.** unangenehme Zeit, Unannehmlichkeit *f*. **14.** (Zeit)Lohn *m*, *bes.* Stundenlohn *m*. **15.** *colloq.* (Zeit *f* im) ‚Knast' *m*: **to do ~** (im Gefängnis) ‚sitzen'. **16.** Lehr-, Dienstzeit *f*, -jahre *pl*: **to serve one's ~** s-e (Lehr)Zeit abdienen. **17.** (bestimmte *od.* passende) Zeit: **the ~ has come** es ist an der Zeit; **there is a ~ for everything** alles zu s-r Zeit; **it is high ~ to go** es ist höchste Zeit zu gehen; **it is ~ for breakfast** es ist Zeit zum Frühstück. **18.** a) (na'türliche *od.* nor'male) Zeit, b) (Lebens)Zeit *f*: **~ of life** Alter *n*; **ahead of ~** vorzeitig; **to die before one's ~** vor der Zeit *od.* zu früh sterben; **his ~ is drawing near** s-e Zeit ist gekommen, sein Tod naht heran; **the ~ was not yet** die Zeit war noch nicht gekommen. **19.** a) Schwangerschaft *f*, b) Niederkunft *f*: **she is far on in her ~** sie ist hochschwanger; **she is near her ~** sie steht kurz vor der Entbindung. **20.** (günstige) Zeit: **now is the ~** jetzt ist die passende Gelegenheit, jetzt gilt es (**to do** zu tun); **at such ~s** bei solchen Gelegenheiten; **to bide one's ~** (s-e Zeit *od.* Chance) abwarten. **21.** Mal *n*: **the first ~** das erste Mal; **for the last ~** zum letzten Mal; **till next ~** bis zum nächsten Mal; **every ~** jedesmal; **each ~ that** jedesmal wenn; **~ and again, ~ after ~** immer wieder; **at some other ~, at other ~s** ein anderes Mal; **at a ~** auf einmal, zusammen, zugleich, jeweils; **one at a ~** einzeln, immer eine(r, s); **two at a ~** zu zweit, paarweise, jeweils zwei. **22.** *pl* mal, ...mal: **three ~s four is twelve** drei mal vier ist zwölf; **twenty ~s** zwanzigmal; **three ~s the population of Coventry** dreimal so viele Einwohner wie Coventry; **four ~s the size of yours** viermal so groß wie deines. **23.** *bes. sport* (*erzielte, gestoppte*) Zeit: **the winner's ~ is 2.50 minutes. 24.** Einheit *f* der Zeit (*im Drama*). **25.** *metr.* metrische Einheit, *bes.* Mora *f*. **26.** Tempo *n*, Zeitmaß *n*. **27.** *mus.* a) rhythmischer Wert (*e-r Note od. Pause*), b) Tempo *n*, Zeitmaß *n*, c) Rhythmus *m*, Takt(bewegung *f*) *m*, d) Takt(art *f*) *m*: **~ variation** Tempoveränderung *f*; **waltz ~** Walzertakt; **change of ~** Taktwechsel *m*; **to beat (keep) ~** den Takt schlagen (halten). **28.** *mil.* Marschtempo *n*, Schritt *m*: **to mark ~** a) *mil.* auf der Stelle treten (*a. fig.*), b) *fig.* nicht vom Fleck kommen.

Besondere Redewendungen:

against ~ gegen die Zeit *od.* Uhr, mit größter Eile; **ahead of** (*od.* **before**) **one's ~** s-r Zeit voraus; **all the ~** a) die ganze Zeit über, ständig, immer, b) jederzeit; **at ~s** zu Zeiten, gelegentlich; **at all ~s** stets, zu jeder Zeit; **at any ~** a) zu irgendeiner Zeit, jemals, b) jederzeit; **to be behind ~** zu spät daran sein, Verspätung haben; **between ~s** in den Zwischenzeiten; **by that ~** a) bis dahin, unterdessen, b) zu der Zeit; **for a** (*od.* **some**) **~** e-e Zeitlang, einige Zeit; **for a long ~ past** schon seit langem; **not for a long ~** noch lange nicht; **from ~ to ~** von Zeit zu Zeit; **from ~ immemorial** seit unvordenklichen Zeiten; **in ~** a) rechtzeitig (**to do** um zu tun), b) mit der Zeit, c) im (richtigen) Takt; **in due** (*od.* **proper**) **~** rechtzeitig, termingerecht; **in good ~** (gerade) rechtzeitig; **all in good ~** alles zu s-r Zeit; **in one's own good ~** wenn es e-m paßt; **in no ~** im Nu, im Handumdrehen; **on ~** a) pünktlich, rechtzeitig, b) *bes. Am.* für e-e (bestimmte) Zeit, c) *econ. Am.* auf Zeit, *bes.* auf Raten; **out of ~** a) zur Unzeit, unzeitig, b) vorzeitig, c) zu spät, d) aus dem Takt *od.* Schritt; **to play for ~** *sport* auf Zeit spielen; **till such ~ as** so lange bis; **to ~** pünktlich; **with ~** mit der Zeit; **~ was, when** die Zeit ist vorüber, als; **~ has been when** es gab e-e Zeit, da; **take ~ while ~ serves** nutze die Zeit, solange du sie hast.

II *v/t* **29.** (mit der Uhr) messen, (ab)stoppen, die Zeit messen von (*od. gen*). **30.** die Zeit *od.* den richtigen Zeitpunkt wählen *od.* bestimmen für, zur rechten Zeit tun. **31.** zeitlich abstimmen. **32.** die Zeit festsetzen für, (zeitlich) legen: **the train is ~d to leave at 7** der Zug soll um 7 abfahren. **33.** *e-e Uhr* richten, stellen. **34.** zeitlich regeln (**to** nach), *tech. die Zündung etc* einstellen, *elektronisch etc* steuern. **35.** das Tempo *od.* den Takt angeben für.

III *v/i* **36.** Takt halten. **37.** zeitlich zs.- *od.* über'einstimmen (**with** mit).

time| and mo·tion stud·y *s* Zeitstudie *f*. **~ bar·gain** *s econ.* Zeit-, Ter'mingeschäft *n*. **~ base** *s electr.* **1.** Zeitbasis *f*. **2.** Zeitablenkschaltung *f*. **'~-ˌbase** *adj electr.* Kipp... **~ belt** *Am. für* **time zone**. **~ bill** *s econ.* Zeitwechsel *m*. **~ bomb** *s mil.* Zeitbombe *f* (*a. fig.*), Bombe *f* mit Zeitzünder. **~ book** *s econ.* Arbeits(stunden)buch *n*. **'~ˌcard** *s* **1.** ('Arbeitszeit)Konˌtrollkarte *f*. **2.** Karte *f* mit aufgedrucktem Fahrplan. **~ clock** *s* Stechuhr *f*, ('Arbeitszeit)Konˌtrolluhr *f*. **'~-conˌsum·ing** *adj* zeitraubend.

timed [taimd] *adj* **1.** zeitlich (genau) festgelegt *od.* regu'liert: **ill-~** zeitlich schlecht gewählt, zur unrechten Zeit; **well-~** zur rechten Zeit, zeitlich günstig. **2.** *tech.* taktmäßig.

'time|-deˌlay re·lay *s electr.* 'Zeitreˌlais *n*. **~ de·pos·it** *s econ.* Festgeld *n*. **~ draft** *s econ.* Zeitwechsel *m*. **'~-exˌpired** *adj mil. Br.* ausgedient (*Soldat od. Unteroffizier*). **~ ex·po·sure** *s phot.* **1.** Zeitbelichtung *f*. **2.** Zeitaufnahme *f*. **~ freight** *s econ. Am.* Eilfracht *f*. **~ fuse** *s mil.* Zeitzünder *m*. **'~-ˌhon·o(u)red** *adj* alt'ehrwürdig. **'~ˌkeep·er** *s* **1.** Zeitmesser *m*, Chrono'meter *n*, genau gehende Uhr. **2.** *sport u. econ.* Zeitnehmer *m*. **~ lag** *s bes. tech.* Verzögerung(szeit) *f*, zeitliche Nacheilung *od.* Lücke. **'~-ˌlapse** *adj phot.* Zeitraffer...

time·less ['taimlis] *adj* (*adv* **~ly**) **1.** ewig. **2.** zeitlos: **~ art; ~ beauty. 3.** von unbestimmbarem Alter: **~ people.**

time lim·it *s* **1.** Frist *f*, Ter'min *m*. **2.** *electr.* Grenzzeit *f* (*des Relais*): **~ relay** Zeitrelais *n*.

time·li·ness ['taimlinis] *s* **1.** Rechtzeitigkeit *f*. **2.** günstige Zeit. **3.** Aktuali'tät *f*.

time| loan *s econ.* Darlehen *n* auf Zeit. **~ lock** *s tech.* Zeitschloß *n*.

time·ly ['taimli] **I** *adj* **1.** rechtzeitig. **2.** (*zeitlich*) günstig, angebracht. **3.** aktu'ell. **II** *adv* **4.** *obs. od. poet.* rechtzeitig, früh, bald.

time| mon·ey → **time loan**. **~ out, '~-ˌout** *pl* **'~-ˌouts** *s Am.* (*colloq.* 'Arbeits-, *sport* 'Spiel)Unterˌbrechung *f*, Pause *f*. **~ pay·ment** *s econ. Am.* Ratenzahlung *f*. **'~ˌpiece** *s* Chrono'meter *n*, Zeitmesser *m*, Uhr *f*. **'~-ˌpleas·er** → **timeserver**. **~ pur·chase** *s econ.* Fix-, Ter'minkauf *m*.

tim·er ['taimər] *s* **1.** Zeitmesser *m* (*Apparat*). **2.** *tech.* Zeitgeber *m*, -schalter *m*. **3.** *mot.* Zündverteiler *m*. **4.** a) Stoppuhr *f*, b) Se'kundenuhr *f*. **5.** *sport u. econ.* Zeitnehmer *m*. **6.** (*in Zssgn*) j-d, der e-e (*bestimmte*) Zeit arbeitet *etc*: → **half-timer** 1.

'time|-ˌsav·er *s* zeitsparendes Gerät *od.* Ele'ment. **'~ˌsav·ing** *adj* zeit(er)sparend. **~ sense** *s* Zeitgefühl *n*. **'~ˌserv·er** *s* Opportu'nist(in), Achselträger(in). **'~ˌserv·ing I** *adj* opportu'nistisch. **II** *s* Opportu'nismus *m*, Geˌsinnungslumpe'rei *f*. **~ sheet** *s* Arbeits(zeit)blatt *n*, Kon'trollkarte *f*. **~ shut·ter** *s phot.* Zeitverschluß *m*. **~ sig·nal** *s bes. Rundfunk*: Zeitzeichen *n*. **~ sig·na·ture** *s mus.* Taktvorzeichnung *f*. **~ stud·y** *s econ.* Zeitstudie *f*. **'~-ˌstud·y man** *s irr* Zeitstudienbeamte(r) *m*. **~ switch** *s electr.* Schaltuhr *f*, Zeitschalter *m*. **'~ˌta·ble** *s* **1.** a) Fahrplan *m*, b) Flugplan *m*. **2.** Stundenplan *m*. **3.** 'Zeittaˌbelle *f*, ‚Fahrplan' *m* (*für ein Projekt*). **4.** *mus.* a) Takttafel *f*, b) 'Notenwerttaˌbelle *f*. **'~-'test·ed** *adj* (alt)bewährt. **~ val·ue** *s econ. mus.* Zeitwert *m*. **'~ˌwork** *s econ.* nach Zeit (*bes. Stunden od. Tagen*) bezahlte Arbeit. **'~ˌwork·er** *s* nach Zeit bezahlter Arbeiter. **'~ˌworn** *adj* **1.** (vom Zahn der Zeit) abgenutzt. **2.** veraltet, altmodisch. **~ zone** *s geogr.* Zeitzone *f*.

tim·id ['timid] *adj* (*adv* **~ly**) **1.** furchtsam, ängstlich (**of** vor *dat*). **2.** schüchtern, zaghaft. **ti'mid·i·ty, 'tim·id·ness** *s* **1.** Ängstlichkeit *f*. **2.** Schüchternheit *f*.

tim·ing ['taimiŋ] *s* **1.** (richtige) zeitliche Abstimmung *od.* Berechnung. **2.** zeitliche Koordi'nierung (*verschiedener Handlungen*). **3.** gewählter Zeitpunkt: good ~ rechtzeitiges Handeln, gute Berechnung. **4.** *tech.* (zeitliche) Steuerung, (*Ventil-, Zündpunkt- etc*) Einstellung *f*: ~ **element** Zeitglied *n* (*im Relais*); ~ **(im)pulse** Taktimpuls *m*; ~ **motor** Schaltmotor *m*; ~ **switch** → time switch. [timid.]

tim·or·ous ['timərəs] *adj* (*adv* ~**ly**) → [timid.]

Tim·o·thy[1] ['timəθi] *npr u. s Bibl.* (Brief *m* des A'postels Paulus an) Ti'motheus *m.*

tim·o·thy[2] ['timəθi], *a.* ~ **grass** *s bot.* Ti'motheusgras *n.*

tim·pa·nist ['timpənist] *s mus.* (Kessel)Pauker *m.* '**tim·paˌno** [-ˌnou] *pl* **-ni** [-ˌniː] *s* Kessel-, Or'chesterpauke *f.*

tin [tin] **I** *s* **1.** *chem. tech.* Zinn *n* (*Sn*): base ~ Halbzinn; common ~ Probezinn; ordinary ~ Blockzinn. **2.** Weißblech *n.* **3.** (Blech-, *bes. Br.* Kon'serven)Dose *f*, (-)Büchse *f.* **4.** *sl.* ‚Draht' *m*, ‚Piepen' *pl* (*Geld*). **II** *adj* **5.** Zinn..., zinnern: ~ **wedding** *fig.* zehnter Hochzeitstag. **6.** Blech..., blechern (*a. fig. contp.*). **7.** *Br.* Konserven..., Büchsen..., Dosen... **8.** *fig.* minderwertig, unecht. **III** *v/t* **9.** verzinnen. **10.** *Br.* konser'vieren, (in Büchsen) einmachen *od.* packen, eindosen: → **tinned** 2.

tin·a·mou ['tinəˌmuː] *s* Steißhuhn *n.*

tin·cal ['tiŋkɑːl; -kɔːl] *s min.* Tinkal *m.*

tin| can *s* **1.** Blechdose *f*, -büchse *f.* **2.** *mar. sl.* Zerstörer *m.* **3.** *sl.* ‚alter Blechkasten' (*Auto*). '~**-ˌcoat** *v/t tech.* feuerverzinnen. ~ **cry** *s tech.* Zinngeschrei *n.*

tinct [tiŋkt] **I** *s obs. od. poet.* Farbe *f*, Färbung *f.* **II** *adj* gefärbt. **III** *v/t* färben. **tinc'to·ri·al** [-'tɔːriəl] *adj* **1.** Färbe..., färbend. **2.** Farb(e)...

tinc·ture ['tiŋktʃər] **I** *s* **1.** *pharm.* Tink'tur *f*: ~ **of arnica** Arnikatinktur. **2.** Aufguß *m.* **3.** *fig.* a) Spur *f*, Beigeschmack *m*, b) Anstrich *m*: ~ **of education.** **4.** *her.* Tink'tur *f*, (he'raldische) Farbe. **5.** *poet.* Farbe *f.* **6.** *obs.* a) 'Quintesˌsenz *f*, b) Ex'trakt *m.* **7.** *Alchimie: obs.* ('Lebens)Eliˌxier *n.* **II** *v/t* **8.** (leicht) färben. **9.** *fig.* e-n Anstrich geben (*dat*) (with von): to be ~**d with** e-n Anstrich haben von. **10.** *fig.* durch'dringen (with mit).

tin·der ['tindər] *s* Zunder *m*: **German** ~ Feuerschwamm *m.* '~**ˌbox** *s* **1.** Zunderbüchse *f.* **2.** *fig.* ‚Pulverfaß' *n.*

tine [tain] *s* **1.** Zinke *f*, Zacke *f* (*e-r Gabel etc*). **2.** *hunt.* (Geweih)Sprosse *f*, Ende *n.* [*f*, Tinea *f.*]

tin·e·a ['tiniə] *s med.* (Ringel)Flechte [*f*, Tinea *f.*]

tined [taind] *adj* **1.** mit Zinken *od.* Zacken (versehen). **2.** ...zinkig.

tin| fish *s mar. sl.* ‚Aal' *m* (*Torpedo*). ~ **foil** *s* **1.** Stanni'ol *n.* **2.** Stanni'ol-, 'Silberpaˌpier *n.* '~**-ˌfoil I** *v/t* **1.** mit Stanni'ol belegen. **2.** in Stanni'ol(paˌpier) verpacken. **II** *adj* **3.** Stanniol...

ting [tiŋ] **I** *s* helles Klingen, Klingeln *n.* **II** *v/t* klingeln mit. **III** *v/i* klingeln.

tinge [tindʒ] **I** *v/t pres p* '**tinge·ing** *od.* '**ting·ing 1.** tönen, (leicht) färben. **2.** *fig.* (*dat*) e-n Anstrich geben (with von), durch'dringen: to be ~**d with** e-n Anflug *od.* Beigeschmack haben von, etwas von ... an sich haben. **II** *v/i* **3.** sich färben. **III** *s* **4.** leichter Farbton, Tönung *f*: to have a ~ **of red** e-n Stich ins Rote haben, ins Rote spielen. **5.** *fig.* Anstrich *m*, Anflug *m*, Spur *f.*

tin·gle ['tiŋgl] **I** *v/i* **1.** prickeln, kribbeln, beißen, brennen (*Haut, Ohren etc*) (**with cold** vor Kälte). **2.** klingen, summen (**with** vor *dat*): **my ears are tingling** mir klingen die Ohren. **3.** vor Erregung zittern, beben (**with** vor *dat*). **4.** *fig.* geladen sein (**with** mit): **the story** ~**s with suspense** die Geschichte ist spannungsgeladen. **5.** flirren (*Hitze, Licht*). **II** *s* **6.** Prickeln *n* (*etc*: → 1—3). **7.** (ner'vöse) Erregung, Beben *n.*

tin| god *s* Götze *m*, Popanz *m*, *bes.* aufgeblasener Mensch, (kleiner) Bonze. ~ **hat** *s mil. humor.* Stahlhelm *m.* '~**ˌhorn** *Am. sl.* **I** *adj* **1.** kapi'talschwach. **2.** hochstaplerisch. **II** *s* **3.** Hochstapler *m*, (kleiner) Gauner.

tink·er ['tiŋkər] **I** *s* **1.** (wandernder) Kesselflicker: **not worth a** ~**'s cuss** (*od.* **curse**) keinen Pfifferling wert; **not to give a** ~**'s dam(n)** *Am. colloq.* sich e-n Dreck darum kümmern. **2.** a) Pfuscher *m*, Stümper *m*, b) Bastler *m* (*a. fig.*). **3.** Pfusche'rei *f*, Stümpe'rei *f*: **to have a** ~ **at s.th.** an etwas herumpfuschen *od.* -basteln. **4.** *ichth.* a) junge Ma'krele, b) Pa'zifikmaˌkrele *f.* **II** *v/i* **5.** a) her'umbasteln, b) *contp.* her'umpfuschen (at, with an *dat*). **III** *v/t* **6.** *meist* ~ **up** (rasch) zs.-flicken, zu'rechtbasteln *od.* -pfuschen (*a. fig.*).

tin·kle ['tiŋkl] **I** *v/i* **1.** hell (er)klingen, klingeln. **2.** klirren. **II** *v/t* **3.** klingeln mit. **III** *s* **4.** Klinge(l)n *n*, (*a. fig.* Vers-, Wort)Geklingel *n*: **give me a** ~ *colloq.* ruf mich (mal) an.

tin| liq·uor *s chem. tech.* 'Zinnchloˌrür *n.* ~ **Liz·zie** ['lizi] *s humor.* ‚alter Klapperkasten' (*Auto*), *bes. ein* altes 'FordMoˌdell. '~**·man** [-mən] *s irr* **1.** Zinngießer *m.* **2.** → **tinsmith.** ~ **mine** *s* Zinngrube *f.*

tinned [tind] *adj* **1.** verzinnt: ~ **iron plate** Weißblech *n.* **2.** *Br.* konser'viert, Dosen..., Büchsen...: ~ **fruit** Obstkonserven *pl*; ~ **meat** Büchsenfleisch *n*; ~ **music** *humor.* ‚Konservenmusik' *f.*

'**tin·ner** *s* **1.** → **tinsmith.** **2.** Verzinner *m.* **3.** *Br.* a) Arbeiter(in) in e-r Kon'servenfaˌbrik, b) Kon'servenfabriˌkant *m.*

tin·ni·tus [ti'naitəs] *s med.* Ohrensausen *n*, -klingen *n.*

tin·ny ['tini] *adj* **1.** zinnern. **2.** zinnhaltig. **3.** blechern (*a. fig. Klang*). **4.** nach Blech schmeckend (*Konserve*). **5.** *fig.* wertlos, ‚billig'.

tin| o·pen·er *s Br.* Dosen-, Büchsenöffner *m.* ~ **ore** *s min.* Zinnerz *n.* '~**-ˌpan** *adj* blechern, scheppernd. '~**-ˌpan al·ley** *s colloq.* **1.** Zentrum *n* der 'Schlagerkompoˌnisten. **2.** *collect.* 'Schlagerkompoˌnisten *pl.* ~ **plate** *s tech.* Weiß-, Zinnblech *n.* '~**-ˌplate I** *v/t* verzinnen. **II** *adj* Weiß-, Zinnblech... ~ **pot** *s* **1.** Blechtopf *m.* **2.** *tech.* Grobkessel *m.* '~**-ˌpot** *adj sl.* schäbig, ‚billig'.

tin·sel ['tinsl] **I** *s* **1.** Flitter-, Rauschgold *n*, -silber *n.* **2.** La'metta *n.* **3.** Glitzerschmuck *m.* **4.** *fig.* Flitterkram *m*, Kitsch *m.* **5.** *obs.* La'mé *m*, Bro'kat *m.* **II** *adj* **6.** mit Flittergold *etc* verziert, Flitter... **7.** *fig.* flitterhaft, kitschig, Flitter..., Schein... **III** *v/t* **8.** mit Flitterwerk verzieren. **9.** kitschig her'ausputzen. '**tin·sel·ly** → **tinsel** II.

'**tin|ˌsmith** *s* Blechschmied *m*, Klempner *m.* ~ **sol·der** *s tech.* Weichlot *n*, Lötzinn *n.* ~ **sol·dier** *s* 'Zinnsolˌdat *m.*

tint [tint] **I** *s* **1.** (hellgetönte *od.* zarte) Farbe. **2.** Farbton *m*, Tönung *f*: **autumn** ~**s** Herbstfärbung *f*; **to have a bluish** ~ e-n Stich ins Blaue haben, ins Blaue spielen. **3.** *paint.* Weißmischung *f.* **4.** *Gravierkunst*: feine Schraf'fierung. **5.** *print.* Tan'gierraster *m.* **II** *v/t* **6.** (leicht) färben: ~**ed glass** Rauchglas *n*; ~**ed paper** Tonpapier *n.* **7.** a) abtönen, b) aufhellen.

tin tack *s* Tape'ziernagel *m*: **to come down to** ~**s** *colloq.* zur Sache kommen.

tin·tin·nab·u·la·tion [ˌtintiˌnæbju'leiʃən] *s* Klinge(l)n *n*, Geklingel *n.*

'**tin|ˌware** *s* (Weiß)Blechwaren *pl.* '~**ˌwork** *s* **1.** Zinngegenstand *m*, -gerät *n.* **2.** *pl* (*meist als sg konstruiert*) a) Zinnhütte *f*, b) Weißblechhütte *f.*

ti·ny ['taini] **I** *adj* (*adv* **tinily**) winzig: **a** ~ **mouse**; **a** ~ **noise.** **II** *s* Kleine(r, s) (*Kind*): **the tinies** die ganz Kleinen.

tip[1] [tip] **I** *s* **1.** (*Schwanz-, Stock- etc*)Spitze *f*, äußerstes (*Flügel- etc*)Ende, Zipfel *m*: ~ **of the ear** Ohrläppchen *n*; ~ **of the finger (nose, tongue)** Finger-(Nasen-, Zungen)spitze; **to have s.th. at the** ~**s of one's fingers** *fig.* etwas ‚parat' haben, etwas aus dem Effeff können; **on the** ~**s of one's toes** auf den Zehenspitzen; **I had it on the** ~ **of my tongue** es lag *od.* schwebte mir auf der Zunge. **2.** (Berg)Gipfel *m*, Spitze *f.* **3.** *tech.* (*spitzes*) Endstück, *bes.* a) (Stock- *etc*)Zwinge *f*, b) (Pumpen-, Stecker-, Taster- *etc*)Spitze *f*, c) Düse *f*, d) Tülle *f*, e) (Schuh)Kappe *f.* **4.** Mundstück *n* (*e-r Zigarette*). **II** *v/t* **5.** *tech.* mit e-r Spitze *od.* Zwinge *etc* versehen, beschlagen, bewehren. **6.** *Büsche etc* stutzen.

tip[2] [tip] **I** *s* **1.** Neigung *f*: **to give** *s.th.* **a** ~ → 5. **2.** *Br.* (*Schutt- etc*)Abladeplatz *m*, (-)Halde *f*: **coal** ~ Kohlenhalde. **3.** *tech.* Kippvorrichtung *f*, -anlage *f.* **II** *v/t* **4.** kippen, neigen: → **scale**[2] 1. **5.** *meist* ~ **over** 'umkippen. **6.** auskippen. **7.** tippen an (*den Hut; zum Gruß*). **8.** *Br. Müll etc* abladen. **III** *v/i* **9.** sich neigen. **10.** *meist* ~ **over** 'umkippen, *aer.* auf den Kopf gehen.

Verbindungen mit Adverbien:

tip| off *v/t* **1.** auskippen, abladen. **2.** *sl. ein Glas Bier etc* ‚hin'unterkippen'. ~ **out I** *v/t* ausschütten, -kippen. **II** *v/i* her'ausfallen. ~ **o·ver** → **tip**[2] 5 *u.* 10. ~ **up** *v/t u. v/i* **1.** hochkippen. **2.** 'umkippen.

tip[3] [tip] **I** *s* **1.** Trinkgeld *n*, kleines Geldgeschenk. **2.** (Wett- *etc*)Tip *m*: **the straight** ~ der richtige Tip. **3.** Tip *m*, Wink *m*, Fingerzeig *m*, 'Hinweis *m*, Rat *m*: **to take the** ~ den Ratschlag befolgen. **II** *v/t* **4.** *j-m* ein Trinkgeld geben. **5.** *colloq. j-m* e-n Tip *od.* Wink geben: **to** ~ **s.o. off, to** ~ **s.o.'s hand, to** ~ **s.o. the wink** j-m e-n Tip *od.* Wink geben, j-n (rechtzeitig) warnen. **6.** *sport* tippen auf (*acc*). **7.** *sl.* geben, ‚her'ausrücken' mit. **III** *v/i* **8.** Trinkgeld(er) geben. **9.** Tips geben.

tip[4] [tip] **I** *s* Klaps *m*, leichte Berührung. **II** *v/t* leicht schlagen *od.* berühren. **III** *v/i* trippeln.

'**tip|-and-'run I** *s sport Art Schlagballspiel.* **II** *adj fig.* Überraschungs..., blitzschnell: ~ **raid**; ~ **raider** *aer. mil.* Einbruchsflieger *m.* ~ **car,** '~**ˌcart** *s* Kippkarren *m*, -wagen *m.* '~**ˌcat** *s* Spatzeck *n* (*Kinderspiel*). ~ **e·lec·trode** *s electr.* 'Punktschweißelekˌtrode *f.*

'**tip-ˌoff** *s* **1.** Tip *m*, rechtzeitiger Wink. **2.** *Basketball*: Eröffnungssprung *m.*

tipped [tipt] *adj* **1.** mit e-m Endstück *od.* e-r Zwinge *od.* Spitze *etc* versehen. **2.** mit Mundstück (*Zigarette*).

tip·per ['tipər] *s tech.* Kipper *m*, Kippwagen *m.*

tip·pet ['tipit] *s* **1.** Pele'rine *f*, (her'abhängender) Pelzkragen. **2.** *relig.* (Seiden)Halsband *n*, (-)Schärpe *f.* **3.** *hist.* langes, schmales, her'abhängendes Band. **4.** *zo.* Halskragen *m.* **5.** Darm-, Haarschnur *f* (*der Angel*).

tip·ping ['tipiŋ] *s mus.* Zungenschlag *m.* ~ **an·gle** *s tech.* Kippwinkel *m.*

tip·ple[1] ['tipl] **I** *v/t u. v/i* ‚picheln', zechen. **II** *s* (alko'holisches) Getränk.
tip·ple[2] ['tipl] *s tech. Am.* **1.** Kippvorrichtung *f.* **2.** Abladestelle *f.* **3.** Kipphalde *f.*
tip·pler ['tiplər] *s* (Quar'tals)Säufer *m*, Zechbruder *m.*
tip·si·fy ['tipsi,fai] *v/t* ‚beduseln'. **'tip·si·ness** *s* Beschwipstheit *f*, angeheiterter Zustand.
'tip,staff *s irr* **1.** *hist.* Amtsstab *m.* **2.** Gerichtsdiener *m.*
tip·ster ['tipstər] *s bes. Rennsport u. Börse*: (berufsmäßiger) Tipgeber, (Wett)Berater *m.*
tip·sy ['tipsi] *adj* (*adv* **tipsily**) **1.** angeheitert, beschwipst. **2.** wack(e)lig, torkelnd. **~ cake** *s mit Wein getränkter u. mit Eiercreme servierter Kuchen.*
'tip|,tilt·ed *adj*: **~ nose** Stupsnase *f.* **'~,toe I** *s*: **on ~, a-~** a) auf den Zehenspitzen, b) neugierig, gespannt, erwartungsvoll (**with** vor *dat*), c) angespannt, dar'auf brennend (**to do** zu tun). **II** *adj u. adv* → I. **III** *v/i* auf den Zehenspitzen gehen *od.* schleichen. **'~'top I** *s* **1.** Gipfel *m*, Spitze *f*, Höhepunkt *m* (*a. fig.*). **2.** *pl obs.* (*die*) oberen Zehn'tausend. **II** *adj u. adv* **3.** *colloq.* ‚'tipp'topp', ‚prima', erstklassig. **'~-,up** *adj* aufklappbar, Klapp...: **~ seat** Klappsitz *m.*
ti·rade [*Br.* tai'reid; *Am.* 'taireid] *s* **1.** Wortschwall *m*, Ti'rade *f* (*a. mus.*). **2.** 'Schimpfkano,nade *f.*
tire[1] [tair] **I** *v/t* **1.** ermüden: **to ~ out** (vollständig) erschöpfen; **to ~ to death** a) todmüde machen, b) *fig.* tödlich langweilen. **2.** *fig.* ermüden, langweilen. **II** *v/i* **3.** müde werden, ermüden, ermatten (**by, with** durch). **4.** *fig.* müde *od.* 'überdrüssig werden (**of** *gen*; **of doing** zu tun).
tire[2], *bes. Br.* **tyre** [tair] *tech.* **I** *s* (Rad-, Auto)Reifen *m*: **radial ply ~** Gürtelreifen. **II** *v/t* bereifen.
tire[3] [tair] *obs.* **I** *v/t* **1.** schmücken. **II** *s* **2.** (schöne) Kleidung, Kleid *n.* **3.** Schmuck *m*, (Kopf)Putz *m.*
tire| cas·ing *s tech.* (Lauf)Decke *f*, (Reifen)Mantel *m.* **~ chain** *s tech.* Schneekette *f.*
tired[1] [taird] *adj* **1.** ermüdet, müde (**by, with** von): **~ to death** todmüde. **2.** *fig.* müde, 'überdrüssig (**of** *gen*): **I am ~ of it** ich habe es satt. **3.** erschöpft, verbraucht, müde (geworden). **4.** abgenutzt.
tired[2] [taird] *adj tech.* bereift.
tired·ness ['tairdnis] *s* **1.** Müdigkeit *f.* **2.** *fig.* 'Überdruß *m.*
tire| ga(u)ge *s tech.* Reifendruckmesser *m.* **~ grip** *s tech.* Griffigkeit *f* der Reifen.
tire·less[1] ['tairlis] *adj* unermüdlich.
tire·less[2] ['tairlis] *adj tech.* unbereift.
tire·less·ness ['tairlisnis] *s* Unermüdlichkeit *f.*
tire| le·ver *s* ('Reifen)Mon,tierhebel *m.* **~ marks** *s pl mot.* Reifen-, Bremsspuren *pl.* **~ rim** *s tech.* Reifenwulst *m.*
tire·some ['tairsəm] *adj* (*adv* **~ly**) ermüdend (*a. fig. langweilig, unangenehm, lästig*). **'tire·some·ness** *s* **1.** (*das*) Ermüdende. **2.** Langweiligkeit *f.* **3.** (*das*) Unangenehme.
'tire,wom·an *s irr obs.* **1.** Kammerzofe *f.* **2.** *thea.* Garderobi'ere *f.*
tir·ing room ['tai(ə)riŋ] *s obs.* **1.** Ankleideraum *m.* **2.** *thea.* Garde'robe *f.*
ti·ro → **tyro.**
Tir·o·lese [,tirə'li:z] **I** *adj* ti'rol(er)isch, Tiroler(...). **II** *s* Ti'roler(in).
T i·ron *s tech.* T-Eisen *n.*
tir·ra·lir·ra ['tirə,lirə] *s* Tiri'li *n* (*Vogelruf*).
'tis [tiz] *Zs.-ziehung von* **it is.**
ti·sane [ti'zæn] → **ptisan.**
tis·sue ['tiʃu(:); *Br. a.* 'tisju:] **I** *s* **1.** *biol.* (*Zell-, Muskel- etc*)Gewebe *n*: **~ tolerance** Gewebsverträglichkeit *f.* **2.** feines Gewebe, Flor *m.* **3.** *fig.* Gewebe *n*, Netz *n*: **a ~ of lies. 4.** *a.* **~ paper** 'Seidenpa,pier *n.* **5.** *a.* **carbon ~** *phot.* 'Kohlepa,pier *n.* **II** *v/t* **6.** (durch)'weben.
tit[1] [tit] *s orn.* Meise *f.*
tit[2] [tit] *s* **1.** *obs. sl.* Ding *n*, Mädel *n.* **2.** *obs.* Kind *n.* **3.** Gaul *m.*
tit[3] [tit] *s*: **~ for tat** wie du mir, so ich dir; **to give s.o. ~ for tat** j-m mit gleicher Münze heimzahlen.
tit[4] [tit] *s* **1.** → **teat. 2.** *vulg.* ‚Titte' *f* (*weibliche Brust*).
Ti·tan ['taitən] **I** *s* **1.** *myth.* Ti'tan *m.* **2. t~** Ti'tan *m*, Gi'gant *m.* **II** *adj* **3.** *oft* **t~** → **Titanic**[1]. **,Ti·tan'esque** [-'nesk] → **Titanic**[1]. **'Ti·tan·ess** *s* Ti'tanin *f.*
Ti·tan·ic[1] [tai'tænik] *adj* **1.** ti'tanisch, Titanen... **2.** *meist* **t~** *fig.* ti'tanisch, gi'gantisch.
ti·tan·ic[2] [tai'tænik] *adj chem.* Titan...: **~ acid.**
ti·tan·ite ['taitə,nait] *s min.* Tita'nit *m.*
ti·ta·ni·um [tai'teiniəm] *s chem.* Ti'tan *n.*
tit·bit ['tit,bit] *s* Leckerbissen *m* (*a. fig.*).
ti·ter, *bes. Br.* ti·tre ['taitər; 'ti:-] *s chem.* Titer *m.*
tith·a·ble ['taiðəbl] *adj* zehntpflichtig.
tithe [taið] **I** *s* **1.** *oft pl bes. relig.* (*der*) Zehnt(e). **2.** zehnter Teil, Zehntel *n*: **not a ~ of it** *fig.* nicht ein bißchen davon. **II** *v/t* **3.** den Zehnten bezahlen von. **4.** den Zehnten erheben von.
tith·ing ['taiðiŋ] *s* **1.** → **tithe** I. **2.** Zehnten *n* (*Erheben od. Bezahlen des Zehnten*). **3.** *hist.* Zehntschaft *f.* **'~,man** [-,mæn] *s irr hist.* **1.** Vorsteher *m* e-r Zehntschaft. **2.** *Br.* 'Unterkon,stabler *m.* **3.** *Am. Parochialbeamter, der über Sitte u. Ordnung, bes. über die Einhaltung der Sonntagsheiligung wacht.*
Ti·tian, t~ ['tiʃən; -ʃiən] **I** *s* Tizianrot *n.* **II** *adj* tizianrot, -blond. **,Ti·tian'esque** [-'nesk] *adj* tizi'anisch.
tit·il·late ['titi,leit] *v/t u. v/i* **1.** kitzeln. **2.** *fig.* kitzeln, prickeln, angenehm erregen. **,tit·il'la·tion** *s* **1.** Kitzeln *n.* **2.** *fig.* Kitzel *m.*
tit·i·vate ['titi,veit] *v/t u. v/i humor.* (sich) feinmachen, (sich) schniegeln.
'tit,lark *s orn.* Pieper *m.*
ti·tle ['taitl] *s* **1.** (*Buch- etc*)Titel *m.* **2.** (*Kapitel- etc*)'Überschrift *f.* **3.** a) Hauptabschnitt *m*, Titel *m* (*e-s Gesetzes etc*), b) *jur.* 'Überschrift *f* (*e-r Klage etc*). **4.** *Film*: 'Untertitel *m.* **5.** Bezeichnung *f*, Name *m.* **6.** (Adels-, Ehren-, Amts)Titel *m*: **~ of nobility** Adelstitel, -prädikat *n*; **to bear a ~** e-n Titel führen. **7.** *sport* (Meister)Titel *m.* **8.** *jur.* a) Rechtstitel *m*, -anspruch *m*, Recht *n* (**to** auf *acc*), b) (dingliches) Eigentum(srecht) (**to** an *dat*), c) → **title deed. 9.** *allg.* Recht *n*, Anspruch *m* (**to** auf *acc*). **10.** *print.* a) → **title page**, b) Buchrücken *m.* **'ti·tled** *adj* **1.** betitelt. **2.** titu'liert, benannt. **3.** ad(e)lig.
ti·tle| deed *s jur.* Eigentums-, Erwerbsurkunde *f.* **~ ex·pect·ant** *s sport* Titelanwärter(in). **'~,hold·er** *s* **1.** *jur.* (Rechts)Titelinhaber(in). **2.** *sport* Titelhalter(in), -verteidiger(in). **~ in·sur·ance** *s econ. Am.* Versicherung *f* von Rechtsansprüchen auf Grundbesitz. **~ page** *s* Titelblatt *n*, -seite *f.* **~ part, ~ role** *s thea.* Titelrolle *f.* **~ sto·ry** *s* Titelgeschichte *f.*
ti·tling[1] ['taitliŋ] *s* **1.** Betitelung *f*, Benennung *f.* **2.** *Buchbinderei*: a) Prägen *n* des Titels (*auf die Buchdecke*), b) (*aufgeprägter*) Buchtitel.
tit·ling[2] ['titliŋ] *s Br.* → **titlark.**
ti·tlist ['taitlist] → **titleholder.**
'tit,mouse *s irr orn.* Meise *f.*
Ti·to·ism ['ti:tou,izəm] *s pol.* Tito'ismus *m.* **'Ti·to,ist I** *s* Tito'ist *m.* **II** *adj* tito'istisch.
ti·trate ['taitreit; 'tit-] *v/t u. v/i chem.* ti'trieren. **ti'tra·tion** *s* Ti'trierung *f*, 'Maßana,lyse *f.*
ti·tre *bes. Br. für* **titer.**
tit·ter ['titər] **I** *v/i* kichern. **II** *s* Gekicher *n*, Kichern *n.*
tit·tle ['titl] *s* **1.** Pünktchen *n*, *bes.* I-Tüpfelchen *n.* **2.** *fig.* Tüttelchen *n*, (*das*) bißchen: **to a ~** aufs I-Tüpfelchen *od.* Haar (*ganz genau*); **not a ~ of it** kein *od.* nicht ein Jota (davon).
'tit·tle-,tat·tle I *s* **1.** Schnickschnack *m*, Geschwätz *n.* **2.** Klatsch *m*, Tratsch *m.* **3.** Klatschbase *f.* **II** *v/i* **4.** schnickschnacken. **5.** klatschen, tratschen.
tit·tup ['titəp] **I** *s dial.* **1.** Hüpfen *n*, Springen *n.* **2.** ('übermütiger) Luftsprung. **II** *v/i* **3.** (her'um)hüpfen, (-)tollen.
tit·ty ['titi] *s colloq. od. dial.* **1.** ‚Titte' *f*, (*bes.* Mutter)Brust *f.* **2.** Muttermilch *f.*
tit·u·bate [*Br.* 'titju,beit; *Am.* -tʃu-] *v/i* torkeln. **,tit·u'ba·tion** *s* Torkeln *n.*
tit·u·lar [*Br.* 'titjulər; *Am.* -tʃə-] **I** *adj* **1.** Titel...: **~ hono(u)rs** Titelehren. **2.** Titular... (*nominell*): **~ bishop; ~ king. II** *s* **3.** Titelträger *m.* **4.** Titu'lar *m* (*nomineller Inhaber e-s Amtes*). **5.** *relig.* a) Titu'lar *m* (*Inhaber e-r Titularkirche*), b) 'Kirchenpa,tron *m.* **'tit·u·lar·y I** *adj* **1.** Titel..., Titular... **2.** Rechtstitel... **II** *s* → **titular** 3 *u.* 4.
Ti·tus ['taitəs] *npr u. s Bibl.* (Brief *m* des Paulus an) Titus *m.*
Tit·y·re-tu, t~ ['titiri,tju:] *s Br. hist. Angehöriger e-r Bande von jugendlichen, aus reichen Familien stammenden Rowdies in London* (*17. Jh.*).
tiz·zy ['tizi] *s sl.* **1.** Aufregung *f.* **2.** *Br. obs.* Sixpencestück *n.*
tme·sis ['tmi:sis] *s ling.* Tmesis *f* (*Trennung von zs.-gesetzten od. engverbundenen Wörtern durch Einschübe*).
to I *prep* [tu:; tu] **1.** (*Grundbedeutung*) zu. **2.** (*Richtung u. Ziel, räumlich*) zu, nach, an (*acc*), in (*acc*), auf (*acc*), vor: **~ arms!** zu den Waffen!; **to go ~ school** in die Schule gehen; **to go ~ bed** zu Bett gehen; **to go ~ London** nach London fahren; **to jump ~ one's feet** auf-, hochspringen; **from east ~ west** von Osten nach Westen; **to nail s.o. ~ the cross** j-n ans Kreuz schlagen; **to throw s.th. ~ the ground** etwas auf den *od.* zu Boden werfen; **back ~ back** Rücken an *od.* gegen Rücken; **from hand ~ hand** von Hand zu Hand; **to take one's hat off ~ s.o.** vor j-m den Hut ziehen; **~ the right** auf die (der) rechte(n) Seite, (nach) rechts. **3.** *colloq.* in (*dat*): **I have never been ~ London. 4.** (*Richtung, Ziel, Zweck*) zu, auf (*acc*), an (*acc*), in (*acc*), für, gegen: **to pray ~ God** zu Gott beten; **our duty ~ s.o.** unsere Pflicht j-m gegenüber; **~ my surprise** zu m-r Überraschung; **~ what purpose?** wozu?; **to be invited ~ dinner** zum Abendessen eingeladen sein; **to beat ~ death** zu Tode prügeln; **to speak ~ s.o.** mit j-m sprechen; **pleasant ~ the ear** angenehm für das Ohr; **to drink ~ s.o.'s health** auf j-s Gesundheit trinken; **here's ~ you!** (auf) Ihre Gesundheit!, Prosit!; **that is nothing ~ me** a) das geht mich nichts an, b) das macht mir gar nichts aus, c) das

ist nichts für mich; **what is that ~ you?** was geht das Sie an?; **to play ~ a large audience** vor e-m großen Publikum spielen. **5.** (*Zugehörigkeit*) zu, in (*acc*), für, auf (*acc*): **he is a brother ~ her** er ist ihr Bruder; **a cousin to ...** ein Vetter des *od.* von ...; **an assistant ~ s.o.** j-s Gehilfe; **secretary ~ ...** Sekretär des ..., *j-s* Sekretär; **to speak ~ the question** zur Sache sprechen; **there is no end ~ it** es hat kein Ende; **that is all there is ~ it** das ist alles; **there is a moral ~ the story** die Geschichte hat e-e Moral; **an introduction ~ s.th.** e-e Einführung in etwas; **a cap with a tassel ~ it** e-e Mütze mit e-r Troddel (daran); **a room ~ myself** ein Zimmer für mich (allein); **a key ~ the trunk** ein Schlüssel für den (*od.* zum) Koffer. **6.** (*Übereinstimmung, Gemäßheit*) nach, für, gemäß: **~ my feeling** nach m-m Gefühl; **that is not ~ my taste** das ist nicht nach m-m Geschmack; **~ my knowledge** soviel ich weiß; **~ all appearance** allem Anschein nach; **~ my mind** m-r Ansicht nach. **7.** (im Verhältnis *od.* Vergleich) zu, gegen, gegen'über, auf (*acc*), mit: **to compare ~** vergleichen mit; **you are but a child ~ him** gegen ihn sind Sie nur ein Kind; **nothing ~** nichts im Vergleich zu; **five ~ one** fünf gegen eins; **the score is three ~ one** das Spiel *od.* es steht drei zu eins; **two is ~ four as four is ~ eight** zwei verhält sich zu vier wie vier zu acht; **three ~ the pound** drei auf das Pfund; **perpendicular ~** senkrecht zu. **8.** (*Ausmaß, Grenze, Grad*) bis, (bis) zu, (bis) an (*acc*), auf (*acc*), in (*dat*): **~ the clouds** bis an die Wolken; **~ perfection** vollendet; **ten feet ~ the ground** zehn Fuß bis zum Boden; **goods ~ the value of** Waren im Werte von; **to love ~ craziness** bis zum Wahnsinn lieben. **9.** (*zeitliche Ausdehnung od. Grenze*) bis, bis zu, bis gegen, auf (*acc*), vor (*dat*): **a quarter ~ one** (ein) Viertel vor eins; **from three ~ four** von drei bis vier (Uhr); **~ this day** bis zum heutigen Tag; **~ the minute** auf die Minute (genau). **10.** (*Begleitung*) zu, nach: **to sing ~ a guitar** zu e-r Gitarre singen; **they danced ~ a tune** sie tanzten nach e-r Melodie. **11.** *zur Bildung des betonten Dativs*: **he gave the book ~ me, not ~ you!** er gab mir das Buch, nicht Ihnen!; **it seems ~ me** es scheint mir; **she was a good mother ~ him** sie war ihm e-e gute Mutter. **12.** *zur Bezeichnung des Infinitivs*: **~ be or not ~ be** sein oder nicht sein; **~ go** gehen; **I want ~ go** ich möchte gehen; **easy ~ understand** leicht zu verstehen; **she was heard ~ cry** man hörte sie weinen; **times ~ come** künftige Zeiten; **I want her ~ come** ich will, daß sie kommt. **13.** (*Zweck, Absicht*) um zu, zu: **he only does it ~ earn money** er tut es nur, um Geld zu verdienen. **14.** *zur Verkürzung des Nebensatzes*: **I weep ~ think of it** ich weine, wenn ich daran denke; **he was the first ~ arrive** er kam als erster; **~ be honest, I should decline** wenn ich ehrlich sein soll, muß ich ablehnen; **~ hear him talk** wenn man ihn (so) reden hört. **15.** *zur Bezeichnung e-s Grundes*: **why blame you me ~ love you?** was tadelst du mich, weil ich dich liebe? **16.** *zur Andeutung e-s aus dem vorhergehenden zu ergänzenden Infinitivs*: **I don't go because I don't want ~** ich gehe nicht, weil ich nicht (gehen) will.

II *adv* [tuː] **17.** zu, geschlossen: **to pull the door ~** die Türe zuziehen. **18.** *bei verschiedenen Verben*: dran, her'an: → **fall to, put to, set to,** *etc.* **19.** (wieder) zu Bewußtsein *od.* zu sich *kommen, bringen*: **to come ~**. **20.** *mar.* nahe am Wind: **keep her ~!** **21. ~ and fro** a) hin u. her, b) auf u. ab.

toad [toud] *s* **1.** *zo.* Kröte *f*: **to eat s.o.'s ~s** *fig.* vor j-m kriechen; **a ~ under a harrow** *fig.* ein geplagter Mensch. **2.** *fig.* Kröte *f*, ‚Ekel' *n* (*Person*). **3. ~ in a** (*od.* **the**) **hole** 'Fleischpaˌstete *f.* '**~ˌeat·er** *s* Speichellecker(in). '**~ˌeat·ing I** *s* ˌSpeichellecke'rei *f.* **II** *adj* speichelleckerisch. '**~ˌfish** *s ichth.* Krötenfisch *m.* '**~ˌflax** *s bot.* Leinkraut *n.* '**~ˌstone** *s* Krötenstein *m.* '**~ˌstool** *s bot.* **1.** (größerer Blätter)Pilz. **2.** Giftpilz *m.*

toad·y ['toudi] **I** *s* Speichellecker *m.* **II** *v/t* vor *j-m* kriechen *od.* schar'wenzeln. **III** *v/i* speichellecken, schar'wenzeln. '**toad·yˌism** *s* ˌSpeichellecke'rei *f.*

toast¹ [toust] **I** *s* **1.** Toast *m*, geröstete (Weiß)Brotschnitte: **to have s.o. on ~** *Br. sl.* j-n ganz in der Hand haben. **II** *v/t* **2.** toasten, rösten. **3.** *fig.* (gründlich) wärmen: **to ~ one's feet. III** *v/i* **4.** rösten, sich (*durch Hitze*) bräunen. **5.** sich gründlich wärmen.

toast² [toust] **I** *s* **1.** Toast *m*, Trinkspruch *m*: **to propose** (*od.* **give**) **the ~ of** → 3. **2.** gefeierte Per'son *od.* Sache (*auf die ein Toast ausgebracht wird*). **II** *v/t* **3.** toasten *od.* trinken auf (*acc*), e-n Toast *od.* Trinkspruch ausbringen auf (*acc*). **III** *v/i* **4.** toasten (to auf *acc*).

toast·er¹ ['toustər] *s* Toaster *m*, Brotröster *m.*

toast·er² ['toustər] *s* j-d, der toastet *od.* e-n Trinkspruch ausbringt.

toast·ing fork ['toustiŋ] *s* Röstgabel *f.*

'**toast|ˌmas·ter** *s* Toastmeister *m.* **~ rack** *s Br.* Toastständer *m.*

to·bac·co [tə'bækou] *pl* **-cos** *s* **1.** *a.* **~-plant** *bot.* Tabak(pflanze *f*) *m.* **2.** (*Rauch- etc*)Tabak *m*: **~ heart** *med.* Nikotinherz *n.* **3.** *collect.* Tabakwaren *pl.* **4.** *a.* **~ brown** Tabakbraun *n.*

to'bac·co·nist [-kənist] *s bes. Br.* Tabak(waren)händler *m*: **~'s shop** Tabak(waren)laden *n.*

to·bac·co| pipe *s* Tabakspfeife *f.* **~ pouch** *s* Tabaksbeutel *m.* **T~ Road** *s Am. fig.* Elendsgebiet *n* (*in den Südstaaten*), *weitS.* menschenunwürdiges Dasein.

to·bog·gan [tə'bɒgən] **I** *s* **1.** To'boggan *m* (*Indianerschlitten*). **2.** Rodelschlitten *m*: **~ slide** (*od.* **shoot**) Rodelbahn *f.* **3.** *Am. fig.* (Preis- *etc*)Sturz *m*: **on the ~** jäh fallend. **II** *v/i* **4.** rodeln. **5.** *Am. fig.* jäh fallen, stürzen (*Preise etc*). **to'bog·gan·er, to'bog·gan·ist** *s* Rodler(in).

to·by ['toubi] *s* **1.** *a.* **T~** (irdener) Bierkrug (*in Gestalt e-s alten Mannes mit Dreimaster*). **2. T~** *Name des Hundes im englischen Kasperlespiel.* **3.** *Am. sl.* billiger Ziga'rillo.

toc·ca·ta [tə'kɑːtə] *s mus.* Tok'kata *f.*

Toc H [tɒk eitʃ] *s e-e christlich-humanitäre Gesellschaft, hervorgegangen aus Talbot House* (*errichtet 1915 in Flandern*).

to·co ['toukou] *s Br. sl.* Prügel *pl*: **to catch ~** ‚Dresche beziehen'.

to·col·o·gy [to'kɒlədʒi] *s med.* Tokolo'gie *f*, Geburtshilfe *f.*

toc·sin ['tɒksin] *s* **1.** A'larm-, Sturmglocke *f.* **2.** A'larm-, 'Warnsiˌgnal *n.*

tod¹ [tɒd] *s* **1.** *altes englisches Wollgewicht, meistens 28 lb = 12,7 kg.* **2.** *dial.* Ballen *m* (*Wolle etc*). **3.** Busch *m*, Gebüsch *n.*

tod² [tɒd] *s Scot. od. dial.* Fuchs *m.*

to·day, *a.* **to-day** [tə'dei] **I** *adv* **1.** heute. **2.** heute, heutzutage, gegenwärtig. **II** *s* **3.** heutiger Tag: **~'s paper** die heutige Zeitung, die Zeitung von heute; **~'s rate** *econ.* Tageskurs *m.* **4.** (*das*) Heute, (*die*) heutige Zeit, (*die*) Gegenwart: **the writers of ~** die Schriftsteller von heute *od.* der Gegenwart.

tod·dle ['tɒdl] **I** *v/i* **1.** watscheln (*bes. kleine Kinder*). **2.** *colloq.* ‚(da'hin)zotteln': **to ~ off** sich trollen, ‚abhauen'. **II** *s* **3.** Watscheln *n*, watschelnder Gang. **4.** *colloq.* Bummel *m.* '**toddler** *s* ‚kleiner Taps', kleines Kind.

tod·dy ['tɒdi] *s* Toddy *m* (*Art Grog od. Punsch*).

to-do [tə'duː] *pl* **-dos** *s colloq.* **1.** Krach *m*, Lärm *m.* **2.** Getue *n*, ‚Wirbel' *m*, ‚The'ater' *n*: **to make much ~ about s.th.** viel Wind um e-e Sache machen.

to·dy ['toudi] *s orn.* Todi *m.*

toe [tou] **I** *s* **1.** *anat.* Zehe *f*: **big** (*od.* **great**) **~** große Zehe; **from top to ~** von Kopf bis Fuß; **on one's ~s** *colloq.* ‚auf Draht', ‚auf dem Posten'; **to stub one's ~s on s.th.** *fig.* zufällig auf etwas stoßen; **to turn one's ~s in** (**out**) einwärts (auswärts) gehen; **to turn up one's ~s** *sl.* ‚ins Gras beißen', sterben; **to tread on s.o.'s ~s** *colloq.* ‚j-m auf die Hühneraugen treten'. **2.** Vorderhuf *m* (*des Pferdes*). **3.** Spitze *f*, Kappe *f* (*von Schuhen, Strümpfen etc*). **4.** *fig.* Spitze *f*, Ende *n.* **5.** *tech.* a) (Well)Zapfen *m*, b) Nocken *m*, Daumen *m*, Knagge *f*, c) *rail.* Keil *m* (*der Weiche*). **6.** *sport* Löffel *m* (*des Golfschlägers*). **II** *v/t* **7.** a) *Strümpfe etc* mit neuen Spitzen versehen, b) *Schuhe* bekappen. **8.** mit den Zehen berühren: **to ~ the line** a) *a.* **to ~ the mark** (*od.* **scratch**) in e-r Linie (*sport* zum Start) antreten, b) *fig.* sich der Parteilinie unterwerfen, ‚linientreu sein', ‚spuren' (*a. weitS. gehorchen*). **9.** *sport den Ball etc* mit der Fußspitze stoßen. **10.** *j-m* e-n Fußtritt versetzen. **11.** *Golf*: *den Ball* mit dem Löffel (*des Schlägers*) schlagen. **III** *v/i* **12. to ~ in** (**out**) (*mit den Fußspitzen*) einwärts (auswärts) stehen *od.* gehen.

'**toe|ˌboard** *s* **1.** Fußbrett *n.* **2.** *sport* Stoß-, Wurfbalken *m* (*vor dem Wurfkreis*). '**~ˌcap** *s* (Schuh)Kappe *f.*

toed [toud] *adj* (*in Zssgn*) ...zehig.

toe| dance *s* Spitzentanz *m.* '**~-ˌdance** *v/i* auf den (Zehen)Spitzen tanzen. **~ danc·er** *s* Spitzentänzer(in). **~ hold** *s* **1.** Halt *m* für die Zehen (*beim Klettern*). **2.** *fig.* a) Ansatzpunkt *m*, b) Brückenkopf *m*, 'Ausgangspositiˌon *f*: **to get a ~** Fuß fassen. **3.** *Ringen*: Zehengriff *m.* '**~-ˌin** *s mot.* Vorspur(winkel *m*) *f* (*der Vorderräder*). **~ i·ron** *s sport* Zehenbacken *m* (*der Skibindung*). '**~ˌnail** *s anat.* Zehennagel *m.* **~ rub·ber** *s Am.* 'Gummiˌüberzug *m* (*für Damenschuhe*). '**~ˌshoe** *s* Bal'lettschuh *m* (für den Spitzentanz). **~ spin** *s Eiskunstlauf*: 'Spitzenpirouˌette *f.* '**~-to-'toe** *adj Kampf* Mann gegen Mann, Nah...

toff [tɒf] *s Br. sl.* ‚feiner Pinkel', ‚Fatzke' *m*, Geck *m.*

tof·fee, *a.* **tof·fy** ['tɒfi] *s Br.* Toffee *n*, 'Sahnebonˌbon *n*, *m*: **he can't shoot for ~** *sl.* vom Schießen hat er keine Ahnung; **not for ~** *vulg.* nicht für Geld u. gute Worte. '**~-ˌnosed** *adj Br. colloq.* ‚aufgeblasen', eingebildet.

toft [tɒft] *s hist. od. dial.* a) Heim-,

Hofstätte *f*, b) *a.* ~ and croft Anwesen *n*, Haus *n* mit da'zugehörigem Land.

tog [tɒg] **I** *s* **1.** *sl.* ('Über)Rock *m.* **2.** *pl colloq.* ‚Kla'motten' *pl*, ‚Kluft' *f*: golf ~s Golfdreß *m.* **II** *v/t* **3.** *meist* ~ out, ~ up *colloq.* ‚'ausstaf͵fieren', anziehen.

to·geth·er [tə'geðər; tu-] *adv* **1.** zu'sammen: to call (sew) ~ zs.-rufen (-nähen); to belong ~ zs.-, zueinandergehören. **2.** zu- *od.* bei'sammen, mitein'ander, gemeinsam: to live ~. **3.** zu'sammen(genommen): more than all the others ~. **4.** mitein'ander, gegenein'ander: to fight ~. **5.** zu'gleich, gleichzeitig, zu'sammen: two things ~. **6.** (*Tage etc*) nach-, hinterein'ander, (*e-e Zeit etc*) lang *od.* hin'durch: 3 days ~ 3 Tage nacheinander *od.* lang; he talked for hours ~ er sprach stundenlang. **7.** ~ with zu'sammen *od.* gemeinsam mit, (mit)'samt, mit: he sent him a letter ~ with some money.

to'geth·er·ness *s bes. Am.* **1.** Zs.-gehörigkeit *f*, Einheit *f*. **2.** Nähe *f*. **3.** Zs.-gehörigkeitsgefühl *n*, (innige) Gemeinschaft.

tog·ger·y ['tɒgəri] *s colloq.* **1.** → tog 2. **2.** *a.* ~ shop Kleiderladen *m.*

tog·gle ['tɒgl] **I** *s* **1.** *mar. tech.* Knebel *m.* **2.** *tech.* → toggle joint. **II** *v/t* **3.** ein-, festknebeln. ~ **bolt** *s tech.* Knebelbolzen *m.* ~ **joint** *s tech.* Knebel-, Kniegelenk *n.* ~ **press** *s tech.* Kniegelenkpresse *f.* ~ **switch** *s electr.* Kippschalter *m.*

togs [tɒgz] → tog 2.

toil[1] [tɔil] **I** *s* **1.** (mühselige) Arbeit, Placke'rei *f*, Mühe *f*, Plage *f*. **II** *v/i* **2.** sich abmühen *od.* abplacken *od.* quälen *od.* plagen (at, on mit). **3.** sich vorwärtsarbeiten (along auf *dat*), sich mühselig 'durcharbeiten (through durch): to ~ up a hill e-n Berg mühsam erklimmen.

toil[2] [tɔil] *s meist pl fig.* Schlingen *pl*, Netz *n*: in the ~s of a) in den Schlingen *des Satans etc*, b) in *Schulden etc* verstrickt.

toile [twɑːl] *s* Toile *m* (*leinwandbindiges Gewebe*).

toil·er ['tɔilər] *s* Schwerarbeiter *m*, Arbeitstier *n*, -pferd *n*.

toi·let ['tɔilit] *s* **1.** Toi'lette *f*: a) Ankleideraum *m*, b) Klo'sett *n*, c) Waschraum *m*, Badezimmer *n*, d) Fri'sier-, Toi'lettentisch *m.* **2.** Toi'lette *f* (*Ankleiden, Kämmen etc*): to make a careful ~ sorgfältig Toilette machen. **3.** Toi'lette *f*, Toi'lettentisch *m.* **4.** Toi'lette *f*, (feine) Kleidung, *a.* (Abend)Kleid *n od.* (Gesellschafts)Anzug *m.* ~ **case** *s* 'Reiseneces͵saire *n.* ~ **glass** *s* Toi'lettenspiegel *m.* ~ **pa·per** *s* Toi'letten-, Klo'settpa͵pier *n.* ~ **pow·der** *s* Körperpuder *m.* ~ **room** → toilet 1 a-c.

toi·let·ry ['tɔilitri] *s* Toi'lettenar͵tikel *m.*

toi·let| set *s* Toi'lettengarni͵tur *f.* ~ **soap** *s* Toi'lettenseife *f.* ~ **ta·ble** → toilet 1 d.

toi·lette [twɑː'let; tɔi'let] → toilet 2-4.

toil·ful ['tɔilful], **'toil·some** *adj* (*adv* ~ly) mühselig. **'toil·some·ness** *s* Mühseligkeit *f*.

'toil͵worn *adj* abgearbeitet, erschöpft.

To·kay [tou'kei] *s* To'kaier *m* (*ungarischer Wein u. Traube*).

toke [touk] *s Br. sl.* ‚Fraß' *m*, *bes.* (Stück *n*) trockenes Brot.

to·ken ['toukn] **I** *s* **1.** Zeichen *n*: a) Anzeichen *n*, Merkmal *n*, b) Beweis *m*: as a (*od.* in) ~ of als *od.* zum Zeichen (*gen*); by the same ~ a) aus dem gleichen Grunde, mit demselben Recht, umgekehrt, andererseits, b) überdies, ferner. **2.** Andenken *n*, Erinnerungsgeschenk *n*, ('Unter)Pfand *n.* **3.** *hist. bes. Br.* Scheidemünze *f*. **4.** *Bergbau*: Hauermarke *f*. **5.** (Me'tall)Marke *f* (*als Fahrausweis*). **6.** Spielmarke *f*. **7.** Gutschein *m*, Bon *m.* **8.** *Bibl. u. obs.* (verabredetes) Zeichen. **II** *adj* **9.** nomi'nell: ~ payment Anerkennungszahlung *f*; ~ money a) → 3, b) Not-, Ersatzgeld *n*; ~ strike Warnstreik *m.* **10.** Schein...: ~ raid Scheinangriff *m.*

to·ko → toco.

to·kol·o·gy → tocology.

to·la ['toulɑː] *s* Tola *n, f* (*indische Gewichtseinheit; etwa 11,6 g*).

tol·booth ['tɒl͵buːθ; -͵buːð] *s* **1.** *Scot.* Stadtgefängnis *n.* **2.** *obs.* Zollhaus *n.* **3.** *bes. Scot.* Markt-, Stadthalle *f*.

told [tould] *pret u. pp von* tell.

tol·er·a·ble ['tɒlərəbl] *adj* (*adv* tolerably) **1.** erträglich: ~ life (pain, *etc*). **2.** leidlich, mittelmäßig, erträglich. **3.** *colloq.* ‚einigermaßen' (gesund), leidlich. **4.** *tech.* zulässig: ~ error (limit, *etc*). **'tol·er·a·ble·ness** *s* **1.** Erträglichkeit *f*. **2.** Mittelmäßigkeit *f*.

tol·er·ance ['tɒlərəns] *s* **1.** Tole'ranz *f*, Duldsamkeit *f*. **2.** (of) a) Duldung *f* (*gen*), b) Nachsicht *f* (mit). **3.** *med.* a) Tole'ranz *f*, 'Widerstandsfähigkeit *f* (for gegen *Gift etc*), b) Verträglichkeit *f*: → tissue 1. **4.** *math. tech.* Tole'ranz *f*, zulässige Abweichung, Spiel *n*, Fehlergrenze *f*. **'tol·er·ant** *adj* (*adv* ~ly) **1.** tole'rant, duldsam (of gegen). **2.** a) geduldig, nachsichtig (of mit), b) her'ablassend. **3.** *med.* 'widerstandsfähig (of gegen). **'tol·er͵ate** [-͵reit] *v/t* **1.** *j-n od. etwas* dulden, ertragen, leiden. **2.** duldsam *od.* tole'rant sein gegen. **3.** zulassen, tole'rieren, 'hinnehmen, sich gefallen lassen. **4.** *etwas* ertragen: to ~ s.o.'s company. **5.** *bes. med.* vertragen: to ~ a poison. **͵tol·er'a·tion** *s* **1.** Duldung *f*, Tole'rierung *f*, Geltenlassen *n.* **2.** → tolerance 1.

toll[1] [toul] *s* **1.** *hist.* Zoll(gebühr *f*) *m*, *bes.* Wege-, Brückenzoll *m*: thoughts pay no ~ *fig.* Gedanken sind zollfrei. **2.** Straßenbenutzungsgebühr *f*. **3.** (Markt)Standgeld *n.* **4.** 'Zollre͵gal *n.* **5.** *Br. hist. Recht des Lehnsherrn, Abgaben zu erheben.* **6.** *dial.* Mahlgeld *n*: to take ~ of *fig. etwas* einbehalten (→ 8). **7.** *teleph.* Gebühr *f* für ein Ferngespräch. **8.** *fig.* Tri'but *m* (*an Menschenleben etc*), (Blut)Zoll *m*, (Zahl *f* der) Todesopfer *pl*: the ~ of the road die Verkehrsopfer *od.* -unfälle; to take a ~ of 100 lives 100 Todesopfer fordern (*Katastrophe*); to take (a *od.* its) ~ of *fig. j-n* arg mitnehmen, s-n Tribut fordern von (*j-m od. e-r Sache*), *Kräfte, Vorräte etc* stark beanspruchen *od.* strapazieren.

toll[2] [toul] **I** *v/t* **1.** (*bes. Toten*)*Glocke* läuten, erschallen lassen. **2.** *e-e Stunde* schlagen: the clock ~s the hour. **3.** (durch Glockengeläut) verkünden, die Totenglocke läuten für (*j-n*). **II** *v/i* **4.** läuten, schallen. **5.** schlagen (*Glokke, Uhr*). **III** *s* **6.** (*feierliches*) Geläut. **7.** Glockenschlag *m.*

toll·a·ble ['touləbl] *adj* zollpflichtig.

toll·age ['toulidʒ] *s* **1.** → toll[1] 1 *u.* 2. **2.** Zollentrichtung *f*. **3.** Zollerhebung *f*.

toll| a·re·a *s teleph.* Vorortsverkehrsbereich *m.* ~ **bar** → toll gate. **'~͵booth** → tolbooth. ~ **bridge** *s* Zollbrücke *f*. ~ **ca·ble** *s teleph.* Fernkabel *n.* ~ **call** *s teleph.* **1.** Ferngespräch *n.* **2.** Nahverkehrsgespräch *n.* ~ **col·lec·tor** *s* **1.** Zolleinnehmer *m.* **2.** Zählvorrichtung *f* e-s Drehkreuzes an Zollschranken. ~ **ex·change** *s teleph.* Schnellamt *n.* **'~͵gate** *s* Schlagbaum *m*, Zollschranke *f*. **'~͵house** *s* Zollhaus *n.* ~ **line** *s teleph.* Fernleitung *f*: ~ dialling *Am.* Fernwahl *f*, Selbstwählfernverkehr *m.* ~ **road** *s* Zollstraße *f*, gebührenpflichtige Autostraße.

tol·u·ate ['tɒlju͵eit] *s chem.* Tolu'at *n.*

tol·u·ene ['tɒlju͵iːn] *s chem.* Tolu'ol *n.*

tol·u·ol ['tɒlju͵ɒl; -͵oul] → toluene.

tol·u·yl ['tɒljuil] *s a.* ~ group (*od.* radical) *chem.* Tolu'yl *n.*

tom [tɒm] *s* **1.** Männchen *n* (*kleinerer Tiere*): ~ turkey Truthahn *m*, Puter *m.* **2.** Kater *m.* **3.** T~ (*abbr. für*) Thomas *m*: T~, Dick, and Harry Hinz u. Kunz, jeder x-beliebige; T~ Thumb Däumling *m*; T~ and Jerry *Am.* Eiergrog *m.*

tom·a·hawk ['tɒmə͵hɔːk] **I** *s* **1.** Tomahawk *m*, Kriegsbeil *n* (*der Indianer*): to bury (dig up) the ~ *fig.* das Kriegsbeil begraben (ausgraben). **2.** *Austral.* (Hand)Beil *n.* **II** *v/t* **3.** mit dem Tomahawk verwunden *od.* erschlagen. **4.** *fig.* ‚in die Pfanne hauen'.

tom·al·ley ['tɒm͵æli; tɒ'mæli] *s* Hummerleber *f*.

to·man [to'mɑːn] *s* To'man *m* (*persische Goldmünze*).

to·ma·to [*Br.* tə'mɑːtou; *Am.* -'mei-] *pl* **-toes** *s* **1.** *bot.* To'mate(npflanze) *f*. **2.** To'mate *f* (*Frucht*).

tomb [tuːm] *s* **1.** Grab(stätte *f*) *n.* **2.** Grabmal *n*, Gruft *f*, Mauso'leum *n.* **3.** *fig.* (*das*) Grab, (*der*) Tod.

tom·bac(k), *a.* tom·bak ['tɒmbæk] *s tech.* Tombak *m*, Rotmessing *n.*

tom·bo·la ['tɒmbələ] *s* Tombola *f*.

tom·boy ['tɒm͵bɔi] *s* Wildfang *m*, Range *f* (*Mädchen*). **'tom͵boy·ish** *adj* ausgelassen, wild.

'tomb͵stone *s* **1.** Grabstein *m*, -mal *n.* **2.** Grabplatte *f*.

'tom͵cat *s* Kater *m.*

tome [toum] *s* **1.** Band *m* (*e-s Werkes*). **2.** ‚dicker Wälzer' (*Buch*).

tom·fool ['tɒm'fuːl] **I** *s* Einfaltspinsel *m*, Narr *m.* **II** *v/i colloq.* (her'um)albern. **͵tom'fool·er·y** [-əri] *s* Narre'tei *f*, Albernheit *f*, Unsinn *m.*

tom·my[1] ['tɒmi] *s* **1.** *mil. Br.* a) *a.* T~ Atkins ‚Tommy' *m* (*der brit. Soldat*), b) *a.* T~ *sl.* ‚Tommy' *m*, Landser *m* (*einfacher Soldat*). **2.** *econ.* a) Natu'ralien *pl* (*an Stelle von Geldlohn*), b) → tommy system. **3.** *mil. sl. od. dial.* ‚Fres'salien' *pl*, Verpflegung *f*: soft ~ *mar.* weiches Brot. **4.** *tech.* a) (verstellbarer) Schraubenschlüssel, b) *a.* ~ bar Knebelgriff *m.* **T~ gun** *s mil.* (*Art*) Ma'schinenpi͵stole *f*. **'~͵rot** *s sl.* (purer) Blödsinn, ‚Quatsch' *m.* ~ **shop,** ~ **store** *s* **1.** *econ.* Natu'raliengeschäft *n* (*im Trucksystem*). **2.** ('Werks)Kan͵tine *f*. ~ **sys·tem** *s econ. hist.* 'Trucksy͵stem *n* (*Lohnzahlung in Form von Waren*).

to·mo·gram ['toumo͵græm] *s med.* Tomo'gramm *n*, (Röntgen)Schichtaufnahme *f*.

to·mor·row, *a.* **to-mor·row** [tə'mɒrou] **I** *adv* morgen: ~ week morgen in e-r Woche *od.* in acht Tagen; ~ morning morgen früh; ~ night morgen abend. **II** *s* (*der*) morgige Tag, (*das*) Morgen: ~'s paper die morgige Zeitung; ~ never comes das werden wir nie erleben.

tom·pi·on ['tɒmpiən] → tampion.

Tom| Tid·dler's ground ['tidlərz] *s* **1.** (*Kinderspiel*) *Gebiet, in dem Kinder, nachdem ihnen das Eindringen gelungen ist, singend andeuten, daß sie hier Gold u. Silber aufsammeln können.*

2. *fig.* Niemandsland *n.* '**t~,tit** *s orn.* (*bes.* Blau)Meise *f.* '**t~-,tom I** *s mus.* **1.** Hindutrommel *f.* **2.** (*chinesischer*) Gong. **3.** Tom'tom *n.* **4.** mono'tones Geräusch. **II** *v/t u. v/i* **5.** trommeln.

ton[1] [tʌn] *s* **1.** (*englische*) Tonne (*Gewicht*): a) *a.* **long** ~ *bes. Br.* = *2240 lbs. od. 1016,05 kg*, b) *a.* **short** ~ *bes. Am.* = *2000 lbs. od. 907,185 kg*, c) *a.* **metric** ~ metrische Tonne (= *2204,6 lbs.* = *1000 kg*). **2.** *mar.* Tonne *f* (*Raummaß*): **register** ~ Registertonne (= *100 cubic feet* = *2,8317 m³*); **gross register** ~ Bruttoregistertonne (*Schiffsgrößenangabe*); **displacement** ~ Tonne (der) Wasserverdrängung; **measurement** (*od.* **freight**) ~ Frachttonne (= *40 cubic feet*). **3.** *colloq.* Tonne *f*, Riesengewicht *n*: **to weigh (half) a** ~ ‚einen (halben) Zentner wiegen' (*sehr schwer sein*). **4.** *pl colloq.* Unmasse(n *pl*) *f*: **~s of money**; **~s of times** ‚tausendmal'.

ton[2] [tɔ̃] (*Fr.*) *s* **1.** (*die*) herrschende Mode. **2.** Ele'ganz *f*: **in the** ~ modisch, elegant.

ton·al ['tounl] *adj mus.* **1.** Ton..., tonlich. **2.** klanglich. **3.** to'nal: a) tonartlich, b) der Tonali'tät angepaßt: ~ **fugue** Fuge *f* mit tonaler Beantwortung. '**ton·al·ist** [-nəl-] *s mus.* to'naler Musiker. **to'nal·i·ty** [-'næliti] *s* **1.** *mus.* Tonali'tät *f*: a) Tonart *f*, b) 'Klangcha,rakter *m* (*e-s Instruments etc*). **2.** *paint.* Tönung *f*, Farbton *m.* '**ton·al,i·zer** *s Radio*: Klangfarbenregler *m.*

to-name ['tuː,neim] *s obs. od. Scot.* **1.** Zu-, Fa'milienname *m.* **2.** Spitzname *m.*

ton·do ['tondo] *pl* **-di** [-di] (*Ital.*) *s* Tondo *m, n*, Rundbild *n.*

tone [toun] **I** *s* **1.** *allg.* Ton *m*, Laut *m*, Klang *m.* **2.** Ton *m*, Stimme *f*: **in an angry** ~ mit zorniger Stimme, in ärgerlichem Ton. **3.** *ling.* a) Tonfall *m*: **English with a French** ~, b) Betonung *f*, Tonhöhe *f*: **high** ~ Hochton *m.* **4.** *mus.* Ton *m*: **degrees of** ~ Stärkegrade; **whole** ~ Ganzton. **5.** *mus.* 'Klang(cha,rakter *m*, -farbe *f*) *m.* **6.** *a.* **Gregorian** ~ *mus. hist.* Kirchenton(art *f*) *m.* **7.** *paint.* (Farb)Ton *m*, Farbgebung *f*, Tönung *f.* **8.** *fig.* Schat'tierung *f*, Abstufung *f*, Tönung *f.* **9.** *med.* Tonus *m* (*Spannungszustand der Muskeln*). **10.** *fig.* Spannkraft *f.* **11.** *fig.* Haltung *f*, Geist *m*, Atmo'sphäre *f.* **12.** Stimmung *f* (*a. econ. an der Börse*). **13.** Ton *m*, Note *f*, Stil *m*: **to set the** ~ **of** a) den Ton angeben für, tonangebend sein in (*dat*), b) den Stil *e-r Sache* bestimmen. **II** *v/t* **14.** e-n Ton verleihen (*dat*), e-e Färbung geben (*dat*), *ein Bild* kolo'rieren: **~d** (ab)getönt; **~d paper** Tonpapier *n.* **15.** *ein Instrument* stimmen. **16.** *e-e Farbe etc* abstufen, (ab)tönen. **17.** *phot.* tonen: **toning bath** Tonbad *n.* **18.** *fig.* a) 'umformen, -modeln, b) regeln. **19.** *j-m* Spannkraft verleihen, *j-n, a. Muskel* stärken. **III** *v/i* **20.** e-n Farbton *od.* e-e Tönung annehmen. **21.** sich abstufen *od.* abtönen. **22.** *a.* ~ **in (with)** a) verschmelzen (mit), b) harmo'nieren (mit), passen (zu).

Verbindungen mit Adverbien:

tone| down I *v/t paint u. fig.* dämpfen, mildern: **to** ~ **a colo(u)r**; **to** ~ **s.o.'s anger. II** *v/i* sich mildern *od.* abschwächen. ~ **up** *v/t* **1.** *paint. u. fig.* kräftiger machen, (ver)stärken. **2.** → tone 19.

tone| arm *s* Tonarm *m* (*am Plattenspieler*). ~ **clus·ter** *s mus.* **1.** Tonbündel *n* (*in e-m Akkord*). **2.** Bündelnote *f.* ~ **col·o(u)r** *s mus. phys.* Klangfarbe *f.* ~ **con·trol** *s Radio*: Klangregler *m*, Tonblende *f.* '~-,**deaf** *adj* ohne musikalisches Gehör.

tone·less ['tounlis] *adj* (*adv* **~ly**) tonlos (*a. Stimme*).

to·neme ['tou,niːm] *s ling.* To'nem *n* (*Phonem, das in e-r bestimmten Betonung besteht*).

tone| paint·ing *s mus.* ,Tonmale'rei *f.* ~ **pic·ture** *s mus.* Tongemälde *n.* ~ **pitch** *s phys.* Tonhöhe *f.* ~ **po·em** *s mus.* Tondichtung *f* (*für Orchester*). ~ **qual·i·ty** *s* **1.** *mus.* 'Klangcha,rakter *m.* **2.** *phys.* Klanggüte *f.* ~ **syl·la·ble** *s ling.* Tonsilbe *f.*

to·net·ics [tou'netiks] *s pl* (*als sg konstruiert*) *ling.* Tonlehre *f.*

tong [tɒŋ] *s* **1.** Geheimbund *m* (*in China*). **2.** *chinesischer Geheimbund* (*in USA*).

tongs [tɒŋgz] *s pl* (*a. als sg konstruiert*) Zange *f*: **a pair of** ~ e-e Zange; **are these your** ~? ist das d-e Zange?; **I would not touch that with a pair of** ~ a) das würde ich nicht mit e-r Zange anfassen, b) *fig.* mit der Sache möchte ich nichts zu tun haben.

tongue [tʌŋ] **I** *s* **1.** *anat.* Zunge *f* (*a. fig. Redeweise*): **long (ready, sharp)** ~ geschwätzige (leichte, scharfe) Zunge; **malicious ~s** böse Zungen; **to find one's** ~ die Sprache wiederfinden; **to give** ~ a) sich laut u. deutlich äußern (to zu), b) anschlagen (*Hund*), c) Laut geben (*Jagdhund*); **to hold one's** ~ den Mund halten; **to keep a civil** ~ **in one's head** höflich bleiben; **with one's** ~ **in one's cheek** a) ironisch, b) mit Hintergedanken; **to wag one's** ~ ‚tratschen'; → tip[1] 1. **2.** *Kochkunst*: (Kalbs-, Rinds- *etc*)Zunge *f*: **smoked** ~ Räucherzunge. **3.** Sprache *f* (*e-s Volkes*), Zunge *f*: **one's mother** ~ s-e Muttersprache; **confusion of ~s** *Bibl.* Sprachverwirrung *f*; **gift of ~s** a) *Bibl.* Gabe *f* des Zungenredens, b) Sprachtalent *n*, c) *relig.* ekstatische Rede (*in Sekten*). **4.** *Bibl.* Volk *n*, Nati'on *f*, Zunge *f.* **5.** *fig.* Zunge *f*: ~ **of a clarinet (a flame, a shoe,** *etc*). **6.** Klöppel *m* (*e-r Glocke*). **7.** (Wagen)Deichsel *f.* **8.** *Tischlerei*: Zapfen *m*, Spund *m*, Feder *f*: ~ **and groove** Feder u. Nut. **9.** *tech.* a) (Lauf-, Führungs)Schiene *f*, b) Lasche *f.* **10.** *rail.* Weichenzunge *f.* **11.** Dorn *m* (*e-r Schnalle*). **12.** Zeiger *m* (*e-r Waage*). **13.** *electr.* (Re'lais)-Anker *m.* **14.** *geogr.* Landzunge *f.* **II** *v/t* **15.** *mus.* mit Flatterzunge blasen. **16.** *Tischlerei*: verzapfen, durch Nut u. Feder verbinden. **tongued** *adj* **1.** (*in Zssgn*) ...züngig. **2.** *tech.* gezapft, gefedert.

tongue| lan·guage *s* Sprache *f* mit musi'kalischen 'Tonak,zenten (*z. B. Chinesisch*); '~-,**lash** *v/t colloq. j-n* ausschimpfen, ‚zs.-stauchen'. '~-,**lash·ing** *s colloq.* Schelte *f*, ‚Standpauke' *f.* '~-,**tie I** *s med.* Zungenlähmung *f*, Sprachfehler *m.* **II** *v/t j-m* die Zunge lähmen *od.* die Sprache verschlagen. '~-,**tied** *adj* **1.** *med.* zungenlahm. **2.** *fig.* a) ‚maulfaul', schweigsam, b) stumm, sprachlos (*vor Verlegenheit etc*). ~ **twist·er** *s* ‚Zungenbrecher' *m.*

ton·ic ['tɒnik] **I** *adj* (*adv* **~ally**) **1.** *med.* tonisch: ~ **spasm** Starrkrampf *m.* **2.** stärkend, belebend, erfrischend (*alle a. fig.*): ~ **water** Sprudel *m.* **3.** *ling.* a) Ton..., b) betont: ~ **accent** musikalischer Akzent; ~ **language** → tongue language. **4.** *mus.* Grundton..., Tonika...: ~ **chord** Grundakkord *m*; ~ **major (minor)** gleichnamige Dur- (Moll-)Tonart; ~ **sol-fa** Tonika-Do-System *n.* **5.** *paint.* Tönungs..., Farb(gebungs)... **II** *s* **6.** *pharm.* Stärkungsmittel *n*, Tonikum *n.* **7.** *fig.* Stimu'lanz *f.* **8.** *mus.* Grundton *m*, Tonika *f.* **9.** *ling.* stimmhafter Laut.

to·nic·i·ty [to'nisiti] *s* **1.** *med.* a) Tonus *m*, b) Spannkraft *f.* **2.** musi'kalischer Ton.

to·night, *a.* **to-night** [tə'nait] **I** *adv* **1.** heute abend. **2.** heute nacht. **II** *s* **3.** der heutige Abend. **4.** diese Nacht.

ton·ite ['tounait] *s chem.* **1.** To'nit *m* (*Sprengpulver*). **2.** A-Stoff *m* (*Giftgas*).

ton·ka bean ['tɒŋkə] *s* Tonkabohne *f.*

ton·nage ['tʌnidʒ] *s* **1.** *mar.* Ton'nage *f*, Tonnengehalt *m*, Schiffsraum *m*: **net register** ~ Nettotonnengehalt *m.* **2.** Ge'samtton,nage *f* (*der Handelsflotte e-s Landes*). **3.** Ladungsgewicht *n.* **4.** (Ge'samt)Produkti,on *f* (*nach tons berechnet für Stahl etc*). **5.** Schiffszoll *m*, Tonnengeld *n.* **6.** *Br. hist.* (Wein)-Zollgebühr *f.*

ton·neau [*Br.* 'tənou; *Am.* tʌ'nou] *pl* **-neaus** *s mot.* hinterer Teil (*mit Rücksitzen*) e-s Kraftwagens.

ton·ner ['tʌnər] *s mar.* (*meist in Zssgn*) ...tonner, Schiff *n* von ... Tonnen.

to·nom·e·ter [to'nɒmitər] *s* **1.** *mus. phys.* Tonhöhenmesser *m.* **2.** *med.* (Blut)Druckmesser *m.*

ton·sil ['tɒnsl] *s anat.* Mandel *f*: ~ **snare** *med.* Tonsillenschlinge *f.* '**ton·sil·lar** [-sələr] *adj anat.* Mandel...

ton·sil·lec·to·my [,tɒnsi'lektəmi] *s med.* Mandelentfernung *f*: **incomplete** (*od.* **partial**) ~ Mandelresektion *f.* ,**ton·sil'li·tis** [-'laitis] *s med.* Mandelentzündung *f.* ,**ton·sil'lot·o·my** [-'lɒtəmi] *s med.* Mandelschlitzung *f.*

ton·so·ri·al [tɒn'sɔːriəl] *adj meist humor.* Barbier...: ~ **artist** ‚Figaro' *m.*

ton·sure ['tɒnʃər] **I** *s* **1.** Haarschneiden *n*, -schur *f.* **2.** *relig.* Ton'sur *f.* **II** *v/t* **3.** tonsu'rieren, *j-m* e-e Ton'sur scheren.

ton·tine [tɒn'tiːn; 'tɒntiːn] *s hist.* **1.** Ton'tine *f* (*Lebensrentengemeinschaft*). **2.** Ton'tine *f*, Erbklassenrente *f.* **3.** Anteil *m* an der Ton'tine.

to·nus ['tounəs] *s med.* **1.** → tonicity 1. **2.** Starrkrampf *m.*

to·ny ['touni] *adj sl.* **1.** *bes. Am.* schick, ele'gant. **2.** (stink)vornehm, feu'dal.

too [tuː] *adv* **1.** (*vorangestellt*) zu, allzu: **all** ~ **familiar** allzu vertraut; ~ **fond of comfort** zu sehr auf Bequemlichkeit bedacht; ~ **high for you to reach** zu hoch, als daß du es erreichen könntest; ~ **good to be true** zu schön, um wahr zu sein; ~ **large for my taste** für m-n Geschmack zu groß; ~ **much (of a good thing)** zu viel (des Guten); **far** ~ **many** viel zu viele; **none** ~ **pleasant** nicht gerade angenehm. **2.** *colloq.* sehr, über'aus, höchst, äußerst: **it is** ~ **kind of you**; **I am only** ~ **glad to help you** es ist mir ein (reines) Vergnügen, Ihnen zu helfen; **it's not** ~ **easy** es ist nicht so leicht. **3.** (*außer im Am. stets nachgestellt*) auch, ebenfalls, über'dies, noch da'zu.

took [tuk] *pret von* take.

tool [tuːl] **I** *s* **1.** Werkzeug *n*, Gerät *n*, Instru'ment *n*: **~s** *collect.* Handwerkszeug; **burglar's ~s** Einbruchswerkzeug; **gardener's ~s** Gartengerät. **2.** *tech.* (Bohr-, Schneide- *etc*)Werkzeug *n* (*e-r Maschine*), *a.* Arbeits-, Drehstahl *m*: **cutting** ~. **3.** *tech.* a) 'Werkzeugma,schine *f*, b) Drehbank *f.* **4.** a) 'Stempelfi,gur *f* (*der Punzarbeit auf e-m Bucheinband*), b) (Präge)Stempel

m. **5.** *fig.* a) Handwerkszeug *n*, (Hilfs)-Mittel *n* (*Bücher etc*), b) Rüstzeug *n* (*Fachwissen etc*). **6.** *fig. contp.* Werkzeug *n*, Handlanger *m*, Krea'tur *f* (*e-s anderen*). **II** *v/t* **7.** *tech.* bearbeiten. **8.** *meist* ~ **up** *e-e Fabrik* (maschi'nell) ausstatten, -rüsten: to ~ up a factory. **9.** *e-n Bucheinband* punzen, mit Stempel verzieren. **10.** *sl.* ‚kut'schieren' (*fahren*). **III** *v/i* **11.** *oft* ~ **up** die nötigen Ma'schinen aufstellen (*in e-r Fabrik*), sich (maschi'nell) ausrüsten (for für). **12.** *sl.* ‚her'umgondeln', ‚(-)kutˌschieren'.

tool| bit *s tech.* Werkzeugspitze *f*, Drehmeißel *m.* 'ˌ**~ˌbox** *s tech.* Werkzeugkasten *m.* ~ **car·ri·er** *s tech.* Werkzeughalter *m*, -schlitten *m.* ~ **en·gi·neer** *s tech.* Arbeitsvorbereiter *m.* ~ **en·gi·neer·ing** *s tech.* Arbeitsvorbereitung *f.* '**~ˌhold·er** *s* Stahl-, Werkzeughalter *m.* ~ **house** *s* Geräteschuppen *m.*

tool·ing ['tu:liŋ] *s tech.* **1.** Bearbeitung *f.* **2.** Einrichten *n* (*e-r Werkzeugmaschine*). **3.** Werkzeugausrüstung *f.* **4.** *a.* ~ **costs** Werkzeugkosten *pl.* **5.** *Buchbinderei*: Punzarbeit *f*, Prägedruck *m.*

'**tool|ˌmak·er** *s tech.* Werkzeugmacher *m.* ~ **post** *s tech.* Schneidstahlhalter *m.* ~ **steel** *s tech.* Werkzeugstahl *m.* ~ **sub·ject** *s univ. Am.* (*zur Beherrschung des Hauptfachs*) notwendiges Beifach.

toot [tu:t] **I** *v/i* **1.** tuten, blasen. **2.** hupen (*Auto*). **3.** *Am. sl.* ‚(her'um)gondeln'. **4.** *Am. sl.* Behauptungen aufstellen, ‚tönen'. **II** *v/t* **5.** *etwas* blasen: to ~ one's own horn sich sein eigenes Lob singen. **6.** *Scot. u. Am. colloq. etwas* 'auspoˌsaunen. **III** *s* **7.** Tuten *n*, Blasen *n.* '**toot·er** *s* **1.** Blashorn *n.* **2.** (Auto)Hupe *f.*

tooth [tu:θ] **I** *pl* **teeth** [ti:θ] *s* **1.** *anat. zo.* Zahn *m*: artificial (*od.* false) ~ künstlicher *od.* falscher Zahn; the ~ of time *fig.* der Zahn der Zeit; the teeth of the wind der schneidende Wind; long in the ~ alt; to cast s.th. in s.o.'s teeth *fig.* j-m etwas ins Gesicht schleudern; to draw the teeth of a) *j-n* beruhigen, b) *j-n* ungefährlich machen, c) *e-r Sache* die Spitze nehmen, *etwas* entschärfen; to fight s.th. ~ and nail etwas verbissen *od.* erbittert *od.* bis aufs Messer bekämpfen; to get one's teeth into *fig.* sich an *e-e Sache* 'ranmachen; to have a sweet ~ gern Süßigkeiten essen *od.* naschen, ein Leckermäulchen sein; to show one's teeth (to) a) die Zähne fletschen (gegen), b) *fig.* die Zähne zeigen (*dat*); armed to the teeth bis an die Zähne bewaffnet; in the teeth of a) entgegen (*dat*), mitten in (*acc*), b) trotz (*gen od. dat*), ungeachtet (*gen*); → clench 1, cut 39, edge 1, skin 1. **2.** Zahn *m* (*e-s Kammes, Rechens, e-r Säge, e-s Zahnrads etc*). **3.** (Gabel)Zinke *f.* **4.** *bot.* Zähnchen *n.* **5.** *pl fig.* Schärfe *f*: to put teeth into verschärfen, Nachdruck verleihen (*dat*); legislation with teeth scharfe Gesetzgebung. **II** *v/t* **6.** *ein Rad etc* bezahnen, mit Zähnen versehen. **7.** *ein Brett etc* verzahnen. **8.** anrauhen: to ~ the surface. **9.** kauen, beißen. **III** *v/i* **10.** inein'andergreifen (*Zahnräder*). 'ˌ**~ˌache** *s med.* Zahnweh *n*, -schmerzen *pl.* '**~ˌbrush** *s* Zahnbürste *f.* '**~ˌcomb** *s Br.* Staubkamm *m*, enger Kamm. ~ **cress** → coralwort 1. ~ **de·cay** *s med.* Karies *f*, Zahnfäule *f.*

toothed [tu:θt; tu:ðd] *adj* **1.** mit Zähnen (versehen), Zahn..., gezahnt. **2.** *bot.* gezähnt, gezackt (*Blattrand*). **3.** *tech.* verzahnt. **4.** *fig.* scharf. ~ **gear·ing** → toothed-wheel gearing. ~ **seg·ment** *s tech.* 'Zahnsegˌment *n.* ~ **wheel** *s tech.* Zahnrad *n.* '**~-ˌwheel gear·ing** *s tech.* Zahnradgetriebe *n.*

tooth·ing ['tu:θiŋ; -ðiŋ] *s* **1.** *tech.* a) (Ver)Zahnen *n*, b) Rauhen *n* (*e-r Oberfläche*), c) Auszacken *n* (*e-s Blattrandes etc*). **2.** Verzahnung *f.*

tooth·less ['tu:θlis] *adj* zahnlos.

tooth| paste *s* Zahnpasta *f*, -creme *f.* '**~ˌpick** *s* **1.** Zahnstocher *m.* **2.** *pl* Splitter *pl.* **3.** *Am. sl.* Bewohner(in) von Ar'kansas. ~ **pow·der** *s* Zahnpulver *n.* ~ **sock·et** *s anat.* Zahnfach *n.*

tooth·some ['tuθsəm] *adj* (*adv* ~ly) lecker (*a. fig.*).

tooth·y ['tu:θi; -ði] *adj* **1.** → toothsome. **2.** breit, ‚zähnefletschend': a ~ smile.

too·tle ['tu:tl] **I** *v/i* **1.** tuten, dudeln. **2.** *sl.* quatschen. **3.** *Am. sl.* ‚(her'um)gondeln'. **II** *v/t* **4.** tuten, dudeln. **III** *s* **5.** Tuten *n*, Dudeln *n.* **6.** *sl.* Gewäsch *n.*

'**too-ˌtoo** *colloq.* **I** *adj* über'spannt. **II** *adv* über'trieben, gar zu.

toots [tu(:)ts] *s sl.* ‚Kleine' *f*, ‚Schätzchen' *n* (*meist als Anrede*).

toot·sie ['tutsi] *s Am. sl.* **1.** → toots. **2.** ‚Flittchen' *n.*

toot·sy ['tutsi], *a.* '**toot·sy-'woot·sy** [-'wutsi] *s* (*Kindersprache*) Füßchen *n.*

top[1] [tɒp] **I** *s* **1.** ober(st)es Ende, Oberteil *n*, höchster Punkt, *bes.* a) Spitze *f*, Gipfel *m* (*e-s Berges*), b) Kuppe *f* (*e-s Hügels*), c) Krone *f*, Wipfel *m* (*e-s Baumes*), d) Dach(spitze *f*) *n*, (Haus)-Giebel *m*, e) Kopf(ende *n*) *m* (*des Tisches, e-r Buchseite etc*), f) (Deich-, Mauer)Krone *f*, g) Oberfläche *f* (*des Wassers etc*): the ~ of the world das Dach der Welt; at the ~ obenan; at the ~ of oben an (*dat*); at the ~ of the street oben in der Straße; at the ~ of page 10, page 10 at the ~ (auf) Seite 10 oben; on ~ oben(auf *a. fig.*); on (the) ~ of a) oben auf (*dat*), über (*dat*), b) *colloq.* direkt vor (*dat*); on ~ of each other auf- *od.* übereinander; on (the) ~ of it obendrein; to go over the ~ a) *mil.* zum Sturmangriff (*aus dem Schützengraben*) antreten, b) *fig.* es wagen. **2.** *fig.* Spitze *f*, erste *od.* höchste *od.* oberste Stelle, 'Spitzenpositiˌon *f*: the ~ of the class der Primus der Klasse; at the ~ of the tree (*od.* ladder) a) in höchster Stellung, an oberster Stelle, b) auf dem Gipfel des Erfolgs; to come out on ~ als Sieger *od.* Bester hervorgehen; to come to the ~ an die Spitze kommen, sich durchsetzen; to be on ~ (of the world) obenauf sein. **3.** a) höchster Grad, b) höchster Punkt, Höchststand *m*: at the ~ of one's speed mit höchster Geschwindigkeit; at the ~ of one's voice aus vollem Halse; the ~ of the tide der Höchststand der Flut. **4.** *fig.* Gipfel *m*, (*das*) Äußerste *od.* Höchste: the ~ of his ambition sein höchster Ehrgeiz; the ~ of all creation die Krone der Schöpfung. **5.** *colloq.* a) Auslese *f*, ‚Creme' *f* (*der Gesellschaft*), b) *pl* (*die*) ‚großen Tiere' *pl.* **6.** Kopf *m*, Scheitel *m*: from ~ to bottom vom Scheitel bis zur Sohle; from ~ to toe von Kopf bis Fuß; → blow 29 b. **7.** (*Schachtel-, Topf- etc*)Deckel *m.* **8.** *mot. etc* Verdeck *n.* **9.** (Bett)-Himmel *m.* **10.** (Möbel)Aufsatz *m.* **11.** Oberteil *n* (*des Pyjamas, Badeanzugs etc*). **12.** a) (Schuh)Oberleder *n*, b) Stulpe *f* (*an Stiefeln, Handschuhen etc*). **13.** *mar.* Mars *m, f.* **14.** *bot.* a) oberer Teil (*e-r Pflanze*; *Ggs. Wurzel*), b) (*Rüben- etc*)Kraut *n*: turnip ~(s). **15.** *chem.* 'Spitzenfraktiˌon *f.* **16.** *Golf*: a) Schlag *m* oberhalb des Ballzentrums, b) Kreiselbewegung *f* des (Golf)Balles bei zu hohem Schlagen. **17.** Blume *f* (*des Bieres*). **18.** *mot.* → top gear. **19.** *mil. sl.* → top sergeant. **II** *adj* **20.** oberst(er, e, es): ~ line Kopf-, Titelzeile *f*; the ~ rung *fig.* die höchste Stellung, die oberste Stelle. **21.** höchst(er, e, es): at ~ speed mit Höchstgeschwindigkeit; ~ efficiency *tech.* Spitzenleistung *f*; ~ prices Höchst-, Spitzenpreise; ~-secret streng geheim. **22.** (*der, die, das*) erste: the ~ place; to win the ~ hono(u)rs in a competition die höchsten Preise in e-m Wettbewerb gewinnen. **23.** Haupt...: ~ colo(u)r; ~ tourist area. **24.** *colloq.* erstklassig, best(er, e, es): ~ ale; to be in ~ form (*od.* shape) in Höchstform sein. **III** *v/t* **25.** (oben) bedecken, krönen. **26.** über'ragen. **27.** mit e-r Spitze, e-m Oberteil, e-m Deckel *etc* versehen. **28.** an der Spitze *der Klasse, e-r Liste etc* stehen. **29.** die Spitze *od.* den Gipfel (*gen*) erreichen: to ~ a hill. **30.** (*zahlenmäßig etc*) über'steigen. **31.** *j-n* an Größe *od.* Gewicht über'treffen: he ~s me by 2 inches er ist (um) 2 Zoll größer als ich; he ~s 5 feet er ist etwas über 5 Fuß groß. **32.** über'ragen, -'treffen, schlagen: that ~s everything; to be ~ped den kürzeren ziehen. **33.** *Pflanzen* beschneiden, stutzen, köpfen, kappen. **34.** *ein Hindernis* nehmen: the dog ~ped the fence. **35.** *chem.* (*die flüchtigen Bestandteile*) her'ausdestilˌlieren. **36.** *Golf*: *den Ball* oben schlagen. **37.** *agr.* (kopf)düngen. **38.** *agr. zo. Tiere* hochzüchten. **39.** *e-e Farbe* über'färben, -'decken (with mit). **40.** *sl.* hängen. **41.** *sl. j-m* ‚eins über den Schädel hauen'.

Verbindungen mit Adverbien:

top| off *v/t colloq. etwas* abschließen, krönen (with mit). ~ **up** *v/t tech.* a) *e-e Batterie* auffüllen, b) *e-n Tank etc* füllen.

top[2] [tɒp] *s* Kreisel *m* (*Spielzeug*): → sleep 1.

to·paz ['toupæz] *s* **1.** *min.* To'pas *m.* **2.** To'pas-, Goldfarbe *f.* **3.** *orn.* To'paskolibri *m.*

top| board *s Schach*: Spitzenbrett *n* (*bei Mannschaftswettkämpfen*). '**~-ˌcast** *v/t irr metall.* fallend gießen. ~ **cen·ter** (*bes. Br.* **cen·tre**) *s tech.* oberer Totpunkt (*bei Motoren etc*). '**~ˌcoat** *s* 'Überzieher *m*, Mantel *m.* ~ **cross** *s zo.* Kreuzung *f* zwischen hochwertigen (*männlichen*) u. weniger wertvollen Tieren. ~ **dog** *s colloq.* **1.** (*der*) Herr *od.* Über'legene. **2.** (*der*) Chef *od.* Oberste. **3.** (*der, die, das*) Beste. ~ **draw·er** *s* **1.** oberste Schublade. **2.** *colloq.* (*die*) oberen 'Zehn'tausend: he does not come from (*od.* out of) the ~ er kommt nicht aus vornehmster Familie. '**~-ˌdraw·er** *adj colloq.* **1.** (stink)vornehm, aus bester Fa'milie (stammend). **2.** höchst(er, e, es), best(er, e, es). '**~-ˌdress** *v/t* **1.** *e-e Straße* beschottern. **2.** *agr.* kopfdüngen. '**~-ˌdress·ing** *s* **1.** *tech.* Oberflächenbeschotterung *f.* **2.** *agr.* a) Kopfdüngung *f*, b) Kopfdünger *m.*

tope[1] [toup] *v/t u. v/i* ‚saufen'.

tope[2] [toup] *s ichth.* Glatthai *m.*

tope[3] [toup] *s arch.* Stupa *m* (*indische Pagode*).

to·pee ['toupi; to'pi:] *s Br. Ind.* Tropenhelm *m.*

to·pek ['toupek] → tupek.

top·er ['toupər] *s* Säufer *m.*

top| fer·men·ta·tion *s* Obergärung *f.*

'~,**flight** *adj colloq.* **1.** höchst(er, e, es), oberst(er, e, es). **2.** erstklassig, ‚prima'. '~,**flight·er** → topnotcher. ~·**gal·lant** [,tɒp'gælənt; *mar.* tə'g-] **I** *s* **1.** *mar.* Bramsegel *n.* **2.** *fig.* 'überragender Teil. **3.** *fig.* Gipfel *m.* **II** *adj* **4.** *mar.* Bram...: ~ **sail**; ~ **forecastle** feste Back. ~ **gear** *s mot.* höchster *od.* letzter Gang. '~-,**graft** *v/t agr.* pfropfen (*in der Krone*). ~ **hat** *s* Zy'linder(hut) *m.* '~-,**heav·y** *adj* **1.** oberlastig (*Gefäß etc*). **2.** *mar.* topplastig. **3.** *aer.* kopflastig. **4.** *econ.* a) 'überbewertet (*Wertpapiere*), b) 'überkapitali,siert (*Wirtschaft*). **5.** mit zu viel Ver'waltungsperso,nal an der Spitze (*Organisation etc*).

To·phet(h) ['toufet; -fit] *s* **1.** *Bibl.* Tophet *n.* **2.** Hölle *f* (*a. fig.*).

'**top-'hole** *adj Br. sl.* erstklassig, ‚ganz groß'.

to·phus ['toufəs] *pl* '**to·phi** [-fai] *s med.* **1.** Gichtknoten *m.* **2.** Zahnstein *m.*

to·pi[1] ['toupi] *s zo.* 'Topi-Anti,lope *f.*

to·pi[2] → topee.

to·pi·ar·y ['toupiəri] **I** *s* **1.** Kunst *f* des Bäumeschneidens. **2.** *bot.* a) Formbaum *m*, -strauch *m*, b) *collect.* Formbäume *pl.* **3.** Ziergarten *m* mit kunstvoll beschnittenem Baum- u. Buschwerk. **II** *adj* **4.** Formbaum..., -strauch-...: ~ **garden** → 3; ~ **work** kunstvoll beschnittenes Baumwerk.

top·ic ['tɒpik] *s* **1.** Thema *n*, Gegenstand *m*: ~ **for discussion** Diskussionsthema. **2.** *pl philos.* Topik *f.* '**top·i·cal I** *adj* (*adv* ~**ly**) **1.** örtlich, lo'kal (*beide a. med.*): ~ **remedy**; ~ **colo(u)rs** topische Farben. **2.** örtlich, topisch, lo'kal. **3.** aktu'ell, zeitkritisch: ~ **song** Lied *n* mit aktuellen Anspielungen; ~ **talk** → 5. **4.** the'matisch. **II** *s* **5.** Zeitfunk *m* (*im Rundfunk*). **6.** aktu'eller Film. ,**top·i'cal·i·ty** [-'kæliti] *s* Aktuali'tät *f*, aktu'elle *od.* lo'kale Bedeutung.

top| kick *s mil. Am. sl.* → top sergeant. '~,**knot** *s* **1.** Haarknoten *m*, -büschel *n.* **2.** *orn.* (Feder)Haube *f*, Schopf *m.* **3.** *sl.* ‚Birne' *f* (*Kopf*).

top·less ['tɒplis] *adj* **1.** ohne Kopf. **2.** unermeßlich hoch. **3.** ‚Oben-ohne'-..., brustfrei: ~ **dress.**

'**top|-,lev·el** *adj* auf höchster Ebene. ~ **light** *s* **1.** *mar.* 'Toppla,terne *f.* **2.** *tech.* Oberlicht *n.* ~ **lin·er** *s colloq.* Promi'nente(r *m*) *f*, Star *m.* '~'**loft·y** *adj colloq.* hochnäsig. '~,**mast** [*Br.* -,mɑːst; *Am.* -,mæ(ː)st; *mar.* -məst] *s mar.* (Mars)Stenge *f.*

top·most ['tɒpmoust] *adj* oberst(er, e, es), höchst(er, e, es).

'**top|-'notch** *adj colloq.* ‚prima', erstklassig. '~'**notch·er** *s colloq.* ‚Ka'none' *f* (*Könner*).

to·pog·ra·pher [tə'pɒgrəfər] *s geogr.* Topo'graph *m.* **top·o·graph·ic** [,tɒpə'græfik] *adj*; ,**top·o'graph·i·cal** *adj* (*adv* ~**ly**) topo'graphisch. **to·pog·ra·phy** [tə'pɒgrəfi] *s* **1.** *geogr.* Topogra'phie *f* (*a. med.*). **2.** topo'graphische Beschaffenheit (*e-s Ortes etc*). **3.** *mil.* Geländekunde *f.*

to·pol·o·gy [tə'pɒlədʒi] *s* **1.** Topolo'gie *f*: a) Ortskunde *f*, b) *math.* Geome'trie *f* der Lage. **2.** *med.* topo'graphische Anato'mie.

to·pon·y·my [tə'pɒnəmi] *s* **1.** Ortsnamen *pl* (*e-s bestimmten Distriktes*). **2.** Ortsnamenkunde *f.* **3.** *med.* Nomenkla'tur *f* für die Körpergegenden.

top·per ['tɒpər] *s* **1.** *colloq.* a) ‚tolles Ding', b) ‚Pfundskerl' *m.* **2.** *colloq.* Zy'linder(hut) *m.* **3.** *sl.* (obenaufliegendes) Schaustück (*bei Obst etc*). **4.** *Am.* Paletot *m* (*Damenmantel*). '**top·ping I** *s* **1.** *Kochkunst*: *Am.* Gar'nierung *f*, Auflage *f* (*a. tech.*). **2.** ~ **up** Auffüllen *n.* **II** *adj* (*adv* ~**ly**) **3.** höchst(er, e, es), oberst(er, e, es). **4.** *colloq.* ‚'tipp'topp', ‚prima'. **5.** *Am.* stolz, arro'gant.

top·ple ['tɒpl] **I** *v/i* **1.** wackeln. **2.** stürzen, kippen, purzeln: **to** ~ **down** (*od.* **over**) umkippen, niederstürzen, 'hinpurzeln. **II** *v/t* **3.** ins Wanken bringen. **4.** ('um)stürzen: **to** ~ **s.th. over** etwas umstürzen *od.* umkippen.

'**top-,pour** *v/t tech.* fallend (ver)gießen.

tops [tɒps] *adj Am. colloq.* **1.** erstklassig, ‚prima', ‚super'. **2.** an erster Stelle (stehend).

'**top|,sail** [-,seil; *mar.* -sl] *s mar.* Mars-, Topsegel *n.* ~ **saw·yer** *s* **1.** *tech.* oben stehender Säger. **2.** *Br. colloq.* ‚hohes Tier', ‚Obermotz' *m.* '~-'**se·cret** *adj* streng geheim. ~ **ser·geant** *s mil. Am. colloq.* Hauptfeldwebel *m*, ‚Spieß' *m.* '~'**side I** *s* **1.** *Kochkunst*: Oberschale *f* (*des Rinderbratens*). **2.** obere Seite. **3.** *meist pl* obere Seitenteile *pl* (*e-s Schiffes*). **II** *adv* **4.** *colloq.* auf Deck. **5.** *fig.* oben'auf. '~,**soil** *s agr.* Boden-, Ackerkrume *f*, Mutterboden *m.*

top·sy|-tur·vy ['tɒpsi'təːrvi] **I** *adv* **1.** das Oberste zu'unterst, auf den Kopf: **to turn everything** ~ alles auf den Kopf stellen. **2.** kopf'über kopf'unter: **to fall** ~. **3.** drunter u. drüber, verkehrt. **II** *adj* **4.** auf den Kopf gestellt, in wildem Durchein'ander, cha'otisch. **III** *s* **5.** (wildes *od.* heilloses) Durchein'ander, Kuddelmuddel *m, n*, Chaos *n.* **IV** *v/t* **6.** auf den Kopf stellen, völlig durchein'anderbringen. ,~-'**tur·vy·dom** → topsy-turvy 5.

toque [touk] *s* **1.** *hist.* Ba'rett *n.* **2.** Toque *f* (*randloser Damenhut*). **3.** *zo.* Hutaffe *m.*

tor [tɔːr] *s Br.* Felsturm *m.*

to·ra(h) ['tɔːrə] *s* **1.** T~ Gesetz *n* Mosis, Penta'teuch *m.* **2.** Tho'ra *f.*

torc → torque.

torch [tɔːrtʃ] *s* **1.** Fackel *f* (*a. fig. des Wissens etc*): **to carry a** ~ **for** *fig. Am. ein Mädchen* (von ferne) verehren. **2.** *a.* **electric** ~ *Br.* (Stab)Taschenlampe *f.* **3.** *tech.* a) Schweißbrenner *m*, b) Lötlampe *f*, c) Brenner *m.* '~,**bear·er** *s* Fackelträger *m* (*a. fig.*). ~ **lamp** *s tech.* Lötlampe *f.* '~,**light** *s* Fackelschein *m*: ~ **procession** (*od.* **parade**) Fackelzug *m*: **by** ~ bei Fackelschein.

tor·chon ['tɔːrʃɒn], *a.* ~ **lace** *s* Tor'chonspitze *f.* ~ **pa·per** *s* Tor'chon-,büttenpa,pier *n.*

torch| pine *s bot.* (Amer.) Pechkiefer *f.* ~ **sing·er** *s Am.* Schnulzensänger(in). ~ **song** *s Am.* sentimen'tales Liebeslied.

tore [tɔːr] *pret von* tear[2].

tor·e·a·dor ['tɒriə,dɔːr; 'tɔːr-] *s* Torea'dor *m*, berittener Stierkämpfer.

to·re·ro [to'rero] *pl* **-ros** [-s] (*Span.*) *s* To'rero *m*, Stierkämpfer *m* (*zu Fuß*).

to·reu·tic [to'ruːtik] *adj* bos'siert, gehämmert, zise'liert. **to'reu·tics** *s pl* (*a. als sg konstruiert*) To'reutik *f*, Me'tallbildne,rei *f.*

tor·ment I *v/t* [tɔːr'ment] **1.** *bes. fig.* quälen, peinigen, plagen, foltern (**with** mit): ~**ed with** (*od.* **by**) gequält *od.* geplagt von *Zweifel etc.* **2.** stören, aufrühren. **3.** *e-n Text* entstellen. **II** *s* ['tɔːrment] **4.** Pein *f*, Qual *f*, Marter *f*: **to be in** ~ Qualen ausstehen. **5.** Plage *f.* **6.** Quälgeist *m.*

tor·men·til ['tɔːrmentil] *s bot.* Blutwurz *f.*

tor·men·tor [tɔːr'mentər] *s* **1.** Peiniger *m.* **2.** Quälgeist *m.* **3.** *agr.* Kulti'vator *m.* **4.** *mar.* lange Fleischgabel. **5.** *Film*: 'schallabsor,bierende Wand. **6.** *thea.* vordere Ku'lisse. **tor'men·tress** [-tris] *s* Peinigerin *f.*

tor·mi·na ['tɔːrminə] *s pl med.* Leibschmerzen *pl*, Kolik *f.*

torn [tɔːrn] *pp von* tear[2].

tor·nad·ic [tɔːr'nædik] *adj* or'kan-, wirbelsturmartig, Tornado...

tor·na·do [tɔːr'neidou] *pl* **-does** *s* **1.** Tor'nado *m*: a) *Wirbelsturm in den USA*, b) *tropisches Wärmegewitter.* **2.** *fig.* Or'kan *m* (*Wutausbruch etc*).

to·roid ['tɔːrɔid] *s* Toro'id *m*: a) *math.* Ring *m*, b) *electr.* Ringkernspule *f.*

to·rose ['tɔːrous] *adj bes. bot.* wulstig.

tor·pe·do [tɔːr'piːdou] **I** *pl* **-does** *s* **1.** *mil.* a) *mar.* Tor'pedo *m*, b) *a.* **aerial** ~ *aer.* 'Lufttor,pedo *m*, c) *mar.* (See)Mine *f*, d) (Spreng)Mine *f.* **2.** *a.* **toy** ~ Knallerbse *f.* **3.** *Ölgewinnung*: 'Sprengpa,trone *f.* **4.** *ichth.* Zitterrochen *m.* **5.** *Am. sl.* ‚Go'rilla' *m*, ‚Killer' *m* (*Berufsmörder*). **II** *v/t* **6.** *mar.* torpe'dieren (*a. fig. zunichte machen*). **7.** sprengen. ~ **boat** *s mar.* Tor'pedoboot *n*: ~ **destroyer** (Torpedoboot)Zerstörer *m.* ~ **bomb·er** *s aer.* Tor'pedoflugzeug *n.* ~ **net,** ~ **net·ting** *s mar. mil.* Tor'pedonetz *n.* ~ **plane** *s* Tor'pedoflugzeug *n.* ~ **tube** *s* Tor'pedorohr *n.*

tor·pid ['tɔːrpid] **I** *adj* (*adv* ~**ly**) **1.** träge (*a. med.*), schlaff. **2.** a'pathisch, stumpf. **3.** starr, erstarrt, betäubt. **II** *s* **4.** a) *pl* Bootsrennen *n* der Colleges von Oxford, b) *Boot in diesem Rennen.* **tor'pid·i·ty** [-'piditi], *a.* '**tor·pid·ness,** '**tor·por** [-pər] *s* **1.** Erstarrung *f*, Betäubung *f* (*a. fig.*). **2.** Schlaff-, Trägheit *f.* **3.** Apa'thie *f*, Stumpfheit *f.* ,**tor·por'if·ic** [-pə'rifik] *adj* betäubend, lähmend.

Torps [tɔːrps] *s mil. sl.* Tor'pedo-Offi'zier *m.*

torque [tɔːrk] *s* **1.** *phys. tech.* 'Drehmo,ment *n.* **2.** *hist.* Torques *m*, (Bronze- *etc*)Halsring *m.* ~ **am·pli·fi·er** *s electr.* 'Drehmo,mentverstärker *m.* ~ **arm** *s mot.* Schubstange *f* (*an der Hinterachse*). ~ **con·vert·er** *s tech.* 'Drehmo,mentwandler *m.* ~ **shaft** *s tech.* Dreh-, Torsi'onsstab *m.* ~ **tube** *s mot.* Hohlwelle *f.*

tor·re·fac·tion [,tɒri'fækʃən] *s chem. tech.* Rösten *n*, Darren *n.* '**tor·re,fy** [-,fai] *v/t* rösten, darren.

tor·rent ['tɒrənt] *s* **1.** reißender Strom, *bes.* Wild-, Sturzbach *m.* **2.** (Lava-)Strom *m.* **3.** *pl* Wolkenbruch *m*: **it rains in** ~**s** es gießt in Strömen. **4.** *geol.* a) Torrent *m* (*Flußoberlauf*), b) Tor'rente *m* (*nur nach Regenfällen Wasser führender Bachlauf*). **5.** *fig.* a) Strom *m*, Schwall *m*, Sturzbach *m* (*von Fragen etc*), b) Ausbruch *m* (*von Schmerz etc*). **tor'ren·tial** [-'renʃəl] *adj* **1.** sturzbachartig, reißend, wild: ~ **rain** Wolkenbruch *m.* **2.** *fig.* über'wältigend, wortreich. **3.** *fig.* ungestüm, wild.

tor·rid ['tɒrid] *adj* (*adv* ~**ly**) **1.** ausgedörrt, verbrannt: **a** ~ **plain.** **2.** sengend, brennend (heiß) (*a. fig.*): ~ **zone** *geogr.* heiße Zone; ~ **passion** *fig.* glühende Leidenschaft. **tor'rid·i·ty,** '**tor·rid·ness** *s* **1.** sengende Hitze. **2.** Dürre *f.*

Tor·ri·do·ni·an [,tɒri'douniən] *adj*: ~ **sandstone** *geol.* Torri'donsandstein *m.*

tor·sel ['tɔːrsl] *s* **1.** *arch.* 'Unterlage *f.* **2.** gewundenes Orna'ment.

tor·sion ['tɔːrʃən] *s* **1.** Drehung *f* (*a. math.*). **2.** *phys. tech.* Verdrehung *f*, Torsi'on *f*: ~ **balance** Drehwaage *f*; ~ **bar** *mot.* Drehstab *m*; ~ **pendulum** Drehpendel *n.* **3.** *med.* Abschnürung *f* (*e-r Arterie*). '**tor·sion·al** *adj* Dreh..., (Ver)Drehungs..., Torsions...: ~ **axis** Drillachse *f*; ~ **force** Dreh-, Torsions-

kraft *f*; ~ **moment** *phys.* Dreh-, Torsionsmoment *n.*
tor·sive ['tɔːrsiv] *adj bot.* spi'ral(en)förmig gewunden.
tor·so ['tɔːrsou] *pl* **-sos, -si** [-siː] *s* Torso *m*: a) Rumpf *m*, b) *fig.* Bruchstück *n*, 'unvoll,endetes Werk.
tort [tɔːrt] *s jur.* unerlaubte Handlung, Zi'vilunrecht *n*: **law of ~s** Schadenersatzrecht *n.* '**~-,fea·sor** [-,fiːzər] *s jur.* rechtswidrig Handelnde(r *m*) *f.*
tor·ti·col·lis [,tɔːrti'kɒlis] *s med.* Schief-, Drehhals *m.*
tor·tile ['tɔːrtil; *Br. a.* -tail] *adj* spi'ralig gedreht.
tor·til·la [tər'tiʎa] *s Am. dial.* Tor'tilla *f* (*flacher Maiskuchen*).
tor·tious ['tɔːrʃəs] *adj jur.* rechtswidrig: ~ **act** Delikt *n*, rechtswidrige Handlung.
tor·toise ['tɔːrtəs] **I** *s zo.* Schildkröte *f*: **a case of hare and ~** ein Fall, in dem Beharrlichkeit das Können besiegt; **as slow as a ~** (langsam) wie e-e Schnecke. **II** *adj* Schildpatt... ~ **shell** *s* **1.** Schildpatt *n.* **2.** *zo.* Amer. Fuchs *m* (*Schmetterling*). '**~-,shell** *adj* Schildpatt...: ~ **butterfly** → **tortoise shell** 2; ~ **cat** *zo.* Schildpattkatze *f.*
tor·tu·os·i·ty [*Br.* ,tɔːrtju'ɒsiti; *Am.* -tʃu-] *s* **1.** Krümmung *f*, Windung *f.* **2.** Gewundenheit *f* (*a. fig.*). **3.** *fig.* Unlauterkeit *f.* '**tor·tu·ous** [-tjuəs; *Am.* -tʃu-] *adj* (*adv* **~ly**) **1.** gewunden, gekrümmt. **2.** *fig.* a) gewunden, 'umständlich, b) ‚krumm', unehrlich.
tor·ture ['tɔːrtʃər] **I** *s* **1.** Folter(ung) *f*, Marter *f*: **to put to the ~** foltern. **2.** Tor'tur *f*, (Folter)Qual(en *pl*) *f*, Marter *f.* **3.** *fig.* Verdrehung *f*: ~ **of a text.** **II** *v/t* **4.** foltern, martern, *fig. a.* peinigen, quälen. **5.** pressen, zwingen (into in *acc*, zu). **6.** *e-n Text etc* entstellen, verdrehen. '**tor·tur·er** *s* **1.** Peiniger *m.* **2.** Folterknecht *m.*
to·rus ['tɔːrəs] *pl* **-ri** [-rai] *s* Torus *m*: a) *arch. u. med.* Wulst *m*, b) *math.* Ringfläche *f*, c) *bot.* Blütenboden *m*, d) *bot.* Körbchenboden *m* (*bei Compositen*), e) *tech.* Treibrad *n.*
To·ry ['tɔːri] **I** *s* **1.** *pol. bes. colloq. od. contp.* Tory *m*, (*englischer*) Konserva'tiver. **2.** *hist.* Tory *m* (*Anhänger der hochkonservativ-legitimistischen Partei, die bes. für die Rechte Jakobs II eintrat*). **3.** *hist.* (*in USA*) Tory *m*, Loya'list *m* (*Anhänger Englands während des amer. Unabhängigkeitskrieges*). **4.** *a.* **t~** *hist.* Tory *m* (*royalistischer irischer Bandit*). **II** *adj* **5.** Tory..., konserva'tiv. '**To·ry,ism** *s* **1.** Torytum *n.* **2.** 'Ultrakonserva,tismus *m.*
tosh [tɒʃ] *s Br. sl.* ‚Quatsch' *m.*
tosh·er ['tɒʃər] *s Br. sl.* keinem College angehörender Stu'dent.
toss [tɒs] **I** *s* **1.** (*a.* Hoch)Werfen *n*, Wurf *m*: **a ~ of the head** ein Hoch- *od.* Zurückwerfen des Kopfes. **2.** 'Hin- u. 'Hergeworfenwerden *n*, Schütteln *n.* **3.** a) Hochwerfen *n* e-r Münze, b) → **tossup** 2. **4.** Sturz *m* (*bes. vom Pferde*): **to take a ~** stürzen, *bes.* abgeworfen werden. **II** *v/t pret. u. pp obs. od. poet.* **tost** [tɒst] **5.** werfen, schleudern: **to ~ off** a) *den Reiter* abwerfen (*Pferd*), b) hinunterstürzen; **to ~ off a drink,** c) *e-e Arbeit* ‚hinhauen', *etwas* ‚aus dem Ärmel schütteln'; **to ~ on** *ein Kleidungsstück* überwerfen. **6.** *a.* ~ **about** schütteln, 'hin- u. 'herschleudern *od.* -werfen. **7.** *a.* ~ **up** *e-e Münze etc, a. den Kopf* hochwerfen: **to ~ s.o. for s.th.** mit j-m um etwas losen *od.* knobeln (*durch Münzwurf*). **8.** *meist* ~ **up** hochschleudern, in die Luft schleudern, (*in e-r Decke*) prellen. **9.** ~ **up** *ein Essen* rasch zubereiten. **10.** *mar. die Riemen* pieken: ~ **oars!** Riemen hoch! **III** *v/i* **11.** 'hin- u. 'hergeworfen werden, geschüttelt werden. **12.** *a.* ~ **about** sich (*im Schlaf etc*) 'hin- u. 'herwerfen. **13.** rollen (*Schiff*). **14.** schwer gehen (*See*). **15.** a) flattern (*Fahne etc*), b) 'hin- u. 'herschwanken (*Äste etc*). **16.** *a.* ~ **up** e-e Münze hochwerfen, durch Hochwerfen e-r Münze losen *od.* knobeln (for um). **17.** stürzen: **to ~ out of the room.** '**tossed** *adj*: ~ **salad** gemischter Salat.
'**toss,pot** *s* Trunkenbold *m.*
'**toss,up,** *Br.* '**toss-,up** *s* **1.** → **toss** 3 a. **2.** ungewisse Sache: **it is a ~** die Chancen stehen gleich, das hängt ganz vom Zufall ab; **it is a ~ whether he comes or not** es ist völlig offen, ob er kommt oder nicht.
tost [tɒst] *obs. od. poet. pret u. pp von* **toss.**
tot[1] [tɒt] *s colloq.* **1.** Knirps *m*, Kerlchen *n.* **2.** *Br.* Schlückchen *n.* **3.** *fig.* Häppchen *n*, (*ein*) klein wenig.
tot[2] [tɒt] *colloq.* **I** *s* **1.** (Gesamt)Summe *f.* **2.** *Br.* a) Additi'on *f*, b) Additi'onsaufgabe *f.* **II** *v/t* **3.** *meist* ~ **up** zs.-zählen. **III** *v/i* **4.** ~ **up** a) sich belaufen (to auf *acc*), b) sich sum'mieren.
tot[3] [tɒt] *s sl.* a) Lumpen *m*, b) Knochen *m* (*aus dem Müll*).
to·tal ['toutl] **I** *adj* (*adv* **~ly**) **1.** ganz, gesamt, Gesamt...: ~ **amount, sum ~** → 4; **the ~ population** die Gesamtbevölkerung. **2.** to'tal, gänzlich, völlig: ~ **eclipse** *astr.* totale Finsternis; ~ **failure** völliger Fehlschlag; ~ **loss** Totalverlust *m.* **3.** to'tal, alle Mittel anwendend: ~ **war** totaler Krieg. **II** *s* **4.** (Gesamt)Summe *f*, Gesamtbetrag *m*, -menge *f*: **a ~ of 20 bags** insgesamt 20 Beutel. **5.** (*das*) Ganze. **III** *v/t* **6.** zs.-zählen. **7.** sich belaufen auf (*acc*), insgesamt betragen *od.* sein: **total(l)ing 10 dollars** im Gesamtbetrag von 10 Dollar. **IV** *v/i* **8.** sich (im ganzen) belaufen (to auf *acc*).
to·tal·i·tar·i·an [to,tæli'tɛ(ə)riən; ,toutæl-] *pol.* **I** *adj* totali'tär. **II** *s* Anhänger *m* totali'tärer Grundsätze. **to,tal·i·'tar·i·an,ism** *s* Totalita'rismus *m*, totali'täre Grundsätze *pl* u. Me'thoden *pl*, *bes.* totalitäres Sy'stem.
to·tal·i·ty [to'tæliti] *s* **1.** Gesamtheit *f.* **2.** Vollständigkeit *f.* **3.** *bes. pol.* Totali'tät *f.* **4.** *astr.* to'tale Verfinsterung.
to·tal·i·za·tion [,toutəlai'zeiʃən] *s* **1.** Zs.-fassung *f.* **2.** Sum'mierung *f.*
to·tal·i·za·tor ['toutəlai,zeitər] *s* **1.** Zählwerk *n.* **2.** *Rennsport*: *bes. Br.* Totali'sator *m.*
to·tal·ize ['toutə,laiz] **I** *v/t* **1.** (zu e-m Ganzen) zs.-fassen. **2.** zs.-zählen. **II** *v/i* **3.** *Rennsport*: *bes. Br.* e-n Totali'sator verwenden. '**to·tal,iz·er** → **totalizator.**
tote[1] [tout] *s Br. sl.* ‚Toto' *m* (*Totalisator*).
tote[2] [tout] *v/t Am. colloq.* **1.** (bei sich) tragen, (mit sich) schleppen. **2.** transpor'tieren.
tote| bag *s Am.* Einkaufstasche *f.* ~ **board** → **totalizator** 2. '**~-,box** *s Am.* Trans'portbehälter *m.*
to·tem ['toutəm] *s* Totem *n*: ~ **pole** (*od.* **post**) Totempfahl *m.* **to'tem·ic** [-'temik] *adj* Totem... '**to·tem,ism** *s* Tote'mismus *m*, Totemglaube *m.* ,**to·tem'is·tic** *adj* tote'mistisch.
tot·ter ['tɒtər] *v/i* **1.** torkeln, wanken: **to ~ to one's grave** *fig.* dem Grabe zuwanken. **2.** wackeln, (sch)wanken: **a ~ing government** e-e wankende Regierung; **to ~ to its fall** allmählich zs.-brechen (*Imperium etc*). '**tot·ter·ing** *adj* (*adv* **~ly**), '**tot·ter·y** *adj* wack(e)lig, (sch)wankend: ~ **steps**; ~ **contact** *electr.* Wackelkontakt *m.*
tou·can ['tuːkæn; tu'kɑːn] *s orn.* Tukan *m*, Pfefferfresser *m.*
touch [tʌtʃ] **I** *s* **1.** Berühren *n*, Berührung *f*: **at a ~** beim Berühren; **on the slightest ~** bei der leisesten Berührung; **that was a (near) ~** *colloq.* das hätte ins Auge gehen können; **within ~** in Reichweite; → **touch and go.** **2.** Tastsinn *m*, -gefühl *n*: **it is dry to the ~** es fühlt sich trocken an; **it has a velvety ~** es fühlt sich wie Samt an. **3.** Verbindung *f*, Kon'takt *m*, Fühlung(nahme) *f*: **to lose ~ with** den Kontakt mit *j-m od. e-r Sache* verlieren; **to keep in ~ with s.o.** mit j-m in Verbindung bleiben; **to get in(to) ~ with s.o.** mit j-m Fühlung nehmen *od.* in Verbindung treten; **to put s.o. in ~ with** j-n in Verbindung setzen mit. **4.** leichter Anfall: **a ~ of flu** e-e leichte Grippe. **5.** (Pinsel- *etc*)Strich *m*: **to put the finishing ~es to s.th.** e-r Sache den letzten Schliff geben, letzte Hand an etwas legen. **6.** Anflug *m*: **a ~ of sarcasm; a ~ of romance** ein Hauch von Romantik; **he has a ~ of genius** er hat e-e geniale Ader; **a ~ of the macabre** ein Stich ins Makabre; **a ~ of red** ein rötlicher Hauch, ein Stich ins Rote. **7.** Spur *f*: **a ~ of pepper.** **8.** Hand *f* (*des Meisters etc*), Stil *m*, (souve'räne) Ma'nier: **the ~ of the master; light ~** leichte Hand *od.* Art; **with sure ~** mit sicherer Hand. **9.** (charakte'ristischer) Zug, besondere Note: **the personal ~** die persönliche Note. **10.** Einfühlungsvermögen *n*, (Fein)Gefühl *n.* **11.** *fig.* Gepräge *n*, Stempel *m*: **the ~ of the 20th century.** **12.** *mus.* a) Anschlag *m* (*des Pianisten od. des Pianos*), b) Strich *m* (*des Geigers*). **13.** Probe *f*: **to put to the ~** auf die Probe stellen. **14.** *Rugby etc*: Mark *f* (*seitliches Außenfeld*). **15.** *sl.* a) ‚Anpumpen' *n* (*um Geld*), b) ‚gepumptes' Geld, c) (leichtes) Opfer, j-d, der sich (leicht) ‚anpumpen' läßt: **he is a soft ~.** **16.** *sl.* a) ‚Klauen' *n*, Stehlen *n*, b) ‚Fang' *m*, ‚Beute' *f.*
II *v/t* **17.** berühren, angreifen, anfassen: **to ~ the spot** *fig.* es treffen; ~ **wood!** unberufen!, toi-toi-toi! **18.** befühlen, betasten. **19.** fühlen, wahrnehmen. **20.** (to) in Berührung bringen (mit), legen (an *acc*, auf *acc*). **21.** mitein'ander in Berührung bringen. **22.** leicht anstoßen, drücken auf (*acc*): **to ~ the bell** klingeln; **to ~ glasses** (mit den Gläsern) anstoßen. **23.** *weitS.* (*meist neg.*) *Alkohol etc* anrühren, antasten: **he does not ~ cocktails; he hasn't ~ed his dinner; he refuses to ~ these transactions** er will mit diesen Geschäften nichts zu tun haben. **24.** in Berührung kommen *od.* stehen mit, Kon'takt haben mit. **25.** grenzen *od.* stoßen an (*acc*). **26.** erreichen, reichen an (*acc*). **27.** *fig.* erreichen, erlangen. **28.** (*es*) erraten, treffen, her'ausfinden. **29.** *colloq. j-m od. e-r Sache* gleichkommen, her'anreichen an (*acc*). **30.** tönen, schat'tieren, (leicht) färben. **31.** *fig.* färben, (ein wenig) beeinflussen: **morality ~ed with emotion** gefühlsbeeinflußte Moral. **32.** beeindrucken. **33.** rühren, bewegen: **I am ~ed** ich bin gerührt; **it ~ed him to the heart** es ging ihm zu Herzen; **~ed to tears** zu Tränen gerührt. **34.** *fig.* treffen, verletzen. **35.** *ein Thema etc* berühren. **36.** berühren, betreffen, angehen: **it ~es none but him.** **37.** in

Mitleidenschaft ziehen, angreifen, mitnehmen: ~ed a) angegangen (*Fleisch*), b) ‚bekloppt', ‚nicht ganz bei Trost' (*Person*). **38.** a) haltmachen in (*dat*), b) *mar. e-n Hafen* anlaufen. **39.** *sl. j-n* ‚anpumpen', ‚anhauen' (for um): to ~ s.o. for 20 dollars. **40.** *sl.* ‚klauen', ‚organi'sieren'. **41.** *hist. e-m Kranken* (zur Heilung) die Hand auflegen.

III *v/i* **42.** sich berühren, Berührung *od.* Kon'takt haben. **43.** ~ (up)on grenzen *od.* her'anreichen an (*acc*): it ~es on treason es grenzt an Verrat. **44.** ~ (up)on betreffen, berühren: it ~es upon my interests. **45.** ~ (up)on berühren, kurz erwähnen, streifen: he merely ~ed upon this question. **46.** ~ at *mar.* anlegen bei *od.* in (*dat*), anlaufen (*acc*). **47.** zur Heilung (for *gen*) die Hand auflegen.

Verbindungen mit Adverbien:

touch| down *v/i* **1.** *Rugby etc*: ein Tor erzielen. **2.** *aer.* landen, aufsetzen. ~ **off** *v/t* **1.** *e-e Skizze* (rasch) entwerfen. **2.** (flüchtig) skiz'zieren. **3.** auslösen (*a. fig.*): to ~ a bomb (a crisis, *etc*). ~ **up** *v/t* **1.** a) verbessern, vervollkommnen, ausfeilen, b) auffrischen (*a. fig. das Gedächtnis*), 'aufpo,lieren. **2.** *phot.* retu'schieren. **3.** anspornen.

touch| and go *s* **1.** rasches Hin u. Her. **2.** *fig.* ris'kante Sache, pre'käre Situati'on: it was ~ es hing an e-m Haar, es stand auf des Messers Schneide. **'~-and-'go** *adj* **1.** hastig, flüchtig, oberflächlich: ~ dialogue; ~ landing *aer.* Aufsetz- u. Durchstartlandung *f.* **2.** gefährlich, ris'kant. ~ **bod·y,** *a.* ~ **cor·pus·cle** *s anat.* Tastkörperchen *n.* **'~,down** *s* **1.** *amer. Fußball*: Tor *n.* **2.** *aer.* Aufsetzen *n.*

tou·ché [tu'ʃe] (*Fr.*) *adj fenc., bes. fig.* getroffen!

touch·er ['tʌtʃər] *s Br. sl.*: a near ~ ein knappes Entkommen; as near as a ~ um ein Haar; to a ~ haargenau.

touch| foot·ball *s sport e-e Abart des amer. Fußballs.* **'~,hole** *s hist.* Zündloch *n.*

touch·i·ness ['tʌtʃinis] *s* Empfindlichkeit *f.*

touch·ing ['tʌtʃiŋ] **I** *adj* (*adv* ~**ly**) *fig.* rührend, ergreifend. **II** *a.* as ~ *prep obs.* betreffend, was ... betrifft.

'touch|-in-'goal line *s Rugby etc*: Seitenlinie *f* zwischen Tor- u. Endlinie. ~ **judge** *s sport* Linienrichter *m.* **'~,line** *s sport* Seitenlinie *f.* **'~-me-,not I** *s* **1.** *bot.* Springkraut *n, bes.* a) Rührmichnichtan *n*, b) 'Gartenbalsa,mine *f.* **2.** *colloq.* ‚Blümlein *n* Rührmichnichtan' (*Mädchen*). ~ **pa·per** *s* 'Zündpa,pier *n.* **'~,stone** *s* **1.** *min.* Pro'bierstein *m.* **2.** *fig.* Prüfstein *m.* ~ **sys·tem** *s* Zehn'fingersy,stem *n* (*auf der Schreibmaschine*). **'~-,type** *v/i* blindschreiben. **'~,wood** *s* **1.** Zunder(holz *n*) *m.* **2.** *bot.* Feuerschwamm *m.*

touch·y ['tʌtʃi] *adj* (*adv* touchily) **1.** empfindlich, reizbar, leicht gekränkt. **2.** a) ris'kant, gefährlich, b) heikel, ‚kitzlig': a ~ subject. **3.** *med.* (druck)empfindlich.

tough [tʌf] **I** *adj* (*adv* ~**ly**) **1.** zäh: a) hart, widerstandsfähig, b) zähflüssig: ~ meat zähes Fleisch. **2.** zäh, ro'bust, stark: ~ body (man, animal, *etc*). **3.** zäh, hartnäckig: ~ fight (will, *etc*). **4.** *fig.* schwierig, unangenehm, ‚bös': a ~ fellow (job, problem, *etc*); a ~ winter ein harter Winter; it was ~ going *colloq.* es war ein saures Stück Arbeit; ~ luck *Am. colloq.* (böses) Pech. **5.** *colloq.* ‚eklig', grob: he is a ~ customer mit ihm ist nicht gut Kirschen essen; a ~ foreign policy e-e harte *od.* aggressive Außenpolitik; to get ~ with s.o. j-m gegenüber massiv werden. **6.** *bes. Am.* rowdyhaft, bru'tal, übel, Schläger..., Verbrecher...: ~ guy → 8; a ~ neighbo(u)rhood e-e üble *od.* verrufene Gegend. **7.** übel, schlimm, ‚böse': in a ~ spot übel dran; if things get ~ wenn es ‚mulmig' wird. **II** *s* **8.** *bes. Am.* Rowdy *m*, Ra'bauke *m*, Schläger *m*, ‚übler Kunde'. **'tough·en** *v/t u. v/i* zäh(er) (*etc*) machen *od.* werden. **'tough·ie** [-i] *s Am. sl.* **1.** ‚harte Nuß', schwierige Sache. **2.** → tough 8. **'tough-,mind·ed** *adj* rea'listisch (denkend), hart. **'tough·ness** *s* **1.** Zähigkeit *f*, Härte *f* (*beide a. fig.*). **2.** Zähflüssigkeit *f.* **3.** Hartnäckigkeit *f*, Unnachgiebigkeit *f.* **4.** Ro'bustheit *f.* **5.** Schwierigkeit *f.* **6.** Brutali'tät *f.*

tou·pee [*Br.* 'tuːpei; *Am.* tuː'pei] *s* Tou'pet *n* (*Haarersatzstück*).

tou·pet [*Br.* 'tuːpei; *Am.* tuː'pei] *s* falsches Stirnhaar.

tour [tur] **I** *s* **1.** Tour *f* (of durch): a) (Rund)Reise *f*, (-)Fahrt *f*, b) Ausflug *m*, Wanderung *f*, Fahrt *f*: the grand ~ *hist.* die (Bildungs)Reise durch Europa; → conduct¹ 6. **2.** Rundgang *m* (of durch): ~ of inspection Besichtigungsrundgang, -rundfahrt *f.* **3.** Tour'nee *f*, Gastspielreise *f*: to go on ~ auf Tournee gehen. **4.** Runde *f*, Schicht *f*: three ~s a day drei Schichten täglich. **5.** *mil.* (turnusmäßige) Dienstzeit. **II** *v/t* **6.** bereisen, durch'reisen: to ~ France. **7.** to ~ a play *thea.* mit e-m Stück auf Tour'nee gehen. **III** *v/i* **8.** reisen, e-e Reise *od.* Tour machen (through, about durch). **9.** *thea.* e-e Gastspielreise machen.

tour·bil·lion [tur'biljən] *s* **1.** Tourbilli'on *m* (*Feuerwerksrakete*). **2.** Wirbel *m.*

tour de force [,tuːr də 'fɔːrs] *s* **1.** Gewaltakt *m.* **2.** Glanzleistung *f.*

tour·ing ['tu(ə)riŋ] *adj* Touren..., Reise...: ~ car *mot.* Tourenwagen *m*; ~ exhibition Wanderausstellung *f.*

tour·ism ['tu(ə)rizəm] *s* **1.** Reise-, Fremdenverkehr *m*, Tou'rismus *m.* **2.** Fremdenverkehrswesen *n.* **'tour·ist I** *s* (Ferien-, Vergnügungs)Reisende(r *m*) *f*, Tou'rist(in). **II** *adj* Reise..., Fremden(verkehrs)..., Touristen...: ~ agency (*od.* bureau *od.* office) a) Reisebüro *n*, b) Verkehrsamt *n*, -verein *m*; ~ class Touristenklasse *f*; ~ court → motel; ~ industry Fremdenindustrie *f*; ~ ticket Rundreisekarte *f.*

tour·ma·line ['turmə,liːn; -lin], *a.* **'tour·ma·lin** [-lin] *s min.* Turma'lin *m.*

tour·na·ment ['turnəmənt; 'təːr-] *s* **1.** (*Schach-, Tennis- etc*)Tur'nier *n.* **2.** *hist.* ('Ritter)Tur,nier *n.*

tour·ney ['turni; 'təːr-] **I** *s bes. hist.* Tur'nier *n.* **II** *v/i* tur'nieren, an e-m Tur'nier teilnehmen.

tour·ni·quet ['turni,kei; 'təːr-; -ket] *s med.* Aderpresse *f.*

tou·sle ['tauzl] *v/t das Haar etc* (zer)zausen, verwuscheln.

tout [taut] *colloq.* **I** *v/i* **1.** (*bes.* aufdringliche Kunden-, Stimmen)Werbung treiben (for für). **2.** *Pferderennen*: a) *Br.* sich (*durch Spionieren*) gute Renntips verschaffen, b) *Am.* Wett-Tips geben. **II** *v/t* **3.** aufdringliche Werbung treiben für. **4.** (*durch aufdringliche Werbung*) belästigen. **5.** *Pferderennen*: a) *Br.* (*bes. durch Spionieren*) Informati'onen erlangen über (*acc*), b) *Am. j-m* Wett-Tips geben. **III** *s* **6.** Kundenwerber *m*, (-)Schlepper *m.* **7.** a) *Br.* ‚Spi'on' *m* (*beim Pferdetraining*), b) *Am.* Tipgeber *m.* **8.** on the ~ for auf Ausguck nach.

tout en·sem·ble [tut ɑ̃'sɑ̃ːbl] (*Fr.*) *s Kunst*: Gesamteindruck *m*, -wirkung *f.*

tout·er ['tautər] → tout 6.

tou·zle → tousle.

to·va·rich, to·va·rish [tɒ'vɑːriʃ] (*Russ.*) *s* Genosse *m*, To'warischtsch *m.*

tow¹ [tou] **I** *s* **1.** Schleppen *n*, Schlepparbeit *f*: to have in ~ im Schlepptau haben (*a. fig.*); to take ~ sich schleppen lassen; to take in(to) ~ *bes. fig.* ins Schlepptau nehmen. **2.** *bes. mar.* Schleppzug *m.* **II** *v/t* **3.** (ab)schleppen, ins Schlepptau nehmen: ~ed flight (target) *aer.* Schleppflug *m* (-ziel *n*). **4.** *ein Schiff* treideln. **5.** hinter sich 'herziehen, ab-, mitschleppen, bug'sieren.

tow² [tou] *s* **1.** (Schwing)Werg *n.* **2.** Werggarn *n.* **3.** Packleinwand *f.*

tow·age ['touidʒ] *s* **1.** Schleppen *n*, Bug'sieren *n.* **2.** Treideln *n.* **3.** Schleppgebühr *f.*

to·ward I *prep* [*Br.* tə'wɔːd; tu-; *Am.* təːrd] **1.** auf (*acc*) ... zu, gegen *od.* zu ... hin, nach ... zu, zu: ~ the house. **2.** nach ... zu, in der Richtung u. Nähe von: he lives ~ Birmingham. **3.** (*zeitlich*) gegen: ~ noon. **4.** gegen'über (*dat*): his friendly attitude ~ us. **5.** (*als Beitrag*) zu, um *e-r Sache* (willen), zum Zwecke (*gen*): efforts ~ reconciliation Bemühungen um e-e Versöhnung. **II** *adj* [*Br.* 'touəd; *Am.* təːrd] **6.** *obs.* fügsam. **7.** *obs. od. Am.* vielversprechend. **8.** *nur pred* im Gange, am Werk. **9.** *obs.* bevorstehend.

to·ward·ly ['touədli; *Am.* 'təːrd-] *adj obs.* **1.** → toward 6 *u.* 7. **2.** günstig, rechtzeitig.

to·wards [*Br.* tə'wɔːdz; tu-; *Am.* təːrdz] *bes. Br. für* toward I.

'tow|,boat *s* Schleppschiff *n*, Schlepper *m.* ~ **car** *s mot.* Abschleppwagen *m.*

tow·el ['tauəl; taul] **I** *s* **1.** Handtuch *n*: to throw in the ~ a) (*Boxen*) das Handtuch werfen, b) *fig.* sich geschlagen geben; oaken ~ *sl. obs.* Knüttel *m.* **II** *v/t* **2.** (mit e-m Handtuch) (ab)trocknen *od.* (ab)reiben. **3.** *Br. sl. j-m* ‚e-e Abreibung geben', *j-n* verprügeln. ~ **horse** *s* Handtuchständer *m.*

tow·el·(l)ing ['tauəliŋ; 'taul-] *s* **1.** Handtuchstoff *m.* **2.** Abreibung *f* (*Br. sl. a. fig. Prügel*).

tow·er¹ ['tauər] **I** *s* **1.** Turm *m*: ~ of Babel *Bibl.* Turm von Babel; ~ block *arch.* Hochhaus *n.* **2.** Feste *f*, Bollwerk *n*: ~ of strength *fig.* starker Hort, Säule *f.* **3.** Zwinger *m*, Festung *f* (*Gefängnis*): the T~ (of London) der (Londoner) Tower. **4.** *chem.* Turm *m* (*Reinigungs- od. Absorptionsanlage*). **II** *v/i* **5.** (hoch)ragen, sich em'portürmen (to zu): to ~ above *etwas od. j-n* überragen (*a. fig.* turmhoch überlegen sein [*dat*]). **6.** *hunt.* senkrecht hochschießen (*Falke etc*).

tow·er² ['touər] *s mar.* Treidler *m*, Schlepper *m* (*vom Land aus*).

tow·ered ['tauərd] *adj* (hoch)getürmt.

'tow·er·ing *adj* **1.** turmhoch (aufragend), hoch-, aufragend. **2.** gewaltig, maßlos: ~ ambition; ~ rage rasende Wut.

tow·head ['tou,hed] *s* **1.** Struwwelkopf *m.* **2.** *Am.* Flachskopf *m* (*Person*).

tow·ing ['touiŋ] *adj* (Ab)Schlepp... ~ **line** → towline. ~ **net** → townet. ~ **path** → towpath.

'tow,line *s mar.* Treidelleine *f*, Schlepptau *n.*

town [taun] *s* **1.** Stadt *f* (*unter dem Rang e-r* City). **2.** *meist* the ~ die

Stadt: a) die Stadtbevölkerung, b) das Stadtleben; → paint 5. **3.** *oft* market ~ *Br.* Marktflecken *m.* **4.** *bes. Am.* Stadt- *od.* Landgemeinde *f* (*als Verwaltungseinheit*). **5.** *Br. collect.* Bürger(schaft *f*) *pl* (*e-r Universitätsstadt*): ~ and gown Bürgerschaft u. Studentenschaft. **6.** (*ohne art*) die (nächste) Stadt (*vom Sprecher aus gesehen*): to ~ nach der *od.* in die Stadt, *Br. bes.* nach London; out of ~ nicht in der Stadt, auswärts, *Br. bes.* nicht in London; to go to ~ *sl.* a) Erfolg haben, b) ‚auf die Pauke hauen', ‚loslegen'. ~ **ball** *s Am. obs.* Schlagballspiel *n.* '~ˌ**bred** *adj* in der Stadt aufgewachsen. ~ **car** *s viertüriger Personenwagen mit separatem, durch e-e Glasscheibe vom Fahrersitz getrennten Fahrgastraum.* ~ **circuit** *s Am.* Stadtrichtungsweiser *m.* ~ **clerk** *s* Stadtsyndikus *m.* ~ **coun·cil** *s* Stadt-, Gemeinderat *m* (*Versammlung*). ~ **coun·ci(l)·lor** *s* Stadtrat *m*, Stadtverordnete(r *m*) *f.* ~ **cri·er** *s* Ausrufer *m.*

town·ee [ˌtau'niː] *s univ. Br. sl.* Bürger *m*, Phi'lister *m.*

tow·net ['touˌnet] *s* Zug-, Schleppnetz *n.*

'**town**|ˌ**folk(s)** *s pl* Stadtbewohner *pl*, Städter *pl.* ~ **hall** *s* Rathaus *n.* ~ **house** *s* **1.** Stadtwohnung *f.* **2.** *bes. Br.* Rathaus *n.*

town·i·fy ['tauniˌfai] *v/t* verstädtern.

town| **ma·jor** *s mil. Br. hist.* 'Stadtkommanˌdant *m.* ~ **meet·ing** *s pol.* **1.** Bürgerversammlung *f.* **2.** *bes. Am.* Wählerversammlung *f.* ~ **plan·ning** *s* Städteplanung *f*, -bau *m.* ~**·scape** ['taunskeip; -skip] *s* Stadtbild *n.*

'**towns**ˌ**folk** → townfolk(s).

town·ship ['taunʃip] *s* **1.** *hist.* (Dorf-, Stadt)Gemeinde *f od.* -gebiet *n.* **2.** Verwaltungsbezirk *m.* **3.** *surv. Am.* 6 Qua'dratmeilen großes Gebiet.

'**towns**|·**man** [-mən] *s irr* **1.** Städter *m*, Stadtbewohner *m.* **2.** → townee. **3.** Mitbürger *m.* '~ˌ**peo·ple** → townfolk(s).

town·ward(s) ['taunwərd(z)] *adv* stadtwärts.

'**tow**|ˌ**path** *s* Treidelpfad *m.* '~ˌ**rope** → towline.

tow·y ['toui] *adj* **1.** aus Werg. **2.** wergartig, Werg...

tox·(a)e·mi·a [tɒk'siːmiə] *s med.* Tox(ik)ä'mie *f*, Blutvergiftung *f.* **tox'(a)e·mic** [-'siːmik; -'sem-] *adj med.* tox'ämisch, Blutvergiftungs...

tox·ic ['tɒksik] **I** *adj* (*adv* ~ally) giftig, toxisch, Gift... **II** *s* Gift(stoff *m*) *n.*

tox·i·cant ['tɒksikənt] → toxic.

tox·ic·i·ty [tɒk'sisiti] *s med.* Toxizi'tät *f*, Giftigkeit *f.*

tox·i·co·log·i·cal [ˌtɒksiko'lɒdʒikəl] *adj* (*adv* ~ly) *med.* toxiko'logisch. ˌ**tox·i'col·o·gist** [-'kɒlədʒist] *s* Toxiko'loge *m.* ˌ**tox·i'col·o·gy** [-dʒi] *s* Toxikolo'gie *f*, Giftkunde *f.*

tox·in ['tɒksin] *s med.* To'xin *n*, Gift(stoff *m*) *n.* '~-ˌ**an·ti'tox·in** *s* 'Gegentoˌxin *n.*

tox·oid ['tɒksɔid] *s med.* **1.** (Ehrlichsches) Toxo'id. **2.** Im'munstoff *m.*

tox·oph·i·lite [tɒk'sɒfiˌlait] *s* eifriger Bogenschütze.

toy [tɔi] **I** *s* **1.** (Kinder)Spielzeug *n* (*a. fig.*), *pl a.* Spielsachen *pl*, -waren *f.* **2.** *fig.* Spiele'rei *f*, Tand *m.* **3.** *obs.* Liebe'lei *f.* **II** *v/i* **4.** (with) spielen (mit *e-m Gegenstand*, *fig.* mit *e-m Gedanken etc*), tändeln (mit). **III** *adj* **5.** Spiel(zeug)..., Kinder...: ~ book Bilderbuch *n*; ~ train Miniatur-, Kindereisenbahn *f.* **6.** Zwerg...: ~ dog Schoßhund *m*; ~ spaniel Zwergspaniel *m.* ~ **box** *s* Spielzeugschachtel *f.* ~ **fish** *s* Zierfisch *m.* '~ˌ**like** *adj* winzig, spielzeugartig. '~**·man** [-mən] *s irr* 'Spielwarenhändler *m od.* -ˌhersteller *m.* '~ˌ**shop** *s* Spielwarengeschäft *n*, -handlung *f.* ~ **sol·dier** *s* **1.** ('Spielzeug)Solˌdat *m.* **2.** *mil. fig.* Pa'radesolˌdat *m.*

tra·be·at·ed ['treibiˌeitid], *a.* '**tra·be·ate** [-it; -ˌeit] *adj arch.* aus Horizon'talbalken konstru'iert. ˌ**tra·be'a·tion** *s arch.* Säulengebälk *n.*

tra·bec·u·la [trə'bekjulə] *pl* **-lae** [-ˌliː] *s* **1.** *anat.* Tra'bekel *f*, Bälkchen *n.* **2.** *bot.* Zellbalken *m.*

trace[1] [treis] **I** *s* **1.** (Fuß-, Wagen-, Wild- *etc*)Spur *f*: to be hot on the ~ of s.o. j-m dicht auf den Fersen sein; without a ~ spurlos. **2.** *fig.* Spur *f*: a) ('Über)Rest *m*: ~s of an ancient civilization, b) (An)Zeichen *n*: ~s of fatigue; to leave its ~s (up)on s-e Spuren hinterlassen auf (*e-m Gesicht etc*), c) geringe Menge, (*ein*) bißchen: a ~ of salt; not a ~ of fear keine Spur von Angst; a ~ of a smile ein fast unmerkliches Lächeln. **3.** *Am.* Pfad *m*, (mar'kierter) Weg. **4.** Linie *f*: a) Aufzeichnung *f* (*e-s Meßgeräts*), Kurve *f*, b) Zeichnung *f*, Skizze *f*, c) Pauszeichnung *f*, d) *bes. mil.* Grundriß *m.* **5.** a) *electr.*, *a. mil.* Leuchtspur *f*: ~ of a cathode ray tube, b) *Radar*: (Bild)Spur *f.*

II *v/t* **6.** *j-m od. e-r Sache* nachspüren, *j-s* Spur folgen. **7.** *Wild, Verbrecher etc* verfolgen, aufspüren. **8.** *a.* ~ out *j-n od. etwas* ausfindig machen *od.* aufspüren, *etwas* auf- *od.* her'ausfinden. **9.** *fig. e-r Entwicklung etc* nachgehen, *etwas* verfolgen, erforschen: to ~ s.th. to etwas zurückführen auf (*acc*) *od.* herleiten von; to ~ s.th. back etwas zurückverfolgen (to bis zu). **10.** erkennen, feststellen. **11.** *e-n Pfad* verfolgen. **12.** *a.* ~ out (auf)zeichnen, skiz'zieren, entwerfen. **13.** *Buchstaben* sorgfältig (aus)ziehen, schreiben, malen. **14.** *tech.* a) *a.* ~ over ko'pieren, ('durch)pausen, b) *e-e Linie, die Bauflucht etc* abstecken, c) *e-e Messung* aufzeichnen: ~d chart (*od.* map) Planpause *f.*

III *v/i* **15.** ~ to zu'rückgehen *od.* sich zu'rückverfolgen lassen bis (zu *od.* in *acc*).

trace[2] [treis] *s* **1.** Zugriemen *m*, Strang *m* (*am Pferdegeschirr*): in the ~s angespannt (*a. fig.*); to kick over the ~s *colloq.* über die Stränge schlagen. **2.** *tech.* Pleuel-, Schubstange *f.*

trace·a·ble ['treisəbl] *adj* (*adv* **traceably**) **1.** aufspür-, nachweis-, auffindbar. **2.** zu'rückzuführen(d) (to auf *acc*): to be ~ to → trace[1] 15.

trace| **el·e·ment** *s chem.* 'Spurenele-ˌment *n.* ~ **horse** *s* Zugpferd *n.*

trac·er ['treisər] *s* **1.** Aufspürer(in). **2.** *mail. rail. etc Am.* Such-, Laufzettel *m.* **3.** a) (*technischer*) Zeichner, b) 'Durchzeichner *m*, Pauser *m.* **4.** *Schneiderei*: Ko'pierrädchen *n.* **5.** *tech.* Punzen *m.* **6.** *chem. med. phys.* ('Radio-, Iso'topen)Indiˌkator *m*, 'Leitisoˌtop *m.* **7.** *electr. tech.* Taster *m.* **8.** *mil.* a) *meist* ~ bullet *od.* shell Leuchtspur-, Rauchspurgeschoß *n*, b) *meist* ~ composition Leuchtspursatz *m.*

trac·er·ied ['treisərid] *adj arch.* mit Maßwerk versehen.

trac·er·y ['treisəri] *s* **1.** *arch.* Maßwerk *n* (*an gotischen Fenstern*). **2.** Flechtwerk *n.*

tra·che·a [trə'kiːə; 'treikiə] *pl* **tra·che·ae** [trə'kiːiː; 'treikiˌiː] *s* **1.** *anat.* Tra'chea *f*, Luftröhre *f.* **2.** Tra'chee *f*: a) *zo.* 'Luftkaˌnal *m*, b) *bot.* Gefäß *n.*

tra·che·al [trə'kiːəl; 'treikiəl] *adj* **1.** *anat.* Luftröhren... **2.** *zo.* Tracheen... **3.** *bot.* Gefäß...

tra·che·ate ['treikiːˌeit; -it; trə'kiːit] *zo.* **I** *adj* mit Tra'cheen versehen. **II** *s* Tra'cheentier *n.*

tra·che·i·tis [ˌtreiki'aitis] *s med.* 'Luftröhrenkaˌtarrh *m.*

tra·che·ot·o·my [ˌtreiki'ɒtəmi] *s* Tracheoto'mie *f*, Luftröhrenschnitt *m.*

tra·cho·ma [trə'koumə] *s med.* Tra'chom *n*, Granu'lose *f* (*der Bindehaut*).

tra·chyte ['treikait; 'træk-] *s geol.* Tra'chyt *m.*

trac·ing ['treisiŋ] *s* **1.** Suchen *n*, Nachforschung *f.* **2.** *tech.* a) (Auf)Zeichnen *n*, b) 'Durchpausen *n.* **3.** *tech.* a) Zeichnung *f*, (Auf)Riß *m*, Plan *m*, b) Pause *f*, Ko'pie *f*: to make a ~ of (durch)pausen. **4.** Aufzeichnung *f* (*e-s Kardiographen etc*). ~ **cloth** *s* Pausleinen *n.* ~ **file** *s* 'Suchkarˌtei *f.* ~ **lin·en** → tracing cloth. ~ **pa·per** *s* 'Pauspaˌpier *n.* ~ **serv·ice** *s* Suchdienst *m.* ~ **wheel** → tracer 4.

track [træk] **I** *s* **1.** (*Fuß-, Ski-, Wagen-, Wild- etc*)Spur *f*, Fährte *f* (*beide a. fig.*): to cover up one's ~s s-e Spur verwischen, s-e Aktionen tarnen; to be on s.o.'s ~ j-m auf der Spur sein; off the ~ auf falscher Spur *od.* Fährte (*a. fig. auf dem Holzweg*) (→ 2); to make ~s *sl.* ausreißen, abhauen; to make ~s for *sl.* schnurstracks losgehen auf (*acc*); to keep ~ of *fig. etwas* verfolgen, sich auf dem laufenden halten über (*acc*); to lose ~ of aus den Augen verlieren; to stop in one's ~s *Am.* wie festgewurzelt stehenbleiben; to shoot s.o. in his ~s *Am.* j-n auf der Stelle niederschießen; the ~ of my thoughts mein Gedankengang; → beaten 5. **2.** *rail.* Gleis *n*, Geleise *n u. pl*, Schienenstrang *m*: off the ~ entgleist, aus den Schienen (→ 1); on ~ *econ.* auf der Achse, rollend. **3.** a) *mar.* Fahrwasser *n*, Seegatt *n*, b) *aer.* Kurs *m* über Grund: ~ of a ship. **4.** *mar.* (*übliche*) Route: North Atlantic ~. **5.** Pfad *m*, Weg *m* (*beide a. fig.*). **6.** Bahn *f*: ~ of a comet (storm, bullet, *etc*); (clear the) ~! Bahn frei! **7.** *sport* a) (Renn-, Aschen)Bahn *f*, b) *meist* ~ events 'Laufdisziˌplinen *pl*, c) *a.* ~-and-field sports 'Leichtathˌletik *f.* **8.** *Computer*: Bahn *f.* **9.** Spur *f* (*am Tonband*), Tonstreifen *m.* **10.** *phys.* Bahnspur *f.* **11.** *mot.* a) Spurweite *f*, b) 'Reifenproˌfil *n.* **12.** (Gleis-, Raupen)Kette *f* (*e-s Traktors etc*).

II *v/t* **13.** nachgehen, -spüren (*dat*), verfolgen (to bis). **14.** ~ down aufspüren, zur Strecke bringen: to ~ down a deer (a criminal). **15.** *a.* ~ out aufspüren, ausfindig machen. **16.** *e-n Weg* kennzeichnen. **17.** durch'queren: to ~ a desert. **18.** *Am.* (Fuß- *etc*)Spuren hinter'lassen auf (*dat*). **19.** *rail. Am.* mit Schienen versehen. **20.** *mot. tech.* mit Raupenketten versehen: ~ed vehicle Ketten-, Raupenfahrzeug *n.*

III *v/i* **21.** *tech.* in der Spur bleiben (*Räder, Grammophonnadel etc*), Spur halten. **22.** *Film*: (mit der Kamera) fahren.

track·age ['trækidʒ] *s rail. Am.* **1.** Schienen *pl.* **2.** Schienenlänge *f.* **3.** Streckenbenutzungsrecht *n od.* -gebühr *f.*

'**track-and-'field** *adj sport* Leichtathletik...

track·er ['trækər] *s* **1.** Spurenleser *m.* **2.** ‚Spürhund' *m* (*Person*). **3.** *mil.* Zielgeber *m* (*Gerät*). ~ **dog** *s* Spürhund *m.*

'**track·lay·er** *s* **1.** Schienenleger *m.* **2.** Raupenschlepper *m*, -fahrzeug *n.*

track·less ['træklis] *adj* (*adv* ~**ly**) **1.** unbetreten. **2.** weg-, pfadlos. **3.** schienenlos. **4.** spurlos.

'track,suit *s Sport*: Trainingsanzug *m*.

tract[1] [trækt] *s* **1.** (ausgedehnte) Fläche, Strecke *f*, (Land)Strich *m*, Gegend *f*, Gebiet *n*. **2.** *anat.* Trakt *m*, (Ver'dauungs- *etc*)Sy,stem *n*: **digestive** ~; **respiratory** ~ Atemwege *pl*. **3.** *physiol.* (Nerven)Strang *m*: **optic** ~ Sehstrang. **4.** Zeitraum *m*, -spanne *f*.

tract[2] [trækt] *s bes. relig.* Trak'tat *m, n*, kurze Abhandlung, *contp.* Trak'tätchen *n*.

trac·ta·bil·i·ty [,træktə'biliti] *s* Lenksamkeit *f*, Gefügigkeit *f*. **'trac·ta·ble** *adj* (*adv* **tractably**) **1.** lenk-, folg-, fügsam. **2.** gefügig, geschmeidig, leicht zu bearbeiten(d): ~ **material**.

Trac·tar·i·an·ism [træk'tɛ(ə)riə,nizəm] *s relig.* Traktaria'nismus *m* (*zum Katholizismus neigende Richtung in der anglikanischen Staatskirche*).

trac·tion ['trækʃən] *s* **1.** Ziehen *n*. **2.** *phys. tech.* a) Zug *m*: ~ **engine** Zugmaschine *f*, b) Zugkraft *f*, -leistung *f*. **3.** *phys. tech.* Reibungsdruck *m*. **4.** *mot.* a) Griffigkeit *f* (*der Reifen*), b) ~ **of the road** Bodenhaftung *f*. **5.** a) Fortbewegung *f*, b) Trans'port *m*, Beförderung *f*: **interurban** ~ *Am.* Städtenahverkehr *m*. **6.** *physiol.* Zs.-ziehung *f* (*von Muskeln*). **7.** *med.* Streckung *f*: ~ **bandage** Streckverband *m*; **in (high)** ~ im Streckverband. **8.** Anziehung(skraft) *f* (*a. fig.*).

'trac·tion·al *adj*, **'trac·tive** *adj* Zug...

trac·tor ['træktər] *s* **1.** 'Zugma,schine *f*, Traktor *m*, Trecker *m*, Schlepper *m*. **2.** *a.* ~ **truck** *mot. Am.* Sattelschlepper *m*. **3.** *aer.* a) *a.* ~ **propeller** *od.* **airscrew** Zugschraube *f*, b) *a.* ~ **airplane** Flugzeug *n* mit Zugschraube *f*. **'~-,drawn** *adj* motorgezogen, motori'siert. ~ **plough**, *bes. Am.* ~ **plow** *s* Motorpflug *m*.

trac·trix ['træktriks] *s math.* Traktrix *f*, Schleppkurve *f*.

trade [treid] **I** *s* **1.** *econ.* Handel *m*, (Handels)Verkehr *m*: **domestic** ~ Binnenhandel; **fair** ~ Freihandel; → **foreign trade 1, board**[1] **5. 2.** *econ. mar.* Verkehr *m*, Fahrt *f*: **coasting** ~ Küstenfahrt; → **home trade 2, foreign trade 2. 3.** *econ.* Geschäft *n*: a) Geschäftszweig *m*, Branche *f*, b) (Einzel-, Groß)Handel *m*, c) Geschäftslage *f*, -gewinn *m*: **to be in** ~ *bes. Br.* Geschäftsmann *od.* (Einzel)-Händler sein; **she does a good** ~ sie macht gute Geschäfte; **good (bad) for** ~ handelsgünstig (handelsungünstig); **we sell to the** ~ Abgabe an Einzelhändler *od.* Wiederverkäufer. **4. the** ~ *econ.* a) die Geschäftswelt, b) der Spiritu'osenhandel, c) die Kundschaft. **5.** Gewerbe *n*, Beruf *m*, Handwerk *n*, Branche *f*, Meti'er *n*: **a baker by** ~ Bäcker von Beruf; **every man to his** ~ jeder, wie er es gelernt hat; **two of a** ~ **never agree** zwei vom gleichen Gewerbe sind sich niemals einig; **the** ~ **of war** *fig.* das Kriegshandwerk. **6.** Zunft *f*, Gilde *f*. **7.** *meist pl* → **trade wind**. **8.** *obs.* Pfad *m*, Weg *m*. **9.** *obs.* Beschäftigung *f*, Gewohnheit *f*.

II *v/t* **10.** (aus)tauschen (**for** gegen). **11.** *fig.* tauschen: **to** ~ **blows** (**remarks**, *etc*). **12.** ~ **away** (*od.* **off**) verschachern. **13.** ~ **in** *bes. Am.* in Zahlung geben (**for** für).

III *v/i* **14.** Handel treiben, handeln (**with s.o.** mit j-m; **in s.th.** mit e-r Sache). **15.** ~ **(up)on** *etwas* ausnutzen, speku'lieren *od.* ‚reisen' auf (*acc*). **16.** ~ **down (up)** *econ. Am.* billiger (teurer) einkaufen.

trade| ac·cept·ance *s econ.* 'Handelsak,zept *n*. ~ **ac·count** *s econ. Bilanz*: a) ~ **payables** Liefe'rantenschulden *pl*, b) ~ **receivables** Forderungen *pl* an Kunden. ~ **al·low·ance** → **trade discount**. ~ **as·so·ci·a·tion** *s econ.* **1.** Handels-, Wirtschaftsverband *m*. **2.** Berufsgenossenschaft *f*. **3.** Arbeitgeber-, Unter'nehmerverband *m*. ~ **bal·ance** *s* 'Handelsbi,lanz *f*. ~ **board** *s econ.* Lohnamt *n* (*Arbeitgeber- u. Arbeitnehmerbehörde für Lohnfragen*). ~ **cy·cle** *s econ.* Konjunk'turzyklus *m*. ~ **di·rec·to·ry** *s* Firmenverzeichnis *n*, 'Handelsa,dreßbuch *n*. ~ **dis·count** *s econ.* Ra'batt *m* (*für Wiederverkäufer*), Warenskonto *m, n*. ~ **dis·putes** *s pl econ.* Arbeitsstreitigkeiten *pl*. ~ **dol·lar** *s econ. hist.* Tradedollar *m* (*Silbermünze*). ~ **e·di·tion** *s* Handelsausgabe *f* (*Buch*). ~ **fair** *s econ.* (Handels)-Messe *f*. **'~-,in** *s colloq.* in Zahlung gegebene Sache (*bes. Auto*). **'~-,last** *s colloq.* Erwiderung *f* e-s Kompli'ments, ‚Re'tourkutsche' *f*. **'~,mark I** *s* **1.** Warenzeichen *n*, Schutzmarke *f*. **2.** *fig.* Kennzeichen *n*, Stempel *m*. **II** *v/t* **3.** *econ.* a) Warenzeichen anbringen an (*dat*), b) *Zeichen od. Ware* gesetzlich schützen lassen: ~**ed goods** Markenartikel. ~ **name** *s econ.* **1.** Handelsbezeichnung *f*. **2.** *jur.* Firmenname *m*, Firma *f*. ~ **price** *s econ.* (Groß)Handelspreis *m*.

trad·er ['treidər] *s* **1.** *econ.* Händler *m*, Kaufmann *m*. **2.** *mar.* Handelsschiff *n*. **3.** *Börse*: a) Eigenhändler *m*, b) 'Wertpa,pierhändler *m*.

trade| school *s econ.* Gewerbeschule *f*. ~ **se·cret** *s* Geschäftsgeheimnis *n*.

'trades,folk *s* Geschäftsleute *pl*.

trade show *s* (geschlossene) Filmvorführung für Verleiher u. Kritiker.

'trades|·man [-mən] *s irr* **1.** *econ.* (Klein)Händler *m*, Geschäftsmann *m*. **2.** *Br. dial.* Handwerker *m*. **'~,peo·ple** *s pl econ.* Geschäftsleute *pl*.

trade| sym·bol *s econ.* Bild *n* (*Warenzeichen*). ~ **test** *s* Fachprüfung *f* (*für Handwerker etc*).

'trade-,un·ion, *a.* **'trades-,un·ion** *s* Gewerkschaft *f*. **,trade-'un·ion,ism**, *a.* **,trades-'un·ion,ism** *s* Gewerkschaftswesen *n*. **,trade-'un·ion·ist**, *a.* **,trades-'un·ion·ist I** *s* Gewerkschaftler(in). **II** *adj* gewerkschaftlich.

trade wind *s* Pas'sat(wind) *m*.

trad·ing ['treidiŋ] **I** *s* **1.** Handeln *n*. **2.** Handel *m* (**in s.th.** mit etwas; **with s.o.** mit j-m). **II** *adj* **3.** Handels... **4.** handeltreibend. ~ **com·pa·ny** *s econ.* Handelsgesellschaft *f*. ~ **es·tate** *s* (geplantes) Indu'striegebiet. ~ **post** *s econ.* Handelsniederlassung *f*. ~ **stamp** *s econ.* Ra'battmarke *f*.

tra·di·tion [trə'diʃən] *s* **1.** *allg.* Traditi'on *f*: a) mündliche Über'lieferung (*a. relig.*), b) 'Herkommen *n*, (alter) Brauch, Brauchtum *n*, c) Gepflogenheit *f*, d) (Kul'tur- *etc*)Erbe *n*, e) *bes. Kunst u. Literatur*: über'lieferte Grundsätze *pl*: **by** ~ traditionell(erweise); **to be in the** ~ sich im Rahmen der Tradition halten; ~ **has it that** es ist überliefert, daß. **2.** Über'lieferung *f*, über'lieferte Geschichte, alte Sage, alter Glaube. **3.** *jur.* Auslieferung *f*, 'Übergabe *f*. **tra'di·tion·al** *adj* (*adv* ~**ly**) traditio'nell, Traditions...: a) (mündlich) über'liefert, b) 'herkömmlich, brauchtümlich, (alt)'hergebracht, üblich. **tra'di·tion·al,ism** *s bes. relig.* Traditiona'lismus *m*, Festhalten *n* an der Über'lieferung. **tra'di·tion·al,ize** *v/t* **1.** zur Traditi'on machen. **2.** mit Traditi'onen ausstatten. **tra'di·tion·ar·y** → **traditional**.

tra·duce [trə'dju:s] *v/t* verleumden.

traf·fic ['træfik] **I** *s* **1.** (öffentlicher, Straßen-, Schiffs-, Eisenbahn- *etc*)-Verkehr: **heavy** ~ starker Verkehr. **2.** (Per'sonen-, Güter-, Nachrichten-, Fernsprech- *etc*)Verkehr *m*. **3.** a) (Handels)Verkehr *m*, Handel *m* (**in** in *dat*, mit), b) *contp.* ('ille,galer) Handel, Schacher *m*: **more than the** ~ **will bear** mehr als unter den vorherrschenden Umständen vertretbar ist. **4.** *fig.* a) Verkehr *m*, Geschäft(e *pl*) *n*, b) Austausch *m* (in von): ~ **in ideas**. **5.** Besuch(erzahl *f*) *m*, Betrieb *m*, Kundenandrang *m*. **II** *v/i pret u. pp* **'traf·ficked 6.** handeln, Handel treiben (in in *dat*; **with** mit). **7.** *bes. fig.* handeln, schachern (**for** um). **III** *v/t* **8.** im Handel 'umsetzen: **to** ~ **away** verschachern. **,traf·fic·a'bil·i·ty** *s bes. Am.* Gangbarkeit *f*, Pas'sierbarkeit *f* (*von Gelände etc*). **'traf·fic·a·ble** *adj* **1.** *econ.* marktfähig, gängig. **2.** pas'sierbar (*Gelände etc*).

traf·fi·ca·tor ['træfi,keitər] *s mot. bes. Br.* Fahrtrichtungsanzeiger *m*, Blinker *m*.

traf·fic| block → **traffic jam**. ~ **cir·cle** *s Am.* Kreisverkehr *m*. ~ **en·gi·neer·ing** *s* Verkehrstechnik *f*, -planung *f*. ~ **jam** *s* Verkehrsstockung *f*, -stauung *f*. ~ **is·land** *s* Verkehrsinsel *f*.

traf·fick·er ['træfikər] *s* **1.** Intri'gant *m*. **2.** Händler *m*.

traf·fic| light *s* Verkehrsampel *f*. ~ **man·age·ment** *s econ.* Betriebsführung *f*. ~ **man·ag·er** *s econ.* **1.** Be'triebsdi,rektor *m*, -in,spektor *m*. **2.** Leiter *m* der Trans'portab,teilung. ~ **pat·tern** *s aer.* 'Landema,növer *n od. pl*. ~ **reg·u·la·tion** *s* Verkehrsvorschriften *pl*, (Straßen)Verkehrsordnung *f*. ~ **sign** *s* Verkehrszeichen *n*, -schild *n*. ~ **sig·nal** *s* Verkehrsampel *f*.

trag·a·canth ['trægə,kænθ] *s chem. pharm.* Tra'gant(gummi *n, m*) *m*.

tra·ge·di·an [trə'dʒi:diən; -djən] *s* **1.** Tragiker *m*, Trauerspieldichter *m*. **2.** *thea.* Tra'göde *m*, tragischer Darsteller. **tra,ge·di'enne** [-'en] *s thea.* Tra'gödin *f*.

trag·e·dy ['trædʒidi] *s* **1.** Tra'gödie *f*: a) *thea.* Trauerspiel *n* (*a. als Kunstform*), b) *fig.* tragische *od.* erschütternde Begebenheit, c) Unglück(sfall *m*) *n*, Kata'strophe *f*. **2.** *fig.* (*das*) Tragische.

trag·ic ['trædʒik] *adj*; **'trag·i·cal** *adj* (*adv* ~**ly**) *thea. u. fig.* tragisch: ~ **event**; ~ **irony**; ~ **actor** Tragöde *m*; ~**ly** tragischerweise.

trag·i·com·e·dy [,trædʒi'kɒmidi] *s* 'Tragiko,mödie *f* (*a. fig.*). **,trag·i'com·ic** *adj* (*adv* ~**ally**) tragikomisch.

trail [treil] **I** *v/t* **1.** (nach)schleppen, (-)schleifen, hinter sich 'herziehen: **to** ~ **one's coat** *fig.* anmaßend auftreten. **2.** verfolgen, *j-m* nachgehen, -spüren, *j-n* beschatten. **3.** e-n Pfad treten durch: **to** ~ **grass**. **4.** *a.* ~ **out** *Am. fig.* hin'ausziehen, in die Länge ziehen. **5.** *Am. colloq.* zu'rückbleiben hinter (*dat*), *j-m* nachhinken (*a. fig.*). **6.** ~ **arms** *mil.* das Gewehr mit der Mündung nach vorn halten (*Gewehrkolben in Bodennähe, Lauf im Winkel von 30°*): ~ **arms!** Gewehr rechts!

II *v/i* **7.** schleifen, schleppen: **her skirt** ~**s on the ground**. **8.** wehen, flattern. **9.** her'unterhängen. **10.** *bot.*

kriechen, wuchern. **11.** da'hinziehen (*Rauch etc*). **12.** sich (da'hin)schleppen. **13.** *Am. colloq.* nachhinken (*a. fig.*), hinter'dreinzotteln. **14.** ~ **off** sich verlieren (*Klang, Stimme, a. Diskussion etc*). **15.** e-r Spur nachgehen. **16.** fischen (for nach).

III *s* **17.** nachschleppender Teil, *bes.* Schleppe *f* (*e-s Kleides*). **18.** Schweif *m*, Schwanz *m*, Streifen *m*: the ~ of a meteor; ~ of smoke Rauchfahne *f*. **19.** Spur *f*: the slimy ~ of a slug; ~ of blood. **20.** *hunt. u. fig.* Fährte *f*, Spur *f*: on s.o.'s ~ j-m auf der Spur *od.* auf den Fersen; off the ~ von der Spur abgekommen, auf falscher Fährte; → camp 6. **21.** (Trampel)Pfad *m*, Weg *m*: to blaze the ~ a) den Weg markieren, b) *fig.* den Weg bahnen (for für), bahnbrechend sein, Pionierarbeit leisten. **22.** *aer. mil.* Rücktrift *f* (*beim Bombardieren*). **23.** *mil.* Gewehr-rechts-Haltung *f* (→ 6). **24.** *mil.* (La'fetten)Schwanz *m*.

'trail|ˌblaz·er *s* **1.** Pistensucher *m*. **2.** *fig.* Bahnbrecher *m*, Pio'nier *m*. **'~ˌblaz·ing** *adj* bahnbrechend.

trail·er ['treilər] *s* **1.** *bot.* Kriechpflanze *f*, rankender Ausläufer. **2.** *mot. etc* a) Anhänger *m*, b) Wohnwagen(anhänger) *m*: ~ camp, ~ court, ~ park Wohnwagenkolonie *f*. **3.** *tech.* Hemmstange *f*. **4.** (Film)Vorschau *f*. **5.** Endstreifen *m* (*an e-m Film*). **'trail·er·ite** *s Am.* Wohnwagenbewohner(in).

trail·ing| a·e·ri·al ['treiliŋ] *s electr.* 'Schleppanˌtenne *f*. ~ **ax·le** *s mot.* nicht angetriebene Achse, Schleppachse *f*. ~ **edge** *s aer.* (Pro'fil)ˌHinterkante *f*.

train [trein] **I** *s* **1.** *rail.* (Eisenbahn)Zug *m*: ~ journey Bahnfahrt *f*; ~ staff Zugpersonal *n*; to go by ~ mit dem Zug *od.* der Bahn fahren; to be on the ~ im Zug sein *od.* sitzen, mitfahren; to take a ~ to mit dem Zug fahren nach. **2.** Zug *m* (*von Personen, Wagen etc*), Kette *f*, Ko'lonne *f*: ~ of barges Schleppzug (*Kähne*). **3.** Gefolge *n* (*a. fig.*): ~ of admirers; to have (*od.* bring) in its ~ *fig.* zur Folge haben, mit sich bringen. **4.** *fig.* Reihe *f*, Folge *f*, Kette *f* (*von Ereignissen etc*): ~ of events; ~ of thoughts Gedankengang *m*; in ~ a) im Gang(e), im Zuge, b) bereit (for für); to put in ~ in Gang setzen. **5.** *mil.* Train *m*, Troß *m*. **6.** *mil., a. Bergbau*: Leitfeuer *n*, Zündlinie *f*. **7.** *tech.* a) Walzwerk *n*, b) *a.* ~ of wheels Trieb-, Räderwerk *n*. **8.** Schleppe *f* (*am Kleid*). **9.** *astr.* (Ko'meten)Schweif *m*. **10.** *phys.* Reihe *f*, Serie *f*: ~ of impulses Stromstoßreihe, -serie; ~ of waves Wellenzug *m*. **11.** *chem.* Gerätesatz *m*.

II *v/t* **12.** *j-n* er-, aufziehen. **13.** *bot.* (*bes.* am Spa'lier) ziehen. **14.** *j-n* ausbilden (*a. mil.*), *a. das Auge, den Geist* schulen: → trained. **15.** *j-m etwas* 'einexerˌzieren, beibringen. **16.** *sport* trai'nieren: to ~ an athlete (a horse). **17.** a) *Tiere* abrichten, dres'sieren (to do zu tun), b) *Pferde* zureiten. **18.** *ein Geschütz etc* richten (on auf *acc*).

III *v/i* **19.** sich ausbilden (for zu, als), sich schulen *od.* üben. **20.** *sport* trai'nieren (for für). **21.** *a.* ~ it *colloq.* mit der Bahn fahren.

Verbindungen mit Adverbien:

train| down *v/i* (an Körpergewicht) abnehmen (*durch Training etc*). ~ **off** **I** *v/i* außer Form kommen (*Sportler*). **II** *v/t Gewicht* her'untertraiˌnieren.

'train|ˌband *s Br. hist.* Bürgerwehr *f*. **'~ˌbear·er** *s* Schleppenträger *m*. ~ **box,** ~ **case** *s Am.* Reiseköfferchen *n*. ~ **dis·patch·er** *s rail.* Zugabfertigungsbeamte(r) *m*.

trained [treind] *adj* **1.** (voll) ausgebildet, gelernt, geschult: ~ men (*od.* personnel) Fachkräfte, geschultes Personal; ~ lawyer (Voll)Jurist *m*. **2.** geübt, geschult: ~ eye; ~ mind. **3.** dres'siert: a ~ dog.

train·ee [trei'niː] *s* **1.** j-d, der in der Berufsausbildung ist: a) Fachschüler(in), b) Anlernling *m*, c) Prakti'kant(in). **2.** *Am.* Re'krut *m*.

train·er ['treinər] *s* **1.** Ausbilder *m*, Lehrer *m*. **2.** *sport* Trainer *m*. **3.** a) ('Hunde- *etc*)DresˌSeur *m*, Abrichter *m*, b) Zureiter *m*. **4.** *aer.* a) Schulflugzeug *n*, b) ('Flug)Simuˌlator *m*.

'train-ˌfer·ry *s* Eisenbahnfähre *f*.

train·ing ['treiniŋ] **I** *s* **1.** Schulung *f*, Ausbildung *f*. **2.** Üben *n*. **3.** *bes. sport* Training *n*: in good ~ gut im Training *od.* in Form; out of ~ aus der Übung; → physical 1. **4.** a) Abrichten *n* (*von Tieren*), b) Zureiten *n*. **5.** *bot.* Ziehen *n* (*am Spalier*). **II** *adj* **6.** Ausbildungs..., Schulungs..., Lehr... **7.** *sport* Trainings... ~ **aids** *s pl ped. etc* Schulungshilfsmittel *pl*. ~ **a·re·a** *s mil.* Truppenübungsplatz *m*. ~ **col·lege** *s* Lehrerbildungsanstalt *f*. ~ **film** *s* Lehrfilm *m*. ~ **flight** *s aer.* Ausbildungsflug *m*. ~ **school** *s* **1.** a) → training college, b) Fachschule *f*. **2.** Schule *f* für schwererziehbare Kinder. ~ **ship** *s* Schulschiff *n*.

'train|ˌload *s* Zugladung *f*. **'~·man** [-mən] *s irr Am.* Bahnangestellte(r) *m*. **'~ˌmas·ter** *s rail. Am.* (Bezirks)Aufsichtsbeamte(r) *m*. **'~-'mile** *s rail.* Zugmeile *f*. ~ **oil** *s* (Fisch)Tran *m*, *bes.* Walöl *n*.

traipse → trapse.

trait [*Br.* trei; *Am.* treit] *s* **1.** (Cha'rakter)Zug *m*, Merkmal *n*, Eigenschaft *f*. **2.** Gesichtszug *m*.

trai·tor ['treitər] *s* Verräter *m* (to an *dat*). **'trai·tor·ous** *adj* (*adv* ~ly) verräterisch. **'trai·tress** [-tris] *s* Verräterin *f*.

traj·ect **I** *s* ['trædʒekt] **1.** *tech.* Tra'jekt *m, n*, (Eisenbahn)Fähre *f*. **2.** 'Überfahrt *f*. **3.** 'Übergangsstelle *f*. **II** *v/t* **tra·ject** [trə'dʒekt] **4.** *Gedanken* über'tragen.

tra·jec·to·ry [trə'dʒektəri] *s* **1.** *math. phys.* Flugbahn *f*, *aer.* Fallkurve *f* (*e-r Bombe*): ~ chart Flugbahnbild *n*. **2.** *Geometrie*: Trajekto'rie *f*.

tram[1] [træm] **I** *s* **1.** *Br.* a) Straßenbahn(wagen *m*) *f*: by ~ mit der Straßenbahn, b) → tramway 1. **2.** *Bergbau*: Förderwagen *m*, Hund *m*. **3.** *tech.* a) Hängebahn *f*, b) Laufkatze *f*. **II** *v/t* **4.** im Förderwagen transpor'tieren. **III** *v/i* **5.** *a.* ~ it *Br.* mit der Straßenbahn fahren.

tram[2] [træm] *s* Tram-, Einschlagseide *f*.

tram[3] [træm] *s* **1.** → trammel 5. **2.** *tech.* Ju'stierung *f*.

'tram|ˌcar *s* **1.** *Br.* Straßenbahnwagen *m*. **2.** → tram[1] 2. **'~ˌline** *s* **1.** *Br.* Straßenbahnlinie *f od.* -schiene *f*. **2.** *pl Tennis*: Korridor *m*.

tram·mel ['træməl] **I** *s* **1.** *a.* ~ net (Schlepp)Netz *n* (*zum Fisch- od. Vogelfang*). **2.** Spannriemen *m* (*für Pferde*). **3.** *meist pl fig.* Fessel(n *pl*) *f*, Hemmschuh *m*. **4.** Kesselhaken *m*. **5.** *math.* El'lipsenzirkel *m*. **6.** *a.* pair of ~s Stangenzirkel *m*. **II** *v/t* **7.** *meist fig.* fesseln, hemmen.

tra·mon·tane [trə'mɒntein; 'træmənˌtein] **I** *adj* **1.** transal'pin(isch). **2.** fremd, bar'barisch. **II** *s* **3.** Fremdling *m*.

tramp [træmp] **I** *v/i* **1.** trampeln (on, upon auf *acc*), stampfen, stapfen. **2.** *meist* ~ it wandern, mar'schieren, trampen, ‚tippeln'. **3.** vagabun'dieren, her'umstromern. **II** *v/t* **4.** durch'wandern. **5.** trampeln, stampfen: to ~ down niedertrampeln. **III** *s* **6.** Getrampel *n*. **7.** schwerer Schritt, Stapfen *n*. **8.** Wanderung *f*, (Fuß)Marsch *m*: on the ~ auf Wanderschaft. **9.** Vaga'bund *m*, Landstreicher *m*. **10.** *colloq.* ‚Luder' *n* (*leichtes Mädchen*). **11.** *mar.* Trampschiff *n*: ~ shipping Trampschiffahrt *f*.

tram·ple ['træmpl] **I** *v/i* **1.** (her'um)trampeln (on, upon auf *dat*). **2.** *fig.* mit Füßen treten (on, upon *acc*). **II** *v/t* **3.** (zer)trampeln: to ~ to death zu Tode trampeln; to ~ down niedertrampeln; to ~ out a fire ein Feuer austreten; to ~ under foot *fig.* mit Füßen treten. **III** *s* **4.** Trampeln *n*.

tram·po·lin(e) ['træmpəlin] *s sport* Trampo'line *f* (*Sprunggerät*).

'tramˌway *s* **1.** *Br.* Straßenbahn(linie) *f*. **2.** *Bergbau*: a) Schienenweg, b) Grubenbahn *f*.

trance [*Br.* trɑːns; *Am.* træ(ː)ns] **I** *s* **1.** Trance *f*: a) (hyp'notischer) Trancezustand, b) *med.* Bewußtlosigkeit *f*, Starrsucht *f*. **2.** Ek'stase *f*, Verzückung *f*. **II** *v/t* **3.** *poet.* in Ek'stase versetzen.

tran·quil ['træŋkwil] *adj* (*adv* ~ly) **1.** ruhig, friedlich. **2.** gelassen. **3.** heiter.

tran'quil·(l)i·ty *s* **1.** Ruhe *f*, Friede(n) *m*, Stille *f*. **2.** Gelassenheit *f*, (Seelen)Ruhe *f*. **3.** Heiterkeit *f*. **ˌtran·quil·(l)i'za·tion** *s* Beruhigung *f*. **'tran·quilˌ(l)ize** *v/t u. v/i* (sich) beruhigen. **'tran·quilˌ(l)iz·er** *s* Beruhigungsmittel *n*, ‚Stimmungspille' *f*.

trans- [trænz; -s; *Br. a.* trɑːn-] *Vorsilbe mit den Bedeutungen* a) jenseits, b) durch, c) über.

trans·act [træn'zækt; -'sækt] **I** *v/t Geschäfte etc* ('durch)führen, verrichten, erledigen, abwickeln: to ~ business; to ~ a bargain e-n Handel abschließen. **II** *v/i* ver-, unter'handeln (with mit).

trans'ac·tion *s* **1.** 'Durchführung *f*, Abwicklung *f*, Erledigung *f*. **2.** Ver-, Unter'handlung *f*. **3.** *econ.* Transakti'on *f*, Geschäft *n*, (Geschäfts)Abschluß *m*. **4.** *jur.* Rechtsgeschäft *n*. **5.** *pl econ.* (Ge'schäfts)ˌUmsatz *m*: cash ~s Barumsätze. **6.** *pl* Verhandlungen *pl*, Proto'koll *n*, Sitzungsbericht *m* (*der Börse od. gelehrter Gesellschaften*).

trans'ac·tor [-tər] *s* **1.** 'Durchführende(r *m*) *f*. **2.** 'Unterhändler(in).

trans·ad·mit·tance [ˌtrænzəd'mitəns; ˌtræns-] *s electr.* Gegenscheinleitwert *m*.

Trans·al·pine [trænz'ælpain; træns-; -pin] *adj* transal'pin(isch).

trans·at·lan·tic [ˌtrænzət'læntik; ˌtræns-] **I** *adj* **1.** transat'lantisch, 'überseeisch. **2.** Übersee...: ~ liner → 3; ~ flight Ozeanflug *m*. **II** *s* **3.** 'Überseedampfer *m*. **4.** in 'Übersee Lebende(r *m*) *f*.

trans·ceiv·er [træns'siːvər] *s electr.* Sender-Empfänger *m*.

tran·scend [træn'send] **I** *v/t* **1.** *bes. fig.* über'schreiten, -'steigen. **2.** *fig.* über'treffen. **II** *v/i* **3.** *fig.* her'vorragen, -stechen. **tran'scend·ence, tran'scend·en·cy** *s* **1.** Über'legenheit *f*, Erhabenheit *f*. **2.** *relig., a. math. philos.* Transzen'denz *f*. **tran'scend·ent** *adj* **1.** transzen'dent: a) *philos.* 'übersinnlich, b) *relig.* 'überweltlich, -naˌtürlich. **2.** her'vorragend.

tran·scen·den·tal [ˌtrænsen'dentl] **I** *adj* **1.** *philos.* transzenden'tal: a) *Scho-*

lastik: meta'physisch, b) (*bei Kant*) apri'orisch: ~ **idealism** transzendentaler Idealismus; ~ **object** reales Objekt. **2.** außerordentlich, 'überna,'türlich, -menschlich. **3.** erhaben, über'legen. **4.** ab'strakt, über'spannt: ~ **ideas. 5.** phan'tastisch, ab'strus: ~ **conceptions. 6.** *math.* transzen'dent. **II** *s* **7.** *math.* Transzen'dente *f.* **8.** *pl Scholastik*: Transzenden'talien *pl.* **9.** *philos.* (*das*) Transzenden'tale. **10.** Transzenden'talphilo,soph *m.* **,tran·scen'den·tal,ism** [-tə,l-] *s* Transzenden'talphiloso,phie *f.*

trans·con·duc·tance [,trænzkən'dʌktəns; ,træns-] *s electr.* Gegenwirkleitwert *m.*

trans·con·ti·nen·tal [,trænzkɒnti'nentl; ,træns-] *adj* **1.** transkontinen'tal, e-n Erdteil durch'ziehend *od.* -'querend. **2.** auf der anderen Seite des Kontinents (gelegen *etc*).

tran·scribe [træn'skraib] *v/t* **1.** abschreiben, ko'pieren. **2.** (*in e-e andere Schriftart*) über'tragen: to ~ **one's shorthand notes in longhand. 3.** *fig. e-n Gedanken* um'schreiben. **4.** *mus.* transkri'bieren, 'umschreiben. **5.** *Radio, TV* a) aufzeichnen, auf Band nehmen, b) (vom Band) über'tragen. **6.** *Computer*: 'umschreiben. **7.** *fig.* aufzeichnen. **'tran·script** [-skript] *s* Abschrift *f,* Ko'pie *f* (*a. fig.*). **tran'scrip·tion** *s* **1.** Abschreiben *n.* **2.** Abschrift *f,* Ko'pie *f.* **3.** 'Umschrift *f.* **4.** *mus.* Transkripti'on *f.* **5.** *Radio, TV* a) Aufnahme *f,* b) Bandsendung *f,* Aufzeichnung *f*: ~ **turntable** Abspieltisch *m* (*für Tonaufnahmen*).

trans·cul·tu·ra·tion [,trænz,kʌltʃə'reiʃən; ,træns-] *s* Kul'turwandel *m.*

trans·duc·er [trænz'djuːsər; træns-] *s* **1.** *electr.* ('Um)Wandler *m.* **2.** *tech.* ('Meßwert),Umformer *m.* **3.** *Computer*: Wandler *m.*

tran·sect [træn'sekt] *v/t* 'durchschneiden.

tran·sept ['træn,sept] *s arch.* Querschiff *n.*

trans·fer [træns'fɜːr] **I** *v/t* **1.** hin'überbringen, -schaffen (from ... to von ... nach *od.* zu). **2.** über'geben, -'mitteln (to s.o. j-m). **3.** verlegen (to nach, zu; in, into in *acc*): to ~ **a production plant (troops, one's domicile)**; to ~ **a patient** *med.* e-n Patienten überweisen (to an *acc*). **4.** *e-n Beamten, Schüler* versetzen (to nach; in, into in *e-e andere Schule etc*). **5.** (to) *jur.* über'tragen (auf *acc*), abtreten (an *acc*). **6.** *econ.* a) *e-e Summe* vortragen, b) *e-n Posten, ein Wertpapier* 'umbuchen, c) *Aktien etc* über'tragen. **7.** *Geld* über'weisen (to an *j-n*, auf *ein Konto*). **8.** *fig. s-e Zuneigung etc* über'tragen (to auf *acc*). **9.** *fig.* verwandeln (into in *acc*). **10.** *print. e-n Druck, Stich* über'tragen, 'umdrucken. **II** *v/i* **11.** 'übertreten (to zu). **12.** verlegt *od.* versetzt werden (to nach, zu). **13.** *rail. etc Am.* 'umsteigen. **III** *s* ['trænsfər] **14.** Über'tragung *f.* **15.** Wechsel *m* (to zu). **16.** Verlegung *f*: ~ **of domicile. 17.** Versetzung *f* (to nach): ~ **of a civil servant. 18.** *Fußball*: Trans'fer *m*: **the** ~ **of a player. 19.** *jur.* Über'tragung *f* (*e-s Rechts etc*) (to auf *acc*), Zessi'on *f.* **20.** *econ.* ('Geld)Über,weisung *f*: ~ **of foreign exchange** Devisentransfer *m*; ~ **business** Giroverkehr *m.* **21.** *econ.* ('Aktien-, Kapi'tal- *etc*)Über,tragung *f,* 'Umschreibung *f*: ~ **of securities. 22.** *print.* a) Abziehen *n,* 'Umdrucken *n,* b) Abzug *m,* 'Umdruck *m,* Über'tragung *f,* c) Abziehbild *n.* **23.** *rail. etc Am.* a) 'Umsteigen *n,* b) 'Umsteigefahrkarte *f,* c) *a. mar.* 'Umschlagplatz *m,* d) Fährboot *n.* **,trans·fer·a'bil·i·ty** *s* Über'tragbarkeit *f.* **trans'fer·a·ble** *adj bes. econ. jur.* über'tragbar (*a. Wahlstimme*).

'trans·fer| a·gent *s econ.* Trans'fera,gent *m.* ~ **bank** *s* Girobank *f.* ~ **book** *s econ.* 'Umschreibungs-, Aktienbuch *n.* ~ **day** *s econ.* 'Umschreibungstag *m.* ~ **deed** *s* Abtretungsurkunde *f.*

trans·fer·ee [,trænsfə'riː] *s* **1.** Versetzte(r *m*) *f.* **2.** *jur.* Zessio'nar *m,* Über'nehmer *m.* **3.** *econ.* Indossa'tar *m.*

trans·fer·ence [træns'fɜːrəns; *Br. a.* 'trænsfər-] *s* **1.** Über'tragung *f.* **2.** *econ.* Transfe'rierung *f,* 'Umschreibung *f.* **3.** Verlegung *f,* -setzung *f.* **4.** *psych.* 'Umstellung *f.*

trans·fer·en·tial [,trænsfə'renʃəl] *adj* **1.** Übertragungs... **2.** über'tragend.

'trans·fer ink *s print.* 'Umdrucktinte *f,* -farbe *f.*

trans·fer·or [*Br.* 'trænsfərə; *Am.* træns'fɜːrər] *s* **1.** *jur.* Ze'dent *m,* Abtretende(r) *m.* **2.** *econ.* Indos'sant *m.*

'trans·fer| pa·per *s print.* 'Umdruckpa,pier *n.* ~ **pay·ment** *s Am.* (öffentliche) Zuwendung(en *pl*). ~ **pic·ture** *s* Abziehbild *n.*

trans·fer·rer [træns'fɜːrər] *s* **1.** Über'trager *m.* **2.** → **transferor.**

'trans·fer| re·sist·ance *s electr.* 'Übergangs,widerstand *m.* ~ **tick·et** *s* **1.** → **transfer** 23 b. **2.** *econ.* Über'weisungsscheck *m,* -formu,lar *n* (*im Clearing-Verkehr*).

trans·fig·u·ra·tion [,trænsfigju'reiʃən] *s* **1.** 'Umgestaltung *f.* **2.** *relig.* a) Verklärung *f* (*Christi*), b) T~ Fest *n* der Verklärung (*6. August*). **trans'fig·ure** [-'figər; *Am. a.* -'figjər] *v/t* **1.** 'umgestalten, -formen (into in *acc*). **2.** *relig. u. fig.* verklären.

trans·fi·nite [træns'fainait] *adj math.* transfi'nit, 'überendlich.

trans·fix [træns'fiks] *v/t* **1.** durch'stechen, -'bohren (*a. fig.*). **2.** *fig.* erstarren lassen, lähmen: ~**ed** wie versteinert, starr (with vor). **trans'fix·ion** [-'fikʃən] *s* **1.** Durch'bohrung *f.* **2.** *fig.* Erstarrung *f.*

trans·form [træns'fɔːrm] **I** *v/t* **1.** 'umgestalten, -wandeln, -bilden, -formen, *a. fig. j-n* verwandeln, -ändern (into, to in *acc*, zu). **2.** *electr. math.* 'umformen. **II** *v/i* **3.** sich verwandeln (into zu). **trans'form·a·ble** *adj* 'um-, verwandelbar.

trans·for·ma·tion [,trænsfər'meiʃən] *s* **1.** 'Umgestaltung *f,* -bildung *f,* -formung *f,* Veränderung *f,* -wandlung *f,* 'Umwandlung *f.* **2.** *fig.* Verwandlung *f,* (Cha'rakter- *od.* Sinnes)Änderung *f.* **3.** *chem.* 'Umsetzung *f,* -wandlung *f.* **4.** Transformati'on *f*: a) *electr.* 'Umspannung *f,* b) *math.* 'Umformung *f.* **5.** *meist* ~ **scene** *thea.* Verwandlungsszene *f.* **6.** 'Damenpe,rücke *f,* Haar(ersatz)teil *n.*

trans·form·a·tive [træns'fɔːrmətiv] *adj* 'umgestaltend, -bildend.

trans·form·er [træns'fɔːrmər] *s* **1.** 'Umgestalter(in), -wandler(in). **2.** *electr.* Transfor'mator *m, abbr.* Trafo *m,* 'Umspanner *m,* -former *m.*

trans·form·ism [træns'fɔːrmizəm] *s biol.* **1.** Transfor'mismus *m,* Deszen'denztheo,rie *f.* **2.** Entwicklung *f.*

trans·fuse [træns'fjuːz] *v/t* **1.** 'umgießen. **2.** *med.* a) *Blut* über'tragen, b) *Serum etc* einspritzen, c) e-e 'Blutüber,tragung machen bei *j-m.* **3.** *fig.* einflößen (into *dat*). **4.** *fig.* durch'tränken, erfüllen (with mit, von). **trans'fu·sion** [-ʒən] *s* **1.** 'Umgießen *n.* **2.** *fig.* a) Über'tragung *f,* b) Durch'tränkung *f.* **3.** *med.* a) ('Blut)Transfusi,on *f,* b) Injekti'on *f.*

trans·gress [træns'gres] **I** *v/t* **1.** über'schreiten, -'treten (*a. fig.*). **2.** *fig. Gesetze etc* über'treten, verletzen. **II** *v/i* **3.** sich vergehen, sündigen, fehlen. **trans'gres·sion** [-ʃən] *s* **1.** Über'schreitung *f.* **2.** Über'tretung *f,* Verletzung *f* (*von Gesetzen etc*). **3.** Vergehen *n,* Missetat *f.* **4.** *geol.* Transgressi'on *f,* 'Übergreifen *n* der Schichten. **trans'gres·sive** *adj* verstoßend (of gegen). **trans'gres·sor** [-sər] *s* Missetäter(in).

tran·ship [træn'ʃip], **tran'ship·ment** → **transship** *etc.*

trans·hu·mance [træns'hjuːməns] *s* Herdenwanderung *f* (*zur Ausnutzung der Weideflächen*).

tran·sience [*Br.* 'trænziəns; *Am.* -ʃəns], *a.* **'tran·sien·cy** [-si] *s* Vergänglichkeit *f,* Flüchtigkeit *f.*

tran·sient [*Br.* 'trænziənt; *Am.* -ʃənt] **I** *adj* (*adv* ~**ly**) **1.** (*zeitlich*) vor'übergehend. **2.** vergänglich, flüchtig, kurz. **3.** wechselhaft. **4.** *Am.* a) sich vor'übergehend aufhaltend, b) Durchgangs...: ~ **camp**; ~ **visitor** → 8. **5.** *electr.* Einschalt..., Einschwing...: ~ **current**; ~ **impulse. 6.** *mus.* 'überleitend. **II** *s* **7.** flüchtige Erscheinung. **8.** *a.* ~ **visitor**, ~ **guest** *Am.* 'Durchreisende(r *m*) *f,* Pas'sant(in). **9.** *electr.* a) Einschaltstoß *m,* b) Einschwingvorgang *m,* c) *a.* ~ **wave** Wanderwelle *f.* ~ **ho·tel** *s Am.* 'Durchgangs-, Pas'santenho,tel *n.*

tran·sil·i·ence [træn'siliəns] *s bes. geol.* ab'rupter 'Übergang (*von e-r Formation zur anderen*).

trans·il·lu·mi·nate [,trænsi'ljuːmi,neit; ,trænz-; -'luː-] *v/t bes. med.* durch'leuchten.

trans·i·re [træns'ai(ə)ri; trænz-] *s econ. Br.* Zollbegleitschein *m.*

trans·isth·mi·an [trænz'isθmiən; træns-; -'ismiən] *adj* durch die Landenge (*von Korinth, Suez od. Panama*) gehend.

tran·sis·tor [træn'zistər; -'sis-] *s electr.* Tran'sistor *m*: ~ **switch** Schalttransistor. **tran'sis·tor,ize** *v/t* transistori'sieren, mit Transi'storen ausrüsten.

trans·it ['trænsit; -zit] **I** *s* **1.** 'Durch-, 'Überfahrt *f*: ~ **of persons** Personenverkehr *m.* **2.** a) 'Durchgang *m* (*a. astr.*), b) 'Durchgangsstraße *f,* c) Verkehrsweg *m.* **3.** *econ.* Tran'sit *m,* 'Durchfuhr *f,* Trans'port *m* (*von Waren*): in ~ unterwegs *od.* auf dem Transport. **4.** 'Durchgangsverkehr *m*: **rapid** ~ **from city to city. 5.** *fig.* 'Übergang *m* (to zu). **II** *adj* **6.** *a. astr. electr.* Durchgangs...: ~ **camp (circle, traffic,** *etc*); ~ **visa** Durchreisevisum *n.* **7.** *econ.* Transit..., Durchgangs...: ~ **goods**; ~ **duty** Durchfuhrzoll *m.* **II** *v/t* **8.** durch-, über'queren, *a. astr.* gehen durch, pas'sieren.

tran·si·tion [træn'siʒən; -'ziʃən] **I** *s* **1.** 'Übergang *m* (*a. mus. u. phys.*) (from ... to ... von ... zu ...; into in *acc*). **2.** *a.* ~ **period** 'Übergangszeit *f*: (state of) ~ Übergangsstadium *n.* **II** *adj* **3.** → **transitional**: ~ **style** *bes. arch.* Übergangsstil *m* (*nach der normannischen Periode*). **tran'si·tion·al,** *a.* **tran'si·tion·ar·y** *adj* Übergangs..., Überleitungs..., Zwischen...: ~ **stage** Übergangsstadium *n.*

tran·si·tive ['trænsitiv] **I** *adj* (*adv* ~**ly**) **1.** *ling.* transitiv. **2.** 'übergehend, Übergangs... **II** *s* **3.** *a.* ~ **verb** *ling.*

Transitiv *n*, transitives Verb. **'tran·si·tive·ness** *s ling.* transitive Funkti'on.

tran·si·to·ri·ness ['trænsitərinis] *s* Flüchtigkeit *f*, Vergänglichkeit *f*.

tran·si·to·ry ['trænsitəri] *adj* (*adv* **transitorily**) **1.** (*zeitlich*) vor'übergehend, transi'torisch: ~ **action** *jur.* an keinen Gerichtsstand gebundene Klage. **2.** vergänglich, flüchtig.

trans·lat·a·ble [træns'leitəbl; trænz-] *adj* über'setzbar.

trans·late [træns'leit; trænz-] **I** *v/t* **1.** über'setzen, -'tragen (into in *acc*). **2.** *Grundsätze etc* über'tragen (into in *acc*): to ~ **ideas into action** Gedanken in die Tat umsetzen; to ~ **itself in** werden zu. **3.** *fig.* a) auslegen, interpre'tieren, b) ausdrücken (in in *dat*). **4.** a) *chiffrierte Nachricht etc* über'tragen, b) *Computer*: zuordnen, über'setzen. **5.** a) *obs. od. relig. e-e Reliquie* 'überführen, verlegen (to nach), b) *e-n Bischof* versetzen (from ... to von ... nach). **6.** *relig. j-n* entrücken. **7.** *obs. j-n* 'hinreißen. **8.** verwandeln (into in *acc*). **9.** *Br. Schuhe etc* auf-, 'umarbeiten. **10.** *tech.* e-e Bewegung über'tragen auf (*acc*). **II** *v/i* **11.** über'setzen. **12.** sich *gut etc* über'setzen lassen.

trans·la·tion [træns'leiʃən; trænz-] *s* **1.** Über'setzung *f*, -'tragung *f*. **2.** *fig.* Auslegung *f*. **3.** Versetzung *f* (*bes. e-s Geistlichen*). **4.** *relig.* Entrückung *f*. **5.** *tech.* Über'tragung *f*, 'Umsetzung *f*. **6.** Über'tragung *f* (*e-r chiffrierten Nachricht etc*). **trans'la·tion·al** *adj* **1.** Übersetzungs... **2.** *tech.* weitertragend. **trans'la·tor** [-tər] *s* **1.** Über'setzer(in). **2.** a) *tel.* Über'setzer *m* (*Gerät*), b) *Computer*: Zuordner *m*. **3.** *Br.* Auf-, 'Umarbeiter *m*.

trans·light ['træns,lait] *s* Transpa'rent *n* (*Leuchtreklame*).

trans·lit·er·ate [trænz'litə,reit; træns-] *v/t* transkri'bieren, (*in ein anderes Alphabet*) 'umschreiben. **,trans·lit·er'a·tion** *s* Transkripti'on *f*.

trans·lo·ca·tion [,trænzlou'keiʃən; ,træns-] *s* **1.** Verlagerung *f*. **2.** *biol.* a) Stoffableitung *f*, b) Austausch *m* (*von Chromosomen-Teilen*).

trans·lu·cence [trænz'lu:səns; træns-], *a.* **trans'lu·cen·cy** [-si] *s* **1.** 'Durchscheinen *n*. **2.** 'Durchsichtigkeit *f*. **trans'lu·cent** *adj* (*adv* ~**ly**) **1.** a) 'licht,durchlässig, b) halb 'durchsichtig. **2.** 'durchscheinend.

trans·lu·na·ry [trænz'lu:nəri; træns-] *adj* **1.** translu'narisch. **2.** *fig.* phan'tastisch.

trans·ma·rine [,trænzmə'ri:n; ,træns-] *adj* 'überseeisch, Übersee...

trans·mi·grant ['trænzmigrənt; 'træns-; trænz'mai-; træns'mai-] **I** *s* 'Durchreisende(r *m*) *f*, -wandernde(r *m*) *f*. **II** *adj* 'durchziehend. **trans'mi·grate** [-greit] *v/i* **1.** fortziehen. **2.** 'übersiedeln. **3.** auswandern. **4.** wandern (*Seele*). **,trans·mi'gra·tion** [-mai'greiʃən] *s* **1.** Auswanderung *f*, 'Übersiedlung *f*. **2.** *a.* ~ **of souls** Seelenwanderung *f*. **3.** *med.* a) 'Überwandern *n* (*Ei-, Blutzelle etc*), b) Diape'dese *f*. **,trans·mi'gra·tion,ism** *s* Lehre *f* von der Seelenwanderung. **trans'mi·gra·to·ry** [-'maigrətəri] *adj* (aus)wandernd, 'übersiedelnd, Wander...

trans·mis·si·bil·i·ty [,trænz,misə'biliti; ,træns-] *s* **1.** Über'sendbarkeit *f*, -'tragbarkeit *f*. **2.** *phys.* 'Durchlässigkeit *f*. **trans'mis·si·ble** *adj* **1.** über'sendbar. **2.** *a. med. u. fig.* über'tragbar (to auf *acc*). **3.** *biol. med.* vererblich.

trans·mis·sion [trænz'miʃən; træns-] *s* **1.** Über'sendung *f*, -'mittlung *f*, *econ.* Versand *m*. **2.** Über'mittlung *f*: ~ **of news**. **3.** *ling.* ('Text)Über,lieferung *f*. **4.** *tech.* a) Transmissi'on *f*, Über'setzung *f*, b) Triebwelle *f*, -werk *n*: ~ **gear** Wechselgetriebe *n*. **5.** *allg.* Über'tragung *f*: a) *biol.* Vererbung *f*, b) *med.* Ansteckung *f*, Verschleppung *f*, c) *Radio*, *TV* Sendung *f*, d) *jur.* Über'lassung *f*: ~ **of rights** Rechtsübertragung *f*, e) *phys.* Fortpflanzung *f*: ~ **of waves**. **6.** *phys.* ('Licht),Durchlässigkeit *f*. ~ **belt** *s tech.* Treibriemen *m*. ~ **case** *s tech.* Getriebegehäuse *n*. ~ **gear·ing** *s tech.* Über'setzungsgetriebe *n*. ~ **line** *s electr.* Über'tragungs- *od.* An'tennen- *od.* Hochspannungsleitung *f*. ~ **ra·tio** *s tech.* Über'setzungsverhältnis *n*. ~ **shaft** *s tech.* Getriebewelle *f*.

trans·mit [trænz'mit; træns-] *v/t* **1.** (to) über'senden, -'mitteln (*dat*), (ver)senden (an *acc*), befördern. **2.** mitteilen (to *dat*): to ~ **news (impressions, etc)**. **3.** *fig. Ideen etc* über'liefern, -'mitteln, weitergeben (to *dat*). **4.** *allg.* über'tragen: a) *biol.* vererben, b) *jur.* über'schreiben, vermachen, c) *med. e-e Krankheit* verschleppen. **5.** *phys. Wärme etc* a) (fort-, weiter)leiten, b) *a. Kraft* über'tragen, c) *Licht etc* 'durchlassen. **6.** *Radio*, *TV* senden. **trans'mit·tal** → **transmission** 1—4 a.

trans·mit·ter [trænz'mitər; træns-] *s* **1.** Über'sender *m*, -'mittler *m*. **2.** *tel. teleph.* Mikro'phon *n*, Sendegerät *n*. **3.** *Radio*: a) Sendegerät *n*, b) Sender *m*, Sendestelle *f*. **4.** *tech.* (Meßwert-)Geber *m*. **trans'mit·ting** *adj* Sende...: ~ **aerial (current** *etc*); ~ **set** Sendegerät *n*; ~ **station** Sendestelle *f*, Sender *m*.

trans·mog·ri·fy [trænz'mɒgri,fai; træns-] *v/t humor.* (gänzlich) 'ummodeln.

trans·mon·tane [trænz'mɒntein; træns-] → **tramontane**.

trans'mut·a·ble [trænz'mju:t-; træns-] *adj* (*adv* **transmutably**) 'umwandelbar.

trans·mu·ta·tion [,trænzmju:'teiʃən; ,træns-] *s* **1.** 'Umwandlung *f* (*a. chem. phys.*). **2.** *biol.* Transmutati'on *f*, 'Umbildung *f*. **trans'mut·a·tive** [-'mju:tətiv] *adj* 'umwandelnd.

trans·mute [trænz'mju:t; træns-] *v/t* 'umwandeln, verwandeln (into in *acc*).

trans·o·ce·an·ic [,trænzouʃi'ænik; træns-] *adj* **1.** transoze'anisch, 'überseeisch. **2.** a) Übersee..., b) Ozean...

tran·som ['trænsəm] *s* **1.** *arch.* a) Querbalken *m* (*über e-r Tür*), b) (Quer)Blende *f* (*e-s Fensters*). **2.** *a.* ~ **window** *bes. Am.* a) durch Sprossen geteiltes Fenster, b) Oberlicht *n*. **3.** *mar.* Heckwerk *n*.

tran·son·ic [træn'sɒnik] *adj phys.* [Überschall...]

trans·par·en·cy [træns'pɛ(ə)rənsi; -'pær-] *s* **1.** *bes. phys.* 'Durchsichtigkeit *f*, Transpa'renz *f*, ('Licht),Durchlässigkeit *f*. **2.** Transpa'rent *n*, Leuchtbild *n*. **3.** *phot.* Diaposi'tiv *n*, Dia *n*. **trans'par·ent** *adj* (*adv* ~**ly**) **1.** 'durchsichtig: ~ **colo(u)r** Lasurfarbe *f*; ~ **slide** → **transparency** 3. **2.** *phys.* transpa'rent, 'licht,durchlässig. **3.** *fig.* 'durchsichtig, offenkundig, leicht zu durch'schauen(d). **4.** *fig.* klar: ~ **style**. **5.** *fig.* offen, ehrlich.

trans·pierce [træns'pi(ə)rs] *v/t* durch'bohren, -'dringen (*a. fig.*).

tran·spi·ra·tion [,trænspi'reiʃən] *s* **1.** *physiol.* a) Hautausdünstung *f*, b) Schweiß *m*. **2.** Absonderung *f*, Ausdünstung *f*: ~ **of gases** *phys.* Austreten *n* von Gasen (*durch Kapillaren*).

tran·spire [træn'spair] **I** *v/i* **1.** *physiol.* transpi'rieren, schwitzen, ausdünsten. **2.** ausgedünstet werden. **3.** *fig.* 'durchsickern, verlauten, bekannt werden. **4.** (*inkorrekt od. vulg.*) pas'sieren, sich ereignen, vorfallen. **II** *v/t* **5.** ausdünsten, -schwitzen.

trans·plant [*Br.* træns'plɑ:nt; *Am.* -'plæ(:)nt] **I** *v/t* **1.** *bot.* ver-, 'umpflanzen. **2.** *med.* transplan'tieren, verpflanzen: to ~ **a heart**. **3.** *fig.* verpflanzen, -setzen, 'umsiedeln (to nach; into in *acc*). **II** *v/i* **4.** sich versetzen *od.* verpflanzen lassen. **III** *s* [*Br.* 'trænsplɑ:nt; *Am.* -plæ(:)nt] **5.** a) → **transplantation**, b) *med.* Transplan'tat *n*, (*das*) Verpflanzte. **,trans·plan'ta·tion** *s* **1.** Verpflanzung *f*: a) *bot.* 'Umpflanzung *f*, b) *fig.* Versetzung *f*, 'Umsiedlung *f*, c) *med.* Transplantati'on *f*. **2.** a) 'Umsiedler(in), b) 'Umsiedlergruppe *f*.

trans·po·lar [træns'poulər] *adj* den Nord- *od.* Südpol über'querend, Polar...

tran·spon·der, *a.* **tran·spon·dor** [træn'spɒndər] *s electr.* Antwortsender *m*.

trans·pon·tine [træns'pɒntain; trænz-; -tin] *adj* **1.** jenseits der Brücke gelegen. **2.** *Br. südlich* der Themse gelegen. **3.** *thea. Br.* melodra'matisch, rührselig, kitschig.

trans·port I *v/t* [træns'pɔ:rt] **1.** transpor'tieren, befördern, fortschaffen, versenden. **2.** (*meist pass*) *fig.* a) *j-n* 'hinreißen, entzücken (with vor *dat*, von), b) heftig erregen, aufwühlen: ~**ed with joy** außer sich vor Freude. **3.** depor'tieren. **4.** *obs.* ins Jenseits befördern, töten. **II** *s* ['trænspɔ:rt] **5.** a) Trans'port *m*, Beförderung *f*, b) Versand *m*, Verschiffung *f*, c) Verkehr *m*: **Minister of T~** Verkehrsminister *m*. **6.** Beförderungsmittel *n*. **7.** *a.* ~ **ship**, ~ **vessel** a) Trans'port-, Frachtschiff *n*, b) 'Truppentrans,porter *m*. **8.** *a.* ~ **plane** Trans'portflugzeug *n*. **9.** *fig.* a) Taumel *m* (*der Freude etc*), b) heftige Erregung: **in a ~ of joy (rage)** außer sich vor Freude (Wut).

trans·port·a·bil·i·ty [træns,pɔ:rtə'biliti] *s* Trans'portfähigkeit *f*, Versendbarkeit *f*. **trans'port·a·ble** *adj* transpor'tierbar, versendbar.

trans·por·ta·tion [,trænspɔ:r'teiʃən] *s* **1.** → **transport** 5. **2.** Trans'portsy,stem *n*. **3.** *Am.* a) Beförderungsmittel *pl*, b) Trans'port-, Beförderungskosten *pl*, c) Fahrschein *m*, -ausweis *m*. **4.** *jur.* Deportati'on *f*.

trans·port·er [træns'pɔ:rtər] *s* **1.** Beförderer *m*. **2.** *tech.* Förder-, Trans'portvorrichtung *f*.

trans·pose [træns'pouz] *v/t* **1.** 'umstellen, -grup,pieren (*beide a. ling.*), ver-, 'umsetzen. **2.** *math. mus.* transpo'nieren. **3.** *electr.* kreuzen.

trans·po·si·tion [,trænspə'ziʃən] *s* **1.** 'Umstellen *n*, 'Umstellung *f* (*a. ling. u. tech.*). **2.** *chem.* 'Umlagerung *f*. **3.** Transpositi'on *f*: a) *math.* Vertauschung *f*, b) *mus.* Versetzung *f*. **4.** *electr. tech.* Kreuzung *f* (*von Leitungen etc*).

trans·rhe·nane [træns'ri:nein; 'træns-ri,nein] *adj* **1.** am jenseitigen Rheinufer gelegen *od.* wohnend. **2.** *Br.* deutsch (*Ggs französisch*).

trans·ship [træns'ʃip] *v/t econ. mar.* 'umladen: to ~ **goods**. **trans'ship·ment** *s econ., a. mil.* 'Umladung *f*, 'Umschlag *m*: ~ **charge** Umladegebühr *f*; ~ **port** Umschlaghafen *m*.

trans·son·ic [træns'sɒnik] → **transonic**.

tran·sub·stan·ti·ate [ˌtrænsəb'stænʃiˌeit] *v/t* **1.** 'um-, verwandeln (into, to in *acc*, zu). **2.** *relig.* (*Brot u. Wein in Leib u. Blut Christi*) verwandeln. **ˌtran·subˌstan·ti'a·tion** *s* **1.** 'Stoffˌumwandlung *f.* **2.** *relig.* 'Transsubˌstantiati'on *f* (*beim Abendmahl*).

tran·su·date ['trænsjuˌdeit] *s* **1.** *physiol.* Transsu'dat *n.* **2.** *chem.* Ab-, Aussonderung *f.* **ˌtran·su'da·tion** *s* **1.** 'Durchschwitzung *f* (*von Flüssigkeiten*). **2.** *chem.* Ab-, Aussonderung *f.* **tran'su·da·to·ry** [-'sjuːdətəri] *adj* **1.** *physiol.* 'durchschwitzend. **2.** *chem.* ab-, aussondernd. **tran'sude** [-'sjuːd] **I** *v/i* **1.** *physiol.* 'durchschwitzen (*Flüssigkeiten*). **2.** ('durch)dringen, (-)sickern (through durch). **3.** abgesondert werden. **II** *v/t* **4.** *chem.* ab-, aussondern.

trans·u·ran·ic [ˌtrænsju'rænik] *adj chem.* transu'ranisch. **ˌtrans·u'ra·ni·um** [-'reiniəm] *s chem. phys.* Transu'ran *n.*

trans·ver·sal [trænz'vəːrsəl; træns-] **I** *adj* (*adv* ~**ly**) → **transverse** 1. **II** *s math.* Transver'sale *f.*

trans·verse ['trænzvəːrs; 'træns-; trænz'vəːrs; træns-] **I** *adj* (*adv* ~**ly**) **1.** *bes. math. tech.* schräg, diago'nal, Quer..., quer(laufend) (to zu): ~ **axis** *biol. math. tech.* Querachse *f*; ~ **diameter** Querdurchmesser *m*; ~ **colon** *anat.* Querdarm *m*; ~ **flute** *mus.* Querflöte *f*; ~ **section** *math.* Querschnitt *m.* **II** *s* **2.** Querstück *n od.* -achse *f od.* -muskel *m.* **3.** *math.* große Achse e-r El'lipse.

trans·vert·er [trænz'vəːrtər; træns-] *s electr.* Trans'verter *m*, tran'sistorbestückter 'Gleichspannungsˌumformer *m.*

trans·ves·tite [trænz'vestait; træns-] *s* [*psych.* Transve'stit *m.*]

Tran·syl·va·ni·an [ˌtrænsil'veinjən; -njən] **I** *adj* sieben'bürgisch: ~ **Alps** Südkarpaten *pl.* **II** *s* Sieben'bürger(in).

trant·er ['træntər] *s dial.* Hau'sierer *m*, Krämer *m.*

trap[1] [træp] **I** *s* **1.** *hunt., a. mil. u. fig.* Falle *f*: to lay (*od.* set) a ~ for s.o. j-m e-e Falle stellen; to walk (*od.* fall) into a ~ in e-e Falle gehen. **2.** *chem.* (Ab)Scheider *m.* **3.** *tech.* a) Auffangvorrichtung *f*, b) Dampf-, Wasserverschluß *m*, c) (Sperr)Klappe *f*, d) Geruchsverschluß *m* (*im Klosett*). **4.** *electr.* (Funk)Sperrkreis *m.* **5.** *pl mus.* Schlagzeug *n.* **6.** *sport* a) Ballkelle *f* (*beim* **trapball**), b) Golfhindernis *n.* **7.** *Tontaubenschießen*: 'Wurfappaˌrat *m.* **8.** *Fischfang*: Reuse *f.* **9.** → **trap door.** **10.** *Br.* Gig *n*, zweirädriger Einspänner. **11.** *sl.* ‚Klappe' *f* (*Mund*). **12.** *Br. sl.* a) Gaune'rei *f*, b) Spitzel *m*, Detek'tiv *m.* **II** *v/t* **13.** (mit *od.* in e-r Falle) fangen, (*a. phys. Elektronen*) einfangen. **14.** *fig.* fangen, *mil.* einschließen. **15.** *fig.* ertappen, ‚'reinlegen'. **16.** mit Fallen besetzen. **17.** *tech.* a) mit e-r Klappe *od.* e-m (*Wasser- etc*)Verschluß *etc* versehen, b) *Gas etc* abfangen. **III** *v/i* **18.** Fallen stellen (for *dat*).

trap[2] [træp] *s* **1.** *obs.* Pferdedecke *f.* **2.** *pl colloq.* ‚Kla'motten' *pl*, ‚Siebensachen' *pl*, Gepäck *n.*

trap[3] [træp] *s geol. min.* Trapp *m.*

'trap|ˌball *s sport* (*Art*) (Schlag)Ballspiel *n.* ~ **door** *s* **1.** Fall-, Klapptür *f*, (*aer.* Boden)Klappe *f.* **2.** *thea.* Versenkung *f.* **3.** *Bergbau*: Wettertür *f.*

trapes → **trapse.**

tra·peze [træ'piːz] *s sport* Tra'pez *n*, Schwebereck *n.* **tra'pe·ziˌform** [-ziˌfɔːrm] *adj* tra'pezförmig. **tra'pe·zi·um** [-ziəm] *s* **1.** *math.* Tra'pez *n.* **2.** *anat.* großes Vieleckbein (*der Handwurzel*). [*s* Trapezo'eder *n.*]

trap·e·zo·he·dron [ˌtræpizo'hiːdrən]

trap·e·zoid ['træpiˌzɔid] **I** *s* **1.** *math.* a) *bes. Am.* (Paral'lel)Traˌpez *n*, b) *Br.* Trapezo'id *n.* **2.** *anat.* kleines Vieleckbein (*der Handwurzel*). **II** *adj* → trapezoidal. **ˌtrap·e'zoi·dal** *adj math.* trapezo'id, tra'pezförmig.

trap·per ['træpər] *s* Trapper *m*, Pelztierjäger *m.*

trap·pings ['træpiŋz] *s pl* **1.** Staatsgeschirr *n* (*für Pferde*). **2.** *fig.* a) ‚Staat' *m*, Schmuck *m*, b) Drum u. Dran *n*, ‚Verzierungen' *pl.*

Trap·pist ['træpist] *relig.* **I** *s* Trap'pist *m.* **II** *adj* t~ Trappisten...

trap·py ['træpi] *adj bes. Br. colloq.* verfänglich, heikel, ‚kniff(e)lig'.

trapse [treips] *v/i* **1.** (da'hin)latschen, (-)zotteln. **2.** (um'her)schlendern.

'trap|ˌshoot·ing *s sport* (Ton)Taubenschießen *n.* ~ **stair(s)** *s* Falltreppe *f.*

trash [træʃ] *s* **1.** *bes. Am.* Abfall *m*, Abfälle *pl.* **2.** Schund *m*, Kitsch *m* (*Bücher etc*). **3.** ‚Blech' *n*, ‚Quatsch' *m*, Unsinn *m.* **4.** Gesindel *n*, Ausschuß *m*: **white** ~ *sl.* a) (*die*) arme weiße Bevölkerung (*im Süden der USA*), b) arme(r) Weiße(r). **5.** Reisig *n.* **6.** a) Ba'gasse *f* (*ausgepreßter Stengel des Zuckerrohrs*), b) Kornhülsen *pl.* ~ **can** *s Am.* Abfalleimer *m.* **'trash·i·ness** *s* Wertlosigkeit *f*, Minderwertigkeit *f.* **'trash·y** *adj* (*adv* **trashily**) wertlos, minderwertig, kitschig, Schund..., Kitsch...

trass [træs] *s geol.* Traß *m*, Tuffstein *m.*

trau·ma ['trɔːmə; 'traumə] *s* Trauma *n*: a) *med.* Wunde *f*, b) *psych.* seelischer Schock, seelische Schädigung. **trau·mat·ic** [trɔː'mætik] *adj* (*adv* ~**ally**) *med. psych.* trau'matisch: ~ **neurosis (psychosis)**; ~ **cataract** *med.* Wundstar *m*; ~ **tissue** *med.* Wundgewebe *n.* **trau·ma·tism** ['trɔːməˌtizəm] *s med. psych.* Trauma'tismus *m*, trau'matische Schädigung. **'trau·maˌtize** *v/t med. psych.* traumati'sieren, trau'matisch schädigen.

trav·ail[1] ['træveil] **I** *s* **1.** *obs. od. rhet.* mühevolle Arbeit, Placke'rei *f.* **2.** *med.* Kreißen *n*, (Geburts)Wehen *pl.* **3.** *fig.* Pein *f*, Seelenqual *f*: to be in ~ with schwer ringen mit. **II** *v/i* **4.** sich (ab)mühen *od.* abrackern. **5.** *med.* kreißen, in den Wehen liegen.

tra·vail[2] [trə'veil] *s Am. od. Canad.* Hunde- *od.* Pferdeschlitten *m.*

trav·el ['trævl] **I** *s* **1.** Reisen *n*, Reiseverkehr *m*: ~ **time** *econ.* Anfahrt *f* zum Arbeitsplatz. **2.** *meist pl* (längere) Reise. **3.** *pl, a.* **book of** ~**(s)** Reisebeschreibung *f.* **4.** *tech.* Bewegung *f*, Lauf *m*, Weg *m*, (Kolben- *etc*)Hub *m*: **the** ~ **of a piston**; ~ **shot** (*Film*) Fahraufnahme *f.* **II** *v/i* **5.** reisen, e-e Reise machen: **to** ~ **through** durchreisen, -fahren. **6.** *econ.* reisen (in in *e-r Ware*), als Reisevertreter arbeiten (for für). **7.** a) *astr. phys. tech.* sich bewegen, *phys.* sich fortpflanzen: **light** ~**s faster than sound.** **8.** *tech.* sich 'hin- u. 'herbewegen, laufen (*Kolben etc*). **9.** *bes. fig.* schweifen, wandern: **his glance** ~**(l)ed over the crowd.** **10.** *colloq.* (da'hin)sausen. **III** *v/t* **11.** *ein Land, a. econ. e-n Vertreterbezirk* bereisen, *ein Gebiet* durch'wandern, *e-e Strecke* zu'rücklegen. ~ **a·gen·cy** *s* 'Reisebüˌro *n.* ~ **al·low·ance** *s* Reisezuschuß *m.*

trav·eled, *bes. Br.* **trav·elled** ['trævld] *adj* **1.** (weit-, viel)gereist. **2.** (viel)befahren (*Straße etc*).

trav·el·er, *bes. Br.* **trav·el·ler** ['trævələr; -vlər] *s* **1.** Reisende(r *m*) *f.* **2.** Weitgereiste(r *m*) *f.* **3.** *econ.* (Handlungs)Reisende(r) *m.* **4.** *tech.* Laufstück *n*, *bes.* a) Laufkatze *f*, b) Hängekran *m.* **5.** *Am.* Einkauf-, Sammelbuch *n* (*im Kaufhaus*).

trav·el·(l)er's| check (*Br.* **cheque**) *s* Reisescheck *m*, Travellerscheck *m.* '~-**'joy** *s bot.* Waldrebe *f.* ~ **tale** *s* ‚Münchˌhaus(en)i'ade' *f.*

trav·el·ing, *bes. Br.* **trav·el·ling** ['trævəliŋ; -vliŋ] **I** *adj* **1.** reisend, wandernd: ~ **agent,** *bes. Am.* ~ **salesman** *econ.* Reisevertreter *m*, (Handlungs)Reisende(r) *m.* **2.** Reise...: ~ **bag (case, clock)** Reisetasche *f* (-koffer *m*, -wecker *m*). **3.** fahrbar, Wander..., auf Rädern: ~ **circus** Wanderzirkus *m*; ~ **dental clinic** fahrbare Zahnklinik, Zahnstation *f* auf Rädern; ~ **library** Wanderbücherei *f.* **4.** *tech.* fahrbar, Lauf...: ~ **crab** Laufkatze *f*; ~ **crane** Laufkran *m*; ~ **grate** Wanderrost *m*; ~ **table** fahrbarer Arbeitstisch. **5.** *phys.* fortschreitend, wandernd, Wander...: ~ **wave.** **II** *s* **6.** Reisen *n.* ~ **fel·low·ship,** ~ **schol·ar·ship** *s* 'Reise-, 'Auslandsstiˌpendium *n.* ~ **stair·case,** ~ **stairs** *s* Rolltreppe *f.*

trav·e·logue, *a.* **trav·e·log** ['trævəˌlɒg] *s* Reisebericht *m* (*Vortrag, meist mit Lichtbildern*).

trav·ers·a·ble ['trævərsəbl; trə'vəːrs-] *adj* **1.** (leicht) durch- *od.* über'querbar: a ~ **desert.** **2.** pas'sierbar, befahrbar. **3.** *tech.* (aus)schwenkbar.

'trav·ers·al → **traverse** 16.

trav·erse ['trævərs; trə'vəːrs] **I** *v/t* **1.** durch-, über'queren: to ~ **a desert.** **2.** durch'ziehen, -'fließen: **a district** ~**d by canals.** **3.** über'spannen, führen über (*acc*): **a bridge** ~**s the river.** **4.** auf und ab gehen in (*dat*): to ~ **the room.** **5.** *tech., a. mil.* (aus)schwenken: to ~ **a gun.** **6.** *Linien etc* kreuzen, schneiden. **7.** *tech.* querhobeln. **8.** *fig. etwas* 'durchgehen, (sorgfältig) 'durcharbeiten. **9.** *fig.* durch'kreuzen: to ~ **s.o.'s plan.** **10.** *mar. das Schiff* kreuzen. **11.** *jur.* a) *ein Vorbringen* bestreiten, b) Einspruch erheben gegen (*e-e Klage*). **12.** *mount. Skisport*: *e-n Hang* queren.

II *v/i* **13.** *tech.* sich drehen. **14.** *sport* traver'sieren: a) *fenc.* seitwärts ausfallen, b) *Reitsport*: querspringen. **15.** *mount. Skisport*: queren.

III *s* **16.** Über'querung *f*, Durch'fahren *n*, -'querung *f.* **17.** *arch.* a) Quergitter *n*, b) Querwand *f*, c) Quergang *m*, d) Tra'verse *f*, Querbalken *m*, -stück *n.* **18.** *math.* Transver'sale *f*, Schnittlinie *f.* **19.** *mar.* Koppelkurs *m*: **to work** (*od.* **solve**) **a** ~ die Kurse koppeln. **20.** *mil.* a) Tra'verse *f*, Querwall *m* (*e-r Festung*), b) Schulterwehr *f.* **21.** *mil.* Schwenken *n* (*e-s Geschützes*). **22.** *bes. tech.* a) Schwenkung *f* (*e-r Maschine*), b) schwenkbarer Teil. **23.** *surv.* Poly'gon(zug *m*) *n.* **24.** *jur.* a) Bestreitung *f*, b) Einspruch *m.* **25.** *mount. Skisport*: a) Queren *n* (*e-s Hanges*), b) Quergang *m.*

IV *adj* (*adv* ~**ly**) **26.** Quer..., querlaufend: ~ **drill** *tech.* Querbohrer *m*; ~ **motion** Schwenkung *f.* **27.** Zickzack...: ~ **sailing** *mar.* Koppelkurs *m.* **28.** sich kreuzend: **two** ~ **lines.**

trav·ers·ing| fire ['trævərsiŋ; trə'vəːrs-] *s mil.* Breitenfeuer *n.* ~ **pul·ley** *s tech.* Laufrad *n.*

trav·er·tine ['trævərtin; -ˌtiːn], *a.* **'trav·er·tin** [-tin] *s geol.* Traver'tin *m.*

trav·es·ty ['trævisti] **I** *s* **1.** Trave'stie *f*

(*komisch-satirische Umgestaltung*). **2.** *fig.* Zerrbild *n*, Karika'tur *f*: a ~ of justice. **II** *v/t* **3.** trave'stieren. **4.** *fig.* verzerren, kari'kieren.

trawl [trɔːl] *mar.* **I** *s* **1.** (Grund)-Schleppnetz *n*. **2.** Lang-, Kurrleine *f*. **II** *v/t u. v/i* **3.** mit dem Schleppnetz *etc* fischen. **'trawl·er** *s* (Grund)-Schleppnetzfischer *m* (*Boot od. Person*).

trawl|line → trawl 2. **~ net** → trawl 1.

tray [trei] *s* **1.** Ta'blett *n*, *bes.* Ser'vier-*od.* Teebrett *n*, *a.* Präsen'tierteller *m*. **2.** ('umgehängtes) Verkaufsbrett, ‚Bauchladen' *m*. **3.** *econ.* Auslagekästchen *n*: jewel(l)er's ~. **4.** flache Schale. **5.** *phot.* Entwicklerschale *f od.* -rahmen *m*. **6.** Ablegekasten *m* (*im Büro*): in-~ Kasten für eingehende Post; out-~ Kasten für die (hin)ausgehende Post. **7.** (Koffer)Einsatz *m*. **~ ag·ri·cul·ture** → hydroponics.

treach·er·ous ['tretʃərəs] *adj* (*adv* ~ly) **1.** verräterisch, treulos (to gegen). **2.** (heim)tückisch, 'hinterhältig. **3.** *fig.* trügerisch, tückisch: ~ ice; ~ memory unzuverlässiges Gedächtnis. **'treach·er·ous·ness** *s* **1.** Treulosigkeit *f*, Verräte'rei *f*. **2.** *a. fig.* Tücke *f*. **'treach·er·y** *s* (to) Verrat *m* (an *dat*), Verräte'rei *f*, Treulosigkeit *f* (gegen), Niedertracht *f*, 'Hinterlist *f*.

trea·cle ['triːkl] *s* **1.** *bes. Br.* a) Sirup *m*, Zuckerdicksaft *m*, b) Me'lasse *f*. **2.** *fig.* a) Süßlichkeit *f* (*der Stimme etc*), b) süßliches Getue. **3.** *med. obs.* All'heilmittel *n*. **'trea·cly** [-kli] *adj* **1.** sirupartig, Sirup... **2.** *fig.* süßlich.

tread [tred] **I** *s* **1.** Tritt *m*, Schritt *m*. **2.** Trittfläche *f*. **3.** a) Tritt(spur *f*) *m*, b) (*Rad- etc*)Spur *f*. **4.** *tech.* a) Lauffläche *f* (*e-s Rades*), b) *mot.* ('Reifen-)Pro,fil *n*. **5.** Spurweite *f*. **6.** Pe'dalabstand *m* (*am Fahrrad*). **7.** a) Fußraste *f*, Trittbrett *n*, b) (Leiter)Sprosse *f*. **8.** Auftritt *m* (*e-r Stufe*). **9.** *orn.* a) Treten *n* (*Begattung*), b) Hahnentritt *m* (*im Ei*).

II *v/t pret* **trod** [trɒd], *obs.* **trode** [troud] *pp* **trod·den** ['trɒdn] *od.* **trod** **10.** beschreiten: → board¹ 9. **11.** *rhet.* durch'messen: to ~ the room. **12.** *a.* ~ down zertreten, zertrampeln; to ~ out a) *Feuer* austreten, b) *fig. e-e Rebellion* niederwerfen; to ~ under foot a) niedertreten, b) *fig.* mit Füßen treten. **13.** *e-n Tanzschritt* machen *od.* tanzen: → measure 10. **14.** *Pedale etc, a. Wasser* treten. **15.** *orn.* treten (*begatten*): to ~ a hen.

III *v/i* **16.** treten (on auf *acc*): to ~ lightly a) leise auftreten, b) *fig.* vorsichtig zu Werke gehen; → air¹ 1, toe 1. **17.** (ein'her)schreiten: → angel 1. **18.** trampeln: to ~ (up)on s.th. etwas zertrampeln. **19.** *fig.* unmittelbar folgen (on auf *acc*): → heel *Bes. Redew.* **20.** *orn.* a) treten (*Hahn*), b) sich paaren.

trea·dle ['tredl] **I** *s* **1.** Tretkurbel *f*, Tritt(brett *n*) *m*: ~ drive Fußantrieb *m*. **2.** Pe'dal *n*. **II** *v/t* **3.** mit dem Fuß bedienen. **III** *v/i* **4.** ein Pe'dal *etc* bedienen *od.* treten.

'tread,mill *s* Tretmühle *f* (*a. fig.*).

trea·son ['triːzn] *s* **1.** *allg.* Verrat *m* (to an *dat*). **2.** *jur.* a) Landesverrat *m*, b) *a.* high ~, *Br. a.* ~ felony Hochverrat *m*. **'trea·son·a·ble** *adj* (landes- *od.* hoch)verräterisch.

treas·ure ['treʒər] **I** *s* **1.** Schatz *m*: a ~ of gold; ~s of the soil Bodenschätze. **2.** Reichtum *m*, Reichtümer *pl*, Schätze *pl*. **3.** *fig.* Schatz *m*, Kostbarkeit *f*: art ~s Kunstschätze; this book is my chief ~ dieses Buch ist mein größter Schatz. **4.** *colloq.* ‚Perle' *f* (*Dienstmädchen etc*). **5.** *colloq.* Schatz *m*, Liebling *m*. **II** *v/t* **6.** *meist* ~ up auf-, anhäufen, (an)sammeln. **7.** *a.* ~ up a) (hoch)schätzen, b) hegen, hüten: to ~ s.o.'s memory j-s Andenken bewahren *od.* in Ehren halten. **~ house** *s* **1.** Schatzhaus *n*, -kammer *f*. **2.** *fig.* Gold-, Fundgrube *f*. **~ hunt** *s* Schatzsuche *f*.

treas·ur·er ['treʒərər] *s* **1.** Schatzmeister(in) (*a. econ.*). **2.** *econ.* Leiter *m* der Fi'nanzab,teilung, Kassenwart *m*. **3.** Fis'kalbeamte(r) *m*: city ~ Stadtkämmerer *m*; T~ of the Household *Br.* Fiskalbeamter des königlichen Haushalts. **'treas·ur·er,ship** *s* Schatzmeisteramt *n*, Amt *n* e-s Kassenwarts.

treas·ure trove *s* **1.** *jur.* (herrenloser) Schatzfund. **2.** *fig.* Fund *m*, Schatz *m*.

treas·ur·y ['treʒəri] *s* **1.** Schatzkammer *f*, -haus *n*. **2.** *pol.* a) Schatzamt *n*, b) Staatsschatz *m*: Lords (*od.* Commissioners) of the T~ (*das*) brit. Finanzministerium; First Lord of the T~ erster Schatzlord (*meist der Ministerpräsident*). **3.** Fiskus *m*, Staatskasse *f*. **4.** Schatztruhe *f*. **5.** Schatz(kästlein *n*) *m*, Sammlung *f*, Antholo'gie *f* (*als Buchtitel*). **~ bench** *s parl. Br.* Re'gierungs-, Mi'nisterbank *f*. **~ bill** *s econ. Br.* (*kurzfristiger*) Schatzwechsel. **T~ Board** *s Br.* Fi'nanzmini,sterium *n*. **T~ De·part·ment** *s Am.* Fi'nanzmini,sterium *n*. **~ note** *s econ.* **1.** Schatzwechsel *m*. **2.** Kassenschein *m* des Fi'nanzmini,steriums (*der USA*). **~ war·rant** *s econ. Br.* (Staats)-Schatzanweisung *f*.

treat [triːt] **I** *v/t* **1.** behandeln, 'umgehen mit: to ~ s.o. brutally. **2.** betrachten, behandeln (as als): to ~ s.th. as a joke. **3.** *chem. med. tech.* behandeln (for gegen; with mit). **4.** *ein Thema etc, a. künstlerisch* behandeln. **5.** *j-m* e-n Genuß bereiten, *bes. j-n* bewirten (to mit): to ~ o.s. to a bottle of champagne sich e-e Flasche Champagner leisten *od.* genehmigen *od.* gönnen; to ~ s.o. to s.th. j-m etwas spendieren. **II** *v/i* **6.** ~ of handeln von: to ~ of an interesting topic ein interessantes Thema behandeln. **7.** ~ with unter'handeln mit. **8.** (die Zeche) bezahlen, e-e Runde ausgeben. **III** *s* **9.** (Extra)-Vergnügen *n*, *bes.* (Fest)Schmaus *m*: school ~ Schulfest *n od.* -ausflug *m*. **10.** *colloq.* (Hoch)Genuß *m*, Wonne *f*, ‚Fest' *n*. **11.** (Gratis)Bewirtung *f*: to stand ~ → 8; it is my ~ es geht auf m-e Rechnung, diesmal bezahle 'ich.

trea·tise ['triːtiz; -tis] *s* (*wissenschaftliche*) Abhandlung, Monogra'phie *f*.

treat·ment ['triːtmənt] *s* **1.** Behandlung *f* (*a. med. u. chem. tech.*): to give s.th. full ~ *fig.* etwas gründlich behandeln *od.* erfassen. **2.** Behandlung *f*, Handhabung *f* (*e-s Themas etc*). **3.** *tech.* a) Bearbeitung *f*, b) Bearbeitungsverfahren *n*. **4.** *Film*: Treatment *n* (*erweitertes Handlungsschema*). **5.** *econ.* Bedienung *f*, Betreuung *f*.

trea·ty ['triːti] *s* **1.** (*bes.* Staats)Vertrag *m*, Pakt *m*. **2.** *econ.* Rückversicherungsvertrag *m*. **3.** Verhandlung *f*: to be in ~ with s.o. for s.th. mit j-m über etwas verhandeln. **~ port** *s mar. hist.* Vertragshafen *m*. **~ pow·ers** *s pl pol.* Vertragsmächte *pl*.

tre·ble ['trebl] **I** *adj* (*adv* trebly) **1.** dreifach. **2.** *math.* dreistellig. **3.** *mus.* Diskant..., Sopran... **4.** hoch, schrill. **II** *s* **5.** *mus.* Dis'kant *m*: a) So'pran *m*, b) Oberstimme *f*, c) Dis'kantlage *f*, d) Dis'kantsänger(in) *od.* -stimme *f*. **6.** *Radio*: Höhen *pl*: ~ control Höhenregler *m*. **III** *v/t u. v/i* **7.** (sich) verdreifachen.

tre·cen·tist [tre'tʃentist] *s* Trecen'tist *m*, Künstler *m* des Tre'cento.

tre·de·cil·lion [,triːdi'siljən] *s* **1.** *Br.* Tre'dezillion *f* (10^{78}). **2.** *Am.* Septillion *f* (10^{42}).

tree [triː] **I** *s* **1.** Baum *m*: to be up a ~ *colloq.* ‚in der Klemme sitzen'; ~ of knowledge of good and evil *Bibl.* Baum der Erkenntnis (von Gut u. Böse); ~ of heaven (Ostasiatischer) Götterbaum; ~ of life a) *Bibl.* Baum des Lebens, b) *bot.* Lebensbaum; → bark² 1, top¹ 2, wood¹ 1. **2.** (*Rosen- etc*)Strauch *m*, (*Bananen- etc*)Staude *f*. **3.** *tech.* Baum *m*, Schaft *m*, Balken *m*, Welle *f*. **4.** (Holz)Gestell *n*. **5.** → family tree. **6.** *chem.* Kri'stallbaum *m*. **7.** (Stiefel)Leisten *m*. **II** *v/t* **8.** auf e-n Baum treiben *od.* jagen. **9.** *colloq. j-n* in die Enge treiben. **~ creep·er** *s orn.* Baumläufer *m*. **'~-,do·zer** *s tech.* Baumräumer *m* (*Planierraupe*). **~ fern** *s bot.* Baumfarn *m*. **~ frog** *s zo.* Baum-, Laubfrosch *m*.

tree·less ['triːlis] *adj* baumlos, kahl.

'tree|,nail *s tech.* Holznagel *m*, Dübel *m*. **~ nurs·er·y** *s* Baumschule *f*. **~ sur·geon** *s* 'Baum-Chir,urg *m*. **~ toad** *s zo.* Baumlaubfrosch *m*. **'~,top** *s* Baumkrone *f*, -wipfel *m*.

tre·foil ['triːfɔil; *Br. a.* 'tref-] *s* **1.** *bot.* Klee *m*. **2.** *arch.* Dreiblatt(verzierung *f*) *n*. **3.** *bes. her.* Kleeblatt *n*. **~ arch** *s arch.* Kleeblattbogen *m*.

trek [trek] **I** *v/i* **1.** *S. Afr.* trecken, ziehen, im Ochsenwagen reisen. **2.** reisen, (aus)wandern. **II** *s* **3.** Treck *m*.

trel·lis ['trelis] **I** *s* **1.** Gitter *n*, Gatter *n*. **2.** *tech.* Gitterwerk *n*. **3.** *agr.* Spa'lier *n*. **4.** Gartenhäus-chen *n* (*aus Gitterwerk*), Pergola *f*. **II** *v/t* **5.** vergittern: ~ed window Gitterfenster *n*. **6.** am Spa'lier ziehen: ~ed vine Spalierwein *m*. **'~,work** *s* Gitterwerk *n* (*a. tech.*).

trem·a·tode ['tremə,toud; 'triː-] *s zo.* Saugwurm *m*.

trem·ble ['trembl] **I** *v/i* **1.** (er)zittern, (er)beben (at, with vor *dat*): to ~ all over (*od.* in every limb) am ganzen Körper beben; to ~ at the thought (*od.* to think) bei dem Gedanken zittern; → balance 2. **2.** zittern, bangen, fürchten (for für, um): to ~ for his safety; a trembling uncertainty e-e bange Ungewißheit. **II** *s* **3.** Zittern *n*, Beben *n*: she was all of a ~ sie bebte am ganzen Körper. **4.** *pl med.* (krankhaftes) Zittern. **5.** *pl vet.* Milchfieber *n*.

'trem·bler *s electr.* a) ('Hammer-, 'Selbst)Unter,brecher *m*, b) e'lektrische Glocke *od.* Klingel: ~ bell Wecker *m* mit Selbstunterbrecher.

trem·bling ['tremblɪŋ] *adj* (*adv* ~ly) zitternd. **~ grass** *s bot.* Zittergras *n*. **~ pop·lar,** **~ tree** *s bot.* Zitterpappel *f*, Espe *f*.

trem·bly ['trembli] *adj colloq.* **1.** zitternd. **2.** ängstlich.

tre·men·dous [tri'mendəs] *adj* (*adv* ~ly) **1.** schrecklich, fürchterlich. **2.** *colloq.* gewaltig, ungeheuer, e'norm, kolos'sal, ‚toll'.

tre·mo·lan·do [,tremə'lɑːndou] *mus.* **I** *adj* tremo'lando, zitternd. **II** *s* 'Tremolo-Ef,fekt *m*.

trem·o·lo ['tremə,lou] *pl* **-los** *s mus.* Tremolo *n*.

trem·or ['tremər] *s* **1.** *med.* Zittern *n*, Zucken *n*: ~ of the heart Herzflackern *n*. **2.** Zittern *n*, Schau(d)er *m* (*der Erregung*): in a ~ of zitternd vor (*dat*). **3.** Angst(gefühl *n*) *f*, Beben *n*: not without ~s nicht ohne Bangen. **4.** Beben *n* (*der Erde*). **5.** vi'brierender Ton.

trem·u·lous ['tremjuləs] *adj* **1.** zitternd, bebend, zitt(e)rig; **2.** ängstlich.

tre·nail ['triːneil; 'trenl] → treenail.

trench [trentʃ] **I** *v/t* **1.** mit Gräben durch'ziehen *od.* (*mil.*) befestigen. **2.** *Br.* einkerben, furchen. **3.** *agr.* tief 'umpflügen, ri'golen. **4.** zerschneiden, -teilen. **II** *v/i* **5.** (*mil.* Schützen)Gräben ausheben. **6.** *geol.* sich (ein)graben (*Fluß etc*). **7.** ~ (up)on *fig.* 'übergreifen (auf *acc*), in *j-s Rechte* eingreifen, beeinträchtigen (*acc*). **8.** ~ (up)on *fig.* hart grenzen an (*acc*): that ~ed upon heresy. **III** *s* **9.** (*mil.* Schützen)Graben *m.* **10.** Einschnitt *m*, Furche *f*, tiefe Rinne. **11.** *Bergbau*: Schramm *m.*

trench·an·cy ['trentʃənsi] *s* Schärfe *f*, (*das*) Schneidende. '**trench·ant** *adj* (*adv* ~ly) **1.** scharf, schneidend: ~ sarcasm. **2.** e'nergisch, einschneidend: a ~ policy. **3.** scharf, prä'zis(e): a ~ analysis. **4.** *poet.* scharf: a ~ blade.

trench coat *s* Trenchcoat *m.*

trench·er[1] ['trentʃər] *s* **1.** Tran'chier-, Schneidebrett *n.* **2.** *obs.* Speise *f*, Tafelfreuden *pl.*

trench·er[2] ['trentʃər] *s* Schanzarbeiter *m.*

trench·er| cap *s* (*viereckige englische*) Stu'dentenmütze. ~ **com·pan·ions** *s pl* Tischgenossen *pl.* '~**·man** [-mən] *s irr* (*guter etc*) Esser.

trench| fe·ver *s med.* Schützengrabenfieber *n.* ~ **foot** *s med.* Schützengrabenfüße *pl* (*Fußbrand*). ~ **mor·tar** *s mil.* Gra'natwerfer *m.* ~ **mouth** *s med.* Plaut-Vincentsche An'gina. ~ **per·i·scope** *s mil.* Grabenspiegel *m.* ~ **plough,** *Am.* ~ **plow** *s* Grabenpflug *m.* ~ **war·fare** *s mil.* Stellungskrieg *m.*

trend [trend] **I** *s* **1.** (Ver)Lauf *m*: the ~ of events. **2.** (allgemeine) Richtung (*a. fig.*). **3.** Entwicklung *f*, Ten'denz *f*, Trend *m* (*alle a. econ*): downward ~ *econ.* fallende Tendenz; the ~ of his argument was s-e Beweisführung lief darauf hinaus. **4.** Bestrebung *f*, Neigung *f*, Zug *m*: modern ~s in theology. **5.** *math.* Trend *m*, Strich *m*, Grundbewegung *f*: ~ ordinate Trendwert *m.* **6.** *geol.* Streichrichtung *f.* **II** *v/i* **7.** e-e Richtung haben *od.* nehmen, sich neigen (towards nach *e-r bestimmten Richtung*), streben, ten'dieren: to ~ away from sich abzukehren beginnen von. **8.** sich erstrekken, laufen (towards nach *Süden etc*). **9.** *geol.* streichen (to nach). '**trend·set·ter** *s Mode etc*: j-d, der den Ton angibt; Schrittmacher *m.* '**trend·y** *adj colloq. Br.* mo'dern, ‚schick'

tre·pan[1] [tri'pæn] **I** *s* **1.** *med. hist.* Schädelbohrer *m.* **2.** *tech.* 'Bohrma,schine *f.* **3.** *geol.* Stein-, Erdbohrer *m.* **II** *v/t* **4.** *med.* trepa'nieren, *j-m* den Schädel öffnen.

tre·pan[2] [tri'pæn] *v/t* **1.** betrügen, über'listen. **2.** locken (into in *acc*). **3.** verlocken, -leiten (into zu).

tre·pang [tri'pæŋ] *s zo.* Trepang *m* (*eßbare Seewalze*).

tre·phine [tri'fiːn; -'fain] *med.* **I** *s* Tre'phine *f*, Schädelsäge *f*, -bohrer *m.* **II** *v/t* → trepan[1] 4.

trep·i·da·tion [ˌtrepi'deiʃən] *s* **1.** *med.* (Glieder-, Muskel)Zittern *n.* **2.** Beben *n.* **3.** Angst *f*, Bestürzung *f.*

tres·pass ['trespəs] **I** *v/i* **1.** *jur.* e-e unerlaubte Handlung begehen: to ~ (up)on a) 'widerrechtlich betreten: to ~ on s.o.'s land, b) rechtswidrige Übergriffe gegen *j-s Eigentum etc* begehen: to ~ (up)on s.o.'s property. **2.** ~ (up)on 'übergreifen auf (*acc*), eingreifen in (*acc*): to ~ on s.o.'s rights. **3.** ~ (up)on *j-s Zeit etc* über Gebühr in Anspruch nehmen: to ~ on s.o.'s hospitality (time, *etc*). **4.** (against) verstoßen (gegen), sündigen (wider *od.* gegen). **II** *s* **5.** Über'tretung *f*, Vergehen *n*, Verstoß *m*, Sünde *f.* **6.** 'Mißbrauch *m* (on *gen*). **7.** 'Übergriff *m.* **8.** *jur. allg.* unerlaubte Handlung (*Zivilrecht*): a) unbefugtes Betreten, b) Besitzstörung *f*, c) 'Übergriff *m* gegen die Per'son (*z. B. Körperverletzung*). **9.** *a.* action for ~ *jur.* Schadenersatzklage *f* aus unerlaubter Handlung, *z. B.* Besitzstörungsklage *f.* '**tres·pass·er** *s* **1.** *jur.* a) Rechtsverletzer *m*, b) Unbefugte(r *m*) *f*, c) Besitzstörer *m*: ~s will be prosecuted! Betreten bei Strafe verboten! **2.** Sünder(in).

tress [tres] *s* **1.** (Haar)Flechte *f*, Zopf *m.* **2.** Locke *f.* **3.** *pl* offenes (gelocktes) Haar, Lockenfülle *f.* **tressed** *adj* **1.** geflochten. **2.** gelockt.

tres·sure ['treʃər] *s* **1.** *her.* Saum *m.* **2.** *obs.* Haarband *n*, -schmuck *m.*

tres·tine ['tresˌtain] *s hunt.* dritte Sprosse (*des Hirschgeweihs*).

tres·tle ['tresl] *s* **1.** *tech.* Gestell *n*, Gerüst *n*, Bock *m*, Schragen *m.* **2.** *mil.* Brückenbock *m*: ~ bridge Bockbrücke *f.* ~ **board** *s* Platte *f* (*zum Auflegen auf Böcke*). ~ **ta·ble** *s* (*auf Schragen gestellter*) Zeichentisch. '~**·ˌtree** *s mar.* Längssaling *f.* '~**ˌwork** *s* **1.** Gerüst *n.* **2.** *Am.* 'Eisenbahnvia,dukt *m*, Brücke *f* aus Strebepfeilern.

trews [truːz] *s pl Scot.* enge Hose aus ka'riertem Stoff.

trey [trei] *s* Drei *f* (*im Kartenspiel etc*).

tri·a·ble ['traiəbl] *adj jur.* a) zu verhandeln(d), justiti'abel (*Sache*), b) belangbar, abzuurteilen(d) (*Person*).

tri·ac·id [trai'æsid] *chem.* **I** *s* dreibasige Säure, Tricar'bonsäure *f.* **II** *adj* dreisäurig (*Basen*).

tri·ad ['traiæd] *s* **1.** Tri'ade *f*: a) Dreiheit *f*, -zahl *f*, b) *chem.* dreiwertiges Ele'ment, c) *math.* Trias *f*, Dreiergruppe *f.* **2.** *mus.* Dreiklang *m.*

tri·ag·o·nal [trai'ægənl] *adj* dreieckig, -wink(e)lig.

tri·al ['traiəl] **I** *s* **1.** Versuch *m* (of mit), Erprobung *f*, Probe *f*, Prüfung *f* (*alle a. tech.*): ~ and error a) empirische Methode, (Herum)Probieren *n*, b) *math.* Regula *f* falsi; ~ of strength Kraftprobe *f*; on ~ auf *od.* zur Probe; by way of ~ versuchsweise; to give s.th. a ~, to make (a) ~ of s.th. e-n Versuch mit etwas machen, etwas erproben. **2.** *jur.* ('Straf- *od.* Ge'richts)Proˌzeß *m*, Gerichtsverfahren *n*, (Haupt)Verhandlung *f*: ~ by jury Schwurgerichtsverfahren; new ~ Wiederaufnahmeverfahren; to bring s.o. up for (*od.* to) ~, to put s.o. to (*od.* on) ~ j-n vor Gericht bringen; to stand (one's) ~ sich vor Gericht verantworten. **3.** *fig.* a) (Schicksals)Prüfung *f*, Heimsuchung *f*, b) Last *f*, Plage *f*, (Nerven)Belastung *f*, ‚Nervensäge' *f*, c) Stra'paze *f* (*alle* to für *j-n*). **II** *adj* **4.** Versuchs..., Probe... **5.** *jur.* Verhandlungs... ~ **bal·ance** *s econ. math.* 'Rohbiˌlanz *f.* ~ **bal·loon** *s* Ver'suchsbalˌlon *m* (*a. fig.*). ~ **court** *s jur.* Verhandlungsgericht *n* (*der ersten Instanz*). ~ **fire** *s mil.* Ein-, An-, Probeschießen *n.* ~ **flight** *s aer.* Probeflug *m.* ~ **judge** *s jur.* Vorsitzende(r) *m* der Hauptverhandlung, Richter *m* der 1. In'stanz. ~ **ju·ry** → petty jury. ~ **law·yer** *s jur.* vor Gericht plä'dierender Anwalt, *bes.* Strafverteidiger *m.* ~ **match** *s sport* Ausscheidungsspiel *n.* ~ **or·der** *s econ.* Probeauftrag *m.* ~ **run** *s tech.* Probelauf *m*, -fahrt *f.*

tri·an·drous [trai'ændrəs] *adj bot.* tri'andrisch, mit 3 Staubgefäßen.

tri·an·gle ['traiˌæŋgl] *s* **1.** *math.* Dreieck *n.* **2.** *mus.* a) Triangel *m*, b) *hist.* (*dreieckiges*) Spi'nett. **3.** a) Reißdreieck *n*, b) Winkel *m* (*zum technischen Zeichnen*). **4.** *tech.* Gestängekreuz *n.* **5.** T~ *astr.* Triangel *m*, Dreieck *n* (*Sternbild*). **6.** *fig.* Dreieck(sverhältnis) *n* (*in der Liebe*).

tri·an·gu·lar [trai'æŋgjulər] *adj* **1.** *math. tech.* dreieckig, -wink(e)lig, -seitig, -kantig: ~ compass(es) dreischenk(e)liger Zirkel; ~ number Dreiecks-, Trigonalzahl *f.* **2.** *fig.* dreiseitig, drei Par'teien *etc* um'fassend: ~ agreement; ~ relationship Dreiecksverhältnis *n.* **3.** *mil.* dreigliedrig: ~ division. **triˌan·gu'lar·i·ty** [-'læriti] *s* Dreiecksform *f.*

tri·an·gu·late I *v/t* [trai'æŋgjuˌleit] **1.** dreieckig machen. **2.** *surv.* trigono'metrisch messen. **II** *adj* [-lit; -ˌleit] **3.** aus Dreiecken zs.-gesetzt.

tri·as ['traiəs] *s geol.* 'Trias(formatiˌon) *f.* **tri'as·sic** [-'æsik] *adj geol.* Trias...

tri·a·tom·ic [ˌtraiə'tɒmik] *adj chem.* 'dreiaˌtomig.

trib·a·dism ['tribəˌdizəm] *s* Triba'die *f*, lesbische Liebe.

trib·al ['traibəl] *adj* **1.** Stammes... **2.** *bot. zo.* Tribus... '**trib·al,ism** *s* **1.** 'Stammessyˌstem *n.* **2.** Stammesgefühl *n.*

tri·bas·ic [trai'beisik] *adj chem.* drei-, tribasisch.

tribe [traib] *s* **1.** (Volks)Stamm *m.* **2.** Gruppe *f.* **3.** *bot. zo.* Tribus *f*, Klasse *f.* **4.** *humor. od. contp.* Sippschaft *f*, ‚Verein' *m.* **tribes·man** ['traibzmən] *s irr* Stammesangehörige(r) *m*, -genosse *m.*

trib·let ['triblit] *s tech.* Reibahle *f.*

tri·brach ['traibræk; 'trib-] *s metr.* Tribrachys *m* (*Versfuß von 3 kurzen Silben*).

trib·u·la·tion [ˌtribju'leiʃən] *s* Drangsal *f*, 'Widerwärtigkeit *f*, Leiden *n.*

tri·bu·nal [trai'bjuːnl; tri'b-] *s* **1.** *jur.* Gericht(shof *m*) *n*, Tribu'nal *n* (*a. fig.*). **2.** Richterstuhl *m* (*a. fig.*). **trib·u·nate** ['tribjunit; -ˌneit] *s* **1.** *antiq.* Tribu'nat *n.* **2.** Gruppe *f* von Tri'bunen.

trib·une[1] ['tribjuːn] *s* **1.** *antiq.* ('Volks)Triˌbun *m*: military ~ Kriegstribun. **2.** Verfechter *m* der Volksrechte, Volksheld *m.*

trib·une[2] ['tribjuːn] *s* **1.** Tri'büne *f.* **2.** Rednerbühne *f.* **3.** Bischofsthron *m.*

trib·u·tar·i·ness ['tribjutərinis] *s* Zinspflichtigkeit *f.* '**trib·u·tar·y I** *adj* (*adv* tributarily) **1.** tri'but-, zinspflichtig (to *dat*). **2.** 'untergeordnet (to *dat*). **3.** helfend, beisteuernd (to zu). **4.** *geogr.* Neben...: ~ stream. **II** *s* **5.** Tri'butpflichtige(r *m*) *f*, *a.* tri'butpflichtiger Staat. **6.** *geogr.* Nebenfluß *m.*

trib·ute ['tribjuːt] *s* **1.** Tri'but *m*, Zins *m*, Abgabe *f.* **2.** *fig.* Tri'but *m*: a) Zoll *m*, Beitrag *m*, b) Huldigung *f*, Hochachtung *f*, Achtungsbezeigung *f*, Anerkennung *f*: ~ of admiration gebührende Bewunderung; to pay ~ to s.o. j-m Hochachtung bezeigen *od.* Anerkennung zollen.

tri·car ['traiˌkɑːr] *s bes. Br.* Dreiradlieferwagen *m.*

trice[1] [trais] *s*: in a ~ im Nu, im Handumdrehen.

trice[2] [trais] *v/t a.* ~ up *mar.* aufheißen, -holen.

tri·ceps ['traiseps] *pl* '**tri·ceps·es** [-iz] *s anat.* Trizeps *m* (*Muskel*).

tri·chi·na [tri'kainə] *pl* **-nae** [-niː] *s zo.*

Tri'chine *f*. '**trich·i͵nize** [-ki͵naiz] *v/t* mit Tri'chinen anstecken *od.* bevölkern. ͵**trich·i'no·sis** [-'nousis] *s med. vet.* Trichi'nose *f*. '**trich·i·nous** *adj* trichi'nös.

tri·chlo·ride [trai'klɔːraid] *s chem.* Trichlo'rid *n*.

tri·cho·ma [tri'koumə] *s med.* Tri'chom *n*, Weichselzopf *m*.

tri·chome ['traikoum; 'trik-] *s bot.* Tri'chom *n*, Pflanzenhaar *n*.

trich·o·mon·ad [͵triko'mɒnæd] *s zo.* (*ein*) Geißeltierchen *n*.

tri·chord ['traikɔːrd] *adj u. s mus.* dreisaitig(es Instru'ment).

tri·cho·sis [tri'kousis] *s* Tri'chose *f*, Haarkrankheit *f*.

tri·chot·o·my [tri'kɒtəmi] *s* Dreiheit *f*, -teilung *f*.

tri·chro·mat·ic [͵traikro'mætik] *adj* **1.** *med.* mit nor'malem Farbensinn begabt. **2.** *phot.* Dreifarben... **tri'chro·ma͵tism** [-'kroumə͵tizəm] *s* **1.** *med.* Trichroma'sie *f*. **2.** *phot.* Dreifarbigkeit *f*.

trick [trik] **I** *s* **1.** Trick *m*, Kniff *m*, Dreh *m*, List *f*, *pl a.* Schliche *pl*, Ränke *pl*: **full of ~s** raffiniert; **to be up to s.o.'s ~s** j-n *od.* j-s Schliche durchschauen (→ 2). **2.** Streich *m*, Possen *m*: **dirty** (*od.* **mean**) **~** gemeiner *od.* übler Streich; **~s of fortune** Tücken des Schicksals; **the ~s of the memory** *fig.* die Tücken des Gedächtnisses; **to play s.o. a ~, to play ~s on s.o.** j-m e-n Streich spielen; **to be up to one's ~s** (wieder) Dummheiten *od.* ‚Mätzchen' machen; **what ~s have you been up to?** was hast du angestellt?; **none of your ~s!** keine Mätzchen! **3.** Trick *m*, (*Karten- etc*)Kunststück *n*, Kunstgriff *m*: **card ~**; **to do the ~** den Zweck erfüllen; **that did the ~** damit war es geschafft; **how's ~s?** *colloq.* wie geht's? **4.** Gaukelbild *n*, (Sinnes)Täuschung *f*, Illusi'on *f*. **5.** (*bes.* üble *od.* dumme) Angewohnheit, Eigenheit *f*. **6.** (*charakteristischer*) Zug, eigentümlicher Ton (*der Stimme*). **7.** *Kartenspiel*: Stich *m*. **8.** *mar.* Rudertörn *m*. **9.** *Am. sl.* Fahrt *f*, (Dienst)Reise *f*. **10.** *Am. sl.* ‚Mieze' *f* (*Mädchen*). **11.** *vulg.* ‚Nummer' *f* (*Koitus*). **II** *v/t* **12.** über'listen, betrügen, prellen (**out of** um), ‚'reinlegen', ‚austricksen'. **13.** *j-n* verleiten (**into doing** zu tun). **14.** *meist* **~ up, ~ out, ~ off** schmücken, (auf-, her'aus)putzen. **III** *adj* **15.** Trick...: **~ film** (**scene, thief,** *etc*); **~ button** Tricktaste *f* (*am Tonbandgerät*). **16.** Kunst...: **~ flying; ~ rider. 17.** *colloq.* ‚tückisch', schadhaft: **a ~ knee** (**lock,** *etc*). '**trick·er** → **trickster.** '**trick·er·y** *s* **1.** Betrüge'rei *f*, Gaune'rei *f*. **2.** Betrüge'reien *pl*. **3.** ‚Kniff' *m*.

trick·i·ness ['trikinis] *s* **1.** Verschlagenheit *f*, Durch'triebenheit *f*, Raffi'niertheit *f*. **2.** Unzuverlässigkeit *f*. **3.** ‚Kitzligkeit' *f* (*e-r Situation etc*). **4.** Kompli'ziertheit *f*. '**trick·ish** → **tricky.**

trick·le ['trikl] **I** *v/i* **1.** tröpfeln. **2.** rieseln. **3.** sickern (**through** durch): **to ~ out** *fig.* 'durchsickern. **4.** *fig.* a) tröpfeln, b) grüppchenweise *od.* eins ums andere kommen *od.* gehen *etc*. **5.** *Golf etc*: langsam rollen (*Ball*). **II** *v/t* **6.** tröpfeln (lassen), träufeln. **7.** rieseln lassen. **8.** *Golf etc*: *den Ball* langsam rollen (lassen). **III** *s* **9.** Tröpfeln *n*. **10.** Rieseln *n*. **11.** Rinnsal *n* (*a. fig.*). **~ charg·er** *s electr.* Kleinlader *m*.

trick·si·ness ['triksinis] *s* **1.** → **trickiness. 2.** Mutwilligkeit *f*.

trick·ster ['trikstər] *s* Gauner(in), Schwindler(in).

trick·sy ['triksi] *adj* **1.** → **tricky. 2.** mutwillig, 'übermütig.

trick·track ['trik͵træk] *s* Tricktrack *n*, Puff(spiel) *n*.

trick·y ['triki] *adj* (*adv* **trickily**) **1.** verschlagen, gerieben, raffi'niert. **2.** unzuverlässig. **3.** heikel, ‚kitz(e)lig': **~ problem** (**situation,** *etc*). **4.** knifflig, kompli'ziert.

tri·clin·ic [trai'klinik] *adj* tri'klin(isch) [(*Kristall*).]

tri·col·o(u)r ['trai͵kʌlər] **I** *s* Triko'lore *f*. **II** *adj* dreifarbig, Dreifarben...

tri·cot ['triːkou; 'trik-] *s* Tri'kot *m*, *n* (*Gewebe od. Kleidungsstück*).

tric·trac → **tricktrack.**

tri·cus·pid [trai'kʌspid] **I** *adj* **1.** dreispitzig. **2.** *anat.* trikuspi'dal. **II** *s anat.* **3.** *a.* **~ valve** Trikuspi'dalklappe *f*. **4.** Backenzahn *m*.

tri·cy·cle ['traisikl] **I** *s* Dreirad *n*. **II** *v/i* Dreirad fahren.

tri·dent ['traidənt] **I** *s* Dreizack *m* (*a. des Neptun*). **II** *adj* → **tridentate. tri'den·tal** [-'dentl] *adj* dreizackig, Dreizack... **tri'den·tate** [-teit] *adj* dreizackig.

Tri·den·tine [trai'dentain; -tin] **I** *adj* **1.** triden'tinisch: **~ profession of faith** *relig.* Tridentinisches Glaubensbekenntnis. **II** *s* **2.** Triden'tiner(in). **3.** *relig.* Katho'lik(in).

tried [traid] **I** *pret u. pp von* **try. II** *adj* erprobt, bewährt.

tri·en·ni·al [trai'eniəl; -njəl] *adj* (*adv* **~ly**) **1.** dreijährig, drei Jahre dauernd. **2.** alle drei Jahre stattfindend, dreijährlich.

tri·er ['traiər] *s* **1.** Unter'sucher *m*, Prüfer *m*: **he is a great ~** *colloq.* er läßt nichts unversucht. **2.** *jur.* a) Richter *m*, b) Über'prüfer *m* von Einwänden gegen Geschworene. **3.** Prüfgerät *n*.

tri·er·arch·y ['traiər͵ɑːrki] *s hist.* Trierar'chie *f*, Dreiherrschaft *f*.

tri·fle ['traifl] **I** *s* **1.** *allg.* Kleinigkeit *f*: a) unbedeutender Gegenstand, b) Lap'palie *f*, Baga'telle *f*: **to stand upon ~s** ein Kleinigkeitskrämer sein; **not to stick at ~s** sich nicht mit Kleinigkeiten abgeben, c) Kinderspiel *n*: **that is mere ~ to him,** d) kleine Geldsumme, e) (*das*) bißchen: **a ~** ein bißchen, ein wenig; **a ~ expensive** ein bißchen *od.* etwas teuer. **2.** (*Art*) 'Zinnle͵gierung *f* mittlerer Härte. **3.** a) *bes. Br.* Bis'kuitauflauf *m*, b) *Am.* 'Obstdes͵sert *n* mit Schlagsahne. **II** *v/i* **4.** spielen: **to ~ with a pencil. 5.** *fig.* spielen, sein Spiel treiben *od.* leichtfertig 'umgehen (**with** mit): **he is not be ~d with** er läßt nicht mit sich spaßen. **6.** scherzen, tändeln, leichtfertig da'herreden. **7.** die Zeit vertrödeln, trödeln. **III** *v/t* **8. ~ away** *Zeit* vertrödeln, -tändeln, *a. Geld* verplempern. '**tri·fler** *s* **1.** oberflächlicher *od.* fri'voler Mensch. **2.** Tändler *m*. **3.** Müßiggänger *m*. '**tri·fling** *adj* (*adv* **~ly**) **1.** oberflächlich, leichtfertig, fri'vol. **2.** tändelnd. **3.** unbedeutend, geringfügig, belanglos.

tri·fo·li·ate [trai'fouliit; -͵eit] *adj bot.* **1.** dreiblätt(e)rig. **2.** → **trifoliolate.**

tri·fo·li·o·late [trai'fouliə͵leit] *adj bot.* **1.** dreizählig (*Blatt*). **2.** mit dreizähligen Blättern (*Pflanze*).

tri·fo·ri·um [trai'fɔːriəm] *pl* **-ri·a** [-ə] *s arch.* Tri'forium *n* (*Säulengang*).

tri·form ['trai͵fɔːrm] *adj* **1.** dreiteilig. **2.** dreiförmig. **3.** dreifach.

tri·fur·cate I *adj* [trai'fəːrkit; -keit] dreigabelig, -zackig. **II** *v/i* [-keit] sich dreifach gabeln.

trig[1] [trig] *adj* (*adv* **~ly**) **1.** schmuck, a'drett. **2.** kräftig.

trig[2] [trig] **I** *v/t* **1.** *Rad etc* hemmen. **2.** *a.* **~ up** stützen. **II** *s* **3.** Hemmklotz *m*, -schuh *m*.

trig[3] [trig] *colloq. abbr. für* **trigo-** [nometry.]

trig·a·mous ['trigəməs] *adj* **1.** in Triga'mie lebend. **2.** *bot.* dreihäusig. '**trig·a·my** *s* Triga'mie *f*.

trig·ger ['trigər] **I** *s* **1.** *electr. phot. tech., a. fig.* Auslöser *m*. **2.** *mil.* Abzug *m* (*e-r Feuerwaffe*), (*am Gewehr a.*) Drücker *m*, (*in e-r Bombe etc*) Zünder *m*: **to pull the ~** abdrücken; **quick on the ~** *fig.* ‚fix', ‚auf Draht' (*reaktionsschnell od. schlagfertig*). **II** *v/t* **3.** *a.* **~ off** auslösen (*a. fig.*). **~ cam** *s tech.* Schaltnocken *m*. **~ cir·cuit** *s electr.* Triggerschaltung *f*. **~ fin·ger** *s* Zeigefinger *m*. **~ guard** *s mil.* Abzugsbügel *m*. '**~-͵hap·py** *adj* **1.** schießwütig. **2.** kriegslüstern. **3.** aggres'siv: **~ critics. ~ re·lay** *s electr.* 'Kippre͵lais *n*. **~ switch** *s* Kipphebelschalter *m*.

tri·glot ['traiglɒt] *adj* dreisprachig.

tri·glyph ['traiglif] *s arch.* Tri'glyph *m*, Dreischlitz *m* (*im dorischen Fries*).

tri·gon ['traigɒn] *s* **1.** Dreieck *n*. **2.** *astr.* a) → **trine** 4, b) → **triplicity** 1. **3.** *mus. antiq.* dreieckige Harfe.

trig·o·nal ['trigənl] *adj* **1.** dreieckig. **2.** *bot. zo.* dreikantig. **3.** *min.* trigo'nal. **4.** *astr.* Trigonal...

trig·o·no·met·ric [͵trigənə'metrik] *adj*; ͵**trig·o·no'met·ri·cal** *adj* (*adv* **~ly**) *math.* trigono'metrisch. ͵**trig·o'nom·e·try** [-'nɒmitri] *s math.* Trigonome'trie *f*: **plane ~** ebene Trigonometrie.

tri·graph ['traigræ(ː)f; *Br. a.* -grɑːf] *s ling.* Gruppe *f* von drei Buchstaben (*zur Bezeichnung e-s einzigen Lautes od. Diphthongs*).

tri·he·dral [trai'hiːdrəl] *adj math.* dreiflächig, tri'edrisch. **tri'he·dron** [-drən] *pl* **-drons, -dra** [-drə] *s* Tri'eder *n*, Dreiflächner *m*.

trike [traik] *colloq. für* **tricycle.**

tri·lat·er·al [trai'lætərəl] *adj math.* dreiseitig.

tril·by ['trilbi] *s* **1.** *a.* **~ hat** *Br. colloq.* (*ein*) weicher Filzhut. **2.** *pl sl.* ‚Flossen' *pl* (*Füße*).

tri·lin·e·ar [trai'liniər] *adj math.* dreilinig: **~ coordinates** Dreieckskoordinaten.

tri·lin·gual [trai'liŋgwəl] *adj* dreisprachig.

tri·lit·er·al [trai'litərəl] *adj u. s* aus drei Buchstaben bestehend(es Wort).

tri·lith ['trailiθ], **tril·i·thon** ['trili͵θɒn] *s Archäologie*: Tri'lith *m*.

trill [tril] **I** *v/t u. v/i* **1.** *mus. etc* trillern, trällern. **2.** *ling.* (*bes.* das r) rollen. **II** *s* **3.** *mus.* Triller *m*. **4.** *ling.* gerollter Konso'nant, *bes.* gerolltes r.

tril·lion ['triljən] *s* **1.** *Br.* Trilli'on *f*. **2.** *Am.* Billi'on *f*.

tril·o·gy ['trilədʒi] *s* Trilo'gie *f*.

trim [trim] **I** *v/t* **1.** in Ordnung bringen, zu'rechtmachen. **2.** *a.* **~ up** (auf-, her'aus)putzen, schmücken, 'ausstaf͵fieren, schönmachen: **to ~ o.s.; to ~ the Christmas tree** den Weihnachtsbaum schmücken; **to ~ a shopwindow** ein Schaufenster dekorieren. **3.** *Kleider, Hüte etc* besetzen, gar'nieren. **4.** *Hekken, Haar, Nägel etc* (be-, zu'recht)schneiden, stutzen, *bes. Hundefell* trimmen. **5.** *fig.* (zu'recht)stutzen, beschneiden: **to ~ the budget. 6.** *Bauholz* behauen, zurichten: **to ~ logs. 7.** *sl.* *j-n* a) ‚her'unterputzen', b) ‚'reinlegen', c) ‚beschummeln' (*betrügen*) (**out of** um), d) ‚vertrimmen' (*a. sport schlagen*). **8.** *Feuer* anschüren. **9.** *aer. mar.* trimmen: a) in die richtige Lage bringen: **to ~ the plane** (**ship**), b) *Segel*

stellen, brassen: to ~ one's sails (to every wind) *fig.* sein Mäntelchen nach dem Wind hängen, c) *Kohlen* schaufeln, d) *die Ladung* (richtig) verstauen: to ~ the hold. **10.** *electr.* trimmen, (fein)abgleichen.
II *v/i* **11.** *mar.* trimmen. **12.** *fig.* e-n Mittelkurs steuern, *bes. pol.* la'vieren: to ~ with the times sich den Zeiten anpassen, Opportunitätspolitik treiben.
III *s* **13.** Ordnung *f*, (richtiger) Zustand, richtige (*a.* körperliche *od.* seelische) Verfassung: in good (out of) ~ in guter (schlechter) Verfassung (*a. Person*); in ~ for in der richtigen Verfassung für; in fighting ~ *mil.* gefechtsbereit; in sailing ~ segelfertig. **14.** *aer. mar.* a) Trimm(lage *f*) *m*, b) richtige Stellung (der Segel), c) *a.* ~ of the hold gute Verstauung (der Ladung). **15.** Putz *m*, Staat *m*, Gala(kleidung) *f*. **16.** *mot.* a) Innenausstattung *f*, b) (Karosse'rie)Verzierungen *pl.* **17.** *Am.* 'Schaufensterdekorati,on *f*.
IV *adj* (*adv* ~ly) **18.** schmuck, hübsch, sauber, ordentlich, ‚(gut) im Schuß', ‚'tipp'topp'.
tri·mes·ter [trai'mestər] *s* **1.** Zeitraum *m* von drei Monaten, Vierteljahr *n*. **2.** *univ. etc* Tri'mester *n*.
trim·e·ter ['trimitər] *metr.* **I** *adj* tri'metrisch. **II** *s* Trimeter *m* (*sechsfüßiger Vers*).
tri·met·ric [trai'metrik] *adj* **1.** tri'metrisch. **2.** ortho'rhombisch (*Kristalle*). **3.** *math.* 'dreidimensio,nal.
trim·mer ['trimər] *s* **1.** Aufarbeiter(in): hat ~ Putzmacher(in). **2.** *mar.* a) (Kohlen)Trimmer *m*, b) Stauer *m*. **3.** *Am.* (*bes.* 'Schaufenster)Dekora,teur *m*. **4.** *tech.* Werkzeug *n od.* Ma'schine *f* zum Ausputzen *od.* Zu'rechtschneiden. **5.** *Zimmerei*: Wechselbalken *m*. **6.** *fig. bes. pol.* Achselträger(in), Opportu'nist(in). **7.** *electr.* 'Trimmer(konden,sator) *m*.
trim·ming ['trimiŋ] *s* **1.** (Auf-, Aus)Putzen *n*, Zurichten *n*, Zuschneiden *n*. **2.** a) (Hut-, Kleider)Besatz *m*, Borte *f*, b) *pl* Zutaten *pl*, Posa'menten *pl.* **3.** *pl* Gar'nierung *f*, Zutaten *pl*, Beilagen *pl* (*e-r Speise*). **4.** *fig.* ‚Verzierung' *f*, ‚Gar'nierung' *f* (*im Stil etc*). **5.** *pl* Abfälle *pl*, Schnipsel *pl.* **6.** *aer. mar.* a) Trimmen *n*, b) Staulage *f*: ~ flap *aer.* Trimmklappe *f*. **7.** *electr.* Trimmen *n*, Feinabgleich *m*: ~ capacitor → trimmer 7. **8.** (Tracht *f*) Prügel *pl.* **9.** *bes. sport* ‚saftige' Niederlage.
trim·ness ['trimnis] *s* **1.** gute Ordnung. **2.** Gepflegtheit *f*, gutes Aussehen, (*das*) Schmucke.
tri·month·ly [trai'mʌnθli] *adj* dreimonatlich, vierteljährlich.
tri·mo·tor ['traimoutər] *s aer.* 'dreimo,toriges Flugzeug.
tri·nal ['trainl] *adj* dreifach.
tri·na·ry ['trainəri] → ternary.
trine [train] **I** *adj* **1.** dreifach. **2.** *astr.* trigo'nal. **II** *s* **3.** Dreiheit *f*. **4.** *astr.* Trigo'nala,spekt *m*.
trin·gle ['triŋgl] *s* **1.** Vorhangstange *f*. **2.** *arch.* Kranzleiste *f*.
trin·i·scope ['trini,skoup] (*TM*) *s electr.* Ka'thodenstrahlröhre *f* für Farbfernsehen.
Trin·i·tar·i·an [,trini'tɛ(ə)riən] **I** *adj* **1.** *relig.* Dreieinigkeits... **2.** Trinitarier... **3.** t~ dreifach, -glied(e)rig. **II** *s relig.* **4.** Bekenner(in) der Drei'einigkeit. **5.** *hist.* Trini'tarier(in). ,**Trin·i·'tar·i·an,ism** *s* Drei'einigkeitslehre *f*.
tri·ni·tro·ben·zene [trai,naitro'benzi:n; -ben'zi:n] *s* Trinitroben'zol *n*.
tri·ni·tro·tol·u·ene [trai,naitro'tɒlju,i:n], **tri,ni·tro'tol·u,ol** [-,ɒl; -,oul] *s chem.* ,Trinitrotolu'ol *n* (T.N.T.).
trin·i·ty ['triniti] *s* **1.** Dreiheit *f*. **2.** T~ *relig.* Trini'tät *f*, Drei'einigkeit *f*, Drei'faltigkeit *f*. **T~ Breth·ren** *s pl* Mitglieder *pl* von Trinity House. **T~ House** *s Verband zur Aufsicht über Lotsen, Leuchtfeuer, See- u. Lotsenzeichen.* **T~ Sun·day** *s* Sonntag *m* Trini'tatis. **T~ term** *s univ.* 'Sommer-Tri,mester *n*.
trin·ket ['triŋkit] *s* **1.** Schmuck *m*, (*bes.* wertloses) Schmuckstück. **2.** *pl fig.* Plunder *m*, ‚Kinkerlitzchen' *pl.*
tri·no·mi·al [trai'noumiəl] **I** *adj* **1.** *math.* tri'nomisch, dreigliedrig, -namig: ~ root. **2.** *biol.* dreigliedrig (*Benennung*). **II** *s* **3.** Tri'nom *n*: a) *math.* dreigliedrige (Zahlen)Größe, b) *biol.* dreigliedrige Benennung.
tri·o ['tri:ou] *pl* **-os** *s mus. u. fig.* Trio *n*.
tri·ode ['traioud] *s electr.* Tri'ode *f*, 'Dreielek,trodenröhre *f*.
tri·o·let ['traiəlit; *Br. a.* 'tri:-] *s metr.* Trio'lett *n* (*achtzeiliges Ringelgedicht*).
tri·or → trier.
trip [trip] **I** *v/i* **1.** *a.* ~ it trippeln, tänzeln. **2.** stolpern, straucheln (*a. fig.*). **3.** *fig.* (e-n) Fehler machen: to catch s.o. ~ping j-n bei e-m Fehler ertappen. **4.** a) (*über ein Wort*) stolpern, sich versprechen, b) (mit der Zunge) anstoßen. **5.** *obs.* e-e Reise *od.* e-n Ausflug machen.
II *v/t* **6.** *oft* ~ up *j-m* ein Bein stellen, *j-n* zu Fall bringen (*beide a. fig.*). **7.** *etwas* vereiteln. **8.** *fig. j-n* ertappen (in bei *e-m Fehler etc*). **9.** *tech.* a) auslösen, b) schalten.
III *s* **10.** a) (*bes.* kurze, *a.* See)Reise, b) Ausflug *m*, (Spritz)Tour *f*, Abstecher *m* (to nach). **11.** *weitS.* Fahrt *f*. **12.** Stolpern *n*. **13.** a) *bes. fig.* Fehltritt *m*, b) *fig.* Fehler *m*. **14.** Beinstellen *n*. **15.** Trippeln *n*. **16.** *sl.* ‚Trip' *m*, ‚Reise' *f* (*LSD-Rausch*). **17.** *tech.* a) Auslösevorrichtung *f*, b) Auslösen *n*: ~ cam *od.* dog Schaltnocken *m*, (Auslöse-)Anschlag *m*; ~ lever Auslöse- *od.* Schalthebel *m*.
tri·pack ['traipæk] *s phot.* Dreischichtenfilm *m*.
tri·par·tite [trai'pɑ:rtait] *adj* **1.** *bes. bot.* dreiteilig. **2.** dreifach (ausgefertigt): ~ deed. **3.** Dreier..., dreiseitig: ~ treaty Dreimächtevertrag *m*. ,**tri·par'ti·tion** [-'tiʃən] *s* Dreiteilung *f*.
tripe [traip] *s* **1.** Kal'daunen *pl*, Kutteln *pl.* **2.** *sl.* a) Schund *m*, Kitsch *m*, b) ‚Quatsch' *m*, Blödsinn *m*. **3.** *meist pl vulg.* Eingeweide *pl.*
tri·pe·dal ['traipidl; trai'pi:dl] *adj* dreifüßig.
tri·phase ['trai,feiz] → three-phase.
tri·phib·i·ous [trai'fibiəs] *adj mil.* unter Einsatz von Land-, See- u. Luftstreitkräften ('durchgeführt).
triph·thong ['trifθɒŋ; 'tripθ-] *s ling.* Tri'phthong *m*, Dreilaut *m*.
tri·plane ['traiplein] *s aer.* Dreidecker *m*.
tri·ple ['tripl] **I** *adj* (*adv* triply) **1.** dreifach. **2.** dreimalig. **3.** Drei..., drei..., Tripel... **II** *s* **4.** (*das*) Dreifache. **III** *v/t u. v/i* **5.** (sich) verdreifachen. **T~ Al·li·ance** *s pol. hist.* 'Tripelalli,anz *f*, Dreibund *m*. **T~ En·tente** *s pol. hist.* 'Tripelen,tente *f*. **~ fugue** *s mus.* Tripelfuge *f*. **~ jump** *s sport* Dreisprung *m*. **'~-,pole** *adj electr.* dreipolig, Dreipol...
tri·plet ['triplit] *s* **1.** Drilling *m*. **2.** Dreiergruppe *f*. **3.** Trio *n* (*drei Personen etc*). **4.** *mus.* Tri'ole *f*. **5.** *metr.* Dreireim *m*.
tri·ple time *s mus.* Tripel-, Dreitakt *m*.
tri·plex ['tripleks] **I** *adj* **1.** dreifach: ~ glass Triplex-, Sicherheitsglas *n*. **II** *s* **2.** *mus.* Tripeltakt *m*. **3.** (*etwas*) Dreifaches.
trip·li·cate ['triplikit; -,keit] **I** *adj* **1.** dreifach. **2.** in dreifacher Ausfertigung (geschrieben *etc*). **II** *s* **3.** Tripli'kat *n*, dritte Ausfertigung: in ~ in dreifacher Ausfertigung. **III** *v/t* [-,keit] **4.** verdreifachen. **5.** dreifach ausfertigen. ,**trip·li'ca·tion** *s* Verdreifachung *f*.
tri·plic·i·ty [tri'plisiti] *s* **1.** Triplizi'tät *f* (*a. astr.*), Drei(fach)heit *f*. **2.** Dreiergruppe *f*.
trip·loid ['triplɔid] *biol.* **I** *adj* triplo'id. **II** *s* Zelle *f od.* Lebewesen *n* mit dreifachem Chromo'somensatz.
tri·pod ['traipɒd] *s* **1.** Dreifuß *m*. **2.** *bes. phot.* Sta'tiv *n*. **3.** *mil. tech.* Dreibein *n*.
trip·o·li ['tripəli] *s geol.* Tripel *m*, Po'lierschiefer *m*.
tri·pos ['traipɒs] *s univ. Br.* letztes Ex'amen für honours (*in Cambridge*).
trip·per ['tripər] *s* **1.** Ausflügler(in), Tou'rist(in). **2.** Auslösevorrichtung *f*.
trip·ping ['tripiŋ] *adj* (*adv* ~ly) **1.** leicht(füßig), flink. **2.** flott, munter. **3.** strauchelnd (*a. fig.*). **4.** *tech.* Auslöse..., Schalt...
trip·tane ['triptein] *s chem.* klopffester Kraftstoff.
trip·tych ['triptik] *s* Triptychon *n*, dreiteiliges (Al'tar)Bild.
trip·tyque [,trip'ti:k] *s* Triptyk *n* (*Grenzübertrittsschein für Kraftfahrzeuge*).
trip wire *s bes. mil.* Stolperdraht *m*.
tri·que·tra [trai'kwi:trə; -'kwet-] *s* dreieckiges Orna'ment.
tri·reme ['trairi:m] *s mar. antiq.* Tri'reme *f*, Tri'ere *f* (*Dreiruderer*).
tri·sect [trai'sekt] *v/t* dreiteilen, in drei (gleiche) Teile teilen. **tri'sec·tion** *s* Dreiteilung *f*.
tris·mus ['trizməs; 'tris-] *s med.* Trismus *m*, Kaumuskelkrampf *m*.
tri·some ['traisoum] *s biol.* Tri'som *n*.
tri·syl·lab·ic [,trisi'læbik; ,trai-] *adj* (*adv* ~ally) dreisilbig. **tri'syl·la·ble** [-'siləbl] *s* dreisilbiges Wort.
trite [trait] *adj* (*adv* ~ly) abgedroschen, platt, ba'nal. '**trite·ness** *s* Abgedroschenheit *f*, Plattheit *f*.
Tri·ton[1] ['traitn] *s* **1.** *antiq.* Triton *m* (*niederer Meergott*): a ~ among (the) minnows ein Riese unter Zwergen. **2.** t~ *zo.* Tritonshorn *n*. **3.** t~ *zo.* Molch *m*.
tri·ton[2] ['traitn] *s chem. phys.* Tritiumkern *m*, Triton *n*.
tri·tone ['trai,toun] *s mus.* Tritonus *m*.
trit·u·rate [*Br.* 'tritju,reit; *Am.* -tʃə-] *v/t* zerreiben, -mahlen, -stoßen, pulveri'sieren. ,**trit·u'ra·tion** *s* Zerreibung *f*, Pulveri'sierung *f*.
tri·umph ['traiəmf] **I** *s* **1.** Tri'umph *m*: a) Sieg *m* (over über *acc*), b) Siegesfreude *f* (at über *acc*): in ~ im Triumph, triumphierend. **2.** Tri'umph *m* (*Großtat, Erfolg*): the ~s of science. **3.** *antiq.* (*Rom*) Tri'umph(zug) *m*. **II** *v/i* **4.** trium'phieren: a) den Sieg erringen, b) froh'locken, jubeln (*beide* over über *acc*), c) Erfolg haben. **tri'um·phal** [-'ʌmfəl] *adj* Triumph..., Sieges...: ~ arch Triumphbogen *m*; ~ car Siegeswagen *m*; ~ process Triumph-, Siegeszug *m*. **tri'um·phant** *adj* (*adv* ~ly) **1.** trium'phierend: a) den Sieg feiernd, b) sieg-, erfolg-, glorreich, c) froh'lockend, jubelnd. **2.** *obs.* prächtig, herrlich.
tri·um·vir [trai'ʌmvər] *pl* **-virs** *s antiq.* Tri'umvir *m* (*a. fig.*). **tri'um·vi·rate** [-rit; -,reit] *s* **1.** *antiq.* Triumvi'rat *n* (*a. fig.*). **2.** *fig.* Dreigestirn *n*.

tri·une ['traiju:n] *adj bes. relig.* drei'einig. **tri'u·ni·ty** [-ti] → trinity 2.

tri·va·lence [trai'veiləns] *s chem.* Dreiwertigkeit *f*. **tri'va·lent** *adj chem.* dreiwertig.

triv·et ['trivit] *s* **1.** Dreifuß *m* (*bes. für Kochgefäße*): as right as a ~ *fig.* a) in schönster Ordnung, b) ‚sauwohl'. **2.** (kurzfüßiger) 'Untersetzer.

triv·i·a ['triviə] *s pl* Baga'tellen *pl*, Kleinigkeiten *pl*.

triv·i·al ['triviəl] *adj* (*adv* ~ly) **1.** trivi'al, ba'nal, all'täglich. **2.** nichtssagend, gering(fügig), unbedeutend, belanglos. **3.** unbedeutend, oberflächlich (*Person*). **4.** *biol.* volkstümlich (*Ggs wissenschaftlich*). **triv·i'al·i·ty** [-'æliti] *s* **1.** Triviali'tät *f*, Plattheit *f*: a) Banali'tät *f*, b) trivi'ale *od.* nichtssagende Bemerkung. **2.** Geringfügigkeit *f*, Unerheblichkeit *f*, Nebensächlichkeit *f*.

triv·i·um ['triviəm] *pl* **-i·a** [-ə] *s ped. hist.* Trivium *n* (*der niedere Teil der Freien Künste: Grammatik, Logik, Rhetorik*).

tri·week·ly [trai'wi:kli] **I** *adj* **1.** dreiwöchentlich, -wöchig. **2.** dreimal wöchentlich erscheinend (*Zeitschrift etc*) *od.* verkehrend (*Verkehrsmittel*). **II** *adv* **3.** dreimal in der Woche.

troat [trout] **I** *s* Röhren *n* (*des Hirsches*). **II** *v/i* röhren.

tro·car ['trouka:r] *s med.* Tro'kar *m*, Hohlnadel *f*.

tro·cha·ic [tro'keiik] *metr.* **I** *adj* tro'chäisch. **II** *s* Tro'chäus *m*.

tro·char → trocar.

tro·che [*Br.* troutʃ; *Am.* 'trouki] *s* Pastille *f*.

tro·chee ['trouki:] *s metr.* Tro'chäus *m* (*Versfuß*).

troch·le·a ['trɒkliə] *pl* **-le·ae** [-li,i:] *s anat.* Trochlea *f*, Rolle *f*.

tro·choid ['troukɔid] **I** *adj* **1.** radförmig. **2.** sich um e-e Achse drehend. **3.** *math.* zyklo'idenartig. **II** *s* **4.** *math.* Trocho'ide *f*. **5.** *anat.* Rollgelenk *n*.

trod [trɒd] *pret u. pp von* tread.

trod·den ['trɒdn] *pp von* tread.

trog·lo·dyte ['trɒglə,dait] *s* **1.** Troglo'dyt *m*, Höhlenbewohner *m*. **2.** *fig.* a) Einsiedler *m*, b) primi'tiver *od.* bru'taler Kerl. **3.** *zo.* Troglo'dyt *m*, Schim'panse *m*. **,trog·lo'dyt·ic** [-'ditik] *adj* troglo'dytisch.

troi·ka ['trɔikə] *s* Troika *f*, Dreigespann *n*.

Tro·jan ['troudʒən] **I** *adj* **1.** tro'janisch: the ~ horse; the ~ War. **II** *s* **2.** Tro'janer(in). **3.** *fig.* ‚Mordskerl' *m*: to work like a ~ arbeiten wie ein Pferd. **4.** *sl.* lustiger Bruder.

troll[1] [troul] **I** *v/t u. v/i obs. od. dial.* **1.** rollen. **2.** a) (fröhlich) trällern, b) im Rundgesang singen. **3.** (mit der Schleppangel) fischen (for nach). **II** *s* **4.** Rundgesang *m*. **5.** Schleppangel *f*, künstlicher Köder.

troll[2] [troul] *s* Troll *m*, Kobold *m*.

trol·ley ['trɒli] *s* **1.** *Br.* (zweirädriger) (Hand-, Schub-, Gemüse)Karren *m*. **2.** *Bergbau: Br.* Förderwagen *m*. **3.** *rail. Br.* Drai'sine *f*. **4.** *electr.* Kon'taktrolle *f* (*bei Oberleitungsfahrzeugen*). **5.** *Am.* Straßenbahn(wagen *m*) *f*. **6.** *a.* -~table *Br.* Tee-, Ser'vierwagen *m*. **~ bus** *s* Oberleitungsbus *m*, Obus *m*. **~ car** *s Am.* Straßenbahnwagen *m*. **~ pole** *s electr. tech.* Stromabnehmerstange *f*. **~ wire** *s* Oberleitung *f*.

trol·lop ['trɒləp] **I** *s* **1.** a) ‚Schlampe' *f*, b) Hure *f*, ‚Luder' *n*. **II** *v/i* **2.** schlampen, ‚schlumpen'. **3.** ‚latschen'.

trol·ly → trolley.

trom·ba ['trɒmbə] *s mus.* Trom'pete *f* (*a. Orgelregister*).

trom·bone ['trɒmboun; trɒm'boun] *s mus.* **1.** Po'saune *f*: slide ~ Zugposaune. **2.** Posau'nist *m*. **'trom·bon·ist** *s mus.* Posau'nist *m*.

tro·mom·e·ter [tro'mɒmitər] *s* Tromo'meter *n* (*zur Messung sehr leichter Beben*).

trompe [trɒmp] *s tech.* ('Wasser)Gebläseappa,rat *m* (*in e-m Gebläseofen*).

troop [tru:p] **I** *s* **1.** Trupp *m*, Haufe(n) *m*, Schar *f*. **2.** *meist pl mil.* Truppe(n *pl*) *f*. **3.** *mil.* a) Schwa'dron *f*, b) 'Panzerkompa,nie *f*, c) Batte'rie *f*. **4.** *mil.* 'Marsch-, Trom'petensi,gnal *n*. **5.** *Am.* Zug *m* von Pfadfindern (*16—32 Jungen*). **6.** *meist pl fig.* (*e-e*) Menge, Haufen *m*: ~s of servants. **II** *v/i* **7.** *oft* ~ up, ~ together sich scharen, sich sammeln. **8.** ~ with sich zs.-tun mit. **9.** (in Scharen) ziehen, (*herein- etc*)strömen, mar'schieren: to ~ away, to ~ off *colloq.* ‚abziehen'. **III** *v/t* **10.** *mil.* for'mieren: to ~ the colour(s) *Br.* die Fahnenparade abhalten (*anläßlich des Geburtstages des Monarchen*). **~ car·ri·er** *s aer. mil.* 'Truppentrans,portflugzeug *n*. **'~-,car·ry·ing** *adj mil.*: ~ glider Lastensegler *m*; ~ vehicle *Br.* Mannschafts(transport)wagen *m*.

troop·er ['tru:pər] *s* **1.** *mil.* Reiter *m*, Kavalle'rist *m*: to swear like a ~ fluchen wie ein Landsknecht. **2.** 'Panzersol,dat *m*. **3.** *Am. u. bes. Austral.* berittener Poli'zist. **4.** *mil.* Kavalle'riepferd *n*. **5.** *bes. Br. für* troopship.

'troop|-,horse *s mil.* Kavalle'riepferd *n*. **~ school** *s mil. Am.* Waffenschule *f*. **'~,ship** *s mar. mil.* 'Truppentrans,porter *m*.

tro·pae·o·lum [tro'pi:ələm] *s bot.* Kapu'zinerkresse *f*.

trope [troup] *s* **1.** Tropus *m*, bildlicher Ausdruck. **2.** *relig. hist.* li'turgischer Begleitspruch. **3.** *mus.* Tropus *m*.

troph·ic ['trɒfik] *adj biol.* trophisch, Ernährungs...

tro·phied ['troufid] *adj* mit Tro'phäen geschmückt.

troph·o·plasm ['trɒfo,plæzəm] *s biol.* Tropho'plasma *n*, ernährendes Plasma.

tro·phy ['troufi] *s* **1.** Tro'phäe *f*, Siegeszeichen *n od.* -beute *f* (*alle a. fig.*). **2.** (*Jagd- etc*)Tro'phäe *f*, Preis *m*. **3.** Andenken *n* (of an *acc*). **4.** *antiq.* Sieges(denk)mal *n*.

trop·ic ['trɒpik] **I** *s* **1.** *astr. geogr.* Wendekreis *m*: T~ of Cancer (Capricorn) Wendekreis des Krebses (Steinbocks). **2.** *pl geogr.* Tropen *pl*. **II** *adj* → tropical[1].

trop·i·cal[1] ['trɒpikəl] *adj* (*adv* ~ly) **1.** Tropen..., tropisch: ~ heat; ~ diseases; ~ year tropisches Jahr. **2.** *fig.* heiß, hitzig.

trop·i·cal[2] ['trɒpikəl] *adj* (*adv* ~ly) tropisch, fi'gürlich, bildlich.

trop·i·cal·ize ['trɒpikə,laiz] *v/t* **1.** tropenfest machen. **2.** tropisch machen.

tro·pism ['troupizəm] *s biol.* Tro'pismus *m*, Krümmungsbewegung *f*.

trop·o·log·i·cal [,trɒpə'lɒdʒikəl] → tropical[2].

tro·pol·o·gy [tro'pɒlədʒi] *s* **1.** bildliche Ausdrucksweise. **2.** *bes. relig. Bibl.* Figu'ralbedeutung *f*.

trop·o·pause ['trɒpo,pɔ:z] *s meteor.* Grenze *f* zwischen Tropo'sphäre u. Strato'sphäre.

trop·o·phyte ['trɒpə,fait] *s* Tropo'phyt *m* (*Pflanze, die sich e-m Wechselklima anpaßt*).

trop·o·sphere ['trɒpo,sfir] *s meteor.* Tropo'sphäre *f*.

trop·po ['trɒppo] (*Ital.*) *adv mus.* zu (sehr): ma non ~ aber nicht zu sehr.

trot[1] [trɒt] **I** *v/i* **1.** traben, trotten, im Trab gehen *od.* reiten: to ~ along (*od.* off) *colloq.* ab-, losziehen. **II** *v/t* **2.** *das Pferd* traben lassen, *a. j-n* in Trab setzen *od.* bringen. **3.** ~ out a) *ein Pferd* vorreiten, -führen, b) *fig. colloq. etwas od. j-n* vorführen, renom'mieren mit, *Argumente, Kenntnisse etc, a. Wein etc* auftischen, da'herbringen, aufwarten mit. **4.** *a.* ~ round *j-n* her'umführen. **III** *s* **5.** Trott *m*, Trab *m* (*a. fig.*): at a ~ im Trab; to go for a ~ e-n kleinen Spaziergang machen; to keep s.o. on the ~ j-n in Trab halten. **6.** *colloq.* ‚Taps' *m* (*kleines Kind*). **7.** *sl.* a) ‚Tante' *f* (*Frau*), b) *Br.* ‚Nutte' *f*, Hure *f*. **8.** *ped. Am. sl.* Eselsbrücke *f*, ‚Klatsche' *f*, ‚Schlauch' *m* (*Übersetzungshilfe*).

trot[2] [trɒt] *s Fischerei*: lange, straffgezogene Leine.

troth [trouθ; trɒθ] *s obs.* Treue(gelöbnis *n*) *f*: by my ~!, in ~! meiner Treu!, wahrlich!; to pledge one's ~ sein Wort verpfänden, ewige Treue schwören; to plight one's ~ sich verloben.

Trot·sky·ism ['trɒtski,izəm] *s pol.* Trotz'kismus *m*.

trot·ter ['trɒtər] *s* **1.** Traber *m* (*Pferd*). **2.** *colloq.* Fuß *m*, Bein *n* (*von Schlachttieren*): pig's ~s Schweinsfüße. **3.** *pl humor.* ‚Haxen' *pl* (*menschliche Füße*).

'trot·tie [-ti] → trot[1] 6.

tro·tyl ['troutil; -ti:l] → trinitrotoluene.

trou·ble ['trʌbl] **I** *v/t* **1.** *j-n* beunruhigen, stören, belästigen: to be ~d in mind sehr beunruhigt sein. **2.** *j-n* bemühen, bitten (for um): may I ~ you to pass me the salt; I will ~ you to hold your tongue! *iro.* würden Sie gefälligst den Mund halten! **3.** *j-m* Mühe machen, *j-m* 'Umstände *od.* Unannehmlichkeiten bereiten, *j-n* behelligen (about, with mit). **4.** quälen, plagen: to be ~d with the gout von der Gicht geplagt sein. **5.** *j-m* Kummer *od.* Sorge *od.* Verdruß bereiten *od.* machen, *j-n* beunruhigen: she is ~d about sie macht sich Sorgen wegen; don't let it ~ you machen Sie sich (deswegen) keine Sorge(n) *od.* Gedanken; ~d face sorgenvolles *od.* gequältes Gesicht. **6.** *Wasser etc* aufwühlen, trüben: ~d waters *fig.* unangenehme Lage, schwierige Situation; to fish in ~d waters *fig.* im trüben fischen; → oil 1.

II *v/i* **7.** sich beunruhigen, sich aufregen (about über *acc*): I shall not ~ if a) ich wäre beruhigt, wenn, b) es wäre mir gleichgültig, wenn. **8.** sich die Mühe machen, sich bemühen (to do zu tun), sich 'Umstände machen: don't ~ (yourself) bemühen Sie sich nicht; don't ~ to write du brauchst nicht zu schreiben; why should I ~ to explain warum sollte ich mir (auch) die Mühe machen, das zu erklären.

III *s* **9.** a) Mühe *f*, Plage *f*, Anstrengung *f*, Last *f*, Belästigung *f*, Störung *f*, b) *weitS.* Unannehmlichkeiten *pl*, Schwierigkeiten *pl*, Schere'reien *pl*, ‚Ärger' *m* (with mit *der Polizei etc*): to give s.o. ~ j-m Mühe verursachen; to go to much ~ sich besondere Mühe machen *od.* geben; to put s.o. to ~ j-m Umstände bereiten; omelet(te) is no ~ (to prepare) Omelett macht gar nicht viel Arbeit; (it is) no ~ (at all) (es ist) nicht der Rede wert; to save o.s. the ~ of doing sich die Mühe (er)sparen, *etwas* zu tun; to take (the) ~ sich (die) Mühe machen; to take ~ over s.th. sich Mühe geben mit. **10.** Schwierigkeit *f*, Pro'blem *n*, (*das*) Dumme *od.* Schlimme (dabei): to make ~ Schwierigkeiten machen; the

~ is der Haken *od.* das Unangenehme ist (that daß); what's the ~? wo(ran) fehlt's?, was ist los? **11.** Not *f*, Sorge(n *pl*) *f*: to ask (*od.* look) for ~ sich (nur) selbst Schwierigkeiten bereiten, das Schicksal herausfordern; to be in ~ in der ‚Patsche' sitzen, in Nöten sein; his girl friend is in ~ s-e Freundin ‚hat Pech gehabt'; to get into ~ sich Unannehmlichkeiten zuziehen, ‚sich in die Nesseln setzen', es zu tun kriegen (with mit); to have ~ with Ärger haben mit, es zu tun haben mit; to make ~ for s.o. j-m Ärger machen, j-n in Schwierigkeiten bringen. **12.** Leiden *n*, Störung *f*, Beschwerden *pl*: heart ~ Herzleiden. **13.** a) *pol.* Unruhe(n *pl*) *f*, Wirren *pl*, b) *allg.* Af'färe *f*, Kon'flikt *m*, ‚Kra'wall' *m.* **14.** *tech.* Störung *f*, De'fekt *m*: engine ~.

'trou·ble|-ˌfree *adj tech.* störungsfrei. **'~ˌmak·er** *s* Unruhestifter(in). **~ man** *s irr tech.* Störungssucher *m.* **'~-ˌproof** *adj* störungsfrei. **'~ˌshoot·er** *s* **1.** → trouble man. **2.** *fig.* Friedensstifter *m*, ‚Ausbügler' *m.* **'~ˌshoot·ing** *s* **1.** *tech.* Störungs-, Fehlersuche *f.* **2.** *fig.* Friedenstiften *n*, Wogenglätten *n.*

trou·ble·some ['trʌblsəm] *adj* (*adv* ~ly) **1.** störend, lästig. **2.** mühsam, beschwerlich: ~ work. **3.** unangenehm (*a. Person*). **'trou·ble·some·ness** *s* Lästigkeit *f*, Beschwerlichkeit *f*, (*das*) Unangenehme.

trou·blous ['trʌbləs] *adj obs. u. poet.* unruhig.

trou-de-loup [trudə'lu] *pl* **trous-de-loup** [trudə'lu] (*Fr.*) *s mil.* Wolfsgrube *f.*

trough [trɒf; trɔːf] *s* **1.** Trog *m*, Mulde *f.* **2.** Wanne *f.* **3.** (*tech.* Zufuhr)Rinne *f*: ~ conveyor Trogförderer *m.* **4.** *a. geogr.* Graben *m*, Furche *f.* **5.** Wellental *n*: ~ of the sea. **6.** *a.* ~ of low pressure Tief(druckrinne *f*) *n.* **7.** *a.* ~ battery *electr.* 'Trog(batteˌrie *f*) *m.* **8.** *bes. econ.* Tiefpunkt *m* (*a. in e-m statistischen Schaubild*), ‚Talsohle' *f.*

trounce [trauns] *v/t* **1.** verprügeln. **2.** *sport* ‚über'fahren' (*besiegen*). **3.** *fig.* ‚her'untermachen'.

troupe [truːp] *s* (Schauspieler- *od.* Zirkus)Truppe *f.* **'troup·er** *s* Mitglied *n* e-r Schauspielertruppe.

trou·ser ['trauzər] *s* **1.** *pl* (*a.* pair of ~s e-e) (lange) Hose, Hosen *pl*: ~ suit Hosenanzug *m*; ~ stretcher Hosenspanner *m*; → wear[1] 1. **2.** *sg vulg.* Hose *f.* **3.** Hosenbein *n.* **'trou·sered** *adj* (lange) Hosen tragend, behost. **'trou·ser·ing** *s* Hosenstoff *m.*

trousse [truːs] *s med.* (chir'urgisches) Besteck (*Tasche*).

trous·seau [truː'sou; 'truːsou] *pl* **-seaus** [-souz] *s* Brautausstattung *f*, Aussteuer *f.*

trout [traut] **I** *pl* **trouts,** *bes. collect.* **trout** *s ichth.* Fo'relle *f.* **II** *v/i* Fo'rellen fischen. **III** *adj* Forellen...: ~ stream Forellenbach *m.*

trou·vaille [truː'vaːj] (*Fr.*) *s* (glücklicher) Fund, Entdeckung *f.*

trove [trouv] *s* Fund *m.*

tro·ver ['trouvər] *s jur.* **1.** rechtswidrige Aneignung. **2.** *a.* action of ~ Klage *f* auf Her'ausgabe des Wertes (*e-r widerrechtlich angeeigneten Sache*).

trow [trou; trau] *Br. obs.* **I** *v/t* glauben, meinen. **II** *v/i* (*e-r Frage hinzugefügt*): (I) ~? frag' ich!, möchte ich wissen!

trow·el ['trauəl] **I** *s* **1.** (Maurer)Kelle *f*: to lay it on with a ~ *fig.* (zu) dick auftragen. **2.** *agr.* Hohlspatel *m, f*, Pflanzenheber *m.* **II** *v/t* **3.** *tech.* mit der Kelle auftragen *od.* glätten.

troy [trɔi] *econ.* **I** *s a.* ~ weight Troygewicht *n* (*für Edelmetalle, Edelsteine u. Arzneien; 1 lb. = 373,2418 g*). **II** *adj* Troy(gewichts)...

tru·an·cy ['truːənsi] *s* **1.** unentschuldigtes Fernbleiben, (ˌSchul)Schwänze'rei *f.* **2.** Bummeln *n.*

tru·ant ['truːənt] **I** *s* **1.** a) (Schul)Schwänzer(in), b) Bumme'lant(in), Faulenzer(in): to play ~ (*bes.* die Schule) schwänzen, bummeln. **II** *adj* **2.** träge, (faul) her'umlungernd, pflichtvergessen. **3.** (schul)schwänzend: ~ children; ~ officer *Beamter, der unentschuldigtes Fernbleiben vom Schulunterricht zu untersuchen hat.* **4.** *fig.* (ab)schweifend (*Gedanken etc*).

truce [truːs] *s* **1.** *mil.* Waffenruhe *f*, -stillstand *m*: flag of ~ Parlamentärflagge *f*; ~ of God *hist.* Gottesfriede *m*; a ~ to talking! Schluß mit (dem) Reden! **2.** (political) ~ Burgfrieden *m.* **3.** (Ruhe-, Atem)Pause *f* (from von). **'tru·cial** [-ʃəl] *adj* Waffenstillstands..., durch Waffenstillstand gebunden.

truck[1] [trʌk] **I** *s* **1.** Tauschhandel *m*, -geschäft *n.* **2.** Verkehr *m*: to have no ~ with s.o. mit j-m nichts zu tun haben. **3.** *bes. Am.* Gemüse *n*: garden ~ Gartengemüse; ~ farm, ~ garden Gemüsegärtnerei *f.* **4.** *collect.* Kram(waren *pl*) *m*, Hausbedarf *m.* **5.** *contp.* Trödel(kram) *m*, Plunder *m*: I shall stand no ~ ich werde mir nichts gefallen lassen. **6.** *meist* ~ system *econ.* Natu'rallohn-, 'Trucksyˌstem *n.* **II** *v/t* **7.** (for) (aus-, ver)tauschen (gegen), eintauschen (für). **8.** verschachern. **III** *v/i* **9.** Tauschhandel treiben. **10.** schachern, handeln (for um).

truck[2] [trʌk] **I** *s* **1.** *tech.* Block-, Laufrad *n*, Rolle *f.* **2.** *bes. Am.* Lastauto *n*, -(kraft)wagen *m.* **3.** Hand-, Gepäck-, Rollwagen *m.* **4.** Lore *f*: a) *rail. Br.* Dreh-, 'Untergestell *n*, b) *Bergbau*: Kippkarren *m*, Förderwagen *m.* **5.** *rail.* offener Güterwagen. **6.** *mar.* Flaggenknopf *m.* **7.** *mil.* 'Blockräderlaˌfette *f.* **II** *v/t u. v/i* **8.** auf Güter- *od.* Lastwagen *etc* verladen *od.* befördern. **III** *adj* **9.** (Last-, Güter- *etc*)Wagen...: ~ trailer *Am.* Lastwagenanhänger *m*; ~ shot (*Film*) Fahraufnahme *f.* **'truck·age** *s* **1.** *Am.* 'Lastwagentransˌport *m.* **2.** Rollgeld *n.*

truck·er[1] ['trʌkər] *s Am.* **1.** Lastwagen-, Fern(last)fahrer *m.* **2.** 'Autospediˌteur *m.*

truck·er[2] ['trʌkər] *s* **1.** *Scot.* Hau'sierer *m.* **2.** *Am.* Gemüsegärtner *m.*

truck farm·er → trucker[2] 2.

truck·le ['trʌkl] **I** *v/i* (zu Kreuze) kriechen (to vor *dat*). **II** *s meist* ~ bed (*niedriges*) Rollbett (*zum Unterschieben unter ein höheres*). **'truck·ler** *s* Kriecher(in).

truck sys·tem → truck[1] 6.

truc·u·lence ['trʌkjuləns], **'truc·u·len·cy** [-si] *s* Roheit *f*, Wildheit *f*, Grausamkeit *f.* **'truc·u·lent** *adj* (*adv* ~ly) **1.** wild, roh, grausam, bru'tal. **2.** trotzig, aufsässig. **3.** gehässig.

trudge [trʌdʒ] **I** *v/i* **1.** (*bes.* mühsam) stapfen. **2.** sich (mühsam) (fort)schleppen: to ~ along. **II** *v/t* **3.** (mühsam) durch'wandern. **III** *s* **4.** langer *od.* mühseliger Marsch *od.* Weg.

true [truː] **I** *adj* (*adv* → truly) **1.** wahr, wahrheitsgetreu: a ~ story; to come ~ sich bewahrheiten *od.* erfüllen, eintreffen (*Wunsch, Traum etc*); to be ~ (of) zutreffen (auf *acc*), gelten (für). **2.** echt, wahr, wirklich, (regel)recht: a ~ Christian; ~ current *electr.* Wirkstrom *m*; ~ love wahre Liebe; ~ stress *tech.* wahre spezifische Belastung; ~ value Istwert *m*; (it is) ~ zwar, allerdings, freilich, zugegeben; is it ~ that ...? stimmt es, daß?; → true bill. **3.** (ge)treu (to *dat*): ~ as gold (*od.* steel) treu wie Gold; ~ to one's principles (word) s-n Grundsätzen (s-m Wort) getreu. **4.** getreu (to *dat*) (*von Sachen*): ~ copy getreue *od.* richtige Abschrift; ~ to life lebenswahr, -echt; ~ to nature naturgetreu; ~ to pattern modellgetreu; ~ to size *tech.* maßgerecht, -haltig; ~ to type artgemäß, typisch. **5.** genau, richtig: ~ weight. **6.** wahr, rechtmäßig, legi'tim: ~ heir (owner, *etc*). **7.** zuverlässig: a ~ sign. **8.** *tech.* genau, richtig (ein)gestellt *od.* eingepaßt. **9.** *geogr. mar. phys.* rechtweisend: ~ course; ~ declination Ortsmißweisung *f*; ~ north geographisch *od.* rechtweisend Nord. **10.** *mus.* richtig gestimmt, rein. **11.** *biol.* reinrassig.

II *adv* **12.** wahr('haftig): to speak ~ die Wahrheit reden. **13.** (ge)treu (to *dat*). **14.** genau: to shoot ~.

III *s* **15.** the ~ das Wahre. **16.** (*das*) Richtige *od.* Genaue: out of ~ *tech.* unrund.

IV *v/t* **17.** *oft* ~ up *tech* a) *Lager* ausrichten: to ~ a bearing, b) *Werkzeug* nachschleifen, *Schleifscheibe* abdrehen, c) *Rad* zen'trieren.

true| bill *s jur.* begründete (*von den Geschworenen bestätigte*) Anklage(schrift). **'~-'blue I** *s* getreuer Anhänger. **II** *adj* treu, ‚waschecht', durch u. durch: a ~ Tory. **'~ˌborn** *adj* echt, gebürtig: a ~ American. **'~ˌbred** *adj* **1.** reinrassig. **2.** *fig.* gebildet, kulti'viert (*Person*). **'~-'false test** *s ped. bes. Am.* Ja-'Nein-Test *m.* **'~ˌheart·ed** *adj* aufrichtig, ehrlich. **~ lev·el** *s* (echte) Horizon'talebene. **'~ˌlove** *s* Geliebte(r *m*) *f.* **'~ˌlove knot,** *a.* **'~-ˌlov·er's knot** *s* Doppelknoten *m.*

true·ness ['truːnis] *s* **1.** Wahrheit *f.* **2.** Echtheit *f.* **3.** Treue *f.* **4.** Aufrichtigkeit *f.* **5.** Richtigkeit *f*, Genauigkeit *f.*

truf·fle ['trʌfl] *s bot.* Trüffel *f.*

tru·ism ['truːizəm] *s* Binsenwahrheit *f*, Gemeinplatz *m.*

trull [trʌl] *s* Dirne *f*, Hure *f.*

tru·ly ['truːli] *adv* **1.** wahrheitsgemäß. **2.** aufrichtig: I am ~ sorry es tut mir aufrichtig leid; Yours (very) ~ (*als Briefschluß*) Hochachtungsvoll, Ihr sehr ergebener; yours ~ *humor.* m-e Wenigkeit. **3.** in der Tat, wirklich, wahr'haftig. **4.** genau, richtig.

tru·meau [try'mou] *pl* **-meaux** [-'mou] (*Fr.*) *s arch.* Fensterpfeiler *m.*

trump[1] [trʌmp] *s obs. od. poet* **1.** Trom'pete *f.* **2.** Trom'petenstoß *m*: the ~ of doom die Posaune des Jüngsten Gerichts.

trump[2] [trʌmp] **I** *s* **1.** *Kartenspiel*: a) Trumpf *m*, b) *a.* ~ card Trumpfkarte *f*: to lead off a ~ Trumpf ausspielen; it is no ~s es wird kein Trumpf gespielt; to play one's ~ card *fig.* s-n Trumpf ausspielen; to put s.o. to his ~s *fig.* j-n bis zum Äußersten treiben; to turn up ~s *colloq.* a) sich als das beste erweisen, b) (immer) Glück haben. **2.** *colloq.* feiner Kerl. **II** *v/t* **3.** (über)'trumpfen, *e-e Karte* stechen. **4.** *fig. j-n* über'trumpfen (with mit). **III** *v/i* **5.** Trumpf ausspielen, trumpfen, stechen.

trump[3] [trʌmp] *v/t* ~ up *contp.* erdichten, ‚sich aus den Fingern saugen'.

'trumped-ˌup ['trʌmpt-] *adj* erfunden, erlogen, ‚aus den Fingern gesogen', falsch: ~ charges.

trump·er·y ['trʌmpəri] **I** *s* **1.** Plunder *m*, Schund *m*. **2.** *fig.* Gewäsch *n*, ‚Quatsch' *m*. **II** *adj* **3.** Schund..., Kitsch..., kitschig, geschmacklos. **4.** nichtssagend, ‚billig': ~ **arguments.**

trum·pet ['trʌmpit] **I** *s* **1.** *mus.* Trom'pete *f*: **the last** ~ die Posaune des Jüngsten Gerichts; **to blow one's own** ~ *fig.* sein eigenes Lob(lied) singen. **2.** Trom'petenstoß *m* (*a. des Elefanten*). **3.** *mus.* Trom'pete(nre,gister *n*) *f* (*der Orgel*). **4.** Trom'peter *m*. **5.** Schalltrichter *m*, Sprachrohr *n*. **6.** Höhrrohr *n*: **ear** ~. **II** *v/i* **7.** Trom'pete blasen, trom'peten (*a. Elefant*). **III** *v/t* **8.** trom'peten, blasen. **9.** *a.* ~ **forth** *fig.* ,'auspo,saunen'. ~ **call** *s* Trom'petensi,gnal *n*.

trum·pet·er ['trʌmpitər] *s* **1.** Trom'peter *m*. **2.** Herold *m*. **3.** *fig.* a) ,'Auspo,sauner(in)', b) Lobredner *m*, c) ‚Sprachrohr' *n*. **4.** *orn.* a) Trom'petervogel *m* (*Südamerika*), b) Trom'petertaube *f*.

trum·pet·ist ['trʌmpitist] *m mus.* (Or'chester)Trom,peter *m* (*bes. Jazz*).

trum·pet| ma·jor *s mil.* 'Stabstrom,peter *m*. '~-,**shaped** *adj* trom'peten-, trichterförmig.

trun·cal ['trʌŋkəl] *adj* Stamm..., Rumpf..., Körper...

trun·cate ['trʌŋkeit] **I** *v/t* **1.** stutzen, beschneiden, verstümmeln (*alle a. fig.*). **2.** *math.* abstumpfen. **3.** *tech. Gewinde* abflachen. **4.** *Computer*: runden. **II** *adj* **5.** *bot. zo.* (ab)gestutzt, abgestumpft. '**trun·cat·ed** *adj* **1.** *a. fig.* a) gestutzt, gekürzt, b) verstümmelt. **2.** *math.* abgestumpft: ~ **cone** (**pyramid**) Kegel-(Pyramiden)stumpf *m*. **3.** *tech.* abgeflacht. **trun'ca·tion** *s* **1.** Kürzung *f*. **2.** Verstümmelung *f*. **3.** *math.* Abstumpfung *f*. **4.** *Computer*: Rundung *f*.

trun·cheon ['trʌntʃən] *s* **1.** *Br.* (Gummi)Knüppel *m*, Schlagstock *m* (*des Polizisten*). **2.** Kom'mando-, Marschallstab *m*.

trun·dle ['trʌndl] **I** *v/t* **1.** *ein Faß etc* rollen, trudeln: **to** ~ **a hoop** e-n Reifen schlagen; **to** ~ **s.o.** j-n fahren *od.* schieben (*Invaliden*). **II** *v/i* **2.** rollen, sich wälzen, trudeln. **III** *s* **3.** Rolle *f*, Walze *f*: ~ **bed** → **truckle II. 4.** kleiner Rollwagen.

trunk [trʌŋk] *s* **1.** (Baum)Stamm *m*. **2.** Rumpf *m*, Leib *m*, Torso *m*. **3.** *fig.* Stamm *m*, Hauptteil *m*. **4.** *zo.* Rüssel *m* (*des Elefanten*). **5.** *anat.* (*Nerven- etc*)Strang *m*, Stamm *m*. **6.** (Schrank)Koffer *m*, Truhe *f*. **7.** *arch.* (Säulen)Schaft *m*. **8.** *tech.* Rohrleitung *f*, Schacht *m*. **9.** Hauptfahrrinne *f* (*e-s Kanals etc*). **10.** *teleph.* a) Fernleitung *f*, b) *Br.* Fernverbindung *f*: ~**s, please!** *Br.* Fernamt, bitte! **11.** *rail.* → **trunk line** 1. **12.** *pl* a) → **trunk hose**, b) *bes. Am.* Bade-, Turnhose(n *pl*) *f*. **13.** *Computer*: Ka'nal *m*. ~ **call** *s teleph. Br.* Ferngespräch *n*. ~ **exchange** *s teleph.* Fernamt *n*. ~ **hose** *s hist.* Pluder-, Kniehose(n *pl*) *f*. ~ **line** *s* **1.** *rail.* Hauptstrecke *f*, -linie *f*. **2.** → **trunk route. 3.** *teleph.* → **trunk** 10a. ~ **road** *s* Haupt-, Land-, Autostraße *f*. ~ **route** *s allg.* Hauptstrecke *f*.

trun·nel ['trʌnl] → **treenail.**

trun·nion ['trʌnjən] *s* **1.** *tech.* (Dreh)Zapfen *m*. **2.** *mil.* Schildzapfen *m* (*der Lafette*).

truss [trʌs] **I** *v/t* **1.** *oft* ~ **up** bündeln, (fest)schnüren, (zs.-)binden. **2.** *Geflügel* (*zum Braten*) (auf)zäumen. **3.** *arch.* stützen, absteifen. **4.** *oft* ~ **up** *obs. Kleider etc* aufschürzen, -stecken. **5.** *meist* ~ **up** *obs. j-n* aufhängen, -knüpfen. **II** *s* **6.** *med.* Bruchband *n*. **7.** *arch.* a) Träger *m*, Binder *m*, b) Gitter-, Hänge-, Fachwerk *n*, Gerüst *n*. **8.** *mar.* Rack *n*. **9.** (*Heu-, Stroh- etc*)Bündel *n*, (*a.* Schlüssel)Bund *m*, *n*. ~ **bridge** *s tech.* (Gitter)Fachwerkbrücke *f*.

trust [trʌst] **I** *s* **1.** (in) Vertrauen *n* (auf *acc*, zu), Zutrauen *n* (zu): **to place** (*od.* **put**) **one's** ~ **in** → 12; **position of** ~ Vertrauensstellung *f*, -posten *m*. **2.** Zuversicht *f*, zuversichtliche Erwartung *od.* Hoffnung, Glaube *m*. **3.** Kre'dit *m*: **on** ~ a) auf Kredit, b) auf Treu u. Glauben. **4.** Pflicht *f*, Verantwortung *f*. **5.** Verwahrung *f*, Obhut *f*, Aufbewahrung *f*: **in** ~ zu treuen Händen, zur Verwahrung. **6.** (*das*) Anvertraute, anvertrautes Gut, Pfand *n*. **7.** *jur.* a) Treuhand(verhältnis *n*) *f*, b) Treuhandgut *n*, -vermögen *n*: **to hold s.th. in** ~ etwas zu treuen Händen verwahren, etwas treuhänderisch verwalten; ~ **territory** *pol.* Gebiet *n* unter Treuhandverwaltung; → **breach** *Bes. Redew.* **8.** *econ.* a) Trust *m*, Kon'zern *m*, b) Kar'tell *n*, Ring *m*. **9.** *econ. jur.* Stiftung *f*: **family** ~ Familienstiftung.

II *v/i* **10.** vertrauen, sein Vertrauen setzen, sich verlassen *od.* bauen (in, to auf *acc*). **11.** hoffen, zuversichtlich *od.* über'zeugt sein, glauben, denken: **I** ~ **he is not hurt** ich hoffe, er ist nicht verletzt.

III *v/t* **12.** *j-m* (ver)trauen, glauben, sich verlassen auf (*j-n*): **to** ~ **s.o. to do s.th.** j-m etwas zutrauen; **I do not** ~ **him round the corner** ich traue ihm nicht über den Weg; ~ **him to do that!** *iro.* a) das sieht ihm ähnlich, b) verlaß dich drauf, er wird es tun! **13.** (zuversichtlich) hoffen *od.* erwarten, glauben (to do, that daß). **14.** (s.o. with s.th., s.th. to s.o. j-m etwas) anvertrauen. **15.** wagen, sich zutrauen, sich getrauen.

trust| ac·count *s jur.* Treuhandkonto *n*. ~ **a·gree·ment** *s* **1.** *jur.* Treuhandvertrag *m*. **2.** *econ.* Kon'zernabkommen *n*. ~ **bust·er** *s Am.* Beamte(r) *m* des Kar'tellamtes. ~ **cer·tif·i·cate** *s* 'Aktienzertifi,kat *n* e-r Dachgesellschaft. ~ **com·pa·ny** *s econ.* **1.** Treuhandgesellschaft *f*. **2.** *Am.* 'Aktienkre,ditbank *f*. ~ **deed** *s jur.* **1.** Treuhandvertrag *m*. **2.** Stiftungsurkunde *f*.

trus·tee [trʌs'tiː] **I** *s* **1.** *jur.* Sachwalter *m* (*a. fig.*), (Vermögens)Verwalter *m*, Treuhänder *m*: ~ **in bankruptcy, official** ~ Masse-, Konkursverwalter; **Public T**~ *Br.* Öffentlicher Treuhänder; ~ **stock**, *a.* ~ **securities** mündelsichere Wertpapiere. **2.** *jur. Am. Person, die Vermögen od. Rechte e-s Schuldners durch* **trustee process** *mit Beschlag belegt hat.* **3.** Ku'rator *m*, Verwalter *m*, Pfleger *m*: **board of** ~**s** Kuratorium *n*. **4.** *pol.* Treuhänderstaat *m*. **II** *v/t* **5.** *jur.* e-m Treuhänder anvertrauen *od.* über'geben: **to** ~ **an estate.** ~ **proc·ess** *s jur. Am.* Beschlagnahme *f*, (*bes.* Forderungs)Pfändung *f*.

trus·tee·ship [trʌs'tiːʃip] *s* **1.** Treuhänderschaft *f*, Kura'torium *n*. **2.** *pol.* Treuhandverwaltung *f* (*e-s Gebiets*) durch die Vereinten Nati'onen.

trust·ful ['trʌstful] *adj* (*adv* ~**ly**) vertrauensvoll, zutraulich. '**trust·ful·ness** *s* Vertrauen *n*, Zutraulichkeit *f*.

trust fund *s* Treuhandvermögen *n*.

trust·i·fi·ca·tion [,trʌstifi'keiʃən] *s econ.* Vertrustung *f*, Trustbildung *f*.

trust·i·ness ['trʌstinis] *s* Treue *f*, Redlichkeit *f*, Zuverlässigkeit *f*.

trust·ing ['trʌstiŋ] → **trustful.**

'**trust,wor·thi·ness** *s* Zuverlässigkeit *f*, Vertrauenswürdigkeit *f*. '**trust,wor·thy** *adj* (*adv* **trustworthily**) vertrauenswürdig, zuverlässig.

trust·y ['trʌsti] **I** *adj* (*adv* **trustily**) **1.** vertrauensvoll. **2.** treu, zuverlässig, vertrauenswürdig: ~ **servant. II** *s* **3.** zuverlässiger Mensch. **4.** *Am.* privile'gierter Sträfling, ‚Kal'fakter' *m*.

truth [truːθ] *s* **1.** Wahrheit *f*: **in** ~, *obs.* **of a** ~ in Wahrheit; **to tell the** ~, ~ **to tell** um die Wahrheit zu sagen, ehrlich gesagt; **there is no** ~ **in it** daran ist nichts Wahres; **the** ~ **is that I forgot it** in Wirklichkeit *od.* tatsächlich habe ich es vergessen; **the** ~, **the whole** ~, **and nothing but the** ~ *jur.* die Wahrheit, die ganze Wahrheit u. nichts als die Wahrheit; → **home truth. 2.** *oft* **T**~ (*das*) Wahre. **3.** (*die allgemein anerkannte*) Wahrheit: **historical** ~. **4.** Aufrichtigkeit *f*. **5.** Wirklichkeit *f*, Echtheit *f*, Treue *f*. **6.** Richtigkeit *f*, Genauigkeit *f*, Gültigkeit *f*: **to be out of** ~ *tech.* nicht genau passen; ~ **to life** Lebenstreue *f*; ~ **to nature** Naturtreue *f*. ~ **drug** *s chem. psych.* Wahrheitsdroge *f*, -serum *n*.

truth·ful ['truːθful] *adj* (*adv* ~**ly**) **1.** wahr, wahrheitsgemäß. **2.** wahrheitsliebend, wahr'haftig. **3.** echt, genau, getreu. '**truth·ful·ness** *s* **1.** Wahr'haftigkeit *f*. **2.** Wahrheitsliebe *f*. **3.** Echtheit *f*.

'**truth|-,func·tion** *s Logik*: 'Wahrheitsfunkti,on *f*. '~-,**lov·ing** *s* wahrheitsliebend. ~ **or con·se·quenc·es** *s* ‚Sag-die-Wahrheit' *n* (*Gesellschaftsspiel*). ~ **se·rum** → **truth drug.**

try [trai] **I** *s* **1.** *colloq.* Versuch *m*: **to have a** ~ e-n Versuch machen (at s.th. mit etwas). **2.** *Rugby*: Versuch *m* (*Tortritt, zählt 3 Punkte*).

II *v/t* **3.** versuchen, pro'bieren, es versuchen *od.* probieren mit, e-n Versuch machen mit: **you had better** ~ **something easier** du versuchst es besser mit etwas Leichterem; **to** ~ **one's best** sein Bestes tun; → **hand** *Bes. Redew.* **4.** *oft* ~ **out** ('aus-, 'durch)pro,bieren, erproben, testen, prüfen: **to** ~ **a new method (remedy, invention)**; **to** ~ **the new wine** den neuen Wein probieren; **to** ~ **on** *ein Kleid etc* anprobieren, *e-n Hut* aufprobieren; **to** ~ **it on with s.o.** *sl.* ‚es bei j-m probieren'; **to** ~ **it on the dog** a) erst sehen, ob der Hund es frißt, b) *fig.* j-n als Versuchskaninchen benutzen, c) ein Theaterstück zur Probe zuerst in der Provinz spielen. **5.** e-n Versuch *od.* ein Experi'ment machen mit: **to** ~ **the door** die Tür zu öffnen suchen; **to** ~ **one's luck (with s.o.** bei j-m) sein Glück versuchen. **6.** *jur.* a) (über) *e-e Sache* verhandeln, *e-n Fall* (gerichtlich) unter'suchen: **to** ~ **a case**, b) gegen *j-n* verhandeln, *j-n* vor Gericht stellen, aburteilen: **he was tried for murder. 7.** entscheiden, zur Entscheidung bringen: **to** ~ **rival claims by a duel**; → **conclusion** 7. **8.** *die Augen etc* angreifen, (über)'anstrengen, *Mut, Nerven, Geduld* auf e-e harte Probe stellen. **9.** *j-n* arg mitnehmen, plagen, quälen. **10.** *meist* ~ **out** *tech.* a) *Metalle* raffi'nieren, b) *Talg etc* ausschmelzen, c) *Spiritus* rektifi'zieren.

III *v/i* **11.** versuchen (at *acc*), sich bemühen *od.* bewerben (for um). **12.** versuchen, e-n Versuch machen:

~ again! (versuch es) noch einmal!; ~ and read! versuche zu lesen!; to ~ back *fig.* zurückgreifen, -kommen (to auf *acc*); → hard 24.
try·ing ['traiiŋ] *adj* (*adv* ~ly) **1.** schwierig, kritisch, unangenehm, nervenaufreibend. **2.** anstrengend, mühsam, ermüdend (to für).
'**try|-,on** *s* **1.** Anprobe *f*. **2.** *colloq. Br.* 'Schwindelma,növer *n*. '~,**out** *s* **1.** Probe *f*, Erprobung *f*. **2.** *sport* Ausscheidungs-, Testkampf *m*, -spiel *n*. **3.** *thea.* Probevorstellung *f*.
tryp·a·no·some ['tripənə,soum] *s med. zo.* (*ein*) 'Blutschma,rotzer *m*. ,**tryp·a·no·so'mi·a·sis** [-noso'maiəsis] *s med.* Trypanoso'miasis *f*: African ~ Schlafkrankheit *f*.
try·sail ['trai,seil; *mar.* 'traisl] *s mar.* Gaffelsegel *n*.
try square *s tech.* Richtscheit *n*.
tryst [trist; traist] **I** *s* **1.** Verabredung *f*. **2.** Stelldichein *n*, Rendez'vous *n*. **3.** → trysting place. **II** *v/t* **4.** *j-n* (an e-n verabredeten Ort) bestellen. **5.** *Zeit, Ort etc* verabreden. **tryst·ing place** *s* Treffpunkt *m*.
tsar [tsɑːr; zɑːr] *etc* → czar *etc*.
tset·se (fly) ['tsetsi] *s zo.* Tsetsefliege *f*.
T shirt *s* Tri'kot,unterhemd *n*, Sporthemd *n* (*für Männer*).
T square *s tech.* **1.** Reißschiene *f*. **2.** Anschlagwinkel *m*.
tub [tʌb] **I** *s* **1.** (Bade)Wanne *f*. **2.** *colloq. Br.* (Wannen)Bad *n*: to have a ~ baden. **3.** Kübel *m*, Zuber *m*, Bottich *m*, Bütte *f*, Wanne *f*. **4.** (*Butter- etc*)Faß *n*, Tonne *f*. **5.** Faß *n* (*als Maß*): ~ of tea; a ~ of gin ein Fäßchen Gin (*etwa 4 Gallonen*). **6.** *mar. sl.* ‚Kahn' *m*, ‚Pott' *m* (*Schiff*). **7.** *sl.* ‚Faß' *n*, Dicke(r *m*) *f* (*Person*). **8.** *sport* Übungsruderboot *n*: ~-pair Zweier(boot *n*) *m*. **9.** *Bergbau:* a) Förderkorb *m*, b) Förderwagen *m*, Hund *m*. **10.** *humor.* Kanzel *f*. **II** *v/t* **11.** *bes. Butter* in ein Faß tun. **12.** *bot.* in e-n Kübel pflanzen. **13.** *Br. colloq.* baden. **14.** *sport sl. j-n* im Übungsboot trai'nieren. **III** *v/i* **15.** *Br. colloq.* (sich) baden. **16.** *sport sl.* (im Ruderkasten) trai'nieren.
tu·ba ['tjuːbə] *pl* **-bas** *s mus.* Tuba *f*.
tub·al ['tjuːbəl] *adj physiol.* tu'bar, Eileiter...
tub·by ['tʌbi] **I** *adj* **1.** faßartig, tonnenförmig. **2.** *colloq.* rundlich, klein u. dick. **3.** *mus.* dumpf, hohl (klingend). **II** *s* **4.** *colloq.* ‚Dickerchen' *n*.
tube [tjuːb] **I** *s* **1.** Rohr(leitung *f*) *n*, Röhre *f*. **2.** (*Glas- etc*)Röhrchen *n*: → test tube. **3.** (Gummi)Schlauch *m*: rubber ~; → inner tube. **4.** (Me'tall)-Tube *f*: ~ of tooth paste; ~ colo(u)rs Tubenfarben. **5.** *mus.* (Blas)Rohr *n*. **6.** *anat.* Röhre *f*, Ka'nal *m*, Tube *f* (*a. Eileiter*). **7.** *bot.* (Pollen)Schlauch *m*. **8.** a) (U-Bahn)Tunnel *m*, b) *a.* T~ *colloq.* (*die*) (Londoner) U-Bahn. **9.** *electr. Am.* (Elek'tronen-, Radio)-Röhre *f*. **10.** ~ of force *phys.* Kraftröhre *f* (*in e-m Kraftfeld*). **11.** *Am.* hautenges Kleid. **II** *v/t* **12.** *tech.* mit Röhren versehen. **13.** (durch Röhren) befördern. **14.** (in Röhren *od.* Tuben) abfüllen. **15.** röhrenförmig machen.
'**tube·less** *adj* schlauchlos (*Reifen*).
tu·ber ['tjuːbər] *s* **1.** *bot.* Knolle *f*, Knollen(gewächs *n*, -frucht *f*) *m*. **2.** *med.* Tuber *n*, Knoten *m*, Schwellung *f*.
tu·ber·cle ['tjuːbərkl] *s* **1.** *biol.* Knötchen *n*. **2.** *med.* a) Tu'berkel(knötchen *n*) *m*, b) (*bes.* 'Lungen)Tu,berkel *m*. **3.** *bot.* kleine Knolle.
tu·ber·cu·lar [tjuː'bəːrkjulər] → tuberculous.
tu·ber·cu·lin test [tjuː'bəːrkjulin] *s med.* Tuberku'linprobe *f*.
tu·ber·cu·lize [tjuː'bəːrkju,laiz] *v/t med. j-m* ein Tu'berkelpräpa,rat einimpfen.
tu·ber·cu·lo·sis [tjuː,bəːrkju'lousis] *s med.* Tuberku'lose *f*: ~ (of the lungs) (Lungen)Tuberkulose. **tu'ber·cu·lous** *adj med.* **1.** tuberku'lös, Tuberkel... **2.** höckerig, knotig.
tube·rose[1] ['tjuːbə,rouz; *Am. a.* 'tjuːb-,rouz] *s bot.* Tube'rose *f*, 'Nachthya,zinthe *f*.
tu·ber·ose[2] ['tjuːbə,rous] → tuberous.
tu·ber·os·i·ty [,tjuːbə'rɒsiti] → tuber 2.
tu·ber·ous ['tjuːbərəs] *adj* **1.** *med.* a) mit Knötchen bedeckt, b) knotig, knötchenförmig. **2.** *bot.* a) knollentragend, b) knollig: ~ root.
tu·bi·form ['tjuːbi,fɔːrm] *adj* röhrenförmig.
tub·ing ['tjuːbiŋ] *s tech.* **1.** 'Röhrenmateri,al *n*, Rohr *n*. **2.** *collect.* Röhren *pl*, Röhrenanlage *f*, Rohrleitung *f*. **3.** Rohr(stück) *n*.
tub| thump·er *s* (g)eifernder *od.* schwülstiger Redner, *bes.* ‚Kanzelpauker' *m*. '~-,**thump·ing** *adj* thea'tralisch, eifernd.
tu·bu·lar ['tjuːbjulər] *adj* röhrenförmig, Röhren..., Rohr...: ~ boiler *tech.* Heizrohr-, Röhrenkessel *m*; ~ furniture Stahlrohrmöbel *pl*; ~-steel pole Stahlrohrmast *m*.
tu·bule ['tjuːbjuːl] *s* **1.** Röhrchen *n*. **2.** *anat.* Ka'nälchen *n*.
tuck [tʌk] **I** *s* **1.** Biese *f*, Falte *f*, Einschlag *m*, Saum *m*. **2.** eingeschlagener Teil. **3.** Lasche *f* (*am Schachteldeckel etc*). **4.** *mar.* Gilling *f*. **5.** *Br. sl.* a) ‚tolles Essen', ‚Fresse'rei' *f*, b) *ped.* ‚gute Sachen' *pl*. **6.** *Am. colloq.* Schwung *m*, ‚Mumm' *m*. **7.** *sport* Hocksprung *m*, Hocke *f*.
II *v/t* **8.** stecken, verstauen: to ~ s.th. under one's arm etwas unter den Arm klemmen; to ~ one's tail *colloq.* ‚den Schwanz einziehen'; to ~ away a) wegstecken, verstauen, b) verstekken; ~ed away versteckt(liegend) (*z. B. Dorf*); to ~ in (*od.* up) weg-, ('r)einstecken. **9.** *meist* ~ in, ~ up (warm) zudecken, (behaglich) einpacken: to ~ s.o. (up) in bed j-n ins Bett stecken *od.* packen. **10.** ~ up *die Beine* anziehen, 'unterschlagen, *sport* anhocken. **11.** *meist* ~ in a) einnähen, b) *e-n Rock etc* hochstecken, -schürzen, c) *ein Kleid* raffen, d) *die Hemdsärmel* hochkrempeln. **12.** ~ in *colloq. Essen* ‚verdrücken'.
III *v/i* **13.** sich zs.-ziehen, sich falten. **14.** *a.* ~ away sich verstauen lassen (into in *dat*). **15.** ~ in *colloq.* (*beim Essen*) ‚einhauen'.
tuck·er[1] ['tʌkər] *s* **1.** Faltenleger *m* (*Teil der Nähmaschine*). **2.** *hist.* Hals-, Brusttuch *n*: → bib 2. **3.** Hemdchen *n*. **4.** *bes. Austral. sl.* ‚Fres'salien' *pl*.
tuck·er[2] ['tʌkər] *v/t meist* ~ out *Am. colloq. j-n* ‚fertigmachen', völlig erschöpfen: ~ed out (total) erledigt.
tuck·et ['tʌkit] *s obs.* Trom'petenstoß *m*.
'**tuck|-,in** → tuck 5a. ~ **net** *s Fischerei:* Landungsnetz *n*. '~-,**out** → tuck 5a. ~ **seine** → tuck net. '~,**shop** *s ped. Br. sl.* Süßwarenladen *m*.
Tu·dor ['tjuːdər] **I** *adj* **1.** Tudor... (*das Herrscherhaus od. die Zeit der Tudors, 1485—1603, betreffend*): a ~ drama ein Drama aus der Tudorzeit; ~ architecture (*od.* style) Tudorstil *m* (*englische Spätgotik*). **II** *s* **2.** Tudor *m*, *f* (*Herrscher[in] aus dem Hause Tudor*). **3.** Tudordichter *m*.
Tues·day ['tjuːzdi] *s* Dienstag *m*: on ~ am Dienstag; on ~s dienstags.
tu·fa ['tjuːfə] *s geol.* **1.** Kalktuff *m*. **2.** → tuff. **tu'fa·ceous** [-'feiʃəs] *adj* Kalktuff...
tuff [tʌf] *s geol.* Tuff *m*. **tuff'a·ceous** [-'feiʃəs] *adj* tuffartig, Tuff...
tuft [tʌft] **I** *s* **1.** (*Gras-, Haar- etc*)Büschel *n*, (*Feder- etc*)Busch *m*, (*Haar*)-Schopf *m*. **2.** kleine Baum- *od.* Gebüschgruppe. **3.** Quaste *f*, Troddel *f*. **4.** *anat.* Kapil'largefäßbündel *n*. **5.** Spitzbärtchen *n*. **6.** *univ. Br. hist.* adliger Stu'dent. **II** *v/t* **7.** mit Troddeln *od.* e-m (Feder)Busch *od.* e-r Quaste versehen. **8.** *Matratzen etc* 'durchheften u. gar'nieren. **III** *v/i* **9.** Büschel bilden. '**tuft·ed** *adj* **1.** büschelig. **2.** mit e-m (Feder)Busch *od.* mit Quasten verziert. **3.** *orn.* Hauben...: ~ lark.
'**tuft|,hunt·er** *s* **1.** gesellschaftlicher Streber, Snob *m*. **2.** Speichellecker *m*. '~,**hunt·ing** **I** *adj* sno'bistisch. **II** *s* Sno'bismus *m*, Streber-, Schma'rotzertum *n*.
tuft·y ['tʌfti] *adj* büschelig.
tug [tʌg] **I** *v/t* **1.** (heftig) ziehen, zerren. **2.** zerren an (*dat*). **3.** *mar.* schleppen. **II** *v/i* **4.** ~ at heftig ziehen, zerren, reißen an (*dat*). **5.** *fig.* sich abplacken. **III** *s* **6.** Zerren *n*, heftiger Ruck: to give a ~ at → 4. **7.** *fig.* a) große Anstrengung, b) schwerer (*a. seelischer*) Kampf (for um): ~ of war *sport u. fig.* Tauziehen *n*. **8.** *a.* ~boat *mar.* Schlepper *m*, Schleppdampfer *m*.
tu·i·tion [tjuː'iʃən] *s* 'Unterricht *m*: private ~ Privatunterricht, -stunden *pl*. **tu'i·tion·al, tu'i·tion·ar·y** *adj* Unterrichts..., Studien...
tu·la ['tuːlə] → niello 1.
tu·la·r(a)e·mi·a [,tuːlə'riːmiə] *s vet.* Tularä'mie *f*.
tu·lip ['tjuːlip] *s bot.* **1.** Tulpe *f*. **2.** a) Tulpenblüte *f*, b) Tulpenzwiebel *f*. ~ **tree** *s bot.* Tulpenbaum *m*. '~,**wood** *s* **1.** Tulpenbaumholz *n*. **2.** Rosenholz *n*.
tulle [tjuːl] *s* Tüll *m*.
tul·war [tʌl'wɑːr; -'wɔːr] *s Br. Ind.* gebogener Säbel.
tum·ble ['tʌmbl] **I** *s* **1.** Fall *m*, Sturz *m* (*beide a. fig.*): to take a ~ hinstürzen, -purzeln. **2.** Purzelbaum *m*, Salto *m*. **3.** Schwanken *n*, Wogen *n*. **4.** *fig.* Wirrwarr *m*, Durchein'ander *n*: all in a ~ kunterbunt durcheinander. **5.** to give s.o. a ~ *Am. sl.* von j-m No'tiz nehmen.
II *v/i* **6.** *a.* ~ down (ein-, 'hin-, 'um)-fallen, (-)stürzen, (-)purzeln: to ~ over umstürzen, sich überschlagen. **7.** purzeln, stolpern (over über *acc*). **8.** stolpern (*eilen*): to ~ into s.o. *fig.* j-m in die Arme laufen; to ~ into a war (*etc*) in e-n Krieg (*etc*) ‚hineinschlittern'; to ~ to s.th. *colloq.* etwas plötzlich ‚kapieren' *od.* ‚spitzkriegen'. **9.** *econ.* stürzen, ‚purzeln' (*Preise etc*). **10.** Purzelbäume schlagen, Luftsprünge *od.* Saltos machen, *sport* Bodenübungen machen. **11.** sich wälzen, 'hin- u. 'herrollen. **12.** *mil.* taumeln (*Geschoß*).
III *v/t* **13.** zu Fall bringen, 'umstürzen, -werfen. **14.** durch'wühlen. **15.** ‚schmeißen', schleudern. **16.** zerknüllen, *das Haar etc* zerzausen. **17.** *tech.* schleudern (*in e-r Trommel etc*). **18.** *hunt.* abschießen: to ~ a hare. '~-,**down** *adj* baufällig.
tum·bler ['tʌmblər] *s* **1.** (*fuß- u. henkelloses*) Trink-, Wasserglas, Becher *m*. **2.** 'Sprungar,tist(in), Akro'bat(in).

3. *tech.* Zuhaltung *f* (*e-s Türschlosses*). 4. *tech.* Nuß *f* (*e-s Gewehrschlosses*). 5. *tech.* Richtwelle *f* (*an Übersetzungsmotoren*). 6. *tech.* a) Zahn *m*, b) Nocken *m*. 7. *tech.* Scheuertrommel *f*. 8. *orn.* Tümmler *m*. ~ **gear** *s tech.* Schwenkgetriebe *n*. ~ **le·ver** *s tech.* (Norton)Schwinge *f*. ~ **switch** *s electr.* Kipp(hebel)schalter *m*.

tum·brel [ˈtʌmbrəl], ˈ**tum·bril** [-bril] *s* 1. *agr.* Schutt-, Mistkarren *m*. 2. *hist.* Schinderkarren *m*. 3. *mil. hist.* Munitiˈonskarren *m*. 4. *hist.* Tauchstuhl *m* (*Folterinstrument*).

tu·me·fa·cient [ˌtjuːmiˈfeiʃənt] *adj med.* Schwellung erzeugend, (an)schwellend. ˌ**tu·meˈfac·tion** [-ˈfækʃən] → tumescence. ˈ**tu·meˌfy** [-ˌfai] *med.* I *v/i* (an-, auf)schwellen. II *v/t* (an)schwellen lassen. **tuˈmes·cence** [-ˈmesns] *s med.* (An)Schwellung *f*, Geschwulst *f*. **tuˈmes·cent** *adj* (an)schwellend, geschwollen.

tu·mid [ˈtjuːmid] *adj* (*adv* ~**ly**) *med. u. fig.* geschwollen. **tuˈmid·i·ty**, ˈ**tu·mid·ness** *s* Geschwollenheit *f*.

tum·my [ˈtʌmi] *s Kindersprache*: Bäuchlein *n*: ~**-ache** Bauchweh *n*.

tu·mo(u)r [ˈtjuːmər] *s med.* Tumor *m*.

tu·mu·lar [ˈtjuːmjulər], ˈ**tu·mu·lar·y** *adj* hügelförmig, (Grab)Hügel...

tu·mult [ˈtjuːmʌlt] *s* Tuˈmult *m*: a) Getöse *n*, Lärm *m*, b) (*a. fig. seelischer*) Aufruhr. **tuˈmul·tu·ar·y** [-tjuəri] *adj* 1. → tumultuous. 2. verworren. 3. aufrührerisch, wild. **tuˈmul·tu·ous** *adj* (*adv* ~**ly**) 1. tumultuˈarisch, lärmend. 2. heftig, stürmisch, turbuˈlent, erregt.

tu·mu·lus [ˈtjuːmjuləs] *s* (*bes. alter* Grab)Hügel.

tun [tʌn] I *s* 1. Tonne *f*, Faß *n*. 2. *Br.* Tonne *f* (*altes Flüssigkeitsmaß*: 252 gallons = *1144,983 l*). 3. *Brauerei*: Maischbottich *m*: ~**dish** *Br.* (*Art*) Trichter *m*. II *v/t* 4. *oft* ~ up in Fässer (ab)füllen. 5. in Fässern lagern.

tu·na [ˈtuːnə] *s ichth.* Großer Thunfisch.

tun·a·ble [ˈtjuːnəbl] *adj* 1. *mus.* stimmbar. 2. *Radio*: abstimmbar.

tun·dra [ˈtʌndrə] *s geogr.* Tundra *f*.

tune [tjuːn] I *s* 1. *mus.* Meloˈdie *f*, Weise *f*, Lied *n*: to the ~ of a) nach der Melodie von, b) *fig.* in Höhe von, von sage u. schreibe *£ 100* (*etc*); → change 1. 2. *mus.* Choˈral *m*, Hymne *f*. 3. *mus.* (*richtige, saubere*) (Ein)Stimmung (*e-s Instruments*): to keep ~ Stimmung halten (→ 4); in ~ (richtig) gestimmt; out of ~ verstimmt. 4. *mus.* richtige Tonhöhe: to keep ~ Ton halten (→ 3); to sing in ~ tonrein *od.* sauber singen; to play out of ~ unrein *od.* falsch spielen. 5. *electr.* Abstimmung *f*, (Scharf)Einstellung *f*. 6. *fig.* Harmoˈnie *f*: in ~ with in Einklang (stehend) mit, übereinstimmend mit, harmonierend mit; to be out of ~ with im Widerspruch stehen zu, nicht übereinstimmen *od.* harmonieren mit. 7. *fig.* Stimmung *f*, Laune *f*: to be not in ~ for nicht aufgelegt sein zu; out of ~ verstimmt, mißgestimmt. 8. *fig.* gute Verfassung: to keep the body in ~ sich in Form halten; in ~ *aer.* startklar.

II *v/t* 9. *oft* ~ up *mus.*, *a. fig.* (ab)stimmen (to auf *acc*). 10. (to) anpassen (an *acc*), in Überˈeinstimmung bringen (mit). 11. *fig.* bereitmachen (for für). 12. *electr.* abstimmen, einstellen (to auf *acc*): ~**d circuit** Abstimm-, Schwingkreis *m*.

III *v/i* 13. tönen, klingen. 14. (ein Lied) singen. 15. *mus.* stimmen. 16. harmoˈnieren (with mit) (*a. fig.*).

Verbindungen mit Adverbien:

tune| in *v/t* (*v/i* das Radio *etc*) einstellen *od.* abstimmen (on *od.* to auf *acc*). ~ **out** *v/t* (*v/i* das Radio *etc*) abstellen, ausschalten. ~ **up** I *v/t* 1. → tune 9. 2. *aer. mot.* a) start-, einsatzbereit machen, b) *e-n Motor* einfahren, c) die Leistung (*e-s Motors etc*) erhöhen. 3. *fig.* a) bereitmachen, b) in Schwung bringen, *das Befinden etc* heben. II *v/i* 4. (die Instruˈmente) stimmen (*Orchester*). 5. *mus.* sich einsingen. 6. *colloq.* a) einsetzen, b) losheulen.

tune·a·ble → tunable.

tune·ful [ˈtjuːnful] *adj* (*adv* ~**ly**) 1. meloˈdienreich, meˈlodisch, klangvoll. 2. sangesfreudig: ~ birds. ˈ**tune·less** *adj.* 1. ˈunmeˌlodisch. 2. klanglos, stumm. ˈ**tun·er** *s* 1. *mus.* (Instruˈmenten)Stimmer *m*. 2. *mus.* a) Stimmpfeife *f*, b) Stimmvorrichtung *f* (*der Orgel*). 3. *electr.* Abstimmvorrichtung *f*. 4. *TV* Tuner *m*, Kaˈnalwähler *m*.

tune-up [ˈtjuːnˌʌp] *s Am.* 1. → warm-up 1 u. 3. 2. *tech.* Maßnahmen *pl* zur Erzielung maxiˈmaler Leistung.

tung·state [ˈtʌŋsteit] *s chem.* Wolfraˈmat *n*.

tung·sten [ˈtʌŋstən] *s chem.* Wolfram *n*: ~ lamp *electr.* Wolfram(faden)lampe *f*; ~ steel *tech.* Wolframstahl *m*. **tungˈsten·ic** [-ˈstenik] *adj* Wolfram..., wolframsauer. ˈ**tung·stic** [-stik] *adj chem.* Wolfram...

tung·stite [ˈtʌŋstait] *s* Tungˈstit *m*.

tung·stous [ˈtʌŋstəs] *adj chem.* Wolfram...

tu·nic [ˈtjuːnik] *s* 1. *antiq.* Tunika *f*. 2. *mil. bes. Br.* Waffen-, Uniˈformrock *m*. 3. a) (*längere*) (Frauen)Jacke, ˈÜberkleid *n*, b) Kasack-Bluse *f*. 4. → tunicle. 5. *biol.* Häutchen *n*, Hülle *f*.

tu·ni·ca [ˈtjuːnikə] *pl* **-cae** [-ˌsiː] *s anat.* Häutchen *n*, Mantel *m*.

tu·ni·cle [ˈtjuːnikl] *s* Meßgewand *n*.

tun·ing [ˈtjuːniŋ] I *s* 1. *mus.* a) (Ein)Stimmen *n*, b) (Ein)Stimmung *f* (*a. fig.*), c) (genaues) Abstimmen, Treffen *n* (*beim Singen etc*). 2. *electr.* Abstimmen *n*, Abstimmung *f*, Einstellen *n*. II *adj* 3. *mus.* Stimm...: ~ fork Stimmgabel *f*; ~ hammer, ~ wrench Stimmhammer *m*, -schlüssel *m*; ~ peg, ~ pin Stimmwirbel *m*. 4. *electr.* Abstimm...: ~ control Abstimmknopf *m*; ~ eye magisches Auge.

tun·nage → tonnage.

tun·nel [ˈtʌnl] I *s* 1. Tunnel *m*, Unterˈführung *f* (*Straße, Bahn, Kanal*). 2. *a. zo.* ˈunterirdischer Gang, Tunnel *m*. 3. *Bergbau*: Stollen *m*. II *v/t* 4. *tech.* unterˈtunneln, e-n Tunnel bohren *od.* graben durch. 5. der Länge nach aushöhlen. III *v/i* 6. *tech.* e-n Tunnel anlegen *od.* treiben (through durch). ˈ**tun·nel·(l)ing** *s tech.* Tunnelanlage *f*, -bau *m*.

tun·ny [ˈtʌni] → tuna.

tun·y [ˈtjuːni] *adj mus. colloq.* 1. meˈlodisch, leicht eingehend. 2. meloˈdienreich.

tup [tʌp] I *s* 1. *zo.* Widder *m*. 2. *tech.* Hammerkopf *m*, Rammklotz *m*, Fallbär *m*. II *v/t* 3. *zo.* bespringen, decken.

tu·pek [ˈtuːpek], ˈ**tu·pik** [-pik] *s Sommerzelt der Eskimos.*

tup·ence [ˈtʌpəns], ˈ**tup·pen·ny** [-p(ə)ni] *Br. colloq. für* twopence, twopenny.

tur·ban [ˈtəːrbən] *s* 1. Turban *m*. 2. *hist.* turbanähnlicher Kopfschmuck (*der Frauen zu Anfang des 19. Jhs.*). 3. randloser Hut. ˈ**tur·baned** *adj* turbantragend.

tur·ba·ry [ˈtəːrbəri] *s Br.* 1. *jur.* Recht *n* (auf fremdem Boden) Torf zu stechen. 2. Torfmoor *n*.

tur·bid [ˈtəːrbid] *adj* (*adv* ~**ly**) 1. dick(flüssig), trübe, schlammig. 2. *fig.* verschwommen, wirr. **turˈbid·i·ty**, ˈ**tur·bid·ness** *s* 1. Trübheit *f*, Dicke *f*. 2. *fig.* Verschwommenheit *f*.

tur·bi·nate [ˈtəːrbinit; -ˌneit] I *s* 1. *anat.* Nasenmuschel *f*. 2. *zo.* gewundene Muschelart. II *adj* 3. *anat.* muschelförmig. 4. *zo.* schneckenförmig gewunden. 5. *bot.* kreiselförmig.

tur·bine [ˈtəːrbin; -bain] *s tech.* Turˈbine *f*: ~ aircraft Turbinenflugzeug *n*; ~-powered mit Turbinenantrieb.

tur·bit [ˈtəːrbit] *s orn.* Möwchen *n* (*kleine Haustaube*).

ˈ**tur·boˌblow·er** [ˈtəːrbo-], ˈ**tur·boˌcharg·er**, ˌ**tur·bo·comˈpres·sor** *s aer.* Turbolader *m*, -gebläse *n*. ˈ**tur·boˌjet (en·gine)** *s aer.* (Flugzeug *n* mit) Turbostrahltriebwerk *n*. ˈ**tur·boˌlin·er** *s* Düsenverkehrsflugzeug *n*. ˈ**tur·bo-proˈpel·ler en·gine**, *a.* ˈ**tur·boˌprop en·gine**, ˈ**tur·boˈprop-ˌjet en·gine** *s aer.* Turˈbinen-Proˈpeller-Strahltriebwerk *n* (Turbo-Prop). ˈ**tur·bo-ˈram-ˌjet en·gine** *s aer. tech.* Maˈschine *f* mit Staustrahltriebwerk. ˈ**tur·boˈsu·perˌcharg·er** *s aer.* Turbo(höhen)lader *m*.

tur·bot [ˈtəːrbət] *s ichth.* Steinbutt *m*.

tur·bu·lence [ˈtəːrbjuləns] *s* 1. Unruhe *f*, Aufruhr *m*, Ungestüm *n*, Turbuˈlenz *f*, Sturm *m* (*a. meteor.*). 2. *phys.* Wirbelbewegung *f*. ˈ**tur·bu·lent** *adj* (*adv* ~**ly**) 1. ungestüm, stürmisch, turbuˈlent. 2. aufrührerisch. 3. *phys.* verwirbelt: ~ flow.

Turco- → Turko-.

turd [təːrd] *s vulg.* (Haufen *m*) Kot *m*.

tu·reen [tuˈriːn; tju-] *s* Terˈrine *f*.

turf [təːrf] I *pl* **turfs**, *a.* **turves** [təːrvz] *s* 1. Rasen *m*, Grasnarbe *f*. 2. Rasenstück *n*, Sode *f*. 3. Torf(ballen) *m*: ~**-cutter** *Ir.* Torfstecher *m*. 4. *sport* Turf *m*: a) (Pferde)Rennbahn *f*, b) the ~ *fig.* der Pferderennsport, die Rennsportwelt: ~ accountant Buchmacher *m*; to be on the ~ Rennsport treiben. II *v/t* 5. mit Rasen bedecken. 6. ~ out *Br. sl.* *j-n* rausschmeißen. ˈ**turf·ite** [-ait] *s* (Pferde)Rennsportliebhaber *m*. ˈ**turf·y** *adj* 1. rasenbedeckt, Rasen... 2. torfartig, Torf... 3. *fig.* Rennsport...

tur·ges·cence [təːrˈdʒesns] *s* 1. *med.* Schwellung *f*, Geschwulst *f*. 2. *fig.* Schwulst *m*. **turˈges·cent** *adj med.* (an)schwellend.

tur·gid [ˈtəːrdʒid] *adj* (*adv* ~**ly**) 1. *med.* geschwollen, gedunsen. 2. *fig.* schwülstig, ‚geschwollen'. **turˈgid·i·ty**, ˈ**tur·gid·ness** *s* 1. Geschwollensein *n*. 2. *fig.* ‚Geschwollenheit' *f*, Schwülstigkeit *f*.

Turk [təːrk] I *s* 1. Türke *m*, Türkin *f*: young ~**s** Jungtürken *pl*. 2. *fig.* Wildfang *m* (*bes. Kind*). II *adj* 3. türkisch, Türken...

Tur·key[1] [ˈtəːrki] I *s* Türˈkei *f*. II *adj* türkisch: ~ carpet Orientteppich *m*; ~ red Türkischrot *n*.

tur·key[2] [ˈtəːrki] *s* 1. *orn.* Truthahn *m*, -henne *f*, Pute(r *m*) *f*. 2. *thea. Am. sl.* ‚Pleite' *f*, ‚ˈDurchfall' *m*. 3. to talk ~ *Am. colloq.* a) offen *od.* sachlich reden, b) Frakˈtur reden (with mit *j-m*) ‚masˈsiv' werden (with *j-m* gegenˈüber). ~ **cock** *s* 1. Truthahn *m*, Puter *m*: (as) red as a ~ puterrot (im Gesicht). **2.** *fig.* aufgeblasener Kerl: as proud as a ~ stolz wie ein Spanier. ~ **poult** *s* junges Truthuhn.

Tur·ki ['turkiː; 'tɜːr-] **I** *s* **1.** → Turkic. **2.** 'Turkta,tar(in). **II** *adj* **3.** 'turkta,tarisch.

Tur·kic ['tɜːrkik] *s ling.* Türk- *od.* Turksprache(n *pl*) *f* (*uralaltaische Sprachgruppe*).

Turk·ish ['tɜːrkiʃ] **I** *adj* türkisch, Türken... **II** *s ling.* Türkisch *n*, das Türkische. ~ **bath** *s* Dampf-, Schwitzbad *n.* ~ **de·light** *s* Ge'leefrucht *f*, feines Kon'fekt. ~ **mu·sic** *s* Jani'tscharenmu,sik *f.* ~ **to·bac·co** *s* Ori'enttabak *m.* ~ **tow·el** *s* Frot'tier(hand)tuch *n.*

Turko- [tɜːrko] *Wortelement mit der Bedeutung* türkisch, Türken...: ~-phil(e) Türkenfreund *m.*

Tur·ko·man ['tɜːrkəmən] *pl* **-mans** *s* **1.** Turk'mene *m.* **2.** *ling.* das Turk'menische.

tur·mer·ic ['tɜːrmərik] *s* **1.** *bot.* Gelbwurz *f.* **2.** *pharm.* Kurkuma *f*, Turmerikwurzel *f.* **3.** Kurkumagelb *n* (*Farbstoff*). ~ **pa·per** *s chem.* 'Kurkumapa,pier *n.*

tur·moil ['tɜːrmɔil] *s* **1.** Aufruhr *m*, Unruhe *f*, Tu'mult *m* (*alle a. fig.*). **2.** Getümmel *n.*

turn [tɜːrn] **I** *s* **1.** ('Um)Drehung *f*: a single ~ of the handle; a ~ of Fortune's wheel e-e Schicksalswende; to a ~ ausgezeichnet, vortrefflich, aufs Haar; done to a ~ gerade richtig durchgebraten. **2.** Turnus *m*, Reihe(nfolge) *f*: ~ (and ~) about reihum, abwechselnd; by (*od.* in) ~s abwechselnd, wechselweise; in ~ a) der Reihe nach, b) dann wieder; in his ~ seinerseits; to speak out of ~ *fig.* unpassende Bemerkungen machen; to take ~s (mit)einander *od.* sich (gegenseitig) abwechseln (at in *dat*, bei); to take one's ~ handeln, wenn die Reihe an e-n kommt; wait your ~! warte, bis du an der Reihe *od.* dran bist; my ~ will come *fig.* m-e Zeit kommt auch noch, ‚ich komme schon noch dran'. **3.** Drehen *n*, Wendung *f*: ~ to the left Linkswendung. **4.** Wendepunkt *m* (*a. fig.*). **5.** Biegung *f*, Kurve *f*, Kehre *f.* **6.** *sport* a) *Turnen*: Drehung *f*, b) *Schwimmen*: Wende *f*, c) *Skisport*: Wendung *f*, Kehre *f*, Schwung *m*, d) *Eislauf*: Kehre *f*, Kurve *f*: ~ A Dreierbogen *m* vorwärts. **7.** Krümmung *f* (*a. math.*). **8.** Wendung *f*: a) 'Umkehr *f*: to be on the ~ *mar.* umschlagen (*Gezeiten*); ~ of the tide Gezeitenwechsel *m*, *fig.* Wendung *f*, b) Richtung *f*, (Ver)Lauf *m*: to take a ~ for the better (worse) sich bessern (verschlimmern); to take an interesting ~ e-e interessante Wendung nehmen (*Gespräch etc*), c) (*Glücks-, Zeiten- etc*)Wende *f*, Wechsel *m*, 'Umschwung *m*, Krise *f*: a ~ in one's luck e-e Glücks- *od.* Schicksalswende; ~ of the century Jahrhundertwende; ~ of life Lebenswende, *med.* Wechseljahre *pl* (*der Frau*). **9.** Ausschlag(en *n*) *m* (*e-r Waage*). **10.** (Arbeits)Schicht *f.* **11.** Tour *f*, (einzelne) Windung (*e-r Bandage, e-s Kabels etc*). **12.** (kurzer) Spa'ziergang, Rundgang *m*: to take a ~ e-n Spaziergang machen. **13.** kurze Fahrt, Spritztour *f.* **14.** *mar.* Törn *m.* **15.** (Rede)Wendung *f*, Formu'lierung *f.* **16.** Form *f*, Gestalt *f*, Beschaffenheit *f.* **17.** Art *f*, Cha'rakter *m*: ~ (of mind) Denkart *f*, -weise *f*, Veranlagung *f.* **18.** (for, to) Neigung *f*, Hang *m*, Ta'lent *n* (zu), Sinn *m* (für): practical ~ praktische Veranlagung; to have a ~ for languages Sinn für Sprachen haben; to be of a humorous ~ Sinn für Humor haben. **19.** a) (*ungewöhnliche od. unerwartete*) Tat, b) Dienst *m*, Gefallen *m*: a bad ~ ein schlechter Dienst *od.* e-e schlechte Tat; a friendly ~ ein Freundschaftsdienst; to do s.o. a good (ill) ~ j-m e-n guten (schlechten) Dienst erweisen; to do s.o. a good ~ j-m e-n Gefallen tun; one good ~ deserves another e-e Liebe ist der anderen wert. **20.** Anlaß *m*: at every ~ auf Schritt u. Tritt, bei jeder Gelegenheit. **21.** (kurze) Beschäftigung: ~ (of work) (Stück *n*) Arbeit *f*; to take a ~ at s.th. sich kurz mit e-r Sache versuchen. **22.** *med.* a) Taumel *m*, Schwindel *m*, b) Anfall *m.* **23.** *colloq.* Schock *m*, Schrecken *m*: to give s.o. a ~ j-n erschrecken. **24.** Zweck *m*: this will serve your ~ das wird dir nützlich sein; this won't serve my ~ damit ist mir nicht gedient. **25.** *econ. vollständig durchgeführte Börsentransaktion.* **26.** *mus.* Doppelschlag *m.* **27.** (Pro'gramm)Nummer *f.* **28.** *mil.* (Kehrt)Wendung *f*, Schwenkung *f*: left (right) ~! *Br.* links-(rechts)um!; about ~! *Br.* ganze Abteilung kehrt! **29.** *print.* Fliegenkopf *m* (*umgedrehter Buchstabe*). **30.** on the ~ am Sauerwerden (*Milch*).

II *v/t* **31.** (*im Kreis od. um e-e Achse*) drehen. **32.** *e-n Schlüssel, e-e Schraube etc, a. e-n Patienten* ('um-, her'um)drehen. **33.** *a. Kleider* wenden, *etwas* 'umkehren, -stülpen, -drehen: it ~s my stomach mir dreht sich dabei der Magen um; → head *Bes. Redew.* **34.** *ein Blatt, e-e Buchseite* 'umdrehen, -wenden, -blättern: to ~ a page. **35.** *rail. e-e Weiche, tech. e-n Hebel* 'umlegen: to ~ a switch (a lever). **36.** *agr. den Boden* 'umgraben, -pflügen. **37.** zuwenden, -drehen, -kehren (to *dat*). **38.** *den Blick, die Kamera, s-e Schritte etc* wenden, *a. s-e Gedanken, sein Verlangen* richten, lenken (against gegen; on auf *acc*; toward[s] auf *acc*, nach): to ~ one's attention to s.th. e-r Sache s-e Aufmerksamkeit zuwenden; to ~ the hose on the fire den (Spritzen)Schlauch auf das Feuer richten; to ~ one's steps home die Schritte heimwärts lenken. **39.** a) 'um-, ab-, weglenken, -leiten, -wenden, b) abwenden, abhalten: to ~ a bullet. **40.** *j-n* 'umstimmen, abbringen (from von). **41.** *die Richtung* ändern, e-e neue Richtung geben (*dat*). **42.** *das Gesprächsthema* wechseln. **43.** a) *e-e Waage etc* zum Ausschlagen bringen, b) *fig.* ausschlaggebend sein bei: to ~ an election bei e-r Wahl den Ausschlag geben; → scale[2] 1. **44.** verwandeln (into in *acc*): to ~ water into wine; to ~ love into hate; to ~ a firm into a joint-stock company e-e Firma in e-e Aktiengesellschaft umwandeln; to ~ into cash flüssigmachen, zu Geld machen. **45.** machen, werden lassen (into zu): to ~ s.o. sick a) j-n krank machen, b) j-m Übelkeit verursachen; it ~ed her pale es ließ sie erblassen. **46.** *a.* ~ sour *Milch* sauer werden lassen. **47.** *das Laub* verfärben: to ~ the leaves. **48.** *e-n Text* über'tragen, -'setzen (into Italian ins Italienische). **49.** her'umgehen *od.* biegen um: → corner 1. **50.** *mil.* a) um'gehen, um'fassen, b) aufrollen: to ~ the enemy's flank. **51.** hin'ausgehen *od.* -sein über (*acc*): he is just ~ing (*od.* has just ~ed) 50 er ist gerade 50 geworden. **52.** *tech.* a) drehen, b) *Holzwaren* drechseln, c) *Glas* marbeln, rollen. **53.** *a. fig.* formen, gestalten, (kunstvoll) bilden, *Komplimente, Verse etc* drechseln: a well-~ed ankle ein wohlgeformtes Fußgelenk; to ~ a phrase e-n Satz bilden *od.* formen *od.* (ab)runden. **54.** *econ.* verdienen, 'umsetzen. **55.** *e-e Messerschneide etc* 'um-, verbiegen, *a.* stumpf machen: to ~ the edge (*od.* point) of *fig. e-r Bemerkung etc* die Spitze nehmen. **56.** *e-n Purzelbaum, Salto etc* schlagen: → somersault 1. **57.** ~ loose los-, freilassen.

III *v/i* **58.** sich drehen (lassen), sich (im Kreis) (her'um)drehen: the wheel ~s. **59.** sich drehen *od.* 'hin- u. 'herbewegen (lassen): the tap will not ~. **60.** 'umdrehen, -wenden, *bes.* (*in e-m Buch*) ('um)blättern. **61.** sich (ab-, 'hin-, zu)wenden: → turn to I. **62.** sich *stehend, liegend etc* ('um-, her'um)drehen. **63.** a) *mar. mot.* wenden, (*mar.* (ab)drehen, b) *aer. mot.* kurven, e-e Kurve machen. **64.** (ab-, ein)biegen: I do not know which way to ~ *fig.* ich weiß nicht, was ich machen soll. **65.** e-e Biegung machen (*Straße, Wasserlauf etc*). **66.** sich krümmen *od.* winden: → grave[1] 1, worm 1. **67.** zu'rückschlagen *od.* -prallen *od. fig.* -fallen (on auf *acc*). **68.** sich 'umdrehen: a) sich um 180° drehen, b) zu'rückschauen. **69.** sich 'umdrehen *od.* 'umwenden (lassen), sich 'umstülpen: my umbrella ~ed inside out mein Regenschirm stülpte sich um; my stomach ~s at this sight bei diesem Anblick dreht sich mir der Magen um. **70.** schwind(e)lig werden: my head ~s mir dreht sich alles im Kopf; his head ~ed with the success der Erfolg ist ihm zu Kopf gestiegen. **71.** sich (ver)wandeln (into, to in *acc*), 'umschlagen (*bes. Wetter*): love has ~ed into hate. **72.** werden: to ~ cold (pale, *etc*); to ~ communist (soldier, *etc*); to ~ (sour) sauer werden (*Milch*); to ~ traitor zum Verräter werden. **73.** sich verfärben (*Laub*). **74.** sich wenden (*Gezeiten*): → tide[1] 1. **75.** *tech.* sich drehen *od.* drechseln *od.* (ver)formen lassen: ivory ~s well. **76.** *print.* (*durch Fliegenköpfe*) bloc'kieren.

Verbindungen mit Präpositionen:

turn| a·gainst I *v/i* **1.** sich (*feindlich etc*) wenden gegen: to ~ s.o. **II** *v/t* **2.** *j-n* aufhetzen gegen. **3.** *Spott etc* richten gegen. ~ **in·to** → turn 44, 48, 71. ~ **on I** *v/i* **1.** sich drehen um *od.* in (*dat*). **2.** → turn upon 1 *u.* 2. **3.** sich wenden *od.* richten gegen. **II** *v/t* → turn 38. ~ **to I** *v/i* **1.** sich *nach links etc* wenden (*Person*), *nach links etc* abbiegen (*a. Fahrzeug, Straße etc*): to ~ the left. **2.** a) sich *der Musik, e-m Thema etc* zuwenden, b) sich beschäftigen mit, c) sich anschicken (doing s.th. etwas zu tun). **3.** s-e Zuflucht nehmen zu: to ~ God. **4.** sich an *j-n* wenden, zu Rate ziehen: to ~ a doctor (a dictionary). **5.** → turn 71. **II** *v/t* **6.** *Hand* anlegen bei: to turn a (*od.* one's) hand to s.th. etwas in Angriff nehmen; he can turn his hand to anything er ist zu allem zu gebrauchen. **7.** → turn 38. **8.** verwandeln in (*acc*). **9.** *etwas* anwenden zu: → account 12. ~ **up·on** *v/i* **1.** *fig.* abhängen von. **2.** *fig.* sich drehen um, handeln von. **3.** → turn on 3.

Verbindungen mit Adverbien:

turn| a·bout (*od. bes. Am.* **a·round**) **I** *v/t* **1.** (her)'umdrehen. **2.** *agr. Heu,*

Boden wenden. **II** *v/i* **3.** sich 'umdrehen. **4.** *mil.* kehrtmachen. **5.** *fig.* 'umschwenken. **~ a·side** *v/t u. v/i* (sich) abwenden. **~ a·way I** *v/t* **1.** *das Gesicht etc* abwenden (*a. fig. fernhalten*). **2.** abweisen, weg-, fortschicken, -jagen. **3.** fortjagen, entlassen. **II** *v/i* **4.** sich abwenden, (weg-, fort)gehen. **~ back I** *v/t* **1.** zur Rückkehr veranlassen, 'umkehren lassen. **2.** 'umdrehen, zu'rückbiegen. **II** *v/i* **3.** zu'rück-, 'umkehren. **4.** zu'rückgehen. **~ down I** *v/t* **1.** 'umkehren, -legen, -biegen, *den Kragen* 'umschlagen, *e-e Buchseite etc* 'umkniffen. **2.** *Gas, Lampe* klein(er) drehen, *Radio* leiser stellen. **3.** *das Bett* aufdecken, *die Bettdecke* zu'rückschlagen. **4.** *j-n, e-n Vorschlag etc* ablehnen, *j-m* e-n Korb geben. **II** *v/i* **5.** abwärts *od.* nach unten gebogen sein, (her'unter)hängen. **6.** sich 'umlegen *od.* -schlagen lassen. **~ in I** *v/t* **1.** einreichen, -senden, -händigen, über'geben. **2.** *j-n* anzeigen *od.* der Poli'zei über'geben. **3.** einwärts *od.* nach innen drehen *od.* biegen *od.* stellen: to turn one's feet in. **4.** *Am. colloq. etwas* ,auf die Beine stellen'. **II** *v/i* **5.** hin'eingehen, einkehren. **6.** *colloq.* sich ,'hinhauen', zu Bett gehen. **7.** einwärts gebogen sein. **8. ~ upon o.s.** sich nach innen wenden, Betrachtungen über sich selbst anstellen. **~ off I** *v/t* **1.** *Wasser, Gas* abdrehen. **2.** *Licht, Radio* ausschalten, -machen, abstellen. **3.** abwenden, ablenken: to ~ a blow. **4.** fortschicken, entlassen. **5.** *tech.* abdrehen (*an der Drehbank*). **6.** *sl. e-n Verbrecher* aufhängen. **7.** *Br. sl.* verheiraten. **II** *v/i* **8.** abbiegen (*Person, a. Straße*). **9.** *Br.* verderben, schlecht werden. **~ on** *v/t Gas, Wasser etc* aufdrehen, *a. ein Gerät* anstellen, *Licht, Radio etc* anmachen, einschalten. **~ out I** *v/t* **1.** hin'auswerfen, wegjagen, vertreiben. **2.** entlassen (of aus *e-m Amt etc*). **3.** *e-e Regierung* stürzen. **4.** *Vieh* auf die Weide treiben. **5.** 'umstülpen, -kehren: to ~ s.o.'s pockets. **6.** ausräumen: to ~ a room (s.o.'s furniture). **7.** *ein Fabrikat* her'ausbringen. **8.** → turn off 1 *u.* 2. **9.** auswärts *od.* nach außen drehen *od.* biegen *od.* stellen: to turn one's feet out. **10.** ausstatten, 'herrichten, *bes.* kleiden: well turned-out gut gekleidet. **11.** *mil.* antreten *od.* (*Wache*) her'austreten lassen: to ~ the guard. **II** *v/i* **12.** auswärts gerichtet sein (*Füße etc*). **13.** a) hin'ausziehen, -gehen, b) *mil.* ausrücken (*a. Feuerwehr etc*), c) *zur Wahl etc* kommen (*Bevölkerung*), d) *mil.* antreten, e) in Streik treten, f) *aus dem Bett* aufstehen. **14.** her'auskommen (of aus). **15.** *gut etc* ausfallen, werden. **16.** sich gestalten, *gut etc* ausgehen, ablaufen. **17.** sich erweisen *od.* entpuppen als, sich her'ausstellen: he turned out (to be) a good swimmer er entpuppte sich als guter Schwimmer; it turned out that he was never there es stellte sich heraus, daß er nie dort war. **~ o·ver I** *v/t* **1.** *econ. Geld, Ware* 'umsetzen, e-n 'Umsatz haben von: to ~ goods; he turns over £ 1,000 a week er hat e-n wöchentlichen Umsatz von 1000 Pfund. **2.** 'umdrehen, -wenden, *bes. ein Blatt, e-e Seite* 'umblättern: please ~! (*abbr.* p.t.o.) bitte wenden!; → leaf 4. **3.** 'umwerfen, -kippen. **4.** (to) a) über'tragen (*dat od.* auf *acc*), über'geben (*dat*), b) *j-n* (*der Polizei etc*) ausliefern, über'geben: to ~ a business to s.o. j-m ein Geschäft übertragen. **5.** *a.* ~ in one's mind *etwas* über'legen, sich durch den Kopf gehen lassen. **II** *v/i* **6.** sich drehen, ro'tieren. **7.** sich *im Bett etc* 'umdrehen. **8.** 'umkippen, -schlagen. **~ round I** *v/i* **1.** sich (im Kreis *od.* her'um)drehen. **2.** *fig.* s-n Sinn ändern, 'umschwenken. **II** *v/t* **3.** (her'um)drehen. **~ to** *v/i* sich ,'ranmachen' (an die Arbeit), sich ins Zeug legen. **~ un·der** *v/t agr.* 'unterpflügen. **~ up I** *v/t* **1.** nach oben drehen *od.* richten *od.* biegen, *den Kragen* hochschlagen, -klappen: ~ it up! *Br. sl.* halt die Klappe!; → nose *Bes. Redew.*, toe 1. **2.** ausgraben, zu'tage fördern. **3.** *Spielkarten* aufdecken. **4.** *e-n Rock etc* 'um-, einschlagen. **5.** *Br.* a) *ein Wort* nachschlagen, b) *ein Buch* zu Rate ziehen. **6.** *Wasser, Gas, Lampe* aufdrehen, groß drehen, *das Radio* lauter stellen. **7.** *ein Kind* übers Knie legen. **8.** *colloq. j-m* den Magen 'umdrehen (*vor Ekel*). **9.** *sl. e-e Arbeit* ,aufstecken'. **II** *v/i* **10.** sich nach oben drehen, nach oben gerichtet *od.* gebogen sein (*Hutkrempe etc*), hochgeschlagen sein (*Kragen*). **11.** *fig.* auftauchen: a) aufkreuzen, erscheinen, kommen (*Person*), b) zum Vorschein kommen, sich (ein)finden (*Sache*). **12.** geschehen, eintreten, pas'sieren. **13.** sich erweisen *od.* entpuppen als.

turn·a·ble ['tɜːrnəbl] *adj* drehbar.

'turn|·a,bout *s* **1.** *a. fig.* Kehrtwendung *f*, Wendung *f* um 180 Grad. **2.** *fig.* Frontenwechsel *m*, 'Umschwung *m*. **3.** *mar.* Gegenkurs *m*. **4.** *fig.* Rollenvertauschung *f*. **5.** *Am.* Karus'sell *n*. **6.** beidseitig tragbares Kleidungsstück. **7.** → turncoat. **'~-and-'bank in·di·ca·tor** *s aer.* Wende(- u. Querlagen)zeiger *m*. **'~·a,round** *s* **1.** *mot. etc* Wendeplatz *m*. **2.** → turnabout 1 *u.* 2. **3.** *aer. mar. mot.* Rundreisedauer *f*, 'Umlaufszeit *f*. **4.** (Gene'ral)Über,holung *f* (*e-s Fahrzeugs*). **'~,back** *s* **1.** Feigling *m*. **2.** 'Umschlag *m*, Stulpe *f*. **'~,buck·le** *s tech.* Spannschraube *f*, -schloß *n*, **'~,coat** *s* Abtrünnige(r *m*) *f*, 'Überläufer(in), Rene'gat *m*. **'~,cock** *s tech.* **1.** Drehhahn *m*. **2.** Wasserrohraufseher *m*. **'~,down I** *adj* **1.** 'umlegbar, Umlege...: ~ collar → 2. **II** *s* **2.** 'Umleg(e)kragen *m*. **3.** *fig.* Absage *f*, Abweisung *f*.

turned [tɜːrnd] *adj* **1.** gedreht. **2.** *tech.* gedreht, gedrechselt. **3.** gestaltet, geformt: well-~. **4.** ('um)gebogen: ~-back zurückgebogen; ~-down a) abwärts gebogen, b) Umlege...; ~-in einwärts gebogen; ~-out nach außen gebogen; ~ up aufgebogen. **5.** verdreht, -kehrt. **6.** *print.* 'umgedreht, auf dem Kopf stehend.

turn·er[1] ['tɜːrnər] *s* **1.** *tech.* Wender *m* (*Gerät*). **2.** *tech.* a) Dreher *m*, b) Drechsler *m*, c) *Keramik*: Töpfer *m*.

turn·er[2] ['tɜːrnər; 'turnər] *s sport Am.* (*bes. deutschstämmiger*) Turner.

turn·er·y ['tɜːrnəri] *s tech.* **1.** a) Drehen *n*, b) Drechseln *n*. **2.** *collect.* a) Dreharbeit(en *pl*) *f*, b) Drechslerarbeit(en *pl*) *f*. **3.** a) Drehe'rei *f*, b) Drechsle'rei *f*.

turn·ing ['tɜːrnɪŋ] *s* **1.** Drehung *f*. **2.** *tech.* Drehen *n*, Drechseln *n*. **3.** (Straßen-, Fluß)Biegung *f*. **4.** a) (Straßen)Ecke *f*, b) Querstraße *f*, Abzweigung *f*. **5.** *fig.* Gestalt(ung) *f*, Form *f*. **6.** *pl* Drehspäne *pl*. **~ chis·el** *s tech.* (Ab)Drehstahl *m*. **~ gouge** *s tech.* Hohlmeißel *m*. **~ lathe** *s tech.* Drehbank *f*. **~ move·ment** *s mil.* Um'gehungsbewegung *f*. **~ point** *s* **1.** *fig.* a) Wendepunkt *m* (*a. math. surv.*), b) Krisis *f*, Krise *f*. **2.** *aer. sport* Wendemarke *f*.

tur·nip ['tɜːrnɪp] *s* **1.** *bot.* (*bes.* Weiße) Rübe. **2.** *sl.* ,Zwiebel' *f* (*plumpe Taschenuhr*). **3.** *sl.* Trottel *m*. **~ cab·bage** *s bot.* Kohl'rabi *m*.

'turn|,key *s* Gefangenenwärter *m*, Schließer *m*. **~ me·ter** *s aer.* Kurvenmesser *m*. **'~-,off** *s* **1.** Abzweigung *f*. **2.** Ausfahrt *f* (*von e-r Autobahn*).

'turn,out *s* **1.** *bes. mil. colloq.* Ausrücken *n*. **2.** *econ. bes. Br. colloq.* Arbeitseinstellung *f*, Ausstand *m*. **3.** *colloq.* a) Versammlung *f*, Besucher(zahl *f*) *pl*, Zuschauer(zahl *f*) *pl*, b) (*Wahl- etc*)Beteiligung *f*. **4.** Equi'page *f*, (Pferde)Gespann *n*, Kutsche *f*. **5.** Aufmachung *f*, 'Ausstaf,fierung *f*, -rüstung *f*. **6.** *econ.* Ge'samtprodukti,on *f*, Ausstoß *m*. **7.** a) Ausweichstelle *f* (*auf e-r Autostraße*), b) → turn-off.

'turn,o·ver *s* **1.** 'Umstürzen *n*, -werfen *n*. **2.** *fig. pol.* 'Umschwung *m*, *bes.* (*deutliche*) Verschiebung der Wählerstimmen. **3.** Ver-, 'Umwandlung *f*. **4.** Ein- u. Ausgang *m*, Zu- u. Abgang *m* (*von Patienten in Krankenhäusern etc*): labo(u)r ~ *econ.* Personalumsatz *m*. **5.** *econ.* 'Umgrup,pierung *f*, 'Umschichtung *f*. **6.** *econ.* 'Umsatz *m*: ~ tax *Br.* Umsatzsteuer *f*. **7.** *Br.* (*Zeitungs*)Ar'tikel, der auf die nächste Seite 'übergreift. **8.** (*Apfel- etc*)Tasche *f*, (*Hühner- etc*)Pa'stete *f*.

'turn|,pike *s* **1.** Schlagbaum *m*, Zollschranke *f*. **2.** *a.* ~ road a) gebührenpflichtige Autobahn, b) Chaus'see *f*, Landstraße *f*, c) *Am.* Schnellstraße *f*. **3.** *hist.* spanischer Reiter. **'~-,round** *s* **1.** *econ. mar.* 'Umschlag *m* (*Abfertigung e-s Schiffs im Hafen*). **2.** Wendestelle *f*. **3.** → turnabout 6. **'~,screw** *s tech.* Schraubenzieher *m*. **'~,sole** *s* **1.** *bot.* a) Sonnenblume *f*, b) Sonnenwende *f*, Helio'trop *n*, c) Lackmuskraut *n*. **2.** *chem.* Lackmus *m* (*als Farbstoff*). **'~,spit** *s* **1.** Bratenwender *m*. **2.** *hist.* Bratspießdreher *m* (*Hund od. Diener*). **'~,stile** *s* Drehkreuz *n* (*an Durchgängen etc*). **'~,ta·ble** *s tech.* **1.** *rail.* Drehscheibe *f*. **2.** Plattenteller *m* (*am Plattenspieler*). **3.** 'Wiedergabegerät *n*. **'~,up I** *adj* **1.** aufwärts gerichtet: ~ nose ,Himmelfahrtsnase' *f*. **2.** hochklappbar: a ~ bed Wandklappbett *n*. **II** *s* **3.** a) hochgestülpter Hutrand, b) 'Hosen,umschlag *m*. **4.** *bes. Br. colloq.* a) Krach *m*, b) Keile'rei *f*.

tur·pen·tine ['tɜːrpən,taɪn] *s chem.* **1.** Terpen'tin *n*. **2.** *a.* oil (*od.* spirits) of ~ Terpen'tinöl *n*, -geist *m*. **~ tree** *s bot.* Tere'binthe *f*.

tur·pi·tude ['tɜːrpɪ,tjuːd] *s* **1.** *a.* moral ~ Verworfenheit *f*. **2.** Schandtat *f*.

turps [tɜːrps] *colloq. für* turpentine 2.

tur·quoise ['tɜːrkɔɪz; -kwɔɪz] *s* **1.** *min.* Tür'kis *m*. **2.** *a.* ~ blue Tür'kisblau *n*: ~ green Türkisgrün *n*.

tur·ret [*Br.* 'tʌrɪt; *Am.* 'tɜːrɪt] *s* **1.** *arch.* Türmchen *n*. **2.** *mil.* Geschütz-, Panzer-, Gefechtsturm *m*: ~ gun Turmgeschütz *n*. **3.** *aer. mil.* Kanzel *f*. **4.** *a.* ~ head *tech.* Re'volverkopf *m*: ~ lathe Revolverdrehbank *f*. **5.** *TV* Linsendrehkranz *m*: ~ turner induktiver Kanalwähler. **'tur·ret·ed** *adj* **1.** mit e-m Turm *od.* mit Türmchen versehen, betürmt. **2.** turmartig. **3.** *zo.* spi'ral-, türmchenförmig.

tur·tle[1] ['tɜːrtl] → turtledove 1.

tur·tle[2] ['tɜːrtl] *s zo.* (See)Schildkröte *f*: green ~ Suppenschildkröte; to turn ~ a) *mar.* kentern, umschlagen, b) sich

überschlagen (*Auto etc*), c) *Am. colloq.* hilflos *od.* feige sein.
'tur·tle|ˌdove *s* **1.** *orn.* Turteltaube *f.* **2.** *colloq.* ‚Turteltäubchen' *n*, ‚Schatz' *m.* **~ neck** *s* 'Rollkragen(pullˌover) *m.* **~ shell** *s* Schildkrötenschale *f*, Schildpatt *n.*
turves [tɜːrvz] *obs. pl von* **turf.**
Tus·can ['tʌskən] **I** *adj* **1.** tos'kanisch. **II** *s* **2.** *ling.* Tos'kanisch *n*, das Toskanische. **3.** Tos'kaner(in).
tush¹ [tʌʃ] *interj obs.* pah!
tush² [tʌʃ] *s* Eckzahn *m* (*bes. des Pferdes*).
tusk [tʌsk] **I** *s* **1.** a) Fangzahn *m*, b) Stoßzahn *m* (*des Elefanten etc*), c) Hauer *m* (*des Wildschweins*). **2.** langer vorstehender Zahn. **II** *v/t* **3.** mit Hauern *etc* durch'bohren *od.* verwunden.
tusked *adj zo.* mit Fangzähnen (*etc*) (bewaffnet). **'tusk·er** *s zo.* Ele'fant *m od.* Keiler *m* (*mit ausgebildeten Stoßzähnen*). **'tusk·y** → **tusked.**
tus·sa, tus·sah ['tʌsə], *a.* **tus·sar** ['tʌsər], **tus·seh** ['tʌsə], **tus·ser** ['tʌsər] *s* **1.** Tussahseide *f.* **2.** *zo.* Tussahspinner *m.*
tus·sle ['tʌsl] **I** *s* **1.** Kampf *m*, Balge'rei *f*, Raufe'rei *f.* **2.** *fig.* erbittertes Ringen, scharfe Kontro'verse. **II** *v/i* **3.** kämpfen (*a. fig.*), raufen, sich balgen (**for** um).
tus·sock ['tʌsək] *s* (*bes.* Gras)Büschel *n.* **~ grass** *s bot.* Bültgras *n.* **~ moth** *s zo.* **1.** Bürstenbinder *m.* **2.** Rotschwanz *m.*
tus·sock·y ['tʌsəki] *adj* **1.** grasreich. **2.** *fig.* buschig.
tus·sore ['tʌsɔːr] → **tussa.**
tut¹ [tʌt] *interj* **1.** ach was!, pah!, pff! **2.** pfui! **3.** Unsinn!, Na, na!
tut² [tʌt] *s Br.* Ak'kord *m*: **upon ~, by the ~** im Akkord; **~ work** Akkordarbeit *f.*
tu·te·lage ['tjuːtilidʒ] *s* **1.** Vormundschaft *f.* **2.** Bevormundung *f*, Schutz *m*, (An)Leitung *f.* **3.** Unmündigkeit *f.*
'tu·te·lar [-lər] → **tutelary.** **'tu·te·lar·y** *adj* **1.** Vormunds..., Vormundschafts... **2.** schützend, Schutz...: **~ authority** a) Machtbefugnisse *pl* e-s Vormunds, b) Schutzherrschaft *f*; **~ goddesses** Schutzgöttinnen.
tu·tor ['tjuːtər] **I** *s* **1.** Pri'vat-, Hauslehrer *m*, Erzieher *m.* **2.** *ped. univ. Br.* Tutor *m*, Studienleiter *m*, -berater *m* (*meist ein* **fellow** *aus dem College, der den Studiengang von* **undergraduates** *überwacht u. ihnen mit Rat u. Tat zur Seite steht*). **3.** *ped. univ. Am.* Assi'stent *m* (mit Lehrauftrag). **4.** *ped. univ.* (Ein)Pauker *m*, Repe'titor *m.* **5.** *jur.* Vormund *m.* **II** *v/t* **6.** *ped. j-n* unter'richten, *j-m* Pri'vatˌunterricht geben. **7.** *j-n* schulen, erziehen: **to ~ o.s.** sich (selbst) erziehen, Selbstbeherrschung üben. **8.** *fig. j-n* bevormunden. **III** *v/i* **9.** *ped.* Erzieher(in) *etc* sein. **10.** *ped. Am. colloq.* Pri'vatˌunterricht geben *od.* nehmen. **'tu·tor·ess** *s ped.* weiblicher Tutor, Erzieherin *f*, (Pri'vat-, Haus)Lehrerin *f.*
tu·to·ri·al [tjuː'tɔːriəl] *ped.* **I** *s* Tu'torenkurs(us) *m.* **II** *adj* Tutor..., Lehrer...: **~ system** Einzelunterrichtung *f* durch Tutoren.
tu·tor·ship ['tjuːtərˌʃip] *s* **1.** *ped.* Amt *n od.* Stelle *f* e-s Tutors, (Haus)Lehrerstelle *f.* **2.** → **tutelage** 1 *u.* 2.
tut·san ['tʌtsæn] *s bot.* Großes Jo'hanniskraut.
tut·ti ['tutti] (*Ital.*) *mus.* **I** *adj* **1.** alle zu'sammen. **II** *s* **2.** Tutti *n*, voller Chor, volles Or'chester. **3.** Tuttistelle *f.*
tut·ti-frut·ti ['tuti'fruti] *s* **1.** Tutti'frutti *n.* **2.** Fruchtbecher *m* (*Speiseeis*).
tut-tut ['tʌt'tʌt] → **tut¹.**
tut·ty ['tʌti] *s chem.* unreines 'Zinkoˌxyd, Ofenbruch *m.*
tu·tu [ty'ty] (*Fr.*) *s* Tu'tu *n*, Bal'letträckchen *n*, -kleidchen *n.*
tu-whit [tu'(h)wit], **tu-'whoo** [-'(h)wuː] *s u. interj* Schrei *m* der Eule, Tu'hu *n.*
tux·e·do [tʌk'siːdou] *pl* **-dos** *u.* **-does** *s Am.* Smoking *m.*
tu·yère [ˌtwiː'jɛr] *s tech.* Eßeisen *n* (*Lufteinlaß an Hochöfen*).
TV [tiː'viː] *colloq.* **I** *adj* **1.** Fernseh... **II** *s* **2.** Fernseher *m*, 'Fernsehappaˌrat *m.* **3.** Fernsehen *n*: **on ~** im Fernsehen.
twad·dle ['twɒdl] **I** *v/i* **1.** quasseln, ‚quatschen'. **II** *s* **2.** Gequassel *n*, sinnloses Gewäsch. **3.** ‚Quatsch' *m.*
twain [twein] *obs. od. poet.* **I** *adj* zwei: **in ~** entzwei. **II** *s* (*die*) Zwei *pl*, Paar *n.*
twang [twæŋ] **I** *v/i* **1.** schwirren, scharf klingen. **2.** näseln. **II** *v/t* **3.** *Saiten etc* schwirren lassen, (heftig) zupfen, klimpern *od.* kratzen auf (*dat*). **4.** *etwas* näseln. **III** *s* **5.** scharfer Ton *od.* Klang, Schwirren *n.* **6.** Näseln *n*, näselnde Aussprache.
'twas [twɒz] *Zs.-ziehung von* **it was.**
tweak [twiːk] **I** *v/t* **1.** zerren, reißen. **2.** zwicken, kneifen. **II** *s* **3.** Kneifen *n.*
tweed [twiːd] *s* **1.** Tweed *m* (*englischer Wollstoff*). **2.** *pl* Tweedsachen *pl.*
twee·dle ['twiːdl] *v/i* **1.** *mus.* fideln, dudeln, klimpern. **2.** singen (*Vogel*).
ˌtwee·dle'dum and ˌtwee·dle'dee [ˌtwiːdl'dʌm; -'diː] *s* **1.** Didel'dum *n.* **2. T~ and T~** *Figuren in „Through the Looking Glass" von Lewis Carroll.* **3.** *fig.* a) praktisch ein u. das'selbe, b) die reinsten Zwillinge, ‚Max u. Moritz'.
'tween [twiːn] **I** *adv u. prep* → **between.** **II** *adj* (*in Zssgn*) Zwischen...: **~ decks** *adv mar.* im Zwischendeck.
tween·y ['twiːni] *s Br. colloq.* Aushilfsmädchen *n.*
tweet [twiːt] **I** *v/i* **1.** zwitschern (*Vögel*): **~-~!** piep, piep! **II** *s* **2.** Gezwitscher *n.* **3.** *electr.* Pfeifton *m.* **'tweet·er** *s electr.* Hochtonlautsprecher *m.*
tweez·ers ['twiːzərz] *s pl* (*a.* **pair of ~** e-e) Pin'zette *f.*
twelfth [twelfθ] **I** *adj* **1.** zwölft(er, e, es): **~ man** (*Kricket*) Ersatzspieler *m.* **II** *s* **2.** (*der, die, das*) Zwölfte. **3.** *math.* Zwölftel *n.* **'~-ˌcake** *s* Drei'königskuchen *m.* **'T~-ˌnight** *s* **1.** Drei'königsabend *m.* **2.** Vorabend *m* von Drei'könige. **3.** ‚Drei'königsabend' *m od.* ‚Was Ihr wollt' (*Shakespeare*).
twelve [twelv] **I** *adj* **1.** zwölf. **II** *s* **2.** Zwölf *f* (*Zahl, Ziffer, Uhrzeit etc*). **3.** Zwölf *pl*, Satz *m* von 12 Dingen, Gruppe *f* von 12 Per'sonen. **4.** *pl print.* → **twelvemo.** **'twelveˌfold** [-ˌfould] *adj u. adv* zwölffach. **'twelve·mo** [-mou], **12mo** *s print.* Duo'dez(forˌmat) *n.*
'twelve|ˌmonth *s bes. Br.* Jahr *n*, Jahresfrist *f.* **'~-ˌtone** *adj mus.* Zwölfton...: **~ system (music).**
twen·ti·eth ['twentiiθ] **I** *adj* **1.** zwanzigst(er, e, es). **II** *s* **2.** (*der, die, das*) Zwanzigste. **3.** *math.* Zwanzigstel *n.*
twen·ty ['twenti] **I** *adj* **1.** zwanzig: **~-one** a) einundzwanzig, b) (*s*) *Am.* Siebzehnundvier *n* (*ein Kartenspiel*); **~ questions** *ein Fragespiel.* **II** *s* **2.** Zwanzig *f* (*Zahl, Ziffer, Uhrzeit etc*). **3. the twenties** *pl* a) die zwanziger Zahlen (20—29), b) die zwanziger Jahre (*e-s Jahrhunderts*), c) die Zwanziger(jahre) (*Lebensalter*). **'twen·ty-ˌfold** [-ˌfould] *adj* zwanzigfach. **'twen·ty-'four·mo** [-'fɔːrmou], **24mo** *s print.* 24er, Lage *f* zu 48 Seiten.
'twere [twɜːr] *Zs.-ziehung von* **it were.**
twerp [twɜːrp] *s sl.* **1.** ‚(blöder) Heini'. **2.** ‚Niete' *f*, ‚halbe Porti'on'.
twi·bil(l) ['twaiˌbil] *s* **1.** *tech.* Breithacke *f*, Karst *m.* **2.** *hist.* zweischneidige Streitaxt.
twice [twais] *adv* zweimal: **~ 3 is 6** 2 mal 3 ist 6; **to think ~ about s.th.** *fig.* sich e-e Sache zweimal überlegen; **he didn't think ~ about it** er zögerte nicht lange; **~ as much** doppelt *od.* zweimal *od.* noch einmal soviel, das Doppelte; **~ the sum** die doppelte Summe. **'twic·er** *s* **1.** *print. Br. sl.* Schweizerdegen *m* (*Setzer, der zugleich Drucker ist*). **2.** Per'son, die etwas zweimal tut (*bes. j-d, der sonntags zweimal in die Kirche geht*).
'twice-ˌtold *adj* **1.** zweimal *od.* wieder'holt erzählt. **2.** alt, abgedroschen.
twid·dle ['twidl] **I** *v/t* **1.** (müßig) her'umdrehen, spielen mit: **to ~ one's thumbs** *fig.* ‚Däumchen drehen', die Hände in den Schoß legen. **II** *v/i* **2.** (her'um)spielen (**with** mit). **III** *s* **3.** (Her'um)Wirbeln *n.* **4.** Schnörkel *m.*
twig¹ [twig] *s* **1.** (dünner) Zweig, Ästchen *n*, Rute *f*: **to hop the ~** *colloq.* ‚abkratzen' (*sterben*). **2.** Wünschelrute *f.* **3.** *anat.* 'Endarˌterie *f*, -nerv *m.*
twig² [twig] *Br. sl.* **I** *v/t* **1.** ‚ka'pieren' (*verstehen*). **2.** (be)merken, ‚spitzkriegen'. **II** *v/i* **3.** ‚ka'pieren'.
twig·gy ['twigi] *adj* **1.** voller Zweige. **2.** *fig.* dünn, zart.
twi·light ['twaiˌlait] **I** *s* **1.** (*meist* Abend)Dämmerung *f*: **~ of the gods** *myth.* Götterdämmerung *f.* **2.** Zwielicht *n* (*a. fig.*), Halbdunkel *n.* **3.** *fig.* Dämmerzustand *m*, Verschwommenheit *f.* **II** *adj* **4.** zwielichtig, dämmerig, schattenhaft (*alle a. fig.*). **5.** Zwielicht..., Dämmer(ungs)...: **~ sleep** *s med. u. fig.* Dämmerschlaf *m.* **~ state** *s med.* Dämmerzustand *m.*
twill [twil] **I** *s* Köper(stoff) *m.* **II** *v/t* köpern.
'twill [twil] *Zs.-ziehung von* **it will.**
twin [twin] **I** *s* **1.** Zwilling *m*: **~s** Zwillinge. **2.** *fig.* Gegenstück *n* (**of** zu). **3.** *min.* 'Zwillingskriˌstall *m.* **4. the T~s** *pl astr.* die Zwillinge *pl* (*Kastor u. Pollux*). **II** *adj* **5.** Zwillings..., Doppel..., doppelt: **~ bed** Einzelbett *n* (*von zwei gleichen*); **~ brother** Zwillingsbruder *m*; **~ cable** *electr.* Zwillings-, Zweifachkabel *n*; **~ cord** (*od.* **flex**) *electr.* doppeladrige Schnur; **~ engine** *aer.* Zwillingstriebwerk *n*; **~-engined** zweimotorig; **~-lens reflex camera** *phot.* Spiegelreflexkamera *f*; **a ~ problem** ein zweifaches Problem. **6.** *bot. zo.* doppelt, gepaart. **III** *v/i* **7.** Zwillinge gebären. **8.** sich sehr ähnlich sein, zs.-gehören (**with** mit). **IV** *v/t* **9.** paaren, eng verbinden. **10.** *min.* verzwillingen. **11.** *electr.* zu zweien verseilen.
twine [twain] **I** *s* **1.** starker Bindfaden, Schnur *f.* **2.** *tech.* (gezwirntes) Garn, Zwirn *m.* **3.** Wick(e)lung *f.* **4.** Windung *f.* **5.** Geflecht *n*, Verschlingung *f*, Knäuel *m*, *n.* **6.** *bot.* Ranke *f.* **II** *v/t* **7.** zs.-drehen, zwirnen. **8.** winden, binden: **to ~ a wreath.** **9.** *fig.* inein'anderschlingen, verflechten, -weben. **10.** schlingen, winden (**about, around** um). **11.** um'schlingen, -'winden, -'ranken (**with** mit). **III** *v/i* **12.** sich verflechten (**with** mit). **13.** sich winden. **14.** *bot.* sich (em'por)ranken.

'**twin·er** *s* **1.** Flechter(in), Zwirner(in). **2.** *bot.* Kletter-, Schlingpflanze *f.* **3.** *tech.* 'Zwirnma,schine *f.*
twinge [twindʒ] **I** *s* **1.** stechender Schmerz, Stechen *n*, Zwicken *n*, Stich *m* (*a. fig.*): ~ of conscience Gewissensbiß *m.* **2.** Zucken *n.* **II** *v/t u. v/i* **3.** stechen, schmerzen (*acc*). **4.** zwikken, kneifen.
'**twin-'jet plane** *s aer.* 'zweimo,toriges Düsenflugzeug.
twin·kle ['twiŋkl] **I** *v/i* **1.** (auf)blitzen, glitzern, funkeln (*Sterne etc; a. Augen*). **2.** (hin u. her *od.* auf u. ab) huschen *od.* zucken. **3.** (*mit den Augen*) blinzeln, (verschmitzt) zwinkern. **II** *v/t* **4.** (auf)blitzen *od.* funkeln lassen. **5.** blinzeln mit (*den Augen*). **III** *s* **6.** Blinken *n*, Blitzen *n*, Glitzern *n.* **7.** Zucken *n*, Ruck *m.* **8.** (Augen)Zwinkern *n*, Blinzeln *n*: a humorous ~. **9.** → twinkling 2. '**twin·kling** *s* **1.** → twinkle 6 *u.* 8. **2.** *fig.* Augenblick *m*, Nu *m*: in the ~ of an eye im Nu, im Handumdrehen.
'**twin|-'screw** *adj mar.* Doppelschrauben...: ~ steamer. '~-,**set** *s* Twinset *m, n* (*Damenpullover u. -jacke aus dem gleichen Material u. in der gleichen Farbe*).
twirl [twəːrl] **I** *v/t* **1.** (her'um)wirbeln, quirlen: to ~ one's thumbs ‚Däumchen drehen'. **2.** *den Bart* zwirbeln, *e-e Locke etc* drehen. **II** *v/i* **3.** sich (her'um)drehen, wirbeln. **III** *s* **4.** schnelle (Um)'Drehung, Wirbel *m.* **5.** Schnörkel *m.*
twirp → twerp.
twist [twist] **I** *v/t* **1.** drehen: to ~ off losdrehen, abbrechen. **2.** (zs.-)drehen, zwirnen. **3.** verflechten, -schlingen. **4.** winden, wickeln: to ~ s.o. round one's (little) finger *fig.* j-n um den (kleinen) Finger wickeln. **5.** *Blumen, e-n Kranz etc* winden, binden. **6.** um'winden. **7.** verdrehen: to ~ s.o.'s arm a) j-m den Arm verdrehen, b) *fig.* j-n ‚treten', nötigen; to ~ one's ankle sich den Fuß vertreten. **8.** wringen. **9.** verbiegen, -krümmen. **10.** *das Gesicht* verzerren, -ziehen: he ~ed his face. **11.** *fig.* verbiegen: ~ed mind verbogener *od.* krankhafter Geist. **12.** *fig.* verdrehen, entstellen: to ~ a report. **13.** *dem Ball* e-n Drall geben, schneiden (*acc*).
II *v/i* **14.** sich drehen: to ~ round sich umdrehen. **15.** sich winden (*a. fig.*), sich krümmen. **16.** sich schlängeln, sich winden (*Fluß etc*). **17.** sich verziehen *od.* verzerren. **18.** sich verschlingen.
III *s* **19.** Drehung *f*, Windung *f*, Biegung *f*, Krümmung *f.* **20.** Drehung *f*, Rotati'on *f.* **21.** Geflecht *n.* **22.** Zwirnung *f.* **23.** Verflechtung *f*, Knäuel *m, n.* **24.** Verkrümmung *f*, (Gesichts)-Verzerrung *f.* **25.** *fig.* Entstellung *f*, Verdrehung *f*: to give s.th. a ~ → 12. **26.** *fig.* a) Verschrobenheit *f*, Verdrehtheit *f*, Verbogenheit *f*, b) merkwürdige Neigung (toward[s] zu), Ma'rotte *f.* **27.** *fig.* Trick *m*, ‚Dreh' *m.* **28.** *fig.* über'raschende Wendung, ‚'Knallef,fekt' *m.* **29.** *sport* a) Ef'fet *n*, b) Ef'fetball *m.* **30.** *tech.* a) Drall *m* (*Windung der Züge bei Feuerwaffen, Drehungszahl e-s Seils etc*), b) Torsi'on(swinkel *m*) *f.* **31.** Spi'rale *f*: ~ drill Spiralbohrer *m.* **32.** a) (Seiden-, Baumwoll)Twist *m*, b) Zwirn *m.* **33.** Seil *n*, Schnur *f.* **34.** Rollentabak *m.* **35.** *Bäckerei*: Kringel *m*, Zopf *m.* **36.** *sport* Schraube *f* (*beim Turmspringen etc*): ~ dive Schraube(nsprung *m*) *f.* **37.** Twist *m* (*Modetanz*). **38.** *Am. vulg.* ‚Weibsstück' *n.* '**twist·er** *s* **1.** a) Dreher(in), Zwirner(in), b) Seiler(in). **2.** *tech.* 'Zwirn-, 'Drehma,schine *f.* **3.** *sport* Ef'fetball *m.* **4.** *colloq.* ‚harte Nuß', schwierige Sache. **5.** *colloq.* ‚falscher Fuffzger', Gauner *m.* **6.** *Am.* Tor'nado *m*, Wirbel(wind) *m.* **7.** → twist 35 *u.* 36. '**twist·y** *adj* **1.** verdreht, gewunden, sich windend. **2.** *fig.* falsch, unzuverlässig.
twit [twit] *v/t* **1.** *j-n* aufziehen (with mit). **2.** *j-m* Vorwürfe machen (with wegen).
twitch [twitʃ] **I** *v/t* **1.** zupfen, zerren, reißen. **2.** zerren *od.* zupfen an (*dat*). **3.** kneifen, zwicken. **4.** zucken mit: to ~ one's lips. **II** *v/i* **5.** zucken (with vor). **6.** ziehen, zerren (at an *dat*). **III** *s* **7.** Zuckung *f*, Zucken *n.* **8.** Zerren *n*, Ruck *m.* **9.** Stich *m* (*Schmerz*). **10.** Nasenbremse *f* (*für Pferde*).
twite (finch) [twait] *s orn.* Berghänfling *m.*
twit·ter ['twitər] **I** *v/i* **1.** zwitschern (*Vögel*), zirpen (*a. Insekt*). **2.** *fig.* a) piepsen, b) (aufgeregt) schnattern. **3.** *fig.* kichern. **4.** *fig.* (vor Aufregung) zittern. **II** *v/t* **5.** *etwas* zwitschern. **III** *s* **6.** Gezwitscher *n.* **7.** *fig.* Kichern *n.* **8.** *fig.* Geschnatter *n* (*e-r Person*). **9.** *fig.* Nervosi'tät *f*: in a ~ aufgeregt.
'**twixt** [twikst] *poet. od. dial. abbr. für* betwixt.
two [tuː] **I** *s* **1.** Zwei *f* (*Zahl, Ziffer, Uhrzeit etc*). **2.** Paar *n*: the ~ die beiden, beide; the ~ of us wir beide; to put ~ and ~ together *fig.* es sich zs.-reimen, s-e Schlüsse ziehen; in (*od.* by) ~s zu zweien, zu zweit, paarweise; in ~ ~s *Br. sl.* in sehr kurzer Zeit, im Nu; ~ and ~ paarweise, zwei u. zwei; ~ can play at that game das kann ich *od.* ein anderer auch. **II** *adj* **3.** zwei: one or ~ ein oder zwei, einige; in a day or ~ in ein paar Tagen; to cut in ~ entzweischneiden. **4.** beide: the ~ cars.
'**two|,bit** *adj Am. colloq.* **1.** 25-Cent...: a ~ cigar. **2.** billig (*a. fig. contp.*). **3.** klein, unbedeutend: a ~ politician. **4.** kor'rupt. ~ **bits** *s pl Am. colloq.* **1.** Vierteldollar *m*, 25 Cent(s) *pl.* **2.** *fig.* ‚kleine Fische' *pl*, armselige Sache. '~-**by-'four** *adj* **1.** *tech.* 2 zu *od.* mal 4 (*Zoll etc*). **2.** *Am. colloq.* sehr klein, beschränkt, eng. '~-,**cy·cle** *tech.* **I** *s* Zweitakt *m.* **II** *adj* Zweitakt...: ~ engine Zweitaktmotor *m*, Zweitakter *m.* '~-,**dig·it** *adj* zweistellig: ~ figure; ~ group (*Computer*) Bigramm *n.* '~-,**edged** *adj* zweischneidig (*a. fig.*). '~-'**en·gined** *adj aer.* 'zweimo,torig. '~-'**faced** *adj* **1.** doppelgesichtig. **2.** *fig.* falsch, heuchlerisch. '~-'**fam·i·ly house** *s* 'Zweifa,milienhaus *n.* '~-'**fist·ed** *adj colloq.* **1.** *Br.* plump, tolpatschig. **2.** *Am. fig.* handfest, ro'bust.
'**two,fold** [-,fould] *adj u. adv* zweifach, doppelt.
'**two|-'four** *adj mus.* Zweiviertel... '~'**hand·ed** *adj* **1.** zweihändig. **2.** beidhändig. **3.** zweihändig (zu gebrauchen): ~ sword Zweihänder *m.* **4.** a) von zwei Per'sonen zu bedienen(d): ~ saw, b) für zwei Per'sonen: ~ game. '~-,**horse** *adj* zweispännig. '~-'**job man** *s irr* Doppelverdiener *m.* '~-,**name pa·per** *s econ. Am. colloq. Dokument mit Unterschriften von mindestens zwei Verantwortlichen.* '~-,**part time** → duple time. '~-,**par·ty sys·tem** *s pol.* Zweipar'teiensy,stem *n.* ~**·pence** ['tʌpəns] *s Br.* (Wert *m* von) zwei Pence *pl*: not to care ~ for sich nicht scheren um; he didn't care ~ es war ihm völlig egal. ~**·pen·ny** ['tʌp(ə)ni] **I** *adj* **1.** zwei Pence wert *od.* betragend, Zweipenny... **2.** *fig.* armselig, billig. **II** *s* **3.** *Br. hist.* (*Art*) Dünnbier *n.* **4.** *Br. colloq.* ‚Birne' *f* (*Kopf*). '~**·pen·ny-'half·pen·ny** ['heip(ə)ni] *adj* **1.** Zweieinhalbpenny... **2.** *fig.* mise'rabel, schäbig. '~-'**phase** *adj electr.* zweiphasig, Zweiphasen... '~-,**piece I** *s* Kom'plet *n* (*Kleidkombination*). **II** *adj* zweiteilig. '~-,**ply** *adj* **1.** doppelt (*Stoff etc*). **2.** zweischäftig (*Tau*). **3.** zweisträhnig: ~ wool. '~-,**point** *adj tech.* Zweipunkt... ~ landing *aer.* Radlandung *f.* '~-,**pole** *adj electr.* Zweipol... '~-,**pow·er stand·ard** *s mar. mil.* Zwei-Mächte-Standard *m.* '~-,**seat·er** *s aer. mot.* Zweisitzer *m.* '~-'**sid·ed** *adj* **1.** zweiseitig. **2.** *fig.* falsch, heuchlerisch. **3.** *jur. pol.* bilate'ral.
two·some ['tuːsəm] *s* **1.** *Golf etc*: Einzel(spiel) *n* (*zwischen zwei Spielern*). **2.** Tanz *m* zu zweien. **3.** Paar *n*, Pärchen *n*, Zweigespann *n.* **4.** *colloq.* Zwiegespräch *n.*
'**two|-,speed** *adj tech.* Zweigang... '~-,**spot** *s* **1.** Spielkarte *f* mit zwei Augen. **2.** *Am. colloq.* Zwei'dollarnote *f.* '~-,**stage** *adj* zweistufig: ~ rocket. '~-,**step** *s* Twostep *m* (*Tanz.*) '~-,**stroke** *adj mot.* Zweitakt... '~-'**thirds rule** *s pol. Am.* Grundsatz *m* der Zwei'drittelmehrheit. '~-,**time** *v/t bes. Am. sl. bes. den Ehepartner* hinter'gehen. '~-,**tone** *adj* zweifarbig.
'**twould** [twud] *Zs.-ziehung von* it would.
'**two|-,way** *adj* **1.** *bes. electr. tech.* Doppel..., Zweiwege...: ~ adapter (*od.* plug) Doppelstecker *m*; ~ cock Zweiwegehahn *m*; ~ communications Gegensprechen *n*, Doppelverkehr *m*; ~ television Gegensehbetrieb *m*; ~ traffic Doppel-, Gegenverkehr *m.* **2.** *fig.* gegenseitig, im Austausch. '~-,**wire** *adj electr. s. a.* **1.** Zweidraht...: ~ aerial. **2.** zweiadrig, doppeldrähtig: ~ cable.
Ty·burn ['taibə(ː)rn] *npr alte Hinrichtungsstätte in London.* ~ **tick·et** *s jur. hist. Bescheinigung für die Überführung e-s Verbrechers.* ~ **tree** *s* Galgen *m.*
ty·coon [tai'kuːn] *s* **1.** *hist.* Schogun *m*, Kronfeldherr *m* (*in Japan*). **2.** *bes. Am. colloq.* a) Indu'striema,gnat *m*, -kapi,tän *m*, b) *bes. pol.* ‚Oberbonze' *m.*
ty·ing ['taiiŋ] *pres p von* tie. '~(-'**in**) **a·gree·ment** *s econ. jur.* Kopplungsvertrag *m.*
tyke [taik] *s* **1.** Köter *m.* **2.** Lümmel *m*, Flegel *m*, Kerl *m*: (Yorkshire) ~ *Bewohner(in) von Yorkshire.* **3.** *Am. colloq.* Kindchen *n.*
ty·lo·pod ['tailo,pɒd] *zo.* **I** *adj* schwielensohlig. **II** *s* Schwielensohler *m.*
ty·lo·sis [tai'lousis] *pl* **-ses** [-siːz] *s* **1.** *med.* Schwielenbildung *f*, Ty'losis *f.* **2.** *bot.* Thylle(nbildung) *f.*
tymp [timp] *s tech.* Tümpel(stein) *m* (*e-s Hochofens*).
tym·pan ['timpən] *s* **1.** (gespannte) Mem'bran(e). **2.** *print.* Preßdeckel *m.* **3.** → tympanum 2. **4.** *mus.* (Hand)-Trommel *f.*
tym·pan·ic [tim'pænik] *adj anat.* Mittelohr..., Trommelfell...: ~ bone Paukenbein *n*; ~ cavity Paukenhöhle *f*; ~ membrane Trommelfell *n.*
tym·pa·nist ['timpənist] *s mus.* **1.** *hist.* Trommelschläger *m.* **2.** (Kessel)Pauker *m.*

tym·pa·ni·tes [ˌtimpəˈnaitiːz] *s med.* Blähsucht *f.*
tym·pa·ni·tis [ˌtimpəˈnaitis] *s med.* Mittelohrentzündung *f.*
tym·pa·no → **timpano.**
tym·pa·num [ˈtimpənəm] *s* **1.** *anat.* a) Mittelohr *n*, b) Trommelfell *n.* **2.** *arch.* Tympanon *n*: a) Giebelfeld *n*, b) Türbogenfeld *n.* **3.** *mus.* a) Trommel *f*, b) Trommelfell *n*, c) *hist.* Pauke *f.* **4.** *tech.* Tret-, Schöpfrad *n.*
Tyn·wald [ˈtinwɔːld; ˈtain-] *s pol.* Thing *n*, gesetzgebende Körperschaft (*der Isle of Man*).
typ·al [ˈtaipl] *adj* typisch, Typen...
type [taip] **I** *s* **1.** Typ(us) *m*: a) Urform *f*, b) typischer Vertreter, c) charakteˈristische Klasse, Kategoˈrie *f.* **2.** *biol.* Typus *m* (*charakteristische Gattung*). **3.** Ur-, Vorbild *n*, Muster *n*, Moˈdell *n.* **4.** *tech.* Typ *m*, Moˈdell *n*: **~ plate** Typenschild *n.* **5.** a) Art *f*, Schlag *m*, Sorte *f* (*alle a. colloq.*), b) *colloq.* ‚Kerl' *m*, ‚Type' *f*: **he is not that ~ of man** er gehört nicht zu dieser Sorte, er ist nicht der Typ; → **true** 4. **6.** *print.* a) Letter *f*, Buchstabe *m*, (Druck)-Type *f*, b) *collect.* Lettern *pl*, Schrift *f*, Druck *m*: **a headline in large ~**; **in ~** (ab)gesetzt; **to set (up) in ~** setzen. **7.** Gepräge *n* (*e-r Münze etc*; *a. fig.*). **8.** *fig.* Sinnbild *n*, Symˈbol *n* (**of** für *od. gen*). **9.** Vorˈwegnahme *f* (*bes. in der Literatur*).
II *v/t* **10.** *etwas* mit der Maˈschine (ab)schreiben, (ab)tippen: **~d** maschinegeschrieben; **typing error** Tippfehler *m.* **11.** den Typ bestimmen von (*od. gen*), *bes. med. j-s* Blutgruppe feststellen. **12.** → **typify.** **13.** → **typecast.**
III *v/i* **14.** maˈschineschreiben, tippen.
type| a·re·a *s print.* Satzspiegel *m.* **~ bar** *s* **1.** *tech.* Typenhebel *m* (*bei der Schreibmaschine*). **2.** *print.* gegossene Schriftzeile. **ˈ~ˌcast** *v/t thea. e-m Schauspieler* e-e s-m Typ entsprechende Rolle geben. **~ face** *s print.* **1.** Schriftbild *n.* **2.** Schriftart *f.* **~ found·er** *s print.* Schriftgießer *m.* **~ found·ry** *s print.* ‚Schriftgießeˈrei *f.* **~ ge·nus** *s biol.* Faˈmilientyp *m.* **ˈ~-ˌhigh** *adj u. adv print.* schrifthoch, in Schrifthöhe (*Am. 0,9186 Zoll, Br. 0,9175 Zoll*). **~ met·al** *s print.* ˈSchrift-, ˈLetternmeˌtall *n.* **~ page** *s print.* Satzspiegel *m.* **ˈ~ˌscript** *s* Maˈschinenschrift(satz *m*) *f*, maˈschinengeschriebener Text. **ˈ~ˌset·ter** *s print.* **1.** (Schrift)Setzer *m.* **2.** ˈSetzmaˌschine *f.* **ˈ~ˌset·ting** *print.* **I** *s* (Schrift)Setzen *n.* **II** *adj* Setz...: **~ machine.** **~ spe·cies** *s bot. zo.* Leitart *f.* **~ spec·i·men** *s* **1.** *biol.* Typus *m*, Origiˈnal *n.* **2.** *tech.* ˈMusterexemˌplar *n.* **ˈ~ˌwrite** *irr* **I** *v/t* → **type** 10. **II** *v/i* → **type** 14. **ˈ~ˌwrit·er** *s* **1.** ˈSchreibmaˌschine *f*: **~ ribbon** Farbband *n.* **2.** *print.* (*imitierte*) ˈSchreibmaˌschinenschrift. **3.** Maˈschinenschreiber(in). **ˈ~ˌwrit·ing** *s* **1.** Maˈschineschreiben *n.* **2.** Maˈschinenschrift *f.* **ˈ~ˌwrit·ing tel·e·graph** *s tech.* ˈFernschreibmaˌschine *f.* **ˈ~ˌwrit·ten** *adj* maˈschinegeschrieben, mit der Maˈschine geschrieben, in Maˈschinenschrift.
typh·li·tis [tifˈlaitis] *s* Blinddarmentzündung *f.*
ty·phoid [ˈtaifɔid] *med.* **I** *adj* typhusartig, tyˈphös, Typhus...: **~ bacillus** Typhuserreger *m*; **~ fever** → II. **II** *s* (ˈUnterleibs)Typhus *m.*
ty·phon·ic [taiˈfɒnik] *adj* Taifun..., taiˈfunartig. **tyˈphoon** [-ˈfuːn] *s* Taiˈfun *m.*
ty·phous [ˈtaifəs] → **typhoid.**
ty·phus [ˈtaifəs] *s med.* Fleckfieber *n*, -typhus *m.*
typ·ic [ˈtipik] *selten für* **typical.**
typ·i·cal [ˈtipikəl] *adj* (*adv* **~ly**) **1.** typisch: a) repräsentaˈtiv, b) charakteˈristisch, bezeichnend, kennzeichnend (**of** für): **to be ~ of s.th.** etwas kennzeichnen *od.* charakterisieren. **2.** symˈbolisch, sinnbildlich (**of** für). **3.** a) ur-, vorbildlich, echt, b) ˈhinweisend (**of** auf *etwas Künftiges*). **ˈtyp·i·cal·ness** *s* **1.** (*das*) Typische. **2.** Sinnbildlichkeit *f.*
typ·i·fy [ˈtipiˌfai] *v/t* **1.** typisch *od.* ein typisches Beispiel sein für, verkörpern. **2.** versinnbildlichen. **3.** vorbilden.
typ·ist [ˈtaipist] *s* Maˈschinenschreiber(in), *bes.* Stenotyˈpist(in).
ty·po [ˈtaipou] *pl* **-pos** *s colloq.* **1.** → typographer. **2.** Druckfehler *m.*
ty·pog·ra·pher [taiˈpɒgrəfər] *s print.* **1.** (Buch)Drucker *m.* **2.** (Schrift)Setzer *m.* **ˌty·poˈgraph·ic** [-pəˈgræfik] *adj* (*adv* **~ally**) **1.** typoˈgraphisch, Buchdruck(er)... **2.** → **typographical** 1. **ˌty·poˈgraph·i·cal** *adj* (*adv* **~ly**) **1.** Druck..., drucktechnisch: **~ error** Setz-, Druckfehler *m.* **2.** → **typographic** 1. **tyˈpog·ra·phy** [-fi] *s* **1.** Buchdruckerkunst *f*, Typograˈphie *f.* **2.** (Buch)Druck *m.* **3.** Druckbild *n.*
ty·po·log·i·cal [ˌtaipəˈlɒdʒikəl] *adj* typoˈlogisch. **tyˈpol·o·gy** [-ˈpɒlədʒi] *s* Typoloˈgie *f*: a) *scient.* Typenlehre *f*, b) *relig.* Vorbilderlehre *f.*
ty·po·nym [ˈtaipənim] *s biol.* Typusbezeichnung *f.*
ty·poth·e·tae [taiˈpɒθiˌtiː] *s pl* (Meister)Drucker *pl* (*in USA u. Kanada*).
ty·ran·nic [tiˈrænik] *adj*; **tyˈran·ni·cal** *adj* (*adv* **~ly**) tyˈrannisch, desˈpotisch, Tyrannen...
ty·ran·ni·cid·al [tiˌræniˈsaidl] *adj* Tyrannenmord... **tyˈran·niˌcide** [-ˌsaid] *s* **1.** Tyˈrannenmord *m.* **2.** Tyˈrannenmörder *m.*
tyr·an·nize [ˈtirəˌnaiz] **I** *v/i* tyˈrannisch sein *od.* herrschen: **to ~ over** → II. **II** *v/t* tyranniˈsieren.
ty·ran·no·saur [tiˈrænoˌsɔːr; tai-], **tyˌran·noˈsau·rus** [-rəs] *s zo.* Tyrannoˈsaurus *m.*
tyr·an·nous [ˈtirənəs] → **tyrannic.**
tyr·an·ny [ˈtirəni] *s* **1.** Tyranˈnei *f*: a) Despoˈtismus *m*, b) Gewalt-, Willkürherrschaft *f.* **2.** tyˈrannische Härte *od.* Grausamkeit. **3.** Tyranˈnei *f* (*tyrannische Handlung etc*). **4.** *antiq.* Tyˈrannis *f.*
ty·rant [ˈtai(ə)rənt] *s* Tyˈrann *m.*
tyre [tair] *bes. Br. für* **tire**[2].
ty·ro [ˈtai(ə)rou] *pl* **-ros** *s* Anfänger(in), Neuling *m.*
Ty·ro·le·an [tiˈrouliən; ˌtirəˈliːən], **Tyr·o·lese** [ˌtirəˈliːz] **I** *s* a) Tiˈroler(in), b) *pl* Tiˈroler *pl.* **II** *adj* tiˈrolisch, Tiroler(...).
Tyr·rhene [ˈtiriːn; tiˈriːn] → **Tyrrhenian.** **Tyrˈrhe·ni·an** [-ˈriːniən] **I** *adj* tyrˈrhenisch, eˈtruskisch: **~ Sea** Tyrrhenisches Meer. **II** Tyrˈrhener(in), Eˈtrusker(in).
tzar [tsɑːr; zɑːr] *etc* → **czar** *etc.*
tzi·gane [tsiˈgan], **tzi·ga·ny** [ˈtsigɑːni] **I** *adj* Zigeuner... **II** *s* Ziˈgeuner(in).

U

U, u [juː] **I** *pl* **U's, u's, Us, us** [juːz] *s* **1.** U, u *n* (*Buchstabe*). **2.** U *n*, U-förmiger Gegenstand. **3.** *Am. sl.* ‚Uni' *f*, Universiˈtät *f.* **II** *adj* **4.** U einundzwanzigst(er, e, es). **5.** U U-..., U-förmig: U-bolt Bügel- *od.* U-Bolzen *m.* **6.** U *Br.* vornehm: → **non-U.**
u·bi·e·ty [juːˈbaiiti] *s philos.* Irgendwosein *n.*
U·biq·ui·tar·i·an [juːˌbikwiˈtɛ(ə)riən] **I** *s* **1.** *relig.* Ubiquiˈtarier(in). **II** *adj* **2.** *relig.* ubiquiˈtarisch. **3.** u~ allgegenwärtig. **uˈbiq·ui·tous** *adj* (*adv* **~ly**) allgegenwärtig, (gleichzeitig) überˈall zu finden. **uˈbiq·ui·ty** *s* Allgegenwart *f.*
U-boat *s mar.* U-Boot *n*, (deutsches) [ˈUnterseeboot.]
u·dal [ˈjuːdəl] *s jur. hist. bes. Br.* Alˈlod(ium) *n*, lehnzinsfreier Besitz, Freigut *n* (*heute noch auf den Orkney- u. Shetland-Inseln*).
ud·der [ˈʌdər] *s* Euter *n.* **ˈud·der·less** *adj* **1.** euterlos. **2.** *poet.* mutterlos.
u·dom·e·ter [juːˈdɒmitər] *s meteor.* Regenmesser *m.*
ugh [uːx; uh; jux; ju] *interj* hu!, (p)äh!, pfui!
ug·li·fy [ˈʌgliˌfai] *v/t* häßlich machen, verunzieren, entstellen.
ug·li·ness [ˈʌglinis] *s* **1.** Häßlichkeit *f.* **2.** Schändlichkeit *f*, Gemeinheit *f.* **3.** ˈWiderwärtigkeit *f.* **4.** Bedrohlichkeit *f.*
ug·ly [ˈʌgli] **I** *adj* (*adv* **uglily**) **1.** häßlich, garstig (*beide a. fig.*): → **duckling.** **2.** gemein, schändlich, schmutzig: **an ~ crime.** **3.** unangenehm, ˈwiderwärtig, übel: **an ~ customer** ein unangenehmer Kerl, ‚ein übler Kunde'. **4.** bös(e), schlimm, unangenehm, gefährlich: **an ~ situation** (**wound**, *etc*). **II** *s* **5.** *colloq.* häßlicher Mensch. **6.** *Br. hist.* (*Art*) Schirm *m* (*an Damenhüten*).
U·gri·an [ˈuːgriən; ˈjuː-] **I** *adj* **1.** ugrisch. **II** *s* **2.** Ugrier(in). **3.** → Ugric I. **ˈU·gric I** *s ling.* Ugrisch *n*, das Ugrische. **II** *adj* ugrisch.
uh·lan [ˈuːlɑːn; ˈjuːlən] *s mil. hist.* Uˈlan *m.*
uit·land·er, U~ [ˈeitlændər; ˈait-] *s S. Afr.* Ausländer(in).
u·kase [juːˈkeiz; ˈjuːkeis] *s* Ukas *m*: a) *hist.* (zaˈristischer) Erlaß, b) *fig.* Verordnung *f*, Befehl *m.*
U·krain·i·an [juːˈkreiniən] **I** *adj* **1.** ukraˈinisch. **II** *s* **2.** Ukraˈiner(in). **3.** *ling.* Ukraˈinisch *n*, das Ukrainische.
u·ku·le·le [ˌjuːkəˈleili] *s mus.* Ukuˈlele *n* (*viersaitige Hawaiigitarre*).
ul·cer [ˈʌlsər] *s* **1.** *med.* (*Magen- etc*)-Geschwür *n*: **gastric ~.** **2.** *fig.* a) Geschwür *n*, (Eiter)Beule *f*, b) Schandfleck *m.* **ˈul·cerˌate** [-ˌreit] **I** *v/t* **1.** *med.* eitern *od.* schwären lassen: **~d** eitrig, vereitert. **2.** *fig.* vergiften, -derben. **II** *v/i* **3.** *med.* geschwürig werden, schwären. **ˌul·cerˈa·tion** *s med.* Geschwür(bildung *f*) *n*, Schwären *n*,

(Ver)Eiterung *f.* **'ul·cer,a·tive** *adj med.* **1.** geschwürig, Geschwür(s)... **2.** Geschwür(e) her'vorrufend. **'ul·cer·ous** *adj* (*adv* ~ly) **1.** *med.* a) geschwürig, eiternd, b) Geschwür(s)..., Eiter... **2.** *fig.* kor'rupt, giftig.
u·le·ma ['uːli,mɑː; ,uːlə'mɑː] *s pl collect.* Ule'mas *pl* (*im Islam Vertreter der theologischen Gelehrsamkeit u. Rechtsprechung*).
u·lig·i·nous [ju'lidʒənəs] *adj* **1.** *bot.* Sumpf... **2.** sumpfig, mo'rastig.
ul·lage ['ʌlidʒ] *s econ.* Schwund *m*: a) Lec'kage *f*, Flüssigkeitsverlust *m*, b) Gewichtsverlust *m.*
ul·ma·ceous [ʌl'meiʃəs] *adj bot.* Ul-[men...]
ul·na ['ʌlnə] *pl* **-nae** [-niː] *s anat.* Elle *f.* **'ul·nar** *adj* Ellen...
ul·ster ['ʌlstər] *s* Ulster(mantel) *m.*
ul·te·ri·or [ʌl'ti(ə)riər] *adj* **1.** (*räumlich*) jenseitig: ~ **region. 2.** später (folgend), (zu)künftig, ferner, weiter, anderweitig: ~ **action. 3.** *fig.* tiefer(liegend), versteckt, -borgen: ~ **motives** tiefere Beweggründe, Hintergedanken.
ul·ti·mate ['ʌltimit] **I** *adj* **1.** äußerst(er, e, es), (aller)letzt(er, e, es): **his** ~ **goal** sein höchstes Ziel; ~ **consumer** (*od.* **user**) *econ.* Endverbraucher *m.* **2.** entferntest(er, e, es), entlegenst(er, e, es). **3.** schließlich, endlich, endgültig: ~ **result** Endergebnis *n.* **4.** grundlegend, elemen'tar, Grund...: ~ **analysis** *chem.* Elementaranalyse *f*; ~ **fact** *jur.* beweiserhebliche Tatsache; ~ **truths** Grundwahrheiten. **5.** *phys. tech.* Höchst..., Grenz...: ~ **strength** End-, Bruchfestigkeit *f.* **II** *s* **6.** (*das*) Letzte, (*das*) Äußerste. **7.** (*der*) Gipfel (in an *dat*). **'ul·ti·mate·ly** *adv* schließlich, endlich, letzten Endes, im Grunde.
ul·ti·ma·tum [,ʌlti'meitəm] *pl* **-tums, -ta** [-tə] *s* **1.** *pol. u. fig.* Ulti'matum *n* (to an *acc*): **to deliver an** ~ **to s.o.** j-m ein Ultimatum stellen. **2.** äußerste Grenze, Endziel *n.* **3.** 'Grundprin,zip *n.*
ul·ti·mo ['ʌlti,mou] (*Lat.*) *adv econ.* vom letzten Monat, letzten *od.* vorigen Monat(s). **,~'gen·i·ture** *s jur.* Erbfolge *f* des jüngsten Sohnes.
Ul·to·ni·an [ʌl'touniən] **I** *adj* (*die irische Provinz*) Ulster betreffend, von Ulster. **II** *s* Bewohner(in) von Ulster.
ul·tra ['ʌltrə] **I** *adj* **1.** ex'trem, radi'kal, Erz..., Ultra... **2.** 'übermäßig, über'trieben, ultra..., super... **II** *s* **3.** Extre'mist *m*, Ultra *m.*
ultra- [ʌltrə] *Wortelement mit den Bedeutungen* a) jenseits (liegend), b) übersteigend, c) übermäßig.
,ul·tra-'au·dible *adj phys.* 'überhörfre,quent.
,ul·tra·con'serv·a·tive I *adj* 'ultrakonserva,tiv. **II** *s* 'Ultrakonserva,tive(r *m*) *f.*
ul·tra·fax ['ʌltrə,fæks] (*TM*) *s* Ultrafax *n* (*schnellarbeitendes Bildfunkverfahren*).
'ul·tra'high fre·quen·cy *s electr.* Ultra'hochfre,quenz *f*, Dezi'meterwelle *f.* **'ul·tra'high-'fre·quen·cy** *adj* Ultrahochfrequenz..., Dezimeter...
ul·tra·ism ['ʌltrə,izəm] *s* Radika'lismus *m*, Ultra'ismus *m.* **'ul·tra·ist** → ultra 3.
,ul·tra·ma'rine I *adj* **1.** 'überseeisch. **2.** *chem. paint.* ultrama'rin: ~ **blue** → 3. **II** *s chem.* **3.** Ultrama'rin(blau) *n.* **4.** A'zur-, La'surblau *n.*
,ul·tra,mi·cro'chem·is·try *s chem.* 'Ultramikroche,mie *f.*
,ul·tra'mi·cro,scope *s phys.* 'Ultramikro,skop *n.*
,ul·tra'mod·ern *adj* 'hypermo,dern. **,ul·tra'mod·ern,ism** *s* 'Ultramoder,nismus *m.*
,ul·tra'mon·tane I *adj* **1.** jenseits der Berge (gelegen *od.* lebend). **2.** südlich der Alpen (gelegen *od.* lebend), itali'enisch. **3.** *pol. relig.* ultramon'tan, streng päpstlich. **II** *s* → **ultramontanist. ,ul·tra'mon·ta·nist** *s pol. relig.* Ultramon'tane(r *m*) *f.*
,ul·tra'mun·dane *adj* 'überweltlich.
,ul·tra'na·tion·al *adj* 'ultranatio,nal.
,ul·tra'rap·id *adj phot.* lichtstark.
,ul·tra'red *adj* ultrarot.
,ul·tra-'short wave *s electr.* Ultra'kurzwelle *f*, UK'W *n.*
ul·tra·some ['ʌltrə,soum] *s biol.* Ultra'som *n.*
,ul·tra'son·ic *phys.* **I** *adj* Ultra-, Überschall... **II** *s pl* (*als sg konstruiert*) (Lehre *f* vom) Ultraschall *m.*
'ul·tra,sound *s phys.* 'Überschall(wellen *pl*) *m.*
,ul·tra'vi·o·let *adj phys.* 'ultravio,lett.
ul·tra vi·res ['vai(ə)riːz] (*Lat.*) *adv u. pred adj jur.* über j-s Macht *od.* Befugnisse (hin'ausgehend).
ul·u·lant ['juːljulənt] *adj* heulend, wehklagend. **'ul·u,late** [-,leit] *v/i* heulen. **,ul·u'la·tion** *s* Heulen *n*, Geheul *n.*
um·bel ['ʌmbəl; -bel] *s bot.* Dolde *f.* **'um·bel·late** [-lit; -,leit], **'um·bel,lat·ed** [-,leitid] *adj* doldenblütig, Dolden... **um'bel·li·fer** [-'belifər] *s* Doldengewächs *n.* **,um·bel'lif·er·ous** [-bə'lifərəs] *adj* doldenblütig, -tragend. **um·bel·lule** [ʌm'beljuːl] *s* Döldchen *n.*
um·ber[1] ['ʌmbər] **I** *s* **1.** *min.* Umber(erde *f*) *m*, Umbra *f.* **2.** Umber *m*, Berg-, Dunkelbraun *n* (*Farbe*). **II** *adj* **3.** dunkelbraun. **III** *v/t* **4.** mit Umbra färben.
um·ber[2] ['ʌmbər] *s ichth.* Äsche *f.*
um·bil·i·cal [ʌm'bilikəl; *a.* ,ʌmbi'laikəl] *adj anat.* Nabel...: ~ **cord** Nabelschnur *f.* **um'bil·i·cate** [-kit; -,keit] *adj med.* **1.** genabelt. **2.** nabelförmig (eingedellt). **um·bil·i·cus** [ʌm'bilikəs; ʌmbi'laikəs] *pl* **-cus·es** *s* **1.** *anat.* Nabel *m.* **2.** (nabelförmige) Delle. **3.** *bot.* (Samen)Nabel *m.* **4.** *math.* Nabelpunkt *m.*
um·bo ['ʌmbou] *pl* **-bo·nes** [-'bouniːz], **-bos** *s* **1.** *hist.* (Schild)Buckel *m.* **2.** (Vor)Wölbung *f*, Höcker *m*: a) *anat.* Nabel *m* (*des Trommelfells*), b) *zo.* Umbo *m*, Schalenwirbel *m* (*bei Muscheln*). **'um·bo·nate** [-nit; -,neit] *adj* gebuckelt, vorgewölbt.
um·bra ['ʌmbrə] *pl* **-brae** [-briː] *s* **1.** Schatten *m.* **2.** *astr.* a) Kernschatten *m*, b) Umbra *f* (*dunkler Kern e-s Sonnenflecks*).
um·brage ['ʌmbridʒ] *s* **1.** Anstoß *m*, Ärgernis *n*: **to give** ~ Anstoß erregen (to s.o. bei j-m); **to take** ~ **at** Anstoß nehmen an (*dat*). **2.** (*schattenspendendes*) Laubwerk. **3.** *obs.* Schatten *m.* **4.** *fig.* Andeutung *f.* **um'bra·geous** [-'breidʒəs] *adj* (*adv* ~ly) **1.** schattig, schattenspendend, -reich. **2.** *fig.* empfindlich, übelnehmerisch.
um·bral ['ʌmbrəl] *adj* **1.** Schatten... **2.** *astr.* a) Kernschatten..., b) Umbra...
um·brel·la [ʌm'brelə] *s* **1.** (Regen-, Sonnen- *etc*)Schirm *m*: **to put up an** ~ e-n Schirm aufspannen; ~ **stand** Schirmständer *m*; ~ **tent** Hauszelt *n.* **2.** *aer.* (geöffneter) Fallschirm. **3.** *zo.* Schirm *m*, Glocke *f* (*der Quallen*). **4.** *mil.* a) *aer.* Jagdschutz *m*, Abschirmung *f*, b) *a.* ~ **barrage** Feuervorhang *m*, -glocke *f.* **5.** *fig.* a) Schirm *m*, Schutz *m*, b) Rahmen *m*: **to get** (*od.* **put**) **under one** ~ unter 'einen Hut bringen; ~ **phrase** allumfassender Ausdruck. **um'brel·la'd, um'brel·laed** *adj* beschirmt, mit e-m Schirm bewaffnet.
Um·bri·an ['ʌmbriən] **I** *adj* **1.** umbrisch. **II** *s* **2.** Umbrer(in). **3.** *ling.* Umbrisch *n*, das Umbrische.
u·mi·ak ['uːmi,æk] *s* Umiak *m, n* (*Boot der Eskimofrauen*).
um·laut ['umlaut] *ling.* **I** *s* **1.** 'Umlaut *m.* **2.** 'Umlautzeichen *n.* **II** *v/t* **3.** 'umlauten.
um·pire ['ʌmpair] **I** *s* **1.** *sport etc* Schiedsrichter *m*, 'Unpar,teiische(r) *m.* **2.** *jur.* Obmann *m* e-s Schiedsgerichts. **II** *v/t* **3.** als Schiedsrichter leiten. **4.** (*durch Schiedsspruch*) schlichten *od.* entscheiden. **III** *v/i* **5.** Schiedsrichter sein. **'um·pire,ship** *s* Schiedsrichteramt *n.*
ump·teen ['ʌmp'tiːn] *adj sl.* ‚zig' (*viele*): ~ **times** x-mal. **'ump'teenth** [-'tiːnθ], *a.* **'ump·ti·eth** [-tiiθ] *adj sl.* ‚zigst(er, e, es)', (*der, die, das*) 'sound-so'vielte.
'un [ən] *pron colloq. für* **one** III: **that's a good** ~ das ist ein guter Witz; **he's a tough** ~ er ist ein ‚harter Knochen'.
un-[1] [ʌn] *Vorsilbe mit verneinender Bedeutung, entsprechend den deutschen Vorsilben* Un..., un..., nicht..., Nicht...
un-[2] [ʌn] *Vorsilbe mit umkehrender od. privativer Bedeutung, entsprechend den deutschen Vorsilben* ent..., los..., auf..., ver... *etc* (*bei Verben*).
,un·a'bashed *adj* **1.** unverfroren. **2.** furchtlos, unerschrocken.
,un·a'bat·ed *adj* unvermindert. **,un·a'bat·ing** *adj* unablässig, anhaltend.
,un·ab'bre·vi,at·ed *adj* ungekürzt.
un'a·ble *adj* **1.** unfähig, außer'stande, nicht in der Lage (to do zu tun): **to be** ~ **to work** nicht arbeiten können, arbeitsunfähig sein; ~ **to pay** zahlungsunfähig. **2.** untauglich, ungeeignet (for für). **3.** schwach, hilflos.
,un·a'bridged *adj* ungekürzt.
un·ac·cent·ed [,ʌnæk'sentid; ʌn'æksentid] *adj* unbetont.
,un·ac'cept·a·ble *adj* **1.** unannehmbar (to für). **2.** (to) unerwünscht, unangenehm (*dat*), untragbar (für).
,un·ac'com·mo,dat·ing *adj* ungefällig, unnachgiebig.
,un·ac'com·pa·nied *adj* unbegleitet, ohne Begleitung (*a. mus.*), al'lein.
,un·ac'com·plished *adj* **1.** 'unvoll,endet, unfertig. **2.** *fig.* ungebildet.
,un·ac,count·a'bil·i·ty *s* **1.** Nichtverantwortlichkeit *f.* **2.** Unerklärbarkeit *f.* **,un·ac'count·a·ble** *adj* **1.** nicht verantwortlich. **2.** unerklärlich, seltsam. **,un·ac'count·a·bly** *adv* unerklärlicherweise.
,un·ac'count·ed-,for *adj* unerklärt (geblieben), nicht belegt.
,un·ac'cred·it·ed *adj* unbeglaubigt, nicht akkredi'tiert.
,un·ac'cus·tomed *adj* **1.** ungewohnt, fremd. **2.** nicht gewöhnt (to an *acc*).
,un·a'chiev·a·ble *adj* unausführbar, unerreichbar.
,un·ac'knowl·edged *adj* **1.** nicht anerkannt, uneingestanden. **2.** unbestätigt (*Brief etc*).
,un·ac'quaint·ed *adj* (with) unerfahren (in *dat*), nicht vertraut (mit), unkundig (*gen*): **to be** ~ **with s.th.** etwas nicht kennen, mit e-r Sache nicht vertraut sein.
un'act·a·ble *adj* nicht bühnengerecht, unaufführbar. **un'act·ed** *adj thea.* nicht aufgeführt: ~ **plays.**
,un·a,dapt·a'bil·i·ty *s* Unanpaßbar-

keit *f*, Unanwendbarkeit *f*, Ungeeignetsein *n*, Ungeeignetheit *f*. **ˌun·a'dapt·a·ble** *adj* **1.** nicht anpassungsfähig (to an *acc*). **2.** nicht anwendbar (to auf *acc*). **3.** ungeeignet (for, to für, zu). **ˌun·a'dapt·ed** *adj* **1.** nicht angepaßt (to *dat od.* an *acc*). **2.** ungeeignet, nicht eingerichtet (to für).

ˌun·ad'dressed *adj* nicht adres'siert, ohne Anschrift: ~ **letters**.

ˌun·ad'just·ed *adj* **1.** *bes. psych.* nicht angepaßt (to *dat od.* an *acc*). **2.** ungeregelt, unerledigt.

ˌun·a'dorned *adj* schmucklos, schlicht.

ˌun·a'dul·terˌat·ed *adj* unverfälscht, rein, echt.

ˌun·ad'ven·tur·ous *adj* **1.** ohne Unter'nehmungsgeist. **2.** ereignislos: ~ **journey**.

ˌun·adˌvis·a'bil·i·ty *s* Unratsamkeit *f*. **ˌun·ad'vis·a·ble** *adj* unratsam, nicht ratsam *od.* empfehlenswert. **ˌun·ad'vised** *adj* **1.** unberaten. **2.** unbesonnen, 'unüberˌlegt. **ˌun·ad'vis·ed·ly** [-zidli] *adv*.

ˌun·af'fect·ed *adj* (*adv* ~**ly**) **1.** ungekünstelt, na'türlich, nicht affek'tiert (*Stil, Auftreten etc*). **2.** echt, aufrichtig. **3.** unberührt, ungerührt, unbeeinflußt, unbeeindruckt (by von). **ˌun·af'fect·ed·ness** *s* Unbefangenheit *f*, Na'türlichkeit *f*, Aufrichtigkeit *f*.

ˌun·a'fraid *adj* unerschrocken, nicht bange (of vor *dat*).

ˌun·ag'gres·sive *adj* nicht aggres'siv, friedfertig.

un'aid·ed *adj* **1.** ohne Unter'stützung *od.* Hilfe (by von), (ganz) al'lein. **2.** unbewaffnet, bloß: ~ **eye**.

un'aired *adj* **1.** un(aus)gelüftet: ~ **room**. **2.** ungetrocknet, feucht: ~ **laundry**.

ˌun·a'larmed *adj* nicht beunruhigt. **ˌun·a'larm·ing** *adj* nicht beunruhigend.

un'al·ien·a·ble *adj* (*adv* **unalienably**) unveräußerlich.

ˌun·al'lied *adj* **1.** unverbunden. **2.** unverbündet, ohne Verbündete. **3.** *biol. etc* nicht verwandt.

ˌun·al'low·a·ble *adj* unzulässig, unerlaubt.

ˌun·al'loyed *adj* **1.** *chem.* unvermischt, 'unleˌgiert. **2.** *fig.* a) ungemischt, ungetrübt, b) rein, lauter: ~ **happiness**.

ˌun·al'lur·ing *adj* nicht verlockend, reizlos.

unˌal·ter·a'bil·i·ty *s* Unveränderlichkeit *f*. **un'al·ter·a·ble** *adj* (*adv* **unalterably**) unveränderlich, unabänderlich. **un'al·tered** *adj* unverändert.

ˌun·a'mazed *adj* nicht verwundert: to be ~ at sich nicht wundern über (*acc*).

ˌun·am'big·u·ous *adj* (*adv* ~**ly**) unzweideutig, eindeutig. **ˌun·am'big·u·ous·ness** *s* Eindeutigkeit *f*.

ˌun·am'bi·tious *adj* (*adv* ~**ly**) **1.** nicht ehrgeizig, ohne Ehrgeiz. **2.** (*von Dingen*) anspruchslos, schlicht.

ˌun·a'me·na·ble *adj* **1.** unzugänglich (to *dat od.* für). **2.** nicht verantwortlich (to gegen'über *dat*).

ˌun·a'mend·ed *adj* unverbessert, nicht abgeändert, nicht ergänzt.

ˌun-A'mer·i·can *adj* **1.** 'unameriˌkanisch. **2.** *pol. Am.* 'antiameriˌkanisch: ~ **activities** staatsfeindliche Umtriebe.

unˌa·mi·a'bil·i·ty *s* Unliebenswürdigkeit *f*, Unfreundlichkeit *f*. **un'a·mi·a·ble** *adj* unliebenswürdig, unfreundlich. **un'a·mi·a·ble·ness** → **unamiability**.

ˌun·a'mus·ing *adj* (*adv* ~**ly**) nicht unter'haltsam, unergötzlich, langweilig.

un'an·aˌlyz·a·ble *adj* nicht analy'sierbar, unzerlegbar, 'undefiˌnierbar.

un'an·iˌmat·ed *adj* **1.** leblos: a) unbelebt, b) *fig.* fade, langweilig. **2.** ruhend: ~ **picture**.

u·na·nim·i·ty [ˌjuːnə'nimiti] *s* Einstimmigkeit *f*, Einmütigkeit *f*. **u'nan·i·mous** [-'næniməs] *adj* (*adv* ~**ly**) **1.** einmütig, einig. **2.** einstimmig: a ~ **vote**.

ˌun·an'nealed *adj metall.* ungetempert.

ˌun·an'nounced *adj* unangemeldet, unangekündigt.

un'an·swer·a·ble *adj* **1.** nicht zu beantworten(d). **2.** 'unwiderˌlegbar. **3.** nicht verantwortlich *od.* haftbar. **un'an·swered** *adj* **1.** unbeantwortet, unerwidert. **2.** 'unwiderˌlegt.

ˌun·an'tic·iˌpat·ed *adj* 'unvorˌhergesehen, unerwartet.

ˌun·ap'palled *adj* unerschrocken.

ˌun·ap'peal·a·ble *adj jur.* nicht berufungsfähig, unanfechtbar.

ˌun·ap'peas·a·ble *adj* **1.** nicht zu besänftigen(d), unversöhnlich. **2.** nicht zu'friedenzustellen(d), unersättlich.

un'ap·peˌtiz·ing *adj* 'unappeˌtitlich.

ˌun·ap'plied *adj* nicht angewandt *od.* gebraucht: ~ **funds** totes Kapital.

ˌun·ap'pre·ci·a·ble → **inappreciable**. **ˌun·ap'pre·ciˌat·ed** *adj* nicht gebührend gewürdigt *od.* geschätzt, unbeachtet. **ˌun·ap'pre·ci·a·tive** → **inappreciative**.

ˌun·ap·pre'hen·sive *adj* **1.** nicht begreifend. **2.** unbekümmert, furchtlos.

ˌun·ap'proach·a·ble *adj* (*adv* **unapproachably**) unnahbar.

ˌun·ap'pro·priˌat·ed *adj* **1.** nicht in Besitz genommen, herrenlos. **2.** nicht verwendet *od.* gebraucht. **3.** *econ.* nicht zugeteilt, keiner bestimmten Verwendung zugeführt (*Gelder etc*).

ˌun·ap'proved *adj* ungebilligt, nicht genehmigt.

un'apt *adj* (*adv* ~**ly**) **1.** ungeeignet, untauglich (for für, zu). **2.** unzutreffend, unpassend: an ~ **comparison**. **3.** nicht geeignet (to do zu tun). **4.** ungeschickt (at bei, in *dat*).

un'ar·gued *adj* **1.** unbesprochen, nicht disku'tiert. **2.** unbestritten.

un'armed *adj* **1.** unbewaffnet. **2.** *mil.* unscharf (*Munition*).

un'ar·mo(u)red *adj* **1.** *bes. mar. mil.* ungepanzert. **2.** *tech.* nichtbewehrt: ~ **cable**.

ˌun·ar'tis·tic *adj* (*adv* ~**ally**) unkünstlerisch.

u·na·ry ['juːnəri] *adj chem. phys.* einstoffig, Einstoff...

ˌun·as·cer'tain·a·ble *adj* nicht feststellbar *od.* zu ermitteln(d). **ˌun·as·cer'tained** *adj* nicht sicher festgestellt, unermittelt.

ˌun·a'shamed *adj* **1.** nicht beschämt. **2.** schamlos. **ˌun·a'sham·ed·ly** [-idli] *adv*.

un'asked *adj* **1.** ungefragt. **2.** ungebeten, unaufgefordert.

ˌun·as'pir·ing *adj* ohne Ehrgeiz, anspruchslos, bescheiden.

ˌun·as'sail·a·ble *adj* **1.** unangreifbar (*a. fig.*). **2.** *fig.* unanfechtbar, 'unwiderˌleglich.

ˌun·as'sign·a·ble *adj* **1.** nicht zuzuschreiben(d) (to *dat*). **2.** *jur.* nicht über'tragbar, unabtretbar.

ˌun·as'sim·i·la·ble *adj* nicht assimi'lierbar, nicht angleichungsfähig.

ˌun·as'sist·ed *adj* (*adv* ~**ly**) ohne Hilfe *od.* Unter'stützung, selbständig.

ˌun·as'sum·ing *adj* (*adv* ~**ly**) anspruchslos, bescheiden.

ˌun·as'sured *adj* **1.** unsicher, ohne Zuversicht. **2.** *econ.* nicht versichert.

ˌun·at'tached *adj* **1.** nicht befestigt (to an *dat*). **2.** nicht gebunden, unabhängig. **3.** ungebunden, frei, ledig. **4.** *ped. univ.* ex'tern, keinem College angehörend (*Student*). **5.** *mil.* zur Disposi'ti'on stehend. **6.** *jur.* nicht mit Beschlag belegt.

ˌun·at'tain·a·ble *adj* unerreichbar.

ˌun·at'tempt·ed *adj* unversucht.

ˌun·at'tend·ed *adj* **1.** unbegleitet, ohne Begleitung. **2.** *meist* ~ to unbeaufsichtigt, vernachlässigt.

ˌun·at'test·ed *adj* **1.** unbezeugt, unbestätigt. **2.** *Br.* (behördlich) nicht über'prüft.

ˌun·at'trac·tive *adj* wenig anziehend, reizlos, 'uninteresˌsant.

ˌun·au'then·tic *adj* nicht au'thentisch, unverbürgt, unecht. **ˌun·au'then·tiˌcat·ed** *adj* unverbürgt, unbeglaubigt.

un'au·thorˌized *adj* **1.** nicht autori'siert *od.* bevollmächtigt, unbefugt: ~ **person** Unbefugte(r *m*) *f*. **2.** unerlaubt: ~ **reprint** unberechtigter Nachdruck.

ˌun·a'vail·a·ble *adj* (*adv* **unavailably**) **1.** nicht verfügbar *od.* vor'handen *od.* erreichbar. **2.** unbrauchbar: ~ **energy** *phys.* Verlustenergie *f*. **3.** → **unavailing**. **ˌun·a'vail·ing** *adj* frucht-, nutzlos, vergeblich.

ˌun·a'void·a·ble *adj* (*adv* **unavoidably**) **1.** unvermeidlich. **2.** *jur.* 'unumˌstößlich, unanfechtbar.

ˌun·a'vowed *adj* uneingestanden, nicht eingestanden. **ˌun·a'vow·ed·ly** [-idli] *adv*.

ˌun·a'wak·ened *adj* **1.** ungeweckt. **2.** *fig.* unerweckt, schlafend: ~ **feelings**.

ˌun·a'ware *adj* **1.** (of) nicht gewahr (*gen*), in Unkenntnis (*gen*): to be ~ of s.th. sich e-r Sache nicht bewußt sein, etwas nicht wissen *od.* bemerken. **2.** nichtsahnend, ahnungslos: he was ~ that er ahnte nicht, daß. **ˌun·a'wares** *adv* **1.** unabsichtlich, versehentlich: → **entertain** 2. **2.** unerwartet, unvermutet, unversehens: to catch (*od.* take) s.o. ~ j-n überraschen; at ~ unverhofft, überraschend.

un'backed *adj* **1.** ohne Rückhalt *od.* Unter'stützung. **2.** an ~ horse ein Pferd, auf das nicht gesetzt wurde. **3.** *econ.* ungedeckt, nicht indos'siert (*Scheck etc*). **4.** nicht zugeritten (*Pferd*).

un'bag *v/t* (aus e-m Sack *etc*) ausschütten, her'ausnehmen, -lassen.

un'baked *adj* **1.** ungebacken. **2.** *fig.* unreif.

un'bal·ance I *v/t* **1.** aus dem Gleichgewicht bringen (*a. fig.*). **2.** *fig.* in Unordnung bringen, 'umwerfen. **II** *s* **3.** Gleichgewichtsstörung *f*. **4.** *fig.* Unausgeglichenheit *f*. **5.** *electr. tech.* Unwucht *f*, 'Unsymmeˌtrie *f*. **un'bal·anced** *adj* **1.** aus dem Gleichgewicht gebracht, nicht im Gleichgewicht (befindlich). **2.** *fig.* unausgeglichen. **3.** *fig.* gestört (*Geist*): of ~ mind geistesgestört. **4.** *econ.* unausgeglichen, nicht sal'diert: ~ **budget**. **5.** *electr.* 'unsymˌmetrisch: ~ **voltage**.

un'bale *v/t* aus Ballen auspacken.

un'bal·last *v/t mar. das Schiff* von Ballast befreien. **un'bal·last·ed** *adj* **1.** *mar.* ohne Ballast. **2.** *fig.* unstet, schwankend.

ˌun·bap'tized *adj* ungetauft.

un'bar *v/t* aufriegeln, -schließen.

un'bear·a·ble *adj* (*adv* **unbearably**) unerträglich.

un'beard·ed *adj* bartlos.

un'beat·en *adj* **1.** ungeschlagen, unbesiegt. **2.** 'unüberˌtroffen: ~ **record**. **3.** unerforscht: ~ **region**.

un'beau·ti·ful *adj* unschön.

ˌun·be'com·ing *adj* (*adv* ~**ly**) **1.** un-

kleidsam: this hat is ~ to him dieser Hut steht ihm nicht. **2.** *fig.* unpassend, unschicklich, ungehörig (of, to für *j-n*). **ˌun·beˈcom·ing·ness** *s* **1.** Unkleidsamkeit *f.* **2.** Unschicklichkeit *f.*
ˌun·beˈfit·ting → unbecoming 2.
ˌun·beˈfriend·ed *adj* **1.** ohne Freund(e), freundlos. **2.** hilflos.
ˌun·beˈgot·ten *adj* **1.** (noch) nicht erzeugt *od.* gezeugt. **2.** ungezeugt, ewig.
ˌun·beˈknown, *colloq.* **ˌun·beˈknownst** *adj u. adv* **1.** (to) ohne (*j-s*) Wissen. **2.** unbekannt(erweise).
ˌun·beˈlief *s* Unglaube *m,* Ungläubigkeit *f,* Zweifel *m.*
ˌun·beˈliev·a·ble *adj* (*adv* unbelievably) unglaublich. **ˌun·beˈliev·er** *s* Ungläubige(r *m*) *f*: a) Zweifler(in), b) *relig.* Glaubenslose(r *m*) *f.* **ˌun·beˈliev·ing** *adj* (*adv* ~ly) ungläubig.
ˌun·beˈloved *adj* ungeliebt.
unˈbelt *v/t* **1.** entgürten. **2.** *Schwert etc* aus dem Gurt nehmen, losschnallen.
unˈbend *irr* **I** *v/t* **1.** *e-n Bogen, a. fig. den Geist* entspannen: to ~ a bow (the mind). **2.** geradebiegen, glätten. **3.** (aus)strecken. **4.** *mar.* a) *Tau, Kette etc* losmachen, b) *Segel* abschlagen. **II** *v/i* **5.** sich entspannen, sich lösen. **6.** *fig.* s-e Förmlichkeit ablegen, ‚auftauen', freundlich(er) werden, aus sich herˈausgehen. **unˈbend·ing** *adj* (*adv* ~ly) **1.** unbiegsam. **2.** *fig.* unbeugsam, entschlossen. **3.** *fig.* a) reserˈviert, steif, b) ‚aufgeknöpft', gelöst.
ˌun·beˈseem·ing → unbecoming 2.
ˌun·beˈsought → unbid(den).
unˈbi·as(s)ed *adj* (*adv* ~ly) *fig.* unbefangen, unbeeinflußt, ˈunparˌteiisch, vorurteilslos, sachlich.
unˈbid(·den) *adj* ungebeten: a) ungeheißen, unaufgefordert, b) ungeladen: ~ guests.
unˈbind *v/t irr* **1.** *j-n* losbinden, befreien. **2.** lösen: to ~ a knot (one's hair, *etc*).
unˈblam·a·ble *adj* (*adv* unblamably) untadelig, unschuldig.
unˈbleached *adj* ungebleicht.
unˈblem·ished *adj bes. fig.* unbefleckt, makellos.
unˈblend·ed *adj* ungemischt, rein.
unˈblink·ing *adj* (*adv* ~ly) unerschrocken.
unˈblood·ed *adj* nicht reinrassig: ~ horse.
unˈblush·ing *adj* (*adv* ~ly) schamlos.
unˈbod·ied *adj* **1.** körperlos, unkörperlich. **2.** entkörpert, vom Körper befreit.
unˈbolt *v/t* aufriegeln, öffnen.
unˈbolt·ed[1] *adj* unverriegelt.
unˈbolt·ed[2] *adj* ungebeutelt, ungesiebt: ~ flour.
unˈbook·ish *adj* **1.** nicht belesen, ungelehrt. **2.** ˈunpeˌdantisch.
unˈboot I *v/t j-m* die Stiefel ausziehen. **II** *v/i* sich die Stiefel ausziehen.
unˈborn *adj* **1.** (noch) ungeboren. **2.** *fig.* (zu)künftig.
unˈbos·om I *v/t* enthüllen, offenˈbaren (to *dat*): to ~ o.s. to → II. **II** *v/i* ~ to sich (*j-m*) anvertrauen *od.* offenˈbaren, (*j-m*) sein Herz ausschütten.
unˈbought *adj* nicht gekauft.
unˈbound *adj* **1.** *fig.* ungebunden, frei. **2.** ungebunden, broˈschiert, ohne Einband: ~ books.
unˈbound·ed *adj* (*adv* ~ly) **1.** unbegrenzt. **2.** *fig.* grenzen-, schrankenlos.
unˈbowed *adj fig.* ungebeugt, ungebrochen.
unˈbox *v/t* **1.** auspacken. **2.** *Pferde* aus der Box nehmen.
unˈbrace *v/t* **1.** lösen, losschnallen. **2.** (o.s. sich) entspannen (*a. fig.*). **3.** schwächen.
unˈbreak·a·ble *adj* unzerbrechlich.
unˈbrib·a·ble *adj* unbestechlich.
unˈbri·dle *v/t* **1.** *das Pferd* abzäumen. **2.** *fig.* lösen. **unˈbri·dled** *adj* **1.** ab-, ungezäumt. **2.** *fig.* ungezügelt, zügellos.
unˈbroke *obs. od. dial. für* unbroken.
unˈbro·ken *adj* **1.** ungebrochen (*a. fig. Eid, Versprechen, etc*), unzerbrochen, heil, ganz. **2.** ˈununterˌbrochen, ungestört: ~ peace; ~ line *math.* durch- *od.* ausgezogene Linie. **3.** ungezähmt, nicht zugeritten: ~ horse. **4.** unbeeinträchtigt, unvermindert. **5.** *agr.* ungepflügt. **6.** ungebrochen, ˈunüberˌtroffen: ~ record.
unˈbroth·er·ly *adj* unbrüderlich.
unˈbuck·le *v/t* **1.** auf-, losschnallen. **2.** *fig.* lösen.
unˈbuilt *adj* **1.** (noch) nicht gebaut. **2.** *a.* ~-on unbebaut (*Gelände*).
unˈbur·den *v/t* **1.** *bes. fig.* entlasten, von e-r Last befreien, erleichtern: to ~ one's conscience; to ~ o.s. (to s.o.) (*j-m*) sein Herz ausschütten. **2.** a) sich *e-r Sache* entledigen, *ein Geheimnis etc* loswerden, b) *fig.* bekennen, beichten: to ~ one's sins; to ~ one's troubles to s.o. s-e Sorgen bei j-m abladen.
unˈbur·ied *adj* unbegraben.
unˈburned, unˈburnt *adj* **1.** unverbrannt. **2.** ungebrannt (*Ziegel etc*).
unˈbur·y *v/t* ausgraben (*a. fig. ans Licht bringen*).
unˈbusi·nessˌlike *adj* unkaufmännisch, nicht geschäftsmäßig, unsachlich.
unˈbut·ton *v/t* aufknöpfen. **unˈbut·toned** *adj fig.* gelöst, zwanglos, ‚aufgeknöpft'.
unˈcage *v/t* aus dem Käfig lassen, freilassen (*a. fig.*).
unˈcal·cuˌlat·ed *adj* unberechnet.
unˈcalled *adj* **1.** unaufgefordert, ungebeten. **2.** *econ.* nicht aufgerufen.
unˈcalled-ˌfor *adj* **1.** ungerufen, unerwünscht, unnötig. **2.** unverlangt. **3.** deplaˈciert, unangebracht, unpassend: an ~ remark.
unˈcan·ny *adj* (*adv* uncannily) unheimlich (*a. fig. Treffsicherheit etc*).
unˈcared-ˌfor *adj* **1.** unbeachtet. **2.** vernachlässigt, ungepflegt.
unˈcare·ful *adj* **1.** unvorsichtig. **2.** unbekümmert, gleichgültig: to be ~ of (*od.* for) sich nicht kümmern um.
unˈcar·pet·ed *adj* ohne Teppich(e).
unˈcase *v/t* **1.** auspacken. **2.** entfalten: to ~ a flag.
unˈcat·aˌlogued *adj* nicht katalogiˈsiert.
unˈceas·ing *adj* (*adv* ~ly) unaufhörlich.
ˌun·cer·eˈmo·ni·ous *adj* (*adv* ~ly) **1.** ungezwungen, zwanglos. **2.** a) unsanft, grob, b) unhöflich.
unˈcer·tain *adj* (*adv* ~ly) **1.** unsicher, ungewiß, unbestimmt: his arrival is ~. **2.** nicht sicher: to be ~ of s.th. e-r Sache nicht sicher *od.* gewiß sein. **3.** zweifelhaft, undeutlich, vage: an ~ answer. **4.** unzuverlässig: an ~ friend. **5.** unstet, unbeständig, veränderlich, launenhaft: ~ temper; ~ weather. **6.** unsicher, verwirrt: an ~ look. **unˈcer·tain·ty** *s* **1.** Unsicherheit *f,* Ungewißheit *f,* Unbestimmtheit *f*: ~ principle *phys.* Unschärferelation *f.* **2.** Zweifelhaftigkeit *f.* **3.** Unbeständigkeit *f,* Unzuverlässigkeit *f.*
ˌun·cerˈtif·iˌcat·ed *adj* **1.** unbescheinigt. **2.** ohne amtliches Zeugnis, nicht diploˈmiert. **3.** unbeglaubigt.
unˈcer·tiˌfied *adj* nicht bescheinigt, unbeglaubigt.
unˈchain *v/t* **1.** losketten. **2.** befreien. **3.** *fig.* entfesseln.
unˈchal·lenge·a·ble *adj* (*adv* unchallengeably) unanfechtbar, unbestreitbar. **unˈchal·lenged** *adj* unbestritten, ˈunwiderˌsprochen, unangefochten.
unˈchange·a·ble *adj* (*adv* unchangeably) unveränderlich, unwandelbar. **unˈchange·a·ble·ness** *s* Unveränderlichkeit *f.* **unˈchanged** *adj* **1.** unverändert. **2.** ungewechselt, **unˈchang·ing** *adj* (*adv* ~ly) unveränderlich.
ˌun·char·ac·terˈis·tic *adj* nicht charakteˈristisch (of für).
unˈcharged *adj* **1.** nicht beladen. **2.** *jur.* nicht angeklagt. **3.** *electr.* nicht (auf)geladen. **4.** ungeladen (*Schußwaffe*). **5.** *econ.* a) unbelastet (*Konto*), b) unberechnet.
unˈchar·i·ta·ble *adj* lieblos, hart(herzig), schonungslos. **unˈchar·i·ta·ble·ness** *s* Lieblosigkeit *f,* Härte *f.*
unˈchart·ed *adj* auf keiner (Land)Karte verzeichnet: ~ territory *fig.* unbekanntes Gebiet, Neuland *n.*
unˈchar·tered *adj* **1.** unverbrieft, nicht priviˈlegiert, unberechtigt. **2.** gesetzlos.
unˈchaste *adj* (*adv* ~ly) unkeusch. **unˈchaste·ness, unˈchas·ti·ty** *s* Unkeuschheit *f.*
unˈchecked *adj* **1.** ungehindert, ungehemmt. **2.** ˈunkontrolˌliert, ungeprüft.
unˈchiv·al·rous *adj* unritterlich.
unˈchris·tened *adj* ungetauft.
unˈchris·tian *adj* **1.** unchristlich. **2.** *colloq.* unverschämt, ‚verboten'. **unˈchris·tianˌize** *v/t* entchristlichen, dem Christentum entfremden.
unˈchurch *v/t relig.* **1.** aus der Kirche ausstoßen. **2.** *e-r Sekte etc* den Chaˈrakter *od.* die Rechte e-r Kirche nehmen.
un·ci·al [ˈʌnʃiəl; -siəl] **I** *adj* **1.** Unzial... **II** *s* **2.** Unziˈale *f,* Unziˈalbuchstabe *m.* **3.** Unziˈalschrift *f.*
un·ci·form [ˈʌnsiˌfɔːrm] **I** *adj* hakenförmig. **II** *s anat.* Hakenbein *n* (*der Handwurzel*).
un·ci·nate [ˈʌnsinit; -ˌneit] *adj biol.* hakenförmig, gekrümmt.
unˈcir·cumˌcised *adj relig.* unbeschnitten (*a. fig. ungläubig*). **ˌun·cir·cumˈci·sion** *s Bibl.* (*die*) Unbeschnittenen *pl,* (*die*) Heiden *pl.*
unˈciv·il *adj* (*adv* ~ly) **1.** unhöflich, grob. **2.** ˈunziviliˌsiert. **unˈciv·iˌlized** *adj* ˈunziviliˌsiert.
unˈclad *adj* **1.** unbekleidet. **2.** *tech.* ˈnichtplatˌtiert.
unˈclaimed *adj* **1.** nicht beansprucht, nicht geltend gemacht. **2.** nicht abgeholt *od.* abgehoben *od.* abgenommen: ~ dividends *econ.* nicht abgehobene Dividenden; an ~ letter ein nicht abgeholter Brief, ein unzustellbarer Brief.
unˈclasp I *v/t* **1.** lösen, auf-, loshaken, -schnallen, öffnen. **2.** loslassen: to ~ s.o.'s arm. **II** *v/i* **3.** sich lösen *od.* öffnen.
unˈclassed *adj* keiner Klasse angehörend.
unˈclas·siˌfied *adj* **1.** nicht klassifiˈziert, nicht eingeordnet. **2.** *mil. pol.* offen, nicht geheim. **unˈclas·siˌfy** *v/t* von der Geheimhaltungsliste streichen, freigeben.
un·cle [ˈʌŋkl] *s* **1.** Onkel *m* (*a. weitS. colloq.*), *obs.* Oheim *m*: U~ Sam Onkel Sam (*die USA*); to cry ~ *sl.* aufgeben. **2.** *sl.* Pfandleiher *m.* **3.** *Am. colloq.* (*bes.* älterer) Neger: U~ Tom *contp.* serviler Nigger.
unˈclean *adj* **1.** unrein (*a. fig.*). **2.** *med.* belegt (*Zunge*).
unˈclean·li·ness *s* **1.** Unreinlichkeit *f,* Unsauberkeit *f.* **2.** *fig.* Unreinheit *f.*

un'clean·ly *adj* **1.** unreinlich. **2.** *fig.* unrein, unkeusch.
un'clear *adj* unklar. **un'cleared** *adj* **1.** ungeklärt, nicht geregelt. **2.** nicht abgeräumt: ~ **table. 3.** nicht gerodet: ~ **forest. 4.** *jur.* nicht freigesprochen *od.* entlastet. **5.** *econ.* ungetilgt, nicht abbezahlt.
un'clench I *v/t* **1.** *die Faust* öffnen. **2.** *s-n Griff* lockern. **3.** aufsprengen. **II** *v/i* **4.** sich öffnen *od.* lockern.
un'cler·i·cal *adj* **1.** ungeistlich, mit dem Stande des Geistlichen nicht vereinbar. **2.** 'unkleri,kal.
un'clinch → **unclench.**
un'cloak I *v/t* **1.** *j-m* den Mantel *etc* abnehmen: **to** ~ **o.s.** → 3. **2.** *fig.* enthüllen, -larven. **II** *v/i* **3.** den Mantel *etc* ausziehen.
un'close I *v/t* **1.** öffnen. **2.** *fig.* eröffnen, enthüllen. **II** *v/i* **3.** sich öffnen. **un'closed** *adj* **1.** unverschlossen, geöffnet, offen. **2.** unbeendet, nicht abgeschlossen. **3.** unversiegelt.
un'clothe *v/t* **1.** entkleiden, -blößen. **2.** *fig.* enthüllen. **un'clothed** *adj* unbekleidet.
un'cloud·ed *adj* **1.** unbewölkt, wolkenlos (*a. fig.*). **2.** *fig.* heiter, ungetrübt.
un·co ['ʌŋko] *Scot. od. dial.* **I** *adj* **1.** ungewöhnlich, beachtlich. **2.** seltsam. **3.** unheimlich. **II** *adv* **4.** äußerst, höchst: **the** ~ **guid** ‚die ach so guten Menschen'. **III** *pl* **-cos** *s* **5.** (*das*) Seltsame. **6.** *pl* Neuigkeit *f.* **7.** Fremde(r *m*) *f.*
un'cock *v/t Gewehr(hahn) etc* entspannen.
un'coil *v/t u. v/i* (sich) abwickeln *od.* abspulen *od.* aufrollen.
un'coined *adj* ungeprägt, ungemünzt.
,un·col'lect·ed *adj* **1.** nicht (ein)gesammelt. **2.** *econ.* (noch) nicht erhoben: ~ **fees. 3.** *fig.* nicht gefaßt *od.* gesammelt, 'unkonzen,triert.
un'col·o(u)red *adj* **1.** ungefärbt. **2.** *fig.* farblos, blaß. **3.** *fig.* ungeschminkt: **an** ~ **report.**
un'combed *adj* ungekämmt.
,un·com'bined *adj a. phys.* ungebunden, frei: ~ **heat.**
,un·come-'at-a·ble *adj colloq.* a) unerreichbar, b) unzugänglich, unnahbar: **it (he) is** ~ ‚da (an ihn) ist nicht 'ranzukommen'.
un'come·li·ness *s* Unansehnlichkeit *f.*
un'come·ly *adj* **1.** unansehnlich, unschön, reizlos. **2.** ungebührlich, unanständig.
un'com·fort·a·ble *adj* (*adv* **uncomfortably**) **1.** unangenehm, beunruhigend. **2.** unbehaglich, ungemütlich (*beide a. fig. Gefühl etc*), unbequem: ~ **room;** ~ **situation;** ~ **silence** peinliche Stille. **3.** verlegen, unangenehm berührt: **he had the** ~ **feeling that** er hatte das ungute Gefühl, daß.
,un·com'mend·a·ble *adj* nicht zu empfehlen(d), nicht empfehlenswert.
,un·com'mer·cial *adj* **1.** nicht handeltreibend. **2.** unkaufmännisch.
,un·com'mis·sioned *adj* nicht beauftragt *od.* ermächtigt, unbestallt.
,un·com'mit·ted *adj* **1.** nicht begangen: ~ **crimes. 2. (to)** nicht verpflichtet (zu), nicht gebunden (an *acc*), nicht festgelegt (auf *acc*). **3.** *pol.* bündnis-, blockfrei, neu'tral: **the** ~ **countries. 4.** *jur.* a) nicht in e-r Strafanstalt befindlich, b) nicht in e-e Heil- u. Pflegeanstalt eingewiesen. **5.** *parl.* nicht an e-n Ausschuß *etc* verwiesen. **6.** nicht zweckgebunden: ~ **funds.**
un'com·mon I *adj* (*adv* ~**ly**) ungewöhnlich: a) selten, b) außergewöhnlich, -ordentlich. **II** *adv colloq.* ungewöhnlich, äußerst, ungemein, selten: ~ **handsome. un'com·mon·ness** *s* Ungewöhnlichkeit *f.*
,un·com'mu·ni·ca·ble *adj* nicht mitteilbar. **,un·com'mu·ni·ca·tive** *adj* nicht *od.* wenig mitteilsam, verschlossen. **,un·com'mu·ni·ca·tive·ness** *s* Verschlossenheit *f.*
,un·com'pan·ion·a·ble *adj* ungesellig, nicht 'umgänglich.
,un·com'plain·ing *adj* (*adv* ~**ly**) klaglos, ohne Murren, geduldig. **,un·com'plain·ing·ness** *s* Klaglosigkeit *f*, Ergebung *f.*
,un·com'plai·sant *adj* (*adv* ~**ly**) ungefällig.
,un·com'plet·ed *adj* 'unvoll,endet.
un'com·pli,cat·ed *adj* 'unkompli,ziert, einfach.
,un·com·pli'men·ta·ry *adj* **1.** nicht *od.* wenig schmeichelhaft. **2.** unhöflich.
,un·com'pound·ed *adj* **1.** nicht zs.-gesetzt, unvermischt. **2.** einfach.
,un·com·pre'hend·ing *adj* (*adv* ~**ly**) verständnislos, nicht verstehend.
un'com·pro,mis·ing *adj* (*adv* ~**ly**) **1.** kompro'mißlos, zu keinem Kompro'miß bereit. **2.** unbeugsam, unnachgiebig. **3.** entschieden, eindeutig.
,un·con'cealed *adj* unverhohlen, offen.
,un·con'cern *s* **1.** Sorglosigkeit *f*, Unbekümmertheit *f.* **2.** Gleichgültigkeit *f*: **with** ~ gelassen, gleichgültig. **,un·con'cerned** *adj* **1.** (in) nicht betroffen (von), unbeteiligt (an *dat*), nicht verwickelt (in *acc*). **2.** 'uninteres,siert (**with** an *dat*), gleichgültig. **3.** unbesorgt, unbekümmert (**about** um, wegen): **to be** ~ **about** sich über *etwas* keine Gedanken *od.* Sorgen machen. **4.** unbeteiligt, 'unpar,teiisch. **,un·con'cern·ed·ly** [-nidli] *adv.* **,un·con'cern·ed·ness** → **unconcern.**
,un·con'cil·i·a·to·ry *adj* unversöhnlich.
,un·con'di·tion·al *adj* (*adv* ~**ly**) **1.** unbedingt, bedingungslos: ~ **surrender** bedingungslose Kapitulation. **2.** uneingeschränkt, vorbehaltlos: ~ **promise. ,un·con,di·tion'al·i·ty, ,un·con'di·tion·al·ness** *s* Bedingungs-, Vorbehaltlosigkeit *f.* **,un·con'di·tioned** *adj* **1.** → **unconditional. 2.** *psych.* unbedingt, angeboren: ~ **reflex. 3.** *philos.* unbedingt, abso'lut.
,un·con'fessed *adj* **1.** nicht (ein)gestanden, ungebeichtet: ~ **sins. 2.** ohne Beichte: **to die** ~.
,un·con'fined *adj* **1.** unbegrenzt, unbeschränkt. **2.** unbehindert.
,un·con'firmed *adj* **1.** unbestätigt, nicht bekräftigt *od.* erhärtet, unverbürgt: **an** ~ **rumo(u)r. 2.** *relig.* a) nicht konfir'miert, b) *R.C.* nicht gefirmt.
,un·con'form·a·ble *adj* (*adv* **unconformably**) **1.** unvereinbar, nicht über'einstimmend (**to** mit). **2.** *geol.* diskor'dant, nicht gleichlaufend (*Schichten*). **3.** *relig. hist.* nonkonfor'mistisch.
,un·con'gen·ial *adj* **1.** ungleichartig, nicht geistesverwandt *od.* kongeni'al. **2.** nicht zusagend, unangenehm, 'unsym,pathisch (**to** *dat*): **this job is** ~ **to him** diese Arbeit sagt ihm nicht zu.
,un·con'nect·ed *adj* **1.** unverbunden, getrennt. **2.** 'unzu,sammenhängend: **an** ~ **report. 3.** nicht verwandt. **4.** ungebunden, ohne Anhang.
un'con·quer·a·ble *adj* (*adv* **unconquerably**) 'unüber,windlich (*a. fig.*), unbesiegbar. **un'con·quered** *adj* unbesiegt, nicht erobert.
,un·con·sci'en·tious *adj* (*adv* ~**ly**) **1.** nicht gewissenhaft. **2.** skrupellos.
un'con·scion·a·ble *adj* (*adv* **unconscionably**) **1.** gewissen-, skrupellos. **2.** nicht zumutbar. **3.** unmäßig, ungeheuer, e'norm, ‚unverschämt'.
un'con·scious I *adj* (*adv* ~**ly**) **1.** unbewußt: **to be** ~ **of** nichts ahnen *od.* wissen von, sich *e-r Sache* nicht bewußt sein. **2.** *med.* bewußtlos, ohnmächtig. **3.** unbewußt, leblos: ~ **matter. 4.** unbewußt, unwillkürlich, unfreiwillig (*a. Humor*). **5.** unabsichtlich: **an** ~ **mistake. 6.** *psych.* unbewußt. **II** *s* **7. the** ~ *psych.* das Unbewußte. **un'con·scious·ness** *s* **1.** Unbewußtheit *f.* **2.** *med.* Bewußtlosigkeit *f.*
un'con·se,crat·ed *adj* ungeweiht.
,un·con'sent·ing *adj* ablehnend.
,un·con'sid·ered *adj* **1.** unberücksichtigt. **2.** unbedacht, 'unüber,legt.
,un·con·sti'tu·tion·al *adj* (*adv* ~**ly**) *pol.* verfassungswidrig. **,un·con·sti,tu·tion'al·i·ty** *s* Verfassungswidrigkeit *f.*
,un·con'strained *adj* ungezwungen (*a. fig.*). **,un·con'strain·ed·ly** [-nidli] *adv.* **,un·con'straint** *s* Ungezwungenheit *f*, Zwanglosigkeit *f.*
,un·con'tam·i·nate(d) *adj* unbefleckt, rein.
un'con·tem,plat·ed *adj* **1.** 'unvor,hergesehen. **2.** unbeabsichtigt, ungeplant.
,un·con'test·ed *adj* unbestritten, unangefochten: ~ **election** *pol.* Wahl *f* ohne Gegenkandidaten.
,un·con·tra'dict·ed *adj* 'unwider,sprochen, unbestritten.
,un·con'trol·la·ble *adj* (*adv* **uncontrollably**) **1.** 'unkontrol,lierbar, unbezähmbar. **2.** unbeherrscht, zügellos: **an** ~ **temper. ,un·con'trolled** *adj* **1.** 'unkontrol,liert, ohne Aufsicht *od.* Kon'trolle, unbeaufsichtigt. **2.** unbeherrscht, zügellos. **3.** *tech.* ungesteuert. **,un·con'trol·led·ly** [-idli] *adv.*
un'con·tro,vert·ed → **uncontested.**
,un·con'ven·tion·al *adj* 'unkonventio,nell: a) nicht 'herkömmlich: ~ **methods,** b) ungezwungen, zwanglos: ~ **manner. ,un·con,ven·tion'al·i·ty** *s* 'unkonventio,nelle Art, Zwanglosigkeit *f*, Ungezwungenheit *f.*
,un·con'ver·sant *adj* **1.** nicht vertraut (**with** mit). **2.** unbewandert (**in** in *dat*).
,un·con'vert·ed *adj* **1.** unverwandelt. **2.** *relig.* unbekehrt (*a. fig. nicht überzeugt*). **3.** *econ.* nicht konver'tiert.
,un·con'vert·i·ble *adj* **1.** nicht verwandelbar. **2.** nicht vertauschbar. **3.** *econ.* nicht konver'tierbar.
,un·con'vinced *adj* nicht *od.* wenig über'zeugt. **,un·con'vinc·ing** *adj* nicht über'zeugend.
un'cooked *adj* ungekocht, roh.
un'cord *v/t* auf-, losbinden.
un'cork *v/t* **1.** entkorken. **2.** *fig. colloq. s-n Gefühlen etc* Luft machen. **3.** *Am. colloq. etwas* ‚vom Stapel lassen'.
,un·cor'rect·ed *adj* **1.** 'unkorri,giert, unberichtigt, unverbessert. **2.** nicht gebessert.
,un·cor'rob·o,rat·ed *adj* unbestätigt, nicht erhärtet.
,un·cor'rupt·ed *adj* **1.** unverdorben. **2.** *fig.* → **incorrupt.**
un'count·a·ble *adj* **1.** unzählbar. **2.** zahllos. **un'count·ed** *adj* **1.** ungezählt. **2.** unzählig.
un'cou·ple *v/t* **1.** *Hunde etc* aus der Koppel (los)lassen. **2.** loslösen, trennen. **3.** *tech.* aus-, loskuppeln. **un'cou·pled** *adj* **1.** ungekoppelt, nicht gepaart. **2.** getrennt.
un'cour·te·ous *adj* (*adv* ~**ly**) unhöflich.
un'court·li·ness *s* **1.** (*das*) Unhöfische. **2.** Unhöflichkeit *f.* **un'court·ly** *adj* **1.** unhöfisch. **2.** unhöflich, grob, ungeschliffen.
un·couth [ʌn'kuːθ] *adj* (*adv* ~**ly**) **1.** ungeschlacht, unbeholfen, plump. **2.** un-

gehobelt, grob. **3.** *obs.* wunderlich. **4.** *bes. poet.* einsam, wild, öde (*Gegend*). **5.** *obs.* a) unbekannt, fremd, b) abstoßend.

un'cov·e·nant·ed *adj* **1.** nicht (vertraglich) vereinbart. **2.** nicht vertraglich gebunden *od.* gesichert. **3.** *relig.* nicht verheißen: ~ **mercies.**

un'cov·er I *v/t* **1.** aufdecken, entblößen, freilegen: to ~ **o.s.** → 5. **2.** *fig.* aufdecken, enthüllen. **3.** *mil.* außer Deckung bringen, ohne Deckung lassen. **4.** *Boxen etc*: ungedeckt lassen. **II** *v/i* **5.** den Hut abnehmen, das Haupt entblößen. **un'cov·ered** *adj* **1.** unbedeckt (*a. barhäuptig*). **2.** unbekleidet, nackt, entblößt. **3.** *tech.* blank: ~ **wire. 4.** *mil. sport* ungedeckt, ungeschützt, entblößt. **5.** *econ.* ungedeckt: ~ **bill.**

un·creas·a·ble [ʌn'kriːsəbl] *adj* knitterfest, -frei (*Stoff*).

ˌun·cre'ate I *v/t* vernichten, auslöschen. **II** *adj* → **uncreated. ˌun·cre'at·ed** *adj* **1.** (noch) nicht erschaffen *od.* geschaffen. **2.** unerschaffen, ewig.

un'crit·i·cal *adj* (*adv* ~**ly**) unkritisch, kri'tiklos.

un'cross *v/t gekreuzte Arme od. Beine* geradelegen. **un'crossed** *adj* **1.** nicht gekreuzt: ~ **check** (*Br.* **cheque**) *econ.* offener Scheck, Barscheck *m.* **2.** *fig.* unbehindert.

un'crowned *adj* **1.** (noch) nicht gekrönt. **2.** ungekrönt (*a. fig.*).

unc·tion ['ʌŋkʃən] *s* **1.** Salbung *f*, Einreibung *f.* **2.** *pharm.* Salbe *f.* **3.** *relig.* a) (heiliges) Öl, b) Salbung *f*, Weihe *f*, c) *a.* **Extreme U**~ Letzte Ölung. **4.** *fig.* Balsam *m* (*Linderung od. Trost*) (to für). **5.** Inbrunst *f*, Pathos *n.* **6.** *contp.* Salbung *f*, unechtes Pathos: **with** ~ a) salbungsvoll, b) mit Genuß *od.* Behagen. **ˌunc·tu'os·i·ty** [*Br.* -tjuˈɒsiti; *Am.* -tʃuˈɑsəti] *s* **1.** Öligkeit *f.* **2.** *fig.* (das) Salbungsvolle. **'unc·tu·ous** *adj* (*adv* ~**ly**) **1.** ölig, fettig: ~ **soil** fetter Boden. **2.** *fig.* salbungsvoll, ölig. **'unc·tu·ous·ness** → **unctuosity.**

un'cul·ti·va·ble *adj* unbebaubar, nicht kulti'vierbar. **un'cul·tiˌvat·ed** *adj* **1.** unangebaut, unbebaut. **2.** *fig.* brachliegend, vernachlässigt: ~ **talents. 3.** *fig.* ungepflegt. **4.** *fig.* ungebildet, 'unkultiˌviert.

un'cul·tured → **uncultivated** 1 *u.* 4.

un'cum·bered *adj* unbeschwert, unbelastet.

un'curbed *adj* **1.** abgezäumt. **2.** *fig.* ungezähmt, zügellos.

un'cured *adj* **1.** ungeheilt. **2.** ungesalzen, ungepökelt.

un'curl *v/t u. v/i* (sich) entkräuseln *od.* glätten.

ˌun·cur'tailed *adj* ungekürzt, ungeschmälert, unbeschnitten.

un·cus ['ʌŋkəs] *pl* **un·ci** ['ʌnsai] *s anat.* Haken *m*, Häkchen *n.*

un'cus·tom·ar·y *adj* ungebräuchlich, ungewöhnlich, nicht üblich. **un'cus·tomed** *adj* **1.** zollfrei. **2.** unverzollt.

un'cut *adj* **1.** ungeschnitten. **2.** unzerschnitten. **3.** *agr.* ungemäht. **4.** *tech.* a) unbehauen, b) ungeschliffen: **an** ~ **diamond. 5.** unbeschnitten: **an** ~ **book. 6.** *fig.* ungekürzt.

un'dam·aged *adj* unbeschädigt, unversehrt, heil.

un'damped *adj* **1.** ungedämpft (*a. mus. u. phys.*). **2.** unangefeuchtet. **3.** *fig.* nicht entmutigt, unverzagt.

un·date ['ʌndit; -deit], **'un·dat·ed**[1] [-deitid] *adj* wellig, gewellt.

un'dat·ed[2] *adj* **1.** 'undaˌtiert, ohne Datum. **2.** unbefristet.

un'daunt·ed *adj* (*adv* ~**ly**) unerschrokken, unverzagt, furchtlos. **un'daunt·ed·ness** *s* Unerschrockenheit *f.*

un·dé ['ʌndei] *adj her.* gewellt.

un·dec·a·gon [ʌn'dekəˌgɒn] *s math.* Elfeck *n.*

ˌun·de'cay·ing *adj* unvergänglich.

ˌun·de'ceive *v/t* **1.** *j-m* die Augen öffnen, *j-n* desillusio'nieren. **2.** *j-n* aufklären (of über *acc*), e-s Besser(e)n belehren. **ˌun·de'ceived** *adj* **1.** nicht irregeführt. **2.** aufgeklärt, e-s Besser(e)n belehrt.

ˌun·de'cid·ed *adj* **1.** nicht entschieden, unentschieden, offen: **to leave a question** ~. **2.** unbestimmt, vage. **3.** unentschlossen, unschlüssig. **4.** unbeständig (*Wetter*).

un·de·cil·lion [ˌʌndiˈsiljən] *s math.* **1.** *Br.* Undezilli'on *f* (10^{66}). **2.** *Am.* Sextilli'on *f* (10^{36}).

ˌun·de'ci·pher·a·ble *adj* **1.** nicht zu entziffern(d), nicht entzifferbar. **2.** unerklärlich.

ˌun·de'clared *adj* **1.** nicht bekanntgemacht, nicht erklärt: ~ **war** Krieg *m* ohne Kriegserklärung. **2.** *econ.* nicht dekla'riert.

un·dée, un·dee → **undé.**

ˌun·de'fend·ed *adj* **1.** unverteidigt. **2.** *jur.* a) unverteidigt, ohne Verteidiger, b) 'unwiderˌsprochen (*Klage*).

ˌun·de'filed *adj* unbefleckt, rein (*a. fig.*).

ˌun·de'fin·a·ble *adj* 'undefiˌnierbar, unbestimmbar. **ˌun·de'fined** *adj* **1.** unbegrenzt. **2.** unbestimmt, vage.

un'de·iˌfy *v/t* entgöttlichen.

ˌun·de'liv·ered *adj* **1.** nicht befreit, unerlöst (from von). **2.** nicht über'geben *od.* ausgehändigt, nicht (ab)geliefert, nicht zugestellt. **3.** nicht gehalten (*Rede*).

ˌun·dem·o'crat·ic *adj* 'undemoˌkratisch.

ˌun·de'mon·stra·tive *adj* zu'rückhaltend, reser'viert, unaufdringlich.

ˌun·de'ni·a·ble *adj* (*adv* **undeniably**) **1.** unleugbar, unbestreitbar. **2.** *selten* ausgezeichnet.

ˌun·deˌnom·i'na·tion·al *adj* **1.** nicht konfessio'nell gebunden. **2.** ˌinterkonfessio'nell: ~ **school** Gemeinschafts-, Simultanschule *f.*

ˌun·de'pend·a·ble *adj* unzuverlässig.

ˌun·de'plored *adj* unbeweint, unbeklagt.

un·der ['ʌndər] **I** *prep* **1.** *allg.* unter (*dat od. acc*). **2.** (*Lage*) unter (*dat*), unterhalb von (*od. gen*): **from** ~ **the table** unter dem Tisch hervor; **to get out from** ~ *Am. sl.* a) sich herauswinden, b) den Verlust wettmachen. **3.** (*Richtung*) unter (*acc*): **the ball rolled** ~ **the table; he struck him** ~ **the left eye. 4.** unter (*dat*), am Fuße von (*od. gen*): **the citizens assembled** ~ **the castle wall. 5.** (*zeitlich*) unter (*dat*), während (*gen*): ~ **his rule; he lived** ~ **the Stuarts** er lebte unter den Stuarts; ~ **the date of** unter dem Datum vom *1. Januar etc.* **6.** unter (*der Autorität, Führung etc*): **he fought** ~ **Wellington;** ~ **his direction** unter s-r Leitung. **7.** unter (*dat*), unter dem Schutz von, unter Zu'hilfenahme von: ~ **arms** unter Waffen; ~ **darkness** im Schutz der Dunkelheit; ~ **sail** unter Segel. **8.** unter (*dat*), geringer als, weniger als: **persons** ~ **40 (years of age)** Personen unter 40 (Jahren); **the** ~**-thirties** die Personen unter 30 Jahren; **in** ~ **an hour** in weniger als 'einer Stunde; **he cannot do it** ~ **an hour** er braucht mindestens e-e Stunde dazu; ~ **age** minderjährig. **9.** *fig.* unter (*dat*): ~ **his tyranny; a criminal** ~ **sentence of death** ein zum Tode verurteilter Verbrecher; ~ **these circumstances** unter diesen Umständen; ~ **fire** unter Feuer *od.* Beschuß; ~ **supervision** unter Aufsicht; ~ **alcohol** unter Alkohol; ~ **an assumed name** unter e-m angenommenen Namen. **10.** gemäß, laut, nach: ~ **the terms of the contract;** ~ **the provisions of the law** a) nach den gesetzlichen Bestimmungen, b) im Rahmen des Gesetzes; **claims** ~ **a contract** Forderungen aus e-m Vertrag. **11.** in (*dat*): ~ **construction** im Bau; ~ **quarantine** in Quarantäne; ~ **repair** in Reparatur; ~ **suspicion** a) im Verdacht stehend, b) unter dem Verdacht (of *gen*); ~ **treatment** in Behandlung. **12.** bei: **he studied physics** ~ **Maxwell. 13.** mit: ~ **one's signature** mit j-s Unterschrift, (eigenhändig) unterschrieben *od.* unterzeichnet von j-m; ~ **separate cover** mit getrennter Post.

II *adv* **14.** dar'unter, unter: → **go** (**keep,** *etc*) **under. 15.** unten: **as** ~ wie unten (angeführt).

III *adj* (*oft in Zssgn*) **16.** unter(er, e, es), Unter...: **the** ~ **layers** untere Lagen *od.* Schichten; **the** ~ **surface** die Unterseite. **17.** unter(er, e, es), nieder(er, e, es), 'untergeordnet, Unter...: **the** ~ **classes** die unteren *od.* niederen Klassen. **18.** (*nur in Zssgn*) ungenügend, zu gering: **an** ~**dose.**

under- [ʌndər] *Wortelement mit der Bedeutung* **1.** (*vor Verben*) unter...: ~**line. 2.** (*vor Substantiven*) Unter...: ~**secretary;** ~**title;** ~**wear. 3.** (*vor Verben u. adj*) nicht genügend, zu wenig, minder..., unter...: ~**expose.**

ˌun·der|'act *v/t u. v/i* (*e-e Rolle*) a) schlecht spielen, b) unter'spielen, verhalten spielen. **ˌ~'age,** *Br.* **ˌ~-'age** *adj* minderjährig, unmündig. **'~ˌa·gent** *s* 'Untervertreter *m.* **'~ˌarm I** *adj* **1.** Unterarm... **2.** → **underhand** 2. **II** *adv* **3.** mit e-r 'Unterarmbewegung. **ˌ~'bid** *v/t irr* unter'bieten. **ˌ~'bill** *v/t econ. Am. Waren* zu niedrig dekla'rieren *od.* berechnen. **ˌ~'bred** *adj* **1.** ungebildet, unfein. **2.** nicht reinrassig: ~ **dog.** **'~ˌbrush** *s* 'Unterholz *n*, Gesträuch *n.* **ˌ~'buy** *v/t irr* **1.** billiger *od.* günstiger (ein)kaufen als (*j-d*): **to** ~ **s.o. 2.** *etwas* unter dem Preis (ein)kaufen. **'~ˌcar·riage** *s* **1.** *aer.* Fahrwerk *n.* **2.** *mot. etc* Fahrgestell *n.* **3.** *mil.* 'Unterlaˌfette *f.* **~·charge I** *v/t* [ˌ-'tʃɑːrdʒ] **1.** *j-m* zu wenig berechnen *od.* abverlangen. **2.** *etwas* zu gering berechnen. **3.** *electr. e-e Batterie etc* unter'laden. **4.** *ein Geschütz etc* zu schwach laden. **II** *s* ['-ˌtʃɑːrdʒ] **5.** zu geringe Berechnung *od.* Belastung. **6.** *electr.* ungenügende (Auf)Ladung. **'~ˌclass** *s meist pl ped. Am.* e-r der beiden unteren Jahrgänge (*e-s College*). **'~ˌcliff** *s geol.* Felsstufe *f.* **ˌ~'clothed** *adj* ungenügend bekleidet. **'~ˌclothes** *s pl*, **'~ˌcloth·ing** *s* 'Unterkleidung *f*, -wäsche *f*, Leibwäsche *f.* **'~ˌcoat** *s* **1.** Rock *m*, Weste *f* (*unter e-m anderen Kleidungsstück getragen*). **2.** *zo.* Wollhaarkleid *n.* **3.** *paint. tech.* Grun'dierung *f.* **ˌ~'cool** *v/t phys.* unter'kühlen. **ˌ~'cov·er** *adj* **1.** Geheim...: ~ **agent,** ~ **man** *bes. Am.* Geheimagent *m*, Spitzel *m* (*bes. e-r, der sich in e-e Bande etc eingeschlichen hat*). **2.** heimlich: ~ **payments.** **'~ˌcroft** *s arch.* 'unterirdisches Gewölbe, Krypta *f*, Gruft *f.* **'~ˌcur·rent** *s* 'Unterströmung *f* (*a. fig.*).

un·der·cut [ˌ-'kʌt] **I** *v/t irr* **1.** den unteren Teil wegschneiden *od.* -hauen von, unter'höhlen. **2.** (im Preis) unter'bie-

ten. **3.** a) *e-m Golfball* e-n 'Rückwärtsef,fet geben, b) *e-n Tennisball* unter'schneiden, tief aufschlagen. **II** *s* ['-,kʌt] **4.** Unter'höhlung *f.* **5.** a) *Golf*: 'Rückwärtsef,fetball *m*, b) *Tennis*: Tiefaufschlag *m.* **6.** *Boxen*: Körperhaken *m.* **7.** *Kochkunst*: a) *bes. Br.* Fi'let *n*, Lendenstück *n*, b) *bes. Am.* Lenden-, Rückenstück *n* (*vom Rind*).
,un·der|·de'vel·op, *Br.* **'~-de'vel·op** *v/t phot.* 'unterentwickeln. **,~·de'vel·oped,** *Br.* **'~-de'vel·oped** *adj phot. u. fig.* 'unterentwickelt: ~ **child**; ~ **country** *pol.* Entwicklungsland *n.* **,~'do** *v/t irr* **1.** *etwas* unvollkommen tun, mangelhaft erledigen. **2.** *bes. Br.* nicht gar kochen *od.* 'durchbraten. **'~,dog** *s fig.* **1.** Unter'legene(r *m*) *f.* **2.** a) Unter'drückte(r *m*) *f*, b) Benachteiligte(r *m*) *f*, zu kurz Gekommene(r *m*) *f*, ‚armer Teufel'. **'~'done** *adj* nicht gar, nicht 'durchgebraten. **~dose** *med.* **I** *s* ['-,dous] **1.** zu geringe Dosis. **II** *v/t* [,-'dous] **2.** *j-m* e-e zu geringe Dosis geben. **3.** *etwas* zu gering do'sieren. **~·drain** *tech.* **I** *v/t* [,-'drein] durch 'unterirdische Ka'näle entwässern *od.* trockenlegen. **II** *s* ['-,drein] 'unterirdischer Drän(strang). **,~'draw** *v/t irr* ungenau *od.* ungenügend zeichnen *od.* darstellen. **,~'dress** *v/t u. v/i* (sich) zu leicht *od.* zu einfach kleiden. **~·es·ti·mate I** *v/t* [,-'esti,meit] unter'schätzen. **II** *s* [,-'estimit; -,meit] Unter'schätzung *f*, 'Unterbewertung *f.* **,~,es·ti'ma·tion** → **underestimate** II. **,~·ex'pose** *v/t phot.* 'unterbelichten. **,~·ex'po·sure** *s phot.* 'Unterbelichtung *f.* **,~'feed** *v/t irr* 'unterernähren, nicht genügend (er)nähren *od.* füttern: **underfed** unterernährt. **'~,feed·ing** *s* 'Unterernährung *f.* **'~,flow** *s* **1.** 'unterirdischer ('Durch)Fluß. **2.** *fig.* 'Unterströmung *f.* **,~'foot** *adv* **1.** unter den Füßen, mit (den) Füßen, unten, am Boden: → **trample** 3, **tread** 12. **2.** *Am. colloq.* (di'rekt) vor den Füßen, im Wege. **3.** *fig.* in der Gewalt, unter Kon'trolle. **'~,frame,** *Br.* **'~-,frame** *s tech.* 'Untergestell *n*, Rahmen *m.* **'~,gar·ment** *s* 'Unterkleid(ung *f*) *n*, Leibwäsche *f.* **'~,glaze** *adj Keramik*: Unterglasur... **,~'go** *v/t irr* **1.** erleben, 'durchmachen: to ~ **a change. 2.** sich *e-r Operation etc* unter'ziehen. **3.** erdulden: to ~ **pain. ,~'grad·u·ate** *ped.* **I** *s* Stu'dent(in), 'Nichtgradu,ierte(r *m*) *f.* **II** *adj* Studenten... **~·ground** ['-'graund] **I** *adv* **1.** unter der *od.* die Erde, 'unterirdisch (*a. fig.*). **2.** *fig.* im verborgenen, heimlich, geheim: to go ~ zur Untergrundbewegung werden, in den Untergrund gehen. **II** *adj* **3.** 'unterirdisch: ~ **cable** Erdkabel *n*; ~ **car park** Tiefgarage *f*; an ~ **pipe** erdverlegtes Rohr; ~ **railway** (*Am.* **railroad**) → 8; ~ **water** Grundwasser *n.* **4.** *Bergbau*: unter Tag(e): ~ **mining** Untertag(e)bau *m.* **5.** *tech.* Tiefbau...: ~ **engineering** Tiefbau *m.* **6.** *fig.* Untergrund..., Geheim..., verborgen: ~ **movement** → 9. **III** *s* ['-,graund] **7.** 'unterirdischer Raum *od.* ('Durch)Gang. **8.** *bes. Br.* 'Untergrundbahn *f*, *bes.* Londoner U-Bahn *f.* **9.** *pol.* 'Untergrund(bewegung *f*) *m.* **10.** *Film, Kunst etc*: 'Underground *m.* **,~'grown** *adj* **1.** nicht ausgewachsen. **2.** (mit 'Unterholz) über'wachsen. **'~,growth** *s* 'Unterholz *n*, Gestrüpp *n.* **'~,hand** *adj u. adv* **1.** *fig.* heimlich, verstohlen, 'hinterlistig, -hältig. **2.** *Kricket etc*: mit der Hand unter Schulterhöhe ausgeführt: ~ **bowling**; ~ **service** (*Tennis*) Tiefaufschlag *m.* **'~'hand·ed** *adj* **1.** → **underhand** 1. **2.** *econ.* knapp an Arbeitskräften, 'unterbelegt. **,~'hand·ed·ness** *s* Heimlichkeit *f*, 'Hinterhältigkeit *f.* **,~'hung** *adj med.* a) über den Oberkiefer vorstehend, b) mit vorstehendem 'Unterkiefer. **,~·in'sure** *v/t* 'unterversichern, unter dem Wert versichern. **'~,is·sue** *s econ.* Minderausgabe *f.* **~·lay** [,-'lei] **I** *v/t irr* **1.** (dar)'unterlegen. **2.** unter'legen, stützen (**with** mit). **3.** *print. den Satz* zurichten. **II** *v/i* **4.** *Bergbau*: sich neigen, einfallen. **III** *s* ['-,lei] **5.** 'Unterlage *f.* **6.** *print.* Zurichtebogen *m.* **7.** *Bergbau*: schräges Flöz. **'~,lease** *s* 'Unterverpachtung *f*, -miete *f.* **,~·les'see** *s* 'Untermieter(in), -pächter(in). **,~'let** *v/t irr* **1.** unter dem Wert verpachten *od.* vermieten. **2.** 'unterverpachten, -vermieten. **,~'lie** *v/t irr* **1.** liegen unter (*dat*). **2.** *fig. e-r Sache* zu'grunde liegen. **3.** *econ.* unter'liegen, unter'worfen sein (*beide dat*). **~·line I** *v/t* [,-'lain] **1.** unter'streichen (*a. fig. betonen*). **II** *s* ['-,lain] **2.** Unter'streichung *f.* **3.** (Vor)Ankündigung *f* am Ende e-s The'aterzettels. **4.** 'Bild-,unterschrift *f*, Bildtext *m.* **'~,lin·en** *s* 'Unter-, Leibwäsche *f.*
un·der·ling ['ʌndərliŋ] *s contp.* Unter'gebene(r) *m*, 'Untergeordnete(r) *m*, (kleiner) Handlanger, ‚Kuli' *m.*
'un·der|,lip *s* 'Unterlippe *f.* **'~,load** *s tech.* 'Unterbelastung *f.* **'~,ly·ing** *adj* **1.** dar'unterliegend. **2.** *fig.* zu'grunde liegend. **3.** *fig.* eigentlich, 'hintergründig. **4.** *econ. Am.* Vorrangs..., Priori'täts... **,~'man** *v/t ein Schiff etc* nicht genügend bemannen. **'~,manned** *adj* 'unterbemannt, -belegt. **'~,men·tioned** *adj* unten erwähnt. **,~'mine** *v/t* **1.** *mil. tech.* ,untermi'nieren. **2.** aushöhlen, -waschen, unter'spülen. **3.** *fig.* unter'graben, zersetzen, all'mählich zu'grunde richten. **'~,most I** *adj* unterst(er, e, es). **II** *adv* zu'unterst.
,un·der'neath I *prep* **1.** unter (*dat od. acc*), 'unterhalb (*gen*). **II** *adv* **2.** unten, dar'unter. **3.** auf der 'Unterseite.
,un·der|'nour·ished *adj* 'unterernährt. **,~'nour·ish·ment** *s* 'Unterernährung *f.* **'~,pants** *s pl colloq.* 'Unterhose(n *pl*) *f.* **'~,pass** *s* Unter'führung *f.* **,~'pay** *v/t irr econ.* schlecht bezahlen, 'unterbezahlen. **'~'pay·ment** *s econ.* 'Unterbezahlung *f.* **,~'pin** *v/t arch.* a) (unter)'stützen, b) unter'mauern (*beide a. fig.*). **'~,pin·ning** *s* **1.** *arch.* Unter'mauerung *f*, 'Unterbau *m.* **2.** *fig.* Stütze *f*, Unter'stützung *f.* **3.** *meist pl colloq.* ‚Fahrgestell' *n* (*Beine*). **~·play I** *v/t u. v/i* [,-'plei] **1.** → **underact. II** *s* ['-,plei] **2.** *thea.* schwaches *od.* verhaltenes Spiel. **3.** 'hinterhältiges Spiel. **'~,plot** *s* Nebenhandlung *f*, Epi'sode *f* (*im Drama etc*). **'~'pop·u,lat·ed** *adj* 'unterbevölkert. **'~,price** *s econ.* Schleuderpreis *m.* **,~'print** *v/t* **1.** *print.* a) gegendrucken, b) zu schwach drukken. **2.** *phot.* 'unterko,pieren. **'~'priv·i·leged** *adj* benachteiligt, zu kurz gekommen, schlecht(er) gestellt: **the** ~ die wirtschaftlich Schlechtgestellten. **'~·pro'duc·tion** *s econ.* 'Unterprodukti,on *f.* **'~'proof** *adj econ.* unter Nor'malstärke (*Spirituosen*). **,~'prop** *pret u. pp* **-'propped** *v/t* **1.** von unten her (ab)stützen. **2.** *fig.* unter'stützen, -'mauern. **,~'quote** *v/t econ.* **1.** *Preis* niedriger berechnen *od.* no'tieren. **2.** *j-n* unter'bieten. **,~'rate** *v/t* unter'schätzen. **~'score** *v/t* unter'streichen (*a. fig. betonen*). **'~,sea I** *adj* 'unterseeisch, Unterwasser... **II** *adv* → **underseas. ,~'seas** *adv bes. Am.* 'unterseeisch, unter Wasser. **,~'sec·re·tar·y** *s pol.* ('Unter)Staatssekre,tär *m*: **Parliamentary U~S~** *Br.* parlamentarischer Staatssekretär; **Permanent U~S~** *Br.* Ständiger Unterstaatssekretär (*Abteilungsleiter in e-m Ministerium*). **,~'sell** *v/t irr econ.* **1.** *j-n* unter'bieten. **2.** *Ware* verschleudern, unter dem Wert verkaufen. **,~'sell·er** *s econ.* Preisdrücker *m*, Schleuderer *m.* **~·set I** *v/t* [,-'set] *irr e-e Mauer etc* (unter)'stützen (*a. fig.*). **II** *s* ['-,set] *mar.* 'Unter-, Gegenströmung *f.* **'~,sher·iff** *s* Vertreter *m* e-s Sheriffs. **'~,shirt** *s* 'Unterhemd *n.* **~·shoot** *aer.* **I** *v/t* [,-'ʃuːt] *beim Landen* vor (*der Landebahn*) aufkommen: **to** ~ **the runway. II** *s* ['-,ʃuːt] vorzeitiges Aufkommen (*vor der Landebahn*). **'~,shot** *adj* **1.** *tech.* 'unterschlächtig. **2.** *med.* mit vorspringendem 'Unterkiefer. **'~,shrub** *s* kleiner Strauch. **'~,side I** *s* 'Unterseite *f.* **II** *adj* auf der 'Unterseite. **,~'sign** *v/t* unter'schreiben, -'zeichnen. **,~'signed I** *adj* unter'zeichnet. **II** *s* **the** ~ a) der (die) Unter'zeichnete, b) *pl* die Unter'zeichneten *pl.* **'~,sized,** *a.* **'~,size** *adj* **1.** unter Nor'malgröße. **2.** winzig. **'~,skirt** *s* 'Unterrock *m.* **,~'slung** *adj tech.* **1.** Hänge...: ~ **cooler**; ~ **frame** Unterzugrahmen *m* (*am Auto*). **2.** unter'baut: ~ **spring. '~,soil** *s* 'Untergrund *m.* **'~,song** *s mus.* a) Begleitstimme *f*, -ton *m*, b) Re'frain *m*, Kehrreim *m.* **,~'staffed** *adj* 'unterbesetzt, an Perso'nalmangel leidend. **'~,stairs** *s* Keller(geschoß *n*) *m.*
un·der·stand [,ʌndər'stænd] *irr* **I** *v/t* **1.** verstehen: a) begreifen, b) einsehen, c) *wörtlich etc* auffassen, d) (volles) Verständnis haben für: **to** ~ **each other** sich *od.* einander verstehen, *a.* zu e-r Einigung gelangen; **to give s.o. to** ~ *j-m* zu verstehen geben; **to make o.s. understood** sich verständlich machen; **do I** (*od.* **am I to**) ~ **that ...** soll das heißen, daß; **be it understood** wohlverstanden; **what do you** ~ **by ...?** was verstehen Sie unter...?; (**do you**) ~? verstanden? **2.** sich verstehen auf (*acc*), sich auskennen in (*dat*), wissen (**how to** *mit inf* wie *man etwas macht*): **he** ~**s horses** er versteht sich auf Pferde; **she** ~**s children** sie kann mit Kindern umgehen. **3.** vor'aussetzen, als sicher *od.* gegeben annehmen: **I** ~ **that (the) doors open at 8.30** ich nehme an, daß die Türen um 8.30 Uhr geöffnet werden; **that is understood** das versteht sich (von selbst); **it is understood that ...** *a. jur.* es gilt als vereinbart, daß; **an understood thing** e-e aus- *od.* abgemachte Sache. **4.** erfahren, hören: **I** ~ **that ...** ich hör(t)e *od.* man sagt(e) mir, daß; **I** ~ **him to be** (*od.* **that he is**) **an expert** wie ich höre, ist er ein Fachmann; **it is understood** es heißt, wie verlautet. **5.** (**from**) entnehmen (*dat od.* aus), schließen *od.* her'aushören (aus): **no one could** ~ **that from her words. 6.** *bes. ling.* bei sich *od.* sinngemäß ergänzen, hin'zudenken: **in this phrase the verb is understood** in diesem Satz muß das Verb (sinngemäß) ergänzt werden.
II *v/i* **7.** verstehen: a) begreifen, b) (volles) Verständnis haben: **he will** ~ er wird es *od.* mich *od.* uns *etc* (schon) verstehen. **8.** Verstand haben. **9.** Bescheid wissen (**about s.th.** über e-e Sache). **10.** hören: **... so I** ~**!** wie ich höre. **,un·der'stand·a·ble** *adj* (*adv* **understandably**) verständlich.

un·der·stand·ing [ˌʌndərˈstændiŋ] **I** *s* **1.** Verstehen *n*. **2.** Verstand *m*: a) Intelliˈgenz *f*, b) *philos.* Intelˈlekt *m*. **3.** Verständnis *n* (of für). **4.** (*gutes etc*) Einvernehmen (between zwischen). **5.** Verständigung *f*, Vereinbarung *f*, Überˈeinkunft *f*, Abmachung *f*, Einigung *f*: to come to an ~ with s.o. zu e-r Einigung mit j-m kommen *od.* gelangen, sich mit j-m verständigen. **6.** Klarstellung *f*. **7.** Bedingung *f*: on the ~ that unter der Bedingung *od.* Voraussetzung, daß. **8.** *pl sl.* ‚Latschen' *pl* (*Schuhe od. Füße*), ‚Fahrgestell' *n* (*Beine*). **II** *adj* (*adv* ~ly) **9.** verständnisvoll, verstehend. **10.** verständig, gescheit.

ˌ**un·der**|ˈ**state** *v/t* **1.** zu gering angeben *od.* ansetzen. **2.** (bewußt) zuˈrückhaltend *od.* maßvoll ausdrücken *od.* darstellen, unterˈtreiben. **3.** abschwächen, mildern. ˌ~ˈ**state·ment** *s* **1.** zu niedrige Angabe. **2.** Unterˈtreibung *f*, Underˈstatement *n*. ˌ~ˈ**stock** *v/t ein Lager etc* ungenügend versorgen *od.* beliefern (with mit). ˈ~ˌ**strap·per** → underling. ˈ~ˌ**stra·tum** *pl* **-ta, -tums** *s geol.* (*das*) Liegende. ˈ~ˌ**strength** *adj bes. mil.* nicht auf voller Gefechtsstärke. ˈ~ˌ**stud·y** *thea.* **I** *v/t* **1.** *e-e Rolle* als Ersatzmann ˈeinstuˌdieren. **2.** einspringen für (*e-n Schauspieler*). **3.** *fig.* sich einarbeiten in (*acc*). **II** *v/i* **4.** e-e Rolle als Ersatzmann ˈeinstuˌdieren. **III** *s* **5.** Ersatz(schau)spieler(in), *a. fig.* Ersatzmann *m*. ˈ~ˌ**sur·face** *s* ˈUnterseite *f*.

ˌ**un·derˈtake** *irr* **I** *v/t* **1.** *e-e Aufgabe* überˈnehmen, auf sich *od.* in die Hand nehmen: to ~ a task. **2.** *e-e Reise etc* unterˈnehmen. **3.** überˈnehmen, eingehen: to ~ a risk; to ~ a responsibility e-e Verantwortung übernehmen. **4.** sich erbieten, sich verpflichten (*a. jur.*) (to do zu tun). **5.** garanˈtieren, sich verbürgen (that daß). **6.** *obs.* sich einlassen mit, anbinden mit. **II** *v/i* **7.** sich verpflichten, e-e Verpflichtung überˈnehmen, dafür einstehen. **8.** *obs.* bürgen (for für). **9.** *colloq.* Leichenbestatter sein. ˌ~ˈ**tak·er** *s* **1.** *meist* U~ *Br. hist. Politiker, der im 17. Jh. Parlamentsmitglieder zugunsten der Krone beeinflußte.* **2.** *obs.* Unterˈnehmer *m*. **3.** [ˈ-ˌteikər] Leichenbestatter *m*, Beˈstattungsinstiˌtut *n*. ˈ~ˈ**tak·ing** *s*. **1.** ˈÜbernahme *f*: the ~ of a task. **2.** Unterˈnehmung *f*. **3.** *econ.* Unterˈnehmen *n*, Betrieb *m*: industrial ~. **4.** Versprechen *n*, Verpflichtung *f*, Garanˈtie *f*. **5.** [ˈ-ˌteikiŋ] Leichenbestattung *f*.

ˈ**un·der**|ˌ**ten·an·cy** *s* ˈUnterpacht *f*, -miete *f*. ˈ~ˌ**ten·ant,** *Br.* ˈ~-ˌ**ten·ant** *s* ˈUntermieter(in), -pächter(in). ˌ~-**the-**-ˈ**count·er** *adj* unter der Hand (getätigt), heimlich, Schwarz... ˌ~ˈ**time** → underexpose. ˈ~ˌ**tint** *s* gedämpfte Farbe *od.* Färbung. ˈ~ˌ**tone** *s* **1.** gedämpfter Ton, gedämpfte Stimme: in an ~ mit gedämpfter Stimme. **2.** *fig.* ˈUnterton *m*, -strömung *f*. **3.** *phys.* gedämpfte Farbe. **4.** *Börse*: Grundton *m*. ˈ~ˌ**tow** *s mar.* **1.** Sog *m*. **2.** ˈWidersee *f*. ˈ~ˌ**val·u'a·tion** *s* **1.** Unterˈschätzung *f*, ˈUnterbewertung *f*. **2.** Geringschätzung *f*. ˌ~ˈ**val·ue** *v/t* **1.** unterˈschätzen, ˈunterbewerten, zu gering ansetzen. **2.** geringschätzen. ˈ~ˌ**vest** *s* ˈUnterhemd *n*. ˈ~ˌ**waist** *s Am.* ˈUntertaille *f*, -mieder *n*. ˈ~ˌ**wa·ter** *adj* **1.** Unterwasser... **2.** *mar.* ˈunterhalb der Wasserlinie (liegend). ˈ~ˈ**way** *adj* **1.** auf Fahrt (befindlich). **2.** während der Fahrt, unterˈwegs. **3.** für unterˈwegs, Reise... ˈ~ˌ**wear** → underclothes. ~·**weight I** *s* [ˈ-ˌweit] ˈUntergewicht *n*. **II** *adj* [ˈ-ˈweit] ˈuntergewichtig. ˈ~-ˌ**wing** *s zo.* **1.** ˈUnterflügel *m*. **2.** Ordensband *n* (*Falter*). ˈ~ˌ**wood** *s* ˈUnterholz *n*, Gestrüpp *n* (*a. fig.*). ~·**work** [ˌ-ˈwəːrk] **I** *v/t* **1.** nicht sorgfältig genug arbeiten. **2.** billiger arbeiten als, *j-n* unterˈbieten. **II** *v/i* **3.** zu wenig arbeiten. **4.** billiger arbeiten. **III** *s* [ˈ-ˌwəːrk] **5.** schlechte *od.* ˈuntergeordnete Arbeit. ˈ~ˌ**world** *s* **1.** ˈUnterwelt *f*: a) *myth.* Hades *m*, b) Verbrecherwelt *f*. **2.** ˈunterirdische *od.* -seeische Regiˈon. **3.** (*die*) entgegengesetzte Erdhälfte, Antiˈpoden *pl*.

ˌ**un·der**|ˈ**write** *irr* **I** *v/t* **1.** *etwas* darˈunterschreiben, -setzen. **2.** *fig. etwas* unterˈschreiben, s-e Zustimmung geben zu. **3.** *econ.* a) *e-e Effektenemission* (durch ˈÜbernahme der nicht verkauften Paˈpiere) garanˈtieren, b) bürgen *od.* garanˈtieren für. **4.** *econ.* a) *e-e Versicherungspolice* unterˈzeichnen, *e-e Versicherung* überˈnehmen, b) *etwas* versichern, c) die Haftung überˈnehmen für. **II** *v/i* **5.** *econ.* Versicherungsgeschäfte machen. ˈ~ˌ**writ·er** *s econ.* **1.** Versicherer *m*, Assekuˈranz *f* (*Gesellschaft*). **2.** Mitglied *n* e-s Emissiˈonskonˌsortiums. **3.** *Am. colloq.* Verˈsicherungsaˌgent *m*. ˈ~ˌ**writ·ing** *s econ.* **1.** (See)Versicherung(sgeschäft *n*) *f*. **2.** Emissiˈonsgaranˌtie *f*.

ˌ**un·deˈscrib·a·ble** *adj* unbeschreiblich.

ˌ**un·deˈserved** *adj* unverdient. ˌ**un·deˈserv·ed·ly** [-idli] *adv* unverdientermaßen. ˌ**un·deˈserv·ing** *adj* (*adv* ~ly) **1.** unwert, unwürdig (of *gen*): to be ~ of kein *Mitgefühl etc* verdienen. **2.** schuldlos, unschuldig.

ˌ**un·deˈsigned** *adj* unbeabsichtigt, unabsichtlich. ˌ**un·deˈsign·ed·ly** [-idli] *adv*. ˌ**un·deˈsign·ing** *adj* ehrlich, harmlos, aufrichtig.

ˌ**un·deˌsir·aˈbil·i·ty** *s* Unerwünschtheit *f*. ˌ**un·deˈsir·a·ble I** *adj* (*adv* undesirably) **1.** nicht wünschenswert. **2.** unerwünscht, lästig: ~ alien. **II** *s* **3.** unerwünschte Perˈson. **4.** (*das*) Unerwünschte. ˌ**un·deˈsired** *adj* unerwünscht, ˈunwillˌkommen. ˌ**un·deˈsir·ous** *adj* nicht begierig (of nach): to be ~ of s.th. etwas nicht wünschen *od.* nicht (haben) wollen.

ˌ**un·deˈtach·a·ble** *adj* nicht abtrennbar *od.* abnehmbar.

ˌ**un·deˈtect·ed** *adj* unentdeckt, unbemerkt.

ˌ**un·deˈter·mined** *adj* **1.** (noch) nicht entschieden, unentschieden, schwebend, offen: an ~ question. **2.** unbestimmt, vage. **3.** unentschlossen, unschlüssig.

ˌ**un·deˈterred** *adj* nicht abgeschreckt, unbeeindruckt.

ˌ**un·deˈvel·oped** *adj* **1.** unentwickelt. **2.** nicht erschlossen (*Gelände*).

unˈde·viˌat·ing *adj* (*adv* ~ly) **1.** nicht abweichend. **2.** unentwegt, unbeirrbar.

un·dies [ˈʌndiz] *s pl colloq.* (ˈDamen)ˌUnterwäsche *f*.

ˌ**un·difˈfer·enˈtiˌat·ed** *adj* ˈundifferenˌziert, homoˈgen.

ˌ**un·diˈgest·ed** *adj* unverdaut (*a. fig.*).

unˈdig·niˌfied *adj* unwürdig, würdelos.

ˌ**un·diˈlut·ed** *adj* a) unverdünnt, b) *a. fig.* unvermischt, unverfälscht.

ˌ**un·diˈmin·ished** *adj* **1.** unvermindert, ungeschmälert. **2.** ungerührt, unbeeindruckt (*Person*).

un·dine [ˈʌndiːn] *s* **1.** Unˈdine *f*, Wassernixe *f*. **2.** *med.* Unˈdine *f* (*Glasgefäß für Spülungen*).

ˌ**un·dip·loˈmat·ic** *adj* (*adv* ~ally) ˈundiploˌmatisch.

ˌ**un·diˈrect·ed** *adj* **1.** ungeleitet, führungslos, ungelenkt. **2.** ˈunadresˌsiert. **3.** *math. phys.* ungerichtet.

ˌ**un·disˈcerned** *adj* unbemerkt. ˌ**un·disˈcern·ing** *adj* (*adv* ~ly) urteils-, einsichtslos.

ˌ**un·disˈcharged** *adj* **1.** unbezahlt, unbeglichen. **2.** *econ.* (noch) nicht entlastet: ~ bankrupt. **3.** unerledigt. **4.** nicht abgeschossen (*Feuerwaffe*). **5.** nicht entladen (*Schiff*).

unˈdis·ci·plined *adj* **1.** ˈundiszipliˌniert, zuchtlos. **2.** ungeschult.

ˌ**un·disˈclosed** *adj* ungenannt, geheimgehalten, nicht bekanntgegeben.

ˌ**un·disˈcour·aged** *adj* nicht entmutigt.

ˌ**un·disˈcov·er·a·ble** *adj* unauffindbar, nicht zu entdecken(d). ˌ**un·disˈcov·ered** *adj* **1.** unaufgeklärt. **2.** unentdeckt. **3.** unbemerkt.

ˌ**un·disˈcrim·iˌnat·ing** *adj* (*adv* ~ly) **1.** keinen ˈUnterschied machend, ˈunterschiedslos. **2.** ohne Scharfblick, unkritisch.

ˌ**un·disˈcussed** *adj* unerörtert.

ˌ**un·disˈguised** *adj* **1.** unverkleidet, ˈunmasˌkiert. **2.** *fig.* unverhüllt, unverhohlen. ˌ**un·disˈguis·ed·ly** [-idli] *adv*.

ˌ**un·disˈmayed** *adj* unerschrocken, unverzagt.

ˌ**un·disˈposed** *adj* **1.** ~ of nicht verteilt *od.* vergeben, *econ. a.* unverkauft. **2.** abgeneigt, nicht aufgelegt, unwillig (to do zu tun).

ˌ**un·disˈput·ed** *adj* (*adv* ~ly) unbestritten.

ˌ**un·disˈsem·bled** *adj* **1.** nicht verstellt, aufrichtig, echt. **2.** unverhüllt, offen(sichtlich).

ˌ**un·disˈsolved** *adj* **1.** unaufgelöst. **2.** ungeschmolzen.

ˌ**un·disˈtin·guish·a·ble** *adj* (*adv* undistinguishably) **1.** undeutlich, nicht erkennbar. **2.** nicht unterˈscheidbar, nicht zu unterˈscheiden(d) (from von).

ˌ**un·disˈtin·guished** *adj* **1.** nicht unterˈschieden (from, by von). **2.** undeutlich, nicht zu erkennen(d). **3.** unbekannt, obˈskur.

ˌ**un·disˈtract·ed** *adj* nicht zerstreut *od.* gestört (by durch), nicht abgelenkt (from von).

ˌ**un·disˈturbed** *adj* **1.** ungestört. **2.** unberührt, gelassen. ˌ**un·disˈturb·ed·ly** [-idli] *adv*.

ˌ**un·diˈvid·ed** *adj* **1.** ungeteilt (*a. fig.*): ~ attention. **2.** ˈununterˌbrochen. **3.** alˈleinig: ~ responsibility. **4.** *econ.* nicht verteilt: ~ profits.

ˌ**un·diˈvorced** *adj* nicht getrennt *od.* geschieden.

ˌ**un·diˈvulged** → undisclosed.

un·do [ʌnˈduː] *v/t irr* **1.** *fig.* rückgängig *od.* ungeschehen machen, aufheben. **2.** *fig.* ruiˈnieren, zuˈgrunde richten, vernichten. **3.** *fig.* zuˈnichte machen: to ~ s.o.'s hopes. **4.** a) aufmachen, öffnen: to ~ a parcel (one's collar *etc*), b) aufknöpfen, -knüpfen: to ~ one's waistcoat, c) losbinden: → undone. **5.** *j-m* das Kleid aufmachen. **6.** *e-n Saum* auftrennen.

unˈdock *mar.* **I** *v/t ein Schiff* entdocken. **II** *v/i* aus dem Dock fahren.

un·do·er [ʌnˈduːər] *s* Zerstörer *m*, Verderber *m*, Verführer *m*. **unˈdo·ing** *s* **1.** (*das*) Aufmachen (*etc*, → undo 4—6). **2.** Rückgängigmachen *n*. **3.** Zerstörung *f*, Vernichtung *f*. **4.** Unglück *n*, Verderben *n*, Ruˈin *m*.

ˌ**un·doˈmes·tiˌcat·ed** *adj* **1.** unhäuslich. **2.** ungezähmt, wild.

unˈdone I *pp von* undo. **II** *adj* **1.** ungetan, unerledigt: to leave s.th. ~ etwas unausgeführt lassen, etwas unterlassen; **to leave nothing ~** nichts unversucht lassen, alles (nur Mögliche) tun. **2.** zu'grunde gerichtet, rui'niert, ‚erledigt', ‚hin'. **3.** offen, auf: **to come ~** aufgehen.

un'doubt·ed *adj* unbezweifelt, unzweifelhaft, unbestritten. **un'doubt·ed·ly** *adv* zweifellos, ohne (jeden) Zweifel.

un'doubt·ing *adj* (*adv* **~ly**) nicht zweifelnd, zuversichtlich.

un'drape *v/t* **1.** die Dra'pierung entfernen von. **2.** entkleiden, -hüllen.

un·dreamed, *a.* **un·dreamt** [*beide* ʌn'dremt] *adj oft* **~-of** nie erträumt, ungeahnt, unerhört.

un·dress I *v/t u. v/i* [ʌn'dres] **1.** (sich) entkleiden *od.* ausziehen. **II** *s* ['ʌnˌdres] **2.** Alltagskleid(ung *f*) *n.* **3.** Hauskleid(ung *f*) *n,* Morgenrock *m,* Negli'gé *n.* **4.** *mil.* 'Interimsuniˌform *f.* **III** *adj* ['ʌnˌdres] **5.** Alltags..., Haus...

un'dressed *adj* **1.** unbekleidet. **2.** unordentlich (gekleidet). **3.** *Kochkunst:* a) 'ungarˌniert, b) unzubereitet. **4.** *tech.* a) ungegerbt (*Leder*), b) unbehauen (*Holz, Stein*). **5.** *med.* unverbunden (*Wunde etc*).

un'dried *adj* ungetrocknet.

un'drink·a·ble *adj* nicht trinkbar, ungenießbar.

un'due *adj* (*adv* **unduly**) **1.** *econ.* (noch) nicht fällig: **an ~ debt. 2.** unangemessen, unpassend, ungehörig, ungebührlich, unangebracht: **~ behavio(u)r. 3.** unnötig, über'trieben, 'übermäßig: **~ haste** übertriebene Eile. **4.** *bes. jur.* unzulässig: → **influence** 1.

un·du·lant ['ʌndjulənt] *adj* **1.** wallend, wogend. **2.** wellig. **~ fe·ver** *s med.* Maltafieber *n.*

un·du·late ['ʌndjuˌleit] **I** *v/i* **1.** wogen, wallen, sich wellenförmig (fort)bewegen. **2.** wellenförmig verlaufen. **II** *v/t* **3.** in wellenförmige Bewegung versetzen, wogen lassen. **4.** wellen. **III** *adj* [-lit; -ˌleit] → **undulated. 'un·duˌlat·ed** [-ˌleitid] *adj* wellenförmig, gewellt, wellig, Wellen...: **~ line** Wellenlinie *f.* **'un·duˌlat·ing** *adj* (*adv* **~ly**) **1.** → **undulated. 2.** wallend, wogend. **ˌun·du'la·tion** *s* **1.** wellenförmige Bewegung, Wallen *n,* Wogen *n.* **2.** *geol.* Welligkeit *f.* **3.** *phys.* Wellenbewegung *f,* -linie *f.* **4.** *phys.* Schwingung(sbewegung) *f.* **5.** *math.* Undulati'on *f* (*e-r Kurve etc*). **'un·du·la·to·ry** [-lətəri] *adj* wellenförmig, Wellen...: **~ current** *electr.* Wellenstrom *m;* **~ theory** *phys.* Wellentheorie *f* des Lichts.

un'du·ly *adv von* **undue.**

un'du·ti·ful *adj* (*adv* **~ly**) **1.** pflichtvergessen. **2.** ungehorsam. **3.** unehrerbietig.

un'dy·ing *adj* a) unsterblich, unvergänglich: **~ love (fame,** *etc*), b) unendlich: **~ hatred.**

un'earned *adj* nicht erarbeitet, unverdient: **~ income** *econ.* Einkommen *n* aus Vermögen; **~ increment** unverdienter Wertzuwachs.

un'earth *v/t* **1.** *ein Tier* aus der Höhle treiben. **2.** ausgraben (*a. fig.*). **3.** *fig.* ans (Tages)Licht bringen, aufstöbern, ausfindig machen.

un'earth·ly *adj* **1.** 'überirdisch. **2.** unirdisch, 'übernaˌtürlich. **3.** schauerlich, unheimlich. **4.** *colloq.* unmöglich (*Zeit*): **at an ~ hour** in aller Herrgottsfrühe.

un'eas·i·ness *s* **1.** (*körperliches u. geistiges*) Unbehagen, unbehagliches Gefühl. **2.** (innere) Unruhe. **3.** Unbehaglichkeit *f* (*e-s Gefühls etc*). **4.** Unsicherheit *f.* **un'eas·y** *adj* (*adv* **uneasily**) **1.** unruhig, beklommen, unbehaglich, besorgt, ängstlich, ner'vös: **to feel ~ about s.th.** über etwas beunruhigt sein; **an ~ feeling** ein unbehagliches Gefühl; **he is ~ about** (*od.* **at**) ihm ist nicht ganz wohl bei. **2.** unruhig, ruhelos: **to pass an ~ night. 3.** unbehaglich, ungemütlich, beunruhigend: **an ~ suspicion** ein beunruhigender Verdacht. **4.** unsicher (*im Sattel etc*). **5.** gezwungen, verlegen, unsicher: **~ behavio(u)r.**

un'eat·a·ble *adj* ungenießbar.

ˌun·e·co'nom·ic *adj;* **ˌun·e·co'nom·i·cal** *adj* (*adv* **~ly**) unwirtschaftlich.

un'ed·iˌfy·ing *adj* wenig erbaulich, unerquicklich.

un'ed·uˌcat·ed *adj* ungebildet.

ˌun·em'bar·rassed *adj* **1.** nicht verlegen, 'ungeˌniert. **2.** unbehindert. **3.** frei von (Geld)Sorgen.

ˌun·e'mo·tion·al *adj* (*adv* **~ly**) **1.** leidenschaftslos, nüchtern. **2.** teilnahmslos, passiv, kühl. **3.** gelassen.

ˌun·em'ploy·a·ble I *adj* **1.** nicht verwendbar *od.* verwendungsfähig, unbrauchbar. **2.** arbeitsunfähig. **II** *s* **3.** Arbeitsunfähige(r *m*) *f.* **ˌun·em'ployed I** *adj* **1.** arbeits-, erwerbslos, unbeschäftigt. **2.** ungenützt, brachliegend: **~ capital** *econ.* totes Kapital. **II** *s* **3. the ~** die Arbeitslosen *pl.*

ˌun·em'ploy·ment *s* Arbeits-, Erwerbslosigkeit *f.* **~ ben·e·fit, ~ com·pen·sa·tion** *s econ.* 'Arbeitslosen-unterˌstützung *f.* **~ in·sur·ance** *s econ.* Arbeitslosenversicherung *f.* **~ re·lief** → **unemployment benefit.**

ˌun·en'cum·bered *adj* **1.** *jur.* unbelastet (*Grundbesitz*). **2.** (by) unbehindert (durch), frei (von): **~ by any restrictions** ohne irgendwelche Behinderungen.

un'end·ing *adj* (*adv* **~ly**) endlos, nicht enden wollend, unaufhörlich, ewig.

ˌun·en'dowed *adj* **1.** nicht ausgestattet (**with** mit). **2.** nicht do'tiert (**with** mit), ohne Zuschuß. **3.** nicht begabt (**with** mit).

ˌun·en'dur·a·ble *adj* (*adv* **unendurably**) unerträglich.

ˌun·en'force·a·ble *adj* nicht erzwingbar, *jur. a.* nicht voll'streckbar *od.* 'durchführbar.

ˌun·en'gaged *adj* frei: a) nicht gebunden, nicht verpflichtet, b) nicht verlobt, c) unbeschäftigt.

un-'Eng·lish *adj* unenglisch.

ˌun·en'light·ened *adj fig.* unaufgeklärt, unerleuchtet.

un'en·terˌpris·ing *adj* nicht *od.* wenig unter'nehmungslustig, ohne Unter'nehmungsgeist.

un'en·vi·a·ble *adj* (*adv* **unenviably**) nicht zu beneiden(d), wenig beneidenswert.

un'e·qual I *adj* (*adv* **~ly**) **1.** ungleich, 'unterschiedlich: **~ value; an ~ fight** ein ungleicher Kampf. **2.** nicht gewachsen (**to** *dat*): **he is ~ to the task. 3.** ungleichförmig. **4.** *math.* ungerade (*Zahl*). **II** *s* **5.** *pl* (*die*) Ungleichartigen *pl* (*Dinge etc*). **6.** *pl* (*die*) Unebenbürtigen *pl.* **un'e·qual(l)ed** *adj* **1.** unerreicht, 'unüberˌtroffen (**by** von; **for** in *od.* an *dat*): **~ for beauty. 2.** beispiellos, *nachgestellt:* ohne'gleichen: **~ ignorance; not ~** nicht ohne Beispiel.

ˌun·e'quiv·o·cal *adj* (*adv* **~ly**) **1.** unzweideutig, 'unˌmißverständlich, eindeutig. **2.** aufrichtig.

un'err·ing *adj* (*adv* **~ly**) unfehlbar, untrüglich.

ˌun·es'cap·a·ble *adj* unentrinnbar.

ˌun·es'sen·tial I *adj* **1.** unwesentlich, unwichtig. **2.** entbehrlich. **II** *s* **3.** (*das*) Unwesentliche, Nebensache *f.*

un'e·ven *adj* **1.** uneben: **~ ground. 2.** ungerade: **~ number. 3.** ungleich(mäßig, -artig). **4.** *fig.* unausgeglichen: **he has an ~ temper** er ist unausgeglichen *od.* Stimmungen unterworfen.

un'e·ven·ness *s* **1.** Unebenheit *f.* **2.** Ungleichheit *f.* **3.** Unausgeglichenheit *f.*

ˌun·e'vent·ful *adj* (*adv* **~ly**) ereignislos, ruhig, *a.* ohne Zwischenfälle (verlaufend).

ˌun·ex'act·ing *adj* **1.** anspruchslos, keine großen Anforderungen stellend. **2.** leicht, nicht anstrengend.

ˌun·ex'am·pled *adj* beispiellos, unvergleichlich, *nachgestellt:* ohne'gleichen: **~ success; not ~** nicht ohne Beispiel.

ˌun·ex'celled *adj* 'unüberˌtroffen.

ˌun·ex'cep·tion·a·ble *adj* (*adv* **unexceptionably**) nicht zu beanstanden(d), einwandfrei, untadelig.

ˌun·ex'cep·tion·al *adj* (*adv* **~ly**) **1.** nicht außergewöhnlich. **2.** keine Ausnahme(n) zulassend. **3.** ausnahmslos. **4.** → **unexceptionable.**

ˌun·ex'haust·ed *adj* **1.** nicht erschöpft (*a. fig.*). **2.** nicht aufgebraucht.

ˌun·ex'pect·ed *adj* (*adv* **~ly**) unerwartet, unvermutet, 'unvorˌhergesehen. **ˌun·ex'pect·ed·ness** *s* (*das*) Unerwartete, (*die*) Plötzlichkeit.

ˌun·ex'pired *adj* (noch) nicht abgelaufen *od.* verfallen, noch in Kraft.

ˌun·ex'plain·a·ble *adj* unerklärbar, unerklärlich. **ˌun·ex'plained** *adj* unerklärt.

ˌun·ex'plored *adj* unerforscht.

ˌun·ex'pressed *adj* unausgesprochen.

un'ex·purˌgat·ed *adj* (von anstößigen Stellen) nicht gereinigt, ungekürzt.

un'fad·ing *adj* **1.** unverwelklich (*a. fig.*). **2.** *fig.* unvergänglich. **3.** nicht verblassend (*Farbe*).

un'fail·ing *adj* (*adv* **~ly**) **1.** unfehlbar. **2.** nie versagend. **3.** treu. **4.** unerschöpflich, unversiegbar: **~ sources of supply.**

un'fair *adj* unfair: a) ungerecht, unbillig, b) unehrlich, *bes. econ.* unlauter, c) nicht anständig, d) unsportlich (*alle:* **to** gegen'über *dat*): **~ advantage** unrechtmäßig erlangter Vorteil; **~ means** unlautere Mittel; → **competition** 2 a. **un'fair·ly** *adv* **1.** unfair, unbillig(erweise *etc*). **2.** zu Unrecht: **not ~** nicht zu Unrecht. **3.** 'übermäßig. **un'fair·ness** *s* **1.** Unbilligkeit *f,* Unlauterkeit *f.* **2.** unfaires *od.* unsportliches Verhalten.

un'faith *s* Unglaube *m.* **un'faith·ful** *adj* (*adv* **~ly**) **1.** un(ge)treu, treulos. **2.** nicht wortgetreu, ungenau: **~ copy; ~ translation. un'faith·ful·ness** *s* Untreue *f,* Treulosigkeit *f.*

un'fal·ter·ing *adj* (*adv* **~ly**) **1.** nicht schwankend, sicher: **~ step. 2.** fest: **~ glance (voice). 3.** *fig.* unbeugsam, entschlossen.

ˌun·fa'mil·iar *adj* **1.** unbekannt, nicht vertraut (**to** *dat*). **2.** nicht vertraut (**with** mit). **3.** ungewohnt, fremd (**to** *dat od.* für). **ˌun·faˌmil·i'ar·i·ty** *s* Unbekanntheit *f,* Nichtvertrautsein *n,* Fremdheit *f.*

un'fash·ion·a·ble *adj* **1.** 'unmoˌdern, altmodisch. **2.** 'uneleˌgant.

un'fas·ten I *v/t* losbinden, lösen, aufmachen, öffnen. **II** *v/i* sich lösen, aufgehen: **~ed** unbefestigt, lose.

un'fa·thered *adj* **1.** vaterlos. **2.** unehelich, 'illegiˌtim. **3.** ohne bekannten Verfasser (*Buch etc*). **un'fa·ther·ly** *adj* unväterlich, lieblos.

un'fath·om·a·ble *adj* (*adv* **unfathomably**) **1.** unergründlich (*a. fig.*). **2.** unermeßlich, weit. **3.** *fig.* unbegreiflich. **un'fath·omed** *adj* unergründet.

un'fa·vo(u)r·a·ble *adj* **1.** ungünstig, unvorteilhaft (for, to für). **2.** widrig (*Umstände, Wetter etc*). **3.** unvorteilhaft (*Aussehen*). **4.** *econ.* passiv: ~ balance of trade. **un'fa·vo(u)r·a·ble·ness** *s* Unvorteilhaftigkeit *f.* **un'fa·vo(u)r·a·bly** *adv.*

un'fea·si·ble *adj* unausführbar.

un'fed *adj* ungefüttert, ohne Nahrung.

un'feel·ing *adj* (*adv* ~**ly**) **1.** unempfindlich. **2.** gefühllos. **un'feel·ing·ness** *s* **1.** Stumpfheit *f.* **2.** Gefühllosigkeit *f.*

un'feigned *adj* **1.** ungeheuchelt. **2.** wahr, echt, aufrichtig.

un'felt *adj* ungefühlt.

un'fem·i·nine *adj* unweiblich.

un'fer·tile *adj* unfruchtbar.

un'fet·ter *v/t* **1.** losketten. **2.** *fig.* befreien. **un'fet·tered** *adj* **1.** frei. **2.** *fig.* unbehindert, unbeschränkt, frei.

un'fig·ured *adj* **1.** nicht bildhaft *od.* bilderreich: ~ style. **2.** ohne Fi'guren: ~ decorations. **3.** ungemustert.

un'fil·i·al *adj* lieb-, re'spektlos, pflichtvergessen (*Kind*).

un'filled *adj* **1.** un(aus)gefüllt, leer. **2.** unbesetzt: ~ position. **3.** ~ orders *econ. Am.* nicht ausgeführte Bestellungen *pl*, Auftragsbestand *m.*

un'fin·ished *adj* **1.** unfertig (*a. fig. Stil etc*). **2.** a) *tech.* unbearbeitet, b) *Weberei*: ungeschoren. **3.** 'unvoll,endet: ~ book; ~ symphony. **4.** unerledigt: ~ business *bes. parl.* unerledigte Punkte *pl* (*der Geschäftsordnung*).

un'fit I *adj* (*adv* ~**ly**) **1.** untauglich (*a. mil.*), ungeeignet (for für, zu). **2.** unfähig, unbefähigt (for zu; to do zu tun): ~ for (military) service (wehr)dienstuntauglich. **3.** *sport* nicht fit, nicht in (guter) Form. **II** *v/t* **4.** ungeeignet (*etc*) machen (*für etwas*). **un'fit·ness** *s* Untauglichkeit *f*, Unbrauchbarkeit *f.* **un'fit·ted** *adj* **1.** ungeeignet, untauglich. **2.** nicht (gut) ausgerüstet (with mit). **un'fit·ting** *adj* (*adv* ~**ly**) **1.** ungeeignet, unpassend. **2.** unangebracht, unschicklich.

un'fix *v/t* **1.** losmachen, lösen: ~ bayonets! *mil.* Seitengewehr, an Ort! **2.** *fig.* unsicher machen, ins Wanken bringen. **un'fixed** *adj* **1.** unbefestigt, lose. **2.** *fig.* schwankend.

un'flag·ging *adj* (*adv* ~**ly**) unermüdlich, unentwegt.

un'flat·ter·ing *adj* (*adv* ~**ly**) **1.** nicht *od.* wenig schmeichelhaft. **2.** ungeschminkt.

un'fledged *adj* **1.** ungefiedert, (noch) nicht flügge. **2.** *fig.* unreif, unfertig.

un'fleshed *adj* **1.** unerfahren, noch nicht erprobt. **2.** ohne Fleisch.

un'flinch·ing *adj* (*adv* ~**ly**) **1.** nicht zu'rückschreckend (from vor *dat*). **2.** unerschrocken, unerschütterlich. **3.** entschlossen, unnachgiebig.

un'fly·a·ble *adj aer.* zum Fliegen ungeeignet: ~ weather kein Flugwetter.

un'fold I *v/t* **1.** entfalten, ausbreiten, öffnen. **2.** *fig.* enthüllen, darlegen, offen'baren. **3.** *fig.* entwickeln: to ~ a story. **II** *v/i* **4.** sich entfalten, sich öffnen. **5.** *fig.* sich entwickeln.

un'forced *adj* ungezwungen (*a. fig. natürlich*).

,un·fore'seen *adj* 'unvor,hergesehen, unerwartet.

,un·for'get·ta·ble *adj* (*adv* **unforgettably**) unvergeßlich.

,un·for'giv·a·ble *adj* unverzeihlich. **,un·for'giv·en** *adj* unverziehen. **,un·for'giv·ing** *adj* unversöhnlich, nachtragend.

,un·for'got·ten *adj* unvergessen.

un'formed *adj* **1.** ungeformt, formlos. **2.** unfertig, unentwickelt.

un'for·ti,fied *adj* **1.** *mil.* unbefestigt. **2.** nicht verstärkt. **3.** nicht angereichert: ~ food.

un'for·tu·nate I *adj* **1.** unglücklich, Unglücks..., verhängnisvoll, unglückselig. **2.** bedauerlich. **II** *s* **3.** Unglückliche(r *m*) *f.* **4.** *colloq.* Dirne *f.* **5.** *Ir.* Geisteskranke(r *m*) *f.* **un'for·tu·nate·ly** *adv* unglücklicher-, bedauerlicherweise, leider.

un'found·ed *adj* (*adv* ~**ly**) *fig.* unbegründet, grundlos, gegenstandslos: ~ hopes (suspicion, *etc*); ~ rumo(u)rs gegenstandslose Gerüchte.

un'framed *adj* ungerahmt.

un'free *adj* unfrei.

un'freeze *v/t* **1.** (auf)tauen. **2.** *Am. colloq. Preise etc* freigeben. **3.** *Gelder* zur Auszahlung freigeben.

un'fre·quent *adj* nicht häufig, selten.

,un·fre'quent·ed *adj* **1.** nicht *od.* wenig besucht *od.* begangen. **2.** einsam, verlassen.

un'friend·ed *adj* freundlos.

un'friend·li·ness *s* Unfreundlichkeit *f.*

un'friend·ly I *adj* **1.** unfreundlich (toward[s] gegen): an ~ act (nation). **2.** ungünstig (for, to für). **II** *adv* **3.** unfreundlich.

un'frock *v/t fig.* **1.** *relig. j-m* das Priesteramt entziehen. **2.** *Am. j-n* ausstoßen (from aus *e-m Berufsstand etc*).

un'fruit·ful *adj* (*adv* ~**ly**) **1.** unfruchtbar. **2.** *fig.* frucht-, ergebnislos. **un'fruit·ful·ness** *s* **1.** Unfruchtbarkeit *f.* **2.** *fig.* Fruchtlosigkeit *f.*

un'fund·ed *adj econ.* 'unfun,diert, nicht fun'diert: ~ debt.

un'furl I *v/t* entfalten, öffnen, ausein'anderbreiten, entrollen: to ~ sails *mar.* Segel losmachen. **II** *v/i* sich entfalten.

un'fur·nished *adj* **1.** nicht ausgerüstet *od.* versehen (with mit). **2.** 'unmö,bliert: an ~ room.

un'gain·li·ness *s* Plumpheit *f*, Unbeholfenheit *f.* **un'gain·ly** *adj u. adv* unbeholfen, plump, linkisch.

un'gal·lant *adj* (*adv* ~**ly**) **1.** 'unga,lant (to zu, gegen'über). **2.** nicht tapfer, feige.

un'gar·bled *adj* **1.** unausgesucht. **2.** unverstümmelt, nicht entstellt: ~ report.

un'gear *v/t* **1.** *tech.* auskuppeln. **2.** *Zugtiere* aus-, abschirren. **3.** *fig.* zerrütten.

un'gen·er·ous *adj* (*adv* ~**ly**) **1.** nicht freigebig, ‚knaus(e)rig'. **2.** kleinlich.

un'gen·ial *adj* **1.** unfreundlich. **2.** unangenehm. **3.** unzuträglich. **4.** ungünstig.

un'gen·tle *adj* (*adv* **ungently**) **1.** unsanft, unzart. **2.** unhöflich. **3.** unfein.

un'gen·tle·man,like → ungentlemanly. **un'gen·tle·man·li·ness** *s* **1.** unfeines *od.* unvornehmes Wesen. **2.** ungebildetes *od.* unfeines Benehmen. **un'gen·tle·man·ly** *adj* e-s Gentleman unwürdig, ungebildet, unfein.

,un-get-'at·a·ble *adj* **1.** unzugänglich, schwer erreichbar. **2.** unnahbar.

un'gift·ed *adj* unbegabt.

un'gild·ed, *a.* **un'gilt** *adj* nicht vergoldet.

un'gird *v/t* losgürten. **un'girt,** *a.* **un'gird·ed** *adj* **1.** ohne Gürtel. **2.** locker gegürtet. **3.** locker.

un'glazed *adj* **1.** unverglast: ~ window. **2.** 'ungla,siert: ~ jugs.

un'gloved *adj* ohne Handschuh(e).

un'god·li·ness *s* Gottlosigkeit *f.* **un'god·ly** *adj* **1.** gottlos (*a. weitS. verrucht*). **2.** *colloq.* scheußlich, schrecklich, ‚gotteslästerlich': an ~ mess; at such an ~ hour zu e-r so unmenschlichen Zeit.

un'gov·ern·a·ble *adj* (*adv* **ungovernably**) **1.** unlenksam, unbotmäßig. **2.** zügellos, unbändig, wild. **un'gov·erned** *adj* unbeherrscht, zügellos.

un'grace·ful *adj* (*adv* ~**ly**) **1.** ohne Anmut, 'ungrazi,ös. **2.** plump, ungelenk.

un'gra·cious *adj* (*adv* ~**ly**) **1.** ungnädig, unfreundlich. **2.** unangenehm. **3.** *obs. für* ungraceful.

,un·gram'mat·i·cal *adj* (*adv* ~**ly**) *ling.* 'ungram,matisch.

un'grate·ful *adj* (*adv* ~**ly**) **1.** undankbar (to gegen). **2.** *fig.* unangenehm, undankbar: ~ task. **un'grate·ful·ness** *s* Undankbarkeit *f.*

un'grat·i,fied *adj* unbefriedigt.

un'ground·ed *adj* **1.** unbegründet. **2.** a) ungeschult, b) ohne sichere Grundlage(n) (*Wissen*). **3.** *electr. Am.* nicht geerdet.

un'grudg·ing *adj* **1.** ohne Murren, (bereit)willig. **2.** neidlos, großzügig: to be ~ in praise neidlos Lob spenden. **un'grudg·ing·ly** *adv* gern.

un·gual ['ʌŋgwəl] *adj anat. zo.* Nagel..., Klauen..., Huf...

un'guard·ed *adj* **1.** unbewacht (*a. fig. Moment etc*), ungeschützt, unverteidigt. **2.** unvorsichtig, unbedacht.

un·guent ['ʌŋgwənt] *s pharm.* Salbe *f.*

un'guid·ed *adj* **1.** ungeleitet, führer-, führungslos. **2.** nicht ferngesteuert: ~ missile.

un·gu·late ['ʌŋgjulit; -,leit] *zo.* **I** *adj* **1.** hufförmig. **2.** mit Hufen, Huf... **3.** Huftier... **II** *s* **4.** Huftier *n.*

un'hack·neyed *adj* nicht abgedroschen *od.* abgenutzt.

un'hair I *v/t* enthaaren. **II** *v/i* Haare verlieren.

un'hal·lowed *adj* **1.** nicht geheiligt, ungeweiht. **2.** unheilig, pro'fan.

un'ham·pered *adj* ungehindert.

un'hand *v/t j-n* loslassen.

un'hand·i·ness *s* **1.** Unhandlichkeit *f.* **2.** Ungeschick(lichkeit *f*) *n.*

un'hand·some *adj* (*adv* ~**ly**) **1.** unschön (*a. fig. Benehmen etc*). **2.** unhöflich, unfein. **3.** kleinlich.

un'hand·y *adj* (*adv* **unhandily**) **1.** unhandlich, schwer zu handhaben(d). **2.** unbeholfen, ungeschickt (*Person*).

un'hang *v/t* ab-, her'unternehmen: to ~ a picture.

un'hap·pi·ly *adv* unglücklicherweise, leider. **un'hap·pi·ness** *s* Unglück(seligkeit *f*) *n*, Elend *n.* **un'hap·py** *adj allg.* unglücklich: a) traurig, elend, b) un(glück)selig, unheilvoll: an ~ day, c) ungeschickt, unpassend: an ~ remark; ~ contrast bedauerlicher Gegensatz.

un'harmed *adj* unversehrt, heil.

,un·har'mo·ni·ous *adj mus.* 'unhar,monisch (*a. fig.*).

un'har·ness *v/t Pferde etc* ausspannen, abschirren.

un'health·i·ness *s* Ungesundheit *f.* **un'health·y** *adj* (*adv* **unhealthily**) *allg.* ungesund: a) kränklich (*a. Aussehen etc*), b) gesundheitsschädlich: ~ climate (food, *etc*), c) (*moralisch*) schädlich: ~ literature, d) *fig.* krankhaft: an ~ habit, e) *sl.* gefährlich (for für; to do zu tun).

un'heard *adj* **1.** ungehört. **2.** *jur.* ohne rechtliches Gehör. **3.** unbekannt. **un'heard-,of** *adj* unerhört, noch nie dagewesen, beispiellos.

un'heat·a·ble *adj* unheizbar.

un'heed·ed *adj* (*adv* ~**ly**) unbeachtet: to go by ~ unbeachtet bleiben. **un'heed·ful** *adj* (*adv* ~**ly**) unachtsam, sorglos, nicht achtend (of auf *acc*).

un'heed·ing *adj* (*adv* ~ly) nicht beachtend, sorglos, nachlässig, unachtsam.
un'helped *adj* ohne Hilfe *od.* Unter'stützung. **un'help·ful** *adj* (*adv* ~ly) **1.** nicht hilfreich, ungefällig. **2.** (to) nutzlos (für), nicht *od.* wenig dienlich (*dat*).
un'her·ald·ed *adj* **1.** unerwartet. **2.** unbekannt, aus dem Nichts (kommend): ~ **and unsung** sang- u. klanglos.
ˌun·he'ro·ic *adj* (*adv* ~ly) 'unheˌroisch.
un'hes·iˌtat·ing *adj* (*adv* ~ly) **1.** ohne Zaudern *od.* Zögern, unverzüglich. **2.** anstandslos, bereitwillig, *adv a.* ohne weiteres.
un'hewn *adj* unbehauen, roh (*a. fig. ungefüge*).
un'hin·dered *adj* ungehindert.
un'hinge *v/t* **1.** *e-e Tür etc* aus den Angeln heben (*a. fig.*). **2.** die Angeln entfernen von. **3.** losmachen von. **4.** *fig.* a) aus dem Gleichgewicht bringen, durchein'anderbringen, b) *Nerven, Geist* zerrütten, *j-n* ‚verrückt machen'. **5.** ausrenken.
ˌun·his'tor·ic *adj*; **ˌun·his'tor·i·cal** *adj* (*adv* ~ly) **1.** 'unhiˌstorisch. **2.** ungeschichtlich, nicht geschichtlich (belegt), legen'där.
un'hitch *v/t* **1.** loshaken, -machen. **2.** *Pferd* ausspannen.
un'ho·li·ness *s* Unheiligkeit *f*, Ruchlosigkeit *f*. **un'ho·ly** *adj* **1.** unheilig. **2.** ungeheiligt, nicht geweiht. **3.** gottlos, ruchlos. **4.** *colloq.* scheußlich, ‚gotteslästerlich'.
un'hon·o(u)red *adj* **1.** nicht geehrt, unverehrt. **2.** *econ.* nicht hono'riert (*Wechsel*).
un'hook *v/t u. v/i* los-, aufhaken.
un'hoped *adj oft* ~-for unverhofft, unerwartet.
un'horse *v/t* aus dem Sattel werfen *od.* heben (*a. fig.*).
un'house *v/t* **1.** (aus dem Hause) vertreiben. **2.** obdachlos machen. **un'housed** *adj* obdach- *od.* heimatlos, vertrieben.
un'hur·ried *adj* (*adv* ~ly) gemütlich, gemächlich.
un'hurt *adj* unverletzt, unbeschädigt.
un'husk *v/t* enthülsen, -schalen.
uni- [juːni] *Wortelement mit der Bedeutung* uni..., ein..., einzig.
ˌu·ni'ax·i·al, *a.* **ˌu·ni'ax·al** *adj bot. math. min. tech.* einachsig.
ˌu·ni'cam·er·al *adj parl. etc* Einkammer...
ˌu·ni'cel·lu·lar *adj biol.* einzellig: ~ **animal,** ~ **plant** Einzeller *m*.
ˌu·ni'col·o(u)r(ed) *adj* einfarbig, u'ni.
u·ni·corn ['juːniˌkɔːrn] *s* **1.** Einhorn *n* (*Fabeltier, a. her. u. Bibl.*). **2.** *a.* ~ **fish,** ~ **whale, sea** ~ *zo.* Einhorn-, Narwal *m*. **3.** ~ **shell** *zo.* Einhornschnecke *f*. **4.** Dreigespann *n*.
un·i·de·aed, un·i·de·a'd [ˌʌnaiˈdiəd] *adj* i'deenlos. **ˌun·i'de·al** *adj* **1.** nicht ide'ell. **2.** ohne Ide'al(e). **3.** pro'saisch, materia'listisch.
ˌun·i'den·ti·fied *adj* unbekannt, nicht identifi'zierbar *od.* identifi'ziert: ~ **flying object** unbekanntes Flugobjekt, Ufo *n*.
u·ni·di·men·sion·al [ˌjuːnidiˈmenʃənl] *adj* 'eindimensioˌnal.
un·id·i·o·mat·ic [ʌnˌidiəˈmætik] *adj ling.* 'unidioˌmatisch.
u·ni·di·rec·tion·al [ˌjuːnidiˈrekʃənl; -dai-] *adj* in 'einer Richtung verlaufend.
u·ni·fi·ca·tion [ˌjuːnifiˈkeiʃən] *s* **1.** Vereinigung *f*. **2.** Vereinheitlichung *f*.
'u·niˌfied [-ˌfaid] *adj* **1.** vereinheitlicht, einheitlich: ~ **field theory** *math. phys.* einheitliche Feldtheorie. **2.** *econ.* konsoli'diert: ~ **debt. 'u·niˌfi·er** *s* **1.** Einiger *m*. **2.** (*das*) Vereinigende.
u·ni·fi·lar [ˌjuːniˈfailər] *adj phys. tech.* einfädig, Unifilar...
u·ni·form ['juːniˌfɔːrm] **I** *adj* (*adv* ~ly) **1.** gleich(förmig), uni'form. **2.** gleichbleibend, kon'stant: ~ **temperature. 3.** einheitlich, über'einstimmend, gleich, uni'form, Einheits...: ~ **price** Einheitspreis *m*. **4.** einförmig, eintönig. **5.** *math.* von nur 'einem Wert (*Funktion*). **II** *s* **6.** Uni'form *f*, Dienstkleidung *f*. **III** *v/t* **7.** unifor'mieren, gleichförmig (*etc*) machen. **8.** *mil. etc j-n* unifor'mieren: ~**ed** uniformiert, in Uniform. **ˌu·ni'form·i·ty** *s* **1.** Gleichförmigkeit *f*, -mäßigkeit *f*, Gleichheit *f*, Über'einstimmung *f*, Uniformi'tät *f*. **2.** Einheitlichkeit *f*: **Act of U~** *parl. Br. hist.* Uniformitäts-Akte *f* (*1662*). **3.** Einförmigkeit *f*, Eintönigkeit *f*.
u·ni·fy ['juːniˌfai] *v/t* **1.** verein(ig)en, zs.-schließen. **2.** vereinheitlichen: → **unified.**
u·ni·lat·er·al [ˌjuːniˈlætərəl] *adj* (*adv* ~ly) **1.** einseitig. **2.** *jur.* einseitig (bindend): ~ **contract. 3.** *med.* unilate'ral, ein-, halbseitig. **4.** *sociol.* nur zu 'einer Vorfahrenlinie gehörend.
u·ni·lin·gual [ˌjuːniˈliŋgwəl] *adj* einsprachig.
ˌun·il'lu·miˌnat·ed *adj* **1.** unerleuchtet (*a. fig.*). **2.** *fig.* unwissend.
ˌun·im'ag·i·na·ble *adj* (*adv* **unimaginably**) unvorstellbar. **ˌun·im'ag·i·na·tive** *adj* (*adv* ~ly) einfalls-, phanta'sielos. **ˌun·im'ag·ined** *adj* ungeahnt.
u·ni·mod·al [ˌjuːniˈmoudl] *adj Statistik*: eingipfelig (*Häufigkeitskurve*).
ˌun·im'paired *adj* unvermindert, ungeschmälert, unbeeinträchtigt.
ˌun·im'pas·sioned *adj* leidenschaftslos, ruhig.
ˌun·im'peach·a·ble *adj* **1.** unanfechtbar, unantastbar. **2.** untadelig.
ˌun·im'ped·ed *adj* (*adv* ~ly) ungehindert.
ˌun·im'por·tance *s* Unwichtigkeit *f*. **ˌun·im'por·tant** *adj* unwichtig, unwesentlich, unbedeutend.
ˌun·im'pos·ing *adj* nicht impo'nierend *od.* impo'sant, eindruckslos.
ˌun·im'pres·sion·a·ble *adj* (für Eindrücke) unempfänglich, nicht zu beeindrucken(d).
ˌun·im'pres·sive *adj* keinen Eindruck machend; → **unimposing.**
ˌun·im'proved *adj* **1.** unverbessert, nicht vervollkommnet. **2.** nicht besser geworden. **3.** *agr. bes. Am.* nicht kulti'viert, unbebaut (*Land*).
ˌun·in'flect·ed *adj ling.* 'unflekˌtiert, flexi'onslos.
un'in·flu·enced *adj* unbeeinflußt (by durch, von). **ˌun·in·flu'en·tial** *adj* ohne Einfluß, nicht einflußreich.
ˌun·in'formed *adj* **1.** (on) nicht infor'miert *od.* unter'richtet (über *acc*), nicht eingeweiht (in *acc*). **2.** unwissend, ungebildet.
ˌun·in'hab·it·a·ble *adj* unbewohnbar. **ˌun·in'hab·it·ed** *adj* unbewohnt, leer.
ˌun·in'i·tiˌat·ed *adj* uneingeweiht, nicht eingeführt (into in *acc*).
un'in·jured *adj* **1.** unverletzt, unbeschädigt. **2.** *fig.* unverdorben.
ˌun·in'spired *adj* wenig begeistert *od.* inspi'riert, schwunglos, ohne Feuer. **ˌun·in'spir·ing** *adj* nicht begeisternd, wenig anregend.
ˌun·in'struct·ed *adj* **1.** nicht unter'richtet, unwissend. **2.** nicht instru'iert, ohne Verhaltungsmaßregeln. **ˌun·in'struc·tive** *adj* nicht instruk'tiv *od.* lehrreich.
ˌun·in'sured *adj* unversichert.
ˌun·in'tel·li·gent *adj* (*adv* ~ly) 'unintelliˌgent, beschränkt, geistlos, dumm.
ˌun·inˌtel·li·gi'bil·i·ty *s* Unverständlichkeit *f*. **ˌun·in'tel·li·gi·ble** *adj* (*adv* **unintelligibly**) unverständlich.
ˌun·in'tend·ed, ˌun·in'ten·tion·al *adj* (*adv* ~ly) unbeabsichtigt, unabsichtlich, ungewollt.
un'in·ter·est·ed *adj* (*adv* ~ly) **1.** 'uninteresˌsiert, inter'esselos (in an *dat*). **2.** gleichgültig, unbeteiligt. **un'in·ter·est·ing** *adj* (*adv* ~ly) 'uninteresˌsant.
ˌun·in·ter'mit·ting *adj* 'ununterˌbrochen, anhaltend.
ˌun·in·ter'rupt·ed *adj* (*adv* ~ly) 'ununterˌbrochen: a) ungestört (by von), b) kontinu'ierlich, fortlaufend, anhaltend: ~ **working hours** durchgehende Arbeitszeit.
ˌun·in'ven·tive *adj* nicht erfinderisch, einfallslos.
ˌun·in'vest·ed *adj econ.* nicht inve'stiert *od.* angelegt, tot (*Kapital*).
ˌun·in'vit·ed *adj* un(ein)geladen. **ˌun·in'vit·ing** *adj* (*adv* ~ly) nicht *od.* wenig einladend *od.* verlockend *od.* anziehend.
u·ni·o ['juːniˌou] *pl* **-os** *s zo.* Flußmuschel *f*.
un·ion ['juːnjən] *s* **1.** *allg.* Vereinigung *f*, Verbindung *f*. **2.** (eheliche) Verbindung, Ehe(bund *m*) *f*. **3.** Eintracht *f*, Harmo'nie *f*. **4.** (Zweck)Verband *m*, Vereinigung *f*, Verein *m*, Bund *m*: **monetary** ~ Münzverein; **Universal Postal U~** Weltpostverein. **5. U~** Universi'täts-, Debat'tierklub *m*. **6.** *pol.* Vereinigung *f*, Zs.-schluß *m*: **the U~** *Br. hist.* a) *Vereinigung Englands u. Schottlands* (*1706*), b) *Vereinigung Großbritanniens u. Irlands* (*1801*). **7.** *pol.* Uni'on *f*, Staatenbund *m* (*bes. das Vereinigte Königreich u. die Südafrikanische Union*). **8. the U~** *pol.* a) *bes. Am.* die USA *pl*, die Vereinigten Staaten *pl*, b) *hist.* die Nordstaaten *pl* (*im Sezessionskrieg*). **9.** Gewerkschaft *f*: ~ **card** Gewerkschaftsausweis *m*. **10.** *Br.* a) *Vereinigung unabhängiger Kirchen*, b) *hist. Kirchspielverband zur gemeinsamen Armenpflege*. **11.** *hist.* Armen-, Arbeitshaus *n*. **12.** *tech.* (Rohr)Verbindung *f*, Anschlußstück *n*. **13.** *Weberei*: Mischgewebe *n*. **14.** *mar.* Gösch *f* (*Flaggenfeld mit Hoheitsabzeichen*): ~ **flag** → **union jack** 1.
un·ion·ism ['juːnjəˌnizəm] *s* **1.** unio'nistische Bestrebungen *pl od.* Poli'tik. **2. U~** *hist.* Unio'nismus *m* (*unionistische Bestrebungen in bezug auf die Nordstaaten der USA im Sezessionskrieg od. auf die Vereinigung Englands u. Irlands*). **3.** Gewerkschaftswesen *n*.
'un·ion·ist *s* **1. U~** *pol. hist.* Unio'nist *m*. **2.** Gewerkschaftler(in).
Un·ion·ist Par·ty *s pol. Br.* (*die*) Unio'nisten *pl* (*Liberale Unionisten u. Konservative Partei in e-r gemeinsamen Partei vereinigt*).
un·ion·ize ['juːnjəˌnaiz] *v/t* gewerkschaftlich organi'sieren.
un·ion| jack *s* **1. U~ J~** Union Jack *m* (*brit. Nationalflagge*). **2.** *mar.* → union 14. ~ **joint** *s tech.* Rohrverbindung *f*. ~ **man** *s irr bes. Am.* Gewerkschaftler *m*. ~ **shop** *s econ. bes. Am.* gewerkschaftspflichtiger Betrieb. ~ **sta·tion** *s Am. od. Canad.* (Zen'tral)-Bahnhof *m* (*von verschiedenen Eisenbahngesellschaften benutzt*). ~ **suit** *s bes. Am.* (*Art*) Hemdhose *f*.
u·nip·a·rous [juːˈnipərəs] *adj* **1.** *zo.* nur

'ein Junges gebärend (*bei e-m Wurf*). **2.** *bot.* nur 'eine Achse *od.* 'einen Ast treibend. [teilig.]
u·ni·par·tite [ˌjuːniˈpɑːrtait] *adj* ein-
u·ni·po·lar [ˌjuːniˈpoulər] *adj* **1.** *electr. phys.* einpolig, Einpol..., Unipolar... **2.** *anat.* monopoˈlar (*Nervenzelle*).
u·nique [juːˈniːk] **I** *adj* **1.** einzig. **2.** einmalig, einzigartig. **3.** unerreicht, beispiellos, *nachgestellt*: ohneˈgleichen. **4.** un-, außergewöhnlich. **5.** *colloq.* großartig, ‚toll'. **6.** *math.* eindeutig. **II** *s* **7.** nur einmal exiˈstierendes Exemˈplar. **8.** Seltenheit *f*, Unikum *n*. **uˈnique·ly** *adv* **1.** ausschließlich, alˈlein. **2.** in einzigartiger Weise. **uˈnique·ness** *s* **1.** Einzigartig-, Einmaligkeit *f*. **2.** *math.* Eindeutigkeit *f*: ~ **theorem** Eindeutigkeitssatz *m*.
u·ni·sex·u·al [ˌjuːniˈsekʃuəl; *Br. a.* -ˈseksju-] *adj* **1.** eingeschlechtig. **2.** *bot. zo.* getrenntgeschlechtlich.
u·ni·son [ˈjuːnizn; -sn] *s* **1.** *mus.* Ein-, Gleichklang *m*, Uˈnisono *n*: **in** ~ unisono, einstimmig (*a. fig.*). **2.** *fig.* Überˈeinstimmung *f*, Einklang *m*: **in** ~ **with** in Einklang mit. **uˈnis·o·nant** [-ˈnisənənt] → **unisonous** 1 *u.* 2. **uˈnis·o·nous** *adj* **1.** *mus.* gleichklingend. **2.** *mus.* einstimmig. **3.** *fig.* überˈeinstimmend.
u·nit [ˈjuːnit] *s* **1.** *allg.* Einheit *f* (*Einzelding*): **dwelling** ~ Wohneinheit; ~ **of account (trade, value)** *econ.* (Ver-) Rechnungs-(Handels, Wertungs)einheit; ~ **character** *biol.* (nach den Mendelschen Gesetzen) vererbte Eigenschaft; ~ **cost** *econ.* Kosten *pl* pro Einheit; ~ **factor** *biol.* Erbfaktor *m*; ~ **furniture** Anbaumöbel *pl*; ~ **price** *econ.* Stück-, Einheitspreis *m*. **2.** *phys.* (Grund-, Maß)Einheit *f*: ~ **force** Krafteinheit; ~ **of power (time, work)** Leistungs-(Zeit-, Arbeits)einheit. **3.** *math.* Einer *m*, Einheit *f*: **abstract** ~ abstrakte Einheit; ~ **fraction** Stammbruch *m*. **4.** *tech.* a) (Bau)Einheit *f*, b) Aggreˈgat *n*, Anlage *f*: ~ **box principle** Baukastenprinzip *n*; ~ **construction** Konstruktion *f* nach dem Baukastenprinzip. **5.** *mil.* Einheit *f*, Verband *m*, Truppenteil *m*. **6.** *ped. bes. Am.* (Schul-, Lehr)Jahr *n* (*in e-m Fach*). **7.** *med.* Einheit *f*, Dosis *f*, Menge *f*. **8.** Grundeinheit *f*, Kern *m*, Zelle *f*: **the family as the** ~ **of society.** **9.** *Am.* Gruppe *f* Gleichgesinnter, (feste) Gemeinschaft. **10.** *Rationierung*: Marke *f*. **ˈu·nit·age** *s* (Anzahl *f* von) Einheiten *pl*.
U·ni·tar·i·an [ˌjuːniˈtɛ(ə)riən] *relig.* **I** *s* Uniˈtarier(in). **II** *adj* uniˈtarisch. **ˌU·niˈtar·i·anˌism** *s relig.* Unitaˈrismus *m*. **ˈu·ni·tar·y** [-təri] *adj* **1.** zentraˈlistisch, Einheits... **2.** einheitlich. **3.** *math.* uniˈtär, Einheits... **4.** *electr. phys.* (Maß)Einheits...
u·nite[1] [juːˈnait] **I** *v/t* **1.** verbinden (*a. chem. tech.*), vereinigen. **2.** (ehelich) verbinden, verheiraten. **3.** *Eigenschaften* in sich vereinigen. **II** *v/i* **4.** sich vereinigen. **5.** *chem. tech.* sich verbinden (**with** mit). **6.** sich zs.-tun: **to** ~ **in doing s.th.** geschlossen *od.* vereint etwas tun. **7.** sich anschließen (**with** *dat od.* an *acc*). **8.** sich verheiraten *od.* verbinden.
u·nite[2] [ˈjuːnait; juːˈnait] *s hist. englische Goldmünze unter Jakob I.* (*20 Schilling*).
u·nit·ed [juːˈnaitid] *adj* **1.** verein(ig)t: ~ **colonies** *hist. die 13 amer. Kolonien im Revolutionskrieg*; **U**~ **Provinces** *hist. Vereinigung von Holland, Zeeland u. 5 anderen Provinzen 1597.* **2.** vereint, gemeinsam: ~ **action.** **U**~ **Breth·ren** *s pl relig.* **1.** Vereinigte Brüder *pl* in Christo (*protestantische Sekte in den USA*). **2.** Herrnhuter *pl*, Brüdergemeine *f*. **U**~ **King·dom** *s pol.* (*das*) Vereinigte Königreich (*Großbritannien u. Nordirland*). **U**~ **Na·tions** *s pl pol.* Vereinte Natiˈonen *pl*: ~ **General Assembly** Vollversammlung *f* der Vereinten Nationen; ~ **Security Council** Weltsicherheitsrat *m*. **U**~ **States I** *s pl* (*meist als sg konstruiert*) **1.** *pol.* Vereinigte Staaten *pl* (von ˈNordaˌmerika), USˈA *pl*. **2.** *Am. colloq.* Ameriˈkanisch *n*, (*das*) amerikanische Englisch: **to talk** ~ e-e deutliche Sprache (*mit j-m*) sprechen. **II** *adj* **3.** (UˈS-)ameriˌkanisch, US-...
u·ni·tive [ˈjuːnitiv] *adj* vereinigend.
u·nit·ize [ˈjuːniˌtaiz] *v/t* **1.** zu e-r Einheit machen. **2.** *tech.* nach dem ˈBaukastenprinˌzip konstruˈieren. **3.** in Einheiten verpacken.
u·nit| mag·net·ic pole *s phys.* maˈgnetischer Einheitspol. ~ **or·gan** *s mus.* (*moderne amer.*) Multiplex-Orgel. ~ **rule** *s pol. Am.* (*bei den Demokraten*) *Regel, wonach die innerhalb e-r Delegation erzielte Mehrheit die als Gesamtheit abgegebene Stimme der Gruppe bestimmt.*
u·ni·ty [ˈjuːniti] *s* **1.** Einheit *f*: **the dramatic unities** *thea.* die drei Einheiten. **2.** Einheitlichkeit *f* (*a. e-s Kunstwerks*). **3.** Einigkeit *f*, Eintracht *f*: ~ **(of sentiment)** Einmütigkeit *f*. **4.** (*nationale etc*) Einheit: **at** ~ in Eintracht *od.* -klang. **5.** *jur.* Einheit *f*: ~ **of (joint) property** Eigentum *n* in Gemeinschaft zur gesamten Hand. **6.** *math.* (*die Zahl*) Eins *f*, Einheit *f*.
u·ni·va·lent [ˌjuːniˈveilənt] *adj* **1.** *chem.* einwertig. **2.** *biol.* univaˈlent, einzeln (*Chromosomen*).
u·ni·valve [ˈjuːniˌvælv] **I** *adj* **1.** *zo.* einschalig, -klappig. **2.** *bot.* einklappig (*Frucht*). **II** *s* **3.** *zo.* einschalige Muschel.
u·ni·ver·sal [ˌjuːniˈvəːrsəl] **I** *adj* (*adv* ~**ly**) **1.** univerˈsal, Universal..., ˈallumˌfassend, gesamt: ~ **genius** Universalgenie *n*; ~ **heir** *jur.* Universalerbe *m*; ~ **knowledge** umfassendes Wissen; ~ **remedy** *pharm.* Universalmittel *n*; ~ **succession** *jur.* Gesamtnachfolge *f*; **the** ~ **experience of mankind** die ganze *od.* gesamte Erfahrung der Menschheit. **2.** univerˈsell, geneˈrell, allgeˈmein(gültig): ~ **rule**; ~ **agent** *econ.* Generalbevollmächtigte(r *m*) *f*. **3.** ˈallumˌfassend, allgemein: ~ **military service** allgemeine Wehrpflicht; ~ **partnership** *jur.* allgemeine Gütergemeinschaft; ~ **suffrage** *pol.* allgemeines Wahlrecht; **to meet with** ~ **applause** allgemeinen Beifall finden; **the disappointment was** ~ die Enttäuschung war allgemein. **4.** allgemein, ˈüberall üblich: **a** ~ **practice.** **5.** ˈüberall anzutreffen(d). **6.** ˈweltumˌfassend, Welt...: ~ **language** Weltsprache *f*; **U**~ **Postal Union** Weltpostverein *m*; ~ **time** Weltzeit *f*. **7.** *tech.* Universal...: ~ **chuck** Universalfutter *n*; ~ **current** *electr.* Allstrom *m*; ~ **joint** Universal-, Kardangelenk *n*; ~ **motor** *electr.* Universal-, Allstrommotor *m*. **II** *s* **8.** (*das*) Allgemeine. **9.** *Logik*: allgemeine Aussage: **the U**~**s** die Universalien. **10.** *philos.* Allgeˈmeinbegriff *m*. **11.** *Metaphysik*: (*das*) Selbst.
u·ni·ver·sal·ism [ˌjuːniˈvəːrsəˌlizəm] *s philos. relig.* Universaˈlismus *m*. **ˌu·niˈver·sal·ist** *s* Universaˈlist *m*. **ˌu·ni·verˈsal·i·ty** [-ˈsæliti] *s* **1.** (*das*) ˈAllumˌfassende. **2.** Allgeˈmeinheit *f*. **3.** ˌUniversaliˈtät *f*, Vielseitigkeit *f*. **4.** umˈfassende Bildung. **5.** Allgeˈmeingültigkeit *f*. **6.** *obs.* Allgeˈmeinheit *f*, Masse *f* (*e-s Volkes*). **ˌu·niˈver·salˌize** *v/t* **1.** Allgeˈmeingültigkeit verleihen (*dat*), allgeˈmeingültig machen. **2.** allgemein verbreiten.
u·ni·verse [ˈjuːniˌvəːrs] *s* **1.** Uniˈversum *n*, (Welt)All *n*, Kosmos *m*. **2.** Welt *f*. **3.** Bereich *m*, Raum *m*, Gesamtheit *f*: ~ **of discourse** (*Logik*) geistiger Raum e-r Abhandlung.
u·ni·ver·si·ty [ˌjuːniˈvəːrsiti] **I** *s* **1.** Universiˈtät *f*, Hochschule *f*: **at the U**~ **of Oxford, at Oxford U**~ auf *od.* an der Universität Oxford; **to go down from the** ~ *Br.* a) die Universität verlassen, b) in die Ferien gehen; **to go up to the** ~ *Br.* die Universität besuchen. **2.** *sport* Universiˈtätsmannschaft *f*. **II** *adj* **3.** Universitäts..., Hochschul..., akaˈdemisch: ~**-bred** akademisch gebildet; ~ **education** Hochschulbildung *f*; ~ **extension** Volkshochschule *f*; ~ **man** Akademiker *m*.
u·niv·o·cal [juˈnivəkəl; *Br. a.* ˌjuːniˈvoukəl] **I** *adj* eindeutig, unzweideutig. **II** *s* Wort *n* mit nur ˈeiner Bedeutung.
unˈjaun·diced *adj* nicht ˈmißgünstig, neidlos, unvoreingenommen.
unˈjust *adj* (*adv* ~**ly**) ungerecht (**to** gegen). **unˈjus·tiˌfi·a·ble** *adj* (*adv* **unjustifiably**) unverantwortlich, nicht zu rechtfertigen(d). **unˈjus·tiˌfied** *adj* ungerechtfertigt, unberechtigt. **unˈjust·ness** *s* Ungerechtigkeit *f*.
un·kempt [ʌnˈkempt] *adj* **1.** *obs.* ungekämmt, zerzaust. **2.** *fig.* unordentlich, vernachlässigt, ungepflegt, verwahrlost. [zubringen(d).]
unˈkill·a·ble *adj meist fig.* nicht ˈum-
unˈkind *adj* (*adv* ~**ly**) **1.** lieb-, herz-, rücksichtslos (**to** gegen). **2.** unfreundlich, ungefällig. **unˈkind·li·ness** *s* Unfreundlichkeit *f*. **unˈkind·ly** *adj u. adv* → **unkind.** **unˈkind·ness** *s* Lieblosigkeit *f* (*etc*).
unˈknow·a·ble *bes. philos.* **I** *adj* un(er)kennbar, jenseits menschlicher Erkenntnis. **II** *s* **the U**~ das Unerkennbare. **unˈknow·ing** *adj* (*adv* ~**ly**) **1.** unwissend. **2.** unwissentlich, unbewußt. **3.** nicht wissend, ohne zu wissen (**that** daß; **how** wie; *etc*). **4.** nichts wissend (**of** von, über *acc*). **unˈknown I** *adj* **1.** unbekannt (**to** *dat*): → **quantity** 4. **2.** (**to s.o.**) ohne (j-s) Wissen. **3.** nie gekannt, beispiellos: **an** ~ **delight.** **II** *s* **4.** (*der, die, das*) Unbekannte. **5.** *math.* Unbekannte *f*.
unˈla·bel(l)ed *adj* nicht etiketˈtiert, ohne Etiˈkett, ohne (Gepäck)Zettel, nicht marˈkiert *od.* bezeichnet *od.* beschriftet.
unˈla·bo(u)red *adj* mühelos (*a. fig. leicht, ungezwungen*).
unˈlace *v/t* aufschnüren.
unˈlade *v/t* **1.** ent-, ausladen. **2.** *mar. Ladung etc* löschen. **unˈlad·en** *adj* **1.** unbeladen: ~ **weight** Leergewicht *n*. **2.** *fig.* unbelastet. [unfein.]
unˈla·dyˌlike *adj* nicht damenhaft,
unˈlaid *adj* **1.** nicht gelegt, ungelegt. **2.** nicht gebannt: ~ **ghosts.** **3.** ungedeckt (*Tisch*). **4.** ungerippt (*Papier*).
ˌun·laˈment·ed *adj* unbeklagt, unbeweint.
unˈlash *v/t Schiff etc* losmachen.
unˈlatch *v/t die Tür* aufklinken.
unˈlaw·ful *adj* (*adv* ~**ly**) **1.** *bes. jur.* ungesetzlich, rechts-, gesetzwidrig, ˈwiderrechtlich, ˈilleˌgal, unzulässig. **2.**

unerlaubt. **3.** unehelich. **un'law·ful·ness** *s* Gesetzwidrigkeit *f*, 'Widerrechtlichkeit *f*.
un'lead·ed *adj* **1.** unverbleit, ohne Blei. **2.** *print.* ohne 'Durchschuß.
un'learn *v/t* **1.** verlernen, -gessen. **2.** 'umlernen.
un'learned[1] *adj* **1.** nicht gelernt *od.* 'einstuˌdiert. **2.** nicht erlernt.
un'learn·ed[2] *adj* ungebildet, ungelehrt, unwissend.
un'learnt → unlearned[1].
un'leash *v/t meist fig.* **1.** losbinden, -lassen. **2.** *fig.* entfesseln, loslassen.
un'leav·ened *adj* ungesäuert (*Brot*).
un·less [ən'les; ʌn-] **I** *conj* wenn ... nicht, so'fern ... nicht, es sei denn (daß) ..., außer wenn ..., ausgenommen (wenn). **II** *prep* außer.
un'let·tered *adj* **1.** analpha'betisch. **2.** ungebildet, unbelesen, ungelehrt.
un'li·censed *adj* **1.** unerlaubt, unberechtigt. **2.** nicht konzessio'niert, ohne Li'zenz, ‚schwarz'.
un'licked *adj* **1.** ungeleckt, unbeleckt. **2.** *fig.* a) ‚ungehobelt', ungeschliffen, roh, b) ‚grün', unreif: ~ **cub** grüner Junge.
un'like I *adj* **1.** ungleich, (vonein'ander) verschieden: ~ **signs** *math.* ungleiche Vorzeichen. **2.** unähnlich: **the portrait is very** ~. **II** *prep* **3.** unähnlich (s.o. j-m), verschieden von, anders als: **he is quite** ~ **his father; that is very** ~ **him** das sieht ihm gar nicht ähnlich. **4.** anders als, nicht wie. **5.** im Gegensatz zu: ~ **his brother, he works hard. un'like·liˌhood, un'like·li·ness** *s* Unwahrscheinlichkeit *f*.
un'like·ly I *adj* **1.** unwahrscheinlich. **2.** (ziemlich) unmöglich: ~ **place. 3.** aussichtslos: **an** ~ **venture. II** *adv* **4.** unwahrscheinlich. **un'like·ness** *s* **1.** Ungleichheit *f*. **2.** Unähnlichkeit *f*, Verschiedenheit *f*.
un'lim·ber *v/t u. v/i* **1.** *mil.* abprotzen. **2.** *fig.* (sich) bereitmachen.
un'lim·it·ed *adj* **1.** unbegrenzt, unbeschränkt (*a. math.*): ~ **power;** ~ **company** *econ. Br.* Gesellschaft *f* mit unbeschränkter Haftung. ~ **problem** *math.* Unendlichkeitsproblem *n*. **2.** *Börse*: nicht limi'tiert. **3.** *fig.* grenzen-, uferlos.
un'lined[1] *adj* ungefüttert: ~ **coat.**
un'lined[2] *adj* **1.** 'unliniˌiert, ohne Linien. **2.** faltenlos: ~ **face.**
un'link *v/t* **1.** losketten. **2.** *Kettenglieder* trennen. **3.** *e-e Kette* ausein'andernehmen. **un'linked** *adj* ungebunden.
un'liq·uiˌdat·ed *adj econ.* **1.** unbeglichen, unbezahlt, offenstehend. **2.** unbestimmt, nicht festgestellt. **3.** 'unliquiˌdiert: ~ **companies.**
un'list·ed *adj econ. bes. Am.* 'unnoˌtiert, nicht börsenfähig.
un'load I *v/t* **1.** aus-, entladen. **2.** *mar. die Ladung* löschen. **3.** *fig.* (o.s. sich) (von e-r Last) befreien, erleichtern. **4.** *mil.* entladen: **to** ~ **a gun. 5.** *Börse*: *Aktien* (*massenweise*) abstoßen, auf den Markt werfen. **II** *v/i* **6.** aus-, abladen. **7.** gelöscht *od.* ausgeladen werden.
un'lock *v/t* **1.** aufschließen, öffnen: ~**ed** unverschlossen, geöffnet. **2.** *mil.* entsichern. **3.** *fig.* offen'baren.
un'looked-ˌfor *adj* unerwartet, 'unvorˌhergesehen, über'raschend.
un'loose, un'loos·en *v/t* lösen, losmachen, -lassen, lockern.
un'lov·a·ble *adj* **1.** nicht liebenswert. **2.** unliebenswürdig. **un'loved** *adj* ungeliebt.
un'love·li·ness *s* Unschönheit *f*, Reizlosigkeit *f*. **un'love·ly** *adj* **1.** unschön, reizlos. **2.** nicht liebenswert *od.* gewinnend. **3.** garstig.
un'lov·ing *adj* kalt, lieblos.
un'luck·i·ly *adv* unglücklicherweise.
un'luck·y *adj* unglücklich: a) vom Pech verfolgt: **to be** ~ Pech *od.* kein Glück haben, b) fruchtlos: ~ **effort,** c) ungünstig: ~ **moment,** d) unheilvoll, unselig, schwarz, Unglücks...: ~ **day.**
un'made *adj* ungemacht.
un'maid·en·ly *adj* nicht mädchenhaft, unschicklich.
un'mail·a·ble *adj Am.* nicht zum Postversand zugelassen.
ˌun·main'tain·a·ble *adj* unhaltbar, nicht aufrechtzuerhalten(d).
un'make *v/t irr* **1.** aufheben, 'umstoßen, wider'rufen, rückgängig machen. **2.** *j-n* absetzen. **3.** 'umbilden. **4.** vernichten.
un'man *v/t* **1.** unmenschlich machen, verrohen lassen. **2.** entmannen. **3.** *j-n* s-r Kraft berauben. **4.** weibisch machen. **5.** *j-n* verzagen lassen, entmutigen. **6.** *e-m Schiff etc* die Besatzung nehmen: ~**ned** unbemannt.
un'man·age·a·ble *adj* (*adv* **unmanageably**) **1.** schwer zu handhaben(d), unhandlich. **2.** *fig.* schwierig zu behandeln(d), unlenksam, 'widerspenstig: **an** ~ **child. 3.** 'unkontrolˌlierbar, schwierig: ~ **situation.**
un'man·li·ness *s* Unmännlichkeit *f*.
un'man·ly *adj* **1.** unmännlich. **2.** weibisch. **3.** feige, nicht mannhaft.
un'man·ner·li·ness *s* Ungezogenheit *f*.
un'man·ner·ly *adj* ungezogen, 'unmaˌnierlich.
ˌun·man·u'fac·tured *adj tech.* unverarbeitet, roh.
un'marked *adj* **1.** nicht mar'kiert, unbezeichnet, ungezeichnet. **2.** nicht gekennzeichnet (**by** von). **3.** unbemerkt.
un'mar·ket·a·ble *adj econ.* **1.** nicht marktgängig *od.* -fähig. **2.** unverkäuflich.
un'mar·riage·a·ble *adj* nicht heiratsfähig. **un'mar·ried** *adj* unverheiratet, ledig.
un'mask I *v/t* **1.** *j-m* die Maske abnehmen, *j-n* demas'kieren. **2.** *fig. j-m* die Maske her'unterreißen, *j-n* entlarven. **3.** *mil. Stellung etc* durch Feuer verraten. **II** *v/i* **4.** sich demas'kieren. **5.** *fig.* die Maske fallenlassen, sein wahres Gesicht zeigen. **un'mask·ing** *s* Entlarvung *f*.
un'matched *adj* unvergleichlich, unerreicht, 'unüberˌtroffen.
ˌun·ma'te·ri·al *adj* immateri'ell, geistig.
un'mean·ing *adj* (*adv* ~**ly**) **1.** sinn-, bedeutungslos. **2.** nichtssagend, ausdruckslos.
un'meant *adj* unbeabsichtigt, ungewollt.
un'meas·ur·a·ble *adj* (*adv* **unmeasurably**) **1.** unermeßlich. **2.** unmeßbar.
un'meas·ured *adj* **1.** ungemessen. **2.** unermeßlich, grenzenlos, unbegrenzt. **3.** unmäßig.
un'meet *adj* (*adv* ~**ly**) *obs.* **1.** unziemlich. **2.** unpassend, ungeeignet.
ˌun·me'lo·di·ous *adj* 'unmeˌlodisch.
un'men·tion·a·ble *adj* nicht zu erwähnen(d), unaussprechlich. **un'men·tion·a·bles** *s pl humor.* (*die*) Unaussprechlichen *pl* (*Hosen*). **un'men·tioned** *adj* unerwähnt.
un'mer·chant·a·ble → unmarketable.
un'mer·ci·ful *adj* (*adv* ~**ly**) unbarmherzig.
un'mer·it·a·ble *adj* nicht verdienstvoll.
un'mer·it·ed *adj* (*adv* ~**ly**) unverdient.
un'met·al(l)ed *adj tech.* unbeschottert, unbefestigt (*Straße*).
ˌun·me'thod·i·cal *adj* 'unmeˌthodisch, sy'stem-, planlos.
un'met·ri·cal *adj metr.* unmetrisch, nicht in Versform geschrieben.
un'mil·i·tar·y *adj* **1.** 'unmiliˌtärisch, 'unsolˌdatisch. **2.** nicht mili'tärisch, Zivil...
un'mind·ful *adj* (*adv* ~**ly**) **1.** unbedacht(sam), sorglos. **2.** uneingedenk (**of** *gen*): **to be** ~ **of** nicht denken an (*acc*). **3.** (**of**) nicht achtend (*gen*), ohne Rücksicht (auf *acc*): **to be** ~ **of s.th.** etwas nicht beachten, sich durch etwas nicht abhalten lassen.
un'min·gled → unmixed.
ˌun·mis'tak·a·ble *adj* (*adv* **unmistakably**) **1.** 'unˌmißverständlich. **2.** unverkennbar.
un'mit·iˌgat·ed *adj* **1.** ungemildert, ganz. **2.** voll'endet, Erz..., *nachgestellt*: durch u. durch: **an** ~ **liar.**
un'mixed *adj* **1.** unvermischt. **2.** *fig.* ungemischt, rein, pur.
un'mod·iˌfied *adj* unverändert, nicht (ab)geändert.
ˌun·mo'lest·ed *adj* unbelästigt, ungestört: **to live** ~ in Frieden leben.
un'moor *mar.* **I** *v/t* **1.** abankern, losmachen. **2.** vor 'einem Anker liegen lassen. **II** *v/i* **3.** die Anker lichten.
un'mor·al *adj* 'amoˌralisch.
un'mort·gaged *adj econ.* unverpfändet, hypo'thekenfrei, unbelastet.
un'mount·ed *adj* **1.** unberitten: ~ **police. 2.** *print.* nicht aufgezogen (*Bild*). **3.** *tech.* 'unmonˌtiert. **4.** nicht gefaßt: ~ **jewel.**
un'mourned *adj* unbetrauert, unbeweint.
un'mov·a·ble *adj* (*adv* **unmovably**) unbeweglich. **un'moved** *adj* **1.** unbewegt, unverändert. **2.** *fig.* ungerührt, unbewegt. **3.** *fig.* unerschütterlich, standhaft, gelassen. **un'mov·ing** *adj* regungslos.
un'mur·mur·ing *adj* ohne Murren, klaglos.
un'mu·si·cal *adj mus.* **1.** 'unmeˌlodisch, 'mißtönend (*Klang*). **2.** 'unmusiˌkalisch (*Person*).
un'muz·zle *v/t* **1.** *e-m Hund* den Maulkorb abnehmen. **2.** *fig. j-m* freie Meinungsäußerung gewähren.
un'nam(e)·a·ble *adj* unsagbar. **un'named** *adj* **1.** namenlos, ohne Namen. **2.** nicht namentlich genannt, ungenannt.
un'nat·u·ral *adj* (*adv* ~**ly**) **1.** 'unnaˌtürlich. **2.** künstlich, gekünstelt, affek'tiert. **3.** 'widernaˌtürlich: ~ **crimes;** ~ **vices. 4.** ungeheuerlich, ab'scheulich. **5.** ungewöhnlich. **6.** ano'mal, ab'norm.
un'nav·i·ga·ble *adj* nicht schiffbar *od.* befahrbar.
un'nec·es·sar·i·ly *adv* unnötigerweise.
un'nec·es·sar·y *adj* **1.** unnötig, nicht notwendig. **2.** nutzlos, 'überflüssig.
un'need·ed *adj* nicht benötigt, nutzlos.
un'need·ful *adj* (*adv* ~**ly**) unnötig.
un'neigh·bo(u)r·ly *adj* nicht gut'nachbarlich, unfreundlich.
un'nerve *v/t* **1.** entnerven, zermürben. **2.** *j-n* die Nerven *od.* den Mut verlieren lassen. **3.** *j-n* schwächen.
un'not·ed *adj* **1.** unbeachtet, unberühmt. **2.** → unnoticed 1.
un'no·ticed *adj* **1.** unbemerkt, unbeobachtet. **2.** → unnoted 1.
un'num·bered *adj* **1.** 'unnumeˌriert. **2.** ungezählt, zahllos.
ˌun·ob'jec·tion·a·ble *adj* (*adv* **unobjectionably**) einwandfrei.
ˌun·o'blig·ing *adj* ungefällig.

ˌ**un·ob'scured** *adj* **1.** nicht verdunkelt *od.* verdeckt. **2.** deutlich, klar.
ˌ**un·ob'serv·ant** *adj* unaufmerksam, unachtsam: to be ~ of s.th. etwas nicht beachten. ˌ**un·ob'served** *adj* unbeobachtet, unbemerkt.
ˌ**un·ob'struct·ed** *adj* **1.** unversperrt, ungehindert: ~ view. **2.** *fig.* ungehindert, reibungslos: ~ policy.
ˌ**un·ob'tain·a·ble** *adj* nicht erhältlich, unerreichbar.
ˌ**un·ob'tru·sive** *adj* (*adv* ~ly) unaufdringlich: a) zu'rückhaltend, bescheiden, b) unauffällig. ˌ**un·ob'tru·sive·ness** *s* Unaufdringlichkeit *f.*
un'oc·cuˌpied *adj* frei: a) leer(stehend), unbewohnt: ~ house, b) unbesetzt: ~ chair, c) unbeschäftigt (*Person*).
ˌ**un·of'fend·ing** *adj* **1.** nicht verletzend *od.* beleidigend. **2.** harmlos, unschädlich. **3.** nicht anstößig.
ˌ**un·of'fi·cial** *adj* (*adv* ~ly) nichtamtlich, 'inoffiziˌell.
un'o·pened *adj* **1.** ungeöffnet, verschlossen: ~ letter. **2.** *econ.* unerschlossen: ~ market.
ˌ**un·op'posed** *adj* **1.** unbehindert. **2.** unbeanstandet: ~ by ohne Widerstand *od.* Einspruch seitens (*gen*).
un'or·ganˌized *adj* **1.** 'unorˌganisch: ~ ferment *biol.* Enzym *n.* **2.** 'unorgaˌniˌsiert, wirr.
ˌ**un·o'rig·i·nal** *adj* **1.** nicht origi'nal *od.* origi'nell, nicht ursprünglich. **2.** entlehnt.
un'or·thoˌdox *adj* 'unorthoˌdox.
ˌ**un·os·ten'ta·tious** *adj* (*adv* ~ly) unaufdringlich, unauffällig: a) prunklos, schlicht, b) anspruchslos, zu'rückhaltend, c) de'zent (*Farben etc*).
un'owned *adj* **1.** herrenlos. **2.** nicht anerkannt: an ~ child.
un'pack *v/t u. v/i* auspacken.
un'paged *adj* nicht pagi'niert, ohne Seitenzahlen.
un'paid *adj* **1.** unbezahlt, noch nicht bezahlt, rückständig: ~ debt; ~ interest. **2.** *econ.* noch nicht eingezahlt: ~ capital. **3.** unbesoldet, unbezahlt, ehrenamtlich (*Stellung*). **4.** *mail* 'unfranˌkiert: ~-letter stamps Nachgebührenmarken. **un'paid-ˌfor** → unpaid 1.
un'paired *adj* **1.** ungepaart. **2.** *zo.* a) unpaar, b) unpaarig.
un'pal·at·a·ble *adj* **1.** unschmackhaft, schlecht (schmeckend). **2.** unangenehm, 'widerwärtig.
un'par·alˌlel(l)ed *adj* einmalig, beispiellos, *nachgestellt*: ohne'gleichen.
un'par·don·a·ble *adj* (*adv* unpardonably) unverzeihlich.
un'par·ent·ed *adj* elternlos, *bes.* verwaist.
ˌ**un·par·lia'men·ta·ry** *adj pol.* 'unparlamenˌtarisch.
un'pas·teurˌized *adj chem.* nicht pasteuri'siert (*bes. Milch*).
un'pat·ent·ed *adj* nicht paten'tiert.
ˌ**un·pa·tri'ot·ic** *adj* 'unpatriˌotisch.
un'paved *adj* ungepflastert.
un'pay·a·ble *adj* **1.** unbezahlbar. **2.** 'unrenˌtabel.
un'ped·iˌgreed *adj* ohne Stammbaum.
un'peo·ple *v/t* entvölkern.
ˌ**un·per'ceiv·a·ble** *adj* (*adv* unperceivably) nicht wahrnehmbar. ˌ**un·per'ceived** *adj* unbemerkt. ˌ**un·per'ceiv·ed·ly** [-id-] *adv.*
ˌ**un·per'formed** *adj* **1.** nicht ausgeführt, ungetan, unverrichtet. **2.** nicht aufgeführt: ~ plays.
ˌ**un·per'suad·a·ble** *adj* nicht zu über'reden(d) *od.* zu über'zeugen(d). ˌ**un·per'sua·sive** *adj* nicht über'zeugend.
ˌ**un·per'turbed** *adj* nicht beunruhigt, gelassen, ruhig.
ˌ**un·phil·o'soph·i·cal** *adj* (*adv* ~ly) 'unphiloˌsophisch.
un'pick *v/t e-e Naht etc* (auf)trennen.
un'picked *adj* **1.** *econ.* nicht ausgesucht, 'unsorˌtiert: ~ samples. **2.** ungepflückt.
ˌ**un·pic·tur'esque** *adj* wenig malerisch.
un'pin *v/t* **1.** die Nadeln entfernen aus. **2.** losstecken, abmachen.
un'pit·ied *adj* unbemitleidet. **un'pit·y·ing** *adj* (*adv* ~ly) mitleid(s)los.
un'placed *adj* **1.** (noch) nicht pla'ciert, ohne festen Platz (*in e-r Anordnung etc*). **2.** *sport* 'unplaˌciert. **3.** a) nicht 'untergebracht, b) nicht angestellt, ohne Stellung.
un'plait *v/t* **1.** glätten. **2.** *das Haar* aufflechten.
un'planned *adj* **1.** ungeplant. **2.** 'unvorˌhergesehen.
un'pleas·ant *adj* (*adv* ~ly) **1.** unangenehm, unerfreulich, unliebsam. **2.** widerlich, unangenehm, garstig. **3.** unwirsch, ‚unangenehm' (*Person*). **un'pleas·ant·ness** *s* **1.** (*das*) Unangenehme. **2.** Unannehmlichkeit *f.* **3.** Widerlichkeit *f.* **4.** 'Mißhelligkeit *f*, Unstimmigkeit *f*: the late ~ *Am. colloq.* der Sezessionskrieg.
un'pledged *adj* **1.** nicht gebunden, nicht verpflichtet. **2.** unverpfändet.
un'pli·a·ble, un'pli·ant *adj* **1.** nicht biegsam, ungeschmeidig (*a. fig.*). **2.** *fig.* unnachgiebig, halsstarrig.
un'plug *v/t* den Pflock *od.* Stöpsel entfernen aus.
un'plumbed *adj* **1.** ungelotet. **2.** *fig.* unergründet, unergründlich: ~ depths. **3.** *tech.* ohne Installati'on(en).
ˌ**un·po'et·ic** *adj*; ˌ**un·po'et·i·cal** *adj* (*adv* ~ly) 'unpoˌetisch, undichterisch.
un'point·ed *adj* ungespitzt, stumpf.
un'pol·ished *adj* **1.** 'unpoˌliert (*a. Reis*), ungeglättet, ungeschliffen. **2.** *fig.* unausgeglichen, unausgefeilt (*Stil etc*). **3.** *fig.* ungeschliffen, ungehobelt, ungebildet.
un'pol·i·tic → unpolitical 1. ˌ**un·po'lit·i·cal** *adj* **1.** po'litisch unklug. **2.** 'unpoˌlitisch, an Poli'tik 'uninteresˌsiert.
un'polled *adj* **1.** *pol.* nicht gewählt (habend): ~ elector Nichtwähler *m.* **2.** *pol.* a) nicht (*in die Wählerliste*) eingetragen, b) ungezählt: ~ vote.
ˌ**un·pol'lut·ed** *adj* **1.** nicht verschmutzt *od.* verseucht, sauber (*Wasser etc*). **2.** *fig.* unbefleckt.
un'pop·u·lar *adj* 'unpopuˌlär, unbeliebt. ˌ**un·pop·u'lar·i·ty** *s* 'Unpopulariˌtät *f*, Unbeliebtheit *f.* **un'pop·u·larˌize** *v/t* 'unpopuˌlär machen.
ˌ**un·pos'sessed** *adj* **1.** herrenlos (*Sache*). **2.** ~ of s.th. nicht im Besitz e-r Sache.
un'post·ed *adj* **1.** nicht infor'miert, 'ununterˌrichtet. **2.** *Br.* nicht aufgegeben: ~ letters.
un'prac·ti·cal *adj* (*adv* ~ly) unpraktisch. ˌ**un·prac·ti'cal·i·ty, un'prac·ti·cal·ness** *s* **1.** Ungeschicklichkeit *f.* **2.** schlechte Verwendbarkeit.
un'prac·ticed, *bes. Br.* **un'prac·tised** *adj* **1.** unerfahren, ungeübt (in in *dat*). **2.** nicht prakti'ziert *od.* angewendet. **3.** nicht üblich.
un'prec·eˌdent·ed *adj* (*adv* ~ly) **1.** beispiellos, unerhört, noch nie dagewesen. **2.** *jur.* ohne Präze'denzfall.
un'prej·u·diced *adj* **1.** unvoreingenommen, vorurteilsfrei, -los, unbefangen. **2.** unbeeinträchtigt.
ˌ**un·pre'med·iˌtat·ed** *adj* (*adv* ~ly) **1.** unvorbereitet, aus dem Stegreif. **2.** nicht vor('her)bedacht, unbeabsichtigt.
ˌ**un·pre'pared** *adj* **1.** unvorbereitet: an ~ speech. **2.** (for) nicht vorbereitet (auf *acc*), nicht gerüstet (für). ˌ**un·pre'par·ed·ly** [-id-] *adv.* ˌ**un·pre'par·ed·ness** [-id-] *s* Unvorbereitetsein *n.*
ˌ**un·pre·pos'sess·ing** *adj* wenig einnehmend *od.* anziehend, reizlos.
ˌ**un·pre'sent·a·ble** *adj* nicht präsen'tabel *od.* gesellschaftsfähig.
ˌ**un·pre'sum·ing** *adj* nicht anmaßend, bescheiden, anspruchslos.
ˌ**un·pre'sump·tu·ous** *adj* nicht über'heblich.
ˌ**un·pre'tend·ing** *adj* (*adv* ~ly) **1.** anspruchslos, bescheiden, schlicht. **2.** nichts Falsches vorspiegelnd. ˌ**un·pre'ten·tious** *adj* (*adv* ~ly) → unpretending 1.
un'priced *adj* **1.** ohne (feste) Preisangabe. **2.** *fig.* unschätzbar.
un'prin·ci·pled *adj* ohne (feste) Grundsätze, haltlos (*Person*), gewissenlos, cha'rakterlos (*a. Benehmen*).
un'print·a·ble *adj* nicht druckfähig, *bes.* zu anstößig. **un'print·ed** *adj tech.* **1.** ungedruckt (*Schriften*). **2.** unbedruckt (*Stoffe*).
un'priv·i·leged *adj* nicht privile'giert *od.* bevorrechtigt: ~ creditor *jur.* Massegläubiger *m.*
ˌ**un·pro'cur·a·ble** *adj* nicht zu beschaffen(d), nicht erhältlich.
ˌ**un·pro'duc·tive** *adj* (*adv* ~ly) **1.** unfruchtbar. **2.** unergiebig (of an *dat*). **3.** *econ. od. weitS.* 'unprodukˌtiv. ˌ**un·pro'duc·tive·ness** *s* **1.** Unfruchtbarkeit *f.* **2.** Unergiebigkeit *f.* **3.** 'Unproduktiviˌtät *f.*
ˌ**un·pro'fes·sion·al** *adj* **1.** keiner freien Berufsgruppe (*Ärzte, Rechtsanwälte etc*) zugehörig. **2.** nicht berufsmäßig. **3.** berufswidrig: ~ conduct. **4.** unfachmännisch.
un'prof·it·a·ble *adj* (*adv* unprofitably) **1.** nicht einträglich *od.* gewinnbringend *od.* lohnend, 'unrenˌtabel. **2.** unvorteilhaft. **3.** nutz-, zwecklos, 'überflüssig. **un'prof·it·a·ble·ness** *s* **1.** Uneinträglichkeit *f.* **2.** Nutzlosigkeit *f.*
ˌ**un·pro'gres·sive** *adj* (*adv* ~ly) **1.** nicht fortschrittlich, rückständig. **2.** rückschrittlich, konserva'tiv, reaktio'när. **3.** ohne Fortschritt, stillstehend.
un'prom·is·ing *adj* nicht vielversprechend, ziemlich aussichtslos.
un'prompt·ed *adj* unbeeinflußt, ungeheißen (by von), spon'tan.
ˌ**un·pro'nounce·a·ble** *adj* unaussprechlich.
ˌ**un·pro'pi·tious** *adj* (*adv* ~ly) ungünstig, ungeeignet, unglücklich.
ˌ**un·pro'por·tion·al** *adj* (*adv* ~ly) unverhältnismäßig, 'unproportioˌnal.
ˌ**un·pro'tect·ed** *adj* **1.** ungeschützt, schutzlos. **2.** ungedeckt.
ˌ**un·pro'test·ed** *adj* **1.** 'unwiderˌsprochen. **2.** *econ.* nicht prote'stiert: ~ bill.
un'prov·a·ble *adj* unbeweisbar. **un'proved** *adj* unbewiesen.
ˌ**un·pro'vid·ed** *adj* **1.** nicht versehen (with mit): ~ with ohne. **2.** unvorbereitet. **3.** ~ for unversorgt (*Kinder*). **4.** ~ for nicht vorgesehen.
ˌ**un·pro'voked** *adj* **1.** 'unprovoˌziert. **2.** nicht veranlaßt, grundlos.
un'pub·lished *adj* unveröffentlicht.
un'punc·tu·al *adj* (*adv* ~ly) unpünktlich. ˌ**un·punc·tu'al·i·ty** *s* Unpünktlichkeit *f.*
un'pun·ish·a·ble *adj* nicht strafbar.
un'pun·ished *adj* unbestraft, ungestraft: to go ~ straflos ausgehen.

un'qual·i,fied *adj* **1.** 'unqualifi,ziert: a) unberechtigt: ~ attack, b) nicht kompe'tent: ~ practitioner nicht approbierter Arzt. **2.** ungeeignet, untauglich, unbefähigt. **3.** uneingeschränkt, unbedingt: ~ assent. **4.** ausgesprochen: ~ liar.
un'quench·a·ble *adj* (*adv* unquenchably) **1.** unstillbar (*a. fig.*), unlöschbar. **2.** *fig.* unauslöschbar.
un'ques·tion·a·ble *adj* (*adv* unquestionably) **1.** unzweifelhaft, fraglos. **2.** nicht zu beanstanden(d). **un'ques·tioned** *adj* **1.** ungefragt. **2.** unbezweifelt, unbestritten. **un'ques·tion·ing** *adj* bedingungslos, blind: ~ obedience. **un'ques·tion·ing·ly** *adv* bedingungslos, ohne zu fragen, ohne Zögern.
un'qui·et *adj* (*adv* ~ly) **1.** unruhig, turbu'lent: ~ times. **2.** ruhelos, gehetzt: ~ spirit. **3.** unruhig, laut.
un'quot·a·ble *adj* nicht zi'tierbar. **un'quote** *v/t das Zitat* beenden: unquote! Ende des Zitats! **un'quot·ed** *adj* **1.** nicht zi'tiert *od.* angeführt. **2.** *econ. Börse*: nicht no'tiert.
un'rat·i,fied *adj pol.* nicht ratifi'ziert.
un'ra·tioned *adj* nicht ratio'niert, frei (erhältlich).
un'rav·el I *v/t* **1.** *tech. Gewebe* ausfasern. **2.** *Gestricktes* auftrennen, -räufeln, -dröseln. **3.** entwirren. **4.** *fig.* entwirren, -rätseln. **II** *v/i* **5.** sich entwirren (*etc*). **un'rav·el·ment** *s* Entwirrung *f*, -rätselung *f*, (Auf)Lösung *f*: the ~ of the plot die Lösung des Knotens (*e-r Handlung*).
un'read [-'red] *adj* **1.** ungelesen. **2.** unbelesen (*Person*).
un'read·a·ble [-'ri:dəbl] *adj* **1.** unleserlich: ~ handwriting. **2.** unlesbar, ‚ungenießbar': an ~ book.
un'read·i·ness *s* mangelnde Bereitschaft. **un'read·y** *adj* (*adv* unreadily) **1.** nicht bereit (for zu), nicht fertig, ungerüstet. **2.** zaudernd, unentschlossen: the U~ *hist.* der Unberatene (*König Ethelred II. von England*).
un're·al *adj* (*adv* ~ly) **1.** unwirklich. **2.** sub'stanz-, wesenlos, nur eingebildet. **3.** wirklichkeitsfremd. **un're·al,ism** *s* Mangel *m* an Rea'lismus *od.* Wirklichkeitssinn. **,un·re·al'is·tic** *adj* (*adv* ~ally) wirklichkeitsfremd, 'unrea,listisch. **,un·re'al·i·ty** *s* **1.** Unwirklichkeit *f*. **2.** Wesenlosigkeit *f*.
un're·al,iz·a·ble *adj* nicht reali'sierbar: a) nicht zu verwirklichen(d), b) *econ.* nicht verwertbar, unverkäuflich.
un're·al,ized *adj* **1.** nicht verwirklicht *od.* erfüllt. **2.** nicht vergegenwärtigt *od.* erkannt.
un'rea·son *s* **1.** Unvernunft *f*. **2.** Torheit *f*. **un'rea·son·a·ble** *adj* (*adv* unreasonably) **1.** vernunftlos: ~ beasts. **2.** unvernünftig, unsinnig. **3.** unvernünftig, unbillig, 'über-, unmäßig. **un'rea·son·a·ble·ness** *s* **1.** Unvernunft *f*. **2.** Unbilligkeit *f*, Unmäßigkeit *f*, (*das*) Unzumutbare. **un'rea·son·ing** *adj* **1.** nicht von der Vernunft geleitet, vernunftlos. **2.** unvernünftig, blind.
,un·re'ceipt·ed *adj econ.* 'unquit,tiert.
,un·re'cep·tive *adj* nicht aufnahmefähig, unempfänglich.
,un·re'cip·ro,cat·ed *adj* nicht auf Gegenseitigkeit beruhend: his love was ~ s-e Liebe wurde nicht erwidert *od.* blieb unerwidert.
un'reck·oned *adj* **1.** ungezählt. **2.** nicht mitgerechnet.
,un·re'claimed *adj* **1.** nicht zu'rückgefordert. **2.** ungebessert. **3.** ungezähmt (*a. fig.*). **4.** 'unkulti,viert, unbebaut (*Land*).
un'rec·og,niz·a·ble *adj* (*adv* unrecognizably) unerkennbar, nicht 'wiederzuerkennen(d). **un'rec·og,nized** *adj* **1.** nicht ('wieder)erkannt. **2.** nicht anerkannt.
un'rec·on,ciled *adj* unversöhnt (to mit).
,un·re·con'struct·ed *adj Am. colloq.* 'erzkonserva,tiv.
,un·re'cord·ed *adj* **1.** (geschichtlich) nicht über'liefert *od.* aufgezeichnet *od.* belegt. **2.** *jur.* nicht (amtlich) eingetragen, unverzeichnet. **3.** nicht (auf Schallplatten *od.* Tonband) aufgenommen.
,un·re'deem·a·ble *adj* **1.** *bes. relig.* nicht erlösbar. **2.** *econ.* untilg-, unkündbar. **3.** nicht wieder'gutzumachen(d). **,un·re'deemed** *adj* **1.** *relig.* unerlöst. **2.** *econ.* a) ungetilgt: ~ debt, b) uneingelöst: ~ bill. **3.** *fig.* ungemildert (by durch): ~ rascal Erzschurke *m*. **4.** uneingelöst: ~ promise; ~ pawn.
,un·re'dressed *adj* **1.** nicht wieder'gutgemacht, ungesühnt. **2.** nicht abgestellt: ~ abuse.
un'reel I *v/t* **1.** abspulen, abrollen lassen (*a. fig.*). **II** *v/i* **2.** sich abspulen. **3.** abrollen.
,un·re'fined *adj* **1.** *tech.* nicht raffi'niert, ungeläutert, roh, Roh...: ~ sugar Rohzucker *m*. **2.** *fig.* ungebildet, unfein, 'unkulti,viert.
,un·re'flect·ing *adj* (*adv* ~ly) **1.** nicht reflek'tierend (*a. fig.*). **2.** gedankenlos, 'unüber,legt.
,un·re'formed *adj* ungebessert, nicht refor'miert.
,un·re'fut·ed *adj* 'unwider,legt.
,un·re'gard·ed *adj* unberücksichtigt, unbeachtet, vernachlässigt. **,un·re'gard·ful** *adj* ohne Rücksicht (of auf *acc*), rücksichtslos.
,un·re'gen·er·a·cy *s relig.* Sündhaftigkeit *f*. **,un·re'gen·er·ate** *adj relig.* **1.** nicht 'wiedergeboren. **2.** *allg.* sündig, verderbt.
un'reg·is·tered *adj* **1.** nicht aufgezeichnet *od.* eingetragen *od.* erfaßt. **2.** nicht appro'biert (*Arzt etc*). **3.** nicht eingeschrieben: ~ letter.
,un·re'gret·ted *adj* unbedauert, unbeklagt.
,un·re'hearsed *adj* **1.** ungeprobt: ~ play. **2.** über'raschend, spon'tan.
,un·re'lat·ed *adj* **1.** ohne Beziehung (to zu). **2.** nicht verwandt. **3.** nicht berichtet.
,un·re'laxed *adj* **1.** nicht ermattet *od.* erschlafft. **2.** nicht entspannt. **,un·re'lax·ing** *adj* nicht nachlassend, unermüdlich.
,un·re'lent·ing *adj* (*adv* ~ly) **1.** unnachgiebig, unerbittlich. **2.** unvermindert.
,un·re,li·a'bil·i·ty *s* Unzuverlässigkeit *f*. **,un·re'li·a·ble** *adj* (*adv* unreliably) unzuverlässig.
,un·re'lieved *adj* **1.** ungelindert, ungemildert. **2.** nicht unter'brochen, 'ununter,brochen. **3.** *mil.* a) nicht abgelöst (*Wache*), b) nicht entsetzt (*Festung*).
,un·re'li·gious *adj* **1.** 'unreligi,ös. **2.** religi'onslos, ohne Religi'onszugehörigkeit.
,un·re'mem·bered *adj* vergessen.
,un·re'mit·ting *adj* (*adv* ~ly) unablässig, unaufhörlich, beharrlich.
,un·re'mu·ner·a·tive *adj* nicht lohnend *od.* einträglich, 'unren,tabel.
,un·re'newed *adj* nicht erneuert.
,un·re'pair *s* Schadhaftigkeit *f*, Baufälligkeit *f*, Verfall *m*.
,un·re'pealed *adj* nicht wider'rufen *od.* aufgehoben.
,un·re'peat·a·ble *adj* 'unwieder,holbar, nicht zu wieder'holen(d).
,un·re'pent·ant *adj* reuelos, unbußfertig, verstockt. **,un·re'pent·ed** *adj* unbereut.
,un·re'pin·ing *adj* **1.** ohne Murren, klaglos. **2.** unverdrossen.
,un·re'place·a·ble *adj* unersetzbar.
,un·re'port·ed *adj* nicht berichtet *od.* über'liefert.
,un·rep·re'sent·ed *adj econ. u. pol.* nicht vertreten.
,un·re·pro'duc·i·ble *adj* nicht 'wiederzugeben(d).
,un·re'proved *adj* **1.** ungetadelt, ohne Tadel. **2.** nicht miß'billigt.
,un·re'quit·ed *adj* **1.** 'uner,widert: ~ love. **2.** unbelohnt: ~ services. **3.** ungesühnt: ~ deed.
,un·re'sent·ed *adj* ohne Groll, nicht übelgenommen. **,un·re'sent·ing** *adj* (*adv* ~ly) nicht übelnehmerisch *od.* nachtragend.
,un·re'serve *s* Freimütigkeit *f*. **,un·re'served** *adj* **1.** uneingeschränkt, vorbehalt-, rückhaltlos, völlig. **2.** freimütig, offen(herzig). **3.** nicht reser'viert. **,un·re'serv·ed·ly** [-id-] *adv*. **,un·re'serv·ed·ness** [-id-] *s* Offenheit *f*, Freimütigkeit *f*, Rückhaltlosigkeit *f*.
,un·re'sist·ed *adj* ungehindert: to be ~ keinen Widerstand finden. **,un·re'sist·ing** *adj* (*adv* ~ly) 'widerstandslos.
,un·re'solved *adj* **1.** ungelöst: ~ problem. **2.** unschlüssig, unentschlossen. **3.** *chem. u. mus.* unaufgelöst.
,un·re'spect·a·ble *adj* nicht achtenswert. **,un·re'spect·ed** *adj* nicht geachtet *od.* respek'tiert.
,un·re'spon·sive *adj* (*adv* ~ly) **1.** unempfänglich (to für): to be ~ (to) nicht reagieren *od.* ansprechen (auf *acc*). **2.** kalt, teilnahmslos.
un'rest *s* Unruhe *f* (*a. pol.*). **un'rest·ful** *adj* (*adv* ~ly) **1.** ruhe-, rastlos. **2.** unbehaglich. **un'rest·ing** *adj* (*adv* ~ly) rastlos, unermüdlich.
,un·re'strained *adj* **1.** ungehemmt (*a. fig. ungezwungen*). **2.** hemmungs-, zügellos. **3.** uneingeschränkt. **,un·re'strain·ed·ly** [-id-] *adv*. **,un·re'straint** *s* **1.** Ungehemmtheit *f*. **2.** Hemmungs-, Zügellosigkeit *f*. **3.** Zwanglosigkeit *f*, Ungezwungenheit *f*.
,un·re'strict·ed *adj* (*adv* ~ly) uneingeschränkt, unbeschränkt.
,un·re'turned *adj* **1.** nicht zu'rückgegeben. **2.** unerwidert, unvergolten: to be ~ unerwidert bleiben. **3.** *pol.* nicht (*ins Parlament*) gewählt.
,un·re'vealed *adj* nicht offen'bart, verborgen, geheim.
,un·re'vised *adj* nicht 'durchgesehen *od.* revi'diert.
,un·re'voked *adj* nicht wider'rufen.
,un·re'ward·ed *adj* unbelohnt.
,un·rhe'tor·i·cal *adj* **1.** 'unrhe,torisch. **2.** nicht phrasenhaft, schlicht.
un'rhymed *adj* ungereimt, reimlos.
un'rid·dle *v/t* enträtseln.
un'ri·fled *adj tech.* ungezogen, glatt (*Gewehrlauf*).
un'rig *v/t* **1.** *mar.* abtakeln. **2.** 'abmon,tieren.
un'right·eous *adj* (*adv* ~ly) **1.** ungerecht. **2.** *relig.* ungerecht, verworfen, sündig. **un'right·eous·ness** *s* Ungerechtigkeit *f*.
un'rip *v/t* aufreißen, -schlitzen.
un'ripe *adj allg.* unreif. **un'ripe·ness** *s* Unreife *f*.
un'ri·val(l)ed *adj* **1.** ohne Ri'valen *od.* Gegenspieler. **2.** unerreicht, unvergleichlich.
un'riv·et *v/t* **1.** *tech.* ab-, losnieten. **2.** *fig.* lösen.
un'road,wor·thy *adj* verkehrsuntüchtig.
un'roll I *v/t* **1.** entfalten, -rollen, aus-

breiten. **2.** abwickeln. **II** *v/i* **3.** sich entfalten. **4.** sich ausein'anderrollen.
ˌun·ro'man·tic *adj* (*adv* ~**ally**) 'unroˌmantisch, pro'saisch.
un'roof *v/t Haus etc* abdecken.
un'root *v/t* **1.** (mit der Wurzel) ausreißen. **2.** entwurzeln. **3.** *fig.* ausrotten, -merzen.
un'rope *v/t* **1.** losbinden. **2.** *mount.* (*a. v/i* sich) ausseilen.
un'round *v/t ling. Vokale* entrunden.
un'ruf·fled *adj* **1.** ungekräuselt, glatt. **2.** *fig.* gelassen, unerschüttert.
un'ruled *adj* **1.** *fig.* unbeherrscht. **2.** 'unliniˌiert (*Papier*).
un·rul·i·ness [ʌn'ru:linis] *s* **1.** Unlenkbarkeit *f*, 'Widerspenstigkeit *f*, Aufsässigkeit *f*. **2.** Ausgelassenheit *f*, Wildheit *f*, Unbändigkeit *f*. **un'rul·y** *adj* **1.** unlenksam, aufsässig. **2.** ungebärdig, wild, ausgelassen. **3.** ungestüm.
un'sad·dle I *v/t* **1.** *das Pferd* absatteln. **2.** *j-n* aus dem Sattel werfen. **II** *v/i* **3.** absatteln.
un'safe *adj* (*adv* ~**ly**) unsicher, gefährlich. **un'safe·ness, un'safe·ty** *s* Unsicherheit *f*.
un'said *adj* ungesagt, unausgesprochen, unerwähnt: **it shall be better left** ~ es bleibt besser unerwähnt.
un'sal·a·ble *adj* **1.** unverkäuflich. **2.** nicht gängig *od.* zugkräftig.
un'sal·a·ried *adj* unbezahlt, ehrenamtlich: ~ **clerk** Volontär *m*.
un·sale·a·ble → **unsalable**.
un'salt·ed *adj* ungesalzen.
un'sanc·tioned *adj* **1.** unbestätigt. **2.** nicht sanktio'niert, unerlaubt.
un'san·i·tar·y *adj* **1.** ungesund. **2.** 'unhygiˌenisch.
ˌun·sat·is'fac·to·ri·ness *s* (*das*) Unbefriedigende, Unzulänglichkeit *f*. **ˌun·sat·is'fac·to·ry** *adj* (*adv* **unsatisfactorily**) unbefriedigend, ungenügend, unzulänglich. **un'sat·isˌfied** *adj* **1.** unbefriedigt, nicht zu'friedengestellt. **2.** 'unzuˌfrieden. **3.** *econ.* unbezahlt. **un'sat·isˌfy·ing** *adj* (*adv* ~**ly**) unbefriedigend.
un'sa·vo(u)r·i·ness *s* **1.** Unschmackhaftigkeit *f*. **2.** Widerlichkeit *f*. **un'sa·vo(u)r·y** *adj* (*adv* **unsavo[u]rily**) **1.** unschmackhaft (*a. fig.*). **2.** widerlich, widerwärtig (*a. fig.*). **3.** anstößig.
un'say *v/t irr* wider'rufen, zu'rücknehmen.
un'scal·a·ble *adj* unersteigbar.
un'scale *v/t* **1.** *e-n Fisch* (ab)schuppen. **2.** *fig. j-m* die Augen öffnen.
un'scarred *adj* unverwundet, ohne Narben.
un'scathed *adj* (völlig) unversehrt, unbeschädigt, heil.
un'sched·uled *adj* **1.** nicht vorgesehen *od.* pro'grammäßig. **2.** außerplanmäßig: ~ **flight**.
un'schol·ar·ly *adj* **1.** unwissenschaftlich. **2.** ungelehrt.
un'schooled *adj* **1.** ungeschult, nicht ausgebildet. **2.** unverbildet.
ˌun·sci·en'tif·ic *adj* (*adv* ~**ally**) unwissenschaftlich.
un'scram·ble *v/t* **1.** ausein'anderklauben, entwirren. **2.** entschlüsseln, dechif'frieren. **3.** *electr.* aussteuern.
un'screened *adj* **1.** ungeschützt, *a. electr.* nicht abgeschirmt. **2.** *tech.* ungesiebt (*Kohle etc*). **3.** nicht über'prüft, ‚nicht gesiebt'.
un'screw I *v/t tech.* **1.** ab-, auf-, losschrauben. **II** *v/i* **2.** sich her'aus- *od.* losdrehen. **3.** sich losschrauben lassen.
un'scrip·tur·al *adj relig.* unbiblisch.
un'scru·pu·lous *adj* (*adv* ~**ly**) skrupel-, bedenken-, gewissenlos. **un'scru·pu·lous·ness** *s* Skrupel-, Gewissenlosigkeit *f*.
un'seal *v/t* **1.** *e-n Brief etc* entsiegeln *od.* öffnen. **2.** *fig. j-m die Augen od. Lippen* öffnen: **to** ~ **s.o.'s eyes**. **3.** *fig.* enthüllen: **to** ~ **a mystery**. **un'sealed** *adj* **1.** unversiegelt. **2.** *fig.* unverbindlich.
un'search·a·ble *adj* unerforschlich.
un'sea·son·a·ble *adj* (*adv* **unseasonably**) **1.** nicht der Jahreszeit entsprechend (*Wetter etc*). **2.** unzeitig. **3.** unpassend, unangebracht, ungünstig. **un'sea·son·a·ble·ness** *s* **1.** Ungewöhnlichkeit *f* (*des Wetters*). **2.** Unzeitigkeit *f*, Ungelegenheit *f*. **3.** Unangebrachtheit *f*.
un'sea·soned *adj* **1.** nicht (aus)gereift. **2.** nicht abgelagert: ~ **wood**. **3.** ungewürzt. **4.** *fig.* unerfahren, ‚grün'. **5.** (to) *fig.* nicht gewöhnt (an *acc*), nicht abgehärtet (gegen).
un'seat *v/t* **1.** *den Reiter* abwerfen. **2.** *j-n* absetzen, stürzen, des Postens entheben. **3.** *j-m* s-n Sitz (im Parla'ment) nehmen. **un'seat·ed** *adj* ohne Sitz(gelegenheit): **to be** ~ nicht sitzen.
un'seaˌwor·thy *adj mar.* seeuntüchtig.
un'sec·ond·ed *adj* nicht unter'stützt: **the motion was** ~ der Antrag fand keine Unterstützung.
ˌun·se'cured *adj* **1.** ungesichert. **2.** unbefestigt. **3.** *econ.* ungedeckt, nicht sichergestellt: ~ **claims** (*beim Konkurs*) Massenansprüche; ~ **debt** ungesicherte Schuld.
un'see·ing *adj fig.* blind, leer.
un'seem·li·ness *s* Unziemlichkeit *f*. **un'seem·ly I** *adj* **1.** unziemlich, ungehörig. **2.** unschön. **II** *adv* **3.** in ungehöriger Art (u. Weise).
un'seen I *adj* **1.** ungesehen, unbemerkt: → **unsight**. **2.** *mil.* uneingesehen (*Gelände*). **3.** unsichtbar: **the** ~ **(radio) audience**. **4.** *ped.* unvorbereitet (*Prüfungstext*). **II** *s* **5. the** ~ das Unsichtbare. **6.** *ped.* Klau'sur(arbeit) *f*.
un'seiz·a·ble *adj* **1.** ungreifbar, nicht (er)faßbar. **2.** *econ.* nicht pfändbar.
un'sel·dom *adj* nicht selten, häufig.
un'self·ish *adj* (*adv* ~**ly**) selbstlos, uneigennützig. **un'self·ish·ness** *s* Selbstlosigkeit *f*, Uneigennützigkeit *f*.
ˌun·sen'sa·tion·al *adj* nicht aufregend *od.* sensatio'nell.
ˌun·sen·ti'men·tal *adj* (*adv* ~**ly**) 'unsentimenˌtal.
un'sep·aˌrat·ed *adj* ungetrennt, ungeteilt.
un'serv·ice·a·ble *adj* **1.** undienlich, unzweckmäßig, untauglich (to für). **2.** unbrauchbar, betriebsunfähig: ~ **machine**.
un'set·tle *v/t* **1.** *etwas* aus s-r (festen) Lage bringen. **2.** *fig.* beunruhigen, in Unruhe versetzen. **3.** *j-n, j-s Glauben etc* erschüttern, ins Wanken bringen. **4.** *j-n* verwirren, durchein'anderbringen. **5.** *fig. j-n* aus dem (gewohnten) Gleis bringen. **6.** in Unordnung bringen. **un'set·tled** *adj* **1.** ohne festen Wohnsitz. **2.** unbesiedelt: ~ **region**. **3.** *allg.* unsicher: ~ **circumstances** (**times**, *etc*). **4.** unbestimmt, ungewiß, unsicher. **5.** unentschieden, unerledigt: ~ **question**. **6.** unbeständig, veränderlich (*Wetter*; *a. econ. Markt*). **7.** schwankend, unentschlossen (*Person*). **8.** geistig gestört, aus dem (seelischen) Gleichgewicht. **9.** unstet: ~ **character**; **an** ~ **life**. **10.** nicht geregelt: ~ **estate** nicht regulierte Erbschaft. **11.** *econ.* unerledigt, unbezahlt: ~ **bill**.
un'sex *v/t* **1.** geschlechtslos machen. **2.** *e-e Frau* der fraulichen Eigenschaften berauben.
un'shack·le *v/t j-n* befreien (*a. fig.*). **un'shack·led** *adj* ungehemmt.
un'shad·ed *adj* **1.** unverdunkelt, unbeschattet. **2.** *paint.* nicht schat'tiert.
un'shak(e)·a·ble *adj* unerschütterlich. **un'shak·en** *adj* (*adv* ~**ly**) **1.** unerschüttert, fest. **2.** unerschütterlich.
un'shape·ly *adj* ungestalt, unförmig.
un'shaved, un'shav·en *adj* 'unraˌsiert.
un'sheathe *v/t* **1.** aus der Scheide ziehen: **to** ~ **the sword** *fig.* Ernst machen, den Krieg erklären. **2.** *Krallen etc* her'ausstrecken.
un'shed *adj* unvergossen: ~ **tears**.
un'shell *v/t* (ab)schälen, enthülsen.
un'shel·tered *adj* ungeschützt, schutz-, obdachlos.
un'ship *v/t* **1.** *mar.* a) *die Ladung* löschen, ausladen, b) *Passagiere* ausschiffen, c) *den Mast, das Ruder etc* abbauen. **2.** *colloq. j-n* ‚ausbooten'.
un'shod *adj* **1.** unbeschuht, barfuß. **2.** unbeschlagen (*Pferd*).
un'shorn *adj* ungeschoren.
un'short·ened *adj* unverkürzt, ungekürzt.
un'shrink·a·ble *adj* nicht einlaufend (*Stoffe*). **un'shrink·ing** *adj* (*adv* ~**ly**) nicht zu'rückweichend, unverzagt, fest.
un'sift·ed *adj* **1.** ungesiebt. **2.** *fig.* ungeprüft.
un'sight *adj*: **to buy s.th.** ~, **unseen** etwas unbesehen kaufen. **un'sight·ed** *adj* **1.** ungesehen, nicht gesichtet. **2.** ungezielt: **an** ~ **shot**. **3.** ohne Vi'sier: ~ **gun**.
un'sight·li·ness *s* Unansehnlichkeit *f*, Häßlichkeit *f*. **un'sight·ly** *adj* unansehnlich, häßlich.
un'signed *adj* **1.** 'unsiˌgniert, nicht unter'zeichnet. **2.** *math.* ohne Vorzeichen, unbezeichnet.
un'silt *v/t tech.* ausbaggern.
un'sink·a·ble *adj* unversenkbar.
un'sis·ter·ly *adj* unschwesterlich.
un'sized[1] *adj* nicht nach Größe(n) geordnet, 'unsorˌtiert.
un'sized[2] *adj tech.* **1.** ungeleimt (*Papier*). **2.** 'ungrunˌdiert.
un'skil·ful *adj* (*adv* ~**ly**) ungeschickt.
un'skilled *adj* **1.** unerfahren, ungeschickt, ungeübt. **2.** ungelernt: ~ **work**; ~ **worker**; **the** ~ **labo(u)r** *collect.* die Hilfsarbeiter.
un·skill·ful *bes. Am. für* **unskilful**.
un'skimmed *adj* nicht entrahmt: ~ **milk** Vollmilch *f*.
un'slack·ened *adj* ungeschwächt, unvermindert.
un'slaked *adj* **1.** ungelöscht: ~ **lime**. **2.** *fig.* ungestillt.
un'sleep·ing *adj* **1.** immer wach. **2.** schlaflos.
un'smil·ing *adj* ernst.
un'smoked *adj* **1.** ungeräuchert. **2.** nicht aufgeraucht: ~ **cigar**.
un'snarl *v/t* entwirren.
ˌun·so·cia'bil·i·ty *s* Ungeselligkeit *f*. **un'so·cia·ble** *adj* (*adv* **unsociably**) ungesellig, nicht 'umgänglich.
un'so·cial *adj* **1.** 'unsoziˌal. **2.** 'asoziˌal, gesellschaftsfeindlich.
un'soiled *adj* **1.** rein, sauber (*a. fig.*). **2.** *fig.* unbefleckt.
un'sold *adj* unverkauft: → **subject** 16.
un'sol·der *v/t* **1.** *tech.* ab-, auf-, loslöten. **2.** *fig.* (auf)lösen, trennen.
un'sol·dier·ly, a. un'sol·dierˌlike *adj* 'unsolˌdatisch.
ˌun·so'lic·it·ed *adj* **1.** ungebeten, unaufgefordert, unverlangt. **2.** freiwillig.

un'sol·id *adj* **1.** nicht fest, nicht gediegen, unsicher (*a. fig.*). **2.** *fig.* anfechtbar.
un'solv·a·ble *adj* unlösbar. **un'solved** *adj* ungelöst.
ˌun·so'phis·tiˌcat·ed *adj* **1.** unverfälscht. **2.** lauter, rein, unvermischt. **3.** ungekünstelt, na'türlich, unverbildet. **4.** na'iv, harmlos. **ˌun·so'phis·tiˌcat·ed·ness, ˌun·soˌphis·ti'ca·tion** *s* **1.** Unverfälschtheit *f.* **2.** Na'türlichkeit *f.* **3.** Naivi'tät *f.*
un'sought *adj a.* ~-for nicht erstrebt, ungesucht, ungewollt.
un'sound *adj* (*adv* ~ly) **1.** ungesund (*a. fig.*): of ~ mind geistesgestört, unzurechnungsfähig. **2.** schlecht, verdorben (*Ware etc*), faul (*Obst*). **3.** morsch, wurmstichig. **4.** brüchig, rissig. **5.** unsicher, zweifelhaft. **6.** unzuverlässig, 'unsoˌlid(e) (*a. econ.*). **7.** fragwürdig, nicht vertrauenswürdig (*Person*). **8.** anfechtbar, nicht stichhaltig: ~ argument. **9.** falsch, verkehrt: ~ doctrine Irrlehre *f*; ~ policy verfehlte Politik.
un'sound·ed *adj* **1.** nicht ausgemessen. **2.** *mar.* nicht (aus)gelotet. **3.** *fig.* unergründet, unerforscht.
un'sound·ness *s* **1.** Ungesundheit *f*: a) Krankhaftigkeit *f*, b) Unzuträglichkeit *f.* **2.** Verdorbenheit *f.* **3.** Brüchigkeit *f.* **4.** Anfechtbarkeit *f.* **5.** Unzuverlässigkeit *f.* **6.** Verfehltheit *f*, (*das*) Falsche *od.* Verkehrte.
un'sown *adj* **1.** unbesät. **2.** ungesät.
un'spar·ing *adj* (*adv* ~ly) **1.** reichlich, großzügig. **2.** verschwenderisch, freigebig (in, of mit): to be ~ in nicht kargen mit (*Lob etc*); to be ~ in one's efforts keine Mühe scheuen. **3.** schonungslos (of gegen).
un'speak·a·ble *adj* **1.** unsagbar, unbeschreiblich, unsäglich. **2.** entsetzlich, scheußlich.
un'spe·cialˌized *adj* nicht speziali'siert.
un'spec·iˌfied *adj* nicht einzeln angegeben, nicht spezifi'ziert.
un'spec·u·la·tive *adj* **1.** *philos.* nicht spekula'tiv. **2.** nicht auf vor'herigen Über'legungen beruhend. **3.** *econ.* zuverlässig, ohne Risiko.
un'spent *adj* **1.** nicht ausgegeben, nicht verbraucht. **2.** *a. fig.* unverbraucht, unerschöpft, nicht verausgabt.
un'spir·it·u·al *adj* (*adv* ~ly) ungeistig.
un'spoiled, un'spoilt *adj* **1.** *allg.* unverdorben. **2.** unbeschädigt. **3.** nicht verzogen (*Kind*).
un'spo·ken *adj* un(aus)gesprochen, ungesagt: ~-of unerwähnt; ~-to unangeredet.
ˌun·spon'ta·ne·ous *adj* (*adv* ~ly) unfreiwillig, nicht spon'tan, gezwungen.
un'sports·manˌlike, un'sport·ing *adj* **1.** unsportlich, unfair. **2.** *hunt.* unweidmännisch.
un'spot·ted *adj* **1.** fleckenlos. **2.** *fig.* makellos (*Ruf*), unbefleckt. **3.** unentdeckt.
un'sprung *adj tech.* ungefedert.
un'sta·ble *adj* **1.** *a. fig.* unsicher, nicht fest, schwankend, la'bil. **2.** *fig.* unbeständig, unstet. **3.** *chem.* unbeständig, 'instaˌbil.
un'stained *adj* **1.** → **unspotted** 1 *u.* 2. **2.** ungefärbt.
un'stamped *adj* **1.** ungestempelt. **2.** 'unfranˌkiert: ~ letter.
un'starched *adj* ungestärkt.
un'states·manˌlike *adj* unstaatsmännisch.
un'stead·i·ness *s* **1.** Unsicherheit *f.* **2.** Unstetigkeit *f*, Schwanken *n.* **3.** Unzuverlässigkeit *f.* **4.** Unregelmäßigkeit *f.*
un'stead·y I *adj* (*adv* **unsteadily**) **1.** unsicher, wack(e)lig. **2.** schwankend, unbeständig (*beide a. econ. Kurs, Markt*), unstet. **3.** *fig.* 'unsoˌlide. **4.** unregelmäßig. **II** *v/t* **5.** aus dem (*a.* seelischen) Gleichgewicht bringen.
un'stick *v/t irr* **1.** lösen, losmachen. **2.** *aer.* (*vom Boden etc*) (ab)heben.
un'stint·ed *adj* uneingeschränkt, unbegrenzt, unverkürzt. **un'stint·ing** *adj* (*adv* ~ly) → **unsparing** 1 *u.* 2.
un'stitch *v/t* auftrennen: ~ed a) aufgetrennt, b) ungesteppt (*Falte*): to come ~ed aufgehen (*Naht etc*).
un'stop *v/t* entkorken, -stöpseln, aufmachen. **un'stopped** *adj* **1.** unverschlossen, offen. **2.** ungehindert. **3.** *ling.* a) offen (*Konsonant*), b) ohne Pause (*Zeilenschluß*).
un'strained *adj* **1.** 'unfilˌtriert, ungefiltert. **2.** nicht angespannt (*a. fig.*). **3.** *fig.* ungezwungen.
un'strap *v/t* ab-, auf-, losschnallen.
un'stressed *adj* **1.** *ling.* unbetont. **2.** *tech.* unbelastet.
un'string *v/t irr* **1.** *aufgereihte Perlen etc* abfädeln. **2.** *mus.* entsaiten. **3.** *e-n Beutel etc* aufziehen, öffnen. **4.** *fig. die Nerven, j-n* über'anstrengen, ‚über'drehen'.
un'strung *adj* **1.** *mus.* a) saitenlos (*Instrument*), b) entspannt (*Saite, Bogen*). **2.** abgereiht (*Perlen*). **3.** *fig.* a) abgespannt, ner'vös, ‚über'dreht', b) erschüttert.
un'stud·ied *adj* **1.** nicht ('ein)stuˌdiert. **2.** unbewandert (in in *dat*). **3.** ungesucht, ungekünstelt, na'türlich.
un'styl·ish *adj* 'unmoˌdern, 'uneleˌgant.
ˌun·sub'dued *adj* unbezwungen, unbesiegt, nicht unter'worfen *od.* -'jocht.
ˌun·sub'mis·sive *adj* (*adv* ~ly) nicht unter'würfig, 'widerspenstig.
ˌun·sub'stan·tial *adj* (*adv* ~ly) **1.** sub'stanzlos, unkörperlich. **2.** unwesentlich. **3.** *fig.* unwirklich, wesen-, inhalt(s)los, leer, unbegründet. **4.** gehalt-, kraftlos (*Essen*). **5.** dürftig.
ˌun·subˌstan·ti'al·i·ty *s* **1.** Wesenlosigkeit *f*, Leere *f.* **2.** Unwichtigkeit *f.* **3.** Unwirklichkeit *f.*
ˌun·sub'stan·tiˌat·ed *adj* nicht erhärtet, unbegründet.
ˌun·suc'cess *s* 'Mißerfolg *m*, Fehlschlag *m.* **ˌun·suc'cess·ful** *adj* (*adv* ~ly) erfolg-, fruchtlos, ohne Erfolg: ~ applicants zurückgewiesene Bewerber; ~ candidates durchgefallene Kandidaten; ~ party *jur.* unterlegene Partei; ~ take-off Fehlstart *m.* **ˌun·suc'cess·ful·ness** *s* Erfolglosigkeit *f.*
ˌun·sug'ges·tive *adj* keine 'Hinweise gebend (of auf *acc*).
un'suit·a·ble *adj* (*adv* **unsuitably**) (to, for) unpassend, unzweckmäßig, ungeeignet (für), unangemessen (*dat*). **un'suit·ed** *adj* ungeeignet (to zu; for für).
un'sul·lied *adj bes. fig.* unbefleckt, makellos.
un'sung I *adj poet.* unbesungen. **II** *adv fig.* sang- u. klanglos.
ˌun·sup'plied *adj* **1.** unversorgt, nicht versehen (with mit). **2.** *mil.* ohne Nachschub. **3.** nicht abgestellt *od.* behoben (*Mangel*).
ˌun·sup'port·a·ble *adj* unerträglich.
ˌun·sup'port·ed *adj* **1.** ungestützt. **2.** unbestätigt, ohne 'Unterlagen. **3.** nicht unter'stützt: ~ children; ~ motion.
ˌun·sup'pressed *adj* nicht unter'drückt.
un'sure *adj allg.* unsicher.
ˌun·sur'mount·a·ble *adj* 'unüberˌwindlich (*a. fig.*).
ˌun·sur'pass·a·ble *adj* (*adv* **unsurpassably**) 'unüberˌtrefflich. **ˌun·sur'passed** *adj* 'unüberˌtroffen.
ˌun·sus'cep·ti·ble *adj* unempfindlich, unempfänglich (of für).
ˌun·sus'pect·ed *adj* (*adv* ~ly) **1.** unvermutet, ungeahnt. **2.** unverdächtig(t).
ˌun·sus'pect·ing *adj* (*adv* ~ly) **1.** nichtsahnend, ahnungslos: ~ of ... ohne *etwas* zu ahnen von ... **2.** arglos, nicht 'mißtrauisch, keinen Verdacht schöpfend, gutgläubig.
ˌun·sus'pi·cious *adj* (*adv* ~ly) **1.** arglos, nicht argwöhnisch. **2.** unverdächtig, harmlos.
ˌun·sus'tain·a·ble *adj* unhaltbar, nicht aufrechtzuerhalten(d).
un'swad·dle, un'swathe *v/t* **1.** aus den Windeln nehmen. **2.** auswickeln.
un'swayed *adj* unbeeinflußt.
un'swear *v/t irr* abschwören (*dat*).
un'sweet·ened *adj* **1.** ungesüßt. **2.** *fig.* unversüßt.
un'swerv·ing *adj* (*adv* ~ly) unentwegt, unerschütterlich.
un'sworn *adj jur.* **1.** unbeeidet: ~ declaration. **2.** unvereidigt: ~ witness.
ˌun·sym'met·ri·cal *adj* 'unsymˌmetrisch.
ˌun·sym·pa'thet·ic *adj* (*adv* ~ally) **1.** teilnahmslos, ohne Mitgefühl. **2.** 'unsymˌpathisch.
ˌun·sys·tem'at·ic *adj* (*adv* ~ally) 'unsysteˌmatisch, planlos.
un'tack *v/t* los-, abmachen.
un'tact·ful *adj* taktlos.
un'taint·ed *adj* **1.** fleckenlos (*a. fig.*). **2.** unverdorben: ~ foodstuffs. **3.** *fig.* tadel-, makellos. **4.** *fig.* unbeeinträchtigt (with von).
un'tal·ent·ed *adj* 'untalenˌtiert, unbegabt.
un'tam·a·ble *adj* un(be)zähmbar. **un'tamed** *adj* ungezähmt (*a. fig.*).
un'tan·gle *v/t* **1.** entwirren (*a. fig.*). **2.** aus e-r schwierigen Lage befreien.
un'tanned *adj* **1.** ungegerbt: ~ leather. **2.** ungebräunt: ~ skin.
un'tapped *adj* unangezapft (*a. fig.*): ~ resources ungenützte Hilfsquellen.
un'tar·nished *adj* **1.** ungetrübt. **2.** *a. fig.* makellos, unbefleckt.
un'tast·ed *adj* **1.** ungekostet (*a. fig.*). **2.** *fig.* (noch) nicht kennengelernt *od.* gelesen (*Buch etc*).
un'taught *adj* **1.** ungelehrt, nicht unter'richtet. **2.** unwissend, ungebildet. **3.** ungelernt, selbstentwickelt: ~ abilities.
un'taxed *adj* unbesteuert, steuerfrei.
un'teach *v/t irr* **1.** *j-n* das Gegenteil lehren (*von etwas*). **2.** *j-n etwas* verlernen *od.* vergessen lassen. **un'teach·a·ble** *adj* **1.** unbelehrbar (*Person*). **2.** nicht lehrbar (*Sache*).
un'tear·a·ble *adj* unzerreißbar.
un'tech·ni·cal *adj* nicht technisch, unfachlich.
un'tem·pered *adj* **1.** *tech.* ungehärtet, unvergütet (*Stahl*). **2.** *fig.* ungemildert (with, by durch).
un'ten·a·ble *adj* unhaltbar (*Theorie etc*).
un'ten·ant·a·ble *adj* unbewohnbar, unvermietbar. **un'ten·ant·ed** *adj* **1.** unbewohnt, leer. **2.** a) unvermietet, b) unverpachtet.
un'tend·ed *adj* **1.** unbehütet, unbeaufsichtigt. **2.** ungepflegt, vernachlässigt.
un'test·ed *adj* **1.** ungeprüft, ungetestet. **2.** nicht erprobt.
un'thank·ful *adj* (*adv* ~ly) undankbar.
un'think·a·ble *adj* undenkbar, unvorstellbar. **un'think·ing** *adj* (*adv* ~ly) **1.** gedanken-, achtlos. **2.** nicht denkend.

un'thought *adj* **1.** ungedacht. **2.** *a.* ~-of unerwartet, unvermutet. **un'thought·ful** *adj* (*adv* ~ly) **1.** gedankenlos. **2.** unachtsam, nicht achtend (of auf *acc*).
un'thread *v/t* **1.** *die Nadel* ausfädeln, den Faden her'ausziehen aus. **2.** *a. fig.* sich hin'durchfinden durch, her'ausfinden aus (*e-m Labyrinth etc*). **3.** *meist fig.* entwirren.
un'thrift I *adj* verschwenderisch. **II** *s* → unthriftiness. **un'thrift·i·ness** *s* Verschwendung *f*, Unwirtschaftlichkeit *f*. **un'thrift·y** *adj* (*adv* unthriftily) **1.** verschwenderisch. **2.** unwirtschaftlich. **3.** nicht gedeihend.
un'throne *v/t* entthronen.
un'ti·di·ness *s* Unordentlichkeit *f*. **un'ti·dy** *adj* (*adv* untidily) unordentlich.
un'tie *v/t* aufknoten, *Knoten* lösen (*a. fig.*), auf-, losbinden.
un·til [ən'til; ʌn-] **I** *prep* **1.** bis (*zeitlich*): ~ recall bis auf Widerruf. **2.** not ~ erst: not ~ Monday erst (am) Montag. **II** *conj* **3.** bis: we waited ~ he came. **4.** not ~ erst als *od.* wenn, nicht eher als, bis.
un'tilled *adj agr.* unbebaut, nicht bestellt.
un'time·li·ness *s* Unzeit *f*, falscher *od.* verfrühter Zeitpunkt. **un'time·ly** *adj u. adv* unzeitig: a) vorzeitig, verfrüht, b) ungelegen, unpassend, zum falschen Zeitpunkt.
un'tinc·tured, un'tinged *adj* **1.** *fig.* ohne Anstrich, unberührt, frei (with, by von). **2.** nicht gefärbt, rein (*a. fig.*).
un'tir·ing *adj* (*adv* ~ly) unermüdlich.
un'ti·tled *adj* **1.** ohne Titel, ohne (Adels)Rang. **2.** ohne Rechtsanspruch *od.* -titel, unberechtigt.
un·to ['ʌntu(ː)] *prep obs. od. poet. od. Bibl.* → to.
un'told *adj* **1.** a) unerzählt, b) ungesagt: to leave nothing ~ nichts unerwähnt lassen. **2.** unsäglich, unsagbar: ~ sufferings. **3.** zahllos. **4.** unermeßlich.
un'touch·a·ble I *adj* **1.** unberührbar. **2.** unantastbar, unangreifbar. **3.** unerreichbar. **4.** unfaßbar. **II** *s* **5.** Unberührbare(r *m*) *f* (*bei den Hindus*). **un'touched** *adj* **1.** unberührt (*Essen etc*) (*a. fig.*), unangetastet (*a. Vorrat*), unversehrt, unverändert. **2.** *fig.* ungerührt, unbeeindruckt, unbeeinflußt. **3.** nicht zu'rechtgemacht, *fig.* ungeschminkt. **4.** *phot.* 'unretu,schiert. **5.** unerreicht: ~ perfection.
un'to·ward *adj* **1.** ungefügig, 'widerspenstig (*a. fig.*). **2.** ungünstig, unglücklich, widrig (*Umstand etc*), schlecht (*Vorzeichen etc*). **un'to·ward·ness** *s* **1.** 'Widerspenstigkeit *f*, Eigen-, Starrsinn *m*. **2.** Ungunst *f*, 'Widerwärtigkeit *f*.
un'trace·a·ble *adj* unauffindbar, nicht ausfindig zu machen(d).
un'trained *adj* **1.** ungeschult (*a. fig.*), *a. mil.* unausgebildet. **2.** *sport* 'untrai,niert. **3.** ungeübt. **4.** 'undres,siert: ~ dog.
un'tram·mel(l)ed *adj bes. fig.* ungebunden, ungehindert.
,un·trans'lat·a·ble *adj* (*adv* untranslatably) 'unüber,setzbar.
un'trav·el(l)ed *adj* **1.** unbereist (*Land*). **2.** nicht gereist, nicht (weit) her'umgekommen (*Person*).
un'tried *adj* **1.** unerprobt, ungeprüft, unversucht. **2.** *jur.* a) unerledigt, nicht verhandelt: ~ cases, b) nicht abgeurteilt, nicht verhört: ~ defendant.
un'trimmed *adj* **1.** unbeschnitten (*Bart, Hecke etc*), ungepflegt, nicht (ordentlich) zu'rechtgemacht. **2.** ungeschmückt.
un'trod·den *adj* unbetreten.
un'trou·bled *adj* **1.** ungestört, unbelästigt. **2.** ruhig: ~ mind; ~ times. **3.** glatt (*Wasser*), ungetrübt (*a. fig.*).
un'true *adj* **1.** untreu (to *dat*). **2.** unwahr, falsch, irrig. **3.** ungenau. **4.** *mus.* unrein. **5.** unvollkommen. **6.** (to) nicht in Über'einstimmung (mit), abweichend (von). **7.** *tech.* a) unrund, b) ungenau. **un'tru·ly** *adv* fälschlich(erweise).
un'trust,wor·thi·ness *s* Unzuverlässigkeit *f*. **un'trust,wor·thy** *adj* unzuverlässig, nicht vertrauenswürdig.
un'truth *s* **1.** Unwahrheit *f*. **2.** Falschheit *f*. **un'truth·ful** *adj* (*adv* ~ly) **1.** unwahr (*a. Sache*), unaufrichtig. **2.** falsch, irrig. **un'truth·ful·ness** → untruth.
un'tuck *v/t* **1.** (her)'auswickeln, lösen. **2.** *Schneiderei*: *e-e Falte* auslassen.
un'tune *v/t* **1.** verstimmen (*a. fig.*): ~d antenna unperiodische Antenne. **2.** *fig.* durchein'anderbringen.
un'turned *adj* nicht 'umgedreht: → stone *Bes. Redew.*
un'tu·tored *adj* **1.** ungebildet, ungeschult. **2.** unerzogen. **3.** unverbildet, na'iv, na'türlich. **4.** 'unkulti,viert.
un'twine, un'twist I *v/t* **1.** aufdrehen, -flechten. **2.** *bes. fig.* entwirren, lösen. **3.** *bes. fig.* trennen, her'auslösen. **II** *v/i* **4.** sich aufdrehen, aufgehen.
un'used *adj* **1.** unbenutzt, ungebraucht, nicht verwendet: ~ capital brachliegendes Kapital; ~ credit nicht beanspruchter Kredit. **2.** a) ungewohnt, nicht gewöhnt (to an *acc*), b) nicht gewohnt (to doing zu tun).
un'u·su·al *adj* (*adv* ~ly) **1.** un-, außergewöhnlich, ungewohnt, selten. **2.** *colloq.* äußerst. **un'u·su·al·ness** *s* Ungewöhnlichkeit *f*, (*das*) Außergewöhnliche.
un'ut·ter·a·ble *adj* (*adv* unutterably) **1.** unaussprechlich (*a. fig.*). **2.** → unspeakable 1. **3.** unglaublich, Erz...: ~ scoundrel. **un'ut·tered** *adj* unausgesprochen, ungesagt.
un'val·ued *adj* **1.** nicht (ab)geschätzt, 'unta,xiert, ungewertet: ~ shares *econ.* Aktien ohne Nennwert. **2.** nicht geschätzt, wenig geachtet.
un'var·ied *adj* unverändert, einförmig.
un'var·nished *adj* **1.** *tech.* ungefirnißt. **2.** *fig.* ungeschminkt: ~ truth. **3.** *fig.* schlicht, einfach.
un'var·y·ing *adj* (*adv* ~ly) unveränderlich, unwandelbar, gleichbleibend.
un'veil I *v/t* **1.** *das Gesicht etc* entschleiern, *ein Denkmal etc* enthüllen (*a. fig.*): ~ed unverschleiert, unverhüllt (*a. fig.*). **2.** sichtbar werden lassen. **3.** *fig.* den Schleier (des Geheimnisses) lüften über (*acc*). **II** *v/i* **4.** den Schleier fallen lassen, sich enthüllen (*a. fig.*).
un'ven·ti,lat·ed *adj* **1.** ungelüftet, nicht venti'liert. **2.** unerörtert, nicht zur Sprache gebracht.
,un·ve'ra·cious *adj* unwahr.
un'ver·i,fied *adj* unbestätigt.
un'versed *adj* unbewandert, unerfahren (in in *dat*).
un'vi·ti,at·ed *adj* unverdorben, rein.
un'voiced *adj* **1.** unausgesprochen, nicht geäußert. **2.** *ling.* stimmlos.
un'vouched(-,for) *adj* unverbürgt.
un'vul·can,ized *adj* nicht vulkani'siert: ~ rubber Rohgummi *n, m.*
un'want·ed *adj* unerwünscht.
un'war·i·ness *s* Unvorsichtigkeit *f*.
un'war,like *adj* friedliebend, unkriegerisch.
un'warped *adj* **1.** nicht verzogen (*Holz*). **2.** *fig.* unbeeinflußt, unvoreingenommen, unbefangen.
un'war·rant·a·ble *adj* (*adv* → unwarrantably) unverantwortlich, nicht zu rechtfertigen(d), ungerechtfertigt, nicht vertretbar, untragbar, unhaltbar. **un'war·rant·a·ble·ness** *s* Unverantwortlichkeit *f*, Unvertretbarkeit *f*. **un'war·rant·a·bly** *adv* in ungerechtfertigter *od.* unverantwortlicher Weise. **un'war·rant·ed** *adj* **1.** ungerechtfertigt, unberechtigt, unbefugt. **2.** unverbürgt, ohne Gewähr.
un'war·y *adj* (*adv* unwarily) **1.** unvorsichtig. **2.** 'unüber,legt.
un'washed *adj* ungewaschen: the great ~ *fig.* der Pöbel.
un'watched *adj* unbewacht, unbeobachtet.
un'watch·ful *adj* nicht wachsam, nicht auf der Hut, unbekümmert.
un'wa·tered *adj* **1.** unbewässert, nicht begossen, nicht gesprengt (*Rasen etc*). **2.** unverwässert (*Milch etc*; *a. econ. Kapital*).
un'wa·ver·ing *adj* (*adv* ~ly) unerschütterlich, standhaft, unentwegt.
un'weak·ened *adj* ungeschwächt.
un'weaned *adj* nicht entwöhnt.
un'wear·a·ble *adj* untragbar, nicht zu tragen(d): ~ clothes.
un'wea·ried *adj* (*adv* ~ly) **1.** nicht ermüdet, frisch. **2.** unermüdlich. **un'wea·ry·ing** *adj* (*adv* ~ly) **1.** unermüdlich. **2.** (immer) gleichbleibend.
un'wed(·ded) *adj* unverheiratet.
un'weighed *adj* **1.** ungewogen. **2.** nicht erwogen, unbedacht.
un'weight *v/t den Ski* entlasten.
un'wel·come *adj* 'unwill,kommen (*a. fig. unangenehm*).
un'well *adj* **1.** unwohl, unpäßlich. **2.** unwohl (*menstruierend*).
un'wept *adj* **1.** unbeweint. **2.** ungeweint: ~ tears.
un'whole·some *adj* (*adv* ~ly) **1.** ungesund, schädlich, unbekömmlich, unzuträglich (*alle a. fig.*). **2.** *fig.* verderbt, verdorben. **un'whole·some·ness** *s* Ungesundheit *f*, Unzuträglichkeit *f*, Schädlichkeit *f*.
un'wield·i·ness *s* **1.** Unbeholfenheit *f*, Schwerfälligkeit *f*. **2.** Unhandlichkeit *f*. **un'wield·y** *adj* (*adv* unwieldily) **1.** unbeholfen, plump, schwerfällig. **2.** a) unhandlich, b) sperrig.
un'wife·ly *adj* unfraulich.
un'will *v/t* **1.** das Gegenteil wollen von. **2.** willenlos machen. **un'willed** *adj* ungewollt. **un'will·ing** *adj* un-, 'widerwillig: to be ~ to do abgeneigt sein, *etwas* zu tun; *etwas* nicht wollen; willing or ~ man mag wollen oder nicht; I am ~ to admit it ich gebe es ungern zu. **un'will·ing·ly** *adv* ungern, 'widerwillig. **un'will·ing·ness** *s* 'Widerwille *m*, Abgeneigtheit *f*.
un'wind [-'waind] *irr* **I** *v/t* **1.** ab-, auf-, loswickeln, abspulen, *Papier etc* abrollen, *e-n Verband etc* abwickeln, abnehmen. **2.** *fig.* entwirren. **II** *v/i* **3.** sich ab- *od.* loswickeln, aufgehen, sich lockern.
un'wink·ing *adj* (*adv* ~ly) **1.** unverwandt, starr (*Blick*). **2.** *fig.* wachsam.
un'wis·dom *s* Unklugheit *f*, Torheit *f*.
un'wise *adj* unklug, töricht.
un'wished *adj* **1.** ungewünscht. **2.** *a.* ~-for unerwünscht.
un'with·ered *adj* **1.** unverwelkt. **2.** *fig.* jung, frisch.
un'wit·nessed *adj* unbezeugt: a) nicht gesehen *od.* beobachtet, b) *jur.* ohne 'Zeugen,unterschrift.
un'wit·ting *adj* (*adv* ~ly) **1.** unwissend. **2.** unwissentlich, unabsichtlich.

un'wom·an·li·ness *s* Unweiblichkeit *f.* **un'wom·an·ly I** *adj* **1.** unweiblich. **2.** für e-e Frau ungeeignet: ~ **work. II** *adv* **3.** nicht wie e-e Frau (es tut).
un'wont·ed *adj* (*adv* ~**ly**) **1.** nicht gewöhnt (to an *acc*), ungewohnt (to *inf* zu *inf*). **2.** ungewöhnlich. **un'wont·ed·ness** *s* **1.** Ungewohntheit *f.* **2.** Ungewöhnlichkeit *f.*
un'wood·ed *adj* unbewaldet.
un'work·a·ble *adj* **1.** unausführbar, 'un,durchführbar (*Plan*). **2.** nicht zu bearbeiten(d) (*a. tech.*). **3.** nicht zu handhaben(d). **4.** *tech.* a) nicht betriebsfähig, b) *Bergbau*: nicht abbauwürdig, c) *metall.* unverhüttbar.
un'worked *adj* **1.** unbearbeitet (*Boden etc*), roh (*a. tech.*). **2.** *Bergbau*: unverritzt: ~ **coal** anstehende Kohle.
un'work·man,like *adj* unfachmännisch, unfachgemäß, stümperhaft.
un'world·li·ness *s* **1.** unweltliche Gesinnung, Weltfremdheit *f.* **2.** Uneigennützigkeit *f.* **3.** Geistigkeit *f.* **un'world·ly** *adj* **1.** unweltlich, nicht weltlich (gesinnt), weltfremd. **2.** uneigennützig. **3.** unirdisch, geistig.
un'worn *adj* **1.** ungetragen (*Kleidungs-, Schmuckstück etc*). **2.** nicht abgetragen *od.* abgenutzt. **3.** *fig.* unverbraucht.
un'wor·thi·ness *s* Unwürdigkeit *f.*
un'wor·thy *adj* (*adv* **unworthily**) unwürdig, nicht würdig (**of** *gen*): **he is** ~ **of it** er ist dessen unwürdig, er verdient es nicht, er ist es nicht wert; **he is** ~ **of respect** er verdient keine Achtung.
un'wound [-'waund] *adj* **1.** abgewickelt. **2.** abgelaufen, nicht aufgezogen (*Uhr*).
un'wound·ed *adj* unverwundet, unverletzt.
un'wo·ven *adj* ungewebt.
un'wrap I *v/t* auf-, auswickeln, auspacken.
un'wrin·kle *v/t* glätten. **un'wrin·kled** *adj* glatt, faltenlos, nicht gerunzelt.
un'writ·ten *adj* **1.** ungeschrieben: ~ **law** a) *jur.* Gewohnheitsrecht *n*, b) *fig.* ungeschriebenes Gesetz. **2.** *a.* ~**-on** unbeschrieben.
un'wrought *adj* unbearbeitet, unverarbeitet: ~ **goods** Rohstoffe.
un'yield·ing *adj* (*adv* ~**ly**) **1.** unbiegsam, starr. **2.** nicht nachgebend (to *dat*), fest (*a. fig.*). **3.** *fig.* unnachgiebig, hart, unbeugsam.
un'yoke *v/t* **1.** aus-, losspannen. **2.** *fig.* (los)trennen, lösen.
un'zip *v/t* den Reißverschluß öffnen von (*od. gen*).
up [ʌp] **I** *adv* **1.** a) nach oben, hoch, (her-, hin)'auf, in die Höhe, em'por, aufwärts, b) oben (*a. fig.*): ... **and** ~ und (noch) höher *od.* mehr, von ... aufwärts; ~ **and** ~ höher u. höher, immer höher; **further** ~ weiter hinauf *od.* (nach) oben; **three storeys** ~ drei Stock hoch, oben im dritten Stock(werk); ~ **and down** a) auf u. ab, hin u. her *od.* zurück, b) *fig.* überall; **buttoned all the way** ~ bis oben (hin) zugeknöpft; **to get** ~ **in the world** *fig.* (in der Welt *od.* im Leben) vorankommen; **to go** ~ steigen (*Preise, Wert, Achtung etc*), in die Höhe gehen (*Preise*); **to jump** ~ auf-, hochspringen; **to work one's way** ~ *fig.* sich hocharbeiten; **come** ~! komm herauf!; **hands** ~! Hände hoch!; ~ **with the Democrats!** hoch die Demokraten!; **not** ~! (*Tennis*) tot!; ~ **from** a) (heraus) aus, b) von ... an, angefangen von ...; ~ **from the country** vom Lande; **from my youth** ~ von Jugend auf, seit m-r Jugend; ~ **till now** bis jetzt. **2.** weiter (nach oben), höher (*a. fig.*): ~ **north** weiter im Norden. **3.** fluß'aufwärts, den Fluß hin'auf. **4.** nach *od.* im Norden: ~ **from Cuba** von Kuba aus in nördlicher Richtung. **5.** a) in der *od.* in die (*bes.* Haupt)Stadt, b) *Br. bes.* in *od.* nach London: ~ **for a week** *Br.* e-e Woche (lang) in London. **6.** *Br.* am *od.* zum Studienort, im College *etc*: **he stayed** ~ **for the vacation. 7.** *Am. colloq.* in (*dat*): ~ **north** im Norden. **8.** aufrecht, gerade: **to sit** ~. **9.** auf ... (*acc*) zu, hin, her('an): **to come** ~ herankommen; **he went straight** ~ **to the door** er ging geradewegs auf die Tür zu *od.* zur Tür. **10.** bei'seite: **to lay** ~ **riches** Reichtümer sammeln *od.* aufhäufen. **11.** *sport etc*: erzielt (*Punktzahl*): **with a hundred** ~ mit hundert (Punkten). **12.** *Tischtennis etc*: ‚auf' (*auf beiden Seiten*) (*Punkte*): **two** ~ zwei auf, zwei Ausgleich. **13.** *Baseball*: am Schlag. **14.** *mar.* luvwärts, gegen den Wind. **15.** ~ **to** a) hin'auf nach *od.* zu, b) bis (zu), bis an *od.* auf (*acc*), c) gemäß, entsprechend: → **date**[2] 10; ~ **to town** in die Stadt, *Br. bes.* nach London; ~ **to the chin** bis ans *od.* zum Kinn; ~ **to death** bis zum Tode; **to count** ~ **to ten** bis zehn zählen; **not** ~ **to expectations** nicht den Erwartungen entsprechend; → **mark**[1] 13, **par** 3, **scratch**[1] 5; **standard**[1] 6. **16. to be** ~ **to** *meist colloq.* a) *etwas* vorhaben, *etwas* im Schilde führen, b) gewachsen sein (*dat*), c) entsprechen (*dat*), d) *j-s* Sache sein, abhängen von, e) fähig *od.* bereit sein zu, f) vorbereitet *od.* gefaßt sein auf (*acc*), g) vertraut sein mit, sich auskennen in (*dat*): **what are you** ~ **to?** was hast du vor?, was machst du (there da)?; → **trick** 2; **he is** ~ **to no good** er führt nichts Gutes im Schilde; **it is** ~ **to him** es liegt an ihm, es hängt von ihm ab, es ist s-e Sache; **it is not** ~ **to much** es taugt nicht viel; **he is not** ~ **to much** *colloq.* mit ihm ist nicht viel los; → **snuff**[1] 6. **17.** ~ **to** (*nach anderen Verben*): **to act** ~ **to** handeln *od.* sich richten nach; **to come** ~ **to** a) reichen bis an (*acc*) *od.* zu, b) erreichen (*acc*), c) *fig.* heranreichen an (*acc*); **to draw** ~ **to** vorfahren vor (*dat*); **to feel** ~ **to** a) sich *e-r Sache* gewachsen fühlen, sich in der Lage fühlen zu, b) in Stimmung sein zu; → **live up. 18.** auf gleicher Höhe (with mit): **to come** ~ **with** a) einholen, b) *a.* **to keep** ~ **with** Schritt halten mit. **19.** (*in Verbindung mit Verben* [*siehe jeweils diese*] *bes. als Intensivum*) a) auf..., aus..., ver..., b) zusammen...: **to add** ~ zs.-zählen; **to drink** ~ austrinken; **to dry** ~ austrocknen; **to eat** ~ aufessen; **to finish** ~ (endgültig) beendigen; **to glow** ~ aufglühen; **to heal** ~ ver-, zuheilen; **to hunt** ~ ausfindig machen; **to use** ~ auf-, verbrauchen.
II *interj* **20.** ~! auf!, hoch!, her'auf!, hin'auf!: ~ (**with you**)! (steh) auf!
III *prep* **21.** auf ... (*acc*) (hin'auf), hinauf, em'por (*a. fig.*): ~ **the ladder** die Leiter hinauf; ~ **the hill (river)** den Berg (Fluß) hinauf, bergauf (flußaufwärts); ~ **the street** die Straße hinauf *od.* entlang. **22.** in das Innere (*e-s Landes etc*) (hin'ein): ~ **(the) country** landeinwärts; **to go** ~ **country** aufs Land gehen. **23.** gegen: ~ **(the) wind. 24.** oben an *od.* auf (*dat*), an der Spitze (*gen*): ~ **the tree** (oben) auf dem Baum; **further** ~ **the road** weiter oben an der Straße; ~ **the yard** hinten im Hof.
IV *adj* **25.** aufwärts..., nach oben gerichtet. **26.** im Inneren (des Landes *etc*). **27.** nach der *od.* zur Stadt: ~ **train**; ~ **platform** Bahnsteig *m* für Stadtzüge. **28.** a) oben (befindlich), (nach oben) gestiegen, b) hoch (*a. fig.*): **to be** ~ *fig.* an der Spitze sein, obenauf sein; **he is** ~ **in** (*od.* **on**) **that subject** *colloq.* in diesem Fach ist er auf der Höhe *od.* ‚gut beschlagen'; **to be well** ~ **in** *colloq.* weit fortgeschritten sein in (*dat*); **prices are** ~ die Preise sind gestiegen; **wheat is** ~ *econ.* Weizen steht hoch (im Kurs), der Weizenpreis ist gestiegen. **29.** höher. **30.** auf(gestanden), auf den Beinen (*a. fig.*): **already** ~ **and about,** ~ **and doing** *colloq.* schon (wieder) auf den Beinen; ~ **and coming** → **up-and-coming**; **to be** ~ **late** lange aufbleiben; **to be** ~ **with the lark** *fig.* mit den Hühnern aufstehen; **to be** ~ **again** wieder obenauf sein; **to be** ~ **against a hard job** *colloq.* vor e-r schwierigen Aufgabe stehen; **to be** ~ **against it** *colloq.* ‚dran' sein, in der Klemme sein; **to be** ~ **to** → 16. **31.** (zum Sprechen) aufgestanden: **the Home Secretary is** ~ der Innenminister will sprechen *od.* spricht. **32.** *parl. Br.* geschlossen: **Parliament is** ~ das Parlament hat s-e Sitzungen beendet *od.* hat sich vertagt. **33.** (*bei verschiedenen Substantiven*) a) aufgegangen (*Sonne, Samen*), b) hochgeschlagen (*Kragen*), c) hochgekrempelt (*Ärmel etc*), d) aufgespannt (*Schirm*), e) aufgeschlagen (*Zelt*), f) hoch-, aufgezogen (*Vorhang etc*), g) aufgestiegen (*Ballon etc*), h) aufgeflogen (*Vogel*), i) angeschwollen (*Fuß etc*), j) *sport* aufgeschrieben, erzielt (*Punktzahl*). **34.** schäumend (*Getränk*): **the cider is** ~ der Apfelwein schäumt. **35.** *colloq.* in Aufruhr, erregt: **his temper is** ~ er ist erregt *od.* aufgebracht; **the whole country was** ~ das ganze Land befand sich in Aufruhr; → **arm**[2] *Bes. Redew.*, **blood** 2. **36.** *colloq.* ‚los', im Gange: **what's** ~**?** was ist los?; **is anything** ~**?** ist (irgend et)was los?; **the hunt is** ~ die Jagd ist eröffnet. **37.** zu Ende, abgelaufen, vor'bei, um: **time is** ~ die Zeit ist um *od.* abgelaufen; **it's all** ~ es ist alles aus; **it's all** ~ **with him** *colloq.* es ist aus mit ihm; → **game**[1] 6. **38.** ~ **with** *j-m* ebenbürtig *od.* gewachsen. **39.** ~ **for** bereit zu: **to be** ~ **for discussion** zur Diskussion stehen; **to be** ~ **for election** auf der Wahlliste stehen; **to be** ~ **for examination** sich e-r Prüfung unterziehen; **to be** ~ **for sale** zum Kauf stehen; **to be** ~ **for trial** *jur.* a) vor Gericht stehen, b) verhandelt werden; **the case is** ~ **before the Court** der Fall wird (vor dem Gericht) verhandelt; **to be (had)** ~ **for** *colloq.* vorgeladen werden wegen. **40.** *Sport u. Spiel*: *um e-n Punkt etc* vor'aus: **to be one** ~; **one** ~ **for you** eins zu null für dich.
V *v/i prer u. pp* **upped** *colloq.* **41.** (plötzlich) aufstehen, sich erheben: **to** ~ **and ask s.o.** j-n plötzlich fragen. **42. to** ~ **with** *etwas* erheben, hochschnellen mit. **43.** *Am.* aufsteigen (to zu).
VI *v/t* **44.** *Am. Preis, Produktion etc* erhöhen.
VII *s bes. colloq.* **45.** Aufwärtsbewegung *f*, An-, Aufstieg *m*: **the** ~**s and downs** das Auf u. Ab; **the** ~**s and downs of life** die Höhen u. Tiefen des

Lebens; on the ~ im Steigen (begriffen), im Kommen; on the ~-and-~ *colloq.* in Ordnung, anständig, ehrlich. **46.** *econ.* Kurs- *od.* Preisanstieg *m.* **47.** Höhergestellte(r *m*) *f.*

'up-and-'com·ing *adj bes. Am. colloq.* rührig, unter'nehmungslustig, tüchtig, vielversprechend.

'up-and-'do·ing *adj bes. Br.* ak'tiv, unter'nehmend, rührig.

'up-and-'down *adj* **1.** auf u. ab *od.* von oben nach unten gehend: ~ looks kritisch musternde Blicke; ~ motion Aufundabbewegung *f*; ~ stroke Doppelhub *m.* **2.** hin u. zu'rück. **3.** uneben, unregelmäßig. **4.** senkrecht. **5.** regelrecht: ~ quarrel. **6.** *Am. colloq.* offen, ehrlich.

U·pan·i·shad [u(:)'pæniˌʃæd] (*Sanskrit*) *s* U'panischad *f.*

u·pas ['juːpəs] *s* **1.** *a.* ~ tree a) *bot.* Upasbaum *m*, b) *fig.* Gift *n*, verderblicher Einfluß. **2.** Upassaft *m* (*Pfeilgift*): ~ antiar Upasharz *n.*

up'bear *v/t irr bes. fig.* aufrechterhalten, hochhalten, (unter)'stützen.

'upˌbeat I *s* **1.** *mus.* Auftakt *m.* **2.** *metr.* a) → anacrusis, b) betonte Silbe. **II** *adj* **3.** opti'mistisch, beschwingt, Unterhaltungs...

'up-ˌbow [-ˌbou] *s mus.* Aufstrich *m.*

up'braid *v/t j-m* Vorwürfe machen, *j-n* tadeln, (aus)schelten: to ~ s.o. with (*od.* for) s.th. j-m etwas vorwerfen *od.* vorhalten, j-m wegen e-r Sache Vorwürfe machen. **up'braid·ing I** *s* Vorwurf *m*, Tadel *m*, Standpauke *f.* **II** *adj* vorwurfsvoll, tadelnd.

'upˌbring·ing *s* **1.** Erziehung *f.* **2.** Groß-, Aufziehen *n.*

up·cast [*Br.* 'ʌpˌkɑːst; *Am.* -ˌkæ(ː)st] **I** *adj* em'porgerichtet (*Blick etc*), aufgeschlagen (*Augen*). **II** *s a.* ~ shaft (*Bergbau*) Wetter-, Luftschacht *m.* **III** *v/t irr* [*Br.* ʌp'kɑːst; *Am.* -'kæ(ː)st] hochwerfen.

'upˌchuck *v/t u. v/i* ‚kotzen', (sich er)brechen.

'upˌcom·ing *adj* kommend, bevor[stehend.]

'up'coun·try *colloq.* **I** *adv* land'einwärts. **II** *adj* im Inneren des Landes (gelegen *od.* lebend), binnenländisch. **III** *s* (*das*) (Landes)Innere, Binnen-, 'Hinterland *n.*

'up-ˌcur·rent *s* Aufwind *m.*

up'date *v/t* aufs laufende *od.* auf den neuesten Stand (der Dinge) bringen.

'upˌdo *s colloq.* 'Hochfriˌsur *f.*

'upˌdraft *s* Aufwind *m*: ~ carburet(t)or Steigstromvergaser *m.*

up'end *v/t* **1.** hochkant stellen, *ein Faß etc* aufrichten. **2.** *ein Gefäß* 'umstülpen.

up·grade ['ʌpˌgreid] **I** *s* **1.** Steigung *f*, Aufstieg *m*: on the ~ a) an-, aufsteigend, b) *fig.* im (An)Steigen (begriffen). **II** *adj* **2.** an-, aufsteigend. **III** *adv* **3.** berg'auf. **IV** *v/t* [ʌp'greid] **4.** höher einstufen. **5.** *j-n* (im Rang) befördern. **6.** *econ.* a) (die Quali'tät *gen*) verbessern, b) *ein Produkt* durch ein höherwertiges Erzeugnis ersetzen.

'upˌgrowth *s* **1.** Entwicklung *f*, Wachstum *n.* **2.** Pro'dukt *n* (e-s Ent'wicklungs- *od.* 'Wachstumsproˌzesses).

up'heav·al *s* **1.** (*meist* vul'kanische) (Boden)Erhebung. **2.** *fig.* 'Umwälzung *f*, 'Umbruch *m*: social ~s. **up'heave** *irr* **I** *v/t* **1.** hoch-, em'porheben. **2.** em'porschleudern. **II** *v/i* **3.** sich erheben.

up·hill I *adv* ['ʌp'hil] **1.** den Berg hin'auf, berg'auf, -'an. **2.** aufwärts. **II** *adj* ['-ˌhil] **3.** berg'auf führend, ansteigend. **4.** auf dem Berg gelegen, hoch *od.* oben gelegen. **5.** *fig.* mühselig, hart: ~ work. **III** *s* ['-ˌhil] **6.** Anhöhe *f.* **7.** (*bes.* steiler) Anstieg.

up'hold *v/t irr* **1.** hochhalten, aufrecht halten. **2.** (hoch)heben. **3.** halten, stützen (*a. fig.*). **4.** *fig.* aufrechterhalten, unter'stützen, billigen. **5.** *jur.* (in zweiter In'stanz) bestätigen: to ~ a decision. **6.** *fig.* beibehalten. **7.** *Br.* in'stand halten, in gutem Zustand erhalten. **up'hold·er** *s* Erhalter *m*, Verteidiger *m*, Wahrer *m*: ~ of public order Hüter *m* der öffentlichen Ordnung.

up·hol·ster [ʌp'houlstər] *v/t* **1.** (auf-, aus)polstern: ~ed goods Polsterwaren. **2.** *Zimmer* tape'zieren, deko'rieren, ausstatten. **up'hol·ster·er** *s* Tape'zier(er) *m*: a) Polsterer *m*, b) ('Zimmer)Dekoraˌteur *m.* **up'hol·ster·y** *s* **1.** Polsterwaren *pl*, -möbel *pl.* **2.** 'Polstermateriˌal *n*, Polsterung *f*, (Möbel)Bezugsstoff *m.* **3.** a) Tape'zierarbeit *f*, 'Zimmerdekoratiˌon *f*, b) Polsterung *f.*

u·phroe ['juːfrou; -vr-] *s mar.* Jungfernblock *m.*

'upˌkeep *s* **1.** a) In'standhaltung *f*, b) In'standhaltungskosten *pl.* **2.** a) 'Unterhalt *m*, b) 'Unterhaltungskosten *pl.* **3.** Aufrechterhaltung *f.*

up·land ['ʌplənd; -ˌlænd] **I** *s meist pl* Hochland *n*: the U~s das Oberland (*im südl. Schottland*). **II** *adj* Hochland(s)...

up·lift I *v/t* [ʌp'lift] **1.** em'porheben. **2.** *s-e Stimme, a. das Niveau, j-s Stimmung etc* heben. **3.** *fig. bes. Am.* erheben, aufrichten, Auftrieb verleihen (*dat*). **II** *s* ['ʌpˌlift] **4.** *fig. bes. Am.* Erhebung *f*, (innerer) Auftrieb. **5.** *fig.* a) Hebung *f*, Besserung *f*, b) (sozi'ale) Aufbauarbeit, c) Aufschwung *m.* **6.** *geol.* Horst *m*, (Boden)Erhebung *f.* **7.** ~ brassière Büstenhebe *f.*

'up·most → uppermost.

up·on [ə'pɒn] **I** *prep* (*hat fast alle Bedeutungen von* on, *ist jedoch nachdrücklicher u. wird am Ende e-s Infinitivsatzes od. in Gedichten, um den Satzrhythmus zu wahren, dem* on *vorgezogen*; upon *ist bes. in der Umgangssprache weniger geläufig als* on, *jedoch in folgenden Fällen üblich*): a) *in verschiedenen Redewendungen*: ~ this hierauf, -nach, darauf(hin); to be thrown ~ one's own resources auf sich selbst angewiesen sein, b) *in Beteuerungen*: ~ my word (of hono[u]r)! auf mein Wort!, c) *in kumulativen Wendungen*: loss ~ loss Verlust auf Verlust, dauernde Verluste; petition ~ petition ein Gesuch nach dem anderen, d) *als Märchenanfang*: once ~ a time there was es war einmal, e) *am Satzende*: what is he writing ~? worüber schreibt er?; he is not to be relied ~ man kann sich auf ihn nicht verlassen, f) *nach gewissen Verben, wie* count, depend *etc.* **II** *adv obs.* dar'auf, da'nach.

up·per ['ʌpər] **I** *adj* **1.** ober(er, e, es), Ober..., höher(er, e, es) (*a. fig.*): ~ part Oberteil *n*; → storey. **2.** a) höhergelegen, b) im Inland gelegen: ~ woods. **3.** höherstehend, 'übergeordnet. **II** *s* **4.** Oberleder *n* (*am Schuh*): to be down on one's ~s *colloq.* a) die Schuhe durchgelaufen haben, b) total ‚abgebrannt' *od.* ‚auf dem Hund' sein. **5.** *colloq.* oberes Bett (*im Schlafwagen etc*). **6.** a) Oberzahn *m*, b) obere ('Zahn)Proˌthese. **7.** *colloq.* (Py'jama- *etc*)Oberteil *n.* ~ **arm** *s* Oberarm *m.* ~ **bed** *s Bergbau*: Hangende(s) *n.* ~ **brain** *s anat.* Großhirn *n.* ~ **case** *s print.* Oberkasten *m.* '~-ˌcase *print.* **I** *adj* **1.** in Ver'salien *od.* Großbuchstaben (gedruckt *od.* geschrieben). **2.** Versal...: ~ letters Großbuchstaben. ~ **class** *s sociol.* Oberschicht *f*: the ~es die oberen Klassen. '~-ˌ**class** *adj* **1.** *ped.* ... der Oberklasse(n). **2.** *sociol.* ... der Oberschicht(en). ˌ~-'**class·man** [-mən] *s irr ped. Am.* Stu'dent *m* im 3. oder 4. Jahr. ~ **cloth·ing** *s* Oberkleidung *f.* ~ **crust** *s* **1.** (Brot-, Erd- *etc*)Kruste *f.* **2.** *colloq.* (*die*) Spitzen *pl* der Gesellschaft. '~ˌ**cut** *s Boxen*: Aufwärtshaken *m*, Uppercut *m.* ~ **deck** *s mar.* Oberdeck *n.* '~ˌ**dog** → top dog. ~ **hand** *s*: to get the ~ die Oberhand gewinnen. **U~ House** *s parl. bes. Br.* Oberhaus *n.* ~ **jaw** *s* Oberkiefer *m.* ~ **leath·er** *s* Oberleder *n.* ~ **lip** *s* Oberlippe *f*: → lip 1.

'up·perˌmost I *adj* **1.** oberst(er, e, es), höchst(er, e, es) (*a. fig.*): to be ~ a) an erster Stelle stehen, vorherrschen, b) die Oberhand haben; to come ~ die Oberhand gewinnen. **II** *adv* **2.** oben'an, ganz oben, zu'oberst. **3.** an erster Stelle: to say whatever comes ~ sagen, was e-m gerade einfällt.

up·per| side *s* **1.** obere Seite. **2.** *print.* Schöndruckseite *f.* ~ **ten (thou·sands)** *s pl fig.* (*die*) oberen Zehn'tausend *pl.* ~ **works** *s pl mar.* Oberwerk *n*, Totes Werk.

up·pish ['ʌpiʃ] *adj* (*adv* ~ly) *colloq.* **1.** hochnäsig, -mütig. **2.** anmaßend, unverschämt. **3.** eingebildet. **'up·pish·ness** *s colloq.* Hochnäsigkeit *f*, Anmaßung *f.* **'up·pi·ty** *Am. colloq. für* uppish.

up'raise *v/t* er-, hochheben: with hands ~d mit erhobenen Händen.

up'rear *v/t u. v/i* aufrichten *od.* erheben.

'upˌright I *adj* (*adv* ~ly) **1.** auf-, senkrecht, gerade: ~ axle *tech.* stehende Welle; ~ drill *tech.* Senkrechtbohrer *m*; ~ pass *sport* Steilvorlage *f*; ~ piano → 8; ~ size Hochformat *n.* **2.** aufrecht (sitzend *od.* stehend *od.* gehend). **3.** *fig.* aufrecht, rechtschaffen. **II** *adv* **4.** aufrecht, gerade: to sit ~. **III** *s* **5.** senkrechte Stellung. **6.** (senkrechte) Stütze, Träger *m*, Ständer *m*, Pfosten *m*, (Treppen)Säule *f.* **7.** *pl sport* Torpfosten *pl.* **8.** ('Wand)Klaˌvier *n*, Pi'ano *n.* **'upˌright·ness** *s fig.* Geradheit *f*, Rechtschaffenheit *f*, Redlichkeit *f.*

up·rise I *v/i* [ʌp'raiz] *irr bes. poet.* **1.** aufstehen, sich erheben. **2.** auferstehen. **3.** aufgehen (*Sonne*). **4.** erscheinen. **5.** entstehen. **6.** (an-, auf-, hoch)steigen. **II** *s* ['ʌpˌraiz] **7.** a) (An-, Auf)Steigen *n*, b) An-, Aufstieg *m* (*a. fig.*), c) Aufgang *m* (*der Sonne etc*). **8.** Steigung *f*, Hang *m.* **9.** Entstehen *n*, Erscheinen *n.* **'upˌris·ing** *s* **1.** Aufstehen *n.* **2.** → uprise II. **3.** Aufstand *m*, (Volks)Erhebung *f.*

'upˌriv·er → upstream II.

'upˌroar *s* Aufruhr *m*, Tu'mult *m*, Toben *n*, Lärm *m*, Erregung *f*: in (an) ~ in Aufruhr. **up'roar·i·ous** *adj* (*adv* ~ly) **1.** lärmend, laut, stürmisch (*Begrüßung etc*), tosend (*Beifall*), schallend (*Gelächter*). **2.** tumultu'arisch, tobend. **3.** zum Brüllen komisch, ‚toll': ~ comedy.

up'root *v/t* **1.** (*bes.* mit den Wurzeln) ausreißen, *e-n Baum etc* entwurzeln (*a. fig.*). **2.** *fig.* her'ausreißen (from aus). **3.** *fig.* ausmerzen, -rotten. **up'root·al** *s* Entwurzelung *f.*

up'rouse *v/t* aufwecken, wach-, aufrütteln.

up·set¹ I *adj* [ʌp'set] **1.** 'umgestürzt, 'umgekippt. **2.** durchein'andergeworfen, -geraten. **3.** *fig.* aufgeregt, außer Fassung, aus dem Gleichgewicht gebracht, durchein'ander. **4.** verstimmt (*a. Magen*). **II** *v/t irr* **5.** 'umwerfen, -kippen, -stoßen: → **apple cart. 6.** *ein Boot* zum Kentern bringen. **7.** *fig. e-n Plan* 'umstoßen, über den Haufen werfen, vereiteln. **8.** *die Regierung* stürzen. **9.** *fig. j-n* 'umwerfen, aus der Fassung bringen, durchein'anderbringen, bestürzen. **10.** in Unordnung bringen, durchein'anderbringen, *den Magen* verderben. **11.** *tech.* stauchen. **III** *v/i* **12.** 'umkippen. **13.** 'umschlagen, kentern (*Boot*). **IV** *s* ['ʌpˌset] **14.** 'Umkippen *n*, -schlagen *n*, Kentern *n*. **15.** Sturz *m*, Fall *m*. **16.** 'Umsturz *m*. **17.** *fig.* Vereitelung *f*. **18.** Bestürzung *f*, Verwirrung *f*. **19.** Unordnung *f*, Durchein'ander *n*. **20.** Ärger *m*, (*a.* Magen)Verstimmung *f*. **21.** Streit *m*, Meinungsverschiedenheit *f*. **22.** *sport colloq.* Über'raschung *f* (*unerwartete Niederlage etc*). **23.** *tech.* Stauchung *f*.

'upˌset² *adj* an-, festgesetzt: ~ **price** Mindest-, Anschlagspreis *m* (*bei Auktionen*).

'upˌshot *s* (End)Ergebnis *n*, Ende *n*, Ausgang *m*, Fazit *n*, ('Schluß)Efˌfekt *m*: **in the** ~ am Ende, schließlich; **what will be the** ~ **of it (all)?** was wird dabei herauskommen?

'upˌside *s* **1.** Oberseite *f*. **2.** *Br.* Bahnsteig *m od.* Bahnlinie *f* für Züge in Richtung (Haupt)Stadt. ~ **down** *adv* **1.** das Oberste zu'unterst, mit der Oberseite *od.* dem Kopf *od.* Oberteil nach unten, verkehrt (her'um). **2.** *fig.* drunter u. drüber, vollkommen durchein'ander: **to turn everything** ~ alles auf den Kopf stellen. **'~-'down** *adj* auf den Kopf gestellt, 'umgekehrt: ~ **cake** *Am.* (*Art*) gestürzter Obstkuchen; ~ **flight** *aer.* Rückenflug *m*; ~ **world** *fig.* verkehrte Welt.

'upˌsides *adv Br. colloq.* auf gleicher Höhe: **to be** ~ **with s.o.** mit j-m quitt sein; **to get** ~ **with s.o.** *fig.* mit j-m abrechnen.

up·si·lon ['juːpsiˌlɒn; *Br. a.* juːp'sailən] *s* Ypsilon *n* (*Buchstabe*).

'up'stage I *adv* **1.** in den *od.* im 'Hintergrund der Bühne. **II** *adj* **2.** zum 'Bühnenˌhintergrund gehörig. **3.** *colloq.* ‚hochnäsig', über'heblich.

up·stairs I *adv* ['ʌp'stɛrz] **1.** die Treppe hin'auf, nach oben: → **kick** 17. **2.** e-e Treppe höher. **3.** oben, in e-m oberen Stockwerk. **4.** *aer. sl.* (nach) oben, in die *od.* in der Luft. **II** *adj* ['ʌpˌstɛrz] **5.** im oberen Stockwerk (gelegen), ober(er, e, es). **III** *s* ['ʌp'stɛrz] **6.** oberes Stockwerk, Obergeschoß *n*.

up'stand·ing *adj* **1.** aufrecht (*a. fig. ehrlich, tüchtig*). **2.** großgewachsen, (groß u.) kräftig.

'upˌstart I *s* Em'porkömmling *m*, Parve'nü *m*, *a.* Neureiche(r *m*) *f*. **II** *adj* em'porgekommen, Parvenü ..., ... e-s Em'porkömmlings *od.* Neureichen.

'up'state *Am.* **I** *adj* **1.** aus dem *od.* in den *od.* im ländlichen *od.* nördlichen Teil (des Staates), in der *od.* in die *od.* aus der Pro'vinz. **II** *s* **2.** 'Hinterland *n* (e-s Staates). **3.** nördlicher Teil des Staates New York.

'up'stream I *adv* **1.** strom'aufwärts. **2.** gegen den Strom. **II** *adj* **3.** strom'aufwärts gerichtet. **4.** (weiter) strom'aufwärts (gelegen *od.* vorkommend).

'upˌstroke *s* **1.** Aufstrich *m* (*beim Schreiben*). **2.** *tech.* (Aufwärts)Hub *m*.

up·surge I *v/i* [ʌp'sɜːrdʒ] aufwallen. **II** *s* ['ʌpˌsɜːrdʒ] Aufwallung *f*.

'upˌsweep *s* **1.** Schweifung *f* (*e-s Bogens etc*). **2.** 'Hochfriˌsur *f*. **'upˌswept** *adj* **1.** nach oben gebogen *od.* gekrümmt. **2.** hochgekämmt (*Frisur*).

'upˌswing *s fig.* Aufschwung *m*.

'upˌtake *s* **1.** *fig.* Auffassungsvermögen *n*: **to be quick in the** ~ schnell begreifen, ‚schnell schalten'; **to be slow in the** ~ schwer von Begriff sein, ‚e-e lange Leitung' haben. **2.** Aufnehmen *n*. **3.** *tech.* a) Steigrohr *n*, b) Rauchfang *m*, c) 'Fuchs(kaˌnal) *m*.

'upˌthrow *s* **1.** 'Umwälzung *f*. **2.** *geol.* Verwerfung *f* (ins Hangende): **the** ~ **side** die hangende Scholle.

'upˌthrust *s* **1.** Hoch-, Em'porschleudern *n*, Stoß *m* nach oben. **2.** *geol.* Horstbildung *f*.

up'tilt *v/t* hochkippen, aufrichten.

'up-to-'date *adj* **1.** a) mo'dern, neuzeitlich, b) zeitnah, aktu'ell (*Thema etc*). **2.** a) auf der Höhe (*der Zeit*), auf dem laufenden, auf dem neuesten Stand, b) modisch. **'up-to-'date·ness** *s* **1.** Neuzeitlichkeit *f*, Moderni'tät *f*. **2.** Aktuali'tät *f*.

up·town I *adv* ['ʌp'taun] **1.** in den *od.* im oberen Stadtteil. **2.** *Am.* in den Wohnvierteln, in die Wohnviertel. **II** *adj* ['ʌpˌtaun] **3.** im oberen Stadtteil (gelegen). **4.** *Am.* in den Wohnvierteln (gelegen *od.* lebend).

up-ˌtrain *s* in die Stadt (*Br. bes.* nach London) fahrender Zug.

'upˌtrend *s* Aufschwung *m*, steigende Ten'denz.

up·turn [ʌp'tɜːrn] **I** *v/t* **1.** 'umdrehen, -kippen. **2.** nach oben richten *od.* kehren, *den Blick* in die Höhe richten. **II** *v/i* **3.** sich nach oben wenden *od.* richten. **III** *s* ['ʌpˌtɜːrn] **4.** (An)Steigen *n* (*der Kurse etc*), Aufwärtsbewegung *f*. **5.** *fig.* Aufschwung *m*. **up'turned** *adj* **1.** nach oben gerichtet *od.* gebogen: ~ **nose** Stupsnase *f*. **2.** 'umgeworfen, -gekippt, *mar.* gekentert.

up·ward ['ʌpwərd] **I** *adv* **1.** aufwärts (*a. fig.*): **from five dollars** ~ von 5 Dollar an (aufwärts), ab 5 Dollar; **a strong tendency** ~ e-e starke Aufwärtstendenz; **from my youth** ~ von Jugend auf. **2.** nach oben (*a. fig.*). **3.** mehr, dar'über (hin'aus): ~ **of 10 years** mehr als *od.* über 10 Jahre; **10 years and** ~ 10 Jahre u. darüber. **4.** (strom)'aufwärts. **5.** land'einwärts. **II** *adj* **6.** nach oben gerichtet *od.* führend (*Weg etc*), (an)steigend (*Tendenz etc*): ~ **gear changes** *mot.* Hinaufschalten *n*; ~ **glance** Blick *m* nach oben; ~ **movement** *econ.* Aufwärtsbewegung *f*.

up·wards ['ʌpwərdz] → **upward I.**

'upˌwind [-ˌwind] *s* **1.** Gegenwind *m*. **2.** Aufwind *m*.

u·rae·mi·a → **uremia.**

U·ral-Al·ta·ic ['ju(ə)rəlæl'teiik] **I** *adj* uˌralal'taisch. **II** *s ling.* Uˌralal'taisch *n*, das Uralaltaische (*Sprachenfamilie*).

u·ra·nal·y·sis [ˌju(ə)rə'næləsis] *s chem. med.* 'Harnunterˌsuchung *f*.

U·ra·ni·an [ju(ə)'reiniən] *adj* **1.** *astr.* Uranus... **2.** Himmels...

u·ran·ic¹ [ju(ə)'rænik] *adj* Himmels..., astro'nomisch.

u·ran·ic² [ju(ə)'rænik] *adj chem.* Uran (VI)..., ... des 6wertigen U'rans.

u·ra·nite ['ju(ə)rəˌnait] *s min.* Ura'nit *m*, U'ranglimmer *m*.

u·ra·ni·um [ju(ə)'reiniəm] *s chem. phys.* U'ran *n*: ~ **fission** Uranspaltung *f*; ~ **pile** U'ranmeiler *m*.

u·ra·nog·ra·phy [ˌju(ə)rə'nɒgrəfi] *s* Himmelsbeschreibung *f*. **ˌu·ra'nol·o·gy** [-'nɒlədʒi] *s astr.* Uranolo'gie *f*, Lehre *f* von den Himmelsvorgängen.

u·ra·nous ['ju(ə)rənəs] *adj chem. phys.* Uran..., u'ranhaltig.

U·ra·nus ['ju(ə)rənəs; ju(ə)'rei-] **I** *npr myth.* Uranos *m* (*Himmelsgott*). **II** *s astr.* Uranus *m* (*Planet*).

u·rase ['ju(ə)reis; -reiz] *s Biochemie*: Ure'ase *f*.

u·rate ['ju(ə)reit] *s chem.* U'rat *n*, harnsaures Salz.

ur·ban ['ɜːrbən] *adj* städtisch, Stadt...: ~ **district** *Br.* Stadtbezirk *m*; → **sprawl** 10.

ur·bane [ɜːr'bein] *adj* (*adv* ~**ly**) ur'ban: a) weltgewandt, -männisch, b) höflich, liebenswürdig, c) gebildet, kulti'viert. **ur'bane·ness, ur'ban·i·ty** [-'bæniti] *s* **1.** (Welt)Gewandtheit *f*, Bildung *f*, Urbani'tät *f*. **2.** Höflichkeit *f*, Liebenswürdigkeit *f*.

ur·ban·i·za·tion [ˌɜːrbənai'zeiʃən; -ni'z-] *s* **1.** Verfeinerung *f*. **2.** Verstädterung *f*. **'ur·banˌize** *v/t* **1.** verfeinern. **2.** verstädtern, *e-m Ort etc* städtischen Cha'rakter verleihen.

ur·chin ['ɜːrtʃin] *s* **1.** Bengel *m*, Balg *m*, *n*. **2.** *zo.* a) *meist* **sea** ~ Seeigel *m*, b) *dial.* Igel *m*. **3.** *obs.* Kobold *m*.

Ur·du ['urduː; ur'duː; ɜːr-] *s ling.* Urdu *n*.

u·re·a ['ju(ə)riə; ju(ə)'riːə] *s biol. chem.* Harnstoff *m*, Karba'mid *n*: ~**(-formaldehyde) resins** Formaldehyd-Kunstharze. **'u·re·al** *adj* Harnstoff...

u·re·ase ['ju(ə)riˌeis; -ˌeiz] *s Biochemie*: Ure'ase *f*.

u·re·do [ju(ə)'riːdou] *s bot.* Rostpilz *m*.

u·re·mi·a [ju(ə)'riːmiə; -mjə] *s med.* Urä'mie *f*, Harnvergiftung *f*. **u're·mic** *adj* u'rämisch, Urämie...

u·re·ter [ju(ə)'riːtər] *s anat.* Harnleiter *m*, U'reter *m*.

u·re·thra [ju(ə)'riːθrə] *pl* **-thras** *s anat.* Harnröhre *f*, U'rethra *f*. **u're·thral** *adj* Harnröhre(n)...

u·re·thri·tis [ˌju(ə)ri'θraitis] *s med.* Harnröhrenentzündung *f*.

u·re·thro·scope [ju(ə)'riːθroˌskoup] *s* Harnröhrenspiegel *m*, Urethro'skop *n*.

u·ret·ic [ju(ə)'retik] *adj med.* **1.** harntreibend, diu'retisch. **2.** Harn..., Urin...

urge [ɜːrdʒ] **I** *v/t* **1.** *a.* ~ **on** (*od.* **forward**) (an-, vorwärts)treiben, anspornen (*a. fig.*). **2.** *fig. j-n* drängen, dringend bitten *od.* auffordern, dringen in (*j-n*), nötigen (**to do** zu tun): **he** ~**d me to accept the offer. 3.** *j-n* (be)drängen, bestürmen, *j-m* (heftig) zusetzen: **to be** ~**d to do** sich genötigt sehen zu tun; ~**d by necessity** der Not gehorchend. **4.** drängen *od.* dringen auf (*acc*), sich (nachdrücklich) einsetzen für, (hartnäckig) bestehen auf (*dat*): **to** ~ **the adoption of strict measures. 5.** Nachdruck legen auf (*acc*): **to** ~ **s.th. on s.o.** j-m etwas eindringlich vorstellen *od.* vor Augen führen, j-m etwas einschärfen; **he** ~**d the necessity for immediate action** er drängte auf sofortige Maßnahmen. **6.** (*als Grund*) geltend machen, *e-n Einwand etc* vorbringen *od.* ins Feld führen: **to** ~ **an argument. 7.** *e-e Sache* vor'an-, betreiben, e'nergisch verfolgen. **8.** beschleunigen: **to** ~ **one's flight (a project,** *etc*). **II** *v/i* **9.** drängen, treiben. **10.** drängen (**for** auf *acc*, zu): **to** ~ **against** sich nachdrücklich aussprechen gegen. **11.** eilen. **III** *s*

12. Drang *m*, Trieb *m*, Antrieb *m*: creative ~ Schaffensdrang; sexual ~ Geschlechtstrieb; winning ~ Siegesdrang. **13.** Inbrunst *f*: religious ~. **'ur·gen·cy** [-dʒənsi] *s* **1.** Dringlichkeit *f*. **2.** (dringende) Not, Druck *m*. **3.** Eindringlichkeit *f*: the ~ with which he spoke. **4.** *pl* dringende Vorstellungen *pl*. **5.** a) Drang *m*, b) Drängen *n*. **6.** *parl. Br.* Dringlichkeitsantrag *m*. **'ur·gent** *adj* (*adv* ~ly) **1.** dringend (*a. Mangel etc; a. teleph. Gespräch*), dringlich, eilig: the matter is ~ die Sache eilt; to be in ~ need of money dringend Geld brauchen; to be ~ about (*od.* for) s.th. zu etwas drängen, auf etwas dringen; to be ~ with s.o. j-n drängen, in j-n dringen (for wegen; to do zu tun). **2.** zu-, aufdringlich. **3.** hartnäckig.

u·ric ['ju(ə)rik] *adj biol. chem.* Urin..., Harn...: ~ acid Harnsäure *f*.

u·ri·nal ['ju(ə)rinl] *s* **1.** U'rinflasche *f*, ‚Ente' *f* (*für Patienten*). **2.** Harnglas *n* (*zur Urinuntersuchung*). **3.** a) U'rinbecken *n* (*in Toiletten*), b) ('Männer-)Toiˌlette *f*, Pis'soir *n*.

u·ri·nal·y·sis [ˌju(ə)ri'næləsis] *s* U'rin-, 'Harnunterˌsuchung *f*.

u·ri·nar·y ['ju(ə)rinəri] *adj* Harn..., Urin...: ~ bladder Harnblase *f*; ~ calculus Blasenstein *m*; ~ tract Harnsystem *n*.

u·ri·nate ['ju(ə)riˌneit] *v/i* uri'nieren.

u·rine ['ju(ə)rin] *s* U'rin *m*, Harn *m*.

u·ri·no·gen·i·tal [ˌju(ə)rino'dʒenitl] → urogenital.

u·ri·nol·o·gy [ˌju(ə)ri'nɒlədʒi] → urology.

u·ri·nom·e·ter [ˌju(ə)ri'nɒmitər] *s med.* Uro'meter *n*.

urn [əːrn] *s* **1.** Urne *f*: cinerary ~ Aschenurne; funeral ~ Graburne. **2.** *pol.* (Wahl)Urne *f*. **3.** *meist* tea ~ 'Teemaˌschine *f*. **4.** *fig.* Grab(stätte *f*) *n*. **5.** *bot.* Moosbüchse *f*.

u·ro·dele ['ju(ə)roˌdiːl] *s zo.* Schwanzlurch *m*.

u·ro·gen·i·tal [ˌju(ə)ro'dʒenitl] *adj anat.* urogeni'tal.

u·rol·o·gy [ju(ə)'rɒlədʒi] *s* Urolo'gie *f*.

u·ro·pyg·i·al [ˌju(ə)ro'pidʒiəl] *adj zo.* Steiß...: ~ gland.

u·ros·co·py [ju(ə)'rɒskəpi] *s* Urosko'pie *f*, U'rinunterˌsuchung *f*.

Ur·sa ['əːrsə] *s astr.* (Großer *od.* Kleiner) Bär. ~ **Ma·jor** *s* Großer Bär. ~ **Mi·nor** *s* Kleiner Bär.

ur·sine ['əːrsain; -sin] *adj zo.* bärenartig, Bären...

ur·ti·ca ['əːrtikə; əːr'taikə] *s* Brennnessel *f*.

ur·ti·car·i·a [ˌəːrti'kɛ(ə)riə] *s med.* Nesselsucht *f*.

ur·ti·ca·tion [ˌəːrti'keiʃən] *s* **1.** *med.* Peitschen *n* mit Nesseln (*bei Lähmungen*). **2.** Quaddelbildung *f*. **3.** Stechen *n*, Brennen *n*.

u·ru·bu [ˌuːru'buː] *s* Rabengeier *m*.

U·ru·guay·an [ˌju(ə)rə'gwaiən; -'gweiən] **I** *adj* urugu'ayisch. **II** *s* Urugu'ayer(in).

u·rus ['ju(ə)rəs] *s zo.* Ur *m*.

us [ʌs] *pron.* **1.** uns (*dat od. acc*): all of ~ wir alle; both of ~ wir beide. **2.** *dial.* wir: ~ poor people. **3.** *obs. od. poet.* (*reflexiv gebraucht*) uns (*acc*): let's get ~ away from the wall. **4.** *colloq.* mir: give ~ a bite.

us·a·ble ['juːzəbl] *adj* brauchbar, verwendbar.

us·age ['juːzidʒ; 'juːs-] *s* **1.** Brauch *m*, Gepflogenheit *f*, Usus *m*: commercial ~ Handelsbrauch. **2.** 'herkömmliches *od.* übliches Verfahren, Praxis *f*. **3.** Sprachgebrauch *m*: English ~. **4.** Gebrauch *m*, Verwendung *f*. **5.** Behandlung(sweise) *f*.

us·ance ['juːzəns] *s* **1.** *econ.* übliche Wechselfrist, Uso *m*: at ~ nach Uso; bill at ~ Usowechsel *m*; bill drawn at double ~ Wechsel *m* mit der doppelten Zahlungsfrist. **2.** *econ.* U'sance *f*, Handelsbrauch *m*, Uso *m*. **3.** *obs.* a) Wucher *m*, b) Zins *m*.

use [juːz] **I** *v/t* **1.** gebrauchen, benutzen, benützen, an-, verwenden, sich (*gen*) bedienen, Gebrauch machen von, *e-e Gelegenheit etc* nutzen *od.* sich zu'nutze machen: to ~ one's brains den Verstand gebrauchen, s-n Kopf anstrengen; to ~ care Sorgfalt verwenden; to ~ force Gewalt anwenden; to ~ one's legs zu Fuß gehen; may I ~ your name? darf ich mich auf Sie berufen?; to ~ a right von e-m Recht Gebrauch machen. **2.** handhaben: to ~ a tool skil(l)fully. **3.** verwenden (on auf *acc*). **4.** ~ up a) auf-, verbrauchen, *j-s Kraft* erschöpfen, b) *colloq. j-n* ‚fertigmachen', erschöpfen: ~d up → used 2. **5.** gewohnheitsmäßig (ge)brauchen, *Nahrung etc* zu sich nehmen: to ~ tobacco rauchen. **6.** behandeln, verfahren mit: to ~ s.o. ill j-n schlecht behandeln; how has the world ~d you? *colloq.* wie ist es dir ergangen? **7.** *j-n* be-, ausnutzen. **8.** *Zeit* verbringen.

II *v/i* **9.** *obs.* (*außer im pret*) pflegen (to do zu tun): it ~d to be said man pflegte zu sagen; he does not come as often as he ~d (to) er kommt nicht mehr so oft wie früher *od.* sonst; he ~d to be a polite man er war früher *od.* sonst (immer) sehr höflich; he ~d to live here er wohnte früher hier.

III *s* [juːs] **10.** Gebrauch *m*, Benutzung *f*, An-, Verwendung *f*: for ~ zum Gebrauch; for ~ in schools für den Schulgebrauch; directions (*od.* instructions) for ~ Gebrauchsanweisung *f*; ready for ~ gebrauchsfertig; in ~ in Gebrauch, gebräuchlich; to be in daily ~ täglich gebraucht werden; in common ~ allgemein gebräuchlich; to come into ~ in Gebrauch kommen; out of ~ nicht in Gebrauch, nicht mehr gebräuchlich; to fall (*od.* pass) out of ~ ungebräuchlich werden, außer Gebrauch kommen; with ~ durch (ständigen) Gebrauch; to make ~ of Gebrauch machen von, benutzen; to make ~ of s.o.'s name sich auf j-n berufen; to make (a) bad ~ of (e-n) schlechten Gebrauch machen von. **11.** a) Verwendung(szweck *m*) *f*, b) Brauchbarkeit *f*, Verwendbarkeit *f*, c) Zweck *m*, Sinn *m*, Nutzen *m*, Nützlichkeit *f*: of ~ (to) nützlich (*dat*), brauchbar *od.* von Nutzen (für); of no ~ nutz-, zwecklos, unbrauchbar, unnütz; is this of ~ to you? können Sie das (ge)brauchen?; crying is no ~ Weinen führt zu nichts; it is (of) no ~ talking (*od.* to talk) es ist nutz- *od.* zwecklos zu reden, es hat keinen Zweck zu reden; what is the ~ (of it)? was hat es (überhaupt) für e-n Zweck?; to have no ~ for a) nicht brauchen können, b) mit *etwas od. j-m* nichts anfangen können, c) *bes. Am. colloq.* nichts übrig haben für *j-n od. etwas*; to put to (good) ~ (gut) an- *od.* verwenden; this tool has different ~s dieses Gerät kann für verschiedene Zwecke verwendet werden. **12.** Kraft *f od.* Fähigkeit *f* (*etwas*) zu gebrauchen, Gebrauch *m*: he lost the ~ of his right eye er kann auf dem rechten Auge nicht mehr sehen; to have the ~ of one's limbs sich bewegen können. **13.** Benutzungsrecht *n*. **14.** Gewohnheit *f*, Brauch *m*, Übung *f*, Praxis *f*, Usus *m*: ~ and wont Sitte *f* u. Gewohnheit; once a ~ and ever a custom jung gewohnt, alt getan. **15.** *jur.* a) Nutznießung *f*, b) Nutzen *m*. **16.** *oft* U~ *relig.* li'turgischer Brauch, (Kirchen)Brauch *m*.

used[1] [juːzd] *adj* **1.** gebraucht: ~ car Gebrauchtwagen *m*; ~ clothes getragene Kleider. **2.** ~ up a) aufgebraucht, verbraucht (*a. Luft*), b) *colloq.* ‚erledigt', ‚fertig', erschöpft (*Person*).

used[2] [juːst] *adj* gewohnt (to zu *od. acc*), gewöhnt (to an *acc*): he is ~ to working late er ist gewohnt, lange zu arbeiten; to get ~ to sich gewöhnen an (*acc*).

use·ful ['juːsful] *adj* (*adv* ~ly) **1.** nützlich, brauchbar, (zweck)dienlich, zweckmäßig, (gut) verwendbar: ~ tools; a ~ man ein brauchbarer Mann; ~ talks *pol.* nützliche Gespräche; to make o.s. ~ sich nützlich machen. **2.** *bes. tech.* Nutz..., nutzbar, Wirk...: ~ current Wirkstrom *m*; ~ efficiency Nutzleistung *f*; ~ load Nutzlast *f*; ~ plant Nutzpflanze *f*. **'use·ful·ness** *s* Nützlichkeit *f*, Brauchbarkeit *f*, Zweckmäßigkeit *f*.

use·less ['juːslis] *adj* (*adv* ~ly) **1.** nutz-, sinn-, zwecklos, unnütz, vergeblich: it is ~ to es erübrigt sich zu. **2.** unbrauchbar. **'use·less·ness** *s* **1.** Nutz-, Zwecklosigkeit *f*. **2.** Unbrauchbarkeit *f*.

us·er[1] ['juːzər] *s* **1.** Benutzer(in). **2.** *econ.* Verbraucher(in), Bedarfsträger(in).

us·er[2] ['juːzər] *s jur.* **1.** Nießbrauch *m*, Nutznießung *f*. **2.** Benutzungsrecht *n*.

ush [ʌʃ] *Am. sl. für* usher.

'U-ˌshaped *adj* U-förmig: ~ iron *tech.* U-Eisen *n*.

ush·er ['ʌʃər] **I** *s* **1.** Türhüter *m*, Pförtner *m*. **2.** Platzanweiser(in) (*im Kino etc*). **3.** (*Art*) Zere'monienmeister *m*: → Black Rod 2. **4.** a) *jur.* Gerichtsdiener *m*, b) *allg.* 'Aufsichtsperˌson *f*, Saaldiener *m*, Wärter *m*. **5.** *Br.* ‚Pauker' *m*, Hilfslehrer *m*. **II** *v/t* **6.** (*meist* ~ in her'ein-, hin'ein)führen, -geleiten. **7.** ~ in *a. fig.* ankündigen, *e-e Epoche etc* einleiten. **ˌush·er'ette** [-'ret] *s* Platzanweiserin *f*.

us·que·baugh ['ʌskwiˌbɔː] *s Ir. u. Scot.* Whisky *m*.

u·su·al ['juːʒuəl] **I** *adj* üblich, gewöhnlich, nor'mal, gebräuchlich: as ~, *vulg. humor.* as per ~ wie gewöhnlich, wie sonst; the ~ thing das Übliche; it has become the ~ thing (with us) es ist (bei uns) gang u. gäbe geworden; it is ~ for shops to close at 7 o'clock die Geschäfte schließen gewöhnlich um 7 Uhr; ~ in trade handelsüblich; my ~ café mein Stammcafé; her ~ pride, the pride ~ with her ihr üblicher Stolz. **II** *s* (*das*) Übliche: the ~! *colloq.* (*als Antwort*) wie gewöhnlich! **'u·su·al·ly** *adv* (für) gewöhnlich, in der Regel, meist(ens).

u·su·cap·tion [ˌjuːzju'kæpʃən] *s jur.* Ersitzung *f* (*e-s Rechts*).

u·su·fruct ['juːzjuˌfrʌkt; 'juːs-] *s jur.* Nießbrauch *m*, Nutznießung *f*. **ˌu·su'fruc·tu·ar·y** [*Br.* -tjuəri; *Am.* -tʃuˌeri] **I** *s* Nießbraucher(in), Nutznießer(in). **II** *adj* Nutznießungs..., Nutzungs...

u·su·rer ['juːʒərər] *s* Wucherer *m*.

u·su·ri·ous [juː'ʒu(ə)riəs; *Br. a.* -'zjuə-] *adj* (*adv* ~ly) Wucher..., wucherisch: ~ interest Wucherzinsen *pl*. **u'su·ri·ous·ness** *s* Wuche'rei *f*.

u·surp [juːˈzəːrp] **I** *v/t* **1.** an sich reißen, sich ˈwiderrechtlich aneignen, sich bemächtigen (*gen*). **2.** sich (ˈwiderrechtlich) anmaßen: to ~ authority. **II** *v/i* **3.** (upon) a) sich (ˈwiderrechtlich) bemächtigen (*gen*), b) sich ˈÜbergriffe erlauben (gegen). ˌ**u·sur'pa·tion** *s* **1.** Usurpatiˈon *f*: a) ˈwiderrechtliche Machtergreifung *od.* Aneignung, Anmaßung *f* (*e-s Rechts etc*), b) *a.* ~ of the throne Thronraub *m.* **2.** unberechtigter Eingriff (on in *acc*). **u'surp·er** *s* **1.** Usurˈpator *m*, unrechtmäßiger Machthaber, Thronräuber *m.* **2.** unberechtigter Besitzergreifer. **3.** *fig.* Eindringling *m* (on in *acc*). **u'surp·ing** *adj* (*adv* ~ly) usurpaˈtorisch, alles an sich reißend, gewaltsam, ˈwiderrechtlich, eigenmächtig.

u·su·ry [ˈjuːʒəri; -ʒuri] *s* **1.** (Zins-)Wucher *m*: to practice ~ Wucher treiben. **2.** Wucherzinsen *pl* (at auf *acc*). **3.** *obs.* Zins(en *pl*) *m*: to return with ~ *fig.* mit Zins u. Zinseszins heimzahlen.

U·tah·an [ˈjuːtɔːən; -tɑː-] **I** *adj* Utah..., aus *od.* von Utah. **II** *s* Bewohner(in) von Utah.

u·tas [ˈjuːtæs] *s relig. hist.* Okˈtave *f* (*8 Tage od. 8. Tag nach e-m Kirchenfest*), Festwoche *f.*

u·ten·sil [juːˈtensl; -sil] *s* **1.** (*a. Schreib- etc*)Gerät *n*, Werkzeug *n.* **2.** Gebrauchsgegenstand *m*, *a.* Haushaltsgegenstand *m*: (kitchen) ~ Küchengerät *n.* **3.** a) Gefäß *n*, b) *pl* (Küchen-)Geschirr *n.* **4.** *pl* Utenˈsilien *pl*, Geräte *pl.*

u·ter·ine [ˈjuːtəˌrain; -rin] *adj* **1.** *anat.* Gebärmutter..., Uterus... **2.** von derˈselben Mutter stammend: ~ brother Halbbruder *m* mütterlicherseits.

u·ter·us [ˈjuːtərəs] *pl* ˈ**u·terˌi** [-ˌrai] *s anat.* Uterus *m*, Gebärmutter *f.*

u·til·i·tar·i·an [ˌjuːtiliˈtɛ(ə)riən; juːˌtil-] **I** *adj* **1.** utilitaˈristisch, Nützlichkeits..., das ˈNützlichkeitsprinˌzip vertretend. **2.** *contp.* niedrig, gemein. **II** *s* **3.** Utilitaˈrist(in), Vertreter(in) des ˈNützlichkeitsprinˌzips. ˌ**u·til·iˈtar·i·anˌism** *s* Utilitaˈrismus *m.*

u·til·i·ty [ju(ː)ˈtiliti] **I** *s* **1.** *a. econ.* Nutzen *m* (to für), Nützlichkeit *f*: of ~ von Nutzen; of no ~ nutzlos; marginal (*od.* final) ~ *econ.* Grenznutzen. **2.** (*etwas*) Nützliches, nützliche Einrichtung *od.* Sache. **3.** → public utility. **4.** *tech.* Zusatzgerät *n.* **5.** *mot. bes. Austral.* Mehrzweckfahrzeug *n*, Kombiwagen *m.* **6.** *arch.* Sachlichkeit *f.* **II** *adj* **7.** Gebrauchs...: ~ car (furniture, goods) Gebrauchswagen *m* (-möbel *pl*, -güter *pl*). **8.** Mehrzweck...: ~ knife. **9.** ~ company → public utility 1. ~ **man** *s irr* **1.** *Am.* Gelegenheitsarbeiter *m*, Fakˈtotum *n*, ‚Mädchen *n* für alles'. **2.** *thea.* Gelegenheitsschauspieler *m* (für kleine Rollen). **3.** *Baseball*: (Allˈround-)Erˌsatzspieler *m.*

u·ti·liz·a·ble [ˈjuːtiˌlaizəbl] *adj* verwend-, verwert-, nutzbar. ˌ**u·ti·liˈza·tion** *s* Nutzbarmachung *f*, Verwertung *f*, (Aus)Nutzung *f*, Verwendung *f.* ˈ**u·tiˌlize** *v/t* **1.** (aus)nutzen, verwerten, sich nutzbar *od.* zuˈnutze machen. **2.** verwenden.

ut·most [ˈʌtˌmoust] **I** *adj* äußerst(er, e, es): a) entlegenst(er, e, es), fernst(er, e, es): the ~ boundary, b) *fig.* höchst(er, e, es), größt(er, e, es). **II** *s* (*das*) Äußerste: the ~ I can do; to do one's ~ sein äußerstes *od.* möglichstes tun; to the ~ aufs äußerste; to the ~ of my powers nach besten Kräften.

U·to·pi·a [juːˈtoupiə] *s* **1.** Uˈtopia *n* (*Titel e-s Werkes von Thomas Morus*). **2.** *oft* u~ *fig.* Utoˈpie *f*: a) Ideˈalstaat *m*, b) Luftschloß *n*, Zukunftstraum *m.* **Uˈto·pi·an I** *adj* **1.** uˈtopisch: a ~ novel. **2.** *oft* u~ *fig.* uˈtopisch, phanˈtastisch. **II** *s* **3.** Bewohner(in) von Uˈtopien. **4.** u~ Utoˈpist(in), Schwärmer(in), Phanˈtast(in). **uˈto·pi·anˌism** *s* Utoˈpismus *m.*

u·tri·cle [ˈjuːtrikl] *s* **1.** *bot.* Schlauch *m*, bläs-chenförmiges Luft- *od.* Saftgefäß. **2.** *anat.* Uˈtriculus *m* (*Säckchen im Ohrlabyrinth*). **u·tric·u·lar** [juˈtrikjulər] *adj* schlauch-, beutelförmig, Schlauch...

ut·ter [ˈʌtər] **I** *adj* (*adv* → utterly) **1.** äußerst(er, e, es), höchst(er, e, es), völlig: ~ confusion; ~ impossibility reine Unmöglichkeit; ~ strangers wildfremde Leute. **2.** endgültig, entschieden: ~ denial. **3.** *contp.* vollˈendet, ausgesprochen: ~ nonsense; an ~ rogue. **4.** ~ barrister *jur.* außerhalb der Gerichtsschranken pläˈdierender Anwalt. **II** *v/t* **5.** äußern, ausdrücken, -sprechen: to ~ thoughts (words, *etc*). **6.** ausstoßen, von sich geben, herˈvorbringen: to ~ a shriek. **7.** *econ. Noten, bes. Falschgeld* in ˈUmlauf setzen, verbreiten: to ~ counterfeit money. **8.** a) bekanntmachen, b) enthüllen. ˈ**ut·ter·ance** *s* **1.** (stimmlicher) Ausdruck, Äußerung *f*: to give ~ to *e-m Gefühl etc* Ausdruck verleihen *od.* Luft machen. **2.** Sprechweise *f*, Aussprache *f*, Vortrag *m*: a clear ~. **3.** *a. pl* Äußerung *f*, Worte *pl.* **4.** *poet.* (*das*) Äußerste, Tod *m*: to the ~ a) aufs äußerste, b) bis zum bitteren Ende. ˈ**ut·ter·er** *s* **1.** Äußernde(r *m*) *f.* **2.** Verbreiter(in). ˈ**ut·ter·ly** *adv* äußerst, völlig, ganz, toˈtal. ˈ**ut·terˌmost** [-ˌmoust] → utmost. ˈ**ut·ter·ness** *s* Vollständigkeit *f.*

u·ve·a [ˈjuːviə] *s anat.* Uvea *f*, Tunica *f* media (*des Auges*). ˈ**u·ve·al** *adj* Uveal...

u·vu·la [ˈjuːvjulə] *pl* **-las, -lae** [-ˌliː] *s anat.* (Gaumen)Zäpfchen *n.* ˈ**u·vu·lar I** *adj* **1.** uvuˈlär. **2.** *ling.* uvuˈlar, Zäpfchen... **II** *s* **3.** *ling.* Zäpfchenlaut *m*, Uvuˈlar *m.*

ux·o·ri·ous [ʌkˈsɔːriəs] *adj* (*adv* ~ly) treuliebend, ‚schwer verheiratet': ~ husband. **uxˈo·ri·ous·ness** *s* Ergebenheit *f*, Unterˈwürfigkeit *f.*

Uz·bek [ˈʌzbek] *s* **1.** Usˈbeke *m*, Usˈbekin *f.* **2.** *ling.* Usˈbekisch *n*, das Usbekische.

V

V, v [viː] **I** *pl* **V's, v's, Vs, vs** [viːz] *s* **1.** V, v *n* (*Buchstabe*). **2.** *bes. Br. mit zwei V-förmig gespreizten Fingern dargestelltes Symbol für den Sieg* (victory). **3.** V *bes. tech.* V *n*, V-förmiger Gegenstand. **II** *adj* **4.** V zweiundzwanzigst(er, e, es). **5.** V V-..., V-förmig.

vac [væk] *Br. colloq. für* vacation 3.

va·can·cy [ˈveikənsi] *s* **1.** Leere *f* (*a. fig.*), leerer Raum, Nichts *n*: to stare into ~ ins Leere starren. **2.** leerer *od.* freier Platz, Lücke *f* (*a. fig.*). **3.** a) freie Stelle, unbesetztes Amt, Vaˈkanz *f*, b) Freiwerden *n od.* -sein *n* (*e-s Postens*). **4.** a) Leerstehen *n*, Unbewohntheit *f*, b) unbewohntes Haus. **5.** a) Geistesabwesenheit *f*, b) geistige Leere. **6.** Muße *f*, Untätigkeit *f.* ˈ**va·cant** *adj* (*adv* ~ly) **1.** leer, unbesetzt, frei: ~ room; ~ seat; ~ hours freie Stunden, Mußestunden. **2.** leer(stehend), unbewohnt, unvermietet: ~ house. **3.** a) herrenlos, b) unbebaut: ~ property; ~ possession! sofort beziehbar! **4.** frei, offen (*Stelle*), vaˈkant, unbesetzt (*Amt*). **5.** a) geistesabwesend, b) leer: ~ mind; ~ stare. **6.** geistlos, leer.

va·cate [*Br.* vəˈkeit; *Am.* ˈveikeit] *v/t* **1.** *die Wohnung etc, mil. e-e Stellung etc* räumen. **2.** freimachen: to ~ a seat. **3.** *e-e Stelle* aufgeben, aus *e-m Amt* scheiden: to ~ an office; to be ~d freiwerden (*Stelle*). **4.** evakuˈieren: to ~ troops. **5.** *jur.* aufheben: to ~ a contract (a judgement). **va·ca·tion** [*Br.* vəˈkeiʃən; *Am.* vei-] *s* **1.** Räumung *f.* **2.** Niederlegung *f od.* Erledigung *f* (*e-s Amtes*). **3.** (Gerichts-, Schul-, Universiˈtäts)Ferien *pl*: the long ~ die großen Ferien, die Sommerferien. **4.** *bes. Am.* Urlaub *m*: to be on ~ im Urlaub sein, Urlaub machen. **5.** *jur.* Aufhebung *f.* **vaˈca·tion·ist,** *Am. a.* **vaˈca·tion·er** *s* Urlauber(in), Ferienreisende(r *m*) *f*, Sommerfrischler(in).

vac·ci·nal [ˈvæksinl] *adj med.* Impf... ˈ**vac·ciˌnate** [-ˌneit] *v/t u. v/i med.* impfen (against gegen *Pocken etc*). ˌ**vac·ciˈna·tion** *s* (*bes.* Pocken)Schutzimpfung *f.* ˈ**vac·ciˌna·tor** [-tər] *s* **1.** Impfarzt *m.* **2.** Impfnadel *f*, -messer *n.*

vac·cine [ˈvæksiːn; -sin] *med.* **I** *s* Impfstoff *m*, Vakˈzine *f*: bovine ~ Kuhlymphe *f.* **II** *adj* Impf..., Kuhpocken...: ~ matter → I.

vac·cin·i·a [vækˈsiniə] *s med.* Kuhpocken *pl.*

vac·il·late [ˈvæsiˌleit] *v/i meist fig.* schwanken. ˈ**vac·ilˌlat·ing** *adj* (*adv* ~ly) schwankend (*meist fig. unschlüssig*). ˌ**vac·ilˈla·tion** *s* **1.** Schwanken *n* (*a. fig.*). **2.** *a. pl fig.* Unschlüssigkeit *f*, Wankelmut *m*, Schwankungen *pl.* ˈ**vac·il·la·to·ry** [-lətəri] → vacillating.

va·cu·i·ty [væˈkjuːiti] *s* **1.** a) Leere *f*, b) Lücke *f.* **2.** *fig.* geistige Leere. **3.** *a. pl fig.* Nichtigkeit *f*, Plattheit *f.* **4.** Dummheit *f*, Hohlheit *f.*

vac·u·o·lar [ˈvækjuələr] *adj biol.* Hohl..., vakuˈolenartig. ˌ**vac·u·oˈla·tion** *s* Vakuˈolenbildung *f.* ˈ**vac·uˌole** [-ˌoul] *s* Vakuˈole(nhöhle) *f.*

vac·u·ous [ˈvækjuəs] *adj* (*adv* ~ly) **1.** *meist fig.* leer: a) ausdruckslos: ~ stare, b) nichtssagend: ~ remark, c) müßig: a ~ life. **2.** hohlköpfig, dumm. ˈ**vac·u·ous·ness** *s fig.* Ausdruckslosigkeit *f*, Leere *f.*

vac·u·um [ˈvækjuəm] **I** *s* **1.** *phys.* (*bes.* luft)leerer Raum, Vakuum *n*: nature abhors a ~ die Natur verabscheut das Leere. **2.** *phys.* Luftleere *f.* **3.** *fig.* Leere *f*, Vakuum *n*, Lücke *f.* **4.** → vacuum cleaner *etc.* **II** *adj* **5.** Vakuum... **III** *v/t* **6.** (mit dem Staubsauger) absaugen *od.* reinigen. ~ **bot·tle** *s* Thermosflasche *f.* ~ **brake** *s mot.* Servo-, 'Unterdruckbremse *f.* '~-~,**clean** → vacuum 6. ~ **clean·er** *s* Staubsauger *m.* ~ **cup** *s tech.* Saugnapf *m.* ~ **dri·er** *s tech.* Vakuumtrockner *m.* ~ **flask** → vacuum bottle. ~ **ga(u)ge** *s tech.* Vakuo'meter *n,* 'Unterdruckmesser *m.* ~ **pho·to·cell** *s electr.* Hochvakuumphotozelle *f.* '~-~,**packed** *adj econ. tech.* vakuumverpackt. ~ **pump** *s tech.* Absaugepumpe *f.* '~-,**sealed** *adj tech.* vakuumdicht. ~ **switch** *s* Vakuumschalter *m.* ~ **tank** *s mot. Am.* Saugluftbehälter *m.* ~ **tube,** *Br.* ~ **valve** *s* Vakuumröhre *f.*

va·de me·cum ['veidi 'mi:kəm] *s* Vade'mekum *n,* Handbuch *n,* Leitfaden *m.*

vag·a·bond ['vægə,bɒnd] **I** *adj* **1.** vagabun'dierend (*a. electr.*). **2.** Vagabunden..., vaga'bundenhaft. **3.** nomadi'sierend. **4.** Wander..., unstet: a ~ life. **II** *s* **5.** Vaga'bund(in), Landstreicher(in). **6.** *colloq.* ‚Strolch' *m.* **III** *v/i* **7.** vagabun'dieren, um'herstreichen. '**vag·a,bond·age** [-,bɒndidʒ] *s* **1.** ,Landstreiche'rei *f,* Vaga'bundenleben *n.* **2.** *collect.* Vaga'bunden *pl.* '**vag·a-,bond·ism** → vagabondage. '**vag·a-bond,ize** → vagabond 7.

va·gal ['veigəl] *adj anat.* Vagus...

va·gar·i·ous [və'gɛ(ə)riəs], *a.* **va'gar-ish** [-riʃ] *adj* launisch, sprunghaft, unberechenbar. **va·gar·y** [və'gɛ(ə)ri; *Br. a.* 'veigəri] *s* **1.** wunderlicher Einfall, *pl a.* Phantaste'reien *pl.* **2.** Ka'price *f,* Grille *f,* Laune *f.* **3.** *meist pl* Extrava'ganzen *pl*: vagaries of fashion.

va·gi·na [və'dʒainə] *pl* **-nae** [-ni:], **-nas** *s* **1.** *anat.* Va'gina *f,* Scheide *f.* **2.** *bot.* Blattscheide *f.* **vag·i·nal** ['vædʒinl; və'dʒainl] *adj* vagi'nal, Vaginal..., Scheiden... ,**vag·i·nis·mus** [-'nizməs; -'nis-] *s* Scheidenkrampf *m.* ,**vag·i-'ni·tis** [-'naitis] *s med.* Scheidenentzündung *f.*

va·gran·cy ['veigrənsi] *s* **1.** Um'herstreifen *n,* Vagabun'dieren *n.* **2.** ,Landstreiche'rei *f*: V~ Act *jur.* Gesetz *n* gegen Landstreicherei. **3.** *collect.* Landstreicher *pl.* **4.** *fig.* Schweifen *n* (*der Gedanken*), Unruhe *f* (*des Geistes*), Gedankensprung *m.* '**va·grant I** *adj* (*adv* ~ly) **1.** wandernd (*a. med. Zelle etc*), vagabund'dierend, um'herziehend. **2.** → vagabond 3 *u.* 4. **3.** *bot.* wuchernd. **4.** *fig.* kaprizi'ös, launenhaft, unstet. **II** *s* → vagabond 5.

vague [veig] **I** *adj* (*adv* ~ly) **1.** vage: a) nebelhaft, verschwommen: ~ figures (belief, statement, *etc*), b) unbestimmt: ~ promise (suspicion, *etc*), c) dunkel: ~ presentiment, d) unklar: ~ answer; ~ hope vage Hoffnung; not the ~st idea nicht die leiseste Ahnung; to be ~ about sich unklar ausdrücken über (*acc*); ~ly familiar irgendwie bekannt. **2.** 'undefi,nierbar, unbestimmt: ~ character. **3.** ausdruckslos: ~ eyes. **4.** geistesabwesend. **II** *s* **5.** (*das*) Vage: in the ~ (noch) unklar *od.* unbestimmt. '**vague·ness** *s* Unbestimmtheit *f,* Verschwommenheit *f.*

va·gus ['veigəs] *pl* **-gi** [-dʒai] *s a.* ~ nerve *anat.* Vagus *m* (*10. Gehirnnerv*).

vail[1] [veil] *obs. od. poet.* **I** *v/t die Fahne* senken, *den Hut etc* abnehmen. **II** *v/i* das Haupt entblößen.

vail[2] [veil] *obs. od. poet.* **I** *v/t* helfen, nützen (*dat*). **II** *s* Geldgeschenk *n.*

vain [vein] *adj* (*adv* ~ly) **1.** eitel, leer: ~ hopes (pleasure, threat); ~ pomp hohler Prunk. **2.** nutz-, fruchtlos, vergeblich: ~ efforts. **3.** eitel, eingebildet (*Person*) (of auf *acc*). **4.** in ~ a) vergebens, vergeblich, um'sonst, b) unnütz: to take God's name in ~ *Bibl.* den Namen Gottes mißbrauchen *od.* vergeblich im Munde führen. ,~'**glo·ri·ous** *adj* (*adv* ~ly) aufgeblasen, hochmütig, prahlerisch, großsprecherisch, -spurig. ,~'**glo·ri·ous·ness** *s* Aufgeblasenheit *f,* Prahle'rei *f.* ,~'**glo·ry** *s* Einbildung *f,* Prahle'rei *f,* eitler Stolz.

vain·ness ['veinnis] *s* **1.** Vergeblichkeit *f.* **2.** Hohl-, Leerheit *f,* Nichtigkeit *f.*

vair [vɛr] *s* **1.** Grauwerk *n* (*Eichhörnchenfell*). **2.** *her.* Eisenhutmuster *n.*

val·ance ['væləns] *s* kurzer Behang *od.* Vo'lant.

vale[1] [veil] *s bes. poet. od. in Namen*: Tal *n*: this ~ of tears dies Jammertal.

va·le[2] ['veili] (*Lat.*) **I** *interj* lebe wohl! **II** *s* Lebe'wohl *n.*

val·e·dic·tion [,væli'dikʃən] *s* **1.** Abschiednehmen *n.* **2.** Abschiedsworte *pl.* **3.** → valedictory II. ,**val·e·dic'to·ri·an** [-'tɔ:riən] *s ped. univ. Am.* Schüler *od.* Stu'dent, der die Abschiedsrede hält. ,**val·e'dic·to·ry** [-təri] **I** *adj* Abschieds...: ~ address → II. **II** *s bes. univ. Am.* Abschiedsrede *f.*

va·lence ['veiləns] *s* **1.** *chem.* Wertigkeit *f*: of odd ~ unpaarwertig. **2.** *math. phys.* Wertigkeit *f,* Va'lenz *f*: ~ electron Valenzelektron *n.* **3.** *biol.* Va'lenz *f* (*der Chromosomen*).

va·len·cy ['veilənsi] → valence.

val·en·tine ['vælən,tain] *s* **1.** Valentinsgruß *m* (*lustiges od. verliebtes Briefchen od. sonstiges Geschenk zum Valentinstag, 14. Februar, meist anonym dem od. der Erwählten gesandt*). **2.** am Valentinstag erwählte(r) Liebste(r *m*) *f.* **3.** *allg.* ‚Schatz' *m.*

va·le·ri·an [və'li(ə)riən] *s bot. pharm.* Baldrian *m.* **va'ler·ic,** *a.* **va,le·ri·'an·ic** [-'ænik] *adj chem.* Baldrian..., Valerian...: ~ acid Valeriansäure *f.*

val·et ['vælit; -lei] **I** *s* **1.** (Kammer-)Diener *m.* **2.** Hausdiener *m* (*im Hotel*). **II** *v/t* **3.** *j-n* bedienen, versorgen. **III** *v/i* **4.** Diener sein.

val·e·tu·di·nar·i·an [,væli,tju:di'nɛ(ə)riən] **I** *adj* **1.** kränklich, kränkelnd. **2.** sehr um die eigene Gesundheit besorgt, hypo'chondrisch. **II** *s* **3.** kränkliche Per'son, sehr um seine eigene Gesundheit Besorgte(r *m*) *f.* **4.** Hypo'chonder *m.* ,**val·e,tu·di'nar·i·an,ism** *s* Kränklichkeit *f.* ,**val·e'tu·di·nar·y** [-nəri] → valetudinarian.

Val·hal·la [væl'hælə], *a.* **Val'hall** *s myth.* Walhall *f,* Wal'halla *f* (*a. fig.*).

val·ian·cy ['væljənsi], *obs.* '**val·iance** *s* Tapferkeit *f,* Mut *m,* Kühnheit *f.* '**val·iant I** *adj* (*adv* ~ly) **1.** tapfer, mutig, heldenhaft, kühn. **2.** *dial.* kräftig, ro'bust. **II** *s* **3.** *obs.* Held(in).

val·id ['vælid] *adj* (*adv* ~ly) **1.** gültig: a) stichhaltig, triftig: ~ evidence; ~ reason, b) begründet, berechtigt: ~ argument; ~ claims, c) richtig: ~ decision; to be ~ for *allg.* gelten für. **2.** *jur.* (rechts)gültig, rechtskräftig. **3.** wirksam: a ~ method. **4.** *obs.* gesund, kräftig. '**val·i,date** [-,deit] *v/t jur.* a) für rechtsgültig erklären, rechtswirksam machen, b) bestätigen. ,**val·i'da·tion** *s* Gültigkeit(serklärung) *f.* **va·lid·i·ty** [və'liditi] *s* **1.** Gültigkeit *f.* **2.** Stichhaltigkeit *f,* Triftigkeit *f.* **3.** Richtigkeit *f.* **4.** *jur.* Rechtsgültigkeit *f,* -kraft *f.* **5.** Gültigkeit(sdauer) *f* (*e-r Fahrkarte etc*).

va·lise [və'li:s; *Br. a.* -'li:z] *s* **1.** kleiner Handkoffer, lederne Reisetasche. **2.** *mil.* Tor'nister *m.*

val·kyr, V~ ['vælkir], **val'kyr·ia, V~** [-'ki(ə)rjə], **val'kyr·ie, V~** [-ri] *s myth.* Walküre *f.*

val·lec·u·la [və'lekjulə] *pl* **-lae** [-,li:] *s biol.* Furche *f,* Spalt *m,* Riß *m.*

val·ley ['væli] *s* **1.** Tal *n*: down the ~ talabwärts; the Thames ~ das Flußgebiet der Themse; the ~ of the shadow of death *Bibl.* das finstere Tal. **2.** *arch.* Dachkehle *f*: ~ rafter Kehlsparren *m.*

val·lic·u·la [və'likjulə] → vallecula.

val·lum ['væləm] *s antiq.* Wall *m.*

val·or, *bes. Br.* **val·our** ['vælər] *s bes. poet.* (Helden)Mut *m,* Tapferkeit *f.*

val·or·i·za·tion [,vælərai'zeiʃən; -ri'z-] *s econ.* Valorisati'on *f,* Aufwertung *f.* '**val·or,ize** *v/t econ.* valori'sieren, aufwerten, den Preis (*e-r Ware*) heben *od.* stützen: to ~ coffee.

val·or·ous ['vælərəs] *adj* (*adv* ~ly) tapfer, mutig, kühn, heldenhaft.

val·our *bes. Br. für* valor.

valse [vɑ:ls] *s mus.* Walzer *m.*

val·u·a·ble ['væljuəbl] **I** *adj* (*adv* valuably) **1.** wertvoll: a) kostbar, teuer: ~ paintings, b) *fig.* nützlich: ~ information; → consideration 6. **2.** (ab)schätzbar, bezahlbar: not ~ in money unschätzbar. **II** *s* **3.** *pl* Wertsachen *pl,* -gegenstände *pl.* '**val·u·a·ble·ness** *s* **1.** Wert *m.* **2.** Nützlichkeit *f.*

val·u·a·tion [,vælju'eiʃən] *s* **1.** Bewertung *f,* Wertbestimmung *f,* Ta'xierung *f,* Veranschlagung *f.* **2.** *econ.* a) Schätzungswert *m,* (festgesetzter) Wert *od.* Preis, Taxe *f,* b) Gegenwartswert *m* e-r 'Lebensver,sicherungspo,lice. **3.** *Münzwesen*: Valvati'on *f.* **4.** Wertschätzung *f,* Würdigung *f*: we take him at his own ~ wir beurteilen ihn so, wie er sich selbst beurteilt. '**val·u-,a·tor** [-tər] *s econ.* (Ab)Schätzer *m,* Ta'xator *m.*

val·ue ['vælju:] **I** *s* **1.** *allg.* Wert *m* (*a. biol. chem. math. phys. u. fig.*): the ~ of a friend; ~ judg(e)ment Werturteil *n*; acid ~ *chem.* Säuregrad *m*; caloric ~ Kalorienwert; statistical ~ statistischer Wert; to be of ~ to s.o. j-m wertvoll *od.* nützlich sein. **2.** Wert *m,* Einschätzung *f*: to set a high ~ (up)on a) großen Wert legen auf (*acc*), b) *etwas* hoch einschätzen. **3.** *econ.* Wert *m*: assessed ~ Taxwert; at ~ zum Tageskurs; book ~ Buchwert; commercial ~ Handelswert; exchange(able) ~ Tauschwert; ~ in use Nutzungs-, Gebrauchswert. **4.** *econ.* a) (Geld-, Verkehrs)Wert *m,* Kaufkraft *f,* Preis *m,* b) Gegenwert *m,* -leistung *f,* c) → valuation 2, d) Wert *m,* Preis *m,* Betrag *m*: for ~ received Betrag erhalten; to the ~ of im *od.* bis zum Betrag von, e) Währung *f,* Va'luta *f,* f) *a.* good ~ re'elle Ware: to give (get) good ~ for one's money reell bedienen (bedient werden); it is excellent ~ for money es ist ausgezeichnet *od.* äußerst preiswert. **5.** *fig.* Wert *m,* Bedeutung *f,* Gewicht *n*: the precise ~ of a word. **6.** *meist pl fig.* (*kulturelle od. sittliche*) Werte *pl.* **7.** *paint.* Verhältnis *n* von Licht u. Schatten, Farb-, Grauwert *m*: out of ~ zu hell *od.* zu dunkel. **8.** *mus.* Noten-, Zeitwert *m.* **9.** *Phonetik*: Lautwert *m,* Quali'tät *f*: ~ stress Sinnbetonung *f.* **II** *v/t* **10.** a) den Wert *od.* Preis (*e-r Sache*) bestimmen *od.* festsetzen, b) (ab)schätzen, veranschlagen, ta'xieren (at auf *acc*). **11.** *den Wert etc* schätzen,

(*vergleichend*) bewerten: **he ~d hono(u)r above riches.** **12.** (hoch)schätzen, achten: **to ~ o.s. on s.th.** sich e-r Sache rühmen. **13.** *econ. e-n Wechsel* ziehen (on s.o. auf j-n). **'val·ued** *adj* **1.** (hoch)geachtet, geschätzt. **2.** ta'xiert, veranschlagt: **~ at £ 100** £ 100 wert.
val·ue date *s econ. bes. Br.* **1.** Verbuchungsdatum *n.* **2.** Eingangsdatum *n (e-s Schecks).* **3.** Abrechnungstag *m (im Devisenverkehr).*
val·ue·less ['væljulis] *adj* wertlos.
val·u·er ['væljuər] → **valuator.**
va·lu·ta [və'luːtə] *s econ.* Va'luta *f.*
valv·al ['vælvəl], **'valv·ar** [-vər] → **valvular.** **val·vate** ['vælveit] *adj* **1.** *biol.* mit Klappe(n) (versehen), Klappen... **2.** *bot.* a) klappig, b) sich durch Klappen öffnend.
valve [vælv] **I** *s* **1.** *tech.* Ven'til *n,* Absperrvorrichtung *f,* Klappe *f,* Hahn *m,* Regu'lierorˌgan *n*: **~ gear** (*od.* **motion**) Ventilsteuerung *f;* **~-in-head engine** kopfgesteuerter Motor. **2.** *anat.* (*Herz- etc*)Klappe *f*: **cardiac ~.** **3.** *mus.* Ven'til *n (e-s Blechinstruments).* **4.** *zo.* (Muschel)Klappe *f.* **5.** *bot.* a) Klappe *f,* b) Kammer *f (beide e-r Fruchtkapsel).* **6.** *electr. Br.* (Elek'tronen-, Radio-, Vakuum)Röhre *f*: **~ amplifier** Röhrenverstärker *m;* **five ~ set** Fünfröhrenempfänger *m.* **7.** *tech.* Schleusentor *n.* **8.** *obs.* Türflügel *m.* **II** *v/t* **9.** mit Ven'til(en) *etc* versehen. **'valve·less** *adj* ven'tillos.
val·vu·lar ['vælvjulər] *adj* **1.** klappenförmig, Klappen...: **~ defect** *med.* Klappenfehler *m.* **2.** mit Klappe(n) *od.* Ven'til(en) (versehen). **3.** *bot.* klappig.
'val·vule [-vjuːl] *s* kleine Klappe, kleines Ven'til.
val·vu·li·tis [ˌvælvju'laitis] *s med.* (Herz)Klappenentzündung *f.*
vam·brace ['væmbreis] *s hist.* Armschiene *f (der Ritterrüstung).*
va·moose [væ'muːs], *a.* **va'mose** [-'mous] *sl.* **I** *v/i* ‚verduften', ‚Leine ziehen'. **II** *v/t* fluchtartig verlassen.
vamp[1] [væmp] **I** *s* **1.** a) Oberleder *n (e-s Schuhs),* b) (Vorder)Kappe *f,* c) (aufgesetzter) Flicken. **2.** *mus.* (improvi'sierte) Begleitung. **3.** *fig.* Flickwerk *n.* **II** *v/t* **4.** *a.* **~ up** a) flicken, repa'rieren, b) vorschuhen. **5.** *e-n Zeitungsartikel etc* zs.-stoppeln. **6.** *mus.* (aus dem Stegreif) begleiten. **III** *v/i* **7.** *mus.* improvi'sieren.
vamp[2] [væmp] *colloq.* **I** *s* **1.** Vamp *m (dämonisch-verführerische Frau).* **II** *v/t* **2.** *Männer* verführen, ausbeuten, -saugen. **3.** *j-n* ‚becircen'.
vam·pire ['væmpair] *s* **1.** Vampir *m*: a) *blutsaugendes Gespenst,* b) *fig.* Erpresser(in), Blutsauger(in). **2.** *a.* **~ bat** *zo.* Vampir *m,* Blattnase *f.* **3.** *thea.* kleine Falltür auf der Bühne. **vam'pir·ic** [-'pirik] *adj* vampirhaft, blutsaugerisch, Vampir... **'vam·pirˌism** [-pai(ə)ˌr-; -piˌr-] *s* **1.** Vampirglaube *m.* **2.** Blutsaugen *n (e-s Vampirs).* **3.** *fig.* Ausbeutung *f.*
van[1] [væn] *s* **1.** *mil.* Vorhut *f,* Vor'ausabˌteilung *f,* Spitze *f.* **2.** *mar.* Vorgeschwader *n.* **3.** *fig.* vorderste Reihe, Spitze *f*: **in the ~ of** an der Spitze (*gen*).
van[2] [væn] *s* **1.** Möbelwagen *m.* **2.** *bes. Br.* Last-, Lieferwagen *m*: **loudspeaker ~** Lautsprecherwagen *m.* **3.** Gefangenenwagen *m (der Polizei).* **4.** *rail. Br.* (geschlossener) Güterwagen, Dienst-, Gepäckwagen *m.* **5.** *Br.* Plan-, *bes.* Zi'geunerwagen *m.*
van[3] [væn] *s* **1.** *obs. od. poet.* Schwinge *f,* Fittich *m.* **2.** *Br. dial.* Getreideschwinge *f.* **3.** *Bergbau*: *Br.* a) Schwingschaufel *f,* b) Schwingprobe *f.*
van·a·date ['vænəˌdeit], **va·na·di·ate** [və'neidiˌeit] *s chem.* Vana'dat *n,* vana'dinsaures Salz. **va·nad·ic** [və'nædik] *adj* va'nadiumhaltig.
va·na·di·um [və'neidiəm; -djəm] *s chem.* Va'nadium *n.*
Van·dal ['vændəl] **I** *s* **1.** *hist.* Van'dale *m,* Van'dalin *f.* **2.** **v~** *fig.* Van'dale *m,* Bar'bar *m,* mutwilliger Zerstörer. **II** *adj* **3.** *hist.* van'dalisch, Vandalen... **4.** **v~** *fig.* van'dalenhaft, bar'barisch. **Van'dal·ic, v~** [-'dælik] → **Vandal** II. **'van·dalˌism** *s* **1.** Van'dalentum *n.* **2.** *fig.* Vanda'lismus *m,* Zerstörungswut *f,* Barba'rei *f.* **3.** Kunstfrevel *m.*
Van·dyke [væn'daik] **I** *adj* **1.** von Van Dyck, in Van Dyckscher Ma'nier. **II** *s* **2.** **v~** *abbr. für* a) **~ beard,** b) **~ collar.** **3.** (Bild *n* von) Van Dyck *m.* **4.** *tech.* Zackenmuster *n.* **III** *v/t* **5.** auszacken. **6.** mit Zackenkragen versehen. **~ beard** *s* Spitz-, Knebelbart *m.* **~ col·lar** *s* Van'dyckkragen *m.*
vane [vein] *s* **1.** Wetterfahne *f,* -hahn *m.* **2.** Windmühlenflügel *m.* **3.** *tech.* (Pro'peller, Venti'lator- *etc*)Flügel *m,* (Tur'binen-, *aer.* Leit)Schaufel *f.* **4.** *surv.* Di'opter *n,* Nivel'liergerät *n.* **5.** *zo.* Fahne *f (e-r Feder).* **6.** Fiederung *f (e-s Pfeils).*
va·nes·sa [və'nesə] *s zo.* Eckflügler *m [(Tagschmetterling).]*
vang [væŋ] *s mar.* (Gaffel)Geer *f.*
van·guard ['vænˌgɑːrd] → **van**[1].
va·nil·la [və'nilə] *s bot.* Va'nille *f.*
van·ish ['væniʃ] **I** *v/i* **1.** (plötzlich) verschwinden. **2.** (langsam ver- *od.* ent)schwinden, da'hinschwinden, sich verlieren (from von, aus). **3.** (spurlos) verschwinden, vergehen: **to ~ into thin air** sich in Luft auflösen. **4.** *math.* verschwinden, Null werden. **II** *s* **5.** *Phonetik*: *2. Element e-s fallenden Diphthongs.*
van·ish·ing| cream ['væniʃiŋ] *s* Tagescreme *f.* **~ line** *s* Fluchtlinie *f.* **~ point** *s* **1.** Fluchtpunkt *m (in der Perspektive).* **2.** *fig.* Nullpunkt *m.*
van·i·ty ['væniti] *s* **1.** (*persönliche*) Eitelkeit. **2.** *j-s* Stolz *m (Sache).* **3.** Leere *f,* Hohlheit *f,* Eitelkeit *f,* Nichtigkeit *f*: **V~ Fair** *fig.* Jahrmarkt *m* der Eitelkeiten. **4.** *Am.* Toi'lettentisch *m.* **5.** *a.* **~ bag** (*od.* **box, case**) Kos'metiktäschchen *n od.* -koffer *m.*
van·quish ['væŋkwiʃ] **I** *v/t* besiegen, über'wältigen, *a. fig.* über'winden, bezwingen: **love ~ed his pride;** **the ~ed** die Besiegten. **II** *v/i* siegreich sein, siegen. **'van·quish·er** *s* Sieger *m,* Bezwinger *m,* Eroberer *m.*
van·tage [*Br.* 'vɑːntidʒ; *Am.* 'væ(ː)n-] *s* **1.** *bes. Tennis*: Vorteil *m.* **2.** coign (*od.* point) of **~** günstiger (Angriffs- *od.* Ausgangs)Punkt. **~ ground** *s* günstige Lage *od.* Stellung. **~ point** *s* **1.** (guter) Aussichtspunkt. **2.** günstiger (Ausgangs)Punkt. **3.** → **vantage ground.**
van·ward ['vænwərd] **I** *adj* vorderst(er, e, es), in der Vorhut (befindlich). **II** *adv* zu'vorderst, nach vorn.
vap·id ['væpid] *adj* (*adv* **~ly**) **1.** schal: **~ beer.** **2.** *fig.* a) schal, seicht, leer, b) öd(e), fad(e). **3.** leer, ausdruckslos. **va'pid·i·ty, 'vap·id·ness** *s* **1.** Schalheit *f (a. fig.).* **2.** *fig.* Fadheit *f,* Geist-, Leblosigkeit *f,* Leere *f.*
va·por ['veipər] *bes. Am. für* **vapour.**
va·por·a·ble ['veipərəbl] *adj* ein-, verdampfbar.
va·por·if·ic [ˌveipə'rifik] *adj* **1.** dampf-, dunsterzeugend. **2.** verdampfend, verdunstend. **3.** → **vaporous.** **'va·por·iˌform** [-ˌfɔːrm] *adj* dampf-, dunstförmig.
va·por·i·za·tion [ˌveipərai'zeiʃən; -ri'z-] *s phys.* Verdampfung *f,* -dunstung *f.* **'va·porˌize I** *v/t* **1.** *chem. phys.* ver-, eindampfen, verdunsten (lassen), zerstäuben. **2.** *tech.* vergasen. **II** *v/i* **3.** verdampfen, -dunsten. **'va·porˌiz·er** *s tech.* **1.** Ver'dampfungsappaˌrat *m,* Zerstäuber *m.* **2.** Vergaser *m.*
va·por·ous ['veipərəs] *adj* (*adv* **~ly**) **1.** dampfig, dunstig. **2.** dunstig, neb(e)lig. **3.** duftig, zart: **~ silk.** **4.** *fig.* nebelhaft: **~ dreams.** **5.** eitel, eingebildet.
va·pour ['veipər] **I** *s* **1.** Dampf *m (a. phys.),* Dunst *m (a. fig.),* Nebel *m*: **~ bath** Dampfbad *n;* **~ cooling** Verdampfungskühlung *f;* **~ lamp** a) *tech.* Kohlenwasserstofflampe *f,* b) *electr.* (Quecksilber)Dampflampe *f;* **~ trail** *aer.* Kondensstreifen *m.* **2.** *tech.* a) Gas *n,* b) *mot.* Gemisch *n*: **~ engine** Gasmotor *m.* **3.** *med.* a) (Inhalati'ons)-Dampf *m,* b) *obs.* (*innere*) Blähung. **4.** *fig.* Phan'tom *n,* Hirngespinst *n.* **5.** *pl obs.* Hypochon'drie *f.* **II** *v/i* **6.** (ver)dampfen. **7.** *fig.* prahlen, schwadro'nieren.
va·que·ro [va'kero] *pl* **-ros** (*Span.*) *s Am.* Viehhirt *m,* Cowboy *m.*
var·an ['værən] *s zo.* Wa'ran(eidechse *f*) *m.*
Va·rang·i·an [və'rændʒiən] **I** *s hist.* Wa'räger *m.* **II** *adj* Waräger...
var·ec ['værek] *s* **1.** Seetang *m.* **2.** *chem.* Varek *m,* Seetangasche *f.*
var·i·a·bil·i·ty [ˌvɛ(ə)riə'biliti] *s* **1.** Veränderlichkeit *f,* Schwanken *n,* Unbeständigkeit *f (a. fig.).* **2.** ˌVariabili'tät *f*: a) *math. phys.* Ungleichförmigkeit *f,* b) *biol.* Gestaltungsvermögen *n.*
var·i·a·ble ['vɛ(ə)riəbl] **I** *adj* (*adv* **variably**) **1.** veränderlich, wechselnd, 'unterschiedlich, unbeständig (*Gefühle, Wetter etc*), schwankend (*a. Person*): **~ cost** *econ.* bewegliche Kosten; **~ wind** *meteor.* Wind *m* aus wechselnden Richtungen. **2.** *bes. astr. biol. math. phys.* vari'abel, wandelbar. **3.** *tech.* regelbar, ver-, einstellbar, veränderlich: **~ capacitor** Drehkondensator *m;* **~ gear** Wechselgetriebe *n;* **~ in phase** *electr.* phasenveränderlich; **infinitely ~** stufenlos regelbar; **~ resistance** *electr.* a) variabler Widerstand, b) (*als Konstruktionselement*) Regelwiderstand *m;* **~-speed** mit veränderlicher Drehzahl; **~ time fuse** (*Am.* **fuze**) *mil.* Annäherungszünder *m.* **II** *s* **4.** (*etwas*) Vari'ables, veränderliche Größe, *bes. math.* Vari'able *f,* Veränderliche *f.* **5.** *astr.* vari'abler Stern. **6.** veränderlicher Wind. **7.** *meist pl mar.* Kalmengürtel *m.* **'var·i·a·ble·ness** → **variability.**
var·i·ac ['vɛ(ə)riˌæk] (*TM*) *s electr.* Variac *m (ein Autotransformator).*
var·i·ance ['vɛ(ə)riəns] *s* **1.** Veränderung *f.* **2.** Veränderlichkeit *f.* **3.** Abweichung *f (a. jur. zwischen Klage u. Beweisergebnis).* **4.** Unstimmigkeit *f,* Uneinigkeit *f,* Meinungsverschiedenheit *f,* Streit *m*: **to be at ~** (with) uneinig sein (mit *j-m*) (→ 5); **to set at ~** entzweien. **5.** *fig.* 'Widerspruch *m,* -streit *m*: **to be at ~** (with) unvereinbar sein (mit *etwas*), im Widerspruch stehen (zu) (→ 4). **6.** *Statistik*: Qua'drat *n* der mittleren Abweichung. **7.** *math.* Anzahl *f* der freieren Vari'ablen.
var·i·ant ['vɛ(ə)riənt] **I** *adj* **1.** abweichend, verschieden. **2.** 'unterschiedlich. **II** *s* **3.** Vari'ante *f,* Spielart *f.* **4.** 'Schreib- *od.* 'Textvariˌante *f,* abweichende Lesart.

var·i·a·tion [ˌvɛ(ə)riˈeiʃən] *s* **1.** (Ver)Änderung *f*, Wechsel *m*. **2.** Abweichung *f*, Schwankung *f*. **3.** Abänderung *f*. **4.** Abwechslung *f*. **5.** (ˈSchreib)Variˌante *f*. **6.** *astr. biol. math. mus. etc* Variatiˈon *f*. **7.** *mar.* maˈgnetische Deklinatiˈon, (ˈOrts)ˌMißweisung *f* (*Kompaß*). ˌ**var·iˈa·tion·al** *adj* Variations...

var·i·cel·la [ˌværiˈselə] *s med.* Wind-[pocken *pl.*]

var·i·co·cele [ˈværikoˌsiːl] *s med.* Krampfaderbruch *m*.

var·i·col·o(u)red [ˈvɛ(ə)riˌkʌlərd] *adj* bunt: a) vielfarbig, b) *fig.* mannigfaltig.

var·i·cose [ˈværiˌkous] *adj med.* ad(e)rig, variˈkös: ~ **ulcer** Krampfadergeschwür *n*; ~ **vein** Krampfader *f*; ~ **bandage** Krampfaderbinde *f*. ˌ**var·iˈco·sis** [-ˈkousis], ˌ**var·iˈcos·i·ty** [-ˈkɒsiti] *s* **1.** Varikosiˈtät *f*. **2.** Krampfaderleiden *n*, -bildung *f*. **3.** Krampfader(n *pl*) *f*. ˌ**var·iˈcot·o·my** [-ˈkɒtəmi] *s* Krampfaderknotenentfernung *f*.

var·ied [ˈvɛ(ə)rid] *adj* (*adv* ~**ly**) **1.** bunt, abwechslungsreich, mannigfaltig, verschieden(artig). **2.** (ab)geändert, verändert, variˈiert. **3.** bunt, gefleckt.

var·i·e·gate [ˈvɛ(ə)riˌgeit; -riə-] *v/t* **1.** bunt gestalten (*a. fig.*). **2.** variˈieren, Abwechslung bringen in (*acc*), beleben. ˈ**var·i·eˌgat·ed** *adj* **1.** bunt(scheckig, -gefleckt), vielfarbig. **2.** → varied. ˌ**var·i·eˈga·tion** *s* Buntheit *f*, Vielfarbigkeit *f*.

va·ri·e·ty [vəˈraiəti] *s* **1.** Verschiedenheit *f*, Buntheit *f*, Mannigfaltigkeit *f*, Vielseitigkeit *f*, Abwechslung *f*: **charm of** ~ Reiz *m* der Abwechslung; **to add** ~ **to** Abwechslung bringen in (*acc*). **2.** Vielfalt *f*, Reihe *f*, Anzahl *f*, *bes. econ.* Auswahl *f*: **a** ~ **of silks** ein Sortiment von Seidenstoffen; **owing to a** ~ **of causes** aus verschiedenen Gründen. **3.** Sorte *f*, Art *f*. **4.** *allg.* Spielart *f*. **5.** *bot. zo.* a) Varieˈtät *f* (*Unterabteilung e-r Art*), b) Spielart *f*, Variˈante *f*. **6.** Varieˈté *n*: ~ **artist** Varietékünstler(in). **7.** → **variety shop**. ~ **shop** *s Am.* Gemischtwarenhandlung *f*. ~ **show** *s* Varieˈté(vorstellung *f*) *n*. ~ **store** → **variety shop**. ~ **the·a·ter**, *bes. Br.* ~ **the·a·tre** *s* Varieˈté(theˌater) *n*.

var·i·form [ˈvɛ(ə)riˌfɔːrm] *adj* vielgestaltig, abwechslungsreich (*a. fig.*).

var·i·o·cou·pler [ˌvɛ(ə)rioˈkʌplər] *s electr.* Variokoppler *m*, veränderliche Kopplungsspule.

va·ri·o·la [vəˈraiələ] *s med.* Pocken *pl*.

var·i·o·lite [ˈvɛ(ə)riəˌlait] *s geol.* Blatterstein *m*, Varioˈlit *m*.

var·i·o·loid [ˈvɛ(ə)riəˌlɔid] *med.* **I** *adj* **1.** pockenartig. **2.** Pocken... **II** *s* **3.** Varioˈloïs *f* (*leichte Form der Pocken*).

va·ri·o·lous [vəˈraiələs] *adj* **1.** Pokken... **2.** pockenkrank. **3.** pockennarbig.

var·i·om·e·ter [ˌvɛ(ə)riˈɒmitər] *s aer. electr. phys. tech.* Varioˈmeter *n*.

var·i·o·rum [ˌvɛ(ə)riˈɔːrəm] **I** *adj*: ~ **edition** → II. **II** *s* Ausgabe *f* mit kritischen Anmerkungen verschiedener Kommentaˈtoren *od.* mit verschiedenen Lesarten: **a Shakespeare** ~.

var·i·ous [ˈvɛ(ə)riəs] *adj* (*adv* ~**ly**) **1.** verschieden(artig). **2.** mehrere, verschiedene. **3.** bunt, vielfältig, abwechslungsreich, wechselvoll.

var·ix [ˈvɛ(ə)riks; ˈvær-] *pl* ˈ**var·iˌces** [-riˌsiːz] *s med.* **1.** Krampfader(knoten *m*) *f*. **2.** *zo.* Knoten *m* an Muscheln.

var·let [ˈvɑːrlit] *s* **1.** *obs. od. humor.* Schelm *m*, Schuft *m*. **2.** *hist.* Page *m*, Knappe *m*.

var·mint [ˈvɑːrmint] *s* **1.** *Am. od. dial. für* **vermin**. **2.** *hunt. sl.* Fuchs *m*. **3.** *obs. od. humor.* (kleiner) ‚Racker'.

var·nish [ˈvɑːrniʃ] **I** *s tech.* **1.** Lack *m*: **oil** ~ Öllack. **2.** *a.* **clear** ~ Klarlack *m*, Firnis *m*. **3.** (ˈMöbel)Poliˌtur *f*. **4.** *Töpferei*: Glaˈsur *f*. **5.** ˈLackˌüberzug *m*. **6.** *fig.* Firnis *m*, Tünche *f*, äußerer Anstrich. **II** *v/t a.* ~ **over** **7.** lacˈkieren, firnissen, glaˈsieren. **8.** *Möbel* (ˈauf)poˌlieren. **9.** *fig.* überˈtünchen, bemänteln, beschönigen. ˈ**var·nish·er** *s* Lacˈkierer *m*. **var·nish·ing day** *s paint.* Vernisˈsage *f*.

var·si·ty [ˈvɑːrsiti] *s colloq.* ‚Uni' *f* (*Universität*).

var·so·vienne [vɑrsəˈvjɛn] (*Fr.*) *s mus.* Varsoviˈenne *f*, ‚Warschauer' *m* (*Tanz*).

var·us [ˈvɛ(ə)rəs] → **talipes**.

var·y [ˈvɛ(ə)ri] **I** *v/t* **1.** (ver-, *a. jur.* ab)ändern. **2.** variˈieren, ˈunterschiedlich gestalten, Abwechslung bringen in (*acc*), wechseln mit (*etwas*). **3.** variˈieren, abwandeln (*a. mus.*). **II** *v/i* **4.** sich (ver)ändern, variˈieren (*a. biol.*), wechseln, schwanken, auseinˈandergehen (*Meinungen*). **5.** (**from**) abweichen *od.* verschieden sein (von), nicht überˈeinstimmen (mit). ˈ**var·y·ing** *adj* (*adv* ~**ly**) wechselnd, ˈunterschiedlich, verschieden.

vas [væs] *pl* **va·sa** [ˈveisə] (*Lat.*) *s physiol.* (Blut)Gefäß *n*, Gang *m*: → **vas deferens**. **va·sal** [ˈveisəl] *adj* (Blut)Gefäß...

vas·cu·lar [ˈvæskjulər] *adj bot. physiol.* Gefäß...: ~ **plants**; ~ **system** Gefäßsystem *n*; ~ **tissue** *bot.* Stranggewebe *n*.

vas·cu·lum [ˈvæskjuləm] *pl* **-la** [-lə] *s* **1.** *bot. physiol.* (kleines) Gefäß. **2.** Botaniˈsierbüchse *f*.

vas de·fe·rens [ˈdefərenz] *pl* **va·sa de·fe·ren·ti·a** [ˈveisə ˌdefəˈrenʃiə] *s anat.* Samenleiter *m*.

vase [*Br.* vɑːz; *Am.* veis; veiz] *s* (Blumen-, Zier)Vase *f*: ~**-painting** Vasenmalerei *f*.

vas·e·line [ˈvæsiˌliːn; -lin] (*TM*) *s pharm.* Vaseˈlin *n*, Vaseˈline *f*.

vas·i·form [ˈvæsiˌfɔːrm] *adj biol.* gefäßförmig.

vas·o·mo·tor [ˌvasoˈmoutər; *Br. a.* ˌveizo-] *adj* **1.** vasomoˈtorisch. **2.** Gefäßnerven..., Vasomotoren... ˌ**vas·oˈsen·so·ry** [-ˈsensəri] *adj* vasosenˈsorisch.

vas·sal [ˈvæsəl] **I** *s* **1.** Vaˈsall(in), Lehnsmann *m*: **rear** ~ Hintersasse *m*. **2.** *fig.* ˈUntertan *m*, Unterˈgebene(r) *m*. **3.** *bes. poet.* Knecht *m*, Sklave *m*. **II** *adj* **4.** Vasallen...: ~ **state**. **5.** knechtisch, Sklaven... ˈ**vas·sal·age** *s* **1.** *hist.* Vaˈsallentum *n*. **2.** Lehnspflicht *f* (**to** gegenˈüber). **3.** *collect.* Vaˈsallen *pl*. **4.** Knechtschaft *f*, Abhängigkeit *f*. ˈ**vas·sal·dom** → **vassalage** 4.

vast [*Br.* vɑːst; *Am.* væ(ː)st] **I** *adj* **1.** weit, ausgedehnt, unermeßlich, *a. fig.* (riesen)groß, riesig, ungeheuer: ~ **area**; ~ **difference**; ~ **quantities**. **2.** *colloq.* eˈnorm, gewaltig: ~ **sums**. **II** *s* **3.** *poet.* (unendliche) Weite. ˈ**vast·ly** *adv* gewaltig, in hohem Maße, äußerst, ungemein, eˈnorm: ~ **superior** haushoch überlegen, weitaus besser. ˈ**vast·ness** *s* **1.** Weite *f*, Unermeßlichkeit *f* (*a. fig.*). **2.** ungeheure Größe, riesiges Ausmaß. **3.** riesige Zahl, Unmenge *f*. ˈ**vast·y** *poet. für* **vast** I.

vat [væt] **I** *s tech.* **1.** großes Faß, Bottich *m*, Kufe *f*. **2.** a) *Färberei*: Küpe *f*, b) *a.* **tan** ~ (*Gerberei*) Lohgrube *f*, c) Küpe *f*, Lösung *f* e-s Küpenfarbstoffs: ~ **blue** Indigoblau *n*; ~ **dye** Küpenfarbstoff *m*. **II** *v/t* **3.** (ver)küpen, in ein Faß *etc* füllen. **4.** in e-m Faß *etc* behandeln: ~**ted** faßreif (*Wein etc*).

Vat·i·can [ˈvætikən] *s* Vatiˈkan *m*: ~ **Council** *R.C.* Vatikanisches Konzil. ˈ**Vat·i·canˌism** *s* Vatikaˈnismus *m* (*theologisches System, das auf der unbedingten Autorität des Papstes beruht*).

vat·i·ci·na·tion [ˌvætisiˈneiʃən] *s* **1.** Weissagen *n*. **2.** Propheˈzeiung *f*.

vaude·ville [ˈvoud(ə)vil; *a.* ˈvɔːd-] *s* **1.** Vaudeˈville *n* (*heiteres Singspiel mit Tanzeinlagen*). **2.** *Am.* Varieˈté *n*. **3.** *hist.* Gassenhauer *m*.

Vau·dois[1] [vouˈdwɑː; *Br. a.* ˈvoudwɑː] **I** *s* **1.** *sg u. pl* Waadtländer(in). **2.** *ling.* Waadtländisch *n*, das Waadtländische. **II** *adj* **3.** waadtländisch.

Vau·dois[2] [vouˈdwɑː; *Br. a.* ˈvoudwɑː] **I** *s sg u. pl* Walˈdenser(in). **II** *adj* Waldenser...

vault[1] [vɔːlt] **I** *s* **1.** *arch.* Gewölbe *n*, Wölbung *f*. **2.** Kellergewölbe *n*: **wine** ~ Weinkeller *m*. **3.** Grabgewölbe *n*, Gruft *f*: **family** ~. **4.** *Am.* Stahlkammer *f*, Treˈsor *m*. **5.** *poet.* Himmel(sgewölbe *n*) *m*. **6.** *anat.* Wölbung *f*, (Schädel)Dach *n*, (Gaumen)Bogen *m*, Kuppel *f* (*des Zwerchfells*). **II** *v/t arch.* **7.** (über)ˈwölben. **III** *v/i* **8.** sich wölben.

vault[2] [vɔːlt] **I** *v/i* **1.** springen, sich schwingen, setzen (**over** über *acc*). **II** *v/t* **2.** überˈspringen. **III** *s* **3.** *bes. sport* Sprung *m*: ~ **over the horse** Sprung am Pferd. **4.** *Reitkunst*: Kurˈbette *f*.

vault·ed [ˈvɔːltid] *adj* gewölbt, Gewölbe..., überˈwölbt.

vault·er [ˈvɔːltər] *s* Springer(in).

vault·ing[1] [ˈvɔːltiŋ] *s arch.* **1.** Spannen *n* e-s Gewölbes. **2.** Wölbung *f*. **3.** Gewölbe *n* (*od. pl collect.*).

vault·ing[2] [ˈvɔːltiŋ] **I** *adj* **1.** *sport* a) springend, b) Spring..., Sprung...: ~ **horse** (Lang)Pferd *n* (*Gerät*). **2.** *fig.* sich über alles hinˈwegsetzend: ~ **ambition**. **II** *s* **3.** Springen *n*.

vaunt [vɔːnt] **I** *v/t* sich rühmen (*gen*), sich brüsten mit. **II** *v/i* (**of**) *poet.* sich rühmen (*gen*), prahlen (mit). **III** *s* Prahleˈrei *f*. ˈ~-ˈ**cour·i·er** *s obs.* Vorbote *m*.

vaunt·er [ˈvɔːntər] *s* Prahler *m*. ˈ**vaunt·ing** *adj* (*adv* ~**ly**) prahlerisch.

vav·a·sor [ˈvævəˌsɔːr], *bes. Br.* ˈ**vav·aˌsour** [-ˌsur] *s jur. hist.* Afterlehnsmann *m*, ˈHintersasse *m*.

V-Day *s* Tag *m* des Sieges (*im 2. Weltkrieg*; 7. 5. 1945).

've [v] *colloq. abbr. für* **have**.

veal [viːl] *s* **1.** *obs.* Kalb *n*. **2.** Kalbfleisch *n*: ~ **cutlet** Kalbskotelett *n*; **roast** ~ Kalbsbraten *m*. ˈ**veal·er** *s Am.* zum Schlachten bestimmtes Kalb.

vec·tor [ˈvektər] **I** *s* **1.** *math.* Vektor *m*. **2.** *med. vet.* Bakˈterienüberˌträger *m*. **3.** *aer.* Vektor *m*. **II** *v/t* **4.** *aer. das Flugzeug* (mittels Funk *od.* Radar) leiten, (auf Ziel) einweisen. **III** *adj* **5.** *math.* Vektor...: ~ **algebra**; ~ **analysis**. **vecˈto·ri·al** [-ˈtɔːriəl] *adj math.* vektoriˈell, Vektor...

Ve·da [ˈveidə; ˈviːdə] *s* Weda *m* (*älteste religiöse Literatur der Inder*).

Ve·dan·ta [viˈdɑːntə; ve-; -ˈdæn-] *s* Weˈdanta *n* (*e-s der 6 orthodoxen brahmanischen Systeme*).

V-E Day → **V-Day**.

ve·dette [viˈdet] *s mil. selten* **1.** *obs.* Kavalleˈrie(wacht)posten *m*. **2.** *a.* ~ **boat** *mar.* Vorpostenboot *n*.

Ve·dic [ˈveidik; ˈviː-] *adj relig.* wedisch.

vee [viː] **I** *s* V, v *n* (*Buchstabe*). **II** *adj* V-förmig, V-...

veep [viːp] *Am. colloq.* ‚Vize' *m* (*Vizepräsident der USA*).

veer [viɚ] **I** *v/i* **1.** *a.* ~ **round** sich ('um)drehen. **2.** *bes. mar.* abdrehen, wenden. **3.** *fig.* 'umschwenken (to zu). **4.** *fig.* abschweifen. **5.** die Richtung ändern *od.* wechseln. **6.** *meteor.* 'umspringen, sich drehen (*Wind*). **II** *v/t* **7.** *ein Schiff etc* wenden, drehen, schwenken. **8.** *mar. das Tauwerk* fieren, abschießen: to ~ **and haul** fieren u. holen. **III** *s* **9.** Wendung *f*, Drehung *f*, Richtungswechsel *m.* '**veer·ing·ly** *adv fig.* schwankend, ziellos.

Ve·ga[1] ['viːgə] *s astr.* Vega *f* (*Stern*).

ve·ga[2] ['vega] (*Span.*) *s* **1.** *geogr.* Vega *f* (*fruchtbare Niederung*). **2.** west'indische Tabakpflanzung.

veg·e·ta·ble ['vedʒitəbl] **I** *s* **1.** *a. pl* Gemüse *n.* **2.** (*bes.* Gemüse-, Futter)Pflanze *f*: to be a mere ~ *fig.* nur noch dahinvegetieren. **3.** *agr.* Grünfutter *n.* **II** *adj* **4.** Gemüse...: ~ **garden**; ~ **soup.** **5.** pflanzlich, vegeta'bilisch: ~ **life.** **6.** *bot.* Pflanzen...: ~ **anatomy**; ~ **dye**; ~ **oil**; ~ **silk**; ~ **kingdom** Pflanzenreich *n*; ~ **marrow** Kürbis(frucht *f*) *m.*

veg·e·tal ['vedʒitl] *adj bot.* **1.** → **vegetable** 5 *u.* 6. **2.** *physiol.* vegeta'tiv.

veg·e·tar·i·an [ˌvedʒi'tɛ(ə)riən] **I** *s* **1.** Vege'tarier(in). **II** *adj* **2.** vege'tarisch. **3.** Vegetarier... ˌ**veg·e'tar·i·anˌism** *s* Vegeta'rismus *m*, vege'tarische Lebensweise.

veg·e·tate ['vedʒiˌteit] *v/i* **1.** (*wie e-e Pflanze*) wachsen, vege'tieren. **2.** *fig. contp.* (da'hin)vegeˌtieren. **3.** *med.* wuchern. ˌ**veg·e'ta·tion** *s* **1.** Vegetati'on *f*, Pflanzenwelt *f*, -decke *f*: **luxuriant** ~. **2.** Vege'tieren *n*, Pflanzenwuchs *m.* **3.** *fig.* (Da'hin)Vegeˌtieren *n.* **4.** *med.* Wucherung *f.* ˌ**veg·e'ta·tion·al** *adj* Vegetations... '**veg·eˌta·tive** *adj* (*adv* ~**ly**) **1.** vegeta'tiv: a) wie Pflanzen wachsend, b) wachstumsfördernd, c) Wachstums..., d) ungeschlechtlich: ~ **reproduction.** **2.** Vegetations..., pflanzlich. **3.** *fig.* vegeta'tiv: ~ **life.**

ve·he·mence ['viːiməns] *s* **1.** *a. fig.* Heftigkeit *f*, Gewalt *f*, Wucht *f*, Vehe'menz *f.* **2.** *fig.* Ungestüm *n*, Leidenschaft *f.* '**ve·he·ment** *adj* (*adv* ~**ly**) **1.** *a. fig.* heftig, gewaltig, vehe'ment: ~ **wind.** **2.** *fig.* ungestüm, leidenschaftlich, hitzig.

ve·hi·cle ['viːikl] *s* **1.** Fahrzeug *n*, Beförderungsmittel *n*, *engS.* Wagen *m*, Fuhrwerk *n.* **2.** *aer.* a) *a.* **space** ~ Raumfahrzeug *n*, b) 'Trägerraˌkete *f.* **3.** *biol. chem.* 'Trägerflüssigkeit *f*, -subˌstanz *f.* **4.** *pharm.* Ve'hiculum *n.* **5.** *chem. tech.* Bindemittel *n* (*für Farben*). **6.** *fig.* a) Ausdrucksmittel *n*, Medium *n*, Ve'hikel *n*, Gefäß *n*, b) Träger *m*, Vermittler *m*: a ~ **of ideas.** **ve·hic·u·lar** [vi'hikjulɚ; viː-] *adj* Fahrzeug..., Wagen...: ~ **traffic.**

Vehm·ge·richt, *Br. a.* **v**~ ['feːmgəˌriçt] *pl* -ˌ**rich·te** [-ˌriçtə] (*Ger.*) *s hist.* Femgericht *n*, Feme *f.* **Veh·mic,** *Br. a.* **v**~ ['feimik] *adj* Fem(e)...

veil [veil] **I** *s* **1.** (Gesichts- *etc*)Schleier *m.* **2.** (Nonnen)Schleier *m*: **she took the** ~ sie nahm den Schleier (*wurde Nonne*). **3.** (Nebel-, Dunst)Schleier *m.* **4.** *phot.* Schleier *m.* **5.** *fig.* Schleier *m*, Maske *f*, Deckmantel *m*: **to draw a** ~ **over** den Mantel des Geheimnisses breiten über (*acc*), *etwas* verschleiern *od.* -hüllen *od.* -bergen; **under the** ~ **of charity** unter dem Deckmantel der Nächstenliebe. **6.** *fig.* Schleier *m*, Schutz *m*: **under the** ~ **of darkness** im Schutze der Dunkelheit; **beyond the** ~ (da) drüben, nach dem Tode. **7.** *anat. bot. zo.* → **velum.** **8.** *relig.* a) (Tempel)Vorhang *m*, b) Velum *n* (*Kelchtuch*). **9.** *mus.* Verschleierung *f* (*der Stimme*). **II** *v/t* **10.** verschleiern, -hüllen (*beide a. fig.*). **11.** *fig.* verbergen, tarnen. **III** *v/i* **12.** sich verschleiern (*a. Augen etc*). **veiled** *adj* verschleiert (*a. phot. u. fig.*): ~ **voice**; ~ **threat**; ~ **in mystery** geheimnisumwittert. '**veil·ing** *s* **1.** Verschleierung *f* (*a. phot. u. fig.*). **2.** *econ.* Schleierstoff *m.* '**veil·less** *adj* unverschleiert.

vein [vein] **I** *s* **1.** *anat.* Vene *f* (*Ggs. Arterie*). **2.** *allg.* Ader *f*: a) *anat.* Blutgefäß *n*, b) *bot.* Blattnerv *m*, c) (Holz-, Marmor)Maser *f*, d) *geol.* (Erz)Gang *m*, e) *geol.* Wasserader *f*, -spalte *f.* **3.** *fig.* a) (*poetische etc*) Ader, Veranlagung *f*, Hang *m* (of zu), b) (Ton)Art *f*, Ton *m*, Stil *m*, c) Stimmung *f*, Laune *f*: **to be in the** ~ **for** (*od.* **to do**) in Stimmung sein zu (*od.* zu tun). **II** *v/t* **4.** ädern. **5.** marmo'rieren, masern. **veined** *adj* **1.** *allg.* geädert. **2.** gemasert, marmo'riert. '**vein·ing** *s* **1.** Äderung *f*, Maserung *f.* **2.** Verzierung *f*, Sticke'rei *f.* '**vein·less** *adj* ungeädert, ungerippt. '**vein·let** [-lit] *s* **1.** Äderchen *n.* **2.** *bot.* Seitenrippe *f.*

vein·ous ['veinəs] *adj biol.* **1.** äd(e)rig, geädert. **2.** → **venous.**

ve·la ['viːlə] *pl von* **velum.**

ve·la·men [və'leimin] *pl* **ve'lam·i·na** [-'læminə] *s* Ve'lamen *n*: a) *anat.* Hülle *f*, b) *bot.* Wurzelhülle *f.*

ve·lar ['viːlɚ] **I** *adj anat. ling.* ve'lar, Gaumensegel..., Velar... **II** *s ling.* Gaumensegellaut *m*, Ve'lar(laut) *m.*

ve·lar·i·za·tion [ˌviːlərai'zeiʃən; -ri'z-] *s ling.* Velari'sierung *f.* '**ve·larˌize** *v/t e-n Laut* velari'sieren.

veld(t) [velt; felt] *s geogr.* Gras- *od.* Buschland *n* (*in Südafrika*). '~ˌ**schoen** [-ˌskuːn] *s* leichter Schuh aus ungegerbter Haut.

vel·le·i·ty [ve'liːiti] *s* kraftloses Wollen, schwacher Wille.

vel·lum ['veləm] *s* **1.** ('Kalbs-, 'Schreib)PergaˌMent *n*, Ve'lin *n*: ~ **cloth** *tech.* Zeichenpergament, Pausleinen *n.* **2.** *a.* ~ **paper** Ve'linpaˌpier *n.*

ve·loc·i·pede [vi'lɒsiˌpiːd] *s* **1.** *hist.* Velozi'ped *n* (*Lauf-, Fahrrad*). **2.** *Am.* (Kinder)Dreirad *n.* ~ **car** *s rail.* Drai'sine *f.*

ve·loc·i·tized [vi'lɒsiˌtaizd] *adj mot.* von der Fahrgeschwindigkeit benommen (*Autofahrer*).

ve·loc·i·ty [vi'lɒsiti] *s phys. tech.* Geschwindigkeit *f*: **at a** ~ **of** mit e-r Geschwindigkeit von; **initial** ~ Anfangsgeschwindigkeit; **muzzle** ~ *mil.* Mündungsgeschwindigkeit; ~ **of fall** Fallgeschwindigkeit. ~ **head** *s phys.* Staudruck *m.* ~ **mod·u·la·tion** *s phys.* 'Laufzeitmodulatiˌon *f.* ~ **stage** *s tech.* Um'drehungsschwelle *f.*

ve·lour(s) [və'luɚ] *s* Ve'lours *m.*

ve·lum ['viːləm] *pl* **-la** [-lə] *s* **1.** *anat. bot.* Hülle *f*, Segel *n.* **2.** *anat.* Gaumensegel *n*, weicher Gaumen. **3.** *bot.* Schleier *m* (*an Hutpilzen*). **4.** *zo.* Randsaum *m* (*bei Quallen*).

ve·lure [və'luɚ] *s* Ve'lours *m.*

vel·vet ['velvit] **I** *s* **1.** Samt *m* (*a. fig.*). **2.** *fig.* Weichheit *f*, (*das*) Samtene. **3.** *Am.* Mischgetränk *n* aus Sekt u. Portwein. **4.** *zo.* Bast *m* (*an jungen Geweihen etc*). **5.** *sl.* a) Gewinn *m*, Pro'fit *m*, b) lukra'tive Sache: **to be on** ~ glänzend dastehen. **II** *adj* **6.** samten, aus Samt, Samt... **7.** samtartig, samtweich, samten (*a. fig.*): **an iron hand in a** ~ **glove** *fig.* die eiserne Faust unter dem Samthandschuh; **to handle s.o. with** ~ **gloves** j-n mit Samthandschuhen anfassen; ~ **paws** *fig.* ‚Samtpfötchen' *pl.* ˌ**vel·vet'een** [-'tiːn] *s* Man'(s)chester *m*, Rippen-, Baumwollsamt *m.* '**vel·vet·y** *adj* **1.** samten, aus Samt. **2.** samtweich, samten (*a. fig.*).

ve·nal ['viːnl] *adj* **1.** käuflich: ~ **office**; ~ **vote.** **2.** bestechlich, käuflich, kor'rupt: ~ **officials.** **ve'nal·i·ty** [-'næliti] *s* Käuflichkeit *f*, Kor'ruptheit *f.*

ve·nat·ic [vi(ː)'nætik], **ve'nat·i·cal** [-kəl] *adj* Jagd..., waid-, weidmännisch.

ve·na·tion[1] [vi(ː)'neiʃən] *s bot. zo.* Geäder *n.*

ve·na·tion[2] [vi(ː)'neiʃən] *s* Jagd *f*, Waid-, Weidwerk *n.*

vend [vend] *v/t bes. jur.* a) verkaufen, b) zum Verkauf anbieten, c) hau'sieren mit.

ven·dace ['vendeis; -dis] *s ichth.* ein englischer Lachs.

vend·ee [ven'diː] *s jur.* Käufer *m.*

vend·er ['vendɚ] *s* **1.** (Straßen)Händler *m*, (-)Verkäufer *m.* **2.** → **vendor.**

ven·det·ta [ven'detə] *s* Blutrache *f.*

vend·i·bil·i·ty [ˌvendə'biliti] *s econ.* Verkäuflichkeit *f.* '**vend·i·ble** *adj* (*adv* **vendibly**) verkäuflich, gangbar, gängig.

vend·ing ma·chine ['vendiŋ] *s Am.* (Ver'kaufs)AutoˌMat *m.*

ven·di·tion [ven'diʃən] *s econ.* Verkauf *m* (*von Waren*).

ven·dor ['vendɔːɚ] *s* **1.** *bes. jur.* Verkäufer(in). **2.** (Ver'kaufs)AutoˌMat *m.*

ven·due [ven'djuː] *s econ. bes. Am.* Aukti'on *f*, Versteigerung *f.*

ve·neer [və'niɚ; vi-] **I** *v/t* **1.** *tech.* a) *Holz* fur'nieren, einlegen, b) *Stein* auslegen, c) *Sperrholz* 'gegenfurˌnieren, d) *Töpferei*: über'ziehen. **2.** *fig.* e-n äußeren Anstrich geben (*dat*), um'kleiden. **3.** *fig. Eigenschaften* über'tünchen, verdecken. **II** *s* **4.** *tech.* Fur'nier(holz, -blatt) *n.* **5.** *fig.* äußerer Anstrich, Tünche *f.* **ve'neer·ing** *s* **1.** *tech.* a) Fur'nierholz *n*, -schicht *f* (*bei Sperrholz*), b) Fur'nierung *f.* **2.** Fur'nierarbeit *f.* **3.** *fig.* → **veneer** 5.

ven·er·a·bil·i·ty [ˌvenərə'biliti] *s* Ehrwürdigkeit *f.*

ven·er·a·ble ['venərəbl] *adj* (*adv* **venerably**) **1.** ehrwürdig (*a. fig. Bauwerk etc*), verehrungswürdig. **2.** *Anglikanische Kirche*: Hoch(ehr)würden *m* (*Archidiakon*): **V**~ **Sir.** **3.** *R.C.* ehrwürdig (*unterste Stufe der Heiligkeit*). '**ven·er·a·ble·ness** *s* Ehrwürdigkeit *f.*

ven·er·ate ['venəˌreit] *v/t* verehren, bewundern. ˌ**ven·er'a·tion** *s* (for) Verehrung *f* (für), Ehrfurcht *f* (vor *dat*). '**ven·erˌa·tor** [-tɚ] *s* Verehrer(in).

ve·ne·re·al [vi'ni(ə)riəl] *adj* **1.** geschlechtlich, sexu'ell, Geschlechts..., Sexual... **2.** *med.* a) ve'nerisch, Geschlechts..., b) geschlechtskrank: ~ **disease** Geschlechtskrankheit *f.* **ve**ˌ**ne·re'ol·o·gist** [-'ɒlədʒist] *s med.* Vener(e)o'loge *m*, Facharzt *m* für Geschlechtskrankheiten. **ve**ˌ**ne·re'ol·o·gy** [-dʒi] *s med.* Vener(e)olo'gie *f.*

ven·er·er ['venərɚ] *s obs.* Jäger *m.*

ven·er·y[1] ['venəri] *s obs.* Fleischeslust *f.*

ven·er·y[2] ['venəri] *s obs.* Jagd *f.*

ven·e·sec·tion [ˌveni'sekʃən] *s* Aderlaß *m.*

Ve·ne·tian [vi'niːʃən] **I** *adj* **1.** venezi'anisch: ~ **blind** (Stab)Jalousie *f*; ~ **glass** Muranoglas *n*; ~ **mast** spiralig bemalter Mast (*zur Straßendekoration*); ~ **red** a) Venezianischrot *n*, b) Sienabraun *n*; ~ **window** *arch.*

dreiteiliges Fenster (mit Rundbogen über dem Mittelteil). **II** *s* **2.** Venezi'aner(in). **3.** v~s *pl* Jalou'sieschnur *f.* **4.** (*ein*) geköperter Wollstoff.

Ven·e·zue·lan [*Br.* ˌvene'zweilən; -'zwiːlən] **I** *adj* venezo'lanisch. **II** *s* Venezo'laner(in).

venge·ance ['vendʒəns] *s* Rache *f*: to take ~ (up)on Vergeltung üben *od.* sich rächen an (*dat*); with a ~ *fig.* a) mächtig, mit Macht, b) wie besessen, wie der Teufel, c) auf die Spitze getrieben, im Exzeß, d) jetzt erst recht; → breathe 7.

venge·ful ['vendʒful] *adj* (*adv* ~ly) **1.** rachsüchtig, -gierig. **2.** Rache...

'V-ˌen·gine *s tech.* V-Motor *m.*

ve·ni·al ['viniəl; -njəl] *adj* verzeihlich: ~ sin *R.C.* läßliche Sünde.

ve·ni·re fa·ci·as [vi'nai(ə)riː 'feiʃiˌæs] (*Lat.*) *s jur. hist.* **1.** *gerichtliche Weisung an den Sheriff, Geschworene einzuberufen.* **2.** *Br. Vorladungsbefehl wegen e-r Straftat.*

ve·ni·re·man [vi'nai(ə)rimən] *s irr jur. Am.* Geschworene(r) *m.*

ven·i·son ['venizn; *Br. a.* 'venzn] *s* Wildbret *n.*

ven·om ['venəm] *s* **1.** *zo.* (*Schlangen- etc*)Gift *n.* **2.** *fig.* Gift *n*, Gehässigkeit *f.* **'ven·omed** → venomous. **'ven·om·ous** *adj* (*adv* ~ly) **1.** giftig: ~ snake Giftschlange *f.* **2.** *fig.* giftig, gehässig. **'ven·om·ous·ness** *s* Giftigkeit *f.*

ve·nose ['viːnous] → venous. **ve·nos·i·ty** [vi'nɒsiti] *s* **1.** *biol.* Äderung *f.* **2.** *med.* Venosi'tät *f.*

ve·nous ['viːnəs] *adj* **1.** Venen..., Adern... **2.** ve'nös: ~ blood. **3.** *bot.* geädert.

vent [vent] **I** *s* **1.** (Abzugs)Öffnung *f*, (Luft)Loch *n*, Schlitz *m*, *tech. a.* Entlüfter(stutzen) *m*, Lüftungsloch *n.* **2.** *mus.* Fingerloch *n* (*e-r Flöte etc*). **3.** Spundloch *n* (*e-s Fasses*). **4.** *hist.* Schießscharte *f.* **5.** Schlitz *m* (*im Kleid od. Rock*). **6.** *orn. ichth.* After *m*, Klo'ake *f.* **7.** *zo.* Auftauchen *n* zum Luftholen (*Otter etc*). **8.** Auslaß *m*: to find (a) ~ *fig.* sich entladen (*Gefühle*); to give ~ to → 9. **II** *v/t* **9.** *fig.* a) *e-m Gefühl etc* freien Lauf lassen, Luft machen, *s-e Wut etc* auslassen (on an *dat*), b) veröffentlichen, -breiten: to ~ a tale. **10.** *tech.* a) e-e Abzugsöffnung *etc* anbringen an (*dat*), b) *Rauch etc* abziehen lassen, c) venti'lieren. **III** *v/i* **11.** auftauchen, zum Luftholen an die Wasseroberfläche kommen (*Biber, Otter etc*). **'vent·age** *s* **1.** *tech.* kleines (Luft)Loch. **2.** → vent 2.

ven·tail ['venteil] *s hist.* Vi'sier *n.*

ven·ter ['ventər] *s* **1.** *anat.* a) Bauch(höhle *f*) *m*, b) (Muskel- *etc*)Bauch *m.* **2.** *zo.* (In'sekten)Magen *m.* **3.** *jur.* Mutter(leib *m*) *f*: child of a second ~ Kind *n* von e-r zweiten Frau.

'ventˌhole → vent 1—4, 6.

ven·ti·late ['ventiˌleit] *v/t* **1.** venti'lieren, (be-, ent-, 'durch)lüften. **2.** *physiol.* Sauerstoff zuführen (*dat*). **3.** *chem.* mit Sauerstoff versetzen. **4.** *fig.* venti'lieren: a) zur Sprache bringen, erörtern: to ~ a problem, b) äußern: to ~ a view. **5.** → vent 9.

ven·ti·lat·ing ['ventiˌleitiŋ] *adj* Ventilations..., Lüftungs... ~ brick *s tech.* Entlüftungsziegel *m.*

ven·ti·la·tion [ˌventi'leiʃən] *s* **1.** Ventilati'on *f*, (Be- *od.* Ent)Lüftung *f* (*beide a. als Anlage*). **2.** *tech.* a) Luftzufuhr *f*, b) *Bergbau*: Bewetterung *f.* **3.** öffentliche Diskussi'on, (freie) Erörterung. **4.** Äußerung *f*, Entladung *f*: ~ of one's rage. **'ven·tiˌla·tor** [-tər] *s tech.* **1.** Venti'lator *m*, Lüftungsanlage *f*, Entlüfter *m.* **2.** *Bergbau*: Wetterschacht *m.*

vent·i·pane ['ventiˌpein] *s mot.* Ausstellfenster *n.*

ven·tral ['ventrəl] *adj* (*adv* ~ly) **1.** *anat.* abdomi'nal, Bauch...: ~ fin Bauchflosse *f.* **2.** *aer. mil.* Boden...

ven·tri·cle ['ventrikl] *s anat.* (Körper)Höhle *f*, Ven'trikel *m*, (*bes.* Herz-, Hirn)Kammer *f.* **ven'tric·u·lar** [-kjulər] *adj anat.* **1.** ventriku'lär, (Herz)Kammer... **2.** bauchig. **3.** Magen...

ven·tri·lo·qui·al [ˌventri'loukwiəl] *adj* (*adv* ~ly) bauchrednerisch, Bauchrede... **ven'tril·oˌquism** [-'triləˌkwizəm] *s* Bauchreden *n.* **ven'tril·o·quist** *s* Bauchredner(in). **ven'tril·oˌquize** **I** *v/i* bauchreden. **II** *v/t* bauchrednerisch sagen. **ven'tril·o·quy** [-kwi] *s* Bauchreden *n.*

ven·trip·o·tent [ven'tripətənt] *adj* **1.** dickbäuchig. **2.** gefräßig.

ven·tro·dor·sal [ˌventro'dɔːrsəl] *adj anat.* ventrodor'sal, zwischen Bauch u. Rücken (gelegen).

ven·ture ['ventʃər] **I** *s* **1.** Wagnis *n*, Risiko *n.* **2.** (gewagtes) Unter'nehmen. **3.** *econ.* a) (geschäftliches) Unter'nehmen, Operati'on *f*: → joint venture, b) Spekulati'on *f*: ~ capital Risikokapital *n*, c) schwimmendes Gut (*Ware*). **4.** Spekulati'onsobˌjekt *n*, Einsatz *m.* **5.** *obs.* Glück *n.* **6.** at a ~ a) bei grober Schätzung, b) auf gut Glück, aufs Geratewohl. **II** *v/t* **7.** ris'kieren, wagen, aufs Spiel setzen: nothing ~, nothing have wer nicht wagt, gewinnt (auch) nicht. **8.** (zu sagen) wagen, äußern: he ~d a remark. **9.** (es) wagen, sich erlauben (to do zu tun): never ~ to oppose him. **III** *v/i* **10.** ~ (up)on sich an *e-e Sache* wagen. **11.** sich (*wohin*) wagen: they ~d ashore.

ven·ture·some ['ventʃərsəm] *adj* (*adv* ~ly) waghalsig: a) kühn, verwegen (*Person*), b) gewagt, ris'kant (*Tat*). **'ven·ture·some·ness** *s* Waghalsigkeit *f.*

ven·tur·ous ['ventʃərəs] → venturesome.

ven·ue ['venjuː] *s* **1.** *jur.* a) Gerichtsstand *m*, zuständiger Gerichtsort, Verhandlungsort *m*, b) *Br.* zuständige Grafschaft, c) Gerichtsstandsklausel *f* (*in Verträgen etc*), d) örtliche Zuständigkeit. **2.** Schauplatz *m*, *sport a.* Austragungsort *m.* **3.** Treffpunkt *m*, Tagungsort *m.*

Ve·nus ['viːnəs] **I** *npr* **1.** *antiq.* Venus *f* (*römische Göttin der Liebe*): Mount of ~ (*Handlesekunst*) Venusberg *m.* **II** *s* **2.** Venus *f* (*schöne Frau*; *a. paint. etc*). **3.** *astr.* Venus *f* (*Planet*). **4.** *obs. fig.* Liebe *f.* **5.** *Alchemie*: Kupfer *n.* **6.** v~ *zo.* Venusmuschel *f.* **'~-'shell** *s zo.* **1.** Spinnenkopf *m* (*Meeresschnecke*). **2.** → Venus 6.

ve·ra·cious [ve'reiʃəs] *adj* (*adv* ~ly) **1.** wahr'haftig, wahrheitsliebend. **2.** wahr(heitsgetreu), genau: ~ account. **ve'ra·cious·ness** → veracity.

ve·rac·i·ty [ve'ræsiti] *s* **1.** Wahr'haftigkeit *f*, Wahrheitsliebe *f.* **2.** Glaubwürdigkeit *f.* **3.** Wahrheit *f.*

ve·ran·da(h) [və'rændə] *s* Ve'randa *f.*

ve·ra·trum [vi'reitrəm] *s pharm.* Ve'ratrum *n*, Nieswurz *f.*

verb [vəːrb] *s ling.* Verb(um) *n*, Zeit-, Tätigkeitswort *n.* **'ver·bal** **I** *adj* (*adv* ~ly) **1.** Wort...: ~ criticism (memory, mistake); ~ artist Wortkünstler *m*; ~ changes Änderungen im Wortlaut. **2.** mündlich: ~ contract (message). **3.** wörtlich, Verbal...: ~ inspiration *relig.* Verbalinspiration *f*; ~ note *pol.* Verbalnote *f.* **4.** wortgetreu, (wort)wörtlich: ~ copy; ~ translation. **5.** *ling.* ver'bal, Verbal..., Zeitwort...: ~ noun → 6. **II** *s* **6.** *ling.* Ver'balsubstantiv *n.* **'ver·balˌism** *s* **1.** Ausdruck *m*, Wort *n.* **2.** Phrase *f*, leere Worte *pl.* **3.** Verba'lismus *m*, ˌWortmache'rei *f.* **4.** ˌWortklaube'rei *f.* **'ver·bal·ist** *s* **1.** Wortkundler *m.* **2.** Wortmacher *m.* **3.** Wortklauber *m.* **'ver·balˌize** **I** *v/t* **1.** (geschickt) formu'lieren. **2.** *ling.* in ein Verb verwandeln. **II** *v/i* **3.** viele Worte machen.

ver·ba·tim [vəːr'beitim] **I** *adv* ver'batim, (wort)wörtlich, Wort für Wort. **II** *adj* (wort)wörtlich: a ~ report. **III** *s* wortgetreuer Bericht.

ver·be·na [vər'biːnə] *s bot.* Ver'bene *f*: lemon(-scented) ~ Zitronenstrauch *m.*

ver·bi·age ['vəːrbiidʒ] *s* **1.** Wortschwall *m*, -reichtum *m.* **2.** Wortwahl *f*, Dikti'on *f.*

ver·bose [vəːr'bous] *adj* (*adv* ~ly) wortreich, geschwätzig, weitschweifig. **ver'bose·ness, ver'bos·i·ty** [-'bɒsiti] *s* Wortschwall *m*, -fülle *f.*

ver·dan·cy ['vəːrdənsi] *s* **1.** (frisches) Grün. **2.** *fig.* Unerfahrenheit *f*, Unreife *f.* **'ver·dant** *adj* (*adv* ~ly) **1.** grün, grünend: ~ fields. **2.** grün(lich) (*Farbe*). **3.** *fig.* grün, unreif: a ~ youth.

verd an·tique [ˌvəːrd æn'tiːk] *s* **1.** *min.* a) Ophikal'zit *m*, b) *a.* Oriental ~ grüner Por'phyr. **2.** Patina *f*, Edelrost *m* (*auf Kupfer etc*).

ver·der·er, ver·der·or ['vəːrdərər] *s Br. hist.* königlicher Forstmeister u. Jagdpfleger.

ver·dict ['vəːrdikt] *s* **1.** *jur.* (Wahr-, Urteils)Spruch *m* der Geschworenen, Ver'dikt *n*: ~ of not guilty Freispruch *m* der jury; to bring in (*od.* return) a ~ of guilty auf schuldig erkennen; ~ for the plaintiff Urteil *n* zugunsten des Klägers; open ~ Wahrspruch, der das Vorliegen e-r Straftat feststellt, jedoch ohne Nennung des Täters; special ~ Feststellung *f* des Tatbestandes (*ohne Schuldspruch*). **2.** *fig.* Urteil *n* (on über *acc*).

ver·di·gris ['vəːrdiˌgriːs; -gris] *s chem.* Grünspan *m.*

ver·di·ter ['vəːrditər] *s chem.* basisches 'Kupferkarboˌnat (*Mineralfarbe*): blue ~ Bergblau *n*; green ~ Berg-, Erdgrün *n.*

ver·dure ['vəːrdʒər] *s* **1.** (frisches) Grün. **2.** Vegetati'on *f*, saftiger Pflanzenwuchs. **3.** *fig.* Frische *f*, Kraft *f.* **'ver·dured, 'ver·dur·ous** → verdant 1.

verge[1] [vəːrdʒ] **I** *s* **1.** *meist fig.* Rand *m*, Grenze *f*: on the ~ of am Rande (*gen*), dicht vor (*dat*); on the ~ of bankruptcy (despair); on the ~ of tears den Tränen nahe; on the ~ of a new war am Rande e-s neuen Krieges; on the ~ of doing nahe daran zu tun. **2.** (Beet)Einfassung *f*, (Gras)Streifen *m.* **3.** *hist.* Bereich *m*, Bannkreis *m.* **4.** *jur.* a) Zuständigkeitsbereich *m*, b) *Br. hist.* Gerichtsbezirk *m* rund um den Königshof. **5.** *fig.* Spielraum *m.* **6.** *tech.* a) 'überstehende Dachkante, b) Säulenschaft *m*, c) Spindel *f* (*der Uhrhemmung*), d) Zugstab *m* (*e-r Setzmaschine*). **7.** (Amts)Stab *m* (*e-s Bischofs, Richters etc*). **8.** *hist.* Belehnungsstab *m.* **II** *v/i* **9.** grenzen *od.* streifen (on an *acc*) (*a. fig.*).

verge[2] [vəːrdʒ] *v/i* **1.** sich ('hin)neigen, sich erstrecken (to, toward[s] nach). **2.** (on, into) sich nähern (*dat*), 'übergehen (in *acc*): dark red verging on purple.

ver·gen·cy ['vəːrdʒənsi] *s opt.* Rezi'prok *n* der (Linsen)Brennweite.
ver·ger ['vəːrdʒər] *s* **1.** Kirchendiener *m,* Küster *m.* **2.** *bes. Br.* (Amts)Stabträger *m.*
Ver·gil·i·an [vəːr'dʒiliən] *adj* Ver'gilisch, des Ver'gil.
ve·rid·i·cal [vi'ridikəl] *adj oft iro.* **1.** wahrheitsliebend. **2.** echt, wirklichkeitsgetreu. **3.** *Parapsychologie:* in Über'einstimmung mit der Wirklichkeit (*Visionen etc*).
ver·i·est ['veriist] *adj* (*sup von* **very** II) äußerst(er, e, es): **the ~ child** (selbst) das kleinste Kind; **the ~ nonsense** der reinste Unsinn; **the ~ rascal** der ärgste *od.* größte Schuft.
ver·i·fi·a·ble ['veriˌfaiəbl] *adj* nachweis-, beweis-, nachprüfbar.
ver·i·fi·ca·tion [ˌverifi'keiʃən] *s* **1.** (Nach)Prüfung *f,* Verifi'zierung *f.* **2.** Echtheitsnachweis *m,* Richtigbefund *m.* **3.** Beglaubigung *f,* Beurkundung *f,* (*jur.* eidliche) Bestätigung.
ver·i·fy ['veriˌfai] *v/t* **1.** *auf die Richtigkeit hin* (nach)prüfen. **2.** die Richtigkeit *od.* Echtheit (*e-r Angabe etc*) feststellen *od.* nachweisen, verifi'zieren. **3.** *e-e Urkunde etc* beglaubigen, beurkunden. **4.** beweisen, belegen. **5.** *jur.* eidlich beteuern.
ver·i·ly ['verili] *adv Bibl.* wahrlich.
ver·i·sim·i·lar [ˌveri'similər] *adj* (*adv* **~ly**) wahr'scheinlich. **ˌver·i·si'mil·i·ˌtude** [-'miliˌtjuːd] *s* Wahr'scheinlichkeit *f.*
ver·ism ['vi(ə)rizəm] *s Kunst:* Ve'rismus *m.*
ver·i·ta·ble ['veritəbl] *adj* (*adv* **veritably**) echt, wahr(haft), wirklich.
ver·i·ty ['veriti] *s* **1.** (Grund)Wahrheit *f.* **2.** Wahrheit *f.* **3.** Wahr'haftigkeit *f:* **of a ~** wahrhaftig.
ver·juice ['vəːrˌdʒuːs] *s* **1.** Obst-, Traubensaft *m* (*bes. von unreifen Früchten*). **2.** *fig.* (essig)saure Miene.
ver·meil ['vəːrmil; -meil] **I** *s* **1.** *bes. poet. für* **vermilion** I. **2.** *tech.* Ver'meil *n:* a) feuervergoldetes Silber *od.* Kupfer, vergoldete Bronze, b) hochroter Gra'nat. **II** *v/t* **3.** hochrot färben. **III** *adj* **4.** *poet.* purpur-, scharlachrot.
ver·mi·cel·li [ˌvəːrmi'seli; -'tʃeli] *s* Fadennudeln *pl.*
ver·mi·cid·al [ˌvəːrmi'saidl] *adj pharm.* wurmabtreibend, -tötend. **'ver·mi·ˌcide** *s* Wurmmittel *n.*
ver·mic·u·lar [vəːr'mikjulər] *adj* wurmartig, -förmig, Wurm... **ver'mic·uˌlat·ed** *adj* **1.** wurmstichig, wurmig. **2.** *arch.* geschlängelt.
ver·mi·form ['vəːrmiˌfɔːrm] *adj biol.* wurmförmig: **~ appendix; ~ process** → **vermis.** **'ver·mi·fuge** [-ˌfjuːdʒ] → **vermicide.**
ver·mil·ion [vər'miljən] **I** *s chem.* **1.** Zin'nober *m,* Mennige *f.* **2.** Zin'noberrot *n.* **II** *adj* **3.** zin'noberrot. **III** *v/t* **4.** mit Zin'nober färben. **5.** zin'noberrot färben.
ver·min ['vəːrmin] *s* (*meist als pl konstruiert*) **1.** *zo. collect.* a) Ungeziefer *n,* b) Schädlinge *pl,* Para'siten *pl,* c) *hunt.* Raubzeug *n.* **2.** *fig. collect.* Geschmeiß *n,* Gezücht *n,* Schädlinge *pl.* **'~-ˌkill·er** *s* **1.** Kammerjäger *m.* **2.** Ungeziefervertilgungsmittel *n.*
ver·mi·nate ['vəːrmiˌneit] *v/i* Ungeziefer erzeugen. **ˌver·mi'na·tion** *s* **1.** *med.* Verseuchung *f* mit Ungeziefer. **2.** *zo.* Erzeugung *f* von Ungeziefer. **'ver·min·ous** *adj* **1.** Ungeziefer... **2.** voll(er) Ungeziefer, verlaust, -wanzt, -seucht, schmutzig. **3.** durch Ungeziefer verursacht: **~ disease.** **4.** *fig.* a) schädlich, b) niedrig, gemein.
ver·mis ['vəːrmis] *s anat.* Vermis *m* (*des Kleinhirns*).
ver·m(o)uth ['vəːrmuːθ] *s* Wermut(wein) *m.*
ver·nac·u·lar [vər'nækjulər] **I** *adj* **1.** einheimisch, Landes...: **~ language.** **2.** mundartlich, Volks...: **~ speech; ~ poetry** Heimatdichtung *f.* **3.** *med.* en'demisch, lo'kal: **~ disease.** **4.** volkstümlich: **the ~ name of a plant.** **5.** *arch.* dem Cha'rakter des Landes *od.* der Landschaft angepaßt: **~ building.** **II** *s* **6.** Landes-, Mutter-, Volkssprache *f.* **7.** Mundart *f,* Dia'lekt *m.* **8.** Jar'gon *m.* **9.** Fachsprache *f.* **10.** volkstümlicher *od.* mundartlicher Ausdruck. **11.** *biol.* volkstümliche Bezeichnung. **ver'nac·u·larˌism** → **vernacular** 10. **ver'nac·u·larˌize** *v/t* **1.** *Ausdrücke etc* einbürgern. **2.** in die Volkssprache *od.* Mundart über'tragen, mundartlich ausdrücken.
ver·nal ['vəːrnl] *adj* **1.** Frühlings...: → **equinox** 1. **2.** *fig.* a) frühlingshaft, b) jugendlich, Jugend... **~ grass** *s bot.* Ruchgras *n.*
ver·na·tion [vəːr'neiʃən] *s bot.* Knospenlage *f.*
Ver·ner's law ['vəːrnərz; 'ver-] *s ling.* Vernersches Gesetz.
ver·ni·cle ['vəːrnikl] → **veronica** 2.
ver·ni·er ['vəːrniər; -njər] *s tech.* **1.** Nonius *m* (*Gradteiler*). **2.** Fein(ein)steller *m,* Verni'er *m.* **~ cal·(l)i·pers** *s pl tech.* Schublehre *f* mit Nonius. **~ com·pass** *s surv.* Verni'erkompaß *m.* **~ ga(u)ge** *s tech.* Tiefenlehre *f* mit Nonius.
Ver·o·nese [ˌverə'niːz] **I** *adj* vero'nesisch, aus Ve'rona. **II** *s sg u. pl* Vero'neser(in).
ve·ron·i·ca [və'rɒnikə; vi-] *s* **1.** *bot.* Ve'ronika *f,* Ehrenpreis *m.* **2.** *a.* **V~** *relig. u. paint.* Schweißtuch *n* der Ve'ronika.
ver·ru·ca [ve'ruːkə] *pl* **-cae** [-siː] *s* **1.** *med.* Warze *f.* **2.** *zo.* Höcker *m.*
ver·ru·ci·form [ve'ruːsiˌfɔːrm] *adj* warzenförmig. **'ver·ruˌcose** [-ruˌkous] *adj* warzig.
ver·sant[1] ['vəːrsənt] *s geol.* Abdachung *f,* Neigung *f.*
ver·sant[2] ['vəːrsənt] *adj* ver'siert, vertraut, bewandert.
ver·sa·tile [*Br.* 'vəːrsəˌtail; *Am.* -til] *adj* (*adv* **~ly**) **1.** vielseitig (begabt *od.* gebildet), wendig, beweglich, gewandt: **a ~ man (mind).** **2.** vielseitig (verwendbar): **~ tool.** **3.** unbeständig, wandelbar. **4.** *bot. zo.* (frei) beweglich. **ˌver·sa'til·i·ty** [-'tiliti] *s* **1.** Vielseitigkeit *f,* Wendigkeit *f,* Gewandtheit *f,* geistige Beweglichkeit. **2.** Vielseitigkeit *f,* vielseitige Verwendbarkeit. **3.** Unbeständigkeit *f,* Wandelbarkeit *f.* **4.** *bot. zo.* freie Beweglichkeit.
vers de so·cié·té [vɛːr də sɔsje'te] (*Fr.*) → **society verse.**
verse [vəːrs] **I** *s* **1.** Vers(zeile *f*) *m:* **to cap ~s** um die Wette Verse zitieren; **a stanza of eight ~s.** **2.** Vers *m,* Gedichtzeile *f:* **some ~s of the Iliad.** **3.** Vers(maß *n*) *m:* **iambic ~.** **4.** (*ohne art*) *collect.* a) Verse *pl,* Gedichte *pl,* b) (Vers)Dichtung *f,* Poe'sie *f.* **5.** *allg.* Vers *m,* Strophe *f:* **the first ~ of a hymn.** **6.** *relig.* (Bibel)Vers *m:* → **chapter** 1. **II** *v/t* **7.** in Verse bringen. **8.** in Versen besingen. **III** *v/i* **9.** dichten, Verse machen.
versed[1] [vəːrst] *adj* bewandert, beschlagen, ver'siert (**in** in *dat*).
versed[2] [vəːrst] *adj math.* 'umgekehrt: **~ cosine** Kosinusversus *m.*
'verseˌmon·ger *s* Verseschmied *m.*
vers·et ['vəːrset; -it] *s* **1.** *mus.* Ver'sette *f,* Orgelvers *m.* **2.** Vers-chen *n.*
ver·si·cle ['vəːrsikl] *s relig.* Ver'sikel *m* (*kurzer Abschnitt der Liturgie*).
ver·si·col·o(u)r(ed) ['vəːrsiˌkʌlər(d)] *adj* **1.** → **variegated** 1. **2.** chan'gierend: **~ cloth.**
ver·si·fi·ca·tion [ˌvəːrsifi'keiʃən] *s* **1.** Verskunst *f,* Versemachen *n.* **2.** Versbau *m,* Metrum *n.*
ver·si·fi·er ['vəːrsiˌfaiər] *s* **1.** (Vers)Dichter *m.* **2.** Verseschmied *m.* **'ver·siˌfy** [-ˌfai] → **verse** 7—9.
ver·sion ['vəːrʃən; -ʒən] *s* **1.** (*a.* 'Bibel)Über'setzung *f.* **2.** *ped.* Kompositi'on *f,* Über'setzung *f* in die Fremdsprache. **3.** *thea. etc* (*Bühnen- etc*)Fassung *f,* Bearbeitung *f:* **stage ~.** **4.** *fig.* Darstellung *f,* Fassung *f,* Versi'on *f,* Lesart *f.* **5.** Spielart *f,* Vari'ante *f.* **6.** *tech.* (*Export- etc*)Ausführung *f,* Mo'dell *n.* **7.** *med.* a) *Geburtshilfe:* Wendung *f,* b) Versio *f,* Neigung *f* der Gebärmutter im Beckenraum.
vers li·bre [vɛr 'liːbr] (*Fr.*) *s* freier Vers.
ver·so ['vəːrsou] *s* **1.** *print.* Verso *n,* (Blatt)Rückseite *f.* **2.** Re'vers *m,* Rückseite *f* (*e-r Münze*).
verst [vəːrst] *s* Werst *f* (*russisches Längenmaß = 1,067 km*).
ver·sus ['vəːrsəs] *prep jur. u. fig.* gegen, kontra.
vert[1] [vəːrt] *s* **1.** *jur. Br. hist.* a) Dikkicht *n,* b) Holzungsrecht *n.* **2.** *her.* Grün *n.*
vert[2] [vəːrt] *relig. Br. colloq.* **I** *v/i* 'übertreten, konver'tieren. **II** *s* Konver'tit(in).
vert[3] [vəːrt] *adj abbr. für* **vertical: ~ position** Y-Lage *f.*
ver·te·bra ['vəːrtibrə] *pl* **-brae** [-ˌbriː] *s anat.* **1.** (Rücken)Wirbel *m.* **2.** *pl* Wirbelsäule *f.* **'ver·te·bral** *adj anat.* **1.** verte'bral, Wirbel(säulen)...: **~ column** Wirbelsäule *f.* **2.** mit Wirbel(n) (versehen).
ver·te·brate ['vəːrtiˌbreit; -brit] **I** *s* **1.** *zo.* Wirbeltier *n.* **II** *adj* **2.** → **vertebral** 2. **3.** mit e-r Wirbelsäule (versehen), Wirbel... **4.** *zo.* zu den Wirbeltieren gehörig. **5.** *fig.* festgefügt, gediegen. **'ver·teˌbrat·ed** [-ˌbreitid] → **vertebrate** II. **ˌver·te'bra·tion** *s* **1.** Wirbelbildung *f.* **2.** *fig.* Rückgrat *n.*
vertebro- [vəːrtibro] *Wortelement mit der Bedeutung* Wirbel.
ver·tex ['vəːrteks] *pl* **-ti·ces** [-tiˌsiːz] *s* **1.** *anat.* Scheitel *m.* **2.** *math.* Scheitel(punkt) *m,* Spitze *f* (*beide a. fig.*). **3.** *astr.* a) Ze'nit *m,* b) Vertex *m.* **4.** *fig.* Gipfel *m.*
ver·ti·cal ['vəːrtikəl] **I** *adj* (*adv* **~ly**) **1.** senk-, lotrecht, verti'kal: **~ clearance** *tech.* lichte Höhe; **~ drill** Senkrecht-, Vertikalbohrmaschine *f;* **~ engine** *tech.* stehender Motor; **~ fin** (*od.* **stabilizer**) *aer.* Seitenflosse *f;* **~ section** *arch.* Aufriß *m;* **~ take-off** *aer.* Senkrechtstart *m;* **~-take-off aircraft** Senkrechtstarter *m.* **2.** *astr. math.* Scheitel...: **~ angle; ~ circle** Vertikalkreis *m;* **~ plane** Vertikalebene *f.* **3.** *econ.* verti'kal: **~ trust; ~ combination** (*od.* **integration**) Vertikalverflechtung *f.* **4.** *mil. Umfassung etc* aus der Luft: **~ envelopment.** **II** *s* **5.** Senkrechte *f.* **ˌver·ti'cal·i·ty** [-'kæliti] *s* **1.** senkrechte Lage *od.* Stellung, Vertikali'tät *f.* **2.** *astr.* Ze'nitstellung *f.*
ver·ti·cil ['vəːrtisil] *s bot. zo.* Quirl *m,* Wirtel *m.* **ver·tic·il·late** [vəːr'tisiˌlit; -ˌleit], **ver'tic·ilˌlat·ed** [-ˌleitid] *adj bot. zo.* quirlständig: **~ leaves.**
ver·tic·i·ty [vəːr'tisiti] *s phys.* Richtkraft *f* (*e-r Magnetnadel etc*).

ver·tig·i·nous [vəːr'tidʒinəs] *adj* (*adv* ~ly) **1.** wirbelnd. **2.** schwind(e)lig, Schwindel... **3.** schwindelerregend, schwindelnd: ~ **height. 4.** *fig.* unstet, flatterhaft.

ver·ti·go ['vəːrtiˌgou] *pl* **-goes** *s med.* Schwindel(gefühl *n*, -anfall *m*) *m*.

ver·tu → virtu.

ver·vain ['vəːrvein] *s bot.* Eisenkraut *n*.

verve [vəːrv] *s* (künstlerische) Begeisterung, Schwung *m*, Feuer *n*, Inbrunst *f*, Verve *f*.

ver·y ['veri] **I** *adv* **1.** sehr, äußerst, außerordentlich: ~ **good** a) sehr gut, b) einverstanden, sehr wohl; ~ **well** a) sehr gut, b) meinetwegen, na schön. **2.** ~ **much** (*in Verbindung mit Verben*) sehr, außerordentlich: **he was** ~ **much pleased. 3.** (*vor sup*) aller...: **the** ~ **last drop** der allerletzte Tropfen. **4.** völlig, ganz: **you may keep it for your** ~ **own** du darfst es ganz für dich behalten. **II** *adj* **5.** gerade, genau: **the** ~ **opposite** genau das Gegenteil; **the** ~ **thing** genau *od.* gerade das (Richtige). **6.** bloß: **the** ~ **fact of his presence**; **the** ~ **thought** der bloße Gedanke, schon der Gedanke. **7.** rein, pur, schier: **from** ~ **egoism**; **the** ~ **truth** die reine Wahrheit. **8.** frisch: **in the** ~ **act** auf frischer Tat. **9.** eigentlich, wahr, wirklich: ~ **God of** ~ **God** *Bibl.* wahrer Gott vom wahren Gott; **the** ~ **heart of the matter** der (eigentliche) Kern der Sache. **10.** (*nach* this, that, the) (der-, die-, das)'selbe, (der, die, das) gleiche *od.* nämliche: **that** ~ **afternoon**; **the** ~ **same words. 11.** besonder(er, e, es): **the** ~ **essence of truth. 12.** schon, selbst, so'gar: **his** ~ **servants.** ~ **high fre·quen·cy** *s electr.* 'Hochfreˌquenz *f*, Ultra'kurzwelle *f*, UK'W-Freˌquenz *f*. '~-ˌ**high-'fre·quen·cy** *adj* Ultrakurzwellen..., UKW-... **V~ light** ['veri; 'vi(ə)ri] *s mil.* 'Leuchtpaˌtrone *f*. ~ **low fre·quen·cy** *s electr.* 'Längstwellenfreˌquenz *f*. **V~ pis·tol** *s mil.* 'Leuchtpiˌstole *f*. **V~'s night sig·nals** ['veriz; 'vi(ə)riz] *s pl mil.* Si'gnalschießen *n* mit 'Leuchtmunitiˌon.

ve·si·ca [vi'saikə; 'vesikə] (*Lat.*) *s* **1.** *anat. zo.* (Harn-, Gallen-, *ichth.* Schwimm)Blase *f*. **2.** *biol.* Blase *f*, Zyste *f*. **ves·i·cal** ['vesikəl] *adj* Blasen...

ves·i·cant ['vesikənt] **I** *adj* **1.** *pharm.* blasenziehend. **II** *s* **2.** *pharm.* blasenziehendes Mittel, Zugpflaster *n*, Vesikans *n*. **3.** *chem. mil.* ätzender Kampfstoff. '**ves·iˌcate** [-ˌkeit] **I** *v/i* Blasen ziehen. **II** *v/t* Blasen ziehen auf (*dat*): **to** ~ **the skin.** ˌ**ves·i'ca·tion** *s* **1.** Blasenbildung *f*. **2.** Blase *f*. '**ves·iˌca·to·ry** [-ˌkeitəri] → vesicant.

ves·i·cle ['vesikl] *s* Bläs-chen *n*.

ve·sic·u·lar [vi'sikjulər] *adj anat.* **1.** (Lungen)Bläs-chen..., Blasen... **2.** blasenförmig, blasig. **3.** → vesiculate.

ve'sic·uˌlate [-ˌleit] *adj* blasig, Bläschen aufweisend. **veˌsic·u'la·tion** *s* Bläs-chenbildung *f*.

ves·per ['vespər] *s* **1.** V~ *astr.* Abendstern *m*. **2.** *poet.* Abend *m*. **3.** *relig.* a) *oft pl* Vesper *f*, Abendgottesdienst *m*, -andacht *f*, b) *a.* ~ **bell** Abendglocke *f*, -läuten *n*. **4.** *pl R.C.* Vesper *f* (*Abendgebet des Breviers*).

ves·per·tine ['vespərtin; -ˌtain], *a.* ˌ**ves·per'ti·nal** [-'tainl] *adj* **1.** abendlich, Abend... **2.** *bot.* sich am Abend öffnend (*Blüten*). **3.** *zo.* sich am Abend zeigend. **4.** *astr.* nach der Sonne 'untergehend (*Planeten*).

ves·pi·ar·y ['vespiəri] *s zo.* Wespennest *n*. '**ves·pine** [-pain; -pin] *adj* wespenartig, Wespen...

ves·sel ['vesl] *s* **1.** Gefäß *n* (*a. anat. bot.*). **2.** *mar.* Schiff *n*, Wasser-, Seefahrzeug *n*. **3.** *aer.* Luftschiff *n*. **4.** *fig. bes. Bibl.* Gefäß *n*, Werkzeug *n*: **chosen** ~ auserwähltes Rüstzeug; **weak** ~ ‚unsicherer Kantonist'; **weaker** ~ schwächeres Werkzeug (*Weib*).

vest [vest] **I** *s* **1.** *Br. econ. od. Am.* (Herren)Weste *f*. **2.** a) Damenweste *f*, b) Einsatz(weste *f*) *m* (*in Damenkleidern*). **3.** *bes. Br.* 'Unterhemd *n*, -jacke *f*. **4.** a) (Damen)Hemd *n*, b) 'Unterziehjacke *f*. **5.** *hist.* Wams *n*. **6.** *poet.* Gewand *n*. **II** *v/t* **7.** *bes. relig.* bekleiden (**with** mit). **8.** (**with**) *fig. j-n* ausstatten, bekleiden (mit *Befugnissen etc*), bevollmächtigen, *j-n* einsetzen (in *Eigentum, Rechte etc*). **9.** *ein Recht etc* über'tragen *od.* verleihen (**in** s.o. j-m): ~**ed interest** (*od.* **right**) wohlerworbenes Recht, sicher begründetes Anrecht; ~**ed interests** (*die*) maßgeblichen Kreise, (*die*) (einflußreichen) Geschäfts- u. Finanzgrößen (*e-r Stadt etc*). **10.** *jur. bes. Am. Feindvermögen* beschlagnahmen: ~**ing order** Beschlagnahmeverfügung *f*. **III** *v/i* **11.** 'übergehen (in auf *acc*): **the estate** ~**s in the heir-at--law. 12.** (**in**) zustehen (*dat*), liegen (bei): **the power of sentence** ~**s in the courts. 13.** *bes. relig.* sich bekleiden.

Ves·ta ['vestə] **I** *npr* **1.** *antiq.* Vesta *f* (*römische Göttin des Herdfeuers*). **II** *s* **2.** *astr.* Vesta *f* (*Planetoid*). **3.** *a.* ~ **match, wax** ~ *Br.* (Wachs)Streichholz *n*.

ves·tal ['vestl] **I** *adj* **1.** *antiq.* ve'stalisch. **2.** *fig.* jungfräulich, rein. **II** *s* **3.** *antiq.* Ve'stalin *f*. **4.** Jungfrau *f*. **5.** Nonne *f*.

ves·ti·ar·y ['vestiəri] *s hist.* Kleiderkammer *f* (*in Klöstern*).

ves·tib·u·lar [ves'tibjulər] *adj* **1.** Vorhallen... **2.** *anat.* vestibu'lär.

ves·ti·bule ['vestiˌbjuːl] *s* **1.** (Vor)Halle *f*, Vorplatz *m*, Vesti'bül *n*. **2.** *rail. Am.* (Har'monika)Verbindungsgang *m*. **3.** *anat.* Vorhof *m*. ~ **car** *s Am.* Eisenbahnwagen *m* mit (Har'monika)Verbindungsgang. ~ **school** *s Am.* Lehrwerkstatt *f* (*e-s Industriebetriebs*). ~ **train** *s bes. Am.* D-Zug *m*.

ves·tige ['vestidʒ] *s* **1.** *obs. od. poet.* (Fuß)Spur *f*, Fährte *f*. **2.** *fig.* Spur *f*, 'Überrest *m*, -bleibsel *n*, Zeichen *n*. **3.** *fig.* (*geringe*) Spur, (*ein*) bißchen: **no** ~ **of truth. 4.** *biol.* Rudi'ment *n*, verkümmertes Or'gan *od.* Glied. **ves'tig·i·al** [-'tidʒiəl], **ves'tig·i·ar·y** *adj* **1.** spurenhaft, restlich. **2.** *biol.* rudimen'tär, verkümmert.

ves·ti·ture ['vestitʃər] *s zo.* Kleid *n*.

vest·ment ['vestmənt] *s* **1.** Amtstracht *f*, Robe *f*, *a. relig.* Or'nat *m*. **2.** *relig.* Meßgewand *n*. **3.** Gewand *n*, Kleid *n* (*beide a. fig.*).

'**vest-ˌpock·et** *adj* im 'Westentaschenforˌmat, Westentaschen..., Klein..., Miniatur...

ves·try ['vestri] *s relig.* **1.** Sakri'stei *f*. **2.** Bet-, Gemeindesaal *m*. **3.** (*Art*) Kirchenvorstand *m* (*in der anglikanischen und amer. Episkopalkirche*). **4.** *Br.* a) *a.* **common** ~, **general** ~, **ordinary** ~ Gemeindesteuerpflichtige *pl*, b) *a.* **select** ~ Kirchenvorstand *m*. '~-ˌ**clerk** *s Br.* Rechnungsführer *m* der Kirchengemeinde. '~**man** [-mən] *s irr relig.* Kirchenälteste(r) *m*.

ves·ture ['vestʃər] *s obs. od. poet.* a) Gewand *n*, Kleid(ung *f*) *n*, b) Hülle *f*, Mantel *m* (*a. fig.*).

ve·su·vi·an [vi'suːviən; -vjən] **I** *adj* **1.** V~ *geogr.* ve'suvisch. **2.** vul'kanisch. **II** *s* **3.** → vesuvianite. **4.** *obs.* Windstreichhölzchen *n*. **ve'su·vi·anˌite** [-ˌnait] *s min.* Vesuvi'an *m*, Ido'kras *m*.

vet[1] [vet] *colloq.* **I** *s* **1.** *abbr. für* **veterinary 1. II** *v/t* **2.** *Tiere* unter'suchen *od.* behandeln. **3.** *humor.* a) *j-n* verarzten, b) *fig. j-n* auf Herz u. Nieren prüfen.

vet[2] [vet] *Am. colloq. abbr. für* **veteran.**

vetch [vetʃ] *s bot.* Wicke *f*. '**vetch·ling** [-liŋ] *s bot.* Platterbse *f*.

vet·er·an ['vetərən; -trən] **I** *s* **1.** Vete'ran *m* (*alter Soldat od. Beamter*). **2.** *mil. Am.* ehemaliger Frontkämpfer *od.* Kriegsteilnehmer. **3.** *fig.* ‚alter Hase', erfahrener Mann. **II** *adj* **4.** (im Dienst) ergraut, alt- *od.* ausgedient. **5.** kampferprobt: ~ **troops. 6.** *fig.* erfahren: ~ **golfer. 7.** lang(jährig): ~ **service.**

vet·er·i·nar·i·an [ˌvetəri'nɛ(ə)riən] → veterinary.

vet·er·i·nar·y ['vetərinəri; -tri-] **I** *s* Tierarzt *m*, Veteri'när *m*. **II** *adj* tierärztlich, Veterinär...: ~ **medicine** (*od.* **science**) Tierheilkunde *f*; ~ **surgeon** → I.

ve·to ['viːtou] *pol.* **I** *pl* **-toes** *s* **1.** Veto *n*, Einspruch *m*: **to put a** (*od.* **one's**) ~ (**up**)**on** → 4. **2.** *a.* ~ **power** Veto-, Einspruchsrecht *n*. **3.** *bes. Am.* Ausübung *f* des Vetos: ~ **message** begründetes Veto. **II** *v/t* **4.** (sein) Veto einlegen gegen, Einspruch erheben gegen. **5.** ablehnen, die Zustimmung verweigern für, unter'sagen, verbieten.

vex [veks] *v/t* **1.** ärgern, belästigen, aufbringen, irri'tieren: → **vexed. 2.** (*a. körperlich*) quälen, bedrücken, beunruhigen. **3.** schika'nieren. **4.** *j-n* verwirren, *j-m* ein Rätsel sein. **5.** *obs. od. poet.* peitschen, aufwühlen: **to** ~ **the waves. vex'a·tion** *s* **1.** Ärger *m*, Verdruß *m*. **2.** Belästigung *f*, Plage *f*, Qual *f*. **3.** Schi'kane *f*. **4.** Beunruhigung *f*, Sorge *f*, Kummer *m*. **vex'a·tious** *adj* (*adv* ~ly) **1.** lästig, verdrießlich, ärgerlich, leidig. **2.** *jur.* schika'nös: **a** ~ **suit. vex'a·tious·ness** *s* Ärgerlich-, Verdrießlich-, Lästigkeit *f*. **vexed** [vekst] *adj* **1.** ärgerlich (**at** *s.th.*, **with** *s.o.* über *acc*). **2.** a) beunruhigt, geängstigt, b) gepeinigt (**with** durch, von). **3.** ('viel)umˌstritten, strittig: ~ **question.** '**vex·ed·ly** [-idli] *adv.* '**vex·ing** *adj* (*adv* ~ly) → vexatious 1.

vi·a ['vaiə] (*Lat.*) **I** *prep* **1.** via, über (*acc*): ~ **New York. 2.** *bes. Am.* durch, mit Hilfe (*gen*), mittels: ~ **the mass media**; ~ **air mail** per Luftpost. **II** *s* **3.** Weg *m*: ~ **media** *fig.* Mittelweg *m od.* -ding *n*.

vi·a·bil·i·ty [ˌvaiə'biliti] *s* Lebensfähigkeit *f*. '**vi·a·ble** *adj biol. u. fig.* lebensfähig: ~ **child**; ~ **industry.**

vi·a·duct ['vaiəˌdʌkt] *s* Via'dukt *m*.

vi·al ['vaiəl; vail] *s* (Glas)Fläschchen *n*, Phi'ole *f*: **to pour out the** ~**s of wrath** (**upon**) *Bibl. u. fig.* die Schalen des Zornes ausgießen (über *acc*).

vi·am·e·ter [vai'æmitər] → hodometer.

vi·ands ['vaiəndz] *s pl* Lebensmittel *pl*.

vi·at·i·cum [vai'ætikəm] *s* **1.** a) Reisegeld *n*, b) Wegzehrung *f*. **2.** *R.C.* letzte Wegzehrung, 'Sterbesakraˌment *n*.

vi·bran·cy ['vaibrənsi] *s* Schwingung *f*, Reso'nanz *f*, Erschütterung *f*.

vi·brant ['vaibrənt] *adj* **1.** vi'brierend: a) schwingend (*Saiten etc*), b) laut schallend (*Ton*). **2.** zitternd, bebend (**with** vor *dat*): ~ **with energy. 3.** pul'sierend (**with** von): ~ **cities. 4.** kraftvoll, lebenssprühend: **a** ~ **person-**

ality. **5.** erregt, aufgewühlt: ~ **feelings.** **6.** *ling.* stimmhaft (*Laut*).

vi·bra·phone ['vaibrə͵foun] *s mus.* Vibra'phon *n.*

vi·brate [*Br.* vai'breit; *Am.* 'vaibreit] **I** *v/i* **1.** vi'brieren: a) zittern (*a. phys.*), b) (nach)klingen, (-)schwingen (*Ton*). **2.** schwingen, pul'sieren. **3.** zittern, beben (**with** vor): **to ~ with passion.** **4.** *fig.* schwanken: **he ~d between two opinions.** **II** *v/t* **5.** in Schwingungen versetzen. **6.** vi'brieren *od.* schwingen *od.* zittern lassen, rütteln, schütteln. **7.** durch Schwingung messen *od.* angeben: **a pendulum vibrating seconds.** **vi'brat·ing** *adj* → **vibrant** 1 *u.* 4: ~ **capacitor** *electr.* Schwingkondensator *m*; ~ **electrode** Zitterelektrode *f*; ~ **screen** *tech.* Schüttelsieb *n*; ~ **table** *tech.* Rütteltisch *m.*

vi·bra·tile [*Br.* 'vaibrə͵tail; *Am.* -til] *adj* **1.** schwingungsfähig. **2.** vi'brierend, Zitter..., Schwingungs...

vi·bra·tion [vai'breiʃən] *s* **1.** Schwingen *n*, Vi'brieren *n*, Zittern *n.* **2.** *phys.* Vibrati'on *f*: a) Schwingung *f*, b) Oszillati'on *f*: **amplitude of ~** Amplitude *f*, Schwingungsweite *f*; **~-damping** schwingungsdämpfend. **3.** *fig.* a) Schwanken *n*, b) Pul'sieren *n.* **vi'bra·tion·al** *adj* Schwingungs..., Vibrations...

vi·bra·to [vi'brɑːtou] *s mus.* Vi'brato *n.*

vi·bra·tor [*Br.* vai'breitər; *Am.* 'vaibrei-] *s tech.* **1.** Vi'brator *m*, 'Rüttelappa͵rat *m*, Schüttelprüfgerät *n.* **2.** *med.* Vi'brierma͵schine *f.* **3.** *electr.* Oszil'lator *m*: a) Summer *m*, b) Zerhacker *m.* **4.** *print.* schwingende Farbwalze. **5.** *mus.* Zunge *f*, Blatt *n.* **vi·bra·to·ry** ['vaibrətəri] *adj* **1.** schwingungsfähig. **2.** vi'brierend, schwingend, Schwing... **3.** Vibrations..., Schwingungs...

vi·bris·sa [vai'brisə] *pl* **-sae** [-siː] *s zo.* **1.** *meist pl* Sinneshaare *pl.* **2.** *orn.* borstenartige Federn *pl* (*am Schnabel*).

vi·bro·graph ['vaibro͵græ(ː)f; *Br. a.* -͵grɑːf] *s tech.* Vibro'graph *m*, Schwingungsaufzeichner *m.* **vi'bron·ic** [-'brɒnik] *adj tech.* (elek'tronisch) schwingend.

vic [vik] *s aer. Br. sl.* V-förmiger Verband (*Flugzeugformation*).

vic·ar ['vikər] *s relig.* **1.** *Anglikanische Kirche*: Vi'kar *m*: a) ('Unter)Pfarrer *m*, b) *Vertreter der religiösen Gemeinschaft, die den Zehnten erhält*, c) *Pfarrer, der nur die kleineren Zehnten erhält*: **clerk ~, lay ~, secular ~** Laie, der Teile der Liturgie singt; ~ **choral** Chorvikar, der Teile der Messe singt; **"The V~ of Wakefield"** „Der Pfarrer von Wakefield" (*Roman von O. Goldsmith*); **V~ of Bray** *fig.* (politische) Wetterfahne, Opportunist *m.* **2.** *Protestantische Episkopalkirche in den USA*: a) *Geistlicher, der e-e von der Hauptkirche der Gemeinde abhängige Kirche betreut*, b) Stellvertreter *m* des Bischofs. **3.** *R.C.* a) **cardinal ~** Kardi'nalvi͵kar *m*, b) Stellvertreter *m* des Pfarrers mit richterlicher Gewalt, c) **V~ of (Jesus) Christ** Statthalter *m* Christi (auf Erden) (*Papst*): **apostolic ~, ~ apostolic** Apostolischer Vikar. **'vic·ar·age** *s* **1.** Pfarrhaus *n.* **2.** Pfarrpfründe *f.* **3.** Vikari'at *n* (*Amt des Vikars*).

'vic·ar-'gen·er·al *pl* **'vic·ars-'gen·er·al** *s relig.* Gene'ralvi͵kar *m.*

vi·car·i·ate [vai'kɛ(ə)riit; -͵eit; vi-] *s* **1.** *relig.* Vikari'at *n*, Vi'karsamt *n.* **2.** *Regierungs- od. Verwaltungsbehörde unter e-m Stellvertreter.*

vi·car·i·ous [vai'kɛ(ə)riəs; vi-] *adj* (*adv* **~ly**) **1.** stellvertretend: ~ **authority.** **2.** stellvertretend, für andere voll'bracht *od.* erlitten: ~ **sufferings of Christ.** **3.** mit-, nachempfunden, *Erlebnis etc* aus zweiter Hand: ~ **pleasure**; ~ **experience** *psych.* Ersatzbefriedigung *f.*

vic·ar·ship ['vikər͵ʃip] *s* Vikari'at *n*, Stellvertreterschaft *f.*

vice[1] [vais] *s* **1.** Laster *n*: a) Untugend *f*, b) schlechte Angewohnheit, c) **V~** *thea. hist.* (*das*) Laster (*als Allegorie*). **2.** Lasterhaftigkeit *f*, Verderbtheit *f*: ~ **squad** *Am.* Sittenpolizei *f.* **3.** *fig.* Mangel *m*, Fehler *m* (*beide a. jur.*). **4.** *fig.* Verirrung *f*, Auswuchs *m.* **5.** (körperlicher) Fehler, Gebrechen *n.* **6.** Unart *f* (*e-s Pferdes*).

vice[2] [vais] *s tech.* Schraubstock *m* (*a. fig.*), Aufspannblock *m.*

vi·ce[3] ['vaisi] *prep* an Stelle von.

vice[4] [vais] *s colloq.* ‚Vize' *m* (*abbr. für* **vice-admiral, vice-chairman,** *etc*).

vice- [vais] *Vorsilbe mit der Bedeutung* stellvertretend, Vize...

'vice|-'ad·mi·ral *s mar.* 'Vizeadmi͵ral *m.* **'~-'chair·man** [-mən] *s irr* stellvertretender Vorsitzender, 'Vizepräsi͵dent *m.* **'~-'chan·cel·lor** *s* **1.** *jur. pol.* Vizekanzler *m.* **2.** *univ. Br.* geschäftsführender Rektor. **'~-'con·sul** *s* Vizekonsul *m.* **͵~'ge·rent** [-'dʒi(ə)rənt] **I** *s* **1.** Statthalter *m.* **II** *adj* **2.** stellvertretend. **3.** bevollmächtigt. **'~-'gov·er·nor** *s* 'Vizegouver͵neur *m.*

vi·cen·ni·al [vai'seniəl; -njəl] *adj* zwanzigjährig: a) 20 Jahre dauernd, b) zwanzigst(er, e, es): ~ **celebration.**

'vice|-'pres·i·dent *s* 'Vizepräsi͵dent *m*: a) stellvertretender Vorsitzender, b) *econ. Am.* Di'rektor *m*, Vorstandsmitglied *n.* **͵~'re·gal** *adj* des *od.* e-s Vizekönigs, vizeköniglich. **'~·reine** *s* Gemahlin *f* des Vizekönigs.

vice·roy ['vaisrɔi] *s* Vizekönig *m.* **͵vice'roy·al** → **viceregal.** **͵vice'roy·al·ty,** *a.* **'vice·roy͵ship** *s* **1.** Amt(szeit *f*) *n od.* Würde *f* e-s *od.* des Vizekönigs. **2.** Reich *n od.* Gebiet *n* e-s *od.* des Vizekönigs.

vi·ce ver·sa ['vaisi 'vəːrsə] (*Lat.*) *adv* 'umgekehrt.

Vi·chy (wa·ter) ['viʃi; 'viːʃiː] *s* **1.** Vichywasser *n.* **2.** *allg.* Mine'ralwasser *n.*

vic·i·nage ['visinidʒ] → **vicinity.** **'vic·i·nal** *adj* benachbart, 'umliegend, nah.

vi·cin·i·ty [vi'siniti] *s* **1.** Nähe *f*, Nachbarschaft *f*, kurze Entfernung: **in close ~ to** in unmittelbarer Nähe von (*od. gen*); **in the ~ of 40** *fig.* um die 40 herum. **2.** Nachbarschaft *f*, (nähere) Um'gebung: **the ~ of London.**

vi·cious ['viʃəs] *adj* (*adv* **~ly**) **1.** lasterhaft, verderbt, 'unmo͵ralisch. **2.** verwerflich: ~ **habit.** **3.** bösartig, boshaft, tückisch, gemein: ~ **attack.** **4.** heftig, wild, ‚bös': **a ~ blow.** **5.** fehler-, mangelhaft (*beide a. jur.*): ~ **manuscript**; ~ **style** schlechter Stil. **6.** *colloq.* bösartig, scheußlich, fürchterlich, schwer: **a ~ headache.** **7.** bös-, unartig: **a ~ mule.** **8.** schädlich: ~ **air.** ~ **cir·cle** *s* **1.** Circulus *m* viti'osus, Teufelskreis *m.* **2.** *philos.* Zirkel-, Trugschluß *m.*

vi·cious·ness ['viʃəsnis] *s* **1.** Lasterhaftigkeit *f*, Verderbtheit *f.* **2.** Verwerflichkeit *f.* **3.** Bösartigkeit *f*, Gemeinheit *f.* **4.** Fehlerhaftigkeit *f.* **5.** Unarten *pl.*

vi·cis·si·tude [vi'sisi͵tjuːd] *s* **1.** Wandel *m*, Wechsel *m*, (Ver)Änderung *f.* **2.** *pl* Wechselfälle *pl*, (*das*) Auf u. Ab: **the ~s of life.** **3.** *pl* Schicksalsschläge *pl*, Schicksale *pl.* **vi͵cis·si'tu·di·nous** [-dinəs] *adj* wechselvoll.

vic·tim ['viktim] *s* **1.** Opfer *n*: a) (Unfall- *etc*)Tote(r *m*) *f*, b) Leidtragende(r *m*) *f*, c) Betrogene(r *m*) *f*: ~ **of his ambition**; **war ~** Kriegsopfer; ~ **of circumstances** Opfer der Verhältnisse; **to fall a ~ to** zum Opfer fallen (*dat*). **2.** Opfer(tier) *n*, Schlachtopfer *n.* **͵vic·tim·i'za·tion** *s* **1.** Opferung *f.* **2.** Schika'nierung *f.* **3.** Betrug *m.* **'vic·tim͵ize** *v/t* **1.** *j-n* (auf)opfern. **2.** quälen, schika'nieren, belästigen. **3.** betrügen, prellen. **4.** (ungerechterweise) bestrafen.

vic·tor ['viktər] **I** *s* Sieger(in). **II** *adj* siegreich, Sieger...

vic·to·ri·a [vik'tɔːriə] *s* **1.** Vik'toria *f* (*zweisitziger Kutschwagen*). **2.** *bot.* Vic'toria *f* regia (*Seerosengewächs*). **V~ Cross** *s* Vik'toriakreuz *n* (*brit. Tapferkeitsauszeichnung*).

Vic·to·ri·an [vik'tɔːriən] **I** *adj* **1.** Viktori'anisch: ~ **Age,** ~ **Era,** ~ **Period** Viktorianisches Zeitalter; ~ **Order** Viktoriaorden *m* (*gestiftet 1896*). **2.** viktori'anisch: a) *kennzeichnend für das Viktorianische Zeitalter*, b) streng konventio'nell, prüde. **II** *s* **3.** Viktori'aner(in). **Vic'to·ri·an͵ism** *s* **1.** viktori'anischer Geschmack *od.* Stil *od.* Zeitgeist. **2.** (*etwas*) Viktori'anisches.

vic·to·rine [͵viktə'riːn; 'viktə͵riːn] *s hist.* (*ein*) Pelzkragen *m*, Boa *f.*

vic·to·ri·ous [vik'tɔːriəs] *adj* (*adv* **~ly**) **1.** siegreich (**over** über *acc*): **to be ~** den Sieg davontragen, als Sieger hervorgehen. **2.** Sieges..., Sieger... **3.** siegverheißend.

vic·to·ry ['viktəri] *s* **1.** Sieg *m*: **he gained the ~ over his rival** er trug den Sieg über s-n Rivalen davon. **2.** *fig.* Sieg *m*, Tri'umph *m*, Erfolg *m*: **moral ~.** **3.** **V~** Siegesgöttin *f.* **V~ Day** → **Armistice Day.**

vic·tress ['viktris] *s* Siegerin *f.*

vic·tro·la [vik'troulə] (*TM*) *s* Grammo'phon *n.*

vict·ual ['vitl] **I** *s meist pl* Eßwaren *pl*, Lebens-, Nahrungsmittel *pl*, Provi'ant *m.* **II** *v/t u. v/i* (sich) verpflegen *od.* verprovian'tieren *od.* mit Lebensmitteln versorgen. **'vict·ual·(l)er** *s* **1.** ('Lebensmittel-, Provi'ant)Liefe͵rant *m.* **2.** *a.* **licensed ~** *Br.* Schankwirt *m.* **3.** *mar.* Provi'antschiff *n.*

vict·ual·(l)ing ['vitəliŋ; 'vitliŋ] *s* **1.** Verprovian'tierung *f*, Versorgung *f* mit Lebensmitteln. **2.** Lebensmittelhandel *m.* ~ **bill** *s mar. Br.* Zollschein *m* für 'Schiffsprovi͵ant. ~ **of·fice** *s mar. Br.* ('Flotten)Provi͵antamt *n.* ~ **ship** *s* Provi'antschiff *n.*

vi·cu·ña [vi'kjuːnə; -'kuːnjə] *pl* **-ñas** *bes. collect.* **-ña** *s* **1.** *zo.* Vi'kunja *f*, Vi'cuña *f* (*südamer. Lama*). **2.** a) *a.* ~ **wool** Vi'gogne(wolle) *f*, b) *a.* ~ **cloth** Stoff *m* aus Vi'gogne(wolle).

vi·de ['vaidi] (*Lat.*) *imp* **1.** siehe! (*abbr.* v.). **2.** siehe, wie z.B. bei, man denke an (*acc*): ~ **ante (infra)** siehe oben (unten)!

vi·de·li·cet [*Br.* vi'diːliset; *Am.* -'deləsit] (*Lat.*) *adv* nämlich, das heißt (*abbr.* viz, *lies*: **namely, that is**).

vid·e·o ['vidi͵ou] *electr. Am.* **I** *adj* Fernseh..., Bild..., Video...: ~ **cassette** Fernsehkassette *f*; ~ **frequency** Video-, Bild(punkt)frequenz *f*; ~ **signal** Video-, Bildsignal *n*; ~ **tape** Magnetbildband *n.* **II** *s* Fernsehen *n.* **'~͵tape** *v/t* auf (Bild)Band aufnehmen.

vi·di·mus ['vaidiməs; 'vid-] *pl* **-mus·es** (*Lat.*) *s jur.* **1.** Vidi *n*: a) Bescheinigung *f* (*der Einsichtnahme in e-e Urkunde*),

b) Genehmigung *f*. **2.** a) Beglaubigung *f*, b) beglaubigte Abschrift.

vid·u·al [*Br*. ˈvidjuəl; *Am*. -dʒuəl] *adj* Witwen...

vie [vai] *v/i* wetteifern: to ~ **with s.o.** mit j-m wetteifern (in s.th. in etwas; for s.th. um etwas).

Vi·en·nese [ˌviəˈniːz; ˌviː-] **I** *s* **1.** *sg u. pl* Wiener(in). **2.** *ling*. Wienerisch *n*, das Wienerische. **II** *adj* **3.** wienerisch, Wiener(...).

Vi·et·cong [viˈetˈkɒŋ] *s sg u. pl* Vietˈcong *m u. pl*, *collect. a*. (*der*) Vietˈcong (*kommunistische Partisanen in Südvietnam*).

Vi·et·minh [viˈetˈmin] *s sg u. pl* Vietˈminh *m u. pl* (*Anhänger des Kommunismus in Nordvietnam*).

Vi·et·nam·ese [*Br*. ˌvjetnəˈmiːz; *Am*. ˌviːt-] **I** *s sg u. pl* a) Vietnaˈmese *m*, Vietnaˈmesin *f*, b) Vietnaˈmesen *pl*. **II** *adj* vietnaˈmesisch.

view [vjuː] **I** *v/t* **1.** *obs*. sehen, erblicken. **2.** (sich) ansehen, betrachten, besichtigen, in Augenschein nehmen, prüfen. **3.** *fig*. (an)sehen, auffassen, betrachten, beurteilen. **II** *v/i* **4.** überˈblicken, -ˈschauen. **5.** *abbr. für* **teleview** II. **III** *s* **6.** (An-, ˈHin-, Zu)Sehen *n*, Besichtigung *f*, Betrachtung *f*: **at first** ~ auf den ersten Blick; **on nearer** ~ bei näherer Betrachtung; **plain to (the)** ~ gut sichtbar. **7.** Prüfung *f*, Unterˈsuchung *f* (*a. jur*.). **8.** Sicht *f* (*a. fig*.): **in** ~ a) in Sicht, sichtbar, b) *fig*. in (Aus)Sicht; **in** ~ **of** *fig*. im Hinblick auf (*acc*), in Anbetracht *od*. angesichts (*gen*); **in full** ~ **of** direkt vor *j-s* Augen; **to get a full** ~ **of** *etwas* ganz zu sehen bekommen; **on** ~ zu besichtigen(d), ausgestellt; **on the long** ~ *fig*. auf weite Sicht; **out of** ~ außer Sicht, nicht mehr zu sehen; **to come in** ~ in Sicht kommen, sichtbar werden; **to have in** ~ *fig*. im Auge haben, denken an (*acc*), beabsichtigen; **to lose** ~ **of** aus den Augen verlieren; **no** ~ **of success** keine Aussicht auf Erfolg. **9.** a) (Aus)Sicht *f*, (Aus)Blick *m* (**of, over** auf *acc*): ~ **of the mountains**, b) Szeneˈrie *f*, Blick *m*. **10.** *paint. phot*. Ansicht *f*, Bild *n*: ~**s of London**; **aerial** ~ Luftbild *n*. **11.** (kritischer) ˈÜberblick (**of** über *acc*). **12.** *oft pl* Absicht *f*: **with a** ~ **to** a) mit *od*. in der Absicht (**doing** zu tun), zu dem Zwecke (*gen*), um zu (*inf*), b) im Hinblick auf (*acc*). **13.** Ansicht *f*, Anschauung *f*, Auffassung *f*, Meinung *f*, Urteil *n* (**of, on** über *acc*): **in my** ~ in m-n Augen, m-s Erachtens; **to form a** ~ **on** sich ein Urteil bilden über (*acc*); **to hold** (*od*. **keep** *od*. **take**) **a** ~ **of** e-e Ansicht *etc* haben über (*acc*); ~ **of life** Lebensanschauung; **to take a bright (dim, grave, strong)** ~ **of** *etwas* optimistisch (pessimistisch, ernst, hart) beurteilen. **14.** Vorführung *f*: **private** ~ **of a film.**

view·a·ble [ˈvjuːəbl] *adj* **1.** zu sehen(d), sichtbar. **2.** sehenswert, mit Niˈveau: **a** ~ **television show.**

view·er [ˈvjuːər] *s* **1.** Zuschauer(in). **2.** *bes. jur*. Beschauer(in), Inˈspektor *m*. **3.** *abbr. für* **televiewer.**

view| find·er *s phot*. (Bild)Sucher *m*. ~ **hal·loo** *s hunt*. Halˈlo(ruf *m*) *n* (*beim Erscheinen des Fuchses*).

view·less [ˈvjuːlis] *adj* **1.** *poet. od. humor*. unsichtbar. **2.** ohne Sicht. **3.** *Am*. meinungs-, urteilslos.

ˈview,point *s fig*. Gesichts-, Standpunkt *m*.

view·y [ˈvjuːi] *adj colloq*. verstiegen, überˈspannt, ‚fimmelig'.

vi·gi·a [ˈvidʒiə; viˈdʒiːə] *s mar*. Warnungszeichen *n* (*auf Seekarten*).

vig·il [ˈvidʒil] *s* **1.** Wachsein *n*, Wachen *n* (*zur Nachtzeit*). **2.** Nachtwache *f*: **to keep** ~ wachen (**over** bei). **3.** *relig*. a) *meist pl* Viˈgil(ien *pl*) *f*, Nachtgebet *n*, -wache *f* (*vor Kirchenfesten*), b) Viˈgil *f* (*Vortag e-s Kirchenfestes*): **on the** ~ **of** am Vorabend von (*od. gen*).

vig·i·lance [ˈvidʒiləns] *s* **1.** Wachsamkeit *f*: ~ **committee** *Am*. Sicherheitsausschuß *m* (*Form der Volksjustiz durch Freiwillige in Notzeiten*). **2.** *med*. Schlaflosigkeit *f*. **ˈvig·i·lant** *adj* (*adv* ~**ly**) wachsam, ˈumsichtig, aufmerksam. **ˌvig·iˈlan·te** [-ˈlænti] *s Am*. Mitglied *n* e-s **vigilance committee.**

vi·gnette [vinˈjet] **I** *s* Viˈgnette *f*: a) *print. bildartige Verzierung auf Rändern, Titeln etc*, b) *phot*. (*Brust*)*Bildchen ohne scharfe Abgrenzung*, c) *arch*. Weinlaubverzierung *f*, d) *paint*., *a*. *Literatur*: kleine zierliche Skizze. **II** *v/t* vignetˈtieren. **viˈgnett·ist** *s* **1.** Viˈgnettenzeichner(in). **2.** *phot*. Vignetˈtierer(in).

vig·or [ˈvigər] *Am. für* **vigour.**

vi·go·ro·so [vigoˈroso] (*Ital*.) *adj u. adv mus*. vigoˈroso, kraftvoll.

vig·or·ous [ˈvigərəs] *adj* (*adv* ~**ly**) **1.** *allg*. kräftig. **2.** kraftvoll, viˈtal. **3.** lebhaft, akˈtiv, tatkräftig. **4.** eˈnergisch, nachdrücklich. **5.** wirksam, nachhaltig. **ˈvig·or·ous·ness** → **vigour.**

vig·our [ˈvigər] *s* **1.** (Körper-, Geistes-) Kraft *f*, Vitaliˈtät *f*. **2.** Enerˈgie *f*, Aktiviˈtät *f*. **3.** *biol*. Lebenskraft *f*. **4.** Nachdruck *m*. **5.** *jur*. Wirksamkeit *f*, Geltung *f*.

vi·king [ˈvaikiŋ] *hist*. **I** *s* Wiking(er) *m*. **II** *adj* wikingisch, Wikinger...

vile [vail] *adj* (*adv* ~**ly**) **1.** gemein, schändlich, abstoßend, schmutzig. **2.** *colloq*. scheußlich, abˈscheulich, miseˈrabel: **a** ~ **hat**; ~ **weather**. **3.** *obs*. wertlos. **ˈvile·ness** *s* **1.** Gemeinheit *f*, Schändlichkeit *f*. **2.** Scheußlichkeit *f*, ˈWiderwärtigkeit *f*.

vil·i·fi·ca·tion [ˌvilifiˈkeiʃən] *s* **1.** Schmähung *f*, Verleumdung *f*, Verunglimpfung *f*. **2.** Herˈabsetzung *f*. **ˈvil·i,fi·er** [-ˌfaiər] *s* Verleumder(in). **ˈvil·i,fy** [-ˌfai] *v/t* **1.** schmähen, verleumden, verunglimpfen. **2.** herˈabsetzen.

vil·i·pend [ˈviliˌpend] *v/t* **1.** → **vilify.** **2.** *poet*. verachten.

vill [vil] *s jur. hist. Br*. **1.** Ortschaft *f*, Gemeinde *f*. **2.** Dorf *n*.

vil·la [ˈvilə] *s* **1.** Landhaus *n*, Villa *f*. **2.** ˈEinfaˌmilienhaus *n*.

vil·lage [ˈvilidʒ] **I** *s* **1.** Dorf *n*. **2.** Gemeinde *f*. **II** *adj* **3.** dörflich, Dorf... **ˈvil·lag·er** *s* Dorfbewohner(in), Dörfler(in).

vil·lain [ˈvilən] **I** *s* **1.** *a. thea. u. humor*. Schurke *m*, Bösewicht *m*. **2.** *humor*. Schlingel *m*: **the little** ~. **3.** *obs*. Tölpel *m*, (Bauern)Lümmel *m*. **4.** → **villein** I. **II** *adj* **5.** schurkisch, Schurken... **ˈvil·lain·age** → **villeinage.** **ˈvil·lain·ous** *adj* (*adv* ~**ly**) **1.** schurkisch, Schurken... **2.** → **vile** 1 *u*. 2. **ˈvil·lain·y** *s* **1.** Schurkeˈrei *f*, Schurkenstreich *m*. **2.** Gemeinheit *f*, Niederträchtigkeit *f*. **3.** *obs*. Erbärmlichkeit *f*. **4.** *obs. für* **villeinage.**

vil·la·nelle [ˌviləˈnel] *s metr*. Villaˈnelle *f* (*lyrische Gedichtform*).

vil·lat·ic [viˈlætik] *adj poet*. dörflich.

vil·leg·gia·tu·ra [villedʒaˈtura; viˌledʒiəˈtu(ə)rə] (*Ital*.) *s* Landaufenthalt *m*, Sommerfrische *f*.

vil·lein [ˈvilin] *s hist*. **1.** Leibeigene(r) *m*. **2.** (*später*) Zinsbauer *m*. **ˈvil·lein·age** *s* **1.** ˈHintersassengut *n*. **2.** Leibeigenschaft *f*.

vil·li·form [ˈviliˌfɔːrm] *adj biol*. zottenförmig. **ˈvil·lose** [-lous] → **villous.**

vilˈlos·i·ty [-ˈlɒsiti] *s* **1.** *biol*. behaarte, wollige Beschaffenheit. **2.** *anat*. (Darm)Zotte *f*. **ˈvil·lous** *adj biol*. **1.** zottig. **2.** flaumig. **ˈvil·lus** [-ləs] *pl* **-li** [-lai] *s* **1.** *anat*. (Darm)Zotte *f*. **2.** *bot*. Zottenhaar *n*.

vim [vim] *s colloq*. ‚Mumm' *m*, Schwung *m*, ‚Schneid' *m*, *f*: **full of** ~ ‚schwer in Form'.

vim·i·nal [ˈviminl] *adj bot*. gertenbildend *od*. -förmig.

vi·na·ceous [vaiˈneiʃəs] *adj* **1.** Wein..., Trauben... **2.** weinrot.

vin·ai·grette [ˌvineiˈgret; -ni-] *s* **1.** Riechfläschchen *n*, -dose *f*. **2.** *a*. ~ **sauce** Vinaiˈgrette *f* (*Essigsoße*).

vin·ci·ble [ˈvinsibl] *adj* besieg-, überˈwindbar.

vin·cu·lum [ˈviŋkjuləm] *pl* **-la** [-lə] *s* **1.** *math*. Strich *m* (*über mehreren Zahlen*), Überˈstreichung *f* (*an Stelle von Klammern*). **2.** *bes. fig*. Band *n*.

vin·di·ca·ble [ˈvindikəbl] *adj* haltbar, zu rechtfertigen(d).

vin·di·cate [ˈvindiˌkeit] *v/t* **1.** in Schutz nehmen, verteidigen (**from** vor *dat*, gegen). **2.** rechtfertigen, bestätigen: **to** ~ **o.s.** sich rechtfertigen. **3.** *jur*. a) Anspruch erheben auf (*acc*), beanspruchen: **to** ~ **one's rights**, b) *e-n Anspruch* geltend machen, c) *ein Recht etc* behaupten: **the law had been** ~**d** dem Gesetz war Genüge getan worden. **ˌvin·diˈca·tion** *s* **1.** Verteidigung *f*, Rechtfertigung *f*: **in** ~ **of** zur Rechtfertigung von (*od. gen*). **2.** Behauptung *f*, Geltendmachung *f*. **3.** Ehrenrettung *f*. **vin·dic·a·tive** [vinˈdikətiv; ˈvindik-] *adj* rechtfertigend. **vin·di·ca·tor** [ˈvindiˌkeitər] *s* Rechtfertiger *m*, Verteidiger *m*. **ˈvin·diˌca·to·ry** *adj* **1.** rechtfertigend, Rechtfertigungs... **2.** rächend, Straf...

vin·dic·tive [vinˈdiktiv] *adj* (*adv* ~**ly**) **1.** rachsüchtig, nachtragend. **2.** strafend, als Strafe: ~ **damages** *jur*. tatsächlicher Schadenersatz zuzüglich e-r Buße. **vinˈdic·tive·ness** *s* Rachsucht *f*.

vine [vain] *bot*. **I** *s* **1.** (*Hopfen- etc*)Rebe *f*, Kletterpflanze *f*. **2.** Stamm *m* (*e-r Kletterpflanze*). **3.** Wein(stock) *m*, (Wein)Rebe *f*. **4.** *Bibl*. Weinstock *m* (*Christus*). **II** *adj* **5.** Wein..., Reb(en)...: ~ **bud** Rebauge *n*; ~ **culture** Weinbau *m*; ~ **picker** Winzer(in); ~ **prop** Rebstecken *m*. **ˈ~-ˌclad** *adj poet*. weinlaubbekränzt. **ˈ~ˌdress·er** *s* Winzer *m*. ~ **fret·ter** *s zo*. Reblaus *f*.

vin·e·gar [ˈvinigər] **I** *s* **1.** (Wein)Essig *m*: **aromatic** ~ Gewürzessig. **2.** *pharm*. Essig *m*. **3.** *fig*. saure Worte *pl*, saure Miene. **II** *v/t* **4.** mit Essig behandeln, sauer machen (*a. fig*.). ~ **tree** *s bot*. Essigbaum *m*.

vin·e·gar·y [ˈvinigəri] *adj* **1.** essigähnlich, -sauer. **2.** *fig*. (essig)sauer: ~ **smile.**

ˈvine|ˌgrow·er *s* Weinbauer *m*, Winzer *m*. **ˈ~ˌgrow·ing** *s* Weinbau *m*. ~ **leaf** *s irr* Wein-, Rebenblatt *n*: **vine leaves** Weinlaub *n*. ~ **louse** *s irr zo*. Reblaus *f*. ~ **mil·dew** *s bot*. Traubenfäule *f*.

vin·er·y [ˈvainəri] *s* Treibhaus *n* für Reben. [-garten *m*.]

vine·yard [ˈvinjərd] *s* Weinberg *m*,

vingt-et-un [vɛ̃teˈœ̃] (*Fr*.) *s* Vingt-etˈun *n* (*Kartenglücksspiel*).

vi·nic [ˈvainik; ˈvin-] *adj chem*. weinig, Wein..., Alkohol...

vin·i·cul·tur·al [ˌviniˈkʌltʃərəl] *adj*

weinbaukundlich. **'vin·i,cul·ture** [-tʃər] *s* Weinbau *m (als Fach)*.
vin·i·fi·ca·tion [,vinifi'keiʃən] *s tech.* Weinkeltern *n*, -kelterung *f*.
vin·om·e·ter [vi'nɒmitər; vai-] *s tech.* Oeno'meter *n*, Weinwaage *f*.
vi·nos·i·ty [vai'nɒsiti] *s* **1.** Weinartigkeit *f*. **2.** Weinseligkeit *f*, Trunksucht *f*. **'vi·nous** *adj* **1.** weinartig, Wein... **2.** weinselig, (be)trunken: ~ **eloquence. 3.** weinrot.
vin·tage ['vintidʒ] **I** *s* **1.** *(jährlicher)* Weinertrag, Weinernte *f*. **2.** (guter) Wein, (her'vorragender) Jahrgang: ~ **wine** Qualitäts-, Spitzenwein *m*. **3.** Weinlese(zeit) *f*. **4.** *colloq.* Jahrgang *m*, 'Herstellung *f*: **a hat of last year's** ~ ein Hut vom vorigen Jahr. **5.** *fig.* (reifes) Alter, Reife *f*. **II** *v/t* **6.** zu Wein verarbeiten. **7.** *Wein* lesen. **III** *adj* **8.** erlesen, her'vorragend, köstlich. **9.** a) klassisch, b) alt, c) altmodisch, d) reif, gereift: ~ **car** *mot.* altes Modell, ‚Autoveteran' *m*. **'vin·tag·er** *s* Weinleser(in), Winzer(in).
vint·ner ['vintnər] *s* Weinhändler *m*.
vin·y ['vaini] *adj* **1.** rebenartig, rankend *(Pflanze)*. **2.** reben-, weinreich *(Gegend)*.
vi·nyl ['vainil] *adj chem.* Vinyl...: ~ **acetate (alcohol, chloride)**; ~ **polymers** Vinylpolymere *pl (Kunststoffe)*; **(poly)**~ **resins** (Poly)Vinylharze.
vi·nyl·i·dene [vai'nili,di:n] *s chem.* Vinyli'den *n*.
vi·ol ['vaiəl] *s mus. hist.* Vi'ole *f*: **alto** ~, **tenor** ~ Viola *f* da braccio, Armviole; **bass** ~ Viola *f* da gamba, Gambe *f*.
vi·o·la[1] [vi'oulə] *s mus.* **1.** Vi'ola *f*, Bratsche *f*. **2.** → **viol**.
vi·o·la[2] ['vaiələ; vai'oulə] *s bot.* **1.** Veilchen *n*. **2.** Stiefmütterchen *n*.
vi·o·la·ble ['vaiələbl] *adj* verletzbar: ~ **contract (law,** *etc*).
vi·o·la·ceous [,vaiə'leiʃəs] *adj bot.* **1.** veilchenfarben, vio'lett. **2.** Veilchen..., veilchenartig.
vi·o·la clef [vi'oulə] → **alto clef**.
vi·o·late ['vaiə,leit] *v/t* **1.** *e-n Eid, e-n Vertrag, e-e Grenze etc* verletzen, *ein Gesetz* über'treten, *bes. sein Versprechen* brechen, *e-m Gebot, dem Gewissen* zu'widerhandeln. **2.** *den Frieden, die Stille, den Schlaf* (grob) stören: **to** ~ **s.o.'s privacy** j-n stören. **3.** Gewalt antun *(dat)* *(a. fig.)*. **4.** *e-e Frau* notzüchtigen, schänden, vergewaltigen. **5.** *ein Heiligtum etc* entweihen, schänden. **6.** *obs.* miß'handeln, beschimpfen. **,vi·o'la·tion** *s* **1.** Verletzung *f*, Über'tretung *f*, Bruch *m (von Eid, Gesetz, Vertrag)*, Zu'widerhandlung *f*: **in** ~ **of** unter Verletzung von *(od. gen)*. **2.** (grobe) Störung *(von Frieden, Schlaf etc)*. **3.** Vergewaltigung *f*, Schändung *f (e-r Frau)*. **4.** Entweihung *f*, Schändung *f (e-s Heiligtums)*. **5.** *obs.* Gewalttat *f*. **'vi·o,la·tor** [-tər] *s* Verletzer(in), Über'treter(in), Schänder(in).
vi·o·lence ['vaiələns] *s* **1.** Gewalt(tätigkeit) *f*: **act of** ~ Gewalttat *f*; **to practice** ~ Gewalt anwenden. **2.** Gewalttätigkeit(en *pl*) *f*, Gewaltsamkeit(en *pl*) *f*. **3.** *jur.* Gewalt(tat, -anwendung) *f*: **to die by** ~ e-s gewaltsamen Todes sterben; **crimes of** ~ Gewaltverbrechen *pl*; **robbery with** ~ Raub *m* mit unmittelbarer Anwendung von Gewalt. **4.** Verletzung *f*, Unrecht *n*, Schändung *f*: **to do** ~ **to** Gewalt antun *(dat)*, *Gefühle etc* verletzen, *Heiliges* entweihen. **5.** *bes. fig.* Heftigkeit *f*, Ungestüm *n*: **with** ~ heftig, leidenschaftlich, ungestüm. **'vi·o·lent** *adj (adv* ~**ly)** **1.** heftig, gewaltig, stark: ~ **blow**; ~ **tempest. 2.** gewaltsam, -tätig *(Person od. Handlung)*, Gewalt...: ~ **death** gewaltsamer Tod; ~ **interpretation** gewaltsame Auslegung; ~ **measures** Gewaltmaßnahmen; **to lay** ~ **hands on** Gewalt antun *(dat)*. **3.** heftig, ungestüm, hitzig, leidenschaftlich. **4.** grell, laut: ~ **colo(u)rs**; ~ **sounds**.
vi·o·les·cent [,vaiə'lesnt] *adj* veilchenfarben, Veilchen...
vi·o·let[1] ['vaiəlit] *s mus. hist.* Vi'ola *f* d'A'more.
vi·o·let[2] ['vaiəlit] **I** *s* **1.** *bot.* Veilchen *n*. **2.** Veilchenblau *n*, Vio'lett *n*. **II** *adj* **3.** veilchenblau, vio'lett.
vi·o·lin [,vaiə'lin] *s mus.* Vio'line *f*: a) Geige *f (a. als Spieler)*, b) *Orgelregister 8'*: **to play the** ~ Geige spielen, geigen; **first** ~ erste(r) Geige(r); ~ **bow** Geigenbogen *m*; ~ **case** Geigenkasten *m*; ~ **clef** Violinschlüssel *m*. **,vi·o'lin·ist** *s mus.* Violi'nist(in), Geiger(in).
vi·ol·ist ['vaiəlist] *s mus.* **1.** *hist.* Vi'olenspieler(in). **2.** Brat'schist(in).
vi·o·lon·cel·list [,vaiəlɒn'tʃelist; ,vi:-] *s mus.* (Violon)Cel'list(in). **,vi·o·lon'cel·lo** [-lou] *pl* **-los** *s* (Violon)'Cello *n*.
vio·lo·ne [vjə'lounei] *s mus. hist.* 'Baßvi,ole *f*, große Baßgeige.
VIP ['vi:ai'pi:] *s colloq.* promi'nente Per'sönlichkeit, ‚hohes Tier' *(aus* **Very Important Person)**.
vi·per ['vaipər] *s* **1.** *zo.* Viper *f*, Otter *f*, Natter *f*. **2.** *a.* **common** ~ *zo.* Kreuzotter *f*. **3.** *allg.* (Gift)Schlange *f (a. fig.)*: **generation of** ~**s** *Bibl.* Natterngezücht *n*; **to cherish a** ~ **in one's bosom** *fig.* e-e Schlange an s-m Busen nähren.
vi·per·i·form ['vaipəri,fɔ:rm] *adj zo.* schlangenförmig, vipernartig.
vi·per·ine ['vaipə,rain; -rin] *zo.* **I** *adj* → **viperish** 1. **II** *s a.* ~ **snake** a) Natter *f*, b) Vipernatter *f*.
vi·per·ish ['vaipəriʃ] *adj*; **'vi·per·ous** *adj (adv* ~**ly)** **1.** *zo.* a) vipernartig, b) Vipern... **2.** *fig.* giftig, tückisch.
vi·per's grass *s bot.* Schwarzwurzel *f*.
vi·ra·go [vi'reigou] *pl* **-gos** *s* **1.** Mannweib *n*. **2.** Zankteufel *m*, ‚Drachen' *m*.
vir·e·lay ['virə,lei] *s hist.* Vire'lai *m*, *n*, Vireli *m (altfranzösisches Tanz- u. Liebeslied mit halbstrophigem Kehrreim)*.
vi·res ['vai(ə)ri:z] *pl von* **vis**.
vi·res·cence [vai'resns; vi-] *s* **1.** Grünsein *n*, Grünen *n*. **2.** *bot.* grüne Stelle. **vi'res·cent** *adj* grünend, grünlich.
vir·gate ['və:rgit; -geit] **I** *adj biol.* **1.** rutenförmig. **2.** Ruten tragend. **II** *s* **3.** *hist. (etwa)* Hufe *f (altes englisches Feldmaß = 12 ha)*.
Vir·gil·i·an → **Vergilian**.
vir·gin ['və:rdʒin] **I** *s* **1.** Jungfrau *f*. **2.** *relig.* a) **the (Blessed) V**~ **(Mary)** die Jungfrau Ma'ria, die Heilige Jungfrau, b) *paint. etc* Ma'donna *f*. **3.** ‚Jungfrau' *f*, jungfräulicher Mann. **4.** *zo.* unbegattetes Weibchen. **5. V**~ *astr.* → **Virgo** 1 b. **II** *adj* **6.** jungfräulich, unberührt *(beide a. fig. Schnee etc)*: **V**~ **Mother** *relig.* Mutter *f* Gottes; **the V**~ **Queen** *hist.* die jungfräuliche Königin *(Elisabeth I. von England)*; ~ **queen** *zo.* unbefruchtete (Bienen)Königin; ~ **forest** Urwald *m*; ~ **soil** a) jungfräulicher Boden, ungepflügtes Land, b) *fig.* Neuland *n*, c) unberührter Geist. **7.** züchtig, keusch, jungfräulich: ~ **modesty**. **8.** *tech.* a) rein, unvermischt *(Elemente, Stoffe)*, b) gediegen, jungfräulich *(Metalle)*, c) aus erster Pressung *(Öle)*: ~ **gold** Jungferngold *n*; ~ **oil** Jungfernöl *n*; ~ **wool** Neuwolle *f*. **9.** Jungfern..., erstmalig: ~ **cruise** Jungfernfahrt *f*. **10.** frei (of von), unerfahren: ~ **to sorrows** (noch) unbekümmert.
vir·gin·al[1] ['və:rdʒinl] *adj* **1.** jungfräulich, Jungfern...: ~ **membrane** Jungfernhäutchen *n*. **2.** rein, keusch. **3.** *zo.* unbefruchtet.
vir·gin·al[2] ['və:rdʒinl] *s oft pl od.* **a pair of** ~**s** *mus. hist.* **1.** Virgi'nal *n (englisches Spinett)*. **2.** *allg.* 'Kielinstru,ment *n*.
vir·gin| birth *s* **1.** *relig.* Jungfräuliche Geburt *(Christi)*. **2.** *biol.* Parthenoge'nese *f*. **'**~**-,born** *adj* **1.** von e-r Jungfrau geboren *(Christus)*. **2.** *biol.* parthenoge'netisch.
'vir·gin,hood *s* Jungfräulichkeit *f*, Jungfernschaft *f*.
Vir·gin·ia [vər'dʒinjə] *abbr. für* **Virginia tobacco**. ~ **ce·dar** *s bot.* Vir'ginischer Wa'cholder. ~ **creep·er** *s bot.* Wilder Wein, Jungfernrebe *f*.
Vir·gin·i·an [vər'dʒiniən] **I** *adj* Virginia..., vir'ginisch. **II** *s* Vir'ginier(in).
vir·gin·i·ty [vər'dʒiniti] *s* **1.** Jungfräulichkeit *f*, Jungfernschaft *f*, *med.* Virgini'tät *f*. **2.** Reinheit *f*, Keuschheit *f*, Unberührtheit *f (a. fig.)*.
Vir·go ['və:rgou] *s* **1.** *astr.* Jungfrau *f*, Virgo *f*: a) *Sternbild*, b) *Tierkreiszeichen*. **2. v**~ **intacta** *jur. med.* Virgo *f* in'tacta, unberührte Jungfrau.
vir·gu·late ['və:rgjulit; -,leit] *adj bot.* rutenförmig. **'vir·gule** [-gju:l] *s print.* **1.** Schrägstrich *m (z. B. in and/or)*. **2.** Komma *n*.
vir·i·al ['viriəl] *s phys.* Viri'al *n (kinetische Größe)*.
vir·id ['virid] *adj poet.* grün(end).
,vir·i'des·cence [-'desns] *s* Grünwerden *n*, (frisches) Grün. **,vir·i'des·cent** *adj* grün(lich).
vi·rid·i·an [vi'ridiən] **I** *s min.* Grünerde *f*. **II** *adj* chromgrün.
vi·rid·i·ty [vi'riditi] *s* **1.** *biol.* (das) Grüne, grünes Aussehen. **2.** *fig.* Frische *f*.
vir·ile [*Br.* 'virail; *Am.* -ril] *adj* **1.** männlich, kräftig *(beide a. fig. Stil etc)*, Männer..., Mannes...: ~ **voice**. **2.** *med. physiol.* männlich, vi'ril, zeugungskräftig: ~ **member** männliches Glied; ~ **power** → **virility** 3. **,vir·i'les·cence** [-ri'lesns] *s zo.* Vermännlichung *f (bei Weibchen)*. **,vir·i'les·cent** *adj* männliche Eigenschaften aufweisend *od.* entwickelnd. **'vir·i,lism** [-,lizəm] *s physiol.* Viri'lismus *m*, Maskuli'nismus *m (männliche sekundäre Geschlechtsmerkmale bei Frauen)*.
vi·ril·i·ty [vi'riliti] *s* **1.** Männlichkeit *f*. **2.** Mannesalter *n*, -jahre *pl*. **3.** *physiol.* Virili'tät *f*, Mannes-, Zeugungskraft *f*. **4.** *fig.* Kraft *f*.
vi·rol·o·gist [vai(ə)'rɒlədʒist] *s* Viro'loge *m*, Virusforscher(in). **vi'rol·o·gy** [-dʒi] *s* Virolo'gie *f*, Virusforschung *f*.
vir·tu [və:r'tu:] *s* **1.** Liebhaber-, Kunst-, Sammlerwert *m*: **article of** ~ Kunstgegenstand *m*. **2.** *collect.* Kunstgegenstände *pl*. **3.** → **virtuosity** 2.
vir·tu·al ['və:rtʃuəl; *Br. a.* -tju-] *adj (adv* ~**ly)** **1.** tatsächlich, praktisch, faktisch, eigentlich: **the** ~ **manager**; **a** ~ **promise** im Grunde *od.* eigentlich ein Versprechen; ~**ly penniless** praktisch *od.* fast ohne e-n Pfennig Geld. **2.** *phys. tech.* virtu'ell. **,vir·tu'al·i·ty** [-'æliti] *s* **1.** (Wirkungs)Möglichkeit *f*, Virtuali'tät *f*. **2.** Wesen(heit *f*) *n*.
vir·tue [*Br.* 'və:tju:; *Am.* 'və:rtʃu:] *s* **1.** Tugend(haftigkeit) *f (a. engS. Keuschheit)*: **woman of** ~ tugendhafte Frau; **lady of easy** ~ leichtes Mädchen.

2. Rechtschaffenheit *f*. 3. Tugend *f*: to make a ~ of necessity aus der Not e-e Tugend machen. 4. Wirkung *f*, Wirksamkeit *f*, Erfolg *m*: of great ~ (sehr) wirkungsvoll *od.* erfolgreich. 5. (gute) Eigenschaften *pl*, Vorzug *m*, (hoher) Wert. 6. (Rechts)Kraft *f*: by (*od.* in) ~ of kraft (*e-s Gesetzes, e-r Vollmacht etc*), auf Grund von (*od. gen*), vermöge (*gen*). 7. *obs.* Mannestugend *f*, Tapferkeit *f*.

vir·tu·os·i·ty [*Br.* ˌvəːtjuˈɔsiti; *Am.* ˌvəːrtʃuˈɑsiti] *s* 1. Virtuosiˈtät *f*, blendende Technik. 2. Kunstsinn *m*, ˌKunstliebhabeˈrei *f*. ˌ**vir·tuˈo·so** [-ˈousou] *pl* **-sos, -si** [-siː] *s* 1. Virtuˈose *m*. 2. Kunstkenner *m*, -liebhaber *m*.

vir·tu·ous [*Br.* ˈvəːtjuəs; *Am.* ˈvəːrtʃuəs] *adj* (*adv* ~ly) 1. tugendhaft. 2. rechtschaffen. ˈ**vir·tu·ous·ness** *s* 1. Tugendhaftigkeit *f*. 2. Rechtschaffenheit *f*.

vir·u·lence [ˈvirjuləns], ˈ**vir·u·len·cy** [-si] *s med. u. fig.* Viruˈlenz *f*, Giftigkeit *f*, Bösartigkeit *f*. ˈ**vir·u·lent** *adj* (*adv* ~ly) 1. (äußerst) giftig, bösartig (*Gift, Krankheit*) (*a. fig.*). 2. *med.* a) von Viren erzeugt, b) viruˈlent, sehr ansteckend. 3. *fig.* gehässig, böse, scharf.

vi·rus [ˈvai(ə)rəs] *s* 1. (Schlangen)Gift *n*. 2. *med.* Virus *n*: a) Krankheitserreger *m*: ~ disease Viruskrankheit *f*, b) *oft* filtrable ~ filˈtrierbares Virus, c) Impf-, Giftstoff *m* (*zu Impfzwecken*). 3. *fig.* Gift *n*, Baˈzillus *m*: the ~ of hatred.

vis [vis] *pl* **vi·res** [ˈvai(ə)riːz] (*Lat.*) *s bes. phys.* Kraft *f*: ~ inertiae Trägheitskraft; ~ mortua tote Kraft; ~ viva kinetische Energie; ~ major *jur.* höhere Gewalt.

vi·sa [ˈviːzə] **I** *s* 1. Visum *n*: a) Sichtvermerk *m* (*im Paß etc*), b) Einreisegenehmigung *f*. **II** *v/t pret u. pp* **-saed, -sa'd** 2. ein Visum eintragen in (*e-n Paß*). 3. *fig.* genehmigen.

vis·age [ˈvizidʒ] *s poet.* Antlitz *n*. ˈ**vis·aged** *adj* (*bes. in Zssgn*) ...gesichtig.

vis-a-vis [ˌviːzɑːˈviː] **I** *adv* 1. gegenˈüber, vis-à-ˈvis (to, with von). **II** *adj* 2. gegenˈüberliegend. **III** *prep* 3. gegenˈüber (*dat*). **IV** *s* 4. Gegenˈüber *n*, Visaˈvis *n* (*Person*). 5. Begegnung *f*.

vis·cer·a [ˈvisərə] *s pl* 1. *anat.* Eingeweide *n, pl*: abdominal ~ Bauchorgane *pl*. 2. *colloq.* (Ge)Därme *pl*. ˈ**vis·cer·al** *adj* Eingeweide... ˈ**vis·cerˌate** [-ˌreit] *v/t Wild* ausweiden.

vis·cid [ˈvisid] *adj* 1. klebrig (*a. bot.*). 2. *bes. phys.* visˈkos, dick-, zähflüssig. **visˈcid·i·ty,** *selten* ˈ**vis·cid·ness** *s* 1. Klebrigkeit *f*. 2. Dick-, Zähflüssigkeit *f*.

vis·com·e·ter [visˈkɒmitər] *etc* → viscosimeter *etc.*

vis·cose [ˈviskous] *s tech.* Visˈkose *f* (*Art Zellulose*): ~ silk Viskose-, Zellstoffseide *f*. ˌ**vis·coˈsim·e·ter** [-koˈsimitər] *s tech.* Visko(si)ˈmeter *n*. ˌ**vis·co·siˈmet·ric** [-ˈmetrik] *adj* viskosiˈmetrisch. ˌ**vis·coˈsim·e·try** [-tri] *s* Viskosimeˈtrie *f*. **visˈcos·i·ty** [-ˈkɒsiti] *s bes. phys.* Viskosiˈtät *f*, (Grad *m* der) Zähflüssigkeit *f*, Konsiˈstenz *f*.

vis·count [ˈvaikaunt] *s* 1. Viˈcomte *m* (*englischer Adelstitel zwischen* baron *u.* earl). 2. *Br. hist.* a) Stellvertreter *m* e-s Grafen, b) Sheriff *m* (*e-r Grafschaft*). ˈ**vis·count·cy** [-si] *s* Rang *m od.* Würde *f* e-s Viˈcomte. ˈ**vis·count·ess** *s* Vicomˈtesse *f*. ˈ**vis·countˌship,** ˈ**vis·count·y** → viscountcy.

vis·cous [ˈviskəs] → viscid.

vi·sé [ˈviːzei; viːˈzei] **I** *s* → visa I. **II** *v/t pret u. pp* **-séd, -sé'd** → visa II.

vise [vais] *Am. für* vice².

vis·i·bil·i·ty [ˌviziˈbiliti] *s* 1. Sichtbarkeit *f*. 2. *meteor.* Sicht(weite) *f*: high (low) ~ gute (schlechte) Sicht; ~ conditions Sichtverhältnisse.

vis·i·ble [ˈvizibl] **I** *adj* (*adv* visibly) 1. sichtbar: → horizon 1. 2. *fig.* (er-, offen)sichtlich, merklich, deutlich, erkennbar: no ~ means of support; ~ difficulties. 3. *tech.* sichtbar (gemacht), graphisch dargestellt: ~ signal Schauzeichen *n*; ~ sound Oszillogramm *n* e-r Schallwelle. 4. *pred* a) zu sehen (*Sache*), b) zu sprechen: is he ~ today? **II** *s* 5. the ~ das Sichtbare, die sichtbare Welt. ~ **speech** *s ling. von Prof. A. M. Bell erfundene Lautzeichen für alle möglichen Sprachlaute.* ~ **supply** *s econ.* tatsächlicher Bestand.

Vis·i·goth [ˈviziˌgɒθ] *s hist.* Westgote *m*, -gotin *f*. ˌ**Vis·iˈgoth·ic** **I** *adj* 1. westgotisch, Westgoten... **II** *s* 2. *ling.* Westgotisch *n*, das Westgotische. 3. westgotische Schrift.

vi·sion [ˈviʒən] **I** *s* 1. Sehkraft *f*, -vermögen *n*: field of ~ Blickfeld *n*. 2. *fig.* a) visioˈnäre Kraft, Seher-, Weitblick *m*, b) Phantaˈsie *f*, Vorstellungsvermögen *n*, Einsicht *f*. 3. Visiˈon *f*: a) Phantaˈsie-, Traum-, Wunschbild *n*, b) *oft pl psych.* Halluzinatiˈonen *pl*, Gesichte *pl*. 4. Anblick *m*, Bild *n*: she was a ~ of delight sie bot e-n entzückenden Anblick. 5. (*etwas*) Schönes, (*e-e*) Schönheit, Traum *m*. **II** *v/t* 6. (er)schauen, (in der Einbildung) sehen: she ~ed a life without troubles. ˈ**vi·sion·al** *adj* 1. Visions... 2. traumhaft, visioˈnär.

vi·sion·ar·i·ness [ˈviʒənərinis] *s* 1. (*das*) Visioˈnäre. 2. Phantasteˈrei *f*, Träumeˈrei *f*. ˈ**vi·sion·ar·y** [-nəri] **I** *adj* 1. visioˈnär, (hell)seherisch: a ~ prophet. 2. phanˈtastisch, verstiegen, überˈspannt: a ~ scheme. 3. unwirklich, eingebildet: ~ evils. 4. Visions..., geisterhaft, Geister... **II** *s* 5. Visioˈnär *m*, Hell-, Geisterseher *m*. 6. Phanˈtast *m*, Träumer *m*, Schwärmer *m*.

vis·it [ˈvizit] **I** *v/t* 1. besuchen: a) *j-n, e-n Arzt, e-n Patienten, ein Lokal etc* aufsuchen, b) visiˈtieren, inspiˈzieren, in Augenschein nehmen, c) *e-e Stadt, ein Museum etc* besichtigen. 2. heimsuchen (s.th. upon s.o. j-n mit etwas): a) befallen (*Krankheit, Unglück*), b) *Bibl. od. fig.* bestrafen. 3. *Bibl. od. fig. Sünden* vergelten (upon an *dat*). 4. *Bibl.* belohnen, segnen. **II** *v/i* 5. e-n Besuch *od.* Besuche machen. 6. *Am. colloq.* plaudern. **III** *s* 7. Besuch *m*: on a ~ auf *od.* zu Besuch (to bei *j-m*, in *e-r Stadt etc*); to make (*od.* pay) a ~ e-n Besuch machen; ~ to the doctor Konsultation *f* beim Arzt, Arztbesuch. 8. (forˈmeller) Besuch, *bes.* Inspektiˈon *f*. 9. *jur. mar.* Durchˈsuchung *f*: right of ~ and search Durchsuchungsrecht *n* (auf See); → domiciliary. 10. *Am. colloq.* Plaudeˈrei *f*, Plausch *m*. ˈ**vis·it·a·ble** *adj* 1. besuchenswert. 2. inspektiˈonspflichtig. ˈ**vis·it·ant** **I** *s* 1. Besucher(in), Besuch *m*, Gast *m*. 2. *orn.* Strichvogel *m*. **II** *adj* 3. *poet.* besuchend, zu Besuch.

vis·it·a·tion [ˌviziˈteiʃən] *s* 1. Besuchen *n*: ~ of the sick *relig.* Krankenbesuch *m*. 2. offiziˈeller Besuch, Besichtigung *f*, Visitatiˈon *f*: right of ~ *mar.* Durchsuchungsrecht *n* (auf See). 3. *fig.* Heimsuchung *f*: a) (gottgesandte) Prüfung, Strafe *f* (Gottes), b) himmlischer Beistand: V~ of our Lady *R.C.* Heimsuchung Mariae. 4. *zo.* massenhaftes Auftreten (*von Vögeln, Wühlmäusen etc*). 5. *colloq.* langer Besuch. ˌ**vis·it·aˈto·ri·al** [-təˈtɔːriəl] *adj* Visitations...: ~ power Aufsichtsbefugnis *f*.

vis·it·ing [ˈvizitiŋ] *adj* 1. besichtigend, Besuchs..., Besucher...: to be on ~ terms with s.o. mit j-m verkehren; ~ book Besuchsliste *f*; ~ card Visitenkarte *f*; ~ fireman *Am. colloq.* a) ‚hohes Tier' (auf Besuch), b) vergnügungssüchtiger Gast (*e-r Stadt etc*); ~ nurse Fürsorgerin *f*, Gemeindeschwester *f*; ~ teacher Schulfürsorger(in), Elternberater(in). ˈ**vis·i·tor** [-tər] *s* 1. Besucher(in), Gast *m* (to s.o. j-s; to a country e-s Landes). 2. *oft pl* Besuch *m*: many ~s viel Besuch. 3. (Kur)Gast *m*, Touˈrist(in): summer ~s Sommergäste; ~s' book a) Fremdenbuch *n*, b) Gästebuch *n*. 4. Visiˈtator *m*, Inˈspektor *m*. ˌ**vis·iˈto·ri·al** [-ˈtɔːriəl] → visitatorial.

vi·son [ˈvaisən], *a.* ~ **wea·sel** *s zo.* Mink *m* (*amer. Nerz*).

vi·sor [ˈvaizər] **I** *s* 1. *hist. u. fig.* Viˈsier *n*. 2. a) (Mützen)Schirm *m*, b) (Augen)Schirm *m*. 3. Maske *f* (*a. fig.*). 4. *mot.* Blendschutz(scheibe *f*) *m*. **II** *v/t* 5. masˈkieren, (mit e-m Viˈsier) verdecken.

vis·ta [ˈvistə] *s* 1. (Aus-, ˈDurch)Blick *m*, Aussicht *f*: ~ dome *rail. Am.* Aussichtskuppel *f*. 2. Alˈlee *f*. 3. *arch.* (langer) Gang, Korridor *m*, Galeˈrie *f*. 4. *fig.* Kette *f*, (lange) Reihe: a ~ of years. 5. *fig.* Ausblick *m*, Aussicht *f* (of auf *acc*), Möglichkeit *f*, Perspekˈtive *f*: his words opened up new ~s; dim ~s of the future (vage) Zukunftsträume.

vis·u·al [ˈviʒuəl; *Br. a.* ˈvizjuəl] **I** *adj* (*adv* ~ly) 1. Seh..., Gesichts...: ~ acuity Sehschärfe *f*; ~ angle Gesichtswinkel *m*; ~ nerve Sehnerv *m*; ~ test Augentest *m*. 2. visuˈell: ~ impression; ~ memory; ~ aid(s) *ped.* Anschauungsmaterial *n*; ~ arts bildende Künste; ~-aural radio range *aer.* Vierkursfunkfeuer *n* mit Sicht- u. Höranzeige; ~ instruction *ped.* Anschauungsunterricht *m*; ~ signal Schauzeichen *n*. 3. sichtbar: ~ objects. 4. optisch, Sicht-...: ~ flight rules *aer.* Sichtflugregeln; ~ indication *tech.* Sichtanzeige *f*; ~ range Sichtbereich *m*. 5. *fig.* anschaulich. **II** *s* 6. *econ. print.* a) (Roh)Skizze *f* e-s Layouts, b) ˈBildeleˌment *n* e-r Anzeige. 7. → visualizer.

vis·u·al·i·za·tion [ˌviʒuəlaiˈzeiʃən; -liˈz-; *Br. a.* ˌvizju-] *s* Vergegenwärtigung *f*. ˈ**vis·u·alˌize** *v/t* sich vorstellen, sich vergegenwärtigen, sich veranschaulichen, sich ein Bild machen von. ˈ**vis·u·alˌiz·er** *s* 1. *psych.* visuˈeller Typ. 2. *econ.* graphischer Iˈdeengestalter.

vi·ta [ˈvaitə] (*Lat.*) *s* Vita *f*: a) Leben *n*, b) Lebensbeschreibung *f*.

vi·tal [ˈvaitl] **I** *adj* (*adv* ~ly) 1. Lebens...: ~ functions; ~ principle; ~ energy (*od.* power) Lebenskraft *f*; ~ index (*Statistik*) Vitalitätsindex *m* (*Verhältnis zwischen Geburts- u. Sterbeziffern*); ~ records standesamtliche *od.* bevölkerungsstatistische Unterlagen; ~ statistics Bevölkerungsstatistik *f*; Bureau of V~ Statistics *Am.* Personenstandsregister *n*; ~ spark Lebensfunke *m*. 2. lebenswichtig (to für): ~ industry (interests, organ, *etc*); ~ parts → 8; ~ necessity Lebensnotwendigkeit *f*. 3. wesentlich, grundlegend. 4. (hoch)wichtig, entscheidend (to für): ~ problems; ~ question Lebensfrage *f*; of ~ **importance** von entscheidender Bedeutung. **5.** *meist fig.* lebendig: ~ **style. 6.** vi'tal, kraftvoll, lebensprühend: a ~ **personality. 7.** lebensgefährlich, tödlich: ~ **wound. II** *s* **8.** *pl* a) *med.* ‚edle Teile' *pl*, lebenswichtige Or'gane *pl*, b) *fig.* (*das*) Wesentliche, wichtige Bestandteile *pl*.

vi·tal·ism ['vaitəˌlizəm] *s biol. philos.* Vita'lismus *m*.

vi·tal·i·ty [vai'tæliti] *s* **1.** Vitali'tät *f*, Lebenskraft *f*. **2.** Lebensfähigkeit *f*, -dauer *f* (*a. fig.*).

vi·tal·i·za·tion [ˌvaitəlai'zeiʃən; -li'z-] *s* Belebung *f*, Akti'vierung *f*. **'vi·tal·ˌize** *v/t* **1.** beleben, kräftigen, stärken. **2.** mit Lebenskraft erfüllen. **3.** *fig.* le'bendig gestalten.

vi·ta·mer ['vaitəmər] *s chem. med. die Faktoren der Nahrung, die Vitaminfunktionen erfüllen.*

vi·ta·min ['vaitəmin; 'vit-], *a.* **'vi·ta·mine** [-min; -ˌmi:n] *s chem. med.* Vita'min *n*, Wirkstoff *m*. **'vi·ta·min·ˌize** *v/t* mit Vita'minen anreichern.

vit·el·lar·y ['vitələri] → **vitelline** I.

vi·tel·line [vi'telin; vai-] *biol.* **I** *adj* **1.** vitel'lin, (Ei)Dotter...: ~ **membrane** Dotterhaut *f*, -sack *m*. **2.** (dotter)gelb. **II** *s* → **vitellus. vi'tel·lus** [-ləs] *pl* **-li** [-lai] *s zo.* (Ei)Dotter *m*, *n*.

vi·ti·ate ['viʃiˌeit] *v/t* **1.** *allg.* verderben. **2.** beeinträchtigen. **3.** *die Luft etc* verunreinigen, verpesten. **4.** *fig. die Atmosphäre* vergiften. **5.** *bes. jur.* ungültig machen, aufheben: **fraud** ~**s a contract. ˌvi·ti'a·tion** *s* **1.** Verderben *n*, Verderbnis *f*. **2.** Beeinträchtigung *f*. **3.** Verunreinigung *f*. **4.** *jur.* Vernichtung *f*, Aufhebung *f*.

vit·i·cul·tur·al [ˌviti'kʌltʃərəl] *adj* Weinbau... **'vit·iˌcul·ture** *s* Weinbau *m*. **ˌvit·i'cul·tur·ist** *s* Weinbauer *m*.

vit·re·o·e·lec·tric [ˌvitrioi'lektrik] *adj phys.* positiv e'lektrisch.

vit·re·ous ['vitriəs] *adj* **1.** Glas..., aus Glas, gläsern. **2.** glasartig, glasig: ~ **electricity** positive Elektrizität. **3.** flaschengrün. **4.** ~ **body,** ~ **humo(u)r** *anat.* Glaskörper *m* (*des Auges*). **5.** *geol.* glasig.

vi·tres·cence [vi'tresns] *s chem.* **1.** Verglasung *f*. **2.** Verglasbarkeit *f*. **vi'tres·cent** *adj* **1.** verglasend. **2.** verglasbar.

vi·tres·ci·ble [vi'tresəbl] → **vitrifiable.**

vit·ric ['vitrik] *adj* glasartig, Glas... **'vit·rics** *s pl* **1.** Glaswaren *pl*. **2.** (*meist als sg konstruiert*) Glaswarenkunde *f*.

vit·ri·fac·tion [ˌvitri'fækʃən] → **vitrification. 'vit·riˌfi·a·ble** [-ˌfaiəbl] *adj* verglasbar. **ˌvit·ri·fi'ca·tion** [-fi'keiʃən] *s tech.* Ver-, Über'glasung *f*, Sinterung *f*. **'vit·riˌfy** [-ˌfai] *tech.* **I** *v/t* ver-, über'glasen, gla'sieren, sintern, *Keramik*: dicht brennen. **II** *v/i* (sich) verglasen.

vit·ri·ol ['vitriəl] *s* **1.** *chem.* Vitri'ol *n*: **blue** ~, **copper** ~ Kupfervitriol, -sulfat *n*; **green** ~ Eisenvitriol; **white** ~ Zinksulfat *n*. **2.** *chem.* Schwefel-, Vitri'olsäure *f*. **3.** *fig.* a) Gift *n*, Säure *f*, b) Giftigkeit *f*, Schärfe *f*. **'vit·ri·o·ˌlate** [-ˌleit] *v/t* in Vitri'ol verwandeln. **ˌvit·ri'ol·ic** [-'ɒlik] *adj* **1.** vitri'olisch, Vitriol...: ~ **acid** Vitriolöl *n*, rauchende Schwefelsäure. **2.** *fig.* ätzend, beißend, scharf: ~ **remarks. 'vit·ri·ol·ˌize** *v/t* **1.** *chem.* vitrioli'sieren. **2.** *j-n* mit Vitri'ol bespritzen *od.* verletzen.

Vi·tru·vi·an [vi'tru:viən] *adj arch. hist.* vi'truvisch. ~ **scroll** *s arch.* Mä'ander(verzierung *f*) *m*.

vit·ta ['vitə] *pl* **-tae** [-ti:] *s* **1.** *antiq.* Stirnband *n*. **2.** *bot.* a) Ölstrieme *f* (*in den Früchten der Doldenblüter*), b) Gürtelband *n* (*in den Schalen von Kieselalgen*). **3.** *bot. zo.* Bandstreifen *m*.

vi·tu·per·ate [vai'tju:pəˌreit; vi-] *v/t* (wüst) beschimpfen, schmähen, schelten. **viˌtu·per'a·tion** *s* **1.** Schmähung *f*, Beschimpfung *f*. **2.** (harter) Tadel. **3.** *pl* Schimpf-, Scheltworte *pl*. **vi'tu·perˌa·tive** [-ˌreitiv; *Br. a.* -rə-] *adj* (*adv* ~**ly**) tadelnd, scheltend, schmähend, Schmäh... **vi'tu·perˌa·tor** [-tər] *s* Schmäher *m*, (Be)Schimpfer *m*.

vi·va[1] ['viva; 'vi:və; -vɑ:] (*Ital.*) **I** *interj* Hoch! **II** *s* Hoch(ruf *m*) *n*.

vi·va[2] ['vaivə] → **viva voce.**

vi·va·ce [vi'vatʃe; vi'vɑ:tʃi] (*Ital.*) *adv u. adj mus.* vi'vace, lebhaft.

vi·va·cious [vai'veiʃəs; vi-] *adj* (*adv* ~**ly**) lebhaft, munter. **vi'va·cious·ness, vi'vac·i·ty** [-'væsiti] *s* Lebhaftigkeit *f*, Feuer *n*.

vi·var·i·um [vai'vɛ(ə)riəm] *pl* **-i·ums, -i·a** [-iə] *s* **1.** Vi'varium *n*, Tiergehege *n*, Na'tur-, Tierpark *m*. **2.** A'quarium *n* (mit Ter'rarium). **3.** Fischteich *m*.

vi·va vo·ce ['vaivə 'vousi] **I** *adj u. adv* mündlich. **II** *s* mündliche Prüfung, mündlicher Bericht *etc.*

viv·id ['vivid] *adj* (*adv* ~**ly**) **1.** *allg.* lebhaft: a) impul'siv (*Person*), b) inten'siv: ~ **imagination;** ~ **feelings,** c) deutlich, klar: ~ **recollections,** d) schwungvoll, bunt: ~ **scene,** e) leuchtend: ~ **colo(u)rs. 2.** le'bendig, lebensvoll: ~ **portrait. 'viv·id·ness** *s* **1.** Lebhaftigkeit *f*. **2.** Le'bendigkeit *f*.

viv·i·fi·ca·tion [ˌvivifi'keiʃən] *s* **1.** ('Wieder)Belebung *f*. **2.** *biol.* 'Umwandlung *f* in lebendes Gewebe.

'viv·iˌfy [-ˌfai] *v/t* **1.** *bes. fig.* Leben geben (*dat*), beleben, anregen. **2.** intensi'vieren. **3.** *biol.* in lebendes Gewebe verwandeln.

vi·vip·a·rous [vai'vipərəs; vi-] *adj* (*adv* ~**ly**) **1.** *zo.* lebendgebärend. **2.** *bot.* noch an der Mutterpflanze keimend (*Samen*). **vi'vip·a·ry** [-ri] *s* **1.** Vivipa'rie *f*: a) *bot. Vermehrung durch Brutkörper*, b) *zo.* (Vermehrung *f* durch) Lebendgeburt *f*. **2.** *bot.* Biotek'nose *f* (*Keimung an der Mutterpflanze*).

viv·i·sect [ˌvivi'sekt; 'viviˌsekt] *v/t u. v/i med.* vivise'zieren, lebend se'zieren. **ˌviv·i'sec·tion** *s med.* Vivisekti'on *f*. **ˌviv·i'sec·tion·al** *adj* Vivisektions..., vivisek'torisch. **ˌviv·i'sec·tion·ist** *s* Anhänger *m* der Vivisekti'on. **viv·i·sec·tor** [ˌvivi'sektər; 'viviˌsektər] *s* Vivi'sektor *m*.

vix·en ['viksn] *s* **1.** *hunt.* Füchsin *f*, Fähe *f*. **2.** *fig.* Zankteufel *m*, ‚Drachen' *m*. **'vix·en·ish** *adj* zänkisch, keifend.

viz·ard ['vizərd] → **visor.**

vi·zier [vi'zir; 'viziər] *s* We'sir *m*: **grand** ~ *hist.* Großwesir. **vi'zier·ate** [-it; -eit] *s* Wesi'rat *n*.

vi·zor → **visor.**

V-J Day *s* Tag *m* des Sieges der Alli'ierten über Japan (*im 2. Weltkrieg*; *2. 9. 1945*).

Vlach [vlæk] **I** *s* Wa'lache *m*, Wa'lachin *f*. **II** *adj* wa'lachisch.

vlei [flei] *s* **1.** *S.Afr.* sumpfige Niederung. **2.** *Am.* Sumpf *m*.

vo·ca·ble ['voukəbl] *s* Vo'kabel *f*.

vo·cab·u·lar·y [və'kæbjuləri; vo-] **I** *s* **1.** Wörterverzeichnis *n*. **2.** Wörterbuch *n*. **3.** Wortschatz *m*, Vokabu'lar *n*. **II** *adj* **4.** Wort(schatz)...

vo·cal ['voukəl] *adj* (*adv* ~**ly**) **1.** stimmlich, mündlich, Stimm..., Sprech...: ~ **cords** Stimmbänder; ~ **chink** Stimmritze *f*. **2.** *mus.* Vokal..., gesungen, Gesang(s)..., gesanglich: ~ **music** Vokalmusik *f*; ~ **part** Singstimme *f*; ~ **recital** Liederabend *m*. **3.** stimmbegabt, der Sprache mächtig. **4.** klingend, 'widerhallend (**with** von). **5.** laut, vernehmbar, *a.* gesprächig: **to become** ~ laut werden, sich vernehmen lassen. **6.** *ling.* a) vo'kalisch, b) stimmhaft.

vo·cal·ic [vo'kælik] *adj* **1.** Vokal..., vo'kalisch. **2.** vo'kalreich.

vo·cal·ism ['voukəˌlizəm] *s* **1.** *ling.* Vo'kalsyˌstem *n* (*e-r Sprache*). **2.** Vokalisati'on *f* (*Vokalbildung u. Aussprache*). **3.** Gesang(skunst *f*, -stechnik *f*) *m*. **'vo·cal·ist** *s mus.* Sänger(in), Voka'list(in).

vo·cal·i·ty [vo'kæliti] *s* **1.** *ling.* a) Stimmhaftigkeit *f*, b) vo'kalischer Cha'rakter. **2.** Stimmbegabung *f*.

vo·cal·i·za·tion [ˌvoukəlai'zeiʃən; -li'z-] *s* **1.** Aussprechen *n*, Stimmgebung *f*. **2.** *ling.* a) Vokali'sierung *f*, Vokalisati'on *f*, b) stimmhafte Aussprache, c) Punktati'on *f* (*Bezeichnen der Vokale im Hebräischen*). **'vo·cal·ˌize I** *v/t* **1.** *e-n Laut* aussprechen, artiku'lieren, *a.* singen. **2.** *ling.* a) *Konsonanten* vokali'sieren, vo'kalisch *od.* als Vo'kal aussprechen, b) stimmhaft aussprechen, c) → **vowelize** 1. **II** *v/i* **3.** sprechen, singen, summen *etc.*

vo·ca·tion [vo'keiʃən] *s* **1.** (*relig.* gött'liche, *allg.* innere) Berufung (**for** zu). **2.** Eignung *f*, Begabung *f*, Ta'lent *n* (**for** zu). **3.** Beruf *m*, Beschäftigung *f*: **to mistake one's** ~ s-n Beruf verfehlen. **vo'ca·tion·al** *adj* beruflich, Berufs...: ~ **disease** Berufskrankheit *f*; ~ **education** Berufs-, Fachausbildung *f*; ~ **guidance** Berufsberatung *f*; ~ **school** Berufsschule *f*.

voc·a·tive ['vɒkətiv] *ling.* **I** *adj* vokativisch, Anrede...: ~ **case** → II. **II** *s* Vokativ *m*.

vo·cif·er·ant [vo'sifərənt] *adj* schreiend, brüllend. **vo'cif·erˌate** [-ˌreit] *v/t u. v/i* schreien, brüllen. **voˌcif·er'a·tion** *s a. pl* Brüllen *n*, Schreien *n*, Geschrei *n*. **vo'cif·erˌa·tor** [-tər] *s* Schreier *m*, Schreihals *m*. **vo'cif·er·ous** *adj* (*adv* ~**ly**) **1.** laut schreiend, brüllend. **2.** lärmend, laut.

vo·co·der [vou'koudər] *s electr. tech.* Vocoder *m* (*Umwandler von Sprechsignalen*).

vo·der ['voudər] *s electr. tech.* Voder *m* [(*synthetischer Sprecher*).]

vod·ka ['vɒdkə] *s* Wodka *m*.

voe [vou] *s Br. dial.* Bucht *f*.

vogue [voug] *s* **1.** *allg.* (herrschende) Mode: **all the** ~ die große Mode, der letzte Schrei; **to be in** ~ (in) Mode sein; **to come into** ~ in Mode kommen. **2.** Beliebtheit *f*: **to be in full** ~ sich großer Beliebtheit erfreuen, sehr im Schwange sein; **to have a short-lived** ~ sich e-r kurzen Beliebtheit erfreuen. ~ **word** *s* Modewort *n*.

voice [vɔis] **I** *s* **1.** Stimme *f* (*a. fig.*): **the** ~ **of conscience;** in (**good**) ~ *mus.* (gut) bei Stimme; ~ **frequency** *electr.* Sprechfrequenz *f*; ~ **part** *mus.* Singstimme *f* (*e-r Komposition*); ~ **radio** Sprechfunk *m*. **2.** Ausdruck *m*, Äußerung *f*: **to find** ~ **in** *fig.* Ausdruck finden in (*dat*); **to give** ~ **to** → 9. **3.** Stimme *f*, Entscheidung *f*: **to give one's** ~ **for** stimmen für; **with one** ~ einstimmig. **4.** Stimmrecht *n*, Stimme *f*: **to have a (no)** ~ **in a matter** etwas (nichts) zu sagen haben bei *od.* in e-r Sache. **5.** Stimme *f*, Sprecher(in), Sprachrohr *n*: **he made himself the** ~ **of the poor. 6.** *mus.* a) *a.* ~ **quality** Stimmton *m*, b) ('Orgel)Reˌgister *n*, (-)Stimme *f*. **7.** *Phonetik*: a) stimmhafter Laut, b) Stimmton *m*. **8.** Genus *n* des Verbs: **active** ~ Aktiv(um) *n*;

passive ~ Passiv(um) *n.* **II** *v/t* **9.** Ausdruck geben *od.* verleihen (*dat*), äußern, in Worte fassen: he ~d his gratitude. **10.** *mus.* a) *e-e Orgelpfeife etc* regu'lieren, b) die Singstimme schreiben zu (*e-r Komposition*). **11.** *Phonetik*: (stimmhaft) (aus)sprechen.
voiced *adj* **1.** (*in Zssgn*) mit *leiser etc* Stimme: low-~. **2.** stimmhaft.
voice·ful ['vɔisful] *adj bes. poet.* **1.** mit (lauter) Stimme. **2.** tönend, klangvoll, 'widerhallend (with von). '**voice·less** *adj* **1.** ohne Stimme, stumm. **2.** sprachlos. **3.** *parl.* nicht stimmfähig. **4.** *ling.* stimmlos.
void [vɔid] **I** *adj* (*adv* ~ly) **1.** leer: a ~ space. **2.** ~ of ohne, bar (*gen*), arm an (*dat*), frei von: ~ of fear ohne jede Angst. **3.** unbewohnt: ~ house. **4.** unbesetzt, frei: a ~ position. **5.** *jur.* (rechts)unwirksam, ungültig, nichtig: → null 3. **II** *s* **6.** leerer Raum, Leere *f.* **7.** *fig.* (Gefühl *n* der) Leere *f.* **8.** *fig.* Lücke *f*: to fill the ~ die Lücke schließen. **9.** *jur.* unbewohntes Gebäude. **III** *v/t* **10.** unwirksam *od.* ungültig machen, für nichtig erklären. **11.** *physiol. Urin etc* ausscheiden. '**void·a·ble** *adj jur.* aufheb-, anfechtbar. '**void·ance** *s* **1.** Entleerung *f*, Räumung *f.* **2.** *fig.* Entfernung *f*, Absetzung *f.* **3.** Freiwerden *n*: ~ of an office. '**void·er** *s her. halbkreisförmiges Ehrenstück am Schild e-s Wappens.* '**void·ness** *s* **1.** Leere *f.* **2.** *jur.* Nichtigkeit *f*, Ungültigkeit *f.*
voile [vɔil] *s* Voile *m*, Schleierstoff *m.*
voi·vod(e) ['vɔivoud] *s* Woi'wode *m.*
vo·lant ['voulənt] *adj* **1.** *zo.* fliegend (*a. her.*). **2.** *poet.* flüchtig, rasch.
Vo·la·pük [ˌvoulə'pyk; -'puːk] *s* Vola'pük *n* (*Welthilfssprache*).
vo·lar ['voulər] *adj anat.* **1.** Handflächen... **2.** Fußsohlen...
vol·a·tile [*Br.* 'vɔləˌtail; *Am.* 'vɑlətil] *adj* **1.** verdampfbar, sich verflüchtigend, flüchtig, ä'therisch, vola'til: ~ alkali a) Ammoniak *n*, b) Ammoniumkarbonat *n*; ~ oil ätherisches Öl; ~ salt Riechsalz *n*; to make ~ verflüchtigen. **2.** *fig.* vergänglich, flüchtig. **3.** *fig.* a) munter, lebhaft, le'bendig, b) unbeständig, launisch, flatterhaft. ˌ**vol·a·'til·i·ty** [-'tiliti] *s* **1.** *chem.* (leichte) Verdampfbarkeit, Flüchtigkeit *f.* **2.** Vergänglich-, Flüchtigkeit *f.* **3.** *fig.* a) Lebhaftigkeit *f*, b) Unbeständig-, Flatterhaftigkeit *f.*
vol·a·til·iz·a·ble ['vɒlətiˌlaizəbl] *adj chem.* leicht zu verflüchtigen(d), (leicht) verdampfbar. ˌ**vol·a·til·i'za·tion** *s chem.* Verflüchtigung *f*, -dampfung *f*, -dampfen *n*, -dunstung *f.* '**vol·a·tilˌize** *v/t u. v/i phys.* (sich) verflüchtigen, verdunsten, -dampfen.
vol-au-vent [vɔlo'vɑ̃] (*Fr.*) *s* Vol-au-'vent *m* (*Blätterteigpastete mit Fleisch- od. Fisch- od. Pilzfüllung*).
vol·can·ic [vɒl'kænik] *adj* (*adv* ~ally) **1.** *geol.* vulka'nisch, Vulkan...: ~ rock vulkanisches Gestein, Eruptivgestein *n.* **2.** *fig.* ungestüm, explo'siv. ~ **bomb** *s geol.* Bombe *f* (*runde, bisweilen hohle Lavamasse*). ~ **glass** *s geol.* vul'kanische Glaslava, Obsidi'an *m.* ˌ**vol·can'ic·i·ty** [-kə'nisiti] *s geol.* vul'kanische Beschaffenheit *od.* Tätigkeit.
'**vol·canˌism** *s geol.* Vulka'nismus *m.*
'**vol·canˌize** *v/t* vulkani'sieren.
vol·ca·no [vɒl'keinou] *pl* **-noes** *s* **1.** *geol.* Vul'kan *m.* **2.** *fig.* Vul'kan *m*, Pulverfaß *n*: to sit on the top of a ~ (wie) auf e-m Pulverfaß sitzen.
vol·can·ol·o·gy [ˌvɒlkə'nɒlədʒi] *s* Vulˌkanolo'gie *f.*
vole[1] [voul] *s zo.* Wühlmaus *f.*
vole[2] [voul] (*Kartenspiel*) **I** *s* Vola *f*, Vole *f* (*Gewinn aller Stiche*): to go the ~ alles riskieren. **II** *v/i* die Vole *od.* alle Stiche machen.
vo·let [vo'lei; -'let] *s* Flügel *m* (*e-s Triptychons*).
vo·li·tion [vo'liʃən] *s* **1.** Willensäußerung *f*, -akt *m*, (Willens)Entschluß *m*: of one's own ~ aus eigenem Entschluß. **2.** Wille *m*, Wollen *n*, Willenskraft *f.* **vo'li·tion·al** *adj* (*adv* ~ly) **1.** Willens..., willensmäßig. **2.** willensstark. **vo'li·tion·ar·y** → volitional.
vol·i·tive ['vɒlitiv] *adj* **1.** Willens... **2.** *ling.* voli'tiv: ~ future.
Volks·raad ['fɔːlksˌrɑːt; 'fɒlks-] *s pol.* Volksraad *m* (*gesetzgebende Körperschaft in der Republik Südafrika*).
vol·ley ['vɒli] **I** *s* **1.** (Gewehr-, Geschütz)Salve *f*, (*Pfeil-, Stein- etc*)Hagel *m*, *Artillerie, Flak*: Gruppe *f*: ~ bombing *aer.* Reihenwurf *m*; ~ fire *mil.* a) Salvenfeuer *n*, b) (*Artillerie*) Gruppenfeuer *n.* **2.** *fig.* Schwall *m*, Strom *m*, Flut *f*, Ausbruch *m*: a ~ of oaths ein Hagel von Flüchen. **3.** *Tennis*: a) Flugball *m*, b) Flugschlag *m.* **4.** *Kricket*: di'rekter (*auf den Dreistab gezielter*) Ball. **5.** *Fußball*: Schlag *m* aus der Luft, Volleyschuß *m.* **II** *v/t* **6.** in e-r Salve abschießen. **7.** *Tennis*: *den Ball* als Flugball nehmen. **8.** *Krikket*: *den Ball* di'rekt auf den Dreistab zielen. **9.** *Fußball*: *den Ball* (di'rekt) aus der Luft nehmen, volley schießen. **10.** *fig. meist* ~ out (*od.* forth) e-n Schwall *von Worten etc* von sich geben. **III** *v/i* **11.** e-e Salve *od.* Salven abgeben. **12.** hageln, sausen (*Geschosse*). **13.** krachen (*Geschütze*). **14.** *Tennis etc*: Flugbälle spielen *od.* nehmen. '~ˌ**ball** *s sport* **1.** Flugball *m.* **2.** Volleyball(spiel *n*) *m.*
vol·plane ['vɒlˌplein] *aer.* **I** *s* Gleitflug *m.* **II** *v/i* im Gleitflug niedergehen.
Vol·stead·ism ['vɒlstedˌizəm] *s Am.* Prohibiti'onspoliˌtik *f* (*nach dem Abgeordneten A. J. Volstead*).
volt[1] [voult] *s electr.* Volt *n.*
volt[2] [voult] *s* Volte *f*: a) *Reitkunst*: Kreisritt *m*, b) *fenc.* Seitenwendung *f.*
vol·ta ['voltɑ; 'vɒltə] *adj electr.* Volta...: ~ effect; ~'s law Voltasches Gesetz.
vol·tage ['voultidʒ] *s electr.* (Volt)Spannung *f.*
vol·ta·ic [vɒl'teiik] *adj electr.* vol'taisch, Voltasch(er, e, es), gal'vanisch. ~ **bat·ter·y** *s electr.* gal'vanische Batte'rie. ~ **cell** *s chem. electr.* 'Voltaeleˌment *n.* ~ **cou·ple** *s electr.* Elek'trodenmeˌtalle *pl.* ~ **cur·rent** *s electr.* gal'vanischer Strom. ~ **e·lec·tric·i·ty** *s electr.* Galva'nismus *m*, Be'rührungseˌlektriziˌtät *f.* ~ **el·e·ment** *s electr.* gal'vanisches Ele'ment. ~ **pile** *s electr.* Voltasche Säule.
vol·tam·e·ter [vɒl'tæmitər] *s electr.* Volta'meter *n* (*Stromstärkemesser*).
ˌ**vol·ta'met·ric** [-tə'metrik] *adj* volta'metrisch. **volt·am·me·ter** ['voult'æmˌmiːtər; -ˌæmmitər] *s* 'Voltamˌperemeter *n*, Voltmesser *m.*
'**volt-'am·pere** *s* 'Voltamˌpere *n.*
'**volt-cou'lomb** *s* Joule *n*, 'Watt-seˌkunde *f.*
volte → volt[2].
volte-face [vɔlt'fas; 'vɔlt'fɑːs] *pl* **voltes-face** [vɔlt'fas; 'vɔlt'fɑːs] *s* **1.** *fenc.* 'Umdrehung *f*, Kehre *f.* **2.** *fig.* Kehrtwendung *f*, Wendung *f* um 180 Grad.
volt·me·ter ['voultˌmiːtər] *s electr.* Voltmeter *n*, Spannungsmesser *m.*
vol·u·bil·i·ty [ˌvɒlju'biliti] *s* **1.** (leichte) Drehbarkeit (*um e-e Achse etc*). **2.** Beweglichkeit *f.* **3.** *fig.* a) Geläufigkeit *f* (*der Zunge*), glatter Fluß (*der Rede*), b) Zungenfertigkeit *f*, Redegewandtheit *f*, c) Redseligkeit *f*, d) Wortreichtum *m.* '**vol·u·ble** *adj* **1.** drehbar. **2.** (leicht)beweglich. **3.** a) geläufig: ~ tongue, b) fließend: ~ speech, c) redegewandt, zungenfertig, d) redselig, e) wortreich. **4.** *bot.* sich windend.
vol·ume ['vɒlju(ː)m] *s* **1.** Band *m*, Buch *n* (*a. fig.*): a three-~ novel ein dreibändiger Roman; the ~ of nature das Buch der Natur; that speaks ~s *fig.* das spricht Bände (for für). **2.** Vo'lumen *n*, 'Umfang *m*: the ~ of imports. **3.** Masse *f*, große Menge, Schwall *m*: ~s of abuse; ~ production *econ.* Massenproduktion *f*, Mengenfertigung *f.* **4.** *chem. math. med. phys.* (Raum)Inhalt *m*, Vo'lumen *n.* **5.** *mus.* Klangfülle *f*, 'Stimmvoˌlumen *n.* **6.** *electr.* Lautstärke *f*: ~ control Lautstärkeregler *m.* '**vol·umed** *adj* (*in Zssgn*) ...bändig: a three-~ book.
vol·u·me·nom·e·ter [ˌvɒljumi'nɒmitər] *s phys.* Stereo'meter *n*, Vo'lumenmesser *m.*
vol·u·met·ric [ˌvɒlju'metrik] *adj* volu'metrisch: ~ analysis volumetrische Analyse, Maßanalyse *f*; ~ density Raumdichte *f.* ˌ**vol·u'met·ri·cal** → volumetric.
vo·lu·mi·nal [və'ljuːminl; -'luː-] *adj* Volumen..., Umfangs... **voˌlu·mi·'nos·i·ty** [-'nɒsiti] *s* 'Umfang *m*, Reichtum *m* (*bes. an literarischer Produktion*). **vo'lu·mi·nous** [-nəs] *adj* **1.** fruchtbar, produk'tiv (*Schriftsteller*). **2.** bändefüllend, vielbändig (*literarisches Werk*). **3.** massig, gewaltig, volumi'nös. **4.** bauschig, füllig. **5.** weitschweifig. **6.** *mus.* voll, füllig: ~ voice.
vol·un·tar·i·ness ['vɒləntərinis] *s* **1.** Freiwilligkeit *f.* **2.** (Willens)Freiheit *f.*
vol·un·ta·rism ['vɒləntəˌrizəm] *s philos.* Volunta'rismus *m.*
vol·un·tar·y ['vɒləntəri] **I** *adj* (*adv* voluntarily) **1.** freiwillig, aus eig(e)nem Antrieb *od.* freiem Entschluß (getan *etc*), spon'tan: ~ contribution; ~ death Freitod *m*; ~ bankruptcy selbstbeantragte Konkurserklärung. **2.** frei, unabhängig: ~ chain *econ.* Gemeinschaftseinkauf *m* u. -werbung *f* (unabhängiger Einzelhändler). **3.** *jur.* a) vorsätzlich, schuldhaft: ~ act, b) freiwillig, unentgeltlich: ~ conveyance, c) außergerichtlich, gütlich: ~ settlement; ~ jurisdiction freiwillige Gerichtsbarkeit. **4.** durch Spenden unter'stützt *od.* finan'ziert: ~ hospital. **5.** *physiol.* willkürlich: ~ muscles. **6.** *philos.* volunta'ristisch. **II** *s* **7.** freiwillige *od.* wahlweise Arbeit. **8.** *a.* ~ exercise *sport* Kür(übung) *f.* **9.** *mus.* Orgelsolo *n.* **10.** Freiwillige(r *m*) *f.* **11.** *philos.* Volunta'rist(in). '**vol·un·tar·yˌism** *s pol.* 'Freiwilligkeitsprinˌzip *n.*
vol·un·teer [ˌvɒlən'tiər] **I** *s* **1.** Freiwillige(r *m*) *f* (*a. mil.*). **2.** *mil. Br.* Volun'teer *m* (*Mitglied des Frei[willigen]korps*). **3.** *econ.* Volon'tär(in). **4.** *jur.* a) unentgeltlicher Erwerber, b) freiwilliger Ze'dent. **5.** *bot.* wildwachsender Baum. **II** *adj* **6.** freiwillig, Freiwilligen... **7.** *bot.* wildwachsend. **III** *v/i* **8.** sich freiwillig melden *od.* erbieten (for für, zu), freiwillig mittun (in bei), als Freiwillige(r) eintreten *od.* dienen. **IV** *v/t* **9.** *Dienste etc* freiwillig anbieten *od.* leisten. **10.** sich *e-e Bemerkung* erlauben, unaufgefordert von sich geben. **11.** (freiwillig) zum besten

geben: he ~ed a song. **V~ State** *s* (*Beiname für*) Tennessee *n.*
vo·lup·tu·ar·y [*Br.* vəˈlʌptjuəri; *Am.* -tʃuˌeri] **I** *s* (Wol)Lüstling *m*, sinnlicher Mensch. **II** *adj* → **voluptuous. vo-ˈlup·tu·ous** *adj* (*adv* ~ly) **1.** wollüstig, sinnlich: ~ life; ~ mouth. **2.** geil, lüstern: ~ glance. **3.** üppig, sinnlich: ~ body. **voˈlup·tu·ous·ness** *s* **1.** Wollust *f*, Sinnlichkeit *f*, Lüsternheit *f.* **2.** Üppigkeit *f.*
vo·lute [vəˈljuːt; -ˈluːt] **I** *s* **1.** Spiˈrale *f*, Schnörkel *m.* **2.** *arch.* Voˈlute *f*, Schnecke *f.* **3.** *zo.* Windung *f* (*e-s Schneckengehäuses*). **4.** *zo.* Faltenschnecke *f.* **II** *adj* **5.** gewunden. **6.** spiˈral-, schneckenförmig: ~ compass(es) Spiralzirkel *m*; ~ spring *tech.* Schneckenfeder *f.* **voˈlut·ed** *adj* **1.** → volute II. **2.** *arch.* mit Voˈluten (versehen). **voˈlu·tion** [-ʃən] *s* **1.** Drehung *f.* **2.** *anat. zo.* Windung *f.*
vol·vu·lus [ˈvɒlvjuləs] *s med.* Darmverschlingung *f.*
vom·i·ca [ˈvɒmikə] *pl* **-cae** [-ˌsiː] *s med.* **1.** anomale Höhlenbildung (*bes. in der Lunge*). **2.** plötzlicher Eiterauswurf.
vom·it [ˈvɒmit] **I** *s* **1.** Erbrechen *n*, Brechanfall *m.* **2.** (*das*) Erbrochene. **3.** *pharm.* Brechmittel *n.* **4.** *fig.* Unflat *m.* **II** *v/t* **5.** (er)brechen. **6.** *fig. Feuer etc* (aus)speien, *Rauch, a. Flüche etc* ausstoßen. **III** *v/i* **7.** (sich er)brechen, sich überˈgeben. **8.** Lava auswerfen, Feuer speien (*Vulkan*). **ˈvom·i·tive** *pharm.* **I** *s* Brechmittel *n.* **II** *adj* Erbrechen verursachend, Brech... **ˈvom·i·to·ry I** *s* **1.** → vomitive I. **2.** *antiq.* Vomiˈtorium *n* (*Eingang zum römischen Amphitheater*). **II** *adj* → **vomitive** II.
vom·i·tu·ri·tion [*Br.* ˌvɒmitju(ə)ˈriʃən; *Am.* ˌvɑmitʃu-] *s med.* **1.** Brechreiz *m*, Würgen *n.* **2.** leichtes Erbrechen.
voo·doo [ˈvuːduː] **I** *s* **1.** Wodu *m*, Zauberkult *m* (*bes. auf Haiti*). **2.** Zauber *m*, Hexeˈrei *f.* **3.** *a.* ~ doctor, ~ priest Woduzauberer *m*, Hexenpriester *m.* **4.** Fetisch *m*, Götze *m* (*des Wodukults*). **II** *v/t* **5.** behexen. **ˈvoo·dooˌism** *s* Wodukult *m.*
vo·ra·cious [*Br.* vəˈreiʃəs; *Am.* vo-] *adj* (*adv* ~ly) gefräßig, gierig, unersättlich (*a. fig.*). **voˈra·cious·ness, voˈrac·i·ty** [-ˈræsiti] *s* Gefräßigkeit *f*, Gier *f*, Unersättlichkeit *f* (of nach).
vor·tex [ˈvɔːrteks] *pl* **-ti·ces** [-tiˌsiːz] *s* **1.** Wirbel *m*, Strudel *m* (*beide a. phys. u. fig.*): ~ of social life; ~ motion Wirbelbewegung *f.* **2.** Wirbelwind *m.* **3.** *philos. hist.* Vortex *m*, Wirbel *m.*
vor·ti·cal [ˈvɔːrtikəl] *adj* (*adv* ~ly) **1.** wirbelnd, kreisend, Wirbel... **2.** wirbel-, strudelartig.
vor·ti·cism [ˈvɔːrtiˌsizəm] *s Kunst*: englische Abart des Futuˈrismus.
vor·ti·cose [ˈvɔːrtiˌkous] → **vortical.**
vo·ta·ress [ˈvoutəris] *s* Geweihte *f* (*etc*; → **votary**).
vo·ta·ry [ˈvoutəri] **I** *s* **1.** *relig.* Geweihte(r *m*) *f*: a) Mönch *m*, b) Nonne *f.* **2.** *fig.* Verfechter(in), (Vor)Kämpfer(in): a ~ of peace. **3.** *fig.* Anhänger(in), Verehrer(in), Jünger(in), Enthusiˈast(in): ~ of music Musikenthusiast; ~ of science Jünger der Wissenschaft.
vote [vout] **I** *s* **1.** (Wahl)Stimme *f*, Votum *n*: to give one's ~ to (*od.* for) s-e Stimme geben (*dat*), stimmen für; → **censure** 1, **confidence** 1, **split** 4. **2.** Abstimmung *f*, Stimmabgabe *f*, Wahl *f*: to put s.th. to the ~, to take a ~ on s.th. über e-e Sache abstimmen lassen; to take the ~ die Abstimmung vornehmen, abstimmen. **3.** Stimmzettel *m*, Stimme *f*: the ~s were counted; → **cast** 20. **4.** the ~ das Stimm- *od.* Wahlrecht. **5.** the ~ *collect.* die Stimmen *pl*: → **floating** vote; the candidate lost the Labour ~. **6.** Wahlergebnis *n.* **7.** Beschluß *m*: a unanimous ~. **8.** Bewilligung *f*, bewilligter Betrag. **9.** *obs.* a) Gelübde *n*, b) glühender Wunsch. **II** *v/i* **10.** abstimmen, wählen, s-e Stimme abgeben: to ~ against stimmen gegen; to ~ for stimmen für (*a. colloq. für etwas sein*); to ~ that dafür sein, daß; vorschlagen *od.* beschließen, daß. **III** *v/t* **11.** abstimmen über (*acc*), wählen: to ~ down niederstimmen; to ~ s.o. in j-n wählen; to ~ s.th. through etwas durchbringen. **12.** (durch Abstimmung) wählen *od.* beschließen *od. Geld* bewilligen. **13.** *colloq.* allgemein erklären für *od.* halten für *od.* ˈhinstellen als: she was ~d a beauty. **ˈvote·less** *adj* ohne Stimmrecht *od.* Stimme. **ˈvot·er** *s* Wähler(in), Wahl-, Stimmberechtigte(r *m*) *f.*
vot·ing [ˈvoutiŋ] **I** *s* (Ab)Stimmen *n*, Abstimmung *f.* **II** *adj* Stimm(en)..., Wahl... ~ **ma·chine** *s* ˈStimmenˌzählappaˌrat *m*, ˈWahlmaˌschine *f.* ~ **pa·per** *s bes. Br.* Stimmzettel *m.* ~ **stock** *s econ.* **1.** stimmberechtigtes ˈAktienkapiˌtal. **2.** Stimmrechtsaktie *f.* ~ **trust** *s econ.* ˈStimmrechtsüberˌtragung *f* auf (e-n) Treuhänder.
vo·tive [ˈvoutiv] *adj* gelobt, geweiht, Weih..., Votiv..., Denk...: ~ medal Denkmünze *f*; ~ mass *R.C.* Votivmesse *f*; ~ tablet Votivtafel *f.*
vouch [vautʃ] **I** *v/t* **1.** bezeugen, bestätigen, (urkundlich) belegen. **2.** bekräftigen, beteuern. **3.** (sich ver)bürgen für: to ~ that dafür bürgen, daß. **II** *v/i* **4.** ~ for (sich ver)bürgen für.
vouch·er [ˈvautʃər] *s* **1.** Zeuge *m*, Bürge *m.* **2.** ˈUnterlage *f*, Dokuˈment *n*: to support by ~ dokumentarisch belegen. **3.** (Rechnungs)Beleg *m*, Belegschein *m*, -zettel *m*, Quittung *f.* **4.** Gutschein *m*, Bon *m.* **5.** Eintrittskarte *f.* ~ **check** *s econ. Am.* Verrechnungsscheck *m.* ~ **clerk** *s econ. Br.* Krediˈtorenbuchhalter *m.* ˈ~-ˈ**cop·y** *s econ.* Belegdoppel *n.*
vouch·safe [vautʃˈseif] *v/t* **1.** (gnädig) gewähren. **2.** geruhen (to do zu tun). **3.** sich herˈablassen zu: he ~d me no answer er würdigte mich keiner Antwort.
vouge [vuːʒ] *s mil. hist.* (*Art*) Helleˈbarde *f.*
vous·soir [ˈvuːswɑːr; vuːˈswɑːr] *s arch.* Wölb-, Gewölbestein *m.*
vow [vau] **I** *s* **1.** Gelübde *n* (*a. relig.*), Gelöbnis *n*, *oft pl* (feierliches) Versprechen, (Treu)Schwur *m*: to be under a ~ ein Gelübde abgelegt haben, versprochen haben (to do zu tun); to take (*od.* make) a ~ ein Gelübde ablegen. **2.** *relig.* Proˈfeß *f*, Ordensgelübde *n*: to take ~s Profeß ablegen, in ein Kloster eintreten. **II** *v/t* **3.** geloben, sich (*dat*) weihen: to ~ o.s. to sich weihen *od.* angeloben (*dat*). **4.** (sich) schwören, (sich) geloben, hoch und heilig versprechen (to do zu tun). **5.** feierlich erklären.
vow·el [ˈvauəl] **I** *s ling.* **1.** Voˈkal *m*, Selbstlaut *m*: neutral ~ Murmellaut *m.* **II** *adj* **2.** voˈkalisch. **3.** Vokal..., Selbstlaut...: ~ gradation Ablaut *m*; ~ mutation Umlaut *m.* **ˈvow·elˌize** *v/t* **1.** *hebräischen Text* mit Voˈkalzeichen versehen. **2.** *ling. e-n Laut* vokaliˈsieren. **ˈvow·el·less** *adj* voˈkallos.
vox [vɒks] *pl* **vo·ces** [ˈvousiːz] (*Lat.*) *s* Stimme *f*: ~ populi die Stimme des Volkes.
voy·age [ˈvɔiidʒ] **I** *s* **1.** (*lange*) (See)Reise: ~ home Rück-, Heimreise; ~ out Hinreise. **2.** Flug(reise *f*) *m.* **II** *v/i* **3.** (*bes.* zur See) reisen. **III** *v/t* **4.** reisen durch, durchˈqueren, bereisen. **ˈvoy·ag·er** *s* (See)Reisende(r *m*) *f.*
vo·yeur [ˌvwaˈjœr] *s psych.* Voyˈeur *m.* **voˈyeur·ism** *s* Voyˈeurtum *n.*
V thread *s tech.* V-Gewinde *n.*
vug(g), *a.* **vugh** [vʌg; vug] *s geol.* Druse *f.*
Vul·can [ˈvʌlkən] *npr antiq.* Vulˈcanus *m*, Vulˈkan *m* (*römischer Gott des Feuers*). **Vulˈca·ni·an** [-ˈkeiniən], **Vul-ˈcan·ic** [-ˈkænik] *adj* **1.** vulˈkanisch, des (Gottes) Vulˈkan. **2.** v~ → **volcanic.** **ˈvul·canˌism** *s geol.* → **volcanism.**
vul·can·ite [ˈvʌlkəˌnait] *s chem.* Eboˈnit *n*, Vulkaˈnit *n* (*Hartgummi*).
vul·can·i·za·tion [ˌvʌlkənaiˈzeiʃən] *s chem.* Vulkaniˈsierung *f.* **ˈvul·canˌize** *v/t chem. Kautschuk* vulkaniˈsieren: ~d fibre (*Am.* fiber) Vulkanfiber *f.*
vul·gar [ˈvʌlgər] **I** *adj* (*adv* → **vulgarly**) **1.** (all)gemein, Volks...: V~ Era die christlichen Jahrhunderte; → **herd** 3. **2.** allgemein üblich *od.* verbreitet, volkstümlich: ~ superstitions. **3.** vulˈgärsprachlich, in der Volkssprache (verfaßt *etc*): a ~ translation of a Greek text; ~ tongue Volkssprache *f*; V~ Latin Vulgärlatein *n.* **4.** ungebildet, ungehobelt. **5.** vulˈgär, unfein, ordiˈnär, gewöhnlich, unanständig, pöbelhaft. **6.** *math.* gemein, gewöhnlich: ~ fraction. **II** *s* **7.** the ~ *pl* das (gemeine) Volk. **vulˈgar·i·an** [-ˈgɛ(ə)riən] *s* **1.** vulˈgärer Mensch, Pleˈbejer *m.* **2.** Neureiche(r) *m*, Parveˈnü *m*, Protz *m.*
vul·gar·ism [ˈvʌlgəˌrizəm] *s* **1.** vulˈgäres Benehmen, Unfeinheit *f.* **2.** Gemeinheit *f*, Unanständigkeit *f.* **3.** *ling.* vulˈgärer Ausdruck.
vul·gar·i·ty [vʌlˈgæriti] *s* **1.** Gewöhnlichkeit *f*, Ungeschliffenheit *f.* **2.** Gemeinheit *f*, Pöbelhaftigkeit *f.* **3.** Unsitte *f*, Ungezogenheit *f.* **ˌvul·gar·i-ˈza·tion** [-gəraiˈzeiʃən; -riˈz-] *s* **1.** Populariˈsierung *f*, Verbreitung *f.* **2.** Herˈabwürdigung *f*, Erniedrigung *f*, Vulgariˈsierung *f.* **ˈvul·garˌize** *v/t* **1.** populariˈsieren, popuˈlär machen, verbreiten. **2.** herˈabwürdigen, vulgariˈsieren. **ˈvul·gar·ly** *adv* **1.** allgemein, gemeinhin, landläufig. **2.** → **vulgar.**
Vul·gate [ˈvʌlgeit; -git] *s* **1.** Vulˈgata *f* (*lat. Bibelübersetzung des Hieronymus aus dem 4. Jh.*). **2.** v~ allgemein anerkannter vulˈgärsprachlicher Text.
vul·ner·a·bil·i·ty [ˌvʌlnərəˈbiliti] *s* Verwundbarkeit *f.* **ˈvul·ner·a·ble** *adj* **1.** verwundbar (*a. fig.*). **2.** angreifbar. **3.** anfällig (to für). **4.** *mil.* ungeschützt, offen: ~ position.
vul·ner·ar·y [ˈvʌlnərəri] **I** *adj* Wund..., Heil...: ~ drug → II; ~ herb, ~ plant Heilkraut *n.* **II** *s* Wundmittel *n.*
vul·pine [ˈvʌlpain] *adj* **1.** fuchsartig, Fuchs... **2.** *fig.* schlau, listig.
vul·pin·ism [ˈvʌlpiˌnizəm] *s* Schläue *f.*
vul·ture [ˈvʌltʃər] *s* **1.** *orn.* Geier *m.* **2.** *fig.* ‚Aasgeier' *m.*
vul·tur·ine [ˈvʌltʃuˌrain], **vul·tur·ous** [ˈvʌltʃərəs] *adj* **1.** Geier... **2.** geierartig. **3.** *fig.* raubgierig.
vul·va [ˈvʌlvə] *pl* **-vae** [-viː] *s anat.* (äußere) weibliche Scham, Vulva *f.* **ˈvul·val, vul·var** *adj anat.* Scham(lippen)...
vul·vo·vag·i·nal [ˌvʌlvovəˈdʒainl; -ˈvædʒinl] *adj* vulvovagiˈnal, Scham- u. Scheiden...
vy·ing [ˈvaiiŋ] *adj* wetteifernd.

W

W, w ['dʌblju] **I** *pl* **W's, Ws, w's, ws** ['dʌbljuz] *s* **1.** W, w *n* (*Buchstabe*). **2.** W W *n*, W-förmiger Gegenstand. **II** *adj* **3.** dreiundzwanzigst(er, e, es). **4.** W W-..., W-förmig.

Waac [wæk] *s mil. Br. colloq.* Ar'meehelferin *f* (*aus* Women's Army Auxiliary Corps).

Waaf [wæf] *s mil. Br. colloq.* Luftwaffenhelferin *f* (*aus* Women's Auxiliary Air Force).

wab·ble → wobble 1.

WAC, Wac [wæk] *s mil. Am.* Ar'meehelferin *f* (*aus* Women's Army Corps).

wack [wæk] *s Am. sl.* verrückter Kerl. **'wack·y** *adj Am. sl.* ‚bekloppt', verrückt.

wad [wɒd] **I** *s* **1.** Pfropf(en) *m*, (*Watte etc*)Bausch *m*, Polster *n*. **2.** Pa'pierknäuel *m*, *n*. **3.** *colloq.* a) (Banknoten-)Bündel *n*, (-)Rolle *f*, b) Haufen *m* Geld, c) Stoß *m* Pa'piere, d) Masse *f*, Haufen *m*, (große) Menge. **4.** *mil.* a) Ladepfropf *m*, b) Filzpfropf *m* (*in Schrotpatronen*): ~ **hook** *hist.* (Ladestock *m* mit) Kugelzieher *m*. **II** *v/t* **5.** zu e-m Bausch *etc* zs.-rollen *od.* -pressen. **6.** ~ **up** *Am.* fest zs.-rollen. **7.** ver-, zustopfen. **8.** *mil.* a) *die Kugel* durch e-n Pfropf (*im Lauf*) festhalten, b) e-n Ladepfropf aufsetzen auf (*acc*): to ~ a gun. **9.** *Kleidungsstück etc* wat'tieren, auspolstern.

wad·a·ble ['weidəbl] *adj* durch'watbar, seicht.

wad·ding ['wɒdiŋ] **I** *s* **1.** Einlage *f*, 'Füllmateri,al *n* (*zum Verpacken od. Polstern*). **2.** Watte *f*. **3.** Polsterung *f*, Wat'tierung *f*. **II** *adj* **4.** Wattier...

wad·dle ['wɒdl] **I** *v/i* watscheln. **II** *s* watschelnder Gang, Watscheln *n*.

wad·dy ['wɒdi] *s Austral.* (*hölzerne*) Kriegskeule (*der Eingeborenen*).

wade [weid] **I** *v/i* **1.** waten. **2.** sich (mühsam) (hin)'durcharbeiten (**through** a book durch ein Buch). **3.** ~ **in** *colloq.* a) ‚hin'einsteigen', da'zwischentreten, sich einmischen, b) *a.* ~ **into a problem** ein Problem anpacken; **to** ~ **into an opponent** e-m Gegner zu Leibe rücken. **II** *v/t* **4.** durch'waten. **III** *s* **5.** Waten *n*. **'wade·a·ble** → wadable. **'wad·er** *s* **1.** *orn.* Sumpf-, Wat-, Stelzvogel *m*. **2.** *pl* (hohe) Wasserstiefel *pl*.

wa·di ['wɑːdiː; 'wɒdi] *s geogr.* **1.** Wadi *n*, Trockental *n* (*in nordafrikanischen u. arabischen Wüsten*). **2.** steiles Felsental (*in der Sahara*). **3.** O'ase *f*.

wa·dy → wadi.

wae [wei] *Scot. für* woe.

WAF, Waf [wæf] *s mil. Am.* Luftwaffenhelferin *f* (*aus* Women in the Air Force).

Wafd [wɒft] *s pol.* Wafd *m* (*nationalistische Partei in Ägypten*). **'Wafd·ist I** *s* Mitglied *n od.* Anhänger *m* des Wafd. **II** *adj* Wafd...

wa·fer ['weifər] **I** *s* **1.** Ob'late *f* (*a. Siegelmarke*). **2.** *pharm.* Ob'late(nkapsel) *f*. **3.** *a.* consecrated ~ *relig.* Ob'late *f*, Hostie *f*. **4.** (*bes.* Eis-)Waffel *f*: **as thin as a** ~ hauchdünn. **II** *v/t* **5.** (*mittels e-r Oblate*) an- *od.* zukleben. **'wa·fer·y** *adj* waffelähnlich, ob'latenartig.

waf·fle¹ ['wɒfl] *s* Waffel *f*: ~ **iron** Waffeleisen *n*.

waf·fle² ['wɒfl] *Br. colloq.* **I** *s* ‚Quatsch' *m*. **II** *v/i* ‚quasseln'.

waft [*Br.* wɑːft; *Am.* wæ(ː)ft] **I** *v/t* **1.** wehen, tragen. **2.** (fort-, aus)senden. **II** *v/i* **3.** (her'an)getragen werden, schweben, wehen. **III** *s* **4.** Flügelschlag *m*. **5.** Wehen *n*. **6.** (Duft)Hauch *m*, (-)Welle *f*. **7.** *fig.* Anwandlung *f*, Welle *f* (*von Freude, Neid etc*). **8.** *mar.* Flagge *f* in Schau (*Notsignal*).

wag [wæg] **I** *v/i* **1.** sich bewegen *od.* regen: **to set the tongues ~ging** zu e-m Gerede Anlaß geben. **2.** wedeln, wackeln: **the dog's tail is ~ging.** **II** *v/t* **3.** wackeln *od.* wedeln *od.* wippen mit (*dem Schwanz*), *den Kopf* schütteln *od.* wiegen: **the dog ~ged its tail; he ~ged his head; to** ~ **one's finger at s.o.** j-m mit dem Finger drohen. **4.** ('hin- u. 'her)bewegen, schwanken: **the tail ~s the dog** *fig.* der Unbedeutendste (*e-r Gruppe etc*) ist am Ruder *od.* führt das Wort. **III** *s* **5.** Wedeln *n*, Wackeln *n*, Schütteln *n*, (Kopf)Nicken *n*. **6.** Spaßvogel *m*. **7.** *ped. Br. sl.* (Schul)Schwänzer(in).

wage¹ [weidʒ] *s* **1.** *meist pl* (Arbeits-)Lohn *m*: **~s per hour** Stundenlohn; → **living wage**. **2.** *pl econ.* Lohnanteil *m* (*an den Produktionskosten*). **3.** *pl* (*als sg konstruiert*) *fig.* Lohn *m*: **the ~s of sin is death** *Bibl.* der Tod ist der Sünde Sold. **4.** *obs.* Pfand *n*: **to lay one's life in** ~ sein Leben verpfänden.

wage² [weidʒ] *v/t e-n Krieg* führen, *e-n Feldzug* unter'nehmen (**on** gegen): **to** ~ **effective war on s.th.** *fig.* e-r Sache wirksam zu Leibe gehen.

wage| a·gree·ment *s econ.* Lohnabkommen *n*, Ta'rifvertrag *m*. ~ **bill** *s* (ausbezahlte) (Gesamt)Löhne *pl* (*e-r Firma*). ~ **claim** *s econ.* Lohnforderung *f*. ~ **div·i·dend** *s* Lohnprämie *f*, Gewinnbeteiligung *f*. ~ **earn·er** *s econ.* Lohnempfänger(in). ~ **freeze** *s econ.* Lohnstopp *m*. ~ **fund** *s econ.* Lohnfonds *m*. '~-,**fund the·o·ry** *s econ.* 'Lohnfonds-Theo,rie *f*. ~ **lev·el** *s* 'Lohnni,veau *n*. ~ **pack·et** Lohntüte *f*.

wa·ger ['weidʒər] **I** *s* **1.** Wette *f*. **II** *v/t* **2.** wetten um, setzen auf (*acc*), wetten mit (**that** daß). **3.** *fig. s-e Ehre etc* aufs Spiel setzen. **III** *v/i* **4.** wetten, e-e Wette eingehen. ~ **of bat·tle** *s jur. hist. Aufforderung zum Zweikampf seitens des Beklagten, um s-e Unschuld zu beweisen.* ~ **of law** *s jur. hist. Prozeßvertrag, durch den der Beklagte Sicherheit dafür leistet, daß er wieder erscheinen u. sich durch Eideshelfer freischwören werde.*

wage| rate *s econ.* Lohnsatz *m*. ~ **re·op·en·ing** *s* (Eröffnung *f* neuer) Ta'rifverhandlungen *pl*. ~ **scale** *s econ.* **1.** Lohnskala *f*. **2.** Ta'rif *m*.

wag·es| fund → wage fund. '~-,**fund the·o·ry** → wage-fund theory.

wage| slave *s* j-d, der für e-n Hungerlohn arbeitet. ~ **work·er** *Am. für* wage earner.

wag·ger·y ['wægəri] *s* Schelme'rei *f*, Spaß *m*, Schalkhaftigkeit *f*. **'wag·gish** *adj* (*adv* ~ly) schelmisch, schalkhaft, spaßig, lose. **'wag·gish·ness** *s* Schalkhaftigkeit *f*.

wag·gle ['wægl] → wag I *u.* II.

wag·gon, *bes. Am.* **wag·on** ['wægən] *s* **1.** (vierrädriger) (Last-, Roll)Wagen *m*. **2.** *rail. Br.* (offener) Güterwagen, Wag'gon *m*: **by** ~ *econ.* per Achse. **3.** *Am. colloq.* a) (Gefangenen-, Poli'zei)Wagen *m*, b) (Händler-, Verkaufs)-Wagen *m*, c) Lieferwagen *m*, d) *mot.* Kombi(wagen) *m*, e) Teewagen *m*, f) Kinderwagen *m*. **4.** the W~ *astr.* der Große Wagen. **5.** to be (go) on the (water) ~ *sl.* dem Alkohol abgeschworen haben (abschwören); off the ~ wieder am Trinken. ~ **ceil·ing** *s arch.* Tonnendecke *f*, -gewölbe *n*.

wag·gon·er, *bes. Am.* **wag·on·er** ['wægənər] *s* **1.** (Fracht)Fuhrmann *m*. **2.** W~ *astr.* Fuhrmann *m* (*Sternbild*).

wag·gon·ette, *bes. Am.* **wag·on·ette** [,wægə'net] *s* Break *m*, *n* (*offener Kutschwagen mit Längsbänken*).

'wag·gon|,load, *bes. Am.* **'wag·on|,load** *s* **1.** Wagenladung *f*, Fuhre *f*. **2.** Wag'gonladung *f*: **by the** ~ waggonweise. **3.** *fig.* Menge *f*. ~ **roof** *s arch.* Tonnendecke *f*, -dach *n*. ~ **train** *s* **1.** *mil.* Ar'meetrain *m*. **2.** *rail. Am.* Güterzug *m*. ~ **vault** *s arch.* Tonnengewölbe *n*.

Wag·ne·ri·an [vɑːg'ni(ə)riən] *mus.* **I** *s* Wagneri'aner(in). **II** *adj* wagnerisch, wagneri'anisch, Wagner...: ~ **singer** Wagnersänger(in). **'Wag·ner,ism** [-nə,rizəm] *s mus.* Wagnertum *n*, -stil *m*. **'Wag·ner·ist** → Wagnerian I.

Wag·ner·ite¹ ['vɑːgnə,rait] → Wagnerian I.

wag·ner·ite² ['vɑːgnə,rait; 'wæg-] *s min.* Wagne'rit *m*.

wag·on *etc bes. Am. für* waggon *etc*.

wa·gon-lit [vagɔ̃'li] (*Fr.*) *s rail.* Schlafwagen *m*.

'wag,tail *s orn.* Bachstelze *f*.

waif [weif] *s* **1.** *jur.* a) *Br.* weggeworfenes Diebesgut, b) herrenloses Gut, *bes.* Strandgut *n* (*a. fig.*). **2.** a) Heimat-, Obdachlose(r *m*) *f*, b) verlassenes *od.* verwahrlostes Kind: **~s and strays** a) Kram *m*, b) heimatlose, verwahrloste Kinder, c) streunende *od.* verwahrloste Tiere. **3.** *fig.* 'Überrest *m*, Fetzen *pl*: **old ~s of rhyme.**

wail [weil] **I** *v/i* **1.** (weh)klagen, jammern (**for** um; **over** über *acc*). **2.** schreien, wimmern, heulen (**with** vor *Schmerz etc*). **II** *v/t* **3.** beklagen, bejammern. **III** *s* **4.** (Weh)Klagen *n*, Jammern *n*. **5.** (Weh)Klage *f*, (-)Geschrei *n*. **6.** Heulen *n*, Wimmern *n* (*beide a. fig.*). **'wail·ful** *adj bes. poet.* **1.** traurig, kummervoll. **2.** (weh)klagend, jammernd. **'wail·ing I** *s* → wail III. **II** *adj* (*adv* ~ly) (weh)klagend, jammernd, weinend, wimmernd, Klage...: **W~ Wall** Klagemauer *f* (*in Jerusalem*).

wain [wein] *s* **1.** *poet.* Wagen *m*. **2.** the W~ → **Charles's W~.**

wain·scot ['weinskət] **I** *s* **1.** (*bes. untere*) (Wand)Täfelung, Tafelwerk *n*, Getäfel *n*, Holzverkleidung *f*. **2.** Sockel(täfelung *f*) *m*, Lam'bris *m* (*aus Marmor, Holz, Kacheln etc*). **4.** *Br.* Täfelholz *n*. **II** *v/t pret u. pp* **-scot·ed** *od.* **-scot·ted** **5.** *e-e Wand etc* verkleiden, (ver)täfeln. **'wain·scot·(t)ing** *s* **1.** Täfeln *n*. **2.** → wainscot 1. **3.** *collect.* Täfelholz *n*.

waist [weist] *s* **1.** Taille *f*. **2.** *bes. Am.* a) Mieder *n*, Leibchen *n*, b) Bluse *f*. **3.** Mittelstück *n*, Mitte *f*, schmalste Stelle (*e-s Gegenstandes*), Schweifung *f* (*e-r Glocke etc*). **4.** *mar.* Mitteldeck *n*,

Kuhl *f.* '~ˌ**band** *s* (Hosen-, Rock)-Bund *m.* ~ **belt** *s* **1.** Leibriemen *m,* Gürtel *m.* **2.** *mil.* Koppel *n.* **3.** *aer.* Bauchgurt *m.*

waist·coat ['weis(t)ˌkout; *a.* 'weskət] *s* **1.** (Herren)Weste *f.* **2.** Damenweste *f* (*ohne Ärmel*), ärmellose Jacke. **3.** *hist.* Wams *n.* ˌ**waist·coat'eer** [-tir] *s hist.* Dirne *f.*

'**waist-'deep** *adj u. adv* bis zur *od.* an die Taille *od.* Hüfte, hüfthoch.

waist·ed ['weistid] *adj* (*in Zssgn*) mit ... Taille: short-~.

'**waist|-'high** → waist-deep. '~ˌ**line** *s* **1.** Gürtellinie *f,* Taille *f* (*e-s Kleides etc*). **2.** 'Taille(nˌumfang *m*) *f*: to watch one's ~ auf die schlanke Linie achten.

wait [weit] **I** *s* **1.** Warten *n.* **2.** Wartezeit *f*: to have a long ~ lange warten müssen. **3.** *thea.* Pause *f.* **4.** Lauer *f*: to lie in ~ im Hinterhalt liegen; to lie in ~ for s.o. j-m auflauern; to lay ~ for e-n Hinterhalt legen (*dat*). **5.** *pl* a) Weihnachtssänger *pl,* b) *Br. hist.* 'Stadt-, 'Dorfmusiˌkanten *pl.*

II *v/i* **6.** warten (for auf *acc*): to ~ for s.o. to come warten, daß *od.* bis j-d kommt; to ~ up for s.o. aufbleiben u. auf j-n warten; to keep s.o. ~ing j-n warten lassen; that can ~ das kann warten, das hat Zeit; dinner is ~ing das Mittagessen wartet *od.* ist bereit; you just ~! *colloq.* na, warte! **7.** (ab)-warten, sich gedulden: ~ and see! ‚abwarten u. Tee trinken'!; ~-and-see policy abwartende Politik. **8.** ~ (up)on a) *j-m* dienen, b) *j-n* bedienen, *j-m* aufwarten, c) *j-m* s-e Aufwartung machen, d) *e-r Sache* folgen, *etwas* begleiten (*Umstand*), verbunden sein mit. **9.** *a.* ~ at (*od.* upon the) table (bei Tisch) aufwarten *od.* bedienen.

III *v/t* **10.** warten auf (*acc*), abwarten: to ~ one's opportunity (*od.* hour *od.* time *od.* chance) e-e günstige Gelegenheit abwarten. **11.** *colloq.* aufschieben, warten mit, verschieben: to ~ dinner for s.o. mit dem Mittagessen auf j-n warten. **12.** *obs.* a) geleiten, begleiten, b) (*dat*) beiwohnen.

wait·er ['weitər] *s* **1.** Kellner *m*: ~, the bill (*Am.* check) please! (Herr) Ober, bitte zahlen! **2.** Ser'vier-, Präsen'tierteller *m.* **3.** *obs.* a) Wächter *m,* b) *Br.* Zöllner *m.* **4.** *Br.* Porti'er *m* (*in der Londoner Börse*).

wait·ing ['weitiŋ] **I** *s* **1.** → wait 1 *u.* 2. **2.** Dienst *m* (*bei Hofe etc*), Aufwartung *f*: in ~ a) diensttuend, b) *mil. Br.* in Bereitschaft, Bereitschafts...; → lady-in-waiting. **II** *adj* **3.** (ab)wartend: → game¹ 3. **4.** Warte...: ~ list; ~ room a) *rail.* Wartesaal *m,* b) *med. etc* Wartezimmer *n.* **5.** aufwartend, bedienend: ~ (gentle)woman (adlige) Kammerfrau; ~ girl, ~ maid (Kammer)Zofe *f.*

wait·ress ['weitris] *s* Kellnerin *f.*

waive [weiv] *v/t bes. jur.* **1.** verzichten auf (*acc*), sich *e-s Rechts, e-s Vorteils* begeben: to ~ a right; he ~d his scruples er ließ s-e Bedenken fahren. **2.** zu'rückstellen: let's ~ this question till later. **3.** *Br. hist. e-e Frau* ächten.

'**waiv·er** *s jur.* **1.** Verzicht *m* (of auf *acc*), Verzichtleistung *f.* **2.** Verzichterklärung *f.*

wake¹ [weik] *s* **1.** *mar.* Kielwasser *n* (*a. fig.*): in the ~ of im Kielwasser (*e-s Schiffes*); in the ~ of s.o. in j-s Fußstapfen, auf j-s Spur; to follow in the ~ of *fig.* auf dem Fuße folgen (*dat*); to bring s.th. in its ~ etwas nach sich ziehen, etwas zur Folge haben. **2.** *aer.* Luftschraubenstrahl *m,* Nachstrom *m.* **3.** Sog *m,* Strudel *m.*

wake² [weik] **I** *v/i pret* **waked** *od.* **woke** [wouk] *pp* **waked** *selten* '**wok·en 1.** *oft* ~ up auf-, erwachen, wach werden (*alle a. fig. Person, Gefühl etc*). **2.** wachen, wach sein *od.* bleiben. **3.** ~ (up) to sich *e-r Gefahr etc* bewußt werden. **4.** ~ (from death *od.* the dead) vom Tode *od.* von den Toten auferstehen. **5.** *fig.* wach *od.* le'bendig werden, sich regen *od.* rühren. **II** *v/t* **6.** ~ up (auf)wecken, wachrütteln (*a. fig.*). **7.** a) wachrufen: to ~ memories (feelings), b) erregen: to ~ controversy, c) *j-n, j-s Geist etc* aufrütteln. **8.** (*von den Toten*) auferwecken. **9.** *poet.* (*den Frieden, die Ruhe etc e-s Ortes*) stören. **III** *s* **10.** *bes. Ir.* a) Totenwache *f,* b) Leichenschmaus *m.* **11.** *poet.* Wachen *n*: between sleep and ~ zwischen Schlafen u. Wachen. **12.** *meist pl Br. hist.* a) Kirchweih(fest *n*) *f,* b) Jahrmarkt *m.* **13.** *Br.* (Arbeits)-Urlaub *m.*

wake·ful ['weikful] *adj* (*adv* ~ly) **1.** wachend. **2.** schlaflos. **3.** *fig.* wachsam. '**wake·ful·ness** *s* **1.** Wachen *n.* **2.** Schlaflosigkeit *f.* **3.** Wachsamkeit *f.*

wak·en ['weikən] → wake² 1, 3, 6–8.

'**wake-ˌrob·in** *s bot.* **1.** *Br.* Aronstab *m.* **2.** *Am.* Drilling *m.*

wa·ki·ki ['wɑːkiˌkiː] *s* Muschelgeld *n* (*auf den Südseeinseln*).

wak·ing ['weikiŋ] **I** *s* **1.** (Er)Wachen *n.* **2.** (Nacht)Wache *f.* **II** *adj* **3.** wachsam. **4.** (er)weckend. **5.** wach: ~ dream Tagtraum *m*; in his ~ hours in s-n wachen Stunden.

Wal·ach ['wɒlək] *s sg u. pl* Wa'lache *m,* Wa'lachin *f,* Wa'lachen *pl.* **Wa'lachi·an** [-'leikiən] **I** *s* **1.** → Walach. **2.** *ling.* Wa'lachisch *n,* das Walachische. **II** *adj* **3.** wa'lachisch.

Wal·den·ses [wɒl'densiːz] *s pl relig.* Wal'denser *pl.* **Wal'den·si·an I** *adj* wal'densisch. **II** *s* Wal'denser(in).

wale [weil] *s* **1.** Strieme(n *m*) *f,* Schwiele *f.* **2.** *Weberei*: a) Rippe *f* (*e-s Gewebes*), b) Köper(bindung *f*) *m,* c) Salleiste *f,* -band *n.* **3.** *tech.* a) Verbindungsstück *n,* b) Gurtholz *n.* **4.** *mar.* a) Krummholz *n,* b) Dollbord *m* (*e-s Boots*).

walk [wɔːk] **I** *s* **1.** Gehen *n* (*a. sport*): to go at a ~ im Schritt gehen. **2.** Gang(art *f*) *m,* Schritt *m*: a dignified ~. **3.** Spa'ziergang *m*: to go for (*od.* take) a ~ e-n Spaziergang machen; to take s.o. for a ~ j-n spazierenführen, mit j-m spazierengehen. **4.** (Spa'zier)Weg *m*: a) Prome'nade *f,* b) Strecke *f*: a ten minutes' ~ to the station zehn Minuten (Weg) zum Bahnhof; quite a ~ ein gutes Stück zu gehen. **5.** Wanderung *f,* Reise *f.* **6.** Route *f* (*e-s Hausierers etc*), Runde *f* (*e-s Polizisten etc*). **7.** Al'lee *f.* **8.** Wandelgang *m.* **9.** a) (Geflügel)Auslauf *m,* b) → sheepwalk. **10.** *fig.* Arbeitsgebiet *n,* (Betätigungs)Feld *n*: the ~ of the historian. **11.** *meist* ~ of life a) (sozi'ale) Schicht *od.* Stellung, Lebensbereich *m,* b) Beruf *m.*

II *v/i* **12.** gehen (*a. sport*), mar'schieren. **13.** im Schritt gehen (*a. Pferd*). **14.** wandern, spa'zierengehen. **15.** 'umgehen, spuken (*Geist*): to ~ in one's sleep nachtwandeln.

III *v/t* **16.** *e-e Strecke* zu'rücklegen, (zu Fuß) gehen: he ~ed 15 miles. **17.** *e-n Bezirk etc* durch'wandern, *e-n Raum* durch'schreiten, gehen durch *od.* über (*acc*) *od.* auf (*dat*). **18.** auf u. ab gehen in *od.* auf (*dat*): to ~ the floor; → board¹ 9, chalk line, hospital 1, plank 1. **19.** abschreiten, entlanggehen. **20.** *das Pferd* führen, im Schritt gehen lassen. **21.** *j-n* führen: → walk off 2. **22.** spa'zierenführen. **23.** *Br.* um die Wette gehen mit: I'll ~ you 10 miles. **24.** *colloq. etwas* befördern, fortbewegen. **25.** *e-n Hund* abrichten.

Verbindungen mit Präpositionen:

walk| in·to *v/t* **1.** (hin'ein)gehen in (*acc*). **2.** *colloq.* über *j-n, a.* über *e-n Kuchen etc* 'herfallen: to ~ s.o. (a pie). ~ **o·ver** *v/t* **1.** (hin'weg)gehen über (*acc*). **2.** *colloq.* e-n leichten Sieg da'vontragen über (*j-n*). **3.** *colloq.* her'umtrampeln auf *j-m, j-n* rücksichtslos behandeln.

Verbindungen mit Adverbien:

walk| a·bout I *v/t j-n* um'herführen. **II** *v/i* um'hergehen, -wandern: ~! *mil. Br.* weitermachen! ~ **a·way** *v/i* weg-, fortgehen: to ~ from s.o. *bes. sport* j-m (einfach) davonlaufen, j-n ‚stehenlassen'; to ~ with s.th. mit etwas durchbrennen. ~ **in I** *v/i* eintreten: a) her'einkommen, b) hin'eingehen. **II** *v/t* hin'einführen. ~ **off I** *v/i* **1.** da'von-, weg-, fortgehen: to ~ with a) mit *etwas* durchbrennen, *etwas* ‚mitgehen' lassen, b) *den Preis etc* davontragen. **II** *v/t* **2.** *j-n* abführen. **3.** ablaufen: to ~ one's legs sich die Beine ablaufen; to walk s.o. off his legs j-n abhetzen. **4.** *s-n Rausch, Zorn etc* durch e-n Spa'ziergang vertreiben *od.* loswerden. ~ **out I** *v/i* **1.** hin'ausgehen: to ~ on s.o. *colloq.* j-n ‚sitzenlassen'. **2.** ausgehen: to ~ with s.o. mit j-m ‚gehen' *od.* ein Verhältnis haben. **3.** *econ. colloq.* streiken. **II** *v/t* **4.** *j-n* hin'ausführen. **5.** *den Hund etc* ausführen, *j-n* auf e-n Spa'ziergang mitnehmen. ~ **o·ver** *v/i* **1.** 'hin- *od.* her'übergehen, -kommen. **2.** (das Rennen) mit Leichtigkeit gewinnen. ~ **up** *v/i* **1.** hin'aufgehen, her'aufkommen: to ~ to s.o. auf j-n zugehen. **2.** entlanggehen: to ~ the street.

walk·a·ble ['wɔːkəbl] *adj* **1.** betret-, gang-, begehbar. **2.** zu'rücklegbar: ~ distance.

walk·a·thon ['wɔːkəˌθɒn] *s* **1.** *sport* Marathongehen *n.* **2.** Dauertanz *m.*

'**walk·aˌway** → walkover 2.

walk·er¹ ['wɔːkər] *s* **1.** Spa'ziergänger(in): to be a good ~ gut zu Fuß sein. **2.** *sport* Geher *m.* **3.** *hunt.* Treiber *m.* **4.** *orn. Br.* Laufvogel *m.* **5.** → gocart 1.

Walk·er², *a.* **w~** ['wɔːkər] *interj a.* Hookey ~! *Br. dial.* ‚Quatsch!'.

'**walk·er-'on** *s thea.* Sta'tist(in).

walk·ie|-look·ie ['wɔːki'luki] *s* tragbare Fernsehkamera. '~-'**talk·ie** [-'tɔːki] *s* tragbares Funksprechgerät.

'**walk-ˌin I** *adj* **1.** begehbar: ~ closet begehbarer Schrank. **II** *s* **2.** begehbarer Kühlschrank. **3.** *Am. colloq.* leichter Wahlsieg.

walk·ing ['wɔːkiŋ] **I** *adj* **1.** gehend, wandernd: ~ wounded *mil.* Leichtverwundete. **2.** *bes. fig.* wandelnd: ~ corpse; ~ dictionary. **3.** Geh..., Marsch..., Spazier...: to drive at a ~ speed *mot.* (im) Schritt fahren; within ~ distance zu Fuß erreichbar. **4.** *thea.* Statisten... **II** *s* **5.** Spa'zieren-, Zu'fußgehen *n,* Wandern *n.* **6.** *sport* Gehen *n.* ~ **boot** *s* Marschstiefel *m.* ~ **chair** → gocart 1. ~ **crane** *s tech.* Laufkran *m.* ~ **del·e·gate** *s* Gewerkschaftsbeauftragte(r) *m.* '~-ˌ**dress** *s* Straßenkleid *n.* ~ **gen·tle·man** *s irr thea.* Sta'tist *m.* ~ **la·dy** *s thea.* Sta-

'tistin *f.* ~ **pa·pers** *s pl* Ent'lassung(s-pa,piere *pl*) *f*, ‚Laufpaß' *m.* ~ **part** *s thea.* Sta'tistenrolle *f.* '~-,**shoe** *s* Straßenschuh *m.* ~ **stick** *s* **1.** Spa'zierstock *m.* **2.** *zo.* Gespenstheuschrecke *f.* ~ **sword** *s hist.* Galante'riedegen *m.* ~ **tick·et** *Am. für* walking papers. '~-,**tour** *s Br.* Fußwanderung *f*, -tour *f.*

walk·ist ['wɔːkist] *s sport* Geher *m.*

'**walk**|-,**on** → walking part. '~,**out** *s colloq.* Ausstand *m*, (*a.* wilder) Streik. '~,**o·ver** *s sport* **1.** einseitiger Wettbewerb. **2.** ‚Spa'ziergang' *m*, leichter Sieg, leichte Sache. '~-,**up** *Am. colloq.* **I** *s* (Miets)Haus *n* ohne Fahrstuhl. **II** *adj* ohne Fahrstuhl. '~,**way** *s* **1.** Laufgang *m*, Verbindungssteg *m.* **2.** *Am.* Gehweg *m.*

Wal·kyr·ie [wæl'ki(ə)ri; væl-] → valkyr.

walk·y-talk·y → walkie-talkie.

wall [wɔːl] **I** *s* **1.** Wand *f* (*a. fig.*): partition ~ Trennwand; ~ of partition *fig.* Trennungslinie *f*, Scheidewand. **2.** (Innen)Wand *f*: the ~s of a boiler. **3.** Mauer *f* (*a. fig.*). **4.** Wall *m* (*a. fig.*), (Stadt-, Schutz)Mauer *f*: within the ~s in den Mauern (e-r Stadt). **5.** *anat.* (Brust-, Zell- *etc*)Wand *f*: abdominal ~ Bauchdecke *f.* **6.** Häuserseite *f* des Gehsteigs: to give s.o. the ~ a) j-n auf der Häuserseite gehen lassen (*aus Höflichkeit*), b) *fig.* j-m den Vorrang lassen. **7.** *Bergbau:* a) (Abbau-, Orts-)Stoß *m*, b) (*das*) Hangende u. Liegende, c) *Br.* Sohle *f.* **II** *v/t* **8.** *a.* ~ in mit e-r Mauer um'geben, um'mauern: to ~ in (*od.* up) einmauern. **9.** *a.* ~ up a) ver-, zumauern, b) (aus)mauern, um'wanden. **10.** mit e-m Wall um'geben, befestigen: ~ed towns befestigte Städte. **11.** *fig.* ab-, einschließen, *den Geist* verschließen (against gegen). *Besondere Redewendungen:*
~s have ears die Wände haben Ohren; with one's back to the ~ in die Enge getrieben; up against a (*od.* the) ~ in aussichtsloser Lage; to go to the ~ *fig.* a) an die Wand gedrückt werden, den kürzer(e)n ziehen, b) *econ.* Konkurs machen; to push (*od.* drive) s.o. to the ~ a) j-n an die Wand drücken, j-n in die Enge treiben, b) j-n beiseite stoßen; to run one's head against a ~ sich den Schädel einrennen, mit dem Kopf durch die Wand wollen.

wal·la → wallah.

wal·la·by ['wɒləbi] *s* **1.** Wallaby *n* (*kleineres Känguruh*): on the ~ (track) *Austral. colloq.* a) auf der Walze, b) arbeitslos. **2.** *pl Austral. colloq.* Au'stralier *pl.*

Wal·lach *etc* → Walach *etc.*

wal·lah ['wɒlə] *s Br. Ind.* **1.** Bedienstete(r) *m.* **2.** *colloq.* Bursche *m*, Kerl *m.*

wal·la·roo [,wɒlə'ruː] *s zo.* (*ein*) Känguruh *n.*

wall| **bars** *s pl sport* Sprossenwand *f.* ~ **brack·et** *s* 'Wandarm *m*, -kon,sole *f.* ~ **crane** *s tech.* Kon'solkran *m.* ~ **creep·er** *s orn.* Mauerläufer *m.* ~ **cress** *s bot.* **1.** *Br.* Gänsekresse *f.* **2.** Ackerkresse *f.*

'**walled**|-'**in** *adj* **1.** eingemauert, um'mauert. **2.** *fig.* eingeschlossen. ~ **plains** *s pl astr.* Ringgebirge *pl* (*auf dem Mond*). '~-'**up** *adj* zugemauert.

wal·let ['wɒlit] *s* **1.** *obs.* Ränzel *n.* **2.** kleine lederne Werkzeugtasche. **3.** a) Brieftasche *f*, b) (*flache*) Geldtasche.

'**wall,eye** *s* **1.** *vet.* Glasauge *n.* **2.** *med.* Hornhautfleck *m.* **3.** *med.* a) diver'gentes Schielen, b) auswärtsschielendes Auge. '**wall,eyed** *adj* **1.** glasäugig (*Pferd etc*). **2.** mit Hornhautflecken. **3.** (auswärts)schielend.

wall| **fern** *s bot.* Tüpfelfarn *m.* '~-,**flow·er** *s* **1.** *bot.* Goldlack *m.* **2.** *colloq.* ‚Mauerblümchen' *n* (*Mädchen*). ~ **fruit** *s* Spa'lierobst *n.* ~ **game** *s sport* (*Art*) Fußball(spiel *n*) *m* (*in Eton*). ~ **map** *s* Wandkarte *f.* ~ **news·pa·per** *s* Aushängezeitung *f.*

Wal·loon [wɒ'luːn] **I** *s* **1.** Wal'lone *m*, Wal'lonin *f.* **2.** *ling.* Wal'lonisch *n*, das Wallonische. **II** *adj* **3.** wal'lonisch.

wal·lop ['wɒləp] **I** *v/t* **1.** *colloq.* a) (ver)prügeln, ‚verdreschen', b) (*im Spiel*) ‚über'fahren', haushoch schlagen. **2.** *sl. den Ball etc* (wuchtig) schlagen, schmettern. **II** *v/i* **3.** *a.* ~ along *colloq.* a) galop'pieren, b) brausen, sausen. **III** *s* **4.** a) *colloq.* wuchtiger Schlag, b) *Boxen: sl.* Schlagkraft *f.* **5.** *fig. colloq.* Wucht *f.* **6.** *Am. colloq.* Begeisterung *f*, ‚Mordsspaß' *m.* **7.** *Br. sl.* Bier *n.* '**wal·lop·ing** *colloq.* **I** *adj* riesig, ‚Mords...', ‚toll'. **II** *s* Tracht *f* Prügel, ‚Dresche' *f.*

wal·low ['wɒlou] **I** *v/i* **1.** sich wälzen *od.* suhlen (*Schwein etc*) (*a. fig.*): to ~ in money im Geld schwimmen; to ~ in pleasure im Vergnügen schwelgen; to ~ in vice dem Laster frönen. **II** *s* **2.** Sich'wälzen *n.* **3.** Schwelgen *n.* **4.** *hunt.* Suhle *f*: in the ~ of despondency *fig.* im Sumpf der Verzweiflung.

wall| **paint·ing** *s* Wandgemälde *n.* '~,**pa·per** **I** *s* Ta'pete *f.* **II** *v/t u. v/i* tape'zieren. ~ **pep·per** *s bot.* Mauerpfeffer *m.* ~ **plug** *s electr.* Wandstecker *m.* **W~ Street** *s* Wall Street *f*: a) *Bank- u. Börsenstraße in New York*, b) *fig.* der amer. Geld- u. Kapi'talmarkt, c) *fig.* die amer. 'Hochfi,nanz. ~ **tent** *s* Steilwandzelt *n.* ~ **tree** *s* Spa'lierbaum *m.*

wal·nut ['wɔːl,nʌt] *s* **1.** *bot.* Walnuß *f* (*Frucht*): ~ oil (Wal)Nußöl *n*; over the ~s and the wine beim Nachtisch. **2.** *bot.* Walnuß(baum *m*) *f.* **3.** *a.* ~ brown Nußbraun *n* (*Farbe*).

wal·rus ['wɔːlrəs; 'wɒl-] *s* **1.** *zo.* Walroß *n.* **2.** *a.* ~ m(o)ustache Schnauzbart *m.*

waltz [wɔːlts; *Br. a.* wɔːls] **I** *s* **1.** Walzer *m* (*Tanz*). **2.** (Kon'zert)Walzer *m* (*Musikstück*): ~ time Walzertakt *m.* **II** *v/i* **3.** Walzer tanzen, walzen. **4.** (*vor Freude etc*) her'umtanzen. **III** *v/t* **5.** Walzer tanzen *od.* walzen mit (*j-m*). **6.** *j-n* (her'um)wirbeln.

wam·pum ['wɒmpəm] *s* **1.** Wampum *m* (*Muschelperlen[schnüre] der Indianer in den USA, als Geld od. Schmuck benützt*). **2.** *Am. sl.* ‚Zaster' *m* (*Geld*).

wam·pus ['wɒmpəs] *s bes. Am. sl.* ‚unmöglicher Mensch', ‚Scheusal' *n.*

wan [wɒn] *adj* (*adv* ~ly) **1.** bleich, blaß, fahl: a ~ face; a ~ sky. **2.** schwach, matt: a ~ smile. **3.** glanzlos, trüb(e): ~ stars.

wand [wɒnd] *s* **1.** Rute *f.* **2.** Stab *m.* **3.** Zauberstab *m.* **4.** (Amts-, Kom'mando)Stab *m.* **5.** *mus.* Taktstock *m.*

wan·der ['wɒndər] *v/i* **1.** wandern: a) ziehen, streifen, b) schlendern, bummeln: to ~ in hereinschneien (*Besucher*); to ~ off davonziehen, *a. fig.* sich verlieren (into in *acc*). **2.** ~ about (*ziellos*) um'herwandern, -ziehen, -schweifen (*a. fig.*). **3.** schweifen, wandern, irren, gleiten (*Augen, Gedanken etc*) (over über *acc*). **4.** irregehen, sich verirren (*a. fig.*). **5.** *a.* ~ away (ab)irren, abweichen (from von) (*a. fig.*): to ~ from the subject vom Thema abschweifen. **6.** phanta'sieren: a) irrereden, faseln, b) im Fieber reden. **7.** geistesabwesend sein. '**wan·der·er** *s* Wanderer *m.* '**wan·der·ing** **I** *s* **1.** Wandern *n*, Um'herirren *n*, -schweifen *n.* **2.** *meist pl* a) Wanderung(en *pl*) *f*, Reise(n *pl*) *f*, b) Wanderschaft *f.* **3.** Abirrung *f*, Abweichung *f* (from von). **4.** *oft pl* Geistesabwesenheit *f*, Zerstreutheit *f.* **5.** *meist pl* Phanta'sieren *n*: a) Irrereden *n*, Faseln *n*, b) Fieberwahn *m.* **II** *adj* **6.** wandernd, Wander... **7.** um'herschweifend, Nomaden...: ~ tribe. **8.** ruhelos, unstet: the W~ Jew der Ewige Jude. **9.** abschweifend. **10.** kon'fus, zerstreut. **11.** irregehend, abirrend (*a. fig.*): ~ bullet Ausreißer *m.* **12.** *bot.* Kriech..., Schling... **13.** *med.* Wander...: ~ cell; ~ kidney.

Wan·der·lust ['wɒndər,lʌst] *s* Wanderlust *f*, Fernweh *n.*

wane [wein] **I** *v/i* **1.** abnehmen (*a. Mond*), nachlassen, schwinden (*Einfluß, Interesse, Kräfte etc*). **2.** schwächer werden, verblassen (*Licht, Farben etc*). **3.** zu Ende gehen: the summer is waning. **4.** vergehen, -fallen (*Kultur etc*). **II** *s* **5.** Abnehmen *n*, Abnahme *f*, Nachlassen *n*, Schwinden *n*: to be at (*od.* in *od.* on *od.* upon) the ~ im Abnehmen sein, abnehmen, schwinden, zu Ende gehen; in the ~ of the moon bei abnehmendem Mond. **6.** Verfall *m*: on the ~ im Aussterben.

wan·gle ['wæŋgl] *sl.* **I** *v/t* **1.** *etwas* ‚drehen' *od.* ‚deichseln' *od.* ‚schaukeln' (*durch List zuwegebringen*). **2.** ‚fri'sieren', fälschen: to ~ accounts. **3.** unter der Hand *od.* 'hintenher,um beschaffen, ‚organi'sieren', ‚her'ausschinden'. **4.** *etwas* ergaunern: to ~ s.th. out of s.o. j-m etwas abluchsen. **5.** *j-n* verleiten: to ~ s.o. into doing s.th. j-n dazu bringen, etwas zu tun. **II** *v/i* **6.** mogeln, ‚schieben'. **7.** sich her'auswinden (out of aus *dat*). **III** *s* **8.** Kniff *m*, Trick *m.* **9.** ‚Schiebung' *f*, Moge'lei *f.* '**wan·gler** *s colloq.* Gauner *m*, Schieber *m*, Mogler *m.*

wan·gun ['wæŋgən; 'wɒn-], **wan·i·gan** ['wɒnigən] *s Am.* **1.** a) Provi'antbehälter *m*, b) Ver'waltungsba,racke *f* (*der Holzfäller*). **2.** Wohnboot *n.*

wan·ion ['wɒnjən] *s obs.* Plage *f*, Pest *f*: with a ~ (to him) zum Teufel (mit ihm)!

wan·ness ['wɒnnis] *s* Blässe *f.*

want [wɒnt] **I** *v/t* **1.** wünschen: a) (haben) wollen, b) (*vor inf*) (*etwas tun*) wollen: I ~ to go ich möchte gehen; I ~ed to go ich wollte gehen; what do you ~ (with me)? was wünschen *od.* wollen Sie (von mir)?; he ~s his dinner er möchte sein Essen haben; I ~ you to try ich möchte, daß du es versuchst; I ~ it done ich wünsche *od.* möchte, daß es getan wird; ~ed gesucht (*in Annoncen; a. von der Polizei*); you are ~ed du wirst gewünscht *od.* gesucht, man will dich sprechen. **2.** ermangeln (*gen*), nicht (genug) haben, es fehlen lassen an (*dat*): he ~s judg(e)ment es fehlt ihm an Urteilsvermögen; she ~s 2 years for her majority ihr fehlen 2 Jahre bis zur Volljährigkeit. **3.** a) brauchen, nötig haben, erfordern, benötigen, bedürfen (*gen*), b) müssen, sollen, brauchen (to zu): the matter ~s careful consideration die Angelegenheit bedarf sorgfältiger Überlegung; all this ~ed saying all dies mußte einmal gesagt werden; you ~ some rest du hast etwas Ruhe nötig; this clock ~s repairing (*od.* to be repaired) diese Uhr müßte repariert werden; you don't ~ to be rude Sie brauchen nicht grob zu werden; you ~ to see a doctor du solltest e-n Arzt aufsuchen. **II** *v/i* **4.** ermangeln (for *gen*): he does not ~ for talent es fehlt ihm nicht an Begabung; he ~s for nothing es fehlt ihm an nichts. **5.** (*nur im pres p*) (in) es fehlen lassen (an *dat*), ermangeln (*gen*): → wanting 2. **6.** Not leiden. **7.** *obs.* fehlen. **III** *s* **8.** *meist pl* Bedürfnisse *pl*, Wünsche *pl*: a man of few ~s ein Mann mit geringen Bedürfnissen *od.* Ansprüchen. **9.** Notwendigkeit *f*, Bedürfnis *n*, Erfordernis *n*, Bedarf *m.* **10.** Mangel *m* (of an *dat*): a longfelt ~ ein längst spürbarer Mangel, ein seit langem vorhandenes Bedürfnis; ~ of sense Unvernunft *f*; from (*od.* for) ~ of aus Mangel an (*dat*), in Ermangelung (*gen*); to be in ~ of → 2; to be in (great) ~ of s.th. etwas (dringend) brauchen *od.* benötigen, e-r Sache (dringend) bedürfen; the house is in ~ of repair das Haus ist reparaturbedürftig. **11.** Bedürftigkeit *f*, Armut *f*, Not *f*: to be in ~ Not leiden; to fall in ~ in Not geraten.

want ad *s Am. colloq.* Stellenanzeige *f*: a) Stellengesuch *n*, b) Stellenangebot *n.*

want·age ['wɒntidʒ] *s econ.* Fehlbetrag *m*, Defizit *n.*

want·ing ['wɒntiŋ] **I** *adj* **1.** fehlend, mangelnd. **2.** ermangelnd (in *gen*): to be ~ in es fehlen lassen an (*dat*); to be ~ to a) *j-n* im Stich lassen, b) *e-r Erwartung* nicht gerecht werden, c) *e-r Lage* nicht gewachsen sein; he is never found ~ auf ihn ist immer Verlaß. **3.** nachlässig (in in *dat*). **4.** *obs.* arm, bedürftig, notleidend. **II** *prep* **5.** ohne: a book ~ a cover. **6.** weniger, mit Ausnahme von.

wan·ton ['wɒntən] **I** *adj* (*adv* ~ly) **1.** mutwillig: a) ausgelassen, ungebärdig, wild, b) leichtfertig, c) böswillig (*a. jur.*): ~ negligence *jur.* grobe Fahrlässigkeit. **2.** rücksichtslos, unbarmherzig, bru'tal: ~ cruelty. **3.** 'widerspenstig, störrisch (*Kind etc*). **4.** liederlich, ausschweifend, zügellos. **5.** wollüstig, geil, lüstern. **6.** üppig: ~ hair; ~ imagination; ~ vegetation wuchernder Pflanzenwuchs. **7.** *poet.* 'überschwenglich: ~ praise. **II** *s* **8.** a) Buhlerin *f*, Dirne *f*, b) Wollüstling *m*, Wüstling *m.* **9.** Schelm(in). **III** *v/i* **10.** um'hertollen, ausgelassen sein, schäkern. **11.** ausschweifend leben, buhlen. **12.** üppig wachsen, wuchern.

'wan·ton·ness *s* **1.** Mutwille *m*, 'Übermut *m.* **2.** Böswilligkeit *f.* **3.** Rücksichtslosigkeit *f.* **4.** Willkür *f*, Zügellosigkeit *f.* **5.** 'Widerspenstigkeit *f.* **6.** Liederlichkeit *f.* **7.** Lüsternheit *f*, Geilheit *f.* **8.** Üppigkeit *f.*

wap·en·shaw → wappenschaw.

wap·en·take ['wɒpənˌteik; 'wæp-] *s* (*Art*) Hundertschaft *f*, Gau *m* (*Unterteilung der nördlichen Grafschaften Englands*).

wap·in·schaw *etc* → wappenschaw.

wap·pen·schaw ['wæpənˌʃɔː; 'wɒp-] *s Scot.* **1.** Schießwettkampf *m.* **2.** → wappenschawing. **'wap·penˌschaw·ing** *s Scot.* **1.** Waffenschau *f.* **2.** öffentliche Musterung (*der einberufenen Wehrpflichtigen*), 'Truppeninspektiˌon *f.*

war [wɔːr] **I** *s* **1.** Krieg *m*: ~ of aggression (independence, nerves, succession) Angriffs-(Unabhängigkeits-, Nerven-, Erbfolge)krieg; → attrition 2; international ~, public ~ *jur. mil.* Völkerkrieg; the dogs of ~ *poet.* die Schrecken des Krieges; to be at ~ (with) a) Krieg führen (gegen *od.* mit), b) *fig.* im Streit liegen *od.* auf (dem) Kriegsfuß stehen (mit); to declare ~ (upon s.o.) (j-m) den Krieg erklären, *fig.* (j-m) den Kampf ansagen; to make ~ Krieg führen, kämpfen (on, upon, against gegen; with mit); to go to ~ (with) Krieg beginnen (mit); to go to the ~(s) *obs.* in den Krieg ziehen; to carry the ~ into the enemy's country (*od.* camp) a) den Krieg ins feindliche Land *od.* Lager tragen, b) *fig.* zum Gegenangriff übergehen; he has been in the ~s *fig. Br.* es hat ihn arg mitgenommen. **2.** Kampf *m*, Streit *m* (*a. fig.*): ~ between science and religion; ~ of the elements Aufruhr *m od.* Kampf der Elemente. **3.** Feindseligkeit *f.* **4.** Kriegskunst *f*, Kriegs-, Waffenhandwerk *n.* **II** *v/i* **5.** kämpfen, streiten (against gegen; with mit). **6.** → warring 2. **III** *adj* **7.** Kriegs...

war ba·by *s* **1.** *colloq.* a) Kriegskind *n*, b) (uneheliches) Sol'datenkind. **2.** *Am. sl.* durch Krieg im Wert erhöhte Aktie. **3.** *Am. colloq.* a) durch den Krieg begünstigter Indu'striezweig, b) Kriegserzeugnis *n.*

war·ble ['wɔːrbl] **I** *v/t u. v/i* trillern, trällern, schmettern, singen (*Vogel od. Person*). **II** *s* Trillern *n*, Gesang *m.*

'war·bler *s* **1.** Sänger(in). **2.** *orn.* Singvogel *m*, *bes.* Grasmücke *f od.* Teichrohrsänger *m.*

'war|-ˌblind·ed *adj* kriegsblind. ~ **bond** *s econ.* Kriegsschuldverschreibung *f.* ~ **bon·net** *s* Kriegs-, Kopfschmuck *m* (*der Indianer*). ~ **bride** *s* Kriegs-, Sol'datenbraut *f.* ~ **chest** *s* **1.** Kriegskasse *f.* **2.** *fig.* Kasse *f*, (Geld)Mittel *pl.* ~ **cloud** *s* drohende Kriegsgefahr. ~ **crime** *s jur. mil.* Kriegsverbrechen *n.* ~ **crim·i·nal** *s jur. mil.* Kriegsverbrecher *m.* ~ **cry** *s* Feldgeschrei *n*, Schlachtruf *m* (*der Soldaten*), Kriegsruf *m* (*der Indianer*) (*a. fig.*).

ward [wɔːrd] **I** *s* **1.** (Stadt-, *a.* Wahl-)Bezirk *m*: ~ heeler *pol. Am.* (Wahl-)Bezirksleiter *m* (*e-r Partei*). **2.** ('Krankenhaus)Statiˌon *f*: ~ sister *Br.* Stationsschwester *f.* **3.** a) Ab'teilung *f*, Zelle *f* (*e-s Gefängnisses etc*): prison ~; → casual 2, b) Gefängnis *n*, c) *obs.* Gewahrsam *m*, (Schutz)Haft *f*, Aufsicht *f*, Verwahrung *f*: to put s.o. in ~ j-n unter Aufsicht stellen, j-n gefangensetzen. **4.** *jur.* a) Mündel *n*, b) Vormundschaft *f*: ~ of court, ~ in chancery Mündel unter Amtsvormundschaft; in ~ unter Vormundschaft (stehend). **5.** Schützling *m*, Schutzbefohlene(r *m*) *f.* **6.** *fenc.* Pa'rade *f.* **7.** *tech.* a) Gewirre *n* (*e-s Schlosses*), b) (Einschnitt *m* im) Schlüsselbart *m.* **8.** *Scot. od. Br. hist.* Hundertschaft *f*, Gau *m.* **9.** *obs.* Wache *f* (*nur noch in*): to keep watch and ~ Wache halten. **II** *v/t* **10.** (in e-e 'Krankenhausstatiˌon *etc*) einweisen. **11.** *meist* ~ off *e-n Schlag etc* pa'rieren, abwehren, *e-e Gefahr* abwenden.

war| dance *s* Kriegstanz *m.* ~ **debt** *s* Kriegsschuld *f.*

ward·en[1] ['wɔːrdn] *s* **1.** *obs.* Wächter *m.* **2.** Aufseher *m*: ~ of a port Hafenmeister *m*; → air-raid (fire, game) warden. **3.** Herbergsvater *m.* **4.** (*Br.* 'Anstalts-, 'Schul-, *Am.* Ge'fängnis)-Diˌrektor *m*, Vorsteher *m*: W~ of the Mint *Br.* Münzwardein *m*; → churchwarden 1 *u.* 2. **5.** *meist hist.* Gouver'neur *m.* **6.** *univ. Br.* Rektor *m* (*e-s College*). **7.** *Br.* Zunftmeister *m.* **8.** *bes. Am.* Porti'er *m*, Pförtner *m.*

Ward·en[2], *a.* **w~** ['wɔːrdn] *s e-e Kochbirnensorte.*

ward·er ['wɔːrdər] *s* **1.** *obs.* Wächter *m.* **2.** *Br.* a) (Mu'seums- *etc*)Wärter *m*, b) Aufsichtsbeamte(r) *m* (*im Gefängnis*). **3.** *hist.* Kom'mandostab *m.*

ward·mote ['wɔːrdˌmout] *s Br.* (Stadt-)Bezirksversammlung *f.*

War·dour Street ['wɔːrdər] *s* **1.** *Straße in London, ehemaliges Zentrum des Antiquitätenhandels.* **2.** *fig.* archai'sierende Sprache: ~ English pseudo-archaisches Englisch.

ward·ress ['wɔːrdris] *s Br.* Gefängniswärterin *f*, -aufseherin *f.*

ward·robe ['wɔːrdˌroub] *s* **1.** Garde'robe *f*, Kleiderbestand *m*: to add to one's ~ s-e Garderobe bereichern. **2.** Kleiderschrank *m.* **3.** Garde'robe *f* (*a. thea.*): a) Kleiderkammer *f*, -ablage *f*, b) Ankleidezimmer *n.* **4.** Garde'robe(nverwaltung) *f* (*des königlichen Haushalts etc*). ~ **bed** *s* Bettschrank *m.* ~ **deal·er** *s* Kleidertrödler(in). ~ **trunk** *s* Schrankkoffer *m.*

'wardˌroom *s* **1.** *mar.* Offi'ziersmesse *f*, untere *od.* große Ka'jüte (*e-s Kriegsschiffs*). **2.** *mil. Br.* Wachstube *f.*

ward·ship ['wɔːrdʃip] *s* **1.** Vormundschaft *f* (of, over über *acc*): under ~ unter Vormundschaft. **2.** Aufsicht *f*, Schutz *m.* **3.** *jur.* Minderjährigkeit *f.* **4.** *fig.* Bevormundung *f.*

ware[1] [wɛr] *s* **1.** Ware(n *pl*) *f*, Ar'tikel *m od. pl*, Erzeugnis(se *pl*) *n.* **2.** Geschirr *n*, Porzel'lan *n*, Ton-, Töpferware *f*, Ke'ramik *f.* **3.** *fig.* (*oft contp.*) was *j-d* zu bieten hat, Pro'dukt(e *pl*) *n*, Zeug *n*: to peddle one's ~ mit s-m Kram hausieren gehen.

ware[2] [wɛr] **I** *v/t u. v/i* **1.** sich hüten *od.* in acht nehmen (vor): ~! Vorsicht!, Achtung! **II** *adj obs.* **2.** *nur pred* gewahr, bewußt (of *gen*). **3.** wachsam.

ware·house I *s* ['wɛrˌhaus] **1.** Lagerhaus *n*, Speicher *m*: custom ~ *econ.* Zollniederlage *f.* **2.** (Waren)Lager *n*, Niederlage *f.* **3.** *bes. Br.* Großhandelsgeschäft *n.* **4.** *Br.* Kaufhaus *n.* **II** *v/t* ['-ˌhauz] **5.** auf Lager bringen *od.* nehmen, (ein)lagern. **6.** *Möbel etc* zur Aufbewahrung geben *od.* nehmen. **7.** unter Zollverschluß bringen. ~ **account** *s econ.* Lagerkonto *n.* ~ **bond** *s econ.* **1.** Lagerschein *m.* **2.** Zollverschlußbescheinigung *f.*

'wareˌhouse·man [-mən] *s irr econ.* **1.** Lage'rist *m*, Lagerverwalter *m.* **2.** Speicherarbeiter *m.* **3.** *Br.* Großhändler *m.* **4.** 'Möbelspediˌteur *m.*

ware·house re·ceipt *s econ.* Lagerempfangsbescheinigung *f.*

war es·tab·lish·ment *s Br.* Kriegsstärke- u. Ausrüstungsnachweisung *f*: according to ~ mobmäßig.

war·fare ['wɔːrˌfɛr] *s* **1.** Kriegführung *f.* **2.** (*a. weitS.* Wirtschafts- *etc*)Krieg *m.* **3.** *fig.* Kampf *m*, Fehde *f*, Streit *m*: to be (*od.* live) at ~ with s.o. mit j-m im Streit leben.

war| foot·ing *s mil.* Kriegsstand *m*, -stärke *f*, -bereitschaft *f*: on a ~ kriegsstark. ~ **game** *s mil.* **1.** Kriegs-, Planspiel *n.* **2.** Ma'növer *n.* ~ **god** *s* Kriegsgott *m.* **'~-ˌgod·dess** *s* Kriegsgöttin *f.* ~ **grave** *s* Kriegs-, Sol'datengrab *n.* ~ **guilt** *s* Kriegsschuld *f.* **'~ˌhead** *s mil.* Spreng-, Gefechtskopf *m* (*e-s Torpedos etc*). ~ **horse** *s* **1.** *poet.* Streit-,

Schlachtroß *n.* **2.** *colloq.* alter Haudegen *od.* Kämpe (*a. fig.*).
war·i·ness ['wɛ(ə)rinis] *s* Vorsicht *f*, Behutsamkeit *f*.
'war,like *adj* **1.** kriegerisch. **2.** Kriegs...
war·lock ['wɔːr,lɒk] *s obs.* Zauberer *m*, Hexenmeister *m*.
war lord *s* Kriegsherr *m*.
warm [wɔːrm] **I** *adj* (*adv* ~ly) **1.** warm (*a. fig.*): ~ **climate (clothes, colo[u]rs, heart, interest,** *etc*); **to keep s.th.** ~ (*sl.* sich) etwas warmhalten. **2.** erhitzt, heiß. **3.** *fig.* warm, herzlich: **a** ~ **reception** ein warmer Empfang (*a. iro. von Gegnern*). **4.** *fig.* heiß, unangenehm, gefährlich: **a** ~ **corner** e-e ‚ungemütliche' Ecke (*gefährlicher Ort*); ~ **work** a) schwere Arbeit, b) heißer Kampf, c) gefährliche Sache; **to make it** (*od.* **things**) ~ **for s.o.** j-m die Hölle heiß machen; **this place is too** ~ **for me** hier brennt mir der Boden unter den Füßen. **5.** leidenschaftlich, glühend, eifrig: **a** ~ **advocate of reform. 6.** ‚heiß', leidenschaftlich, brünstig. **7.** schlüpfrig, unanständig: **a** ~ **scene in a play. 8.** hitzig, heftig, erregt: **a** ~ **dispute; they grew** ~ **over an argument** sie erhitzten sich über e-n strittigen Punkt. **9.** *hunt.* warm, frisch: ~ **scent. 10.** *colloq.* ‚warm', nahe dar'an (*im Suchspiel*): **you're getting** ~(**er**)! *fig.* du kommst der Sache schon näher!
II *s* **11.** (*etwas*) Warmes, warmes Zimmer *etc*: **to give s.th. a** ~ etwas (auf-, an)wärmen; **to have a** ~ sich (auf)wärmen.
III *v/t* **12.** *a.* ~ **up** (an-, er-, auf)wärmen, warm machen: **to** ~ **the milk; to** ~ **one's feet** sich die Füße wärmen. **13.** *fig. das Herz etc* (er)wärmen. **14.** *colloq. e-n Stuhl etc* ‚wärmen', besetzt halten. **15.** *colloq.* verprügeln.
IV *v/i* **16.** *a.* ~ **up** warm *od.* wärmer werden, sich erwärmen. **17.** *a.* ~ **up** *fig.* sich erwärmen (**to** für). **18.** ~ **up** (**for**) *sport u. fig. Am. colloq.* sich bereitmachen (zu), *sport* sich warm laufen (für).
'warm-'blood·ed *adj* **1.** *zo.* warmblütig: ~ **animals** Warmblüter *pl.* **2.** *fig* heißblütig.
'warmed-'o·ver ['wɔːrmd] *adj Am.* aufgewärmt (*Speisen etc*) (*a. fig.*).
warm·er ['wɔːrmər] *s* Wärmer *m*: **foot** ~ Fußwärmer.
warm| front *s meteor.* Warm(luft)-front *f.* **'~'heart·ed** *adj* warmherzig, herzlich. **,~'heart·ed·ness** *s* Herzlichkeit *f*, Warmherzigkeit *f*.
warm·ing ['wɔːrmiŋ] *s* **1.** Wärmen *n*, Erwärmung *f*. **2.** *sl.* Tracht *f* Prügel, ‚Senge' *f*. ~ **pad** *s electr.* Heizkissen *n*. ~ **pan** *s* **1.** Wärmpfanne *f*, -flasche *f*. **2.** *sl.* Platzhalter *m*.
warm·ish ['wɔːrmiʃ] *adj* lauwarm.
'war|,mon·ger *s* Kriegshetzer *m*, -treiber *m*. **'~,mon·ger·ing** *s* ,Kriegshetze'rei *f*, -treibe'rei *f*.
warmth [wɔːrmθ] *s* **1.** Wärme *f*. **2.** *fig.* Wärme *f*: a) Herzlichkeit *f*, Warmherzigkeit *f*, b) Eifer *m*, Feuer *n*. **3.** Hitze *f*, Heftigkeit *f*, Erregtheit *f*.
'warm|,up *s* **1.** *sport* Sich'warmlaufen *n*. **2.** *tech.* Warmlaufen *n*. **3.** *fig.* Vorbereitung *f*. ~ **wa·ter** *s biol. geogr.* Warmwasser *n*.
warn [wɔːrn] *v/t* **1.** warnen (**of, against** vor *dat*): **to** ~ **s.o. against doing s.th.** j-n davor warnen *od.* j-m davon abraten, etwas zu tun. **2.** *j-n* warnend 'hinweisen, aufmerksam machen (**of** auf *acc*; **that** daß). **3.** ermahnen (**to do** zu tun). **4.** *j-m* (dringend) raten, nahelegen (**to do** zu tun). **5.** (**of**) *j-n* verständigen (von), *j-n* wissen lassen (*acc*), *j-m* ankündigen *od.* anzeigen (*acc*): **to** ~ **s.o. of an intended visit. 6.** *j-n* auffordern: **to** ~ **s.o. to appear in court. 7.** gehen *od.* wegbleiben heißen, *j-m* kündigen: **he** ~**ed us off** (*od.* **out of**) **his garden** er wies uns aus s-m Garten. **8.** ~ **off** (**from**): a) abweisen, abhalten, fernhalten (von), b) (hin)'ausweisen (aus). **9.** *a.* ~ **off** verwarnen. **'warn·er** *s* Warner(in).
warn·ing ['wɔːrniŋ] **I** *s* **1.** Warnen *n*, Warnung *f*: **to give s.o. (fair)** ~, **to give (fair)** ~ **to s.o.** j-n (rechtzeitig) warnen (**of** vor *dat*); **to take** ~ **by** (*od.* **from**) **s.th.** sich etwas zur Warnung dienen lassen. **2.** 'Warnsi,gnal *n*: **to sound a** ~ ein Warnsignal geben. **3.** a) Verwarnung *f*, b) (Er)Mahnung *f*. **4.** *fig.* Warnung *f*, warnendes *od.* abschreckendes Beispiel. **5.** warnendes An- *od.* Vorzeichen. **6.** Benachrichtigung *f*, (Vor)Anzeige *f*, Ankündigung *f*: **to give** ~ (**of**) *j-m* ankündigen (*acc*), Bescheid geben (über *acc*); **without (any)** ~ (völlig) unerwartet. **7.** Aufforderung *f*, Anweisung *f*. **8.** Kündigung *f*: **to give** ~ (**to**) (*j-m*) kündigen. **9.** (Kündigungs)Frist *f*: **a month's** ~ monatliche Kündigung, Kündigungsfrist von e-m Monat; **at a minute's** ~ a) *econ.* auf jederzeitige Kündigung, b) *econ.* fristlos, c) in kürzester Frist, jeden Augenblick. **II** *adj* (*adv* ~ly) **10.** warnend, Warn... **'~,bell** *s* Warnglocke *f*. ~ **col·o(u)r,** ~ **col·o(u)r·a·tion** *s zo.* Warn-, Trutzfarbe *f*. ~ **light** *s* **1.** *tech.* Warnlicht *n*. **2.** *mar.* Warn-, Si'gnalfeuer *n*. ~ **shot** *s* **1.** Warnschuß *m*. **2.** *fig.* Schuß *m* vor den Bug. ~ **tri·an·gle** *s mot.* Warndreieck *n*.
war·nose *s mar. mil.* Spreng-, Gefechtskopf *m* (*e-s Torpedos etc*).
warn't [wɑːrnt] *dial. für* a) **wasn't,** b) **weren't.**
War| Of·fice *s Br. hist.* 'Heeresmini,sterium *n*. **w~ or·phan** *s* Kriegerwaise *f*.
warp [wɔːrp] **I** *v/t* **1.** *Holz etc* verziehen, werfen, krümmen, *aer. Tragflächen* verwinden. **2.** *j-n, j-s Geist* nachteilig beeinflussen, verschroben machen, ‚verbiegen', *j-s Urteil* verfälschen: → **warped** 3. **3.** verleiten (**into** zu), abbringen (**from** von). **4.** *e-e Tatsache etc* entstellen, verdrehen, -zerren. **5.** *mar. das Schiff* (an der Warpleine) fortziehen, bug'sieren, verholen. **6.** *agr. Land* a) mit Schlamm düngen, b) *a.* ~ **up** verschlammen. **7.** *Weberei*: *die Kette* (an)scheren. **8.** *math. tech.* verdrehen, -winden.
II *v/i* **9.** sich werfen *od.* verziehen, sich verbiegen *od.* krümmen, krumm werden (*Holz etc*). **10.** *Weberei*: (an)scheren, zetteln. **11.** sich verzerren, entstellt *od.* verdreht werden.
III *s* **12.** Verwerfung *f*, Verziehen *n*, Verkrümmung *f* (*von Holz etc*). **13.** *fig.* a) Entstellung *f*, Verzerrung *f*, Verdrehung *f*, b) Verschrobenheit *f*. **14.** Voreingenommenheit *f* (**against** gegen), Vorliebe *f* (**in favo(u)r of** für). **15.** *Weberei*: Kette(nfäden *pl*) *f*, Zettel *m*: ~ **and woof** Kette u. Schuß. **16.** Warpleine *f*. **17.** *geol.* Schlick *m*.
war| paint *s* **1.** Kriegsbemalung *f* (*der Indianer*). **2.** *colloq.* ‚volle Kriegsbemalung', große Gala. ~ **par·ty** *s* **1.** *pol.* 'Kriegspar,tei *f*. **2.** *Am.* Indi'aner *pl* auf dem Kriegspfad. ~ **path** *s* Kriegspfad *m* (*der Indianer*): **to be on the** ~ a) auf dem Kriegspfad sein (*Indianer od. fig.*), b) kampflustig sein.
warped [wɔːrpt] *adj* **1.** verzogen (*Holz etc*), krumm (*a. math.*). **2.** *fig.* verzerrt, -fälscht. **3.** ‚verbogen', -schroben: ~ **mind. 4.** par'teiisch.
war| plane *s* Kampf-, Kriegsflugzeug *n*. ~ **pow·er** *s pol.* Sonderbefugnis(se *pl*) *f* im Kriegsfalle.
war·ra·gal ['wɒrəgəl] *s Austral.* **1.** *zo.* Dingo *m* (*Wildhund*). **2.** (wilder) Eingeborener. **3.** Wildpferd *n*.
war·rant ['wɒrənt] **I** *s* **1.** *a.* ~ **of attorney** Vollmacht *f*, Bevollmächtigung *f*, Befugnis *f*, Berechtigung *f*. **2.** Rechtfertigung *f*: **not without** ~ nicht ohne gewisse Berechtigung. **3.** Garan'tie *f*, Gewähr *f*, Sicherheit *f* (*alle a. fig.*). **4.** Bürge *m*. **5.** Bescheinigung *f*, Berechtigungsschein *m*: → **dividend warrant. 6.** *jur.* (Voll-'ziehungs-, Haft- *etc*)Befehl *m*: ~ **of apprehension** Steckbrief *m*; ~ **of arrest** Haftbefehl *m*; ~ **of attachment** (*od.* **distress**) Beschlagnahmeverfügung *f*; **a** ~ **is out against him** er wird steckbrieflich gesucht. **7.** *mar. mil.* Pa'tent *n*, Beförderungsurkunde *f*: ~ (**officer**) a) *mar.* (Ober)Stabsbootsmann *m*, Deckoffizier *m*, b) *mil.* (*etwa*) (Ober)-Stabsfeldwebel *m*. **8.** *econ.* (Lager-, Waren)Schein *m*: **bond** ~ Zollgeleitschein *m*. **9.** *econ.* (Rück)Zahlungsanweisung *f*.
II *v/t* **10.** *bes. jur.* bevollmächtigen, ermächtigen, autori'sieren. **11.** rechtfertigen, berechtigen zu. **12.** garan'tieren, zusichern, haften für, verbürgen, gewährleisten: **I'll** ~ (**you**) *colloq.* a) ich könnte schwören, b) mein Wort darauf, das kann ich Ihnen versichern. **13.** sichern (**from, against** vor *dat*, gegen). **14.** bestätigen, erweisen.
war·rant·a·ble ['wɒrəntəbl] *adj* **1.** vertretbar, gerechtfertigt, berechtigt, zu rechtfertigen(d). **2.** *hunt.* jagdbar (*Hirsch*). **'war·rant·a·ble·ness** *s* Vertretbarkeit *f*, Rechtmäßigkeit *f*. **'war·rant·a·bly** [-bli] *adv* rechtmäßig, mit Recht, berechtigterweise. **'war·rant·ed** *adj econ.* garan'tiert, echt: ~ **for 3 years** 3 Jahre Garantie; ~ **pure** garantiert rein *od.* echt. **,war·ran·'tee** [-'tiː] *s econ. jur.* Sicherheitsempfänger *m*. **'war·rant·er, 'war·ran·tor** [-tɔːr] *s* Sicherheitsgeber *m*. **'war·ran·ty** [-ti] *s* **1.** Ermächtigung *f*, Berechtigung *f*, Vollmacht *f* (**for** zu). **2.** Rechtfertigung *f* (**for** für). **3.** *bes. jur.* Bürgschaft *f*, Garan'tie *f*, Sicherheit *f*. **4.** *jur.* Wechselbürgschaft *f*. **5.** *a.* **covenant of** ~ *bes. jur. Am.* Bürgschaftsvertrag *m* (*für Grundbesitz*): ~ **deed** a) Rechtsgarantie *f*, b) Grundstücksübertragungsurkunde *f* (*mit Haftung für Rechtsmängel*).
war·ren ['wɒrin] *s* **1.** Ka'ninchengehege *n*. **2.** *jur. Br. hist.* a) Wildgehege *n*, b) *a.* **free** ~ Jagd-, Hegerecht *n* (*in e-m Wildgehege*). **3.** *fig.* Laby'rinth *n*, *bes.* a) 'Mietska,serne *f*, b) enges Straßengewirr. **'war·ren·er** *s* **1.** *hist.* Hegemeister *m*. **2.** *pl fig.* zs.-gepfercht lebende Menschen *pl*.
war·ri·gal ['wɒrigəl] → **warragal.**
war·ring ['wɔːriŋ] *adj* **1.** sich bekriegend, (sich) streitend. **2.** *fig.* 'widerstreitend.
war·ri·or ['wɒriər] **I** *s poet.* Krieger *m*. **II** *adj* kriegerisch. ~ **ant** *s zo.* Blutrote Waldameise.
war| risk in·sur·ance *s econ. mil.* Kriegsversicherung *f*. **'~,ship** *s* Kriegsschiff *n*.
wart [wɔːrt] *s* **1.** *med.* Warze *f*: **with one's** ~**s,** ~**s and all** *fig.* mit allen s-n Fehlern u. Schwächen. **2.** *bot. zo.* Aus-

wuchs *m*: ~ hog Warzenschwein *n*.
'wart·ed *adj* warzig. [Kriegs...]
'war,time I *s* Kriegszeit *f*. **II** *adj*
'wart|,weed *s bot*. Wolfsmilch *f*.
'~,wort *s bot*. **1.** Warzenflechte *f*. **2.** → wartweed.
wart·y ['wɔːrti] *adj* warzig.
war| ves·sel → warship. **'~,wear·y** *adj* kriegsmüde. **~ whoop** *s* **1.** Kriegsgeheul *n* (*der Indianer*). **2.** *fig*. Indi'anergebrüll *n*. **~ wid·ow** *s* Kriegerwitwe *f*. **~ work·er** *s* Rüstungsarbeiter(in). **'~,worn** *adj* **1.** kriegszerstört, vom Krieg verwüstet. **2.** kriegsmüde.
war·y ['wɛ(ə)ri] *adj* (*adv* warily) **1.** wachsam, vorsichtig, *a*. argwöhnisch: to be ~ of a) achthaben auf (*acc*), b) sich hüten vor (*dat*); to be ~ of doing s.th. sich hüten, etwas zu tun. **2.** 'umsichtig, bedacht(sam). **3.** vorsichtig, behutsam.
was [wɒz] *1. u. 3. sg pret ind von* be; *im pass* wurde: he ~ killed; he ~ to come er hätte kommen sollen; he didn't know what ~ to come er ahnte nicht, was noch kommen sollte.
wash [wɒʃ] **I** *s* **1.** Waschen *n*, Wäsche *f*: at the ~ in der Wäsche(rei); to give s.th. a ~ etwas (ab)waschen; to have a ~ sich waschen; to come out in the ~ a) herausgehen (*Flecken etc*), b) *colloq*. *fig*. schließlich in Ordnung kommen. **2.** (*zu waschende od. gewaschene*) Wäsche: in the ~ in der Wäsche. **3.** Waschwasser *n*, -lauge *f*. **4.** Spülwasser *n* (*a. fig. dünne Suppe etc*). **5.** Spülicht *n*, Küchenabfälle *pl*. **6.** *fig*. Gewäsch *n*, leeres Gerede. **7.** (*Augen-, Haar- etc*)Wasser *n*. **8.** *pharm*. Waschung *f*. **9.** Anspülen *n* (*der Wellen*), Wellenschlag *m*, (Tosen *n* der) Brandung *f*. **10.** Anschlagen *n*, Klatschen *n* (*der Wellen*). **11.** *mar*. Kielwasser *n*. **12.** *aer*. a) Luftstrudel *m*, Sog *m*, b) glatte Strömung. **13.** *fig*. Fahr-, Kielwasser *n*, Strömung *f*. **14.** Goldsand *m*, goldhaltige Erde. **15.** *geol*. a) Auswaschung *f*, ('Wasser)Erosi,on *f*, b) (Alluvi'al)Schutt *m*. **16.** *geogr*. a) Schwemm-, Marschland *n*, b) Mo'rast *m*. **17.** seichtes Gewässer. **18.** 'Farb,überzug *m*: a) Tusche *f*, dünn aufgetragene (Wasser)Farbe, b) *arch*. Tünche *f*. **19.** *tech*. a) Bad *n*, Abspritzung *f*, b) Plat'tierung *f*.
II *adj* **20.** waschbar-, -echt, Wasch...: ~ glove Waschlederhandschuh *m*; ~ silk Waschseide *f*.
III *v/t* **21.** waschen: to ~ o.s. (one's face); to ~ a car; to ~ (up) dishes Geschirr (ab)spülen; → hand *Bes. Redew*. **22.** (ab)spülen, (ab)spritzen. **23.** *relig*. (*von Schuld*) reinwaschen, reinigen. **24.** benetzen, befeuchten. **25.** be-, um-, über'spülen, über'fluten: cliffs ~ed by the waves. **26.** (fort-, weg)spülen, (-)schwemmen: to ~ ashore. **27.** *geol*. graben (*Wasser*): → wash away 2, wash out 1. **28.** *chem*. *Gas* reinigen. **29.** (*mit Farbe*) streichen: a) tünchen, weißen, b) dünn anstreichen, c) tuschen. **30.** *Sand nach Gold etc* auswaschen. **31.** *tech*. *Erze* waschen, schlämmen. **32.** *tech*. plat'tieren: to ~ brass with gold.
IV *v/i* **33.** sich waschen. **34.** (Wäsche) waschen. **35.** sich *gut etc* waschen (lassen), waschecht sein. **36.** *colloq*. a) standhalten, (die Probe) bestehen, b) ‚ziehen', stichhaltig sein: that won't ~ (with me) das zieht nicht (bei mir); this argument won't ~ dieses Argument ist nicht stichhaltig. **37.** (*vom Wasser*) gespült *od*. geschwemmt werden: to ~ ashore. **38.** fluten, spülen (over über *acc*). **39.** branden, schlagen, klatschen (against gegen).
Verbindungen mit Adverbien:
wash| a·way I *v/t* **1.** ab-, wegwaschen. **2.** weg-, fortspülen, -schwemmen. **II** *v/i* **3.** weg- *od*. fortgespült *od*. -geschwemmt werden. **~ down** *v/t* **1.** abwaschen, abspritzen. **2.** hin'unterspülen (*a. Essen mit e-m Getränk*). **~ off** → wash away. **~ out I** *v/t* **1.** auswaschen, -spülen (*a. geol. etc*). **2.** *colloq*. ‚fertigmachen', erledigen, erschöpfen: → washed-out 2. **3.** *sl*. a) aufheben, zu'nichte machen, b) *e-n Plan etc* fallenlassen, aufgeben, c) *e-n Prüfling etc* ablehnen, ausscheiden. **II** *v/i* **4.** sich auswaschen, verblassen. **5.** sich wegwaschen lassen (*Farbe*). **6.** *sl*. 'durchfallen (*Prüfling etc*). **~ up I** *v/t* **1.** *Geschirr* spülen. **2.** *Am. für* wash out 3: → washed-up. **II** *v/i colloq*. **3.** sich (Gesicht u. Hände) waschen. **4.** ab-, aufwaschen, Geschirr spülen.
wash·a·ble *adj* waschecht, -bar.
'wash|,ba·sin *s Br*. Waschbecken *n*, -schüssel *f*. **'~,board** *s* **1.** Waschbrett *n*. **2.** Fuß-, Scheuerleiste *f* (*an der Wand*). **3.** *mar*. Setzbord *n*. **~ bot·tle** *s chem*. **1.** Spritzflasche *f*. **2.** (Gas)-Waschflasche *f*. **'~,bowl** → wash-basin. **'~,cloth** *s* **1.** Spüllappen *m*. **2.** *Am*. Waschlappen *m*. **'~,day** *s* Waschtag *m*. **~ dirt** *s* Goldsand *m*, -erde *f*.
'washed|-'out ['wɒʃt-] *adj* **1.** verwaschen, -blaßt. **2.** *colloq*. ‚fertig', ‚erledigt', erschöpft. **'~-'up** *adj Am*. ‚erledigt', ‚fertig': a) *colloq*. erschöpft, b) *sl*. völlig rui'niert.
wash·er ['wɒʃər] *s* **1.** Wäscher(in). **2.** 'Waschappa,rat *m*, *bes*. a) 'Waschma,schine *f*, b) *a*. dish ~ Ge'schirrspülma,schine *f*, c) *tech*. Erz-, Kohlenwäscher *m*, d) *chem*. 'Gaswaschappa,rat *m*, e) *phot*. Wässerungskasten *m*, f) *Papierherstellung*: Halb(zeug)holländer *m*. **3.** *tech*. a) 'Unterlegscheibe *f*, Dichtungsscheibe *f*, -ring *m*, b) Achsenstoß *m*. **4.** *Am. für* raccoon. **'~,wom·an** *s irr* Waschfrau *f*, Wäscherin *f*.
'wash|,fast *adj* waschecht. **'~,hand** *adj Br*. Handwasch...: ~ basin (Hand)-Waschbecken *n*; ~ stand (Hand)-Waschständer *m*. **'~,house** *s* **1.** Waschhaus *n*, -küche *f*. **2.** Waschanstalt *f*, Wäsche'rei *f*. **3.** *tech*. (,Kohlen-, ,Erz)-Wäsche'rei *f*. **'~,in** *s aer*. negative Flügelschränkung.
wash·i·ness ['wɒʃinis] *s* **1.** Wässerigkeit *f*. **2.** Verwaschenheit *f*, Blässe *f*. **3.** *fig*. Saft-, Kraftlosigkeit *f*.
wash·ing ['wɒʃiŋ] **I** *s* **1.** → wash 1 *u*. 2. **2.** *oft pl* (*gebrauchtes*) Wasch- *od*. Spülwasser. **3.** *tech*. a) nasse Aufbereitung, Erzwäsche *f*, b) Wascherz *n od*. -gold *n*. **4.** *tech*. Plat'tierung *f*, 'Überzug *m*. **5.** 'Farb,überzug *m*: a) Tünche *f*, b) Tusche *f*. **6.** *geol*. a) ('Wasser)Erosi,on *f*, b) Anschwemmung *f*. **II** *adj* **7.** Wasch..., Wäsche... **~ bay** *s* Wagenwaschraum *m*. **~ bot·tle** → wash bottle. **~ ma·chine** *s* 'Waschma,schine *f*. **~ pow·der** *s* Waschpulver *n*, -mittel *n*. **~ so·da** *s* (Bleich)Soda *f*. **~ stand** → washstand. **'~-,up** *s* Abwasch *m* (*Geschirr*).
wash| leath·er *s* **1.** Waschleder *n*. **2.** Fenster(putz)leder *n*. **'~,out** *s* **1.** *geol*. Auswaschung *f*. **2.** Einbruch (*e-r Straße etc*). **3.** *sl*. a) ‚Pleite' *f*, ‚Reinfall' *m* (*Mißerfolg*), b) ‚Niete' *f*, Versager *m* (*erfolgloser Mensch*), c) *mil*. ‚Fahrkarte' *f* (*Fehlschuß*), d) ,'Durchfall' *m* (*bei e-r Prüfung*). **4.** *aer*. positive Flügelschränkung. **~ plate** *s mar*. Schlingerplatte *f*. **'~,rag** *s* Waschlappen *m*. **'~,room** *s* Waschraum *m*, Toi'lette *f*. **~ sale** *s econ*. Scheinverkauf *m* (*von Börsenpapieren*). **'~,stand** *s* **1.** Waschtisch *m*, -ständer *m*. **2.** Waschbecken *n* (*mit fließendem Wasser*). **'~,tub** *s* Waschwanne *f*.
wash·y ['wɒʃi] *adj* (*adv* washily) **1.** verwässert, wäss(e)rig (*beide a. fig. kraftlos, seicht*): ~ coffee; ~ style. **2.** verwaschen, blaß: ~ colo(u)r.
was·n't ['wɒznt] *colloq. für* was not.
wasp [wɒsp] *s* **1.** *zo*. Wespe *f*. **2.** reizbarer *od*. ‚giftiger' Mensch. **'wasp·ish** *adj* (*adv* ~ly) **1.** wespenschlank. **2.** *fig*. a) reizbar, b) gereizt, ‚giftig'.
wasp| waist *s* Wespentaille *f*. **'~-,waist·ed** *adj* mit e-r Wespentaille.
was·sail ['wɒsl; 'wæsl; -eil] **I** *s* **1.** *obs*. (Trink)Gelage *n*. **2.** Festpunsch *m*, Würzbier *n*. **II** *v/i* **3.** zechen, feiern, e-n 'Umtrunk halten. **4.** *Br*. Weihnachtslieder singen (*von Haus zu Haus*).
Was·ser·mann| re·ac·tion ['waːsərmən; 'wɒs-], *a*. **~ test** *s med*. Wassermann(test) *m*.
wast [wɒst] *obs. 2. sg pret ind von* be: thou wast du warst.
wast·age ['weistidʒ] *s* **1.** Verlust *m*, Verschleiß *m*, Abgang *m*. **2.** Verschwendung *f*, -geudung *f*: ~ of energy a) Energieverschwendung, b) *fig*. Leerlauf *m*.
waste [weist] **I** *adj* **1.** öde, verödet, wüst, unfruchtbar, unbebaut (*Land*), unbewohnt: to lay ~ verwüsten; to lie ~ brachliegen. **2.** a) nutzlos, 'überflüssig, b) ungenutzt, 'überschüssig: ~ energy. **3.** unbrauchbar, Abfall... **4.** *tech*. a) abgängig, verloren, Abgangs..., b) Abfluß..., Ablauf..., Abzugs...: ~ drain Abzugskanal *m*; ~ materials Abgänge *pl*, Abfall(material *n*) *m*. **5.** *biol*. Ausscheidungs...
II *s* **6.** Verschwendung *f*, -geudung *f*: ~ of energy (money, time) Kraft-(Geld-, Zeit)verschwendung *f*; to go (*od*. run) to ~ a) brachliegen, verwildern, b) vergeudet werden, c) verlottern, -fallen. **7.** Verfall *m*, Verschleiß *m*, Abgang *m*, Verlust *m*. **8.** Wüste *f*, (Ein)Öde *f*: ~ of water Wasserwüste. **9.** Abfall *m*, Müll *m*. **10.** *tech*. Abfall *m*, Abgänge *pl*, *bes*. a) Ausschuß *m*, b) Abfall-, Putzbaumwolle *f*, c) Ausschußwolle *f*, Wollabfälle *pl*, d) Werg *n*, e) *metall*. Gekrätz *n*, f) *print*. Makula'tur *f*. **11.** *Bergbau*: Abraum *m*. **12.** *geol*. Geröll *n*, Schutt *m*. **13.** *jur*. a) Vernachlässigung *f*, b) Wert(ver)minderung *f* (*e-s Grundstücks*).
III *v/t* **14.** verschwenden, -geuden: to ~ money (time, words, *etc*): → breath 1. **15.** *Zeit, e-e Gelegenheit etc* ungenutzt verstreichen lassen, vertrödeln (in, over mit). **16.** *fig*. brachliegen *od*. ungenutzt lassen: a ~d talent ein ungenutztes Talent. **17.** to be ~d nutzlos sein, ohne Wirkung bleiben (on auf *acc*), am falschen Platz stehen; this is ~d on him das läßt ihn völlig kalt. **18.** zehren an (*dat*), aufzehren, schwächen: ~d with grief von Kummer verzehrt; to ~ o.s. *sport* sein Gewicht ‚drücken'. **19.** verwüsten, -heeren, zerstören. **20.** *jur*. Vermögensschaden *od*. Minderung verursachen bei, *ein Besitztum* verkommen lassen.
IV *v/i* **21.** *fig*. vergeudet *od*. verschwendet werden: he ~s in routine work er verzettelt sich mit routine-

mäßiger Arbeit. **22.** vergehen, (ungenutzt) verstreichen (*Zeit, Gelegenheit etc*). **23.** *a.* ~ **away** schwächer werden, da'hinsiechen, verfallen: → **wasting** 3. **24.** *fig.* abnehmen, (da'hin)schwinden. **25.** *sport* (durch Trai'nieren *etc*) sein Gewicht ‚drücken'. **26.** verschwenderisch sein: ~ **not, want not** spare in der Zeit, so hast du in der Not.

'waste|,bas·ket *s bes. Am.* Abfall-, *bes.* Pa'pierkorb *m.* ~ **book** *s econ.* Kladde *f.*

waste·ful ['weist,ful] *adj* (*adv* ~**ly**) **1.** kostspielig, unwirtschaftlich, verschwenderisch. **2.** verschwenderisch (**of** mit): **to be** ~ **of** verschwenderisch umgehen mit. **3.** *poet.* wüst, öde. **'waste·ful·ness** *s* Verschwendung(ssucht) *f.*

waste| gas *s tech.* Abgas *n.* ~ **heat** *s tech.* Abwärme *f*, abgängige Hitze. **'~,land** *s* Ödland(fläche *f*) *n.* **'~,paper** *s* **1.** 'Abfallpa,pier *n*, Makula'tur *f.* **2.** 'Altpa,pier *n.* **3.** wertloses Doku'ment *etc* (das nur für den Pa'pierkorb taugt). **4.** → **end paper.** **'~,pa·per bas·ket** *s* Pa'pierkorb *m.* ~ **pipe** *s tech.* Abfluß-, Abzugsrohr *n.* ~ **prod·uct** *s* **1.** *econ. tech.* 'Abfallpro,dukt *n.* **2.** *biol.* Ausscheidungsstoff *m.*

wast·er ['weistər] *s* **1.** → **wastrel** 1 *u.* 3. **2.** *metall.* a) Fehlguß *m*, b) Abschnitt *m*, Schrottstück *n.*

waste| steam *s tech.* Abdampf *m.* ~ **wa·ter** *s* Abwasser *n.* ~ **wool** *s* Twist *m.*

wast·ing ['weistiŋ] **I** *s* **1.** → **waste** 6 *u.* 7. **2.** *med.* Auszehrung *f*, Schwindsucht *f.* **II** *adj* **3.** zehrend, schwächend: ~ **disease** zehrende Krankheit. **4.** abnehmend, schwindend.

wast·rel ['weistrəl] **I** *s* **1.** a) Verschwender *m*, b) Tunichtgut *m.* **2.** Gassenkind *n*, Range *m, f.* **3.** *econ.* 'Ausschuß(ar,tikel *m*, -ware *f*) *m*, fehlerhaftes Exem'plar. **II** *adj* **4.** Ausschuß..., Abfall... **5.** abgezehrt, ausgemergelt (*Tier*).

watch [wɒtʃ] **I** *s* **1.** Wachsamkeit *f*: **to be (up)on the** ~ a) wachsam *od.* auf der Hut sein, b) (**for**) Ausschau halten (nach), lauern, achthaben (auf *acc*). **2.** Wache *f*, Wacht *f*: **to keep (a)** ~ (**on** *od.* **over**) Wache halten, wachen (über *acc*), aufpassen (auf *acc*), *j-n* scharf beobachten *od.* im Auge behalten; → **ward** 9. **3.** (Schild)Wache *f*, Wachtposten *m.* **4.** *meist pl hist.* (Nacht)Wache *f* (*Zeiteinteilung*): **in the silent** ~**es of the night** in den stillen Stunden der Nacht. **5.** *mar.* (Schiffs)Wache *f* (*Zeitabschnitt od. Mannschaft*): **first** ~ 1. Wache (*20.00 —24.00 Uhr*); **middle** ~, *Am.* **mid** ~ Mittelwache, 2. Wache, ‚Hundewache' (*0.00—04.00 Uhr*); **morning** ~ Morgenwache (*04.00—08.00 Uhr*). **6.** *mar.* 'Seechrono,meter *n.* **7.** (Taschen-, Armband)Uhr *f.* **8.** *obs.* a) Wachen *n*, wache Stunden *pl*, b) Wächteramt *n*, c) Totenwache *f.*

II *v/i* **9.** beobachten, zuschauen. **10.** (**for**) warten, lauern (auf *acc*), Ausschau halten (nach), achthaben, -geben (auf *acc*). **11.** wachen (**with** bei), wach sein: ~ **and pray** wachet u. betet. **12.** ~ **over** wachen über (*acc*), bewachen, aufpassen auf (*acc*): **he (it) needs** ~**ing** ihn (es) muß man im Auge behalten. **13.** *mil.* Posten stehen, Wache halten. **14.** ~ **out** *colloq.* aufpassen, achtgeben.

III *v/t* **15.** beobachten: a) *j-m od. e-r Sache* zuschauen, sich *etwas* ansehen, b) ein wachsames Auge haben auf (*acc*), *a. e-n Verdächtigen etc* über'wachen, c) *e-n Vorgang* verfolgen, im Auge behalten, d) *jur. den Verlauf e-s Prozesses* verfolgen: **a** ~**ed pot never boils** beim Warten wird die Zeit lang. **16.** *e-e Gelegenheit* abwarten, abpassen, wahrnehmen: **to** ~ **one's time.** **17.** achtgeben *od.* -haben auf (*acc*) (*od.* **that** daß): → **step** 7. **18.** *Vieh* hüten, bewachen.

'watch|,band *s* Uhrarmband *n.* **'~,boat** *s mar.* Wach(t)boot *n.* ~ **box** *s* **1.** *mil.* Schilderhaus *n.* **2.** Wärterhäus-chen *n.* ~ **cap** *s mar. Am.* enganliegende, blaue Strickmütze. **'~,case** *s* **1.** Uhrgehäuse *n.* **2.** 'Uhrene,tui *n.* ~ **chain** *s* Uhrkette *f.* ~ **com·mit·tee** *s* städtischer Ordnungsdienst (*Komitee des Gemeinderats, das die Polizei dirigiert*). **'~,dog I** *s* Wachhund *m* (*a. fig.*). **II** *v/t fig.* wachen über (*acc*).

watch·er ['wɒtʃər] *s* **1.** Wächter(in). **2.** (Kranken)Wärter(in). **3.** Beobachter(in), Aufpasser(in).

watch·ful ['wɒtʃful] *adj* (*adv* ~**ly**) **1.** wachsam, aufmerksam, *a.* lauernd (**of** auf *acc*): **to keep a** ~ **eye (up)on** ein wachsames Auge haben auf (*acc*). **2.** (**against**) vorsichtig (mit), auf der Hut (vor *dat*). **'watch·ful·ness** *s* **1.** Wachsamkeit *f.* **2.** Vorsicht *f.* **3.** Wachen *n* (**over** über *dat*).

watch| glass *s* Uhrglas *n.* ~ **guard** *s* Uhrkette *f.* **'~,house** *s* **1.** Wachthaus *n*, Wache *f.* **2.** Pförtnerhaus *n.*

watch·ing ['wɒtʃiŋ] *s* **1.** (Be)Wachen *n.* **2.** Beobachten *n.* ~ **brief** *s jur.* Auftrag *m* zur Beobachtung *od.* Wahrnehmung e-s Pro'zesses (*im Interesse e-s nicht Beteiligten*).

watch| key *s* Uhrschlüssel *m.* **'~,mak·er** *s* Uhrmacher *m.* **'~,mak·ing** *s* Uhrmache'rei *f.* **'~·man** [-mən] *s irr* **1.** (Nacht)Wächter *m*, Wache *f* (*in Gebäuden etc*). **2.** *hist.* Nachtwächter *m* (*e-r Stadt etc*). **'~·man's clock** *s* Kon'troll-, Wächteruhr *f.* ~ **night** *s relig.* Nachtwache *f*, -gottesdienst *m.* ~ **of·fi·cer** *s mar.* 'Wachoffi,zier *m.* ~ **pock·et** *s* Uhrtasche *f.* ~ **spring** *s tech.* Uhrfeder *f.* **'~,tow·er** *s mil.* Wachtturm *m.* **'~,word** *s* **1.** Losung *f*, Pa'role *f* (*a. fig. e-r Partei etc*). **2.** *fig.* Schlagwort *n.*

wa·ter ['wɔːtər] **I** *v/t* **1.** bewässern, *den Rasen, e-e Straße etc* sprengen, *Pflanzen etc* (be)gießen. **2.** tränken: **to** ~ **the cattle.** **3.** mit Wasser versorgen: **to** ~ **ship** → 8; → **still**¹ 5. **4.** *oft* ~ **down** verwässern: a) verdünnen, *Wein* panschen, b) *fig.* abschwächen, mildern, c) *fig.* mundgerecht machen: **a** ~**ed-down liberalism** ein verwässerter Liberalismus; ~**ing-down policy** Verwässerungspolitik *f*; **he** ~**ed his lecture** er zog s-n Vortrag in die Länge. **5.** *econ. Aktienkapital* verwässern: **to** ~ **the stock.** **6.** *tech.* a) wässern, einweichen, befeuchten, b) *Töpferei, Malerei*: *Ton, Farbe* einsumpfen, c) *Maurerei*: *Kalk* einmachen, d) *Flachs* rösten, e) *Stoff* wässern, moi'rieren.

II *v/i* **7.** wässern (*Mund*), tränen (*Augen*): **it made his eyes** ~ es trieb ihm die Tränen in die Augen; **his mouth** ~**ed** das Wasser lief ihm im Mund zusammen (**for, after** nach); **to make s.o.'s mouth** ~ j-m den Mund wässerig machen. **8.** *mar.* Wasser einnehmen. **9.** Wasser trinken (*Vieh*). **10.** *aer.* wassern.

III *s* **11.** Wasser *n*: ~ **bewitched** *colloq.* dünnes verwässertes Getränk; ~**s of forgetfulness** a) Wasser des Vergessens, Vergessen *n*, b) Tod *m.* **12.** *oft pl* Mine'ralwasser *n*, Brunnen *m*, Wasser *n* (*e-r Heilquelle*): **to drink** (*od.* **take**) **the** ~**s** e-e Kur machen (**at** in *dat*). **13.** *oft pl* Wasser *n od. pl*, Gewässer *n od. pl*: **in Chinese** ~**s** in chinesischen Gewässern; (**by land and**) **by** ~ (zu Lande u.) zu Wasser, auf dem (Land- u.) Wasserweg; **on the** ~ a) auf dem Meer, zur See, b) zu Schiff; **to be on the** ~ verschifft werden; **the** ~**s** *poet.* das Meer, die See. **14.** *oft pl* Flut *f*, Fluten *pl*, Wasser *n od. pl.* **15.** Wasserstand *m*: → **high (low) water.** **16.** Wasserspiegel *m*: **above (below) (the)** ~ über (unter) Wasser *od.* dem Wasserspiegel. **17.** (Toi'letten)Wasser *n.* **18.** *chem.* Wasserlösung *f.* **19.** *med. physiol.* Wasser *n*, Se'kret *n* (*z. B. Speichel, Schweiß, Urin*): **the** ~, **the** ~**s** das Fruchtwasser; **to pass** (*od.* **make**) ~ Wasser lassen *od.* abschlagen; **it brings the** ~ **to his mouth** es läßt ihm das Wasser im Munde zs.-laufen; ~ **on the brain** Wasserkopf *m*; ~ **on the knee** Kniegelenkerguß *m.* **20.** *tech.* Wasser *n* (*reiner Glanz e-s Edelsteins*): **of the first** ~ von reinstem Wasser (*a. fig.*); **a scoundrel of the first** ~ *fig.* ein Erzhalunke. **21.** *tech.* a) Wasser(glanz *m*) *n*, Moi'ré *n* (*von Stoffen*), b) Damas'zierung *f* (*von Stahl*).

Besondere Redewendungen:
in deep ~(**s**) *fig.* in Schwierigkeiten; **to hold** ~ *fig.* stichhaltig sein; **to keep one's head above the** ~ *fig.* sich (gerade noch) über Wasser halten; **to throw cold** ~ **on** *fig. e-r Sache* e-n Dämpfer aufsetzen, wie e-e kalte Dusche wirken auf (*acc*); **like** ~ *fig.* reichlich, verschwenderisch; **to be in low** ~ *fig.* auf dem trockenen sitzen; **to make** (*od.* **take**) ~ *mar.* Wasser machen, leck sein (*Schiff*); **to make the** ~ *mar.* vom Stapel laufen; **still** ~**s run deep** stille Wasser sind tief; → **bread** *Bes. Redew.*, **fish** 1 *u.* 9, **hot** 13, **oil** 1, **trouble** 6, **write** 2.

wa·ter·age ['wɔːtəridʒ] *s econ. Br.* **1.** Beförderung *f* auf dem Wasser. **2.** Wasserfracht(kosten *pl*) *f.*

wa·ter| an·te·lope → **waterbuck.** ~ **bag** *s* **1.** *zo.* Netzmagen *m* (*des Kamels*). **2.** Wasserbeutel *m* (*aus Leder*). ~ **bail·iff** *s* **1.** *Br. hist.* Hafenzollbeamte(r) *m.* **2.** Fische'rei-Aufseher *m*, 'Strompoli,zist *m.* ~ **bath** *s* Wasserbad *n* (*a. chem. u. Kochkunst*). ~ **bat·ter·y** *s electr.* (gal'vanische) 'Wasserbatte,rie. **'~-,bear·er** *s* Wasserträger *m.* **W~ Bear·er** → **Aquarius.** ~ **bear·ing** *s tech.* hy'draulisches (Achs- *od.* Wellen)Lager. **'~-,bear·ing** *adj geol.* wasserführend. ~ **bed** *s* **1.** *geol.* (Grund)Wasserschicht *f.* **2.** *med.* a) Wasserbett *n*, b) Wasserkissen *n.* ~ **bird** *s orn. allg.* Wasser-, Schwimmvogel *m.* ~ **bis·cuit** *s* (einfacher) Keks. ~ **blis·ter** *s med.* Wasserblase *f.* **'~-,borne** *adj* **1.** auf dem Wasser schwimmend, flott. **2.** zu Wasser befördert (*Ware*), Wasser...: ~ **traffic.** ~ **bot·tle** *s* **1.** Wasserflasche *f.* **2.** Feldflasche *f.* **'~-,bound** *adj* durch e-e Über'schwemmung festgehalten, vom Wasser eingeschlossen *od.* abgeschnitten. ~ **brash** → **pyrosis.** ~ **break** *s* Brecher *m od. pl*, Brechung *f* (*Wellen*). ~ **breath·er** *s zo.* Kiemenatmer *m.* **'~,buck** *s zo.* **1.** 'Hirschanti,lope *f.* **2.** El'lipsen-, Wasserbock *m.* **3.** Litschi-Wasserbock *m.* ~ **buf·fa·lo** → **buffalo** 1 a. ~ **bug** *s zo.* (*e-e*) Wasserwanze *f.* **'~,bus** *s Br.* Flußboot *n.* ~ **butt** *s* Wasserfaß *n*, Regentonne *f.* ~ **cab·bage** *s bot.* **1.** Amer. Seerose *f.* **2.** →

water lettuce. ~ **can·cer,** ~ **can·ker** *s med.* Wasserkrebs *m*, Noma *n*. ~ **car·riage** *s* **1.** Trans'port *m* zu Wasser, 'Wassertrans,port *m*. **2.** 'Wassertrans'portmittel *pl*. ~ **car·ri·er** *s* **1.** Wasserträger *m*. **2.** Wassertankwagen *m*. **3.** Wasserleitung *f*, Ka'nal *m*. **4.** W~ C~ → Aquarius. ~ **cart** *s* **1.** Wasserwagen *m* (*zum Transport*). **2.** Sprengwagen *m*. ~ **ce·ment** *s tech.* 'Wasserze,ment *m*, -mörtel *m*. ~ **chest·nut** *s bot.* Wassernuß *f*. ~ **chute** *s* Wasserrutschbahn *f*. ~ **clock** *s tech.* Wasseruhr *f*. ~ **clos·et** *s* 'Wasserklo,sett *n*. ~ **cock** *s* **1.** *tech.* Wasserhahn *m*. **2.** *orn.* Ostindische Wasserralle. ~ **col·o(u)r** *s* **1.** Wasserfarbe *f*. **2.** Aqua'rellmale,rei *f*. **3.** Aqua'rell *n* (*Bild*). '~-,**col·o(u)r** *adj* Aquarell... '~-,**col·o(u)r·ist** *s* Aqua'rellmaler(in). '~-,**cool** *v/t tech.* mit Wasser kühlen. '~-,**cooled** *adj* wassergekühlt, mit Wasserkühlung (versehen). ~ **cool·er** *s tech.* Wasserkühltank *m*, -kühler *m*. ~ **cool·ing,** '~-,**cool·ing** *s tech.* Wasserkühlung *f*: ~ jacket Wasser-, Kühlmantel *m*. '~,**course** *s* **1.** Wasserlauf *m*. **2.** Fluß-, Strombett *n*. **3.** Ka'nal *m*. ~ **cow** *s zo.* **1.** Büffelkuh *f*. **2.** Ma'nati *f* (*Seekuh*). '~,**craft** *s* **1.** Wasserfahrzeug(e *pl*) *n*. **2.** Geschicklichkeit *f* im Wassersport. ~ **crane** *s* Wasserkran *m*. ~ **cress** *s oft pl bot.* Brunnenkresse *f*. ~ **cure** *s med.* **1.** Wasserkur *f*. **2.** Wasserheilkunde *f*. ~ **cy·cle** *s* Wasserfahrrad *n*. ~ **dock** *s bot.* Wasserampfer *m*. ~ **doc·tor** *s* **1.** *med. hist.* Wasser-, U'rindoktor *m*. **2.** *colloq.* Wasserheilkundige(r) *m*. ~ **dog** *s* **1.** *hunt.* Wasserhund *m*. **2.** *zo. Am. colloq.* (*ein*) großer Sala'mander. **3.** *sl.* Wasserratte *f*. ~ **drink·er** *s* **1.** Wassertrinker(in). **2.** 'Antialko,holiker(in). '~,**drop** *s* **1.** Wassertropfen *m*. **2.** *poet.* Träne *f*.

wa·tered ['wɔːtərd] *adj* **1.** gewässert, eingeweicht, besprengt. **2.** verdünnt, geschwächt (*a. fig.*). **3.** *econ.* verwässert (*Kapital*). **4.** *tech.* a) gewässert, moi'riert (*Stoff*), b) damas'ziert (*Stahl*).

wa·ter| el·der → guelder-rose. ~ **el·e·phant** → hippopotamus. ~ **elm** *s bot.* Weißrüster *f*. ~ **en·gine** *s tech.* **1.** Wasserhebe-, Schöpfwerk *n*. **2.** *Bergbau*: 'Wasserhaltungsma,schine *f*. **3.** Wassermotor *m*. '~,**fall** *s* Wasserfall *m*. ~ **farm** *s* **1.** Wasserpflanzenzucht *f*. **2.** Fischzucht *f*. ~ **feed·er** *s tech.* Wasserzufluß *m*, Speiseleitung *f*. ~ **fern** *s bot.* (*ein*) Rispenfarn *m*, *bes.* Königsfarn *m*. '~,**find·er** *s* (Wünschel)Rutengänger *m*. ~ **flea** *s zo.* Wasserfloh *m*. '~,**fog** *s* Tröpfchennebel *m*. '~,**fowl** *s orn.* **1.** Wasser-, Schwimmvogel *m*. **2.** *collect.* Wasservögel *pl*. ~ **frame** *s tech.* 'Wasser,spinnma,schine *f*. ~ **front** *s* an ein Gewässer grenzender Stadtbezirk *od.* Landstreifen, städtisches Hafengebiet. ~ **funk** *s colloq.* **1.** Wasserscheu *f*. **1.** Wasserscheue(r *m*) *f*. ~ **gage** *bes. Am. für* water gauge. ~ **gap** *s geogr. Am.* Schlucht *f*, ('Fluß)-,Durchbruch *m*. ~ **gas** *s* **1.** *chem.* Wassergas *n*. **2.** Wasserdampf *m*. ~ **gate** *s* **1.** Schleuse *f*. **2.** Schleusentor *n*. ~ **gauge** *s tech.* **1.** Wasserstands(an)zeiger *m*. **2.** Pegel *m*, Peil *m*, hy'draulischer Druckmesser. **3.** *Wasserdruck gemessen in* inches *Wassersäule*. ~ **gild·ing** *s tech.* Leim-, Wasservergoldung *f*. ~ **glass,** *a.* '~,**glass** *s* Wasserglas *n* (*a. chem.*). '~-,**glass egg** *s* eingelegtes Ei, Kalkei *n*. ~ **gold** *s tech.* Muschel-, Malergold *n*. ~ **green** *s paint.* Wassergrün *n*. ~ **gru·el** *s* dünner Haferschleim. ~ **guard** *s* **1.** 'Fluß-, 'Hafenpoli,zei *f*. **2.** Hafenzollwache *f*. ~ **ham·mer** *s phys.* **1.** Wasserstoß *m* (*in Röhren*). **2.** Wasserhammer *m* (*zur Erzeugung von Schallimpulsen*). ~ **heat·er** *s tech.* Warmwasserbereiter *m*. ~ **hen** *s orn.* Ralle *f*, *bes.* a) Grünfüßiges Teichhuhn, b) Amer. Wasserhuhn *n*. ~ **hole** *s* **1.** kleiner Teich, Pfütze *f*. **2.** Loch *n* in der Eisdecke (*e-s Gewässers*). **3.** *mar.* Auge *n* (*des Wassersegels*). ~ **hose** *s* Wasserschlauch *m*. ~ **ice** *s* Wasser-, Fruchteis *n* (*Speiseeis*).

wa·ter·i·ness ['wɔːtərinis] *s* Wässerigkeit *f*.

wa·ter·ing ['wɔːtəriŋ] **I** *s* **1.** (Be)Wässern *n*. **2.** (Be)Gießen *n*, (Be)Sprengen *n*. **3.** Versorgung *f* mit Wasser. **4.** Tränken *n* (*von Vieh*). **5.** *Textilwesen*: a) Wässern *n*, Moi'rieren *n*, b) Moi'rierung *f*. **6.** *tech.* Flammen *n* (*von Stahl*). **7.** Pan(t)schen *n*, Verwässern *n* (*von Wein etc*). **8.** *mar.* Wassernehmen *n*. **II** *adj* **9.** Bewässerungs... **10.** Kur..., Bade... ~ **bri·dle** *s* Wassertrense *f* (*der Pferde*). ~ **can** *s* Gießkanne *f*. ~ **cart** *s* Sprengwagen *m*. ~ **place** *s* **1.** *bes. Br.* a) Bade-, Kurort *m*, Bad *n*, b) (See)-Bad *n*. **2.** Wasserstelle *f* (*a. mar.*), (Vieh)Tränke *f*. ~ **pot** *s* Gießkanne *f*.

wa·ter| jack·et *s tech.* Wasserkühlmantel *m*, -kühlung *f*. ~ **joint** *s tech.* wasserdichte Fuge *od.* Verbindung. ~ **jump** *s sport* Wassergraben *m*. ~ **leaf** *s irr* Wasserblatt *n* (*Ornament*). '~,**leaf** *s irr* **1.** *bot.* Wasserblatt *n*. **2.** 'Wasserpa,pier *n*. ~ **lens** *s opt.* Flüssigkeitslinse *f*, -lupe *f*. ~ **len·tils** *s pl bot.* Wasserlinse *f*.

wa·ter·less ['wɔːtərlis] *adj* wasserlos.

wa·ter| let·tuce *s bot.* Wasserkohl *m*. ~ **lev·el** *s* **1.** Wasserstand *m*, -spiegel *m*. **2.** *tech.* a) Wasserstandslinie *f*, Pegelstand *m*, b) Wasserwaage *f*. **3.** *geol.* (Grund)Wasserspiegel *m*. **4.** *Bergbau*: Grundstrecke *f*. **5.** *mar.* → water line 1. ~ **lil·y** *s bot.* **1.** Seerose *f*, Wasserlilie *f*. **2.** Teichrose *f*. **3.** Seerosengewächs *n*. ~ **lime** *s arch.* Wasserkalk *m*, -mörtel *m*. ~ **line,** '~,**line** *s* **1.** *mar.* Wasserlinie *f* (*e-s Schiffs*): light ~ niedrigste Wasserlinie; load ~ höchste Wasserlinie; **2.** Wasserlinie *f* (*Wasserzeichen*). **3.** → water level 3. '~,**logged** *adj mar.* **1.** voll Wasser (*Boot etc*). **2.** vollgesogen (*Holz etc*).

Wa·ter·loo [,wɔːtər'luː; 'wɔːtər,luː] *s*: to meet one's ~ e-e entscheidende Niederlage erleiden.

wa·ter| lot *s Am.* unter Wasser stehendes *od.* sumpfiges Gelände. ~ **main** *s tech.* Hauptwasserrohr *n*. '~-**man** [-mən] *s irr* **1.** *mar.* Fluß-, Binnenschiffer *m*, Fährmann *m*. **2.** *sport* Ruderer *m*: a good ~. **3.** *myth.* Wassergeist *m*. '~-**man,ship** *s sport* Ruderfertigkeit *f*. '~,**mark I** *s* **1.** *tech.* Wasserzeichen *n* (*in Papier*). **2.** *mar.* Wassermarke *f*, *bes.* Flutzeichen *n* (*am Pegel*): high ~ Tiefgangs-, Lademarke (*am Schiff*). **II** *v/t* **3.** *Papier* mit Wasserzeichen versehen. ~ **mead·ow** *s agr.* Rieselwiese *f*. '~,**mel·on** *s bot.* 'Wasserme,lone *f*. ~ **me·ter** *s tech.* Wassermesser *m*, -zähler *m*. ~ **mill** *s* Wassermühle *f*. ~ **moc·ca·sin** *s zo.* Mokassinschlange *f*. ~ **mon·key** *s* irdene 'Wasserka,raffe (*zur Kühlhaltung*). ~ **mo·tor** *s tech.* Wasserantrieb(svorrichtung *f*) *m*. ~ **nix·ie** → nixe. ~ **nymph** *s myth.* Wassernymphe *f*. ~ **or·deal** *s hist.* Wasserprobe *f* (*Art des Gottesurteils*). ~ **part·ing** → watershed 1. ~ **pil·lar** *s tech.* Wasserkran *m*. ~ **pipe** *s* **1.** *tech.* Wasser(leitungs)rohr *n*. **2.** orien'talische Wasserpfeife. ~ **pitch·er** *s* Wasserkrug *m*. ~ **plane** *s* **1.** Wasserspiegel *m*. **2.** *aer.* Wasserflugzeug *n*. ~ **plant** *s bot.* Wasserpflanze *f*. ~ **plate** *s* Wärmeteller *m*. ~ **plug** *s tech.* Wasserhahn *m*. ~ **po·et** *s* Dichter *m* von Knittelversen. ~ **po·lo** *s sport* Wasserball(spiel *n*) *m*. '~,**pot** *s* **1.** Wassertopf *m*, -krug *m*. **2.** Gießkanne *f*. ~ **pow·er** *s tech.* Wasserkraft *f*. ~ **pox** *s med.* Wasser-, Windpocken *pl*. ~ **pres·sure** *s tech.* Wasserdruck *m*. '~,**proof I** *adj* **1.** wasserdicht. **II** *s* **2.** wasserdichter Stoff. **3.** wasserdichtes Kleidungsstück, *bes. Br.* Regenmantel *m*. **III** *v/t* **4.** wasserdicht machen, imprä'gnieren. ~ **pump** *s tech.* Wasserpumpe *f*. '~,**quake** *s geol.* Seebeben *n*. ~ **rad·ish** *s bot.* Wasserkresse *f*. ~ **rail** *s orn.* (*bes.* Wasser)Ralle *f*. ~ **rat** *s zo.* a) Wasserratte *f*, b) Bisamratte *f*, c) *e-e* Wassermaus, *bes.* Schwimm-Maus *f*. ~ **rate** *s* Wassergeld *n*, -zins *m*. '~-**re'pel·lent** *adj* wasserabstoßend. '~-,**ret** → water-rot. ~ **rice** → Indian rice. ~ **right** *s jur.* Wassernutzungsrecht *n*. ~ **rose** → water lily 1. '~-,**rot** *v/t Flachs in Wasser* rotten, rösten. ~ **sail** *s mar.* Wassersegel *n*. '~,**scape** *s paint.* Seestück *n*. ~ **scor·pi·on** *s zo.* 'Wasserskorpi,on *m*. ~ **seal** *s tech.* Wasserverschluß *m*. '~-,**sea·son** *v/t tech. Holz* (*nach vorherigem Nässen*) austrocknen. '~,**shed** *s geogr.* **1.** *Br.* Wasserscheide *f*. **2.** Einzugs-, Stromgebiet *n*. **3.** *fig.* Trennungslinie *f*. '~,**shoot,** *a.* ~ **shoot** *s arch.* Dachrinne *f*, Traufe *f*. '~,**side I** *s* Wasserkante *f*, Küste *f*, See-, Flußufer *n*. **II** *adj* Küsten..., See..., (Fluß)Ufer...: ~ police Wasserschutzpolizei *f*. '~-,**ski** *v/i* Wasserski fahren. ~ **smoke** *s* Wasserdunst *m*. '~-,**sol·u·ble** *adj biol. chem.* wasserlöslich. ~ **sor·rel** *s bot.* Wasserampfer *m*. ~ **sou·chy** ['suːʃi] *s Kochkunst*: *im eigenen Saft bereitetes Fischgericht*. ~ **span·iel** *s* Wasserspaniel *m*. ~ **spi·der** *s zo.* Wasserspinne *f*. '~,**spout** *s* **1.** Dachrinne *f*. **2.** Wasserspeier *m*, Speiröhre *f*. **3.** springender Wasserstrahl. **4.** *meteor.* a) Wasserhose *f*, b) Wolkenbruch *m*, Platzregen *m*. ~ **sprite** *s* Wassergeist *m*, Nixe *f*. ~ **strid·er** *s zo.* Wasserschneider *m*. ~ **sup·ply** *s* **1.** Wasserversorgung *f*. **2.** Wasserleitung *f*. ~ **sys·tem** *s* **1.** *geogr.* Stromgebiet *n*. **2.** → water supply. ~ **ta·ble** *s* **1.** *arch.* Wasserschlag *m*, -abflußleiste *f*. **2.** *geol.* Grundwasserspiegel *m*. **3.** Rinnstein *m*. ~ **tank** *s* Wasserbehälter *m*. ~ **ther·mom·e·ter** *s phys.* 'Wasserthermo,meter *n*. '~-,**tight** *adj* **1.** wasserdicht. **2.** *fig.* a) eindeutig, unanfechtbar: ~ case; ~ allegation, b) zuverlässig, sicher, c) stichhaltig: ~ argument. '~,**tight com·part·ment** *s mar.* wasserdichte Ab'teilung: to keep s.th. in watertight compartments *fig.* etwas isoliert halten *od.* betrachten. '~,**tight·ness** *s* 'Wasser,undurchlässigkeit *f*. ~ **tow·er** *s* **1.** *tech.* Wasserturm *m*. **2.** *Feuerwehr*: Standrohr *n*. '~,**tube boil·er** *s tech.* Röhrenkessel *m*. ~ **twist** *s* Wassergarn *n*. ~ **va·po(u)r** *s phys.* Wasserdampf *m*. ~ **vole** → water rat 1 a. ~ **wag·(g)on** *s Am.* Wasser(versorgungs)wagen *m*: to be (*od.* go) on the ~ *sl.* (*a. Br.*) dem Alkohol abgeschworen haben (*od.* abschwören). ~ **wag·tail** *s orn.* Bachstelze *f*. ~ **wave** *s* Wasserwelle *f* (*a. im Haar*). '~-,**wave** *v/t das Haar* in Wasserwellen legen. '~,**way** *s* **1.** Wasserweg *m*. **2.** *mar.* a)

Wasserstraße *f*, Schiffahrtsweg *m*, b) Wassergang *m* (*Deckrinne*). **3.** *tech.* Hahnbohrung *f*. ~ **wheel** *s tech.* **1.** Wasserrad *n*. **2.** *mar.* Schaufelrad *n*. **3.** Schöpfrad *n*. ~ **wing** *s* **1.** *arch. tech.* Wassermauer *f* (*an Brücken*). **2.** *pl* Schwimmgürtel *m*. ~ **witch·ing** *s Am.* Wünschelrutengehen *n*. '~,**work** *s* **1.** *meist pl* (*oft als sg konstruiert*) *tech.* Wasserwerk(e *pl*) *n*. **2.** a) Wasserkunst *f*, b) Zier-, Springbrunnen *m*: to turn on the ~s *sl.* (los)heulen, ‚flennen'. **3.** *sl.* (Harn)Blase *f*. '~,**worn** *adj* vom Wasser ausgehöhlt.

wa·ter·y ['wɔːtəri] *adj* **1.** Wasser...: the ~ god der Wassergott; a ~ grave ein nasses Grab, ein Grab in der See; the ~ waste die Wasserwüste. **2.** wäßrig, wässerig: a) wasserartig, b) feucht, naß: ~ soil, c) regenverkündend, Regen...: ~ sky Regenhimmel *m*. **3.** triefend: a) *allg.* voller Wasser, naß: ~ clothes, b) tränend: ~ eyes. **4.** verwässert: a) fad(e), geschmacklos: ~ vegetables, b) blaß: ~ colo(u)r. **5.** *fig.* schal, seicht: ~ style.

watt [wɒt] *s electr.* Watt *n*: ~ current Wirkstrom *m*; ~-hour Wattstunde *f*.

'**watt·age** *s electr.* Wattleistung *f*.

wat·tle ['wɒtl] **I** *s* **1.** *Br. dial.* a) Gerte *f*, Rute *f*, b) Hürde *f*. **2.** *a. pl* Flecht-, Gitterwerk *n* (*aus Zweigen*): ~ and daub *arch.* mit Lehm beworfenes Flechtwerk. **3.** *pl* Ruten *pl* (*zum Strohdachbau*). **4.** *bot. Austral.* A'kazie *f*. **5.** a) *orn. zo.* Bart *m*, Kehllappen *pl*, b) *ichth.* Bartfäden *pl*. **II** *v/t* **6.** aus Ruten flechten. **7.** mit Flechtwerk um'zäunen *od.* bedecken. **8.** *Strohdach etc* mit Ruten *od.* Gerten befestigen. **9.** *Ruten, Gerten* zs.-flechten. '**wat·tled** *adj* **1.** a) *orn. zo.* mit e-m Bart (*Hautlappen*) (versehen), b) mit Bartfäden versehen (*Fisch*). **2.** aus Ruten geflochten, aus Flechtwerk 'hergestellt.

watt·less ['wɒtlis] *adj electr.* watt-, leistungslos: ~ current Blindstrom *m*; ~ power Blindleistung *f*.

'**wat·tle,work** *s* (Ruten)Flechtwerk *n*.

wat·tling ['wɒtliŋ] *s* **1.** Flechten *n*. **2.** Flechtwerk *n*, Geflecht *n*.

'**watt|,me·ter** *s electr.* Wattmeter *n*, Leistungsmesser *m*. '~-'**sec·ond** *s electr.* 'Wattse,kunde *f*.

waul [wɔːl] *v/i* mi'auen (wie e-e Katze), schreien.

wave[1] [weiv] **I** *s* **1.** Welle *f*, Woge *f* (*beide a. fig. von Gefühl etc*): the ~(s) *poet.* die See; ~ of indignation *fig.* Woge der Entrüstung; → heat-wave. **2.** (*Boden- etc*)Welle *f*, wellenförmige Unebenheit. **3.** *fig.* (*Angriffs- etc*)-Welle *f*: ~s of attack; ~ of immigrants Einwandererwelle; ~ after ~ Welle um Welle; in ~s in aufeinanderfolgenden Wellen. **4.** *electr. phys.* Welle *f*: ~ frequency Wellenfrequenz *f*. **5.** *tech.* a) Welle *f*, Flamme *f* (*im Stoff*), b) *print.* Guil'loche *f* (*Zierlinie*). **6.** (Haar)Welle *f*. **7.** Wink(en *n*) *m*, Schwenken *n*: a ~ of the hand ein Wink mit der Hand. **II** *v/i* **8.** wogen, sich wellenartig bewegen. **9.** wehen, flattern, wallen. **10.** (to s.o. j-m zu)-winken, Zeichen geben. **11.** sich wellen (*Haar*). **III** *v/t* **12.** wellenförmig bewegen. **13.** *e-e Fahne, Waffe etc* schwenken, schwingen, 'hin- u. 'herbewegen: to ~ one's arms mit den Armen fuchteln; to ~ one's hand (mit der Hand) winken (to s.o. j-m). **14.** *das Haar etc* wellen, in Wellen legen. **15.** *tech.* a) *Stoff* flammen, moi'rieren, b) *Wertpapiere etc* guillo'chieren, mit Zierlinien versehen. **16.** *j-m* zuwinken: to ~ a train to a halt e-n Zug durch Winkzeichen anhalten; to ~ aside a) *j-n* beiseite winken, b) *fig. j-n od. etwas* mit e-r Handbewegung abtun; to ~ s.o. away j-n abweisen; to ~ nearer heranwinken; to ~ a farewell nachwinken (to s.o. j-m); to ~ welcome to s.o. j-m ein Willkommen zuwinken.

Wave[2] [weiv] *s mil. Am.* Angehörige *f* der Waves.

wave| band *s electr.* Wellenband *n*. ~ **de·tec·tor** *s electr.* 'Wellende,tektor *m*. ~ **e·qua·tion** *s phys.* Dirac-Gleichung *f*. ~ **front** *s phys.* Wellenfront *f*. ~ **guide** *s electr.* Hohl-, Wellenleiter *m*. ~ **length** *s electr. phys.* Wellenlänge *f*. '~,**like** *adj* wellenförmig. ~ **me·chan·ics** *s pl* (*als sg konstruiert*) *phys.* 'Wellenme,chanik *f*. '~,**me·ter** *s electr.* Wellenmesser *m*.

wa·ver ['weivər] **I** *v/i* **1.** wanken, schwanken, taumeln. **2.** flackern (*Licht*). **3.** beben, zittern (*Hände, Stimme etc*). **4.** *fig.* wanken: a) schwanken (between zwischen), unschlüssig sein, b) zu weichen anfangen. '**wa·ver·er** *s fig.* Unentschlossene(r *m*) *f*, Zauderer *m*. '**wa·ver·ing** *adj* (*adv* ~ly) **1.** (sch)wankend (*a. fig.*). **2.** *fig.* unschlüssig. **3.** flackernd. **4.** zitternd.

Waves [weivz] *s mar. Am.* amer. Re'serve-Ma'rinehelferinnen,korps *n* (*aus* Women's Appointed Volunteer Emergency Service).

wave| the·o·ry *s phys.* 'Wellentheo,rie *f* (*des Lichts*). ~ **the·o·ry of mat·ter** *s phys.* 'Wellentheo,rie *f* der Ma'terie. ~ **trap** *s electr.* Sperrkreis *m*, Sperre *f*.

wav·ey ['weivi] → snow goose.

wav·i·ness ['weivinis] *s* (*das*) Wellige, Welligkeit *f*.

wav·y[1] ['weivi] *adj* **1.** wogend. **2.** wellig, gewellt (*Haar, Linie etc*).

wav·y[2] ['weivi] → snow goose.

Wav·y Na·vy *s mar. Br. colloq.* Re'serveliste *f*.

wax[1] [wæks] **I** *s* **1.** (Bienen)Wachs *n*. **2.** *bot.* Pflanzenwachs *n*. **3.** *physiol.* Ohrenschmalz *n*. **4.** *a.* cobbler's ~ Schusterpech *n*. **5.** Wachs *n* (*zum Siegeln od. Abdichten*), *bes.* Siegellack *m*. **6.** *chem.* Wachs *n* (*z. B. Paraffin*). **7.** *fig.* Wachs *n*: he is ~ in her hands er ist Wachs in ihren Händen. **II** *v/t* **8.** (ein)wachsen, bohnern. **9.** mit Wachs abdichten, verpichen. **10.** *Am.* (auf Schallplatten) aufnehmen. **III** *adj* **11.** wächsern, Wachs..., aus Wachs.

wax[2] [wæks] *v/i* **1.** wachsen, zunehmen (*bes. Mond*) (*a. fig.*): to ~ and wane zu- u. abnehmen. **2.** (*vor adj*) *alt, frech, laut etc* werden: to ~ old.

wax[3] [wæks] *s*: to be in (get into) a ~ *Br. sl.* e-e Stinkwut haben (kriegen).

wax[4] [wæks] *v/t Am. colloq.* die Oberhand gewinnen über (*acc*), schlagen.

wax| bean *s bot.* Wachsbohne *f*. ~ **can·dle** *s* Wachskerze *f*. ~ **cloth** *s* **1.** Wachstuch *n*. **2.** Bohnertuch *n*. ~ **doll** *s* Wachspuppe *f*.

wax·en ['wæksən] → waxy[1].

wax| fig·ure *s* 'Wachsfi,gur *f*. '~,**flow·er** *s* **1.** Wachsblume *f* (*a. bot.*). **2.** *bot.* Kranzwinde *f*. ~ **light** *s* Wachskerze *f*. ~ **pa·per** *s* 'Wachspa,pier *n*. ~ **plant** *s bot.* Wachsblume *f*. ~ **pock·et** *s zo.* Wachstasche *f* (*der Bienen*). '~,**work** *s* **1.** Wachsarbeit *f*, *bes.* 'Wachsfi,gur(en *pl*) *f*. **2.** *meist pl* (*als sg konstruiert*) 'Wachsfi,gurenkabi,nett *n*.

wax·y[1] ['wæksi] *adj* **1.** wachshaltig. **2.** wächsern (*a. Gesichtsfarbe*), wie Wachs, wachsartig, Wachs... **3.** *fig.* weich (*wie Wachs*), nachgiebig. **4.** *med.* Wachs...: ~ liver.

wax·y[2] ['wæksi] *adj Br. sl.* wütend.

way[1] [wei] *s* **1.** Weg *m*, Pfad *m*, Bahn *f* (*a. fig.*): ~ back Rückweg; ~ home Heimweg; ~ through Durchreise *f*, -fahrt *f*; the ~ of the cross *relig.* der Kreuzweg; ~s and means Mittel u. Wege, *bes. pol.* (finanzielle) Mittel, Geldbeschaffung(smaßnahmen) *f*; → committee 1; to ask the (*od.* one's) ~ nach dem Weg fragen; to lose one's ~ sich verlaufen *od.* verirren; to take one's ~ sich aufmachen (to nach). **2.** Straße *f*, Weg *m*: over (*od.* across) the ~ gegenüber. **3.** *fig.* Gang *m*, Lauf *m*: that is the ~ of the world das ist der Lauf der Welt; to go the ~ of all flesh den Weg alles Fleisches gehen (*sterben*). **4.** Richtung *f*, Seite *f*: which ~ is he looking? wohin schaut er?; to look the other ~ wegschauen; this ~ a) hierher, b) hier entlang, c) → 9; the other ~ round umgekehrt. **5.** Weg *m*, Entfernung *f*, Strecke *f*: a long ~ off (*od.* from here) weit (von hier) entfernt; a long ~ up weit *od.* hoch hinauf; a little (long, good) ~ ein kleines (weites, gutes) Stück Wegs; a long ~s *colloq. od. dial.* ein weites Stück Wegs; a long ~ off perfection weit entfernt von jeder Vollkommenheit. **6.** (freie) Bahn, Raum *m*, Platz *m*: to be (*od.* stand) in s.o.'s ~ j-m im Weg sein (*a. fig.*); to give ~ a) (zurück)weichen, b) nachgeben (to *dat*) (*Person od. Sache*), c) sich hingeben (to despair der Verzweiflung); to give ~ to a car *mot.* e-m Auto die Vorfahrt lassen. **7.** Weg *m*, 'Durchgang *m*, Öffnung *f*: ~ of a cock *tech.* Hahnbohrung *f*. **8.** Vorwärtskommen *n*: to make ~ *bes. mar.* vorwärtskommen. **9.** Art *f* u. Weise *f*, Weg *m*, Me'thode *f*, Verfahren *n*: any ~ auf jede *od.* irgendeine Art; any ~ you please ganz wie Sie wollen; in a big (small) ~ im großen (kleinen); one ~ or another irgendwie, auf irgendeine (Art u.) Weise; in more ~s than one in mehr als 'einer Beziehung; some ~ or other auf die e-e oder andere Weise, irgendwie; ~ of living (thinking) Lebensweise (Denkweise); to my ~ of thinking nach m-r Meinung; the right (wrong) ~ (to do it) richtig (falsch); the same ~ genauso; the ~ he does it so wie er es macht; this (*od.* that) ~ so (→ 4); that's the ~ to do it so macht man das; if that's the ~ you feel about it wenn Sie 'so darüber denken; in a polite (friendly) ~ höflich (freundlich); in its ~ auf s-e Art; in what (*od.* which) ~? inwiefern?, wieso? **10.** Gewohnheit *f*, Brauch *m*, Sitte *f*: the good old ~s die guten alten Bräuche. **11.** Eigenheit *f*, -art *f*: funny ~s komische Manieren; it is not his ~ es ist nicht s-e Art *od.* Gewohnheit; she has a winning ~ sie hat e-e gewinnende Art; that's always the ~ with him so macht er es (*od.* geht es ihm) immer. **12.** (Aus)Weg *m*: to find a ~. **13.** 'Hinsicht *f*, Beziehung *f*: in a ~ in gewisser Hinsicht, auf e-e Art; in every ~ in jeder Hinsicht, durchaus; in one ~ in 'einer Beziehung; in some ~s in mancher Hinsicht; in the ~ of food was Essen anbelangt, an Lebensmitteln; no ~ keineswegs. **14.** (*bes.* Gesundheits)Zustand *m*, Lage *f*, Verfassung *f*: in a bad ~ in e-r schlimmen Lage *od.* Verfassung; to live in a great (small) ~ auf großem Fuß (in kleinen Verhältnissen *od.* sehr bescheiden) leben. **15.** Berufszweig *m*, Fach *n*: it is not in his ~, it does not fall in his ~ das schlägt nicht in sein Fach; he is in the oil ~ er ist im Ölhandel (beschäftigt). **16.** *colloq.* Um'gebung *f*, Gegend *f*: somewhere London ~ irgendwo in der Gegend von London. **17.** the W~ *Bibl.* der Weg (*die christliche Religion*). **18.** *pl tech.* Führungen *pl* (*bei Maschinen*). **19.** *mar.* Fahrt(geschwindigkeit) *f*: to gather (lose) ~ Fahrt vergrößern (verlieren). **20.** *pl Schiffsbau*: a) Helling *f*, b) Stapelblöcke *pl.*

Besondere Redewendungen:

by the ~ a) im Vorbeigehen, unterwegs, b) am Weg(esrand), an der Straße, c) *fig.* übrigens, nebenbei (bemerkt), d) zufällig; by ~ of a) (auf dem Weg) über (*acc*), durch, b) *fig.* in der Absicht zu, um ... zu, c) als *Entschuldigung etc*, an Stelle (von *od. gen*); by ~ of example beispielsweise; to be by ~ of being angry im Begriff sein wütend zu werden; to be by ~ of doing (s.th.) a) dabei sein, (etwas) zu tun, b) pflegen *od.* gewohnt sein *od.* die Aufgabe haben, (etwas) zu tun; not by a long ~ noch lange nicht; in the ~ of a) auf dem Weg *od.* dabei zu, b) hinsichtlich (*gen*); in the ~ of business auf dem üblichen Geschäftsweg; to put s.o. in the ~ (of doing) j-m die Möglichkeit geben (zu tun); on the (*od.* one's) ~ unterwegs, auf dem Weg; well on one's ~ in vollem Gange, schon weit vorangekommen (*a. fig.*); out of the ~ a) abgelegen, abseits, abgeschieden, b) ungewöhnlich, ausgefallen, c) übertrieben, abwegig; to go out of one's ~ ein übriges tun; nothing out of the ~ nichts Besonderes *od.* Ungewöhnliches; under ~ a) *mar.* in Fahrt, b) im Gange, in Gang; the meeting was already under ~ die Konferenz war schon im Gange; to be in a fair ~ auf dem besten Wege sein; to come in s.o.'s ~ j-m über den Weg laufen; to force one's ~ sich e-n Weg bahnen; to go s.o.'s ~ a) den gleichen Weg gehen wie j-d, b) j-n begleiten; to go one's ~(s) s-n Weg gehen, *fig.* s-n Lauf nehmen; to go the whole ~ *fig.* ganze Arbeit leisten; to learn the hard ~ Lehrgeld bezahlen müssen; to have a ~ with s.o. mit j-m gut zurechtkommen, gut umgehen können mit j-m; to have one's own ~ s-n Willen durchsetzen; if I had my (own) ~ wenn es nach mir ginge; you can't have it both ~s beides gibt es nicht, entweder — oder; to make ~ a) Platz machen, b) vorwärtskommen; to make one's ~ sich durchsetzen, s-n Weg machen; to put out of the ~ aus dem Weg räumen (*a. töten*); to put o.s. out of the ~ sich Mühe geben, Umstände machen; to see one's ~ to do s.th. e-e Möglichkeit sehen, etwas zu tun; to work one's ~ up sich hocharbeiten; → mend 2, pave, pay 6.

way[2] [wei] *adv colloq. od. dial.* weit *oben, unten etc*: ~ back weit entfernt *od.* hinten; ~ back in 1902 (schon) damals im Jahre 1902; ~ down South weit unten im Süden.

'way|ˌbill *s* **1.** Passa'gierliste *f*. **2.** *econ. Am.* Frachtbrief *m*, Begleitschein *m*. **'~ˌfar·er** *s* Reisende(r) *m*, Wandersmann *m*. **'~ˌfar·ing I** *adj* reisend, wandernd: ~ man → wayfarer. **II** *s* Wandern *n*, Reise *f*. **ˌ~'lay** *v/t irr* **1.** *j-m* auflauern. **2.** *j-n* abfangen. **'~ˌleave** *s jur. Br.* Wegerecht *n*. ~ **point** → way station. **'~ˌside I** *s* Straßen-, Wegrand *m*: by the ~ am Wege, am Straßenrand; to fall by the ~ *fig.* über Bord gehen. **II** *adj* am Wege (stehend), an der Straße (gelegen): a ~ inn. ~ **sta·tion** *s Am.* 'Zwischenstatiˌon *f*. ~ **traf·fic** *s rail. Am.* Nahverkehr *m*. ~ **train** *s Am.* Lo'kal-, Bummelzug *m*.

way·ward ['weiwərd] *adj* (*adv* ~ly) **1.** launisch, unberechenbar. **2.** eigensinnig, 'widerspenstig: ~ child; ~ minor *jur.* verwahrloste(r) Jugendliche(r). **3.** ungeraten: a ~ son. **'way·ward·ness** *s* **1.** 'Widerspenstigkeit *f*, Eigensinn *m*. **2.** Launenhaftigkeit *f*, Unberechenbarkeit *f*.

'wayˌworn *adj* reisemüde.

wayz·goose ['weizˌgu:s] *s* jährlicher Festschmaus *od.* Ausflug (*der Drucker*).

we [wi:; wi] *pron pl* **1.** wir *pl*. **2.** (*als pluralis majestatis*) Wir *pl*. **3.** *sl.* uns *pl*.

weak [wi:k] *adj* (*adv* ~ly) **1.** *allg.* schwach (*a. zahlenmäßig u. fig.*): ~ argument (crew, player, resistance, style, voice, *etc*); ~ in Latin schwach in Latein; → sex 2. **2.** *med.* schwach: a) empfindlich: ~ stomach, b) kränklich. **3.** (cha'rakter)schwach, haltlos, la'bil: ~ point (*od.* side) schwacher Punkt, schwache Seite, Schwäche *f*. **4.** schwach, dünn: ~ solution; ~ tea. **5.** *ling.* schwach: ~ accent; ~ ending *metr.* proklitisches Versende; ~ inflection (*Br.* inflexion) schwache Flexion. **6.** *econ.* schwach, flau: ~ market. **7.** *phot.* schwach, weich (*Negativ*). **'weak·en I** *v/t* **1.** *j-n od. etwas* schwächen. **2.** *Getränke etc* verdünnen. **3.** *fig.* (ab)schwächen, entkräften: to ~ an argument. **II** *v/i* **4.** schwach *od.* schwächer werden, nachlassen. **'weak·en·ing** *s* (Ab)Schwächung *f*.

'weak|-'eyed *adj* schwachsichtig. **'~-'head·ed** *adj* schwachköpfig. **'~-'kneed** *adj fig.* (cha'rakter)schwach, schwächlich.

weak·ling ['wi:kliŋ] **I** *s* Schwächling *m*. **II** *adj* schwächlich. **'weak·ly I** *adj* schwächlich, kränklich. **II** *adv von* weak.

'weak-'mind·ed *adj* **1.** schwachsinnig. **2.** cha'rakterschwach.

weak·ness ['wi:knis] *s* **1.** *allg.* (*a.* Cha'rakter)Schwäche *f*. **2.** Schwächlichkeit *f*, Kränklichkeit *f*: ~ of constitution *med.* schwächliche Konstitution. **3.** Mattigkeit *f*, Schwäche *f*. **4.** *fig.* Schwäche *f*: a) schwache Seite, schwacher Punkt, b) Nachteil *m*, Mangel *m*, c) Vorliebe *f* (for für).

'weak|-'sight·ed *adj med.* schwachsichtig. **'~-'spir·it·ed** *adj* kleinmütig.

weal[1] [wi:l] *s* **1.** Wohl(ergehen) *n*: ~ and woe Wohl u. Wehe, gute u. schlechte Tage; the public (*od.* common *od.* general) ~ das (All)Gemeinwohl. **2.** *obs.* a) Reichtum *m*, b) Gemeinwesen *n*.

weal[2] [wi:l] *s* Schwiele *f*, Striemen *m*.

weald [wi:ld] *s* **1.** *poet.* weite u. offene Landschaft. **2.** *a.* the W~ der Weald (*Hügellandschaft im Südosten Englands*): ~ clay *geol.* Weald-, Wälderton *m*. **'Weald·en, w~** *geol.* **I** *s* 'Wealden(formatiˌon *f*) *m*. **II** *adj* Wealden...

wealth [welθ] *s* **1.** Reichtum *m* (of an *dat*, von). **2.** Reichtümer *pl*. **3.** *econ.* a) Besitz *m*, Vermögen *n*, b) *a.* personal ~ Wohlstand *m*: national ~ Volksvermögen *n*. **4.** *fig.* Fülle *f*, Reichtum *m* (of an *dat*, von): a ~ of information. **'wealth·i·ness** *s* Reichtum *m*, Wohlhabenheit *f*. **'wealth·y** *adj* (*adv* wealthily) reich (*a. fig.* in an *dat*), begütert, wohlhabend.

wean [wi:n] *v/t* **1.** *Kind, junges Tier* entwöhnen. **2.** *a.* ~ away from (*od.* of) *j-n* abbringen von, *j-m etwas* abgewöhnen. **'wean·er, 'wean·ling** [-liŋ] **I** *s* vor kurzem entwöhntes Kind *od.* Tier. **II** *adj* frisch entwöhnt.

weap·on ['wepən] *s* Waffe *f* (*a. bot. zo. u. fig.*). **'weap·oned** *adj* bewaffnet.

weap·on·eer [ˌwepə'nir] **I** *s mil.* **1.** A'tombombenschärfer *m*. **2.** 'Kernwaffenkonstrukˌteur *m*. **II** *v/i* **3.** Waffen entwickeln.

weap·on·less ['wepənlis] *adj* waffenlos, unbewaffnet.

wear[1] [wɛr] **I** *v/t pret* **wore** [wɔ:r] *pp* **worn** [wɔ:rn] **1.** *am Körper* tragen (*a. e-n Bart, e-e Brille*), *Kleidungsstück a.* anhaben, *e-n Hut a.* aufhaben: to ~ the breeches (*od.* trousers *od.* pants) *colloq.* die Hosen anhaben, das Regiment führen (*Ehefrau*); to ~ one's hair long das Haar lang tragen; she wore white sie trug (stets) Weiß; she ~s her years well sie sieht jung aus für ihre Jahre. **2.** zur Schau tragen, zeigen: to ~ a smile (ständig) lächeln. **3.** *a.* ~ away, ~ down, ~ off, ~ out *Kleidung etc* abnutzen, abtragen, *Absätze* abtreten, *Stufen* austreten, *Löcher* reißen in (*acc*): shoes worn at the heels Schuhe mit schiefen Absätzen; to ~ into holes ganz abtragen, *Schuhe* durchlaufen. **4.** *Bücher etc* abnutzen, zerlesen: a well-worn volume ein ganz zerlesenes Buch. **5.** eingraben, nagen: a groove worn by water. **6.** *a.* ~ away *Gestein etc* auswaschen, -höhlen: rocks worn by the waves. **7.** *a.* ~ out ermüden, *a. j-s Geduld* erschöpfen: → welcome 2. **8.** *a.* ~ away, ~ down zermürben: a) entkräften, b) *fig.* niederringen, *Widerstand* brechen: she was worn to a shadow sie war nur noch ein Schatten.

II *v/i* **9.** halten, haltbar sein: to ~ well a) sehr haltbar sein (*Stoff etc*), b) sich gut tragen (*Kleid etc*), c) *fig.* sich gut halten, wenig altern (*Person*). **10.** *a.* ~ away, ~ down, ~ off, ~ out sich abtragen *od.* abnutzen, verschleißen: to ~ away *a.* sich verwischen; to ~ off *fig.* sich verlieren (*Eindruck, Wirkung*); to ~ out *fig.* sich erschöpfen; to ~ thin a) fadenscheinig werden (*Kleider etc*), b) *fig.* sich erschöpfen (*Geduld, Wirkung etc*). **11.** *a.* ~ away langsam vergehen *od.* verrinnen: to ~ to an end schleppend zu Ende gehen; to ~ on sich dahinschleppen (*Zeit, Geschichte etc*). **12.** sich ermüdend auswirken (on auf *acc*): she ~s on me sie geht mir auf die Nerven.

III *s* **13.** Tragen *n*: articles for winter ~ Wintersachen *pl*, -kleidung *f*; clothes for everyday ~ Alltagskleidung *f*; the coat I have in ~ der Mantel, den ich gewöhnlich trage. **14.** (Be)Kleidung *f*, Mode *f*: in general ~ modern, in Mode; to be the ~ Mode sein, getragen werden. **15.** Abnutzung *f*, Verschleiß *m*: ~ and tear a) *tech.* Abnutzung *f*, Verschleiß *m* (*a. fig.*), b) *econ.* Abschreibung *f* (für Wertminderung); for hard ~ strapazierfähig; the worse for ~ abgenutzt, (sehr) mitgenommen (*a. fig.*). **16.** Haltbarkeit *f*: there is still a great deal of ~ in it das läßt sich noch gut tragen.

wear[2] [wɛr] *mar.* **I** *v/t pret u. pp* **wore** [wɔ:r] *Schiff* halsen. **II** *v/i* vor dem Wind drehen (*Schiff*).

wear·a·ble ['wɛ(ə)rəbl] *adj* tragbar.

wea·ri·less ['wi(ə)rilis] *adj obs.* unermüdlich, nimmermüde. **'wea·ri·ness**

s **1.** Müdigkeit *f.* **2.** 'Überdruß *m.* **3.** Langweiligkeit *f*, Stumpfsinn *m.*
wear·ing ['wɛ(ə)riŋ] *adj* **1.** Kleidungs-...: ~ **apparel** Kleidung(sstücke *pl*) *f.* **2.** abnützend, verschleißend. **3.** ermüdend. **4.** zermürbend, aufreibend.
wea·ri·some ['wi(ə)risəm] *adj* (*adv* ~**ly**) ermüdend (*a. fig. langweilig*). '**wea·ri·some·ness** *s* **1.** (*das*) Ermüdende, Beschwerlichkeit *f.* **2.** Langweiligkeit *f.*
'**wear-ˌout** *s econ. tech.* Wertminderung *f* durch Abnützung.
wea·ry ['wi(ə)ri] **I** *adj* (*adv* **wearily**) **1.** müde, matt, erschöpft (**with** von, vor *dat*). **2.** müde, 'überdrüssig (**of** *gen*): ~ **of life** lebensmüde; **I am** ~ **of it** ich habe es satt. **3.** ermüdend: a) lästig, beschwerlich, b) langweilig. **II** *v/t* **4.** ermüden. **5.** ~ **out** a) erschöpfen, gänzlich aufreiben, b) sich 'hinquälen durch (*Zeit etc*). **III** *v/i* **6.** 'überdrüssig *od.* müde werden (**of** *gen*). **7.** *bes. Scot.* sich sehnen (**for** nach).
wea·sand ['wi:zənd] *s obs. od. dial.* Gurgel *f*, Kehle *f*, *bes.* Speise- *od.* Luftröhre *f.*
wea·sel ['wi:zl] **I** *s* **1.** *pl* '**wea·sels,** *collect. a.* '**wea·sel** *zo.* Wiesel *n.* **2.** *fig.* Schleicher *m*, ‚Ratte' *f.* **3.** *mil. tech.* geländegängiges Am'phibienfahrzeug. **II** *v/i* **4.** *fig.* sich drehen u. wenden: **to** ~ **out** sich herauswinden. ~ **words** *s pl Am.* doppelsinnige Worte *pl* (die ein 'Hintertürchen offen lassen).
weath·er ['weðər] **I** *s* **1.** Wetter *n*, Witterung *f*: **in fine** ~ bei schönem Wetter; **to make good (bad)** ~ *mar.* auf gutes (schlechtes) Wetter stoßen; **to make heavy** ~ **of s.th.** *fig.* a) ‚viel Wind machen' um etwas, b) große Mühe *od.* Not haben mit etwas; **above the** ~ a) über der Wetterzone, sehr hoch (*Flugzeug etc*), b) *colloq.* wieder in Ordnung (*Person*); **under the** ~ *colloq.* a) nicht in Form (*unpäßlich*), b) ‚angesäuselt' (*leicht betrunken*), c) deprimiert. **2.** Unwetter *n.* **3.** *mar.* Luv-, Windseite *f.* **4.** *fig.* Wechsel(fälle *pl*) *m.*
II *v/t* **5.** der Luft *od.* dem Wetter aussetzen, *Holz etc* auswittern, austrocknen lassen. **6.** *geol.* verwittern (lassen). **7.** a) *mar. den Sturm* abwettern, b) *a.* ~ **out** *fig. e-e Gefahr, Krise, e-n Sturm* über'stehen, trotzen (*dat*). **8.** *mar.* (luvwärts) um'schiffen.
III *v/i* **9.** *geol.* verwittern: **to** ~ **out** auswittern. **10.** *mar.* die Luv gewinnen: **to** ~ **(up)on** a) *e-m Schiff* den Wind aus den Segeln nehmen, b) *fig. j-n* ausnützen, -beuten.
weath·er| an·chor *s mar.* Luvanker *m.* '~-ˌ**beat·en** *adj* **1.** vom Wetter mitgenommen. **2.** verwittert. **3.** wetterhart. '~ˌ**board** *s* **1.** *tech.* a) *bes. Br.* Abwässerungsleiste *f*, b) Schal-, Schindelbrett *n*, c) *pl* Verschalung *f.* **2.** *mar.* Waschbord *n.* '~ˌ**board·ing** *s bes. Br.* Verschalung *f.* '~-ˌ**bound** *adj* schlechtwetterbehindert. ~ **box** *s* Wetterhäus-chen *n.* ~ **bu·reau** *s* Wetterwarte *f*, -dienst *m*, -amt *n.* ~ **cast** *Am. für* **weather forecast.** ~ **cast·er** *Am. für* **weather prophet.** ~ **chart** *s* Wetterkarte *f.* '~ˌ**cock** *s* **1.** Wetterhahn *m*, -fahne *f.* **2.** *fig.* Wetterfahne *f*, wetterwendische Per'son. ~ **con·tact** *s electr.* Ableitung *f* der Elektrizi'tät durch Nässe. ~ **deck** *s mar.* Sturm-, Wetterdeck *n.* ~ **eye** *s*: **to keep a** ~ **on** *fig. etwas* scharf im Auge behalten; **to keep one's** ~ **open** gut aufpassen.
weath·ered ['weðərd] *adj* **1.** verwittert (*Gestein*). **2.** ausgewittert, der Witterung ausgesetzt. **3.** *arch.* abgeschrägt.
weath·er| fore·cast *s* 'Wetterbericht *m*, -vorˌhersage *f.* ~ **ga(u)ge** *s mar.* Vorteil *m* des Windes: **to get the** ~ **on s.o.** j-n ausmanövrieren. '~ˌ**glass** *s* Wetterglas *n*, Baro'meter *n.* ~ **house** → **weather box.**
weath·er·ly ['weðərli] *adj mar.* **1.** an der Luvseite (*e-s Schiffs*) liegend. **2.** luvgierig: ~ **ship.**
'**weather|ˌman** [-ˌmæn] *s irr colloq.* **1.** Meteoro'loge *m.* **2.** Wetteransager *m.* ~ **map** *s* Wetterkarte *f.*
weath·er·ol·o·gy [ˌweðə'rɒlədʒi] *s* Wetterkunde *f.*
'**weath·er|ˌproof I** *adj* wetterfest, -dicht. **II** *v/t* wetterfest *od.* -dicht machen. ~ **proph·et** *s* 'Wetterproˌphet *m.* ~ **serv·ice** *s* Wetterdienst *m.* ~ **side** *s* **1.** *mar.* → **weather** 3. **2.** Wetterseite *f.* ~ **sta·tion** *s* Wetterwarte *f.* ~ **strip** *s* Dichtungsleiste *f.* ~ **tide** *s mar.* luvwärts setzende Gezeit. '~ˌ**tight** *adj* wetterfest, -dicht. ~ **vane** → **weathercock** 1. '~ˌ**worn** → **weather-beaten.**
weave [wi:v] **I** *v/t pret* **wove** [wouv], *selten* **weaved** *pp* **wo·ven** ['wouvən], *a.* **wove 1.** weben, wirken. **2.** *zo.* spinnen. **3.** flechten: **to** ~ **a basket (a wreath)**; **to** ~ **together** zs.-flechten, -weben. **4.** einweben, -flechten (**into** in *acc*), verweben, -flechten (**with** mit; **into** zu). **5.** *fig.* einflechten (**into** in *acc*). **6.** *fig.* ersinnen, erfinden: **to** ~ **a plot** ein Komplott schmieden. **7.** *e-n Weg* im Zickzack gehen, *den Körper etc* im Zickzack bewegen: **to** ~ **one's way through** sich (hindurch)schlängeln durch. **II** *v/i* **8.** weben, wirken. **9.** *zo.* ein Netz *od.* e-n Ko'kon spinnen. **10.** sich im Zickzack bewegen, 'hin- u. 'herpendeln (*a. Boxer*), sich schlängeln *od.* winden (**through** durch). **11.** *aer. mil. Br. sl.* ‚kneifen'. **III** *s* **12.** Gewebe *n.* **13.** Webart *f.*
'**weav·er** *s* **1.** Weber(in), Wirker(in): ~**'s knot** (*od.* **hitch**) Weberknoten *m.* **2.** *fig.* Ersinner(in). **3.** *a.* ~ **bird** *orn.* Webervogel *m.* '**weav·ing** *s* Weben *n*, Webe'rei *f*: ~ **beam** Kettbaum *m*; ~ **loom** Webstuhl *m*; ~ **mill** Weberei *f.*
wea·zand → **weasand.**
wea·zen ['wi:zn] → **wizen.**
web [web] **I** *s* **1.** Gewebe *n*, Gespinst *n*, Netz *n* (*alle a. fig.*): **a** ~ **of lies** ein Lügengewebe; **a** ~ **of railway tracks** ein Schienennetz; **a** ~ **of espionage** ein Spionagenetz. **2.** Netz *n* (*der Spinne etc*). **3.** *zo.* a) Schwimm-, Flughaut *f*, b) Bart *m*, Fahne *f* (*e-r Feder*). **4.** *tech.* a) Tragrippe *f* (*am Eisenträger*), b) Aussteifung *f*, Steg *m*, c) Sägeblatt *n.* **5.** *tech.* a) Pa'pierbahn *f*, b) Rolle *f* (Ma'schinenpaˌpier). **6.** *tech.* Bahn *f* (*e-r Kunststoff-Folie*). **7.** Gurt(band *n*) *m*: ~ **belt** Stoffgurt *m*, -koppel *n.* **8.** *Am.* Radio- *od.* Fernsehnetz *n.* **II** *v/t* **9.** mit e-m Netz über'ziehen. **10.** in e-m Netz fangen. **11.** *zo.* mit Schwimm- *od.* Flughäuten versehen. **webbed** [webd] *adj zo.* mit Schwimmhäuten, schwimmhäutig: ~ **foot** Schwimmfuß *m.* '**web·bing** *s* **1.** gewebtes Materi'al, Gewebe *n.* **2.** Gurt(band *n*) *m.*
web| de·fence, *Am.* ~ **de·fense** *s mil.* in die Tiefe gestaffelte Verteidigung.
we·ber ['veibər; 'wi:-] *s electr.* Weber *n* (= *10 Ampere; Stromstärkeeinheit*).
'**web|ˌeye** *s med.* Flügelfell *n* (*Augenkrankheit*). '~ˌ**foot** *s irr zo.* Schwimmfuß *m.* '~-'**foot·ed,** '~-ˌ**toed** *adj* schwimmfüßig.
wed [wed] **I** *v/t* **1.** *rhet.* heiraten, ehelichen. **2.** vermählen (**to** mit), verheiraten (**to** an *acc*). **3.** eng verbinden, vereinigen (**with, to** mit): **to be** ~**ded to s.th.** a) an etwas fest gebunden *od.* gekettet sein, b) sich e-r Sache verschrieben haben. **II** *v/i* **4.** sich vermählen.
we'd [wi:d; wid] *colloq. für* **we had** *od.* **we should** *od.* **we would.**
wed·ded ['wedid] *adj* **1.** vermählt (**with** mit). **2.** ehelich, Ehe...: ~ **happiness. 3.** (**to**) eng verbunden (mit), gekettet (an *acc*).
wed·ding ['wediŋ] *s* **1.** Hochzeit(sfeier) *f.* **2.** *a.* ~ **ceremony** Trauung *f.* ~ **break·fast** *s* Hochzeitsessen *n.* ~ **cake** *s* Hochzeitskuchen *m.* ~ **card** *s* Vermählungsanzeige *f.* ~ **day** *s* Hochzeitstag *m.* ~ **dress** *s* Hochzeits-, Brautkleid *n.* ~ **fa·vo(u)r** *s* weiße Bandschleife *od.* Ro'sette (*bei Hochzeiten getragen*). ~ **ring** *s* Trauring *m.* ~ **tour,** ~ **trip** *s* Hochzeitsreise *f.*
wedge [wedʒ] **I** *s* **1.** *tech.* Keil *m* (*a. fig.*): **the thin end of the** ~ *fig.* ein erster kleiner Anfang; **to get in the thin end of the** ~ *fig.* den Anfang machen, vorstoßen. **2.** a) keilförmiges Stück (*Land etc*), b) Ecke *f* (*Käse etc*), Stück *n* (*Kuchen*). **3.** *mil.* 'Keil(formatiˌon *f*) *m.* **4.** *arch.* keilförmiger Gewölbstein. **5.** *her.* spitzwinkeliges Dreieck. **6.** keilförmiges Schriftzeichen: ~ **character** Keilschriftzeichen *n*; ~ **writing** Keilschrift *f.* **7.** *meteor.* Hochdruckkeil *m.* **II** *v/t* **8.** *tech.* mit e-m Keil spalten: **to** ~ **off** abspalten; **to** ~ **open** aufspalten, -brechen. **9.** mit e-m Keil festklemmen, (ver)keilen. **10.** (ein)keilen, (-)zwängen (**in** in *acc*): **to** ~ **o.s. in** sich hineinzwängen. **III** *v/i* **11.** sich zwängen *od.* drängen, gekeilt *od.* gezwängt werden (**in, into** in *acc*; **through** durch). ~ **for·ma·tion** *s aer. mil.* 'Keilformatiˌon *f.* ~ **(fric·tion) gear** *s tech.* Keilrädergetriebe *n.* ~ **heel** *s* Keilabsatz *m.* '~-ˌ**shaped** *adj* keilförmig.
Wedg·wood ['wedʒˌwud] *s a.* ~ **ware** Wedgwoodware *f* (*feines Steingut*).
wed·lock ['wedlɒk] *s* Ehe(stand *m*) *f*: **born in (out of)** ~ ehelich (unehelich) geboren.
Wednes·day ['wenzdi] *s* Mittwoch *m*: **on** ~ am Mittwoch; **on** ~**s** mittwochs.
wee [wi:] **I** *s bes. Scot.* (*ein*) wenig, *bes.* (*ein*) Weilchen *n.* **II** *adj* klein, winzig: **a** ~ **bit** ein klein wenig; **the** ~ **hours** die frühen Morgenstunden; **the poor** ~ **thing** das arme Wurm.
weed[1] [wi:d] **I** *s* **1.** Unkraut *n*: **ill** ~**s grow apace** Unkraut verdirbt nicht. **2.** *poet.* Kräutlein *n.* **3.** *colloq.* a) ‚Glimmstengel' *m* (*Zigarre od. Zigarette*), b) **the** ~, *a.* **the soothing** ~ das ‚Kraut', der Tabak, c) *sl.* Marihu'ana *n.* **4.** *sl.* ‚Kümmerling' *m* (*schwächliches Tier*; *a. Person*). **II** *v/t* **5.** *Unkraut, den Garten etc* jäten. **6.** *meist* ~ **out,** ~ **up** *fig.* aussondern, -merzen. **7.** *fig.* säubern. **III** *v/i* **8.** (Unkraut) jäten.
weed[2] [wi:d] *s* **1.** *pl meist* **widow's** ~**s** Witwen-, Trauerkleidung *f.* **2.** *Am. colloq.* Trauerflor *m.* **3.** *obs.* Kleid *n.*
weed·er ['wi:dər] *s* **1.** Jäter *m.* **2.** *tech.* 'Unkrautˌjätmaˌschine *f*, Jätwerkzeug *n.*
weed·i·cide ['wi:diˌsaid] *s* Unkrautvertilgungsmittel *n*, -vertilger *m.*
weed·i·ness ['wi:dinis] *s* Bewachsensein *n* mit Unkraut.
weed·ing ['wi:diŋ] *s* Jäten *n*: ~ **chisel** Jäteisen *n*; ~ **fork** Jätgabel *f*; ~ **hook** Jäthacke *f.*

weed kill·er → **weedicide.**
weed·y[1] ['wi:di] *adj* **1.** voll Unkraut, verunkrautet. **2.** unkrautartig, Unkraut... **3.** *colloq.* a) schmächtig, b) schlaksig, c) klapp(e)rig (*Mensch od. Tier*).
weed·y[2] ['wi:di] *adj* in Trauer(kleidung).
week [wi:k] *s* Woche *f*: ~ **of Sundays,** ~ **of** ~**s** a) sieben Wochen, b) lange, e-e Ewigkeit; **a** ~, **per** ~ wöchentlich, die Woche; **by the** ~ **by** ~ Woche für Woche; **by the** ~ wochenweise; **for** ~**s** wochenlang; ~ **in,** ~ **out** Woche für Woche; **today** ~, **this day** ~ a) heute in 8 Tagen, b) heute vor 8 Tagen; **Monday** ~ a) Montag in 8 Tagen, b) Montag vor 8 Tagen; → **Great Week.** '~,**day I** *s* Wochentag *m.* **II** *adj* Werktags... '~,**end I** *s* Wochenende *n.* **II** *adj* Wochenend...: ~ **ticket** Sonntags(rückfahr)karte *f.* **III** *v/i* das Wochenende verbringen. '~,**end·er** *s* Wochenendausflügler(in) *od.* -besucher(in).
week·ly ['wi:kli] **I** *adj u. adv* wöchentlich. **II** *s a.* ~ **paper** Wochenzeitung *f*, -(zeit)schrift *f.*
weem [wi:m] *s Scot. hist.* Stein-, Felshöhle *f.*
ween [wi:n] *v/t u. v/i obs. od. poet.* **1.** hoffen. **2.** vermuten, wähnen.
wee·nie, wee·ny ['wi:ni] → **wiener.**
weep [wi:p] **I** *v/i pret u. pp* **wept** [wept] **1.** weinen, Tränen vergießen (**for** vor *Freude etc*; um *j-n*): **to** ~ **at** (*od.* **over**) weinen über (*acc*). **2.** triefen, tropfen, tröpfeln. **3.** *biol.* nässen, schwitzen. **4.** die Zweige hängen lassen, trauern (*Baum*). **II** *v/t* **5.** *Tränen* vergießen, weinen: **to** ~ **one's eyes** (*od.* **heart**) **out** sich die Augen ausweinen; **to** ~ **tears of joy** Freudentränen weinen. **6.** *Worte* unter Tränen sagen. **7.** beweinen. **III** *s* **8.** *colloq.* Weinen *n*: **to have a good** ~ sich tüchtig ausweinen. **9.** Leck *n.* '**weep·er** *s* **1.** Weinende(r *m*) *f*, *bes.* gedungene(r) Leidtragende(r). **2.** a) weiße Trauerbinde (*am Ärmel*), Trauerflor *m* (*am Hut*), b) Witwenschleier *m*, c) *pl* weiße 'Trauerman,schetten *pl* (*der Witwen*). **3.** *sl.* Backenbart *m.*
weep·ing ['wi:piŋ] **I** *adj* (*adv* ~**ly**) **1.** weinend. **2.** *bot.* Trauer..., mit her'abhängenden Ästen (*Baum*). **3.** triefend, tropfend. **4.** *med.* nässend. **II** *s* **5.** Weinen *n.* ~ **ash** *s bot.* Traueresche *f.* ~ **birch** *s bot.* Hängebirke *f.* ~ **ec·ze·ma** *s med.* nässendes Ek'zem. ~ **wil·low** *s bot.* Trauerweide *f.*
weep·y ['wi:pi] **I** *adj* weinerlich. **II** *s sl.* → **tearjerker.**
weet [wi:t] *poet.* **I** *v/t* wissen, kennen. **II** *v/i* wissen.
wee·ver ['wi:vər] *s* Drachenfisch *m.*
wee·vil ['wi:vil; -vl] *s zo.* **1.** Rüsselkäfer *m.* **2.** Samenkäfer *m.* **3.** *allg.* Getreidekäfer *m.*
wee-wee ['wi:,wi:] *colloq.* **I** *s* ,Pi'pi' *n* (*Urin*): **to do** ~ → II. **II** *v/i* ,Pi'pi' machen.
weft [weft] *s* **1.** *Weberei*: a) Einschlag(faden) *m*, Schluß(faden) *m*, b) Gewebe *n* (*a. poet.*): ~ **silk** Einschlagseide *f.* **2.** Wolkenstreifen *m*, Nebelschicht *f.*
weigh[1] [wei] **I** *s* **1.** Wiegen *n.* **II** *v/t* **2.** (ab)wiegen, wägen (**by** nach). **3.** (*in der Hand*) wiegen: **he** ~**ed the book in his hand. 4.** *fig.* (sorgsam) er-, abwägen (**with, against** gegen): **to** ~ **one's words** s-e Worte abwägen; **to** ~ **the evidence** das Beweismaterial abwägen. **5. to** ~ **anchor** a) den Anker lichten, b) auslaufen (*Schiff*). **6.** (nieder)drücken, (-)beugen. **II** *v/i* **7.** wiegen, schwer sein: **it** ~**s two pounds. 8.** *fig.* Gewicht haben, *schwer etc* wiegen, ins Gewicht fallen, ausschlaggebend sein (**with** s.o. bei j-m). **9.** lasten (**on, upon** auf *dat*). **10.** *mar.* → 5. **11.** *sport* sich wiegen, gewogen werden (*Boxer etc*).
Verbindungen mit Adverbien:
weigh| down *v/t* niederdrücken (*a. fig.*). ~ **in I** *v/t* **1.** *sport* a) *e-n Jockei* nach dem Rennen wiegen, b) *colloq. e-n Boxer etc* vor dem Kampf wiegen. **II** *v/i* **2.** *sport* gewogen werden. **3.** ~ **with** *ein Argument etc* vorbringen. ~ **out I** *v/t Ware* auswiegen. **II** *v/i sport* gewogen werden (*Jockei vor dem Rennen*).
weigh[2] [wei] *s irrtümlich für* **way**[1] *gebraucht in*: **under** ~ in Fahrt; **to get under** ~ *mar.* unter Segel gehen.
weigh·a·ble ['weiəbl] *adj* wägbar.
'**weigh,bridge** *s tech.* Brücken-, Tafelwaage *f.*
weigh·er ['weiər] *s* **1.** Wäger *m*, *bes.* Waagemeister *m.* **2.** *tech.* Waage *f.*
'**weigh,house** *s* Stadtwaage *f.*
'**weigh-,in** *s sport* Wiegen *n.*
weigh·ing ['weiiŋ] *s* **1.** Wiegen *n.* **2.** (auf einmal) gewogene Menge. **3.** *fig.* Er-, Abwägen *n.* ~ **ma·chine** *s* (Brücken- *od.* Hochleistungs)Waage *f.*
weight [weit] **I** *s* **1.** Gewicht *n*, Schwere *f*: **by** ~ nach Gewicht; **under** ~ *econ.* untergewichtig, zu leicht. **2.** Gewicht *n*, Gewichtseinheit *f*: ~**s and measures** Maße u. Gewichte. **3.** (Körper)Gewicht *n*: **what is your** ~? wieviel wiegen Sie?; **to put on** (*od.* **gain**) ~ (an Körpergewicht) zunehmen; **to lose** ~ abnehmen; **to make one's** (*od.* **the**) ~ das richtige Gewicht auf die Waage bringen (*Jockei, Boxer etc*); **to pull one's** ~ sein(en) Teil leisten; **to throw one's** ~ **about** *colloq.* sich ,breitmachen'. **4.** Gewicht *n*, Schwere *f*, Last *f*, Wucht *f.* **5.** Gewicht *n* (*e-r Waage, Uhr etc*). **6.** *phys.* Schwere *f*, (Massen)-Anziehungskraft *f*: ~ **density** spezifisches Gewicht. **7.** *fig.* (Sorgen- *etc*)-Last *f*, Bürde *f*: **the** ~ **of age** die Bürde des Alters; **the** ~ **of evidence** die Last des Beweismaterials. **8.** *fig.* Gewicht *n*, Bedeutung *f*: **of** ~ gewichtig, schwerwiegend; **to lose in** ~ an Bedeutung verlieren; **to add** ~ **to s.th.** e-r Sache Gewicht verleihen; **to give** ~ **to s.th.** e-r Sache große Bedeutung beimessen. **9.** *fig.* Ansehen *n*, Einfluß *m*: **of no** ~ ohne Bedeutung; **men of** ~ bedeutende *od.* einflußreiche Leute; → **carry** 9. **10.** *sport* a) Gewichtsklasse *f* (*der Boxer etc*), b) Gewicht *n* (*Gerät*), c) (Stoß)Kugel *f*: **to put the** ~ (die) Kugel stoßen; **putting the** ~ Kugelstoßen *n.* **11.** *Statistik*: rela'tive Bedeutung.
I *v/t* **12.** a) beschweren, b) belasten (*beide a. fig.*): **to be** ~**ed with** belastet sein durch; → **scale**[2] 1. **13.** *econ. Stoffe etc* durch Beimischung (*von Mineralien etc*) schwerer machen. **14.** *sport* a) *e-m Pferd od. Jockei* ein bestimmtes Gewicht geben, b) *e-n Ski* belasten. **15.** *Statistik*: *e-r Zahl* rela'tive Bedeutung geben: ~**ed average** (*od.* **mean**) gewogenes Mittel.
weight·i·ness ['weitinis] *s* **1.** Gewicht *n*, Schwere *f.* **2.** *fig.* Gewicht *n*, (Ge)-Wichtigkeit *f.*
weight·less ['weitlis] *adj* **1.** ohne Gewicht, leicht. **2.** *fig.* unwichtig, unbedeutend. **3.** schwerelos.
weight lift·ing *s sport* Gewichtheben *n.*
weight·y ['weiti] *adj* (*adv* **weightily**) **1.** schwer(wiegend), gewichtig (*beide a. fig. Grund etc*). **2.** *fig.* lastend, drückend (*Sorge etc*). **3.** einflußreich, bedeutend, gewichtig (*Person*).
weir [wir] *s* **1.** (Stau)Wehr *n.* **2.** Fischreuse *f.*
weird [wird] **I** *adj* (*adv* ~**ly**) **1.** *poet.* Schicksals...: ~ **sisters** a) Schicksalsschwestern, Nornen, b) Hexen (*in Shakespeares „Macbeth"*). **2.** unheimlich, grausig. **3.** 'überirdisch. **4.** *colloq.* ulkig, sonderbar, ,verrückt'. **II** *s obs. od. Scot.* **5.** Schicksal *n*: → **dree** I. **6.** W~ *poet.* a) (*personifiziertes*) Schicksal, b) *pl* Schicksalsschwestern *pl.* **7.** *obs.* Vor'her-, Weissagung *f*, Omen *n.* **8.** Zauber *m*, Bann *m.*
Welch [welʃ; *Am. a.* weltʃ] → **Welsh**[1].
wel·come ['welkəm] **I** *interj* **1.** will'kommen!: ~ **to England!** willkommen in England!; ~ **home!** willkommen zu Hause! **II** *s* **2.** Will'kommen *n*, Willkomm *m*, Empfang *m* (*a. iro.*): **to bid s.o.** ~ → 3; **to outstay** (*od.* **overstay** *od.* **wear out**) **one's** ~ länger bleiben, als man erwünscht ist. **III** *v/t* **3.** bewillkommnen, will'kommen heißen. **4.** *fig.* begrüßen: a) *etwas* gutheißen, b) gern annehmen: **to** ~ **a proposal. IV** *adj* **5.** will'kommen, angenehm: **a** ~ **guest;** ~ **news; to make s.o.** ~ j-n herzlich empfangen. **6.** herzlich eingeladen: **you are** ~ **to it** Sie können es gern behalten *od.* nehmen; **you are** ~ **to do it** es steht Ihnen frei, es zu tun; bitte tun Sie es; **you are** ~ **to your own opinion** *iro.* meinetwegen können Sie denken, was Sie wollen; (**you are**) ~! nichts zu danken!, keine Ursache!, bitte sehr!; **take it, and** ~ nehmen Sie es bitte, gern; **and** ~ *iro.* meinetwegen, wenn's Ihnen Spaß macht.
weld[1] [weld] *s* **1.** *bot.* (Färber)Wau *m*, Gelbe Re'seda. **2.** Wau *m* (*gelber Farbstoff*).
weld[2] [weld] **I** *v/t* **1.** *tech.* (ver-, zs.-)-schweißen: **to** ~ **on** anschweißen (**to** an *acc*). **2.** *fig.* zs.-schweißen, -schmieden, verschmelzen, eng verbinden. **II** *v/i* **3.** *tech.* sich schweißen lassen. **4.** *fig.* sich eng mitein'ander verbinden, verschmelzen. **III** *s* **5.** *tech.* a) Schweißung *f*, b) Schweißstelle *f*, -naht *f.* **IV** *adj* **6.** Schweiß...: ~ **steel.**
weld·a·ble ['weldəbl] *adj* schweißbar.
'**weld·ed** *adj* geschweißt, Schweiß...: ~ **joint** Schweißverbindung *f*; ~ **tube** geschweißtes Rohr. '**weld·er** *s tech.* **1.** Schweißer *m.* **2.** 'Schweißma,schine *f.* '**weld·ing I** *s tech.* Schweißen *n.* **II** *adj* Schweiß...: ~ **rod** Schweißelektrode *f.*
Welf [welf] *s hist.* Welfe *m*, Welfin *f.*
wel·fare ['wel,fɛr] *s* **1.** Wohlfahrt *f*: a) Wohlergehen *n*, b) Fürsorge(tätigkeit) *f*: **public** ~ öffentliche Wohlfahrt; **social** ~ soziale Fürsorge. ~ **cen·ter,** *bes. Br.* ~ **cen·tre** Fürsorgeamt *n.* ~ **home** *s* Fürsorgeheim *n.* ~ **state** *s pol.* Wohlfahrtsstaat *m.* ~ **stat·ism** *s pol.* Poli'tik *f* des Wohlfahrtsstaats. ~ **work** *s* Fürsorge *f*, Wohlfahrtspflege *f.* ~ **work·er** *s* (Sozi'al)Fürsorger(in).
wel·far·ism ['wel,fɛ(ə),izəm] *s pol.* wohlfahrtsstaatliche Prin'zipien *pl od.* Poli'tik.
wel·kin ['welkin] *s poet.* Himmelsgewölbe *n*, -zelt *n*: **to make the** ~ **ring with shouts** die Luft mit Geschrei erfüllen.
well[1] [wel] *comp* **bet·ter** ['betər] *sup* **best** [best] **I** *adv* **1.** gut, wohl: **to be** ~ **off** a) gut versehen sein (**for** mit),

b) gut situiert *od.* daran sein; to do o.s. ~, to live ~ gut leben, es sich wohl sein lassen; ~-aimed wohl-, gutgezielt. **2.** gut, recht, geschickt: to do ~ gut *od.* recht daran tun (to do zu tun); ~ done! gut gemacht!, bravo!; ~ roared, lion! gut gebrüllt, Löwe!; to sing ~ gut singen. **3.** gut, günstig, vorteilhaft: to come off ~ a) gut abschneiden, b) Glück haben. **4.** gut, freundschaftlich: to think (speak) ~ of gut denken (sprechen) über (*acc*). **5.** gut, sehr, vollauf: to love (*od.* like) s.o. ~ j-n sehr lieben; to be ~ pleased hocherfreut sein; it speaks ~ for him es spricht sehr für ihn. **6.** wohl, mit gutem Grund: one may ~ ask this question; you cannot very ~ do that das kannst du nicht gut tun; not very ~ wohl kaum; we might ~ try it wir könnten es ja versuchen. **7.** recht, eigentlich, so richtig: he does not know ~ how er weiß nicht recht wie. **8.** gut, genau, gründlich: to know s.o. ~ j-n gut kennen; he knows only too ~ er weiß nur zu gut; to remember ~ sich gut erinnern an (*acc*). **9.** gut, ganz, völlig: he is ~ out of sight er ist völlig außer Sicht; to be ~ out of s.th. etwas glücklich hinter sich haben. **10.** gut, beträchtlich, ziemlich, weit: ~ away weit weg; he walked ~ ahead of them er ging ihnen ein gutes Stück voraus; he is ~ up in the list er steht weit oben in der Liste; to be ~ on in years schon bejahrt sein; ~ past fifty weit über 50; until ~ past midnight bis lange nach Mitternacht. **11.** gut, tüchtig, gründlich, kräftig: to stir ~. **12.** gut, mit Leichtigkeit, durch'aus: you could ~ have done it du hättest es leicht tun können; it is very ~ possible es ist durchaus *od.* sehr wohl möglich; as ~ ebenso, desgleichen, außerdem; (just) as ~ ebenso(gut), genauso(gut); he is a Christian as ~ er ist auch ein Christ; as ~ ... as sowohl ... als auch, nicht nur ... sondern auch; as ~ as ebensogut wie.

II *adj* **13.** wohl, gesund: to be (*od.* feel) ~ sich wohl fühlen; to look ~ gesund aussehen. **14.** in Ordnung, richtig, gut: all is not ~ with him es ist nicht alles in Ordnung mit ihm; all will be ~ es wird sich alles wieder einrenken; I am very ~ where I am ich fühle mich sehr wohl; it is all very ~ but *iro.* das ist ja alles gut u. schön, aber. **15.** vorteilhaft, günstig, gut: it will be as ~ for her to know it es schadet ihr gar nichts, es zu wissen; that is just as ~ das ist schon gut so; very ~ sehr wohl, nun gut; ~ and good schön und gut. **16.** ratsam, richtig, gut: it would be ~ es wäre angebracht *od.* ratsam.

III *interj* **17.** nun, na, tja, schön: ~! (*empört*) na, hör mal!; ~, who would have thought it? (*erstaunt*) nun, wer hätte das gedacht?; ~ then nun (also); ~ then? (*erwartend*) na, und?; ~, it can't be helped (*resigniert*) nun, da kann man (eben) nichts machen; ~, here we are at last (*erleichtert*) na, da wären wir endlich; ~, what should I say? (*überlegend, zögernd*) tja *od.* hm, was soll ich (da) sagen?; ~, ~! so, so!, (*beruhigend*) schon gut!

IV *s* **18.** (*das*) Gute: let ~ alone! laß gut sein!, laß die Finger davon!

well[2] [wel] **I** *s* **1.** (*gegrabener*) Brunnen, Ziehbrunnen *m.* **2.** *bes. fig.* Quelle *f.* **3.** a) Heilquelle *f*, Mine'ralbrunnen *m*, b) *pl* (*in Ortsnamen*) Bad *n*: Tunbridge W~s. **4.** *poet.* Quell *m*, Born *m.* **5.** *fig.* (Ur)Quell *m*, Quelle *f*, Ursprung *m.* **6.** *tech.* a) (Senk-, Öl- *etc*)-Schacht *m*, b) Bohrloch *n.* **7.** *arch.* a) Fahrstuhl-, Luft-, Lichtschacht *m*, b) (Raum *m* für das) Treppenhaus. **8.** *mar.* a) *tech.* Pumpensod *m*, b) Buhne *f*, Fischbehälter *m* (*im Fischerboot*). **9.** *tech.* eingelassener Behälter, Vertiefung *f*, *bes.* a) *mot.* Gepäckraum *m*, b) Tintenbehälter *m.* **10.** *jur. Br.* eingefriedigter Platz für Anwälte. **II** *v/i* **11.** quellen (from aus): to ~ out (*od.* forth) hervorquellen; to ~ up aufsteigen (*Flüssigkeit, Tränen*); to ~ over überfließen.

we'll [wiːl; wil] *colloq. für* we will *od.* we shall.

well·a·way ['weləˈwei], *a.* **'well·a'day** [-'dei] *obs.* **I** *interj* o weh! **II** *s* Wehgeschrei *n*, -klagen *n.*

'well|-ad'vised *adj* 'wohlüber,legt, klug. **'~-ap'point·ed** *adj* wohlausgestattet. **'~-'bal·anced** *adj* **1.** gut 'ausbalan,ciert, im Gleichgewicht. **2.** (innerlich) ausgeglichen. **'~-be'haved** *adj* wohlerzogen, artig, ma'nierlich. **'~-'be·ing** *s* **1.** Wohl(fahrt *f*, -ergehen *n*) *n.* **2.** *meist* sense of ~ Wohlgefühl *n*, -behagen *n.* **'~-be'lov·ed** *adj* heiß-, vielgeliebt. **'~'born** *adj* von vornehmer 'Herkunft, aus guter Fa'milie. **'~-'bred** *adj* **1.** wohlerzogen. **2.** gebildet, fein. **'~-'cho·sen** *adj* (gut) gewählt, treffend: ~ words. **'~-con-'nect·ed** *adj* **1.** mit vornehmer Verwandtschaft. **2.** mit guten Beziehungen. **'~-de'fined** *adj* gut um'rissen *od.* defi'niert. **'~-de'served** *adj* wohlverdient. **'~-de'serv·ing** *adj* verdienstvoll. **'~-di'rect·ed** *adj* wohl-, gutgezielt (*Schlag etc*). **'~-dis'posed** *adj* (toward[s]) wohlgesinnt (*dat*), wohlwollend (gegen). **'~-'do·ing** *s* **1.** Wohltätigkeit *f.* **2.** Rechtschaffenheit *f.* **3.** Wohlergehen *n*, Erfolg *m.* **'~-'done** *adj Br.* (gut) 'durchgebraten, völlig gar: ~ steak. **'~-'earned** *adj* wohlverdient. **'~-'fa·vo(u)red** *adj* gutaussehend, hübsch. **'~-'fed** *adj* wohlgenährt, gut genährt. **'~-'fixed** *adj Am. colloq.* wohlhabend: to be ~ ,es haben' (*reich sein*). **'~-'found·ed** *adj* wohlbegründet. **'~-'groomed** *adj* gepflegt. **'~-'ground·ed** *adj* **1.** → well-founded. **2.** mit guter Vorbildung (*in e-m Fach*). **'~-'han·dled** *adj* gut verwaltet.

'well,head *s* **1.** (Ur)Quelle *f.* **2.** *fig.* Hauptquelle *f.* **3.** Brunneneinfassung *f.*

'well|-'heeled *adj bes. Am. sl.* ,gut bei Kasse', reich. **'~-in'clined** *adj* wohlgeneigt. **'~-in'formed** *adj* **1.** gut unter'richtet. **2.** (vielseitig) gebildet.

Wel·ling·ton (boot) ['weliŋtən] *s bes. Br.* Schaft-, Gummi-, Wasserstiefel *m.*

'well|-in'ten·tioned *adj* **1.** gut-, wohlgemeint: ~ advice. **2.** wohlmeinend (*Person*). **'~-'judged** *adj* wohlberechnet, angebracht. **'~-'knit** *adj* **1.** wohlgefügt. **2.** handfest (*Person*). **'~-'known** *adj* **1.** weithin bekannt. **2.** wohlbekannt. **'~-'made** *adj* **1.** gut gemacht. **2.** gut gewachsen *od.* gebaut (*Person od. Tier*). **'~-'man·nered** *adj* wohlerzogen, mit guten Ma'nieren. **'~-'mean·ing** → well-intentioned. **'~-'meant** *adj* gutgemeint. **'~-'nigh** *adv* fast, so gut wie: ~ impossible. **'~-'off,** *pred* ~ **off** *adj* **1.** wohlhabend, gut situ'iert. **2.** gut versehen (for mit). **'~-'oiled** *adj* **1.** gut geölt. **2.** *fig.* schmeichlerisch, glatt. **3.** *sl.* (ziemlich) ,angesäuselt'. **'~-pre'served** *adj* gut erhalten. **'~-pro'por·tioned** *adj* **1.** 'wohlproportio,niert. **2.** gut gebaut. **'~-'read** [-'red] *adj* **1.** (sehr) belesen, gebildet. **2.** bewandert (in in *dat*). **'~-'reg·u,lat·ed** *adj* (wohl)geregelt, (-)geordnet. **'~-re'put·ed** *adj* geachtet, angesehen. **'~-'round·ed** *adj* **1.** (wohl)beleibt. **2.** *fig.* a) abgerundet, ele'gant, 'formvoll,endet (*Stil, Form etc*), b) ausgeglichen, ebenmäßig, c) vielseitig (*Bildung etc*). **'~-'set** → well-knit. **'~-,set-'up** *adj colloq.* ,gut gebaut' (*Person*). **'~-'spo·ken** *adj* **1.** redegewandt. **2.** höflich im Ausdruck.

well| spring *s* **1.** Quelle *f.* **2.** *fig.* (Ur)Quell *m*, eigentliche Quelle. ~ **stair·cases,** ~ **stairs** *s pl* ~ **stair·way** *s arch.* Wendeltreppe *f.*

'well|-'tak·en *adj Am.* **1.** gut (aus)gewählt. **2.** vernünftig. **'~-'tem·pered** *adj* **1.** gutmütig. **2.** *mus.* 'wohltempe,riert (*Stimmung*): the Well-Tempered Clavier das Wohltemperierte Klavier (*von Bach*). **'~-'thought-,of** *adj* angesehen. **'~-,thought-'out** *adj* wohlerwogen,(gründlich)durch'dacht. **'~-'timed** *adj* (zeitlich) wohlberechnet, rechtzeitig, im richtigen Augenblick. **'~-to-'do I** *adj* wohlhabend. **II** *s* the ~ *collect.* die Wohlhabenden *pl*, die Reichen *pl.* **'~-'tried** *adj* (wohl)erprobt, bewährt. **'~-'trod(·den)** *adj* **1.** viel begangen, ausgetreten: ~ path. **2.** *fig.* abgedroschen. **'~-'turned** *adj fig.* ele'gant, geschickt formu'liert: ~ phrase. **'~-'wish·er** *s* wohlwollender Freund, Gönner(in). **'~-'worn** *adj* **1.** abgetragen, abgenutzt, abgegriffen. **2.** *fig.* abgedroschen.

Welsh[1] [welʃ] **I** *adj* **1.** wa'lisisch. **II** *s* **2.** the ~ *collect.* die Wa'liser *pl.* **3.** *ling.* Wa'lisisch *n*, das Walisische.

welsh[2] [welʃ] **I** *v/t* **1.** *j-n* um s-n (Wett)-Gewinn betrügen (*Buchmacher*). **2.** *sl. allg. j-n* ,verschaukeln'. **II** *v/i* **3.** mit dem(Wett)Gewinn 'durchgehen (*Buchmacher*). **4.** *sl. allg.* sich ,drücken' (on vor *dat*).

Welsh Cor·gi *s* Welsh Corgi *m* (*Hunderasse*).

welsh·er ['welʃər] *s* **1.** (betrügerischer) Buchmacher. **2.** *sl.* ,falscher Fuffziger'.

'Welsh|·man [-mən] *s irr* Wa'liser *m.* ~ **on·ion** *s bot.* Winterzwiebel *f.* ~ **rab·bit** *s Kochkunst*: über'backene Käseschnitte. ~ **ter·ri·er** *s* Welshterrier *m* (*Jagdhund*). **'~,wom·an** *s irr* Wa'liserin *f.*

welt [welt] **I** *s* **1.** Einfassung *f*, Rand *m.* **2.** *Schneiderei*: a) (Zier)Borte *f*, b) Rollsaum *m*, c) Stoßkante *f.* **3.** Rahmen *m* (*e-s Schuhs*). **4.** a) Strieme(n *m*) *f*, b) *colloq.* Hieb *m*, (heftiger) Schlag. **5.** *tech.* a) Falz *m* (*im Metall*), b) *Schreinerei*: Leiste *f.* **II** *v/t* **6.** *Kleid etc* säumen, einfassen. **7.** *tech.* a) *Blech* falzen, b) *e-n Schuh* auf Rahmen arbeiten: ~ed randgenäht (*Schuh*). **8.** *colloq.* ,'durchbleuen', verprügeln.

wel·ter[1] ['weltər] **I** *v/i* **1.** *poet.* sich wälzen (in in *s-m Blut etc*) (*a. fig.*). **II** *s* **2.** Wogen *n*, Toben *n* (*der Wellen etc*). **3.** *fig.* Tu'mult *m*, Aufruhr *m*, Durchein'ander *n*, Wirrwarr *m*, Chaos *n.*

wel·ter[2] ['weltər] *s sport* **1.** Weltergewicht(ler *m*) *n.* **2.** schwerer Reiter. **3.** *colloq.* ,Brocken' *m*: a) schwerer Gegenstand, b) schwere Per'son.

wel·ter| race *s* Rennen *n* mit Weltergewicht-Reitern. **'~,weight** *s sport* **1.** *Boxen etc*: a) Weltergewicht *n*, b) → welter[2] 1: light ~ Halbweltergewichtler *m.* **2.** *Rennsport*: ungewöhnlich schwere Belastung.

wen[1] [wen] *s* **1.** *med.* (Balg)Geschwulst *f*, *bes.* Grützbeutel *m* (*am Kopf*).

2. *fig.* Riesenstadt *f*: the great ~ London.

wen² [wen] *s* Wen-Rune *f* (*Runenzeichen für w*).

wench [wentʃ] **I** *s* **1.** *obs. od. humor.* (*bes.* Bauern)Mädchen *n*, Mädel *n*, Weibsbild *n*. **2.** *obs.* Hure *f*, Dirne *f*. **II** *v/i* **3.** huren.

wend¹ [wend] *v/t*: to ~ one's way sich wenden *od.* begeben, s-n Weg nehmen (to nach, zu).

Wend² [wend] *s* Wende *m*, Wendin *f*.

Wend·ish ['wendiʃ], *a.* '**Wend·ic** [-dik] **I** *adj* wendisch, sorbisch. **II** *s ling.* Wendisch *n*, das Wendische, Sorbisch *n*, das Sorbische.

Wens·ley·dale ['wenzliˌdeil] *s e-e englische Käsesorte.*

went [went] *pret von* go.

wen·tle·trap ['wentlˌtræp] *s zo.* Wendeltreppe *f*.

wept [wept] *pret u. pp von* weep.

were [wəːr; *Br. a.* wɛə] **1.** *pret von* be: *du* warst, *Sie* waren, *wir, sie* waren, *ihr* wart. **2.** *pret pass* wurde(n). **3.** *subj pret* wäre(n).

we're [wir] *colloq. für* we are.

weren't [wəːrnt] *colloq. für* were not.

were·wolf ['wirˌwulf; 'wəːr-] *s* Werwolf *m*.

werf [verf] *s S.Afr.* Werft *f* (*Eingeborenensiedlung*).

wer·gild ['wəːrˌgild; 'wer-] *s jur. hist.* Wergeld *n* (*Buße für die Tötung e-s Menschen*).

wert [wəːrt] *poet. 2. sg pret ind u. subj von* be.

Wer·ther·ism ['vɛrtəˌrizəm] *s* Werthertum *n*, Wertherische Empfindsamkeit.

wer·wolf → werewolf.

Wes·ley·an ['wesliən; *Br. a.* 'wez-] *relig.* **I** *adj* wesley'anisch, metho'distisch. **II** *s* Wesley'aner(in), Metho'dist(in). '**Wes·ley·anˌism** *s* Metho'dismus *m*.

west [west] **I** *s* **1.** West(en) *m*: the wind is in the ~ der Wind kommt von Westen. **2.** Westen *m* (*Landesteil*). **3.** the W~ *geogr.* der Westen: a) Westengland *n*, b) die amer. Weststaaten *pl*, c) das Abendland, d) *hist.* das weströmische Reich. **4.** *poet.* Westwind *m*. **II** *adj* **5.** westlich, West... **III** *adv* **6.** westwärts, nach Westen: to go ~ *sl.* ‚draufgehen' (*sterben, kaputt- od. verlorengehen*). **7.** ~ of westlich von. **IV** *v/i* **8.** sich nach Westen bewegen, 'untergehen (*Sonne etc*). '**~ˌbound** *adj* nach Westen gehend *od.* fahrend: a ~ ship. **~ by north** *s mar.* West *m* zu Nord. **W~ Cen·tral** *s Londoner Postbezirk* (*abgekürzt W.C.*). **~ coun·try** *s* **1.** → west 2. **2.** W~ C~ (*in England*) *das Gebiet westlich e-r gedachten Linie von Southampton zum Severn.* **W~ End** *s* **1.** Westend *n* (*vornehmer Stadtteil Londons*). **2.** w~ e~ *fig.* vornehmes Stadtviertel.

west·er ['westər] *v/i* **1.** → west 8. **2.** nach Westen drehen (*Wind*). '**west·er·ing** *adj* **1.** sinkend, 'untergehend (*Gestirne*). **2.** nach Westen drehend (*Wind*). '**west·er·ly I** *adj* **1.** westlich, West... **II** *adv* **2.** westwärts, gegen Westen. **3.** von *od.* aus dem Westen.

west·ern ['westərn] **I** *adj* **1.** westlich, West...: the W~ Empire *hist.* das weströmische Reich. **2.** westwärts, West...: ~ course Westkurs *m*. **3.** *meist* W~ westlich, abendländisch: the W~ world die westliche Welt, das Abendland. **4.** 'westameriˌkanisch, (Wild)West... **II** *s* **5.** a) Westländer *m*, b) *Am.* Weststaatler *m*. **6.** *oft* W~ Abendländer *m*. **7.** Western *m*: a) Wild'westgeschichte *f*, -roˌman *m*, b) Wild'westfilm *m*. '**west·ern·er** → western 5 *u.* 6.

west·ern·ism ['westərˌnizəm] *s* **1.** *bes. Am.* westliche (Sprach)Eigentümlichkeit. **2.** westliche *od.* abendländische Institu'ti'on *od.* Denkweise *od.* Traditi'on. '**west·ernˌize** *v/t* verwestlichen.

'**west·ernˌmost** *adj* westlichst(er, e, es).

West| In·di·a·man *s irr mar.* West'indienfahrer *m* (*großes Handelsschiff*). **~ In·di·an I** *adj* west'indisch. **II** *s* West'indier(in).

west·ing ['westiŋ] *s mar.* **1.** (zu'rückgelegter) westlicher Kurs. **2.** westliche Richtung.

'**west-ˌnorth-'west I** *adj* westnord'westlich, Westnordwest... **II** *adv* nach *od.* aus Westnord'westen. **III** *s* Westnord'west(en) *m*.

West·pha·li·an [west'feiliən; -ljən] **I** *adj* west'fälisch. **II** *s* West'fale *m*, West'fälin *f*.

Wes·tra·li·an [wes'treiliən; -ljən] **I** *adj* 'westauˌstralisch. **II** *s* 'Westauˌstralier(in).

West Sax·on *s ling.* Westsächsisch *n*, das Westsächsische (*Dialekt des Angelsächsischen*).

west·ward ['westwərd] **I** *adj* westlich, West... **II** *adv* in westliche(r) Richtung, westwärts. **III** *s* Westen *m*: in the ~ of im Westen von (*od. gen*). '**west·ward·ly** → westward I *u.* II. '**west·wards** → westward II.

wet [wet] **I** *adj* **1.** naß, durch'näßt (with von): ~ behind the ears noch nicht trocken hinter den Ohren; ~ to the skin naß bis auf die Haut; ~ through völlig durchnäßt. **2.** niederschlagsreich, regnerisch, feucht (*Klima*): ~ season Regenzeit *f* (*in den Tropen*). **3.** naß, noch nicht trocken; → paint 12. **4.** *tech.* naß, Naß...: ~ extraction Naßgewinnung *f*; ~ process Naßverfahren *n*. **5.** *Am.* a) ‚feucht', nicht unter Alkoholverbot stehend (*Stadt etc*), b) gegen die Prohibiti'on stimmend: a ~ candidate. **6.** *Am.* a) blöd, ‚behämmert', b) *sl.* falsch, verkehrt: you are all ~! du irrst dich gewaltig! **7.** *sl.* ‚feuchtfröhlich': a ~ night. **8.** *sl.* rührselig. **II** *s* **9.** Flüssigkeit *f*, Feuchtigkeit *f*, Nässe *f*. **10.** Regen(wetter *n*) *m*. **11.** *sl.* a) Getränk *n*, b) ‚Schluck' *m*. **12.** *Am.* Gegner *m* der Prohibiti'on. **III** *v/t pret u. pp* **wet** *od.* '**wet·ted** **13.** benetzen, anfeuchten, naßmachen, nässen: to ~ through durchnässen; to ~ one's whistle (*od.* clay) *colloq.* ‚sich die Kehle anfeuchten', ‚einen heben' (*trinken*). **14.** *sl.* ‚begießen': to ~ a bargain. **IV** *v/i* **15.** naß werden.

'**wet|ˌback** *s Am. colloq.* 'illeˌgaler Einwanderer aus Mexiko. **~ bar·gain** *s mit e-m Trunk bekräftigtes Geschäft.* **~ blan·ket** *s fig.* **1.** Dämpfer *m*, kalte Dusche: to put (*od.* throw) a ~ on s.th. e-r Sache e-n Dämpfer aufsetzen; to be (like) a ~ wie e-e kalte Dusche wirken. **2.** Spiel-, Spaßverderber(in), fader Kerl. '**~-'blan·ket** *v/t fig.* e-n Dämpfer aufsetzen (*dat*). '**~-ˌbulb ther·mom·e·ter** *s phys.* Ver'dunstungsthermoˌmeter *n*. **~ cell** *s electr.* nasses *od.* feuchtes Ele'ment. **~ dock** *s mar.* Flutbecken *n*.

weth·er ['weðər] *s zo.* Hammel *m*.

wet·ness ['wetnis] *s* Nässe *f*, Feuchtigkeit *f*.

wet| nurse *s* (Säug)Amme *f*. '**~-ˌnurse** *v/t* **1.** (*als Amme*) säugen. **2.** *fig.* verhätscheln, bemuttern. **~ pack** *s med.* feuchter 'Umschlag. **~ rot** *s bot.* Naßfäule *f*.

wet·ting ['wetiŋ] *s* **1.** Durch'nässung *f*: to get a ~ durchnäßt werden (vom Regen). **2.** Befeuchtung *f*.

wet·tish ['wetiʃ] *adj* etwas feucht.

we've [wiːv] *colloq. für* we have.

wey [wei] *s econ. ein Trockengewicht (zwischen 2 u. 3 Zentnern variierend).*

whack [(h)wæk] *colloq.* **I** *v/t* **1.** schlagen, ‚vermöbeln' (*a. beim Spiel*): to ~ off abhacken; ~ed ‚fertig', ‚erledigt', erschöpft. **2.** *oft* ~ up (auf)teilen. **3.** ~ up beschleunigen. **4.** ~ up (*od.* out) *etwas* ‚auf die Beine stellen' *od.* organi'sieren. **II** *v/i* **5.** schlagen. **III** *s* **6.** (knallender) Schlag. **7.** (An)Teil *m*. **8.** Versuch *m*: to take a ~ at sich an *e-e Arbeit etc* wagen *od.* machen, *etwas* anpacken. **9.** Zustand *m*: to be in a fine ~; to be out of ~ nicht in Ordnung sein; to be out of ~ with nicht im Einklang stehen mit. '**whack·er** *s* **1.** *Am. colloq.* Viehtreiber *m*. **2.** *sl.* a) ‚Mordsding' *n*, b) ‚Mordskerl' *m*, c) faustdicke Lüge, aufgelegter Schwindel. '**whack·ing I** *adj u. adv bes. Br. colloq.* mächtig, gewaltig, e'norm. **II** *s* (Tracht *f*) Prügel *pl*.

whack·y → wacky.

whale¹ [(h)weil] **I** *s* **1.** *zo. pl* **whales,** *bes. collect.* **whale** Wal *m*: bull ~ Walbulle *m*; cow ~ Walkuh *f*. **2.** *bes. Am. colloq.* (*etwas*) Riesiges *od.* Gewaltiges *od.* Großartiges *od.* Tolles: a ~ of a fellow ein Riesenkerl; a ~ of a lot e-e Riesenmenge; a ~ of a thing ein tolles Ding; to be a ~ for (*od.* on) ganz versessen sein auf (*acc*); to be a ~ at e-e ‚Kanone' sein in (*dat*). **II** *v/i* **3.** Walfang treiben.

whale² [(h)weil] *v/t bes. Am. colloq.* **1.** verprügeln, ,'durchwalken'. **2.** kräftig schlagen, hauen: to ~ the ball. **3.** *sport etc* vernichtend schlagen.

'**whale|ˌboat** *s mar.* **1.** *hist.* Walfänger *m*, -fangboot *n*. **2.** *Am.* Rettungsboot *n*. '**~ˌbone** *s* **1.** *zo.* Barte *f* (*Hornplatte im Oberkiefer e-s Wals*). **2.** Fischbein(stab *m*) *n*. '**~ˌbone whale** *s zo.* Bartenwal *m*. **~ calf** *s irr zo.* junger Wal. **~ fish·er·y** *s* **1.** Walfang *m*. **2.** Walfanggebiet *n*. **~ oil** *s* Walfischtran *m*.

whal·er¹ ['(h)weilər] *s* Walfänger *m* (*Person u. Boot*).

whal·er² ['(h)weilər] *s Am. sl.* ‚Mordskerl' *m*, ‚-ding' *n*.

whal·ing¹ ['(h)weiliŋ] **I** *s* Walfang *m*. **II** *adj* Walfang...

whal·ing² ['(h)weiliŋ] *Am. sl.* **I** *adj od. adv* e'norm, gewaltig. **II** *s* (Tracht *f*) Prügel *pl*.

whal·ing| gun *s* Har'punengeschütz *n*. **~ rock·et** *s* Harpu'nierraˌkete *f*.

wham [(h)wæm] → whang.

whang [(h)wæŋ] *colloq.* **I** *v/t* knallen, hauen. **II** *v/i* knallen (*a. schießen*), krachen, bumsen. **III** *s* Knall *m*, Krach *m*, Bums *m*. **IV** *interj* krach!, zack!

'**whangˌdoo·dle** *s Am.* **1.** *humor.* (*Art*) Fabeltier *n*. **2.** *sl.* aggres'siver Bursche. **3.** *sl.* ‚Quatsch' *m*.

wharf [(h)wəːrf] **I** *pl* **wharves** [-vz], *a.* **wharfs** [-fs] *s* **1.** *mar.* Kai *m*. **2.** *pl econ. mar.* Lagerhäuser *pl*. **II** *v/t mar.* **3.** *Waren* ausladen, löschen. **4.** *das Schiff* am Kai festmachen. '**wharf·age** *s econ. mar.* **1.** Benutzung *f* e-s Kais. **2.** Löschen *n* (*von Gütern*). **3.** **3.** Kaigeld *n*, -gebühr *f*. **4.** Kaianlage(n *pl*) *f*.

wharf boat *s mar. Am. Boot mit Plattform zum Löschen von Gütern etc.*

wharf·in·ger ['(h)wəːrfindʒər] *s mar.* **1.** Kaimeister *m*. **2.** Kaibesitzer *m*.

wharf rat *s* **1.** *zo.* Wanderratte *f*. **2.** *mar. Am. sl.* Hafendieb *m*.

wharves [(h)wɔːrvz] *pl von* **wharf.**

what [(h)wɒt] **I** *pron interrog* **1.** was, wie: ~ **is her name?** wie ist ihr Name?; ~ **did he do?** was hat er getan? **2.** was (*um Wiederholung e-s Wortes bittend*): **you want a** ~? was willst du? **3.** was für ein(e), welch(er, e, es), (*vor pl*) was für (*fragend od. als Verstärkung e-s Ausrufs*): ~ **an idea!** was für e-e Idee!; ~ **book?** was für ein Buch?; ~ **luck!** welch ein Glück!; ~ **men?** was für Männer?

II *pron rel* **4.** (das) was, *a.* (der) welcher: **this is** ~ **we hoped for** (gerade) das erhofften wir; **he sent us** ~ **he had promised us** er schickte uns (das), was er uns versprochen hatte *od.* das Versprochene; **it is nothing compared to** ~ **happened then** es ist nichts im Vergleich zu dem, was dann geschah; **he is no longer** ~ **he was** er ist nicht mehr der, der er war. **5.** was (auch immer): **say** ~ **you please!** sag, was du willst! **6. but** ~ (*negativ*) *colloq.* außer dem, der (*od.* das); außer der (*od.* denen), die: **there was no one but** ~ **was excited** es gab niemanden, der nicht aufgeregt war.

III *adj* **7.** was für ein(e), welch(er, e, es): **I don't know** ~ **decision you have taken** ich weiß nicht, was für e-n Entschluß du gefaßt hast; **he got** ~ **books he wanted** er bekam alle Bücher, die er wollte. **8.** alle *od.* jede die, alle was: ~ **money I had** was ich an Geld hatte, all mein Geld. **9.** soviel(e) ... wie: **take** ~ **time and men you need!** nimm dir soviel Zeit u. so viele Leute wie du brauchst!

IV *adv* **10.** was: ~ **does it matter. 11.** *vor adj* was für: ~ **happy boys they are!** was sind sie für glückliche Jungen! **12.** teils..., teils: ~ **with ...,** ~ **with ...** teils durch ..., teils durch. **13. but** ~ (*negativ*) *colloq.* daß: **never fear but** ~ **we shall go!** hab' keine Angst, wir gehen schon!; **not a day but** ~ **it rains** kein Tag, an dem es nicht regnet.

V *interj* **14.** was!, wie! **15.** (*fragend, unhöflich*) was?, wie? **16.** *Br.* nicht wahr?: **a nice fellow,** ~?

VI *s* **17.** Was *n.*

Besondere Redewendungen:

~ **about** wie wär's mit *od.* wenn?, wie steht's mit?; ~ **for** wofür?, wozu?; ~ **have you** *Am. sl.* ,was Ähnliches'; ~ **if?** und wenn nun?, (und) was geschieht wenn?; ~ **next?** a) was sonst noch?, b) *iro.* sonst noch was?, das fehlte noch!; **and** ~ **not** und was nicht sonst noch alles; ~ **(is the) news?** was gibt es Neues?; **(well),** ~ **of it?, so** ~? na, wenn schon?, na und?; ~ **though** was tut's, wenn?; ~ **with** infolge, durch, in Anbetracht (*gen*); **I know** ~ ich weiß was, ich habe e-e Idee; **to know** ~**'s** ~ *colloq.* wissen, was los ist; Bescheid wissen; **I'll tell you** ~ ich will dir ('mal) was sagen; ~ **ho!** holla!, heda.

'what|-d'you-ˌcall-it (*od.* **-'em** *od.* **-him** *od.* **-her**), **'~-d'ye-ˌcall-it** (*od.* **-'em** *od.* **-him** *od.* **-her**) ['(h)wɒtdjə-; -dʒə-] *s colloq.* ,Dings(da', -bums') *m, f, n.* **~'e'er** *poet. für* **whatever. ~'ev·er I** *pron* **1.** was (auch immer), alles was: **take** ~ **you like!**; ~ **I have is yours. 2.** was auch; trotz allem, was: **do it** ~ **happens! 3.** *colloq.* was denn, was eigentlich *od.* in aller Welt: ~ **do you want? II** *adj* **4.** welch(er, e, es) ... auch (immer): ~ **profit this work gives us** welchen Nutzen uns diese Arbeit auch (immer) bringt; **for** ~ **reasons he is angry** aus welchen Gründen er auch immer verärgert ist; einerlei *od.* ganz gleich, weshalb er wütend ist. **5.** *mit neg* (*nachgestellt*) über'haupt, gar nichts, niemand *etc*: **no doubt** ~ überhaupt *od.* gar kein *od.* keinerlei Zweifel. **'~ˌnot** *s* **1.** Eta'gere *f.* **2.** Ding(s) *n,* Etwas *n*: **~s** alles Mögliche. **3.** Kleinigkeit *f,* Sächelchen *n*: **a few ~s.**

what's [(h)wɒts] *colloq. für* **what is.** **'~-her-ˌname, '~-his-ˌname, '~-its-ˌname** *s colloq.* ,Dingsda' *m, f, n*: **Mr. what's-his-name** Herr Dingsda, Herr Soundso.

what·sis ['(h)wɒtsis] *s* ,Dingsbums' *n.*

ˌwhat·so'ev·er, *poet.* **ˌwhat·so'e'er** → → **whatever.**

wheal [(h)wiːl] → **wale.**

wheat [(h)wiːt] *s agr. bot.* Weizen *m.* ~ **belt** *s agr. geogr. Am.* Weizengürtel *m.* ~ **bread** *s* Weizen-, Weißbrot *n.* ~ **cake** *s* (*Art*) Pfannkuchen *m.*

wheat·en ['(h)wiːtn] *adj* Weizen...

whee·dle ['(h)wiːdl] **I** *v/t* **1.** *j-n* um'schmeicheln. **2.** *j-n* beschwatzen, über'reden (**into doing s.th.** etwas zu tun). **3. to** ~ **s.th. out of s.o.** j-m etwas abschwatzen *od.* abschmeicheln. **II** *v/i* **4.** schmeicheln. **'whee·dler** *s* Schmeichler(in). **'whee·dling** *adj* (*adv* **~ly**) schmeichelnd, schmeichlerisch.

wheel [(h)wiːl] **I** *s* **1.** (Wagen)Rad *n*: **on ~s** a) auf Rädern, b) *fig.* wie geschmiert, ,fix'; → **fifth wheel, shoulder** 1, **spoke**[1] 4. **2.** *allg.* Rad *n, tech. a.* Scheibe *f.* **3.** *mar.* Ruderrad *n.* **4.** Steuer(rad) *n,* Lenkrad *n*: **at the** ~ a) am Steuer, b) *fig.* am Ruder; **to take the** ~ fahren. **5.** *bes. Am. colloq.* (Fahr)Rad *n.* **6.** *hist.* Rad *n* (*Folterinstrument*): **to break s.o. on the** ~ j-n rädern *od.* aufs Rad flechten; **to break a (butter)fly (up)on the** ~ *fig.* mit Kanonen nach Spatzen schießen. **7.** (Glücks)Rad *n*: **the** ~ **of Fortune** *fig.* das Glücksrad; **a sudden turn of the** ~ e-e plötzliche (Schicksals)Wende. **8.** *fig.* a) Rad *n,* treibende Kraft, b) *pl* Räder(werk *n*) *pl,* Getriebe *n*: **the ~s of government** die Regierungsmaschinerie; **~s within ~s** e-e komplizierte Sache. **9.** Drehung *f,* Kreis(bewegung *f*) *m.* **10.** *mar. mil. bes. Br.* Schwenkung *f*: **right (left)** ~! rechts (links) schwenkt! **11.** *Turnen*: a) Rad *n,* b) Salto *m*: **to turn ~s** radschlagen. **12.** *Am. sl.* Dollar *m.*

II *v/t* **13.** drehen, wälzen, im Kreis bewegen. **14.** *mil. bes. Br.* e-e Schwenkung ausführen lassen. **15.** *j-n od. etwas* fahren, rollen, schieben.

III *v/i* **16.** sich (im Kreis) drehen, kreisen. **17.** *mil. bes. Br.* schwenken: **to** ~ **to the right (left)** *mil. Br.* e-e Rechts-(Links)schwenkung machen. **18.** rollen, fahren. **19.** *colloq.* radeln.

Verbindungen mit Adverbien:

wheel| a·bout I *v/i* **1.** sich (rasch) 'umdrehen *od.* -wenden. **2.** *fig.* 'umschwenken. **II** *v/t* **3.** her'umdrehen. **4.** her'umfahren: **to** ~ **a bath chair.** ~ **(a·)round** → **wheel about** 1 *u.* 2.

wheel| an·i·mal(·cule) *s zo.* Rädertierchen *n.* **'~ˌbar·row** *s* Schubkarre(n *m*) *f.* ~ **base** *s tech.* Radstand *m.* ~ **brake** *s* Radbremse *f.* ~ **chair** *s med.* Rollstuhl *m.*

wheeled [(h)wiːld] *adj* **1.** fahrbar, Roll..., Räder...: ~ **bed** *med.* Rollbett *n.* **2.** (*in Zssgn*) ...räd(e)rig: **three-~.**

wheel·er ['(h)wiːlər] *s* **1.** *j-d, der etwas rollt od. schiebt.* **2.** *etwas, was rollt od. Räder hat.* **3.** (*in Zssgn*) Wagen *m od.* Fahrzeug *n* mit ... Rädern: **four-~** *tech.* Vierradwagen *m,* Zweiachser *m.* **4.** → **wheel horse** 1. **5.** *Br. für* **wheelwright. '~-ˌdeal·er** *s Am. colloq.* raffi'nierter Bursche, ,guter Geschäftsmann'.

wheel| horse *s* **1.** Stangen-, Deichselpferd *n.* **2.** *fig.* Arbeitstier *n,* Packesel *m.* **'~ˌhouse** *s* **1.** *mar.* Ruderhaus *n.* **2.** *tech. Am.* Radkasten *m.*

wheel·ing ['(h)wiːliŋ] *s* **1.** Beförderung *f* auf Rädern, Rollen *n.* **2.** Drehung *f,* Schwenkung *f,* Wendung *f.* **3.** Befahrbarkeit *f* (*e-r Straße*): **it is good** ~ es fährt sich gut.

wheel| load *s tech.* Raddruck *m,* -last *f.* **'~·man** [-mən] *s irr* **1.** *colloq.* a) Radfahrer *m,* b) (Auto)Fahrer *m.* **2.** → **wheelsman.**

wheels·man ['(h)wiːlzmən] *s irr mar. bes. Am.* Rudergänger *m.*

wheel| stat·ics *s pl* (*als sg konstruiert*) *electr. tech.* (statische) Aufladungen *pl* der Gummireifen. ~ **win·dow** *s arch.* Radfenster *n.* **'~ˌwork** *s tech.* Räderwerk *n.* **'~ˌwright** *s tech.* Stellmacher *m.*

wheeze [(h)wiːz] **I** *v/i* **1.** keuchen, pfeifend atmen, schnaufen. **II** *v/t* **2.** *etwas* keuchen(d her'vorstoßen). **III** *s* **3.** Keuchen *n,* pfeifendes Atmen. **4.** pfeifendes Geräusch. **5.** *sl.* a) *thea.* Gag *m,* improvi'sierter Scherz, b) Jux *m,* Ulk *m,* c) alter *od.* fauler Witz, d) Trick *m.* **'wheez·y** *adj* keuchend, pfeifend, schnaufend, asth'matisch (*a. humor. Orgel etc*).

whelk[1] [(h)welk] *s zo.* Wellhorn(schnecke *f*) *n.*

whelk[2] [(h)welk] *s med.* Pustel *f.*

whelm [(h)welm] *v/t poet.* **1.** ver-, über'schütten, versenken, -schlingen. **2.** (**in, with**) *fig.* über'schütten *od.* -'häufen (mit), über'wältigen (durch).

whelp [(h)welp] **I** *s* **1.** a) Welpe *m* (*junger Hund, Fuchs od. Wolf*), b) *allg.* Junge(s) *n.* **2.** Balg *m, n* (*ungezogenes Kind*). **II** *v/t u. v/i* **3.** (Junge) werfen.

when [(h)wen] **I** *adv* **1.** (*fragend*) wann: ~ **did it happen? 2.** (*relativ*) als, wo, da: **the day** ~ der Tag, an dem *od.* als; **the time** ~ **it happened** die Zeit, in *od.* zu der es geschah; **the years** ~ **we were poor** die Jahre, als wir arm waren; **there are occasions** ~ es gibt Gelegenheiten, wo.

II *conj* **3.** wann: **she doesn't know** ~ **to be silent. 4.** (damals, zu der Zeit *od.* in dem Augenblick,) als: ~ **(he was) young, he lived in M.; we were about to start** ~ **it began to rain** wir wollten gerade fortgehen, als es zu regnen anfing *od.* da fing es zu regnen an; **say** ~! *colloq. ellipt.* sag, wenn es so weit ist *od.* wenn du genug hast! (*bes. beim Einschenken*). **5.** (dann,) wenn: ~ **it is very cold, you like to stay at home** wenn es sehr kalt ist, bleibt man gern(e) zu Hause. **6.** (immer) wenn, so'bald, so oft: **come** ~ **you please! 7.** (*ausrufend*) wenn: ~ **I think what I have done for her!** wenn ich daran denke, was ich für sie getan habe! **8.** worauf'hin, und dann: **we explained it to him,** ~ **he at once consented. 9.** während, ob'wohl, wo ... (doch), da ... doch: **why did you tell her,** ~ **you knew it would hurt her?** warum hast du es ihr gesagt, wo du (doch) wußtest, es würde ihr weh tun?

III *pron* **10.** wann, welche Zeit: **from** ~ **does it date?** aus welcher Zeit stammt es?; **since** ~? seit wann?; **till** ~? bis wann? **11.** (*relativ*) welcher Zeitpunkt, wann: **they left us on Wednesday, since ~ we have heard nothing** sie verließen uns am Mittwoch, und seitdem haben wir nichts mehr von ihnen gehört; **till ~** und bis dahin.

IV *s* **12.** Wann *n*: **the ~ and where of s.th.** das Wann und Wo e-r Sache.

when·as [(h)wen'æz] *conj obs.* **1.** wenn, während. **2.** weil, da. **3.** wohin'gegen, während.

whence [(h)wens] *bes. poet.* **I** *adv* **1.** (*fragend*) a) wo'her, von wo(her), von wannen, b) *fig.* wo'her, wor'aus, wo'durch, wie. **2.** (*relativ*) a) wo'her, von wo, b) *fig.* wor'aus, wes'halb. **II** *conj* **3.** (von) wo'her. **4.** *fig.* wes'halb, und deshalb. **5.** dahin, von wo: **return ~ you came!** geh wieder dahin, wo du hergekommen bist! **III** *pron* **6.** (*relativ, auf Orte bezogen*) welch(er, e, es): **the country from ~ she comes** das Land, aus welchem sie kommt. **ˌ~·so'ev·er,** *a.* **whenc·ev·er** ['(h)wens'evər] *adv od. conj* wo'her auch (immer).

when|ev·er → **whenever** II. **~'ev·er,** *poet. a.* **~'e'er,** (*verstärkend*) **ˌ~·so'ev·er I** *conj* wann auch (immer), einerlei wann, (immer) wenn, so'oft (als), jedesmal wenn. **II** *adv* (*fragend*) *colloq.* wann denn (nur).

where [(h)wɛr] **I** *adv* (*fragend u. relativ*) **1.** wo: **~ ... from?** woher?, von wo?; **~ ... to?** wohin?; **~ shall we be, if** *fig.* wohin kommen wir *od.* was wird aus uns, wenn. **2.** inwie'fern, in welcher 'Hinsicht: **~ does this touch our interests? 3.** wo'hin: **~ are you looking? 4.** wo'her.

II *conj* **5.** (der Platz *od.* die Stelle) wo: **I cannot find ~ the fault is** ich kann nicht feststellen, wo der Fehler liegt. **6.** (da) wo: **go on reading, ~ we stopped yesterday! 7.** *fig.* (da *od.* in dem Falle *od.* in e-r Situati'on) wo: **~ you should be silent, don't talk!** rede nicht, wo du schweigen solltest! **8.** *bes. jur.* in dem Falle, daß; wo (*im Deutschen oft unübersetzt*): **~ such limit is exceeded** wird diese Grenze überschritten. **9.** dahin *od.* 'irgendwoˌhin, wo, wo'hin: **he must be sent ~ he will be taken care of** man muß ihn (irgend)wohin schicken, wo man für ihn sorgt; **go ~ you please!** geh, wohin du willst!

III *s* **10.** *meist pl* Wo *n*.

'where|·aˌbouts I *adv od. conj* **1.** wo ungefähr *od.* etwa: **~ did you find her? 2.** *obs.* wor'über, wor'um. **II** *s pl* (*als sg konstruiert*) **3.** Aufenthalt(sort) *m*, Verbleib *m*: **do you know his ~?** weißt du, wo er sich aufhält? **~'as** *conj* **1.** wohin'gegen, während, wo... doch. **2.** *jur.* da; in Anbetracht dessen, daß (*im Deutschen meist unübersetzt*). **~'at** *adv u. conj* **1.** wor'an, wo'bei, wor'auf. **2.** (*relativ*) an welchem (welcher) *od.* dem (der), wo: **the place ~. ~'by** [-'bai] *adv u. conj* **1.** wo'durch, wo'mit. **2.** (*relativ*) durch welchen (welche, welches).

wher'e'er *poet. für* **wherever.**

'where|ˌfore I *adv od. conj* **1.** wes'halb, wo'zu, war'um, wes'wegen, und deshalb. **2.** (*relativ*) für welchen (welche, welches), wo'zu, wo'für. **II** *s oft pl* **3.** (*das*) Wes'halb, (*die*) Gründe *pl.* **~'from** *adv od. conj* wo'her, von wo. **~'in** *adv* wor'in, in welchem (welcher). **~'in·to** *adv od. conj* **1.** 'wohinˌein. **2.** (*relativ*) in welchen (welche, welches). **~'of** *adv u. conj* wo'von. **~'on** *adv od. conj* **1.** wor'auf. **2.** (*relativ*) auf dem (der) *od.* den (die, das), auf welchem (welcher) *od.* welchen (welche, welches). **~'out** *adv od. conj obs.* wor'aus. **ˌ~·so'ev·er,** *poet a.* **ˌ~·so'e'er** → **wherever** 1. **~'through** *adv u. conj* (*relativ*) wo'durch, durch den (die, das). **~'to** *adv od. conj* **1.** wo'hin. **2.** (*relativ*) wo'hin, an den (die, das). **~'un·der** *adv od. conj* **1.** wor'unter. **2.** (*relativ*) unter dem (der) *od.* unter den (die, das). **ˌ~·un'to** *obs. für* **whereto. ˌ~·up'on** *adv od. conj* **1.** wor'auf, worauf'hin. **2.** (*als Satzanfang*) daraufhin.

wher·ev·er [(h)wɛ(ə)r'evər] *adv od. conj* **1.** wo('hin) auch immer; ganz gleich, wo('hin). **2.** *colloq.* wo'hin denn (nur): **~ could he be?** wo kann er denn (nur) sein?

where|'with I *adv od. conj* **1.** wo'mit. **2.** (*relativ*) mit welchem (welcher), mit dem (der). **II** *prep* **3.** etwas, wo'mit: **I have ~ to punish him** ich habe etwas, womit ich ihn strafe(n kann). **~·with·al** ['(h)wɛrwiˌðɔːl] *s* (*die*) (nötigen) Mittel *pl*, (*das*) Nötige, (*das*) nötige (Klein)Geld.

wher·ry ['(h)weri] *s* **1.** Jolle *f*. **2.** Skullboot *n*. **3.** Fährboot *n*. **4.** *Br.* Frachtsegler *m*. **'~·man** [-mən] *s irr mar.* **1.** Fährmann *m*. **2.** Jollenführer *m*.

whet [(h)wet] **I** *v/t* **1.** wetzen, schärfen, schleifen. **2.** *fig. den Appetit* anregen, *die Neugierde etc* reizen, anstacheln. **II** *s* **3.** Wetzen *n*, Schärfen *n*, Schleifen *n*. **4.** *fig.* Ansporn *m*, Anreiz *m*. **5.** (Appe'tit)Anreger *m*, *bes.* Apéri'tif *m*, Schnäps-chen *n*.

wheth·er ['(h)weðər] **I** *conj* **1.** ob (or not oder nicht): **I do not know ~ he will come; you must go there, ~ you want to go or not; ~ or no** auf jeden Fall, so oder so. **2. ~ ... or** entweder *od.* sei es, daß ... oder. **3.** *obs.* ob ... wohl (*oft unübersetzt*): **~ we live, we live unto the Lord** *Bibl.* leben wir, so leben wir dem Herrn. **II** *pron od. adj* **4.** *obs.* welch(er, e, es) (*von beiden*).

'whetˌstone *s* **1.** Wetz-, Schleifstein *m*. **2.** *fig.* Anreiz *m*.

whew [hwuː; hjuː] *interj* **1.** (*erstaunt, bewundernd*) (h)ui!, ‚Mann'! **2.** (*angeekelt, erleichtert, erschöpft etc*) puh!

whey [(h)wei] *s* Molke *f*. **whey·ey** ['(h)weii] *adj* molkig. **'wheyˌfaced** *adj* käsig, käseweiß.

which [(h)witʃ] **I** *pron interrog* **1.** (*bezogen auf Sachen od. Personen*) welch(er, e, es) (*aus e-r bestimmten Gruppe od. Anzahl*): **~ of these houses?** welches dieser Häuser?; **~ of you has done it?** wer *od.* welcher von euch hat es getan? **II** *pron* (*relativ*) **2.** welch(er, e, es), der (die, das) (*bezogen auf Dinge, Tiere od. obs. Personen*). **3.** (*auf den vorhergehenden Satz bezüglich*) was: **she laughed loudly, ~ irritated him. 4.** (*in eingeschobenen Sätzen*) (etwas,) was: **and ~ is still worse, all you did was wrong** und was noch schlimmer ist, alles was du machtest, war falsch. **III** *adj* **5.** (*fragend od. relativ*) welch(er, e, es): **~ place will you take?** auf welchem Platz willst du sitzen?; **take ~ book you please** nimm welches Buch du willst. **6.** (*auf das Vorhergehende bezogen*) und dies(er, e, es), welch(er, e, es) (*nachgestellt*): **during ~ time he had not eaten** und während dieser Zeit hatte er nichts gegessen; **he will tell you nice things, ~ flatterings you must not take literally** er wird dir nette Dinge sagen, Schmeicheleien, welche du nicht wörtlich nehmen darfst. **~'ev·er,** (*verstärkend*) **ˌ~·so'ev·er** *pron u. adj* welch(er, e, es) (auch) immer; ganz gleich, welch(er, e, es): **take ~ you want** nimm, welches du (auch) immer willst.

whid·ah ['(h)widə], **~ bird, ~ finch** *s orn.* Witwenvogel *m*, Widahfink *m*.

whiff [(h)wif] **I** *s* **1.** Luftzug *m*, Hauch *m*. **2.** Duftwolke *f*, (*a.* übler) Geruch. **3.** a) ausgestoßene Dampf- *od.* Rauchwolke, b) Zug *m* (*beim Rauchen*). **4.** Schuß *m* (*Chloroform etc*). **5.** *fig.* Anflug *m*, Hauch *m*. **6.** *colloq.* Ziga'rillo *n*. **II** *v/i* **7.** blasen, wehen. **8.** paffen, rauchen. **9.** *sl.* ‚duften', (unangenehm) riechen. **III** *v/t* **10.** blasen, wehen, treiben. **11.** *Rauch etc* a) ausstoßen, b) einatmen, -saugen. **12.** *e-e Zigarre etc* paffen.

whif·fet ['(h)wifit] *s Am.* **1.** kleiner Hund. **2.** *colloq.* → **whippersnapper.**

whif·fle ['(h)wifl] **I** *v/i* **1.** böig wehen (*Wind*). **2.** flackern (*Flamme*), flattern (*Blatt*). **3.** *fig.* schwanken, flatterhaft sein. **II** *v/t* **4.** fort-, wegblasen.

whiff·y ['(h)wifi] *adj sl.* unangenehm riechend, stinkend.

Whig [(h)wig] *pol. hist.* **I** *s* **1.** *Br.* a) Whig *m*, b) (*mehr konservativ gesinnter*) Libe'raler. **2.** *Am.* Whig *m*: a) Natio'nal(republiˌkan)er (*Unterstützer der amer. Revolution*), b) *Anhänger e-r Oppositionspartei gegen die Demokraten* (*um 1840*). **II** *adj* **3.** Whig..., whig'gistisch.

Whig·ga·more ['(h)wigəˌmɔːr] *s Scot.* **1.** *Westschotte, der 1648 am Zug gegen Edinburgh teilnahm.* **2.** **w~** *contp.* schottischer Presbyteri'aner.

Whig·ger·y ['(h)wigəri] *s pol. meist contp.* Grundsätze *pl od.* Handlungsweise *f* der Whigs. **'Whig·gism** *s pol.* Whig'gismus *m*, Libera'lismus *m*.

while [(h)wail] **I** *s* **1.** Weile *f*, Zeit(spanne) *f*: **a long ~ ago** vor e-r ganzen Weile; **(for) a ~** e-e Zeitlang; **for a long ~** lange (Zeit), seit langem; **all this ~** die ganze Zeit, dauernd; **in a little** (*od.* **short**) **~** bald, binnen kurzem; → **once** 1 *u.* 4; **the ~** derweil, währenddessen; **between ~s** zwischendurch; **worth (one's) ~** der Mühe wert; **it is not worth (one's) ~** es ist nicht der Mühe wert, es lohnt sich nicht. **II** *conj* **2.** während (*zeitlich*). **3.** so'lange (wie): **~ there is life, there is hope** der Mensch hofft, solange er lebt. **4.** während, wo(hin)'gegen: **he is clever ~ his sister is stupid. 5.** wenn auch, ob'wohl, zwar: **~ (he is) our opponent, he is not our enemy. III** *v/t* **6.** *meist* **~ away** sich *die Zeit* vertreiben.

whiles [(h)wailz] **I** *adv dial.* **1.** manchmal. **2.** in'zwischen. **II** *conj obs. für* **while** II.

whi·lom ['(h)wailəm] *obs.* **I** *adv* weiland, einst, ehemals. **II** *adj* einstig.

whilst [(h)wailst] → **while** II.

whim [(h)wim] *s* **1.** Laune *f*, Grille *f*, wunderlicher Einfall, Ma'rotte *f*: **at one's own ~** ganz nach Laune. **2.** Launen(haftigkeit *f*) *pl*. **3.** *Bergbau*: Göpel *m*, 'Förderma,schine *f*.

whim·brel ['(h)wimbrəl] *s orn.* Regenbrachvogel *m*.

whim·per ['(h)wimpər] **I** *v/t u. v/i* wimmern, winseln. **II** *s* Wimmern *n*, Winseln *n*.

whim·sey → **whimsy.**

whim·si·cal ['(h)wimzikəl] *adj* (*adv* **~ly**) **1.** launenhaft (*a. fig.*), grillenhaft, wunderlich. **2.** schrullig, ab'sonderlich, seltsam. **3.** hu'morig, drollig. **ˌwhim·si'cal·i·ty** [-'kæliti], **'whim·si·cal·ness** *s* **1.** Launen-, Grillenhaf-

tigkeit *f*, Wunderlichkeit *f*. **2.** wunderlicher *od.* origi'neller Einfall.
whim·sy ['(h)wimzi] **I** *s* **1.** Laune *f*, Grille *f*. **2.** wunderliche *od.* phan'tastische Schöpfung, seltsamer Gegenstand. **II** *adj* → **whimsical.**
whim·wham ['(h)wim,(h)wæm] *s* **1.** Laune *f*, Grille *f*. **2.** a) Tand *m*, Schnickschnack *m*, b) → **whimsy** 2. **3.** *pl Am. sl.* ‚Tatterich' *m*, ‚zerfranste Nerven' *pl*.
whin[1] [(h)win] *a. pl s* Stechginster *m*.
whin[2] [(h)win] → **whinstone.**
'whin|·ber·ry [-bəri] *s bot. dial.* Heidelbeere *f*. **'~,chat** *s orn.* Braunkehlchen *n*.
whine [(h)wain] **I** *v/i* **1.** winseln: a) wimmern, b) winselnd betteln. **2.** greinen, quengeln, jammern. **II** *v/t* **3.** *oft* ~ **out** *etwas* weinerlich sagen, winseln. **III** *s* **4.** Gewinsel *n*. **5.** Gejammer *n*, Gequengel *n*. **'whin·ing** *adj* (*adv* ~**ly**) winselnd, weinerlich. [**II** *s* Wiehern *n*.]
whin·ny ['(h)wini] **I** *v/i* wiehern (*Pferd*).
whin·sill ['(h)winsil] *s geol.* (*in Nordengland*) Ba'saltgestein *n*.
'whin,stone *s geol.* Ba'salt(tuff) *m*, Trapp *m*.
whip [(h)wip] **I** *s* **1.** Peitsche *f*, Geißel *f*: ~ **and spur** *adv* Hals über Kopf, spornstreichs. **2. to be a good (bad)** ~ gut (schlecht) kutschieren. **3.** *fig.* a) Geißel *f*, Plage *f*, b) Hieb *m*, Strafe *f*. **4.** a) peitschende Bewegung, 'Hin- u. 'Herschlagen *n*, b) Schnellkraft *f*. **5.** *hunt.* → **whipper-in** 1. **6.** *parl. bes. Br.* a) Einpeitscher *m* (*Parteimitglied, das die Anhänger zu Abstimmungen etc zs.-trommelt*), b) Rundschreiben *n*, Aufforderung(sschreiben *n*) *f* (*bei e-r Versammlung etc zu erscheinen; je nach Wichtigkeit ein- od. mehrfach unterstrichen*): **to send a** ~ **round** die Parteimitglieder ‚zs.-trommeln'; **three-line** ~ Aufforderung, unbedingt zu erscheinen. **7.** *tech.* a) Wippe *f* (*a. electr.*), b) ~ **and derry** Flaschenzug *m*. **8.** *Kochkunst*: Schlagcreme *f*. **9.** *Näherei*: über'wendliche Naht. **10.** → **whip-round.**
II *v/t pret u. pp* **whipped, whipt** **11.** peitschen, schlagen: **to** ~ **into shape** *fig.* ‚auf Zack bringen', zurechtmachen. **12.** (aus-, 'durch)peitschen, geißeln. **13.** *fig.* geißeln, *j-m* (*mit Worten*) zusetzen. **14.** *a.* ~ **on** antreiben. **15.** schlagen, verprügeln: **to** ~ **s.th. into (out of) s.o.** j-m etwas einbleuen (etwas mit Schlägen austreiben). **16.** *bes. Am. colloq.* schlagen, besiegen, über'treffen. **17.** reißen *od.* ziehen *od.* raffen: **to** ~ **away** wegreißen; **to** ~ **from** wegreißen *od.* -fegen von; **to** ~ **on** *e-n Mantel etc* überwerfen; **to** ~ **out** plötzlich zücken, (schnell) *aus der Tasche* ziehen. **18.** *Gewässer* abfischen. **19.** *oft* ~ **about,** ~ ~ **around,** ~ **over** um'wickeln, *mar. Tau* betakeln. **20.** *Schnur, Garn* wikkeln (**about** um *acc*). **21.** über'wendlich nähen, über'nähen, um'säumen. **22.** *Eier, Sahne* (schaumig) schlagen: → **whipped** 2.
III *v/i* **23.** sausen, flitzen, schnellen: **to** ~ **round** sich ruckartig umdrehen.
Verbindungen mit Adverbien:
whip| in *v/t* **1.** *hunt. Hunde* zs.-treiben. **2.** *parl. Parteimitglieder* ‚zs.-trommeln'. ~ **off** *v/t* **1.** weg-, her'unterreißen. **2.** *j-n* ‚wegzaubern', rasch entführen. **3.** *sl. Getränk* hin'unterstürzen. ~ **up** *v/t* **1.** antreiben. **2.** aufraffen, packen. **3.** *fig.* aufpeitschen. **4.** a) ‚'herzaubern', ‚auf die Beine stellen', b) *Leute* ‚zs.-trommeln'.

whip| a·e·ri·al, *Am.* ~ **an·ten·na** *s* 'Staban,tenne *f*. **'~,cord** *s* **1.** Peitschenschnur *f*: **his veins stood out like** ~ s-e Adern waren dick angeschwollen. **2.** Whipcord *m* (*schräggeripptes Kammgarn*). ~ **fish** *s* Klipp-, Ko'rallenfisch *m*. **'~,graft** *v/t agr. bot.* kopu'lieren. ~ **hand** *s* Peitschenhand *f*, rechte Hand (*des Reiters etc*): **to get the** ~ **of** die Oberhand gewinnen über (*acc*); **to have the** ~ **of s.o.** j-n in der Gewalt *od.* an der Kandare haben. **'~,lash** *s* Peitschenriemen *m*, -schnur *f*, Schmicke *f*: ~ **injury** *med.* (typische) Aufprallverletzung (*e-s Autofahrers: Gehirnerschütterung u. Halswirbelzerrung durch Vor- u. Zurückschnellen des Kopfes*).
whipped [(h)wipt] *adj* **1.** gepeitscht. **2.** schaumig (geschlagen *od.* gerührt): ~ **cream** Schlagsahne *f*, -rahm *m*; ~ **eggs** Eischnee *m*.
whip·per ['(h)wipər] *s* **1.** Peitschende(r *m*) *f*. **2.** *hist.* Auspeitscher *m*. **3.** *mar.* Kohlentrimmer *m*. **'~-'in** *pl* **'~s-'in** *s bes. Br.* **1.** Pi'kör *m* (*Führer der Hunde bei der Hetzjagd*). **2.** → **whip** 1. **3.** *sport sl.* ‚Schlußlicht' *n* (*Pferd*). **'~,snap·per** *s* **1.** Knirps *m*, Drei'käsehoch *m*. **2.** Gernegroß *m*, Gelbschnabel *m*, Springinsfeld *m*.
whip·pet ['(h)wipit] *s* **1.** *zo.* Whippet *m* (*kleiner englischer Rennhund*). **2.** *mil. hist.* (*leichter*) Panzerkampfwagen.
whip·ping ['(h)wipiŋ] *s* **1.** (Aus)Peitschen *n*. **2.** (Tracht *f*) Prügel *pl*, Schläge *pl*, Hiebe *pl*. **3.** *sport colloq.* ‚Hiebe' *pl*, Niederlage *f*. **4.** a) 'Garnum,wick(e)lung *f*, b) *mar.* Tautakelung *f*. **5.** *Näherei*: über'wendliches Nähen. **6.** *Buchbinderei*: Heften *n*. **7.** Garn *n* zum Heften *od.* Um'winden. ~ **boy** *s* a) Prügelknabe *m* (*a. fig.*), b) *fig.* Sündenbock *m*. **'~'in** *s parl.* Einpeitschen *n*. ~ **post** *s hist.* Schandpfahl *m*, Staupsäule *f*. ~ **top** *s* Kreisel *m* (*der mit e-r Peitsche getrieben wird*). [scheit *n*.]
whip·ple·tree ['(h)wipl,triː] *s* Ort-
whip·poor·will [,(h)wipər'wil] *s orn.* Schreiender Ziegenmelker.
whip·py ['(h)wipi] *adj* biegsam, geschmeidig.
whip| ray *s ichth.* Stechrochen *m*. ~ **rod** *s* um'wickelte Angelschnur. **'~-,round** *s Br. colloq.* **1.** Rundschreiben *n* mit der Bitte um Spenden. **2.** Kol'lekte *f*, Geldsammlung *f*. **'~,saw I** *s* (zweihändige) Schrotsäge. **II** *v/t* mit der Schrotsäge sägen. **III** *v/i bes. pol. Am.* sich von 2 Seiten bestechen lassen. ~ **snake** *s zo.* Peitschenschlange *f*. **'~,stall** *aer.* **I** *s* ‚Männchen' *n* (*beim Kunstflug*). **II** *v/i* das Flugzeug über'ziehen. **III** *v/t das Flugzeug* über'ziehen. ~ **stall** → **whipstall** I.
whip·ster ['(h)wipstər] → **whipper-snapper.**
'whip|,stick → **whipstock.** **'~,stitch** **I** *v/t u. v/i* **1.** über'wendlich nähen. **II** *s* **2.** über'wendlicher Stich. **3.** hastig fertiggestellte Arbeit. **4.** *contp.* ‚Meister *m* Zwirn' (*Schneider*). **5.** *Am. colloq.* Augenblick *m*: **at every** ~ alle Augenblicke, ständig. **'~,stock** *s* Peitschengriff *m*, -stiel *m*.
whip·sy-der·ry ['(h)wipsi,deri] *s tech.* Flaschenzug *m*.
whir [(h)wəːr] **I** *v/i* schwirren, surren. **II** *v/t Flügel etc* schwirren lassen. **III** *s* Schwirren *n*, Surren *n*. **IV** *interj* surr!, brr!
whirl [(h)wəːrl] **I** *v/i* **1.** wirbeln, sich schnell (*im Kreis, um e-n Gegenstand, im Tanz*) drehen: **to** ~ **about** (*od.* **round**) a) herumwirbeln, b) sich rasch umdrehen. **2.** eilen, sausen: **to** ~ **away** forteilen. **3.** wirbeln, sich drehen (*Kopf*): **my head** ~**s** mir ist schwindelig. **II** *v/t* **4.** *allg.* (her'um)wirbeln: **he** ~**ed his stick around; to** ~ **up dust** Staub aufwirbeln. **5.** *obs.* schleudern. **III** *s* **6.** (Her'um)Wirbeln *n*. **7.** Wirbel *m*, schnelle Kreisbewegung: **to be in a** ~ (herum)wirbeln; **to give s.th. a** ~ a) etwas herumwirbeln, b) *Am. colloq.* etwas prüfen *od.* ausprobieren. **8.** kurzer Lauf *od.* Weg, Drehung *f*. **9.** her'umgewirbelter Gegenstand. **10.** Wirbel *m*, Strudel *m*. **11.** *fig.* Wirbel *m*: a) Strudel *m*, Tu'mult *m*, wirres Treiben, b) Schwindel *m*, Verwirrung *f* (*der Sinne etc*): **her thoughts were in a** ~ ihre Gedanken wirbelten durcheinander; **a** ~ **of passion** ein Wirbel der Leidenschaft. **12.** *bot. zo.* → **whorl** 1 *u.* 2.
'whirl|·a,bout I *s* **1.** → **whirl** 6, 7. **2.** → **whirligig** 2. **3.** (*etwas*) sich rasch Drehendes. **II** *adj* **4.** her'umwirbelnd, Wirbel..., Dreh... **'~,blast** *s* Wirbelwind *m*. **'~,bone** *s anat. bes. dial. Br.* Kugelgelenk *n*, *bes.* a) (Oberschenkel)Kugel *f*, b) Kniescheibe *f*.
whirl·i·cane ['(h)wəːrli,kein] *s meteor.* Hurrikan-Wirbelsturm *m*.
whirl·i·gig ['(h)wəːrli,gig] *s* **1.** etwas was (sich) schnell dreht. **2.** *Kinderspielzeug*: a) Dreh-, Schnurr-, Windrädchen *n*, b) Kreisel *m*. **3.** Karus'sell *n* (*a. fig. der Zeit*). **4.** a) Wirbel(bewegung *f*) *m*, b) *fig.* Wirbel *m*, Strudel *m*: **the** ~ **of events** der Wirbel der Ereignisse. **5.** *obs. fig.* ‚Quirl' *m*, wankelmütige Per'son. **6.** *a.* ~ **beetle** *zo.* Taumelkäfer *m*.
whirl·ing ['(h)wəːrliŋ] *adj* wirbelnd, Wirbel...: ~ **motion** Wirbelbewegung *f*; ~ **table** a) Fliehkraft-, Schwungmaschine *f*, b) Töpferscheibe *f*.
'whirl|,pool *s* **1.** (Wasser)Strudel *m*. **2.** *fig.* Wirbel *m*, Strudel *m*, Gewirr *n*. **'~,wind** *s* Wirbelwind *m*, -sturm *m* (*a. fig.*).
whirl·y·bird ['(h)wəːrli,bəːrd] *s bes. Am. sl.* ‚Kaffeemühle' *f*, Hubschrauber *m*.
whirr → **whir.**
whish[1] [(h)wiʃ] **I** *v/i* da'hinfegen, -surren, -schwirren. **II** *s* Schwirren *n*.
whish[2] [(h)wiʃ] → **hush.**
whisk [(h)wisk] **I** *s* **1.** Wischen *n*, Fegen *n*. **2.** Husch *m*, Nu *m*: **in a** ~ im Nu. **3.** schnelle *od.* heftige Bewegung (*e-s Tierschwanzes*), Wischer *m*. **4.** leichter Schlag, ‚Wischer' *m*. **5.** Wisch *m*, Büschel *n* (*Stroh, Haare etc*). **6.** (Staub-, Fliegen)Wedel *m*. **7.** *Küche*: Schneebesen *m*. **II** *v/t* **8.** *Staub etc* (weg)wischen, (-)fegen. **9.** fegen, *mit dem Schwanz* schlagen. **10.** ~ **away** (*od.* **off**) schnell verschwinden lassen, wegnehmen, -zaubern, *a. j-n* schnellstens wegbringen, entführen. **III** *v/i* **11.** wischen, huschen, flitzen: **to** ~ **away** weghuschen. ~ **broom** *s* Kleiderbesen *m*.
whisk·er ['(h)wiskər] *s* **1.** *meist pl* (**a pair of** ~**s** ein) Backenbart *m*. **2.** a) Barthaar *n*, b) *pl* Bart *m*. **3.** *zo.* Schnurr-, Barthaar *n* (*von Katzen etc*). **'whisk·ered** *adj* **1.** e-n Backenbart tragend, backenbärtig. **2.** *zo.* mit Schnurrhaaren (versehen).
whis·key[1] ['(h)wiski] *s* (*bes. in den USA u. Irland hergestellter*) Whisky.
whisk·ey[2] → **whisky**[2].
whis·key·fied, whis·ki·fied → **whiskyfied.**
whis·ky[1] ['(h)wiski] **I** *s* **1.** Whisky *m*.

2. (Schluck *m od.* Glas *n*) Whisky *m*: ~ **and soda** Whisky Soda; ~ **sour** Whisky mit Zitrone. **II** *adj* **3.** Whisky...: ~ **liver** *med.* Säuferleber *f.*

whisk·y² ['(h)wiski] *s* Whisky *n* (*einspänniger offener Wagen*).

whis·ky·fied ['(h)wiski͵faid] *adj humor.* vom Whisky betrunken, voll Whisky.

whis·per ['(h)wispər] **I** *v/t u. v/i* **1.** wispern, flüstern, raunen: **to** ~ (**s.th.**) **to s.o., to** ~ **s.o.** (**s.th.**) j-m (etwas) zuflüstern *od.* zuraunen. **2.** *fig.* flüstern, tuscheln, munkeln (**about** *od.* **against s.o.** über j-n); **it was** ~**ed that** man munkelte, daß. **3.** raunen, flüsten (*Baum, Wasser, Wind*). **II** *s* **4.** Flüstern *n*, Wispern *n*, Geflüster *n*, Gewisper *n*: **in a** ~, **in** ~**s** flüsternd, im Flüsterton. **5.** Tuscheln *n*, Getuschel *n*. **6.** a) geflüsterte *od.* heimliche Bemerkung, b) Gerücht *n*, *pl a.* Gemunkel *n*: **there were** ~**s** es wurde gemunkelt. **7.** Rascheln *n*, Raunen *n*. '**whis·per·er** *s* **1.** Flüsternde(r *m*) *f*. **2.** Zuträger(in), Ohrenbläser(in). '**whis·per·ing I** *adj* (*adv* ~**ly**) **1.** flüsternd. **2.** Flüster...: ~ **baritone** Flüsterbariton *m*; ~ **campaign** Flüsterkampagne *f*; ~ **dome** Flüstergewölbe *n*; ~ **gallery** Flüstergalerie *f*. **II** *s* → **whisper** 4.

whist¹ [(h)wist] **I** *interj* pst!, still! **II** *s Ir.* Schweigen *n*: **hold your** ~ sei still!

whist² [(h)wist] *s* Whist *n* (*Kartenspiel*): ~ **drive** Whistturnier *n*.

whis·tle ['(h)wisl] **I** *v/i* **1.** pfeifen (*Person, Vogel, Lokomotive etc*): **he may** ~ **for it** *colloq.* darauf kann er lange warten, das kann er sich in den Kamin schreiben; **to** ~ **off** *colloq.* sich aus dem Staub machen; **to** ~ **to s.o.** j-m pfeifen. **2.** *mus.* pfeifen, flöten. **3.** pfeifen, sausen (*Kugel, Wind etc*): **a bullet** ~**d past** e-e Kugel pfiff vorüber. **II** *v/t* **4.** *Ton, Melodie* pfeifen. **5.** *j-m, e-m Hund etc* pfeifen: **to** ~ **back** zurückpfeifen; **to** ~ **off** *fig.* a) wegschicken, -jagen, b) *etwas* abblasen; **to** ~ **up** *fig.* a) herbeordern, b) ins Spiel bringen. **6.** *etwas* pfeifen *od.* schwirren lassen. **III** *s* **7.** Pfeife *f*, Flöte *f*: **to pay for one's** ~ den Spaß teuer bezahlen; **it's worth the** ~ es lohnt sich. **8.** Pfiff *m*, Pfeifen *n*. **9.** 'Pfeifton *m*, -si͵gnal *n*. **10.** Pfeifen *n* (*des Windes etc*). **11.** *colloq.* Kehle *f*: → **wet** 13. '**whis·tler** *s* **1.** Pfeifer(in). **2.** *etwas, was pfeift od. wie e-e Pfeife klingt.* **3.** *vet.* Lungenpfeifer *m* (*Pferd*).

whis·tle-͵stop *Am.* **I** *s* **1.** a) *rail.* Haltepunkt *m*, kleiner Bahnhof, b) Kleinstadt *f*, ‚Kaff' *n*. **2.** *pol.* kurzes, per'sönliches Auftreten (*e-s politischen Kandidaten*). **II** *v/i* **3.** *pol.* von Ort zu Ort reisen u. Wahlreden halten. **III** *adj* **4.** *pol.* Wahl...: ~ **speech** Wahlrede *f* an e-m Kleinstadtbahnhof.

whis·tling ['(h)wisliŋ] *s* Pfeifen *n*. ~ **buoy** *s mar.* Pfeifboje *f*. ~ **duck** *s orn.* **1.** Pfeifente *f*. **2.** Schellente *f*. ~ **swan** *s orn.* Singschwan *m*. ~ **thrush** *s orn.* Singdrossel *f*.

whit [(h)wit] *s* (*ein*) bißchen: **no** ~, **not** (*od.* **never**) **a** ~ keinen Deut, kein Jota, kein bißchen.

white [(h)wait] **I** *adj* **1.** weiß: ~**-haired** weiß-, hellhaarig; ~**(-skinned)** hellhäutig; **as** ~ **as snow** schneeweiß; ~ **coffee** *Br.* Milchkaffee *m*. **2.** hell(farbig), licht. **3.** blaß, bleich: → **bleed** 11, **sheet¹** 1. **4.** weiß(rassig): ~ **supremacy** Vorherrschaft *f* der Weißen. **5.** *pol.* weiß, roya'listisch, reaktio'när: **W**~ **Terror** *hist.* Weiße Schreckensherrschaft (*nach der Französischen Revolution*). **6.** *tech.* a) weiß (*Metalllegierung*), b) weiß, Weiß..., verzinnt, c) silbern, 'silberle͵giert, d) 'zinnle͵giert. **7.** *Am. colloq.* anständig: **that's** ~ **of you.** **8.** rein, makellos. **9.** *econ.* weiß, zulässig. **10.** *fig.* weiß: a) wohltätig, gütig, freundlich, b) harmlos, unschuldig.
II *s* **11.** Weiß *n*, weiße Farbe: **dressed in** ~ weiß gekleidet; **in the** ~ roh, ungestrichen (*Metall, Holz etc*). **12.** Weiße *f*, weiße Beschaffenheit. **13.** Weiße(r *m*) *f*, Angehörige(r *m*) *f* der weißen Rasse. **14.** (*etwas*) Weißes, weißer (Bestand)Teil, *z. B.* a) *a.* ~ **of egg** Eiweiß *n*, b) *a.* ~ **of the eye** (*das*) Weiße im Auge. **15.** Weißwein *m*. **16.** *meist pl print.* Lücke *f*, ausgesparter Raum. **17.** weiße Tierrasse: **Chester W**~ weißes Chester-Schwein. **18.** *zo.* weißer Schmetterling, *bes.* Weißling *m*. **19.** weißer Stoff. **20.** *pl* → **whites** 1.

white| al·loy *s tech.* 'Weiß-, 'Lagerme͵tall *n*. ~ **ant** *s zo.* Weiße Ameise, Ter'mite *f*. ~ **ar·se·nic** *s chem.* weißes Ar'senik. ~ **Aus·tra·lia** *s* Poli'tik *f* des Weißen Au'stralien (*will die Einwanderung von Nichteuropäern verhindern*). ~ **bear** *s zo.* Eisbär *m*. **W**~ **Book** *s pol.* Weißbuch *n*. '**W**~͵**boy** *s hist. Mitglied e-s 1761 entstandenen irischen Geheimbundes von Bauern.* ~ **brass** *s tech.* **1.** Weißmessing *n*, -kupfer *n*. **2.** Neusilber *n*. ~ **bread** *s* Weizenbrot *n*. '~͵**cap** *s* **1.** weiße Schaumkrone (*auf Wellen*). **2.** **W**~ *Am. Mitglied e-r Geheimverbindung in den USA, die Lynchjustiz ausübt.* **3.** *orn.* Männchen *n* des Gartenrotschwanzes. **4.** *bot.* a) Champignon *m*, b) Filzige Spierstaude.

White·cha·pel ['(h)wait͵tʃæpl] **I** *npr a.* ~ **district** *Bezirk im Osten Londons.* **II** *s a.* ~ **cart** zweirädriger Karren (*e-s Straßenhändlers*).

white| chi·na *s tech.* Chinasilber *n*. ~ **Christ·mas** *s* weiße (*verschneite*) Weihnachten. ~ **coal** *s tech.* weiße Kohle, Wasserkraft *f*. '~-'**col·lar** *adj bes. Am. colloq.* Kopf..., Geistes..., Büro...: ~ **job** a) geistiger Beruf, b) Bürotätigkeit *f*; ~ **proletariat** ‚Stehkragenproletariat' *n*; ~ **worker** a) Geistes-, Kopfarbeiter(in), b) (Büro-) Angestellte(r *m*) *f*. ~ **cop·per** *s tech.* Neusilber *n*. ~ **crop** *s agr. Getreide, das vor der Ernte hellgelb wird* (*Weizen, Gerste, Roggen, Hafer*). ~ **el·e·phant** *s* **1.** *zo.* weißer Ele'fant. **2.** *colloq.* lästiger Besitz. ~ **en·sign** *s mar. Flagge der brit. Flotte mit rotem Kreuz auf weißem Grund u. dem Union Jack als Gösch.* '~͵**face** *s* Blesse *f*: (*weißer Stirnfleck od. Pferd*). '~-'**faced** *adj* blaß, mit bleichem Gesicht: ~ **horse** Blesse *f*. ~ **fa·ther** *s Am.* Weißer Vater (*Ehrenname der Indianer für den Präsidenten der USA*). ~ **feath·er** *s*: **to show the** ~ *fig.* ‚kneifen', sich feige zeigen. '~͵**fish** *s* **1.** Ma'räne *f*, Felchen *m*, *bes.* Amer. Weißfisch *m*. **2.** Weißfisch *m* (*in Europa*). ~ **flag** *s mil.* weiße Fahne, Parlamen'tärflagge *f*: **to hoist** (*od.* **show** *od.* **wave**) **the** ~ kapitulieren, sich ergeben (*a. fig.*). ~ **Fri·ar** *s relig.* Karme'liter(mönch) *m*. ~ **frost** *s* Rauhfrost *m*, -reif *m*. ~ **game** *s orn.* Schneehühner *pl*. ~ **gloves** *s pl jur. Br.* weiße Handschuhe *pl* (*die dem englischen Schwurgerichtsvorsitzenden symbolisch überreicht wurden, wenn keine strafrechtlichen Fälle vorlagen*). ~ **gold** *s tech.* Weißgold *n*, Pla'tina *f*. ~ **grouse** *s orn.* Alpenschneehuhn *n*.

White·hall ['(h)wait'hɔːl] *s Br.* **1.** *a.* ~ **Palace** *hist. Königspalast in London.* **2.** Whitehall *n*: a) *Straße in Westminster, London, Sitz der Ministerien,* b) *fig. die brit. Regierung od. ihre Politik.*

'**white|'hand·ed** *adj fig.* rein, unschuldig. '~-'**head·ed** *adj* **1.** weißköpfig. **2.** blondhaarig: ~ **boy** *colloq.* Liebling *m*. '~͵**heart** (**cher·ry**) *s bot.* Weiße Herzkirsche. ~ **heat** *s tech.* Weißglut *f* (*a. fig. Zorn, Eifer etc*): **his anger was at** ~ sein Zorn war bis zur Weißglut gesteigert; **to work at a** ~ mit fieberhaftem Eifer arbeiten. ~ **hope** *s Am. sl.* **1.** weißer Boxer, der Aussicht auf den Meistertitel hat. **2.** ‚(*die*) große Hoffnung' (*Person*). ~ **horse** *s* **1.** *zo.* Schimmel *m*. **2.** Welle *f* mit weißer Schaumkrone. '~-'**hot** *adj* **1.** *tech.* weißglühend. **2.** *fig.* a) glühend, rasend (*Leidenschaft, Wut*), b) fieberhaft, rasend (*Eile etc*).

White House *s* (*das*) Weiße Haus: a) *Regierungssitz des Präsidenten der USA in Washington,* b) *colloq. Präsidentschaft der USA,* c) *colloq. Bundesexekutive der USA.*

white| i·ron *s tech.* **1.** Weißeisen *n*, weißes Roheisen. **2.** Weißblech *n*. ~ **lead** [led] *s* **1.** *chem. min.* Bleiweiß *n*, Ber'linerweiß *n*. **2.** *a.* ~ **ore** *min.* Weißbleierz *n*. ~ **leath·er** *s* Weißleder *n*. ~ **lie** *s* Notlüge *f*, harmlose Lüge. ~ **light** *s* **1.** *phys.* farbloses *od.* weißes Licht. **2.** Tageslicht *n*. '~-͵**lipped** *adj* mit blassen Lippen, angstbleich. '~-'**liv·ered** *adj* feig(e). ~ **mag·ic** *s* weiße Ma'gie. ~ **man** *s irr* **1.** Weiße(r) *m*, Angehörige(r) *m* der weißen Rasse. **2.** *colloq.* ‚feiner Kerl'. ~ **man's burden** *s* (*die*) Bürde des weißen Mannes (*vermeintliche Verpflichtung der weißen Rasse, andersrassige Völker zu zivilisieren*). ~ **mat·ter** *s biol.* weiße (Ge)'Hirnsub͵stanz. ~ **meat** *s* weißes Fleisch (*vom Geflügel, Kalb etc*). ~ **met·al** *s tech.* **1.** Neusilber *n*. **2.** 'Weiß-, *bes.* 'Babbitme͵tall *n*. ~ **mixture** *s med. Br. in Krankenhäusern gebräuchliches Abführmittel.*

whit·en ['(h)waitn] **I** *v/i* **1.** weiß werden (*a. Haar*). **2.** bleich *od.* blaß werden, erbleichen. **II** *v/t* **3.** weiß machen, weißen. **4.** bleichen. **5.** → **whitewash** 5.

white·ness ['(h)waitnis] *s* **1.** Weiße *f*. **2.** Blässe *f*. **3.** *fig.* Reinheit *f*.

white night *s* schlaflose Nacht.

whit·en·ing ['(h)waitniŋ] *s* **1.** Weißen *n*. **2.** Bleichen *n*. **3.** Tünchen *n*. **4.** Weiß-, Blaß-, Bleichwerden *n*. **5.** → **whiting²**.

white| pa·per *s pol.* a) → **White Book**, b) *Br.* Informati'onsbericht *m* des 'Unterhauses. ~ **pop·lar** *s bot.* Silberpappel *f*. ~ **pri·ma·ry** *s pol. Am. Vorwahl der Demokratischen Partei im Süden der USA, bei der nur Weiße Stimmrecht besitzen.* ~ **rose** *s* **1.** *bot.* Weiße Rose. **2.** **White Rose** *Br. hist.* a) Weiße Rose (*Symbol des Hauses York*), b) Mitglied *n* des Hauses York. **W**~ **Rus·sian I** *s* Weißrusse *m*, -russin *f*. **II** *adj* weißrussisch.

whites [(h)waits] *s pl* **1.** *med.* Weißfluß *m*, Leukor'rhoe *f*. **2.** (Weizen-)Auszugsmehl *n*. **3.** weiße Kleider *pl od.* Kleidung.

white| sale *s econ.* Weiße Woche. ~ **sheet** *s* Büßerhemd *n*, Sündergewand *n*: **to stand in a** ~ *fig.* beichten, (s-e Sünden) bekennen. '~-'**slave** *adj*: ~ **agent** → **white slaver**. ~ **slav·er** *s* Mädchenhändler *m*. ~ **slav·er·y** *s* Mädchenhandel *m*. '~͵**smith** *s tech.*

1. Klempner *m*. 2. *metall*. Feinschmied *m*. **~ squall** *s mar*. Sturmbö *f* aus heiterem Himmel, Fallbö *f*. **'~,thorn** *s bot*. Weißdorn *m*. **'~-,throat** *s orn*. (*a*. greater ~ Dorn)-Grasmücke *f*. **~ trash** *s Am. colloq*. 1. arme weiße Bevölkerung. 2. armer Weißer (*bes. im Süden der USA*). **~ war** *s econ*. Wirtschaftskrieg *m*, weißer Krieg. **'~,wash I** *s* 1. Tünche *f*, Kalkanstrich *m*. 2. *colloq*. a) Tünche *f*, Beschönigung *f*, b) Ehrenrettung *f*, ,Rehabilitati'on *f*, *contp*. ‚Mohrenwäsche' *f*, c) *econ*. *Br*. Schuldenentlastung *f*: to get a ~ a) getüncht werden, b) rehabilitiert werden, c) *econ*. sich mit s-n Gegnern vergleichen. 3. *Am. colloq*. ‚Zu-'Null-Niederlage' *f* (*im Spiel etc*). 4. weiße Schminke, Schönheitswasser *n*. **II** *v/t* 5. a) tünchen, b) weißen, kalken. 6. *fig*. a) über'tünchen, beschönigen, b) reinwaschen, rehabili'tieren, c) *jur*. *Br*. *Bankerotteur* wieder zahlungsfähig erklären (*Konkursgericht*). 7. *Am. colloq*. *Gegner* ‚haushoch' schlagen. **'~,wash·er** *s* 1. Tüncher *m*, Anstreicher *m*. 2. *fig*. *j-d, der beschönigt od. rehabilitiert*. 3. *Br. colloq*. Glas *n* Sherry (als Abschluß) nach dem Rotwein. **~ wil·low** *s bot*. Silberweide *f*. **~ wine** *s* Weißwein *m*. **'~,wing** *s Am*. Straßenkehrer *m* in weißer Uni'form.

whith·er ['(h)wiðər] *poet*. **I** *adv* 1. (*fragend*) wo'hin: ~ are you going? 2. (*relativ*) wo'hin: a) (*verbunden*) in welchen (welche, welches), zu welchem (welcher, welchen), b) (*unverbunden*) da'hin, wo: the land ~ he went das Land, in welches er ging. **II** *s* 3. (*das*) Wo'hin: our whence and our ~ unser Woher u. Wohin. **'with·er·ward(s)** [-wərd(z)] *adv obs*. wo'hin.

whit·ing¹ ['(h)waitiŋ] *s ichth*. 1. (*ein*) Königsfisch *m*. 2. Amer. Hechtdorsch *m*. 3. Weißfisch *m*, Mer'lan *m*.

whit·ing² ['(h)waitiŋ] *s* Schlämmkreide *f*.

whit·ish ['(h)waitiʃ] *adj* weißlich.

Whit·ley Coun·cil ['(h)witli] *s econ*. *Br*. Witley Council *n* (*aus Vertretern von Arbeitgebern u. -nehmern gebildeter Ausschuß zur Regelung der gemeinsamen Interessen*).

whit·low ['(h)witlou] *s med*. 'Umlauf *m*, Nagelgeschwür *n*. **~ grass** *s bot*. 1. Frühlings-Hungerblümchen *n*. 2. Dreifingersteinbrech *m*.

Whit·man·ese [,(h)witmə'ni:z] *s* Stil *m od*. Art *f* von Walt Whitman.

Whit·mon·day ['(h)wit'mʌndi] *s* Pfingstmontag *m*.

Whit·sun ['(h)witsn] *adj* 1. Pfingst..., pfingstlich. 2. Pfingstsonntags... **~ ale** *s hist*. Pfingstbier *n* (*ländliches Volksfest in England*). **~·day** ['(h)wit'sʌndi] *s* Pfingstsonntag *m*. **~ Mon·day** → Whitmonday. **'~,tide** *s* Pfingsten *n od. pl*, Pfingstfest *n*, -zeit *f*. **~ Tues·day** → Whit-Tuesday. **~ week** → Whit-week.

whit·tle ['(h)witl] **I** *v/t* 1. (zu'recht)schnitzen. 2. wegschnitze(l)n, -schnippeln. 3. *meist* ~ down, ~ away *fig*. a) (Stück für Stück) beschneiden, her'absetzen, kürzen: to ~ down a salary, b) schwächen. **II** *v/i* 4. (her'um)schnitze(l)n, (-)schnippeln (at an *dat*). **III** *s* 5. *dial*. (langes Taschen)Messer.

'Whit|-'Tues·day *s* Pfingstdienstag *m*. **'~-,week** *s* Pfingstwoche *f*.

whit·y ['(h)waiti] *adj* hell, weiß(lich): ~-brown weißlich-braun, hellbraun.

whiz, whizz [(h)wiz] **I** *v/i* 1. zischen, schwirren, sausen, flitzen (*Geschoß etc*). **II** *s* 2. Ziehen *n*, Sausen *n*, Schwirren *n*. 3. *Am. sl*. a) ‚Ka'none' *f* (*Könner*) (at mathematics in Mathematik), b) (feine) ‚Sache', ‚tolles Ding', ‚Knüller' *m*, c) gutes Geschäft. **'whiz(z)-,bang** *s* 1. *mil. sl*. a) Ratsch-'bumm-Geschoß *n*, b) → robot bomb. 2. Heuler *m* (*Feuerwerkskörper*).

whiz·zer ['(h)wizər] *s* 1. *tech*. ('Trokken)Zentri,fuge *f*. 2. → whiz 3.

who [hu:; hu] **I** *interrog* 1. wer: ~ told you so?; Who's Who? Wer ist Wer? (*Verzeichnis prominenter Persönlichkeiten*). 2. *colloq*. (*für* whom) wen, wem: ~ could I ask? wen könnte ich fragen? **II** *pron* (*relativ, sg u. pl, nur bei Personen u. personifizierten Tieren*) 3. (*unverbunden*) wer: I know ~ has done it ich weiß, wer es getan hat. 4. (*verbunden*): welch(er, e, es), der, die, das: the man ~ arrived yesterday; he (she) ~ derjenige, welcher (diejenige, welche); wer. 5. *obs*. j-d der: as ~ should say als wollte er (sie *etc*) sagen.

whoa [wou; *Am. a*. hwou] *interj a*. ~ back brr!, halt!

who·dun·(n)it [hu:'dʌnit] *s sl*. ‚Krimi' *m* (*Kriminalroman, -stück, -film*).

who|'ev·er, *poet*. **~'e'er I** *pron* (*relativ*) 1. wer (auch) immer, jeder(mann) der, gleich wer: ~ saw it was shocked jeder, der es sah, war empört; ~ comes will be welcome wer (auch) immer kommt, ist willkommen. 2. *colloq*. *für* whomever. **II** *interrog* 3. *colloq*. (*für* who ever) wer denn nur.

whole [houl] **I** *adj* (*adv* → wholly) 1. ganz, gesamt, voll(kommen): the ~ truth die ganze *od*. volle Wahrheit. 2. ganz, vollständig: a ~ set of suitcases; ~ armies were destroyed ganze Armeen wurden vernichtet. 3. *colloq*. ganz: the ~ series of books die ganze Bücherreihe; the ~ year das ganze Jahr (hindurch); a ~ 10 days ganze 10 Tage; a ~ lot of nonsense e-e ganze Menge Unsinn. 4. ganz, unzerteilt: to swallow s.th. ~ etwas im ganzen (hinunter)schlucken. 5. Voll..., rein, nicht vermindert: ~ meal Vollweizenmehl *n*; to go the ~ figure *Am. sl*. ganze Arbeit leisten; (made) out of ~ cloth *fig. Am*. völlig aus der Luft gegriffen, frei erfunden; → whole hog. 6. *math*. ganz, ungebrochen (*Zahl*). 7. heil: a) unverletzt, unversehrt, b) unbeschädigt, ‚ganz': to get off with a ~ skin mit heiler Haut davonkommen; they that be ~ need not a physician *Bibl*. die Starken bedürfen des Arztes nicht. 8. Voll...: a) richtig (*Verwandtschaft*), b) rein (*Blutmischung*): ~ brother leiblicher Bruder. **II** *s* 9. (*das*) Ganze, Gesamtheit *f*: the ~ of the town die ganze Stadt; the ~ of London ganz London; the ~ of my property mein ganzes Vermögen. 10. Ganze(s) *n*, Einheit *f*: as a ~ als Ganzes gesehen; (up)on the ~ a) im großen (u.) ganzen, b) alles in allem, insgesamt; in ~ or in part ganz oder teilweise.

whole| bind·ing → full binding. **'~-,bound** *adj* in Ganzleder (gebunden). **'~-,col·o(u)red** *adj* einfarbig. **~ gale** *s* schwerer Sturm (*Windstärke 10*). **'~-'heart·ed** *adj* (*adv* ~ly) ernsthaft, aufrichtig, rückhaltlos, voll, aus ganzem Herzen. **~ hog** *s sl*. (*das*) Ganze: to go (the) ~ aufs Ganze gehen, ganze Arbeit leisten, die Sache gründlich machen. **'~-'hog·ger** *s sl*. j-d, der aufs Ganze geht, kompro'mißloser Mensch, *pol*. ‚Hundert('fünfzig)prozentige(r)' *m*. **'~-,length I** *adj* 1. ungekürzt. 2. Ganz..., Voll...: ~ mirror Ganzspiegel *m*; ~ portrait Vollporträt *n*, Ganzbild *n*. **II** *s* 3. Por'trät *n od*. Statue *f* in voller Größe. **~ life in·sur·ance** *s econ*. Lebensversicherung *f* auf den Todesfall. **'~-,meal bread** *s* Vollkorn-, Schrotbrot *n*. **~ milk** *s* Vollmilch *f*.

whole·ness ['houlnis] *s* 1. Ganzheit *f*. 2. Vollständigkeit *f*.

'whole,sale I *s econ*. 1. Großhandel *m*: by ~ → 4. **II** *adj* 2. *econ*. a) Großhandels..., Engros..., b) Pauschal...: ~ dealer → wholesaler; ~ purchase Pauschalkauf *m*; ~ representative Großhandelsvertreter *m*; ~ trade Großhandel *m*. 3. *fig*. a) Massen..., b) 'unterschiedslos, pau'schal: ~ slaughter Massenmord *m*. **III** *adv* 4. *econ*. en gros, im großen: to sell ~. 5. *fig*. a) massenhaft, in Massen, b) 'unterschiedslos. **IV** *v/t* 6. *econ*. en gros verkaufen. **V** *v/i* 7. Großhandel treiben, Gros'sist sein. **'whole,sal·er** [-,seilər] *s econ*. Großhändler *m*, Gros'sist *m*.

'whole|-,seas (o·ver) *adj humor*. ‚sternhagelvoll'. **'~-'skinned** *adj* unversehrt.

whole·some ['houlsəm] *adj* (*adv* ~ly) 1. *allg*. gesund (*a. fig.*): a) bekömmlich: ~ food, b) heilsam: ~ air, c) na'türlich, nor'mal: ~ life, d) tüchtig, kräftig: ~ excitement; ~ humo(u)r gesunder Humor. 2. förderlich, zuträglich, gut, nützlich. 3. *sl*. ‚gesund', sicher, ungefährlich. **'whole·some·ness** *s* 1. Gesundheit *f*: a) Bekömmlichkeit *f*, b) (*das*) Gesunde (*a. fig.*). 2. Nützlichkeit *f*. 3. Gesundheit *f*, (*das*) Nor'male *od*. Na'türliche.

'whole|-'souled → whole-hearted. **'~-'time** → full-time. **~ tone** *s mus*. Ganzton *m*. **'~-'tone scale** *s mus*. Ganztonleiter *f*. **'~-'wheat** *adj* Weizen-Vollkorn...: ~ flour Vollweizenmehl *n*.

who'll [hu:l] *colloq*. *für* who will *od*. who shall.

whol·ly ['houlli; 'houli] *adv* ganz, gänzlich, völlig.

whom [hu:m] **I** *pron interrog* 1. wen? 2. (*Objekt-Kasus von* who): of ~ von wem; to ~ wem; by ~ durch wen. 3. wem: ~ does she serve? **II** *pron* (*relativ*) 4. (*verbunden*) welch(en, e, es), den (die, das): the man ~ you saw. 5. (*unverbunden*) wen; den(jenigen), welchen; die(jenige), welche; *pl* die(jenigen), welche: ~ the gods love die young wen die Götter lieben, der stirbt jung. 6. (*Objekt-Kasus von* who): of ~ von welch(em, er, en), dessen, deren; to ~ dem (der, denen); all of ~ were dead welche alle tot waren. 7. welch(em, er, en), dem (der, denen): the master ~ she serves der Herr, dem sie dient.

whomp [(h)wʌmp] *Am*. **I** *s* 1. Bums *m*, Krach *m*. **II** *v/t* 2. bumsen, knallen. 3. *sl*. *j-m* e-e böse Schlappe beibringen. 4. ~ up *sl*. ‚'herzaubern', ‚auf die Beine stellen'.

'whom(·so)'ev·er *pron* (*Objekt-Kasus von* who[so]ever) wen auch immer; jeden, den; jede, die.

whoof [(h)wu:f] *s* dumpfer, rauher Schrei.

whoop [hu:p] **I** *s* 1. (Schlacht)Ruf *m*, Kriegsgeschrei *n*, Schrei *m*: not worth a ~ keinen Pfifferling wert. 2. *med*. Ziehen *n* (*bei Keuchhusten*). **II** *v/i* 3. brüllen, laut schreien, e-n (Brüll)Schrei ausstoßen. 4. *med*. keuchen. **III** *v/t* 5. *etwas* brüllen. 6. *j-m* zubrül-

len, *j-n* mit Gebrüll anfeuern: to ~ it up *Am. sl.* a) ‚Rabatz machen', ‚Leben in die Bude bringen', b) ‚auf die Pauke hauen', Orgien feiern, c) die Trommel rühren (for für), d) e-n großen ‚Rummel' darum machen.
whoop-de-do(o) ['huːpdiˌduː] *s Am. sl.* **1.** → whoopee. **2.** ‚Rummel' *m.*
whoop·ee ['(h)wuːpiː] *sl.* **I** *s* ‚Rummel' *m,* Freudenfest *n, engS.* Orgie *f,* Sauf- *od.* Sexparty *f*: to make ~ ‚auf die Pauke hauen', Orgien feiern. **II** *interj* juch'hu!
whoop·ing| cough ['huːpiŋ] *s med.* Keuchhusten *m.* ~ **swan** *s orn.* Singschwan *m.*
whoops [(h)wuːps] *interj* hoppla!, [wupp!]
whop [(h)wɒp] *v/t* vertrimmen (*a. fig. besiegen*). '**whop·per** *s colloq.* **1.** a) ‚Mordsding' *n,* b) ‚Mordskerl' *m.* **2.** faustdicke Lüge. '**whop·ping** *colloq.* **I** *s* Prügel *pl.* **II** *adj u. adv* ungeheuer, Riesen..., ‚Bomben...'
whore [hɔːr] **I** *s* Hure *f.* **II** *v/i* huren: to go a-whoring after strange gods *Bibl.* fremden Götzen dienen. '~ˌ**house** *s* Freudenhaus *n.* '~ˌ**mas·ter** *s* Hurenbock *m.* '~ˌ**mon·ger** [-ˌmʌŋgər] *obs. für* whoremaster. ~**·son** ['hɔːrsn] *s obs.* **1.** Bankert *m.* **2.** *colloq. od. humor.* ‚Mistkerl' *m.*
whorl [(h)wɔːrl] *s* **1.** *bot.* Wirtel *m,* Quirl *m.* **2.** *anat. zo.* Windung *f* (*a. e-r Spirale*). **3.** *tech.* (Spinn)Wirtel *m.*
whorled *adj* **1.** quirlförmig. **2.** spi'ralig, gewunden. **3.** *bot.* quirlständig.
'**whor·tleˌber·ry** ['(h)wɔːrtl-] *s* **1.** Heidelbeere *f*: red ~ Preiselbeere *f.* **2.** → huckleberry.
who's [huːz] *colloq. für* who is.
whose [huːz] *pron* (*gen sg u. pl von* who) **1.** *interrog* wessen: ~ is it? wem gehört es? **2.** *relativ* (*a. gen von* which) dessen, deren.
'**who|·so** *obs. für* a) whosoever, b) whoever. ˌ~**·so'ev·er,** *poet.* ˌ~**·so'e'er** *pron* wer auch immer.
why [(h)wai] **I** *adv* **1.** (*fragend u. relativ*) war'um, wes'halb, wo'zu: ~ so? wieso?, warum das?; the reason ~ (der Grund) weshalb; that is ~ deshalb. **II** *s* **2.** (*das*) War'um, Grund *m*: the ~ and wherefore das Warum u. Weshalb. **3.** (*das*) Wo'zu, Frage *f,* Pro'blem *n*: the great ~s of life. **III** *interj* **4.** nun (gut), (na) schön. **5.** (ja) na'türlich. **6.** ja, doch, he. **7.** na, hör mal; na'nu; aber (... doch).
wick[1] [wik] *s* **1.** Docht *m.* **2.** *med.* schmaler 'Gazetamˌpon.
wick[2] [wik] *s obs.* (*außer in Zssgn*) **1.** Stadt *f,* Burg *f,* Dorf *n*: Hampton W~. **2.** Gehöft *n.* **3.** Amtsbezirk *m.*
wick·ed ['wikid] *adj* (*adv* ~ly) **1.** böse, gottlos, schlecht, sündhaft, verrucht: the ~ one *Bibl.* der Böse, Satan; the ~ die Gottlosen. **2.** böse, schlimm (*ungezogen, a. humor. schalkhaft*). **3.** *colloq.* schlimm (*Schmerz, Wunde etc*). **4.** bösartig (*a. Tier*), boshaft. **5.** gemein, niederträchtig, tückisch. **6.** *colloq.* übel, garstig. **7.** *Am. sl.* ‚toll', großartig. '**wick·ed·ness** *s* **1.** Gottlosigkeit *f.* **2.** Schlechtigkeit *f,* Verruchtheit *f.* **3.** Bosheit *f,* Gemeinheit *f,* Niedertracht *f.*
wick·er ['wikər] **I** *s* **1.** Weidenrute *f.* **2.** Korb-, Flechtweide *f.* **3.** Flechtwerk *n.* **II** *adj* **4.** aus Weiden geflochten, Weiden..., Korb..., Flecht...: ~ basket Weidenkorb *m*; ~ bottle Korbflasche *f*; ~ chair Korb-, Rohrstuhl *m*; ~ furniture Korbmöbel *pl.* '~ˌ**work** *s* **1.** Korbwaren *pl.* **2.** Flechtwerk *n.*
wick·et ['wikit] *s* **1.** Pförtchen *n.* **2.** (Tür *f* mit) Drehkreuz *n.* **3.** Halbtür *f.* **4.** (*meist vergittertes*) Schalterfenster. **5.** *Kricket*: a) Dreistab *m,* Tor *n,* b) Spielfeld *n,* c) *die Zeit, in welcher ein Schlagmann den Dreistab verteidigt*: to be on a good (sticky) ~ gut (schlecht) stehen (*a. fig.*); to get (*od.* take) a ~ e-n Schläger ‚aus' machen; to keep ~ Torwart sein, den Dreistab verteidigen; to win by 2 ~s das Spiel gewinnen, obwohl 3 Schläger noch nicht geschlagen haben; first (second *etc*) ~ down der erste (zweite *etc*) Schläger ist ausgeschieden. '~ˌ**keep·er** *s Kricket*: Dreistab-, Torhüter *m.*
wick·i·up ['wikiˌʌp] *s Am.* **1.** Indi'anerhütte *f* (*aus Reisig etc*). **2.** *allg.* Hütte *f.*
wide [waid] **I** *adj* (*adv* → widely) **1.** breit: a ~ forehead (ribbon, street, *etc*); ~ ga(u)ge *rail.* Breitspur *f*; 6 feet ~ 6 Fuß breit; → berth 1. **2.** weit, ausgedehnt: ~ distribution; a ~ public ein breites Publikum; the ~ world die weite Welt. **3.** *fig.* a) ausgedehnt, um'fassend, 'umfangreich, weitreichend, b) reich (*Erfahrung, Wissen etc*): ~ culture umfassende Bildung; ~ reading große Belesenheit. **4.** groß, beträchtlich: a ~ difference. **5.** weit(läufig, -gehend), *a.* weitherzig, großzügig: a ~ generalization e-e starke Verallgemeinerung; to take ~ views weitherzig *od.* großzügig sein. **6.** weit offen, aufgerissen: ~ eyes. **7.** weit, lose, nicht anliegend: ~ clothes. **8.** weit entfernt (of von *der Wahrheit etc*), weitab (*vom Ziel*): ~ of the truth; → mark[1] 12. **9.** *ling.* breit (*Vokal*). **10.** *Br. sl.* a) aufgeweckt, ‚helle', b) gerissen, schlau.
II *adv* **11.** breit. **12.** weit: ~ apart weit auseinander; ~ open a) weit offen, b) völlig ungedeckt (*Boxer etc*), c) *fig.* schutzlos, d) → wide-open 2. **13.** weit da'neben: to go ~ weit danebengehen.
III *s* **14.** *Kricket, Baseball*: vom Schläger nicht mehr erreichbarer Ball. **15.** (*das*) Äußerste: to the ~ bis zum äußersten, vollkommen.
'**wide|-'an·gle** *adj phot.* Weitwinkel...: ~ lens. '~**-a'wake I** *adj* **1.** hellwach (*a. fig.*). **2.** wachsam, aufmerksam (to auf *acc*). **3.** voll bewußt (to *gen*). **4.** ‚helle' (*schlau, aufgeweckt*). **II** *s* **5.** Kala'breser *m* (*Schlapphut*). '~**-ˌeyed** *adj* mit weit aufgerissenen Augen: in ~ amazement ganz entgeistert.
wide·ly ['waidli] *adv* **1.** weit (*a. fig.*): ~ scattered weit verstreut; it is ~ known es ist weit u. breit bekannt; a man who is ~ known ein in weiten Kreisen bekannter Mann; to differ ~ a) sehr verschieden sein, b) sehr unterschiedlicher Meinung sein. **2.** um'fassend, ausgedehnt: to be ~ read sehr belesen sein.
wid·en ['waidn] **I** *v/t* **1.** verbreitern, breiter machen. **2.** erweitern, weiter machen, ausdehnen. **3.** *e-e Kluft, e-n Zwist* vertiefen: to ~ a gap. **II** *v/i* **4.** breiter werden, sich verbreitern. **5.** weiter werden, sich erweitern, sich (aus)weiten. **6.** sich vertiefen (*Kluft, Zwist etc*). '**wide·ness** *s* Weite *f,* Breite *f,* Ausgedehntheit *f,* Ausdehnung *f.*
'**wide|-'o·pen** *adj* **1.** weit geöffnet, weit offen. **2.** *Am.* sehr lax, äußerst ‚großzügig' (*Stadt in der Gesetzesdurchführung*). ~ **screen** *s Film*: Breitwand *f.* '~'**spread** *adj* **1.** weit ausgebreitet, ausgedehnt. **2.** weitverbreitet.
widg·eon ['widʒən] *pl* **-eons,** *bes. collect.* **-eon** *s* **1.** *orn.* Pfeifente *f.* **2.** *obs.* Narr *m.*
wid·ish ['waidiʃ] *adj* etwas breit.
wid·ow ['widou] **I** *s* **1.** Witwe *f*: → widow's cruse *etc.* **2.** *Kartenspiel*: zusätzliche Hand. '**wid·owed** *adj* verwitwet: to be ~ a) verwitwet sein, b) Witwe(r) werden, den Mann *od.* die Frau verlieren, c) *allg.* verwaist *od.* verlassen sein; to be ~ of a friend e-n Freund verlieren. '**wid·ow·er** [-doər; -dəwər] *s* Witwer *m.*
wid·ow·hood ['widoˌhud] *s* **1.** Witwenstand *m.* **2.** *obs.* Wittum *n,* Witwengut *n.*
wid·ow's| cruse *s* **1.** *Bibl.* Ölkrüglein *n* der Witwe. **2.** *fig.* unerschöpflicher Vorrat. ~ **mite** *s Bibl.* Scherflein *n* der (armen) Witwe. ~ **pen·sion** *s* Witwenrente *f.* ~ **weeds** → weed[2] 1.
width [widθ] *s* **1.** Breite *f,* Weite *f*: 6 feet in ~ 6 Fuß breit. **2.** (Stoff-, Ta'peten-, Rock)Bahn *f.* **3.** *arch.* a) Spannweite *f*: ~ of an arch (bridge), b) lichte Weite. **4.** *geol.* Mächtigkeit *f.* **5.** Weite *f,* Größe *f*: ~ of mind geistiger Horizont.
wield [wiːld] *v/t* **1.** *Macht, Einfluß etc* ausüben (over über *acc*): to ~ power. **2.** *rhet. ein Werkzeug, e-e Waffe* handhaben, führen, schwingen: to ~ the brush den Pinsel schwingen; to ~ the pen die Feder führen, schreiben; → scepter. '**wield·er** *s j-d, der handhabt od.* (*Macht etc*) *ausübt*: a ~ of autocratic power ein autokratischer Machthaber. '**wield·y** *adj* **1.** handlich: a ~ tool. **2.** stark: ~ hands.
wie·ner ['wiːnər], '~ˌ**wurst** [-ˌwɔːrst] *s Am.* Wiener Würstchen *n.*
wife [waif] *pl* **wives** [waivz] *s* **1.** (Ehe)Frau *f,* Gattin *f*: wedded ~ angetraute Gattin; to take to ~ zur Frau nehmen. **2.** *contp.* Weib *n.* '**wife·hood** *s* Ehestand *m* (*e-r Frau*). '**wife·less** *adj* unverheiratet, unbeweibt. '**wifeˌlike,** '**wife·ly** *adj* fraulich, frauenhaft.
wif·ie ['waifi] *s colloq. od. humor.* Frauchen *n.*
wig [wig] *s* **1.** Pe'rücke *f*: ~s on the green *colloq.* Rauferei *f.* **2.** *colloq.* ‚Pe'rücke' *f,* (langes) Haar.
wi·geon → widgeon.
wigged [wigd] *adj* mit Pe'rücke (versehen), pe'rückentragend.
wig·ging ['wigiŋ] *s bes. Br. colloq.* ‚Standpauke' *f,* ‚Anschnauzer' *m.*
wig·gle ['wigl] **I** *v/i* **1.** → wriggle 1. **2.** wackeln, schwänzeln. **II** *v/t* **3.** wackeln mit. **4.** to ~ one's way sich (hindurch)schlängeln. **III** *s* **5.** schlängelnde *od.* windende Bewegung. **6.** Schwänzeln *n,* Wackeln *n.* **7.** *Kochkunst*: *Gericht aus Fischen od. Schaltieren in Sahnensauce.*
wight[1] [wait] *s* **1.** *obs. od. humor.* Wicht *m,* Kerl *m.* **2.** *obs.* Wesen *n,* Krea'tur *f.*
wight[2] [wait] *adj obs. od. dial.* **1.** mutig. **2.** stark. **3.** hurtig, flink.
'**wigˌwag** *colloq.* **I** *v/t u. v/i* **1.** (sich) 'hin- u. 'herbewegen. **2.** *mar. mil.* winken, signali'sieren. **II** *adj* **3.** Winker...: ~ system Winkeralphabet *n.* '**wigˌwag·ger** *s mar. mil. colloq.* Winker *m.*
wig·wam ['wigwæm; -wɒm] *s* **1.** Wigwam *m, n*: a) Indi'anerzelt *n,* -hütte *f,* b) *humor.* Behausung *f.* **2.** *pol. Am. sl.* Versammlungshalle *f*: the W~ → Tammany Hall.
wild [waild] **I** *adj* (*adv* ~ly) **1.** wild: a) ungezähmt, in Freiheit lebend, b) gefährlich: ~ animals; a ~ ox. **2.** *bot.* wild (wachsend): ~ honey wilder Ho-

nig. **3.** wild: a) verwildert, 'wildro'mantisch, b) verlassen: ~ **country.** **4.** wild, 'unzivili,siert, bar'barisch: ~ **tribes.** **5.** wild, stürmisch: a ~ **coast.** **6.** wütend, heftig, wild: ~ **quarrel;** ~ **storm.** **7.** irr, verstört, wild: a ~ **look.** **8.** scheu, wild: **the bull got** ~. **9.** wild: a) rasend (**with** vor *dat*), b) *colloq.* wütend (**about** über *acc*): ~ **pain** rasender Schmerz; ~ **rage** rasende Wut; ~ **with fear** wahnsinnig vor Angst; **to drive s.o.** ~ *colloq.* j-n wild machen, j-n zur Raserei bringen. **10.** wild, nicht zu bändigen(d), ungezügelt: a ~ **crew;** ~ **passion.** **11.** wild, ausgelassen, unbändig; ~ **delight;** ~ **gaiety.** **12.** *colloq.* a) wild, toll, verrückt, b) ausschweifend: ~ **years** tolle *od.* bewegte Jahre; a ~ **fellow** ein wilder Kerl; ~ **youth** stürmische Jugend; ~ **orgies** wilde Orgien. **13.** (**about**) *colloq.* (ganz) versessen (auf *acc*), wild (nach). **14.** hirnverbrannt, unsinnig, abenteuerlich: ~ **plan.** **15.** plan-, ziellos, aufs Gerate'wohl, wild: a ~ **blow** ein ungezielter Schlag; a ~ **guess** e-e wilde Vermutung; a ~ **shot** ein Schuß ins Blaue. **16.** wirr, wüst, wild: ~ **disorder;** ~ **hair** wirres Haar.

II *adv* **17.** (blind) drauf'los, aufs Gerate'wohl, ins Blaue (hin'ein: **to run** ~ a) *bot.* ins Kraut schießen, b) *fig.* verwildern; **to shoot** ~ ins Blaue schießen, blind drauflosschießen; **to talk** ~ a) (wild) drauflosreden, b) sinnloses Zeug reden.

III *s rhet.* **18.** *a. pl* Wüste *f.* **19.** *a. pl* Wildnis *f*: **in the** ~**s of Africa** im tiefsten *od.* finstersten Afrika.

wild| boar *s zo.* Wildschwein *n.* '~,**cat I** *s* **1.** *zo.* a) Wildkatze *f*, b) Amer. Rotluchs *m.* **2.** *fig.* Wilde(r *m*) *f*, Draufgänger(in). **3.** *rail. Am. colloq.* Einzel-, Ran'gierlok *f.* **4.** *econ. Am.* a) 'Schwindelunter,nehmen *n*, b) schlechte Kassenscheine *pl*, c) wilder Streik. **5.** → **wildcatting** 2. **II** *adj* **6.** *econ. Am.* a) un'sicher, ris'kant, spekula'tiv, b) schwindelhaft, Schwindel...: ~ **company** Schwindelgesellschaft *f*; ~ **currency** → 4 b, c) wild, ungesetzlich: ~ **strike.** **III** *v/i* **7.** auf eigene Faust Versuchsbohrungen (*nach Erdöl etc*) machen. **8.** *rail. Am.* außerplanmäßig *od.* 'unkontrol,liert fahren (*Lok*). '~-,**cat·ter** [-,kætər] *s econ. Am. colloq.* **1.** wilder Speku'lant. **2.** j-d, der ris'kante Erdölbohrungen macht. '~-,**cat·ting** *s Am.* **1.** wildes Speku'lieren. **2.** spekula'tive *od.* wilde Erdölbohrung. ~ **duck** *s orn.* Wildente *f*, *Br. bes.* Stockente *f.*

wil·de·beest ['wildi,bi:st] *s zo. S.Afr.* Weißschwanzgnu *n.*

wil·der ['wildər] *obs. od. poet.* **I** *v/t* **1.** irreführen. **2.** verwirren. **II** *v/i* **3.** her'umirren.

wil·der·ness ['wildərnis] *s* **1.** Wildnis *f*, Wüste *f* (*a. fig.*): **voice in the** ~ *Bibl.* a) die Stimme des Predigers in der Wüste, b) *fig.* Rufer *m* in der Wüste (*vergeblicher Mahner*); **to go into the** ~ aus der Regierung ausscheiden (*Partei*); ~ **of sea** Wasserwüste. **2.** wildwachsendes Gartenstück. **3.** *fig.* Masse *f*, Gewirr *n.*

'**wild|-,eyed** *adj* mit wildem Blick, wild dreinschauend. '~,**fire** *s* **1.** verheerendes Feuer: **to spread like** ~ sich wie ein Lauffeuer verbreiten (*Nachricht etc*). **2.** *mil. hist.* griechisches Feuer. **3.** *fig.* Sturm *m*, wildes Feuer. **4.** Irrlicht *n.* '~,**fowl** *s collect.* Wildvögel *pl*, *bes.* Wildgänse *pl od.* -enten *pl.* '~-,**fowl·ing** *s* Wildvogeljagd *f.* ~ **goose** *s irr orn.* Wildgans *f.* '~-'**goose chase** *s fig.* vergebliche Mühe, fruchtloses Unter'fangen. **W**~ **Hunt** *s* wilde Jagd, wildes Heer.

wild·ing ['waildiŋ] *s bot.* a) Wildling *m*, unveredelte Pflanze, *bes.* Holzapfelbaum *m*, b) *Frucht e-r solchen Pflanze*, c) verwilderte Gartenpflanze.

'**wild,life** *s collect.* Wild *n*, Tiere *pl* in der Na'tur.

wild·ness ['waildnis] *s allg.* Wildheit *f.*

wile [wail] **I** *s* **1.** List *f*, Trick *m*, *pl a.* Kniffe *pl*, Schliche *pl*, Ränke *pl.* **II** *v/t* **2.** (ver)locken: **to** ~ **s.o. into** j-n locken in (*acc*), j-n verlocken zu. **3.** → **while** 6.

wil·ful, *bes. Am.* **will·ful** ['wilful] *adj* (*adv* ~**ly**) **1.** absichtlich, vorsätzlich (*bes. jur.*): ~ **homicide** *jur.* vorsätzliche Tötung; ~ **murder** *jur.* Mord *m.* **2.** eigenwillig, -sinnig, halsstarrig. '**wil·ful·ness,** *bes. Am.* '**will·ful·ness** *s* **1.** Vorsätzlichkeit *f.* **2.** Eigenwille *m*, -sinn *m*, Halsstarrigkeit *f.*

wil·i·ly ['wailili] *adv zu* **wily.** '**wil·i·ness** *s* (Arg)List *f*, Verschlagenheit *f*, Gerissenheit *f.*

will[1] [wil] *inf u. Imperativ fehlen 1. u. 3. sg* **will,** *2. sg* (**you**) **will,** *obs.* (**thou**) **wilt** [wilt], *pl* **will,** *pret* **would** [wud] *2. sg pret obs.* (**thou**) **wouldst** [wudst], *pp obs.* **wold** [would], **would I** *v/aux* **1.** (*zur Bezeichnung des Futurs, Br. meist nur 2. u. 3. sg u. pl, als Ausdruck e-s Versprechens od. Entschlusses a. in der 1. sg u. pl*) werden: **they** ~ **see very soon** sie werden bald sehen. **2.** wollen, werden, willens sein zu: ~ **you pass me the bread, please?** wollen Sie mir bitte das Brot reichen?; **the wound would not heal** die Wunde wollte nicht heilen; **I** ~ **not go there again** ich gehe da nicht mehr hin. **3.** (*immer, bestimmt, unbedingt*) werden (*oft unübersetzt*): **people** ~ **talk** die Leute werden darüber reden; **boys** ~ **be boys** Jungen sind nun einmal so; **accidents** ~ **happen** Unfälle wird es immer geben; **you** ~ **get in my light!** du mußt mir natürlich (immer) im Licht stehen! **4.** (*in allen Personen zur Bezeichnung e-r Erwartung, Vermutung od. Annahme*) werden: **you** ~ **not have forgotten her** du wirst sie nicht vergessen haben; **they** ~ **have gone now** sie werden *od.* dürften jetzt (wohl) gegangen sein; **this** ~ **be about right** das wird *od.* dürfte ungefähr stimmen. **5.** unbedingt *od.* bestimmt wollen: **you would do it** du wolltest es ja unbedingt (tun). **6.** (*konditional*) → **would** 2. **7.** pflegen zu (*oft unübersetzt*): **he would take a short walk every day** er pflegte täglich e-n kurzen Spaziergang zu machen; **now and then a bird would call** ab u. zu ertönte ein Vogelruf. **8.** (*in Vorschriften etc*) *bes. mil.* müssen.

II *v/i u. v/t* **9.** wollen, wünschen: **come when you** ~! komme, wenn du willst!; **as you** ~ wie du willst; → **would** 3, **will**[2] II.

will[2] [wil] **I** *s* **1.** Wille *m* (*a. philos.*): **free** ~ freier Wille; → **freedom** 1. **2.** Wille(nskraft *f*) *m*: **a weak** (**an iron**) ~ ein schwacher (eiserner) Wille. **3.** Wille *m*, Wollen *n*: **where there's a** ~ **there's a way** wo ein Wille ist, ist auch ein Weg; **of one's own** ~ aus freien Stücken; **with a** ~ mit Lust u. Liebe, mit Macht; → **tenancy** 1; **to have one's** ~ s-n Willen haben. **4.** Wille *m*, Wunsch *m*, Befehl *m*: **Thy** ~ **be done** *Bibl.* Dein Wille geschehe. **5.** Wille *m*, (Be)Streben *n*: **to have the** ~ **to do s.th.** den Willen haben *od.* bestrebt sein, etwas zu tun; **the** ~ **to live** der Lebenswille; ~ **to peace** Friedenswille; ~ **to power** Machtwille, -streben. **6.** Wille *m*, Gesinnung *f* (*j-m gegenüber*): **good** ~ guter Wille; → **goodwill.** **7.** *a.* **last** ~ (**and testament**) *jur.* letzter Wille, Testa'ment *n*: **to make one's** ~ sein Testament machen.

II *v/t 2. sg* (**you**) **will,** *obs.* (**thou**) **will·est** ['wilist] *3. sg* **wills,** *obs.* **will·eth** ['wiliθ] *pret u. pp* **willed** [wild] **8.** wollen, entscheiden: **God** ~**s** (*od.* ~**eth**) **it** Gott will es. **9.** ernstlich *od.* fest wollen. **10.** *j-n* (durch Willenskraft) zwingen (**to do** zu tun): **to** ~ **o.s. into** sich zwingen zu. **11.** *jur.* (letztwillig *od.* testamen'tarisch) a) verfügen, b) vermachen (**to** *dat*).

III *v/i* **12.** wollen.

'**will-'call** *s* **1.** Kauf *m*, bei dem e-e Anzahlung gemacht u. die Ware zu'rückgelegt wird. **2.** angezahlte u. zu'rückgelegte Ware.

willed [wild] *adj in Zssgn* ...willig, mit e-m ... Willen: **strong-**~.

will·ful *etc Am. für* **wilful** *etc.*

wil·lies ['wiliz] *s pl bes. Am. colloq.* ‚Rappel' *m*, Nervenkrise *f*: **it gives me the** ~ es macht mich verrückt.

will·ing ['wiliŋ] *adj* **1.** *pred* gewillt, willens, bereit: **I am** ~ **to believe** ich glaube gern; **I am not** ~ **to believe this** ich bin nicht gewillt, das zu glauben; ~ **purchaser** *econ.* (ernsthafter) Interessent. **2.** (bereit)willig. **3.** gern geschehen *od.* getan: **a** ~ **gift** ein gern gegebenes Geschenk; **a** ~ **help** e-e gern geleistete Hilfe. '**will·ing·ly** *adv* bereitwillig, gern. '**will·ing·ness** *s* (Bereit)Willigkeit *f*, Bereitschaft *f*, Geneigtheit *f*: ~ **to pay** *econ.* Zahlungsbereitschaft.

wil·li·waw ['wili,wɔ:] *s Am.* (*Art*) Wirbelwind-Bö *f.*

will-less ['willis] *adj* **1.** willenlos. **2.** unfreiwillig.

will-o'-the-wisp ['wiləðə'wisp; -,wisp] *s* Irrlicht *n* (*a. fig.*).

wil·low[1] ['wilou] *s* **1.** *bot.* Weide *f*: **to wear the** ~ um den verlorenen Geliebten trauern. **2.** *Kricket, a. Baseball*: *colloq.* Schlagholz *n.*

wil·low[2] ['wilou] (*Spinnerei*) **I** *s* Reißwolf *m.* **II** *v/t* wolfen, reißen.

wil·low| grouse → **willow ptarmigan.** ~ **herb** *s bot.* Weidenrös-chen *n.* ~ **pat·tern** *s* Weidenmuster *n* mit chi'nesischer Landschaft (*auf Steingut od. Porzellan*). ~ **ptar·mi·gan** *s orn.* Moor-Schneehuhn *n.* ~ **war·bler,** ~ **wren** *s orn.* Weidenlaubsänger *m.*

wil·low·y ['wiloui] *adj* **1.** weidenbestanden. **2.** weidenartig. **3.** *fig.* a) biegsam, geschmeidig, b) gertenschlank.

will pow·er *s* Willenskraft *f.*

wil·ly-nil·ly ['wili'nili] *adv* wohl oder übel, nolens volens.

wilt[1] [wilt] *2. sg pres ind obs. od. poet. von* **will**[1]: *du* willst.

wilt[2] [wilt] **I** *v/i* **1.** verwelken, welk *od.* schlaff werden. **2.** *fig. colloq.* schlappmachen, ‚eingehen'. **II** *v/t* **3.** *bot.* verwelken lassen. **4.** *colloq.* zermürben, ‚fertigmachen'. **III** *s* **5.** Verwelken *n*: ~ (**disease**) *bot.* Welke(krankheit) *f.* **6.** *fig.* Erschlaffen *n.*

Wil·ton (**car·pet**) ['wiltən] *s* Wiltonteppich *m* (*Plüschteppich*).

wil·y ['waili] *adj* verschlagen, listig, gerissen.

wim·ple ['wimpl] *s* **1.** (Kopf)Tuch *n.* **2.** (*bes.* Nonnen)Schleier *m.*

win [win] **I** *v/i pret* **won** [wʌn], *obs.* **wan** [wæn] *pp* **won** **1.** gewinnen,

siegen, den Sieg da'vontragen: to ~ out *Am. colloq.* Erfolg haben, sich durchsetzen; to ~ at chess beim Schach gewinnen; to ~ hands down spielend gewinnen. **2.** gelangen: to ~ in (out, back) hinein-(hinaus-, zurück)gelangen; to ~ through (*adv*) a) durchkommen, b) ans Ziel gelangen (*a. fig.*), c) *fig.* sich durchsetzen; to ~ loose (*od.* free *od.* clear) sich frei machen. **3.** ~ (up)on a) Einfluß gewinnen auf (*acc*) *od.* über (*acc*), b) gewinnen an (*Macht etc*).
II *v/t* **4.** erlangen: to ~ fame (fortune); to ~ hono(u)r zu Ehren gelangen; to ~ praise Lob ernten. **5.** *j-m Lob* einbringen, -tragen: to ~ s.o. praise. **6.** gewinnen: to ~ a battle (race, *etc*). **7.** gewinnen, erringen: to ~ a victory (a prize); to ~ £3 off s.o. j-m 3£ abgewinnen; to ~ one's way s-n Weg machen; → day *Bes. Redew.*, field 7. **8.** verdienen: to ~ one's bread (livelihood). **9.** erreichen, gelangen zu: to ~ the shore. **10.** gewinnen: to ~ s.o.'s love (aid; *etc*); to ~ a friend. **11.** *a.* ~ over *j-n* für sich gewinnen, auf s-e Seite ziehen, *a. j-s* Herz erobern. **12.** *j-n* dazu bringen (to do zu tun): to ~ s.o. round j-n ‚'rumkriegen'. **13.** *Bergbau*: a) *Erz, Kohle* gewinnen, b) erschließen.
III *s* **14.** *colloq.* a) *bes. sport* Sieg *m*, b) Gewinn *m*.
wince [wins] **I** *v/i* (zs.-)zucken, zu'rückfahren (at bei; under unter *dat*): he did not even ~ er zuckte mit keiner Wimper. **II** *s* (Zs.-)Zucken *n*, Zs.-fahren *n*.
win·cey ['winsi] *s* Halbwollstoff *m*.
winch [wintʃ] *s tech.* **1.** Winde *f*, Haspel *f*. **2.** Kurbel *f*. **3.** *Br.* Weberbaum *m*. ~ **dye·ing ma·chine** *s* 'Haspelˌfärbeappaˌrat *m*. ~ **reel** *s* Haspel *f*.
wind[1] [wind] **I** *s* **1.** Wind *m*: fair (contrary) ~ günstiger (ungünstiger) Wind; → ill 1; ~ and weather permitting bei gutem Wetter; before the ~ vor dem *od.* im Wind; between ~ and water a) *mar.* zwischen Wind u. Wasser, b) in der *od.* die Magengrube, c) *fig.* an e-r empfindlichen Stelle; there is s.th. in the ~ *fig.* es liegt etwas in der Luft; in(to) the ~'s eye gegen den Wind; to be a sheet in the ~'s eye *colloq.* ‚Schlagseite haben'; to the four ~s in alle Winde, in alle (vier) Himmelsrichtungen; under the ~ *mar.* in Lee; to have (*od.* take) the ~ of a) *e-m Schiff* den Wind abgewinnen, b) e-n Vorteil *od.* die Oberhand haben über (*acc*); like the ~ wie der Wind, schnell; to fling (*od.* cast *od.* throw) to the ~(s) *fig. die Klugheit etc* außer acht lassen, *e-n Rat etc* in den Wind schlagen; to have (get) the ~ up *sl.* ‚Bammel' *od.* ‚Schiß' haben (kriegen); to put the ~ up s.o. *sl.* j-m Angst einjagen; to raise the ~ *sl.* (das nötige) Geld auftreiben; to know how (*od.* which way) the ~ blows *fig.* wissen, woher der Wind weht; to sail close to the ~ a) hart am Wind segeln, b) sich hart an der Grenze des Erlaubten bewegen, mit 'einem Fuß im Zuchthaus stehen; to sow the ~ and reap the whirlwind Wind säen u. Sturm ernten; to take the ~ out of s.o.'s sails j-m den Wind aus den Segeln nehmen. **2.** Sturm(wind) *m*. **3.** a) (Gebläse-*etc*)Wind *m*: ~ of a bellows, b) Luft *f* (*in e-m Reifen etc*). **4.** *med.* (Darm-)Wind(e *pl*) *m*, Blähung(en *pl*) *f*: to break ~ e-n Wind abgehen lassen. **5.** the ~ *mus.* a) die 'Blasinstruˌmente *pl*, b) die Bläser *pl*. **6.** *hunt.* Wind *m*, Witterung *f* (*a. fig.*): to get ~ of a) wittern (*acc*), b) *fig.* Wind bekommen von. **7.** Atem *m*: to have a good ~ e-e gute Lunge haben; to have a long ~ e-n langen Atem haben (*a. fig.*); to get one's second ~ wieder zu Atem kommen, den toten Punkt überwunden haben; to have lost one's ~ außer Atem sein; sound in ~ and limb kerngesund. **8.** Wind *m*, leeres Geschwätz.
II *v/t* **9.** *hunt.* wittern. **10.** *meist pass* außer Atem bringen, erschöpfen: to be ~ed außer Atem *od.* erschöpft sein. **11.** verschnaufen lassen.
wind[2] [waind] **I** *s* **1.** Windung *f*, Biegung *f*. **2.** Um'drehung *f* (*beim Aufziehen e-r Uhr etc*). **II** *v/i pret u. pp* **wound** [waund] **3.** sich winden *od.* schlängeln (*a. Fluß, Straße etc*). **4.** sich winden *od.* wickeln *od.* schlingen (about, round um *acc*). **5.** a) aufgewunden *od.* aufgewickelt werden, b) sich aufwinden *od.* -wickeln lassen. **III** *v/t* **6.** winden, wickeln, schlingen (round um *acc*): to ~ off (on to) a reel *etwas* ab-(auf)spulen. **7.** um'wickeln. **8.** *oft* ~ up a) auf-, hochwinden, b) *Garn etc* aufwickeln, -spulen. **9.** *oft* ~ up a) *e-e Uhr etc* aufziehen, b) *e-e Saite etc* spannen. **10.** *oft* ~ up hochwinden, *Erz* fördern. **11.** (sich) schlängeln: to ~ o.s. (*od.* one's way) into s.o.'s affection *fig.* (sich) j-s Zuneigung erschleichen, sich bei j-m einschmeicheln. **12.** *mar.* a) wenden, b) hieven. **13.** a) *e-e Kurbel* drehen, b) kurbeln. **14.** *phot. den Film nach der Aufnahme* (weiter)drehen.
Verbindungen mit Adverbien:
wind| off *v/t* abwickeln, abspulen. ~ **up I** *v/i* **1.** (*bes.* s-e Rede) schließen (by saying mit den Worten). **2.** *Am. colloq.* enden, ‚landen': he'll ~ in prison; he wound up by shooting himself zu guter Letzt erschoß er sich. **3.** *econ.* Kon'kurs machen. **4.** *Baseball*: Schwung holen. **II** *v/t* **5.** → wind[2] 8—10. **6.** *fig.* anspannen, erregen, (hin'ein)steigern: wound up to a high pitch hochgespannt, in Hochspannung (versetzt). **7.** *bes. e-e Rede* (ab)schließen. **8.** *econ.* a) *ein Geschäft* abwickeln, erledigen: to ~ affairs, b) *ein Unternehmen* auflösen, liqui'dieren: to ~ a company.
wind[3] [waind] *pret u. pp* **wound** [waund], *selten* **wind·ed** ['waindid] *v/t* **1.** *das Horn etc* blasen. **2.** *ein Hornsignal* ertönen lassen.
wind·age ['windidʒ] *s* **1.** *mil. phys.* a) Luftdruckwelle *f* (*e-s Geschosses*), b) Spielraum *m* (*im Rohr*), c) Einfluß *m* des Windes (*auf die Abweichung e-s Geschosses*), d) Abweichung *f*. **2.** *phys.* 'Luftˌwiderstand *m*. **3.** *mar.* Windfang *m*.
wind|·bag ['windˌbæg] *s sl.* Schwätzer *m*, ‚Schaumschläger' *m*. '~-ˌ**bound** *adj* **1.** *mar.* durch ungünstigen Wind am Ausfahren gehindert. **2.** *fig.* verhindert. '~ˌ**break** *s* **1.** Windschutz *m* (*Hecke etc*). **2.** *Forstwirtschaft*: Windbruch *m*. '~ˌ**break·er** *s* (Leder)Windjacke *f*. '~-ˌ**bro·ken** *adj vet.* kurzatmig, dämpfig (*Pferd*). '~ˌ**cheat·er** *s bes. Br.* Windjacke *f*. ~ **cone** *s aer. phys.* Luftsack *m*.
wind·ed ['windid] *adj* **1.** außer Atem, erschöpft. **2.** (*in Zssgn*) ...atmig: → short-winded.
wind egg [wind] *s* Wind-ei *n*.
wind·er ['waindər] *s* **1.** Spuler(in), Haspler(in). **2.** *tech.* Winde *f*, Haspel *f*. **3.** (Wendeltreppen)Stufe *f*. **4.** *bot.* Schlingpflanze *f*. **5.** Schlüssel *m* (*zum Aufziehen*), Kurbel *f*.
wind|·fall ['windˌfɔːl] *s* **1.** a) Fallobst *n*, b) Windbruch *m* (*umgewehte Bäume*). **2.** *fig.* unverhoffter Glücksfall *od.* Gewinn. '~ˌ**fall·en** *adj* vom Wind gestürzt, windbrüchig. '~-ˌ**fer·tiˌlized** *adj bot.* vom Wind bestäubt *od.* befruchtet. '~ˌ**flow·er** *s bot.* Ane'mone *f*. ~ **force** *s meteor.* Windstärke *f*. ~ **ga(u)ge** *s* **1.** *phys. tech.* Wind-(stärke-, -geschwindigkeits)messer *m*, Anemo'meter *n*. **2.** *mil.* Windvorhalteinstellung *f*. **3.** *mus.* Windwaage *f* (*an der Orgel*). ~ **harp** *s* Äolsharfe *f*.
wind·i·ness ['windinis] *s* **1.** (*das*) Windige, Windigkeit *f* (*a. fig. contp.*). **2.** *fig.* Aufgeblasenheit *f*, Hohlheit *f*.
wind·ing ['waindiŋ] **I** *s* **1.** Winden *n*, Haspeln *n*, Spulen *n*. **2.** (Ein-, Auf-)Wickeln *n*, (Um)'Wickeln *n*. **3.** (Sich)-'Winden *n*, (-)'Schlängeln *n*. **4.** Windung *f*, Biegung *f*. **5.** Um'wick(e)lung *f*. **6.** *electr.* Wicklung *f*. **II** *adj* **7.** gewunden: a) sich windend *od.* schlängelnd, b) Wendel...: ~ staircase, ~ stairs. **8.** krumm, schief (*a. fig.*). **9.** Winde..., Haspel...: ~ cable Förderseil *n*. ~ **en·gine** *s tech.* **1.** Dampfwinde *f*. **2.** *Bergbau*: Förderwelle *f*. **3.** 'Spul-, 'Wickelmaˌschine *f* (*a. electr.*). ~ **sheet** *s* Leichentuch *n*. ~ **tack·le** *s mar.* Gien *f* (*Flaschenzug*). '~-'**up** *s* **1.** Aufziehen *n* (*e-r Uhr etc*): ~ mechanism Aufziehwerk *n*. **2.** Abwicklung *f*, Abschluß *m*, Ende *n*. **3.** *econ.* Liquidati'on *f*, Auflösung *f* (*e-s Geschäftes*): ~ sale (Total)Ausverkauf *m*.
wind| in·stru·ment [wind] *s mus.* 'Blasinstruˌment *n*. '~ˌ**jam·mer** *s* **1.** *mar. colloq.* a) ‚Windjammer' *m*, Rahsegler *m*, b) Ma'trose *m* auf e-m Segelschiff. **2.** *bes. Am. sl.* Schwätzer(in). **3.** *mus. Am. sl.* Bläser *m*.
wind·lass ['windləs] **I** *s* **1.** *tech.* Winde *f*. **2.** *Bergbau*: Förderhaspel *m, f*. **3.** *mar.* Ankerspill *n*. **II** *v/t* **4.** mit e-r Winde *etc* heben *od.* hochziehen.
wind·less ['windlis] *adj* windstill.
win·dle·straw ['windlˌstrɔː], *a.* '**win·dleˌstrae** [-ˌstrei] *s Scot. od. dial.* **1.** trockener Grashalm. **2.** *fig.* a) (*etwas*) Dünnes *od.* Schwaches, b) schmächtige Per'son.
wind·mill ['windmil; 'win-] **I** *s* **1.** Windmühle *f*: to tilt at (*od.* fight) ~s *fig.* gegen Windmühlen kämpfen; to throw one's cap over the ~ a) Luftschlösser bauen, b) jede Vorsicht außer acht lassen. **2.** → whirlybird. **II** *v/t* **3.** wie e-e Windmühle bewegen: to ~ one's arms.
win·dow ['windou] *s* **1.** Fenster *n* (*a. fig.*): to climb in at the ~ zum Fenster hineinklettern; to look out of (*od.* at) the ~ zum Fenster hinausschauen. **2.** Fensterscheibe *f*. **3.** Schaufenster *n*: to put all one's knowledge in the ~ *fig.* mit s-m Wissen hausieren gehen. **4.** (*Bank- etc*)Schalter *m*. **5.** *tech.* Fenster *n* (*a. im Briefumschlag*): ~ dial Fensterskala *f*. **6.** *geol.* Fenster *n* (*durch Erosion entstandener Einblick*). **7.** *aer. mil.* Düppel *m*, (Radar)Störfolie *f*. **8.** *TV, Radar*: Ausblendstufe *f*. ~ **bar** *s* Fenstersprosse *f*, -stab *m*. ~ **box** *s* Blumenkasten *m*. ~ **dis·play** *s* Schaufensterauslage *f*. '~-ˌ**dress** *v/t fig.* **1.** *e-e Bilanz etc* verschleiern, fri'sieren. **2.** schmackhaft machen, ‚aufputzen'. ~ **dress·er** *s* **1.** 'Schaufensterˌdekoraˌteur(in). **2.** *fig.* Schönfärber(in). ~ **dress·ing** *s* **1.** 'Schaufensterˌdekoratiˌon *f*. **2.** *fig.* Aufmachung *f*, ‚Mache' *f*, ˌSchönfärbe'rei *f*. **3.** *econ.*

Verschleiern *n*, ‚Fri'sieren' *n* (*e-r Bilanz*).
win·dow·ed ['windoud] *adj* mit Fenster(n) (versehen).
win·dow| en·ve·lope *s* 'Fenster‚briefˌumschlag *m*. ~ **frame** *s* Fensterrahmen *m*. ~ **jam·ming** *s mil. Radar*: Folienstörung *f*, Verdüppelung *f*. '~ˌ**pane** *s* Fensterscheibe *f*. ~ **screen** *s* **1.** Fliegenfenster *n*. **2.** Zierfüllung *f* e-s Fensters (*aus Buntglas, Gitter etc*). ~ **seat** *s* Fenstersitz *m*. ~ **shade** *s* Rou'leau *n*, Jalou'sie *f*. '~-ˌ**shop·per** *s* Schaufensterbummler(in). '~-ˌ**shop·ping** *s* Schaufensterbummel *m*: to go ~ e-n Schaufensterbummel machen. ~ **shut·ter** *s* Fensterladen *m*. ~ **sill** *s* Fensterbrett *n*.
'**wind**|ˌ**pipe** [wind] *s anat.* Luftröhre *f*. ~ **pow·er** *s* Windkraft *f*. ~ **rose** *s meteor.* Windrose *f*. ~ **row** ['windˌrou; 'win-] *s* **1.** *agr.* a) Schwaden *m* Heu *od.* Getreide, b) Reihe *f* von Garben *od.* Torf *etc.* **2.** (vom Wind zs.-gewehter) Wall von Staub *od.* Laub *etc.* ~ **sail** [wind] *s* **1.** *mar.* Windsack *m*. **2.** *tech.* Windflügel *m*. ~ **scale** *s meteor.* Windstärkenskala *f*. '~ˌ**screen** *s* **1.** Windschirm *m*. **2.** *mot. Br. für* **windshield.** '~ˌ**shield** *s mot. bes. Am.* Windschutzscheibe *f*: ~ **washer** Scheibenwaschanlage *f*; ~ **wiper** Scheibenwischer *m*. ~ **sleeve,** ~ **sock** *s aer. phys.* Luftsack *m*.
Wind·sor| bean ['winzər] *s bot.* Puff-, Saubohne *f*. ~ **Knight** *s e-r der in e-m Teil des Schlosses von Windsor (England) wohnenden pensionierten Offiziere.* ~ **soap** *s* Windsorseife *f* (*braune Toilettenseife*).
'**wind**|-ˌ**swept** *adj* **1.** windgepeitscht. **2.** *fig.* Windstoß...: ~ hairdo. ~ **tunnel** *s aer. phys. tech.* 'Windkaˌnal *m*.
wind·up ['waindˌʌp] *s* **1.** Schluß *m*, Ende *n*. **2.** *econ. Am.* Abwicklung *f* (*e-s Geschäftes*).
wind·ward ['windwərd] *mar.* **I** *adv* wind-, luvwärts, gegen den Wind. **II** *adj* windwärts gelegen, Luv..., Wind...: ~ **Islands** *geogr.* Inseln vor dem Wind; ~ **side** Windseite *f*. **III** *s* Windseite *f*, Luv(seite) *f*: to get to the ~ of s.o. *fig.* e-n Vorteil vor j-m erringen.
wind·y ['windi] *adj* (*adv* **windily**) **1.** windig: a) stürmisch, b) zugig: a ~ place; the W~ City (*Beiname von*) Chicago *n*. **2.** *fig.* a) wortreich, hochtrabend, b) windig, hohl, leer: ~ speeches, c) geschwätzig. **3.** *med.* blähend. **4.** *bes. Br. sl.* ner'vös, ängstlich.
wine [wain] **I** *s* **1.** Wein *m*: new ~ in old bottles *Bibl.* junger Wein in alten Schläuchen (*a. fig.*); in ~ betrunken. **2.** gegorener Fruchtsaft. **3.** *pharm.* Medizi'nalwein *m*. **4.** *univ. Br.* Weinabend *m*. **II** *v/t* **5.** mit Wein versorgen *od.* bewirten. **III** *v/i* **6.** Wein trinken. '~ˌ**bib·ber** *s* (Wein)Süffel *m*. '~ˌ**bottle** *s* Weinflasche *f*. ~ **cask** *s* Weinfaß *n*. ~ **cel·lar** *s* Weinkeller *m*. ~ **cool·er** *s* Weinkühler *m*. '~ˌ**glass** *s* Weinglas *n*. '~ˌ**grow·er** *s* Weinbauer *m*. '~ˌ**growing** *s* Weinbau *m*. ~ **mer·chant** *s* Weinhändler *m*. ~ **press** *s* Weinpresse *f*, -kelter *f*.
win·er·y ['wainəri] *s* Weinkelle'rei *f*.
'**wine**|ˌ**skin** *s* Weinschlauch *m*. ~ **stone** *s chem.* Weinstein *m*. '~ˌ**tast·er** *s* Weinprober *m*. ~ **vault** *s* Weinkeller *m* (*a. Schenke*). ~ **yeast** *s* Weinhefe *f*.
wing [wiŋ] **I** *s* **1.** *orn.* Flügel *m* (*a. bot. u. zo.*), Schwinge *f*, Fittich *m* (*a. fig.*): under s.o.'s ~(s) unter j-s Fittichen *od.* Schutz; on the ~ a) im Flug, b) *fig.* auf Reisen; on the ~s of the wind wie der Wind, mit Windeseile; to clip s.o.'s ~s *fig.* j-m die Flügel stutzen; to lend ~s to *etwas* beflügeln; to singe one's ~s *fig.* sich die Finger verbrennen; to take ~ a) aufsteigen, davonfliegen, b) aufbrechen, c) *fig.* beflügelt werden. **2.** *humor.* Arm *m* (*e-s Menschen*). **3.** (Tür-, Fenster- *etc*)Flügel *m*. **4.** *arch.* Flügel *m*, Seitenteil *m* (*e-s Gebäudes*). **5.** *meist pl thea.* 'Seitenkuˌlisse *f*. **6.** *aer.* Tragfläche *f*. **7.** *mot.* Kotflügel *m*. **8.** *mar. mil.* Flügel *m* (*e-r Aufstellung*). **9.** *aer. mil.* a) *brit. Luftwaffe*: Gruppe *f*, b) *amer. Luftwaffe*: Geschwader *n*, c) ‚Schwinge' *f*, Pi'lotenabzeichen *n*. **10.** *sport* a) Flügel *m* (*des Sturms*), b) Außenstürmer *m*, Flügelmann *m*. **11.** *pol.* Flügel *m* (*e-r Partei*). **12.** Federfahne *f* (*e-s Pfeils*). **13.** *tech.* Flügel *m*. **14.** 'umgeklappte Ecke (*e-s Eckenkragens*).
II *v/t* **15.** mit Flügeln *etc* versehen. **16.** *fig.* beflügeln (*beschleunigen*). **17.** *e-e Strecke* durch'fliegen: to ~ one's way dahinfliegen; to ~ itself into a tree sich auf e-n Baum schwingen (*Vogel*). **18.** *ein Geschoß* abschießen. **19.** a) *e-n Vogel* anschießen, flügeln, b) *colloq. j-n* (*bes.* am Arm) verwunden *od.* treffen, c) *colloq. ein Flugzeug* anschießen.
III *v/i* **20.** fliegen, sich schwingen.
wing| as·sem·bly *s aer.* Tragwerk *n*. '~ˌ**beat** *s* Flügelschlag *m*. ~ **case** *s zo.* Flügeldecke *f*. ~ **chair** *s* Ohrensessel *m*. ~ **com·mand·er** *s aer. mil.* **1.** *Br.* Oberst'leutnant *m* der Luftwaffe. **2.** *Am.* Ge'schwaderkommoˌdore *m*. ~ **com·pass** *s oft pl tech.* Bogenzirkel *m*. ~ **cov·ert** *s orn.* Deckfeder *f*.
wing·ding ['wiŋˌdiŋ] *s Am. sl.* **1.** *med. etc* Anfall *m*. **2.** ‚Koller' *m*, Wutanfall *m*. **3.** ‚tolle *od.* große Sache' (*Veranstaltung etc*). **4.** ‚Orgie' *f*.
winged [wiŋd] *adj* **1.** *orn., a. bot.* geflügelt. **2.** Flügel..., (*in Zssgn*) ...flügelig: the ~ horse *myth.* der Pegasus; ~ screw *tech.* Flügelschraube *f*; ~ words *fig.* geflügelte Worte; double-~ building zweiflügeliges Gebäude. **3.** *fig.* beflügelt, schnell. **4.** *fig.* beschwingt. **5.** *fig.* erhaben, edel, hoch: ~ sentiments. '**win·ged·ly** [-gidli] *adv.*
wing| feath·er *s orn.* Schwungfeder *f*. ~ **flap** *s aer.* Landeklappe *f*. '~-ˌ**footed** *adj fig.* schnell(füßig), beflügelt. '~-ˌ**heav·y** *adj aer.* querlastig. ~ **nut** *s tech.* Flügelmutter *f*. ~ **o·ver** *s aer.* Immelmann-Turn *m*. ~ **sheath** → wing case. '~ˌ**spread** *s* **1.** *orn.* Flügelspannweite *f*. **2.** *aer.* (Tragflächen)-Spannweite *f*. '~ˌ**stroke** → wingbeat. ~ **tip** *s aer.* Tragflächenende *n*.
wink [wiŋk] **I** *v/i* **1.** (mit den Augen) blinzeln, zwinkern: to ~ at a) *j-m* zublinzeln, b) *fig.* ein Auge zudrücken bei *etwas*, *etwas* ignorieren; as easy as ~ing *Br. sl.* kinderleicht; like ~ing *sl.* wie der Blitz. **2.** blinzeln, sich schnell schließen u. öffnen (*Augen*). **3.** blinken, flimmern (*Licht*). **II** *v/t* **4.** blinzeln *od.* zwinkern mit *den Augen*. **5.** *etwas* blinken, durch 'Lichtsiˌgnal(e) anzeigen. **III** *s* **6.** Blinzeln *n*, Zwinkern *n*, Wink *m* (*mit den Augen*): → tip[3] 5. **7.** Augenblick *m*: in a ~ im Nu; not to sleep a ~, not to get a ~ of sleep kein Auge zutun; → forty 6.
'**wink·er** *s* **1.** Scheuklappe *f* (*e-s Pferdes*). **2.** *pl colloq.* Augen *pl*. **3.** *pl mot. colloq.* Blinkleuchten *pl*.
win·kle ['wiŋkl] **I** *s zo.* (eßbare) Strandschnecke. **II** *v/t* ~ out a) her'ausziehen, -polken, b) *j-n* hin'ausekeln.
win·ner ['winər] *s* **1.** Gewinner(in), *sport a.* Sieger(in). **2.** sicherer Gewinner, 'Siegeskandiˌdat(in). **3.** erfolgversprechende *od.* ‚todsichere' Sache. **4.** ‚Schlager' *m*, großartige Sache.
win·ning ['winiŋ] **I** *s* **1.** Gewinnen *n*, Sieg *m*. **2.** *meist pl* Gewinn *m* (*bes. beim Spiel*). **3.** *Bergbau*: a) Grube *f*, b) Abbau *m*. **II** *adj* (*adv* ~ly) **4.** *bes. sport* gewinnend, siegreich, Sieger... **5.** entscheidend: ~ hit. **6.** *fig.* gewinnend, einnehmend. ~ **post** *s sport* Ziel *n*.
win·now ['winou] **I** *v/t* **1.** *a.* ~ out a) *Getreide* schwingen, sieben, worfeln, b) *Spreu* scheiden, trennen (from von). **2.** *fig.* sichten, sondern. **3.** *fig.* trennen, (unter)'scheiden (from von). **II** *s* **4.** Wanne *f*, Futterschwinge *f*. '**win·now·ing** *s* Worfeln *n*, Schwingen *n*: ~ fan Kornschwinge *f*; ~ machine Worfelmaschine *f*.
wi·no ['waiˌnou] *s Am. sl.* Weinsäufer(in) *m*.
win·some ['winsəm] *adj* (*adv* ~ly) **1.** gewinnend, einnehmend. **2.** (lieb)reizend. **3.** lustig, fröhlich.
win·ter ['wintər] **I** *s* **1.** Winter *m*. **2.** *poet.* Jahr *n*: a man of fifty ~s. **II** *adj* **3.** winterlich, Winter... **III** *v/i* **4.** über'wintern. **IV** *v/t* **5.** *Tiere, Pflanzen* über'wintern. ~ **crop** *s agr.* Winterfrucht *f*. ~ **fal·low** *s agr.* Winterbrache *f*. ~ **gar·den** *s* Wintergarten *m*.
win·ter·ize ['wintəˌraiz] *v/t Am.* auf den Winter vorbereiten, *bes. mot.* winterfest machen.
'**win·ter**|ˌ**proud** *adj agr.* vorzeitig grün. ~ **quar·ters** *s pl* **1.** *mil.* 'Winterquarˌtier *n*. **2.** *mar.* Winterhafen *m*. ~ **sports** *s pl* Wintersport *m*.
win·tri·ness ['wintrinis] *s* Kälte *f*, Frostigkeit *f*. '**win·try** [-tri] *adj* **1.** winterlich, frostig: ~ weather. **2.** *fig.* a) freudlos, trüb(e), b) alt, weißhaarig, c) frostig: ~ smile.
win·y ['waini] *adj* **1.** Wein... **2.** weinselig, angeheitert.
winze [winz] *s Bergbau*: Wetterschacht *m*.
wipe [waip] **I** *s* **1.** (Ab)Wischen *n*: to give s.th. a ~ etwas abwischen. **2.** *sl.* ‚Wischer' *m*: a) Schlag *m*, Hieb *m*, b) *fig.* Seitenhieb *m*. **3.** *sl.* Taschentuch *n*. **4.** *Film*: 'Tricküberˌblendung *f*. **II** *v/t* **5.** (ab-, sauber-, trocken)wischen, abreiben, reinigen: to ~ s.o.'s eye (for him) *sl.* j-n ausstechen; to ~ the floor with s.o. *sl.* ‚mit j-m Schlitten fahren', j-m heimleuchten. **6.** *oft* ~ away, ~ off ab-, wegwischen. **7.** *oft* ~ off *fig.* bereinigen, tilgen, auslöschen, *Rechnung* begleichen: to ~ s.th. off the slate *fig.* etwas vergessen *od.* begraben. **8.** wischen mit (over, across über *acc*). **9.** *tech.* weichlöten.
Verbindungen mit Adverbien:
wipe| out *v/t* **1.** auswischen: to ~ a jug. **2.** wegwischen, (aus)löschen, tilgen (*a. fig.*): to ~ a disgrace e-n Schandfleck tilgen, e-e Scharte auswetzen. **3.** *e-e Armee, Stadt etc* (völlig) vernichten, 'ausraˌdieren, *e-e Rasse etc* ausrotten. ~ **up** *v/t* aufwischen.
wipe| break, ~ **break·er** *s electr.* 'Schleif-, 'Wischkonˌtaktunterˌbrecher *m*. ~ **joint** *s tech.* (Weich)Lötstelle *f*.
wip·er ['waipər] *s* **1.** Wischer *m* (*Person od. Vorrichtung*). **2.** Wischtuch *n*. **3.** *tech.* a) Hebedaumen *m*, b) Abstreifer *m*, c) *electr.* Kon'taktarm *m*, Schleifer *m*. **4.** → wipe 2 *u.* 3.
wire [wair] **I** *s* **1.** Draht *m*. **2.** *electr.* Leitung(sdraht *m*) *f*: → live wire 1.

3. *electr.* (Kabel)Ader *f.* **4.** Drahtgitter *n*, -netz *n.* **5.** a) Tele'graphennetz *n*, b) *colloq.* Tele'gramm *n*, Drahtnachricht *f*: by ~ telegraphisch, c) Tele'phonnetz *n.* **6.** *mus.* Drahtsaite *f od.* -saiten *pl.* **7.** *pl* a) Drähte *pl (e-s Marionettenspiels)*, b) *fig.* geheime Fäden *pl*, Beziehungen *pl*: **to pull the ~s** a) der Drahtzieher sein, b) s-e Beziehungen spielen lassen; **to pull (the) ~s for office** sich durch Beziehungen e-e Stellung verschaffen. **8.** *opt.* Faden *m (im Okular).* **II** *adj* **9.** Draht... **III** *v/t* **10.** mit Draht(geflecht) versehen. **11.** mit Draht (an-, zs.-)binden *od.* befestigen. **12.** *electr.* Leitungen (ver)legen in (*dat*), (be)schalten, verdrahten: **to ~ to** anschließen an (*acc*). **13.** *colloq.* *e-e Nachricht od. j-m* telegra'phieren *od.* drahten. **14.** *hunt.* mit Drahtschlingen fangen. **IV** *v/i* **15.** *colloq.* telegra'phieren, drahten: **to ~ away** (*od.* **in**) *sl.* sich ins Zeug legen, ‚loslegen'.

wire| bridge *s tech.* Drahtseilbrücke *f.* **~ cloth** *s tech.* Drahtgewebe *n.* **~ cutter** *s tech.* **1.** Drahtschere *f.* **2.** Drahtschneider *m (Arbeiter od. Werkzeug).*

wired [waiərd] *adj* **1.** *electr.* verdrahtet, mit (Draht)Leitungen versehen: **~ music** Musik *f* über Drahtfunk; **~ radio, ~ wireless** Drahtfunk *m.* **2.** mit Draht verstärkt: **~ glass** Drahtglas *n.* **3.** mit e-m Drahtgeflecht *od.* -zaun um'geben.

'wire|ˌdanc·er *s* Seiltänzer(in). **'~ˌdraw** *v/t irr* **1.** *tech. Metall* drahtziehen. **2.** *fig.* a) in die Länge ziehen, b) verzerren, entstellen (into zu), c) *ein Argument* über'spitzen, ausklügeln. **'~ˌdrawn** *adj fig.* a) langatmig, b) spitzfindig, ausgeklügelt, über'spitzt. **~ en·tan·gle·ment** *s mil.* Drahtverhau *m.* **~ ga(u)ge** *s tech.* Drahtlehre *f.* **~ gauze** *s tech.* Drahtgaze *f*, -gewebe *n.* **~ glass** *s* Drahtglas *n.* **~ gun** *s mil.* Drahtrohr *n.* **'~-ˌhair** *s zo.* Drahthaarterrier *m.* **'~-ˌhaired** *adj* Drahthaar...: **~ terrier.**

wire·less ['waiərlis] *electr.* **I** *adj* **1.** drahtlos, Funk...: **~ message** Funkspruch *m.* **2.** *bes. Br.* Radio..., Rundfunk...: **~ set** → 3. **II** *s* **3.** *bes. Br.* 'Radio(appaˌrat *m*) *n*: **on the ~** im Radio *od.* Rundfunk. **4.** *abbr. für* **wireless telegraphy, wireless telephony,** *etc.* **III** *v/t bes. Br.* **5.** *e-e Nachricht etc* funken. **IV** *v/i* **6.** *bes. Br.* drahtlos telegra'phieren, funken. **~ car** *s Br.* Funkstreifenwagen *m.* **'~-conˌtrolled** *adj* funkferngesteuert. **~ op·er·a·tor** *s aer.* (Bord)Funker *m.* **~ (re·ceiv·ing) set** *s* (Funk)Empfänger *m.* **~ sta·tion** *s electr.* (*a.* 'Rund)ˌFunkstatiˌon *f.* **~ te·leg·ra·phy** *s* drahtlose Telegra'phie, 'Funktelegraˌphie *f.* **~ tel·e·phone** *s* 'Funkteleˌphon *n*, -fernsprecher *m.* **~ te·leph·o·ny** *s* drahtlose Telepho'nie, 'Funktelephoˌnie *f.*

'wire|·man [-mən] *s irr tech.* Tele'graphen-, Tele'phonarbeiter *m.* **~ mi·crom·e·ter** *s phys. tech.* 'Fadenmikroˌmeter *n.* **~ nail** *s tech.* Drahtnagel *m*, -stift *m.* **~ net·ting** *s tech.* **1.** Drahtnetz *n*, -geflecht *n.* **2.** *pl* Maschendraht *m.* **'~ˌpho·to** *s* 'Bildteleˌgramm *n.* **~ pli·ers** *s pl tech.* Drahtzange *f.* **'~ˌpull·er** *s colloq. fig.* ‚Drahtzieher' *m.* **'~ˌpull·ing** *s colloq. fig.* ‚Drahtziehe'rei' *f*, Manipulati'onen *pl.* **~ re·cord·er** *s electr.* Drahtton(aufnahme)gerät *n.* **~ rod** *s tech.* Walz-, Stabdraht *m.* **~ rope** *s* Drahtseil *n.* **~ rope·way** *s* Drahtseilbahn *f.* **'~ˌtap** *v/t u. v/i (j-s)* Tele'phongespräche abhören, *(j-s)* Leitung(en) anzapfen. **'~ˌtap·per** *s* Mithörer *m (durch Anzapfen von Telephon- od. Telegraphendrähten).* **'~ˌtap·ping** *s* Anzapfen *n* von Tele'phonleitungen. **~ tram·way** → **wire ropeway.** **~ walk·er** *s* 'Drahtseilakroˌbat(in), Seiltänzer(in). **'~ˌworm** *s zo.* Drahtwurm *m.* **'~-ˌwove** *adj* **1.** Velin...: **~ paper.** **2.** aus Draht geflochten.

wir·i·ness ['wai(ə)rinis] *s fig.* Drahtigkeit *f*, Zähigkeit *f.*

wir·ing ['wai(ə)riŋ] *s* **1.** Befestigen *n* mit Draht. **2.** *electr.* a) Verdrahtung *f*, Beschaltung *f*, b) Leitungsnetz *n*: **~ diagram** Schaltplan *m*, -schema *n.*

wir·y ['wai(ə)ri] *adj* **1.** Draht... **2.** drahtig: **~ hair.** **3.** *fig.* drahtig, zäh. **4.** a) vi'brierend, b) me'tallisch: **~ sound.**

wis [wis] *v/t obs.* **1.** wissen: **I ~** ich weiß wohl. **2.** denken, meinen.

wis·dom ['wizdəm] *s* **1.** Weisheit *f*, Klugheit *f.* **2.** *obs.* Gelehrsamkeit *f.* **3.** *Bibl.* a) **W~**, *a.* **W~ of Solomon** die Sprüche *pl* Salomons, b) **W~ of Jesus, Son of Sirach** (*das*) Buch Jesus Sirach, **~ tooth** *s irr* Weisheitszahn *m.*

wise[1] [waiz] **I** *adj* (*adv* → **wisely**) **1.** weise, klug, einsichtig, erfahren. **2.** gescheit, verständig: **to be none the ~r** (**for it**) nicht klüger sein als zuvor; **without anybody being the ~r for it** ohne daß es jemand gemerkt hätte. **3.** wissend, unter'richtet: **to be ~ to** *sl.* Bescheid wissen über (*acc*); **to get ~ to** *sl. etwas* ‚spitzkriegen'; **to put s.o. ~ to** *sl. j-m etwas* ‚stecken'. **4.** schlau, gerissen. **5.** *bes. Am. sl.* neunmalklug: **~ guy** ‚Klugscheißer' *m.* **6.** *obs.* in der Hexenkunst bewandert: **~ man** Zauberer *m*; **~ woman** a) Hexe *f*, b) Wahrsagerin *f*, c) weise Frau (*Hebamme*). **II** *v/t* **7.** **~ up** *bes. Am. sl. j-n* infor'mieren (to über *acc*). **III** *v/i* **8.** **~ up** *bes. Am. sl.* infor'miert sein *od.* werden, ‚schlau werden'.

wise[2] [waiz] *s obs.* Art *f*, Weise *f*: **in any ~** auf irgendeine Weise; **in no ~** in keiner Weise, keineswegs; **in this ~** auf diese Art u. Weise.

-wise [waiz] *Wortelement mit den Bedeutungen*: a) ...artig, nach Art von, b) ...weise, c) *colloq.* ...mäßig.

'wise|ˌa·cre *s* Neunmalkluger *m*, Besserwisser *m.* **'~ˌcrack** *sl.* **I** *s* witzige *od.* treffende Bemerkung, Witze'lei *f.* **II** *v/i* witzeln, ‚flachsen'. **'~ˌcrack·er** *s sl.* Witzbold *m.* **'~ˌhead** *s* **1.** Schlaukopf *m.* **2.** → **wiseacre.**

wise·ly ['waizli] *adv* **1.** weise (*etc*; → **wise**[1] 1 *u.* 2). **2.** kluger-, vernünftigerweise. **3.** (wohl)weislich.

wish [wiʃ] **I** *v/t* **1.** (sich) wünschen. **2.** wollen, wünschen: **I ~ I were there** ich wollte, ich wäre dort; **to ~ s.o. further** (*od.* **at the devil**) j-n zum Teufel wünschen; **to ~ o.s. home** sich nach Hause sehnen. **3.** hoffen: **it is to be ~ed** es ist zu hoffen *od.* zu wünschen. **4.** *j-m Glück, Spaß etc* wünschen: **to ~ s.o. well (ill)** j-m Gutes (Böses) wünschen, j-m wohl-(übel)wollen; **to ~ s.o. good morning** j-m guten Morgen wünschen; **to ~ s.th. on s.o.** j-m etwas *Böses* wünschen; → **joy** 1. **5.** *j-n* ersuchen, bitten (to zu). **II** *v/i* **6.** (**for**) sich sehnen (nach), wünschen (*acc*): **he cannot ~ for anything better** er kann sich nichts Besseres wünschen. **III** *s* **7.** Wunsch *m*: a) Verlangen *n* (for nach), b) Bitte *f* (for um), c) (*das*) Gewünschte: **you shall have your ~** du sollst haben, was du dir wünschst; → **father** 5. **8.** *pl* (gute) Wünsche *pl*, Glückwünsche *pl.* **'~ˌbone** *s* **1.** *orn.* Brust-, Gabelbein *n.* **2.** *mot.* Dreiecklenker *m*: **~ suspension** Schwingarmfederung *f.* **'wish·ful** [-ful] *adj* (*adv* **~ly**) **1.** vom Wunsch erfüllt, begierig (to do zu tun): **~ thinking** Wunschdenken *n.* **2.** sehnsüchtig.

wish·ing| bone ['wiʃiŋ] → **wishbone** 1. **~ cap** *s* Zauber-, Wunschkappe *f.*

wish-wash ['wiʃˌwɒʃ] *s* **1.** labberiges Zeug (*Getränk etc, a. fig. Geschreibsel*). **2.** *fig.* hohles Geschwätz.

wish·y-wash·y ['wiʃiˌwɒʃi] *adj* labberig: a) wäßrig, b) *fig.* saft- u. kraftlos, seicht: **~ style.**

wisp [wisp] *s* **1.** (*Stroh- etc*)Wisch *m*, (Heu-, Haar)Büschel *n*, (*Haar*)Strähne *f.* **2.** Handfeger *m*, kleiner Besen. **3.** Strich *m*, Zug *m (Vögel).* **4.** Fetzen *m*, Streifen *m*: **~ of paper** Fidibus *m*; **a ~ of a woman** ein schmächtiges Frauchen. **5.** Irrlicht *n*, Irrwisch *m.* **'wisp·y** *adj* **1.** wuschelig, büschelig: **~ hair.** **2.** dünn, schmächtig.

wist [wist] *pret u. pp von* **wit**[2].

wis·ta·ri·a [wis'tɛ(ə)riə], **wis'te·ri·a** [-'ti(ə)riə] *s bot.* Gly'zine *f.*

wist·ful ['wistful] *adj* (*adv* **~ly**) **1.** sehnsüchtig, wehmütig. **2.** nachdenklich, versonnen. **'wist·ful·ness** *s* **1.** Sehnsucht *f*, Wehmut *f.* **2.** Nachdenklichkeit *f.*

wit[1] [wit] *s* **1.** *oft pl* geistige Fähigkeiten *pl*, Intelli'genz *f.* **2.** *oft pl* Verstand *m*: **to be at one's ~'s end** mit s-r Weisheit am Ende sein; **to have one's ~s about one** s-e 5 Sinne *od.* s-n Verstand beisammen haben; **to have ~ to** Verstand genug haben zu; **to keep one's ~s about one** e-n klaren Kopf behalten; **to live by one's ~s** sich (mehr oder weniger ehrlich) durchs Leben schlagen; **out of one's ~s** von Sinnen, verrückt; **to frighten s.o. out of his ~s** j-n zu Tode erschrecken. **3.** Witz *m*, Geist *m*, E'sprit *m.* **4.** geistreicher Mensch, witziger Kopf. **5.** *obs.* a) kluge Per'son, b) geistige Größe, c) Witz *m*, witziger Einfall.

wit[2] [wit] *1. u. 3. sg pres* **wot** [wɒt], *2. sg pres* **wost** [wɒst], *pl pres* **wite** [wait], *pret u. pp* **wist** [wist] *v/t u. v/i* **1.** *obs.* wissen. **2.** **to ~** *bes. jur.* das heißt, nämlich.

wit·an ['witən] *s pl hist.* **1.** *Mitglieder des* **witenagemot(e).** **2.** (*als sg konstruiert*) → **witenagemot(e).**

witch[1] [witʃ] **I** *s* **1.** Hexe *f*, Zauberin *f*: **~es' cauldron** Hexenkessel *m (a. fig.)*; **~es' sabbath** Hexensabbat *m.* **2.** *fig. contp.* alte Hexe. **3.** *bes. Br. colloq.* betörendes Wesen, bezaubernde Frau. **4.** *obs.* Zauberer *m.* **II** *v/t* **5.** be-, verhexen.

witch[2] [witʃ] *s bot. Baum mit biegsamen Zweigen, bes.* a) → **wych-elm,** b) Eberesche *f.*

witch|ˌcraft *s* **1.** Hexe'rei *f*, Zaube'rei *f.* **2.** Zauber(kraft *f*) *m.* **~ doc·tor** *s* Medi'zinmann *m.* **'~-'elm** → **wych-elm.**

witch·er·y ['witʃəri] *s* **1.** → **witchcraft.** **2.** *fig.* Zauber *m.*

witch hunt *s pol.* Treibjagd *f* auf (vermeintliche) Kommu'nisten *etc*, Verfolgung *f* po'litisch verdächtiger Per'sonen.

witch·ing ['witʃiŋ] **I** *adj* (*adv* **~ly**) → **bewitching.** **II** *s* Hexe'rei *f.*

wit·e·na·ge·mot(e) ['witənəgəˌmout; -tin-; -gi-] *s hist. gesetzgebende Versammlung im Angelsachsenreich.*

with [wið; wiθ] *prep* **1.** (zusammen) mit: **he went ~ his friends.** **2.** (*in Übereinstimmung*) mit, für: **he that is**

not ~ me is against me wer nicht für mich ist, ist gegen mich; I am quite ~ you ich bin ganz Ihrer Ansicht *od.* auf Ihrer Seite, *a.* ich verstehe Sie sehr gut; vote ~ the Conservatives! stimmt für die Konservativen!; blue does not go ~ green blau paßt nicht zu grün. **3.** mit (*besitzend*): a vase ~ handles; a man ~ a sinister expression; ~ no hat (on) ohne Hut. **4.** mit (*vermittels*): to cut ~ a knife; to fill ~ water. **5.** mit (*Art u. Weise*): to fight ~ courage; ~ a smile; ~ the door open bei offener Tür. **6.** mit (*in derselben Weise, im gleichen Grad, zur selben Zeit*): the sun changes ~ the seasons; their power increases ~ their number; to rise ~ the sun. **7.** bei: to sit (sleep) ~ s.o.; to work ~ a firm; I have no money ~ me. **8.** (*kausal*) durch, vor (*dat*), an (*dat*): to die ~ cancer an Krebs sterben; stiff ~ cold steif vor Kälte; to tremble ~ fear vor Angst zittern. **9.** bei, für: ~ God all things are possible bei Gott ist kein Ding unmöglich. **10.** von, mit (*Trennung*): to break ~ brechen mit; to part ~ scheiden von. **11.** gegen, mit: to fight ~ s.o. **12.** bei, auf seiten (*gen*): it rests ~ you to decide die Entscheidung liegt bei dir. **13.** nebst, samt: ~ all expenses. **14.** trotz: ~ the best intentions, he failed completely; ~ all her brains bei all ihrer Klugheit. **15.** gleich (*dat*), wie: to have the same faith ~ s.o. denselben Glauben wie j-d haben. **16.** angesichts (*gen*); in Anbetracht der Tatsache, daß: you can't leave ~ your mother so ill du kannst nicht weggehen, wenn d-e Mutter so krank ist. **17.** ~ it *sl.* ‚auf Draht', ‚auf der Höhe': get ~ it! sei auf Draht!

with·al [wiˈðɔːl] *obs.* **I** *adv* außerdem, obendrein, daˈzu, daˈbei. **II** *prep* (*nachgestellt*) mit: a sword to fight ~ ein Schwert, um damit zu kämpfen.

with·draw [wiðˈdrɔː; wiθ-] *irr* **I** *v/t* **1.** (from) zuˈrückziehen, -nehmen (von, aus): a) wegnehmen, entfernen (von, aus), *den Schlüssel etc, a. mil. Truppen* abziehen, herˈausnehmen (aus), b) entziehen (*dat*), c) einziehen, d) *fig. e-n Auftrag, e-e Aussage etc* widerˈrufen: to ~ a motion e-n Antrag zurückziehen; to ~ money from circulation *econ.* Geld aus dem Verkehr ziehen; to ~ s.th. from s.o. j-m etwas entziehen; to ~ o.s. sich zurückziehen. **2.** *econ.* a) *Geld* abheben, *a. Kapital* entnehmen, b) *e-n Kredit* kündigen. **II** *v/i* **3.** (from) sich zuˈrückziehen (von, aus): a) sich entfernen, b) zuˈrückgehen, *mil. a.* sich absetzen, c) zuˈrücktreten (von *e-m Posten, Vertrag*), d) austreten (aus *e-r Gesellschaft etc*), e) *fig.* sich distanˈzieren (von *j-m, e-r Sache*): to ~ within o.s. *fig.* sich in sich selbst zurückziehen. **with'draw·al** *s* **1.** Zuˈrückziehung *f*, -nahme *f* (*a. mil. von Truppen*): ~ of orders *econ.* Zurücknahme von Bestellungen; ~ (from circulation) Einziehung *f*, Außerkurssetzung *f*. **2.** *econ.* (Geld-)Abhebung *f*, Entnahme *f*. **3.** *bes. mil.* Ab-, Rückzug *m*. **4.** (from) Rücktritt *m* (von *e-m Amt, Vertrag etc*), Ausscheiden *n* (aus). **5.** *fig.* Zuˈrücknahme *f*, Widerˈrufung *f*: ~ of a statement. **6.** Entzug *m*: ~ of privileges. **7.** *med.* Entziehung *f*: ~ symptoms Entziehungs-, Ausfallserscheinungen.

with·draw·ing room [wiðˈdrɔːiŋ; wiθ-] → drawing room.

with·drawn [wiðˈdrɔːn; wiθ-] **I** *pp von* withdraw. **II** *adj* **1.** *psych. sociol.* introverˈtiert, in sich gekehrt. **2.** zuˈrückgezogen, isoˈliert.

withe [wiθ; wið; waið] *s* Weidenrute *f*.

with·er [ˈwiðər] **I** *v/i* **1.** *oft* ~ up (ver)welken, verdorren, austrocknen. **2.** *fig.* a) vergehen: beauty ~s, b) eingehen: the textile industry ~ed, c) *oft* ~ away schwinden, nachlassen: his influence (hopes, *etc*) ~ed. **II** *v/t* **3.** welken lassen, ausdörren, -trocknen: age cannot ~ her das Alter kann ihr nichts anhaben. **4.** *j-n mit e-m Blick etc, a. j-s Ruf* vernichten: she ~ed him with a look. **'with·ered** *adj* **1.** verwelkt, welk, ausgetrocknet. **2.** verschrumpelt: a ~ face. **'with·er·ing** (*adv* ~ly) **1.** ausdörrend. **2.** *fig.* vernichtend: ~ look.

with·ers [ˈwiðərz] *s pl zo.* ˈWiderrist *m* (*des Pferdes etc*): my ~ are unwrung *fig.* das trifft mich nicht.

with'hold *v/t irr* **1.** zuˈrück-, abhalten (s.o. from s.th. j-n von etwas): to ~ o.s. from s.th. sich e-r Sache enthalten. **2.** vorenthalten, versagen (s.th. from s.o. j-m etwas), zuˈrückhalten mit: to ~ one's consent s-e Zustimmung versagen; ~ing tax *econ. Am.* im Quellenabzugsverfahren erhobene (Lohn- *etc*)Steuer.

with'in **I** *prep* **1.** innerhalb (*gen*), in (*dat od. acc*) (*beide a. zeitlich binnen*): ~ doors, ~ the house a) im Hause, innerhalb des Hauses, drinnen, b) ins Haus, hinein; ~ 3 hours binnen *od.* in nicht mehr als 3 Stunden; ~ a week of his arrival e-e Woche nach *od.* vor s-r Ankunft; he is ~ a month as old as I er ist nicht mehr als e-n Monat älter *od.* jünger als ich. **2.** im *od.* in den Bereich von: ~ call (hearing, reach, sight) in Ruf-(Hör-, Reich-, Sicht)weite; ~ the meaning of the Act im Rahmen des Gesetzes; ~ the law nicht illegal; ~ my powers a) im Rahmen m-r Befugnisse, b) soweit es in m-n Kräften steht; ~ o.s. *sport* ohne sich zu verausgaben (*laufen etc*); to live ~ one's income nicht über s-e Verhältnisse leben. **3.** im ˈUmkreis von, nicht weiter (entfernt) als: ~ 5 miles; ~ a mile of bis auf e-e Meile von; → ace 4. **II** *adv* **4.** (dr)innen, drin, im Innern; ~ and without innen u. außen; black ~ innen schwarz; from ~ von innen. **5.** a) im *od.* zu Hause, drinnen, b) ins Haus, hinein. **6.** *fig.* innerlich, im Innern: to be furious ~. **III** *s* **7.** (*das*) Innere.

with'out **I** *prep* **1.** ohne (doing zu tun): ~ difficulty; ~ his finding me ohne daß er mich fand *od.* findet; ~ doubt zweifellos; ~ end endlos; ~ number zahllos, sonder Zahl; → do without, go without. **2.** außerhalb, jenseits, vor (*dat*): ~ the gate vor dem Tor. **II** *adv* **3.** außen, außerhalb, draußen, äußerlich. **4.** ohne: to go ~ leer ausgehen. **III** *s* **5.** (*das*) Äußere: from ~ von außen. **IV** *conj* **6.** *a.* ~ that *obs. colloq.* a) wenn nicht; außer wenn, b) ohne daß.

with'stand *irr* **I** *v/t* widerˈstehen (*dat*): a) sich widerˈsetzen (*dat*), ˈWiderstand leisten (*dat*), b) aushalten (*acc*), standhalten (*dat*). **II** *v/i* ˈWiderstand leisten.

with·y [ˈwiði; ˈwiθi] **I** *s* **1.** → withe. **II** *adj* **2.** Weiden... **3.** zäh, geschmeidig.

wit·less [ˈwitlis] *adj* (*adv* ~ly) **1.** geist-, witzlos. **2.** dumm, einfältig. **3.** verrückt. **4.** ahnungslos. **'wit·less·ness** *s* Geistlosigkeit *f*, Unverstand *m*, Dummheit *f*.

wit·ling [ˈwitliŋ] *s contp.* (geistloser) Witzbold.

wit·ness [ˈwitnis] **I** *s* **1.** Zeuge *m*, Zeugin *f* (*beide a. jur. u. fig.*): to be a ~ of s.th. Zeuge von etwas sein; to call s.o. to ~ j-n als Zeugen anrufen; a living ~ to ein lebender Zeuge (*gen*); ~ for the prosecution (*Br. a.* ~ for the Crown) *jur.* Belastungszeuge; ~ for the defence (*Am.* defense) *jur.* Entlastungszeuge; → prosecute 5. **2.** Zeugnis *n*, Bestätigung *f*, Beweis *m* (of, to *gen od.* für): to bear ~ to (*od.* of) Zeugnis ablegen von, *etwas* bestätigen; in ~ whereof *jur.* urkundlich *od.* zum Zeugnis dessen. **3.** W~ *relig.* Zeuge *m* Jeˈhovas. **II** *v/t* **4.** bezeugen, bestätigen, beweisen: ~ Shakespeare als Beweis dient Shakespeare; ~ my hand and seal *jur.* urkundlich dessen m-e Unterschrift u. mein Siegel; this agreement ~eth *jur.* dieser Vertrag be-inhaltet. **5.** (Augen)Zeuge sein von, zuˈgegen sein bei, (mit)erleben. **6.** *fig.* zeugen von, Zeuge sein von, Zeugnis ablegen von. **7.** *jur.* a) *j-s Unterschrift* beglaubigen, *ein Dokument* als Zeuge unterˈschreiben, b) *ein Dokument* ˈunterschriftlich beglaubigen. **III** *v/i* **8.** zeugen, Zeuge sein, Zeugnis ablegen, *jur. a.* aussagen (against gegen; for, to für): to ~ to s.th. *fig.* etwas bezeugen. ~ **box,** *Am.* ~ **stand** *s jur.* Zeugenstand *m*, -bank *f*.

wit·ted [ˈwitid] *adj* (*in Zssgn*) denkend, ...sinnig: → half-witted, *etc*.

wit·ti·cism [ˈwitiˌsizəm] *s* Witz *m*, witzige Bemerkung, Witzeˈlei *f*.

wit·ti·ness [ˈwitinis] *s* Witzigkeit *f*.

wit·ting [ˈwitiŋ] *adj* (*adv* ~ly) wissentlich, geflissentlich.

wit·tol [ˈwitl] *s obs.* Hahnrei *m*.

wit·ty [ˈwiti] *adj* (*adv* wittily) witzig, geistreich.

wive [waiv] **I** *v/i* **1.** e-e Frau nehmen, heiraten. **II** *v/t* **2.** *e-n Mann* verheiraten. **3.** ehelichen. **wi·vern** [ˈwaivərn] *s her.* geflügelter Drache.

wives [waivz] *pl von* wife.

wiz [wiz] *Am. sl. für* wizard 2.

wiz·ard [ˈwizərd] **I** *s* **1.** Hexenmeister *m*, Zauberer *m* (*beide a. fig.*). **2.** *fig.* Geˈnie *n*, Leuchte *f*, Zauberkünstler *m*, ‚Kaˈnone' *f*: W~ of the North *Beiname von* Sir Walter Scott. **3.** *obs.* Weise(r) *m*. **II** *adj* **4.** magisch, Zauber..., Hexen... **5.** *bes. Br. sl.* ‚phanˈtastisch', erstklassig, ‚Bomben...' **'wiz·ard·ry** [-ri] *s* Zaubeˈrei *f*, Hexeˈrei *f* (*a. fig.*).

wiz·en [ˈwizn], **'wiz·ened** *adj* verhutzelt, schrump(e)lig.

wi·zier [wiˈzir] → vizier.

wo[1] → woe.

wo[2], **woa** [wou] *interj* brr! (*halt!*) (*zum Pferd*).

woad [woud] **I** *s* **1.** *bot.* Färberwaid *m*. **2.** *tech.* Waid *m* (*blaue Farbe aus den Blättern von* 1). **II** *v/t* **3.** mit Waid färben.

wob·ble [ˈwɒbl] **I** *v/i* **1.** wackeln, schwanken (*a. fig.* between zwischen). **2.** schlottern (*Knie etc*). **3.** *tech.* a) flattern (*Rad*), b) *Schallplatte*: ‚eiern'. **II** *s* **4.** Wackeln *n*, Schwanken *n* (*a. fig.*). **5.** *tech.* Flattern *n*, Taumeln *n*. ~ **pump** *s aer.* Taumelscheibenpumpe *f*.

wob·bly [ˈwɒbli] **I** *adj* wack(e)lig, unsicher. **II** *s Am. sl.* Mitglied *n* der Industrial Workers of the World.

wob·bu·la·tor [ˈwɒbjuˌleitər] *s Meßtechnik*: Wobbler *m*, ˈWobbelgenerator *m*.

wo·be·gone → woebegone.

woe [wou] **I** *interj* wehe!, ach! **II** *s* Weh *n*, Leid *n*, Kummer *m*, Not *f*: face of ~

jämmerliche Miene; **tale of ~** Leidensgeschichte *f*; **~ is me!** wehe mir!; **~ be to ...!**, **~ betide ...!** wehe (*dat*)!, verflucht sei(en) ...!; → weal 1. **~·be·gone** ['woubiˌgɒn] *adj* **1.** leid-, kummer-, jammervoll, vergrämt. **2.** verwahrlost, her'untergekommen.

woe·ful ['wouful], *a.* **wo·ful** *adj* (*adv* **~ly**) **1.** *rhet. od. humor.* kummer-, sorgenvoll. **2.** elend, jammervoll. **3.** *contp.* erbärmlich, jämmerlich, kläglich.

wog [wɒg] *s sl. contp.* Farbige(r) *m.*

woke [wouk] *pret von* wake². **'wok·en** *obs. od. dial. pp von* wake².

wold [would] *s* hügeliges Heideland, Hochebene *f.*

wolf [wulf] **I** *pl* **wolves** [-vz] *s* **1.** *zo.* Wolf *m*: **to cry ~** *fig.* blinden Alarm schlagen; **to have** (*od.* **hold**) **a ~ by the ears** *fig.* ,in der Klemme sitzen'; **to keep the ~ from the door** *fig.* sich über Wasser halten; **a ~ in sheep's clothing** ein Wolf im Schafspelz. **2.** *fig.* a) Wolf *m*, räuberische *od.* gierige Per'son, b) *Am. sl.* ,Casa'nova' *m*, Schürzenjäger *m*: **lone ~** Einzelgänger *m.* **3.** *Am. für* wolf cub 2. **4.** *mus.* Disso'nanz *f.* **II** *v/t* **5.** *a.* **~ down** *Speisen* (gierig) verschlingen. **III** *v/i* **6.** Wölfe jagen. **7.** *Am. sl.* hinter den Weibern her sein. **~ call** *s Am. sl. anerkennender Pfiff od. Ausruf beim Anblick e-r attraktiven Frau.* **~ cub** *s* **1.** *zo.* junger Wolf. **2.** *Br.* Wölfling *m* (*Pfadfinder von 8—11 Jahren*). **~ dog, ~ hound** *s zo.* (*bes.* irischer) Wolfshund.

wolf·ish ['wulfiʃ] *adj* (*adv* **~ly**) **1.** wölfisch (*a. fig.*), Wolfs...: **~ appetite** Wolfshunger *m.* **2.** wild, (raub)gierig, gefräßig.

wolf pack *s* **1.** *zo.* Wolfsrudel *n.* **2.** *mar. mil.* Rudel *n* U-Boote.

wolf·ram ['wulfrəm; 'vɒlf-; 'vɔːlf-] *s* **1.** *chem.* Wolfram *n.* **2.** *min.* → wolframite. **'wolf·ram|ate** [-ˌmeit] *s chem.* wolframsaures Salz. **'wolf·ramˌite** [-ˌmait] *s min.* Wolfra'mit *m.*

wolfs·bane ['wulfsˌbein] *s bot.* (*bes.* Gelber) Eisenhut.

'wolf's|-ˌclaw [wulfs], *a.* **'~-ˌfoot** *s irr bot.* Bärlapp *m.* **'~-ˌmilk** *s bot.* Wolfsmilch *f.*

wolf| tooth, *a.* **wolf's tooth** *s irr med. zo.* 'Über-, Wolfszahn *m* (*e-s Pferdes*). **~ whis·tle** *s Am. sl. beifälliger Pfiff beim Anblick e-r attraktiven Frau.*

wol·ver·ine, *a.* **wol·ver·ene** [*Br.* 'wulvəˌriːn; *Am.* ˌwulvə'riːn] *s* **1.** *zo.* Amer. Vielfraß *m.* **2.** W**~** *Am.* (*Spitzname für e-n*) Bewohner von Michigan.

wolves [wulvz] *pl von* wolf.

wom·an ['wumən] **I** *pl* **wom·en** ['wimin] *s* **1.** Frau *f*, Weib *n*: **~ of the world** Frau von Welt; **to play the ~** empfindsam *od.* ängstlich sein; **there's a ~ in it** es steckt bestimmt e-e Frau dahinter; **~'s man** Frauen-, Weiberheld *m.* **2.** (Dienst)Mädchen *n*, Zofe *f.* **3.** (*ohne Artikel*) das weibliche Geschlecht, die Frauen *pl*, das Weib: **born of ~** vom Weibe geboren (*sterblich*); **~'s reason** weibliche Logik; **~'s wit** weibliche Intuition *od.* Findigkeit. **4. the ~** *fig.* das Weib, die Frau, das typisch Weibliche: **he appealed to the ~ in her** er appellierte an die Frau in ihr. **5.** Geliebte *f*, Mä'tresse *f.*

II *v/t* **6.** Frauen einstellen in (*e-n Betrieb etc*).

III *adj* **7.** weiblich, Frauen...: **~ doctor** Ärztin *f*; **~ hater** Weiberfeind *m*; **~ police** weibliche Polizei; **~ student** Studentin *f*; **~ suffrage** *pol.* Frauenstimmrecht *n.*

wom·an·hood ['wumənˌhud] *s* **1.** Stellung *f* der (erwachsenen) Frau: **to reach ~** e-e Frau werden. **2.** Fraulichkeit *f*, Weiblichkeit *f.* **3.** → womankind 1.

wom·an·ish ['wuməniʃ] *adj* (*adv* **~ly**) **1.** weibisch. **2.** → womanly. **'woman·ish·ness** *s* weibisches Wesen.

wom·an·ize ['wuməˌnaiz] **I** *v/t* weibisch machen. **II** *v/i colloq.* hinter den Weibern her sein, her'umhuren. **'wom·anˌiz·er** *s* **1.** *colloq.* Schürzenjäger *m*, ,Casa'nova' *m.* **2.** Weichling *m*, weibischer Mann.

wom·an|·kind ['wumənˌkaind] *s* **1.** Frauen(welt *f*) *pl*, Weiblichkeit *f.* **2.** → womenfolk 2. **'~ˌlike** *adj* wie e-e Frau, fraulich, weiblich.

wom·an·li·ness ['wumənlinis] *s* Weiblichkeit *f*, Fraulichkeit *f.* **'wom·an·ly** *adj* fraulich, weiblich (*a. weitS.*): **a ~ woman** e-e echte Frau.

womb [wuːm] *s* **1.** Gebärmutter *f*, (Mutter)Leib *m*, Schoß *m*: **from the ~ to the tomb** von der Wiege bis zur Bahre. **2.** *fig.* Schoß *m*, (*das*) Innere: **in the ~ of the earth.** **3.** *obs.* Bauch *m.*

wom·en ['wimin] *pl von* woman: **~'s rights** Frauenrechte; **~'s team** *sport* Damenmannschaft *f.* **'~ˌfolk** *s pl* **1.** → womankind 1. **2.** (*die*) Frauen *pl* (*in e-r Familie etc*), (*mein etc*) ,Weibervolk' *n* (da'heim).

won [wʌn] *pret u. pp von* win¹.

won·der ['wʌndər] **I** *s* **1.** Wunder *n*, (*etwas*) Wunderbares, Wundertat *f*, -werk *n*: **to work** (*od.* **do**) **~s** Wunder wirken; **to promise ~s** (*j-m*) goldene Berge versprechen; **the 7 ~s of the world** die 7 Weltwunder; **a nine days' ~** e-e kurzlebige Sensation; **(it is) no** (*od.* **small**) **~ that he died** kein Wunder, daß er starb; **he is a ~ of skill** er ist ein (wahres) Wunder an Geschicklichkeit; **~s will never cease** es gibt immer noch Wunder; → sign 10. **2.** Verwunderung *f*, (Er)Staunen *n*: **to be filled with ~** von Staunen erfüllt sein; **in ~** erstaunt, verwundert; **for a ~** a) erstaunlicherweise, b) ausnahmsweise. **II** *v/i* **3.** sich (ver)wundern, erstaunt sein (**at, about** über *acc*): **I shouldn't ~ if ...** es sollte mich nicht wundern, wenn ... **4.** a) neugierig *od.* gespannt sein, gern wissen mögen (**if, whether, what,** *etc*), b) sich fragen, über'legen: **I ~ what time it is** ich möchte gern wissen, wie spät es ist; wie spät es wohl ist?; **I have often ~ed what would happen if** ich habe mich oft gefragt, was passieren würde, wenn; **well, I ~** na, ich weiß nicht (recht). **~ boy** *s* ,Wunderknabe' *m*, ,toller Kerl'. **~ drug** *s* Wunderdroge *f*, -mittel *n.*

won·der·ful ['wʌndərful] *adj* (*adv* **~ly**) **1.** wunderbar, -voll, -schön, herrlich: **not so ~** *colloq.* nicht so toll. **2.** erstaunlich, seltsam.

won·der·ing ['wʌndəriŋ] *adj* (*adv* **~ly**) verwundert, erstaunt.

'won·derˌland *s* Wunder-, Märchenland *n* (*a. fig.*).

won·der·ment ['wʌndərmənt] *s* **1.** Verwunderung *f*, (Er)Staunen *n.* **2.** (*etwas*) Wunderbares, Wunder *n.*

'won·der|-ˌstruck *adj* von Staunen ergriffen (**at** über *acc*). **'~-ˌwork·er** *s* Wundertäter(in). **'~-ˌwork·ing** *adj* wundertätig.

won·drous ['wʌndrəs] **I** *adj* (*adv* **~ly**) wundersam (*oft iro.*), erstaunlich. **II** *adv* wunderbarer-, erstaunlicherweise, außerordentlich. [(*a. fig.*).]

won·ky ['wɒŋki] *adj Br. sl.* wack(e)lig

wont [wount; *Am. a.* wʌnt] **I** *adj* gewohnt: **to be ~ to do** gewohnt sein zu tun, zu tun pflegen. **II** *s* Gewohnheit *f*, Brauch *m.*

won't [wount; *Am. a.* wʌnt] *colloq. für* will not.

wont·ed ['wountid; *Am. a.* 'wʌntid] *adj* **1.** gewohnt. **2.** gewöhnlich, üblich. **3.** *Am.* eingewöhnt, eingelebt (**to** in *dat*).

woo [wuː] *v/t* **1.** werben *od.* freien um, *j-m* den Hof machen. **2.** *fig.* a) *j-n* um'werben, b) locken, drängen (**to** zu). **3.** *fig.* zu gewinnen suchen, trachten nach, buhlen um.

wood [wud] **I** *s* **1.** *oft pl* Wald *m*, Waldung *f*, Gehölz *n*: **to be out of the ~** (*Am.* **~s**) *colloq.* aus dem Schlimmsten heraus sein, über den Berg sein; → halloo 3; **he cannot see the ~ for the trees** er sieht den Wald vor lauter Bäumen nicht; → touch 17. **2.** (Bau-, Nutz-, Brenn)Holz *n.* **3.** Holzfaß *n*: **wine from the ~** Wein (direkt) vom Faß. **4. the ~** *mus.* → woodwind. **5.** *Holzschneidekunst*: a) Druckstock *m*, b) Holzschnitt *m.* **6.** *Bowling*: Kegel *m.* **7.** *pl Skisport*: ,Bretter' *pl.* **II** *adj* **8.** hölzern, Holz... **9.** Wald... **~ ag·ate** [wud] *s min.* 'Holzaˌchat *m.* **~ al·co·hol** *s chem.* Holzgeist *m.* **~ a·nem·o·ne** *s bot.* Buschwindrös-chen *n.* **'~ˌbine,** *a.* **'~ˌbind** *s bot.* **1.** Geißblatt *n.* **2.** *Am.* wilder Wein. **~ block** *s* **1.** Holz-, Pflasterklotz *m.* **2.** → wood 5.

wood·bur·y·type ['wudbəriˌtaip] *s print* **1.** Me'talldruckverfahren *n.* **2.** Photogra'phiedruck *m* nach dem Me'talldruckverfahren.

wood| carv·er *s* Holzschnitzer *m.* **~ carv·ing** *s* ˌHolzschnitze'rei *f*: a) Holzschneidekunst *f*, b) Schnitzwerk *n.* **'~ˌchuck** *s zo.* (Amer.) Waldmurmeltier *n.* **~ coal** *s* **1.** *min.* Braunkohle *f.* **2.** Holzkohle *f.* **'~ˌcock** *s orn.* Waldschnepfe *f.* **'~ˌcraft** *s* **1.** Weidmannskunst *f.* **2.** ˌHolzschnitze'rei *f.* **'~ˌcut** *s* **1.** Holzstock *m* (*Druckform*). **2.** Holzschnitt *m* (*Druckerzeugnis*). **'~ˌcut·ter** *s* **1.** Holzfäller *m.* **2.** *Kunst*: Holzschneider *m.* **'~ˌcut·ting** *s* **1.** ˌHolzfälle'rei *f.* **2.** Holzschneidekunst *f.*

wood·ed ['wudid] *adj* bewaldet, waldig, Wald...

wood·en ['wudn] *adj* (*adv* **~ly**) **1.** hölzern, aus *od.* von Holz, Holz... **2.** *fig.* hölzern, steif (*a. Person*). **3.** *fig.* ausdruckslos: **~ face.** **4.** stumpf(sinnig).

wood| en·grav·er [wud] *s* Holzschneider *m.* **~ en·grav·ing** *s* **1.** Holzschneidekunst *f.* **2.** Holzschnitt *m.*

'wood·en|ˌhead *s colloq.* Dumm-, Schafskopf *m.* **'~'head·ed** *adj colloq.* dumm, blöd(e). **~ horse** *s* (*das*) Tro'janische Pferd. **~ leg** *s* Holzbein *n.* **~ spoon** *s univ. sl.* **1.** *Schlechteste(r) bei der mathematischen Abschlußprüfung* (*Cambridge*). **2.** Trostpreis *m* (*für den Schlechtesten*). **'~ˌware** *s* Holzwaren *pl.*

wood| fi·ber, *bes. Br.* **~ fi·bre** [wud] *s tech.* Holzfaser *f.* **~ flour** *s tech.* Holzmehl *n.* **~ gas** *s tech.* Holzgas *n.* **~ grouse** *s orn.* Auerhahn *m.*

wood·i·ness ['wudinis] *s* **1.** Waldreichtum *m.* **2.** Holzigkeit *f.*

wood| king·fish·er [wud] *s orn.* Königsfischer *m.* **'~·land I** *s* [-ˌlænd] Waldland *n*, Waldung *f.* **II** *adj* [-lənd] Wald... **~ lark** *s orn.* Heidelerche *f.* **~ lot** *s Am.* 'Waldparˌzelle *f.* **~ louse**

s irr zo. Bohr-, Kugelassel *f.* **'~·man** [-mən] *s irr* **1.** *hist. Br.* Förster *m.* **2.** Holzfäller *m.* **3.** Jäger *m.* **~ naph·tha** *s chem.* Holzgeist *m.* **'~-ˌnote** *s oft pl* **1.** ungekünstelter Gesang (*der Waldvögel etc*). **2.** *fig.* Na'turdichtung *f.* **~ nymph** *s* **1.** *myth.* Waldnymphe *f.* **2.** *zo.* a) (*e-e*) Motte, b) (*ein*) Kolibri *m.* **~ of·fer·ing** *s relig.* Brandopfer *n.* **~ o·pal** *s min.* 'Holzoˌpal *m.* **~ pa·per** *s tech.* 'Holzpaˌpier *n.* **'~ˌpeck·er** *s orn.* Specht *m.* **~ pi·geon** *s orn.* Ringeltaube *f.* **'~ˌpile** *s* Holzhaufen *m,* -stoß *m.* **~ pulp** *s tech.* Holzstoff *m,* -schliff *m,* Zellstoff *m.* **'~ˌreeve** *s Br.* Forstaufseher *m.* **'~ˌruff** *s bot.* Waldmeister *m.* **~ rush** *s bot.* Hainsimse *f.* **~ shav·ings** *s pl* Hobelspäne *pl.* **'~ˌshed** *s* Holzschuppen *m.* **~ sor·rel** *s bot.* Sauerklee *m.* **~ spir·it** *s chem.* Holzgeist *m.* **~ sug·ar** *s chem.* Holzzucker *m.*

woods·y ['wudzi] *adj Am. colloq.* **1.** waldartig, waldig, Wald... **2.** im Wald lebend.

wood| tar [wud] *s chem.* Holzteer *m.* **~ tick** *s zo.* Holzbock *m.* **~ tin** *s min.* Holzzinn *n.* **~ vin·e·gar** *s chem.* Holzessig(säure *f*) *m.* **~ war·bler** *s orn.* Laubsänger *m.* **'~ˌwind** [wind] *s mus.* **1.** 'Holzblasinstruˌment *n.* **2.** *oft pl* (*die*) Holzbläser *pl,* (*das*) Holz, (*die*) 'Holzblasinstruˌmente *pl* (*e-s Orchesters*). **'~-ˌwind** *adj* Holzblas... **~ wool** *s med.* Zellstoffwatte *f.* **'~ˌwork** *s arch.* **1.** Holz-, Balkenwerk *n.* **2.** Holzarbeit(en *pl*) *f.* **'~ˌwork·er** *s* **1.** Holzarbeiter *m* (*Zimmermann, Tischler etc*). **2.** *tech.* 'Holzbearbeitungsmaˌschine *f.* **'~ˌwork·ing I** *s* Holzbearbeitung *f.* **II** *adj* holzbearbeitend, Holzbearbeitungs...

wood·y ['wudi] *adj* **1.** waldig, Wald... **2.** holzig, Holz...: ~ fibre (*Am.* fiber) a) *bot.* Holzfaser *f,* b) *tech.* Holzzellulose *f.*

'woodˌyard *s* Holzplatz *m.*

woo·er ['wu:ər] *s* Freier *m,* Anbeter *m.*

woof¹ [wu:f] *s* **1.** *Weberei:* a) Einschlag *m,* (Ein)Schuß *m,* b) Schußgarn *n.* **2.** Gewebe *n.*

woof² [wuf] **I** *s* (unter'drücktes) Bellen. **II** *v/i* bellen.

woof·er ['wu:fər] *s electr.* Tieftonlautsprecher *m.*

woo·ing ['wu:iŋ] **I** *s* (*a. fig.* Liebes)Werben *n,* Freien *n,* Werbung *f.* **II** *adj* (*adv* ~ly) werbend, verführerisch, (ver)lockend.

wool [wul] **I** *s* **1.** Wolle *f:* → cry 2. dye 4. **2.** Wollfaden *m,* -garn *n.* **3.** Wollstoff *m,* -tuch *n.* **4.** (*Baum-, Glas-etc*)Wolle *f.* **5.** (Roh)Baumwolle *f.* **6.** Faserstoff *m,* Zell-, Pflanzenwolle *f.* **7.** *bot.* wollige Behaarung. **8.** *zo.* Haare *pl,* Pelz *m* (*bes. der Raupen*). **9.** *colloq.* ‚Wolle' *f,* (kurzes) wolliges Kopfhaar: to lose one's ~ wütend werden; to pull the ~ over s.o.'s eyes ‚j-n hinters Licht führen'. **II** *v/t* **10.** *Am. sl. j-n* an den Haaren ziehen. **III** *adj* **11.** wollen, Woll... **'~-ˌbear·ing** *adj* Wolle tragend. **~ card** *s tech.* Wollkrempel *m.* **~ card·ing** *s* Krempeln *n* der Wolle. **~ clip** *s econ.* (jährlicher) Wollertrag. **~ comb·ing** *s* Wollkämmen *n.*

woold [wu:ld] *v/t mar. Spiere* mit Tauen um'wickeln.

wool| dress·er, ~ dress·ing ma·chine *s tech.* 'Wollaufbereitungsmaˌschine *f.* **'~-ˌdyed** *adj tech.* in der Wolle gefärbt.

wool·en, *Br.* **wool·len** ['wulin] **I** *s* **1.** Wollstoff *m,* -zeug *n.* **2.** *pl* Wollsachen *pl* (*a. wollene Unterwäsche*), Wollkleidung *f.* **3.** Streichgarn *n.* **II** *adj* **4.** wollen, aus Wolle, Woll...: ~ goods Wollwaren. **~ drap·er** *s* Wollwarenhändler *m.*

wool| fat *s chem.* Wollfett *n.* **'~ˌgath·er·ing I** *s* **1.** Sammeln *n* von Wolle. **2.** *fig.* Verträumtheit *f,* Zerstreutheit *f.* **II** *adj* **3.** *fig.* zerstreut. **~ grass** *s bot.* Wollgras *n.* **~ grease** → wool fat. **'~ˌgrow·er** *s* Schafzüchter *m,* 'Wollproduˌzent *m.* **'~ˌgrow·ing** *s* Schafzucht *f,* 'Wollproduktiˌon *f.* **~ hall** *s econ. Br.* Wollbörse *f,* -markt *m.*

wool·i·ness, *Br.* **wool·li·ness** ['wulinis] *s* **1.** Wolligkeit *f.* **2.** Verschwommenheit *f.*

wool·len *etc Br. für* woolen *etc.*

wool·ly ['wuli] **I** *adj* **1.** wollig, weich, flaumig. **2.** Wolle tragend, Woll... **3.** *paint. u. fig.* verschwommen: ~ thoughts wirre Gedanken. **4.** *Am. colloq.* rauh, wild, ‚toll'. **5.** *Br. colloq.* ungehobelt. **6.** belegt: ~ voice. **II** *s* **7.** wollenes Kleidungsstück, *bes.* Wolljacke *f, pl* → woolen 2.

'wool|ˌpack *s* **1.** Wollsack *m* (*Verpackung*). **2.** Wollballen *m* (*240 englische Pfund*). **3.** *meteor.* Haufenwolke *f.* **~ pack·er** *s* **1.** Wollpacker *m.* **2.** *tech.* 'WollˌpackmaˌschineJ *f,* -presse *f.* **'~-ˌsack** *s* **1.** Wollsack *m.* **2.** *pol.* a) Wollsack *m* (*als Sitz des Lordkanzlers im englischen Oberhaus*), b) *fig.* Amt *n* des Lordkanzlers. **'~ˌsort·er** *s* 'WollsorˌtiererJ *m* (*Person od. Maschine*). **~ sta·ple** *s Br.* Stapelplatz *m* für Wolle. **~ sta·pler** *s econ.* **1.** Woll(groß)händler *m.* **2.** 'Wollsorˌtierer *m.* **'~-ˌsta·pling** *adj* Wollhändler... **'~-ˌwork** *s* ˌWollsticke'rei *f.*

wool·y *bes. Am. für* woolly.

wooz·y ['wu:zi] *adj sl.* **1.** (*vom Alkohol etc*) ‚benebelt'. **2.** wirr (im Kopf). **3.** ‚komisch' (im Magen). **4.** verschwommen, wirr.

wop¹ [wɒp] *s bes. Am. sl.* ‚Itaker' *m* (*eingewanderter Italiener*).

wop² [wɒp] *dial. für* whop.

wor·ble → warble.

Worces·ter (chi·na) ['wustər] *s* 'Worcester-Porzeˌlan *n.*

word [wɜ:rd] **I** *v/t* **1.** in Worte fassen, (in Worten) ausdrücken, formu'lieren, abfassen: ~ed as follows mit folgendem Wortlaut. **II** *s* **2.** Wort *n:* ~s a) Worte, b) *ling.* Wörter; ~ for ~ Wort für Wort, (wort)wörtlich. **3.** Wort *n,* Ausspruch *m:* ~s Worte *pl,* Rede *f,* Äußerung *f.* **4.** Text *m,* Worte *pl* (*e-s Liedes etc*): ~s and music Text u. Musik. **5.** (Ehren)Wort *n,* Versprechen *n,* Zusage *f,* Erklärung *f,* Versicherung *f:* ~ of hono(u)r Ehrenwort; upon my ~ auf mein Wort; to break (give *od.* pass, keep) one's ~ sein Wort brechen (geben, halten); he is as good as his ~ er ist ein Mann von Wort; er hält, was er verspricht; to take s.o. at his ~ j-n beim Wort nehmen; I took his ~ for it ich zweifelte nicht an s-n Worten; → eat 2. **6.** Bescheid *m,* Nachricht *f:* to leave ~ Bescheid hinterlassen (with bei); to send ~ to s.o. j-m Nachricht geben. **7.** a) Pa'role *f,* Losung *f,* Stichwort *n,* b) Befehl *m,* Kom'mando *n,* c) Zeichen *n,* Si'gnal *n:* to give the ~ (to do); to pass the ~ durch-, weitersagen; just say the ~! du brauchst es nur zu sagen; sharp's the ~! (jetzt aber) dalli! **8.** *relig.* a) *oft* the W~ (of God) das Wort Gottes, das Evan'gelium, b) the W~ das Wort (*die göttliche Natur Christi*). **9.** *pl* Wortwechsel *m,* Streit *m:* to have ~s (with) sich streiten *od.* zanken (mit).

Besondere Redewendungen: at a ~ sofort, aufs Wort; by ~ of mouth mündlich; in other ~s mit anderen Worten; in so many ~s wörtlich, ausdrücklich; in a ~ mit 'einem Wort, kurz, kurzum; in the ~s of mit den Worten (*gen*); big ~s große *od.* hochtrabende Worte; the last ~ a) das letzte Wort (on in *e-r Sache*), b) das Allerneueste *od.* -beste (in an *dat*); to have the last ~ das letzte Wort haben; to have no ~s for s.th. nicht wissen, was man zu e-r Sache sagen soll; to have a ~ with s.o. kurz mit j-m sprechen; to have a ~ to say etwas (Wichtiges) zu sagen haben; to put in (*od.* say) a (good) ~ for s.o. ein (gutes) Wort für j-n einlegen; a ~ in (out of) season ein (un)angebrachter Ratschlag; too silly for ~s unsagbar dumm; not only in ~ but also in deed nicht nur in Worten, sondern auch in Taten; he is a man of few ~s er macht nicht viele Worte, er ist ein schweigsamer Mensch; he hasn't a ~ to throw at a dog er kommt sich zu fein vor, um mit anderen zu sprechen; er macht den Mund nicht auf; cold's not the ~ for it *colloq.* kalt ist gar kein Ausdruck.

word| ac·cent *s ling.* 'Wortakˌzent *m,* -betonung *f.* **'~-ˌblind** *adj psych.* wortblind. **'~ˌbook** *s* **1.** Vokabu'lar *n.* **2.** Wörterbuch *n.* **3.** Textbuch *n,* Li'bretto *n.* **'~ˌbuild·ing** *s* Wortbildung *f.* **'~-ˌcatch·er** *s* Wortklauber *m* (*a. Lexikograph*), Silbenstecher *m.* **~ class** *s ling.* Redeteil *m,* Wortklasse *f.* **'~--ˌdeaf** *adj psych.* worttaub. **~ for·ma·tion** *s ling.* Wortbildung *f.* **'~-for--'word** *adj* (wort)wörtlich.

word·i·ness ['wɜ:rdinis] *s* Wortreichtum *m,* Weitschweifigkeit *f.* **'word·ing** *s* Fassung *f,* Wortlaut *m,* Formu'lierung *f.*

wor·dle ['wɜ:rdl] *s tech.* (Zieh)Backe(n *m*) *f* (*e-r Ziehdüse*).

word·less ['wɜ:rdlis] *adj* (*adv* ~ly) **1.** wortlos, stumm. **2.** schweigsam.

word| lore *s* Wortkunde *f.* **'~-of--'mouth** *adj* mündlich: ~ advertising Mundwerbung *f.* **~ or·der** *s ling.* Wortstellung *f* (*im Satz*). **~ paint·ing** *s* ˌWortmale'rei *f.* **'~-'per·fect** *adj* **1.** rollenfest, -sicher (*Schauspieler etc*). **2.** *ped.* vo'kabelfest. **~ pic·ture** *s* Wortgemälde *n.* **'~ˌplay** *s* **1.** Wortspiel *n.* **2.** Wortgefecht *n.* **~ pow·er** *s* Wortschatz *m.* **~ sal·ad** *s* ‚'Wortsaˌlat' *m.* **~ split·ting** *s* ˌWortklaube'rei *f.* **~ square** *s* 'Wortquaˌdrat *n.*

Words·worth·i·an [wɜ:rdz'wɜ:rðiən; -'wɜ:rθ-] **I** *adj* (den englischen Dichter William) Wordsworth betreffend. **II** *s* Verehrer(in) von Wordsworth.

word·y ['wɜ:rdi] *adj* (*adv* wordily) **1.** Wort...: ~ warfare Wortkrieg *m.* **2.** wortreich, langatmig.

wore [wɔ:r] *pret von* wear¹ *u.* wear².

work [wɜ:rk] **I** *s* **1.** *allg.* Arbeit *f:* a) Beschäftigung *f,* Tätigkeit *f,* b) Aufgabe *f,* c) Hand-, Nadelarbeit *f,* Sticke'rei *f,* Nähe'rei *f,* d) Leistung *f,* e) Erzeugnis *n:* ~ done geleistete Arbeit; a beautiful piece of ~ e-e schöne Arbeit; total ~ in hand *econ.* Gesamtaufträge *pl;* ~ in process *econ.* Erzeugnisse *pl od.* Material *n* in Fabrikation, Halbfabrikate *pl;* ~ cost per unit Arbeitskostenanteil *m;* at ~ a) bei der Arbeit, b) in Tätigkeit, in Betrieb (*Maschine etc*); to be at ~ on arbeiten an (*dat*); to do ~ arbeiten; to be in (out of) ~ (keine) Arbeit haben; (to put) out of ~ arbeitslos (machen); to set to ~ an die Arbeit gehen, sich an die Arbeit machen; to **have one's ~ cut out (for one)** ,zu tun' haben, schwer zu schaffen haben; to **make ~** Arbeit verursachen; to **make sad ~ of** arg wirtschaften *od.* hausen mit; to **make short ~ of** kurzen Prozeß *od.* nicht viel Federlesens machen mit; **it's all in the day's ~** das ist nichts Besonderes, das gehört alles (mit) dazu. **2.** *phys.* Arbeit *f*: **to convert heat into ~.** **3.** *a. collect.* (*künstlerisches etc*) Werk: **the ~s of Bach.** **4.** Werk *n* (*Tat u. Resultat*): **this is your ~!**; **it was the ~ of a moment.** **5.** *arch.* a) *pl* Anlagen *pl*, (*bes. öffentliche*) Bauten *pl*, b) (in Arbeit befindlicher) Bau, Baustelle *f*, c) *mil.* (Festungs)Werk *n*, Befestigungen *pl.* **6.** *pl* (*als sg konstruiert*) Werk *n*, Fa'brik(anlage) *f*, Betrieb *m*: **~s council (engineer, outing, superintendent)** Betriebsrat *m* (-ingenieur *m*, -ausflug *m*, -direktor *m*); **~s manager** Werkleiter *m.* **7.** *pl* (*als sg konstruiert*) *tech.* (Räder-, Trieb)Werk *n*, Getriebe *n*: **~s of a watch** Uhrwerk. **8.** Werk-, Arbeitsstück *n*, (*bes.* Nadel-)Arbeit *f.* **9.** *bes. pl relig.* (gutes) Werk. **10. the ~s** *pl Am. sl.* alles, der ganze ,Krempel': **the whole ~s went over board**; **to give s.o. the ~s** ,j-n fertigmachen'; **to shoot the ~s** (*Kartenspiel u. fig.*) aufs Ganze gehen.

II *v/i pret u. pp* **worked**, *a.* **wrought** [rɔːt] **11.** (at) arbeiten (an *dat*), sich beschäftigen (mit): **to ~ at a social reform** an e-r Sozialreform arbeiten; **~ed** (*od.* **wrought**) **in leather** in Leder gearbeitet; **to ~ to rule** *econ.* stur nach Vorschrift arbeiten; → **work-to-rule (campaign).** **12.** arbeiten, Arbeit haben, tätig *od.* beschäftigt sein. **13.** *fig.* arbeiten, kämpfen (**against** gegen; **for** für *e-e Sache*), sich anstrengen. **14.** *tech.* a) funktio'nieren, gehen (*beide a. fig.*), b) in Betrieb *od.* in Gang sein: **our stove ~s well** unser Ofen funktioniert gut; **your method won't ~** mit Ihrer Methode werden Sie es nicht schaffen. **15.** *fig.* ,klappen', gehen, gelingen, sich machen lassen: **it** (*od.* **the plan**) **~ed** es klappte; **it won't ~** es geht nicht. **16.** (*pp oft* **wrought**) wirken, sich auswirken (**on, upon, with** auf *acc*, bei): **the poison began to ~** das Gift begann zu wirken. **17. ~ on** *j-n* ,bearbeiten', sich *j-n* vornehmen. **18.** sich *gut etc* bearbeiten lassen. **19.** sich (*hindurch-, hoch- etc*)arbeiten: **to ~ into** eindringen in (*acc*); **to ~ loose** sich losarbeiten, sich lockern; **her stockings ~ed down** die Strümpfe rutschten ihr herunter. **20.** in (heftiger) Bewegung sein, arbeiten, zucken (**with** vor *dat*; *Gesichtszüge etc*), mahlen (**with** vor *Erregung etc*; *Kiefer*): **his face (jaws) ~ed.** **21.** *mar.* (*bes. gegen den Wind*) segeln, fahren. **22.** gären, arbeiten (*beide a. fig. Gedanke etc*). **23.** (hand)arbeiten, stricken, nähen.

III *v/t* **24.** arbeiten an (*dat*). **25.** verarbeiten: a) *tech.* bearbeiten, b) *Teig* kneten, c) (ver)formen, gestalten (**into** zu): **to ~ cotton into cloth** Baumwolle zu Tuch verarbeiten. **26.** *e-e Maschine etc* bedienen, *ein Fahrzeug* führen, lenken. **27.** (an-, be)treiben: **~ed by electricity.** **28.** *agr. den Boden* bearbeiten, bestellen. **29.** *e-n Betrieb* leiten, *e-e Fabrik etc* betreiben, *ein Gut* bewirtschaften. **30.** *Bergbau*: *e-e Grube* abbauen, ausbeuten. **31.** *econ.* (*geschäftlich*) bereisen *od.* bearbeiten: **my partner ~s the Liverpool district.** **32.** *j-n, Tiere* (tüchtig) arbeiten lassen, (zur Arbeit) antreiben: **to ~ one's horses.** **33.** *fig. j-n* bearbeiten, *j-m* zusetzen: **he ~ed his teacher for a better mark.** **34.** a) **to ~ one's way** sich (*hindurch- etc*)arbeiten, b) erarbeiten, verdienen: → **passage**[1] 5. **35.** *math.* lösen, ausarbeiten, errechnen. **36.** erregen, reizen, (*in e-n Zustand*) versetzen *od.* bringen: **to ~ o.s. into a rage** sich in e-e Wut hineinsteigern. **37.** bewegen, arbeiten mit: **he ~ed his jaws** s-e Kiefer mahlten. **38.** *fig.* (*pp oft* **wrought**) her'vorbringen, -rufen, zeitigen, *Veränderungen etc* bewirken, *Wunder* wirken *od.* tun, führen zu, verursachen: **to ~ hardship.** **39.** (*pp oft* **wrought**) fertigbringen, zu'stande bringen: **to ~ it** *colloq.* es ,deichseln'. **40.** *sl. etwas* ,her'ausschlagen', ,organi'sieren'. **41.** *Am. sl. j-n* ,anschmieren'. **42.** 'herstellen, machen, sticken, nähen. **43.** zur Gärung bringen.

Verbindungen mit Adverbien:

work| in I *v/t* einarbeiten, -flechten, -fügen. **II** *v/i* **~ with** harmonieren mit, passen zu. **~ off I** *v/t* **1.** weg-, aufarbeiten. **2.** *überflüssige Energie* loswerden. **3.** *ein Gefühl* 'abrea,gieren (**on** an *dat*). **4.** *e-e Schuld* abarbeiten. **5.** *e-e Ware etc* loswerden, abstoßen (**on** an *acc*). **6.** *print.* abdrucken, abziehen. **II** *v/i* **7.** sich all'mählich lösen, abgehen. **~ out I** *v/t* **1.** ausrechnen, *e-e Aufgabe* lösen. **2.** *e-n Plan etc* ausarbeiten. **3.** bewerkstelligen, zu'wege bringen. **4.** *e-e Schuld etc* abarbeiten. **5.** *Bergbau*: abbauen, (*a. fig. ein Thema etc*) erschöpfen. **II** *v/i* **6.** sich her'ausarbeiten, zum Vorschein kommen (**from** aus). **7. ~ at** sich belaufen *od.* beziffern auf (*acc*). **8.** ,klappen', *gut etc* gehen, sich *gut etc* anlassen: **to ~ well (badly).** **~ o·ver** *v/t* **1.** über'arbeiten. **2.** *sl. j-n* ,in die Mache nehmen'. **~ round** *v/i* **1.** sich 'durcharbeiten (**to** nach). **2.** sich wieder erholen (*Patient*). **3.** drehen (*Wind*). **~ to·geth·er** *v/i* **1.** zs.-arbeiten. **2.** inein'andergreifen (*Zahnräder*). **~ up I** *v/t* **1.** verarbeiten (**to** zu). **2.** ausarbeiten, entwickeln, erweitern. **3.** *ein Thema* aus-, bearbeiten, sich einarbeiten in (*acc*), *etwas* gründlich stu'dieren. **4.** *Gefühle, Nerven, a. Zuhörer etc* aufpeitschen, -wühlen, *Interesse* wecken: **to work o.s. up** sich aufregen; **to ~ a rage** sich in e-e Wut hineinsteigern; **~ed up** aufgeregt, aufgebracht. **II** *v/i* **5.** *bes. fig.* sich (langsam) em'por- *od.* hocharbeiten, sich steigern (**to** zu).

work·a·bil·i·ty [,wəːrkə'biliti] *s* **1.** Brauchbarkeit *f*, Anwendbarkeit *f.* **2.** *tech.* Bearbeitungsfähigkeit *f.*

'work·a·ble *adj* **1.** *tech.* bearbeitungsfähig, (ver)formbar. **2.** *tech.* betriebsfähig. **3.** *Bergbau*: abbauwürdig. **4.** 'durch-, ausführbar (*Plan etc*).

'work|·a,day *adj* **1.** werktäglich, Arbeits... **2.** Alltags...: **~ clothes**; **~ life.** **3.** *fig.* all'täglich, pro'saisch. **'~,bag** *s* (Hand)Arbeitsbeutel *m.* **'~,bas·ket** *s* Handarbeitskorb *m.* **'~,bench** *s tech.* Arbeitstisch *m*, Werkbank *f.* **'~,book** *s* **1.** Arbeitsbuch *n.* **2.** Arbeitsbericht *m*, Tagebuch *n* geplanter *od.* getaner Arbeit. **3.** *Buch mit Übungsaufgaben, in dem Platz zur Eintragung der Lösungen freigelassen ist.* **'~,box** *s* Werkzeugkasten *m*, *bes.* Nähkasten *m.* **~ camp** *s* Arbeitslager *n.* **'~,day I** *s* Werk-, Arbeitstag *m.* **II** *adj* → **workaday.**

work·er ['wəːrkər] *s* **1.** a) Arbeiter(in), b) Angestellte(r *m*) *f*, c) j-d, der auf e-m Gebiet arbeitet: **research ~** Forscher *m*, d) *allg.* Arbeitskraft *f*: **~s** *pl* Belegschaft *f*, Arbeiter(schaft *f*) *pl.* **2.** *a.* **~ ant** *od.* **~ bee** *zo.* Arbeiterin *f* (*Ameise, Biene*). **3.** *tech.* a) *Spinnerei*: Arbeitswalze *f*, Läufer *m*, b) *Papierherstellung*: Halbzeugholländer *m*, c) *Gerberei*: Schabmesser *n.* **4.** *print.* Gal'vano *n.* **~ cell** *s Bienenzucht*: Arbeiterzelle *f.* **'~-'priest** *s* Arbeiterpriester *m.*

'work|,fel·low *s* 'Arbeitskame,rad *m*, -kol,lege *m.* **~ force** *s* Arbeitskräfte *pl*, Belegschaft *f.* **'~,girl** *s* Fa'brikmädchen *n.* **'~,house** *s* **1.** *Br.* Armenhaus *n.* **2.** *Am.* Arbeitshaus *n*, Besserungsanstalt *f.*

work·ing ['wəːrkiŋ] **I** *s* **1.** Arbeiten *n.* **2.** *a. pl* Wirken *n*, Tun *n*, Tätigkeit *f.* **3.** *tech.* Be-, Verarbeitung *f.* **4.** *tech.* a) Funktio'nieren *n*, b) Arbeitsweise *f.* **5.** *meist pl Bergbau etc*: a) Abbau *m*, b) Grube *f.* **6.** mühsame Arbeit, Kampf *m.* **II** *adj* **7.** arbeitend, berufs-, werktätig: **the ~ population**; **~ student** Werkstudent *m*; **~ woman** berufstätige Frau. **8.** Arbeits...: **~ method** Arbeitsverfahren *n.* **9.** *econ. tech.* Betriebs...: **~ cost**; **~ voltage.** **10.** grundlegend, Ausgangs..., Arbeits...: **~ hypothesis.** **11.** brauchbar, praktisch: **~ knowledge** ausreichende Kenntnisse *pl.* **~ as·sets** *s pl econ.* Betriebsvermögen *n.* **~ cap·i·tal** *s econ.* Be'triebs-, 'Umlaufkapi,tal *n.* **~ class** *s* Arbeiterklasse *f.* **'~-,class** *adj* der Arbeiterklasse, Arbeiter... **~ con·di·tion** *s* **1.** *tech.* a) Betriebszustand *m*, b) *pl* Betriebs-, Arbeitsbedingungen *pl.* **2.** (*berufliches*) Arbeitsverhältnis. **~ cur·rent** *s electr.* Arbeitsstrom *m.* **~ day** → **workday** I. **'~-,day** → **workaday.** **~ draw·ing** *s tech.* Konstrukti'ons-, Werkstattzeichnung *f.* **~ ex·pens·es** *s pl econ.* Betriebskosten *pl.* **~ hol·i·day** *s* ,Arbeitsurlaub' *m.* **~ hour** *s* Arbeitsstunde *f*, *pl* Arbeitszeit *f.* **~ load** *s* **1.** *electr.* Betriebsbelastung *f.* **2.** *tech.* Nutzlast *f.* **~ lunch** *s bes. pol.* Arbeitsessen *n.* **~ ma·jor·i·ty** *s pol.* arbeitsfähige Mehrheit. **'~,man** [-,mæn] *s irr* → **workman.** **~ mod·el** *s tech.* 'Arbeits-, Ver'suchsmo,dell *n.* **~ or·der** *s tech.* Betriebszustand *m*: **in ~** betriebsfähig, in betriebsfähigem Zustand. **~ out** *s* **1.** Ausarbeitung *f*, Entwicklung *f.* **2.** *math.* Berechnung *f*, Lösung *f.* **~ pa·pers** *s pl econ.* **1.** 'Arbeits,unterlagen *pl*, *bes.* Prüfungsbogen *m* (*bei Revision*). **2.** 'Arbeits,ausweispa,piere *pl* (*bes. von Minderjährigen*). **~ part** *s tech.* Arbeits-, Verschleißteil *m, n.* **~ par·ty** *s* **1.** *mil.* 'Arbeitsab,teilung *f.* **2.** *Br.* Arbeitsgruppe *f*, -ausschuß *m.* **~ stroke** *s mot.* Arbeitstakt *m.* **~ sub·stance** *s tech.* Arbeits-, Über'tragungsmittel *n*, *bes.* Bremsflüssigkeit *f* (*e-r Kolbenbremse etc*), Druckflüssigkeit *f od.* -gas *n* (*e-s Servomotors etc*). **~ sur·face** *s tech.* Arbeits-, Lauffläche *f.*

work·less ['wəːrklis] *adj* arbeitslos.

'work|·man [-mən] *s irr* (*bes.* Hand-, Fach)Arbeiter *m.* **'~·man,like**, *a.* **'~·man·ly** *adj* kunstgerecht, fachmännisch. **'~·man,ship** *s* **1.** *j-s* Werk: **this is his ~.** **2.** Kunst(fertigkeit) *f.* **3.** (*gute etc*) Ausführung, Verarbeitungsgüte *f*, Quali'tätsarbeit *f.* **'~,mas·ter** *s* Werkmeister *m.* **'~·men's com·pen·sa·tion in·sur·ance** [-mənz] *s econ.* (Arbeits)Unfallversicherung *f.* **'~,out** *s* **1.** *sport* a) *Am. colloq.* (Konditi'ons-)Training *n*, b) *Br.* Boxkampf *m.* **2.** Versuch *m*, Erprobung *f.* **3.** *Am. colloq.* a) harte Arbeit, b) ,Keile' *f*,

Prügel *pl.* 'ˌ~ˌ**peo·ple** *s pl* Arbeiter *pl.* 'ˌ~ˌ**piece** *s* Arbeits-, Werkstück *n.* 'ˌ~ˌ**room** *s* Arbeitsraum *m.* ~ **sheet** *s econ. Am.* **1.** 'Arbeitsˌunterlage *f.* **2.** 'Rohbiˌlanz *f.* 'ˌ~ˌ**shop** *s* **1.** Werkstatt *f*, Fertighalle *f*: ~ **drawing** Werkstatt-, Konstruktionszeichnung *f.* **2.** Werk *n*, Betrieb *m*: **mobile** ~ fahrbare Werkstatt. **3.** *fig.* Werkstatt *f* (*des Künstlers etc*): ~ **theatre** (*Am.* **theater**) Werkstatt-Theater *n.* **4.** *fig.* (Sommer-, Arbeits-, Ferien)Kurs *m*, Semi'nar *n.* '~-ˌ**shy** *adj* arbeitsscheu, faul. 'ˌ~ˌ**table** *s* Werk-, Arbeitstisch *m.* '~-**to-**-'**rule (cam·paign)** *s econ.* ‚Arbeit *f* nach Vorschrift', Bummelstreik *m* (*öffentlicher Angestellter*). '~-ˌ**up** *s print.* Spieß *m.* ~ **week** *s* Arbeitswoche *f.* 'ˌ~ˌ**wom·an** *s irr* Arbeiterin *f.*

world [wəːrld] *s* **1.** Welt *f*: a) Erde *f*, b) Himmelskörper *m*, c) All *n*, Uni'versum *n*, d) *fig.* (*die*) Menschen *pl*, (*die*) Leute *pl*, e) (Gesellschafts-, Berufs)Sphäre *f*: **the commercial** ~, **the** ~ **of commerce** die Handelswelt; **the scientific** ~ die Welt der Wissenschaften; **the** ~ **of letters** die gelehrte Welt; **the next** (*od.* **other**) ~ das Jenseits; **all the** ~ die ganze Welt, jedermann. **2.** (Na'tur)Reich *n*, Welt *f*: **animal** ~ Tierreich, -welt; **vegetable** ~ Pflanzenreich, -welt. **3. a** ~ **of** *fig.* e-e Welt von, e-e Unmenge: **a** ~ **of difficulties** e-e Unmenge Schwierigkeiten; **a** ~ **too big** viel zu groß.

Besondere Redewendungen:

against the ~ gegen die ganze Welt; **for all the** ~ in jeder Hinsicht; **not for all the** ~ um keinen Preis; **from all over the** ~ aus aller Welt; **to the** ~**'s end** bis ans Ende der Welt; **for all the** ~ **like** (*od.* **as if**) genau so wie *od.* als ob; **for all the** ~ **to see** vor aller Augen; **not for the** ~ nicht um die (*od.* um alles in der) Welt; **nothing in the** ~ nichts in der Welt, rein gar nichts; **out of this** ~ *colloq.* ‚phantastisch', ‚(einfach) sagenhaft'; **all the** ~ **and his wife were there** *colloq.* alles, was Beine hatte, war dort; Gott u. die Welt war dort; **they are** ~**s apart** Welten trennen sie; ~ **without end** (*adverbiell*) immer u. ewig; **to bring** (**come**) **into the** ~ zur Welt bringen (kommen); **to carry the** ~ **before one** glänzende Erfolge haben; **to put into the** ~ in die Welt setzen; **she is all the** ~ **to him** sie ist sein ein u. alles; **how goes the** ~ **with you?** wie geht's, wie steht's?; **what (who) in the** ~**?** was (wer) in aller Welt?

World| Bank *s econ.* Weltbank *f.* ~ **Coun·cil of Church·es** *s* Weltkirchenrat *m.* ~ **Court** *s pol.* Internatio'naler Ständiger Gerichtshof (*im Haag*).

'**world|-ˌfa·mous** *adj* weltberühmt. '~-**forˌgot·ten** *adj* weltvergessen. '~-**hisˌtor·ic,** '~-**hisˌtor·i·cal** *adj* 'welthiˌstorisch, weltgeschichtlich. ~ **is·land** *s Geopolitik*: Eu'rasien *n* u. Afrika *n.* ~ **lan·guage** *s* Weltsprache *f.*

world·li·ness ['wəːrldlinis] *s* Weltlichkeit *f*, weltlicher Sinn.

world·ling ['wəːrldliŋ] *s* Weltkind *n.*

world·ly ['wəːrldli] *adj u. adv* **1.** weltlich, irdisch, zeitlich: ~ **goods** irdische Güter. **2.** weltlich (gesinnt): ~ **innocence** Weltfremdheit *f*; ~ **wisdom** Weltklugheit *f.* '~-'**mind·ed** *adj* weltlich gesinnt. '~-'**wise** *adj* weltklug.

'**world|-ˌold** *adj* uralt, so alt wie die Welt. ~ **or·der** *s* (*die*) Weltordnung. ~ **pow·er** *s pol.* Weltmacht *f.* ~ **se·ries** *s sport Am. Baseball*: US-Meisterschaftsspiele *pl.* '~-ˌ**shak·ing** *adj oft iro.* welterschütternd. ~ **soul** *s philos.* Weltseele *f.* ~ **view** *s* Weltanschauung *f.* **W~ War** *s* Weltkrieg *m*: ~ **I (II)** erster (zweiter) Weltkrieg. '~-ˌ**wea·ry** *adj* welt-, lebensmüde. '~-'**wide** *adj* 'weltweit, -umˌfassend, -umˌspannend, (*nachgestellt*) auf der ganzen Welt: ~ **disarmament**; ~ **reputation** Weltruf *m*; ~ **strategy** *mil.* Großraumstrategie *f.* '~-**withˌout-'end** *adj* ewig.

worm [wəːrm] **I** *s* **1.** *zo.* Wurm *m*: **even a** ~ **will turn** *fig.* auch der Wurm krümmt sich, wenn er getreten wird; ~**s of conscience** *fig.* Gewissensbisse. **2.** *pl med.* Würmer *pl*, Wurmkrankheit *f.* **3.** *fig. contp.* Wurm *m*, elende *od.* minderwertige Krea'tur (*Person*). **4.** *tech.* a) (Schrauben-, Schnecken-) Gewinde *n*, b) (*Förder-, Steuer- etc*)-Schnecke *f*, c) (Rohr-, Kühl)Schlange *f.* **5.** *phys.* archi'medische Schraube. **II** *v/t* **6. to** ~ **o.s.** (*od.* **one's way**) a) sich schlängeln, b) *fig.* sich (ein)-schleichen (**into** in *acc*): **to** ~ **o.s. into s.o.'s confidence** sich in j-s Vertrauen einschleichen; **to** ~ **a secret out of s.o.** ‚j-m die Würmer aus der Nase ziehen', j-m ein Geheimnis entlocken. **7.** von Würmern befreien. **III** *v/i* **8.** sich schlängeln, schleichen, kriechen: **to** ~ **out of s.th.** *fig.* sich aus etwas herauswinden. ~ **cast** *s zo.* vom Regenwurm aufgeworfenes Erdhäufchen. ~ **con·vey·or** *s tech.* Förderschnecke *f.* ~ **drive** *s tech.* Schneckenantrieb *m.* '~-ˌ**eat·en** *adj* **1.** wurmstichig. **2.** *fig.* morsch, veraltet. ~ **fence** *s* Zickzackzaun *m.* ~ **gear** *s tech.* **1.** Schneckenantrieb *m*, -getriebe *n.* **2.** Schneckenrad *n.* 'ˌ~ˌ**hole** *s* Wurmloch *n*, -stich *m.* 'ˌ~ˌ**seed oil** *s pharm.* Wurmsamenöl *n.*

'**worm's-ˌeye view** *s* 'Froschperspekˌtive *f.*

worm| thread *s tech.* Schneckengewinde *n.* ~ **wheel** *s tech.* Schneckenrad *n.* 'ˌ~ˌ**wood** *s* **1.** *bot.* Wermut *m.* **2.** *fig.* Bitterkeit *f*: **to be (gall and)** ~ **to s.o.** j-n wurmen, j-n bitter ankommen.

worm·y ['wəːrmi] *adj* **1.** wurmig, voller Würmer. **2.** wurmstichig. **3.** wurmartig. **4.** *fig.* kriecherisch, gemein.

worn [wəːrn] **I** *pp von* **wear**[1]. **II** *adj* **1.** getragen: ~ **clothes. 2.** → **worn-out** 1. **3.** erschöpft, abgespannt. **4.** ausgelaugt: ~ **soil. 5.** *fig.* abgedroschen: ~ **joke.** '~-ˌ**out** *adj* **1.** abgetragen, abgenutzt: ~ **clothes**; ~ **shoes. 2.** verbraucht (*a. fig.*). **3.** völlig erschöpft, todmüde, matt, zermürbt. **4.** → **worn** 4.

wor·ried [*Br.* 'wʌrid; *Am.* 'wəːrid] *adj* **1.** gequält. **2.** sorgenvoll, bekümmert, besorgt. **3.** beunruhigt, ängstlich.

'**wor·ri·er** *s* j-d, der sich ständig Sorgen macht. '**wor·ri·ment** *s colloq.* **1.** Plage *f*, Quäle'rei *f.* **2.** Angst *f*, Sorge *f.* '**wor·ri·some** [-səm] *adj* **1.** quälend. **2.** lästig, störend. **3.** beunruhigend. **4.** unruhig. '**wor·rit** [-rit] *colloq. für* **worry.**

wor·ry [*Br.* 'wʌri; *Am.* 'wəːri] **I** *v/t* **1.** quälen, plagen, stören, belästigen, *j-m* zusetzen: **to** ~ **s.o. into a decision** j-n so lange quälen, bis er e-e Entscheidung trifft; **to** ~ **s.o. out of s.th.** a) j-n mühsam von etwas abbringen, b) j-n durch unablässiges Quälen um etwas bringen. **2.** ärgern, reizen. **3.** beunruhigen, ängstigen, quälen, *j-m* Sorgen machen: **to** ~ **o.s.** sich (unnötig) sorgen. **4.** a) zausen, schütteln, zerren an (*dat*), b) *Tier* an der Kehle packen, (ab)würgen (*bes. Hund*). **5.** *etwas* zerren *od.* mühsam bringen (**into** in *acc*). **6.** her'umstochern an (*dat*). **7.** ~ **out** *ein Problem etc* her'ausknobeln.

II *v/i* **8.** sich quälen *od.* plagen. **9.** sich ängstigen, sich beunruhigen, sich Gedanken *od.* Sorgen machen (**about, over** um, wegen): **I should** ~ *colloq.* was kümmert das mich! **10.** sich abmühen *od.* vorwärtskämpfen: **to** ~ **along** sich mühsam voranarbeiten, sich mit knapper Not durchschlagen; **to** ~ **through s.th.** sich durch etwas hindurchquälen.

III *s* **11.** Kummer *m*, Besorgnis *f*, Sorge *f*, (innere) Unruhe. **12.** (Ursache *f* von) Ärger *m*, Verdruß *m*, Aufregung *f.* **13.** Quälgeist *m.* **14.** *hunt.* Abwürgen *n*, Zausen *n*, Beißen *n* (*vom Hund*).

wor·ry·ing [*Br.* 'wʌriiŋ; *Am.* 'wəːr-] *adj* (*adv* ~**ly**) beunruhigend, quälend.

worse [wəːrs] **I** *adj* (*comp von* **bad**[1], **evil, ill**) **1.** schlechter, schlimmer (*beide a. med.*), übler, ärger: ~ **and** ~ immer schlechter *od.* schlimmer; **the** ~ desto schlimmer; **so much** (*od.* **all**) **the** ~ um so schlimmer; **that only made matters** ~ das machte es nur noch schlimmer; **to make it** ~ (*Redew.*) um das Unglück vollzumachen; **he is** ~ **than yesterday** es geht ihm schlechter als gestern: → **luck** 1, **wear**[1] 15. **2.** schlechter gestellt: **(not) to be the** ~ **for** (nicht) schlecht wegkommen bei, (keinen) Schaden gelitten haben durch, (nicht) schlechter gestellt sein wegen; **he is none the** ~ **for it** er ist darum nicht übler dran; **you would be none the** ~ **for a walk** ein Spaziergang würde dir gar nichts schaden; **to be (none) the** ~ **for drink** (nicht) betrunken sein.

II *adv* **3.** schlechter, schlimmer, ärger: **none the** ~ nicht schlechter; **to be** ~ **off** schlechter daran sein; **you could do** ~ **than get a haircut** du könntest dir ruhig die Haare schneiden lassen.

III *s* **4.** Schlechteres *n*, Schlimmeres *n*: ~ **followed** Schlimmeres folgte; **if** ~ **comes to** ~ schlimmstenfalls; **from bad to** ~ vom Regen in die Traufe; **a change for the** ~ e-e Wendung zum Schlechten; **he has taken a turn for the** ~ sein Zustand hat sich verschlechtert; **to have** (*od.* **get**) **the** ~ den kürzer(e)n ziehen, schlechter wegkommen; → **better**[1] 3.

wors·en ['wəːrsn] **I** *v/t* **1.** schlechter machen, verschlechtern. **2.** *Unglück* verschlimmern. **3.** *j-n* schlechter stellen, schädigen. **II** *v/i* **4.** sich verschlechtern *od.* verschlimmern.

'**wors·en·ing** *s* Verschlechterung *f*, Verschlimmerung *f.*

wor·ship ['wəːrʃip] **I** *s* **1.** *relig.* a) Anbetung *f*, Verehrung *f*, Kult(us) *m* (*alle a. fig.*), b) (**public** ~ öffentlicher) Gottesdienst, Ritus *m*: **hours of** ~ Gottesdienstzeiten; **house** (*od.* **place**) **of** ~ Kirche *f*, Gotteshaus *n*, Kultstätte *f*; **hero** ~ Heldenverehrung; **the** ~ **of wealth** die Anbetung des Reichtums. **2.** Gegenstand *m* der Verehrung *od.* Anbetung, (*der, die, das*) Angebetete. **3.** *obs.* Ansehen *n*, guter Ruf. **4. his (your) W**~ *bes. Br.* Seiner (Euer) Gnaden, Seiner (Euer) Hochwürden (*Anrede, jetzt bes. für Bürgermeister*). **II** *v/t* **5.** anbeten, verehren, huldigen (*dat*). **6.** *fig. j-n* (glühend) verehren, anbeten, vergöttern. **III** *v/i* **7.** (an)beten, s-e Andacht verrichten.

wor·ship·er, *bes. Br.* **wor·ship·per** ['wəːrʃipər] *s* **1.** Anbeter(in), Verehrer(in): ~ **of idols** Götzendiener *m.* **2.** Beter(in): the ~**s** die Andächtigen, die Kirchgänger. **'wor·ship·ful** [-ful] *adj* (*adv* ~**ly**) **1.** verehrend, anbetend. **2.** *obs.* angesehen, (ehr)würdig, achtbar. **3.** (*in der Anrede*) hochwohllöblich, verehrlich: **Right W**~ hochwohllöblich, hochangesehen (*Bürgermeister, Richter etc*); **the W**~ **the Mayor of X** *schriftliche Anrede für e-n Bürgermeister.*

worst [wəːrst] **I** *adj* (*sup von* **bad**[1], **evil, ill**) schlechtest(er, e, es), übelst(er, e, es), schlimmst(er, e, es), ärgst(er, e, es): **and, which is** ~ und, was das schlimmste ist. **II** *adv* am schlechtesten *od.* übelsten, am schlimmsten *od.* ärgsten: **the** ~**-paid** der *od.* die am schlechtesten Bezahlte. **III** *s* (*der, die, das*) Schlechteste *od.* Übelste *od.* Schlimmste *od.* Ärgste: **at (the)** ~ schlimmstenfalls; **to be prepared for the** ~ aufs Schlimmste gefaßt sein; **to do one's** ~ es so schlecht *od.* schlimm wie möglich machen; **do your** ~! mach, was du willst!; **to get the** ~ **of it** am schlechtesten wegkommen, den kürzer(e)n ziehen; **if** (*od.* **when**) **the** ~ **comes to the** ~ wenn es zum Schlimmsten kommt, wenn alle Stricke reißen; **he was at his** ~ er zeigte sich von s-r schlechtesten Seite, er war in denkbar schlechter Form; **to see s.o. (s.th.) at his (its)** ~ j-n (etwas) von der schlechtesten *od.* schwächsten Seite kennenlernen; **the illness is at its** ~ die Krankheit ist auf ihrem Höhepunkt; **the** ~ **of it is** das Schlimmste daran ist. **IV** *v/t* über'wältigen, besiegen, schlagen.

wor·sted ['wustid] *tech.* **I** *s* **1.** Kammgarn *n*, -wolle *f.* **2.** Kammgarnstoff *m.* **II** *adj* **3.** Woll...: ~ **socks** wollene Socken; ~ **wool** Kammwolle *f*; ~ **yarn** Kammgarn *n.* **4.** Kammgarn...

wort[1] [wəːrt] *s bot.* **1.** *obs.* Pflanze *f*, Kraut *n.* **2.** (*in Zssgn*) ...wurz *f*, ...kraut *n.*

wort[2] [wəːrt] *s* (Bier)Würze *f*: ~ **pump** Maischpumpe *f*; ~ **vat** Würzkufe *f.*

worth[1] [wəːrθ] **I** *adj* **1.** (*e-n bestimmten Betrag*) wert (**to** *dat od.* für): **he is** ~ **£ 500 a year** er hat ein Einkommen von 500 £ jährlich; **he is** ~ **a million** er ist e-e Million wert, er besitzt *od.* verdient e-e Million. **2.** *fig.* würdig, wert (*gen*): ~ **doing** wert, getan zu werden; ~ **mentioning (reading, seeing)** erwähnens-(lesens-, sehens)wert; **to be** ~ **while, to be** ~ **the trouble,** *a.* **to be** ~ **it** *colloq.* der Mühe wert sein; **take it for what it is** ~! nimm es für das, was es wirklich ist!; **my opinion for what it may be** ~ m-e unmaßgebliche Meinung; **for all one is** ~ *colloq.* mit aller Macht, so gut man kann, ‚auf Teufel komm raus'; → **candle** 1, **powder**[1] 1, **salt**[1] 1, **whoop** 1. **II** *s* **3.** (Geld)Wert *m*, Preis *m*: **of no** ~ wertlos; **2 shillings'** ~ **of stamps** Briefmarken im Wert von 2 Schillingen; → **money** 1. **4.** *fig.* Wert *m*: a) Bedeutung *f*, b) Verdienst *n*: **men of** ~ verdiente *od.* verdienstvolle Leute.

worth[2] [wəːrθ] *v/i obs. od. poet.* werden, sein (*nur noch in*): **woe** ~ wehe über (*acc*), verflucht sei; **woe** ~ **the day** wehe dem Tag.

wor·thi·ly ['wəːrðili] *adv* **1.** nach Verdienst, angemessen. **2.** mit Recht, mit gutem Grund. **3.** in Ehren, würdig. **'wor·thi·ness** *s* Wert *m*, Würdigkeit *f*, Verdienst *n.* **worth·less** ['wəːrθlis] *adj* (*adv* ~**ly**) **1.** wertlos, nichts wert, ohne Bedeutung. **2.** *fig.* un-, nichtswürdig. **'worth·less·ness** *s* Wertlosigkeit *f*, Un-, Nichtswürdigkeit *f.*

'worth|-'while, '~**'while,** *pred* ~ **while** *adj* lohnend, der Mühe wert.

wor·thy ['wəːrði] **I** *adj* (*adv* → **worthily**) **1.** würdig, achtbar, ehrenwert, angesehen. **2.** würdig, wert (**of** *gen*): **to be** ~ **of s.th.** e-r Sache wert *od.* würdig sein, etwas verdienen; **to be** ~ **to be** (*od.* **of being**) **venerated, to be** ~ **of veneration** (es) verdienen *od.* wert sein, verehrt zu werden; verehrungswürdig sein; ~ **of credit** a) glaubwürdig, b) *econ.* kreditwürdig, -fähig; ~ **of a better cause** e-r besseren Sache würdig; ~ **of reflection** es wert, daß man darüber nachdenkt; **the worthiest of blood** *jur. Br.* die Söhne, die männlichen Erben. **3.** würdig: **a** ~ **adversary (successor); words** ~ **(of) the occasion** Worte, die dem Anlaß angemessen sind; ~ **reward** entsprechende *od.* angemessene Belohnung. **4.** *humor.* trefflich, wakker: **a** ~ **rustic. II** *s* **5.** Per'son *f* von Verdienst u. Würde, große Per'sönlichkeit, Größe *f*, Held(in) (*meist pl*): **the Worthies of England**; **the nine worthies** die neun Berühmtheiten (*Hektor, Alexander, Julius Cäsar, Josua, David, Judas Makkabäus, König Artus, Karl der Große, Gottfried von Bouillon*). **6.** *humor.* (*der*) Wackere, (*der*) gute Mann.

wost [wɒst] *obs. 2. sg pres von* **wit**[2].

wot [wɒt] *obs. 1. u. 3. sg pres von* **wit**[2]: **God** ~! weiß Gott!

would [wud] **1.** *pret von* **will**[1] **I**: a) wollte(st), wollten: **he** ~ **not go** er wollte (durchaus) nicht gehen, b) pflegte(st), pflegten: **you** ~ **do that!** du mußtest das natürlich tun!, das sieht dir ähnlich; → **will**[1] 7, c) *fragend:* würdest *du*?, würden *Sie*?: ~ **you pass me the salt, please?**, d) *vermutend:* **that** ~ **be 3 dollars** das wären (wohl) 3 Dollar; **it** ~ **seem that** es scheint fast, daß. **2.** (*konditional*) *du* würdest, *Sie* würden, *er, sie, es* würde, *ihr* würdet, *sie* würden, *Am. a. ich* würde, *wir* würden: **she** ~ **do it if she could; he** ~ **have come if** er wäre gekommen, wenn. **3.** *pret. von* **will**[1] **II**: *ich* wollte *od.* wünschte *od.* möchte: **I** ~ **it were otherwise;** ~ **(to) God** wollte Gott; **I** ~ **have you know** ich muß Ihnen (schon) sagen.

'would-ˌbe I *adj* **1.** gern sein wollend, angeblich, sogenannt, Pseudo..., Möchtegern...: ~ **critic** Afterkritiker *m*; **a** ~ **painter** ein Farbklecksser; **a** ~ **philosopher** ein Möchtegernphilosoph; **a** ~ **poet** ein Dichterling; ~ **politician** Kannegießer *m*; ~ **sportsman** Sonntagsjäger *m*; ~ **wit** Witzling *m*; ~ **witty** geistreich sein sollend (*Bemerkung etc*). **2.** angehend, zukünftig: ~ **author;** ~ **wife;** ~ **purchaser** (Kauf-)Interessent(in). **II** *s* **3.** Gernegroß *m*, Möchtegern *m.*

would·n't ['wudnt] *colloq. für* **would not.**

wouldst [wudst] *obs. od. poet. 2. sg pret von* **will**[1].

wound[1] [wuːnd] **I** *s* **1.** Wunde *f* (*a. fig.*), Verletzung *f*, Verwundung *f*: ~ **of entry (exit)** Einschuß *m* (Ausschuß *m*); **the (Five) W**~**s of Christ** die (fünf) Wundmale Christi; ~ **chevron** (*od.* **stripe**) *mil. Am.* Verwundetenabzeichen *n* (*Ärmelstreifen*). **2.** *fig.* Kränkung *f*, Verletzung *f.* **II** *v/t* **3.** verwunden, verletzen (*beide a. fig. kränken*): ~**ed veteran** Kriegsversehrte(r) *m*; **the** ~**ed** die Verwundeten *pl*; ~**ed vanity** verletzte Eitelkeit.

wound[2] [waund] *pret u. pp von* **wind**[2] *u.* **wind**[3].

wound·less ['wuːndlis] *adj* **1.** unverwundet, unverletzt, unversehrt. **2.** *poet.* unverwundbar.

'wound|wort [wuːnd] *s bot.* (*ein*) Wundkraut *n.*

wou·ra·li [wuː'rɑːli] → **curare.**

wove [wouv] *pret u. selten pp von* **weave. 'wo·ven** *pp von* **weave**: ~ **goods** Web-, Wirkwaren.

wove pa·per *s tech.* Ve'linpaˌpier *n.*

wow[1] [wau] **I** *interj Am.* **1.** Mensch!, Mann!, toll! **2.** zack! **II** *s sl.* **3.** a) ‚Bombenerfolg' *m*, ‚tolles Ding', b) *Am.* ‚toller Kerl', ‚tolle Form': **he (it) is a** ~ er (es) ist 'ne ‚Wucht'. **III** *v/t* **4.** *j-n* 'hinreißen.

wow[2] [wau] *s* Jaulen *n* (*Schallplatte etc*).

wow·ser ['wauzər] *s Am. od. Austral. sl.* mora'linsaure Per'son, ‚Puri'taner' *m.*

wrack[1] [ræk] *s* **1.** → **wreck** 1 *u.* 2: ~ **and ruin** Untergang u. Verderben; **to go to** ~ untergehen. **2.** Seetang *m.*

wrack[2] → **rack**[4] I.

wraith [reiθ] *s bes. Scot.* **1.** (Geister-)Erscheinung *f* (*bes. von Sterbenden od. gerade Gestorbenen*). **2.** Geist *m*, Gespenst *n.*

wran·gle ['ræŋgl] **I** *v/i* **1.** (**over**) (sich) zanken *od.* streiten (über *acc*), sich in den Haaren liegen (über *dat*). **II** *v/t* **2.** *etwas* her'ausschinden. **3.** disku'tieren über (*acc*). **4.** *Am. Vieh* a) hüten, b) zs.-treiben. **III** *s* **5.** Streit *m*, Zank *m*, ‚Gerangel' *n.* **6.** heftige De'batte. **'wran·gler** *s* **1.** Zänker *m*, streitsüchtige Per'son. **2.** Dispu'tant *m*: **he is a** ~ er kann debattieren. **3.** *meist* **senior** ~ (*Universität Cambridge*) *Student, der bei der höchsten mathematischen Abschlußprüfung den 1. Grad erhalten hat.* **4.** *Am.* Cowboy *m.*

wrap [ræp] **I** *v/t pret u. pp* **wrapped** *od.* **wrapt 1.** wickeln, hüllen, legen, *a. die Arme* schlingen (**round** um *acc*). **2.** *meist* ~ **up** (ein)wickeln, (-)packen, (-)hüllen, (-)schlagen (**in** in *acc*): **to** ~ **s.th. in paper; to** ~ **o.s. up** sich warm anziehen. **3.** *oft* ~ **up** (ein)hüllen, verbergen, *e-n Tadel etc* (ver)kleiden: ~**ped in mist** in Nebel gehüllt; ~**ped up in mystery** *fig.* geheimnisvoll, rätselhaft; ~**ped** (*od.* **wrapt**) **in silence** in Schweigen gehüllt; ~**ped in allegory** allegorisch verkleidet; **to be** ~**ped up in** a) völlig in Anspruch genommen sein von (*e-r Arbeit etc*), ganz aufgehen in (*s-r Arbeit, s-n Kindern etc*), b) versunken sein in (*dat*). **4.** ~ **up** *Am. sl.* zu e-m glücklichen Ende führen, ab-, beschließen, erledigen: **to** ~ **it up** die Sache (erfolgreich) zu Ende führen; **that** ~**s it up!** das wär's! **5.** *fig.* verwickeln, -stricken (**in** in *acc*): **to be** ~**ped in an intrigue. II** *v/i* **6.** sich einhüllen *od.* einpacken: ~ **up well!** zieh dich warm an! **7.** sich legen *od.* wickeln *od.* schlingen (**round** um). **III** *s* **8.** Hülle *f*, *bes.* a) Decke *f*, b) Schal *m*, Pelz *m*, c) 'Umhang *m*, Mantel *m*: **to keep s.th. under** ~**s** *Am. sl.* etwas geheimhalten. **'wrap·aˌround** *Am.* **I** *s* (Kleid *n* mit) Wickelrock *m.* **II** *adj tech.* Rundum..., her'umgezogen: ~ **windshield** *mot.* Panorama-, Vollsichtscheibe *f.* **'wrap·page** *s* **1.** 'Umschlag *m*, Um'hüllung *f*, Hülle *f*, Decke *f.* **2.** Verpackung *f*, 'Packmateriˌal *n.* **'wrap·per** *s* **1.** (Ein)Packer(in). **2.** Hülle *f*, Decke *f*, 'Überzug *m*, Verpackung *f.* **3.** ('Buch)ˌUmschlag *m*, Schutzhülle *f*. **4.** *a.* postal ~ Kreuz-, Streifband *n*. **5.** a) Schal *m*, b) 'Überwurf *m*, c) Morgenrock *m*. **6.** Deckblatt *n* (*der Zigarren*).

wrap·ping ['ræpiŋ] *s* **1.** *meist pl* Um'hüllung *f*, Hülle *f*, Verpackung *f*. **2.** Ein-, Verpacken *n*. ~ **pa·per** *s* 'Einwickel-, 'Packpa,pier *n*.

wrapt [ræpt] *pret u. pp von* wrap.

wrasse [ræs] *s ichth.* Lippfisch *m*.

wrath [*Br.* rɔːθ; *Am.* ræθ] *s* Zorn *m*, Grimm *m*, Wut *f*: the ~ of God der Zorn Gottes; he looked like the ~ of god *colloq.* er sah gräßlich aus; the day of ~ *Bibl.* der Tag des Zorns; to bring down the ~ of *j-s* Zorn entflammen. '**wrath·ful** [-ful] *adj* (*adv* ~ly) zornig, grimmig, wutentbrannt. '**wrath·y** *adj Am. colloq. für* wrathful.

wreak [riːk] *v/t Rache etc* üben, *s-e Wut etc* auslassen (on, upon an *dat*): to ~ vengeance.

wreath [riːθ] *pl* **wreaths** [riːðz] *s* **1.** Kranz *m* (*a. fig.*), Gir'lande *f*, Blumengewinde *n*. **2.** (*Rauch- etc*)Ring *m*: ~ of smoke. **3.** Windung *f* (*e-s Seiles etc*). **4.** *tech.* Schliere *f* (*im Glas*). **5.** (Schnee-, Sand- *etc*)Wehe *f*.

wreathe [riːð] **I** *v/t* **1.** winden, wickeln (round, about um). **2.** verflechten. **3.** (zu Kränzen) flechten *od.* (zs.-)binden. **4.** *e-n Kranz* flechten, winden. **5.** um'kränzen, -'geben, -'winden. **6.** bekränzen, schmücken. **7.** kräuseln, in Falten legen: his face was ~d in smiles ein Lächeln lag auf s-m Gesicht. **II** *v/i* **8.** sich winden *od.* wikkeln: ~d column *arch.* Schneckensäule *f*. **9.** sich ringeln *od.* kräuseln (*Rauchwolke etc*).

wreath·y ['riːθi] *adj* **1.** sich windend *od.* ringelnd (*Rauch etc*). **2.** bekränzt. **3.** geflochten.

wreck [rek] **I** *s* **1.** *mar.* a) (Schiffs)-Wrack *n*, b) Schiffbruch *m*, Schiffsunglück *n*, c) *jur.* Strandgut *n*. **2.** Wrack *n* (*mot. etc*, *a. fig. bes. Person*), Ru'ine *f*, Trümmerhaufen *m* (*a. fig.*): nervous ~ Nervenbündel *n*; she is the ~ of her former self sie ist nur noch ein Schatten ihrer selbst, sie ist ein völliges Wrack. **3.** *pl* Trümmer *pl* (*oft fig.*). **4.** *fig.* a) 'Untergang *m*, Ru'in *m*, b) Zerstörung *f*, Verwüstung *f*: the ~ of his hopes die Vernichtung s-r Hoffnungen; to go to ~ (and ruin) zugrunde gehen. **II** *v/t* **5.** *allg* zertrümmern, zerstören, *ein Schiff* zum Scheitern bringen (*a. fig.*): to be ~ed a) *mar.* scheitern, Schiffbruch erleiden, b) in Trümmer gehen, c) *rail.* entgleisen. **6.** *fig.* zu'grunde richten, *a. s-e Gesundheit* zerrütten, *Pläne, Hoffnungen etc* vernichten, zerstören. **7.** *mar. tech.* abwracken. **III** *v/i* **8.** Schiffbruch erleiden, scheitern (*beide a. fig.*). **9.** verunglücken. **10.** *a. fig.* zerstört *od.* vernichtet werden. '**wreck·age** *s* **1.** Schiffbruch *m*, Scheitern *n* (*beide a. fig.*). **2.** *mar.* Wrack(teile *pl*) *n*, (Schiffs-, *allg.* Unfall)Trümmer *pl*. **3.** Trümmerhaufen *m*. **4.** → wreck 4. **5.** *fig.* Strandgut *n* (*des Lebens*), gescheiterte Exi'stenzen *pl*. **wrecked 1.** gestrandet, gescheitert (*beide a. fig.*). **2.** schiffbrüchig: ~ sailors. **3.** zertrümmert, zerstört, vernichtet (*alle a. fig.*). **4.** zerrüttet: ~ health. '**wreck·er** *s* **1.** *mar.* Strandräuber *m*. **2.** *a. fig* Zerstörer *m*, Vernichter *m*, Sabo'teur *m*. **3.** *mar.* a) Bergungsschiff *n*, b) Bergungsarbeiter *m*. **4.** *tech.* Abbrucharbeiter *m*. **5.** *Am.* a) *rail.* Hilfszug *m*, b) *mot.* Abschleppwagen *m*.

wreck·ing ['rekiŋ] **I** *s* **1.** Strandraub *m*. **2.** *fig.* Rui'nieren *n*, Vernichtung *f*. **3.** *Am.* Bergung *f*. **II 4.** *Am.* Bergungs...: ~ crew; ~ service *mot.* Abschleppdienst *m*; ~ truck Abschleppwagen *m*. **5.** *Am.* Abbruch *m*: ~ company Abbruchfirma *f*. ~ **a·mend·ment** *s parl. Br. Änderung e-s Gesetzentwurfs, die dessen eigentlichen Zweck vereitelt.*

wreck train *s rail. Am.* Hilfszug *m*.

wren[1] [ren] *s* **1.** *orn.* Zaunkönig *m*. **2.** golden-crested ~ *orn.* Wintergoldhähnchen *n*. **3.** *Am. sl.* Mädel *n*.

Wren[2], **WREN** [ren] *s mil. Br. colloq.* Angehörige *f* des Women's Royal Naval Service, Ma'rinehelferin *f*.

wrench [rentʃ] **I** *s* **1.** (drehender *od.* heftiger) Ruck, heftige Drehung. **2.** *med.* Verzerrung *f*, -renkung *f*, (gewaltsame) Verdrehung, Verstauchung *f*: to give a ~ to → 8. **3.** *fig.* Verzerrung *f*, -drehung *f*. **4.** *fig.* a) (Trennungs)Schmerz *m*: leaving home was a great ~ der Abschied von zu Hause tat sehr weh. **5.** *tech.* Schraubenschlüssel *m*. **6.** scharfe Wendung, *bes. hunt.* Haken *m* (*e-s Hasen*). **II** *v/t* **7.** (mit e-m Ruck) reißen, zerren, ziehen: to ~ s.th. (away) from s.o. j-m etwas entwinden *od.* -reißen (*a. fig.*); to ~ open *die Tür etc* aufreißen, -sprengen. **8.** *med.* verrenken, -stauchen. **9.** verdrehen, -zerren (*a. fig. entstellen*).

wrest [rest] **I** *v/t* **1.** (gewaltsam) reißen: to ~ out of herausreißen aus; to ~ from s.o. j-m entreißen *od.* -winden, *fig. a.* j-m abringen; to ~ a living from the soil dem Boden s-n Lebensunterhalt abringen. **2.** *fig.* verdrehen, -zerren, entstellen. **II** *s* **3.** Ruck *m*, Reißen *n*. **4.** *mus.* Stimmhammer *m*.

wres·tle ['resl] **I** *v/i* **1.** *bes. sport* ringen. **2.** *fig.* ringen, schwer kämpfen (for um). **3.** *relig.* ringen, inbrünstig beten: to ~ with God mit Gott ringen. **4.** sich abmühen, kämpfen (with mit). **II** *v/t* **5.** ringen *od.* kämpfen mit: to ~ down niederringen. **6.** *Am. etwas* mühsam (*wohin*) schaffen. **III** *s* **7.** Ringen *n*, Ringkampf *m*. **8.** *fig.* Ringen *n*, schwerer Kampf. **wres·tler** ['reslər] *s bes. sport* Ringer *m*, Ringkämpfer *m*. '**wres·tling I** *s* **1.** Ringen *n*, Ringkampf *m* (*a. fig.*). **II** *adj* **2.** ringend, kämpfend. **3.** Ring...: ~ match Ringkampf *m*.

wretch [retʃ] *s* **1.** *a.* poor ~ armes Wesen, armer Kerl *od.* Tropf *od.* Teufel (*a. iro.*). **2.** Schuft *m*. **3.** *iro.* Wicht *m*, Tropf *m*. '**wretch·ed** [-id] *adj* (*adv* ~ly) **1.** elend, unglücklich, *a.* depri'miert (*Person*). **2.** erbärmlich, jämmerlich, dürftig, mise'rabel, schlecht. **3.** (gesundheitlich) elend. **4.** gemein, niederträchtig. **5.** ekelhaft, scheußlich, entsetzlich. '**wretch·ed·ness** *s* **1.** Elend *n*, Unglück *n*. **2.** Erbärmlichkeit *f*. **3.** Niedertracht *f*, Gemeinheit *f*. **4.** Scheußlichkeit *f*. '**wretch·less·ness** [-lisnis] *s obs.* (of) Unbekümmertheit *f* (um), Leichtfertigkeit *f* (gegen'über).

wrick [rik] **I** *s* Verrenkung *f*. **II** *v/t* verrenken, verstauchen.

wrig·gle ['rigl] **I** *v/i* **1.** sich winden (*a. fig. verlegen od. listig*), sich schlängeln, *zo. a.* sich ringeln: to ~ along sich dahinschlängeln; to ~ out sich herauswinden (of s.th. aus e-r Sache) (*a. fig.*); to ~ into *fig.* sich einschleichen in (*acc*). **2.** sich unruhig *od.* ner'vös 'hin- u. 'herbewegen, zappeln. **II** *v/t* **3.** 'hin- u. 'herbewegen, wackeln *od.* zappeln mit: to ~ one's hips mit den Hüften schaukeln. **4.** schlängeln, winden, ringeln: to ~ o.s. (along, through) sich (entlang-, hindurch)-winden; to ~ o.s. into *fig.* sich einschleichen in (*acc*); to ~ o.s. out of sich herauswinden aus. **III** *s* **5.** Windung *f*, Krümmung *f*. **6.** schlängelnde Bewegung, Schlängeln *n*, Ringeln *n*, Wackeln *n*. '**wrig·gler** *s* **1.** Ringeltier *n*, Wurm *m*. **2.** *fig.* aalglatter Kerl.

wright [rait] *s* (*in Zssgn*) ...macher *m*, ...bauer *m*, ...verfertiger *m*.

wring [riŋ] **I** *v/t pret u. pp* **wrung** [ruŋ] **1.** ~ out *Wäsche etc* (aus)wringen, auswinden. **2.** *Früchte etc* ausdrücken, -pressen. **3.** *Saft etc* her'ausdrücken, -pressen, -quetschen (out of aus). **4.** a) *e-m Tier den Hals* abdrehen, b) *j-m den Hals* 'umdrehen: I'll ~ your neck. **5.** *die Hände* (*verzweifelt*) ringen. **6.** *j-m die Hand* (kräftig) drücken, pressen. **7.** *j-n* drücken (*Schuh etc*). **8.** *fig.* quälen, bedrücken: to ~ s.o.'s heart j-m ans Herz greifen, j-m in der Seele weh tun. **9.** *etwas* abringen, entreißen, -winden (from *dat*): to ~ a confession from s.o. j-m ein Geständnis abringen; to ~ admiration from s.o. j-m Bewunderung abnötigen. **10.** *fig. Geld, Zustimmung* erpressen (from, out of von). **11.** verzerren, -drehen (*a. fig. entstellen*). **II** *s* **12.** Wringen *n*, (Aus)Winden *n*, Pressen *n*, Druck *m*: he gave my hand a ~ er drückte mir die Hand; to give s.th. a ~ etwas aus(w)ringen *od.* auswinden. **13.** → wringer. '**wring·er** *s* a) 'Wringma,schine *f*, b) (Obst- *etc*)Presse *f*: to go through the ~ *colloq.* ‚durch den Wolf gedreht werden'.

wring·ing ['riŋiŋ] *adj* **1.** Wring...: ~ machine → wringer. **2.** *a.* ~-wet klatschnaß. ~ **fit** *s tech.* Haftsitz *m*.

wrin·kle[1] ['riŋkl] **I** *s* **1.** Runzel *f*, Falte *f* (*im Gesicht*). **2.** Falte *f*, Kniff *m* (*im Papier, Stoff etc*). **3.** Unebenheit *f*, Vertiefung *f*, Furche *f*. **II** *v/t* **4.** *oft* ~ up a) *die Stirn, die Augenbrauen* runzeln, b) *die Nase* rümpfen, c) *die Augen* zs.-kneifen. **5.** *Stoff, Papier etc* falten, kniffen, zerknittern. **6.** *Wasser* kräuseln. **III** *v/i* **7.** Falten werfen, sich runzeln, runz(e)lig werden, knittern.

wrin·kle[2] ['riŋkl] *s colloq.* **1.** Kniff *m*, Trick *m*. **2.** Wink *m*, Tip *m*. **3.** Neuheit *f*. **4.** Fehler *m*.

wrin·kled ['riŋkld] *adj* **1.** gerunzelt, runz(e)lig, faltig. **2.** gekräuselt, kraus.

wrin·kly ['riŋkli] *adj* **1.** → wrinkled. **2.** leicht knitternd (*Stoff*).

wrist [rist] *s* **1.** Handgelenk *n*. **2.** Stulpe *f* (*am Ärmel etc*). **3.** → wrist pin. '~,**band** *s* **1.** Priese *f*, Bündchen *n*, Man'schette *f*. **2.** Armband *n*. '~-,**drop** *s* Handgelenkslähmung *f*.

wrist·let ['ristlit] *s* **1.** Pulswärmer *m*. **2.** Armband *n*. **3.** *sport* Handgelenkschützer *m*. **4.** *humor. od. sl.* Handschelle *f*, -fessel *f*. **5.** *a.* ~ watch → wrist watch.

'**wrist|,lock** *s Ringen*: Handgelenksfesselung *f*. ~ **pin** *s tech.* Zapfen *m*, *bes.* Kolbenbolzen *m*. ~ **watch** *s* Armbanduhr *f*.

writ[1] [rit] *s* **1.** *jur.* a) königlicher *od.* behördlicher Erlaß, b) gerichtlicher Befehl, Verfügung *f*, c) *a.* ~ of summons (Vor)Ladung *f*: ~ of attachment a) Haft-, Vorführungsbefehl *m*, b) (*dinglicher*) Arrest(befehl); ~ of prohibition *Anweisung e-r höheren Instanz an e-e niedere Instanz, ein anhängiges Verfahren einzustellen*; to take out a ~ against s.o. e-e Vorladung gegen j-n erwirken; → capias, error 3, execution 3. **2.** *jur. hist. Br.* Urkunde *f.* **3.** *Br.* Wahlausschreibung *f* für das Parla'ment. **4.** Schreiben *n*, Schrift *f* (*obs. außer in*): Holy (*od.* Sacred) ~ (*die*) Heilige Schrift.

writ² [rit] *obs. pret u. pp von* write.

write [rait] *pret* **wrote** [rout], *obs. auch* **writ** [rit], *pp* **writ·ten** ['ritn] *obs. a.* **writ** *od.* **wrote I** *v/t* **1.** *etwas* schreiben: to ~ a letter; writ(ten) large *fig.* deutlich, leicht erkennbar. **2.** (auf-, nieder)schreiben, schriftlich niederlegen, aufzeichnen, no'tieren: it is written that es steht geschrieben, daß; it is written on (*od.* all over) his face es steht ihm im Gesicht geschrieben; written in (*od.* on) water *fig.* in den Wind geschrieben, vergänglich. **3.** *e-n Scheck etc* ausschreiben, -füllen. **4.** *Papier etc* vollschreiben. **5.** *j-m etwas* schreiben, schriftlich mitteilen: to ~ s.th. to s.o.; to ~ s.o. s.th. **6.** *ein Buch etc* schreiben, verfassen: to ~ poetry dichten, Gedichte schreiben; to ~ the music for a play die Musik zu e-m (Theater)Stück schreiben. **7.** schreiben über (*acc*): she is writing her life sie schreibt ihre Lebensgeschichte. **8.** *meist* to ~ o.s. sich bezeichnen als: to ~ o.s. a duke.
II *v/i* **9.** schreiben. **10.** schreiben, schriftstellern. **11.** schreiben, schriftliche Mitteilung machen: to ~ home nach Hause schreiben; → home 14. to ~ to ask schriftlich anfragen; to ~ for s.th. um etwas schreiben, etwas bestellen, etwas kommen lassen.
Verbindungen mit Adverbien:
write| back *v/i* zu'rückschreiben. ~ **down** *v/t* **1.** → write 2. **2.** *fig.* a) (schriftlich) her'absetzen *od.* schlechtmachen, 'herziehen über (*acc*), b) nennen, bezeichnen *od.* 'hinstellen als. **3.** *econ.* (teilweise) abbuchen, abschreiben. ~ **in** *v/t* einschreiben, -tragen. ~ **off** *v/t* **1.** schnell abfassen, her'unterschreiben, ,'hinhauen'. **2.** *bes. econ.* (vollständig) abschreiben (*a. fig.*): to write o.s. off *aer. sl.* ,hops gehen', (tödlich) abstürzen; written off ,verschüttgegangen' (*Person, Flugzeug etc*). ~ **out** *v/t* **1.** ganz ausschreiben. **2.** abschreiben: to ~ fair ins reine schreiben. **3.** to write o.s. out sich ausschreiben (*Autor*). ~ **up** *v/t* **1.** *etwas* ausführlich darstellen *od.* beschreiben, eingehend berichten über (*acc*). **2.** (*ergänzend*) nachtragen, *Tagebuch, Text* weiterführen. **3.** lobend schreiben über (*acc*), her'ausstreichen, (an)preisen. **4.** *econ.* aufwerten, den Buchwert hin'aufsetzen von.

'write|-,down *s econ.* (teilweise) Abschreibung. **'~-,off** *s econ.* (gänzliche) Abschreibung: it's a ~ *sl.* das können wir abschreiben, das ist ,im Eimer'.

writ·er ['raitər] *s* **1.** Schreiber(in): ~'s cramp (*od.* palsy) Schreibkrampf *m.* **2.** Schriftsteller(in), Autor *m*, Au'torin *f*, Verfasser(in): ~ for the press Zeitungsschreiber(in), Journalist(in); the ~ (*in Texten*) der Verfasser (= *ich*). **3.** *meist* ~ to the signet *Scot.* No'tar *m*, Rechtsanwalt *m.*

'write-,up *s* **1.** *colloq.* lobender Pressebericht *od.* Ar'tikel, sehr positive Besprechung, ,Lobeshymne' *f.* **2.** *econ.* ,fri'sierte' (*zu hohe*) Vermögensaufstellung, Höherbewertung *f.*

writhe [raið] **I** *v/i* **1.** sich krümmen, sich winden (with vor *dat*). **2.** *fig.* sich winden, leiden (under, at unter *dat*): to ~ under an insult. **3.** sich winden *od.* schlängeln: to ~ through a thicket. **II** *v/t* **4.** winden, schlingen, drehen, ringeln. **5.** *das Gesicht* verzerren. **6.** *den Körper* krümmen, winden. **III** *s* **7.** Verzerrung *f*, Zucken *n.*

writ·ing ['raitiŋ] **I** *s* **1.** Schreiben *n* (*Tätigkeit*). **2.** Schriftstelle'rei *f.* **3.** schriftliche Ausfertigung *od.* Abfassung. **4.** Schreiben *n*, Schriftstück *n*, (*etwas*) Geschriebenes, *a.* Urkunde *f*: in ~ schriftlich; to put in ~ schriftlich niederlegen; the ~ on the wall *fig.* die Schrift an der Wand, das Menetekel. **5.** Schrift *f*, (*literarisches*) Werk: the ~s of Pope Popes Werke. **6.** Aufsatz *m*, Ar'tikel *m.* **7.** Brief *m.* **8.** Inschrift *f.* **9.** Schreibweise *f*, Stil *m.* **10.** (Hand-)Schrift *f.* **II** *adj* **11.** schreibend, *bes.* schriftstellernd: ~ man Schriftsteller *m.* **12.** Schreib...: ~ book Schreibheft *n.* ~ **case** *s* Schreibmappe *f.* ~ **desk** *s* Schreibpult *n*, -tisch *m.* ~ **down** *s* **1.** Niederschrift *f.* **2.** *econ.* Zs.-schreibung *f*, -legung *f* (*von Aktienkapital*). ~ **ink** *s* (Schreib)Tinte *f.* ~ **pad** *s* 'Schreib,unterlage *f.* ~ **pa·per** *s* 'Schreibpa,pier *n.* ~ **ta·ble** *s* Schreibtisch *m.* ~ **up** → write-up 2.

writ·ten ['ritn] **I** *pp von* write. **II** *adj* **1.** schriftlich: ~ examination; ~ evidence *jur.* Urkundenbeweis *m.* **2.** geschrieben: it is ~ *Bibl.* es steht geschrieben; ~ language Schriftsprache *f*; ~ law *jur.* geschriebenes Gesetz.

wrong [rɒŋ] **I** *adj* (*adv* → wrongly) **1.** falsch, unrichtig, verkehrt, irrig: a ~ opinion; to be ~ a) falsch sein, b) unrecht haben, sich irren (*Person*), c) falsch gehen (*Uhr*); you are ~ in believing du irrst dich, wenn du glaubst; to do the ~ thing das Verkehrte *od.* Falsche tun, es verkehrt machen; to prove s.o. ~ beweisen, daß j-d im Irrtum ist. **2.** verkehrt, falsch: to get hold of the ~ end of the stick *fig.* es völlig mißverstehen, es verkehrt ansehen; the ~ side a) die verkehrte *od.* falsche Seite, b) die linke Seite (*von Stoffen etc*); (the) ~ side out das Innere nach außen (gekehrt) (*Kleidungsstück etc*); to be on the ~ side of 60 über 60 (Jahre alt) sein; he will laugh on the ~ side of his mouth das Lachen wird ihm schon vergehen; to have got out of bed (on) the ~ side *colloq.* mit dem linken Bein zuerst aufgestanden sein; → blanket 1. **3.** nicht in Ordnung: s.th. is ~ with it es stimmt etwas daran nicht, es ist etwas nicht in Ordnung damit; what is ~ with you? was ist los mit dir?, was hast du?; what's ~ with ...? *colloq.* a) was gibt es auszusetzen an (*dat*), b) wie wär's mit ...? **4.** unrecht, unbillig: it is ~ of you to laugh es ist nicht recht von dir zu lachen.
II *adv* **5.** falsch, unrichtig, verkehrt: to get it ~ es ganz falsch verstehen, es mißverstehen; to go ~ a) nicht richtig funktionieren *od.* gehen (*Instrument, Uhr etc*), b) daneben-, schiefgehen (*Vorhaben etc*), c) auf Abwege *od.* die schiefe Bahn geraten, d) fehlgehen; to get in ~ with s.o. *Am. colloq.* j-s Gunst verscherzen, es mit j-m verderben; to get s.o. in ~ *Am. colloq.* j-n in Mißkredit bringen (with bei). **6.** unrecht: to act ~.
III *s* **7.** Unrecht *n*: to do ~ Unrecht tun; to do s.o. ~, to do ~ to s.o. j-m ein Unrecht zufügen. **8.** Irrtum *m*, Unrecht *n*: to be in the ~ unrecht haben; to put s.o. in the ~ j-n ins Unrecht setzen. **9.** Schaden *m*, Kränkung *f*, Beleidigung *f.* **10.** *jur.* Rechtsverletzung *f*: private ~ Privatdelikt *n*; public ~ öffentliches Delikt, strafbare Handlung.
IV *v/t* **11.** *j-m* (*a. in Gedanken etc*) Unrecht tun, *j-n* ungerecht behandeln: I am ~ed mir geschieht Unrecht. **12.** *j-m* schaden, Schaden zufügen, *j-n* benachteiligen. **13.** betrügen (of um). **14.** *e-e Frau* entehren, verführen.

'wrong|,do·er *s* Übel-, Missetäter(in), Sünder(in). **'~,do·ing** *s* **1.** Missetat *f*, Sünde *f.* **2.** Vergehen *n*, Verbrechen *n.*

wrong fo(u)nt *s print.* falsche Type.

wrong·ful ['rɒŋful] *adj* (*adv* ~ly) **1.** ungerecht. **2.** beleidigend, kränkend. **3.** *jur.* 'widerrechtlich, unrechtmäßig, ungesetzlich. **'wrong·ful·ness** *s* **1.** Ungerechtigkeit *f.* **2.** Ungesetzlichkeit *f*, Unrechtmäßigkeit *f*, Unrichtigkeit *f.*

'wrong'head·ed *adj* (*adv* ~ly) **1.** starr-, querköpfig, verbohrt (*Person*). **2.** verschroben, -dreht, hirnverbrannt.

wrong·ly ['rɒŋli] *adv* **1.** → wrong II. **2.** ungerechterweise, zu *od.* mit Unrecht: rightly or ~ mit Recht *od.* Unrecht. **3.** irrtümlicher-, fälschlicherweise. **'wrong·ness** *s* **1.** Unrichtigkeit *f*, Verkehrtheit *f*, Fehlerhaftigkeit *f.* **2.** Unrechtmäßigkeit *f.* **3.** Ungerechtigkeit *f*, Unbilligkeit *f.* **'wrong·ous** *adj bes. jur. Scot.* → wrongful 3.

wrote [rout] *pret u. obs. pp von* write.

wroth [rɔːθ; rɒθ; *Br. a.* rouθ] *adj* zornig, erzürnt, ergrimmt.

wrought [rɔːt] **I** *pret u. pp von* work. **II** *adj* **1.** be-, ge-, verarbeitet: ~ goods Fertigwaren; ~ into shape geformt; a beautifully ~ tray ein wunderschön gearbeitetes Tablett; hand-~ handgearbeitet. **2.** geformt. **3.** *tech.* a) gehämmert, geschmiedet, b) schmiedeeisern. **4.** verziert. **5.** gestickt, gewirkt. ~ **i·ron** *s tech.* **1.** Schmiede-, Schweißeisen *n.* **2.** schmiedbares Eisen. ~ **steel** *s tech.* Schmiede-, Schweißstahl *m.* **'~-'up** *adj* erregt, über'reizt, aufgebracht.

wrung [rʌŋ] *pret u. pp von* wring.

wry [rai] *adj* (*adv* wryly) **1.** schief, krumm, verzerrt: ~ neck schiefer *od.* steifer Hals; to make (*od.* pull) a ~ face e-e Grimasse schneiden. **2.** *fig.* a) verschroben: ~ notion, b) sar'kastisch: ~ humo(u)r, c) bitter: a ~ pleasure, d) gequält, schmerzlich: a ~ smile. **'~-,billed** *adj orn.* mit schiefem Schnabel. **'~,mouth** *s ichth.* (*ein*) Schleimfisch *m.* **'~-,mouthed** *adj* **1.** schiefmäulig. **2.** *fig.* a) wenig schmeichelhaft, b) ätzend, sar'kastisch. **'~,neck** *s orn.* Wendehals *m.*

wul·fen·ite ['wulfə,nait] *s min.* Gelbbleierz *n.*

'wych-'elm [witʃ] *s bot.* Bergrüster *f*, -ulme *f.*

Wyc·lif·fite, Wyc·lif·ite ['wikli,fait] *relig.* **I** *adj* Wyclif *od.* s-e Lehre betreffend. **II** *s* Anhänger(in) Wyclifs.

wye [wai] *s* **1.** Ypsilon *n.* **2.** → Y 3.

Wyke·ham·ist ['wikəmist] *s* Schüler *m* der Schule in Winchester (*nach deren Gründer William of Wykeham*).

wy·lie·coat ['waili,kout; 'wil-] *s bes. Scot.* Fla'nell,unterkleid *n*, -nachthemd *n.*

wynd [waind] *s Scot. od. dial.* enge Straße, Gasse *f.*

wy·vern → wivern.

X

X, x [eks] **I** *pl* **X's, Xs, x's, xs** ['eksis] **1.** X, x *n* (*Buchstabe*). **2. x** *math.* a) x *n* (*1. unbekannte Größe od.* [*un*]*abhängige Variable*), b) x-Achse *f*, Ab'szisse *f* (*im Koordinatensystem*). **3.** X *fig.* X *n*, unbekannte Größe. **4.** X X *n*, X-förmiger Gegenstand. **II** *adj* **5.** vierundzwanzig(ster, e, es). **6.** X X-..., X-förmig.

xan·thate ['zænθeit] *s chem.* Xan'that *n.*

xan·the·in ['zænθiin] *s chem.* Xanthe'in *n.*

Xan·thi·an ['zænθiən] *adj* xantisch.

xan·thic ['zænθik] *adj* **1.** *bes. bot.* gelblich. **2.** *chem.* Xanthin... ~ **ac·id** *s* Xantho'gensäure *f.*

xan·thin ['zænθin] *s* **1.** *bot.* wasserunlösliches Blumengelb. **2.** → **xanthine.**

'**xan·thine** [-'θiːn; -θin] *s chem.* Xan'thin *n.*

Xan·thip·pe [zæn'tipi; -'θipi] *npr u. s fig.* Xan'thippe *f.*

Xan·thoch·ro·i [zæn'θɒkroˌai] *s pl Ethnologie*: Blondhaarige *pl* (*nach Huxley*). ˌ**xan·tho'chro·ic** [-θo'krouik] → **xanthochroid I.** '**xan·thoˌchroid** [-ˌkrɔid] **I** *adj* blondhaarig u. hellhäutig (*Rasse*). **II** *s* blondhaarige u. hellhäutige Per'son. ˌ**xan·tho'chro·mi·a** [-'kroumiə] *s med.* Gelbfärbung *f* der Haut.

Xan·tho·me·lan·o·i [ˌzænθomi'lænoˌai] *s pl Ethnologie*: Schwarzhaarige *pl* (*nach Huxley*).

xan·tho·phyl(l) ['zænθofil] *s bot. chem.* Xantho'phyll *n*, Blattgelb *n.*

xan·tho·sis [zæn'θousis] *s med.* Xan'those *f*, Gelbfärbung *f.* '**xan·thous** *adj* **1.** gelb, gelblich. **2.** *Ethnologie*: gelb, mon'golisch.

Xan·tip·pe [zæn'tipi] → **Xanthippe.**

X cer·tif·i·cate *s Br. Film*: Zertifi'kat *n*, nach dem ein Film für Jugendliche unter 16 Jahren verboten ist.

X chro·mo·some *s biol.* 'X-Chromoˌsom *n.*

xe·bec ['ziːbek] *s mar.* Sche'be(c)ke *f.*

xe·ni·al ['ziːniəl] *adj* gastfreundlich.

xe·nog·a·mous [zi'nɒgəməs] *adj bot.* xeno'gam. **xe'nog·a·my** *s* Xenoga'mie *f*, Fremdbestäubung *f.*

xen·o·gen·e·sis [ˌzeno'dʒenisis] *s biol.* **1.** → **heterogenesis. 2.** Entstehung *f* von Lebewesen, die von den Eltern völlig verschieden sind. ˌ**xen·o·ge'net·ic** [-dʒi'netik] *adj* durch Urzeugung *od.* Generati'onswechsel entstanden.

xen·o·lith ['zenoliθ] *s geol.* Xeno'lith *m*, Faserkiel *m.*

xe·non ['zenɒn; *Am. a.* 'ziː-] *s chem.* Xe'non *n* (*Edelgas*).

xen·o·phobe ['zenəˌfoub] *s* Fremdenhasser(in). ˌ**xen·o'pho·bi·a** [-biə] *s* Xenopho'bie *f*, Fremdenfeindlichkeit *f.*

xe·ran·sis [zi'rænsis] *s med.* Austrocknung *f.*

xe·ran·the·mum [zi'rænθiməm] *s bot.* Spreu-, Stroh-, Pa'pierblume *f.*

xe·ra·si·a [zi'reiziə] *s med.* Trockenheit *f* des Haares.

xe·rog·ra·phy [zi'rɒgrəfi] *s print.* Xerogra'phie *f.*

xe·roph·i·lous [zi'rɒfiləs] *adj bot.* xero'phil, die Trockenheit liebend.

xe·ro·phyte ['zi(ə)roˌfait] *s bot.* Xero'phyt *m*, Trockenheitspflanze *f.* ˌ**xero'phyt·ic** [-'fitik] *adj* die Trockenheit liebend.

xe·ro·sis [zi'rousis] *s med.* Xe'rose *f*, krankhafte Trockenheit.

xi [ksai; zai; gzai] *s* Xi *n* (*griechischer Buchstabe*).

xiph·oid ['zifɔid] *anat.* **I** *adj* **1.** schwertförmig. **2.** Schwertfortsatz...: ~ **appendage,** ~ **appendix,** ~ **cartilage,** ~ **process** → 3. **II** *s* **3.** Schwertfortsatz *m* (*des Brustbeins*).

Xmas ['krisməs] *colloq. für* **Christmas.**

X ray *s med. phys.* **1.** X-Strahl *m*, Röntgenstrahl *m.* **2.** Röntgenaufnahme *f*, -bild *n*: **to take an** ~ ein Röntgenbild machen.

'**X-'ray I** *v/t* **1.** röntgen: a) ein Röntgenbild machen von, b) durch'leuchten. **2.** mit Röntgenstrahlen behandeln, bestrahlen. **II** *adj* **3.** Röntgen...: ~ **examination (microscope, spectrum,** *etc*); ~ **picture** (*od.* **photograph**) → **X ray** 2; ~ **tube** Röntgenröhre *f.*

xy·lan ['zailæn] *s chem.* Xy'lan *n*, Holzgummi *m, n.*

xy·lem ['zailem] *s bot.* Xy'lem *n*, Holzteil *m* der Leitbündel: **primary** ~ Protoxylem.

xy·lene ['zailiːn] *s chem.* Xy'lol *n.*

'**xy·lic** *adj chem.* xylisch: ~ **acid** Xylylsäure *f.*

xy·lo·carp ['zailoˌkɑːrp] *s* holzige [Frucht.]

xy·lo·gen ['zailodʒen] → **xylem.**

xy·lo·graph ['zailoˌgræ(ː)f; *Br. a.* -ˌgrɑːf] *s* Holzschnitt *m.* **xy'log·ra·pher** [-'lɒgrəfər] *s* Holzschneider *m*, Xylo'graph *m.* ˌ**xy·lo'graph·ic** [-lo'græfik] *adj* xylo'graphisch, Holzschnitt... **xy'log·ra·phy** [-'lɒgrəfi] *s* Xylogra'phie *f*, Holzschneidekunst *f.*

xy·lo·nite ['zailəˌnait] (*TM*) *s tech. bes. Br.* (*Art*) Zellu'loid *n.*

xy·loph·a·gan [zai'lɒfəgən] *zo.* **I** *adj* zu den Holzfressern *od.* -bohrern gehörig. **II** *s* Holzbohrer *m*, -fresser *m.* '**xy·loˌphage** [-loˌfeidʒ] → **xylophagan II.**

xy·lo·phone ['zailəˌfoun; 'zil-] *s mus.* Xylo'phon *n.* **xy'loph·o·nist** [-'lɒfənist] *s* Xylopho'nist *m.*

xy·lo·py·rog·ra·phy [ˌzailopai'rɒgrəfi] *s* ˌBrandmale'rei *f* (*in Holz*).

xy·lose ['zailous] *s chem.* Xy'lose *f*, Holzzucker *m.*

xys·ter ['zistər] *s med.* Knochenschaber *m.*

Y

Y, y [wai] **I** *pl* **Y's, Ys, y's, ys** [waiz] **1.** Y, y *n*, Ypsilon *n* (*Buchstabe*). **2. y** *math.* a) y *n* (*2. unbekannte Größe od.* [*un*]*abhängige Variable*), b) y-Achse *f*, Ordi'nate *f* (*im Koordinatensystem*). **3.** Y Y *n*, Y-förmiger Gegenstand. **II** *adj* **4.** fünfundzwanzigst(er, e, es). **5.** Y Y-... Y-förmig, gabelförmig.

y- [i] *obs. Präfix zur Bildung des pp, entsprechend dem deutschen* ge-.

yacht [jɒt] *mar.* **I** *s* **1.** (Segel-, Motor-) Jacht *f*, (Renn)Segler *m*: ~ **club** Jachtklub *m.* **II** *v/i* **2.** auf e-r Jacht fahren. **3.** (sport)segeln. '**yacht·er** → **yachtsman.** '**yacht·ing** *mar.* **I** *s* **1.** (Sport)Segeln *n.* **2.** Jacht-, Segelsport *m.* **II** *adj* **3.** Segel..., Jacht...

yachts·man ['jɒtsmən] *s irr mar.* Jachtfahrer *m*, (Sport)Segler *m.* '**yachts·manˌship** *s* Segelkunst *f.*

yaf·fle ['jæfl], *a.* **yaf·fil** ['jæfl] *s orn.* Grünspecht *m.*

ya·gi ['jɑːgiː; 'jæ-] *s electr.* 'Yagi-Anteˌnne *f* (*für Kurzwellen*).

yah [jɑː] *interj* äh!, puh!, pfui!

Ya·hoo [jɑː'huː; *Am. a.* 'jɑːhuː] *s* **1.** viehisches Wesen in Menschengestalt (*aus* ‚*Gulliver's Travels*' *von Swift*). **2.** y~ a) bru'taler Kerl, Rohling *m*, b) Lümmel *m.*

Yah·ve(h) ['jɑːve], **Yah·we(h)** ['jɑːwe] *s Bibl.* Jahwe *m*, Je'hova *m.*

yak[1] [jæk] *s zo.* Yak *m*, Grunzochs *m.*

yak[2] [jæk] *Am. colloq.* **I** *s* Gequassel *n.* **II** *v/i* quasseln.

yam [jæm] *s bot.* **1.** Yamswurzel *f.* **2.** *Am. dial. für* **sweet potato** 1. **3.** *Scot.* Kar'toffel *f.*

yam·mer ['jæmər] *Am. Scot. od. dial.* **I** *v/i* **1.** jammern. **2.** *Am. colloq.* ‚quasseln'. **II** *v/t* **3.** (her'vor)jammern.

yank[1] [jæŋk] *colloq.* **I** *v/t* (mit e-m Ruck her'aus- *etc*)ziehen. **II** *v/i* reißen, heftig ziehen. **III** *s* (heftiger) Ruck.

Yank[2] [jæŋk] *sl. für* **Yankee.**

Yan·kee ['jæŋki] **I** *s* **1.** Yankee *m* (*Spitzname*): a) Neu-'Engländer(in), b) Nordstaatler(in) (*der USA*), c) *allg.* (*von Nichtamerikanern gebraucht*) ('Nord)AmeriˌKaner(in). **2.** Yankee-Englisch *n* (*in Neu-England*). **II** *adj* **3.** Yankee...: a) neu'englisch, b) *bes. Br.* ameri'kanisch: ~**-Doodle** *amer. Volkslied.* '**Yan·kee·dom** *s* **1.** (*die*) Yankees *pl.* **2.** die Vereinigten Staaten *pl.* '**Yan·keeˌfied** [-ˌfaid] *adj* amerikani'siert. '**Yan·keeˌism** *s* **1.** Eigentümlichkeiten *pl* der Yankees *od.* 'NordameriˌKaner. **2.** ameri'kanische Spracheigenheit.

ya·ourt ['jɑːurt] → **yogh(o)urt.**

yap [jæp] **I** *s* **1.** Kläffen *n*, Gekläff *n.* **2.** *colloq.* ‚Gequassel' *n.* **3.** *Am. sl.* Trottel *m.* **4.** *sl.* ‚Klappe' *f*, Maul *n.* **II** *v/i* **5.** kläffen. **6.** *sl.* a) schimpfen, b) ‚quasseln'. **III** *v/t* **7.** *etwas* kläffen *od.* bellen (*Person*).

yapp [jæp] *s Bucheinband aus weichem Leder mit überstehenden Rändern.*

yard[1] [jɑːrd] *s* **1.** Yard *n*, englische Elle (= *0,914 m*). **2.** Yardmaß *n*, -stock *m*: **by the** ~ nach der Elle. **3.** *econ.* Elle *f* (*Stoff*): ~ **goods** Ellen-,

Kurzwaren. **4.** *mar.* Rah *f.* **5.** *Am. sl.* hundert Dollar. **6.** *obs.* Penis *m.*

yard[2] [jɑːrd] **I** *s* **1.** Hof(raum) *m*, eingefriedigter Platz. **2.** Gelände *n* (*e-r Schule od. Universität*), Schulhof *m.* **3.** (Arbeits-, Bau-, Stapel)Platz *m.* **4.** *rail.* Ran'gier-, Verschiebebahnhof *m.* **5.** the Y~ → Scotland Yard. **6.** *agr.* Hof *m*, Gehege *n*: poultry ~ Hühnerhof. **7.** (Gemüse)Garten *m.* **8.** *Am. od. Canad.* Winter-Weideplatz *m* (*für Elche u. Rotwild*). **II** *v/t* **9.** *Material etc* in e-m Hof lagern. **10.** *oft* ~ up *Vieh* im Viehhof einschließen.

yard·age[1] ['jɑːrdidʒ] *s* in Yards angegebene Zahl *od.* Länge, Yards *pl.*

yard·age[2] ['jɑːrdidʒ] *s* Recht *n* zur (*od.* Gebühr *f* für die) Benutzung e-s (Vieh- *etc*)Hofs.

'yard|ˌarm *s mar.* Rahnock *f.* **'~ˌland** *s agr. hist.* ¹/₄ Hufe *f* (*altes englisches Landmaß*). **'~·man** [-mən] *s irr* **1.** *rail.* Ran'gier-, Bahnhofsarbeiter *m.* **2.** *mar.* Werftarbeiter *m.* **3.** *agr.* Stall-, Viehhofarbeiter *m.* **'~ˌmas·ter** *s rail.* Ran'giermeister *m.* **~ meas·ure** *s* Yardstock *m*, -maß *n.* **~ rope** *s mar.* Rah-, Nockjolle *f.* **'~ˌstick** *s* **1.** Yard-, Maßstock *m.* **2.** *fig.* Maßstab *m.*

yarn [jɑːrn] **I** *s* **1.** gesponnener Faden, Garn *n*: dyed in the ~ im Garn gefärbt. **2.** (Kabel- *etc*)Garn *n.* **3.** *colloq.* abenteuerliche (*a. weitS. erlogene*) Geschichte, (Seemanns)Garn *n*: to spin a ~ (*od.* ~s) e-e Abenteuergeschichte erzählen, ein (Seemanns)-Garn spinnen. **II** *v/i* **4.** *colloq.* (Geschichten) erzählen, ein Garn spinnen. **5.** (mitein'ander) klönen. **~ dress·er** *s tech.* 'Garnschlichtmaˌschine *f.* **'~-ˌdyed** *adj tech.* im Garn gefärbt.

yar·row ['jærou] *s bot.* Schafgarbe.

yash·mak ['jæʃmæk; jɑːʃ'mɑːk] *s* Schleier *m* (*der mohammedanischen Frauen*).

yat·a·g(h)an ['jætəˌgæn] *s* Yatagan *m* (*krummer türkischer Dolch*).

ya-ta-ta ['jɑːtəˌtɑː] *s Am. sl.* ,Geschwafel' *n*, Geschwätz.

yaw [jɔː] **I** *v/i* **1.** *mar.* gieren, vom Kurs abkommen. **2.** *aer.* (*um die Hochachse*) gieren, scheren. **3.** *fig.* schwanken, abweichen. **II** *s* **4.** *mar.* Gierung *f*, Gieren *n.* **5.** *aer.* Scheren *n.* **6.** *fig.* Abweichen *n*, Schwanken *n.*

yawl[1] [jɔːl] **I** *v/i* jaulen, heulen. **II** *s* Jaulen *n*, Geheul *n.*

yawl[2] [jɔːl] *s mar.* **1.** (Segel)Jolle *f.* **2.** Be'sankutter *m.*

yawn [jɔːn] **I** *v/i* **1.** gähnen. **2.** *fig.* gähnen, klaffen (*Abgrund etc*). **3.** *fig.* a) sich weit u. tief auftun, b) weit offenstehen. **II** *v/t* **4.** gähnen(d sagen). **III** *s* **5.** Gähnen *n* (*a. fig.*). **6.** *fig.* Abgrund *m*, weite Öffnung. **7.** *fig.* Langweiligkeit *f.* **'yawn·ing** *adj* (*adv* ~ly) gähnend (*a. fig.*).

yawp [jɔːp; jɑːp] *Am. colloq.* **I** *v/i* **1.** schreien, brüllen. **2.** a) ,quasseln', b) ,meckern'. **II** *s* **3.** Schrei *m*, Gebrüll *n.* **4.** ,Gequassel' *n.*

yaws [jɔːz] *s pl med.* Framboe'sie *f*, Himbeerseuche *f.*

Y chro·mo·some *s biol.* 'Y-Chromoˌsom *n.*

y-cleped [i'kliːpt], **y-clept** [i'klept] *adj obs. od. humor.* genannt, namens.

ye[1] [jiː; ji] *pron obs. od. Bibl. od. humor.* **1.** ihr, Ihr: ~ gods! **2.** euch, Euch, dir, Dir: strange news to tell ~. **3.** du, Du (*a. als Anrede*). **4.** *colloq. für* you: how d'ye do?

ye[2] [jiː; ðiː] *obs. od. archaisierend für* the[1].

yea [jei] **I** *adv* **1.** ja. **2.** für'wahr, wahr'haftig. **3.** *obs.* ja so'gar. **II** *s* **4.** Ja *n.* **5.** Jastimme *f* (*Am. a. parl.*): ~s and nays Stimmen für u. wider.

yeah [je; jæ] *interj Am. colloq.* ja, klar: ~? so?; na, na!

yean [jiːn] *obs. od. dial.* **I** *v/t* werfen (*Schaf, Ziege*). **II** *v/i* lammen, werfen. **'yean·ling** [-liŋ] *s* Lamm *n*, Zicklein *n.*

year [jir; *Br. a.* jəː] *s* **1.** Jahr *n*: for a ~ and a day *jur.* auf Jahr u. Tag; for ~s jahrelang, seit Jahren, auf Jahre hinaus; ~ in ~ out jahraus, jahrein; ~ by ~, from ~ to ~, ~ after ~ Jahr für Jahr; in the ~ one *humor.* vor undenklichen Zeiten; twice a ~ zweimal jährlich *od.* im Jahr. **2.** (Ka'lender)Jahr *n*: church ~, Christian ~, ecclesiastical ~ Kirchenjahr; civil ~, common ~, legal ~ bürgerliches Jahr; ~ of grace Jahr des Heils. **3.** *pl* Alter *n*: she is clever for her ~s sie ist klug für ihr Alter; well on in ~s hochbetagt; to be getting on in ~s in die Jahre kommen; he bears his ~s well er ist für sein Alter recht rüstig. **4.** *astr.* 'Umlaufzeit *f*, Peri'ode *f* (*e-s Planeten*). **'~ˌbook** *s* **1.** Jahrbuch *n.* **2.** Year Books *pl jur. Br. amtliche Sammlung von Rechtsfällen* (*1292 bis 1534*).

year·ling ['jirliŋ; *Br. a.* 'jəː-] **I** *s* **1.** Jährling *m*: a) einjähriges Tier, b) einjährige Pflanze. **2.** *mil. Angehöriger der zweituntersten Klasse in der Militärakademie von West Point, USA.* **II** *adj* **3.** einjährig.

year·ly ['jirli; *Br. a.* 'jəːli] **I** *adj* jährlich, Jahres... **II** *adv* jährlich, jedes Jahr (einmal).

yearn [jəːrn] *v/i* **1.** sich sehnen, Sehnsucht haben (for, after nach; to do danach, zu tun). **2.** empfinden (to, toward[s] für, mit). **'yearn·ing I** *s* Sehnsucht *f*, Sehnen *n*, Verlangen *n.* **II** *adj* (*adv* ~ly) sehnsüchtig, sehnend, verlangend.

yeast [jiːst] **I** *s* **1.** (Bier-, Back)Hefe *f*: ~ fungus Hefepilz *m.* **2.** *fig.* Gischt *m*, Schaum *m.* **3.** *fig.* Sauerteig *m.* **II** *v/i* **4.** gären. **~ plant** *s bot.* Hefepilz *m.* **~ pow·der** *s* Backpulver *n.*

yeast·y ['jiːsti] *adj* **1.** hefig. **2.** schäumend, gärend, unruhig (*a. fig.*). **3.** *fig.* leer, hohl, oberflächlich.

yegg(·man) ['jeg(mən)] *s irr Am. sl.* ,schwerer Junge', *bes.* Geldschrankknacker *m.*

yelk [jelk] → yolk.

yell [jel] **I** *v/i* **1.** gellend (auf)schreien (with vor *dat*). **2.** (*Am. a. anfeuernd*) brüllen. **3.** *Am.* zetern, schreien. **II** *v/t* **4.** gellen(d ausstoßen), schreien. **III** *s* **5.** gellender (Auf)Schrei. **6.** *univ. Am.* anfeuernder Schlachtruf.

yel·low ['jelou] **I** *adj* **1.** gelb: ~-haired flachshaarig. **2.** gelb(häutig), von gelber Hautfarbe (*Rasse*): the ~ peril die gelbe Gefahr. **3.** *fig.* a) *obs.* neidisch, eifersüchtig, b) melan'cholisch, c) *sl.* feige: he is ~! er hat ,Schiß'! **4.** *colloq.* a) sensati'onslüstern, Boulevard..., reißerisch (aufgemacht), b) chauvi'nistisch, Hetz...: ~ journal Boulevard-, ,Revolverblatt' *n.* **II** *s* **5.** Gelb *n.* **6.** Eigelb *n.* **7.** *sl.* Feigheit *f.* **8.** *pl bot. med. vet.* Gelbsucht *f.* **9.** *pl fig. obs.* Eifersucht *f*, Neid *m.* **III** *v/t* **10.** gelb färben *od.* machen. **IV** *v/i* **11.** gelb werden, sich gelb färben, vergilben. **'yel·low|ˌam·mer** *Br. Nebenform für* yellowhammer. **~ book** *s pol.* Gelbbuch *n.* **~ boy** *s hist. Br. sl.* Goldstück *n.* **~ brass** *s Br.* (Neu)Messing *n*, Gelbkupfer *n.* **~ car·ti·lage** *s anat.* Netzknorpel *m.* **~ dog** *s Am. colloq.* **1.** Köter *m*, ,Prome'nadenmischung' *f.* **2.** *fig.* gemeiner *od.* feiger Kerl. **'~-'dog** *adj Am. colloq.* (hunds)gemein: ~ contract Anstellungsvertrag *m*, in dem sich der Arbeitnehmer verpflichtet, keiner Gewerkschaft beizutreten. **~ earth** *s min.* **1.** Gelberde *f.* **2.** → yellow ocher. **~ fe·ver** *s med.* Gelbfieber *n.* **~ flag** → yellow jack 2. **~ gum** *s med.* hochgradige Gelbsucht (*bei Kindern*). **'~ˌham·mer** *s orn.* Goldammer *f.*

yel·low·ish ['jelo(u)iʃ] *adj* gelblich.

yel·low| jack *s* **1.** *med.* Gelbfieber *n.* **2.** *mar.* Quaran'täneflagge *f.* **~ man** *s irr* Gelbe(r) *m*, Angehörige(r) *m* der gelben Rasse: the ~ *fig.* die gelbe Rasse. **~ met·al** *s tech.* 'Muntzmeˌtall *n.* **~ o·cher,** *bes. Br.* **~ o·chre** *s min.* gelber Ocker, Gelberde *f.* **~ press** *s* Sensati'ons-, Boule'vard-, *a.* Hetzpresse *f.* **~ soap** *s* Schmierseife *f.* **~ spot** *s anat.* gelber Fleck (*im Auge*). **~ streak** *s* (Cha'rakter)Zug *m* von Feigheit.

yel·low·y ['jelo(u)i] *adj* gelblich.

yelp [jelp] **I** *v/i* **1.** kläffen (*Hund*). **2.** kreischen, jaulen. **II** *v/t* **3.** kreischen. **III** *s* **4.** Gekläff *n.* **5.** (schriller) Schrei.

yen[1] [jen] *s* Yen *m*, Jen *m* (*japanische Münzeinheit*).

yen[2] [jen] *s Am. sl.* dringendes Verlangen, Drang *m.*

yeo·man ['joumən] *s irr* **1.** *Br.* Yeoman *m*: a) *hist.* Freisasse *m*, b) kleiner Gutsbesitzer, c) *mil.* berittener Mi'lizsolˌdat, d) *a.* Y~ of the Guard (königlicher) Leibgardist: ~'s service großer Dienst. **2.** *Br. hist.* a) *Diener od. Beamter in königlichem od. adligem Haushalt*, b) *Gehilfe e-s Beamten.* **3.** *mar.* Ver'waltungsˌunteroffiˌzier *m.* **'yeo·man·ly** *adj* **1.** e-n Yeoman betreffend. **2.** zuverlässig, treu. **3.** tapfer. **'yeo·man·ry** [-ri] *s collect.* **1.** *hist.* Freisassen *pl.* **2.** *mil.* berittene Mi'liz.

yep [jep] *dial. od. Am. colloq. für* yes.

yer [jər] *dial. od. vulg. für* you *od.* your.

yer·ba ['jɛrbɑː; 'jəːr-] *s* **1.** Pflanze *f*, Kraut *n.* **2.** *oft* ~ maté, ~ de maté Matetee *m.*

yes [jes] **I** *adv* **1.** ja, ja'wohl: to say ~ (to) a) ja sagen (zu), (*e-e Sache*) bejahen (*beide a. fig.*), b) einwilligen (in *acc*). **2.** ja, gewiß, allerdings. **3.** (ja) doch. **4.** ja so'gar. **5.** (*fragend*) ja?, tatsächlich?, wirklich? **II** *pl* **'yes·es** *s* **6.** Ja *n.* **7.** *fig.* Jawort *n.* **8.** *parl.* Ja(stimme *f*) *n.* **~ man** *s irr colloq.* Jasager *m*, Jabruder *m.*

yes·ter ['jestər] **I** *adj* **1.** *poet.* gestrig. **2.** (*in Zssgn*) gestrig, letzt(er, e, es). **II** *adv obs.* **3.** gestern. **'~·day** [-di; -ˌdei] **I** *adv* **1.** gestern: I was not born ~ ich bin nicht von gestern. **II** *adj* **2.** gestrig, vergangen: ~ morning gestern früh *od.* morgen. **III** *s* **3.** der gestrige Tag: the day before ~ vorgestern; ~'s paper die gestrige Zeitung; of ~ von gestern; ~s vergangene Tage *od.* Zeiten. **4.** *fig.* (*das*) Gestern. **ˌ~'eve, ˌ~'e·ven, ˌ~'eve·ning** *obs. od. poet.* **I** *adv* gestern abend. **II** *s* gestriger Abend. **ˌ~'night** *obs. od. poet.* **I** *adv* gestern abend, in der letzten Nacht. **II** *s* gestriger Abend, letzte Nacht. **ˌ~'year** *adv u. s obs. od. poet.* voriges Jahr.

yes·treen [ˌjes'triːn] *Scot. od. poet.* **I** *adv* gestern abend, in der letzten Nacht. **II** *s* gestriger Abend.

yet [jet] **I** *adv* **1.** (immer) noch, noch immer, jetzt noch: never ~ noch nie; not ~ noch nicht; nothing ~ noch nichts; ~ unfinished noch (immer) unvollendet, noch nicht vollendet;

there is ~ time noch ist Zeit; **~ a moment** (nur) noch e-n Augenblick; (**as**) **~** bis jetzt, bisher. **2.** schon (jetzt), jetzt (*in Fragen*): **have you finished ~?** bist du schon fertig?; **not just ~** nicht gerade jetzt; **the largest ~ found specimen** das größte bis jetzt gefundene Exemplar. **3.** (doch) noch, schon (noch): **he will win ~** er wird doch noch gewinnen. **4.** noch, so'gar (*beim Komparativ*): **~ better** noch besser; **~ more important** sogar noch wichtiger. **5.** noch da'zu, außerdem: **another and ~ another** noch e-r u. noch e-r dazu; **~ again** immer wieder; **nor ~** (und) auch nicht. **6.** dennoch, trotzdem, je'doch, aber: **it is strange and ~ true** es ist seltsam u. dennoch wahr; **but ~** aber doch *od.* trotzdem. **II** *conj.* **7.** aber (dennoch *od.* zu'gleich), doch: **a rough ~ ready helper** ein zwar rauher, doch bereitwilliger Helfer. **8.** *a.* **~ that** *obs.* ob'gleich.

ye·ti ['jeti] *s* Yeti *m*, Schneemensch *m*.

yew [ju:] *s* **1.** *a.* **~ tree** *bot.* Eibe *f*. **2.** Eibenzweig(e *pl*) *m* (*als Zeichen der Trauer*). **3.** Eibenholz *n*. **4.** Eibenholzbogen *m* (*Waffe*).

Yg(g)·dra·sill ['igdrəsil; 'ig,dræsl] *s myth.* Yggdrasil *m*, Weltesche *f*.

'Y-,gun *s mar. mil.* Wasserbombenwerfer *m*.

Yid [jid] *s sl.* ‚Itzig' *m*, Jude *m*.

Yid·dish ['jidiʃ] *ling.* **I** *s* Jiddisch *n*. **II** *adj* jiddisch.

yield [ji:ld] **I** *v/t* **1.** (*als Ertrag*) ergeben, (ein-, er-, her'vor)bringen, *bes. e-n Gewinn* abwerfen, *Früchte etc, a. econ. Zinsen* tragen, *ein Produkt* liefern: **to ~ a profit**; **to ~ 6% econ.** sich mit 6% verzinsen. **2.** *ein Resultat* ergeben, liefern. **3.** *e-n Begriff* geben (**of** von). **4.** *Dank, Ehre etc* erweisen, zollen: **to ~ s.o. thanks** j-m Dank zollen. **5.** gewähren, zugestehen, einräumen: **to ~ consent** einwilligen; **to ~ one's consent to s.o.** j-m etwas bewilligen; **to ~ the point** sich in (*e-r Debatte*) geschlagen geben; **to ~ precedence to s.o.** j-m den Vorrang einräumen. **6. ~ up** a) auf-, 'hergeben, b) (**to**) abtreten (an *acc*), über'lassen, -'geben (*dat*), ausliefern (*dat od.* an *acc*): **to ~ o.s. to** sich (*e-r Sache*) überlassen; **to ~ o.s. prisoner** sich gefangen geben; **to ~ the palm (to s.o.)** sich (j-m) geschlagen geben; **to ~ place to** (*dat*) Platz machen; **to ~ a secret** ein Geheimnis preisgeben; → **ghost** 4. **7.** *obs.* zugeben. **8.** *obs.* vergelten, belohnen.

II *v/i* **9.** (*guten etc*) Ertrag geben *od.* liefern, *bes. agr.* tragen. **10.** nachgeben, weichen (*Sache od. Person*): **to ~ to despair** sich der Verzweiflung hingeben; **to ~ to force** der Gewalt weichen; **to ~ (to treatment)** *med.* nachlassen (*Krankheit*). **11.** sich unter'werfen, sich fügen (**to** *dat*). **12.** einwilligen (**to** in *acc*). **13.** nachstehen (**to** *dat*): **to ~ to none in s.th.** keinem nachstehen in e-r Sache. **14.** einwilligen (**to** in *acc*).

III *s* **15.** Ertrag *m*: a) *agr.* Ernte *f*, b) Ausbeute *f* (*a. phys. tech.*), Gewinn *m*: **~ of radiation** *phys.* Strahlungsertrag, -ausbeute; **~ of tax(es)** *econ.* Steueraufkommen *n*, -ertrag. **16.** *econ.* Zinsertrag *m*. **17.** *tech.* a) Me'tallgehalt *m* (*von Erzen*), b) Ausgiebigkeit *f* (*von Farben etc*), c) Nachgiebigkeit *f* (*von Material*).

yield·ing ['ji:ldiŋ] *adj* (*adv* **~ly**) **1.** ergiebig, einträglich: **~ interest** *econ.* verzinslich. **2.** a) nachgebend, dehnbar, biegsam, b) weich. **3.** *fig.* nachgiebig, gefügig.

yield| point *s tech.* Streck-, Fließgrenze *f*, -punkt *m*. **~ stress,** *a.* **~ strength** *s* Streckspannung *f*.

yip [jip] *Am. colloq.* → **yelp**.

yipe [jaip] **I** *v/i* (auf)schreien, gellen. **II** *s* (Auf)Schrei *m*.

y·lang-y·lang → **ilang-ilang**.

y·lem ['ailəm] *s philos.* Hyle *f*, Urstoff *m*.

Y lev·el, 'Y-,lev·el *s tech.* (Wasserwaage *f* mit) Li'belle *f*.

yo·del ['joudl] **I** *v/t u. v/i* jodeln. **II** *s* Jodler *m*, Jodelruf *m*. **'yo·del·er,** *bes. Br.* **'yo·del·ler** *s* Jodler(in).

yo·ga ['jougə] *s Ind. philos.* Joga *m*.

yogh [joux; jɒg] *s ling. der mittelenglische Laut* ʒ.

yo·gh(o)urt ['jougurt] *s* Joghurt *m, n*.

yo·gi ['jougi:] *pl* **-gis** *s* **1.** Jogi *m* (*Anhänger des Joga*). **2.** → **yoga**. **'yo·gin** [-gin] → **yogi** 1. **'yo·gism** → **yoga**.

yo·gurt → **yogh(o)urt**.

yo-heave-ho ['jou'hi:v'hou] *interj mar.* hau ruck!

yo-ho [jou'hou] **I** *interj* **1.** he!, holla! **2.** *mar.* hau 'ruck! **II** *v/i* **3.** ‚holla!' *od.* ‚he!' rufen.

yoick [jɔik] *hunt.* **I** *v/i* ‚hussa!' rufen. **II** *v/t* durch Zurufe aufmuntern, antreiben. **yoicks** *hunt.* **I** *interj* hussa! (*Ruf bei der Fuchsjagd*). **II** *s* Hussa(ruf *m*) *n*.

yoke [jouk] **I** *s* **1.** Joch *n* (*Geschirr für Zugochsen etc*). **2.** *antiq. u. fig* Joch *n*: **to pass under the ~** sich unter das Joch beugen; **to come under the ~** unter das Joch kommen; **~ of matrimony** Ehejoch, Joch der Ehe. **3.** *sg od. pl* Paar *n*, Gespann *n*: **two ~ of oxen**. **4.** *tech.* a) Joch *n*, Schultertrage *f* (*für Eimer etc*), b) Glockengerüst *n*, c) Kopfgerüst *n* (*e-s Aufzugs*), d) Bügel *m*, e) *electr.* (Ma'gnet-, Pol)Joch *n*, f) *mot.* Gabelgelenk *n*, g) doppeltes Achslager, h) *mar.* Kreuzkopf *m*, Ruderjoch *n*. **5.** Passe *f*, Sattel *m* (*an Kleidern*).

II *v/t* **6.** *Tiere* ins Joch spannen, anschirren, anjochen. **7.** *fig.* paaren, verbinden (**with, to** mit). **8.** *e-n Wagen etc* mit Zugtieren bespannen. **9.** *fig.* anspannen, anstrengen (**to** bei): **to ~ one's mind to s.th.** s-n Kopf bei etwas anstrengen.

III *v/i* **10.** a) verbunden sein (**with s.o.** mit j-m), b) *a.* **~ together** zs.-arbeiten, c) verheiratet sein.

yoke| bone *s zo.* Jochbein *n*. **~ end** *s mot.* Gabelkopf *m*. **'~,fel·low** *s* **1.** ('Arbeits)Kol,lege *m*. **2.** (Lebens-, Leidens)Gefährte *m*, (-)Gefährtin *f*.

yo·kel ['joukəl] *s* (Bauern)Tölpel *m*, (-)Lackel *m*.

yoke| line *s mar.* Jochleine *f*. **'~,mate** → **yokefellow**. **~ ring** *s* **1.** *electr.* Jochring *m*. **2.** *tech.* Halsring *m*.

yolk [jouk] *s* **1.** *zo.* Eidotter *m, n*: **nutritive ~** Nährdotter. **2.** Eigelb *n*. **3.** Woll-, Fettschweiß *m* (*der Schafwolle*). **~ bag** → **yolk sac**. **~ duct** *s zo.* Dottergang *m*.

yolked [joukt] *adj zo.* (*in Zssgn*) ...dott(e)rig.

yolk sac *s zo.* Dottersack *m*.

yolk·y ['jouki] *adj* **1.** *zo.* Dotter... **2.** dotterartig. **3.** schweißig.

yon [jɒn] *obs. od. dial.* **I** *adj u. pron* jene(r, s) dort (drüben). **II** *adv* → **yonder** I.

yon·der ['jɒndər] **I** *adv* **1.** da *od.* dort drüben. **2.** *obs.* dorthin, da drüben hin. **3.** *dial.* jenseits (**of** *gen*). **II** *adj u. pron* → **yon** I.

yore [jɔ:r] *s* Einst *n* (*obs. außer in*): **of ~** vorzeiten, ehedem, vormals; **in days of ~** in alten Zeiten.

York [jɔ:rk] *npr* (das Haus) York (*englisches Herrscherhaus zur Zeit der Rosenkriege*): **~ and Lancaster** (die Häuser) York u. Lancaster. **'York·ist** *hist.* **I** *s* Mitglied *n od.* Anhänger(in) des Hauses York (*während der Rosenkriege*). **II** *adj* zu den Mitgliedern *od.* Anhängern des Hauses York gehörend.

York·shire ['jɔ:rk,ʃir] *adj* aus der Grafschaft Yorkshire, Yorkshire... **~ flan·nel** *s feiner Flanell aus ungefärbter Wolle.* **~ grit** *s tech. Stein zum Marmorpolieren.* **~ pud·ding** *s gebackener Eierteig, der zum Rinderbraten gegessen wird.* **~ ter·ri·er** *s zo.* Yorkshire Terrier *m*.

you [ju:; ju] *pron* **1.** (*persönlich*) a) (*nom*) du, ihr, Sie, b) (*dat*) dir, euch, Ihnen, c) (*acc*) dich, euch, Sie: **~ are so kind** du bist (ihr seid, Sie sind) so nett; **who sent ~?** wer hat dich (euch, Sie) geschickt?; **~ three** ihr (euch) drei; **don't ~ do that!** tu das ja nicht!; **that's a wine for ~!** das ist vielleicht ein (gutes) Weinchen! **2.** *reflex obs.* a) dir, euch, sich, b) dich, euch, sich: **get ~ gone!** schau, daß du fortkommst!; **sit ~ down!** setz dich hin! **3.** *impers colloq.* man: **what should ~ do?** was soll man tun?; **~ soon get used to it** man gewöhnt sich bald daran; **that does ~ good** das tut einem gut.

you'd [ju:d; jud] *colloq. für* **you had** *od.* **you would**. **you'll** [ju:l; jul] *colloq. für* **you shall** *od.* **you will**.

young [jʌŋ] **I** *adj* **1.** jung (*nicht alt*): **~ in years** jung an Jahren; **the ~er Pitt** der Jüngere Pitt (*englischer Staatsmann*); **~ blood** junges Blut; **~ lady (woman)** a) junge Dame (Frau), b) Schatz *m*, Freundin *f*; **~ man** a) junger Mann, b) Schatz *m*, Freund *m*; **~ person** *jur.* Jugendliche(r *m*) *f*, Heranwachsende(r *m*) *f* (*8—17 Jahre alt*); **the ~ person** *fig.* die (unverdorbene) Jugend. **2.** jung, klein, Jung...: **~ animal** Jungtier *n*; **~ America** *Am. colloq.* die amer. Jugend; **~ children** kleine Kinder; **~ days** Jugend(zeit) *f*. **3.** jung, jugendlich: **~ ambition** jugendlicher Ehrgeiz; **~ love** junge Liebe. **4.** jung, unerfahren, unreif: **~ in one's job** unerfahren in s-r Arbeit. **5.** jünger, junior: **~ Mr. Smith** Herr Smith junior (*der Sohn*). **6.** jung, neu: **a ~ family** e-e junge Familie; **a ~ nation** ein junges Volk. **7.** *bes. pol.* fortschrittlich, jung, Jung... **8.** jung, noch nicht weit fortgeschritten: **the night (year) is yet ~**.

II *s* **9.** (Tier)Junge *pl*: **with ~** trächtig. **10. the ~** *pl* die Jungen *pl*, die jungen Leute *pl*, die Jugend.

young·er ['jʌŋgər] **I** *comp von* **young**. **II** *s* Jüngere(r *m*) *f*: **Teniers the Y~** Teniers der Jüngere (*niederländischer Maler*); **his ~s** die, die jünger sind als er. **~ hand** *s Kartenspiel*: 'Hinterhand *f* (*bei 2 Spielern*).

young·ish ['jʌŋiʃ] *adj* ziemlich jung.

young·ling ['jʌŋliŋ] *s obs. od. poet.* **1.** junger Mensch, Jüngling *m*. **2.** Junge(s) *n*, Jungtier *n*.

young·ster ['jʌŋstər] *s* **1.** Bursch(e) *m*, Junge *m*. **2.** Kind *n*, Kleine(r *m*) *f*, Kleine(s) *n*.

young'un ['jʌŋən] *s colloq.* Junge *m*, Kleine(r) *m*.

youn·ker ['jʌŋkər] *s* **1.** *hist.* Junker *m*, junger Herr. **2.** *colloq.* → **youngster**.

your [jur; jɔ:r] *pron u. adj* **1.** a) (*sg*) dein(e), b) (*pl*) euer, eure, c) (*sg od. pl*)

Ihr(e): it is ~ own fault es ist deine (eure, Ihre) eigene Schuld. **2.** *impers colloq.* a) so ein(e), b) der (die, das) vielgepriesene, -gerühmte: is that ~ fox hunt? ist das die (vielgepriesene) Fuchsjagd?

you're [jur] *colloq. für* you are.

yours [jurz; jɔːrz] *pron* **1.** a) (*sg*) dein(er, e, es), der (die, das) dein(ig)e, die dein(ig)en, b) (*pl*) euer, eure(s), der (die, das) eur(ig)e, die eur(ig)en, c) (*Höflichkeitsform, sg od. pl*) Ihr(er, e, es), der (die, das) Ihr(ig)e, die Ihr(ig)en: this is ~ das gehört dir (euch, Ihnen); what is mine is ~ was mein ist, ist (auch) dein; my sister and ~ meine u. deine Schwester; a friend of ~ ein Freund von dir (euch, Ihnen); that dress of ~ dieses Kleid von dir, dein Kleid; ~ is a pretty book du hast (ihr habt, Sie haben) (da) ein schönes Buch; what's ~? *colloq.* was trinkst du (trinkt ihr, trinken Sie)?; → truly 2. **2.** a) die Dein(ig)en (Euren, Ihren), b) das Dein(ig)e, deine Habe: you and ~. **3.** *econ.* Ihr Schreiben: ~ of the 15th.

your'self *pl* **-'selves** *pron* (*in Verbindung mit* you *od. e-m Imperativ*) **1.** (*bes. verstärkend*) a) (*sg*) (du, Sie) selbst, b) (*pl*) (ihr, Sie) selbst: do it ~! mach es selber!, selbst ist der Mann!; you ~ told me, you told me ~ du hast (Sie haben) es mir selbst erzählt; by ~ a) selbst, selber, b) selbständig, allein, c) allein, einsam; be ~! *colloq.* nimm dich zusammen!; you are not ~ today du bist (Sie sind) heute ganz anders als sonst *od.* nicht auf der Höhe; what will you do with ~ today? was wirst du (werden Sie) heute anfangen? **2.** *reflex* a) (*sg*) dir, dich, sich, b) (*pl*) euch, sich: did you hurt ~? hast du dich (haben Sie sich) verletzt?

youth [juːθ] **I** *s* **1.** Jugend *f*, Jungsein *n.* **2.** Jugend(frische, -kraft) *f*, Jugendlichkeit *f*: flower of ~ Jugendblüte *f.* **3.** Jugend(zeit) *f.* **4.** Frühzeit *f*, -stadium *n.* **5.** *collect.* (*als sg od. pl konstruiert*) Jugend *f*, junge Leute *pl od.* Menschen *pl*: the ~ of the country die Jugend des Landes. **6.** junger Mensch, *bes.* junger Mann, Jüngling *m.* **II** *adj* **7.** Jugend...: ~ group (movement, *etc*); ~ hostel Jugendherberge *f*; ~ hostel(l)er a) Herbergsvater *m*, b) Jugendwanderer *m* (*der in Jugendherbergen nächtigt*). **'youth·ful** [-ful] *adj* (*adv* ~ly) **1.** jung: ~ offender *jur.* jugendlicher Täter (*16—21 Jahre alt*). **2.** jugendlich (*frisch*): ~ octogenarian; ~ optimism. **3.** Jugend...: ~ days. **'youth·ful·ness** *s* Jugend(lichkeit) *f*, Jugendfrische *f.*

you've [juːv; juv] *colloq. für* you have.

yowl [jaul] **I** *v/t u. v/i* jaulen, heulen. **II** *s* Gejaule *n*, Geheul *n.*

yo-yo ['joujou] *pl* **-yos** *s* Jo-'Jo *n.*

y·per·ite ['iːpəˌrait] *s chem. mil.* Ype'rit *n*, Senfgas *n*, Gelbkreuz *n.*

Y po·ten·tial *s electr.* 'Sternpunktpotentiˌal *n*, -spannung *f.*

yt·ter·bi·a [i'təːrbiə] *s chem.* Ytter'bin(erde *f*) *n.* **yt'ter·bic** *adj chem.* Ytter..., Ytterbium..., yt'terbiumhaltig.

yt·ter·bi·um [i'təːrbiəm] *s chem.* Yt'terbium *n.*

yt·tri·a ['itriə] *s chem.* 'Yttriumoˌxyd *n.* **'yt·tric** *adj chem.* **1.** ytterhaltig. **2.** Yttrium... **'yt·tri·um** [-əm] *s chem.* Yttrium *n*: ~ metals Yttrium-Metalle.

yttro- [itro] *chem. Wortelement mit der Bedeutung* Yttrium, Yttro...

Yuc·ca ['jʌkə] *s bot.* **1.** Yucca *f*, Palmlilie *f.* **2.** Yucca-Blüte *f* (*Symbol des Staates Neu-Mexiko*).

yuft [juft] *s* Juchtenleder *n.*

Yu·ga ['jugə] *s Hinduismus*: Yuga *n*, Weltalter *n.*

Yu·go·slav ['juːgo'slɑːv; -'slæv] **I** *s* **1.** Jugo'slawe *m*, -'slawin *f.* **2.** *ling.* Jugo'slawisch *n*, das Jugoslawische. **II** *adj* **3.** jugo'slaˌwisch. **Yu·go'slav·i·an I** *s* → Yugoslav 1. **II** *adj* → Yugoslav 3. **ˌYu·go'slav·ic** → Yugoslav 3.

yule [juːl] *s* **1.** Weihnachts-, Julfest *n.* **2.** → yuletide. ~ **log** *s* Weihnachtsscheit *n.* **'~ˌtide** *s* Weihnacht(en *n od. pl*) *f*, Weihnachtszeit *f.*

yum·my ['jʌmi] *adj Am. colloq.* ‚prima'.

yum-yum ['jʌm'jʌm] *interj* (*Kindersprache*) mm!, ‚prima'!

Z

Z, z [*Br.* zed; *Am.* ziː] **I** *pl* **Z's, Zs, z's, zs** [*Br.* zeds; *Am.* ziːz] **1.** Z, z *n* (*Buchstabe*). **2.** z *math.* z *n* (*3. unbekannte Größe od.* [*un*]*abhängige Variable*). **3.** Z Z *n*, Z-förmiger Gegenstand. **II** *adj* **4.** sechsundzwanzigst(er, e, es). **5.** Z Z-..., Z-förmig.

zaf·fer, zaf·fre ['zæfər] *s min. tech.* Zaffer *m*, 'Kobaltsafˌflor *m.*

za·ny ['zeini] **I** *s hist. u. contp.* Hans'wurst *m.* **II** *adj* närrisch, possenhaft. **'za·nyˌism** *s* Narre'tei *f.*

Zan·zi·ba·ri [ˌzænzi'bɑːri] **I** *adj* Sansibar... **II** *s* Einwohner(in) von Sansibar.

Zar·a·thus·tri·an [ˌzærə'θuːstriən] → Zoroastrian.

zeal [ziːl] *s* **1.** (Dienst-, Arbeits-, Glaubens- *etc*)Eifer *m*: full of ~ (dienst-*etc*)eifrig. **2.** Begeisterung *f*, 'Hingabe *f*, Inbrunst *f.*

zeal·ot ['zelət] *s* **1.** Ze'lot *m*, (Glaubens)Eiferer *m*, Fa'natiker *m.* **2.** Enthusi'ast(in), Fa'natiker(in): a ~ of the rod ein begeisterter Angler. **3.** Z~ *hist.* Ze'lot *m* (*jüdischer Sektierer zur Zeit der Römerherrschaft*). **'zeal·ot·ry** [-tri] *s* Zelo'tismus *m*, fa'natischer (Dienst-, Glaubens)Eifer.

zeal·ous ['zeləs] *adj* (*adv* ~ly) **1.** (dienst)eifrig. **2.** eifernd, hitzig, fa'natisch. **3.** eifrig bedacht, begierig (to do zu tun; for auf *acc*). **4.** heiß, innig. **5.** begeistert: ~ service. **'zeal·ous·ness** → zeal.

ze·bec(k) → xebec.

ze·bra ['ziːbrə; 'zeb-] *pl* **-bras,** *collect. a.* **-bra** *s zo.* Zebra *n.* ~ **cross·ing** *s* Zebrastreifen *m* (*Fußgängerüberweg*). **'~ˌwood** *s* **1.** *bot. verschiedene Bäume mit zebrastreifigem Holz.* **2.** Ze'brano *n*, Zebraholz *n* (*Holz dieser Bäume*).

ze·brine ['ziːbrain; -brin] *adj zo.* **1.** zebraartig. **2.** Zebra...

ze·bu ['ziːbuː] *pl* **-bus,** *collect. a.* **-bu** *s zo.* Zebu *n*, Buckelochse *m.*

zec·chi·no [ze'kiːnou; tse-] *pl* **-ni** [-niː], *a.* **zech·in** ['zekin] *od.* **'zec·chine** [-kiːn] → sequin 1.

zed [zed] *s Br.* **1.** Zet (*Buchstabe*). **2.** *tech.* Z-Eisen *n.*

zed·o·ar·y ['zedoəri] *s bot. pharm.* Zitwerwurzel *f.*

zee [ziː] *Am. für* zed.

Zeit·geist ['tsaitˌgaist] (*Ger.*) *s* Zeitgeist *m.*

Ze·la·ni·an [zi'leiniən] *adj* neu'seeländisch.

Zen [zen] *s* **1.** → Zen Buddhism. **2.** → Zen Buddhist.

ze·na·na [ze'nɑːnə] *s* (*in Indien u. Persien*) Ze'nana *f*, Frauengemach *n*, Harem *m.* ~ **cloth** *s* leichtes Gewebe. ~ **mis·sion** *s* (christliche) 'Frauenmissiˌon(sarbeit).

Zen| Bud·dhism *s* 'Zen-Budˌdhismus *m.* ~ **Bud·dhist** *s* 'Zen-Budˌdhist *m.*

Zend [zend] *s* Zend(sprache *f*) *n* (*altpersische Sprache*). **ˌ~-A'ves·ta** [ə'vestə] *s* A'westa *n* (*heiliges Buch der Perser*).

ze·nith [*Br.* 'zeniθ; *Am.* 'ziː-] *s* Ze'nit *m*: a) *astr.* Scheitelpunkt *m* (*a. Ballistik*), b) *fig.* Höhe-, Gipfelpunkt *m*: to be at one's (*od.* the) ~ den Zenit erreicht haben, im Zenit stehen. **'ze·nith·al** *adj* **1.** Zenit... **2.** *fig.* höchst(er, e, es).

ze·o·lite ['ziːəˌlait] *s min.* Zeo'lith *m.*

Zeph·a·ni·ah [ˌzefə'naiə] *npr u. s* (das Buch) Ze'phanja *m.*

zeph·yr ['zefər] *s* **1.** *poet.* a) Zephir *m*, Westwind *m*, b) laues Lüftchen, sanfter Wind. **2.** *obs. sehr leichtes Gewebe od. daraus gefertigtes Kleidungsstück.* **3.** a) *a.* ~ cloth Zephir *m* (*Gewebe*), b) *a.* ~ worsted Zephirwolle *f*, c) *a.* ~ yarn Zephirgarn *n.* **4.** leichtes 'Sportriˌkot.

Zep·pe·lin, z~ ['zepəlin], *a. colloq.* **zep(p)** *s aer.* Zeppelin *m*, *allg.* Starrluftschiff *n.*

ze·ro ['zi(ə)rou] **I** *pl* **-ros** *s* **1.** Null *f* (*Zahl od. Zeichen*): to equate to ~ *math.* gleich Null setzen. **2.** *phys.* Null(punkt *m*) *f*, Ausgangspunkt *m* (*e-r Skala*), *bes.* Gefrierpunkt *m*: 10° below (above) ~ 10 Grad unter (über) Null. **3.** *math.* Null(punkt *m*, -stelle) *f.* **4.** *fig.* Null-, Tiefpunkt *m*: at ~ auf dem Nullpunkt (angelangt). **5.** *fig.* Null *f*, Nichts *n.* **6.** *ling.* Nullform *f.* **7.** *mil.* 'Nulljuˌstierung *f.* **8.** *aer.* Bodennähe *f*: to fly at ~ unter 1000 Fuß *od.* in Bodennähe fliegen. **II** *v/t pret u. pp* **-roed 9.** *tech.* auf Null einstellen. **10.** ~ in *mil.* Vi'sier *des Gewehrs* ju'stieren. **III** *v/i* **11.** ~ in (on) a) *mil.* sich einschießen (auf *acc*), b) *fig.* abzielen *od.* sich konzen'trieren (auf *acc*). **IV** *adj* **12.** Null...: ~ axis (current, frequency, *etc*): ~ adjustment a) *tech.* Nullpunkteinstellung *f*, b) *electr.* Nullabgleich *m* (*e-r Brücke*). ~ **con·duc·tor** *s electr.* Nulleiter *m.* ~ **hour** *s* **1.** *mil.* Stunde *f* Null, X-Zeit *f* (*festgelegter Zeitpunkt des Beginns e-r militärischen Operation*). **2.** *fig.* genauer Zeitpunkt, kritischer Augenblick. ~ **point** Nullpunkt *m.*

zest [zest] **I** *s* **1.** Würze *f* (*a. fig. Reiz*): to add ~ to s.th. e-r Sache Würze *od.* Reiz verleihen. **2.** Stückchen *n* Apfel'sinen- *od.* Zi'tronenschale (*für Getränke*). **3.** *fig.* (for) Genuß *m*, Geschmack *m*, Freude *f* (an *dat*), Begeisterung *f* (für), Schwung *m*: ~ for living Lebensfreude. **II** *v/t* **4.** würzen (*a. fig.*). **'zest·ful** [-ful] *adj* (*adv* ~ly) *fig.* **1.** reizvoll, genußreich. **2.** begeistert, schwungvoll.

ze·ta ['ziːtə; 'zeitə] *s* Zeta *n* (*griechischer Buchstabe*).

zeug·ma ['zju:gmə; 'zu:-] *s ling.* Zeugma *n (unpassende Beziehung e-s Satzglieds, bes. des Prädikats, auf zwei od. mehr Satzglieder).*
zib·el·(l)ine ['zibəˌlain; -lin] **I** *adj zo.* **1.** Zobel... **2.** zobelartig. **II** *s* **3.** Zobelpelz *m.* **4.** Zibe'line *f (Wollstoff).*
zib·et ['zibit] *s zo.* Indische Zibetkatze.
zig·zag ['zigˌzæg] **I** *s* **1.** Zickzack *m.* **2.** Zickzacklinie *f*, -bewegung *f*, -kurs *m (a. fig.).* **3.** Zickzackweg *m*, -straße *f*, Serpen'tine(nstraße) *f.* **4.** *arch.* Zickzackfries *m.* **5.** *Festungsbau:* Zickzackgraben *m.* **II** *adj* **6.** zickzackförmig, Zickzack... **III** *adv* **7.** im Zickzack. **IV** *v/i* **8.** sich zickzackförmig bewegen *od.* fahren *(etc)*, *a.* verlaufen *(Weg etc).* **V** *v/t* **9.** zickzackförmig gestalten. **10.** im Zickzack durch'queren.
zil·lah ['zilə] *s Br. Ind.* Bezirk *m.*
zinc [ziŋk] **I** *s chem.* Zink *n:* ~ **chromate, chromate of** ~ a) Zinkchromat *n*, b) *paint.* Zinkgelb *n;* ~ **sulphide** Schwefelzink. **II** *v/t pret u. pp* **zinc(k)ed** verzinken. ~ **blende** *s min.* Zinkblende *f.* ~ **bloom** *s min.* Zinkblüte *f.* ~ **green** *s paint.* Zinkgrün *n.*
zinc(k)·ic ['ziŋkik] *adj chem. min.* **1.** zinkartig. **2.** zinkhaltig. **zinc(k)·i·fi·ca·tion** [ˌziŋkifi'keiʃən] *s* Verzinkung *f.* **'zinc(k)·iˌfy** [-ˌfai] *v/t tech.* verzinken.
zin·co ['ziŋkou] *pl* **-cos** *abbr. für* zincograph.
zin·co·graph ['ziŋkəˌgræ(:)f; *Br. a.* -ˌgrɑ:f] *tech.* **I** *s* Zinkätzung *f*, Zinkogra'phie *f.* **II** *v/t u. v/i* auf Zink ätzen, in Zink stechen. **zin'cog·ra·pher** [-'kɒgrəfər] *s* Zinko'graph *m*, Zinkstecher *m.* **ˌzin·co'graph·ic** [-kə'græfik], **ˌzin·co'graph·i·cal** *adj* zinko'graphisch. **zin'cog·ra·phy** [-'kɒgrəfi] *s tech.* Zinko'graphie *f*, Zinkstechkunst *f.* **'zin·co·type** [-kətaip] → zincograph.
zinc·ous ['ziŋkəs] *adj chem.* Zink...
zinc| sul·phate *s chem.* 'Zinksulˌfat *n.* ~ **white** *s* 'Zinkweiß *n*, -oˌxyd *n.*
zing [ziŋ] *Am. sl.* **I** *s* **1.** Zischen *n*, Schwirren *n.* **2.** *fig.* Würze *f.* **II** *v/i* **3.** schwirren, zischen, sausen. **III** *interj* **4.** zisch!
zin·ga·ra ['tsiŋgara; 'ziŋgərə] *pl* **-re** [-re], *a.* **'zin·ga·na** [-na] *pl* **-ne** [-ne] *(Ital.) s* Zi'geunerin *f.* **'zin·ga·ro** [-ro] *pl* **-ri** [-ri], *a.* **'zin·ga·no** [-no] *pl* **-ni** [-ni] *(Ital.) s* Zi'geuner *m.*
zink·i·fi·ca·tion, zink·i·fy → zinc(k)ification, zinc(k)ify.
zin·ni·a ['ziniə; -njə] *s bot.* Zinnie *f.*
Zi·on ['zaiən] *s Bibl.* Zion *m.* **'Zi·on·ˌism** *s* Zio'nismus *m.* **'Zi·on·ist I** *s* Zio'nist(in). **II** *adj* zio'nistisch, Zionisten...
zip [zip] **I** *s* **1.** Zischen *n*, Schwirren *n.* **2.** *colloq.* ‚Schmiß' *m*, Schwung *m.* **3.** → zip fastener. **II** *v/i* **4.** zischen, schwirren. **5.** *colloq.* ‚Schmiß' haben. **6.** sich mit Reißverschluß schließen *od.* öffnen lassen. **III** *v/t* **7.** schwirren lassen. **8.** *a.* ~ up *colloq.* ‚schmissig' machen. **9.** mit Reißverschluß (ver)schließen *od.* öffnen. **Z~ ar·ea** *s Am.* Postleitzone *f;* **Z~ code** *s Am.* Postleitzahl *f.* ~ **fas·ten·er** *s* Reißverschluß *m.* ~ **gun** *s* 'Kapselpiˌstole *f (Spielzeug).*
zip·per ['zipər] *bes. Am.* **I** *s* **1.** Reißverschluß *m:* ~ bag Reißverschlußtasche *f.* **II** *v/t* **2.** e-n Reißverschluß einnähen in *(acc).* **3.** → zip 9. **'zip·py** *adj colloq.* schwungvoll, ‚schmissig'.
zir·con ['zɔ:rkɒn] *s min.* Zir'kon *m.* **'zir·conˌate** [-kəˌneit] *s chem.* Zirko'nat *n.* **zir·co·ni·a** [zər'kouniə] *s chem. min.* Zir'konerde *f.* **zir'co·ni·um** [-niəm] *s chem.* Zir'konium *n.*
zith·er ['ziθər] *s mus.* Zither *f.* **'zith·er·ist** *s* Zitherspieler(in).
zlo·ty ['zlɔ:ti; 'zlɒti] *pl* **-tys** *collect.* **-ty** *s* Zloty *m (polnische Münze).*
zo·di·ac ['zoudiˌæk] *s astr.* Tierkreis *m*, Zo'diakus *m:* **the signs of the** ~ die Tierkreiszeichen.
zo·di·a·cal [zo'daiəkəl] *adj astr.* Zodiakal..., Tierkreis...
zo·e·trope ['zouiˌtroup] *s opt.* strobo'skopischer Zy'linder.
zo·ic ['zouik] *adj* **1.** *zo.* zoisch, tierisch. **2.** *geol.* Tier- *od.* Pflanzenspuren enthaltend.
Zo·la·esque [ˌzoulə'esk] *adj* im Stile Zolas. **'Zo·laˌism** *s* Zola'ismus *m*, Natura'lismus *m.*
zom·bi(e) ['zɒmbi] *s* **1.** *Wodukult:* a) Pythongottheit *f (in Westafrika)*, b) Schlangengottheit *f (bes. in Haiti)*, c) *übernatürliche Kraft, die in e-n Körper eintreten u. ihn wiederbeleben kann.* **2.** 'wiederbeseelte Leiche. **3.** *Am. sl.* a) Scheusal *n*, b) Trottel *m.* **4.** *Am. sl. (ein)* Cocktail *m.*
zon·al ['zounl] *adj* **1.** zonenförmig. **2.** Zonen... **'zon·a·ry** *adj* zonen-, gürtelförmig.
zon·ate ['zouneit], *a.* **'zon·at·ed** [-tid] *adj bot. zo.* mit Ringen *od.* Streifen gezeichnet, gegürtelt.
zone [zoun] **I** *s* **1.** *allg.* Zone *f (a. math.):* a) *geogr.* (Erd)Gürtel *m:* → **temperate** 5, **torrid** 2, b) Gebietsstreifen *m*, Gürtel *m:* **wheat** ~ Weizengürtel *m*, c) Bezirk *m*, *(a. anat.* Körper)Gegend *f*, Bereich *m (a. fig.):* ~ **(of occupation)** (Besatzungs)Zone; **danger** ~ Gefahrenzone; **ero(to)genic** ~ *anat.* ero(to)gene Zone; ~ **of silence** Schweigezone; ~ **time** Landes-, Ortszeit *f (Ggs. Greenwich-Zeit).* **2.** a) (Verkehrs)Zone *f*, Abschnitt *m*, b) *mail rail. Am.* (Gebühren)Zone *f*, c) *mail* Post(zustell)bezirk *m*, d) (Straßenbahn)Teilstrecke *f.* **3.** *Computer:* Zone *f*, Sonderspeicher *m.* **4.** *poet.* Gürtel *m:* **maiden** *(od.* **virgin)** ~ Gürtel der Keuschheit; **to loose the maiden** ~ die Jungfräulichkeit verlieren. **II** *v/t* **5.** in Zonen aufteilen, unter'teilen. **6.** e-n Gürtel legen um.
zo·nu·lar ['zounjulər] → **zonary.**
'zon·ule [-nju:l] *s* kleine Zone: **ciliary** ~ *anat.* Zonula *f* ciliaris zinnii [*(im Auge).*]
zoo [zu:] *s colloq.* Zoo *m.*
zoo- [zouo; zouə], *a.* **zo-** *Wortelement mit der Bedeutung* tierisch, Tier, zoologisch.
zo·o·blast ['zouəˌblæst] *s* tierische Zelle.
zo·o·chem·is·try [ˌzouə'kemistri] *s zo.* Zooche'mie *f.*
zo·o·dy·nam·ics [ˌzouodai'næmiks; -di-] *s pl (als sg konstruiert) zo.* 'Tierphysioloˌgie *f.*
zo·og·a·my [zo'ɒgəmi] *s zo.* geschlechtliche Fortpflanzung *(der Tiere).*
zo·og·e·ny [zo'ɒdʒəni] *s zo.* Zooge'nese *f*, Entstehung *f* der Tierarten.
zo·o·ge·og·ra·phy [ˌzouodʒi'ɒgrəfi] *s* 'Tiergeograˌphie *f.*
zo·og·ra·phy [zo'ɒgrəfi] *s* Zoogra'phie *f*, beschreibende Zoolo'gie, Tierbeschreibung *f.*
zo·oid ['zouəid] *s biol.* Zoo'id *n:* a) *Zelle mit Eigenbewegung*, b) *selbständiges, sich ungeschlechtlich durch Teilung etc fortpflanzendes Lebewesen.*
zo·o·log·i·cal [ˌzouə'lɒdʒikəl] *adj (adv* **~ly)** zoo'logisch: ~ **garden** zoologischer Garten.
zo·ol·o·gist [zo'ɒlədʒist] *s* Zoo'loge *m*, Zoo'login *f.* **zo'ol·o·gy** *s* Zoolo'gie *f*, Tierkunde *f.*
zoom [zu:m] **I** *v/i* **1.** (laut) surren *od.* schwirren. **2.** *aer.* steil hochziehen. **3.** *Film:* (mit der Kamera) rasch her'an- *od.* weggehen. **4.** *fig.* hochschnellen. **II** *v/t* **5.** *aer. das Flugzeug* hochreißen. **III** *s* **6.** lautes Summen. **7.** *aer.* Steilflug *m*, Hochreißen *n.* **8.** *fig.* Hochschnellen *n.* **9.** *Film:* a) Her'an- *od.* Wegfahren *n* (mit der Kamera), b) *a.* **~-away shot** (**~-in shot**) Gummilinsenaufnahme *f* mit zunehmender (abnehmender) Brennweite: ~ **lens** Gummilinse *f.* **10.** *Am. sl. (ein)* Cocktail *m.*
zo·o·mag·net·ism [ˌzouə'mægnəˌtizəm] *s* tierischer Magne'tismus.
zo·o·mor·phic [ˌzouə'mɔ:rfik] *adj* zoo'morphisch, 'tiersymˌbolisch.
zo·o·pa·thol·o·gy [ˌzouopə'θɒlədʒi] *s vet.* ˌZoopatholo'gie *f.*
zo·o·phyte ['zouəˌfait] *s zo.* Zoo'phyt *m*, Zölente'rat *m*, Pflanzentier *n.*
zo·o·plas·tic [ˌzouə'plæstik] *adj med.* zoo'plastisch. **'zo·oˌplas·ty** *s med.* Zoo'plastik *f (Überpflanzung tierischen Gewebes auf den Menschen).*
zo·o·psy·chol·o·gy [ˌzouosai'kɒlədʒi] *s zo.* 'Tierpsycholoˌgie *f.*
zo·o·sperm ['zouəˌspɔ:rm] *s* **1.** *zo.* Zoospermium *n*, Samenfaden *m*, -zelle *f.* **2.** → zoospore.
zo·o·spore ['zouəˌspɔ:r] *s bot.* Zoo'spore *f*, Schwärmspore *f.*
zo·o·tax·y ['zouəˌtæksi] *s* syste'matische Zoolo'gie, Taxono'mie *f.*
zo·ot·o·my [zo'ɒtəmi] *s vet.* Zooto'mie *f*, 'Tieranatoˌmie *f.*
zoot suit [zu:t] *s Am. sl. Anzug, bestehend aus langer taillierter Jacke mit breiten wattierten Schultern u. Röhrenhosen.* **'zoot-'suit·er** *s Am. sl.* ‚Lackaffe' *m*, ‚Fatzke' *m.*
Zo·ro·as·tri·an [ˌzɒro'æstriən; ˌzɔ:r-] **I** *adj* zara'thustrisch, zoro'astrisch. **II** *s* Anhänger(in) des Zara'thustra *od.* Zoro'aster.
zounds [zaundz] *interj obs.* sapper'lot!
zu·lu ['zu:lu:] *pl* **-lu, -lus I** *s* **1.** Zulu(kaffer) *m*, Zulufrau *f.* **2.** *collect.* Zulu *pl (Stamm).* **3.** *ling.* Zulu *n.* **II** *adj* **4.** Zulu...
Zwing·li·an ['zwiŋliən; 'tsviŋ-] *relig.* **I** *adj* Zwinglisch, des Zwingli. **II** *s* Zwingli'aner(in).
zwit·ter·i·on ['tsvitər] *a.* **'zwit·terˌi·on** *s chem. phys.* 'Zwitteriˌon *n.*
zy·gal ['zaigəl] *adj* **1.** *anat.* jochförmig, Joch... **2.** H-förmig.
zy·go·dac·tyl [ˌzaigo'dæktil] *orn.* **I** *s* Klettervogel *m.* **II** *adj* → **zygodactylic.** **ˌzy·go·dac·ti'lcy** *adj orn.* kletterfüßig.
zy·go·ma [zai'goumə; zi-] *pl* **-ma·ta** [-mətə] *s anat.* **1.** Jochbogen *m.* **2.** → **zygomatic bone.** **3.** → **zygomatic process.**
zy·go·mat·ic [ˌzaigo'mætik; ˌzig-] *anat.* **I** *adj* **1.** Joch(bein)... **2.** jochförmig, zygo'matisch. **II** *s* → **zygomatic bone.** ~ **arch** *s* Jochbogen *m.* ~ **bone** *s* Joch-, Wangenbein *n.* ~ **proc·ess** *s* Jochbeinfortsatz *m.*
zy·gote ['zaigout; 'zig-] *s biol.* Zy'gote *f.*
zy·mase ['zaimeis] *s biol. chem.* Zy'mase *f (Ferment).* **zyme** [zaim] *s* **1.** *chem.* Fer'ment *n*, Gärstoff *m.* **2.** *med.* Infekti'onskeim *m.*
zy·mo·gen·ic [ˌzaimo'dʒenik] *adj biol. chem.* **1.** zymo'gen, Gärung erregend. **2.** Zymogen... ~ **or·gan·ism** *s biol.* en'zymliefernder Orga'nismus.
zy·mo·sis [zai'mousis] *pl* **-ses** [-si:z] *s* **1.** *chem.* Gärung *f.* **2.** *med.* Infekti'onskrankheit *f.*
zy·mot·ic [zai'mɒtik] *adj* **1.** *chem.* zy'motisch, Gärungs... **2.** *med.* ansteckend, Infektions...: ~ **disease.**

ANHANG — APPENDIX

I. ABKÜRZUNGEN — I. ABBREVIATIONS

A

A *Br.* more suitable for adults than children who are admitted only if accompanied by an adult (*bei Filmen*); *electr.* ampere; *phys.* angstrom unit; *phys.* atomic (weigt).
A. America(n).
a. acre(s); *ling.* active; (*Lat.*) anno, in the year; *electr.* anode; anonymous; ante; *econ.* approved; (*Flächenmaß*) are.
AA *psych.* achievement age; *Am.* Alcoholics Anonymous (*vertrauliche Hilfsorganisation für chronische Trinker*); American Airlines; antiaircraft (artillery).
A.A. *Br.* Automobile Association.
AAA, A.A.A. All American Aviation; Amateur Athletic Association; American Automobile Association.
A.A.A.L. American Academy of Arts and Letters.
AAAS, A.A.A.S. American Academy of Arts and Sciences.
AACS *mil. Am.* Airways and Air Communications Service (*Flugsicherungsdienst*).
AAF Army and Air Force.
AAM, aam air-to-air missile.
a. & h. accident and health (*Versicherung*).
A & P *Am.* Atlantic and Pacific.
AAPC All African Peoples' Conference.
A.A.R., a.a.r. *econ.* against all risks.
A.A.S. (Fellow of the) American Academy of Arts and Sciences.
A.A.U. *Am.* Amateur Athletic Union.
AAUN American Association for the United Nations.
A.B. able-bodied (seaman); air-borne; (*Lat.*) *bes. Am.* Artium Baccalaureus, Bachelor of Arts.
A.B.A. American Bar Association.
abbr., abbrev. abbreviated; abbreviation.
ABC alphabet; *Br.* Alphabetical (Railway Guide); American Broadcasting Company; atomic, biological, and chemical.
ab init. (*Lat.*) ab initio, from the beginning.
ABM anti-ballistic missile.
abr. abridged; abridg(e)ment.
abs. absent; absolute(ly); abstract.
abs. re. (*Lat.*) absente reo, in the absence of the accused person.
AC *electr.* alternating current; Atlantic Council.
A.C. *electr.* alternating current; (*Lat.*) anno Christi, in the year of Christ; (*Lat.*) ante Christum, before Christ; Atlantic Charter.
A/C *econ.* account (current).
A/C. aircraft.
ac. *econ.* account; acre.
acad. academic; academy.
ACC Allied Control Council (*in Berlin*).
acc. *tech.* acceleration; *econ.* acceptance.
acct. *econ.* account(ant).
A.C./D.C., ac/dc, a-c/d-c *electr.* alternating current/direct current (*Allstrom*).
ACE *med. Am.* alcohol, chloroform, ether mixture (*Anästhetikum*); Allied Command Europe; *Br.* automatic computing engine.
A.C.G.B.I. Automobile Club of Great Britain and Ireland.
ack. acknowledge(d); acknowledg(e)ment.
acpt. *econ.* acceptance.
A.C.R. *Br.* Approach Control Radar.
ACS, A.C.S. American Cancer Society.
A/cs Pay. *econ. Am.* accounts payable.
A/cs Rec. *econ. Am.* accounts receivable.
act. acting; active; actual; actuary.
ACW *electr.* alternating continuous waves.
AD *mil. Am.* active duty; average deviation.
A.D. (*Lat.*) anno Domini.
ad. adapted; adaptor; *Am.* add; advertisement.
a. d. *econ.* after date; (*Lat.*) ante diem, before the day.
A. d. and c. advise duration and charge (*Frage nach Dauer und Gebühren eines Telefongesprächs*).
add. (*Lat.*) addenda; (*Lat.*) addendum; addition(al); address.
ADF automatic direction finder (*Peilgerät*).
ad inf. (*Lat.*) ad infinitum.
adj. adjacent; *ling.* adjective; adjourned; adjunct; *econ.* adjustment; adjutant.
Adm. Admiral(ty); administrative.
adm. administration; administrative; administrator; admission.
a. d. s. autograph document signed.
adv. (*Lat.*) ad valorem; advance(d); *ling.* adverb; *ling.* adverbial(ly); (*Lat.*) adversus, against; advertisement; advocate.
ad v(al). (*Lat.*) ad valorem.
advt. advertise(ment); advertiser.
ADW *Am.* air defense warning 'Fliegeralarm.
A.E. *Br.* Adult Education.
AEA American Enterprise Association (*amer. Unternehmerverband*).
AEC Atomic Energy Commission (of Security Council) A'tomenergie-Kommission (*des Weltsicherheitsrates*).
A.E.L.T.C. All England Lawn Tennis Club.
aero., aeron. aeronautical; aeronautics.
A.E.U. *Br.* Amalgamated Engineering Union (*eine der größten brit. Gewerkschaften*).
AF Air Force; *electr.* audio frequency.
A.F.A. *Br.* Air Force Act; *Br.* Amateur Football Association.
AFC, a.f.c. automatic flight control; *electr.* automatic frequency control.
AFL-CIO American Federation of Labor and Congress of Industrial Organizations (*größter amer. Gewerkschaftsverband*).
AFN American Forces Network (*amer. Soldatensender*).
aft., aftn. afternoon.
A.G. accountant general; Adjutant General; Agent-General; Attorney General.
A/G, a-g *aer.* air-to-ground Bord/Boden..., Luft/Boden...
agb, a.g.b. *econ.* any good brand.
agcy. *Am.* agency.
A.G.M. Annual General Meeting.
agn. again.
agr., agri. agricultural; agriculture.
agron. agronomy.
Agt., agt. agent; agreement.
a.h. *electr.* ampere-hour.
A.H.A. American Historical *od.* Hospital *od.* Hotel Association.
AI Air India; air interception (*Erfassung unbekannter Flugzeuge durch optische od. Radarbordgeräte*); American Institute; artificial insemination.
AICBM, A.I.C.B.M. anti-intercontinental ballistic missile.
a.k.a. also known as.
AL American Legion (*Veteranenverband*).
ALA, A.L.A. Automobile Legal Association (*Automobil-Rechtsschutzverband*).
Ala, Ala. Alabama (*Staat der USA*).
Alas. Alaska (*Staat der USA*).
alc(oh). alcohol.
Ald., Aldm. Alderman.
alg. algebra.
All. Alley (*in Straßennamen*).
a.l.s. autograph letter signed.
alt. alternate; alternating; altitude.
Alta. Alberta (*kanad. Provinz*).
A.M. *electr.* amplitude modulation; (*Lat.*) *Am.* Artium Magister, Master of Arts; Associate Member.
a.m. (*Lat.*) ante meridiem.
AMA, A.M.A. American Management *od.* Medical *od.* Missionary Association.
amal., amalg. amalgam(ated); amalgamation.
Amb. Ambassador; ambulance.
amdt. amendment.
Amer. America(n).
amg. among.
amp. *electr.* amperage; ampere.
amp.-hr. *electr.* ampere-hour.
amt. *econ.* amount.
AMU, amu atomic mass unit.
AMVETS American Veterans (of World War II and Korea).
an. (*Lat.*) anno, in the year; *electr.* anode.
anacom analytic computer.
anal. analogous; analogy; analysis; analytic(al).
anat. anatomical; anatomy.
anc. ancient(ly).
Ang. Anglesey (*Wales*).
ann. annals; annual; annuity.
annot. annotated; annotations; annotator.
Anon., anon. anonymous(ly).
ans. answer(s); answered.
Ant. Antrim (*Grafschaft in Nordirland*).
antilog *math.* antilogarithm.
ANZAC, A.N.Z.A.C., Anzac Australian and New Zealand Army Corps.
a.o., a/o *econ.* account of.
a/or, &/or, and/or either "and" or "or".
AP Associated Press (*Nachrichtenbüro*).
A/P *econ.* account purchase; *econ. jur.* authority to pay *od.* purchase.
apmt. appointment.
APO, A.P.O. Army Post Office.
app. apparent(ly); appended; appendix.
appd. approved.
appl. *jur. Am.* appeal; applied (to).
approx. approximate(ly).
appx. appendix.
Apr, Apr. April.
apt(s). *Am.* apartment(s).
A.R. advice of receipt; annual return; Autonomous Republic.
a.r., a/r *econ.* all rail; all risks (*Versicherung*).
ARC American Red Cross.
arch. archaic; *geogr.* archipelago; architect; architectural; architecture.
arch(a)eol. arch(a)eological; arch(a)eology.
Argyl. Argyllshire (*Grafschaft in Schottland*).
arith. arithmetic(al).
Ariz. Arizona (*Staat der USA*).
Ark. Arkansas (*Staat der USA*).
Arm. Armagh (*Grafschaft in Nordirland*).
ARP, A.R.P. Air-Raid Precautions *od.* Protection.
arr. arranged; arrangement; arrival; arrive(d); arrives.
art. article; artificial; artillery; artist.
AS, AS., A.S., A.-S. *ling.* Anglo-Saxon.
A/S *econ.* account sales.
ASA American Standards Association.
ASAS Association of South-East Asian States.
ASCAP, A.S.C.A.P. American Society of Composers, Authors and Publishers.
ASE American Stock Exchange.
asgd. assigned.

asgmt. assignment.
ASI, asi *aer.* airspeed indicator.
asmt. assortment.
A.S.P.C.A. American Society for the Prevention of Cruelty to Animals.
A.S.R. Air-Sea Rescue (Service).
A.S.R.S. *Br.* Amalgamated Society of Railway Servants (*Gewerkschaft*).
ass. assembly; assistant; association.
assd. assigned.
Assn., assn. association.
assoc. associate(d); association.
ASSR, A.S.S.R. Autonomous Soviet Socialist Republic.
Asst, Asst., asst, asst. Assistant, assistant.
assy, ass'y assembly.
ASTM, A.S.T.M. American Society for Testing Materials.
Astron., astron. astronomer; astronomical; astronomy.
asym. asymmetric(al).
A/T *econ.* American terms.
at. airtight; *tech.* atmosphere(s); atomic.
a.t. air temperature; air transport.
ATA, ata actual time of arrival; air-to-air.
A.T. & T. American Telephone and Telegraph Co.
atdt. attendant.
Atl. Atlantic.
atm. *tech.* atmosphere(s); atmospheric.
at. no. atomic number.
att. attach(ed); *Am.* attention; attorney.
Atty., atty. Attorney.
Atty. Gen. *jur.* Attorney General.
at.vol. atomic volume.
at.wt. atomic weight.
Aug, Aug. August.
Aus. Australia(n).
Aust. Cap. Terr. Australian Capital Territory.
Austr. Austria(n).
Austral. Australia; Australasia.
auth. authentic; author(ess); authority; authorized.
auto. automatic; automobile; automotive.
aux. auxiliary.
A.V. Authorized Version (*der Bibel*).
av. *Am.* avenue; average; *econ.* avoirdupois.
avdp. *econ.* avoirdupois.
Ave., ave. avenue.
A/W. actual weight.
a.w. *econ.* all water (*im Transportwesen*).
AWOL, A.W.O.L., awol, a.w.o.l. *mil. Am.* absence *od.* absent without leave.
ax. axiom; axis.

B

B. bachelor; *med.* bacillus; bishop.
b. bachelor; bill; book; born; breadth.
B/-, b/ *econ.* bag; *econ.* bale.
B.A. (*Lat.*) Baccalaureus Artium, Bachelor of Arts; British Academy.
BABS, babs beam *od.* blind approach beacon system Leitstrahl- *od.* Blind-Lande-Funkfeuersystem.
Bac. (*Lat.*) Baccalaureus, Bachelor (*im Titel*).
bach. bachelor.
bact(er). bacteria; bacteriological.
B.Ag., B.Agr(ic). (*Lat.*) Baccalaureus Agriculturae, Bachelor of Agriculture.
Ba.Is. Bahama Islands.
Bal., bal. *econ.* balance; *econ.* balancing.
B & B, b & b bed and breakfast (*Zimmer mit Frühstück*).
BANK International Bank for Reconstruction and Development.
bank. banking.
B.A.O.R. British Army of the Rhine.
Bap(t). Baptist.
bap(t). baptized.
bar. barometer; barometrical; barrel; barrister.
B.Arch. *Lat.* Baccalaureus Architecturae, Bachelor of Architecture.
Bart, Bart. Baronet.
BAT(Co.) British American Tobacco (Company) (*größte Tabakgesellschaft der Welt*).
Bav. Bavaria(n).
bb, b.b. *jur.* bail bond; *tech.* ball bearing(s).
BBC, B.B.C. British Broadcasting Corporation; bromo-benzyl-cyanide (*ein Giftgas*).
bbl(s). *econ.* barrel(s).
B.C. before Christ; Borough Council; British Columbia; British Council.
B/C *econ.* bill(s) for collection.
BCD *mil. Am.* bad conduct discharge.
BCG bacillus Calmette-Guérin (*Tuberkulose-Impfstoff*).
bch. *econ.* bunch.
B.C.L. (*Lat.*) Bachelor of Civil Law.
B.D. Bachelor of Divinity; bank draft.
B/D *econ.* bank draft.
bd. board; (*Buchbinderei*) bound.
B.D.C., bdc *tech.* bottom dead centre (*unterer Totpunkt beim Kolben*).
bd.ft. *econ.* board feet *od.* foot.
bdl(e). *econ.* bundle.
bdls. *econ.* bundles.
bds. (*Buchbinderei*) boards; *econ.* bonds; *econ.* bundles.
B.D.S.T. British Double Summer Time.
B.D.Veh. break down vehicle Abschleppfahrzeug.
B.E. Bachelor of Education *od.* Elocution *od.* Engineering; *econ.* bill of exchange.
B/E, b.e., b/e *econ.* bill of exchange.
Bé, Bé. *phys.* Baumé (*Hydrometer*).
BEA, B.E.A. British European Airways.
BEC Bureau of Employees' Compensation.
Beds, Beds. Bedfordshire (*engl. Grafschaft*).
bef. before.
bel. below.
Belg. Belgian; Belgium.
B.E.M. British Empire Medal (*Orden*).
BENELUX, Benelux Belgium, Netherlands, Luxemburg.
Berks, Berks. Berkshire (*engl. Grafschaft*).
bet(w). between.
BEV, BeV, Bev., bev *electr.* billion electron volts (*Am.* billion = *Milliarde*).
B.F. bloody fool (*euphem. Abkürzung*).
b.f. beer firkin; *print.* boldface; *econ.* brought forward.
B.F.A. *Am.* Bachelor of Fine Arts; British Football Association.
BFN, B.F.N. British Forces Network (*brit. Soldatensender*).
bg. *econ.* bag.
b/g *econ.* bonded goods.
bgs. *econ.* bags.
BHN, Bhn *tech.* Brinell hardness number (*Härtegradzahl von Metallen*).
b.h.p. *tech.* brake horse-power.
B.I.A.E. British Institute of Adult Education.
bibliog. bibliographer; bibliography.
b.i.d. (*Lat.*) bis in die, twice a day (*auf Rezepten*).
biog. biographer; biographical; biography.
Biol., biol. biological; biologist; biology.
bit binary digit (*Maßeinheit für den Informationsgehalt einer Nachricht*).
B.J. *Am.* Bachelor of Journalism.
Bk., bk. bank; block; book.
bkcy. bankruptcy.
bkpg. bookkeeping.
bkpr. bookkeeper.
bk(r)pt. bankrupt.
bks. *mil.* barracks; books.
bkt(s) basket(s); bracket(s).
B.L. (*Lat.*) Baccalaureus Legis, Bachelor of Law.
B/L *econ.* bill of lading.
bl. *econ.* bale(s); *econ.* barrel(s); black; block.
b.l. base line; *econ.* bill lodged.
BLADING, Blading *econ.* bill of lading.
bl(d)g. building.
B.Lit(t). (*Lat.*) Baccalaureus Litterarum, Bachelor of Letters *od.* Literature.
blk. black; block; bulk.
bls. *econ.* bales; *econ.* barrels.
Blvd., blvd. *Am.* boulevard.
B.M. (*Lat.*) Baccalaureus Medicinae, Bachelor of Medicine; British Museum.
B/M *econ.* bill of material.
B.M.A. British Medical Association.
B.M.C. British Medical Council; British Motor Corporation.
bmep *tech.* brake mean effective pressure.
BMR, bmr, b.m.r. *biol. med.* basal metabolic rate.
B.N., b.n. bank note.
bn. battalion; been.
B.O. body odo(u)r (*euphem. Abkürzung*); *Br.* Branch Office.
B/O Branch Office.
b.o. *econ. Am.* back order; *econ. Am.* bad order (*Waren beim Transport beschädigt*).
B.O.A.C. British Overseas Airways Corporation.
B. of E. Bank of England.
B.O.T. *Br.* Board of Trade.
bot. botanical; botanist; botany; bottle; bottom; *econ.* bought.
BP British Petroleum Company, Ltd.
B/P. *econ. Am.* bills payable.
b.p. *phys.* boiling point.
BPB, bpb bank post bill(s).
bpl. birthplace.
B.R. British Railways; British Restaurant.
B/R *econ.* bills receivable.
br. branch; bridge; brig; bronze; brother.
B.R.C.S. British Red Cross Society.
Brec. Brecknockshire (*Grafschaft in Wales*).
Brit. Britain; Britannia; Britannica; British.
Bro., bro. brother.
Bros, Bros., bros. brothers (*bes. in Firmennamen*).
B.S. Bachelor of Science; *econ.* balance sheet; British Standard.
B/S *econ.* bill of sale.
B.Sc. (*Lat.*) Baccalaureus Scientiae → Bachelor of Science.
B.S(c). Econ. Bachelor of Economic Science.
B.S.G. British Standard Gauge.
bsh. *econ.* bushel.
B.S.I. British Standards Institution.
bsk(t). *econ.* basket.
B.S.S. British Standard Specification Britische Normvorschrift.
B.S.T. British Standard Time; British Summer Time.
B.T. *Br.* Board of Trade.
Bt, Bt. Baronet (*dem Namen nachgestellt*).
btl. bottle.
BTU British Trade Union.
Btu., B.t.u., btu, b.t.u. *phys.* British thermal unit(s).
bu. *Am.* bureau; *econ.* bushel(s).
Bucks, Bucks. Buckinghamshire (*engl. Grafschaft*).
bul(l). bulletin.
B.U.P. British United Press (*Nachrichtenbüro*).
bur. bureau; buried.
bus. *econ.* bushel(s); *Am.* business.
bush. *econ.* bushel(s).
bvt. *mil.* brevet(ted).
bx(s). *econ.* box(es).

C

C. Celsius; *Am.* center; centigrade.
c centimeter *od.* centimetre.
c. candle; cent(s); circa; cubic.
C.A. *econ.* chartered account(ant); *econ.* chief accountant; *econ.* commercial agent; *econ.* controller of accounts.
C/A *econ.* capital account; *econ.* credit account; *econ.* current account.
ca. *electr.* cathode; centiare; (*Lat.*) circa.
CAB *Am.* Civil Aeronautics Board.
c.a.d. *econ.* cash against documents.
Caern. Caernarvonshire (*Grafschaft in Wales*).
Caith. Caithness (*schott. Grafschaft*).
Cal. California (*Staat der USA*).
cal. calendar; *Am.* calends; caliber *od.* calibre; *phys.* (small) calorie(s).
Calif. California (*Staat der USA*).
CALTEX, Caltex California-Texas Oil Corporation.
Cambs. Cambridgeshire (*engl. Grafschaft*).
Can. Canada; Canadian; *relig.* Canon.
canc. cancel(ed); cancellation.
c. & f. *econ.* cost and freight.
cap. capacity; capital (letter).
Capt. Captain.
Car. Carlow (*Irland*); Carolina (*Staat der USA*).
Card. Cardiganshire (*Grafschaft in Wales*).
CARE Co-operative for American Relief *od.* Remittances to Everywhere (*amer. Organisation, die Hilfsmittel an Bedürftige in aller Welt versendet*).
Carm(arths). Carmarthenshire (*Grafschaft in Wales*).
Carn. *cf.* Caern.
cas. castle; casual(ty).
cat. catalogue(d); *relig.* catechism.
Cath. Cathedral; Catherine; Catholic.
C.Aus. Central Australia.
CAVU, C.A.V.U., c.a.v.u. *aer.* ceiling and visibility unlimited.
C.B. *Br.* Companion of (the Order of) the Bath (*hoher Orden und Titel*); *mil.* confined *od.* confinement to barracks (*Ausgehverbot*); County Borough.

C/B *econ.* cashbook.
CBC, C.B.C. Canadian Broadcasting Corporation.
C.B.D., cbd *econ. Am.* cash before delivery.
C-bomb cobalt bomb.
CBR chemical, biological, and radiological warfare.
C.C. chief clerk; *electr.* continuous current; County Council(lor).
cc cubic centimeters *od.* cubic centimetres.
CCC *Am.* Civilian Conservation Corps; *Am.* Commodity Credit Corporation.
cclkw. counter-clockwise.
C.C.P. *jur.* Code of Civil Procedure.
C.Cr.P. *jur.* Code of Criminal Procedure.
CD Civil Defence; Coast Defence(s) *od.* Defense(s); contagious diseases; *(Fr.)* Corps Diplomatique, diplomatic corps.
cd. *econ.* canned; *econ.* cord.
c.d. *econ. Am.* cash discount; *econ.* cum dividend.
cd.ft. *econ. Am.* cord foot *od.* feet *(Holzmaß)*.
C.E. Church of England *(besser* C. of E.).
CED, C.E.D. *Am.* Committee for Economic Development *od.* Defense.
Cels. Celsius.
CEMF, cemf *electr.* counter electromotive force.
cen. *Am.* central; century.
cent. centigrade; central; century.
Cent.Am. Central America.
CERN, Cern European Organization for Nuclear Research.
cert. certain(ly), certainty; certificate(d).
CET Central European Time.
cf. *(Buchbinderei)* calf; confer.
c.f. *econ.* carried forward.
c.f.i. *econ.* cost, freight, and insurance.
cfm., c.f.m. *tech.* cubic feet per minute.
C.G. *phys. tech.* center *od.* centre of gravity; Coast Guard; Consul-General.
cg, cg. centigramme(s); centigram(s).
cgs, c.g.s. centimeter- *od.* centimetre--gram(me)-second (system).
C.H. *econ. Am.* clearing house.
ch. *tech.* chain; *(sport)* champion; chapter; chief; child; children; church.
Chap., chap. *relig.* chaplain; chapter.
Chem., chem. chemical; chemist(ry).
Ches. Cheshire *(engl. Grafschaft)*.
chf. chief.
chg. change; *econ.* charge.
chgs. *econ.* charges.
chmn., chn. chairman.
chron(ol). chronological; chronology.
CI cast iron.
C.I. Channel Islands; Chief Inspector.
C/I certificate of insurance.
CIA *mil. Am.* Central Intelligence Agency.
CIC, C.I.C. *mil. Am.* Counter Intelligence Corps.
C.I.D. *Br.* Criminal Investigation Department *(brit. Kriminalpolizei)*.
Cie., cie. *(Fr.) econ.* Compagnie, Company.
c.i.f. *econ.* cost, insurance, and freight.
CINC, CinC, C.-in-C., Cinc *mil.* Commander in Chief.
cit. citation; cited; citizen.
civ. civil(ian); civilized.
C.J. Chief Justice.
ck. *econ.* cask; *econ. Am.* check; cook.
CL center *od.* centre line.
cl. centiliter *od.* centilitre; class.
c.l. *econ. Am.* carload (lots).
Cla. Clackmannan *(schott. Grafschaft)*.
cld. cleared; colo(u)red.
clk. *econ.* clerk; clock.
clkw. clockwise.
C.M. *jur. mil.* court-martial.
cm, cm. centimeter *od.* centimetre.
cml. commercial.
CN credit note.
CNS *med.* central nervous system.
CO Commanding Officer; conscientious objector.
Co., co. *econ.* Company; County.
c.o., c/o care of; *econ.* carried over.
C.O.D., c.o.d. *Br.* cash on delivery, *Am.* collect on delivery *(Nachnahme)*.
co-ed. co-educational.
C. of C. Chamber of Commerce.
C. of E. Church of England.
C. of I. Church of Ireland.
C. of S. Chief of Staff; Church of Scotland.
col. collected; collector; college; Colonel.
coll. collect(ion); collective(ly); college.
collab. collaborated; collaboration; collaborator.
collect. collective(ly).
Colo. Colorado *(Staat der USA)*.
com. comedy; comma; Commander; commentary; commerce; commercial; commission(er); committee; common(ly).
comb. combination; combine(d).
Comdr., comdr. Commander.
COMECON Council for Mutual Economic Aid *(der Ostblockstaaten)*.
Cominform Communist Information Bureau.
Comm. Commander; Commonwealth.
comm. commission; committee.
comn(s). communication(s).
comp. comparative; compare; comparison; compilation; compiled; composer.
compar. comparative.
compl. complement.
Comr. Commissioner.
con. *(Lat.) jur.* conjunx, consort; connection; consolidated; consul; contra.
conc. concentrate(d); concerning.
conf. confer; conference; confessor.
Confed. *Am.* confederate.
Cong. *Am.* Congress(ional).
Conn. Connecticut *(Staat der USA)*.
Cons. *pol.* Conservative; Consul.
consol. *econ.* consolidated.
const. constant; constitution(al).
constr. construction.
cont. containing; contents; continent.
contd. continued.
contemp. contemporary.
contg. containing.
contn. continuation.
contr. contract(ed); contraction; contrary.
Co-op. Co-operative (Society).
Corn. Cornish; Cornwall *(engl. Grafschaft)*.
Corp., corp. *mil.* Corporal *(Dienstgrad)*; Corporation.
Corpn., corpn. *econ.* Corporation.
corr. corrected; correspond(ence); correspondent; corresponding.
corresp. correspondence; corresponding to.
cos *math.* cosine.
cos. *Am.* companies; *Am.* counties.
cosec *math.* cosecant.
cot *math.* cotangent.
Coy Company.
C.P. Canadian Press *(Nachrichtenbüro)*.
cp. compare.
c.p. *phys.* candle power; *econ.* carriage paid.
CPA, C.P.A., c.p.a. Certified Public Accountant.
c.p.m. *electr. phys.* cycles per minute.
c.p.s. *electr. phys.* cycles per second.
Cr. *econ.* credit(or); *Am.* creek; *Br.* Crown.
crim. criminal.
crit. critical; criticism; criticized.
C/S *econ.* cases.
cs. *econ.* cases.
C.S.A. Confederate States of America.
csc *math.* cosecant.
CST, c.s.t. *Am.* Central Standard Time.
C.T. Certificated Teacher; commercial traveller.
ct. cent(s); county; court.
C.T.C. centralized traffic control.
ctn *math.* cotangent.
cts. cents; centimes; *Am.* certificates.
CTV *Am.* color television; *Br.* commercial television.
cu(b). cubic.
cu. cm. *Am.* cubic centimeter.
cu. ft. *Am.* cubic foot.
cu. in. *Am.* cubic inch.
cum. *econ.* cumulative.
Cumb. Cumberland *(engl. Grafschaft)*.
cur. *econ.* currency; current.
cv(t). *econ. Am.* convertible (bonds).
CW chemical warfare; continuous wave.
c.w.o. *econ.* cash with order.
cwt, cwt. hundredweight.
cy. *Br.* cypher.
cyl. cylinder; cylindrical.
C.Z. Canal Zone *(Panama)*.
Czech(osl). *Am.* Czechoslovakia(n).

D

D *mil. Am.* department; dimensional *(in Zusammensetzungen, z. B.* 3D 3-dimensional).
D. democrat(ic); Doctor; dollar; dose.
d. date; daughter; day(s); dead; *(Lat.)* denarii, pence; *(Lat.)* denarius, penny; *phys.* density; died; *Am.* dime.
D.A. *econ.* deposit account; District Attorney.
d.a., d/a *econ.* days after acceptance.
dag. decagram(me).
dal, dal. decaliter *od.* decalitre.
dam. decameter *od.* decametre.
Dan. Daniel; Danish.
DAR, D.A.R. Daughters of the American Revolution *(ein Frauenverein)*.
DAV, D.A.V. Disabled American Veterans.
D.B. *econ.* daybook; *mil.* dive-bomber.
d.b.a. *econ. Am.* doing business as.
dbl. double.
DC *electr. Am.* direct current.
D.C. decimal classification; *electr.* direct current; *Am.* District of Columbia.
D.C.L. Doctor of Civil Law.
D.C.M. *Br.* Distinguished Conduct Medal.
DD *mil. Am.* dishonorable discharge.
D.D. *econ.* demand draft; *(Lat.)* Doctor Divinitatis, Doctor of Divinity.
D/D *econ. Am.* days after date.
d-d *euphem. für* damned.
DDD *Am.* direct distance dialing *(Selbstwählfernverkehr)*.
D.D.G. *econ. Br.* Deputy Director-General.
D.D.S. Doctor of Dental Surgery.
DDT, D.D.T. dichlorodiphenyl-trichloroethane *(Insektizid)*.
deb. *econ.* debenture; *colloq.* debutante.
Dec, Dec. December.
dec. deceased; *Am.* decimeter; declaration.
decd. deceased.
def. defective; *jur.* defendant; *econ.* deferred (shares); defined; definite(ly); definition.
Del. Delaware *(Staat der USA)*.
Dem. *Am.* Democrat; Democratic (Party).
Den. Denmark.
Denb(h). Denbigshire *(Grafschaft in Wales)*.
dent. dental; dentist(ry).
dep. *Am.* department; departs; departure; *ling.* deponent; deposed; depot; deputy.
Dept., dept, dept. department; deputy.
Derby. Derbyshire *(engl. Grafschaft)*.
Devon. Devonshire *(engl. Grafschaft)*.
DF *aer. mil.* direction finder *od.* finding.
dft. *jur. Br.* defendant; draft.
D.G. *(Lat.)* Dei gratia; Director General.
diag. diagram.
diam. diameter.
diff. difference; different.
Dir., dir. director.
disc. *econ.* discount; discover(ed).
dist. distance; distinguish(ed); district.
div. divided; *econ.* dividend; division; divisor; divorced.
D.J. disc jockey; *Am.* District Judge.
dl, dl. deciliter *od.* decilitre.
D.Lit(t). *(Lat.)* Doctor Lit(t)erarum, Doctor of Letters *od.* Literature.
D.L.O. *Br.* Dead Letter Office.
dm, dm. decimeter *od.* decimetre.
do, do. ditto.
doc(s). document(s).
dol(l). dollar(s).
dol(l)s. dollars.
dom. domestic; dominion.
Don. Donegal *(nordirische Grafschaft)*.
Dors. Dorsetshire *(engl. Grafschaft)*.
doz. dozen(s).
d/p documents against payment.
D.Ph(il). Doctor of Philosophy.
Dpo. depot.
Dpt., dpt. *Am.* department.
Dr. *econ.* debit; *econ.* debtor; Doctor.
dr. drachm(a); dram(s); *econ.* drawer.
d.r. *mar.* dead reckoning.
d.s., d/s *econ.* days after sight.
D.Sc. Doctor of Science.
DST *Am.* Daylight Saving Time.
d.t. *med.* delirium tremens.
Du. Duke; Dutch.
Dubl. Dublin *(Stadt u. Grafschaft in Nordirland)*.
Dumb. Dumbarton(shire) *(schott. Grafschaft)*.
Dumf. Dumfries(shire) *(schott. Grafschaft)*.
Dur(h). Durhamshire *(engl. Grafschaft)*.
D.V. *(Lat.)* Deo volente, God willing.
D.V.M. *Am.* Doctor of Veterinary Medicine.
dw. deadweight.
dwt, dwt. denarius weight, pennyweight.
DX, D.X. *(Funk)* distance.
Dyn., dyn(am). dynamics.
dz. dozen(s).

E

E. Earl; Earth; east(ern); English.
e *phys.* erg.
EA *ped. psych.* educational age.

ea. each.
E. & O.E., e. & o.e. *econ.* errors & omissions excepted.
EB Executive Board.
E.B. Encyclopaedia Britannica.
E.C. East Central (*Postbezirk*).
ECE, E.C.E. Economic Commission for Europe (*der UN*).
ECG *med.* electrocardiogram.
econ. economical; economics; economy.
ECOSOC Economic and Social Council (*der UN*).
E.C.S.C. European Coal and Steel Community.
ed. edited; edition; editor; education(al).
E.D.T., e.d.t. *Am.* Eastern Daylight Time.
E.E. Employment Exchange.
E.E., E./E., e.e. *econ.* errors excepted.
EEC, E.E.C. European Economic Community.
EEG *med.* electroencephalogram.
EFTA European Free Trade Association.
e.g. (*Lat.*) exempli gratia, for example.
EHF *electr.* extremely high frequency.
E.H.P. *phys.* effective horsepower.
EKG *med.* electrocardiogram.
E.L. East Lothian (*schott. Grafschaft*).
el. elected; electricity; electric light.
eld. eldest.
E.L.D.O. European Launcher Development Organization (*zur gemeinsamen Entwicklung von Raketen*).
elem. elementary; element(s).
elev. elevation.
EM *Am.* enlisted man *od.* men.
EMA European Monetary Agreement.
E.M.F., emf, e.m.f. *tech.* electromotive force.
Emp. Emperor; Empire; Empress.
E.M.U., e.m.u. electromagnetic unit(s).
E.N. & T. *med.* Ear, Nose, and Throat.
Enc(l)., enc(l). enclosed; enclosure (*Anlage im Brief*).
eng. engine; engineer(ing); engraved.
Engl. England; English.
ENIAC, eniac. Electronic Numerical Integrator and Computer.
enl. enlarged.
env. envelope.
e.o.m. end of month.
EP, E.P. extended play (record) (*Schallplatte mit 45 Umdrehungen in der Minute*).
Epis(c)., episc. *relig.* episcopal.
EQ, E.Q. *ped. psych.* educational quotient.
eq. equal(izer); equalizing; equation.
equip., eqpt. equipment.
equiv. equivalent.
E.R. *Br.* East Riding (*Yorkshire*); *Am.* East River (*New York City*).
ERP, E.R.P. European Recovery Program (*Marshall-Plan*).
E.R.U. English Rugby Union.
ESP, E.S.P. extrasensory perception.
esp(ec). especial(ly).
Esq(r). Esquire.
ESRO European Space Research Organization.
Ess. Essex (*engl. Grafschaft*).
EST, E.S.T. *Am.* Eastern Standard Time.
est. established; estate; *econ. math.* estimated; *geogr.* estuary.
ESU (The) English-Speaking Union.
ETA, E.T.A. estimated time of arrival.
et al. (*Lat.*) et alia, and other things; (*Lat.*) et alibi, and elsewhere; (*Lat.*) et alii, and other persons.
etc. (*Lat.*) et cetera.
ETD, E.T.D. estimated time of departure.
eth. ethical(ly); ethics.
ETR, E.T.R. estimated time of return.
et seq., et sq. (*Lat.*) et sequens, and the following.
et seqq., et sqq. (*Lat.*) et sequentes *od.* et sequentia, and those that follow.
etym(ol). *ling.* etymological(ly); *ling.* etymology.
EUCOM *mil. Am.* European Command.
Eur. Europe; European.
EURATOM, Euratom European Atomic Energy Community.
ev, e.v. *phys.* electron volt(s).
evg., evng. evening.
evy. every.
ex. examination; examined; example; except(ion); *econ. Am.* exchange; *Am.* executed; *Am.* executive; exercise.
exam. examination; examined; examinee.
exc. excellency; excellent; except(ed).
excl. exclamation; excluded; exclusive(ly).
ex div. *econ.* ex dividend, without dividend.
Ex-Im Bank (U.S.-)Export-Import Bank.
ex int. *econ.* ex interest, without interest.
exp. expenses; expired; export(ation); exported; exporter; express.
expt. experiment.
exptl. experimental.
ext. extension; external(ly); extinct; extra; extract.

F

F Fahrenheit; French; *math.* function (of).
F. Fahrenheit; *electr.* farad; Fellow.
F:, F/, f, f:, f/ *phot.* F number.
f. *mar.* fathom; feet; female; feminine; following; foot; *phys.* frequency; from.
F.A. *Br.* Football Association.
f.a.a. *econ. mar.* free of all average frei von aller Hava'rie.
facs(im). facsimile.
Fahr. Fahrenheit.
fam. familiar; family.
FAO, F.A.O. Food and Agricultural Organization (*der UN*).
f.a.o. *tech.* finish all over.
FAP, F.A.P. first-aid post.
f.a.s. *econ.* free alongside ship frei Längsseite des Schiffes (*im Abgangshafen*).
fath. *mar.* fathom.
f.b. (*Fußball*) fullback.
FBI, F.B.I. *Am.* Federal Bureau of Investigation (*Bundes-Fahndungsdienst*).
F.C. Federal Cabinet; *Br.* Football Club.
fcap, fcap. foolscap (*Papierformat*).
f.co. fair copy.
fcp, fcp. foolscap (*Papierformat*).
Fd, fd *mil.* field (*in Zusammensetzungen*).
FDA *Am.* Food and Drug Administration.
Feb, Feb. February.
fed. federal; federated; federation.
FEPC *Am.* Fair Employment Practices Committee (*Behörde zur Überwachung der Arbeitsbedingungen*).
Ferm. Fermanagh (*Grafschaft in Irland*).
ff. folios; following (pages); *mus.* fortissimo.
FFAG *phys.* fixed frequency alternating gradient (machine) (*ein Teilchenbeschleuniger*).
f.g.a. *econ. mar.* free of general average frei von allgemeiner Hava'rie.
F.H., f.h. fire hydrant.
FHA *Am.* Federal Housing Administration.
f.i. for instance.
fict. fiction(al); fictitious.
fid. *econ.* fiduciary.
Fid.Def. (*Lat.*) Fidei Defensor, Defender of the Faith.
fi.fa. (*Lat.*) *jur. Br.* fieri facias, cause it to be done (*Vollstreckungsbefehl des Gerichts an den Sheriff*).
fig. figurative(ly); figure(s).
Fin. Finland; Finnish.
fin. finance; financial; finished.
f.i.o. *econ. mar.* free in and out (*frei Ein- u. Ausladung*).
fir. firkin(s).
fl. florin(s); fluid.
Fla, Fla. Florida (*Staat der USA*).
flex. flexible.
Flint. Flintshire (*Grafschaft in Wales*).
fl.oz. fluid ounce(s).
FM *tech.* frequency modulation.
F.M. *mil. Br.* Field Marshal (*höchster Dienstgrad des Heeres*); Foreign Mission.
Fm. farm.
fmn. formation.
fn., f.n. footnote.
F.O. *Br.* Foreign Office.
Fo, fo. folio.
F.O.B., f.o.b. *econ. mar.* free on board.
FOBS Fractional Orbital Bombardment System (*Orbitalraketensystem*).
f.o.c. *econ.* free of charge.
fol. folio; followed; following.
f.o.q. *econ.* free on quai frei Kai.
for. foreign; forestry.
f.o.r. *econ.* free on rail frei Wag'gon.
f.o.s. *econ.* free on steamer frei Schiff.
f.o.t. *econ.* free on truck frei Lkw.
f.o.w. *econ.* free on waggon frei Wag'gon.
f.p. *tech.* flash-point; *phys.* foot pound; *phys.* freezing point.
F.P.A. Foreign Press Association (*ein Nachrichtenbüro*).
f.p.a. *econ. mar.* free of particular average nicht gegen besondere Hava'rie versichert.
fpm, f.p.m. *phys.* feet per minute.
fps, f.p.s. *phys.* feet per second.
f.p.s. system *phys.* foot-pound-second system.
Fr. *relig.* Father; France; French.
fr. fragment; (*Währung*) franc; from.
Frat. Fraternity.
freq. frequent(ly); *ling.* frequentative.
Fri. Friday.
Frisco. *colloq.* San Francisco.
frs. (*Währung*) francs.
frt. *econ.* freight.
frt.fwd. *econ.* freight forward Fracht nachnehmen.
frt.ppd. *econ.* freight prepaid Fracht vor'ausbezahlt.
f.s. *phys.* foot-second.
Ft. Fort.
ft, ft. feet; foot (*Maßeinheit*).
FTC *Am.* Federal Trade Commission (*zur Verhinderung unlauteren Wettbewerbs*).
ft-lb *phys.* foot-pound.
fur. furlong(s).
furn. furnished.
fut. future.
f.v. (*Lat.*) folio verso, on the back of the page.
F.W.B. *tech.* four-wheel brake.
FWD, F.W.D. *tech.* four-wheel drive.
fwd(d). forwarded.

G

G *Am.* for general audiences (*bei Filmen*).
G. *electr.* conductance; *phys.* specific gravity; Guernsey (*engl. Kanalinsel*).
g gram(me); *phys.* (acceleration of) gravity.
g. *electr.* conductance; *tech.* ga(u)ge; grain (*Gewicht*); gram(me); *Br.* guinea.
G.A. General Agent *od.* Assembly.
Ga, Ga. Georgia (*Staat der USA*).
g.a. (*Versicherung*) general average.
Gal. Galway (*irische Grafschaft*).
gal(l). gallon(s).
gals. gallons.
G.A.T. Greenwich Apparent Time.
GATT, G.A.T.T. General Agreement on Tariffs and Trade.
G.B. Great Britain.
G.B. & I. Great Britain and Ireland.
G.B.S. George Bernard Shaw.
GC Geneva Convention Genfer Konventi'on (*Rotes Kreuz*).
G.C.B. (Knight) Grand Cross of the Bath (*hoher brit. Orden*).
G.C.D., gcd, g.c.d. *math.* greatest common divisor.
G.C.E. General Certificate of Education.
G.C.F., gcf, g.c.f. *math.* greatest common factor.
GCL *aer.* ground controlled landing (*vom Boden aus geleitete Landung*).
G.C.M., gcm, g.c.m. *math.* greatest common measure.
GCT, G.C.T., G.c.t. Greenwich Central *od.* Civil Time.
gd. good.
Gdns. Gardens.
GDR German Democratic Republic.
gds. *econ.* goods.
GEC, G.E.C. General Electric Company (*größter amer. Elektrokonzern*).
Gen. *mil.* General (*Dienstgrad*).
gen. *biol.* genera; general(ly); *biol.* genus.
genl. general.
Gent., gent. gentleman; gentlemen.
geny. generally.
geo. geometry.
Geog., geog. geographer; geographic(al); geography.
Geol., geol. geologic(al); geologist; geology.
Geom., geom. geometer; geometric(al).
Germ. German(y).
GFR German Federal Republic.
G.F.T.U. *Br.* General Federation of Trade Unions (*Gewerkschaftsdachorganisation*).
g.gr. *econ.* great gross.
GI, G.I. *mil. Am. colloq.* enlisted man; *Am.* government issue (*von der Regierung ausgegebene Ausrüstungsstücke*).
gi. *econ. Am.* gill(s).
Gib. Gibraltar.
Glam(org). Glamorganshire (*Grafschaft in Wales*).
Glas. Glasgow.
G.L.C. Greater London Council (*Stadtrat von Groß-London*).

Glos. Gloucestershire (*engl. Grafschaft*).
glt. *print.* gilt.
GM General Motors (*größter amer. Autokonzern*); *mil.* guided missile.
gm. gramme(s); gram(s).
G-man *Am.* government man (*Agent des FBI*).
G.m.a.t. Greenwich mean astronomical time.
GMT, G.M.T. Greenwich Mean Time.
gns. guineas.
G.O.M. *Br.* grand old man (*bes. für allgemein geachtete ältere Politiker gebraucht*).
GOP *Am.* Grand Old Party (*Republikanische Partei*).
Gov., gov. government; governor.
Govt., govt. government(al).
GP general purpose (*Allzweck..., Mehrzweck...*).
G.P. general practitioner (*Arzt*).
Gp, gp. group.
GPO, G.P.O. General Post Office.
gr. grade; grain(s) (*Gewicht*); gross.
grad. graduate(d).
gr.r.t. gross register(ed) tonnage (*Schiffsgrößenangabe*).
gr.wt. *econ.* gross weight.
G.S. General Secretary; *Br.* general service (*Allzweck..., Mehrzweck...*).
gs, gs. guineas (*bei Preisangaben*).
g.s. grandson.
gt. great; *mil.* gun turret; (*Lat.*) *med.* gutta.
Gt.Br(it). Great Britain.
g.t.c. *econ. Am.* good till cancel(l)ed *od.* countermanded.
gtd. guaranteed.
guar. guarantee(d); guarantor.
gym, gym. gymnasium; gymnastic(s).
gyn(a)ecol. *med.* gyn(a)ecological; gyn(a)ecology.

H

H *phys.* intensity of (the) magnetic field.
h. height; *electr.* henry; hour(s); hundred; husband.
ha. hectare(s).
h.a. (*Lat.*) hoc anno, in this year.
Hab. Corp. Habeas Corpus (Act).
h. and c. hot and cold (water).
Hants, Hants. Hampshire (*engl. Grafschaft*).
H.B.M. His *od.* Her Britannic Majesty.
H.C. House of Commons.
H.C.F., hcf, h.c.f. *math.* highest common factor.
H.C.J. *Br.* High Court of Justice.
h.c.l. *colloq. Am.* high cost of living.
hd. hand; head.
hdbk. handbook.
H.E. high explosive; His Excellency.
hectol. hectoliter *od.* hectolitre.
Heref. Herefordshire (*engl. Grafschaft*).
Herts. Hertfordshire (*engl. Grafschaft*).
hf *electr.* high frequency; half.
hf cf, hfcf., hf.cf. (*Buchbinderei*) half-calf.
hf cl, hfcl., hf.cl. (*Buchbinderei*) half--cloth.
hhd, hhd. hogshead.
H.I. Hawaiian Islands.
Hi(-)Fi high fidelity.
H.L. House of Lords.
hl, hl., h.l. hectoliter *od.* hectolitre.
H.M. His *od.* Her Majesty('s).
H.M.S. His *od.* Her Majesty's Service *od.* Ship *od.* Steamer.
H.M.S.O. His *od.* Her Majesty's Stationery Office (*brit. Staatsdruckerei*).
H.O. Head Office; Home Office.
Hon. Honorary (*im Titel*).
hon. honorary; hono(u)rable; hono(u)rably.
hosp. hospital.
H.P. horsepower; Houses of Parliament.
h.p. half-pay; *electr.* high power; high pressure; hire purchase; *phys.* horsepower.
HQ, H.Q., Hq., hq, h.q. headquarters.
H.R. Home Rule(r); *Am.* House of Representatives.
hr, hr. hour(s).
H.R.H. His *od.* Her Royal Highness.
hrs, hrs. hours.
ht. heat; height.
h.t. *electr.* high tension.
Hts. Heights.
Hung. Hungarian; Hungary.
Hunts. Huntingdonshire (*engl. Grafschaft*).
hyp. *math.* hypotenuse; hypothesis.
hypo *med. colloq.* hypodermic injection *od.* syringe; *chem. phot.* hyposulphite of soda.

I

I. island(s); isle(s).
Ia, Ia. Iowa (*Staat der USA, inoffizielle Abkürzung*).
IAAF, I.A.A.F. International Amateur Athletic Federation.
IAS *aer.* indicated air speed.
IATA, I.A.T.A. International Air Transport Association.
i.a.w. in accordance with.
ib. (*Lat.*) ibidem.
I.B. *econ.* invoice book.
ibid. (*Lat.*) ibidem.
IBRD International Bank for Reconstruction and Development.
I.C. *psych.* inferiority complex.
i/c, i/c. in charge of.
ICAO, I.C.A.O. International Civil Aviation Organization.
ICBM *mil.* intercontinental ballistic missile.
ICC International Chamber of Commerce; International Computation Centre.
Icel. Iceland(ic).
ICFTU, I.C.F.T.U. International Confederation of Free Trade Unions.
ICI Imperial Chemical Industries (*größter brit. Chemiekonzern*).
ICJ International Court of Justice (*im Haag*).
ICPC International Criminal Police Commission.
ICRC International Committee of the Red Cross.
i.c.w. in connection with.
I.D. identification, *z. B.* I.D. Card; *tech.* inside diameter; Intelligence Department.
Id. Idaho (*Staat der USA, inoffizielle Abkürzung*).
id. (*Lat.*) idem.
Ida. Idaho (*Staat der USA, inoffizielle Abkürzung*).
i.e. (*Lat.*) id est, that is.
IF, I.F., i.f., i-f *electr. phys.* intermediate frequency.
IFC International Finance Corporation.
IFF (*Radar*) identification, friend or foe.
IFT International Federation of Translators.
ign. *tech.* ignition; (*Lat.*) ignotus, unknown.
IGY International Geophysical Year.
IHP, I.H.P., ihp, i.h.p. *tech.* indicated horsepower.
ILA International Law Association.
Ill. Illinois (*Staat der USA*).
ill., illus(t). illustrated; illustration.
ILO, I.L.O. International Labo(u)r Office *od.* Organization.
i.l.o. in lieu of.
ILRM International League for Rights of Man.
ILS *aer.* instrument landing system.
IMC International Maritime Committee.
IMF, I.M.F. International Monetary Fund.
imit. imitation; imitative(ly).
imp. impersonal; import(ed).
impers. impersonal.
impt. important.
in. inch(es).
Inc. *econ. jur. Am.* incorporated.
inc(l). inclosure; included; inclusive.
incog. incognito.
INCOTERMS, Incoterms International Commercial Terms.
incr. increased; increasing.
Ind. Indiana (*Staat der USA*).
ind. independent; index; indicated; *ling.* indicative; indigo; indirect(ly); industrial.
individ. individual.
induc. *phys.* induction.
in.-lb. *phys.* inch pound.
inorg. inorganic.
INP International News Photo.
inst. instant, in the present month; institute; institution; instrumental.
int. intelligence; *econ.* interest; interim; interior; internal; international.
int. al. (*Lat.*) inter alia, among other things.
Intercom(n). intercommunication.
INTERPOL, Interpol International Criminal Police Organization.
in trans. (*Lat.*) in transitu, in transit.
introd. introduced; introducing; introduction; introductory.
Inv. Inverness (*schott. Grafschaft*).
inv. *econ.* invoice.
invt. inventory.
I.O.C. International Olympic Committee.
I. of M. Isle of Man.
I. of W. Isle of Wight.
IOOF, I.O.O.F. Independent Order of Odd Fellows (*Erziehungs- u. Wohltätigkeitsgesellschaft*).
IOU, I.O.U. I owe you Schuldschein.
IPA International Phonetic Alphabet *od.* Association.
IQ, I.Q. *ped. psych.* intelligence quotient.
i.q. (*Lat.*) idem quod, the same as.
I.R. Inland Revenue.
Ir. Ireland; Irish.
IRBM *mil.* intermediate range ballistic missile.
IRC(C), I.R.C.(C.) International Red Cross Committee.
IRO, I.R.O. Inland Revenue Office; International Refugee Organization (*Internationale Flüchtlings-Organisation*).
iron. ironic(ally).
irreg. irregular(ly).
is. island(s); isle.
ISD international subscriber dial(l)ing (*zwischenstaatlicher Selbstwählfernverkehr*).
Isl(s)., isl(s). island(s).
ISO, I.S.O. International Standards Organization.
It. Italian; Italy.
ITA, I.T.A. *Br.* Independent Television Authority (*unabhängiges, kommerzielles Fernsehen*).
ital. *print.* italic.
itin. itinerary.
ITO, I.T.O. International Trade Organization (*UN*).
ITU, I.T.U. International Telecommunication Union (*UN*).
ITV independent television.
IU, I.U. *biol. med.* international unit(s) (*Maßeinheit für Menge u. Wirkung von Vitaminen etc*).
IUS, I.U.S. International Union of Students.
IUSY, I.U.S.Y. International Union of Socialist Youth.
IVS(P), I.V.S.(P.) International Voluntary Service (for Peace).
IWW, I.W.W. *Am.* Industrial Workers of the World (*Gewerkschaft*).
IYHF International Youth Hostel Federation.

J

J. *electr.* joule; Journal; Judge; Justice.
JA, J.A. *mil.* Judge Advocate (*Rechtsoffizier, keine dt. Entsprechung*).
J/A, j/a *econ.* joint account.
Jan, Jan. January.
JATO, jato *aer.* jet-assisted take-off (*Start mit Düsenantrieb*).
J.C. Jesus Christ; Julius Caesar; jurisconsult.
J.C.D. (*Lat.*) Juris Canonici Doctor, Doctor of Canon Law; (*Lat.*) Juris Civilis Doctor, Doctor of Civil Law.
jct(n). junction.
J.D. Juris Doctor, Doctor of Law *od.* Jurisprudence.
JIB Joint Intelligence Bureau (*Leitstelle für die engl. Geheimdienste*).
JND just noticeable difference.
jour. journal; journeyman.
J.P. Justice of the Peace.
Jr., jr. junior.
jt. joint.
J.U.D. (*Lat.*) Juris Utriusque Doctor, Doctor of Civil and Canon Law.
Jul. Jules; Julian; Julius; July.
Jun. June; junior.
Junc., junc. junction.
junr. junior.
juv. juvenile.
jwlr. jewel(l)er.
Jy. *Am.* July.

K

K. *phys.* Kelvin; *Am.* kilogram.
k kilo-
k. *electr.* capacity; *min.* karat, carat; kilogram(me); *mar.* knot.
ka. *phys.* kathode, cathode.
Kan(s). Kansas (*Staat der USA*).
K.B. *jur. Br.* King's Bench; *Br.* Knight of the Bath (*hoher Ehrentitel*).
K.C. King's Counsel.
kc, kc. *electr. phys.* kilocycle(s).
kcal. kilocalorie.
K.C.B. Knight Commander (of the Order) of the Bath (*hoher brit. Orden*).

K.D. *econ. Am.* knocked down.
K.E. *phys.* kinetic energy.
Ker. Kerry (*Grafschaft in Irland*).
K.G. Knight of the Garter.
kg *econ.* keg(s); kilogram(me); kilogram(me)s.
kg. kilogram(me); kilogram(me)s.
KIA *mil.* killed in action gefallen.
Kild. Kildare (*Grafschaft in Irland*).
Kilk. Kilkenny (*Grafschaft in Irland*).
Kin. Kinross (*schott. Grafschaft*).
Kinc. Kincardine (*schott. Grafschaft*).
Kirk. Kirkcudbright (*schott. Grafschaft*).
KKK, K.K.K. Ku Klux Klan.
Kl., kl, kl. kiloliter *od.* kilolitre.
km, km. kilometer(s) *od.* kilometre(s).
kn *mar.* knot(s).
Knt, Knt., knt. Knight.
KO, K.O., k.o. (*Boxsport*) knock(ed) out.
kr (*Währung*) krone.
kt. *min.* karat, carat; kiloton; *mar.* knot.
kts *mar.* knots.
kv, kv. *electr.* kilovolt.
Kv-a., kv.-a. *electr.* kilovolt ampere.
K.W.H., kw-h, kw-hr, kw.-hr. *electr.* kilowatt-hour.
Ky, Ky. Kentucky (*Staat der USA*).

L

L Latin; *Br.* learner (*am Kraftfahrzeug*).
L. Lady; lake; Lord.
£ (*Lat.*) libra(e), pound(s) sterling.
l liter *od.* litre.
l. *geogr.* latitude; left; length; libra(e), pound(s); line; link (*Maßeinheit*); liter(s) *od.* litre(s).
£A (*Währung*) Australian pound(s).
La, La. Louisiana (*Staat der USA*).
Lab. *Br.* Labour (Party); Labourite.
lab, lab. *colloq.* laboratory.
L.Adv. *jur.* Lord Advocate (*in Schottland*).
Lancs. Lancashire (*engl. Grafschaft*).
lang. language(s).
Laser, laser *phys.* light amplification by stimulated emission of radiation Lichtverstärkung durch angeregte Emissi'on von Strahlung → Maser.
LASH lighter aboard ship (*Transport von genormten Leichtern per Mutterschiff*).
Lat. Latin; *geogr.* latitude.
lb., ℔. (*Lat.*) libra(e) (*Gewicht*).
lbs. pounds (*Gewicht*).
L/C *econ.* letter of credit.
l.c. (*Theater*) left center *od.* centre; *econ.* letter of credit; (*Lat.*) loco citato; (*Lat.*) locus citatus, the passage (last) quoted.
l.c.d. *math.* lowest common denominator.
L.C.M., l.c.m. *math.* least *od.* lowest common multiple.
LCT, L.C.T. local civil time.
L.D. *Am.* Lit(t)erarum Doctor, Doctor of Letters *od.* Literature.
Ld, Ld. limited; Lord.
Ldp. Lordship.
L.D.S. *relig.* Latter Day Saints.
L.E. *Br.* Labour Exchange.
L.E.A. *Br.* Local Education Authority.
lea. league; leather.
lect. lecture(r).
leg. legal; legate; legislative; legislature.
legis(l). legislation; legislative; legislature.
Leics. Leicestershire (*engl. Grafschaft*).
Leit. Leitrim (*Grafschaft in Irland*).
l.f. *electr. phys.* low frequency.
lg(e). large.
L.H. left hand; Legion of Hono(u)r.
li *Am.* link (*Maßeinheit*).
lib. (*Lat.*) liber; librarian; library.
Lieut. *mil.* Lieutenant (*Dienstgrad*).
L.I.F.O. *econ.* last in first out.
L.I.L.O. *econ.* last in last out.
Lim. County Limerick (*Grafschaft in Irland*).
lin. lineal; linear.
Lincs. Lincolnshire (*engl. Grafschaft*).
ling. linguistics.
liq. liquid; liquor.
lit. liter *od.* litre; literal(ly); literary; literature.
Lit.B. (*Lat.*) Lit(t)erarum Baccalaureus, Bachelor of Letters *od.* Literature.
Lit.D. (*Lat.*) Lit(t)erarum Doctor, Doctor of Letters *od.* Literature.
lith(o). lithograph(y).
L.J. *Br.* Lord Justice.
L.JJ. *Br.* Lords Justices.
ll. lines; (*Lat.*) loco laudato, in the place cited.
l.l. *econ.* limited liability.
LL.B., Ll.B. (*Lat.*) Legum Baccalaureus, Bachelor of Laws.
LL.D., Ll.D. (*Lat.*) Legum Doctor, Doctor of Laws.
LL.M., Ll.M. (*Lat.*) Legum Magister, Master of Laws.
LMT local mean time mittlere Ortszeit.
L.M.T. *phys.* length, mass, time.
Lnrk. Lanark (*schott. Grafschaft*).
loc. cit. (*Lat.*) loco citato.
locn. location.
LOG *mil.* logistics.
log. *math.* logarithm; logic(al).
Lon., lon. *geogr.* longitude.
Lond. London; Londonderry (*Grafschaft in Nordirland*).
Long., long. *geogr.* longitude.
loq. (*Lat.*) loquitur.
LP long-playing (record) ($33^1/_3$ *Umdrehungen pro Minute*).
L.P. *Br.* Labour Party.
l.p. *phys. tech.* low pressure.
LPG *tech.* liquefied petroleum gas.
LR long range.
L.S. left side; letter signed.
l.s. left side; (*Lat.*) locus sigilli.
LSD lysergic acid dietylamide (*Lysergsäurediäthylamid; Halluzinogen*).
L.s.d., £.s.d. (*Lat.*) librae, solidi, denarii, pounds, shillings, pence.
L.S.S. *Am.* Lifesaving Service.
L.S.U. Labo(u)r Service Unit.
LT local time; *electr.* low tension.
L.T. lawn tennis.
Lt. Lieutenant (*Dienstgrad*).
lt. *adj* light.
l.t. *econ.* long ton (*Maßeinheit*).
Ltd., ltd. *econ. bes. Br.* limited.
L.T.L., l.t.l. *econ. Am.* less-than-truck-load.
Luth. *relig.* Lutheran.
lv. *Am.* leave(s); *Am.* livre(s).
L.W. *electr.* long wave.
L.W.M., l.w.m. *mar.* low water mark.
LWOP *mil.* leave without pay.
LZ *mil.* landing zone.

M

M *aer. phys.* Mach number; *Am.* for mature young audiences (*bei Filmen*).
M. (*Lat.*) Magister, Master; *phys.* mass; member; moment; (*Fr.*) Monsieur.
M'- Mac.
m meter(s) *od.* metre(s); minim.
m. male; (*Währung*) mark; married; masculine; meridian; (*Lat.*) meridies, noon; meter(s) *od.* metre(s); mile(s); mill; million(s); minim; minute(s); month; moon; morning.
m- *chem.* meta-
M.A. (*Lat.*) Magister Artium, Master of Arts; mental age; Military Academy.
mA, ma, ma. *electr.* milliampere.
MACH, mach. machine(ry); machinist.
mag. magazine; magnetic; magnetism.
MAINT, maint. maintenance.
Maj. *mil.* Major (*Dienstgrad*).
Man. Manchester; Manitoba.
man. manual; manufactory; manufacture(d); manufacturer; manufacturing.
Mar, Mar. March.
mar. maritime; married.
Maser, maser *phys.* microwave amplification by stimulated emission of radiation Mikrowellenverstärkung durch angeregte Emissi'on von Strahlung → Laser.
Mass, Mass. Massachusetts (*Staat der USA*).
Math., math. mathematical; mathematician; mathematics.
max. maximum.
mb (*Meteorologie*) millibar.
M.B.A. *Am.* Master in *od.* of Business Administration.
MBS *Am.* Mutual Broadcasting System.
M.C. Master of Ceremonies; *Am.* Member of Congress; Member of Council.
Mc- Mac.
mc, mc. *electr.* megacycle(s); *phys.* millicuries; motorcycle.
M.C.C. *Br.* Marylebone Cricket Club (*ein Londoner Club, gleichzeitig Überwachungsorganisation für den gesamten brit. Kricketsport*); Middlesex County Council.
M.D. *mar. mil.* Medical Department; (*Lat.*) Medicinae Doctor, Doctor of Medicine.
Md, Md. Maryland (*Staat der USA*).
m.d., m/d *econ.* months' date Monate nach heute.
Mddx. Middlesex (*engl. Grafschaft*).
M.D.S. Master of *od.* in Dental Surgery.
mdse. merchandise.
M.E. Mechanical Engineer.
Me. Maine (*Staat der USA*).
meas. measurable; measure.
Mech(an), mech. mechanic(al); mechanics.
M.Ed. Master of Education.
med. medical; medicine; medieval; medium.
meg. *electr.* megacycle.
mem. member; memoir; memorial.
MEMO, memo, memo. memorandum.
mer. meridian; meridional.
Meri. Merionethshire (*Grafschaft in Wales*).
met meteorological; meteorologist; meteorology.
metaph. metaphor; metaphorical(ly).
meteor(ol), meteor(ol). meteorological; meteorology.
meth. *chem.* methylated.
METO Middle East Treaty Organization.
Mev, Mev., mev, m.e.v. *electr.* million electron volts.
mf, mf. *electr.* microfarad; *electr.* millifarad.
mfd. manufactured; *electr.* microfarad.
mfg. manufacturing.
M.F.N. *econ.* most favo(u)red nation.
mfr. manufacture(r).
MG *mil.* machine gun; Military Government.
mg milligram(s) *od.* milligramme(s).
mg. milligram(s) *od.* milligramme(s); morning.
M.G.M. Metro-Goldwyn-Mayer (*Filmgesellschaft*).
Mgr, Mgr., mgr. manager; Monseigneur; Monsignor.
MH *mil. Am.* Medal of Honor.
mh. *electr. phys.* millihenry.
M.Hon. *Br.* Most Honourable.
mi. mile(s); mill(s).
MIA *mil.* missing in action vermißt.
Mich. Michigan (*Staat der USA*).
micros. microscope; microscopical; microscopist; microscopy.
Mid. Midland.
mid. middle.
MIDAS, Midas *mil.* Missile Defence (*od.* Defense) Alarm System.
Middlx. Middlesex (*engl. Grafschaft*).
Mid.L. Midlothian (*schott. Grafschaft*).
MIL, mil, mil. military; militia.
mill. million.
Min. mineralogy; Minister; Ministry.
min. minim; minimum; minor; minute(s).
Minn. Minnesota (*Staat der USA*).
misc. miscellaneous; miscellany.
Miss. Mississippi (*Staat der USA*).
mk(s), mk(s). (*Währung*) mark.
MKS, mks, m.k.s. meter- *od.* metre--kilogram(me)-second (system).
mkt. market.
ml. *Am.* mail; milliliter(s) *od.* millilitre(s).
MLA Modern Language(s) Association.
MLD, M.L.D., m.l.d. *med.* minimum lethal dose.
mm, mm. millimeter(s) *od.* millimetre(s).
m.m.f. *phys.* magnetomotive force.
M.O. *econ.* mail order; *econ.* money order.
Mo. Missouri (*Staat der USA*); Monday.
mo. month(s).
Mod., mod. moderate; modern.
mol.wt. *phys.* molecular weight.
Mon. Monaghan (*Grafschaft in Nordirland*); Monday; Monmouthire (*Grafschaft in Westengland*); Monsignor.
mon. monastery; monetary.
Mons. Monmouthshire (*Grafschaft in Westengland*); (*Fr.*) Monsieur.
Mont. Montana (*Staat der USA*).
Mont(gom). Montgomeryshire (*Grafschaft in Wales*).
morph(ol). morphological; morphology.
mos. months.
mot. motor(ized).
MOUSE minimum orbital unmanned satellite of the earth (*unbemannter künstlicher Erdsatellit*).
M.P. *Br.* Member of Parliament; Military Police(man).
m.p. *phys.* melting point.
M.P.C. Member of Parliament, Canada.
mph, m.p.h. miles per hour.

M.P.O. *Br.* Metropolitan Police Office (Scotland Yard).
Mr, Mr. Mister.
Mrs, Mrs. Mistress.
M.S. manuscript; Master of Science.
M/S *econ.* months after sight; motorship.
MSA Mutual Security Agency (*amer. Verwaltung für gegenseitige Sicherheit, Washington*).
msc. miscellaneous; miscellany.
msec. millisecond.
M.S.L., m.s.l. mean sea level.
MSS, MSS., Mss., mss, mss. manuscripts.
MST *Am.* Mountain Standard Time.
Mt, Mt., mt. mount(ain).
mt. megaton.
m.t. *tech.* metric ton; *Am.* mountain time.
mtg. meeting; *econ.* mortgage.
Mt.Rev. Most Reverend.
Mts., mts. mountains.
mun. municipal.
Mus., mus. museum; music(al); musician.
mut. mutilated; mutual.
M.v., mv. *mar.* merchant vessel.
MVA Missouri Valley Authority.
My *Am.* May.
M.Y.O.B. *colloq.* mind your own business.
myth(ol). mythological; mythology.

N

N. Nationalist; Navy; north; northern.
N- nuclear.
n. name(d); neuter; noon; north(ern); note; noun; number.
N.A. *Am.* National Academician *od.* Academy; North America(n).
n.a., n/a *econ.* no account.
NAACP, N.A.A.C.P. *Am.* National Association for the Advancement of Colored People.
NAAFI, N.A.A.F.I., Naafi *Br.* Navy, Army, and Air Force Institutes (*Marketenderei- u. Truppenbetreuungsinstitution*).
N.A.D. *med.* nothing abnormal discovered ohne Befund.
NALLA National Long Lines Agency Auslandsfernamt für Fernverbindungen (*innerhalb Europas*).
NASA, N.A.S.A. *Am.* National Aeronautics and Space Administration.
nat. national; native; natural(ist).
natl. national.
NATO, N.A.T.O. North Atlantic Treaty Organization.
Nat. Sc. D. *Am.* Doctor of Natural Science.
Naut., naut. nautical.
nav. naval; navigating; navigation.
navig. navigation.
NB (*Lat.*) nota bene.
N.B. New Brunswick (*kanad. Provinz*).
NBC *Am.* National Broadcasting Company.
NBS *Am.* National Bureau of Standards.
N.C. North Carolina (*Staat der USA*).
N.C.B. *Br.* National Coal Board.
NCO, N.C.O., n.c.o. *mil.* Noncommissioned Officer.
N.D. no date ohne Jahr (*in Büchern*); North Dakota (*Staat der USA*); *econ.* not dated.
n.d. no date ohne Jahr (*in Büchern*); *econ.* not dated.
N.Dak. North Dakota (*Staat der USA*).
N.E. New England; northeast(ern).
N./E. *econ.* no effects.
Neb(r). Nebraska (*Staat der USA*).
n.e.c. not elsewhere classified.
neg. negation; negative(ly).
n.e.i. (*Lat.*) non est inventus, it has not been found *od.* discovered; not elsewhere indicated.
nem. con. (*Lat.*) nemine contradicente, nobody contradicting *od.* opposing, unanimously.
nem. dis(s). (*Lat.*) nemine dissentiente, nobody dissenting *od.* disagreeing, unanimously.
n.e.s. not elsewhere specified.
neut. *ling.* neuter; neutral.
Nev, Nev. Nevada (*Staat der USA*).
New M. New Mexico (*Staat der USA*).
N/F, n.f., n/f. *econ.* no funds.
Nfd(l). Newfoundland.
NG *Am.* National Guard.
n.g. *colloq.* no good.
N.H. New Hampshire (*Staat der USA*).
N.H.I. *Br.* National Health Insurance.
n.h.p. *phys.* nominal horsepower.
N.H.S. *Br.* National Health Service.
N.I. Naval Intelligence; Northern Ireland.
N.J. New Jersey (*Staat der USA*).
n.l. (*Lat.*) non licet, it is not permitted.
N.Lab. *Br.* National Labour (Party).
N.M. New Mexico (*Staat der USA*).
n.m. *mar.* nautical mile(s).
N.Mex. New Mexico (*Staat der USA*).
No. north(ern); (by) number; numero.
No *Br.* (by) number; *bes. Br.* numero.
n.o.i.b.n. not otherwise indexed by name.
nol. pros. (*Lat.*) *jur.* nolle prosequi.
Noncon. Nonconformist.
non obst. (*Lat.*) non obstante, notwithstanding.
non pros. (*Lat.*) *jur.* non prosequitur.
non seq. (*Lat.*) non sequitur.
n.o.p. not otherwise provided for.
Norf. Norfolk (*engl. Grafschaft*).
norm. normal(ize); normalizing.
Northants. Northamptonshire (*engl. Grafschaft*).
Northum(b). Northumberland (*engl. Grafschaft*).
Norw. Norway; *ling.* Norwegian.
Nos., nos. *Am.* numbers.
Nos *Br.* numbers.
n.o.s. not otherwise specified.
Notts, Notts. Nottinghamshire (*engl. Grafschaft*).
Nov, Nov. November.
N.P. *jur.* nisi prius, unless before; *econ.* no protest; Notary Public.
n.p. *print.* new paragraph; no paging; no place ohne Erscheinungsort (*in Büchern*).
n.p. or d. no place or date ohne Erscheinungsort od. Jahr (*in Büchern*).
N.R. North Riding (*Verwaltungsbezirk der engl. Grafschaft Yorkshire*).
Nr., nr, nr. near.
NRA, N.R.A. *Am.* National Recovery Administration.
N.R.F. *Br.* National Relief Fund.
N.S. National Society; Nova Scotia.
N/S, n/s *econ.* not sufficient (funds) ohne ausreichende Deckung.
n.s. not specified; not sufficient.
NSC *Am.* National Security Council.
N.S.P.C.A. National Society for the Prevention of Cruelty to Animals.
n.s.p.f. not specifically provided for.
N.S.W. New South Wales.
N.T. *Bibl.* New Testament; *print.* new translation; Northern Territory (*Australien*).
nt.wt. *econ.* net weight.
n.u. name unknown.
N.U.M. *Br.* National Union of Mineworkers (*Gewerkschaft*).
num. number; numeral(s).
numis(m). numismatic(s).
N.W. North Wales; northwest(erly); northwestern.
N.W.T. Northwestern Territories (*Kanada*).
N.Y. New York (*Staat der USA*).
N.Y.C. New York Central *od.* City.
n.y.d. not yet diagnosed.
n.y.p. not yet published.
NZ., N.Z(eal). New Zealand.

O

O. Ohio (*Staat der USA*); order.
o *electr.* ohm.
o. (*Lat.*) (*Pharmazie*) octarius, pint; octavo.
o- *chem.* ortho-
o.a., o/a *econ.* on account (of).
O.A.P. *Br.* Old Age Pension(s).
OAS Organization of American States.
O.B. *Br.* outside broadcast ˈAußenüberˌtragung, Reporˈtage.
ob. (*Lat.*) obiit, (he *od.* she) died.
O.B.E. Officer of the (Order of the) British Empire.
obj(ect). object(ion); objective.
obl. oblique; oblong.
Obs., obs. observation; observatory.
obv. obverse.
Oc., oc. ocean.
o/c *econ.* overcharge.
o'c. o'clock.
occ(as). occasional(ly).
occn. occasion.
Oct, Oct. October.
oct. octavo.
O.D. *Am.* Officer of the Day; *mil. Am.* olive drab; outside diameter; *econ.* overdrawn.
O/D *econ.* on demand; *econ.* overdraft.
O.E. *ling.* Old English; omissions excepted.
OECD, O.E.C.D. Organization for Economic Co-operation and Development.
off. offered; office(r); official.
offic. official.
Offr. Officer.
O.G. Olympian *od.* Olympic Games.
O.H. on hand.
O.H.M.S. On His *od.* Her Majesty's Service (*Dienstsache*).
Okla. Oklahoma (*Staat der USA*).
ol. (*Lat.*) oleum, oil.
O.M. *Br.* Order of Merit.
ONA, O.N.A. Overseas News Agency (*ein amer. Pressedienst*).
o.n.o. or near offer V.ˈB., Verhandlungsbasis.
O.N.S. Overseas News Service (*ein englischer Pressedienst*).
Ont. Ontario.
O.P. *econ.* open policy.
o.p. (*Theater*) opposite prompt (side); out of print; overproof (*Alkohol*).
OPA, O.P.A. *Am.* Office of Price Administration.
op. cit. (*Lat.*) opere citato; (*Lat.*) opus citatum, the work quoted.
opp. (as) opposed (to); opposes; opposite (to).
Ops, ops operations.
opt. optative; optical; optician; optics.
OR official records.
o.r. *econ.* owner's risk.
orch. orchestra(l).
ord. ordained; order; ordinal; ordinance; ordinary.
Ore(g). Oregon (*Staat der USA*).
organ. organ(ic); organism; organization.
orig. origin; original(ly).
Ork. Orkney (Islands) (*schott. Grafschaft*).
ors. others.
Orse, orse *jur. Br.* otherwise.
orth. orthodox; *med.* orthop(a)edic.
o/s. *econ.* out of stock; outstanding.
OT, OT., O.T. occupational therapy; *Bibl.* Old Testament; overtime.
OTS, O.T.S. *mil.* Officers' Training School.
O.U. Oxford University.
O.U.P. Oxford University Press.
Oxon. Oxfordshire (*engl. Grafschaft*).
oz, oz. ounce(s).
ozs. ounces.

P

P. (car)park; pedestrian; *phys.* pressure.
p. page; part; *ling.* participle; past; pence; penny; per; perch (*Maßeinheit*); (*Währung*) peseta; (*Währung*) peso; pint; pole (*Maßeinheit*); (*Lat.*) post, after; power.
p- *chem.* para-
PA *Am.* public address (system).
P.A. *jur.* power of attorney; press agent; Press Association; *econ.* private account; *Am.* purchasing agent.
Pa, Pa. Pennsylvania (*Staat der USA*).
p.a. per annum; *Am.* press agent.
PAA, P.A.A. Pan-American Airways.
PAC *Am.* Political Action Committee.
P.A.C. *Br.* Public Assistance Committee.
Pac(if). Pacific (Ocean).
pal. pal(a)eographical; pal(a)eography; pal(a)eontological; pal(a)eontology.
P. and L. *econ. Am.* profit and loss.
PAR *aer.* precision approach radar Präziˈsions-Anflug-Radargerät.
par. paragraph; parallel; parenthesis.
parens. parentheses.
Parl., parl. Parliament(ary).
pars. paragraphs.
part. *ling.* participle; particular.
pass. *Am.* passenger; *ling.* passive.
pat. patent(ed); *Am.* pattern.
path(ol). pathological; pathology.
PAU, P.A.U. Pan American Union.
P.A.Y.E. pay as you earn; pay as you enter.
paym't, payt. payment.
PBX, P.B.X. *Am.* private branch (telephone) exchange (*Nebenstellenzentrale*).
P.C. *Br.* Police Constable; postcard; *Br.* Privy Council(lor).
P/C *econ.* petty cash; *econ.* price(s) current.
pc. *Am.* piece; *Am.* price(s).
p.c. per cent; *econ.* price(s) current.
pcl. parcel.
pcs. pieces.
pct. percent.

P.D. *Am.* per diem; Police Department; *electr.* potential difference.
pd, pd. paid.
p.d. *Am.* per diem.
P.D.Q. *sl.* pretty damn quick.
P.E. (*Statistik*) probable error.
p.e. *jur. Br.* personal estate.
PEC photoelectric cell.
Peeb. Peebles(shire) (*schott. Grafschaft*).
P.E.I. Prince Edward Island.
Pemb. Pembrokeshire (*Grafschaft in Wales*).
P.E.N. (International Association of) Poets, Playwrights, Editors, Essayists and Novelists.
Pen(in)., pen(in). peninsula.
Penn(a). Pennsylvania (*Staat der USA*).
per. period; person.
per an(n). per annum.
perf. perfect; performance; perforated.
perh. perhaps.
perm. permanent.
per pro(c). (*Lat.*) per procurationem, by proxy.
pers. person; personal(ly); persons.
pert. pertaining.
PF power factor.
PFC, Pfc, Pfc., p.f.c. *mil. Am.* Private first class (*Dienstgrad*).
pfd. *econ.* preferred (*bei Aktien*).
P.G. paying guest; postgraduate.
pg. page.
PH Public Health; *mil. Am.* Purple Heart.
ph. phase.
PHA *Am.* Public Housing Authority.
Phar(m)., phar(m). pharmaceutical; pharmacist; pharmacology; pharmacopoeia; pharmacy.
Ph.B. (*Lat.*) Philosophiae Baccalaureus, Bachelor of Philosophy.
Ph.D. (*Lat.*) Philosophiae Doctor, Doctor of Philosophy.
phil. philology; philosophical; philosophy.
Phila. Philadelphia.
philol. philological; philology.
philos. philosopher; philosophical.
phon(et). phonetic(s).
phot. photograph(er); photographic; photography.
phr. phrase.
PHS, P.H.S. Public Health Service.
phys. physical; physician; physics; physiological; physiology.
P.J. Presiding *od.* Probate Judge.
P. J.'s *Am. sl.* pajamas.
P.K. *psych.* psycho-kinesis Psychoki'nese (*seelisch verursachte physische Bewegung*).
pk. pack; park (*Parkanlage*); peak; peck (*Maßeinheit*).
pkg(s). package(s).
P./L. *econ.* profit and loss.
pl. place; plate (*Buchillustration*).
plat. plateau; *mil.* platoon.
plf(f) *jur.* plaintiff.
pl.n., pl.-n. place name.
P.M. Paymaster; Police Magistrate; Postmaster; post-mortem (examination); *Br.* Prime Minister.
pm. *econ.* premium.
p.m. post meridiem; post-mortem.
p.m.h. *econ.* production per man-hour.
pmk, pmk. postmark.
P/N, p.n. *econ.* promissory note.
P.O. postal order; Post Office.
P.O.B. Post Office Box.
P.O.D. *econ.* pay on delivery; Post Office Department.
POE *Am.* port of embarkation.
poet. poetic(al); poetry.
pol(it). political(ly); politician; politics.
Pol.Econ., pol. econ. political economy.
P.O.O., p.o.o. post office order.
P.O.P. *phot.* printing-out paper.
pop. popular(ity); popularly; population.
p.o.r. *econ.* pay on return.
Port. Portugal; Portuguese.
pos. position; positive; *ling.* possessive.
P.O.S.B. *Br.* Post Office Savings Bank.
poss. possession; possible; possibly.
pot. potential.
POW, P.O.W. prisoner of war.
p.p. parcel post; parish priest; (*Lat.*) per procurationem, by proxy; postpaid.
P.P.C. p.p.c. (*Fr.*) pour prendre congé, to take leave.
ppd. *Am.* postpaid; *Am.* prepaid.
ppm, ppm., p.p.m. part(s) per million.
p.p.s. (*Lat.*) post postscriptum, further postscript.
p.q. previous question.
P.R. proportional representation; public relations; Puerto Rico.
pr. pair(s); paper; *ling.* present; price; printed; printer; printing.
prec. preceded; preceding; precentor.
pred. *ling.* predicate; *ling.* predicative(ly).
Pref., pref. preface; *econ.* preference (stock); *econ.* preferred (stock); *ling.* prefix.
prelim. preliminary.
prem. premium.
prep. preparation; preparatory; prepare.
Pres. President.
pres. present; presidency.
Presb. Presbyter(ian).
prev. previous(ly).
Prim., prim. primary; primate; primitive.
Prin., prin. principal(ly); principle.
print. printer; printing.
priv. *adj.* private; *ling.* privative.
Pr.Min. *Br.* Prime Minister.
PRO, P.R.O. Public Relations Officer.
pro. professional.
prob. probable; probably; problem.
proc. proceedings; procedure; process.
prod. produce(d); product.
Prof., prof. Pofessor.
prohib. prohibit(ion).
Prom. promenade; *geogr.* promontory.
pron. pronounce(d); pronunciation.
PROP, prop *aer.* propeller.
prop. properly; property; proposition.
propr. proprietary; proprietor.
Prot. Protestant.
prov. proverb; proverbial(ly); province; provincial; provisional; provost.
prox. (*Lat.*) proximo, next month.
prs. pairs.
P.S. passenger steamer; postscipt(um); Public School.
ps. (*Währung*) pesetas; pieces.
pseud(on). pseudonym; pseudonymous(ly).
psf, p.s.f. *tech.* pounds per square foot.
psi, p.s.i. *tech.* pounds per square inch.
P.SS., p.ss. postscripts.
PST, P.S.T., P.s.t. *Am.* Pacific Standard Time.
Psych(ol). psychology.
psych. psychic(al); psychological(ly).
P.T. *Am.* Pacific Time; physical training.
pt. part; payment; pint(s); point; port.
P.T.A. *Am.* Parent-Teacher Association.
pta. (*Währung*) peseta.
PTBL, ptbl portable.
Pte, Pte. *mil.* Private (*Dienstgrad*).
P.T.O., p.t.o. please turn over.
pts. parts; payments; pints; points; ports.
pty. party; *econ.* proprietary.
pub. public(ation); *Br. colloq.* public house; publish(ed); publisher; publishing.
Pvt. *mil.* Private (*Dienstgrad*).
PW, P.W. prisoner of war.
PWA, P.W.A. *Am.* Public Works Administration.
pwt. pennyweight.
PX *mil. Am.* Post Exchange (*Marketenderei u. Verkaufsläden der amer. Streitkräfte*).

Q

Q. *electr.* coulomb; quarto; Quebec; Queen.
q. quart; quarter(ly); quarts; quasi; query; question; quintal; quire.
Q.B. *jur. Br.* Queen's Bench.
Q.C. *jur. Br.* Queen's Counsel.
q.e. (*Lat.*) quod est, which is.
Q.E.D., q.e.d. (*Lat.*) quod erat demonstrandum, which was to be proved.
q.i.d. (*Lat.*) *med.* quater in die, four times a day.
Qld., Q'l'd Queensland.
q.p(l). (*Lat.*) *med.* quantum placet, as much as is desired.
qr. (*Lat.*) (*Währung*) quadrans, farthing; quarter; *print.* (*u. Buchbinderei*) quire.
q.s. (*Lat.*) *med.* quantum sufficit, as much as suffices.
qt. quantity; quart(s).
q.t. *sl.* quiet, *in* on the q.t. heimlich, verstohlen.
qto. quarto.
qts. quarts.
qty. quantity.
qu. quart; quarter(ly); query; question.
quad. quadrangle; quadrant; quadruple.
quar(t). quarter(ly).
Que. Quebec.
quot. quotation; quoted.
Qy., qy, qy. query.

R

R radical; radius; *math.* ratio; *electr.* (unit of) resistance, ohm; *Am.* persons under 16 not admitted unless accompanied by parent or adult guardian (*bei Filmen*).
R. rabbi; *Am.* railroad; railway; Réaumur; (*Lat.*) Regina; Republican; (*Lat.*) Rex; river; road.
® Registered Trademark.
r *phys.* roentgen(s); royal; ruble.
r. radius; rare; right.
R.A. Regular Army; *Br.* Royal Academy.
Rab. Rabbi; rabbinate.
R.A.C. *Br.* Royal Automobile Club.
RACON, racon *aer. mar.* radar beacon.
Rad. *pol.* Radical; Radnorshire (*Grafschaft in Wales*).
rad radiation absorbed dose absor'bierte Strahlendosis (*Maßeinheit*).
rad. radial; *ling. math.* radical; radius.
RADWAR *mil. Am.* radiological warfare.
RAF *Br.* Royal Air Force.
Rand *Am.* research and development.
RATO, rato *aer.* rocket-assisted take-off.
R.B.A. Royal Society of British Artists.
RBI, rbi, r.b.i. (*Baseball*) run(s) batted in.
R.C. Red Cross; Roman Catholic.
r.c. (*Theater*) right center *od.* centre.
R.C.A. Radio Corporation of America.
R.C.C. Roman Catholic Church; *Br.* Rural Community Council.
rcd. received.
rcpt. receipt.
R/D *econ.* refer to drawer (*Scheck*).
Rd. *hist.* rix-dollar; road.
rd. road; rod(s) (*Maßeinheit*); round.
RDF *electr.* radio direction finder *od.* finding.
rec. receipt; received; recipe; record(ed).
recd, recd., rec'd. received.
recip, recip. reciprocal; *tech.* reciprocating.
Rec.Sec., rec.sec. Recording Secretary.
rect. receipt; rectangle; rector(y).
red. reduced; *phot.* reducer.
ref. referee; (in) reference (to); referred.
refc. (in) reference (to).
reg. region(al); register(ed); registrar; registry; regular(ly); regulation.
regd. registered.
Regt., regt. regent; regiment.
reg.tn. *mar.* register ton.
rel. related; relating; relative(ly).
relig. religion; religious(ly).
Renf. Renfrew(shire) (*schott. Grafschaft*).
Rep. report; representative; Republic(an).
rep. repeat; report(ed); reporter.
repr. represent(s); represented; representing; reprint(ed).
rept. report.
Repub. Republic(an).
req. request; required; requisition.
res. research; reserve; residence; resident(ial); resides; resigned.
resp. respective(ly); respondent.
rest. restrict(ed); restriction.
ret. retired; returned.
retd. retained; retired; returned.
Rev. *Bibl.* Revelation(s); Reverend.
rev. revenue; reverse(d); review(ed); revise(d); revision; revolution.
Revd. Reverend.
R.F. radio frequency; range finder; *mil. Am.* rapid-fire; representative fraction.
R.F.D. *Am.* Rural Free Delivery.
RFE Radio Free Europe (*ein Rundfunksender*).
R.H. right hand; Royal Highness.
Rh Rhesus factor.
rheo. *electr.* rheostat(s).
rhet. rhetoric(al).
R.I. Rhode Island; *Br.* Royal Institution.
R.I.P. (*Lat.*) requisca(n)t in pace, may he *od.* she (*od.* they) rest in peace.
Riv., riv. river.
RJ *Am.* road junction.
R.L. (*Fußball*) Rugby League (*im Gegensatz zu* R.U.).
R.L.O. *Br.* Returned Letter Office (*Postdienststelle für unzustellbare Briefe*).
Rly., rly. railway.
rm. ream (*Papiermaß*); room.
R.M.A. *Br.* Royal Military Academy.

R.M.S. *math.* root-mean-square; *Br.* Royal Mail Service *od.* Steamer.
rms, r.m.s. *math.* root-mean-square.
rms. reams (*Papiermaß*); rooms.
R.N. Registered Nurse; *Br.* Royal Navy.
R.O. routine order(s).
ro. *print.* recto; *Br.* road; (*Buchbinderei*) *Am.* roan; rood (*Maßeinheit*).
Rom. Roman; *ling.* Romance; Romania(n).
rom. *print.* roman type.
R.O.P. *Am.* record of production.
Ross. Ross and Cromarty (*schott. Grafschaft*).
rot. rotating; rotation.
Rox. Roxburgh (*schott. Grafschaft*).
Roy. Royal.
R.P. *Br.* reply paid.
RPC remote power control Fernsteuerung.
rpm, r.p.m. revolutions per minute.
R.P.O. *Am.* Railway Post Office.
rps, r.p.s. revolutions per second.
rpt. repeat; report.
rptd. repeated; reported.
R.Q. *biol.* respiratory quotient.
R.R. *Am.* railroad; Right Reverend.
R.S. *Br.* Recording Secretary; Revised Statutes; *Br.* Royal Society.
r.s. right side.
R.S.A. Royal Scottish Academician *od.* Academy; *Br.* Royal Society of Arts.
RSFSR, R.S.F.S.R. Russian Socialist Federated Soviet Republic.
R.S.V.P., r.s.v.p. (*Fr.*) répondez s'il vous plaît, reply, please.
R.T., R/T radiotelegraphy; radiotelephony.
rt. right.
Rt(.)Hon. Right Hono(u)rable.
RTT radioteletype Funkfernschreiber.
R.U. (*Fußball*) *Br.* Rugby Union (*im Gegensatz zu* R.L.).
Russ. Russia(n).
Rut(d)., Rutl. Rutlandshire (*engl. Grafschaft*).
RV remaining velocity Endgeschwindigkeit.
R.V. Revised Version (*der Bibel*).
RW radiological warfare.
R.W. Right Worshipful; Right Worthy.
rwy *aer.* runway.
Ry, Ry., ry railway.

S

S. Sabbath; Saint; Senate; Society; (*Lat.*) Socius, Fellow; south(ern); submarine(s).
$, $ dollar(s).
s. second(s); section; see; semi-; series; set; shilling(s); sign(ed); son.
s- *chem.* symmetrical.
SA. South Africa.
S.A. Salvation Army; *sl.* sex appeal.
Sa. Saturday.
s.a. (*Lat.*) sine anno, without year *od.* date; subject to approval.
Sab. Sabbath.
SAC Strategic Air Command.
SACEUR Supreme Allied Commander Europe (*NATO*).
SACLANT Supreme Allied Commander Atlantic (*NATO*).
SACOM *mil. Am.* Southern Area Command.
Salop Shropshire (*engl. Grafschaft*).
san *mil.* sanitary; sanitation.
S.ap. (*Pharmazie*) apothecaries' scruple (*Gewicht*).
SAS Scandinavian Airlines System.
Sask. Saskatchewan (*kanad. Provinz*).
Sat. Saturday; Saturn.
S.Aus. South Australia.
S.B. sales book; *Br.* Savings Bank; (*Lat.*) *Am.* Scientiae Baccalaureus, Bachelor of Science; simultaneous broadcast(ing).
SBA *Am.* Small Business Administration; *aer.* standard beam approach system (*SBA-Landefunkfeueranlage, SBA-Landeverfahren*).
SC Security Council (*UN*).
S.C. South Carolina (*Staat der USA*).
sc. scale; scene (*in Bühnenwerken*); science; scientific; (*Lat.*) scilicet, namely, to wit.
Scan(d). Scandinavia(n).
SCAP Supreme Commander Allied Powers.
ScD. (*Lat.*) *Am.* Scientiae Doctor, Doctor of Science.
sch. scholar; school; *mar. Br.* schooner.
sched. schedule.
Sci., sci. science; scientific.
scil. (*Lat.*) scilicet, namely, to wit.
Scot. Scotch; Scotland; Scottish.
scr. scruple (*Gewicht*).
Scip(t). scriptural; Scripture.
SD *Am.* Secretary of Defense (*Verteidigungsminister*); *Am.* State Department.
S.D. South Dakota (*Staat der USA*).
s.d. several dates; *econ.* sight draft; (*Lat.*) *jur.* sine die; (*Statistik*) standard deviation.
S.Dak. South Dakota (*Staat der USA*).
S.E. southeast(erly); southeastern; Stock Exchange.
SEATO, S.E.A.T.O. South-East Asia Treaty Organization.
Sec. Secretary.
sec. *math.* secant; second; secondary; seconds; secretary; section(s); sector; (*Lat.*) secundum.
secs. seconds; sections.
sect. section.
SECY, secy., sec'y secretary.
sel. selected; selections.
Selk. Selkirk(shire) (*schott. Grafschaft*).
sem. semicolon; seminary.
Sen., sen. senate; senator; senior.
Senr., senr. senior.
sep. *bot.* sepal; separate.
Sep(t). September.
seq. sequel; (*Lat.*) *sg* sequens, the following.
seqq. (*Lat.*) *pl* sequentes, sequentia, the following.
ser. series; sermon.
Serg(t)., Sergt *mil.* Sergeant (*Dienstgrad*).
serv. servant; service.
sess. session(s).
SET Selective Employment Tax (*selektive Beschäftigungssteuer zur Steuerung des Arbeitsmarktes*).
sev(l). several.
SF Science Fiction.
SG Secretary General (*UN*).
S.G. *jur. Br.* Solicitor General.
s.g. senior grade; *phys.* specific gravity.
sgd, sgd. signed.
sh. *econ.* share; sheet; shilling(s).
s.h. *econ.* second-hand.
SHAPE, S.H.A.P.E., Shape Supreme Headquarters Allied Powers in Europe.
Shet. Shetland Islands.
SHF *electr.* superhigh frequency.
SHP, S.H.P., s.hp., s.h.p. *tech.* shaft horsepower.
shpt. *econ.* shipment.
shtg. *Am.* shortage.
S.I.C. *phys.* specific inductive capacity.
Sig., sig. signal; signature; signor(e).
sigill, sigill. (*Lat.*) sigillum, seal.
sim. similar(ly); simile.
sin *math.* sine.
sing. single; *ling.* singular.
sk. *econ.* sack.
s.l.a.n. (*Lat.*) sine loco, anno, vel nomine, without place, year, or name ohne Erscheinungsort, Jahr od. Verfasser (*in Büchern*).
sld. sailed; sealed.
s.n. *econ.* shipping note; (*Lat.*) sine nomine, without name.
So. south(ern).
Soc. *pol.* Socialist; society.
sociol. sociological; sociologist; sociology.
S. of S. *Br.* Secretary of State.
sol. solicitor; soluble; solution.
Som(s). Somersetshire (*engl. Grafschaft*).
SOS, S.O.S. → Wörterverzeichnis.
SP *tech.* self-propelled; starting point.
sp. special; species; specific; specimen.
s.p. (*Lat.*) *jur.* sine prole, without issue.
Span. Spanish.
S.P.C.A. Society for the Prevention of Cruelty to Animals.
S.P.C.C. Society for the Prevention of Cruelty to Children.
spec. special(ly); species; specification; specimen; spectrum.
specif. specific(ally); specification.
sp.gr. *phys.* specific gravity.
spp. *pl.* species.
S.P.Q.R. small profits — quick returns kleine Gewinne — große 'Umsätze.
Sq. *mil.* Squadron; Square.
sq. sequence; *math.* square.
sq.ft. square foot *od.* feet.
sq.in. square inch(es).
sq.m. square miles.
sq.mi. square mile(s).
sq.yd. square yard(s).
Sr, Sr. Senior; Sir; Sister.
S — R stimulus — response.
S.R.O. *Am.* standing room only; *Br.* Statutory Rules and Orders.
S/S steamship.
ss. (*Lat.*) scilicet, namely, to wit; sections.
SSA *Am.* Social Security Administration.
SSM *mil. Am.* surface-to-surface missile.
SSR, S.S.R. Socialist Soviet Republic.
SSS *Am.* Selective Service System.
St, St. Saint; Station; statute(s); Street.
st. stere; stone (*Gewicht*); street.
s.t. *econ.* short ton.
sta. station(ary); *tech.* stator.
Staffs, Staffs. Staffordshire (*engl. Grafschaft*).
stat. statics; stationary; statistics; statuary; statue; statute (miles); statutes.
S.T.D. *Br.* subscriber trunk dialling.
std. standard.
ster. (*Währung*) sterling.
St.Ex(ch). Stock Exchange.
stg, stg. (*Währung*) sterling.
Stir. Stirling(shire) (*schott. Grafschaft*).
stk. *econ.* stock.
stn. station.
STOL., S.T.O.L. short take-off and landing (aircraft) Kurzstart-Flugzeug.
STRAT *mil.* strategic.
stud. student.
sub. *mil.* subaltern; substitute.
Suff. Suffolk (*engl. Grafschaft*).
suff. sufficient; *ling.* suffix.
sug(g). suggested; suggestion.
Sun(d). Sunday.
Sup., sup. superior; supplement(ary); supply; (*Lat.*) supra, above; supreme.
super. superfine; superior; supernumerary.
supp(l). supplement(ary).
Supt, Supt., supt. superintendent.
Sur. Surrey (*engl. Grafschaft*).
sur. surcharged; surplus.
surg. surgeon; surgery; surgical.
Suss. Sussex (*engl. Grafschaft*).
Suth. Sutherland (*schott. Grafschaft*).
s.v. sailing vessel; (*Lat.*) sub verbo *od.* sub voce.
Svy., svy. survey.
S.W. *electr.* short wave; South Wales; southwest(erly); southwestern.
Swed. Sweden; Swedish.
S.W.G. standard wire ga(u)ge (*Maßskala*).
Swit(z). Switzerland.
syll. *ling.* syllable; syllabus.
syn. *ling.* synonym; *ling.* synonymous(ly).
syst. system(atic).

T

T *phys.* (absolute) temperature; *phys. tech.* tension.
T. territory; tourist class; township.
t. teaspoon; temperature; (*Lat.*) tempore, in the time of; time; ton(s); *econ.* troy.
T.A. telegraphic address.
TAF, T.A.F. Tactical Air Force.
tal.qual. (*Lat.*) talis qualis, as they come, without choosing.
tan, tan. *math.* tangent.
TAS *aer.* true air speed.
Tas(m). Tasmania(n).
TASS, Tass (*Russ.*) Telegraphnoye Agentstvo Sovyetskovo Soyuza (*amtliches sowjetisches Nachrichtenbüro*).
T.B. tubercle bacillus; tuberculosis.
t.b. *econ. math.* trial balance.
tbs(p). tablespoon(s).
TC Trusteeship Council (*UN*).
tc. *econ.* tierce(s).
TD *Am.* Treasury Department.
T.D.C., tdc *tech.* top dead center *od.* centre (*oberer Totpunkt beim Kolben*).
t.d.n. *biol. Am.* total digestible nutrients.
tech. technical; technics; technology.
techn. technical; technology.
technol. technological(ly); technology.
tel. telegram; telegraph(ic); telephone.
TELECOM telecommunications.
teleg. telegram; telegraph(ic).
teleph. telephone; telephony.
TELEX teleprinter exchange Fernschreibvermittlung.
Tel. No., tel. no. telephone number.
temp. temperature; temporary.

Tenn. Tennessee (*Staat der USA*).
term. terminal; termination.
Terr., terr. terrace; territorial; territory.
Tex. Texan; Texas (*Staat der USA*).
tf., t.f. till forbidden.
tfr. *econ.* transfer.
t.g. *biol.* type genus.
tgm. telegram.
T.G.W.U. Transport & General Workers' Union (*brit. Gewerkschaft*).
Theol., theol. theologian; theological; theology.
theor. *math.* theorem(s).
Therap., therap. therapeutic(s).
therm. thermometer.
THP *aer.* thrust horsepower (*Schubleistung*).
Thu., Thur(s). Thursday.
t.i.d. (*Lat.*) *med.* ter in die, three times a day.
tit. title; titular.
tk. *Am.* truck.
TKO, T.K.O., t.k.o. (*Boxen*) technical knockout.
TL, T.L. total loss.
t.m. true mean (value).
T.M.O. *Br.* telegraph money order.
tn. ton; town; train.
tng. *Am.* training.
TNT trinitrotoluene; trinitrotoluol.
TO *aer.* take-off; *mil. Am.* technical order.
T.O. *Br.* Telegraph *od.* Telephone Office.
t.o. turn over; *econ.* turnover.
tonn. tonnage.
TOO, t.o.o. time of origin (*bei Mitteilungen*).
topog. topographer; topographical.
TOR, t.o.r. time of reception (*bei Mitteilungen*).
tot. total.
TP telephone; teleprinter; traffic post.
T.P.O. Travelling Post Office Bahnpost.
tpt, tpt. transport.
T/R. (*Funk*) transmitter/receiver.
tr. transaction(s); transfer; translate(d); translation; translator; transpose.
trad. tradition(al).
trans. transaction(s); transferred; transport(ation); transverse.
transf. transference; transferred.
transp. transportation.
trav. travel(l)er; travels.
Treas., treas. treasurer; treasury.
T.R.F., t.r.f., t-r-f tuned radio frequency.
trip. triplicate.
trop. tropic(al).
trs. transfer; transpose.
trsd. transferred; transposed.
T.S., ts, ts., t.s. *econ.* till sale; typescript.
T.U. Trade(s) Union(s).
TUC, T.U.C. *Br.* Trade(s) Union Congress.
Tue(s). Tuesday.
T.V. television.
TVA, T.V.A. *Am.* Tennessee Valley Authority *od.* Administration.
TWA, T.W.A. Trans World Airlines.
TWI, T.W.I. training within industry.
typ(o)., typog. typographer; typographic(al); typography.
Tyr. Tyrone (*Grafschaft in Nordirland*).

U

U *Br.* suitable for universal showing (*bei Filmen*).
U. university; Utah (*Staat der USA*).
u. uncle; unit; upper.
UAR, U.A.R. United Arab Republic.
UAW, U.A.W. *Am.* United Auto, Aircraft and Agricultural Implements Workers (*Gewerkschaft*); *Am.* United Automobile Workers (*Gewerkschaft*).
u.c. *econ.* usual conditions.
UDC Universal Decimal Classification.
UFO unidentified flying objects unbekannte 'Flugob,jekte.
u.g., u/g (*Bergbau*) underground.
UGT urgent.
UHF, U.H.F., uhf, u.h.f. *electr.* ultrahigh-frequency.
U.I. *Br.* Unemployment Insurance.
UK, U.K. United Kingdom (of Great Britain and Northern Ireland).
ult. ultimate(ly); (*Lat.*) *econ.* ultimo.
UMT(S) *Am.* Universal Military Training (Service *od.* System) (*allgemeine Wehrpflicht*).
UMW, U.M.W. *Am.* United Mine Workers (*Gewerkschaft*).
UN, U.N. United Nations.
unabr. unabridged.
unan. unanimous.
uncert. uncertain.
UNDP United Nations Development Program(me).
UNESCO, U.N.E.S.C.O. United Nations Educational, Scientific and Cultural Organization.
unexpl. unexplained.
UNICEF United Nations (International) Children's (Emergency) Fund.
univ. universal(ly); university.
unm. unmarried.
UNSC, U.N.S.C. United Nations Security Council.
up. upper.
u.p. under proof (*Alkohol*).
UPI United Press International.
UPU Universal Postal Union (*Weltpostverein*).
U.S. United States (of America).
USA, U.S.A. United States of America.
U.S.A.A.F. United States Army Air Force.
USSR, U.S.S.R. Union of Socialist Soviet Republics.
usu. usual(ly).
UT *Am.* universal time.
Ut. Utah (*inoffizielle Abkürzung*).
ut dict. (*Lat.*) ut dictum, as said *od.* stated.
ut inf. (*Lat.*) ut infra, as below.
ut sup. (*Lat.*) ut supra, as above.
U.V., uv ultraviolet.

V

V victory; *electr.* volt.
v. *math.* vector; velocity; verse; versus; very; vice-; (*Lat.*) vide; voice; *electr.* volt; *electr.* voltage; volume.
Va, Va. Virginia (*Staat der USA*).
vac. vacant; vacate; vacuum.
val. value(d).
VAR *aer.* visual-aural range (*Funkfeuer mit Sicht- u. Höranzeige*).
var. variant; variation; variety; various.
V.A.T. value-added tax Mehrwertsteuer.
V.D. venereal disease.
v.d. various dates; venereal disease.
VEH, veh, veh. vehicle.
ver. verse(s); version.
vert. vertical; *med.* vertigo.
veter. veterinary.
v.f. very fair.
V.H.F., v.h.f. *electr.* very high frequency.
V.I. *electr.* volume indicator.
v.i. (*Lat.*) vide infra, see below.
Vic. Victoria (*bes. der austral. Staat*).
VIP, V.I.P. *colloq.* very important person.
Vis. Viscount(ess).
vis. visibility; visible.
viz, viz. (*Lat.*) videlicet, namely.
V.L.F., v.l.f. *electr.* very low frequency.
V.L.R. *aer.* very long range.
Vol., vol. volcano; volume; volunteer.
vols. volumes.
v.p. *phys.* vapo(u)r pressure; various places.
V.S. Veterinary Surgeon.
vs. verse; versus.
v.s. (*Lat.*) vide supra, see above.
Vt, Vt. Vermont (*Staat der USA*).
VTO(L), V.T.O.(L.) vertical take-off (and landing) (aircraft) Senkrechtstarter.
v.v. (*Lat.*) vice versa.

W

W *electr.* watt.
W. Wales; west(ern).
w. warden; *electr.* watt; week(s); weigth; wide; width; wife; with; *phys.* work.
W.A. West Africa; Western Australia.
w.a.f. with all faults.
War(w). Warwickshire (*engl. Grafschaft*).
Wash. Washington (*Staat der USA*).
Wat. Waterford (*Grafschaft in Irland*).
watt-hr. *electr.* watt-hour.
WAVES, Waves *mil.* Women Accepted for Volunteer Emergency Service.
W/B, W.b., W/b *econ.* waybill.
w.b. *econ.* warehouse book; water ballast.
W.C. water closet; West Central (*London*).
WCC World Council of Churches.
WD War Department.
wd. ward; word; would.
Wed. Wednesday.
Wex. Wexford (*Grafschaft in Irland*).
WFPA World Federation for the Protection of Animals.
WFTU, W.F.T.U. World Federation of Trade Unions.
w.g. *econ.* weight guaranteed; *tech.* wire ga(u)ge.
wh. *electr.* watt-hour; which.
WHO World Health Organization.
W.I. West India(n); West Indies.
w.i. *econ.* when issued; *tech.* wrought iron.
WIA *mil.* wounded in action.
Wilts. Wiltshire (*engl. Grafschaft*).
Wis(c). Wisconsin (*Staat der USA*).
WJC World Jewish Congress.
wk. week(s); work.
wkly. weekly.
wks. weeks; works.
WL water line; *phys.* wave length.
W.L. West Lothian (*schott. Grafschaft*).
wmk. watermark.
W/O, w/o without.
WOMAN World Organization of Mothers of All Nations.
Worcs. Worcestershire (*engl. Grafschaft*).
W.P. weather permitting.
w.p.a. (*Versicherung*) with particular average mit Teilschaden.
w.p.b. wastepaper basket.
w.p.m. words per minute.
W.R. West Riding (*Verwaltungsbezirk der engl. Grafschaft Yorkshire*).
WRAC, W.R.A.C. *Br.* Women's Royal Army Corps.
wrnt. warrant.
w.r.t. with reference to.
W/T. wireless telegraphy *od.* telephony.
wt. weight; without.
W.Va, W.Va. West Virginia.
WW I *od.* **II** World War I *od.* II.
Wy(o). Wyoming (*Staat der USA*).

X

X *Br.* suitable only for adults (*bei Filmen*); *Am.* persons under 16 not admitted under any circumstances (*bei Filmen*).
x *math.* an abscissa; *math.* an unknown quantity.
X.D., xd, x-d(iv)., x.(-)d(iv). *econ.* ex dividend (*ohne Anrecht auf die fällige Dividende*).
X.i., x.i., x-i., x-int. *econ.* ex interest (*ohne Anrecht auf die fälligen Zinsen*).
Xm., Xmas Christmas.
XMSN, xmsn (*Funk*) transmission.
Xroads, X.roads cross roads.
X-rts. *econ.* ex-rights (*ohne Anrecht auf neue Aktien, Bonusanteile etc*).
Xt, Xt. Christ.
xtry. extraordinary.
XX (ales of) double strength.

Y

y *math.* an ordinate; *math.* an unknown quantity.
y. yard(s); year(s); you.
Y.B. yearbook.
yd. yard(s).
y'day yesterday.
yds. yards.
YMCA, Y.M.(C.A.) Young Men's Christian Association.
y.o. year old.
Yorks. Yorkshire (*engl. Grafschaft*).
yr. year(s); younger; your.
yrs, yrs. years; yours.
Y.T. Yukon Territory.
YWCA, Y.W.(C.A.) Young Women's Christian Association.

Z

Z *chem.* atomic number.
z. zero; zone.
Z.G. Zoological Gardens.
Zoochem., zoochem. zoochemistry.
Zoogeog., zoogeog. zoogeography.
zool. zoological; zoologist; zoology.
Z.S. Zoological Society.

II. BIOGRAPHISCHE NAMEN UND FAMILIENNAMEN
II. BIOGRAPHICAL NAMES AND SURNAMES

A

Ach·e·son, Dean Gooderham ['ætʃisn] **1893. Amer. Staatsmann.*

Ad·am ['ædəm], Robert *1728—92 u. sein Bruder* James *1730—94. Engl. Architekten u. Innenarchitekten.*

Ad·ams, John ['ædəmz] *1735—1826. 2. Präsident der USA.*

Ad·ams, John Quincy ['ædəmz] *1767—1848. Sohn von* John Adams. *6. Präsident der USA.*

Ad·di·son, Joseph ['ædisn; -də-] *1672—1719. Engl. Essayist.*

Æl·fric Grammaticus ['ælfrik] *955?—1020? Angelsächsischer Abt u. Schriftsteller.*

Aes·chy·lus [*Br.* 'i:skiləs; *Am.* 'es-] Äschylus. *525—456 v.Chr. Griech. Tragödiendichter.*

Ae·sop ['i:sɒp; -səp] Ä'sop. *620?—560? v.Chr. Griech. Fabeldichter.*

Ag·new, Spiro Theodore ['ægnju:; *Am. auch* 'ægnu:] **1918. Amer. Politiker; Vizepräsident.*

Al·bert of Saxe-Co·burg-Go·tha ['ælbərt əv 'sæks'koubə:rg'gouθə; -'goutə] Albert von Sachsen-Coburg-Gotha. *1819—61. Gemahl der Königin Viktoria von England.*

Al·cott ['ɔ:lkət], Amos Bronson *1799—1888, amer. Lehrer u. Philosoph; seine Tochter* Louisa May *1832—88, amer. Schriftstellerin.*

Al·cuin ['ælkwin] Alkuin. *735—804. Engl. Theologe u. Gelehrter.*

Al·drich, Thomas Bailey ['ɔ:ldritʃ] *1836—1907. Amer. Schriftsteller.*

Al·fred (the Great) ['ælfrid] Alfred (der Große). *849—899. Angelsächsischer König.*

Al·ger, Horatio ['ældʒər] *1834—99. Amer. Schriftsteller.*

Al·len, (Charles) Grant ['ælin; -lən] *1848—1899. Engl. Schriftsteller.*

An·der·son, Maxwell ['ændərsn] *1888—1959. Amer. Dramatiker.*

An·der·son, Sherwood ['ændərsn] *1876—1941. Amer. Dichter.*

An·gell, Sir Norman ['eindʒəl] (*eigentlich* Ralph Norman Angell Lane). *1874—1967. Engl. Schriftsteller.*

Anne [æn] Anna. *1665—1714. Königin von England.*

An·selm, Saint ['ænselm] der heilige Anselm von Canterbury. *1033—1109. Erzbischof von Canterbury; Theologe u. Philosoph.*

Ar·buth·not, John [ɑ:r'bʌθnət; *Am. auch* 'ɑ:rbəθ,nɑt] *1667—1735. Schott. Schriftsteller u. Arzt.*

Ar·chi·me·des [,ɑ:rki'mi:di:z] *287?—212 v.Chr. Griech. Mathematiker.*

Ar·den ['ɑ:rdn] *Engl. Familienname.*

Ar·is·toph·a·nes [,æris'tɒfə,ni:z] *448?—380? v.Chr. Griech. Dramatiker.*

Ar·is·tot·le ['æris,tɒtl] Ari'stoteles. *384—322 v.Chr. Griech. Philosoph.*

Arm·strong, Louis (Satchmo) ['ɑ:rmstrɒŋ] *1900—71. Amer. Jazzmusiker.*

Arm·strong, Neil Alden ['ɑ:rmstrɒŋ] **1930. Amer. Astronaut.*

Ar·nold, Matthew ['ɑ:rnəld] *1822—88. Engl. Dichter u. Kritiker.*

Ar·thur ['ɑ:rθər] Artus. *6. Jh. Sagenhafter König der Briten.*

Ar·thur, Chester Alan ['ɑ:rθər] *1830—86. 21. Präsident der USA.*

As·cham, Roger ['æskəm] *1515—68. Engl. Gelehrter.*

As·quith, Herbert Henry, 1st Earl of Oxford and Asquith ['æskwiθ] *1852—1928. Brit. Premierminister.*

Ath·el·stan ['æθəl,stæn; -stən] *895—940. Angelsächsischer König.*

Ath·er·ton, Gertrude Franklin ['æθərtən] *1857—1948. Amer. Romanschriftstellerin.*

At·ter·bur·y [*Br.* 'ætəbəri; *Am.* 'ætər,beri] *Engl. Familienname.*

Att·lee, Clement Richard ['ætli(:)] *1883—1967. Brit. Staatsmann; Premierminister.*

Au·den, Wystan Hugh ['ɔ:dn] **1907. Amer. Dichter engl. Herkunft.*

Au·gus·tine, Saint [ɔ:'gʌstin; 'ɔ:gəs,ti:n] der heilige Augu'stinus. *?—604. Apostel der Angelsachsen.*

Aus·ten, Jane ['ɔ:stin; *Br. auch* 'ɔs-] *1775—1817. Engl. Romanschriftstellerin.*

Aus·tin, Alfred ['ɔ:stin; *Br. auch* 'ɔs-] *1835—1913. Engl. Dichter; Poeta Laureatus.*

Aus·tin, Mary ['ɔ:stin; *Br. auch* 'ɔs-] *1868—1934. Amer. Schriftstellerin.*

B

Bab·bitt, Irving ['bæbit] *1865—1933. Amer. Pädagoge u. Schriftsteller.*

Ba·con, Francis, 1st Baron Verulam, Viscount St. Albans ['beikən] *1561—1626. Engl. Staatsmann, Philosoph u. Essayist.*

Ba·con, Roger, Friar ['beikən] *1214?—94. Engl. Philosoph.*

Ba·den-Pow·ell, Robert Stephenson Smyth, 1st Baron of Gilwell ['beidn'pouel; -əl] *1857—1941. Brit. General; Begründer der Pfadfinderbewegung.*

Bae·da ['bi:də] → Bede.

Ba·ker, George Pierce ['beikər] *1866—1935. Amer. Schriftsteller u. Kritiker.*

Ba·ker, Ray Stannard ['beikər] (*Pseudonym* David Grayson). *1870—1946. Amer. Schriftsteller.*

Bald·win, James Mark ['bɔ:ldwin] *1861—1934. Amer. Psychologe.*

Bal·four, Arthur James, 1st Earl of ['bælfur] *1848—1930. Brit. Staatsmann.*

Bal·iol, John de ['beiljəl] *1249—1315. König von Schottland.*

Bal·lan·tyne ['bælən,tain] *Engl. Familienname.*

Ban·croft, George ['bænkrɒft; 'bæŋ-; -krɔ:ft] *1800—91. Amer. Historiker, Politiker u. Diplomat.*

Ban·ting, Sir Frederick Grant ['bæntiŋ] *1891—1941. Kanad. Arzt; Entdecker des Insulins.*

Bar·ber, Anthony ['bɑ:rbər] **1920. Brit. Politiker.*

Bar·ber, Samuel ['bɑ:rbər] **1910. Amer. Komponist.*

Bar·bour ['bɑ:rbər] *Engl. Familienname.*

Bare·bone ['bɛr,boun] *Engl. Familienname.*

Bar·low, Joel ['bɑ:rlou] *1754—1812. Amer. Diplomat u. Dichter.*

Bar·nard, Christiaan Neethling ['bɑ:rnərd] **1923. Südafrik. Chirurg.*

Bar·rett ['bærət; -ret; -rit] *Engl. Familienname.*

Bar·rie, Sir James Matthew ['bæri] *1860—1937. Schott. Schriftsteller u. Dramatiker.*

Bar·ry, Philip ['bæri] *1896—1949. Amer. Dramatiker.*

Bar·ry·more ['bæri,mɔ:r; -rə-] *Amer. Schauspielerfamilie.*

Ba·ruch, Bernard Mannes [bə'ru:k; 'bɑ:ru:k] *1870—1965. Amer. Wirtschaftspolitiker.*

Bar·wick ['bærik] *Engl. Familienname.*

Baynes [beinz] *Engl. Familienname.*

Bea·cons·field, Earl of ['bi:kənz,fi:ld] → Disraeli.

Bea·ver·brook, William Maxwell Aitken, 1st Baron ['bi:vər,bruk] *1879—1964. Zeitungsbesitzer; brit. Politiker.*

Beck·et, Saint Thomas à ['bekit] der heilige Thomas Becket. *1118?—70. Kanzler Heinrichs II. von England; Erzbischof von Canterbury.*

Beck·ett, Samuel ['bekit] **1906. Irischer Dichter u. Dramatiker.*

Beck·ford, William ['bekfərd] *1759—1844. Engl. Schriftsteller.*

Bede [bi:d], *auch* **Be·da,** Saint ['bi:də] ("The Venerable Bede") der heilige Beda (Beda Vene'rabilis). *673?—735. Engl. Theologe u. Historiker.*

Bee·cham, Sir Thomas ['bi:tʃəm] *1879—1961. Engl. Dirigent.*

Bee·cher, Harriet Elizabeth ['bi:tʃər] → Stowe.

Beer·bohm, Max ['birboum] *1872—1956. Engl. Schriftsteller u. Karikaturist.*

Bell, Alexander Graham [bel] *1847—1922. Amer. Erfinder schott. Herkunft.*

Bel·la·my, Edward ['beləmi] *1850—98. Amer. Schriftsteller.*

Bel·loc, Hilaire ['belɒk; -ək] *1870—1953. Engl. Schriftsteller u. Publizist.*

Be·nét [be'nei; bi-], Stephen Vincent *1898—1943, amer. Schriftsteller; sein Bruder* William Rose *1886—1950, amer. Dichter u. Romanschriftsteller.*

Ben·nett, (Enoch) Arnold ['benit] *1867—1931. Engl. Romanschriftsteller.*

Ben·nett, Richard Bedford, Viscount ['benit] *1870—1947. Kanad. Staatsmann; Premierminister.*

Ben·tham, Jeremy ['benθəm; -təm] *1748—1832. Engl. Jurist u. Philosoph.*

Ber·lin, Irving ['bə:rlin] *1888—1970. Amer. Komponist.*

Bern·stein, Leonard ['bə:rnstain] **1918. Amer. Komponist u. Dirigent.*

Bes·ant, Sir Walter [bi'zænt; bə-] *1836—1901. Engl. Romanschriftsteller.*

Bes·se·mer, Sir Henry ['besəmər] *1813—98. Engl. Ingenieur.*

Bev·an, Aneurin ['bevən] *1897—1960. Brit. Gewerkschaftsführer u. Politiker.*

Bev·in, Ernest ['bevin] *1881—1951. Brit. Staatsmann.*

Bew·ick ['bju(:)ik] *Engl. Familienname.*

Bid·dle, John ['bidl] *1615—62. Stifter der Unitarier in England.*

Bierce, Ambrose Gwinett [birs] *1842—1914? Amer. Schriftsteller.*

Bir·che·nough ['bə:rtʃi,nʌf] *Engl. Familienname.*

Black·more, Richard Doddridge ['blækmɔ:r] *1825—1900. Engl. Romanschriftsteller.*

Blake, Robert [bleik] *1599—1657. Engl. Admiral.*

Blake, William [bleik] *1757—1827. Engl. Dichter, Maler u. Graphiker.*

Bo·a·di·ce·a [ˌbouædiˈsiːə; -ədə-] *?—62. Königin der Briten.*
Bol·eyn, Anne [ˈbulin; buˈli(ː)n] *1507—36. 2. Gemahlin Heinrichs VIII. von England.*
Bol·ing·broke, Henry St. John, 1st Viscount [ˈbɒliŋˌbruk] *1678—1751. Engl. Staatsmann u. Schriftsteller.*
Bo·na·parte [bɔnaˈpart; ˈbounəˌpɑːrt] → Napoleon I.
Bond, Edward [bɒnd] **1934. Engl. Dramatiker.*
Bon·i·face, Saint (*vorher* Winfried *od.* Wynfrith) [ˈbɒniˌfeis; -nə-] der heilige Bonifaz *od.* Boniˈfatius. *680?—755. Angelsächsischer Missionar; Apostel der Deutschen.*
Booth [*Br.* buːð; *Am.* buːθ] *Amer. Schauspielerfamilie*: Junius Brutus *1796—1852; seine Söhne* Edwin Thomas *1833—93 u.* John Wilkes *1838—65, der Mörder des Präsidenten Lincoln.*
Booth [*Br.* buːð; *Am.* buːθ], William *1829—1912, Gründer der Heilsarmee.*
Bo·san·quet [ˈbouznkit; -ˌket] *Engl. Familienname.*
Bos·well, James [ˈbɒzwel; -wəl] *1740—95. Engl. Schriftsteller u. Biograph.*
Bot·tom·ley, Gordon [ˈbɒtəmli] *1874—1948. Engl. Dichter.*
Bow·en, Elizabeth [ˈbouin] **1899. Engl. Schriftstellerin irischer Herkunft.*
Bow·yer [ˈboujər] *Engl. Familienname.*
Brad·war·dine, Thomas [ˈbrædwərˌdiːn] *1290?—1349. Engl. Philosoph; Erzbischof von Canterbury.*
Braith·waite [ˈbreθweit] *Engl. Familienname.*
Bridg·es, Robert Seymour [ˈbridʒiz] *1844—1930. Engl. Dichter; Poeta Laureatus.*
Brit·ten, Edward Benjamin [ˈbritn] **1913. Engl. Komponist.*
Brock·le·hurst [ˈbrɒklˌhəːrst] *Engl. Familienname.*
Brom·field, Louis [ˈbrɒmˌfiːld] *1896—1956. Amer. Romanschriftsteller.*
Bron·të [ˈbrɒnti] *Schwestern*: Charlotte (*Pseudonym* Currer Bell) *1816—55;* Emily (Ellis Bell) *1818—48;* Anne (Acton Bell) *1820—49. Engl. Romanschriftstellerinnen.*
Brooke, Rupert [bruk] *1887—1915. Engl. Dichter.*
Brooks, Van Wyck [bruks] *1886—1963. Amer. Schriftsteller u. Literarhistoriker.*
Brown, Charles Brockden [braun] *1771—1810. Amer. Romanschriftsteller.*
Brown·ing [ˈbrauniŋ], Elizabeth Barrett *1806—61; ihr Gatte* Robert *1812—89. Engl. Dichter.*
Bruce, Robert [bruːs] *1274—1329. Als* Robert I *König von Schottland.*
Bruce, Stanley Melbourne, Viscount [bruːs] *1883—1967. Australischer Staatsmann; Premierminister.*
Brum·mel, George Bryan ("Beau Brummel") [ˈbrʌməl] *1778—1840. Londoner Modeheld; Urbild des Dandy.*
Bry·ant, William Cullen [ˈbraiənt] *1794—1878. Amer. Dichter u. Herausgeber.*
Buc·cleuch [bəˈkluː] *Engl. Familienname.*
Buch·an, John, 1st Baron Tweedsmuir [ˈbʌkən; ˈbʌxən] *1875—1940. Schott. Schriftsteller; Generalgouverneur von Kanada.*
Bu·chan·an, James [bju(ː)ˈkænən; bə-] *1791—1868. Amer. Politiker u. Diplomat; 15. Präsident der USA.*
Buck, Pearl S. [bʌk] **1892. Amer. Romanschriftstellerin.*
Bud·dha [ˈbudə] → Gautama Buddha.
Bul·wer, William Henry Lytton Earle, Baron Dalling and Bulwer (Sir Henry) [ˈbulwər] *1801—72. Engl. Schriftsteller u. Politiker.*
Bul·wer-Lyt·ton [ˈbulwərˈlitən] Edward George Earle Lytton, 1st Baron *1803—73, engl. Schriftsteller u. Politiker; sein Sohn* Edward Robert Lytton, 1st Earl of Bulwer-Lytton (*Pseudonym* Owen Meredith) *1831—91, engl. Dichter u. Diplomat.*
Bun·yan, John [ˈbʌnjən] *1628—88. Engl. Prediger u. Schriftsteller.*
Buo·na·par·te [buonaˈparte] → Bonaparte.
Burgh·ley, William Cecil, 1st Baron [ˈbəːrli] *1520—98. Engl. Staatsmann.*
Bur·gin [ˈbəːrgin; -dʒin] *Engl. Familienname.*
Burke, Edmund [bəːrk] *1729—97. Brit. Staatsmann u. Schriftsteller.*
Bur·leigh *cf.* Burghley.
Bur·nand, Sir Francis Cowley [bə(ː)rˈnænd] *1836—1917. Engl. Dramatiker; Herausgeber des „Punch".*
Bur·nett, Frances Eliza (*geb.* Hodgson) [bə(ː)rˈnet; ˈbəːrnit] *1849—1924. Amer. Romanschriftstellerin.*
Burns, Robert [bəːrnz] *1759—96. Schott. Dichter.*
Bur·ton, Robert [ˈbəːrtn] *1577—1640. Engl. Geistlicher u. Schriftsteller.*
But·ler[1], Samuel [ˈbʌtlər] *1612—80. Engl. Dichter.*
But·ler[2], Samuel [ˈbʌtlər] *1835—1902. Engl. Schriftsteller.*
By·ron, George Gordon, 6th Baron [ˈbai(ə)rən] *1788—1824. Engl. Dichter.*

C

Cab·ell, James Branch [ˈkæbəl] *1879—1958. Amer. Schriftsteller.*
Ca·ble, George Washington [ˈkeibl] *1844—1925. Amer. Schriftsteller.*
Cab·ot [ˈkæbət], John (*eigentlich* Giovanni Caboto) *1450—98, venezianischer Seefahrer in engl. Diensten; sein Sohn* Sebastian *1474—1557, Seefahrer in engl. u. span. Diensten.*
Caed·mon [ˈkædmən] *um 670. Angelsächsischer Dichter.*
Cae·sar, Gaius Julius [ˈsiːzər] *100?—44 v. Chr. Röm. Feldherr, Staatsmann u. Schriftsteller.*
Caine, Sir (Thomas Henry) Hall [kein] *1853—1931. Engl. Romanschriftsteller.*
Caird [kɛrd] *Engl. Familienname.*
Cald·well, Erskine [ˈkɔːldwel; -wəl] **1903. Amer. Schriftsteller.*
Cal·la·ghan, James [*Br.* ˈkæləhən; *Am.* -ˌhæn] **1912. Brit. Politiker.*
Cal·ver·ley [ˈkælvərli] *Engl. Familienname.*
Cal·vin, John [ˈkælvin] Johann Calˈvin (*eigentlich* Jean Cauvin). *1509—64. Franz. protestantischer Reformator.*
Camp·bell, Thomas [ˈkæmbəl; *Am. auch* -məl] *1777—1844. Engl. Dichter.*
Camp·bell-Ban·ner·man, Sir Henry [ˈkæmbəlˌbænərmən; *Am. auch* -məl-] *1836—1908. Brit. Staatsmann; Premierminister.*
Cam·pi·on, Thomas [ˈkæmpiən; -pjən] *1567—1620. Engl. Dichter u. Musiker.*
Ca·nute (the Great) [kəˈnjuːt; *Am. auch* -ˈnuːt] Knut *od.* Kanut (der Große). *994?—1035. Dänischer König von England, Dänemark u. Norwegen.*
Ca·pote, Truman [kəˈpout] **1924. Amer. Schriftsteller.*
Ca·rew, Thomas [kəˈruː] *1595?—1645? Engl. Dichter.*
Ca·rey [ˈkɛ(ə)ri] *Engl. Familienname.*
Car·lile [kɑːrˈlail; ˈkɑːrˈlail] *Engl. Familienname.*
Car·lyle, Thomas [kɑːrˈlail; ˈkɑːrˈlail] *1795—1881. Schott. Essayist u. Historiker.*
Car·man, (William) Bliss [ˈkɑːrmən] *1861—1929. Kanad. Dichter.*
Car·mi·chael, Stokely [kɑːrˈmaikəl] **1942. Amer. Negerführer der Black-Power-Bewegung.*
Car·ne·gie, Andrew [kɑːrˈnegi; *Am. auch* -ˈnei-; ˈkɑːrnəgi] *1835—1919. Amer. Großindustrieller u. Philanthrop schott. Herkunft.*
Car·y, Joyce [ˈkɛ(ə)ri] *1888—1957. Engl. Schriftsteller.*
Case·ment, Sir Roger David [ˈkeismənt] *1864—1916. Irischer Politiker.*
Cas·tle, Barbara [ˈkɑːsl] **1911. Brit. Politikerin.*
Cates·by [ˈkeitsbi] *Engl. Familienname.*
Cath·er, Willa Sibert [ˈkæðər] *1876—1947. Amer. Romanschriftstellerin.*
Cat·tell [kəˈtel; kæ-] *Engl. Familienname.*
Cav·ell [ˈkævl] *Engl. Familienname.*
Cav·en·dish, Henry [ˈkævəndiʃ] *1731—1810. Engl. Naturwissenschaftler.*
Cax·ton, William [ˈkækstən] *1422?—91. 1. engl. Buchdrucker.*
Cec·il, (Edgar Algernon) Robert, 1st Viscount Cecil of Chelwood [ˈsesl; ˈsesil] *1864—1958. Brit. Staatsmann.*
Cec·il, William [ˈsesl; ˈsesil] → Burghley.
Chal·mers [ˈtʃɑːmərz] *Engl. Familienname.*
Cham·ber·lain [ˈtʃeimbərlin], Joseph *1836—1914, brit. Staatsmann; seine Söhne* Sir (Joseph) Austen *1863—1937, brit. Staatsmann;* (Arthur) Neville *1869—1940, brit. Staatsmann, Premierminister.*
Chap·lin, Charles Spencer [ˈtʃæplin] **1889. Engl. Filmschauspieler u. Regisseur.*
Chap·man, George [ˈtʃæpmən] *1559—1634. Engl. Dramatiker.*
Char·le·magne (Charles the Great) [ʃarləˈmaɲ; ˈʃæːrləˌmein; *Br. auch* -ˌmain] Karl der Große. *742—814. Frankenkönig; als* Karl I. *Kaiser des Heiligen Römischen Reichs.*
Charles [tʃɑːrlz] *Könige von England*: Charles I (Charles Stuart) Karl I. *1600—49;* Charles II Karl II. *1630—85.*
Charles Ed·ward Stu·art (the Young Pretender; "Bonnie Prince Charlie") [tʃɑːrlz ˈedwərd ˈstju(ː)ərt; *Am. auch* ˈstuːərt] Karl Eduard (der junge Prätendent). *1720—88. Engl. Prinz; Enkel Jakobs II.*
Chat·ham, Earl of [ˈtʃætəm] → Pitt, William (The Elder Pitt).
Chat·ter·ton, Thomas [ˈtʃætərtn] *1752—70. Engl. Dichter.*
Chau·cer, Geoffrey [ˈtʃɔːsər] *1340?—1400. Engl. Dichter.*
Cheet·ham [ˈtʃiːtəm] *Engl. Familienname.*
Ches·ter·field, Philip Dormer Stanhope, 4th Earl of [ˈtʃestərˌfiːld] *1694—1773. Engl. Schriftsteller u. Staatsmann.*
Ches·ter·ton, Gilbert Keith [ˈtʃestərtən] *1874—1936. Engl. Schriftsteller.*
Chip·pen·dale, Thomas [ˈtʃipənˌdeil] *1718?—1779. Engl. Kunsttischler.*
Chis·holm [ˈtʃizəm] *Engl. Familienname.*
Chris·tie, Agatha Mary Clarissa [ˈkristi] **1891. Engl. Schriftstellerin.*
Chrys·ler, Walther Percy [*Br.* ˈkraizlə; *Am.* ˈkraislər] *1875—1940. Amer. Industrieller.*
Church·ill, John, 1st Duke of Marlborough [ˈtʃəːrtʃil] *1650—1722. Engl. Feldherr.*
Church·ill, Sir Winston Leonard Spencer [ˈtʃəːrtʃil] *1874—1965. Brit. Staatsmann; Premierminister.*
Cib·ber, Colley [ˈsibər] *1671—1757. Engl. Schauspieler u. Dramatiker; Poeta Laureatus.*
Cic·er·o, Marcus Tullius [ˈsisəˌrou] *106—43 v.Chr. Röm. Staatsmann, Redner u. Schriftsteller.*
Cla·ridge [ˈklæridʒ] *Engl. Familienname.*
Cleav·er, Eldridge [ˈkliːvər] **1935 Amer. Schriftsteller.*
Clem·ens, Samuel Langhorne [ˈklemənz] (*Pseudonym* Mark Twain). *1835—1910. Amer. Schriftsteller.*
Cleve·land, (Stephen) Grover [ˈkliːvlənd] *1837—1908. 22. u. 24. Präsident der USA.*
Clive, Robert, Baron Clive of Plassey [klaiv] *1725—74. Brit. General; Begründer der brit. Herrschaft in Ostindien.*
Clough, Arthur Hugh [klʌf] *1819—61. Engl. Dichter.*
Cob·bett, William [ˈkɒbit] *1763—1835. Engl. Schriftsteller u. Politiker.*
Cof·fin, Robert Peter Tristram [ˈkɒfin; *Am. auch* ˈkɔː-] *1892—1955. Amer. Schriftsteller.*
Co·han, George Michael [koˈhæn] *1878—1942. Amer. Schauspieler, Dramatiker u. Regisseur.*
Cole [koul] *Engl. Familienname.*
Cole·man [ˈkoulmən] *Engl. Familienname.*
Cole·ridge, Samuel Taylor [ˈkoulridʒ] *1772—1834. Engl. Dichter u. Kritiker.*
Col·lier, Jeremy [ˈkɒljər; -liər] *1650—1726. Engl. Geistlicher u. Schriftsteller.*
Col·lins, William [ˈkɒlinz] *1721—59. Engl. Dichter.*
Col·lins, (William) Wilkie [ˈkɒlinz] *1824—1889. Engl. Romanschriftsteller.*
Co·lum·ba, Saint [kəˈlʌmbə] der heilige Coˈlumba *od.* Columˈban. *521—597. Irischer Missionar in Schottland.*
Co·lum·bus, Christopher [kəˈlʌmbəs] Christoph Koˈlumbus. *1445—1506. Ital. Seefahrer. Entdecker Amerikas.*
Con·fu·cius [kənˈfjuːʃəs; -ʃjəs] Konˈfuzius. *551?—478 v.Chr. Chines. Philosoph.*
Con·greve, William [ˈkɒŋgriːv; ˈkɒn-] *1670—1729. Engl. Dramatiker.*
Con·rad, Joseph [ˈkɒnræd] (*eigentlich* Teodor Józef Konrad Korzeniowski). *1857—1924. Engl. Romanschriftsteller ukrainischer Herkunft.*
Con·sta·ble, John [ˈkʌnstəbl; ˈkɒn-] *1776—1837. Engl. Maler.*
Cook, Captain James [kuk] *1728—79. Engl. Weltumsegler.*
Coo·lidge, (John) Calvin [ˈkuːlidʒ] *1872—1933. 30. Präsident der USA.*
Coo·per, Anthony Ashley [ˈkuːpər] → Shaftesbury.
Coo·per, James Fenimore [ˈkuːpər] *1789—1851. Amer. Romanschriftsteller.*

Cop·land, Aaron ['kɒplənd; 'koup-] **1900. Amer. Komponist.*
Cor·co·ran ['kɔːrkərən] *Engl. Familienname.*
Cos·grave, William Thomas ['kɒzgreiv] *1880—1965. Irischer Staatsmann.*
Couch [kuːtʃ] *Engl. Familienname.*
Cou·per ['kuːpər] *Engl. Familienname.*
Coup·land ['kuːplənd] *Engl. Familienname.*
Cov·er·dale, Miles ['kʌvərˌdeil] *1488—1568. Engl. Geistlicher; Bibelübersetzer.*
Cow·ard, Noel ['kauərd] **1899. Engl. Schauspieler u. Dramatiker.*
Cow·ley, Abraham ['kauli] *1618—67. Engl. Dichter.*
Cow·per, William ['kuːpər] *1731—1800. Engl. Dichter.*
Cox [kɒks] *Häufiger engl. Familienname.*
Crabbe, George [kræb] *1754—1832. Engl. Dichter.*
Craig·av·on, James Craig, 1st Viscount [kreig'ævən] *1871—1940. Brit. Staatsmann; 1. Premierminister von Nordirland.*
Craik, Dinah Maria [kreik] *1826—87. Engl. Romanschriftstellerin.*
Crane, Stephen [krein] *1871—1900. Amer. Schriftsteller.*
Cran·mer, Thomas ['krænmər] *1489—1556. 1. protestantischer Erzbischof von Canterbury.*
Crash·aw, Richard ['kræʃɔː] *1613?—49. Engl. Dichter.*
Craw·ford, Francis Marion ['krɔːfərd] *1854—1909. Amer. Romanschriftsteller.*
Crich·ton, James ("The Admirable Crichton") ['kraitn] *1560?—82. Schott. Gelehrter u. Dichter.*
Cripps, Sir Richard Stafford [krips] *1889—1952. Brit. Staatsmann.*
Croe·sus ['kriːsəs] Krösus. *?—546 v. Chr. König von Lydien.*
Crom·well ['krɒmwəl; -wel; 'krʌm-], Oliver *1599—1658, engl. General u. Staatsmann, Lordprotektor; sein Sohn* Richard *1626—1712, Lordprotektor.*
Cro·nin, Archibald Joseph ['krounin] **1896. Engl. Arzt u. Romanschriftsteller.*
Cross·man, Richard ['krɒsmən] **1907. Brit. Politiker.*
Cun·liffe ['kʌnlif] *Engl. Familienname.*
Cun·ning·ham ['kʌniŋəm; *Am. auch* -həm] *Häufiger engl. Familienname.*
Cur·ran ['kʌrən] *Engl. Familienname.*
Cur·rer ['kʌrər] *Engl. Familienname.*
Cur·tis, George William ['kəːrtis] *1824—92. Amer. Schriftsteller.*
Cus·ter, George Armstrong ['kʌstər] *1839—1876. Amer. General.*

D

Dal·gleish [dæl'gliːʃ] *Engl. Familienname.*
Dal·ton, Hugh ['dɔːltən] *1887—1962. Engl. Politiker.*
Dal·ton, John ['dɔːltən] *1766—1844. Engl. Chemiker u. Physiker.*
Dal·zell [dæl'zel; diː'el] *Engl. Familienname.*
Dan·iel, Samuel ['dænjəl] *1562—1619. Engl. Dichter; Poeta Laureatus.*
Dan·iels, Josephus ['dænjəlz] *1862—1948. Amer. Publizist u. Staatsmann.*
Dar·win ['dɑːrwin], Charles Robert *1809—1882, engl. Naturforscher; sein Großvater* Erasmus *1731—1802, engl. Arzt u. Naturforscher.*
Dav·e·nant *od.* **D'Av·e·nant,** Sir William ['dævənənt] *1606—68. Engl. Dichter u. Dramatiker; Poeta Laureatus.*
Da·vey ['deivi] *Engl. Familienname.*
Da·vid I ['deivid] *1084—1153. König von Schottland.*
Da·vies ['deiviz; *bes. Br.* -vis] *Engl. Familienname.*
Da·vis, Jefferson ['deivis] *1808—89. Amer. Staatsmann; Präsident der Konföderierten Staaten.*
Da·vis, Richard Harding ['deivis] *1864—1916. Amer. Schriftsteller.*
Da·vi·son ['deivisn] *Engl. Familienname.*
De·foe, Daniel [də'fou; di-] *1660?—1731. Engl. Schriftsteller.*
Dek·ker, Thomas ['dekər] *1572?—1632? Engl. Dramatiker.*
De la Mare, Walter John [dələ'mɛr; 'delə-] *1873—1956. Engl. Dichter.*
De·land, Margaret [də'lænd; di-] *1857—1945. Amer. Romanschriftstellerin.*
de la Roche, Mazo [*Br.* dələ'rɔʃ; *Am.* -'rɔːʃ] *1885—1961. Kanad. Romanschriftstellerin.*
De l'Isle [də'lail] *Engl. Familienname.*
De Quin·cey, Thomas [də'kwinsi; di-] *1785—1859. Engl. Schriftsteller.*
de Va·le·ra, Eamon [ˌdevə'lɛ(ə)rə; də-] **1882. Irischer Staatsmann; Premierminister; Staatspräsident.*
De·vine [də'vain] *Engl. Familienname.*
Dev·lin, Josephine Bernadette ['devlin] **1947. Irische Politikerin.*
Dew·ey, John ['djuːi; *Am. auch* 'duːi] *1859—1952. Amer. Philosoph u. Pädagoge.*
Dick·ens, Charles John Huffam ['dikinz] *1812—70. Engl. Romanschriftsteller.*
Dick·in·son, Emily Elizabeth ['dikinsn] *1830—86. Amer. Dichterin.*
Dick·son ['diksn] *Engl. Familienname.*
Dilke, Sir Charles Wentworth [dilk] *1843—1911. Brit. Politiker u. Schriftsteller.*
Dil·lon, John ['dilən] *1851—1927. Irischer Politiker.*
Di·og·e·nes [dai'ɒdʒiˌniːz; -dʒə-] *412?—323 v. Chr. Griech. Philosoph.*
Dis·ney, Walt(er E.) ['dizni] *1901—66. Meister des Zeichentrickfilms.*
Dis·rae·li, Benjamin, 1st Earl of Beaconsfield [diz'reili] *1804—81. Brit. Staatsmann u. Schriftsteller; Premierminister.*
Dit·mars, Raymond Lee ['ditmɑːrz] *1876—1942. Amer. Naturforscher u. Schriftsteller.*
Do·bell [dou'bel] *Engl. Familienname.*
Dob·son, (Henry) Austin ['dɒbsn] *1840—1921. Engl. Dichter u. Essayist.*
Dog·gett ['dɒgit] *Engl. Familienname.*
Do·her·ty ['douərti; dou'həːrti; 'dɒhərti] *Engl. Familienname.*
Don·ald·son ['dɒnldsn] *Engl. Familienname.*
Donne, John [dʌn; dɒn] *1573—1631. Engl. Geistlicher u. Dichter.*
Don·o·van ['dɒnəvən] *Engl. Familienname.*
Dor·set, Earl of ['dɔːrsit] → Sackville.
Dos Pas·sos, John Roderigo [dəs 'pæsəs] *1896—1970. Amer. Schriftsteller.*
Dough·ty, Charles Montagu ['dauti] *1843—1926. Engl. Schriftsteller u. Forscher.*
Doug·las ['dʌgləs] *Engl. Familienname.*
Dowse [daus] *Engl. Familienname.*
Dow·son, Ernest ['dausn] *1867—1900. Engl. Dichter.*
Doyle, Sir Arthur Conan [dɔil] *1859—1930. Engl. Arzt; Verfasser von Kriminalromanen.*
Drake, Sir Francis [dreik] *1540?—96. Engl. Seeheld.*
Dray·ton, Michael ['dreitn] *1563—1631. Engl. Dichter.*
Drei·ser, Theodore ['draisər; -zər] *1871—1945. Amer. Romanschriftsteller.*
Drink·wa·ter, John ['driŋkˌwɔːtər; *Am. auch* -ˌwɑt-] *1882—1937. Engl. Dichter u. Dramatiker.*
Dry·den, John ['draidn] *1631—1700. Engl. Dichter u. Dramatiker; Poeta Laureatus.*
Du·ches·ne [djuː'ʃein; duː-] *Engl. Familienname.*
Duff [dʌf] *Engl. Familienname.*
Dug·dale ['dʌgˌdeil] *Engl. Familienname.*
Dul·les, John Foster ['dʌlis; -əs] *1888—1959. Amer. Staatsmann; Außenminister.*
du Mau·rier [dju(ː)'mɔːriˌei], George Louis Palmella Busson *1834—96, engl. Zeichner u. Romanschriftsteller; seine Enkelin* Daphne **1907, engl. Romanschriftstellerin.*
Dun·bar, Paul Laurence ['dʌnbɑːr] *1872—1906. Amer. Dichter.*
Dun·bar, William [dʌn'bɑːr; 'dʌnbɑːr] *1460?—1520? Schott. Dichter.*
Dun·can, Isadora ['dʌŋkən] *1878—1927. Amer. Tänzerin.*
Dun·lop, John Boyd [dʌn'lɒp; 'dʌnlɒp] *1840—1921. Schott. Erfinder.*
Dun·sa·ny, Edward John Moreton Drax Plunkett, 18th Baron, Lord [dʌn'seini] *1878—1957. Irischer Dichter u. Dramatiker.*
Duns Sco·tus, John [dʌnz 'skoutəs] *1265?—1308. Schott. Theologe u. Philosoph.*
Dun·stan, Saint ['dʌnstən] der heilige Dunstan. *925?—988. Erzbischof von Canterbury.*
Du Pont, Éleuthère Irénée [dy'pɔ̃; dju(ː)'pɒnt; 'djuːpɒnt; *Am. auch* 'duː-] *1771—1834. Amer. Industrieller franz. Herkunft.*
Duth·ie ['dʌθi] *Engl. Familienname.*
Dut·ton ['dʌtn] *Engl. Familienname.*
Dyke [daik] *Engl. Familienname.*
Dy·mond ['daimənd] *Engl. Familienname.*
Dy·son ['daisn] *Engl. Familienname.*

E

Ed·dy, Mary Morse (*geb.* Baker) ['edi] *1821—1910. Amer. Gründerin der „Christian Science".*
E·den, Sir (Robert) Anthony ['iːdn] **1897. Engl. Staatsmann; Premierminister.*
Edge·worth, Maria ['edʒwəːrθ] *1767—1849. Engl. Romanschriftstellerin.*
Ed·in·burgh, Duke of [*Br.* 'edinbərə; -brə; *Am.* -ˌbəːrou] → Philip, Prince.
Ed·i·son, Thomas Alva ['edisn; -də-] *1847—1931. Amer. Erfinder.*
Ed·ward ['edwərd] *Engl. Könige:* Edward I Eduard I. *1239—1307;* Edward II Eduard II. *1284—1327;* Edward III Eduard III. *1312—77;* Edward IV Eduard IV. *1442—83;* Edward V Eduard V. *1470—83;* Edward VI Eduard VI. *1537—53;* Edward VII *1841—1910;* Edward VIII (Duke of Windsor) Eduard VIII. (Herzog von Windsor) **1894.*
Ed·ward ("The Black Prince") ['edwərd] Eduard (der Schwarze Prinz). *1330—76. Sohn Eduards III. von England.*
Ed·ward (the Confessor) ['edwərd] Eduard (der Bekenner). *1002?—66. Angelsächsischer König.*
Eg·bert ['egbərt] *775?—839. König der Westsachsen u. 1. König von England.*
Eg·gle·ston, Edward ['eglstən] *1837—1902. Amer. Schriftsteller.*
Ein·stein, Albert ['ainstain] *1879—1955. Amer. Physiker dt. Herkunft.*
Ei·sen·how·er, Dwight David ['aizənˌhauər] *1890—1969. Amer. General. 34. Präsident der USA.*
El·gar, Sir Edward ['elgər; -gɑːr] *1857—1934. Engl. Komponist.*
El·i·ot, George ['eliət; 'eljət] (*eigentlich* Mary Ann Evans). *1819—80. Engl. Romanschriftstellerin.*
El·i·ot, Thomas Stearns ['eliət; 'eljət] *1888—1965. Engl. Dichter u. Kritiker amer. Herkunft.*
E·liz·a·beth [i'lizəbəθ] *Engl. Königinnen:* Elizabeth I E'lisabeth I. *1533—1603;* Elizabeth II E'lisabeth II. **1926.*
El·lis, (Henry) Havelock ['elis] *1859—1939. Engl. Schriftsteller.*
El·li·son ['elisn] *Engl. Familienname.*
El·y·ot, Sir Thomas ['eliət; 'eljət] *1490?—1546. Engl. Gelehrter u. Diplomat.*
Em·er·son, Ralph Waldo ['emərsn] *1803—1882. Amer. Schriftsteller, Dichter u. Philosoph.*
Er·skine, John ['əːrskin] *1879—1951. Amer. Schriftsteller.*
Eth·el·red II (the Unready) ['eθəlˌred] Ethelred II. (der Unberatene). *978—1016. Angelsächsischer König.*
Eth·er·ege, Sir George ['eθəridʒ] *1635?—91. Engl. Dramatiker.*
Eu·clid ['juːklid] Eu'klid. *Um 300 v. Chr. Griech. Mathematiker.*
Eu·rip·i·des [ju'ripiˌdiːz; -pə-] *480?—406? v. Chr. Griech. Tragödiendichter.*
Ev·ans, Sir Arthur John ['evənz] *1851—1941. Engl. Archäologe.*
Ew·art ['ju(ː)ərt] *Engl. Familienname.*
Ew·ing ['ju(ː)iŋ] *Engl. Familienname.*

F

Fair·bairn ['fɛrˌbɛːrn] *Engl. Familienname.*
Fair·banks, Douglas ['fɛrˌbæŋks] *1883—1939. Amer. Schauspieler.*
Fan·shawe ['fænʃɔː] *Engl. Familienname.*
Far·a·day, Michael ['færədi; -ˌdei] *1791—1867. Engl. Chemiker u. Physiker.*
Far·leigh *od.* **Far·ley** ['fɑːrli] *Engl. Familienname.*
Far·quhar, George ['fɑːrkwər; -kər] *1678—1707. Engl. Dramatiker.*
Far·rant ['færənt] *Engl. Familienname.*
Far·rell, James Thomas ['færəl] **1904. Amer. Romanschriftsteller.*
Faulk·ner, William ['fɔːknər] *1897—1962. Amer. Romanschriftsteller.*
Faw·cett ['fɔːsit; 'fɒ-] *Engl. Familienname.*
Fawkes, Guy [fɔːks] *1570—1606. Einer der Hauptteilnehmer an der engl. Pulververschwörung.*
Fenn [fen] *Engl. Familienname.*
Fen·wick [*Br.* 'fenik; *Am.* 'fenwik] *Engl. Familienname.*

Fer·ber, Edna ['fəːrbər] *1887—1968. Amer. Schriftstellerin.*
Ffoulkes [fouks; foulks; fauks; fuːks] *Engl. Familienname.*
Field, Eugene [fiːld] *1850—95. Amer. Dichter u. Publizist.*
Fiel·ding, Henry ['fiːldiŋ] *1707—54. Engl. Romanschriftsteller.*
Fiennes [fainz] *Engl. Familienname.*
Fi·field ['faiˌfiːld] *Engl. Familienname.*
Fill·more, Millard ['filmɔːr] *1800—1874. 13. Präsident der USA.*
Fish·er, Dorothy (*geb.* Canfield) ['fiʃər] *1879—1958. Amer. Romanschriftstellerin.*
Fiske, John [fisk] (*eigentlich* Edmund Fisk Green). *1842—1901. Amer. Historiker u. Philosoph.*
Fitch, (William) Clyde [fitʃ] *1865—1909. Amer. Dramatiker.*
Fitz·Ger·ald, Edward [fits'dʒerəld] *1809—1883. Engl. Dichter u. Übersetzer.*
Fitz·ger·ald, Francis Scott Key [fits'dʒerəld] *1896—1940. Amer. Romanschriftsteller.*
Fitz·roy [fits'rɔi] *Engl. Familienname.*
Flagg, James Montgomery [flæg] *1877—1960. Amer. Maler, Illustrator u. Schriftsteller.*
Flem·ing, Sir Alexander ['flemiŋ] *1881—1955. Engl. Bakteriologe; Entdecker des Penicillins.*
Fletch·er, John ['fletʃər] *1579—1625. Engl. Dramatiker.*
Fletch·er, John Gould ['fletʃər] *1886—1950. Amer. Dichter u. Kritiker.*
Flex·ner, Simon ['fleksnər] *1863—1946. Amer. Pathologe.*
Flo·ri·o, John ['flɔːriˌou] *1553—1625. Engl. Lexikograph u. Übersetzer.*
Ford, Ford Madox [fɔːrd] (*eigentlich* Ford Madox Hueffer). *1873—1939. Engl. Schriftsteller.*
Ford, Henry [fɔːrd] *1863—1947. Amer. Industrieller.*
Ford, John [fɔːrd] *1586—1640? Engl. Dramatiker.*
For·es·ter, Cecil Scott ['fɒristər; *Am. auch* 'fɔːr-] *1899—1966. Engl. Romanschriftsteller.*
For·man ['fɔːrmən] *Engl. Familienname.*
For·ster, Edward Morgan ['fɔːrstər] *1879—1970. Engl. Schriftsteller.*
For·syth [fɔːr'saiθ] *Engl. Familienname.*
Foulkes [fouks; fauks] *Engl. Familienname.*
Fox, George [fɒks] *1624—91. Engl. Prediger; Gründer der Quäker.*
Frank·lin, Benjamin ['fræŋklin] *1706—90. Amer. Staatsmann, Erfinder u. Schriftsteller.*
Free·man, Mary Eleanor ['friːmən] *1852—1930. Amer. Schriftstellerin.*
Fre·neau, Philip Morin [fri'nou] *1752—1832. Amer. Dichter.*
Frere [frir] *Engl. Familienname.*
Fro·bish·er, Sir Martin ['froubiʃər] *1535?—1594. Engl. Seefahrer.*
Frost, Robert Lee [frɒst; frɔːst] *1875—1963. Amer. Dichter.*
Fudge [fjuːdʒ; fʌdʒ] *Engl. Familienname.*
Ful·bright, James William ['fulbrait] **1905. Amer. Politiker.*
Ful·ler, (Sarah) Margaret (*verh.* Marchioness Ossoli) ['fulər] *1810—50. Amer. Schriftstellerin.*
Ful·ler, Thomas ['fulər] *1608—61. Engl. Geistlicher u. Schriftsteller.*
Ful·ton, Robert ['fultən] *1765—1815. Amer. Ingenieur u. Erfinder.*

G

Gads·by ['gædzbi] *Engl. Familienname.*
Gains·bor·ough, Thomas [*Br.* 'geinzbərə; -brə; *Am.* -ˌbɔːrou] *1727—88. Engl. Maler.*
Gaits·kell, Hugh Todd ['geitskəl] *1903—63. Brit. Politiker.*
Gale, Zona [geil] *1874—1938. Amer. Romanschriftstellerin.*
Gal·la·gher [*Br.* 'gæləhə; *Am.* -ləgər; -li-] *Engl. Familienname.*
Gal·lup, George Horace ['gæləp] **1901. Amer. Statistiker.*
Gals·wor·thy, John ['gælzˌwəːrði; 'gɔːlz-] *1867—1933. Engl. Romanschriftsteller u. Dramatiker.*
Gal·ton, Sir Francis ['gɔːltən] *1822—1911. Engl. Naturwissenschaftler.*
Gan·dhi, Mohandas Karamchand (Mahatma Gandhi) ['gɑːndiː; 'gæn-] Mohandas Karamtschand Gandhi. *1869—1948. Führer der indischen Unabhängigkeitsbewegung.*
Gar·di·ner, Samuel Rawson ['gɑːrdnər] *1829—1902. Engl. Historiker.*
Gar·field, James Abram ['gɑːrfiːld] *1831—1881. 20. Präsident der USA.*
Gar·land, Hamlin ['gɑːrlənd] *1860—1940. Amer. Romanschriftsteller.*
Gar·net(t) ['gɑːrnit; *Am. auch* -net] *Engl. Familienname.*
Gar·rick, David ['gærik] *1717—79. Engl. Schauspieler.*
Gas·kell, Elizabeth Cleghorn ['gæskəl] *1810—1865. Engl. Romanschriftstellerin.*
Gau·ta·ma Bud·dha ['gautəmə 'budə; *Am. auch* 'gɔː-] *563?—483? v.Chr. Indischer Philosoph; Begründer des Buddhismus.*
Gay, John [gei] *1685—1732. Engl. Dichter u. Dramatiker.*
Geof·frey of Mon·mouth ['dʒefri əv 'mʌnməθ; 'mɒn-] Galfred von Monmouth. *1100?—1154. Engl. Bischof u. Chronist.*
George [dʒɔːrdʒ] *Könige von England:* George I Georg I. *1660—1727*; George II Georg II. *1683—1760*; George III Georg III. *1738—1820*; George IV Georg IV. *1762—1830*; George V Georg V. *1865—1936*; George VI Georg VI. *1895—1952.*
George, David Lloyd [dʒɔːrdʒ] → Lloyd George.
Gersh·win, George ['gəːrʃwin] *1898—1937. Amer. Komponist.*
Gil·lette [dʒi'let] *Engl. Familienname.*
Gil·lies ['gilis] *Engl. Familienname.*
Gil·ling·ham ['giliŋəm; 'dʒil-] *Engl. Familienname.*
Gill·more ['gilmɔːr] *Engl. Familienname.*
Gill·son ['dʒilsn] *Engl. Familienname.*
Gil·pin ['gilpin] *Engl. Familienname.*
Gim·son ['gimsn; 'dʒim-] *Engl. Familienname.*
Gins·berg, Allen ['ginzbəːrg] **1926. Amer. Dichter.*
Gis·sing, George Robert ['gisiŋ] *1857—1903. Engl. Romanschriftsteller.*
Glad·stone, William Ewart ['glædstən; *Am. auch* -stoun] *1809—98. Brit. Staatsmann; Premierminister.*
Glasgow, Ellen Anderson Gholson ['glæsgou] *1874—1945. Amer. Romanschriftstellerin.*
Glegg [gleg] *Engl. Familienname.*
Glen·dow·er, Owen [glen'dauər] *1359?—1416? Führer der walisischen Aufständischen gegen Heinrich IV. von England.*
Glos·ter ['glɒstər] *Engl. Familienname.*
Glouces·ter, Duke of ['glɒstər; 'glɔːs-] → Humphrey.
God·win, William ['gɒdwin] *1756—1836. Engl. Philosoph u. Romanschriftsteller.*
Gold·smith, Oliver ['gouldˌsmiθ] *1728—74. Engl. Dichter.*
Gol·lancz, Victor [gə'lænts] *1893—1967. Engl. Verleger u. Schriftsteller.*
Good·year, Charles ['gudjir; -jər] *1800—60. Amer. Erfinder.*
Gor·ton, John Grey ['gɔːrtn] **1911. Premierminister von Australien.*
Gosse, Sir Edmund William [gɒs; *Am. auch* gɔːs] *1849—1928. Engl. Dichter u. Kritiker.*
Gour·lay *od.* **Gour·ley** ['gurli] *Engl. Familienname.*
Gow [gau] *Engl. Familienname.*
Gow·er, John ['gauər] *1325?—1408. Engl. Dichter.*
Gra·ham ['greiəm; 'greəm] *Engl. Familienname.*
Gran·ger ['greindʒər] *Engl. Familienname.*
Grant, Ulysses Simpson [*Br.* grɑːnt; *Am.* græ(ː)nt] *1822—85. Amer. General; 18. Präsident der USA.*
Gran·ville-Bar·ker, Harley ['grænvil'bɑːrkər] *1877—1946. Engl. Dramatiker, Schauspieler u. Regisseur.*
Graves, Robert Ranke [greivz] **1895. Engl. Schriftsteller.*
Gray, Thomas [grei] *1716—71. Engl. Dichter.*
Greaves [griːvz; greivz] *Engl. Familienname.*
Greene, Graham [griːn] **1904. Engl. Schriftsteller.*
Greene, Robert [griːn] *1560?—92. Engl. Dichter u. Dramatiker.*
Green·halgh ['griːnˌhælʃ; -ˌhældʒ; -hɔː] *Engl. Familienname.*
Greg(g) [greg] *Engl. Familienname.*
Greg·o·ry, Lady Augusta (*geb.* Persse) ['gregəri] *1859?—1932. Irische Dramatikerin.*
Greig [greg] *Engl. Familienname.*
Gre·ville ['grevil] *Engl. Familienname.*
Grey, Charles, 2nd Earl [grei] *1764—1845. Brit. Staatsmann; Premierminister.*
Grey, Lady Jane [grei] *1537—54. Engl. Gegenkönigin.*
Grice [grais] *Engl. Familienname.*
Grid·ley ['gridli] *Engl. Familienname.*
Guin·ness, Sir Alec ['ginis; gi'nes] **1914. Engl. Schauspieler.*

H

Hack·ett ['hækit] *Engl. Familienname.*
Had·ow ['hædou] *Engl. Familienname.*
Hag·gard, Sir Henry Rider ['hægərd] *1856—1925. Engl. Romanschriftsteller.*
Haigh [heig] *Engl. Familienname.*
Hal·i·fax, Edward Frederick Lindley Wood, Earl of ['hæliˌfæks; -lə-] *1881—1959. Brit. Staatsmann.*
Hal·lam, Henry ['hæləm] *1777—1859. Engl. Historiker.*
Hal·leck, Fitz-Greene ['hælik; -lək] *1790—1867. Amer. Dichter.*
Hal·ley, Edmund ['hæli] *1656—1742. Engl. Astronom.*
Hal·li·day ['hæliˌdei] *Engl. Familienname.*
Ham·il·ton, Alexander ['hæmiltən; -məl-] *1757—1804. Amer. Staatsmann.*
Ham·il·ton, Lady Emma (*geb.* Lyon) ['hæmiltən; -məl-] *1765?—1815. Geliebte Lord Nelsons.*
Ham·mer·stein ['hæmərˌstain], Oscar *1847?—1919, amer. Regisseur dt. Herkunft; sein Enkel* Oscar (Hammerstein II) *1895—1960, amer. Dichter u. Librettist.*
Hamp·den, John ['hæmdən; 'hæmp-] *1594—1643. Engl. Staatsmann.*
Han·cock, John ['hænkɒk] *1737—93. Amer. Staatsmann.*
Har·ding, Warren Gamaliel ['hɑːrdiŋ] *1865—1923. 29. Präsident der USA.*
Har·dinge ['hɑːrdiŋ] *Engl. Familienname.*
Har·dy, Thomas ['hɑːrdi] *1840—1928. Engl. Schriftsteller.*
Har·old ['hærəld] *Angelsächsische Könige:* Harold I (Harold Harefoot) Harold I. (Harold Hasenfuß) *?—1040*; Harold II Harold II. *1022?—66.*
Har·rap ['hærəp] *Engl. Familienname.*
Har·ries ['hæris] *Engl. Familienname.*
Har·ri·man, William Averell ['hærimən; -rə-] **1891. Amer. Diplomat u. Politiker.*
Har·ris, Joel Chandler ['hæris] *1848—1908. Amer. Schriftsteller.*
Har·ri·son, Benjamin ['hærisn; -rə-] *1833—1901. 23. Präsident der USA.*
Har·ri·son, William Henry ['hærisn; -rə-] *1773—1841. 9. Präsident der USA.*
Hart, Moss [hɑːrt] *1904—1962. Amer. Librettist u. Dramatiker.*
Harte, (Francis) Bret(t) [hɑːrt] *1836—1902. Amer. Schriftsteller.*
Have·lock ['hævlɒk; -lək] *Engl. Familienname.*
Haw·kins, Sir Anthony Hope ['hɔːkinz] (*Pseudonym* Anthony Hope) *1863—1933. Engl. Romanschriftsteller u. Dramatiker.*
Haw·thorne, Nathaniel ['hɔːθɔːrn] *1804—1864. Amer. Schriftsteller.*
Hayes, Rutherford Birchard [heiz] *1822—1893. 19. Präsident der USA.*
Haz·litt, William ['hæzlit] *1778—1830. Engl. Essayist.*
Hea·ley ['hiːli] *Engl. Familienname.*
Hearne [həːrn] *Engl. Familienname.*
Hearst, William Randolph [həːrst] *1863—1951. Amer. Zeitungsverleger.*
Heath, Edward Richard George [hiːθ] **1916. Brit. Politiker; Premierminister.*
Heath·cote ['heθkət; 'hiːθ-] *Engl. Familienname.*
Hem·ans, Felicia Dorothea ['hemənz] *1793—1835. Engl. Dichterin.*
Hem·ing·way, Ernest ['hemiŋˌwei] *1898—1961. Amer. Schriftsteller.*
Hen·ley, William Ernest ['henli] *1849—1903. Engl. Schriftsteller u. Herausgeber.*
Hen·nes·s(e)y ['henisi; -nə-] *Engl. Familienname.*
Hen·ry ['henri] *Könige von England:* Henry I Heinrich I. *1068—1135*; Henry II Heinrich II. *1133—89*; Henry III Heinrich III. *1207—72*; Henry IV Heinrich IV. *1367—1413*; Henry V Heinrich V. *1387—1422*; Henry VI Heinrich VI. *1421—71*; Henry VII Heinrich VII. *1457—1509*; Henry VIII Heinrich VIII. *1491—1547.*

Hens·ley ['henzli] *Engl. Familienname.*
Hens·lowe, Philip ['henzlou] *?—1616. Engl. Theaterbesitzer u. Tagebuchschreiber.*
Hen·ty, George Alfred ['henti] *1832—1902. Engl. Romanschriftsteller.*
Hep·burn [*Br.* 'hebə(:)n; *Am.* 'hepbərn] *Engl. Familienname.*
Hep·ple·white, George ['hepl,(h)wait] *?—1786. Engl. Kunsttischler.*
Her·bert, George ['hə:rbərt] *1593—1633. Engl. Dichter.*
Her·rick, Robert ['herik] *1591—1674. Engl. Dichter.*
Her·schel ['hə:rʃəl], Sir John Frederick William *1792—1871; sein Vater* Sir William *1738—1822. Engl. Astronomen.*
Hew·ard ['hju(:)ərd] *Engl. Familienname.*
Hew·lett ['hju:lit] *Engl. Familienname.*
Hey·ward, DuBose ['heiwərd] *1885—1940. Amer. Schriftsteller.*
Hey·wood, John ['heiwud] *1497?—1580? Engl. Dichter.*
Hey·wood, Thomas ['heiwud] *1574?—1641. Engl. Dramatiker.*
Hick·in·bot·ham ['hikin,bɒtəm] *Engl. Familienname.*
Hig·gins ['higinz] *Engl. Familienname.*
Hig·gin·son, Thomas Wentworth Storrow ['higinsn] *1823—1911. Amer. Schriftsteller.*
Hil·ton, James ['hiltən] *1900—54. Engl. Romanschriftsteller.*
Hitch·cock, Alfred ['hitʃkɒk] **1899. Engl. Filmregisseur.*
Hobbes, Thomas [hɒbz] *1588—1679. Engl. Philosoph.*
Hodg·es ['hɒdʒiz] *Engl. Familienname.*
Ho·garth, William ['houga:rθ] *1697—1764. Engl. Maler u. Kupferstecher.*
Hogg, James ("The Ettrick Shepherd") [hɒg] *1770—1835. Schott. Dichter.*
Hol·croft ['houlkrɒft] *Engl. Familienname.*
Holds·worth ['houldzwə:rθ] *Engl. Familienname.*
Hol·ins·hed, Raphael ['hɒlin,ʃed; -inz,hed] *?—1580? Engl. Chronist.*
Hol·lo·way ['hɒlə,wei] *Engl. Familienname.*
Hol·man ['houlmən] *Engl. Familienname.*
Holy·oake, Keith Jacka ['houliouk] **1904. Premierminister von Neuseeland.*
Home [houm] *Engl. Familienname.*
Home, Sir Alec Douglas-~ [hju:m] **1903. Brit. Politiker.*
Ho·mer ['houmər] Ho'mer. *Ende des 8. Jhs. v.Chr. Griech. Dichter.*
Ho·mer, Winslow ['houmər] *1836—1910. Amer. Maler.*
Hood, Thomas [hud] *1799—1845. Engl. Dichter.*
Hoo·ver, Herbert Clark ['hu:vər] *1874—1964. 31. Präsident der USA.*
Hope, Anthony [houp] → Hawkins, Sir Anthony.
Hop·kins, Gerard Manley ['hɒpkinz] *1844—1889. Engl. Dichter.*
Hough [hʌf; hɒf] *Engl. Familienname.*
Hous·man, Alfred Edward ['hausmən] *1859—1936. Engl. Dichter u. Altphilologe.*
Hov·ey, Richard ['hʌvi] *1864—1900. Amer. Dichter.*
How [hau] *Engl. Familienname.*
How·ard, Henry, Earl of Surrey ['hauərd] *1517?—47. Engl. Dichter.*
How·ell ['hauəl] *Engl. Familienname.*
How·ells, William Dean ['hauəlz] *1837—1920. Amer. Schriftsteller.*
How·ie ['haui] *Engl. Familienname.*
How·orth ['hauərθ] *Engl. Familienname.*
Hub·bard, Elbert Green ['hʌbərd] *1856—1915. Amer. Schriftsteller u. Herausgeber.*
Hughes, (James) Langston [hju:z] *1902—67. Amer. Schriftsteller.*
Hulme [hju:m; hu:m] *Engl. Familienname.*
Hume, David [hju:m] *1711—76. Schott. Philosoph u. Historiker.*
Hum·phrey, Duke of Gloucester and Earl of Pembroke ['hʌmfri] *1391—1447. Engl. Staatsmann.*
Hunt, (James Henry) Leigh [hʌnt] *1784—1859. Engl. Essayist u. Dichter.*
Hux·ley ['hʌksli], Aldous Leonard *1894—1963, engl. Schriftsteller; sein Bruder* Sir Julian Sorell **1887, engl. Biologe; ihr Großvater* Thomas Henry *1825—95, engl. Biologe.*
Hyde, Douglas [haid] *1860—1949. Irischer Schriftsteller; 1. Präsident der Republik Irland.*

I

Il·ling·worth ['iliŋwə(:)rθ] *Engl. Familienname.*
Inge, William Ralph [iŋ] *1860—1954. Engl. Geistlicher u. Schriftsteller.*
In·glis ['iŋglz; -glis] *Engl. Familienname.*
In·man ['inmən] *Engl. Familienname.*
In·ness, George ['inis], *Vater 1825—94 u. Sohn 1854—1926. Amer. Maler.*
Ir·ving, Washington ['ə:rviŋ] *1783—1859. Amer. Schriftsteller.*
I·saacs, Sir Isaac Alfred ['aizəks] *1855—1948. Austral. Jurist u. Staatsmann; Generalgouverneur von Australien.*
Ish·er·wood, Christopher William Bradshaw ['iʃərwud] **1904. Engl. Schriftsteller u. Dramatiker.*

J

Jack·son, Andrew ['dʒæksn] *1767—1845. Amer. General; 7. Präsident der USA.*
Jack·son, Helen Maria Hunt ['dʒæksn] *1830—85. Amer. Dichterin u. Romanschriftstellerin.*
Ja·go ['dʒeigou] *Engl. Familienname.*
James [dʒeimz] *Engl. Könige:* James I Jakob I. *1566—1625;* James II Jakob II. *1633—1701.*
James [dʒeimz], Henry *1811—82, amer. Philosoph; seine Söhne* Henry *1843—1916, amer. Schriftsteller, u.* William *1842—1910, amer. Psychologe u. Philosoph.*
Ja·mie·son ['dʒeimisn; 'dʒæm-; 'dʒem-] *Engl. Familienname.*
Jeans, Sir James Hopwood [dʒi:nz] *1877—1946. Engl. Astronom, Physiker u. Philosoph.*
Jef·fers, Robinson ['dʒefərz] *1887—1962. Amer. Dichter.*
Jef·fer·son, Thomas ['dʒefərsn] *1743—1826. Amer. Staatsmann; 3. Präsident der USA.*
Jen·kins, Roy ['dʒenkinz] **1920. Brit. Politiker.*
Jen·ner, Edward ['dʒenər] *1749—1823. Engl. Arzt; Entdecker der Pockenschutzimpfung.*
Je·sus (Christ) ['dʒi:zəs (kraist)] Jesus (Christus). *8 od. 7 v.Chr.—30? n.Chr.*
Jev·ons, William Stanley ['dʒevənz] *1835—1882. Engl. Philosoph u. Volkswirtschaftler.*
Jew·ett, Sarah Orne ['dʒu:it] *1849—1909. Amer. Schriftstellerin.*
Joan of Arc, Saint [dʒoun əv a:rk] die heilige Jo'hanna von Orléans. *1412?—31. Franz. Nationalheldin.*
John (Lackland) [dʒɒn] Johann (ohne Land). *1167—1216. König von England.*
John of Gaunt, Duke of Lancaster [dʒɒn əv gɔ:nt] *1340—99. Engl. Staatsmann.*
John·son, Andrew ['dʒɒnsn] *1808—75. 17. Präsident der USA.*
John·son, James Weldon ['dʒɒnsn] *1871—1938. Amer. Schriftsteller.*
John·son, Lyndon Baines ['dʒɒnsn] **1908. 36. Präsident der USA.*
John·son, Samuel (Dr. Johnson) ['dʒɒnsn] *1709—84. Engl. Lexikograph, Essayist u. Dichter.*
Jones, Daniel [dʒounz] *1881—1967. Engl. Phonetiker.*
Jones, Inigo [dʒounz] *1573—1652. Engl. Architekt.*
Jon·son, Ben (*eigentlich* Benjamin) ['dʒɒnsn] *1573?—1637. Engl. Dramatiker u. Dichter; Poeta Laureatus.*
Joule, James Prescott [dʒu:l; dʒaul] *1818—1889. Engl. Physiker.*
Joyce, James [dʒɔis] *1882—1941. Irischer Schriftsteller.*

K

Kauf·man, George Simon ['kɔ:fmən] *1889—1961. Amer. Dramatiker.*
Kaye-Smith, Sheila ['kei'smiθ] *1888—1956. Engl. Romanschriftstellerin.*
Keane [ki:n] *Engl. Familienname.*
Kea·ting(e) ['ki:tiŋ] *Engl. Familienname.*
Keats, John [ki:ts] *1795—1821. Engl. Dichter.*
Kee·ble ['ki:bl] *Engl. Familienname.*
Ke·fau·ver, Carey Estes ['ki:fɔ:vər] *1903—1963. Amer. Politiker.*
Keigh·ley ['ki:θli; 'ki:li; 'kaili] *Engl. Familienname.*
Keir [kir] *Engl. Familienname.*
Kel·ler, Helen Adams ['kelər] *1880—1968. Amer. Schriftstellerin.*
Kel·logg, Frank Billings ['kelɒg; *Am. auch* -lɔ:g] *1856—1937. Amer. Staatsmann.*
Kel·vin, William Thomson, 1st Baron ['kelvin] *1824—1907. Engl. Mathematiker u. Physiker.*
Ken·dal(l) ['kendl] *Engl. Familienname.*
Ken·ne·dy ['kenədi], John Fitzgerald *1917—63, 35. Präsident der USA; sein Bruder* Robert Francis *1925—68, Amer. Politiker.*
Kern, Jerome David [kə:rn] *1885—1945. Amer. Komponist.*
Ke·rou·ac, Jack ['keru(:)æk] *1922—69. Amer. Schriftsteller.*
Kerr [ka:r; kə:r] *Engl. Familienname.*
Kidd, William (Captain Kidd) [kid] *1645?—1701. Engl. Seefahrer u. Seeräuber.*
Kil·mer, (Alfred) Joyce ['kilmər] *1886—1918. Amer. Dichter.*
King, Martin Luther [kiŋ] *1926—68. Amer. Negerführer der Civil-Rights-Bewegung.*
King, William Lyon Mackenzie [kiŋ] *1874—1950. Kanad. Staatsmann; Ministerpräsident.*
Kings·ley, Charles ['kiŋzli] *1819—75. Engl. Geistlicher u. Romanschriftsteller.*
Kip·ling, Rudyard ['kipliŋ] *1865—1936. Engl. Dichter u. Schriftsteller.*
Kirk·ness [kə:rk'nes] *Engl. Familienname.*
Kitch·e·ner, Horatio Herbert, 1st Earl Kitchener of Khartoum and of Broome ['kitʃinər; -tʃə-] *1850—1916. Brit. Feldmarschall.*
Knowles [noulz] *Engl. Familienname.*
Knox, John [nɒks] *1505?—72. Schott. Reformator.*
Kreym·borg, Alfred ['kreimbɔ:rg] *1883—1966. Amer. Dichter.*
Kru·ger, Stephanus Johannes Paulus ("Oom Paul") ['kru:gər] Stephanus Johannes Paulus Krüger. *1825—1904. Südafrik. Staatsmann.*
Kyd, Thomas [kid] *1558—94. Engl. Dramatiker.*

L

Laing [læŋ; leiŋ] *Engl. Familienname.*
Lamb, Charles [læm] *1775—1834. Engl. Essayist u. Kritiker.*
Lamp·lough ['læmplu:; -lʌf] *Engl. Familienname.*
Lan·dor, Walter Savage ['lændɔ:r; -dər] *1775—1864. Engl. Schriftsteller.*
Lang·land, William ['læŋlənd] *1332?—1400? Engl. Dichter.*
Lang·ley, Samuel Pierpont ['læŋli] *1834—1906. Amer. Astronom u. Pionier des Flugzeugbaus.*
Lang·ton, Stephen ['læŋtən] *?—1228. Engl. Theologe, Historiker u. Dichter.*
La·nier, Sidney [lə'nir] *1842—81. Amer. Dichter.*
Lans·down(e) ['lænzdaun] *Engl. Familienname.*
Lan·sing, Robert ['lænsiŋ] *1864—1928. Amer. Staatsmann.*
Lao-tse *od.* **Lao-tze** [*Br.* 'la:o'tsei; *Am.* 'lau'dzʌ] *od.* **Lao-tzu** ['lau'dzʌ] Lao-tse. *604?—531? v.Chr. Chines. Philosoph.*
Lard·ner, Ring ['la:rdnər] (*eigentlich* Ringgold Wilmer). *1885—1933. Amer. Journalist u. Verfasser von Kurzgeschichten.*
La·tham ['leiθəm; -ðəm] *Engl. Familienname.*
Lat·i·mer, Hugh ['lætimər; -tə-] *1485?—1555. Engl. Reformator; protestantischer Märtyrer.*
Laud, William [lɔ:d] *1573—1645. Erzbischof von Canterbury.*
Laugh·ton, Charles ['lɔ:tn] *1899—1962. Engl. Schauspieler.*
La·ver·y ['leivəri; 'læ-] *Engl. Familienname.*
Law, John [lɔ:] *1671—1729. Schott. Finanzmann.*
Law·rence, David Herbert ['lɒrəns; 'lɔ:-] *1885—1930. Engl. Romanschriftsteller.*
Law·rence, Thomas Edward ("Lawrence of Arabia") ['lɒrəns; 'lɔ:-] *1888—1935. Engl. Archäologe, Soldat u. Schriftsteller.*
Lay·a·mon [*Br.* 'laiəmən; *Am.* 'lei-] *Um 1200. Engl. Dichter.*
Leck·y, William Edward Hartpole ['leki] *1838—1903. Irischer Historiker u. Essayist.*
Lee, Robert Edward [li:] *1807—70. General der Konföderierten im amer. Sezessionskrieg.*

Le·fe·vre [lə'fi:vər; -'fei-] *Engl. Familienname.*
Legge [leg] *Engl. Familienname.*
Legh [li:] *Engl. Familienname.*
Leigh [li:] *Engl. Familienname.*
Les·lie [*Br.* 'lezli; *Am.* 'lesli] *Engl. Familienname.*
Le·ver, Charles James ['li:vər] *1806—72. Irischer Romanschriftsteller.*
Le·v(e)y ['li:vi; 'levi] *Engl. Familienname.*
Lew·es, George Henry ['lu:is; 'lju:-] *1817—1878. Engl. Philosoph u. Kritiker.*
Lew·in ['lu(:)in] *Engl. Familienname.*
Lew·is, Matthew Gregory ("Monk Lewis") ['lu:is; 'lju:-] *1775—1818. Engl. Dichter u. Romanschriftsteller.*
Lew·is, Sinclair ['lu:is; 'lju:-] *1885—1951. Amer. Romanschriftsteller.*
Ley [li:] *Engl. Familienname.*
Lin·coln, Abraham ['liŋkən] *1809—65. 16. Präsident der USA.*
Lind·say, Howard ['linzi; 'lind-] *1889—1968. Amer. Dramatiker u. Schauspieler.*
Lind·say, (Nicholas) Vachel ['linzi; 'lind-] *1879—1931. Amer. Dichter.*
Lipp·mann, Walter ['lipmən] **1889. Amer. Journalist u. Schriftsteller.*
Lips·comb(e) ['lipskəm] *Engl. Familienname.*
Live·sey ['livsi; -zi] *Engl. Familienname.*
Liv·ing·ston, Robert R. ['liviŋstən] *1746—1813. Amer. Staatsmann.*
Liv·ing·stone, David ['liviŋstən] *1813—73. Schott. Missionar u. Forschungsreisender in Afrika.*
Liv·y (Titus Livius) ['livi] Livius. *59 v. Chr.—17 n. Chr. Röm. Historiker.*
Lloyd George, David, 1st Earl of Dufor ['lɔid 'dʒɔ:rdʒ] *1863—1945. Brit. Staatsmann; Premierminister.*
Locke, John [lɒk] *1632—1704. Engl. Philosoph.*
Lock·er-Lamp·son, Frederick ['lɒkər-'læmpsən] *1821—95. Engl. Dichter.*
Lock·hart ['lɒkərt; -ha:rt] *Engl. Familienname.*
Lodge, Henry Cabot [lɒdʒ] *1850—1924. Amer. Staatsmann u. Schriftsteller.*
Lodge, Thomas [lɒdʒ] *1558?—1625. Engl. Dichter u. Dramatiker.*
Lon·don, Jack ['lʌndən] *1876—1916. Amer. Schriftsteller.*
Long·fel·low, Henry Wadsworth ['lɒŋˌfelou; *Am. auch* 'lɔ:ŋ-] *1807—82. Amer. Dichter.*
Lons·dale ['lɒnzˌdeil] *Engl. Familienname.*
Lo·raine [lɒ'rein] *Engl. Familienname.*
Love·lace, Richard ['lʌvleis] *1618—58. Engl. Dichter.*
Lov·er, Samuel ['lʌvər] *1797—1868. Irischer Romanschriftsteller.*
Low·ell ['louəl], Abbot Lawrence *1856—1943, amer. Pädagoge; sein Bruder* Percival *1855—1916, amer. Astronom; seine Schwester* Amy *1874—1925, amer. Dichterin u. Kritikerin.*
Low·ell, James Russell ['louəl] *1819—91. Amer. Dichter, Essayist u. Diplomat.*
Lowes [louz] *Engl. Familienname.*
Lowndes [laundz] *Engl. Familienname.*
Lud·gate ['lʌdgit] *Engl. Familienname.*
Ly·all ['laiəl] *Engl. Familienname.*
Lyd·gate, John ['lidgeit; -git] *1370?—1450? Engl. Dichter.*
Lyl·y, John ['lili] *1554?—1606. Engl. Dichter u. Dramatiker.*
Ly·nam ['lainəm] *Engl. Familienname.*
Lynch, John Mary (Jack) [lintʃ] **1917. Premierminister von Irland.*

M

Mac *cf. auch* Mc.
Mac·Ar·thur, Douglas [mək'a:rθər; mə'ka:r-] *1880—1964. Amer. General.*
Mac·Cal·lum [mə'kæləm] *Engl. Familienname.*
Mac·Car·thy [mə'ka:rθi] *Engl. Familienname.*
Ma·cau·lay, Rose [mə'kɔ:li] *1881—1958. Engl. Schriftstellerin.*
Ma·cau·lay, Thomas Babington, 1st Baron [mə'kɔ:li] *1800—59. Engl. Historiker u. Staatsmann.*
Mac·beth [mək'beθ] *?—1057. König von Schottland.*
Mac·Clure [mə'klur] *Engl. Familienname.*
Mac·Crae [mə'krei] *Engl. Familienname.*
Mac·don·ald, George [mək'dɒnəld] *1824—1905. Schott. Romanschriftsteller u. Dichter.*
Mac·Don·ald, James Ramsay [mək'dɒnəld] *1866—1937. Brit. Staatsmann; Premierminister.*
Mac·Dou·gal [mək'du:gəl] *Engl. Familienname.*
Mac·Gee [mə'gi:] *Engl. Familienname.*
Mach·en ['mækin; -kən; 'meitʃən] *Engl. Familienname.*
Mack [mæk] *Engl. Familienname.*
Mac·Ken·na [mə'kenə] *Engl. Familienname.*
Mack·ie ['mæki] *Engl. Familienname.*
Mac·lar·en, Ian [mə'klærən] → Watson, John.
Mac·Leish, Archibald [mək'li:ʃ] **1892. Amer. Dichter.*
Mac·leod, Fiona [mə'klaud] → Sharp, William.
Mac·mil·lan, Harold [mək'milən] **1894. Brit. Verleger u. Staatsmann; Premierminister.*
Mac·Nab [mək'næb] *Engl. Familienname.*
Mac·na·ma·ra [ˌmæknə'ma:rə] *Engl. Familienname.*
Mac·Neice, Louis [mək'ni:s] *1907—63. Engl. Dichter u. Philologe.*
Mac·o·no·chie [mə'kɒnəki] *Engl. Familienname.*
Mac·pher·son, James [mək'fə:rsn] *1736—1796. Schott. Dichter.*
Mad·i·son ['mædisn; -də-], James *1751—1836, 4. Präsident der USA; seine Frau* Dolly (Dorothea, *geb.* Payne) *1768—1849.*
Mae·ce·nas, Gaius Cilnius [mi'si:nəs; -næs] *70?—8 v. Chr. Röm. Staatsmann u. Förderer der Künste u. Wissenschaften.*
Ma·gee [mə'gi:] *Engl. Familienname.*
Ma·hom·et [mə'hɒmit], *auch* **Ma·hom·ed** [mə'hɒmid] → Mohammed.
Ma·hon [ma:n; mə'hu:n; mə'houn] *Engl. Familienname.*
Ma·hon(e)y ['ma:əni; 'ma:ni] *Engl. Familienname.*
Mail·er, Norman ['meilər] **1923. Amer. Schriftsteller.*
Mal·lett ['mælit] *Engl. Familienname.*
Ma·lone, Edmund [mə'loun] *1741—1812. Irischer Literarhistoriker; Shakespeareforscher.*
Mal·o·ry, Sir Thomas ['mæləri] *1408?—71. Engl. Verfasser eines Artusromans.*
Man·ning, Henry Edward ['mæniŋ] *1808—1892. Engl. Kardinal u. Schriftsteller.*
Mans·field, Katherine ['mænzfi:ld; 'mæns-] (*Pseudonym von* Kathleen Murry, *geb.* Beauchamp). *1888—1923. Engl. Schriftstellerin.*
Mans·field, Michael Joseph (Mike) ['mænzfi:ld; 'mæns-] **1903. Amer. Politiker.*
Mao Tse-tung [*Br.* 'mau tse'tuŋ; *Am.* 'mau 'dzʌ'duŋ; 'ma:o] **1893. Chines. Staatsmann; Präsident der Volksrepublik China.*
Map [mæp], *auch* **Mapes,** Walter [meips; 'meipi:z] *1140?—1209? Walisischer Dichter.*
Mar·cu·se, Herbert [ma:r'ku:z] **1898. Amer. Philosoph dt. Herkunft.*
Mark·ham, Edwin ['ma:rkəm] *1852—1940. Amer. Dichter.*
Marl·bor·ough, Duke of ['mɔ:lbrə; 'ma:rl-; *Am. auch* -bəˌrou] → Churchill, John.
Mar·lowe, Christopher ['ma:rlou] *1564—1593. Engl. Dramatiker.*
Mar·ner ['ma:rnər] *Engl. Familienname.*
Mar·quand, John Phillips [ma:r'kwɒnd] *1893—1960. Amer. Schriftsteller.*
Mar·ry·at, Frederick ['mæriət] *1792—1848. Engl. Marineoffizier u. Romanschriftsteller.*
Mar·shall, George Catlett ['ma:rʃəl] *1880—1959. Amer. General u. Staatsmann.*
Mar·ston, John ['ma:rstən] *1575?—1634. Engl. Dramatiker.*
Mar·ti·neau, Harriet ['ma:rtiˌnou] *1802—1876. Engl. Schriftstellerin.*
Mar·vell, Andrew ['ma:rvəl] *1621—78. Engl. Dichter.*
Mar·y I ("Bloody Mary") ['mɛ(ə)ri] Ma'ria I. (die Katholische *od.* die Blutige). *1516—55. Königin von England.*
Mar·y II ['mɛ(ə)ri] *1662—94. Königin von England; Gemahlin König Wilhelms III. von Oranien.*
Mar·y Stu·art, Mary, Queen of Scots ['mɛ(ə)ri 'stju(:)ərt; *Am. auch* 'stu:-] Ma'ria Stuart. *1542—87. Königin von Schottland.*
Mar·y Tu·dor ['mɛ(ə)ri 'tju:dər; *Am. auch* 'tu:-] → Mary I.
Mase·field, John ['meisfi:ld; 'meiz-] *1878—1967. Engl. Dichter; Poeta Laureatus.*
Mas·ham ['mæsəm; 'mæʃəm] *Engl. Familienname.*
Mas·sin·ger, Philip ['mæsindʒər; -sən-] *1583—1640. Engl. Dramatiker.*
Mas·ters, Edgar Lee [*Br.* 'ma:stəz; *Am.* 'mæ(:)stərz] *1869—1950. Amer. Schriftsteller.*
Ma·thews ['mæθju:z; 'mei-] *Engl. Familienname.*
Maud·ling, Reginald ['mɔ:dliŋ] **1917. Brit. Politiker.*
Maugham, William Somerset [mɔ:m] *1874—1965. Engl. Romanschriftsteller u. Dramatiker.*
Maughan [mɔ:n] *Engl. Familienname.*
Max·well, James Clerk ['mækswel; -wəl] *1831—79. Schott. Physiker.*
May·hew ['meihju:] *Engl. Familienname.*
May·o ['meiou], Charles Horace *1865—1939; sein Bruder* William James *1861—1939. Amer. Chirurgen.*
Mc *cf. auch* Mac.
Mc·Car·thy, Joseph R. [mə'ka:rθi] *1909—57. Amer. Politiker.*
Mc·Kin·ley, William [mə'kinli] *1843—1901. 25. Präsident der USA.*
Meagher [ma:r] *Engl. Familienname.*
Mel·bourne, William Lamb, 2nd Viscount ['melbərn; -bɔ:rn] *1779—1848. Brit. Staatsmann.*
Mel·ville, Herman ['melvil] *1819—91. Amer. Schriftsteller.*
Menck·en, Henry Louis ['meŋkin; -kən] *1880—1956. Amer. Schriftsteller u. Kritiker.*
Mer·e·dith, George ['merədiθ] *1828—1909. Engl. Romanschriftsteller u. Dichter.*
Me·thu·en ['meθjuin] *Engl. Familienname.*
Meyn·ell, Alice Christiana Gertrude (*geb.* Thompson) ['menl] *1847—1922. Engl. Dichterin u. Essayistin.*
Mey·rick ['merik; 'mei-] *Engl. Familienname.*
Mid·dle·ton, Thomas ['midltən] *1570?—1627. Engl. Dramatiker.*
Miers ['maiərz] *Engl. Familienname.*
Mill [mil], James *1773—1836, schott. Philosoph u. Volkswirtschaftler; sein Sohn* John Stuart *1806—73, engl. Philosoph u. Volkswirtschaftler.*
Mil·lay, Edna St. Vincent [mi'lei] *1892—1950. Amer. Dichterin.*
Mil·ler, Arthur ['milər] **1915. Amer. Dramatiker.*
Mil·ler, Henry ['milər] **1891. Amer. Schriftsteller.*
Milne, Alan Alexander [miln] *1882—1956. Engl. Dichter u. Dramatiker.*
Milnes [milz; milnz] *Engl. Familienname.*
Mil·ton, John ['miltən] *1608—74. Engl. Dichter.*
Mitch·ell, Silas Weir ['mitʃəl] *1829—1914. Amer. Arzt u. Schriftsteller.*
Mit·ford, Mary Russell ['mitfərd] *1787—1855. Engl. Romanschriftstellerin u. Dramatikerin.*
Mo·ham·med [mo'hæmed; -mid] *570—632. Stifter des Islams.*
Mo·lo·ny [mə'louni] *Engl. Familienname.*
Mo·ly·neux ['mɒlinju:ks; -nju:; *Br. auch* 'mʌlinju:ks; -nju:; *Am. auch* 'mɑlinu:ks] *Engl. Familienname.*
Mon·mouth, James Scott, Duke of ['mʌnməθ; 'mɒn-] *1649—85. Sohn Karls II. von England. Engl. Rebell u. Thronprätendent.*
Mon·roe, Harriet [mən'rou] *1861?—1936. Amer. Dichterin.*
Mon·roe, James [mən'rou] *1758—1831. 5. Präsident der USA.*
Mon·son ['mʌnsn] *Engl. Familienname.*
Mon·ta·gu, Lady Mary Wortley ['mɒntəˌgju:; 'mʌn-] *1689—1762. Engl. Schriftstellerin.*
Mont·fort, Simon de, Earl of Leicester [mɔ̃'fɔ:r; 'mɒntfərt] *1208?—65. Engl. Heerführer u. Staatsmann; Sohn des* Simon de Montfort l'Amaury.
Mont·gom·er·y, Sir Bernard Law, 1st Viscount Montgomery of Alamein [mɒnt'gʌməri; mənt-] **1887. Brit. Feldmarschall.*
Moore, George [mur; mɔ:r] *1852—1933. Irischer Schriftsteller.*
Moore, Henry [mur; mɔ:r] **1898. Engl. Bildhauer.*
Moore, Thomas [mur; mɔ:r] *1779—1852. Irischer Dichter.*

More, Henry [mɔːr] *1614—87. Engl. Philosoph.*
More, Paul Elmer [mɔːr] *1864—1937. Amer. Essayist u. Kritiker.*
More, Sir Thomas (Thomas Morus) [mɔːr] *1478—1535. Engl. Humanist u. Staatsmann; heiliggesprochen.*
Mor·gan, Charles Langbridge ['mɔːrgən] *1894—1958. Engl. Romanschriftsteller.*
Mor·gen·thau, Henry ['mɔːrgənˌθɔː] *1891—1967. Amer. Politiker.*
Mor·ley, Christopher Darlington ['mɔːrli] *1890—1957. Amer. Schriftsteller.*
Mor·ley, John, Viscount Morley of Blackburn ['mɔːrli] *1838—1923. Engl. Staatsmann u. Schriftsteller.*
Mor·rell ['mʌrəl; mə'rel] *Engl. Familienname.*
Mor·ris ['mɒris; *Am. auch* 'mɔːr-] *Engl. Familienname.*
Morse, Samuel Finley Breese [mɔːrs] *1791—1872. Amer. Maler u. Erfinder.*
Mor·ti·mer, Roger de, 1st Earl of March ['mɔːrtimər; -tə-] *1287—1330. Walisischer Rebell; Günstling der Königin Isabella von England.*
Mow·att ['mauət; 'mou-] *Engl. Familienname.*
Mowll [moul; muːl] *Engl. Familienname.*
Mu·lock, Dinah Maria ['mjuːlɒk] → Craik.
Mun·ro [mʌn'rou; mən-; 'mʌnrou] *Engl. Familienname.*
Mur·ry, John Middleton [*Br.* 'mʌri; *Am.* 'məːri] *1889—1957. Engl. Schriftsteller.*

N

Na·po·le·on I *od.* **Na·po·le·on Bo·na·parte** [nə'pouliən; -ljən; 'bounəˌpaːrt] *1769—1821. Kaiser der Franzosen.*
Nash, Ogden [næʃ] **1902. Amer. Dichter.*
Nash(e), Thomas [næʃ] *1567—1601. Engl. Dichter u. Dramatiker.*
Neale [niːl] *Engl. Familienname.*
Neil(l) [niːl] *Engl. Familienname.*
Nel·son, Horatio, Viscount ['nelsn] *1758—1805. Brit. Admiral.*
New·bolt, Sir Henry John ['njuːboult] *1862—1938. Engl. Schriftsteller.*
New·man, John Henry (Cardinal Newman) ['njuːmən] *1801—90. Engl. Theologe; Kardinal.*
New·ton, Sir Isaac ['njuːtn; *Am. auch* 'nuː-] *1642—1727. Engl. Physiker, Mathematiker u. Philosoph.*
Nich·ol·son, Harold George ['nikəlsn] **1886. Engl. Diplomat u. Schriftsteller.*
Night·in·gale, Florence ['naitiŋˌgeil; *Am. auch* -tən-] *1820—1910. Engl. Philanthropin.*
Nix·on, Richard Milhous ['niksn] **1913. 37. Präsident der USA.*
Nor·ris, Frank ['nɒris; *Am. auch* 'nɔːris] *1870—1902. Amer. Romanschriftsteller.*
North, Frederick, Lord [nɔːrθ] *1732—92. Brit. Staatsmann; Premierminister.*
Nor·ton, Charles Eliot ['nɔːrtn] *1827—1908. Amer. Schriftsteller u. Gelehrter.*
Nor·ton, Thomas ['nɔːrtn] *1532—84. Engl. Jurist u. Dichter.*
Now·ell ['nouəl] *Engl. Familienname.*
Noyes, Alfred [nɔiz] *1880—1955. Engl. Dichter.*

O

Oates [outs] *Engl. Familienname.*
O'Brien [ou'braiən] *Engl. Familienname.*
O'Cal·la·ghan [*Br.* ou'kæləhən; *Am.* -hæn] *Engl. Familienname.*
O'Ca·sey, Sean [o'keisi] *1884—1964. Irischer Dramatiker.*
Oc·cam *od.* **Ock·ham,** William of ['ɒkəm] *1300?—49? Engl. Theologe u. Philosoph.*
O'Con·nor, Thomas Power [o'kɒnər] *1848—1929. Irischer Journalist u. Nationalist.*
O·dets, Clifford [o'dets] *1906—63. Amer. Dramatiker.*
O'Don·nell [ou'dɒnl] *Engl. Familienname.*
O'Dowd [ou'daud] *Engl. Familienname.*
O'Fla·her·ty, Liam [*Br.* o'flɛəti; *Am.* o'flæhərti] **1896. Irischer Romanschriftsteller.*
O'Ha·gan [ou'heigən] *Engl. Familienname.*
O'Har·a [ou'haːrə; *Am. auch* -'hɛrə] *Engl. Familienname.*
O. Hen·ry [ou'henri] → Porter, William Sidney.
O'Kel·ly, Seán Thomas [o'keli] *1883—1966. Irischer Politiker; Staatspräsident der Irischen Republik.*
O'Lear·y [ou'li(ə)ri] *Engl. Familienname.*
Ol·iv·i·er, Sir Laurence [ə'liviei; ɒ'l-] **1907. Engl. Schauspieler.*
O'Neill, Eugene Gladstone [o'niːl] *1888—1953. Amer. Dramatiker.*
On·ions, Charles Talbut ['ʌnjənz] *1873—1965. Engl. Philologe u. Lexikograph.*
Op·pen·heim, Edward Phillips ['ɒpənˌhaim] *1866—1946. Engl. Romanschriftsteller.*
Op·pen·hei·mer, J. Robert ['ɒpənˌhaimər] *1904—67. Amer. Physiker.*
Os·borne, John ['ɒzbərn] **1929. Engl. Schauspieler u. Dramatiker.*
O'Shaugh·nes·sy [ou'ʃɔːnisi; -nə-] *Engl. Familienname.*
O'Shea [ou'ʃei] *Engl. Familienname.*
O'Sul·li·van [ou'sʌlivən; -lə-] *Engl. Familienname.*
Ot·way, Thomas ['ɒtwei] *1652—85. Engl. Dramatiker.*
Oug·ham ['oukəm] *Engl. Familienname.*
Outh·waite ['uːθweit; 'ouθ-; 'auθ-] *Engl. Familienname.*
O·ver·bur·y ['ouvərbəri; *Am. auch* -ˌberi] *Engl. Familienname.*
Ow·en, Robert ['ouin] *1771—1858. Engl. Sozialreformer.*
Ow·en, Wilfred ['ouin] *1893—1918. Engl. Dichter.*
Owles [oulz] *Engl. Familienname.*

P

Page, Thomas Nelson [peidʒ] *1853—1922. Amer. Romanschriftsteller u. Diplomat.*
Paine, Thomas [pein] *1737—1809. Amer. Staatstheoretiker engl. Herkunft.*
Palm·er, George Herbert ['paːmər] *1842—1933. Amer. Pädagoge u. Philosoph.*
Palm·er·ston, Henry John Temple, 3rd Viscount ['paːmərstən] *1784—1865. Brit. Staatsmann; Premierminister.*
Par·ker, Dorothy (*geb.* Rothschild) ['paːrkər] *1893—1967. Amer. Schriftstellerin.*
Par·ker, Sir Gilbert ['paːrkər] *1862—1932. Kanad. Schriftsteller.*
Pa·ter, Walter Horatio ['peitər] *1839—94. Engl. Essayist u. Kritiker.*
Pat·more, Coventry Kersey Dighton ['pætmɔːr] *1823—96. Engl. Dichter.*
Pat·ter·son ['pætərsn] *Engl. Familienname.*
Payne, John Howard [pein] *1791—1852. Amer. Schauspieler u. Dramatiker.*
Pea·bod·y, George ['piːˌbɒdi; -bədi] *1795—1869. Amer. Kaufmann u. Philanthrop.*
Pea·cock, Thomas Love ['piːˌkɒk] *1785—1866. Engl. Romanschriftsteller.*
Pears [pirz; perz] *Engl. Familienname.*
Pear·sall ['pirsɔːl] *Engl. Familienname.*
Pear·son ['pirsn] *Engl. Familienname.*
Peart [pirt] *Engl. Familienname.*
Peel, Sir Robert [piːl] *1788—1850. Brit. Staatsmann; Premierminister.*
Peele, George [piːl] *1558?—97? Engl. Dramatiker u. Dichter.*
Penn [pen], Sir William *1621—70, engl. Admiral; sein Sohn* William *1644—1718, engl. Quäker, Gründer der Kolonie Pennsylvania.*
Pepys, Samuel [piːps] *1633—1703. Verfasser berühmter Tagebücher.*
Per·cy, Sir Henry ("Percy Hotspur") ['pəːrsi] *1364—1403. Engl. Heerführer.*
Phil·ip, Prince, 3rd Duke of Edinburgh ['filip] Prinz Philipp, Herzog von Edinburgh. **1921. Gemahl Elisabeths II. von England.*
Phil·ips, Ambrose ("Namby-Pamby") ['filips] *1675?—1749. Engl. Dichter u. Dramatiker.*
Phil·lips, Stephen ['filips] *1868—1915. Engl. Dichter u. Dramatiker.*
Pierce, Franklin [pirs] *1804—69. 14. Präsident der USA.*
Pi·ne·ro, Sir Arthur Wing [pi'ni(ə)rou] *1855—1934. Engl. Dramatiker.*
Pi·ther ['paiθər; -ðər] *Engl. Familienname.*
Pit·man, Sir Isaac ['pitmən] *1813—97. Engl. Stenograph.*
Pitt [pit], William, 1st Earl of Chatham (The Elder Pitt) William Pitt (der Ältere) *1708—78, brit. Staatsmann; sein Sohn* William (The Younger Pitt) William Pitt (der Jüngere) *1759—1806, brit. Staatsmann, Premierminister.*
Pla·to ['pleitou] Plato(n). *427?—347 v. Chr. Griech. Philosoph.*
Poe, Edgar Allan [pou] *1809—49. Amer. Dichter.*
Polk, James Knox [pouk] *1795—1849. 11. Präsident der USA.*
Pope, Alexander [poup] *1688—1744. Engl. Dichter.*
Por·ter, Cole ['pɔːrtər] *1893—1970. Amer. Komponist.*
Por·ter, William Sydney ['pɔːrtər] (*Pseudonym* O. Henry). *1862—1910. Amer. Schriftsteller.*
Pound, Ezra Loomis [paund] **1885. Amer. Dichter.*
Pow·lett ['pɔːlit] *Engl. Familienname.*
Pow·ys ['pouis] *Brüder:* John Cowper *1872—1963.* Theodore Francis *1875—1953;* Llewelyn *1884—1939. Engl. Schriftsteller.*
Poyn·ter ['pɔintər] *Engl. Familienname.*
Priest·ley, John Boynton ['priːstli] **1894. Engl. Romanschriftsteller.*
Pri·or, Matthew ['praiər] *1664—1721. Engl. Dichter.*
Prit·chard ['pritʃərd] *Engl. Familienname.*
Pugh [pjuː] *Engl. Familienname.*
Pul·itz·er, Joseph ['pulitsər] *1847—1911. Amer. Journalist ungar. Herkunft.*
Pur·cell, Henry ['pəːrsl; -sel] *1658?—95. Engl. Komponist.*
Pyke [paik] *Engl. Familienname.*
Pym, John [pim] *1584—1643. Engl. Staatsmann.*

Q

Quarles, Francis [kwɔːrlz] *1592—1644. Engl. Dichter.*
Quil·ler-Couch, Sir Arthur Thomas ['kwilər'kuːtʃ] *1863—1944. Engl. Schriftsteller u. Literarhistoriker.*
Quin·cy, Josiah ['kwinsi; -zi] *1744—75. Amer. Rechtsanwalt u. Politiker.*

R

Rae [rei] *Engl. Familienname.*
Rae·burn, Sir Henry ['reibəːrn] *1756—1823. Schott. Maler.*
Ra·le(i)gh, Sir Walter ['rɔːli; 'raːli; 'ræli] *1552?—1618. Engl. Seefahrer u. Schriftsteller.*
Ram·say, Allan ['ræmzi] *1686—1758. Schott. Dichter.*
Rat·cliffe ['rætklif] *Engl. Familienname.*
Reade, Charles [riːd] *1814—84. Engl. Romanschriftsteller.*
Reed, John [riːd] *1887—1920. Amer. Journalist u. Schriftsteller.*
Reeve [riːv] *Engl. Familienname.*
Reid [riːd] *Engl. Familienname.*
Rem·ing·ton, Frederic ['remiŋtən] *1861—1909. Amer. Maler u. Bildhauer.*
Ren·wick ['renwik; *Br. auch* 'renik] *Engl. Familienname.*
Rep·plier, Agnes ['replir] *1855—1950. Amer. Essayistin.*
Reyn·olds, Sir Joshua ['renldz] *1723—92. Engl. Maler.*
Rhodes, Cecil John [roudz] *1853—1902. Brit.-südafrik. Wirtschaftsführer u. Staatsmann.*
Rice, Elmer L. [rais] (*eigentlich* Reizenstein). *1892—1967. Amer. Dramatiker.*
Rich·ard ['ritʃərd] *Könige von England:* Richard I (Cœur de Lion) Richard I. (Löwenherz) *1157—99;* Richard II *1367—1400;* Richard III *1452—85.*
Rich·ard·son, Samuel ['ritʃərdsn] *1689—1761. Engl. Romanschriftsteller.*
Rid·ley, Nicholas ['ridli] *1500?—55. Engl. Reformator u. protestantischer Märtyrer.*
Ri·dout ['raidaut; 'ri-] *Engl. Familienname.*
Ri·ley, James Whitcomb ['raili] *1849—1916. Amer. Dichter.*
Robe·son, Paul ['roubsn] **1898. Amer. Schauspieler u. Sänger.*
Ro·bins ['roubinz; 'rɒ-] *Engl. Familienname.*
Rob·in·son, Edwin Arlington ['rɒbinsn] *1869—1935. Amer. Dichter.*
Rock·e·fel·ler, John Davison ['rɒkəˌfelər; -ki-] *Vater 1839—1937 u. Sohn 1874—1960. Amer. Ölmagnaten.*

Rom·ney, George ['rɒmni; 'rʌm-] *1734—1802. Engl. Maler.*
Roo·se·velt ['rouzəˌvelt; -vəlt], Franklin Delano *1882—1945, 32. Präsident der USA; seine Frau* (Anna) Eleanor *1884—1962, amer. Schriftstellerin.*
Roo·se·velt, Theodore ['rouzəˌvelt; -vəlt] *1858—1919. 26. Präsident der USA.*
Ros·set·ti [ro'zeti; -'seti; *Br. auch* rɔ-], Dante Gabriel *1828—82, engl. Maler u. Dichter; seine Schwester* Christina Georgina *1830—94, engl. Dichterin.*
Roth·schild ['ro:tʃild; 'rɒθˌtʃaild; 'rɒθs-; 'rɒs-], Meyer Amschel *1743—1812, dt. Bankier; sein Sohn* Nathan Meyer *1777—1836, Bankier in London.*
Rouse [raus; ru:s] *Engl. Familienname.*
Routh [rauθ] *Engl. Familienname.*
Rowe, Nicholas [rou] *1674—1718. Engl. Dichter u. Dramatiker; Poeta Laureatus.*
Row·ell ['rauəl; 'rouəl] *Engl. Familienname.*
Row·ley, William ['rouli] *1585?—1642? Engl. Schauspieler u. Dramatiker.*
Rudge [rʌdʒ] *Engl. Familienname.*
Rum·bold ['rʌmbould] *Engl. Familienname.*
Rusk, Dean [rʌsk] **1909. Amer. Politiker.*
Rus·kin, John ['rʌskin] *1819—1900. Engl. Schriftsteller u. Sozialreformer.*
Rus·sell, Bertrand Arthur William, 3rd Earl ['rʌsl] *1872—1970. Engl. Philosoph, Mathematiker u. Schriftsteller.*
Rus·sell, George William ['rʌsl] (*Pseudonym* Æ). *1867—1935. Irischer Dichter u. Maler.*
Rus·sell, Lord John, 1st Earl Russell of Kingston Russell ['rʌsl] *1792—1878. Brit. Staatsmann; Premierminister.*
Ry·an ['raiən] *Engl. Familienname.*

S

Sack·ville, Thomas, 1st Earl of Dorset ['sækvil] *1536—1608. Engl. Dichter u. Diplomat.*
Sack·ville-West, Victoria Mary ['sækvil-'west] *1892—1962. Engl. Schriftstellerin.*
Sad·ler ['sædlər] *Engl. Familienname.*
Salis·bur·y, Robert Arthur Talbot Gascoyne-Cecil, 3rd Marquis of ['sɔ:lzbəri; *Am. auch* -ˌberi] *1830—1903. Brit. Staatsmann.*
Sand·burg, Carl ['sænbə:rg; 'sænd-] *1878—1967. Amer. Dichter.*
San·ders ['sɑ:ndərz; *Am. auch* 'sæn-] *Engl. Familienname.*
Sandys [sændz] *Engl. Familienname.*
San·ta·ya·na, George [santa'jana; ˌsænti-'ænə] *1863—1952. Amer. Philosoph u. Schriftsteller span. Herkunft.*
Sa·roy·an, William [sə'rɔiən] **1908. Amer. Schriftsteller.*
Sas·soon, Siegfried [sə'su:n] *1886—1967. Engl. Schriftsteller.*
Saun·ders ['sɔ:ndərz; 'sɑ:n-] *Engl. Familienname.*
Saw·yer ['sɔ:jər] *Engl. Familienname.*
Sayce [seis] *Engl. Familienname.*
Say·ers, Dorothy Leigh ['seiərz; sɛrz] *1893—1957. Engl. Schriftstellerin u. Dramatikerin.*
Scott, Sir Walter [skɒt] *1771—1832. Schott. Dichter u. Romanschriftsteller.*
Sco·tus, Duns ['skoutəs] → Duns Scotus.
Searle [sə:rl] *Engl. Familienname.*
Sedg·wick ['sedʒwik] *Engl. Familienname.*
See·ger, Alan ['si:gər] *1888—1916. Amer. Dichter.*
See·l(e)y ['si:li] *Engl. Familienname.*
Ser·vice, Robert William ['sə:rvis] *1874—1958. Kanad. Schriftsteller.*
Se·ton, Ernest Thompson ['si:tn] *1860—1946. Engl. Schriftsteller u. Illustrator in USA.*
Sew·ell ['sju(:)əl] *Engl. Familienname.*
Shad·well, Thomas ['ʃædwəl; -wel] *1642?—1692. Engl. Dramatiker; Poeta Laureatus.*
Shaftes·bur·y, Anthony Ashley Cooper, 1st Earl of [*Br.* 'ʃɑ:ftsbəri; -bri; *Am.* 'ʃæ(:)fts-] *1621—83. Engl. Staatsmann.*
Shake·speare *od.* **Shak·speare** *od.* **Shak·spere,** William ['ʃeikspir] *1564—1616. Engl. Dramatiker u. Dichter.*
Sharp, William [ʃɑ:rp] (*Pseudonym* Fiona Macleod). *1856?—1905. Schott. Dichter.*
Shaw, George Bernard [ʃɔ:] *1856—1950. Irischer Dramatiker u. Kritiker.*
Shea [ʃei] *Engl. Familienname.*
Shel·ley ['ʃeli], Percy Bysshe *1792—1822, engl. Dichter; seine Frau* Mary Wollstonecraft (*geb.* Godwin) *1797—1851, engl. Romanschriftstellerin.*
Shen·stone, William ['ʃenstən] *1714—63. Engl. Dichter.*
Shep·pard ['ʃepərd] *Engl. Familienname.*
Sher·a·ton, Thomas ['ʃerətn] *1751—1806. Engl. Kunsttischler.*
Sher·i·dan, Richard Brinsley ['ʃeridn; -rə-] *1751—1816. Irischer Dramatiker u. Politiker.*
Sher·lock ['ʃə:rlɒk] *Engl. Familienname.*
Sher·man, John ['ʃə:rmən] *1823—1900. Amer. Staatsmann.*
Sher·wood, Robert Emmet ['ʃə:rwud] *1896—1955. Amer. Dramatiker.*
Shir·ley, James ['ʃə:rli] *1596—1666. Engl. Dramatiker.*
Sid·ney, Sir Philip ['sidni] *1554—86. Engl. Dichter u. Staatsmann.*
Simp·son ['simsn; 'simpsn] *Engl. Familienname.*
Sin·clair, Upton Beall [sin'klɛr] *1878—1968. Amer. Schriftsteller u. Politiker.*
Sing·er ['siŋər; 'siŋgər] *Engl. Familienname.*
Sit·well ['sitwəl; -wel], Dame Edith *1887—1964, engl. Dichterin; ihre Brüder* Osbert *1892—1969 u.* Sacheverell **1897, engl. Schriftsteller.*
Skel·ton, John ['skeltn] *1460?—1529. Engl. Dichter.*
Skey [ski:] *Engl. Familienname.*
Slade [sleid] *Engl. Familienname.*
Sloan, John [sloun] *1871—1951. Amer. Maler.*
Smil·lie ['smaili] *Engl. Familienname.*
Smith, Adam [smiθ] *1723—90. Schott. Moralphilosoph u. Volkswirtschaftler.*
Smith, Francis Hopkinson [smiθ] *1838—1915. Amer. Romanschriftsteller u. Maler.*
Smith, Joseph [smiθ] *1805—44. Amer. Stifter der Mormonen.*
Smol·lett, Tobias George ['smɒlit] *1721—1771. Engl. Schriftsteller.*
Smuts, Jan Christiaan [smʌts] *1870—1950. Südafrik. Staatsmann; Ministerpräsident der Südafrik. Union.*
Smyth [smiθ; smaiθ] *Engl. Familienname.*
Snow·den ['snoudn] *Engl. Familienname.*
Soames [soumz] *Engl. Familienname.*
Soc·ra·tes ['sɒkrəˌti:z] Sokrates. *470?—399 v. Chr. Griech. Philosoph.*
So·mers ['sʌmərz] *Engl. Familienname.*
Soph·o·cles ['sɒfəˌkli:z] Sophokles. *496?—406 v. Chr. Griech. Tragödiendichter.*
Sou·they, Robert ['sʌði; 'sauði] *1774—1843. Engl. Dichter u. Schriftsteller; Poeta Laureatus.*
Spell·man, Francis Joseph ['spelmən] *1889—1967. Amer. Kardinal.*
Spen·cer, Herbert ['spensər] *1820—1903. Engl. Philosoph.*
Spen·der, Stephen ['spendər] **1909. Engl. Dichter u. Kritiker.*
Spen·ser, Edmund ['spensər] *1552?—99. Engl. Dichter; Poeta Laureatus.*
Stan·ley, Sir Henry Morton ['stænli] (*eigentlich* John Rowlands). *1841—1904. Engl. Afrikaforscher.*
Stap·ley ['stæpli; 'steip-] *Engl. Familienname.*
Steele, Sir Richard [sti:l] *1672—1729. Engl. Essayist u. Dramatiker.*
Stein, Gertrude [stain] *1874—1946. Amer. Schriftstellerin.*
Stein·beck, John Ernst ['stainbek] *1902—68. Amer. Schriftsteller.*
Ste·phen (of Blois) ['sti:vn] Stephan (von Blois). *1097?—1154. König von England.*
Ste·phen, Sir Leslie ['sti:vn] *1832—1904. Engl. Philosoph, Kritiker u. Biograph.*
Ste·phens, James ['sti:vnz] *1882—1950. Irischer Dichter u. Romanschriftsteller.*
Ste·phen·son ['sti:vnsn], George *1781—1848, engl. Eisenbahningenieur; sein Sohn* Robert *1803—59, engl. Ingenieur.*
Sterne, Laurence [stə:rn] *1713—68. Engl. Romanschriftsteller.*
Steu·ben, Friedrich Wilhelm Ludolf Gerhard Augustin, Baron von ['stju:bən; 'stu:-; 'ʃtɔibən] *1730—94. Preußischer General in Amerika.*
Ste·ven·son, Adlai Ewing ['sti:vnsn] *1900—65. Amer. Politiker.*
Ste·ven·son, Robert Louis Balfour ['sti:vnsn] *1850—94. Schott. Schriftsteller.*
Stew·art, Dugald ['stju(:)ərt; *Am. auch* 'stu:-] *1753—1828. Schott. Philosoph.*
Stock·ton, Francis Richard (Frank R.) ['stɒktən] *1834—1902. Amer. Schriftsteller.*
Stod·dard ['stɒdərd] *Engl. Familienname.*
Stour·ton ['stɔ:rtn] *Engl. Familienname.*
Stowe, Harriet Elizabeth (*geb.* Beecher) [stou] *1811—96. Amer. Schriftstellerin.*
Stra·chey, (Giles) Lytton ['streitʃi] *1880—1932. Engl. Schriftsteller u. Biograph.*
Straf·ford, Sir Thomas Wentworth, 1st Earl of ['stræfərd] *1593—1641. Engl. Staatsmann.*
Stu·art ['stju(:)ərt; *Am. auch* 'stu:-] → Charles I *u.* Mary Stuart.
Sur·rey, Henry Howard, Earl of ['sʌri; *Am. auch* 'sə:ri] *1517—47. Engl. Dichter.*
Sur·tees ['sə:rti:z] *Engl. Familienname.*
Swift, Jonathan [swift] *1667—1745. Engl. Schriftsteller irischer Herkunft.*
Swin·burne, Algernon Charles ['swinbə(:)rn] *1837—1909. Engl. Dichter.*
Sykes [saiks] *Engl. Familienname.*
Sy·mons, Arthur ['saimənz] *1865—1945. Engl. Dichter u. Kritiker.*
Synge, John Millington [siŋ] *1871—1909. Irischer Dichter u. Dramatiker.*

T

Taft, William Howard [tæft] *1857—1930. 27. Präsident der USA.*
Tate, (John Orley) Allen [teit] **1899. Amer. Dichter u. Kritiker.*
Tate, Nahum [teit] *1652—1715. Engl. Dramatiker; Poeta Laureatus.*
Tay·lor, Jeremy ['teilər] *1613—67. Engl. Geistlicher u. Schriftsteller.*
Tay·lor, Zachary ['teilər] *1784—1850. 12. Präsident der USA.*
Teas·dale, Sara ['ti:zdeil] *1884—1933. Amer. Dichterin.*
Tem·ple, Sir William ['templ] *1628—99. Engl. Staatsmann u. Schriftsteller.*
Ten·ny·son, Alfred, 1st Baron ['tenisn; -nə-] *1809—92. Engl. Dichter; Poeta Laureatus.*
Thack·er·ay, William Makepeace ['θækəri] *1811—63. Engl. Romanschriftsteller.*
Thom·as à Beck·et ['tɒməs ə 'bekit] → Becket.
Thom·as of Er·cel·doune ("Thomas the Rhymer") ['tɒməs əv 'ə:rslˌdu:n] *1220?—97. Schott. Dichter.*
Thomp·son, Francis ['tɒmsn; 'tɒmpsn] *1859—1907. Engl. Dichter.*
Thom·son¹, James ['tɒmsn] *1700—48. Schott. Dichter.*
Thom·son², James ['tɒmsn] (*Pseudonym* B.V.). *1834—82. Schott. Dichter.*
Tho·reau, Henry David ['θɔ:rou; θə'rou] *1817—62. Amer. Schriftsteller u. Philosoph.*
Thur·ber, James ['θə:rbər] *1894—1961. Amer. Schriftsteller.*
Thu·ron [tu'rɒn] *Engl. Familienname.*
Tibbs [tibz] *Engl. Familienname.*
Tin·dale ['tindl] *Engl. Familienname.*
Tip·pett, Sir Michael Kemp ['tipit] **1905. Engl. Komponist.*
Ti·tian (Tiziano Vecellio) ['tiʃən; -ʃiən] Tizian. *1477?—1576. Ital. Maler.*
Toole [tu:l] *Engl. Familienname.*
Too·ley ['tu:li] *Engl. Familienname.*
Tour·neur, Cyril ['tə:rnər] *1575?—1626. Engl. Dramatiker.*
Tou·vey ['touvi; 'tʌvi] *Engl. Familienname.*
Towle [toul] *Engl. Familienname.*
Toyn·bee, Arnold Joseph ['tɔinbi] **1889. Engl. Historiker.*
Tre·herne [tri'hə:rn] *Engl. Familienname.*
Tre·vel·yan [tri'veljən; -'vil-], George Macauley *1876—1962, engl. Historiker; sein Vater* Sir George Otto *1838—1928, engl. Biograph, Historiker u. Staatsmann.*
Trol·lope, Anthony ['trɒləp] *1815—82. Engl. Romanschriftsteller.*
Tru·deau, Pierre Elliot [tru:'dou] **1919. Kanad. Politiker; Premierminister.*
Tru·man, Harry S. ['tru:mən] **1884. 33. Präsident der USA.*
Tur·ner, Joseph Mallord William ['tə:rnər] *1775—1851. Engl. Maler.*
Twain, Mark [twein] → Clemens.
Tweed, William Marcy [twi:d] *1823—78. Amer. Politiker.*
Twist [twist] *Engl. Familienname.*
Ty·ler, John ['tailər] *1790—1862. 10. Präsident der USA.*
Ty·ler, Wat *od.* Walter ['tailər] *?—1381. Engl. Rebell.*
Tyn·dale, William ['tindl] *1492?—1536. Engl. Bibelübersetzer u. Reformator.*

U

U·dall, Nicholas ['ju:dəl] *1505—56. Engl. Dramatiker.*
Up·dike, John ['ʌpdaik] **1932. Amer. Schriftsteller.*
U·rey, Harold Clayton ['ju(ə)ri] **1893. Amer. Chemiker.*
Ur·quhart, Sir Thomas ['ə:rkərt; *Am. auch* -ka:rt] *1611—60. Schott. Schriftsteller u. Übersetzer.*
Uve·dale ['ju:vdeil; 'ju:dəl] → Udall.

V

Van·brugh, Sir John [*Br.* 'vænbrə; *bes. Am.* væn'bru:] *1664—1726. Engl. Dramatiker u. Baumeister.*
Van Bu·ren, Martin [væn 'bju(ə)rən] *1782—1862. 8. Präsident der USA.*
Van·den·berg, Arthur Hendrick ['vændən-ˌbə:rg] *1884—1951. Amer. Publizist u. Politiker.*
Van·der·bilt, Cornelius ['vændərbilt] *1794—1877. Amer. Finanzier.*
Van Loon, Hendrik Willem [væn 'loun] *1882—1944. Amer. Schriftsteller u. Journalist holl. Herkunft.*
Vaughan, Henry ("The Silurist") [vɔ:n] *1622—95. Engl. Dichter.*
Vaux [vɔ:z; vɒks; vɔ:ks; vouks] *Engl. Familienname.*
Ver·gil (Publius Vergilius Maro) ['və:rdʒil] Ver'gil. *70—19 v. Chr. Röm. Dichter.*
Ver·ner, Karl Adolph ['vɛrnər; 'və:rnər] *1846—96. Dän. Philologe.*
Ver·rall ['verɔ:l; -rəl] *Engl. Familienname.*
Ver·u·lam, Baron ['veruləm] → Bacon, Francis.
Vi·alls ['vaiəlz; -ɔ:lz] *Engl. Familienname.*
Vick·ers ['vikərz] *Engl. Familienname.*
Vic·to·ri·a [vik'tɔ:riə] Vik'toria. *1819—1901. Königin von Großbritannien u. Irland; Kaiserin von Indien.*
Vil·lard, Oswald Garrison [vi'la:r; -'la:rd] *1872—1949. Amer. Journalist.*
Vir·gil *cf.* Vergil.

W

Wace, Robert [wa:s; weis] *12. Jh. Anglonormannischer Dichter.*
Wad·dell [wɒ'del] *Engl. Familienname.*
Wad·ham ['wɒdəm] *Engl. Familienname.*
Wads·worth ['wɒdzwə:rθ] *Engl. Familienname.*
Wal·de·grave ['wɔ:lgreiv; 'wɔ:ldəˌgreiv] *Engl. Familienname.*
Wald·stein ['wɔ:ldˌstain] *Engl. Familienname.*
Wal·lace, Alfred Russel ['wɒlis; *Am. auch* 'wɔ:l-] *1823—1913. Engl. Zoologe u. Forschungsreisender.*
Wal·lace, Edgar ['wɒlis; *Am. auch* 'wɔ:l-] *1875—1932. Engl. Kriminalschriftsteller.*
Wal·lace, Sir William ['wɒlis; *Am. auch* 'wɔ:l-] *1272?—1305. Schott. Freiheitsheld.*
Wal·ler, Edmund ['wɒlər] *1607—87. Engl. Dichter.*
Wal·pole, Horace, 4th Earl of Orford ['wɔ:lpoul; 'wɒl-] *1717—97. Engl. Schriftsteller.*
Wal·pole, Sir Hugh Seymour ['wɔ:lpoul; 'wɒl-] *1884—1941. Engl. Romanschriftsteller.*
Wal·pole, Sir Robert, 1st Earl of Orford ['wɔ:lpoul; 'wɒl-] *1676—1745. Brit. Staatsmann; Premierminister.*
Wal·sing·ham ['wɔ:lsiŋəm] *Engl. Familienname.*
Wal·ter, John ['wɔ:ltər] *1739—1812. Engl. Journalist; Gründer der „Times".*
Wal·ton, Izaac ['wɔ:ltən] *1593—1683. Engl. Schriftsteller.*
War·hol, Andy ['wa:rhoul] **1930. Amer. Filmregisseur u. Maler.*
Wa·ring ['wɛ(ə)riŋ] *Engl. Familienname.*
Warne [wɔ:rn] *Engl. Familienname.*
War·ner, Charles Dudley ['wɔ:rnər] *1829—1900. Amer. Herausgeber u. Schriftsteller.*
War·ren, Earl ['wɒrin; -ən; *Am. auch* 'wɔ:r-] **1891. Amer. Jurist.*
War·ren, Robert Penn ['wɒrin; -ən; *Am. auch* 'wɔ:r-] **1905. Amer. Schriftsteller.*
War·ton ['wɔ:rtn], Joseph *1722—1800, engl. Dichter; sein Bruder* Thomas *1728—90, engl. Dichter u. Literarhistoriker, Poeta Laureatus.*
War·wick, Richard Neville, Earl of ("The Kingmaker") ['wɒrik; *Am. auch* 'wɔ:r-] Warwick („Der Königmacher"). *1428—71. Engl. Feldherr u. Staatsmann.*
Wash·ing·ton, George ['wɒʃiŋtən; *Am. auch* 'wɔ:ʃ-] *1732—99. Amer. General; 1. Präsident der USA.*
Wat·kins ['wɒtkinz] *Engl. Familienname.*
Wat·son, John ['wɒtsn] (*Pseudonym* Ian Maclaren). *1850—1907. Schott. Geistlicher u. Schriftsteller.*
Wat·son, Sir William ['wɒtsn] *1858—1935. Engl. Dichter.*
Watt, James [wɒt] *1736—1819. Schott. Erfinder.*
Wat·ter·son, Henry ['wɒtərsn] *1840—1921. Amer. Publizist u. Politiker.*
Watts, George Frederic [wɒts] *1817—1904. Engl. Maler u. Bildhauer.*
Watts-Dun·ton, Walter Theodore ['wɒts-'dʌntən] *1832—1914. Engl. Kritiker u. Dichter.*
Waugh, Evelyn Arthur St. John [wɔ:] *1903—66. Engl. Romanschriftsteller.*
Wea·ring ['wɛ(ə)riŋ] *Engl. Familienname.*
Web·ster, John ['webstər] *1580?—1625? Engl. Dramatiker.*
Web·ster, Noah ['webstər] *1758—1843. Amer. Lexikograph.*
Wedg·wood, Josiah ['wedʒˌwud] *1730—95. Engl. Keramiker.*
Wel·ler ['welər] *Engl. Familienname.*
Welles, (George) Orson [welz] **1915. Amer. Schauspieler u. Regisseur.*
Wel·ling·ton, Arthur Wellesley, 1st Duke of ['weliŋtən] *1769—1852. Brit. Feldmarschall u. Staatsmann.*
Wells, Herbert George [welz] *1866—1946. Engl. Schriftsteller.*
Went·worth ['wentwə(:)rθ] *Engl. Familienname.*
Wes·ley ['wezli; 'wes-], Charles *1707—88, engl. Methodistenprediger u. Kirchenliederdichter; sein Bruder* John *1703—91, engl. Erweckungsprediger, Begründer des Methodismus.*
West, Rebecca [west] (*eigentlich* Cicily Isabel Fairfield). **1892. Engl. Kritikerin u. Romanschriftstellerin.*
Whal·ley ['(h)weili; '(h)wɔ:-] *Engl.* Familienname.
Wha·ram ['(h)wɛ(ə)rəm] *Engl. Familienname.*
Whar·ton, Edith Newbold (*geb.* Jones) ['(h)wɔ:rtn] *1862—1937. Amer. Romanschriftstellerin.*
What·mough ['(h)wɒtmou] *Engl. Familienname.*
Whis·tler, James Abbot McNeill ['(h)wislər] *1834—1903. Amer. Maler u. Graphiker.*
Whi·tack·er ['(h)witikər; -tə-] *Engl. Familienname.*
White, William Allen [(h)wait] *1868—1944. Amer. Journalist u. Schriftsteller.*
Wi·tham ['wiðəm] *Engl. Familienname.*
Whit·man, Walt(er) ['(h)witmən] *1819—92. Amer. Dichter.*
Whit·ti·er, John Greenleaf ['(h)witiər] *1807—1892. Amer. Dichter.*
Whyte [(h)wait] *Engl. Familienname.*
Wic·lif, *auch* **Wick·liffe** *cf.* Wyclif(fe).
Wig·gins ['wiginz] *Engl. Familienname.*
Wil·ber·force, William ['wilbərˌfɔ:rs] *1759—1833. Brit. Staatsmann u. Philanthrop.*
Wil·cox ['wilkɒks] *Engl. Familienname.*
Wilde, Oscar Fingal O'Flahertie Wills [waild] *1856—1900. Engl. Dichter u. Dramatiker irischer Herkunft.*
Wil·der, Thornton Niven ['waildər] **1897. Amer. Romanschriftsteller u. Dramatiker.*
Wil·ding ['waildiŋ] *Engl. Familienname.*
Wil·kin·son ['wilkinsn] *Engl. Familienname.*
Wil·liam ['wiljəm] *Könige von England:* William I (the Conqueror) Wilhelm I. (der Eroberer) *1027—87;* William II (Rufus) Wilhelm II. (Rufus) *1056?—1100;* William III (Prince of Orange) Wilhelm III. (von Oranien) *1650—1702;* William IV Wilhelm IV. *1765—1837.*
Wil·liam of Malmes·bur·y ['wiljəm əv 'ma:mzbri; -bəri; *Am. auch* -ˌberi] *Um 1095—1143? Engl. Historiker.*
Wil·liams, Tennessee ['wiljəmz] (*eigentlich* Thomas Lanier Williams) **1914. Amer. Dramatiker.*
Wil·shire ['wilʃir] *Engl. Familienname.*
Wil·son, James Harold ['wilsn] **1916. Engl. Politiker; Premierminister.*
Wil·son, (Thomas) Woodrow ['wilsn] *1856—1924. 28. Präsident der USA.*
Wind·sor, Duke of ['winzər] → Edward VIII.
Wing·field ['wiŋˌfi:ld] *Engl. Familienname.*
Wis·ter, Owen ['wistər] *1860—1938. Amer. Romanschriftsteller.*
With·er(s), George ['wiðər(z)] *1588—1667. Engl. Dichter.*
Wode·house, Pelham Grenville ['wudhaus] **1881. Engl. Romanschriftsteller.*
Wolfe, Charles [wulf] *1791—1823. Irischer Dichter.*
Wolfe, Thomas Clayton [wulf] *1900—38. Amer. Romanschriftsteller.*
Wolff [wulf; vɒlf] *Engl. Familienname.*
Wol·sey, Thomas ['wulzi] *1475?—1530. Engl. Kardinal u. Staatsmann.*
Wood·row ['wudrou] *Engl. Familienname.*
Woolf, Virginia (*geb.* Stephen) [wulf] *1882—1941. Engl. Romanschriftstellerin.*
Wool·worth, Frank Winfield ['wulwə:rθ] *1852—1919. Amer. Geschäftsmann.*
Words·worth, William ['wə:rdzwə(:)rθ] *1770—1850. Engl. Dichter; Poeta Laureatus.*
Wor·rall ['wʌrəl] *Engl. Familienname.*
Wort·ley ['wə:rtli] *Engl. Familienname.*
Wot·ton, Sir Henry ['wɒtn; 'wutn] *1568—1639. Engl. Diplomat u. Dichter.*
Wren, Sir Christopher [ren] *1632—1723. Engl. Baumeister.*
Wright, Frank Lloyd [rait] *1869—1959. Amer. Architekt.*
Wright [rait], Orville *1871—1948; sein Bruder* Wilbur *1867—1912. Amer. Flugpioniere.*
Wy·at(t), Sir Thomas ['waiət] *1503?—42. Engl. Dichter u. Diplomat.*
Wych·er·ley, William ['witʃərli] *1640?—1716. Engl. Dramatiker.*
Wyc·lif(fe), John ['wiklif] John Wyclif. *1320?—84. Engl. Reformator u. Bibelübersetzer.*
Wy·lie, Elinor Morton (Mrs. William Rose Benét) ['waili] *1885—1928. Amer. Dichterin u. Romanschriftstellerin.*
Wy·man ['waimən] *Engl. Familienname.*

Y

Yeat·man ['ji:tmən; 'jeit-] *Engl. Familienname.*
Yeats, William Butler [jeits] *1865—1939. Irischer Dichter u. Dramatiker.*
Yer·kes ['jə:rki:z] *Engl. Familienname.*
Yonge [jʌŋ] *Engl. Familienname.*
Young, Edward [jʌŋ] *1683—1765. Engl. Dichter.*
Young, Owen D. [jʌŋ] *1874—1962. Amer. Wirtschaftsführer.*
Yu·ill ['ju:il] *Engl. Familienname.*

III. VORNAMEN — III. CHRISTIAN NAMES, GIVEN NAMES

Vornamen, die im Englischen männlich (*m*) und weiblich (*f*) sind, haben im Deutschen zuweilen nur eine Entsprechung, z. B. **Hil·a·ry** ['hiləri] Hi'larius *m*; *f*. — d. h. für die weibliche Form besteht keine deutsche Entsprechung, oder **Mar·i·on** ['mɛ(ə)riən; 'mær-] *m*; Marion *f*. — d. h. für die männliche Form besteht keine deutsche Entsprechung.

A

Aar·on ['ɛ(ə)rən] Aaron *m*.
Ab·by ['æbi] *Kurzform für* Abigail.
Abe [eib] *Kurzform für* Abraham.
A·bie ['eibi] *Kurzform für* Abraham.
Ab·i·gail ['æbiˌgeil; -bə-] Abi'gail *f*.
Ab·ner ['æbnər] *m*.
A·bra·ham ['eibrəˌhæm] Abraham *m*.
Ad·al·bert ['ædəlbəːrt] Adalbert *m*.
Ad·am ['ædəm] Adam *m*.
Ad·e·la ['ædilə; -də-; *Am. auch* 'ædlə] A'dele *f*.
Ad·e·laide ['ædəˌleid; *Am. auch* 'ædˌleid] Adelheid *f*.
A·dri·an ['eidriən] Adrian *m*; *f*.
A·dri·enne ['eidriˌen] Adri'enne *f*, Ari'ane *f*.
Af·ra ['æfrə; 'ei-] Afra *f*.
Ag·a·tha ['ægəθə] A'gathe *f*.
Ag·nes ['ægnis] Agnes *f*.
Ai·leen ['eiliːn; 'ai-; *Am. auch* ei'liːn] → Helen.
Al [æl] *Kurzform für* Albert *od.* Alfred.
Al·an ['ælən] *m*.
Al·as·tair ['æləstər] (*Scot.*) → Alexander.
Al·ban ['ɔːlbən; *Am. auch* 'æl-] Alban *m*.
Al·bert ['ælbərt] Albert *m*.
Al·ber·ta [æl'bəːrtə] Al'berta *f*.
Al·den ['ɔːldən] *m*.
Al·dous ['ɔːldəs; 'æl-] *m*.
Al·ec(k) ['ælik] *Kurzform für* Alexander.
Al·ex·an·der [ˌæleg'zændər; -ig-; *Br. auch* -'zɑːn-] Alex'ander *m*.
Al·ex·an·dra [ˌæleg'zændrə; -ig-; *Br. auch* -'zɑːn-] Alex'andra *f*.
Alf [ælf] *Kurzform für* Alfred.
Al·fred ['ælfrid] Alfred *m*.
Al·ger·non ['ældʒərnən] *m*.
Al·gie, Al·gy ['ældʒi] *Koseformen von* Algernon.
Al·ice ['ælis], **A·li·ci·a** [ə'liʃiə; -ʃə] A'lice *f*.
Al·i·son ['ælisən; -lə-] *f*.
Al·lan, Al·len ['ælən] *m*.
Al·ma ['ælmə] Alma *f*.
Al·vin ['ælvin], **Al·win** ['ælwin] Alwin *m*.
Am·a·bel ['æməˌbel] *f*.
A·man·da [ə'mændə] A'manda *f*.
Am·brose ['æmbrouz] Am'brosius *m*.
A·mel·ia [ə'miːljə; -liə] A'malie *f*.
A·my ['eimi] *f*.
An·dre·a ['ændriə] An'drea *f*.
An·drew ['ændruː] An'dreas *m*.
An·dy ['ændi] *Kurzform für* Andrew.
A·neu·rin [ə'nai(ə)rin; -'nei-] (*Welsh*) *m*.
An·ge·la ['ændʒələ; -dʒi-] Angela *f*.
An·gel·i·ca [æn'dʒelikə] An'gelika *f*.
An·ge·li·na [ˌændʒə'liːnə; -dʒi-] Ange'lina *f*.
An·gus ['æŋgəs] *m*.
A·ni·ta [ə'niːtə] A'nita *f*.
Ann [æn], **An·na** ['ænə] Anna *f*, Anne *f*.
An·na·bel ['ænəˌbel], **An·na·bel·la** [ˌænə'belə], **An·na·bel·le** ['ænəˌbel] Anna'bella *f*.
Anne *cf.* Ann.
An·nette [æ'net; ə'n-] An'nette *f*.
An·nie ['æni] Anni *f*.
An·tho·ny ['æntəni; *Am. auch* -θə-] Anton *m*.
An·to·ni·a [æn'touniə; -njə] An'tonia *f*, An'tonie *f*.
Ar·a·bel·la [ˌærə'belə], *auch* '**Ar·aˌbel** [-ˌbel] Ara'bella *f*.
Ar·chi·bald ['ɑːrtʃiˌbɔːld; -tʃə-; -bəld] Archibald *m*.
Ar·chie, Ar·chy ['ɑːrtʃi] *Kurzformen für* Archibald.
Ar·nold ['ɑːrnld; -nəld] Arnold *m*.
Art [ɑːrt] *Kurzform für* Arthur.
Ar·thur ['ɑːrθər] Art(h)ur *m*.
Art·ie ['ɑːrti] *Kurzform für* Arthur.
A·sa ['eisə; *Br. auch* 'ɑːsə] *m*.
Au·brey ['ɔːbri] Alberich *m*.
Au·drey ['ɔːdri] *f*.
Au·gust ['ɔːgəst] August *m*.
Au·gus·ta [ɔː'gʌstə] Au'gusta *f*, Au'guste *f*.
Au·gus·tin(e) [ɔː'gʌstin; 'ɔːgəsˌtiːn] Augustin *m*.
Au·gus·tus [ɔː'gʌstəs] Au'gustus *m*.
Au·re·lia [ɔː'riːljə; -liə] Au'relia *f*, Au'relie *f*.
Aus·tin ['ɔːstin; *Br. auch* 'ɒs-] *Kurzform für* Augustin.
A·ver·il ['ævəril] *m*.
A·ver·y ['eivəri; -vri] *m*.
Ayl·mer ['eilmər] → Elmer.
Ayl·win ['eilwin] *m*.

B

Bab [bæb], **Bab·bie** ['bæbi] *Koseformen von* Barbara.
Ba·bette [bæ'bet] Ba'bette *f*.
Babs [bæbz] *Koseform von* Barbara.
Bald·win ['bɔːldwin] Balduin *m*.
Bar·ba·ra ['bɑːrbərə; -brə] Barbara *f*.
Bar·na·bas ['bɑːrnəbəs], '**Bar·na·by** [-bi] Barnabas *m*.
Bar·nard ['bɑːrnərd] → Bernard.
Bar·ney ['bɑːrni] *Kurzform für* Barnabas *od.* Bernard.
Bar·ry ['bæri] *m*.
Bar·thol·o·mew [bɑːr'θɒləˌmjuː] Bartholo'mäus *m*.
Bas·il ['bæzl; -zil] Ba'silius *m*.
Bay·ard ['beiərd] *m*.
Be·a·ta [bi'eitə] Be'ata *f*, Be'ate *f*.
Be·a·trice ['bi(ː)ətris] Bea'trice *f*.
Be·a·trix ['bi(ː)ətriks] Be'atrix *f*.
Bee [biː] *Koseform von* Beatrice.
Be·lin·da [bi'lində; bə-] *f*.
Bell [bel], **Bel·la** ['belə] *Kurzformen für* Arabella *od.* Isabella.
Belle [bel] Bella *f*.
Ben [ben] *Kurzform für* Benjamin.
Ben·e·dict ['benidikt; -nə-; *Br. auch* 'benit] Benedikt *m*, Bene'diktus *m*.
Ben·ja·min ['bendʒəmin; -mən] Benjamin *m*.
Ben·net ['benit] *Kurzform für* Benedict.
Ben·ny ['beni] *Kurzform für* Benjamin.
Ber·na·dette [ˌbəːrnə'det] Berna'dette *f*.
Ber·nard ['bəːrnərd; *Am. auch* bər'nɑːrd] Bernhard *m*.
Ber·ney ['bəːrni] *Kurzform für* Bernard.
Ber·nie *cf.* Berney.
Bert [bəːrt] *Kurzform für* Albert, Bertram, Gilbert, Herbert, Hubert.
Ber·tha ['bəːrθə] Berta *f*.
Ber·thold [*Br.* 'bəːthould; *Am.* 'bertould] Bert(h)old *m*.
Ber·tie ['bəːrti] *Kurzform für* Albert, Bertha, Bertram, Gilbert, Herbert, Hubert.
Ber·tram ['bəːrtrəm], '**Ber·trand** [-rənd] Bertram *m*.
Ber·yl ['beril; -əl] *f*.
Bess [bes], **Bes·sie** ['besi], **Beth** [beθ], **Bet·s(e)y** ['betsi], **Bet·ti·na** [be'tiːnə; bə-], **Bet·ty** ['beti] *Kurzformen für* Elizabeth.
Bill [bil], **Bil·lie, Bil·ly** ['bili] *Kurzformen für* William.
Blanch(e) [*Br.* blɑːntʃ; *Am.* blæ(ː)ntʃ] Blanche *f*.
Bob [bɒb], **Bob·bie, Bob·by** ['bɒbi] *Kurzformen für* Robert.
Bon·ny, *auch* **Bon·nie** ['bɒni] *f*.
Boyd [bɔid] *m*.
Bren·da ['brendə] *f*.
Bri·an ['braiən] *m*.
Bridg·et ['bridʒit] Bri'gitte *f*, Bri'gitta *f*.
Bri·die ['braidi] *Kurzform für* Bridget.
Brig·id ['bridʒid; 'briːid] → Bridget.
Bruce [bruːs] *m*.
By·ron ['bai(ə)rən] *m*.

C

Ca·mil·la [kə'milə] Ka'milla *f*.
Can·di·da ['kændidə] *f*.
Car·ey ['kɛ(ə)ri] *m*.
Car·mel ['kɑːrmel; -məl], **Car'mel·a** [-'melə] *f*.
Car·ol ['kærəl] Ka'rolus *m*, Ka'rola *f*.
Car·o·line ['kærəˌlain; -lin], '**Car·o·lyn** [-lin] Karo'lina *f*, Karo'line *f*.
Car·rie ['kæri] *Kurzform für* Caroline.
Cath·er·ine, *auch* **Cath·a·rine** ['kæθərin], ˌ**Cath·a'ri·na** [-'riːnə] Katha'rina *f*.
Cath·leen ['kæθliːn] (*Irish*) → Catherine.
Cath·y ['kæθi] *Kurzform für* Catherine.
Ce·cil ['sesl; 'sisl; *Am. auch* 'siːsl] Cecil *m*.
Ce·cile [*Br.* 'sesil; *Am.* si'siːl], **Ce·cil·ia** [si'siljə; -liə], **Cec·i·ly** [*Br.* 'sisili; *Am.* 'ses-] Cä'cilie *f*.
Ced·ric ['sedrik; 'siː-] *m*.
Ce·les·tine [si'lestin; 'seləsˌtain] Zöle'stin(us) *m*, Zöle'stine *f*.
Cel·ia ['siːljə] *f*.
Cha·ris·sa [kə'risə] Charis *f*.
Char·i·ty ['tʃæriti; -rə-] *f*.
Charles [tʃɑːrlz] Karl *m*.
Char·ley, Char·lie ['tʃɑːrli] *Koseformen von* Charles.
Char·lotte ['ʃɑːrlət] Char'lotte *f*.
Chaun·cey ['tʃɔːnsi; *Am. auch* 'tʃɑːn-] *m*.
Cher·yl ['tʃeril] *f*.
Chlo·ë, *auch* **Chlo·e** ['kloui] Chloe *f*.
Chris [kris] *Kurzform für* Christian, Christiana, Christopher.
Chris·sie ['krisi] *Kurzform für* Christina.
Chris·tian ['kristʃən; *Br. auch* -tjən] Christian *m*.
Chris·ti·an·a [*Br.* ˌkristi'ɑːnə; *Am.* -'æ(ː)nə] Christi'ane *f*.
Chris·ti·na [kris'tiːnə], **Chris·tine** [kris'tiːn; 'kristiːn] Chri'stine *f*.
Chris·to·pher ['kristəfər] Christoph *m*.
Cic·e·ly ['sisili; -sə-; -sli] → Cecile.
Cis [sis], **Cis·sy** ['sisi] *Kurzformen für* Cecile.
Clair *cf.* Clare.

Clar·a ['klɛ(ə)rə; *Am. auch* 'klærə], **Clare** [klɛr] Klara *f.*
Clar·ence ['klærəns] *m.*
Clar·ice ['klæris] → Clarissa.
Cla·ris·sa [klə'risə] Kla'rissa *f.*
Claud(e) [klɔːd] → Claudius.
Clau·dette [klɔː'det] *f.*
Clau·di·a ['klɔːdiə; -djə] Claudia *f,* Klaudia *f.*
Clau·di·us ['klɔːdiəs] Claudius *m.*
Clay·ton ['kleitn] *m.*
Clem·ent ['klemənt] Clemens *m,* Klemens *m.*
Clem·en·ti·na [ˌklemən'tiːnə], '**Clem·en·ˌtine** [-ˌtiːn; -ˌtain] Klemen'tine *f.*
Cle·o ['kliːou] *Kurzform für* Cleopatra.
Cle·o·pat·ra [ˌkliə'pætrə; *Br. auch* -'pɑː-; *Am. auch* -'pei-] Kle'opatra *f.*
Clif·ford ['klifərd] *m.*
Clif·ton ['kliftən] *m.*
Clive [klaiv] *m.*
Clo·t(h)il·da [klo'tildə] Klo'thilde *f.*
Clyde [klaid] *m.*
Co·lette [ko'let; kɒ'l-] *f.*
Col·in ['kɒlin] *m.*
Col·leen ['kɒliːn; kɒ'liːn] *f.*
Col·ley ['kɒli] *Kurzform für* Nicholas.
Con·nie ['kɒni] *Kurzform für* Conrad, Constance, Cornelius.
Con·nor ['kɒnər] (*Irish*) *m.*
Con·rad ['kɒnræd; -rəd] Konrad *m.*
Con·stance ['kɒnstəns] Kon'stanze *f.*
Con·stan·tine ['kɒnstənˌtain; *Am. auch* -ˌtiːn] Konstantin *m.*
Co·ra ['kɔːrə] Kora *f.*
Cor·del·ia [kɔːr'diːljə; -liə] Kor'delia *f.*
Co·rin·na [ko'rinə; kə-] Ko'rinna *f.*
Cor·nel·ia [kɔːr'niːljə; -liə] Cor'nelia *f.*
Cor·nel·ius [kɔːr'niːljəs; -liəs] Cor'nelius *m.*
Craig [kreig] *m.*
Cur·tis ['kəːrtis] *m.*
Cuth·bert ['kʌθbərt] *m.*
Cyn·thi·a ['sinθiə] *f.*

D

Dai·sy ['deizi] *Kurzform für* Margaret.
Dale [deil] *m, f.*
Dan [dæn] *m, auch Kurzform für* Daniel.
Dan·iel ['dænjəl] Daniel *m.*
Daph·ne ['dæfni] Daphne *f.*
Dave [deiv] *Kurzform für* David.
Da·vid ['deivid] David *m.*
Da·vy [deivi] *Kurzform für* David.
Dawn [dɔːn] *f.*
Dean(e) [diːn] *m.*
Deb [deb], **Deb·by** ['debi] *Kurzformen für* Deborah.
Deb·o·rah ['debərə] *f.*
Deir·dre ['dirdri] (*Irish*) *f.*
De·lia ['diːljə; -liə] *f.*
Den·is ['denis] Dio'nys(ius) *m.*
Der·ek, Der·rick ['derik] *m.*
Des·mond ['dezmənd] *m.*
De·witt, De Witt [də'wit] *m.*
Dex·ter ['dekstər] *m.*
Di·an·a [dai'ænə] Di'ana *f.*
Dick [dik], **Dick·en** ['dikən], **Dick·ie** ['diki], **Dick·on** ['dikən], **Dick·y** ['diki] *Kurzformen für* Richard.
Di·nah ['dainə] Dina *f.*
Dirc(k) [dəːrk] Dirk *m.*
Dob [dɒb], **Dob·bin** ['dɒbin] *Kurzformen für* Robert.
Dol(l) [dɒl], **Dol·ly** ['dɒli] *Kurzformen für* Dorothea.
Don [dɒn] *Kurzform für* Donald.
Don·ald ['dɒnld] Donald *m.*
Don·na ['dɒnə] *f.*
Do·ra ['dɔːrə] Dora *f.*
Do·reen [dɔː'riːn; də-] (*Irish*) *Kurzform für* Dora.
Dor·is ['dɒris; *Am. auch* 'dɔːr-] Doris *f.*
Dor·o·the·a [ˌdɒrə'θi(ː)ə; *Am. auch* ˌdɔːr-], '**Dor·o·thy** [-θi] Doro'thea *f,* Doro'thee *f.*
Dor·rit ['dɒrit; *Am. auch* 'dɔːr-] *Kurzform für* Dorothea.
Dou·gal ['duːgəl] *m.*
Doug·las ['dʌgləs] Douglas *m.*
Dul·ce, Dul·cie ['dʌlsi] *f.*
Dun·can ['dʌŋkən] *m.*
Dun·stan ['dʌnstən] *m.*
Dwight [dwait] *m.*

E

Earl(e) [əːrl] *m.*
Ed [ed], **Ed·die, Ed·dy** ['edi] *Kurzformen für* Edgar, Edmund, Edward, Edwin.
Ed·gar ['edgər] Edgar *m.*
E·dith ['iːdiθ] Edith *f.*
Ed·mund ['edmənd] Edmund *m.*
Ed·na ['ednə] *f.*
Ed·ward ['edwərd] Eduard *m.*
Ed·win ['edwin] Edwin *m.*
Ei·leen ['ailiːn; ai'liːn] → Helen.
Ei·rene *cf.* Irene.
E·lain(e) [i'lein; e'l-] → Helen.
El·dred ['eldrid] *m.*
El·ea·nor ['elinər; -lə-; *Am. auch* -ˌnɔːr], **El·ea·no·ra** [ˌeliə'nɔːrə; -lə-] Eleo'nore *f.*
El·e·na ['elənə] → Helen.
E·li ['iːlai] *m.*
E·li·as [i'laiəs] → Elijah.
E·li·jah [i'laidʒə] E'lias *m.*
El·i·nor ['elinər] → Eleanor.
El·i·ot ['eliət; 'eljət] *m.*
E·li·za [i'laizə] *Kurzform für* Elizabeth.
E·liz·a·beth [i'lizəbəθ] E'lisabeth *f.*
El·la ['elə] *Kurzform für* Eleanor *etc.*
El·len ['elin; -ən] → Helen.
El·lie ['eli] *Kurzform für* Alice, Eleanor *etc.*
El·lis ['elis] → Elias.
El·ma ['elmə] *f.*
El·mer ['elmər] Elmar *m.*
El·sa ['elsə], **El·sie** ['elsi] Elsa *f,* Else *f.*
Em·e·line ['emiliːn; -lain] *f.*
Em·er·y ['eməri] Emmerich *m.*
Em·i·ly, *auch* **Em·i·lie** ['emili; *Am. auch* 'emli], **E·mil·i·a** [i'miliə] E'milie *f.*
Em·ma ['emə] Emma *f.*
Em·mie ['emi] *Koseform von* Emma.
Em·rys ['emris] (*Welsh*) → Ambrose.
E·na ['iːnə] *f.*
E·nid ['iːnid] *f.*
E·noch ['iːnɒk; -nək] Enoch *m.*
Er·ic ['erik] Erich *m.*
Er·i·ca ['erikə] Erika *f.*
Er·nest ['əːrnist] Ernst *m.*
Er·nes·tine ['əːrnisˌtiːn; -nəs-] Erne'stine *f.*
Er·win ['əːrwin] Erwin *m.*
Es·tel·la [es'telə], **Es·telle** [es'tel] → Stella.
Es·ther ['estər] Esther *f.*
Eth·el ['eθəl] *f.*
Eth·el·bert ['eθəlˌbəːrt] *m.*
Eu·gene [juː'dʒiːn; 'juːdʒiːn; *Br. auch* juː'ʒein] Eugen *m.*
Eu·ge·ni·a [juː'dʒiːniə; -njə] Eu'genie *f.*
Eu·la·li·a [juː'leiliə; -ljə] Eu'lalia *f,* Eu'lalie *f.*
Eu·nice ['juːnis] Eu'nice *f.*
E·va ['iːvə] → Eve.
Ev·an ['evən] *m.*
Eve [iːv] Eva *f.*
Eve·lyn ['iːvlin; 'ev-; *Am. auch* 'evə-] *m, f.*
Ev·er·ard ['evəˌrɑːrd] Eberhard *m.*
Ev·er·ett ['evərit] *m.*
Ew·an, Ew·en ['juːin] (*Welsh*) → Owen.
Ez·ra ['ezrə] *m.*

F

Fan·nie, Fan·ny ['fæni] *Kurzformen für* Frances.
Far·quhar ['fɑːrkwər; -kər] *m.*
Fe·li·ci·a [fi'lifiə; *Br. auch* -siə] Fe'lizia *f,* Fe'lizitas *f.*
Fe·lix ['fiːliks] Felix *m.*
Fer·gus ['fəːrgəs] (*Gaelic*) *m.*
Flor·ence ['flɒrəns; *Am. auch* 'flɔːr-] Floren'tine *f.*
Floyd [flɔid] → Lloyd.
Fran·ces [*Br.* 'frɑːnsis; *Am.* 'fræ(ː)n-] Fran'ziska *f.*
Fran·cie ['frænsi] *Koseform von* Frances *od.* Francis.
Fran·cis [*Br.* 'frɑːnsis; *Am.* 'fræ(ː)n-] Franz *m.*
Frank [fræŋk] Frank *m.*
Frank·lin ['fræŋklin] *m.*
Fred [fred] *Kurzform für* Alfred, Frederic, Wilfred.
Fred·dy ['fredi] *Kurzform für* Alfred, Frederic, Wilfred.
Fred·er·ic ['fredrik; -də-] Friedrich *m.*
Fred·er·i·ca [ˌfredə'riːkə] Friede'rike *f.*

G

Ga·bri·el ['geibriəl] Gabriel *m.*
Ga·bri·el·la [ˌgeibri'elə], ˌ**Ga·bri'elle** [-'el] Gabri'ele *f.*
Gail [geil] *Kurzform für* Abigail.
Gar·eth [*Br.* 'gæriθ; *Am.* -reθ] *m.*
Ga·vin ['gævin], **Ga·wain** ['geiwin] *m.*
Gene [dʒiːn] *Kurzform für* Eugene *od.* Eugenia.
Gen·e·vieve [ˌdʒenə'viːv; 'dʒenəˌviːv] Geno'veva *f.*
Ge·nie ['dʒiːni] *Kurzform für* Eugenia.
Geof·frey ['dʒefri] Gottfried *m.*
George [dʒɔːrdʒ] Georg *m.*
Geor·gia ['dʒɔːrdʒə; -dʒjə] Ge'orgia *f.*
Geor·gie ['dʒɔːrdʒi] *Koseform von* George *od.* Georgia.
Ger·ald ['dʒerəld] Gerald *m,* Gerold *m.*
Ger·al·dine ['dʒerəlˌdiːn] Geral'dine *f.*
Ge·rard [dʒə'rɑːrd; *Br. auch* 'dʒerɑːd] Gerhard *m.*
Ger·maine [dʒəːr'mein] *f.*
Ger·ry ['dʒeri] *Kurzform für* Gerald(ine).
Ger·tie, Ger·ty ['gəːrti] Gertie *f.*
Ger·trude ['gəːrtruːd] Gertrud *f,* Ger'trude *f.*
Gif·ford ['gifərd] *m.*
Gil·bert ['gilbərt] Gilbert *m.*
Gil·da ['gildə] *f.*
Giles [dʒailz] Ä'gid(ius) *m.*
Gill [dʒil] *Kurzform für* Gillian.
Gil·li·an ['dʒiliən; -ljən; *Br. auch* 'gil-] *m, f.*
Gi·nev·ra [dʒi'nevrə] → Guinevere.
Glad·ys ['glædis] *f.*
Glen(n) [glen] *m.*
Glo·ri·a ['glɔːriə] Gloria *f.*
God·dard ['gɒdərd] Gotthard *m.*
God·frey ['gɒdfri] Gottfried *m.*
God·win ['gɒdwin] Gottwin *m.*
Gor·don ['gɔːrdn] *m.*
Grace [greis], '**Gra·ci·a** [-ʃiə; -siə] Gratia *f.*
Gra·ham ['greiəm] *m.*
Greg·o·ry ['gregəri] Gregor *m.*
Gre·ta ['griːtə; 'gretə] *Kurzform für* Margaret.
Grif·fin ['grifin] *m.*
Grif·fith ['grifiθ] *m.*
Guin·e·vere ['gwinivir; -nə-], *auch* **Guen·e·ver** ['gwenəvər] Gi'nevra *f,* Geni'evra *f.*
Gus [gʌs] *Kurzform für* Augusta, Augustus, Gustavus.
Gus·ta·vus [gʌs'teivəs; gus'tɑːvəs] Gustav *m.*
Guy [gai] Guido *m.*
Gwen·do·len, Gwen·do·line, Gwen·do·lyn ['gwendəlin] Gwendolin *f.*

H

Hal [hæl] *Kurzform für* Harold *od.* Henry.
Ham·il·ton ['hæmiltən] *m.*
Hank [hæŋk] *Kurzform für* Henry.
Han·nah ['hænə] Hanna *f.*
Har·old ['hærəld] Harald *m.*
Har·ri·et, Har·ri·ot ['hæriət] Harriet *f.*
Har·ry ['hæri] *Koseform von* Harold *od.* Henry.
Hart·ley ['hɑːrtli] *m.*
Har·vey ['hɑːrvi] *m.*
Ha·zel ['heizl] *f.*
Hed·da ['hedə] *f.*
Hed·wig ['hedwig] Hedwig *f.*
Hel·en ['helin; -ən], '**Hel·e·na** [-nə] Helena *f,* He'lene *f.*
Hen·ri·et·ta [ˌhenri'etə] Henri'ette *f.*
Hen·ry ['henri] Heinrich *m.*
Her·bert ['həːrbərt] Herbert *m.*
Her·man ['həːrmən] Hermann *m.*
Hil·a·ry ['hiləri] Hi'larius *m; f.*
Hil·da ['hildə] Hilda *f,* Hilde *f.*
Hi·ram ['hai(ə)rəm] *m.*
Ho·bart ['houbɑːrt; *Am. auch* -bəːrt] *m.*
Ho·mer ['houmər] *m.*
Hor·ace ['hɒris; -əs; *Am. auch* 'hɔːr-], **Ho·ra·tio** [ho'reiʃiˌou; -ʃou; hɒ-] *m.*
Hor·ten·si·a [hɔːr'tensiə; -ʃiə], *auch* **Hor'tense** [-'tens] Hor'tensia *f.*
How·ard ['hauərd] *m.*
How·ell ['hauəl] *m.*
Hu·bert ['hjuːbərt] Hubert *m,* Hu'bertus *m.*
Hugh [hjuː], **Hu·go** ['hjuːgou] Hugo *m.*
Hum·bert ['hʌmbərt] Humbert *m.*
Hum·phr(e)y ['hʌmfri] *m.*

I

I·an ['iən; 'iːən] (*Gaelic*) → John.
I·da ['aidə] Ida *f.*
Ik, Ike [aik], **Ik(e)·y** ['aiki] *Kurzformen für* Isaac.
Il·se ['ilsə; -zə] Ilse *f.*
Im·o·gen ['iməˌdʒen; -mo-; -dʒən], '**Im·o·ˌgene** [-ˌdʒiːn] *f.*

I·na ['ainə] Ina *f.*
In·i·go ['ini,gou] *m.*
I·ra ['ai(ə)rə] *m.*
I·rene [ai(ə)'ri:n; *Br. auch* -'ri:ni] I'rene *f.*
I·ris ['ai(ə)ris] Iris *f.*
Ir·ma ['ə:rmə] Irma *f.*
Ir·ving ['ə:rviŋ] *m.*
Ir·win ['ə:rwin] *m.*
I·saac ['aizək] Isaak *m.*
Is·a·bel ['izə,bel], **Is·a·bel·la** [,izə'belə] Isa'bel(la) *f.*
I·sa·iah [ai'zaiə; -'zeiə] *m.*
I·solde [*Br.* i(:)'zɔldə; *Am.* i'sould; i'z-; -də] I'solde *f.*
I·vor ['aivər; 'i:vər] *m.*
I·vy ['aivi] *f.*

J

Jack [dʒæk] Hans *m.*
Ja·cob ['dʒeikəb] Jakob *m.*
Jac·que·line [*Br.* 'dʒækli:n; *Am.* -kwəlin; -,li:n] *f.*
Jake [dʒeik] *Kurzform für* Jacob.
James [dʒeimz] Jakob *m.*
Ja·mie ['dʒeimi] *Koseform von* James.
Jan [dʒæn] *Koseform von* John.
Jane [dʒein] → Joan.
Ja·net ['dʒænit; *Am. auch* dʒə'net] *Koseform von* Jane.
Jar·vis ['dʒɑ:rvis] *m.*
Jas·per ['dʒæspər] Jasper *m.*
Jay [dʒei] *m.*
Jean, Jeanne [dʒi:n] → Jane.
Jean·nette [dʒə'net; dʒi-] Jean'nette *f.*
Jeff [dʒef] *Kurzform für* Jeffrey.
Jef·frey *cf.* Geoffrey.
Jen·ni·fer ['dʒenifər; -nə-] → Guinevere.
Jen·ny ['dʒeni] *Koseform von* Jane.
Jer·e·mi·ah [,dʒeri'maiə; -rə-], **'Jer·e·my** [-mi] *m.*
Je·rome [dʒə'roum; *Br. auch* 'dʒerəm] Hie'ronymus *m.*
Jer·ry ['dʒeri] *Kurzform für* Gerald, Geraldine, Gerard, Jeremiah, Jeremy, Jerome.
Jess [dʒes] *Koseform von* Jane.
Jes·sa·mine ['dʒesəmin] *f.*
Jes·se ['dʒesi] *m.*
Jes·si·ca ['dʒesikə] *f.*
Jes·sie ['dʒesi] (*Scot.*) *Kurzform für* Jane.
Jeth·ro ['dʒeθrou; *Am. auch* 'dʒi:-] *m.*
Jill [dʒil] *Kurzform für* Gillian.
Jim [dʒim], **Jim·mie, Jim·my** ['dʒimi] *Kurzformen für* James.
Jo [dʒou] *Kurzform für* Joseph *od.* Josephine.
Jo·a·chim ['dʒouəkim] Joachim *m.*
Joan [dʒoun], **Jo·an·na** [dʒo'ænə] Jo'hanna *f*, Jo'hanne *f.*
Job [dʒoub] *m.*
Joc·e·lin(e), Joc·e·lyn ['dʒɒs(ə)lin] *f.*
Joe [dʒou] *Kurzform für* Joseph.
Jo·el ['dʒouel; -əl] Joel *m.*
Jo·ey ['dʒoui] *Koseform von* Joseph.
Jo·han·na [dʒo'hænə] → Joanna.
John [dʒɒn] Jo'hann(es) *m.*
John·ny ['dʒɒni] *Koseform von* John.
Jo·nah ['dʒounə], **'Jo·nas** [-nəs] Jona(s) *m.*
Jon·a·than ['dʒɒnəθən] Jonathan *m.*
Jo·seph ['dʒouzəf; -zif] Josef *m*, Joseph *m.*
Jo·se·phine ['dʒouzə,fi:n; -zi-] Jose'phine *f.*
Josh [dʒɒʃ] *Kurzform für* Joshua.
Josh·u·a ['dʒɒʃjuə; -ʃuə] Josua *m.*
Jo·si·ah [dʒo'saiə], **Jo'si·as** [-əs] Jo'sia(s) *m.*
Jude [dʒu:d] *m.*
Ju·dith ['dʒu:diθ] Judith *f.*
Ju·dy ['dʒu:di] *Kurzform für* Judith.
Jul·ia ['dʒu:ljə] Julia *f*, Julie *f.*
Jul·ian ['dʒu:ljən] Juli'an(us) *m.*
Ju·li·an·a [*Br.* ,dʒu:li'ɑ:nə; *Am.* -'æ(:)nə] Juli'ana *f*, Juli'ane *f.*
Ju·lie [ʒy'li; dʒu:li] (*Fr.*) → Julia.
Ju·li·et ['dʒu:ljət; -liet] Julia *f*, Juli'ette *f.*
Jus·tin ['dʒʌstin] Ju'stin(us) *m.*

K

Kar·en ['kɑ:rən] Karin *f.*
Karl [kɑ:rl] Karl *m.*
Kate [keit] Käthe *f.*
Kath·er·ine, *auch* **Kath·a·rine, Kath·a·ri·na** *cf.* Catherine *etc.*
Kath·leen ['kæθli:n] (*Irish*) → Catherine.
Ka·tie ['keiti] *Koseform von* Catherine, Katherine *etc.*
Kat·rine ['kætrin], **Kay** [kei] *Kurzformen für* Catherine, Katharina *etc.*
Keith [ki:θ] *m.*
Kel·vin ['kelvin] *m.*
Ken·neth ['keniθ] *m.*
Kent [kent] *m.*
Kim [kim] *m, f.*
Kir·sten ['kə:rstən] → Christine.
Kit·ty ['kiti] *Kurzform für* Catherine.

L

Lach·lan ['læklən; 'lɒk-] (*Gaelic*) *m.*
Lam·bert ['læmbərt] Lambert *m.*
Lan·ce·lot [*Br.* 'lɑ:nslət; *Am.* 'læ(:)nsə-] *m.*
Lar·ry ['læri] *Kurzform für* Laurence *od.* Lawrence.
Lau·ra ['lɔ:rə] Laura *f.*
Lau·rence ['lɒrəns; *Am. auch* 'lɔ:-] Lorenz *m.*
Lau·rie ['lɒri; *Am. auch* 'lɔ:ri] *Kurzform für* Laurence.
Lau·rin·da [lɔ:'rində] *f.*
Law·rence *cf.* Laurence.
Lee, Leigh [li:] *m.*
Lei·la(h) ['li:lə] *f.*
Le·na ['li:nə] Lena *f*, Lene *f.*
Le·no·ra [lə'nɔ:rə], **Le·nore** [lə'nɔ:r] Le'nore *f.*
Le·o ['li:ou] Leo *m.*
Leon·ard ['lenərd] Leonhard *m.*
Le·o·no·ra [,li:ə'nɔ:rə] Leo'nore *f.*
Le·roy [lə'rɔi; li-] *m.*
Les·lie [*Br.* 'lezli; *Am.* 'les-] *m, f.*
Les·ter ['lestər] *m.*
Le·vi ['li:vai] *m.*
Lew [lu:; lju:] *Kurzform für* Lewis.
Lew·is ['lu:is; lju:-] → Louis.
Lil·(l)i·an ['liliən; -ljən] Lilian *f.*
Lil·y ['lili] Lilli *f.*
Lin·coln ['liŋkən] *m.*
Lin·da ['lində] *Kurzform für* Belinda.
Linus ['lainəs] Linus *m.*
Li·o·nel ['laiənl] *m.*
Li·sa [*Br.* 'li:zə; *Am.* 'laizə], **Li·se** ['li:zə], **Li·sette** [li'zet] *Kurzformen für* Elizabeth.
Lisle *cf.* Lyle.
Liz [liz], **Li·za** ['laizə], **Liz·zie, Liz·zy** ['lizi] *Kurzformen für* Elizabeth.
Llew·el·lyn [lu(:)'elin] (*Welsh*) *m.*
Lloyd [lɔid] *m.*
Lo·is ['louis] *f.*
Lo·la ['loulə] Lola *f.*
Lot·ta ['lɒtə], **Lot·tie** ['lɒti] Lotte *f.*
Lou [lu:] *Kurzform für* Louis *od.* Louisa.
Lou·ie ['lu:i] *Kurzform für* Louis *od.* Louisa.
Lou·is ['lu:is; 'lu:i; lwi:] Ludwig *m.*
Lou·i·sa [lu(:)'i:zə], **Lou'ise** [-'i:z] Lu'ise *f.*
Lov·ell ['lʌvəl] *m.*
Low·ell ['louəl] *m.*
Lu·cas ['lu:kəs] Lukas *m.*
Lu·cia ['lu:ʃə; 'lju:-; *Br. auch* -sjə] Lucia *f.*
Lu·cil(l)e [lu(:)'si:l] *f.*
Lu·cin·da [lu(:)'sində] Lu'cinde *f.*
Lu·cius ['lu:ʃəs; 'lju:-; *Br. auch* -sjəs] Lucius *m*, Luzius *m.*
Lu·cy ['lu:si] *Kurzform für* Lucia.
Lu·el·la [lu'elə] *f.*
Luke [lu:k; lju:k] Lukas *m.*
Lu·lu ['lu:lu:] *Koseform von* Louisa *od.* Louise.
Lu·ther ['lu:θər; 'lju:-] Lothar *m.*
Lyd·i·a ['lidiə] Lydia *f.*
Lyle [lail] *m.*
Lynn [lin] *m.*

M

Ma·bel ['meibəl] *Kurzform für* Amabel.
Mad·e·line ['mædlin; *Am. auch* -lain; -də-,lain] → Magdalene.
Madge [mædʒ] *Kurzform für* Margaret, Margery, Marjorie.
Mad·oc ['mædək; *Am. auch* 'meidɑk] *m.*
Mae *cf.* May.
Mag·da·len ['mægdəlin], **'Mag·da·lene** [-lin; -,li:n] Magda'lena *f*, Magda'lene *f.*
Mag·gie ['mægi] *Kurzform für* Margaret.
Mag·nus ['mægnəs] Magnus *m.*
Mai·da ['meidə] *f.*
Mai·sie ['meizi] (*Scot.*) *Kurzform für* Margaret.
Mal·colm ['mælkəm] *m.*
Ma·mie ['meimi] *Kurzform für* Margaret.
Man·dy ['mændi] *Kurzform für* Amanda.
Mar·cus ['mɑ:rkəs] Mark(us) *m.*
Mar·ga·ret ['mɑ:rgərit] Marga'reta *f*, Marga'rete *f.*
Mar·ger·y ['mɑ:rdʒəri] → Margaret.
Mar·gie ['mɑ:rdʒi] *Kurzform für* Margaret.
Mar·got ['mɑ:rgou] Margot *f.*
Ma·ri·a [mə'raiə; -'ri:ə] → Mary.
Mar·i·an ['mɛ(ə)riən; 'mær-], **Mar·i·anne** [,mɛ(ə)ri'æn], *auch* **,Mar·i'an·na** [-'ænə] Mari'anne *f.*
Mar·i·lyn ['mærilin; -rə-] *f.*
Mar·i·on ['mɛ(ə)riən; 'mær-] *m*; Marion *f.*
Mar·jo·rie, Mar·jo·ry *cf.* Margery.
Mark [mɑ:rk] → Marcus.
Mar·shal(l) ['mɑ:rʃəl] *m.*
Mar·tha ['mɑ:rθə] Martha *f.*
Mar·tin ['mɑ:rtin] Martin *m.*
Mar·ty ['mɑ:rti] *Koseform von* Martha.
Mar·vin ['mɑ:rvin] *m.*
Mar·y ['mɛ(ə)ri] Ma'ria *f.*
Ma·t(h)il·da [mə'tildə] Mat'hilde *f.*
Mat(t) [mæt] *Kurzform für* Matthew.
Mat·thew ['mæθju:] Mat'thäus *m.*
Mat·thi·as [mə'θaiəs] Mat'thias *m.*
Mat·tie, Mat·ty ['mæti] *Kurzformen für* Martha, Mat(h)ilda, Matthew.
Maud(e) [mɔ:d], **'Maud·lin** [-lin] *Kurzformen für* Magdalene.
Mau·ra ['mɔ:rə], **Mau·reen** [mɔ:'ri:n; 'mɔ:ri:n] (*Irish*) → Mary.
Mau·rice ['mɒris; *Am. auch* 'mɔ:-] Moritz *m.*
Max [mæks] Max *m.*
May [mei] *Kurzform für* Mary.
May·nard ['meinərd; -nɑ:rd] Meinhard *m.*
Meave [meiv] (*Irish*) *f.*
Mel·a·nie ['meləni] Melanie *f.*
Me·lis·sa [mi'lisə] Me'lissa *f.*
Mer·e·dith ['merədiθ] *m.*
Merle [mə:rl] *m.*
Mi·chael ['maikəl] Michael *m.*
Mick(·y) ['mik(i)] *Kurzformen für* Michael.
Mike [maik] *Kurzform für* Michael.
Mil·dred ['mildrid] Mil'trade *f.*
Miles [mailz] *m.*
Mil·lie, Mil·ly ['mili] *Kurzformen für* Amelia, Emily, Mildred.
Mil·ton ['miltən] *m.*
Mi·mi ['mi:mi:; -mi] Mimi *f.*
Min·na ['minə] Minna *f.*
Min·nie ['mini] *f*, *auch Kurzform für* Mary.
Mir·a·bel ['mirə,bel] Mira'bell *f.*
Mir·i·am ['miriəm] → Mary.
Mitch·ell ['mitʃəl] *m.*
Moi·ra ['mɔirə] → Maura.
Moll [mɒl], **Mol·ly** ['mɒli] *Koseformen von* Mary.
Mo·na ['mounə] *f.*
Mon·i·ca ['mɒnikə] Monika *f.*
Mon·roe [mən'rou; *Br. auch* 'mʌnrou] *m.*
Mon·ta·gue ['mɒntə,gju:] *m.*
Mor·gan ['mɔ:rgən] *m.*
Mor·ris ['mɒris] → Maurice.
Mor·ti·mer ['mɔ:rtimər; -tə-] *m.*
Mor·ton ['mɔ:rtən] *m.*
Mose [mouz] *Kurzform für* Moses.
Mo·ses ['mouziz] Moses *m.*
Moy·na ['mɔinə] *f.*
Mur·doch ['mə:rdɒk] *m.*
Mu·ri·el ['mju(ə)riəl] *f.*
Mur·phy ['mə:rfi] *m.*
Mur·ray [*Br.* 'mʌri; *Am.* 'mə:-] *m.*
My·ra ['mai(ə)rə] *f.*
Myr·tle ['mə:rtl] *f.*

N

Nan [næn], **Nance** [næns], **'Nan·cy** [-si], **Nan·(n)ette** [næ'net], **Nan·ny** ['næni] *Koseformen von* Ann.
Nat [næt] *Kurzform für* Nathan, Nathaniel.
Nat·a·lie ['nætəli], *auch* **Na·ta·lia** [nə'tɑ:ljə; -'tei-] Na'talie *f.*
Na·than ['neiθən] Nathan *m.*
Na·than·iel [nə'θænjəl], *auch* **Na'than·a·el** [-neiəl; -njəl] Na'thanael *m.*
Neal [ni:l] *m.*
Ned [ned], **Ned·die, Ned·dy** ['nedi] *Kurzformen für* Edmund, Edward, Edwin.
Neil *cf.* Neal.
Nell [nel], **Nel·lie, Nel·ly** ['neli] *Kurzformen für* Eleanor, Ellen, Helen.
Nel·son ['nelsn] *m.*
Nes·sa ['nesə], **Nes·sie** ['nesi], **Nes·ta** ['nestə] *Kurzformen für* Agnes.
Nev·il(e), Nev·ille ['nevl; -il] *m.*
New·ton ['nju:tn; *Am. auch* 'nu:-] *m.*
Nich·o·las ['nikələs] Nikolaus *m.*
Nick [nik] *Kurzform für* Nicholas.
Nic·o·la ['nikələ] Ni'kola *f.*
Ni·gel ['naidʒəl] *m.*
Ni·na ['ni:nə; 'nainə] *Koseform von* Ann.
No·el ['nouəl] *m.*

No·ra(h) ['nɔːrə] *Kurzform für* Eleanor, Leonora.
Nor·bert ['nɔːrbərt] Norbert *m.*
Nor·ma ['nɔːrmə] *f.*
Nor·man ['nɔːrmən] *m.*

O

O·laf ['ouləf] Olaf *m.*
Ol·ive ['ɒliv] → Olivia.
Ol·i·ver ['ɒlivər; -ləv-] Oliver *m.*
O·liv·i·a [o'liviə; *Br. auch* ɔ'l-] O'livia *f.*
O·phel·ia [o'fiːljə] O'phelia *f.*
Os·car ['ɒskər] Oskar *m.*
Os·wald, Os·wold ['ɒzwəld] Oswald *m.*
Ot·to ['ɒtou] Otto *m.*
Ow·en ['ouin] *m.*

P

Pad·dy ['pædi] *Kurzform für* Patricia *od.* Patrick.
Pam·e·la ['pæmilə; -mə-] Pa'mela *f.*
Pat [pæt] *Kurzform für* Martha, Mat(h)ilda, Patricia, Patrick.
Pa·tri·cia [pə'triʃə; -ʃiə] Pa'trizia *f.*
Pat·rick ['pætrik] Patrick *m*, Pa'trizius *m.*
Pat·ty ['pæti], *auch* '**Pat·sy** [-si] *Kurzformen für* Martha, Mat(h)ilda, Patricia, Patrick.
Paul [pɔːl] Paul *m.*
Pau·la ['pɔːlə] Paula *f.*
Pearce [pirs] → Peter.
Pearl [pəːrl] *f.*
Peg [peg], **Peg·gie, Peg·gy** ['pegi] *Kurzformen für* Margaret.
Per·ci·val, *auch* **Per·ce·val** ['pəːrsivəl; -sə-] Parzival *m.*
Per·cy ['pəːrsi] *Kurzform für* Percival.
Per·kin ['pəːrkin] *Koseform von* Peter.
Per·ry ['peri] *m.*
Pete [piːt] *m*, *auch Kurzform für* Peter.
Pe·ter ['piːtər] Peter *m.*
Phil [fil] *Kurzform für* Philip.
Phil·ip ['filip] Philipp *m.*
Phoe·be ['fiːbi] Phöbe *f.*
Phyl·lis ['filis] Phyllis *f.*
Pierce [pirs] → Peter.
Poll [pɒl], **Pol·ly** ['pɒli] *Koseformen von* Mary.
Por·gy ['pɔːrgi] *m.*

R

Ra·chel ['reitʃəl] Ra(c)hel *f.*
Ralph [rælf; *Br. auch* reif] Ralf *m.*
Ran·dal(l) ['rændl] *m.*
Ran·dolph ['rændɒlf] *m.*
Raph·a·el ['ræfeiəl; -fiəl; 'reif-] Raphael *m.*
Ray [rei] *m, f.*
Ray·mond, Ray·mund ['reimənd] Raimund *m*, Reimund *m.*
Ray·ner ['reinər] Reiner *m*, Rainer *m.*
Re·bec·ca, *auch* **Re·bek·ah** [ri'bekə] Re'bekka *f.*
Reg [redʒ], **Reg·gie** ['redʒi] *Kurzformen für* Reginald.
Re·gi·na [ri'dʒainə] Re'gina *f*, Re'gine *f.*
Reg·i·nald ['redʒinld; -dʒə-] Reginald *m*, Reinald *m.*
Re·na ['riːnə] Rena *f.*
Re·na·ta [ri'neitə] Re'nata *f*, Re'nate *f.*
Reu·ben ['ruːbin] Ruben *m.*
Rex [reks] *m*, *auch Kurzform für* Reginald.
Reyn·old ['renld; -nəld] → Reginald.
Rich·ard ['ritʃərd] Richard *m.*
Rich·ie ['ritʃi] *Kurzform für* Richard.
Ri·ta ['riːtə] Rita *f.*
Rob [rɒb], **Rob·bie** ['rɒbi] *Kurzformen für* Robert.
Rob·ert ['rɒbərt] Robert *m.*
Rob·in ['rɒbin] *Kurzform für* Robert.
Rod·er·ic(k) ['rɒdərik; -drik] Roderich *m.*
Rod·ney ['rɒdni] *m.*
Rog·er ['rɒdʒər] Rüdiger *m*, Roger *m.*
Ro·land ['roulənd] Roland *m.*
Ron·ald ['rɒnəld] Ronald *m.*
Ron·nie ['rɒni] *Kurzform für* Reginald.
Ron·ny ['rɒni] *Kurzform für* Veronica.
Ro·sa ['rouzə] Rosa *f.*
Ro·sa·lia [ro'zeiljə], **Ros·a·lie** ['rɒzəliː; 'rouz-] Ro'salia *f*, Ro'salie *f.*
Rose [rouz] → Rosa.
Rose·mar·y [*Br.* 'rouzməri; *Am.* -ˌmɛri] 'Rosemaˌrie *f.*
Ross [rɒs; *Am. auch* rɔːs] *m.*
Row·e·na [ro'iːnə] *f.*
Roy [rɔi] *m.*
Ru·by ['ruːbi] *f.*
Ru·dolph ['ruːdɒlf] Rudolf *m.*
Ru·fus ['ruːfəs] Rufus *m.*
Ru·pert ['ruːpərt] Rupert *m*, Ruprecht *m.*
Rus·sel(l) ['rʌsl] *m.*
Ruth [ruːθ] Ruth *f.*

S

Sa·bi·na [sə'bainə; -'biːnə] Sa'bine *f.*
Sa·bri·na [sə'brainə; -'briːnə] *f.*
Sa·die ['seidi], **Sal(·ly)** ['sæl(li)] *Kurzformen für* Sara(h).
Sa·lo·me [sə'loumi] Salome *f.*
Sam [sæm], **Sam·my** ['sæmi] *Kurzformen für* Samuel.
Sam·u·el ['sæmjuəl] Samuel *m.*
San·dra ['sændrə; 'sɑːn-] *Kurzform für* Alexandra.
San·dy ['sændi] *Kurzform für* Alexander.
Sar·a(h) ['sɛ(ə)rə; *Am. auch* 'sei-] Sara *f.*
Saul [sɔːl] Saul *m.*
Scott [skɒt] *m.*
Seam·as, Seam·us ['ʃeiməs] *(Irish)* → James.
Sean [ʃɔːn] *(Irish) Kurzform für* John.
Sel·ma ['selmə] Selma *f.*
Sey·mour ['siːmɔːr; *Br. auch* 'sei-] *m.*
Shar·on ['ʃɛ(ə)rən] *f.*
Shaun, Shawn [ʃɔːn] *(Irish)* → John.
Shei·la ['ʃiːlə] *(Irish)* → Cecilia.
Shel·don ['ʃeldən] *m.*
Shir·ley ['ʃəːrli] *f.*
Sib·yl ['sibil; *Am. auch* 'sibl] Si'bylle *f.*
Sid·ney ['sidni] *m, f.*
Si·las ['sailəs] *m.*
Sil·vi·a ['silviə] Silvia *f.*
Sim·e·on ['simiən] Simeon *m.*
Si·mon ['saimən] Simon *m.*
Sin·clair ['siŋklɛr; 'sin-; *Am. auch* sin'klɛr] *m.*
Sis·ley ['sisli] *Kurzform für* Cecily.
So·nia, So·nya ['sounjə] Sonja *f.*
So·phi·a [so'faiə; sə-; *Am. auch* 'soufiə] So'phia *f*, So'phie *f*, So'fie *f.*
So·phie ['soufi] *Kurzform für* Sophia.
Stan·ley ['stænli] *m.*
Steen·ie ['stiːni] *Kurzform für* Stephen.
Stel·la ['stelə] Stella *f.*
Ste·phen ['stiːvən] Stephan *m*, Stefan *m.*
Steve [stiːv] *Kurzform für* Stephen.
Ste·ven *cf.* Stephen.
Stew·art, Stu·art ['stju(ː)ərt; *Am. auch* 'stuː-] *m.*
Sue [sjuː; suː], **Suke** [-k], '**Su·ky** [-ki] *Kurzformen für* Susan.
Su·san ['sjuːzn; 'suː-], **Su'san·na(h)** [-'zænə] Su'sanna *f*, Su'sanne *f.*
Su·sie, Su·sy ['sjuːzi; 'suː-] Susi *f.*

T

Tal·bot ['tɔːlbət; *Br. auch* 'tɔl-] *m.*
Ted [ted], **Ted·dy** ['tedi] *Kurzformen für* Edward *od.* Theodore.
Tess [tes], **Tes·sa** ['tesə], **Tes·sie** ['tesi] *Kurzformen für* Theresa.
Thad·de·us ['θædiəs; *Br. auch* θæ'diːəs] Thad'däus *m.*
Tha·li·a [*Br.* θə'laiə; *Am.* 'θeiljə; -liə] *f.*
The·a ['θiːə] Thea *f.*
The·o·bald ['θi(ː)əˌbɔːld] Theobald *m.*
The·o·dore ['θi(ː)əˌdɔːr] Theodor *m.*
The·re·sa [tə'riːzə; ti-; -sə] The'resa *f*, The'rese *f.*
Thom·as ['tɒməs] Thomas *m.*
Til·da ['tildə], **Til·lie, Til·ly** ['tili] *Kurzformen für* Mat(h)ilda.
Tim [tim] *Kurzform für* Timothy.
Tim·o·thy ['timəθi] Ti'motheus *m.*
Ti·na ['tiːnə] *Kurzform für* Christina.
To·bi·ah [to'baiə; tə-], **To'bi·as** [-əs] To'bias *m.*
To·by ['toubi] *Kurzform für* Tobiah *od.* Tobias.
Tom [tɒm], **Tom·my** ['tɒmi] *Kurzformen für* Thomas.
To·ny ['touni] *Kurzform für* Anthony.
Tra·cy ['treisi] *m.*
Tris·tan ['tristən], '**Tris·tram** [-trəm] Tristan *m.*
Trix [triks], **Trix·ie, Trix·y** ['triksi] *Kurzformen für* Beatrice *od* Beatrix.
Tyb·alt ['tibəlt] → Theobald.

U

Ul·ric ['ʌlrik; 'ul-] Ulrich *m.*
U·lys·ses [ju(ː)'lisiːz] *m.*

V

Val·en·tine ['væləntain] Valentin *m.*
Va·le·ri·a [və'li(ə)riə] Va'leria *f*, Va'lerie *f.*
Van [væn] *m.*
Va·nes·sa [və'nesə] *f.*
Vaughan, Vaughn [vɔːn] *m.*
Ve·ra ['vi(ə)rə] Vera *f.*
Vere [vir] *m, f.*
Ver·na ['vəːrnə] *f.*
Ver·non ['vəːrnən] *m.*
Ve·ron·i·ca [və'rɒnikə; vi-] Ve'ronika *f.*
Vick·y ['viki] *Kurzform für* Victoria.
Vic·tor ['viktər] Viktor *m.*
Vic·to·ri·a [vik'tɔːriə] Vik'toria *f.*
Vin·cent ['vinsənt] Vinzenz *m.*
Vi·o·la ['vaiələ; 'viː-; *Am. auch* vai'oulə; vi-] Vi'ola *f.*
Vi·o·let ['vaiəlit] Vio'letta *f*, Vio'let(te) *f.*
Vir·gin·ia [vər'dʒinjə; -niə] Vir'ginia *f.*
Viv·i·an ['viviən; -jən] *m, f.*
Viv·i·en ['viviən; -jən] *f.*

W

Wal·do ['wɔːldou; 'wɒl-] *m.*
Wal·lace ['wɒlis; *Am. auch* 'wɔːl-] *m.*
Wal·ly ['wɒli] *Koseform von* Walter.
Walt [wɔːlt] *Kurzform für* Walter.
Wal·ter ['wɔːltər] Walter *m.*
Wan·da ['wɒndə] Wanda *f.*
War·ren ['wɒrin; -ən; *Am. auch* 'wɔːr-] *m.*
Wayne [wein] *m.*
Wen·dy ['wendi] *f.*
Wes·ley ['wezli; 'wes-] *m.*
Wil·bur ['wilbər] *m.*
Wil·fred, Wil·frid ['wilfrid] Wilfried *m.*
Wil·hel·mi·na [ˌwilhel'miːnə; ˌwilə'm-] Wilhel'mine *f.*
Will [wil] *Kurzform für* William.
Wil·lard ['wilərd; *Br. auch* -lɑːd] *m.*
Wil·liam ['wiljəm] Wilhelm *m.*
Wil·lie ['wili] *Kurzform für* William *od.* Wilhelmina.
Wil·lis ['wilis] *m.*
Wil·ma ['wilmə] Wilma *f.*
Win·fred ['winfrid] Winfried *m.*
Win·ston ['winstən] *m.*
Wy·att ['waiət] *m.*

IV. GEOGRAPHISCHE NAMEN — IV. GEOGRAPHICAL NAMES

A

Ab·er·deen [ˌæbərˈdiːn] a) → Aberdeenshire, b) *Haupt- u. Universitätsstadt von Aberdeenshire.*
Ab·er·deen·shire [ˌæbərˈdiːnʃir; -ʃər] *Grafschaft im nordöstl. Schottland.*
Ab·er·yst·wyth [ˌæbəˈristwiθ] *Hauptstadt der Grafschaft Cardiganshire, Wales.*
Ab·ys·sin·i·a [ˌæbiˈsiniə; -bə-; -njə] Abesˈsinien *n* (→ Ethiopia).
Ac·cra [əˈkrɑː; ˈækrə] Akkra *n (Hauptstadt der afrik. Republik Ghana).*
Ad·dis Ab·a·ba [ˈædis ˈæbəbə] Addis Abeba *n (Hauptstadt von Äthiopien).*
Ad·e·laide [ˈædəlid; -ˌleid] *Hauptstadt des austral. Bundesstaates Südaustralien.*
A·den [ˈeidn] *Teil der Volksrepublik Südjemen.*
A·dri·at·ic Sea [ˌeidriˈætik; ˌæd-] Adria *f*, Adriˈatisches Meer.
Af·ghan·i·stan [æfˈgæniˌstæn; -nə-] *Staat in Vorderasien.*
Af·ri·ca [ˈæfrikə] Afrika *n.*
Aire [ɛr] *Nebenfluß des Ouse, Nordengland.*
Aix-la-Cha·pelle [ˌeikslɑːʃæˈpel; -ʃə-] Aachen *n.*
Ak·ron [ˈækrən] *Stadt in Ohio, USA.*
Al·a·bam·a [ˌæləˈbæmə] *Staat u. Fluß im Süden der USA.*
Al·a·me·da [ˌæləˈmiːdə; -ˈmei-] *Stadt in Kalifornien, USA.*
A·las·ka [əˈlæskə] *Staat der USA im Nordwesten Nordamerikas.*
Al·ba·ni·a [ælˈbeiniə; -njə] Alˈbanien *n.*
Al·ba·ny [ˈɔːlbəni] a) *Hauptstadt des Staates New York, USA,* b) *Fluß in Kanada,* c) *Stadt in Georgia, USA.*
Al·ber·ta [ælˈbəːrtə] *Provinz im westl. Kanada.*
Al·bu·quer·que [ˈælbəˌkəːrki] *Größte Stadt in New Mexico, USA.*
Al·ca·traz [ˌælkəˈtræz; ˈælkəˌtræz] *Felseninsel in der Bucht von San Franzisko.*
Al·der·ney [ˈɔːldərni] *Brit. Kanalinsel.*
Al·ders·gate [ˈɔːldərzgit; -ˌgeit] *Straße in London.*
Ald·gate [ˈɔːlgit; ˈɔːld-; -ˌgeit] *Straße in London.*
Ald·wych [ˈɔːldwitʃ] *Straße in London.*
A·leu·tian Is·lands [əˈluːʃən; -ˈljuː-] Aleˈuten *pl (Inselgruppe zwischen Alaska u. Kamtschatka).*
Al·ge·ri·a [ælˈdʒi(ə)riə] Alˈgerien *n.*
Al·giers [ælˈdʒirz] Algier *n (Hauptstadt von Algerien).*
Al·le·ghe·ny [ˈæləˌgeini; ˌæləˈgeini] *Fluß im westl. Pennsylvania, USA.*
Al·len·town [ˈælinˌtaun; -lən-] *Stadt in Pennsylvania, USA.*
Alps [ælps] Alpen *pl.*
Am·a·zon [ˈæməzən; *Am. auch* -ˌzɑn] Amaˈzonas *m (Fluß im nördl. Südamerika).*
A·mer·i·ca [əˈmerikə; -rə-] Aˈmerika *n.*
Am·man [əˈmɑːn; ɑː-; æmˈmæn] *Hauptstadt von Jordanien.*
Am·ster·dam [ˈæmstərˈdæm; -ˌdæm] *Hauptstadt der Niederlande.*
An·a·con·da [ˌænəˈkɒndə] *Industriestadt in Montana, USA.*
An·chor·age [ˈæŋkəridʒ] *Hafenstadt im südl. Alaska, USA.*
An·da·lu·sia [ˌændəˈluːʒə; -ʃiə; *Br. auch* -zjə] Andaˈlusien *n.*
An·des [ˈændiːz] Anden *pl (Gebirgszug im Westen Südamerikas).*
An·dor·ra [ænˈdɒrə; *Am. auch* -ˈdɔː-] *Zwergstaat in den östl. Pyrenäen.*
An·do·ver [ˈændouvər] *Stadt in Hampshire, England.*
An·gle·sey, *auch* **An·gle·sea** [ˈæŋglsi] a) *Insel an der Nordwestküste von Wales,* b) *Grafschaft in Wales.*
An·gli·a [ˈæŋgliə] *Lat. Name für England.*
An·gus [ˈæŋgəs] *Grafschaft im östl. Schottland.*
An·ka·ra [ˈæŋkərə] *Hauptstadt der Türkei.*
An·nam [æˈnæm; əˈn-; ˈænæm] *Land im östl. Indochina.*
An·nap·o·lis [əˈnæpəlis] *Haupt- u. Hafenstadt von Maryland, USA.*
Ant·arc·ti·ca [æntˈɑːrktikə], **Ant·arc·tic Con·ti·nent** [æntˈɑːrktik] Antˈarktis *f.*
An·til·les [ænˈtili(ː)z] Anˈtillen *pl (Westindische Inseln).*
An·tip·o·des [ænˈtipəˌdiːz] Antiˈpoden-Inseln *pl (südöstl. von Neuseeland).*
An·trim [ˈæntrim] *Grafschaft in Nordirland.*
Ant·werp [ˈæntwəːrp], (*Fr.*) **An·vers** [ɑ̃ˈvɛːr] Antˈwerpen *n (Hafenstadt im nördl. Belgien).*
Ap·en·nines [ˈæpiˌnainz; -pə-] Apenˈnin *m,* Apenˈninen *pl (Gebirgszug in Italien).*
Ap·pa·lach·i·an Moun·tains [ˌæpəˈlætʃiən; -ˈlei-; -tʃən], **ˌAp·paˈlach·i·ans** [-tʃiənz; -tʃənz] Appaˈlachen *pl (Gebirgszug in den östl. USA).*
A·ra·bi·a [əˈreibiə; -bjə] Aˈrabien *n.*
A·ran Is·land [ˈærən] Araninsel *f (Insel im Nordwesten von Donegal, Irland).*
Ar·broath [ɑːrˈbrouθ] *Stadt in Angus, Schottland.*
Arc·tic O·cean [ˈɑːrktik] ˈNordpoˌlarmeer *n.*
Ar·gen·ti·na [ˌɑːrdʒənˈtiːnə] Argenˈtinien *n.*
Ar·gyll(·shire) [ɑːrˈgail(ʃir); -(ʃər)] *Grafschaft im westl. Schottland.*
Ar·i·zo·na [ˌæriˈzounə; -rə-] *Staat im Südwesten der USA.*
Ar·kan·sas [ˈɑːrkənˌsɔː; *bes.* b ɑːrˈkænzəs] a) *Staat im Süden der USA,* b) *rechter Nebenfluß des Mississippi, USA.*
Ar·ling·ton [ˈɑːrliŋtən] *Nationalfriedhof der USA bei Washington.*
Ar·magh [ɑːrˈmɑː] a) *Grafschaft in Nordirland,* b) *Hauptstadt von* a.
Ar·me·ni·a [ɑːrˈmiːniə; -njə] Arˈmenien *n.*
Ar·un·del [ˈærəndl] *Stadt in Sussex, England.*
As·cot [ˈæskət] *Dorf in Berkshire, England. Berühmte Pferderennbahn.*
Ash·bur·ton [ˈæʃˌbəːrtn] a) *Fluß im austral. Bundesstaat Westaustralien,* b) *Ort in Devonshire, England.*
Ash·ford [ˈæʃfərd] *Stadt in Kent, England.*
A·sia [ˈeiʃə; ˈeiʒə] Asien *n.*
A·sia Mi·nor [ˈeiʃə ˈmainər; -ʒə] Kleinˈasien *n.*
As·sam [æˈsæm; əˈs-; ˈæsæm] Assam *n (Staat im nordöstl. Indien).*
As·sin·i·boine [əˈsiniˌbɔin; -nə-] *Fluß im südl. Kanada.*
A·sun·ción [ˌɑːsuːnˈsjɔːn] *Hauptstadt von Paraguay.*
Ath·a·bas·ca, *auch* **Ath·a·bas·ka** [ˌæθəˈbæskə] *Fluß im westl. Zentral-Kanada.*
Ath·ens [ˈæθinz; -ənz] Aˈthen *n.*
At·lan·ta [ætˈlæntə; ət-] *Hauptstadt von Georgia, USA.*
At·lan·tic O·cean [ætˈlæntik; ət-] Atˈlantischer Ozean.
Auck·land [ˈɔːklənd] *Hafenstadt im nördl. Neuseeland.*
Au·gus·ta [ɔːˈgʌstə] a) *Stadt in Georgia, USA,* b) *Hauptstadt von Maine, USA.*
Aus·tin [ˈɔːstin; -tən] *Hauptstadt von Texas, USA.*
Aus·tral·a·sia [ˌɔːstrəˈleiʒə; -ʃə; *Br. auch* -ʒjə; -ʃjə] Auˈstralasien *n,* Ozeˈanien *n (Inseln zwischen Südostasien u. Neuguinea).*
Aus·tra·lia [ɔːsˈtreiljə] Auˈstralien *n.*
Aus·tra·lian Cap·i·tal Ter·ri·to·ry [ɔːsˈtreiljən] *Gebiet um Canberra, Australien.*
Aus·tri·a [ˈɔːstriə] Österreich *n.*
A·von [ˈeivən; *Am. auch* ˈævən] *Fluß in Mittelengland.*
Ayles·bur·y [*Br.* ˈeilzbəri; -bri; *Am.* -ˌberi] *Stadt in Buckinghamshire, England.*
Ayr [ɛr] a) → Ayrshire, b) *Hauptstadt von Ayrshire.*
Ayr·shire [ˈɛrʃir; -ʃər] *Grafschaft im südwestl. Schottland.*
A·zores [əˈzɔːrz; ˈeiz-] Aˈzoren *pl (Inselgruppe westl. von Portugal).*

B

Baf·fin Bay [ˈbæfin] Baffin-Meer *n (zwischen Grönland u. dem nordöstl. Kanada).*
Bag·dad, Bagh·dad [ˈbægdæd; bægˈdæd] Bagˈdad *n (Hauptstadt des Irak).*
Ba·ha·ma Is·lands [bəˈhɑːmə; *Am. auch* -ˈhei-] Baˈhama-Inseln *pl (südöstl. von Nordamerika).*
Bah·rein Is·lands, *auch* **Bah·rain Is·lands** [bɑːˈrein; -ˈrain; bə-] Bahrein-Inseln *pl (im Pers. Golf; unabhängiges Scheichtum).*
Bai·le A·tha Cli·ath [ˌblɑːˈkli(ː)ə] *(Gaelic)* → Dublin.
Bal·bo·a (Heights) [bælˈbouə] *Verwaltungszentrum der Panamakanal-Zone.*
Bal·e·ar·ic Is·lands [ˌbæliˈærik] Baleˈaren *pl (Inselgruppe östl. von Spanien).*
Bal·mor·al [bælˈmɒrəl; *Am. auch* -ˈmɔːr-] *Schott. Residenz der engl. Könige.*
Bal·tic Sea [ˈbɔːltik] Ostsee *f.*
Bal·ti·more [ˈbɔːltiˌmɔːr; -tə-; *Am. auch* -mər] *Stadt in Maryland, USA.*
Ba·ma·ko [ˌbɑːˌmɑːˈkou] *Hauptstadt der Republik Mali.*
Ban·bur·y [ˈbænbəri; ˈbæm-] *Stadt in Oxfordshire, England.*
Banff [ˈbæmf] a) → Banffshire, b) *Hauptstadt von Banffshire.*
Banff·shire [ˈbæmfʃir; -ʃər] *Grafschaft im nordöstl. Schottland.*
Bang·kok [ˈbæŋkɒk; bæŋˈkɒk] *Hauptstadt von Thailand.*
Ban·gor [ˈbæŋgər] a) *Stadt in Caernarvonshire, Nordwales,* b) *Stadt in Down, Nordirland.*
Bar·ba·dos [bɑːrˈbeidouz; *Am. auch* ˈbɑːrbəˌdouz] *Östlichste Insel der Kleinen Antillen.*
Bar·king [ˈbɑːrkiŋ] *Vorstadt von London, in Essex.*
Barns·ley [ˈbɑːrnzli] *Stadt in Yorkshire, England.*
Bar·row, Point [ˈbærou] *Nordkap Alaskas.*
Bar·row in Fur·ness [ˈbærou; ˈfəːrnis] *Stadt in Lancashire, England.*
Bar·ton (up·on Hum·ber) [ˈbɑːrtn; ˈhʌmbər] *Stadt in Lincolnshire, England.*
Bass Strait [bæs] Bass-Straße *f (Meeresstraße zwischen Tasmanien u. Australien).*
Bath [*Br.* bɑːθ; *Am.* bæ(ː)θ] *Badeort in Somersetshire, England.*
Bath·urst [ˈbæθə(ː)rst] a) *Hauptstadt von Gambia, Westafrika,* b) *Stadt im austral. Bundesstaat Neusüdwales.*
Bat·on Rouge [ˈbætən ˈruːʒ] *Hauptstadt von Louisiana, USA.*

Bat·ter·sea ['bætərsi] *Stadtteil von London.*
Bat·ter·y, the ['bætəri] *Park in New York, an der Südspitze Manhattans.*
Ba·var·i·a [bə'vɛ(ə)riə] Bayern *n.*
Bays·wa·ter ['beizˌwɔːtər] *Stadtteil von London.*
Beck·en·ham ['bekənəm; -knəm] *Vorstadt von London, in Kent.*
Bed·ford ['bedfərd] a) → Bedfordshire, b) *Hauptstadt von Bedfordshire.*
Bed·ford·shire ['bedfərdˌʃir; -ʃər] *Grafschaft in Mittelengland.*
Bed·loe's Is·land ['bedlouz] *Kleine Insel in der Hafenbucht von New York mit der Freiheitsstatue.*
Beds [bedz] → Bedfordshire.
Bei·rut [bei'ruːt; 'beiruːt] *Haupt- u. Hafenstadt der Republik Libanon.*
Bel·fast [*Br.* bel'fɑːst; 'belfɑːst; *Am.* 'belfæ(ː)st; bel'fæ(ː)st] *Haupt- u. Hafenstadt von Nordirland.*
Bel·gium ['beldʒəm; -dʒiəm] Belgien *n.*
Bel·grade [bel'greid; 'belgreid] Belgrad *n* (*Hauptstadt von Jugoslawien*).
Bel·grave Square ['belgreiv] *Platz in London.*
Be·lize [be'liːz; bə-] *Haupt- u. Hafenstadt von Brit.-Honduras.*
Belle Isle, Strait of [*Br.* 'bel'ail; *Am.* ˌbel'ail] Belle-Isle-Straße *f* (*Meeresstraße zwischen Labrador u. Neufundland*).
Bel·voir[1] ['biːvər] *Schloß in Leicestershire, England.*
Bel·voir[2] ['belvwɔːr] *In Straßennamen.*
Ben·gal [beŋ'gɔːl; ben-] Ben'galen *n* (*Landschaft im nordöstl. Indien*).
Ben Lo·mond [ben'loumənd] *Berg im Schott. Hochland.*
Ben Ne·vis [ben'nevis; *Am. auch* -'niː-] *Berg in den schott. Grampian Mountains. Höchster Berg Großbritanniens.*
Ben·ning·ton ['beniŋtən] *Dorf im südwestl. Vermont, USA. 1777 Sieg der Amerikaner über die Engländer.*
Ber·be·ra ['bəːrbərə] *Haupt- u. Hafenstadt von Brit.-Somaliland, Ostafrika.*
Berke·ley[1] ['bəːrkli] *Stadt in Kalifornien.*
Berke·ley[2] [*Br.* 'bɑːkli; *Am.* 'bəːrkli] *Stadt in Gloucestershire, England.*
Berk·ham(p)·stead ['bəːrkəm(p)stid; -sted; 'bɑːr-] *Stadt in Hertfordshire, England.*
Berk·shire [*Br.* 'bɑːrkʃir; -ʃər; *Am.* 'bəːrk-], *auch* **Berks** [*Br.* bɑːks; *Am.* bəːrks] *Grafschaft in Südengland.*
Ber·lin[1] [bə(ː)r'lin; 'bəːrlin] Ber'lin *n* (*Deutschland*).
Ber·lin[2] ['bəːrlin] *Stadt in New Hampshire, USA.*
Ber·mond·sey ['bəːrmənzi; -dzi] *Stadtteil von London, südl. der Themse.*
Ber·mu·da (Is·lands) [bər'mjuːdə], **Ber·'mu·das** [-dəz] Ber'muda-Inseln *pl* (*im nördl. Atlantischen Ozean*).
Bern(e) [bəːrn] a) *Bundeshauptstadt der Schweiz,* b) *Schweizer Kanton.*
Ber·wick(·shire) ['berik(ˌʃir); -(ʃər)] *Grafschaft im südöstl. Schottland.*
Beth·le·hem ['beθliˌhem; -liəm] *Ort in Palästina. Geburtsort Jesu.*
Beth·nal Green ['beθnəl] *Verwaltungsbezirk in London.*
Be·thune [be'θjuːn] *In Straßennamen.*
Bev·er·ly Hills ['bevərli] *Vorstadt von Los Angeles, Kalifornien, USA.*
Bex·hill ['beks'hil] *Stadt an der Kanalküste in Sussex, England.*
Bex·ley ['beksli] *Vorstadt von London, in Kent.*
Bhu·tan [bu(ː)'tɑːn; buː'tæn] *Land im östl. Himalaja.*
Bi·a·fra, Bight of [bi'ɑːfrə] Bi'afra-Bucht *f* (*Östl. Teil des Golfs von Guinea*).
Bices·ter ['bistər] *Stadt in Oxfordshire, England.*
Bi·de·ford ['bidifərd] *Stadt in Devonshire, England.*
Bir·ken·head ['bəːrkənˌhed; ˌbəːrkən'hed] *Hafenstadt in Cheshire, England.*
Bir·ming·ham ['bəːrmiŋəm; *Am. auch* -ˌhæm] a) *Industriestadt in Warwickshire, England,* b) *Stadt in Alabama, USA.*
Bis·cay, Bay of ['biskei; -ki] Golf *m* von Bis'caya.
Bis·mark ['bizmɑːrk] *Hauptstadt von North Dakota, USA.*
Black·burn ['blækbə(ː)rn] *Industriestadt in Lancashire, England.*
Black For·est [blæk] Schwarzwald *m* (*Mittelgebirge in Südwestdeutschland*).
Black·heath ['blæk'hiːθ] *Stadtteil von London.*
Black·pool ['blækˌpuːl] *Hafenstadt u. Seebad in Lancashire, England.*
Black Sea [blæk] Schwarzes Meer (*zwischen Südosteuropa u. Asien*).
Blanc, Mont [mɔ̃'blɑ̃; *Am. auch* ˌmɑnt'blɑːŋk; -'blæŋk] *Höchster Berg der Alpen.*
Blar·ney ['blɑːrni] *Stadt in Cork, Südwestirland.*
Blen·heim ['blenim; -nəm] Blindheim *n* (*Dorf bei Augsburg. 1704 Sieg Marlboroughs über die Franzosen u. Bayern*).
Bloem·fon·tein ['bluːmfɒnˌtein; -fən-; -'tein] *Hauptstadt des Oranje-Freistaats, Südafrik. Republik.*
Blooms·bur·y ['bluːmzbəri; -bri] *Stadtteil von London.*
Blyth [blai; blaiθ] *Stadt in Northumberland, England.*
Blythe [blaið] *Fluß in Warwickshire, England.*
Bo·go·tá [ˌboːgoː'tɑː; ˌbougə'tɑː; -'tɔː] *Hauptstadt von Kolumbien, Südamerika.*
Bo·he·mi·a [bou'hiːmiə; -mjə] Böhmen *n* (*Westl. Tschechoslowakei*).
Boi·se ['boizi; -si] *Hauptstadt von Idaho, USA.*
Bo·liv·i·a [bo'liviə; bə-] Bo'livien *n* (*Republik in Südamerika*).
Bol·ton ['boultən] *Stadt in Lancashire, England.*
Bos·ton ['bɒstən; *Am. auch* 'bɔːs-] *Hauptu. Hafenstadt von Massachusetts, USA.*
Bot·a·ny Bay ['bɒtəni] *Bucht an der Ostküste Australiens.*
Bot·swa·na [bɒt'swɑːnə] Bot'suana *n* (*Republik in Südafrika*).
Bourne·mouth ['bɔːrnməθ; 'burn-] *Seebad in Hampshire, England.*
Boyne [bɔin] *Fluß im östl. Irland. 1690 Sieg Wilhelms III. von Oranien über Jakob II. von England.*
Brad·ford ['brædfərd] a) *Stadt in Yorkshire, England,* b) *Stadt in Pennsylvania, USA.*
Brae·mar [brei'mɑːr] *Landschaft in den Grampian Highlands, Schottland.*
Bra·sí·lia [brə'ziːliə; -ljə] *Hauptstadt von Brasilien.*
Bra·zil [brə'zil] Bra'silien *n.*
Braz·za·ville ['bræzəˌvil] *Hauptstadt des Kongo (Brazzaville).*
Breck·nock(·shire) ['breknɒk(ˌʃir); -(ʃər)], **Brec·on(·shire)** ['brekən(ˌʃir); -(ʃər)] *Grafschaft in Südwales.*
Brent·ford and Chis·wick ['brentfərd; 'tʃizik] *Vorstadt von London, in Middlesex.*
Bridge·port ['bridʒˌpɔːrt] *Seehafen in Connecticut, USA.*
Bridge·town ['bridʒˌtaun] *Hauptstadt der Insel Barbados, Westindien.*
Brigh·ton ['braitn] *Seebad in Sussex, England.*
Bris·bane ['brizbən; -bein] *Hauptstadt des austral. Bundesstaates Queensland.*
Bris·tol ['bristl] *Hafenstadt in Gloucestershire, England.*
Brit·ain ['britn], (*Lat.*) **Bri·tan·ni·a** [bri'tæniə; -njə] Bri'tannien *n* (*Name des alten engl. Königreichs*).
Brit·ish A·mer·i·ca ['britiʃ ə'merikə; -rə-] a) *Kanada,* b) *die brit. Besitzungen in Nordu. Südamerika.*
Brit·ish Co·lum·bi·a ['britiʃ kə'lʌmbiə] *westlichste Provinz von Kanada.*
Brit·ta·ny ['britəni] Bre'tagne *f* (*Halbinsel im nordwestl. Frankreich*).
Brom·ley ['brɒmli; 'brʌm-] *Vorstadt von London, in Kent.*
Bronx [brɒŋks] *Stadtteil von New York.*
Brook·lyn ['bruklin] *Stadtteil von New York.*
Brough·ton ['brɔːtn] *Häufiger Ortsname in England.*
Bru·nei [bruː'nai; -'nei] a) *Moham. Sultanat in Brit.-Borneo,* b) *Haupt- u. Hafenstadt von* a.
Bruns·wick ['brʌnzwik] Braunschweig *n.*
Brus·sels ['brʌslz], (*Fr.*) **Bru·xelles** [ˌbry'sɛl; ˌbryk'sɛl] Brüssel *n.*
Bu·cha·rest ['bjuːkəˌrest; 'buː-; ˌbjuːkə'rest; ˌbuː-] Bukarest *n* (*Hauptstadt von Rumänien*).
Buck·ing·ham(·shire) ['bʌkiŋəm(ˌʃir); -(ʃər)], **Bucks** [bʌks] *Grafschaft in Mittelengland.*
Bu·da·pest ['bjuːdəˌpest; 'buː-; ˌbuːdə'pest] *Hauptstadt von Ungarn.*
Bue·nos Ai·res ['bweinəs 'ai(ə)riz; 'bounəs; 'bwenəs; 'ɛ(ə)riz] *Haupt- u. Hafenstadt von Argentinien.*
Buf·fa·lo ['bʌfəˌlou] *Stadt am Ostende des Eriesees, USA.*
Bul·gar·i·a [bʌl'gɛ(ə)riə; bul-] Bul'garien *n.*
Bun·ker Hill ['bʌŋkər] *Anhöhe bei Boston, USA. 1775 Schlacht im amer. Unabhängigkeitskrieg.*
Burgh[1] ['bʌrə] *Ortsname in Surrey u. Lincolnshire, England.*
Burgh[2] [bəːrg] *Ortsname in Suffolk, England.*
Bur·gun·dy ['bəːrgəndi] Bur'gund *n* (*Landschaft im südöstl. Frankreich*).
Bur·ling·ton ['bəːrliŋtən] a) *Stadt in Vermont, USA,* b) *Stadt am Mississippi, Iowa, USA,* c) *Stadt in North Carolina, USA.*
Bur·ma ['bəːrmə] Birma *n* (*Republik in Hinterindien*).
Burn·ley ['bəːrnli] *Stadt in Lancashire, England.*
Bur·ton up·on Trent ['bəːrtn; trent] *Stadt in Staffordshire, England.*
Bu·run·di [buː'rundi] *Republik in Ostafrika.*
Bur·y ['beri] *Stadt in Lancashire, England.*
Bute [bjuːt] a) *Insel im Firth of Clyde, Schottland,* b) → Buteshire.
Bute·shire ['bjuːtʃir; -ʃər] *Grafschaft in Mittelschottland.*

C

Caer·le·on [kɑːr'li(ː)ən] *Stadt in Monmouthshire, England.*
Caer·nar·von [*Br.* kə'nɑːvən; *Am.* kɑːr'nɑːr-] a) → Caernarvonshire, b) *Hauptstadt von Caernarvonshire.*
Caer·nar·von·shire [*Br.* kə'nɑːvənˌʃiə; -ʃə; *Am.* kɑːr'nɑːrvənˌʃir; -ʃər] *Grafschaft im nordwestl. Wales.*
Cairns [kɛrnz] *Stadt an der Ostküste von Queensland, Australien.*
Cai·ro ['kai(ə)rou] Kairo *n* (*Hauptstadt von Ägypten*).
Caith·ness ['keiθnes; 'keiθ'nes] *Grafschaft im nördl. Schottland.*
Cal·cut·ta [kæl'kʌtə] Kal'kutta *n* (*Hauptstadt des Staates Westbengalen, Indien*).
Cal·e·do·nia [ˌkæli'dounjə; -lə-; -niə] *hist. od. poet.* Kale'donien *n* (*Schottland*).
Cal·e·do·nian Ca·nal [ˌkæli'dounjən; -lə-; -niən] Kale'donischer Ka'nal (*Schottland*).
Cal·ga·ry ['kælgəri] *Stadt in Alberta, Kanada.*
Cal·i·for·nia [ˌkæli'fɔːrnjə; -lə-; -niə] Kali'fornien *n* (*Staat im Westen der USA*).
Cam·ber·well ['kæmbərˌwel; -wəl] *Stadtteil von London.*
Cam·bo·di·a [kæm'boudiə; -djə], (*Fr.*) **Cam·bodge** [kɑ̃'bɔdʒ] Kam'bodscha *n* (*Königreich in Hinterindien*).
Cam·bri·a ['kæmbriə] (*Lat.*) → Wales.
Cam·bridge ['keimbridʒ] a) *Universitätsstadt in Cambridgeshire,* b) *Universitätsstadt in Massachusetts, USA,* c) → Cambridgeshire.
Cam·bridge·shire ['keimbridʒˌʃir; -ʃər] *Grafschaft im östl. Mittelengland.*
Cam·den ['kæmdən] *Hafenstadt in New Jersey, USA.*
Cam·er·oon [ˌkæmə'ruːn; 'kæməˌruːn], (*Fr.*) **Ca·me·roun** [kam'run] Kamerun *n* (*Republik in Westafrika*).
Can·a·da ['kænədə] Kanada *n.*
Ca·nar·ies [kə'nɛ(ə)riz], **Ca·nar·y Is·lands** [kə'nɛ(ə)ri] Ka'narische Inseln *pl.*
Ca·nav·er·al [kə'nævərəl] → Cape Kennedy.
Can·ber·ra ['kænbərə] *Bundeshauptstadt von Australien.*
Can·ter·bur·y [*Br.* 'kæntəbəri; -bri; *Am.* 'kæntərˌberi] *Stadt in Kent, England.*
Cape Cod [kɒd] a) *Halbinsel im südöstl. Massachusetts,* b) *Nordspitze von* a.
Cape Kennedy ['kenədi] *Amer. Raketen-Versuchszentrum an der Ostküste Floridas.*
Cape of Good Hope [gud'houp] Kap *n* der Guten Hoffnung (*Südspitze Afrikas*).
Cape Town, Cape·town ['keipˌtaun] Kapstadt *n* (*Hauptstadt der Kapprovinz, Südafrika*).
Ca·ra·cas [kə'rækəs; -'rɑː-] *Hauptstadt von Venezuela, Südamerika.*
Car·diff ['kɑːrdif] *Hafenstadt im südöstl. Wales.*
Car·di·gan(·shire) ['kɑːrdigən(ˌʃir); -(ʃər)] *Grafschaft in Wales.*

Ca·rin·thi·a [kə'rinθiə] Kärnten *n* (*Südlichstes österr. Bundesland*).
Car·lisle [kɑːr'lail; 'kɑːrlail] *Stadt in Cumberland, England.*
Car·low ['kɑːrlou] a) *Grafschaft im südöstl. Irland,* b) *Hauptstadt von* a.
Car·mar·then [*Br.* kə'mɑːðən; *Am.* kɑːr'mɑːrðən] a) → Carmarthenshire, b) *Hauptstadt von Carmarthenshire.*
Car·mar·then·shire [*Br.* kə'mɑːðənˌʃiə; -ʃə; *Am.* kɑːr'mɑːrðənˌʃir; -ʃər] *Grafschaft im südl. Wales.*
Car·nar·von(·shire) *cf.* Caernarvon(shire).
Car·o·li·na [ˌkærə'lainə] → North Carolina *u.* South Carolina.
Car·pa·thi·an Moun·tains [kɑːr'peiθiən; -θjən] Kar'paten *pl* (*Gebirge im südöstl. Mitteleuropa*).
Car·pen·tar·i·a, Gulf of [ˌkɑːrpən'tɛ(ə)riə] Carpen'taria-Golf *m* (*an der Nordostküste Australiens*).
Car·son City ['kɑːrsn] *Hauptstadt von Nevada, USA.*
Cas·cade Range [kæs'keid; 'kæsˌkeid] Kas'kadengebirge *n* (*Teil der westl. Kordilleren, USA*).
Cas·pi·an Sea ['kæspiən] Kaspisches Meer (*zwischen Südosteuropa u. Asien*).
Ca·taw·ba [kə'tɔːbə] *Fluß in North u. South Carolina, USA.*
Cau·ca·sus Moun·tains ['kɔːkəsəs] Kaukasus *m* (*Hochgebirge zwischen dem Schwarzen u. dem Kaspischen Meer*).
Cav·an ['kævən] a) *Grafschaft in Irland,* b) *Hauptstadt von* a.
Cen·tral Af·ri·can Re·pub·lic Zen'tralafriˌkanische Repu'blik.
Cey·lon [si'lɒn] *Insel im Indischen Ozean.*
Chad [tʃæd] Tschad *n* (*Republik in Zentralafrika*).
Chan·nel Is·lands Ka'nalinseln *pl* (*Brit. Inselgruppe im Ärmelkanal*).
Charles·ton ['tʃɑːrlztən; 'tʃɑːrls-] a) *Hauptstadt von West-Virginia, USA,* b) *Hafenstadt in South Carolina, USA.*
Char·lotte ['ʃɑːrlət] *Größte Stadt in North Carolina, USA.*
Char·lotte·town ['ʃɑːrlətˌtaun] *Haupt- u. Hafenstadt der Provinz Prinz-Edward-Insel, Kanada.*
Chat·ham ['tʃætəm] *Hafenstadt in Kent, England.*
Chat·ta·noo·ga [ˌtʃætə'nuːgə] *Stadt in Tennessee, USA.*
Cheap·side ['tʃiːp'said] *Straße in London.*
Ched·dar ['tʃedər] *Stadt in Somersetshire, England.*
Chelms·ford ['tʃelmsfərd; *Am. auch* 'tʃelmz-] *Stadt in Essex, England.*
Chel·sea ['tʃelsi] *Stadtteil von London.*
Chel·ten·ham ['tʃeltnəm] *Badeort in Gloucestershire, England.*
Che·nies ['tʃiːniz] *Straße in London.*
Ches·a·peake Bay ['tʃesəˌpiːk; -sˌp-] Chesapeake-Bai *f* (*Bucht des Atlantischen Ozeans in Virginia u. Maryland, USA*).
Che·sham ['tʃeʃəm] *Stadt in Buckinghamshire, England.*
Chesh·ire ['tʃeʃər; -ʃir] *Grafschaft im nordwestl. England.*
Ches·ter ['tʃestər] a) → Cheshire, b) *Hauptstadt von Cheshire,* c) *Stadt in Pennsylvania, USA.*
Ches·ter·field ['tʃestərˌfiːld] *Stadt in Derbyshire, England.*
Chev·i·ot Hills ['tʃeviət; 'tʃiv-; 'tʃiːv-] *Bergland an der engl.-schott. Grenze.*
Chey·enne [ʃai'æn; -'en] *Hauptstadt von Wyoming, USA.*
Chich·es·ter ['tʃitʃistər] *Stadt in Sussex, England.*
Chil·e ['tʃili] *Republik im Südwesten Südamerikas.*
Chi·na ['tʃainə] China *n.*
Chip·pe·wa ['tʃipiˌwɑː; -pə-; -ˌwɔː; -ˌwei] *Nebenfluß des Mississippi, Wisconsin, USA.*
Chis·le·hurst and Sid·cup ['tʃizlˌhəːrst; 'sidkəp] *Vorstadt von London, in Kent.*
Chis·wick → Brentford and Chiswick.
Cim·ar·ron [ˌsimə'roun; 'siməˌroun; -ˌrɒn] *Nebenfluß des Arkansas, USA.*
Cin·cin·nat·i [ˌsinsi'næti; -sə'n-; -tə] *Stadt in Ohio, USA.*
Ci·ren·ces·ter ['sai(ə)rənˌsestər; 'sisitər] *Stadt in Gloucestershire, England.*
Clack·man·nan [klæk'mænən] a) → Clackmannanshire, b) *Hauptstadt von Clackmannanshire.*
Clack·man·nan·shire [klæk'mænənˌʃir; -ʃər] *Grafschaft in Mittelschottland.*
Clac·ton on Sea ['klæktən] *Seebad in Essex, England.*
Clap·ham ['klæpəm] *Stadtteil von London.*
Clare [klɛr] *Grafschaft in Westirland.*
Cler·ken·well ['klɑːrkənwəl] *Stadtteil von London.*
Cleve·land ['kliːvlənd] *Stadt in Ohio, USA.*
Clyde [klaid] *Fluß an der Westküste Schottlands.*
Clyde·bank ['klaidbæŋk] *Stadt in Dunbartonshire, Schottland.*
Co·chin-Chi·na ['kɒtʃin'tʃainə; *Am. auch* 'kou-] Kotschin'china *n* (*Gebiet im Süden Vietnams*).
Cock·er·mouth ['kɒkərməθ; -ˌmauθ] *Stadt in Cumberland, England.*
Col·ches·ter ['koultʃistər; *Am. auch* -ˌtʃes-] *Stadt in Essex, England.*
Co·logne [kə'loun] Köln *n.*
Co·lom·bi·a [kə'lʌmbiə; *Br. auch* -'lɒm-] Ko'lumbien *n* (*Republik in Südamerika*).
Col·o·ra·do [ˌkɒlə'rɑːdou; -'ræd-] a) *Staat im Westen der USA,* b) Colo'rado *m* (des Westens) (*Fluß im Südwesten der USA*), c) Colo'rado *m* (des Ostens) (*Fluß in Texas, USA*).
Co·lum·bi·a [kə'lʌmbiə] a) *Strom im westl. Nordamerika,* b) *Hauptstadt von South Carolina, USA.*
Co·lum·bus [kə'lʌmbəs] *Hauptstadt von Ohio, USA.*
Con·a·kry [kɒnə'kri; 'kɒnəkri] Konakry *n* (*Hauptstadt von Guinea*).
Con·cord ['kɒŋkərd] a) *Stadt in Massachusetts, USA. 1775 Schlacht im amer. Unabhängigkeitskrieg,* b) *Hauptstadt von New Hampshire, USA.*
Co·ney Is·land ['kouni] *Teil von Brooklyn, New York City. Seebad, Vergnügungsstätten.*
Con·go ['kɒŋgou] Kongo *m*: a) *Fluß in Westafrika,* b) *Republik Kongo* (*Léopoldville* [*Kinshasa*]), c) *Republik Kongo* (*Brazzaville*).
Con·nacht ['kɒnəxt; -nət], *hist.* **Con·naught** ['kɒnɔːt] *Provinz in Irland.*
Con·nect·i·cut [kə'netikət; -tə-] a) *Staat im Nordosten der USA,* b) *Fluß im Nordosten der USA.*
Con·stance, Lake (of) ['kɒnstəns] Bodensee *m.*
Con·way ['kɒnwei] *Stadt in Caernarvonshire, Wales.*
Co·pen·ha·gen [ˌkoupn'heigən] Kopen'hagen *n.*
Cor·al Sea ['kɒrəl; *Am. auch* 'kɔːrəl] Ko'rallenmeer *n* (*Teil des Pazifischen Ozeans*).
Cor·dil·le·ras [ˌkɔːrdi'ljɛ(ə)rəz; *Am. auch* kɔːr'dilərəz] Kordil'leren *pl* (*Gebirgskette an der Pazifikküste Nord- u. Südamerikas*).
Cork [kɔːrk] a) *Grafschaft im südwestl. Irland,* b) *Hauptstadt von* a.
Corn·wall ['kɔːrnwəl; -wɔːl] *Grafschaft in Südwestengland.*
Cor·si·ca ['kɔːrsika] Korsika *n* (*Insel im Mittelmeer*).
Cos·ta Ri·ca ['kɒstə 'riːkə; *Am. auch* 'kɔːs-] *Mittelamer. Republik.*
Cots·wold Hills ['kɒtswould; -wəld] *Höhenzug im südwestl. England.*
Cov·en·try ['kɒvəntri] *Stadt in Warwickshire, England.*
Cowes [kauz] *Stadt an der Südküste Victorias, Australien.*
Cran·brook ['krænbruk] *Stadt in Kent, England.*
Craw·ley ['krɔːli] *Stadt in Sussex, England.*
Crete [kriːt] Kreta *n* (*Insel im Mittelmeer*).
Crewe [kruː] *Stadt in Cheshire, England.*
Crieff [kriːf] *Stadt in Perthshire, Schottland.*
Cri·me·a [krai'mi(ː)ə; kri-] Krim *f* (*Halbinsel an der Nordküste des Schwarzen Meeres*).
Cro·ker Is·land ['kroukər] *Insel nördl. von Australien.*
Crom·ar·ty ['krɒmərti] → Ross and Cromarty.
Cros·by ['krɒzbi; *Am. auch* 'krɔːzbi] *Stadt in Lancashire, England.*
Croy·don ['krɔidn] *Vorstadt von London, in Surrey. Flughafen.*
Cu·ba ['kjuːbə] Kuba *n* (*Größte Insel der Großen Antillen, Westindien*).
Cum·ber·land ['kʌmbərlənd] a) *Grafschaft im nordwestl. England,* b) *linker Nebenfluß des Ohio, USA.*
Cum·bri·an Moun·tains ['kʌmbriən] Kumbrisches Bergland (*Nordwestengland*).
Cy·prus ['saiprəs] Cypern *n* (*Insel im östl. Mittelmeer*).
Czech·o·slo·va·ki·a, *auch* **Czech·o-Slo·va·ki·a** [ˌtʃekoslo'vɑːkiə; ˌtʃekə-; -'væ-] Tschechoslowa'kei *f.*

D

Dac·ca ['dækə] Dakka *n* (*Hauptstadt von Ostpakistan*).
Dag·en·ham ['dægnəm] *Vorstadt von London, in Essex.*
Da·ho·mey [də'houmi] Daho'me *n* (*Republik in Westafrika*).
Da·kar [*Br.* 'dækə; *Am.* dɑː'kɑːr] *Haupt- u. Hafenstadt der Republik Senegal, Westafrika.*
Da·ko·ta [də'koutə] a) → North Dakota, b) → South Dakota.
Dal·keith [dæl'kiːθ] *Stadt in Midlothian, Schottland.*
Dal·las ['dæləs] *Stadt in Texas, USA.*
Dal·me·ny [dæl'meni] *Stadt in West Lothian, Schottland.*
Dal·ton in Fur·ness ['dɔːltən; 'fəːrnis] *Stadt in Lancashire, England.*
Da·mas·cus [də'mæskəs; *Br. auch* -'mɑːs-] Da'maskus *n* (*Hauptstadt von Syrien*).
Dan·ube ['dænjuːb] Donau *f.*
Dar·jee·ling, Dar·ji·ling [dɑːr'dʒiːliŋ] Dar'dschiling *n* (*Stadt im nordöstl. Indien*).
Dar·ling ['dɑːrliŋ] *Größter Nebenfluß des Murray, Australien.*
Dar·ling·ton ['dɑːrliŋtən] *Stadt in Durham, England.*
Dart·moor ['dɑːrtˌmur; -ˌmɔːr] *Tafelland in Südwestengland.*
Dart·mouth ['dɑːrtməθ] *Stadt in Devonshire, England.*
Dar·win ['dɑːrwin] *Haupt- u. Hafenstadt des Nordterritoriums, Australien.*
Dav·en·port ['dævnˌpɔːrt; 'dævm-] *Stadt in Iowa, USA.*
Dav·en·try ['dævəntri] *Stadt in Northamptonshire, England.*
Day·ton ['deitn] *Stadt in Ohio, USA.*
Dead Sea [ded] Totes Meer (*Salzsee an der Ostgrenze von Israel*).
Dear·born ['dirbərn; -bɔːrn] *Stadt in Michigan, USA.*
Dee [diː] *Name mehrerer Flüsse in Großbritannien.*
Del·a·ware ['deləˌwɛr; *Am. auch* -wər] *Staat u. Fluß im Osten der USA.*
Del·hi ['deli] a) *Staat im nördl. Indien,* b) *Hauptstadt von Indien.*
Den·bigh(·shire) ['denbi(ˌʃir); -(ʃər)] *Grafschaft in Nordwales.*
Den·holme ['denəm] *Stadt in Yorkshire, England.*
Den·mark ['denmɑːrk] Dänemark *n.*
Den·ver ['denvər] *Hauptstadt von Colorado, USA.*
Dept·ford ['detfərd] *Stadtteil von London.*
Der·by [*Br.* 'dɑːbi; *Am.* 'dəːrbi] a) → Derbyshire, b) *Hauptstadt von Derbyshire.*
Der·by·shire [*Br.* 'dɑːbiˌʃiə; -ʃə; *Am.* 'dəːrbiˌʃir; -ʃər] *Grafschaft in Mittelengland.*
Dere·ham ['diərəm] *Stadt in Norfolk, England.*
Der·ry ['deri] → Londonderry b.
Der·went·wa·ter ['dəːrwəntˌwɔːtər] *See im Lake District, Cumberland, England.*
Des·bor·ough ['dezbrə] *Stadt in Northamptonshire, England.*
Des Moines [də'mɔin; -'mɔinz] a) *Hauptstadt von Iowa, USA,* b) *Fluß in Iowa, USA.*
De·troit [di'trɔit] *Stadt in Michigan, USA.*
De·viz·es [di'vaiziz] *Stadt in Wiltshire, England.*
Dev·on(·shire) ['devn(ˌʃir); -(ʃər)] *Grafschaft im südwestl. England.*
Dews·bur·y ['djuːzbəri] *Stadt in Yorkshire, England.*
Ding·wall ['diŋwɔːl] *Stadt in Ross and Cromarty, Schottland.*
Dis·trict of Co·lum·bi·a [kə'lʌmbiə] *Bezirk um Washington. Bundesdistrikt der USA.*
Dja·kar·ta [dʒə'kɑːrtə] *Hauptstadt von Indonesien.*
Dog·ger Bank ['dɒgər; *Am. auch* 'dɔːg-] Doggerbank *f* (*Sandbank in der Nordsee*).
Dol·o·mites ['dɒləˌmaits] Dolo'miten *pl* (*Teil der Ostalpen*).
Do·min·i·can Re·pub·lic [də'minikən] Domini'kanische Repu'blik (*auf der Insel Haiti*).
Don·cas·ter ['dɒŋkəstər; *Am. auch* -kæs-] *Stadt in Yorkshire, England.*
Don·e·gal ['dɒniˌgɔːl; ˌdɒni'gɔːl] *Grafschaft im nördl. Irland.*
Dor·ches·ter ['dɔːrtʃistər; *Am. auch* -ˌtʃes-] *Hauptstadt von Dorsetshire, England.*

Dor·set(·shire) ['dɔːrsit(ˌʃir); -(ʃər)] *Grafschaft in Südengland.*
Do·ver ['douvər] a) *Hafenstadt in Kent, England,* b) *Hauptstadt von Delaware, USA.*
Down [daun] *Grafschaft in Nordirland.*
Downs, the [daunz] *Hügelland in Südengland.*
Dra·kens·berg Moun·tains ['drɑːkənzˌbəːrg] Drakensberge *pl* (*Höchstes Gebirge Südafrikas*).
Dro·ghe·da ['drɔiidə; 'drɔːədə] *Hafenstadt in Louth, Irland.*
Dru·ry Lane ['dru(ə)ri] *Straße in London.*
Dub·lin ['dʌblin] a) *Grafschaft im östl. Irland,* b) *Hafen- u. Hauptstadt von Irland.*
Dud·ley ['dʌdli] *Stadt in Worcestershire, England.*
Du·luth [də'luːθ; du-; *Br. auch* djuː-] *Stadt in Minnesota, USA.*
Dul·wich ['dʌlidʒ; -litʃ] *Stadtteil von London.*
Dum·bar·ton [dʌm'bɑːrtn] → Dunbarton.
Dum·fries [dʌm'friːs] a) → Dumfriesshire, b) *Hauptstadt von Dumfriesshire.*
Dum·fries·shire [dʌm'friːsʃir; -ʃər] *Grafschaft im südl. Schottland.*
Dun·bar [dʌn'bɑːr] *Stadt in East Lothian, Schottland. 1650 Sieg Cromwells über die Schotten.*
Dun·bar·ton [dʌn'bɑːrtn] a) → Dunbartonshire, b) *Hauptstadt von Dunbartonshire.*
Dun·bar·ton·shire [dʌn'bɑːrtnʃir; -ʃər] *Grafschaft in Mittelschottland.*
Dun·dalk [dʌn'dɔːk] *Stadt in Louth, Irland.*
Dun·dee [dʌn'diː; 'dʌndiː] *Hafenstadt in Angus, Schottland.*
Dun·e·din [dʌ'niːdin; -dn] *Stadt auf der Südinsel Neuseelands.*
Dun·ferm·line [dʌn'fəːrmlin; dʌm-] *Stadt in Fifeshire, Schottland.*
Dur·ban ['dəːrbən; *Am. auch* dəːr'bæn] *Hafenstadt in Natal, Südafrika.*
Dur·ham [*Br.* 'dʌrəm; *Am.* 'dəːrəm] a) *Grafschaft in Nordengland,* b) *Hauptstadt von* a.

E

Ea·ling ['iːliŋ] *Vorstadt von London, in Middlesex.*
East An·gli·a ['æŋgliə] Ost'anglien *n* (*Landschaft in Ostengland*).
East·bourne ['iːstbɔːrn; *Am. auch* -bəːrn] *Stadt in Sussex, England.*
East Ham ['iːst'hæm] *Vorstadt von London, in Essex.*
East In·dies ['indi(ː)z] Ost'indien *n*: a) *Alter Name für Vorder- u. Hinterindien sowie den Malaiischen Archipel,* b) *Inseln Indonesiens.*
East·leigh ['iːstliː] *Stadt in Hampshire, England.*
East Lo·thi·an ['louðiən; -ðjən] *Grafschaft im südöstl. Schottland.*
East Rid·ing ['raidiŋ] *Verwaltungsbezirk der Grafschaft Yorkshire, England.*
Ebbw Vale ['ebuː] *Stadt in Monmouthshire, England.*
Ec·ua·dor [*Br.* ˌekwə'dɔː; *Am.* 'ekwəˌdɔːr] Ecua'dor *n* (*Republik im Nordwesten Südamerikas*).
Edg·cumbe ['edʒkəm] *Stadt an der nordöstl. Küste von Auckland, Neuseeland.*
Edg·ware ['edʒwɛr] *Vorstadt von London, in Middlesex.*
Ed·in·burgh [*Br.* 'edinbərə; -brə; *Am.* -ˌbəːrou] a) *Hauptstadt von Schottland,* b) *hist. für* Midlothian.
Ed·mon·ton ['edməntən] a) *Vorstadt von London, in Middlesex,* b) *Hauptstadt von Alberta, Kanada.*
Eg·ham ['egəm] *Stadt in Surrey, England.*
E·gypt ['iːdʒipt] Ä'gypten *n.*
Ei·re ['ɛ(ə)rə] (*Irish*) → Ireland.
El·gin ['elgin] a) *hist. für* Moray, b) *Hauptstadt von Moray, Schottland.*
E·lis·a·beth·ville [i'lizəbəθˌvil] *Hauptstadt von Katanga, Republik Kongo (Léopoldville).*
E·liz·a·beth [i'lizəbəθ] *Stadt in New Jersey, USA.*
El·lis Is·land ['elis] *Kleine Insel in der New York Bay. Bis 1954 Einreise-Kontrollstelle.*
El Pas·o [el 'pæsou] *Stadt in Texas, USA.*
El Sal·va·dor [el 'sælvəˌdɔːr] Salva'dor *n* (*Republik in Mittelamerika*).
Elt·ham ['eltəm] *Vorstadt von London, in Kent.*
E·ly ['iːli] *Stadt in Cambridgeshire, England.*
E·ly, Isle of ['iːli] *Verwaltungsbezirk im östl. Mittelengland.*
En·field ['enfiːld] *Vorstadt von London, in Middlesex.*
Eng·land ['iŋglənd] England *n.*
Eng·lish Chan·nel ['iŋgliʃ] Englischer Ka'nal, 'Ärmelkaˌnal *m* (*zwischen England u. Frankreich*).
En·teb·be [en'tebə; -be] *Hauptstadt von Uganda, Ostafrika.*
Ep·ping ['epiŋ] *Stadt in Essex, England.*
Ep·som ['epsəm] *Vorstadt von London, in Surrey. Pferderennbahn.*
Equa·to·ri·al Guin·ea [ˌekwə'tɔːriəl 'gini] → Guinea b.
E·rie ['i(ə)ri] *Hafenstadt am Eriesee, USA.*
Er·i·tre·a [ˌeri'tri(ː)ə] *Autonome Provinz im Norden Äthiopiens.*
Es·sex ['esiks; -seks] *Grafschaft in Südostengland.*
Es·t(h)o·ni·a [es'touniə; -njə] Estland *n.*
E·thi·o·pi·a [ˌiːθi'oupiə; -pjə] Äthi'opien *n*: a) *antiq. Land in Nordostafrika,* b) *Kaiserreich in Nordostafrika.*
Et·na ['etnə] Ätna *m* (*Vulkan an der Ostküste Siziliens*).
E·ton ['iːtn] *Stadt in Buckinghamshire, England. Berühmte Public School.*
Eu·phra·tes [ju'freitiːz] Euphrat *m* (*Größter Strom Vorderasiens*).
Eur·a·sia [ju(ə)'reiʒə; -ʒjə; -ʃə] Eu'rasien *n* (*Asien u. Europa als Gesamtheit*).
Eu·rope ['ju(ə)rəp] Eu'ropa *n.*
Ev·ans·ville ['evənzˌvil] *Stadt in Indiana, USA.*
Ev·er·est, Mount ['evərist; -rest] *Höchster Berg der Erde im östl. Himalaja.*
Ev·er·glades, the ['evərˌgleidz] die Everglades *pl* (*Großes Sumpfgebiet im südl. Florida, USA*).
Eve·sham ['iːvʃəm; *Am. auch* 'iːʃəm; 'iːvzəm] *Stadt in Worcestershire, England.*
Ew·ell ['ju(ː)əl] *Vorstadt von London, in Surrey.*
Ex·e·ter ['eksətər] *Stadt in Devonshire, England.*
Ex·moor ['eksmur; -mɔːr] *Heidemoor in Somersetshire, England.*
Ex·mouth ['eksmauθ] *Stadt in Devonshire, England.*
Eyre Pen·in·su·la [ɛr] Eyre-Halbinsel *f* (*Südaustralien*).

F

Faer·oes ['fɛ(ə)rouz] Färöer *pl* (*Dänische Inseln zwischen Schottland u. Island*).
Fair·banks ['fɛrˌbæŋks] *Stadt in Alaska, USA.*
Fal·kirk ['fɔːlkəːrk] *Stadt in Stirlingshire, Schottland.*
Falk·land Is·lands ['fɔːklənd; *Am. auch* 'fɔːlk-] Falklandinseln *pl* (*im Süden des Atlantischen Ozeans*).
Fall Riv·er [fɔːl] *Stadt in Massachusetts, USA.*
Fal·mouth ['fælməθ] *Hafenstadt in Cornwall, England.*
Fare·ham ['fɛ(ə)rəm] *Stadt in Hampshire, England.*
Fare·well, Cape ['fɛrˌwel; ˌfɛr'wel] Kap *n* Far'vel (*Südspitze Grönlands*).
Farn·bor·ough [*Br.* 'fɑːnbərə; -brə; *Am.* 'fɑːrnˌbəːrou] *Stadt in Hampshire, England.*
Far·oe Is·lands ['fɛ(ə)rou] → Faeroes.
Fa·ver·sham ['fævərʃəm] *Stadt in Kent, England.*
Fe·lix·stowe ['fiːlikˌstou] *Stadt in Suffolk, England.*
Felt·ham ['feltəm] *Vorstadt von London, in Middlesex.*
Fens, the [fenz] *Marschland am Wash, Ostengland.*
Fer·man·agh [fə(ː)r'mænə] *Grafschaft in Nordirland.*
Fife(·shire) ['faif(ʃir); -(ʃər)] *Grafschaft in Ostschottland.*
Fi·ji ['fiːdʒi(ː); *Br. auch* fiː'dʒiː] Fidschi-Inseln *pl* (*im Pazifischen Ozean*).
Finch·ley ['fintʃli] *Vorstadt von London, in Middlesex.*
Fin·land ['finlənd] Finnland *n.*
Fin·lay ['finli; *Br. auch* -lei] *Fluß in Brit. Columbia, Kanada.*
Fins·bur·y ['finzbəri; -bri; *Am. auch* -ˌberi] *Stadtteil von London.*
Firth of Forth *cf.* Forth, Firth of.
Flam·bor·ough Head [*Br.* 'flæmbərə; -brə; *Am.* -ˌbəːrou] *Kap an der Ostküste von Yorkshire, England.*
Flan·ders [*Br.* 'flɑːndəz; *Am.* 'flændərz] Flandern *n.*
Fleet·wood ['fliːtwud] *Stadt in Lancashire, England.*
Flint [flint] a) *Stadt in Michigan, USA,* b) → Flintshire.
Flint·shire ['flintʃir; -ʃər] *Grafschaft in Wales.*
Flor·ence ['flɒrəns; *Am. auch* 'flɔːr-] Flo'renz *n* (*Stadt in Mittelitalien*).
Flor·i·da ['flɒridə; -rə-; *Am. auch* 'flɔːr-] *Südöstlicher Staat der USA.*
Flor·i·da Keys ['flɒridə 'kiːz; -rə-; *Am. auch* 'flɔːr-] Key-Inseln *pl* (*südl. von Florida*).
Flush·ing ['flʌʃiŋ] a) *Stadtteil von New York,* b) Vlissingen *n* (*Hafenstadt in den Niederlanden*).
Folke·stone ['foukstən] *Hafenstadt u. Seebad in Kent, England.*
For·mo·sa [fɔːr'mousə; -zə] → Taiwan.
For·tes·cue ['fɔːrtisˌkjuː; -təs-] *Fluß im nordwestl. Australien.*
Forth, Firth of ['fəːrθ əv 'fɔːrθ] *Wichtigste Bucht der schott. Ostküste.*
Fort Wayne [wein] *Stadt in Indiana, USA.*
Fort Worth [wəːrθ] *Stadt in Texas, USA.*
Four For·est Can·tons, Lake of the → Lucerne, Lake of.
France [*Br.* frɑːns; *Am.* fræ(ː)ns] Frankreich *n.*
Fran·co·ni·a [fræŋ'kouniə; -njə] Franken *n.*
Frank·fort ['fræŋkfərt] *Hauptstadt von Kentucky, USA.*
Frank·fort on the Main ['fræŋkfərt; mein; main] Frankfurt *n* am Main.
Frank·lin ['fræŋklin] *Distrikt der kanad. Nordwest-Territorien.*
Fred·er·ic·ton ['fredəriktən; -drik-] *Hauptstadt von Neubraunschweig, Kanada.*
Fre·man·tle ['friˌmæntl; *Am. auch* fri'mæntl] *Hafenstadt im austral. Bundesstaat Westaustralien.*
French Gui·a·na ['frentʃ gi'ɑːnə; -'ænə] Franz.-Gua'yana *n* (*franz. Überseedepartement im nordwestl. Südamerika*).
Fres·no ['freznou] *Stadt in Kalifornien, USA.*
Fri·sian Is·lands ['friʒən; -ziən] Friesische Inseln *pl* (*an der Nordseeküste von Holland bis Jütland*).
Frome [fruːm] *Stadt in Somersetshire, England.*
Ful·ham ['fuləm] *Stadtteil von London.*
Fun·dy, Bay of ['fʌndi] Fundy-Bay *f* (*Bucht des Atlantischen Ozeans im Südosten Kanadas*).
Fur·ness ['fəːrnis] *Halbinsel an der Irischen See, Lancashire, England.*

G

Ga·boon [gə'buːn], **Ga·bun** [gə'buːn; gɑː-], (*Fr.*) **Ga·bon** [ga'bõ] Ga'bun *n* (*Republik in Westafrika*).
Gains·bor·ough [*Br.* 'geinzbərə; *Am.* -ˌbəːrou] *Stadt in Lincolnshire, England.*
Ga·la·shiels [ˌgælə'ʃiːlz] *Stadt in Selkirkshire, Schottland.*
Gal·braith [gæl'breiθ] *Stadt im australischen Bundesstaat Queensland.*
Gal·lo·way ['gæləˌwei] *Landschaft im südwestl. Schottland.*
Gal·ves·ton ['gælvistən; -vəs-] *Hafenstadt im südöstl. Texas, USA.*
Gal·way ['gɔːlwei] a) *Grafschaft im westl. Irland,* b) *Hauptstadt von* a.
Gam·bi·a ['gæmbiə] a) *Fluß in Westafrika,* b) *Republik an der westafrik. Küste.*
Gan·ges ['gændʒiːz] *Strom im nördl. Vorderindien.*
Gar·y ['gɛ(ə)ri] *Stadt am Michigan-See, USA.*
Gas·pé Pen·in·su·la ['gæs'pei; gæs'pei] Gas'pé *n* (*Halbinsel im südöstl. Kanada*).
Gates·head ['geitsˌhed] *Hafenstadt in Durham, England.*
Ga·za ['gɑːzə; *Am. auch* 'geizə] Gasa *n,* Gaza *n* (*Hafenstadt an der Südostküste des Mittelmeers*).
Gee·long [ˌdʒiː'lɒŋ] *Hafenstadt an der Südküste des austral. Bundesstaates Victoria.*
Ge·ne·va [dʒə'niːvə; dʒi-] Genf *n*: a) *Kanton der Schweiz,* b) *Hauptstadt von* a.
Ge·ne·va, Lake of [dʒə'niːvə; dʒi-] Genfer See *m* (*Schweiz*).
George·town ['dʒɔːrdʒˌtaun] *Hauptstadt von Brit.-Guayana.*

Geor·gia ['dʒɔːrdʒə; -dʒiə] a) *Staat der USA,* b) Ge'orgien *n (Landschaft in Transkaukasien, UdSSR).*
Ger·man Dem·o·crat·ic Re·pub·lic (East) Deutsche Demo'kratische Repu'blik (DDR).
Ger·man Fed·er·al Re·pub·lic (West) 'Bundesrepuˌblik *f* Deutschland (BRD).
Ger·man O·cean Nordsee *f.*
Ger·ma·ny ['dʒəːrməni] Deutschland *n.*
Ger·rard's Cross ['dʒerərdz] *Vorort von London, in Buckinghamshire.*
Get·tys·burg ['getizˌbəːrg] *Stadt in Pennsylvania, USA. 1863 Niederlage der Konföderierten.*
Gha·na ['gɑːnə; 'gænə] *Republik in Westafrika.*
Gi·bral·tar [dʒi'brɔːltər] *Stadt u. Festung in Südspanien.*
Gil·ling·ham[1] ['dʒiliŋəm] *Stadt in Kent, England.*
Gil·ling·ham[2] ['giliŋəm] a) *Ort in Dorsetshire, England,* b) *Ort in Norfolk, England.*
Gla·cier Na·tion·al Park ['gleiʃər; *Br. auch* 'glæsiə] a) *Nationalpark im nordwestl. Montana, USA,* b) *Nationalpark im südöstl. Brit. Columbia, Kanada.*
Glad·stone ['glædstən; *Am. auch* -stoun] *Stadt an der Ostküste von Queensland, Australien.*
Gla·mor·gan(·shire) [glə'mɔːrgən(ˌʃir); -(ʃər)] *Grafschaft im südöstl. Wales.*
Glas·gow ['glɑːsgou; -kou; 'glæzgou] *Stadt in Lanarkshire, Schottland.*
Glas·ton·bur·y ['glæstənbəri; 'glæsn-; *Am. auch* -ˌberi] *Stadt in Somersetshire, England.*
Glen·dale ['glenˌdeil] *Stadt in Kalifornien, USA.*
Glouces·ter ['glɒstər; 'glɔː-] a) → Gloucestershire, b) *Hauptstadt von Gloucestershire.*
Glouces·ter·shire ['glɒstərˌʃir; -ʃər; 'glɔː-] *Grafschaft in England.*
Go·dal·ming ['gɒdlmiŋ] *Stadt in Surrey, England.*
Gode·rich [*Br.* 'goudritʃ; *Am.* 'gɑd-] *Stadt in Ontario, Kanada.*
Gog·ma·gog Hills ['gɒgməˌgɒg] *Hügelland in Cambridgeshire, England.*
Gold·en Gate ['gouldən 'geit] Goldenes Tor *(Einfahrt in die Bucht von San Franzisko).*
Good·win Sands ['gudwin] *Sandbank vor der Südostküste von England.*
Goole [guːl] *Stadt in Yorkshire, England.*
Gor·ham ['gɔːrəm] *Stadt in New Hampshire, USA.*
Gos·port ['gɒspɔːrt] *Stadt an der Küste von Hampshire, England.*
Gow·er ['gauər] *Halbinsel im Bristol-Kanal an der Südküste von Wales.*
Gram·pi·an Hills ['græmpiən; -pjən], **'Gram·pi·ans, the** [-z] Grampiangebirge *n (Schottland).*
Gran·by ['grænbi; 'græmbi] *Stadt in der Provinz Quebec, Kanada.*
Grand Can·yon ['grænd 'kænjən] *Durchbruchstal des Colorado des Westens, USA.*
Gras·mere ['grɑːsmir; *Am. auch* 'græ(ː)s-] *See im Lake District, Westmorland, England.*
Graves·end ['greivz'end] *Stadt in Kent, England.*
Great Brit·ain ['greit 'britn] Großbri'tannien *n (England, Schottland, Wales, Nordirland).*
Great·er An·til·les ['greitər æn'tiliːz] Große An'tillen *pl (Inselgruppe Westindiens).*
Greece [griːs] Griechenland *n.*
Green·land ['griːnlənd; -ˌlænd] Grönland *n.*
Green·ock ['griːnək; 'grinək; 'grenək] *Hafen- u. Industriestadt am Firth of Clyde, Schottland.*
Greens·bor·o [*Br.* 'griːnzbərə; -brə; *Am.* -ˌbəːrou] *Stadt in North Carolina, USA.*
Green·wich ['grinidʒ; 'gren-; -itʃ] *Östl. Vorstadt von London.*
Green·wich Vil·lage ['grenitʃ; 'grinwitʃ; 'griːn-] *Stadtteil von New York.*
Gret·na Green ['gretnə] *Dorf in Dumfriesshire, Schottland.*
Grims·by ['grimzbi] *Hafenstadt in Lincolnshire, England.*
Gros·ve·nor Square ['grouvnər] *Platz in Mayfair, London.*
Gua·de·loupe [ˌgwɒdə'luːp; ˌgwɑː-; 'gɔː-] Guade'loupe *n (Größte Insel der Kleinen Antillen, Westindien).*
Gua·te·ma·la [ˌgwɑːtə'mɑːlə; ˌgwɒt-; *Br. auch* ˌgwæti-] Guate'mala *n:* a) *Republik in Mittelamerika,* b) *Hauptstadt von* a.
Guern·sey ['gəːrnzi] *Insel im Ärmelkanal.*
Guild·ford ['gilfərd] *Stadt in Surrey, England.*
Guin·ea ['gini] a) *Küstengebiet in Westafrika,* b) *Republik in Westafrika.*
Guis·bor·ough ['gizbərə] *Stadt in Yorkshire, England.*
Guy·a·na [gai'ænə] Guy'ana *n (Republik im nordöstl. Südamerika).*

H

Hack·ney ['hækni] *Stadtteil von London.*
Hague, the [heig] Den Haag *m (Königliche Residenz u. Regierungssitz der Niederlande).*
Hai·ti ['heiti] Ha'iti *n:* a) *Insel der Großen Antillen,* b) *Republik auf Haiti.*
Hal·i·fax ['hæliˌfæks; -lə-] a) *Stadt in Yorkshire, England,* b) *Hauptstadt von Neuschottland, Kanada.*
Hal·stead ['hɔːlsted; 'hæl-; -stid] *Stadt in Essex, England.*
Ham·il·ton ['hæmiltən; -məl-] a) *Hafen- u. Industriestadt am Ontario-See, Kanada,* b) *Fluß in Labrador, Kanada,* c) *Stadt in Ohio, USA,* d) *Stadt südöstl. von Glasgow, Schottland.*
Ham·mer·smith ['hæmərˌsmiθ] *Stadtteil von London.*
Ham·mond ['hæmənd] *Stadt in Indiana, USA.*
Hamp·shire ['hæmpʃir; -ʃər] *Grafschaft in Südengland.*
Hamp·stead ['hæmstid; 'hæmp-] *Nordwestl. Stadtteil von London.*
Hamp·ton ['hæmtən; 'hæmp-] *Vorstadt von London, in Middlesex.*
Ha·noi ['hɑː'nɔi; hæ'nɔi] *Hauptstadt von Nord-Vietnam.*
Han·o·ver ['hænovər; -nə-] Han'nover *n.*
Hants [hænts] → Hampshire.
Har·lem ['hɑːrləm] *Stadtteil von New York City.*
Har·ling·ton ['hɑːrliŋtən] → Hayes and Harlington.
Har·low ['hɑːrlou] *Stadt in Essex, England.*
Har·ris·burg ['hærisˌbəːrg] *Hauptstadt von Pennsylvania, USA.*
Har·ro·gate ['hærəgit; -ro-; -ˌgeit] *Stadt in Yorkshire, England.*
Har·row(-on-the-Hill) ['hærou] *Vorstadt von London, in Middlesex. Public School.*
Hart·ford ['hɑːrtfərd] *Hauptstadt von Connecticut, USA.*
Har·well ['hɑːrwəl; -wel] *Dorf in Berkshire, England. 1. engl. Atomreaktor.*
Har·wich ['hæridʒ; -ritʃ] *Hafenstadt in Essex, England.*
Ha·sle·mere ['heizlˌmir] *Stadt in Surrey, England.*
Has·tings ['heistiŋz] *Hafenstadt in Sussex, England. Schlacht 1066.*
Ha·van·a [hə'vænə] Ha'vanna *n (Hauptstadt von Kuba).*
Ha·wai·i [hɑː'waii; hə-; -'wɔːjə; -'wɔːi] a) *Größte der Hawaii-Inseln,* b) → Hawaiian Islands.
Ha·wai·ian Is·lands [hə'waijən] Ha'waii-Inseln *pl, Staat der USA (Nördl. Pazifischer Ozean).*
Haw·ick ['hɔːik] *Stadt in Roxburghshire, Schottland.*
Hayes and Har·ling·ton [heiz; 'hɑːrliŋtən] *Vorstadt von London, in Middlesex.*
Hay·mar·ket ['heiˌmɑːrkit] *Straße in London.*
Heb·ri·des ['hebriˌdiːz; -rə-] He'briden *pl (Inselgruppe an der Westküste Schottlands).*
Hel·e·na ['helənə] *Hauptstadt von Montana, USA.*
Hel·i·go·land ['heligoˌlænd; -ləg-] Helgoland *n.*
Hel·sin·ki ['helsiŋki] *Haupt- u. Hafenstadt von Finnland.*
Hel·vel·lyn [hel'velin] *Berg im Lake District, Cumberland, England.*
Hemp·stead ['hemstid; 'hemp-; -sted] *Vorort von New York.*
Hen·don ['hendən] *Vorstadt von London, in Middlesex.*
Hen·ley on Thames ['henli; temz] *Stadt in Oxfordshire, England.*
Her·e·ford ['herifərd; -rə-] a) → Herefordshire, b) *Hauptstadt von Herefordshire.*
Her·e·ford·shire ['herifərdˌʃir; -rə-; -ʃər] *Grafschaft in Westengland.*
Herne Bay ['həːrn] *Stadt an der Nordküste von Kent, England.*
Hert·ford ['hɑːrfərd; 'hɑːrt-] a) → Hertfordshire, b) *Hauptstadt von Hertfordshire.*
Hert·ford·shire ['hɑːrfərdˌʃir; 'hɑːrt-; -ʃər] *Grafschaft in Südostengland.*
Herts [hɑːrts] → Hertfordshire.
Her·vey Bay ['hɑːrvi; 'həːrvi] *Bucht an der Ostküste von Queensland, Australien.*
Hesse [hes; 'hesi] Hessen *n.*
Hes·ton and I·sle·worth ['hestən; 'aizlˌwəːrθ] *Vorstadt von London, in Middlesex.*
Hex·ham ['heksəm] *Stadt in Northumberland, England.*
Hey·wood ['heiwud] *Stadt in Lancashire, England.*
High·gate ['haigit; -ˌgeit] *Stadtteil von London.*
Hi·ma·la·ya(s), the [ˌhimə'leiə(z); hi'mɑːljə(z)] Hi'malaja *m (Höchstes Gebirge der Erde, Zentralasien).*
Hi·ro·shi·ma [ˌhirə'ʃiːmə; hi'rɒʃimə; -'rɔː-] Hi'roschima *n (Stadt auf Hondo, Japan. 1945 Abwurf der 1. Atombombe).*
His·pan·io·la [ˌhispən'joulə] → Haiti a.
Ho·bart ['houbɑːrt; -bərt] *Hauptstadt des austral. Bundesstaates Tasmanien.*
Ho·bo·ken ['houˌboukən] *Stadt in New Jersey, USA.*
Hol·born ['houbərn; 'houl-] *Stadtteil von London.*
Hol·land ['hɒlənd] → Netherlands.
Hol·land, Parts of ['hɒlənd] *Verwaltungsbezirk in Lincolnshire, England.*
Hol·ly·wood ['hɒliˌwud] *Stadtteil von Los Angeles, Kalifornien, USA. Filmstadt.*
Hol·y·head ['hɒliˌhed] *Insel vor der Westküste von Anglesey, Wales.*
Hon·du·ras [hɒn'dju(ə)rəs; -'du(ə)r-] *Republik in Mittelamerika.*
Hong Kong ['hɒŋ 'kɒŋ; hɒŋ'kɒŋ; 'hɒŋˌkɒŋ] Hongkong *n (Brit. Kronkolonie an der Südküste Chinas).*
Hon·o·lu·lu [ˌhɒnə'luːluː] *Haupt- u. Hafenstadt von Hawaii, Pazifischer Ozean.*
Hoo·ver Dam ['huːvər] *Staudamm des Colorado, USA.*
Horn, Cape [hɔːrn] Kap *n* Horn *(Südspitze Südamerikas).*
Horn·church ['hɔːrnˌtʃəːrtʃ] *Vorstadt von London, in Essex.*
Hor·sham ['hɔːrʃəm] *Stadt in Sussex, England.*
Hor·wich ['hɒridʒ] *Stadt in Lancashire, England.*
Hough·ton le Spring ['houtnli'spriŋ; 'hautn-; -lə-] *Stadt in Durham, England.*
Houns·low ['haunzlou] *Vorstadt von London, in Middlesex.*
Hous·ton ['hjuːstən] *Stadt in Texas, USA.*
Hove [houv] *Vorstadt von Brighton, England.*
Huck·nall ['hʌknəl] *Stadt in Nottinghamshire, England.*
Hud·ders·field ['hʌdərzˌfiːld] *Stadt in Yorkshire, England.*
Hud·son ['hʌdsn] *Fluß im Osten des Staates New York, USA.*
Hull [hʌl] *Hafenstadt in Yorkshire, England.*
Hum·ber ['hʌmbər] *Fluß in Ostengland.*
Hun·ga·ry ['hʌŋgəri] Ungarn *n.*
Hun·ting·don(·shire) ['hʌntiŋdən(ˌʃir); -(ʃər)] *Grafschaft in Mittelengland.*
Hunts [hʌnts] → Huntingdonshire.
Hu·ron, Lake ['hju(ə)rən] Huronsee *m (Einer der 5 Großen Seen Nordamerikas).*
Hut·ton ['hʌtn] *Vorort von London, in Essex.*
Hyde Park [haid] *Park in London.*
Hythe [haið] *Stadt in Kent, England.*

I

Ice·land ['aislənd] Island *n.*
I·da·ho ['aidəˌhou] *Staat im Nordwesten der USA.*
Ijs·sel, Lake ['aisəl], **IJs·sel·meer** ['aisəlˌmeir] Ijs(s)elmeer *n (Niederlande).*
Il·ford ['ilfərd] *Vorstadt von London, in Essex.*
Il·li·nois [ˌili'nɔi; -'nɔiz; -lə-] *Staat im Mittelwesten der USA.*
In·di·a ['indiə; -djə] Indien *n.*
In·di·an·a [ˌindi'ænə] *Staat im Mittelwesten der USA.*
In·di·an·ap·o·lis [ˌindiə'næpəlis; -plis] *Hauptstadt von Indiana, USA.*
In·dies ['indiz; -diːz] a) → East Indies, b) *selten für* West Indies.
In·do·chi·na ['indo'tʃainə] Indo'china *n od.* Hinter'indien *n.*

In·do·ne·sia [ˌindoˈniːʒə; -ʒiə; -ziə; -ʃə; -ʃiə] Indoˈnesien *n* (*Republik in Südostasien*).
In·dus [ˈindəs] *Hauptstrom im westl. Vorderindien.*
In·ver·car·gill [ˌinvərˈkaːrgil] *Hafenstadt auf der Südinsel Neuseelands.*
In·ver·ness(·shire) [ˌinvərˈnes(ʃir); -(ʃər)] *Grafschaft in Schottland.*
I·o·na [aiˈounə] *Kleine Insel der inneren Hebriden.*
I·o·wa [ˈaiəwə; *Br. auch* ˈaioə] *Staat im Mittelwesten der USA.*
Ips·wich [ˈipswitʃ] *Hafenstadt in Suffolk, England.*
I·ran [iˈrɑːn; aiˈræn; iˈræn] *Staat in Vorderasien.*
I·raq [iˈrɑːk; iˈræk] Iˈrak *m* (*Staat in Vorderasien*).
Ire·land [ˈairlənd] Irland *n.*
I·rish Sea [ˈai(ə)riʃ] Irische See (*Zwischen Großbritannien u. Irland*).
Is·la [ˈailə] *Fluß in Perthshire, Schottland.*
Is·lay [ˈailei; -lə] *Insel vor der Westküste Schottlands.*
Isle of Man *cf.* Man, Isle of.
Isle of Wight *cf.* Wight, Isle of.
I·sle·worth [ˈaizlwəːrθ] *Vorstadt von London, in Middlesex.*
Is·ling·ton [ˈizliŋtən] *Nördl. Stadtteil von London.*
Is·ra·el [ˈizriəl; -reiəl] *Staat im Vorderen Orient.*
Is·tan·bul [ˌistæmˈbuːl; -tæn-; -tɑːn-] *Stadt am Bosporus.*
It·a·ly [ˈitəli] Iˈtalien *n.*
I·vo·ry Coast [ˈaivəri] Elfenbeinküste *f* (*Republik in Westafrika*).

J

Jack·son [ˈdʒæksn] *Hauptstadt von Mississippi, USA.*
Jack·son·ville [ˈdʒæksnˌvil] *Hafenstadt in Florida, USA.*
Ja·mai·ca [dʒəˈmeikə] Jaˈmaika *n* (*Insel der Großen Antillen*).
Jan May·en Is·land [jɑːn ˈmaiən; -en] Jan Mayen *n* (*Vulkaninsel im europ. Nordmeer*).
Ja·pan [dʒəˈpæn] Japan *n.*
Ja·va [ˈdʒɑːvə; ˈdʒævə] *Insel des Malaiischen Archipels, Indonesien.*
Jef·fer·son Cit·y [ˈdʒefərsn] *Hauptstadt von Missouri, USA.*
Jer·sey [ˈdʒəːrzi] *Insel im Ärmelkanal.*
Je·ru·sa·lem [dʒəˈruːsələm] *Stadt in Palästina.*
Jo·han·nes·burg [dʒoˈhænisˌbəːrg; -iz-; *Am. auch* joˈhɑːnəs-] *Größte Stadt Südafrikas.*
John·stone [ˈdʒɒnstən; ˈdʒɒnsn] *Stadt in Renfrewshire, Schottland.*
Jor·dan [ˈdʒɔːrdn] a) Jordan *m* (*Fluß in Palästina*), b) Jorˈdanien *n* (*Arab. Staat in Vorderasien*).
Ju·neau [ˈdʒuːnou] *Hauptstadt von Alaska, USA.*
Jut·land [ˈdʒʌtlənd] Jütland *n.*

K

Ka·bul [*Br.* ˈkɔːbl; *Am.* ˈkɑːbul; kəˈbuːl] *Hauptstadt von Afghanistan.*
Kan·sas [ˈkænzəs] *Staat im Innern der USA.*
Ka·ra·chi [kəˈrɑːtʃi] Kaˈratschi *n* (*Hauptstadt von Pakistan*).
Kash·mir [kæʃˈmir; ˈkæʃmir] Kaschmir *n* (*Staat im nordwestl. Himalaja*).
Ka·tah·din, Mount [kəˈtɑːdin] *Höchster Berg in Maine, USA.*
Kat·man·du [ˌkɑːtmɑːnˈduː] *Hauptstadt von Nepal, Vorderindien.*
Ke·dah [ˈkeidɑː; ˈkedə] *Staat des Malaiischen Bundes.*
Kee·wa·tin [kiˈwɑːtin] *Distrikt der Nordwest-Territorien Kanadas.*
Keigh·ley [ˈkiːθli] *Stadt in Yorkshire, England.*
Ke·lan·tan [keˈlæntæn; kə-; -tən; -ˈlɑːntɑːn] *Staat des Malaiischen Bundes.*
Ken·dal [ˈkendl] *Stadt in Westmorland, England.*
Ken·il·worth [ˈkenilˌwəːrθ; -nəl-] *Stadt in Warwickshire, England.*
Ken·sing·ton [ˈkenziŋtən] *Stadtteil von London.*
Kent [kent] *Grafschaft in Südostengland.*
Ken·tuck·y [kənˈtʌki; ken-; kin-] *Staat im Osten der USA.*
Ken·ya [ˈkiːnjə; ˈkenjə] Kenia *n* (*Land in Ostafrika*).
Ker·ry [ˈkeri] *Grafschaft im südwestl. Irland.*
Kes·te·ven, Parts of [kesˈtiːvən; *Am. auch* ˈkesˌtiː-] *Verwaltungsbezirk in Lincolnshire, England.*
Kew [kjuː] *Vorstadt von London, in Surrey. Bedeutender botanischer Garten.*
Khar·t(o)um [kɑːrˈtuːm] *Hauptstadt des Sudan, Ostafrika.*
Kiel Ca·nal [kiːl] Nordˈostseekaˌnal *m.*
Kil·dare [kilˈdɛr] *Grafschaft im östl. Irland.*
Kil·i·man·ja·ro, Mount [ˌkilimənˈdʒɑːrou; ˈki-] Kilimanˈdscharo *m* (*Vulkan in Tanganjika, Ostafrika*).
Kil·ken·ny [kilˈkeni] *Grafschaft im südöstl. Irland.*
Kil·lar·ney [kiˈlɑːrni] *Stadt in Kerry, Irland.*
Kil·lie·cran·kie [ˌkiliˈkræŋki] *Gebirgspaß in Perthshire, Schottland.*
Kil·mar·nock [kilˈmɑːrnək] *Stadt in Ayrshire, Schottland.*
Kim·ber·ley [ˈkimbərli] *Stadt in der Südafrik. Republik. Diamantfunde.*
Kin·car·dine(·shire) [kinˈkɑːrdin(ˌʃir); -(ʃər); kiŋ-] *Grafschaft im östl. Schottland.*
King's Lynn [ˈkiŋz ˈlin] *Stadt in Norfolk, England.*
Kings·ton [ˈkiŋstən] *Hauptstadt von Jamaika.*
Kings·ton up·on Hull [ˈkiŋstən; hʌl] → Hull.
Kin·ross(·shire) [kinˈrɒs(ʃir); -(ʃər); *Am. auch* -ˈrɔːs-] *Grafschaft in Schottland.*
Kin·tyre [kinˈtair] *Halbinsel in Argyllshire, Schottland.*
Kirk·cal·dy [kəːrˈkɔːdi; -ˈkɔːldi; -ˈkɑːdi] *Stadt in Fifeshire, Schottland.*
Kirk·cud·bright(·shire) [kə(ː)rˈkuːbri(ˌʃir); -(ʃər)] *Grafschaft im südwestl. Schottland.*
Klon·dike [ˈklɒndaik] *Landschaft im nordwestl. Kanada.*
Knights·bridge [ˈnaitsˌbridʒ] *Straße in London.*
Knox·ville [ˈnɒksvil] *Stadt in Tennessee, USA.*
Ko·di·ak [ˈkoudiˌæk] *Insel an der Südküste Alaskas, USA.*
Ko·re·a [kɔːˈri(ː)ə; ko-; kə-] Koˈrea *n.*
Kos·ci·us·ko, Mount [ˌkɒsiˈʌskou; ˌkɒz-] *Höchster Berg Australiens, im Bundesstaat Victoria.*
Kua·la Lum·pur [ˈkwɑːlə ˈlumpur; ˌlumˈpur] *Hauptstadt des Staates Selangor sowie des Malaiischen Bundes.*
Ku·wait [kuˈweit; -ˈwait] a) *Fürstentum am Pers. Golf,* b) *Hauptstadt von a.*

L

Lab·ra·dor [ˈlæbrəˌdɔːr] Labraˈdor *n* (*Halbinsel im östl. Kanada*).
La·gos [ˈlɑːgəs; ˈleigɒs] *Hauptstadt von Nigeria, Westafrika.*
La Guar·di·a [ləˈgwɑːrdiə; -ˈgɑːr-] *Größter Flughafen New Yorks, USA.*
La·hore [ləˈhɔːr] Laˈhor(e) *n* (*Hauptstadt der Provinz Westpakistan*).
Lake·hurst [ˈleikhəːrst] *Flugstützpunkt der amer. Marine in New Jersey, USA.*
Lam·beth [ˈlæmbəθ; -beθ] *Stadtteil von London.*
Lan·ark(·shire) [ˈlænərk(ˌʃir); -(ʃər)] *Grafschaft im südl. Schottland.*
Lan·ca·shire [ˈlæŋkəˌʃir; -ʃər] *Grafschaft im nordwestl. England.*
Lan·cas·ter [ˈlæŋkəstər; *Am. auch* -ˌkæs-] a) *Hauptstadt von Lancashire,* b) → Lancashire, c) *Stadt in Pennsylvania, USA.*
Lancs [læŋks] → Lancashire.
Lan·sing [ˈlænsiŋ] *Hauptstadt von Michigan, USA.*
Laoigh·is [*Br.* liːʃ; *Am.* ˈleiiʃ] *Grafschaft in Mittelirland.*
La·os [lauz; ˈleiɒs] *Königreich in Indochina.*
La Paz [lɑːˈpɑːs; ləˈpæz] *Hauptstadt von Bolivien.*
Lap·land [ˈlæpˌlænd; -lənd] Lappland *n.*
Las·sen Peak [ˈlæsn] *Vulkan in Kalifornien, USA.*
Las Ve·gas [lɑːs ˈveigəs] *Stadt in Nevada, USA.*
Lat·in A·mer·i·ca [ˈlætin əˈmerikə; -tn] Laˈteinaˌmerika *n* (*Süd- u. Mittelamerika*).
Lat·vi·a [ˈlætviə] Lettland *n.*
Lau·der·dale [ˈlɔːdərˌdeil] *Landschaft in Berwickshire, Schottland.*
Lea·ming·ton (Spa) [ˈlemiŋtən (ˈspɑː)] *Badeort in Warwickshire, England.*
Leb·a·non [ˈlebənən] Libanon *m* (*Republik im Vorderen Orient*).
Leeds [liːdz] *Stadt in Mittelengland.*
Leices·ter [ˈlestər] a) → Leicestershire, b) *Hauptstadt von Leicestershire.*
Leices·ter·shire [ˈlestərˌʃir; -ʃər] *Grafschaft in Mittelengland.*
Leigh[1] [liː] *Stadt in Lancashire, England.*
Leigh[2] [lai] a) *Ort in Kent, England,* b) *Ort in Dorsetshire, England,* c) *Ort in Surrey, England.*
Lein·ster [ˈlenstər] *Provinz im südöstl. Irland.*
Lei·trim [ˈliːtrim] *Grafschaft im Nordwesten von Irland.*
Leix [*Br.* liːʃ; *Am.* leiks] → Laoighis.
Le·man, Lake [ˈliːmən; ˈlemən] → Geneva, Lake of.
Len·nox [ˈlenəks] *Landschaft in Stirlingshire, Schottland.*
Lé·o·pold·ville [ˈliːəpouldˌvil] *Hauptstadt des Kongo* (*Léopoldville*).
Le·so·tho [ləˈsoutou] Leˈsotho *n* (*Königreich in Südafrika*).
Less·er An·til·les [ˈlesər ænˈtili(ː)z] Kleine Anˈtillen *pl* (*Inseln zwischen Puerto Rico u. Trinidad, Westindien*).
Le·vant [liˈvænt] Leˈvante *f* (*Länder um das östl. Mittelmeer*).
Lew·i·sham [ˈlu(ː)iʃəm; ˈljuː-; -isəm] *Stadtteil von London.*
Lew·is with Har·ris [ˈluːis; ˈljuː-; ˈhæris] *Nördlichste Insel der Äußeren Hebriden, Schottland.*
Lex·ing·ton [ˈleksiŋtən] a) *Stadt in Kentucky, USA,* b) *Stadt in Massachusetts, USA. 1775 erste Schlacht im amer. Unabhängigkeitskrieg gegen die Engländer.*
Ley·ton [ˈleitn] *Vorstadt von London, in Essex.*
Lha·sa [ˈlɑːsə; ˈlæsə] *Hauptstadt von Tibet.*
Li·be·ri·a [laiˈbi(ə)riə] *Republik in Westafrika.*
Lib·y·a [ˈlibiə; -bjə] Libyen *n.*
Lich·field [ˈlitʃˌfiːld] *Stadt in Staffordshire, England.*
Liech·ten·stein [ˈliçtənʃtain] Liechtenstein *n.*
Li·ma [ˈliːmə] *Hauptstadt von Peru.*
Lime·house [ˈlaimˌhaus] *Stadtteil von London.*
Lim·er·ick [ˈlimərik] a) *Grafschaft im südwestl. Irland,* b) *Hauptstadt von a.*
Lin·coln [ˈliŋkən] a) *Hauptstadt von Nebraska, USA,* b) → Lincolnshire, c) *Hauptstadt von Lincolnshire.*
Lin·coln·shire [ˈliŋkənˌʃir; -ʃər] *Grafschaft in Ostengland.*
Lincs [liŋks] → Lincolnshire.
Lin·dis·farne [ˈlindisˌfɑːrn] *Insel vor der Küste von Northumberland, England.*
Lind·sey, Parts of [ˈlindzi; ˈlinzi] *Verwaltungsbezirk in Lincolnshire, England.*
Lin·lith·gow [linˈliθgou] a) *hist. für* West Lothian, b) *Ort in West Lothian.*
Li·ons, Gulf of [ˈlaiənz] Golfe *m* du Lion (*Meerbusen an der Mittelmeerküste, Südfrankreich*).
Lis·bon [ˈlizbən] Lissabon *n.*
Lith·u·a·ni·a [ˌliθjuˈeiniə; -θu-; -njə] Litauen *n.*
Lit·tle Rock [ˈlitl ˌrɒk] *Hauptstadt von Arkansas, USA.*
Liv·er·pool [ˈlivərˌpuːl] *Hafenstadt in Lancashire, England.*
Li·vo·ni·a [liˈvouniə; -njə] Livland *n* (*Landschaft im Baltikum*).
Liz·ard, the [ˈlizərd] *Halbinsel in Cornwall, England, mit dem südlichsten Punkt Englands.*
Llan·dud·no [lænˈdidnou; -ˈdʌd-] *Stadt in Caernarvonshire, Wales.*
Lla·nel·ly [læˈneθli; *Am. auch* -ˈneli] *Stadt in Carmarthenshire, Wales.*
Llan·o Es·ta·ca·do [ˈlænou ˌestəˈkɑːdou; ˈlɑː-] Llanos *pl* Estaˈcados (*Hochebene in Texas u. New Mexico, USA*).
Loch·a·ber [lɒˈkɑːbər] *Landschaft in Inverness, Schottland.*
Lom·bar·dy [ˈlɒmbərdi; ˈlʌm-; *Am. auch* -ˌbɑːrdi] Lombarˈdei *f* (*Landschaft in Oberitalien*).
Lo·mond, Loch [ˈloumənd] *See in Schottland. Größter See Großbritanniens.*

Lon·don ['lʌndən] London *n.*
Lon·don·der·ry [ˌlʌndən'deri; 'lʌndənˌderi] a) *Grafschaft in Nordirland,* b) *Hauptstadt von* a.
Long·ford ['lɒŋfərd; *Am. auch* 'lɔːŋ-] *Grafschaft im östl. Mittelirland.*
Longs Peak [lɒŋz; *Am. auch* lɔːŋz] *Höchster Berg im Rocky Mountain National Park in Colorado, USA.*
Looe Is·land [luː] *Insel vor der Südküste von Cornwall, England.*
Lorne [lɔːrn] *Landschaft in Argyllshire, Schottland.*
Los An·ge·les [lɒs 'ændʒələs; 'æŋgə-; -ˌliːz; *Am. auch* lɔːs] *Hafenstadt im südwestl. Kalifornien.*
Lo·thi·ans, the ['louðianz; -ðjənz] *3 Grafschaften in Schottland.*
Lough·ton ['lautn] *Stadt in Essex, England.*
Lou·i·si·an·a [luˌi(ː)zi'ænə; ˌluːizi-; ˌluːzi-] *Staat im Süden der USA.*
Lou·is·ville ['lu(ː)iˌvil] *Hafenstadt am Ohio in Kentucky, USA.*
Louth[1] [lauð; lauθ] *Grafschaft in Nordostirland.*
Louth[2] [lauθ] *Stadt in Lincolnshire, England.*
Low Coun·tries [lou] *Niederlande, Belgien, Luxemburg.*
Low·er Cal·i·for·nia ['louər ˌkæli'fɔːrnjə; -lə-; -niə] 'Niederkaliˌfornien *n (Halbinsel an der Westküste Mexikos).*
Lowe·stoft ['loustɒft; -stəf; *Am. auch* -ˌstɔːft] *Hafenstadt in Suffolk, England.*
Lowth·er Hills ['lauðər] *Hügelland im südl. Schottland.*
Lu·an·da [lu(ː)'ændə] *Hauptstadt von Angola, Westafrika.*
Lu·cerne, Lake of [luː'səːrn; ljuː-] Vier'waldstätter See *m (Schweiz).*
Lud·gate Hill ['lʌdgit] *Straße in London.*
Lu·ton ['luːtn] *Stadt in Bedfordshire, England.*
Lux·em·b(o)urg ['lʌksəmˌbəːrg] Luxemburg *n.*
Lu·zon [luː'zɒn] *Hauptinsel der Philippinen.*
Ly·ming·ton ['limiŋtən] *Stadt in Hampshire, England.*
Lynn [lin] *Stadt in Massachusetts, USA.*
Ly·ons ['laiənz], *(Fr.)* **Ly·on** [ljõ] Ly'on *n (Stadt in Ostfrankreich).*
Ly·tham ['liðəm] *Stadt an der Küste von Lancashire, England.*

M

Mac *cf. auch* Mc.
Mac·cles·field ['mæklzˌfiːld] *Stadt in Cheshire, England.*
Mac·kay [mə'kai; -'kei] *Stadt im austral. Bundesstaat Queensland.*
Mac·ken·zie [mə'kenzi] *Zweitgrößter Strom Nordamerikas, im nordwestl. Kanada.*
Mac·quar·ie [mə'kwɒri; *Am. auch* -'kwɔːri] *Fluß im austral. Bundesstaat Neusüdwales.*
Mad·a·gas·car [ˌmædə'gæskər] Mada'gaskar *n (Insel vor der Ostküste Südafrikas).*
Ma·dei·ra [mə'di(ə)rə] *Insel im Atlantischen Ozean, westl. von Marokko.*
Mad·i·son ['mædisn; -də-] *Hauptstadt von Wisconsin, USA.*
Ma·drid [mə'drid] Ma'drid *n.*
Ma·gel·lan, Strait of [*Br.* mə'gelən; *Am.* -'dʒel-] Magel'lanstraße *f.*
Maid·en·head ['meidnˌhed] *Stadt in Berkshire, England.*
Maid·stone ['meidstən; *bes. Am.* -ˌstoun] *Stadt in Kent, England.*
Maine [mein] *Staat im Nordosten der USA.*
Main·land ['meinlənd; -ˌlænd] a) *Hauptinsel der Shetland-Inseln,* b) → Pomona.
Ma·jor·ca [mə'dʒɔːrkə] Mal'lorca *n (Größte Insel der Balearen).*
Ma·ju·ba Hill [mə'dʒuːbə] *Berg in Natal, Südafrika. 1881 Sieg der Buren über die Engländer.*
Mal·a·gas·y Re·pub·lic [ˌmælə'gæsi] Mada'gassische Repu'blik.
Ma·la·wi [mɑː'lɑːwi; mə-] Ma'lawi *n (Republik in Südostafrika).*
Ma·lay·a [mə'leiə] Ma'laiischer Bund.
Ma·lay Ar·chi·pel·a·go [mə'lei; 'meilei] Ma'laiischer Archi'pel *(Inseln zwischen Südostasien u. Neuguinea).*
Ma·lay·sia [mə'leiʒə; -ʒiə; -zjə; -ʃə] *Staatenbund in Südostasien.*
Mal·den ['mɔːldən] *Vorstadt von London, in Surrey.*
Mal·dive Is·lands [*Br.* 'mɔːldiv; *Am.* 'mældaiv; 'mɔːl-] Male'diven *pl (Korallenatolle im Indischen Ozean; Republik).*
Mal·don ['mɔːldən] *Stadt in Essex, England.*
Ma·li ['mɑːli] *Republik in Westafrika.*
Mal·ta ['mɔːltə] a) *Inselgruppe im Mittelmeer,* b) *Hauptinsel von* a.
Mal·tese Is·lands [mɔːl'tiːz] → Malta a.
Mal·ton ['mɔːltən] *Stadt in Yorkshire, England.*
Mam·moth Cave ['mæməθ] Mammuthöhle *f (in Kentucky, USA. Größte Höhle der Erde).*
Man, Isle of [mæn] *Insel in der Irischen See.*
Ma·na·gua [mɑː'nɑːgwɑː; mə'nɑːgwə] *Hauptstadt von Nicaragua, Mittelamerika.*
Man·ches·ter ['mæntʃistər; -ˌtʃes-] *Industriestadt in Lancashire, England.*
Man·hat·tan [mæn'hætən; mən-] *Stadtteil von New York.*
Ma·nil·a [mə'nilə] *Hauptstadt der Philippinen.*
Man·i·to·ba [ˌmæni'toubə; -nə-] *Kanad. Prärieprovinz.*
Mans·field ['mænsˌfiːld; *Am. auch* 'mænz-] *Stadt in Nottinghamshire, England.*
March·es ['mɑːrtʃiz; -tʃes] Marken *pl (Landschaft in Mittelitalien).*
Mar·gate ['mɑːrgit; -geit] *Seebad in Kent, England.*
Mar·i·time Prov·inc·es ['mæriˌtaim; -rə-] *Kanad. Provinzen New Brunswick, Nova Scotia, Prince Edward Island.*
Mar·seilles [mɑːr'seilz; -'sei], *(Fr.)* **Marseille** [mar'sɛj] Mar'seille *n.*
Mar·ti·nique [ˌmɑːrti'niːk; -tə-] *Insel der Kleinen Antillen, Westindien.*
Mar·y·land ['merilənd; -rə-; *Br. auch* 'meəri-] *Staat im Osten der USA.*
Mar·y·le·bone ['mærələbən] → Saint Marylebone.
Mas·sa·chu·setts [ˌmæsə'tʃuːsets; -sits] *Staat im Nordosten der USA.*
Mat·ter·horn ['mætərˌhɔːrn] *Berg in den Alpen, zwischen Italien u. der Schweiz.*
Mau·i ['mɑːuːˌiː; 'maui] *Zweitgrößte der Hawaii-Inseln, Pazifischer Ozean.*
Mau·ri·ta·ni·a [*Br.* ˌmɒri'teinjə; *Am.* ˌmɔːrə'teiniə] Maure'tanien *n (Republik in Westafrika).*
Mau·ri·ti·us [mɔː'riʃiəs; mə-; -ʃəs] *Insel der Maskarenen, Indischer Ozean.*
May·o ['meiou] *Grafschaft im nordwestl. Irland.*
Mc *cf. auch* Mac.
Mc·Al·is·ter [mə'kælistər] *Berg im austral. Bundesstaat Neusüdwales.*
Mc·Kin·ley, Mount [mə'kinli] *Berg in Alaska. Höchster Berg in Nordamerika.*
Meath [miːð; miːθ] *Grafschaft in Ostirland.*
Me·kong ['mei'kɒŋ] Mekong *m (Größter Strom Hinterindiens).*
Mel·a·ne·sia [ˌmelə'niːʒə; -ʒiə; -ʃə; -zjə] Mela'nesien *n (Inselgruppen des südwestl. Pazifischen Ozeans).*
Mel·bourne ['melbərn] *Hauptstadt des austral. Bundesstaates Victoria.*
Mem·phis ['memfis] a) *antiq. Ruinenstadt am Nil,* b) *Stadt in Tennessee, USA.*
Men·ai Strait(s) ['menai] 'Menaikaˌnal *m (Meerenge zwischen der Insel Anglesey u. Wales).*
Men·do·ci·no, Cape [ˌmendo'siːnou; -də-] *Westlichster Punkt Kaliforniens, USA.*
Mer·ci·a ['məːrʃiə; -ʃjə; -ʃə] *hist. Angelsächsisches Königreich.*
Mer·i·on·eth·shire [ˌmeri'ɒniθˌʃir; -ʃər] *Grafschaft in Wales.*
Mer·sey ['məːrzi] *Fluß in Cheshire, England.*
Mer·ton and Mor·den ['məːrtən; 'mɔːrdn] *Vorstadt von London, in Surrey.*
Meuse [məːz; mjuːz] Maas *f (Fluß in Frankreich, Belgien u. den Niederlanden).*
Mex·i·co ['meksiˌkou] Mexiko *n:* a) *Republik in Mittelamerika,* b) *Hauptstadt von* a, c) *mexik. Bundesstaat.*
Mex·i·co Cit·y → Mexico b.
Mi·am·i [mai'æmi; -mə] *Stadt in Florida, USA.*
Mich·i·gan ['miʃigən; -ʃə-] *Staat im Norden der USA.*
Mi·cro·ne·sia [ˌmaikro'niːʒə; -ʒiə; -ʃə] Mikro'nesien *n (Inselgruppen im nordwestl. Ozeanien).*
Mid·dles·brough ['midlzbrə] *Hafenstadt in Yorkshire, England.*
Mid·dle·sex ['midlˌseks] *Grafschaft im südöstl. England.*
Mid·lands, the ['midləndz] *Grafschaften Mittelenglands, bes. Derbyshire, Leicestershire, Northamptonshire, Nottinghamshire, Rutlandshire, Staffordshire, Warwickshire.*
Mid·lo·thi·an [mid'louðiən; -ðjən] *Grafschaft im südöstl. Schottland.*
Mi·lan [mi'læn; 'milən] Mailand *n.*
Mil·ford Ha·ven ['milfərd] *Stadt in Pembrokeshire, Wales.*
Mil·wau·kee [mil'wɔːki] *Handels- u. Industriestadt am Michigansee, USA.*
Min·da·na·o [ˌmində'nɑːo; -'nau] *Zweitgrößte Insel der Philippinen, Pazifischer Ozean.*
Min·ne·ap·o·lis [ˌmini'æpolis; -pə-] *Stadt in Minnesota, USA.*
Min·ne·so·ta [ˌminə'soutə] *Staat im Norden der USA.*
Mis·sis·sip·pi [ˌmisi'sipi; -sə's-] a) *Größter Strom Nordamerikas,* b) *Staat im Süden der USA.*
Mis·sou·ri [mi'zu(ə)ri; mə-; -rə] a) *Größter Nebenfluß des Mississippi, USA,* b) *Einer der nordwestl. Mittelstaaten der USA.*
Mitch·am ['mitʃəm] *Vorstadt von London, in Surrey.*
Mitch·ell, Mount ['mitʃəl] *Höchster Gipfel der Appalachen.*
Mo·bile Bay ['mouˌbiːl; mə'biːl] *Bucht des Golfs von Mexiko.*
Mog·a·di·sci·o [ˌmɒgə'diʃiˌou; -'diʃou], ˌ**Mog·a'dish·u** [-'di(ː)ʃuː] Moga'dischu *n (Hauptstadt von Somalia, Ostafrika).*
Mo·ha·ve Des·ert, Mo·ja·ve Des·ert [mo'hɑːvi] Mohavewüste *f (Sand- u. Lehmwüste in Kalifornien, USA).*
Mo·lo·kai [ˌmoulou'kɑːiː; ˌmɒlə'kai] *Eine Hawaii-Insel. Station für Leprakranke.*
Mon·a·co ['mɒnəˌkou; mo'nɑːkou] *Fürstentum an der franz. Riviera.*
Mon·a·ghan ['mɒnəhən; -gən] *Grafschaft im nordöstl. Irland.*
Mon·go·lia [mɒŋ'gouljə; -liə] Mongo'lei *f (Gebiet im nordöstl. Innerasien).*
Mon·mouth(·shire) ['mʌnməθ(ˌʃir); -(ʃər); 'mɒn-] *Grafschaft in Westengland.*
Mon·ro·vi·a [mɒn'rouviə; mʌn-] *Hauptstadt von Liberia, Westafrika.*
Mon·tan·a [mɒn'tænə] *Staat im Nordwesten der USA.*
Mont Blanc *cf.* Blanc, Mont.
Mon·te Car·lo [ˌmɒnti'kɑːrlou] *Teil des Fürstentums Monaco.*
Mon·te·rey [ˌmɒntə'rei; 'mɒntəˌrei] *Seebad in Kalifornien.*
Mon·te·vid·e·o [ˌmɒntivi'deiou; -tə-; *bes. Am.* -'vidiˌou] *Hauptstadt von Uruguay.*
Mont·gom·er·y [mɒnt'gʌməri; mənt-; -'gɒm-] a) → Montgomeryshire, b) *Hauptstadt von Alabama, USA.*
Mont·gom·er·y·shire [mɒnt'gʌməriˌʃir; -ʃər; mənt-; -'gɒm-] *Grafschaft in Wales.*
Mont·pe·lier [mɒnt'piːljər] *Hauptstadt von Vermont, USA.*
Mont·re·al [ˌmɒntri'ɔːl] *Handels- u. Industriestadt in der Provinz Quebec, Kanada.*
Mont·rose [mɒn'trouz] *Stadt an der Küste von Angus, Schottland.*
Moor·gate ['murgit] *Straße in London.*
Mo·ra·vi·a [mə'reiviə; -vjə; mɒ-; mo-] Mähren *n.*
Mor·ay [*Br.* 'mʌri; *Am.* 'məːri] *Grafschaft im nordöstl. Schottland.*
Mor·den ['mɔːrdn] → Merton and Morden.
Mor·ley ['mɔːrli] *Stadt in Yorkshire, England.*
Mor·ning·ton ['mɔːrniŋtən] a) *Insel vor der Nordküste des austral. Bundesstaates Queensland,* b) *Stadt im austral. Bundesstaat Victoria.*
Mo·roc·co [mə'rɒkou] Ma'rokko *n (Land in Nordwestafrika).*
Mos·cow ['mɒskou; *Am. auch* -kau] Moskau *n.*
Mo·selle [mo'zel; mə-] Mosel *f.*
Moth·er·well and Wish·aw ['mʌðərwəl; -wel; 'wiʃɔː] *Stadt in Lanarkshire, Schottland.*
Mul·grave ['mʌlgreiv] *Stadt in Neuschottland, Kanada.*
Mull [mʌl] *Zweitgrößte Insel der Inneren Hebriden, Schottland.*
Mu·nich ['mjuːnik] München *n.*
Mun·ster ['mʌnstər] *Provinz in Südirland.*
Mur·chi·son ['məːrtʃisn] *Fluß in Westaustralien.*
Mur·ray [*Br.* 'mʌri; *Am.* 'məːri] *Fluß im südöstl. Australien.*
Mus·cat and O·man ['mʌskæt; o'mɑːn; o'mæn] Maskat *n* u. O'man *n (Land im Südosten Arabiens).*

N

Na·ga·sa·ki [ˌnægəˈsɑːki; ˌnɑː-] *Hafenstadt an der Westküste von Kiuschu, Japan.*
Nairn(·shire) [ˈnɛ(ə)rn(ʃir); -(ʃər)] *Grafschaft im nördl. Schottland.*
Nai·ro·bi [ˌnai(ə)ˈroubi] *Hauptstadt von Kenia, Ostafrika.*
Nan·ga Par·bat [ˈnʌŋgəˈpʌrbət; -bʌt] *Berg im Himalaja, Kaschmir.*
Nan·tuck·et [nænˈtʌkit; -ket] *Insel an der Küste von Massachusetts, USA.*
Na·ples [ˈneiplz] Neˈapel *n* (*Hafenstadt in Süditalien*).
Nar·ra·gan·sett Bay [ˌnærəˈgænsit; -set] *Bucht an der Küste von Rhode Island, USA.*
Nash·ville [ˈnæʃvil] *Hauptstadt von Tennessee, USA.*
Nas·sau [ˈnæsɔː] *Hauptstadt der Bahama-Inseln, Westindien.*
Na·tal [nəˈtæl] *Provinz der Südafrik. Republik.*
Na·u·ru [nɑːˈuːruː] *Insel im westl. Pazifischen Ozean; Republik.*
Naz·a·reth [ˈnæzəriθ; -rəθ] *Stadt u. christlicher Wallfahrtsort in Israel.*
Naze, the [neiz] *Landspitze in Essex, Südostengland.*
Ne·bras·ka [nəˈbræskə, ni-] *Mittelstaat der USA.*
Ne·gri Sem·bi·lan [ˈnegri semˈbiːlən; nəˈgriː; ˌsembiˈlɑːn] *Teilstaat des Malaiischen Bundes auf Malakka.*
Nel·son [ˈnelsn] a) *Stadt in Lancashire, England,* b) *Fluß in Kanada.*
Ne·man [ˈnemən] Memel *f* (*Fluß in Osteuropa*).
Ne·pal [niːˈpɔːl; nə-] *Königreich südl. des Himalaja.*
Neth·er·lands [ˈneðərləndz] Niederlande *pl.*
Neth·er·lands An·til·les [ˈneðərləndz ænˈtili(ː)z] Niederländische Anˈtillen *pl* (*Niederl. Inseln in Westindien*).
Ne·vad·a [nəˈvɑːdə; ni-; -ˈvædə] *Staat im Westen der USA.*
New Am·ster·dam [njuː ˈæmstərˌdæm; *Am. auch* nuː] Neu-Amsterˈdam *n* (*Ursprünglicher Name der Stadt New York*).
New·ark [ˈnjuːərk; ˈnuː-] *Stadt in New Jersey, USA.*
New Bed·ford [njuː ˈbedfərd; *Am. auch* nuː] *Hafenstadt in Massachusetts, USA.*
New Bruns·wick [njuː ˈbrʌnzwik; *Am. auch* nuː] Neuˈbraunschweig *n* (*Kanad. Provinz*).
New Cal·e·do·nia [njuː ˌkæliˈdounjə; -lə-; -niə; *Am. auch* nuː] Neukaleˈdonien *n* (*Insel östl. von Australien*).
New·cas·tle [ˈnjuːˌkɑːsl; *Am. auch* -ˌkæ(ː)sl; ˈnuː-] a) *Haupt- u. Hafenstadt von Northumberland, England,* b) *Hafen- u. Industriestadt im austral. Bundesstaat Neusüdwales.*
New·cas·tle up·on Tyne [ˈnjuːˌkɑːsl; tain; *Am. auch* -ˌkæ(ː)sl; ˈnuː-] → Newcastle a.
New Del·hi [njuː ˈdeli; *Am. auch* nuː] Neu-Delhi *n* (*Stadtteil von Delhi, Indien*).
New Eng·land [njuː ˈiŋglənd; *Am. auch* nuː] Neuˈengland *n* (*Die nordöstl. Staaten der USA*).
New·found·land [ˌnjuːfəndˈlænd; *Am. auch* ˌnuː-] Neuˈfundland *n* (*Östlichste Provinz Kanadas*).
New Guin·ea [njuː ˈgini; *Am. auch* nuː] Neuguiˈnea *n* (*Insel nördl. von Australien*).
New Hamp·shire [njuː ˈhæmpʃir; -ʃər; *Am. auch* nuː] *Staat im Nordosten der USA.*
New Ha·ven [njuː ˈheivn; *Am. auch* nuː] *Hafenstadt im südl. Connecticut, USA. Sitz der Yale-Universität.*
New Jer·sey [njuː ˈdʒəːrzi; *Am. auch* nuː] *Staat im Osten der USA.*
New·mar·ket [ˈnjuːˌmɑːrkit; *Am. auch* ˈnuː-] *Stadt in Suffolk, England.*
New Mex·i·co [njuː ˈmeksiˌkou; *Am. auch* nuː] *Staat im Südwesten der USA.*
New Or·le·ans [njuː ˈɔːrliənz; *Am. auch* nuː] *Hafenstadt in Louisiana, USA.*
New·port [ˈnjuːpɔːrt; *Am. auch* ˈnuː-] *Hafenstadt in Monmouthshire, England.*
New South Wales [njuː; weilz; *Am. auch* nuː] Neusüdˈwales *n* (*Staat im südöstl. Australien*).
New York [njuː jɔːrk; *Am. auch* nuː] a) *Staat im Osten der USA,* b) *Größte Stadt der USA.*
New Zea·land [njuː ˈziːlənd; *Am. auch* nuː] Neuˈseeland *n.*
Ni·ag·a·ra [naiˈægərə; -grə] *Fluß zwischen Erie- u. Ontariosee, Nordamerika.*
Nic·a·ra·gua [ˌnikəˈrægwə; -ˈrɑː-; *Br. auch* -gjuə] *Republik in Mittelamerika.*
Nice [niːs] Nizza *n* (*Kurort an der franz. Riviera*).
Ni·ger [ˈnaidʒər] a) *Größter Fluß Westafrikas,* b) *Republik in Westafrika.*
Ni·ge·ri·a [naiˈdʒi(ə)riə] *Bundesstaat in Westafrika.*
Nile [nail] Nil *m* (*Fluß im östl. Afrika*).
Nip·pon [ˈnipɒn; niˈpɒn] (*Japanese*) → Japan.
Nor·folk [ˈnɔːrfək; *Am. auch* -fɔːk] a) *Grafschaft in Ostengland,* b) *Hafenstadt in Virginia, USA.*
Nor·man·dy [ˈnɔːrməndi] Normanˈdie *f.*
North·amp·ton [nɔːrˈθæmptən; nɔːrθˈhæmp-] a) → Northamptonshire, b) *Hauptstadt von Northamptonshire.*
North·amp·ton·shire [nɔːrˈθæmptənˌʃir; -ʃər; nɔːrθˈhæmp-], **North·ants** [nɔːrˈθænts] *Grafschaft in Mittelengland.*
North Car·o·li·na [ˌkærəˈlainə] *Staat im Süden der USA.*
North Coun·try *England nördl. des Humber.*
North Da·ko·ta [dəˈkoutə] *Nordwestl. Mittelstaat der USA.*
North·ern Ire·land [ˈairlənd] Nordˈirland *n.*
North·ern Ter·ri·to·ry ˈNordterriˌtorium *n* (*Australien*).
North Rid·ing [ˈraidiŋ] *Verwaltungsbezirk der engl. Grafschaft Yorkshire.*
North·um·ber·land [nɔːrˈθʌmbərlənd] *Grafschaft in Nordengland.*
North·um·bri·a [nɔːrˈθʌmbriə] *hist. Nördlichstes Königreich der Angelsachsen.*
North·west Ter·ri·to·ries Nordˈwestterriˌtorien *pl* (*Kanada*).
Nor·way [ˈnɔːrwei] Norwegen *n.*
Nor·wich [*Br.* ˈnɒridʒ; -itʃ; *Am.* ˈnɔːrwitʃ] a) *Hauptstadt von Norfolk, England,* b) *Stadt in Connecticut, USA.*
Not·ting·ham [ˈnɒtiŋəm; *Am. auch* -ˌhæm] a) → Nottinghamshire, b) *Hauptstadt von Nottinghamshire.*
Not·ting·ham·shire [ˈnɒtiŋəmˌʃir; -ʃər], *auch* **Notts** [nɒts] *Grafschaft in Mittelengland.*
No·va Sco·tia [ˈnouvəˈskouʃə] Neuˈschottland *n* (*Halbinsel im südöstl. Kanada*).
Nu·bi·a [ˈnjuːbiə; -bjə; *Am. auch* ˈnuː-] Nubien *n* (*Landschaft in Nordostafrika*).
Nu·nea·ton [nʌˈniːtn] *Stadt in Warwickshire, England.*
Nu·rem·berg [ˈnju(ə)rəmˌbəːrg; *Am. auch* ˈnu-] Nürnberg *n.*
Ny·sa [ˈnisɑː] (Glatzer) Neiße *f* (*Nebenfluß der Oder*).

O

Oak·land [ˈouklənd] *Stadt in Kalifornien, USA.*
O·ce·an·i·a [ˌouʃiˈeiniə; -ˈæn-; -njə], ˌ**O·ce·ˈan·i·ca** [-ˈænikə; -nə-] Ozeˈanien *n* (*Inseln des südwestl. Pazifischen Ozeans*).
Of·fa·ly [ˈɒfəli; *Am. auch* ˈɔːf-] *Grafschaft in Mittelirland.*
O·hi·o [oˈhaiou; ou-] a) *Staat im Osten der USA,* b) *größter linker Nebenfluß des Mississippi, USA.*
O·ki·na·wa [ˌoukiˈnɑːwə; -kə-] a) *Mittlere Inselgruppe der Riukiu-Inseln, Japan,* b) *Hauptinsel der Riukiu-Inseln, Japan.*
O·kla·ho·ma [ˌoukləˈhoumə] *Südl. Mittelstaat der USA.*
O·kla·ho·ma Cit·y [ˌoukləˈhoumə] *Hauptstadt von Oklahoma, USA.*
Old·ham [ˈouldəm] *Stadt in Lancashire, England.*
Ol·ives, Mount of [ˈɒlivz] Ölberg *m* (*Palästina*).
O·lym·pi·a [oˈlimpiə] a) *antiq. Kultstätte in Südgriechenland,* b) *Hauptstadt des Staates Washington, USA.*
O·magh [ˈoumə] *Hauptstadt von Tyrone, Nordirland.*
O·ma·ha [ˈouməˌhɔː; -ˌhɑː] *Stadt in Nebraska, USA.*
On·tar·i·o [ɒnˈtɛ(ə)riˌou] *Provinz in Ostkanada.*
Or·ange [ˈɒrindʒ; *Am. auch* ˈɔːr-; -rendʒ] Oˈranje *m* (*Fluß in Südafrika*).
Or·e·gon [ˈɒriˌgɒn; -gən; *Am. auch* ˈɔːr-] *Staat im Nordwesten der USA.*
Ork·ney Is·lands [ˈɔːrkni], ˈ**Ork·neys** [-z] Orkney-Inseln *pl* (*vor der Nordspitze Schottlands*).
Or·ping·ton [ˈɔːrpiŋtən] *Vorstadt von London, in Kent.*
O·sage [ˈouseidʒ; oˈseidʒ] *Fluß in Kansas u. Missouri, USA.*
Os·lo [ˈɒzlou; ˈɒs-] Oslo *n.*
Ost·end [ɒsˈtend; *Am. auch* ˈɑst-] Ostˈende *n* (*Hafenstadt u. Seebad in Belgien*).
Ot·ta·wa [ˈɒtəwə] a) *Hauptstadt von Kanada,* b) *Fluß im südöstl. Kanada.*
Ouach·i·ta [ˈwɒʃiˌtɔː; -ʃə-; *Am. auch* ˈwɔːʃ-] *Fluß in Arkansas u. Louisiana, USA.*
Ouse [uːz] a) *Zufluß des Wash, Ostengland,* b) *Zufluß des Humber in Yorkshire, England.*
Ox·ford [ˈɒksfərd] a) → Oxfordshire, b) *Haupt- u. Universitätsstadt von Oxfordshire.*
Ox·ford·shire [ˈɒksfərdˌʃir; -ʃər], **Ox·on** [ˈɒksɒn; -sən] *Grafschaft in Mittelengland.*

P

Pad·ding·ton [ˈpædiŋtən] *Stadtteil von London.*
Pa·hang [pəˈhʌŋ; -ˈhæŋ] *Teilstaat des Malaiischen Bundes.*
Pais·ley [ˈpeizli] *Hauptstadt von Renfrewshire, Schottland.*
Pak·i·stan [ˌpɑːkiˈstɑːn; ˌpækiˈstæn] *Staat in Vorderindien.*
Pal·es·tine [ˈpælisˌtain; -ləs-] Paläˈstina *n.*
Pall Mall [ˈpelˈmel; ˈpælˈmæl] *Straße in London.*
Palm Beach [pɑːm] *Badeort in Florida, USA.*
Pa·mirs [pəˈmirz] Paˈmir *m* (*Hochland in Zentralasien*).
Pam·li·co Sound [ˈpæmliˌkou] Pamlico-Sund *m* (*an der Küste von North Carolina, USA*).
Pan·a·ma [ˌpænəˈmɑː; *Am. auch* -ˈmɔː; ˈpænəˌmɑː; *Am. auch* -ˌmɔː] a) *Republik im südl. Mittelamerika,* b) *Hauptstadt von a.*
Pa·pe·e·te [ˌpɑːpiːˈeitei; pəˈpiːti] *Hauptstadt der Gesellschaftsinseln, auf Tahiti.*
Par·a·guay [ˈpærəˌgwai; -ˌgwei] a) *Republik im Inneren Südamerikas,* b) *Fluß in Brasilien u. Paraguay.*
Par·a·mar·i·bo [ˌpærəˈmæriˌbou] *Haupt- u. Hafenstadt von Suriname, Südamerika.*
Par·is [ˈpæris] Paˈris *n.*
Pas·a·de·na [ˌpæsəˈdiːnə] *Stadt in Kalifornien, USA.*
Pas·sa·ma·quod·dy Bay [ˌpæsəməˈkwɒdi] Passamaˈquoddybucht *f* (*des Atlantischen Ozeans in Kanada u. USA*).
Pat·er·son [ˈpætərsn] *Stadt in New Jersey, USA.*
Pearl Har·bor [pəːrl] *Hafen auf der Hawaii-Insel Oahu, Pazifischer Ozean.*
Peck·ham [ˈpekəm] *Stadtteil von London.*
Pe·cos [ˈpeikəs] *Fluß in New Mexico u. Texas, USA.*
Pee·bles [ˈpiːblz] a) → Peeblesshire, b) *Hauptstadt von Peeblesshire.*
Pee·bles·shire [ˈpiːblzˌʃir; -ʃər] *Grafschaft im südöstl. Schottland.*
Pe·king [ˈpiːˈkiŋ] Peking *n.*
Pem·broke [ˈpembruk; *Am. auch* -brouk; -brək] a) → Pembrokeshire, b) *Hauptstadt von Pembrokeshire.*
Pem·broke·shire [ˈpembrukˌʃir; -ʃər; *Am. auch* -brouk-; -brək-] *Grafschaft im südwestl. Wales.*
Pen·nine Chain [ˈpenain] Penˈninisches Gebirge (*Nordengland*).
Penn·syl·va·ni·a [ˌpensilˈveinjə; -səl-; -niə] Pennsylˈvanien *n* (*Staat im Osten der USA*).
Pen·rith [ˈpenriθ] *Stadt in Cumberland, England.*
Pen·zance [penˈzæns] *Stadt in Cornwall, England.*
Pe·o·ri·a [piˈɔːriə] *Stadt in Illinois, USA.*
Pe·rak [ˈpɛ(ə)rə; ˈpi(ə)rə; ˈpeiˌrɑːk; -ræk] *Teilstaat des Malaiischen Bundes.*
Per·sia [ˈpəːrʃə; -ʒə] Persien *n.*
Perth [pəːrθ] a) *Hauptstadt des austral. Bundesstaates Westaustralien,* b) → Perthshire, c) *Hauptstadt von Perthshire.*
Perth·shire [ˈpəːrθʃir; -ʃər] *Grafschaft in Mittelschottland.*
Pe·ru [pəˈruː; piˈruː] *Republik im nordwestl. Südamerika.*
Pe·ter·bor·ough [*Br.* ˈpiːtəbrə; -bərə; *Am.* ˈpiːtərˌbəːro] *Stadt in Northamptonshire, England.*

Pe·ter·bor·ough, Soke of [*Br.* 'pi:təbrə; -bərə; *Am.* 'pi:tərˌbəːro] *Verwaltungsbezirk in Northamptonshire, England.*
Phil·a·del·phi·a [ˌfilə'delfiə; -fjə] *Stadt in Pennsylvania, USA.*
Phil·ip·pine Is·lands ['filiˌpi:n; -lə-], **'Phil·ipˌpines** [-ˌpi:nz] Philip'pinen *pl* (*Inselgruppe im Malaiischen Archipel, Pazifischer Ozean*).
Phoe·nix ['fi:niks] *Hauptstadt von Arizona, USA.*
Pic·ca·dil·ly [ˌpikə'dili] *Straße in London.*
Pied·mont ['pi:dmɒnt; -mənt] a) Pie'mont *n* (*Landschaft in Oberitalien*), b) *Landschaft im Osten der USA.*
Pierre [pir] *Hauptstadt von South Dakota, USA.*
Pie·ter·mar·itz·burg [ˌpi:tər'mæritsˌbəːrg; *Am. auch* -'mer-] *Hauptstadt der Provinz Natal, Südafrika.*
Pim·li·co ['pimlikou] *Stadtteil von London.*
Pitch Lake [pitʃ] As'phaltsee *m* (*auf Trinidad, Westindien*).
Pitts·burgh ['pitsbəːrg] *Stadt in Pennsylvania, USA.*
Plais·tow ['plæstou; 'plɑ:-] *Stadtteil von London.*
Platte [plæt] *Nebenfluß des Missouri in Nebraska, USA.*
Plym·outh ['pliməθ] a) *Hafenstadt in Devonshire, England*, b) *Stadt in Massachusetts, USA. 1. ständige europ. Siedlung in New England.*
Pnom·penh, Pnom-Penh ['nɒm'pen; 'pnum-; 'pnɔ:m-] 'Phnom-'penh *n* (*Hauptstadt von Kambodscha*).
Po [pou] *Fluß in Norditalien.*
Po·land ['poulənd] Polen *n.*
Pol·y·ne·sia [ˌpɒli'ni:ʒə; -ʒiə; -ʃə; -ʃiə; -zjə] Poly'nesien *n* (*Inselgruppe des östl. Ozeaniens, Pazifischer Ozean*).
Pom·er·a·nia [ˌpɒmə'reinjə; -niə] Pommern *n.*
Po·mo·na [pə'mounə; po-] *Größte der Orkney-Inseln, Schottland.*
Pon·ce ['pɔ:nse] *Hafenstadt auf der Insel Puerto Rico, Westindien.*
Pon·te·fract ['pɒntiˌfrækt] *Stadt in Yorkshire, England.*
Pon·ti·ac ['pɒntiˌæk] *Stadt in Michigan, USA.*
Pon·ty·pool [ˌpɒnti'pu:l] *Stadt in Monmouthshire, England.*
Pon·ty·pridd [ˌpɒnti'pri:ð; *Am. auch* -'prid] *Stadt in Glamorganshire, Wales.*
Poole [pu:l] *Stadt an der Küste von Dorsetshire, England.*
Pop·lar ['pɒplər] *Stadtteil von London.*
Por·ta·down [ˌpɔ:rtə'daun] *Stadt in Armagh, Nordirland.*
Port-au-Prince [pɔrto'prɛ̃:s; ˌpɔ:rtou'prins] *Haupt- u. Hafenstadt von Haiti.*
Port·land ['pɔ:rtlənd] a) *Hafenstadt in Oregon, USA*, b) *Hafenstadt in Maine, USA.*
Ports·mouth ['pɔ:rtsməθ] *Hafenstadt in Hampshire, England.*
Por·tu·gal ['pɔ:rtʃugəl; -tʃə-; -tju-] Portugal *n.*
Po·to·mac [pə'toumək; po-] *Fluß im Osten der USA.*
Prague [prɑ:g] Prag *n.*
Pres·ton ['prestən] *Hafenstadt in Lancashire, England.*
Prest·wich ['prestwitʃ] *Stadt in Lancashire, England.*
Pre·to·ri·a [pri'tɔ:riə] *Verwaltungshauptstadt der Südafrik. Republik.*
Prib·i·lof Is·lands ['pribiˌlɒf; *Am. auch* -ˌlɔ:f] Pribylow-Inseln *pl* (*Alaska, USA*).
Prince Ed·ward Is·land ['edwərd] *Kanad. Insel u. Provinz im St.-Lorenz-Golf.*
Prince·ton ['prinstən] *Universitätsstadt in New Jersey, USA.*
Prov·i·dence ['prɒvidəns; -və-] *Hauptstadt von Rhode Island, USA.*
Prus·sia ['prʌʃə] *hist.* Preußen *n.*
Pud·sey ['pʌdzi] *Stadt in Yorkshire, England.*
Puer·to Ri·co [*Br.* 'pwə:tou 'ri:kou; *Am.* 'pwerto] *Kleinste Insel der Großen Antillen, Westindien.*
Pu·get Sound ['pju:dʒit; -dʒet] Pugetsund *m* (*Bucht des Pazifischen Ozeans im Staate Washington, USA*).
Pun·jab [pʌn'dʒɑ:b; 'pʌn-] Pan'dschab *n* (*Landschaft im nordwestl. Indien*).
Pyong·yang ['pjə:ŋ'jɑ:ŋ] 'Pjöng'jang *n* (*Hauptstadt von Nordkorea*).
Pyr·e·nees [*Br.* ˌpirə'ni:z; *Am.* 'pirəˌni:z] Pyre'näen *pl.*

Q

Qa·tar ['kɒtɒr] *Halbinsel Arabiens im Pers. Golf.*
Que·bec [kwi'bek; kwə-], (*Fr.*) **Qué·bec** [ke'bɛk] a) *Provinz Kanadas*, b) *Hauptstadt von a.*
Queens [kwi:nz] *Stadtteil von New York.*
Queens·land ['kwi:nzlənd; -ˌlænd] *Austral. Bundesstaat.*
Qui·to ['ki:tou; -to] *Hauptstadt der Republik Ecuador.*

R

Ra·bat [rə'bɑ:t; rɑ:-] *Hauptstadt von Marokko.*
Rad·cliffe ['rædklif] *Stadt in Lancashire, England.*
Rad·nor(·shire) ['rædnər(ˌʃir); -(ʃər)] *Grafschaft in Wales.*
Ra·leigh ['rɔ:li] *Hauptstadt von North Carolina, USA.*
Rams·gate [*Br.* 'ræmzgit; *Am.* -ˌgeit] *Hafenstadt u. Seebad in Kent, England.*
Range·ley Lakes ['reindʒli] *Seengruppe in Maine, USA.*
Ran·goon [ræŋ'gu:n; 'ræŋgu:n] Ran'gun *n* (*Hauptstadt von Birma*).
Rat·is·bon ['rætisˌbɒn; -iz-] *obs.* Regensburg *n.*
Read·ing ['rediŋ] a) *Stadt in Berkshire, England*, b) *Stadt in Pennsylvania, USA.*
Re·gi·na [ri'dʒainə] *Hauptstadt von Saskatchewan, Kanada.*
Rei·gate [*Br.* 'raigit; *Am.* -ˌgeit] *Stadt in Surrey, England.*
Ren·frew(·shire) ['renfru:(ˌʃir); -(ʃər)] *Grafschaft im Südwesten Schottlands.*
Re·no ['ri:nou] *Stadt in Nevada, USA.*
Rey·kja·vik ['reikjəˌvi:k; -kjɑ:-] *Hauptstadt von Island.*
Rhine [rain] Rhein *m.*
Rhine·land ['rainˌlænd; -lənd] Rheinland *n.*
Rhine Pa·lat·i·nate [rain pə'lætiˌneit; -tə-; -nit] *hist. Rheinpfalz f.*
Rhode Is·land [roud] *Staat im Osten der USA.*
Rhodes [roudz] Rhodos *n* (*Griech. Insel im Südosten des Ägäischen Meeres*).
Rho·de·sia [ro'di:ʒə; -ʒiə; -zjə] Rho'desien *n* (*Land in Südafrika*).
Rhon·dda ['rɒndə] *Stadt in Glamorganshire, Wales.*
Rhone [roun] *Fluß in Südfrankreich.*
Rich·mond ['ritʃmənd] a) *Vorstadt von London, in Surrey*, b) *Hauptstadt von Virginia, USA*, c) *Stadtbezirk von New York*, d) *Stadt in Kalifornien, USA.*
Rick·mans·worth ['rikmənzˌwə:rθ] *Stadt in Hertfordshire, England.*
Ri·o de Ja·nei·ro ['ri:ou də dʒə'nɛ(ə)rou; ʒə-; -'ni(ə)r-] a) *Staat im südöstl. Brasilien*, b) *Größte Stadt von Brasilien.*
Ri·o Grande ['ri:ou 'grænd; -di] *Fluß im Südwesten der USA.*
Rip·ley ['ripli] *Stadt in Derbyshire, England.*
Ri·pon ['ripən] *Stadt in Yorkshire, England.*
Ri·vie·ra [ˌrivi'ɛ(ə)rə] *Teil der franz. u. ital. Mittelmeerküste.*
Ro·a·noke ['rouəˌnouk] a) *Stadt in Virginia, USA*, b) *Fluß in Virginia u. North Carolina, USA.*
Roch·dale ['rɒtʃˌdeil] *Stadt in Lancashire, England.*
Roch·es·ter ['rɒtʃistər; *Am. auch* 'rɑˌtʃəs-] a) *Stadt in Kent, England*, b) *Stadt im Staate New York, USA.*
Rock·ford ['rɒkfərd] *Stadt in Illinois, USA.*
Rock·ies ['rɒkiz] → Rocky Mountains.
Rock·y Moun·tains ['rɒki] *Gebirge im Westen der USA.*
Ro·ma·nia [ro'meinjə; -niə] a) Ru'mänien *n*, b) *das Röm. Reich.*
Rome [roum] Rom *n.*
Rom·ford ['rʌmfərd; 'rɒm-] *Stadt in Essex, England.*
Ros·com·mon [rɒs'kɒmən] *Grafschaft in Mittelirland.*
Ross and Crom·ar·ty [rɒs; 'krɒmərti; *Am. auch* rɔ:s] *Grafschaft im nördl. Schottland.*
Roth·er·ham ['rɒðərəm] *Stadt in Yorkshire, England.*
Rox·burgh(·shire) ['rɒksbərə(ˌʃir); -(ʃər); -brə-; *Am. auch* -ˌbə:rou-] *Grafschaft im südöstl. Schottland.*
Rug·by ['rʌgbi] *Stadt in Warwickshire, England.*
Ruge·ley ['ru:dʒli] *Stadt in Staffordshire, England.*
Ru·ma·nia [ru:'meinjə; -niə] → Romania a.
Rush·worth ['rʌʃwə:rθ] *Stadt im austral. Bundesstaat Victoria.*
Rus·sia ['rʌʃə] Rußland *n.*
Rut·land(·shire) ['rʌtlənd(ˌʃir); -(ʃər)] *Grafschaft in Mittelengland.*
Rwan·da ['rwɑ:ndɑ:; ru'ændə] Ru'anda *n* (*Republik in Zentralafrika*).
Ryde [raid] *Stadt auf der Insel Wight, im Ärmelkanal.*
Rye [rai] a) *Stadt in Sussex, England*, b) *Fluß in Yorkshire, England.*
Ryu·kyu Is·lands ['rju:kju:; ri'u:-] Riukiu-Inseln *pl* (*im westl. Pazifischen Ozean; unter US-Verwaltung*).

S

Sa·ble, Cape ['seibl] Kap *n* Sable: a) *Kap an der Südwestspitze Neuschottlands, Kanada*, b) *Kap an der Südspitze Floridas, USA.*
Sac·ra·men·to [ˌsækrə'mentou] a) *Hauptstadt von Kalifornien, USA*, b) *Fluß im Norden Kaliforniens, USA.*
Sa·ha·ra [sə'hɑ:rə; *Am. auch* -'hɛrə] *Wüste in Nordafrika.*
Sai·gon [sai'gɒn; 'saigɒn] *Hauptstadt von Süd-Vietnam.*
Saint Al·bans [*Br.* snt'ɔ:lbənz; *bes. Am.* sənt] *Stadt in Hertfordshire, England.*
Saint An·drews [*Br.* snt'ændru:z; *bes. Am.* sənt] *Stadt in Fifeshire, Schottland.*
Saint Aus·tell [snt'ɔ:stl; sənt] *Stadt in Cornwall, England.*
Saint He·le·na [*Br.* ˌsenti'li:nə; *Am.* ˌseint-he'li:nə; -hə-] Sankt Helena *n* (*Insel im südl. Atlantischen Ozean*).
Saint Hel·ens [*Br.* snt'helinz; *Am.* sənt-'heləns] *Stadt in Lancashire, England.*
Saint John's [snt'dʒɒnz] *Hauptstadt von Neufundland, Kanada.*
Saint Law·rence [*Br.* snt'lɒrəns; *Am. auch* sənt'lɔ:rəns] Sankt-Lorenz-Strom *m* (*Nordamerika*).
Saint Lou·is [*Br.* snt'lu:is; *bes. Am.* sənt] a) *Stadt in Missouri, USA*, b) *Fluß in Minnesota, USA.*
Saint Mar·y·le·bone [*Br.* snt'mɛ(ə)rilə-'boun; *bes. Am.* sənt] *Stadtteil von London.*
Saint Pan·cras [*Br.* snt'pæŋkrəs; *bes. Am.* sənt] *Stadtteil von London.*
Saint Paul [*Br.* snt'pɔ:l; *bes. Am.* sənt] *Hauptstadt von Minnesota, USA.*
Sa·lem ['seiləm; *Br. auch* -lem] a) *Stadt in Massachusetts, USA*, b) *Hauptstadt von Oregon, USA*, c) *Stadt im südl. Indien.*
Sal·ford ['sɔ:lfərd] *Stadt in Lancashire, England.*
Salis·bur·y ['sɔ:lzbəri; -brə; *Am. auch* -ˌberi] a) *Stadt in Wiltshire, England*, b) *Hauptstadt von Rhodesien.*
Sal·op ['sæləp] a) → Shropshire, b) → Shrewsbury.
Salt Lake Cit·y [sɔ:lt] *Hauptstadt von Utah, USA.*
Sa·mo·a (Is·lands) [sə'mouə] Sa'moa-Inseln *pl* (*Inselgruppe im Pazifischen Ozean*).
Sa·mos ['seimɒs] *Griech. Insel.*
San An·to·ni·o [ˌsænæn'touniˌou] *Stadt in Texas, USA.*
San Ber·nar·di·no [sænˌbə:rnər'di:nou; *Am. auch* -nə'd-] *Stadt in Kalifornien, USA.*
San Di·e·go [ˌsændi'eigou] *Hafenstadt in Kalifornien, USA.*
San·down ['sændaun] *Stadt auf der Insel Wight, im Ärmelkanal.*
San·dring·ham ['sændriŋəm] *Dorf in Norfolk, England. Zeitweilig königliche Residenz.*
Sand·wich ['sænwitʃ; 'sænd-; -widʒ] *Stadt in Kent, England.*
Sand·wich Is·lands ['sænwitʃ; 'sænd-; -widʒ] *hist. für* Hawaiian Islands.
Sand·y Hook ['sændi'huk] *Landzunge an der Einfahrt in den Hafen von New York.*
San Fran·cis·co [ˌsænfrən'siskou] *Hafenstadt in Kalifornien, USA.*
San Jo·sé [ˌsænho'zei] a) *Stadt in Kalifornien, USA*, b) *Hauptstadt der Republik Costa Rica.*
San Juan [sæn 'hwɑ:n; 'wɔ:n] *Hauptstadt von Puerto Rico, Westindien.*

San Ma·ri·no [ˌsænmə'riːnou; ˌsɑːnmɑː'riː-no] *Republik auf der Apenninhalbinsel.*
San Sal·va·dor ['sælvəˌdɔːr] a) *Hauptstadt der Republik El Salvador,* b) *eine der Bahama-Inseln.*
San·ta Bar·ba·ra Is·lands ['sæntə 'bɑːrbərə; -brə] Santa-Barbara-Inseln *pl* (*vor der Südwestküste Kaliforniens, USA*).
San·ta Fé ['sæntə 'fei] *Hauptstadt von New Mexico, USA.*
San·ta Mon·i·ca ['sæntə 'mɒnikə] *Stadt in Kalifornien, USA.*
San·ti·a·go de Chi·le [ˌsænti'ɑːgou de 'tʃili] *Hauptstadt von Chile.*
San·to Do·min·go ['sænto do'miŋgou; də-] *Hauptstadt der Dominikanischen Republik.*
Saor·stat Eir·eann ['sɛrstɑːt 'ɛ(ə)rɔːn] (*Gaelic*) → Ireland.
Sa·ra·wak [sə'rɑːwæk; -wɑːk; -wək] *Teilstaat des Malaiischen Bundes.*
Sar·din·i·a [sɑːr'diniə; -njə] Sar'dinien *n*: a) *Ital. Insel im Mittelmeer,* b) *hist. Königreich* (*Insel Sardinien u. Piemont-Savoyen*).
Sas·katch·e·wan [sæs'kætʃiˌwɒn; səs-; -wən] a) *Fluß in Kanada,* b) *Provinz im westl. Kanada.*
Sa·u·di A·ra·bi·a [sɑː'uːdi ə'reibiə; sə-; -bjə] 'Saudi-A'rabien *n* (*Königreich in Nord-u. Mittelarabien*).
Sault Sainte Ma·rie Ca·nals ['suː ˌseint mə'riː; sənt] *Drei schiffbare Kanäle zwischen Oberem See u. Huronsee, USA u. Kanada.*
Sa·van·nah [sə'vænə] a) *Stadt in Georgia, USA,* b) *Fluß zwischen Georgia u. South Carolina, USA.*
Sax·o·ny ['sæksni] Sachsen *n.*
Sca·fell Pike ['skɔː'fel] *Höchster Berg Englands, in Cumberland.*
Scan·di·na·vi·a [ˌskændi'neiviə; -də-; -vjə] Skandi'navien *n.*
Scar·bor·ough [*Br.* 'skɑːbrə; -bərə; *Am.* 'skɑːrˌbəːrou] *Stadt in Yorkshire, England.*
Scheldt [skelt], (*Dutch*) **Schel·de** ['sxeldə] Schelde *f* (*Hauptfluß in Mittelbelgien*).
Scil·ly Isles ['sili] Scilly-Inseln *pl* (*vor der Südwestspitze Englands*).
Scone [skuːn] *hist. Krönungsort der schott. Könige, Perthshire, Schottland.*
Sco·tia ['skouʃə] (*Lat.*) *hist. für* Scotland.
Scot·land ['skɒtlənd] Schottland *n.*
Scran·ton ['skræntən] *Stadt in Pennsylvania, USA.*
Scun·thorpe ['skʌnθɔːrp] *Stadt in Lincolnshire, England.*
Sea·ford ['siːfərd; *Am. auch* ˌsiː'fɔːrd] *Stadt in Sussex, England.*
Se·at·tle [si(ː)'ætl] *Hafenstadt im Staat Washington, USA.*
Seine [sen; sein] *Fluß in Nordfrankreich.*
Se·lang·or [sə'læŋər; -ŋgɔːr] *Staat des Malaiischen Bundes.*
Sel·by ['selbi] *Stadt in Yorkshire, England.*
Sel·kirk ['selkəːrk] a) → Selkirkshire, b) *Hauptstadt von Selkirkshire.*
Sel·kirk·shire ['selkəːrkˌʃir; -ʃər] *Grafschaft im südöstl. Schottland.*
Sen·e·ca Lake ['senikə] Seneca-See *m* (*im Staat New York, USA*).
Sen·e·gal [ˌseni'gɔːl; *Am. auch* 'senigɔːl] a) *Fluß im nordwestl. Afrika,* b) *Republik in Westafrika.*
Seoul [soul; se'uːl; sɑː-] *Hauptstadt von Südkorea.*
Se·quoi·a Na·tion·al Park [si'kwɔiə] *Naturschutzpark in Mittelkalifornien, USA.*
Ser·bi·a ['səːrbiə; -bjə] Serbien *n* (*Volksrepublik im östl. Jugoslawien*).
Sev·en·oaks ['sevˌnouks; *Am. auch* -veˌn-] *Stadt in Kent, England.*
Sev·ern ['sevərn] *Fluß in Wales u. Westengland.*
Sew·ard Pen·in·su·la ['sjuːərd; 'suː-] Seward-Halbinsel *f* (*Alaska, USA*).
Shaftes·bur·y [*Br.* 'ʃɑːftsbəri; -bri; *Am.* 'ʃæ(ː)fts-] *Stadt in Dorsetshire, England.*
Shan·non ['ʃænən] a) *Größter Fluß Irlands,* b) *Flughafen in Clare, Irland.*
Sheer·ness ['ʃir'nes] *Stadt in Kent, England.*
Shef·field ['ʃefiːld] *Industriestadt in Yorkshire, England.*
Sher·borne ['ʃəːrbərn] *Stadt in Dorsetshire, England.*
Shet·land (**Is·lands**) ['ʃetlənd] Shetland-Inseln *pl* (*vor der Nordküste Schottlands*).
Shore·ditch ['ʃɔːrditʃ] *Stadtteil von London.*
Shore·ham by Sea ['ʃɔːrəm] *Stadt in Sussex, England.*
Shreve·port ['ʃriːvˌpɔːrt] *Stadt in Louisiana, USA.*
Shrews·bur·y ['ʃrouzbəri; -bri; 'ʃruːz-; *Am. auch* -ˌberi] *Hauptstadt von Shropshire, England.*
Shrop·shire ['ʃrɒpʃir; -ʃər] *Grafschaft in Westengland.*
Si·am [sai'æm; 'saiæm] → Thailand.
Si·be·ri·a [sai'bi(ə)riə] Si'birien *n.*
Sic·i·ly ['sisili; -sə-] Si'zilien *n.*
Sid·cup [sidkəp] → Chislehurst and Sidcup.
Sid·mouth ['sidməθ] *Stadt in Devonshire, England.*
Si·er·ra Le·o·ne [si'erə li'oun; 'siərə; -ni] *Land in Westafrika.*
Si·er·ra Ne·vad·a [si'erə nə'vædə; 'siərə; -'vɑːdə] a) *Hochgebirge in Kalifornien, USA,* b) *Hauptzug des Andalusischen Berglandes, Südspanien.*
Sik·kim ['sikim] *Staat im Nordosten Indiens.*
Si·le·sia [sai'liːʒə; -ʒiə; -ʃə; -ʃiə; -zjə; si'l-] Schlesien *n.*
Si·nai ['sainai; -niˌai; -neiˌai] *Halbinsel im Norden des Roten Meeres, Ägypten.*
Sin·ga·pore [ˌsiŋgə'pɔːr; 'siŋgəˌpɔːr; 'siŋə-] Singapur *n*: a) *Insel südlich von Malakka; Republik,* b) *Hauptstadt von* a.
Sin·gle·ton ['siŋgltən] *Stadt im austral. Bundesstaat Neusüdwales.*
Skag·e(r)·rak ['skægəˌræk; 'skɑː-] *Teil der Nordsee zwischen Norwegen u. Dänemark.*
Skaw, the [skɔː] Kap *n* Skagen (*Nördlichster Punkt Dänemarks*).
Skeg·ness ['skeg'nes] *Stadt in Lincolnshire, England.*
Skid·daw ['skidɔː; *Am. auch* ski'dɔː] *Berg in Cumberland, England.*
Skye [skai] *Größte Insel der Inneren Hebriden, Schottland.*
Sles·wick ['sleswik] Schleswig *n.*
Sli·go ['slaigou] a) *Grafschaft im nordwestl. Irland,* b) *Hauptstadt von* a.
Slough [slau] *Stadt in Buckinghamshire, England.*
Slo·va·ki·a [slo'vɑːkiə; -'væk-; -kjə] Slowa'kei *f* (*Östl. Teil der Tschechoslowakei*).
Slo·ve·ni·a [slo'viːniə; -njə] Slo'wenien *n* (*Landschaft im Nordwesten Jugoslawiens*).
Smeth·wick ['smeðik] *Stadt in Staffordshire, England.*
Snae·fell ['sneifel] *Berg auf der Insel Man in der Irischen See.*
Snow·don ['snoudn] *Berg im nördl. Wales.*
So·ci·e·ty Is·lands [sə'saiəti] Gesellschaftsinseln *pl* (*Südl. Pazifischer Ozean*).
So·fi·a ['soufiə; -fjə; so'fiːə] *Hauptstadt von Bulgarien.*
So·lent, the ['soulənt] *Kanal zwischen der engl. Insel Wight u. der Küste von Hampshire, England.*
Sol·way Firth ['sɒlwei] *Meeresbucht der Irischen See.*
So·ma·li·a [so'mɑːliə; sə-; -ljə] *Republik in Ostafrika.*
Som·er·set(**·shire**) ['sʌmərsit(ˌʃir); -(ʃər); -set-] *Grafschaft im südwestl. England.*
Som·er·ville ['sʌmərvil] *Stadt in Massachusetts, USA.*
Soo Ca·nals [suː] → Sault Sainte Marie Canals.
Sound, the [saund] Sund *m* (*Meerenge zwischen Dänemark u. Schweden*).
Sou·ter Head ['suːtər 'hed] *Landspitze an der Küste von Kincardineshire, Schottland.*
South Af·ri·ca, Re·pub·lic of ['æfrikə] Südafrik. Repu'blik *f.*
South·all ['sauθɔːl] *Vorstadt von London, in Middlesex.*
South·amp·ton [sauθ'æmtən; -'æmp-; -'hæm-; -'hæmp-] a) *Stadtgrafschaft in Südengland. Teil der Grafschaft Hampshire,* b) *Haupt- u. Hafenstadt von* a.
South Aus·tra·lia [ɔːs'treiljə] Südau'stralien *n* (*Austral. Bundesstaat*).
South Bend [bend] *Stadt in Indiana, USA.*
South Car·o·li·na [ˌkærə'lainə] *Staat im Südosten der USA.*
South Da·ko·ta [də'koutə] *Nordwestl. Mittelstaat der USA.*
South·end on Sea ['sauθ'end] *Stadt in Essex, England.*
South·ern Alps [ælps] Neu'seeländische Alpen *pl* (*Gebirgskette auf Neuseeland*).
South·ern Yem·en ['jemən] Südjemen *m* (*Volksrepublik im südwestl. Arabien*).
South·gate ['sauθgit; -ˌgeit] *Vorstadt von London, in Middlesex.*
South·port ['sauθˌpɔːrt] *Stadt in Lancashire, England.*
South Sea Is·lands Südsee-Inseln *pl,* Oze'anien *n.*
South Seas *Die Gewässer der südl. Hemisphäre, bes. der südl. Pazifische Ozean.*
South Shields [ʃiːldz] *Stadt in Durham, England.*
South·wark ['sʌðərk; 'sauθwərk] *Stadtteil von London.*
South·wick ['sauθwik] *Stadt in Sussex, England.*
So·vi·et Un·ion ['souviet 'juːnjən] So'wjetuniˌon *f.*
Spa [spɑː; *Am. auch* spɔː] *Badeort in Belgien.*
Spain [spein] Spanien *n.*
Spal·ding ['spɔːldiŋ] *Stadt in Lincolnshire, England.*
Spit·head ['spit'hed] *Meeresarm zwischen der engl. Insel Wight u. der Küste von Hampshire, England.*
Spo·kane [spou'kæn] a) *Stadt im Staate Washington, USA,* b) *Nebenfluß des Columbia im Staate Washington, USA.*
Spring·field ['spriŋˌfiːld] a) *Stadt im südwestl. Massachusetts, USA,* b) *Hauptstadt von Illinois, USA.*
Staf·fa ['stæfə] *Insel der Inneren Hebriden, Schottland.*
Staf·ford ['stæfərd] a) → Staffordshire, b) *Hauptstadt von Staffordshire.*
Staf·ford·shire ['stæfərdˌʃir; -ʃər], **Staffs** [stæfs] *Grafschaft im Westen Mittelenglands.*
Staines [steinz] *Vorstadt von London, in Middlesex.*
Staked Plain [steikt] → Llano Estacado.
Sta·ly·bridge ['steiliˌbridʒ] *Stadt in Cheshire, England.*
Stam·boul [stæm'buːl; *Am. auch* stɑːm-] Stambul *n*: *Kurzform für* Istanbul.
Stam·ford ['stæmfərd] a) *Stadt in Connecticut, USA,* b) *Stadt in Lincolnshire, England.*
Stan·ley ['stænli] *Stadt in Durham, England.*
Stat·en Is·land ['stætn] *Insel u. Stadtteil von New York.*
States of the Church [steits; tʃəːrtʃ] *hist.* Kirchenstaat *m* (*Staatsgebiet unter päpstlicher Oberhoheit*).
Step·ney ['stepni] *Stadtteil von London.*
Ste·ven·age ['stiːvnidʒ; -vən-] *Stadt in Hertfordshire, England.*
Stir·ling ['stəːrliŋ] a) → Stirlingshire, b) *Hauptstadt von Stirlingshire.*
Stir·ling·shire ['stəːrliŋˌʃir; -ʃər] *Grafschaft in Mittelschottland.*
Stock·holm ['stɒkhoum; *Am. auch* -houlm] Stockholm *n*, Stock'holm *n.*
Stock·port ['stɒkˌpɔːrt] *Stadt in Cheshire, England.*
Stock·ton on Tees ['stɒktən; tiːz] *Stadt in Durham, England.*
Stoke New·ing·ton [stouk 'nju(ː)iŋtən] *Stadtteil von London.*
Stoke on Trent [stouk; trent] *Stadt in Staffordshire, England.*
Stone·henge ['stoun'hendʒ] *Vorgeschichtliches, vermutlich sakrales Bauwerk nördl. von Salisbury in Wiltshire, England.*
Stour·bridge ['staurˌbridʒ; *Am. auch* 'stur-] *Stadt in Worcestershire, England.*
Stra·bane [strə'bæn] *Stadt in Tyrone, Nordirland.*
Strat·ford on A·von ['strætfərd; 'eivən] *Stadt in Warwickshire, England. Geburtsort Shakespeares.*
Streat·ham ['stretəm] *Stadtteil von London.*
Stroud [straud] *Stadt in Gloucestershire, England.*
Styr·i·a ['stiriə] Steiermark *f* (*Land im südöstl. Österreich*).
Su·dan [su(ː)'dæn; *Br. auch* -'dɑːn] a) *Landschaft im nördl. Afrika,* b) *Republik in Ostafrika,* c) *Republik in Westafrika* (→ Mali).
Su·ez Ca·nal [*Br.* 'su(ː)iz; *Am.* -ez; suː'ez] 'SuezkaˌnaI *m* (*Ägypten*).
Suf·folk ['sʌfək; *Am. auch* -fɔːk] *Grafschaft im Osten Englands.*
Su·ma·tra [su(ː)'mɑːtrə] *Insel des Malaiischen Archipels, Indonesien.*
Sun·da Isles ['sʌndə] Sunda-Inseln *pl* (*Malaiischer Archipel, Indonesien*).
Sun·der·land ['sʌndərlənd] *Hafenstadt in Durham, England.*
Su·pe·ri·or, Lake [su'pi(ə)riər; sə-; *Br. auch* sju-] Oberer See (*Der westlichste der Großen Seen, Nordamerika*).
Sur·bi·ton ['səːrbitn] *Vorstadt von London, in Surrey.*
Su·ri·nam [ˌsu(ə)ri'nɑːm; -'næm; *Am. auch* 'surinæm] Suri'name *n* (*Niederl. Überseegebiet im Nordosten Südamerikas*).

Sur·rey [*Br.* ˈsʌri; *Am.* ˈsəːri] *Grafschaft in Südengland.*
Sus·que·han·na [ˌsʌskwiˈhænə; -kwə-] *Fluß im Osten der USA.*
Sus·sex [ˈsʌsiks; -seks] *Grafschaft im Südosten Englands.*
Suth·er·land(·shire) [ˈsʌðərlənd(ˌʃir); -(ʃər)] *Grafschaft im Nordwesten Schottlands.*
Sut·ton and Cheam [ˈsʌtn; tʃiːm] *Vorstadt von London, in Surrey.*
Swa·bi·a [ˈsweibiə; -bjə] Schwaben *n.*
Swan·age [ˈswɒnidʒ] *Stadt in Dorsetshire, England.*
Swan·sea[1] [ˈswɒnzi] *Hafenstadt in Glamorganshire, Wales.*
Swan·sea[2] [ˈswɒnsi] *Stadt auf Tasmanien, Australien.*
Swa·zi·land [ˈswɑːziˌlænd] Swasiland *n* (*Südostafrika*).
Swe·den [ˈswiːdn] Schweden *n.*
Swin·don [ˈswindən] *Stadt in Wiltshire, England.*
Swit·zer·land [ˈswitsərlənd] Schweiz *f.*
Syd·en·ham [ˈsidnəm] *Stadtteil von London.*
Syd·ney [ˈsidni] *Hauptstadt des austral. Bundesstaates Neusüdwales.*
Syr·a·cuse[1] [*Br.* ˈsaiərəˌkjuz; *Am.* ˈsirəˌkjuːs; -ˌkjuːz] Syraˈkus *n* (*Hafenstadt im südöstl. Sizilien*).
Syr·a·cuse[2] [ˈsirəkjuːs] *Stadt im Staat New York, USA.*
Syr·i·a [ˈsiriə] Syrien *n.*

T

Ta·ble Moun·tain [ˈteibl] Tafelberg *m* (*Südafrika*).
Ta·co·ma [təˈkoumə] *Hafenstadt im Staat Washington, USA.*
Ta·gus [ˈteigəs] Tajo *m* (*Fluß in Spanien u. Portugal*).
Ta·hi·ti [tɑːˈhiːti; tə-] *Größte der Gesellschaftsinseln, Pazifischer Ozean.*
Tai·peh [ˈtaiˈpe; -ˈbei] *Hauptstadt von Taiwan.*
Tai·wan [taiˈwæn; -ˈwɑːn] *Insel vor der südchines. Küste.*
Tal·la·has·see [ˌtæləˈhæsi] *Hauptstadt von Florida, USA.*
Tal·lin(n) [ˈtælin] Reval *n* (*Haupt- u. Hafenstadt von Estland*).
Tam·pa [ˈtæmpə] *Hafenstadt in Florida, USA.*
Ta·na·na·rive [ˌtɑnɑˌnɑˈriːv] (*Fr.*) Tananaˈrivo *n* (*Hauptstadt der Insel Madagaskar*).
Tan·gan·yi·ka [ˌtæŋgəˈnjiːkə; tæn-] Tanga'njika *n* (*Teil von Tansania*).
Tan·gier [tænˈdʒir; ˈtændʒir] Tanger *n* (*Hafenstadt im nordwestl. Marokko*).
Tan·za·ni·a [ˌtænzəˈniə; tænˈzeinjə] Tanˈsania *n* (*Republik in Ostafrika*).
Tas·ma·ni·a [tæzˈmeiniə; -njə] Tasˈmanien *n* (*Austral. Insel u. Bundesstaat*).
Tas·man Sea [ˈtæzmən] Tasman-See *f* (*Teil des Pazifischen Ozeans zwischen Südostaustralien u. Neuseeland*).
Taun·ton [ˈtɔːntən; ˈtɑːn-] *Stadt in Somersetshire, England.*
Tav·is·tock [ˈtæviˌstɒk] *Stadt in Devonshire, England.*
Tay [tei] *Fluß in Perthshire, Schottland.*
Te·gu·ci·gal·pa [təˌguːsiˈgælpə; ˈteˌguːsiː-ˈgɑːlpɑː] *Hauptstadt von Honduras, Mittelamerika.*
Te·he·ran [ˌtehəˈrɑːn; ˌteə-; ˌtiːəˈrɑːn; -ˈræn], **Te·hran** [teˈrɑːn] Teheˈran *n* (*Hauptstadt des Iran*).
Teign·mouth [ˈtinməθ] *Stadt in Devonshire, England.*
Tel A·viv [ˈtel əˈviːv] *Stadt in Israel.*
Ten·er·ife, *auch* **Ten·er·iffe** [ˌteneˈriːfe; ˌtenəˈri(ː)f] Teneˈriffa *n* (*Größte der Kanarischen Inseln*).
Ten·nes·see [ˌtenəˈsiː; -ne-] a) *Südöstl. Mittelstaat der USA,* b) *linker Nebenfluß des Ohio, USA.*
Te·viot [ˈtiːviət; -vjət; *Am. auch* ˈtev-] *Fluß in Roxburghshire, Schottland.*
Tewkes·bur·y [ˈtjuːksbəri; -bri; *Am. auch* -ˌberi; ˈtuːks-] *Stadt in Gloucestershire, England.*
Tex·as [ˈteksəs] *Staat im Süden der USA.*
Thai·land [ˈtailænd; -lənd] *Königreich in Hinterindien.*
Thames[1] [temz] Themse *f* (*Fluß in Südengland*).
Thames[2] [temz] a) *Fluß in Ontario, Kanada,* b) *Stadt auf der Nordinsel von Neuseeland.*
Than·et, Isle of [ˈθænit; -net] *Nordöstl. Teil der Grafschaft Kent, England.*
The Hague *cf.* Hague, The.
The·o·balds [ˈθi(ː)əˌbɔːldz] *Straße in London.*
Thorn·ton Heath [ˈθɔːrntən] *Vorstadt von London, in Surrey.*
Thu·rin·gi·a [θju(ə)ˈrindʒiə; *Am. auch* θuˈr-] Thüringen *n.*
Thur·rock [*Br.* ˈθʌrək; *Am.* ˈθəːrək] *Vorstadt von London, in Essex.*
Thurs·day Is·land [ˈθəːrzdi] *Insel vor der Nordspitze Australiens.*
Ti·ber [ˈtaibər] *Fluß in Mittelitalien.*
Ti·bet [tiˈbet] Tibet *n,* Tiˈbet *n* (*Hochland in Zentralasien*).
Ti·ci·no [ti(ː)ˈtʃiːno] Tesˈsin *n* (*Südlichster Kanton der Schweiz*).
Ti·er·ra del Fu·e·go [tiˈerə del fuːˈeigou; ˈtjerɑː] Feuerland *n.*
Ti·gris [ˈtaigris] *Strom in Vorderasien.*
Til·bur·y [ˈtilbəri; *Am. auch* -ˌberi] *Stadt in Essex, England.*
Tin·tag·el Head [tinˈtædʒəl] *Kap an der Nordwestküste von Cornwall, England.*
Tin·tern Ab·bey [ˈtintərn] *Klosterruine in Monmouthshire, England.*
Tip·pe·rar·y [ˌtipəˈrɛ(ə)ri] a) *Grafschaft im Süden Irlands,* b) *Stadt in* a.
Ti·ra·na [tiˈrɑːnə; -nɑː] *Hauptstadt von Albanien.*
To·go [ˈtougou] *Republik in Westafrika.*
To·ky·o [ˈtoukiˌou] Tokio *n.*
To·le·do [*Br.* tɔˈleidou; *Am.* təˈliːdou] a) *Stadt in Mittelspanien,* b) *Stadt in Ohio, USA.*
Ton·ga [ˈtɒŋgə; ˈtɔːŋ-] Tonga *n* (*Königreich im südwestl. Polynesien*).
Ton·kin [ˈtɒnˈkin; ˈtɒŋ-], *auch* **Tong·king** [ˈtɒŋˈkiŋ] Tongking *n* (*Teil von Nord-Vietnam*).
To·pe·ka [təˈpiːkə; to-] *Hauptstadt von Kansas, USA.*
Tor·bay [ˈtɔːrˈbei] *Bucht des Ärmelkanals an der Ostküste von Devonshire, England.*
To·ron·to [təˈrɒntou] *Hauptstadt von Ontario, Kanada.*
Tor·quay [ˈtɔːrˈkiː] *Seebad in Devonshire, England.*
Tor·rens, Lake [ˈtɒrənz] Torrenssee *m* (*Salzsee im austral. Bundesstaat Südaustralien*).
Tot·nes [ˈtɒtnis; -nes] *Stadt in Devonshire, England.*
Tot·ten·ham [ˈtɒtnəm] *Vorstadt von London, in Middlesex.*
Tra·fal·gar, Cape [trəˈfælgər] Kap *n* Traˈfalgar (*an der Südwestküste Spaniens. 1805 Seesieg Nelsons über die franz.-span. Flotte*).
Tra·lee [trəˈliː] *Stadt in Kerry, Irland.*
Trans·vaal [*Br.* ˈtrænzvɑːl; -ns-; *Am.* trænsˈvɑːl; -nz-] Transˈvaal *n* (*Nördl. Provinz der Südafrik. Republik*).
Trav·erse, Lake [ˈtrævərs] *See in South Dakota u. Minnesota, USA.*
Tre·de·gar [triˈdiːgər] *Stadt in Monmouthshire, England.*
Treng·ga·nu [treŋˈgɑːnuː] Trengganu *n* (*Staat des Malaiischen Bundes*).
Trent [trent] a) Triˈent *n* (*Stadt im nordöstl. Italien*), b) *Fluß in Mittelengland.*
Tren·ton [ˈtrentən] *Hauptstadt von New Jersey, USA.*
Treves [triːvz] Trier *n.*
Trin·i·dad and To·ba·go [ˈtriniˌdæd; toˈbeigou] *Inseln der Kleinen Antillen; unabhängiger Commonwealth-Staat.*
Trip·o·li [ˈtripəli; -po-] Tripolis *n:* a) *Hauptstadt von Libyen u. Tripolitanien,* b) *Hafenstadt im nordwestl. Libanon.*
Trow·bridge [ˈtrouˌbridʒ] *Stadt in Wiltshire, England.*
Troy [trɔi] *antiq.* Troja *n* (*Stadt im nordwestl. Kleinasien*).
Tru·cial O·man [*Br.* ˈtruːsjəl oˈmɑːn; *Am.* ˈtruːʃəl oˈmæn] Befriedetes Oˈman (*Vertragsstaaten im südöstl. Arabien*).
Tul·sa [ˈtʌlsə] *Stadt im nordöstl. Oklahoma, USA.*
Tun·bridge Wells [ˈtʌnˌbridʒ] *Badeort in Kent, England.*
Tu·nis [ˈtjuːnis; *Am. auch* ˈtuː-] a) → Tunisia, b) *Hauptstadt von Tunesien.*
Tu·ni·si·a [*Br.* tju(ː)ˈniziə; *Am.* -ʃə; -ʒiə; -ʒə; *auch* tuː-] Tuˈnesien *n* (*Staat in Nordafrika*).
Tur·key [ˈtəːrki] Türˈkei *f.*
Tus·ca·ny [ˈtʌskəni] Tosˈkana *f* (*Landschaft in Mittelitalien*).
Tweed [twiːd] *Fluß in England u. Schottland.*
Twick·en·ham [ˈtwiknəm] *Vorstadt von London, in Middlesex.*
Ty·burn [ˈtaibəːrn] *Ehemalige Richtstätte in London.*
Tyldes·ley [ˈtildzli] *Stadt in Lancashire, England.*
Tyne [tain] *Fluß in Northumberland, England.*
Tyne·mouth [ˈtainmauθ; -məθ] *Stadt in Northumberland, England.*
Ty·rol [ˈtirəl; -rɒl; tiˈroul] Tiˈrol *n.*
Ty·rone [tiˈroun] *Grafschaft in Nordirland.*
Tyr·rhe·ni·an Sea [tiˈriːniən; -njən] Tyrˈrhenisches Meer.

U

U·gan·da [ju(ː)ˈgændə; uːˈgɑːndɑː] *Land in Ostafrika.*
U·in·ta Moun·tains [ju(ː)ˈintə] *Gebirge in Utah, USA.*
U·ist [ˈjuːist; *Am. auch* ˈuː-] *Zwei Inseln der Äußeren Hebriden, Schottland.*
U·kraine [ju(ː)ˈkrein; -ˈkrain; *Am. auch* ˈjuːkrein] *Südl. Teil der europ. UdSSR.*
U·lan Ba·tor (Kho·to) [ˈuːlɑːn ˈbɑːtɔːr (ˈkoutou)] Ulan-Bator(-Choto) *n* (*Hauptstadt der Mongolischen Volksrepublik*).
Ul·ster [ˈʌlstər] *Provinz in Nordirland.*
U·nit·ed Ar·ab Re·pub·lic Vereinigte Aˈrabische Repuˈblik.
Up·per Vol·ta [ˈʌpərˈvɒltə] Obervolta *n* (*Republik in Westafrika*).
U·ral Moun·tains [ˈju(ə)rəl] Uˈral *m* (*Gebirge in der UdSSR. Grenze zwischen Europa u. Asien*).
U·ru·guay [ˈuruˌgwai; -rə-; ˈju(ə)rə-; *Am. auch* -ˌgwei] a) *Republik im Südosten Südamerikas,* b) *Fluß im Südosten Südamerikas.*
Ush·ant [ˈʌʃənt] *Insel vor der Nordwestküste Frankreichs.*
U·tah [ˈjuːtɔː; -tɑː] *Staat im Westen der USA.*
U·ti·ca [ˈjuːtikə; -tə-] *Stadt im Staat New York, USA.*
Ut·tox·e·ter [juːˈtɒksitər; ʌˈt-] *Stadt in Staffordshire, England.*
Ux·bridge [ˈʌksbridʒ] *Vorstadt von London, in Middlesex.*

V

Va·duz [fɑːˈduːts] *Hauptort des Fürstentums Liechtenstein.*
Va·lais [ˌvɑˈlɛ; ˈvælei] Wallis *n* (*Kanton in der südwestl. Schweiz*).
Val·let·ta [vəˈletə] *Hauptstadt von Malta.*
Van·cou·ver [vænˈkuːvər] *Stadt in Brit. Columbia, Kanada.*
Vat·i·can Cit·y [ˈvætikən; -tə-] Vatiˈkanstadt *f.*
Vaud [vou] Waadt *n* (*Kanton in der westl. Schweiz*).
Vaux·hall [ˈvɒksˈhɔːl] *Londoner Straßenname.*
Ven·e·zu·e·la [ˌveneˈzweilə; *Am. auch* ˌvenəˈzwiːlə; -nəzəˈwiː-] *Republik im Norden Südamerikas.*
Ven·ice [ˈvenis] Veˈnedig *n.*
Vent·nor [ˈventnər] *Stadt auf der Insel Wight, im Ärmelkanal.*
Ver·dun[1] [*Br.* ˈvɛədʌn; *Am.* vərˈdʌn; vəːr-] *Stadt u. Festung im nordöstl. Frankreich.*
Ver·dun[2] [vəːrˈdʌn] *Stadt in Quebec, Kanada.*
Ver·mont [vərˈmɒnt] *Staat im Osten der USA.*
Vert, Cape [vəːrt] Kap *n* Verde (*Westlichster Punkt Afrikas*).
Ve·su·vi·us [viˈsuːviəs; və-; -ˈsjuː-; -vjəs] Veˈsuv *m* (*Vulkan in Süditalien bei Neapel*).
Vic·to·ri·a [vikˈtɔːriə] a) *Austral. Bundesstaat, Südostaustralien,* b) *Hafenstadt an der Südostküste Chinas,* c) *Hauptstadt von British Columbia, Kanada.*
Vi·en·na [viˈenə] Wien *n.*
Viet·nam, Viet-Nam [ˈvjetˈnæm; -ˈnɑːm; viet-; ˈviːt-; vi(ː)t-; -ˈnæm] Vietnam *n.*
Vir·gin·ia [vərˈdʒinjə; -niə] *Staat im Osten der USA.*
Vir·gin Is·lands [ˈvəːrdʒin] Jungferninseln *pl* (*Kleine Antillen, Westindien*).

W

Wa·bash [ˈwɔːbæʃ] *Nebenfluß des Ohio in Indiana u. Illinois, USA.*
Wai·ki·ki Beach [ˌwaikiˈkiː] *Badestrand von Honolulu, Hawaii, Pazifischer Ozean.*

Wake·field ['weikˌfi:ld] a) *Stadt in Yorkshire, England,* b) *Stadt in Massachusetts, USA.*
Wales [weilz] *Halbinsel Großbritanniens an der Irischen See.*
Wal·la·sey ['wɒləsi] *Stadt in Cheshire, England.*
Wal·mer ['wɔ:lmər] *Stadt in Kent, England.*
Wal·sall ['wɔ:lsɔ:l] *Stadt in Staffordshire, England.*
Walt·ham Ab·bey ['wɔ:ltəm; -θəm] *Stadt in Essex, England.*
Wal·tham·stow ['wɔ:lθəmˌstou; -təm-] *Vorstadt von London, in Essex.*
Wands·worth ['wɒndzwə(:)rθ] *Stadtteil von London.*
Wang·a·nu·i [*Br.* ˌwɒŋə'nui; *Am.* 'wɑŋəˌnu:i] *Hafenstadt auf der Nordinsel von Neuseeland.*
Wan·stead and Wood·ford ['wɒnstid; -sted; 'wudfərd] *Vorstadt von London, in Essex.*
War·dle ['wɔ:rdl] *Stadt in Lancashire, England.*
Ware·ham ['wɛ(ə)rəm] *Stadt in Dorsetshire, England.*
War·ring·ton ['wɒriŋtən; *Am. auch* 'wɔ:r-] *Stadt in Lancashire, England.*
War·saw ['wɔ:rsɔ:] Warschau *n.*
War·wick ['wɒrik; *Am. auch* 'wɔ:r-] a) → Warwickshire, b) *Hauptstadt von Warwickshire.*
War·wick·shire ['wɒrikˌʃir; -ʃər; *Am. auch* 'wɔ:r-] *Grafschaft in Mittelengland.*
Wash, the [wɒʃ; *Am. auch* wɔ:ʃ] *Meerbusen an der engl. Nordseeküste.*
Wash·ing·ton ['wɒʃiŋtən; *Am. auch* 'wɔ:ʃ-] a) *Staat im Nordwesten der USA,* b) *Hauptstadt der USA.*
Wash·i·ta ['wɒʃiˌtɔ:; *Am. auch* 'wɔ:ʃə-] a) → Ouachita, b) *Fluß in Oklahoma, USA.*
Wast Wa·ter [wɒst] *See im Lake District, Cumberland, England.*
Wa·ter·bur·y ['wɔ:tərbəri; -bri; *Am. auch* -ˌberi] *Stadt in Connecticut, USA.*
Wa·ter·ford ['wɔ:tərfərd] *Grafschaft im Süden Irlands.*
Wa·ter·loo [ˌwɔ:tər'lu:; 'wɔ:tərˌlu:] *Ort südl. von Brüssel, Belgien. 1815 Sieg Blüchers u. Wellingtons über Napoleon I.*
Wat·ford ['wɒtfərd] *Stadt in Hertfordshire, England.*
Weald, the [wi:ld] *Landschaft im südöstl. England.*
Wednes·bur·y ['wenzbəri; -bri; *Am. auch* -ˌberi] *Stadt in Staffordshire, England.*
Wel·fare Is·land ['welˌfɛr] *Insel im East River der Stadt New York.*
Wel·ling·ton ['weliŋtən] *Hauptstadt von Neuseeland.*
Wells [welz] *Stadt in Somersetshire, England.*
Wel·wyn Gar·den Cit·y ['welin] *Stadt in Hertfordshire, England.*
Wem·bley ['wembli] *Vorstadt von London, in Middlesex.*
Wen·lock ['wenlɒk] *Stadt in Shropshire, England.*
Wes·sex ['wesiks; -seks] *hist. Angelsächsisches Königreich im südwestl. England.*
West Brom·wich ['brɒmidʒ; -itʃ; 'brʌm-] *Stadt in Staffordshire, England.*
West·ern Aus·tra·lia [ɔ:s'treiljə] 'Westauˌstralien *n (Austral. Bundesstaat).*
West·gate on Sea ['wesgit; 'west-] *Stadt in Kent, England.*
West Ham [hæm] *Vorstadt von London, in Essex.*
West Har·tle·pool ['hɑ:rtliˌpu:l; -tlˌpu:l] *Hafenstadt in Durham, England.*
West In·dies ['indi(:)z] West'indien *n (Die Inseln Mittelamerikas).*
West Lo·thi·an ['louðiən; -ðjən] *Grafschaft im südöstl. Schottland.*
West·meath [*Br.* west'mi:ð; *Am.* 'westˌmi:θ] *Grafschaft in Irland.*
West·min·ster ['wesˌminstər; 'west-] *Stadtteil von London.*
West·mor·land ['wesmərlənd; 'west-] *Grafschaft in Nordwestengland.*
Wes·ton su·per Mare ['westənˌsju:pər'mɛr] *Stadt in Somersetshire, England.*
West·pha·lia [west'feiljə; -liə] West'falen *n.*
West Rid·ing ['raidiŋ] *Verwaltungsbezirk der Grafschaft Yorkshire, England.*
West Vir·gin·ia [vər'dʒinjə; -niə] *Staat im Osten der USA.*
West·ward Ho! ['westwərd'hou] *Ort in Devonshire, England.*
Wex·ford ['weksfərd] *Grafschaft im südöstl. Irland.*
Wey·mouth ['weiməθ] a) *Stadt in Dorsetshire, England,* b) *Stadt in Massachusetts, USA.*
Wha·ley Bridge ['(h)weili] *Stadt in Derbyshire, England.*
Whit·by ['(h)witbi] *Stadt in Yorkshire, England.*
Whit·church ['(h)witˌtʃə:rtʃ] *Stadt in Hampshire, England.*
Wich·i·ta ['witʃiˌtɔ:; 'witʃə-] a) *Stadt in Kansas, USA,* b) *Fluß in Texas, USA.*
Wick·low ['wiklou] *Grafschaft im Osten Irlands.*
Wid·nes ['widnis; -nes] *Stadt in Lancashire, England.*
Wi·gan ['wigən] *Stadt in Lancashire, England.*
Wight, Isle of [wait] *Insel vor der Südküste Englands, im Ärmelkanal.*
Wig·town ['wigtən; *Am. auch* -ˌtaun] a) → Wigtownshire, b) *Hauptstadt von Wigtownshire.*
Wig·town·shire ['wigtənˌʃir; -ʃər; *Am. auch* -ˌtaun-] *Grafschaft im südwestl. Schottland.*
Willes·den ['wilzdən] *Vorstadt von London, in Middlesex.*
Wil·ming·ton ['wilmiŋtən] *Hafenstadt in Delaware, USA.*
Wil·ton ['wiltən] *Stadt in Wiltshire, England.*
Wilt·shire ['wiltʃir; -ʃər], *auch* **Wilts** [wilts] *Grafschaft in Südengland.*
Wim·ble·don ['wimbldən] *Vorstadt von London, in Surrey.*
Wim·borne ['wimbɔ:rn] *Stadt in Dorsetshire, England.*
Win·ches·ter ['wintʃistər; *Am. auch* -ˌtʃestər] *Stadt in Hampshire, England.*
Win·der·mere ['windərˌmir] *See im Lake District, Westmorland, England.*
Wind·hoek ['vintˌhuk] Windhuk *n (Hauptstadt von Südwest-Afrika).*
Wind·sor ['winzər] a) *Stadt in Berkshire, England,* b) *Stadt in Ontario, Kanada.*
Wink·field ['wiŋkˌfi:ld] *Stadt in Berkshire, England.*
Win·ne·ba·go, Lake [ˌwinə'beigou] Winne'bagosee *m (in Wisconsin, USA).*
Win·ni·peg ['winiˌpeg; -nə-] a) *Hauptstadt von Manitoba, Kanada,* b) *Fluß im südl. Kanada.*
Win·ter·ton ['wintərtən] *Stadt inLincolnshire, England.*
Wis·bech ['wizbi:tʃ] *Stadt in Cambridgeshire, England.*
Wis·con·sin [wis'kɒnsin; -sən] a) *Staat im Nordosten der USA,* b) *Fluß in Wisconsin, USA.*
Wish·aw ['wiʃɔ:] → Motherwell and Wishaw.
Wit·ham[1] ['wiðəm] *Fluß in Lincolnshire, England.*
Wit·ham[2] ['witəm] *Stadt in Essex, England.*
Wo·burn ['woubə:rn] *Londoner Straßenname.*
Wo·king ['woukiŋ] *Stadt in Surrey, England.*
Wolds, the [wouldz] *Höhenzug in Yorkshire u. Lincolnshire, England.*
Wol·sing·ham ['wɒlsiŋəm] *Stadt in Durham, England.*
Wol·ver·hamp·ton ['wulvərˌhæmptən; ˌwulvər'hæmptən] *Stadt in Staffordshire, England.*
Wol·ver·ton ['wulvərtn] *Stadt in Buckinghamshire, England.*
Womb·well ['wumwel] *Stadt in Yorkshire, England.*
Wool·wich ['wulidʒ] *Stadtteil von London.*
Worces·ter ['wustər] a) → Worcestershire, b) *Hauptstadt von Worcestershire,* c) *Stadt in Massachusetts, USA.*
Worces·ter·shire ['wustərˌʃir; -ʃər] *Grafschaft im westl. Mittelengland.*
Work·sop ['wə:rkˌsɒp; *Am. auch* -ˌsʌp] *Stadt in Nottinghamshire, England.*
Wors·ley ['wə:rsli] *Stadt in Lancashire, England.*
Wor·thing ['wə:rðiŋ] *Seebad in Sussex, England.*
Wran·gell Moun·tains ['ræŋgəl] *Vulkangruppe im südöstl. Alaska.*
Wrath, Cape [rɔ:θ] *Kap im Nordwesten von Sutherland, Schottland.*
Wre·kin, the ['ri:kin] *Berg in Shropshire, England.*
Wrex·ham ['reksəm] *Stadt in Denbigshire, Wales.*
Wye [wai] *Fluß in Wales u. Westengland.*
Wynd·ham ['windəm] *Stadt im Norden von Westaustralien.*
Wy·o·ming [wai'oumiŋ] *Staat im Westen der USA.*

Y

Yal·ta ['jæltə; 'jɔ:ltə] Jalta *n (Hafenstadt auf der Krim, UdSSR. Konferenz 1945).*
Yar·mouth, Great ['greit 'jɑ:rməθ] *Hafenstadt in Norfolk, England.*
Yel·low·stone ['jelouˌstoun] *Rechter Nebenfluß des Missouri in Wyoming u. Montana, USA.*
Yem·en ['jemən] Jemen *m (Republik im südwestl. Arabien).*
Yeo [jou] *Name mehrerer Flüsse in England.*
Yeo·vil ['jouvil] *Stadt in Somersetshire, England.*
Yon·kers ['jɒŋkərz] *Stadt im Staat New York, USA.*
York [jɔ:rk] a) → Yorkshire, b) *Hauptstadt von Yorkshire.*
Yorke Pen·in·su·la [jɔ:rk] Yorke-Halbinsel *f (Südaustralien).*
York·shire ['jɔ:rkʃir; -ʃər] *Grafschaft in Nordengland.*
Youghal [jɔ:l] *Hafenstadt in Cork, Südirland.*
Youngs·town ['jʌŋzˌtaun] *Stadt in Ohio, USA.*
Y·than ['aiθən] *Fluß in Aberdeenshire, Schottland.*
Yu·go·sla·vi·a ['ju:go'slɑ:viə; -vjə; *Am. auch* -'slæv-] Jugo'slawien *n.*
Yu·kon ['ju:kɒn] a) *Strom im nordwestl. Nordamerika,* b) *Gebiet im nordwestl. Kanada.*

Z

Zam·be·zi [zæm'bi:zi] Sam'besi *m (Strom in Südafrika).*
Zam·bi·a ['zæmbjə] Sambia *n (Republik in Südafrika).*
Zan·zi·bar [ˌzænzi'bɑ:r; 'zænziˌbɑ:r; -zə-] Sansibar *n (Insel vor der Ostküste Afrikas; Teil von Tansania).*
Zu·lu·land ['zu:lu(:)ˌlænd] *Gebiet im Osten der Südafrik. Republik.*
Zu·rich ['zu(ə)rik; 'zju(ə)-] Zürich *n.*

V. ZAHLWÖRTER — V. NUMERALS

1. GRUNDZAHLEN
1. CARDINAL NUMBERS

0	nought, zero, cipher	null
1	one	eins
2	two	zwei
3	three	drei
4	four	vier
5	five	fünf
6	six	sechs
7	seven	sieben
8	eight	acht
9	nine	neun
10	ten	zehn
11	eleven	elf
12	twelve	zwölf
13	thirteen	dreizehn
14	fourteen	vierzehn
15	fifteen	fünfzehn
16	sixteen	sechzehn
17	seventeen	siebzehn
18	eighteen	achtzehn
19	nineteen	neunzehn
20	twenty	zwanzig
21	twenty-one	einundzwanzig
22	twenty-two	zweiundzwanzig
30	thirty	dreißig
31	thirty-one	einunddreißig
40	forty	vierzig
41	forty-one	einundvierzig
50	fifty	fünfzig
51	fifty-one	einundfünfzig
60	sixty	sechzig
61	sixty-one	einundsechzig
70	seventy	siebzig
71	seventy-one	einundsiebzig
80	eighty	achtzig
90	ninety	neunzig
100	a (*od.* one) hundred	hundert
101	hundred and one	hundert(und)eins
200	two hundred	zweihundert

2. ORDNUNGSZAHLEN
2. ORDINAL NUMBERS

1st	first	erste
2(n)d	second	zweite
3(r)d	third	dritte
4th	fourth	vierte
5th	fifth	fünfte
6th	sixth	sechste
7th	seventh	siebente
8th	eighth	achte
9th	ninth	neunte
10th	tenth	zehnte
11th	eleventh	elfte
12th	twelfth	zwölfte
13th	thirteenth	dreizehnte
14th	fourteenth	vierzehnte
15th	fifteenth	fünfzehnte
16th	sixteenth	sechzehnte
17th	seventeenth	siebzehnte
18th	eighteenth	achtzehnte
19th	nineteenth	neunzehnte
20th	twentieth	zwanzigste
21st	twenty-first	einundzwanzigste
22(n)d	twenty-second	zweiundzwanzig-ste
23(r)d	twenty-third	dreiundzwanzig-ste
30th	thirtieth	dreißigste
31st	thirty-first	einunddreißigste
40th	fortieth	vierzigste
41st	forty-first	einundvierzigste
50th	fiftieth	fünfzigste
51st	fifty-first	einundfünfzigste
60th	sixtieth	sechzigste
61st	sixty-first	einundsechzigste
70th	seventieth	siebzigste
71st	seventy-first	einundsiebzigste
80th	eightieth	achtzigste
81st	eighty-first	einundachtzigste
90th	ninetieth	neunzigste

1. GRUNDZAHLEN
1. CARDINAL NUMBERS

572	five hundred and seventy-two	fünfhundert(und)-zweiundsiebzig
1,000	a (*od.* one) thousand	tausend
2,000	two thousand	zweitausend
1,000,000	a (*od.* one) million	eine Million
2,000,000	two million	zwei Millionen
1,000,000,000	a (*od.* one) milliard, *Am.* billion	eine Milliarde
1,000,000,000,000	a (*od.* one) billion, *Am.* trillion	eine Billion

2. ORDNUNGSZAHLEN
2. ORDINAL NUMBERS

100th	(one) hundredth	hundertste
101st	hundred and first	hundertunderste
200th	two hundredth	zweihundertste
300th	three hundredth	dreihundertste
572(n)d	five hundred and seventy-second	fünfhundert(und)-zweiundsiebzigste
1,000th	(one) thousandth	tausendste
2,000th	two thousandth	zweitausendste
1,000,000th	(one) millionth	millionste
2,000,000th	two millionth	zweimillionste

3. BRUCHZAHLEN
3. FRACTIONAL NUMBERS

$^1/_2$	one (*od.* a) half	ein halb
$1^1/_2$	one and a half	anderthalb
$^1/_2$ m.	half a m.	eine halbe Meile
$^1/_3$	one (*od.* a) third	ein Drittel
$^2/_3$	two thirds	zwei Drittel
$^1/_4$	one (*od.* a) fourth one (*od.* a) quarter	ein Viertel
$^3/_4$	three fourths three quarters	drei Viertel
$2^1/_4$ h.	two hours and a quarter	zwei und eine Viertelstunde
$^1/_5$	one (*od.* a) fifth	ein Fünftel
$^1/_6$	one (*od.* a) sixth	ein Sechstel
$3^4/_5$	three and four fifths	drei vier Fünftel
.4	point four	Null Komma vier (0,4)
2.5	two point five	zwei Komma fünf (2,5)

Bei Dezimalstellen zentriert das britische Englisch den Punkt; das amerikanische Englisch läßt ihn auf der Zeile: *Br.* 10·41 *ft.*; *Am.* 10.41 *ft.*

4. ANDERE ZAHLENWERTE
4. OTHER NUMERICAL VALUES

Single	einfach
double	zweifach
threefold, treble, triple	dreifach
fourfold, quadruple	vierfach
fivefold *etc*	fünffach *etc*
Once	einmal
twice	zweimal
three times	dreimal
four times	viermal
five times *etc*	fünfmal *etc*
twice as much (*od.* many)	zweimal soviel(e)
once more	noch einmal
Firstly *od.* in the first place	erstens
secondly *od.* in the second place	zweitens
thirdly *od.* in the third place *etc*	drittens *etc*

VI. TEMPERATUR-UMRECHNUNGSREGELN
VI. RULES FOR CONVERTING TEMPERATURES

	Celsius	*Fahrenheit*	*Réaumur*
x °C	—	$= (32+\frac{9}{5}x)$ °F	$= (\frac{4}{5}x)$ °R
x °F	$= (x—32)\frac{5}{9}$ °C	—	$= (x—32)\frac{4}{9}$ °R
x °R	$= (\frac{5}{4}x)$ °C	$= (32+\frac{9}{4}x)$ °F	—

VII. TEMPERATUR-UMRECHNUNGSTABELLEN
VII. CONVERSION TABLES OF TEMPERATURES

Fahrenheit °F	Celsius °C	Réaumur °R	°F	°C	°R
+482	+250	+200	104.0	40.0	32.0
392	200	160	103.6	39.8	31.8
302	150	120	103.3	39.6	31.7
212	100	80	102.9	39.4	31.5
176	80	64	102.6	39.2	31.4
140	60	48	102.2	39.0	31.2
122	50	40	101.8	38.8	31.0
104	40	32	101.5	38.6	30.9
86	30	24	101.1	38.4	30.7
68	20	16	100.8	38.2	30.6
50	10	8	100.4	38.0	30.4
32	0	0	100.0	37.8	30.2
14	—10	— 8	99.7	37.6	30.1
0	—17.8	—14.2	99.3	37.4	29.9
— 4	—20	—16	99.0	37.2	29.8
—22	—30	—24	98.6	37.0	29.6
—40	—40	—32	98.2	36.8	29.4
			97.9	36.6	29.3

VIII. MASSE UND GEWICHTE — VIII. WEIGHTS AND MEASURES

1. BRITISCHE UND AMERIKANISCHE MASSE UND GEWICHTE

1. BRITISH AND AMERICAN WEIGHTS AND MEASURES

a) Längenmaße — Linear Measure

1 line			=	2,12	mm
1 inch	=	12 lines	=	2,54	cm
1 foot	=	12 inches	=	0,3048	m
1 yard	=	3 feet	=	0,9144	m
1 (statute) mile	=	1760 yards	=	1,6093	km
1 (land) league	=	3 (statute) miles	=	4,827	km
1 hand	=	4 inches	=	10,16	cm
1 rod (perch, pole)	=	$5^1/_2$ yards	=	5,029	m
1 chain	=	4 rods	=	20,117	m
1 furlong	=	10 chains	=	201,168	m

b) Kettenmaße — Chain Measure

(Gunter's *od.* surveyor's chain)

1 link	=	7.92	inches	=	20,12	cm
1 chain	=	100	links	=	20,117	m
1 furlong	=	10	chains	=	201,168	m
1 (statute) mile	=	80	chains	=	1,6093	km

c) Nautische Maße — Nautical Measure

1 fathom	=	6 feet	=	1,829	m
1 cable's length	=	100 fathoms	=	182,9	m
		mar. mil. Br. = 608 feet	=	185,3	m
		mar. mil. Am. = 720 feet	=	219,5	m
1 nautical mile	=	10 cables' length	=	1,853 *od.* 1,852	km (*international*)
	=	1.1508 (statute) miles			
1 marine league	=	3 nautical miles	=	5,56	km
60 nautical miles	=	1 Längengrad am Äquator			

d) Flächenmaße — Square Measure

1 square inch			=	6,452	cm²
1 square foot	=	144 square inches	=	929,029	cm²
1 square yard	=	9 square feet	=	8361,260	cm²
1 acre	=	4840 square yards	=	4046,8	m²
1 square mile	=	640 acres	=	259	ha = 2,59 km²

1 square rod (square pole, square perch)	=	$30^1/_4$ square yards	= 25,293 m²
1 rood	=	40 square rods	= 1011,72 m²
1 acre	=	4 roods	= 4046,8 m²

e) Raummaße — Cubic Measure

1 cubic inch		= 16,387 cm³
1 cubic foot	= 1728 cubic inches	= 0,02832 m³
1 cubic yard	= 27 cubic feet	= 0,7646 m³

f) Schiffsmaße — Shipping Measure

1 register ton	= 100 cubic feet	= 2,8317 m³
1 freight ton *od.* measurement ton *od.* shipping ton	= *Br.* 40 cubic feet	= 1,133 m³
	Am. auch 42 cubic feet	= 1,189 m³
1 displacement ton	= 35 cubic feet	= 0,991 m³

g) Hohlmaße — Measure of Capacity

			Flüssigkeitsmaße Liquid Measure	Trockenmaße Dry Measure
Britisch				
1 fluid ounce			= 0,0284 l	0,0284 l
1 gill	= 5	fluid ounces	= 0,142 l	0,142 l
1 pint	= 4	gills	= 0,568 l	0,568 l
1 (imperial) quart	= 2	pints	= 1,136 l	1,136 l
1 (imperial) gallon	= 4	quarts	= 4,5459 l	4,5459 l
1 peck	= 2	gallons	= —	9,092 l
1 bushel	= 4	pecks	= —	36,368 l
1 quarter	= 8	bushels	= 290,935 l	290,935 l
1 barrel	= 36	gallons	= 163,656 l	Obst 115,6 l
Amerikanisch				
1 gill			= 0,1183 l	—
1 pint	= 4	gills	= 0,4732 l	0,5506 l
1 quart	= 2	pints	= 0,9464 l	1,1012 l
1 gallon	= 4	quarts	= 3,7853 l	4,405 l
1 peck	= 2	gallons	= —	8,8096 l
1 bushel	= 4	pecks	= —	35,2383 l
1 barrel	= 31.5	gallons	= 119,228 l	
1 hogshead	= 2	barrels	= 238,456 l	
1 barrel petroleum	= 42	gallons	= 158,97 l	

h) Apothekermaße (Flüssigkeiten) — Apothecaries' Fluid Measure

1 minim		*Br.* = 0,0592 ml
		Am. = 0,0616 ml
1 fluid dram	= 60 minims	*Br.* = 3,5515 ml
		Am. = 3,6966 ml

1 fluid ounce		= 8 drams	*Br.*	= 0,0284 l
			Am.	= 0,02957 l
1 pint	*Br.*	= 20 fluid ounces		= 0,5683 l
	Am.	= 16 fluid ounces		= 0,4732 l

i) Handelsgewichte — Avoirdupois Weight

1 grain			= 0,0648 g
1 dram		= 27.3438 grains	= 1,772 g
1 ounce		= 16 drams	= 28,35 g
1 pound		= 16 ounces	= 453,59 g
1 hundredweight = 1 quintal	*Br.*	= 112 pounds	= 50,802 kg
	Am.	= 100 pounds	= 45,359 kg
1 long ton	*Br.*	= 20 hundredweights	= 1016,05 kg
	Am.	= 20 hundredweights	= 907,185 kg
1 stone		= 14 pounds	= 6,35 kg
1 quarter	*Br.*	= 28 pounds	= 12,701 kg
	Am.	= 25 pounds	= 11,339 kg
Am. 1 bushel wheat		= 60 pounds	= 27,216 kg
Am. 1 bushel rye, corn		= 56 pounds	= 25,401 kg
Am. 1 bushel barley		= 48 pounds	= 21,772 kg
Am. 1 bushel oats		= 32 pounds	= 14,515 kg

j) Apothekergewichte — Apothecaries' Weight

1 grain		= 0,0648 g
1 scruple	= 20 grains	= 1,2960 g
1 dram	= 3 scruples	= 3,8879 g
1 ounce	= 8 drams	= 31,1035 g
1 pound	= 12 ounces	= 373,2418 g

2. DEUTSCHE MASSE UND GEWICHTE

2. GERMAN WEIGHTS AND MEASURES

a) Längenmaße — Linear Measure

1 mm		= 0.0394 inch
1 cm	= 10 mm	= 0.3937 inch
1 dm	= 10 cm	= 3.9370 inches
1 m	= 10 dm	= 1.0936 yards
1 dkm	= 10 m	= 10.9361 yards
1 hm	= 10 dkm	= 109.3614 yards
1 km	= 10 hm	= 0.6214 mile

b) Flächenmaße — Square Measure

1 mm^2		= 0.00155 square inch
1 cm^2	= 100 mm^2	= 0.15499 square inch
1 dm^2	= 100 cm^2	= 15.499 square inches
1 m^2	= 100 dm^2	= 1.19599 square yards

1 dkm²	= 100 m²	= 119.5993	square yards
1 hm²	= 100 dkm²	= 2.4711	acres
1 km²	= 100 hm²	= 247.11	acres = 0.3861 square mile
1 m²		= 1,549.9	square inches
1 a	= 100 m²	= 119.5993	square yards
1 ha	= 100 a	= 2.4711	acres
1 km²	= 100 ha	= 247.11	acres = 0.3861 square mile

c) Raummaße — Cubic Measure

1 mm³		= 0.000061	cubic inch
1 cm³	= 1000 mm³	= 0.061023	cubic inch
1 dm³	= 1000 cm³	= 61.024	cubic inches
1 m³	= 1000 dm³	= 35.315	cubic feet = 1.3079 cubic yards

d) Hohlmaße — Measure of Capacity

			Britisch British			Amerikanisch American	
1 ml	=	1 cm³	= 16.89	minims		16.23	minims
1 cl	=	10 ml	= 0.352	fluid ounce		0.338	fluid ounce
1 dl	=	10 cl	= 3.52	fluid ounces		3.38	fluid ounces
1 l	=	10 dl	= 1.76	pints		1.06	liquid quarts
					od.	0.91	dry quart
1 dkl	=	10 l	= 2.1998	gallons		2.64	gallons
					od.	0.284	bushel
1 hl	=	10 dkl	= 2.75	bushels		26.418	gallons
1 kl	=	10 hl	= 3.437	quarters		264.18	gallons

e) Gewichte — Weight

			Avoirdupois	
1 mg			= 0.0154	grain
1 cg	=	10 mg	= 0.1543	grain
1 dg	=	10 cg	= 1.543	grains
1 g	=	10 dg	= 15.432	grains
1 dkg	=	10 g	= 0.353	ounce
1 hg	=	10 dkg	= 3.527	ounces
1 kg	=	10 hg	= 2.205	pounds

1 t	= 1000 kg	*Br.*	= 0.9842	long ton
		Am.	= 1.102	short tons

1 Pfd.	=	500 g	= ½ kg		= 1.1023 pounds
1 Ztr.	=	100 Pfd.	= 50 kg	*Br.*	= 0.9842 hundredweight
				Am.	= 1.1023 hundredweights
1 dz	=	100 kg		*Br.*	= 1.9684 hundredweights
				Am.	= 2.2046 hundredweights

IX. UNREGELMÄSSIGE VERBEN — IX. IRREGULAR VERBS

Infinitiv Infinitive	Präteritum Preterite	Partizip Perfekt Past Participle
abide*	abode, abided	abode, abided
arise	arose	arisen
awake*	awoke, awaked	awaked, awoke
backbite	backbit	backbitten, backbit
backslide	backslid	backslid, backslidden
be*	was, were	been
bear*	bore	borne; born
beat*	beat	beaten
become	became	become
befall	befell	befallen
beget*	begot	begotten
begin	began	begun
behold*	beheld	beheld
bend*	bent	bent
bereave	bereaved, bereft	bereaved, bereft
beseech	besought, beseeched	besought, beseeched
beset	beset	beset
bespeak*	bespoke	bespoken
bestride*	bestrode	bestridden
bet	bet, betted	bet, betted
betake	betook	betaken
bethink	bethought	bethought
bid*	bid; bade	bid; bidden
bide	bode, bided	bided
bind*	bound	bound
bite*	bit	bitten
bleed	bled	bled
blend	blended, blent	blended, blent
bless*	blessed, blest	blessed, blest
blow	blew	blown
break*	broke	broken
breed	bred	bred
bring	brought	brought
broadcast*	broadcast	broadcast
browbeat	browbeat	browbeaten
build	built	built
burn	burned, burnt	burned, burnt
burst*	burst	burst
buy	bought	bought
cast	cast	cast
catch	caught	caught
chide*	chid	chid, chided, chidden
choose*	chose	chosen
cleave*	cleft, cleaved, clove	cleft, cleaved, cloven
cling	clung	clung
clothe	clothed, clad	clothed, clad
come	came	come
cost	cost	cost
creep	crept	crept
crow*	crowed; crew	crowed
cut	cut	cut
deal	dealt	dealt
dig*	dug	dug
do*	did	done
draw	drew	drawn
dream	dreamed, dreamt	dreamed, dreamt
drink*	drank	drunk
drive*	drove	driven
dwell*	dwelt	dwelt
eat	ate	eaten
fall	fell	fallen
feed	fed	fed
feel	felt	felt
fight	fought	fought
find	found	found
flee	fled	fled
fling	flung	flung
fly	flew	flown
forbear	forbore	forborne
forbid*	forbade	forbidden
forecast	forecast, forecasted	forecast, forecasted

* Weitere Informationen über Bedeutungsunterschiede und Sonderformen (*obs.*, *dial.* *etc*) finden sich im Wörterverzeichnis A—Z.

Infinitiv Infinitive	Präteritum Preterite	Partizip Perfekt Past Participle
for(e)go	for(e)went	for(e)gone
foreknow	foreknew	foreknown
foresee	foresaw	foreseen
foretell	foretold	foretold
forget*	forgot	forgotten
forgive	forgave	forgiven
forsake	forsook	forsaken
forswear	forswore	forsworn
freeze	froze	frozen
gainsay	gainsaid	gainsaid
get*	got	got
gild	gilded, gilt	gilded, gilt
gird	girded, girt	girded, girt
give	gave	given
go*	went	gone
grave	graved	graven, graved
grind	ground	ground
grow	grew	grown
hamstring	hamstringed, hamstrung	hamstringed, hamstrung
hang*	hung; hanged	hung; hanged
have*	had	had
hear	heard	heard
hew	hewed	hewed, hewn
hide	hid	hidden, hid
hit	hit	hit
hold*	held	held
hurt	hurt	hurt
inlay	inlaid	inlaid
keep	kept	kept
kneel	knelt, kneeled	knelt, kneeled
knit	knit, knitted	knit, knitted
know	knew	known
lade	laded	laden, laded
lay	laid	laid
lead	led	led
lean	leaned, leant	leaned, leant
leap	leaped, leapt	leaped, leapt
learn	learned, learnt	learned, learnt
leave	left	left
lend	lent	lent
let	let	let
lie*	lay	lain
light	lighted, lit	lighted, lit
lose	lost	lost
make	made	made
mean	meant	meant
meet	met	met
misdeal	misdealt	misdealt

Infinitiv Infinitive	Präteritum Preterite	Partizip Perfekt Past Participle
misgive	misgave	misgiven
mislay	mislaid	mislaid
mislead	misled	misled
mistake	mistook	mistaken
misunder-stand	misunderstood	misunderstood
mow	mowed	mowed, mown
outbid	outbid, outbade	outbid, outbidden
outdo	outdid	outdone
outgo	outwent	outgone
outgrow	outgrew	outgrown
outride	outrode	outridden
outrun	outran	outrun
outshine	outshone	outshone
outwear	outwore	outworn
overbear	overbore	overborne
overcast	overcast	overcast
overcome	overcame	overcome
overdo	overdid	overdone
overdraw	overdrew	overdrawn
overeat	overate	overeaten
overfeed	overfed	overfed
overgrow	overgrew	overgrown
overhang	overhung	overhung
overhear	overheard	overheard
overlay	overlaid	overlaid
overleap	overleaped, overleapt	overleaped, overleapt
overlie	overlay	overlain
override	overrode	overridden
overrun	overran	overrun
oversee	oversaw	overseen
overset	overset	overset
overshoot	overshot	overshot
oversleep	overslept	overslept
overspread	overspread	overspread
overtake	overtook	overtaken
overthrow	overthrew	overthrown
partake	partook	partaken
pay*	paid	paid
put	put	put
read	read	read
rebuild	rebuilt	rebuilt
recast	recast	recast
re-lay	re-laid	re-laid
rend	rent	rent
repay	repaid	repaid
reset	reset	reset
retell	retold	retold
rid*	rid	rid

Infinitiv Infinitive	Präteritum Preterite	Partizip Perfekt Past Participle
ride*	rode	ridden
ring[2]*	rang	rung
rise	rose	risen
rive	rived	rived, riven
run*	ran	run
saw	sawed	sawed, sawn
say*	said	said
see	saw	seen
seek	sought	sought
sell	sold	sold
send	sent	sent
set	set	set
sew	sewed	sewed, sewn
shake	shook	shaken
shear*	sheared	sheared, shorn
shed	shed	shed
shine*	shone	shone
shoe	shod	shod
shoot	shot	shot
show*	showed	shown
shrink*	shrank	shrunk
shrive	shrove	shriven
shut	shut	shut
sing*	sang	sung
sink*	sank	sunk
sit*	sat	sat
slay	slew	slain
sleep	slept	slept
slide	slid	slid, slidden
sling	slung	slung
slink*	slunk	slunk
slit	slit	slit
smell	smelled, smelt	smelled, smelt
smite	smote	smitten, smote
sow*	sowed	sowed, sown
speak*	spoke	spoken
speed*	sped, speeded	sped, speeded
spell	spelled, spelt	spelled, spelt
spend	spent	spent
spill	spilled, spilt	spilled, spilt
spin*	spun	spun
spit*	spat	spat
split*	split	split
spread	spread	spread
spring	sprang, sprung	sprung
stand	stood	stood
steal	stole	stolen
stick	stuck	stuck
sting*	stung	stung
stink	stank, stunk	stunk
strew*	strewed	strewed, strewn
stride*	strode	stridden
strike*	struck	struck, stricken
string*	strung	strung
strive*	strove	striven
swear*	swore	sworn
sweat*	sweat, sweated	sweat, sweated
sweep	swept	swept
swell*	swelled	swollen
swim*	swam	swum
swing*	swung	swung
take	took	taken
teach	taught	taught
tear*	tore	torn
tell	told	told
think	thought	thought
thrive	throve, thrived	thriven, thrived
throw	threw	thrown
thrust	thrust	thrust
tread*	trod	trodden, trod
unbend	unbent	unbent
unbind	unbound	unbound
underbid	underbid	underbid, underbidden
undergo	underwent	undergone
undersell	undersold	undersold
understand	understood	understood
undertake	undertook	undertaken
underwrite	underwrote	underwritten
undo	undid	undone
upset	upset	upset
wake*	waked, woke	waked
waylay	waylaid	waylaid
wear	wore	worn
weave*	wove	woven
weep	wept	wept
wet	wet, wetted	wet, wetted
win*	won	won
wind[2]	wound	wound
withdraw	withdrew	withdrawn
withhold	withheld	withheld
withstand	withstood	withstood
wring	wrung	wrung
write*	wrote	written